Catherine Crawford W 22

73 Lodge
Farnh
Surre
GU1

G000065242

SANSONI - HARRAP

STANDARD ITALIAN and ENGLISH DICTIONARY

VOLUME TWO

Italian - English

M-Z

SANSONI - HARRAP

STANDARD ITALIAN and ENGLISH DICTIONARY

VOLUME TWO
Italian - English
M-Z

EDITED BY
The Centro Lessicografico Sansoni
under the general editorship of
VLADIMIRO MACCHI

HARRAP LONDON

Originally published in Italy 1972
by SANSONI EDITORE
Firenze - Roma

First published in Great Britain 1972
by HARRAP LIMITED
19-23 Ludgate Hill, London EC4M 7PD

Reprinted 1983

ISBN 0 245–59634–8

Trade-marks included in this dictionary have not been designated as such

Printed and bound in Great Britain by The Paradigm Press
Gateshead · Tyne & Wear

TABLE OF CONTENTS

INDICE

EDITORIAL STAFF AND CONTRIBUTORS
ELENCO DEI COLLABORATORI

Editor-in-Chief - Redattore capo

John E. Danby

Preparation of the Italian word list - Redazione del lessico italiano

Maria De Simone, Anna Martellotti, Maria Luisa Silvestri

Manuscript revision - Revisione del manoscritto

Carol Ann Ashton

Translation - Traduzione

Ann Ashford, Carol Ann Ashton, Kathleen O'Farrell, Susan O'Leary, Barbara Simms, Michael Sullivan

General revision - Revisione

Giovanna Alessandrello, Adriana Azzolina, Maria Rosa Biagi, Graziella Bovini, Patricia Clark, Giuseppina Delle Cese, Susan O'Leary, Ilda Scabbìa, Lisa Sherman, Barbara Simms, Guendalina Spalletta, Giovanna Zoagli

Secretary - Segretaria di redazione

Guendalina Spalletta

Secretarial Staff - Segreteria

Daisy Frati Wyndham, Oriana Marcucci

PHONETIC SYMBOLS USED TO INDICATE THE PRONUNCIATION
SIMBOLI USATI PER LA TRASCRIZIONE FONETICA

Vowels / Vocali

Phonetic symbol Simbolo fonetico	example esempio
i	*it.* finestra [fi'nɛstra], *ingl.* pin [pin]
ɛ	*it.* certo ['tʃɛrto]
æ	*ingl.* man [mæn]
e	*it.* verde ['verde], *ingl.* men [men]
ə	*ingl.* china ['tʃainə]
a	*it.* marco ['marko]
ɑ	*ingl.* father ['fɑ:ðə]
ɔ	*it.* nostro ['nɔstro], *ingl.* dog [dɔg]
o	*it.* molto ['molto]
u	*it.* busto ['busto], *ingl.* book [buk]
ʌ	*ingl.* butler ['bʌtlə]
œ	*fr.* seul [sœl]
ø	*fr.* peu [pø]
ʏ	*ted.* Hütte [hʏtə]
y	*fr.* tu [ty]

Nasal sounds / Nasali

Phonetic symbol Simbolo fonetico	example esempio
ɛ̃	*fr.* fin [fɛ̃:]
ã	*fr.* en gros [ã'gro:]
ɔ̃	*fr.* bonbon [bɔ̃'bɔ̃]
œ̃	*fr.* parfum [par'fœ̃:]

Semi-vowels / Semivocali

Phonetic symbol Simbolo fonetico	example esempio
j	*it.* coiaio [ko'ja:jo], *ingl.* year [jə:]
ɥ	*fr.* Suisse [sɥis]
w	*ingl.* woman ['wumən]

Consonants / Consonanti

Phonetic symbol Simbolo fonetico	example esempio
p	*it.* pane ['pa:ne], *ingl.* cap [kæp]
b	*it.* abile ['a:bile], *ingl.* boy [bɔi]
t	*it.* tara ['ta:ra], *ingl.* table ['teibl]
d	*it.* moda ['mɔ:da], *ingl.* dog [dɔg]
k	*it.* poco ['pɔ:ko], *ingl.* pick [pik]
g	*it.* gara ['ga:ra], *ingl.* pig [pig]
f	*it.* refe ['re:fe], *ingl.* fish [fiʃ]
v	*it.* vino ['vi:no], *ingl.* very ['veri]
θ	*ingl.* three [θri:]
ð	*ingl.* father ['fɑ:ðə]
s	*it.* sera ['se:ra], *ingl.* sit [sit]
z	*it.* svolta ['zvɔ:lta], *ingl.* these [ði:z]
ʃ	*it.* scena ['ʃɛ:na], *ingl.* ship [ʃip]
ʒ	*ingl.* pleasure ['pleʒə]
tʃ	*it.* cena ['tʃe:na], *ingl.* peach [pi:tʃ]
dz	*it.* orzo ['ɔrdzo]
dʒ	*it.* giro ['dʒi:ro], *ingl.* bridge [bridʒ]
ç	*ted.* ich [iç]
x	*scozz.* loch [lɔx]
h	*ingl.* hand [hænd]
r	*it.* arare [a'ra:re], *ingl.* room [ru:m]
m	*it.* amo ['a:mo], *ingl.* mail [meil]
n	*it.* nome ['no:me], *ingl.* nail [neil]
ŋ	*it.* vengo ['vɛŋgo], *ingl.* sing [siŋ]
ɲ	*it.* bagno ['ba:ɲo]
l	*it.* lino ['li:no], *ingl.* look [luk]
ʎ	*it.* egli ['e:ʎi]

Diacritical marks / Segni diacritici

[']	main stress *accento tonico principale*
[ˌ]	secondary stress *accento tonico secondario*
[:]	vowel lengthening *allungamento della vocale*

ABBREVIATIONS USED IN THE DICTIONARY
ABBREVIAZIONI USATE NEL DIZIONARIO

a.	*aggettivo*	adjective
abbr.	*abbreviazione*	abbreviation
accorc.	*accorciamento*	shortening
accr.	*accrescitivo*	augmentative
⟨Acu⟩	*Acustica*	Acoustics
⟨Aer⟩	*Aeronautica*	Aeronautics
⟨Aer.mil⟩	*Aeronautica militare*	Air Force
agg.	*aggettivo*	adjective
⟨Agr⟩	*Agricoltura*	Agriculture
⟨Alchim⟩	*Alchimia*	Alchemy
⟨Alim⟩	*Alimentari*	Food industry
⟨Alp⟩	*Alpinismo*	Alpinism
⟨am⟩	*americano*	American
⟨am.fam⟩	*americano familiare*	colloquial American usage
⟨Anat⟩	*Anatomia*	Anatomy
⟨ant⟩	*antiquato, arcaismo*	obsolete, archaism
apoc.	*apocope*	apocope
ar.	*arabo*	Arabic
⟨Arald⟩	*Araldica*	Heraldry
⟨Arch⟩	*Architettura*	Architecture
⟨Archeol⟩	*Archeologia*	Archaeology
⟨Arred⟩	*Arredamento*	Furniture, Furnishings
art.	*articolo*	article
⟨Art⟩	*Arte*	Art
⟨Artig⟩	*Artigianato*	Artisanship
⟨Artigl⟩	*Artiglieria*	Artillery
⟨Assic⟩	*Assicurazioni*	Insurance
⟨assol⟩	*usato assolutamente*	used absolutely
⟨Astr⟩	*Astronomia*	Astronomy
⟨Astron⟩	*Astronautica*	Astronautics
⟨Atom⟩	*Fisica atomica*	Atomic physics
att.	*attivo*	active
⟨attr⟩	*attributivo*	attributive
aus.	*ausiliare*	auxiliary
⟨austral⟩	*australiano*	Australian
⟨Aut⟩	*Automobile, Automobilismo*	Motorcars
avv.	*avverbio*	adverb
⟨Bibl⟩	*Bibbia, biblico*	Bible, biblical
⟨Bibliot⟩	*Biblioteche*	Libraries, Librarianship
⟨Biol⟩	*Biologia*	Biology
⟨Bot⟩	*Botanica*	Botany
⟨burocr⟩	*linguaggio burocratico*	officialese
⟨Calz⟩	*Calzaturificio*	Shoemaking
⟨canad⟩	*canadese*	Canadian
⟨Cart⟩	*Industria cartaria*	Papermaking
⟨Ceram⟩	*Ceramica*	Ceramics
⟨Chim⟩	*Chimica*	Chemistry
⟨Chir⟩	*Chirurgia*	Surgery
⟨cin⟩	*linguaggio cinematografico*	Film jargon
⟨Cin⟩	*Cinema, Film*	Film-making
⟨collett⟩	*collettivo*	collective
⟨comm⟩	*linguaggio commerciale*	commercial jargon
⟨Comm⟩	*Commercio*	Business, Commerce
comp.	*composto*	compound
compar.	*comparativo*	comparative
compl.	*complemento*	object
⟨Conc⟩	*Conceria*	Tanning
⟨concr⟩	*concreto, concretamente*	concrete, concretely
condiz.	*condizionale*	conditional
cong.	*congiuntivo*	subjunctive
congz.	*congiunzione*	conjunction
contr.	*contrario*	antonym
correl.	*correlativo, correlativamente*	correlative, correlatively
⟨Cosmet⟩	*Cosmetica*	Cosmetics
costr.	*costruzione*	construction
denom.uff.	*denominazione ufficiale*	official name
⟨Dent⟩	*Dentista, Odontoiatria*	Dentist, Dentistry
⟨dial⟩	*dialettale*	dialectal
dif.	*difettivo*	defective
dim.	*diminutivo*	diminutive
dimostr.	*dimostrativo*	demonstrative
⟨Dipl⟩	*Diplomazia*	Diplomacy
⟨Dir⟩	*Diritto*	Law
⟨Dir.can⟩	*Diritto canonico*	Canon law
⟨Dir.mediev⟩	*Diritto medievale*	Mediaeval law
⟨Dir.rom⟩	*Diritto romano*	Roman law
⟨Dolc⟩	*Dolciumi*	Confectionery
ebr.	*ebraico*	Hebrew
ecc.	*eccetera*	etcetera
⟨Econ⟩	*Economia e Finanza*	Economics, Banking
⟨Edil⟩	*Edilizia*	Building industry

⟨Edit⟩	*Editoria*	Publishing
⟨El⟩	*Elettricità*	Electricity
elis.	*elisione*	elision
⟨enfat⟩	*enfatico*	emphatic
⟨Enol⟩	*Enologia*	Wine-making
⟨Entom⟩	*Entomologia*	Entomology
e.o.	*l'un l'altro*	each other
⟨epist⟩	*stile epistolare*	letter writing
⟨Equit⟩	*Equitazione*	Equitation
⟨esclam⟩	*esclamativo*	exclamation
espec.	*specialmente*	especially
⟨estens⟩	*estensivo*	broadened meaning
etc.	*eccetera*	etcetera
⟨Etnol⟩	*Etnologia*	Ethnology
⟨eufem⟩	*eufemismo, eufemistico*	euphemism, euphemistic
f.	*femminile, sostantivo femminile*	feminine, feminine noun
⟨Fal⟩	*Falegnameria, Carpenteria*	Carpentry
⟨fam⟩	*familiare*	colloquial
⟨Farm⟩	*Farmacia*	Pharmacy
⟨Fasc⟩	*Fascismo*	Fascism
femm.	*femminile*	feminine
⟨Ferr⟩	*Ferrovia*	Railways
⟨fig⟩	*figurato*	figurative
⟨Filat⟩	*Filatelia*	Philately
⟨Filol⟩	*Filologia*	Philology
⟨Filos⟩	*Filosofia*	Philosophy
⟨Fis⟩	*Fisica*	Physics
⟨Fisiol⟩	*Fisiologia*	Physiology
⟨Folcl⟩	*Folclore*	Folklore
⟨Fon⟩	*Fonetica*	Phonetics
⟨Fot⟩	*Fotografia*	Photography
fr.	*francese*	French
fut.	*futuro*	future
⟨Gastr⟩	*Gastronomia*	Gastronomy
⟨GB⟩	*Gran Bretagna*	Great Britain
general.	*generalmente*	generally
⟨Geog⟩	*Geografia*	Geography
⟨Geog.stor⟩	*Geografia storica*	Historical geography
⟨Geol⟩	*Geologia*	Geology
⟨Geom⟩	*Geometria*	Geometry
ger.	*gerundio*	gerund
⟨gerg⟩	*gergale*	slang, jargon
⟨Giard⟩	*Giardinaggio*	Gardening
⟨Ginn⟩	*Ginnastica*	Gymnastics
⟨giorn⟩	*linguaggio giornalistico*	journalese
⟨Giorn⟩	*Giornalismo*	Journalism
gr.	*greco*	Greek
⟨Gramm⟩	*Grammatica*	Grammar
⟨Idr⟩	*Idraulica*	Hydraulics
imperat.	*imperativo*	imperative
impers.	*impersonale*	impersonal
impf.	*imperfetto*	imperfect
ind.	*indicativo*	indicative
⟨Ind⟩	*Industria*	Industry
indef.	*indefinito*	indefinite
inf.	*infinito*	infinitive
⟨infant⟩	*linguaggio infantile*	baby-talk
ingl.	*inglese*	English
⟨intens⟩	*intensivo*	intensive, intensifying
interr.	*interrogativo*	interrogative
intz.	*interiezione*	interjection
inv.	*invariabile*	indeclinable
⟨iperb⟩	*iperbole, iperbolico*	hyperbole, hyperbolic
⟨iron⟩	*ironico*	ironic
⟨irl⟩	*irlandese*	Irish
irr.	*irregolare*	irregular
⟨It⟩	*Italia*	Italy
⟨Itt⟩	*Ittiologia*	Ichthyology
lat.	*latino*	Latin
⟨Lav.femm⟩	*Lavori femminili*	Needlework
⟨Legat⟩	*Legatoria*	Bookbinding
⟨lett⟩	*letterario*	literary
⟨Lett⟩	*Letteratura*	Literature
⟨Ling⟩	*Linguistica*	Linguistics
⟨Lit⟩	*Liturgia*	Liturgy
⟨lomb⟩	*lombardo*	Lombard
m.	*maschile, sostantivo maschile*	masculine, masculine noun
⟨Macell⟩	*Macelleria*	Butchery
⟨mar⟩	*linguaggio marinaro*	nautical jargon
⟨Mar⟩	*Marina*	Merchant Navy

⟨*Mar.ant*⟩	*Marina antica*	Naval history
⟨*Mar.mil*⟩	*Marina militare*	Navy
masch.	*maschile*	masculine
⟨*Mat*⟩	*Matematica*	Mathematics
⟨*Mecc*⟩	*Meccanica*	Mechanics, Machinery
⟨*Med*⟩	*Medicina*	Medicine
⟨*Mediev*⟩	*Medioevo*	Middle Ages
⟨*Met*⟩	*Metallurgia*	Metallurgy
⟨*Meteor*⟩	*Meteorologia*	Meteorology
⟨*Metr*⟩	*Metrica*	Metrics
⟨*mil*⟩	*linguaggio militare*	Army slang
⟨*Mil*⟩	*Arte militare*	Military
⟨*Mil.ant*⟩	*Arte militare antica*	Military history
⟨*Min*⟩	*Mineralogia*	Mineralogy
⟨*Minier*⟩	*Miniere*	Mining
⟨*Mitol*⟩	*Mitologia*	Mythology
⟨*Mitol.nord*⟩	*Mitologia nordica*	Nordic Mythology
⟨*Mod*⟩	*Moda, Modisteria*	Fashion, Millinery
⟨*Mot*⟩	*Motori*	Motors
⟨*Mur*⟩	*Muratura*	Masonry
⟨*Mus*⟩	*Musica*	Music
⟨*napol*⟩	*napoletano*	Neapolitan
⟨*Naz*⟩	*Nazismo*	Nazism
⟨*non com*⟩	*non comune*	uncommon
N.pr.	*nome proprio*	proper noun
num.	*numerale*	numeral
⟨*Numism*⟩	*Numismatica*	Numismatics
o.a.	*l'un l'altro*	one another
⟨*Occult*⟩	*Occultismo*	Occultism
oland.	*olandese*	Dutch
onom.	*onomatopea*	onomatopoeia
⟨*Oref*⟩	*Oreficeria*	Jewellery
⟨*Ornit*⟩	*Ornitologia*	Ornithology
⟨*Orol*⟩	*Orologeria*	Watchmaking
⟨*Ott*⟩	*Ottica*	Optics
⟨*Paleogr*⟩	*Paleografia*	Palaeography
⟨*Paleont*⟩	*Paleontologia*	Palaeontology
⟨*Parl*⟩	*Parlamento*	Parliament
pass.	*passivo*	passive
⟨*Ped*⟩	*Pedagogia*	Pedagogy
pegg.	*peggiorativo*	pejorative
pers.	*persona, personale*	person, personal
⟨*Pesc*⟩	*Pesca*	Fishing
⟨*piem*⟩	*piemontese*	Piedmontese
⟨*Pitt*⟩	*Pittura*	Painting
pl.	*plurale*	plural
⟨*poet*⟩	*poetico*	poetical
⟨*Pol*⟩	*Politica*	Politics
⟨*pop*⟩	*popolare*	popular, lay
port.	*portoghese*	Portuguese
poss.	*possessivo*	possessive
⟨*Post*⟩	*Posta*	Postal Service
p.p.	*participio passato*	past participle
p.pr.	*participio presente*	present participle
pr.	*presente*	present
⟨*pred*⟩	*predicativo*	predicative
pref.	*prefisso*	prefix
p.rem.	*passato remoto*	past definite
prep.	*preposizione*	preposition
prep.art.	*preposizione articolata*	combined form of preposition and article
pres.	*presente*	present
pret.	*preterito*	preterite
pron.	*pronome*	pronoun
Prov.	*proverbio*	proverb
⟨*Psic*⟩	*Psicologia*	Psychology
qc.	*qualcosa*	something
qd.	*qualcuno*	someone
r.	*riflessivo*	reflexive
⟨*Rad*⟩	*Radio*	Radio
⟨*Radiol*⟩	*Radiologia*	Radiology
⟨*rar*⟩	*raro*	rare
⟨*recipr*⟩	*reciproco*	reciprocal
⟨*region*⟩	*regionale*	regional
rel.	*relativo*	relative
⟨*Rel*⟩	*Religione*	Religion
⟨*Rel.catt*⟩	*Religione cattolica*	Roman Catholic Church
⟨*Rel.ebr*⟩	*Religione ebraica*	Jewish Religion
⟨*Rel.ev*⟩	*Religione evangelica*	Protestantism
⟨*Ret*⟩	*Retorica*	Rhetoric
rif. a	*riferito a*	referring to
rifl.	*riflessivo*	reflexive
⟨*roman*⟩	*romanesco*	Roman dialect
rum.	*rumeno*	Rumanian
russ.	*russo*	Russian
s.	*sostantivo*	noun
⟨*Sart*⟩	*Sartoria*	Tailoring
⟨*scherz*⟩	*scherzoso*	jocular
⟨*scol*⟩	*linguaggio scolastico*	school jargon
⟨*Scol*⟩	*Scuola*	School
⟨*scozz*⟩	*scozzese*	Scottish
⟨*Scult*⟩	*Scultura*	Sculpture
s.f.	*sostantivo femminile*	feminine noun
⟨*sicil*⟩	*siciliano*	Sicilian
⟨*Silv*⟩	*Silvicoltura*	Forestry
sim.	*simile*	analogous things
sing.	*singolare*	singular
s.m.	*sostantivo maschile*	masculine noun
s.o.	*qualcuno*	someone
⟨*Sociol*⟩	*Sociologia*	Sociology
sost.	*sostantivo*	noun
sp.	*spagnolo*	Spanish
spec.	*specialmente*	especially
⟨*sport*⟩	*linguaggio sportivo*	sporting jargon
⟨*Sport*⟩	*Sport*	Sport
⟨*spreg*⟩	*spregiativo*	disparaging
⟨*Statist*⟩	*Statistica*	Statistics
s.th.	*qualcosa*	something
⟨*Stor*⟩	*Storia*	History
⟨*Stor.am*⟩	*Storia americana*	American history
⟨*Stor.brit*⟩	*Storia britannica*	British history
⟨*Stor.gr*⟩	*Storia greca*	Ancient Greece
⟨*Stor.rom*⟩	*Storia romana*	Ancient Rome
⟨*Strad*⟩	*Costruzioni e traffico stradali*	Road-building, Road Traffic
⟨*SU*⟩	*Stati Uniti d'America*	United States of America
suff.	*suffisso*	suffix
sup.	*superlativo*	superlative
sved.	*svedese*	Swedish
⟨*teat*⟩	*linguaggio teatrale*	theatre jargon
⟨*Teat*⟩	*Teatro*	Theatre
⟨*tecn*⟩	*termine tecnico*	technical term
ted.	*tedesco*	German
⟨*Tel*⟩	*Telefono, Telegrafo*	Telephony, Telegraphy
⟨*Teol*⟩	*Teologia*	Theology
⟨*Tess*⟩	*Industria tessile*	Textile industry
⟨*Tip*⟩	*Tipografia e arti grafiche*	Printing and Graphic Arts
⟨*Topogr*⟩	*Topografia*	Topography
⟨*tosc*⟩	*toscano*	Tuscan
⟨*triv*⟩	*triviale*	vulgar
⟨*TV*⟩	*Televisione*	Television
ungh.	*ungherese*	Hungarian
⟨*univ*⟩	*linguaggio universitario*	university jargon
⟨*Univ*⟩	*Università*	University
v.	*verbo*	verb
⟨*ven*⟩	*veneto*	Venetian
⟨*venat*⟩	*linguaggio dei cacciatori*	hunting jargon
⟨*Venat*⟩	*Caccia*	Hunting, Shooting
⟨*Vest*⟩	*Vestiario*	Clothing
⟨*Veter*⟩	*Veterinaria*	Veterinary science
⟨*Vetr*⟩	*Vetreria*	Glass-manufacturing
⟨*vezz*⟩	*vezzeggiativo*	form of endearment
v.i.	*verbo intransitivo*	intransitive verb
v.i.impers.	*verbo intransitivo impersonale*	impersonal intransitive verb
⟨*volg*⟩	*volgare*	common, vulgar
v.r.	*verbo riflessivo*	riflexive verb
v.t.	*verbo transitivo*	transitive verb
⟨*Zool*⟩	*Zoologia*	Zoology
⟨*Zootecn*⟩	*Zootecnia*	Animal Husbandry

ITALIAN - ENGLISH DICTIONARY M - Z

DIZIONARIO ITALIANO - INGLESE M - Z

M

m, M ['ɛmme] *f./m.* (*lettera dell'alfabeto*) m, M: *due m* two m's; *una m maiuscola* a capital M; *una m minuscola* a small m; ⟨*Tel*⟩ *m come Milano* M for Mary, ⟨*am*⟩ M for Mike.

m = **1.** ⟨*Gramm*⟩ *maschile* masculine (*abbr.* m., masc.). – **2.** *metro* metre (*abbr.* m.). – **3.** ⟨*Geog*⟩ *monte* mount, mountain (*abbr.* mt., m.). – **4.** *miglio* mile (*abbr.* m., mi.). – **5.** ⟨*Fis*⟩ *massa* mass (*abbr.* m.). – **6.** *massimo* maximum (*abbr.* max.). – **7.** *minimo* minimum (*abbr.* min.). – **8.** ⟨*Farm*⟩ misceantur (*abbr.* m.).

M = **1.** *massimo* maximum (*abbr.* max.). – **2.** *minimo* minimum (*abbr.* min.). – **3.** *martire* martyr.

m/ = ⟨*Comm*⟩ *mio* my.

ma I *congz.* **1.** but: *lo pensavo anch'io,* ~ *mi sbagliavo* I thought so too, but I was wrong. – **2.** (*preceduto dalla negazione*) but, *spesso si sostituisce con un verbo*: *non è rosso* ~ *verde* it's not red, it's green. – **3.** (*anzi, addirittura*) why, indeed, in fact: *un uomo intelligente?* ~ *è un genio* is he intelligent? why, he's a genius; (*al contrario*) on the contrary. – **4.** (*rafforzativo*) really, so: *è una donna brutta,* ~ *tanto brutta* she is an ugly woman, ⌜really very⌝ (*o* oh so) ugly, what an ugly woman she is, she is such an ugly woman. – **5.** (*avversativo*) but, (and) yet, still, though, nevertheless: *queste rose sono molto belle,* ~ *non profumano* these roses are very beautiful, but they have no scent; *è ricchissimo,* ~ *porta sempre vestiti vecchi* he's very rich, yet he always wears old clothes. – **6.** (*in frasi esclamative*) why, but, for Heaven's sake: ~ *smettila con questo chiacchierio!* for Heaven's sake stop that chattering! – **7.** (*pleonastico*) well, but: ~ *se non ci credi* well, if you don't believe it; (*in frasi interrogative*) but, *spesso non si traduce*: ~ *perché?* (but) why? – **II** *intz.* (*chissà*) goodness (*o* who) knows, I don't know, ⟨*fam*⟩ I haven't a clue: *che sarà successo?* – ~*!* what can have happened? – goodness knows! – **III** *s.m. inv.* but, objection: *non c'è* ~ *che tenga* but me no buts.

□ ~ **che** *hai?* what's the matter with you?; ~ *che bugiardo!* what a liar!; ~ **come***?* what!; ~ **ecco** but then, but lo and behold; ~ **insomma**! for Heaven's (*o* goodness') sake!; ~ **no**! no!, not at all!, certainly (*o* of course) not!; (*esprimendo incredulità*) no!, really?, you don't say so!; ~ **però** but, yet; ~ **sì**! (yes) of course!, certainly!: ~ *sì che ti amo* of course I love you; ~ *sì che lo conosci* you do know him; *non* **solo** ..., ~ *anche* not only ..., but even (*o* also); ~ **va**! go on!, ⟨*fam*⟩ get along with you!; ~ **via**! go on!, ⟨*fam*⟩ come off it!

mA = ⟨*El*⟩ *milliampère* milliampere (*abbr.* ma, M.A.).

Ma = ⟨*Chim*⟩ *masurio* masurium.

MA = ⟨*Aut*⟩ *Marocco* Morocco.

macabramẹnte *avv.* macabrely, gruesomely. – **mạcabro** (*o macạbro*) *a.* macabre, gruesome, ghastly. □ *danza -a* danse macabre, dance of death.

macạcco *m.* ⟨*non com*⟩ → **macaco**. – **macạco** *m.* (*pl.* **-chi**) **1.** ⟨*Zool*⟩ macaque (*Macaca, Macacus*). – **2.** ⟨*fig*⟩ (*persona sciocca*) fool, simpleton. □ ⟨*Zool*⟩ ~ *di Giava* kra, crab-eating macaque, croo monkey (*Macacus irus*).

macadạm *m.* ⟨*Strad*⟩ macadam. – **macadamizzạre** *v.t.* to macadamize.

macalụba *f.* → **maccaluba.**

macalụffo *m.* → **magaluffo.**

macalụpa *f.* → **maccaluba.**

macạo[1] *m.* ⟨*Ornit*⟩ (red-and-blue) macaw (*Ara macao*).

macạo[2] *m.* (*gioco d'azzardo*) macao, makao.

Macạo *N.pr.f.* ⟨*Geog*⟩ Macao.

macaọne *m.* ⟨*Entom*⟩ swallow-tail (butterfly) (*Papilio machaon*).

Macạrio *N.pr.m.* ⟨*Stor*⟩ Macarius.

macarịsmo *m.* ⟨*Rel*⟩ Beatitudes *pl.*

macarọnico *a.* ⟨*rar*⟩ → **maccheronico.**

mạcca *f.* ⟨*tosc,fam*⟩ (*abbondanza*) plenty, galore. □ ⟨*region*⟩ *a* ~ (*a ufo*) free (of charge), without paying, for nothing.

Maccabẹi *N.pr.m.pl.* ⟨*Bibl*⟩ Maccabees *pl.*

maccabẹo *m.* ⟨*region*⟩ (*persona sciocca*) fool, dolt, simpleton.

maccalụba *f.* ⟨*Geol,sicil*⟩ mud volcano, macaluba.

maccarẹllo *m.* ⟨*Itt*⟩ (*sgombro*) mackerel (*Scomber scomber*).

maccarọnico *a.* ⟨*non com*⟩ → **maccheronico.**

macché *intz.* not at all, of course not, not a bit of it, ⟨*fam*⟩ not on your life: *hai studiato?* – ~*!* have you studied? – not at all!; (*per esprimere meraviglia*) I don't believe it, ⟨*fam*⟩ get away with you; (*con un sostantivo*) what: ~ *mal di testa!* – *quello non vuol studiare* ⌜what headache?⌝ (*o* headache I'll be blowed!) – he just doesn't want to study.

maccherẹlla *f.* ⟨*ant*⟩ (*mezzana*) procuress, bawd.

maccherịa *f.* ⟨*non com*⟩ calm sea and overcast sky.

maccheronạta *f.* **1.** feast of macaroni. – **2.** (*pranzo fra amici senza formalità*) informal meal. – **3.** ⟨*fig,region*⟩ (*azione sciocca*) stupid action. – **4.** ⟨*fig*⟩ (*lavoro abborracciato*) botch; (*errore grossolano*) blunder, ⟨*fam*⟩ howler.

maccheroncịno (*dim. di maccherone*) *m.* (generally in pl.) fine macaroni. – **maccherọne** *m.* **1.** ⟨*Alim*⟩ macaroni. – **2.** *pl.* macaroni: *questi -i sono buoni* this macaroni is good. – **3.** ⟨*fig*⟩ (*persona sciocca*) blockhead, dolt, ⟨*fam*⟩ clot, ⟨*am.fam*⟩ jerk. □ *calare i -i* to put the macaroni in to cook; ⟨*fig*⟩ *cascare come il cacio sui -i* to be just what the doctor ordered; ⟨*Gastr*⟩ *-i al pomodoro* macaroni with tomato sauce; *-i al ragù* macaroni with meat sauce.

maccheronẹa *f.* ⟨*Lett*⟩ macaronic (composition). – **maccheroneggiạre** *v.i.* (**maccheronẹggio, maccheronẹggi**; *aus.* **avere**) **1.** (*scrivere o parlare maccheronicamente*) to use a macaronic style. – **2.** ⟨*scherz*⟩ (*mangiare maccheroni*) to eat macaroni. – **maccheronẹsco** *a.* (*pl.* **-chi**) ⟨*non com*⟩ **1.** (*simile a maccherone*) like macaroni. – **2.** ⟨*Lett*⟩ (*maccheronico*) macaronic. – **maccherọnica** *f.* → **maccheronea.** – **maccheronicamẹnte** *avv.* **1.** (*nello stile della poesia maccheronica*) macaronically. – **2.** (*con faciloneria*) badly.

maccherọnico *a.* (*pl.* **-ci**) **1.** ⟨*Lett*⟩ macaronic(al): *poesia -a* macaronic poetry. – **2.** (*rif. a lingua*: *storpiato*) bad, bastard, pidgin, macaronic. – **3.** (*rif. a discorso*: *sconclusionato*) incoherent, senseless, rambling.

macchẹtta *f.* ⟨*Ornit*⟩ (*beccafico*) garden warbler (*Sylvia borin*).

mạcchia[1] *f.* **1.** spot, stain, blot, smear, mark: *la tovaglia è piena di -e di vino* the tablecloth is covered with wine stains. – **2.** (*sulla pelle*) blotch, blemish; ⟨*Med*⟩ macule, macula, spot; (*sul pelo di animali*) patch. – **3.** ⟨*fig*⟩ (*disonore*) blemish, blot, stain, spot: *avere una reputazione senza* ~ to be without a blot on one's reputation, to have an unblemished (*o* unsullied) reputation. – **4.** ⟨*fig*⟩ (*pecca*) defect, fault. – **5.** ⟨*Pitt*⟩ sketch.

□ **a** *-e* spotted, with spots (on), mottled; ⟨*El*⟩ ~ **catodica** cathode spot; ⟨*Med*⟩ ~ **epatica** liver spot; ~ *d'***inchiostro** (ink) blot, ink-spot, ink-stain; ⟨*TV*⟩ ~ **ionica** ion spot; ⟨*El*⟩ ~ **luminosa** luminous spot (*o* dot); ⟨*Astr*⟩ *-e* **lunari** lunar oceans (*o* seas), seas of the moon; ⟨*Med*⟩ *-e* **mongoliche** Mongolian spots (*o* maculae); ⟨*fig*⟩ *voler trovare le -e nell'oro* (*cercare il pelo nell'uovo*) to be fastidious (*o* hyper-critical), to be hard (*o* impossible) to please; ~ *di* **sangue** bloodstain; **senza** ~ stainless, spotless, flawless (*anche fig.*); ⟨*Astr*⟩ *-e* **solari** sunspots *pl*; ⟨*fig*⟩ *anche il* **sole** *ha le sue -e* nothing is perfect; ~ *d'***unto** grease spot; ⟨*El*⟩ ~ **volante** flying spot.

mạcchia[2] *f.* **1.** (*boscaglia*) underbrush, bush, scrub, thicket. – **2.** (*nella zona mediterranea*) maquis. – **3.** (*albero da macchia*) bush. – **4.** ⟨*tosc*⟩ (*siepe*) thicket, hedge. □ *alla* ~ (*clandestinamente*) clandestinely, underground, secretly, surreptitiously: *stampare alla* ~ to print clandestinely; *darsi alla* ~: 1. (*darsi al brigantaggio*) to become a bandit, to take to the bush; 2. ⟨*Pol*⟩ to join the Maquis (*o* underground, resistance movement), to become a partisan; 3. ⟨*fig*⟩ (*rendersi irreperibile*) to go into hiding; *stare* (*o vivere*) *alla* ~ to be on the run, to be a runaway (*o* fugitive); (*rif. a bandito*) to be an outlaw; ⟨*Pol*⟩ to be one of the Maquis (*o* partisans).

macchiạbile *a.* easily stained, stainable. – **macchiabilità** *f.* liability to stain, stainableness.

macchiaiọlo[1] ⟨*non com*⟩ **I** *a.* **1.** wild: *porco* ~ wild hog. – **2.** (*rif. a persona*: *che opera alla macchia*) having gone underground, secret; (*che si è dato alla macchia*) having taken to the bush, having become a bandit; (*che opera da partigiano*) belonging to the Maquis, fighting as a partisan. – **II** *s.m.* (*f.* **-a**) member of an underground movement.

macchiaiọlo[2] *m.* ⟨*Pitt*⟩ **1.** one of the Macchiaioli, Florentine impressionist painter. – **2.** *pl.* Macchiaioli *pl.*

macchiamẹnto *m.* ⟨*ant*⟩ staining, spotting.

macchiạre *v.t.* (**mạcchio, mạcchi**) **1.** to stain, to spot, to blot, to mark, to blemish: *hai macchiato la tovaglia di vino* you stained the tablecloth with wine; (*di fango*) to (be)spatter; (*di unto*) to smear; (*sporcare*) to soil, to dirty. – **2.** ⟨*estens*⟩ (*rif. a liquido*) to add a drop (*o* dash) to: ~ *il latte di caffè* to add a drop of coffee to milk. – **3.** ⟨*fig*⟩ to sully, to blemish, to cast a slur (*o* stain) on, to besmirch: ~ *l'onore di qd.* to sully s.o.'s reputation. – **4.** ⟨*Pitt*⟩ to sketch. – **5.** ⟨*assol*⟩ to stain, to spot, to leave a stain; (*rif. a liquidi*) to blot, to make blots: *questa penna macchia* this pen blots. – **macchiarsi** *v.r.* **1.** to spot o.s., to get stains on o.s.; (*sporcarsi*) to dirty o.s., to get dirty. – **2.** ⟨*fig*⟩ to soil (*o* sully) o.s.; (*rif. a colpa*) to be guilty of: *macchiarsi di un delitto* to stain o.s. with a crime, to be guilty of a crime. □ ⟨*fig*⟩ *macchiarsi d'infamia* to shame (*o* disgrace) o.s., to bring infamy upon o.s.

macchiạtico *m.* (*pl.* **-ci**) ⟨*Dir*⟩ right to cut wood; (*tassa*) fee paid for the right to cut wood.

macchiạto (*p.p. di macchiare*) *a.* **1.** stained, spotted, blotted; (*chiazzato*) spotted, mottled, variegated, dappled. – **2.** (*rif. a liquidi*) with a drop (*o* dash) added (*o* in it): *caffè* ~ coffee with a drop of milk in it. – **3.** ⟨*fig*⟩ sullied, blemished, stained, spotted.

macchiavellẹsco *a.* → **machiavellico.** – **macchiavelliạno** *a.* → **machiavelliano.** – **macchiavẹllica** *f.* → **machiavellica.** – **macchiavẹllico** *a.* → **machiavellico.** – **macchiavellịsmo** *m.* → **machiavellismo.** – **macchiavellịsta** *m./f.* → **machiavellista.** – **macchiavẹllo** *m.* → **machiavello.**

macchiẹto *m.* scrub(land), bush; (*nella zona mediterranea*) maquis.

macchiẹtta (*dim. di macchia*[1]) *f.* **1.** spot, speck, speckle, fleck. – **2.** ⟨*Pitt*⟩ pochade; (*figura che anima il paesaggio*) small figure. – **3.** (*schizzo*) sketch; (*vignetta caricaturale*) caricature, cartoon. – **4.** ⟨*Lett*⟩ (*carattere vivacemente sbozzato*) caricature, rapid character sketch. – **5.** ⟨*Teat*⟩ comic figure, character part. – **6.** ⟨*fig*⟩ (*persona buffa*) (real) character, clown, wag, rum one: *sei una vera* ~ you're a real character, you're really rich.

macchiettạre *v.t.* (**macchiẹtto**) to speckle, to dapple, to mottle, to spot, to fleck. – **macchiettạto** (*p.p. di macchiettare*) *a.* speckled, dappled, mottled, spotted, flecked.

macchiettịna *f. dim. di* **macchietta.**

macchiettịsta *m./f.* **1.** painter of pochades. – **2.** (*chi disegna caricature*) caricaturist. – **3.** ⟨*Teat*⟩ comic, character actor (*f* -tress).

mạcchina *f.* **1.** (*trasformatrice di energia*) engine: ~ *a vapore* steam engine. – **2.** (*congegno meccanico*) machine: ~ *per cucire* sewing machine. – **3.** (*automobile*) car, motorcar, ⟨*am*⟩ automobile: *salire in* ~ to get into the car. – **4.** (*macchina da scrivere*) typewriter. – **5.** ⟨*Ferr*⟩ (*locomotiva*) engine, locomotive. – **6.** ⟨*Tip*⟩ (*rotativa*) rotary machine, rotary (printing) press. – **7.** ⟨*Mar*⟩ engine. – **8.** ⟨*fig*⟩ (*meccanismo*) mechanism, machinery: *la* ~ *elettorale* the electoral machinery. – **9.** ⟨*fig*⟩ (*struttura*) framework, structure, set-up, system: *la* ~ *dello stato* the structure of the state. – **10.** ⟨*fig*⟩ (*rif. a persona*: *automa*) robot, automaton, machine. – **11.** (*costruzione imponente*) great (*o* imposing) building, towering construction, massive structure (*o* edifice). – **12.** (*nelle processioni*) ornate platform (for carrying statues of saints in procession). – **13.** ⟨*Sport*⟩ length: *distanziare un concorrente di una* ~ to outdistance a competitor by one length. – **14.** ⟨*teat,spreg*⟩ (*composizione grandiosa ma vuota*) pretentious play. – **15.** ⟨*fig,non com*⟩ (*macchinazione*) machination, intrigue, plot. – **16.** ⟨*fig,non com*⟩ (*intreccio*) plot. – **17.** ⟨*Teat,ant*⟩ machine. – **18.** ⟨*ant*⟩ (*decorazione scenografica*) set, (piece of) scenery. □ **a** ~ by (*o* on a) machine, machine-: *fatto a* ~ machine-made; *battere* (o *scrivere*) *a* ~ to type; ~ **addizionatrice** adding machine, adder; ⟨*Mecc*⟩ ~ **affilatrice** sharpener, grinder, grinding machine; ~ **agricola** farm (*o* agricultural) machine; ~ *ad* **aria** *compressa* air engine; ~ *da* **caffè** coffee machine; ~ **calcolatrice** calculating machine, calculator, computer; ⟨*Tess*⟩ ~ *da* **calze** stocking knitter; ~ *per* **carta** paper machine; ~ **cinematografica** = *macchina da* **presa**; ~ **classificatrice** sorting machine; ⟨*Tip*⟩ ~ **compositrice** composing (*o* type-setting) machine; ~ **contabile** book-keeping machine; ⟨*Aut*⟩ ~ *da* **corsa** racing car; ~ *da* **cucire** sewing machine; ⟨*Legat*⟩ ~ **cucitrice** stitching (*o* sheaf binding) machine, binder; ⟨*Mecc*⟩ ~ *per* **curvare** bending machine; ~ *a* **dettare** dictating machine; ~ **elettrica** electric machine; ~ *per* **fatturare** invoicing machine; ⟨*Tess*⟩ ~ **filatrice** spinning jenny; ⟨*Mecc*⟩ ~ **filettatrice** threader, threading machine, screw-cutting (*o* screw) machine; ~ **fotografica** camera; ~ *fotografica a cassetta* box camera; ~ *fotografica a soffietto* folding camera; ~ *fotografica da studio* studio camera; ⟨*Mecc*⟩ ~ **fresatrice** milling machine, miller; ~ **frigorifera** refrigerating machine (*o* engine); ⟨*Stor*⟩ ~ *da* **guerra** engine of war, military engine; ~ **idraulica** hydraulic machine; ~ **imballatrice** baler, packing machine; ⟨*Tip*⟩ *essere* **in** ~ to be in the press; ⟨*Tip*⟩ *andare in* ~ to go to press; *fare* ~ **indietro** to reverse; ⟨*fig*⟩ to go back on a decision, to change one's mind, ⟨*fam*⟩ to back down (*o* out); ~ *stampa* **indirizzi** addressing machine, addressograph; ~ **infernale** (*ordigno esplosivo*) infernal machine; ~ **lavapiatti** (o *lavastoviglie*) dish-washing machine, dishwasher; ~ *per* **maglieria** knitting machine, knitter; ~ *a* **mano** hand-operated machine; ⟨*Tip*⟩ **messa** *in* ~ imposition; ~ **motrice** engine, machine; ⟨*Tip*⟩ ~ **piana** flat bed press (*o* machine); ⟨*Legat*⟩ ~ **piegafogli** paper-folding (*o* folding) machine; ⟨*Cin*⟩ ~ *da* **presa** cine-camera, motion-picture camera, ⟨*am*⟩ movie camera; ⟨*Fot*⟩ ~ *da* **proiezione** projector; ~ **rotativa**: 1. rotary machine (*o* engine); 2. ⟨*Tip*⟩ rotary (*o* cylinder) printing press; **sala** *-e* engine room; ~ *per* **schede** *perforate* punched card machine; ~ *da* **scrivere** typewriter; ~ *da scrivere portatile* portable typewriter; ~ *da scrivere silenziosa* noiseless typewriter; ⟨*Ind*⟩ ~ **selezionatrice** grading (*o* sorting) machine, grader; ~ **sincrona** synchronous machine; ~ **smaltatrice** glazing machine, glazer; ⟨*Mecc*⟩ ~ **smerigliatrice** lapping machine; ~ *da* **stampa** printing press; ⟨*Mecc*⟩ ~ *a* **stantuffo** piston engine; ~ *per* **tagliare** *i capelli* (hair) clipper; ~ **teatrale** theatrical machinery; ~ **telescrivente** teleprinter; ~ **temperamatite** pencil sharpener; ~ **termica** heat engine; ~ **tipografica** = *macchina da* **stampa**; ~ *da* **ufficio** office machine; ~ *per* **uso** *domestico* domestic (*o* household) appliance; ~ *per uso industriale* industrial machine; ~ **utensile** machine tool; ~ *della* **verità** lie-detector.

macchinạle *a.* mechanical, automatic: *gesto* ~ mechanical gesture. – **macchinalmẹnte** *avv.* mechanically, automatically.

macchinamẹnto *m.* ⟨*non com*⟩ → **macchinazione.**

macchinạre *v.t.* (**mạcchino**) **1.** to plot, to scheme, to machinate: ~ *la rovina di qd.* to plot s.o.'s ruin. – **2.** ⟨*assol*⟩ to conspire, to plot, to hatch plots, to intrigue, to scheme. – **3.** ⟨*rar*⟩ (*lavorare con la macchina*) to (work by) machine. □ ~ *congiure* to conspire, to hatch plots.

macchinạrio *m.* (*complesso di macchine*) machinery, machines *pl*; (*complesso di meccanismi*) machinery.

macchinatọre *m.* (*f.* **-trice**) ⟨*non com*⟩ plotter, schemer, conspirator; (*intrigante*) intriguer, machinator.

macchinaziọne *f.* **1.** (*il tramare*) plotting, scheming, intriguing, machination, conspiring. – **2.** (*intrigo*) plot, intrigue, machination, conspiracy. – **3.** *pl.* intrigues *pl*, machinations *pl*, scheming. – **4.** ⟨*ant*⟩ (*macchina da guerra*) engine of war, military engine.

macchinẹtta (*dim. di macchina*) *f.* **1.** (*piccola automobile*) small car. – **2.** ⟨*fam*⟩ (*accendisigari*) cigarette-lighter. – **3.** ⟨*fam*⟩ (*per il caffè*) coffee-machine. – **4.** ⟨*fam*⟩ (*arnese dei barbieri*) hair-clipper. □ *parlare come una* ~ (*sveltissimo*) to speak very fast, to rattle away, to gabble.

macchinịna (*dim. di macchina*) *f.* **1.** small machine (*o* engine). – **2.** (*piccola automobile*) small car.

macchinịsmo *m.* **1.** (*tendenza alla meccanizzazione*) mechanization. – **2.** ⟨*Teat*⟩ (effects) machinery. – **3.** ⟨*estens,spreg*⟩ (*artificiosità*) artificiality. – **4.** ⟨*lett*⟩ (*intervento del soprannaturale*) supernatural intervention, appearance of the deus ex machina. – **5.** ⟨*rar*⟩ (*meccanismo*) mechanism.

macchinịsta *m.* **1.** ⟨*Ferr*⟩ engine-driver, ⟨*am*⟩ engineer. – **2.** ⟨*Mar*⟩ (ship's) engineer. – **3.** ⟨*Teat*⟩ stage-hand, scene shifter, ⟨*am*⟩ grip hand. – **4.** ⟨*Ind*⟩ machinist, machine operator.

macchinịstica *f.* ⟨*Teat*⟩ mechanical effects *pl.* – **macchinịstico** *a.* (*pl.* **-ci**) mechanical.

macchinọna *f.*, **macchinọne** *m. accr. di* **macchina.**

macchinosamẹnte *avv.* complicatedly, confusedly, involvedly. – **macchinọso** *a.* (unnecessarily) complicated, complex, involved, intricate.

macchinụccia *f.* (*pl.* **-ce**) ⟨*vezz*⟩ *dim. di* **macchina.**

macchiolịna (*dim. di macchia*[1]) *f.* speck, speckle, spot, fleck. – **macchiọna** *f. accr. di* **macchia**[1].

macchiọne (*accr. di macchia*[2]) *m.* wood, forest.

macchiọso *a.* **1.** (*macchiato*) stained, spotted; (*chiazzato*) spotted, mottled, dappled. – **2.** (*che si riferisce alla macchia*) bush-, scrub-; (*coperto di macchia*) bush-, scrub-, covered in scrub. □ *zona -a* scrub(land).

mạcco *m.* (*pl.* **-chi**) ⟨*ant*⟩ **1.** (*polenta di fave*) broad bean porridge; (*minestra stracotta*) mush. – **2.** ⟨*estens*⟩ (*poltiglia*) pulp. □ ⟨*ant*⟩ *a* ~ (*in abbondanza*) in plenty, galore.

macẹdone I *a.* Macedonian, Macedonic. – **II** *s.m.* **1.** (*lingua*) Macedonian. – **2.** *m./f.* (*abitante*) Macedonian.

macedọnia *f.* **1.** (*composto di frutta*) fruit-salad, fruit-cocktail. – **2.** ⟨*fig,non com*⟩ (*miscuglio*) mixture, medley.

Macedọnia *N.pr.f.* ⟨*Geog*⟩ Macedonia. – **macedoniạni** *m.pl.* ⟨*Stor*⟩ Macedonians *pl.* – **macedọnico** *a.* (*pl.* **-ci**) Macedonian, Macedonic. – **Macedọnio** *N.pr.m.* ⟨*Stor*⟩ Macedonius.

macellạbile *a.* fit for slaughtering: *bestiame* ~ cattle fit for slaughtering. – **macellabilità** *f.* fitness for slaughter.

macellạio *m.* **1.** butcher, slaughterer. – **2.** (*venditore*) butcher. – **3.** ⟨*fig,spreg*⟩ (*rif. a chirurgo*) butcher.

macellamẹnto *m.* **1.** slaughtering, butchering. – **2.** ⟨*fig*⟩ slaughter, butchery, massacre. – **macellạre** *v.t.* (**macẹllo**) **1.** to slaughter, to butcher: ~ *clandestinamente* to slaughter illicitly. – **2.** ⟨*fig*⟩ (*far strage*) to slaughter, to butcher, to massacre. – **3.** ⟨*fam,non com*⟩ (*ridurre a mal partito*) to murder, to make a hash of, to wreck, to ruin.

macellạro *m.* → **macellaio.** – **macellạto** (*p.p. di macellare*) *a.* butchered, slaughtered. □ *carne -a* butchered meat; *lana -a* pulled (*o* skin, dead) wool. – **macellatọre** *m.* (*f.* **-trice**) butcher, slaughterer (*anche fig.*).

macellaziọne *f.* slaughtering, butchering. □ ~ *casalinga* home (*o* domestic) slaughtering; ~ *clandestina* unauthorized slaughtering; ~ *di emergenza* emergency slaughtering.

macellerịa *f.* **1.** butcher's (shop). – **2.** ⟨*non com*⟩ (*mestiere di macellaio*) butchery, butchering. – **macellẹsco** *a.* (*pl.* **-chi**) ⟨*ant*⟩ butcher's, for slaughter.

macẹllo[1] *m.* **1.** (*mattatoio*) slaughter-house, abattoir, shambles *pl* (*costr. sing.*). – **2.** (*macellazione*) butchering, slaughtering, butchery. – **3.** ⟨*fig*⟩ (*strage*) slaughter, massacre, butchery. – **4.** ⟨*fam,scherz*⟩ (*disastro*) disaster, catastrophe; (*fiasco*) shambles *pl* (*costr. sing.*), mess. – **5.** ⟨*non com*⟩ (*macelleria*) butcher's (shop). – **6.** ⟨*ant*⟩ (*tassa di macellazione*) butchering tax. □ ⟨*fig,scherz*⟩ *andare al* ~ to hate doing s.th.; *bestie da* ~ animals for slaughter; ⟨*fig*⟩ *far* ~ *di qd.* to

kill s.o., ⟨*fam*⟩ to do s.o. in, ⟨*fam*⟩ to bump s.o. off; ⟨*fig*⟩ *menare al* ~ to lead to ruin.
macẹllo[2] *m.* ⟨*tecn*⟩ millstone.
macẹra *f.* ⟨*ant*⟩ (*maceria*) stone wall.
macerạbile *a.* ⟨*non com*⟩ **1.** soakable, that may be macerated. – **2.** ⟨*Cart*⟩ waste-, for pulping. – **maceramẹnto** *m.* ⟨*lett*⟩ → **macerazione**. – **macerạnte** (*p.pr. di macerare*) *a.* **1.** macerating, soaking: *sostanze -i* macerating (*o* soaking) substances. – **2.** ⟨*fig*⟩ wearing, macerating, wasting, consuming.
macerạre *v.t.* (**mạcero**) **1.** to soak, to steep; (*rif. a carne*) to marinate. – **2.** ⟨*estens*⟩ (*percuotere*) to beat, to pound, to thrash. – **3.** ⟨*fig*⟩ (*mortificare*) to mortify: ~ *il corpo* to mortify the flesh. – **4.** ⟨*fig*⟩ (*infiacchire*) to waste (away), to weaken, to wear, to consume. – **5.** ⟨*Cart*⟩ to macerate, to pulp. – **6.** ⟨*Tess*⟩ to ret, to steep. – **7.** ⟨*Ind*⟩ to macerate, to soak. – **8.** ⟨*Conc*⟩ to bate. – **macerarsi** *v.r.* **1.** to soak, to grow soft, to macerate. – **2.** ⟨*fig*⟩ to waste away, to pine: *macerarsi con i digiuni* to waste away by fasting. – **3.** ⟨*fig*⟩ (*rodersi*) to be burning, to be eaten up (*di* with), to be consumed (by).
macerạto (*p.p. di macerare*) **I** *a.* **1.** soaked, steeped, macerated: *verdure -e* soaked vegetables. – **2.** ⟨*fig*⟩ (*straziato*) distressed, anguished, tormented, consumed: *animo* ~ *dal rimorso* soul tormented by remorse, remorseful soul. – **II** *s.m.* ⟨*Farm*⟩ form obtained by maceration. – **maceratọio** *m.* **1.** ⟨*Tess*⟩ rettery; (*recipiente*) retting -tank. – **2.** (*concimaia*) dung-pit. – **maceratọre I** *s.m.* (*f.* **-trice**) **1.** (*operaio*) macerater, macerator. – **2.** ⟨*Cart*⟩ (*macchina*) macerator, paper-pulping apparatus. – **3.** ⟨*fig*⟩ mortifier. – **II** *a.* ⟨*fig*⟩ mortifying.
macerazịone *f.* **1.** soaking, steeping, maceration. – **2.** ⟨*fig*⟩ (*mortificazione*) mortification. – **3.** ⟨*Tess*⟩ retting, steeping. – **4.** ⟨*Cart*⟩ maceration, pulping. – **5.** ⟨*Med*⟩ maceration. – **6.** ⟨*Conc*⟩ bating.
macerẹto *m.* **1.** (*ammasso di macerie*) débris, rubble, ruins *pl*, wreckage, heap of stones. – **2.** ⟨*Alp*⟩ (*cumulo di materiali rocciosi*) heap of rubble.
macẹria *f.* **1.** *pl.* ruins *pl*, débris, rubble, wreckage. – **2.** (*muricciolo a secco*) stone wall.
macerịale *a.* ⟨*Bot*⟩ growing on rubble.
mạcero[1] *a.* **1.** (*macerato*) soaked, steeped, macerated. – **2.** ⟨*Tess*⟩ retted. – **3.** ⟨*fig*⟩ (*battuto*) beaten, ⟨*fam*⟩ tanned. – **4.** ⟨*fig*⟩ (*spossato*) worn out, weary, consumed, weak.
mạcero[2] *m.* **1.** (*macerazione*) soaking, steeping, maceration. – **2.** ⟨*Tess*⟩ retting; (*recipiente*) retting-tank; (*maceratoio*) rettery. – **3.** ⟨*Cart*⟩ maceration, pulping; (*impianto*) pulping plant. □ ⟨*Cart*⟩ *mandare al* ~ to send for pulping, to scrap; ⟨*Tess*⟩ *mettere al* ~ to ret, to steep; ⟨*fig,rar*⟩ *stare in* ~ (*corrompersi*) to be corrupt.
Mach *ted.* [-x]: ⟨*Fis*⟩ *numero di* ~ Mach number; *indicatore del numero di* ~ Machmeter.
machanemọmetro *m.* → **machmetro**.
machẹte *sp.* [-tʃ-] *m.* machete.
mạchi *m.* ⟨*Zool*⟩ lemur (*Lemur*).
mạchia *f.* ⟨*tosc*⟩ (*furberia*) wiliness, craftiness, astuteness, cunning.
...machia *suff.* (*combattimento* battle) ...machy: *tauromachia f.* tauromachy.
machiavellẹsco *a.* (*pl.* **-chi**) → **machiavellico**. – **machiavellịano** *a.* of Machiavelli, Machiavellian. – **machiavẹllica** *f.* ⟨*region*⟩ (*trucco*) trick, ruse. – **machiavellicamẹnte** *avv.* **1.** like (*o* in the manner of) Machiavelli. – **2.** ⟨*fig*⟩ cunningly, craftily, astutely. – **machiavẹllico** *a.* (*pl.* **-ci**) **1.** Machiavellian, of Machiavelli. – **2.** ⟨*fig*⟩ Machiavellian, cunning, crafty, astute, wily. – **machiavellịsmo** *m.* **1.** Machiavellianism, Machiavellism. – **2.** ⟨*fig*⟩ duplicity, cunning. – **machiavellịsta** *m./f.* **1.** ⟨*Filol*⟩ Machiavellian, Machiavellist. – **2.** (*chi opera secondo il machiavellismo*) double-dealer, schemer. – **machiavẹllo** *m.* **1.** ⟨*non com*⟩ (*seguace di Machiavelli*) Machiavellian. – **2.** ⟨*region*⟩ (*tranello*) trick, trap.
machịlidi *m.pl.* ⟨*Entom*⟩ Machilidae *pl* (*Machilidae*).
mạchina *f.* ⟨*ant*⟩ → **macchina**.
machiọne *m.* (*f.* **-a**) ⟨*tosc*⟩ (*furbone*) cunning fellow, ⟨*fam*⟩ sly one.
mạchmetro *m.* ⟨*Aer*⟩ Machmeter.
macịa *f.* ⟨*tosc*⟩ (*cumulo di macerie*) ruins *pl*, débris, (heap of) rubble, wreckage.
mạcie *f.* ⟨*lett*⟩ → **macilenza**.
macịgno I *s.m.* **1.** sandstone. – **2.** (*pietra dura*) rock, stone; (*sasso grande*) boulder, rock. – **II** *a.* ⟨*rar*⟩ sandstone-: *pietra -a* sandstone rock. □ *un cuore di* ~ a heart of stone (*o* flint), a stony heart; ⟨*fig*⟩ *essere un* ~ (*caparbio*) to be as stubborn as a mule; (*uggioso*) to be a bore (*o* nuisance).
macilẹnte *a.* ⟨*non com*⟩ → **macilento**. – **macilẹnto** *a.* emaciated, thin, ⟨*fam*⟩ skinny. – **macilẹnza** *f.* emaciation, thinness.
mạcina *f.* **1.** (*macchina*) grinder. – **2.** (*mola*) millstone, grindstone. – **3.** ⟨*fig*⟩ (*cosa pesantissima, peso opprimente*) weight, burden, mass, millstone. – **4.** ⟨*fig*⟩ (*grande quantità*) load, heap. – **5.** ⟨*non com*⟩ (*macinatura*) grinding, milling.
□ ~ *di* **cartiera** paper mill; ~ *per* **colori** muller; ~ *per* **concia** leather scraper; ~ *da* **olio** oil press, olive crusher; ⟨*fig*⟩ **pesare** *come una* ~ (*essere uggioso*) to be a bore (*o* nuisance), ⟨*fam*⟩ to be a pain in the neck; ⟨*fig*⟩ **sentire** *una* ~ *sullo stomaco* to feel s.th. lying heavy on one's stomach, to have indigestion; (*rif. a oppressione spirituale*) to feel depressed (*o* weighed down).
macinạbile *a.* grindable, millable. □ *grano* ~ grist; *orzo* ~ grinding barley.
macina|caffè *m.* coffee grinder. – **~colọri** *m.inv.* **1.** (*operaio*) colour -grinder. – **2.** (*macchina*) muller, muller-stone.
macinamẹnto *m.* milling, grinding.
macinapẹpe *m.inv.* pepper grinder (*o* mill).
macinạre *v.t.* (**mạcino**) **1.** to mill, to grind; (*rif. a colori*) to grind, to mull. – **2.** ⟨*estens*⟩ (*ridurre in polvere*: *rif. a caffè, pepe e sim.*) to grind. – **3.** ⟨*fig*⟩ (*sperperare*) to squander, to waste, to go through. – **4.** ⟨*fig*⟩ (*malmenare*) to beat (up), to thrash: ~ *qd. di santa ragione* to thrash s.o. soundly. – **5.** ⟨*assol,volg*⟩ (*rif. a donne*: *compiere l'atto sessuale*) to make love, ⟨*triv*⟩ to screw. □ ~ *chilometri* to eat up the miles, to tear along; ~ *le olive* to press olives; ⟨*fig*⟩ ~ *a due palmenti* to eat greedily, to devour, to gobble; ~ *parole* to jabber; ⟨*fig*⟩ ~ *a secco* (*mangiare senza bere*) to eat without drinking.
macinạta *f.* **1.** grinding, milling; (*rif. a caffè, pepe e sim.*) grinding. – **2.** (*quantità*) quantity ground. □ *dare una* ~ *a qc.* to grind s.th. hastily, to give s.th. a quick grind; ⟨*fig,fam*⟩ *dare una* ~ *a qd.* (*malmenarlo*) to thrash s.o., to beat s.o. (up).
macinạto *m.* **1.** meal, grist. – **2.** (*farina*) flour. – **3.** (*compenso al mugnaio*) miller's fee. – **4.** (*carne tritata*) minced meat, ⟨*am*⟩ chopped (*o* ground) meat. □ ⟨*Stor*⟩ *imposta sul* ~ tax on flour (*o* meal), grist-tax.
macinatọio *m.* press, mill; (*per olive*) oil (*o* olive) press; (*per minerali*) edge mill. – **macinatọre I** *s.m.* (*f.* **-trice**) **1.** grinder. – **2.** (*operaio*) grinder, miller. – **II** *a.* grinding, milling. – **macinatụra** *f.* **1.** grinding, milling; (*rif. a colori*) grinding, mullering. – **2.** (*prezzo della macinatura*) grinding fee, cost of milling. – **macinazịone** *f.* grinding, milling; (*rif. a colori*) grinding, mullering.
macinẹllo *m.* → **macinacolori**.
macinẹtta *f. dim. di* **macina**. – **macinịno** (*dim. di macina*) *m.* **1.** (*per il caffè*) coffee grinder (*o* mill); (*per il pepe*) pepper grinder (*o* mill). – **2.** ⟨*scherz*⟩ (*automobile vecchia e mal ridotta*) jalopy. – **macinịo** *m.* **1.** grinding, milling. – **2.** (*rumore prodotto dal macinare*) grinding noise. – **macinọne** *m.* (*f.* **-a**) (*sciupone*) spendthrift, wastrel.
mạcis *m./f.* ⟨*Bot*⟩ (*anche fiori di macis*) mace. □ *olio di* ~ mace oil.
macịste *m.* ⟨*scherz*⟩ (*uomo di corporatura imponente*) colossus, giant, Hercules, big strong man.
maciụlla *f.* ⟨*Tess*⟩ brake, scutch, swingle. – **maciullạre** *v.t.* **1.** ⟨*Tess*⟩ to brake, to scutch. – **2.** ⟨*estens*⟩ (*stritolare*) to crush, to mangle. – **3.** (*masticare*) to chew, to crunch, to munch. – **maciullatụra** *f.* ⟨*Tess*⟩ braking, scutching.
mackintosh *ingl.* ['mækintɔʃ] *m.* ⟨*Vest*⟩ mackintosh, raincoat, ⟨*fam*⟩ mac.
macò I *s.m.* (*makò*) maco, Egyptian cotton. – **II** *a.* maco-.
mạcola *f.* → **macula**. – **macolạre** *v.* → **maculare**[2]. – **macolạto** *a.* → **maculato**.
macramè *m.* ⟨*Tess*⟩ macramè.
mạcro *a.* ⟨*ant*⟩ **1.** (*magro*) emaciated, lean, thin. – **2.** ⟨*estens*⟩ (*vuoto*) empty.
macro... *pref.* (*grande* large) macr(o)...
macro|blạsto *m.* ⟨*Bot*⟩ macroblast. – **~blefarịa** *f.* ⟨*Med*⟩ macroblepharia. – **~cefalịa** *f.* macrocephaly. – **~cẹfalo I** *a.* macrocephalous, macrocephalic. – **II** *s.m.* (*f.* **-a**) macrocephalus. – **~ch(e)ilịa** *f.* macrocheilia. – **~chirịa** *f.* macrochiria. – **~cịta**, **~cịto** *m.* ⟨*Biol*⟩ macrocyte. – **~citọsi** *f.* macrocyth(a)emia, macrocytosis. – **~clịma** *m.* ⟨*Meteor*⟩ macroclimate. – **~climạtico** *a.* (*pl.* **-ci**) macroclimatic. – **~cọsmo** *m.* ⟨*Filos*⟩ macrocosm. – **~dạttili** *m.pl.* ⟨*Ornit*⟩ family of gruiform birds (*Macrodactyli*). – **~dattilịa** *f.* ⟨*Med*⟩ macrodactyly, macrodactylia. – **~economịa** *f.* macroeconomics *pl* (*costr. sing.*). – **~encefalịa** *f.* ⟨*Med*⟩ macrencephalia, macrencephaly. – **~estesịa** *f.* macro-esthesia.
macrọ|fago *m.* (*pl.* **-gi**) ⟨*Med*⟩ macrophage, macrophagus. – **~fịllo** *a.* ⟨*Bot*⟩ macrophyllous. – **~fotografịa** *f.* macrophotography, photomacrography.
macroftalmịa *f.* ⟨*Med*⟩ macrophthalmy.
macro|fụngo *m.* (*pl.* **-ghi**) ⟨*Bot*⟩ macroscopic fungus. – **~gamẹte** *m.* ⟨*Biol*⟩ macrogamete. – **~genitosomịa** *f.* ⟨*Med*⟩ macrogenitosomia (praecox). – **~girịa** *f.* macrogyria. – **~glọssa** *f.* ⟨*Entom*⟩ hawk (*o* humming-bird) moth (*Macroglossa*). – **~glossịa** *f.* ⟨*Med*⟩ macroglossia, pachyglossia. – **~gnatịa** *f.* macrognathia, enlargement of the jaw. – **~grafịa** *f.* ⟨*Met*⟩ macrography. – **~grạfico** *a.* (*pl.* **-ci**) macrographic. – **~logịa** *f.* (*discorso prolisso*) macrology. – **~melịa** *f.* ⟨*Med*⟩ macromelia. – **~micẹte** *m.* → **macrofungo**. – **~molẹcola** *f.* ⟨*Chim*⟩ macromolecule, macromole. – **~molecolạre** *a.* macromolecular. – **~nụcleo** *m.* ⟨*Biol*⟩ macronucleus. – **~particẹlla** *f.* ⟨*Atom*⟩ particulate. – **~podịa** *f.* ⟨*Med*⟩ macropodia, pes gigas. – **~pọdidi** *m.pl.* ⟨*Zool*⟩ macropodids *pl*, kangaroos *pl* (*Macropodidae*).
macropsịa *f.* ⟨*Ott*⟩ macrop(s)ia, megalop(s)ia.
macrọsa *f.* ⟨*Ornit*⟩ (*orchetto marino*) common scoter (*Oidemia nigra*).
macro|scẹlide *m.* ⟨*Zool*⟩ elephant shrew (*Macroscelides*). – **~scọpico** *a.* (*pl.* **-ci**) **1.** macroscopic. – **2.** ⟨*fig*⟩ (*evidente, grosso*) glaring, gross: *errore* ~ glaring error, gross blunder, ⟨*fam*⟩ howler. – **~sịsmico** *a.* (*pl.* **-ci**) macroseismic. – **~sịsmo** *m.* (*terremoto*) macroseism.
macrosmạtico, **macrosmọtico** *a.* (*pl.* **-ci**) ⟨*Zool*⟩ macrosmatic, macro-osmatic.
macro|somịa *f.* ⟨*Med*⟩ macrosomia, gigantism. – **~sọmico** *a.* (*pl.* **-ci**) macrosomatous. – **~spọra** *f.* ⟨*Bot*⟩ macrospore, megaspore. – **~sporạngio** *m.* macrosporange, macrosporangium. – **~stilịa** *f.* macrostylous character. – **~stịlo** *a.* macrostylous. – **~stomịa** *f.* ⟨*Med*⟩ macrostomia. – **~struttụra** *f.* ⟨*Met*⟩ macrostructure. – **~tẹrio** *m.* ⟨*Paleont*⟩ macrothere (*Macrotherium*). – **~tịa** *f.* ⟨*Med*⟩ macrotia.
macrọttero *a.* ⟨*Entom*⟩ macroptherous.

macrozịa *f.* → **macrotia.**
macrụri *m.pl.* ⟨*Zool*⟩ macrurans *pl* (*Macrura*).
macrụridi, macrurifọrmi *m.pl.* ⟨*Itt*⟩ grenadiers *pl* (*Macruridae*).
macụba *m./f.*, **macubịno** *m.* (*tabacco*) snuff.
mạcula *f.* **1.** ⟨*Anat,Biol*⟩ macula: ~ *germinativa* macula germinativa, germinal area; ~ *lutea* macula lutea. – **2.** ⟨*fig*⟩ (*disonore*) blot, stain, blemish. – **3.** ⟨*ant*⟩ (*macchia*) spot, stain.
maculạre[1] *a.* macular (*anche Anat.*). □ *zone -i della luna* areas of the moon covered by oceans (*o* seas).
maculạre[2] *v.t.* (**mạculo**) **1.** ⟨*lett*⟩ (*macchiare*) to spot, to stain, to sully. – **2.** ⟨*fig*⟩ to sully, to tarnish, to blemish, to foul. – **3.** ⟨*tosc*⟩ (*lasciare segni*: *su frutta, carne e sim.*) to bruise.
maculạto (*p.p. di maculare*[2]) *a.* ⟨*lett*⟩ **1.** spotted, speckled, dappled. – **2.** ⟨*fig*⟩ sullied, defiled, stained. – **maculatụra** *f.* (*atto*) spotting, staining; (*effetto*) spots *pl*, stains *pl*. – **mạculo** *a.* ⟨*non com*⟩ **1.** (*macchiato*) spotted, stained, maculate; (*screziato*) speckled, flecked, dappled. – **2.** (*illividito*) bruised. – **maculọso** *a.* ⟨*ant*⟩ → **maculato.**
Madagascạr (*non com. Madagạscar*) *N.pr.m.* ⟨*Geog*⟩ Madagascar (*denom.uff.*: *Repubblica Malgascia* Malagasy Republic).
madạma *f.* **1.** ⟨*scherz*⟩ madam, (fine) lady: *darsi arie da* ~ to play the fine lady, to put on airs. – **2.** ⟨*Stor*⟩ Madame. – **3.** (*nelle fiabe*) Mrs., Madam: ~ *la mosca* Mrs. Fly. – **4.** ⟨*gerg*⟩ (*poliziotto*) policeman, ⟨*fam*⟩ cop.
madamigẹlla *f.* **1.** ⟨*scherz*⟩ miss, mademoiselle. – **2.** ⟨*Stor*⟩ Mademoiselle. – **madamịna** (*dim. di madama*) *f.* ⟨*scherz,region*⟩ (*sartina*) seamstress, dressmaker's apprentice (*o* helper).
madapolạm *m.* ⟨*Tess*⟩ madapol(l)am.
madarọsi *f.* ⟨*Med*⟩ madarosis.
maddalẹna *f.* **1.** ⟨*Dolc*⟩ madeleine. – **2.** ⟨*Agr*⟩ kind of peach.
Maddalẹna *N.pr.f.* **1.** Magdalen(e), Madeleine. – **2.** ⟨*Bibl*⟩ Magdalen(e). □ *la* ~ *pentita* (*o penitente*) the magdalene, the repentant sinner.
madefạtto *a.* ⟨*lett,non com*⟩ (*umido*) moist, damp, wet, madid. – **madefaziọne** *f.* ⟨*non com*⟩ **1.** (*l'inumidire*) dampening, moistening; (*l'inumidirsi*) becoming (*o* getting) damp. – **2.** (*il rammollire con liquidi*) soaking.
madegạsso *a./s.* ⟨*ant*⟩ → **malgascio.**
mademoiselle *fr.* [madmwa'zɛl] *f.* **1.** (*signorina*) miss. – **2.** (*governante francese*) Mademoiselle, French governess.
madẹra *m.* ⟨*Enol*⟩ Madeira (wine).
Madẹra *N.pr.f.* ⟨*Geog*⟩ Madeira.
madẹsi *f.* → **madarosi.**
mạdia[1] *f.* **1.** chest where bread is kneaded and stored, kneading-trough, trough; (*credenza*) kitchen cupboard. – **2.** (*cassa in cui si lavorano i formaggi*) cheese trough. – **3.** ⟨*ant*⟩ (*banco da orefice*) goldsmith's bench. □ ⟨*fam*⟩ *avere la* ~ *alta* (*avere da sfamarsi*) to be well-stocked, to have plenty to eat; *avere il gatto nella* ~ (*essere povero*) to have the wolf at the door, to be poor; *avere sempre la* ~ *piena* to be well off; *essere fatto nella stessa* ~ to be cast in the same mould, to be alike as two peas in a pod.
mạdia[2] *f.* ⟨*Bot*⟩ **1.** madia (*Madia*). – **2.** melosa (*Madia sativa*). □ *olio di* ~ madia oil.
madiạta *f.* chestful; (*rif. a credenza*) cupboardful.
mạdido *a.* (*umido*) moist, damp, humid, dank; (*bagnato*) wet, soaked: ~ *di sudore* soaked (*o* bathed) in perspiration, dripping with sweat.
madiè *intz.* ⟨*ant*⟩ indeed.
madiẹlla *f. dim. di* **madia**[1].
madiẹre *m.* ⟨*Mar*⟩ floor; (*elemento di quinto sulla chiglia*) frame floor; (*rif. a nave di legno*) floor timber; (*rif. a nave di ferro*) floor plate. □ *per* ~ athwartship.
madiẹtta *f. dim. di* **madia**[1]. – **madiọna** *f. accr. di* **madia**[1].
madịsmo *m.* ⟨*Rel*⟩ Mahdism. – **madịsta** *m./f.* Mahdist.
madọcca *f.* ⟨*Zool*⟩ dig-dig, dik-dik (*Madoqua*).
madọnna *f.* ⟨*ant*⟩ **1.** (*appellativo*) madonna, lady. – **2.** (*donna amata*) my lady. – **Madonna** *f.* **1.** ⟨*Rel*⟩ Our Lady, Virgin (Mary), Madonna. – **2.** ⟨*Art*⟩ madonna. – **3.** (*chiesa dedicata alla Madonna*) church dedicated to Our Lady. – **4.** ⟨*fig*⟩ (*donna di pura bellezza*) woman of angelic beauty. □ ⟨*scherz*⟩ *essere donna e* ~ (*signora e padrona*) to be the lady and mistress; ⟨*fig*⟩ *viso da* ~ angelic face.
madonnạio *m.* ⟨*non com*⟩ → **madonnaro.** – **madonnạro** *m.* **1.** (*pittore*) painter of madonnas; (*scultore*) sculptor of madonnas. – **2.** (*venditore*) seller of madonnas. – **3.** (*nelle processioni*) madonna -bearer.
madonnịna (*dim. di madonna*) *f.* **1.** ⟨*Art*⟩ (*dipinta o scolpita*) (small) madonna; (*medaglietta*) medal of Our Lady. – **2.** ⟨*fig*⟩ (*giovinetta di pura bellezza*) angelic-looking girl. □ ⟨*fam*⟩ ~ *infilzata* (*santarellina*) prude, ⟨*fam*⟩ goody-goody; *sembra una* ~ *infilzata* she looks as if butter wouldn't melt in her mouth; *la* ~ *di Milano* the statue of the Madonna on Milan Cathedral; *viso di* ~ sweet face.
madonnịno (*dim. di madonna*) *m.* angelic-looking girl. – **madonnụccia** *f.* (*pl.* **-ce**) ⟨*spreg*⟩ *dim. di* **madonna.** – **madonnọna** *f.*, **madonnọne** *m. accr. di* **madonna.**
madọqua *f.* → **madocca.**
madọre *m.* ⟨*non com*⟩ perspiration.
madornạle *a.* **1.** (*enorme*) enormous, huge, gross: *errore* ~ huge mistake, gross blunder, ⟨*fam*⟩ howler, ⟨*am.fam*⟩ blooper; (*inaudito*) incredible, unheard-of. – **2.** ⟨*ant*⟩ (*materno*) maternal, on one's mother's side. – **3.** ⟨*ant*⟩ (*legittimo*) legitimate. – **madornalità** *f.* ⟨*non com*⟩ hugeness, grossness, enormity.
madọsca *intz.* heavens, my goodness.
madrạga *f.* ⟨*Pesc*⟩ (*tonnara*) tunny-net.
mạdrasa *f.* madrasa(h), madrasseh.
mạdre I *s.f.* **1.** mother. – **2.** (*rif. ad animali*) dam, mother. – **3.** (*rif. a religiose*) Mother. – **4.** ⟨*fig*⟩ (*causa, origine*) cause, mother, source. – **5.** (*dell'aceto*) mother (of vinegar); (*del vino*) flowers *pl* (of wine), mould. – **6.** ⟨*Bot*⟩ (*ceppaia*) stump, stub. – **7.** ⟨*Comm*⟩ (*matrice*) counterfoil, stump. – **8.** ⟨*Tip*⟩ matrix. – **II** *a.* **1.** mother-. – **2.** ⟨*fig*⟩ (*principale*) fundamental, basic, chief: *idea* ~ fundamental idea. □ *l'antica* ~ (*Eva*) Eve; (*la terra*) mother earth; ~ **badessa** Mother Abbess; **casa** ~: 1. ⟨*Comm*⟩ head (office); 2. ⟨*Rel*⟩ mother house; *la* ~ **comune** (*la terra*) mother earth, the earth; *la* ~ *di* **Dio** the Mother of God; ⟨*Anat*⟩ **dura** ~ dura mater; ⟨*fig*⟩ **essere** ~ *di qc.* to be the mother (*o* fount) of s.th.; ~ *di* **famiglia** mother (of a family); **fare** *da* ~ *a qd.* to mother s.o., to be like a mother to s.o.; *la* ~ *dei* **fedeli** (*la Chiesa*) the (*o* Mother) Church; *la* **gran** ~ (*antica*) = *la madre* **comune**; ~ *di* **grazie** (*la Madonna*) Mother of All Graces; ~ **lingua** → **madrelingua**; ⟨*pop*⟩ **mal** *di* ~ (*isterismo*) hysteria; ~ *di* **misericordie** (*la Madonna*) Mother of Mercy; ~ **natura** mother nature; *come* ~ *natura l'ha fatto* (*nudo*) naked, in his birthday-suit; ~ **naturale** natural mother; ~ **nubile** unmarried mother; *per* **parte** *di* ~ on one's mother's side, on the maternal side, through one's mother; ⟨*Anat*⟩ **pia** ~ pia mater; **regina** ~ queen mother; ⟨*Comm*⟩ **registro** *a* ~ *e figlia* counterfoil register; *la* ~ *dei* **santi** (*la Chiesa*) the Mother of all saints, the Church; **seconda** ~ foster-mother; **senza** ~ motherless; ~ **spirituale** godmother; ~ **superiora** Mother Superior; *la* ~ *di tutti* = *la madre* **comune**; ~ **vite** → **madrevite.**
madre|cicạla *f.* ⟨*Entom*⟩ cicada's larval case. – **~fọrma** *f.* ⟨*tecn*⟩ mould.
madreggiạre *v.i.* (**madrẹggio, madrẹggi**; *aus.* **avere**) ⟨*non com*⟩ **1.** (*agire come una madre*) to act like a mother. – **2.** (*somigliare alla madre*) to take after one's mother.
madre|lẹga *f.* ⟨*Met*⟩ master alloy. – **~lịngua** (*o mạdre lịngua*) *f.* mother tongue, native language. – **~pạtria** *f.* motherland, native (*o* mother) country.
madrepẹrla I *s.f.* **1.** mother-of-pearl, nacre. – **2.** ⟨*Zool*⟩ kind of bivalve mollusc (*Pinna nobilis*). – **II** *a.* pearly, mother-of-pearl-, iridescent, nacreous. □ ~ *artificiale* imitation mother-of-pearl; *color* ~ pearl-coloured, pearly; ~ *naturale* natural mother-of-pearl.
madreperlạceo *a.* mother-of-pearl-, pearly iridescent, nacreous.
madrẹpora *f.* ⟨*Zool*⟩ madrepore (*Madrepora*). – **madreporạri** *m.pl.* madrepores *pl*, madreporarians *pl* (*Madreporaria*). – **madrepọrico** *a.* (*pl.* **-ci**) madrepor(it)ic, madreporian, madrepore-, madreporiform.
madresạlvia *f.* ⟨*Bot*⟩ woundwort (*Stachys germanica*).
madresẹlva *f.* ⟨*Bot*⟩ honeysuckle (*Lonicera caprifolium*). □ ~ *pelosa* (European) fly honeysuckle (*Lonicera xylosteum*).
madrevirọla *f.* lamp-holder.
madrevịte *f.* ⟨*Mecc*⟩ **1.** nut (*o* female) screw, female thread. – **2.** (*nelle macchine utensili*) die: ~ *per bulloni* bolt die. □ ~ *di tornio* lead screw.
madricịno *a.* (*rif. a lana*) long-stapled.
Madrịd *N.pr.f.* ⟨*Geog*⟩ Madrid.
madrigạle *m.* **1.** ⟨*Lett,Mus*⟩ madrigal. – **2.** ⟨*fig*⟩ (*complimento galante*) compliment, flattering remark. – **madrigaleggiạre** *v.i.* (**madrigalẹggio, madrigalẹggi**; *aus.* **avere**) **1.** ⟨*scherz*⟩ (*fare complimenti galanti*) to pay compliments. – **2.** ⟨*ant*⟩ (*scrivere madrigali*) to compose (*o* write) madrigals; (*cantare madrigali*) to sing madrigals. – **madrigalẹsco** *a.* (*pl.* **-chi**) **1.** (*rif. a madrigali*) madrigalian, madrigalesque, of madrigals, madrigal-. – **2.** ⟨*fig*⟩ (*galante*) flattering, complimentary. – **madrigalẹtto** *m. dim. di* **madrigale.** – **madrigalịsta** *m.* madrigalist, composer of madrigals. – **madrigalịstico** *a.* (*pl.* **-ci**) madrigal-, madrigalian, of madrigals. – **madrigalọne** *m. accr. di* **madrigale.**
madrịgna *f.* (*matrigna*) stepmother.
madrilẹno I *a.* (*di Madrid*) of Madrid, Madrilenian. – **II** *s.m.* (*f.* **-a**) native (*o* inhabitant) of Madrid, Madrilenian.
madrịna *f.* **1.** godmother, sponsor. – **2.** ⟨*estens*⟩ (*rif. al varo di una nave*) sponsor, lady who launches a ship; (*rif. a cerimonie e sim.*) patroness. – **3.** ⟨*region*⟩ (*levatrice*) midwife. □ ~ *di cresima* sponsor at Confirmation; *fare da* ~ *a qd.* to act as godmother to s.o., to be s.o.'s godmother, ⟨*fam*⟩ to stand for s.o.
madrinạggio *m.* ⟨*non com*⟩ **1.** (*rif. al varo di una nave*) launching; (*rif. a cerimonie e sim.*) patronage. – **2.** (*compiti di madrina*) duties of a godmother.
madrinạto *m.* benefaction, charity.
madrosità *f.* ⟨*Min*⟩ porousness, porosity. – **madrọso** *a.* porous, honeycombed.
maduromicọsi *f.* ⟨*Med*⟩ maduromycosis; (*del piede*) Madura foot (*o* disease). – **maduromicọtico** *a.* (*pl.* **-ci**) maduromycotic.
M.A.E. = *Ministero degli affari esteri* Ministry of Foreign Affairs.
maestà *f.* **1.** majesty, dignity, loftiness, stateliness, grandeur. – **2.** (*titolo*) Majesty: *Vostra* ~ Your Majesty. – **3.** ⟨*Art*⟩ majesty. □ ⟨*Dir*⟩ *delitto di* (*lesa*) ~ lese majesty, high treason; *le Loro* ~ Their Majesties; (*formula di cortesia*) Your Majesties.
maestạtico *a.* (*pl.* **-ci**) ⟨*non com*⟩ majestic, royal, regal. – **maestẹvole** *a.* ⟨*rar*⟩ → **maestoso.** – **maestosamẹnte** *avv.* majestically. – **maestosità** *f.* majesty, dignity, grandeur, loftiness, stateliness.
maestọso I *a.* **1.** majestic, grand, lofty, stately, imposing: *l'aspetto*

~ *di un edificio* the imposing appearance of a building. – **2.** ⟨*scherz*⟩ magnificent. – **II** *avv.* ⟨*Mus*⟩ maestoso. – **III** *s.m.* ⟨*Mus*⟩ maestoso (movement).

maẹstra (o *maẹstra*) *f.* **1.** teacher, schoolteacher, schoolmistress. – **2.** (*donna particolarmente abile in un'attività*) expert, past-mistress. – **3.** ⟨*fig*⟩ (*guida, esempio*) teacher, guide: *l'esperienza è ~ di vita* experience is life's teacher. – **4.** ⟨*Tip*⟩ (*menabò*) dummy.

□ ~ *di* **cucito** sewing teacher; ⟨*Mar*⟩ *albero* **di** ~ mainmast; *vela di* ~ mainsail; ~ *di* **economia** *domestica* domestic science teacher (*o* instructress); ~ **elementare** primary schoolteacher; ~ **giardiniera** nursery teacher; ~ *di* **lavori** *femminili* sewing teacher; ~ *di* **pianoforte** piano teacher.

maestralạta *f.* gust of mistral. – **maestrạle** *m.* (*anche vento maestrale*) north-west wind, mistral. – **maestraleggiạre** *v.i.* (**maestralẹggio, maestralẹggi**; *aus.* **avere**) ⟨*non com*⟩ **1.** (*rif. al vento*) to tend to the north-west. – **2.** (*rif. all'ago della bussola*) to swing to the north-west.

maestrạnza *f.* **1.** (generally in pl.) workers *pl*, workmen *pl*, hands *pl*, employees *pl*: *le -e di un cantiere navale* shipyard workmen (*o* hands). – **2.** ⟨*ant*⟩ (*maestria*) mastery, skill, dexterity. □ ⟨*Mar.mil*⟩ *-e di bordo* ship-hands *pl*; *-e portuali* dockers *pl*, ⟨*am*⟩ longshoremen *pl*; *-e specializzate* skilled workers (*o* labour).

maestrạre *v.t.* (**maẹstro/maẹstro**) ⟨*ant*⟩ (*ammaestrare*) to teach, to train, to instruct; (*rif. ad animali*) to train.

maestreggiạre *v.* → **maestraleggiare.**

maestrẹvole *a.* ⟨*lett*⟩ (*fatto con maestria*) masterly, skilful. – **maestrevolmẹnte** *avv.* skilfully, with mastery.

maestrịa *f.* **1.** mastery, skill, dexterity. – **2.** (*abilità*) ability, cleverness, skill; (*accortezza*) astuteness, adroitness, shrewdness, cunning. – **3.** ⟨*ant*⟩ (*mestiere*) trade.

maestrịna *f. dim. di* **maestra.**

maẹstro[1] (o *maẹstro*) *m.* (*f.* **-a**) **1.** master. – **2.** (*insegnante*) teacher, instructor; (*maestro di scuola*) master, schoolteacher, schoolmaster. – **3.** ⟨*fig*⟩ (*guida*) master, teacher. – **4.** ⟨*fig*⟩ (*modello*) model: *un ~ di eleganza* a model of elegance; ⟨*spreg*⟩ (*persona saccente e uggiosa*) know-all. – **5.** (*caposcuola*) maestro, head of a school. – **6.** (*persona particolarmente abile in un'attività*) past-master, expert. – **7.** (*rif. a musicisti professionisti*) musician, maestro, master; (*direttore d'orchestra*) conductor. – **8.** (*operaio specializzato*) master: *~ falegname* master carpenter. – **9.** (*titolo*) Master. – **10.** ⟨*Art*⟩ master: *i grandi -i del cinquecento* the old masters of the sixteenth century. – **11.** ⟨*Mediev*⟩ (*direttore di cantori e strumentisti*) musical director. – **12.** ⟨*ant*⟩ (*appellativo di medici*) Doctor.

□ ~ *delle* **anime** (*sacerdote*) priest; ~ *d'***armi** fencing master; ~ *d'***arte** (qualified) craftsman; ~ *d'***ascia**: 1. ⟨*Fal*⟩ (chief) carpenter; 2. ⟨*Mar*⟩ shipwright; ~ *di* **ballo** dancing master; ⟨*ant*⟩ ~ *di* **camera** chamberlain, gentleman of the bedchamber; ~ *di* **campagna** country schoolmaster; ⟨*Stor*⟩ *-i* **cantori** mastersingers *pl*, meistersingers *pl*; ~ *di* **cappella** chapel-master, maestro di cappella; ~ *di* **casa**: 1. ⟨*Stor*⟩ (*economo*) steward; 2. ⟨*Mar*⟩ chief steward; ~ *di* **cerimonie** master of ceremonies; *un* **colpo** (*da*) ~ a masterstroke; ⟨*Mus*⟩ ~ **concertatore** (*direttore d'orchestra*) conductor; ~ *del* **coro** choir-master; ⟨*Teat*⟩ chorus-master; **da** ~: 1. (*magistrale*) masterly: *un tiro da ~* a masterly shot; 2. (*magistralmente*) skilfully, in a masterly way; ~ **elementare** primary schoolteacher; *l'***eterno** ~ (*Dio*) God; ⟨*fig*⟩ **farla** *da* ~ to be a know-all, to lay down the law; ⟨*Rel*⟩ ~ **generale** Superior General; **gran** ~ Grand Master; ~ *di* **guerra** (*teorico*) master of war tactics; (*condottiero*) commander, leader; *Gran ~ della* **massoneria** Grand Master of the Lodge; ~ **muratore** master mason; ~ *di* **musica** music-master; ~ *di* **nuoto** swimming instructor; ⟨*Stor*⟩ *-i d'***ostello** stewards (at the Court of Savoy); ⟨*Stor*⟩ ~ *di* **palazzo** (*maggiordomo*) majordomo; ~ *di* **pennello** master of the brush, skilful painter; ⟨*Stor*⟩ ~ *di* **Posta** postmaster; ~ *di* **scuola** teacher, schoolteacher, master, schoolmaster; ~ *di* **stalla** stable-master; ⟨*Stor*⟩ master of the horse; ⟨*spreg*⟩ *un* ~ *di* **viltà** an utter coward. – *Prov.*: ⌜*nessuno nasce ~*⌝ (o *non si diventa maestro in un giorno*) everyone has to learn.

maẹstro[2] (o *maẹstro*) *a.* **1.** (*magistrale*) masterly, skilful: *un colpo ~* a masterly stroke, a masterstroke. – **2.** (*principale*) main, master-: *porta -a* main door; ⟨*Mar*⟩ *albero ~* mainmast.

maẹstro[3] *m.* ⟨*Meteor*⟩ **1.** (*nord-ovest*) North-West. – **2.** (*vento maestrale*) north-west wind, mistral.

maestrụcolo *m.* (*f.* **-a**) ⟨*spreg*⟩ *dim. di* **maestro**[1].

mạf(f)ia *f.* **1.** Mafia, Maffia. – **2.** ⟨*estens*⟩ (*tracotanza, arroganza*) arrogance. □ ⟨*fam,scherz*⟩ *far la* ~ (*sfoggiare un'eleganza vistosa*) to swank, to be dolled up. – **mafiọso I** *a.* **1.** of the Mafia. – **2.** ⟨*estens*⟩ (*tracotante, arrogante*) arrogant, overbearing. – **II** *s.m.* (*f.* **-a**) **1.** member of the Mafia. – **2.** (*chi commette sopraffazioni*) bully. – 3. ⟨*fam,scherz*⟩ (*elegantone*) dandy.

mafrọne *m.* ⟨*Itt*⟩ **1.** bronze bream (*Pagellus acarne*). – **2.** (*pagro*) (red) porgy (*Pagrus pagrus*).

mag. = *maggio* May.

mạga *f.* **1.** sorceress, enchantress; (*strega*) witch. – **2.** ⟨*fig*⟩ (*ammaliatrice*) enchantress, spellbinder, witch.

magạgna *f.* **1.** flaw, imperfection, defect, blemish; (*rif. a frutta*) bruise, flaw, defect, blemish, bad spot. – **2.** ⟨*fig*⟩ (*difetto*) defect, flaw, imperfection; (*malanno*) infirmity, ailment. – **3.** ⟨*fig*⟩ (*vizio*) vice; (*cattiva azione*) evil deed.

magagnamẹnto *m.* ⟨*non com*⟩ rotting, spoiling.

magagnạre ⟨*non com*⟩ **I** *v.t.* **1.** (*rif. a frutta*: *guastare*) to turn bad, to rot. – **2.** ⟨*estens*⟩ (*pestare, illividire*) to bruise, to make black and blue. – **3.** ⟨*ant*⟩ (*ferire*) to wound, to injure. – **II** *v.i.* (*aus.* **essere**) ⟨*ant*⟩ (*infistolire*) to become fistulous, to fester. – **magagnarsi** *v.r.* (*rif. a frutta*) to go bad, to rot, to spoil.

magagnạto (*p.p. di magagnare*) *a.* **1.** (*rif. a frutta*: *guasto*) rotten, bad. – **2.** ⟨*non com*⟩ (*rif. a persona*: *pieno di acciacchi*) infirm, ailing. – **3.** ⟨*fig,ant*⟩ (*storpio*) crippled, maimed; (*corrotto*) corrupt.

magagnatụra *f.* ⟨*non com*⟩ rotting, spoiling.

magạlda *f.* ⟨*lett*⟩ **1.** (*donna malvagia*) wicked (*o* bad) woman. – **2.** (*meretrice*) prostitute, whore.

magalụffo *m.* ⟨*ant*⟩ **1.** (*mancia*) tip, gratuity. – **2.** (*addizionale*) extra tax, surtax.

magaraddịo *intz.* ⟨*volg*⟩ → **magariddio.**

magạre *v.t.* (**mạgo, mạghi**) ⟨*lett*⟩ (*ammaliare*) to bewitch, to enchant, to lay a spell on.

magạri I *intz.* **1.** I wish, if only: *~ tu non fossi partito* I wish you had not left; *~ fosse vero* if only it were true. – **2.** (*volentieri*) of course, I should say so, ⟨*fam*⟩ and how: *ti piacerebbe essere promosso? – ~!* would you like to be promoted? – ⌜of course⌝ (*o* I should say so)! – **II** *avv.* ⟨*fam*⟩ (*persino*) even; (*forse*) perhaps, maybe. – **III** *congz.* ⟨*fam*⟩ (*anche se*) even if.

magariddịo *intz.* would to God (*o* Heaven), I wish to God.

magatẹllo *m.* ⟨*Macell,region*⟩ (*girello*) topside.

magazzẹno *m.* ⟨*region*⟩ → **magazzino.**

magazzinạggio *m.* **1.** (*deposito di merci in un magazzino*) storage, warehousing: *~ refrigerato* cold storage. – **2.** (*permanenza*) storage. – **3.** (*prezzo*) storage charges *pl.* □ ⟨*Comm*⟩ *diritti di* ~ warehouse dues, storage charges; *spese di* ~ storage expenses (*o* costs, charges).

magazziniẹre *m.* (*f.* **-a**) **1.** storekeeper, warehouseman, warehouse -keeper. – **2.** ⟨*Mil*⟩ storekeeper.

magazzịno *m.* **1.** (*stanza*) store; (*edificio*) warehouse, storehouse, depot; (*insieme delle merci*) stores *pl.* – **2.** ⟨*fig*⟩ (*grande quantità*) store, stack, heap, ⟨*fam*⟩ load. – **3.** ⟨*fig*⟩ (*miniera*) mine. – **4.** (*negozio*) (department) store. – **5.** ⟨*Giorn,Fot,Tip*⟩ magazine.

□ ⟨*Ind*⟩ ~ *con* **aria** *refrigerata* dry store; ~ *dell'***arsenale** magazine of the arsenal; *-i di* **bacino** docks *pl*; ~ *di* **deposito** depository, depot, storehouse; ~ **doganale** bonded warehouse; **fondi** *di* ~ unsold stock; ⟨*Ind*⟩ ~ **frigorifero** cold store; ~ *di* **frutta** fruit warehouse (*o* shed, store); *-i* **generali** bonded warehouse; **grandi** *-i* department store(s); *avere* **in** ~ to have ⌜in stock⌝ (*o* on hand); **merce** *consegnata dal* ~ goods (delivered) ex warehouse; ⟨*Ferr*⟩ ~ *merci* goods shed; *-i* **militari** military stores (*o* depots), magazines; **ricevuta** *di* ~ warehouse receipt; **rifornire** *il* ~ to replenish stock; ~ *di* **transito** transit store; ~ **utensili** tool crib; ⟨*Mar*⟩ ~ *per* **viveri** victualling-yard.

magdaleniạno I *a.* ⟨*Geol*⟩ Magdalenian. – **II** *s.m.* Magdalenian.

Magdebụrgo *N.pr.f.* ⟨*Geog*⟩ Magdeburg.

magellạnico *a.* (*pl.* **-ci**) **1.** (*di Magellano*) Magellanic, of Magellan. – **2.** (*dello stretto di Magellano*) Magellanic, of the Straits of Magellan. □ ⟨*Astr*⟩ *nubi magellaniche* Magellanic clouds.

Magellạno *N.pr.m.* ⟨*Stor*⟩ Magellan. □ ⟨*Geog*⟩ *Stretto di ~* Straits of Magellan.

magẹnta *a./s.inv.* **I** *a.* magenta-. – **II** *s.m.* **1.** magenta. – **2.** ⟨*Chim*⟩ (*fucsina*) fuchsine, magenta.

maggẹngo (o *maggẹngo*) *a./s.* (*pl.* **-ghi**) **I** *a.* ⟨*Agr*⟩ May-, first crop-. – **II** *s.m.* May (*o* first) crop.

maggerẹna *f.* ⟨*Bot*⟩ (*vescicaria*) bladder senna (*Colutea arborescens*).

maggeṣạre *v.t.* (**maggẹṣo**) ⟨*non com*⟩ to fallow. – **maggeṣạto** *m.* (*anche coltura maggesata*) fallow.

maggẹse I *a.* (*di maggio*) of May, May-: *fieno ~* May (*o* first crop) hay. – **II** *s.m./f.* **1.** ⟨*Agr*⟩ fallowing. – **2.** (*terreno*) fallow ground. □ ~ *completo* twelve-months' fallow; *essere a* ~ to be fallowing (*o* lying fallow); *mezzo* ~ six-months' fallow; *tenere a* ~ to fallow.

maggiaiọlo I *a.* (*di maggio*) May-, of May. – **II** *s.m.* (*f.* **-a**) ⟨*tosc*⟩ mayer, singer of May songs.

maggiạtica *f.* (*maggese*) fallow land. – **maggiạtico** *a./s.* (*pl.* **-ci**) ⟨*non com*⟩ **I** *a.* May-, of May: *lana -a* May wool. – **II** *s.m.* **1.** → **maggiatica.** – **2.** ⟨*ant*⟩ (*tributo*) tribute paid in May.

maggịno *m.* ⟨*non com*⟩ siesta, afternoon nap.

mạggio[1] *m.* **1.** May: *il due* (*di*) ~ the second of May, May the second. – **2.** ⟨*fig*⟩ (*bellezza, gioia*) bloom, prime, heyday. – **3.** (*festa di maggio*) May Day; (*ramoscello fiorito*) flowering branch; (*albero*) maypole; (*canzone*) May song. – **4.** (*rappresentazione musicale*) music festival: *⁓ musicale fiorentino* Florentine Music Festival. – **5.** (*rappresentazione drammatica*) May Day dramatic performance. – **6.** ⟨*Bot*⟩ Spanish broom (*Spartium junceum*). □ ⟨*fig*⟩ *il cantore di ~* (*l'asino*) the donkey, the (braying) ass; *di ~* in (*o* of) May, May-; *il mese di ~* the month of May; ⟨*Rel*⟩ *fare il mese di ~* (*in onore della Madonna*) to dedicate the month of May to Our Lady; *sposa di ~* May bride; ⟨*Stor*⟩ *leggi di ~* May laws; *ben venga ~ con i suoi fiori* (*a persona il cui comparire riempie di gioia*) you're very welcome, how lovely (*o* delightful) to see you. – *Prov.*: *~ ortolano assai paglia e poco grano* a wet May means a good stack of straw but a poor corn harvest.

mạggio[2] ⟨*ant*⟩ **I** *a.* (*maggiore*) greater. – **II** *avv.* (*maggiormente*) more.

maggiociọndolo *m.* ⟨*Bot*⟩ **1.** laburnum, bean trefoil, golden chain (*o* rain) (*Laburnum anagyroides*). – **2.** laburnum (*Laburnum vulgare*).

maggiolạta *f.* ⟨*Mus*⟩ May song.

maggiolịni *a./s.* → **maggiolino**[1].

maggiolịno[1] **I** *a.* ⟨*Arred*⟩ inlaid, in the style of Maggiolino. – **II** *s.m.* nineteenth-century inlaid furniture.

maggiolịno² *m.* ⟨*Entom*⟩ cockchafer (*Melolontha melolontha*; *Melolontha hippocastani*).
maggiọra *f.* (*vento del lago Maggiore*) wind of Lake Maggiore.
maggiorạna *f.* ⟨*Bot*⟩ sweet marjoram (*Majorana hortensis, Origanum majorana*).
maggiorạnza *f.* **1.** majority, greater number (*o* part): *la* ~ *degli uomini* the majority of men, most men. – **2.** (*in un'assemblea*) majority. – **3.** ⟨*ant*⟩ (*superiorità*) superiority.
□ *essere eletto* **a** ~ to be elected by a majority, to get a majority vote; ~ **assoluta** absolute majority; **avere** *la* ~ to have a majority; ~ **governativa** government majority; **in** ~ mostly, mainly: *gli uomini erano in* ~ *dei vecchi* the men were mostly old, most of the men were old; *i miei libri sono in* ~ *romanzi gialli* most of my books are thrillers; *essere in* ~ to be in the majority; *con* **larga** ~ by a large majority; ~ **parlamentare** parliamentary majority; **partiti** *di* ~ majority parties; ~ **relativa** relative (*o* limited) majority; ~ **richiesta** necessary majority; ~ **schiacciante** overwhelming majority; *la* ~ *dei* **voti** the majority (of votes), a majority vote.
maggiorạre *v.t.* (**maggiọro**) **1.** (*rif. a prezzi*) to increase, to raise, to put up. – **2.** ⟨*Mat*⟩ to raise.
maggiorascạto *m.* → **maggiorasco**. – **maggiorạsco** *m.* (*pl.* **-chi**) ⟨*Stor*⟩ majorat.
maggiorạto (*p.p. di maggiorare*) *a.* (*rif. a prezzi*) increased, raised, put up, higher. □ ⟨*scherz*⟩ *-a fisica* shapely woman, ⟨*fam*⟩ sex bomb (*o* pot). – **maggiorazioṇe** *f.* **1.** (*l'aumentare*) increase, raising, putting up; (*l'aumento*) increase, rise. – **2.** (*indennità*) allowance, bonus, increase, rise: ~ *d'anzianità* seniority increase. – **3.** ⟨*Mat*⟩ increase. □ ~ *per lavoro notturno* bonus for night work; ~ *per lavoro straordinario* overtime pay; ~ *di stipendio* increase in salary; ~ *di tariffa* increased (*o* higher) charge, rise in rates.
maggiordomạto *m.* ⟨*Mediev*⟩ stewardship, office of a majordomo.
maggiordọmo *m.* **1.** butler, house steward. – **2.** ⟨*Stor*⟩ majordomo.
maggiọre (*compar. di grande*) **I** *a.compar.* **1.** greater, bigger, larger: *il danno è stato* ~ *di quanto si pensasse* the damage was greater than expected; (*più alto*) higher. – **2.** (*rif. all'età*) older: *è* ~ *di me di due anni* he is two years older than I (am); (*rif. a membri di una stessa famiglia*) elder. – **3.** (*rif. a numeri*) greater, higher: *sette è* ~ *di cinque* seven is higher than five. – **4.** (*maggiorenne*) adult, ⟨*pred*⟩ of age. – **5.** (*superiore in ordine gerarchico*) senior, first, chief, head: *sagrestano* ~ chief sacristan. – **6.** ⟨*Mil*⟩ major: *sergente* ~ sergeant-major. – **7.** ⟨*Mus*⟩ major: *terza* ~ major third; *do diesis* ~ C sharp major; *accordo* ~ major chord. – **II** *a.sup.* **1.** greatest, biggest, largest: *con la* ~ *diligenza possibile* with the greatest possible care; *la pianura padana è la* ~ *d'Italia* the plain of the Po is the largest in Italy; (*rif. ad altezza*) highest. – **2.** (*rif. all'età*) oldest; (*rif. a membri di una stessa famiglia*) eldest: *il* ~ *dei miei nipoti* my eldest grandchild, the eldest of my grandchildren; (*fra due*) elder, older: *il* ~ *dei due* the older of the two. – **3.** (*il più importante*) most important, greatest, ⟨*am*⟩ major: *i -i poeti del trecento* the most important fourteenth-century poets; (*principale*) main, chief, high, ⟨*am*⟩ major: *la piazza* ~ *del paese* the main square of the town. – **4.** (*rif. a opere di scrittori, artisti e sim.*) chief, greatest, most important: *l'Omero* ~ Homer's most important works. – **III** *s.m./f.* **1.** superior; (*d'età*) elder. – **2.** *pl.* (*avi*) ancestors *pl*, forefathers *pl*. – **3.** *pl.* (*maggiori rappresentanti*) leading figures *pl*, great men *pl*: *i -i del Cinquecento* the leading figures of the sixteenth century. – **4.** ⟨*Mil*⟩ major. – **5.** ⟨*Aer*⟩ squadron-leader. – **6.** ⟨*Filos*⟩ (*termine*) major term; (*premessa*) major (premise). – **Maggiore** *m./f.* (*appellativo*) Elder: *Catone* ≈ Cato the Elder.
□ *caporal* ~ corporal; ~ *età* (full) age, majority; *essere* ~ *d'età* to be of age; ~ *medico* surgeon-major; *andare per la* ~ (*essere in voga*) to be popular, ⟨*fam*⟩ to be in, ⟨*fam*⟩ to be all the rage; *per la maggior parte* mostly, mainly.
maggiorẹnne **I** *a.* ⟨*pred*⟩ of (full) age. – **II** *s.m./f.* person of age, major, adult. □ *diventare* ~ to come of age.
maggiorẹnte *m.* **1.** notable, magnate, important (*o* influential) person. – **2.** *pl.* notables *pl*, important people *pl*.
maggiorịa *f.* ⟨*lett*⟩ **1.** (*autorità*) authority; (*importanza*) importance. – **2.** ⟨*Mediev*⟩ (*tributo*) tribute.
maggiorità *f.* **1.** ⟨*Mil*⟩ (*rif. a reggimento*) regimental (*o* staff) office; (*rif. a battaglione*) orderly room. – **2.** ⟨*ant*⟩ (*superiorità*) superiority.
maggioritạrio *a.* majority-: *sistema* ~ majority system.
maggiormẹnte *avv.* **1.** mainly, chiefly, mostly. – **2.** (*di più*) more, to a greater extent; (*tanto più*) all the more; (*a maggior ragione*) much (*o* even) more. □ ⟨*non com*⟩ ~ *che* (*tanto più che*) all the more because (*o* in that).
mạghero *a.* ⟨*tosc,fam*⟩ (*magro*) thin, lean.
maghẹtto *m.* ⟨*region*⟩ (*ventriglio di pollo*) gizzard.
magịa *f.* **1.** magic. – **2.** ⟨*fig*⟩ (*fascino, incanto*) magic, enchantment, charm. □ ~ *bianca* (o *naturale*) white (*o* natural) magic; ~ *nera* black magic.
magịarico *a.* (*pl.* **-ci**) ⟨*non com*⟩ Magyar(an). – **mạgiaro** (o *magịaro*) **I** *a.* Magyar. – **II** *s.m.* (*f.* **-a**) Magyar.
mạgica *f.* ⟨*ant*⟩ → **magia**. – **mạgico** *a.* (*pl.* **-ci**) **1.** magic, magical: *formula -a* magic formula; *bacchetta -a* magic (*o* fairy) wand. – **2.** ⟨*fig*⟩ (*che incanta*) magical, enchanting, charming, delightful. – **3.** ⟨*fig*⟩ (*che ha effetti inattesi e straordinari*) magic, extraordinary, ⟨*scherz*⟩ miraculous.
mạgio *m.* (generally in pl.) Magus, ⟨*fam*⟩ Wise Man. □ ⟨*Bibl*⟩ *i re Magi* the Magi, the three Kings (*o* Wise Men).

magiọne *f.* ⟨*ant*⟩ **1.** (*casa*) abode, house; (*dimora*) abode, dwelling. – **2.** ⟨*scherz*⟩ (*casa*) house, home.
magiọstra *f.* ⟨*region*⟩ (*anche fragola magiostra*) kind of strawberry.
magiostrịna *f.* ⟨*lomb*⟩ (*paglietta*) straw hat.
magịsmo *m.* ⟨*Lett*⟩ mystique.
magistẹro *m.* **1.** (*l'insegnare*) teaching. – **2.** ⟨*estens*⟩ (*insegnamento*) teaching, precepts *pl*. – **3.** ⟨*fig*⟩ (*maestria*) mastery, skill, ability, command. – **4.** ⟨*Univ*⟩ (*facoltà di magistero*) faculty of arts (for intending teachers), ⟨*am*⟩ education department. – **5.** ⟨*Stor*⟩ (*carica di gran maestro*) magistery, mastership, office of a (Grand) Master. – **6.** ⟨*Chim,ant*⟩ magistery. – **7.** ⟨*ant*⟩ (*espediente*) expedient, device. □ ⟨*Chim,ant*⟩ ~ *di bismuto* magistery of bismuth; ~ *di gialappa* (*resina di gialappa*) jalap resin; ~ *di oppio* (*morfina*) morphine; ~ *di piombo* white lead.
magistrạle *a.* **1.** teachers', teaching, magistral, magisterial: *scuola* (o *istituto*) ~ normal school, teachers' training college. – **2.** (*da maestro*) magisterial, magistral; ⟨*iron*⟩ professorial, dogmatic, authoritative: *parlare con tono* ~ to speak in a professorial tone. – **3.** (*fatto con maestria*) masterly, skilful, excellent. – **4.** ⟨*Farm*⟩ magistral.
magistrạli *f.pl.* ⟨*Scol*⟩ normal schools *pl*, teachers' training colleges *pl*. – **magistralità** *f.* ⟨*non com*⟩ **1.** (*maestria*) skill, masterliness, mastery. – **2.** ⟨*iron*⟩ magisterialness, solemnity. – **magistralmẹnte** *avv.* skilfully, in a masterly manner, with masterly skill.
magistrạto *m.* **1.** ⟨*Dir*⟩ magistrate, judge, justice. – **2.** (*persona investita di una carica pubblica*) magistrate, (public) official, authority. – **3.** ⟨*ant*⟩ (*carica pubblica*) public office, magistracy, magistrature. □ ⟨*Stor*⟩ ≈ *delle acque* Water Magistracy; ~ *d'appello* judge of the Court of Appeal; ~ *giudicante* judge; ~ *inquirente* investigating magistrate; ~ *di prima istanza* judge of a Court of first instance.
magistratụra *f.* **1.** (*autorità giudiziaria*) judiciary, magistrature, magistracy; (*insieme dei magistrati*) judges *pl*, judiciary, Bench, magistracy, magistrates *pl*, magistrature. – **2.** (*ufficio di giudice*) magistrature, magistrateship, magistracy, judgeship; (*durata*) magistrateship, magistrature. – **3.** (*carica pubblica*) magistrature, magistracy; (*durata*) magistrateship, magistrature. □ *entrare in* (o *nella*) ~ to become a judge (*o* member of the Bench); *esercitare la* ~ to be a judge, to be a member of the magistrature (*o* judiciary); ⟨*Dir*⟩ ~ *del lavoro* Labour Courts.
mạglia *f.* **1.** stitch: *accavallare una* ~ to pass over a stitch. – **2.** (*lavoro a maglia*: *a rete*) mesh, meshwork, network; (*ai ferri*) knitting, knitted work; (*all'uncinetto*) crochet (work). – **3.** (*tessuto*) jersey, tricot; *pl.* (*maglieria*) knitwear, knitted goods *pl*. – **4.** (*indumento*: *portato sotto la camicia*) vest, undershirt; (*tipo camicia*) (light) jersey, shirt; (*maglione*) sweater, jumper; (*giacchetta*) cardigan. – **5.** (*anello di catena*) link. – **6.** (*spazio tra nodo e nodo di una rete*) mesh: *i pesci scapparono attraverso le -e* the fishes escaped through the meshes. – **7.** ⟨*fig*⟩ net, trap, web: *cadere nelle -e di una congiura* to fall into the web of a conspiracy. – **8.** (*cappio di fune*) loop (of a rope). – **9.** ⟨*Stor*⟩ (*corazza a maglia*) (coat of) mail. – **10.** ⟨*Mar*⟩ (*occhiello della vela*) eyelet bole (of e sail); (*distanza fra i piani, intervallo libero*) space and room.
□ ⟨*Sport*⟩ ~ **azzurra** (*indumento*) blue jersey; (*persona*) member of the Italian national team; **calze** *di* ~ knitted stockings; ⟨*Mecc*⟩ ~ *di* **catena** link; ⟨*Lav.femm*⟩ **diminuire** *le -e* to cast off, to decrease; ⟨*Lav.femm*⟩ ~ **diritta** plain stitch, knit (stitch); ⟨*Sport*⟩ ~ **gialla** (*indumento*) yellow jersey; (*persona*) point-score leader in the Tour de France; ⟨*Sport*⟩ ~ **iridata** (*indumento*) striped jersey; (*persona*) world cycling champion; **lavorare** *a* ~ to net, to make network; (*ai ferri*) to knit, to do knitting; (*all'uncinetto*) to crochet; **lavoro** *a* ~ mesh, meshwork, network; (*ai ferri*) knitting, knitted work; (*all'uncinetto*) crochet (work); ⟨*Lav.femm*⟩ ~ **liscia** = *maglia* **diritta**; ⟨*Lav.femm*⟩ **montare** *le -e* to cast on; ⟨*Lav.femm*⟩ **perdere** *una* ~ to drop a stitch; **rete** *a* ~ *fitta* close-mesh net; ⟨*Lav.femm*⟩ **riprendere** *una* ~ to pick up a stitch; ⟨*Sport*⟩ ~ **rosa** (*indumento*) pink jersey; (*persona*) point-score leader in the Tour of Italy; ⟨*Lav.femm*⟩ ~ **rovescia** purl, inverted stitch; ⟨*Sport*⟩ ~ **tricolore** (*indumento*) white, red and green jersey; (*persona*) winner of an Italian cycling championship.
magliạia *f.* **1.** owner (*o* manageress) of a hosiery shop. – **2.** (*operaia*) knitter, worker in a knitwear factory.
magliạre *v.t.* (**mạglio, mạgli**) ⟨*ant*⟩ (*legare con funi incrociate*) to cord (up).
magliạro *m.* travelling cloth salesman.
maglierịa *f.* **1.** (*fabbrica*) hosiery (*o* knitwear) mill. – **2.** (*negozio*) hosier's (*o* knitwear) shop. – **3.** (*tessuti o indumenti di maglia*) knitwear, hosiery, woollens *pl*. □ *macchina per* ~ knitting machine.
maglierịsta *m./f.* knitter.
magliẹtta (*dim. di maglia*) *f.* **1.** ⟨*Vest*⟩ vest, ⟨*am*⟩ undershirt; (*tipo camicia*) light jersey, shirt; (*golf*) pullover; (*a giro collo*) jumper. – **2.** (*del fucile*) sling swivel. – **3.** (*gancio per appendere i quadri*) (picture) hook. – **4.** (*nei vestiti*: *asola a cordoncino*) loop, eye.
magliẹtto (*dim. di maglio*) *m.* ⟨*Mar*⟩ **1.** (*martello di legno*) (wooden) mallet. – **2.** (*arnese per fasciare i cavi*) serving mallet.
maglifịcio *m.* hosiery (*o* knitwear) mill, woollen goods manufactory. – **maglịna** (*dim. di maglia*) *f.* **1.** ⟨*Tess*⟩ jersey, tricot. – **2.** (*nei cappelli di paglia*) straw.
mạglio *m.* **1.** ⟨*Mecc*⟩ hammer, maul; (*battipalo*) pile-driver, rammer, monkey; (*mazzapicchio*) beetle. – **2.** ⟨*Met*⟩ (*macchina*) (power)

hammer. – **3.** ⟨*Sport*⟩ (*nella pallamaglio*) mall, mallet; (*nel croquet*) mallet; (*nell'hockey*) stick, blade.
□ ~ *ad* **aria** *compressa* compressed-air (*o* air) hammer; ~ *a* **caduta** *libera* drop hammer; ~ *a* **comando** *meccanico* power hammer; ~ *per* **fucinatura** (power) hammer; ~ *a* **leva** helve (*o* tilt, trip) hammer; ~ **pneumatico** pneumatic hammer.

magliọlo *m.* ⟨*Agr*⟩ shoot (of a vine), sucker.

magliọna *f. accr. di* **maglia**. – **magliọne** (*accr. di maglia*) *m.* ⟨*Vest*⟩ sweater, (thick) jumper, pullover, (heavy) jersey: ~ *da sci* ski sweater.

maglịsta *m.* ⟨*Met*⟩ (*operaio*) operator of a power hammer, ⟨*am*⟩ hammerman.

mạgma *m.* ⟨*Geol,Chim*⟩ magma. – **magmạtico** *a.* (*pl.* **-ci**) magmatic, magma-. – **magmatịsmo** *m.* ⟨*Geol*⟩ magmatism.

magnạccia, magnạccio *m.* ⟨*region,spreg*⟩ **1.** (*mantenuto*) gigolo. – **2.** (*chi trae guadagno da prostitute*) pimp.

magnạlio *m.* ⟨*Met*⟩ magnalium, aluminium-magnesium alloy.

magnanimamẹnte *avv.* magnanimously. – **magnanimità** *f.* magnanimity, generosity, loftiness (*o* nobility) of spirit. – **magnạnimo** *a.* **1.** (*di animo nobile e generoso*) magnanimous, generous, high-minded, lofty, noble, noble-minded. – **2.** (*rif. a cose*: *grande*) lofty, noble, magnanimous, generous.

magnanịna *f.* ⟨*Ornit*⟩ **1.** Dartford warbler (*Sylvia undata*). – **2.** (*passera scopaiola*) hedge sparrow, dunnock (*Prunella modularis*). □ ~ *sarda* La Marmora's warbler (*Sylvia sarda*).

magnạno *m.* ⟨*region*⟩ (*fabbro*) smith, locksmith.

magnạre *v.t.* ⟨*ant,dial*⟩ (*mangiare*) to eat.

magnarọne *m.* ⟨*Itt*⟩ miller's-thumb (*Cottus gobius*).

magnạte *m.* **1.** (*grande industriale*) magnate, tycoon: *un* ~ *dell'industria petrolifera* an oil magnate. – **2.** (*cittadino ragguardevole*) magnate, important citizen, prominent (*o* influential) person. – **3.** ⟨*scherz*⟩ (*rif. a persona che vuol sembrare autorevole*) self-important person, ⟨*fam*⟩ big shot, bigwig. – **4.** ⟨*Stor*⟩ (*in Ungheria e Polonia*) magnate. – **5.** ⟨*Mediev*⟩ nobleman, peer.

magnatịzio *a.* lordly, noble, great, grand, prominent, ⟨*fam*⟩ big: *famiglia -a* noble (*o* prominent) family.

magnẹsia *f.* ⟨*Chim*⟩ magnesia, magnesium oxide. □ ~ *alba* magnesia alba; ~ *calcinata* calcined (*o* light) magnesia; ~ *effervescente* effervescent magnesia; *latte* (o *magma*) *di* ~ milk of magnesia, magnesia magma; ~ *pesante* heavy magnesia, magnesia ponderosa.

Magnẹsia *N.pr.f.* ⟨*Geog.stor*⟩ Magnesia.

magnesịaco *a.* (*pl.* **-ci**) ⟨*Chim*⟩ magnesic, magnesian. – **magnẹsio** *m.* magnesium. – **magnesioferrịte** *f.* ⟨*Min*⟩ magnesioferrite, magnoferrite. – **magnesịte** *f.* magnesite.

magnẹte *m.* **1.** magnet, lodestone. – **2.** ⟨*Mot*⟩ magneto.
□ ⟨*Mot*⟩ ~ *d'***accensione** ignition magneto; ⟨*El*⟩ ~ **antiarco** blow-out magnet; ⟨*Mot*⟩ ~ *d'***avviamento** starting (*o* booster) magneto; ⟨*El*⟩ ~ *da* **campo** field magnet; ~ **composto** compound magnet; ~ *di* **deviazione** deflecting magnet; ~ **eccitatore** exciter magnet; ~ **elevatore** lifting magnet; ~ *a* **ferro** *di cavallo* horseshoe magnet; ~ **naturale** natural magnet; ~ **permanente** permanent magnet.

magneticamẹnte *avv.* magnetically. – **magnẹtico** *a.* (*pl.* **-ci**) **1.** magnetic. – **2.** ⟨*fig*⟩ magnetic, captivating, arresting: *sguardo* ~ magnetic look.

magnetịsmo *m.* **1.** ⟨*Fis*⟩ magnetism. – **2.** ⟨*fig*⟩ magnetism, power to charm (*o* attract). □ ~ *animale* animal magnetism; ~ *latente* latent magnetism; ~ *libero* free magnetism; ~ *residuo* residual magnetism, remanence; ~ *terrestre* terrestrial magnetism, geomagnetism.

magnetịsta *m.* ⟨*El*⟩ (*operaio*) worker who makes magnetos.

magnetịte *f.* ⟨*Min*⟩ magnetite, lodestone, loadstone, magnetic iron (ore). – **magnetizzạbile** *a.* ⟨*non com*⟩ magnetizable. – **magnetizzamẹnto** *m.* ⟨*non com*⟩ magnetization.

magnetizzạre *v.t.* **1.** (*calamitare*) to magnetize. – **2.** ⟨*Occult*⟩ (*trasmettere il fluido magnetico*) to magnetize. – **3.** ⟨*fig*⟩ (*attirare*) to attract, to draw; (*affascinare*) to charm, to fascinate, to captivate, to magnetize.

magnetizzatọre *m.* (*f.* **-trice**) **1.** (*ipnotizzatore*) hypnotist, magnetizer, mesmerist. – **2.** ⟨*El*⟩ magnetizing apparatus. – **magnetizzaziọne** *f.* magnetization: ~ *residua* residual magnetization.

magneto... *pref.* (*magnetico* magnetic) magnet(o)...

magneto|calọrico: ⟨*Fis*⟩ *effetto* ~ magnetocaloric effect. – **~chịmica** *f.* magnetochemistry. – **~dinạmica** *f.* magnetodynamics *pl* (*costr. sing.*). – **~elasticità** *f.* magneto-elasticity. – **~elẹttrico** *a.* (*pl.* **-ci**) magneto-electric. – **~fịsica** *f.* magnetics *pl* (*costr. sing.*), magnetism. – **~fọnico** *a.* (*pl.* **-ci**) **1.** (*del magnetofono*) magnetophone-, of a magnetophone, tape-. – **2.** (*registrato con magnetofono*) tape-recorded, taped.

magnetọfono *m.* tape-recorder, magnetophone. □ ~ *a filo* wire recorder; ~ *a nastro* tape-recorder.

magnetọ|grafo *m.* ⟨*Fis*⟩ magnetograph. – **~idrodinạmica** *f.* magneto-hydrodynamics *pl* (*costr. sing.*). – **~meccạnico** *a.* (*pl.* **-ci**) magnetomechanical.

magnetọmetro *m.* ⟨*Fis*⟩ magnetometer. – **magnetomotrịce**: *forza* ~ magnetomotive force. – **magnetọne** *m.* magneton.

magneto|ọttica *f.* ⟨*Fis*⟩ magneto-optics *pl* (*costr. sing.*). – **~ọttico** *a.* (*pl.* **-ci**) magneto-optic(al). – **~stạtica** *f.* magnetostatics *pl* (*costr. sing.*). – **~striziọne** *f.* magnetostriction. – **~terapịa** *f.* ⟨*Med*⟩ magnetotherapy.

mạgnetron *m.* ⟨*Fis*⟩ magnetron.

magnificamẹnte *avv.* magnificently, splendidly. – **magnificamẹnto** *m.* ⟨*non com*⟩ (*esaltazione*) extolment, exaltation, glorification. – **magnificạre** *v.t.* (**magnịfico, magnịfichi**) **1.** (*esaltare*) to exalt, to laud, to magnify, to glorify. – **2.** (*lodare esageratamente*) to extol, to praise to the skies, to exaggerate, ⟨*fam*⟩ to blow up. – **magnificarsi** *v.r.* ⟨*lett*⟩ to glorify (*o* praise) o.s., to boast, to brag.

magnịficat *m.* **1.** ⟨*Lit*⟩ Magnificat. – **2.** ⟨*fam,scherz*⟩ (*il mangiare*) eating. □ ⟨*fam,scherz*⟩ *l'ora del* ~ dinner-time.

magnificatọre *m.* (*f.* **-trice**) (*esaltatore*) praiser, extoller, magnifier; (*panegirista*) eulogist, panegyrist. – **magnificaziọne** *f.* **1.** (*esaltazione*) extolment, exaltation, magnification. – **2.** (*vanto esagerato*) glorification, exaggerated praise, ⟨*fam*⟩ blowing up.

magnificẹnte *a.* ⟨*lett*⟩ grand, great, ⟨*lett*⟩ magnificent. – **magnificentịssimo** (*sup. di magnifico e di magnificente*) *a.* great, magnificent.

magnificẹnza *f.* **1.** (*grandezza*) greatness, loftiness. – **2.** (*grandiosità*) magnificence, grandeur, grandiosity, majesty; (*sontuosità*) sumptuousness, splendour; (*sfarzo*) pomp. – **3.** (*generosità*) generosity, munificence; (*liberalità*) liberality. – **4.** ⟨*enfat*⟩ magnificent (*o* splendid) thing, marvel, beauty, delight: *un film che è una* ~ a splendid (*o* wonderful) film. – **5.** *pl.* (*bellezze*) beauties *pl*, splendours *pl*, marvels *pl*. – **6.** (*titolo di rettore di università*) (title of a) university rector; ⟨*ant*⟩ (*titolo di signori*) Your Lordship; (*titolo di principi*) Your (Royal) Highness.

magnịfico *a.* (*pl.* **-ci**/*ant.* **-chi**) **1.** great, lofty. – **2.** (*grandioso*) magnificent, grand, grandiose, majestic; (*sontuoso*) sumptuous, magnificent, brilliant, splendid. – **3.** (*bellissimo*) marvellous, wonderful, splendid, magnificent, excellent, ⟨*fam*⟩ gorgeous, ⟨*fam*⟩ great: *abbiamo trascorso una serata -a* we spent a wonderful evening; *tempo* ~ splendid (*o* glorious) weather. – **4.** (*generoso*) generous, munificent; (*liberale*) liberal. – **5.** ⟨*ant*⟩ (*rif. a principi, magistrati e sim.*) ⟨*ant*⟩ magnificent: *Lorenzo il* ~ Lorenzo the Magnificent. □ *fare il* ~ (*ostentare generosità*) to spend (*o* give) lavishly, ⟨*fam*⟩ to throw one's money around (*o* about); (*ostentare grandezza*) to make a great show, to give o.s. airs of greatness; ⟨*Univ*⟩ ~ *rettore* (title of a) university rector.

magniloquẹnte *a.* ⟨*lett*⟩ **1.** (*solenne*) magniloquent, grandiloquent. – **2.** ⟨*spreg*⟩ (*ampolloso*) bombastic, pompous, pretentious, magniloquent, high-flown, ⟨*fam*⟩ highfalutin; (*enfatico*) over-emphatic, exaggerated, rhetorical. – **magniloquẹnza** *f.* ⟨*lett*⟩ **1.** (*solennità*) magniloquence. – **2.** ⟨*spreg*⟩ (*ampollosità*) bombast, pompousness, magniloquence; (*enfasi*) rhetoric, exaggeration. – **magnilọquio** *m.* ⟨*lett,non com*⟩ → **magniloquenza**. – **magnịloquo** *a.* ⟨*lett,iron*⟩ → **magniloquente**.

magnitụdine *f.* **1.** ⟨*ant*⟩(*grandezza*) greatness. – **2.** ⟨*Astr*⟩ magnitude.

magnitụdo *f.* ⟨*Geol*⟩ magnitude.

mạgno *a.* ⟨*lett*⟩ (*grande*) great (*anche scherz.*). – **Magno** *m.* (*appellativo*) the Great: *Alessandro* ~ Alexander the Great. □ *aula -a* main hall; ⟨*Stor*⟩ *Magna C(h)arta* Magna C(h)arta, the Great Charter; *Magna Grecia* Graecia Magna; ⟨*fig*⟩ *mare* ~ great confusion; *in pompa -a* with great pomp, in full pomp.

magnoferrịte *f.* ⟨*non com*⟩ → **magnesioferrite**.

magnogrẹco *a.* (*pl.* **-ci**) ⟨*non com*⟩ of (*o* relating to) Magna Graecia.

magnọlia *f.* ⟨*Bot*⟩ magnolia (*Magnolia*).

magnoliạcee *f.pl.* ⟨*Bot*⟩ Magnoliaceae *pl* (*Magnoliaceae*).

magnọne *m.* ⟨*Aut*⟩ carrier.

magnọsa *f.* **1.** ⟨*Zool*⟩ kind of hermit crab (*Scyllarus*). – **2.** ⟨*Itt*⟩ hammerhead (shark) (*Sphyrna zygaena, Zygaena malleus*).

mạgo *a./s.* (*pl.* **-ghi**) **I** *s.m.* (*f.* **-a**) **1.** magician, sorcerer (*f* -ceress), wizard (*f* witch). – **2.** (*guaritore*) healer, ⟨*spreg*⟩ quack. – **3.** ⟨*fig*⟩ (*rif. a persona molto abile in una scienza*) magician, genius, wizard, wonder, miracle-worker: *un* ~ *della medicina* a medical genius. – **4.** (*illusionista*) magician, conjurer, illusionist. – **5.** (*indovino*) fortune -teller. – **6.** ⟨*Stor*⟩ (*sacerdote*) magus. – **II** *a.* ⟨*ant*⟩ (*magico*) magic. □ ⟨*scherz*⟩ *sembrare il* ~ *sabino* (*avere barba incolta e capelli lunghi*) to have long, flowing hair and beard; ⟨*Bibl*⟩ *i tre magi* the Three Wise Men.

magọgano *m.* ⟨*tosc,pop*⟩ (*mogano*) mahogany.

magolạto, mạgolo *m.* ⟨*Agr*⟩ ploughing of ground in narrow furrows.

magọna *f.* **1.** iron foundry, ironworks *pl*; ⟨*estens*⟩ (*industria siderurgica*) iron industry. – **2.** ⟨*fig*⟩ (*luogo in cui si trova di tutto*) place where you can get anything. – **3.** ⟨*Stor*⟩ (*maona*) company, concern. – **4.** ⟨*ant*⟩ (*bottega di ferramenta*) ironmonger's shop, ⟨*am*⟩ hardware store.

magọne *m.* ⟨*region*⟩ **1.** (*ventriglio di pollo*) gizzard. – **2.** ⟨*fig*⟩ (*accoramento*) grief, upset; (*nodo alla gola*) lump in one's throat.

Magọne *N.pr.m.* ⟨*Stor*⟩ Mago.

magoniẹre *m.* superintendent of an iron foundry.

Magọnza *N.pr.f.* ⟨*Geog*⟩ Mainz.

mạgra *f.* **1.** low water. – **2.** ⟨*fig*⟩ (*difficoltà economiche*) hard (*o* lean) times *pl*. – **3.** ⟨*fam*⟩ (*figuraccia*) sorry (*o* poor) figure. □ *essere in* ~ (*rif. a fiumi*) to be down (*o* low); ⟨*fig*⟩ to be low on money, to have to tighten one's belt.

magramẹnte *avv.* thinly, scantily, meagrely.

Mạgreb *N.pr.m.* ⟨*Geog*⟩ Maghreb, Maghrib. – **magrebịno** *a.* (*del Magreb*) Maghrebian, Maghribian. □ *dialetto* ~ Maghrebi, Maghribi.

magrẹdo *m.* ⟨*Geol*⟩ poor untilled land (in Friuli).

magrẹzza *f.* **1.** thinness, leanness, gauntness. – **2.** ⟨*fig*⟩ (*scarsezza*) shortage, scarcity, lack, scantiness, meagreness, poorness. – **3.** (*rif. a fiumi*) lowness.

magro I *a.* **1.** thin; (*sparuto*) lean, gaunt, spare, ⟨*fam*⟩ skinny; (*esile, sottile*) slender, slim. – **2.** (*che contiene poco grasso*) lean: *carne -a* lean meat. – **3.** ⟨*fig*⟩ (*scarso*) scant(y), meagre, poor, sparse, miserable, wretched: *raccolto* ~ poor harvest; *-i guadagni* scant (*o* slender) earnings; (*poco vantaggioso*) poor, slim, meagre, bad, empty. – **4.** ⟨*fig*⟩ (*misero*) poor, bad, shabby, sad: *hai fatto una -a figura* you cut a poor figure; (*debole*) poor, weak, flimsy, thin, lame: *una -a scusa* a flimsy (*o* lame) excuse. – **5.** (*rif. a fiumi*) low. – **6.** ⟨*non com*⟩ (*stentato*) stunted, scrubby, wizened: *un* ~ *alberello* a stunted tree. – **7.** ⟨*Agr*⟩ infertile, poor, barren. – **8.** ⟨*Tip*⟩ light. – **II** *s.m.* (*parte magra*) lean (part): *il* ~ *del prosciutto* the lean part of the ham.

□ ~ *come un'***acciuga** (*o un chiodo*) all skin and bones, as thin as a rake, like a skeleton; **di** ~ maigre, meatless, Lenten-; *mangiare di* ~ to abstain from eating meat, to eat Lenten fare; *pranzo di* ~ meal without meat; ⟨*Rel*⟩ **osservare** *il* ~ to abstain from eating meat, to observe maigre days; ~ *come uno* **stecco** like a bag of bones; ⟨*fig*⟩ **viver** ~ (*in ristrettezze*) to live in straitened circumstances, to have a hard life.

magrolino (*dim. di magro*) *a.* thinnish, rather thin.

magrone *m.* **1.** ⟨*Zootecn*⟩ young pig (for fattening). – **2.** ⟨*region*⟩ (*pezzo magro di carne*) lean piece of meat.

mah *intz.* hum, huh; (*non lo so*) goodness knows, I don't know, ⟨*fam*⟩ I haven't a clue.

maharaja [-ˈdʒa] *m.* maharaja(h). – **maharani** *f.* maharani, maharenee.

mahatma *m.* mahatma.

mahayana *m.* ⟨*Rel*⟩ Mahayana.

Mahdi *N.pr.m.* ⟨*Rel*⟩ Mahdi. – **mahdismo** *m.* → **madismo**. – **mahdista** *m./f.* → **madista**.

mah-jong *ingl.* [ˈma:dʒɔŋ] *m.* (*gioco*) mah-jong(g).

mai *avv.* **1.** (*nessuna volta*) never, not ever: *questo non accadrà* ~ this will never happen. – **2.** (*qualche volta*) ever: *hai* ~ *visto Parigi?* have you ever seen Paris?; *se* ~ *ti ho amato* if I ever loved you; *chi l'avrebbe* ~ *detto?* who would (ever) have believed it? – **3.** (*enfatico, pleonastico*) ever: *chi sarà* ~*?* whoever (*o* who on earth) can that be? – **4.** (*in frasi comparative*) ever: *più che* ~ more than ever. – **5.** (*in frasi interrogative*) ever, ⟨*fam*⟩ on earth, ⟨*fam*⟩ in the world: *come* ~ *sei qui?* why ever (*o* in the world) are you here?, ⟨*fam*⟩ how come you're here? – **6.** ⟨*ant*⟩ (*più*) (any) more, (any) longer.

□ *quant'***altri** ~ more than anybody (*o* anything); ⟨*non com*⟩ *se altri* ~ = *quant'***altri** *mai*; **caso** ~ in case, if: *caso* ~ *telefonasse* if he should phone; **dove** ~*?* wherever?; *il* **giorno** *del* ~ never, ⟨*fam*⟩ when the moon turns blue; *ora* **meno** *che* ~ (now) less than ever; *ora* **più** *che* ~ (now) more than ever; ~ *più* never again (*o* more); ~ *e* **poi** ~ never; (*assolutamente no*) absolutely not, on no account; **quanto** ~ very (*o* so) much, very; *non lo vedo* **quasi** ~ I hardly ever see him; *non si* **sa** ~ you never can tell; *non* **sia** ~ may it never happen, let that never be.

maia *f.* ⟨*Zool*⟩ spider-crab, sea-spider (*Maia squinado*).

Maia *N.pr.f.* ⟨*Mitol,Astr*⟩ Maia.

maialata *f.* ⟨*volg*⟩ indecent (*o* dirty) act, foul behaviour.

maialatura *f.* ⟨*Macell*⟩ preparation and dressing of pork.

maiale *m.* **1.** ⟨*Zool*⟩ pig, swine; (*il maschio: castrato*) hog; (*non castrato*) boar; (*la femmina*) sow. – **2.** ⟨*Zool*⟩ domestic pig. – **3.** ⟨*Macell*⟩ pork, pig-meat: *braciola di* ~ pork chop. – **4.** ⟨*fig*⟩ (*grassone*) (fat) pig, barrel; (*ingordo*) pig, hog, glutton. – **5.** ⟨*fig*⟩ (*sudicione*) filthy person, pig (*f* sow), ⟨*am.fam*⟩ slob; (*essere abietto*) swine. – **6.** ⟨*Mar.mil*⟩ (manned) limpet mine.

□ ⟨*Zool*⟩ ~ **d'acqua** capybara (*Hydrochoerus capibara*); ~ *da* **bacon** bacon pig (*o* hog), baconer; ~ *da* **carne** heavy baconer; **di** ~ pork-: *salsicce di* ~ pork sausages; ~ **domestico** domestic pig; ~ *da* **lardo** lard pig; ~ *di* **razza** breeding pig.

maialescamente *avv.* piggishly, swinishly, like a pig. – **maialesco** *a.* (*pl.* **-chi**) **1.** (*da maiale*) piggish, swinish. – **2.** ⟨*fig*⟩ (*sconcio*) fit for a pig, swinish, filthy, foul. – **maialetto** (*dim. di maiale*) *m.* piglet, ⟨*infant*⟩ piggy. – **maialino** (*dim. di maiale*) *m.* **1.** → **maialetto**. – **2.** ⟨*fig*⟩ (*rif. a bambini*) dirty little thing, ⟨*fam*⟩ piggy. □ ~ *di latte* sucking-pig. – **maialone** (*accr. di maiale*) *m.* (*f.* **-a**) (*rif. a persona*) filthy person, pig (*f* sow), ⟨*am.fam*⟩ slob; (*essere abietto*) swine.

maidico *a.* (*pl.* **-ci**) (*del mais*) maize-, of maize. – **maidicolo** *a.* maize-, of maize. – **maidismo** *m.* ⟨*Med*⟩ pellagra, maidism, maidismus.

maiestà *f.* ⟨*lett*⟩ → **maestà**. – **maiestade, maiestate** *f.* ⟨*ant*⟩ → **maestà**.

maiestatico *a.* (*pl.* **-ci**) royal, regal, of majesty. □ *il noi* ~ the royal plural.

maieutica *f.* **1.** ⟨*Filos*⟩ maieutic system. – **2.** ⟨*lett*⟩ (*arte della levatrice*) midwifery. – **maieutico** *a.* (*pl.* **-ci**) ⟨*Filos*⟩ maieutic: *metodo* ~ maieutic method.

mainare *v.t.* (**maino**) ⟨*mar,lett*⟩ (*ammainare*) to furl; (*rif. a bandiera*) to haul down, to strike.

mainò *avv.* ⟨*ant,enfat*⟩ (*no*) certainly not, not at all.

maio *m.* ⟨*ant*⟩ **1.** (*nella festa di calendimaggio*) flowered branch, May branch. – **2.** ⟨*estens*⟩ (*ramo fiorito*) flowered branch.

maiolica *f.* majolica. – **maiolicaio** *m.* (*f.* **-a**) **1.** (*fabbricante*) maker of majolica ware. – **2.** (*venditore*) seller of majolica ware. – **maiolicare** *v.t.* (**maiolico, maiolichi**) ⟨*non com*⟩ (*smaltare*) to glaze; (*rivestire con maioliche*) to tile with majolica, to cover with majolica tiles. – **maiolicaro** *m.* ⟨*region*⟩ → **maiolicaio**. – **maiolicato** (*p.p. di maiolicare*) **I** *a.* (*smaltato*) glazed; (*rivestito di maioliche*) tiled with majolica. – **II** *s.m.* wall tiled with majolica.

maionese *f.* ⟨*Gastr*⟩ mayonnaise.

maiorana *f.* ⟨*ant*⟩ → **maggiorana**.

maiorasco *m.* ⟨*ant*⟩ → **maggiorasco**.

Maiorca *N.pr.f.* ⟨*Geog*⟩ Majorca. – **maiorchino** *a.* Majorcan.

maiore **I** *a.* ⟨*ant*⟩ (*maggiore*) greater. – **II** *s.m.* ⟨*Mediev*⟩ Sardinian judge.

maira *f.* summer stable.

mais *m.* ⟨*Bot*⟩ maize, Indian corn (*Zea mays*). □ ~ *da granella* grain maize; ~ *soffiato* popcorn. – **maiscoltore** *m.* (*f.* **-trice**) maize grower (*o* farmer). – **maiscoltura** *f.* growing of maize. – **maiscultore** *m.* → **maiscoltore**. – **maiscultura** *f.* → **maiscoltura**.

maisì *avv.* ⟨*ant,enfat*⟩ (*sì*) most certainly, (yes,) of course.

maître *fr.* [mɛ:tr] *m.* **1.** (*maggiordomo*) butler, house steward. – **2.** (*direttore: di albergo, ristorante e sim.*) maître d'hôtel, head waiter, ⟨*fam*⟩ maître d'.

maîtresse *fr.* [mɛˈtrɛs] *f.* **1.** (*padrona*) mistress, lady (of the house). – **2.** (*amante*) mistress. – **3.** (*tenutaria di casa di tolleranza*) madam.

maiuscola *f.* **1.** capital (letter). – **2.** ⟨*Tip*⟩ capital (*o* upper case) letter, cap. – **3.** ⟨*Paleogr*⟩ (*scrittura maiuscola*) majuscule script. □ *scrivere con la* ~ to write (*o* spell) with a capital letter. – **maiuscoletto** (*dim. di maiuscolo*) *m.* ⟨*Tip*⟩ small capital (*o* cap).

maiuscolo **I** *a.* **1.** capital: *lettera -a* capital letter. – **2.** ⟨*Tip*⟩ upper case-, capital. – **3.** ⟨*fig*⟩ (*enorme*) enormous, huge, gigantic. – **II** *s.m.* ⟨*Tip*⟩ capital, cap, upper case letter: ~ *corsivo* italic capitals. □ ⟨*fig*⟩ *parlare a lettere -e* (*chiaro*) to speak very clearly.

maiz *m.* ⟨*ant*⟩ → **mais**.

maizena *f.* ⟨*Alim*⟩ maize starch, maizena, ⟨*am*⟩ corn flour (*o* starch).

maki *m.* → **machi**.

makò **I** *s.m.* ⟨*Tess*⟩ maco, fine Egyptian cotton. – **II** *a.* Egyptian cotton-.

mal *accorc. di* **male**[1], **male**[2].

mala *f.* ⟨*gerg*⟩ (*malavita*) underworld, organized crime.

Malabar (o *Malabar*) *N.pr.m.* ⟨*Geog*⟩ Malabar. – **malabarico** *a.* (*pl.* **-ci**) Malabar.

malabbiato ⟨*ant*⟩ **I** *a.* (*malvagio*) wicked, evil. – **II** *s.m.* ⟨*Mediev*⟩ felon, evil-doer.

malabestia *f.* **1.** (*mostro immaginario*) (imaginary) monster, dragon. – **2.** ⟨*Fal*⟩ caulking chisel (*o* iron).

malacarne (o *mala carne*) *f.* (*pl.* **malecarni**) ⟨*ant*⟩ **1.** (*carne di infima qualità*) inferior (*o* bad) meat. – **2.** ⟨*fig*⟩ (*persona malvagia*) wicked (*o* evil) person, scoundrel, villain; (*persona dissoluta*) dissolute (*o* corrupt) person.

malacca *f.* Malacca (cane).

Malacca *N.pr.f.* ⟨*Geog*⟩ Malacca.

malaccetto (o *mal accetto*) *a.* unwelcome.

malaccio (*pegg. di male*[1]) *avv.* ⟨*fam*⟩ badly. □ *come stai?* – *non c'è* ~ how are you? – not (too) bad.

malaccolto (o *mal accolto*) *a.* unwelcome, not welcome, ill-received, undesired.

malacconcio *a.* ⟨*non com*⟩ unfit, unsuitable.

malaccortamente *avv.* incautiously, rashly, imprudently. – **malaccorto** **I** *a.* incautious, rash, unwise, imprudent, unwary. – **II** *s.m.* (*f.* **-a**) imprudent (*o* incautious) person.

Malachia *m.* ⟨*Bibl*⟩ Malachi.

malachite *f.* **1.** ⟨*Min*⟩ malachite. – **2.** (*pigmento verde*) malachite green.

malacia *f.* ⟨*Med*⟩ **1.** malacia. – **2.** (*smodato desiderio di cibi piccanti*) malacia. – **malacico** *a.* (*pl.* **-ci**) malacoid, malacic; (*rif. a denti*) malacotic.

malacitano *a.* (*di Malaga*) Malaga-, of Malaga.

malaco... *pref.* (*molle* soft, *mollusco* mollusk, *lumaca* snail) malac(o)...

malacofilia *f.* ⟨*Bot*⟩ malacophilae, malacogamy. – **malacofilo** *a.* malacophyllous, malacoid. – **malacogamia** *f.* → **malacofilia**.

malacologia *f.* ⟨*Zool*⟩ malacology. – **malacologico** *a.* (*pl.* **-ci**) malacological. – **malacologo** *m.* (*pl.* **-gi**; *f.* **-a**) malacologist.

malacopia (o *mala copia*) *f.* (*pl.* **malecopie**) ⟨*region*⟩ (*minuta*) rough copy (*o* draft).

malacostrac(h)i *m.pl.* ⟨*Zool*⟩ malacostracans *pl* (*Malacostraca*).

malacreanza (o *mala creanza*) *f.* (*pl.* **malecreanze**) impoliteness, rudeness, bad manners *pl*.

maladattato *a.* ⟨*Psic*⟩ maladjusted.

maladetto *a./s.* ⟨*ant*⟩ → **maledetto**. – **maladire** *v.* ⟨*ant*⟩ → **maledire**. – **maladizione** *f.* ⟨*ant*⟩ → **maledizione**.

malafatta (o *mala fatta*) *f.* (*pl.* **malefatte**) **1.** (generally in pl.: *cattive azioni*) misdeed, wrongdoing, evil deed. – **2.** ⟨*Tess,non com*⟩ flaw, fault.

malafede (o *mala fede*) *f.* (*pl. rar.* **malefedi**) bad faith: *in* ~ in bad faith; *essere in* ~ to be in bad faith. □ ⟨*Dir*⟩ *possesso di* ~ adverse (*o* hostile) possession.

malaffare: *donna di* ~ prostitute, ⟨*fam*⟩ tart, ⟨*fam*⟩ street-walker, ⟨*am,lett*⟩ whore, ⟨*lett*⟩ harlot; *gente di* ~ (*dissoluta*) depraved people, loose (*o* evil) livers; (*malavita*) criminals *pl*, delinquents *pl*, gangsters *pl*, ⟨*fam*⟩ crooks *pl*; *casa di* ~ brothel.

malaffetto (o *mal affetto*) *a.* ⟨*ant*⟩ (*che odia*) filled with hatred.

malafitta *f.* ⟨*Agr*⟩ soft ground, bog.

malaga **I** *s.m.* ⟨*Enol*⟩ Malaga (wine). – **II** *s.f.* (*varietà di uva*) Malaga grape. – **Malaga** *N.pr.f.* ⟨*Geog*⟩ Malaga.

malagevilezza *f.* ⟨*ant*⟩ → **malagevolezza**.

malagęvole *a.* **1.** hard, difficult, awkward; (*scomodo*) inconvenient, uncomfortable. – **2.** (*faticoso*) hard, arduous, exacting, tiring. – **3.** ⟨*non com*⟩ (*rif. a persona*: *scontroso*) difficult, hard to handle, intractable. – **malagevolęzza** *f.* **1.** difficulty, awkwardness. – **2.** ⟨*non com*⟩ (*carattere difficile*) difficult character, unsociableness, intractability. – **malagevolmęnte** *avv.* with difficulty, with an effort.

malagiąto *a.* ⟨*non com*⟩ (*disagiato*) badly off, in straitened circumstances, ⟨*fam*⟩ hard up.

malagrązia (o *mąla grązia*) *f.* **1.** (*sgarbatezza*) bad (*o* ill) grace. – **2.** ⟨*non com*⟩ (*azione sgarbata*) discourtesy, rudeness. □ *trattare qd. con* ~ to be rude (*o* uncivil) to s.o., to be disobliging to s.o.

malagueña *sp.* [-'geɲa] *f.* malagueña.

malalįngua (o *mąla lįngua*) *f.* (*pl.* **malelįngue**) (malicious) gossip, backbiter, person with a spiteful tongue.

malamęnte *avv.* badly; (*miseramente*) poorly, wretchedly.

malamįde *f.* ⟨*Chim*⟩ malic acid amide.

malanconįa *f.* ⟨*ant*⟩ → **malinconia**. – **malanconicamęnte** *avv.* ⟨*ant*⟩ → **malinconicamente**. – **malancǫnico** *a.* ⟨*ant*⟩ → **malinconico**.

malandąre *v.i.* (*aus.* **essere**) (used almost exclusively in the infinitive and past participle) to go to rack and ruin, ⟨*fam*⟩ to fall apart. □ *lasciarsi* ~ to let o.s. go (to pieces). – **malandąto** *a.* **1.** (*rif. alla salute*) in poor health, poorly, run down, ⟨*fam*⟩ in bad shape; (*rif. a condizioni finanziarie*) badly off, ⟨*fam*⟩ hard up. – **2.** (*sciatto*) shabby, careless, sloppy, ⟨*fam*⟩ down and out: ~ *nel vestire* shabbily dressed. – **3.** ⟨*non com*⟩ (*andato a male*) (gone) bad, rotten.

maląndra *f.* ⟨*Veter*⟩ malanders *pl* (*costr. sing.*), mallenders *pl* (*costr. sing.*).

malandrinąggio *m.* **1.** (*brigantaggio*) brigandage, highway robbery, banditry. – **2.** (*malandrini*) bandits *pl*, brigands *pl*, robbers *pl*. – **malandrinęsco** *a.* (*pl.* **-chi**) brigandish, brigand's, of highway robbery; ⟨*estens*⟩ ruffianly, rascally. □ *alla -a* like a brigand.

malandrįno I *s.m.* **1.** bandit, brigand, highwayman, (highway) robber, footpad. – **2.** (*persona disonesta*) scoundrel, rogue, ruffian, wicked person. – **3.** ⟨*scherz*⟩ rascal, sly rogue, scamp, imp. – **II** *a.* **1.** (*disonesto*) dishonest; (*cattivo*) wicked, bad, evil, crooked: *gente -a* ruffians *pl*, evil-doers *pl*, ⟨*fam*⟩ bunch of crooks, ⟨*fam*⟩ rough customers; (*pericoloso*) dangerous. – **2.** (*rif. a condizioni atmosferiche*) bad, inclement. – **3.** ⟨*scherz*⟩ (*rif. a cose attraenti*) bewitching, captivating: *occhi -i* bewitching eyes.

maląnimo (o *mal ąnimo*) *m.* **1.** ill-will, malice, hostility, spite, malevolence. – **2.** (*senso di insoddisfazione*) ill-will, dissatisfaction. □ *con* ~ malevolently; *di* ~ unwillingly, reluctantly.

malannąggia *intz.* ⟨*fam*⟩ damn (it), blast (it), confound it.

maląnno *m.* **1.** misfortune, ill luck, trouble, mishap; (*disastro*) calamity, disaster. – **2.** (*malattia*) ailment, illness, sickness, affliction, trouble. – **3.** ⟨*spreg,scherz*⟩ (*rif. a persona*) bore, pest, nuisance. □ *portare il* ~ (*il malaugurio*) to bring bad luck, ⟨*fam*⟩ to jinx. – *Prov.*: *un* ~ *non vien mai solo* troubles never come singly.

malaparąta (o *mąla parąta*): ⟨*fam*⟩ *vedere la* ~ to see the danger.

malapąsqua (o *mąla pąsqua*): *dare la* ~ to curse.

malapęna: *a* ~ (*a stento*) hardly, scarcely, with difficulty: *riesco a* ~ *a vederti* I can hardly (*o* only just) see you, I have difficulty in seeing you.

maląre[1]: ⟨*Anat*⟩ *osso* ~ malar (*o* zygomatic) bone, cheek-bone.

maląre[2] *v.i.* (*aus.* **essere**) ⟨*ant,pop*⟩ (*ammalare*) to fall ill, ⟨*am*⟩ to get sick.

maląria *f.* ⟨*Med*⟩ malaria, malarial fever. □ ~ *dei bovini* bovine malaria, Texas fever. – **maląrico** *a./s.* (*pl.* **-ci**) **I** *a.* malarial: *zona -a* malarial region. – **II** *s.m.* (*f.* **-a**) malarial, person who has malaria. – **malarįgeno** *a.* causing malaria. – **malariologįa** *f.* malariology. – **malariǫlogo** *m.* (*pl.* **-gi**; *f.* **-a**) malariologist. – **malarioterapįa** *f.* malariotherapy. – **malarizząre** *v.t.* to infect with malaria.

malasǫrte (o *mąla sǫrte*) *f.* bad (*o* ill) luck. □ *per* ~ unluckily, by ill luck.

malatestiąno *a.* Malatesta-, of the Malatesta family.

malatįccio *a.* sickly, ailing, poorly, feeble; (*delicato*) frail, delicate. – **malatįno** (*dim. di malato*) *m.* (*f.* **-a**) sick child.

maląto I *a.* **1.** ⟨*pred*⟩ ill, ⟨*attr*⟩ sick; (*indisposto*) unwell; (*rif. a parte del corpo*) diseased. – **2.** ⟨*fig*⟩ unsound, sick, unhealthy, diseased: *società -a* sick society; (*corrotto*) corrupt; (*morboso*) morbid, unsound. – **II** *s.m.* **1.** (*f.* **-a**) patient, sick person; (*invalido*) invalid. – **2.** *pl.* ⟨*collett*⟩ sick (*costr. pl.*).

□ **cadere** ~ to fall ill, ⟨*am*⟩ to get sick, ⟨*lett*⟩ to sicken; ⟨*scherz*⟩ ~ *nel* **cervello** mad, ⟨*fam*⟩ crazy, ⟨*fam*⟩ nuts; ⟨*scherz*⟩ *avere il* **cuore** ~ to be love-sick, to pine; **darsi** ~ to say one is sick; ⟨*Mil*⟩ to report (*o* go) sick; **essere** ~ *di qc.*: 1. to have s.th., to suffer from s.th., to have ... trouble: *sono* ~ *di fegato* I have ⌜liver trouble⌝ (*o* a bad liver); *è* ~ *d'influenza* he has (*o* is down with) influenza (*o* the flu); 2. ⟨*fig*⟩ to suffer from s.th., to be tormented by s.th.: *è -a di gelosia* she suffers from jealousy, she is very (*o* impossibly) jealous; *essere* ~ *di pigrizia* to be hopelessly lazy; ~ **immaginario** hypochondriac; ~ *di* **mente** mentally ill, of unsound mind, insane.

malattįa *f.* **1.** illness, sickness, disease: ~ *grave* serious illness; (*particolare processo morboso*) disease: *il morbillo è una* ~ measles is a disease; (*disturbo*) trouble, complaint, disorder: ~ *del cuore* heart trouble (*o* disease). – **2.** ⟨*fig*⟩ (*male spirituale*) malady, disease, disorder, (spiritual) sickness, ill, evil, trouble: *la superbia è una* ~ *dell'animo* pride is a spiritual malady.

□ ~ **acquisita** (acquired) disease; ~ **acuta** acute disease; **assicurazione** *contro le -e* sickness (*o* medical) insurance; ~ **batterica** bacterial disease; ~ *dei* **cani** (*cimurro*) canine distemper, maladie de Carré; ~ *da* **carenza** deficiency disease; ~ *dei* **cassoni** caisson disease, compressed air illness; *di* **che** ~ *è morto?* what did he die of?; ~ **congenita** congenital disease; ~ **contagiosa** contagious disease; ~ **degenerativa** degenerative disease; ⟨*fig,scherz*⟩ ~ **diplomatica** (socially) convenient indisposition; ~ **dissimulata** intentionally concealed illness; ~ **epatica** liver disease; ~ **ereditaria** hereditary disease; **farne** *una* ~ (*soffrirne moltissimo*) to make o.s. ill over s.th.; ~ **fungina** fungus disease; ~ **infettiva** infectious disease; ~ *dell'***intestino** intestinal disease; ~ *del* **lavoro** occupational disease; ~ **mentale** mental illness (*o* disorder); ⟨*Dir*⟩ mental infirmity; ~ **mortale** fatal illness; ~ *degli* **occhi** eye complaint; ~ *della* **pelle** skin disease; ~ *delle* **piante** plant disease; ~ **professionale** occupational disease; ~ **reumatica** rheumatic disease; ⟨*fig*⟩ ~ *del* **secolo** mal du siècle; ~ *del* **sistema** *nervoso* nervous disease; ⟨*fig*⟩ *le -e della* **società** social maladies (*o* ills); **soffrire** *di una* ~ to be ill (*o* sick), to ⌜suffer from⌝ (*o* be affected by) a disease, to have a trouble (*o* disease); ⟨*scherz*⟩ *soffrire di* ~ *alla tasca* (*avere mezzi limitati*) to be beset by money problems, ⟨*fam*⟩ to be hard up; ~ *del* **sonno** sleeping sickness; ~ *dello* **stomaco** stomach complaint; ~ **venerea** venereal disease; ~ *da* **virus** virus disease.

maląttico *a.* (*pl.* **-ci**) (*emolliente*) emollient.

malauguratamęnte *avv.* unfortunately, by ill chance. – **malauguręto** (o *mal augurąto*) *a.* **1.** (*infausto*) unlucky, ill-omened, unfortunate, inauspicious, bad, black. – **2.** (*deprecabile*) unfortunate, unhappy.

malaugụrio (o *mal augụrio*) *m.* ill-omen, bad omen. □ ⌜*essere di*⌝ (*o portare il*) ~ to bring bad luck, to carry a curse; *uccello del* ~ bird of ill omen; ⟨*fig*⟩ Jonah.

malaugurosamęnte *avv.* ⟨*non com*⟩ unluckily. – **malaugurǫso** *a.* ⟨*non com*⟩ **1.** (*infausto*) unlucky, black, ill-fated, ill-omened, inauspicious. – **2.** (*rif. a persona*: *che porta male*) bringing bad luck.

malaventụra (o *mąla ventụra*) *f.* misfortune, bad (*o* ill) luck. □ *per* ~ unfortunately, as luck would have it.

malavįta *f.* **1.** gangsterism, crime, low (*o* evil) life. – **2.** ⟨*collett*⟩ underworld, organized crime, gangsters *pl*, ⟨*fam*⟩ crooks *pl*, ⟨*am.fam*⟩ hoods *pl*. □ *darsi alla* ~ to lead a life of crime, ⟨*fam*⟩ to become a gangster; (*rif. a donna*) to go on the streets.

malavǫglia (o *mąla vǫglia*) *f.* (*pl.* **malevǫglie**) reluctance, unwillingness, ill will. □ *di* ~ unwillingly, reluctantly, against one's will, against the grain: *lavorare di* ~ to work unwillingly.

malavoglięnza *f.* ⟨*ant*⟩ → **malevolenza**.

malavvedutamęnte *avv.* ⟨*non com*⟩ incautiously, rashly, imprudently. – **malavvedụto** *a.* ⟨*non com*⟩ (*malaccorto*) incautious, rash, imprudent, unwise, unwary.

malavventuratamęnte *avv.* ⟨*lett*⟩ (*disgraziatamente*) unfortunately. – **malavventurąto** *a.* ⟨*lett*⟩ (*sventurato*) unfortunate, unlucky, unhappy. – **malavventurosamęnte** *avv.* ⟨*non com*⟩ unfortunately, unluckily. – **malavventurǫso** *a.* ⟨*non com*⟩ → **malavventurato**.

malavvęzzo *a.* ⟨*rar*⟩ **1.** (*abituato male*) spoiled, having bad habits, over-indulged. – **2.** (*maleducato*) ill-bred, rude, impolite, ill-mannered.

malavvisąto (o *mal avvisąto*) *a.* ⟨*lett*⟩ (*improvvido*) unwise, ill-advised, incautious.

Malaysia *N.pr.f.* ⟨*Geog*⟩ Malaysia (*denom.uff.*: *Federazione della Malaysia* Federation of Malaysia).

malazząto *a.* ⟨*non com*⟩ (*malandato in salute*) poorly, unwell, sickly, ailing.

malbęcchio *m.* ⟨*Ornit*⟩ (*piovanello maggiore*) knot (*Calidris canutus*).

malcadụco (o *mal cadụco*) *m.* (*pl.* **-chi**) ⟨*Med,pop*⟩ (*epilessia*) epilepsy, falling sickness.

malcapitąto (o *mal capitąto*) **I** *a.* unfortunate, unlucky, unhappy, wretched: *il professore sgridò il* ~ *alunno* the teacher reprimanded the unfortunate pupil. – **II** *s.m.* (*f.* **-a**) victim, unlucky person.

malcautamęnte *avv.* incautiously, rashly. – **malcąuto** (o *mal cąuto*) *a.* (*malaccorto*) incautious, imprudent, rash, unwary, heedless.

malcęrto (o *mal cęrto*) *a.* ⟨*non com*⟩ uncertain, unsure.

malchįte *f.* ⟨*Min*⟩ malchite.

malcǫncio *a.* **1.** (*rif. a persone*) in bad shape (*o* condition), in a bad way, in a sorry state (*o* plight): *è uscito piuttosto* ~ *dal quell'incidente* he was in a rather bad way after that accident; (*per bastonate*) knocked about, beaten up, ill-used. – **2.** (*rif. a cose*) in a bad state, the worse for wear, battered, damaged.

malconoscęnte *a.* ⟨*non com*⟩ (*ingrato*) ungrateful.

malconsiderąto *a.* ⟨*non com*⟩ (*sconsiderato*) ill-considered, incautious. – **malconsigliąto** *a.* (*imprudente*) ill-advised, imprudent.

malcontęnto I *a.* dissatisfied, discontented, not satisfied (*o* content) (*di* with): *è una persona sempre -a di tutto* he is never satisfied. – **II** *s.m.* **1.** (*stato d'animo*) discontent, dissatisfaction. – **2.** (*persona*; *f.* **-a**) malcontent.

malcorrispǫsto (o *mal corrispǫsto*) *a.* unreciprocated, unrequited, not returned: *affetto* ~ unrequited affection.

malcostumąto *a.* ⟨*non com*⟩ **1.** (*di cattivi costumi*) immoral, dissolute, debauched. – **2.** (*maleducato*) discourteous, ill-bred, impolite. – **malcostụme** (o *mal costụme*) *m.* immorality, immoral practices *pl*, immoral behaviour.

malcreąto (o *mal creąto*) *a.* (*maleducato*) ill-bred, rude, ill-mannered.

malcurąnte *a.* ⟨*non com*⟩ (*incurante*) careless, negligent, heedless.

maldenạro *m.* **1.** ⟨*Stor*⟩ arbitrary tax (in southern Italy). – **2.** ⟨*estens*⟩ (*imposta*) tax.

maldentạti *m.pl.* ⟨*Zool*⟩ edentates *pl.*

maldestramẹnte *avv.* inexpertly; (*senza grazia*) awkwardly, clumsily. – **maldęstro** *a.* inexpert, inexperienced, unskilled; (*impacciato*) awkward, clumsy, graceless: *una mossa -a* a clumsy move.

maldicạpo (o *mal di cạpo*) *m.* headache.

maldicęnte I *a.* malicious, slanderous. – **II** *s.m./f.* backbiter, slanderer; (*pettegolo*) gossip. – **maldicęnza** *f.* **1.** slander, backbiting; (*il pettegolare*) gossiping. – **2.** ⟨*concr*⟩ (*discorsi malevoli*) vicious gossip, slander.

maldispǫsto *a.* ill-disposed. □ *essere ~ verso qd.* to be ill-disposed towards s.o.; (*per rancore*) to bear s.o. a grudge.

maldǫcchio (o *mal d'ǫcchio*) *m.* ⟨*tosc*⟩ → **malocchio.**

mạle[1] (*compar.* **peggio**, *sup.* **malịssimo/pessimamẹnte**) *avv.* **1.** badly: *ti sei comportato ~* you behaved badly. – **2.** (*maldestramente*) badly, poorly: *cucina molto ~* she cooks very badly; (*miserevolmente*) wretchedly, miserably. – **3.** (*imperfettamente*) badly, poorly, imperfectly, ill. – **4.** (*erroneamente*) badly, wrong(ly), not properly (*o* well): *il verso è stato ~ interpretato* the verse was not properly understood, the verse was misinterpreted (*o* misunderstood); *hai fatto ~* you did wrong. – **5.** (*non, non del tutto*) not, not very well, ill, badly: *una mal celata antipatia* ill-concealed dislike; (*malvolentieri*) reluctantly, unwillingly, half-heartedly: *mal ci si rassegna a un lavoro così* one accepts a job like this reluctantly. – **6.** ⟨*esclam*⟩ you shouldn't have done that, that's bad.

□ **abituarsi** ~ to get into bad habits; **andar** ~ (*non riuscire*) to turn out badly; *mi è andata ~* I didn't succeed, ⟨*fam*⟩ I didn't make it; *né* **bene** *né ~* so-so; **camminare** ~ (*zoppicare*) to limp, to walk with a limp; **capire** ~ to misunderstand; *hai capito ~* you have got it wrong; ⟨*fam*⟩ (*ti illudi*) you've got another think coming; **dire** ~ *di qd.* = **parlare** *male di qd.*; **finire** ~: 1. (*morire in povertà*) to die in poverty; 2. (*morire di mala morte*) to die a bad death; **guardare** ~ *qd.* (*dargli un'occhiataccia*) to glare at s.o.; *mal gliene* **incolga**! woe to him!; **parlare** ~ *di qd.* to speak ill of s.o., ⟨*fam*⟩ to run s.o. down; **passarsela** ~ not to get on well; **pensare** ~ *di qd.* to have a poor opinion of s.o.; (*sospettarlo*) to suspect s.o.; **pronunciare** ~ to pronounce wrongly, to mispronounce; **restarci** (*o rimanerci*) ~: 1. (*offendersi*) to take amiss, to be hurt (*o* offended); 2. (*dispiacersi*) to be sorry; 3. (*essere deluso*) to be disappointed; **rispondere** ~ (*sbagliando*) to give a wrong answer; (*sgarbatamente*) to give a rude answer, to answer back; **sentirsi** ~ to feel ill, not to feel well; **stare** ~: 1. (*essere malato*) to be ill (*o* sick, unwell), to feel ill (*o* unwell); 2. (*non addirsi*) not to become: *sta molto ~ che tu la critichi* it ill becomes you to criticize her; 3. (*non adattarsi*) not to fit (well), not to suit: *quel vestito ti sta ~* that dress does not fit (*o* suit) you; *stare ~ a qc.* (*averne poco*) to be ill provided with s.th., to be short of s.th.: *stare ~ a quattrini* to be short of money, to be badly off; **trovarsi** ~ to be ill at ease; *in Francia mi sono trovato ~* I didn't feel at home in France.

mạle[2] *m.* **1.** evil, wrong, bad: *non saper distinguere il bene dal ~* not to know ⌜right from wrong⌝ (*o* good from bad); (*parte cattiva*) bad part (*o* side). – **2.** (*ciò che causa danno o dolore*) evil, ill: *l'avarizia è la radice di ogni ~* avarice is the root of all evil. – **3.** (*danno, svantaggio*) bad (thing), harm, hurt, trouble, woe: *spesso da un ~ nasce un bene* good often comes from bad, blessings often come in disguise. – **4.** (*disgrazia*) misfortune, harm, ill-luck, ill. – **5.** (*dolore fisico*) pain, hurt, ... ache: *mal di denti* toothache; *~ alla schiena* backache; (*malattia*) illness, sickness, disease: *il suo ~ non gli dà tregua* his illness gives him no peace; (*malessere*) indisposition, malaise, unwell feeling. – **6.** (*peccato*) sin, evil: *fuggire il ~* to flee from sin.

□ *andare* **a** *~* to go bad; *mandare a ~* to spoil, to ruin; *aversene a ~* to take s.th. badly (*o* amiss), to take offence at s.th.; ⟨*fig*⟩ *mal d'***Africa** nostalgia for Africa; *mal d'***amore** love sickness; ⟨*Bot*⟩ *~ dell'***ananas** pineapple disease, pineapple rot; *mal d'***aria** air-sickness; *mal d'***auto** car-sickness; **aver** ~ to have a pain: *ho ~ a un piede* I have a pain in my foot, my foot hurts; ⟨*Bot*⟩ *mal* **bianco** *del melo* powdery apple mildew; *mal bianco della vite* root rot, vine mildew; *avere un* **brutto** *~* (*il cancro*) to have cancer; ⟨*Med*⟩ *mal* **caduco** falling sickness, epilepsy; *avere mal di* **capo** = *avere mal di* **testa**; *mal di* **cuore** heart disease; *~* **ereditario** hereditary disease; *che ~ c'è?* what harm is there (in it)?, what's wrong with it?; *il ~ è che* the trouble is that; *non c'è ~* it's not (too) bad; *non c'è nulla di ~* there's no harm in it; **fare** ~: 1. (*dolere*) to hurt, to ache: *ti fa ~ il braccio?* does your arm hurt (you)?, is your arm aching?; 2. (*dispiacere*) to hurt, to upset: *m'ha fatto molto ~ sentirti parlare così* I was very hurt to hear you talk like that; 3. (*danneggiare*) to hurt, to damage, to harm; 4. (*rif. alla salute*) to be bad: *questo cibo ti fa ~* this food is bad for you; *far ~ a fare qc.* to be wrong in doing s.th.; *fare il ~* to do evil (*o* wrong); *fare del ~ a qd.* (*in senso morale*) to hurt (*o* harm) s.o., to do s.o. wrong; (*in senso fisico*) to hurt s.o.; *farsi ~* to hurt o.s., to get hurt; *farsi ~ al piede* to hurt one's foot; *a* **fin** *di ~* with evil (*o* bad) intentions, to an ill end; ⟨*Med*⟩ *mal* **francese** syphilis; *~ di san* **Giovanni** = *mal* **caduco**; *avere mal di* **gola** to have a sore throat; *~* **inguaribile** incurable disease; *mal di* **mare** sea-sickness; *mi viene il mal di mare* I feel (*o* am getting) sea-sick; *avere il mal di mare* to be sea-sick; **meno** *~!* thank goodness (*o* heavens)!, that's good!, (that's) just as well!, ⟨*fam*⟩ and a good job too!; *meno ~ che se n'è andato* thank goodness he's gone; ⟨*fig*⟩ **mettere** ~ (*discordia*) to cause trouble, to make mischief; *mal di* **montagna** mountain sickness; *andare di ~ in* **peggio** to go from bad to worse; **pensare** *al ~* to think the worst; ⟨*ant*⟩ *mal della* **pietra** (*calcolosi vescicale*) vesical calculus; ⟨*Bot*⟩ *mal del* **piombo** silver leaf disease; **poco** ~ it doesn't matter, never mind; ⟨*ant*⟩ *~ dei* **pondi** (*dissenteria*) dysentery; *~ della* **rosa** (*pellagra*) pellagra; ⟨*Veter*⟩ *mal* **rossino** swine erysipelas, diamond skin disease; *non* **sarà** *~ telefonarle* it ⌜wouldn't be a bad idea⌝ (*o* might be a good thing) to phone her; **soffrire** *di un ~* (*rif. a malattia*) to have (*o* suffer from) a disease; (*rif. a dolore*) to have a pain; *mal* **sottile** consumption; *avere mal di* **testa** to have a headache; *non ci* **vedo** *nulla di ~* I see no harm in it, I see nothing wrong, I don't see anything against it; **volere** *~ a qd.* to hate s.o., to bear s.o. ill-will; *non volermene ~* don't hold it against me; ⟨*Veter*⟩ *mal dello* **zoccolo** sandcrack. – *Prov.*: *~ non fare, paura non avere* he who is innocent has nothing to fear; *non ⌜tutto il⌝ (o ogni) ~ vien per nuocere* every cloud has a silver lining, it's an ill wind that blows nobody any good; *a -i estremi, estremi rimedi* critical situations call for drastic measures; *mal comune mezzo gaudio* a trouble shared is a trouble halved; *un ~ tira l'altro* troubles never come singly; *chi conosce il proprio ~ è un gran medico* it takes a great doctor to know his own disease; *chi ha fatto il ~ faccia la penitenza* we pay for what we do, you made your bed and now you must lie in it.

maleadattạto (o *mạle adattạto*) *a.* → **maladattato.**

malebǫlge *f.pl.* ⟨*Lett*⟩ Malebolge *pl*, Malpouches *pl*, Evil-pouches *pl.*

Malechịta *m.* ⟨*Rel*⟩ Malikite, Malekite, Maliki.

maledettamẹnte *avv.* ⟨*fam*⟩ (*terribilmente*) terribly, dreadfully; (*molto*) very much (*o* hard), ⟨*fam*⟩ for all one is worth, ⟨*fam*⟩ like hell.

maledẹtto (*p.p. di maledire*) **I** *a.* **1.** cursed, damned, doomed. – **2.** (*infausto*) cursed, ill-omened, unlucky. – **3.** ⟨*fam*⟩ (*eccessivo, fastidioso*) damned, wretched, beastly, blasted, blessed, cursed: *non ho ancora finito questo ~ lavoro* I haven't finished this wretched job yet. – **4.** (*con valore rafforzativo*) terrible, ⟨*fam*⟩ dreadful, ⟨*fam*⟩ awful. – **II** *s.m.* **1.** (*f.* **-a**) damned soul. – **2.** *pl.* damned (*costr. pl.*), cursed (*costr. pl.*). □ ⟨*fam*⟩ *alla -a* (*col massimo impegno*) for all one is worth, as hard as one can, with might and main; *le anime -e* the (souls of the) damned; ⟨*scherz,non com*⟩ *aver la -a* (*essere sfortunato al gioco*) to have bad luck; ⟨*volg*⟩ *non capirne una -a* not to understand a damned thing; *che tu sia ~* curse you, a curse upon you.

maledicamẹnte *avv.* ⟨*non com*⟩ slanderously. – **maledicentịssimo** *sup. non com. di* **maledico**[1].

malẹdico[1] *a./s.* (*pl.* **-ci**) ⟨*lett*⟩ **I** *a.* slanderous, backbiting: *lingua -a* slanderous (*o* vicious) tongue. – **II** *s.m.* (*f.* **-a**) slanderer, backbiter; (*pettegolo*) gossip.

maledịco[2] *pr.ind. di* **maledire.**

maledịre *v.* (*pr.ind.* **maledịco, maledịci**; *impf.* **maledicẹvo**/*pop.* **maledịvo**; *p.rem.* **maledịssi**/*pop.* **maledịi**; *imperat.* **maledịci**; *p.p.* **maledẹtto**; → **dire**) **I** *v.t.* **1.** to curse, to damn: *sia maledetto chi mi è nemico* cursed be he who is my enemy. – **2.** (*imprecare, deprecare*) to curse. – **3.** ⟨*ant*⟩ (*dire male*) to slander, to speak ill of. – **II** *v.i.* (*aus.* **avere**) ⟨*lett*⟩ to curse (*a qc.* s.th.).

maledịssi *p.rem. di* **maledire.**

maledizịone *f.* **1.** curse, malediction: *la ~ di Dio è su questa casa* God's curse is on this house. – **2.** (*imprecazione*) curse, oath, imprecation. – **3.** ⟨*fig*⟩ (*rovina*) curse, disaster, ruin, bane, calamity: *questa siccità è stata una ~ per le campagne* this drought has been a disaster for the countryside; *i cattivi compagni sono una ~ per lui* bad company will be the ruin of him. – **4.** ⟨*esclam*⟩ damn (it), blast (it), curse (it); (*meno forte*) blow (it).

maleducatamẹnte *avv.* rudely, impolitely. – **maleducạto** (o *mal educạto*) **I** *a.* rude, impolite, bad mannered, ill-bred, unmannerly, uncivil. – **II** *s.m.* (*f.* **-a**) rude person. – **maleducazịone** *f.* rudeness, impoliteness, bad manners *pl*, discourtesy, ill-breeding.

malefạtta *f.* → **malafatta.**

maleficamẹnte *avv.* wickedly, malignantly. – **maleficentịssimo** *sup. di* **malefico.**

maleficịato *a.* ⟨*ant*⟩ (*colpito da maleficio*) under a spell, bewitched, charmed. – **malefịcio** *m.* **1.** witchcraft, sorcery. – **2.** ⟨*ant*⟩ (*azione malvagia*) crime, wrongdoing, evil action, ill deed, mischief. – **maleficịoso** *a.* **1.** ⟨*non com*⟩ (*uso a fare malefici*) skilled in witchcraft. – **2.** ⟨*ant*⟩ (*cattivo*) bad, evil, malignant.

malẹfico *a./s.* (*pl.* **-ci**) **I** *a.* **1.** baleful, evil, malefic, maleficent: *influssi -i* baleful (*o* evil) influences. – **2.** (*dannoso*) harmful, bad, injurious, maleficent: *compagnia -a* bad company. – **II** *s.m.* (*f.* **-a**) ⟨*ant*⟩ (*fattucchiere*) wizard (*f* witch), sorcerer (*f* -ceress). □ *arti malefiche* magic (arts), witchcraft.

malefịzio *m.* → **maleficio.** – **malefizịoso** *a.* → **maleficioso.**

malẹico: ⟨*Chim*⟩ *acido ~* maleic acid.

malenconịa *f.* ⟨*ant*⟩ → **malinconia.** – **malencǫnico** *a.* ⟨*ant*⟩ → **malinconico.**

maleolẹnte *a.* ⟨*non com*⟩ evil-smelling, malodorous.

maleppẹggio *m.* axhammer.

malẹrba *f.* **1.** weed (*anche fig.*). – **2.** ⟨*Bot*⟩ (*orobanche*) broomrape (*Orobanche*). □ *crescere come la ~* to shoot up, to grow fast; *la ~ non muore mai* the bad outlive the good.

malẹscio *a.* **1.** (*ottuso*) obtuse, dull, ⟨*fam*⟩ thick, ⟨*fam*⟩ dense. – **2.** (*malaticcio*) sickly, frail, ailing. □ *noce -a* hard-shelled walnut.

malẹse I *a.* Malay, Malayan: (*dell'arcipelago malese*) Malaysian,

Malay. – **II** *s.m.* **1.** (*lingua*) Malay. – **2.** *m./f.* (*abitante*) Malay; (*dell'arcipelago malese*) Malaysian. □ *arcipelago* ~ Malaysia.
Malẹsia *N.pr.f.* ⟨*Geog*⟩ Malaya.
malẹssere *m.* **1.** malaise, discomfort, ill-being: ~ *generale* general malaise, feeling out of sorts, unwell feeling. – **2.** ⟨*fig*⟩ (*inquietudine*) uneasiness, restlessness.
malẹstro *m.* mischief, harm, damage. – **malestrọso** *a.* ⟨*tosc,fam*⟩ mischief-making, destructive.
malevoglịenza *f.* ⟨*ant*⟩ → **malevolenza**. – **malevolẹnza** *f.* ill-will, malevolence, malice, spite. – **malevolmẹnte** *avv.* malevolently, spitefully, maliciously. – **malẹvolo I** *a.* malevolent, spiteful, malicious. – **II** *s.m.* (*f.* **-a**) malevolent (*o* spiteful) person.
malfamạto *a.* ill-famed, of ill repute, with a bad reputation: *un locale* ~ a place of ill repute.
malfạre[1] *v.i.* (used only in the infinitive) to do evil (*o* wrong), to make (*o* get up to) mischief.
malfạre[2] *m.* evil-doing, wrong-doing.
malfạtto I *a.* **1.** (*rif. a persona*: *sgraziato*) ungainly, ungraceful, awkward; (*brutto*) ugly; (*deforme*) misshapen, deformed; (*sproporzionato*) ill-proportioned. – **2.** (*rif. a cosa*: *imperfetto*) defective, imperfect, badly made (*o* done), botched. – **3.** ⟨*fig*⟩ (*rif. a persona*: *difficile a trattarsi*) hard to get along with, difficult, intractable. – **4.** (*rif. a cosa*: *riprovevole*) bad, ill, evil. – **II** *s.m.* **1.** misdeed, ill deed, wrongful action: *rimediare al* ~ to make amends for a misdeed. – **2.** *pl.* ⟨*Gastr*⟩ dumplings *pl* made with spinach.
malfattọre *m.* (*f. non com.* **-trice**/*pop.* **-tora**) evil-doer, wrong-doer, malefactor; (*criminale*) criminal. – **malfattorịa** *f.* ⟨*non com*⟩ wrong-doing, evil-doing.
malfẹrmo (o *mal fẹrmo*) *a.* **1.** shaky, unsteady, unstable, wobbly: *sedia -a* wobbly chair. – **2.** (*vacillante*) uncertain, tottering, shaky, unsteady: *passi -i* shaky (*o* uncertain) steps. – **3.** (*fioco*) shaky, unsteady, uncertain, weak: *voce -a* shaky voice. – **4.** (*cagionevole*) poor, delicate, frail, sickly: *salute -a* poor health. – **5.** ⟨*fig*⟩ (*incostante*) fickle, inconstant, wavering, unsteady, vacillating: *cuore* ~ wavering heart.
malfidamẹnte *avv.* unreliably.
malfidạto *a.* (*diffidente*) suspicious, distrustful. – **malfidẹnte** *a.* ⟨*non com*⟩ → **malfidato**.
malfịdo *a.* **1.** (*rif. a persone*) unreliable, untrustworthy. – **2.** (*rif. a cose*) unreliable, uncertain, insecure, not to be depended upon.
malfondạto (o *mal fondạto*) *a.* ill-founded, ill-grounded: *speranze -e* ill-founded hopes.
malformạto (o *mal formạto*) *a.* ill-formed, imperfectly formed, misshapen. – **malformaziọne** *f.* malformation.
malfrancẹse, malfranzẹse *m.* ⟨*ant*⟩ (*sifilide*) syphilis.
malfụsso *a.* ⟨*ant*⟩ (*birbone*) rascal, (little) wretch.
mạlga *f.* Alpine summer pasture.
malgạrbo (o *mal gạrbo*) *m.* **1.** rudeness, impoliteness, boorishness, uncouthness, roughness. – **2.** (*sgarbo*) rude action, discourtesy, piece of boorishness.
malgạro *m.* herdsman (in an Alpine summer pasture).
malgạscio I *a.* (*del Madagascar*) Madagascan, Madagascar, Malagasy, of Madagascar. – **II** *s.m.* **1.** (*lingua*) Malagasy. – **2.** (*abitante*; *f.* **-a**) Madagascan, native (*o* inhabitant) of Madagascar, Malagasy. – **malgassịde** *a.* Malagasy: *razza* ~ Malagasy people.
malghẹse *m.* → **malgaro**.
malgovẹrno (o *mal govẹrno*) *m.* **1.** mismanagement, maladministration. – **2.** ⟨*Pol*⟩ bad government, misgovernment. – **3.** (*cattiva custodia*) negligence, bad supervision. – **4.** (*cattiva cura di se stessi*) neglect, carelessness, negligence; (*rif. all'aspetto*) sloppiness, slovenliness, untidiness, unkempt appearance.
malgradịto *a.* ⟨*non com*⟩ (*sgradito*) unwanted, unwelcome, undesired.
malgrạdo I *prep.* (*nonostante*) in spite of, despite, notwithstanding: *è voluta uscire* ~ *il cattivo tempo* she would go out in spite of the bad weather. – **II** *congz.* (al)though: *mi salutò* ~ *avessimo litigato* he greeted me ⌜although we had had a quarrel⌝ (*o* despite our quarrel). – **III** *s.m.* ⟨*ant*⟩ (*dispiacere*) displeasure, disappointment. □ ~ *che* (al)though; *mio* ~ against my will, unwillingly, reluctantly; *lo farò tuo* ~ I'll do it in spite of you.
malguardạto (o *mal guardạto*) *a.* poorly cared for, not properly looked after; (*mal difeso*) unguarded, poorly defended.
malgụsto (o *mal gụsto*) *m.* (*cattivo sapore, cattivo gusto*) bad taste.
Mạli *N.pr.m.* ⟨*Geog*⟩ Mali (*denom.uff.*: *Repubblica del Mali* Republic of Mali).
malịa *f.* **1.** (*incantesimo*) spell, charm, enchantment. – **2.** ⟨*fig*⟩ (*fascino*) charm, fascination, enchantment. – **3.** ⟨*fig,non com*⟩ (*sfortuna*) misfortune, bad luck.
maliardamẹnte *avv.* bewitchingly, charmingly. – **maliạrdo I** *a.* bewitching, charming, enchanting, fascinating. – **II** *s.m.* (*f.* **-a**) **1.** charmer, fascinating person. – **2.** ⟨*non com*⟩ (*mago*) sorcerer (*f* -ceress), wizard (*f* witch), magician.
mạlico: ⟨*Chim*⟩ *acido* ~ malic acid.
malidẹtto *a.* ⟨*ant*⟩ → **maledetto**.
malifịcio, malifịzio *m.* ⟨*ant*⟩ → **maleficio**.
malịgia: *cipolla* ~ very strong onion.
malignạccio *a. pegg. di* **maligno**. – **malignamẹnte** *avv.* maliciously, malignantly. – **malignạre** *v.i.* (*aus.* **avere**) to slander, to malign (*su qd.* s.o.), to speak ill, to think the worst (of), to spread scandal, to gossip, to tittle-tattle (about). – **malignatọre** *m.* (*f.* **-trice**) ⟨*non com*⟩ slanderer, maligner. – **malignaziọne** *f.* ⟨*non com*⟩ slandering, maligning. – **malignẹtto** *a. dim. di* **maligno**.
malignità *f.* **1.** malice, malignancy, enmity, malevolence, nastiness. – **2.** ⟨*fig*⟩ (*rif. a cose*) badness, balefulness, injuriousness, unpropitiousness. – **3.** ⟨*concr*⟩ malignity, malicious action. – **4.** ⟨*Med*⟩ malignancy. □ *con* ~ maliciously, with an ill-will.
malịgno I *a.* **1.** malicious, malignant, nasty, mean, evil, malevolent: *commenti -i* malicious comments, nasty remarks. – **2.** ⟨*lett*⟩ (*avverso, sfavorevole*) adverse, unfavourable, baleful, injurious. – **3.** ⟨*lett*⟩ (*inclemente*) inclement, bad; (*malsano*) unhealthy. – **4.** ⟨*Med*⟩ malignant. – **5.** ⟨*ant*⟩ (*malvagio*) wicked, evil, bad, fiendish. – **II** *s.m.* (*f.* **-a**) malicious person. □ *il* ≈ the Evil One, the Devil.
malignọne *a. accr. di* **maligno**.
malimpẹggio *m.* → **maleppeggio**.
malinconịa *f.* **1.** melancholy, gloom, low spirits *pl*, sadness, ⟨*fam*⟩ the blues *pl*, ⟨*am.fam*⟩ the mockers. – **2.** *pl.* (*pensieri che provocano tristezza*) gloomy (*o* sad) thoughts *pl*: *non pensare a queste -e* forget these gloomy thoughts. – **3.** ⟨*Psic*⟩ melancholia. – **4.** ⟨*ant*⟩ (*uno dei quattro umori*) melancholy. – **5.** ⟨*ant*⟩ (*desiderio struggente*) intense longing, yearning. □ *far venire la* ~ *a qd.* to make s.o. sad, ⟨*fam*⟩ to give s.o. the blues; *che* ~ *questa pioggia!* what a nuisance (*o* bore) this rain is!; *è proprio una* ~ *ascoltarlo* it's depressing (*o* a real pain in the neck) to listen to him.
malinconicamẹnte *avv.* in a melancholy way. – **malincọnico** *a.* (*pl.* **-ci**) **1.** (*rif. a persona*) melancholy, sad, gloomy, depressed, ⟨*fam*⟩ blue; (*rif. a cose*) melancholy, sad, gloomy, plaintive, mournful: *una canzone -a* a melancholy song. – **2.** (*che produce malinconia*) melancholy, depressing, saddening. – **3.** ⟨*Psic*⟩ melancholic. – **4.** ⟨*Mus*⟩ melancholy.
malincon(i)ọso *a.* **1.** ⟨*non com*⟩ (*malinconico*) melancholy, melancholic. – **2.** ⟨*lett*⟩ (*accorato*) afflicted, sad, grief-stricken.
malincọrpo: ⟨*tosc*⟩ *a* ~ (*controvoglia*) against one's will, with extreme reluctance. – **malincuọre**: *a* ~ reluctantly, unwillingly, against one's will.
malintenzionatamẹnte *avv.* with evil intentions. – **malintenzionạto I** *a.* ill-intentioned: *essere* ~ *nei riguardi di qd.* to be ill-intentioned towards s.o., to mean s.o. harm. – **II** *s.m.* (*f.* **-a**) ill-intentioned person, person who is up to no good.
malintẹso I *a.* misunderstood, misinterpreted; (*sbagliato*) mistaken, wrong. – **II** *s.m.* misunderstanding.
maliọso I *a.* **1.** bewitching, enchanting, charming, fascinating: *occhi -i* bewitching eyes. – **2.** ⟨*ant*⟩ (*che ha virtù magiche*) magic(al). – **3.** ⟨*ant*⟩ (*maligno*) malign, wicked, bad. – **II** *s.m.* (*f.* **-a**) (*persona dedita a pratiche magiche*) sorcerer (*f* -ceress), magician.
maliscạlco *m.* (*pl.* **-chi**) ⟨*ant*⟩ **1.** (*maniscalco*) farrier. – **2.** ⟨*Mediev*⟩ marshal.
malivolẹnza *f.* ⟨*ant*⟩ → **malevolenza**. – **malịvolo** *a.* ⟨*ant*⟩ → **malevolo**.
malịzia *f.* **1.** malice. – **2.** (*furbizia*) cunning, slyness. – **3.** (*astuzia*) astuteness, cleverness. – **4.** ⟨*estens*⟩ (*espediente*) trick, cunning device, stratagem. – **5.** ⟨*ant*⟩ (*infezione, malattia*) disease, infection. □ *con* ~ maliciously, craftily; *senza* ~ guileless, artless, innocent.
maliziạre *v.i.* (**malịzio, malịzi**; *aus.* **avere**) **1.** (*malignare*) to think (*o* speak) ill, to think the worst (*su* of), to be nasty-minded. – **2.** ⟨*ant*⟩ (*falsificare*) to falsify. – **maliziạto** (*p.p. di maliziare*) *a.* **1.** (*malizioso*) malicious. – **2.** (*falsificato*) counterfeit, false. – **maliziosamẹnte** *avv.* **1.** maliciously. – **2.** (*in modo gaio e birichino*) mischievously. – **maliziosẹtto** *a. dim. di* **malizioso**. – **maliziosità** *f.* ⟨*non com*⟩ **1.** (*l'essere malizioso*) maliciousness. – **2.** (*malizia*) malice.
maliziọso *a.* **1.** malicious. – **2.** (*rif. a cosa*) malicious: *domanda -a* malicious (*o* nasty, mean) question. – **3.** (*gaio e birichino*) mischievous, roguish, naughty. – **4.** ⟨*ant*⟩ (*accorto*) astute, sly, clever, cunning, crafty.
mallạrdo *m.* ⟨*Ornit*⟩ (*germano reale*) mallard (*Anas platyrhynchos*).
malleạbile *a.* **1.** ⟨*Met*⟩ malleable. – **2.** ⟨*fig*⟩ malleable, pliable, flexible, adaptable. – **malleabilità** *f.* **1.** ⟨*Met*⟩ malleability. – **2.** ⟨*fig*⟩ malleability, pliability. – **malleabilizzaziọne** *f.* malleabilization.
mạlleo[1] *m.* ⟨*lett*⟩ (*martello*) hammer.
mạlleo[2] *m.* ⟨*Veter*⟩ (*morva*) glanders *pl* (*costr. sing. o pl.*), malleus.
malleolạre *a.* ⟨*Anat*⟩ malleolar. – **mallẹolo** *m.* **1.** ⟨*Anat*⟩ malleolus. – **2.** ⟨*ant*⟩ (*ordigno incendiario*) fire arrow.
mallevadọre *m.* (*f.* **-drice**) ⟨*Dir*⟩ guarantor (*anche fig.*). □ *entrare* (o *essere*) ~ to stand surety, to be s.o.'s surety. – *Prov.*: *chi entra* ~ *entra pagatore* he who stands surety is often called upon to pay. – **mallevadorịa** *f.* ⟨*non com*⟩ → **malleveria**.
mallevạre *v.i.* (**mallẹvo**; *aus.* **avere**) ⟨*ant*⟩ to stand surety, to act as guarantor. – **mallevatọre** *m.* (*f* **-trice**) ⟨*non com*⟩ → **mallevadore**. – **malleverịa** *f.* surety, security: *ottenere* ~ to obtain security; *prestare* ~ to stand surety, to give security; (*garanzia*) guarantee; (*cauzione*) bail.
mạllo[1] *m.* ⟨*Bot*⟩ hull.
mạllo[2] *m.* ⟨*Mediev*⟩ mallum, mallus.
mallọfagi *m.pl.* ⟨*Entom*⟩ bird lice *pl* (*Mallophaga*).
mallọppo *m.* **1.** ⟨*region*⟩ (*fagotto*) bundle. – **2.** ⟨*fig*⟩ (*peso, ansietà*) weight, lump. – **3.** ⟨*gerg*⟩ (*refurtiva*) loot, swag, booty. – **4.** ⟨*Aer*⟩ trail rope.
malm *m.* ⟨*Geol*⟩ malm.

malmaritạta (o *mal maritạta*) **I** *a.f.* unhappily married. – **II** *s.f.* unhappily-married woman, unhappy wife.

malmenạre *v.t.* (**malmęno**) **1.** to mistreat, to abuse, to bully, to ill-treat, to ill-use. – **2.** ⟨*fig*⟩ to ill-use, to mishandle, to ill-treat, to misuse. – **3.** ⟨*fig*⟩ (*parlare male*) to speak ill of, to abuse. – **4.** (*governare male*) to misgovern, to govern badly. ▭ ⟨*fig*⟩ ~ *un autore* (*interpretarlo erroneamente*) to misinterpret an author's works; ~ *uno strumento* (*sonarlo male*) to play an instrument atrociously; ~ *una lingua* (*parlarla male*) to speak a language badly, ⟨*fam,scherz*⟩ to murder a language.

malmeritạre (o *mal meritạre*) *v.i.* (**malmẹrito**; *aus.* **avere**) ⟨*rar*⟩ to be undeserving, to ill deserve. ▭ *elogi malmeritati* ill-deserved praise.

malmęsso (o *mal męsso*) *a.* **1.** (*rif. a persona*) shabby, badly-dressed, poorly-dressed, seedy-looking. – **2.** (*rif. a mobilio*) badly-furnished, poor-looking.

malmignạtta *f.* ⟨*Entom*⟩ malmignatte (*Lathrodectes tredecimguttatus*).

malnạto (o *mal nạto*) *a.* **1.** (*screanzato*) ill-bred, rude, unmannerly: *ragazzacci -i* ill-bred louts. – **2.** (*sfortunato*) unlucky, unfortunate. – **3.** ⟨*fig*⟩ (*dannoso*) harmful, injurious. – **4.** ⟨*ant*⟩ (*di umili origini*) of low birth, low-born.

malnaturạto (o *mal naturạto*) *a.* ⟨*ant*⟩ degenerate.

malnọto (o *mal nọto*) *a.* little known; ⟨*spreg*⟩ (better left) unknown.

malnutrịto (o *mal nutrịto*) *a.* undernourished, ill-fed. – **malnutriziọne** *f.* malnutrition.

mạlo *a.* ⟨*lett*⟩ **1.** (*cattivo*) bad, evil, wicked, ill: *-a parata* evil plight. – **2.** (*incapace*) bad, poor, incapable. ▭ *-a parola* bitter word; *ridurre qd. a mal partito* to get s.o. with his back against the wall; *a -a pena* with difficulty, scarcely, hardly; *di -a voglia* unwillingly, reluctantly.

malọcchio *m.* evil eye: *gettare il ~ su qd.* to cast the evil eye on s.o. ▭ *di ~* askance, with dislike.

Malọia: ⟨*Geog*⟩ *passo della ~* Maloja Pass.

malọmbra *f.* (*spettro*) ghost, phantom. ▭ ⟨*fig*⟩ *ridursi una ~* to look like a ghost, to be a shadow of one's former self.

malonęsto (o *mal onęsto*) *a.* ⟨*non com*⟩ (*disonesto*) dishonest.

malọra *f.* **1.** (*rovina*) ruin. – **2.** ⟨*ant*⟩ (*ora infausta*) unlucky (*o* evil) hour. ▭ *alla ~!* to the devil!; *andare in ~* to go to rack and ruin, to fall to pieces, ⟨*fam*⟩ to go to the dogs: *la casa va in ~* the house is falling to pieces; *vada in ~!* go to the devil!; *mandare in ~ qd.* (*rovinarlo*) to bring s.o. to ruin; (*mandarlo al diavolo*) to tell s.o. to go to the devil, to curse s.o.; ⟨*volg*⟩ *della ~* damned, cursed.

malọre *m.* **1.** attack, unwell feeling, indisposition; (*svenimento*) faintness. – **2.** ⟨*ant*⟩ (*malattia*) illness, sickness, disease.

malọtico *a.* (*pl.* **-ci**) ⟨*ant*⟩ (*maligno*) evil, wicked, malign.

malparạto (o *mal parạto*) *a.* ⟨*ant*⟩ (*in tristi condizioni*) in a sorry state (*o* plight), in a bad way, badly off.

malpạri (o *mal pạri*) *a.* ⟨*non com*⟩ uneven.

malparlạnte (o *mal parlạnte*) **I** *a.* **1.** (*che parla scorrettamente*) speaking badly (*o* incorrectly). – **2.** ⟨*non com*⟩ (*maldicente*) slanderous, malicious, backbiting. – **II** *s.m./f.* **1.** person who speaks incorrectly. – **2.** (*maldicente*) slanderer, backbiter.

malpęlo: ⟨*pop*⟩ *rosso ~* red-head, carrot top.

malpensạnte (o *mal pensạnte*) ⟨*non com*⟩ **I** *a.* **1.** wrong-minded, wrong-thinking. – **2.** (*maligno*) malignant, thinking (*o* speaking) ill. – **II** *s.m./f.* person who thinks the worst of others, nasty-minded person.

malpịglio (o *mal pịglio*) *m.* ⟨*lett*⟩ (*aspetto irato*) scowl, frown; (*aspetto minaccioso*) threatening look; (*aspetto addolorato*) grieved look, sad expression.

malprạtico (o *mal prạtico*) *a.* (*pl.* **-ci**) inexpert, unpractised, unskilful.

malpreparạto (o *mal preparạto*) *a.* badly prepared, unprepared, ill-prepared: *essere ~ in una materia* to be unprepared in a subject.

malpropriamẹnte *avv.* improperly. – **malprọprio** (o *mal prọprio*) *a.* **1.** (*improprio*) improper, inexact, incorrect. – **2.** (*non decoroso*) indecorous, improper; (*non adatto*) unsuitable, ill-suited, not fitting, inappropriate.

malprovvedụto (o *mal provvedụto*) *a.* ⟨*non com*⟩ → **malprovvisto**. – **malprovvịsto** (o *mal provvịsto*) *a.* ill-provided.

malsanamẹnte *avv.* unhealthily, unsoundly. – **malsanịa** *f.* ⟨*ant*⟩ (*cattiva salute*) poor health. – **malsạno** *a.* **1.** unhealthy, unwholesome: *clima ~* unhealthy climate. – **2.** (*malaticcio*) sickly, feeble, unhealthy, ailing. – **3.** ⟨*fig*⟩ sick, unsound, unhealthy; (*morboso*) morbid: *fantasia -a* morbid (*o* sick) imagination.

malservịto (o *mal servịto*) *a.* ill-served; (*rif. a linee di comunicazione*) badly run, inefficient.

malsicụro (o *mal sicụro*) *a.* **1.** (*vacillante*) unsteady, uncertain, faltering, shaky: *passo ~* faltering step. – **2.** (*inattendibile*) unreliable, dubious, untrustworthy: *testimonianza -a* unreliable evidence. – **3.** (*esitante*) hesitant, uncertain, unsure. – **4.** (*pericoloso*) dangerous, risky, unsafe.

malsoddisfạtto (o *mal soddisfạtto*) *a.* dissatisfied (*di* with).

malsofferẹnte (o *mal sofferẹnte*) *a.* ⟨*lett*⟩ (*insofferente*) intolerant, impatient.

mạlta *f.* **1.** ⟨*Mur*⟩ mortar. – **2.** ⟨*ant,region*⟩ (*fango*) mud, mire. ▭ ~ **asfaltica** asphaltic mortar; ~ *di* **calce** (lime) mortar; ~ ⌈*di* **cemento**⌉ (o *cementizia*) cement mortar, grout; ~ (*di calce*) **idraulica** hydraulic mortar; ~ *da* **intonaco** plaster; ~ **liquida** grout, larry; ~ **refrattaria** refractory mortar.

Mạlta *N.pr.f.* ⟨*Geog*⟩ Malta (*denom.uff.*: *Stato di Malta* State of Malta).

maltạggio *m.* malting, malt-making.

maltagliạti *m.pl.* ⟨*Alim*⟩ kind of pasta.

maltagliạto (o *mal tagliạto*) *a.* badly cut: *abito ~* badly-cut suit.

maltalẹnto (o *mal talẹnto*) *m.* ⟨*non com*⟩ (*malanimo*) ill-will, malice, malevolence.

maltarọla *f.* ⟨*region*⟩ (*cazzuola*) trowel.

maltạsi *f.* ⟨*Biol*⟩ maltase.

maltatọre[1] *m.* maltster.

maltatọre[2] *m.* ⟨*Edil*⟩ worker who mixes mortar.

maltaziọne *f.* → **maltaggio**.

maltęmpo *m.* bad weather. ▭ ⟨*non com*⟩ *in ~* (*in un cattivo momento*) at a bad moment.

maltenụto (o *mal tenụto*) *a.* badly kept, ill-tended; (*disordinato*) untidy, disorderly.

malterịa *f.* malt-house.

maltęse **I** *a.* (*di Malta*) Maltese. – **II** *s.m.* **1.** (*lingua*) Maltese. – **2.** *m./f.* (*abitante*) Maltese, native (*o* inhabitant) of Malta. – **3.** ⟨*Zootecn*⟩ Maltese.

malthusianịsmo *m.* ⟨*non com*⟩ → **maltusianismo**. – **malthusịano** *a./s.* ⟨*non com*⟩ → **maltusiano**.

maltịna *f.* ⟨*Biol*⟩ **1.** maltine. – **2.** (*diastasi*) diastase.

maltịnto (o *mal tịnto*) *a.* **1.** (*tinto male*) badly dyed. – **2.** ⟨*Zootecn*⟩ black tinged with red-brown.

mạlto *m.* malt: *~ da birra* brewing malt; *~ di frumento* wheat malt; *~ d'orzo* barley malt.

maltollerạbile (o *mal tollerạbile*) *a.* intolerable, unendurable, insupportable.

maltollerạnte (o *mal tollerạnte*) *a.* intolerant.

maltollętto (o *mal tollętto*) *m.* ⟨*ant*⟩ → **maltolto**. – **maltọlto** *m.* ill-gotten gains *pl*, extorted (*o* wrongfully obtained) goods *pl*.

maltọrto **I** *a.* ⟨*Tess*⟩ badly twisted. – **II** *s.m.* badly twisted yarn.

maltọsio *m.* ⟨*Chim*⟩ maltose. – **maltosụria** *f.* ⟨*Med*⟩ maltosuria.

maltrattamẹnto *m.* abuse, mistreatment, ill-treatment. ▭ *soffrire -i* to be mistreated, to suffer abuse (*o* at s.o.'s hands); ⟨*Dir*⟩ *~ di animali* cruelty to animals; ⟨*Dir*⟩ *-i in famiglia* cruelty to a member of the family.

maltrattạre *v.t.* **1.** to ill-treat, to ill-use, to abuse, to mistreat; (*rif. a cose*) to misuse. – **2.** (*sgridare*) to scold, to rail at, to bully. ▭ ⟨*fig*⟩ *~ un autore* (*interpretarlo male*) to misinterpret an author; ⟨*fig*⟩ *~ una lingua* (*parlarla male*) to murder a language. – **maltrattatọre** *m.* (*f.* **-trice**) one who mistreats others, ruffian, bully.

maltusianęsimo *m.* ⟨*non com*⟩ → **maltusianismo**. – **maltusianịsmo** *m.* ⟨*Econ*⟩ Malthusianism. – **maltusịano** **I** *a.* Malthusian. – **II** *s.m.* (*f.* **-a**) Malthusian.

malụccio (*dim. di male*[1]) *avv.* not very well, rather badly (*o* poorly).

malumọre *m.* **1.** bad mood, ill-humour; (*irritabilità*) bad temper; (*tristezza*) low spirits *pl*. – **2.** (*cruccio*) ill (*o* bad) feeling, variance, friction, discord. – **3.** (*fermento di ribellione*) discontent, unrest, dissatisfaction. – **4.** ⟨*ant*⟩ (*ipocondria*) hypochondria. ▭ ⌈*essere di ~*⌉ (o *avere il malumore addosso*) to be in a bad mood; (*essere irritabile*) to be in a bad temper; *mettere il ~* to put in a bad mood, to upset.

mạlva *f.* **1.** ⟨*Bot*⟩ malva (*Malva*). – **2.** ⟨*Bot*⟩ (*anche malva comune*) common mallow (*Malva silvestris*). – **3.** ⟨*fig*⟩ (*persona spiritualmente fiacca*) spiritually apathetic person. ▭ ~ *arborea* (o *rosa*) → **malvone**; *color ~* mauve.

malvacciọne *m.* ⟨*Bot*⟩ (*altea*) marsh-mallow (*Althaea officinalis*).

malvạcee *f.pl.* ⟨*Bot*⟩ mallows *pl* (*Malvaceae*).

malvạceo *a.* malvaceous. ▭ *color ~* mauve.

malvagịa *f.* ⟨*ant*⟩ → **malvasia**.

malvagiamẹnte *avv.* wickedly.

malvạgio **I** *a.* **1.** wicked, evil. – **2.** (*cattivo*) bad, nasty, unpleasant. – **3.** ⟨*fam*⟩ (*inclemente*) inclement, bad: *tempo ~* inclement weather. – **4.** ⟨*fam*⟩ (*molesto*) annoying, tiresome; (*noioso*) boring, tedious. – **5.** ⟨*scherz*⟩ bad: *questo libro non è ~* this book isn't bad. – **6.** ⟨*ant*⟩ (*difficile*) difficult, hard. – **II** *s.m.* (*f.* **-a**) wicked man. ▭ *il ~* the Evil One, the Devil.

malvagità *f.* **1.** wickedness, iniquity, evilness. – **2.** (*azione malvagia*) evil deed, wicked thing to do. – **3.** ⟨*non com*⟩ (*inclemenza*) inclemency, badness. – **4.** ⟨*ant*⟩ (*scomodità*) uncomfortableness. – **malvagitạde**, **malvagitạte** *f.* ⟨*ant*⟩ → **malvagità**.

malvarọsa *f.* → **malvone**.

malvasịa *f.* **1.** (*uva*) malvasia. – **2.** (*vino*) malmsey.

malvavịschio *m.* ⟨*Bot*⟩ (*altea*) marsh-mallow (*Althaea officinalis*).

malvedụto *a.* ⟨*non com*⟩ → **malvisto**.

malversạre *v.t.* (**malvẹrso**) ⟨*Dir*⟩ to embezzle, to misappropriate. – **malversatọre** *m.* (*f.* **-trice**) embezzler. – **malversaziọne** *f.* embezzlement, misappropriation: *~ di denaro pubblico* misappropriation of public money.

malvestịto (o *mal vestịto*) *a.* poorly (*o* badly) dressed, shabby, seedy-looking.

malvissụto *a.* who has lived an evil life, dissolute.

malvịsto *a.* disliked (*da* by), unpopular (with).

malvivẹnte *m./f.* **1.** criminal, delinquent, gangster, ⟨*fam*⟩ crook. – **2.** ⟨*iperb,scherz*⟩ rascal, scoundrel, rogue. – **3.** ⟨*lett*⟩ (*dissoluto*) dissolute (*o* depraved) person, profligate. – **malvivẹnza** *f.* **1.** ⟨*non com*⟩ (*malavita*) crime, underworld, gangsterism. – **2.** ⟨*collett*⟩ gangsters *pl*, criminals *pl*, underworld.

malvịvo (o *mal vịvo*) *a.* ⟨*lett*⟩ half-dead, almost lifeless.

malvịzzo *m.* ⟨*Ornit*⟩ (*tordo sassello*) redwing (*Turdus musicus*).

malvoglịẹnte *a.* ⟨*ant*⟩ → **malevolo.** – **malvoglịẹnza** *f.* ⟨*ant*⟩ → **malevolenza.**

malvolentịẹri (o *mal volentịẹri*) *avv.* unwillingly, reluctantly, against one's will.

malvolẹre[1] *v.t.* (only the infinitive and the past participle **malvoluto** are in use) to dislike: *essere malvoluto da tutti* to be disliked by everyone, to be generally unpopular. □ *farsi ~ da qd.* to earn s.o.'s dislike; *prendere qd. a ~* to take a dislike to s.o.

malvolẹre[2] *m.* **1.** (*cattiva disposizione d'animo*) ill-will, malevolence. – **2.** (*volontà di fare del male*) malignancy, malice, evil intent. – **3.** (*cattiva volontà*) unwillingness.

malvolontịẹri *avv.* ⟨*non com*⟩ → **malvolentieri.**

malvọne *m.* ⟨*Bot*⟩ hollyhock (*Althaea rosea*).

mạmbo *m.* (*danza*) mambo.

mameluc̣co *m.* (*pl.* **-chi**) ⟨*Stor*⟩ Mamluk, Mameluk(e).

mamillạre *a.* ⟨*non com*⟩ → **mammillare.**

mamillạria *f.* → **mammillaria.**

mạmma *f.* **1.** Mummy, ⟨*fam*⟩ Mum, ⟨*am*⟩ Mommy, ⟨*am.fam*⟩ Ma, ⟨*am.fam*⟩ Mom, ⟨*lett*⟩ Mama: *la ~ e il babbo* Mummy and Daddy; (*più formale*) Mother; (*usato non come appellativo*) mother, ⟨*infant*⟩ mummy: *la mia ~* my mother; *amore di ~* a mother's love, mother -love. – **2.** ⟨*fam*⟩ (*rif. ad animali*) mother. – **3.** ⟨*fig*⟩ mother: *è una ~ per gli orfanelli* she is a mother to the orphans. – **4.** ⟨*fig*⟩ (*modello ideale*) mother, prototype. – **5.** ⟨*Enol*⟩ dregs *pl*, mother. – **6.** ⟨*Bot*⟩ (*cratiro*) mamme; (*rif. al carciofo*) top head. – **7.** ⟨*lett*⟩ (*mammella*) breast. – **8.** ⟨*lett*⟩ (*papilla*) papilla. □ *come lo fece ~* (*nudo*) stark naked, as mother nature made him, as naked as the day he was born, ⟨*scherz*⟩ in his birthday suit; *sembrare la ~ del freddo* (*mostrarsi molto infreddolito*) to look frozen; ⟨*fig*⟩ *essere attaccato alle gonne della ~* to be tied to one's mother's apron-strings; *~ mia!* good gracious (*o* heavens)!, my goodness!, well I never!, dear me!

mammà *f.* ⟨*region*⟩ Mummy, ⟨*fam*⟩ Mum, ⟨*am*⟩ Mommy.

mammalịano *a.* ⟨*Zool*⟩ mammalian. – **mammalofạuna** *f.* mammalian fauna, mammals *pl.* – **mammalogịa** *f.* mammalogy. – **mammạlogo** *m.* (*pl.* **-gi**; *f.* **-a**) mammalogist.

mammaluc̣co *m.* (*pl.* **-chi**) **1.** ⟨*pop*⟩ → **mamelucco.** – **2.** ⟨*fig*⟩ (*persona sciocca e goffa*) fool, dolt, simpleton, ⟨*fam*⟩ nitwit, ⟨*am.fam*⟩ jerk.

mammamịa (o *mạmma mịa*) **I** *intz.* good heavens, my goodness. – **II** *s.m./f.* ⟨*non com*⟩ (*ingenuo*) ingenuous person, simpleton; (*timido*) shy (*o* timid) soul.

mammạna *f.* ⟨*region*⟩ (*levatrice*) midwife.

mammạre *v.t.* ⟨*ant*⟩ (*poppare*) to suck.

mammạrio *m.* ⟨*Anat*⟩ mammary: *ghiandola -a* mammary gland.

mammasantịssima *m.inv.* ⟨*napol*⟩ big boss (of the Neapolitan underworld).

mammẹlla *f.* **1.** ⟨*Anat*⟩ mamma, breast, mammary gland. – **2.** ⟨*Zool*⟩ mamma, udder, mammary gland. – **3.** ⟨*non com*⟩ (*altura*) knoll, hill, rise. – **4.** ⟨*fig,lett*⟩ (*prima infanzia*) infancy, babyhood. □ *avere un bimbo alla ~* (*allattarlo*) to be nursing a child, to have a child at one's breast; *dare la -a* (*allattare*) to nurse, to suckle; *togliere dalla ~* (*svezzare*) to wean.

mammellạre *a.* ⟨*non com*⟩ → **mammillare.**

mammellonạto *a.* (*rif. a ponti, poggi*) round-topped, rounded. – **mammellọne** *m.* **1.** (*poggio a contorni arrotondati*) knoll. – **2.** ⟨*Bot*⟩ (*ovolo*) mamelon.

mammeluc̣co *m.* → **mammalucco.**

mammịfero **I** *s.m.* ⟨*Zool*⟩ **1.** mammal. – **2.** *pl.* mammals *pl* (*Mammalia*). – **II** *a.* mammalian. □ *animale ~* mammal.

mammịlla *f.* ⟨*ant*⟩ → **mammella.**

mammillạre *a.* ⟨*Anat*⟩ mammillary.

mammillạria *f.* ⟨*Bot*⟩ mammillaria (*Mammillaria*).

mammilloplạstica *f.* ⟨*Chim*⟩ mammilliplasty, theleplasty.

mammịna (*dim. di mamma*) *f.* Mummy, ⟨*fam*⟩ Mum, ⟨*am*⟩ Mommy.

mammịsmo *m.* **1.** (*rif. alle madri*) doting (*o* interfering) maternal behaviour, ⟨*am*⟩ momism. – **2.** (*rif. ai figli*) mother fixation, ⟨*am*⟩ momism.

mammịte *f.* → **mastite.**

mạmmola *f.* **1.** ⟨*Bot*⟩ (*anche viola mammola*) sweet violet (*Viola odorata*). – **2.** ⟨*fig,scherz*⟩ (*persona modesta*) modest person, shy (*o* shrinking) violet.

mammoleggịare *v.i.* (**mammolẹggio, mammolẹggi**; *aus.* **avere**) ⟨*rar*⟩ (*bamboleggiare*) to behave childishly, to act like a baby.

mammolẹtto, mammolịno *m.* ⟨*non com*⟩ *dim. di* **mammolo.** – **mạmmolo** *m.* ⟨*non com*⟩ little chap (*o* fellow), child.

mammọna *m./f.* **1.** (*ricchezza divinizzata*) mammon, wealth, money. – **2.** (*diavolo*) Mammon, the devil. – **3.** ⟨*non com,scherz*⟩ (*gruzzoletto*) nest-egg, savings *pl.*

mammọne[1] **I** *a.* (*rif. a bambino*) Mummy's. – **II** *s.m.* Mummy's boy, child attached to his mother's apron strings.

mammọne[2] *m.* → **mammona.**

mammọne[3] *m.* ⟨*ant*⟩ (*macaco*) macaque (*Macaca, Macacus*). □ *gatto ~* baboon.

mammụt *m.* ⟨*Paleont*⟩ mammoth (*Elephas primigenius*).

mạmo *m.* ⟨*Teat*⟩ stock comedy figure (ingenue who pretends to be a man of the world).

mạna[1] *f.* ⟨*region*⟩ → **mano.**

mạna[2] *m.inv.* ⟨*Etnol*⟩ mana.

manạca *f.* ⟨*Bot*⟩ manaca, vegetable mercury (*Brunfelsia hopeana*).

manạccia (*pegg. di mano*) *f.* ⟨*fam*⟩ ugly paw.

managerịale *a.* (*di manager*) managerial.

manạide *f.* → **menade.**

manaịsmo *m.* ⟨*Etnol*⟩ manaism.

manaiuọla *f.* (*piccola scure*) hatchet.

manạle[1]: ⟨*Stor.rom*⟩ *pietra ~* lapis manalis.

manạle[2] *m.* half-glove.

manarẹse *m.* ⟨*tosc*⟩ (*roncola*) (double-edged) pruning hook.

manạta *f.* **1.** slap, smack, cuff, ⟨*fam*⟩ swipe: *dare una ~ sulla spalla a qd.* to give s.o. a slap on the back. – **2.** (*manciata*) handful. – **3.** ⟨*fig*⟩ (*piccolo gruppo di persone*) handful. □ *a -e* (*in grande quantità*) by the handful, liberally.

manatịna *f. dim. di* **manata.**

manạto *m.* ⟨*Zool*⟩ manatee, sea cow (*Manatus*).

mạnca *f.* left hand. □ *a ~* (to the) left, on the left (hand side).

mancamẹnto *m.* **1.** ⟨*lett*⟩ (*il mancare*) lack, want. – **2.** (*difetto, colpa*) defect, shortcoming, fault, failing: *ognuno ha i suoi -i* everyone has his defects, nobody's perfect. – **3.** (*male improvviso, svenimento*) faint, fainting fit, swoon. – **4.** (*mancanza di riguardo*) slight, lack of respect. – **5.** (*imperfezione*) imperfection, defect. – **6.** (*imperfezione fisica*) defect, blemish. – **7.** ⟨*ant*⟩ (*ammanco*) deficit.

mancạndo ⟨*rar*⟩ **I** *s.m.* ⟨*Mus*⟩ mancando passage, diminuendo. – **II** *avv.* mancando, mancante, diminuendo, dying away.

mancạnte (*p.pr. di mancare*) *a.* **1.** missing, lacking, ⟨*pred*⟩ wanting: *le parti -i* the missing parts; *essere ~ di qc.* to be lacking (*o* wanting) in s.th., to lack (*o* want) s.th., to have s.th. missing. – **2.** (*disperso*) missing: *risultare ~* to be missing; (*assente*) absent. – **3.** (*difettoso*) defective. – **4.** (*privo*) lacking, wanting (*di* in), without (s.th.), in need (of); (*povero*) poor: *~ di spirito* poor in spirit. □ *importo ~* deficit.

mancạnza *f.* **1.** lack, want: *per ~ di tempo* for lack of time; (*scarsità*) shortage, scarsity: *~ di lavoro* shortage of jobs; (*interruzione*) failure, breakdown: ⟨*El*⟩ *~ di corrente* power failure. – **2.** (*assenza*) absence; (*rif. a persona morta*) loss. – **3.** (*errore, fallo*) fault, slip, mistake, error, shortcoming, failing. – **4.** ⟨*region*⟩ (*svenimento*) faint(ing), swoon. – **5.** ⟨*non com*⟩ (*imperfezione, difetto*) defect, flaw, fault. – **6.** *pl.* ⟨*Med*⟩ missed menstruations *pl.*
□ *~ di* **alloggi** housing shortage; ⟨*Econ*⟩ *~ di* **copertura** lack of coverage, no (*o* insufficient) funds; *~ di* **denaro** lack (*o* shortage) of money; *~ di* **educazione** ill-breeding; **in** *~ di*: 1. for want of, failing: *in ~ di meglio* for want of something better; *in ~ d'altro* failing all else; 2. (*in assenza*) in the absence of, while ... is away: *in ~ del direttore* in the director's absence, while the director is away; ⟨*Dir*⟩ *per ~ di* **prove** for lack of proof; *~ di* **rispetto** lack of respect; **sentire** *la ~ di qd.* to miss s.o.; *~ di* **tatto** tactlessness.

mancạre *v.* (**mạnco, mạnchi**) **I** *v.i.* (*aus.* **essere/avere**) **1.** (*non essere sufficiente*; *aus.* **essere**) to be lacking (*o* wanting, short), not to be sufficient: *è il tempo che manca* time is short, ⌜we haven't⌝ (*o* there isn't enough) time; *mi manca il coraggio di farlo* I haven't (*o* lack) the courage to do it. – **2.** (*non esserci*; *aus.* **essere**) to be missing, not to be there: *manca l'inchiostro nella penna* there is no ink in the pen; *la statua non è completa: manca ancora la testa* the statue is not complete; ⌜the head is still missing⌝ (*o* there is still no head to it, it still has no head); *manca la data* there is no date, the date is missing. – **3.** (*venir meno*; *aus.* **essere**) to fail, to go away: *il vento mancò* the wind failed (*o* died away); (*scemare*) to ebb (away), to dwindle, to shrink, to die down: *si sentì ~ le forze* he felt his strength failing (*o* ebbing away); *gli mancò il coraggio* his heart failed him, his courage ⌜left him⌝ (*o* ebbed away). – **4.** (*essere assente*; *aus.* **essere**) to be absent (*o* missing): *~ alla lezione* to be absent from class; (*in frasi negative*) to miss: *non manca a nessun concerto* he never misses a concert; *ti prego di non ~ alla festa* please don't miss (*o* fail to come to) my party; (*essere lontano*) to be (*o* live) away: *manca da questa città da due anni* he has ⌜been away from⌝ (*o* not been living in) this town for two years. – **5.** (*sentire la mancanza*; *aus.* **essere**) to miss (*costr. pers.*): *ci manca molto* we miss him very much. – **6.** (*rif. a spazio, a tempo*; *aus.* **essere**) to be left (to go), to be (still): *mancano dieci giorni a Natale* it's ten days to Christmas, ten days left (to go) to Christmas, ten more days until Christmas; *mancano due chilometri all'arrivo* (there are) two kilometres to go, another (*o* still) two kilometres; *manca poco alla fine dello spettacolo* it's not long now to (*o* till) the end of the show, the show will be ending shortly; (*nelle indicazioni dell'ora*) it's...: *mancano dieci minuti alle tre* it's ten to three; *manca un quarto alle sei* it's a quarter to six. – **7.** (*essere privo*; *aus.* **avere**) to lack, to want, not to have (*di qc.* s.th.), to be lacking, to be wanting (in), to be short (of, on): *manca di intelligenza* he lacks intelligence, he is unintelligent; *manca di iniziativa* he ⌜has no⌝ (*o* is lacking in) initiative; *gli mancano i denti* he has no teeth; (*essere sprovvisto*) to need (s.th.), to be short (of): *mi manca un vestito da sera* I need an evening dress. – **8.** (*venir meno, sottrarsi*; *aus.* **avere**) to fail (*a* in), to neglect (s.th.): *~ ai propri doveri* to fail in one's duties. – **9.** (*non mantenere, tradire*; *aus.* **avere**) to break, to fail to keep: *~ alla parola* (*data*) to break one's word. – **10.** ⟨*assol*⟩ (*commettere un fallo*; *aus.* **avere**) to go (*o* do) wrong, to commit a fault, to make a mistake, to err. – **11.** (*trascurare, omettere*; *aus.* **avere**) to fail, to forget: *salutami la tua famiglia – non mancherò* say hello to your family for me – I shan't fail to. – **12.** ⟨*lett*⟩ (*morire*; *aus.* **essere**) to die, to pass away. – **II** *v.t.* **1.** (*fallire*) to miss, to fail to get: *l'attaccante ha mancato il gol* the forward ⌜missed the⌝ (*o* failed to get a) goal; ~ *il colpo* to miss the mark. – **2.** (*rif. a mezzi di trasporto*: *perdere*) to miss: ~ *il treno* to miss the train.

□ *ci mancherebbe* **altro**! that would be the limit (*o* last straw)!, that's all we would need!; *è mancata la* **corrente** there was a power failure, the lights went out; *non* **farsi** ~ *nulla* to want for nothing; ~ *di* **fede** to lack (*o* have no) faith; *mi mancò il* **fiato** I got out of breath; ~ *di* **fondamento** to be baseless (*o* groundless); *è mancato il* **gas** the gas was cut off; ~ *alla* **legge** to break the law; *non mancherà* **molto** it is almost time, it won't be long now; *il denaro* **non** *gli manca* he has plenty of money, money is no problem to him; ~ *l'***occasione** to miss one's chance; *gli manca la* **parola** (*rif. ad animali*) he would be human if only he could talk; *mancò* **poco** *che cadessi* I nearly fell; *se non è morto poco ci manca* he is on his last legs, death isn't far off; *ci mancava* **questa**! this is all we needed!; ~ *di* **rispetto** to lack respect, to be disrespectful; *mi* **sento** ~ I feel faint; ⟨*lett*⟩ **tanto** (*ci*) *manca che* [*cong*] (*sono lontano*) far be it from me to, I am far from [*ger*]; ⟨*fig*⟩ *sentirsi* ~ *il* **terreno** *sotto i piedi* to feel lost, ⟨*fam*⟩ to think one is done for; ⟨*scherz*⟩ *gli manca un* **venerdì** ⟨*fam*⟩ he has a screw loose, ⟨*fam*⟩ he's not all there; **venire** *a* ~: 1. (*venir meno*) to faint; 2. (*morire*) to die, to pass away; 3. (*rif. a casate*: *estinguersi*) to die out; ⟨*lett*⟩ ~ *ai* **vivi** to die, to pass on (*o* away); *mi mancò la* **voce** I couldn't speak.

mancạto (*p.p. di mancare*) *a.* **1.** missed: *appuntamento* ~ missed appointment. – **2.** (*fallito*) unsuccessful, vain: *tentativo* ~ unsuccessful attempt. – **3.** (*non avvenuto*) non-, unfulfilled, not effected: ~ *pagamento* non-payment. – **4.** (*inadempiuto*) unkept, broken, unfulfilled: *promessa -a* unkept (*o* broken) promise. □ *tiro* ~ miss; ~ *ai vivi* dead (and gone), deceased.

mancatọre *m.* (*f.* **-trice**) breaker, non-observer, non-fulfiller. □ ~ *di promessa* breaker of promises, person who ⌜fails to⌝ (*o* does not) keep his word.

mancẹgo *a./s.* (*pl.* **-ghi**) **I** *a.* of (*o* from) La Mancha, Manchegan. – **II** *s.m.* ⟨*Lett*⟩ (*cavaliere o idalgo mancego*) Don Quixote.

mancẹse I *a.* (*della Manciuria*) Manchurian, Manchu. – **II** *s.m./f.* (*abitante*) Manchurian, Manchu.

mancẹtta *f. dim. di* **mancia.**

manche *fr.* [mɑ̃:ʃ] *f.* **1.** ⟨*Sport*⟩ heat, preliminary trial; (*nel tennis*) set. – **2.** (*nei giochi di carte*: *mano*) hand; (*partita*) game.

manchesteriạno [mæntʃistər-] *a.* Manchester-, Manchestrian: ⟨*Econ*⟩ *scuola -a* Manchester school.

manchette *fr.* [mɑ̃'ʃɛt] *f.* **1.** ⟨*Giorn*⟩ headline. – **2.** ⟨*Edit*⟩ book-band, book-wrapper. – **3.** ⟨*Sport*⟩ wrist-hold.

manchẹvole *a.* **1.** (*difettoso*) faulty, defective, imperfect: *regia* ~ faulty direction; (*mancante*) incomplete, lacking. – **2.** (*insufficiente*) deficient, inadequate. – **3.** ⟨*ant*⟩ (*caduco*) fleeting, short-lived. – **manchevolẹzza** *f.* **1.** faultiness, defectiveness, imperfection, incompleteness. – **2.** (*insufficienza*) deficiency, inadequacy. – **3.** (*difetto*) defect, shortcoming, fault. – **4.** (*colpa*) fault. – **manchevolmẹnte** *avv.* imperfectly, defectively.

mạncia *f.* (*pl.* **-ce**) **1.** tip, gratuity: *dare la* ~ *al cameriere* to give the waiter a tip, to tip the waiter. – **2.** ⟨*non com*⟩ (*gratifica*) bonus. – **3.** ⟨*non com*⟩ (*dono corruttore*) bribe. – **4.** ⟨*ant*⟩ (*dono*) gift, present. □ ~ *competente* reward; *lauta* ~ generous (*o* handsome) reward.

manciạta *f.* handful. □ *a -e* (*in grande quantità*) in handfuls, in plenty, by the handful. – **manciatẹlla, manciatịna** *f. dim. di* **manciata.**

mancịna[1] *f.* **1.** (*mano sinistra*) left hand: *scrivere con la* ~ to write with one's left hand. – **2.** (*donna mancina*) left-handed woman. – **3.** (*pugnale*) small dagger. □ *a* ~ (*a sinistra*) on (*o* to) the left, left.

mancịna[2] *f.* ⟨*Mar*⟩ (*gru*) floating crane.

mancinịsmo *m.* left-handedness, mancinism.

mancịno I *a.* **1.** (*rif. a persona*) left-handed. – **2.** ⟨*fig*⟩ (*sleale*) low, underhand, treacherous, ⟨*fam*⟩ dirty: *tiro* ~ dirty trick. – **3.** ⟨*non com*⟩ (*sinistro*) left, left-hand-. – **II** *s.m.* (*f.* **-a**) left-handed person, left-hander, ⟨*fam*⟩ lefty; (*nel baseball*) southpaw.

mancipạre *v.t.* (**mạncipo**) ⟨*Dir.rom*⟩ to mancipate. – **mancipạto** (*p.p. di mancipare*) **I** *a.* mancipated. – **II** *s.m.* bond-slave. – **mancipaziọne** *f.* mancipation.

mạncipe *m.* ⟨*Dir.rom,rar*⟩ contractor.

mancịpio *m.* ⟨*Dir.rom,lett*⟩ (*schiavo*) slave.

manciù I *a.* Manchu, Manchurian. – **II** *s.m.* **1.** (*lingua*) Manchu. – **2.** *m./f.* (*abitante*) Manchu, Manchurian.

Manciụria *N.pr.f.* ⟨*Geog*⟩ Manchuria. – **manciuriạno** *a.* Manchurian, Manchu.

mạnco[1] *a.* (*pl.* **-chi**) ⟨*lett*⟩ **1.** (*sinistro*) left. – **2.** (*manchevole*) faulty, imperfect, defective. – **3.** (*inadempiuto*) unfulfilled. – **4.** (*che viene meno*) wanting, failing. – **5.** ⟨*fig*⟩ (*tristo, infausto*) sinister. □ *a* (*mano*) *-a* (*a sinistra*) on (*o* to) the left.

mạnco[2] *avv.* **1.** ⟨*fam*⟩ (*nemmeno*) not even. – **2.** ⟨*lett*⟩ (*meno*) less, least.

□ ⟨*ant*⟩ **al** ~ (*almeno*) at least; ⟨*lett*⟩ **fare** *di* ~ (*fare a meno*) to do (*o* go) without; ⟨*fam*⟩ ~ *per* **idea** I wouldn't dream of it, ⟨*fam*⟩ not on your life; ~ **male**! just as well!, thank goodness!, that's good!; ⟨*ant*⟩ **senza** ~ (*senza meno*) without fail; ⟨*fam*⟩ ~ *per* **sogno** not a bit of it, not on your life; ⟨*lett*⟩ **venir** ~ (*venir meno*) to faint.

mạnco[3] *m.* (*pl.* **-chi**) ⟨*lett*⟩ **1.** (*mancanza*) lack. – **2.** (*inadempienza*) non-fulfilment, unfulfilment. □ *aver* ~ *di qc.* (*essere privo*) to be wanting (*o* lacking) in s.th., to lack s.th.

mancolịsta *f.* list of pieces lacking in a collection.

mạncolo *m.* ⟨*Mar,region*⟩ (*bittone*) mooring bitt.

mancorrẹnte *m.* **1.** (*corrimano*) handrail. – **2.** ⟨*Minier*⟩ guiding (*o* sliding) shoe. – **3.** ⟨*Mar*⟩ (*guardamano*) man rope, rope handrail.

mandafuọra *m.inv.* ⟨*Teat*⟩ **1.** list of actors' entrances and exits. – **2.** ⟨*ant*⟩ (*buttafuori*) call-boy.

mandamentạle *a.* district-: *carcere* ~ district prison. – **mandamẹnto** *m.* **1.** ⟨*Dir*⟩ (administrative) district. – **2.** ⟨*ant*⟩ (*ordine, mandato*) order, command, injunction.

mandạnte *m.* **1.** principal, instigator. – **2.** (*nel duello*: *sfidante*) challenger.

mandạre *v.t.* **1.** to send, ⟨*lett*⟩ to dispatch: *fu mandato ambasciatore a Parigi* he was sent as ambassador to Paris. – **2.** (*rif. a cose*) to send, to dispatch; (*per nave*) to ship, to forward. – **3.** ⟨*fam*⟩ (*permettere di andare*) to let go, to allow to go: *mi mandi a giocare?* ⌜will you let me⌝ (*o* may I) go and play? – **4.** (*far andare in giro*) to send about, to let go around; (*mandare fuori*) to send off (*o* away): *la madre lo manda sempre in ordine e ben vestito* his mother always sends him off neat and well dressed. – **5.** (*scagliare*) to send, to shoot, to hurl: ~ *la freccia lontano* to send (*o* shoot) the arrow far; (*gettare*) to throw, to cast. – **6.** (*condurre*) to drive, to run: ~ *la macchina contro un muro* to run the car up against a wall. – **7.** (*emettere*: *rif. a suono*) to give, to utter, to let out: ~ *un grido* to give (*o* let out) a cry; (*rif. a luce, calore*) to give off, to send out, to emit. – **8.** (*far funzionare*) to drive, to (make) work. – **9.** (*dispensare*) to send, to give: *Iddio vi mandi tanta felicità* may God send you great happiness.

□ ~ *all'***aria**: 1. (*fare sfumare*) to cause to fall through, to put a stop to, to bring to nothing; 2. (*rovinare*) to spoil, to ruin, to destroy, to dash; ~ **avanti** *la casa* to keep the home going; ⟨*fig*⟩ ~ *avanti la baracca* to keep going somehow or other; ~ *a* **chiamare** *qd.* to send for s.o.; ~ **dentro** *qd.* (*in prigione*) to send s.o. to gaol, to put s.o. behind bars; ~ *qd. al* **diavolo** to tell s.o. to go to hell, to send s.o. packing; *che* **Dio** *ce la mandi buona!* here's hoping!, God help us!; *piove* (o *viene giù*) *come Dio la manda* it's pouring, it's raining cats and dogs; ~ *a* **dire** *qc. a qd.* to send word to s.o. of s.th., to let s.o. know s.th.; ⟨*fam*⟩ *non mandarle a dire a qd.* to speak plainly to s.o., to give s.o. a piece of one's mind; ~ *qc. a* **effetto** to carry s.th. out, to bring s.th. about; ⟨*fig*⟩ ~ *qd. da* **Erode** *a Pilato* to send s.o. from pillar to post, ⟨*fam*⟩ to give s.o. the run -round; ~ *a* **fondo** to sink, to scuttle; ~ **fuori**: 1. to send out (*o* forth), to put out; 2. (*cacciare*) to throw (*o* turn) out; 3. ⟨*fig*⟩ (*pubblicare*) to send (*o* bring, put) out, to publish; 4. ⟨*fig*⟩ (*promulgare*) to promulgate, to proclaim; 5. (*rif. a luci e sim.*) to give off (*o* out), to emit; ~ **giù**: 1. to send down; 2. (*inghiottire*) to swallow; 3. ⟨*fig*⟩ (*provare simpatia*) to like, to take to, to stand: *non riesco a* ~ *giù suo figlio* I can't stand his son; ~ *qc. per le* **lunghe** to draw s.th. out, to protract s.th.; ~ *in* **malora** = *mandare in* **rovina**; ~ *a* **memoria** to learn by heart, to memorize; ~ *qd. all'altro* **mondo** to send s.o. to the next world, to kill s.o.; ~ *a* **monte** = *mandare all'***aria**; ~ *a* **morte** to send to one's death; (*condannare a morte*) to (have) put to death; ~ *cattivo* **odore** to smell bad, to stink; ~ *a quel* **paese** to tell to go to the devil, to curse; ~ *in* **pezzi** to break, to smash to pieces; ~ *a* **prendere** *qd.* (o *qc.*) to send for s.o. (*o* s.th.); ~ *in* **rovina** to let go to ⌜rack and ruin⌝ (*o* the bad); ~ **ruggiti** to roar; ~ **sospiri** to sigh, to give (*o* heave) sighs; ⟨*fig*⟩ ~ *a* **spasso** *qd.* to send s.o. packing, to get rid of s.o.; (*licenziarlo*) to dismiss s.o., ⟨*fam*⟩ to fire (*o* sack) s.o.; ~ **via**: 1. to send away (*o* off); (*spedire*) to send off, to dispatch; 2. (*cacciare*) to throw (*o* turn) out; 3. (*licenziare*) to dismiss, ⟨*fam*⟩ to fire, ⟨*fam*⟩ to sack.

mandarinạto *m.* ⟨*Stor*⟩ (*carica, dignità*) mandarinate. – **mandarinẹsco** *a.* (*pl.* **-chi**) ⟨*spreg*⟩ of a mandarin, mandarin, mandarin-like.

mandarinẹtto (*dim. di mandarino*[2]) *m.* (*liquore*) mandarine.

mandarinịsmo *m.* ⟨*non com,iron*⟩ mandarinism.

mandarịno[1] *m.* mandarin. □ *lingua -a* Mandarin.

mandarịno[2] *m.* ⟨*Bot*⟩ **1.** mandarin orange, tangerine (*Citrus nobilis*). – **2.** (*frutto*) mandarin orange, tangerine. □ *color* ~ tangerine; *essenza di* ~ mandarin oil; *giallo* ~ mandarin orange.

mandarịno[3] *m.* ⟨*Sport*⟩ (*nel gioco del pallone toscano*) server of the ball, thrower.

mandạta *f.* **1.** lot, batch: *ho ricevuto la merce in due -e* I received the merchandise in two lots; (*spedizione*) shipment, delivery. – **2.** (*rif. a serratura*) turn (of the key). – **3.** ⟨*non com*⟩ (*portata*) course: *un pranzo di dieci -e* a ten-course meal. – **4.** ⟨*estens,non com*⟩ (*quantità di persone*) crowd, bunch, ⟨*fam*⟩ gang, ⟨*fam*⟩ lot. – **5.** ⟨*Idr*⟩ delivery. □ *chiudere a doppia* ~ to double-lock.

mandatạrio I *s.m.* (*f.* **-a**) **1.** ⟨*Dir*⟩ mandatory, agent, proxy. – **2.** ⟨*Pol*⟩ (*deputato*) representative, member of Parliament, deputy. – **3.** ⟨*Stor*⟩ mandatary, mandatory. – **II** *a.* mandatary-.

mandạto *m.* **1.** (*comando*) order, command: *fu liberato per* ~ *del comandante* he was freed by order of the commander; (*ordine scritto*) (written) order, mandate. – **2.** ⟨*Dir*⟩ warrant, writ: ~ *d'arresto* warrant of arrest. – **3.** (*incarico*) mandate, commission, charge: *eseguire un* ~ to carry out a commission. – **4.** ⟨*Dir*⟩ (*contratto*) mandate. – **5.** ⟨*Econ*⟩ (*ordine di pagamento*) order for payment. – **6.** ⟨*Pol*⟩ mandate.

□ ⟨*Dir*⟩ ~ *di* **cattura** warrant of arrest; ~ *di* **comparizione** summons (to appear); ⟨*Comm*⟩ ~ *di* **consegna** warrant for delivery; ~ *di* **credito** credit order; **emettere** *un* ~ to issue a warrant; ~ **esecutivo** writ of execution, enforcement order; ~ **giudiziario** warrant, writ; ⟨*Econ*⟩ ~ *d'***incasso** money (*o* collection) order, cash warrant; ~ **orale** verbal order, order by word of mouth; ~ *di* **pagamento** order ⌜to pay⌝ (*o* for payment), cash order; ~ **papale** Papal mandate, rescript; ~ **parlamentare** (Parliamentary) mandate; ~ *di* **perquisizione** search warrant; ~ *di* **procura** Power of Attorney; ~ **verbale** = *mandato* **orale**.

mandatọre *m.* (*f.* -trice) ⟨*non com*⟩ **1.** sender. – **2.** ⟨*Sport*⟩ → **mandarino²**.

mandẹlico: ⟨*Chim*⟩ *acido* ~ mandelic acid.

mandịbola *f.* ⟨*Anat*⟩ **1.** (*mascella inferiore*) mandible, lower jaw. – **2.** ⟨*ant*⟩ (*mascella*) jaw. – **mandibolạre** *a.* mandibular(y): *arco* ~ mandibular arch. – **mandịbula** *f.* ⟨*ant*⟩ → **mandibola**.

mandịle, mandịllo *m.* ⟨*ant,region*⟩ (*fazzoletto*) kerchief, handkerchief.

mandirịtto *m.* → **mandritto**.

mạndola¹ *f.* ⟨*ant*⟩ → **mandorla**.

mandọla² *f.* ⟨*Mus*⟩ mandola.

mandolinạta *f.* ⟨*Mus*⟩ mandolin music; (*composizione*) mandolin work (*o* composition). – **mandolinịsta** *m./f.* mandolinist, mandolin player. – **mandolịno** *m.* mandolin.

mạndorla *f.* **1.** (*frutto, seme*) almond: *dolce di -e* almond cake; *-e amare* bitter almonds. – **2.** ⟨*estens*⟩ (*seme di altri frutti*) kernel. – **3.** ⟨*Art*⟩ mandorla.

☐ **a** ~ almond-, almond-shaped, lozenge-shaped: *occhi a* ~ almond -eyes; *essenza di -e* **amare** bitter almond oil; ~ *di* **cacao** cocoa bean; *-e* **dolci** sweet almonds; **latte** *di* ~ almond milk; ⟨*Dolc*⟩ **pasta** *di -e* marzipan; *-e* **pralinate** pralines *pl*; *-e* **salate** salted almonds.

mandorlạto I *a.* (*a forma di mandorla*) almond-, almond-shaped; (*che contiene mandorle*) with almonds, almond-: *cioccolato* ~ chocolate with almonds. – **II** *s.m.* ⟨*Dolc*⟩ almond cake. – **mandorlẹto** *m.* almond grove. – **mandorlẹtta** *f. dim. di* **mandorla**. – **mandorlicoltọre** *m.* grower of almond trees. – **mandorliẹro** *a.* ⟨*Comm*⟩ almond-, of almonds. – **mandorlịna** *f. dim. di* **mandorla**. – **mạndorlo** *m.* ⟨*Bot*⟩ almond tree (*Prunus communis*; *Prunus amygdalus*).

mạndra *f.* → **mandria**.

mandrạcchio *m.* **1.** ⟨*Mar*⟩ inner harbour (of a port). – **2.** ⟨*Agr*⟩ (part of a) drainage canal.

mandrạgola, mandrạgora *f.* ⟨*Bot*⟩ mandrake, mandragora (*Mandragora officinarum*).

mandratụra *f.* (*stabbiatura*) manuring.

mạndria *f.* **1.** herd, drove: *una* ~ *di buoi* a herd of cattle; (*gregge*) flock. – **2.** ⟨*spreg*⟩ (*rif. a persone*: *branco*) herd, gang, crowd, ⟨*fam*⟩ bunch, ⟨*fam*⟩ lot, ⟨*fam*⟩ crew: *una* ~ *di mascalzoni* a gang of rascals, a nasty lot. – **3.** ⟨*non com*⟩ (*recinto*) pen, enclosure.

mandriạle *m.* → **mandriano²**.

mandriạno¹ *m.* (*di bovini*) herdsman, ⟨*am*⟩ cowboy; (*di pecore*) shepherd.

mandriạno² *m.* ⟨*Met,ant*⟩ swage.

mandrịllo *m.* **1.** ⟨*Zool*⟩ mandrill (*Mandrillus sphinx*). – **2.** ⟨*fig,fam*⟩ (*uomo libidinoso*) lecher, ⟨*fam*⟩ dirty old man.

mandrinạggio *m.* → **mandrinatura**. – **mandrinạre** *v.t.* ⟨*Mecc*⟩ to expand. – **mandrinatụra** *f.* expanding.

mandrịno *m.* **1.** ⟨*Mecc*⟩ spindle, ⟨*am*⟩ arbor. – **2.** ⟨*Mecc*⟩ (*allargatubi*) (tube) expander, pipe opener, mandrel. – **3.** ⟨*Mecc*⟩ (*portapunta*) chuck. – **4.** ⟨*Venat*⟩ stick for packing gun-powder into cartridges. ☐ ~ *portafresa* milling spindle; ~ *portapezzo* chuck, jaw chuck.

mandrịtta: *a* ~ (*a destra*) on (*o* to) the right, right; *voltare a* ~ to turn (to the) right; *avere la* ~ to be on the right; *dare la* ~ *a qd.* to place s.o. on one's right.

mandrịtto *m.* ⟨*non com*⟩ **1.** blow (from right to left) with the flat of the hand. – **2.** (*nella scherma*) sabre cut (from right to left).

manducạbile *a.* ⟨*ant,scherz*⟩ (*mangiabile*) edible, good to eat. – **manducạre** *v.t.* (**mandụco, mandụchi**) ⟨*ant,scherz*⟩ (*mangiare*) to eat. ☐ *Prov.*: *dove si manduca, il ciel ci conduca* God gives us our daily bread. – **manducaziọne** *f.* ⟨*ant,scherz*⟩ (*il mangiare*) eating.

mandụra *f.* ⟨*Mus*⟩ pandora, pandura, bandore.

mạne *f.* ⟨*ant,rar*⟩ (*mattina*) morning, ⟨*poet*⟩ morn. ☐ *da* ~ *a sera* from morning till night, all day long, ⟨*lett*⟩ from morn to eve; *far* ~ (*albeggiare*) to dawn; *questa* ~ this morning.

...mane *suff.* (*maniaco* maniac) ...maniac: *bibliomane m.* bibliomaniac.

manegg̣evole *a.* **1.** handy, manageable; (*facilmente manovrabile*) easily handled, easy to handle (*o* manage), manoeuvrable. – **2.** ⟨*fig*⟩ (*arrendevole*) tractable, compliant, accommodating. – **3.** ⟨*rar*⟩ (*rif. ad animali*: *docile*) docile, manageable, easy to handle. – **maneggevolẹzza** *f.* **1.** handiness, manageability, ease of handling; (*manovrabilità*) manoeuvrability. – **2.** (*rif. a persone*) tractability. – **maneggevolmẹnte** *avv.* handily.

maneggiạbile *a.* handy, easy to handle, manageable. – **maneggiamẹnto** *m.* **1.** ⟨*non com*⟩ handling, management; (*l'adoperare*) using, handling, wielding. – **2.** ⟨*Zootecn*⟩ feeling (to see how fat an animal is).

maneggiạre *v.t.* (**manẹggio, manẹggi**) **1.** (*lavorare con le mani*) to mould, to work, to fashion: ~ *la creta* to mould clay. – **2.** (*tenere o muovere fra le mani*) to handle, to finger, to potter (*o* tinkle) with. – **3.** (*adoperare*) to use, to handle, to wield, to ply: *sa* ~ *assai bene il pennello* he handles his brush skilfully. – **4.** ⟨*fig*⟩ (*usare*) to use, to make use of, to employ. – **5.** ⟨*fig*⟩ (*rif. a persone*: *guidare, governare*) to manipulate, to manage, to handle, to deal with. – **6.** (*amministrare*) to manage, to administer. – **7.** ⟨*Mar*⟩ (*manovrare*) to manoeuvre. – **8.** ⟨*Equit*⟩ (*addestrare*) to train. – **9.** ⟨*Zootecn*⟩ to feel. – **10.** ⟨*non com*⟩ (*reggere, governare*) to govern, to run. – **maneggiarsi** *v.r.* (*destreggiarsi*) to manoeuvre, to manage, to act adroitly (*o* cleverly). ☐ ⟨*fig*⟩ ~ *la frusta* (*criticare*) to be critical, to lash out; ~ *una lingua* to be a master of the language; ⟨*fig*⟩ ~ *la torta* (*avere le mani in pasta*) to have a finger in the pie.

maneggiatọre *m.* (*f.* -trice) handler, manager, wielder.

manẹggio¹ *m.* **1.** (*l'adoperare*) handling, wielding, use: *il* ~ *del remo* the handling of the oar; *il* ~ *delle armi* the use of arms, arms-drill. – **2.** ⟨*fig*⟩ (*uso*) mastery: *il* ~ *della lingua* mastery of language; (*pratica*) management, handling: *il* ~ *del denaro* the management of money. – **3.** (*governo, direzione*) government, direction, handling: *il* ~ *dello stato* government of the state; (*amministrazione*) administration, management, running. – **4.** (*governo della casa*) household management, running of a house. – **5.** (*azione segreta*) plot, manoeuvre. – **6.** ⟨*spreg*⟩ (*intrigo*) intrigue, scheming. – **7.** ⟨*Equit*⟩ horsemanship, manège; (*il luogo ove si addestra il cavallo*) riding -ground, riding-school. – **8.** ⟨*Mar*⟩ (cargo) handling. ☐ ⟨*Equit*⟩ *scuola di* ~ riding-school, manège; *tenere il* ~ *della casa* to run the house.

manegg̣io² *m.* (*armeggio*) bustling, fussing about.

maneggịone *m.* (*f.* -a) ⟨*spreg*⟩ intriguer, schemer, busybody, meddler.

mạneghi *m.pl.* ⟨*ven*⟩ **1.** ⟨*Gastr*⟩ (*strozzapreti*) dumplings *pl.* – **2.** ⟨*Dolc*⟩ sweet dumplings *pl.*

manẹnte *m.* **1.** ⟨*Stor*⟩ serf. – **2.** ⟨*region*⟩ (*mezzadro agricolo*) tenant farmer.

manẹra *f.* ⟨*ant*⟩ → **maniera**.

manẹre *v.i.* (*aus.* **essere**) ⟨*ant*⟩ (*rimanere*) to remain, to stay.

manescạlco *m.* → **maniscalco**.

manẹsco *a.* (*pl.* -chi) **1.** (*pronto a menare le mani*) rough, free with one's fists, pugnacious. – **2.** ⟨*ant*⟩ (*maneggevole*) handy, manageable, portable; (*da tenere in mano*) hand-: *arma -a* hand weapon.

manẹtta *f.* **1.** ⟨*Mecc*⟩ (hand) lever: ~ *del gas* throttle lever. – **2.** ⟨*Mar*⟩ thimble. – **3.** ⟨*Mil.ant*⟩ trigger. – **4.** *pl.* handcuffs *pl*: *mettere le -e a qd.* to handcuff (*o* put the handcuffs on) s.o. – **5.** *pl.* ⟨*fig*⟩ (chains of) oppression, bonds *pl.* ☐ *correre a tutta* ~ to go at full speed, to open the throttle; ⟨*fig*⟩ *mettere le -e a qd.* to oppress (*o* shackle) s.o., to clamp down on s.o.; ⟨*fig*⟩ *spezzare le -e* to break the bonds of oppression.

manẹvole *a.* ⟨*non com*⟩ (*maneggevole*) handy, manageable.

manfanịle, mạnfano *m.* **1.** (*bastone per battere il grano*) flail-handle, flail-staff. – **2.** ⟨*fig,tosc*⟩ (*furbacchione*) cunning fellow, ⟨*fam*⟩ sly dog.

manfọrte: *dare* (o *prestare*) ~ *a qd.* to back s.o. up, to give s.o. help (*o* support), to come to s.o.'s aid.

Manfrẹdi, Manfrẹdo *N.pr.m.* Manfred.

manfrẹgoli, manfrịcoli *m.pl.* ⟨*Gastr*⟩ kind of noodles.

manfrịna *f.* **1.** (*danza*) Piedmontese dance. – **2.** ⟨*roman,volg*⟩ (*rif. a cosa noiosa*) bore, nuisance, ⟨*fam*⟩ pain in the neck, ⟨*am.fam*⟩ drag. ☐ *far la* ~ (*farla lunga*) to draw s.th. out, to go on and on; *sonare la* ~ (*rif. a sonatore da strapazzo*) to strum, to twang.

manfrọne *m.* ⟨*Itt*⟩ porgy, red (*o* European) porgy (*Pagrus pagrus*).

manganạre *v.t.* (**mạngano**) **1.** ⟨*Tess*⟩ to mangle. – **2.** → **manganeggiare**.

manganạto *m.* ⟨*Chim*⟩ manganate: ~ *di bario* barium manganate.

manganatọre *m.* (*f.* -trice) ⟨*Tess*⟩ mangler. – **manganatụra** *f.* mangling.

manganeggiạre *v.t.* (**manganẹggio, manganẹggi**) ⟨*ant*⟩ (*scagliare col mangano*) to throw from a mangonel.

manganẹlla (*dim. di mangano*) *f.* ⟨*Tess*⟩ small mangle.

manganellạre *v.t.* (**manganẹllo**) to club, to cudgel, to bludgeon. – **manganellạta** *f.* blow with a club. – **manganẹllo** *m.* club, cudgel; (*sfollagente*) truncheon, baton, night-stick.

manganẹse *m.* ⟨*Chim*⟩ manganese: *biossido di* ~ manganese black (*o* dioxide). – **manganesịfero** *a.* manganiferous, containing manganese. – **mangạnico** *a.* (*pl.* -ci) manganic.

manganịsmo *m.* ⟨*Med*⟩ manganism.

manganịte *f.* ⟨*Min*⟩ manganite.

mạngano *m.* **1.** ⟨*Tess*⟩ mangle. – **2.** (*grosso apparecchio da stiro*) mangle. – **3.** ⟨*ant*⟩ (*macchina da guerra*) mangonel, ballista. ☐ ⟨*Tess*⟩ *dare il* ~ *a* to mangle.

manganọso *a.* ⟨*Chim*⟩ manganous.

mangerẹccio *a.* edible: *funghi mangerecci* edible mushrooms.

mangerịa *f.* ⟨*fam*⟩ graft.

mangia|ạpi *m.inv.* ⟨*Ornit*⟩ (*gruccione*) (European) bee-eater (*Merops apiaster*). – **~bambịni** *m.inv.* **1.** (*nelle favole*) ogre. – **2.** ⟨*fig*⟩ forbidding (*o* gruff-looking) individual.

mangiạbile *a.* edible, eatable.

mangia|cạrte *m.inv.* ⟨*spreg*⟩ (*avvocatuccio*) pettifogger, ⟨*fam*⟩ shyster. – **~cristiạni** *m.inv.* bully, blusterer.

mangiadọre *m.* ⟨*ant*⟩ → **mangiatore**.

mangia|fagiọli *m.inv.* **1.** bean-eater. – **2.** ⟨*fig,ant*⟩ → **mangiapane**. – **~formịche** *m.inv.* ⟨*Zool*⟩ ant-bear, ant-eater (*Myrmecophaga*). – **~gạtti** *m.inv.* cat-eater.

mangiamẹnto *m.* **1.** ⟨*non com*⟩ eating. – **2.** ⟨*fig*⟩ (*tormento interno*) gnawing, inner anguish, torment.

mangiamọccoli (o *mangiamọccoli*) *m.inv.* ⟨*spreg*⟩ (*baciapile*) bigot, pious humbug.

mangiạnza *f.* **1.** ⟨*Pesc*⟩ bait. – **2.** ⟨*region,spreg*⟩ (*compenso*) pay, wage, hire.

mangia|pagnọtte *m.inv.* ⟨*non com*⟩ → **mangiapane.** – **~pạne** *m. inv.* good-for-nothing, loafer, idler, sponger. – **~patạte** *m.inv.* **1.** potato-eater. – **2.** ⟨*fig,spreg*⟩ → **mangiapane.** – **~pattọna** *m.inv.* ⟨*non com*⟩ → **mangiapane.** – **~pẹlli** *m.inv.* ⟨*Entom*⟩ larder beetle (*Dermestes lardarius*). – **~polẹnta** *m.inv.* **1.** polenta-eater. – **2.** ⟨*spreg*⟩ person from the Veneto. – **3.** ⟨*fig,non com*⟩ → **mangiapane.** – **~prẹti** *m.inv.* (*anticlericale*) rabid anti-clerical.

mangiạre[1] *v.t.* (**mạngio, mạngi**) **1.** (*rif. a persone*) to eat: *questa pietanza si mangia fredda* this dish is eaten cold; (*nutrirsi*) to feed on; (*mangiare voracemente*) to eat greedily, to gobble (up), to gorge, to stuff, to hog; (*mangiare tutto*) to eat up, to get through: *ha mangiato tutta la torta* he has got through the whole cake. – **2.** (*rif. ad animali*) to eat, to feed on; (*pungere*) to sting, to bite; (*rosicchiare*) to eat into, to gnaw. – **3.** (*corrodere, consumare*) to eat away (*o* into), to corrode: *la ruggine mangia il ferro* rust corrodes iron. – **4.** ⟨*fig*⟩ (*tormentare*) to eat up, to consume, to gnaw, to devour: *è mangiata dalla gelosia* she is eaten up by jealousy. – **5.** ⟨*fig*⟩ (*dissipare*) to squander, to waste, to throw away: *ha mangiato tutti i suoi soldi* he squandered all his money. – **6.** (*rif. agli scacchi, alla dama e sim.*) to take, to capture. – **7.** ⟨*fig*⟩ (*guadagnare illecitamente*) to gain illicitly, to line one's purse with, to get fat (*o* rich) on.

□ ~ *con* **appetito** to tuck in; ~ *qd. di* **baci** to cover (*o* smother) s.o. with kisses; ~ *alla* **carta** to eat à la carte; *mangiarsi il* **cuore** = *mangiarsi il* **fegato**; *non avere* **da** ~ to have nothing to eat, to go hungry; *portarsi dietro da* ~ to bring one's food along with one; **dar** *da* ~ *a qd.*: 1. to feed s.o.: ⟨*Bibl*⟩ *dar da* ~ *agli affamati* to feed the hungry; *dar da* ~ *agli animali* to feed the animals; 2. (*mantenerlo*) to keep (*o* provide for) s.o.; ⟨*fig*⟩ *mangiarsi il* **fegato** to fret and fume; ⟨*fig*⟩ ~ *qd.* (o *qc.*) *con gli* **occhi** to devour s.o. (*o* s.th.) with one's eyes, to feast one's eyes on s.o. (*o* s.th.); (*minacciosamente*) to glare at s.o.; ~ *a quattro* **palmenti** to devour one's food, to eat voraciously (*o* like a horse); *mangiarsi le* **parole** (*non pronunciarle bene*) to mumble; ~ ⌜*del* **proprio**⌝ (o *a proprie spese*) to live on one's own means; **roba** *da* ~ food, things to eat; ~ *a* **sazietà** to eat one's fill; ⟨*fig*⟩ ~ *alle* **spalle** *di qd.* to sponge off s.o.; ~ *la* **strada** (*correre*) to eat up the miles, to speed along; ~ **svogliatamente** to pick at one's food; *mangiarsi le* **unghie** to bite (*o* chew) one's nails; ⟨*fig*⟩ *lo mangerei* **vivo**! I could kill him! – *Prov.*: *si mangia per vivere, non si vive per* ~ you should eat to live, not live to eat; *mangia tu che mangio io, mangiamo tutti nel nome di Dio* let's pitch in and divide up the spoils.

mangiạre[2] *m.* **1.** eating, feeding. – **2.** (*cibo*) food, victuals *pl*; (*pasto*) meal: *il* ~ *è pronto* the meal is ready; (*rif. ad animali*) food, fodder, feed. – **3.** (*vitto*) food; (*in pensioni e sim.*) board. – **4.** (*cucina*) cooking: *il* ~ *qui è ottimo* the cooking is excellent here.

mangiarẹtto, mangiarịno (*dim. di mangiare*[2]) *m.* ⟨*non com*⟩ **1.** (*pasto alla svelta*) snack, bite to eat, quick meal. – **2.** (*cibo delicato*) delicacy, dainty.

mangiasẹgo *m.inv.* ⟨*spreg,ant*⟩ Austrian soldier.

mangiạta *f.* ⟨*fam*⟩ hearty (*o* square) meal; (*scorpacciata*) good feed, ⟨*fam*⟩ bellyful. □ *farsi una bella* ~ *di dolci* to fill up on sweets; *farsi una gran* ~ to have one's fill, ⟨*fam*⟩ to stuff o.s., ⟨*fam*⟩ to have a good tuck in. – **mangiatạccia** *f.* (*pl.* -ce) *pegg. di* **mangiata.**

mangiatịna (*dim. di mangiata*) *f.* ⟨*iron*⟩ snack, bite (to eat).

mangiatịvo *a.* ⟨*rar*⟩ (*mangereccio*) edible.

mangiatọia *f.* **1.** manger, trough. – **2.** ⟨*fig,scherz*⟩ (*tavola*) table, board. – **3.** ⟨*fig,scherz*⟩ (*fonte di guadagno*) gold-mine. – **Mangiatoia** *N.pr.f.* ⟨*Astr*⟩ Praesepe.

mangiatọna *f. accr. di* **mangiata.**

mangiatọre *m.* (*f.* -trice) eater. □ ~ *di fuoco* fire-eater; ~ *di spade* sword-swallower; ⟨*Zool*⟩ ~ *di uova* egg-eater, egg-eating snake (*Dasypeltis scaber*).

mangiatorịa *f.* ⟨*scherz*⟩ (*il mangiare*) eating. – **mangiatụra** *f.* **1.** ⟨*ant,non com*⟩ eating. – **2.** ⟨*fam*⟩ (*segno lasciato dalla puntura di un insetto*) bite, sting.

mangiatụtto *m.inv.* **1.** (*mangione*) big (*o* heavy) eater. – **2.** (*chi mangia di tutto*) person who will eat anything. – **3.** ⟨*fig*⟩ (*persona sciupona*) squanderer, spendthrift.

mangịme *m.* **1.** (*foraggio*) fodder, feed. – **2.** (*becchime*) bird-seed. – **mangimịsta** *m./f.* dealer in fodder (*o* bird-seed).

mangiọne *m.* (*f.* -a) **1.** ⟨*fam*⟩ big (*o* heavy) eater, glutton, gorger, ⟨*fam*⟩ hog. – **2.** ⟨*fig*⟩ (*chi trae illeciti guadagni*) corrupt official, grafter.

mangiucchiạre *v.t.* (**mangiụcchio, mangiụcchi**) **1.** (*mangiare poco e spesso*) to nibble, to pick. – **2.** (*mangiare svogliatamente*) to pick at.

mạngle *sp. m.* ⟨*Bot*⟩ mangrove (*Rhizophora mangle*).

mạngo *m.* (*pl.* -ghi) ⟨*Bot*⟩ **1.** mango (*Mangifera indica*). – **2.** (*frutto*) mango.

mangostạno *m.* ⟨*Bot*⟩ **1.** mangosteen (*Garcinia mangostana*). – **2.** (*frutto*) mangosteen.

mangrọv(i)a *f.* ⟨*Bot*⟩ mangrove.

mangụsta *f.* ⟨*Zool*⟩ **1.** banded (*o* zebra) mongoose (*Mungo mungo*). – **2.** ichneumon, North African mongoose (*Herpestes ichneumon*).

mạni *m.pl.* **1.** ⟨*Stor.rom*⟩ manes *pl.* – **2.** ⟨*estens,lett*⟩ (*anime dei morti*) shades *pl*, souls *pl* of the dead.

manịa *f.* **1.** mania (*anche Psic.*). – **2.** ⟨*fig*⟩ (*tendenza smodata, fissazione*) obsession, fixation, mania. □ ~ *di persecuzione* persecution complex.

...mania *suff.* (*inclinazione* tendency) ...mania: *monomania f.* monomania.

maniacạle *a.* ⟨*Psic*⟩ maniac(al).

manịaco *a./s.* (*pl.* -ci) **I** *a.* **1.** maniac(al), mad, insane. – **2.** ⟨*fig*⟩ (*rif. a persona*: *fissato*) obsessed (*di* by), mad, ⟨*fam*⟩ crazy (about). – **3.** ⟨*Psic*⟩ maniac(al). – **II** *s.m.* (*f.* -a) **1.** maniac, madman. – **2.** ⟨*fig*⟩ maniac; (*amante*) lover: *un* ~ *dei libri* a great book-lover. – **3.** ⟨*Sport*⟩ fan: *un* ~ *del calcio* a football fan. □ *essere un* ~ *di qc.* to be mad (*o* crazy) about s.th., to be keen on s.th., to adore s.th.

maniạto *a.* ⟨*tosc,ant*⟩ (*tale e quale*) exactly like.

mạnica *f.* **1.** sleeve. – **2.** (*apertura laterale della cappa e sim.*) arm-hole. – **3.** (*soprammanica*) oversleeve, half-sleeve. – **4.** (*nelle armature antiche*) brassard. – **5.** ⟨*fig,spreg*⟩ (*accolta di persone*) bunch, gang, crowd, ⟨*fam*⟩ pack, ⟨*fam*⟩ lot: *una* ~ *di ladri* a gang of thieves. – **6.** ⟨*fig*⟩ (*quantità*) host, lot, (great) deal, ⟨*fam*⟩ load. – **7.** ⟨*Pesc*⟩ closed end of a dragnet. – **8.** ⟨*Aer*⟩ neck. – **9.** ⟨*Met*⟩ (*di altoforno*) down take; (*di pompa*) suction hose. – **10.** ⟨*ant*⟩ (*schiera militare*) military formation, body of soldiers.

□ ~ *per* **acqua** (*manichetta*) hose; ⟨*Aer*⟩ ~ *d'***aria** air sleeve (*o* sock); **avere** *qd. nella* ~ (*favorirlo*) to favour (*o* support) s.o.; *in maniche di* **camicia** in one's shirt-sleeves; ⟨*fig*⟩ (*senza complimenti*) informally; ~ *del* **cappotto** overcoat sleeve; ~ *a* **chimono** kimono sleeve; ~ **corta** short sleeve; **essere** *nelle maniche di qd.* (*goderne la fiducia*) to be in s.o.'s good books (*o* graces), to be in with s.o.; *maniche* **finestrate** slashed sleeves; ~ *a* **gigot** leg-of-mutton sleeve, gigot (sleeve); ⟨*Farm*⟩ ~ *d'***Ippocrate** cloth filter; ⟨*fig*⟩ *essere di* ~ **larga** (*indulgente*) to be indulgent, to be lenient (*o* easy -going); (*generoso*) to be generous (*o* open-handed); *essere di* ~ *larga in fatto di qc.* to be generous about s.th.; *vestito con le maniche* **lunghe** long-sleeved dress; **mezze** *maniche* oversleeves *pl*, sleevelets *pl*; *è un altro* **paio** *di maniche* (*è una faccenda diversa*) that's a different matter, ⟨*fam*⟩ that's another kettle of fish; ~ *a* **palloncino** puff sleeve; ~ *a* **raglan** raglan sleeve; **rimboccarsi** *le maniche* to roll up one's sleeves (*anche fig.*); ~ *a* **sbuffo** = *manica a* **palloncino**; *vestito* **senza** *maniche* sleeveless dress; ⟨*fig*⟩ *essere* **stretto** *di* ~ (*severo*) to be severe (*o* strict); (*avaro*) to be stingy (*o* tight-fisted); ~ *a* **tre** *quarti* three-quarter length sleeve; ⟨*Aer*⟩ ~ *a* **vento** wind sleeve (*o* cone, sock).

Mạnica *N.pr.f.* ⟨*Geog*⟩ (*anche canale della Manica*) (English) Channel.

manicạio *m.* ⟨*Zool*⟩ razor clam.

manicạre *v.t.* (**mạnico, mạnichi**) ⟨*ant*⟩ (*mangiare*) to eat.

manicarẹtto *m.* delicacy, choice dish, dainty.

manicạto *a.* with a handle.

manicatọre *m.* ⟨*ant*⟩ → **mangiatore.**

manịccia *f.* (*pl.* -ce) ⟨*Mar*⟩ oar-grip.

manicheịsmo *m.* ⟨*Filos*⟩ Manich(a)eism. – **manichẹo I** *a.* Manich(a)ean (*anche fig.*). – **II** *s.m.* (*f.* -a) Manichee, Manich(a)ean, Manich(a)eist.

manichẹtta (*dim. di manica*) *f.* **1.** sleevelet. – **2.** (*soprammanica*) sleevelet, oversleeve. – **3.** ⟨*tecn*⟩ hose: ~ *anticendio* fire hose; ~ *da palombaro* diver's air hose.

manichẹtto[1] *m.* **1.** cuff. – **2.** (*polsino da uomo inamidato*) (starched) cuff.

manichẹtto[2] (*dim. di manico*) *m.* (*impugnatura*) handle. □ ⟨*volg*⟩ *far* ~ to make a gesture of contempt.

manichịna *f. dim. di* **manica.**

manichịno[1] *m.* **1.** ⟨*Sart*⟩ tailor's dummy. – **2.** ⟨*Art*⟩ mannequin, manikin. □ *essere* (o *sembrare*) *un* ~ (*molto elegante*) to be (*o* look) very smart; (*rigido*) to be stiff; *fare il* ~ (*fare l'indossatore*) to be a model; ~ *per vetrina* show window dummy.

manichịno[2] *m.* **1.** cuff (*anche Mod.*). – **2.** (*parte dell'armatura*) forearm armour. – **3.** ⟨*Sport*⟩ → **manchette.** – **4.** ⟨*ant*⟩ (*tipo di manette*) manacle, handcuff.

mạnico *m.* (*pl.* -chi/-ci) **1.** handle: ~ *dell'ombrello* umbrella handle; (*di martello, coltello e sim.*) handle, shaft; (*di scopa*) handle, stick; (*di frusta e sim.*) handle, stock, butt; (*di borsa e sim.*) grip. – **2.** ⟨*Mus*⟩ neck. – **3.** ⟨*ant*⟩ (*nel fucile*: *cassa*) butt, stock, rifle-stock. □ *avere* ~ *a qc.* (*avere abilità*) to be good at s.th.; *aver* (o *essere un*) ~ (*un buon pilota d'aerei*) to be a crack pilot; *questa è col* ~ (*si presenta bene*) this looks good; *gettare il* ~ *dietro la scopa* (o *scure*) to throw the baby out with the bath water.

manicomiạle *a.* like a madhouse, crazy, mad. – **manicọmio** *m.* **1.** lunatic asylum, mental hospital (*o* home), ⟨*spreg*⟩ madhouse. – **2.** ⟨*fam,scherz*⟩ (*rif. a luogo pieno di confusione*) madhouse. □ ~ *giudiziario* criminal lunatic asylum; ⟨*fam*⟩ *è roba da* ~! it's incredible!

manicọna *f. accr. di* **manica.**

manicọrd(i)o *m.* ⟨*Mus*⟩ clavichord, manichord.

manicọtto *m.* **1.** ⟨*Vest*⟩ muff. – **2.** ⟨*Mecc*⟩ sleeve, coupling.

□ ⟨*Mecc*⟩ ~ *d'***accoppiamento** coupling box, box coupling; ⟨*El*⟩ ~ *per* **cavi** cable shackle; ~ *di* **giunzione** hose coupling, splicing sleeve; ⟨*Mecc*⟩ ~ *di* **raccordo** union sleeve; ~ **riduttore** (o *di riduzione*) reducing socket (*o* pipe-joint); ~ *di* **riscaldamento** heating muff; ~ **scorrevole** sliding sleeve.

manicọttolo *m.* ⟨*Mod*⟩ long loose sleeve.

manicụccia *f.* (*pl.* -ce) *dim. di* **manica.**

manicụra *f.* ⟨*non com*⟩ manicurist. – **manicụre** *f./m.inv.* **1.** (*persona*) manicurist, manicure. – **2.** (*operazione*) manicure: *farsi il* ~

to have a manicure, ⟨*fam*⟩ to have one's nails done. – **manicurịsta** *f./m.* manicurist. – **manicụro** *m.* ⟨*rar*⟩ (*manicure*) manicure.

manięra *f.* **1.** way, manner, fashion: ~ *di parlare* way of speaking; (*usanza*) manner, way, custom, usage. – **2.** (*modo di comportarsi, condotta*) way (of behaviour), manner; (*saper fare*) right way of going about something: *con un po' di* ~ *si ottiene tutto* you can get anything if you go about in the right way. – **3.** *pl.* (*creanza*) manners *pl*: *le buone -e* good manners. – **4.** ⟨*Art*⟩ (*stile*) style; ⟨*spreg*⟩ affectation, mannerism. – **5.** ⟨*lett*⟩ (*foggia, sorta*) kind, sort, fashion, type.

□ **alla** ~ *di*: 1. (*a foggia o a guisa di*) like, after the fashion of: *alla* ~ *dei cacciatori* in hunting style, like hunters; 2. (*nello stile di*) in the style (*o* manner) of, after the fashion of; *alla* ~ *spagnola* Spanish-style; **belle** *-e!* what manners!, is that the way to behave?; *con le* **buone** *-e* with good manners, in a pleasant (*o* kind) way; *di buone -e* good-mannered, courteous, polite; *con le* **cattive** *-e* unpleasantly, roughly, harshly; *hai* **certe** *-e!* what strange ways you have!; ⟨*Art*⟩ **di** ~ mannered, affected; ~ *di* **dire** way of speaking; (*locuzione*) idiom, (idiomatic) expression; **in** ~ *che* so that, in order that; *in* ~ *da* so as to; *per* **nessuna** ~ (*a nessuna condizione*) by no means, in no way (*o* circumstances); *in* **qual** ~ (*come*) how, in what way; *in* **qualche** ~ somehow, in some way or other; *in* **tal** ~ this way, like this, in such a way; ~ *di* **vivere** way of life (*o* living).

manierạccia *f.* (*pl.* **-ce**) *pegg. di* **maniera**.

manierạre *v.t.* (**manięro**) ⟨*non com*⟩ (*ammanierare*) to make affected (*o* mannered), to elaborate. – **manieratamęnte** *avv.* affectedly, unnaturally. – **manierạto I** *a.* **1.** (*ricercato, affettato*: *rif. a persona*) affected, unnatural, artificial; (*rif. a cosa*) studied, unnatural. – **2.** ⟨*Art*⟩ mannered, affected. – **II** *s.m.* ⟨*Art*⟩ mannerism, affectation.

manięre *m.* ⟨*non com*⟩ → **maniero**[1].

manierịna (*dim. di maniera*) *f.* way (of going about things).

manierịsmo *m.* **1.** ⟨*Art*⟩ mannerism; (*corrente del Seicento*) Mannerism. – **2.** ⟨*Psic*⟩ mannerism. – **manierịsta** *m./f.* ⟨*Art*⟩ mannerist; (*pittore della corrente del Seicento*) Mannerist.

manięro[1] *m.* **1.** ⟨*Mediev*⟩ manor-house, mansion. – **2.** (*castello*) castle.

manięro[2] *a.* ⟨*ant*⟩ **1.** (*rif. ad animale*: *addomesticato*) tame(d), domesticated, easy to handle. – **2.** (*rif. a persona*: *gentile, affabile*) affable, good-tempered.

manierosamęnte *avv.* courteously. – **manierọso** *a.* **1.** well-mannered, courteous. – **2.** (*affettato*) affected, elaborately polite, ceremonious.

manifattọre ⟨*non com*⟩ **I** *s.m.* (*f.* **-trice**) maker, worker. – **II** *a.* manufacturing.

manifattụra *f.* **1.** manufacture, manufacturing: *costo di* ~ cost of manufacture; (*confezione*) manufacture, making. – **2.** ⟨*concr*⟩ manufactured article, manufacture. – **3.** *pl.* (*rif. a vestiti*) ready-made clothes *pl*, ready-to-wear clothing, clothing: *-e per uomo* men's ready-made clothing, men's-wear. – **4.** (*stabilimento*) factory, works *pl* (*costr. sing. o pl.*), plant. – **5.** ⟨*ant*⟩ (*lavoro manuale*) handwork (*o* labour). – **6.** ⟨*fig,ant*⟩ (*intrigo*) plot, scheme, intrigue. □ *di* ~ *inglese* British made.

manifatturięre *m.* factory worker (*o* hand); (*fabbricante*) manufacturer. – **manifatturięro** *a.* **1.** manufacturing, industrial. – **2.** (*ricco di manifatture*) manufacturing, industrial: *zona -a* industrial area.

manifestạbile *a.* manifestable. – **manifestamęnte** *avv.* manifestly. – **manifestamęnto** *m.* ⟨*non com*⟩ manifestation.

manifestạnte *m./f.* demonstrator.

manifestạre *v.* (**manifęsto**) **I** *v.t.* **1.** (*mostrare*) to show, to display, to manifest. – **2.** (*esprimere*) to express, to evince, to make known: ~ *i propri sentimenti* to make one's feelings known. – **3.** (*rivelare*) to reveal, to disclose. – **II** *v.i.* (*aus.* **avere**) to demonstrate, to take part in a demonstration. – **manifestarsi** *v.r.* **1.** (*mostrarsi*) to show (*o* reveal) o.s., to make o.s. known; (*rivelare le proprie capacità*) to show what one can do, to prove (o.s.): *manifestarsi incapace* to prove incapable. – **2.** (*palesarsi*) to make one's appearance, to appear. □ *al primo manifestarsi di* at the first sign of, as soon as ... appears.

manifestatọre *m.* (*f.* **-trice**) manifester.

manifestaziọne *f.* **1.** display, show, manifestation, demonstration: ~ *di gioia* display of joy. – **2.** (*espressione*) expression. – **3.** (*apparizione*) appearance, manifestation. – **4.** (*sintomo, indizio*) sign, symptom, manifestation, token: *le -i della malattia* the symptoms of the disease. – **5.** (*dimostrazione pubblica*) demonstration. – **6.** (*spettacolo pubblico*) display, show, entertainment: ~ *pirotecnica* firework display; (*fiera*) fair, show; (*festival*) festival: ~ *musicale* music festival. □ ~ *sportiva* sports event (*o* meeting), match.

manifestịno (*dim. di manifesto*[2]) *m.* (*da affiggere*) hand-bill; (*volante*) leaflet.

manifęsto[1] **I** *a.* **1.** (*palese*) evident, clear, (quite) apparent, obvious, manifest; (*noto*) (generally) known, well-known, known to all. – **2.** ⟨*Psic,Med*⟩ manifest. – **II** *avv.* ⟨*lett*⟩ manifestly, clearly. □ *far* (*o rendere*) ~ to manifest, to show.

manifęsto[2] *m.* **1.** (*cartellone, affisso*) poster, bill, placard, ⟨*am*⟩ billboard: *attaccare* (*i*) *-i* to post bills; (*avviso*) notice. – **2.** (*programma politico o culturale*) manifesto: ⟨*Stor*⟩ ~ *del partito comunista* Communist Manifesto. □ ⟨*Mar,Aer*⟩ ~ *del carico* manifest, freight list; ~ *elettorale* election poster; ~ *pubblicitario* advertising poster, advertisement; ~ *teatrale* playbill.

manịglia *f.* **1.** handle: *la* ~ *del cassetto* the drawer handle; (*rif. a porta*) handle, door-handle. – **2.** (*sostegno per passeggeri*: *nei veicoli*) strap, handhold. – **3.** ⟨*Mar*⟩ shackle; (*del timone*) spoke. – **4.** ⟨*ant*⟩ (*braccialetto*) bracelet. – **5.** ⟨*ant*⟩ (*manetta*) handcuff, shackle. □ ⟨*Ginn*⟩ ~ *del cavallo* pommel.

manigliạme *m.* handles *pl.* – **manigliętta, manigliịna** *f. dim. di* **maniglia**. – **manigliọna** *f. accr. di* **maniglia**. – **manigliọne** (*accr. di maniglia*) *m.* ⟨*Mar*⟩ (*rif. ad ancore*) anchor shackle (*o* ring); (*rif. a catene*) clevis, shackle.

manigọldo *m.* **1.** (*f.* **-a**) scoundrel, rascal, rogue. – **2.** ⟨*ant*⟩ (*boia*) executioner, hangman.

manịlla[1] *f.* (*fibra tessile*) Manila (hemp), Manilla: *cavo di* ~ Manil(l)a cable.

manịlla[2] *m.inv.* (*tipo di sigari*) Manila (cigar), Manilla.

manilụvio *m.* ⟨*non com*⟩ **1.** washing of the hands. – **2.** ⟨*Med*⟩ (medicated) hand bath, maniluvium.

manimęssa *f.* ⟨*tosc*⟩ **1.** ⟨*non com*⟩ (*il manimettere*) opening, broaching, beginning. – **2.** ⟨*ant*⟩ (*attacco, assalto*) attack, assault. – **manimęttere** *v.t.* (**manimịsi, manimęsso**) ⟨*tosc*⟩ **1.** (*cominciare a usare*) to begin, to open up; (*rif. a botti*) to broach, to tap. – **2.** ⟨*fig*⟩ (*intaccare*) to break into, to start, to begin (to use). – **3.** ⟨*non com*⟩ (*manomettere*) to tamper with, to damage. – **4.** ⟨*ant,rar*⟩ (*biasimare*) to blame, to censure, to reproach.

manimọrcia *f.* (*pl.* **-ce**) ⟨*tosc,ant*⟩ (*donna sciatta*) slovenly woman, slattern.

manịna (*dim. di mano*) *f.* **1.** (*ciondolo portafortuna*) good-luck trinket, charm (in the shape of a hand). – **2.** (*panino*) roll (shaped like a hand). – **3.** ⟨*Paleogr,Tip*⟩ fist, hand, index (mark). – **4.** ⟨*Bot*⟩ (*ditola*; generally in pl.) club (*o* coral) fungus, fairy club (*Clavaria*).

maninconịa *f.* ⟨*ant*⟩ → **malinconia**. – **malincọnico** *a.* ⟨*ant*⟩ → **malinconico**. – **manincon(i)ọso** *a.* ⟨*ant*⟩ → **malincon(i)oso**.

maniọca *f.* ⟨*Bot*⟩ bitter cassava, manioc(a) (*Manihot esculenta, Manihot utilissima*).

manipolạre[1] *v.t.* (**manịpolo**) **1.** to prepare, to concoct; (*impastare*) to knead, to work. – **2.** ⟨*estens*⟩ (*adulterare*) to adulterate, to doctor. – **3.** ⟨*fig*⟩ (*ordire, macchinare*) to plot, to plan, to scheme, to rig, to devise, to hatch, to brew: ~ *una truffa* to plan a swindle. – **4.** ⟨*fig*⟩ (*rielaborare grossolanamente*) to piece together, to put (*o* throw) together. – **5.** (*massaggiare*) to massage.

manipolạre[2] **I** *a.* ⟨*Stor.rom*⟩ manipular, of a maniple. – **II** *s.m.* manipular, soldier in a maniple.

manipolạto (*p.p. di manipolare*[1]) *a.* **1.** concocted. – **2.** (*adulterato*) adulterated, doctored. – **manipolatọre** *m.* (*f.* **-trice**) **1.** manipulator; (*adulteratore*) adulterator. – **2.** ⟨*fig*⟩ plotter, schemer, manoeuvrer, hatcher. – **3.** ⟨*tecn*⟩ manipulator. – **4.** ⟨*El*⟩ sending (*o* Morse) key.

manipolaziọne *f.* **1.** preparation, concoction; (*adulterazione*) adulteration. – **2.** *pl.* (*intrighi, imbrogli*) plots *pl*, plotting, schemes *pl*, intrigues *pl.* – **3.** ⟨*fig*⟩ (*grossolana rielaborazione*) hotchpotch, patchwork. – **4.** (*massaggio*) massage. – **5.** ⟨*El*⟩ keying.

manịpolo *m.* **1.** (*drappello*) squad, band, platoon: *un* ~ *di soldati* a band of soldiers. – **2.** ⟨*Stor.rom*⟩ maniple. – **3.** ⟨*non com*⟩ (*mannello*) sheaf, bundle. – **4.** ⟨*fig,lett*⟩ (*gruppo*) group, collection, set. – **5.** ⟨*Lit*⟩ maniple.

maniscạlco *m.* (*pl.* **-chi**) **1.** farrier, smith, blacksmith. – **2.** ⟨*Stor*⟩ marshal. – **3.** ⟨*ant*⟩ (*veterinario*) veterinarian.

manịsmo *m.* ⟨*Etnol*⟩ manism, ancestor worship.

manitù *m.* ⟨*Etnol*⟩ manitu, manito(u).

manịzza *f.* **1.** ⟨*Mar*⟩ grip. – **2.** *pl.* (*guanti di lana dei ciclisti*) woollen gloves *pl.* – **3.** ⟨*ant*⟩ (*manicotto*) (fur-lined) muff.

manlęva *f.* ⟨*Dir*⟩ liability of surety. – **manlevạre** *v.t.* (**manlęvo**) ⟨*non com*⟩ to stand surety for.

Mạnlio *N.pr.m.* ⟨*Stor*⟩ Manlius.

mạnna[1] *f.* **1.** ⟨*Bibl*⟩ manna. – **2.** ⟨*fig*⟩ (*bene inaspettato*) godsend, blessing (from heaven), windfall, manna. – **3.** ⟨*fig*⟩ (*cibo buono*) food for the gods, delicacy, dainty dish, treat; (*bevanda buona*) nectar. – **4.** ⟨*fig*⟩ (*verità rivelata*) eternal truth, divine revelation. – **5.** ⟨*Bot*⟩ (*secrezione vegetale*) manna. □ ⟨*fig*⟩ *aspettare la* ~ *dal cielo* to wait for something to ⌜fall into one's lap⌝ (*o* turn up), not to lift a finger to help o.s.; ⟨*Rel*⟩ *la* ~ *celeste* (*l'Eucarestia*) the Eucharist; ⟨*ant*⟩ ~ *dei metalli* (*calomelano*) calomel; ⟨*Bot*⟩ ~ *di Persia* Persian manna, manna (from camel's thorn); ⟨*Bot,tosc*⟩ ~ *di Polonia* (*o Prussia*) manna grass (*Glyceria fluitans*).

mạnna[2] *f.* ⟨*non com*⟩ (*fascio*) sheaf, bundle. □ *fare* (*o legare*) *le -e* to sheave.

mannạggia *intz.* ⟨*region*⟩ damn, blast, hang it. □ ~ *la miseria!* damn (it)!, curse it!; ~ *la morte!* damn it!, to hell with it!

mannạia *f.* **1.** (*grossa scure*) axe, chopper; (*scure del boia*) executioner's axe. – **2.** ⟨*estens*⟩ (*lama della ghigliottina*) blade of the guillotine. – **3.** ⟨*fig*⟩ (*pericolo*) (mortal) danger: *avere la* ~ *sopra il capo* to be in mortal danger; (*regime tirannico*) tyranny, despotism. – **4.** ⟨*Macell,non com*⟩ cleaver, meat axe. □ *finire sotto la* ~ (*essere condannato a morte*) to be condemned to death; ~ *a mezzaluna* (curved) chopping knife.

mannaiętta *f. dim. di* **mannaia**.

mannarẹse *m.* → **manarese**.

mannạro: *lupo* ~ werewolf.

mannęlla *f.* → **mannello**. – **mannęllo** (*dim. di manna*[2]) *m.* **1.** (*fascio*) handful, bundle, bunch. – **2.** ⟨*non com*⟩ (*matassina*) skein, hank

mannequin *fr.* [man'kẽ] **I** *s.f.* (*indossatrice*) mannequin, (fashion) model. – **II** *s.m.* (*manichino*) manikin, dummy.

mannẹse[1] **I** *a.* (*dell'isola di Man*) Manx. – **II** *s.m.* **1.** (*dialetto*) Manx. – **2.** *m./f.* Manxman (*f* -woman).

mannẹse[2] *m.* ⟨*region*⟩ wood-cutter.

mannẹto *m.* (*bosco di frassini*) wood of manna ash.

mannẹtta (*dim. di manna*[2]) *f.* → **mannello.**

mannịcolo *a.* manna ash-. – **mannịfero** *a.* **1.** manna-producing. – **2.** (*coltivato a frassini*) planted with manna ash.

mannịna (*dim. di manna*[2]) *f.* → **mannello.**

mannịte *f.*, **mannitọlo** *m.* ⟨*Chim*⟩ mannite, mannitol, manna sugar.

mannọcchia *f.*, **mannọcchio** *m.* fascine.

mannọṣ(i)o *m.* ⟨*Chim*⟩ mannose.

mạno *f.* **1.** hand: *lavarsi le -i* to wash one's hands. – **2.** ⟨*fig*⟩ (*stile, impronta*) hand, style, mark. – **3.** ⟨*fig*⟩ (*potere*) hands *pl*, hand, control: *l'isola è in ~ al nemico* the island is in enemy hands; *avere in ~ la situazione* to have the situation under control. – **4.** (*strato*: *di vernice e sim.*) coat. – **5.** (*nei giochi di carte: giro*) hand; (*vantaggio di giocare per primo*) lead. – **6.** (*direzione*) side, direction, hand: *contro ~* on the wrong side of the road, in the wrong direction. – **7.** (*calligrafia*) handwriting, writing, hand: *di bella ~* (*con bella scrittura*) in ⌜good handwriting⌝ (*o* a good hand). – **8.** ⟨*lett*⟩ (*manipolo, schiera*) handful, band, small group. – **9.** ⟨*Dir.rom*⟩ manus, authority, power. – **10.** ⟨*Cart*⟩ (*parte di una risma*) quire.

□ **a** ~ by hand, hand-: *cucire a ~* to sew by hand; *cucito a ~* hand-sewn, hand-stitched; *bomba a ~* hand-grenade; *lavoro a ~* hand-work; *a ~ a ~* (*di volta in volta, gradatamente*) little by little, gradually, ⟨*fam*⟩ bit by bit; *a due -i* with both hands; *mettere le -i* **addosso** *a qd.* to lay hands on s.o.; ⟨*fig*⟩ **aiutarsi** *con le -i e con i piedi* to use every means at one's disposal, to do all one can; **alla** ~: 1. (*rif. a cosa*: *vicino, pronto*) at hand, ready (to hand), nearby, within (easy) reach: *passaporto alla ~!* have your passports ready!; 2. (*rif. a persona*: *affabile*) easy to get along with, affable, easy-going, pleasant; *prove alla ~* tangible (*o* incontrovertible) proof; *-i in* **alto**! hands up!, reach for the sky!, ⟨*fam*⟩ stick'em up!; **alzare** *le -i* (*per pregare*) to lift one's hands in prayer; (*per arrendersi*) to put one's hands up; *a ~* **armata** armed; *~ alle* **armi**! to arms!; ⟨*Mus*⟩ ~ **armonica** Guidonian hand; ⟨*Med*⟩ ~ *ad* **artiglio** claw hand, main en griffe; ⟨*fig*⟩ *mettere le -i* **avanti** to keep on the safe side, to safeguard o.s., to take precautions; **avere** *alle -i* (*avere pronto*) to have ⌜at hand⌝ (*o* ready, within easy reach); ⟨*fig*⟩ *avere in ~ qc.* to have s.th. (in one's possession), to control (*o* hold) s.th., to be master of s.th.; **baciare** *la ~ a qd.* to kiss s.o.'s hand; ⟨*ant*⟩ *di* **bassa** ~ (*di umili condizioni*) of low rank (*o* station); *far man bassa* (*saccheggiare*) to pillage, to sack, to plunder; ⟨*fig*⟩ (*rubare*) to steal, to make a clean sweep; **battere** *le -i* to clap one's hands; (*applaudire*) to applaud, to clap; ⟨*fig*⟩ *avere le -i* **bucate** to be a spendthrift, to spend money like water; *essere in* **buone** *-i* to be in good hands; **cadere** *nelle -i di qd.* to fall into s.o.'s hands (*o* clutches); **calcare** *la ~ = avere la mano pesante*; **camminare** *con le -i e con i piedi* to crawl, to creep; ⟨*fig*⟩ *mettersi le -i nei* **capelli** to be at one's wits' end, to tear one's hair; ⟨*fig*⟩ **cavare** *le -i da qc.* (*portare a termine*) to finish s.th. (off), to get a job ⌜off one's hands⌝ (*o* over and done with); **cedere** *la ~ a qd.* to put s.o. on one's right; **chiedere** *la ~ di una ragazza* to ask for a girl's hand; ⟨*Pitt*⟩ ~ *di* **colore** coat of paint; *mettersi una ~ sul* **cuore** to put one's hand on one's heart; **dare** *la ~ a qd.* (*salutarlo*) to shake hands with s.o., to give s.o. one's hand, to put one's hand out to s.o.; ⟨*fig*⟩ *dare una ~ a qd.* (*aiutarlo*) to give s.o. a hand, to lend s.o. a (helping) hand; (*in modo continuo*) to help s.o. out: *mia figlia mi dà una ~ nel negozio* my daughter ⌜helps me out⌝ (*o* lends a hand) in the shop; *dar la buona ~* (*mancia*) to tip; ~ **destra** right hand; *sulla ~ destra* on the right hand (side), on the right; **essere** *nelle -i di Dio* to be in God's hands; *essere di ~* (*nei giochi di carte*) to (have the) lead; *la lettera è di sua ~* the letter is in his (hand)writing; *avere la ~* **facile** to be talented (*o* gifted), to be skilled (*o* good); *un pittore dalla ~ facile* a gifted painter; **fare** *la ~ a qc.* to get one's hand in at s.th.; *farsi le -i* (*la manicure*) to do one's nails, to give o.s. a manicure; ⟨*fig*⟩ *-i di* **fata** fairy hands (*o* fingers), light touch; ~ **ferma** steady hand; ⟨*fig*⟩ firm hand: *governare con ~ ferma* to rule with a firm hand; ⟨*Stor.rom*⟩ ~ *di* **ferro** grappling-iron, grapple; ⟨*fig*⟩ ~ *di ferro in guanto di velluto* iron hand in a velvet glove; ⟨*Edil,Pitt*⟩ ~ **finale** (o *di finitura*) finishing (*o* top) coat; ⟨*Pitt*⟩ ~ *di* **fondo** undercoat, primer; *dare una ~ di fondo* to ground, to prime, to give an undercoat; *dare man* **forte** *a qd.* to support s.o., to back s.o. up, to come to s.o.'s aid; **fregarsi** *le -i* to rub one's hands; ⟨*fig*⟩ *mettere la ~ sul* **fuoco** to stake one's life on s.th.; *mettere la ~ sul fuoco per qd.* to swear for s.o.; **fuori** (*di*) ~ out of the way, outlying, remote, isolated, off the beaten track; **giù** *le -i!* hands off!; **giungere** *le -i* to fold (*o* clasp) one's hands; ~ (*di vernice*) **isolante** sealer; *essere di ~* **larga** (*generoso*) to be open-handed (*o* generous); ⟨*fig*⟩ **lavarsi** *le -i di qc.* to wash one's hands of s.th.; ⟨*fig*⟩ *avere le -i* **legate** to have one's hands tied; *avere la ~* **leggera** to have a light hand (*o* touch); ⟨*fig*⟩ to be tactful (*o* discreet); *a ~* **libera** free-hand-: *disegno a ~ libera* free-hand drawing; ⟨*fig*⟩ *dare ~ libera a qd.* to give s.o. a free hand; ⟨*fig*⟩ *avere le -i* **lunghe**: 1. (*rubare*) to steal, to be light-fingered, ⟨*fam*⟩ to have itchy fingers; 2. (*essere molto potente*) to be very powerful (*o* influential), to be long-armed; 3. (*essere intraprendente*) not to keep one's hands to o.s.; **man** ~ = *a mano a mano*; *man ~ che* (*mentre*) while, as; (*come*) as; ~ **meccanica** iron hand; **menare** *le -i* to fight; **metter** ~ *a qc.* to begin (*o* set one's hand to) s.th.; *metter ~ al coltello* to draw (*o* seize) one's knife; *mettere le -i su qc.* (o *qd.*) to get one's hands on s.th. (*o* s.o.); ⟨*fig*⟩ *mettersi nelle -i di qd.* to put o.s. in s.o.'s hands; ⟨*fig*⟩ **mordersi** *le -i per qc.* to regret s.th. greatly, to feel like kicking o.s. over s.th.; ~ **morta** → **manomorta**; ⟨*fig*⟩ *-i di* **neve** (*bianchissime*) lily-white hands; (*fredde*) icy hands; ~ *d'opera* → **manodopera**; ⟨*Med*⟩ ~ *da* **ostetrico** obstetrician's hand; **passare** *da una ~ all'altra* to pass from hand to hand; ⟨*fig*⟩ *avere le -i in* **pasta** to have a finger in the pie; **per** ~ *di* (*per mezzo di*) through; ⟨*fig*⟩ *avere qc. per le -i* to have s.th. in hand; *avere la ~* **pesante** to be heavy-handed (*o* rough); ⟨*fig*⟩ *dare a* **piene** *-i* (*con generosità*) to give liberally (*o* generously); **por** ~ *a qc.* (*iniziare*) to begin s.th., to set about s.th.; *a* **portata** *di ~* within reach, handy, at (*o* to) hand; *tenere le -i a* **posto** (*non essere manesco*) to keep one's hands to o.s.; (*non prendersi confidenze*) to keep one's distance; ⟨*Med*⟩ ~ *di* **predicatore** preacher's (*o* benediction) hand; **prendere** *la ~*: 1. (*rif. a cavallo*: *non obbedire alle redini*) to bolt, to run away; 2. (*rif. a persona*: *sottrarsi alla disciplina*) to get out of hand (*o* control); ⟨*fig*⟩ *farsi prendere la ~ da qd.* to let s.o. get out of hand, to lose control over s.o.; *prendere la ~ a qc.* (*acquistare pratica*) to become skilful (*o* good) at s.th., to get into (*o* one's hand in at) s.th.; *prendere in ~ qc.* to take s.th. in hand; *prendere per ~* to take by the hand; **prima** ~ = *mano di fondo*; *di prima ~*: 1. (*nuovo*) first-hand-: *comprare di prima ~* to buy first-hand (*o* new); 2. (*diretto, immediato*) first-hand, at first hand, direct: *informazioni di prima ~* first-hand information; *lettera di* **propria** ~ (*autografa*) letter in one's own handwriting, autograph letter; ⟨*fig*⟩ *mi prudono le -i* I'm itching to hit you; *sonare a* **quattro** *-i* to play piano duets; ⟨*fam*⟩ *avere le -i di* **ricotta** to be a butterfingers; *a man* **salva** (*senza resistenza*) undisturbed, unopposed, without hindrance; ⟨*Med*⟩ ~ *di* **scimmia** monkey hand, main en singe; *di* **seconda** ~ (*non nuovo*) second-hand, used; (*indiretto*) second-hand, at second hand, indirect; *è in -i* **sicure** he is in safe hands; ~ **sinistra** left hand; *avere qc.* **sotto** ~ to have s.th. at (*o* to) hand, to have s.th. handy (*o* within easy reach); (*di*) *sotto ~* underhand, secretly, on the sly; ⟨*fig*⟩ **sporcarsi** *le -i* to get mixed up in s.th. unsavoury; ⟨*fig*⟩ **stare** *con le -i in ~* not to lift a finger, to loaf about, to twiddle one's thumbs; *una* **stretta** *di ~* a handshake; **stringere** *la ~ a qd.* to shake ⌜s.o.'s hand⌝ (*o* hands with s.o.); ⟨*Epist*⟩ **sue** *proprie* (o *gentilissime*) *-i* personal; ⟨*fig*⟩ **tendere** *la ~* (*chiedere l'elemosina*) to beg; **tener** ~ *a qd.* (*essere complice*) to aid and abet s.o.; *tener ~ a qc.* to aid and abet in s.th.; *tenere la ~* (*procedere sul lato consentito*) to keep to the right side (of the road); *tenere la ~ destra* to keep right; (*rif. a veicoli*) to drive on the right, to keep to the right; *tenersi per ~* to be holding hands, to go hand in hand; ⟨*fig*⟩ **toccare** *con ~ qc.* (*accertarsene*) to see s.th. with one's own eyes, to ascertain s.th. personally; **ultima** ~ = *mano* **finale**; *dare l'ultima ~ a qc.* (*rifinire*) to give s.th. the last (*o* finishing) touches; (*portare a compimento*) to finish s.th. (off); *fare l'ultima ~* (*nei giochi di carte*) to play the last hand; **ungere** *le -i di qd.* (*corromperlo*) to grease s.o.'s palm, to bribe s.o., to line s.o.'s pocket; **venire** *alle -i* (*azzuffarsi*) to come to blows, to start fighting; ~ *di* **vernice** coat of paint; *a -i* **vuote** (*senza offrire nulla*) empty-handed. – *Prov.*: *-i fredde, cuore caldo* cold hands, warm heart; *una ~ lava l'altra* (*e tutt'e due lavano il viso*) you help me and I'll help you, ⟨*fam*⟩ you scratch my back and I'll scratch yours; *molte -i fanno l'opera leggera* many hands make light work.

manọcchio *m.* → **mannocchia.**

manodọpera (o *mạno d'ọpera*) *f.* **1.** labour, workers *pl*, hands *pl*. – **2.** (*costo del lavoro umano*) labour, cost of labour. □ ~ *familiare* family labour (*o* workers); ~ *fissa* regular workers; ~ *occasionale* casual labour; ~ *qualificata* (o *specializzata*) skilled labour (*o* workers); ~ *non qualificata* unskilled labour.

manọgrafo *m.* ⟨*Fis*⟩ recording pressure-gauge.

manomẹssa *f.* ⟨*ant*⟩ → **manimessa.**

manomẹsso (*p.p. di manomettere*) *a.* **1.** (illegally) opened, tampered with: *corrispondenza -a* correspondence that is illegally opened. – **2.** ⟨*Dir.rom*⟩ (*affrancato*) freed, set free, manumitted.

manomẹtrico *a.* (*pl.* **-ci**) ⟨*Fis*⟩ manometric(al).

manọmetro *m.* manometer, pressure gauge.

□ ~ *dell'***aria** air gauge; ~ *a* **colonna** *di* **liquido** liquid-column manometer; ~ **differenziale** differential pressure gauge; ~ *a* **mercurio** mercury gauge; ⟨*Mot*⟩ ~ *dell'***olio** oil pressure gauge; ⟨*Aut*⟩ ~ *per* **pneumatici** tyre gauge.

manomẹttere *v.t.* (**manomịṣi, manomẹsso**) **1.** to tamper with, to break (open), to open illegally, to touch, to interfere with: *i sigilli della lettera furono manomessi* the seals on the letter were broken; *hanno manomesso il pacco* the parcel has been tampered with; (*danneggiare*) to damage. – **2.** ⟨*fig*⟩ (*violare*) to violate, to infringe: *~ un diritto* to violate a right. – **3.** ⟨*Dir.rom*⟩ (*affrancare*) to (set) free, to manumit. – **4.** ⟨*ant*⟩ (*far violenza*) to treat roughly, to mistreat. – **5.** ⟨*ant*⟩ (*porre mano*) to begin to use.

manomissiọne *f.* **1.** tampering, illegal opening, breaking. – **2.** ⟨*fig*⟩ (*violazione*) violation, infringement. – **3.** ⟨*Dir.rom*⟩ manumission.

manomọrta (o *mạno mọrta*) *f.* ⟨*Dir*⟩ **1.** mortmain, dead hand. – **2.** (*beni inalienabili*) property in mortmain, inalienable property. □ ⟨*scherz*⟩ *fare la ~* (*rif. a uomini intraprendenti*) to touch a woman (as if accidentally).

manonẹra (o *mạno nẹra*) *f.* ⟨*Stor*⟩ Black Hand. □ ⟨*Stor*⟩ ~ *serba* Black Hand.

manọna (*accr. di mano*) *f.* large hand, ⟨*fam,scherz*⟩ (great) paw, ⟨*fam*⟩ mitt.

manọpola *f.* **1.** hand-grip, ball-grip; (*del manubrio*) handlebar grip. – **2.** (*di apparecchio radio e sim.*) knob. – **3.** (*guanto*) mitten. – **4.** (*maniglia, impugnatura*) handle; (*sostegno per passeggeri*: *nei veicoli*) strap, handhold. – **5.** (*nei guantoni da scherma*) cuff (of a fencing-glove). – **6.** ⟨*Sart*⟩ (*risvolto*) cuff. – **7.** (*nelle armature*) gauntlet. □ ~ *a bottone* button knob; ~ *di comando* control knob; ⟨*Rad*⟩ ~ *di sintonia* tuning knob; ⟨*Rad*⟩ ~ *di volume* volume knob.

manorẹgia (o *mạno rẹgia*) *f.* ⟨*Mediev*⟩ royal power.

manoscrịtto I *s.m.* manuscript: *i -i non vengono restituiti* manuscripts are not returned. – **II** *a.* handwritten, in manuscript: *un articolo* ~ a handwritten article. □ ⟨*Cin*⟩ ~ *sceneggiato* screen play, (shooting, film) script, scenario.

manọso *a.* ⟨*ant*⟩ **1.** (*morbido*) soft. – **2.** (*maneggevole*) manageable, docile, easy to handle.

manovalạnza *f.* **1.** (*manovali*) (manual) labourers *pl*, unskilled workers *pl*. – **2.** (*opera di manovali*) manual labour.

manovạldo *m.* ⟨*Dir.mediev*⟩ (*mundualdo*) person exercising the mund.

manovạle *m.* (manual) labourer, unskilled worker. □ ~ *di ferrovia* railroad worker, yardman; ~ *muratore* hodman, bricklayer's labourer; ~ *sterratore* digger, navvy.

manovẹlla *f.* **1.** crank, winch. – **2.** ⟨*ant*⟩ (*asta usata come leva*) lever. □ ⟨*Mecc*⟩ ~ *d'accoppiamento* coupling crank; ⟨*Aut*⟩ ~ *d'avviamento* starting (*o* cranking) handle, crank; ⟨*fig*⟩ *girare la* ~ to jabber away; ⟨*Cin*⟩ *dare il primo giro di* ~ to start shooting; ⟨*Mecc*⟩ ~ *a gomito* crank, throw.

manovellịsmo *m.* ⟨*Mecc*⟩ crank gear (*o* mechanism).

manọvra *f.* **1.** (*comando*) control, handling; (*l'azionare*) operation, working, driving: *la* ~ *di una macchina* the operation of a machine; (*guida*) steering, driving, manoeuvring. – **2.** ⟨*fig*⟩ (*provvedimento, azione*) move, measure, step, manoeuvre: *una* ~ *falsa* a false move. – **3.** ⟨*fig*⟩ (*raggiro, maneggio*) manoeuvre, adroit move. – **4.** *pl.* ⟨*fig*⟩ (*mene, intrighi*) schemes *pl*, plots *pl*, manoeuvres *pl*: *-e delittuose* criminal schemes. – **5.** ⟨*Aut,Mar*⟩ manoeuvre. – **6.** ⟨*Ferr*⟩ shunting, marshalling. – **7.** *pl.* ⟨*Mil*⟩ manoeuvre, movement; (*esercitazioni*) manoeuvres *pl*, drill. – **8.** *pl.* ⟨*Mar*⟩ rigging, cordage. – **9.** ⟨*Med*⟩ (*operazione manuale*) manoeuvre. □ ⟨*Mil*⟩ ~ **accerchiante** outflanking movement; ⟨*Econ*⟩ *-e di* **borsa** manipulations on the stock exchange; ⟨*Mar*⟩ *-e* **correnti** running rigging; ~ *a* **distanza** remote control; ⟨*Mar*⟩ *-e* **dormienti** (o *fisse*) standing rigging; **far** ~: 1. ⟨*Ferr*⟩ to shunt; 2. ⟨*Aut,Mar*⟩ to manoeuvre; ~ **fraudolenta** sharp (*o* shady) practice; ⟨*Mil*⟩ **grandi** *-e* manoeuvres *pl*, field practice; ⟨*Ferr*⟩ ~ *degli* **scambi** throwing-over the points, ⟨*am*⟩ operation of switches; ⟨*Ferr*⟩ ~ *a* **spinta** pushing off, fly shunting; ⟨*Mil*⟩ ~ **strategica** strategic manoeuvre; ⟨*Mil*⟩ ~ **tattica** tactical manoeuvre.

manovrạbile *a.* **1.** manoeuvrable, controllable; (*maneggevole*) manageable, handy; (*rif. a treni*) shuntable. – **2.** ⟨*fig*⟩ (*controllabile*) manageable, easy to handle; (*rif. a persone*) malleable, easy to handle (*o* manoeuvre). – **manovrabilità** *f.* **1.** manoeuvrability, controllability; (*maneggevolezza*) manageability, ease of handling; (*rif. a treni*) ability to be shunted. – **2.** ⟨*fig,non com*⟩ manoeuvrability.

manovrạre *v.* (**manọvro**) **I** *v.t.* **1.** to handle, to control, to manage; (*azionare*) to operate, to work, to drive; (*guidare*) to steer, to drive, to manoeuvre. – **2.** ⟨*fig*⟩ to manage, to handle, to manoeuvre, to conduct, to run: *sa* ~ *bene i suoi affari* he manages his affairs (*o* business) well; (*rif. a persone*) to manoeuvre, to handle, to manage. – **3.** ⟨*Ferr*⟩ (*rif. a treni*) to shunt, to marshal; (*rif. a scambi*) to shunt, to switch. – **4.** ⟨*Mil*⟩ to manoeuvre: ~ *le forze* to manoeuvre one's forces. – **II** *v.i.* (*aus.* **avere**) **1.** to manoeuvre. – **2.** ⟨*fig*⟩ to manoeuvre, to scheme, to plot. – **3.** ⟨*fig*⟩ (*combinare guai*) to make mischief, to be up to s.th.

manovrạto (*p.p. di manovrare*) *a.* **1.** ⟨*Mil*⟩ open, of movement: *guerra -a* open warfare, war of movement (*o* manoeuvre). – **2.** ⟨*Econ*⟩ planned: *economia -a* planned economy.

manovratọre *m.* (*f.* **-trice**) **1.** tactician (*anche fig.*). – **2.** (*conducente*: *di tram e sim.*) driver, ⟨*am*⟩ motorman; (*di macchine*) driver, operator, ⟨*am*⟩ machinist. – **3.** ⟨*Ferr*⟩ shunter; (*rif. a scambi*) signalman, shunter, switchman, pointsman. – **4.** ⟨*Mar*⟩ expert seaman, master mariner.

manovriẹre *a./s.* ⟨*non com*⟩ → **manovriero**. – **manovriẹro I** *a.* **1.** of manoeuvre. – **2.** (*facile a manovrarsi*) (highly) manoeuvrable; (*maneggevole*) manageable, handy, easy to handle (*o* manipulate). – **3.** ⟨*fig*⟩ (*rif. a persona*: *abile*) cunning, adroit, sharp. – **II** *s.m.* **1.** ⟨*Mar*⟩ highly manoeuvrable ship. – **2.** ⟨*fig*⟩ (*persona abile*; *f.* **-a**) clever tactician, manoeuvrer.

manrịtta *f.* ⟨*tosc*⟩ → **mandritta**.

manrịtto *m.* ⟨*tosc*⟩ → **mandritto**.

manrivẹscio *m.* ⟨*ant*⟩ → **manrovescio**. – **manrovẹscio** *m.* **1.** slap, ⟨*fam*⟩ back of one's hand, ⟨*fam*⟩ backhander: *dare un* ~ *a qd.* to give s.o. ⌜a slap⌝ (*o* the back of one's hand), to slap s.o. – **2.** (*nella scherma*) backhanded blow, back-stroke.

mansạlva (o *man sạlva*): *a* ~ (*a più non posso*) with all one's might; (*liberamente*) freely, unhindered, unopposed; (*senza rischio*) without risk, with impunity.

mansạrda *f.* mansard, mansard-roof; (*stanza*) attic, garret; (*finestra*) dormer (window), mansard window.

mansionạrio *m.* **1.** ⟨*Dir.can*⟩ minor ecclesiastic. – **2.** ⟨*Mediev*⟩ (*sagrestano*) sexton.

mansiọne *f.* **1.** (*compito*) duty, task, job, function; (*attribuzione, competenza*) province, jurisdiction, authority; (*ufficio*) office. – **2.** ⟨*non com*⟩ (*tappa, fermata*) stay, stop, halt; (*alloggio*) abode, dwelling. – **3.** ⟨*ant*⟩ (*indirizzo*) address. □ *impiegato con -i direttive* executive; ⟨*Astrol*⟩ ~ *lunare* mansion (of the moon).

mạnso[1] *a.* ⟨*ant*⟩ (*mansueto*) mild, tame, gentle, docile.

mạnso[2] *m.* ⟨*Mediev*⟩ manse.

mansuefạre *v.t.* (**mansuefạccio, mansuefẹi; mansuefẹci, mansuefạtto**; → **fare**) **1.** (*addomesticare*) to tame, to subdue, to domesticate. – **2.** ⟨*non com*⟩ (*rendere mansueto*) to tame, to make docile. – **mansuefarsi** *v.r.* to become docile (*o* gentle), to calm down. – **mansuefạtto** (*p.p. di mansuefare*) *a.* **1.** (*addomesticato*) tame, docile, gentle. – **2.** (*rif. a persone*) tamed, docile. – **mansuẹscere** *v.i.* (**mansuẹsco, mansuẹsci**; *aus.* **essere**) ⟨*ant,rar*⟩ (*divenire mansueto*) to become tame, to grow gentle (*o* docile). – **mansuetamẹnte** *avv.* tamely, gently. – **mansuẹto** *a.* **1.** tame, gentle, docile. – **2.** (*rif. a persona*) gentle, quiet, meek, mild: ~ *come un agnello* as gentle as a lamb, lamb-like. – **3.** ⟨*fig*⟩ (*mite*) mild, gentle: *stagione -a* mild season.

mansuetụdine *f.* **1.** mildness, docility, gentleness, meekness, ⟨*lett*⟩ mansuetude. – **2.** ⟨*non com*⟩ (*rif. ad animali*) tameness, docility, gentleness. – **3.** ⟨*fig*⟩ (*mitezza*) mildness: *la* ~ *del clima mediterraneo* the mildness of the Mediterranean climate; (*calma*) calmness.

mạnta *f.* ⟨*Itt*⟩ manta (ray), devil-fish (*Manta birostris*).

mantacạre *v.i.* (**mạntaco, mạntachi**; *aus.* **avere**) ⟨*ant*⟩ (*soffiare*) to blow. – **mạntaco** *m.* (*pl.* **-ci**) ⟨*ant*⟩ → **mantice**.

mantatụra *f.* ⟨*lett*⟩ (*manto*) cloak, mantle.

mạnte *m.* ⟨*Mar*⟩ halyard, tye.

...mante *suff.* (*indovino* soothsayer) ...mant, ...mancer: *chiromante m./f.* chiromant, chiromancer.

manteau *fr.* [mã'to] *m.* ⟨*Mod*⟩ manteau.

mantẹca *f.* **1.** ⟨*ant*⟩ (*pomata*) pomade. – **2.** (*impasto*) thick mixture, paste. – **3.** ⟨*Gastr,region*⟩ (*butirro*) pear-shaped cheese filled with butter.

mantecạre *v.t.* (**mantẹco, mantẹchi**) to whip, to whisk. – **mantecạto I** *s.m.* ⟨*Dolc*⟩ soft ice-cream. – **II** *a.* ⟨*Gastr*⟩ whipped, cream-. □ *baccalà* ~ minced cod whipped with milk and oil.

mantẹlla *f.* **1.** (*mantello*) cloak, mantle. – **2.** (*mantello militare o femminile*) cape.

mantellạccio *m. pegg. di* **mantello**.

mantellạte *f.pl.* ⟨*Rel*⟩ (*serve di Maria*) Servites *pl*, Servants *pl* of Mary. – **Mantellate** *N.pr.f.pl.* (*carcere femminile romano*) women's prison in Rome.

mantellạto *a.* cloaked, mantled.

mantellẹtta (*dim. di mantella*) *f.* mantelletta. – **mantellẹtto** (*dim. di mantello*) *m.* **1.** mantelet, short cloak. – **2.** ⟨*Mil.ant*⟩ mantelet. – **mantellịna** (*dim. di mantella*) *f.* **1.** cape: ~ *di pelliccia* fur cape. – **2.** (*soprabito militare*) cape. – **3.** ⟨*Zool*⟩ cape, neck feathers *pl* (of a cock). – **mantellịno** *m. dim. di* **mantello**.

mantẹllo *m.* **1.** cloak, mantle; (*cappotto*) coat, overcoat; (*cappotto militare*) greatcoat. – **2.** ⟨*Mod*⟩ (*soprabito femminile*) coat, wrap, manteau. – **3.** ⟨*fig*⟩ mantle, blanket: *un* ~ *verde ricopriva la valle* a green mantle covered the valley; *un* ~ *di neve* a blanket of snow. – **4.** ⟨*fig,non com*⟩ (*finzione*) appearance, veneer, guise, pretence, cloak: *sotto il* ~ *dell'onestà* under an appearance of honesty. – **5.** ⟨*Zool*⟩ coat, fur, hair, hackle; (*del cavallo*) coat. – **6.** ⟨*Mot*⟩ skirt. – **7.** ⟨*Mecc*⟩ shell: ~ *del forno* (furnace) shell. – **8.** ⟨*Arald*⟩ mantling, lambrequin. – **9.** ⟨*Geom*⟩ curved surface. □ ⟨*fig*⟩ *aver* ~ *ad ogni* **acqua** (*essere pronti a ogni evenienza*) to be ready (*o* prepared) for anything; ⟨*Teat*⟩ ~ *d'***Arlecchino** drapery framing the drop-curtain, proscenium arch; ⟨*Econ*⟩ ~ *dell'***azione** share warrant, bearer certificate of shares; ⟨*Fis*⟩ ~ **elettronico** electron envelope; ⟨*fig*⟩ **mutar** ~ (*cambiare opinione*) to change one's mind; ⟨*Vest*⟩ ~ *a* **ruota** (full-cut) mantle; ⟨*Econ*⟩ ~ *di* **titolo** bearer certificate of shares, share warrant.

mantellọne *m. accr. di* **mantello**. – **mantellụccio** *m.* ⟨*spreg*⟩ *dim. di* **mantello**.

mantenẹnte *avv.* ⟨*ant*⟩ (*immantinente*) immediately, at once.

mantenẹre *v.t.* (**mantẹngo, mantiẹni; mantẹnni, mantenụto**; → **tenere**) **1.** (*conservare*) to maintain, to keep, to conserve, to preserve: ~ *la disciplina* to keep discipline. – **2.** (*provvedere al sostentamento*) to support, to maintain, to keep: *deve* ~ *moglie e cinque figli* he has a wife and five children to support. – **3.** (*provvedere*: *all'andamento*) to support, to maintain: ~ *un istituto d'istruzione* to support an educational institute; (*alla manutenzione*) to maintain, to keep in (good) repair. – **4.** (*difendere*) to hold, to defend, to maintain: ~ *la posizione* to hold one's position. – **5.** ⟨*fig*⟩ (*tener saldo*) to hold (fast), to hold on to, to keep. – **6.** (*persistere*) to maintain, to uphold, to assert, to hold by, to keep (*o* stick) to: ~ *la propria opinione* to maintain an opinion, ⟨*fam*⟩ to stick to one's guns. – **7.** (*tener fede*) to keep, to abide by: ~ *la parola data* to keep (*o* be true to) one's word; ~ *il giuramento* to keep one's oath; (*adempiere*) to fulfil, to perform, to carry out: ~ *un impegno* to fulfil an undertaking. – **mantenersi** *v.r.* **1.** (*conservarsi*) to keep (o.s.): *si mantiene giovane* he keeps young; (*rimanere*) to keep, to stay, to remain: *il mare si mantiene calmo* the sea is keeping calm. – **2.** (*provvedere al proprio sostentamento*) to keep o.s., to earn one's living. □ *mantenersi bene* to look well (for one's age), to be in good shape; *mante-*

nersi fedele a qd. to remain true to s.o.; ~ *in ordine* to keep in order; ~ *i rapporti con qd.* to keep up relations with s.o.; ~ *una cosa segreta* to keep s.th. secret.

mantenịbile *a.* ⟨*non com*⟩ maintainable, that may be kept.

mantenimẹnto *m.* **1.** (*conservazione*) maintenance, upkeep. – **2.** (*sostentamento*) support, maintenance, keep: *provvedere al ~ della propria famiglia* to provide for (the support of) one's family. – **3.** (*difesa*) maintenance, keeping, defence, preserving: *la polizia è addetta al ~ dell'ordine* the police are responsible for the maintenance of law and order; (*il mantenere in vigore*) upholding, preservation. – **4.** ⟨*non com*⟩ (*manutenzione*) maintenance, upkeep, care. – **5.** ⟨*Dir*⟩ (*alimenti: rif. a coniuge separato*) alimony.

mantenitọre *m.* (*f.* **-trice**) ⟨*non com*⟩ **1.** maintainer, keeper, preserver. – **2.** (*chi provvede al sostentamento*) keeper, supporter. – **3.** ⟨*ant*⟩ (*difensore*) defender, supporter. – **4.** ⟨*Mediev*⟩ challenger (in a tournament).

mantenụta *f.* ⟨*spreg*⟩ mistress, kept woman. – **mantenutịsmo** *m.* ⟨*Dir*⟩ living off immoral earnings. – **mantenụto** (*p.p. di mantenere*) ⟨*spreg*⟩ **I** *a.* kept, maintained. – **II** *s.m.* gigolo.

mạntica[1] *f.* art of divination, mantic.

mạntica[2] *f.* ⟨*Stor.rom*⟩ knapsack, saddle bag.

mạntice *m.* **1.** bellows *pl* (*costr. sing.*): *tirare il ~* to blow the bellows. – **2.** ⟨*Aut*⟩ hood, folding top; (*nelle carrozze*) bellows top. – **3.** ⟨*Ferr*⟩ vestibule. – **4.** ⟨*Mus*⟩ bellows *pl* (*costr. sing.*). □ *a ~* folding, accordion-; *aprire a ~* to unfold, to open out like an accordion; ⟨*fig*⟩ *soffiare come un ~* to (puff and) pant, to be gasping for breath.

manticẹtto (*dim. di mantice*) *m.* (*soffietto*) (hand) bellows *pl* (*costr. sing.*). – **manticiạio, manticiạro** *m.* **1.** ⟨*ant*⟩ (*fabbricante*) maker of bellows; (*venditore*) seller of bellows. – **2.** → **manticista.** – **manticịsta** *m.* ⟨*Mus*⟩ maker and assembler of bellows. – **mạntico** *m.* (*pl.* **-ci**) ⟨*ant*⟩ → **mantice.**

mantịcora *f.* (*animale favoloso*) manticore.

mạntide *f.* ⟨*Entom*⟩ mantis, mantid (*Mantis*). □ ~ *religiosa* praying mantis (*Mantis religiosa*).

mantịglia[1] *f.* **1.** ⟨*Vest*⟩ mantilla; (*scialle*) shawl. – **2.** ⟨*Stor*⟩ (*mantellina*) short cape (*o* cloak).

mantịglia[2] *f.* → **mantiglio.**

mantịglio *m.* ⟨*Mar*⟩ lift, tie.

mantịle *m.* **1.** kerchief, scarf. – **2.** ⟨*Mar,region*⟩ topgallant sail. – **3.** ⟨*ant,region*⟩ (*tovaglia*) (coarse) tablecloth; (*tovagliolo*) napkin.

mantịssa *f.* ⟨*Mat*⟩ mantissa.

mạnto[1] *m.* **1.** mantle, cloak: ~ *d'ermellino* ermine mantle. – **2.** ⟨*estens*⟩ (*carica, dignità*) office, honour, dignity: *deporre il ~* to resign from office. – **3.** ⟨*fig*⟩ (*strato uniforme*) mantle, blanket, layer: ~ *di neve* blanket of snow. – **4.** ⟨*fig*⟩ (*finzione*) appearance, pretence, guise, cloak: *sotto il ~ della carità spesso si cela l'egoismo* charity is often a cloak for selfishness. – **5.** ⟨*lett*⟩ (*veste*) clothing, garment. – **6.** ⟨*fig, lett*⟩ (*corpo umano*) (human) body, mortal shell (*o* clay). – **7.** ⟨*Zool*⟩ coat, fur, hair, hackle; (*pelle*) hide, skin; (*del cavallo*) coat. – **8.** ⟨*Mot*⟩ (*mantello*) skirt. – **9.** ⟨*Edil*⟩ (*armatura di sostegno*) dummy boards *pl*; (*copertura esterna della superficie di un muro*) mantle. – **10.** ⟨*Strad*⟩ surface, blanket. – **11.** ⟨*Arald*⟩ mantle, pavilion.
□ ⟨*Strad*⟩ ~ *di* **asfalto** asphalt surface; ~ **bitumato** bitumen surface; ~ *di* **porpora** purple mantle; ⟨*fig*⟩ **sotto** *il ~ di qd.* under s.o.'s protection (*o* wing); ~ **stradale** feather-edge; ⟨*Edil*⟩ ~ *di* **tegole** tile covering; ~ *del* **tetto** roof lining (*o* mantle); ⟨*Strad*⟩ ~ *di* **usura** surface, paving.

mạnto[2] *a.* ⟨*ant*⟩ (*molto*) much, many.

mantoidẹi *m.pl.* ⟨*Entom*⟩ mantises *pl*, mantoids *pl* (*Mantoidea*).

Mạntova *N.pr.f.* ⟨*Geog*⟩ Mantua.

mantovạna *f.* **1.** ⟨*Arch*⟩ gable-board. – **2.** (*parte del tendaggio*) pelmet. – **3.** ⟨*Dolc*⟩ cake topped with almonds.

mantovạno I *a.* Mantuan, of Mantua. – **II** *s.m.* **1.** (*dialetto*) dialect of Mantua. – **2.** (*abitante; f.* **-a**) Mantuan. – **Mantovano** *N.pr.m.* (*territorio*) territory around Mantua. □ *il poeta ~* (*Virgilio*) Virgil.

mạntra *m.* ⟨*Rel*⟩ mantra(m).

mantrugiạre *v.t.* (**mantrụgio, mantrụgi**) ⟨*fam,tosc*⟩ (*sgualcire brancicando*) to crumple, to crush. – **mantrugiạto** (*p.p. di mantrugiare*) *a.* ⟨*fam,tosc*⟩ crumpled, crushed.

mantuạno *a.* ⟨*poet*⟩ (*mantovano*) Mantuan.

manuạle[1] **I** *a.* **1.** manual: *lavoro ~* manual labour. – **2.** ⟨*ant*⟩ (*azionato a mano*) manual, hand-operated, hand-. – **3.** ⟨*ant,rar*⟩ (*non naturale*) artificial, manufactured. – **II** *s.m.* **1.** ⟨*Mus*⟩ manual. – **2.** ⟨*ant*⟩ (*manovale*) (unskilled) labourer.

manuạle[2] *m.* manual, handbook: ~ *di filosofia* philosophy handbook; (*testo*) text, text-book.

manualẹtto, manualịno *m. dim. di* **manuale**[2]. – **manualịsta** *m.* **1.** ⟨*non com*⟩ writer of handbooks. – **2.** ⟨*spreg*⟩ compiler. – **manualịstico** *a.* (*pl.* **-ci**) **1.** textbookish, like a handbook (*o* manual). – **2.** ⟨*spreg*⟩ (*teorico*) theoretical, bookish.

manualità *f.* **1.** manual character. – **2.** (*abilità nell'uso delle mani*) manual skill, dexterity. – **3.** ⟨*Med*⟩ manipulation.

manualizzạre *v.t.* **1.** to make manual, to design so as to be operated by hand. – **2.** (*organizzare in un manuale*) to put into manual form. – **3.** (*divulgare*) to popularize in handbook form.

manualmẹnte *avv.* manually, by hand.

manubalịsta *f.* ⟨*Stor.rom*⟩ cross-bow, hand ballista.

manụbie *f.pl.* ⟨*Stor.rom*⟩ spoils *pl* of war, war booty.

manụbrio *m.* **1.** (*manico, maniglia*) handle. – **2.** (*nei veicoli*) handlebars *pl*, handlebar: ~ *della bicicletta* (bicycle) handlebars. – **3.** ⟨*Sport*⟩ (*nel sollevamento pesi*) dumb-bell. – **4.** (*parte del fucile*) bolt-handle. – **5.** ⟨*Zool*⟩ manubrium. □ ~ *da corsa* racing (*o* drop) handlebars; ~ *della pompa* pump-handle; ⟨*Anat*⟩ ~ *dello sterno* manubrium (sterni).

manucạre *v.t.* (**manụco, manụchi**) ⟨*ant*⟩ (*mangiare*) to eat.

manụccia *f.* (*pl.* **-ce**) *dim. di* **mano.**

manufạtto I *a.* **1.** manufactured: *prodotto ~* manufactured product. – **2.** ⟨*ant,rar*⟩ (*derivato da lavoro manuale*) handmade, hand-. – **II** *s.m.* **1.** manufactured article, manufacture. – **2.** ⟨*estens*⟩ (*rif. a costruzioni stradali, ferroviarie e sim.*) minor construction job.

manụl *m.* ⟨*Zool*⟩ manul, Pallas's cat (*Felis manul*).

manumissiọne *f.* ⟨*Dir.rom*⟩ manumission. – **manumissọre** *m.* ⟨*non com*⟩ → **manumittente.** – **manumittẹnte** *m.* manumitter.

manuscrịtto *a./s.* ⟨*ant*⟩ → **manoscritto.**

manutẹngolo *m.* **1.** accomplice, aider and abetter; (*ricettatore*) receiver of stolen goods, ⟨*pop*⟩ fence. – **2.** (*mezzano*) go-between.

manutentọre *m.* maintenance man, service (*o* repair) man.

manutenziọne *f.* maintenance, upkeep; (*rif. a macchinari e sim.*) maintenance, servicing; (*riparazione*) repairs *pl.*
□ ⟨*Dir*⟩ **azione** *di ~* action for the maintenance of possession; **avere** *la ~* to be responsible for (the) maintenance; ⟨*Mecc*⟩ **eseguire** *la ~ di* to service; *di* **facile** ~ easily maintained; **lavori** *di ~*: 1. maintenance work; 2. ⟨*Mecc*⟩ servicing; ⟨*Mecc*⟩ ~ **ordinaria** routine maintenance; *non* **richiedente** ~ maintenance-free; ~ **stradale** (o *delle strade*) roading, road maintenance.

manutẹrgio *m.* ⟨*Lit*⟩ manuterge, manutergium.

mạnza[1] *f.* ⟨*tosc*⟩ (*giovenca*) heifer.

mạnza[2] *f.* ⟨*ant*⟩ (*donna amata*) beloved, sweetheart.

manzanịglio *m.* ⟨*Bot*⟩ manzanillo, manchineel (*Hippomane mancinella*).

manzanilla *sp.* [manθa'niʎa] *f.* ⟨*Enol*⟩ manzanilla.

...manzia *suff.* (*arte del predire* divination) ...mancy: *cartomanzia f.* cartomancy.

manzịna *f.* ⟨*Agr,ant*⟩ fallow (land).

mạnzo *m.* **1.** steer, bullock; (*giovenco*) young steer. – **2.** ⟨*Macell*⟩ beef. – **3.** ⟨*fig,non com*⟩ (*uomo goffo e rozzo*) big clumsy fellow. □ ~ *arrosto* roast beef; ~ *brasato* braised beef; ~ *lesso* boiled beef.

manzolạio, manzolạro *m.* tender of cattle, herdsman.

manzoniạno I *a.* of Manzoni. – **II** *s.m.* (*f.* **-a**) imitator of Manzoni, follower of Manzoni's linguistic theory. – **manzonịsmo** *m.* ⟨*Lett*⟩ Manzoni's linguistic theory.

manzuọlo *m. dim. di* **manzo.**

mao *onom.* miaow.

maomettanẹsimo, maomettanịsmo *m.* ⟨*non com*⟩ → **maomettismo.** – **maomettạno I** *a.* Mohammedan, Moslem. – **II** *s.m.* (*f.* **-a**) Mohammedan, Moslem. – **maomettịsmo** *m.* Mohammedanism, Islam. – **Maomẹtto** *N.pr.m.* ⟨*Stor*⟩ Mohammed, Mahomet.

maọna[1] *f.* ⟨*Mar*⟩ **1.** barge, lighter. – **2.** ⟨*ant*⟩ (*galeazza*) mahone.

maọna[2] *f.* ⟨*Stor*⟩ state-guaranteed finance association.

maọnia *f.* ⟨*Bot*⟩ mahonia (*Mahonia*).

maọri (o *mạori*) *m./f.* ⟨*Etnol*⟩ Maori.

mạppa[1] *f.* **1.** ⟨*Geog*⟩ map. – **2.** ⟨*Lit*⟩ linen scroll, linen (*o* cloth) book. – **3.** ⟨*region*⟩ (*tovaglia*) cloth, tablecloth; (*tovagliolo*) napkin. □ ~ *catastale* (o *particellare*) cadastral map; ~ *lunare* map of the moon's surface, moon map.

mạppa[2] *f.* (*della chiave*) key-bit.

mappạle *a.* on (*o* of) a map, map-.

mappalụna *f.* ⟨*Astr*⟩ map of the moon, moon map.

mappamọndo *m.* **1.** (*planisfero*) map of the world, world map. – **2.** (*globo terrestre*) globe. – **3.** ⟨*fig,scherz*⟩ (*deretano*) buttocks *pl*, ⟨*fam*⟩ backside, ⟨*fam*⟩ behind, ⟨*fam*⟩ bottom. □ ~ *celeste* map of the heavens, celestial map.

mappatọre *m.* ⟨*non com*⟩ (*cartografo*) cartographer.

maquillage *fr.* [maki'ja:ʒ] *m.* (*trucco, arte del trucco*) make-up. – **maquilleuse** *fr.* [maki'jø:z] *f.* make-up artist, cosmetician.

maquis *fr.* [ma'ki] *m.* **1.** ⟨*Geog*⟩ maqui(s), area of scrubby underbrush. – **2.** ⟨*Stor*⟩ Maquis; (*partigiano*) Maquisard, Maquis.

mar. = **1.** *martedì* Tuesday (*abbr.* Tues., Tu.). – **2.** *marzo* March (*abbr.* Mar.).

Mar. = ⟨*Mil*⟩ *maresciallo* marshal.

mạra *m.* ⟨*Zool*⟩ mara, Patagonian cavy (*o* hare) (*Dolichotis patagonica*).

marabottịno *m.* → **maravedì.**

marabọtto *m.* ⟨*Mar.ant*⟩ storm-sail.

marabù[1] *m.* ⟨*Ornit*⟩ marabou (stork) (*Leptoptilus crumifer*).

marabù[2] *m.* ⟨*Tess*⟩ marabou(t).

marabụtico *a.* → **marabuttico.** – **marabụto** *m.* ⟨*non com*⟩ → **marabutto**[1]. – **marabụttico** *a.* (*pl.* **-ci**) ⟨*Rel,non com*⟩ (*dei marabutti*) of a Marabout; (*del marabuttismo*) of Maraboutism. – **marabuttịsmo** *m.* Maraboutism.

marabụtto[1] *m.* **1.** (*santone*) Marabout. – **2.** (*mausoleo*) marabout, shrine.

marabụtto[2] *m.* → **marabotto.**

marạcas *f.pl.* ⟨*Mus*⟩ maracas *pl.*

marachẹlla *f.* prank, trick, scrape. □ ⟨*ant*⟩ *fare la ~* (*fare la spia*) to (be a) spy.

marạe *f.inv.* ⟨*Etnol*⟩ marae.

maragià (*rar. marạgia*) *m.* (*maharaja*) maharaja(h).

marạl *m.* ⟨*Zool*⟩ maral (*Cervus elaphus maral*).

maramạglia *f.* ⟨*non com*⟩ → **marmaglia.**

maramaldeggiạre *v.i.* (**maramaldẹggio, maramaldẹggi**; *aus.* **avere**) to be cruel to the weak, to vent one's brutality upon the defenceless, to bully. – **maramạldo** *m.* (*persona vile*) person who attacks the defenceless, ignoble bully: *fare il* ~ to be cruel to the defenceless.
maramạo *intz.* ⟨*non com*⟩ → **marameo.**
marạme *m.* **1.** (*rifiuto*) rubbish, waste, refuse, ⟨*am*⟩ garbage. – **2.** (*accozzaglia*) hodge-podge, jumble, miscellany.
maramẹo *intz.* ⟨*fam,scherz*⟩ not on your life, fiddledeedee. □ *far* ~ to cock a snook, to thumb one's nose; ⟨*region*⟩ (*rubare*) to steal.
marangọna *f.* former main bell of St. Mark's Cathedral in Venice.
marangọne[1] *m.* ⟨*Ornit*⟩ cormorant (*Phalacrocorax carbo*). □ ~ *dal ciuffo* shag, green cormorant (*Phalacrocorax aristotelis*); ~ *minore* (*o nano*) pygmy cormorant (*Phalacrocorax pygmaeus*).
marangọne[2] *m.* **1.** ⟨*region*⟩ (*falegname*) carpenter, joiner; (*carpentiere*) carpenter. – **2.** ⟨*ant*⟩ (*palombaro, sommozzatore*) diver.
marạno *m.* ⟨*Mar.ant*⟩ kind of merchant vessel.
marạnta *f.* ⟨*Bot*⟩ maranta (*Maranta*).
marantạcee *f.pl.* ⟨*Bot*⟩ arrowroot family (*Marantaceae*).
marạntico *a.* (*pl.* **-ci**) ⟨*Med*⟩ marantic, marasmic: *stato* ~ marantic state.
marạsca *f.* ⟨*Bot*⟩ marasca (cherry). – **maraschịno** *m.* (*liquore*) Maraschino (liqueur). – **marạsco** *m.* (*pl.* **-chi**) ⟨*Bot*⟩ marasca cherry (tree), marasca (*Prunus cerasus marasca*).
marạsma *m.* **1.** ⟨*Med*⟩ marasmus, progressive emaciation. – **2.** ⟨*fig*⟩ (*decadenza*) decay, decline. – **3.** ⟨*fig*⟩ (*grande confusione*) chaos, disorganization, confusion. □ ⟨*Econ*⟩ ~ *degli affari* business stagnation, fall-off in trade; ~ *economico* economic slump, recession; ⟨*Med*⟩ ~ *infantile* infantile marasmus (*o* atrophy); ⟨*Med*⟩ ~ *senile* senile marasmus.
marạsmio *m.* ⟨*Bot*⟩ kind of white-spored mushroom (*Marasmius*).
marạsmo *m.* ⟨*rar*⟩ → **marasma.**
marạsso *m.* ⟨*Zool*⟩ viper (*Vipera berus*).
Maratọna *N.pr.f.* ⟨*Geog.stor*⟩ Marathon: *battaglia di* ~ Battle of Marathon. – **maratona** *f.* ⟨*Sport,fig*⟩ marathon. □ ≈ *di ballo* dance marathon; ≈ *di marcia* walking marathon; ≈ *nautica* long-distance swimming race.
maratonẹta *m./f.* ⟨*Sport*⟩ **1.** marathon runner, long-distance runner. – **2.** ⟨*estens*⟩ (*forte camminatore*) good walker, walker with stamina. – **maratonịna** (*dim. di maratona*) *f.* long-distance race, short marathon (about twenty kilometres).
marạtto I *a.* Maratha, Mahratta. – **II** *s.m.* **1.** (*lingua*) Marathi. – **2.** (*individuo*; *f.* **-a**) Maratha, Mahratta.
maravedì, maravedịno *m.* ⟨*Numism*⟩ maravedi.
maravịglia *f.* ⟨*tosc,lett*⟩ (*meraviglia*) marvel, wonder. – **maravigliạre** *v.t.* (**maravịglio, maravịgli**) ⟨*tosc,lett*⟩ (*meravigliare*) to amaze, to surprise, to astonish. – **maravigliạto** (*p.p. di maravigliare*) *a.* ⟨*tosc,lett*⟩ (*meravigliato*) amazed, surprised, astonished. – **maravigliọso** *a.* ⟨*tosc,lett*⟩ (*meraviglioso*) marvellous, wonderful, astonishing.
marbré *fr.* [mar'bre] *a.* **1.** (*marmorizzato*) marbled. – **2.** (*che ha venature di vario colore*) marbled.
marc' [-tʃ] *intz.* ⟨*Mil,Sport*⟩ (quick) march: *avanti* ~*!* forward march!
mạrca[1] *f.* **1.** (*segno*) mark, sign, imprint: *imprimere una* ~ *su un oggetto* to ⌜put a mark on⌝ (*o* mark) an object; (*marchio*) trade-mark, brand. – **2.** (*ditta produttrice*) firm, company, trade-name; (*prodotto avente il marchio di una certa ditta*) brand: *questa è la migliore* ~ *di tè* this is the best brand of tea. – **3.** (*bollo*) stamp. – **4.** (*scontrino, contromarca*) check, token, tally; (*biglietto*) ticket. – **5.** (*etichetta col prezzo*) price-label; (*incollata*) price-ticket; (*legata con un filo*) price-tag. – **6.** ⟨*fig*⟩ (*genere, tipo*) kind, brand, type, make. – **7.** ⟨*fig,spreg*⟩ (*segno, lividura*) mark, bruise. – **8.** ⟨*Numism, ant*⟩ mark: ~ *d'oro* gold mark.
□ ~ **assicurativa** (welfare) insurance stamp; ~ *da* **bollo** revenue stamp: ~ *da bollo per quietanza* receipt revenue stamp; ⟨*Mar*⟩ ~ *di* **bordo** *libero* freeboard marking; ~ *di* **controllo** check; ~ **depositata** registered trade-mark; **di** ~ high (*o* good) quality, select, choice, excellent: *vino di* ~ high quality wine; ~ *di* **fabbrica** trade-mark; ~ **fiscale** = *marca da bollo*; ~ *d'***identificazione** identification mark (*o* tally); ⟨*Comm*⟩ **immagine** *della* ~ brand image; ⟨*Mar*⟩ ~ *d'***immersione** draught mark; ⟨*Mar*⟩ ~ *della* **linea** *di carica* Plimsoll line; ⟨*Mar*⟩ ~ *di bassa* **marea** low-water mark; ⟨*Comm*⟩ ~ **privata** private label; ~ **tipografica** imprint, printer's mark; ⟨*Numism*⟩ ~ *di* **valore** mark indicating the face value (of coins); ~ *di* **zecca** mint-mark.
mạrca[2] *f.* **1.** ⟨*Stor*⟩ borderland, frontier region. – **2.** ⟨*ant*⟩ (*regione*) region.
mạrca[3]: ⟨*Stor*⟩ *lettera di* ~ letter of marque.
mạrca[4] *m.* ⟨*Venat*⟩ marker, person who marks game.
marcamẹnto *m.* **1.** ⟨*non com*⟩ marking. – **2.** ⟨*Sport*⟩ marking, covering.
marcantọnio[1] *m.* ⟨*scherz*⟩ big hefty fellow.
marcantọnio[2] *m.* ⟨*Itt*⟩ (*chimera*) rabbit fish (*Chimaera monstroosa*).
Marcantọnio *N.pr.m.* ⟨*Stor*⟩ Mark Antony.
marca|pẹzzi *m.inv.* (*marcatore*) marker. – **~pịano** *m.inv.* ⟨*Edil*⟩ string-course. – **~pụnti, ~pụnto** *m.* ⟨*Calz*⟩ pricking wheel (for marking the stitches).
marcạre *v.* (**mạrco, mạrchi**) **I** *v.t.* **1.** to mark, to stamp: ~ *le posate* to mark the cutlery; (*a fuoco*) to brand. – **2.** (*lasciare una impronta*) to mark, to leave a mark (*o* sign) on. – **3.** (*segnare, registrare*) to keep (*o* make a) note of, to record, to mark down, to score up: ~ *i punti* to score (*o* chalk) up the points, to keep score. – **4.** (*accentuare, rafforzare*) to accentuate, to sharpen, to intensify, to heighten. – **5.** ⟨*Sport*⟩ to mark, to cover. – **II** *v.i.* (*aus.* **avere**) ⟨*Sport*⟩ (*segnare un gol*) to score (a goal). □ ⟨*Mil*⟩ ~ *visita* to report sick; ~ *la voce* to raise one's voice.
marcasịte, marcassịte *f.* ⟨*Min*⟩ marcasite.
marcatẹmpo *m.inv.* **1.** ⟨*Ind*⟩ (*impiegato*) timekeeper. – **2.** ⟨*Mecc*⟩ time stamp.
marcạto (*p.p. di marcare*) *a.* **1.** marked, stamped. – **2.** (*sporgente*) marked, sharp, prominent, jutting: *lineamenti* **-i** marked features; *naso* ~ prominent nose; (*rilevato*) marked, noticeable. – **3.** (*accentuato*) accentuated, marked, emphasized. – **4.** ⟨*Mus*⟩ marcato, with strong accentuation, marked.
marcatọre *m.* (*f.* **-trice**) **1.** ⟨*Ind*⟩ marker, stamper. – **2.** (*chi registra*) scorekeeper, scorer, marker. – **3.** ⟨*Sport*⟩ (*chi segna un gol*) scorer (of a goal); (*chi marca l'avversario*) marker, player marking another. – **4.** ⟨*Venat*⟩ → **marca**[4].
marcatrịce *f.* ⟨*Mecc*⟩ marker, brander.
marcatụra *f.* **1.** marking. – **2.** ⟨*Sport*⟩ (*realizzazione di punti*) scoring; (*marcamento*) marking, covering.
marcellịna *f.* ⟨*Tess*⟩ marceline.
Marcẹllo *N.pr.m.* ⟨*Stor*⟩ Marcellus.
marcescẹnte *a.* **1.** ⟨*lett*⟩ (*che marcisce*) rotting, decaying. – **2.** ⟨*Bot*⟩ marcescent. – **3.** ⟨*fig*⟩ wasting away, languishing. – **marcescẹnza** *f.* **1.** ⟨*lett*⟩ decay, rottenness. – **2.** ⟨*Bot*⟩ rot. – **marcescịbile** *a.* ⟨*lett*⟩ perishable, corruptible.
marcẹtta *f. dim. di* **marcia**[1].
march [-tʃ] *intz.* → **marc'.**
march. = *marchese* marquis (*abbr.* Marq., M.).
Mạrche *N.pr.f.pl.* ⟨*Geog*⟩ Marches *pl.*
marchẹsa *f.* **1.** marchioness; (*in Italia*) marchesa; (*in Francia*) marquise. – **2.** ⟨*Oref*⟩ marquise. – **marchesạna** *f.* **1.** (*anello*) marquise. – **2.** ⟨*ant*⟩ (*marchesa*) marchioness, marquise. – **marchesạto** *m.* **1.** marquisate, marquesate. – **2.** ⟨*Mediev*⟩ margravate. – **3.** ⟨*scherz,non com*⟩ (*insieme dei marchesi*) marquises *pl*, marquesses *pl.*
marchẹse[1] *m.* **1.** marquis, marquess; (*in Italia*) marchese; (*in Francia*) marquis. – **2.** ⟨*Mediev*⟩ margrave.
marchẹse[2] *m.* ⟨*triv*⟩ (*mestruo*) menstruation, period.
marchesịna (*dim. di marchesa*) *f.* (*figlia di marchese*) daughter of a marquis. – **marchesịno** (*dim. di marchese*[1]) *m.* (*figlio di marchese*) son of a marquis.
marchẹtta (*dim. di marca*[1]) *f.* **1.** (*marca assicurativa*) (welfare) insurance stamp. – **2.** (*gettone per le prostitute nei bordelli*) prostitute's token; (*prestazione della prostituta*) prostitute's services *pl.* – **3.** ⟨*volg*⟩ (*prostituta*) prostitute.
marchiạna *f.* ⟨*Agr*⟩ (*anche ciliegia marchiana*) large cherry.
marchiạno *a.* **1.** (*eccessivo*) enormous, tremendous, huge; (*grossolano*) gross, glaring: *sbaglio* ~ gross error, ⟨*fam*⟩ howler, ⟨*am.fam*⟩ blooper. – **2.** ⟨*ant*⟩ (*marchigiano*) of (*o* from) the Marches.
marchiạre *v.t.* (**mạrchio, mạrchi**) **1.** to mark; (*bollare*: *a timbro*) to stamp, to seal; (*a fuoco*) to brand: ~ *i capi di bestiame* to brand cattle. – **2.** ⟨*fig*⟩ (*bollare*) to brand, to stamp, to mark: ~ *qd. come traditore* to brand s.o. as a traitor. – **marchiạto** (*p.p. di marchiare*) *a.* **1.** marked; (*a fuoco*) branded. – **2.** ⟨*fig*⟩ branded, stamped, marked: *un uomo* ~ *per tutta la vita* a man marked for life. – **marchiatọre** *m.* ⟨*non com*⟩ marker; (*a fuoco*) brander. – **marchiatụra** *f.* (*atto*) marking; (*effetto*) marking, mark. □ ~ *a fuoco* branding; ~ *a timbro* stamping.
marchigiạno I *a.* of (*o* from) the Marches. – **II** *s.m.* **1.** (*dialetto*) dialect of the Marches. – **2.** (*abitante*; *f.* **-a**) inhabitant (*o* native) of the Marches.
mạrchio *m.* **1.** (*segno impresso*) mark, imprint, sign; (*bollo*) stamp; (*rif. ad animali*) brand, mark. – **2.** (*strumento con cui s'imprime il segno*) marker; (*a fuoco*) branding-iron, brand. – **3.** ⟨*Mediev*⟩ brand. – **4.** ⟨*fig*⟩ (*impronta*) mark, stamp, sign. – **5.** ⟨*fig,spreg*⟩ (*taccia*) stigma, mark, brand, bad reputation. – **6.** ⟨*Comm*⟩ brand, trade-mark. – **7.** (*incisione su metalli preziosi*) hallmark, sterling mark (*o* stamp), plate-mark. – **8.** ⟨*Med*⟩ mark, naevus, stain. – **9.** (*stampigliatura*) stencil.
□ ~ *d'***autenticità** hallmark; ~ **collettivo** combined trade-mark; ~ *di* **commercio** trade-mark; ~ **depositato** registered trade-mark; ~ *di* **fabbrica** trade-mark; ~ *a* **fuoco** brand; ~ *d'***immatricolazione** registration number; ~ *d'***impresa** trade-mark; ⟨*Mediev*⟩ ~ *di* (*o dell'*) **infamia** brand (*o* mark) of infamy (*anche fig.*); ⟨*fig*⟩ *bollare qd. d'un* ~ *d'infamia* to brand s.o. with infamy; ~ **internazionale** international trade-mark; ~ *d'***origine** mark of origin, certification mark; ~ **protetto** registered trade-mark; ~ *di* **qualità** seal of quality; ~ **registrato** = *marchio* **depositato.**
marchionạle *a.* ⟨*lett*⟩ of a marquis.
mạrcia[1] *f.* (*pl.* **-ce**) **1.** march; (*giorno di marcia*) day's march; (*il camminare*) walk(ing), tramp. – **2.** (*rif. a veicoli*) movement, driving, running. – **3.** (*funzionamento*) running, going, functioning, working: *mettere in* ~ *un'industria* to set an industry going. – **4.** ⟨*Mil*⟩ march: *essere in* ~ to be on the march. – **5.** ⟨*Sport*⟩ walking. – **6.** ⟨*Mot*⟩ gear, speed. – **7.** ⟨*Mus*⟩ march.
□ ⟨*Mot*⟩ ~ **automatica** automatic gear change; ~ **avanti** forward running (*o* movement); ⟨*Mot*⟩ forward gear (*o* speed); ~ **bassa** low gear; **cambiamento** *di* ~ changing (*o* shifting) of gears; (*in-*

versione) reversing; *cambiamento di ~ verso una ~ superiore* up-shifting; **cambio** *a quattro marce* four-speed gearbox; ⟨*Mil*⟩ ~ **celere** rapid march; *in* **condizioni** *di* ~ in running condition; ⟨*Alp*⟩ ~ *in* **cordata** roped crossing of a glacier; ⟨*Mot*⟩ **disinnestare** *una* ~ to go (*o* throw) out of gear; ⟨*Mot*⟩ ~ **dolce** smooth running; ~ *in* **folle** neutral (gear); ⟨*Mil*⟩ ~ **forzata** forced march; ⟨*Mus*⟩ ~ **funebre** funeral (*o* dead) march; ⟨*fig*⟩ *sembrare una ~ funebre* to be very gloomy; ⟨*Geol*⟩ ~ *del* **ghiacciaio** advance of the glacier; ~ **indietro** reverse running; ⟨*Mot*⟩ reverse (gear): *andare in ~ indietro* to go into reverse; *fare ~ indietro*: 1. ⟨*Mot*⟩ to back up, to reverse; (*per uscire*) to back out; 2. ⟨*fig*⟩ (*recedere da un proposito*) to back out, to have second thoughts, to withdraw; 3. ⟨*fig*⟩ (*rimangiarsi la parola*) to go back on what one has said, to take back a promise; ~ **inferiore** low gear; *avere la* ~ **ingranata** to be in gear; ~ **intermedia** middle gear; **inversione** *di* ~ reversing, reverse; **messa** *in* ~ starting up; **mettersi** *in* ~ to start off, to set out, to get going; (*a passo di marcia*) to march off; ⟨*Mus*⟩ ~ **militare** military march; ⟨*Mot*⟩ ~ *al* **minimo** idling, slow running; ~ **notturna** night march; ⟨*Mus*⟩ ~ **nuziale** wedding march; ⟨*Aut*⟩ *in* **ordine** *di* ~ in running order; ~ *di un* **orologio** movement of a clock; **passare** *a una ~ superiore* to shift up (*o* into a higher gear); *passare a una ~ inferiore* to shift down, to down-shift; ⟨*Mot*⟩ **prima** ~ bottom (*o* low) gear; ⟨*Mil*⟩ **profondità** *di* ~ length of marching column; ⟨*Mus*⟩ ~ **reale** royal march; ⟨*Mot*⟩ ~ **ridotta** geared-down (*o* reduction) speed; ⟨*Stor*⟩ ~ *su* **Roma** March on Rome; ⟨*Mot*⟩ ~ **silenziosa** silent running; ~ **sincronizzata** synchromesh gear; ⟨*Sport*⟩ ~ *su* **strada** walking race; *a* **tempo** *di* ~ in march time; ⟨*Mus*⟩ ~ **trionfale** triumphal march; ⟨*Mil*⟩ **unità** *di* ~ marching unit; ⟨*Mot*⟩ ~ *a* **vuoto** idling, running idle (*o* without a load).

mạrcia[2] *f.* (*pus*) pus. ☐ ⟨*fam*⟩ *fare* (*o buttare*) ~ to fester.

marciạno *a.* (*di san Marco*) St. Mark's: *biblioteca -a* St. Mark's Library.

marciapiẹde *m.* **1.** pavement, ⟨*am*⟩ sidewalk. – **2.** ⟨*Ferr*⟩ platform. – **3.** ⟨*Mar*⟩ footrope (under a yard). ☐ ⟨*Ferr*⟩ ~ *d'arrivo* arrival platform; ⟨*eufem*⟩ *battere il ~* (*fare la prostituta*) to walk the streets; *donna da ~* (*prostituta*) street-walker, prostitute; ⟨*Ferr*⟩ ~ *a livello* high platform; ⟨*Ferr*⟩ ~ *di testa* end loading platform.

marciapiẹdi *m.* ⟨*non com*⟩ → **marciapiede.**

marciạre *v.i.* (**mạrcio, mạrci**; *aus.* **avere**) **1.** to march; (*camminare*) to walk. – **2.** ⟨*Mil*⟩ to march; (*avanzare*) to advance: *l'esercito marciò sul nemico* the army marched on the enemy. – **3.** ⟨*fig,scherz*⟩ (*rigare diritto*) to behave, to toe the line. – **4.** ⟨*fam*⟩ (*funzionare*) to run, to work, to go: *la mia macchina marcia che è una meraviglia* my car runs beautifully. – **5.** ⟨*Sport*⟩ to walk. ☐ ~ *in colonna* to march in a column; ⟨*fig*⟩ *far ~ qd.* (*farlo rigare diritto*) to make s.o. behave (*o* work); (*mandarlo via*) to fire (*o* dismiss) s.o., to send s.o. packing; ~ *con passo di parata* to parade; ⟨*Mot*⟩ ~ *a vuoto* to idle. ‖ ⟨*roman*⟩ *marciarci* (*approfittarsene*) to try it on.

marciạta *f.* ⟨*ant*⟩ → **marcia**[1]. – **marciatọre** *m.* (*f.* **-trice**) **1.** marcher; (*camminatore*) walker. – **2.** ⟨*Sport*⟩ walker.

marciatrạm *m.* ⟨*Strad*⟩ tram-stop, tramway island, ⟨*am*⟩ trolley stop.

marciavạnti *m.inv.* (*tavolone di legno*) spill, ⟨*am*⟩ forepole.

mạrcido *a.* ⟨*lett*⟩ **1.** (*marcio*) rotten, bad, decayed. – **2.** ⟨*fig*⟩ corrupt, depraved.

marcigliạna *f.* ⟨*Mar.ant*⟩ (kind of) merchant sailing ship.

marcịme *m.* manure: ~ *di stalla* stable manure.

marcimẹnto *m.* ⟨*non com*⟩ **1.** rotting, decaying, spoiling. – **2.** ⟨*fig*⟩ rotting, wasting away.

mạrcio I *a.* **1.** rotten, (gone) bad, spoiled, decayed, putrid: *frutta -a* rotten (*o* bad) fruit. – **2.** (*corroso dall'umidità*) rotted, crumbling, water-logged; (*inzuppato, bagnato*) soaking (*o* sopping) wet, soaked. – **3.** ⟨*fam*⟩ (*rif. a parti del corpo*: *purulento*) festering, infected. – **4.** ⟨*fig*⟩ (*corrotto*) corrupt, depraved, ⟨*fam*⟩ gone to the bad: *società -a* corrupt society. – **5.** ⟨*intens,spreg*⟩ quite, absolute, complete, ⟨*fam*⟩ dead. – **II** *s.m.* **1.** (*qualità*) rottenness, badness; (*parte marcia*) rotten (*o* bad) part: *togliere il ~* to remove the bad part. – **2.** (*marcia*) pus. – **3.** ⟨*fig*⟩ (*corruzione*) corruption, depravity, rottenness. ☐ *a suo ~ dispetto* to spite him; *innamorato ~* head over heels in love; *sapere di ~* to taste bad; *avere torto ~* to be absolutely wrong; *ubriaco ~* blind drunk, ⟨*fam*⟩ stoned.

Mạrcio *N.pr.m.* ⟨*Stor*⟩ Marcius.

marciolịno ⟨*non com*⟩ **I** *a.* ⟨*pred*⟩ slightly off, tainted, going bad. – **II** *s.m.* bad smell. ☐ *sapere di ~* to taste a little off.

Marciọne *N.pr.m.* ⟨*Stor*⟩ Marcion.

marcionịsmo *m.* ⟨*Rel*⟩ Marcionism. – **marcionịta I** *a.* of Marcion, Marcionite-. – **II** *s.m./f.* Marcionite, Marcionist.

marciọso *a.* ⟨*non com*⟩ **1.** festering, purulent: *piaga -a* festering sore. – **2.** ⟨*fig*⟩ filthy, dirty.

marcịre *v.* (**marcịsco, marcịsci**) **I** *v.i.* (*aus.* **essere**) **1.** (*andare a male*) to go bad (*o* off), to rot, to putrefy, to decay, to spoil: *le uova sono marcite* the eggs ⌜are rotten⌝ (*o* have gone bad). – **2.** (*guastarsi per l'umidità*) to rot; (*rif. a piante*: *macerarsi*) to macerate, to ret, to steep. – **3.** (*rif. a parti del corpo*) to fester, to suppurate. – **4.** ⟨*fig*⟩ (*logorarsi, consumarsi*) to waste (*o* pine) away, to languish: ~ *nell'ozio* to waste away in idleness. – **II** *v.t.* to rot, to eat away. – **marcirsi** *v.r.* (*andare in suppurazione*) to fester, to suppurate: *la ferita gli si è marcita* his wound has festered.

marcịta *f.* ⟨*Agr*⟩ irrigated meadow.

marcịto (*p.p. di marcire*) *a.* **1.** rotten, bad, ⟨*pred*⟩ off, tainted, putrid, decayed: *carne -a* bad meat. – **2.** (*guasto per l'umidità*) rotted, crumbling: *roccia -a* crumbling rock.

marcitọia *f.* → **marcita.**

marcitọio *m.* ⟨*Cart*⟩ retting-pit, retting-ground, rettery, macerating-vat. ☐ *prato ~* → **marcita.**

marcitụra *f.* ⟨*non com*⟩ (*atto*) rotting; (*effetto*) rottenness.

marciụme *m.* **1.** bad (*o* rotten) part; (*insieme di cose marce*) rot, rottenness, decaying matter. – **2.** (*muffa*) mould. – **3.** (*marcia*) pus, festering matter. – **4.** ⟨*fig*⟩ (*corruzione*) corruption, rottenness, depravity. – **5.** ⟨*Bot*⟩ rot.

☐ ⟨*Agr*⟩ ~ **molle** (bacterial) soft rot; ~ **nero** *del caffè* black (*o* leaf) rot of coffee; ~ *del* **pomodoro** tomato fruit (*o* black) rot; ~ **radicale** root rot; ~ **secco** dry rot; ~ **umido** wet rot.

mạrco[1] *m.* (*pl.* **-chi**) ⟨*ant*⟩ → **marchio.**

mạrco[2] *m.* (*pl.* **-chi**) **1.** (*unità monetaria*) mark. – **2.** ⟨*ant*⟩ (*misura di peso*) mark. ☐ ~ *occidentale* West German mark; ~ *orientale* East German mark; ~ *oro* gold mark; ~ *tedesco* German (*o* Deutsche) mark.

mạrco[3] *m.* (*pl.* **-chi**) (*residuo vegetale*) residue.

Mạrco *N.pr.m.* **1.** Mark. – **2.** ⟨*Stor*⟩ Mark, Marcus. ☐ *chiesa di san ~* St. Mark's; *piazza san ~* St. Mark's Square.

Mạrco Aurẹlio *N.pr.m.* ⟨*Stor.rom*⟩ Marcus Aurelius.

marcọlfo *m.* (*f.* **-a**) (*persona goffa*) clumsy person, coarse person, oaf.

marcomạnni *m.pl.* ⟨*Stor.rom*⟩ Marcomanni *pl.*

marconigrafịa *f.* ⟨*Rad*⟩ wireless telegraphy. – **marconigrạmma** *m.* radiogram, marconigram. – **marconịsta** *m.* ⟨*Aer,Mar*⟩ radio (*o* wireless) operator.

marconiterapịa *f.* ⟨*Med*⟩ short-wave therapy (*o* diathermy).

marcorẹlla[1] *f.* ⟨*Bot*⟩ mercury (*Mercurialis*). ☐ ~ *bastarda* dog's mercury (*Mercurialis perennis*).

marcorẹlla[2] *f.* ⟨*Enol,tosc*⟩ spoiling of wine.

mardochẹo *m.* (*persona sciocca*) fool, silly (*o* empty-headed) person.

mạre *m.* **1.** sea; (*luogo di villeggiatura*) seaside, sea: *andare al ~* to go to the seaside. – **2.** (*mare grosso*) heavy (*o* rough) sea, rough water. – **3.** ⟨*estens*⟩ (*ampia distesa*) sea: ~ *di sangue* sea of blood. – **4.** ⟨*fig*⟩ (*grande quantità*) sea, host, flood: *un ~ di dubbi* a sea of doubts.

☐ ~ **agitato** heavy (*o* rough) sea; ⟨*Meteor*⟩ moderate sea: **al** ~ by (*o* on) the sea; *luogo di villeggiatura al ~* seaside (resort); **alto** ~: 1. high sea; 2. ⟨*Dir*⟩ = *mare* **libero**; *in alto ~* (*in mare aperto*) on the high (*o* open) sea; *essere in alto ~* to be on the high sea(s); ⟨*fig*⟩ (*lontano dalla meta*) to be all at sea, to be lost (*o* floundering); (*rif. a cosa*) to be far from completion; ~ **calmo** calm sea; ~ **cattivo** = *mare* **agitato**; **colpo** *di ~* (*frangente*) breaker; **correre** *il ~* (*fare il corsaro*) to be a pirate, to rove the seas; ~ **corto** (*maretta*) choppy sea; **divinità** *del ~* sea-god; ⟨*fig*⟩ *essere* **un** *~ senza* **fondo** (*insaziabile*) to be insatiable (*o* a bottomless pit); ⟨*fig*⟩ **gettare** *a ~ qc.* (*disfarsene*) to get rid of s.th., to throw s.th. overboard (*o* out); ~ **glaciale** glacial sea; ⟨*fig*⟩ *una* **goccia** *nel ~* a drop in the ocean (*o* bucket); ~ **grosso** very rough sea; *uomo* **in** *~ !* man overboard !; ⟨*mar*⟩ **incontrar** ~ to run into rough water; ~ **interno** inland sea; ⟨*Dir*⟩ ~ **libero** open (*o* high) sea; **libertà** *dei -i* freedom of the seas; *un ~ di* **luce** a flood of light; ⟨*Astr*⟩ *-i* **lunari** seas of the moon; ~ **lungo** swell; **lupo** *di ~* sea-dog; ~ **magno** (*accozzaglia*) chaos, sea, great confusion; ⟨*Geog*⟩ *-i* **marginali** marginal seas; ⟨*Geog*⟩ ~ **Mediterraneo** Mediterranean (Sea); *-i mediterranei* Mediterranean seas; **mettersi** *in ~* to put out to sea; ~ **morto** = *mare* **lungo**; ⟨*Geog*⟩ *mar Morto* Dead Sea; ~ **mosso** = *mare* **agitato**; ⟨*Geog*⟩ *mar* **Nero** Black Sea; ⟨*Geog*⟩ ~ *del* **Nord** North Sea; **per** ~ by sea; *per ~ e per terra* by land and sea; ⟨*fig*⟩ *cercare per ~ e per terra* to look everywhere (*o* high and low); ⟨*Geog*⟩ *-i* **periferici** adjacent seas; **pesce** *di ~* salt-water fish; **promettere** *-i e monti* to promise the earth; ⟨*ant*⟩ **rompere** *in ~* (*far naufragio*) to be shipwrecked; ⟨*Geog*⟩ *mar* **Rosso** Red Sea; ~ **rotto** = *mare* **corto**; ⟨*mar*⟩ **tenere** *il ~* to be seaworthy; *atto a tenere il ~* seaworthy; ⟨*Dir*⟩ ~ **territoriale** territorial waters; **uomo** *di ~* seaman, sailor, ⟨*lett*⟩ mariner; **via** ~ (*per nave*) by sea (*o* ship); *spedire via ~* to send by surface mail, ⟨*comm*⟩ to ship; **viaggiatore** *per ~* seafarer, voyager. – *Prov.*: *loda il ~ e tienti alla riva* it's good riding in a safe harbour.

marẹa *f.* **1.** ⟨*Geog*⟩ tide. – **2.** ⟨*estens*⟩ (*massa molle*) sea: ~ *di fango* sea of mud. – **3.** ⟨*fig*⟩ (*grande quantità*) flood, sea: *una ~ di gente* a sea of people.

☐ **alta** ~ high tide; **bassa** ~ low tide; ~ **crescente** = *marea* **montante**; ~ **discendente** ebb-tide; *-e* **equatoriali** equatorial tides; **grandi** *-e* (*maree massime*) spring tides; **mezza** ~ half-tide; *-e* **minime** neap tides; *-e* **miste** mixed tides; ~ **montante** flood tide; *-e* **quadraturate** = *maree* **minime.**

mareggiamẹnto *m.* ⟨*non com*⟩ surging, rise and fall, heaving.

mareggiạre *v.i.* (**marẹggio, marẹggi**; *aus.* **avere**) **1.** to surge, to swell, to rise and fall, to toss, to heave (*anche fig.*); (*ondulare*) to fluctuate, to undulate. – **2.** ⟨*non com*⟩ (*nuotare*) to swim. – **3.** ⟨*rar*⟩ (*vogare*) to row; (*navigare*) to voyage, to sail. – **4.** ⟨*ant*⟩ (*soffrire il mal di mare*) to be seasick.

mareggiạta *f.* stormy sea, surge; (*burrasca*) sea-storm.

mareggiạto *a.* ⟨*rar*⟩ → **marezzato.**

marẹggio *m.* swell(ing), surging, rise and fall (of the sea).

mạre mạgnum *lat. m.* ⟨*scherz*⟩ (*accozzaglia*) chaos, sea, confusion, jumble.

marẹmma *f.* ⟨*Geog*⟩ swampy coastland, maremma, fen(land), marshy tract. – **maremmạno I** *a.* of the Maremma: *clima ~*

climate of the Maremma. – **II** *s.m.* (*f.* **-a**) inhabitant (*o* native) of the Maremma. ☐ *febbre -a* (*malaria*) malaria, marsh-fever; ⟨*Ferr*⟩ *linea -a* railway along the Tuscan coast (skirting the Maremma).

maremoto *m.* ⟨*Geog*⟩ sea-quake, submarine earthquake. ☐ *onda di* ~ tidal wave.

marena[1] *f.* ⟨*region*⟩ (*amarena*) morello cherry, sour black cherry.

marena[2] *f.* ⟨*Itt*⟩ kind of lake white-fish (*Coregonus maraena*). ☐ ~ *piccola* kind of white-fish (*Coregonus albula*).

marengo (o *marengo*) *m.* (*pl.* **-ghi**) **1.** ⟨*Numism*⟩ napoleon; (*in Italia*) marengo. – **2.** ⟨*Mod*⟩ (*colore*) shade of grey.

mareografico *a.* (*pl.* **-ci**) **1.** marigraphic. – **2.** (*rif. alle maree*) tidal, tide-. – **mareografo** *m.* marigraph, mareograph, tide gauge. – **mareogramma** *m.* marigram. – **mareometro** *m.* tide gauge.

marescalc(h)ia *f.* ⟨*Stor*⟩ **1.** (*circoscrizione*) territory under a marshal's jurisdiction. – **2.** (*tributo*) feudal tribute paid to a marshal. – **marescalco** *m.* (*pl.* **-chi**) ⟨*ant*⟩ → **maniscalco.**

mareschiuma *f.* ⟨*non com*⟩ (*schiuma di mare*) sea foam, meerschaum, sepiolite.

marescialla *f.* wife of a marshal, ⟨*non com*⟩ marshaless. – **maresciallato** *m.* ⟨*Mil*⟩ marshalship, marshalcy.

maresciallo *m.* **1.** ⟨*Mil*⟩ warrant officer; (*nella polizia*) police sergeant. – **2.** ⟨*Mar.mil*⟩ chief petty officer. – **3.** ⟨*Mil*⟩ (*in Francia, Germania, ecc.*) marshal; (*feldmaresciallo*) field-marshal. – **4.** ⟨*Stor*⟩ marshal.

☐ ⟨*Stor*⟩ ~ *d'***alloggio** quartermaster; ~ *dell'***aria** Air Marshal, ⟨*SU*⟩ General of the Air Force; **bastone** *di* ~ field-marshal's baton; ⟨*fig*⟩ *ottenere il bastone di* ~ (*giungere al vertice della carriera*) to reach the top, to rise to the highest rank; ⟨*Stor*⟩ ~ *di* **corte** earl marshal; ⟨*Fasc*⟩ ~ *dell'***esercito** field-marshal; ⟨*Fasc*⟩ ~ *d'***Italia** field-marshal; ⟨*Stor*⟩ ~ *di* **Savoia** Marshal of Savoy.

marese *m.* ⟨*ant*⟩ **1.** (*stagno*) pond, pool. – **2.** (*palude*) bog, swamp, marsh.

maretica *f.* ⟨*Itt*⟩ (*anguilla argentina*) silver eel.

maretta *f.* choppy (*o* short) sea. ☐ ⟨*fig*⟩ *c'è* ~ it looks as if there's a storm brewing.

marezzana *f.* ⟨*Geog*⟩ embanked land behind the banks of the Po, water-meadow.

marezzare *v.t.* (**marezzo**) **1.** ⟨*Tess*⟩ to water. – **2.** (*rif. a legno e sim.*) to vein. – **marezzato** (*p.p. di marezzare*) *a.* **1.** ⟨*Tess*⟩ watered, moiré. – **2.** (*rif. a legno e sim.*) veined. – **3.** ⟨*Macell*⟩ marbled, streaky. ☐ *carta -a* marbled paper. – **marezzatura** *f.* **1.** ⟨*Tess*⟩ (*atto*) watering; (*effetto*) moiré (effect). – **2.** (*rif. a legno e sim.*) veining. – **3.** ⟨*Ind*⟩ marbling. – **4.** ⟨*Tip*⟩ moiré. – **marezzo** *m.* **1.** (*striatura del marmo*) marbling, veining; (*rif. a legno e sim.*) veining. – **2.** ⟨*Tess*⟩ moiré, watering.

marfaraggio *m.* ⟨*Pesc*⟩ tuna fishing base.

marfilo *m.* ⟨*Comm*⟩ (*zanna d'elefante*) elephant's tusk.

marga *f.* ⟨*ant*⟩ → **marna.**

margarico: ⟨*Chim*⟩ *acido* ~ margaric acid.

margarina *f.* margarine. – **margarinare** *v.t.* (*mescolare con margarina*) to mix with margarine. – **margarinato** (*p.p. di margarinare*) *a.* mixed with margarine.

margarita *f.* ⟨*ant*⟩ **1.** ⟨*region*⟩ (*margherita*) daisy. – **2.** (*perla*) pearl.

margaritaio *m.* ⟨*Vetr*⟩ maker of glass beads.

margarite *f.* ⟨*Min*⟩ margarite.

margaritina (*dim. di margarita*) *f.* ⟨*non com*⟩ → **margheritina.**

margaro *m.* ⟨*piem*⟩ **1.** (*addetto all'allevamento del bestiame*) (cattle and sheep) herdsman. – **2.** (*venditore di latte*) milk-seller, dairy-man.

margherita *f.* **1.** ⟨*Bot*⟩ daisy, white (*o* oxeye) daisy, moonflower (*Leucanthemum vulgare, Crysanthemum leucanthemum*). – **2.** (*fiore*) daisy, moonflower: *sfogliare una* ~ to pluck a daisy's petals. – **3.** *pl.* (*conterie*) (glass) beads *pl.* – **4.** ⟨*ant*⟩ (*perla*) pearl. – **Margherita** *N.pr. f.* ⟨*Astr*⟩ Corona Borealis.

☐ ~ *dei* **campi** daisy, white (*o* oxeye) daisy, moonflower (*Leucanthemum vulgare, Crysanthemum leucanthemum*); ~ **gialla** yellow chamomile, golden marguerite (*Anthemis tinctoria*); ~ *dei* **giardini** marguerite (*Crysanthemum frutescens*); ⟨*Mar*⟩ **nodo** ~ sheepshank knot; ~ *di* **prato** = *margherita dei* **campi**; ⟨*Lav.femm*⟩ **punto** ~ daisy stitch; **torta** (o *pasta*) ~ kind of cake.

Margherita *N.pr.f.* Margaret.

margheritina (*dim. di margherita*) *f.* **1.** ⟨*Bot*⟩ (English) daisy (*Bellis perennis*). – **2.** *pl.* (*conterie*) glass beads *pl.* – **margheritona** (*accr. di margherita*) *f.* ⟨*Bot*⟩ (stinking) mayweed, dog fennel (*Anthemis cotula*).

margherotta *f.* ⟨*Mar.ant*⟩ six-oared Venetian boat.

marginale *a.* **1.** marginal, fringe-: *zona* ~ fringe area. – **2.** (*segnato sul margine*) marginal, in the margin: *nota* ~ marginal note. – **3.** ⟨*fig*⟩ (*secondario*) secondary, side, fringe, marginal: *attività* ~ marginal activity. – **4.** ⟨*Econ*⟩ marginal: *analisi* ~ marginal analysis.

marginalia *lat. m.pl.* (*cose scritte sul margine*) marginalia *pl*, marginal notes *pl.*

marginalismo *m.* ⟨*Econ*⟩ marginalism. – **marginalistico** *a.* (*pl.* **-ci**) of marginalism.

marginalmente *avv.* **1.** marginally, on (*o* in) the margin. – **2.** ⟨*fig*⟩ (*incidentalmente*) incidentally.

marginare *v.t.* (**margino**) **1.** to border, to edge; (*lasciare il margine*) to leave a margin on (*o* down). – **2.** ⟨*Tip*⟩ to (set the) margin. – **marginato** (*p.p. di marginare*) *a.* **1.** edged, bordered, margined. – **2.** ⟨*Tip*⟩ having margins, margined. – **3.** ⟨*Bot*⟩ marginate, margined, edged. – **marginatore** *m.* **1.** ⟨*Fot*⟩ (enlarging) masking frame. – **2.** ⟨*Tip*⟩ margin(al) stop. – **3.** (*nelle macchine da scrivere*) margin(al) stop.

marginatura *f.* ⟨*Tip*⟩ **1.** (*atto*) margining; (*effetto*) margin. – **2.** ⟨*concr*⟩ (*complesso di margini*) furniture. ☐ ~ *di cucitura* back; ~ *di testa* head.

marginazione *f.* ⟨*Tip*⟩ lays *pl*, feed guide.

margine I *s.m.* **1.** margin, edge, border, brink: *il* ~ *del fosso* the edge of the ditch; (*riva*) bank. – **2.** ⟨*fig*⟩ margin, edge, border; (*limite*) limit; (*orlo*) brink. – **3.** ⟨*fig*⟩ (*eccedenza*) margin: ~ *di guadagno* margin of profit. – **4.** ⟨*Tip*⟩ margin; (*regoli*) furniture. – **5.** ⟨*Econ*⟩ margin. – **6.** ⟨*ant*⟩ (*tributo addizionale*) supplementary tax (*o* tribute). – **II** *s.f.* ⟨*ant*⟩ (*cicatrice*) scar.

☐ ~ **commerciale** trade margin; ⟨*Econ*⟩ ~ *di* **copertura** (cover) margin; ⟨*Econ*⟩ ~ *di* **credito** margin of credit; ⟨*Tip*⟩ ~ *di* **cucitura** back; ~ **esterno** outside margin; ~ **fogliare** margin (*o* edge) of a leaf; ~ *di* **guadagno** = *margine di* **utile**; **in** ~ in the margin; ⟨*Econ*⟩ ~ *di* **interesse** margin of interest; ~ **interno** inside margin; ⟨*Econ*⟩ ~ **operativo** operating margin; ⟨*Tip*⟩ ~ *di* **piede** tail; ⟨*Fis*⟩ ~ *di* **potenza** power reserve; ~ *sul* **prezzo** margin, mark-up; ⟨*Tip*⟩ ~ **principale** gripper margin; ⟨*Econ*⟩ ~ *di* **produttività** (o *rendimento*) marginal productivity; ~ *di* **profitto** = *margine di* **utile**; ~ *di* **sicurezza** margin of safety, safety margin; ⟨*Tip*⟩ ~ *di* **taglio** trimming; ⟨*Tip*⟩ ~ *di* **testa** head; ⟨*Econ*⟩ ~ *di* **trasformazione** processor's margin; ⟨*Econ*⟩ ~ *di* **utile** profit margin, margin of profit; ⟨*Econ*⟩ ~ *di* **vendita** mark-up.

marginetto *m. dim. di* **margine.**

margo *m.* (*pl.* **-ghi**) ⟨*ant,poet*⟩ → **margine.**

margone[1] *m.* mill-pond.

margone[2] *m.* → **marangone**[1].

margone[3] *m.* ⟨*ant*⟩ → **marna.**

margotta *f.* ⟨*Giard*⟩ layerage, layering. – **margottare** *v.t.* (**margotto**) to layer. – **margotto** *m.* → **margotta.**

margraviato *m.* ⟨*Stor*⟩ **1.** (*titolo*) title of a margrave. – **2.** (*territorio*) margrav(i)ate. – **margravio** *m.* margrave.

Maria *N.pr.f.* Mary.

☐ ⟨*Stor*⟩ ~ **Antonietta** Marie Antoinette; ⟨*ant*⟩ **far** *le -e* (*fingere devozione*) to feign piety; ⟨*Rel*⟩ **figlie** *di* ~ Daughters of Maria; ⟨*Lett*⟩ ~ *di* **Francia** Marie de France; ⟨*Bibl*⟩ ~ **Maddalena** Mary Magdalene; ⟨*fig*⟩ *cercar* ~ *per* **Ravenna** (*cercare una persona dove non può essere*) to search for a person where he is not to be found; ⟨*Stor*⟩ ~ *la* **Sanguinaria** Bloody Mary; ⟨*Rel*⟩ **servi** *di* ~ Servants of Maria, Servites *pl*; ⟨*Stor*⟩ ~ **Stuarda** Mary Stuart; ⟨*fig*⟩ *sembrare le* **tre** *-e* to be a mournful group; ~ **Vergine** Virgin Mary; ⟨*esclam*⟩ good heavens; ⟨*ant*⟩ *far* **viva** ~ (*rubare*) to steal.

Marianna *N.pr.f.* Marianne.

Marianne *N.pr.f.pl.* ⟨*Geog*⟩ Marianas *pl*, Mariana Islands *pl.* ☐ *fossa delle* ~ Mariana trench.

mariano[1] *a.* **1.** (*rif. a Maria Vergine*) of Mary, Marian: *anno* ~ year of Mary; *dogma* ~ Marian dogma. – **2.** ⟨*Stor*⟩ Marian: *i vescovi -i* the Marian bishops.

mariano[2] **I** *a.* ⟨*Stor.rom*⟩ of Marius. – **II** *s.m.* (*seguace di Mario*) follower of Marius. ☐ ⟨*scherz*⟩ *muli -i* soldiers of Marius' army.

maricino *m.* ⟨*mar*⟩ choppy sea.

mariegola *f.* ⟨*Stor*⟩ statute of a Venetian guild.

marihuana *f.* → **marijuana.** – **marijuana** *ingl.* [ma:ri'wa:na] *f.* marijuana, marihuana.

marimba *f.* ⟨*Mus*⟩ marimba.

marimessa *f.* ⟨*tosc*⟩ → **manimessa.** – **marimettere** *v.* ⟨*tosc*⟩ → **manimettere.**

marina *f.* **1.** navy, marine. – **2.** (*marina militare*) navy; (*flotta*) navy, fleet. – **3.** (*litorale*) shore, sea-shore, seaside, littoral; (*costa*) coast, seacoast. – **4.** (*mare*) sea. – **5.** ⟨*Pitt*⟩ seascape, marine (landscape): *pittore di -e* marine painter.

☐ ⟨*fig,rar*⟩ ~ **chiara** (*buon umore*) good mood (*o* humour); ~ *da* **diporto** pleasure craft; ⟨*Mar.mil*⟩ **fanteria** *di* ~ marine corps; ~ *di* **linea**: 1. (*mercantile*) merchant ships plying a regular service; 2. (*per passeggeri*) liners *pl*; ~ **mercantile** merchant navy, mercantile marine; (*navi mercantili*) merchant fleet (*o* shipping), mercantile marine; ~ **militare** navy; **Ministero** *della* ~ Ministry of the Navy, ⟨*GB*⟩ Admiralty, ⟨*SU*⟩ Department of the Navy; **Ministro** *della* ~ Minister of the Navy, ⟨*GB*⟩ First Lord of the Admiralty, ⟨*SU*⟩ Secretary of the Navy; ~ *da* **pesca** fishing fleet; ⟨*fig,rar*⟩ ~ **torba** (*cattivo umore*) black (*o* bad) mood. || ⟨*ant*⟩ ~ ~ (*costeggiando*) hugging the coast.

marinaggio *m.* ⟨*Minier*⟩ haulage, transportation.

marinaio *m.* **1.** sailor, seaman, ⟨*lett*⟩ mariner. – **2.** (*fante di marina*) marine. – **3.** ⟨*fig*⟩ (*esperto uomo di mare*) seaman, ⟨*fam*⟩ sea-dog, ⟨*fam*⟩ (old) salt. ☐ ~ *d'acqua dolce* sailor on inland waterways, ⟨*fig*⟩ landlubber; ~ *autorizzato* small-craft captain; ~ *scelto* able seaman. – *Prov.*: *il buon* ~ *si conosce al cattivo tempo* a man proves himself in adversity.

marinara *f.* ⟨*Mod*⟩ **1.** (*abito*) sailor-suit. – **2.** (*cappello*) sailor-hat.

marinare *v.t.* ⟨*Gastr*⟩ to marinate, to pickle; (*mettere a frollare*) to tenderize (by steeping in a marinade). ☐ ⟨*fig,scherz*⟩ *mettere a* ~ *qc.* to keep s.th. in a glass case; ⟨*fig*⟩ ~ *la scuola* to play truant, ⟨*am*⟩ to play hooky.

marinaresca *f.* **1.** ⟨*Mus*⟩ kind of barcarole. – **2.** ⟨*ant*⟩ (*insieme di marinari*) seamen *pl*, sailors *pl*; (*equipaggio di una nave*) crew, hands *pl.* – **marinaresco** *a.* (*pl.* **-chi**) sailor-, sailor's, nautical:

gergo ~ sailor's jargon. ▭ ⟨*Mod*⟩ *alla -a* (*alla marinara*) sailor -fashion, sailor-. – **marinaretto** (*dim. di marinaro*) *m.* **1.** boy training to become a sailor. – **2.** ⟨*fam*⟩ (*ragazzo vestito alla marinara*) boy in a sailor suit.

marinaro I *a.* (*di mare*) sea-, seafaring: *popolo* ~ seafaring people; *città -a* seaside (town); (*dei marinai*) sailor-, sailor's. – **II** *s.m.* ⟨*pop*⟩ → **marinaio.** ▭ *alla -a*: 1. ⟨*Mod*⟩ sailor-, in sailor-fashion: *vestito alla -a* (*da donna*) sailor dress; (*da uomo*) sailor suit; 2. ⟨*Gastr*⟩ cooked in oil, garlic, and white wine; (*rif. a pesci d'acqua dolce*) à la matelotte; *nuotare alla -a* to swim sidestroke.

marinata *f.* ⟨*Gastr*⟩ marinade (sauce).

marinato[1] (*p.p. di marinare*) *a.* ⟨*Gastr*⟩ marinated, pickled: *anguille -e* pickled eels.

marinato[2] *a.* ⟨*Arald*⟩ having a fish-like tail. ▭ *leone* ~ sea-lion.

marinatore *m.* (*f.* **-trice**) marinate. – **marinatura** *f.* marinating, pickling.

marineria *f.* **1.** (*marina*) navy, marine. – **2.** ⟨*ant*⟩ (*arte di navigare*) seamanship. – **marinesco** *a.* ⟨*ant*⟩ → **marinaresco.**

marinismo *m.* ⟨*Lett*⟩ Marinism. – **marinista** *m./f.* Marinist, follower (*o* imitator) of Marino. – **marinistico** *a.* (*pl.* **-ci**) of Marinism.

marino[1] **I** *a.* **1.** sea-, marine, on (*o* of) the sea: *mostro* ~ sea-monster; *flora -a* marine flora; *cavalluccio* ~ sea-horse. – **2.** (*che riguarda la navigazione*) nautical, sea-, maritime: *carta -a* nautical chart. – **II** *s.m.* **1.** (*vento marino*) sea-breeze. – **2.** ⟨*Agr,pop*⟩ (*oidio*) grape mildew, powdery grapevine mildew.

▭ **acqua** *-a* sea-water, salt-water; **aria** *-a* sea-air; **città** *-a* seaside town, town on (*o* by) the sea; **color** ~ pale (*o* sky) blue; *color blu* ~ navy blue; **paesaggio** ~ seascape; **verde** ~ sea-green.

marino[2] *m.* ⟨*Minier*⟩ rubble, debris.

Mario *N.pr.m.* **1.** Mario. – **2.** ⟨*Stor*⟩ Marius.

mariola *f.* ⟨*Entom*⟩ (*coccinella*) ladybird, ⟨*am*⟩ ladybug (*Coccinella*).

mariolatria *f.* ⟨*Rel*⟩ Mariolatry.

marioleria *f.* **1.** dishonesty, roguery. – **2.** (*azione*) roguery, ⟨*lett*⟩ knavish trick; (*truffa*) swindle, cheat, deception; (*da ragazzi*) prank. – **mariolesco** *a.* (*pl.* **-chi**) ⟨*non com*⟩ dishonest, rascally, roguish, ⟨*lett*⟩ knavish. – **mariolo I** *s.m.* (*f.* **-a**) **1.** (*furfante*) rascal, rogue, scoundrel, ⟨*lett*⟩ knave; (*truffatore*) swindler, cheat, ⟨*fam*⟩ crook; (*ladruncolo*) petty thief, pilferer. – **2.** ⟨*scherz*⟩ (*bambino irrequieto*) rascal, scamp, imp, urchin. – **II** *a.* → **mariolesco.**

mariologia *f.* ⟨*Teol*⟩ Mariology. – **mariologico** *a.* (*pl.* **-ci**) Mariological. – **mariologo** *m.* (*pl.* **-ghi**) Mariologist.

marionetta *f.* **1.** marionette, puppet. – **2.** ⟨*fig*⟩ (*persona senza carattere*) puppet, tool. ▭ *fare la* ~ (*comportarsi senza serietà*) to play (*o* act) the fool. – **marionettina** *f. dim. di* **marionetta.** – **marionettista** *m./f.* marionette-player, puppet-master, puppet -player. – **marionettistico** *a.* (*pl.* **-ci**) **1.** marionette-, puppet-: *teatro* ~ puppet-theatre. – **2.** ⟨*fig,rar*⟩ (*poco serio*) frivolous.

mariscalco *m.* → **maniscalco.**

marista *m.* ⟨*Rel*⟩ Marist.

maritabile *a.* ⟨*non com*⟩ **1.** marriageable, of an age to marry. – **2.** ⟨*fig*⟩ (*che si può unire*) joinable, unitable. – **maritaccio** *m. pegg. di* **marito.** – **maritaggio** *m.* ⟨*ant*⟩ **1.** (*matrimonio*) marriage. – **2.** ⟨*Mediev*⟩ marriage tribute.

maritale *a.* **1.** (*del marito*) husband's, husbandly, ⟨*ant*⟩ marital: *potestà* ~ husband's authority. – **2.** ⟨*estens*⟩ (*coniugale*) marital, marriage-, conjugal, connubial: *letto* ~ marriage bed. – **maritalmente** *avv.* as husband and wife: *vivere* ~ to live as husband and wife. – **maritamento** *m.* ⟨*ant*⟩ **1.** (*il maritare*) giving in marriage, marrying (off); (*il maritarsi*) marrying, getting married. – **2.** (*matrimonio*) marriage, matrimony; (*cerimonia*) wedding.

maritare *v.t.* **1.** to give in marriage, to marry, to wed; (*riuscire a maritare*) to marry off. – **2.** ⟨*fig*⟩ (*unire, congiungere*) to join, to unite, to mate; (*mescolare*) to mix: ~ *l'acqua al vino* to mix water with wine. – **3.** ⟨*ant*⟩ (*promettere in sposa*) to promise in marriage, ⟨*lett*⟩ to betroth. – **maritarsi** *v.r.* **1.** to get married, to marry, to wed. – **2.** ⟨*recipr*⟩ to get married, to marry. ▭ *maritarsi bene* to make a good match; *maritarsi presto* to get married young. – *Prov.*: *chi n'ha cento le marita, chi n'ha una l'affoga* if you have many daughters you can find husbands for them, if you have only one it's hard to marry her off; *figlie da* ~, *fastidiose a governare* unmarried daughters are a burden.

maritata *f.* married woman. ▭ *nome da* ~ married name. – **maritato** (*p.p. di maritare*) *a.* **1.** married: *donna -a* married woman. – **2.** ⟨*Gastr,fam*⟩ mixed: *frittata -a* mixed omelette. – **maritino** *m. dim. di* **marito.**

marito *m.* **1.** husband. – **2.** ⟨*Agr*⟩ prop, vine-prop. – **3.** ⟨*fam,region*⟩ (*scaldino*) warming-pan. – **4.** ⟨*rar*⟩ (*maschio: di animali*) male.

▭ ⟨*ant*⟩ **andare** *a* ~ (*maritarsi*) to get married; **avere** ~ to be married; **cercare** ~ to be after a husband; **da** ~ marriageable: *in età da* ~ of an age to marry, of marriageable age; *ragazza da* ~ girl of marriageable age; **dare** ~ *a una ragazza* to find a girl a husband, to marry a girl off; ⟨*fig*⟩ *essere* ~ *e* **moglie** to be perfectly matched; **perdere** *il* ~ to lose one's husband, to be widowed; **prendere** ~ to get married; **riprendere** ~ to remarry; *non* **trovare** ~ to be unable to find a husband.

maritone *m. accr. di* **marito.**

maritozzo *m.* ⟨*Dolc*⟩ currant bun.

marittima *f.* ⟨*Ferr*⟩ harbour station.

marittimistico *a.* (*pl.* **-ci**) ⟨*non com*⟩ of (*o* concerning) maritime law. – **marittimità** *f.* ⟨*Geog*⟩ maritime character.

marittimo I *a.* maritime, sea-, marine: *clima* ~ maritime climate; (*navale*) naval. – **II** *s.m.* sailor, seaman. ▭ ⟨*Geog*⟩ *Alpi -e* Maritime Alps; *città -a* seaside town.

marituccio *m.* ⟨*spreg*⟩ *dim. di* **marito.**

marmaglia *f.* mob, rabble, riff-raff. – **marmagliume** *m.* ⟨*non com,spreg*⟩ scum, filthy rabble.

marmaio *m.* ⟨*ant*⟩ → **marmista.**

Marmara *N.pr.f.* ⟨*Geog*⟩ Marmara, Marmora. ▭ *mar di* ~ Sea of Marmora.

marmato *a.* ⟨*tosc*⟩ (*freddo, gelato*) cold, frozen, icy.

marmeggia *f.* (*pl.* **-ge**) ⟨*Zool*⟩ **1.** dermestid (*Dermestes*). – **2.** larder beetle (*Dermestes lardarius*).

marmellata *f.* preserve: ~ *di frutta* fruit preserve; (*confettura*) jam: ~ *di fragola* strawberry jam; (*confettura di agrumi*) marmalade; (*passato*) jelly.

marmetta *f.* ⟨*Edil*⟩ kind of tile. – **marmettaio, marmettista** *m.* (*operaio*) tile-maker.

marmifero *a.* **1.** marble-, marble-bearing, marble-yielding, abounding in marble: *cava -a* marble quarry. – **2.** (*rif. all'estrazione del marmo*) marble-, marble-extracting: *società -a* marble-extracting company. – **marmino** *m.* doorstop. – **marmista** *m.* **1.** (*artigiano*) marble-worker, marble-carver, lapicide. – **2.** (*operaio*) marble-cutter.

marmitta *f.* **1.** marmit(e), pot, kettle. – **2.** ⟨*Mot*⟩ silencer, ⟨*am*⟩ muffler. ▭ ⟨*Mil*⟩ ~ *da campo* field cooking pot; ⟨*Geog*⟩ *-e dei giganti* potholes *pl*, (giants') kettles *pl*; ⟨*Geol*⟩ ~ *glaciale* kettle.

marmittina *f. dim. di* **marmitta.** – **marmittona** (*accr. di marmitta*) *f.* ⟨*non com*⟩ → **marmittone.** – **marmittone** *m.* ⟨*mil*⟩ raw recruit.

marmo *m.* **1.** marble. – **2.** (*scultura*) marble (statue); (*lapide*) marble tablet. – **3.** (*lastra*) marble slab. – **4.** ⟨*tosc*⟩ (*mancia*) tip. ▭ *di* ~: 1. marble-: *cava di* ~ marble quarry; 2. ⟨*fig*⟩ (*duro, insensibile*) marble-, stony, hard, granite-: *faccia di* ~ stony face; 3. (*freddo*) icy, frozen, cold, marble-; 4. (*bianco*) white; ⟨*fig*⟩ *diventare di* ~ (*irrigidirsi*) to stiffen; *duro come il* ~ as hard as stone; ⟨*fig*⟩ *essere inciso* (*o scolpito*) *nel* ~ to be unforgettable.

marmocchietto *m.* (*f.* **-a**) *dim. di* **marmocchio.** – **marmocchio** *m.* (*f.* **-a**) ⟨*fam*⟩ kid, tot.

marmoraria *f.* ⟨*ant*⟩ marble sculpture. – **marmorario** *m.* ⟨*ant*⟩ (*marmista*) marble-worker, marble-carver, lapicide. – **marmorato** *a.* ⟨*non com*⟩ (*marmorizzato*) marbled. – **marmore** *m.* ⟨*ant*⟩ → **marmo.** – **marmoreggiare** *v.* (**marmoreggio, marmoreggi**) ⟨*rar*⟩ → **marmorizzare.**

marmoreo *a.* **1.** marble-: *statua -a* marble statue. – **2.** ⟨*fig*⟩ (*simile al marmo*) marmoreal, marble-; (*freddo*) icy, cold, marmoreal.

marmoridea *f.* ⟨*tecn*⟩ imitation marble. – **marmori(g)no** *a.* ⟨*ant, lett*⟩ marmoreal, marble-like.

marmorizzare *v.t.* to marble, ⟨*am*⟩ to marbleize. – **marmorizzato** (*p.p. di marmorizzare*) *a.* **1.** marbled, ⟨*am*⟩ marbleized: *carta -a* marbled paper. – **2.** ⟨*non com*⟩ (*simile al marmo*) marbly, marble-like. – **marmorizzatore** *m.* ⟨*non com*⟩ marbler. – **marmorizzatura, marmorizzazione** *f.* marbling, ⟨*am*⟩ marbleization.

marmosa *f.* ⟨*Zool*⟩ (*anche marmosa murina*) murine (*o* mouse) opossum (*Marmosa murina*).

marmotta *f.* **1.** ⟨*Zool*⟩ marmot (*Marmota*). – **2.** ⟨*fig*⟩ → **marmottone.** – **3.** ⟨*Ferr*⟩ dwarf (*o* pot) signal. – **4.** ⟨*fam,tosc*⟩ (*infreddatura*) cold. ▭ ⟨*Zool*⟩ ~ *americana* woodchuck, ground hog (*Marmota monax*); ~ *comune* (*o delle Alpi*) Alpine marmot (*Marmota marmota*).

marmottina (*dim. di marmotta*) *f.* **1.** → **marmottino.** – **2.** ⟨*gerg*⟩ (*borsa del commesso viaggiatore*) commercial traveller's bag. – **marmottino** (*dim. di marmotta*) *m.* (*f.* **-a**) ⟨*scherz*⟩ (*rif. a bambino*) little chap (*f* girl), tot, little one. – **marmottona** *f. accr. di* **marmotta.** – **marmottone** (*accr. di marmotta*) *m.* ⟨*scherz*⟩ (*poltrone*) lazy-bones, loafer, idler; (*dormiglione*) sleepyhead.

marna *f.* ⟨*Geol*⟩ marl, loam rock: *-e argillose* shaley marl.

Marna *N.pr.f.* ⟨*Geog*⟩ Marne. ▭ ⟨*Stor*⟩ *battaglia della* ~ Battle of the Marne.

marnare *v.t.* ⟨*Agr*⟩ to marl, to fertilize with marl. – **marnato** (*p.p. di marnare*) *a.* marled. – **marnatura, marnazione** *f.* marling. – **marniera** *f.* marl-pit. – **marnoso** *a.* marly: *terreno* ~ marly soil.

maro *m.* ⟨*Bot*⟩ cat thyme, marum (*Teucrium marum*).

marò *m.* ⟨*Mar.mil*⟩ (*marinaio*) seaman, sailor.

marobbio *m.* → **marrubio.**

marocain *fr.* [marɔ'kɛ̃] *m.* ⟨*Tess*⟩ (*anche crêpe marocain*) (crepe) marocain.

marocca *f.* ⟨*region*⟩ **1.** (*scarto*) waste. – **2.** ⟨*Comm*⟩ obsolete (*o* hard-to-move) stock. – **3.** ⟨*Geol*⟩ moraine.

marocchinare *v.t.* ⟨*Conc*⟩ to tan into morocco leather. – **marocchinatura** *f.* tanning of hide into morocco leather.

marocchino[1] **I** *a.* (*del Marocco*) Moroccan. – **II** *s.m.* (*f.* **-a**) Moroccan.

marocchino[2] **I** *s.m.* **1.** ⟨*Conc*⟩ morocco (leather): *scarpe di* ~ morocco shoes. – **2.** (*colore*) morocco red, reddish brown. – **3.** (*nei cappelli da uomo*) sweatband. – **II** *a.* ⟨*non com*⟩ Morocco, Moroccan.

Marocco *N.pr.m.* ⟨*Geog*⟩ Morocco (*denom.uff.*: *Regno del Marocco* Kingdom of Morocco).

marogna *f.* ⟨*region*⟩ (*scoria del carbon fossile*) slag.

maronita I *s.m.* ⟨*Rel*⟩ Maronite. – **II** *a.* Maronite-. – **maronitico** *a.* (*pl.* **-ci**) ⟨*non com*⟩ Maronite-.

maroso *m.* **1.** billow, breaker, surge, roller. – **2.** ⟨*fig*⟩ (*tormento interiore*) torment, storm, surge. □ *spuma di* ~ surf.
marotta *f.* ⟨*Pesc*⟩ eel cage.
marpione *m.* ⟨*region*⟩ (*furbacchione*) cunning (*o* crafty) person, sly fellow; (*imbroglione*) swindler, cheat.
marquise *fr.* [mar'ki:z] *f.* **1.** ⟨*Oref*⟩ marquise (ring). – **2.** (*poltroncina*) low armchair. – **3.** (*tenda avvolgibile*) sunshade, awning. – **marquisette** *fr.* [marki'zɛt] *f.* **1.** ⟨*Tess*⟩ marquisette. – **2.** (*tenda avvolgibile*) sunshade, awning.
marra[1] *f.* **1.** ⟨*Agr*⟩ mattock; (*per le erbe*) hoe. – **2.** ⟨*Mur*⟩ hoe. – **3.** ⟨*Mar*⟩ fluke, arm, peak.
marra[2] *f.* (*mucchio di sassi*) heap of rocks.
marrana *f.* ⟨*roman*⟩ (*fosso*) ditch.
marrancio *m.* ⟨*Macell*⟩ (butcher's) cleaver, chopper, butcher's knife.
marrano[1] **I** *s.m.* **1.** ⟨*Stor*⟩ forced convert (from Judaism or Mohammedanism). – **2.** ⟨*lett*⟩ (*fellone*) boor, cad, ⟨*lett*⟩ churl; (*traditore*) renegade. – **II** *a.* treacherous, faithless. □ ⟨*scherz*⟩ *vil* ~ cad, rotter.
marrano[2] *m.* → **marano.**
marranzano *m.* ⟨*sicil*⟩ (*scacciapensieri*) Jew's harp.
marsitta: ⟨*pop*⟩ *a* ~ to the right.
marritto *m.* ⟨*pop*⟩ → **mandritto.**
marrob(b)io *m.* → **marrubio.**
marronaia *f.*, **marronaio** *m.* ⟨*tosc*⟩ → **marroneta.**
marronare *v.i.* (**marrono**; *aus.* **avere**) ⟨*non com*⟩ (*spropositare*) to (make a) blunder; (*dire spropositi*) to talk nonsense. – **marronata** *f.* (*grosso errore*) blunder.
marrone[1] **I** *s.m.* **1.** ⟨*Bot*⟩ chestnut (*Castanea vesca*). – **2.** (*frutto*) chestnut; ⟨*estens*⟩ chestnut, marron. – **3.** (*colore*) brown; (*castano*) chestnut, chestnut-brown. – **II** *a.* brown; (*castano*) chestnut. □ ~ *rossiccio* maroon.
marrone[2] *m.* (*grosso errore*) blunder, ⟨*fam*⟩ howler, ⟨*am.fam*⟩ boob.
marrone[3] *m.* **1.** ⟨*Zootecn*⟩ docile old horse; (*bestia che guida il branco*) leader (of a herd or flock); (*rif. a pecore*) bellwether. – **2.** ⟨*fig*⟩ (*guida*) guide, adviser. – **3.** ⟨*ant*⟩ (*guida alpina*) Alpine guide.
marroneta *f.*, **marroneto** *m.* ⟨*non com*⟩ **1.** (*terreno piantato a marroni*) chestnut plantation. – **2.** (*bosco di marroni*) chestnut wood (*o* grove).
marron glacé *fr.* [marɔ̃gla'se] *m.* ⟨*Dolc*⟩ marron glacé, iced marron.
marronsecco *m.* (*pl.* **-chi**) ⟨*non com*⟩ dried chestnut.
marrovescio *m.* ⟨*pop*⟩ → **manrovescio.**
marrubio *m.* ⟨*Bot*⟩ (white) horehound (*Marrubium vulgare*). □ ~ *acquatico* gipsy-wort (*Lycopus europaeus*); ~ *nero* black (*o* stinking) horehound (*Ballota nigra*).
marruca *f.* ⟨*Bot*⟩ **1.** Christ's-thorn (*Paliurus spinachristi*). – **2.** (*agutoli*) matrimony vine, boxthorn (*Lycium europaeum*). □ ~ *bianca* hawthorn, whitethorn (*Crataegus oxyacantha*).
marrucaio, marrucheto *m.* thorn thicket.
marruffo *m.* ⟨*Pesc*⟩ wicker cage (for keeping fish alive).
marsala *m./pop.f.* ⟨*Enol*⟩ Marsala (wine). – **marsalare** *v.t.* to make into Marsala.
marsc', marsch *intz.* → **marc'.**
marscione *m.* ⟨*Itt*⟩ (*callionimo*) dragonet (*Callionymus*).
Marsia *N.pr.m.* ⟨*Mitol*⟩ Marsyas.
Marsiglia *N.pr.f.* ⟨*Geog*⟩ Marseille(s).
marsigliese[1] **I** *a.* (*di Marsiglia*) Marseillais, of Marseilles. – **II** *s.m./f.* (*abitante*) Marseillais.
marsigliese[2] *f.* **1.** (*inno francese*) Marseillaise. – **2.** (*anche tegola marsigliese*) (French) gutter-tile. – **3.** (*piastrella*) hexagonal paving tile.
marsilea, marsilia *f.* ⟨*Bot*⟩ clover fern (*Marsilea*).
Marsilia *N.pr.f.* ⟨*non com*⟩ → **Marsiglia.**
marsina *f.* ⟨*Vest*⟩ tail-coat, dress-coat, ⟨*fam*⟩ tails *pl.*
marsipobranchi *m.pl.* ⟨*Zool*⟩ cyclostomes *pl*, marsipobranchs *pl* (*Marsipobranchii*).
marsovino, marsuino *m.* ⟨*Zool*⟩ porpoise (*Phocaena phocaena*).
marsupiale *a.* ⟨*Zool*⟩ marsupial. – **marsupiali** *m.pl.* marsupials *pl* (*Marsupialia*). – **marsupio** *m.* **1.** ⟨*Zool*⟩ marsupium. – **2.** ⟨*scherz, region*⟩ (*gruzzolo*) hoard, nest-egg. – **3.** ⟨*ant*⟩ (*borsa, tasca*) pouch, bag; (*tasca*) pocket.
mart. = **martedì** Tuesday (*abbr.* Tues.).
Marta *N.pr.f.* Martha.
martagone *m.* ⟨*Bot*⟩ Turk's-cap (lily) (*Lilium martagon*).
Marte *N.pr.m.* ⟨*Mitol,Astr*⟩ Mars. – **marte** *m.* **1.** ⟨*poet*⟩ (*guerriero valoroso*) valiant warrior; (*guerra*) war. – **2.** ⟨*Chim,ant*⟩ (*ferro*) iron, ⟨*ant*⟩ Mars.
□ **campo** *di* ~ (*piazza d'arme*) parade (*o* drill) ground; ⟨*poet*⟩ **figli** *di* ~ (*antichi romani*) (ancient) Romans; **giorno** *di* ~ (*martedì*) Tuesday; ⟨*poet*⟩ **ludi** *di* ~ (*esercizi guerreschi*) military exercises; **popolo** *di* ~ = **figli** *di Marte*; ⟨*Chim,ant*⟩ ~ **vetriolato** iron sulphate.
martedì *m.* Tuesday. □ *di* (*o il*) ~ on Tuesday; ~ *grasso* Shrove Tuesday.
martellamento *m.* **1.** hammering, pounding, thumping, beating (*anche fig.*). – **2.** ⟨*fig*⟩ (*rif. a fuoco d'artiglieria*) pounding; (*rif. alla testa*) throbbing. – **3.** (*suono*) hammering, banging, knocking, pounding. – **4.** ⟨*Ferr*⟩ hammer blow. – **5.** ⟨*Mecc*⟩ (*rif. a valvole*) pounding-in, hammering-in; (*rumore del motore che gira*) knocking, pounding.
martellante (*p.pr. di martellare*) *a.* **1.** hammering, knocking. – **2.** ⟨*fig*⟩ (*insistente*) running, continuous, incessant, pounding: *fuoco* ~ running fire; (*rif. a dolori e sim.*) throbbing: *dolore* ~ throbbing pain.
martellare *v.* (**martello**) **I** *v.t.* **1.** to hammer; (*battere, colpire*) to hammer, to pound, to thump, to beat, to strike. – **2.** ⟨*fig*⟩ (*colpire ripetutamente*) to hammer, to beat, to thump, to rain, to hail, to shower: ~ *qd. di calci* to rain (*o* shower) kicks on s.o.; (*rif. a fuoco d'artiglieria*) to pound. – **3.** ⟨*fig*⟩ (*martoriare*) to rack, to torment, to worry: *il rimorso lo martellava* he was tormented by remorse. – **4.** ⟨*lett*⟩ (*punire*) to chastise. – **II** *v.i.* (*aus.* **avere**) **1.** to hammer. – **2.** (*pulsare*) to throb: *le tempie gli martellavano* his temples were throbbing; (*rif. al cuore*) to pound, to beat fast, to hammer, ⟨*fam*⟩ to thump: *il cuore gli martellava in petto* his heart was thumping in his breast. – **3.** (*bussare ripetutamente*) to pound, to hammer, to knock, to beat. – **4.** ⟨*Venat*⟩ to chatter. □ ~ *qd. di domande* to fire questions at s.o.
martellata *f.* **1.** hammer-blow. – **2.** ⟨*fig*⟩ heavy blow. – **3.** ⟨*Agr,non com*⟩ (*martellatura*) marking, blazing, hammering, ⟨*am*⟩ spotting. □ *darsi una* ~ *sul dito* to hit one's finger with a hammer.
martellato (*p.p. di martellare*) **I** *a.* **1.** hammered (*anche Met.*): *ferro* ~ hammered (*o* wrought) iron. – **2.** ⟨*Mus*⟩ martellato, martelé, strongly accented. – **II** *s.m.* ⟨*Mus*⟩ martellato, martellato notes *pl.* □ ~ *a penna* peened; *cristallo* ~: 1. ⟨*Minier*⟩ faceted crystal; 2. ⟨*Met*⟩ hammered crystal; *tessuto* ~ matelassé.
martellatore *m.* **1.** hammerer. – **2.** (*operaio*) hammerer, ⟨*am*⟩ hammerman. – **3.** ⟨*fig*⟩ (*rif. a pugile*) slugger. – **martellatura** *f.* **1.** hammering (*anche Conc.*). – **2.** ⟨*Agr*⟩ (*marcatura degli alberi*) marking, blazing, hammering, ⟨*am*⟩ spotting. □ ~ *a penna* peening.
martelletto (*dim. di martello*) *m.* **1.** small (*o* light) hammer; (*di presidente d'assemblea e sim.*) gavel. – **2.** (*rif. a pianoforte*) hammer. – **3.** (*rif. a macchina da scrivere*) type-bar. – **4.** ⟨*Med*⟩ (*martello percussore*) percussion hammer. □ ⟨*Mot*⟩ ~ *del distributore* distributor rotor arm; ~ *del ruttore* breaker arm (*o* bar).
martelliano *m.* ⟨*Metr*⟩ (*anche verso martelliano*) fourteen-syllable line.
martellina (*dim. di martello*) *f.* ⟨*Mur*⟩ pick, mason's hammer, chip hammer; (*per rifinire pietre sbozzate*) hack (*o* facing) hammer; (*di scultori e scalpellini*) marteline, double-pointed hammer; (*per disincrostare*) scaling-hammer; (*bocciarda*) bush-hammer. – **martellinare** *v.t.* **1.** to dress; (*disincrostare*) to scale. – **2.** ⟨*Art*⟩ to chip, to hammer. – **martellinatore** *m.* stone dresser. – **martellinatura** *f.* **1.** ⟨*Mur*⟩ stone dressing; (*disincrostazione*) scaling. – **2.** ⟨*Art*⟩ hammering.
martellino (*dim. di martello*) *m.* ⟨*Ornit*⟩ (*beccamoschino*) fan-tailed warbler (*Cisticola juncidis*). – **martellio** *m.* **1.** (continuous) hammering, banging. – **2.** ⟨*estens*⟩ (*forte*) pounding; (*leggero*) tapping; (*pulsazione dolorosa*) throbbing. – **martellista** *m.* **1.** ⟨*Ferr*⟩ tamper. – **2.** ⟨*Minier*⟩ rock-drill operator. – **3.** ⟨*Sport*⟩ hammer-thrower.
martello *m.* **1.** hammer; (*mazzuolo*) mallet; (*bocciarda*) bush-hammer. – **2.** (*oggetto a forma di martello*) hammer. – **3.** (*battente di porta*) (door) knocker, ⟨*ant*⟩ hammer. – **4.** ⟨*Sport*⟩ hammer: *lancio del* ~ throwing the hammer. – **5.** ⟨*Anat,Chir*⟩ malleus, hammer. – **6.** ⟨*fig, non com*⟩ (*affanno, angoscia*) rack, torment. – **7.** ⟨*fig,rar*⟩ (*azione ostile*) menace, drive. – **8.** ⟨*Mil.ant*⟩ martel-de-fer.
□ ⟨*Mus*⟩ ~ *da* **accordatore** tuning-hammer; ~ *d'***asta** gavel; ~ *da* **banco** bench (*o* riveting) hammer; ~ *della* **campana** bell clapper (*o* hammer); ~ *da* **carpentiere** claw hammer; ~ *da* **cesello** (en)chasing hammer; **colpo** *di* ~ hammer blow; ~ *a punta da* **conciatetti** scabbling hammer; ~ **demolitore** sledge-hammer; ~ *da* **fabbro** (*o fucinatore*) smith's (*o* sledge) hammer; ~ *da* **falegname** = *martello da* **carpentiere**; ⟨*Alp*⟩ ~ *da* **ghiaccio** ice pick; ~ *di* **gomma** rubber mallet; ~ *da* **lattoniere** tinsmith's hammer; **lavorare** *a* ~ to hammer; ~ *di* **legno** mallet; ~ *da* **maniscalco** shoeing hammer; ~ *a* **mano** hand hammer; ~ *da* **muratore** brick(layer's) hammer; ~ *dell'***orologio** striker, hour hammer; ~ *a* **penna** *dritta* straight-peen hammer; ~ *a penna sferica* ball-peen hammer; ⟨*Med*⟩ ~ **percussore** percussion hammer; ~ **perforatore** rock (*o* hammer) drill, rock hammer; ⟨*Itt*⟩ **pesce** ~ hammerhead (shark) (*Sphyrna zygaena*); ~ *per la lavorazione della* **pietra** hack (*o* facing) hammer, kevel, knapping hammer; ~ **pneumatico** pneumatic (*o* jack) hammer; ~ *a* **punta** scabbling hammer; ~ *da* **ribadire** riveting hammer; ~ *da* **roccia** piton hammer; ~ **scrostatore** scaling hammer; ~ *da* **scultore** marteline; **sonare** *a* ~ to ring the tocsin (*o* alarm-bell); ⟨*fig*⟩ to raise the alarm; ~ *a* **stampo** die-shaped hammer.
martellone *m. accr. di* **martello.**
martelogio *m.* ⟨*Mar.ant*⟩ mariners' handbook.
martensite *f.* ⟨*Met*⟩ martensite, hardenite.
martin: ⟨*Ornit*⟩ ~ *pescatore* kingfisher (*Alcedo atthis*); ~ *pescatore bianco e nero* pied kingfisher (*Ceryle rudis*).
martinaccio *m.* **1.** ⟨*Ornit*⟩ (*gavina*) (common) gull (*Larus canus*). – **2.** ⟨*fig,scherz*⟩ (*grosso orologio*) big pocket watch.
martinella *f.* **1.** ⟨*Mediev*⟩ (*campana*) alarm-bell. – **2.** ⟨*fig,scherz*⟩ (*campanello usato dai presidenti della Camera e del Senato*) bell.
martinello *m.* **1.** (*martinetto*) jack. – **2.** ⟨*Mil.ant*⟩ (*rif. alla balestra*) jack. – **3.** ⟨*Ornit*⟩ (*piviere dorato*) golden plover (*Charadrius apricarius albifrons*).
martinellone *m.* ⟨*Ornit*⟩ (*occhione*) stone curlew, Norfolk plover (*Burhinus oedicnemus, Oedicnemus oedicnemus*).
martinetto *m.* **1.** ⟨*Mecc*⟩ jack. – **2.** ⟨*Mil.ant*⟩ (*rif. alla balestra*

jack. □ *alzare con il* ~ to jack (up); ~ *a cremagliera* rack-and-pinion jack; ~ *idraulico* hydraulic jack; ~ *a vite* screw jack, jackscrew.
martingala *f.* **1.** half-belt. – **2.** (*rif. a cavalli*) martingale. – **3.** (*nei giochi d'azzardo*) martingale. – **4.** ⟨*Mar*⟩ martingale.
martini *m.* (*liquore*) martini.
Martinica *N.pr.f.* ⟨*Geog*⟩ Martinique.
martinicca *f.* **1.** (*freno di veicoli*) wagon-brake, wagon-lock. – **2.** ⟨*fig*⟩ (*freno*) brake: *allentare la* ~ to apply the brake.
martinitt *m.* ⟨*region*⟩ orphan.
martino *m.* **1.** ⟨*Itt*⟩ angler, monkfish, frog fish (*Lophius piscatorius*). – **2.** ⟨*region*⟩ (*marito gabbato*) cuckold.
Martino *N.pr.m.* Martin. □ *estate di san* ~ Indian (*o* St. Martin's) summer; *fare il san* ~ (*fare l'ultima scampagnata*) to go on one's last summer outing; ⟨*region*⟩ (*cambiare casa*) to move (house); *gabbare san* ~: 1. ⟨*ant*⟩ (*disertare*) to desert; 2. ⟨*region*⟩ (*tradire il marito*) to be unfaithful to one's husband. – *Prov.*: *a san* ~ *ogni mosto è vino* the new wine is ready by St. Martin's Day; *a san* ~ *si veste il grande e il piccino* on St. Martin's day everybody puts on warmer clothes; *per un punto Martin perse la cappa* don't spoil a ship for a ha'p'orth of tar, for want of a nail the shoe was lost.
martirare *v.t.* ⟨*ant,lett*⟩ (*martirizzare*) to martyr(ize), to torment. – **martirarsi** *v.r.* to torture (*o* torment) o.s.
martire[1] *m./f.* **1.** martyr. – **2.** ⟨*fig*⟩ (*chi sopporta tribolazioni e maltrattamenti*) martyr, victim. □ ⟨*scherz*⟩ *atteggiarsi a* ~ to play the martyr; ⟨*Bibl*⟩ *atti dei -i* Acts of the Martyrs, Acta Martyrum.
martire[2] *m.* ⟨*ant,poet*⟩ → **martirio.**
martirio *m.* **1.** martyrdom. – **2.** ⟨*fig*⟩ (*sofferenza, patimento*) suffering, anguish, distress. – **3.** ⟨*iperb*⟩ agony, torture, torment, hell upon earth. – **martirizzamento** *m.* ⟨*non com*⟩ **1.** martyrizing, martyrization, martyrdom. – **2.** ⟨*fig*⟩ (*tormento, sofferenza*) torture, torment, martyrdom. – **martirizzare** *v.t.* **1.** to martyr(ize); (*torturare*) to torture. – **2.** ⟨*fig*⟩ (*tormentare*) to torture, to torment, to rack. – **martirizzatore** *m.* (*f.* **-trice**) ⟨*non com*⟩ martyrizer, torturer, tormentor. – **martiro** *m.* ⟨*ant,poet*⟩ → **martirio.**
martirologio *m.* **1.** ⟨*Lit*⟩ martyrology; (*narrazione riguardante i martiri*) martyrology, history of martyrs. – **2.** ⟨*fig*⟩ (*martiri*) martyrs *pl*: ~ *nazionale* martyrs for their country.
martologio *m.* → **martelogio.**
martora *f.* ⟨*Zool*⟩ **1.** marten (cat) (*Martes*). – **2.** (*anche martora comune*) pine marten (*Martes martes*). – **3.** (*pelliccia*) sable, marten.
martoriamento *m.* ⟨*non com*⟩ martyrizing, martyrization, martyrdom. – **martoriare** *v.t.* (**martorio, martori**) **1.** (*tormentare*) to torment, to torture, to rack. – **2.** ⟨*ant*⟩ (*martirizzare*) to martyr(ize); (*torturare*) to torture. – **martor(i)o** *m.* **1.**⟨*ant*⟩ (*martirio*) martyrdom, torment. – **2.** ⟨*poet*⟩ (*pena, afflizione*) suffering, anguish, distress, torment.
marughella *f.* ⟨*Ornit*⟩ (*civetta*) little owl (*Athene noctua*).
maruzza *f.* ⟨*napol*⟩ (*chiocciola*) (edible) snail. – **maruzzaro** *m.* ⟨*napol*⟩ snail vendor.
marvizzo *m.* ⟨*Itt*⟩ green wrasse (*Labrus viridis*).
marxiano *a.* Marxian, Marxist. – **marxismo** *m.* Marxism, Marxianism. – **marxista I** *s.m./f.* Marxist. – **II** *a.* → **marxistico.** – **marxistico** *a.* (*pl.* **-ci**) Marxist, Marxian.
marza *f.* ⟨*Bot*⟩ graft, (s)cion; (*gemma isolata*) bud.
marzacotto *m.* ⟨*Ceram*⟩ (*fritta*) frit.
marzaiola *f.* ⟨*Ornit*⟩ **1.** garganey (teal) (*Anas querquedula*). – **2.** ⟨*region*⟩ (*alzavola*) teal (*Anas crecca*).
marzaiolo *a.* March-: *limoni -i* March lemons.
marzamina *f.* (*tipo di uva*) kind of grape. – **marzamino** *m.* ⟨*Enol*⟩ kind of wine.
marzapane *m.* **1.** ⟨*Dolc*⟩ marzipan, marchpane. – **2.** ⟨*fig*⟩ (*leccornia*) dainty, delicacy. – **3.** ⟨*fig*⟩ (*persona docile*) good-natured (*o* placid) person. □ ⟨*fig*⟩ *è di* ~ he is very placid.
marzarola *f.* ⟨*Ornit*⟩ (*alzavola*) teal (*Anas crecca*).
marzatello *m.* ⟨*Giard*⟩ spring plant.
marzeggiare *v.i.* (**marzeggio, marzeggi**; *aus.* **avere**) ⟨*non com*⟩ to be changeable (*anche fig.*).
marzemino *m.* → **marzamino.**
marziale *a.* **1.** (*soldatesco*) martial, military, soldierly, soldierlike; (*bellicoso*) warlike. – **2.** (*della guerra*) martial, war-. – **3.** ⟨*lett*⟩ (*del dio Marte*) Martial. – **4.** ⟨*Astr,rar*⟩ Martian. – **5.** ⟨*Chim,ant*⟩ (*di ferro*) martial, ferruginous, iron-. □ *corte* ~ court martial; *legge* ~ martial law.
Marziale *N.pr.m.* ⟨*Lett,Stor*⟩ Martial.
marzialità *f.* (*bellicosità*) warlikeness, bellicosity.
marziano I *a.* ⟨*Astr*⟩ Martian. – **II** *s.m.* (*f.* **-a**) Martian.
marzio *a.* **1.** (*di Marte*) of Mars, Martial. – **2.** ⟨*lett*⟩ (*marziale, bellicoso*) martial, warlike. □ ⟨*Stor.rom*⟩ *campo* ~ parade (*o* drill) ground.
marzo *m.* March.
□ ⟨*Stor.rom*⟩ **campo** *di* ~ parade (*o* drill) ground; **di** ~ in March; ⟨*Stor*⟩ *le* **idi** *di* ~ the Ides of March; *il* **mese** *di* ~ (the month of) March; ⟨*fig,scherz*⟩ *essere* **nato** *di* ~ (*essere volubile*) to be changeable (*o* unreliable), to be all ups and downs, ⟨*scherz*⟩ to be as mad as a March hare; ~ **pazzerello** March many weathers; *il* **primo** (*di*) ~ the first of March, March the first. – *Prov.*: *se* ~ *non marzeggia,* ⌜*giugno non festeggia*⌝ (*o april mal pensa*) unless the weather is unsettled in March it will be bad in June; *quando* ~ *marzeggia, april campeggia* when the weather in March is bad April will be mild.
marzocco[1] *m.* ⟨*Arald*⟩ Florentine lion.
marzocco[2] *m.* (*pl.* **-chi**) ⟨*Mar.ant*⟩ medium-sized anchor.
marzolina *f.* ⟨*roman*⟩ (*mozzarella*) mozzarella, moist unsalted cheese. – **marzolino I** *a.* March-: *vento* ~ March wind. – **II** *s.m.* ⟨*Alim*⟩ (*formaggio di pecora*) sheep's-milk cheese; (*formaggio di bufala*) buffalo-milk cheese.
marzolo I *a.* ⟨*fam*⟩ (*marzuolo*) March-. – **II** *s.m.* ⟨*Ornit*⟩ **1.** (*cornacchia nera*) carrion (*o* hooded) crow (*Corvus corone*). – **2.** (*biancone*) short-toed (*o* harrier) eagle (*Circaëtus gallicus*).
marzuolo I *a.* March-; (*primaverile*) spring-: *pianta -a* spring plant. – **II** *s.m.* (*marza*) graft, (s)cion.
mas *m.* ⟨*Mar.mil*⟩ motor torpedo-boat, ⟨*pop*⟩ M.T.B., ⟨*pop*⟩ E-boat.
masanetta *f.* ⟨*Zool*⟩ (*granchio ripario*) shore (*o* green) crab (*Carcinus maenas*).
masca *f.* ⟨*Mar*⟩ bow, forecastle.
mascalcia *f.* ⟨*non com*⟩ **1.** farriery, smithcraft, horseshoeing. – **2.** (*bottega del maniscalco*) forge, smithy.
mascalzonata *f.* rascally trick, nasty thing to do, ⟨*lett*⟩ knavish action. – **mascalzone** *m.* (*f.* **-a**) **1.** scoundrel, rascal, rogue, villain, ⟨*lett*⟩ knave, ⟨*scherz*⟩ scamp. – **2.** ⟨*ant*⟩ (*grassatore*) highwayman, bandit; (*accattone*) tramp, beggar.
mascara[1] *f.* ⟨*ant,region*⟩ → **maschera.**
mascara[2] *m.* ⟨*Cosmet*⟩ mascara.
mascarpone *m.* ⟨*Alim*⟩ mild creamy cheese.
mascè: ⟨*Gastr*⟩ *patate* ~ mashed potatoes.
mascella *f.* **1.** ⟨*Anat,Zool*⟩ jaw, jaw-bone; (*mascella superiore*) upper jaw, maxilla; (*rif. ad artropodi*) maxilla. – **2.** (*nei frantoi*) jaw. – **3.** (*nei fucili a pietra*) jaw. – **4.** ⟨*Mecc*⟩ jaw, shoe, cheek. – **5.** ⟨*Mar*⟩ (*calaverna*) parrel (*o* rolling) cleat. □ ⟨*Anat*⟩ ~ *inferiore* lower jaw, inferior maxilla, mandible; ⟨*scherz*⟩ *far lavorare le -e* (*mangiare*) to eat, to munch; ⟨*Anat*⟩ ~ *superiore* maxilla, upper jaw; ⟨*Sport*⟩ ~ *di vetro* glass jaw.
mascellare I *a.* ⟨*Anat*⟩ maxillary, jaw-. – **II** *s.m.* **1.** ⟨*Anat*⟩ jaw-bone, maxillary bone. – **2.** ⟨*Mar,non com*⟩ (*battente di boccaporto*) hatch coaming; (*rif. a nave in legno*) head ledge. □ *dente* ~ molar (tooth), grinder. – **mascelletta, mascellina** *f. dim. di* **mascella.** – **mascellone** *m.* (*f.* **-a**) *accr. di* **mascella.**
masch. = *maschile* masculine (*abbr.* m.).
maschera *f.* **1.** mask. – **2.** (*travestimento*) disguise; (*per andare a un ballo, ecc.*) fancy dress (costume). – **3.** (*persona mascherata*) masked person, masquerader, masker; (*a un ballo, ecc.*) person in fancy dress, masquerader. – **4.** ⟨*fig*⟩ (*finzione*) blind, mask,-guise, cloak. – **5.** ⟨*fig*⟩ (*viso espressivo*) expression, features *pl*, face. – **6.** (*calco dei tratti di un defunto*) death-mask. – **7.** (*schermatura*) shade. – **8.** ⟨*Lett*⟩ mask, mask-character. – **9.** ⟨*Teat,Cin*⟩ (*inserviente*) usher (*f* -rette). – **10.** ⟨*Med*⟩ (*facies*) facies. – **11.** ⟨*tecn*⟩ (*dispositivo protettivo*) mask. – **12.** ⟨*Sport*⟩ mask, face-guard. – **13.** ⟨*Mecc*⟩ jig. – **14.** ⟨*Aut*⟩ grill, louver; (*per radiatore*) cowl. – **15.** ⟨*Arch*⟩ mask.
□ ⟨*Med*⟩ ~ *per* **anestesia** mask for anaesthesia; ~ **antigas** gas-mask; ~ **antipolvere** dust-mask; ~ *per* **apicoltori** beekeeper's veil; **ballo** *in* ~ fancy dress (*o* masked) ball; ⟨*Cosmet*⟩ ~ *di* **bellezza** face-pack; ~ **chirurgica** surgical mask; ⟨*Teat*⟩ ~ **comica** comic mask (*o* character); ⟨*Ornit*⟩ ~ **corallina** (*gabbiano corallino*) Mediterranean black-headed gull (*Larus melanocephalus*); ⟨*Stor*⟩ ~ *di* **ferro** iron mask; ⟨*fig*⟩ **gettare** *la* ~ to drop one's mask; ⟨*Mecc*⟩ ~ **girevole** trunnion jig; ⟨*fig*⟩ **giù** *la* ~ (*parla chiaro*) say what you mean, ⟨*fam*⟩ spit it out; ⟨*Med*⟩ ~ **gravidica** mask of pregnancy; ⟨*Med*⟩ ~ **leonina** leontiasis, facies leonina; **mettersi** *in* ~ (*mascherarsi*) to put on fancy dress, to masquerade; ~ **mortuaria** death-mask; ~ **operatoria** = *maschera* **chirurgica**; ⟨*Med*⟩ ~ *per* **ossigeno** oxygen mask; ⟨*Aut*⟩ ~ *del* **radiatore** radiator cowl; ~ **subacquea** diving (*o* underwater) mask; *avere il* **viso** *come una* ~ to be heavily (*o* thickly) made-up; ⟨*fig*⟩ to show no expression on one's face, to have a poker-face.
mascheraccia *f.* (*pl.* **-ce**) *pegg. di* **maschera.**
mascheraio *m.* (*f.* **-a**) ⟨*non com*⟩ **1.** (*fabbricante*) maker of masks (*o* fancy dress costumes). – **2.** (*noleggiatore*) fancy dress costume hirer; (*venditore*) mask (*o* fancy dress) seller.
mascheramento *m.* **1.** ⟨*non com*⟩ masking. – **2.** ⟨*fig,non com*⟩ (*dissimulazione*) masquerade, pretence. – **3.** ⟨*Mil*⟩ (*mimetizzazione*) camouflage (*anche concr.*). – **4.** ⟨*Fot,Acu*⟩ masking.
mascherare *v.t.* (**maschero**) **1.** to mask, to put a mask on; (*travestire*) to disguise; (*per andare a un ballo, ecc.*) to dress up, to put on fancy dress. – **2.** (*coprire, nascondere*) to hide, to conceal. – **3.** ⟨*fig*⟩ (*dissimulare*) to disguise, to mask, to hide, to cloak, to veil. – **4.** ⟨*Mil*⟩ (*mimetizzare*) to camouflage. – **5.** ⟨*tecn*⟩ (*schermare*) to screen, to shade, to conceal. – **6.** ⟨*Acu*⟩ to mask. – **7.** ⟨*Gastr,fam*⟩ to disguise. – **mascherarsi** *v.r.* **1.** to wear (*o* put on) a mask, to masquerade; (*travestirsi*) to disguise o.s.; (*a un ballo, ecc.*) to dress up, to wear (*o* put on) fancy dress: *mascherarsi da zingaro* to dress up as a gipsy. – **2.** ⟨*fig*⟩ to pass o.s. off, to pretend to be: *mascherarsi da benefattore* to pass o.s. off as a benefactor.
mascherata *f.* **1.** masked (*o* fancy dress) ball, masquerade. – **2.** ⟨*fig*⟩ masquerade, pretence, deception. – **mascherato** (*p.p. di mascherare*) *a.* **1.** masked: *ballo* ~ masked ball; (*travestito*) disguised; (*a un ballo, ecc.*) in fancy dress, dressed (up); (*nascosto*) hidden, concealed. – **2.** ⟨*Mil*⟩ (*mimetizzato*) camouflaged. – **3.** (*col viso coperto*) masked. – **mascheratore** *m.* (*f.* **-trice**) ⟨*non com*⟩ **1.** masker, masquerader. – **2.** (*simulatore*) disguiser, concealer. – **mascheratura** *f.* masking, masquerade; (*travestimento*) disguise.

mascherina (*dim. di maschera*) *f.* **1.** small mask; (*mezza maschera*) domino, half mask. – **2.** (*donna mascherata*) masquerader, girl in fancy dress, masked girl; (*bambino mascherato*) child in fancy dress, masked child. – **3.** (*macchia sul muso di un animale*) patch. – **4.** (*borchia a forma di maschera*) mask-shaped boss. – **5.** ⟨*Calz*⟩ toe-cap. – **6.** ⟨*Aut*⟩ (*per verniciatura a spruzzo*) mask. – **7.** ⟨*tecn*⟩ (*piccolo schermo*) screen. – **8.** ⟨*Mecc*⟩ (*calibro sagomato*) template. – **9.** (*per stampigliatura di numeri e sim.*) stencil. □ ⟨*fig*⟩ *ti conosco ~ !* you can't fool me!
mascherino (*dim. di maschera*) *m.* **1.** (*animale con mascherina*) animal with a patch on its muzzle. – **2.** (*borchia a forma di maschera*) mask-shaped boss. – **3.** ⟨*Cin*⟩ mask, matte, vignette.
mascherone (*accr. di maschera*) *m.* **1.** ⟨*spreg*⟩ grotesque mask. – **2.** ⟨*Arch*⟩ mask, mascaron. – **3.** ⟨*Edil*⟩ gargoyle. – **4.** ⟨*Mar*⟩ (*polena*) figure-head.
mascherpone *m.* ⟨*non com*⟩ → **mascarpone.**
maschetta *f.* ⟨*Mar*⟩ mast cheek.
maschiaccio (*pegg. di maschio*[1]) *m.* **1.** wild (*o* rough) boy. – **2.** ⟨*scherz*⟩ (*rif. a ragazza*) tomboy, hoyden, romp; (*virago*) virago.
maschiare *v.t.* (**maschio, maschi**) ⟨*Mecc,non com*⟩ to tap. – **maschiatore** *m.* (*operaio*) tapper. – **maschiatura** *f.* tapping.
maschietta (*dim. di maschio*[1]) *f.* **1.** boyish girl. – **2.** (*fidanzata, amichetta*) girl-friend. □ *alla ~* boyish, like a boy; *capelli alla ~* bobbed hair.
maschiettare *v.t.* (**maschietto**) ⟨*tecn*⟩ to fit with hinges, to hinge. – **maschiettatura** *f.* hinging.
maschietto[1] (*dim. di maschio*[1]) *m.* **1.** baby boy. – **2.** ⟨*fam*⟩ (*bambino, ragazzo*) little boy.
maschietto[2] *m.* (*cardine*) hinge, pin-hinge.
maschiezza *f.* ⟨*non com*⟩ **1.** (*l'essere maschio*) masculinity, manliness. – **2.** ⟨*fig*⟩ (*virilità, vigoria*) virility, vigour, manliness.
maschile I *a.* **1.** male, masculine, man's: *voce ~* male (*o* man's) voice; (*virile*) virile, manly. – **2.** (*per uomini*) men's, man's: *abiti -i* men's wear; (*per ragazzi*) boys': *collegio ~* boys' school. – **3.** ⟨*Biol*⟩ male. – **4.** ⟨*Gramm*⟩ masculine. – **II** *s.m.* ⟨*Gramm*⟩ masculine (gender).
maschio[1] **I** *s.m.* **1.** (*ragazzo*) boy, male; (*uomo*) man, male; (*figlio*) son, boy: *ha due* (*figli*) *maschi* he has two sons (*o* boys). – **2.** (*rif. ad animali*) male: *il ~ dell'antilope* the male antelope. – **3.** ⟨*Mecc*⟩ male; (*per filettare le viti*) (screw) tap. – **4.** ⟨*Mar*⟩ heel, tenon. – **II** *a.* **1.** male, masculine. – **2.** (*virile*) virile, manly: *carattere ~* manly character; (*rif. a donna*) mannish; (*vigoroso*) vigorous, powerful. – **3.** ⟨*Bot*⟩ male.
□ *~ dell'***anatra** drake; ⟨*Fal*⟩ *~ e* **femmina** groove and tongue, male and female; ⟨*Mecc*⟩ *~ a* (o *per*) **filettare** (screw) tap; *~* **finitore** finishing (*o* third) tap; **lepre** *~* buck hare; *~ dell'***oca** gander; ⟨*Zootecn*⟩ *~* **riproduttore** stud (animal), sire; ⟨*Mecc*⟩ *~* **sbozzatore** taper tap.
maschio[2] *m.* **1.** ⟨*Mediev*⟩ (*torre principale*) donjon, keep, tower, stronghold. – **2.** ⟨*Edil*⟩ bay.
mascolina *f.* ⟨*Ornit*⟩ (*tottavilla*) woodlark (*Lullula arborea*).
mascolinamente *avv.* ⟨*non com*⟩ masculinely, in a manly way.
mascolinella *f.* ⟨*Itt*⟩ (*acciuga*) anchovy (*Engraulis encrasicholus*).
mascolinismo *m.* ⟨*Med*⟩ virilism. – **mascolinità** *f.* masculinity, masculineness; (*virilità*) virility, manliness. – **mascolinizzante** (*p.pr. di mascolinizzare*) **I** *a.* ⟨*Med*⟩ masculinizing. – **II** *s.m.* masculinizing substance. – **mascolinizzare** *v.t.* to masculinize. – **mascolinizzarsi** *v.r.* to become masculine, to take on male characteristics. – **mascolinizzazione** *f.* ⟨*non com*⟩ masculinization. – **mascolino** *a.* **1.** (*da uomo*) masculine, man's, male, manlike: *atteggiamenti -i* male attitudes; (*rif. a donna*) mannish. – **2.** ⟨*Gramm, ant*⟩ (*maschile*) masculine. – **mascolo** ⟨*ant*⟩ **I** *a.* (*maschio, virile*) male, masculine, manly. – **II** *s.m.* ⟨*Artigl,ant*⟩ kind of cartridge case.
mascone *m.* ⟨*Mar*⟩ (*masca*) bow, forecastle. □ *al ~* on the bow.
mascotta *f.* → **mascotte.** – **mascotte** *fr.* [ma'skɔt] *f.* mascot.
masculo *a./s.* → **mascolo.**
masenetta *f.* → **masanetta.**
maser *m.* ⟨*Fis*⟩ maser.
masiera *f.* ⟨*Geol*⟩ landslide.
masinetta *f.* → **masanetta.**
masista *m.* ⟨*non com*⟩ → **massista.**
masnada *f.* **1.** (*schiera*) band, gang, set: *una ~ di ladri* a gang of thieves. – **2.** ⟨*ant*⟩ (*famiglia*) family. – **3.** ⟨*Mediev*⟩ (*servi ministeriali*) household retainers *pl*; (*gruppo di gente armata*) armed band. – **masnadiere, masnadiero** *m.* **1.** (*persona disonesta*) scoundrel, ruffian. – **2.** (*ladrone*) highwayman, bandit, brigand, robber. – **3.** ⟨*Mediev*⟩ feudal retainer.
maso *m.* ⟨*region*⟩ farm (holding), farmstead. □ *~ chiuso* family holding, hereditary farm; *~ di montagna* mountain farm.
Maso (*accorc. di Tommaso*) *N.pr.m.* Tom, Tommy.
masochismo *m.* ⟨*Psic*⟩ masochism. – **masochista** *m./f.* masochist. – **masochistico** *a.* (*pl.* -ci) masochistic.
masonite *f.* ⟨*Edil*⟩ masonite.
masora *f.* ⟨*Filol*⟩ Mas(s)orah. – **masoreta** *m.* Mas(s)orete, Masorite. – **masoretico** *a.* (*pl.* -ci) Masoretic(al).
massa *f.* **1.** mass: *~ di fango* mass of mud. – **2.** (*grande quantità*) heap, lot, lots *pl*, mass, load: *una ~ di libri* lots (*o* a heap) of books; ⟨*fig*⟩ loads *pl*, lot, lots *pl*, host: *una ~ di errori* lots of mistakes; (*rif. a persone*) mass, crowd, multitude, host. – **3.** ⟨*spreg*⟩ (*masnada*) gang, bunch: *~ di delinquenti* gang of delinquents. – **4.** (*insieme*) group, body. – **5.** (*popolo*) masses *pl*, mass. – **6.** (*nel gioco dei birilli*) strike: *far ~* to get a strike. – **7.** ⟨*Fis*⟩ mass. – **8.** ⟨*El*⟩ (*terra*) earth, ⟨*am*⟩ ground. – **9.** ⟨*Dir*⟩ (*fondi*) assets *pl.* – **10.** ⟨*Mediev*⟩ (*insieme di beni*) property, (real) estate, possessions *pl.* – **11.** ⟨*rar,lett*⟩ (*pasta per il pane*) dough.
□ ⟨*El*⟩ **a** *~* earthed, ⟨*am*⟩ grounded; *non a ~* unearthed, ⟨*am*⟩ ungrounded; *collegare* (o *mettere*) *a ~* to earth, ⟨*am*⟩ to ground; *~ d'***acqua** body of water; *-e d'***aria** air masses; *~* **atomica** atomic mass; *~* **attiva**: 1. ⟨*El*⟩ paste; 2. ⟨*Econ*⟩ (liquid) assets; *una ~ di* **carne** (*rif. a persona grassa*) a mountain of flesh; ⟨*Mecc*⟩ *~* **centrifuga** counterweight; ⟨*Anat*⟩ *~* **cerebrale** brain, cerebral mass; ⟨*Econ*⟩ *~* **circolante** currency, money in circulation; ⟨*Teat*⟩ *~ delle* **comparse** extras *pl*; *~* **corale** chorus; *~ dei* **creditori** (body of) creditors; ⟨*Atom*⟩ *~* **critica** critical mass; *~* **dannata** fallen mankind; ⟨*Dir*⟩ *~ dei* **debiti** total liability; *~* **ereditaria** deceased's estate; *~* **fallimentare** bankruptcy assets; **fare** *~* (*affollarsi*) to crowd, to mass; ⟨*Geol*⟩ *~* **fondamentale** groundmass; ⟨*Fis*⟩ *~* **gravitazionale** gravitational mass; **in** *~*: 1. en masse, mass-: *adunata in ~* mass meeting; 2. (*in blocco*) in a body, all together, as a whole; 3. ⟨*Comm*⟩ in (*o* by) bulk; ⟨*Fis*⟩ *~* **inerte** inertial mass; ⟨*Fis,El*⟩ *~* **isolante** isolating mass; *-e* **lavoratrici** working masses; *~ di* **marmo** block of marble; *~ di* **mira** (*mirino*) sight; ⟨*Fis*⟩ *~* **molecolare** molecular mass; *~* **newtoniana** = *massa* **gravitazionale**; *~* **nucleare** nuclear mass; ⟨*Teat*⟩ *~* **orchestrale** orchestra; **partito** *di ~* party appealing to the masses, popular party; ⟨*Econ*⟩ *~* **passiva** liabilities *pl*; ⟨*Econ*⟩ **produzione** *in ~* mass production; ⟨*Mil*⟩ *~* **rancio** mess funds; ⟨*Aut*⟩ *~ del* **regolatore** governor weight; ⟨*Fis*⟩ *~ di* **riposo** rest mass; ⟨*Econ*⟩ *~ di* **rispetto** reserve fund; ⟨*Anat*⟩ *~* **sanguigna** blood; ⟨*Fis*⟩ *~* **specifica** specific mass; *~* **statica** = *massa di* **riposo**; ⟨*Mil*⟩ *~* **vestiario** clothing funds.
massacotta *f.* ⟨*Ind*⟩ molasses.
massacrante (*p.pr. di massacrare*) *a.* (*estenuante*) exhausting, ⟨*fam*⟩ killing.
massacrare *v.t.* **1.** to massacre, to slaughter, to butcher: *gli ostaggi furono massacrati* the hostages were massacred; (*assassinare*) to murder, to slay. – **2.** ⟨*iperb*⟩ (*picchiare*) to beat up, to maltreat, ⟨*fam*⟩ to slaughter. – **3.** ⟨*fig*⟩ (*rovinare*) to ruin, to spoil, to murder, to kill, ⟨*fam*⟩ to do in: *~ un vestito* to ruin a dress; (*guastare*) to spoil.
massacratore *m.* (*f.* **-trice**) ⟨*non com*⟩ **1.** massacrer, slaughterer. – **2.** ⟨*Sport,scherz*⟩ slugger, slogger. – **3.** ⟨*fig*⟩ murderer.
massacro *m.* **1.** massacre, slaughter, butchery; (*assassinio*) murder; (*carneficina*) carnage. – **2.** ⟨*fig*⟩ (*spreco*) waste; (*scempio*) havoc. – **3.** ⟨*fig*⟩ (*rif. a cosa mal fatta*) disgrace, mess.
massaggiare *v.t.* (**massaggio, massaggi**) **1.** to massage, to give a massage. – **2.** ⟨*eufem,scherz*⟩ (*picchiare*) to beat (up). – **massaggiatore** *m.* (*f.* **-trice**) **1.** masseur (*f* masseuse), massager, massagist: *~ estetico* beauty masseur. – **2.** (*apparecchio*) massager. – **massaggiatrice** *f.* masseuse, massager. – **massaggiatura** *f.* ⟨*non com*⟩ **1.** massage. – **2.** ⟨*eufem,scherz*⟩ beating up: *ha avuto una bella ~* he got a real beating up.
massaggio *m.* massage: *sottoporsi a ~* to have a massage; *~ a vibrazione* vibration massage.
massaia *f.* **1.** housewife; (*professione*) housekeeper. – **2.** ⟨*non com*⟩ (*moglie di massaio*) farmer's wife.
massaio *m.* (*f.* **-a**) **1.** (*capo di un'azienda agricola*) bailiff, steward, farm manager; (*agricoltore*) farmer. – **2.** ⟨*ant*⟩ (*amministratore*) administrator. – **3.** ⟨*fig,ant*⟩ (*persona economa*) thrifty person, good manager. – **4.** ⟨*ant*⟩ (*coltivatore di un maso*) farmer, husbandman. □ ⟨*ant*⟩ *accademico ~* (*economo dell'Accademia della Crusca*) steward of the Crusca Academy.
massaiola *f.* ⟨*Ornit*⟩ (*culbianco*) wheatear (*Oenanthe oenanthe*).
massaiolo *m.* (*f.* **-a**) ⟨*ant*⟩ **1.** (*custode*) caretaker. – **2.** (*massaio*) bailiff, steward, manager.
massaria *f.* ⟨*ant,region*⟩ → **masseria.**
massariolo *m.* ⟨*ven*⟩ (*folletto*) imp, mischievous sprite, goblin.
massarizia *f.* ⟨*ant,region*⟩ → **masserizia.**
massaro *m.* ⟨*ant,region*⟩ → **massaio.**
massellare *v.t.* (**massello**) ⟨*Met*⟩ to beat out, to ingot. – **massellatura** *f.* beating out, ingotting.
massello *m.* **1.** ingot, lump, block. – **2.** ⟨*Met*⟩ ingot. – **3.** ⟨*Edil*⟩ block. – **4.** ⟨*Bot*⟩ duramen.
Massenzio *N.pr.m.* ⟨*Stor*⟩ Maxentius.
masserella *f. dim. di* massa.
masseria *f.* **1.** farm, estate; (*casa colonica*) farm-house. – **2.** ⟨*Stor*⟩ (*tributo*) tribute. – **3.** ⟨*Stor*⟩ (*ufficio del massaio*) stewardship, administration. – **4.** ⟨*region*⟩ (*mandria di bestiame*) herd; (*gregge*) flock.
masserizia *f.* **1.** (generally in pl.) furniture and fittings *pl*, household goods *pl*; (*di cucina*) kitchen utensils *pl.* – **2.** ⟨*non com*⟩ (*mobili e mercanzie d'una bottega*; generally in pl.) fittings and stock *pl*; (*attrezzi*) equipment, tools *pl*, implements *pl.* – **3.** ⟨*ant*⟩ (*amministrazione del massaio*) stewardship. – **4.** ⟨*ant*⟩ (*risparmio*) saving, economy. □ ⟨*ant*⟩ *far ~* (*risparmiare*) to economize, to save.
massetere *m.* ⟨*anat*⟩ masseter (muscle). – **masseterino** *a.* masseteric: *regione -a* masseteric region.
masseto *m.* ⟨*non com*⟩ barren rocky ground.
massetto (*dim. di masso*) *m.* ⟨*Edil*⟩ block.
masseur *fr.* [ma'sœ:r] *m.* (*massaggiatore*) masseur, massager.

masseuse *fr.* [ma'sø:z] *f.* (*massaggiatrice*) masseuse.
massicciare *v.t.* (**massiccio, massicci**) **1.** ⟨*Strad*⟩ to metal. – **2.** ⟨*Ferr*⟩ to ballast.
massicciata *f.* **1.** ⟨*Strad*⟩ roadbed. – **2.** ⟨*Ferr*⟩ ballast. ▭ ⟨*Strad*⟩ ~ *di calcestruzzo* concrete roadbed; ⟨*Ferr*⟩ ~ *in ghiaia* gravel ballast; ~ *incassata* boxed-in ballast.
massicciato (*p.p. di massicciare*) *a.* **1.** ⟨*Strad*⟩ metalled. – **2.** ⟨*Ferr*⟩ ballasted. – **massicciatore** *m.* ⟨*Strad*⟩ road worker.
massiccio I *a.* **1.** solid, massive, massy, compact: *oro* ~ solid gold. – **2.** (*tozzo, pesante*) massive, bulky, heavy: *un edificio* ~ a massive building. – **3.** (*rif. a corporatura*) massive, stout, heavily-built, ⟨*fam*⟩ hefty. – **4.** ⟨*fig*⟩ (*grave, pesante*) heavy, grave, weighty; (*grossolano*) enormous, glaring, gross: *errori massicci* glaring errors, ⟨*fam*⟩ howlers, ⟨*fam.am*⟩ bloopers. – **II** *s.m.* **1.** ⟨*Geog*⟩ massif. – **2.** ⟨*Geol*⟩ horst. – **3.** ⟨*Mar*⟩ deadwood. ▭ ⟨*Geog*⟩ ≈ *centrale* Massif Central; ⟨*Minier*⟩ ~ *di coltivazione* back; ~ *montuoso* massif.
massico[1] *a.* (*pl.* **-ci**) ⟨*Fis*⟩ mass-.
massico[2] *a./s.* (*pl.* **-ci**) **I** *a.* (*del monte Massico*) of (*o* from) Mount Massico. – **II** *s.m.* ⟨*Stor.rom*⟩ (*vino*) Massico wine.
massificare *v.t.* (**massifico, massifichi**) to standardize, to give a mass character to, to deprive of individuality. – **massificazione** *f.* standardization.
massillula *f.* ⟨*Zool*⟩ maxillula.
massima[1] *f.* **1.** (*detto, sentenza*) maxim, saying, precept, saw; (*motto*) motto; (*aforisma*) aphorism. – **2.** (*principio*) principle, maxim; (*precetto*) precept; (*norma*) rule, norm: ~ *giuridica* juridical norm; (*condotta pratica consueta*) policy, procedure, practice. – **3.** ⟨*Meteor*⟩ (*temperatura più alta*) maximum (temperature). ▭ *di* ~ preliminary, general, provisional, informal: *accordo di* ~ informal agreement; *progetto di* ~ preliminary project; *schizzo di* ~ general sketch; *in* (*linea di*) ~ as a general rule, generally (speaking); (*nel complesso*) on the whole; *è buona* ~ it is a good rule (*o* policy).
massima[2] *f.* ⟨*Mus*⟩ large.
massimale I *a.* maximal, maximum, highest, ⟨*fam*⟩ top. – **II** *s.m.* **1.** (*limite massimo*) maximum, limit, ceiling, top. – **2.** ⟨*Assic*⟩ maximum sum insurable. ▭ ~ *di retribuzione* maximum wage, wage ceiling; ⟨*Econ*⟩ ~ *di sconto* highest discount.
massimalismo *m.* ⟨*Pol*⟩ maximalism, extremism. – **massimalista** *m./f.* maximalist, extremist. – **massimalistico** *a.* (*pl.* **-ci**) maximalist-.
massimamente *avv.* **1.** (*principalmente*) principally, chiefly; (*per la maggior parte*) mostly; (*soprattutto*) above all; (*particolarmente*) especially, particularly. – **2.** ⟨*ant*⟩ (*grandemente*) greatly, very much.
massimare *v.t.* (**massimo**) ⟨*non com*⟩ ⟨*Mat*⟩ to maximize. – **massimario** *m.* collection of maxims.
massime *avv.* ⟨*lett*⟩ → **massimamente.**
Massimiano *N.pr.m.* ⟨*Stor*⟩ Maximianus.
Massimiliano *N.pr.m.* Maximilian.
massimizzare *v.t.* ⟨*non com*⟩ **1.** to increase to the maximum (*o* highest degree), to maximize. – **2.** ⟨*Mat*⟩ to maximize. – **massimizzazione** *f.* ⟨*non com*⟩ maximization.
massimo (*sup. di grande*) **I** *a.* **1.** maximum, greatest, largest, most: *con la -a cura* with the greatest care; (*migliore*) best; (*estremo*) utmost, extreme. – **2.** (*il più alto*) highest, top, peak-: *il livello* ~ *di un fiume* the highest level of a river; (*il più lungo*) longest. – **3.** ⟨*lett*⟩ (*supremo*) supreme. – **II** *s.m.* **1.** most, utmost, maximum, top, peak; (*meglio*) best: *questo è il* ~ *che posso fare* this is the most (*o* best) I can do. – **2.** (*limite*) limit, end: *sono al* ~ *della sopportazione* I am at the end of my patience. – **3.** ⟨*Meteor*⟩ maximum (*o* highest) temperature. – **4.** ⟨*Sport*⟩ (*primato, record*) record. – **5.** ⟨*Mat,tecn*⟩ maximum. ▭ *al* ~ (*tutt'al più*) at (the) most; (*moltissimo*) very much, to the utmost; *il* ~ *della pena* the maximum penalty; *il* ~ *della pensione* the highest pension; *il* ~ *della velocità* top speed; *col* ~ *dei voti* with top (*o* full) marks.
Massimo *N.pr.m.* Maximus (*anche Stor.*).
massista *m.* ⟨*Mar.mil*⟩ sailor on a motor torpedo-boat.
massivo *a.* **1.** (*massiccio*) massive, solid, massy; (*rif. a medicina*) massive, strong: *dose -a* massive dose. – **2.** (*massico*) mass-.
masso *m.* **1.** mass (of stone), rock; (*grosso frammento di roccia*) boulder, rock; (*blocco*) block; (*macigno*) stone. – **2.** ⟨*fig*⟩ (*cosa massiccia*) bulk. – **3.** ⟨*fig,non com*⟩ (*persona irremovibile*) rock. ▭ ~ *artificiale* concrete block; ⟨*fig*⟩ *costruire sul* ~ (*fare opera duratura*) to build upon rock; ⟨*Geol*⟩ ~ *erratico* (o *trovante*) erratic (boulder).
massone[1] *m.* Freemason, mason.
massone[2] *m.* ⟨*Mar*⟩ pillar (of a deck beam).
massoneria *f.* **1.** Freemasonry, masonry. – **2.** ⟨*fig*⟩ freemasonry. – **massonico** *a.* (*pl.* **-ci**) Masonic, Freemason-: *loggia -a* Masonic lodge.
massora *f.* → **masora.** – **massoreta** *m.* → **masoreta.** – **massoretico** *a.* → **masoretico.**
massoso *a.* ⟨*non com*⟩ (*sassoso*) rocky, littered with boulders.
massoterapia *f.* ⟨*Med*⟩ massotherapy.
massula *f.* ⟨*Bot*⟩ massula.
mastaba *f.* ⟨*Archeol*⟩ mastaba.
mastacembeliformi *m.pl.* ⟨*Itt*⟩ spiny eels *pl* (*Mastacembeliformes*).
mastalgia *f.* ⟨*Med*⟩ mastalgia, mastodynia.
mastcellula *f.* ⟨*Biol*⟩ mast cell, mastocyte.
mastectomia *f.* ⟨*Chir*⟩ mastectomy.
mastellaio *m.* tub-maker. – **mastellata** *f.* tub(ful), vat(ful). – **mastello** *m.* **1.** tub, vat. – **2.** ⟨*ant,region*⟩ (*unità di misura*) measure of liquid capacity.
mastica *f.* ⟨*ant*⟩ (*mastice*) mastic.
masticabile *a.* chewable, masticable; (*mangiabile*) eatable. – **masticabrodo** *m./f.inv.* ⟨*scherz*⟩ (*persona che biascica*) mumbler. – **masticamento** *m.* ⟨*non com*⟩ → **masticazione.**
masticare *v.t.* (**mastico, mastichi**) **1.** to chew, to masticate: ~ *gomma americana* to chew gum; (*facendo rumore*) to crunch, to munch. – **2.** ⟨*fig*⟩ (*borbottare*) to mutter, to mumble; (*storpiare*) to mangle. – **3.** ⟨*fam*⟩ (*parlare stentatamente una lingua*) to have a smattering of: ~ *un po' d'inglese* to have a smattering of English, to speak broken English. – **4.** ⟨*fig,non com*⟩ (*ripensare, rimeditare*) to brood over, to dwell on.
▭ ⟨*scherz*⟩ ~ **amaro** (*reprimere una forte stizza*) to nurse one's resentment, to brood over s.th.; ⟨*fig*⟩ ~ *la* **briglia** to champ at the bit; **gomma** *da* ~ chewing-gum; ⟨*fig*⟩ ~ **male** *qc.* (*accettarla di malavoglia*) to take s.th. badly, to put up with s.th. unwillingly; ~ *le* **parole** (*tra i denti*) to mutter, to mumble, to swallow one's words; ⟨*fam*⟩ ~ **paternostri** (o *salmi*) (*imprecare*) to mutter curses; ~ *delle* **scuse** to mutter excuses; ~ **veleno** = *masticare* **amaro.**
masticaticcio *m.* chew, quid; (*tabacco*) chewing tobacco.
masticato (*p.p. di masticare*) *a.* **1.** chewed, masticated: *cibo* ~ chewed food. – **2.** (*biascicato*) muttered, mumbled. – **3.** ⟨*fig*⟩ (*assimilato*) digested, assimilated, taken in. – **masticatore I** *s.m.* (*f.* **-trice**) **1.** ⟨*non com*⟩ chewer. – **2.** ⟨*tecn*⟩ masticator. – **II** *a.* ⟨*Anat*⟩ masticatory, chewing: *muscoli -i* masticatory muscles. – **masticatorio I** *a.* ⟨*Anat*⟩ masticatory, masticating, chewing: *apparato* ~ masticatory apparatus. – **II** *s.m.* ⟨*Farm,ant*⟩ masticatory. – **masticatura** *f.* **1.** (*masticaticcio*) chew, quid. – **2.** ⟨*non com*⟩ (*masticamento*) chewing, mastication. – **masticazione** *f.* **1.** chewing, mastication. – **2.** ⟨*tecn*⟩ mastication, plasticization.
mastice *m./ant. f.* **1.** mastic, rubber solution, adhesive; (*per tubazioni, vetri e sim.*) putty. – **2.** (*colore*) greyish beige. – **3.** ⟨*ant*⟩ (*resina*) mastic. ▭ ⟨*Strad*⟩ ~ *d'asfalto* asphalt mastic; ⟨*Giard*⟩ ~ *da innesto* grafting wax; ~ *da vetraio* (*stucco*) (glaziers') putty.
mastiettare *v.* (**mastietto**) ⟨*tosc*⟩ → **maschiettare.** – **mastiettatura** *f.* ⟨*tosc*⟩ → **maschiettatura.**
mastietto[1] *m.* ⟨*fam,tosc*⟩ → **maschietto**[1].
mastietto[2] *m.* ⟨*tosc*⟩ → **maschietto**[2].
mastigofori *m.pl.* ⟨*Zool*⟩ flagellates *pl*, mastigophorans *pl* (*Mastigophora*).
mastigoforo *m.* ⟨*Stor.gr*⟩ maintainer of public order (by use of a whip).
mastino *m.* **1.** ⟨*Zool*⟩ (*anche cane mastino*) mastiff. – **2.** ⟨*fig*⟩ (*persona burbera*) bear. ▭ ~ *inglese* mastiff.
mastio[1] *a./s.* ⟨*fam,tosc*⟩ → **maschio**[1].
mastio[2] *m.* ⟨*tosc*⟩ → **maschio**[2].
mastite *f.* ⟨*Med*⟩ mastitis.
masto... *pref.* (*mammella* breast) mast(o)...
masto|cito *m.* → **mastcellula.** – **~dinia** *f.* → **mastalgia.**
mastodonte *m.* **1.** ⟨*Paleont*⟩ mastodon (*Mastodon*). – **2.** ⟨*fig*⟩ (*persona grossa e goffa*) elephant, great clumsy fellow. – **mastodontico** *a.* (*pl.* **-ci**) **1.** ⟨*Paleont*⟩ mastodont(ic). – **2.** ⟨*fig*⟩ (*enorme*) colossal, gigantic, enormous, huge.
mastodontosauro *m.* ⟨*Paleont*⟩ Mastodonsaurus (*Mastodonsaurus*).
mastografia *f.* ⟨*Med*⟩ mammography.
mastoide *f.* ⟨*Anat*⟩ (*anche apofisi mastoide*) mastoid (bone). – **mastoidectomia** *f.* ⟨*Chir*⟩ mastoidec omy. – **mastoideo** *a.* ⟨*Anat*⟩ mastoid. – **mastoidite** *f.* ⟨*Med*⟩ mastoiditis.
masto|patia *f.* ⟨*Med*⟩ mastopathy. – **~plastica** *f.* mastoplasty. – **~ptosi** *f.* mastoptosis.
mastra *f.* **1.** (*madia*) kneading-trough. – **2.** ⟨*Mar*⟩ (*per i boccaporti*) hatch(way) coaming; (*per gli alberi*) mast partner.
mastrice *m.* ⟨*ant*⟩ → **mastice.**
mastro I *s.m.* **1.** master: ~ *falegname* master carpenter. – **2.** ⟨*Comm*⟩ (*anche libro mastro*) ledger. – **3.** ⟨*Econ*⟩ (*partitario*) (book-keeping) ledger. – **4.** ⟨*region*⟩ (*titolo di rispetto*) Master. – **5.** ⟨*region*⟩ (*muratore*) bricklayer; (*caposquadra muratore*) bricklayer's foreman. – **6.** ⟨*Venat,rar*⟩ master of (fox)hounds. – **7.** ⟨*ant*⟩ (*maestro*) master; (*guida*) guide. – **II** *a.* ⟨*ant*⟩ (*principale*) master-, main, chief. ▭ ⟨*Mar*⟩ ~ *d'ascia* shipwright, boat-builder; ⟨*Stor*⟩ ~ *d'atti* → **mastrodatti**; ⟨*scherz*⟩ ~ *impicca* (*boia*) hangman.
mastrodatti *m.* ⟨*Stor*⟩ (*notaio*) notary (public).
mastruc(c)a *f.* sheepskin (*o* goatskin) jacket.
masturbare *v.t.* to masturbate. – **masturbarsi** *v.r.* to masturbate. – **masturbazione** *f.* masturbation.
masurio *m.* ⟨*Chim,ant*⟩ (*tecnezio*) technetium, masurium.
masut *m.* ⟨*Chim*⟩ maz(o)ut, masut.
matador *sp. m.* **1.** (*torero*) matador. – **2.** ⟨*fig*⟩ (*mattatore*) exuberant personality. – **3.** ⟨*fig,ant*⟩ (*uomo di gran valore*) worthy, man of great merit.
matafione *m.* ⟨*Mar*⟩ reef(ing) point.
matallo *m.* ⟨*Bot*⟩ **1.** wayfaring tree (*Viburnum lantana*). – **2.** white beam (*Sorbus aria*).
matamata *f.* ⟨*Zool*⟩ matamata (*Chelys fimbriata*).
matassa *f.* **1.** hank, skein: *una* ~ *di lana* a hank of wool. – **2.** ⟨*fig*⟩ (*situazione intricata*) tangle, muddle. – **3.** ⟨*El*⟩ coil. ▭ ⟨*fig*⟩ *dipanare la* ~ to clear up the confusion, to unravel a difficulty; *gioco della* ~ cat's cradle; ⟨*fig*⟩ *imbrogliare la* ~ to create (*o* cause) confusion, to make things more muddled.

matassatọre *m.* (*f.* **-trice**) ⟨*Tess*⟩ hank winder, skeiner. – **matassatụra** *f.* hank winding, skeining. – **matassịna** (*dim. di matassa*) *f.* (*unità di lunghezza dei filati di cotone*) hank. – **matassịno** *m. dim. di* **matassa**.

mạte, matè *m.* **1.** ⟨*Bot*⟩ maté (*Ilex paraguariensis*). – **2.** (*bevanda*) mate.

matelassé *fr.* [-'se] *m.* (*anche tessuto matelassé*) matelassé.

matemạtica *f.* mathematics *pl* (*costr. sing.*), ⟨*fam*⟩ maths *pl* (*costr. sing.*), ⟨*am.fam*⟩ math. ☐ *alta* ~ higher mathematics; ~ *applicata* applied mathematics; ~ *attuariale* actuarial mathematics; ~ *pura* pure mathematics.

matematicamẹnte *avv.* **1.** mathematically. – **2.** ⟨*estens*⟩ (*con certezza*) mathematically, absolutely, definitely: *la mia partenza è* ~ *certa* my departure is absolutely certain.

matemạtico *a./s.* (*pl.* **-ci**) **I** *a.* **1.** mathematical. – **2.** (*preciso*) mathematical, precise, rigorously exact. – **3.** ⟨*estens*⟩ (*evidente, certo*) absolute, definite, mathematical: *certezza -a* absolute certainty. – **II** *s.m.* (*f.* **-a**) mathematician. ☐ *sapere con certezza -a* to know for certain (*o* sure).

matẹra *f.* ⟨*ant*⟩ → **materia**.

materạssa *f.* ⟨*non com*⟩ → **materasso**. – **materassạio** *m.* (*f.* **-a**) mattress-maker. – **materassịna**: ⟨*Sport*⟩ ~ *da lotta* wrestling mat. – **materassịno** (*dim. di materasso*) *m.* mattress. ☐ ~ *da campo* camp-bed mattress; ~ *di gomma* rubber mattress; ~ *pneumatico* inflatable mattress.

materạsso *m.* mattress: *rifare un* ~ to retease a mattress.
☐ ~ *ad* **acqua** water bed; ~ *ad* **aria** = *materasso* **pneumatico**; ~ *di* **crine** hair mattress; ~ *di* **gommapiuma** foam rubber mattress; ~ *di* **lana** wool mattress; ~ *a* **molle** (inner-)spring mattress; ~ **pneumatico** inflatable mattress.

matẹria *f.* **1.** matter. – **2.** (*sostanza*) substance; (*materiale*) material. – **3.** (*argomento, soggetto*) subject (matter), topic, theme, matter: *entrare in* ~ to broach (*o* go into) a subject, to start discussing a matter. – **4.** (*disciplina*) subject, field; (*materia d'insegnamento*) subject. – **5.** (*campo*) field, province: *non rientra nella mia* ~ it falls outside my field. – **6.** (*occasione, motivo*) grounds *pl*, cause, reason, rise: *offrire* ~ *a chiacchiere* to give ⌜grounds for⌝ (*o* rise to) gossip. – **7.** ⟨*fam*⟩ (*pus*) matter, pus. – **8.** ⟨*Filos*⟩ matter; (*sostanza primordiale*) (prime) matter. – **9.** ⟨*Fis*⟩ matter.
☐ ⟨*Chim*⟩ ~ **attiva** active material; ~ **base** basic substance, basic material; ~ **colorante** dye(stuff), colouring matter, ⟨*am*⟩ colorant; ⟨*Scol,Univ*⟩ ~ **complementare** subsidiary (*o* minor) subject; ~ *d'***esame** examination subject; ~ **facoltativa** optional subject; ⟨*Fisiol*⟩ *-e* **fecali** f(a)eces *pl*, f(a)ecal matter; ⟨*Scol,Univ*⟩ ~ **fondamentale** basic subject; ~ **grassa** fat, fatty substance; ~ **greggia** raw material; ⟨*Anat*⟩ ~ **grigia** grey matter; ⟨*fig*⟩ (*intelligenza*) intellect, brains *pl*, grey matter; **in** ~ on (*o* in, about) the subject, on the matter: *non so nulla in* ~ I know nothing of (*o* about) the subject; ~ **infiammabile** inflammable material; ~ *d'***insegnamento** subject; ~ **legante** binding agent, adhesive (material); ⟨*Univ,ant*⟩ ~ **medica** materia medica; ~ **opzionale** = *materia* **facoltativa**; ~ **plastica** plastic (material); ~ **prima**: 1. raw material; 2. ⟨*fam,scherz*⟩ (*denaro*) money; 3. ⟨*fam*⟩ (*intelligenza*) brains *pl*; ~ **riempitiva** filling (material); ~ *di* **studio** subject (of study).

materiạle I *a.* **1.** material. – **2.** (*fisico, del corpo*) physical, bodily, corporeal: *forza* ~ physical (*o* brute) force. – **3.** (*che riguarda oggetti*) material: *danni -i* material damage. – **4.** (*tangibile*) material, tangible: *aiuti spirituali e -i* spiritual and material aid. – **5.** (*reale, effettivo*) *traduzione idiomatica*: *sono nell'impossibilità* ~ *di aiutarti* I simply cannot help you; *non ho il tempo* ~ *di farlo* I haven't the time to do it. – **6.** (*rozzo, grossolano*: *rif. a persona*) coarse, crude, rough, rude; (*rif. a cosa*) massive, heavy, inelegant, bulky; (*rif. ad azione*) coarse, rude, gross, crude. – **II** *s.m.* **1.** material, stuff; (*il necessario per un lavoro*) material. – **2.** (*attrezzatura*) equipment, supplies *pl*, materials *pl*: ~ *scolastico* school equipment. – **3.** (*documenti*) material, documentation.
☐ ⟨*Geol*⟩ ~ **alluvionale** alluvium; ⟨*Mecc*⟩ ~ *di* **apporto** (*per saldatura*) welding material; ⟨*Edil*⟩ *-i* **artificiali** synthetic materials; ⟨*Fis*⟩ ~ **attivo** active material; ⟨*Mil*⟩ ~ **bellico** munitions *pl*, war material; ~ *da* **costruzione** building materials; ⟨*Geol*⟩ ~ **depositato** (*o di deposito*) spoil; ⟨*Atom*⟩ ~ **esaurito** depleted material; ~ **fissile** fissile material; ~ **grezzo** raw material, stock; ⟨*Strad*⟩ ~ **inerte** (coarse) aggregate; ~ **isolante** insulating material; ⟨*Edil*⟩ *-i* **naturali** natural materials; ⟨*Edil*⟩ *-i* **nobili** expensive materials; ~ **plastico** plastic (material); ~ **pubblicitario** advertising material; ~ *da* **recinzione** fencing; ~ *di* **riempimento** filling; ⟨*Edil*⟩ back-filling, expletive; ~ *di* **rivestimento** lining; ⟨*Ferr*⟩ ~ **rotabile** rolling stock; ~ *di* **scarto** scrap; **scienza** *dei -i* science of materials; ~ *di* **sterro** cut, excavated material; ⟨*fig*⟩ ~ **umano** manpower.

materialịsmo *m.* ⟨*Filos*⟩ materialism (*anche fig.*): ~ *dialettico* dialectic materialism; ~ *storico* historical materialism. – **materialịsta** *m./f.* materialist. – **materialisticamẹnte** *avv.* materialistically. – **materialịstico** *a.* (*pl.* **-ci**) materialistic.

materialità *f.* **1.** materiality, materialness. – **2.** (*grossolanità*) grossness. ☐ ⟨*Dir*⟩ ~ *dell'atto* tangibility of the act, facts of the case. – **materializzạre** *v.t.* to materialize, to make material. – **materializzarsi** *v.r.* **1.** to materialize (*anche fig., Occult.*) – **2.** ⟨*scherz*⟩ (*comparire improvvisamente*) to materialize, to appear (out of nowhere). – **materializzạto** (*p.p. di materializzare*) *a.* materialized. – **materializzaziọne** *f.* **1.** materialization. – **2.** ⟨*Occult*⟩ materialization, apparition. – **materialmẹnte** *avv.* **1.** materially. – **2.** (*effettivamente*) physically, really, simply, quite, *spesso non si traduce*: *è* ~ *impossible* it's physically (*o* quite) impossible.

materialọne (*accr. di materiale*) *m.* (*f.* **-a**) ⟨*fam*⟩ (*persona grossolana*) lout, oaf.

materiạre *v.t.* (used only in the compound tenses) to materialize, to give matter (*o* substance) to.

materiạto *a.* ⟨*lett*⟩ **1.** made, composed, consisting (*di* of). – **2.** (*pieno*) filled (with), full (of); (*ricco*) rich (in); (*intessuto*) interwoven, shot through (with).

maternạle *a.* ⟨*ant*⟩ (*materno*) maternal. – **maternamẹnte** *avv.* maternally, like a mother, in a motherly way.

maternità *f.* **1.** motherhood, maternity. – **2.** (*vincoli affettivi*) motherhood. – **3.** (*rif. ad animali*: *istinto materno*) maternal instinct. – **4.** (*ospedale*) maternity hospital; (*clinica*) maternity home; (*reparto*) maternity ward. ☐ *le gioie della* ~ the joys of motherhood; ~ *incipiente* early pregnancy; ~ *legittima* legitimate maternity; ~ *naturale* illegitimate maternity; *Opera nazionale* ~ *e infanzia* National Organization for Mother and Child Welfare.

matẹrno *a.* **1.** maternal, mother's, mother-, motherly: *amore* ~ mother love. – **2.** (*degno di una madre*) maternal, motherly: *cure -e* motherly care. – **3.** (*da parte di madre*) maternal, on one's mother's side: *avo* ~ maternal grandfather. – **4.** (*natio*) native, mother-: *lingua -a* native language, mother tongue.

mạtero *m.* ⟨*region*⟩ **1.** (*pollone di castagno*) sucker, shoot. – **2.** (*palo di sostegno per viti*) stake.

materọzza *f.* ⟨*Met*⟩ head, feed-head, dead-head, riser.

materọzzolo *m.* ⟨*ant*⟩ key-holder. ☐ ⟨*fig*⟩ *la chiave e il* ~ (*rif. a due persone che stanno sempre insieme*) two inseparable people.

Matịlde *N.pr.f.* Mat(h)ilda, Maud.

matinée *fr.* [mati'ne:] *f.* **1.** ⟨*Teat*⟩ morning performance, matinée; (*di pomeriggio*) matinée, afternoon performance. – **2.** ⟨*Mod,ant*⟩ matinée, dressing-gown.

matịta *f.* **1.** pencil; (*a pastello*) crayon, pastel. – **2.** ⟨*Farm,Cosmet*⟩ pencil.
☐ ~ **automatica** propelling pencil; ~ *da* **carpentiere** carpenter's pencil; ~ **colorata** coloured pencil; ~ **copiativa** indelible pencil; **disegnare** *a* ~ to draw in pencil, to pencil out; ~ *da* **disegno** drawing pencil; ~ **emostatica** styptic pencil; ⟨*Cosmet*⟩ ~ *per* **labbra** lip-liner; ~ **litografica** litho crayon (*o* chalk); ~ **nera** lead pencil; ~ *a* **pastello** crayon, pastel; ~ **portamine** = *matita* **automatica**; ~ **rosso-blu** red and blue pencil; ~ *a* **sfera** ball-point (pen); ⟨*Cosmet*⟩ ~ *per le* **sopracciglia** eyebrow pencil; ~ *per* **stenografia** shorthand pencil.

matitatọio *m.* ⟨*non com*⟩ pencil-holder.

matrạccio *m.* ⟨*Chim*⟩ (round-bottomed) flask: ~ *graduato* volumetric flask.

mạtre *f.* ⟨*ant*⟩ → **madre**.

matriarcạle *a.* matriarchal. – **matriarcạto** *m.* **1.** matriarchy, matriarchate; (*ginecocrazia*) gynarchy, gyn(a)ecocracy. – **2.** (*organizzazione sociale*) matriarchy.

matricạle *m.* ⟨*Bot*⟩ feverfew (*Chrysanthemum parthenium*).

matricạria *f.* ⟨*Bot*⟩ **1.** (*camomilla*) German c(h)amomile (*Matricaria chamomilla*). – **2.** → **matricale**. – **3.** (*sclarea*) clary (sage) (*Salvia sclarea*). ☐ ~ *selvatica* scentless camomile, corn mayweed, horse daisy (*Matricaria inodora*).

matrịce *f.* **1.** ⟨*Tip*⟩ matrix, die, block, mould. – **2.** (*modulo, madre*) counterfoil, stub, stump. – **3.** ⟨*Mecc*⟩ die. – **4.** ⟨*Min*⟩ gangue, matrix. – **5.** ⟨*Mat*⟩ matrix. – **6.** ⟨*lett*⟩ (*utero*) matrix, womb, uterus.
☐ ~ *per* **caratteri** *da stampa* type mould; ⟨*region*⟩ **chiesa** ~ mother church; ~ *per* **duplicatore** (wax) stencil; ⟨*Anat*⟩ ~ *del* **pelo** hair matrix; ⟨*Mecc*⟩ ~ *per* **punzonatura** piercing die; ~ **stereotipa** = *matrice per caratteri da stampa*; ⟨*Anat*⟩ ~ *dell'***unghia** nail matrix.

matriciạle *a.* **1.** ⟨*Mecc*⟩ matric, matrix-. – **2.** ⟨*Mat*⟩ matrix-: *calcolo* ~ matrix calculation, matrices *pl*.

matriciạna: ⟨*Gastr,roman*⟩ *spaghetti alla* ~ spaghetti with tomato and bacon sauce, seasoned with peppers.

matricịda *m./f.* **1.** matricide. – **2.** ⟨*non com*⟩ (*traditore della patria*) traitor. – **matricịdio** *m.* matricide.

matricịna *f.* ⟨*Silv*⟩ sapling, young tree. – **matricinạto** *a.* wood with saplings growing in it. – **matricinatụra** *f.* saplings *pl*.

matricịno: *pecora -a* ewe; *albero* ~ sapling, young tree.

matrịcola *f.* **1.** (*registro*) register, roll, list (of members), matricula. – **2.** (*numero*) registration (*o* serial) number. – **3.** ⟨*univ*⟩ (*studente del primo anno*) freshman, first-year student. – **4.** ⟨*estens*⟩ (*novellino*) novice, beginner. – **5.** ⟨*Mil*⟩ regimental roll, muster-roll. – **6.** ⟨*Mediev*⟩ (*elenco di associati*) list of members; (*tassa d'immatricolazione*) registration fee.
☐ ~ *degli* **aeromobili** aeroplane national lettering; ⟨*Mil*⟩ aeroplane number; ~ *delle* **automobili** car number plate, ⟨*am*⟩ car license plate; ~ *delle* **navi** register of shipping, ship's register, register book; **numero** *di* ~ registration number; ⟨*Aut*⟩ ~ *del* **telaio** frame (*o* chassis) number.

matricolạre[1] *a.* registration-, matriculation-: *numero* ~ registration (*o* serial) number.

matricolạre[2] *v.t.* (**matrịcolo**) ⟨*rar*⟩ (*immatricolare*) to matriculate, to register, to enrol. – **matricolarsi** *v.r.* to enrol, to matriculate, to register.

matricolạto (*p.p. di matricolare*[2]) *a.* ⟨*scherz,spreg*⟩ **1.** (*rif. a persone*) out-and-out, downright, thorough, perfect, arrant; (*riconosciuto da tutti*) notorious: *ladro* ~ notorious thief. –

2. ⟨*non com*⟩ (*rif. a cose*) thorough, utter. – **matricolazione** *f.* ⟨*non com*⟩ (*immatricolazione*) matriculation, registration, enrolment.
matricolino (*dim. di matricola*) *m.* (*f.* **-a**) ⟨*univ*⟩ freshman.
matrigna I *s.f.* **1.** stepmother. – **2.** ⟨*fig*⟩ cruel (*o* bad) mother. – **II** *a.f.* (*avversa, ostile*) cruel, harsh, adverse: *natura* ~ harsh nature. – **matrigneggiare** *v.i.* (**matrignęggio, matrignęggi**; *aus.* **avere**) to behave like a stepmother (*o* bad mother). – **matrignesco** *a.* (*pl.* **-chi**) ⟨*spreg*⟩ stepmotherly, like a stepmother (*o* bad mother); (*crudele*) cruel, harsh; (*cattivo*) unkind.
matrilineare, matrilineo *a.* ⟨*Etnol*⟩ matrilineal, matrilinear.
matrilocalità *f.* ⟨*Etnol*⟩ matrilocality.
matrimoniabile *a.* marriageable. – **matrimoniale** *a.* matrimonial, marriage-, married, conjugal, marital: *vita* ~ married life; (*rif. alla cerimonia*) wedding-, nuptial. ☐ *letto* ~ double bed; *pubblicazioni* -*i* banns *pl.* – **matrimonialista** *m./f.* ⟨*Dir*⟩ lawyer specialized in marriage law. – **matrimonialmente** *avv.* matrimonially.
matrimonio *m.* **1.** marriage, matrimony, ⟨*lett*⟩ wedlock: ~ *felice* happy marriage. – **2.** (*durata*) marriage, married life: *dopo quattro anni di* ~ after four years of married life. – **3.** (*rito nuziale*) wedding, marriage: *celebrare un* ~ to celebrate a marriage; ~ *civile* civil (*o* registry-office) wedding.
☐ ~ *d'***amore** love match; ~ **annullabile** annullable marriage; *fare un* **buon** ~ to make a good match; **concludere** *un* ~ to arrange a marriage, to make a match; ~ **consumato** consummated marriage; **contrarre** ~ *con qd.* to marry (*o* get married to) s.o.; ~ *di* **convenienza** marriage of convenience; **dare** *in* ~ to give in marriage, to marry (off); ~ *senza* **figli** childless marriage; ⟨*Dir*⟩ ~ **illecito** unlawful wedlock; ~ *d'***interesse** marriage for money; ~ **misto** mixed marriage; ~ **morganatico** (*o della mano sinistra*) morganatic marriage; ~ **nullo** marriage which is null and void; ~ *per* **procura** marriage by proxy; ~ **promiscuo** = *matrimonio* **misto**; ⟨*Dir*⟩ ~ **putativo** putative marriage; ⟨*Dir*⟩ ~ **rato** *e consumato* marriage celebrated and consummated; ~ **religioso** church wedding; ~ **riparatore** ⟨*fam*⟩ shot-gun wedding; ⟨*Mus*⟩ *il* ~ **segreto** The Secret Marriage; **unire** *in* ~ to marry, to join in wedlock; *unirsi in* ~ to get married, to marry; ~ *d'***urgenza** = *matrimonio* **riparatore**.
matrisalvia *f.* ⟨*Bot*⟩ clary (sage) (*Salvia sclarea*).
matrizzare *v.i.* (*aus.* **avere**) to take after one's mother.
matrona (o *matrona*) *f.* **1.** matron, married woman: *una* ~ *romana* a Roman matron. – **2.** ⟨*fig,scherz*⟩ (*donna formosa*) matronly (*o* well-built) woman. – **matronale** *a.* **1.** matronly, matronal, matron -like. – **2.** ⟨*fig,scherz*⟩ matronly: *incedere* ~ matronly gait.
matroneo *m.* ⟨*Arch*⟩ women's gallery.
matronimia *f.* ⟨*Dir*⟩ matronymic system. – **matronimico** *a./s.* (*pl.* **-ci**) **I** *a.* matronymic, metronymic. – **II** *s.m.* matronymic.
matta[1] *f.* madwoman, lunatic.
matta[2] *f.* (*nelle carte*) joker.
matta[3] *f.* ⟨*ant*⟩ (*stuoia*) mat, matting.
mattacchiano *m.* ⟨*Ornit*⟩ (*sordone*) Alpine accentor (*Prunella collaris*).
mattacchione *m.* (*f.* **-a**) ⟨*fam*⟩ wag, joker, lively spark, ⟨*fam*⟩ card; (*buontempone*) jolly fellow; (*persona bizzarra*) odd fellow, ⟨*fam*⟩ queer fish. – **mattacchioneria** *f.* **1.** ⟨*fam,non com*⟩ jolliness, waggishness; (*bizzarria*) eccentricity. – **2.** ⟨*concr*⟩ (*azione*) joke, prank; (*bizzarria*) strange behaviour.
mattaccinata *f.* ⟨*ant*⟩ (*burla*) prank, joke. – **mattaccino** *m.* **1.** ⟨*non com*⟩ (*allegrone*) wag, joker, jolly fellow, lively spark. – **2.** ⟨*ant*⟩ (*giullare*) jester, buffoon; (*saltimbanco*) mountebank. – **mattacino** *m.* ⟨*rar*⟩ → **mattaccino**.
mattafione *m.* → **mataflone**.
mattaione *m.* ⟨*Geol,tosc*⟩ kind of clay.
mattamente *avv.* madly, crazily.
mattana[1] *f.* ⟨*fam*⟩ (*manifestazione estrosa di stizza*) tantrum, fit of temper, bad mood (*o* temper); (*musoneria*) sulkiness, doldrums *pl*; (*capriccio*) whim, caprice; (*allegria*) burst of joy.
mattana[2] *f.* ⟨*Itt*⟩ **1.** eagle ray (*Myliobatis aquila*). – **2.** (common) sting ray (*Dasybatus pastinachus*). – **3.** blue sting ray (*Dasybatus violaceus*). – **4.** kind of ray (*Dasybatus brucco*).
mattanza *f.* ⟨*Pesc*⟩ tunny (*o* tuna) massacre. ☐ ~ *di terra* tunny (*o* tuna) processing.
mattare[1] *v.t.* ⟨*ant*⟩ **1.** (*dare scacco matto*) to checkmate. – **2.** ⟨*fig*⟩ to checkmate, to defeat.
mattare[2] *v.t.* ⟨*ant*⟩ (*uccidere*) to kill.
mattarello *m.* **1.** ⟨*region*⟩ → **matterello**. – **2.** ⟨*Itt*⟩ striped mullet (*Mugil cephalus*).
mattata *f.* ⟨*scherz*⟩ mad thing to do, foolish action, lunacy.
mattatoio *m.* slaughter-house, shamble(s).
mattatore *m.* **1.** ⟨*Macell*⟩ butcher, slaughterer. – **2.** ⟨*Teat*⟩ star (*anche estens.*). – **3.** ⟨*non com*⟩ (*matador*) matador.
mattazione *f.* ⟨*Macell*⟩ butchering, slaughtering.
matteggiare *v.i.* (**mattęggio, mattęggi**; *aus.* **avere**) ⟨*non com*⟩ **1.** (*essere matto*) to be mad (*o* crazy). – **2.** (*comportarsi da matto*) to act like a madman.
mattematica *f.* ⟨*ant*⟩ → **matematica**.
matteo: ⟨*region*⟩ *aver del* ~ (*essere un po' matto*) to be a bit mad (*o* crazy).
Matteo *N.pr.m.* Matthew.
matterello *m.* rolling-pin, roller.
matteria *f.* **1.** (*stramberia*) eccentricity, strange behaviour, mad action. – **2.** (*scherzo da mattacchione*) prank. – **3.** ⟨*ant*⟩ (*stoltezza*) foolishness, silliness.
mattero *m.* **1.** ⟨*Archeol*⟩ pike. – **2.** ⟨*Mediev*⟩ javelin. – **3.** ⟨*ant*⟩ (*randello*) cudgel, club.
matterugio(lo) *m.* ⟨*fam,scherz*⟩ half-wit, silly ass.
mattezza, mattia *f.* ⟨*ant*⟩ **1.** madness, craziness, lunacy. – **2.** ⟨*concr*⟩ (*azione da matto*) mad action, lunacy, crazy behaviour. – **3.** (*sciocchezza*) silliness, foolishness.
Mattia *N.pr.m.* Mat(t)hias.
mattina *f.* morning, ⟨*lett,poet*⟩ morn: *una bella* ~ *di maggio* a fine May morning.
☐ *l'***altra** ~ the other morning; **dalla** ~ *alla sera* from morning till night; **di** ~ in the morning; **domani** ~ tomorrow morning; *la* ~ **dopo** the morning after, the next morning; **giovedì** ~ Thursday morning; **ieri** ~ yesterday morning; *la* (*o di*) ~ **presto** early in the morning; *la* ~ **prima** the morning before; *di prima* ~ = *la mattina* **presto**; **questa** ~ this morning; *la* ~ **seguente** = *la mattina* **dopo**; *la* (*o di*) ~ **tardi** late in the morning; **tutte** *le sante* -*e* every blessed morning.
mattinaccia *f.* (*pl.* **-ce**) *pegg. di* **mattina**. – **mattinale I** *a.* ⟨*lett*⟩ morning-, ⟨*lett*⟩ matinal; (*mattiniero*) early-rising. – **II** *s.m.* ⟨*burocr*⟩ (*rapporto*) (morning) report. – **mattinare** *v.t.* ⟨*ant,pop*⟩ (*indirizzare canti all'innamorata al mattino*) to sing an aubade to.
mattinata *f.* **1.** morning. – **2.** (*spettacolo: di pomeriggio*) matinée, afternoon performance; (*di mattina*) morning performance, matinée. – **3.** ⟨*Mus*⟩ aubade, dawn-song, mattinata. ☐ *guadagnarsi* (o *buscarsi*) *la* ~ to do a morning's work; ⟨*fig*⟩ (*incappare in una disgrazia*) to have an unlucky morning; *in* ~ in the morning, before noon.
mattiniero *a.* early-rising, ⟨*pred*⟩ up early: *oggi sei* ~ you're up early this morning.
mattino *m.* **1.** morning: *le ore del* ~ the morning hours; (*mattinata*) morning. – **2.** ⟨*Lit*⟩ (*mattutino*) matins *pl* (*costr. sing. o pl.*): *recitare il* ~ to say matins. – **3.** ⟨*ant,poet*⟩ (*levante*) east. ☐ *di buon* ~ early in the morning; *sul far del* ~ at daybreak, at dawn; *giornale del* ~ morning newspaper; *sul* ~ in the morning; ⟨*fig*⟩ *il* ~ *della vita* (*la fanciullezza*) the morning of life, childhood. – *Prov.*: *il buon dì si vede dal* ~ you can see how things will end from the way they begin.
matto[1] **I** *a.* **1.** (*pazzo*) mad, crazy, insane, (mentally) deranged, ⟨*fam*⟩ daft, ⟨*fam*⟩ off one's head, ⟨*fam*⟩ wrong (*o* soft) in the head; (*demente*) demented. – **2.** ⟨*estens*⟩ (*bizzarro*) eccentric, odd, strange, mad, ⟨*fam*⟩ crazy. – **3.** ⟨*fig*⟩ (*rif. a persona*) mad, wild, beside o.s., ⟨*fam*⟩ crazy: *era* ~ *dalla gioia* he was wild (*o* beside himself) with joy; (*rif. a cosa*) mad, wild, exaggerated, ridiculous, extravagant: *spese* -*e* wild (*o* extravagant) spending. – **4.** ⟨*fam*⟩ (*grande, enorme*) great, extreme, enormous, *traduzione spesso idiomatica*: *ci prova un gusto* ~ he is crazy about it, he enjoys it immensely, ⟨*fam*⟩ he gets a great kick out of it; *volere un bene* ~ *a qd.* to be crazy about s.o. – **5.** (*rif. a parti del corpo*: *non sano*) bad, unsound; (*rif. ad arti inferiori*) lame, ⟨*fam*⟩ game, ⟨*fam*⟩ gammy. – **6.** (*falso*) false, imitation, sham, artificial: *gemma* -*a* false jewel. – **7.** ⟨*tecn*⟩ (*opaco*) mat(t), dull; (*smorto*) dead, flat: *oro* ~ dead (*o* dull) gold. – **8.** ⟨*ant*⟩ (*stolto*) foolish, stupid. – **II** *s.m.* (*f.* **-a**) **1.** madman (*f* -woman), lunatic, insane person: *urlare come un* ~ to shout like a madman; (*maniaco*) maniac; ⟨*Teat*⟩ fool. – **2.** ⟨*estens*⟩ (*persona bizzarra*) eccentric, wild person, ⟨*am.fam*⟩ oddball.
☐ **alla** -*a* (*precipitosamente*) madly, wildly, headlong; ⟨*fig*⟩ **andar** ~ *per qc.* (o *qd.*) ⟨*fam*⟩ to be mad (*o* crazy, wild) about s.th. (*o* s.o.), to be very fond of s.th. (*o* s.o.), ⟨*fam*⟩ to be keen on s.th. (*o* s.o.): *va* ~ *per il calcio* he is mad about football; **cavallo** ~ skittish (*o* high-spirited) horse; *sono* **cose** *da* -*i* = *è* **roba** *da matti*; *c'è da* **diventare** -*i* it is enough to drive one crazy; *far diventare* ~ *qd.* to drive s.o. mad (*o* out of his wits), ⟨*fam*⟩ to drive s.o. round the bend; **fossi** ~*!* do you think I'm crazy?, what do you take me for?; ~ **glorioso** raving lunatic; *essere* ~ *da* **legare** to be raving mad, to be as mad as a hatter (*o* March hare); **mezzo** ~ half crazy, slightly off one's head, ⟨*fam*⟩ not all there; *è* **roba** *da* -*i* it's just incredible, it's sheer madness; *una* **testa** -*a* a hot head; *ne ho una* **voglia** -*a* I'm dying (*o* longing) for it. – *Prov.*: *chi nasce* ~ *non guarisce mai* born a fool, die a fool.
matto[2] **I** *a.* (*negli scacchi*) mated, checkmated. – **II** *s.m.* mate, checkmate. ☐ *dare scacco* ~ to checkmate.
mattoide I *a.* crazy, half-mad, ⟨*fam*⟩ dotty, ⟨*fam*⟩ touched, ⟨*fam*⟩ screwy. – **II** *s.m./f.* **1.** madcap, eccentric. – **2.** ⟨*Psic*⟩ mattoid.
mattolina *f.* ⟨*Ornit*⟩ (*tottavilla*) woodlark (*Lullula arborea*).
mattonaia *f.* brick-yard, brick-field. – **mattonaio** *m.* (*operaio*) brick-maker. – **mattoname** *m.* ⟨*ant*⟩ (*ammasso di mattoni*) heap of bricks. – **mattonare** *v.t.* (**mattono**) (*ammattonare*) to pave (*o* floor) with bricks.
mattonata *f.* blow with a brick. – **mattonato** (*p.p. di mattonare*) **I** *a.* paved (*o* floored) with bricks. – **II** *s.m.* (*pavimento di mattoni*) brick pavement (*o* floor). – **mattonatura** *f.* **1.** flooring (*o* paving) with bricks. – **2.** ⟨*concr*⟩ brick flooring (*o* paving).
mattoncino *m. dim. di* **mattone**.
mattone *m.* **1.** brick. – **2.** ⟨*fig*⟩ (*rif. a persona*) bore, ⟨*fam*⟩ pain in the neck; (*rif. a cosa*) bore, drag. – **3.** (*colore*) brick red.
☐ ~ **cavo** hollow brick; **color** ~ brick red; ~ *da* **costruzione** common building brick; ~ **cotto** baked brick; ~ **crudo** green (*o* air-dried) brick; ~ **forato** hollow (clay) tile, perforated brick; ~ **leggero** light brick; ~ *da* **paramano** = *mattone da* **rivestimento**; ~ *per* **pavimenti** flooring (*o* paving) brick; ~ *per* **piano** stretcher; ~ **pieno** solid brick; ~ *messo di* **punta** header; ~ **refrattario** firebrick;

~ *da* **rivestimento** relining brick; **rosso** ~ = **color** *mattone*; ~ **sagomato** purpose-made brick; ~ **smaltato** enamelled (*o* glazed) brick; ~ **smussato** splay brick, slope; ⟨*pop*⟩ *ho un* ~ *sullo* **stomaco** I have something lying (heavy) on my stomach, I have indigestion; ⟨*fig*⟩ **tre** *-i* (*piccola casa*) tiny house; ⟨*spreg*⟩ (*catapecchia*) shack.

mattonella (*dim. di mattone*) *f.* **1.** ⟨*Edil*⟩ (paving) tile. – **2.** ⟨*Strad*⟩ block. – **3.** (*oggetto a forma di mattonella*) brick, briquette. – **4.** (*gelato*) ice brick. – **5.** (*nel biliardo*) cushion. □ ~ *di carbone* briquette, coal brick; ⟨*tosc,non com*⟩ *di* ~ (*di rimbalzo*) indirectly; ⟨*Zootecn*⟩ ~ *di sale* salt lick, mineral salt; ~ *di torba* peat briquette.

mattonellificio *m.* tile factory.

mattonetto *m. dim. di* **mattone**. – **mattoniera** *f.* ⟨*Mecc*⟩ brick moulding machine. – **mattonificio** *m.* brick factory (*o* works), brickyard.

mattorella *f.* ⟨*Ornit*⟩ (*cincia mora*) coal tit (*Parus ater*).

mattugina *f.* ⟨*Ornit*⟩ tree sparrow (*Passer montanus*). – **mattugio(lo)**: *passera -a* → **mattugina**.

mattutino I *a.* **1.** morning-: *visita -a* morning visit. – **2.** ⟨*rar*⟩ (*mattiniero*) early-rising, ⟨*pred*⟩ up early. – **II** *s.m.* **1.** ⟨*Lit*⟩ matins *pl* (*costr. sing. o pl.*). – **2.** (*suono della campana*) (sound of the) bell announcing daybreak. – **3.** ⟨*ant*⟩ (*mattino*) morning.

maturamente *avv.* maturely. – **maturamento** *m.* ⟨*non com*⟩ → **maturazione**. – **maturando** *m.* (*f.* -a) ⟨*Scol*⟩ candidate (for school -leaving examination). – **maturante** (*p.pr. di maturare*) *a.* maturing. □ ⟨*Med*⟩ *principio* ~ anti-anaemic factor (*o* principle). – **maturanza** *f.* → **maturazione**.

maturare I *v.i.* (*aus.* essere) **1.** to ripen, to grow ripe, to mature. – **2.** (*stagionarsi*) to mature, to season, to become seasoned, to mellow. – **3.** ⟨*fig*⟩ to mature, to come to maturity; (*rif. a tempo*) to ripen. – **4.** ⟨*Med*⟩ to suppurate, to maturate, to come to a head. – **5.** ⟨*Econ*⟩ (*rif. a interessi e sim.*) to mature, to accrue. – **II** *v.t.* **1.** to ripen, to mature: *il sole matura il grano* the sun ripens the corn. – **2.** ⟨*fig*⟩ (*rif. a persone*) to mature. – **3.** ⟨*fig*⟩ (*ponderare*) to mature. – **4.** ⟨*Scol*⟩ (*dichiarare maturo*) to pass (at school-leaving examination). – **5.** ⟨*burocr*⟩ (*rif. a ferie*) to have a right to. – **maturarsi** *v.r.* to ripen, to become ripe, to mature, to come to maturity.

maturativo *a.* ⟨*rar*⟩ ripening. □ *impiastri -i* poultices *pl.*

maturato (*p.p. di maturare*) *a.* **1.** (*maturo*) ripe, mature: *frutta -a* ripe fruit. – **2.** ⟨*fig*⟩ (*trascorso*) past. – **3.** ⟨*fig*⟩ (*ponderato*) thought over, considered, matured. – **4.** ⟨*Econ*⟩ (*rif. a interessi e sim.*) matured, due, accrued.

maturatore *m.* (*in apicoltura*) honey extractor.

maturazione *f.* **1.** ripening, maturing. – **2.** (*maturità*) maturity, ripeness. – **3.** ⟨*fig*⟩ (*formazione*) maturing. – **4.** ⟨*fig*⟩ (*compimento*) maturation, fulfilment. – **5.** ⟨*fig*⟩ (*ponderatezza*) consideration. – **6.** ⟨*Econ*⟩ (*rif. a interessi e sim.*) maturity, accrual. – **7.** ⟨*tecn*⟩ maturing; (*indurimento*) hardening; (*rinvenimento*) tempering. – **8.** ⟨*Med*⟩ suppuration. – **9.** ⟨*non com*⟩ (*stagionatura*) seasoning, maturing. □ ⟨*Agr*⟩ ~ *gialla* (*o cerea*) yellow ripeness; ~ *lattea* milk ripeness; ~ *tardiva* late maturity.

maturezza *f.* ⟨*non com*⟩ (*maturità*) maturity, ripeness.

maturità *f.* **1.** maturity, ripeness. – **2.** (*età matura*) maturity. – **3.** ⟨*fig*⟩ maturity, wisdom. – **4.** ⟨*Scol*⟩ (*esame di maturità*) school -leaving (*o* final) examination. – **5.** ⟨*Biol*⟩ maturity.

□ ~ **civile** civil maturity; ⟨*Scol*⟩ ~ **classica** school-leaving examination in a classical liceo; **giungere** *alla* ~ to reach maturity; ⟨*Scol*⟩ ~ **scientifica** school-leaving examination in a scientific liceo; ~ **spirituale** spiritual maturity; **venire** *alla* ~ = **giungere** *alla maturità*.

maturo *a.* **1.** ripe, mature: *uva -a* ripe grapes. – **2.** (*stagionato*) seasoned, matured; (*rif. a vino*) mellow. – **3.** (*adulto*) mature, adult; (*di mezza età*) middle-aged. – **4.** ⟨*fig*⟩ mature: *giudizio* ~ mature judgement. – **5.** ⟨*fig*⟩ (*giunto a maturazione*) mature. – **6.** ⟨*fig*⟩ (*ponderato*) mature, carefully-considered, serious: *dopo -a riflessione* after mature reflection. – **7.** ⟨*Scol*⟩ having passed one's school-leaving examination. – **8.** ⟨*Econ*⟩ (*rif. a interessi e sim.*) mature, due, accrued.

matusa *m.* ⟨*gerg*⟩ (*vecchio*) old fogey.

Matusalemme *N.pr.m.* ⟨*Bibl*⟩ Mathuselah, Methuselah. □ ⟨*fam*⟩ *avere gli anni di* ~ to be as old as Mathuselah (*o* the hills); ⟨*fam*⟩ *vivere quanto* ~ to live as long as Mathuselah.

mauretano I *a.* Mauritanian, Mauretanian, of Mauritania. – **II** *s.m.* (*f.* -a) Mauritanian, Mauretanian.

Maurino *m.* ⟨*Rel*⟩ Maurist.

mauritania *N.pr.f.* ⟨*Geog*⟩ Mauritania, Mauretania (*denom.uff.*: *Repubblica Islamica di Mauritania* Islamic Republic of Mauritania). – **mauritaniano** *a.* Mauritanian, of Mauritania.

Maurizio *N.pr.m.* **1.** Maurice. – **2.** ⟨*Geog*⟩ Mauritius.

mauro I *a.* **1.** (*moro*) Moorish. – **2.** → **mauretano**. – **II** *s.m.* (*f.* -a) **1.** (*moro*) Moor. – **2.** → **mauretano**.

Mauro *N.pr.m.* ⟨*Stor*⟩ Maurus.

mausoleo *m.* mausoleum.

mauve *fr.* [mo:v] **I** *a.* mauve. – **II** *s.m.* mauve.

mavì *a.* (*azzurro chiaro*) sky (*o* light blue).

max. = *massimo* maximum (*abbr.* max.).

maxima *lat. f.* ⟨*Mus*⟩ large, maxima.

maximum *lat. m.* ⟨*Econ*⟩ (*massimo*) maximum, ceiling.

maya I *a.* Mayan: *civiltà* ~ Mayan civilization. – **II** *s.m.* **1.** (*lingua*) Maya. – **2.** *m./f.* (*abitante*) Maya.

mazdeismo [-z-] *m.* ⟨*Rel*⟩ Mazdaism, Zoroastrianism.

mazurca, mazurka *f.* ⟨*Mus*⟩ mazurka.

mazut [-z-] *m.* → **masut**.

mazza *f.* **1.** (*bastone*) stick, staff; (*randello*) cudgel, bludgeon, truncheon; (*clava*) club. – **2.** (*bastone di comando*) mace, baton; (*insegna del mazziere*) baton. – **3.** (*arnese*: *per rimestare panni e sim.*) stick; (*per rimestare la pasta*) wooden spoon. – **4.** (*parte mobile del maglio*) ram, tup. – **5.** (*nelle carte napoletane*: *bastone*) club. – **6.** *pl.* (*bacchette per strumenti a percussione*) sticks *pl*, drumsticks *pl.* – **7.** ⟨*Sport*⟩ (*nel golf*) club; (*nel baseball, cricket*) bat; (*nell'hockey*) stick. – **8.** ⟨*Mecc*⟩ (*pesante martello*) maul, sledge -hammer; (*di legno*) mallet. – **9.** ⟨*tosc*⟩ (*bastone da passeggio*) walking-stick, cane.

□ ⟨*Mecc*⟩ ~ **battente** ram, tup; ⟨*Bot*⟩ ~ *d'***Ercole** kind of mushroom (*Clavaria pistillaris*); ⟨*Mecc*⟩ ~ *da* **fabbro** forehammer; ⟨*Bot*⟩ ~ *di san* **Giuseppe** (*oleandro*) oleander (*Nerium oleander*); ⟨*fig*⟩ **menare** *la* ~ *in tondo* (*essere maldicente*) to backbite, to hit out viciously at s.o.; ⟨*Bot*⟩ ~ *d'***oro** (*lisimachia*) loosestrife (*Lysimachia vulgaris*); ⟨*Bot*⟩ ~ *di* **tamburo** parasol mushroom (*Lepiota procera*).

mazzacavallo *m.* **1.** ⟨*Mil.ant*⟩ machine for lifting soldiers into a besieged city. – **2.** ⟨*Agr*⟩ well sweep. – **3.** (*battipalo*) pile-driver.

mazzacchera *f.* ⟨*Pesc*⟩ line (for eel-fishing).

mazzacoppia *f.* ⟨*Minier*⟩ large steel hammer.

mazzacotto *m.* ⟨*non com*⟩ → **marzacotto**.

mazzafionda *f.* **1.** → **mazzafrombolo**. – **2.** ⟨*region*⟩ (*fionda*) sling, catapult. – **mazzafrombolo** *m.* ⟨*Mil.ant*⟩ catapult.

mazzafrusto *m.* ⟨*Mil.ant*⟩ cat-o'-nine-tails.

mazzamurello *m.* elf, sprite.

mazzancolla *f.* ⟨*Zool*⟩ kind of prawn (*Penaeus kerathurus*).

mazzapicca *f.* ⟨*Stor*⟩ (*scure a doppio taglio*) double-edged axe.

mazzapicchiare *v.t.* (**mazzapicchio, mazzapicchi**) ⟨*non com*⟩ to strike with a mallet. – **mazzapicchio** *m.* **1.** (*martello di legno*) cooper's mallet. – **2.** ⟨*Macell*⟩ pole-axe. – **3.** (*maglio del battipalo*) beetle, mallet. – **4.** ⟨*Strad*⟩ maul, hand-rammer. – **5.** → **mazzeranga**.

mazzarella *f.* ⟨*Bot*⟩ kind of mushroom (*Clavaria pistillaris*).

mazzasorda *f.* ⟨*Bot*⟩ cattail, reed mace (*Typha latifolia*).

mazzata *f.* **1.** (*colpo*: *col bastone*) (heavy) blow; (*con la clava*) blow with a club; (*col martello*) sledge-hammer blow. – **2.** ⟨*fig*⟩ (*danno, grave dolore*) (heavy) blow, (dreadful) shock: *la notizia fu per lui una* ~ the news came to him as a shock. □ *fare a* (o *le*) *-e* to beat (*o* hit) s.o.; *prende. e qd. a -e* to thrash s.o.

mazzatore *m.* ⟨*non com*⟩ (*spaccapietre*) stone breaker.

mazzeranga *f.* ⟨*Strad*⟩ tamper.

mazzerare *v.t.* (**mazzero**) ⟨*ant*⟩ (*affogare*) to drown (in a sack).

mazzetta[1] (*dim. di mazza*) *f.* **1.** (*mazza dello spaccapietre*) stonemason's maul, stone hammer. – **2.** ⟨*Alp*⟩ hammer. – **3.** (*martello da cesellatore*) (chasing) hammer. – **4.** ⟨*Minier*⟩ (sledge-) hammer, mallet. – **5.** ⟨*Edil*⟩ reveal.

mazzetta[2] (*dim. di mazzo*[1]) *f.* **1.** (*biglietti di banca*) bundle (*o* wad) of notes. – **2.** (*campioni di stoffa*) bunch of samples.

mazzettiere *m.* (*spaccapietre*) stone-breaker.

mazzettino *m. dim. di* **mazzetto**.

mazzettista *m.* sorter of feathers into bundles.

mazzetto (*dim. di mazzo*[1]) *m.* **1.** (small) bunch; (*di fiori*) nosegay, posy, little bunch (*o* bouquet). – **2.** ⟨*Bot*⟩ (*tipo di infiorescenza*) corymb. □ ⟨*scherz*⟩ *farsi il* ~ (*nel gioco delle carte*) to stack the deck.

mazzettone *m.* ⟨*Bot*⟩ cockle, corn-cockle (*Agrostemma githago*).

mazziere[1] *m.* mace-bearer.

mazziere[2] *m.* (*nel gioco delle carte*) dealer.

mazzinianismo *m.* Mazzinian theory. – **mazziniano I** *a.* Mazzinian, of Mazzini, Mazzini's. – **II** *s.m.* (*f.* -a) Mazzinian.

mazzo[1] *m.* **1.** bunch, bundle: *un* ~ *di chiavi* a bunch of keys; (*di fiori*) bunch, bouquet. – **2.** (*di carte da gioco*) pack. – **3.** ⟨*fig,scherz*⟩ (*gruppo di persone*) set, bunch. □ *a -i* in bunches, in bundles; *alzare il* ~ (*nel gioco delle carte*) to cut the cards; *fare il* ~ (*nel gioco delle carte*) to shuffle the cards; ⟨*fig*⟩ *mettere tutti in un* ~ to lump good and bad together.

mazzo[2] *m.* (*mazza*) sledge, sledge-hammer.

mazzocchio *m.* **1.** (*ciuffo di capelli*) tuft. – **2.** (*germoglio di cicoria*) chicory shoot. – **3.** ⟨*Stor*⟩ (*copricapo*) medieval man's headgear. – **4.** ⟨*Bot*⟩ (*nocchio*) knob.

mazzola *f.* ⟨*pop*⟩ → **mazzuola**.

mazzolamento *m.* ⟨*Stor*⟩ clubbing (to death), bludgeoning (to death). – **mazzolare** *v.t.* (**mazzuolo**/*pop.* **mazzolo**) **1.** ⟨*Stor*⟩ to club (*o* bludgeon) to death. – **2.** (*percuotere con sacchetti di sabbia*) to sandbag. – **3.** (*rif. a grano*) to thresh; (*rif. al lino o alla canapa*) to beat. – **mazzolata** *f.* **1.** blow with a club (*o* bludgeon); (*colpo di martello*) mallet blow. – **2.** ⟨*fig*⟩ heavy blow.

mazzolina *f.* ⟨*Bot*⟩ (*anche erba mazzolina*) orchard grass, cocksfoot (*Dactylis glomerata*).

mazzolino (*dim. di mazzo*[1]) *m.* small bunch (*o* bundle); (*di fiori*) nosegay, posy.

mazzolo *m.* ⟨*pop*⟩ → **mazzuolo**.

mazzone *m.* ⟨*Itt*⟩ **1.** (*ghiozzo*) goby (*Gobius*). – **2.** (*muggine*) mullet (*Mugil*).

mazzotta *f.* (*mazzuolo da scalpellino*) stonemason's hammer.

mazzuola *f.* **1.** (*bastone*) club, bludgeon. – **2.** (*martello*) mallet. – **3.** ⟨*Stor*⟩ club, bludgeon.

mazzuolo *m.* **1.** mallet. – **2.** (*da scalpellino*) stonemason's hammer. – **3.** ⟨*Fal*⟩ wooden (*o* carpenter's) mallet. – **4.** ⟨*Sport*⟩ head (of a golf-club). – **5.** (*arnese per sonare la grancassa*) drumstick.

mc = *metro cubo* cubic metre (*abbr.* m^3, cu.m.).

Mc = ⟨*Fis*⟩ *megaciclo* megacycle (*abbr.* mc).
MC = ⟨*Aut*⟩ *principato di Monaco* Principality of Monaco.
m.c. = *mese corrente* current (*o* this) month; (*con la data*) instant (*abbr.* inst.).
M.C.D. = ⟨*Mat*⟩ *massimo comune divisore* greatest common divisor (*abbr.* G.C.D., g.c.d.).
m.c.m. = ⟨*Mat*⟩ *minimo comune multiplo* lowest (*o* least) common multiple (*abbr.* L.C.M., l.c.m.).
Mc/s = ⟨*Fis*⟩ *megaciclo al secondo* megacycle per second (*abbr.* mc/s).
mę *pron.pers.* **1.** (*oggetto*) me: *chiami* ~? are you calling me?; (*me stesso*) myself: *da* ~ by myself. – **2.** (*preceduto da prep.*) me: *è stato duro per* ~ it was hard for me; *si è scordato di* ~ he has forgotten about me. – **3.** (*soggetto: in espressioni esclamative*) me: *misero* ~! poor me!, oh dear!; (*in forme comparative*) I, ⟨*fam*⟩ me: *sei bravo quanto* ~ you are as good as I (am). – **4.** (*predicativo*) I. – **5.** (*compl. di termine*) me: ~ *lo hai già detto* you have already told me. ◻ *da* ~ (*da solo*) (by) myself, (all) alone, without any help: *ho imparato l'inglese da* ~ I learned English by myself; *fra* ~ *e* ~ to myself: *pensavo fra* ~ *e* ~ I thought to myself; (*nel mio intimo*) within me, in my heart, deep down; ~ *medesimo* (I) myself; *per* (o *quanto a*) ~ as for me, for my part, as far as I am concerned.
Me = ⟨*Chim*⟩ **1.** *metallo* metal (*abbr.* M). – **2.** (*gruppo metilico*) methyl group (*abbr.* Me).
M.E. = **1.** *Medio Evo* Middle Ages *pl.* – **2.** *Movimento Europeo* European Movement.
mę'[1] (*accorc. di meo*[1]) *a.* ⟨*ant,tosc*⟩ my.
mę'[2] (*accorc. di meglio*) ⟨*ant,poet*⟩ **I** *avv.* better. – **II** *s.m.* best.
mę'[3] (*accorc. di mezzo*) *m.* ⟨*ant,poet*⟩ middle: *in* ~ in the middle.
mẹa cụlpa *lat.* ⟨*Rel*⟩ mea culpa. ◻ ⟨*fig*⟩ *dire* (o *recitare*) *il* ~ to recognize one's fault, to repent.
meạndrico *a.* (*pl.* **-ci**) ⟨*rar*⟩ **1.** meandering, winding, devious. – **2.** ⟨*fig*⟩ (*tortuoso*) tortuous, intricate. – **meandrifọrme** *a.* ⟨*non com*⟩ winding, twisting.
meạndro *m.* **1.** ⟨*Geog*⟩ meander. – **2.** (*labirinto*) maze, labyrinth. – **3.** *pl.* ⟨*fig*⟩ meander, meandering, wandering, tortuosity, intricacy. – **4.** ⟨*Art,Arch*⟩ meander.
Meạndro *N.pr.m.* ⟨*Geog*⟩ Menderes, ⟨*ant*⟩ Meander.
meạre *v.i.* (**mẹo**; *aus.* **essere**) ⟨*poet,ant*⟩ (*passare attraverso*) to pass through.
meạri *m.* → **mehari.**
meạto *m.* **1.** ⟨*lett*⟩ (*passaggio*) passage, way, channel. – **2.** ⟨*Anat*⟩ meatus. ◻ ⟨*Anat*⟩ ~ *auditivo* (o *acustico esterno*) auditory meatus; ⟨*Bot*⟩ ~ *intercellulare* intercellular space; ⟨*Anat*⟩ ~ *nasale* meatus of the nose, nasal meatus; ~ *urinario* urinary meatus.
meatotomịa *f.* ⟨*Chir*⟩ meatotomy.
MEC = *Mercato comune europeo* European Common Market.
mẹcca *f.* (*tipo di vernice*) varnish for gilding silver.
Mẹcca *N.pr.f.* ⟨*Geog*⟩ Mecca. – **mecca** *f.* mecca. ◻ *va alla* ~! go to hell!, clear off!; ⟨*scherz*⟩ *venir dalla* ~ to be born yesterday; (*essere vestito in modo strano*) to be oddly dressed.
meccạnica *f.* **1.** ⟨*Fis*⟩ mechanics *pl* (*costr. sing. o pl.*). – **2.** (*attività tecnologica*) mechanics *pl* (*costr. sing. o pl.*), mechanical art. – **3.** (*meccanismo*) mechanism. – **4.** ⟨*fig*⟩ mechanics *pl* (*costr. sing. o pl.*), mechanism, working, workings *pl.* – **5.** (*complesso di macchine*) machinery, mechanical equipment. – **6.** ⟨*Fisiol*⟩ process: ~ *della digestione* digestive process.
◻ ~ *degli* **aeriformi** pneumatics *pl* (*costr. sing.*); ~ **agraria** agricultural machinery; ~ **analitica** analytical mechanics; ~ **applicata** applied mechanics; ⟨*Astr*⟩ ~ **celeste** celestial mechanics, gravitational astronomy; ~ *dei* **fluidi** fluid mechanics, mechanics of fluids; ⟨*Fis*⟩ ~ **ondulatoria** wave mechanics; ~ *di* **precisione** micromechanics *pl* (*costr. sing.*); ⟨*Fis*⟩ ~ **quantistica** (o *dei quanti*) quantum mechanics; ~ **razionale** theoretical (*o* pure, abstract) mechanics; ~ **relativistica** relativity mechanics.
meccanicamẹnte *avv.* **1.** mechanically. – **2.** ⟨*fig*⟩ (*automaticamente*) mechanically, automatically.
meccanicịsmo *m.* **1.** mechanicalness, mechanicality. – **2.** ⟨*Filos*⟩ mechanism. – **meccanicịsta I** *s.m./f.* ⟨*Filos*⟩ mechanist. – **II** *a.* → **meccanicistico.** – **meccanicisticamẹnte** *avv.* mechanistically. – **meccanicịstico** *a.* (*pl.* **-ci**) mechanistic. – **meccanicità** *f.* mechanicalness. – **meccanicịzzare** *v.* ⟨*non com*⟩ → **meccanizzare.**
meccạnico *a./s.* (*pl.* **-ci**) **I** *a.* **1.** mechanical. – **2.** (*che si fa per mezzo di macchine*) mechanical, machine-; (*che funziona per mezzo di meccanismi*) mechanical. – **3.** ⟨*fig*⟩ (*automatico*) mechanical, automatic: *gesto* ~ mechanical gesture. – **4.** ⟨*ant*⟩ (*plebeo*) common, coarse, plebeian, low. – **II** *s.m.* **1.** mechanic, mechanician; (*per automobili*) motor (*o* car) mechanic; (*aggiustatore, montatore*) fitter. – **2.** ⟨*non com*⟩ (*macchinista*) machinist. – **3.** ⟨*ant*⟩ (*studioso di meccanica*) student of mechanics. – **4.** ⟨*ant*⟩ (*lavoratore*) workman, working man. – **5.** ⟨*ant*⟩ (*uomo plebeo*) common (*o* base) person, plebeian, ⟨*ant*⟩ mechanic. ◻ ~ *aggiustatore* (o *montatore*) fitter; ~ *di precisione* precision-instrument maker; *stampa -a* power press; ⟨*Tess*⟩ *telaio* ~ power loom.
meccanịsmo *m.* **1.** mechanism, works *pl*; (*congegno*) mechanism, gear, device; (*movimento*) motion, movement; (*funzionamento*) working, mechanics *pl* (*costr. sing. o pl.*). – **2.** ⟨*fig*⟩ mechanism, mechanics *pl* (*costr. sing. o pl.*), working, workings *pl*, machinery, apparatus; (*processo*) process. – **3.** ⟨*non com*⟩ (*macchinario*) machinery, mechanical equipment. – **4.** ⟨*non com*⟩ (*meccanicismo*) mechanism.
◻ ~ *d'***arresto** *automatico* automatic stop motion; ⟨*Mot*⟩ ~ *di* **comando** control (*o* driving) gear; ~ *di* **disinnesto** throw-out; ~ *di* **governo** steering gear; ~ *per* **movimento** *alternativo* reciprocating mechanism; ~ *di* **sparo** gunlock.
meccanịzzare *v.t.* to mechanize: ~ *il lavoro dei campi* to mechanize farm work; (*con motore*) to mechanize, to motorize. – **meccanizzarsi** *v.r.* **1.** to become mechanized. – **2.** ⟨*fam*⟩ (*procurarsi un veicolo a motore*) to become motorized, to get a car (*o* motor vehicle). – **meccanịzzato** (*p.p. di meccanizzare*) *a.* **1.** mechanized. – **2.** (*motorizzato*) motorized: *truppe -e* motorized troops. – **meccanizzazịone** *f.* mechanization: ~ *agricola* agricultural (*o* farm) mechanization.
meccạno *m.* (*giocattolo*) meccano.
meccanografịa *f.* ⟨*El*⟩ machine accounting.
meccanogrạfico *a.* (*pl.* **-ci**) data processing-, punched card-, tabulating: *centro* ~ data processing centre.
mẹcco *m.* (*pl.* **-chi**) ⟨*ant*⟩ (*adultero*) adulterer.
Mecenạte *N.pr.m.* ⟨*Stor*⟩ Maecenas. – **mecenate I** *s.m.* patron, protector, Maecenas, benefactor. – **II** *a.* acting as patron. – **mecenatịsmo** *m.* patronage.
mèche *fr.* [mɛʃ] *f.* streak.
mechitarịsta *m.* ⟨*Rel*⟩ Mekhitarist, Mechitarist.
Meclemburgo *N.pr.f.* ⟨*Geog*⟩ Meklemburg.
mẹco *pron.* ⟨*ant,lett*⟩ (*con me*) with me. ◻ ~ *stesso* to myself.
meconịna *f.* ⟨*Chim*⟩ meconin(e).
mecọnio *m.* **1.** (*oppio*) opium, meconium. – **2.** ⟨*Fisiol*⟩ meconium. – **meconịsmo** *m.* ⟨*Med*⟩ meconism, opium poisoning.
mecọtteri *m.pl.* ⟨*Entom*⟩ mecopterans *pl* (*Mecoptera*).
mẹda *f.* ⟨*Mar*⟩ beacon.
medạglia *f.* **1.** medal. – **2.** (*rif. a persona: decorato*) medallist. – **3.** ⟨*non com*⟩ (*distintivo*) badge, token. – **4.** ⟨*Bot*⟩ moonwort, honesty, satinpod (*Lunaria annua*).
◻ ~ *d'***argento** silver medal; ~ **commemorativa** commemorative medal; *il* **diritto** *della* ~ the obverse (*o* face) of the medal; ⟨*Bot*⟩ ~ *di* **Giuda** moonwort, honesty, satinpod (*Lunaria annua*); ~ *alla* **memoria** memorial medal; ~ *al* **merito** medal for merit; ~ *d'***oro** gold medal; (*la persona*) gold medallist; ~ *di* **l'indo** = *medaglia di* **Giuda**; ~ *di* **presenza** attendance check (*o* counter); *il* **rovescio** *della* ~ the reverse of the medal; ⟨*fig*⟩ the other side (of the question); ~ *al* **valor** *civile* medal (awarded) for civil bravery; ~ *al valor militare* medal for military valour. – *Prov.*: *ogni* ~ *ha il suo rovescio* there are two sides to everything.
medagliạio *m.* **1.** (*venditore*) dealer in medals. – **2.** ⟨*non com*⟩ (*coniatore*) medal(l)ist, coiner of medals. – **medagliẹre** *m.* collection of medals, numismatic collection; (*mobile*) medal show-case.
medagliẹtta (*dim. di medaglia*) *f.* **1.** small medal, medal(l)et. – **2.** (*dei parlamentari*) parliamentary deputy's medal. – **3.** ⟨*fig*⟩ (*carica parlamentare*) election to parliament.
medaglịna *f. dim. di* **medaglia.** – **medagliọna** (*accr. di medaglia*) *f.* medallion.
medagliọne (*accr. di medaglia*) *m.* **1.** medallion (*anche Arch., Numism.*). – **2.** ⟨*Oref*⟩ locket. – **3.** ⟨*fig,scherz*⟩ (*persona dall'aspetto solenne*) solemn (*o* grave) person. – **4.** ⟨*fig*⟩ (*profilo biografico*) pen-portrait, literary-biographical essay. – **5.** ⟨*Gastr*⟩ round piece of meat; (*panino imbottito*) roll.
medaglịsta *m./f.* **1.** medal(l)ist, maker (*o* coiner) of medals. – **2.** (*raccoglitore di medaglie*) medal(l)ist, collector of medals. – **medaglịstica** *f.* **1.** (*tecnica di fare medaglie*) art of making medals. – **2.** (*studio delle medaglie*) numismatics *pl* (*costr. sing.*).
medagliụccia *f.* (*pl.* **-ce**) ⟨*vezz*⟩ *dim. di* **medaglia.**
Medẹa *N.pr.f.* ⟨*Mitol*⟩ Medea.
medeșimamẹnte *avv.* likewise, in the same way, similarly. – **medeșimạnza** *f.* ⟨*ant*⟩ → **medesimezza.** – **medeșimẹzza** *f.* ⟨*rar*⟩ (*identità*) sameness, identicalness, identity.
medẹșimo I *a.* **1.** (*stesso*) same, identical: *abitiamo al* ~ *piano* we live on the same floor. – **2.** (*uguale*) same, ⟨*attr*⟩ like: *sono della -a statura* they are the same height. – **3.** (*con pronomi personali*) -self: *verrò io* ~ I shall come myself. – **4.** (*in persona*) itself, personified: *tua madre è la bontà -a* your mother is kindness itself. – **II** *avv.* (*proprio*) very, just, itself: *oggi* ~ this very day, just today. – **III** *pron.* (*f.* **-a**) **1.** (*la stessa persona*) same (person): *è il* ~ *che ho incontrato ieri* he is the same person I met yesterday. – **2.** ⟨*non com*⟩ (*la stessa cosa*) same (thing). ◻ ⟨*non com*⟩ *siamo alle -e* (*alle solite*) it's the same old story.
medẹșmo *a.* ⟨*poet*⟩ → **medesimo.**
mẹdia *f.* **1.** average, mean; (*valore medio*) average. – **2.** ⟨*Mat*⟩ mean: ~ *aritmetica* arithmetical mean. – **3.** ⟨*Scol*⟩ (*voto medio*) (end-of-term) average. – **4.** ⟨*Scol*⟩ (*scuola media*) secondary school, ⟨*am*⟩ high school. – **5.** ⟨*Rad*⟩ (*media frequenza*) medium frequency.
◻ ~ **annua** annual average; ⟨*Mat*⟩ ~ **armonica** harmonic mean; **fare** *una* ~ *di qc.* to average s.th.: *abbiamo fatto una* ~ *di cento chilometri all'ora* we averaged a hundred kilometres an hour; **in** ~ on the (*o* an) average; **inferiore** *alla* ~ below average; ~ **oraria** average per hour, hourly average; ⟨*Statist*⟩ ~ **ponderata** weighted mean; ⟨*Statist*⟩ ~ **potenziata** power mean; **superiore** *alla* ~ above average; ⟨*Statist*⟩ ~ **vera** true mean.
Mẹdia *N.pr.f.* ⟨*Geog.stor*⟩ Media.
mediạle[1] *a.* ⟨*Anat*⟩ medial.
mediạle[2] *a.* ⟨*Gramm*⟩ medial: *aspetto* ~ medial aspect.
medialmẹnte *avv.* ⟨*Anat*⟩ medially.

mediạna *f.* **1.** ⟨*Geom*⟩ median (line). – **2.** ⟨*Statist*⟩ median. – **3.** ⟨*Sport*⟩ halfway line, centre line.
mediạnico *a.* (*pl.* **-ci**) ⟨*Occult*⟩ mediumistic. – **medianịsmo** *m.* ⟨*non com*⟩ mediumism. – **medianità** *f.* mediumism.
mediạno I *a.* median, medial, middle; (*medio*) mean, average: *valore* ~ mean value. – **II** *s.m.* **1.** ⟨*Sport*⟩ half-back; (*nel rugby*) back. – **2.** ⟨*Bot*⟩ (*piano mediano*) median plane. □ ⟨*Sport*⟩ ~ *di apertura* fly-half, stand-off; *centro* ~ centre-half; ~ *destro* right-half; ~ *laterale* wing-half; ~ *di mischia* scrum-half.
mediạnte[1] *f.* ⟨*Mus*⟩ mediant.
mediạnte[2] *prep.* **1.** (*per mezzo di*: *rif. a cosa*) through, by means of; (*rif. a persona*) through; (*con l'aiuto di*) with the help of. – **2.** ⟨*ant*⟩ (*attraverso*) through.
mediạre *v.* (**mẹdio, mẹdi**) **I** *v.i.* (*aus.* **avere**) (*essere in mezzo*) to stand (*o* be) between, to intermediate. – **II** *v.t.* **1.** ⟨*Filos*⟩ to supply an intermediary between. – **2.** ⟨*Mat,Fis*⟩ to find the mean of, to average. – **3.** ⟨*rar*⟩ (*fare da mediatore*) to mediate in.
mediastịnico *a.* (*pl.* **-ci**) ⟨*Anat*⟩ mediastinal. – **mediastinịte** *f.* ⟨*Med*⟩ mediastinitis. – **mediastịno** (o *mediạstino*) *m.* ⟨*Anat*⟩ mediastinum.
mediatamẹnte *avv.* (*indirettamente*) indirectly. – **mediạto** (*p.p. di mediare*) *a.* **1.** (*indiretto*) indirect: *effetto* ~ indirect effect. – **2.** ⟨*ant*⟩ (*interposto*) interposed.
mediatorạto *m.* ⟨*non com*⟩ **1.** (*insieme di mediatori*) mediators *pl.* – **2.** (*funzioni dei mediatori*) mediation.
mediatọre I *s.m.* (*f.* **-trice**) **1.** mediator, intermediary, ⟨*fam*⟩ go -between: ~ *di pace* peace mediator. – **2.** (*sensale*) broker, agent, middleman, ⟨*fam*⟩ go-between. – **3.** ⟨*fig*⟩ intermediary; (*intercessore*) mediator (*f* -tress), intercessor. – **II** *a.* mediating. □ ~ *di assicurazioni* insurance broker; ~ *di borsa* stockbroker; *fare da* ~ to act as mediator.
mediaziọne *f.* **1.** mediation. – **2.** ⟨*Comm*⟩ brokerage. – **3.** ⟨*fig*⟩ (*intercessione*) intercession, intermediation. – **4.** (*compenso*) brokerage, (broker's) commission. – **5.** ⟨*Pol*⟩ mediation.
mẹdica[1] *f.* ⟨*Bot*⟩ (*anche erba medica*) lucerne, ⟨*am*⟩ alfalfa (*Medicago sativa*).
mẹdica[2] *f.* ⟨*ant*⟩ (*medico donna*) (lady) doctor, doctoress.
medicạbile *a.* **1.** medicable, treatable, curable; (*sanabile*) healable: *ferita* ~ healable wound. – **2.** ⟨*fig*⟩ curable, healable.
medicạio *m.* ⟨*Bot*⟩ field (*o* plot) of lucerne.
medicạle *a.* **1.** (*del medico*) medical. – **2.** (*di medicina*) medical. – **medicamẹnto** *m.* **1.** (*farmaco*) medicament, medicine. – **2.** ⟨*fig*⟩ (*rimedio*) remedy, cure. – **3.** ⟨*non com*⟩ (*il medicare*) medication, treatment, dressing. – **medicamentọso** *a.* **1.** (*atto a curare*) medicinal: *erbe -e* medicinal herbs. – **2.** (*fatto con medicamenti*) medical: *terapia -a* medical treatment.
medicạnte *m.* ⟨*ant*⟩ (*medico*) doctor, physician.
medicạre *v.t.* (**mẹdico, mẹdichi**) **1.** to treat, to medicate, to doctor; (*rif. a ferita*) to dress; (*fasciare*) to bandage; (*disinfettare*) to disinfect. – **2.** (*applicare sostanze medicamentose*) to medicate. – **3.** ⟨*fig, non com*⟩ (*portare rimedio*) to heal, to cure. – **4.** ⟨*fig,rar*⟩ (*correggere*) to correct, to mend, to cure. – **5.** ⟨*rar*⟩ (*modificare*) to alter, to change. – **6.** ⟨*ant*⟩ (*curare*) to treat, to doctor. – **medicarsi** *v.r.* to medicate o.s., to doctor o.s. □ ~ *il vino* to doctor wine.
medicạstro *m.* ⟨*spreg*⟩ quack, charlatan.
medicatọre ⟨*non com*⟩ **I** *s.m.* (*f.* **-trice**) **1.** (*chi medica*) healer, ⟨*non com*⟩ medicator. – **2.** ⟨*fig*⟩ healer. – **II** *a.* **1.** (*che medica*) medicating, healing. – **2.** ⟨*fig*⟩ healing. – **medicatụra** *f.* ⟨*non com*⟩ → **medicazione**. – **medicaziọne** *f.* **1.** treatment, medication; (*rif. a ferite*) dressing. – **2.** (*fasciatura*) dressing, bandaging; (*medicamento applicato*) medicament. □ ⟨*Mil*⟩ *posto di* ~ dressing station, first-aid post.
medịceo *a.* Medici-, Medicean: ⟨*Arch*⟩ *cappelle -e* Medici chapels.
medicherịa *f.* **1.** surgery, outpatients' department. – **2.** ⟨*ant*⟩ (*arte medica*) medicine; ⟨*scherz*⟩ (*classe medica*) doctors *pl.* – **medichẹssa** *f.* **1.** ⟨*ant*⟩ (*dottoressa*) (lady) doctor, doctoress. – **2.** ⟨*fam, non com*⟩ (*donna che assiste e cura*) nurse. – **3.** ⟨*scherz,spreg*⟩ (*donna che pretende di intendersi di medicina*) would-be doctor.
medicịna *f.* **1.** medicine. – **2.** (*professione di medico*) medicine, medical profession. – **3.** (*preparato*) (patent) medicine, ⟨*am*⟩ drug. – **4.** ⟨*fig*⟩ (*rimedio*) remedy, cure, medicine, healer: *il tempo è la migliore* ~ time is the best healer. – **5.** ⟨*Univ*⟩ (*facoltà*) medicine; (*disciplina*) medicine. – **6.** ⟨*ant*⟩ (*cura*) treatment, cure.
□ ~ **assicurativa** insurance medicine; ~ **comparata** comparative medicine; **dottore** *in* ~ doctor of medicine; ~ **industriale** industrial medicine; ~ **infortunistica** accident medicine; ~ **interna** internal medicine; ~ *del* **lavoro** industrial medicine; ~ **legale** forensic (*o* legal) medicine, medical jurisprudence; ~ **mutualistica** national insurance medicine; ~ **popolare** folk medicine; ~ **preventiva** preventive medicine; ~ **scolastica** school medical supervision; ~ **sociale** social medicine; ~ **spaziale** space medicine; **studente** *di* ~ medical student; ~ **tropicale** tropical medicine; ~ **veterinaria** veterinary medicine.
medicinạle I *a.* medicinal, healing, curative: *prodotti -i* medicinal preparations. – **II** *s.m.* medicine, medicinal preparation, medicament, drug.
mẹdico[1] *a./s.* (*pl.* **-ci**) **I** *s.m.* (*f. ant.* **-a**/**-essa**) **1.** doctor (of medicine), physician, ⟨*fam*⟩ medical man: *essere in cura da un* ~ to be under a doctor's care, to be treated by a doctor. – **2.** ⟨*fig*⟩ (*rif. a persona*) doctor; (*rif. a cosa*: *rimedio*) healer, cure. – **II** *a.* **1.** (*di medicina*) medical: *congresso* ~ medical congress. – **2.** (*del medico*) medical, doctor's: *consulto* ~ medical consultation. – **3.** ⟨*non com*⟩ (*che ha potere curativo*) medicinal, healing, curative.
□ ⟨*Mar*⟩ ~ *di* **bordo** ship's doctor; ~ *di* **campagna** country doctor; ~ **capo** chief doctor; ~ *di* **casa** = *medico di* **famiglia**; ~ (*autorizzato*) *della* **cassa mutua** doctor on health insurance panel; **certificato** ~ doctor's (*o* medical) certificate; (*attestante lo stato di salute*) health certificate; ~ **chirurgo** surgeon; ~ **condotto** (local) medical officer; ~ **consulente** consulting physician; ~ *di* **corte** court physician; ~ **curante** doctor in charge (of a case); ~ **dentista** dentist; ~ *di* **fabbrica** factory doctor; ~ *di* **famiglia** family doctor; ~ *di* **fiducia** doctor of one's choice; (*di famiglia*) family doctor; ~ **fiscale** company doctor; ⟨*ant*⟩ ~ **fisico** (*medico*) (medical) doctor, physician; ~ **generico** general practitioner; ~ **igienista** hygienist; ~ **internista** physician, internist; ~ **legale** police doctor, ⟨*am*⟩ medical examiner; ~ **militare** medical officer; ~ **primario** chief (*o* head) physician; ~ **provinciale** provincial (*o* district) medical officer; **ricetta** *a* doctor's (*o* medical) prescription; ~ **scolastico** school doctor; ~ **specialista** specialist.
mẹdico[2] *a.* (*pl.* **-ci**) ⟨*Stor*⟩ **1.** Median. – **2.** (*persiano*) Persian: *guerre mediche* Persian wars.
mẹdico-|chirụrgico *a.* (*pl.* **-ci**) medico-chirurgical. – **~legạle** *a.* medico-legal.
medicọne (*accr. di medico*[1]) *m.* **1.** ⟨*scherz*⟩ (*medico di gran fama*) famous (*o* well-known) doctor. – **2.** ⟨*fam*⟩ (*ciarlatano*) quack, charlatan. – **medicọnzolo, medicụccio** (*dim. di medico*[1]) *m.* ⟨*spreg*⟩ quack, third-rate doctor.
medietà *f.* **1.** ⟨*lett*⟩ (inter)mediacy, (inter)mediateness. – **2.** ⟨*Mat*⟩ continued proportion.
Medieurọpa *N.pr.f.* ⟨*Geog*⟩ Central Europe. – **medieuropẹo** *a.* Central European.
medievạle *a.* **1.** medi(a)eval, of the Middle Ages. – **2.** ⟨*fig*⟩ (*retrogrado*) medi(a)eval, backward, antiquated, outmoded. – **medievalịsmo** *m.* **1.** medi(a)evalism. – **2.** ⟨*fig*⟩ (*concezione superata*) medieval mentality (*o* concept), backwardness. – **medievalịsta I** *s.m./f.* medi(a)evalist. – **II** *a.* medi(a)evalistic. – **medievalịstica** *f.* medieval studies *pl*, (study of) medieval history and culture. – **medievalịstico** *a.* (*pl.* **-ci**) **1.** ⟨*spreg*⟩ (*medievale*) medi(a)eval, antiquated, outmoded, backward. – **2.** (*che concerne la medievalistica*) medi(a)evalistic, concerning medieval studies. – **medievịsta** *a./s.* → **medievalista**. – **medievịstica** *f.* → **medievalistica**. – **medievịstico** *a.* → **medievalistico**. – **medievịzzạnte** *a.* ⟨*non com*⟩ medi(a)eval.
medimareọgrafo, medimareọmetro *m.* average tide gauge.
Medịna *N.pr.f.* ⟨*Geog*⟩ Medina.
mẹdio I *a.* **1.** middle-, intermediate, medium, middling: *essere di -a età* to be middle-aged; *statura -a* medium height; (*nelle parole composte*) mid-. – **2.** (*mediocre*) middling, fair, average, mediocre: *di -a intelligenza* of average (*o* fair) intelligence; *qualità -a* middling quality. – **3.** (*ottenuto facendo la media*) average: *temperatura -a* average temperature. – **4.** ⟨*Mat*⟩ mean. – **5.** ⟨*Scol*⟩ secondary, ⟨*am*⟩ high-; (*medio inferiore*) intermediate, middle-, ⟨*am*⟩ junior high-: *licenza -a* intermediate (*o* secondary) school certificate. – **II** *s.m.* **1.** (*parte di mezzo*) middle. – **2.** (*dito medio*) middle finger. – **3.** *pl.* ⟨*Mat*⟩ mean (term). – **4.** ⟨*Gramm*⟩ middle. – **5.** ⟨*Sport*⟩ (*peso medio*) middle-weight. – **6.** ⟨*Geog, Sociol*⟩ central, middle: *il ceto* ~ the middle class(es). □ ⟨*Fon*⟩ *consonante -a* middle consonant; *valore* ~ mean value.
medioatlạntico *a.* (*pl.* **-ci**) ⟨*Geog*⟩ mid-Atlantic.
Mediobanca = *Banca di credito finanziario* Credit Bank.
mediocẹntro *m.* ⟨*Sport*⟩ centre-half.
mediocrazịa *f.* ⟨*non com*⟩ **1.** ⟨*Pol*⟩ middle-class power. – **2.** ⟨*scherz*⟩ (*potere dei mediocri*) mediocracy.
mediọcre I *a.* **1.** mediocre, middling, fair, poor, not too good, indifferent, second-rate: *un libro* ~ a poor (*o* mediocre) book; (*ordinario*) ordinary; (*comune*) commonplace; (*modesto*) plain, moderate. – **2.** ⟨*non com*⟩ (*medio*) medium, middle, average, middling: *persona di* ~ *altezza* person of average (*o* medium) height. – **II** *s.m./f.* mediocre person, mediocrity.
mediocrẹdito *m.* ⟨*Econ*⟩ medium-term credit. – **Mediocredito** = *Istituto centrale per il credito a medio termine.*
mediocremẹnte *avv.* **1.** with mediocrity, fairly, moderately, passably, tolerably; (*piuttosto male*) poorly, rather badly, not very well. – **2.** ⟨*non com*⟩ (*in modo medio*) averagely. – **mediocrità** *f.* **1.** (*l'essere sotto la media*) mediocrity, second-rateness, poorness. – **2.** (*condizione media*) medium, mean: *l'aurea* ~ the golden (*o* happy) mean. – **3.** (*persona mediocre*) mediocrity: *essere una* ~ to be a mediocrity.
Medioeurọpa *f.* → **Medieuropa**. – **medioeuropẹo** *a.* → **medieuropeo**.
medioevạle *a.* → **medievale**. – **medioevalịsmo** *m.* → **medievalismo**. – **medioevalịsta** *a./s.* → **medievalista**. – **medioevalịstica** *f.* → **medievalistica**. – **medioevalịstico** *a.* → **medievalistico**. – **medioevịsta** *a./s.* → **medievalista**. – **medioevịstica** *f.* → **medievalistica**. – **medioevịstico** *a.* → **medievalistico**. – **medioevịzzạnte** *a.* → **medievizzante**.
medioẹvo (o *mẹdio ẹvo*) *m.* Middle Ages *pl*: *alto* ~ Dark Ages, early Middle Ages; *basso* ~ late Middle Ages.
mediolanità *f.* ⟨*lett*⟩ typical Milanese characteristics *pl*, Milanese character.

medio|latino *a.* ⟨*Ling*⟩ middle (*o* Medieval) Latin-. – **~leggero** (*o* *medio-leggero*) **I** *a.* ⟨*Sport*⟩ welter-: *peso* ~ welter-weight. – **II** *s.m.* (*peso medio-leggero*) welter-weight. – **~massimo** (*o* *medio-massimo*) **I** *a.* ⟨*Sport*⟩ light heavy-: *peso* ~ light heavy-weight. – **II** *s.m.* (*peso medio-massimo*) light heavy-weight.

mediometro *m.* average meter.

medio-tedesco *a.* ⟨*Ling*⟩ Middle German.

meditabile *a.* to be pondered (*o* meditated) on, worthy of meditation, needing consideration. – **meditabondo** *a.* **1.** thoughtful, meditating, pensive, wrapped in thought. – **2.** ⟨*non com*⟩ (*portato alla meditazione*) meditative, contemplative, cogitative.

meditare *v.* (**medito**) **I** *v.t.* **1.** to ponder (over), to meditate (on); (*considerare*) to consider; (*contemplare*) to contemplate. – **2.** (*riflettere*) to think over, to reflect on. – **3.** (*progettare*) to plan, to think out: ~ *la fuga* to plan an escape; (*macchinare*) to plot, to excogitate. – **4.** (*avere in mente*) to intend, to think of, to meditate. – **II** *v.i.* (*aus.* **avere**) **1.** to meditate (*su, intorno* on), to ponder (over), to muse, to brood (on, over). – **2.** (*riflettere*) to reflect (on). – **3.** (*raccogliersi in meditazione*) to meditate. □ ~ *a fondo qc.* to think s.th. over carefully.

meditatamente *avv.* **1.** meditatively, meditatingly, reflectively. – **2.** (*apposta*) on purpose, deliberately, designedly. – **meditativo** *a.* **1.** (*disposto alla meditazione*) meditative, reflective, pensive; (*contemplativo*) contemplative. – **2.** (*dedito alla meditazione*) contemplative. – **meditato** (*p.p. di meditare*) *a.* meditated, thought out (*o* over), considered: *proposta ben -a* well thought-out proposal; *decisione ben -a* carefully-considered decision. – **meditatore** *m.* (*f.* **-trice**) ⟨*non com*⟩ **1.** meditator. – **2.** (*chi macchina, chi progetta*) plotter, schemer, hatcher (of plots).

meditazione *f.* **1.** meditation. – **2.** (*riflessione*) reflection, thought, consideration; (*ponderazione*) ponderation; (*cogitazione*) cogitation. – **3.** (*pratica ascetica*) meditation, contemplation; (*predica*) meditation. – **4.** *pl.* ⟨*Lett*⟩ meditations *pl.*

mediterraneo *a.* **1.** Mediterranean: *clima* ~ Mediterranean climate. – **2.** ⟨*ant*⟩ (*continentale*) inland, continental, landlocked. – **Mediterraneo** *N.pr.m.* (*mare Mediterraneo*) Mediterranean (Sea).

mediterranide I *a.* Mediterranean: *razza* ~ Mediterranean race. – **II** *s.m./f.* Mediterranean.

medium *m./f.* ⟨*Occult*⟩ medium.

medo I *a.* ⟨*Stor*⟩ (*della Media*) Median. – **II** *s.m.* Mede.

medolla *f.* ⟨*ant,region*⟩ (*midolla*) crumb, soft part of bread.

medollo *m.* ⟨*ant,region*⟩ (*midollo*) marrow.

medusa *f.* ⟨*Zool*⟩ jellyfish, medusa (*Medusa*).

Medusa *N.pr.f.* ⟨*Mitol*⟩ Medusa.

medusare *v.t.* ⟨*lett,rar*⟩ (*incantare*) to bewitch.

medusario I *a.* ⟨*Zool*⟩ medusan: *forma -a* medusan shape. – **II** *s.m.* ⟨*non com*⟩ school of jellyfish.

meduseo *a.* ⟨*lett*⟩ Medusa-like, terrifying, baleful: *sguardo* ~ terrifying look.

medusoide *a.* ⟨*Zool*⟩ medusoid.

meeting *ingl.* ['mi:tiŋ] *m.* **1.** ⟨*Pol*⟩ political meeting (*o* assembly). – **2.** ⟨*Sport*⟩ match; (*nell'ippica*) meeting.

mefisto *m.* (*berretto*) kind of cap.

Mefistofele *N.pr.m.* ⟨*Lett*⟩ Mephistopheles. – **mefistofelico** *a.* (*pl.* **-ci**) **1.** (*di Mefistofele*) Mephistophelean, Mephistophelian. – **2.** (*satanico*) Mephistophelian, satanic.

mefite *f.* **1.** mephitis. – **2.** ⟨*lett*⟩ (*aria malsana*) mephitis, foul air. – **3.** ⟨*Zool*⟩ (*moffetta*) striped skunk (*Mephitis mephitis*).

Mefite *N.pr.f.* ⟨*Mitol*⟩ Mefitis, Mephitis.

mefitico *a.* (*pl.* **-ci**) **1.** pestilential, mephitic(al), foul-smelling: *esalazioni mefitiche* mephitic exhalations. – **2.** ⟨*fig,non com*⟩ foul, corrupt.

mefitini *m.pl.* ⟨*Zool*⟩ skunks *pl* (*Mephitinae*).

mefitismo *m.* ⟨*non com*⟩ mephitism, mephitic poisoning of the air.

mega... *pref.* (*grande* great, large) meg(a)...

mega|baria *f.* ⟨*Fis*⟩ bar. – **~ciclo** *m.* ⟨*Rad*⟩ megacycle. – **~cosmo** *m.* megacosm, macrocosm. – **~dina** *f.* ⟨*Fis*⟩ megadyne. – **~farad** *m.* megafarad.

megafonista *m./f.* megaphonist. – **megafono** *m.* megaphone.

megahertz *m.* ⟨*Rad*⟩ megahertz.

megaleppo *m.* ⟨*Bot*⟩ mahaleb (cherry), perfumed (*o* rock, St. Lucie) cherry (*Prunus mahaleb*).

megalite *m.* ⟨*Archeol*⟩ megalith. – **megalitico** *a.* (*pl.* **-ci**) megalithic: *tomba -a* megalithic tomb. – **megalito** *m.* → **megalite.**

megalo... *pref.* (*grande* great, large) megal(o)...

megalo|blasto *m.* ⟨*Biol*⟩ megaloblast. – **~cefalia** *f.* ⟨*Anat*⟩ megalocephalia, megalocephaly. – **~cefalo** *a.* megalocephalous, megacephalous. – **~grafia** *f.* ⟨*Archeol*⟩ series of paintings with large figures.

megalomane I *a.* megalomaniac(al). – **II** *s.m./f.* megalomaniac. – **megalomania** *f.* megalomania.

megaloto *m.* ⟨*Zool*⟩ fennec (*Fennecus zerda*).

megalotteri *m.pl.* ⟨*Entom*⟩ megalopterans *pl* (*Megaloptera*).

mega|nucleo *m.* ⟨*Biol*⟩ meganucleus, macronucleus. – **~ohm** *m.* ⟨*El*⟩ megohm. – **~ohmmetro** *m.* megohmmeter, megger.

megapodi *m.pl.* ⟨*Ornit*⟩ megapods *pl*, mound birds *pl* (*Megapodiidae*).

Megara *N.pr.f.* ⟨*Geog,Mitol*⟩ Megara.

megarico *m.* (*pl.* **-ci**) ⟨*Filos*⟩ Megarian, Megaric.

megaron *m.* ⟨*Archeol*⟩ megaron.

megaspora *f.* ⟨*Bot*⟩ megaspore.

megaterio *m.* ⟨*Paleont*⟩ megathere (*Megatherium*).

megaton, megatone *m.* ⟨*Atom*⟩ megaton.

megatonnellata *f.* metric megaton.

megattera *f.* ⟨*Zool*⟩ humpback (whale) (*Megaptera nodosa*).

mega|volt *m.* ⟨*El*⟩ megavolt. – **~voltelettrone** *m.* megaelectron-volt.

Megera *N.pr.f.* ⟨*Mitol*⟩ Megaera. – **megera** *f.* **1.** (*donna brutta e litigiosa*) harridan, vixen, shrew, hag. – **2.** ⟨*Entom*⟩ wall butterfly (*Pararge megera*).

meglio I *avv.* (*compar. di bene*) **1.** better: *questa macchina va* ~ this car is running (*o* working) better. – **2.** (*più facilmente*) easier, better. – **3.** (*più bello*) better: *scrivi un po'* ~ write a bit better, write more clearly. – **4.** (*di più*) better, more: *è pagato* ~ *di me* he is ⌜better paid⌝ (*o* paid more) than I am. – **5.** (*piuttosto*) rather, better, ⟨*fam*⟩ sooner: ~ *la morte che la schiavitù* better death than slavery, death rather than slavery; *amerei* ~ *partire oggi* I would rather (*o* sooner) leave today. – **6.** (*con senso superlativo*) best: *è quello che lavora* ~ he is the one who works best *i quadri* ~ *riusciti* the best painted pictures, the pictures painted best; *si traduce spesso con il sup. dell'agg. che segue*: *i ragazzi* ~ *educati* the politest (*o* most polite) boys. – **II** *a.inv.* (*compar. di buono*) **1.** (*migliore*) better: *il mio lavoro è* ~ *del tuo* my work is better than yours. – **2.** (*preferibile*) better, preferable: *è* ~ *rimandare tutto a domani* it is better to put everything off until tomorrow; *è* ~ *non parlarne* it's better not to talk about it. – **3.** ⟨*pop*⟩ (*migliore*: *con valore superlativo*) best: *il* ~ *giocatore della squadra* the best player in the team. – **III** *pron.* ⟨*fam*⟩ (*migliore*: *con valore superlativo*) best. – **IV** *s.m./f.* (*la cosa migliore*) best (thing): *ognuno desidera il* ~ *per se stesso* everyone wants the best for himself; *la* ~ *è andarsene a casa* the best thing (to do) is to go home; (*la parte migliore*) best (part).

□ ⟨*Comm*⟩ **al** ~ at best; *alla* ~ as best one can, as well as possible; (*miseramente*) not very well, somehow or other: *vivere alla* ~ to scrape along, to manage (somehow or other), to get by; **andare** ~: 1. (*procedere meglio*) to go (*o* get) better, to be (doing) better, to improve; 2. (*rif. alla salute*) to feel (*o* be) better, to improve; 3. (*rif. a indumenti*) to suit better (*a qd.* s.o.), to look better (on s.o.); 4. (*stare più comodo*) to be more comfortable; 5. (*economicamente*) to be better off: *i tuoi vanno* ~ *dei miei* your family is better off than mine; *ti va* ~ *oggi pomeriggio?* (*ti conviene*) would this afternoon suit you better?, would you prefer this afternoon?; (*ti senti meglio*) do you feel better this afternoon?; **avere** *la* ~ to have (*o* get) the better, to come off better, to win; ~ **così** = **tanto** *meglio*; ⟨*non com*⟩ **desiderare** ~ (*preferire*) to prefer, to have rather (*o* sooner); *vorrei qc.* **di** ~ I should like s.th. better; *non chiedo di* ~ I couldn't ask for (anything) better; **fare** *del* (*o il*) *proprio* ~ to do one's best (*o* utmost), to do everything in one's power; *fare il proprio* ~ (*per i propri interessi*) to do the best for o.s., to look after one's own interests; *faresti* ~ *ad andartene* you had better leave; *farebbe* ~ *a non aprire bocca* he'd better not say anything; **nel** ~ *di qc.* at the best (*o* most interesting) part of s.th.; **o** ~ (*ovvero*) or rather; **per** *il* ~ (*nel modo migliore*) for the best, in the best way; *per il suo* ~ for his (own) good; *il* ~ **possibile** (*nel modo migliore*) as well as possible, the (*o* as) best one can, to the best of one's ability; (*la qualità migliore*) the best possible; **stare** ~ = **andare** *meglio*; **tanto** ~ so much the better: *tanto* ~ *per lui* so much the better for him; **valere** ~ to be better. – *Prov.*: ~ *tardi che mai* better late than never; ~ *soli che male accompagnati* better alone than in ill company; *il* ~ *è nemico del bene* leave well alone; ~ *un uovo oggi che una gallina domani* a bird in the hand is worth two in the bush; *è* ~ *essere invidiati che compatiti* it is better to be envied than pitied; ~ *poco che niente* half a loaf is better than no bread.

miglioramento *m.* ⟨*fam,tosc*⟩ (*miglioramento*) improvement. – **megliorare** *v.* (**meglioro**) ⟨*pop,tosc*⟩ **I** *v.t.* (*migliorare*) to improve, to better. – **II** *v.i.* (*aus.* **avere**) to improve, to become (*o* get) better.

mehari *m.* ⟨*Zool*⟩ mehari.

meharista *m.* meharist(e).

mei *avv.* ⟨*ant,poet*⟩ (*meglio*) better.

meiomeria *f.* ⟨*Bot*⟩ oligomery. – **meiomero** *a.* oligomerous.

meiosi *f.* ⟨*Biol*⟩ meiosis. – **meiotico** *a.* (*pl.* **-ci**) meiotic.

mela *f.* **1.** apple. – **2.** *pl.* ⟨*fam*⟩ (*gote rosse*) rosy cheeks *pl*, apple-cheeks *pl*; (*natiche*) buttocks *pl*; (*mammelle*) breasts *pl.* – **3.** ⟨*Macell,tosc*⟩ rump. – **4.** ⟨*sport*⟩ (*palla*) ball. – **5.** ⟨*region*⟩ (*buco nei calcagni delle calze*) hole, ⟨*scherz*⟩ potato.

□ ~ **dell'annaffiatoio** rose of a watering-can; *-e* **autunnali** autumn apples; ~ **cannella** sugar (*o* custard) apple, sweet sop; ~ **cotogna** quince; ⟨*fig,non com*⟩ **dar** *le -e a qd.* (*picchiarlo*) to beat s.o.; (*sopraffarlo*) to overcome s.o.; *-e* **estive** summer apples; *-e al* **forno** baked apples; ~ **granata** pomegranate; *-e* **invernali** winter apples; ⟨*fig*⟩ **prender** *le -e* (*essere picchiato*) to be beaten, to get a thrashing; (*perdere*) to lose, ⟨*fam*⟩ to take a licking; ~ **ranetta** rennet; ~ **selvatica** crab apple; ~ *da* **sidro** cider apple; *-e da* **tavola** eating apples; ⟨*fig*⟩ *farsi* **tirar** *le -e addosso* (*farsi deridere*) to make a laughing-stock of o.s.

melafiro *m.* ⟨*Geol*⟩ melaphyre.

melagrana *f.* (*pl.* **melagrane**/*non com.* **melegrane**) pomegranate. □ *di* (*color*) ~ dark red. – **melagranata** *f.* ⟨*rar*⟩ → **melagrana.** – **melagranato** *m.* ⟨*rar*⟩ → **melograno.** – **melagrano** *m.* ⟨*tosc*⟩ → **melograno.**

melalgia *f.* ⟨*Med,ant*⟩ (*artralgia*) melalgia.

melammina *f.* ⟨*Chim*⟩ melamine.
melampiro *m.* ⟨*Bot*⟩ cow-wheat (*Melampyrum*; *Melampyrum arvense*).
melampo *m.* ⟨*Zool*⟩ (*impala*) impala (*Aepyceros melampus*).
melan... *pref.* → **melano...**
melancolia *f.* ⟨*ant*⟩ → **melanconia**. – **melancolico** *a.* ⟨*ant*⟩ → **melanconico**. – **melanconia** *f.* ⟨*lett*⟩ (*malinconia*) melancholy, gloom. – **melanconico** *a.* (*pl.* **-ci**) ⟨*lett*⟩ (*malinconico*) melancholy, melancholic, gloomy.
Melanesia *N.pr.f.* ⟨*Geog*⟩ Melanesia. – **melanesiano I** *a.* Melanesian. – **II** *s.m.* (*f.* **-a**) Melanesian.
mélange *fr.* [meˈlãːʒ] **I** *s.m.* **1.** (*mescolanza*) mixture, mélange. – **2.** (*caffè con panna*) coffee with cream. – **II** *a.* variegated, speckled.
melangola *f.* (*frutto*) Seville (*o* bitter, sour) orange, bigarade. – **melangolo** *m.* ⟨*Bot*⟩ (*arancio amaro*) Seville (*o* bitter) orange tree (*Citrus aurantium amara*).
melanina *f.* ⟨*Biol*⟩ melanin. – **melanismo** *m.* melanism.
melanite *f.* ⟨*Min*⟩ melanite.
melano... *pref.* (*nero* black) melan(o)..., mel(a)..., melo...
melanocratico *a.* (*pl.* **-ci**) → **melanocrato**. – **melanocrato** *a.* ⟨*Min*⟩ melanocratic.
melanodermia *f.* ⟨*Med*⟩ melanoderma.
melano|foro *m.* ⟨*Biol*⟩ melanophore. – **~glossia** *f.* ⟨*Med*⟩ melanoglossia, black tongue.
melanoma *m.* ⟨*Med*⟩ melanoma.
melanosi *f.* **1.** ⟨*Med*⟩ melanosis. – **2.** ⟨*Bot*⟩ melanose.
melantio *m.* ⟨*Bot*⟩ (*cominella*) fennel-flower (*Nigella sativa*).
melanuria *f.* ⟨*Med*⟩ melanuria.
melanuro *m.* ⟨*Itt*⟩ (*occhiata*) saddled bream (*Oblata melanura*).
melanzana *f.* **1.** ⟨*Bot*⟩ egg-plant (*Solanum melongena*). – **2.** (*frutto*) egg-plant, aubergine.
melarancia *f.* (*pl.* **-ce**) sweet orange. – **melarancio** *m.* ⟨*Bot*⟩ (*arancio dolce*) sweet (*o* common) orange (*Citrus aurantium dulcis*).
melario I *s.m.* (*in apicoltura*) honeycomb. – **II** *a.* (*del miele*) honey-.
melarosa (o *mela rosa*) *f.* **1.** ⟨*Bot*⟩ rose apple (*Eugenia iambos*). – **2.** (*frutto*) rose apple.
melasma *m.* ⟨*Med*⟩ melasma, melanoderma.
melassa *f.*, **melasso** *m.* treacle, molasses *pl* (*costr. sing.*): ~ *di canna* cane treacle.
melata *f.* honeydew.
melato *a.* **1.** sweetened with honey, honeyed, honied. – **2.** ⟨*fig*⟩ (*mellifluo*) honeyed, sweet, sugary; (*lusinghiero*) flattering. – **3.** ⟨*Zool*⟩ orange-flecked.
Melchiorre *N.pr.m.* Melchior.
Melchisedec *N.pr.m.* ⟨*Bibl*⟩ Melchizedek.
melchita I *s.m.* ⟨*Rel*⟩ Melchite, Melkite. – **II** *a.* Melchite, Melkite.
mele *m.* ⟨*poet,fam*⟩ (*miele*) honey.
meleagridi *m.pl.* ⟨*Ornit*⟩ turkeys *pl* (*Meleagridae*).
Meleagro *N.pr.m.* ⟨*Stor*⟩ Meleager.
mêlée *fr.* [mɛˈle] *f.* ⟨*Sport*⟩ scrum.
melena *f.* ⟨*Med*⟩ mel(a)ena.
melensaggine *f.* **1.** dullness, slow-wittedness, doltishness. – **2.** ⟨*concr*⟩ silly (*o* stupid) behaviour, stupidity. – **melenso I** *a.* dull, slow, slow-witted, doltish, ⟨*fam*⟩ dopey; (*stolido*) stolid; (*sciocco*) silly, foolish. – **II** *s.m.* simpleton, dull fellow.
meleto *m.* ⟨*Agr*⟩ apple orchard.
meletta[1] *f.* *dim. di* **mela**.
meletta[2] *f.* ⟨*Itt*⟩ argentine (*Argentina sphyraena*).
melga *f.* → **melica**[2].
melgone (*accr. di melga*) *m.* ⟨*region*⟩ (*mais*) maize, Indian corn.
...melia *suff.* (*arto* limb) ...melia: *amelia f.* amelia.
meliaca *f.* ⟨*tosc*⟩ (*albicocca*) apricot.
meliaco *m.* ⟨*tosc*⟩ (*albicocco*) apricot (tree).
meliantacee *f.pl.* ⟨*Bot*⟩ honeyflower family (*Melianthaceae*).
melianto *m.* ⟨*Bot*⟩ honeyflower (*Melianthus*).
melica[1] *f.* ⟨*Lett*⟩ melic (poetry).
melica[2] *f.* ⟨*Bot*⟩ **1.** (*sorgo*) sorghum (*Sorghum vulgare*). – **2.** (*mais*) maize, Indian corn (*Zea mays*).
melico *a./s.* (*pl.* **-ci**) **I** *a.* ⟨*Lett*⟩ melic; (*lirico*) lyric(al); (*melodioso*) melodious, musical. – **II** *s.m.* melic poet.
melifagidi *m.pl.* ⟨*Ornit*⟩ honey eaters *pl*, honey suckers *pl*, meliphagidans *pl* (*Meliphagidae*).
meliga *f.* → **melica**[2].
melilite *f.* ⟨*Min*⟩ melilite. – **melilitico** *a.* (*pl.* **-ci**) ⟨*Geol*⟩ melilite-, containing melilite.
meliloto *m.* ⟨*Bot*⟩ melilot, sweet clover (*Melilotus*). □ ~ *di Bu chara* white melilot, sweet clover, bokhara clover (*Melilotus alba*); *falso* ~ milk-vetch (*Astragalus baeticus*).
melina: ⟨*Sport*⟩ *fare la* ~ to hang on to the ball.
melini *m.pl.* ⟨*Zool*⟩ badgers *pl* (*Melinae*).
melinite *f.* ⟨*Min*⟩ melinite.
melino *m.* ⟨*Macell,tosc*⟩ rump.
meliorismo *m.* ⟨*Filos*⟩ meliorism. – **meliorista** *m./f.* meliorist. – **melioristico** *a.* (*pl.* **-ci**) meliorist(ic).
meliponidi *m.pl.* ⟨*Entom*⟩ stingless bees *pl* (*Meliponidae*).
melisma *m.* ⟨*Mus*⟩ melisma. – **melismatico** *a.* (*pl.* **-ci**) melismatic. – **melismo** *m.* ⟨*non com*⟩ → **melisma**.
melissa *f.* ⟨*Bot*⟩ lemon (*o* garden) balm, balm (*Melissa officinalis*).
melissofago *a.* (*pl.* **-gi**) ⟨*Zool*⟩ bee-eating.
melitense ⟨*lett*⟩ **I** *a.* (*di Malta*) Maltese, of Malta. – **II** *s.m./f.* Maltese.
melittofilo *a.* **1.** ⟨*Zool*⟩ living in honeycombs. – **2.** ⟨*Bot*⟩ melittophilous.
melleo *a.* ⟨*lett*⟩ **1.** (*di miele*) honey-; (*dolce come il miele*) honey-sweet, sweet as honey; (*che ha odore di miele*) honey-scented. – **2.** ⟨*fig*⟩ honeyed, honied, sweet, mellifluous.
melletta *f.* ⟨*tosc*⟩ (*melma*) slime, mud.
mellifero *a.* **1.** ⟨*Zool,lett*⟩ melliferous, honey-, honey-producing: *api -e* honey-bees. – **2.** ⟨*Bot*⟩ melliferous.
mellificare *v.i.* (**mellifico, mellifichi**; *aus.* **avere**) (*rif. ad api*) to make honey. – **mellificazione** *f.* honey-making.
mellifluamente *avv.* mellifluously, sweetly. – **mellifluità** *f.* ⟨*rar*⟩ mellifluousness. – **mellifluo** *a.* **1.** (*dolce*) sweet, mellifluous, honeyed, honied, honey-sweet. – **2.** (*sdolcinato*) unctuous, ⟨*fam*⟩ sugary. – **3.** ⟨*lett*⟩ (*che stilla miele*) oozing honey.
mellite *f.* ⟨*Min*⟩ mellite.
mellito *m.* ⟨*Farm*⟩ mellite.
mellivora *f.* ⟨*Zool*⟩ ratel (*Mellivora capensis*).
mellonaggine *f.* ⟨*ant,tosc*⟩ (*stupidaggine*) stupidity. – **mellone** *m.* **1.** ⟨*region*⟩ (*melone*) melon. – **2.** ⟨*fig*⟩ (*persona sciocca*) fool, simpleton, dolt.
melma *f.* **1.** slime, ooze; (*fango*) mud, mire, sludge, slush. – **2.** ⟨*Geol*⟩ mud. – **3.** ⟨*fig*⟩ dirt, filth, smut. – **melmosità** *f.* sliminess, ooziness; (*fangosità*) muddiness, miriness. – **melmoso** *a.* slimy, oozy; (*fangoso*) muddy, miry.
melo[1] *m.* ⟨*Bot*⟩ apple-tree (*Malus communis*; *Pirus malus*). □ ~ *cotogno* quince (tree) (*Cydonia vulgaris*); ~ *granato* → **melograno**.
melo[2] *m.* ⟨*lett*⟩ melody, song.
melode[1] *m.* ⟨*Lett*⟩ melodist.
melode[2] *f.* ⟨*poet*⟩ (*melodia*) melody.
melodia *f.* **1.** ⟨*Mus*⟩ melody, melodiousness, tunefulness. – **2.** (*aria*) melody, tune, air. – **3.** ⟨*fig*⟩ (*dolcezza*) melodiousness, sweetness, musicalness: *la* ~ *della sua voce* the sweetness of her voice.
melodica *f.* ⟨*ant*⟩ melody making. – **melodicamente** *avv.* melodiously. – **melodico** *a.* (*pl.* **-ci**) melodious, melodic, tuneful. – **melodioso** *a.* **1.** melodious, tuneful. – **2.** ⟨*fig*⟩ (*dolce*) melodious, sweet, sweet-sounding, musical; (*armonioso*) harmonious.
melodista *m./f.* ⟨*Mus*⟩ **1.** melodist, composer of melodies. – **2.** ⟨*non com*⟩ (*chi predilige la musica melodica*) lover of melodic music.
melodo *m.* → **melode**[1].
melodramma *m.* **1.** opera, ⟨*ant*⟩ melodrama. – **2.** ⟨*fig,spreg*⟩ (*tragedia*) melodrama. – **melodrammatico** *a.* (*pl.* **-ci**) **1.** operatic. – **2.** ⟨*fig,spreg*⟩ (*esagerato, caricato*) melodramatic(al).
meloe *m.* ⟨*Entom*⟩ oil beetle, meloe (*Meloe*).
melografo *m.* **1.** ⟨*Stor.gr*⟩ composer (of music). – **2.** (*apparecchio*) melograph.
melogranato (o *melo granato*) *m.* ⟨*non com*⟩ → **melograno**.
melograno *m.* ⟨*Bot*⟩ pomegranate (tree) (*Punica granatum*).
meloidi *m.pl.* ⟨*Entom*⟩ meloids *pl* (*Meloidae*).
melologo *m.* (*pl.* **-ghi**) ⟨*Teat*⟩ melologue.
melolonta *m.* ⟨*Entom*⟩ melolonthid, cockchafer (*Melolontha*).
melomane *m./f.* **1.** melomaniac. – **2.** ⟨*iperb,non com*⟩ (*appassionato di musica*) (kenn) music-lover. – **melomania** *f.* **1.** melomania. – **2.** ⟨*iperb*⟩ (*passione per la musica*) great love of music. – **melomaniaco** *a./s.* (*pl.* **-ci**) ⟨*lett*⟩ **I** *a.* melomane. – **II** *s.m.* (*f.* **-a**) melomaniac.
meloncello *m.* ⟨*Bot*⟩ (*salvastrella*) great burnet (*Sanguisorba officinalis*).
melone *m.* **1.** ⟨*Bot*⟩ (musk) melon (*Cucumis melo*). – **2.** (*frutto*) (musk) melon. □ ~ *d'acqua* (*cocomero*) water-melon (*Citrullus vulgaris*); *albero dei -i* (*papaia*) papaya (*Carica papaya*); ~ *cantalupo* cantaloup(e) (*Cucumis melo cantalupensis*); ~ *d'inverno* winter melon (*Cucumis melo inodorus*); ~ *retato* (o *reticolato*) musk (*o* nutmeg) melon (*Cucumis melo raticulatus*).
melonite *f.* ⟨*Min*⟩ melonite.
melopea *f.* ⟨*Mus*⟩ **1.** (*melodia lenta*) slow melody, melopoeia. – **2.** (*canto*) song. – **3.** ⟨*ant*⟩ (*arte del contrappunto*) composition of counterpoint.
melopsittaco *m.* (*pl.* **-ci**) ⟨*Ornit*⟩ budgerigar, lovebird, shell parakeet (*Melopsittacus undulatus*).
melos *m.* ⟨*lett*⟩ **1.** (*melodia*) melos, melody; (*canto*) song. – **2.** (*poesia lirica*) lyric (poetry).
Melpomene *N.pr.f.* ⟨*Mitol*⟩ Melpomene.
meltemi *m.pl.* ⟨*Meteor*⟩ Etesians *pl*.
melù *m.* ⟨*Itt*⟩ couch's whiting, poutassou (*Gadus poutassou*).
meluccia *f.* (*pl.* **-ce**) *dim. di* **mela**.
meluggine *f.* ⟨*tosc*⟩ (*melo selvatico*) crab (*o* wild) apple.
membra *f.pl. di* **membro**.
membracidi *m.pl.* ⟨*Entom*⟩ tree-hoppers *pl*, membracids *pl* (*Membracidae*).
membrana *f.* **1.** ⟨*Anat,Biol*⟩ membrane. – **2.** ⟨*Mecc*⟩ diaphragm; (*lamina sottile*) membrane, film. – **3.** ⟨*Mus*⟩ membrane. – **4.** ⟨*ant*⟩ (*pergamena*) membrane, parchment. □ ⟨*Biol*⟩ ~ *cellulare* cell wall (*o* membrane); ⟨*ant*⟩ ~ *di Pergamo* parchment.
membranaceo *a.* **1.** ⟨*Anat,Biol*⟩ membranous, membranaceous, membrane. – **2.** ⟨*Bibliot*⟩ parchment-: *codice* ~ parchment codex. – **membranella, membranetta** *f. dim. di* **membrana**. – **membraniforme** *a.* membranous.
membranofono *m.* ⟨*Mus*⟩ (*anche strumento membranofono*) membranophone.

membranọso *a.* **1.** (*costituito da membrane*) membranous. – **2.** (*simile a membrana*) membranous; (*dotato di membrane*) webbed.
membrạnza *f.* ⟨*ant,poet*⟩ (*ricordo*) memory, remembrance, recollection. – **membrạre** *v.t.* (**mẹmbro**) ⟨*ant,poet*⟩ (*ricordare*) to remember, to recall, to recollect.
membratụra *f.* **1.** ⟨*Anat*⟩ frame. – **2.** ⟨*Arch*⟩ frame, framework, structure. – **3.** ⟨*Mar*⟩ rib.
mẹmbro *m.* (*pl. i* **mẹmbri**, *le* **mẹmbra**: the form *-a* is only used collectively) **1.** ⟨*Anat*⟩ limb. – **2.** ⟨*fig*⟩ (*persona*) member: *i -i del parlamento* the Members of Parliament. – **3.** ⟨*fig*⟩ (*parte*) part. – **4.** ⟨*Gramm*⟩ member, clause: *i -i di un periodo* the members of a sentence. – **5.** ⟨*Anat*⟩ (*pene*) penis, member. – **6.** ⟨*Bot*⟩ part. – **7.** ⟨*Metr*⟩ membrum. – **8.** ⟨*Arch*⟩ member. – **9.** ⟨*Mat*⟩ member, side (of an equation). – **10.** ⟨*ant*⟩ (*gregario*) private (soldier).
□ ~ *di un* **consorzio** member of a society; ~ *della* **corporazione** guild member; ~ *di* **diritto** member by right; ~ **elettivo** elective member; ~ **fondatore** foundation member; ~ *del* **governo** member of the government; **paesi** *-i* member countries; ~ **permanente** permanent member; ⟨*Itt*⟩ ~ *di* **re** rainbow wrasse (*Coris iulis*); ~ *di* **sindacato** trade-union member; ~ *a* **vita** life-member.
membrọso *a.* ⟨*ant*⟩ → **membruto**. – **membrụto** *a.* ⟨*non com*⟩ strong-limbed.
memẹnto *lat.m.* **1.** ⟨*Lit*⟩ Memento. – **2.** ⟨*fig,scherz*⟩ (*ricordo*) memento, souvenir, reminder; (*ammonizione*) warning. – **3.** ⟨*non com*⟩ (*promemoria*) memorandum. □ ⟨*fig,scherz*⟩ *dare un* ~ *a qd.* to give s.o. s.th. to remember.
memorạbile *a.* **1.** memorable, unforgettable, never-to-be-forgotten: *avvenimento* ~ memorable event. – **2.** ⟨*non com*⟩ (*rif. a persone*) unforgettable, remarkable. – **memorạbili** *m.pl.* ⟨*Lett*⟩ memorabilia *pl.* – **memorabilità** *f.* ⟨*non com*⟩ memorability, memorableness. – **memorabilmẹnte** *avv.* memorably, unforgettably.
memorạndo **I** *a.* ⟨*lett*⟩ memorable, momentous. – **II** *s.m.* ⟨*rar*⟩ → **memorandum**.
memorạndum *m.* **1.** memorandum: ~ *diplomatico* diplomatic memorandum. – **2.** (*promemoria*) memorandum, note, reminder, ⟨*fam*⟩ memo; (*libretto di appunti*) memorandum (*o* note) book. – **3.** ⟨*Comm*⟩ memorandum, ⟨*fam*⟩ memo. – **4.** ⟨*burocr*⟩ (*carta da lettere*) small writing paper.
memorạre *v.t.* (**mẹmoro**) ⟨*ant,poet*⟩ (*ricordare*) to remember, to call to mind. – **memoratịvo** *a.* ⟨*lett*⟩ **1.** memory-, memorative. – **2.** (*commemorativo*) commemorative.
mẹmore *a.* ⟨*lett*⟩ **1.** mindful (*di* of). – **2.** (*grato*) grateful, obliged (*di* for).
memorẹvole *a.* ⟨*lett*⟩ → **memorabile**.
memọria *f.* **1.** memory: *avere buona* ~ to have a good memory; (*mente*) memory, mind. – **2.** (*ricordo*) memory, recollection, remembrance: *serbare una buona* ~ *di qd.* to have a pleasant memory of s.o.; *una* ~ *d'infanzia* a childhood memory. – **3.** (*cimelio, documento storico*) relic, monument; (*oggetto conservato per ricordo*) souvenir, keepsake, memento; (*ricordo di famiglia*) heirloom. – **4.** *pl.* ⟨*Lett*⟩ memoirs *pl.* – **5.** (*annotazione, appunto*) note, memo. – **6.** (*dissertazione*) essay, dissertation, paper. – **7.** (*lapide*) memorial. – **8.** ⟨*Dir*⟩ memorial. – **9.** ⟨*Dipl*⟩ note. – **10.** ⟨*tecn*⟩ memory, storage. – **11.** ⟨*ant,pop*⟩ (*nuca*) nape (*o* back) of the neck. – **Memoria** *N.pr.f.* ⟨*Mitol*⟩ Memory, Mnemosyne.
□ **a** ~ by heart: 1. *imparare a* ~ to learn by heart, to memorize, to commit to memory; (*meccanicamente*) to learn by rote; 2. (*a mente*) in mind: *tenere a* ~ to keep (*o* bear) in mind, to remember; *sapere a* ~ to know by heart; *medaglia alla* ~ posthumously awarded medal; *alla* ~ *di* in memory of; **avere** ~ to have a good memory; **cadere** *dalla* ~ = **uscire** *dalla memoria*; **degno** *di* ~ memorable; *a* **eterna** ~ *di* = *a* **perpetua** *memoria di*; **far** ~ *di* (*menzionare*) to mention, to recall; *di* **felice** ~ of happy memory; (*rif. a defunti*) of blessed memory; ~ *di* **ferro** excellent (*o* tenacious) memory; **in** ~ *di* in memory of; **interrogare** *la* ~ to search one's memory; **libro** *di -e* (book of) memoirs; ~ **magnetica** magnetic brain (*o* memory); ⟨*lett*⟩ *a* ~ **nostra** (*per quanto possiamo ricordare*) as far back as we can remember; **per** ~ (*per non dimenticare*) as a reminder, to remind o.s.; *per* ~ *di* = **in** *memoria di*; **perdita** *della* ~ loss of memory; *a* **perpetua** ~ *di* in perpetual memory of; **prendere** ~ *di qc.* to make a note of s.th.; **richiamare** *alla* ~ *qc.* to call s.th. to mind, to recollect s.th.; **rinfrescare** *la* ~ to refresh one's memory; *di* **santa** ~ of blessed memory; *essere* **senza** ~ to have no (*o* a bad) memory; *a* ~ *d'***uomo** within living memory, from time immemorial; **uscire** *dalla* ~ to go out of one's mind (*o* head), to be forgotten.
memoriạle *m.* **1.** (*raccolta di memorie*) historical record, biographical essay; (*raccontate dal protagonista*) memoir. – **2.** (*raccolta di documenti storici*) record, documents *pl.* – **3.** (*scritto di difesa*) memorial. – **4.** (*supplica*) memorial, petition. – **5.** (*taccuino*) notebook.
memorialịsta *m./f.* ⟨*Lett*⟩ memorialist (*anche Stor.*).
memorịzzạre *v.t.* **1.** ⟨*non com*⟩ (*fissare nella memoria*) to memorize, to learn by heart. – **2.** ⟨*tecn*⟩ to store. – **memorịzzaziọne** *f.* **1.** ⟨*non com*⟩ memorization, learning by heart. – **2.** ⟨*tecn*⟩ storage.
mẹna *f.* **1.** *pl.* (*intrighi*) intrigue, plot, scheming: *sventare le -e di qd.* to foil s.o.'s plot; (*manovra*) manoeuvre. – **2.** ⟨*ant*⟩ (*affare, faccenda*) affair, business. – **3.** ⟨*ant*⟩ (*condizione*) condition, state. – **4.** ⟨*ant,region*⟩ (*trasporto*) leading.
menabò *m.* ⟨*Tip*⟩ dummy.
menabrịda, menabrịglia *m.inv.* ⟨*tecn*⟩ face-plate, catch-plate, lathe carrier.
mẹnade *f.* ⟨*lett*⟩ **1.** (*baccante*) m(a)enad, bacchante. – **2.** ⟨*fig*⟩ frenzied woman, maenad.
menadịto: *a* ~ (*perfettamente*) perfectly, very well, superlatively, at one's fingertips, thoroughly: *so la lezione a* ~ I have the lesson at my fingertips, I know the lesson perfectly (*o* inside-out).
ménage *fr.* [meˈnaːʒ] *m.* ménage.
menagrạmo *m.* **1.** ⟨*region*⟩ (*iettatore*) Jonah, jinx, bringer of bad luck. – **2.** ⟨*fam*⟩ (*seccatore*) nuisance, bore.
menạide *f.* ⟨*Pesc*⟩ kind of fishing-net.
menạle *m.* ⟨*ant,Mar*⟩ **1.** hauling part of a rope. – **2.** (*scalmo*) futtock, timber.
menalgịa *f.* ⟨*Med*⟩ menalgia, painful menstruation.
menamẹnto *m.* ⟨*non com*⟩ (*il menare*) bringing, taking.
menandrẹo *a.* ⟨*Lett*⟩ Menander's, of Menander. – **Menạndro** *N.pr.m.* ⟨*Stor*⟩ Menander.
menạnte *m./f.* ⟨*ant*⟩ **1.** (*copista*) scribe, copyist. – **2.** (*pubblicista*) gazette writer.
menạrca *m.* ⟨*Fisiol*⟩ menarche.
menạre *v.t.* (**mẹno**) **1.** (*portare*) to lead, to take, to bring; (*guidare*) to lead, to guide, to conduct, to pilot, to escort; (*spingere*) to drive, to force; (*rif. a strade: condurre*) to lead, to go. – **2.** (*trascinare*) to drag. – **3.** (*recare*) to bring, to cause. – **4.** (*rif. a tempo: trascorrere*) to pass, to spend; (*rif. a modo di vivere*) to lead, to live. – **5.** (*muovere rapidamente, agitare*) to shake, to wave; (*rif. alla coda del cane*) to wag. – **6.** (*assestare*) to strike, to deal, to deliver, to give: *gli menò un sonoro ceffone* she gave him a resounding slap. – **7.** ⟨*roman*⟩ (*percuotere, picchiare*) to hit, to beat (up), to thrash, ⟨*fam*⟩ to wallop. – **8.** ⟨*ant*⟩ (*produrre, generare*) to produce, to bring forth.
□ ⟨*non com*⟩ *menar* **buono** *a qd.* (*approvare*) to approve of s.o. (*o* what s.o. does); (*darla vinta*) to give in to s.o.; ⟨*fig*⟩ ~ *il* **can** *per l'aia* to beat about the bush; ⟨*lett*⟩ ~ *a* **capo** (*condurre a termine*) to complete, to carry out; ⟨*poet*⟩ *menar la* **danza** to lead the dance; *menar le* **gambe**: 1. (*camminare*) to walk; 2. (*ballare*) to dance; 3. (*sgranchirle*) to stretch one's legs; 4. ⟨*ant*⟩ (*fuggire*) to run away, to take to one's heels; *menar la* **lingua** (*cianciare*) to gossip; (*sparlare*) to backbite, to speak ill; *menar le* **mani** to be free with one's fists; ⟨*ant*⟩ *menar* **moglie** (*sposarsi*) to take a wife, to get married; ⟨*lett*⟩ ~ *a* **morte** (*far morire*) to kill; ⟨*fig*⟩ ~ *qd. per il* **naso** to lead s.o. by the nose; ⟨*non com*⟩ ~ *di* **punta** (*colpire con la punta della spada*) to stab; ⟨*non com*⟩ ~ **vanto** *di qc.* to boast of s.th.
menarọla *f.* ⟨*Fal,tosc*⟩ brace, wimble, breast-borer.
menarrọsto *m.* ⟨*region*⟩ (*girarrosto*) spit, roasting-jack.
menạta *f.* ⟨*non com*⟩ **1.** (*l'agitare*) shaking. – **2.** ⟨*pop*⟩ (*lamentela*) complaint, ⟨*fam*⟩ moaning. – **menatọio** *m.* ⟨*non com*⟩ shaker. – **menatọre** *m.* (*f.* **-trice**) ⟨*ant*⟩ (*guida*) guide, leader.
mẹncio *a.* ⟨*tosc*⟩ (*floscio*) flabby, drooping, sagging; (*vizzo*) withered. □ *cappello* ~ soft hat.
mẹnda[1] *f.* ⟨*lett*⟩ **1.** (*difetto*) defect, flaw. – **2.** ⟨*ant*⟩ (*peccato*) sin, fault.
mẹnda[2] *f.* ⟨*ant*⟩ (*risarcimento*) indemnification, amends *pl*, compensation, reparation.
mendạce ⟨*lett*⟩ **I** *a.* **1.** lying, false, mendacious, untruthful. – **2.** (*fondato sulla menzogna*) false, dishonest, lying. – **3.** ⟨*non com*⟩ (*fallace*) misleading, deceptive, false, fallacious: *speranze -i* false hopes. – **II** *s.m./f.* liar.
mendacemẹnte *avv.* falsely, mendaciously, untruthfully; (*fallacemente*) fallaciously. – **mendạcia** *f.* ⟨*rar*⟩ → **mendacità**. – **mendạcio** *m.* ⟨*lett*⟩ (*menzogna*) lie, falsehood, untruth. – **mendacità** *f.* ⟨*lett*⟩ untruthfulness, mendacity.
mendạre *v.t.* (**mẹndo**) ⟨*ant*⟩ **1.** (*correggere*) to amend, to correct. – **2.** (*risarcire*) to compensate, to make amends (*o* reparation) to.
mendelẹvio *m.* ⟨*Chim*⟩ mendelevium.
mendeliạno *a.* ⟨*Biol*⟩ Mendelian, Mendel's: *leggi -e* Mendel's laws. – **mendelịsmo** *m.* Mendelism, Mendelianism. – **mendelịzzạre** *v.i.* (*aus.* **avere**) to mendelize, to conform to Mendel's law.
mendicạnte **I** *s.m./f.* **1.** beggar. – **2.** ⟨*Rel*⟩ mendicant (friar). – **II** *a.* **1.** begging, mendicant. – **2.** ⟨*Rel*⟩ mendicant: *ordine* ~ mendicant order. – **mendicạnza** *f.* ⟨*ant*⟩ destitution, beggary.
mendicạre *v.* (**mẹndico**/*lett.* **mendịco**, **mẹndichi**/*lett.* **mendịchi**) **I** *v.t.* **1.** to beg (for): ~ *un po' di pane* to beg a crust of bread. – **2.** (*cercare di procacciarsi*) to beg (for): ~ *un lavoro* to beg for a job. – **3.** (*invocare, supplicare*) to beg (for), to implore, to beseech, to seek. – **4.** ⟨*fig*⟩ (*cercare: rif. a parole*) to try to find, to search for; (*rif. a pretesti e sim.*) to seek, to look for; (*rif. a lodi e sim.*) to be after, ⟨*fam*⟩ to fish for. – **II** *v.i.* (*aus.* **avere**) to beg.
mendicicọmio *m.* ⟨*rar*⟩ poorhouse, almshouse, workhouse.
mendicità *f.* **1.** beggary, destitution, mendicancy, mendicity. – **2.** ⟨*concr*⟩ (*insieme di mendicanti*) beggars *pl.* □ *ospizio* (*o ricovero*) *di* ~ poorhouse, almshouse, workhouse.
mendịco *a./s.* (*pl.* **-chi**/*ant.* **-ci**) ⟨*lett*⟩ **I** *s.m.* (*f. rar.* **-a**) beggar, mendicant, pauper. – **II** *a.* **1.** mendicant. – **2.** ⟨*estens*⟩ (*privo, mancante*) deprived (*di* of), lacking (in), without (s.th.).
mendicụme *m.* ⟨*ant,spreg*⟩ **1.** beggary, destitution, mendicancy. – **2.** ⟨*concr*⟩ (*gruppo di mendichi*) pack of beggars.
mẹndo *m.* ⟨*ant*⟩ → **menda**[1].
mẹndola *f.* ⟨*region*⟩ → **menola**.
Mẹndola: ⟨*Geog*⟩ *passo della* ~ Mendel Pass.

mendọso *a.* ⟨*lett*⟩ **1.** faulty, defective. – **2.** (*scorretto*) incorrect, inaccurate, wrong.

menefreghịsmo *m.* couldn't-care-less attitude, indifference, ⟨*fam*⟩ "blow-you-Jack" attitude. – **menefreghịsta I** *s.m./f.* person who could not care less, indifferent person. – **II** *a.* indifferent. □ *è un* ~ he couldn't care less, ⟨*fam*⟩ he doesn't give a damn.

meneghịno I *a.* ⟨*fam*⟩ (*milanese*) Milanese, of Milan. – **II** *s.m.* **1.** (*dialetto di Milano*) Milanese (dialect). – **2.** (*abitante*; *f.* **-a**) Milanese, native (*o* inhabitant) of Milan. □ ⟨*fig*⟩ *dirla in buon* ~ to speak plainly, not to mince matters.

Menelạo *N.pr.m.* ⟨*Lett*⟩ Menelaus.

menẹo *m.* ⟨*Lit*⟩ menaion.

menestrẹllo *m.* **1.** ⟨*Mediev*⟩ minstrel, bard. – **2.** ⟨*estens,scherz*⟩ (*sonatore ambulante*) street-singer. – **3.** ⟨*fig,spreg*⟩ (*poetastro*) poetaster, rimester.

Mẹnfi *N.pr.f.* ⟨*Geog.stor*⟩ Memphis.

mẹnhir *m.* ⟨*Archeol*⟩ menhir.

meniạno *m.* ⟨*Archeol*⟩ **1.** balcony. – **2.** (*nel teatro*) diazoma.

meniạnto *m.* ⟨*Bot*⟩ bogbean, buckbean (*Menyanthes trifoliata*).

menịnge *f.* **1.** ⟨*Anat*⟩ meninx. – **2.** *pl.* ⟨*fam,scherz*⟩ (*cervello, intelligenza*) brains *pl*, grey matter: *spremersi le -i* to rack one's brains. – **meningẹo** (o *menịngeo*) *a.* meningeal. – **meningịte** *f.* ⟨*Med*⟩ meningitis. – **meningịtico** *a.* (*pl.* **-ci**) meningitic.

meningo|cẹle *m.* ⟨*Anat*⟩ meningocele. – **~cọcco** *m.* (*pl.* **-chi**) ⟨*Med*⟩ meningococcus. – **~encefalịte** *f.* meningoencephalitis. – **~mielịte** *f.* meningomyelitis. – **~patịa** *f.* meningopathy.

menippẹa *f.* ⟨*Lett*⟩ (*anche satira menippea*) Menippean satire. – **menippẹo** *a.* Menippean. – **Menịppo** *N.pr.m.* ⟨*Stor*⟩ Menippus.

menịsco *m.* (*pl.* **-chi**) **1.** ⟨*Anat,Geom,Fis*⟩ meniscus. – **2.** ⟨*Archeol*⟩ headpiece.

mennavạcca *f.* ⟨*Bot*⟩ honeywort (*Cerinthe aspera*).

mennẹlla *f.* ⟨*napol*⟩ → **menola.**

mẹnno *a.* ⟨*lett*⟩ **1.** (*impotente*) impotent. – **2.** (*femmineo*) effeminate -looking, girlish. – **3.** ⟨*fig,ant*⟩ (*privo, mancante*) lacking.

mennonịta *m.* ⟨*Rel*⟩ Mennonite.

mẹno (*compar. di poco*) **I** *avv.* **1.** less: *dovresti mangiare* ~ you should eat less. – **2.** (*in frasi comparative*) not as, not so (much), less: *tu sei* ~ *alto di me* you are not as (*o* so) tall as I am. – **3.** (*in frasi superlative*) least: *la soluzione* ~ *pericolosa* the least dangerous solution; (*fra due cose*) less. – **4.** ⟨*Mat*⟩ minus: *10* ~ *3 è uguale a 7* 10 minus 3 is 7, 3 from 10 is 7. – **5.** (*rif. a temperatura: sotto zero*) minus, below (zero): ~ *cinque* five below zero, minus five degrees. – **6.** (*rif. all'ora*) to: *sono le sei* ~ *dieci* it is ten to six. – **7.** ⟨*Scol*⟩ minus: *sei* ~ six minus. – **II** *a.inv.* **1.** (*minore*) less, not so (much); (*in frasi comparative*) not as (*o* so), less: *ha* ~ *forza di me* he is not so strong as I am. – **2.** (*in minor numero*) fewer, not as many, ⟨*fam*⟩ less: *ha fatto* ~ *errori di te* he made fewer errors than you did. – **III** *prep.* (*tranne*) except (for), but (for), apart from: *sono tutti d'accordo* ~ *lui* they all agree except him; *tutti i giorni* ~ *la domenica* every day except Sunday. – **IV** *s.m.inv.* **1.** least: *è il* ~ *che gli possa capitare* it's the least that can happen to him. – **2.** (*la parte minore*) smallest part. – **3.** *pl.* (*minoranza*) minority, fewest *pl*: *i* ~ *furono esclusi dalla lista* the minority was excluded from the list. – **4.** ⟨*Mat*⟩ minus (sign).

□ **a** ~ **che** unless: *verrò a* ~ *che non piova* I shall come unless it's raining; *men* **che** not very ... at all, decidedly not: *il suo comportamento è stato men che cortese* his behaviour was not very polite at all; *è men che onesto* he is dishonest; ~ *che* ~ let alone, even less; *essere* **da** ~ *di qd.*: 1. to be less than s.o.; 2. (*inferiore*) to be inferior to s.o.; 3. (*peggiore*) to be (*o* do) worse than s.o., not to be as good as s.o.; **di** ~ less, not so much: *parla di* ~ talk less, don't talk so much; (*rif. a numero*) fewer, ⟨*fam*⟩ less: *due di* ~ two fewer (*o* less); *non* ~ *di* no less (*o* fewer) than, at least, a good: *l'appartamento deve avere non* ~ *di tre stanze* the flat must have at least three rooms; *ha tre anni* ~ *di lui* she is three years younger than him; **differenza** *in* ~ less, fewer, shortage: *c'è una differenza in* ~ *di sei* there are six less (than there should be), we are six short (*o* down); **fare** *a* ~ *di qc.*: 1. (*privarsene*) to do (*o* go) without s.th.; 2. (*rinunziarvi*) to give s.th. up; 3. (*astenersene*) to refrain from s.th., to stop (doing) s.th., not to do s.th.; 4. (*evitarla*) to avoid s.th., not to do s.th.; *potevi fare a* ~ *di dirglielo* you needn't have told him; *farei volentieri a* ~ *di andare* I'd be very glad not to have to go; *non poter fare a* ~ *di qc.* not to be able to manage (*o* do) without s.th.; *non poter fare a* ~ *di fare qc.* to be unable to help doing s.th.: *non posso fare a* ~ *di ridere* I can't help laughing; ⟨*region*⟩ *fare di* ~ *di* (*astenersi*) to refrain (*o* abstain) from, not to: *se non vuoi vederlo, fai di* ~ if you don't want to see him, don't (see him); **in** ~: 1. (*rif. a tempo*) in less (time); 2. (*in minor numero*) less: *ho avuto mille lire in* ~ I got one thousand lire less; *in men che non si dica* in less than no time, in the twinkling of an eye, as quick as a wink, ⟨*fam*⟩ before you could say Jack Robinson; ~ *che* **mai** even less, let alone; ⟨*esclam*⟩ ~ **male** thank goodness, (it's) just as well, it's a good job, that's good, and a good thing too; (*poteva andare peggio*) thank goodness (*o* heavens), that's lucky, what a relief; ~ *male che* it's a good thing (that), thank goodness: ~ *male che sei venuto* thank goodness you've come; ~ *se ne parla*, **meglio** *è* the less said the better; **niente** ~ *che* (*rif. a cosa*) no less than; (*rif. a persona*) who ... but, none other than: *niente* ~ *che il ministro in persona* ⌜none other than⌝ (*o* who but) the minister himself; *è arrivato niente* ~ *che alle due di notte* he arrived at two o'clock in the morning (if you please); ⟨*iperb*⟩ ~ *che niente* (a mere) nothing; **o** ~ or less; **per** ~ (*a un prezzo minore*) for less, cheaper, more cheaply; *per lo* ~ (*perlomeno*) at least; **più** *o* ~ (*all'incirca*) more or less, about, roughly; *con più o* ~ *accuratezza* fairly accurately; *più* ... ~ the more ... the less; *né più né* ~: 1. neither more nor less; 2. (*proprio così*) exactly, just; *discorrere del più e del* ~ to talk about this and that, to chat idly; **poco** ~: 1. a little less, just under: *manca poco* ~ *di un'ora alla partenza* it's ⌜just under⌝ (*o* less than) an hour to departure time; 2. (*quasi*) all but, as good as, not far off, nearly: *è poco* ~ *che perso* it is as good as lost; *se non è un chilo, è poco* ~ it's nearly (*o* not far off) a kilo; *il* ~ **possibile** ⌜the least⌝ (*o* as little as) possible; **quanto** ~ at least; **senza** ~ certainly, of course; (*immancabilmente*) without fail, definitely; ⟨*esclam*⟩ ~ **storie** keep quiet, don't make such a fuss; **tanto** ~ even less, let alone; **venir** ~: 1. (*mancare*) to fail, to run out (*o* short): *gli venne* ~ *il coraggio* his courage failed him; 2. (*svenire*) to faint: *venir* ~ *per la fame* to faint from hunger; 3. ⟨*eufem*⟩ (*morire*) to pass away; *venir* ~ *a*: 1. (*non adempiere*) to break, to fail to observe (*o* keep), not to fulfil, to neglect: *venir* ~ *agli impegni* not to fulfil one's obligations; 2. (*violare*) to break: *venir* ~ *alla parola data* to break one's word.

Mẹno *N.pr.m.* ⟨*Geog*⟩ Main.

meno... *pref.* (*mestruazione* menstruation) men(o)...

mẹnola *f.* ⟨*Itt*⟩ blotched picarel (*Maena vulgaris*).

menolọgio *m.* ⟨*Lit*⟩ menology.

menomạbile *a.* ⟨*non com*⟩ diminishable, reducible, that may be impaired (*o* belittled).

menomamẹnte *avv.* (*minimamente*) in the least, at all. □ *non* ~ not in the least, not at all; (*in nessun modo*) by no means.

menomamẹnto *m.* ⟨*non com*⟩ → **menomazione.** – **menomạnza** *f.* ⟨*ant*⟩ **1.** (*menomazione*) lessening, diminution. – **2.** (*difetto*) flaw, defect.

menomạre *v.* (**mẹnomo**) **I** *v.t.* **1.** (*sminuire*) to lessen, to diminish, to reduce; (*denigrare*) to disparage, to belittle, to run down, to detract from: ~ *i meriti di qd.* to disparage (*o* belittle) s.o., to detract from s.o.'s merit. – **2.** (*danneggiare*) to impair, to damage, to injure, to harm. – **3.** (*rif. al corpo*) to maim, to disable. – **II** *v.i.* (*aus.* **essere**), **menomarsi** *v.r.* (*scemare*) to lessen, to diminish, to wane, to fade.

menomạto (*p.p. di menomare*) **I** *a.* **1.** (*sminuito*) lessened, diminished, reduced; (*denigrato*) disparaged, belittled. – **2.** (*danneggiato*) impaired, harmed. – **3.** (*minorato*) maimed, disabled. – **II** *s.m.* (*f.* **-a**) disabled person. □ ~ *psichico* person of unsound mind; ~ *nei propri diritti* denied one's rights.

menomaziọne *f.* **1.** lessening, diminution, reduction, decrease, restriction; (*denigrazione*) disparagement. – **2.** (*danno*) impairment, harm, damage; (*rif. al corpo*) disability, disablement.

mẹnomo *a.* (*minimo*) least, slightest, smallest, minimum.

menopạusa *f.* ⟨*Fisiol*⟩ menopause, ⟨*pop*⟩ change of life.

menorragịa *f.* ⟨*Med*⟩ menorrhagia. – **menorrẹa** *f.* ⟨*non com*⟩ → **menorragia.** – **menọstasi, menostasịa** *f.* menostasis, menostasia.

mẹnsa *f.* **1.** (*tavola imbandita*) table, board: *essere a* ~ to be at table; (*pasto*) meal. – **2.** (*locale per pasti collettivi: nei conventi, collegi e sim.*) refectory; (*nelle università*) (students') restaurant, ⟨*am*⟩ cafeteria; (*nelle fabbriche*) canteen, ⟨*am*⟩ cafeteria; (*sulle navi, nelle caserme*) mess. – **3.** ⟨*Lit*⟩ (*tavola dell'altare*) mensa; (*eucarestia*) Holy Communion, Eucharist. – **4.** ⟨*Dir.can*⟩ revenue, income. – **5.** ⟨*ant*⟩ (*altare*) altar; (*tomba*) tomb.

□ *la* ~ *degli* **angeli** the Eucharist; ~ **aziendale** staff restaurant, canteen; ~ **comunale** town soup-kitchen; *fare* ~ **comune** to take one's meals together; *accostarsi alla* ~ *di* **Cristo** (*comunicarsi*) to receive Holy Communion; ⟨*Rel*⟩ ~ **eucaristica** Holy Communion, Eucharist; ~ *dei* **ferrovieri** railway-workers' canteen; ⟨*lett*⟩ **imbandire** *la* ~ to set (*o* lay) the table; *al* **levar** *delle -e* at the end of the meal; ~ **ufficiali** officers' mess; ⟨*Dir.can*⟩ ~ **vescovile** bishop's revenue (*o* income).

menscevịco (o *menscẹvico*) *a./s.* (*pl.* **-chi**) **I** *a.* ⟨*Stor*⟩ Menshevist. – **II** *s.m.* Menshevik. – **menscevịsmo** *m.* Menshevism.

mensịle I *a.* **1.** monthly: *stipendio* ~ monthly salary. – **2.** (*che dura un mese*) monthly: *impiego* ~ monthly employment. – **II** *s.m.* **1.** (*stipendio mensile*) monthly pay (*o* wages); (*l'ammontare*) month's pay (*o* wages). – **2.** ⟨*Giorn*⟩ monthly (magazine).

mensilità *f.* **1.** (*stipendio mensile*) monthly wages (*o* pay), month's wages (*o* pay); (*rata mensile*) monthly instalment (*o* payment). – **2.** (*periodicità mensile*) monthly character (*o* nature). – **mensilmẹnte** *avv.* monthly; (*una volta al mese*) once a month, every month; (*mese per mese*) by the month.

mẹnsola *f.* **1.** ⟨*Arch*⟩ corbel, console, truss. – **2.** (*mobile*) bracket: ~ *d'angolo* angle bracket; (*console*) console (table); (*ripiano*) shelf. – **3.** ⟨*Mus*⟩ (*dell'arpa*) neck. – **mensolẹtta, mensolịna** *f. dim. di* **mensola.** – **mensolọne** *m. accr. di* **mensola.**

menstruaziọne *f.*, **mẹnstruo** *m.* ⟨*ant*⟩ → **mestruazione.**

mensuạle I *a.* ⟨*rar*⟩ (*mensile*) monthly. – **II** *s.m.* ⟨*Stor*⟩ (*tributo*) monthly tribute. – **mensualità** *f.* **1.** (*periodicità mensile*) monthly character (*o* nature). – **2.** ⟨*rar*⟩ (*stipendio mensile*) monthly salary (*o* pay); (*rata mensile*) monthly instalment (*o* payment). – **mensualmẹnte** *avv.* monthly.

mensuralịsmo *m.* ⟨*Mus*⟩ mensural notation.

mẹnta *f.* ⟨*Bot*⟩ **1.** mint (*Mentha*). – **2.** peppermint (*Mentha piperita*).

– **3.** (*essenza*) peppermint oil. – **4.** ⟨*Dolc*⟩ (*caramella*) peppermint. – **5.** (*bibita*) mint.

□ ⟨*Bot*⟩ ~ *dei* **gatti** catmint, catnip (*Nepeta cataria*); ~ **gentile** = *menta* **romana**; ~ **peperita** (o *peperina*) peppermint (*Mentha piperita*); ~ **pulegio** pennyroyal (*Mentha pulegium*); ~ **romana** (o *verde*) spearmint, garden mint (*Mentha spicata*; *Mentha viridis*); ~ **selvatica** corn (*o* field) mint, wild pennyroyal (*Mentha arvensis*).

mentạgra *f.* ⟨*Med*⟩ mentagra, sycosis.

mentạle[1] *m.* **1.** mental, of the mind: *malattia* ~ mental illness. – **2.** (*fatto con la mente*) mental: *calcolo* ~ mental arithmetic, calculation done in one's head. – **3.** (*senza proferire parole*) mental: *orazione* ~ mental prayer.

mentạle[2] *a.* (*del mento*) mental, of the chin: *nervo* ~ mental nerve.

mentalịsmo *m.* ⟨*Filos*⟩ mentalism.

mentalità *f.* mentality, outlook: ~ *borghese* middle-class outlook. □ *avere una* ~ *ristretta* to be narrow-minded.

mentalmẹnte *avv.* mentally, in one's mind, in thought; (*dentro di sé*) to oneself, inwardly.

mentạstro *m.* ⟨*Bot*⟩ **1.** round-leaved mint (*Mentha rotundifolia*). – **2.** horse-mint (*Mentha longifolia*). – **3.** water mint (*Mentha aquatica*). – **4.** (*marrubio*) white horehound (*Marrubium vulgare*). – **5.** common fleabane (*Pulicaria dysenterica*).

mẹnte *f.* **1.** mind. – **2.** (*intelletto*) intellect. – **3.** (*intelligenza*) mind, intelligence, brain, brains *pl*, wits *pl*, understanding: ~ *aperta* open mind. – **4.** (*disposizione mentale*) (turn of) mind, mentality, bent: *non ha la* ~ *adatta agli studi* he is not of a studious turn of mind, he is not cut out for studying. – **5.** (*sede e attività del pensiero*) mind, head: *avere la* ~ *altrove* to have one's mind on s.th. else; (*pensiero*) mind, thoughts *pl*, attention. – **6.** (*memoria*) mind, head, memory: *richiamare alla* ~ *qc.* to call s.th. to mind, to recollect s.th. – **7.** (*complesso di cognizioni*) mind. – **8.** (*fantasia*) imagination. – **9.** (*persona*) mind, intellect, brain: *essere una grande* ~ to have a great mind. – **10.** (*proposito*) head: *mettersi in* ~ *qc.* to take s.th. into one's head; (*intenzione*) intentions *pl.* – **11.** ⟨*rar*⟩ (*animo*) mind.

□ **a** ~ by heart: *imparare a* ~ to learn by heart; (*mentalmente*) mentally, in one's head; ⟨*Dir*⟩ *a* ~ *di* in conformity with; **avere** ~ *a qc.* to ⌜think of⌝ (*o* see to) s.th.; *avere la* ~ **bendisposta** *verso qd.* to be well disposed towards s.o.; ⟨*fig*⟩ *essere ancora nella* ~ *di* **Dio** to be in the future, to be still to come; *la* ~ **eterna** (*Dio*) God; *a* ~ **fredda** coldly, with cold determination; *a* ~ **fresca** with a fresh mind; *essere* **fuori** *di* ~ (*essere distratto*) to have one's head in the clouds; (*essere privo di conoscenza*) to be unconscious; *avere* **in** ~ *qc.* to have s.th. in mind, to be thinking of s.th.; *avere in* ~ *di fare qc.* to intend (*o* have a mind) to do s.th.; *a* ~ **leggera** light-heartedly; **levarsi** *qd. dalla* ~ to forget s.o.; *levarsi qc. dalla* ~ to get s.th. off one's mind, to forget s.th.: *levatelo dalla* ~ (*non ci sperare*) you can forget it; *far* ~ **locale** to concentrate; *a* ~ **lucida** with a clear mind, clear-headedly; *essere* **malato** *di* ~ to be mentally ill, to be of unsound mind; **malattia** *di* ~ mental sickness (*o* illness); **passare** *di* ~ to slip one's mind (*o* memory); *passare per la* ~ to cross (*o* come into) one's mind; **por** ~ *a qc.* to turn one's mind to s.th., to consider s.th.; ~ **quadrata** clear mind (*o* head); (*la persona*) level-headed person; *avere una* ~ **retta** to be upright; **tenere** *a* ~ *qc.* to keep (*o* bear) s.th. in mind, to remember s.th.; **tormentarsi** *la* ~ to rack one's brains; **uscire** *di* ~ (*uscire di senno*) to go out of one's mind, to go off one's head: *mi è uscito di* ~ it went out of my head; **venire** *in* ~ *a qd.* to occur to s.o., to cross s.o.'s mind, to come into s.o.'s head: *come gli è venuto in* ~*?* how did it occur to him?, how did he come to think of it?; *mi venne in* ~ *un'idea* an idea ⌜struck me⌝ (*o* flashed into my mind); *che cosa ti è venuto* (*o saltato*) *in* ~*?* what came over you?; *non mi è venuto in* ~ *di chiamarti* I didn't think of calling you; *far venire in* ~ *qc. a qd.* to remind s.o. of s.th., to bring s.th. back to s.o. – *Prov.*: ~ *sana in corpo sano* a sound mind in a healthy body, mens sana in corpore sano.

mentecattạggine *f.* ⟨*rar*⟩ stupidity, foolishness. – **mentecạtto** **I** *s.m.* (*f.* **-a**) **1.** (*pazzo*) madman, lunatic. – **2.** (*persona stupida*) fool, idiot, imbecile, half-wit. – **II** *a.* **1.** (*pazzo*) mad, insane, crazy, ⟨*fam*⟩ weak in the head. – **2.** (*stupido*) stupid, foolish, idiotic.

mentịcolo *a.* ⟨*Agr*⟩ mint-growing.

mentịna (*dim. di menta*) *f.* peppermint drop.

mentịre *v.* (**mẹnto/mentịsco, mẹnti/mentịsci**) **I** *v.i.* (*aus.* **avere**) **1.** to lie, to tell a lie: ~ *a qd.* to lie to s.o., to tell s.o. a lie; (*abitualmente*) to tell lies, to be a liar; (*su cose di poco conto*) to fib, to tell a fib. – **2.** ⟨*fig*⟩ (*ingannare*) to be deceitful. – **3.** ⟨*lett,non com*⟩ (*deludere*) to disappoint. – **II** *v.t.* **1.** ⟨*non com*⟩ (*inventare*) to invent; (*falsare*) to falsify, to misrepresent, to distort; (*simulare*) to feign, to put on, to simulate. – **2.** ⟨*ant*⟩ (*smentire*) to give the lie to. □ ⟨*scherz*⟩ ~ *per la gola* (*spudoratamente*) to lie in one's teeth; ~ *sapendo di* ~ to tell a deliberate lie.

mentịta *f.* ⟨*ant*⟩ (*smentita*) refutation. □ ⟨*ant*⟩ *dare una* ~ *a qd.* to give s.o. the lie.

mentitamẹnte *avv.* lyingly, untruthfully, falsely, mendaciously. – **mentịto** (*p.p. di mentire*) *a.* (*falso*) false, sham, counterfeit, feigned, ⟨*pred*⟩ put on: *-a modestia* false modesty.

mentitọre **I** *s.m.* (*f.* **-trice**) liar. – **II** *a.* (*menzognero*) lying, false, untruthful, mendacious.

mẹnto *m.* **1.** chin: *starsene con il* ~ *tra le mani* to cup one's chin in one's hands. – **2.** ⟨*Anat*⟩ mentum. □ *levare in alto il* ~ to look up; *doppio* ~ double chin; ⟨*scherz*⟩ *l'onor del* ~ (*barba*) the beard.

mentọlo *m.* ⟨*Chim*⟩ menthol.

mentọne *m.* ⟨*Bot*⟩ (*menta selvatica*) corn (*o* field) mint, wild pennyroyal (*Mentha arvensis*).

Mentọne *N.pr.f.* ⟨*Geog*⟩ Menton.

mentoniẹra *f.* ⟨*Mus*⟩ chin rest.

mentoniẹro *a.* ⟨*Anat*⟩ mental, chin-.

Mẹntore *N.pr.m.* ⟨*Lett*⟩ Mentor. – **mentore** *m.* **1.** (*fido consigliere*) mentor, adviser, counsellor. – **2.** (*precettore*) teacher, instructor.

mentovạre *v.t.* (**mẹntovo**) ⟨*lett,tosc*⟩ (*menzionare*) to mention, to speak of. – **mentovạto** (*p.p. di mentovare*) *a.* ⟨*lett,tosc*⟩ (*suddetto*) aforementioned, aforesaid, above (mentioned).

mẹntre *congz.* **1.** while, as, whilst, when: *l'ho incontrato* ~ *uscivo* I met him as I was going out. – **2.** (*laddove*) whereas, while, whilst. – **3.** ⟨*lett*⟩ (*finché*) as long as. □ ~ *che* while, as; (*laddove*) while, whereas; (*finché*) as long as; *nel* ~ *che* while, whilst, as, when; (*laddove*) whereas, whilst, while; *in questo* (o *quel*) ~ at that (very) moment, just then.

mentụccia (*dim. di menta*) *f.* (*pl.* **-ce**) ⟨*Bot*⟩ (*pulegio*) pennyroyal (*Mentha pulegium*).

menụ, menù *m.* **1.** (*lista*) menu, bill of fare. – **2.** (*insieme di vivande*) menu.

menụridi *m.pl.* ⟨*Ornit*⟩ lyrebirds *pl* (*Menuridae*).

menzionạre *v.t.* (**menziọno**) **1.** (*nominare*) to mention, to make mention of, to name, to speak of; (*nominare con rilievo*) to mention, to refer to, to cite. – **2.** ⟨*burocr*⟩ (*annotare*) to note, to record. – **menzionạto** (*p.p. di menzionare*) *a.* **1.** mentioned, referred to, spoken of: *le opere -e* the works referred to. – **2.** ⟨*burocr*⟩ (*summenzionato*) above mentioned.

menziọne *f.* **1.** mention. – **2.** ⟨*burocr*⟩ (*annotazione*) note, record.

□ ~ *nel* **casellario** *giudiziale* note on one's criminal record; ⟨*Dir*⟩ *non* ~ *della* **condanna** no mention of conviction; **degno** *di* ~ worthy of note, noteworthy; **fare** ~ *di* to mention, to make mention of; ~ **onorevole** honourable mention; *di cui si* **trova** ~ mentioned, referred to.

menzọgna *f.* lie, falsehood, untruth: *una spudorata* ~ a barefaced lie. □ *-e convenzionali* white lies; *essere impastato di -e* to be a liar; *scritto* (o *discorso*) *intessuto di -e* a tissue of lies.

menzognẹro *a.* **1.** (*rif. a persona*) lying, untruthful, ⟨*lett*⟩ mendacious; (*ingannevole*) deceitful. – **2.** (*rif. a cosa*) untrue, false, lying; (*simulato*) sham, false; (*ingannevole, fallace*) false, fallacious, deceptive.

mẹo[1] *a.* ⟨*ant*⟩ (*mio*) my.

mẹo[2] *m.* ⟨*Bot*⟩ **1.** spignel, spicknel, baldmoney (*Meum athamanticum*). – **2.** (*motellina*) lovage (*Ligusticum mutellina*).

Mẹo (*accorc. di Bartolomeo*) *N.pr.m.* ⟨*fam*⟩ Bart. □ ⟨*fam,tosc*⟩ *farla lunga come la camicia di* ~ (*non finirla più*) to keep on and on, to drag (s.th.) out; ⟨*pop,tosc*⟩ *pare* (o *è come*) *la camicia di* ~ it is interminable, ⟨*fam*⟩ it's as long as a wet week-end.

meọnio *a.* ⟨*lett*⟩ Maeonian. □ ~ *cantore* Homer; *-a cetra* (*poesia omerica*) Homeric poetry; (*Omero*) Homer.

mer. = *mercoledì* Wednesday (*abbr.* Wed.).

Merạno *N.pr.f.* ⟨*Geog*⟩ Merano.

meravịglia *f.* **1.** wonder, wonderment; (*unita a un senso di timore*) awe; (*stupore*) amazement, astonishment, (great) surprise. – **2.** (*cosa o persona meravigliosa*) wonder, marvel, *di solito si traduce con l'aggettivo appropriato*: *una* ~ *di ragazza* a wonderful girl; (*opera meravigliosa*) wonder: *le -e del creato* the wonders of creation. – **3.** ⟨*Bot*⟩ (*bella di notte*) marvel-of-Peru, four-o'clock (*Mirabilis ialapa*). – **4.** ⟨*ant*⟩ (*cosa bizzarra*) wonder.

□ **a** ~ (*ottimamente*) wonderfully (well), excellently; **che** ~ *di orologio* what a wonderful watch; *che* ~ *se* how wonderful it would be if, if only; **con** ~ in amazement, in astonishment; *con* ~ *di qd.* to s.o.'s (great) surprise; **destare** ~ to cause surprise (*o* amazement), to astonish; **dire** *-e di qd.* (*tesserne le lodi*) to praise s.o. to the skies; *che è una* ~ wonderfully, beautifully, splendidly: *suona che è una* ~ he plays beautifully; **fare** *-e* to work wonders; (*meravigliarsi*) to be amazed, to show surprise; *crede di aver fatto chissà che -e* he thinks he has done s.th. wonderful; *fare le -e di qc.* to gush about s.th.; *fare* ~ *a qd.* to amaze (*o* astonish) s.o.; *farsi* ~ *di qc.* (o *qd.*) to be amazed at s.th. (o s.o.); ⟨*Bot*⟩ ~ **gialla** *d'Egitto* evening primrose (*Oenothera biennis*); *le sette -e del* **mondo** the seven wonders of the world; ⟨*scherz*⟩ *essere l'ottava* ~ *del mondo* to be the eighth wonder of the world; **nessuna** ~ *che* it's no wonder (that); *il* **paese** *delle -e* wonderland; **pieno** *di* ~ filled with wonder, marvelling; (*stupito*) surprised, amazed, astounded; **raccontare** *-e* to tell of wonderful things; (*cose esagerate*) to tell tall stories; **riempire** *qd. di* ~ to fill s.o. with wonder; (*stupirlo*) to surprise (*o* astound) s.o. – *Prov.*: *la* ~ *è figlia dell'ignoranza* wonder is the child of ignorance.

meravigliạre *v.* (**meravịglio, meravịgli**) **I** *v.t.* **1.** to surprise (greatly), to amaze, to astonish, to astound: *le tue parole mi hanno meravigliato* your words surprised me. – **2.** ⟨*rar*⟩ (*essere stupito*) to be surprised (*o* amazed) at. – **II** *v.i.* (*aus.* **avere**) ⟨*poet*⟩ **1.** (*meravigliarsi*) to wonder, to marvel (*di* at), to be surprised (at, by). – **2.** (*destare meraviglia*) to cause surprise (*o* amazement). – **meravigliarsi** *v.r.* to be surprised (*o* amazed) (*di* at, by), to wonder, to marvel (at): *mi meraviglio di te* I'm surprised at you.

meravigliạto (*p.p. di meravigliare*) *a.* surprised, astonished, amazed, full of wonder.

meravigliosamẹnte *avv.* **1.** wonderfully, marvellously; (*straor-*

dinariamente) extraordinarily; (*sorprendentemente*) surprisingly, amazingly. – **2.** ⟨*ant*⟩ (*molto*) extremely, greatly.

meraviglioso I *a.* **1.** wonderful, marvellous, ⟨*poet*⟩ wondrous: *un paesaggio* ~ a wonderful landscape. – **2.** (*sorprendente*) surprising, amazing, astonishing. – **3.** ⟨*lett*⟩ (*straordinario*) extraordinary, exceptional, wonderful, tremendous, great; (*incredibile*) incredible, astounding; (*ammirevole*) splendid, wonderful, admirable. – **4.** ⟨*lett*⟩ (*spaventoso*) awful, dreadful. – **5.** ⟨*ant*⟩ (*meravigliato*) surprised, amazed, astonished. – **II** *s.m.* **1.** supernatural, wonderful. – **2.** (*ciò che suscita stupore*) wonder, marvel.

merc. = *mercoledì* Wednesday (*abbr.* Wed.).

merca *f.* ⟨*Zootecn,region*⟩ branding.

mercadante *a./s.* ⟨*ant*⟩ → **mercante.**

mercantare ⟨*ant*⟩ **I** *v.i.* (*aus.* **avere**) (*commerciare*) to trade, to deal. – **II** *v.t.* **1.** (*fare mercato*) to trade (*o* deal) in. – **2.** (*contrattare*) tobargain over.

mercante I *s.m.* (*f.* **-essa**) **1.** merchant, trader, dealer; (*bottegaio*) shopkeeper, tradesman, trader, retailer. – **2.** ⟨*ant*⟩ (*banchiere*) banker. – **II** *a.* ⟨*non com*⟩ avaricious, greedy, mercenary.
□ ~ *di* **carne** *umana* (*chi fa la tratta delle bianche*) white slaver; ~ *di* **cavalli** horse-dealer; ⟨*fig*⟩ ~ *di* **ebano** (*negriero*) blackbirder; ~ *di* **schiavi** slave-dealer, slave-trader, slaver; ~ *di* **stoffa** clothier, cloth merchant; ⟨*Astr*⟩ **tre** *-i* Orion's belt; ~ *di* **vini** wine merchant. – *Prov.*: *ogni* ~ *loda la sua mercanzia* every merchant praises his own wares, no man cries "stinking fish".

mercanteggiamento *m.* **1.** (*atto*) trading, dealing. – **2.** (*effetto*) dealings *pl.* – **3.** ⟨*fig*⟩ traffic.

mercanteggiare *v.* (**mercanteggio, mercanteggi**) **I** *v.i.* (*aus.* **avere**) **1.** to trade, to deal (*di, in* in): ~ *in vini* to trade in wine, to be a wine-merchant. – **2.** (*contrattare*) to bargain, to haggle (*su* over). – **3.** (*speculare*) to speculate (*su* on). – **4.** ⟨*fig*⟩ (*approfittare*) to trade (*su* upon), to take advantage (of). – **II** *v.t.* **1.** to deal (*o* trade) in. – **2.** ⟨*fig*⟩ to traffic in; (*prostituire*) to prostitute; (*vendere*) to sell.

mercantesco *a.* (*pl.* **-chi**) **1.** trader's, merchant's; ⟨*spreg*⟩ mercenary, commercialistic: *mentalità -a* mercenary outlook. – **2.** ⟨*ant*⟩ (*dedito al commercio*) merchant-, commercial, trading. – **mercantessa** *f.* ⟨*ant*⟩ **1.** tradeswoman; (*bottegaia*) shopkeeper, saleswoman. – **2.** (*moglie di mercante*) merchant's wife; (*moglie di bottegaio*) shopkeeper's wife.

mercantia *f.* ⟨*ant*⟩ → **mercanzia.**

mercantile I *a.* **1.** mercantile, merchant-, commercial, trading, business-: *diritto* ~ mercantile law. – **2.** ⟨*Mar*⟩ mercantile, merchant-: *flotta* ~ merchant fleet, mercantile (*o* merchant) marine. – **3.** ⟨*non com*⟩ (*di mercante*) trader's, merchant's; (*da mercante*) mercenary, commercialistic: *spirito* ~ mercenary spirit. – **4.** ⟨*non com*⟩ (*dedito al commercio*) merchant-, commercial, trading. – **II** *s.m.* ⟨*Mar*⟩ merchant ship, merchantman, cargo boat, trading vessel. □ *politica* (o *sistema*) ~ mercantilism, mercantile system.

mercantilismo *m.* **1.** ⟨*Econ,Pol*⟩ mercantilism, mercantile system. – **2.** ⟨*non com*⟩ commercialism. – **mercantilista I** *s.m./f.* mercantilist. – **II** *a.* mercantilist. – **mercantilistico** *a.* (*pl.* **-ci**) **1.** ⟨*Pol,Econ*⟩ mercantilist. – **2.** ⟨*spreg,non com*⟩ (*da mercante*) mercenary, commercialistic. – **mercantilmente** *avv.* like a merchant, commercially.

mercantino *m.* (*f.* **-a**) ⟨*lomb*⟩ (*merciaio*) haberdasher.

mercantuccio, mercantucolo *m.* ⟨*spreg*⟩ *dim. di* **mercante.**

mercanzia *f.* **1.** (*merce*) merchandise, goods *pl*, wares *pl*, commodities *pl.* – **2.** ⟨*fam,spreg*⟩ (*roba*) stuff, trash; (*rif. a persone*) trash, riff-raff. – **3.** ⟨*ant*⟩ (*commercio*) commerce, trade, marketing, buying and selling; (*insieme dei mercanti*) merchants *pl*, traders *pl.* – **4.** ⟨*Stor*⟩ (*corte della mercanzia*) merchants' court. □ ⟨*fig*⟩ *far valere la propria* ~ to put o.s. over, to sell o.s. – *Prov.*: ~ *non vuole amici* business is business; *la buona* ~ *trova presto chi la compra*: 1. good wares quickly find a buyer; 2. (*rif. a ragazza*) an attractive girl soon finds a husband.

mercaptano *m.* ⟨*Chim*⟩ mercaptan. – **mercapturico**: ⟨*Chim*⟩ *acido* ~ mercapturic acid. – **mercapturo** *m.* mercaptide.

mercare[1] *v.* (**merco, merchi**) ⟨*ant*⟩ **I** *v.i.* (*aus.* **avere**) (*mercanteggiare*) to trade, to deal. – **II** *v.t.* **1.** (*comprare*) to buy. – **2.** ⟨*fig*⟩ (*procacciarsi*) to get, to obtain.

mercare[2] *v.t.* (**merco, merchi**) ⟨*Zootecn,region*⟩ to brand.

mercatale I *a.* ⟨*non com*⟩ (*di mercato*) market-day-, market-: *biglietto* ~ market-day ticket. – **II** *s.m.* ⟨*ant*⟩ (*mercato*) market; (*il luogo*) market-place. – **mercatantare** *v.i.* (*aus.* **avere**) ⟨*ant*⟩ → **mercanteggiare.** – **mercatante** *a./s.* ⟨*ant*⟩ → **mercante.** – **mercatantia, mercatanzia** *f.* ⟨*ant*⟩ → **mercanzia.** – **mercatare** *v.i.* (*aus.* **avere**) ⟨*ant*⟩ **1.** (*fare il mercante*) to trade, to deal, to be a merchant. – **2.** (*contrattare*) to bargain, to haggle. – **3.** (*trarre guadagno*) to profit, to gain.

mercatino (*dim. di mercato*) *m.* **1.** ⟨*tosc*⟩ (*chi ha un banco al mercato*) stall-holder. – **2.** ⟨*fig,tosc*⟩ (*persona plebea*) common person.

mercatistica *f.* ⟨*Econ*⟩ marketing.

mercato *m.* **1.** market: *fare la spesa al* ~ to go to market; (*il luogo*) market-place. – **2.** ⟨*estens,non com*⟩ (*roba offerta in vendita*) merchandise, goods *pl*, wares *pl.* – **3.** ⟨*fig*⟩ (*luogo rumoroso*) bedlam. – **4.** ⟨*fig,spreg*⟩ (*traffico*) trafficking, sale, prostitution. – **5.** ⟨*Econ*⟩ market: *il* ~ *dei diamanti* the diamond market; (*trattazione, affare*) bargain, ⟨*fam*⟩ deal.
□ ~ **agrario** (o *agricolo*) agricultural market; ⟨*Econ*⟩ ~ *poco* **animato** dull (*o* slack) market; ~ *all'***aperto** open-air (*o* outdoor) market; ⟨*Econ*⟩ ~ *aperto* open market; ~ **attivo** brisk market; ~ **azionario** stock-market; ~ *del* **bestiame** cattle market; *a* **buon** ~ (*avv.*) cheaply, inexpensively; (*agg.*) cheap, low-priced, inexpensive; ⟨*fig*⟩ *cavarsela a buon* ~ to get off lightly; ~ *dei* **cambi** foreign exchange market; ~ *dei* **capitali** capital market; ≈ **comune** *europeo* European Common Market; ~ **coperto** indoor (*o* covered) market; ~ *di* **credito** credit market; ~ *del* **denaro** money market; ⟨*Econ*⟩ ~ **depresso** flat market; ~ *delle* **erbe** vegetable market; ~ *d'***esportazione** export market; ~ **estero** foreign market; ⟨*fig*⟩ **fare** *un* ~ to put on an act; ⟨*ant*⟩ *far gran* ~ *di qc.* (*vendere a basso prezzo*) to sell s.th. off; ⟨*fig*⟩ *far* ~ *del proprio corpo* (*prostituirsi*) to prostitute o.s.; ~ **favorevole** favourable (*o* buoyant) market; ~ **fermo** firm market; ~ **fiacco** dull (*o* slack) market; ~ **finanziario** financial market; ~ *dei* **fiori** flower market; ~ **fondiario** property (*o* real estate) market; ~ **fornitore** supply market; **giorno** *di* ~ market day; **immettere** *sul* ~ to put on the market; ~ **immobiliare** = *mercato* **fondiario**; ~ *all'***ingrosso** wholesale market; ~ **interno** home (*o* domestic) market; ⟨*Econ*⟩ ~ **languido** = *mercato* **fiacco**; ~ *del* **lavoro** labour market; ~ **libero** free market; ~ **mobiliare** securities market; ~ **mondiale** world market; ~ **monetario** money market; ~ **nazionale** = *mercato* **interno**; ~ **nero** black market: *comprare qc. al* ~ *nero* to buy s.th. on the black market; ~ *dell'***oro** gold market; ~ *del* **pesce** fish market; ~ *al* **rialzo** bullish (*o* sellers') market; ~ *al* **ribasso** bearish (*o* buyers') market; **ricerche** *di* ~ market research; ~ *di* **sbocco** market, outlet; ~ **settimanale** weekly market; **sopra** ~ into the bargain, besides; ⟨*Econ*⟩ ~ **sostenuto** steady market; ~ **stabile** steady (*o* stable) market; **studio** *di* ~ marketing; ~ *a* **termine** future (*o* forward) market; ~ **tranquillo** quiet market; ~ **ufficiale** official market; ~ *della* **valuta** = *mercato dei* **cambi**; ⟨*Dir*⟩ ~ *del* **voto** trafficking in votes.

mercatologia *f.* ⟨*Econ*⟩ marketing.

mercatore *m.* (*f.* **-trice**) ⟨*non com*⟩ **1.** (*mercante*) merchant, trader, dealer. – **2.** ⟨*fig,spreg*⟩ trafficker, dealer. – **mercatura** *f.* ⟨*ant*⟩ (*commercio*) trade, commerce, buying and selling.

merce *f.* **1.** goods *pl*, merchandise, commodities *pl*, wares *pl.* – **2.** (*colli*) goods *pl.*
□ **Borsa** *-i* Commodities Exchange; ~ *a* **collettame** groupage traffic, collective consignments, part load traffic; ⟨*fig*⟩ *non è* ~ **comune** it is a rare quality (*o* thing); ~ *a* **condizione** goods on approval (*o* sale or return); ~ *di* **contrabbando** smuggled goods; ~ **deperibile** perishable goods; ~ *in* **deposito** goods in consignment; ~ **depositata** *nei magazzini generali* bonded goods; ~ ⌜*d'***esportazione**⌝ (o *esportata*) export goods, goods for export, exports *pl*; ~ **flottante** goods afloat, floating goods; ~ *di* **frodo** = *merce di* **contrabbando**; ~ ⌜*d'***importazione**⌝ (o *importata*) imported goods, imports *pl*; ~ **ingombrante** bulky goods; ~ **libera** free goods; ~ *di* **lusso** luxury goods; ~ *in* **magazzino** goods ⌜on hand⌝ (*o* in stock); **natura** *della* ~ description of goods; *-i* **pericolose** dangerous goods; ~ *alla* **rinfusa** goods in bulk; ~ *di* **scarto** (*inferiore*) inferior (*o* shoddy) goods, seconds *pl*, rejects *pl*; (*danneggiata*) spoiled (*o* damaged) goods; ~ **semigrezza** (o *semilavorata*) unfinished (*o* semi-finished, semi-manufactured) goods; ~ *venduta* **sottocosto** loss leaders; **tenere** *una* ~ to keep (*o* stock) s.th.; ~ *in* **transito** goods in transit; **treno** *-i* goods train; ~ *a grande* **velocità** fast goods (*o* freight) traffic, goods by fast (*o* passenger) train, ⟨*am*⟩ goods by through freight; ~ *a piccola velocità* slow goods traffic, goods by slow (*o* goods) train, ⟨*am*⟩ goods by slow freight; ~ *in* **vetrina** goods on display, window goods; ~ **viaggiante** (o *in viaggio*) goods on track; ~ **voluminosa** bulky goods.

mercé (*apoc. di mercede*) **I** *s.f.* **1.** (*pietà*) mercy, pity: *chiedere* ~ to beg for mercy; (*grazia*) grace, favour; (*aiuto*) help. – **2.** (*arbitrio*) discretion. – **3.** ⟨*esclam*⟩ (*grazia*) mercy, have mercy (*o* pity) on me; (*di grazia*) please. – **4.** ⟨*ant*⟩ (*fortuna*) fortune, luck. – **5.** ⟨*ant*⟩ (*mercede, ricompensa*) reward. – **6.** ⟨*ant*⟩ (*merito*) merit. – **7.** ⟨*esclam,ant*⟩ (*grazie*) thanks, thank you. – **II** *prep.* **1.** (*per merito di*) thanks to. – **2.** ⟨*iron*⟩ (*a cagione di*) thanks to. □ ⟨*ant*⟩ ~ *che* (*poiché*) since, because; ⟨*non com*⟩ ~ *di lui* thanks to him; ~ *di Dio* by the grace of God; *essere alla* ~ *di qd.* to be at s.o.'s mercy; *rimettersi alla* ~ *di qd.* to throw o.s. on s.o.'s mercy.

mercede *f.* **1.** ⟨*lett*⟩ (*compenso*) payment, remuneration, reward: *lavorare a* ~ to work for payment. – **2.** ⟨*lett*⟩ (*ricompensa, premio*) reward, recompense, requital. – **3.** ⟨*ant*⟩ (*grazia, pietà*) mercy, pity: *domandare* ~ to beg for mercy. – **4.** ⟨*ant,poet*⟩ (*merito*) merit; (*opera degna di ricompensa*) worthy action, good deed. □ ⟨*ant*⟩ *mettersi alla* ~ *di qd.* to throw o.s. on s.o.'s mercy; ⟨*ant*⟩ *rendere* ~ *a qd.* (*ringraziarlo*) to thank (*o* give thanks to) s.o.; (*contraccambiargli un beneficio*) to repay s.o.; ⟨*ant*⟩ *Vostra* ~ thanks to you, by your grace.

mercenaio *a./s.* ⟨*ant*⟩ → **mercenario.** – **mercenaria** *f.* ⟨*non com*⟩ (*prostituta*) prostitute. – **mercenariamente** *avv.* mercenarily, like a mercenary.

mercenario I *a.* **1.** (*rif. a persona*) paid, hired, salaried; (*rif. a cosa*) done for money (*o* pay), paid. – **2.** ⟨*fig,spreg*⟩ (*venale*) mercenary, venal. – **3.** ⟨*Stor*⟩ mercenary: *truppe -e* mercenary troops. – **II** *s.m.* **1.** ⟨*Stor*⟩ mercenary (soldier). – **2.** ⟨*fig,spreg*⟩ (*persona venale*; *f.* **-a**) venal (*o* mercenary) person.

mercenarismo *m.* **1.** ⟨*Stor*⟩ mercenary system. – **2.** ⟨*fig*⟩ mercenariness.

merceologia *f.* study of commodities. – **merceologico** *a.* (*pl.* **-ci**) of the study of commodities, of marketable goods. – **merceologo** *m.* (*pl.* **-gi**; *f.* **-a**) expert in the study of commodities.

mercerịa *f.* **1.** (*negozio*) haberdashery, haberdasher's shop, ⟨*am*⟩ notions shop. – **2.** *pl.* (*articoli per cucire*) haberdashery, ⟨*am*⟩ notions *pl.* – **3.** ⟨*ant*⟩ (*mestiere del merciaio*) haberdasher's trade. – **4.** ⟨*ant*⟩ (*merce*) merchandise, wares *pl*; (*merce minuta*) haberdashery, notions *pl.*

merceriẓẓạre *v.t.* ⟨*Tess*⟩ to mercerize. – **merceriẓẓạto** (*p.p. di mercerizzare*) *a.* mercerized. – **merceriẓẓatọre** *m.* (*f.* **-trice**) (*operaio*) mercerizer. – **merceriẓẓaziọne** *f.* mercerizing, mercerization.

mẹrci *m.inv.* ⟨*Ferr*⟩ (*treno merci*) goods train, ⟨*am*⟩ freight train.

merciạio *m.* (*f.* **-a**) haberdasher. □ ~ *ambulante* pedlar, hawker. – **merciaiọlo** *m.* ⟨*non com*⟩ → **merciaio.**

mercimọnio *m.* **1.** ⟨*ant*⟩ (*mercatura*) trade, commerce. – **2.** ⟨*fig*⟩ (*traffico illecito*) illicit trade, trafficking, selling, prostitution.

mẹrco *m.* (*pl.* **-chi**) **1.** ⟨*ant*⟩ (*marchio*) brand, mark. – **2.** ⟨*Zootecn, region*⟩ (*merca*) brand.

mercoldì *m.* ⟨*pop*⟩ → **mercoledì.** – **mercoledì** *m.* Wednesday. □ ⟨*Rel*⟩ ~ *delle ceneri* Ash Wednesday; ~ *santo* Wednesday of Holy Week. – **mercordì** *m.* ⟨*ant*⟩ → **mercoledì.**

mercorẹlla *f.* ⟨*Bot*⟩ **1.** mercury (*Mercurialis*). – **2.** mercury, boys-and -girls (*Mercurialis annua*). – **3.** (*anche mercorella bastarda*) dog's mercury (*Mercurialis perennis*).

mercuriạle[1] *a.* ⟨*Farm*⟩ mercurial.

mercuriạle[2] *a.* ⟨*Astr*⟩ of Mercury, mercurial.

mercuriạle[3] *f.* ⟨*Comm*⟩ market-report.

mercuriạle[4] *f.* ⟨*non com*⟩ (*rimprovero*) rebuke, reproach, reproof.

mercuriạle[5] *f.* ⟨*Bot*⟩ **1.** mercury (*Mercurialis*). – **2.** (*anche mercuriale canina*) dog's mercury (*Mercurialis perennis*).

mercurialịsmo *m.* ⟨*Med*⟩ mercurialism.

mercuriạno **I** *a.* → **mercuriale**[2]. – **II** *s.m.* (*f.* **-a**) inhabitant of Mercury.

mercuriaziọne *f.* ⟨*Chim*⟩ mercuration. – **mercụrico** *a.* (*pl.* **-ci**) mercuric: *bromuro* ~ mercuric bromide. – **mercurịfero** *a.* ⟨*non com*⟩ containing mercury.

mercụrio *m.* ⟨*Chim*⟩ mercury. □ ⟨*Farm*⟩ ~ *corneo* calomel, mercurous chloride; ~ *fulminante* mercury fulminate; ⟨*Farm*⟩ *preparati di* ~ mercury preparations; ⟨*Bot*⟩ ~ *vegetale* manaca, vegetable mercury (*Brunfelsia hopeana*).

Mercụrio *N.pr.m.* ⟨*Mitol,Astr*⟩ Mercury.

mercurọso *a.* ⟨*Chim*⟩ mercurous: *cloruro* ~ mercurous chloride.

mẹrda *f.* ⟨*volg*⟩ **1.** shit, ⟨*am*⟩ crap. – **2.** ⟨*fig*⟩ (*cosa disgustosa*) filth, muck. – **merdạio** *m.* ⟨*volg*⟩ **1.** dunghill, ⟨*volg*⟩ shit-heap. – **2.** (*luogo assai sporco*) filthy (*o* disgusting) place. – **3.** ⟨*fig*⟩ (*ambiente sozzo*) sink, cesspool. – **merdaiọlo** *m.* ⟨*volg*⟩ **1.** dung-sweeper, street-sweeper. – **2.** ⟨*spreg*⟩ (*spazzaturaio*) dustman, ⟨*am*⟩ garbage collector.

merdọcco *m.* (*pl.* **-chi**) depilatory plaster.

merdọso *a.* ⟨*volg*⟩ **1.** shitty, covered in shit, ⟨*am*⟩ crappy. – **2.** ⟨*fig, spreg*⟩ filthy, foul, disgusting.

merẹnda *f.* **1.** tea, (afternoon) snack. – **2.** (*cibo*) tea, snack. – **3.** (*spuntino*) snack; (*all'aperto*) picnic. □ *fare* ~ → **merendare.**

merendạre *v.i.* (**merẹndo**; *aus.* **avere**) to have tea; (*fare uno spuntino*) to have (*o* take) a snack; (*all'aperto*) to have a picnic. – **merendịna** *f. dim. di* **merenda.** – **merendọne** *m.* (*f.* **-a**) *accr. di* **merenda.**

meretrịce **I** *s.f.* prostitute, whore, strumpet, ⟨*lett*⟩ harlot; (*passeggiatrice*) street-walker. – **II** *a.f.* vile, filthy.

meretrịcio[1] *a.* ⟨*rar*⟩ prostitute's, whorish, meretricious, of a harlot.

meretrịcio[2] *m.* (*prostituzione*) prostitution, whoredom, harlotry. □ *casa di* ~ brothel; *darsi al* ~ to prostitute o.s., to become a prostitute.

mẹrgere *v.t.* (**mẹrgo, mẹrgi; mẹrsi, mẹrso**) ⟨*ant*⟩ (*immergere*) to immerse, to plunge into; (*abbassare*) to lower, to dip.

mẹrgo[1] *m.* (*pl.* **-ghi**/*ant.* **-gi**) ⟨*Ornit*⟩ (*smergo*) merganser (*Mergus*). □ ~ *domenicano* (*smergo maggiore*) goosander, ⟨*am*⟩ merganser (*Mergus merganser*); ~ *oca* (*smergo minore*) red-breasted merganser (*Mergus serrator*); ~ *oca minore* (*pesciaiola*) smew (*Mergus albellus*).

mẹrgo[2] *m.* (*pl.* **-ghi**) ⟨*Agr*⟩ vine shoot.

mergọllo *m.* ⟨*Ornit*⟩ cormorant (*Phalacrocorax*; *Phalacrocorax carbo*).

mergọne (*accr. di mergo*[1]) *m.* ⟨*Ornit*⟩ (*smergo maggiore*) goosander, ⟨*am*⟩ merganser (*Mergus merganser*).

meriạre *v.* (**merịo, merịi**) ⟨*tosc,non com*⟩ → **meriggiare.**

mericạrpio *m.* ⟨*Bot*⟩ mericarp.

meridiạna *f.* **1.** ⟨*Geog*⟩ (*linea meridiana*) meridian line. – **2.** (*orologio solare*) sundial.

meridiạno **I** *a.* **1.** (*di mezzogiorno*) midday-, noon-, noonday-, meridian: *calore* ~ midday heat. – **2.** ⟨*estens*⟩ (*chiaro, luminoso*) bright, blazing. – **3.** ⟨*Geom,Geog*⟩ meridian. – **4.** ⟨*Biol*⟩ (*meridionale*) longitudinal. – **II** *s.m.* **1.** ⟨*Geog,Astr*⟩ meridian. – **2.** ⟨*Astr*⟩ (*cerchio meridiano*) meridian circle. □ ⟨*Geog*⟩ ~ *astronomico* (*o celeste*) celestial meridian; ~ *fondamentale* prime (*o* first) meridian; ⟨*fig*⟩ *dimostrare alla luce -a* to show clearly, to prove; ~ *magnetico* magnetic meridian.

merịdie *f.* ⟨*ant*⟩ **1.** (*mezzogiorno*) midday, noon. – **2.** (*sud*) south.

meridionạle **I** *a.* **1.** southern, south-, southerly, meridional: *venti -i* south winds. – **2.** (*che abita le regioni del sud*) southern, meridional: *slavo* ~ southern Slav. – **3.** (*dell'Italia meridionale*) South(ern) Italian. – **4.** ⟨*Biol*⟩ longitudinal. – **II** *s.m./f.* **1.** southerner, meridional. – **2.** (*italiano meridionale*) Southern Italian.

meridionalịsmo *m.* ⟨*Ling*⟩ South Italian idiom (*o* expression). – **meridionalịsta** **I** *s.m./f.* expert on problems of Southern Italy. – **II** *a.* → **meridionalistico.** – **meridionalịstico** *a.* (*pl.* **-ci**) southern, meridional. – **meridionaliẓẓạre** *v.t.* to act like a southerner. – **meridionalizzarsi** *v.r.* to become like a southerner, to adopt southern ways. – **meridionaliẓẓạto** (*p.p. di meridionalizzare*) *a.* having adopted southern ways. – **meridionaliẓẓaziọne** *f.* **1.** adoption of southern ways, becoming like a southerner. – **2.** ⟨*Agr*⟩ use in the north of seeds produced in the south.

meridiọne *m.* **1.** (*sud, regioni meridionali*) south. – **2.** (*Italia meridionale*) Southern Italy. □ *essere a* ~ *di* to be south of.

mẹrie: ⟨*tosc*⟩ *stare alle* ~ (*meriggiare*) to rest in the shade (at noon).

merịgge *m.* ⟨*ant*⟩ → **meriggio.** – **meriggiạno** *a.* ⟨*ant*⟩ (*del meriggio*) midday-, noon-.

meriggiạre *v.* (**merịggio, merịggi**) ⟨*lett*⟩ **I** *v.i.* (*aus.* **avere**) **1.** to rest in the shade (at noon). – **2.** ⟨*non com*⟩ (*fare la siesta*) to take a siesta, to have a noonday rest. – **II** *v.t.* (*far riposare durante il meriggio*) to allow to rest (in the shade).

merịggio *m.* ⟨*lett*⟩ **1.** midday, noon, noontide, middle of the day. – **2.** (*momenti di maggior splendore*) peak, height. – **3.** ⟨*non com*⟩ (*sud*) south. – **4.** ⟨*tosc,fam*⟩ (*luogo ombreggiato*) shade, shady spot. □ *di* ~ in the middle of the day, at noon; *dopo il* ~ in the afternoon; *far* ~ (*meriggiare*) to rest in the shade (at noon); *in pieno* ~ at high noon; *sul* ~ at midday, at noon, at noontide.

merịnga *f.* ⟨*Dolc*⟩ meringue.

merịno **I** *a.* merino; (*rif. a razza, ad animale*) Merino. – **II** *s.m.* **1.** (*razza*) Merino. – **2.** ⟨*Tess*⟩ merino.

meristẹma *m.* ⟨*Bot*⟩ meristem. – **meristemạle** *a.* → **meristematico.** – **meristemạtico** *a.* (*pl.* **-ci**) meris(te)matic.

meritamẹnte *avv.* deservedly, as one deserves; (*giustamente*) justly, rightly.

meritạre *v.* (**mẹrito**) **I** *v.t.* **1.** to deserve, to merit, to be deserving of: ~ (*o meritarsi*) *la fiducia di qd.* to deserve s.o.'s trust; (*essere degno*) to be worthy of, to merit. – **2.** (*procurare*) to earn, to procure, to get: *la sua onestà gli meritò un premio* his honesty earned him a prize; (*guadagnare*) to gain. – **3.** ⟨*fam*⟩ (*valere*) to be worth. – **4.** ⟨*Econ*⟩ (*mettere a frutto*) to invest. – **5.** ⟨*assol,lett*⟩ (*acquistare merito*) to become deserving (*o* worthy), to deserve well: *ben* ~ *di qd.* to deserve well of s.o. – **6.** ⟨*ant*⟩ (*ricompensare*) to reward, to recompense. – **II** *v.t.impers.* (*valere la pena*) to be worth (while), to be useful (*o* of use): *non merita che se ne parli* it's not worth talking about. □ ~ *conferma* to need (*o* require) confirmation; *non merita conto* it's not worth while; *se l'è meritato* (*gli sta bene*) it serves him right, he deserved it, he got what was coming to him.

meritatamẹnte *avv.* → **meritamente.** – **meritạto** (*p.p. di meritare*) *a.* deserved, merited: *ben* ~ well deserved.

meritẹvole *a.* **1.** deserving (*di qc.* s.th., of s.th.), worthy (of): *azione* ~ *di lode* praiseworthy action, action deserving praise. – **2.** (*degno di lode*) meritorious, praiseworthy. □ ~ *di biasimo* blameworthy; ~ *di credito* credible; *essere* (*o rendersi*) ~ *di qc.* to deserve s.th. – **meritevolmẹnte** *avv.* deservedly, worthily, meritoriously; (*giustamente*) justly, rightly.

mẹrito[1] *m.* **1.** merit; (*servizio*) service: *i suoi -i verso il proprio paese* his services to his country; (*qualità*) merit good point: *il tuo maggior* ~ *è l'onestà* your ⌜greatest merit⌝ (*o* best point) is your honesty; (*diritto alle lodi*) credit: *dare* (*o rendere*) *a qd.* ~ *di qc.* to give s.o. credit for s.th., to give s.o. his due; (*ciò che uno si merita*) deserts *pl*, due: *trattare qd. secondo il* ~ to treat s.o. according to his deserts (*o* lights). – **2.** (*valore*) merit, worth, value: *di poco* ~ of little value. – **3.** (*sostanza*) merits *pl*, substance: *entrare nel* ~ *di una questione* to discuss the merits of a question, to go into a question. – **4.** ⟨*ant*⟩ (*ricompensa*) reward, recompense. – **5.** ⟨*Econ,ant*⟩ (*interesse*) interest.

□ **farsi** ~ *di qc.* (*vantarsene*) to boast of s.th.; *non so niente* **in** ~ I know nothing about it; *in* ~ *a* as to, about, as regards, regarding, with regard (*o* respect) to; *di* **nessun** ~ worthless, of no merit; *a* **pari** ~ equal; (*in concorsi e sim.*) tied; *di pari* ~ of equal worth (*o* merit), equally good; **per** ~ *di qd.* through s.o., thanks to s.o.; *Dio vi* **renda** ~ may God reward you; **secondo** *il* ~ according to merit.

mẹrito[2] *a.* ⟨*lett*⟩ (*meritato*) deserved, merited.

meritoriamẹnte *avv.* meritoriously, deservingly. – **meritọrio** *a.* meritorious, good, well-deserving, worthy; (*lodevole*) praiseworthy, commendable. □ ⟨*iron*⟩ *sarebbe opera -a se tu mi lasciassi in pace* you would be doing a good deed if you left me in peace.

mẹrla *f.* ⟨*Ornit*⟩ **1.** (*femmina del merlo*) hen blackbird. – **2.** ⟨*ant*⟩ (*merlo*) blackbird. □ ⟨*lomb*⟩ *i tre giorni della* ~ (*gli ultimi giorni di gennaio*) the last three days of January.

merlạngo *m.* (*pl.* **-ghi**) ⟨*Itt*⟩ **1.** whiting (*Gadus merlangus*). – **2.** (*merlango piccolo*) kleine marane (*Coregonus albula*).

merlạre *v.t.* (**mẹrlo**) ⟨*ant*⟩ (*guarnire di merli*) to embattle, to crenel(l)ate. – **merlạto** (*p.p. di merlare*) *a.* **1.** embattled, battlemented, crenel(l)ated. – **2.** ⟨*Arald*⟩ embattled. – **3.** ⟨*Bot*⟩ (*crenato*) crenate(d), scalloped. – **merlatụra** *f.* **1.** battlement, crenel(l)ation. – **2.** ⟨*Bot*⟩ (*crenatura*) crenation, crenature.

merlẹtta *f.* ⟨*Ornit*⟩ (*piro-piro culbianco*) green sandpiper (*Tringa ochropus*).

merlettạia *f.* **1.** (*artigiana*) lace-maker, lace-worker. – **2.** ⟨*non com*⟩ (*venditrice*) lace-seller. – **merlettạre** *v.t.* (**merlẹtto**) to trim (*o* adorn) with lace, to lace. – **merlettạto** (*p.p. di merlettare*) *a.* lace-trimmed, laced. – **merlettatụra** *f.* **1.** (*il merlettare*) trimming with lace, lacing. – **2.** (*guarnizione di merletto*) lace trimming, lace.

merlẹtto *m.* **1.** lace. – **2.** ⟨*Legat*⟩(*fregio*) lace-like tooling, lace-pattern.

□ *-i ad ago* point-lace; ~ *a forcella* hairpin work, gimping; *-i a fuselli* pillow-lace; *-i all'uncinetto* crochet lace.
merlịno[1] *m.* ⟨*Mar*⟩ marline, marling.
merlịno[2] *m.* → **merletta.**
Merlịno *N.pr.m.* ⟨*Lett*⟩ Merlin.
mẹrlo[1] *m.* (*f.* **-a**) **1.** ⟨*Ornit*⟩ blackbird (*Turdus merula*). – **2.** ⟨*fig*⟩ (*persona sempliciotta*) fool, simpleton, ass, ⟨*fam*⟩ dope.
□ ~ **acquaiolo** (*o acquatico*) water ouzel, dipper (*Cinclus aquaticus*); ~ ⌜*acquaiolo grande*⌝ (o *acquatico maggiore*) black-winged stilt (*Himantopus himantopus*); ~ **casaiolo** (*passera solitaria*) blue rock -thrush (*Monticola solitarius*); ~ ⌜*dal* **collare**⌝ (o *forestiero*) ring ouzel (*Turdus torquatus*); ~ **comune** (o *nero*) blackbird (*Turdus merula*); ~ *dal* **petto** *bianco* = *merlo dal* **collare**; ~ **roseo** (*storno rosso*) rose-coloured starling (*Pastor roseus*); ~ **sassatile** (*codirossone*) rock-thrush (*Monticola saxatilis*).
mẹrlo[2] *m.* ⟨*Itt*⟩ brown wrasse (*Labrus merula*).
mẹrlo[3] *m.* **1.** merlon. – **2.** ⟨*non com*⟩ (*merletto*) lace.
merlọne *m.* (*nelle fortificazioni*) merlon.
merlot *fr.* [mɛr'lo] *m.* ⟨*Enol*⟩ kind of grapevine.
merlọtto *m.* **1.** (*giovane merlo*) young blackbird. – **2.** ⟨*fig*⟩ (*persona sciocca*) fool, simpleton.
merluzzẹtto (*dim. di merluzzo*) *m.* ⟨*Itt,fam*⟩ (*mormoro*) striped bream (*Pagellus mormyrus*).
merlụzzo *m.* ⟨*Itt*⟩ **1.** cod (*Gadus morrhua*). – **2.** (*nasello*) hake (*Merluccius vulgaris*). □ ~ *imperiale* barracuda (*Sphyraena sphyraena*); *olio di fegato di* ~ cod-liver-oil.
mẹro *a.* **1.** ⟨*lett*⟩ (*puro*) pure, clear. – **2.** ⟨*fig*⟩ (*vero e proprio*) mere, sheer: *è stata una -a combinazione* it was a mere coincidence; (*semplice*) simple. – **3.** ⟨*ant*⟩ (*lucente*) shining, sparkling.
mero|blạstico *a.* (*pl.* **-ci**) ⟨*Biol*⟩ meroblastic. – **~cẹle** *f.* ⟨*Med*⟩ merocele. – **~cịto** *m.* ⟨*Biol*⟩ merocyte. – **~gonịa** *f.* ⟨*Biol*⟩ merogony. – **~mọrfo** *a.* ⟨*Mat*⟩ meromorphic.
mẹrope *m.* ⟨*Ornit*⟩ (*gruccione*) European bee-eater (*Merops apiaster*).
Mẹrope I *N.pr.m.* ⟨*Mitol*⟩ Merops. – **II** *N.pr.f.* Merope.
meropịa *f.* ⟨*Ott*⟩ meropia.
merọpidi *m.pl.* ⟨*Ornit*⟩ bee-eaters *pl* (*Meropidae*).
meropsịa *f.* → **meropia.**
merọre *m.* ⟨*lett*⟩ (*afflizione*) grief, affliction.
merọstomi *m.pl.* ⟨*Zool*⟩ merostomes *pl* (*Merostomata*).
Merovịngi *N.pr.m.pl.* ⟨*Stor*⟩ Merovingians *pl.* – **merovịngico** *a.* (*pl.* **-ci**) Merovingian. – **merovịngio** *a.* → **merovingico.**
mertạre *v.* (**mẹrto**) ⟨*poet*⟩ → **meritare.** – **mẹrto** *m.* ⟨*poet*⟩ → **merito**[1].
merveilleuse *fr.* [mɛrvɛ'jø:z] *f.* ⟨*Stor*⟩ merveilleuse.
merveilleux *fr.* [mɛrvɛ'jø] *m.* ⟨*Tess*⟩ merv.
merzé *f.* ⟨*ant*⟩ → **mercé.**
merzẹde *f.* ⟨*ant*⟩ → **mercede.**
mẹsa *sp. f.* ⟨*Geol*⟩ mesa.
mésalliance *fr.* [meza'ljɑ̃:s] *f.* mésalliance, misalliance.
mesalọro, mesarọlo *m.* ⟨*region*⟩ (*bracciante*) (day) farm labourer.
mesạta *f.* **1.** (*salario di un mese*) month's pay (*o* wages). – **2.** (*somma da versare ogni mese*) monthly payment, (monthly) instalment. – **3.** ⟨*non com*⟩ (*spazio di un mese*) month.
mescalịna *f.* ⟨*Chim*⟩ mescaline, mezcaline.
mẹscere *v.t.* (**mẹsco, mẹsci; mescẹi, mesciụto**) **1.** to pour (out): ~ *il vino* to pour the wine. – **2.** ⟨*lett*⟩ (*mescolare*) to mix. – **3.** ⟨*estens, poet*⟩ (*versare*) to spill, to shed. – **4.** ⟨*fig,rar*⟩ (*dare generosamente*) to give generously, to be lavish with; ⟨*scherz*⟩ (*rif. a botte e sim.*) to shower, to rain. □ ⟨*ant*⟩ ~ *battaglia* (*attaccare battaglia*) to join battle.
mẹschia *f.* ⟨*ant*⟩ (*mischia*) fight.
meschiamẹnto *m.* ⟨*ant*⟩ (*mischiamento*) mixing, mixture. – **meschiạnza** *f.* ⟨*ant*⟩ (*mischianza*) mixture. – **meschiạre** *v.t.* (**mẹschio, mẹschi**) ⟨*ant*⟩ (*mischiare*) to mix.
meschinamẹnte *avv.* scantily, shabbily, poorly; (*grettamente*) meanly, pettily; (*miseramente*) wretchedly. – **meschinẹllo, meschinẹtto** (*dim. di meschino*) **I** *a.* poor, wretched. – **II** *s.m.* (*f.* **-a**) poor wretch (*o* fellow). – **meschinịa** *f.* ⟨*ant*⟩ (*stato di miseria*) misery.
meschinità *f.* **1.** scantiness, shabbiness, poorness, paltriness, wretchedness. – **2.** (*grettezza*) meanness, smallness (of mind); (*limitatezza*) narrow-mindedness, pettiness. – **3.** (*azione meschina*) mean action, petty behaviour. – **4.** ⟨*ant*⟩ (*condizione di miseria*) misery, poverty, wretchedness.
meschịno I *a.* **1.** (*scarso*) scanty, poor, paltry, miserable, wretched, slight, mean. – **2.** (*gretto*) mean, small; (*limitato*) narrow-minded, petty; (*non convincente*) lame. – **3.** ⟨*non com*⟩ (*gracile*) slight, frail, thin, weak(ly). – **4.** ⟨*lett*⟩ (*misero*) wretched, poor; (*sventurato*) unfortunate, unhappy. – **5.** ⟨*ant*⟩ (*asservito*) menial, servile. – **II** *s.m.* (*f.* **-a**) **1.** mean (*o* petty) person, small-minded person. – **2.** (*persona misera*) (poor) wretch, poor fellow, unfortunate (person). – **3.** ⟨*ant*⟩ (*servo*) menial, servant.
meschinụccio *a. dim. di* **meschino.**
meschịta *f.* ⟨*ant*⟩ (*moschea*) mosque.
mesciạcqua *m.inv.* ⟨*tosc*⟩ (*brocca*) (water) jug, pitcher, ewer.
mesciạnza *f.* ⟨*ant*⟩ (*avversità*) adversity, misfortune.
mescịbile *a.* ⟨*non com*⟩ pourable.
mescidạre *v.t.* (**mẹscido**) ⟨*ant*⟩ (*mischiare*) to mix.
mescirọba *m./ant.f.* jug, pitcher.
mẹscita *f.* **1.** (*il mescere*) pouring (out); (*liquido versato*) drink (poured out); (*contenuto di un bicchiere*) glass(ful), measure. – **2.** (*osteria*) tavern, public-house, tap-room; (*bar*) bar, café.
mescitạre *v.* → **mescidare.**
mescitọre *m.* (*f.* **-trice**) **1.** pourer. – **2.** (*nei bar e sim.*) barman (*f* -maid), bar-tender.
mesciụto *p.p. di* **mescere.**
mẹscola[1] *f.* (*mescolanza*) **1.** mixture, mix, blend. – **2.** ⟨*Ind*⟩ (*gomma*) mix, compound, composition, batch.
mẹscola[2] *f.* ⟨*ant*⟩ (*mestola*) kitchen spoon; (*di legno*) wooden spoon.
mescolạbile *a.* mixable, blendable, miscible. – **mescolamẹnto** *m.* **1.** (*il mescolare*) mixing, mingling. – **2.** ⟨*rar*⟩ (*miscuglio*) mixture.
mescolạnza *f.* **1.** (*il mescolare*) mixing. – **2.** (*miscuglio*) mixture, blend, mix. – **3.** ⟨*fig*⟩ mixture, blend, medley. – **4.** ⟨*tosc*⟩ (*insalata mista*) mixed salad. – **5.** ⟨*region*⟩ (*minutaglia di pesciolini*) mixed fish fry. – **6.** ⟨*Bot*⟩ (*barba di cappuccino*) buckhorn plantain, buckhorn (*Plantago coronopus*). – **7.** ⟨*Dir*⟩ (*commistione*) commingling. □ *far* ~ *di* to mix, to make a mixture of.
mescolạre *v.t.* (**mẹscolo**) **1.** to mix, to blend, to mingle, to combine: ~ *il vino con l'acqua* to mix wine with (*o* and) water. – **2.** (*rimestare*) to stir, to mix. – **3.** (*mettere insieme alla rinfusa*) to mix up, to jumble (up, together). – **4.** ⟨*fig*⟩ to mix, to mingle. – **5.** ⟨*Rad*⟩ to mix. – **mescolarsi** *v.r.* **1.** to mix, to blend. – **2.** (*disordinarsi*) to get mixed (*o* jumbled) up, to get into a muddle. – **3.** (*unirsi, confondersi*) to mix, to mingle (*a, fra* with). – **4.** ⟨*spreg*⟩ (*frequentare*) to mix, to get mixed up. – **5.** ⟨*fig*⟩ (*impicciarsi*) to meddle, to interfere, to get mixed up: *mescolarsi nelle faccende altrui* to meddle in other people's business. □ ~ *le carte* to shuffle.
mescolạta *f.* **1.** mix, mixing; (*rif. a carte da gioco*) shuffle, shuffling. – **2.** (*il rimestare*) stir(ring). □ *dare una* ~ *a qc.* to mix s.th. – **mescolatịna** *f. dim. di* **mescolata.**
mescolạto (*p.p. di mescolare*) **I** *a.* mixed, blended. – **II** *s.m.* ⟨*ant*⟩ **1.** (*mescolanza*) mixture. – **2.** (*tessuto misto*) union, mixture. □ ⟨*non com*⟩ *alla -a* (*alla rinfusa*) pell-mell, in a muddle.
mescolatọre *m.* (*f.* **-trice**) **1.** (*operaio*) mixer. – **2.** (*macchina*) mixer, mixing machine. – **3.** ⟨*Met*⟩ mixer.
□ ⟨*Rad*⟩ ~ **bilanciato** balanced mixer; ~ **centrifugatore** centrifugal blender; ~ *a* **cilindri** batch-off (*o* mixing, open) mill, roller mixer; ~ *per* **cocktail** (cocktail-)shaker; ⟨*Rad*⟩ ~ *a* **cristallo** crystal mixer; ~ *a* **molazza** muller; ⟨*TV*⟩ ~ *del* **suono** audio (*o* sound) mixer.
mescolatrịce *f.* (*macchina*) mixer, mixing machine: ~ *olandese* double-shaft trough mixer. – **mescolatụra** *f.* **1.** (*il mescolare*) mixing, blending. – **2.** ⟨*rar*⟩ (*miscuglio*) mixture. – **mescolaziọne** *f.* ⟨*El,Rad*⟩ mixing. – **mescolịo** *m.* **1.** mixing, mingling. – **2.** ⟨*fig, non com*⟩ (*rimescolio*) stirring. – **mẹscolo** ⟨*fam,tosc*⟩ **I** *a.* (*mescolato*) mixed. – **II** *s.m.* (*miscuglio*) mixture. – **mescụglio** *m.* ⟨*fam, tosc*⟩ (*miscuglio*) mixture.
mẹse *m.* **1.** month. – **2.** (*paga*) month's pay (*o* wages); (*stipendio*) month's salary. – **3.** (*canone d'affitto*) month's rent. – **4.** *pl.* ⟨*pop*⟩ (*mestruazioni*) menstruation, ⟨*pop*⟩ period.
□ **al** ~ a (*o* per) month; ⟨*Astr*⟩ ~ **anomalistico** anomalistic month; ⟨*scherz*⟩ *il* ~ ⌜*degli* **asini**⌝ (o *delle ciliegie*) (*maggio*) (the month of) May; *del* ~ **corrente**: 1. of this month; 2. ⟨*Comm*⟩ instant: *il giorno 10 del* ~ *corrente* on the 10th instant; **di** ~ *in* ~ from month to month, month by (*o* after) month; *di due -i* two months old; ⟨*Astr*⟩ ~ **draconico** draconic month; *il* ~ **entrante** next month, the coming month; **entro** *il* ~ by the end of the month; *entro un* ~ in a month; *un* ~ **fa** a month ago; ~ **lunare** lunar month; ⟨*Rel*⟩ ~ ⌜*di* **Maria**⌝ (o *mariano*) month of Mary, May; **per** *-i e -i* for months and months; *per tutto il* ~ all month, for the whole month; ⌜*ai* **primi**⌝ (o *al principio*) *del* ~ ⌜early in⌝ (*o* at the beginning of) the month; *il* ~ **prossimo** = *il mese* **entrante**; **quanti** *ne abbiamo del* ~*?* what day of the month is it?; ⟨*Astr*⟩ ~ **siderale** sideral month; ⟨*Astr*⟩ ~ **sinodico** synodic month; *agli* **ultimi** *del* ~ ⌜at the end of⌝ (*o* late in) the month. – *Prov.*: *tutti i -i non son di trentuno* (*le cose non vanno sempre allo stesso modo*) life is not all beer and skittles.
meşencefạlico *a.* (*pl.* **-ci**) ⟨*Anat*⟩ mesencephalic. – **meşencefalịte** *f.* ⟨*Med*⟩ mesencephalitis. – **meşencẹfalo** *m.* ⟨*Anat*⟩ mesencephalon, midbrain.
meşẹnchima *m.* ⟨*Anat*⟩ mesenchyma, mesenchyme. – **meşenchimạle** *a.* mesenchymal. – **meşenchimạtico** *a.* (*pl.* **-ci**) → **mesenchimale.**
meşentẹre *m.* **1.** ⟨*Biol*⟩ mesenteron. – **2.** ⟨*Anat*⟩ mesentery. – **meşenteriạle** *a.* mesenteric. □ *intestino* ~ intestinum tenue mesenteriale. – **meşentẹrico** *a.* (*pl.* **-ci**) **1.** ⟨*Anat*⟩ mesenteric. – **2.** ⟨*Biol*⟩ mesenteronic. – **meşentẹrio** *m.* → **mesentere.** – **meşenterịte** *f.* ⟨*Med*⟩ mesenteritis.
mesẹta *sp. f.* ⟨*Geol*⟩ meseta, tableland.
mesẹtto *m. dim. di* **mese.**
Mẹşia *N.pr.f.* ⟨*Geog.stor*⟩ Moesia.
meşmẹrico *a.* (*pl.* **-ci**) ⟨*Med*⟩ mesmeric. – **meşmerịşmo** *m.* mesmerism. – **meşmerizzạre** *v.t.* to mesmerize.
meso... *pref.* (*medio* middle) mes(o)...
meşọ|aortịte *f.* ⟨*Med*⟩ meso-aortitis, mesaortitis. – **~arterịte** *f.* mesarteritis. – **~cạrdio** *m.* ⟨*Anat*⟩ mesocardium. – **~cạrp(i)o** *m.* ⟨*Bot*⟩ mesocarp. – **~cefalịa** *f.* ⟨*Anat*⟩ mesocephaly, mesaticephaly, mesaticephalism. – **~cẹfalo I** *a.* mesocephalic, mesaticephalic. – **II** *s.m.* (*f.* **-a**) mesocephal. – **~cọlico** *a.* (*pl.* **-ci**) mesocolic. – **~cọlon** *m.* mesocolon. – **~cricẹto** *m.* golden hamster (*Mesocricetus auratus*). – **~dẹrma** *m.* ⟨*Anat*⟩ mesoderm. – **~dẹrmico** *a.* (*pl.* **-ci**) mesodermal, mesodermic. – **~devọnico** *m.* (*pl.* **-ci**) ⟨*Geol*⟩ mid-Devonian period. – **~duodẹno** *m.* ⟨*Anat*⟩ mesoduodenum. – **~fịllo** *m.* ⟨*Bot*⟩ mesophyll.

meṣọ|fita *f.* ⟨*Bot*⟩ mesophyte. – **~gạstrico** *a.* (*pl.* -ci) ⟨*Anat*⟩ mesogastric. – **~gạstrio** *m.* **1.** ⟨*Anat*⟩ mesogaster, mesogastrium, midgut. – **2.** ⟨*Zool*⟩ mesogaster. – **~glịa** [-gl-] *f.* ⟨*Biol*⟩ mesoglia.
meṣognatịṣmo *m.* (*in antropologia*) mesognathy. – **meṣọgnato** *a.* mesognathic, mesognathous.
meṣo|lịtico *a./s.* (*pl.* -ci) **I** *a.* Mesolithic. – **II** *s.m.* Mesolithic civilization. – **~logịa** *f.* ⟨*Biol*⟩ mesology.
meṣomerịa *f.* ⟨*Chim*⟩ mesomerism. – **meṣọmero** *a.* mesomere.
meṣo|mẹtrio *m.* ⟨*Anat*⟩ **1.** (*miometrio*) myometrium, mesometrium. – **2.** (*meso dell'utero*) mesometrium. – **~mọrfico** *a.* (*pl.* -ci) ⟨*Chim*⟩ mesomorphic, mesomorphous. – **~nạuta** *m.* ⟨*Mar.ant*⟩ (*mozzo*) boy.
meṣọne *m.* ⟨*Fis*⟩ meson, mesotron.
meṣonẹfrico *a.* (*pl.* -ci) ⟨*Biol*⟩ mesonephric. – **meṣonẹfro** *m.* mesonephron, mesonephros, wolffian body.
meṣọnico *a.* (*pl.* -ci) ⟨*Fis*⟩ mesonic, mesotronic.
meṣo|pạuṣa *f.* ⟨*Geog*⟩ mesopause. – **~plạncton** *m.* ⟨*Biol*⟩ mesoplankton.
meṣopotạmia *f.* mesopotamia, region between two rivers.
Meṣopotạmia *N.pr.f.* ⟨*Geog.stor*⟩ Mesopotamia.
meṣorẹne *m.* → **mesonefro.**
meṣorinịa *f.* (*in antropologia*) mesorrhiny. – **meṣorịno** *a.* mesorrhine, mesorrhinic. – **meṣorrinịa** *f.* → **mesorinia.** – **meṣorrịno** *a.* → **mesorino.**
meṣo|salpịnge *m.* ⟨*Anat*⟩ mesosalpinx. – **~sfẹra** *f.* ⟨*Geog*⟩ mesosphere. – **~siderịte** *f.* ⟨*Min*⟩ siderolite.
meṣo|stilịa *f.* ⟨*Bot*⟩ mesostylous character. – **~stịlo** *a.* mesostylous. – **~torạce** *m.* ⟨*Entom*⟩ mesothorax. – **~tọrio** *m.* ⟨*Chim*⟩ mesothorium. – **~trọne** *m.* ⟨*non com*⟩ → **mesone.** – **~ẓọi** *m.pl.* ⟨*Zool*⟩ Mesozoa *pl* (*Mesozoa*). – **~ẓọico** *a./s.* (*pl.* -ci) ⟨*Geol*⟩ **I** *a.* Mesozoic. – **II** *s.m.* Mesozoic (era). – **~ẓọna** *f.* ⟨*Geol*⟩ mesozone.
mẹssa[1] *f.* **1.** ⟨*Lit*⟩ Mass: *assistere alla* ~ to hear Mass. – **2.** ⟨*Mus*⟩ mass.
□ ~ **bassa** (*non cantata*) Low Mass; ~ *al* **campo** camp Mass; ~ **cantata** = *messa* **grande**: ~ **conventuale** Conventual Mass; ⟨*Mus*⟩ ~ **corale** choral mass; **dire** *la* ~ to say Mass; *far dire una* ~ *per qd.* to have a Mass said for s.o.; *la* ~ **entra** (*comincia*) Mass is beginning; *la* ~ **esce** (*termina*) Mass is ending; ~ **feriale** ferial Mass; ~ **funebre** = *messa di* **requiem**; ~ **grande** High Mass; ~ **letta** = *messa* **bassa**; ~ *di* **mezzanotte** Midnight Mass; ⟨*fam*⟩ ~ *da* **morto** = *messa di* **requiem**; ~ *di* **Natale** Christmas Day Mass; ~ **novella** first Mass; ~ **papale** Papal Mass; ~ *di* **Pasqua** Easter Mass; ~ **piana** = *messa* **bassa**; ~ **pontificale** Pontifical Mass; ~ **prima** early Mass; ⟨*pop*⟩ *prima* ~ = *messa* **novella**; ~ *di* (o *da*) **requiem** Requiem Mass; **rispondere** (o *servire*) ~ to serve Mass; ~ **solenne** = *messa* **grande**; **sonare** *la* ~ to ring the bell for Mass; ~ *in* **terzo** = *messa* **grande**; ⟨*scherz*⟩ **va** *a* (o *alla*) ~*!* be off with you!, don't bother me!; ~ **vespertina** evening Mass.
mẹssa[2] *f.* **1.** (*il mettere*) putting, placing, setting, laying. – **2.** ⟨*non com*⟩ (*il germogliare*) budding, sprouting, germination. – **3.** ⟨*non com*⟩ (*germoglio*) bud; (*pollone*) sprout, shoot. – **4.** ⟨*non com*⟩ (*posta*) stake. – **5.** ⟨*ant*⟩ (*portata*) course. – **6.** ⟨*ant*⟩ (*quota sociale*) share, quota.
□ ~ *in* **azione**: 1. (*avviamento*) switching on, starting; 2. ⟨*fig*⟩ putting into operation (*o* action), putting to work: *la* ~ *in azione di un piano* the putting into action of a plan; ⟨*Aer*⟩ ~ *in* **bolla** rigging; ~ *in* **conto** putting on the bill; ~ *a* **disposizione**: 1. making available, supply(ing); 2. ⟨*Comm*⟩ (*filiera*) negotiable delivery note, transfer note, trace, string; ⟨*El*⟩ ~ *in* **fase** timing; ⟨*Mot*⟩ ~ *in fase dell'accensione* ignition timing; ⟨*Ott*⟩ ~ *a* **fuoco** focusing; ⟨*Tip*⟩ ~ *in* **macchina** lock up, imposing, imposition; ⟨*Mot*⟩ ~ *in* **marcia** putting into gear; ⟨*Mar*⟩ ~ *in* **mare** launching; ~ *in* **moto** starting; ~ *in* **opera**: 1. installation; 2. ⟨*Edil*⟩ laying; ~ *in* **palio** *di un premio* award of a prize; ~ *in* **piega**: 1. (*atto*) setting (of hair); 2. (*effetto*) (hair) set; ~ *a* **piombo** plumbing; ~ *a* **punto**: 1. ⟨*Mecc*⟩ setting up; 2. ⟨*Mot*⟩ tuning, tune-up; (*di registrazioni o circuiti in serie*) line-up; (*di trasmissione e sim.*) truing; 3. ⟨*fig*⟩ restatement, definition, clarification; ⟨*Cin*⟩ ~ *in* **quadro** framing; ~ *in* **scena**: 1. ⟨*Teat*⟩ staging, mise-en-scène; 2. ⟨*fig*⟩ pretence, ⟨*fam*⟩ act; *è tutta una* ~ *in scena* it's all put on; ~ *in* **servizio** putting into service (*o* operation), starting; ⟨*El*⟩ ~ *a* **terra** grounding; ~ *in* **valore** (*valorizzazione*) exploitation, development; ⟨*Mar*⟩ ~ *alla* **vela** setting (*o* unfurling) of the sails; ~ *in* **vendita** offering (*o* putting up) for sale; ~ *in* **vigore** enforcement, putting into force; ~ *a* **zero** zero setting, resetting.
messaggẹre *a./s.* ⟨*non com*⟩ → **messaggero.**
messaggerịa *f.* (generally in pl.) **1.** book and magazine distribution agency. – **2.** ⟨*ant*⟩ (*attività del messaggero*) running of errands, carrying of messages; (*incarico eseguito dal messaggero*) errand. – **3.** ⟨*ant*⟩ (*messaggeri*) messengers *pl.*
messaggẹro **I** *s.m.* (*f.* -a) **1.** messenger, runner, errand-boy; (*latore*) bearer. – **2.** ⟨*fig*⟩ herald, forerunner, harbinger. – **3.** (*nel teatro greco*) harbinger. – **4.** ⟨*Post*⟩ postal official. – **II** *a.* herald-, ⟨*pred*⟩ announcing.
messaggiẹre, messaggiẹro *a./s.* ⟨*non com*⟩ → **messaggero.**
messạggio *m.* **1.** message (*anche fig.*): ~ *di vittoria* victory message. – **2.** (*notizia*) message, news: ~ *telegrafico* telegraphic message. – **3.** (*allocuzione*) message, address, speech: ~ *natalizio* Christmas message. – **4.** ⟨*non com*⟩ (*annuncio*) announcement. – **5.** ⟨*ant*⟩ (*messaggero*) messenger.
messạle *m.* **1.** missal, Mass-book. – **2.** ⟨*scherz*⟩ (*grosso libro*) tome. – **messalẹtto** *m. dim. di* **messale.**
Messalịna *N.pr.f.* ⟨*Stor*⟩ Messalina.
messalịno *m. dim. di* **messale.** – **messalọne** *m. accr. di* **messale.**
mẹsse *f.* **1.** (*mietitura*) reaping, harvesting. – **2.** (*raccolto*) crop, harvest: *un'abbondante* ~ a good crop. – **3.** (*grano*) corn, wheat: *le -i ondeggianti* the rippling wheat. – **4.** ⟨*fig*⟩ crop, harvest, fruit.
□ *il tempo della* ~ harvest-time.
Messẹne *N.pr.f.* ⟨*Geog.stor*⟩ Messene. – **Messẹnia** *N.pr.f.* Messenia, Messinia. – **messẹnico** *a.* (*pl.* -ci) Messenian.
messẹre *m.* **1.** ⟨*ant*⟩ (*seguito da nome proprio*) lord, master; (*seguito da nome comune*) my lord (the); (*vocativo*) Sir, your Honour, my Lord, Master. – **2.** ⟨*scherz,iron*⟩ gentleman, fine fellow; ⟨*esclam*⟩ Sir. □ *essere* ~ *e madonna* to be lord and master; *fare il* ~ (*spadroneggiare*) to throw one's weight about.
messẹtta[1] *m.* ⟨*ant*⟩ (*sensale*) broker, agent, middleman.
messẹtta[2] *f.* ⟨*ant*⟩ (*mezzana*) procuress, bawd.
messetterịa *f.* ⟨*ant*⟩ (*senseria*) brokerage. – **messẹtto** *m.* → **messetta**[1].
messịa *m.* **1.** ⟨*Bibl*⟩ Messiah. – **2.** ⟨*fig*⟩ (*salvatore*) saviour, deliverer, messiah. □ ⟨*fig*⟩ *aspettare qd. come il* ~ to await s.o.'s coming eagerly; ⟨*fig*⟩ *aspettare il* ~ to wait for s.o. in vain. – **messianicità** *f.* Messiahship. – **messiạnico** *a.* (*pl.* -ci) Messianic. – **messianịṣmo** *m.* Messianism (*anche fig.*). – **messianịsta** *m./f.* Messianist. – **messiạto** *m.* ⟨*lett,rar*⟩ (*dignità di messia*) Messiahship.
messicạno **I** *a.* Mexican, of Mexico. – **II** *s.m.* **1.** (*abitante*; *f.* -a) Mexican. – **2.** ⟨*Gastr*⟩ stuffed veal (*o* pork). – **3.** (*aperitivo*) kind of aperitif. – **Mẹssico** *N.pr.m.* ⟨*Geog*⟩ Mexico (*denom.uff.*: *Stati Uniti Messicani* United States of Mexico, United Mexican States). □ *città del* ~ Mexico City; *golfo del* ~ Gulf of Mexico.
messịcolo *a.* ⟨*Bot*⟩ growing in fields of cereal.
messidọro *m.* **1.** ⟨*Stor*⟩ Messidor. – **2.** ⟨*lett*⟩ (*piena estate*) midsummer.
messinscẹna *f.* **1.** staging, production, mise-en-scène: *la* ~ *di una commedia* the staging of a play. – **2.** ⟨*fig*⟩ pretence, sham, ⟨*fam*⟩ act: *è tutta una* ~ it's all ⌜an act⌝ (*o* put on).
messiọne *f.* ⟨*ant*⟩ (*dono*) gift; (*liberalità*) generosity.
messitịccio *m.* ⟨*non com*⟩ (*germoglio*) bud; (*pollone*) sprout, shoot.
mẹsso[1] *p.p. di* **mettere.**
mẹsso[2] *m.* **1.** messenger. – **2.** (*nei pubblici uffici*) messenger, usher, attendant: ~ *comunale* town-hall usher. – **3.** (*nel teatro greco*) harbinger. □ ~ ⌜*del cielo*⌝ (o *di Dio*) heavenly messenger, angel; ⟨*ant*⟩ ~ *del tribunale* bailiff.
mẹsso[3] *m.* ⟨*ant*⟩ (*portata*) course.
messọre *m.* ⟨*lett*⟩ (*mietitore*) reaper, harvester. – **messọrio**: *falce -a* sickle, reaping hook.
mestamẹnte *avv.* sadly, mournfully, dismally.
mestamẹnto *m.* ⟨*non com*⟩ **1.** stirring; (*mescolamento*) mixing. – **2.** ⟨*fig*⟩ (*intrigo*) intrigue, plot, plotting.
mestạre *v.t.* (**mẹsto**) **1.** to stir (up): ~ *la minestra* to stir the soup; (*agitare*) to shake (up). – **2.** ⟨*assol*⟩ (*intrigare, brigare*) to intrigue, to plot; (*interferire negli affari altrui*) to meddle, ⟨*fam*⟩ to put in one's oar. – **3.** ⟨*fam*⟩ (*affannarsi*) to fuss (about). – **4.** ⟨*ant*⟩ (*mescolare*) to mix.
mestatọio *m.* stirrer, mixer; (*per agitare*) shaker; (*cucchiaio*) (stirring) spoon. – **mestatọre** *m.* (*f.* **-trice**) **1.** ⟨*non com*⟩ stirrer, mixer. – **2.** ⟨*fig*⟩ (*persona intrigante*) intriguer, plotter; (*faccendone*) meddler, busybody.
mẹstica *f.* ⟨*Pitt*⟩ priming, primer, dressing, underpainting.
mesticạnza *f.* ⟨*region*⟩ **1.** (*insalata mista*) mixed salad. – **2.** ⟨*Bot*⟩ (*cappuccina*) nasturtium (*Tropaeolum majus*). – **3.** ⟨*ant*⟩ (*miscuglio*) mixture, mélange.
mesticạre *v.t.* (**mẹstico, mẹstichi**) ⟨*Pitt*⟩ **1.** to mix, to blend. – **2.** (*applicare la mestica*) to prime, to ground. – **mesticatọre** *m.* (*f.* **-trice**) ⟨*tosc*⟩ **1.** (*chi prepara i colori*) paint (*o* colour) mixer. – **2.** (*negoziante*) paint seller, artists' supplier.
mesticciạre *v.i.* (**mestịccio, mestịcci**; *aus.* **avere**) ⟨*non com*⟩ (*intrigare*) to intrigue, to plot; (*ingerirsi*) to meddle, to interfere. – **mesticciọne** *m.* (*f.* **-a**) ⟨*non com*⟩ (*persona intrigante*) intriguer, plotter, busybody.
mesticherịa *f.* ⟨*tosc*⟩ paint shop; (*per pittori*) artists' supply shop, art shop. – **mestichịno** *m.* ⟨*Pitt*⟩ palette-knife, spatula.
mestierạccio *m. pegg. di* **mestiere.**
mestierạnte **I** *s.m./f.* **1.** ⟨*rar*⟩ tradesman, craftsman, worker. – **2.** ⟨*spreg*⟩ money-grubber; (*rif. a scrittore*) hack, potboiler. – **II** *a.* **1.** ⟨*rar*⟩ working, practising. – **2.** ⟨*spreg*⟩ commercial, ⟨*fam*⟩ money-grubbing; (*rif. a scrittore*) hack-, potboiling. □ *medico che è solo un* ~ doctor who practises only for what he can get out of it.
mestiẹre *m.* **1.** trade: *mettere qd. in un* ~ to put s.o. to a trade; (*arte manuale*) craft. – **2.** (*attività*) job, occupation; (*professione*) profession, business; (*lavoro*) work, ⟨*fam*⟩ job. – **3.** ⟨*spreg*⟩ business, mere job: *ha fatto dell'insegnamento un* ~ he has reduced teaching to a mere job. – **4.** (*pratica*) experience, skill, specialized (*o* inside) knowledge; (*perizia, tecnica*) skill, craft. – **5.** ⟨*ant*⟩ (*compito*) task, office, job. – **6.** ⟨*ant*⟩ (*ufficio funebre*) funeral service. – **7.** ⟨*ant*⟩ (*bisogno corporale*) bodily need.
□ *-i* **ambulanti** hawking, peddling; ⟨*Dir*⟩ itinerant callings; ~ *delle* **armi** (profession of) soldiering; **cambiare** ~ to change one's trade (*o* job); ⟨*region*⟩ **cattivo** ~ (*tartana*) trawl-net; ⟨*ant*⟩ ~ *del* **corpo** (*bisogno corporale*) excrement, bodily need; **di** ~: 1. by trade (*o* profession): *fare l'avvocato di* ~ to be a lawyer (by profession); *faccio il pianista di* ~ I am a professional pianist; 2. ⟨*fig*⟩

(*abitudinario*) habitual: *delinquente di* ~ habitual criminal; 3. ⟨*fig, spreg*⟩ habitual, incorrigible: *è una pettegola di* ~ she is an incorrigible gossip; 4. ⟨*spreg*⟩ (*privo di genialità*) uninspired, undistinguished, mediocre, routine: *un'opera di* ~ an uninspired work; *donna di* ~ (*prostituta*) prostitute; **esercitare** *un* ~ to practise (*o* carry on) a trade; *esercita il* ~ *di fornaio* he is a baker; **essere** *del* ~ (*essere competente*) to be an expert, ⟨*fam*⟩ to know ⌈one's job⌉ (*o* what one is about); *non è* ~ *da tutti* it's not an easy thing to do, not everyone can do it; ⟨*scherz*⟩ *è il mio* ~ I'm an old hand at it; ⟨*scherz*⟩ *non è il mio* ~ I'm no expert, it's not my line; ⟨*spreg*⟩ *è il suo* ~ (*è cosa abituale*) he's always doing it; ~ *di* **fabbro** smith's trade, smithery; ~ *di* **falegname** carpenter's trade, carpentry; ~ **fallito** out-of-date trade, trade that does not pay any more; ⟨*fig*⟩ thing of the past; ⟨*fig*⟩ **fare** *tutti i -i* (*arrabattarsi*) to be a jack-of-all-trades, to turn one's hand to anything; ⟨*fig*⟩ *fare bene il proprio* ~ to be good at one's job; *pensa a fare il tuo* ~ *!* mind your own business!; ⟨*fig*⟩ *fare qc. per* ~ to do s.th. from force of habit; *che* ~ *fa ?* what is he?, what does he do (for a living)?; *i* **ferri** *del* ~ the tools of the trade (*anche fig.*); *-i* **girovaghi** = *mestieri* **ambulanti**; **imparare** *il* ~ to learn the business (*o* ropes); **mandare** *qd. al* ~ to set s.o. to learn a trade; *fare il* ~ *del* **Michelaccio** to be a loafer; ~ *del* **muratore** bricklayer's trade, bricklaying; *-i* **muti** dumb sketches; **rubare** *il* ~ *al boia* (*ammazzare*) to cheat the hangman (of his work); **uno** *del* ~ an expert, a professional. – *Prov.*: *chi fa l'altrui* ~ *fa la zuppa nel paniere* (*a ciascuno il suo mestiere*) every man to his trade, the cobbler should stick to his last.

mestiẹri: ⟨*lett*⟩ *esser* (o *far*) ~ (*essere necessario*) to be necessary.

mestiẹro *m.* ⟨*ant*⟩ → **mestiere**. – **mestierụccio** *m.* ⟨*spreg*⟩ *dim. di* **mestiere**.

mestịzia *f.* sadness, mournfulness, gloominess, sorrow, sorrowfulness; (*malinconia*) melancholy, dismalness; (*accoramento*) disconsolateness, wistfulness; (*abbattimento*) dejection, depression. – **mẹsto** *a.* **1.** sad, mournful, gloomy; (*malinconico*) dismal, melancholy; (*accorato*) disconsolate, wistful; (*abbattuto*) dejected, downcast. – **2.** (*che rende mesto*) sad, mournful, gloomy, melancholy, dismal.

mẹstola (o *mẹstola*) *f.* **1.** kitchen spoon; (*di legno*) wooden spoon; (*ramaiolo*) ladle, dipper. – **2.** (*cazzuola*) trowel. – **3.** (*arnese da lavandaia*) washerwoman's bat. – **4.** *pl.* ⟨*scherz*⟩ (*mani larghe e grosse*) (ham-like) hands *pl*, paws *pl*. – **5.** ⟨*Bot*⟩ water plantain (*Alisma plantago-aquatica*). ☐ ~ *forata* (o *bucata*) skimmer, strainer; ⟨*fig*⟩ *tenere la* ~ *in mano* (*comandare*) to be the boss. – *Prov.*: *chi ha la* ~ *in mano si fa la minestra a suo modo* he who pays the piper calls the tune.

mestolạccia (*pegg. di mestola*) *f.* (*pl.* -ce) ⟨*Bot*⟩ (*mestola*) water plantain (*Alisma plantago-aquatica*). – **mestolạio** *m.* (*f.* -a) ⟨*non com*⟩ **1.** (*fabbricante*) maker of kitchen spoons and ladles. – **2.** (*venditore*) seller of kitchen spoons and ladles. – **mestolạta** *f.* **1.** (*colpo*) blow with a kitchen spoon (*o* ladle). – **2.** (*quantità*) spoonful, ladleful. – **mestoliẹra** *f.* ⟨*non com*⟩ spoon (*o* ladle) rack.

mestolịno *m. dim. di* **mestolo**. ☐ *fare il* ~ (*frignare*) to whimper, to start to cry.

mẹstolo *m.* **1.** kitchen spoon; (*di legno*) wooden spoon. – **2.** ⟨*region*⟩ (*ramaiolo*) ladle, dipper. ☐ ⟨*fig*⟩ *avere il* ~ *in mano* (*comandare*) to be the boss; (*poter fare a proprio modo*) to have one's own way; *fare il* ~ (*frignare*) to whimper, to start to cry.

mestolọne (*accr. di mestolo*) *m.* **1.** ⟨*fig*⟩ (*persona goffa e sciocca*) oaf, clumsy fool. – **2.** ⟨*Ornit*⟩ shoveler (*Spatula clypeata*). – **3.** ⟨*Ornit*⟩ (*spatola*) spoonbill (*Platalea leucorodia*). – **4.** ⟨*Ornit*⟩ (*fischione*) wi(d)geon (*Anas penelope*).

mestọne *m.* ⟨*tosc*⟩ **1.** (*arnese per rimestare*) wooden spoon, stick for stirring. – **2.** ⟨*fig*⟩ (*mestatore*) intriguer, plotter; (*ficcanaso*) meddler, busybody.

mestruạle *a.* menstrual: *ciclo* ~ menstrual cycle. – **mestruạnte** (*p.pr. di mestruare*) *a.* ⟨*rar*⟩ menstruating. – **mestruạre** *v.i.* (**mẹstruo**; *aus.* **avere**; used almost exclusively in the past and present participles) ⟨*rar*⟩ to menstruate. – **mestruạto** (*p.p. di mestruare*) *a.* ⟨*lett*⟩ **1.** menstruating. – **2.** (*sporco di sangue mestruale*) blood-stained, bloody.

mestruaziọne *f.* menstruation, menses *pl* (*costr. sing. o pl.*), ⟨*fam*⟩ period. – **mẹstruo I** *s.m.* **1.** → **mestruazione**. – **2.** ⟨*Alchim*⟩ solvent. – **II** *a.* **1.** ⟨*non com*⟩ → **mestruale**. – **2.** ⟨*ant*⟩ (*mensile*) monthly.

mestụra *f.* ⟨*ant,tosc*⟩ (*mistura*) mixture.

meșurạre *v.t./i.* ⟨*ant*⟩ (*misurare*) to measure.

mẹta[1] *f.* **1.** destination. – **2.** ⟨*fig*⟩ aim, goal, end, object, purpose: *proporsi una* ~ *nella vita* to give one's life a purpose. – **3.** ⟨*Archeol*⟩ meta. – **4.** ⟨*Sport*⟩ (*traguardo*) goal. – **5.** ⟨*Sport*⟩ (*nel rugby*) try. – **6.** ⟨*ant*⟩ limit, bound. – **7.** (*prezzo massimo*) maximum price. ☐ *senza* ~ aimless(ly), purposeless(ly).

mẹta[2] *f.* **1.** (*mucchio di paglia, fieno e sim.*) heap, pile, stack. – **2.** (*escremento*) dung, turd.

mẹta[3] *m.inv.* (*metaldeide*) metaldehyde, solid fuel.

metà *f.* **1.** half: *ha mangiato la* ~ *della bistecca* he ate half the steak; *vendere a* ~ *prezzo* to sell at half price. – **2.** (*parte mediana*) middle, centre, mid: *verso la* ~ *del mese* towards the middle of the month. – **3.** ⟨*fig,scherz*⟩ (*consorte*) other (*o* better) half. – **4.** ⟨*lett*⟩ (*persona amata*) loved (*o* dear) one.

☐ **a** ~ half, by half: *vuotare la bottiglia a* ~ to half empty the bottle; *a* ~ *di agosto* in the middle of August, halfway through August; *a* ~ (*della*) *strada* halfway, midway: *siamo a* ~ *strada* we are halfway there; *sceso a* ~ *delle scale* halfway down the stairs: *a* ~ *prezzo* (at) half price; *a* ~ *pagina* halfway down the page; ⟨*fig*⟩ **avere** *qc. a* ~ *con qd.* to have a half-share in s.th. with s.o., to share s.th. equally with s.o.; *una* **buona** ~ a good half, more than half; ⟨*Sport*⟩ ~ **campo** centre field; (*la linea*) halfway (*o* centre) line; ⟨*fig*⟩ **dire** *le cose a* ~ not to explain o.s. properly, to leave some things unsaid; ⟨*fig*⟩ *essere* **diventato** *la* ~ (*dimagrendo*) to be a shadow of one's former self; *la sua casa* **è** *la* ~ *della mia* his house is only half the size of mine; **fare** *a* ~ (*spartire ugualmente*) to share equally, ⟨*fam*⟩ to go halves (*o* fifty-fifty); (*dividere*) to halve, to divide in half; ⟨*fig*⟩ *fare le cose a* ~ to do things by halves; ⟨*fig*⟩ **lasciare** *qc. a* ~ to leave s.th. half done; **per** ~: 1. half-: *è finito per* ~ it is half-finished; 2. (*nel mezzo*) in (*o* down) the middle: *spaccare per* ~ to cut down the middle; 3. (*in due parti uguali*) in half: *dividere per* ~ to divide in half.

meta... *pref.* (*con* with, *fra* among, *dopo* after) meta...

metạ|bași *f.* **1.** (*passaggio*) metabasis, transition. – **2.** ⟨*Ret*⟩ metabasis. – **~bisolfịto** *m.* ⟨*Chim*⟩ metabisulphite.

metạbole *f.* **1.** (*mutamento*) metabole, metamorphosis, mutation. – **2.** ⟨*Ret*⟩ metabole.

metabọlico *a.* (*pl.* -ci) ⟨*Biol*⟩ metabolic. – **metabolịșmo** *m.* metabolism. ☐ ⟨*Med*⟩ ~ *basale* basal metabolism. – **metabọlita, metabọlito** *m.* metabolite. – **metabolizzạre** *v.t.* to metabolize.

meta|carpạle *a.* ⟨*Anat*⟩ metacarpal. – **~cạrpo** *m.* metacarpus. – **~cẹntrico** *a.* (*pl.* -ci) ⟨*Mar*⟩ metacentric. – **~cẹntro** *m.* metacentre. – **~cromașịa** *f.* ⟨*Biol*⟩ metachromatism, metachromasia, metachromasy. – **~cromạtico** *a.* (*pl.* -ci) metachromatic. – **~cromatịșmo** *m.* → **metacromasia**. – **~crọnico** *a.* (*pl.* -ci) metachronous. – **~dịnamo** *f.inv.* ⟨*El*⟩ metadyne. – **~emoglobịna** *f.* ⟨*Med*⟩ meth(a)emoglobin. – **~emoglobinemịa** *f.* meth(a)emoglobin(a)emia. – **~fạșe** *f.* ⟨*Biol*⟩ metaphase.

metạfisi *f.* ⟨*Anat*⟩ metaphysis.

metafịșica *f.* **1.** ⟨*Filos*⟩ metaphysics *pl* (*costr. sing.*). – **2.** ⟨*Pitt*⟩ (*arte metafisica*) metaphysical art. – **3.** ⟨*fig,non com*⟩ (*astruseria*) abstrusity. – **metafișicamẹnte** *avv.* metaphysically. – **metafișicạre** *v.i.* (**metafịșico, metafịșichi**; *aus.* **avere**) **1.** to metaphysize. – **2.** ⟨*fig,spreg*⟩ to split hairs, to quibble. – **metafișicherịa** *f.* ⟨*spreg*⟩ **1.** (*argomentazione astrusa*) hair-splitting, quibbling. – **2.** ⟨*Art*⟩ over-intellectual nature. – **metafișicità** *f.* metaphysical character.

metafịșico *a./s.* (*pl.* -ci) **I** *a.* **1.** metaphysical. – **2.** (*trascendentale*) transcendental, metaphysical. – **3.** ⟨*fig,spreg*⟩ (*astruso*) abstruse. – **II** *s.m.* **1.** metaphysician. – **2.** ⟨*estens*⟩ (*filosofo visionario*) visionary philosopher. ☐ ⟨*Lett*⟩ *poesia -a* metaphysical poetry.

metafonẹși, metafonịa *f.* ⟨*Ling*⟩ metaphony, umlaut.

metạfora *f.* **1.** ⟨*Ret*⟩ metaphor. – **2.** ⟨*estens*⟩ (*traslato*) metaphor, figure of speech. ☐ *fuor di* ~ (*esplicitamente*) clearly, explicitly; ⟨*fam*⟩ *parlare per -e* to be allusive. – **metaforeggiạre** *v.i.* (**metaforẹggio, metaforẹggi**; *aus.* **avere**) (*usare metafore*) to use (*o* make) metaphors, to metaphorize; (*parlare per metafore*) to speak metaphorically (*o* in metaphors). – **metaforicamẹnte** *avv.* metaphorically. – **metafọrico** *a.* (*pl.* -ci) **1.** (*rif. a metafora*) metaphoric(al). – **2.** ⟨*estens*⟩ (*figurato*) metaphoric(al), figurative. – **metaforịșmo** *m.* ⟨*non com*⟩ use of metaphors. – **metaforịsta** *m./f.* ⟨*non com*⟩ metaphorist. – **metaforizzạre** ⟨*rar*⟩ **I** *v.t.* to metaphorize, to express metaphorically. – **II** *v.i.* (*aus.* **avere**) to use metaphors, to speak metaphorically (*o* in metaphors).

meta|fosfạto *m.* ⟨*Chim*⟩ metaphosphate. – **~fosfọrico** *a.* (*pl.* -ci) metaphosphoric: *acido* ~ metaphosphoric acid.

metafrạste *m.* ⟨*lett*⟩ (*traduttore*) metaphrast, translator.

meta|galạssia *f.* ⟨*Astr*⟩ metagalaxy, universe. – **~galạttico** *a.* (*pl.* -ci) metagalactic. – **~gẹneși** *f.* ⟨*Biol*⟩ metagenesis. – **~genẹtico** *a.* (*pl.* -ci) metagenic, metagenetic. – **~geometrịa** *f.* metageometry. – **~giurịdico** *a.* (*pl.* -ci) ⟨*non com*⟩ juridically unimportant.

metaldẹide *f.* ⟨*Chim*⟩ metaldehyde.

metalẹpsi, metalẹssi *f.* ⟨*Ret*⟩ metalepsi.

meta|lịmnio *m.* ⟨*Geol*⟩ metalimnion, thermocline. – **~linguạggio** *m.* metalanguage. – **~linguịstica** *f.* metalinguistics *pl* (*costr. sing.*). – **~linguịstico** *a.* (*pl.* -ci) metalinguistic.

metạllico *a.* (*pl.* -ci) **1.** metallic, metal-: *recipiente* ~ metal recipient. – **2.** ⟨*estens*⟩ (*rif. a suono*) metallic: *voce -a* metallic (*o* harsh) voice. – **3.** (*rif. a colori, riflessi e sim.*) metallic, steely.

metallịfero *a.* metalliferous.

metallịna *f.* ⟨*Met*⟩ matte.

metallịno *a.* ⟨*ant*⟩ (*di metallo*) metallic, metal-.

metallịsta *m.* ⟨*Econ*⟩ metallist. ☐ *teoria* ~ theory advocating the exclusive use of metallic money as currency.

metallizzạre *v.t.* to metal(l)ize. – **metallizzạto** (*p.p. di metallizzare*) *a.* **1.** metal(l)ized: *lastra -a* metallized plate. – **2.** (*che contiene metallo*) metallized, metalline. – **metallizzaziọne** *f.* metal(l)ization, metal(l)izing. ☐ ~ *a spruzzo* metal spraying.

metạllo *m.* **1.** metal. – **2.** ⟨*fig*⟩ (*rif. a voce e sim.*: *timbro*) timbre, tone. – **3.** (*monete metalliche*) (metal) coin. – **4.** ⟨*scherz*⟩ (*monete*) money, coins *pl*. – **5.** ⟨*poet*⟩ (*strumento musicale di metallo*) metal instrument. – **6.** ⟨*Bot*⟩ wayfaring tree (*Viburnum lantana*). – **7.** ⟨*Bot*⟩ white beam (*Sorbus aria*).

☐ ~ **alcalino** alkali metal; ~ **antifrizione** antifriction (*o* Babbitt) metal; ~ *antifrizione per cuscinetti* bearing metal; ~ *di* **apporto** filler metal; ~ **base** base (*o* parent) metal; ~ **bianco** white metal; ~ *bianco inglese* Britannia metal; ~ **comune** base metal; ⟨*lett*⟩ con-

dannare *ai -i* to condemn to the mines; ~ **crudo** crude (*o* raw) metal; **età** *dei -i* Metal (*o* Metallurgic) Age; ~ *non* **ferroso** non-ferrous metal; ~ **fino** fine metal; ~ **fucinato** forging; ~ **fusibile** fusible metal (*o* alloy); ~ **giallo** (*oro trasformato in moneta*) gold; ~ **laminato** sheet metal; ~ **monel** Monel metal; ~ **nobile** noble metal; **non** ~ non-metal; ~ **rosa** leaded bronze; ~ **sinterato** (o *sinterizzato*) sinterized metal; ~ **terroso** earth metal; ~ **vile** = *metallo* **comune.**

metallo|ceramica *f.* powder metallurgy. – **~cromia** *f.* (*brunitura*) blueing. – **~fobia** *f.* ⟨*Psic*⟩ metallophobia. – **~genia** *f.* ⟨*non com*⟩ metallogeny. – **~genico** *a.* (*pl.* **-ci**) metallogenic, metallogenetic.

metallografia *f.* metallography (*anche Tip.*). – **metallografico** *a.* (*pl.* **-ci**) metallographic(al). – **metallografo** *m.* metallographer.

metalloide *m.* metalloid, non-metal. – **metalloidico** (o *metalloidico*) *a.* (*pl.* **-ci**) metalloid(al).

metallo|scopio *m.* ⟨*Mecc*⟩ magnetic (*o* electromagnetic, magnaflux) crack detector, magnet flux tester. – **~terapia** *f.* ⟨*Med*⟩ metallotherapy.

metallurgia *f.* metallurgy. – **metallurgico** *a./s.* (*pl.* **-ci**) **I** *a.* metallurgic(al): *industria -a* metallurgical industry. – **II** *s.m.* metal-worker. – **metallurgista** *m.* metallurgist. – **metallurgo** *m.* (*pl.* **-ghi/-gi**) ⟨*non com*⟩ **1.** (*studioso*) metallurgist. – **2.** (*operaio*) metal-worker.

metalmeccanico *a./s.* (*pl.* **-ci**) **I** *a.* **1.** metallurgical and mechanical: *industrie metalmeccaniche* metallurgical and mechanical industries. – **2.** (*rif. a operaio*) working in the metallurgical and mechanical industries. – **II** *s.m.* worker in the metallurgical and mechanical industries.

meta|logica *f.* ⟨*Filos*⟩ metalogic. – **~logico** *a.* (*pl.* **-ci**) metalogical. – **~matematica** *f.* metamathematics *pl* (*costr. sing.*). – **~matematico** *a.* (*pl.* **-ci**) metamathematical. – **~meria** *f.* ⟨*Zool,Chim*⟩ metamerism. – **~merico** *a.* (*pl.* **-ci**) ⟨*Zool*⟩ metameric. – **~merismo** *m.* → **metameria.** – **~merizzazione** *f.* ⟨*Zool*⟩ metamerization.

meta|mero I *a.* ⟨*Chim*⟩ metameric, isomeric. – **II** *s.m.* **1.** ⟨*Zool*⟩ metamere. – **2.** ⟨*Chim*⟩ metamer. – **~morfico** *a.* (*pl.* **-ci**) metamorphic.

metamorfismo *m.* ⟨*Geol*⟩ metamorphism: ~ *di contatto* contact (*o* local) metamorphism; ~ *dinamico* dynamic metamorphism; ~ *termico* thermal metamorphism.

meta|morfo *a.* metamorphic. – **~morfopsia** *f.* ⟨*Med*⟩ metamorphopsia. – **~morfosare** *v.t.* (**metamorfoso**) to metamorphose, to transform.

metamorfosi *f.* **1.** (*trasformazione*) metamorphosis, transformation. – **2.** ⟨*fig*⟩ (*cambiamento*) metamorphosis, transformation, change. – **3.** ⟨*Biol*⟩ metamorphosis. □ *subire una* ~ to metamorphose, to alter.

metanefro *m.* ⟨*Biol*⟩ metanephros, metanephron.

metanico *a.* (*pl.* **-ci**) methane-. – **metaniere** *m.* methane worker. – **metaniero** *a.* → **metanico.** – **metanifero** *a.* methane-producing. – **metanizzare** *v.t.* **1.** (*fornire di metano*) to supply with methane. – **2.** (*rif. ad autoveicoli*) to convert to methane.

metano *m.* methane; (*metano naturale*) methane, natural (*o* marsh) gas. – **metanodotto** *m.* methane pipeline.

metanoia *f.* ⟨*Teol*⟩ metanoia.

metanolo *m.* ⟨*Chim*⟩ methanol, methyl alcohol.

meta|plasia *f.* ⟨*Med*⟩ metaplasia. – **~plasico** *a.* (*pl.* **-ci**) metaplastic. – **~plasma** *m.* ⟨*Anat*⟩ metaplasm. – **~plasmo** *m.* ⟨*Ling*⟩ metaplasm. – **~plastidi** *m.pl.* ⟨*Biol*⟩ paraplasm. – **~psichica** *f.* metapsychics *pl* (*costr. sing.*), parapsychology. – **~psichico** *a.* (*pl.* **-ci**) metapsychic(al), parapsychological. – **~psichista** *m./f.* parapsychologist. – **~psicologia** *f.* metapsychology. – **~psicologico** *a.* (*pl.* **-ci**) metapsychological. – **~silicato** *m.* ⟨*Chim*⟩ metasilicate. – **~soma** *m.* ⟨*Zool*⟩ metasoma. – **~somatico** *a.* (*pl.* **-ci**) metasomatic. – **~somatosi** *f.* ⟨*Geol*⟩ metasomatosis. – **~stabile** *a.* ⟨*Chim*⟩ metastable. – **~stabilità** *f.* metastability.

metastasi *f.* ⟨*Med*⟩ metastasis.

metastasiano *a.* **1.** (*di Metastasio*) of (*o* by) Metastasio. – **2.** ⟨*fig*⟩ melodramatic.

metastatico *a.* (*pl.* **-ci**) ⟨*Med*⟩ metastatic. – **metastatizzante** (*p.pr. di metastatizzare*) *a.* metastasizing. – **metastatizzare** *v.i.* (*aus.* **avere**), **metastatizzarsi** *v.r.* to metastasize.

meta|tarsale I *a.* ⟨*Anat*⟩ metatarsal. – **II** *s.m.* (*osso metatarsale*) → **metatarseo.** – **~tarseo** *m.* metatarsal. – **~tarsico** *a.* (*pl.* **-ci**) metatarsal. – **~tarso** *m.* metatarsus.

metateria *f.* ⟨*Dir*⟩ métayage, share-cropping.

metatesi *f.* ⟨*Ling*⟩ metathesis.

metatiere *m.* ⟨*Dir*⟩ métayer, share-cropper.

meta|tipia *f.* → **metaplasia.** – **~tipico** *a.* → **metaplasico.** – **~torace** *m.* ⟨*Entom*⟩ metathorax. – **~zoi** *m.pl.* ⟨*Zool*⟩ metazoans *pl* (*Metazoa*).

meteco *m.* (*pl.* **-ci**) **1.** ⟨*Stor.gr*⟩ metic. – **2.** ⟨*spreg*⟩ alien.

metella: ⟨*Bot*⟩ *noce* ~ hairy thorn-apple, metel (*Datura metel*); (*frutto*) (fruit of the) hairy thorn-apple.

Metello *N.pr.m.* ⟨*Stor*⟩ Metellus.

metemoglobina *f.* ⟨*Med*⟩ meth(a)emoglobin. – **metemoglobinemia** *f.* meth(a)emoglobin(a)emia.

metempsicosi *f.* metempsychosis.

meteo (*accorc. di bollettino meteorologico*) *m.* weather report, metcast.

meteora *f.* **1.** ⟨*Astr*⟩ (*stella cadente*) shooting (*o* falling) star, meteor. – **2.** ⟨*fig*⟩ meteor, shooting star. – **3.** ⟨*ant*⟩ (*fenomeno dell'atmosfera*) meteor, atmospheric phenomenon. □ *-e acquee* aqueous meteors, hydrometeors *pl*; ⟨*fig*⟩ *passare come una* ~ to shoot (*o* flash) past; *-e sonore* thunder.

meteorico[1] *a.* (*pl.* **-ci**) **1.** (*rif. a fenomeni meteorici*) meteoric, meteoritic: *acque meteoriche* meteoric water. – **2.** (*prodotto da fenomeni meteorici*) meteoric: *erosione -a* meteoric erosion.

meteorico[2] *a.* (*pl.* **-ci**) ⟨*Med,non com*⟩ suffering from meteorism. – **meteorismo** *m.* meteorism.

meteorite *m./f.* ⟨*Astr*⟩ meteorite. – **meteoritico** *a.* (*pl.* **-ci**) meteoritic.

meteorizzare *v.t.* ⟨*Med,non com*⟩ to cause meteorism in. – **meteorizzazione** *f.* ⟨*non com*⟩ → **meteorismo.**

meteorografia *f.* meteorography. – **meteorografico** *a.* (*pl.* **-ci**) meteorographic. – **meteorografo** *m.* meteorograph. – **meteorogramma** *m.* meteorogram.

meteoro|logia *f.* meteorology. – **~logico** *a./s.* (*pl.* **-ci**) **I** *a.* meteorologic(al), weather-: *stazione -a* weather-station; *previsioni meteorologiche* weather-forecast, metcast. – **II** *s.m.* ⟨*ant*⟩ → **meteorologo.**

meteoro|logo *m.* (*pl.* **-gi**/*pop.* **-ghi**; *f.* **-a**) meteorologist. – **~patologia** *f.* meteoropathology. – **~scopia** *f.* ⟨*non com*⟩ meteoroscopy.

metereologia *f.* → **meteorologia.** – **metereologico** *a./s.* → **meteorologico.** – **metereologo** *m.* → **meteorologo.**

meticciamento *m.* ⟨*Biol*⟩ hybridization, crossbreeding, mestization, race mixture. – **meticciato** *m.* **1.** hybridism, mestization. – **2.** ⟨*concr*⟩ half-castes *pl*, mestizos *pl*.

meticcio I *a.* **1.** half-caste-, of mixed blood. – **2.** ⟨*Zool*⟩ hybrid, crossbred, mongrel. – **II** *s.m.* (*f.* **-a**) **1.** half-caste, half-breed; (*rif. a razza bianca e india*) mestizo (*f* mestiza). – **2.** ⟨*Zool*⟩ hybrid, cross, mongrel. – **3.** ⟨*estens,rar*⟩ (*bastardo*) bastard.

meticolosaggine *f.* meticulousness. – **meticolosamente** *avv.* meticulously; (*scrupolosamente*) scrupulously, extremely carefully. – **meticolosità** *f.* meticulousness; (*pignoleria*) fastidiousness, ⟨*fam*⟩ fussiness. – **meticoloso** *a.* meticulous; (*pignolo*) over-careful, particular, fastidious, ⟨*fam*⟩ fussy.

metilammina *f.* ⟨*Chim*⟩ methylamine.

metilare *v.t.* to methylate.

metilato *m.* ⟨*Chim*⟩ methylate, methoxide. – **metilazione** *f.* methylation.

metilbenzene, metilbenzolo *m.* ⟨*Chim*⟩ toluene, methylbenzene.

metile *m.* ⟨*Chim*⟩ methyl. – **metilene** *m.* methylene. □ *blu di* ~ methylene blue. – **metilico** *a.* (*pl.* **-ci**) methylic, methyl-: *alcole* ~ methyl alcohol. – **metilvioletto** *m.* methyl violet.

metionina *f.* ⟨*Chim*⟩ methionine.

metissaggio *m.* ⟨*non com*⟩ **1.** → **meticciamento.** – **2.** → **meticciato.**

metodica *f.* **1.** method, methodology. – **2.** ⟨*Ped*⟩ methodology, teaching methods *pl*. – **metodicamente** *avv.* methodically, with method (*o* order). – **metodicità** *f.* methodicalness, orderliness, method; (*regolarità*) regularity.

metodico *a./s.* (*pl.* **-ci**) **I** *a.* **1.** (*rif. a persona*) methodical, systematic, orderly. – **2.** (*rif. a cosa*) methodic(al), systematic: *studio* ~ systematic study. – **II** *s.m.* (*f.* **-a**) methodist.

metodismo *m.* **1.** ⟨*Rel*⟩ Methodism. – **2.** ⟨*rar*⟩ (*aderenza a un metodo*) methodicalness. – **metodista I** *a.* → **metodistico.** – **II** *s.m./f.* **1.** ⟨*Rel*⟩ Methodist. – **2.** (*chi sostiene la necessità di un metodo*) systematist. – **metodistico** *a.* (*pl.* **-ci**) ⟨*Rel*⟩ Methodist, Methodistic(al).

metodo *m.* **1.** method, system; (*procedimento*) method, procedure, process. – **2.** (*manuale*) manual, handbook, tutor, primer, method. – **3.** ⟨*Ped*⟩ method, system (of teaching). – **4.** (*modo di agire*) behaviour; (*maniera*) way: *che -i sono questi?* this is no way to behave. □ **avere** ~ to be methodical; **con** ~ methodically, systematically; ⟨*Mat*⟩ ~ **grafico** graphical method; ~ *di* **lavorazione** processing method; ~ *di* **lavoro** working procedure (*o* method); ~ *di* **vita** way of life.

metodologia *f.* **1.** methodology. – **2.** (*metodo*) method. – **metodologico** *a.* (*pl.* **-ci**) methodological. – **metodologo** *m.* (*pl.* **-gi**; *f.* **-a**) methodologist.

metolo *m.* ⟨*Chim*⟩ metol.

Metone *N.pr.m.* ⟨*Stor*⟩ Meton. – **metonico** *a.* (*pl.* **-ci**) ⟨*Astr*⟩ Metonic: *ciclo* ~ Metonic cycle.

metonimia (o *metonimia*) *f.* ⟨*Ret*⟩ metonymy. – **metonimico** *a.* (*pl.* **-ci**) metonymic(al).

metonimo *m.* ⟨*non com*⟩ metonym. – **metonomasia** *f.* changing one's name by translating it into another language.

metopa, metope *f.* ⟨*Archeol*⟩ metope.

metraggio *m.* **1.** (*estensione*) length (in metres). – **2.** (*misurazione*) measurement (in metres). – **3.** ⟨*Cin*⟩ footage, film length. □ *a* ~ by the metre, by length; *film a corto* ~ short (film); *film a lungo* ~ feature (*o* full-length) film; ⟨*scherz*⟩ *fidanzamento a lungo* ~ long engagement.

metralgia *f.* ⟨*Med*⟩ metralgia.

metratura *f.* **1.** (*misurazione*) measurement (in metres). – **2.** (*estensione*) length (in metres). □ *a* ~ by the metre, by length; *il tubo ha una* ~ *di quindici metri* the tube is fifteen metres long, the length of the tube is fifteen metres; *eseguire la* ~ *di qc.* to measure s.th. (in metres).

...metria *suff.* (*misura* measure, *misurazione* measuring) ...metry: *goniometria f.* goniometry.

metrica *f.* **1.** metrics *pl* (*costr. sing.* o *pl.*), metric. – **2.** ⟨*Lett*⟩ prosody. – **metricamente** *avv.* metrically; (*in versi*) in verse. – **metricista**

m./f. metrist, metrician. – **mętrico** *a.* (*pl.* **-ci**) **1.** (*rif. alla metrica*) metrical. – **2.** (*concernente la misurazione*) metrical, of measurement. – **3.** (*che ha per base il sistema metrico decimale*) metric: *sistema* ~ metric system.

...metrico *suff.* (*misurazione* measuring) ...metric: *geometrico a.* geometric.

metricologịa *f.* ⟨*Metr*⟩ metrics *pl* (*costr. sing. o pl.*), science of metre. – **metricǫlogo** *m.* (*pl.* **-gi**; *f.* **-a**) metrist, metrician.

metrịte *f.* ⟨*Med*⟩ metritis.

mętro *m.* **1.** metre. – **2.** ⟨*concr*⟩ rule(r); (*a nastro*) tape-measure; (*ad asta*) rule(r). – **3.** ⟨*fig*⟩ (*criterio*) yardstick, standard, criterion, rule: *non si può giudicare tutti con lo stesso* ~ you can't judge everyone by the same yardstick. – **4.** ⟨*fig*⟩ (*tono*) tone: *gli rispose sullo stesso* ~ he answered him in the same tone; (*modo di comportarsi*) behaviour, manner. – **5.** ⟨*Metr*⟩ (*piede*) foot, metre; (*verso*) metre, line. – **6.** ⟨*lett*⟩ (*poesia*) poetry, verse. – **7.** ⟨*ant*⟩ (*misura*) measurement. ☐ a *-i* by the metre; ~ **articolato** folding rule; ⟨*Fis*⟩ ~ **campione** standard metre; ~ **cubo** cubic metre; ⟨*Metr*⟩ ~ **elegiaco** elegiac foot; ~ *a* **nastro** tape-measure; ~ *a nastro d'acciaio* steel tape; ~ **pieghevole** = *metro* **articolato**; ~ **quadrato** square metre.

metrò *m.* underground (railway), metro, ⟨*fam*⟩ tube, ⟨*am*⟩ subway.

metro...[1] *pref.* (*utero* uterus) metr(o)...

metro...[2] *pref.* (*misura* measurement) metro...

...metro *suff.* **1.** (*metro* metro) ...metre: *centimetro m.* centimetre. – **2.** ⟨*Metr*⟩ (*metro* foot) ...meter: *dimetro m.* dimeter. – **3.** (*misura* measure) ...meter: *barometro m.* barometer.

metrologịa *f.* **1.** metrology. – **2.** ⟨*Metr,non com*⟩ metrics *pl* (*costr. sing. o pl.*). – **metrolǫgico** *a.* (*pl.* **-ci**) metrological. – **metrǫlogo** *m.* (*pl.* **-gi**; *f.* **-a**) metrologist.

metromanịa *f.* ⟨*Med*⟩ nymphomania, metromania.

metronịmico *a.* (*pl.* **-ci**) metronymic, matronymic.

metronǫmico *a.* (*pl.* **-ci**) ⟨*Mus*⟩ metronomic(al). – **metrǫnomo** *m.* metronome.

metronǫtte *m.inv.* nightwatchman.

metropatịa *f.* ⟨*Med*⟩ metropathy.

metrǫpoli *f.* **1.** metropolis. – **2.** (*capitale*) metropolis, capital. – **3.** ⟨*Rel*⟩ (*città*) metropolitan town; (*chiesa*) metropolitan church. – **4.** ⟨*Stor.gr*⟩ metropolis, mother-state. – **5.** ⟨*non com*⟩ (*madrepatria*) mother country.

Metrǫpoli *N.pr.f.* ⟨*Geog.stor*⟩ Metropolis.

metropolịta *m.* (*nella chiesa latina*) metropolitan, archbishop, metropolite; (*nella chiesa greca*) metropolitan, metropolite.

metropolitana *f.* (*anche ferrovia metropolitana*) underground (railway), ⟨*fam*⟩ tube, ⟨*am*⟩ subway.

metropolitano I *a.* **1.** (*della metropoli*) metropolitan. – **2.** (*della madrepatria*) metropolitan. – **3.** ⟨*Rel*⟩ metropolitan: *chiesa -a* metropolitan church. – **II** *s.m.* **1.** (*vigile urbano*) (city) policeman. – **2.** → **metropolita.**

metropolịtico *a.* (*pl.* **-ci**) ⟨*non com*⟩ metropolitan.

metro|ptǫsi *f.* ⟨*Med*⟩ metroptosis, prolapse of the uterus. – **~rragịa** *f.* metrorrhagia. – **~scopịa** *f.* hysteroscopy. – **~scǫpio** *m.* metroscope, hysteroscope. – **~tomịa** *f.* ⟨*Chir*⟩ hysterotomy, metrotomy.

metrovịa *f.* → **metropolitana.**

mẹttere *v.* (**mịsi**/*tosc.* **mẹssi, mẹsso**/*ant.* **mịso**) **I** *v.t.* **1.** (*collocare*) to put, to place, to set, to lay; (*in posizione verticale*) to stand, to put: *ho messo il fiasco sul tavolo* I put the bottle on the table; (*in posizione orizzontale*) to lay (down), to put: ~ *un libro sulla scrivania* to lay a book on the desk; (*seduto*) to sit, to put: *metti il bambino sulla seggiola* sit the child on the chair. – **2.** (*infilare, ficcare*) to put: ~ *la mano in tasca* to put one's hand in one's pocket; (*con forza*) to thrust, to dig. – **3.** (*gettare*) to put: *hai messo il sale nella minestra?* have you put the salt in the soup?; (*versare*) to pour (out), to put. – **4.** (*deporre*) to put, to place, to deposit: ~ *i bagagli nel ripostiglio* to put the luggage in the store-room. – **5.** (*indossare*) to put (*o* slip) on: ~ *gli occhiali* to put one's glasses on; (*rif. a grembiule e sim.*) to tie on. – **6.** (*applicare*: *incollando*) to stick (on), to put (on): ~ *il francobollo a una lettera* to stick a stamp on a letter; (*cucendo*) to sew, to put: *ti ho messo una toppa alla manica* I have sewn a patch on your sleeve. – **7.** (*rif. a belletti, colori e sim.*) to put on, to apply. – **8.** (*appendere*) to hang (up), to put: *ho messo il quadro alla parete del salotto* I have hung the picture on the drawing-room wall; (*attaccare*) to put up, to post: ~ *un avviso* to put up a notice. – **9.** ⟨*fig*⟩ (*causare*) to cause, to make: ~ *fame* to cause hunger; *il sale mette sete* salt makes one thirsty; (*infondere*) to make, to inspire, to cause: ~ *allegria a qd.* to make s.o. merry; (*incutere*) to arouse, to cause, to make: ~ *ribrezzo* to cause horror, to horrify. – **10.** (*rif. a persone*: *affidare, mandare*) to send, to put: ~ *i figli in collegio* to send one's children to boarding -school; (*portare, condurre*) to bring. – **11.** (*alloggiare*) to put (up), to lodge. – **12.** (*rif. a denaro*: *depositare*) to put, to deposit: *ho messo un milione in banca* I have put a million lire in the bank; (*investire*) to invest. – **13.** (*pagare*) to pay; (*contribuire*) to contribute, to put in, to give: *quanto ci hai messo?* how much did you contribute (*o* give)? – **14.** ⟨*fig*⟩ (*riporre*) to put, to place, to sink: *ha messo tutte le sue speranze in quell'impresa* he has placed all his hopes in that undertaking. – **15.** (*puntare*) to bet, to stake, to wager, to put: *ho messo cinquemila lire sul ventisette* I have bet five thousand lire on number twenty-seven. – **16.** (*imporre*) to put, to impose, to levy: ~ *una nuova tassa* to levy a new tax. – **17.** (*sviluppare, produrre*) to grow: ~ *la barba* to grow a beard; (*rif. a denti*) to cut; (*rif. a piante*) to put down, to take, to strike: ~ *le radici* to take (*o* strike) root, to put down roots; (*fare germogliare*) to sprout, to put forth (*o* out): ~ *fiori* to put forth flowers, to (come into) bloom, to flower. – **18.** ⟨*fam*⟩ (*installare*) to put in, to install; (*rif. a condutture e sim.*) to put in, to lay. – **19.** ⟨*fam*⟩ (*far pagare*) to charge: *mi hanno messo questo quadro ventimila lire* they charged me twenty thousand lire for this picture. – **20.** ⟨*fam*⟩ (*far funzionare*) to put (*o* switch, turn) on: ~ *la radio* to turn on the radio. – **21.** ⟨*non com*⟩ (*far andare*) to send, to put: *il giocatore mise la pallina nella buca* the player sent the ball into the hole; (*nel golf*) to drive. – **22.** ⟨*non com*⟩ (*stabilire*) to lay down. – **23.** ⟨*non com*⟩ (*coltivare*) to cultivate, to grow; (*piantare*) to plant: ~ *un campo a rape* to plant a field with turnips. – **24.** ⟨*fam*⟩ (*paragonare*) to compare. – **25.** ⟨*rar*⟩ (*emettere*) to put forth, to give out; (*rif. a lamenti e sim.*) to emit, to utter, to give. – **II** *v.i.* (*aus.* **avere**) **1.** (*dare, guardare*: *rif. a finestre e sim.*) to give, to look (*su, in* onto), to lead (into): *la porta mette nel giardino* the door gives onto the garden; (*rif. a vie e sim.*) to lead (to): *la via mette sulla piazza* the street leads to the square. – **2.** (*rif. a corsi d'acqua*: *sfociare*) to flow (*in* into). – **3.** (*supporre*) to suppose: *mettiamo che io vada via* (let us) suppose that I go away, supposing I go away. – **4.** (*germogliare*) to bud, to sprout. – **mettersi** *v.r.* **1.** (*collocarsi*) to put (*o* place, set) o.s.; (*sedersi*) to sit down, to seat o.s.: *mettersi accanto a qd.* to sit down beside s.o.; (*sdraiarsi*) to lie down. – **2.** (*assumere un andamento*) to become, to (take a) turn, to take shape, to go: *le cose si mettono bene* things are taking a turn for the good, prospects are good (*o* encouraging). – **3.** (*vestirsi*) to put on: *mettersi in abito da sera* to put on evening dress; (*infilarsi*) to slip on; (*portare*) to wear. – **4.** (*avviarsi*) to take, to start off on: *mettersi per una strada* to take a road. – **5.** ⟨*fig*⟩ to take, to get on to. – **6.** (*iniziare*) to begin, to start, to set to (*o* about): *mettersi a lavorare* to set to work; *si è messo a piovere* it has started to rain. ☐ ~ **addosso** to put on; *mettersi a proprio* **agio** to make o.s. comfortable (*o* at home); ~ *qd. in* **ansia** to cause s.o. anxiety, to worry s.o.; ~ *agli* **archivi** to file (away); ⟨*fig*⟩ to forget, to let drop (*o* slide); ~ **avanti** *l'orologio* to put the clock forward (*o* on); *mettersi al* **bello** (*rif. al tempo*) to turn out fine, to clear up, to get better, to improve, to look up; *mettersi* **bene**: 1. = *mettersi al* **bello**; 2. ⟨*fam*⟩ (*vestirsi bene*) to dress well, ⟨*fam*⟩ to get o.s. up; *essere ben messo*: 1. (*ben vestito*) to be well-dressed; 2. (*d'aspetto florido*) to look well, ⟨*fam*⟩ to look ⌜the picture of health⌝ (*o* hale and hearty); 3. ⟨*scherz,iron*⟩ to be in a fix (*o* nice mess), ⟨*fam*⟩ to be in for it; *mettersi al* **brutto** to turn nasty; *mettersi in* **comunicazione** *con qd.* to get in touch (*o* contact) with s.o.; *mettersi* **con** *qd.*: 1. (*associarsi*) to join forces with s.o., to team up with s.o., to become s.o.'s partner; 2. (*rif. a rapporti amorosi*) to go (out) with s.o.; 3. (*vivere coniugalmente*) to live with s.o.; 4. (*gareggiare*) to compete with s.o., to set o.s. against s.o.; ~ *a* **confronto** to compare; *mettersi* **contro** *qd.* to oppose (*o* fight) s.o., ⟨*fam*⟩ to go against s.o.; ~ **dentro** to put in; ⟨*fam*⟩ ~ *dentro qd.* (*imprigionarlo*) to put s.o. ⌜in jail⌝ (*o* behind bars); *mettersi a* **fare** *qc.* (*cominciare*) to start doing s.th.; (*rif. a professioni, mestieri*) to start doing (*o* working as) s.th., to take up s.th.: *si mise a fare il calzolaio* he started working as a shoemaker, he took up shoemaking; *mettersi a fare l'insegnante* to become a teacher; *mettersi in* **ferie** to take one's holidays, to go on holiday (*o* vacation); ~ **fuori**: 1. (*scacciare*) to drive (*o* throw, put) out; 2. (*estrarre*) to take out; 3. (*rif. a lingua*) to put (*o* stick) out; 4. (*sborsare*) to lay (*o* pay) out, to spend; 5. (*divulgare*) to spread, to put about; 6. (*rif. a scuse, pretesti e sim.*) to make (up), to give, to bring forward; 7. (*esporre*: *rif. a bandiera e sim.*) to put (*o* hang) out; ~ **giù** (*deporre*) to put (*o* lay) down; (*abbassare*) to put down, to lower; ~ **indietro** *l'orologio* to put back the clock; ⟨*fig*⟩ ~ **innanzi** to produce, to put (*o* bring) forward, to adduce; ~ **insieme**: 1. to put together; 2. (*montare*) to assemble; 3. (*raccogliere*) to collect, to get together; 4. ⟨*fig*⟩ (*accumulare*) to amass, to pile up; 5. ⟨*fig*⟩ (*unire*) to join (together), to put (*o* bring) together; 6. ⟨*fig*⟩ (*formulare*) to formulate, to draw up, to put together; 7. ⟨*fam*⟩ (*abbozzare*) to throw together, to sketch out; 8. (*organizzare, allestire*) to organize, ⟨*fam*⟩ to get up; 9. (*costituire, formare*) to set up; *mettersi insieme*: 1. (*associarsi*) to join forces, ⟨*fam*⟩ to get together; 2. (*vivere insieme*) to live together; *mettersi a* **letto**: 1. (*per dormire*) to go to bed; 2. (*infilarsi dentro*) to get into bed; 3. (*per malattia e sim.*) to take to one's bed; *mettersi in* **malattia** to take sick leave; *il tempo si mette* **male** the weather is getting worse; ⟨*fig*⟩ ~ *qd. in* **mezzo** (*comprometterlo*) to involve s.o., to get s.o. mixed up in s.th.; (*raggirarlo*) to cheat s.o., to take s.o. in; **sapersi** ~ (*sapersi vestire*) to know how to dress; ~ *a* **sedere** *qd.* to sit s.o.; *mettersi a sedere* to sit down; ~ **sotto**: 1. to put underneath; 2. ⟨*fig*⟩ (*sopraffare*) to get the better (*o* upper hand) of, to overcome; 3. (*rif. a bestie*: *mettere al lavoro*) to put (*o* set) to work; 4. (*investire*) to run over, to knock down; *mettersi sotto* (*sgobbare*) to get down to it, to set to work with a will, to roll up one's shirt sleeves; ~ **su**: 1. (*fondare*) to set up, to establish: ~ *su casa* to set up house; 2. (*organizzare*) to organize, ⟨*fam*⟩ to get up; 3. (*aprire, avviare*) to set up: ~ *su negozio* to ⌜set up⌝ (*o* open a) shop; 4. ⟨*fam*⟩ (*istigare*) to stir up, to incite; 5. ⟨*fam*⟩ (*mettere a cuocere*) to put on; 6. ⟨*fam*⟩ (*indossare*) to put on; ~ (*su*) **superbia** to grow proud, ⟨*fam*⟩ to put on airs, ⟨*fam*⟩ to get a swollen head; ~ *a* **tacere** *qd.* to silence s.o., to force s.o. to keep quiet; ~ *a ta-*

cere una storia to hush a matter up; ⟨*fig*⟩ *mettercela* **tutta** to do one's best, ⟨*fam*⟩ to put all one has got into it; ~ **via** (*riporre*) to put away. || *metterci*: 1. (*impiegare, dedicare*) to devote, to take, to give: *ci mise molta cura* he took (*o* gave it) a lot of care, he was very careful over it; 2. (*rif. a tempo*) to take (*costr. pers. o impers.*): *ci ho messo tre quarti d'ora per venire fin qui* ⌜I took⌝ (*o* it took me) three-quarters of an hour to come here; *mettercisi*: 1. (*mettersi in mezzo*) to intervene; 2. (*sedersi*) to sit down; 3. ⟨*fig*⟩ (*mettersi d'impegno*) to get down to it, to set to, to give it all one's got; 4. ⟨*fig*⟩ (*accettare*) to resign o.s. to it.

metti|bocca *m./f.inv.* interruptor, ⟨*fam*⟩ butter-in, ⟨*fam*⟩ busybody. – **~fogli(o)** *m./f.inv.* 1. (*operaio*) feeder. – 2. (*macchina*) feeder. – **~loro** *m.inv.* gilder. – **~male** *m./f.inv.* ⟨*fam*⟩ mischief-maker, troublemaker, talebearer. – **~scandali** *m./f.inv.* scandalmonger.

mettitore *m.* (*f.* -trice) ⟨*rar*⟩ placer, setter. – **mettitura** *f.* ⟨*rar*⟩ (*il mettere*) putting, placing; (*rif. a tende*) hanging, putting up; (*rif. a tappeti*) laying.

mettitutto *m.inv.* (*mobile da cucina*) kitchen cupboard.

meublé *fr.* [mœ'ble] *a.* ⟨*non com*⟩ **1.** furnished. – **2.** (*rif. ad albergo*) without board.

MeV *m.* ⟨*Atom*⟩ MeV.

meve *pron.pers.* ⟨*ant*⟩ → **me.**

MEX = ⟨*Aut*⟩ *Messico* Mexico.

mezereo *m.* ⟨*Bot*⟩ mezereon (*Daphne mezereum*).

mezza *f.* **1.** half-hour: *è sonata la* ~ the half-hour has struck. – **2.** (*mezzogiorno e mezzo*) half-past twelve, twelve-thirty p.m.

mezzadria *f.* ⟨*Dir*⟩ share-cropping, métayage. ◻ *condurre un podere a* ~ to share-crop, to hold land as a share-cropper. – **mezzadrile** *a.* share-cropping, métayage-, métayer-. – **mezzadro** *m.* (*f.* -a) share-cropper, métayer.

mezzagrana *f.inv.* broken grain. ◻ ~ *di riso* broken rice.

mezzaiolo *m.* ⟨*tosc*⟩ tenant farmer; (*mezzadro*) share-cropper, métayer.

mezzala (o *mezz'ala*) *f.* (*pl.* **mezzali**) ⟨*Sport*⟩ inside forward. ◻ ~ *destra* inside right; ~ *sinistra* inside left.

mezzalana (o *mezza lana*) *f.* (*pl.* **mezzelane**) ⟨*Tess*⟩ wool mixture cloth; (*con cotone*) mixed wool and cotton cloth; (*con raion*) mixed wool and rayon cloth; (*con lino*) linsey-woolsey.

mezzaluna (o *mezza luna*) *f.* (*pl.* **mezzelune**) **1.** half-moon, crescent (moon). – **2.** (*arnese da cucina*) chopping (*o* mincing) knife. – **3.** ⟨*Stor*⟩ (*islamismo*) Islam. – **4.** ⟨*Mil.ant*⟩ demilune, lunette.

mezza|macchia *f.* (*nel disegno*) shading. – **~maiolica** (o *mezza maiolica*) *f.* (*pl.* **mezzemaioliche**) ⟨*Ceram*⟩ mezza majolica.

mezzana *f.* **1.** (*ruffiana*) procuress, bawd. – **2.** ⟨*Mar*⟩ (*albero di nave a vele quadre*) miz(z)en-mast. – **3.** ⟨*Mar*⟩ (*anche vela mezzana*) miz(z)en sail, crossjack. – **4.** (*formato di carta*) 44×60 cm sheet. – **5.** ⟨*Mus*⟩ middle string. – **6.** → **mezzanina.** – **7.** ⟨*ant*⟩ (*mattone*) flat tile.

mezzanamente *avv.* in a mediocre way, indifferently.

mezzanave (o *mezza nave*) *f.* (*pl.* **mezze navi**) ⟨*Mar*⟩ **1.** (*traverso*) beam. – **2.** (*vento*) beam wind. ◻ *a* ~ abeam, athwartship.

mezzanella *f.* **1.** ⟨*Mar*⟩ crossjack, jigger; (*cavalletta*) miz(z)en staysail. – **2.** (*mattone mal cotto*) badly baked brick. – **3.** ⟨*Mus,ant*⟩ (*mezzana*) middle string.

mezzania *f.* ⟨*rar*⟩ (*mezzeria*) centre (*o* fore-and-aft) line, midship section.

mezzanina (*dim. di mezzana*) *f.* ⟨*lomb*⟩ (*sarta ausiliaria*) seamstress, dressmaker's assistant.

mezzanino *m.* ⟨*Edil*⟩ mezzanine (floor), entresol.

mezzanità *f.* ⟨*lett,non com*⟩ **1.** mean, middling (*o* average) quality, mediocrity. – **2.** (*mediazione*) mediation, intercession.

mezzano I *a.* **1.** middling, medium, average, mean, middle: *statura -a* medium height. – **2.** (*rif. a fratelli e sim.*) middle. – **3.** (*rif. a condizione sociale*) middle-class. – **II** *s.m.* **1.** (*mediatore*; *f.* -a) mediator, intercessor. – **2.** (*ruffiano*; *f.* -a) pimp, procurer, pander. – **3.** (*sensale*; *f.* -a) go-between, agent, broker. – **4.** (*mattone a giusta cottura*) well-baked brick. – **5.** ⟨*ant*⟩ → **mezzanino.**

mezzanotte *f.* (*pl. non com.* **mezzanotti**) **1.** midnight, twelve o'clock at night: *a* ~ at midnight. – **2.** ⟨*non com*⟩ (*nord*) north. ◻ ~ *e mezzo* half past twelve at night; *il sole di* ~ the midnight sun.

mezza|pasta (o *mezza pasta*) *f.* (*pl.* **mezzepaste**) ⟨*Cart*⟩ half stuff. – **~perla** *f.* (*pl.* **mezzeperle**) shell pearl, blister (pearl). – **~quaresima** (o *mezza quaresima*) *f.* (*pl.* **mezzequaresime**) mid-Lent.

mezzaria *f.* → **mezzeria**[1].

mezzatacca: *di* ~: 1. (*di media condizione*) average, medium; 2. (*di media statura*) of medium height; 3. (*mediocre*) mediocre, middling.

mezza|tela *f.* (*pl.* **mezzetele**) ⟨*Tess*⟩ mixed linen, cotton and linen cloth. – **~testa** *f.* (*pl.* **mezzeteste**) ⟨*Mil.ant*⟩ (*cervelliera*) close-fitting steel cap. – **~tinta** *f.* (*pl.* **mezzetinte**) **1.** half-tone, half-shade, half-tint, middle tone; (*sfumatura*) tinge. – **2.** ⟨*fig*⟩ (*effetto attenuato*) undertone. – **3.** ⟨*Pitt*⟩ half-tone. – **4.** ⟨*Art*⟩ (*incisione*) mezzotint. – **~vela** (o *mezza vela*) *f.* (*pl.* **mezzevele**) ⟨*Mar*⟩ jib.

mezzedima *f.* ⟨*ant.tosc*⟩ (*mercoledì*) Wednesday.

mezzera *f.inv.* ⟨*Tess*⟩ fulling-machine.

mezzeria[1] *f.* **1.** middle. – **2.** ⟨*Strad,Edil*⟩ centre line. – **3.** ⟨*Mar*⟩ centre (*o* fore-and-aft) line, midship section.

mezzeria[2] *f.* ⟨*tosc*⟩ → **mezzadria.**

mezzetta *f.* ⟨*ant*⟩ (*unità di misura*) unit of capacity measure.

mezzina *f.* **1.** ⟨*tosc*⟩ copper jug (*o* pitcher). – **2.** ⟨*ant*⟩ earthenware jug (*o* jar).

mezzo[1] **I** *a.* **1.** half (a): ~ *panino* half a roll; ~ *metro* half a metre; *-a festa* half-holiday. – **2.** (*medio*) middle, ⟨*attr*⟩ medium, middling, average: *di -a età* middle-aged. – **3.** ⟨*fam*⟩ (*vago*) vague, ⟨*fam*⟩ kind of; (*lontanamente*) distant: *siamo -i parenti* we are ⌜distant relatives⌝ (*o* distantly related); (*debole*) faint, slight: *una -a speranza* a faint hope. – **4.** ⟨*iperb*⟩ half, nearly all: *lo sa ormai -a città* half the town knows about it by now. – **II** *avv.* half, semi-: *è* ~ *vuoto* it is half empty; (*quasi*) nearly, almost, all but: *gliel'ho* ~ *detto* I have all but told him. – **III** *s.m.* **1.** half. – **2.** (*parte centrale*) middle, centre: *nel* ~ *della sala* in the middle of the hall. – **3.** (*dopo un numerale*) half: *due chili e* ~ two and a half kilos; *un chilo e* ~ a kilo and a half. – **4.** (*nell'indicare l'ora*) ⟨*attr*⟩ half past, ⟨*pred*⟩ -thirty: *sono le nove e* ~ (o *mezza*) it's half past nine, it's nine -thirty. – **5.** ⟨*fig,ant*⟩ (*misura*) moderation, mean.

◻ **a** ~ halfway (through), in the middle of: *a* ~ *agosto* in the middle of August, halfway through August; *a -a via* halfway (there); *fare le cose a* ~ to do things by halves; *fare a* ~ *con qd.* to go halves (*o* fifty-fifty) with s.o.; *portare qc. a* ~ to carry half (the weight) of s.th.; *lasciare qc. a* ~ to leave s.th. ⌜half done⌝ (*o* unfinished); ⟨*lett*⟩ *a* ~ *il viaggio* halfway through the journey; **andarci** *di* ~: 1. (*subire un danno*) to lose by it, to suffer for it, ⟨*fam*⟩ to foot the bill; 2. (*essere responsabile*) to be answerable, to be held responsible; 3. (*rif. a cose*) to be at stake; *bandiera a mezz'***asta** flag at half-mast (*o* half-staff), half-masted flag; *nel* **bel** ~ right in the middle: *nel bel* ~ *dello spettacolo* right in the middle of the show; **di** ~ middle, in the middle; ~ **dito** *di vino* a drop of wine; **entrare** *di* ~ = **mettersi** *di mezzo*; **esserci** *di* ~ to be involved; (*rif. a ostacoli*) to be in the way; **fare** *a* ~ *di qc.* to go halves (*o* fifty-fifty) in s.th., to share s.th. equally; (*dividerla*) to divide s.th.; *lavorare a -a* **giornata** to work half-time, to be on half-time; *il* **giusto** ~ the golden mean, the happy medium; *-i* **guanti** mittens *pl*, mitts *pl*; **in** ~: 1. (*stato*) in the middle; 2. (*moto*) into the middle; 3. (*da parte a parte*) across; *in* ~ *a*: 1. (*stato*) in the middle of: *fermarsi in* ~ *alla strada* to stop in the middle of the street; 2. (*moto*) into the middle of; 3. (*fra*: *stato*) in the middle (*o* midst) of, among, amid(st): *si nascose in* ~ *alla folla* he hid among the crowd; (*fra due cose o persone*) between; 4. (*fra*: *moto*) into the middle (*o* midst) of, among, amid(st); *l'***Italia** *di* ~ Central Italy; *vestiti di* ~ **lutto** half-mourning; **mettersi** *di* ~ (*interporsi*) to intervene; (*fra due cose o persone*) to come between; (*intromettersi*) to interfere; *-e* **misure** half measures; ⟨*fig*⟩ ~ **mondo** everyone; *a -a* **paga** on half -pay; *rilegatura in -a* **pelle** half-binding; *libro rilegato in -a pelle* half-bound book; *in* **quel** ~ at that moment; (*nel frattempo*) meanwhile, in the meantime; *-a* **seta** mixed silk; *la -a* **stagione** the in-between season; **tenere** *il* ~ to keep to the middle; **togliere** *di* ~: 1. to get rid of, to eliminate, to take away, to remove; 2. ⟨*fam*⟩ (*uccidere*) to kill, ⟨*fam*⟩ to bump off, ⟨*fam*⟩ to liquidate; *togliersi di* ~ (*andarsene*) to leave, ⟨*fam*⟩ to clear off; ⟨*fam*⟩ (*uccidersi*) to do away with o.s.; *togliti di* ~ get out of the way, ⟨*fam*⟩ hop it, ⟨*am. fam*⟩ beat it; **via** *di* ~ middle course (*o* way); *a -a* **voce** in a low voice.

mezzo[2] *m.* **1.** means *pl* (*costr. sing. o pl.*): *con -i leciti o illeciti* by fair means or foul; (*modo*) way: *tentare ogni* ~ to try all means (*o* ways), to do one's utmost, to do everything in one's power. – **2.** (*veicolo*) means of transport, vehicle; (*autobus*) bus; (*tram*) tram; (*treno*) train; (*imbarcazione*) craft, boat, vessel; (*aereo*) aeroplane. – **3.** *pl.* (*disponibilità finanziarie*) means *pl*, money, resources *pl*, funds *pl*, capital: *ha molti -i* he is a man of means, he has a lot of money, he is wealthy (*o* well off). – **4.** ⟨*Biol*⟩ (*ambiente*) environment, habitat. – **5.** ⟨*Fis*⟩ medium. – **6.** ⟨*Mar*⟩ (*cavo*) rope, line. – **7.** ⟨*Dir*⟩ motive. – **8.** ⟨*ant*⟩ (*mediazione*) mediation; (*intermediario*) intermediary.

◻ **a** ~ (*di*) by, by means of, through; (*rif. a spedizioni e sim.*) by, through: *a* ~ *posta* by post; ⟨*Mil*⟩ ~ **anfibio** amphibious craft; ~ *d'***assalto** assault craft; ~ *di* **comunicazione**: 1. = *mezzo di* **trasporto**; 2. (*rif. a informazioni*) means of communication; ⟨*Econ*⟩ *-i di* **copertura** cover, funds *pl*; ⟨*Mil*⟩ ~ **corazzato** armoured vehicle; **di** *-i* (*abbiente*) wealthy, well-to-do, well-off, ⟨*pred*⟩ of means; ⟨*Econ*⟩ *-i* **disponibili** available funds; ~ **espressivo** medium (of expression); ⟨*Stor*⟩ *l'età di* ~ the Middle Ages; *-i* **ferroviari** railway vehicles; *-i* **finanziari** means *pl*, finances *pl*; *-i di* **fortuna** makeshift transport; *viaggiare con -i di fortuna* to travel by any means available; *-i* **legali** legal action (*o* steps): *ricorrere ai -i legali* to take legal action, to have recourse to the law; ⟨*Econ*⟩ *-i* **liquidi** liquid assets; ~ *di* **locomozione** = *mezzo di* **trasporto**; *-i* **navali** shipping; ~ *di* **pagamento** means of payment; **per** ~ *di*: 1. (*rif. a persona*) by: *ho mandato il pacco per* ~ *di un parente* I sent the parcel by a relative; (*attraverso*) through; 2. (*rif. a cosa*) by, by means of, through: *abbiamo comunicato per* ~ *della radio* we communicated by radio; *-i di* **produzione** means of production; *-i* **pubblici** public transport; ⟨*Mil*⟩ ~ *da* **sbarco** landing craft; **sprovvisto** *di -i* destitute, penniless, ⟨*fam*⟩ broke; *-i di* **sussistenza** livelihood; ~ *di* **trasporto** means of transport. – *Prov.*: *il fine giustifica i -i* the end justifies the means.

mezzo[3] *a.* **1.** (*troppo maturo*) overripe. – **2.** ⟨*fig*⟩ (*corrotto*) rotten, corrupt. – **3.** ⟨*non com*⟩ (*fradicio*) soaked, drenched. – **4.** ⟨*fig*⟩ (*ubriaco*) blind-drunk, ⟨*fam*⟩ soused. – **5.** (*rif. a persona*: *floscio*) flabby.

mezzo|busto (o *mezzo busto*) *m.* (*pl.* **mezzibusti**) bust; (*ritratto*) head and shoulders portrait: *dipingere qd. a* ~ to paint a head

and shoulders portrait of s.o. – **~cassero** (o *mezzo cassero*) *m.* (*pl.* **mezzicasseri**) ⟨*Mar*⟩ raised deck, superstructure. – **~cerchio** (o *mezzo cerchio*) *m.* (*pl.* **mezzicerchi**) **1.** semicircle, half-circle. – **2.** ⟨*Sport*⟩ (*nella scherma*) invitation (*o* engagement) in prime. – **~contralto** (o *mezzo contralto*) *m.* (*pl.* **mezzicontralti**) **1.** (*voce*) mezzo-contralto. – **2.** *m./f.* (*cantante*) mezzo-contralto. – **~dì** *m.* → **mezzogiorno**. – **~fine** *a.* ⟨*Cart*⟩ medium fine. – **~fondista** *m./f.* ⟨*Sport*⟩ middle-distance runner (*o* racer). – **~fondo** *m.* (*anche gara di mezzofondo*) middle-distance race, middle-ground race.
mezzogiorno *m.* (*pl. non com.* **mezzogiorni**) **1.** noon, midday. – **2.** (*ore dodici*) twelve o'clock: *è sonato ora* ~ twelve o'clock has just struck. – **3.** (*sud*) south. – **4.** (*regioni meridionali*) south. – **5.** (*Italia meridionale*) Southern Italy. □ *a* ~ south-, in the south; (*verso sud*) to the south; (*alle dodici circa*) at noon, at midday, at twelve (o'clock); ~ *e mezzo* half past twelve; ~ *in punto* twelve o'clock sharp; ~ *e un quarto* a quarter past twelve.
mezzo|guanto (o *mezzo guanto*) *m.* (*pl.* **mezziguanti**) mitt(en). – **~legno**: ⟨*Fal*⟩ *unione a* ~ halving. – **~marinaro** (o *mezzo marinaro*) *m.* (*pl.* **mezzimarinari**) **1.** (*mozzo*) ship-boy, cabin-boy. – – **2.** (*alighiero*) boathook.
mezzombra (o *mezz'ombra*) *f.* (*pl.* **mezze ombre**) half-shadow, penumbra.
mezzora (o *mezz'ora*) *f.* (*pl.* **mezze ore**) **1.** half an hour, half-hour: *arriverò fra* ~ I shall be there in half an hour; *la* ~ *che passammo insieme* the half-hour we spent together. – **2.** *pl.* (*spazio di tempo indeterminato*) quite a time, hours *pl.*
mezzo|rilievo *m.* ⟨*Scult*⟩ mezzo-relievo, half-relief. – **~sangue** (o *mezzo sangue*) *m./f.inv.* **1.** (*rif. a cavallo*) half-breed. – **2.** ⟨*estens*⟩ (*rif. a persone*) half-breed. – **3.** (*ibrido*) hybrid, crossbreed, mongrel. – **~soprano** (o *mezzo soprano*) *m.* (*pl.* **mezzisoprani**) **1.** (*voce*) mezzo-soprano. – **2.** *m./f.* (*cantante*) mezzo-soprano. – **~tinto** *m.* → **mezzatinta**. – **~tondo** (o *mezzo tondo*) *m.* **1.** ⟨*Scult*⟩ mezzo -tondo. – **2.** ⟨*Met*⟩ half-round (bar). □ ~ *di acciaio* steel half -round.
mezzuccio (*dim. di mezzo*²) *m.* ⟨*spreg*⟩ petty subterfuge, low trick.
mezzule *m.* **1.** (*doga*) middle stave. – **2.** (*apertura*) opening (in a cask).
mf = ⟨*Mus*⟩ *mezzo forte* mezzo forte (*abbr.* mf).
M.F. = **1.** ⟨*Fis*⟩ *media frequenza* medium frequency (*abbr.* MF, mf). – **2.** ⟨*Rad*⟩ *modulazione di frequenza* frequency modulation (*abbr.* FM).
M.F.E. = *Movimento federalista europeo* European Federalist Movement.
mg = *milligrammo* milligram(me) (*abbr.* mg., mgm).
Mg = **1.** ⟨*Chim*⟩ *magnesio* magnesium. – **2.** *miriagrammo* myriagram(me).
mgh = *milligrammo-ora* milligram-hour.
mho *m.* ⟨*Fis*⟩ mho.
MHz = *megahertz* megahertz (*abbr.* MHz).
mi¹ *pron.pers.* **1.** (*me*: *compl. oggetto*) me: ~ *vedi?* do you see me?; *non guardarmi così* don't look at me like that. – **2.** (*a me*: *compl. di termine*) (to) me: ~ *dai la matita?* will you give me the pencil?; *dimmi la verità* tell me the truth. – **3.** (*riflessivo*) myself: ~ *lavo* I wash myself. – **4.** (*con valore di dativo etico*) me, *generalmente non si traduce*: *stammi bene!* keep well! – **5.** (*con valore rafforzativo*) *non si traduce*: *io* ~ *penso che* I think that. – **6.** ⟨*dial*⟩ (*pleonastico*) *non si traduce*.
mi² *m.* ⟨*Mus*⟩ E, mi. □ ~ *bemolle maggiore* E flat major; *chiave di* ~ key of E; ~ *minore* E minor.
mi³ *m.* (*lettera dell'alfabeto greco*) mu.
miagolamento *m.* **1.** miaowing, mewing. – **2.** ⟨*estens*⟩ (*lamento*) mewling, whining, whimpering.
miagolare *v.* (**miagolo**) **I** *v.i.* (*aus.* **avere**) **1.** to miaow, to mew. – **2.** ⟨*estens*⟩ (*lamentarsi*) to mewl, to whine, to whimper. – **II** *v.t.* ⟨*spreg*⟩ **1.** (*cantare male*) to caterwaul, to wail. – **2.** (*recitare male*) to moan.
miagolata *f.* **1.** miaowing, mewing. – **2.** ⟨*fig,spreg*⟩ (*rif. a canto*) caterwaul(ing); (*discorso noioso*) rigmarole. – **miagolatore** *m.* (*f.* **-trice**) ⟨*non com*⟩ **1.** ⟨*rar*⟩ (*rif. a gatto*) miaower, mewer. – **2.** ⟨*fig, spreg*⟩ (*rif. a persona*) caterwauler; (*chi si lamenta*) whiner. – **miagolio** *m.* **1.** miaowing, mewing. – **2.** ⟨*estens*⟩ (*rif. a persone*) mewling, whining, whimpering. – **3.** (*rif. a proiettili*) whine. – **miagolo** *m.* ⟨*non com*⟩ miaow, mew. – **miagolone** *m.* (*f.* **-a**) ⟨*fam*⟩ **1.** miaower, mewer, cat that is always miaowing. – **2.** (*rif. a persona*) whiner.
mialgia *f.* ⟨*Med*⟩ myalgia.
miao **I** *onom.* miaow, mew. – **II** *s.m.* miaow, mew. □ *fare* ~ to miaow, to mew.
miarolitico *a.* (*pl.* **-ci**) ⟨*Min*⟩ miarolitic.
miasi *f.* ⟨*Med, Veter*⟩ myasis.
miasma *m.* **1.** (*esalazione nociva*) miasma. – **2.** ⟨*estens*⟩ (*fetore*) stench, stink, foul (*o* nasty) smell. – **miasmatico** *a.* (*pl.* **-ci**) miasmatic(al), miasmic, miasmous.
miastenia *f.* ⟨*Med*⟩ myasthenia. – **miastenico** *a.* (*pl.* **-ci**) myasthenic.
miau *onom./s.* → **miao**.
mica¹ **I** *avv.* ⟨*fam*⟩ **1.** (*con la negazione*) at all, in the least, a bit, certainly: *non sono stato* ~ *io* it certainly wasn't me. – **2.** (*senza negazione*) not: *sono cose vere,* ~ *storie* this is fact, not fiction. – **II** *s.f.* ⟨*ant*⟩ **1.** (*briciola*) crumb. – **2.** ⟨*fig*⟩ scrap, bit, grain. □ ~ *male* not bad (at all): ~ *male questo vino* this wine's not bad at all; *non ci sarai* ~ *andato?* you didn't go, did you?
mica² *f.* ⟨*Min*⟩ mica.
micaceo *a.* micaceous, micacious.
micado *m.* (*mikado*) mikado.
micante *a.* ⟨*ant*⟩ (*risplendente*) shining, bright.
micascisto *m.* ⟨*Min*⟩ mica-schist, mica-slate.
micca *f.* ⟨*ant*⟩ (*minestra*) soup; (*pappa*) pap.
miccetto *m.* ⟨*region*⟩ *dim. di* **miccio**.
miccia *f.* (*pl.* **-ce**) **1.** fuse, slow match; (*a combustione rapida*) quick match. – **2.** ⟨*Mar*⟩ mast-heel, mast-tenon. □ ⟨*fig*⟩ *dar fuoco alla* ~ to spark off; ~ *di sicurezza* safety fuse; ~ *a tempo* time fuse.
miccino *m.* ⟨*non com*⟩ (*piccolissima quantità*) scrap, grain, ounce, crumb. □ ⟨*fam,tosc*⟩ *a* ~ (*con parsimonia*) very sparingly, in dribs and drabs.
miccio *m.* (*f.* **-a**) ⟨*region,scherz*⟩ (*asino*) donkey, ass.
micco *m.* (*pl.* **-chi**) **1.** ⟨*roman*⟩ (*persona goffa e sciocca*) clot. – **2.** ⟨*tosc*⟩ (*bellimbusto*) dandy; (*uomo lussurioso*) debauchee, rake. – **3.** ⟨*Zool,ant*⟩ mico.
micelico *a.* (*pl.* **-ci**) ⟨*Bot*⟩ mycelial. – **micelio** *m.* mycelium.
micella *f.* ⟨*Chim*⟩ micelle. – **micellare** *a.* micellar.
Micene *N.pr.f.* ⟨*Geog*⟩ Mycenae. – **miceneo** *a.* Mycenaean. – **micenico** *a.* (*pl.* **-ci**) → **miceneo**.
micete *m.* ⟨*Bot*⟩ fungus, mushroom.
miceto... *pref.* (*fungo* fungus) mycet(o)...
micetofagia *f.* ⟨*Biol*⟩ feeding on funghi. – **micetofago** *a.* (*pl.* **-gi**) **1.** ⟨*Zool*⟩ mycetophagous, fungivorous. – **2.** ⟨*Bot*⟩ mycetophagous. – **micetologia** *f.* → **micologia**. – **micetologo** *m.* → **micologo**.
micetto (*dim. di micio*¹) *m.* (*f.* **-a**) ⟨*fam*⟩ pussy-cat.
michelaccio *m.* loafer, lounger, idler. □ *fare il* ~ to idle away one's time, to loaf around.
Michelangelo *N.pr.m.* ⟨*Stor*⟩ Michelangelo. – **michelangiolesco** *a.* (*pl.* **-chi**) **1.** (*di Michelangelo*) of Michelangelo, Michelangelo's; (*della scuola di Michelangelo*) after (*o* in the style of) Michelangelo, Michelangelo's school. – **2.** ⟨*fig*⟩ (*possente*) Michelangelesque, grand, powerful. – **Michelangiolo** *N.pr.m.* → **Michelangelo**.
Michele *N.pr.m.* Michael.
micheletto *m.* ⟨*Stor*⟩ miquelet.
Michelino *N.pr.m.* ⟨*vezz*⟩ Mike.
michetta *f.* (*panino*) roll.
micida *m./f.* ⟨*ant*⟩ (*omicida*) murderer.
micidiale **I** *a.* **1.** deadly, lethal, mortal, fatal: *veleno* ~ deadly poison. – **2.** ⟨*iperb*⟩ (*nocivo*) very bad, harmful, killing, deadly; (*noioso*) deadly, terribly boring; (*insopportabile*) unbearable, killing, terrible. – **II** *s.m.* ⟨*ant*⟩ (*omicida*) killer, murderer.
micidio *m.* ⟨*ant*⟩ (*omicidio*) murder.
micino (*dim. di micio*¹) *m.* (*f.* **-a**) ⟨*fam*⟩ **1.** kitten, pussy-cat. – **2.** ⟨*vezz*⟩ darling, puss(y), lamb.
micio¹ *m.* (*f.* **-a**) ⟨*fam*⟩ (*gatto*) tom-cat, ⟨*fam*⟩ pussy-cat, ⟨*fam*⟩ puss; (*gatta*) she-cat, ⟨*fam*⟩ pussy-cat, ⟨*fam*⟩ puss.
micio²: ⟨*tosc*⟩ *pietra di* ~ French (*o* tailor's) chalk, steatite, soapstone; *polvere di* ~ powdered steatite, French chalk.
micione *m.* (*f.* **-a**) ⟨*fam*⟩ *accr. di* **micio**¹.
mico... *pref.* (*fungo* fungus) myc(o)...
micoina *f.* ⟨*Biol*⟩ notatin.
micologia *f.* ⟨*Bot*⟩ mycology. – **micologico** *a.* (*pl.* **-ci**) mycologic(al). – **micologo** *m.* (*pl.* **-gi**; *f.* **-a**) mycologist.
micorriza, **micorrizia** *f.* ⟨*Bot*⟩ mycorrhiza.
micosi *f.* ⟨*Med,Biol*⟩ mycosis.
micoteca *f.* collection of funghi.
micragna *f.* ⟨*region*⟩ (*miseria*) poverty, destitution, want. – **micragnoso** *a.* ⟨*region*⟩ **1.** (*rif. a persona*: *misero*) poor, penniless, destitute, ⟨*fam*⟩ down and out; (*tirchio*) miserly, stingy, mean, ⟨*fam*⟩ tight-fisted. – **2.** (*rif. a cose*) poor, mean.
micrania *f.* ⟨*ant*⟩ (*emicrania*) migraine (headache).
micro... *pref.* **1.** (*piccolo* small) micr(o)... – **2.** (*microscopio* microscope) micr(o)... – **3.** ⟨*Fis,Mat*⟩ (*milionesima parte*) micr(o)...
micro|ampere *m.* ⟨*El*⟩ micro-ampere. – **~amperometro** *m.* micro-ammeter. – **~analisi** *f.* ⟨*Chim*⟩ micro-analysis. – **~asiatico** *a.* (*pl.* **-ci**) of Asia Minor, Anatolian. – **~bar** *m.* ⟨*Fis*⟩ microbar. – **~barografo** *m.* microbarograph. – **~barometro** *m.* microbarometer.
microbicida *a.* microbicide. – **microbico** *a.* (*pl.* **-ci**) microbial, microbian, microbic.
microbilancia *f.* (*pl.* **-ce**) microbalance.
micro|bio *m.* → **microbo**. – **~biologia** *f.* microbiology. – **~biologico** *a.* (*pl.* **-ci**) microbiologic(al). – **~biologo** *m.* (*pl.* **-gi**; *f.* **-a**) microbiologist. – **~biotico** *a./s.* (*pl.* **-ci**) ⟨*Farm*⟩ **I** *a.* antibiotic, antibacterial. – **II** *s.m.* antibiotic.
microbo *m.* **1.** ⟨*Biol*⟩ microbe. – **2.** ⟨*fig,spreg*⟩ worm, insect.
micro|camera *f.* ⟨*Fot*⟩ miniature (*o* candid) camera. – **~cebo** *m.* ⟨*Zool*⟩ dwarf (*o* mouse) lemur (*Microcebus murinus*). – **~cefalia** *f.* **1.** ⟨*Anat*⟩ microcephalia, microcephaly. – **2.** ⟨*fig*⟩ (*imbecillità*) stupidity, mental deficiency, half-wittedness. – **~cefalico** *a.* (*pl.* **-ci**) microcephalic. – **~cefalo** **I** *a.* **1.** microcephalous, microcephalic. – **2.** ⟨*fig,spreg*⟩ stupid, half-witted, mentally deficient. – **II** *s.m.* **1.** microcephalous. – **2.** ⟨*spreg*⟩ half-wit, idiot, fool. – **~chimica** *f.* microchemistry. – **~chirotteri** *m.pl.* ⟨*Zool*⟩ microchiropterans *pl* (*Microchiroptera*). – **~cinematografia** *f.* microcinematography. – **~cinematografico** *a.* (*pl.* **-ci**) microcinematographic. – **~cita**

m. → **microcito.** – **~cịtico** *a.* (*pl.* **-ci**) ⟨*Biol*⟩ microcytic. – **~cịto** *m.* microcyte. – **~clịma** *m.* microclimate. – **~cọcco** *m.* (*pl.* **-chi**) micrococcus. – **~corịa** *f.* ⟨*Med*⟩ microcoria. – **~cọrnea** *f.* microcornea. – **~cọṣmico** *a.* (*pl.* **-ci**) microsmic(al). – **~cọṣmo** *m.* **1.** ⟨*Filos*⟩ microcosm(os). – **2.** ⟨*fig*⟩ (*piccolo mondo*) microcosm, small world. – **~cristallịno** *a.* ⟨*Min*⟩ microcrystalline. – **~curịe** *m.inv.* ⟨*Fis*⟩ microcurie. – **~dattilịa** *f.* ⟨*Med*⟩ microdactylia. – **~dissettọre** *m.* → **micromanipolatore.** – **~dissezịone** *f.* → **micromanipolazione.** – **~economịa** *f.* micro-economics *pl* (*costr. sing.*). – **~economico:** *analisi -a* → **microeconomia.** – **~elemẹnto** *m.* ⟨*Biol*⟩ micro-element, trace element. – **~evoluzịone** *f.* micro -evolution. – **~fạrad** *m.* ⟨*El*⟩ microfarad. – **~ferrovịa** *f.* miniature railway. – **~fịllo** *a.* ⟨*Bot*⟩ microphyllous. – **~fịlm** *m.* ⟨*Fot,Cin*⟩ microfilm. – **~filmạre** *v.t.* to microfilm, to make a microfilm of. – **~filmạto** (*p.p. di microfilmare*) *a.* microfilmed. – **~finịre** *v.t.* (**microfinịsco, microfinịsci**) ⟨*Mecc*⟩ to precision finish. – **~finitụra** *f.* precision finishing. – **~fịsica** *f.* microphysics *pl* (*costr. sing.*).

micrọ|fita *f.* ⟨*Bot*⟩ microphyte. – **~fịtico** *a.* (*pl.* **-ci**) mycrophytic: *fauna -a* microphytic fauna. – **~flọra** *f.* ⟨*Biol*⟩ microflora.

microfonicità *f.* ⟨*Rad*⟩ microphonic property. – **microfọnico** *a.* (*pl.* **-ci**) microphonic. – **microfonịsta** *m.* microphone technician.

micrọfono *m.* **1.** microphone, ⟨*fam*⟩ mike: *parlare al* ~ to speak over the microphone. – **2.** ⟨*Tel*⟩ microphone, transmitter.

□ ~ *a* **bobina** *mobile* moving-coil microphone; ~ *a* **carbone** carbon microphone; ~ *a* **colonna** stand microphone; ~ *a* **condensatore** condenser microphone; ~ *a* **cristallo** crystal microphone; ~ **dinamico** dynamic (*o* hand) microphone; **giraffa** *del* ~ sound (*o* microphone) boom; ~ *da* **laringe** laryngophone; ~ *a* **nastro** ribbon microphone; **pertica** *del* ~ = **giraffa** *del microfono*; ~ *a* **polvere** *di carbone* carbon granule microphone; ~ **ricevitore** receiver; ~ *da* **tavolo** table microphone; ~ **telefonico** telephone microphone (*o* transmitter); ~ **toracico** breast transmitter.

micro|fọssile *m.* ⟨*Geol*⟩ microfossil. – **~fotografịa** *f.* **1.** microphotography. – **2.** (*fotografia eseguita con microscopio*) photomicrography. □ ~ *elettronica* electronic photomicrograph(y). – **~fotogrạfico** *a.* (*pl.* **-ci**) photomicrographic(al). – **~fotogrạmma** *m.* microphotograph. – **~fotomẹtrico** *a.* (*pl.* **-ci**) microphotometric. – **~fotọmetro** *m.* microphotometer.

microftalmịa *f.* ⟨*Med*⟩ microphthalmia, microphthalmos. – **microftạlmico** *a.* (*pl.* **-ci**) microphthalmic. – **microftạlmo I** *a.* microphthalmic. – **II** *s.m.* (*f.* **-a**) **1.** microphthalmus. – **2.** → **microftalmia.**

micro|fusịone *f.* ⟨*Met*⟩ precision casting. – **~gamẹte** *m.* ⟨*Biol*⟩ microgamete. – **~geomẹtrico** *a.* (*pl.* **-ci**) microgeometric. – **~glossịa** *f.* ⟨*Med*⟩ microglossia. – **~grafịa** *f.* **1.** ⟨*Met*⟩ micrography. – **2.** (*in grafologia*) micrography. – **~grạfico** *a.* (*pl.* **-ci**) ⟨*Met*⟩ micrographic. – **~grạmmo** *m.* microgram(me). – **~indicatọre** *m.* ⟨*Fis*⟩ microgauge. – **~interruttọre** *m.* microswitch. – **~lepidọtteri** *m.pl.* ⟨*Entom*⟩ Microlepidoptera *pl.* – **~lettọre** *m.* microreader. – **~levigatụra** *f.* ⟨*tecn*⟩ lapping. – **~lịte** *f.* **1.** ⟨*Min*⟩ microlite. – **2.** ⟨*Archeol*⟩ microlith. – **~lịtico** *a.* (*pl.* **-ci**) microlithic. – **~lịtro** *m.* microlitre.

micrọ|mane *m./f.* ⟨*Psic*⟩ micromaniac. – **~manịa** *f.* micromania. – **~manipolatọre** *m.* ⟨*Biol*⟩ micromanipulator. – **~manipolazịone** *f.* micromanipulation. – **~manọmetro** *m.* micromanometer. – **~meccạnica** *f.* micromechanics *pl* (*costr. sing. o pl.*). – **~melịa** *f.* ⟨*Med*⟩ micromelia.

micrọmeri *m.pl.* micromeres *pl.*

micrometallografịa *f.* micrometallography.

micrometrịa *f.* micrometry. – **micromẹtrico** *a.* (*pl.* **-ci**) micrometric(al). □ *vite -a* micrometer screw. – **micrọmetro** *m.* **1.** micrometer, micrometer caliper (*o* gauge). – **2.** (*calibro a corsoio*) sliding caliper (*o* gauge). □ ~ *per interni* inside micrometer caliper; ~ *oculare* eyepiece micrometer.

micro|micẹte *m.* ⟨*Biol*⟩ micromycete, fungus. – **~millịmetro** *m.* micromillimetre, millimicron. – **~motọre** *m.* **1.** small motor. – **2.** (*veicolo*) small motor vehicle; (*ciclomotore*) moped. – **~motorịsta** *m./f.* driver of a small motor vehicle; (*ciclomotorista*) rider of a moped. – **~motorịstico** *a.* (*pl.* **-ci**) **1.** (*dei micromotori*) small motor-, of (*o* for) small motors. – **2.** (*dei micromotoristi*) of drivers of small motor vehicles; (*dei ciclomotoristi*) of moped riders.

mịcron *m.* micron.

Micronẹṣia *N.pr.f.* ⟨*Geog*⟩ Micronesia. – **micronẹṣiạno I** *a.* Micronesian. – **II** *s.m.* (*abitante*; *f.* **-a**) Micronesian.

micronịẓẓạre *v.t.* ⟨*tecn*⟩ to micronize. – **micronịẓẓazịone** *f.* micronization.

micro|nụcleo *m.* ⟨*Biol*⟩ micronucleus. – **~ọnda** *f.* ⟨*Fis*⟩ microwave: ⟨*Med*⟩ *terapia a -e* microwave therapy, microkymatotherapy. – **~organịṣmo** *m.* ⟨*Biol*⟩ micro-organism.

micrọ|pilo *m.* ⟨*Zool*⟩ micropyle. – **~porosità** *f.* microporosity. – **~proiettọre** *m.* microprojector. – **~proiezịone** *f.* microprojection. – **~provẹtta** *f.* micro test-tube.

micropsịa *f.* ⟨*Med*⟩ micropsia, micropsy.

micro|pụllman *m.* small motorcoach, ⟨*am*⟩ microbus. – **~radiọmetro** *m.* ⟨*Fis*⟩ bolometer. – **~regolazịone** *f.* ⟨*Mecc*⟩ fine (*o* precise) adjustment.

microrganịṣmo *m.* → **microorganismo.**

micro|schẹda *f.* ⟨*Bibliot*⟩ microcard. – **~scopịa** *f.* microscopy: ~ *elettronica* electron microscopy. – **~scọpico** *a.* (*pl.* **-ci**) **1.** microscopic(al): *analisi -a* microscopic analysis. – **2.** ⟨*estens*⟩ (*piccolissimo*) microscopic, minute, very small, tiny.

microscọpio *m.* microscope.

□ ~ **binoculare** binocular (*o* stereoscopic) microscope; ~ **elettronico** electron microscope; ⟨*fig*⟩ **esaminare** *qc. col* ~ to examine s.th. meticulously (*o* in great detail); ~ **infrarosso** infra-red microscope; ~ **micrometrico** micrometer microscope; ~ **polarizzante** polarizing microscope; ~ *a* **riflessione** reflecting microscope; ~ **semplice** simple (*o* single) microscope; ~ **spettroscopico** spectromicroscope; ~ **stereoscopico** = *microscopio* **binoculare.**

micro|scopịsta *m./f.* microscopist. – **~secọndo** *m.* microsecond. – **~sfẹra** *f.* ⟨*Biol*⟩ microsphere, centrosphere. – **~sịṣmico** *a.* (*pl.* **-ci**) ⟨*Geol*⟩ microseismic. – **~sịṣmo** *m.* microseism. – **~siṣmọgrafo** *m.* microseismograph, microseismometer.

microṣmọtico: ⟨*Zool*⟩ *animale* ~ microsmotic animal.

micro|sọlco *m.* (*pl.* **-chi**) **1.** microgroove. – **2.** (*anche disco microsolco*) long-playing record, ⟨*fam*⟩ L.P.; (*a 45 giri*) extended-play record, ⟨*fam*⟩ E.P. – **~sọmi** *m.pl.* ⟨*Biol*⟩ microsomes *pl*, microsomata *pl.* – **~somịa** *f.* dwarfishness, nanism, microsomia. – **~sọmico** *a.* (*pl.* **-ci**) dwarfish, microsomatous. – **~spettrografịa** *f.* microspectrography. – **~spettrọgrafo** *m.* microspectrograph, microspectroscope. – **~spettrọmetro** *m.* → **microspettroscopio.** – **~spettroscopịa** *f.* microspectroscopy. – **~spettroscọpio** *m.* microspectroscope. – **~spọra** *f.* ⟨*Bot*⟩ microspore. – **~sporạngio** *m.* microsporangium. – **~sporịa** *f.* ⟨*Med*⟩ microsporia. – **~stomịa** *f.* microstomia. – **~struttụra** *f.* ⟨*Biol*⟩ microstructure. – **~tẹcnica** *f.* **1.** ⟨*Art*⟩ production of small works of art. – **2.** (*tecnica microscopica*) microtechnique, micrology. – **~telẹfono** *m.* (*microfono*) hand microtelephone (*o* set). □ ~ *d'operatrice* headphones *pl*, earphones *pl.* – **~tịa** *f.* ⟨*Med*⟩ microtia.

micrọto *m.* ⟨*Zool*⟩ vole, field-mouse (*Microtus*). □ ~ *comune* European common vole (*Microtus arvalis*).

micrọ|tomo *m.* ⟨*Biol*⟩ microtome. – **~trọne** *m.* ⟨*Fis*⟩ microtron.

micrọttero *a.* ⟨*Entom*⟩ micropterous.

micro|vettụra *f.* midget car: ~ *da corsa* midget racing car. – **~vọltmetro** *m.* microvoltmeter. – **~zịa** *f.* → **microtia.**

Mịda *N.pr.m.* ⟨*Mitol*⟩ Midas.

mịdao *m.* ⟨*Zool*⟩ (*anche midao di Giava*) teledu, Javanese skunk, stink badger (*Mydaus javensis*).

midinette *fr.* [midiˈnɛt] *f.* (*sartina, modista*) midinette, Parisian seamstress.

midọlla[1] *f.* **1.** crumb, soft inside (of bread). – **2.** ⟨*non com*⟩ (*polpa di frutti*) fruit pulp. – **3.** ⟨*fig,ant*⟩ (*intima essenza*) essence, pith, substance. – **4.** ⟨*ant,region*⟩ (*midollo*) marrow.

midọlla[2] *f.pl. di* **midollo.**

midollạre *a.* **1.** ⟨*Anat*⟩ medullar(y). – **2.** ⟨*Bot*⟩ medullary, pith-: *raggi -i* medullary (*o* pith) rays.

midọllo *m.* (*pl.* **le midọlla**/*rar.* **i midọlli**) **1.** ⟨*Anat*⟩ medulla, marrow. – **2.** ⟨*Bot*⟩ medulla, pith. – **3.** *pl.* ⟨*fig*⟩ (*parte interna*) pith (and marrow), core, essence, heart, kernel. – **4.** ⟨*ant*⟩ (*parte carnosa del nocciolo*) kernel.

□ ~ **allungato** medulla oblongata; ⟨*fig*⟩ **fino** *al* ~ to the bone (*o* skin, marrow): *bagnarsi fino al* ~ to get wet ⌜to the skin⌝ (*o* through), to get drenched; (*completamente*) through and through, to the core: *è guasto fino al* ~ he is rotten to the core; ~ **osseo** medulla ossium, bone marrow; ⟨*fig*⟩ **penetrare** *dentro le -a delle ossa* to be piercing (*o* biting), to go straight through one; (*rif. a pioggia*) to wet to the bone; ~ **spinale** spinal cord, medulla spinalis.

midollọne *m.* (*f.* **-a**) ⟨*non com*⟩ (*persona tarda*) half-wit, ⟨*am*⟩ dope.

midollọso *a.* **1.** (*pieno di midollo*) pithy, full of marrow: *osso* ~ bone full of marrow. – **2.** (*pieno di midolla*) crumbly, soft. – **3.** ⟨*Bot*⟩ pithy. – **4.** ⟨*non com*⟩ (*che ha l'aspetto del midollo*) medullary, marrow-like.

midrạscico *a.* (*pl.* **-ci**) ⟨*Rel*⟩ Midrashic. – **midrạsh** [-ʃ] *m.* Midrash.

midrịaṣi *f.* ⟨*Med*⟩ mydriasis. – **midriạtico** *a./s.* (*pl.* **-ci**) **I** *a.* **1.** dilated: *pupille midriatiche* dilated pupils. – **2.** (*rif. a farmaco*) mydriatic. – **II** *s.m.* mydriatic.

miẹle *m.* **1.** honey. – **2.** ⟨*fig*⟩ (*dolcezza*) sweetness, honey.

□ ~ *d'***ape** bee's honey; ~ **biondo** light honey; ~ *di* **bosco** wild honey; **color** ~ honey (yellow); ~ **depurato** clarified honey, mel; ⟨*fig*⟩ **di** ~ honied, sweet; ~ *di* **favo** (honey)comb honey, honey in the comb; ~ **naturale** natural honey; ~ **rosato** honey of rose; ~ **selvatico** wild honey. – *Prov.*: *non si può avere il* ~ *senza le api* you must take the bad with the good; *non c'è* ~ *senza mosche* every rose has its thorn, nothing is perfect.

mielencẹfalo *m.* ⟨*Zool*⟩ myelencephalon.

...mielia *suff.* (*midollo spinale* spinal cord) ...myelia: *ematomielia f.* h(a)ematomyelia.

mielịna *f.* ⟨*Anat*⟩ myelin(e). – **mielịnico** *a.* (*pl.* **-ci**) myelinic. – **mielịte** *f.* ⟨*Med*⟩ myelitis.

mielo... *pref.* (*midollo* marrow) myel(o)...

mielo|grafịa *f.* ⟨*Med*⟩ myelography. – **~grạmma** *m.* myelogram.

mielọide *a.* ⟨*Med*⟩ myeloid. – **mielọma** *m.* myeloma.

mielo|malacịa *f.* ⟨*Med*⟩ myelomalacia. – **~matọṣi** *f.* myelomatosis. – **~meningịte** *f.* myelomeningitis. – **~patịa** *f.* myelopathy. – **~pạtico** *a.* (*pl.* **-ci**) myelopathic.

mielọṣi *f.* ⟨*Med*⟩ myelosis.

mielọso *a.* ⟨*non com*⟩ (*dolciastro*) sweetish.

mielọẓọi *m.pl.* ⟨*Zool*⟩ Myelozoa *pl* (*Myelozoa*).

miẹtere *v.t.* **1.** to reap, to harvest, to mow: ~ *il grano* to harvest wheat. – **2.** ⟨*fig*⟩ (*ricavare frutto*) to reap, to harvest, to gather: ~ *allori* to reap (*o* win, gain) laurels. – **3.** ⟨*fig,poet*⟩ (*uccidere*) to cut (*o* mow) down: *la morte miete gli umili e i grandi* death cuts down great and small alike. □ ~ *a collo* to mow leaving a long stubble; ~ *a terra* to mow short (*o* close); *la carestia ha mietuto molte vittime* the famine took a heavy toll of lives.

mietiforaggi *m.inv.* ⟨*Agr*⟩ forage harvester.

mieti-lega, mietilegatrice *f.* ⟨*Agr*⟩ reaper and binder. – **mietitore I** *s.m.* (*f.* **-trice**) reaper, mower, harvester. – **II** *a.* (*che miete vite umane*) devastating, murderous. – **mietitrebbia, mietitrebbiatrice** *f.* combine (harvester), harvester-thresher. – **mietitrice** *f.* **1.** (*persona*) (woman) reaper, harvester. – **2.** (*macchina*) reaper, harvester. □ ~ *legatrice* → **mieti-lega**; ~ *trebbiatrice* → **mietitrebbia**. – **mietitura** *f.* **1.** reaping, mowing, harvesting. – **2.** (*periodo*) harvest-time. – **3.** (*messe*) harvest, crop.

miga *avv.* ⟨*region*⟩ (*mica*) not at all, not in the least.

miglia *f.pl. di* **miglio**¹.

migliaccio *m.* **1.** ⟨*Gastr*⟩ (*sanguinaccio*) black (*o* blood) pudding. – **2.** ⟨*estens,Dolc*⟩ cake made with pig's blood and millet. – **3.** ⟨*non com*⟩ (*castagnaccio*) chestnut-flour, chestnut cake. – **4.** ⟨*napol*⟩ (*torta rustica*) cornmeal cake with lard and cheese.

migliaggio *m.* ⟨*Mar*⟩ mileage.

migliaio *m.* (*pl. le* **migliaia**) **1.** thousand. – **2.** (*circa mille*) about a thousand, some thousand: *un* ~ *di persone* about a thousand people. – **3.** *pl.* ⟨*iperb*⟩ thousands *pl*, hundreds *pl*, ⟨*fam*⟩ loads *pl*, ⟨*fam*⟩ lots *pl*, ⟨*fam*⟩ masses *pl*: *c'erano -a di oggetti in giro* there were masses of things lying around. – **4.** ⟨*ant*⟩ (*miglio*) mile. □ *a -a* by the thousand, in thousands; *avrò ricevuto un* ~ *di telefonate* I don't know how many phone calls I received.

miglialsole *m.* ⟨*Bot*⟩ (*litospermo*) gromwell (*Lithospermum officinale*).

migliare *a.* ⟨*ant,fam*⟩ → **miliare**².

migliarello (*dim. di miglio*¹) *m.* ⟨*scherz*⟩ about a mile.

migliarino *m.* **1.** ⟨*Ornit*⟩ (*anche migliarino di palude*) reed bunting, reed sparrow (*Emberiza schoeniclus*). – **2.** ⟨*Bot*⟩ → **miglialsole**. – **3.** *pl.* ⟨*Venat*⟩ → **migliarola**. – **migliarola** *f.* ⟨*Venat*⟩ shot, pellets *pl.*

migliatico *m.* (*pl.* **-ci**) ⟨*Mar*⟩ mileage.

miglio¹ *m.* (*pl. le* **miglia**) **1.** mile: *lontano un* ~ a mile away. – **2.** ⟨*Strad*⟩ mile. – **3.** (*colonnina segnamiglio*) milestone, milepost. □ *-a* e *-a* miles and miles; ~ **geografico** geographical mile; ~ **inglese** = *miglio* **terrestre**; ⟨*fig*⟩ *farla* **lunga** *un* ~ to be interminable, to go on and on, never to stop; ⟨*iperb*⟩ **lungo** *un* ~ endless, very long; ~ **marino** (*o* **nautico**) nautical (*o* sea) mile; **Mille** *-a* → **Millemiglia**; ~ **terrestre** statute mile.

miglio² *m.* **1.** ⟨*Bot*⟩ (*becchime*) bird-seed. – **2.** ⟨*Bot*⟩ millet (*Panicum miliaceum*). – **3.** ⟨*Med*⟩ → **milio**. □ ⟨*Bot*⟩ ~ *africano* pearl (*o* cat-tail) millet (*Pennisetum typhoideum*); ~ *delle dune* lyme-grass (*Elymus arenarius*); *grani* (o *granelli*) *di* ~ millet-seed; ~ *selvatico* → **miglialsole**.

migilonetto *m.* ⟨*Bot*⟩ (*reseda*) mignonette (*Reseda odorata*).

migliorabile *a.* improvable, that can be bettered (*o* improved).

miglioramento *m.* **1.** (*il migliorare*) improvement, betterment: ~ *delle condizioni di lavoro* improvement of working conditions; ~ *fondiario* (o *del suolo*) soil (*o* land) improvement. – **2.** (*il divenire migliore*) improvement. – **3.** (*aumento*) increase: ~ *dei salari* salary increase, ⟨*fam*⟩ rise. – **4.** ⟨*dial*⟩ (*capitone*) large eel.

migliorare *v.* (**miglioro**) **I** *v.t.* **1.** to improve, to better, to ameliorate: ~ *la propria posizione economica* to improve one's economic position. – **2.** ⟨*fig*⟩ to improve. – **3.** (*aumentare*) to increase, to raise. – **4.** ⟨*ant*⟩ (*guadagnare*) to earn. – **II** *v.i.* (*aus.* **essere/avere**) **1.** to improve, to get better. – **2.** (*rif. a malati*) to improve, to get better, to make progress. – **migliorarsi** *v.r.* to improve, to better o.s. (*anche fig.*).

migliorativo *a.* **1.** ⟨*burocr*⟩ ameliorative. – **2.** ⟨*Med*⟩ curative, remedial. – **miglioratore I** *s.m.* (*f.* **-trice**) improver, betterer, ameliorator. – **II** *a.* **1.** ameliorative, amelioratory. – **2.** ⟨*Agr*⟩ soil-improving. – **migliorazione** *f.* ⟨*non com*⟩ → **miglioramento**.

migliore (*compar. di buono*) **I** *a.compar.* **1.** better: *oggi hai un aspetto* ~ you look better today. – **2.** (*più bravo, più capace*) better, more able (*o* capable): *nessuno è* ~ *di lui come insegnante* no one is a better teacher than he. – **3.** (*più opportuno, più vantaggioso*) better, more advantageous: *aspettare un'occasione* ~ to wait for a better occasion. – **II** *a.sup.* **1.** best: *i -i auguri* best wishes. – **2.** (*il più capace*) best, most capable (*o* able): *è il* ~ *impiegato della nostra azienda* he is the best employee in our company. – **3.** (*il maggiore*) greatest. – **III** *s.m.* **1.** best (thing). – **2.** *m./f.* best (person): *vinca il* ~ may the best man win. – **IV** *avv.* ⟨*ant*⟩ (*meglio*) better. □ *siamo i -i* **amici** *del mondo* we are the best of friends; *è in* **condizioni** *finanziarie -i delle mie* he is better off than I am; **diventare** ~ to improve, to get better; *nel miglior* **modo** *possibile* (*nel migliore dei modi*) in the best possible way; **rendere** ~ to make better, to better, to improve; **senz'***altro il* ~ the very best; *passare a miglior* **vita** (*morire*) to go to meet one's Maker.

miglioria *f.* **1.** improvement, betterment. – **2.** (*bonifica*) reclamation. □ *opere di* ~ improvements *pl.*

migliorismo *m.* ⟨*Filos*⟩ (*meliorismo*) meliorism. – **migliorista** *m.* (*meliorista*) meliorist. – **miglioristico** *a.* (*pl.* **-ci**) (*melioristico*) meliorist(ic).

migmatite *f.* ⟨*Geol*⟩ migmatite, injection gneiss.

mignano *m.* ⟨*roman*⟩ (*balcone*) balcony.

mignatta *f.* **1.** ⟨*Zool*⟩ leech (*Hirudo medicinalis*). – **2.** ⟨*fig*⟩ (*seccatore*) leech, pest, bore: *stare alle costole come una* ~ to stick like a leech. – **3.** ⟨*fig*⟩ (*strozzino*) blood-sucker, usurer. – **4.** ⟨*Mar.mil*⟩ limpet mine.

mignattaio *m.* **1.** ⟨*Ornit*⟩ glossy ibis (*Plegadis falcinellus*). – **2.** (*chi raccoglie mignatte*) leech-gatherer; (*chi le applica*) one who applies leeches. – **mignattina** *f. dim. di* **mignatta**.

mignattino *m.* **1.** ⟨*Ornit*⟩ black tern (*Clidonias nigra*). – **2.** ⟨*Itt*⟩ (grey) mullet (*Mugil cephalus*). □ ⟨*Ornit*⟩ ~ *dalle* ⌈*ali bianche*⌉ (o *zampe rosse*) white-winged black tern (*Clidonias leucoptera*).

mignattona *f. accr. di* **mignatta**.

mignattone *m.* → **mignattino**.

mignola *f.* ⟨*Agr*⟩ olive-blossom. – **mignolare** *v.i.* (**mignolo**; *aus.* **avere**) (of olives) to blossom. □ *Prov.*: *quando mignola d'aprile, ammannisci un buon barile* when olives blossom in April, prepare a big barrel for the oil. – **mignolatura** *f.* **1.** blossoming (of olive trees); (*epoca*) olive-blossom time. – **2.** ⟨*concr*⟩ (*mignole*) olive blossoms *pl.*

mignolo *m.* **1.** (*anche dito mignolo*) little finger. – **2.** (*dito del piede*) little toe. – **3.** (*fiore dell'olivo*) olive-bud.

mignon *fr.* [mi'ɲɔ̃] **I** *a.* **1.** (*di piccole dimensioni*) tiny, small. – **2.** ⟨*El*⟩ mignon. – **II** *s.m.* (*rif. a persona*: *favorito*) favourite; (*prediletto*) dearest, darling, pet.

mignone¹ *m.* ⟨*lett*⟩ (*prediletto*) darling, dearest, pet; (*favorito*) favourite.

mignone² *m.* ⟨*Stor*⟩ vambrace, bracelet.

mignonetto *m.* → **miglionetto**.

mignotta *f.* ⟨*roman,volg*⟩ (*prostituta*) prostitute, street-walker, whore, slut, ⟨*fam*⟩ tart. □ ⟨*volg*⟩ *figlio d'una* ~ son of a bitch.

migragna *f.* ⟨*non com*⟩ → **micragna**.

migrante (*p.pr. di migrare*) *a.* **1.** migrant (*anche Zool.*): *lavoratore* ~ migrant worker. – **2.** ⟨*Med*⟩ floating, wandering, migrating: *rene* ~ floating (*o* wandering) kidney.

migrare *v.i.* (*aus.* **essere**) **1.** (*rif. a popolazioni*) to migrate; (*emigrare*) to emigrate. – **2.** (*rif. ad animali*) to migrate. – **migratore I** *s.m.* (*f.* **-trice**) migrant. – **II** *a.* migrant, migratory: *uccelli -i* migratory birds, migrants *pl.* – **migratorio** *a.* **1.** migrant, migratory. – **2.** (*rif. a persone*) emigrant.

migrazione *f.* **1.** migration: *-i di popoli* migrations of peoples; (*emigrazione*) emigration. – **2.** ⟨*tecn*⟩ migration. □ ~ **atomica** atomic migration; ~ **interna** internal migration; ⟨*Chim*⟩ ~ **ionica** migration of ions; ~ *dell'***oro** exodus of gold; ⟨*Med*⟩ ~ *del* **rene** floating (*o* wandering) of the kidney; ⟨*Sociol*⟩ ~ **stagionale** seasonal migration; ⟨*Zool*⟩ ~ *eccezionale d'***uccelli** visitation.

miiasi *f.* → **miasi**.

mikado *m.* mikado.

mila *a.* ⟨*fam*⟩ thousand.

milabridi *m.pl.* ⟨*Entom*⟩ bruchids *pl* (*Mylabridae*).

milanese I *a.* Milanese. – **II** *s.m.* **1.** (*dialetto*) Milanese (dialect). – **2.** *m./f.* (*abitante*) Milanese, native (*o* inhabitant) of Milan. – **III** *s.f.* ⟨*Gastr*⟩ (*cotoletta alla milanese*) breaded (*o* Milanese-style) veal cutlet. – **Milanese** *N.pr.m.* (*territorio*) Milanese territory. □ *alla* ~ Milanese style.

Milano *N.pr.f.* ⟨*Geog*⟩ Milan.

milensaggine *f.* ⟨*ant*⟩ (*melensaggine*) dullness, stupidity. – **milenso** *a.* ⟨*ant*⟩ (*melenso*) dull, stupid, doltish.

miles gloriosus *lat.m.* ⟨*scherz*⟩ (*spaccone*) boaster, braggart, swaggerer.

milesio I *a.* (*di Mileto*) Milesian. – **II** *s.m.* ⟨*Filos*⟩ Milesian, member of the Milesian school. – **Mileto** *N.pr.f.* ⟨*Geog.stor*⟩ Miletus.

milia *a.* ⟨*ant*⟩ → **mila**.

miliardario I *a.* multi-millionaire, ⟨*am*⟩ billionaire, ⟨*fam,pred*⟩ worth millions. – **II** *s.m.* (*f.* **-a**) multi-millionaire, ⟨*am*⟩ billionaire.

miliardesimo I *a.* **1.** thousand millionth, ⟨*am*⟩ billionth. – **2.** ⟨*iperb*⟩ billionth, umpteenth: *è la -a volta che te lo dico* it's the umpteenth time I've told you. – **II** *s.m.* **1.** thousand-millionth, ⟨*am*⟩ billionth. – **2.** (*miliardesima parte*) thousand-millionth (part), ⟨*am*⟩ billionth.

miliardo *m.* thousand millions *pl*, milliard, ⟨*am*⟩ billion.

miliare¹ *a.* mile-: *pietra* ~ milestone.

miliare² *a.* ⟨*Med*⟩ miliary: *tubercolosi* ~ miliary tuberculosis. □ *febbre* ~ miliary fever, sweating sickness. – **miliaria** *f.* miliaria.

miliario *m.* ⟨*Stor.rom*⟩ milestone.

milieu *fr.* [mil'jø] *m.* environment, setting, milieu, surroundings *pl.*

milio *m.* ⟨*Med*⟩ milium.

miliobate *m.* ⟨*Itt*⟩ eagle ray, bull ray (*Myliobatis*). – **miliobatidi** *m.pl.* eagle rays *pl* (*Myliobatidae*).

milionario I *a.* millionaire. – **II** *s.m.* (*f.* **-a**) **1.** millionaire (*f* -ress). – **2.** ⟨*Aer*⟩ seasoned pilot, pilot who has flown more than a million kilometres. □ *essere dieci volte* ~ to be a multi-millionaire.

milione *m.* million: *un* ~ *di copie* a million copies. □ ⟨*iperb*⟩ *un* ~ *di volte* hundreds of times, umpteen (*o* countless) times.

milionesimo I *a.* millionth. – **II** *s.m.* **1.** millionth. – **2.** (*milionesima parte*) millionth (part).

milit. = *militare* military (*abbr.* milit.).

militante (*p.pr. di militare*²) **I** *a.* **1.** militant; (*attivo*) militant, active, combative, fighting. – **2.** ⟨*Rel*⟩ militant: *la chiesa* ~ the Church Militant. – **II** *s.m./f.* militant, activist.

militare¹ **I** *a.* **1.** military: *carriera* ~ military career. – **2.** (*caratteristico dei militari*) military, martial, soldier's: *disciplina* ~ military discipline; *vita* ~ military (*o* the soldier's) life. – **II** *s.m.* **1.** soldier, military man. – **2.** *pl.* ⟨*collett*⟩ military (*costr. pl.*), armed forces *pl*, soldiers *pl*. □ *alla* ~ in military fashion, like a soldier, military: *andatura alla* ~ military bearing (*o* walk); ~ *in servizio permanente* regular soldier.

militạre[2] *v.i.* (**mịlito**; *aus.* **avere**) **1.** (*fare il soldato*) to be a soldier, to serve (in the army), to fight. – **2.** ⟨*fig*⟩ (*operare attivamente*) to support, to militate, to work; (*aderire a un movimento*) to belong to a movement, to be active, to support. – **3.** ⟨*fig*⟩ (*rif. a cose*: *essere di sostegno*) to support, to militate, to be favourable.

militarẹsco *a.* (*pl.* **-chi**) **1.** soldierly, soldier-like, militarist(ic). – – **2.** ⟨*spreg*⟩ militarist(ic). – **militarịsmo** *m.* militarism. – **militarịsta I** *a.* militarist(ic). – **II** *s.m./f.* militarist. – **militarịstico** *a.* (*pl.* **-ci**) militarist(ic).

militarizzạre *v.t.* **1.** to militarize: ~ *una fabbrica* to militarize a factory. – **2.** (*fortificare*) to militarize, to fortify. – **militarizzạto** (*p.p. di militarizzare*) *a.* militarized. – **militarizzaziọne** *f.* militarization.

militarmẹnte *avv.* **1.** militarily, in a military manner. – **2.** ⟨*fig*⟩ (*rigidamente*) severely, rigidly, inflexibly.

mịlite *m.* **1.** ⟨*lett*⟩ (*soldato*) soldier, militiaman; (*guerriero*) warrior. – **2.** ⟨*fig*⟩ soldier, militant, supporter. – **3.** (*chi appartiene a speciali corpi militarizzati*) guardsman, militiaman. – **4.** ⟨*Stor.rom*⟩ legionary. □ *-i di Cristo* (*cristiani*) soldiers of Christ; (*missionari*) missionaries *pl*; ≈ *ignoto* Unknown Soldier.

militesẹnte I *a.* ⟨*burocr*⟩ exempt from military service. – **II** *s.m.* person who is exempt from military service; (*che ha già fatto il servizio militare*) person who has done his military service.

milịzia *f.* **1.** military life (*o* profession), soldiering. – **2.** (*speciale corpo armato*) militia; (*esercito*) army. – **3.** *pl.* forces *pl*, troops *pl*. – **4.** ⟨*fig*⟩ (*lotta*) struggle. – **5.** ⟨*fig*⟩ (*cristiani*) Christians *pl*, Christianity. – **6.** ⟨*poet*⟩ (*schiera*) host: *le -e celesti* the Heavenly Host. – **7.** ⟨*ant*⟩ (*arte della guerra*) warfare, art of war. – **8.** ⟨*ant*⟩ (*grado di cavaliere*) knighthood, knightly rank. – **9.** ⟨*ant*⟩ (*funzionari di corte*) court officials *pl*.

□ ⟨*Stor*⟩ *-e* **ausiliarie** auxiliary troops; ⟨*Stor*⟩ *-e* **cittadine** militia; ~ **civica** militia, civic guard; ~ **coloniale** colonial militia; ~ **confinaria** frontier militia; ⟨*Stor.rom*⟩ ~ **equestre** cavalry, militia equestris; ~ **ferroviaria** railway militia; *-e* **irregolari** irregular troops; *-e* **mercenarie** mercenary troops; ~ **navale** navy, sea forces; ~ **nazionale** national guard, home reserve; ~ **stradale** highway militia; ~ **terrestre** land forces, army; ~ **territoriale** territorial army.

miliziạno *m.* **1.** militiaman. – **2.** ⟨*rar*⟩ (*milite*) (volunteer) soldier. – **milizịotto** *m.* ⟨*ant*⟩ (*miliziano*) militiaman.

millạnta *a.inv.* ⟨*fam,scherz*⟩ (*mille*) a thousand, thousands of, a host of.

millantamẹnto *m.* bragging, boasting, vaunting.

millantamịla *a.inv.* ⟨*fam,iperb*⟩ thousands of, a vast number of, ⟨*fam*⟩ loads of.

millantạre *v.t.* to brag about, to boast of: ~ *le proprie avventure* to boast of one's adventures; (*simulare*) to vaunt. – **millantarsi** *v.r.* to brag, to boast: *millantarsi ricco* to brag (*o* boast) that one is rich, to boast of one's riches. – **millantạto** (*p.p. di millantare*) *a.* much vaunted. □ ⟨*Dir*⟩ ~ *credito* false pretence. – **millantatọre I** *s.m.* (*f.* **-trice**) boaster, braggart, swaggerer, ⟨*fam*⟩ show-off. – **II** *a.* boastful, bragging. – **millantatụra** *f.* ⟨*rar*⟩ → **millanteria**. – **millanterịa** *f.* **1.** boastfulness, swaggering. – **2.** ⟨*concr*⟩ brag(ging), boast(ing), swagger(ing), vaunt(ing). – **millạnto** *m.* ⟨*ant*⟩ → **millanteria**.

mịlle *a./s.inv.* **I** *a.* **1.** a (*o* one) thousand: ~ *luci* a thousand lights. – **2.** (*circa mille*) (about) a thousand: *ci saranno state* ~ *persone* there must have been about a thousand people. – **3.** (*millesimo*) thousandth. – **4.** ⟨*iperb*⟩ (*molti, parecchi*) hundreds *pl*, thousands *pl*, ⟨*fam*⟩ lots *pl*, ⟨*fam*⟩ masses *pl*. – **II** *s.m.* **1.** (*numero*) one (*o* a) thousand. – **2.** (*migliaio*) about a thousand. – **3.** (*anno mille*) year one thousand: *nel* ~ in the year one thousand; (*secolo undicesimo*) eleventh century. – **Mille** *m.pl.* ⟨*Stor*⟩ (Garibaldi's) Thousand: *lo sbarco dei* ≈ the landing of the Thousand.

□ **a** ~ *a* ~ in thousands, by the thousand, in great numbers; *mi sembrano* ~ **anni** it seems an age; **biglietto** *da* ~ (*lire*) a thousand lira note; ~ **e** ~ very, extremely, greatly; ~ **grazie** thank you very much; ⟨*Lett*⟩ *le -e e una* **notte** the Thousand and One Nights, the Arabian Nights; **per** ~ per (*o* out of a) thousand: *tre per* ~ three out of a thousand; *ti faccio* ~ **scuse** I'm very (*o* terribly) sorry.

millecẹnto *a./s.inv.* **I** *a.* one thousand one hundred, eleven hundred. – **II** *s.m.* twelfth century. – **III** *s.f./m.* ⟨*Aut*⟩ eleven hundred.

millẹcuplo ⟨*rar*⟩ **I** *a.* thousandfold. – **II** *s.m.* a thousand times more.

mille|fạnti (*o mịlle fạnti*) *m.pl.* ⟨*Gastr*⟩ soup (made with breadcrumbs or flour). – **~fiọri** *m.inv.* **1.** (*liquore*) liqueur (made from flower essences). – **2.** ⟨*Zootecn*⟩ Mille Fleur. – **3.** ⟨*Vetr*⟩ millefiori. – **~fọglie** *m.inv.* **1.** ⟨*Dolc*⟩ cream puff. – **2.** ⟨*Bot*⟩ (*millefoglio*) milfoil, yarrow (*Achillea millefolium*). – **~fọglio** *m.* **1.** ⟨*Bot*⟩ milfoil, yarrow (*Achillea millefolium*). – **2.** ⟨*Zool*⟩ (*omaso*) omasum. □ ⟨*Bot*⟩ ~ *d'acqua* water-milfoil (*Myriophyllum verticillatum*).

Millemịglia *N.pr.f./f.pl.* ⟨*Aut*⟩ thousand-mile (car) race.

millenạrio I *a.* **1.** (*che dura mille anni*) millennial, millenary, millenarian: ⟨*Rel*⟩ *l'impero* ~ millenary empire. – **2.** (*che è vecchio di più millenni*) millenary, thousands of years old. – **3.** (*che ricorre ogni mille anni*) millenary. – **4.** (*rif. alla leggenda dell'anno mille*) millenarian. – **II** *s.m.* **1.** millennium: *il* ~ *della fondazione di Roma* the millennium of the founding of Rome. – **2.** ⟨*non com*⟩ (*millenarista*) millenarian, millenarist.

millenarịsmo *m.* ⟨*Rel*⟩ millenarism. – **millenarịsta I** *a.* millenarian. – **II** *s.m./f.* millenarist, millenarian, millennialist. – **millenarịstico** *a.* (*pl.* **-ci**) millenarian.

millẹnne *a.* ⟨*non com*⟩ **1.** (*millenario*) millenary. – **2.** (*che dura da più millenni*) millennial. – **millẹnnio** *m.* **1.** millennium. – **2.** (*rif. alla leggenda dell'anno mille*) millennium.

mille|pịedi *m.inv.* ⟨*Zool*⟩ millipede, millepede. – **~rịghe** *m.inv.* ⟨*Tess*⟩ ribbed piqué.

millẹsimo I *a.* thousandth. – **II** *s.m.* **1.** thousandth. – **2.** (*millesima parte*) thousandth (part). – **3.** (*anno*) year. – **4.** ⟨*non com*⟩ (*data*) date. – **5.** ⟨*ant*⟩ (*millennio*) millennium, thousand years *pl*. – **millẹsmo** *a./s.* ⟨*ant*⟩ → **millesimo**.

milli... *pref.* (*millesima parte* thousandth) milli...

milli|ampẹre *m.inv.* ⟨*El*⟩ milliampere. – **~amperọmetro** *m.* milliammeter. – **~bạr** *m.* ⟨*Fis*⟩ millibar. – **~curịe** *m.inv.* millicurie. – **~grạmmo** *m.* milligram(me). □ ⟨*Fis*⟩ ~*-ora* milligramme-hour. – **~lịtro** *m.* millilitre. – **~metrạre** *v.t.* (**millịmetro**) to divide into millimetres, to mark off in millimetres. – **~metrạto** (*p.p. di millimetrare*) *a.* millimetric. – **~mẹtrico** *a.* (*pl.* **-ci**) **1.** millimetric. – **2.** (*lungo un millimetro*) one millimetre (long). – **3.** ⟨*fig*⟩ (*piccolissimo*) minute, tiny.

millị|metro *m.* millimetre. – **~mịcron** *m.* millimicron. – **~mọle** *f.* millimole.

milliọne *m.* ⟨*pop*⟩ → **milione**.

milli|secọndo *m.* millisecond. – **~vọlt** *m.* ⟨*El*⟩ millivolt. – **~voltmetro** *m.* millivoltmeter.

Milọne *N.pr.m.* ⟨*Stor*⟩ Milo.

milonịte *f.* ⟨*Min*⟩ mylonite. – **milonịtico** *a.* (*pl.* **-ci**) mylonitic, cataclastic. – **milonitizzaziọne** *f.* mylonization, mylonitization.

milọrd *ingl.m.* **1.** milord. – **2.** ⟨*scherz*⟩ lord, person who puts on airs, fine gentleman (*o* fellow). – **milordịno** *m. dim. di* **milord**. – **milọrdo** *m.* **1.** (*milord*) milord. – **2.** ⟨*Zool*⟩ (*biacco*) rat snake, coluber (*Zamenis gemonensis*).

milrẹis *port.* [-ʃ] *m.* ⟨*Numism*⟩ milreis.

miluọgo *m.* (*pl.* **-ghi**) ⟨*ant*⟩ **1.** (*ambiente*) surroundings *pl*, milieu, environment. – **2.** (*centro*) centre, middle.

mịlza *f.* ⟨*Anat,Gastr*⟩ spleen, milt.

milzadẹlla *f.* ⟨*Bot*⟩ (*dolcimele*) spotted dead-nettle (*Lamium maculatum*).

Milzịade *N.pr.m.* ⟨*Stor*⟩ Miltiades.

mịlzo *a.* ⟨*ant*⟩ (*smilzo*) thin, slender.

mịma *f.* ⟨*Teat*⟩ mime. – **mimạre** *v.t.* to mime.

mimạridi *m.pl.* ⟨*Entom*⟩ mymarids *pl* (*Mymaridae*).

mimeografạre *v.t.* (**mimeọgrafo**) ⟨*non com*⟩ to mimeograph. – **mimeọgrafo** *m.* mimeograph.

mimẹsco *a.* (*pl.* **-chi**) ⟨*non com,spreg*⟩ (*da mimo*) clownish.

mimẹsi *f.* ⟨*lett*⟩ **1.** ⟨*Filos*⟩ mimesis, imitation. – **2.** ⟨*non com*⟩ (*imitazione*) mimicry, imitation.

mimesịa *f.* ⟨*Min*⟩ mimetry, pseudosymmetry.

mimetesịte *f.* → **mimetite**.

mimẹtica *f.* ⟨*non com*⟩ (*arte dell'imitare*) mimicry, imitation.

mimẹtico *a.* (*pl.* **-ci**) **1.** (*imitativo*) mimetic, imitative: *facoltà -a* imitative faculty. – **2.** ⟨*Zool,Min*⟩ mimetic. – **3.** (*mimetizzante*) camouflage-: *vernice -a* camouflage (paint). – **4.** ⟨*Mil*⟩ (*mimetizzato*) camouflaged.

mimetịsmo *m.* **1.** ⟨*Biol*⟩ mimetism, mimicry. – **2.** (*mimetizzazione*) camouflage: ~ *bellico* military camouflage. – **3.** ⟨*fig,spreg*⟩ (political) opportunism, timeserving, trimming.

mimetịte *f.* ⟨*Min*⟩ mimetite.

mimetizzạre *v.t.* ⟨*Mil*⟩ to camouflage: ~ *un accampamento* to camouflage a camp. – **mimetizzarsi** *v.r.* **1.** ⟨*Mil*⟩ to camouflage o.s. – **2.** ⟨*Zool*⟩ to mimic. – **3.** ⟨*fig*⟩ to be a timeserver (*o* an opportunist). – **mimetizzạto** (*p.p. di mimetizzare*) *a.* ⟨*Mil*⟩ camouflaged. – **mimetizzaziọne** *f.* **1.** ⟨*Mil*⟩ camouflage. – **2.** ⟨*Zool*⟩ mimicry.

mimiạmbo *m.* ⟨*Lett*⟩ mimiambi *pl*.

mịmica *f.* **1.** mime; (*pantomima*) pantomime. – **2.** ⟨*estens*⟩ (*gesticolazione*) gesticulation; (*gesti*) gestures *pl*. – **mimicamẹnte** *avv.* mimically; (*mediante gesti*) by gestures. – **mịmico** *a.* (*pl.* **-ci**) **1.** mimic, of mime. – **2.** (*ricco di mimica*) mimetic: *linguaggio* ~ mimetic language, language of gestures. □ *arte -a* (art of) mime.

Mịmma *N.pr.f.* ⟨*vezz*⟩ Emmy.

mimmịno *m.* (*f.* **-a**) *dim. di* **mimmo**. – **mịmmo** *m.* (*f.* **-a**) ⟨*infant*⟩ (*bimbo*) child, little boy (*f* girl). □ ⟨*tosc,infant*⟩ *andare a -i* (*andare a spasso*) to go for a walk.

Mịmmo *N.pr.m.* ⟨*vezz*⟩ **1.** (*Emilio*) Emil. – **2.** (*Domenico*) Dominic.

mịmo[1] *m.* (*f.* **-a**) **1.** (*attore*) mime, actor; (*nel teatro greco*) mime. – **2.** (*tipo di rappresentazione teatrale*) mime. – **3.** ⟨*spreg*⟩ (*istrione*) clown, buffoon.

mịmo[2] *m.* ⟨*Ornit*⟩ mocking-bird (*Mimus polyglottus*).

mimodrạmma *m.* ⟨*Mus*⟩ pantomime (with music). – **mimọgrafo** *m.* ⟨*Stor*⟩ mimographer, writer of mimes.

mimọsa *f.* ⟨*Bot*⟩ mimosa (*Mimosa*). – **mimosạcee** *f.pl.* mimosas *pl* (*Mimosaceae*).

mịmulo *m.* ⟨*Bot*⟩ **1.** mimulus, monkey flower (*Mimulus*). – **2.** musk (*Mimulus moschatus*).

min = **1.** *minuto* minute (*abbr.* min., m.). – **2.** *minimo* minimum (*abbr.* min.).

mịna[1] *f.* **1.** mine. – **2.** (*foro, cunicolo*) mine. – **3.** (*della matita*) lead

– **4.** ⟨*Entom*⟩ mine. – **5.** ⟨*ant*⟩ (*miniera*) mine. – **6.** ⟨*ant*⟩ (*cunicolo sotterraneo*) mine, underground passage.
□ ~ **anticarro** anti-tank mine; ~ *a* **contatto** contact mine; ~ *da* **fondo** ground mine; ~ **galleggiante** floating mine; ~ *di* **grafite** pencil lead; ~ **magnetica** magnetic mine; ~ **mancata** unexploded mine, misfire; ~ *di* **ricambio** (*rif. a matita*) refill, spare lead; ~ **subacquea** submarine (*o* torpedo) mine; ~ **terrestre** land mine; ~ **vagante** drifting mine.
mịna² *f.* ⟨*Stor.gr*⟩ mina.
mịna³ *f.* (*unità di misura per aridi*) old measure of capacity (about half a bushel).
minaccẹvole *a.* ⟨*lett*⟩ → **minaccioso.**
minạccia *f.* (*pl.* **-ce**) **1.** threat, menace. – **2.** ⟨*fig*⟩ (*pericolo*) threat, danger; (*danno, pregiudizio*) threat, menace: ~ *per la salute* threat to one's health. – **3.** ⟨*Dir*⟩ use of threats; (*comminazione*) commination.
minacciamẹnto *m.* ⟨*rar*⟩ (continual) threats *pl*, threatening. – **minacciạnte** (*p.pr. di minacciare*) *a.* threatening, menacing.
minacciạre *v.t.* (**minạccio, minạcci**) **1.** to threaten, to menace: ~ ⌜*la morte a qd.*⌝ (*o qd. di morte*) to threaten s.o. with death, to threaten to kill s.o. – **2.** ⟨*fig*⟩ (*costituire un pericolo*) to threaten, to be a threat (*o* danger) to. – **3.** ⟨*fig*⟩ (*far presentire*) to threaten, to look like: *il muro minaccia di crollare* the wall ⌜is threatening to fall⌝ (*o* looks like falling); *il cielo minaccia tempesta* the sky is threatening, it looks as if there's a storm brewing up. – **4.** ⟨*fig*⟩ (*ergersi*) to rise (*o* loom) up against, to tower up in: *alti monti minacciano il cielo* lofty mountains tower up in the sky; (*incombere*) to hang over, to loom up above. – **5.** ⟨*scherz,iron*⟩ to threaten. □ *le nubi minacciano pioggia* it looks like rain.
minacciạto (*p.p. di minacciare*) *a.* **1.** threatened, menaced, in danger. – **2.** ⟨*scherz,iron*⟩ threatened. – **minacciatọre** *m.* (*f.* **-trice**) ⟨*non com*⟩ threatener. – **minacciẹvole** *a.* ⟨*ant*⟩ → **minaccioso.** – **minạccio** *m.* ⟨*ant*⟩ → **minaccia.** – **minacciosamẹnte** *avv.* threateningly. – **minacciọso** *a.* threatening, menacing; (*che costituisce pericolo*) threatening, dangerous. – **minạce** *a.* ⟨*poet*⟩ → **minaccioso.**
minạre *v.t.* **1.** to mine: ~ *un campo* to mine a field. – **2.** ⟨*fig*⟩ (*insidiare*) to undermine: ~ *la reputazione di qd.* to undermine s.o.'s reputation.
minarẹto *m.* minaret.
minạto (*p.p. di minare*) *a.* **1.** mined. – **2.** ⟨*fig*⟩ undermined. □ *zona -a* minefield.
minatọre *m.* **1.** miner. – **2.** ⟨*Mil*⟩ sapper, miner. □ ~ *di carbone* coal-miner, collier; ~ *picconiere* pickman, hewer.
minatọrio *a.* threatening, menacing: *lettera -a* threatening letter.
mịnchia *f.* ⟨*region,triv*⟩ **1.** (*membro virile*) penis, ⟨*triv*⟩ prick. – **2.** ⟨*esclam*⟩ well I'll be damned. – **3.** (*appellativo ingiurioso*) idiot, ⟨*triv*⟩ prick. □ ⟨*Itt,region*⟩ ~ *di re* rainbow wrasse (*Coris iulis*).
minchiạte *f.pl.* ⟨*ant*⟩ (*carte da gioco fiorentine*) minchiates *pl.*
minchionạggine *f.* ⟨*volg*⟩ **1.** foolishness, idiocy. – **2.** ⟨*concr*⟩ foolish talk (*o* behaviour), nonsense.
minchionạre *v.t.* (**minchiọno**) **1.** (*canzonare*) to make fun (*o* a fool) of, to poke fun at, to ridicule, to mock. – **2.** (*imbrogliare*) to take in, to cheat, to swindle, ⟨*fam*⟩ to do. – **3.** ⟨*assol*⟩ to joke, ⟨*fam*⟩ to kid, ⟨*fam*⟩ to fool: *è vero, non minchiono* it's true, I'm not kidding.
minchionatọre *m.* (*f.* **-trice**/*pop.* **-tora**) joker, mocker. – **minchionatọrio** *a.* mocking, derisive, ridiculing, sneering. – **minchionatụra** *f.* ⟨*volg*⟩ **1.** mocking, joking; (*azione*) mockery, derision, ⟨*fam*⟩ leg-pull. – **2.** (*danno*) swindle, fraud, trick, hoax, cheat. □ *prendere una* ~ to be taken in, to get hoaxed (*o* tricked).
minchioncẹllo, minchioncịno (*dim. di minchione*) **I** *a.* foolish, simple. – **II** *s.m.* (*f.* **-a**) fool, simpleton, ⟨*fam*⟩ dope.
minchiọne (*accr. di minchia*) ⟨*volg*⟩ **I** *s.m.* **1.** (*persona sciocca*; *f.* **-a**) fool, idiot, ⟨*fam*⟩ dope, ⟨*fam*⟩ nitwit. – **2.** *pl.* (*testicoli*) testicles *pl*, ⟨*volg*⟩ balls *pl.* – **3.** *pl.* ⟨*esclam*⟩ well I'll be blowed (*o* damned), my goodness, by Jove. – **II** *a.* foolish, stupid, simple. □ *fare il* ~ to play dumb (*o* the fool), to pretend not to understand; *ogni fedel* ~ even a fool, any fool (*o* idiot), anyone; *fossi* ~*!* do you take me for a fool?; *rimanere come un* ~ to be fooled (*o* taken in).
minchionerịa *f.* ⟨*volg*⟩ **1.** → **minchionaggine.** – **2.** (*sproposito*) blunder, mistake. – **3.** *pl.* (*idee balorde*) foolishness, nonsense; (*inezie*) trifles *pl.*
minciọtto *m.* ⟨*Mar*⟩ heelpiece, tenon, foot of a mast.
mindeliạno *m.* ⟨*Geol*⟩ Mindel.
minẹra *f.* ⟨*ant*⟩ → **miniera.**
minerạle **I** *a.* mineral, inorganic: *colori -i* mineral colours. – **II** *s.m.* **1.** mineral. – **2.** ⟨*Minier*⟩ ore, mineral. – **III** *s.f.* (*bottiglia di acqua minerale*) bottle of mineral water.
□ ~ *d'***argento** silver ore; ~ *di* **ferro** iron ore; ~ *in* **ganga** vein ore; ~ *di* **piombo** lead ore; ~ **polverizzato** smeddum; ~ **povero** lean (*o* low-grade) ore; ~ **schistoso** shale; ~ *di* **stagno** tin ore; ~ *di* **uranio** uranium ore.
mineralịsta *m./f.* (*studioso*) mineralogist, mineralist.
mineralịzzạre *v.t.* to mineralize. – **mineralizzarsi** *v.r.* to mineralize, to become mineralized. – **mineralizzạto** (*p.p. di mineralizzare*) *a.* mineralized. – **mineralizzatọre** **I** *s.m.* (*f.* **-trice**) mineralizer. – **II** *a.* mineralizing: *agenti -i* mineralizing agents. – **mineralizzaziọne** *f.* mineralization.
mineralogịa *f.* mineralogy. – **mineralọgico** *a.* (*pl.* **-ci**) mineralogical. – **mineralogịsta** *m./f.* mineralogist, mineralist. – **minerạlogo** *m.* (*pl.* **-gi**; *f.* **-a**) ⟨*non com*⟩ → **mineralogista.**
minerạrio *a.* **1.** (*che riguarda le miniere*) mining: *ingegnere* ~ mining engineer. – **2.** (*che riguarda i minerali*) ore-: *giacimento* ~ ore deposit.
minero|gẹnesi *f.* science of the origin and transformation of minerals. – **~gẹnico** *a.* (*pl.* **-ci**) minerogenetic: *epoca -a* minerogenetic (*o* metallogenetic) epoch. – **~sịntesi** *f.* artificial reproduction of minerals.
minẹrva¹ *f.* ⟨*Med*⟩ plaster cast for the head, neck and bust.
minẹrva² *m.inv.* (generally in pl.) (kind of) safety match.
Minẹrva *N.pr.f.* ⟨*Mitol*⟩ Minerva.
minervạli *f.pl.* ⟨*Stor.rom*⟩ (*anche feste minervali*) Minerva's festival.
minẹstra *f.* **1.** soup. – **2.** (*primo piatto del pasto*) first course. – **3.** (*cibo quotidiano*) daily bread. – **4.** ⟨*fig*⟩ (*faccenda, questione*) matter, situation, story, business: *è una* ~ *che non mi va* I don't like this business (*o* matter); *è tutta un'altra* ~ that's a different matter, ⟨*fam*⟩ that's a different kettle of fish.
□ ⟨*rar*⟩ ~ **asciutta** pasta (without broth); ~ *in* **brodo** (*di pastina*) noodle soup, pasta in clear broth; (*di riso*) rice soup; ⟨*fig*⟩ *può* **farsi** *la* ~ *come gli piace* he can do as he likes; ⟨*fig*⟩ *una* ~ **fredda** an insipid (*o* a dull) person, ⟨*fam*⟩ a drip; **lavorare** *per la* ~ to work for a crust; ⟨*fig*⟩ **perdere** *la* ~ (*perdere il posto*) to lose one's job (*o* livelihood), ⟨*fam*⟩ to get the sack (*o* boot); ⟨*fig*⟩ ~ **riscaldata** old hat; ~ *di* **riso** rice dish; ⟨*fig*⟩ *trovare la* ~ *bell'e* **scodellata** to find one's work already done for one; ⟨*fig*⟩ *è sempre la* **stessa** ~ it's the same old story; ⟨*fig*⟩ *mangiare la* ~ *in* **testa** *a qd.* to tower (*o* be head and shoulders) above s.o.; ~ **vegetale** (o *di verdura*) vegetable soup. – *Prov.*: *o mangiar questa* ~ *o saltar questa finestra* take it or leave it, to like it or lump it.
minestrạccia *f.* (*pl.* **-ce**) *pegg. di* **minestra.** – **minestrạio** ⟨*fam*⟩ **I** *a.* very fond of soup. – **II** *s.m.* (*f.* **-a**) great soup-eater. – **minestrạre** *v.t.* (**minẹstro**) ⟨*region*⟩ **1.** (*scodellare*) to serve up, to ladle out, to dish up. – **2.** (*servire*) to serve.
minestrẹllo, minestriẹre *m.* → **ministrello.**
minestrịna (*dim. di minestra*) *f.* broth, thin (*o* clear) soup; (*minestra in brodo*) noodle soup. – **minestrọna** *f. accr. di* **minestra.** – **minestrọne** (*accr. di minestra*) *m.* **1.** minestrone. – **2.** ⟨*fig*⟩ (*miscuglio, confusione*) mixture, jumble, hodge-podge.
minette *fr.* [mi'nɛt] *f.* ⟨*Geol*⟩ minette.
mịngere *v.i.* (**mịngo, mịngi; mịnsi**; no past participle or compound tenses) ⟨*non com*⟩ (*orinare*) to urinate.
mingherlịno *a.* **1.** (*rif. a persona*) thin, slim, lean, slender, ⟨*fam*⟩ skinny; (*delicato*) delicate, frail, thin. – **2.** (*rif. a cosa*) thin, spindly. – **3.** ⟨*fig*⟩ meagre, scant, slight: *intelligenza -a* meagre intelligence.
minghẹtti *m.inv.* (*sigaro*) kind of cigar.
minghiạle *m.* ⟨*Itt*⟩ (*anche minghiale di scoglio*) forkbeard (*Phycis mediterranea*; *Phycis phycis*).
miniạre *v.t.* (**mịnio, mịni**) **1.** to illuminate, to miniate; (*decorare*) to paint in red lead, to miniate. – **2.** ⟨*fig*⟩ (*dipingere*) to paint ⌜with great finesse⌝ (*o* to perfection); (*scrivere*) to describe minutely (*o* in detail), to write to perfection. – **3.** ⟨*non com*⟩ (*imbellettare*) to paint, to make up.
miniạto (*p.p. di miniare*) *a.* **1.** illuminated, miniated; (*decorato*) miniated. – **2.** ⟨*fig*⟩ finely drawn, highly detailed, beautifully finished. – **miniatọre** *m.* (*f.* **-trice**) **1.** miniaturist; (*di manoscritti*) illuminator, miniator. – **2.** ⟨*fig*⟩ perfectionist, one who pays great attention to detail.
miniatụra *f.* **1.** (*arte*) miniature (painting). – **2.** (*l'arte dell'illustrazione miniata*) illumination, miniating; ⟨*concr*⟩ illumination, miniature. – **3.** ⟨*fig*⟩ miniature. □ *in* ~: 1. in miniature, miniature-; 2. ⟨*fig*⟩ (*piccolissimo*) miniature-; 3. (*rif. a persone*) small, on a small scale: *un commerciante in* ~ a small businessman.
miniaturịna *f. dim. di* **miniatura.** – **miniaturịsta** *m./f.* (*miniatore*) miniaturist; (*di manoscritti*) illuminator, miniator. – **miniaturịstico** *a.* (*pl.* **-ci**) of a miniature, of miniature painting, miniature-.
miniaturizzạto *a.* ⟨*Rad*⟩ miniaturized: *circuito* ~ miniaturized circuit. – **miniaturizzaziọne** *f.* miniaturization.
mịnibus *m.* minibus.
miniẹra *f.* **1.** mine (*anche fig.*). – **2.** ⟨*ant*⟩ (*filone metallifero*) vein, seam. – **3.** ⟨*ant*⟩ (*minerale*) mineral.
□ ~ **abbandonata** abandoned mine; ~ *d'***argento** silver mine; ~ *di* **carbone** coal mine, colliery, coal-pit; **certificato** *di* ~ colliery certificate; ~ *a* **cielo** *aperto* open-cut mine; ~ *di* **diamanti** diamond mine; ~ *di* **ferro** iron mine; ~ *d'***oro** gold mine; ~ *a* **pozzo** drift mine; ~ *di* **sale** salt mine; ~ **sfruttata** worked-out mine.
mini|gọlf *m.* **1.** (*gioco*) miniature golf. – **2.** (*campo*) miniature golf -course. – **~gọnna** *f.* ⟨*Vest*⟩ mini-skirt.
mịnima *f.* **1.** ⟨*Mus*⟩ minim, half-note. – **2.** ⟨*Meteor*⟩ minimum.
minimạle **I** *a.* minimal, minimum, least possible. – **II** *s.f.* (*tariffa minimale*) minimum charge, lowest rate (possible). – **III** *s.m.* **1.** (*limite minimo*) minimum. – **2.** ⟨*Fot*⟩ small format.
minimalịsmo *m.* ⟨*Pol,rar*⟩ (*menscevismo*) Menshevism. – **minimalịsta** **I** *a.* ⟨*Pol*⟩ minimalist-, Menshevik-. – **II** *s.m./f.* minimalist, Menshevik.
minimamẹnte *avv.* very little. □ *non* ~ not in the least (*o* slightest), not at all, not a bit: *non ci credo* ~ I don't believe it at all.
minimạre *v.* (**mịnimo**) ⟨*ant*⟩ **I** *v.t.* (*menomare*) to lessen, to diminish. – **II** *v.i.* (*aus.* **essere**) to lessen, to diminish.
mịnime *f.pl.* ⟨*Rel*⟩ Minims *pl.*
minịmetro *m.* ⟨*Mecc*⟩ dial gauge.

minimezza *f.* ⟨*non com*⟩ tininess, extreme smallness.
minimi *m.pl.* ⟨*Rel*⟩ Minims *pl.*
minimizzare *v.t.* **1.** to minimize, to reduce to the minimum. – **2.** ⟨*fig*⟩ to minimize, to cut down, ⟨*fam*⟩ to play down. – **minimizzazione** *f.* ⟨*non com*⟩ minimization.
minimo (*sup. di piccolo*) **I** *a.* **1.** minimum, least, slightest: *tariffa -a* minimum (*o* lowest) charge; *senza il ~ sforzo* without the slightest (*o* least) effort; *non ho il ~ dubbio* I haven't the slightest (*o* least) doubt. – **2.** (*piccolissimo*) very small (*o* slight): *una differenza -a* a very small (*o* slight) difference; (*pochissimo*) very little; (*bassissimo*) very low. – **3.** (*il più basso*) lowest, minimum, bottom-: *temperatura -a* lowest temperature; ⟨*Mat*⟩ *~ comun denominatore* lowest common denominator. – **4.** (*ultimo*) lowest: *prezzo ~* lowest price. – **5.** ⟨*iperb*⟩ (*nessuno*) no, any, slightest; *non ne ho la -a idea* I haven't the slightest (*o* faintest) idea, I have no idea. – **6.** ⟨*rar*⟩ (*rif. a persona*: *infimo, ultimo*) meanest, last, lowest: *anche il ~ scolaro lo saprebbe* even the meanest of schoolboys would know. – **II** *s.m.* **1.** least, minimum: *questo è proprio il ~ che possiate fare* this is really the least you can do. – **2.** (*misura, quantità minima*) minimum, least bit. – **3.** ⟨*Mot*⟩ slow running, idling speed: *regolare il ~* to adjust idling speed.

□ **al ~** at (the) least: *mi ci vuole un'ora al ~* it takes me ⌜at least an hour⌝ (*o* an hour at least); ⟨*Mot*⟩ *girare al ~* to idle, to tick over; *tenere il motore al ~* to idle the motor; ⟨*Meteor*⟩ *~* **barometrico** depression, low; *~ di* **esistenza** living wage; *~* **limite** lowest limit; *~ di* **paga** minimum wage; *il ~ della* **pena** the minimum (*o* lightest) penalty; *con una* **spesa** *-a* very cheaply (*o* inexpensively); *ridotto ai -i* **termini** reduced to the simplest terms; *essere ridotto ai -i termini* to be running out, to have very little left; (*avere poco denaro*) to be hard up, ⟨*fam*⟩ to be almost broke; *il motore non* **tiene** *il ~* the motor keeps stalling; *~ di* **velocità** minimum (*o* lowest, bottom) speed.
minimum *lat. m.* **1.** (*minimo*) minimum. – **2.** ⟨*Fot*⟩ small format.
minio *m.* **1.** minium, red lead (oxide). – **2.** ⟨*ant*⟩ (*rossetto*) rouge. □ *~ di ferro* iron minium, Berlin brown.
ministeriale **I** *a.* **1.** (*dei ministri*) ministerial: *decreto ~* ministerial decree. – **2.** (*del ministero*) of the ministry, ministerial. – **3.** (*governativo*) ministerial, governmental; (*del gabinetto*) cabinet-: *crisi ~* cabinet (*o* ministerial) crisis; (*filogovernativo*) pro-government-, ministerial: *giornale ~* pro-government newspaper. – **II** *s.m.* ⟨*Mediev*⟩ ministerial. – **III** *s.f.* (*circolare ministeriale*) ministerial circular.
ministerio *m.* ⟨*ant*⟩ → **ministero.**
ministero *m.* **1.** (*dicastero*) ministry, office, board, ⟨*SU*⟩ department; (*carica di ministro*) ministry; (*edificio*) ministry. – **2.** (*governo*) ministry, government; (*gabinetto*) cabinet, ministry: *formare un nuovo ~* to form a new cabinet. – **3.** ⟨*fig*⟩ (*missione*) mission. – **4.** ⟨*ant*⟩ (*ufficio*) office; (*incarico*) function, task; (*incombenza*) task, duty, charge. – **5.** ⟨*ant*⟩ (*servizio*) ministration, service. – **6.** ⟨*ant*⟩ (*amministrazione*) administration, governing, management.

□ *~ dell'***aeronautica** Air Ministry, ⟨*SU*⟩ Department of the Air Force; *~ dell'***agricoltura** *e foreste* Ministry of Agriculture and Forestry, ⟨*SU*⟩ Department of Agriculture; *~ del* **bilancio** *e della programmazione* Ministry of the Budget and Planning; *~* **chiave** key ministry; *~ del* **commercio** Ministry of Commerce, ⟨*GB*⟩ Board of Trade, ⟨*SU*⟩ Department of Commerce; *~ per il commercio con l'estero* Ministry of Foreign Trade; ⟨*Stor*⟩ *~ delle* **corporazioni** Ministry of Corporations; *~ della* **difesa** Ministry of Defence, ⟨*SU*⟩ Department of Defense; *~ dell'***economia** *nazionale* Ministry of the Economy, ⟨*GB*⟩ Board of Trade, ⟨*SU*⟩ Department of Commerce; *~ degli (affari)* **esteri** Ministry of Foreign Affairs, ⟨*GB*⟩ Foreign Office, ⟨*SU*⟩ Department of State; *~ delle* **finanze** Ministry of Finance, ⟨*GB*⟩ Exchequer, ⟨*SU*⟩ (Department of the) Treasury; *~ di* **grazia** *e giustizia* Ministry of Justice, ⟨*GB*⟩ Lord Chancellor's Department, ⟨*SU*⟩ Department of Justice; *~ della* **guerra** Ministry of War, ⟨*GB*⟩ War Office; *~ dell'***industria** *e commercio* Ministry of Industry and Commerce, ⟨*GB*⟩ Board of Trade, ⟨*SU*⟩ Department of Commerce; *~* ⌜*dell'***interno**⌝ (*o degli interni*) Ministry of the Interior, ⟨*GB*⟩ Home Office, ⟨*SU*⟩ Department of the Interior; *~ della pubblica* **istruzione** Ministry of Public Education, ⟨*GB*⟩ Ministry of Education, ⟨*SU*⟩ Department of Health, Education, and Welfare; *~ dei* **lavori** *pubblici* Ministry of Public Works; *~ del lavoro e della previdenza sociale* Ministry of Labour and Social Security, ⟨*GB*⟩ Ministry of Labour, ⟨*SU*⟩ Department of Labor; *~ della* **marina** Navy Ministry, ⟨*GB*⟩ Admiralty, ⟨*SU*⟩ Department of the Navy; *~ della marina mercantile* Ministry of the Merchant Marine; *~ delle* **partecipazioni** *statali* Ministry of State Economic Participation; *~ delle* **poste** *e delle telecomunicazioni* Ministry of the Postal and Telecommunication Services, ⟨*GB*⟩ Post Office, ⟨*SU*⟩ Post Office Department; ⟨*Dir*⟩ **pubblico** *~* Public Prosecutor, ⟨*SU*⟩ Prosecuting Attorney; (*ufficio*) Public Prosecutor's office; *~* **sacerdotale** sacred ministry, priesthood; *~ della* **sanità** Ministry of Health, ⟨*SU*⟩ Department of Health, Education and Welfare, *~ del* **tesoro** Ministry of the Treasury, ⟨*GB*⟩ Treasury, ⟨*SU*⟩ (Department of the) Treasury; *~ di* **transizione** transition government; *~ dei* **trasporti** *e dell'aviazione civile* Ministry of Public Transport and Civil Aviation; *~ del* **turismo** *e dello spettacolo* Ministry of Tourism and Entertainment.
ministra *f.* **1.** ⟨*lett*⟩ ministress. – **2.** ⟨*scherz*⟩ (*ministressa*) (woman) minister; (*moglie di ministro*) minister's wife. – **3.** ⟨*lett*⟩ (*sacerdotessa*) priestess.
ministrare **I** *v.t.* **1.** ⟨*ant*⟩ (*servire*) to minister to, to serve, to assist. – **2.** ⟨*ant*⟩ (*amministrare*) to (ad)minister, to dispense. – **3.** ⟨*lett*⟩ (*somministrare*) to supply, to furnish, ⟨*ant*⟩ to minister. – **II** *v.i.* (*aus.* **avere**) ⟨*ant*⟩ **1.** (*servire*) to minister (*a* to), to serve (s.o.). – **2.** ⟨*Lit*⟩ to assist (s.o.) during Mass.
ministrello *m.* ⟨*ant*⟩ (*menestrello*) minstrel.
ministressa *f.* ⟨*scherz*⟩ **1.** (*ministro donna*) (woman) minister. – **2.** (*moglie di ministro*) wife of a minister, minister's wife.
ministriere, ministriero *m.* → **ministrello.**
ministro *m.* **1.** minister (*anche Dipl.*). – **2.** ⟨*fig*⟩ (*divulgatore*) minister, propagator, preacher; (*strumento*) minister, agent, instrument. – **3.** (*amministratore*) minister, administrator; (*esecutore*) executor. – **4.** (*capo di comunità religiosa*) minister; (*protestante*) clergyman, vicar; (*cattolico*) priest; (*superiore di un ordine religioso*) minister, minister-general. – **5.** ⟨*lett*⟩ (*servitore*) servant, attendant, ⟨*ant*⟩ minister: *-i di Dio* servants of God. – **6.** ⟨*Ornit*⟩ indigo-bird (*Passerina cyanea*).

□ *~ dell'***agricoltura** *e delle foreste* Minister of Agriculture and Forestry, ⟨*SU*⟩ Secretary of Agriculture; ⟨*region*⟩ *~ di* **campagna** (*fattore*) estate agent, bailiff; ⟨*Dipl*⟩ *~* **consigliere** minister counsellor; **Consiglio** *dei -i* Cabinet; *Presidente del Consiglio dei -i* = **primo** *ministro*; *~ del* **culto** minister of religion; *~ della* **difesa** Minister of Defence, ⟨*SU*⟩ Secretary of Defense; *~ degli (affari)* **esteri** Minister of Foreign Affairs, ⟨*GB*⟩ Foreign Secretary, ⟨*SU*⟩ Secretary of State; *~ delle* **finanze** Finance Minister, ⟨*GB*⟩ Chancellor of the Exchequer, ⟨*SU*⟩ Secretary of the Treasury; ⟨*lett*⟩ *-i della* **giustizia** (*magistrati*) judges *pl*, magistrates *pl*; *~ di* **grazia** *e giustizia* Minister of Justice, ⟨*GB*⟩ Lord (High) Chancellor, ⟨*SU*⟩ Attorney General; *~ della* **guerra** Minister of War, ⟨*GB*⟩ Secretary (of State) for War; *~* ⌜*dell'***interno**⌝ (*o degli interni*) Minister of the Interior, ⟨*GB*⟩ Home Secretary, ⟨*GB*⟩ Secretary of State for Home Affairs, ⟨*SU*⟩ Secretary of the Interior; *~ per il* **lavoro** *e la previdenza sociale* Minister of Labour and Social Security, ⟨*SU*⟩ Secretary of Labor; *a* **livello** *di -i* at ministerial level; *~ della* **marina** Navy Minister, ⟨*GB*⟩ First Lord of the Admiralty, ⟨*SU*⟩ Secretary of the Navy; ⟨*Dipl*⟩ *~* **plenipotenziario** minister plenipotentiary; *~ senza* **portafoglio** minister without portfolio; *~ delle* **poste** Postmaster General; **primo** *~* Prime Minister, Premier; ⟨*Dipl*⟩ *~* **residente** minister resident; ⟨*Rel*⟩ *~ dei* **sacramenti** administrator of the sacraments; *~ della* **sanità** Minister of Health, ⟨*SU*⟩ Secretary of Health, Education and Welfare; *~* **segretario** *di stato* minister; *~ di* **stato** cabinet minister, minister of state; *~ del* **tesoro** Minister of the Treasury, ⟨*GB*⟩ Chancellor of the Exchequer, ⟨*SU*⟩ Secretary of the Treasury.
minoico *a.* (*pl.* **-ci**) ⟨*Archeol*⟩ Minoan: *civiltà -a* Minoan civilization.
minoranza *f.* **1.** minority. – **2.** ⟨*ant*⟩ (*l'essere minore*) minority.

□ *~* **confessionale** religious minority; **essere** *in ~* to be a (*o* in the) minority; *~* **etnica** ethnic minority; *~* **linguistica** linguistic minority; ⟨*Dir*⟩ *~* **nazionale** national minority; *~* **parlamentare** parliamentary minority; **relazione** *di ~* minority report; *-e* **religiose** religious minorities.
minorare *v.t.* (**minoro**) ⟨*rar*⟩ **1.** (*rendere minore*) to lessen, to diminish; (*danneggiare*) to impair, to harm, to disable; (*indebolire*) to weaken. – **2.** ⟨*Mat*⟩ to diminish.
minorasco *m.* (*pl.* **-chi**) ⟨*Dir*⟩ right of a younger son to inheritance or succession.
minorativo *a.* ⟨*non com*⟩ decreasing, lessening, diminishing.
minorato (*p.p. di minorare*) **I** *a.* **1.** disabled, handicapped. – **2.** ⟨*Mecc*⟩ undersize-. – **II** *s.m.* (*f.* **-a**) disabled person; (*invalido*) invalid; (*subnormale*) subnormal. □ *~ fisico* physically disabled person, cripple; *~ di guerra* disabled war veteran; *~ del lavoro* disabled victim of an industrial accident; *~ psichico* insane person, mental deficient; (*subnormale*) subnormal (person).
minorazione *f.* **1.** (*diminuzione*) diminution, lessening; (*limitazione*) limitation. – **2.** (*l'essere minorato*) disablement. – **3.** ⟨*concr*⟩ disablement, disability, handicap: *soffre di una ~ fisica* he has a physical handicap. – **4.** ⟨*Mat*⟩ diminution.
Minorca *N.pr.f.* ⟨*Geog*⟩ Minorca.
minore (*compar. di piccolo*) **I** *a.compar.* **1.** less, ⟨*attr*⟩ lesser, smaller: *con uno sforzo ~* with less effort; *le sue difficoltà sono -i delle nostre* he has less (*o* fewer) problems than we do; (*più piccolo*) smaller; (*più breve*) shorter, less: *in un tempo ~* in less (*o* a shorter) time; (*più lento*) slower. – **2.** (*più giovane*) younger: *è ~ di te di un anno* he is a year younger than you, he is your junior by a year. – **3.** (*rif. a numeri*) smaller, lower. – **4.** (*minorenne*) under age, minor: *sua figlia è ancora ~* his daughter is still under age. – **5.** (*inferiore*) lower, ⟨*attr*⟩ lesser, inferior: *grado ~* lower rank. – **6.** (*meno importante*) minor, ⟨*attr*⟩ lesser, less important, junior: *i poeti -i* the minor poets. – **7.** (*rif. alle opere minori*) minor (*o* lesser) works *pl*: *il Manzoni ~* Manzoni's minor works. – **8.** ⟨*Mus*⟩ (*rif. a intervalli*) minor: *terza ~* minor third; (*rif. a tonalità, accordi*) minor: *do diesis ~* C sharp minor. – **II** *a.sup.* (always preceded by the definite article) **1.** (*fra due*) lesser: *il ~ fra due mali* the lesser of two evils; (*fra più di due*) least; (*il più piccolo*: *fra due*) smaller; (*fra più di due*) smallest; (*il più breve*: *fra due*) shorter; (*fra più di due*) shortest. – **2.** (*il più giovane*: *fra due*) younger, junior; (*fra più di due*) youngest: *il ~ dei quattro fratelli* the youngest of the four brothers. – **III** *s.m./f.* **1.** (*fra due*) younger brother (*f*

sister); (*fra più di due*) youngest brother (*f* sister). – **2.** (*minorenne*) minor, person under age. – **3.** *pl.* (*rappresentanti meno importanti*) minor representatives *pl.* – **4.** (*chi è inferiore di grado*) inferior, person of lower rank. – **5.** ⟨*Filos*⟩ minor. – **6.** ⟨*Mat*⟩ minor (determinant). – **Minore** *m./f.* (*appellativo*) the Younger: *Catone* ~ Cato the Younger.

□ ⟨*fig,non com*⟩ **andare** *per la* ~ (*avere scarso successo*) to have little success; **arti** *-i*: 1. ⟨*Mediev*⟩ minor arts; 2. (*arti applicate*) applied arts; **età** ~ minority, period of being legally underage; ⟨*Rel*⟩ **Frate** ~ Friar Minor, Minorite; *la minor* **parte** the minority; *a minor* **prezzo** cheaper, at a lower price; ⟨*Rel*⟩ **scomunica** ~ minor (*o* lesser) excommunication; **vietato** *ai -i di anni diciotto* no admittance to persons under eighteen.

minorẹnne I *a.* **1.** ⟨*pred*⟩ under age, minor. – **2.** ⟨*Dir*⟩ ⟨*pred*⟩ under age, minor. – **II** *s.m./f.* **1.** minor, person who is under age. – **2.** ⟨*Dir*⟩ minor, juvenile, person who is under age. □ *vietato ai -i* (for) adults only, no minors, no admittance to persons under age.

minorịle *a.* ⟨*Dir*⟩ juvenile: *delinquenza* ~ juvenile delinquency. □ *essere di età* ~ to be under age, to be a minor.

minorịta *m.* ⟨*Rel*⟩ Friar Minor, Minorite, Franciscan.

minorità *f.* **1.** minority (*anche Dir.*). – **2.** ⟨*ant*⟩ (*minoranza*) minority. □ *essere ancora nella* ~ to be under age, to be a minor; *uscire di* ~ to come of age.

minoritạrio *a.* minority-.

minorịtico *a.* (*pl.* **-ci**) ⟨*Rel*⟩ Minorite-, of the Friars Minor.

Minọsse *N.pr.m.* ⟨*Mitol*⟩ Minos. – **minosse** *m.* ⟨*scherz*⟩ (*giudice severo*) stern judge.

Minotạuro *N.pr.m.* ⟨*Mitol*⟩ Minotaur.

minuẹndo *m.* ⟨*Mat*⟩ minuend.

minuẹtto *m.* minuet.

minụgia *f.* (*pl. le* **minụgia**/*le* **minụgie**) **1.** (*budello*) gut, intestine, bowel; (*per strumenti musicali*) catgut. – **2.** *pl.* (*interiora*) entrails *pl*, guts *pl*, intestines *pl.* – **3.** *pl.* ⟨*rar*⟩ (*corde di strumenti*) strings *pl.* – **minụgio** *m.* → **minugia**.

minuịre *v.* (**minuịsco**, **minuịsci**) ⟨*ant*⟩ **I** *v.t.* (*rendere minore*) to diminish, to lessen, to reduce. – **II** *v.i.* (*aus.* **essere**) (*diventare minore*) to lessen, to diminish, to decrease.

minụscola *f.* small (*o* lower-case) letter, minuscule: ~ *carolingia* Carolingian minuscule. – **minuscolẹtto** *a. dim. di* **minuscolo**.

minụscolo I *a.* **1.** small: *lettera -a* small letter; *scrivere in lettere -e* to write in small letters. – **2.** ⟨*Tip*⟩ lower-case, minuscule. – **3.** ⟨*Paleogr*⟩ minuscule. – **4.** ⟨*estens*⟩ (*piccolissimo*) tiny, minute. – **II** *s.m.* ⟨*Tip*⟩ lower-case (letter), minuscule (letter).

minụta *f.* **1.** draft, minute, rough copy (*o* draft): *stendere la* ~ to make a draft. – **2.** ⟨*ant*⟩ (*menu*) menu, bill of fare.

minutạglia *f.* **1.** ⟨*spreg*⟩ (*rif. a cose*) odds and ends *pl*, bits and pieces *pl*, minutiae *pl*; (*rif. a persone*) unimportant people (*costr. pl.*), small fry (*costr. pl.*). – **2.** (*pesciolini per frittura*) small fish *pl* (for frying). – **minutạme** *m.* ⟨*spreg*⟩ odds and ends *pl*, bits and pieces *pl.*

minutamẹnte *avv.* **1.** (*in piccole parti*) into small pieces, very fine: *tagliare* ~ to cut into small pieces. – **2.** (*minuziosamente*) minutely, in detail, meticulously.

minutạnte *m.* **1.** drafter, minute-writer. – **2.** ⟨*Comm*⟩ (*dettagliante*) retailer. – **3.** ⟨*Rel.catt*⟩ minute-writer.

minutạre *v.t.* **1.** ⟨*burocr*⟩ to draft, to write a minute of, to draw up a rough copy of. – **2.** ⟨*ant*⟩ (*sminuzzare*) to break (*o* cut up) into small pieces. – **3.** ⟨*ant,rar*⟩ (*arare*) to plough in narrow furrows.

minutạrio *m.* **1.** book of minutes, collection of drafts. – **2.** (*copialettere*) (copy) letterbook.

minutẹnza *f.* ⟨*Mar*⟩ **1.** line, string, cord. – **2.** *pl.* lines *pl*, lashing, seizing.

minuterịa *f.* **1.** (*oreficeria minuta*) small jewellery, trinkets *pl*; (*ninnoli*) trinkets *pl*, gew-gaws *pl*, baubles *pl.* – **2.** ⟨*Orol*⟩ motion -work. – **3.** ⟨*rar*⟩ (*minuzia*) trifle, minor detail.

minutẹzza *f.* **1.** minuteness, smallness. – **2.** ⟨*non com*⟩ (*minuzia*) trifle, minor detail.

minutiẹre *m.* **1.** ⟨*Comm*⟩ fancy goods seller, dealer in trinkets or other small articles. – **2.** ⟨*ant*⟩ (*orafo*) worker in small jewellery.

minutịna[1] *f. dim. di* **minuta**.

minutịna[2] *f.* ⟨*Bot*⟩ (*barba di cappuccino*) buckhorn, buckhorn plantain (*Plantago coronopus*).

minutịno[1] *m. dim. di* **minuto**[1].

minutịno[2] (*dim. di minuto*[2]) *a.* minute, small; (*gracile*) slight, slender, frail.

minụto[1] *m.* **1.** minute (*anche Geom.*): *mancano dieci -i alle otto* it is ten (minutes) to eight. – **2.** ⟨*iperb*⟩ (*momento*) minute, moment, instant: *è affare di due -i* it won't take a minute (*o* moment), it will only take a minute (or so).

□ ⟨*Geom*⟩ ~ *di* **arco** minute (of an arc); ⟨*fig*⟩ **contare** *i -i* to look forward: *conto i -i fino al tuo arrivo* I'm looking forward to your arrival, I can hardly wait for you to come; *ho i -i contati* I have very little time; (*sono prossimo a morire*) my time (*o* end) is near; **di** ~ *in* ~ any moment now; ⟨*fig*⟩ **guardare** *il* ~ to count every minute, to be very punctual (*o* time-conscious); *tra* **pochi** *-i* in a few minutes, in a few minutes' time; ~ **primo** minute; ~ **secondo** second; ~ **siderale** sidereal minute; ~ **solare** solar minute; ⟨*fig*⟩ **spaccare** *il* ~: 1. (*rif. a persona*) = **guardare** *il minuto*; 2. (*rif. a orologio*) to be right (*o* dead) on time, to be very accurate.

minụto[2] **I** *a.* **1.** minute, small, tiny: *pezzi -i* small (*o* minute) pieces; *bestiame* ~ small cattle. – **2.** (*sottile*) fine, thin: *una pioggia -a* fine rain, drizzle. – **3.** ⟨*fig*⟩ (*di poco conto*) minor, petty, unimportant, trifling. – **4.** (*delicato*) delicate, fine: *lineamenti -i* delicate features; (*gracile*) slight, slender, frail. – **5.** (*particolareggiato*) minute, detailed, circumstantial; (*preciso*) precise, accurate. – **6.** (*rif. a persona*: *pignolo*) meticulous, scrupulous, over-careful, particular, fussy. – **7.** (*rif. a condizione sociale*) common, lower-class: *gente -a* common people. – **8.** ⟨*ant*⟩ (*spicciolo*) small: *denaro* ~ small change. – **II** *avv.* (*minutamente*) fine, minutely: *tritare* ~ to chop fine; (*in piccoli pezzi*) into small pieces, (very) small. – **III** *s.m.* **1.** (*minuzie*) petty details *pl*, minutiae *pl*, trifles *pl*: *cadere nel* ~ to get bogged down in petty details. – **2.** ⟨*Minier*⟩ lump coal. □ *al* ~ retail-: *commercio al* ~ retailing, retail business (*o* trade); *comprare al* ~ to buy at retail (prices); *per* ~ (*minuziosamente*) meticulously, in (great) detail, scrupulously: *guardare le cose per* ~ to examine things in (great) detail.

minụzia *f.* **1.** (*inezia*) trifle, minor (*o* petty) detail: *perdersi in -e* to get bogged down in trifles; (*dettaglio*) detail, particular. – **2.** *pl.* ⟨*Art*⟩ particulars *pl*, fine details *pl.* – **3.** ⟨*rar*⟩ (*minuziosità*) meticulousness, minuteness. – **4.** ⟨*ant*⟩ (*particella minima*) tiny particle. □ *badare alle -e* to stick at trifles, to be finicky.

minuziosạggine *f.* ⟨*spreg*⟩ **1.** pettiness, minuteness, (extreme) fastidiousness, meticulousness. – **2.** ⟨*concr*⟩ (*cavillo*) cavil, quibble. – **minuziosamẹnte** *avv.* minutely, meticulously. – **minuziosẹtto** *a. dim. di* **minuzioso**. – **minuziosità** *f.* meticulousness, fastidiousness, scrupulousness, minuteness; ⟨*spreg*⟩ pettiness.

minuziọso *a.* **1.** (*rif. a persona*: *scrupoloso*) meticulous, fastidious, scrupulous, precise; ⟨*spreg*⟩ petty, fussy. – **2.** (*rif. a cose*) minute, meticulous, (extremely) detailed, very careful: *esame* ~ very careful (*o* close) examination.

minuzzạglia *f.* ⟨*spreg*⟩ **1.** minutiae *pl*, odds and ends *pl.* – **2.** ⟨*fig*⟩ (*popolino*) common people, lower classes *pl*; ⟨*spreg*⟩ rabble. – **minuzzạme** *m.* ⟨*non com*⟩ → **minuzzaglia**.

minuzzạre *v.t.* ⟨*ant*⟩ (*sminuzzare*) to break into small pieces, to shred; (*tritare*) to chop fine.

minụzzolo *m.* **1.** scrap, (tiny) bit, shred, fragment; (*di cibo*) morsel; (*rif. a pane*) crumb, scrap. – **2.** ⟨*fig*⟩ scrap, jot, ⟨*fam*⟩ bit. – **3.** ⟨*fig, vezz*⟩ (*frugoletto*) little fellow (*o* chap). – **4.** ⟨*fig,scherz*⟩ (*persona piccola*) little fellow, ⟨*fam*⟩ shortie, ⟨*fam*⟩ shrimp; (*ragazzo*) little boy. □ ⟨*fig*⟩ *dare a -i* to give in dribs and drabs; *mandare* (o *ridurre*) *in -i* to break to pieces (*o* smithereens), to smash to bits.

minzionạle *a.* ⟨*Fisiol*⟩ of the urine. – **minziọne** *f.* urination, micturition, miction.

mịo I *a.poss.* **1.** my: *il* ~ *cane* my dog; *molti miei amici* many of my friends, many friends of mine; *in vece -a* in my place; (*mio proprio*) my own: *l'ho visto con i miei occhi* I saw it with my own eyes. – **2.** mine, my own: *questa penna è -a* this pen is mine. – – **3.** (*nelle espressioni ellittiche*) my, *seguito dal sostantivo appropriato*: *voglio dire anch'io la -a* (*opinione*) I want to have my say too; *anch'io ho avuto la -a* (*croce*) I have had my troubles too; *loro stanno dalla -a* (*parte*) they are on my side. – **II** *pron.poss.* mine: *questa casa è più grande della -a* this house is bigger than mine. – **III** *s.m.* **1.** (*averi*) means *pl* (*costr. sing. o pl.*), property (of my own), my resources *pl*, what I have: *vivo del* ~ I have independent means, I have means of my own; *mi contento del* ~ I am satisfied with what I have; *non ho niente del* ~ I have nothing of my own; (*ciò che mi spetta di diritto*) what is mine (*o* due to me). – **2.** *pl.* (*parenti*) the (*o* my) family, my relatives *pl*: *passerò le vacanze con i miei* I will spend the holidays with my family; (*genitori*) my parents *pl*, ⟨*fam*⟩ my folks *pl.*; (*seguaci*) my followers (*o* men) *pl.* □ *sta a casa -a* he is staying ⌜at my house⌝ (*o* with me); ⟨*esclam*⟩ *figlia -a* my (dear) girl; *questa -a* (*lettera*) my letter, this letter; *tesoro* ~ *!* (my) darling!

mio...[1] *pref.* (*muscolo* muscle) my(o)...

mio...[2] *pref.* (*topo* mouse) my(o)...

mio|atonịa *f.* myatonia, myatony. – **~blạsto** *m.* ⟨*Biol*⟩ myoblast. – **~blastọma** *m.* ⟨*Med*⟩ myoblastoma. – **~cardịa** *f.* myocardia. – **~cạrdico** *a.* (*pl.* **-ci**) myocardial, myocardiac: *danno* ~ myocardial damage. – **~cạrdio** *m.* ⟨*Anat*⟩ myocardium. – **~cardiopatịa** *f.* ⟨*Med*⟩ myocardiopathy. – **~cardiosclerọsi** (o *miocardiosclerọsi*) *f.* myocardiosclerosis. – **~cardịte** *f.* myocarditis.

miocẹne *m.* ⟨*Geol*⟩ Miocene (epoch). – **miocẹnico** *a./s.* (*pl.* **-ci**) **I** *a.* Miocene, Miocenic. – **II** *s.m.* → **miocene**.

mio|clonịa *f.* ⟨*Med*⟩ myoclonia. – **~crọmo** *m.* → **mioglobina**. – **~dinịa** *f.* ⟨*Med*⟩ myodynia, myalgia. – **~fibrịlla** *f.* ⟨*Biol*⟩ myofibril(la). – **~fibrillạre** *a.* myofibrillar(y). – **~fibrọma** *m.* ⟨*Med*⟩ myofibroma. – **~fibrọsi** *f.* myofibrosis.

miọgale *f.* ⟨*Zool*⟩ desman (*Desmana*).

miogelọsi *f.* ⟨*Med*⟩ myogelosis.

miọ|geno I *a.* ⟨*Anat*⟩ myogenic, myogenetic, myogenous. – **II** *s.m.* myogen. – **~globịna** *f.* ⟨*Biol*⟩ myoglobin, myoh(a)emoglobin.

miografịa *f.* myography. – **miogrạfico** *a.* (*pl.* **-ci**) myographic. – **miọgrafo** *m.* myograph. – **miogrạmma** *m.* myogram.

mịola *f.* → **mivola**.

miolịtico *a./s.* (*pl.* **-ci**) **I** *a.* ⟨*Geol*⟩ Miolithic, Mesolithic. – **II** *s.m.* Miolithic (*o* Mesolithic) Age.

miologịa *f.* ⟨*Anat*⟩ myology.

miọma *m.* ⟨*Med*⟩ myoma.

miọ|mero *m.* ⟨*Biol*⟩ myomere. – **~mẹtrio** *m.* ⟨*Anat*⟩ myometrium.

– **~metrite** *f.* ⟨*Med*⟩ myometritis. – **~patia** *f.* myopathy. – **~patico** *a.* (*pl.* **-ci**) myopathic.
miope I *a.* **1.** ⟨*Med*⟩ myopic, short-sighted, near-sighted. – **2.** ⟨*fig*⟩ short-sighted, myopic. – **II** *s.m./f.* **1.** ⟨*Med*⟩ myope, near-sighted person. – **2.** ⟨*fig*⟩ short-sighted person. – **miopia** *f.* **1.** ⟨*Med*⟩ myopia, short (*o* near) sight, short-sightedness, near-sightedness. – **2.** ⟨*fig*⟩ short-sightedness, lack of foresight, myopia. – **miopico** *a.* (*pl.* **-ci**) ⟨*non com*⟩ myopic.
miorilassante I *a.* ⟨*Med*⟩ producing muscular relaxation. – **II** *s.m.* muscle relaxant.
miorressi, miorressia *f.* ⟨*Med*⟩ myorrhexis.
miosclerosi (o *miosclerosi*) *f.* ⟨*Med*⟩ myosclerosis.
miosi *f.* ⟨*Med*⟩ miosis, myosis.
miosina *f.* ⟨*Biol*⟩ myosin.
miosite *f.* ⟨*Med*⟩ myositis.
miosota, miosote *f.* ⟨*ant*⟩ → **miosotide**. – **miosotide** *f.* ⟨*Bot*⟩ forget-me-not, myosote (*Myosotis*).
miotico *a./s.* (*pl.* **-ci**) **I** *a.* ⟨*Med,Farm*⟩ miotic, myotic. – **II** *s.m.* ⟨*Farm*⟩ miotic, myotic.
mio|tomia *f.* ⟨*Chir*⟩ myotomy. – **~tonia** *f.* ⟨*Med*⟩ myotonia. – **~tonico** *a.* (*pl.* **-ci**) myotonic.
mir[1] *m.* ⟨*Stor*⟩ mir, Russian village community.
mir[2] *m.* (*tappeto*) kind of Persian carpet.
mira *f.* **1.** aim. – **2.** (*bersaglio*) target, mark. – **3.** ⟨*fig*⟩ (*fine, scopo*) aim, end, goal, object: *ha una sola ~: fare soldi* he has only one aim: to make money; (*intenzione*) intention, aim. – **4.** (*congegno di mira*) sight. – **5.** ⟨*Topogr*⟩ level staff, surveyor's pole.
☐ **angolo** *di ~* angle of sighting; **avere** *delle -e su qd.* to have designs on s.o.; ⟨*fig*⟩ *avere di ~ qc.* to aim (*o* be driving) at s.th., to have s.th. as one's goal; *avere in ~ qc.* (*aspirarvi*) to have one's sights set on s.th., to be aiming at s.th.; *avere in ~ di fare qc.* (*averne l'intenzione*) to intend to do s.th.; *avere una* **buona** *~* to be a good shot; *avere una* **cattiva** *~* to be a poor shot; ⟨*fig*⟩ **cogliere** *la ~* to hit the mark; ⟨*fig*⟩ **dirigere** *la ~ troppo in alto* (*avere aspirazioni ambiziose*) to aim too high; ⟨*lett*⟩ **drizzare** *la ~ a qc.* to aim at s.th.; **linea** *di ~*: 1. line of sight (*o* aim); 2. ⟨*Topogr*⟩ line of collimation; ⟨*fig*⟩ **porre** *la ~ sopra a qd.* to have designs on s.o.; *porre la ~ sopra a qc.* to have one's eye on s.th.; **prendere** *la ~* to take aim; ⟨*fig*⟩ *prendere di ~ qd.* to attack s.o.; *tutte le sue -e sono* **rivolte** *a ciò* he has only one goal before him, he is only interested in achieving this; *~ a* **scopo** target rod; *sparare* **senza** *~* to fire without aiming (*o* taking aim).
mirabella *f.* ⟨*Bot*⟩ mirabelle.
mirabile *a.* **1.** admirable, excellent, wonderful, ⟨*lett*⟩ wondrous. – **2.** (*meraviglioso*) marvellous, wonderful, fantastic; (*straordinario*) extraordinary. – **3.** (*strano*) strange, amazing, unusual. – **4.** ⟨*lett*⟩ (*che produce cose meravigliose*) wonderful, miraculous, wonder-working. – **5.** ⟨*ant*⟩ (*grande*) great.
mirabilia *f.pl.* wonders *pl*: *dire ~ di qd.* to speak wonders of s.o., to praise s.o. to the skies, ⟨*fam*⟩ to rave about s.o. ☐ *promettere ~* to promise the moon.
mirabilità *f.* ⟨*rar*⟩ admirableness. – **mirabilmente** *avv.* **1.** admirably, wonderfully, marvellously. – **2.** (*grandemente*) greatly, extraordinarily; (*perfettamente*) perfectly.
mirabolano[1] *m.* ⟨*region*⟩ (*fanfarone*) braggart, boaster, swaggerer, ⟨*fam*⟩ show-off.
mirabolano[2] *m.* **1.** ⟨*Bot*⟩ cherry (*o* myrobalan) plum (*Prunus cerasifera myrobalana*). – **2.** ⟨*Conc,Farm*⟩ myrobalan.
mirabolante *a.* ⟨*scherz*⟩ (*strabiliante*) amazing, wonderful, astonishing; (*miracoloso*) prodigious, miraculous; (*straordinario*) extraordinary.
miracolaio ⟨*non com*⟩ **I** *a.* apt to believe in miracles (*o* anything). – **II** *s.m.* (*f.* **-a**) → **miracolone**.
miracolare *v.t.* (**miracolo**) ⟨*non com*⟩ to heal miraculously. – **miracolato** (*p.p. di miracolare*) **I** *a.* miraculously-healed, healed through a miracle. – **II** *s.m.* (*f.* **-a**) miraculously-healed person.
miracolismo *m.* ⟨*non com*⟩ utopianism. – **miracolista** *m./f.* ⟨*non com*⟩ utopian. – **miracolistico** *a.* (*pl.* **-ci**) ⟨*non com*⟩ utopian.
miracolo *m.* **1.** miracle. – **2.** ⟨*fig*⟩ (*fatto straordinario*) miracle, wonder: *per ~ non fui investito* it was a miracle I wasn't run over. – **3.** ⟨*fig*⟩ (*cosa meravigliosa*) miracle, wonder, marvel: *i -i della tecnica* the wonders (*o* miracles) of science. – **4.** ⟨*fig*⟩ (*persona straordinaria*) wonder, miracle, prodigy: *un ~ di bellezza* a wonder of beauty. – **5.** *pl.* (*manifestazioni esagerate*) to-do, fuss: *quanti -i per dieci minuti di attesa* all this to-do over ten minutes' wait; (*smancerie*) simpering, affectation. – **6.** ⟨*Mediev*⟩ (*sacra rappresentazione*) miracle (*o* mystery) play. – **7.** ⟨*esclam*⟩ what a miracle (*o* wonder), it's incredible: *ti sei tagliato i capelli: ~!* you've had your hair cut: what a miracle! ☐ *~ economico* economic boom (*o* miracle); *fare -i* to work (*o* perform) miracles; ⟨*fig*⟩ to work wonders: *questa medicina fa -i* this medicine works wonders; *gridare al ~* to shout (*o* claim) that a miracle has taken place; ⟨*fig*⟩ to be astonished, to make a great clamour over s.th.; *raccontare -i di qd.* to praise s.o. to the skies.
miracolone *m.* (*f.* **-a**) credulous person, one who marvels at everything, believer in miracles, miraculist. – **miracolosamente** *avv.* miraculously, surprisingly.
miracoloso I *a.* **1.** miraculous, miracle-working: *immagine -a* miraculous image. – **2.** ⟨*fig*⟩ (*straordinario*) miraculous, extraordinary, wonderful, marvellous, prodigious, miracle-, wonder-working: *medicina -a* miraculous (*o* miracle) drug. – **3.** (*prodotto da miracolo*) miraculous: *guarigione -a* miraculous recovery. – **4.** ⟨*fig*⟩ (*prodigioso*) miraculous, prodigious, wonderful, extraordinary. – **5.** ⟨*fam*⟩ (*rif. a persona: esagerato*) tending to exaggerate, excessive; (*miracolaio*) quick to believe in miracles, credulous. – **II** *s.m.inv.* miraculous nature, wonderful quality. ☐ *ha del ~* there is something miraculous about it; *luogo ~* site of miracles (*o* a miracle).
miraggio *m.* **1.** mirage: *~ inferiore* inferior mirage. – **2.** ⟨*fig*⟩ mirage, illusion.
miraglio *m.* **1.** ⟨*Mar*⟩ top mark on a buoy. – **2.** ⟨*ant*⟩ (*specchio*) looking-glass.
mirallegro *m.* ⟨*non com*⟩ congratulations *pl*: *un ~ sincero* sincere congratulations. ☐ *dare* (o *fare*) *un ~ a qd.* to congratulate s.o., to offer s.o. one's congratulations.
mirando *a.* ⟨*lett*⟩ (*ammirabile*) admirable, wonderful, excellent.
mirare I *v.t.* ⟨*lett*⟩ **1.** (*guardare*) to gaze (*o* look, stare) at. – **2.** ⟨*fig*⟩ (*considerare*) to consider, to ponder on. – **3.** ⟨*rar*⟩ (*prendere di mira*) to aim at. – **II** *v.i.* (*aus.* **avere**) **1.** to aim (*a* at), to sight (s.th.), to take a sight (on); ⟨*assol*⟩ to take aim. – **2.** ⟨*fig*⟩ (*tendere*) to aim (*a* at), to tend (towards), to have designs (on); (*avere per scopo*) to aim (at), to have as one's goal (s.th.). – **3.** ⟨*ant*⟩ (*restare ammirato*) to be amazed, to marvel (*a* at). – **mirarsi** *v.r.* to look at o.s., to admire o.s.: *mirarsi allo specchio* to ⌜look at o.s.⌝ (*o* study one's reflection) in the mirror. ☐ *~* (*troppo*) *in alto* to aim (too) high; *mirarsi intorno* to look around; *~ ad ottenere qc.* to aim at getting s.th., to set one's sights on s.th.
miratore *m.* (*f.* **-trice**) ⟨*non com*⟩ marksman, good shot.
mirbana: *olio* (o *essenza*) *di ~* mirbane oil.
miria... *pref.* (*diecimila* ten thousand) myria...
miriade *f.* **1.** (*numero molto grande*) myriad, multitude: *una ~ di stelle* a myriad of stars. – **2.** ⟨*Stor.gr*⟩ ten thousand, myriad. ☐ *a -i* (*in gran numero*) in great numbers, by the thousand.
miriagramma *m.* ⟨*non com*⟩ → **miriagrammo**. – **miriagrammo** *m.* myriagramme.
miriametro *m.* myriametre.
miriapodi *m.pl.* ⟨*Zool*⟩ myriopods *pl*, myriapods *pl* (*Myriapoda, Myriopoda*).
mirica, mirice *f.* ⟨*Bot*⟩ **1.** wax (*o* bay) myrtle (*Myrica*). – **2.** ⟨*ant*⟩ (*tamarisco*) tamarisk. ☐ *grasso di ~* bayberry wax (*o* tallow), myrtle wax, myrica tallow.
miricina *f.* ⟨*Chim*⟩ myricin(e).
miridi *m.pl.* ⟨*Entom*⟩ capsids *pl*, mirids *pl* (*Miridae*).
mirifico *a.* (*pl.* **-ci**) ⟨*lett*⟩ admirable, excellent, wonderful.
miringe *f.* ⟨*Anat*⟩ myringa, tympanic membrane. – **miringectomia** *f.* ⟨*Chir*⟩ myringectomy. – **miringite** *f.* ⟨*Med*⟩ myringitis. – **miringotomia** *f.* ⟨*Chir*⟩ myringotomy.
mirino *m.* **1.** sight. – **2.** ⟨*Fot*⟩ view-finder, viewer.
☐ *~* **anteriore** foresight; *~ a* **cannocchiale** telescopic view-finder; *~* **chiaro** brilliant view-finder; *~* **reflex** (*o a riflessione*) reflector (view-)finder; *~ a* **riquadro** (o *telaio*) frame-finder; *~ a* **traguardo** direct-vision finder.
miriofillo *m.* ⟨*Bot*⟩ **1.** water milfoil (*Myriophyllum*). – **2.** whorled water milfoil (*Myriophyllum verticillatum*).
miristica *f.* ⟨*Bot*⟩ nutmeg-tree (*Myristica*).
mirmecia *f.*, **mirmecismo** *m.* ⟨*Med*⟩ formication.
mirmeco... *pref.* (*formica* ant) myrmec(o)...
mirmeco|bio *m.* ⟨*Zool*⟩ banded ant-eater (*Myrmecobius fasciatus*). – **~coria** *f.* ⟨*Bot*⟩ myrmecochory. – **~coro** *a.* myrmecochorous.
mirmecofagidi *m.pl.* ⟨*Zool*⟩ myrmecophag(o)ids *pl*, myrmecophagines *pl* (*Myrmecophagidae*). – **mirmecofago** *m.* (*pl.* **-gi**) South American ant-bear (*Myrmecophaga*).
mirmecofilia *f.* ⟨*Biol*⟩ myrmecophilism. – **mirmecofilo** *a.* myrmecophilous. – **mirmecofita** *f.* ⟨*Bot*⟩ myrmecophyte.
mirmecofobia *f.* ⟨*Bot*⟩ myrmecophobia. – **mirmecofobo** *a.* myrmecophobic.
mirmecologia *f.* ⟨*Zool*⟩ myrmecology, study of ants. – **mirmecologo** *m.* (*pl.* **-gi**; *f.* **-a**) myrmecologist.
mirmidone (o *mirmidone*) *m.* ⟨*Stor.gr*⟩ Myrmidon.
mirmillone *m.* ⟨*Stor.rom*⟩ mirmillon, kind of gladiator.
miro *a.* ⟨*lett*⟩ (*meraviglioso*) wonderful, marvellous, ⟨*lett*⟩ wondrous.
mirobalano, mirobolano *m.* → **mirabolano**[2].
Mirone *N.pr.m.* ⟨*Stor*⟩ Myron.
mirra *f.* myrrh. ☐ *olio di ~* myrrh oil, oil of myrrh. – **mirrare** *v.t.* **1.** ⟨*rar*⟩ (*mescolare con mirra*) to mix with myrrh. – **2.** ⟨*fig, poet*⟩ (*onorare*) to make immortal. – **mirrato** (*p.p. di mirrare*) *a.* ⟨*non com*⟩ myrrhed.
mirride *f.* ⟨*Bot*⟩ sweet cicely (*Myrrhis odorata*).
mirtacee *f.pl.* ⟨*Bot*⟩ myrtle family (*Myrtaceae*). – **mirteo** *a.* ⟨*poet*⟩ **1.** (*di mirto*) myrtle-, of myrtle. – **2.** (*di colore scuro*) myrtle-. – **mirteto** *m.* myrtle grove. – **mirtiforme** *a.* myrtiform.
mirtillo *m.* ⟨*Bot*⟩ **1.** whortleberry, bilberry (*Vaccinium myrtillus*). – **2.** (*frutto*) whortleberry, bilberry. ☐ *~ blu* bog bilberry (*Vaccinium uliginosum*); *~ rosso* mountain cranberry, red whortleberry, cowberry (*Vaccinium vitis idaea*).
mirto *m.* **1.** ⟨*Bot*⟩ myrtle (*Myrtus communis*). – **2.** ⟨*poet*⟩ (*poesia*) poetry; (*amore*) love. ☐ *~ bastardo* sweet gale, bay bush, Dutch (*o* bog) myrtle (*Myrica gale*); *olio di ~* myrtle oil.
mirtolo *m.* myrtol.
mirunga *m.* ⟨*Zool*⟩ elephant seal, sea elephant (*Myrounga*).
mis. = *misura* measure (*abbr.* m.).

miṣantropịa *f.* misanthropy, misanthropism. – **miṣantrọpico** *a.* (*pl.* -ci) ⟨*non com*⟩ misanthropic(al). – **miṣạntropo I** *s.m.* (*f.* -a) misanthrope, misanthropist. – **II** *a.* misanthropic(al).

miscẹa *f.* ⟨*fam,tosc*⟩ **1.** (*inezia*) trifle, mere nothing, bagatelle. – **2.** (*mescolanza*) hodge-podge, mixture, jumble.

miscẹla *f.* **1.** mixture, mix. – **2.** (*rif. al caffè*) blend: ~ *per famiglia* family (*o* economy) blend. – **3.** ⟨*Met*⟩ mixture. – **4.** ⟨*Mot*⟩ (*di aria e benzina*) mixture: ~ *carburante* fuel mixture; (*di olio e benzina*) petroil. □ ⟨*Mot*⟩ ~ **anticongelante** antifreeze; ~ **esplosiva** explosive mixture; ~ **frigorifera** freezing mixture; ~ **gassosa** (o *di gas*) gas mixture; ⟨*Mot*⟩ ~ **grassa** rich mixture; ⟨*El*⟩ ~ **isolante** sealing compound; ⟨*Mot*⟩ ~ **magra** (o *povera*) lean (*o* weak) mixture; ~ **normale** normal mixture, ⟨*am*⟩ regular gas; ~ **ricca** = *miscela* **grassa**.

miscelạre *v.t.* (**miscẹlo**) **1.** to mix, to blend. – **2.** ⟨*Aut*⟩ to mix. – **miscelạto** (*p.p. di miscelare*) *a.* mixed, blended.

miscelatọre *m.* (*f.* **-trice**) **1.** (*operaio*) mixer. – **2.** (*macchina*) mixer, mixing machine, blender. – **3.** ⟨*Rad*⟩ mixer. □ ~ *agitatore* mixer, mill; ⟨*Met*⟩ stirrer; ⟨*TV*⟩ ~ *delle immagini* video mixer.

miscelatrịce *f.* **1.** (*operaia*) mixer. – **2.** (*macchina*) mixer, mixing machine, blender. – **miscelatụra**, **miscelazịone** *f.* mixing, admixture. – **miscelịsta** *m./f.* (*operaio*) mixer.

miscẹlla *f.* ⟨*tecn*⟩ mixture.

miscellạnea *f.* ⟨*lett*⟩ **1.** (*mescolanza*) mixture, medley, miscellany. – **2.** (*titolo di libri*) miscellany; (*gli scritti raccolti*) anthology, miscellanies *pl.* – **miscellạneo** *a.* ⟨*lett*⟩ **1.** miscellaneous. – **2.** (*rif. a pubblicazioni*) miscellaneous, of collected (*o* miscellaneous) writings.

mịschia *f.* **1.** fray, scuffle, tussle: *entrare nella* ~ to enter the fray; (*rissa*) brawl, fight; (*in battaglia*) fight, skirmish. – **2.** ⟨*fig,non com*⟩ (*lotta*) fight, battle: ~ *elettorale* election fight. – **3.** ⟨*Sport*⟩ scrum, scrummage. – **4.** ⟨*Tess*⟩ mixing, blending. – **5.** ⟨*ant*⟩ (*moltitudine confusa*) confused mass, milling crowd.

mischiamẹnto *m.* ⟨*non com*⟩ mixing, blending. – **mischiạnza** *f.* ⟨*non com*⟩ (*miscuglio*) mixture, blend.

mischiạre *v.t.* (**mịschio, mịschi**) **1.** (*mescolare*) to mix, to blend, to mingle: ~ *l'acqua con il vino* to mix water and wine. – **2.** (*intromettere, immischiare*) to mix up. – **3.** ⟨*rar*⟩ (*agitare*) to shake, to toss. – **mischiarsi** *v.r.* **1.** to mix, to blend, to (inter)mingle. – **2.** ⟨*fig,non com*⟩ (*impicciarsi*) to interfere, to meddle, to get mixed up (*in* in), to get (into). – **3.** ⟨*ant*⟩ (*azzuffarsi*) to come to blows, to clash. □ ~ *le carte* to shuffle (the cards).

mischiạta *f.* quick mix. □ *dare una* ~ *alle carte* to shuffle the cards. – **mischiatịna** *f. dim. di* **mischiata**. – **mischiạto** (*p.p. di mischiare*) *a.* mixed, blended, mingled. – **mischiatụra** *f.* **1.** (*atto*) mixing, blending, mingling; (*effetto*) mixture, blend, mingling. – **2.** ⟨*Cin*⟩ → **missaggio**.

mịschio I *s.m.* **1.** ⟨*fam*⟩ (*mescolanza*) mixture, jumble, medley, blend. – **2.** ⟨*Min*⟩ mottled (*o* vari-coloured) marble. – **II** *a.* ⟨*non com*⟩ **1.** (*mischiato*) mixed, variegated. – **2.** (*screziato*) speckled, mottled, dappled. □ ⟨*Min*⟩ ~ *di marmi* marble inlay work.

miscịbile *a.* ⟨*Chim*⟩ miscible, mixable. – **miscibilità** *f.* miscibility.

miscidạto *a.* ⟨*lett*⟩ mixed (up), jumbled.

misconoscẹnte (*p.pr. di misconoscere*) *a.* ⟨*lett*⟩ ungrateful. – **misconọscere** *v.t.* (**miscono̩sco, misconọsci; misconọbbi, misconosciụto**) ⟨*lett*⟩ to refuse to recognize (*o* acknowledge), to ignore, to disregard: ~ *l'utilità di un consiglio* to refuse to recognize the value of advice; (*negare*) to deny; (*non apprezzare*) to underestimate, not to value (*o* appreciate). □ ~ *i benefizi ricevuti* to be ungrateful. – **misconoscimẹnto** *m.* ⟨*non com*⟩ disregard, repudiation, non-acknowledgment. – **misconosciụto** (*p.p. di misconoscere*) *a.* ⟨*lett*⟩ disregarded, unacknowledged, ignored.

miscredẹnte (*p.pr. di miscredere*) **I** *a.* **1.** (*incredulo*) unbelieving. – **2.** ⟨*estens*⟩ (*non religioso*) non-religious, unreligious; (*empio*) irreligious. – **II** *s.m./f.* unbeliever; (*empio, chi ha una falsa credenza*) misbeliever, miscreant; (*ateo*) atheist.

miscredẹnza *f.* **1.** (*incredulità*) unbelief, disbelief, lack of belief (*o* faith); (*falsa credenza*) miscreance, misbelief. – **2.** ⟨*estens*⟩ (*mancanza di fede*) lack of faith, irreligiousness. – **miscrẹdere** *v.i.* (**miscredẹi/miscredẹtti**; *aus.* **avere**) ⟨*rar*⟩ to disbelieve, to have no faith (*o* belief).

miscụglio *m.* **1.** mixture, jumble, medley, hodge-podge (*anche fig.*). – **2.** ⟨*Chim*⟩ mixture, mix; (*dosato*) blend. – **3.** ⟨*Mat*⟩ alligation, mixture.

mise *fr.* [mi:z] *f.* (*foggia di vestire*) dress, fashion, way of dressing.

misẹllo *m.* (*f.* -a) ⟨*ant*⟩ (*lebbroso*) leper.

miṣerạbile I *a.* **1.** miserable, wretched; (*povero*) poor, poverty -stricken, needy; (*rif. a luoghi, a cose*) wretched, shabby, mean, poor. – **2.** (*che suscita pietà*) wretched, pitiful, unhappy, miserable. – **3.** (*di scarso valore*) miserable, worthless, ⟨*spreg*⟩ contemptible, ⟨*spreg*⟩ paltry. – **4.** ⟨*spreg*⟩ (*rif. a persona*) despicable, vile, wretched, ⟨*fam*⟩ no-good: *un* ~ *ricattatore* a despicable blackmailer; (*rif. a cosa*) miserable, shabby, low, shameful, abject. – **5.** ⟨*lett*⟩ → **miserando**. – **II** *s.m./f.* **1.** (poor) wretch, miserable (*o* wretched) person; (*povero*) pauper, poor person. – **2.** ⟨*spreg*⟩ (*persona abietta*) wretch, scoundrel.

miṣerabilità *f.* **1.** wretchedness, misery; (*povertà*) poverty. – **2.** ⟨*spreg*⟩ wretchedness, contemptibleness, shabbiness, miserableness. – **miṣerabilmẹnte** *avv.* miserably, wretchedly.

miṣeramẹnte *avv.* **1.** miserably, pitifully; (*infelicemente*) unhappily. – **2.** (*poveramente*) poorly, meanly, wretchedly. – **3.** (*meschinamente*) miserably, meagrely, scantily.

miṣerạndo *a.* pitiful, pitiable, wretched, unhappy.

miṣerẹlla *f.* ⟨*fam,tosc*⟩ → **mezereo**.

miṣerẹllo (*dim. di misero*) **I** *a.* wretched, poor. – **II** *s.m.* (*f.* -a) (poor) wretch, poor creature.

miṣerẹre *m.* **1.** ⟨*Rel*⟩ miserere. – **2.** ⟨*esclam*⟩ pity, mercy, for pity's sake.
□ ⟨*fig*⟩ **cantare** *il* ~ *a qd.* (*considerarlo finito*) to think s.o. is finished (*o* done for); ⟨*scherz*⟩ ~ **di** *me* have mercy (*o* pity) on me; ⟨*fig*⟩ **essere** *al* ~ (*in fin di vita*) to be at death's door, to have one foot in the grave; ⟨*scherz*⟩ (*all'estremo di quattrini*) to be faced with ruin, ⟨*fam*⟩ to be down on one's uppers; ⟨*scherz*⟩ **faccia** *da* ~ (*da moribondo*) face looking like death; (*afflitta, triste*) woebegone (*o* mournful) expression; ⟨*Med,ant*⟩ **mal** *del* ~ volvulus, intestinal colic, ⟨*ant*⟩ miserere mei.

miṣerẹvole *a.* wretched, pitiful, miserable. – **miṣerevolmẹnte** *avv.* wretchedly, pitifully, miserably.

miṣẹria *f.* **1.** (*povertà estrema*) poverty, indigence: *vivere nella più squallida* ~ to live in dire poverty; (*bisogno*) want; (*squallore, povertà*) squalor, misery, wretchedness, dreariness. – **2.** (*infelicità*) misery, unhappiness, distress. – **3.** (*debolezza*) weakness; (*bassezza*) vileness, wretchedness, lowness. – **4.** (*inezia*) pittance, trifle, (mere) nothing. – **5.** *pl.* (*situazioni tristi*) misfortunes *pl*, troubles *pl*, miseries *pl.* – **6.** ⟨*non com*⟩ (*scarsità, penuria*) shortage, scarcity: ~ *d'acqua* water shortage; (*mancanza*) lack, want. – **7.** ⟨*Bot*⟩ (*anche erba miseria*) spiderwort (*Tradescantia albiflora*). – **8.** ⟨*ant*⟩ (*avarizia*) meanness, stinginess, miserliness.
□ **cadere** *in* ~ = **ridursi** *in miseria*; **che** ~ *questo dramma!* what a terrible play!; *fare le cose* **con** ~ (*con parsimonia*) to be miserly; **costare** *una* ~ to cost very little, to be very cheap; ⟨*fam*⟩ ~ **ladra**! damn (it)!, the hell with it!; ⟨*non com*⟩ **nascondere** *le proprie -e* (*nudità*) to hide one's nakedness; ~ **nera** dire poverty (*o* want); ⟨*fam*⟩ **per** *la* ~*!* (*sorpresa*) good heavens!; (*indignazione*) for heaven's sake!; *per la* ~ *di mille lire* for ⌜a mere⌝ (*o* the paltry sum of a) thousand lire; *comprare* (o *vendere*) *qc. per una* ~ to buy (*o* sell) s.th. for a song; ⟨*fam*⟩ **piangere** ~ to whine how badly off one is, to complain that one is hard up; ⟨*pop*⟩ **porca** ~*!* damn (it)!, blow (it)!, blast (it)!; **ridursi** *in* ~ to be reduced to poverty; ⟨*non com*⟩ **senza** ~ (*senza risparmio*) unsparingly, with no thought to expense; *una* ~ *di* **stipendio** a pittance; **vivere** *in* ~ to live in want (*o* misery, poverty).

miṣeriạccia *f.* (*pl.* -ce) *pegg. di* **miseria**.

miṣericọrde *a./s.* ⟨*lett*⟩ → **misericordioso**.

miṣericọrdia *f.* **1.** mercy, mercifulness, charity. – **2.** (*compassione*) pity, compassion: *provare* ~ to feel pity. – **3.** ⟨*esclam*⟩ my goodness, (good) heavens, mercy. – **4.** (*nelle chiese*: *mensola*) misericord. – **5.** ⟨*Stor*⟩ (*pugnale*) misericord.
□ ⟨*scherz*⟩ **aspettare** *la* ~ *di Dio* to wait for a miracle; **avere** ~ *di qd.* to have mercy on (*o* upon) s.o.: *Dio abbia* ~ *di noi* Lord have mercy upon us; ⟨*scherz*⟩ **largo** *come la* ~ *di Dio* very wide, ⟨*fam*⟩ ever so wide; ⟨*Rel*⟩ **madre** *di* ~ Mother of Mercy; **opera** *di* ~: 1. ⟨*Teol*⟩ work of mercy (*o* charity); 2. ⟨*scherz*⟩ (*cosa gradita*) favour, blessing, good deed; **senza** ~: 1. merciless, pitiless; 2. (*spietato*) ruthless, relentless, hard-hearted; 3. (*crudelmente*) cruelly, harshly; 4. ⟨*scherz*⟩ (*senza riguardo*) without giving a thought (*per* to), without regard (for); 5. ⟨*scherz*⟩ (*senza economia*) unsparingly, unstintingly, freely; **usare** ~ *a qd.* (*soccorrerlo*) to take pity on s.o., to aid s.o.; (*perdonarlo*) to have mercy on s.o., to pardon s.o.

miṣericordiẹvole *a.* ⟨*ant*⟩ **1.** (*misericordioso*) merciful. – **2.** (*degno di misericordia*) deserving mercy, to be pitied. – **miṣericordievolmẹnte** *avv.* ⟨*ant*⟩ mercifully. – **miṣericordiọso I** *a.* merciful. – **II** *s.m.* (*f.* -a) **1.** merciful person. – **2.** *pl.* merciful (*costr. pl.*).

miṣerịno (*dim. di misero*) *a.* poor, scanty. – **miṣeriọla** (*dim. di miseria*) *f.* **1.** trifle, (mere) nothing. – **2.** *pl.* nonsense.

mịṣero *a.* **1.** (*povero*: *rif. a persone*) poor, poverty-stricken, wretched, miserable; (*rif. a cose*) poor, wretched, shabby. – **2.** (*infelice*) miserable, unhappy, sad, unfortunate: *una -a sorte* a sad fate. – **3.** (*insufficiente, scarso*) miserable, paltry, sorry, wretched, poor, scanty, ⟨*fam*⟩ rotten: *un* ~ *pranzo* a poor meal. – **4.** (*meschino*) miserable, poor, sorry, mean, pitiful: *una -a scusa* a poor (*o* sorry, lame) excuse. – **5.** (*gracile*) frail, slight; (*debole*) weak. – **6.** ⟨*rar*⟩ (*rif. ad abiti*: *stretto*) tight, skimpy. – **7.** ⟨*ant*⟩ (*avaro*) miserly, mean.

miṣẹrrimo *a.sup. di* **misero**.

misfạre *v.i.* (**misfạccio, misfại; misfẹci, misfạtto**; → **fare**; *aus.* **avere**) ⟨*ant*⟩ (*fare il male*) to do evil (*o* wrong). – **misfạtto** *m.* misdeed; (*delitto*) crime.

mịṣi *p.rem. di* **mettere**.

misirịzzi *m.* **1.** (*balocco*) tumbler. – **2.** ⟨*fig*⟩ (*persona che cambia facilmente idea*) weathercock, changeable (*o* fickle) person.

miṣlẹa *f.* ⟨*ant*⟩ (*mischia*) scuffle, fray, mêlée; (*combattimento*) fight.

miṣleạle *a.* ⟨*ant*⟩ (*sleale*) disloyal. – **miṣlealtà** *f.* ⟨*ant*⟩ (*slealtà*) disloyalty.

mịṣo *p.p. ant. di* **mettere**.

miso... *pref.* (*odio* hatred) mis(o)...

miṣofobịa *f.* ⟨*Psic*⟩ mysophobia, misophobia. – **miṣọfobo I** *a.* mysophobic. – **II** *s.m.* (*f.* -a) mysophobe, sufferer from mysophobia.

miṣogamịa *f.* ⟨*non com*⟩ misogamy.

miṣoginịa *f.* misogyny, misogynism. – **miṣoginịṣmo** *m.* ⟨*non com*⟩ → **misoginia**. – **miṣọgino I** *a.* misogynic, misogynous. – **II** *s.m.* misogynist, woman-hater.

miṣolịdio *m.* ⟨*Mus*⟩ mixolydian mode.
miṣologịa *f.* ⟨*Filos*⟩ misology. – **miṣọlogo** *m.* (*pl.* **-gi**; *f.* **-a**) misologist.
miṣoneịṣmo *m.* misoneism. – **miṣoneịsta I** *s.m./f.* misoneist, hater of novelty. – **II** *a.* → **misoneistico.** – **miṣoneịstico** *a.* (*pl.* **-ci**) misoneistic.
missạggio *m.* ⟨*Cin,TV*⟩ mixing. □ ⟨*TV*⟩ *apparecchio per il* ~ mixer; *quadro di* ~ video mixer, mixing panel; *tecnico del* ~ mixer. – **missạre** *v.t.* to mix. – **missatọre** *m.* ⟨*Rad*⟩ (*mescolatore*) mixer.
mịssile I *s.m.* missile. – **II** *a.* missile-: *arma* ~ missile weapon.
□ ~ **antiaereo** anti-aircraft missile; ~ **anticarro** anti-tank missile; ~ **aria-***aria* air-to-air missile; ~ *aria-terra* air-to-ground missile; ~ **balistico** ballistic missile; ~ **comandato** guided missile; ~ *a media* **gittata** medium-range ballistic missile; ~ *a lunga gittata* long-range ballistic missile; ~ *di* **intercettamento** interceptor missile; ~ **intercontinentale** intercontinental (ballistic) missile; ~ **monostadio** single-stage missile; ~ **polistadio** multi-stage missile; ~ *a* **propellente** *liquido* liquid-propellant missile; ~ *a* **propulsione** *a razzo* rocket(-propelled) missile; ~ *a due* **stadi** two-stage missile; ~ **superficie-***aria* surface-to-air missile; ~ *superficie-superficie* surface-to-surface missile; ~ **teleguidato** = *missile* **comandato.**
missilịstica *f.* rocketry, missil(e)ry. – **missilịstico** *a.* (*pl.* **-ci**) missile-: *base -a* missile base.
missịno I *a.* of the M.S.I. Party, Neofascist-. – **II** *s.m.* (*f.* **-a**) member of the M.S.I. party, Neofascist.
missiologịa *f.* → **missionologia.**
missionạrio I *s.m.* (*f.* **-a**) ⟨*Rel*⟩ missionary (*anche fig.*): ~ *di pace* missionary of peace, peace-bringer. – **II** *a.* missionary (*anche fig.*): *suore -e* missionary sisters.
missiọne[1] *f.* **1.** (*invio*) sending. – **2.** (*viaggio*) business trip: *essere in* ~ to be on a business trip. – **3.** (*incarico*) mission, assignment. – **4.** ⟨*concr*⟩ (*persone*) mission. – **5.** (*compito morale*) mission. – **6.** ⟨*Rel*⟩ mission; (*edificio*) mission, missionary post. – **7.** ⟨*Rel*⟩ (*conferenze*) mission.
□ ⟨*Dipl*⟩ ~ **accreditata** accredited mission; ~ **commerciale** trade mission; ~ **diplomatica** diplomatic mission; ⟨*Rel*⟩ ~ **divina** divine mission; ⟨*Rel*⟩ ~ **estera** foreign mission; ⟨*Mil*⟩ ~ *di* **guerra** (war) mission; ⟨*Rel*⟩ ~ **interna** home mission; ~ **segreta** secret mission (*o* assignment).
missiọne[2] *f.* (*vernice*) lacquer, varnish.
missionologịa *f.* ⟨*Rel*⟩ study of missions. – **missionọlogo** *m.* (*pl.* **-gi**; *f.* **-a**) student of missions.
Mississịppi (o *Mississippi*) *N.pr.m.* ⟨*Geog*⟩ Mississippi (River).
mississippiạno I *a.* Mississippian. – **II** *s.m.* (*f.* **-a**) Mississippian.
missịva *f.* missive, letter, message.
missobatteriạcee *f.pl.* → **mixobatteriacee.**
missọfite *f.pl.* → **mixomiceti.**
missolịdio *m.* → **misolidio.**
missomicẹti *m.pl.* → **mixomiceti.**
missọrio *m.* ⟨*Archeol*⟩ precious dish.
missosporịdi *m.pl.* → **mixosporidi.**
mistagogịa *f.* ⟨*Stor.gr*⟩ mystagogy. – **mistagọgico** *a.* (*pl.* **-ci**) mystagogic. – **mistagọgo** *m.* (*pl.* **-ghi**) mystagogue.
mistamẹnte *avv.* ⟨*rar*⟩ (*promiscuamente*) promiscuously.
mistẹrico *a.* (*pl.* **-ci**) ⟨*Rel*⟩ mystery-.
mistẹrio *m.* ⟨*ant,poet*⟩ → **mistero.**
misteriosamẹnte *avv.* **1.** mysteriously. – **2.** (*segretamente*) secretly. – **misteriosità** *f.* **1.** mysteriousness, strangeness; (*enigmaticità*) strangeness, inscrutability, inexplicableness. – **2.** (*comportamento misterioso*) mysterious behaviour, mysteriousness. – **misteriọso I** *a.* **1.** mysterious; (*oscuro*) obscure, strange, mysterious; (*enigmatico*) inscrutable, enigmatical, inexplicable, mysterious. – **2.** (*segreto*) secret, covert. – **II** *s.m.* mystery, mysterious. – **III** *s.m.* (*f.* **-a**) mysterious person, enigma. □ *fare il* ~ to behave mysteriously, to be enigmatic.
misteriosọfico *a.* → **misterico.**
mistẹro *m.* **1.** mystery (*anche Teol.*): *i -i dell'animo umano* the mysteries of the human soul; (*segreto*) secret; (*enigma*) mystery, puzzle, enigma: *per me è un* ~ it is a mystery (*o* puzzle) to me, I can't figure it out. – **2.** *pl.* ⟨*Rel*⟩ mysteries *pl*: *i -i dionisiaci* the Dionysiac mysteries. – **3.** *pl.* ⟨*Lett*⟩ mystery plays *pl*, mysteries *pl*.
□ **circondarsi** *di* ~ to act mysteriously; ⟨*Rel*⟩ *i -i* **dolorosi** the Sorrowful Mysteries (of the Rosary); **far** *-i* to be mysterious, to act secretively; *far* ~ *di qc.* to conceal (*o* hide) s.th., to make a mystery of s.th.; *non far* ~ *di qc.* to make s.th. clear, to make no ⌜bones about⌝ (*o* secret of) s.th.; ⟨*Rel*⟩ *i -i* **gaudiosi** the Joyful Mysteries; ⟨*Rel*⟩ *i -i* **gloriosi** the Glorious Mysteries; ⟨*fam*⟩ **quanti** *-i!* how secretive you are!; ⟨*Rel*⟩ *i -i del* **rosario** the Mysteries of the Rosary.
mịstica *f.* mysticism, mystical theology. – **misticamẹnte** *avv.* mystically.
misticạnza *f.* ⟨*roman*⟩ (*mesticanza*) mixed salad.
misticẹti *m.pl.* ⟨*Zool*⟩ whalebone whales *pl* (*Mysticeti*).
misticịsmo *m.* mysticism. – **misticità** *f.* mysticality, mystical nature, mysticity.
mịstico[1] *a./s.* (*pl.* **-ci**) **I** *a.* **1.** mystic(al). – **2.** ⟨*fig*⟩ (*spirituale*) mystical, spiritual; (*puro*) pure. – **3.** (*attinente al misticismo*) mystic. – **II** *s.m.* (*f.* **-a**) mystic.
mịstico[2] *m.* (*pl.* **-ci**) ⟨*Mar.ant*⟩ small sailing ship.
mistificạre *v.t.* (**mistịfico, mistịfichi**) to mystify, to bewilder; (*ingannare*) to deceive, to hoax, to take in. – **mistificạto** (*p.p. di mistificare*) *a.* (*adulterato*) adulterated, impure, doctored: *cibi -i* adulterated foods. – **mistificatọre** *m.* (*f.* **-trice**) mystifier, mystificator. – **mistificaziọne** *f.* **1.** mystification. – **2.** (*imbroglio*) deception, fraud, hoax.
mistilịneo *a.* ⟨*Geom*⟩ mixtilinear, mixtilineal.
mistilịngue *a.* **1.** mixed language-, polylingual: *area* ~ mixed language area. – **2.** (*in più lingue*) multilingual.
mistiọne *f.* ⟨*non com*⟩ (*mescolanza*) mixture, medley.
mịsto I *a.* **1.** mixed, blended, mingled: *latte* ~ *a caffè* milk mixed with coffee, mixed milk and coffee; *matrimonio* ~ mixed marriage. – **2.** ⟨*fig*⟩ mixed, mingled. – **3.** ⟨*Scol*⟩ (*rif. a classi*) mixed, ⟨*pred*⟩ for (*o* of) boys and girls: *classe -a* mixed class, class of boys and girls; (*rif. a scuole*) co-educational, ⟨*fam*⟩ co-ed. – **II** *s.m.* **1.** mixture, blend; (*disordine*) jumble, mess, hotchpotch. – **2.** ⟨*fig*⟩ mixture, medley, blend. – **3.** ⟨*Sport*⟩ mixed doubles *pl*. – **4.** ⟨*Ferr*⟩ combined passenger and goods train. □ ~ *lana* wool mixture, mixed wool; ~ *seta* mixed silk.
mistọforo *m.* (*mercenario*) mercenary (of ancient Greece).
mistrà *m.* anisette.
mistrạl *m.* ⟨*Meteor*⟩ mistral.
mistụra *f.* **1.** (*mescolanza*) mixture, blend, medley. – **2.** ⟨*spreg*⟩ (*bevanda sgradevole*) (vile) brew, disgusting mixture, ⟨*fam*⟩ concoction. – **3.** ⟨*Farm*⟩ mixture. – **misturạre** *v.t.* **1.** ⟨*ant*⟩ (*mescolare*) to mix, to blend. – **2.** ⟨*region*⟩ (*adulterare*) to adulterate; (*rif. a vino*) to adulterate, to doctor.
miṣụra *f.* **1.** measure; (*rif. a lunghezza*) measurement, measure. – **2.** (*unità di misura*) measure, (unit of) measurement: ~ *di capacità per liquidi* liquid measure. – **3.** (*dimensione*) measurements *pl*, dimensions *pl*, size: *la* ~ *di una stanza* the size of a room; *prendere le -e di qd.* to take s.o.'s measurements. – **4.** (*taglia*) size: *porto la quarta* ~ I take size four. – **5.** (*misurazione*) measurement, measuring. – **6.** (*strumento*) measure. – **7.** ⟨*fig*⟩ (*provvedimento*) step, measure, provision, proceeding: *prendere delle -e* to take steps. – **8.** ⟨*fig*⟩ (*moderazione*) sense of measure (*o* proportion), moderation, restraint: *non conosce* ~ he lacks moderation, he has no restraint. – **9.** ⟨*fig*⟩ (*limite*) measure, limit, bounds *pl*: *superare ogni* ~ to exceed all limits (*o* bounds). – **10.** ⟨*fig*⟩ (*proporzione*) measure, extent, degree: *in uguale* ~ in equal measure, to the same extent; *nella* ~ *delle mie possibilità* as much (*o* far) as possible, as much (*o* far) as I can. – **11.** ⟨*fig*⟩ (*criterio di giudizio*) measure, yardstick: *l'uomo è la* ~ *di tutte le cose* man is the measure of all things. – **12.** ⟨*Metr*⟩ measure, metre. – **13.** ⟨*Sport*⟩ measure, limit of distance. – **14.** ⟨*Mus*⟩ (*battuta*) time, beat, measure. – **15.** ⟨*Ginn*⟩ movement: *esercizio di quattro -e* exercise in four movements. – **16.** (*nella scherma*) fencing distance.
□ **a** ~ proportionately; ⟨*fig*⟩ *fare le cose a* ~ (*con esattezza*) to do things precisely; (*fare il minimo indispensabile*) to do the bare minimum; *a* ~ **che** (*via via che*) as: *a* ~ *che cresce il prezzo* as the price goes up; ~ *di* **altezza** (measurement of) height; ~ **angolare** angular measure; *fare* **buona** ~ to give full measure; **campo** *di* ~ measuring range; ~ *di* **capacità** (measure of) capacity; ⟨*fig*⟩ *a* ~ *di* **carbone** (*con larghezza*) in full measure, amply; ⟨*Dir*⟩ *-e* **cautelari** precautionary measures; ⟨*Sport*⟩ **chiudere** *la* ~ to close the distance; ⟨*fig*⟩ *la* ~ *è* **colma** that's the limit (*o* last straw); ⟨*fig*⟩ **colmare** *la* ~ to go too far, to overdo things; ⟨*fig*⟩ **con** ~ (*con moderazione*) in moderation, within measure (*o* limits); ⟨*El*⟩ ~ *di* **conduttanza** conductance, conducting capacity; *-e* **correttive** corrective measures; **della** ~ *di* measuring; ~ **effettiva** actual size; ~ **esterna** outside measurement; **fuori** *di* ~ = **oltre** *misura*; ⟨*Sport*⟩ *essere fuori di* ~ to be out of fencing distance; ~ **d'intervento** intervention; ~ *di* **larghezza** (measure of) width; ⟨*Sport*⟩ ~ **lunga** out of distance; ~ ⌜*di* **lunghezza**⌝ (o *lineare*) linear measure, (measurement of) length; ~ **metrica** metric measure; ⟨*fig*⟩ **mezze** *-e* half -measures; ~ *a* **nastro** builder's tape; ~ **normale** standard measure; ~ **numerica** numerical measurement; **oltre** ~ (*in modo eccessivo*) excessively, beyond measure; *oltre ogni* ~ beyond measure; ⟨*fig*⟩ **passare** *la* ~ to go too far, to overstep the mark, to exceed all bounds; ⟨*fig*⟩ *usare due* **pesi** *e due* ~ to be unfair (*o* partial); ⟨*Sport*⟩ ~ *a* **piè** *fermo* distance between fencers when both are on guard, fencing distance; **prendere** *le -e di qc.* to measure s.th.; ~ **preventiva** preventive measure, precautionary step; ~ **protettiva** (o *di protezione*) protective measure; *fare* ~ **scarsa** to give short measure; ~ *a* **secco** dry measure; ~ **solida** solid measure; **su** ~ made to measure, custom-made; *fare un abito su* ~ to make a suit to measure; ⟨*fig*⟩ **superare** *la* ~ = **passare** *la misura*; ~ *di* **superficie** square measure; ~ **vera** = *misura* **effettiva**; ⟨*Sport*⟩ **vincere** *di* ~ to win by a narrow margin, ⟨*fam*⟩ to win by a short head; ~ *di* **volume** measure of capacity, cubic (*o* solid) measure.
miṣurạbile *a.* measurable; (*valutabile*) calculable. – **miṣurabilità** *f.* measurability. – **miṣuramẹnto** *m.* ⟨*rar*⟩ → **misurazione.**
miṣurạre I *v.t.* **1.** to measure; (*rif. a terreno e sim.*) to survey; ⟨*tecn*⟩ (*con strumenti di precisione*) to gauge, to measure. – **2.** (*pesare*) to weigh. – **3.** (*provare*: *indossando*) to try on; (*facendo indossare*) to fit for: *la sarta mi ha misurato il vestito* the dressmaker ⌜fitted me⌝ (*o* gave me a fitting) for my dress. – **4.** (*percorrere*) to pace, to tread, to travel. – **5.** (*assestare*) to deal, to give: ~ *un ceffone* to give a slap – **6.** ⟨*fig*⟩ (*valutare*) to estimate, to measure, to evaluate, to calculate, to appraise, to weigh up: ~ *le difficoltà di un'impresa* to estimate the difficulties of an undertaking; (*giu-*

dicare) to judge. – **7.** ⟨*fig*⟩ (*contenere*) to limit, to keep down, to keep within limits (*o* bounds): ~ *le spese* to keep expenses down; (*limitare drasticamente*) to ration, to restrict, to mete out, to limit. – **8.** ⟨*fig*⟩ (*paragonare*) to compare, to measure, to set. – **9.** ⟨*fig*⟩ (*ponderare*) to measure, to weigh: ~ *le parole* to weigh one's words. – **II** *v.i.* (*aus.* **avere**) to measure: *il terreno misurava sei ettari* the land measured six hectares. – **misurarsi** *v.r.* **1.** to measure o.s. – **2.** (*rif. a indumenti*: *provare*) to try on. – **3.** (*competere*) to measure o.s., to try one's strength (*con* against), to compete, to contend (with): *misurarsi in una gara* to compete in a race. – **4.** (*limitarsi*) to limit o.s., to be careful.
□ ~ *le proprie* **forze** to try (*o* measure) one's strength; ~ *a* **occhio** to give a rough estimate, to gauge with the eye; ~ *le* **parole** to weigh one's words; ⟨*scherz*⟩ ~ *il* **pavimento** (*cadere lungo disteso*) to measure one's length, to fall flat on one's face; *misurarsi con* **qd.** (*cimentarsi*) to cross swords with s.o.; ⟨*scherz*⟩ ~ *le* **scale** (*ruzzolare*) to fall (*o* tumble) down the stairs; ~ *la* **temperatura** *a qd.* to take s.o.'s temperature; ~ *il* **valore** *di qc.* to value s.th.

misuratamente *avv.* with measure, measuredly; (*con moderazione*) moderately. – **misuratezza** *f.* ⟨*non com*⟩ moderation, temperance.

misurato (*p.p. di misurare*) *a.* **1.** (*moderato*) moderate; (*prudente*) cautious. – **2.** (*limitato*) limited, restricted: *i suoi mezzi sono -i* he has limited means; (*rif. a tempo*) limited. – **3.** (*ponderato*) measured, deliberate, considered: *parole -e* measured words. □ *essere ~ nel parlare* to measure (*o* weigh) one's words, to speak thoughtfully.

misuratore *m.* (*f.* **-trice**) **1.** ⟨*non com*⟩ measurer, gauger. – **2.** ⟨*fig*⟩ (*conoscitore*) judge. – **3.** (*strumento*) meter, gauge.
□ ~ *d'***allungamento** extensometer; ~ *d'***altezza** altimeter; ~ *di* **coppia** torque meter; ~ *di* **durezza** penetrometer; ~ *di* **frequenza** frequency meter; ⟨*Topogr*⟩ ~ *di* **livello** hypsometer; ⟨*Idr*⟩ ~ *di* **portata** displacement meter; ⟨*Aut*⟩ ~ *di* **pressione** *per pneumatici* tyre pressure-gauge; ~ *di* **profondità** depthometer; ~ *di* **radioattività** radioactivity gauge; (*contatore Geiger*) Geiger counter; ~ *di* **spessore** thickness gauge; ~ *del* **tempo** chronometer; ~ *di* **terreno** land surveyor; ~ *di* **umidità** hygrometer, moistmeter; ⟨*El*⟩ ~ *di* **uscita** output meter; ~ *di* **velocità** tachometer, speed indicator; ⟨*Aut*⟩ speedometer.

misuratura *f.* ⟨*non com*⟩ measuring, measurement.

misurazione *f.* measuring, measurement; (*rif. a terreni*) surveying; ⟨*tecn*⟩ (*con strumenti di precisione*) gauging. □ *fare la ~ di una superficie* to measure the area of a surface; ~ *interna* inside measurement.

misuretta *f. dim. di* **misura**.

misurino *m.* measure.

misvenire *v.* (**misvengo, misvieni; misvenni, misvenuto**; → **venire**) ⟨*ant*⟩ **I** *v.i.* (*aus.* **essere**) (*svenire*) to faint, to swoon. – **II** *v.i.impers.* (*aus.* **essere**) (*avere cattivo esito*) to fail.

mite *a.* **1.** mild, gentle, meek. – **2.** (*mansueto*) gentle, docile, tame, meek. – **3.** (*dettato da mitezza*) mild, light, lenient: *sentenza ~* light sentence. – **4.** (*temperato*) mild, temperate: *un inverno ~* a mild winter. – **5.** (*moderato*) moderate, reasonable: *prezzo ~* moderate price; (*leggero*) slight. □ *venire a più -i consigli* to see reason.

mitemente *avv.* mildly, gently, meekly.

mitena *f.* **1.** ⟨*Mod*⟩ mitten, mitt. – **2.** ⟨*Mil.ant*⟩ gauntlet.

mitera *f.* ⟨*ant*⟩ → **mitra**[1]. – **miterare** *v.* (**mitero**) ⟨*ant*⟩ → **mitrare**.

mitezza *f.* **1.** (*rif. a persone*) mildness, gentleness, meekness. – **2.** (*rif. a cose*) mildness, leniency, lightness: *la ~ d'una pena* the lightness of a sentence; (*rif. al tempo*) mildness, temperateness: *la ~ del clima mediterraneo* the mildness of the Mediterranean climate. – **3.** (*mansuetudine*) tameness, docility, gentleness. – **4.** (*moderatezza*) moderation.

miticamente *avv.* mythically. – **miticizzare** *v.t.* ⟨*non com*⟩ to mythicize. – **miticizzazione** *f.* ⟨*non com*⟩ mythicizing, mythologization. – **mitico** *a.* (*pl.* **-ci**) **1.** mythical. – **2.** (*leggendario*) legendary.

mitidio *m.* ⟨*tosc,fam*⟩ (*senno*) judgement, wisdom, (good) sense.

mitigabile *a.* mitigable. – **mitigamento** *m.* mitigation, alleviation.

mitigare *v.t.* (**mitigo, mitighi**) **1.** to mitigate, to lessen, to lighten: ~ *una pena* to mitigate a sentence; (*moderare*) to moderate. – **2.** (*calmare, lenire*) to relieve, to alleviate, to allay, to mitigate: ~ *il dolore* to relieve pain. – **3.** ⟨*non com*⟩ (*diminuire*) to reduce, to lower. – **mitigarsi** *v.r.* **1.** (*moderarsi*) to abate, to subside, to lessen. – **2.** (*calmarsi*) to calm (down); (*rif. al tempo*) to become milder.

mitigativo *a.* ⟨*non com*⟩ mitigative, alleviating. – **mitigatore** ⟨*non com*⟩ **I** *s.m.* (*f.* **-trice**) mitigator. – **II** *a.* → **mitigativo**. – **mitigazione** *f.* **1.** mitigation, lessening, lightening. – **2.** (*alleviamento*) alleviation, relief.

mitilicoltura *f.* raising of mussels, mussel-farming. – **mitilo** *m.* ⟨*Zool*⟩ mussel (*Mytilus edulis*).

mitizzare I *v.t.* (*miticizzare*) to mythicize. – **II** *v.i.* (*aus.* **avere**) (*comporre miti*) to compose myths. – **mitizzazione** *f.* mythicizing, mythologization.

mito *m.* **1.** (*narrazione favolosa*) myth: *i -i degli dei* the myths of the gods; (*leggenda*) legend, saga. – **2.** ⟨*estens*⟩ (*idealizzazione*) myth: *abbattere un ~* to destroy (*o* explode) a myth. – **3.** (*sogno*) myth, (mere) dream; (*utopia*) Utopia, myth. □ ⟨*fam*⟩ *essere un ~* (*non farsi mai vedere*) never to be seen.

mitocondriale *a.* ⟨*Biol*⟩ mitochondrial. – **mitocondrio** *m.* mitochondrion.

mitografia *f.* mythography. – **mitografico** *a.* (*pl.* **-ci**) mythographical. – **mitografo** *m.* mythographer.

mitologema *m.* mythologem.

mitologia *f.* **1.** (*complesso di miti*) mythology, myths *pl*: ~ *nordica* Norse mythology; ~ *classica* classical mythology. – **2.** (*studio dei miti*) mythology. – **3.** ⟨*fig*⟩ (*idealizzazione*) mythology.

mitologico *a.* (*pl.* **-ci**) **1.** mythologic(al): *figura -a* mythological figure. – **2.** ⟨*fig,scherz*⟩ (*fantastico*) mythological, mythical, fabulous. – **mitologista** *m./f.* → **mitologo**. – **mitologo** *m.* (*pl.* **-gi**; *f.* **-a**) mythologist, myth-maker, mythologer.

mitomane *m./f.* ⟨*Psic*⟩ mythomaniac. – **mitomania** *f.* mythomania.

mitopoietico *a.* (*pl.* **-ci**) ⟨*lett*⟩ mythopoeic, mythopoetic.

mitosi *f.* ⟨*Biol*⟩ mitosis. – **mitosoma** *m.* mitosome. – **mitotico** *a.* (*pl.* **-ci**) mitotic.

mitra[1] *f.* **1.** ⟨*Lit,Stor.gr*⟩ mitre; (*dignità episcopale*) mitre, episcopate; (*vescovo*) bishop. – **2.** (*accessorio del camino*) chimney jack, cowl. – **3.** ⟨*Bot*⟩ (*caliptra*) calyptra; (*cappello di fungo*) mitra. – **4.** ⟨*fam,region*⟩ (*parte caudale del pollo*) parson's nose. □ ⟨*Chir*⟩ ~ *d'Ippocrate* capeline (*o* Hippocrate's) bandage.

mitra[2] *m.inv.* sub-machine-gun, ⟨*fam*⟩ tommy-gun.

Mitra *N.pr.m.* ⟨*Rel*⟩ Mithras.

mitraglia *f.* **1.** (*fuoco di mitragliatrice*) machine-gun fire. – **2.** (*mitragliatrice*) machine-gun. – **3.** ⟨*Mil.ant*⟩ grapeshot, mitraille. – **4.** ⟨*non com,fam*⟩ (*spiccioli*) small change, coppers *pl*; (*rottami di ferro*) scrap iron.

mitragliamento *m.* **1.** machine-gunning; (*il fuoco*) machine-gun fire. – **2.** ⟨*fig*⟩ (*martellamento*) hammering, bombarding, pounding.

mitragliare *v.t.* (**mitraglio, mitragli**) **1.** to machine-gun. – **2.** ⟨*fig*⟩ (*martellare*) to hammer, to bombard, to pound: ~ *qd. di domande* to bombard s.o. with questions, to shoot (*o* fire) questions at s.o. – **3.** ⟨*Mil.ant*⟩ to pepper with grapeshot.

mitragliata *f.* **1.** machine-gunning, machine-gun fire. – **2.** ⟨*Mil.ant*⟩ volley of grapeshot. – **mitragliatore I** *a.* sub-machine-, light machine-: *fucile ~* light machine-gun; *pistola mitragliatrice* sub-machine-gun, ⟨*fam*⟩ tommy-gun. – **II** *s.m.* light-machine-gun. – **mitragliatrice** *f.* machine-gun. □ ~ *automatica* (automatic) machine-gun; ⟨*fig*⟩ *sembrare una ~* to rattle away, to jabber. – **mitragliera** *f.* machine-gun. – **mitragliere** *m.* machine-gunner.

mitraico *a.* ⟨*non com*⟩ → **mitriaco**. – **mitraismo** *m.* ⟨*Rel*⟩ Mithraism.

mitrale *a.* ⟨*Anat,Biol*⟩ mitral: *valvola ~* mitral valve. – **mitralico** *a./s.* (*pl.* **-ci**) **I** *a.* ⟨*Med*⟩ **1.** mitral, bicuspid. – **2.** (*malato*) having a defect of the mitral valve. – **II** *s.m.* (*f.* **-a**) patient with a defect of the mitral valve.

mitrare *v.t.* ⟨*lett*⟩ **1.** to mitre, to confer a mitre on. – **2.** ⟨*estens*⟩ (*insignire di dignità episcopale*) to mitre, to make a bishop. – **3.** ⟨*fig*⟩ (*conferire autorità spirituale*) to confer spiritual authority upon. – **mitrato** (*p.p. di mitrare*) **I** *a.* **1.** mitred, wearing a mitre. – **2.** (*insignito di dignità episcopale*) mitred, having the rank of bishop. – **II** *s.m.* (*prelato della chiesa*) prelate.

mitreo *m.* ⟨*Archeol*⟩ Mithraeum, shrine of Mithras.

mitria *f.* ⟨*fam*⟩ → **mitra**[1].

mitriaco *a.* (*pl.* **-ci**) ⟨*Rel*⟩ Mithraic, of Mithras: *culto ~* Mithraic cult.

mitriare *v.* (**mitrio, mitri**) ⟨*ant,fam*⟩ → **mitrare**. – **mitriato** (*p.p. di mitriare*) *a./s.* ⟨*rar*⟩ → **mitrato**.

Mitridate *N.pr.m.* ⟨*Stor*⟩ Mithridates.

mitridatico *a.* (*pl.* **-ci**) **1.** ⟨*Stor.rom*⟩ Mithridatic, Mithradatic. – **2.** ⟨*Med*⟩ (*del mitridatismo*) mithridatic. – **mitridatismo** *m.* ⟨*Med*⟩ mithridatism. – **mitridatizzare** *v.t.* to mithridatize. – **mitridatizzarsi** *v.r.* **1.** to mithridatize o.s., to immunize o.s. (*contro* against). – **2.** ⟨*fig*⟩ (*assuefarsi*) to inure o.s., to become immune (*contro* to). – **mitridatizzazione** *f.* **1.** ⟨*Med*⟩ mithridatization. – **2.** ⟨*fig*⟩ (*assuefazione*) inuring, immunization. – **mitridato** *m.* ⟨*ant*⟩ (*antidoto*) mithridate.

mitridi *m.pl.* ⟨*Zool*⟩ miters *pl* (*Mitridae*).

mitt. = *mittente* sender.

Mitteleuropa *N.pr.f.* ⟨*Geog*⟩ Central Europe. – **mitteleuropeo** *a.* Central European.

mittena *f.* → **mitena**.

mittente *m./f.* **1.** sender; (*rif. a merci*) sender, dispatcher. – **2.** ⟨*Post*⟩ sender: *indicare il ~* indicate the sender's name; (*indicazione sulla corrispondenza*) from: ~: *Maria Rossi* from: Maria Rossi.

miuro *m.* ⟨*Metr*⟩ miurus.

mivola *f.* ⟨*Ornit*⟩ (*pavoncella*) lapwing (*Vanellus vanellus*).

mixedema *m.* ⟨*Med*⟩ myxedema. – **mixedematoso** *a.* myxedematous.

mixer *ingl. m.* **1.** (*vaso graduato per bevande*) shaker. – **2.** (*parte del frullatore*) beater. – **3.** ⟨*Rad*⟩ mixer.

mixo...[1] *pref.* **1.** (*muco* mucus) myx(o)... – **2.** (*tumore* tumour) myx(o)...

mixo...[2] *pref.* (*misto* mixed) mixed.

mixobatteriacee *f.pl.* ⟨*Biol*⟩ myxobacters *pl* (*Myxobacteriaceae*).

mixofite *f.pl.* → **mixomiceti**.

mixoma *m.* ⟨*Med*⟩ myxoma.

mixo|matosi *f.* ⟨*Veter*⟩ myxomatosis. – **~matoso** *a.* ⟨*Med*⟩ myxomatous.

mixo|miceti *m.pl.* ⟨*Bot*⟩ myxomycetes *pl* (*Myxomycetes, Myxophyta*). – **~sarcoma** *m.* ⟨*Med*⟩ myxosarcoma. – **~sporidi** *m.pl.* ⟨*Biol*⟩ myxosporidians *pl* (*Myxosporidia*). – **~tipo** *m.* ⟨*Med*⟩ mixed type.

mizrachisti [-z-] *m.pl.* ⟨*Stor*⟩ followers *pl* of the Mizra(c)hi movement.

MKS = ⟨*Fis*⟩ *metro-chilogrammo-secondo* metre-kilogramme-second (*abbr.* MKS).
ml = *millilitro* millilitre (*abbr.* ml., ml).
Ml = *mirialitro* myrialitre (*abbr.* myl., myl).
mm = *millimetro* millimetre (*abbr.* mm., mm).
Mm = *miriametro* myriametre (*abbr.* Mym).
M.M. = ⟨*Aut*⟩ *Marina militare* Navy.
Mn = ⟨*Chim*⟩ *manganese* manganese.
M/N = ⟨*Mar*⟩ *motonave* motor ship (*abbr.* MS).
mneme *f.* ⟨*Psic*⟩ mneme. – **mnemonica** *f.* mnemonics *pl* (*costr. sing.*), mnemotechny. – **mnemonicamente** *avv.* mnemonically.
mnemonico *a.* (*pl.* **-ci**) **1.** mnemonic(al), of memory. – **2.** (*che aiuta la memoria*) mnemonic(al): *esercizio* ~ mnemonic exercise. – **3.** ⟨*spreg*⟩ (*meccanico*) mechanical, rote: *apprendimento* ~ rote learning. □ *arte -a* → **mnemonica**.
mnemonismo *m.* **1.** mnemonics *pl* (*costr. sing.*), mnemotechny. – **2.** ⟨*Biol*⟩ mnemic theory, mnemism.
mnemosine *f.* ⟨*Entom*⟩ apollo butterfly (*Parnassius mnemosyne*).
Mnemosine (o *Mnemosine*) *N.pr.f.* ⟨*Mitol*⟩ Mnemosyne.
mnemotecnica *f.* → **mnemonica**.
...mnesia *suff.* (*memoria* memory) ...mnesia: *amnesia f.* amnesia.
mnesico, mnestico *a.* (*pl.* **-ci**) (*mnemonico*) mnestic, mnemonic.
Mo = ⟨*Chim*⟩ *molibdeno* molybdenum.
Mo. = ⟨*Mus*⟩ *maestro* Maestro.
mo'[1] *avv.* ⟨*ant,region*⟩ **1.** (*ora*) now. – **2.** (*presto, subito*) right away, immediately. – **3.** (*poco fa*) just now, a short time ago. – **4.** (*un poco*) just. □ *da* ~ (*da ora*) from now (on); ⟨*scherz*⟩ (*da un bel pezzo*) for ages, for a long time; ~ *mo'* (*subito*) right away, at once; *pur* ~ (*or ora*) just now, a moment ago.
mo'[2] (*apoc. di modo*) *m.* ⟨*ant*⟩ way. □ *a* ~ *di* by way of, as, like: *a* ~ *d'esempio* for instance (*o* example), by way of example; *a* ~ *di mantello* like a cloak.
moa *m.inv.* ⟨*Paleont*⟩ moa.
moabita *m./f.* Moabite. – **moabitico** *a./s.* (*pl.* **-ci**) **I** *a.* Moabitic, Moabite, Moabitish. – **II** *s.m.* (*lingua*) Moabite.
mobile[1] **I** *a.* **1.** mobile, moving: *scala* ~ moving staircase, escalator. – **2.** (*che si può muovere*) movable, mobile; (*su ruote*) wheelable; (*che viaggia*) mobile, travelling. – **3.** (*cedevole*) yielding, moving. – **4.** ⟨*fig*⟩ (*incostante*) fickle, inconstant, shifting, restless. – **5.** ⟨*fig*⟩ (*mutevole*) changeable, mutable, changing, mobile. – **6.** ⟨*fig*⟩ (*pronto, vivace*) quick, lively, ready. – **7.** ⟨*Med*⟩ floating: *rene* ~ floating kidney. – **8.** ⟨*Dir*⟩ movable. – **II** *s.m.* ⟨*Dir*⟩ (*bene mobile*) personal property, movable; *pl.* movable goods *pl*, personal property (*o* estate), chattels *pl.* – **III** *s.f.* (*squadra mobile*) flying-squad.
mobile[2] *m.* **1.** piece of furniture; *pl.* furniture. – **2.** ⟨*Fis*⟩ mobile. – **3.** ⟨*ant*⟩ (*bene mobile*) personal property. – **4.** ⟨*ant*⟩ (*mobilia*) furniture. □ *-i di* **acciaio** steel furniture; ~ **bar** bar; ⟨*fig,scherz*⟩ *un* **bel** ~ a fine one; *-i* **componibili** unit (*o* sectional) furniture; *-i da* **giardino** garden furniture; *-i* **imbottiti** upholstered furniture; ⟨*Astrol*⟩ **primo** ~ primum mobile; *-i da* **terrazzo** patio (*o* terrace) furniture; *-i da* **ufficio** office furniture.
mobiletto *m. dim. di* **mobile**[2].
mobilia *f.* furniture, furnishings *pl*; (*mobili*) furniture. □ ⟨*fig,non com*⟩ *fare da* ~ (*fare da tappezzeria*) to take no part in the proceedings, to be a mere onlooker.
mobiliare[1] *a.* ⟨*Dir,Econ*⟩ movable, personal: *capitale* ~ movable goods, movables *pl*, personal property.
mobiliare[2] *v.t.* (**mobilio, mobili**) to furnish. – **mobiliato** (*p.p. di mobiliare*[2]) *a.* furnished: *vivere in una camera -a* to live in a furnished room, ⟨*fam*⟩ to live in digs. – **mobiliatura** *f.* ⟨*rar*⟩ (*arredamento*) furnishing.
mobiliere *m.* **1.** (*fabbricante*) furniture manufacturer; (*falegname*) furniture maker. – **2.** (*venditore*) furniture seller. – **mobilificio** *m.* furniture factory. – **mobilino** *m.* ⟨*non com*⟩ *dim. di* **mobile**[2]. – **mobilio** *m.* → **mobilia**.
mobilità *f.* **1.** mobility, movability. – **2.** ⟨*fig*⟩ (*mutevolezza*) changeableness, mutability. – **3.** ⟨*fig*⟩ (*volubilità*) fickleness, inconstancy. – **4.** ⟨*fig*⟩ (*prontezza, vivacità*) quickness, liveliness. – **5.** ⟨*Statist, Econ*⟩ mobility.
mobilitare *v.t.* (**mobilito**) **1.** ⟨*Mil*⟩ to mobilize, to make ready for war. – **2.** ⟨*fig*⟩ to mobilize, to marshal, to rally. – **3.** ⟨*fig*⟩ (*impegnare*) to mobilize. – **4.** ⟨*Econ*⟩ to mobilize.
mobilitazione *f.* mobilization: ⟨*Mil*⟩ ~ *generale* general mobilization.
mobilizzare *v.t.* **1.** ⟨*Chir*⟩ to mobilize. – **2.** ⟨*ant*⟩ (*mobilitare*) to mobilize. – **mobilizzazione** *f.* **1.** ⟨*Chir,Econ*⟩ mobilization. – **2.** ⟨*ant*⟩ (*mobilitazione*) mobilization.
mobilometro *m.* ⟨*tecn*⟩ mobilometer.
mobilone *m. accr. di* **mobile**[2]. – **mobiluccio** *m.* ⟨*spreg*⟩ *dim. di* **mobile**[2].
MOC = ⟨*Aut*⟩ *Mozambico* Mozambique.
moca *m.inv.* **1.** (*caffè*) mocha (coffee). – **2.** (*bevanda*) mocha (coffee). – **3.** ⟨*scherz*⟩ (*caffè ottimo*) excellent coffee.
mocassino *m.* ⟨*Etnol,Calz*⟩ moccasin.
mocca *f.* ⟨*Mar*⟩ (*bigotta*) dead-eye.
moccicare *v.i.* (**moccico, moccichi**; *aus.* **avere**) ⟨*region*⟩ **1.** to run. – **2.** ⟨*spreg*⟩ (*piagnucolare*) to snivel, to whimper, to whine. – **moccichino** *m.* ⟨*fam*⟩ **1.** (*fazzoletto da naso*) handkerchief. – **2.** ⟨*non com*⟩ (*bambino cui moccica il naso*; *f.* **-a**) child with a running nose. – **moccico** *m.* (*pl.* **-chi**) ⟨*tosc,region*⟩ (*moccio*) mucus (of the nose), catarrh, ⟨*volg*⟩ snot. – **moccicone** *m.* (*f.* **-a**) ⟨*tosc*⟩ → **moccione**. – **moccicoso** *a.* ⟨*fam,volg*⟩ snotty-nosed. – **moccio** *m.* **1.** mucus (of the nose), ⟨*volg*⟩ snot. – **2.** ⟨*non com*⟩ (*bava delle lumache*) slime. – **3.** ⟨*Veter*⟩ glanders *pl* (*costr. sing.*). – **moccione** *m.* (*f.* **-a**) ⟨*tosc*⟩ **1.** ⟨*volg*⟩ snotty-nose. – **2.** ⟨*fig,spreg*⟩ (*persona dappoco*) insignificant person, ⟨*fam*⟩ drip, ⟨*volg*⟩ snotty-nose; (*rif. a ragazzo*) young whipper-snapper; (*rif. a vecchio*) old dodderer; (*moccioso*) person with a running nose, ⟨*volg*⟩ snotty-nose. – **mocciosetto** *m.* (*f.* **-a**) *dim. di* **moccioso**. – **moccioso I** *a.* (*rif. al naso*) dirty, ⟨*volg*⟩ snotty; (*rif. a persona*) ⟨*volg*⟩ snotty-nosed. – **II** *s.m.* (*f.* **-a**) **1.** child with a running nose. – **2.** ⟨*fig,spreg*⟩ (*ragazzo che si dà arie da grande*) young whipper-snapper.
moccolaia *f.* ⟨*region*⟩ **1.** candlesnuff. – **2.** (*scolatura di cera*) candle drippings *pl.*
moccoletto (*dim. di moccolo*) *m.* small candle (*o* taper). □ ⟨*Stor*⟩ *festa dei -i* feast of the candles (on the last evening of Carnival).
moccolo (o *moccolo*) *m.* **1.** candle end; ⟨*spreg*⟩ (*candela*) candle. – **2.** (*scolatura di cera*) candle drippings *pl.* – **3.** ⟨*fam*⟩ (*bestemmia*) oath, swear-word. – **4.** ⟨*scherz*⟩ (*moccio*) mucus, ⟨*volg*⟩ snot. – **5.** ⟨*ant*⟩ (*punta del naso*) tip (*o* end) of the nose. – **6.** ⟨*ant,region*⟩ (*moccolaia*) candlesnuff. □ ⟨*fig*⟩ *non avere altri -i* to have no other means; ⟨*fig*⟩ *reggere il* ~ to play gooseberry; *tirare un* ~ (*bestemmiare*) to swear, to curse; *tira certi -i* he comes out with some dreadful language (*o* swear-words); *tirare -i contro qd.* to curse s.o.
moccolone *m. accr. di* **moccolo**.
moccolosa *f.* ⟨*Itt*⟩ flapperskate, black-bellied skate (*Raia macrorhynchus*).
moccoloso *a.* ⟨*region*⟩ (*moccicoso*) snotty-nosed.
moccolotto *m. accr. di* **moccolo**.
mochetta *f.* **1.** (*tappeto*) moquette (carpeting), ⟨*am*⟩ broadloom. – **2.** ⟨*Tess*⟩ moquette.
moco[1] *m.* (*pl.* **-chi**) **1.** ⟨*Bot*⟩ ers, kersenneh, bitter vetch (*Vicia ervilia*). – **2.** ⟨*Bot*⟩ lathyrus (*Lathyrus cicera*). – **3.** ⟨*fig,ant*⟩ (*inezia*) trifle, (mere) nothing. □ *non contare un* ~ to be a mere trifle, to be unimportant; ⟨*ant*⟩ *aver l'occhio ai mochi* (*essere vigilante*) to keep one's eyes open.
moco[2] *m.* (*pl.* **-chi**) ⟨*Zool*⟩ moco (*Kerodon rupestris*).
mod. = ⟨*Mat*⟩ *modulo* modulus (*abbr.* m.).
moda *f.* **1.** fashion, style, ⟨*lett*⟩ mode; (*costume*) custom, usage. – **2.** (*rif. ad abbigliamento*) fashion, fashions *pl*: *la* ~ *parigina* Paris fashion, the Paris fashions. – **3.** *pl.* ⟨*concr*⟩ (*articoli di moda*) fashion. – **4.** ⟨*Statist*⟩ mode.
□ **alla** ~ fashionable, in fashion (*o* style), stylish: *un cappello all'ultima* ~ a hat in the latest fashion, a very fashionable hat; *una signora alla* ~ a fashionable woman; **alta** ~ haute couture, high fashion; **andare** *alla* ~ to be in fashion (*o* vogue); *andare di* ~ to be ⌈the fashion⌉ (*o* fashionable); **di** ~ fashionable, ⟨*fam*⟩ the rage (*o* thing), ⟨*pred*⟩ in fashion, stylish, ⟨*fam*⟩ in: *è di* ~ *andare in vacanza all'estero* it's the thing now to go on holiday abroad; *quest'anno è di gran* ~ *lo sci acquatico* water-skiing is (all) the rage this year; *abiti di* ~ fashionable (*o* stylish) clothes; **fuori** (*di*) ~ out of fashion, unfashionable, ⟨*fam*⟩ out; **malattia** *di* ~ fashionable illness; **negozio** *di -e* fashion (*o* dress) shop; (*modisteria*) milliner's shop; **passare** *di* ~ to go out of fashion, ⟨*fam*⟩ to go out; **ritornare** *di* ~ to come back into fashion, ⟨*fam*⟩ to come back in; **seguire** *la* ~ to keep in fashion, to follow the dictates of fashion.
modale[1] *a.* **1.** ⟨*Gramm*⟩ modal: *proposizione* ~ modal (proposition); (*rif. ad avverbi*) of manner. – **2.** ⟨*Mus,Filos,Dir*⟩ modal.
modale[2]: ⟨*Statist*⟩ *valore* ~ modal value, mode.
modalismo *m.* ⟨*Rel*⟩ modalism.
modalità *f.* **1.** state, condition, character; (*modo*) way, manner, form, pattern. – **2.** ⟨*Dir,burocr*⟩ formality, procedure: *nelle* (*o secondo le*) ~ *previste dalla legge* in accordance with the procedure laid down by the law. – **3.** ⟨*Filos*⟩ modality. □ ~ *per l'uso* instructions (for use).
modanare *v.t.* (**modano**) to mould, to model. – **modanato** (*p.p. di modanare*) *a.* moulded. – **modanatore** *m.* ⟨*Fal*⟩ moulder, cabinet-maker specialized in mouldings. – **modanatrice** *f.* ⟨*Ind*⟩ moulding machine, moulder. – **modanatura** *f.* moulding (*anche Arch.*). – **modano** *m.* **1.** ⟨*Edil*⟩ template, mould, pattern, model. – **2.** ⟨*Pesc*⟩ netting-needle. – **3.** ⟨*Lav.femm*⟩ filet, network.
modella *f.* **1.** model: *fare da* ~ *a un pittore* to be a painter's model, to pose for a painter. – **2.** (*indossatrice*) (fashion) model, mannequin.
modellabile *a.* mouldable, that can be modelled (*o* fashioned). – **modellamento** *m.* ⟨*non com*⟩ modelling.
modellare *v.t.* (**modello**) **1.** to model, to shape, to fashion: ~ *l'argilla* to model clay. – **2.** (*dare forma*) to model, to mould, to shape, to fashion, to form. – **3.** (*foggiare*) to model (*anche fig.*). – **4.** ⟨*fig*⟩ (*dare rilievo*) to mould, to bring out, to accentuate. – **modellarsi** *v.r.* to model o.s. (*su* on), to take as a model (s.o.).
modellato (*p.p. di modellare*) **I** *a.* modelled, moulded, formed, shaped. – **II** *s.m.* ⟨*Scult,Pitt*⟩ modelling. – **modellatore I** *s.m.* (*f.* **-trice**) modeller. – **II** *a.* modelling. – **modellatrice** *f.* (*anche macchina modellatrice*) moulding machine. – **modellatura, modellazione** *f.* **1.** modelling, moulding. – **2.** ⟨*Geol*⟩ mo(u)ld.
modellino (*dim. di modello*) *m.* ⟨*Cin*⟩ miniature.
modellismo *m.* model-making; (*aeromodellismo*) model aircraft construction.
modellista I *s.m./f.* **1.** ⟨*Mod*⟩ model (*o* pattern) maker. – **2.** ⟨*tecn*⟩ pattern maker. – **3.** (*chi idea piccoli modelli di veicoli, macchine e sim.*) designer of models; (*chi costruisce piccoli modelli di veicoli,

macchine e sim.) maker of models. – **II** *a.* ⟨*Mod*⟩ fashion-: *casa* ~ fashion house.

modellịstica *f.* design and construction of models. – **modellịstico** *a.* (*pl.* **-ci**) model-, of models.

modẹllo I *s.m.* **1.** model, pattern, design: *copiare un* ~ to follow a pattern. – **2.** ⟨*Sart*⟩ (*cartamodello*) (paper) pattern; (*figurino*) fashion sketch; (*vestito*) model garment, original (creation): *questo vestito è un* ~ this dress is an original. – **3.** ⟨*fig*⟩ (*esempio*) model, example, pattern: *seguire il* ~ *dei classici* to take classical writers as one's model, to model o.s. on classical writers; *un* ~ *di impiegato* a model employee. – **4.** (*riproduzione in scala ridotta*) (scale) model. – **5.** (*tipo*) model, type, kind: *un'automobile ultimo* ~ a new model car. – **6.** ⟨*Art,non com*⟩ (*chi posa*; *f.* **-a**) (artist's) model. – **7.** ⟨*burocr*⟩ (*modulo*) form: *compilare il* ~ *numero tre* fill out form number three. – **8.** ⟨*tecn,Econ*⟩ model. – **9.** ⟨*Met*⟩ pattern. – **II** *a.inv.* **1.** model: *scuola* ~ model school. – **2.** ⟨*fig*⟩ (*esemplare*) model, exemplary.

□ ~ **brevettato** patented model (*o* design); ~ *in* **cera** wax model; **citare** *qd. come* ~ to cite s.o. as an example; ~ **depositato** registered pattern; ⟨*Mod*⟩ ~ **esclusivo** exclusive model; ~ *d'***esposizione** showroom model; ~ *da* **fonderia** pattern; ~ *in* **gesso** plaster cast; ~ *al* (o *a grandezza*) **naturale** full-scale (*o* life-size) model, mock-up; ~ *di* **nave** model of a ship; (*modellino*) model ship; **proporsi** *qd. come* ~ to take s.o. as one's model, to model o.s. on s.o.; ⟨*Ind*⟩ ~ ⌜*di* **prova**⌝ (o *sperimentale*) experimental (*o* test) model; ⟨*Aut*⟩ ~ **sportivo** sports model; ~ *di* **utilità** utility model; ⟨*Aer*⟩ ~ **volante** (flying) model aircraft.

Mọdena *N.pr.f.* ⟨*Geog*⟩ Modena. – **modenẹse I** *a.* of (*o* from) Modena, Modenese. – **II** *s.m.* **1.** (*dialetto*) Modenese (dialect). – **2.** *m./f.* (*abitante*) Modenese, native (*o* inhabitant) of Modena. – **Modenese** *N.pr.m.* (*territorio*) Modena area (o region), territory around Modena.

moderạbile *a.* that can be moderated. – **moderamẹnto** *m.* ⟨*non com*⟩ moderation, lowering. – **moderạnza** *f.* ⟨*ant*⟩ (*moderazione*) moderation, temperance; (*moderatezza*) moderateness, moderation.

moderạre *v.t.* (**mọdero**) **1.** (*dominare*) to control, to check, to restrain, to curb, to bridle: ~ *le passioni* to control one's passions. – **2.** ⟨*estens*⟩ (*attenuare*) to moderate, to mitigate, to temper; (*diminuire*) to reduce, to lessen, to moderate, to lower: ~ *la velocità* to reduce speed, to slow down; ~ *la voce* to moderate (*o* lower) one's voice. – **3.** ⟨*Fis*⟩ to moderate. – **4.** ⟨*ant*⟩ (*governare, reggere*) to govern, to rule. – **moderarsi** *v.r.* to control (o.s.), to limit (o.s.): *moderarsi nel bere* to limit (*o* cut down) one's drinking; (*dominarsi*) to control (*o* restrain) o.s., to get a hold of o.s. □ *moderarsi nel fumo* to cut down one's smoking.

moderatamẹnte *avv.* moderately. – **moderatẹzza** *f.* moderation, moderateness, temperance. – **moderatịsmo** *m.* ⟨*Pol*⟩ moderatism. – **moderatịvo** *a.* ⟨*non com*⟩ moderating.

moderạto (*p.p. di moderare*) **I** *a.* **1.** (*rif. a cose*) moderate, controlled, restrained, tempered: *ira -a* controlled anger. – **2.** (*rif. a persone*) moderate, controlled, restrained, sensible: *un uomo* ~ *nel mangiare* a sensible eater. – **3.** (*equilibrato*) self-controlled, sober, level -headed. – **4.** ⟨*Pol*⟩ moderate: *tendenze -e* moderate tendencies. – **5.** ⟨*Mus*⟩ moderato. – **II** *s.m.* (*f.* **-a**) ⟨*Pol*⟩ moderate.

moderatọre I *s.m.* (*f.* **-trice**) **1.** moderator (*anche Chim., Atom.*). – **2.** ⟨*Rad,TV*⟩ moderator, chairman of a discussion. – **3.** ⟨*lett*⟩ (*reggitore*) ruler, governor. – **4.** ⟨*Stor*⟩ ruler of a province. – **5.** ⟨*Rel.ev*⟩ moderator. – **II** *a.* **1.** moderating. – **2.** ⟨*tecn*⟩ moderator-. □ *lume a* ~ moderator lamp; ⟨*ant*⟩ ~ *di una scuola* (*direttore*) principal, headmaster; ⟨*ant*⟩ *supremo* (o *sommo*) ~ *degli studi* (*ministro della pubblica istruzione*) Minister of Education.

moderaziọne *f.* **1.** moderation; (*dominio*) control. – **2.** (*temperanza*) moderation, temperance, restraint. □ *avere* (o *usare*) ~ *in qc.* to be moderate in (doing) s.th.; *avere* ~ *nel bere* to be a moderate drinker; *con* ~ in moderation, moderately; *senza* ~ without moderation, immoderately, to excess.

modernamẹnte *avv.* **1.** (*in epoca recente*) in modern times, recently, nowadays. – **2.** (*alla maniera moderna*) in a modern way, modernly.

modernịsmo *m.* **1.** modernism. – **2.** ⟨*Rel.catt*⟩ Modernism. – **modernịsta I** *s.m./f.* modernist (*anche Rel.catt.*). – **II** *a.* → **modernistico**. – **modernịstico** *a.* (*pl.* **-ci**) modernist(ic) (*anche Rel.catt.*).

modernità *f.* (*rif. a cosa*) modernity, modernism; (*rif. a persona*) modernity, modernness. – **modernizzạre** *v.t.* to modernize, to up-date. – **modernizzarsi** *v.r.* to bring o.s. up to date, to get in step with the times.

modẹrno I *a.* **1.** modern: *la poesia -a* modern poetry. – **2.** (*attuale*) modern, present-day: *la vita -a* modern life; (*recente*) recent; (*nuovo*) new. – **3.** (*al passo con i tempi*) modern, contemporary, up-to-date. – **4.** (*alla moda*) modern, fashionable. – **II** *s.m.* modern. – **III** *s.m.* (*uomo del nostro tempo*) modern (man), man of our time. □ *alla -a* in modern style, in an up-to-date way.

modestamẹnte *avv.* **1.** modestly; (*senza pretese o lusso*) modestly, simply, unpretentiously: *vivere* ~ to live modestly. – **2.** (*modestia a parte*) in all modesty, although I say it myself.

modẹstia *f.* **1.** modesty; (*mancanza di pretese*) unpretentiousness, simplicity. – **2.** (*pudore*) modesty, demureness, bashfulness. – **3.** (*limitatezza*) limitedness, scantness; (*mediocrità*) poorness, mediocrity; (*modicità*) moderateness, moderation. – **4.** ⟨*Mod*⟩ → **modestina**. □ *falsa* ~ false modesty; ~ *a parte* although I say it myself, I don't want to boast (but); *senza* ~ immodest.

modestịna *f.* ⟨*Mod*⟩ modesty (vest).

modẹsto I *a.* **1.** modest, unassuming: *atteggiamento* ~ unassuming air. – **2.** (*senza pretese*) unpretentious, simple, modest: *una casa -a* an unpretentious house. – **3.** (*non agiato*) poor, humble, modest. – **4.** (*pudico*) modest, demure, bashful. – **5.** (*scarso, limitato*) limited, scant(y), poor, small, slight: *un* ~ *compenso* a small reward. – **6.** (*mediocre*) poor, mediocre, slight. – **7.** (*modico*) moderate, reasonable, modest. – **8.** (*in frasi di cortesia*) humble, modest: *secondo il mio* ~ *parere* in my humble opinion. – **II** *s.m.* (*f.* **-a**) modest person. □ *fare il* ~ to pretend to be modest, to affect modesty; ⟨*iron*⟩ *fare il ser* ~ (*ostentare falsa modestia*) to pretend to be modest; *troppo* ~ ! (*a chi ricusa lodi*) you are ⌜too modest⌝ (*o* over-modest). – *Prov.*: *fra* ~ *non fu mai priore* if you're too modest you'll never get on in life.

modicità *f.* moderateness, reasonableness, lowness. – **mọdico** *a.* (*pl.* **-ci**) moderate, reasonable, low: ~ *interesse* low rate of interest; *prezzi -i* low (*o* reasonable) prices. □ *a prezzi -i* cheap(ly).

modịfica *f.* alteration, modification, change: *è stata apportata una* ~ *al regolamento* a change has been made in the rules; (*emendamento*) amendment. – **modificạbile** *a.* alterable, modifiable; (*emendabile*) amendable. – **modificabilità** *f.* alterableness, modifiability.

modificạre *v.t.* (**modịfico, modịfichi**) **1.** to alter, to change, to modify; (*emendare*) to amend: ~ *un progetto di legge* to amend a bill. – **2.** (*migliorare*) to improve, to (a)mend, to correct. – **3.** ⟨*Chim*⟩ to modify. – **modificarsi** *v.r.* to change, to alter.

modificatịvo *a.* modifying, modificative, modificatory, that may change. – **modificatọre I** *s.m.* (*f.* **-trice**) modifier. – **II** *a.* **1.** modifying, modificative, modificatory, of change. – **2.** ⟨*Chim*⟩ modificatory.

modificaziọne *f.* **1.** alteration, modification, change; (*emendamento*) amendment: ~ *di legge* amendment to a law. – **2.** ⟨*Biol,Chim*⟩ modification. □ ⟨*Comm*⟩ ~ *dello statuto* amendment (*o* alteration) of the Articles of Association; ~ *strutturale* structural change.

modiglianẹsco *a.* (*pl.* **-chi**) ⟨*Pitt*⟩ **1.** (*di Modigliani*) of Modigliani, Modigliani's. – **2.** (*simile alla pittura di Modigliani*) Modigliani-, in the style of Modigliani.

modigliọne *m.* ⟨*Arch*⟩ modillion, truss.

modinạre *v.* ⟨*pop*⟩ → **modanare**. – **modinatọre** *m.* ⟨*fam*⟩ → **modanatore**. – **modinatụra** *f.* ⟨*fam*⟩ → **modanatura**. – **mọdine** *m.* ⟨*fam*⟩ → **modano**.

modịno: *a* ~ (*con garbo*) well, properly, nicely: *fare le cose a* ~ to do things properly; (*rif. a persone*) nice.

mọdio *m.* ⟨*Stor.rom*⟩ modius.

modịolo *m.* ⟨*Anat*⟩ modiolus.

modịsta *f.* milliner. – **modisterịa** *f.* **1.** (*arte*) millinery. – **2.** (*negozio*) milliner's (*o* hat) shop.

mọdo *m.* **1.** way, manner: ~ *di vivere* way of life. – **2.** (*procedimento, metodo*) method, way; (*mezzo*) means *pl* (*costr. sing. o pl.*), way: *trovare il* ~ *di arricchirsi* to find a way of getting rich. – **3.** (*occasione*) opportunity, chance: *non ho avuto* ~ *di parlargli* I ⌜did not have a chance⌝ (*o* was not able) to speak to him; (*possibilità*) possibility. – **4.** (*comportamento*; generally in pl.) manners *pl*, ways *pl*, behaviour: *-i cortesi* good manners, courtesy. – **5.** (*abitudine, usanza*) way, manner, custom, habit; (*foggia, guisa*) style, fashion, way: *vestire al* ~ *dei contadini* to wear peasant-style clothes. – **6.** (*modo di dire*) expression, idiom. – **7.** (*misura*) measure; (*limite*) limit. – **8.** ⟨*lett*⟩ (*tono*) tone; (*stile*) style. – **9.** ⟨*Gramm*⟩ mood. – **10.** ⟨*Mus,Filos*⟩ mode. – **11.** ⟨*Dir*⟩ obligation.

□ **a** ~: 1. (*rif. a persone*) nice, proper, polite, well-bred; 2. (*con garbo*) well, properly, nicely, as one should; ⟨*ant*⟩ *a* ~ *di* = **per** *modo di*; *a* ~ *suo* (*a sua volontà*) as he wishes, (in) his own way: *lascialo fare a* ~ *suo* let him do as he wishes, let him have his own way; ~ *d'***agire** behaviour, way of going about things; *in* **certo** (*qual*) ~ in a way (*o* sense), in one way; *in un certo* ~ (*in modo cattivo*) so badly (*o* nastily), in such a way; (*in modo strano*) strangely, in an odd way; ⟨*Gramm*⟩ ~ **condizionale** conditional (mood); ~ **congiuntivo** subjunctive (mood); **dar** ~ *a qd.* to enable (*o* allow) s.o., to give s.o. an opportunity (*o* a chance); ⟨*Gramm*⟩ **di** ~ modal; (*rif. ad avverbi*) of manner: *avverbio di* ~ adverb of manner; *di* ~ *che* (*affinché*) so that, so as to; (*e così*) (and) so; ~ *di* **dire** idiom, expression, idiomatic phrase; *per* ~ *di dire* so to speak, as it were; **esserci** ~ to be a way: *non c'è* ~ *di cavarsela* there's no way of getting out of it; *non è* (*il*) ~ (*di fare*) that's no way to behave (*o* go about it); *c'è* ~ *e* ~ there is a right and a wrong way of doing everything, one must be tactful; ~ *di* **fare** manner, behaviour; *fare in* ~ *che* to make sure, to see that, ⟨*fam*⟩ to work it that: *fai in* ~ *che egli venga* see that he comes, get him to come; **fuor** *di* ~ extremely, utterly, exaggeratedly; ⟨*Gramm*⟩ ~ **gerundio** gerund; ~ **gerundivo** gerundive; ~ **imperativo** imperative (mood); **in** ~ *elegante* elegantly; *in* ~ *che* (o *da*) = **di** *modo che*; *in che* ~? (*come*) how?, in what way?: *in che* ~ *posso aiutarti?* how can I help you?; *in un* ~ *o nell'altro* whatever happens; (*in qualche modo*) somehow, (in) one way or another, ⟨*fam*⟩ by hook or by crook; *in* ⌜~ *particolare*⌝ (o *particolar modo*) (e)specially, particularly; ⟨*Gramm*⟩ ~ **indicativo** indicative (mood); ~ **infinito** infinitive; ⟨*Mus*⟩ ~ **maggiore** major mode; *in* **malo** ~ rudely, roughly, unpleasantly; *nel* ~ **migliore** in the best possible way, as best one can; ⟨*Mus*⟩ ~ **minore** minor mode; *in* **nessun** ~ (*con nessun mezzo*) in no way, by no means; (*a nessun patto*) in no circumstances, on no account; *ad* **ogni** ~: 1. = *in* **ogni** *modo*; 2. (*comunque sia*) anyhow, anyway, at any rate, at all events, in any case (*o* event); *in ogni* ~ (*comunque*) anyway, anyhow; (*ad ogni costo*) in every possible way; **oltre** ~ excessively, over-: *oltre* ~ *prudente* over-cautious; ⟨*Gramm*⟩ ~ **ottativo** optative (mood); ~ *di* **pagamento** method (*o* means) of payment; ⟨*Gramm*⟩ ~ **participio** participle; **passare** *il* ~ to go too far, to overstep the mark; ⟨*lett*⟩ **per** ~ *di* (*in forma di*) as; ~ *di* **procedere** way of going about things; *in* **qualche** ~ somehow (or other); ⟨*region*⟩ (*alla bell'e meglio*) as well as possible, as best one can; *in* **questo** ~ (*così*) in this way, thus; ⟨*ant*⟩ **senza** ~ (*senza misura*) immoderate; *al* (o *nel*) **solito** ~ in the usual way; ⟨*lett*⟩ **sopra** ~ = **oltre** *modo*; *in* **special** ~ = **in** *modo particolare*; *nello* **stesso** ~ in the same way; *in* (o *per*) **tal** ~ *che* so... that; **tentare** *tutti i -i* to try everything, to leave no stone unturned; **trovare** ~ *a qc.* (*trovare rimedio*) to find a solution to s.th.; *in* **tutti** *i -i*: 1. in every way; 2. (*comunque sia*) anyway, anyhow, at any rate; 3. (*in ogni caso*) in any case (*o* event), at all events; ~ *di* **vedere** opinion, point of view: *a mio* ~ *di vedere* in my opinion, to my mind, as I see things. – *Prov.*: *ciascuno a suo* ~ we all have our own way of going about things; *a chi vuole non mancan -i* where there's a will there's a way.

modulạbile *a.* that can be modulated.

modulạre[1] *v.t.* (**mọdulo**) **1.** to modulate. – **2.** ⟨*ant*⟩ (*comporre musica*) to compose.

modulạre[2] *a.* ⟨*Arch*⟩ modular.

modulạrio *m.* (*blocco*) block (*o* book) of forms; (*raccolta*) set of forms.

modularità *f.* ⟨*Arch*⟩ (*l'essere modulare*) modular nature.

modulạto (*p.p. di modulare*[1]) *a.* (well) modulated: *voce -a* well -modulated (*o* pleasant) voice.

modulatọre I *s.m.* **1.** (*f.* **-trice**) modulator. – **2.** ⟨*Fis,Rad*⟩ modulator. – **3.** ⟨*ant*⟩ (*compositore*; *f.* **-trice**) composer. – **II** *a.* **1.** modulating. – **2.** ⟨*Fis,Rad*⟩ modulating, modulation-: *tubo* ~ modulating tube. □ ~ *di* **ampiezza** amplitude modulator; ⟨*Rad*⟩ ~ *in* **controfase** push-pull modulator; ~ *di* **frequenza** frequency modulator; ~ *di* **luce** light modulator; ~ *di* **tonalità** tone modulator.

modulaziọne *f.* **1.** modulation, inflection. – **2.** ⟨*Arch,Fis,Rad*⟩ modulation.
□ ~ *di* **ampiezza** amplitude modulation; ⟨*Rad*⟩ ~ **anodica** anode modulation; ~ *per* **assorbimento** absorption modulation; ~ **catodica** cathode modulation; ~ *di* **corrente** current modulation; ~ *di* **fase** phase modulation; ~ *di* **frequenza** frequency modulation; ~ *ad* **impulsi** pulse modulation; ~ **incrociata** cross modulation; ⟨*TV*⟩ ~ **negativa** negative modulation; ~ *del* **suono** tone modulation; ⟨*El*⟩ ~ *di* **velocità** velocity modulation.

mọdulo *m.* **1.** form, ⟨*am*⟩ blank: *riempire un* ~ to fill up (*o* in) a form. – **2.** (*formulario, modello*) standard, exemplar, model: ~ *di contratto* standard contract. – **3.** ⟨*Arch,Art*⟩ module. – **4.** ⟨*Art*⟩ (*canone*) canon, rule of proportion. – **5.** ⟨*Numism*⟩ diameter. – **6.** ⟨*Mat,tecn*⟩ modulus.
□ ~ *di* **assegno** cheque (form); ~ *in* **bianco** blank form; ~ *di* **domanda** application form; ⟨*Fis*⟩ ~ *di* **elasticità** coefficient (*o* modulus) of elasticity; ~ *d'***iscrizione** registration (*o* enrolment) form; ⟨*Astron*⟩ ~ **lunare** lunar module; ⟨*Econ*⟩ ~ **monetario** monetary unit; ~ *per* **ordinazione** order form; ⟨*Fis*⟩ ~ *di* **resistenza** section (*o* bulk) modulus, moment of resistance; ~ **stampato** printed form; ~ *per* **telegramma** telegram form.

modulọmetro *m.* ⟨*Rad,Tel*⟩ modulation meter.

mọdus vivẹndi *lat. m.inv.* (*accomodamento*) modus vivendi, understanding.

moẹna *f.* ⟨*Zool*⟩ (*murena*) moray (*Muraena*).

moẹrre, moẹrro *m.* **1.** (*mohair*) mohair. –**2.** ⟨*ant*⟩ (*moire*) moiré (silk).

mofẹta (o *mofẹta*) *f.* ⟨*Geol*⟩ mofette.

moffẹtta *f.* **1.** ⟨*Zool*⟩ skunk (*Mephitis mephitis*). – **2.** ⟨*non com*⟩ → **mofeta**.

mọgano *m.* mahogany.

moggiạna *f.* → **molana**.

moggiạta *f.* ⟨*Agr*⟩ amount of land which can be sown with one modius of grain.

mọggio *m.* (*pl. le* **mọggia**/*non com. i* **mọggi**/*ant. le* **mọgge**) **1.** ⟨*Stor*⟩ (*antica misura*) modius. – **2.** ⟨*fig*⟩ (*grande quantità*) plenty, heap. – **3.** ⟨*Agr*⟩ → **moggiata**. □ *a moggi* in plenty, in heaps; ⟨*Bibl*⟩ *mettere la fiaccola* (o *lucerna*) *sotto il* ~ (*nascondere una virtù*) to hide one's light under a bushel; ⟨*fig*⟩ *nascondersi sotto il* ~ to keep ⌜out of sight⌝ (*o* in the background); ⟨*fig*⟩ *tenere sotto il* ~ to keep hidden.

mogigrafịa *f.* ⟨*Med*⟩ **1.** mogigraphy, writer's cramp. – **2.** (*calligrafia stentata*) cramped handwriting. – **mogilalịa** *f.* ⟨*Med,non com*⟩ mogilalia, molilalia, stuttering.

mọgio *a.* **1.** (*fiacco*) weak, low; (*svogliato*) listless; (*privo di vivacità*) dull. – **2.** (*avvilito*) downcast, dejected, downhearted, crestfallen, disheartened, dispirited, ⟨*fam*⟩ down in the dumps. □ *se ne andò* ~ ~ he went off with his tail between his legs.

mogliạzzo *m.* ⟨*ant*⟩ **1.** (*matrimonio*) wedding. – **2.** (*festa nuziale*) wedding feast. – **3.** (*fidanzamento*) engagement.

mọglie *f.* wife: *la* ~ *del sindaco* the mayor's wife.
□ **avere** ~ to be married; *avere* ~ *e figli* to have a wife and family; ⟨*iron*⟩ *essere* (*come*) *la* ~ *di* **Cesare** to be like Caesar's wife; **chiedere** *in* ~ *qd.* (*all'interessata*) to propose to s.o., to ask s.o. to marry one; (*ai parenti dell'interessata*) to ask (for) s.o.'s hand in marriage; **dare** ~ *a qd.* to get a man married off, to give a man a wife; *dare in* ~ to give in marriage, to marry off; ⟨*lett*⟩ **menar** (o *prendere*) ~ to take a wife, to marry; **riprendere** ~ to remarry. – *Prov.*: *la buona* ~ *fa il buon marito* a good wife makes a good husband; *la* ~, *lo schioppo e il cane non si prestano a nessuno* nobody lends his wife, his gun or his dog; *tra* ~ *e marito non mettere il dito* never interfere between husband and wife; ~ *e buoi dei paesi tuoi* it is better to marry a local girl.

mogliẹra *f.* ⟨*ant,scherz*⟩ (*moglie*) wife. – **moglẹtta, mogliettịna** *f. dim. di* **moglie**.

mogọgane, mogọgon *m.* ⟨*ant*⟩ → **mogano**.

mogọl *m.* ⟨*Stor*⟩ Mogul: *gran* ~ Great Mogul.

mọha *f.* ⟨*Bot*⟩ **1.** foxtail (*o* Italian) millet (*Setaria italica*). – **2.** German millet (*Setaria italica germanica*).

mohair *fr.* [mɔ'ɛ:r] *m.* ⟨*Tess*⟩ mohair.

mọia *f.* salt-pit, salt-pond.

moiạna *f.* **1.** ⟨*Mar.ant*⟩ light cannon. – **2.** ⟨*Venat*⟩ long rifle.

moiẹtta *f.* ⟨*tecn*⟩ metal-strip, hot-rolled strip, metal-band.

moịna *f.* **1.** caress, endearment, blandishment; (*il blandire*) wheedling, cajolery, coaxing. – **2.** *pl.* (*smancerie*) simpering, affectation, affected (*o* mincing) ways *pl.* □ *fare mille -e a qd.* to coax s.o.

moire *fr.* [mw'a:r] *f.* ⟨*Tess*⟩ moiré (silk).

Mọire *N.pr.f.pl.* ⟨*Mitol*⟩ Moira.

moiré *fr.* [mwa're] **I** *a.* **1.** ⟨*Tess*⟩ moiré, watered. – **2.** ⟨*Cart*⟩ moiré. – **II** *s.m.* ⟨*Tess,Tip,Cart*⟩ moiré.

mọka *m.inv.* → **moca**.

mọla[1] *f.* **1.** ⟨*Mecc*⟩ (grinding) wheel; (*macchina*) grinder. – **2.** ⟨*ant, region*⟩ (*macina da mulino*) millstone, grindstone. – **3.** ⟨*Itt*⟩ (ocean) sun-fish, head fish (*Mola mola*). □ ~ *abrasiva* (o *a smeriglio*) lapping (*o* emery grinding) wheel; ~ *di carborundum* carborundum wheel; ~ *a disco* disk grinding wheel; ~ *da gioielliere* lap; ~ *a tazza* cup grinding wheel.

mọla[2] *f.* ⟨*Med*⟩ mole.

molạle *a.* ⟨*Chim*⟩ molal, molar: *conduttività* ~ molar (*o* molecular) conductivity. – **molalità** *f.* molality, molal concentration.

molạre[1] *v.t.* (**mọlo**) ⟨*tecn*⟩ to grind: ~ *il vetro* to grind glass; (*affilare*) to whet.

molạre[2] **I** *a.* (*della mola*) mill-: *pietra* ~ millstone. – **II** *s.m.* ⟨*Anat*⟩ (*dente molare*) molar (tooth).

molạre[3] *a.* ⟨*Med*⟩ molar: *gravidanza* ~ molar pregnancy.

molạre[4] *a.* ⟨*Chim,Fis*⟩ molar: *soluzione* ~ molar solution. – **molarità** *f.* molarity.

molạssa *f.* ⟨*Geol*⟩ molasse.

molạto (*p.p. di molare*[1]) *a.* ⟨*tecn*⟩ ground. – **molatọre** *m.* **1.** grinder, polisher: ~ *di pavimenti* floor polisher. – **2.** ⟨*Ind*⟩ cleaner. – **molatrịce** *f.* (*anche macchina molatrice*) grinder. – **molatụra** *f.* (*atto*) grinding; (*effetto*) finish.

molạzza *f.* **1.** (*macina*) mill, grinder, crusher; (*per le olive*) press. – **2.** ⟨*Met*⟩ muller, pan mill. – **3.** ⟨*Edil*⟩ mixing machine. – **molazzạre** *v.t.* **1.** (*macinare*) to grind, to mill, to crush. – **2.** ⟨*Met*⟩ to mull. – **3.** ⟨*Edil*⟩ to mix. – **molazzatọre** *m.* ⟨*Met*⟩ miller. – **molazzatụra** *f.* mulling.

mọlcere *v.t.dif.* (**mọlce**; *impf.* **molcẹva**; *p.rem.* **mụlse**; *no p.p.*) ⟨*poet*⟩ **1.** (*lusingare*) to flatter, to caress. – **2.** (*lenire*) to soothe, to mitigate.

Mọldava (o *Moldạva*) *N.pr.f.* ⟨*Geog*⟩ Moldau, Vltava.

Moldạvia *N.pr.f.* ⟨*Geog*⟩ Moldavia.

moldavịte *f.* ⟨*Min*⟩ moldavite.

moldạvo I *a.* Moldavian. – **II** *s.m.* (*f.* **-a**) Moldavian.

mọle[1] *f.* **1.** massive structure, pile. – **2.** ⟨*Stor.rom*⟩ mole: *la* ♁ *Adriana* the Mole of Hadrian. – **3.** (*massa*) mass, bulk; ⟨*scherz*⟩ (*rif. al corpo umano*) bulk(iness), weight, size. – **4.** (*grandezza*) size, proportions *pl*, dimensions *pl*; (*volume*) volume. – **5.** ⟨*fig*⟩ (*quantità*) amount, volume, entity, extent, mass: *la* ~ *degli affari* the volume of business; (*numero*) (great) number. – **6.** ⟨*fig*⟩ (*importanza*) importance; (*peso*) weight, weightiness. □ *di gran* ~ (*grande*) bulky, massive, voluminous, huge; (*importante*) big, important, weighty; *vide ergersi davanti a sé la* ~ *del tempio* he saw the great temple rising up before him.

mọle[2] *f.* ⟨*Chim*⟩ mole, gram molecule.

molẹcola *f.* **1.** molecule: ~ *attivata* activated molecule. – **2.** ⟨*estens*⟩ (*particella*) fraction, particle, tiny part, molecule. – **molecolạre** *a.* molecular: *formula* ~ molecular formula.

molẹnda *f.* ⟨*non com*⟩ multure, miller's grinding fee.

molẹra *f.* molasse (used as a grindstone).

molestamẹnte *avv.* annoyingly, troublesomely, vexingly. – **molestamẹnto** *m.* ⟨*non com*⟩ molestation.

molestạre *v.t.* (**molẹsto**) **1.** to molest, to annoy, to trouble, to bother, to worry. – **2.** (*tormentare*) to torment, to harass, to plague, to vex; (*irritare*) to tease, to pester: ~ *gli animali* to tease animals. – **3.** (*disturbare*) to disturb, to interrupt, to interfere with: ~ *il riposo altrui* to disturb other people's sleep.

molestatọre *m.* (*f.* **-trice**) ⟨*non com*⟩ molester, nuisance.

molẹstia *f.* **1.** (*fastidio*) annoyance, worry, trouble, bother. – **2.** (*azione molesta*) nuisance, molestation. – **3.** (*tormento*) torment, vexation; (*irritazione*) teasing, pestering. – **4.** ⟨*Dir*⟩ nuisance, disturbance. □ *recare* ~ *a qd.* to trouble (*o* bother) s.o.

molẹsto *a.* troublesome, annoying, worrying, bothersome, vexatious, irritating, tiresome: *rumore* ~ irritating noise; (*spiacevole*) unpleasant, disagreeable, nasty. □ *essere* (o *riuscire*) ~ *a qd.* to annoy s.o., to be a nuisance to s.o.

moletta[1] *f.* **1.** ⟨*Tess*⟩ roller. – **2.** ⟨*Minier*⟩ pulley.
moletta[2] *m.inv.* ⟨*lomb*⟩ (*arrotino*) knife grinder.
molgere *v.t.* ⟨*lett,rar*⟩ (*mungere*) to milk.
molibdato *m.* ⟨*Chim*⟩ molybdate. – **molibdenite** *f.* ⟨*Min*⟩ molybdenite. – **molibdeno** *m.* ⟨*Chim*⟩ molybdenum. – **molibdenoso** *a.* molybdous. – **molibdico** *a.* (*pl.* -**ci**) molybdic: *acido* ~ molybdic acid.
molina *f.pl.ant. di* **mulino**. – **molinaio** *m.* ⟨*non com*⟩ → **molinaro**. – **molinaro** *m.* ⟨*pop*⟩ (*mugnaio*) miller.
molinello *m.* (*mulinello*) whirl, vortex.
molinetto *m.* ⟨*Mar*⟩ windlass.
molinismo *m.* ⟨*Teol*⟩ Molinism. – **molinista** *m./f.* Molinist.
molino *m.* (*mulino*) mill.
molisano I *a.* (*del Molise*) of (*o* from) the Molise. – **II** *s.m.* (*f.* -**a**) native (*o* inhabitant) of the Molise.
molitore *m.* (*f.* -**trice**) **1.** ⟨*non com*⟩ (*operaio*) miller. – **2.** (*macchina*) grinder. – **molitorio** *a.* ⟨*non com*⟩ molinary, milling-. □ *industria -a* milling (industry). – **molitura** *f.* ⟨*non com*⟩ milling, grinding.
molla *f.* **1.** spring. – **2.** ⟨*fig*⟩ (*impulso, spinta*) mainspring, incentive, spur, springs *pl*, stimulus. – **3.** *pl.* (*per zucchero, pane e sim.*) tongs *pl*: *-e per lo zucchero* sugar tongs; (*per la brace*) firetongs *pl*. □ **a** ~ spring-: *bilancia a* ~ spring balance; ~ **ammortizzatrice** buffer spring; ~ **antagonista** return (*o* counter) spring; ~ *d'***arresto** stop spring; ~ *a* **balestra**: 1. ⟨*Mecc*⟩ leaf (*o* laminated) spring, semi-elliptic spring; 2. ⟨*Ferr*⟩ carriage spring; ~ *di* **blocco** blocking spring; ~ *a* **bovolo** volute spring; ~ *di* **carica** feed spring; ~ **cilindrica** cylindrical spring; ~ **compensatrice** equalizer spring; ~ *di* **compressione** compression spring; ⟨*El*⟩ ~ *di* **contatto** contact spring; ~ *a* **elica** helical (*o* coil) spring; ~ **elicoidale** helical (*o* spiral) spring; ~ *della* **frizione** clutch spring; ~ *a* **lamina** flat spring; *giocattolo con* **motore** *a* ~ clockwork toy; ~ *a* **nastro** flat (coil) spring; ~ **pneumatica** air spring; ⟨*fig*⟩ *un argomento da* **prendere** *con le -e* (*con cautela*) a delicate (*o* tricky) question; *uno sproposito da prendersi con le -e* (*assai grosso*) a dreadful blunder; ⟨*Ferr*⟩ ~ *per* **respingenti** buffer (conical) spring; ~ *di* **richiamo** return spring; ~ *di* **ritegno** case spring; ⟨*fig*⟩ *far* **scattare** *la* ~ to set things moving; *scattare come una* ~ to spring into action, to leap up; ~ *di* **scatto** release spring; ~ *di* **sospensione** suspension (*o* bearing) spring; ~ *della* **spazzola** brush spring; ~ (*a*) **spirale** coil spring; ~ **telescopica** telescopic spring; ~ *di* **torsione** torsion spring; ~ **trattiva** (*o di trazione*) tension spring.
mollaccione *m.* (*f.* -**a**) ⟨*non com*⟩ (*persona lenta, indolente*) slowcoach, ⟨*fam*⟩ lazy-bones.
mollame *m.* ⟨*non com*⟩ **1.** soft stuff. – **2.** ⟨*Macell*⟩ soft parts *pl*.
mollare[1] *v.* (**mollo**) **I** *v.t.* **1.** (*allentare*) to loosen, to slacken. – **2.** (*lasciar andare*) to let go; (*liberare*) to release, to free, to let go: ~ *un ostaggio* to free a hostage. – **3.** ⟨*Mar*⟩ (*rif. a cavi*) to let go, to ease away, to cast off; (*rif. alle vele*) to heave out, to unfurl. – **4.** ⟨*fam*⟩ (*assestare*) to give, to deal, ⟨*fam*⟩ to land: ~ *uno schiaffo a qd.* to give s.o. a slap, to slap s.o. – **II** *v.i.* (*aus.* **avere**) **1.** (*cedere*) to give in (*o* up). – **2.** ⟨*fam*⟩ (*smettere*) to stop, to leave off. □ ⟨*Mar*⟩ ~ *l'ancora* to let go the anchor; ⟨*fig*⟩ ~ *in bando un lavoro* (*abbandonarlo*) to leave a job unfinished; ~ *la presa* to let go.
mollare[2] *v.* (**mollo**) ⟨*region*⟩ **I** *v.t.* **1.** (*rendere molle*) to steep, to soak. – **2.** ⟨*ant,rar*⟩ (*bagnare*) to wet. – **II** *v.i.* (*aus.* **essere**) to steep, to soak. – **mollarsi** *v.r.* ⟨*ant,rar*⟩ (*bagnarsi*) to get wet. □ *mettere a* ~ to steep, to soak.
molle I *a.* **1.** soft, tender, yielding: *parti -i* tender parts; (*floscio*) flabby, slack; (*flaccido*) limp, flaccid, flabby. – **2.** (*poroso, non fitto*) soft: *tessuto* ~ soft tissue. – **3.** (*bagnato*) wet; (*umido*) moist, damp; (*inzuppato*) (soaking) wet, soaked, drenched, dripping. – **4.** ⟨*fig*⟩ (*fiacco, debole*) weak, feeble: *carattere* ~ weak character; (*rilassato*) loose, lax; (*lascivo*) lascivious; (*effeminato*) effeminate, unmanly. – **5.** ⟨*fig*⟩ (*sciolto*) supple; (*languido*) slack, loose, relaxed. – **6.** ⟨*fig,poet*⟩ (*lieve, dolce*) soft, gentle, pleasant, sweet: *un* ~ *pendio* a gentle slope; (*tenue, soave*) soft, light, gentle: *un* ~ *zefiro* a gentle (*o* light) breeze. – **7.** ⟨*fig,poet*⟩ (*flessibile*) flexible, pliant, pliable: *il* ~ *giunco* the pliant reed. – **8.** ⟨*Fon*⟩ (*palatalizzato*) soft, lenis; ⟨*non com*⟩ (*sonoro*) soft. – **II** *s.m.* **1.** soft part, something soft; (*del corpo*) fleshy part. – **2.** (*terreno umido, bagnato*) wet ground. □ ~ *come la cera* as soft as wax; *in* ~ (*a bagno*) soaking, in soak: *mettere in* ~ to soak (*o* steep) s.th., to put s.th. to (*o* in) soak; ⟨*fam*⟩ *mettere il becco in* ~ (*bere*) to drink (wine), ⟨*fam*⟩ to wet one's whistle; ⟨*ant*⟩ (*intromettersi*) to butt in; ⟨*scherz*⟩ *mettere il corpo in* ~ (*fare il bagno*) to take a bath.
molleca *f.* ⟨*Zool*⟩ shore (*o* green) crab (*Carcinus maenas*).
molleggiamento *m.* **1.** springing, bouncing; (*rif. alle anche*) swaying, ⟨*fam,scherz*⟩ wiggle; (*elasticità*) spring, springiness, elasticity, bounce. – **2.** ⟨*non com*⟩ (*molleggio*) springs *pl*. – **3.** ⟨*Aut*⟩ suspension. □ ~ *sulle ginocchia* knee-bending.
molleggiare *v.* (**molleggio, molleggi**) **I** *v.i.* (*aus.* **avere**) **1.** to be springy (*o* resilient, elastic): *la poltrona molleggia poco* the armchair is not very springy (*o* well sprung). – **2.** (*rif. a persona*) to walk with a spring in one's step; (*con le anche*) to sway, ⟨*fam,scherz*⟩ to wiggle (one's hips); (*in esercizi ginnici, nello sci*) to bend, to flex. – **II** *v.t.* to spring, to fit with springs: ~ *una vettura* to fit a car with springs. – **molleggiarsi** *v.r.* to move with a springy step, to bounce; (*sulle anche*) to sway, ⟨*fam,scherz*⟩ to wiggle (one's hips); (*in esercizi ginnici, nello sci*) to bend, to flex.
molleggiato (*p.p. di molleggiare*) *a.* **1.** sprung: *un divano ben* ~ a well-sprung sofa. – **2.** ⟨*fig*⟩ (*sciolto, elastico*) springy, elastic, bouncy: *passo* ~ springy step.
molleggio *m.* **1.** (*nell'arredamento*) springs *pl*, springing. – **2.** ⟨*Aut*⟩ suspension, springs *pl*. – **3.** (*elasticità*) springiness. □ ~ *anteriore* front suspension; ~ *del motore* engine mounting; ~ *pneumatico* air suspension; ~ *telescopico* telescopic springs.
mollemente *avv.* **1.** languidly. – **2.** (*senza asperità*) softly, mildly, gently.
mollesco *a.* (*pl.* -**chi**) ⟨*Bot*⟩ soft-shelled.
molletta (*dim. di molla*) *f.* **1.** pin, peg, clip; (*per la biancheria*) clothes peg (*o* pin); (*per i capelli*) hair clip, ⟨*am*⟩ bobby pin. – **2.** *pl.* (*per zucchero e sim.*) tongs *pl*: *-e per il ghiaccio* ice tongs. – **3.** ⟨*non com*⟩ (*piccola molla*) (little) spring.
mollettiera *f.* ⟨*Mil,Alp*⟩ (*anche fascia mollettiera*) puttee.
mollettina *f. dim. di* **molletta**.
mollettone *m.* ⟨*Tess*⟩ (thick) flannel.
mollezza *f.* **1.** softness, tenderness. – **2.** ⟨*fig*⟩ (*debolezza*) weakness, feebleness, softness: ~ *d'animo* weakness of character. – **3.** ⟨*fig*⟩ (*rilassatezza*) laxness, laxity, looseness; (*effeminatezza*) effeminacy. – **4.** *pl.* ⟨*fig*⟩ (*piaceri*) luxury, pleasure. – **5.** ⟨*fig,non com*⟩ (*morbidezza*) softness, delicacy. – **6.** ⟨*fig,non com*⟩ (*flessuosità*) suppleness, gracefulness.
mollica *f.* **1.** soft part (of bread), crumb. – **2.** *pl.* (*briciole*) crumbs *pl*.
mollicchio *m.* ⟨*rar*⟩ (*terreno molle*) wet (*o* soggy) ground; (*terreno fangoso*) muddy ground.
molliccio I *a.* **1.** wettish, moist, dampish, dankish; (*floscio*) limp, flabby. – **2.** ⟨*fig*⟩ (*fiacco*) weak, flabby, ⟨*fam*⟩ weak-kneed. – **II** *s.m.* **1.** wet, damp. – **2.** (*terreno bagnato*) wet (*o* soggy) ground; (*terreno fangoso*) muddy ground.
mollificamento *m.* → **mollificazione**. – **mollificare** *v.t.* (**mollifico, mollifichi**) ⟨*non com*⟩ **1.** (*ammollire*) to soften; (*con acqua*) to soak. – **2.** ⟨*fig,lett*⟩ (*addolcire, placare*) to mollify, to appease, to soften. – **mollificarsi** *v.r.* to soften, to become (*o* get) soft. – **mollificativo** *a.* ⟨*non com*⟩ **1.** softening. – **2.** ⟨*Farm,ant*⟩ (*emolliente*) emollient. – **mollificazione** *f.* ⟨*rar*⟩ softening.
mollire *v.t.* (**mollisco/mollo, mollisci/molli**) ⟨*ant*⟩ (*rendere meno rigido*) to soften, to mitigate, to mollify. – **mollitivo** *a.* ⟨*ant*⟩ → **mollificativo**.
mollizia, mollizie *f.* ⟨*lett*⟩ **1.** softness. – **2.** ⟨*fig*⟩ (*debolezza*) weakness, feebleness; (*rilassatezza*) laxness, laxity, looseness; (*piaceri*) luxury, luxurious living; (*effeminatezza*) effeminacy.
mollo ⟨*fam,pop*⟩ **I** *a.* **1.** (*bagnato*) soaked, drenched, dripping. – **2.** ⟨*region*⟩ (*non teso*) slack. – **II** *s.m.* soak. □ *mettere a* ~ to soak, to steep, to put in (*o* to) soak; *tenere a* ~ to keep in soak; *tenere i piedi a* ~ to bathe one's feet.
mollume *m.* ⟨*lett*⟩ **1.** soft things *pl*. – **2.** (*rif. al terreno*) wetness, sogginess.
molluschicoltura *f.* shellfishery, production of molluscs.
mollusco *m.* (*pl.* -**chi**) **1.** ⟨*Zool*⟩ mollusc, mollusk, ⟨*pop*⟩ shellfish. – **2.** *pl.* ⟨*Zool*⟩ molluscs *pl*, ⟨*pop*⟩ shellfish *pl* (*Mollusca*). – **3.** ⟨*fig, spreg*⟩ jelly-fish, spineless person; (*persona inerte*) sluggard. – **4.** ⟨*Med*⟩ molluscum.
molo *m.* pier, jetty; (*banchina*) wharf.
moloc *m.* ⟨*Zool*⟩ moloch, thorn lizard, thorn devil (*Moloch horridus*).
Moloc *N.pr.m.* ⟨*Mitol*⟩ Moloch, Molech. – **moloc** *m.* Moloch, ogre.
molone (*accr. di mola*[1]) *m.* glass-grinding wheel.
molosso[1] *m.* **1.** ⟨*Stor.gr*⟩ Molossus. – **2.** ⟨*Zool*⟩ Molossian (hound); ⟨*estens*⟩ (*mastino*) mastiff.
molosso[2] *m.* ⟨*Metr*⟩ moloss(us).
molotro *m.* ⟨*Ornit*⟩ cowbird (*Molothrus*).
molteplice I *a.* **1.** manifold, many, numerous, various, multiple. – **2.** ⟨*fig*⟩ varied, many-sided, manifold: *cultura* ~ many-sided culture; (*complesso*) complex. – **II** *s.m.* many. – **molteplicità** *f.* **1.** multiplicity, manifoldness. – **2.** (*varietà*) variety. – **3.** (*gran numero*) multiplicity. – **4.** ⟨*Filos*⟩ multiplicity.
molticcio *m.* ⟨*tosc,ant*⟩ (*poltiglia*) mire, mud.
molticolore *a.* ⟨*rar*⟩ (*multicolore*) multicolour(ed), many-coloured.
moltiforme *a.* ⟨*rar*⟩ (*multiforme*) multiform, variform.
moltilingue *a.* ⟨*non com*⟩ (*multilingue*) multilingual, many-tongued.
moltiparo ⟨*non com*⟩ **I** *a.* (*multiparo*) multiparous. – **II** *s.f.* multipara.
moltiplica *f.* **1.** ⟨*Mecc*⟩ gear ratio. – **2.** (*rif. a biciclette*) pedal wheel. – **3.** ⟨*pop*⟩ (*moltiplicazione*) multiplication. □ *fare la* ~ to do multiplication, to multiply. – **moltiplicabile** *a.* multipliable. – **moltiplicabilità** *f.* multipliability. – **moltiplicamento** *m.* ⟨*rar*⟩ multiplication, multiplying. – **moltiplicando** *m.* ⟨*Mat*⟩ multiplicand.
moltiplicare *v.* (**moltiplico, moltiplichi**) **I** *v.t.* **1.** to increase, to multiply, to augment, to add to: ~ *le entrate* to increase income. – **2.** (*ripetere, rifare*) to redouble. – **3.** ⟨*Mat,Mecc*⟩ to multiply. – **II** *v.i.* (*aus.* **avere/essere**) ⟨*ant*⟩ **1.** (*aumentare*) to increase, to multiply. – **2.** (*crescere*) to increase, to grow, to augment. – **3.** ⟨*Zool*⟩ to spawn. – **moltiplicarsi** *v.r.* **1.** (*riprodursi*) to multiply, to breed: *gli insetti si moltiplicano rapidamente* insects multiply rapidly. – **2.** (*aumentare*) to increase. – **3.** ⟨*enfat*⟩ (*prodigarsi*) to do all one can, to make every effort, to do one's best (*o* utmost), to spare no pains (*o* efforts). □ ⟨*ant*⟩ *moltiplicarsi in parole* (*dilungarsi*) to expatiate.
moltiplicatamente *avv.* ⟨*rar*⟩ multiply. – **moltiplicativo** *a.* multiplicative (*anche Mat.*). – **moltiplicato** (*p.p. di moltiplicare*) *a.*

1. (*aumentato*) increased, multiplied. – **2.** (*numeroso*) many, multiple; (*reiterato*) repeated. – **3.** ⟨*Mat*⟩ multiplied (*per* by), times: *tre* ~ *per quattro fanno dodici* three times (*o* multiplied by) four is twelve.

moltiplicatọre I *s.m.* (*f.* **-trice**) multiplier (*anche Mat.,Mecc.*). – **II** *a.* ⟨*Mecc*⟩ multiplying.
□ ⟨*Fis*⟩ ~ **elettronico** (electron) multiplier; ~ *di* **frequenza** frequency multiplier; ⟨*Econ*⟩ ~ *dell'***occupazione** employment coefficient; ~ *del* **reddito** income coefficient; ⟨*El*⟩ ~ *di* **tensione** voltage multiplier; ⟨*Mecc*⟩ ~ *di* **velocità** overdrive.

moltiplicatrịce *f.* calculating machine.

moltiplicaziọne *f.* **1.** multiplication, increase, augmentation. – **2.** (*riproduzione*) multiplication. – **3.** ⟨*Mat*⟩ multiplication. □ *eseguire una* ~ to multiply; ⟨*Mecc*⟩ ~ *di giri* gearing up; ~ *neutronica* neutron multiplication; ⟨*Bibl*⟩ *la* ~ *dei pani* the miracle of the loaves and fishes.

moltịplice *a./s.* ⟨*lett*⟩ → **molteplice.** – **moltiplicità** *f.* ⟨*lett*⟩ → **molteplicità.**

moltịplico *m.* (*pl.* **-chi**) ⟨*ant*⟩ multiplication.

moltisonạnte, moltịsono *a.* ⟨*rar*⟩ (*multisono*) resounding, resonant.

moltitụdine *f.* **1.** (*gran quantità*) great deal, host, ⟨*fam*⟩ load. – **2.** (*gran numero*) multitude, host, great number, ⟨*fam*⟩ crowds *pl.* – **3.** (*folla*) (great) crowd, multitude, throng; (*massa*) masses *pl*, multitude, ⟨*spreg*⟩ mob. – **4.** ⟨*ant*⟩ (*abbondanza*) abundance, plenty.

mọlto I *a.* **1.** (*in frasi affermative*) a lot of, lots of, a great (*o* good) deal of, a great (*o* large) quantity of: *è caduta -a pioggia* there has been a lot of rain; (*in frasi negative e interrogative*) much, a lot of: *non c'è* ~ *latte* there isn't much milk. – **2.** (*in gran numero*: *in frasi affermative*) a lot of, lots of, a large number of, plenty of, numerous, a good (*o* great) many: *ha letto -i libri* he has read lots of books; (*in frasi negative e interrogative*) many, a lot of. – **3.** (*intenso, forte*) great, intense, *di solito si traduce con un avverbio*: *c'era* ~ *freddo* it was very cold; *fai -a attenzione* be very careful. – **4.** (*grande*) great, a lot of: *la tua visita mi ha fatto* ~ *piacere* your visit has given me great pleasure. – **5.** (*lungo*: *rif. a tempo*; *in frasi affermative*) a long time: *starò via per* ~ *tempo* I shall be gone (for) a long time; (*in frasi negative e interrogative*) long: *ci vuole* ~ (*tempo*)? will it take long?; (*rif. a luogo*) great: *da -a distanza* from a great distance, from far off; (*rif. a distanza*: *in frasi affermative*) a long way; (*in frasi negative e interrogative*) far: *c'è* ~ *da qui al mare?* is it far to the sea? – **6.** (*troppo, abbondante*) (quite) a lot: *duemila lire al metro sono -e* two thousand lire a metre is a lot. – **II** *avv.* **1.** (*quantità*) (very) much, a great (*o* good) deal, ⟨*fam*⟩ a lot: *lavora* ~ he works a great deal; *mi piace* ~ I like it very much. – **2.** (*con aggettivi comparativi*) much, (by) far, a great (*o* good) deal, ⟨*fam*⟩ a lot: *tuo fratello è* ~ *migliore di te* your brother is far (*o* much) better than you. – **3.** (*intensità*) very: *scrive* ~ *bene* he writes very well; (*seguito da participio passato*) (very) much, greatly, (very) well, widely: *è* ~ *apprezzato* it is much (*o* greatly) appreciated; *un uomo* ~ *amato* a much-loved man. – **4.** (*a lungo*: *in frasi affermative*) a long time: *ho aspettato* ~ I waited a long time; (*in frasi negative e interrogative*) long: *non ci metto* ~ *per andare a casa* it doesn't take me long to get home. – **5.** (*spesso*) often, a great (*o* good) deal, ⟨*fam*⟩ a lot: *esce* ~ he goes out often (*o* a lot). – **6.** (*rif. a prezzo*: *caro*) dear, ⟨*fam*⟩ a lot: *l'hai pagato* ~? did you pay much for it?, was it dear? – **7.** ⟨*ant,pop*⟩ (*seguito da superlativo*) most, very: ~ *eccellentissimo signore* most excellent Sir. – **III** *pron.* **1.** (*in frasi affermative*) a lot, lots, a great (*o* good) deal, plenty; (*in frasi negative e interrogative*) much, ⟨*fam*⟩ a lot: *non ho* ~ *da fare* I haven't much to do. – **2.** *pl.* (*in frasi affermative*) a great (*o* good) many *pl*, many *pl*, ⟨*fam*⟩ a lot (*costr. pl.*), ⟨*fam*⟩ lots *pl*: *-i di noi* many of us; *sono in -i* there are a lot of them; (*in frasi negative e interrogative*) many *pl*, a lot (*costr. pl.*); (*molta gente*) many (*o* a lot of) people *pl.* – **IV** *s.m.* much, a great (*o* good) deal, a lot.
□ *-i* **altri** many others; *non* **andò** ~ *che* (*non passò molto tempo che*) it wasn't long until (*o* before), before long; *settant'***anni** *sono -i* seventy is ⌜a good age⌝ (*o* quite old); ~ **avanti** far (*o* a long way) ahead; ⟨*fig*⟩ *ci* **corre** ~ (*c'è gran differenza*) there's a great difference; **da** ~: 1. (*rif. a tempo*) for a long time: *non lo vedo da* ~ I haven't seen him for a long time; 2. (*in frasi interrogative*) long: *sei qui da* ~? have you been here long?; 3. ⟨*ant*⟩ (*di molto valore*) worthy; ⟨*ant*⟩ *credersi da* ~ to have a high opinion of o.s.; ⟨*ant*⟩ *tenere da* ~ *qd.* to think highly of s.o.; ⟨*fam,tosc*⟩ **di** ~ very much, greatly, a lot; *a* **dir** ~ (*al massimo*) at (the) most; ~ **dopo** a long time afterwards, much later; *dopo* ~ *indugiare* after a long delay; **è** ~ (*tempo*) it is a long time; *è* ~ *che ti cerco* I have been looking for you for a long time; *or non è* ~ (*poco tempo fa*) not long ago, a little while ago; *è già* ~ *se* it is quite an achievement if, it will be quite a feat if; **fra** *non* ~ shortly, soon, before long; *m'***importa** ~ I care a lot; ⟨*fam*⟩ (*non me ne importa niente*) I couldn't care less, ⟨*fam*⟩ a fat lot I care; ~ **indietro** far (*o* a long way) behind; *uno scrittore* ~ **letto** a widely-read writer; **per** ~ (*tempo*) for a long time; *né* ~ *né* **poco** (*affatto*) at all; ~ **prima** a long time before, long before; *gli* **voglio** ~ *bene* I love him dearly (*o* very much).

Molụcche *N.pr.f.pl.* ⟨*Geog*⟩ Moluccas *pl.*

mọlva *f.* ⟨*Itt*⟩ ling (*Molva*).

momentạccio (*pegg. di momento*) *m.* **1.** (*cattiva circostanza*) bad (*o* nasty) moment (*o* time). – **2.** (*cattiva disposizione d'animo*) ⟨*fam*⟩ off moment.

momentaneamẹnte *avv.* **1.** (*per il momento*) at the moment, just (*o* right) now, temporarily. – **2.** ⟨*non com*⟩ (*per un solo momento*) momentarily, for a moment. – **momentạneo** *a.* **1.** (*brevissimo*) momentary, brief, short-lived: *una gioia -a* a short-lived joy. – **2.** ⟨*estens*⟩ (*passeggero*) momentary, passing, transitory, temporary: *indisposizione -a* passing indisposition. – **3.** ⟨*Fon*⟩ occlusive, plosive: *consonante -a* occlusive consonant. – **4.** ⟨*Gramm*⟩ (*aspetto verbale*) momentaneous. □ *una disattenzione -a* a moment's carelessness.

momentịno (*dim. di momento*) *m.* minute, second, ⟨*fam*⟩ sec, ⟨*fam*⟩ tick: *aspetta un* ~ wait a second.

momẹnto *m.* **1.** moment, minute: *ha avuto un* ~ *di esitazione* he hesitated for a moment; (*attimo*) instant, moment, minute, second. – **2.** (*periodo*) time, moment: *abbiamo passato dei -i felici insieme* we have spent some happy times together. – **3.** (*circostanza*) time, occasion: *in altri -i ti avrei aiutato volentieri* any other time I would have been glad to help you. – **4.** (*occasione, opportunità*) opportunity, chance, moment: *cogliere il* ~ *favorevole* to seize a favourable opportunity; (*momento giusto*) right time (*o* moment): *non è questo il* ~ this is not the right moment, this is no time. – **5.** ⟨*lett*⟩ (*efficacia*) efficacy, effectiveness; (*gravità, importanza*) moment, importance, weight. – **6.** ⟨*Filos*⟩ moment. – **7.** ⟨*Fis*⟩ moment; (*quantità di moto, impeto*) momentum.
□ **a** *-i*: 1. (*tra poco tempo*) in a moment, (very) shortly, soon, in a few minutes: *giungerà a -i* he will be here in a few minutes; 2. (*quasi, per poco*) nearly, almost: *a -i finivo sotto una macchina* I was nearly run over by a car; 3. (*qualche volta*) sometimes, at times; 4. (*a periodi*) at times; *andare* (o *essere*) *a -i* (*d'umore instabile*) to be moody; *a -i ..., a -i* sometimes ..., other times; **al** ~ = **sul** *momento*; *al* ~ *di* just as, on the point of, about to: *al* ~ *di partire abbiamo ricevuto la notizia* we heard the news just as we were leaving; *al* ~ *di telefonarti* just as I was about to telephone you; ⟨*Mecc*⟩ ~ **ammortizzatore** damping moment; ⟨*Aer*⟩ ~ *di* **cerniera** hinge moment; *il* ~ **culminante** the climax; **da** *un* ~ *all'altro*: 1. at any moment, ⟨*fam*⟩ any minute now; 2. (*all'improvviso*) from one moment to the next, suddenly, ⟨*fam*⟩ all of a sudden, ⟨*fam*⟩ out of the blue: *cambia opinione da un* ~ *all'altro* he changes his mind from one moment to the next; *da quel* ~ from that moment (on), since then; *dal* ~ *che*: 1. (ever) since, from the moment (that); 2. (*non appena*) as soon as; 3. (*poiché*) since; **del** ~: 1. (*attuale*) current, present; 2. (*momentaneo*) momentary, passing, transitory, of the first moment; 3. (*di moda*) fashionable, in fashion; 4. (*di successo*) of the moment, popular: *è l'attore del* ~ he is the actor of the moment; **di** ~ *in* ~: 1. at any moment, ⟨*fam*⟩ any minute now: *lo aspettiamo di* ~ *in* ~ we expect him at any moment; 2. (*sempre più*) more and more; ⟨*lett*⟩ *di* (*gran*) ~ of great moment (*o* importance); **è** *il* ~ *di agire* now is the time to act; *quando è il* ~ when the right time comes; **fino** *a quel* ~ until then, until that moment (*o* time); *fino a questo* ~ (*finora*) until (*o* up to) now, so far; *fin da questo* ~ (*fin da ora*) from now on, (as) from now; *fin dal primo* ~ from the very beginning; ⟨*Fis*⟩ ~ **flettente** bending moment, moment of flexure; ⟨*Fis*⟩ ~ *di una* **forza** moment of a force; ⟨*Aer*⟩ ~ *di* **imbardata** yawing moment; **in** *un* ~ quickly, in a moment, ⟨*fam*⟩ in no time, ⟨*fam*⟩ in a flash; *in un* ~ *di debolezza* in a moment of weakness; *in questo* ~ at the moment, just (*o* right) now; *in qualsiasi* ~ at any time; ⟨*Fis*⟩ ~ *d'***inerzia** moment of inertia; *non ho mai un* ~ **libero** I never have a ⌜free moment⌝ (*o* minute to myself); ⟨*Fis*⟩ ~ **magnetico** magnetic moment; *proprio* **nel** ~ *che* at the very moment that (*o* when), just when (*o* as); *nel* ~ *del pericolo* ⌜in the moment⌝ (*o* at the time) of danger; *nel* ~ **presente** at present, at the moment; (*a*) **ogni** ~ (*continuamente*) continually, always; **per** *il* ~ for the moment, for the time being; ⟨*Aer*⟩ ~ *di* **picchiata** nose-dive moment; *al* (o *sul*) **primo** ~ at first; *dal primo all'ultimo* ~ all the time, from first to last, from beginning to end; ~ **psicologico** psychological moment; ⟨*Edil*⟩ ~ **resistente** moment of resistance, resisting moment; ⟨*Mar,Aer*⟩ ~ *di* **rollio** rolling moment; ⟨*Fis*⟩ ~ *di* **stabilità** righting (*o* restoring) moment; ⟨*Fis*⟩ ~ **statico** static moment; *nello* **stesso** ~ at the same time; *in quello stesso* ~ at that very moment; **sul** ~ (*immediatamente*) immediately, right away; (*lì per lì*) at first; ⟨*Fis*⟩ ~ **torcente** torque, twisting moment; **tutti** *i -i* = (*a*) **ogni** *momento*; *all'***ultimo** ~ at the last moment (*o* minute); **un** ~: 1. ⟨*esclam*⟩ just a moment (*o* minute); 2. ⟨*pop*⟩ (*un poco*) a little, a bit: *un* ~ *più piccolo* a little smaller; *non* **vedere** *il* ~ *di* [*inf*] to look forward to [*ger*], ⟨*fam*⟩ to be dying to [*inf*].

mọmmo *m.* ⟨*infant,tosc*⟩ **1.** (*il bere*) drinking. – **2.** (*ciò che si beve*) drink; (*latte*) milk. – **3.** ⟨*scherz*⟩ (*vino*) wine.

momọtidi *m.pl.* ⟨*Ornit*⟩ motmots *pl* (*Momotidae*).

mọna *f.* **1.** ⟨*Zool*⟩ mona (monkey) (*Cercopithecus mona*). – **2.** ⟨*ant*⟩ (*scimmia*) monkey, ape.

mọnaca *f.* **1.** (cloistered) nun. – **2.** (*suora*) nun. – **3.** ⟨*region*⟩ (*scaldaletto*) warming-pan, bed-warmer. – **4.** ⟨*Ornit*⟩ (*ballerina*) white wagtail (*Motacilla alba*). – **5.** ⟨*ant*⟩ (*sacerdotessa*) priestess. □ ⟨*Ornit*⟩ ~ **bianca** (*pesciaiola*) smew, white nun (*Mergus albellus*); *farsi* ~ to become a nun, to take the veil, to enter a convent; ⟨*Ornit*⟩ ~ **grossa** (*bigia grossa*) orphean warbler (*Sylvia hortensis*).

monacạle *a.* **1.** monastic, ⟨*lett*⟩ monachal; (*da monaco*) monk's; (*da monaca*) nun's: *velo* ~ nun's veil. – **2.** ⟨*fig*⟩ (*austero*) austere, sober. – **monacạndo** *m.* (*f.* **-a**) novice. – **monacare** *v.t.* (**mọnaco, mọnachi**) ⟨*lett,ant*⟩ to put into a convent. – **monacarsi** *v.r.* (*farsi monaco*) to become a monk, to enter a monastery; (*farsi monaca*) to become a nun, to take the veil, to enter a convent. – **monacạto** *m.* **1.** (*rif. a monaci*) monasticism, monastic (*o* religious) life; (*rif. a monache*) religious (*o* convent) life. – **2.** ⟨*collett*⟩ (*rif. a monaci*) monks *pl*; (*rif. a monache*) nuns *pl.* – **monacaziọne** *f.* (*rif. a monaci*) taking the habit; (*rif. a monache*) taking the veil; (*cerimonia*) profession, taking of (monastic) vows.

monạcchia *f.* ⟨*Ornit*⟩ **1.** (*corvo*) crow (*Corvus*). – **2.** (*cornacchia nera*) carrion crow (*Corvus corone*). – **3.** (*taccola*) jackdaw (*Coloevus monedula*).

monacẹlla (*dim. di monaca*) *f.* **1.** (*monaca giovane*) young nun. – **2.** ⟨*Itt*⟩ (*pesce castagnola*) blue damsel fish (*Heliastes chromis*).

monacẹllo *m.* ⟨*non com*⟩ *dim. di* **monaco.**

monacẹṣe *a./s.* → **monachese.**

monachẹlla (*dim. di monaca*) *f.* **1.** (*monaca giovane*) young nun. – **2.** ⟨*Entom*⟩ (*mantide religiosa*) praying mantis (*Mantis religiosa*). – **3.** ⟨*Ornit*⟩ wheatear (*Oenanthe*). – **4.** ⟨*Ornit*⟩ (*schiribilla grigiata*) Baillon's crake (*Porzana pusilla*). – **5.** ⟨*Bot*⟩ helvella (*Helvella*; *Helvella crispa*). – **6.** *pl.* ⟨*Mar*⟩ bitts *pl.*

□ ⟨*Ornit*⟩ ~ **dorsonero** pied wheatear (*Oenanthe leucomela*); ~ *a* **gola** *nera* black-eared wheatear (*Oenanthe hispanica*); ~ **isabellina** isabelline wheatear (*Oenanthe isabellina*); ~ **nera** black wheatear (*Oenanthe leucura*); ~ **testabianca** white-rumped black wheatear (*Oenanthe leucopyga*).

monachẹṣe I *a.* of (*o* from) Munich, Munich-. – **II** *s.m./f.* native (*o* inhabitant) of Munich.

monachẹṣimo *m.* monasticism.

monachẹtte *f.pl.* ⟨*Mar*⟩ bitts *pl.*

monachẹtto (*dim. di monaco*) *m.* **1.** (*monaco giovane*) young monk. – **2.** ⟨*pop*⟩ (*nasello*) catch (of a lock), staple. – **3.** *pl.* ⟨*Mar*⟩ bitts *pl.*

monachịcchio *m.* elf, sprite, leprechaun.

monachịna (*dim. di monaca*) *f.* **1.** (*monaca giovane*) young nun. – **2.** ⟨*fig,iron*⟩ (*ragazza timida e modesta*) prim girl, prude. – **3.** *pl.* (*faville*) sparks *pl.* – **4.** ⟨*Ornit*⟩ (*avocetta*) avocet (*Recurvirostra avocetta*). – **5.** ⟨*Ornit*⟩ (*piro-piro culbianco*) green sandpiper (*Tringa ochropus*). – **6.** ⟨*Ornit*⟩ (*basettino*) bearded tit (*Panurus biarmicus*). – **7.** ⟨*Bot*⟩ (*monachella*) helvella (*Helvella*; *Helvella crispa*). – **8.** ⟨*Mod, ant*⟩ (*pamela*) boater, broad-brimmed straw hat.

monachịno[1] (*dim. di monaco*) *m.* **1.** (*monaco giovane*) young monk. – **2.** ⟨*Ornit*⟩ (*fraticello*) little tern, ⟨*am*⟩ least tern (*Sterna albifrons*). – **3.** ⟨*Ornit*⟩ (*ciuffolotto*) (common European) bullfinch (*Pyrrhula europea*).

monachịno[2] ⟨*ant*⟩ **I** *a.* dark reddish-brown, rust. – **II** *s.m.* **1.** (*colore*) dark reddish brown, rust. – **2.** (*panno*) dark reddish-brown cloth.

monachịṣmo *m.* ⟨*non com*⟩ → **monachesimo.**

mọnaco *m.* (*pl.* **-ci**/*ant.* **-chi**) **1.** monk: ~ *girovago* wandering monk. – **2.** ⟨*Zool*⟩ saki (*Pithecia monachus*). – **3.** ⟨*Zool*⟩ monk seal (*Monachus*). – **4.** ⟨*Arch*⟩ king-post, queen-post. □ *farsi* ~ to become a monk, to enter a monastery.

Mọnaco[1] *N.pr.f.* ⟨*Geog*⟩ (*Monaco di Baviera*) Munich.

Mọnaco[2] *N.pr.f.* ⟨*Geog*⟩ Monaco (*denom.uff.*: *Principato di Monaco* Principality of Monaco).

monacọrdo *m.* ⟨*ant*⟩ → **monocordo**[1].

monactinẹllidi *m.pl.* ⟨*Zool*⟩ monactinellids *pl*, monaxonids *pl* (*Monactinellida*).

mọnade *f.* **1.** ⟨*Filos,Fis*⟩ monad. – **2.** ⟨*Zool*⟩ monad (*Monas*).

monadẹlfo *a.* ⟨*Bot*⟩ monadelphous.

monạdidi *m.pl.* ⟨*Zool*⟩ monads *pl* (*Monadidae*).

monadịṣmo *m.* ⟨*Filos*⟩ monadism. – **monadịstico** *a.* (*pl.* **-ci**) monadistic.

monadologịa *f.* ⟨*Filos*⟩ monadology.

monạndro *a.* ⟨*Bot*⟩ monandrous.

monạrca *m.* (*pl.* **-chi**) **1.** (*sovrano*) monarch, king, sovereign. – **2.** ⟨*fig,poet*⟩ (*padrone assoluto*) king. – **monarchẹsco** *a./s.* (*pl.* **-chi**) ⟨*non com,spreg*⟩ → **monarchico.**

monarchịa *f.* monarchy.

□ ~ **assoluta** absolute monarchy; ~ **costituzionale** constitutional monarchy; ~ *di* **diritto** *divino* monarchy by Divine Right; ~ **elettiva** elective monarchy; ~ **ereditaria** hereditary monarchy; ~ **illuminata** enlightened monarchy; ~ **parlamentare** parliamentary monarchy.

monarchianịṣmo *m.* ⟨*Rel*⟩ Monarchianism. – **monarchiạno** *m.* Monarchian.

monarchicamẹnte *avv.* monarchically.

monạrchico *a./s.* (*pl.* **-ci**) **I** *a.* **1.** (*della monarchia*) monarchic(al): *governo* ~ monarchical government. – **2.** (*del monarca*) monarchic(al), of the monarch. – **3.** (*favorevole alla monarchia*) monarchist(ic), royalist. – **II** *s.m.* (*f.* **-a**) monarchist, royalist.

monarchịṣmo *m.* ⟨*non com*⟩ monarchism. – **monarchịsta** *m./f.* ⟨*non com,spreg*⟩ monarchist, royalist.

monạrda *f.* ⟨*Bot*⟩ monarda (*Monarda*). □ ~ *porporina* oswego tea, bee (*o* fragrant) balm, mountain mint (*Monarda didyma*).

monassọnidi *m.pl.* ⟨*Zool*⟩ monaxonids *pl* (*Monaxonida*).

monasteriạle *a.* ⟨*non com*⟩ monasterial. – **monastẹro** *m.* monastery; (*per monache*) convent. – **monastẹrio** *m.* ⟨*ant*⟩ → **monastero.**

monạstico *a.* (*pl.* **-ci**) **1.** monastic: *vita -a* monastic life. – **2.** (*che concerne i monaci*) monastic, of monks, monk's: *ordine* ~ monastic order; (*che concerne le monache*) convent-, nuns', monastic.

monạtto *m.* **1.** bearer (of those who have died from plague); (*becchino*) grave-digger, undertaker, sexton. – **2.** ⟨*region*⟩ (*briccone*) rogue, rascal, knave.

monazịte *f.* ⟨*Min*⟩ monazite. – **monazịtico** *a.* (*pl.* **-ci**) monazite-.

Moncenịṣio *N.pr.m.* ⟨*Geog*⟩ Mont Cenis: *valico del* ~ Mont Cenis pass.

moncherịno *m.* **1.** stump, handless arm. – **2.** ⟨*non com*⟩ (*oggetto mozzato*) stump. – **3.** ⟨*rar*⟩ (*mano mozzata*) amputated hand.

monchẹzza *f.* ⟨*non com*⟩ lack of one or both hands, mutilation. – **monchịno** (*dim. di monco*) *m.* **1.** ⟨*non com*⟩ maimed (*o* mutilated) person. – **2.** ⟨*tecn*⟩ (*manopola*) handle.

mọnco *a./s.* (*pl.* **-chi**) **I** *a.* **1.** with ... missing, mutilated: *mano -a di due dita* hand with two fingers missing; (*privo di un braccio*) with only one arm, one-armed; (*senza braccia*) armless. – **2.** ⟨*fig*⟩ (*incompleto*) incomplete, defective, imperfect, inadequate. – **II** *s.m.* (*f.* **-a**) maimed (*o* mutilated) person. □ *essere* ~ *di un braccio* to have only one arm, to be one-armed; ⟨*fig*⟩ *cavar le bastonate a un* ~ to try the patience of a saint; *essere* ~ *di una gamba* to have only one leg, to be one-legged.

moncọne *m.* **1.** stump. – **2.** ⟨*non com*⟩ (*oggetto mancante di una parte*) mutilated (*o* broken) object. – **3.** ⟨*fig,rar*⟩ (*opera incompiuta*) unfinished work.

mọnda *f.* **1.** (*nelle risaie*) weeding. – **2.** (*mondatura*) trimming, pruning; (*lo sbucciare*) peeling.

mondạbile *a.* ⟨*non com*⟩ clean(s)able; (*che si può sbucciare*) peelable.

mondạccio (*pegg. di mondo*[1]) *m.* filthy (*o* rotten) world. □ ⟨*fam*⟩ ~ *cane* (*o ladro*)*!* damn!, blast!, ⟨*volg*⟩ bloody hell!

mondamẹnto *m.* ⟨*non com*⟩ **1.** (*mondatura*) cleaning. – **2.** ⟨*fig*⟩ (*purificazione*) cleansing.

mondạna *f.* **1.** ⟨*eufem*⟩ (*prostituta*) prostitute, street-walker. – **2.** (*meretrice di lusso*) courtesan. – **3.** (*donna di mondo*) society woman.

mondanamẹnte *avv.* in a worldly manner. – **mondaneggiạre** *v.i.* (**mondanẹggio, mondanẹggi**; *aus.* **avere**) to lead a gay social life, to socialize.

mondanità *f.* **1.** worldliness; (*frivolezza*) worldliness, frivolity. – **2.** (*cosa mondana*) worldly thing (*o* pleasure),vanity; (*vita mondana*) society life. – **3.** ⟨*collett*⟩ (*persone del bel mondo*) high society, socialites *pl.*

mondạno[1] **I** *a.* **1.** (*terreno*) worldly, earthly, mundane, terrestrial: *beni -i* worldly goods. – **2.** (*della società elegante*) worldly, society-, fashionable: *vita -a* society life; *cronaca -a* society events (*o* news). – **3.** (*rif. a persona*) worldly; (*frivolo*) worldly, frivolous. – **4.** ⟨*ant*⟩ (*del mondo*) world-. – **II** *s.m.* (*f.* **-a**) ⟨*ant*⟩ (*laico*) layman (*f* -woman).

mondạno[2] *m.* ⟨*Zootecn*⟩ (*anche piccione mondano*) domestic pigeon.

mondạre *v.* (**mọndo**) **I** *v.t.* **1.** (*sbucciare*) to peel; (*togliere il guscio*) to shell, to husk, to hull; (*togliere il filo*) to string. – **2.** (*ripulire*) to clean; (*da erbacce*) to weed; (*dalla loppa*) to winnow. – **3.** ⟨*fig*⟩ (*purificare*) to cleanse, to purify. – **4.** ⟨*Agr*⟩ (*rif. ad alberi*) to prune, to trim. – **II** *v.i.* (*aus.* **essere**) ⟨*tosc*⟩ (*rif. alle castagne*: *sbucciarsi*) to shell, to be shelled. – **mondarsi** *v.r.* (*purificarsi*) to purify o.s. □ ~ *il riso* to weed the rice-fields; (*prima di cuocerlo*) to clean rice.

mondarịso *m./f.inv.* rice-weeder.

mondatọio *m.* ⟨*Ind*⟩ sieve (for cleaning olives).

mondatọre *m.* (*f.* **-trice**) ⟨*non com*⟩ **1.** (*chi sbuccia*) peeler; (*chi pulisce*) cleaner. – **2.** → **mondariso.** – **mondatrịce** *f.* **1.** cleaner. – **2.** (*macchina per mondare il cotone*) peeling machine, ⟨*am*⟩ cotton gin.

mondatụra *f.* **1.** (*lo sbucciare*) peeling, husking, hulling. – **2.** (*pulitura*) clean(s)ing; (*da erbacce*) weeding; (*dalla loppa*) winnowing. – **3.** ⟨*Agr*⟩ (*rif. a piante*) pruning, lopping off (of shoots). – **4.** ⟨*concr*⟩ (*buccia*) husks *pl*, peel; (*scorie*) dross; (*loppa*) chaff.

mondaziọne *f.* ⟨*ant*⟩ **1.** cleaning. – **2.** ⟨*fig*⟩ (*purificazione*) cleansing, purification.

mondẹzza *f.* **1.** cleanliness, cleanness. – **2.** ⟨*fig*⟩ (*purezza*) purity, cleanness. – **3.** ⟨*roman*⟩ (*spazzatura*) rubbish, garbage, ⟨*am*⟩ trash. – **mondezzạio** *m.* **1.** (*mucchio*) rubbish heap (*o* dump), refuse heap, ⟨*am*⟩ garbage dump; (*fossa*) rubbish pit; (*letamaio*) dunghill, manure-heap. – **2.** ⟨*fig*⟩ (*ambiente sudicio*) pigsty; (*moralmente*) sink, den, heap of dirt. – **mondezzạro** *m.* ⟨*roman*⟩ (*netturbino*) dustman, refuse collector, ⟨*am*⟩ garbage man (*o* collector).

mondiạle I *a.* **1.** world-, universal, international: *esposizione* ~ world exhibition; (*diffuso in tutto il mondo*) world-wide: *avvenimento di importanza* ~ event of world-wide importance. – **2.** ⟨*iperb, fam*⟩ (*straordinario*) sensational, wonderful: *la tua idea è proprio* ~ your idea is really sensational. – **II** *s.m.pl.* (*campionati mondiali*) world championships *pl.*

mondịglia *f.* **1.** refuse, garbage; (*scorie*) dross. – **2.** ⟨*Agr*⟩ (*loppa*) chaff.

mondịna[1] *f.* (*mondariso*) rice-weeder.

mondịna[2] *f.* ⟨*tosc*⟩ (*castagna mondata e lessata*) chestnut boiled in its jacket.

mondịzia *f.* ⟨*lett,non com*⟩ **1.** (*mondezza*) cleanliness, cleanness. – **2.** ⟨*fig*⟩ (*purezza*) purity.

mọndo[1] *m.* **1.** (*universo*) world, universe. – **2.** (*terra*) world, earth: *ha girato tutto il* ~ he has travelled all over the world; (*corpo celeste*) world. – **3.** (*vita*) world, life: *i giovani non conoscono il* ~ young people don't know anything about life; *avere esperienza del* ~ to know the ways of the world. – **4.** (*umanità*) world, humanity, mankind: *tutto il* ~ *lo ha acclamato* he has been acclaimed by the whole world; (*la gente*) people (*costr. pl.*), everybody. – **5.** (*ambiente sociale*) world: *vivere nel* ~ *degli artisti* to live in the artists' world. – **6.** (*società terrena*) world; (*vita secolare*) world: *fuggire dal* ~ to forsake (*o* withdraw from) the world. – **7.** ⟨*fig*⟩ (*vita interiore*) world. – **8.** ⟨*Filos*⟩ world. – **9.** (*gioco della campana*) hopscotch. – **10.** ⟨*fam*⟩ (*grande quantità*) world, host, great deal (*o* many), ⟨*fam*⟩ load, ⟨*fam*⟩ crowds *pl*, ⟨*fam*⟩ lots *pl*: *ha un* ~ *di preoccupazioni* he has a great many worries.

□ **al** ~ in the world: *nessuno al* ~ nobody in the world; *essere al* ~ to be alive: *quando era al* ~ *la regina Vittoria* when Queen Victoria was alive; *l'***altro** ~ (*l'aldilà*) the next world, the hereafter; *andare all'altro* ~ (*morire*) to pass away, to die; *mandare all'altro* ~ *qd.* to send s.o. to ⌜kingdom come⌝ (*o* meet his Maker), to kill s.o.; ⟨*fam*⟩ (*sono*) *cose dell'altro* ~ (*incredibili*) it's incredible; **andare** *per il* ~ to roam the world, to travel the world over; ~ *delle* **anime** *purganti* (*purgatorio*) purgatory; *il* ~ **antico** antiquity, the classical world; (*gli antichi*) the ancients; ~ *dei* **beati** (*paradiso*) paradise, heaven; **bel** ~ (fashionable) society, high society; ⟨*fam*⟩ ~ **cane**! blast!, damn!, hell!; ⌜*in* **capo** *al*⌝ (*o all'altro capo del*) ~ at (*o* to) the ends of the earth; ⟨*fam*⟩ **cascasse** *il* ~ (*ad ogni costo*) at all costs, even if the roof fell in; ⟨*fam*⟩ *caschi il* ~ (*qualsiasi cosa accada*) come what may, whatever happens; *il* ~ **civile** the civilized world, civilization; *le* **cose** *del* ~ worldly things; ⟨*fig*⟩ **fuori** *del* ~ unworldly, with one's head in the clouds; *il* ~ *è una* **gabbia** *di matti* it's a mad world; **girare** *il* ~ to travel (all over) the world; **gran** ~ high society; ⟨*Filos*⟩ ~ *delle* **idee** world of ideas; *il* ~ *è* **ingrato** there's no gratitude in this world; ~ **interiore** interior life, inner world; ~ **ladro**! = *mondo* **cane**!; **mettere** *al* ~ *un figlio* to give birth to a child, to bring a child into the world; **mezzo** ~ half the world, (almost) everybody: *lo sa mezzo* ~ everybody knows it; *per* **nulla** *al* ~ not for (anything in) the world, in no circumstances, on no account; **nuovo** ~ (*America*) New World; ~ **occidentale** Western World, West; ~ **orientale** Eastern World, East; ⟨*iron*⟩ *essere il* **padrone** *del* ~ to be God Almighty; *le cinque* **parti** *del* ~ the five continents; *il* ~ *è* **piccolo** it's a small world; ⟨*volg*⟩ **porco** ~! damn!, blast!, ⟨*volg*⟩ bloody hell!; **prendere** *il* ~ *come viene* to take life (*o* the world) as one finds it, to take things as they come, to be happy-go-lucky; *il* ~ **romano**: 1. Roman civilization; 2. (*l'impero romano*) the Roman Empire; 3. (*gli antichi romani*) the ancient Romans; *non* **saper** *stare al* ~ to be unworldly, to be too simple for this world; *saper stare al* ~ to know the ways of the world; **sparire** *dalla scena del* ~ (*morire*) to depart this world (*o* life); **tornare** *al* ~ (*rinascere*) to be reborn, to return to the earth; ⟨*fig*⟩ *far* **tremare** *il* ~ to raise cain; **tutto** *il* ~ the whole world, all the world; (*tutti*) everybody; *per tutto il* ~ all over the whole world, the world over; *un uomo famoso in tutto il* ~ a man famous the world over; ⟨*fam*⟩ **un** ~ a lot, immensely, enormously: *mi sono divertito un* ~ I enjoyed myself immensely, I had a wonderful time; *volere un* ~ *di bene a qd.* to be very fond of s.o.; *così* **va** *il* ~ c'est la vie, that's (*o* such is) life; **vecchio** ~ Old World; **venire** *al* ~ to be born, to see the light of day; **vivere** *nel* ~ *della luna* to live (*o* have one's head) in the clouds. – *Prov.*: *tutto il* ~ *è paese* people are the same the whole world over, it's the same everywhere; *il* ~ *è fatto a scale, chi le scende e chi le sale* life is all ups and downs; *il* ~ *non fu fatto in un giorno* Rome wasn't built in a day; *il* ~ *è di chi se lo piglia* you must take life in both hands; *il* ~ *è bello perché è vario* variety is the spice of life.

mọndo[2] *a.* **1.** ⟨*non com*⟩ (*sbucciato*) peeled: *mele -e* peeled apples; (*rif. a grano e sim.*) husked; (*pulito*) clean(ed). – **2.** ⟨*fig,lett*⟩ (*puro*) pure; (*esente*) free (*da* from): *essere* ~ *dal peccato* to be free from sin. – **3.** ⟨*Rel*⟩ clean, undefiled: *animale* ~ clean animal. – **4.** ⟨*ant*⟩ (*limpido, schietto*) pure, unadulterated.

mondoviṣiọne *f.* ⟨*TV*⟩ world vision, intercontinental Telstar televising.

monecịa *f.* → **monoicismo**. – **monẹco** *a.* ⟨*rar*⟩ → **monoico**.

monegạsco *a./s.* (*pl.* **-chi**) **I** *a.* of Monaco, Monegasque, Monacan. – **II** *s.m.* (*f.* **-a**) native (*o* inhabitant) of Monaco, Monegasque, Monacan.

monẹlla *f.* tomboy, lively (*o* mischievous) girl.

monellạccio (*pegg. di monello*) *m.* (*f.* **-a**) ⟨*spreg*⟩ brat. – **monellerịa** *f.* **1.** (*qualità*) mischievousness. – **2.** (*azione*) prank, (piece of) mischief, mischievous trick. – **monellẹsco** *a.* (*pl.* **-chi**) ⟨*non com*⟩ mischievous, rascally, roguish, naughty. – **monellịno** *m.* (*f.* **-a**) *dim. di* **monello**.

monẹllo **I** *s.m.* (*f.* **-a**) **1.** (*discolo*) urchin, ⟨*spreg*⟩ brat. – **2.** ⟨*vezz*⟩ little rascal (*o* rogue), imp, scamp. – **3.** ⟨*scherz*⟩ (*rif. a persona adulta*) rascal. – **4.** ⟨*ant*⟩ (*furfante*) scoundrel, blackguard; (*falso mendicante*) sham beggar. – **II** *a.* ⟨*ant*⟩ (*furbo*) crafty, cunning, sly.

monẹta *f.* **1.** coin, piece: ~ *d'argento* silver coin. – **2.** (*valuta*) currency; (*denaro*) money. – **3.** ⟨*region*⟩ (*spiccioli*) (small) change. – **4.** (*nell'ippica: somma messa in palio*) stakes *pl*, purse.

□ ⟨*Econ*⟩ ~ *di* **banco** representative (*o* bank) money; **battere** ~ = **coniare** *moneta*; ⟨*ant*⟩ ~ **bianca** (*d'argento*) silver coin; ⟨*fig*⟩ *accettare per* **buona** ~ (*prestare fede*) to believe, to take ⌜at face value⌝ (*o* as Gospel truth); ⟨*fig*⟩ *pagare di buona* ~ (*compensare lautamente*) to pay handsomely; ⟨*Econ*⟩ **carta** ~ paper money; ⟨*Econ*⟩ ~ **circolante** currency; **coniare** ~ to coin money, to mint coins; ~ **contante** cash; ⟨*Econ*⟩ ~ *di* **conto** money of account; ⟨*Econ*⟩ ~ *di* **convenzione** fictitious (*o* fiduciary) money, paper currency; ~ **corrente** current money, currency; ⟨*Econ*⟩ ~ **debole** soft (*o* weak) currency; ⟨*Econ*⟩ ~**-deposito** deposit-currency; ⟨*Econ*⟩ ~ **divisionale** fractional currency (*o* money), divisional (*o* subsidiary) coinage; ~ **estera** foreign currency (*o* money); ~ **falsa** counterfeit coin, bad money; ~ **flottante** floating currency; ⟨*Econ*⟩ ~ **forte** hard currency; **fuga** *della* ~ flight of currency; ~ **fuori** *corso* coin no longer in circulation; ⟨*Econ*⟩ ~ **ideale** bank (*o* deposit) money; ⟨*Econ*⟩ ~ **indice** isometric standard, managed currency; ~ (*a corso*) **legale** legal tender (*o* currency); ⟨*Econ*⟩ ~ **manovrata** managed currency; ~ **metallica** metal coin, specie; ~ *d'oro* gold coin; (*valuta*) gold standard (*o* currency); ⟨*fig*⟩ **pagare** *qd.* ⌜*della stessa*⌝ (*o di pari*) ~ to pay s.o. back in his own coin, to give tit for tat; ⟨*Bot*⟩ ~ *del* **papa** (*lunaria*) honesty (*Lunaria*); ~ **ritirata** *dalla circolazione* money withdrawn from circulation; ⟨*Econ*⟩ ~ **scritturale** = *moneta di* **banco**; ~ **sonante** hard cash: *pagare in* ~ *sonante* to pay in hard cash; ~ **spicciola** small change (*o* money); ~ **tosa**: 1. ⟨*Econ*⟩ clipped coin; 2. ⟨*ant,fig*⟩ (*persona infida*) treacherous person. – *Prov.*: *la* ~ *cattiva scaccia la buona* bad money drives out good.

monetạccia *f.* (*pl.* **-ce**) *pegg. di* **moneta**. – **monetạggio** *m.* mintage. – **monetạle** *a.* monetary, of coins, coin-: *tipo* ~ monetary standard.

monetạre *v.* (**monẹto**) **I** *v.t.* to monetize. – **II** *v.i.* (*aus.* **avere**) ⟨*rar*⟩ (*coniare*) to coin, to mint.

monetạrio **I** *a.* monetary: *sistema* ~ monetary system. – **II** *s.m.* ⟨*ant*⟩ **1.** (*coniatore*) minter. – **2.** (*falsario*) counterfeiter, coiner. □ *falso* ~ (*falsario*) coiner; *mercato* ~ money market.

monetạto (*p.p. di monetare*) *a.* **1.** (*coniato*) coined, minted: *oro* ~ minted gold. – **2.** (*che ha valore di moneta*) monetized. – **monetazịọne** *f.* **1.** minting, coining, mintage, monetization. – **2.** ⟨*Stor, non com*⟩ (*sistema monetario*) monetary system. – **monetiẹre** *m.* **1.** (*mobile*) coin display-case. – **2.** ⟨*ant*⟩ (*coniatore*) minter. – **3.** ⟨*ant*⟩ (*falsario*) coiner. – **monetịna** (*dim. di moneta*) *f.* (small) coin, piece.

monetịte *f.* ⟨*Min*⟩ monetite.

monetiẓẓạre *v.t.* **1.** (*tradurre in termini di moneta*) to value, to assess: *il danno è stato monetizzato in centomila lire* the damage was assessed at one hundred thousand lire. – **2.** (*trasformare in denaro*) to convert into cash, to sell (for cash). – **monetiẓẓazịọne** *f.* valuation, assessment.

monferrịna *f.* (*danza*) Piedmontese country-dance.

monferrịno **I** *a.* (*del Monferrato*) of (*o* from) Monferrato. – **II** *s.m.* (*f.* **-a**) native (*o* inhabitant) of Monferrato.

mongạna *f.* ⟨*Zootecn*⟩ (*anche vitella mongana*) sucking-calf.

Mongibẹllo *N.pr.m.* ⟨*ant*⟩ (*Etna*) (Mount) Etna.

mongịọia *f.* **1.** ⟨*Mediev,intz*⟩ montjoy(e), war-cry. – **2.** ⟨*scherz*⟩ (*paga militare*) (soldier's) pay; (*denaro*) money.

mongolfiẹra *f.* ⟨*Aer*⟩ montgolfier, fire-balloon.

Mongọlia *N.pr.f.* ⟨*Geog*⟩ Mongolia (*denom.uff.*: *Repubblica Popolare di Mongolia* Mongolian People's Republic). □ ~ *esterna* Outer Mongolia; ~ *interna* Inner Mongolia.

mongọlico *a.* (*pl.* **-ci**) **1.** Mongolian, Mongol, Mongolic. – **2.** ⟨*Etnol*⟩ Mongolian: *plica -a* Mongolian (*o* Mongoloid, Mongolic) fold, epicanthus. – **mongọlide** **I** *a.* **1.** Mongoloid. – **2.** ⟨*Med*⟩ Mongolian. – **II** *s.m./f.* **1.** Mongolian, Mongol. – **2.** ⟨*Med*⟩ Mongolian. – **mongoliṣmo** *m.* ⟨*Med*⟩ Mongolism.

mọngolo **I** *a.* Mongol(ian), Mongolic. – **II** *s.m.* **1.** (*lingua*) Mongolic, Mongolian. – **2.** (*abitante*; *f.* **-a**) Mongol(ian). – **mongolọide** **I** *a.* **1.** Mongoloid: *razza* ~ Mongoloid race. – **2.** ⟨*Med*⟩ Mongolian, Mongoloid. – **II** *s.m./f.* Mongoloid (*anche Med.*).

mongọmeri *m.* → **montgomery**.

mọngoz *m.* ⟨*Zool*⟩ mongoose (lemur) (*Lemur mongoz*).

mọnica *f.* **1.** ⟨*Enol*⟩ (*vitigno*) kind of Sardinian vine; (*vino*) kind of Sardinian wine. – **2.** ⟨*ant,dial*⟩ (*monaca*) nun.

Mọnica *N.pr.f.* Monica.

monịglio *m.* ⟨*tecn*⟩ fine gravel.

monịle *m.* **1.** (*collana*) necklace; (*catena*) chain; (*bracciale*) bracelet. – **2.** (*gioiello*) jewel.

monịlia *f.* ⟨*Bot*⟩ monilia (*Monilia*). – **monilịaṣi** *f.* ⟨*Med*⟩ moniliasis.

monilifọrme *a.* **1.** moniliform, like a string of beads. – **2.** ⟨*Bot*⟩ moniliform.

monimẹnto *m.* ⟨*ant*⟩ (*monumento*) monument.

monimolịte *f.* ⟨*Min*⟩ monimolite.

moniṣmo *m.* ⟨*Filos*⟩ monism. – **monịsta** *m./f.* monist.

monistẹr(i)o *m.* ⟨*ant*⟩ (*monastero*) monastery; (*per monache*) convent.

monịstico *a.* (*pl.* **-ci**) ⟨*Filos*⟩ monistic(al).

Monital = *Monopolio italiano* (Italian) State Monopoly.

monịte *f.* ⟨*Min*⟩ dahlite.

mọnito *m.* **1.** warning: *che ti serva di* ~ let this be a warning to you. – **2.** (*rimprovero*) reproof, admonition. □ *i -i della coscienza* the pricks (*o* stirrings) of conscience.

monitorạggio *m.* ⟨*Atom*⟩ monitoring.

monitọre[1] *m.* **1.** ⟨*Ginn*⟩ gymnastic instructor. – **2.** ⟨*ant*⟩ (*ammonitore*) warner, admonisher, adviser.

monitọre[2] *m.* **1.** ⟨*Mar.mil,Tel*⟩ monitor. – **2.** ⟨*Minier*⟩ monitor (nozzle). □ ~ *di radiazioni* radiation monitor.

monitọri *m.pl.* ⟨*Zool*⟩ monitors *pl*, monitor lizards *pl* (*Varanidae*).

monitorịale *a.* ⟨*Dir.can,non com*⟩ monitory. □ ⟨*Scol*⟩ *sistema* ~

monitorial system. – **monitorio I** *a.* monitory, (of) warning: *lettera -a* monitory (*o* warning) letter, letter of warning. – **II** *s.m.* ⟨*Dir.can*⟩ monitory (letter). □ ⟨*Dir*⟩ *procedimento* ~ summary proceeding.

monizione *f.* ⟨*ant*⟩ (*ammonizione*) admonition, reproof, admonishment, reprimand, rebuke; (*avvertimento*) warning.

monna[1] (*accorc. di madonna*) *f.* ⟨*ant*⟩ (*signora*: *seguito da nome proprio*) Madame, my Lady. □ ⟨*Art*⟩ ~ *Lisa* Mona Lisa.

monna[2] *f.* ⟨*ant*⟩ (*scimmia*) monkey, ape. □ ⟨*ant*⟩ *dar la* ~ *a qd.* (*beffare*) to mock s.o., to ridicule s.o., to scoff (*o* jeer) at s.o.; ⟨*ant*⟩ *prendere la* ~ (*ubriacarsi*) to get drunk.

mono... *pref.* (*uno* one, *solo* single) mon(o)..., one-, single-.

mono|albero *a.* ⟨*Mot*⟩ single camshaft. – **~ammide** *f.* ⟨*Chim*⟩ monoamide. – **~ammina** *f.* monoamine. – **~artrite** *f.* ⟨*Med*⟩ monarthritis. – **~asse** *a.* monaxonic. – **~assico** *a.* (*pl.* **-ci**) ⟨*Ott*⟩ uniaxial. – **~atomico** *a.* (*pl.* **-ci**) ⟨*Fis*⟩ monatomic. – **~aurale** *a.* monaural, affecting only one ear. – **~aziendale** *a.* of (*o* relating to) a single firm, single business-. – **~basico** *a.* (*pl.* **-ci**) ⟨*Chim*⟩ monobasic. – **~blocco** *a./s.inv.* **I** *a.* monobloc-, ⟨*pred*⟩ en bloc: *motore* ~ monobloc engine; (*rif. a costruzione*) single block-. – **II** *s.m.* cylinder block, monobloc. – **~brachio** *m.* ⟨*Med*⟩ monobrachius. – **~calibro** *a.inv.* ⟨*Mar.mil*⟩ single-calibre-. – **~carpia** *f.* ⟨*Bot*⟩ monocarpic nature. – **~carpico** *a.* (*pl.* **-ci**) monocarpic. □ *pianta -a* monocarp. – **~casiale** *a.* monochasial. – **~casio** *m.* monochasium. – **~cefalo** *a.* **1.** one-headed. – **2.** ⟨*Bot*⟩ monocephalous. – **~cellulare** *a.* ⟨*Biol*⟩ monocellular, unicellular. – **~cilindrico** *a.* (*pl.* **-ci**) single-cylinder-: *motore* ~ single-cylinder engine. – **~cito** *m.* ⟨*Biol*⟩ monocyte. – **~citopenia** *f.* ⟨*Med*⟩ monocytopenia, monopenia. – **~citopoiesi** *f.* ⟨*Biol*⟩ monocytopoiesis. – **~citosi** *f.* monocytosis. – **~clamidato**, **~clamide** *a.* ⟨*Bot*⟩ monochlamydeous. – **~clamideo** *a.* → **monoclamidato**. – **~classe** *a.* one-class, single -class, having only one class: *treno* ~ train which has only one class, one-class-only train. – **~clinale** *f.* ⟨*Geog*⟩ (*anche piega monoclinale*) monocline. – **~clinismo** *m.* ⟨*Bot*⟩ monoclinism. – **~clino** *a.* **1.** ⟨*Min*⟩ monoclinic. – **2.** ⟨*Bot*⟩ monoclinous. – **~cocco** *m.* (*pl.* **-chi**) ⟨*Biol*⟩ monococcus.

monocolo I *a.* **1.** (*che ha un solo occhio*) one-eyed. – **2.** ⟨*Med*⟩ monocular. – **3.** (*che vede da un solo occhio*) blind in one eye. – **II** *s.m.* (*f.* **-a**) **1.** one-eyed person. – **2.** (*lente*) monocle, eye-glass. – **3.** (*cannocchiale*) (monocular) telescope, spy-glass. □ *beati i -i in terra di ciechi* in the country of the blind the one-eyed man is king; ⟨*Med*⟩ *fasciatura a* ~ monoculus.

mono|colore *a.inv.* **1.** of (*o* having) a single colour. – **2.** ⟨*Pol*⟩ single-party-, one-party-: *governo* ~ single-party government. – **~coltura** *f.* ⟨*Agr*⟩ single-crop system (of farming). – **~comandare** *v.t.* ⟨*tecn*⟩ to control simultaneously.

monocomando[1] *a./s.inv.* **I** *a.* ⟨*Aer*⟩ single-control-. – **II** *s.m.* single -control plane.

monocomando[2] *m.* ⟨*tecn*⟩ simultaneous control.

monocoque *fr.* [-'kɔk] *a.* (*monoguscio*) monocoque.

monocorde *a.* ⟨*lett*⟩ (*monotono*) monotonous.

monocordo[1] *m.* ⟨*Mus*⟩ monochord, sonometer.

monocordo[2] *m.* ⟨*Tel*⟩ monochord.

mono|coriale *a.* ⟨*Biol*⟩ monochorial. – **~cornia** *f.* (*incudine*) anvil (with one horn). – **~cotiledone** *a.* ⟨*Bot*⟩ monocotyledonous. – **~cotiledoni**, **~cotili** *f.pl.* monocotyledons *pl* (*Monocotyledones, Monocotyledoneae, Monocotyles*). – **~cratico** *a.* (*pl.* **-ci**) ⟨*Dir*⟩ monocratic. – **~cristallo** *m.* ⟨*Min*⟩ single crystal.

monocromare *v.* (**monocromo**) → **monocromatizzare**. – **monocromatico** *a.* (*pl.* **-ci**) **1.** ⟨*Pitt*⟩ monochrome, monochromatic, monochromic(al). – **2.** ⟨*Ott*⟩ monochromatic. – **3.** ⟨*Med*⟩ monochromatic, ⟨*pop*⟩ colour-blind. – **monocromatismo** *m.* ⟨*Med*⟩ monochromatism, monochromasy, ⟨*pop*⟩ colour-blindness. – **monocromatizzare** *v.t.* ⟨*Ott*⟩ to monochromatize. – **monocromatizzatore** *m.* → **monocromatore**. – **monocromatizzazione** *f.* monochromatization.

mono|cromato *a./s.* → **monocromo**. – **~cromatore** *m.* ⟨*Ott,El*⟩ monochromator, monochromatic illuminator.

monocromia *f.* ⟨*Pitt,non com*⟩ monochromy. – **monocromo** (*o monocromo*) **I** *a.* ⟨*Pitt*⟩ monochrome-, monochromatic, monochromic(al). – **II** *s.m.* monochrome.

monoculare *a.* monocular.

mono|cuspidale *a.* ⟨*Arch*⟩ having one spire, single spire-. – **~delfi** *m.pl.* ⟨*Zool*⟩ monodelphians *pl*, eutherians *pl* (*Monodelphia*).

monodia *f.* ⟨*Mus*⟩ monody. – **monodico** *a.* (*pl.* **-ci**) monodic(al).

monodisco *a.inv.* single-plate-: *innesto a frizione* ~ single-plate clutch.

monodonte *m.* ⟨*Zool*⟩ (*narvalo*) narwhal(e) (*Monodon*).

mono|dramma *m.* ⟨*Teat*⟩ monodrama. – **~ecia** *f.* → **monoicismo**.

monofagia *f.*, **monofagismo** *m.* ⟨*Biol*⟩ monophagism, monophagia, monophagy. – **monofago** *a.* (*pl.* **-gi**) monophagous.

mono|fase *a.inv.* ⟨*El,Fis*⟩ single-phase-, one-phase-: *corrente* ~ single-phase current. – **~fasia** *f.* ⟨*Med*⟩ monophasia.

monofil *m.* ⟨*Ind*⟩ monofil, monofilament.

mono|filare *a.* ⟨*tecn*⟩ single-wire-. – **~filetico** *a.* (*pl.* **-ci**) ⟨*Biol*⟩ monophyletic. – **~filetismo** *m.*, **~filia** *f.* monophyletism, monogenesis. – **~fillo** *a.* ⟨*Bot*⟩ monophyllous.

monofiodonte *a.* ⟨*Zool*⟩ monophyodont. – **monofiodonti** *m.pl.* monophyodont mammals *pl.* – **monofiodontia** *f.*, **monofiodontismo** *m.* having only one set of teeth.

monofisismo *m.* ⟨*Rel*⟩ Monophysitism, Monophysism. – **monofisita I** *s.m.* Monophysite. – **II** *a.* Monophysitic. – **monofisitico** *a.* (*pl.* **-ci**) Monophysitic.

monofitico *a.* (*pl.* **-ci**) ⟨*Agr*⟩ single-crop-, having only one kind of plant. – **monofito** *a.* → **monofitico**.

monofobia *f.* ⟨*Psic*⟩ monophobia.

monofora *f.* ⟨*Arch*⟩ (*anche finestra monofora*) window with one opening.

monoftalmia *f.* ⟨*Med*⟩ cyclopia, synophthalmia. – **monoftalmo** *a.* monophthalmic. □ *feto* ~ monophthalmus.

monofune *a.* monocable-.

monogamia *f.* monogamy (*anche Zool.*). – **monogamico** *a.* (*pl.* **-ci**) monogamous, monogamic. – **monogamo I** *a.* **1.** monogamous. – **2.** ⟨*Dir.can*⟩ monogamous, married only once. – **II** *s.m.* (*f.* **-a**) monogamist.

monogenesi *f.* **1.** monogenesis, (having a) single origin. – **2.** ⟨*Biol*⟩ monogenesis. – **3.** ⟨*Biol*⟩ → **monogonia**. – **monogenetico** *a.* (*pl.* **-ci**) **1.** having a common origin, monogenetic, monogenic. – **2.** → **monogenico**. – **3.** ⟨*Biol*⟩ monogenetic. – **monogenico** *a.* (*pl.* **-ci**) monogenic, monogenetic. – **monogenismo** *m.* **1.** ⟨*Biol*⟩ (*monogenesi*) monogenesis. – **2.** ⟨*Teol*⟩ monogenism. – **monogenista I** *a.* monogenistic. – **II** *s.m./f.* monogenist. – **monogeno** *a.* **1.** ⟨*Bot*⟩ monogenetic, asexual: *riproduzione -a* monogenesis, asexual reproduction. – **2.** ⟨*Geol*⟩ monogenetic.

mono|ginia *f.* ⟨*Entom*⟩ monogyny. – **~ginico** *a.* (*pl.* **-ci**) monogynous, monogynic. – **~glottico** *a.* (*pl.* **-ci**) monoglot, monolingual. – **~gonia** *f.* ⟨*Biol*⟩ monogony. – **~grafia** *f.* monograph. – **~grafico** *a.* (*pl.* **-ci**) monographic(al): *studio* ~ monographic study. – **~grafista** *m./f.* monographer, monographist. – **~gramma** *m.* monogram. – **~grammatico** *a.* (*pl.* **-ci**) monogrammatic. – **~grammista** *m./f.* **1.** artist specializing in monograms. – **2.** (*artista che firma con un monogramma*) artist who signs with his initials. – **3.** ⟨*estens*⟩ (*incisore*) engraver. – **~guscio** *a./s.inv.* **I** *a.* ⟨*Aer*⟩ monocoque-. – **II** *s.m.* monocoque. – **~ibridismo** *m.* ⟨*Biol*⟩ monohybridism. – **~ibrido I** *a.* monohybrid. – **II** *s.m.* monohybrid.

monoicismo *m.* ⟨*Biol*⟩ monoecism, monoeciousness. – **monoico** *a.* (*pl.* **-ci**) monoecious, monoicous.

mono|ideismo *m.* ⟨*Psic*⟩ monoide(a)ism. – **~latria** *f.* ⟨*Rel*⟩ monolatry. – **~lineare** *a.* ⟨*Tip*⟩ single-line-.

monolitico *a.* (*pl.* **-ci**) **1.** monolithic. – **2.** ⟨*tecn*⟩ all in one piece, monolithic. – **3.** ⟨*fig*⟩ (*rif. a persone*) of character, strong-minded; (*unitario*) united, compact, monolithic. – **monolito** *m.* **1.** monolith. – **2.** ⟨*Alp*⟩ jagged rock.

monologare *v.i.* (**monologo**, **monologhi**; *aus.* **avere**) **1.** (*recitare un monologo*) to recite a monologue, to monologize, to soliloquize. – **2.** (*parlare da solo*) to talk to o.s. – **monologhista** *m./f.* ⟨*non com*⟩ **1.** (*autore*) composer of monologues. – **2.** (*declamatore*) monolog(u)ist. – **monologo** *m.* (*pl.* **-ghi**) monologue, soliloquy (*anche Teat.*). □ ⟨*Lett*⟩ ~ *interiore* stream of consciousness.

mono|longherone *a.* ⟨*Aer*⟩ single-spar-. – **~lucido I** *a.* ⟨*Cart*⟩ single-side calendered. – **II** *s.m.* drying (and glossing) cylinder.

monomane I *a.* ⟨*Psic*⟩ monomaniacal. – **II** *s.m./f.* monomaniac. – **monomania** *f.* **1.** ⟨*Psic*⟩ monomania. – **2.** ⟨*scherz,non com*⟩ (*fissazione*) obsession, fixation, mania. – **monomaniaco** *a./s.* (*pl.* **-ci**) **I** *a.* monomaniacal. – **II** *s.m.* (*f.* **-a**) monomaniac.

monomeria *f.* ⟨*Biol*⟩ monomerous nature. – **monomero I** *a.* ⟨*Biol*⟩ monomerous. – **II** *s.m.* ⟨*Chim*⟩ monomer.

monometallismo *m.* ⟨*Econ*⟩ monometallism. □ ~ *aureo* gold specie standard.

monometro I *s.m.* ⟨*Metr*⟩ monometer. – **II** *a.* ⟨*rar*⟩ monometric(al).

monomiale *a.* ⟨*Mat*⟩ monomial. – **monomio I** *s.m.* monomial. – **II** *a.* → **monomiale**.

mono|molecolare *a.* ⟨*Chim*⟩ monomolecular. □ *film* (o *strato*) ~ monomolecular layer. – **~morfia** *f.* ⟨*Biol*⟩ monomorphism. – **~morfo** *a.* monomorphic, monomorphous. – **~motore I** *a.* ⟨*Aer*⟩ single-engine-. – **II** *s.m.* single-engine plane. – **~nucleato** *a.* ⟨*Biol*⟩ mononuclear, mononucleated. – **~ovulare** *a.* single-ovum-. – **~paresi** (o *monoparesi*) *f.* ⟨*Med*⟩ monoparesis. – **~pattino** *m.* scooter. – **~petto I** *a.* ⟨*Mod*⟩ single-breasted. – **II** *s.m.* (*vestito*) single -breasted suit; (*giacca*) single-breasted jacket. – **~plano** *m.* ⟨*Aer*⟩ monoplane. □ ~ *ad ala bassa* low-wing monoplane. – **~plegia** *f.* ⟨*Med*⟩ monoplegia. – **~podiale** *a.* ⟨*Bot*⟩ monopodial. – **~podico** *a.* (*pl.* **-ci**) → **monopodiale**. – **~podio** *m.* monopodium. – **~poiesi** *f.* → **monocitopoiesi**. – **~polare** *a.* ⟨*Fis*⟩ unipolar, monopolar.

monopoli *m.inv.* monopoly.

monopolio *m.* **1.** ⟨*Econ*⟩ monopoly, exclusive rights *pl.* – **2.** ⟨*fig*⟩ (*proprietà esclusiva*) monopoly, exclusive possession, privilege; (*controllo esclusivo*) exclusive control.

□ ~ **bancario** (o *d'emissione*) bank monopoly; ~ **bilaterale** bilateral monopoly; ~ **commerciale** trade (*o* trading) monopoly; ~ *di* **diritto** = *monopolio* **legale**; ~ *della* **domanda** monopoly of demand; **esercitare** *un* ~ to have (*o* hold) a monopoly; ~ *d'***esportazione** export monopoly; ~ *di* **fabbricazione** monopoly on manufacture; ~ **fiscale** fiscal monopoly; **generi** *di* ~ goods subject to monopoly; ~ **imperfetto** partial monopoly; ~ **legale** legal monopoly; ~ *di* **mercato** market monopoly; ~ **nazionale** national monopoly; ~ *dell'***offerta** monopoly of supply; ~ **perfetto** absolute monopoly; ~ *di* **produzione** production monopoly; ~ **pubblico** public monopoly; ~ **statale** (o *di stato*) state (*o* government) monopoly; ~ **unilaterale** unilateral monopoly.

monopolịsta *m./f.* monopolist. – **monopolịstico** *a.* (*pl.* **-ci**) monopolistic. – **monopolịzzare** *v.t.* to monopolize (*anche fig.*). – **monopolịzzatọre I** *s.m.* (*f.* **-trice**) monopolizer. – **II** *a.* monopolizing. – **monopolịzzaziọne** *f.* monopolization.

monopọsto *a./s.inv.* **I** *a.* single-seater-, one-seater-: *veicolo* ~ single-seater (vehicle). – **II** *s.m.* single-seater.

monopsọnio *m.* ⟨*Econ*⟩ monopsony, buyer's monopoly. – **monopsonịsta** *m./f.* monopsonist.

monọptero *a.* ⟨*Archeol*⟩ monopteral. ☐ *tempio* ~ monopteron, monopteros.

monopulẹggia *a.inv.* ⟨*tecn*⟩ single-pulley-.

monọrchide I *a.* ⟨*Med*⟩ monorchid. – **II** *s.m.* monorchid. – **monorchidịa** *f.* **1.** ⟨*Med*⟩ monorchidism. – **2.** ⟨*Etnol*⟩ removal of one testicle, partial castration.

mono|reattọre *m.* ⟨*Aer*⟩ single-jet. – **~rịmo** *a.* ⟨*Metr*⟩ monorhyme(d). ☐ *strofa -a* monorhyme. – **~rịtmico** *a.* (*pl.* **-ci**) having the same rhythm throughout. – **~rịtmo I** *a.* → **monoritmico**. – **II** *s.m.* poem having the same rhythm throughout. – **~rotạia** *a./s.inv.* **I** *a.* monorail-. – **II** *s.f.* (*ferrovia monorotaia*) monorail. – **~saccạride** *m.* ⟨*Chim*⟩ monosaccharide. – **~scì** *m.* ⟨*Sport*⟩ monoski. – **~scọcca** *f.* ⟨*Aut*⟩ bearing body. – **~scọpio** *m.* **1.** (*tubo*) monoscope, monotron. – **2.** (*immagine*) monoscope signal. – **~sillạbico** *a.* (*pl.* **-ci**) monosyllabic, of one syllable: *parola -a* word of one syllable. – **~sịllabo I** *a.* → **monosillabico**. – **II** *s.m.* monosyllable: *rispondere a -i* to answer in monosyllables. – **~simmẹtrico** *a.* (*pl.* **-ci**) ⟨*Bot*⟩ monosymmetric(al).

monọsio *m.* ⟨*Chim*⟩ monosaccharide, monose.

mono|spạr *m.* ⟨*Aer*⟩ single spar. – **~spermịa** *f.* ⟨*Biol*⟩ monospermy. – **~spọrico** *a.* (*pl.* **-ci**) ⟨*Bot*⟩ monosporiferous, monosporous.

monọssido *m.* ⟨*Chim*⟩ monoxide.

monostạdio *a.inv.* single-stage-: *missile* ~ single-stage missile.

monọ|stico *a./s.* (*pl.* **-ci**) ⟨*Metr*⟩ **I** *a.* monostich. – **II** *s.m.* monostich. – **~strọfico** *a.* (*pl.* **-ci**) monostrophic. – **~teịsmo** *m.* ⟨*Rel*⟩ monotheism. – **~teịsta I** *a.* monotheist, monotheistic(al). – **II** *s.m./f.* monotheist. – **~teịstico** *a.* (*pl.* **-ci**) monotheistic(al): *religione -a* monotheistic religion. – **~telịsmo** *m.* Monotheletism, Monothelitism. – **~telịta** *m./f.* Monothelite, Monothelete. – **~temạtico** *a.* (*pl.* **-ci**) ⟨*Mus*⟩ monothematic, having a single theme.

monotipịa[1] *f.* ⟨*Biol*⟩ monotypic condition, existence of a single species.

monotipịa[2] *f.* ⟨*Tip*⟩ monotype (process).

monotịpico[1] *a.* (*pl.* **-ci**) ⟨*Biol*⟩ monotypic, monotypal.

monotịpico[2] *a.* (*pl.* **-ci**) ⟨*Tip*⟩ monotypic.

mono|tipịsmo *m.* → **monotipia**[1]. – **~tipịsta** *m./f.* (*operaio*) monotyper.

monotịpo[1] **I** *a.inv.* **1.** ⟨*Biol*⟩ → **monotipico**[1]. – **2.** ⟨*Mar*⟩ standard one design class. – **II** *s.m.* ⟨*Biol*⟩ monotype.

monọtipo[2] *m.* ⟨*Tip*⟩ monotype.

monotonịa *f.* **1.** monotony, tediousness, dullness, sameness. – **2.** (*noia*) boredom, tedium, humdrum, monotony. ☐ *che* ~ *questo libro!* what a boring book this is!

monọtono[1] *a.* **1.** monotonous, humdrum, tedious, dull: *condurre una vita -a* to lead a humdrum life. – **2.** (*noioso*) boring, tedious, dull.

monotọno[2] *a.* ⟨*Mat*⟩ monotonic, monotone.

monotrẹmi *m.pl.* ⟨*Zool*⟩ monotremes *pl* (*Monotremata*).

monotropịa *f.* ⟨*Chim*⟩ monotropy. – **monọtropo** *a.* monotropic.

monottongaziọne *f.* ⟨*Ling*⟩ monophthongization. – **monottọngo** *a.* (*pl.* **-ghi**) monophthong.

mono|type [-'taip] *f.* ⟨*Tip*⟩ monotype. – **~valẹnte** *a.* ⟨*Chim*⟩ monovalent, univalent. – **~vẹrbo** *m.* (*in enigmistica*) single-word puzzle. – **~vọmere** *a.* (*rif. ad aratro*) one-share-.

monọxilo *a.* (*rif. a imbarcazioni*) monoxylous, monoxylic. ☐ *imbarcazione -a* monoxylon, monoxyl(e).

monregalẹse I *a.* (*di Mondovì*) of (*o* from) Mondovì. – **II** *s.m./f.* native (*o* inhabitant) of Mondovì.

mons. = *monsignore* Monsignor (*abbr.* Msgr., Mgr., Monsig., Mon.).

monsieur *fr.* [mə'sjø] *m.* **1.** (*signore*) sir; (*seguito dal cognome*) Mr. – **2.** ⟨*Stor*⟩ Monsieur. ☐ ⟨*scherz*⟩ ~ *de Paris* (*boia*) executioner.

monsignorạto *m.* ⟨*non com*⟩ **1.** (*dignità*) dignity of a Monsignor. – **2.** (*grado*) rank of a Monsignor. – **monsignọre** *m.* **1.** ⟨*Rel.catt*⟩ Monsignor. – **2.** ⟨*Stor*⟩ Monseigneur.

monsiù *m.* → **monsù**.

monsọne *m.* ⟨*Meteor*⟩ monsoon. – **monsọnico** *a.* (*pl.* **-ci**) monsoon-, monsoonal: *clima* ~ monsoon climate.

mọnstro *m.* ⟨*ant*⟩ → **mostro**.

monsù *m.* ⟨*piem*⟩ (*signore*) sir; (*seguito dal cognome*) Mr.

mọnta *f.* **1.** ⟨*Zootecn*⟩ mounting, covering, copulating, pairing; (*luogo*) stud. – **2.** ⟨*Equit*⟩ riding, mount; (*fantino*) jockey. – **3.** ⟨*Edil*⟩ rise. ☐ ⟨*Equit*⟩ *contratto di* ~ jockey's contract to ride horses of a certain stable; *stallone da* ~ stud-horse.

monta|cạrichi *m.inv.* **1.** goods lift (*o* hoist), elevator, ⟨*am*⟩ freight (*o* service) elevator. – **2.** ⟨*Minier*⟩ elevator hoist. – **3.** ⟨*Edil*⟩ skip hoist. – **~cạrico** *m.* (*pl.* **-chi**) ⟨*non com*⟩ → **montacarichi**. – **~cẹneri** *m.inv.* ⟨*Mar*⟩ ash hoist. – **~fiẹno** *m.inv.* ⟨*Agr*⟩ hay elevator (*o* lift).

montạggio *m.* **1.** assembly, assembling; (*installazione*) installing, fitting. – **2.** ⟨*Cin*⟩ (cutting and) editing, montage. – **3.** ⟨*Mecc*⟩ assembly: *catena* (o *linea*) *di* ~ assembly line. – **4.** ⟨*Tip*⟩ mounting. – **5.** ⟨*concr*⟩ (*incorniciatura*) mount, frame. ☐ ⟨*Cin*⟩ ~ *incrociato* crosscutting; ⟨*Cin*⟩ ~ *preliminare* rough cut(ting); ~ *dei vetri* glazing.

montạgna *f.* **1.** mountain; ⟨*collett*⟩ mountains *pl*, mountain country: *vivere in* ~ to live in the mountains. – **2.** ⟨*fig*⟩ (*grande quantità*) mountain, heap, pile, lots *pl*: *una* ~ *di lettere* heaps of letters. – **Montagna** *N.pr.f.* ⟨*Stor*⟩ Mountain.

☐ *mi sembra di avere una* ~ **addosso** I feel very low (*o* weighed down); **alta** ~ high mountains, highlands *pl*; **andare** *in* ~ to go to the mountains; ~ *di* **corrugamento** fold-mountain; **media** ~ medium high mountains, uplands *pl*; ⟨*fig*⟩ *la* ~ **partorisce** *il topo* the mountain laboured and brought forth a mouse, there's practically nothing to show for all that fuss; ⟨*Geog*⟩ *Montagne* **rocciose** Rocky Mountains, ⟨*fam*⟩ Rockies *pl*; *-e* **russe** switchback (railway); **sport** *di* ~ mountain sports. – *Prov.*: *le -e stanno ferme, gli uomini camminano* friends may meet but mountains never; *se la* ~ *non va da Maometto, Maometto andrà dalla* ~ if the mountain won't come to Mohammed, Mohammed must go to the mountain.

montagnạrdo *m.* ⟨*Stor*⟩ Mountaineer, Montagnard.

montagnẹtta, **montagnọla** *f. dim. di* **montagna**.

montagnọlo ⟨*non com*⟩ **I** *a.* (*montanaro*) mountain-, highland-. – **II** *s.m.* (*f.* **-a**) mountaineer, highlander. – **montagnọso** *a.* mountainous, mountain-, hilly: *regione -a* mountainous region.

montalẹva *f.* ⟨*Pesc*⟩ kind of tuna-fishing net.

montambạnco *m.* (*pl.* **-chi**) ⟨*ant*⟩ (*saltimbanco*) mountebank, charlatan.

montamẹnto *m.* ⟨*non com*⟩ (*montaggio*) assembly, assembling.

montanạro I *a.* mountain-, highland-: *popolazioni -e* mountain dwellers. – **II** *s.m.* (*f.* **-a**) **1.** highlander, mountain dweller, mountaineer, ⟨*am.fam*⟩ hillbilly. – **2.** ⟨*fig*⟩ (*persona rude*) bumpkin, oaf.

montanẹllo *m.* ⟨*Ornit*⟩ **1.** (*fanello*) linnet (*Carduelis cannabina*). – **2.** (*stiaccino*) whinchat (*Saxicola rubetra*).

montanẹsco *a.* (*pl.* **-chi**) ⟨*ant*⟩ → **montagnoso**. – **montanịno I** *a.* mountain-: *aria -a* mountain air. – **II** *s.m.* (*f.* **-a**) ⟨*tosc*⟩ (*montanaro*) mountaineer, highlander. ☐ *pelle -a* chamois leather.

montanịsmo *m.* ⟨*Rel*⟩ Montanism. – **montanịsta** *m./f.* Montanist. – **montanịstico** *a.* (*pl.* **-ci**) Montanistic(al).

montạno *a.* **1.** mountain-: *paesaggio* ~ mountain landscape. – **2.** ⟨*Biol*⟩ alpine, montane: *flora -a* montane flora.

montạnte (*p.pr. di montare*) **I** *a.* **1.** mounting, rising. – **2.** (*ammontante*) amounting: *spesa* ~ *a un milione* expenditure amounting to one million. – **II** *s.m.* **1.** upright, post. – **2.** ⟨*Mecc*⟩ (*colonna*) column, pillar. – **3.** ⟨*Aer*⟩ strut. – **4.** ⟨*Met*⟩ riser. – **5.** ⟨*Sart*⟩ revers, revere, lapel. – **6.** ⟨*Sport*⟩ (*nella boxe*) upper-cut; (*nel calcio*: *palo della porta*) goal-post. – **7.** ⟨*Comm*⟩ (total) amount. – **8.** ⟨*non com*⟩ (*montatoio*) footboard, step, mounting-block. ☐ *ad un* ~ single -strut; ~ *centrale* body centre pillar; ~ *della finestra* window-post; ~ *della porta* (door) jamb; ⟨*Aut*⟩ door-post.

montạre *v.* (mọnto) **I** *v.t.* **1.** (*salire*) to go up, to climb, to ascend. – **2.** (*salire sulla cavalcatura*) to mount, to get on (to): ~ *un cavallo* to mount (*o* get on) a horse; (*cavalcare*) to ride. – **3.** ⟨*fig*⟩ (*rendere presuntuoso*) to turn (*o* go to) the head of, to give a swollen head, to puff up: *il successo lo ha montato* success has gone to his head. – **4.** ⟨*fig*⟩ (*aizzare*) to stir up, to egg on. – **5.** ⟨*fig*⟩ (*esagerare*) to exaggerate, to blow up: *l'importanza di questo avvenimento è stata montata dalla stampa* the importance of this event has been exaggerated by the Press. – **6.** (*munire di cornice*) to mount, to frame: ~ *una fotografia* to mount a photograph; (*incastonare*) to set, to mount. – **7.** (*mettere insieme*) to assemble, to set up, to erect: ~ *un letto* to set up a bed; ~ *una macchina* to assemble a machine. – **8.** (*installare*) to install, to fit: ~ *un motore in un'auto* to install an engine in a car; (*rif. a tende*) to hang, to fit. – **9.** ⟨*Gastr*⟩ (*far crescere*) to whip, to beat (up): ~ *la panna* to whip cream. – **10.** ⟨*non com*⟩ (*arredare*) to furnish: ~ *una casa* to furnish a house. – **11.** ⟨*Cin*⟩ to edit, to cut. – **12.** ⟨*Zootecn*⟩ (*coprire*) to mount, to cover. – **II** *v.i.* (*aus.* **essere**) **1.** to climb (*su* onto), to get up (on, onto), to mount (s.th.): ~ *sulla sedia* to get (up) on the chair. – **2.** (*prendere posto*: *su un veicolo scoperto*) to get (*in* on): ~ *in bicicletta* to get on a bicycle; (*su un veicolo coperto*) to get (in, into): ~ *in auto* to get into a car. – **3.** (*cavalcare*) to ride. – **4.** (*crescere di livello*) to rise, to mount: *la marea monta* the tide is rising. – **5.** (*farsi ripido*) to climb, to become steep: *il sentiero monta* the path climbs. – **6.** ⟨*Gastr*⟩ to rise. – **7.** (*prendere servizio*) to go on duty. – **8.** (*rif. ad astri*) to ascend. – **9.** ⟨*non com*⟩ (*ammontare*) to amount. – **10.** ⟨*ant*⟩ (*crescere*: *in potenza*) to become powerful; (*in grandezza*) to increase, to grow. – **11.** ⟨*ant*⟩ (*importare*) to matter. – **montarsi** *v.r.* (*insuperbirsi, esaltarsi*) to become swollen-headed.

☐ ⟨*fig*⟩ ~ *in* **cattedra** to mount the pulpit, to be pedantic; ~ *a* **cavallo** to get on one's horse; (*cavalcare*) to ride; ~ *in* **collera** to get angry, to fly into a rage; ~ *le* **gomme** *su una macchina* to put tyres on a car; ~ *la* **guardia** to mount guard, to go on sentry duty; ~ *una* **macchina** to install (*o* assemble) a machine; ⟨*Gastr*⟩ ~ *a* **neve** to whip (*o* beat) to a froth; ~ *le* **rotaie** to lay the rails; **saper** ~ to ride well; ~ **su** to get on, to board: ~ *su un treno* to get on (*o* in) a train; *montarsi la* **testa** to become swollen-headed, to be puffed up; *il vino mi è montato alla testa* the wine has gone to my head; *gli montò il sangue alla testa* (*per la rabbia*) the blood rushed to his head; ~ *i* **vetri** to glaze, to glass.

montarịno *m.* ⟨*Ornit*⟩ (*rampichino*) short-toed tree-creeper (*Certhia brachydactyla*).

montasạcchi *m.inv.* sack lift (*o* hoist, elevator).

montạta *f.* ⟨*non com*⟩ **1.** ascent, rise, hill. – **2.** ⟨*rar*⟩ (*salita*) mounting, climbing. □ ⟨*Med*⟩ ~ *lattea* lactation.
montạto (*p.p. di montare*) *a.* **1.** (*rif. a uova, panna e sim.*) whipped, beaten. – **2.** ⟨*fig*⟩ (*pieno di boria*) arrogant, conceited, ⟨*fam*⟩ swollen-headed, ⟨*fam*⟩ full of o.s. – **3.** ⟨*Mil*⟩ mounted. □ *essere ben* ~ (*essere provvisto di una buona cavalcatura*) to have a good mount.
montatọio *m.* **1.** step, footboard; (*di auto*) running board. – **2.** ⟨*ant*⟩ (*rialzo*) mounting-block, rise at the side of a road (for mounting a horse).
montatọre **I** *s.m.* (*f.* **-trice**) **1.** assembler, mounter. – **2.** ⟨*Cin*⟩ (film) editor. – **3.** ⟨*Mecc*⟩ assembler, erector; (*installatore*) fitter. – **4.** ⟨*Mar. mil,Aer.mil*⟩ fitter. – **II** *a.* mounting, assembling.
montatụra *f.* **1.** assembly, assembling, fitting, erection, setting up: ~ *di una macchina* assembly of a machine. – **2.** (*incorniciatura*) mounting, framing; (*cornice, telaio*) mount, frame; (*per occhiali*) frames *pl.* – **3.** (*incastonatura*) mounting, setting (*anche concr.*). – **4.** (*supporto*) support, mount. – **5.** ⟨*fig*⟩ (*esagerazione*) exaggeration, blow-up, put-up job: ~ *giornalistica* Press exaggeration. – **6.** ⟨*Mod*⟩ trimming; (*insieme di guarnizioni*) trimmings *pl.* – **7.** ⟨*Sart*⟩ (*montante*) revers, revere, lapel. – **8.** (*rif. a uova, panna e sim.*) whipping, beating (up). □ ~ *equatoriale* equatorial mounting; ~ *pubblicitaria* (publicity) stunt.
montavivạnde *m.inv.* service lift, ⟨*am*⟩ dumb-waiter.
mọnte *m.* **1.** mountain; (*davanti a nome*) Mount, Mt.: ≈ *Rosa* Mount (*o* Mt.) Rosa. – **2.** ⟨*fig*⟩ (*grande quantità*) mountain, heap, pile, great deal, lots *pl.* – **3.** (*nel gioco delle carte*) talon; (*carte scartate*) discards *pl*, discarded cards *pl.* – **4.** (*in chiromanzia*) mount. – **5.** ⟨*Econ,Dir*⟩ (*beni*) assets *pl.* – **6.** (*monte di pietà*) pawnshop, pawnbroker's. – **7.** ⟨*ven*⟩ (*duna*) dune.
□ **a** ~ above, upriver, upstream: *una località a* ~ *di Firenze* a place upriver from Florence; *avere qc. a -i* to have heaps (*o* lots, plenty) of s.th.; ⟨*fig*⟩ **andare** *a* ~ to fail, to come to nothing, to fall through; ≈ **Bianco** Mont Blanc; ≈ **Cervino** Matterhorn; ⟨*Sport*⟩ ~ *del* **lanciatore** pitching mound; ⟨*fig*⟩ **mandare** *a* ~ to upset, to cause to fail; (*disdire*) to cancel, to call (*o* break) off; (*nel gioco delle carte*) to ⌈break off⌉ (*o* scrap) the game; ⟨*Geog*⟩ *Monti* **Metalliferi** Ore Mountains; ~ ⌈*dei* **pegni**⌉ (o *di pietà*) pawnshop, pawnbroker's; *portare qc. al* ~ *di pietà* to pawn s.th.; **per** *-i e per valli* (*dappertutto*) up hill and down dale, everywhere; ~ **premi** prize money, jackpot; ~ *di* **rifiuti** heap of rubbish; ⟨*Anat*⟩ ~ *di* **Venere** mons veneris. – *Prov.*: *loda il* ~ *e tienti al piano* praise the sea but keep to the land.
montebiạnco *m.* ⟨*Dolc*⟩ cake of chestnuts and whipped cream.
Montẹcchi *N.pr.m.pl.* ⟨*Lett*⟩ Montagues *pl.*
montenegrịno **I** *a.* Montenegrin. – **II** *s.m.* (*f.* **-a**) Montenegrin. – **Montenẹgro** *N.pr.m.* ⟨*Geog*⟩ Montenegro.
montessoriạno *a.* ⟨*Ped*⟩ Montessori-, Montessorian.
montgọmery *ingl.* [mɔŋ'gɔmeri] *m.* ⟨*Vest*⟩ duffle coat.
montiạno *a.* ⟨*Lett*⟩ of (*o* in the style of) Vincenzo Monti.
monticạre *v.* (**mọntico, mọntichi**) **I** *v.t.* to keep in summer pasture. – **II** *v.i.* (*aus.* **avere**) to be in summer pasture. – **monticaziọne** *f.* (*alpeggio*) summer pasture.
monticciọlo (*dim. di monte*) *m.* hillock, knoll, rise, mound. – **monticẹllo** (*dim. di monte*) *m.* **1.** → **monticciolo.** – **2.** ⟨*Anat*⟩ monticulus. – **montigiạno** **I** *a.* ⟨*non com*⟩ (*dei monti*) mountain-, hill-. – **II** *s.m.* (*f.* **-a**) mountaineer, highlander, mountain dweller.
montịno (*dim. di monte*) *m.* ⟨*roman*⟩ (*monte dei pegni*) pawnshop, pawnbroker's.
montmorillonịte [mɔ̃-] *f.* ⟨*Chim*⟩ montmorillonite.
montonạta *f.* ⟨*Equit*⟩ buck(ing), buckjump.
montọne *m.* **1.** (*ariete*) ram, tup; (*castrato*) wether. – **2.** ⟨*Macell*⟩ mutton. – **3.** ⟨*Conc*⟩ sheepskin. – **4.** ⟨*fig*⟩ (*persona sciocca*) dolt, numskull, fool. – **5.** ⟨*Mil.ant*⟩ battering-ram. – **Montone** *N.pr.m.* ⟨*Astr*⟩ Aries, Ram. □ *salto del* ~ buckjump.
montuosità *f.* **1.** mountain, hill. – **2.** (*l'essere ricco di monti*) hilliness, mountains *pl*, hills *pl.* – **montuọso** *a.* **1.** mountainous, hilly. – **2.** ⟨*lett*⟩ (*a forma di monte*) mountain-shaped.
montụra *f.* (*divisa*) uniform, military dress; (*uniforme*) uniform. – **monturạto** ⟨*non com*⟩ **I** *a.* uniformed, in uniform. – **II** *s.m.* person in uniform.
monumentạle *a.* **1.** monumental. – **2.** ⟨*estens*⟩ (*grandioso*) monumental, imposing, grand; (*solenne*) solemn. – **3.** ⟨*iperb,scherz*⟩ enormous, massive, huge. – **monumentalità** *f.* ⟨*non com*⟩ monumentality, imposingness.
monumentạre *v.t.* (**monumẹnto**) ⟨*scherz*⟩ (*onorare con monumento*) to monumentalize, to erect a monument to. – **monumentịno** *m. dim. di* **monumento.**
monumẹnto *m.* **1.** monument: *erigere un* ~ *a qd.* to put up a monument to s.o. – **2.** (*opera d'arte*) monument. – **3.** ⟨*ant*⟩ (*tomba*) tomb. □ ~ *ai caduti* war memorial; ~ *funerario* (o *sepolcrale*) tomb, sepulchral monument; ~ *nazionale* national monument; *visita ai -i di una città* sightseeing tour; *visitare i -i di una città* to (go to) see the sights of a town.
monumentomanịa *f.* ⟨*scherz*⟩ mania for erecting monuments.
mọps *ted. m.* ⟨*Zool*⟩ pug.
moquette *fr.* [mɔ'kɛt] *f.* ⟨*Arred*⟩ moquette, ⟨*am*⟩ broadloom.
mọra[1] *f.* ⟨*Bot*⟩ (*del gelso*) mulberry; (*del rovo*) blackberry.
mọra[2] *f.* **1.** ⟨*Dir*⟩ default, (negligent) delay. – **2.** (*entità dell'onere*) arrears *pl.* – **3.** ⟨*Metr*⟩ mora. □ *cadere in* ~ to fall into arrears; ⟨*Comm*⟩ ~ *nella consegna* delay in delivery; *essere in* ~ *col pagamento* to be in arrears (*o* default) with payment; *mettere in* ~ to place in default.
mọra[3] *f.* ⟨*pop*⟩ (*ragazza bruna*) brunette.
mọra[4] *f.* → **morra.**
mọra[5] *f.* ⟨*ant*⟩ (*cumulo di pietre*) cairn, heap of stones.
moracchiọlo *m.* ⟨*Ornit*⟩ (*rondone*) swift (*Apus apus*).
moraiọlo **I** *a.* ⟨*Agr*⟩ dark-coloured, black. – **II** *s.m.* dark-coloured olive.
morạle[1] **I** *a.* **1.** moral (*anche Filos.*): *libertà* ~ moral freedom. – **2.** (*conforme alla moralità*) moral: *un libro* ~ a moral book. – **3.** (*non materiale*) moral, spiritual. – **II** *s.f.* **1.** morality, morals *pl*: ~ *accomodante* lax morals. – **2.** (*etica*) morals *pl*, ethics *pl.* – **3.** (*insegnamento*) moral, lesson: *la* ~ *della predica* the moral of the sermon. – **III** *s.m.* morale: *il* ~ *dei soldati era basso* the soldiers' morale was low.
□ *essere* **contrario** *alla* ~ to be immoral; *la* ~ *della* **favola** the moral of the story; ⟨*fig*⟩ the fact of the matter, what it all boils down to; *essere* **giù** *di* ~ to be in low spirits; **rialzare** *il* ~ *a qd.* to boost s.o.'s morale; *essere* **senza** ~ (*amorale*) to be amoral; *essere* **su** *di* ~ to feel cheerful; **trarre** *la* ~ *da qc.* to draw a moral from s.th.
morạle[2] *m.* ⟨*Edil*⟩ plank.
moraleggiamẹnto *m.* ⟨*non com*⟩ moralizing. – **moraleggiạre** *v.i.* (**moralẹggio, moralẹggi;** *aus.* **avere**) **1.** to moralize. – **2.** ⟨*spreg*⟩ (*atteggiarsi a moralista*) to moralize, to play the moralist. – **moralịsmo** *m.* moralism. – **moralịsta** **I** *s.m./f.* **1.** moralist. – **2.** (*studioso di teologia morale*) moralist, moral theologian. – **II** *a.* moralistic(al), moralist-. – **moralịstico** *a.* (*pl.* **-ci**) moralistic(al).
moralità *f.* **1.** morality; (*eticità*) morality, ethicalness. – **2.** (*morale*) morals *pl*, ethics *pl.* – **3.** ⟨*non com*⟩ (*insegnamento*) moral. – **4.** *pl.* ⟨*Lett*⟩ morality (play).
moralizzạbile *a.* ⟨*non com*⟩ moralizable. – **moralizzạre** **I** *v.t.* **1.** to moralize, to improve the morals of. – **2.** ⟨*Mediev*⟩ (*trarre insegnamenti morali*) to draw a moral from, to moralize. – **II** *v.i.* (*aus.* **avere**) (*moraleggiare*) to moralize. – **moralizzatọre** **I** *s.m.* (*f.* **-trice**) moralizer. – **II** *a.* moralizing. – **moralizzaziọne** *f.* ⟨*non com*⟩ **1.** moralization. – **2.** ⟨*Mediev*⟩ (*interpretazione morale*) moral interpretation, drawing of a moral. – **moralmẹnte** *avv.* morally.
morạndola *f.* ⟨*Bot*⟩ (*bugola*) common bugle (*Ajuga reptans*).
morạnte *m.* ⟨*Itt*⟩ mackerel shark, porbeagle (*Isurus cornubicus*).
morạto *a.* (*rif. al nero*) brownish-black; (*rif. ad altro colore*) dark, brownish.
moratọria *f.* **1.** ⟨*Dir*⟩ moratorium. – **2.** (*sospensione*) moratorium, suspension. – **moratọrio** *a.* moratory: *provvedimento* ~ moratory measure.
Mọrava (o *Morạva*) *N.pr.f.* ⟨*Geog*⟩ Morava.
Morạvia *N.pr.f.* ⟨*Geog*⟩ Moravia. – **morạvo** (o *mọravo*) **I** *a.* Moravian. – **II** *s.m.* (*f.* **-a**) Moravian. □ ⟨*Rel*⟩ *Fratelli -i* Moravian Brethren; ⟨*Geog*⟩ *Porta -a* Moravian Gate.
mọrbida *f.* (*rif. a corso d'acqua*) medium water.
morbidamẹnte *avv.* softly. – **morbidẹtto** *a. dim. di* **morbido.**
morbidẹzza *f.* **1.** softness: *la* ~ *di una stoffa* the softness of material. – **2.** ⟨*fig*⟩ (*dolcezza*) sweetness, softness, gentleness; (*delicatezza*) delicacy, fineness. – **3.** ⟨*fig,non com*⟩ (*malleabilità, arrendevolezza*) tractability. – **4.** ⟨*Art*⟩ mellowness, softness. – **5.** ⟨*fig,ant*⟩ (*mollezza*) softness, effeminacy.
morbidịccio *a.* softish. – **morbidịre** *v.t.* (**morbidịsco, morbidịsci**) ⟨*ant*⟩ (*ammorbidire*) to soften.
mọrbido **I** *a.* **1.** soft: *letto* ~ soft bed. – **2.** ⟨*fig*⟩ (*delicato*) soft, delicate, gentle: *mani -e* soft hands; (*dolce*) sweet. – **3.** ⟨*fig,non com*⟩ (*arrendevole*) docile, compliant, yielding, tractable: *carattere* ~ docile character; (*malleabile*) soft, malleable: *cera -a* soft wax. – **4.** (*rif. ad abiti e sim.*) loose-fitting, flowing: *abito di linea -a* loose -fitting dress. – **5.** ⟨*Art*⟩ mellow, soft. – **6.** ⟨*Mus*⟩ morbido. – **7.** ⟨*non com*⟩ (*languido, voluttuoso*) voluptuous. – **8.** ⟨*ant*⟩ (*molle, effeminato*) soft, effeminate. – **II** *s.m.* soft place. □ *dormire sul* ~ to sleep comfortably (*o* on something soft).
morbidụme *m.* ⟨*non com*⟩ soft stuff, (over-)soft things *pl.*
morbịfero *a.* ⟨*ant*⟩ morbific, disease-carrying. – **morbịgeno** *a.* ⟨*non com*⟩ pathogenic, morbigenous.
morbigliọne *m.* **1.** ⟨*Bot*⟩ (*antracnosi*) anthracnose, bitter (*o* ripe) rot. – **2.** *pl.* ⟨*region*⟩ (*forma di vaiolo*) mild form of smallpox.
morbilità *f.* ⟨*Statist*⟩ morbidity, sick rate.
morbillifọrme *a.* ⟨*Med*⟩ morbilliform. – **morbịllo** *m.* measles *pl* (*costr. sing. o pl.*). – **morbillọso** **I** *a.* morbillous, morbillary, of measles. – **II** *s.m.* (*f.* **-a**) person suffering from measles, measles patient.
morbịno *m.* ⟨*region*⟩ (*sfrenatezza*) high spirits *pl*, boisterousness; (*euforia*) light-heartedness. □ *avere il* ~ to be in high spirits, ⟨*fam*⟩ to let rip. – **morbinọso** *a.* ⟨*region*⟩ (*sfrenato*) high-spirited, wild, unruly, boisterous.
mọrbo *m.* **1.** ⟨*lett*⟩ (*malattia*) disease. – **2.** ⟨*Med*⟩ (*malattia epidemica*) infectious disease, epidemic; (*malattia eruttiva*) pox; (*peste*) plague. – **3.** ⟨*fig*⟩ (*male morale*) scourge, evil. – **4.** ⟨*ant*⟩ (*fetore*) stench, stink.
□ ⟨*Med*⟩ ~ **blu** blue disease, morbus caeruleus; ~ **bronzino** Addison's disease, bronzed skin; ~ **caduco** (*epilessia*) epilepsy; ~ **gallico** (o *celtico*) French pox, syphilis; ~ **giallo** (*epatite virale*) infectious hepatitis; ~ *di* **Parkinson** Parkinson's disease; ~ *di* **Pott** Pott's disease; ⟨*ant*⟩ ~ **sacro** = *morbo* **caduco.**

morbosamẹnte *avv.* morbidly. – **morbosità** *f.* **1.** morbidness, morbidity. – **2.** ⟨*Statist*⟩ → **morbilità**. – **morbọso** *a.* **1.** pathological, morbid: *agenti -i* pathological agents. – **2.** ⟨*fig*⟩ morbid: *gelosia -a* morbid jealousy.

morchẹlla *f.* ⟨*Bot*⟩ morel (*Morchella*).

mọrchia *f.* **1.** marc (of olives). – **2.** ⟨*estens*⟩ (*residuo grasso*) oily (*o* greasy) deposit, dregs *pl.* – **3.** ⟨*Mecc*⟩ dirt. – **4.** (*grasso per carri*) axle grease. ▭ ~ *di olio lubrificante* sludge. – **morchiạio** *a.* ⟨*non com*⟩ (*rif. a olive*) giving plentiful marc. – **morchiọne** (*accr. di morchia*) *m.* oil dregs *pl.* – **morchiọso** *a.* ⟨*non com*⟩ (*rif. a olio*) full of marc. – **morchiụme** *m.* ⟨*spreg*⟩ (large quantity of) marc, foots *pl*, sediment.

mordạcchia *f.* **1.** twitch, gag. – **2.** ⟨*rar*⟩ (*museruola*) muzzle. – **3.** ⟨*Stor*⟩ (*strumento di tortura*) instrument for immobilizing the tongue. ▭ ⟨*fig,rar*⟩ *mettere la* ~ *a qd.* to silence (*o* muzzle) s.o.

mordạce I *a.* **1.** that bites, given to biting, mordacious, mordant: *bestia* ~ animal that bites. – **2.** ⟨*fig*⟩ biting, cutting, sharp, mordant, pungent, caustic, keen: *lingua* ~ sharp tongue. – **3.** (*rif. a strumento*) sharp: *sega* ~ sharp saw. – **4.** (*rif. a liquido*: *che corrode*) corrosive, caustic. – **II** *s.m.* ⟨*Mecc*⟩ vice cap.

mordacemẹnte *avv.* bitingly, cuttingly, sharply. – **mordacità** *f.* **1.** readiness to bite. – **2.** ⟨*fig*⟩ mordacity, bitingness, sharpness, mordancy.

mordẹllidi *m.pl.* ⟨*Entom*⟩ mordellids *pl* (*Mordellidae*).

mordẹnte I *a.* **1.** biting. – **2.** ⟨*fig*⟩ biting, bitter, piercing: *freddo* ~ biting cold. – **3.** ⟨*fig*⟩ (*mordace*) biting, cutting, sharp, mordant, pungent, caustic, keen. – **4.** ⟨*tecn*⟩ (*rif. a ruota*) gear-. – **II** *s.m.* **1.** (*sostanza per fissare*) mordant. – **2.** (*sostanza per rendere tersa una superficie*) mordant. – **3.** ⟨*fig*⟩ bite; (*spirito aggressivo*) drive, push, go. – **4.** ⟨*Mus*⟩ mordent. ▭ ⟨*Chim*⟩ ~ *ad alcool* spirit mordant; ⟨*Mus*⟩ ~ *inferiore* (lower) mordent; ⟨*fig*⟩ *privo di* ~ weak; ⟨*Mus*⟩ ~ *superiore* upper (*o* inverted) mordent.

mordenzạre *v.t.* (**mordẹnzo**) ⟨*Chim*⟩ to mordant. – **mordenzạto** (*p.p. di mordenzare*) *a.* mordanted. – **mordenzatụra** *f.* mordanting.

mọrdere *v.t.* (**mọrsi**, **mọrso**/*ant.* **mordụto**) **1.** to bite: *il cane lo ha morso* the dog bit him. – **2.** (*addentare*) to bite into (*o* at), to take a bite out of: *morse la mela con avidità* he bit hungrily into the apple. – **3.** (*rif. a sostanze corrosive*: *intaccare*) to eat into, to corrode, to bite into. – **4.** (*rif. a congegni, funi*: *fare presa*) to grip; (*intaccare*) to bite into; (*rif. ad ancora*) to grip, to bite, to hold. – **5.** ⟨*estens*⟩ (*pungere*) to nip, to bite, to sting. – **6.** ⟨*fig,lett*⟩ (*rimproverare, fustigare*) to criticize sharply, to attack caustically, to castigate. – **7.** ⟨*fam*⟩ (*rif. a insetti*: *pungere*) to bite, to sting.

▭ *c'è qc.* **da** ~ (*da mangiare*) there is s.th. to eat; ⟨*fig*⟩ (*da guadagnare*) there is s.th. to be gained (*o* got out of it); ⟨*fig*⟩ *mordersi le* **dita** to tear one's hair; ⟨*fig*⟩ ~ *il* **freno** to champ at the bit; ⟨*fam*⟩ *mordersi i* **gomiti** to repent, to regret, ⟨*fam*⟩ to kick o.s.; *mordersi le* **labbra** to bite one's tongue; (*per nervosismo*) to bite one's lips; ⟨*fig*⟩ ~ *la* **mano** *che soccorre* to bite the hand that feeds one; ~ *la* **polvere** to bite the dust; ⟨*fig*⟩ ~ *la* **strada** (*rif. a pneumatico*) to hold the road; (*rif. a ciclista*) to sprint.

mordicamẹnto *m.* → **mordimento**. – **mordicạre** *v.t.* (**mọrdico**, **mọrdichi**) ⟨*ant*⟩ **1.** (*mordere*: *rif. a sostanze corrosive*) to corrode, to eat into. – **2.** ⟨*non com*⟩ (*mordicchiare*) to nibble (at), to gnaw.

mordicchiạre *v.t.* (**mordịcchio**, **mordịcchi**) **1.** to nibble (at), to gnaw. – **2.** ⟨*fig*⟩ to sting, to be caustic towards. ▭ *mordicchiarsi le unghie* to bite (*o* chew) one's nails.

mordi|fạngo *m.* ⟨*Itt*⟩ loach, mudfish (*Cobitis*). – **~gallịna** *f.* ⟨*Bot*⟩ **1.** (*anagallida*) scarlet (*o* red) pimpernel, poor man's weatherglass (*Anagallis arvensis*). – **2.** (*centonchio*) chickweed, starwort (*Stellaria media*).

mordimẹnto *m.* ⟨*ant*⟩ **1.** (*il mordere*) biting; (*morso*) bite. – **2.** ⟨*fig*⟩ (*rimprovero*) cutting rebuke. – **morditọre** *m.* (*f.* **-trice**) ⟨*non com*⟩ **1.** biter. – **2.** ⟨*fig*⟩ sharp-tongued person, backbiter. – **3.** ⟨*ant*⟩ (*motteggiatore*) wag, joker. – **morditụra** *f.* → **mordimento**.

mordorè *a.* mordoré, pencilwood.

Morẹa *N.pr.f.* ⟨*Geog.stor*⟩ Morea, Peloponnesus.

morẹccio *m.* ⟨*Bot*⟩ (*porcino*) boletus, pore fungus (*o* mushroom) (*Boletus edulis*).

morẹlla[1] *f.* ⟨*ant*⟩ → **muriella**.

morẹlla[2] *f.* ⟨*Bot*⟩ **1.** (*anche erba morella*) black nightshade, petty morel (*Solanum nigrum*). – **2.** (*brunella*) self-heal (*Brunella vulgaris*). – **3.** (*bugola*) common bugle (*Ajuga reptans*).

morellịno[1] *a.* ⟨*Agr*⟩ dark-coloured olive.

morellịno[2] *m. dim. di* **morello**.

morẹllo I *a.* blackish. – **II** *s.m.* black (*o* dark) horse.

morẹna *f.* ⟨*Geol*⟩ moraine.

▭ ~ *di* **fondo** ground moraine; ~ **frontale** terminal moraine; ~ **glaciale** glacial moraine; ~ **laterale** lateral moraine; ~ **mediana** medial moraine; ~ **profonda** = *morena di* **fondo**; ~ **viaggiante** push moraine.

morẹnico *a.* (*pl.* **-ci**) ⟨*Geol*⟩ morainic, morainal: *terreno* ~ morainic ground.

morẹndo I *avv.* ⟨*Mus*⟩ morendo, dying away. – **II** *s.m.* morendo (symbol).

morẹnte (*p.pr. di morire*[1]) **I** *a.* **1.** dying, moribund, at death's door. – **2.** ⟨*fig*⟩ dying, fading; (*rif. a suoni*) dying away, fading. – **II** *s.m./f.* dying man (*f* woman). ▭ *il sole* ~ the sinking sun.

morẹsca *f.* (*danza*) Moorish dance.

morẹsco *m.* (*pl.* **-chi**) Moorish, Moresque, Moresco: *architettura -a* Moorish architecture.

mọre sọlito *lat.* in the usual manner.

morẹto *m.* ⟨*non com*⟩ (*gelseto*) mulberry grove.

morẹtta (*dim. di mora*[3]) *f.* **1.** (*ragazza negra*) Negress, coloured girl. – **2.** (*ragazza di carnagione o capelli scuri*) brunette, dark girl. – **3.** ⟨*ven*⟩ (*maschera*) mask. – **4.** ⟨*Ornit*⟩ tufted duck (*Nyroca fuligula*).

▭ ⟨*Ornit*⟩ ~ **arlecchino** harlequin duck (*Histrionicus histrionicus*); ~ **codona** long-tailed duck (*Clangula hyemalis*); ~ **corallina** (*gabbiano corallino*) Mediterranean black-headed gull (*Larus melanocephalus*); ~ **grigia** (greater) scaup duck, bluebill, broadbill, blackhead (*Nyroca marila*); ~ *di* **macchia** (*cincia bigia*) marsh tit (*Parus palustris*); ~ **pezzata** = *moretta* **codona**; ~ **tabaccata** white-eyed pochard, ferruginous duck (*Aythya nyroca*, *Nyroca nyroca*).

morettịna (*dim. di moretta*) *f.* **1.** (*ragazza negra*) little Negress, little coloured girl. – **2.** (*ragazza di carnagione o capelli scuri*) dark girl, brunette. – **3.** ⟨*ven*⟩ half-mask. – **4.** ⟨*Bot*⟩ black orchis, black nigritella (*Nigritella nigra*).

morẹtto (*dim. di moro*[1]) **I** *a.* dark. – **II** *s.m.* (*f.* **-a**) **1.** (*negro*) Negro (*o* coloured) boy. – **2.** (*ragazzo di carnagione o capelli scuri*) dark boy. – **3.** (*schiavetto negro*) Negro slave-boy; (*paggetto negro*) Negro page. – **4.** ⟨*fig,non com*⟩ cat's-paw. – **5.** ⟨*Dolc*⟩ chocolate-coated ice-cream.

morettọne *m.* **1.** ⟨*Ornit*⟩ (*moretta*) tufted duck (*Nyroca fuligula*). – **2.** ⟨*Itt*⟩ (*cantaro*) kind of sea bream (*Spondyliosoma cantharus*).

mọre uxọrio *lat.* as man and wife: *convivere* ~ to live as man and wife, to cohabit.

morfallạssi *f.* ⟨*Biol*⟩ morphallaxis.

morfẹa *f.* **1.** ⟨*Veter*⟩ white streak on a horse's coat. – **2.** ⟨*Bot*⟩ fumagine. – **3.** ⟨*Med,ant*⟩ morphea.

morfẹma *m.* ⟨*Ling*⟩ morpheme. – **morfemạtico** *a.* (*pl.* **-ci**) morphemic.

Morfẹo *N.pr.m.* ⟨*Mitol*⟩ Morpheus. ▭ ⟨*fig*⟩ *essere in braccio a* ~ (*dormire*) to be in the arms of Morpheus, to slumber; ⟨*fig*⟩ *cadere in braccio a* ~ (*addormentarsi*) to fall asleep.

morfịna *f.* ⟨*Farm*⟩ morphine, morphia. – **morfinịsmo** *m.* ⟨*Med*⟩ **1.** morphinism. – **2.** → **morfinomania**. – **morfinizzạre** *v.t.* to morphinize, to drug with morphine. – **morfinizzarsi** *v.r.* to drug o.s. with morphine. – **morfinọmane** *m./f.* morphinist, morphinomaniac, morphiomaniac. – **morfinomanịa** *f.* morphinomania, morphiomania, morphine addiction.

morfo... *pref.* (*forma* shape) morph(o)...

...morfo *suff.* ...morphic, ...morphous.

morfogẹnesi *f.* ⟨*Biol*⟩ morphogenesis. – **morfogenẹtico** *a.* (*pl.* **-ci**) morphogenetic. – **morfogenịa** *f.* → **morfogenesi**.

morfọgeno *a.* morphogenic, morphogenetic.

morfologịa *f.* morphology. ▭ ~ *animale* animal morphology; ⟨*Ling*⟩ ~ *comparata* comparative morphology; ~ *descrittiva* descriptive morphology; ⟨*Econ*⟩ ~ *di mercato* market analysis.

morfo|lọgico *a.* (*pl.* **-ci**) morphologic(al). – **~logịsta** *m./f.* morphologist. – **~metrịa** *f.* ⟨*Geol*⟩ morphometry. – **~mẹtrico** *a.* (*pl.* **-ci**) morphometric(al).

morfọsi *f.* ⟨*Biol*⟩ morphosis.

Morgạna *N.pr.f.* ⟨*Lett*⟩ Morgan. ▭ *fata* ~ Morgan le Fay; ⟨*Meteor*⟩ Fata Morgana, mirage.

morganaticamẹnte *avv.* morganatically. – **morganạtico** *a.* (*pl.* **-ci**) morganatic: *matrimonio* ~ morganatic (*o* left-handed) marriage. ▭ *figlio* ~ child born of a morganatic marriage; *moglie -a* wife married morganatically.

morgue *fr.* [mɔrg] *f.* (*obitorio*) morgue, mortuary.

morịa[1] *f.* **1.** (*rif. a persone*) mortality (caused by plague). – **2.** (*rif. a bestiame*) murrain; (*rif. a pollame*) fowl pest (*o* plague). – **3.** ⟨*Bot*⟩ blight.

mọria[2] *f.* ⟨*Med*⟩ moria.

moribọndo I *a.* **1.** dying, at death's door, at the point of death, moribund: *essere* ~ to be dying (*o* at death's door). – **2.** ⟨*fig*⟩ (*che si spegne*) dying, faint, feeble, fading. – **3.** ⟨*fig,scherz*⟩ (*che sta per scomparire*) dying, on its way out. – **II** *s.m.* (*f.* **-a**) dying man (*f* woman), moribund. ▭ ⟨*fig*⟩ *candela -a* candle that is going out.

morịccia *f.* → **muriccia**.

morịce, **morịci** *f.pl.* ⟨*ant*⟩ (*emorroidi*) haemorrhoids *pl*, piles *pl*.

morigerạre *v.t.* to sober, to chasten. – **morigeratamẹnte** *avv.* soberly, temperately, moderately; (*con rettitudine*) uprightly. – **morigeratẹzza** *f.* moderation, temperance, sobriety; (*buona condotta*) clean living; (*rettitudine*) uprightness. – **morigerạto** (*p.p. di morigerare*) *a.* moderate, temperate, sober(-minded); (*retto*) upright, honest, respectable; (*di buoni costumi*) clean living. ▭ *condurre una vita -a* to lead a clean life.

morigiạna *f.* ⟨*Ornit*⟩ **1.** (*fischione*) widgeon, ⟨*am*⟩ European widgeon (*Anas penelope*). – **2.** (*canapiglia*) gadwall (*Anas strepera*).

moriglịone *m.* ⟨*Ornit*⟩ pochard (*Nyroca ferina*, *Fuligula ferina*).

moriọne[1] *m.* ⟨*Mil.ant*⟩ morion.

moriọne[2] *m.* ⟨*Min*⟩ morion.

morịre[1] *v.* (*pr.ind.* **muọio**, **muọri**, **muọre**, **moriạmo**, **morịte**, **muọiono**; *fut.* **morirò**/**morrò**; *p.rem.* **morịi**; *pr.cong.* **muọia**, **moriạmo**, **moriạte**, **muọiano**; *p.pr.* **morẹnte**; *p.p.* **mọrto**; *ger.* **morẹndo**) **I** *v.i.* (*aus.* **essere**) **1.** (*rif. a persone*) to die, to pass away, to breathe one's last; (*cadere in guerra*) to fall, to meet one's death in battle. – **2.** (*rif. a animali*) to die; (*rif. a piante*) to die, to wither. – **3.** (*avere fine, finire*) to (come to an) end, to finish; (*rif. a tempo*) to draw to a close, to come to an end: *l'anno è vicino a* ~ the year is drawing to a (*o* its) close. – **4.** (*non riuscire*) to fail, to fall through. – **5.** (*terminare*) to end, to terminate, to go only as far as, to go no farther than: *questo treno muore a Viterbo* this train only goes as far as Viterbo; (*rif. a strade*) to come to an end, to end (up): *il viottolo moriva nella boscaglia* the path ended in the bushes. – **6.** (*sfociare*) to flow into: *il fiume muore nel lago* the river flows into the lake. – **7.** (*affievolirsi*: *rif. a luce*) to fade, to die away (*o* down), to dim; (*rif. a suoni*) to die away, to grow faint. – **8.** (*rif. a colori*: *attenuarsi*) to fade. – **9.** ⟨*iperb*⟩ (*essere colto da fastidio*) to be half (*o* nearly) dead, to almost die: ~ *dal caldo* to be nearly dead from the heat, ⟨*fam*⟩ to be wilting; (*provare profonda emozione*) to (almost) die, to feel terrible: ~ *di paura* to almost die of fright, to be scared ⌜out of one's wits⌝ (*o* to death). – **10.** ⟨*fig*⟩ (*scomparire, spegnersi*) to be gone, to die (out), to disappear, to vanish. – **11.** (*nei giochi*: *essere eliminato*) to be eliminated, to be knocked out. – **12.** ⟨*fig,poet*⟩ (*declinare*) to wane, to fade away. – **II** *v.t.* **1.** ⟨*lett*⟩ to die, to make, to come to: ~ *una bella morte* to die well, to make (*o* come to) a good end. – **2.** ⟨*ant*⟩ (*uccidere*) to kill; (*assassinare*) to murder. – **morirsi** *v.r.* **1.** ⟨*poet*⟩ (*morire*) to die, to pass away. – **2.** ⟨*fig,poet*⟩ (*declinare*) to wane, to fade away.

□ ~ **ammazzato** to be killed; ⟨*volg,roman*⟩ *va a morì ammazzato!* drop dead!, go to hell!; ~ *nel* **bacio** *del Signore* to die in ⌜a state of grace⌝ (*o* the grace of God); ~ *in* **bellezza** to make a good end, to die well; ⟨*fam*⟩ ~ **bene** = *morire* **cristianamente**; ~ *di* **cancro** to die of cancer; ~ *come un* **cane** to die like a dog; *a* **costo** *di* ~ (even) if it kills me; ~ **cristianamente** to die a Christian death; ~ *nel* **cuore** *di qd.* to lose s.o.'s love; *è morto nel mio cuore* I don't care about him any more, he might as well be dead for all I care; **da** ~ terribly, dreadfully: *ho una sete da* ~ I am terribly thirsty, I'm dying for a drink; *lo ama da* ~ she is madly in love with him; *stanco da* ~ dead (*o* dog) tired; *essere annoiato da* ~ to be bored to death; ~ *dal* **desiderio** *di fare qc.* to be dying (*o* longing) to do s.th.; ~ *in* **Dio** = *morire nel* **bacio** *del Signore*; *lasciar* ~ *il* **discorso** to let the conversation (*o* subject) drop; ~ *di* **fame** to die of hunger, to starve to death; ⟨*iperb*⟩ to be starving; **far** ~ *qd.* (*ucciderlo*) to kill s.o.; ⟨*fig*⟩ *mi fai* ~*!* you'll be the death of me!; ⟨*fig*⟩ *far* ~ *qd. di* **rabbia** to make s.o. furious; ~ **giovane** to die young, to come to an untimely end; ~ **impiccato** to be hanged, to die on the gallows; **lasciarsi** ~ to let o.s. die, to pine away; ~ *nel proprio* **letto** to die in one's bed; ~ *di una* **malattia** to die of an illness; ⟨*fam*⟩ ~ **male** (*in peccato*) to die in a state of sin, to make a bad end; ~ *in* **miseria** to die in poverty; ~ *al* **mondo** (*darsi alla vita claustrale*) to withdraw from the world; ~ *di* **morte** *naturale* to die a natural death; ~ *di mala morte* (*ammazzato*) to come to a bad (*o* sticky) end; (*non cristianamente*) = *morire* **male**; ~ *di morte violenta* to die a violent death; ~ *come le* **mosche** (*in gran numero*) to die (off) like flies; *la* **parola** *gli morì sulle labbra* the word died on his lips; ~ *di* **parto** to die in childbirth; ~ *dal* **ridere** to die laughing; *chi non muore si* **rivede** fancy meeting you, look who's here; ~ *sul* **rogo** to be burnt at the stake; ⟨*fam*⟩ ~ *con le* **scarpe** (*di morte improvvisa*) to meet a sudden death, ⟨*fam*⟩ to die with one's boots on; ⟨*fig*⟩ *si* **sentì** ~ he nearly (*o* could have) died, his heart sank; ~ *di* **sete** to die of thirst; ⟨*iperb*⟩ to be terribly thirsty; ~ *di* **soffocamento** to choke to death, to be suffocated; ~ *di* **spada** to die by the sword; ~ *di* **stenti** to die from hardship (*o* privation); ~ *di* **vecchiaia** to die of old age; ~ *di* **veleno** to be poisoned, to die by poisoning; *o* **vincere** *o* ~*!* victory or death!; *ha* **visto** ~ *tutti i figli* he outlived all his children; ~ *dalla* **voglia** *di fare qc.* = *morire dal* **desiderio** *di fare qc.*; **vorrei** ~ *se non è vero* God help me if it's not true, I swear it's the truth. – *Prov.*: *muor giovane colui che al cielo è caro* those whom the gods love die young; *morta la bestia, morto il veleno* a dead dog has no bite, remove the cause and you remove the ill; *non si sa di che morte si deve* ~ nobody knows what the future holds in store; *chi muore giace, e chi vive si dà pace* let the dead bury the dead, the world must go on. || ⟨*fam*⟩ *meglio* (o *peggio*) *di così si muore* it couldn't be better (*o* worse), that's splendid (*o* awful); ⟨*fam*⟩ *più stupido di così si muore* nobody could be more stupid than that.

morịre[2] *m.* death, dying.

moritụro ⟨*lett*⟩ **I** *a.* (*che sta per morire*) about to die; (*morente*) dying, moribund; (*destinato a morire*) doomed (to die). – **II** *s.m.* (*f.* **-a**) person who is about to die; (*morente*) dying person, moribund; (*destinato a morire*) doomed person.

mormịllo *m.* → **mormora.**

mormịridi *m.pl.* ⟨*Itt*⟩ mormyrids *pl* (*Mormyridae*).

mọrmiro *m.* → **mormora.**

mormọne *m./f.* ⟨*Rel*⟩ Mormon. – **mormọnico** *a.* (*pl.* **-ci**) Mormon: *setta -a* Mormon sect. – **mormonịsmo** *m.* ⟨*non com*⟩ Mormonism.

mọrmora *f.* ⟨*Itt*⟩ striped bream, marmor brassen (*Pagellus mormyrus*).

mormoracchịare *v.i.* (**mormorạcchio, mormorạcchi**; *aus.* **avere**) to mutter, to murmur; (*sparlare*) to gossip, to backbite. – **mormoramẹnto** *m.* ⟨*rar*⟩ murmur(ing), mutter(ing).

mormorạre *v.* (**mọrmoro**) **I** *v.i.* (*aus.* **avere**) **1.** (*rif. ad acqua*) to murmur, to babble; (*rif. a vento, foglie e sim.*) to murmur, to whisper, to rustle. – **2.** (*rif. a persone*) to murmur, to mutter, to mumble; (*brontolare*) to grumble (*contro* at, over, about), to complain (of, about), to murmur (against, at), to mutter. – **3.** (*fare della maldicenza*) to backbite, to gossip, to speak ill. – **4.** ⟨*poet*⟩ (*rif. ad animali*) to murmur; (*rif. a colombe e sim.*) to coo. – **II** *v.t.* to murmur, to mutter, to mumble; (*bisbigliare*) to murmur, to whisper. □ *si mormora molto sul tuo conto* there is a lot of talk about you.

mormoratọre *m.* (*f.* **-trice**) **1.** murmurer, mutterer, mumbler. – **2.** (*brontolone*) grumbler, complainer. – **3.** (*maldicente*) backbiter, gossip. – **4.** (*disfattista*) defeatist.

mormorazịọne *f.* **1.** murmur(ing), mutter(ing), mumbling. – **2.** (*maldicenza*) malicious gossip, backbiting. – **3.** (*espressione di malcontento*) grumbling, complaint, murmuring.

mormoreggiamẹnto *m.* ⟨*non com*⟩ murmur(ing), rustle, rustling. – **mormoreggịare** *v.i.* (**mormorẹggio, mormorẹggi**; *aus.* **avere**) ⟨*non com*⟩ **1.** (*rif. a cose*) to murmur; (*rif. a fronde e sim.*) to murmur, to rustle. – **2.** ⟨*rar*⟩ (*rif. a persone*) to grumble, to murmur, to complain, to mutter. – **mormorẹvole** *a.* (*rif. ad acqua*) babbling, murmuring.

mormoricchịare *v.* ⟨*non com*⟩ → **mormoracchiare.**

mormorịo *m.* **1.** (*rif. ad acqua*) murmur, babbling; (*rif. a vento, foglie e sim.*) murmuring, rustling, whispering. – **2.** (*rif. a persone*) murmuring, murmurs *pl*; (*brontolio*) grumbling, muttering. – **3.** ⟨*ant*⟩ (*maldicenza*) backbiting, gossip, talk. □ ⟨*Med*⟩ ~ *vescicolare* vescicular murmur.

mọrmoro *m.* → **mormora.**

mọro[1] **I** *a.* **1.** (*negro, nero*) black, Negro, coloured. – **2.** (*di capelli scuri*) dark(-haired); (*di carnagione scura*) dark(-complexioned), dark-skinned, swarthy. – **3.** (*rif. ad arance*) blood-. – **4.** ⟨*Stor*⟩ Moorish. – **II** *s.m.* (*f.* **-a**) **1.** ⟨*Stor*⟩ Moor. – **2.** (*negro*) Negro, black (*o* coloured) person, ⟨*fam*⟩ blackamoor. – **3.** (*persona di capelli scuri*) dark(-haired) person; (*rif. a donna*) brunette; (*persona di carnagione scura*) dark(-complexioned) person, swarthy person. – **4.** (*tabacco*) (dark) pipe tobacco.

mọro[2] *m.* ⟨*Bot*⟩ (*gelso*) mulberry (*Morus*). □ ~ *bianco* white mulberry (*Morus alba*); ~ *del Giappone* paper mulberry (*Broussonetia papyrifera*); ~ *nero* black mulberry (*Morus nigra*).

morọsa *f.* ⟨*pop*⟩ (*innamorata*) girl-friend, sweetheart.

morosità *f.* **1.** arrearage, condition of being in arrears. – **2.** (*percentuale di morosità*) percentage of defaulters.

morọso[1] **I** *a.* **1.** defaulting, ⟨*pred*⟩ in arrears, tardy, behindhand: *debitore* ~ debtor in arrears. – **2.** (*rif. a creditore*) not accepting payment. – **II** *s.m.* (*f.* **-a**) defaulter, person in arrears.

morọso[2] *m.* (*f.* **-a**) ⟨*pop*⟩ (*innamorato*) boy-friend, sweetheart.

mọrra *f.* mora, morra: ~ *giapponese* (o *cinese*) Chinese morra.

mọrsa *f.* **1.** ⟨*Mecc*⟩ vice. – **2.** ⟨*fig*⟩ vice-like grip. – **3.** ⟨*Mur*⟩ toothing. – **4.** ⟨*Mar*⟩ chock. – **5.** (*stretta valle*) gorge, ravine. – **6.** (*mordacchia*) twitch. – **7.** (*nella dama*) blocking. □ ~ *da banco* bench vice; ~ *a cerniera* (o *gambo*) leg vice; ~ *parallela* parallel(-jawed) vice; ~ *per tubi* pipe vice.

morsạia *f.* ⟨*Mar*⟩ shoal, reef.

morsecchịare *v.* ⟨*non com*⟩ → **morsicchiare.** – **morsecchiatụra** *f.* ⟨*non com*⟩ → **morsicchiatura.**

morseggịare *v.t.* (**morsẹggio, morsẹggi**) ⟨*lett*⟩ (*morsicchiare*) to nibble (at), to gnaw.

morsẹllo[1] (*dim. di morso*[1]) *m.* ⟨*non com*⟩ (*pezzetto*) scrap, bit; (*bocconcino*) morsel, scrap.

morsẹllo[2] *m.* ⟨*ant*⟩ → **muscello.**

morsẹtta *f. dim. di* **morsa.**

morsettiẹra *f.* ⟨*El*⟩ terminal board (*o* box).

morsẹtto[1] *m.* **1.** ⟨*Mecc*⟩ (*sul banco*) vice; (*per tenere insieme*) clamp, holdfast. – **2.** ⟨*El*⟩ terminal. – **3.** ⟨*Mar*⟩ pole terminal. – **4.** ⟨*Sport*⟩ nose-peg, ⟨*am*⟩ nose plug.

□ ⟨*El*⟩ ~ **d'attacco** connecting terminal; ~ *di carica di una* **batteria** charging clip; ~ *a* **chiavetta** wedge buckle; ~ *da* **falegname** carpenter's (*o* screw) clamp, holdfast, glue press; ~ *a* **mano** hand vice, screw (*o* adjustable) clamp; ⟨*El*⟩ ~ *di* **massa** bonding clip, ground terminal; ~ *di* **pila** cell terminal, terminal clamp; ~ *di* **sospensione** suspension clamp; ~ *per* **tubi** tube clip (*o* clamp); ~ *a* **vite** screw clamp.

morsẹtto[2] *m. dim. di* **morso**[1].

mọrsi *p.rem. di* **mordere.**

morsicạre *v.t.* (**mọrsico, mọrsichi**) **1.** to nibble (at), to gnaw (at); (*mordere*) to bite. – **2.** (*rif. a insetti*) to bite. – **morsicatụra** *f.* (*atto*) nibbling, gnawing; (*il mordere*) biting; (*effetto*) bite. – **morsicchịare** *v.t.* (**morsịcchio, morsịcchi**) **1.** to nibble (at), to gnaw (at). – **2.** (*rif. a insetti*) to sting, to bite. – **morsicchiatụra** *f.* bite.

mọrso[1] *m.* **1.** bite; (*segno*) bite. – **2.** (*rif. a insetti*) bite, sting. – **3.** ⟨*concr*⟩ (*boccone*) morsel, bit, mouthful, bite, small piece, scrap. – **4.** ⟨*fig*⟩ pangs *pl*, pang, sting: *il* ~ *della gelosia* the pangs of jealousy. – **5.** ⟨*fig*⟩ (*rimorso*) pangs *pl*, pang, twinge. – **6.** ⟨*fig*⟩ (*detto mordace*) gibe, thrust, cut, cutting remark. – **7.** (*azione corrosiva*) corrosion, eating away: *il* ~ *degli acidi* the corrosion of acids. – **8.** (*sensazione di dolore fisico*) pang, cramp, twinge. – **9.** (*sapore pungente*) sharp flavour, burning, hot taste: *il* ~ *del pepe* the hot taste of pepper. – **10.** (*parte della tenaglia*) jaws *pl*. – **11.** (*parte della briglia*) bit. – **12.** ⟨*Legat*⟩ joint.

□ *mangiare* **a -i** to eat greedily, to gulp (down); ⟨*fam*⟩ *vien voglia di mangiarla a -i* I could eat her; ⟨*fig*⟩ **allentare** *il* ~ to slacken the bit; **dare** *un* ~ *a qd.* to bite s.o.; (*pungere*) to bite (*o* sting) s.o.; *dare un* ~ *a una mela* to bite (into) an apple; *dar di* ~ *a* (*o in*) *qc.* to ⌜bite into⌝ (*o* snap at) s.th.; ⟨*fig*⟩ (*intaccarla*) to eat into s.th.; *dare di* ~ *alla reputazione di qd.* to damage (*o* besmirch) s.o.'s reputation; ⟨*fig*⟩ *aver provato il* ~ *del* **lupo** (*aver conosciuto la miseria*) to have known poverty, to have had the wolf at one's door;

~ *di* **pulce** flea-bite (*anche fig.*); ⟨*Bot*⟩ ~ *di* **rana** frogbit, frog's-bit (*Hydrocharis morsus-ranae*); ⟨*fig*⟩ *dare una* **strappata** *al* ~ to crack down, to tighten the bit, to pull in; ⟨*fig*⟩ **stringere** *il* ~ to tighten the bit; ⟨*Med*⟩ *-i* **uterini** afterpains *pl.*

mọrso[2] *p.p. di* **mordere**.

mọrs tua, vịta mẹa *lat.* it's either you or me.

morsụra *f.* **1.** ⟨*Tip*⟩ etching. – **2.** ⟨*ant*⟩ (*il mordere*) biting; (*morso*) bite.

mọrta *f.* **1.** dead woman. – **2.** (*braccio morto di fiume*) dried-up river-bed.

mortadẹlla *f.* ⟨*Gastr*⟩ Bologna sausage, ⟨*am*⟩ baloney.

mortạio *m.* **1.** mortar. – **2.** ⟨*Mil*⟩ (*mortaio da fanteria*) mortar. – **3.** ⟨*Mil.ant*⟩ mortar-piece. – **4.** ⟨*Met,ant*⟩ (*fornello*) furnace. – **5.** ⟨*Conc,ant*⟩ (tan) pit. □ ⟨*Mar*⟩ ~ *della bussola* compass bowl; ⟨*Anat*⟩ ~ *tibio-peroneo* tibiofibular articulation. – *Prov.*: *ogni* ~ *trova il suo pestello* for every left shoe there's a right one; *pestare l'acqua nel* ~ to beat the air.

mortaịsta *m.* ⟨*Mil*⟩ gunner, ⟨*am*⟩ mortarman.

mortạle I *a.* **1.** mortal. – **2.** (*che causa la morte*) mortal, deadly, fatal, lethal: *ferita* ~ mortal (*o* fatal) wound. – **3.** (*caduco*) transient, fleeting, passing; (*umano*) mortal, earthly, human. – **4.** ⟨*fig*⟩ (*rif. a odio e sim.*) mortal, deadly, implacable; (*rif. a offese e sim.*) mortal, deadly. – **5.** (*della morte*) deathly, death-like, deadly, mortal. – **II** *s.m./f.* mortal. – **III** *s.m.* ⟨*poet*⟩ (*corpo*) body, ⟨*poet*⟩ mortal clay. □ ⟨*Teol*⟩ *peccato* ~ mortal (*o* deadly) sin; *salto* ~ somersault.

mortalẹtto *m.* ⟨*non com*⟩ → **mortaretto**.

mortalità *f.* **1.** mortality. – **2.** ⟨*Statist*⟩ mortality(-rate), death-rate. □ ~ *infantile* child mortality; (*rif. a lattanti*) infant mortality.

mortalmẹnte *avv.* **1.** mortally, fatally, to death: *è stato ferito* ~ he was mortally injured. – **2.** ⟨*fig*⟩ (*rif. a offese e sim.*) mortally; (*rif. a odio e sim.*) implacably, intensely, mortally. – **3.** ⟨*iperb*⟩ terribly, dreadfully, to death: *mi annoio* ~ I am dreadfully bored, I am bored to death.

mortarẹtto *m.* **1.** (fire-)cracker, firework. – **2.** ⟨*Mil.ant*⟩ (*mascolo*) (kind of) cartridge case.

mortạro *m.* ⟨*ant*⟩ → **mortaio**.

mortạsa *f.* ⟨*Fal*⟩ mortise. □ *unire a* ~ to mortise. – **mortaṣạre** *v.t.* to mortise. □ ~ *a coda di rondine* to dovetail. – **mortaṣatọre** *m.* (*operaio*) mortiser. – **mortaṣatrịce** *f.* (*macchina*) mortiser, slotting machine.

mọrte *f.* **1.** death. – **2.** ⟨*Dir*⟩ decease. – **3.** ⟨*fig*⟩ (*rovina*) death, ruin; (*fine*) end, death. – **4.** ⟨*fig*⟩ (*dolore, angoscia*) death, anguish. – **5.** (*pena capitale*) death: *condannare a* ~ to condemn to death. – **6.** ⟨*Gastr,fam*⟩ best way of cooking: *la* ~ *dell'abbacchio è arrosto* the best way of cooking lamb is to roast it. – **7.** (*nel gioco dell'oca*) penalty square.

□ **a** ~: 1. mortally, fatally, to death: *ferire a* ~ to wound mortally; 2. ⟨*fig*⟩ intensely, implacably, fiercely: *odiare a* ~ to hate intensely (*o* like poison), to loathe; 3. ⟨*fig*⟩ (*gravemente*) to death, terribly, greatly: *annoiare a* ~ *qd.* to bore s.o. to death; 4. ⟨*esclam*⟩ death to: *a* ~ *i tiranni* death to tyrants; *avercela a* ~ *con qd.* to have it in for s.o., to have one's knife into s.o.; ~ **accidentale** accidental death; ⟨*Teol*⟩ ~ *dell'***anima** death of the soul, spiritual death; ⟨*Med*⟩ ~ **apparente** apparent death; *una* **bella** ~ a good end; ~ **bianca** (*per assideramento*) death by freezing; ⟨*Med*⟩ ~ **biologica** biological death; *essere in* **braccio** *alla* ~ to be on one's death-bed; *fare una* **brutta** ~ to come to a bad end, to die badly; **cercare** *la* ~ *sul campo* to seek death in battle; ~ **civile** civil death, loss of civil rights; ⟨*Med*⟩ ~ **clinica** clinical death; *avere la* ~ *nel* **cuore** to be sick at heart; ⟨*lett*⟩ **dar** ~ *a qd.* to take s.o.'s life, to kill s.o.; *darsi la* ~ (*uccidersi*) to commit suicide, to take one's own life, to kill o.s.; **di** ~ (*mortale*) mortal, deathly: *pallore di* ~ deathly pallor; ⟨*fig*⟩ **essere** *la* ~ *di qd.* to be the death of s.o.; ⟨*Teol*⟩ ~ **eterna** eternal damnation; ~ **immatura** untimely (*o* premature) death; *poesia* **in** ~ *di qd.* elegy, poem on the death of s.o.; **incontrare** *la* ~ to meet one's death, to die; ~ **istantanea** sudden death; **lottare** *con la* ~ to struggle with death; *fare una* **mala** ~: 1. (*senza conforti religiosi*) to die without the last rites; 2. = *fare una* **brutta** *morte*; **meritarsi** *cento -i* to deserve a horrible death; ~ **naturale** natural death; ⟨*Med*⟩ ~ **nera** Black Death; *avere la* ~ *negli* **occhi** to have death written on one's face; ⟨*fig*⟩ **passare** *da* ~ *a vita* to get a new lease of life; **pena** *di* ~ death penalty, capital punishment; *sotto la pena di* ~ on pain of death; ⟨*Dir*⟩ ~ **presunta** presumed death; *essere in* **punto** *di* ~ to be at death's door, to be dying; *non* **sapere** *di che* ~ *si debba morire* (*ignorare la propria sorte*) not to know what the future holds in store; **sembrare** *il ritratto della* ~ to look like death (*o* a ghost); **sfidare** *la* ~ to risk one's life; **sino** *alla* ~ until one dies, all one's life; *fare la* ~ *del* **topo** (*morire schiacciato*) to be crushed to death; (*soffocare*) to be suffocated; ⟨*scherz*⟩ *fare la* ~ *del conte* **Ugolino** (*morire di fame*) to die of hunger, to starve to death; *avere la* ~ *all'***uscio** = *essere in* **punto** *di morte*; ⟨*fig*⟩ *sembrare la* ~ *in* **vacanza** to have a very wasted appearance, ⟨*fam*⟩ to look like death warmed up; **vedere** *la* ~ *in viso* to come face to face with death; **venire** *a* ~ to pass away, to die; ~ **violenta** violent death. – *Prov.*: *la* ~ *non guarda in faccia nessuno* all must die; *la* ~ *viene quando meno s'aspetta* death comes like a thief in the night; ~ *tua, vita mia* it's either you or me.

mortẹlla *f.* ⟨*Bot*⟩ **1.** (*mirto*) myrtle (*Myrtus communis*). – **2.** (*bosso*) box (*Buxus sempervirens*). □ ~ *selvatica* (*lentisco*) mastic tree, lentisk (*Pistacia lentiscus*).

mortẹṣa *f.* ⟨*non com*⟩ → **mortasa**. – **morteṣạre** *v.* ⟨*non com*⟩ → **mortasare**. – **morteṣatọre** *m.* ⟨*non com*⟩ → **mortasatore**. – **morteṣatrịce** *f.* ⟨*non com*⟩ → **mortasatrice**.

morticịno[1] (*dim. di morto*) *m.* (*f.* **-a**) dead child.

morticịno[2] *a.* **1.** (*rif. a bestia*) from a dead animal. – **2.** (*rif. a legname*) dead.

mortiẹre *m.* ⟨*Mil,rar*⟩ gunner.

mortịfero *a.* ⟨*lett*⟩ **1.** lethal, deadly, mortal. – **2.** (*che è presagio di morte*) portending death.

mortificamẹnto *m.* ⟨*rar*⟩ → **mortificazione**. – **mortificạnte** (*p.pr. di mortificare*) *a.* **1.** mortifying, humiliating. – **2.** ⟨*Rel*⟩ mortifying.

mortificạre *v.t.* (**mortịfico, mortịfichi**) **1.** to mortify, to humiliate, to humble. – **2.** ⟨*Rel*⟩ to mortify: ~ *la carne* to mortify the flesh. – **3.** ⟨*ant*⟩ (*togliere il vigore vitale*) to mortify. – **mortificarsi** *v.r.* **1.** to be mortified, to feel embarrassed, to be upset (*o* chagrined). – **2.** ⟨*Rel*⟩ to mortify o.s.

mortificatịvo *a.* mortifying, humiliating. – **mortificạto** (*p.p. di mortificare*) *a.* mortified, humiliated; (*dispiaciuto*) very sorry, chagrined, upset: *sono veramente* ~ (*dispiaciuto*) I am really very sorry. – **mortificatọre I** *s.m.* (*f.* **-trice**) mortifier. – **II** *a.* mortifying, humiliating.

mortificaziọne *f.* **1.** mortification, humiliation, embarrassment. – **2.** ⟨*Rel*⟩ mortification. – **3.** ⟨*Med*⟩ mortification, necrosis. – **4.** ⟨*ant*⟩ (*stato di insensibilità fisica*) numbness, insensibility. □ ⟨*Med*⟩ ~ *dei tessuti* local death, necrosis, gangrene, mortification.

mortịna *f.* ⟨*Bot*⟩ (*mirto*) myrtle (*Myrtus communis*).

mortinatalità *f.* ⟨*Statist*⟩ stillbirths *pl.*

mortịṣa *f.* ⟨*non com*⟩ → **mortasa**.

mortịto *m.* ⟨*Gastr,ant*⟩ dish of spiced pork and mutton.

mortịzza *f.* dead (*o* still) water.

mọrto I *a.* **1.** dead. – **2.** (*inerte*) dead: *corpo* ~ dead weight. – **3.** ⟨*fig*⟩ (*senza attività*) dead, dull, lifeless: *una città -a* a dead town; *la stagione -a* the dead (*o* off, slack) season. – **4.** ⟨*fig*⟩ (*estinto*) extinct, dead: *lingua -a* dead language; (*antiquato*) obsolete, archaic: *vocaboli -i* obsolete words. – **5.** (*con valore rafforzativo*) ⟨*fam*⟩ dead, very: *sono stanco* ~ I'm dead tired. – **II** *s.m.* (*f.* **-a**) **1.** dead person; *pl.* dead (*costr. pl.*): *i -i e i feriti* the dead and wounded. – **2.** ⟨*Dir*⟩ deceased. – **3.** (*cadavere*) corpse, dead body. – **4.** ⟨*fig*⟩ (*persona inattiva*) lazy-bones, sluggard. – **5.** ⟨*fam*⟩ (*denaro nascosto*) hoard, hidden treasure (*o* money). – **6.** (*nei giochi di carte*) dummy.

□ **cadere** ~ to drop dead; *ti* **credevo** ~ (*a chi non si è visto da molto tempo*) where have you been all this time?, so you're still in the land of the living?; ~ *di* **fame** one who has starved to death; ⟨*fig*⟩ (*affamato*) starving person; ⟨*fig*⟩ (*spiantato*) down-and-out, penniless person; **fare** *il* ~ (*galleggiare sul pelo dell'acqua*) to float; *la* **festa** *dei -i* All Souls' Day; **nascere** ~ to be still-born (*anche fig.*); ~ *di* **paura** frightened to death, terrified; *dare qd.* **per** ~ to give s.o. up for dead; *piangere qd. per* ~ to give s.o. up as dead; ⟨*fig*⟩ *essere un* **peso** ~ to be a dead weight; **restare** *come* ~ to lose consciousness, ⟨*fam*⟩ to pass out; *farebbe* **resuscitare** *un* ~ (*rif. a bevanda corroborante*) it would bring a dead man back to life; ~ *resuscitato* person raised from the dead; ⟨*fig*⟩ (*guarito da grave malattia*) person who has been at death's door; (*che si presenta dopo lungo tempo*) long-lost friend; *tra poco ci* **scappa** *il* ~ someone's going to get killed; **sonare** *a* ~ to toll (the knell), to sound the passing bell; *essere* ~ *di* **sonno** to be dead tired; ⟨*spreg*⟩ *un* ~ *di sonno* a dope, ⟨*fam*⟩ a deadhead; *essere* ~ *e* **sotterrato** to be dead and buried; ⟨*fig*⟩ to be over and done with; ⟨*fig*⟩ *essere un* **uomo** ~ to be finished, ⟨*fam*⟩ to be done for; ⟨*fig*⟩ **voler** ~ *qd.* to hate s.o. like poison. – *Prov.*: *i -i non tornano* dead men tell no tales; *il* ~ *giace, il vivo si dà pace* let the dead bury the dead, life must go on.

mortọrio *m.* **1.** (*funerale*) funeral, burial. – **2.** ⟨*Stor*⟩ (*rappresentazione drammatica*) Passion Play. □ ⟨*fig*⟩ *è un* ~ it's like a funeral. – **mortọro** *m.* ⟨*ant*⟩ → **mortorio**.

mortuạrio I *a.* mortuary, death-: *cappella -a* mortuary chapel; *cella -a* death cell. – **II** *s.m.* ⟨*ant*⟩ mourner. □ *carro* ~ hearse; *registro* ~ register of deaths.

mortuạṣa *f.* ⟨*Minier*⟩ notch. – **mortuaṣạre** *v.t.* to fix (in a notch), to set in.

mọrula *f.* ⟨*Biol*⟩ morula.

mọrva *f.* ⟨*Veter*⟩ glanders *pl* (*costr. sing. o pl.*).

morvidẹzza *f.* ⟨*pop,tosc*⟩ → **morbidezza**. – **mọrvido** *a.* ⟨*pop,tosc*⟩ → **morbido**.

morviglịọne *m.* → **morbiglione**.

morvọso *a.* ⟨*Veter*⟩ glanderous.

Mọṣa *N.pr.f.* ⟨*Geog*⟩ Meuse.

moṣaicạto *a.* mosaic (*anche Bot.*): *pavimento* ~ mosaic floor. – **moṣaicatụra** *f.* ⟨*Bot*⟩ mottling (caused by mosaic disease). – **moṣaicịsta** *m./f.* mosaicist; (*operaio*) mosaic worker, mosaicist. □ ~ *applicatore* mosaic layer.

moṣạico[1] *a.* (*pl.* **-ci**) ⟨*Rel.ebr*⟩ Mosaic, of Moses: *legge -a* Mosaic Law.

moṣạico[2] *m.* (*pl.* **-ci**) **1.** mosaic. – **2.** ⟨*fig*⟩ mosaic, patchwork, mixture, hodge-podge. – **3.** ⟨*Legat*⟩ mosaic, inlay. – **4.** ⟨*Agr*⟩ mosaic (disease).

moṣaicoltụra *f.* ⟨*Giard*⟩ mosaic-patterned arrangement (of plants).

moṣaịṣmo *m.* ⟨*Rel.ebr*⟩ Mosaism.

mọsca *f.* **1.** fly. – **2.** *pl.* ⟨*Entom*⟩ flies *pl* (*Myodaria, Muscoidea*). – **3.** ⟨*fig*⟩ (*persona fastidiosa*) nuisance. – **4.** (*neo finto*) beauty-spot, patch. – **5.** (*pizzetto*) goatee, imperial. – **6.** ⟨*esclam*⟩ quiet, silence, hush. – **7.** ⟨*Pesc,Sport*⟩ fly. – **8.** *pl.* ⟨*Zool*⟩ (*macchiette di peli*) dapple, black spot. – 9. ⟨*roman*⟩ (*nella sambuca*) coffee-bean. – **Mosca** *N.pr.f.* ⟨*Astr*⟩ Musca, Fly.

□ ⟨*Entom*⟩ ~ *degli* **asparagi** asparagus maggot (*Platyparea poeciloptera*); ~ *delle* **barbabietole** mangold (*o* beet) fly (*Pegomyia hyoscyami*); ⟨*fig*⟩ *una* ~ **bianca** a rarity, a rare bird; **cadere** *come le mosche* to die (off) like flies; ~ **carnaria** (o *della carne*) flesh fly; ~ *della* **carota** = *mosca della* **pastinaca**; ~ *delle* **case** = *mosca* **domestica**; ~ **cavallina**: 1. stable fly (*Stomoxys calcitrans*); 2. horsefly, horse tick (*Hippobosca equina*); ~ *del* **cavolo** cabbage maggot (*o* root fly) (*Chortophyla brassicae*); *giocare a* ~ **cieca** to play blind-man's-buff; ~ *delle* **ciliegie** cherry maggot (*Rhagoletis cerasi*); ~ *delle* **cipolle** onion fly (*Hylemya antiqua*); ⟨*fig*⟩ ~ **cocchiera** officious person, ⟨*fam*⟩ busybody; ⟨*volg*⟩ ~ **cularia** (*mosca cavallina*) horsefly; ~ **domestica** (o *comune*) house fly (*Musca domestica*); ⟨*fig*⟩ **fare** *d'una* ~ *un elefante* to make a mountain out of a molehill; ~ *del* **formaggio** cheese fly (*Piophila casei*); ~ *del* **frumento** *e dell'orzo* frit fly (*Oscinella frit*); ~ *della* **frutta** Mediterranean fruit fly (*Ceratitis capitata*); ⟨*fig*⟩ *stare a* **guardare** *le mosche* (*che volano*): 1. (*stare ozioso*) to twiddle one's thumbs, to idle; 2. (*essere distratto*) to be absent-minded; *non farebbe* **male** *a una* ~ he wouldn't hurt a fly; ~ *di* **Milano** = *mosca di* **Spagna**; ⟨*fig*⟩ *far venire a qd. la* ~ *al* **naso** to make s.o. lose one's temper; *gli è saltata la* ~ *al naso* he lost his temper, ⟨*fam*⟩ he flew off the handle; ⟨*fig*⟩ *non si lascia posare* (o *montare*) *la* ~ *al naso* he won't be bossed about; ~ **olearia** olive fly (*Dacus oleae*); ~ *dell'***olivo** olive moth (*Prays oleellus*); ~ *della* **pastinaca** carrot (rust) fly (*Psila rosae*); ⟨*fig*⟩ *aver* **paura** *di una* ~ to be afraid of one's shadow; ⟨*Sport*⟩ **peso** ~ flyweight category; (*pugile*) flyweight; ⟨*fig*⟩ **pigliar** *mosche* to have an easy (*o* a cushy) job; ⟨*scherz*⟩ *piglia una* ~ *e falla ballare* don't ask silly questions; ⟨*fig*⟩ **restare** *con un pugno di mosche* (*in mano*) to be left empty-handed; ~ **scorpione** scorpion fly (*Panorpa communis*); ~ *dei* **sedani** celery fly (*Acidia heraclei*); ~ *di* **Spagna** (*cantaride*) Spanish fly, cantharis (*Lytta vesicatoria*); ~ *delle* **stalle** stable fly; ~ **tse-tse** tsetse (-fly) (*Glossina palpalis*); ⟨*Med*⟩ *mosche* **volanti** muscae volitantes; *non si sentiva* **volare** *una* ~ you could hear a pin drop; **zitto** *e* ~*!* don't say a word!, ⟨*fam*⟩ keep it dark!, ⟨*fam*⟩ mum's the word!

Mọsca *N.pr.f.* ⟨*Geog*⟩ Moscow.

moscaciẹca *f.* blind-man's-buff: *giocare a* ~ to play blind-man's-buff.

moscadẹlla *f.* ⟨*ant,tosc*⟩ → **moscatella**. – **moscadellịno** *a.* ⟨*ant, tosc*⟩ → **moscatellino**. – **moscadẹllo** *a./s.* ⟨*ant,tosc*⟩ → **moscatello**. – **moscạdo** *m.* ⟨*ant,tosc*⟩ → **moscato**[1].

moscạio *m.* (*sciame*) swarm of flies; (*luogo*) place full of flies. – **moscaiọla** *f.* 1. (*mobiletto*) meat-safe; (*rete*) meat-cover, fly-net. – 2. ⟨*non com*⟩ (*trappola*) fly-trap.

moscarạgno *m.* ⟨*Entom*⟩ forest fly (*Hippobosca equina*).

moscardịna[1] *f.* ⟨*Entom*⟩ musk beetle (*Aromia moschata*).

moscardịna[2] *f.* (*calcino*) muscardine, calcino.

moscardịno[1] *m.* 1. ⟨*Zool*⟩ dormouse, hazel mouse (*Muscardinus*). – 2. ⟨*Zool*⟩ kind of eight-armed cephalopod (*Eledone moschata*; *Eledone aldrovandii*). – 3. ⟨*fig*⟩ (*zerbinotto*) dandy, fop. – 4. ⟨*ant*⟩ (*pasticca per profumare l'alito*) musk-scented lozenge. □ ⟨*Zool*⟩ ~ *comune* (common) dormouse, hazel mouse (*Muscardinus avallanarius*).

moscardịno[2] (*dim. di moscardo*) *m.* ⟨*Ornit*⟩ (*sparviere*) sparrow-hawk (*Accipiter nisus*).

moscạrdo *m.* ⟨*Ornit*⟩ 1. → **moscardino**[2]. – 2. (*falco cuculo*) red-footed falcon (*Falco vespertinus*).

moscarọlo *m.* ⟨*Ornit*⟩ (*pigliamosche*) spotted fly-catcher (*Muscicapa striata*).

moscatẹlla *f.* 1. ⟨*non com*⟩ (*uva*) muscat, muscatel (grape). – 2. ⟨*Bot*⟩ (*sclarea*) clary (sage) (*Salvia sclarea*). – **moscatellẹtto** (*dim. di moscatello*) *m.* ⟨*Enol*⟩ muscatel (wine). – **moscatellịno** *a.* musk-. – **moscatẹllo** I *a.* 1. ⟨*Enol*⟩ muscatel-, muscat-. – 2. (*rif. a frutti*) musk-. – II *s.m.* ⟨*Enol*⟩ muscatel.

moscạto[1] I *a.* 1. (*rif. a frutti*) musk-: *pere -e* musk-pears. – 2. ⟨*Enol*⟩ muscatel-, muscat-. – II *s.m.* 1. ⟨*Agr*⟩ muscat(el) vine. – 2. ⟨*Enol*⟩ muscatel, muscat (wine). – 3. ⟨*ant*⟩ (*muschio*) musk. □ *erba -a*: 1. (*geranio muschiato*) musk clover, muskus grass (*Erodium moschatum*); 2. (*sclarea*) clary (sage) (*Salvia sclarea*); *noce -a* nutmeg; ⟨*Enol*⟩ ~ *spumante* sparkling muscatel.

moscạto[2] *a.* 1. ⟨*Zool*⟩ dappled: *cavallo* ~ dappled horse. – 2. ⟨*non com*⟩ (*punteggiato*) dotted, speckled, mottled. – **moscatụra** *f.* ⟨*Zool*⟩ dapple.

moscẹllo *m.* → **muscello**.

moscerịno *m.* 1. midge, gnat. – 2. ⟨*fig,scherz*⟩ (*persona bassa*) midget, ⟨*fam*⟩ shortie. – 3. ⟨*fig,spreg*⟩ (*persona di nessuna importanza*) whipper-snapper. □ ⟨*Mar.mil,scherz*⟩ *-i del mare* motor torpedo-boats, MTBs *pl*, E-boats *pl*; ⟨*scherz*⟩ *-i della strada* baby (*o* small) cars; ~ ⌜*del vino*⌝ (o *dell'aceto*) common fruit fly, vinegar (*o* wine) fly (*Drosophila melanogaster*).

moscẹzza *f.* ⟨*non com*⟩ 1. flabbiness, softness. – 2. ⟨*fig*⟩ weakness.

moschẹa *f.* mosque.

moschẹra *f.* ⟨*Pesc*⟩ fly.

moscherịno *m.* ⟨*rar*⟩ → **moscerino**.

moschẹta *f.* ⟨*ant*⟩ → **moschea**.

moschẹtta *f.* ⟨*ant*⟩ 1. (*freccia per balestre*) arrow. – 2. (*arma da fuoco*) (h)arquebus.

moschettạre *v.t.* (moschẹtto) ⟨*rar*⟩ 1. (*uccidere col moschetto*) to shoot. – 2. ⟨*ant*⟩ (*fucilare*) to shoot. – **moschettạta** *f.* musket-shot.

moschettạto *a.* 1. (*rif. a cavallo*) dappled. – 2. (*punteggiato*) speckled, dotted, spotted. – **moschettatụra** *f.* speckles *pl*, speckling.

moschetterịa *f.* 1. (*scarica di moschetti*) musketry, musket fire. – 2. (*fucileria*) musketry.

moschettiẹra: *alla* ~ mousquetaire: *cappello alla* ~ mousquetaire hat.

moschettiẹre *s.m.* 1. ⟨*Mil.ant*⟩ musketeer. – 2. ⟨*Stor*⟩ Mousquetaire. – 3. ⟨*Sport*⟩ player in a national football team. □ ⟨*Lett*⟩ *i tre -i* The Three Musketeers.

moschẹtto[1] *m.* 1. ⟨*Mil*⟩ carbine. – 2. ⟨*Mil.ant*⟩ (*freccia per balestre*) arrow; (*specie di fucile*) musket.

moschẹtto[2] *m.* → **moscardino**[2].

moschettọne[1] *m.* 1. spring catch (*o* clip). – 2. ⟨*Alp*⟩ snaplink.

moschettọne[2] *m.* ⟨*Ornit*⟩ (*pittima reale*) black-tailed godwit (*Limosa limosa*).

moschicịda I *a.* fly-killing. – II *s.m.* fly-killer, insecticide. □ *carta* ~ fly-paper. – **moschiẹra** *f.* (*mobiletto*) meat-safe; (*rete*) meat cover. – **moschịna** *f. dim. di* **mosca**. – **moschịno** (*dim. di mosca*) *m.* 1. (*moscerino*) midge, gnat. – 2. ⟨*non com*⟩ (*cane con macchioline nere*) spotted dog.

moschịto *m.* → **mosquito**.

moschịvoro *a.* ⟨*non com*⟩ fly-eating, insectivorous.

mosciạme *m.* ⟨*Gastr*⟩ salted tuna.

mosciạra *f.* (*imbarcazione*) tuna-fishing boat.

mosciarẹlla *f.* ⟨*region*⟩ (*castagna secca sgusciata*) dried chestnut.

moscịno *m.* ⟨*rar*⟩ → **moschino**.

mọscio *a.* 1. (*floscio*) flabby, flaccid, soft: *carni mosce* flabby flesh. – 2. ⟨*fig*⟩ (*fiacco*) lifeless, slack, sluggish, weak; (*noioso*) dull. – 3. (*mogio*) downcast, dejected, depressed, low. □ *erre -a* French "r".

mosciọne[1] *m.* ⟨*tosc*⟩ → **mosciarella**.

mosciọne[2] *m.* 1. ⟨*Entom*⟩ (*moscerino del vino*) common fruit fly, vinegar (*o* wine) fly (*Drosophila melanogaster*). – 2. ⟨*fig,ant*⟩ (*bevitore*) heavy drinker.

mọsco *m.* (*pl.* **-chi**) ⟨*Zool*⟩ musk-deer (*Moschus*).

moscọforo *m.* ⟨*Art*⟩ calf-bearer.

moscoleạto *a.* ⟨*ant*⟩ (*profumato di muschio*) musk-scented, musk-.

moscọna *f.* ⟨*non com*⟩ *accr. di* **mosca**.

moscọne *m.* 1. ⟨*Entom*⟩ bluebottle, blow-fly (*Calliphora*). – 2. ⟨*Ornit*⟩ (*topino*) sand-martin, bank swallow (*Riparia riparia*). – 3. ⟨*fig*⟩ (*corteggiatore*) suitor, beau, gallant, admirer. – 4. ⟨*Mar*⟩ raft. □ ⟨*Entom*⟩ ~ *azzurro* bluebottle, blow-fly (*Calliphora erythrocephala*); *moscon d'oro* rose beetle (*o* chafer) (*Cetonia aurata*).

moscọva *f.* ⟨*Tess*⟩ heavy coating.

Moscọva *N.pr.f.* ⟨*Geog*⟩ Moskva.

Moscọvia *N.pr.f.* ⟨*Stor*⟩ 1. ⟨*ant*⟩ (*Mosca*) Moscow. – 2. (*ducato di Mosca*) Muscovy. – **moscovịta** I *a.* 1. (*di Mosca*) Muscovite. – 2. (*russo*) Russian. – II *s.m./f.* 1. (*abitante di Mosca*) Muscovite. – 2. (*russo*) Russian.

moscovịte *f.* ⟨*Min*⟩ muscovite.

Mosè *N.pr.m.* ⟨*Bibl*⟩ Moses.

Mosẹlla *N.pr.f.* ⟨*Geog*⟩ Moselle.

mosquito *sp.* [mɔs'kito] *m.* ⟨*Entom,Aer*⟩ mosquito.

mọssa *f.* 1. movement: *una* ~ *brusca* a brusque movement. – 2. (*gesto*) gesture. – 3. (*spinta*) push. – 4. ⟨*fig*⟩ (*impulso*) impulse. – 5. (*nel gioco della dama, degli scacchi e sim.*) move. – 6. ⟨*Mil*⟩ movement, move, manoeuvre. – 7. ⟨*fig*⟩ (*azione*) move, action: *fare una* ~ *sbagliata* to make a false move. – 8. *pl.* ⟨*Equit*⟩ start. – 9. ⟨*Equit*⟩ (*luogo di partenza*) starting-post; (*cancello*) starting-gate. – 10. ⟨*fig*⟩ (*inizio, partenza*) beginning, start. – 11. ⟨*scherz*⟩ (*movimento dei fianchi*) wiggle.

□ ⟨*fig*⟩ **basta** *la* ~ the intention is enough; ~ *delle* **braccia** movement of the arms; ⟨*fam*⟩ ~ *di* **corpo** (*diarrea*) diarrhoea, ⟨*fam*⟩ the runs; **dare** *le -e* (*dare il via*) to give the starting-signal; **fare** *una* ~: 1. (*rif. a muro*) to give way, to collapse; 2. (*rif. al tempo*) to change suddenly; 3. (*rif. a vino, latte*) to turn (*o* go) sour; *fare la* ~ (*mettere i germogli*) to bud, to sprout; ⟨*fam,scherz*⟩ (*dimenare i fianchi*) to (give a) wiggle, to sway one's hips; ⟨*Zootecn*⟩ *fare la prima* ~ to cut first teeth; *non fare una* ~ to make no move, to do nothing; ~ **iniziale** beginning; ⟨*Equit*⟩ **prendere** *le -e* to start; ⟨*fig*⟩ (*iniziare*) to start, to begin, to get going; **rubare** *la* ~ *a qd.* (*prevenirne il gioco*) to forestall s.o.; ⟨*Equit*⟩ *rubare le -e* (*partire anzitempo*) to break; ⟨*Equit,fig*⟩ **stare** *sulle -e* to be ready to start; ⟨*Equit,fig*⟩ *non stare alle -e* to be impatient to start; ⟨*Equit*⟩ **tenere** *alle* (o *sulle*) *-e* to hold in until the starting signal.

mossạccia *f.* (*pl.* **-ce**) *pegg. di* **mossa**. – **mossẹtta**, **mossettịna** *f. dim. di* **mossa**.

mọssi *p.rem. di* **muovere**.

mossiẹre *m.* ⟨*Equit*⟩ starter.

mọsso (*p.p. di muovere*) I *a.* 1. rough, troubled: *mare* ~ rough sea. – 2. (*rivoltato*: *rif. a terra*) ploughed (up): *terra -a* ploughed land. – 3. (*rif. a capelli*) wavy. – 4. ⟨*Fot*⟩ blurred. – II *avv.* ⟨*Mus*⟩ mosso, animated.

mọssul *m.* Mosul carpet.

mostạcchio *m.* ⟨*ant*⟩ → **mustacchio**.

mostạccio *m.* 1. ⟨*non com*⟩ (*viso*) face. – 2. ⟨*spreg*⟩ (*muso*) ugly face, ⟨*fam*⟩ ugly mug. – 3. ⟨*region*⟩ → **mustacchio**. □ *dirle sul* ~ *a qd.* to tell s.o. to his face; *rompere il* ~ *a qd.* ⟨*volg*⟩ to bash s.o.'s ugly mug in.

mostacciọlo *m.* ⟨*Dolc*⟩ rich fruit-cake.

mostacciọne *m.* ⟨*non com*⟩ (*ceffone*) slap (in the face).
mostạio *a.* rich in must.
mostạrda *f.* **1.** ⟨*Gastr*⟩ mustard. – **2.** ⟨*Dolc*⟩ must cake. □ ~ *di Cremona* sweet pickle, chutney; ⟨*Chim*⟩ *gas* ~ (*iprite*) mustard-gas, yperite; ⟨*fig*⟩ *far venire la* ~ *al naso a qd.* (*farlo arrabbiare*) to make s.o. angry, to irritate s.o.
mostardiẹra *f.* ⟨*non com*⟩ mustard-pot.
mostardịna *f.* ⟨*Bot*⟩ dittander (*Lepidium latifolium*).
mostẹllo *m.* ⟨*Itt*⟩ mackerel shark (*Isurus cornubious*).
mostịmetro *m.* ⟨*Enol*⟩ saccharimeter.
mọsto *m.* must; (*rif. a birra*) wort. □ ~ *di mele* (unfermented) apple juice; ~ *muto* stopped must; ~ *d'uva* grape must.
mostọso *a.* ⟨*non com*⟩ **1.** full of must, juicy. – **2.** (*che sa di mosto*) musty: *odore* ~ musty smell.
mọstra *f.* **1.** show, display. – **2.** ⟨*fig*⟩ (*apparenza*) show, appearance; (*finzione*) pretence, show: *sono tutte -e* it is all pretence, ⟨*fam*⟩ it is all ⌜an act⌝ (*o* put on). – **3.** (*esposizione*) exhibition, display, show; (*edificio*) exhibition (building). – **4.** (*fiera*) fair: ~ *campionaria* trade fair; (*edificio*) fair (building). – **5.** (*vetrina*) window: ~ *di negozio* shop-window; (*ad armadio*) show-case; (*facciata di negozio*) shop-front. – **6.** ⟨*Comm*⟩ (*campione*) sample; (*di stoffa*) pattern. – **7.** ⟨*Sart*⟩ (*risvolto*) lapel, revers, revere. – **8.** ⟨*Mar*⟩ (*orologio tascabile di precisione*) deck watch. – **9.** ⟨*rar*⟩ (*mostrina*) (collar) badge. – **10.** ⟨*ant*⟩ (*rivista militare*) parade, military review. – **11.** ⟨*ant*⟩ (*orologio*) clock, timepiece; (*quadrante*) face, dial.
□ ⟨*Stor*⟩ *-e d'***acqua** fountains *pl*; ~ *d'***arte** art exhibition; ~ *d'arte cinematografica* film festival; **fare** ~ *di qc.*: 1. to show (*o* display) s.th.; 2. ⟨*fig*⟩ (*fingere*) to pretend s.th.: *ha fatto* ~ *di andarsene* he pretended to leave; 3. ⟨*fig*⟩ (*affettare*) to affect s.th., to put s.th. on; *fare le -e di* (*fingere*) to pretend; *fare bella* ~ *di sé* to make a good impression, to make a fine showing; **mettere** *in* ~ to show, to display, ⟨*spreg*⟩ to parade; *mettersi in* ~ to show off; ~ *dell'***orologio** (*quadrante*) clock face (*o* dial).
mostrạbile *a.* showable, displayable, that may be shown. – **mostramẹnto** *m.* ⟨*non com*⟩ showing; (*dimostrazione*) demonstration, display.
mostrạnza *f.* ⟨*ant*⟩ (*apparenza*) appearance.
mostrạre *v.* (**mọstro**) **I** *v.t.* **1.** to show, to display; (*far vedere*) to let see: ~ *la lingua al dottore* to ⌜show the doctor⌝ (*o* let the doctor see) one's tongue; ⟨*spreg*⟩ (*ostentare*) to show off, to parade, to make a display of; (*esibire*) to show, to exhibit: ~ *i documenti* to show one's papers. – **2.** (*indicare*) to show, to point out, to indicate: ~ *la strada a qd.* to show s.o. the way. – **3.** (*spiegare*) to show, to explain; (*insegnare*) to teach. – **4.** (*dimostrare*) to show, to demonstrate, to prove. – **5.** (*manifestare*) to show. – **6.** ⟨*lett*⟩ (*attestare, rivelare*) to show, to reveal, to manifest. – **II** *v.i.* (*aus.* **avere**) **1.** (*fingere*) to pretend, to feign: *mostrò di non conoscermi* he pretended not to know me. – **2.** (*dare a vedere*) to look, to appear, to seem (to be): *mostrava di essere felice* he seemed to be happy. – **mostrarsi** *v.r.* **1.** to seem (to be), to appear (to be), to look: *si mostrò felice del nostro regalo* he seemed pleased with our present. – **2.** (*dimostrarsi*) to show o.s. (to be), to prove o.s. (to be): *mostrarsi degno* to prove o.s. worthy. – **3.** (*apparire*: *rif. a persone*) to appear, to show o.s.: *mostrarsi in pubblico* to appear in public; (*rif. a cose*) to appear. □ ⟨*Mar*⟩ ~ *la bandiera* to show the flag; ⟨*fig*⟩ ~ *i denti* to show one's teeth; ~ *a dito qd.* to point at s.o.; ~ *la faccia* to show one's face; ~ *i pugni* to shake one's fists.
mostratịvo *a.* ⟨*ant*⟩ (*dimostrativo*) demonstrative, illustrative, indicative, showing. – **mostratọre** *m.* (*f.* **-trice**) ⟨*non com*⟩ shower, displayer.
mostravẹnto *m.inv.* **1.** ⟨*Mar*⟩ (wind) vane, weathercock. – **2.** ⟨*Aer*⟩ (*manica a vento*) wind sock (*o* sleeve, cone), wind-direction indicator.
mostreggịare *v.t.* (**mostrẹggio, mostrẹggi**) ⟨*non com*⟩ to face. – **mostreggịato** (*p.p. di mostreggiare*) *a.* ⟨*non com*⟩ faced. – **mostreggiatụra** *f.* ⟨*non com*⟩ facings *pl*.
mostriciạttolo (*dim. di mostro*[1]) *m.* ⟨*spreg*⟩ little monster; (*rif. a bambino*) ⟨*spreg*⟩ brat. – **mostricịno** *m. dim. di* **mostro**[1].
mostrịna *f.* ⟨*Mil*⟩ badge, tab, insignia.
mostrịno *m.* ⟨*Orol*⟩ dial (for a second hand).
mọstro[1] *m.* **1.** monster: ~ *marino* sea monster. – **2.** ⟨*fig*⟩ (*persona bruttissima*) ugly (*o* hideous) person, monster; (*persona crudele*) monster. – **3.** ⟨*fig*⟩ (*mostruosità*) horror, evil: *i -i della superstizione* the evils of superstition. – **4.** ⟨*scherz*⟩ (*fenomeno*) prodigy, phenomenon, wonder, wizard: *un* ~ *di virtù* a prodigy of virtue; (*rif. a qualità negative*) monster. – **5.** ⟨*Biol*⟩ monster. – **6.** ⟨*poet*⟩ (*prodigio*) wonder, marvel.
mọstro[2] *p.p.lett. di* **mostrare**.
mostruosamẹnte *avv.* monstrously.
mostruosità *f.* **1.** monstrosity. – **2.** (*azione mostruosa*) monstrosity, atrocity. – **3.** ⟨*Biol*⟩ monstrosity.
mostruọso *a.* **1.** monstrous. – **2.** ⟨*fig*⟩ monstrous, horrible, atrocious, hideous. – **3.** ⟨*fig*⟩ (*straordinario*) prodigious, extraordinary; (*grandissimo*) enormous, huge, colossal, gigantic.
mostụva *m.* (*sciroppo di uva*) grape juice.
mọta *f.* ⟨*tosc*⟩ **1.** (*fango*) mud, mire, sludge, slush. – **2.** ⟨*fig*⟩ mud, mire.
motacịllidi *m.pl.* ⟨*Ornit*⟩ motacillids *pl* (*Motacillidae*).
motẹl *m.* motel.
motẹlla *f.* ⟨*Itt*⟩ **1.** (*motella dai tre barbigli*) three-bearded rockling (*Onos vulgaris*; *Onos tricirratus*). – **2.** (*motella dai cinque barbigli*) five-bearded rockling (*Onos fuscus*).
motellịna *f.* ⟨*Bot*⟩ lovage (*Ligusticum mutellina, Meum mutellina*).
motịcchio, motịglio (*dim. di mota*) *m.* ⟨*tosc,non com*⟩ patches *pl* of mud.
motilità *f.* ⟨*Fisiol*⟩ motility.
motivạre *v.t.* **1.** (*causare*) to cause, to motivate. – **2.** (*precisare il motivo*) to adduce (*o* state) reasons for, to justify: ~ *una sentenza* to justify a decree. – **motivaziọne** *f.* **1.** justification, (statement of) reasons *pl*; (*motivo*) motive, reason. – **2.** ⟨*Dir*⟩ grounds *pl*.
motivẹtto (*dim. di motivo*[1]) *m.* ⟨*Mus*⟩ tune.
motịvo[1] *m.* **1.** (*causa*) reason, cause, grounds *pl*: *per -i di famiglia* for family reasons; (*movente*) motive. – **2.** (*tema*) motif, motive, (central) theme, dominant (*o* main) idea. – **3.** (*disegno*) motif, motive. – **4.** ⟨*Mus*⟩ motive, motif, theme; (*canzone*) song, tune. – **5.** ⟨*Art*⟩ motif, pattern: *-i geometrici* geometrical patterns. – **6.** ⟨*Dir*⟩ grounds *pl*, ground.
□ **a** ~ *di* (*a causa di*) owing to, because of, on account of, through; **avere** ~ *di lagnarsi* to have reason to complain, to have grounds for complaint; ~ **conduttore** leitmotiv, leading-motive (*anche fig.*); **dare** ~ *a lagnanze* to give ⌜rise to⌝ (*o* grounds for) complaint; *è per noi* ~ *di* **gioia** it gives us great joy, we are very happy about it; ⟨*Dir*⟩ *-i di* **impugnazione** grounds for appeal; *per* **nessun** ~ for no reason, in no circumstances, on no account; ~ **ornamentale** ornamental motif; ⟨*fam*⟩ **per** ~ *che* (*perché*) because; ~ *per cui* for this reason, therefore; *per quale* ~*?* why?, what... for?; *per questo* ~ for this reason, so, therefore, because of this, this is why; ⟨*Dir*⟩ ~ *di* **ricusazione** grounds for challenging; **senza** (*alcun*) ~ groundless, motiveless; (*usato avverbialmente*) without reason (*o* cause), for no reason; *è per me* ~ *di* **soddisfazione** it gives me great satisfaction, I am very pleased about it; ⟨*Mus*⟩ ~ *di* **successo** popular tune (*o* song), ⟨*fam*⟩ hit; *non è* ~ **sufficiente** it is not a good enough reason.
motịvo[2]: ⟨*Dir*⟩ *errore* ~ error influencing the will to act.
mọto[1] *m.* **1.** motion, movement. – **2.** ⟨*Fis, Mus*⟩ motion. – **3.** (*esercizio fisico*) exercise: *fare un po' di* ~ to take some exercise; (*rif. a macchine*) motion, running. – **4.** (*gesto, atto*) movement, gesture: *un* ~ *di stizza* an irritated gesture. – **5.** (*tumulto, agitazione*) rising, rebellion, revolt, riot. – **6.** ⟨*Astr*⟩ (*giro*) motion. – **7.** ⟨*fig*⟩ (*sentimento*) emotion, impulse, feeling, sentiment.
□ ⟨*Fis*⟩ ~ **alternativo** reciprocating motion; ~ **browniano** Brownian movement (*o* motion); ⟨*Mus*⟩ **con** ~ con moto; ⟨*Fis*⟩ ~ **curvilineo** curvilinear motion; ⟨*Mecc*⟩ ~ **differenziale** differential motion; ⟨*Astr*⟩ ~ **diurno** diurnal motion; ~ *di un* **fluido** (fluid) flow; *essere* **in** ~: 1. (*rif. a macchine*) to be running, to be in operation; 2. (*rif. a veicoli*) to be moving (*o* in motion); 3. (*rif. a persone*) to be moving (*o* on the move); 4. ⟨*fig*⟩ (*darsi da fare*) to be active (*o* busy), to be on the go (*o* move); **mettere** *in* ~: 1. to set in motion; 2. ⟨*Mot*⟩ to start (up); 3. ⟨*fig*⟩ to set off (*o* to work), to mobilize, to rouse to action; *mettersi in* ~ to bustle, to get busy, ⟨*fam*⟩ to get cracking; (*incamminarsi*) to start, to set out, ⟨*fam*⟩ to get moving; ⟨*Mar*⟩ ~ **ondoso** swell; ⟨*Mus*⟩ ~ **parallelo** parallel motion; ⟨*Fis*⟩ ~ **periodico** periodic motion; ~ **perpetuo**: 1. perpetual motion; 2. ⟨*Mus*⟩ moto perpetuo; ⟨*Astr*⟩ ~ **planetario** motion of the planets; ⟨*Astr*⟩ ~ **proprio** proper motion; ~ **retrogrado** retrograde motion; ~ **rettilineo** rectilinear motion; ~ **rotatorio** rotatory motion; *-i* **sismici** earth tremors; ⟨*Fis*⟩ ~ **uniforme** uniform motion; ~ **vario** variable motion; ⟨*Gramm*⟩ **verbo** *di* ~ verb of motion.
mọto[2] (*accorc. di motocicletta*) *f.inv.* motorcycle, ⟨*fam*⟩ motorbike.
moto... *pref.* (*motore* engine) motor-, moto...
moto|aliạnte *m.* ⟨*Aer*⟩ powered glider (*o* sailplane). – **~aratọre** *m.* motor-plough driver. – **~aratrịce** *f.* (*macchina*) motor-plough, tractor plough. – **~aratụra** *f.* motor-ploughing, mechanical ploughing. – **~assạle** *m.* ⟨*Aut*⟩ driving (*o* live) axle. – **~bạrca** *f.* motorboat, powerboat. □ ~ *antincendi* fireboat. – **~bẹtta** *f.* ⟨*Mar.mil*⟩ motor barge. – **~cạlcio** *m.inv.* ⟨*Sport*⟩ football played on motorcycles. – **~cannoniẹra** *f.* ⟨*Mar.mil*⟩ motor gunboat. – **~carrẹllo** *m.* power truck. – **~carriọla** *f.* power barrow. – **~carrịsta** *m.* (*conducente*) tricar driver. – **~cạrro** *m.* tricar, three-wheeler. – **~carrozzẹtta** *f.* **1.** motorcycle combination (*o* with sidecar). – **2.** (*carrozzino laterale*) sidecar.
motociclẹtta *f.* motorcycle, ⟨*fam*⟩ motorbike. □ ~ *da corsa* racing machine; ~ *con sidecar* motorcycle with sidecar.
moto|ciclịsmo *m.* ⟨*Sport*⟩ motorcycle racing, motorcycling. – **~ciclịsta** *m./f.* motorcyclist. – **~ciclịstico** *a.* (*pl.* **-ci**) motorcycling, motorcycle-. – **~cịclo** *m.* motorcycle, ⟨*fam*⟩ motorbike. – **~cingolẹtta** *f.* ⟨*Mil*⟩ Bren carrier. – **~cistẹrna** *f.* ⟨*Mar*⟩ motor tanker. – **~colọnna** *f.* ⟨*Mil*⟩ motorized column. – **~coltivatọre** *m.* ⟨*Agr*⟩ small powered farm machine. – **~coltụra** *f.* mechanized (*o* power) farming. – **~compressọre** *m.* ⟨*Mecc*⟩ engine-compressor. – **~corallịna** *f.* ⟨*Pesc*⟩ (powered) coral-fishing boat. – **~corazzạto** *a.* ⟨*Mil*⟩ armoured (and mechanized): *reparti -i* armoured units. – **~crọss** *m.* ⟨*Sport*⟩ cross-country motorcycle racing. – **~crossịsmo** *m.* ⟨*non com*⟩ → **motocross**. – **~crossịsta** *m./f.* cross-country motorcycle racer. – **~dịnamo** *f.inv.* ⟨*El*⟩ motor generator (set).
motọ|dromo *m.* motordrome, ⟨*am*⟩ speedway. – **~falciatrịce** *f.* (*macchina*) power mower, mowing machine. – **~furgọne** *m.* (motor-)van, motortricycle. – **~generatọre** *m.* → **motodinamo**. – **~lạncia** *f.* (*pl.* **-ce**) ⟨*Mar*⟩ motor-launch. – **~leggẹra** *f.* lightweight motorcycle. – **~mẹzzo** *m.* motor vehicle. – **~nạuta** *m.*

pilot of a motorboat, motorboatman. – **~nautica** *f.* motorboating. ▭ ~ *agonistica* speedboat racing. – **~nautico** *a.* (*pl.* **-ci**) motorboat-, speedboat-: *competizioni motonautiche* motorboat racing. – **~nave** *f.* motorship. ▭ ~ *da crociera* cruise ship. – **~pallone** *m.* ⟨*Aer*⟩ engine-driven balloon. – **~pesca** *f.* motor-trawling. – **~peschereccio** *m.* motor-trawler, power-trawler. – **~pista** *f.* motorcycle track. – **~polo** *m.* ⟨*Sport*⟩ motor polo. – **~pompa** *f.* motor pump. ▭ ~ *antincendio* fire-engine. – **~proprio** *m.* ⟨*non com*⟩ → **motuproprio**. – **~propulsore** *a.* power-: *gruppo* ~ power unit. – **~radunista** *m./f.* participant in a motorcycle rally. – **~raduno** *m.* motorcycle rally.

motore I *s.m.* **1.** motor, engine. – **2.** (*veicolo a motore*) motor (vehicle). – **3.** ⟨*fig*⟩ (*movente*) cause, motive. – **4.** ⟨*ant*⟩ (*chi muove*; *f.* **-trice**) mover, motor. – **II** *a.* **1.** motor, motive, propellent, driving, moving: *forza motrice* motive power. – **2.** ⟨*tecn*⟩ driving, power-: *albero* ~ driving shaft.

▭ **a** ~ motor-, power-, engine-driven, motored, powered; *a un* ~ one-engined; *a tre -i* three-engined; *a più -i* multi-engined; **accendere** *il* ~ to start (*o* switch on) the engine; ~ *ad* **acqua** water -powered engine; ~ *ad* **anelli** slip-ring motor; ~ *ad* **aria** *calda* hot-air engine; ~ *ad aria compressa* compressed-air motor; ~ **asincrono** induction (*o* asynchronous) motor; ~ **assiale** axial (*o* barrel -type) engine; ~ **ausiliario** auxiliary (*o* pony) motor; ~ *d'***aviazione** aviation (*o* aircraft) engine; ~ *d'***avviamento** (motor) starter; ~ *a* **benzina** petrol engine, ⟨*am*⟩ gasoline motor; ~ *per* **biciclette** bicycle motor; ~ **bicilindrico** twin-cylinder engine; ~ *a* **carburazione** petrol engine; ~ *a* **cilindri** *allineati* (*o in linea*) cylinder-in-line engine, straight motor; ~ *a quattro cilindri* four-cylinder engine; ~ *a più cilindri* multi-cylinder engine; ~ *a* **collettore** commutator motor; ⟨*El*⟩ ~ *di* **comando** driving (*o* control) motor; ~ *a* **combustione** combustion engine; ⟨*El*⟩ ~ *in* **derivazione** shunt motor; ~ **Diesel** Diesel engine; ~ **elettrico** electric motor, electromotor; **fermare** *il* ~ to stop (*o* switch off) the engine; ~ **fuoribordo** outboard motor; ~ *a* **gas** gas engine; ~ *a* **getto** = *motore a* **reazione**; **gruppo** ~ engine assembly, power unit; ⟨*Rel*⟩ ~ **immobile** (*Dio*) Unmoved (*o* Prime) Mover; ~ **incorporato** built-in motor; ~ *a* **induzione** induction motor; ~ **marino** = *motore* **navale**; ~ **monocilindrico** single-cylinder engine; ~ *a* **nafta** oil (*o* Diesel) engine; ~ **navale** marine engine; ~ *a olio* **pesante** heavy-oil engine; ~ **orizzontale** horizontal engine; ~ *a ciclo* **Otto** Otto (*o* carburettor) engine; ~ *a* **pistone** *rotante* rotary piston (*o* expansion) engine; ~ *a pistoni* piston engine; ~ **pluricilindrico** = *motore a più* **cilindri**; ~ **posteriore** rear engine; ⟨*Rel*⟩ ~ **primo** Prime Mover; ⟨*Filos*⟩ *primo* ~ prime mover, first cause; ~ **radiale** = *motore* **stellare**; ~ *a* **reazione** jet engine; ~ *a* **repulsione** repulsion motor; ~ **reversibile** reversing motor; ~ **rotativo** rotary engine; ~ *a* **scoppio** explosion engine, internal-combustion engine; ~ **semi-Diesel** semi-Diesel engine; ~ *in* **serie** series motor; ~ **sincrono** synchronous motor; ~ **sovralimentato** supercharged engine; **spegnere** *il* ~ = **fermare** *il motore*; ~ **stellare** radial engine; ~ *a due* **tempi** two-stroke engine; ~ *a* **testa** *calda* hot-bulb engine; ⟨*El*⟩ ~ **trifase** three-phase motor; ~ *a* **turbina** turbine engine; ~ *a* **turbogetto** turbo-jet engine; ⟨*El*⟩ ~ **universale** universal motor; ~ *a* **V** V-type engine; ~ *senza* **valvole** valveless motor; ~ *a* **vento** wind motor.

motoretta *f.* (*scooter*) motor-scooter, scooter; (*ciclomotore*) motor-bicycle, moped. – **motorettista** *m./f.* scooter rider.

motorica *f.* ⟨*Psic*⟩ motor area.

motorina *f.* (*gasolio*) Diesel oil (*o* fuel).

motorino (*dim. di motore*) *m.* (*micromotore*) small motor; (*ciclomotore*) motorbicycle, moped. ▭ ~ *di avviamento* starter; ~ *ausiliario* auxiliary motor.

motorio *a.* motor-, motory (*anche Fisiol.*).

motorismo *m.* ⟨*Sport*⟩ motor sports *pl.* – **motorista** *m.* **1.** mechanic. – **2.** ⟨*Mar,Aer*⟩ engineer. – **motoristica** *f.* **1.** ⟨*Sport*⟩ motor sports *pl.* – **2.** ⟨*tecn*⟩ mechanical engineering, designing and building of motors for racing. – **motoristico** *a.* (*pl.* **-ci**) motor-.

motorizzare *v.t.* **1.** (*fornire di motore*) to motorize. – **2.** (*munire di automezzi*) to motorize. – **motorizzarsi** *v.r.* ⟨*fam*⟩ (*rif. a macchina*) to get a car; (*rif. a motocicletta*) to get a motorcycle. – **motorizzato** (*p.p. di motorizzare*) *a.* **1.** motorized: *truppe -e* motorized troops. – **2.** (*con comando a motore*) motor-driven. ▭ ⟨*fam*⟩ *essere* ~ (*avere la macchina*) to have a car; (*avere la motocicletta*) to have a motorcycle. – **motorizzazione** *f.* **1.** motorization. – **2.** (*ispettorato della motorizzazione*) traffic control authority.

moto|ruspa *f.* ⟨*Strad*⟩ grader. – **~saldatrice** *f.* ⟨*El*⟩ motor welding apparatus. – **~sarchiatrice** *f.* motor hoe.

motoscafo *m.* motorboat, power boat. ▭ ~ *da corsa* (*o competizione*) speedboat; ~ *da crociera* cruiser; ~ *da diporto* pleasure motorboat.

moto|scala *f.* motor turntable ladder. – **~sciatorio** *a.* ⟨*Sport*⟩ motor and ski-. – **~scuter** *m.* (motor-)scooter. – **~scuterista** *m./f.* scooter rider. – **~seminatrice** *f.* ⟨*Agr*⟩ mechanical seeder. – **~sidecar** *ingl.* [-ˈsaidkɑ:r] *m.* → **motocarrozzetta**. – **~silurante** *f.* ⟨*Mar.mil*⟩ motor torpedo-boat, mosquito (*o* PT) boat. – **~slitta** *f.* **1.** (*slitta con elica*) motor-sled. – **2.** (*slitta con sidecar*) motor-sled with sidecar.

motoso *a.* ⟨*tosc*⟩ (*sporco di mota*) muddy, miry.

moto|torpediniera *f.* ⟨*Mar.mil*⟩ destroyer, torpedo-boat. – **~trazione** *f.* motor traction. – **~trebbiatrice** *f.* motor threshing machine. – **~vedetta** *f.* ⟨*Mar*⟩ (motor) patrol boat. ▭ ~ *della guardia di finanza* revenue patrol boat. – **~veicolo** *m.* motor vehicle. – **~vela** *f.* motor yacht. – **~veleggiatore** *m.* **1.** → **motovela**. – **2.** → **motoaliante**. – **~veliero** *m.* motorsailer, sailing vessel with an auxiliary engine. – **~velivolo** *m.* power-driven aircraft. – **~velodromo** *m.* → **motodromo**. – **~ventilatore** *m.* fan. – **~vettura** *f.* light motor vehicle; (*veicolo a tre ruote*) three-wheeled motor vehicle. – **~zattera** *f.* **1.** (*mezzo da sbarco*) landing craft. – **2.** (*mezzo da trasporto*) motor craft.

motrice *f.* **1.** (*macchina*) motor, engine. – **2.** ⟨*Ferr*⟩ engine, locomotive. – **3.** ⟨*Aut*⟩ tractor. ▭ ~ *e rimorchio* tractor and trailer; ⟨*Aut*⟩ ~ *per semirimorchi* tractor truck; ~ *tranviaria* tramcar motor -coach; ~ *a vapore* steam-engine.

motriglia *f.*, **motriglio** *m.* ⟨*tosc*⟩ (*fanghiglia*) mire, soft (*o* wet) mud, slush.

motta *f.* **1.** (*frana*) landslide, landslip. – **2.** (*poggetto*) hillock, knoll, mound.

motteggevole *a.* ⟨*lett*⟩ **1.** (*rif. a persona*) jocose, joking, witty; (*pungente*) sardonic, ironic. – **2.** (*rif. a cosa*) witty; (*pungente*) ironical, sardonic. – **motteggiamento** *m.* banter, joking, jesting; (*detto arguto*) witty remark; (*freddura*) joke, jest. – **motteggiare** *v.* (**motteggio**, **motteggi**) **I** *v.t.* (*burlare*) to mock, to make fun of, to chaff, to tease; (*rif. a cosa*) to jeer (*o* sneer, scoff) at, to mock. – **II** *v.i.* (*aus.* **avere**) **1.** (*celiare*) to joke, to jest, to crack jokes, to make quips (*o* witty remarks). – **2.** ⟨*ant*⟩ (*conversare piacevolmente*) to chat, to talk. – **motteggiatore I** *s.m.* (*f.* **-trice**) witty person; (*burlone*) wag, joker, jester; (*derisore*) mocker, teaser, scoffer. – **II** *a.* jesting, waggish; (*derisore*) mocking. – **motteggio** *m.* banter, joking, jesting. ▭ *per* ~ (*per celia*) as a joke, jokingly, for fun.

mottettista *m./f.* composer of motets. – **mottettistico** *a.* (*pl.* **-ci**) motet-, of motets. – **mottetto** *m.* **1.** ⟨*Lett*⟩ rhyme, verse. – **2.** ⟨*Mus*⟩ motet. – **3.** (*stornello*) ditty.

motto *m.* **1.** (*detto*) saying, saw, proverb; (*sentenza*) motto, maxim. – **2.** (*facezia*) witticism, witty remark, quip, pleasantry, joke, jest. – **3.** (*parola*) word: *senza far* ~ without (saying) a word. – **4.** ⟨*Arald*⟩ motto. ▭ ~ *pubblicitario* (advertising) slogan.

motuleso I *a.* ⟨*Med*⟩ disabled. – **II** *s.m.* (*f.* **-a**) disabled person.

motuproprio *m.inv.* rescript (*o* decree) issued of a head of state's own initiative; (*rif. al papa*) motu proprio. ▭ ⟨*fam*⟩ *di* ~ of one's own accord.

mouliné *fr.* [muliˈne] *m.* (*anche cotone mouliné*) embroidery twist.

mousse *fr.* [mus] *f.* ⟨*Gastr*⟩ mousse.

mousteriano [mu-] **I** *a.* ⟨*Geol*⟩ Moust(i)erian. – **II** *s.m.* (*periodo mousteriano*) Moust(i)erian period.

movente *m.* **1.** motive, reason, cause. – **2.** ⟨*Dir*⟩ motive.

movenza *f.* **1.** carriage, movement, movements *pl*, motion, bearing; (*gesto*) gesture. – **2.** (*rif. a opera d'arte*) attitude. – **3.** ⟨*fig*⟩ modulation. – **4.** ⟨*fig*⟩ (*andamento*: *rif. a stile e sim.*) characteristics *pl*, turn.

movere *v.* ⟨*pop,lett*⟩ → **muovere**. – **movibile** *a.* movable.

moviere *m.* ⟨*Mil*⟩ traffic controller.

movimentare *v.t.* (**movimento**) to enliven, to animate, ⟨*fam*⟩ to liven up. – **movimentato** (*p.p. di movimentare*) *a.* **1.** lively, animated, full of life; (*agitato*) agitated, eventful, hectic: *vita -a* eventful life; (*pieno di movimento*) busy: *una strada -a* a busy street. – **2.** ⟨*fig*⟩ animated: *una scultura -a* an animated sculpture. – **3.** (*rif. a terreno*) undulating, uneven.

movimento *m.* **1.** movement, motion: *essere in* ~ to be ⌜in motion⌝ (*o* moving); (*avanzamento*) movement, progress. – **2.** (*spostamento*) movement: ~ *di truppe* movement of troops; (*rif. a impiegati e sim.*) transfer. – **3.** (*mossa*) movement, move: *un* ~ *delle braccia* a movement of the arms; (*gesto*) gesture. – **4.** ⟨*fig*⟩ (*animazione*) activity, animation, (hustle and) bustle; (*traffico*) traffic, movement: ~ *ferroviario* rail traffic; (*vita*) life, animation, action. – **5.** ⟨*Art, Lett*⟩ movement. – **6.** (*corrente*) movement: ~ *nazionalista* nationalist movement; (*indirizzo*) trend, tendency, movement. – **7.** ⟨*Mus*⟩ tempo, movement. – **8.** ⟨*Mecc*⟩ (*corsa*) movement, action; (*trazione*) traction, drive; (*meccanismo*) mechanism, movement. – **9.** ⟨*Orol*⟩ movement. – **10.** ⟨*Econ*⟩ movement, circulation: ~ *di capitali* movement of capital; (*fluttuazione*) fluctuation; (*in Borsa*) movement. – **11.** ⟨*rar*⟩ (*moto dell'animo*) feeling, sentiment, emotion, stirring. – **12.** ⟨*ant*⟩ (*insurrezione*) rising, rebellion, revolt.

▭ ~ *degli* **affari** turnover; ⟨*Mecc*⟩ ~ **angolare** angular movement; ~ *di* **avanzamento**: 1. ⟨*Mecc*⟩ feed motion; 2. ⟨*Mil*⟩ advance; ~ **bancario** banking; ~ *a* **catena** chain drive; ~ *a* **cinghia** belt drive; ~ **circolare** = *movimento* **rotatorio**; ⟨*Pol*⟩ ~ **clandestino** underground movement; ~ **congiunturale** economic movement (*o* cycle), cyclical fluctuation; ~ **cooperativistico** co-operative movement; ~ **demografico** = *movimento della* **popolazione**; **fare** *un* ~ *con la testa* to move one's head; ≈ **federalista** *europeo* European Federalist Movement; ⟨*Fis*⟩ ~ **forzato** constrained motion; ~ **longitudinale** traversing (*o* sliding) motion; ⟨*Geol*⟩ *-i delle* **masse** earth movements; ~ *delle* **merci** goods (*o* freight) traffic; **mettere** *in* ~ to set in motion, to start (up); ⟨*fig*⟩ to set off (*o* to work), to mobilize, to rouse to action; *mettersi in* ~ (*incamminarsi*) to start, to set out, ⟨*fam*⟩ to get moving; ⟨*fig*⟩ to get busy, ⟨*fam*⟩ to get cracking (*o* moving); ~ **muscolare** muscular movement; ~ **ondulatorio** undulatory movement; ~ **operaio** workers' movement; ~ *d'***orologeria** clockwork; ~ **pacifista** pacifist (*o* peace) movement; ~ *di* **passeggeri** = *movimento di* **viaggiatori**; ⟨*Fisiol*⟩ ~ **peristaltico** peristalsis, peristaltic movement; ⟨*fig*⟩ **pieno** *di* ~ lively, animated;

~ *della* **popolazione** population movement (*o* shift); ~ *dei* **prezzi** price fluctuation (*o* movement); ~ *di* **protesta** protest movement; ⟨*Econ*⟩ ~ *al* **rialzo** upward trend; ⟨*Mar*⟩ ~ *di* **rollio** roll; ~ **rotatorio** rotating (*o* rotatory) motion; ⟨*Mecc*⟩ ~ *a* **scatto** trigger action; **senza** ~ motionless; ⟨*fig*⟩ lifeless; ~ **sindacale** trade-union movement; ⟨*Pol*⟩ ~ **sociale** *italiano* Italian Social Movement, neo-Fascist party; ~ **stradale** road traffic; *-i di* **terra** = *movimenti delle* **masse**; ~ **trasversale** crosswise movement; ⟨*Ferr*⟩ **ufficio** ~ district control office; ~ *di* **viaggiatori** passenger traffic.

moviọla *f.* ⟨*Cin,TV*⟩ movi(e)ola.

movitọre *m.* (*f.* **-trice**) ⟨*ant*⟩ mover.

Mozambịco *N.pr.m.* ⟨*Geog*⟩ Mozambique.

mozarạbico *a.* (*pl.* **-ci**) Mozarabic. – **mozạrabo** *m.* (*f.* **-a**) Mozarab.

mozartiạno *a.* Mozart's, of Mozart, Mozartian, Mozartean.

moziọne *f.* **1.** ⟨*Parl*⟩ motion. – **2.** ⟨*Ling*⟩ formation of the feminine. – **3.** ⟨*ant*⟩ (*movimento*) movement, moving. □ ~ *di censura* motion of censure; ~ *di fiducia* motion of confidence; ~ *di sfiducia* motion of no confidence.

mọzza *f.* **1.** ⟨*Alim,ant*⟩ kind of fresh cheese. – **2.** ⟨*region*⟩ (*mozzicone*) butt, end, stub, stump.

mozzamẹnto *m.* ⟨*non com*⟩ cutting off; (*rif. a coda*) docking.

mozzạre *v.t.* (**mọzzo**) **1.** to cut off (*o* away), to chop off: ~ *la testa a qd.* to cut off s.o.'s head, to behead s.o., ⟨*fam*⟩ to chop off s.o.'s head; (*rif. a rami e sim.*) to cut (*o* chop) off, to lop (off); (*tagliare la coda*) to dock. – **2.** ⟨*fig*⟩ to cut short, to break off, to interrupt: ~ *la parola in bocca* (o *gola*) *a qd.* to cut s.o. short, to interrupt s.o. brusquely. □ ~ *il fiato* (o *respiro*) to take one's breath away; ⟨*non com*⟩ *sentirsi* ~ *le mani* (*per il freddo*) to feel one's hands numb with cold.

mozzarẹlla *f.* **1.** ⟨*Alim*⟩ mozzarella, milky buffalo cheese. – **2.** ⟨*fig, region*⟩ (*persona fiacca*) lazy-bones, ⟨*fam*⟩ lazy lump. □ ⟨*Gastr*⟩ ~ *in carrozza* fried bread and cheese.

mozzaspịghe *m.inv.* ⟨*Entom*⟩ grain borer (*Calamobius filum*).

mozzatọre ⟨*non com*⟩ **I** *s.m.* (*f.* **-trice**) cutter(-off), chopper. – **II** *a.* cutting, chopping. – **mozzatụra** *f.* **1.** (*il mozzare*) cutting (*o* chopping) off. – **2.** (*parte mozzata*) part cut off, end.

mozzẹtta *f.* ⟨*Rel.catt*⟩ moz(z)etta, bishop's cape.

mozzicạre *v.t.* (**mọzzico, mọzzichi**) **1.** ⟨*ant*⟩ (*smozzicare*) to cut (*o* chop) up, to hack to pieces. – **2.** ⟨*region*⟩ (*mordere*) to bite. – **mọzzico** *m.* (*pl.* **-chi**) ⟨*region*⟩ (*morso*) bite.

mozzicọne *m.* **1.** stump, stub, butt, end: ~ *di sigaretta* cigarette end (*o* butt), ⟨*fam*⟩ fag-end. – **2.** ⟨*fig*⟩ scrap.

mozzịno *m.* ⟨*Tip*⟩ short page.

mọzzo[1] *a.* **1.** cut (off), broken, truncated, cropped, chopped off; (*rif. a rami e sim.*) cut off, lopped; (*rif. alla coda*) docked. – **2.** (*mutilato*) mutilated, injured; (*rif. a cose*) damaged. – **3.** ⟨*fig*⟩ broken: *frase -a* broken sentence. – **4.** ⟨*ant*⟩ (*diviso*) divided, separated.

mọzzo[2] *m.* **1.** ⟨*Mar*⟩ ship-boy, cabin-boy. – **2.** ⟨*ant*⟩ (*servo*) servant, boy, lad. □ ~ *di stalla* stableboy, groom.

mọzzo[3] *m.* **1.** ⟨*Mecc*⟩ hub; (*rif. a elica*) boss, hub. – **2.** (*rif. a campana*) beam on which a bell is suspended. □ ~ *su cuscinetti a sfera* ball-bearing hub; ~ *dell'elica*: 1. ⟨*Aer*⟩ (screw-)propeller hub; 2. ⟨*Mar*⟩ screw boss; ~ *della ruota* wheel hub; ⟨*Orol*⟩ wheel collet; ~ *a ruota libera* free-wheel hub.

mọzzo[4] *m.* ⟨*tosc*⟩ **1.** (*pezzo*) piece, lump. – **2.** (*zolla*) clod, sod.

mozzọne *m.* **1.** ⟨*non com*⟩ (*sverzino*) lash. – **2.** ⟨*region*⟩ (*mozzicone*) stump, stub, butt, end; (*di sigaretta*) cigarette stub (*o* butt).

mozzorẹcchi *m.inv.* **1.** (*avvocatuccio*) pettifogger, crooked lawyer, ⟨*am*⟩ shyster. – **2.** ⟨*ant*⟩ (*furfante*) scoundrel, rogue.

M.P. = *manu propria* personally, by (one's own) hand.

M.PP.TT. = *Ministero delle poste e delle telecomunicazioni.*

mq. = *metro quadrato* square metre (*abbr.* m², sq.m.).

M.R. = **1.** ⟨*Univ*⟩ *Magnifico Rettore* Rector. – **2.** *molto reverendo* Very Reverend (*abbr.* V.Rev.).

ms = *millisecondo* millisecond (*abbr.* msec, ms).

MS = ⟨*Aut*⟩ *Maurizio* Mauritius.

ms. = ⟨*Filol*⟩ *manoscritto* manuscript (*abbr.* ms., Ms.).

M.sa = *Marchesa* marchioness (*abbr.* March.).

msec = *millisecondo* millisecond (*abbr.* msec, ms).

m/sec = *metri al secondo* metres per second (*abbr.* m/sec).

MSI = *Movimento sociale italiano* Italian Social Movement.

MT = ⟨*Aut*⟩ *Tangeri* Tangier.

mu *m./f.* ⟨*tecn*⟩ mu.

mụcca *f.* ⟨*Zool*⟩ cow: ~ *da latte* milch cow, milker.

mụcchia *f.* ⟨*region*⟩ → **mucchio**[1].

mucchiettịno, mucchiẹtto *m. dim. di* **mucchio**[1].

mucchiḍgnero *m.* ⟨*Bot*⟩ kind of parasitic herb (*Cytinus hypocistis*).

mụcchio[1] *m.* **1.** heap, pile, mass: *un* ~ *di sassi* a pile of stones. – **2.** ⟨*fig*⟩ (*grande quantità*) mass, lot, heap; (*rif. a cose astratte*) lot, pack, heap, load: *un* ~ *di bugie* a pack of lies; (*rif. a persone*) bunch, crowd. – **3.** ⟨*Bot*⟩ rockrose (*Cistus*). □ *a mucchi* in plenty, galore; ⟨*fig*⟩ *mettere tutti in un* ~ to treat everyone in the same way.

mụcchio[2] *m.* ⟨*Itt*⟩ sting-ray (*Dasyatis, Dasybatis*).

mucciạccia *f.* (*pl.* **-ce**) ⟨*ant*⟩ → **muchacha**. – **mucciạccio** *m.* ⟨*ant*⟩ → **muchacho**.

mucciạre *v.* (**mụccio, mụcci**) ⟨*ant*⟩ **I** *v.t.* (*schivare*) to avoid. – **II** *v.i.* (*aus.* **essere**) (*scappare*) to escape, to get (*o* slip) away.

mụcco[1] *m.* ⟨*rar*⟩ → **muco**.

mụcco[2] *m.* ⟨*sicil*⟩ (*novellame di pesce*) whitebait.

muccosità *f.* ⟨*rar*⟩ → **mucosità**.

muchacha *sp.* [-ˈtʃatʃa] *f.* ⟨*scherz*⟩ (*ragazza*) girl. – **muchacho** *sp.* [-ˈtʃatʃo] *m.* ⟨*scherz*⟩ (*ragazzo*) boy, young fellow.

mụci *onom.* puss, kitty.

mụcia *f.* ⟨*non com*⟩ (*micia*) cat, ⟨*fam*⟩ puss(y).

muciattịno *m.* ⟨*Ornit*⟩ (*migliarino di palude*) reed bunting (*Emberiza schoeniclus*). – **muciạtto** *m.* rock bunting (*Emberiza cia*).

mụcico: ⟨*Chim*⟩ *acido* ~ mucic acid.

mụcido I *a.* ⟨*non com*⟩ **1.** musty, fusty, stale: *aria -a* stale air. – **2.** (*ammuffito*) musty, mouldy. – **3.** (*stantio*) stale. – **II** *s.m.* mould, mustiness. □ *prendere di* ~ to go musty; *sapere di* ~ to taste mouldy. – **mucidụme** *m.* ⟨*non com*⟩ musty stuff, mouldy things *pl.*

mucilạg(g)ine *f.* ⟨*rar*⟩ → **mucillag(g)ine**. – **mucilag(g)inọso** *a.* ⟨*rar*⟩ → **mucillag(g)inoso**. – **mucillạg(g)ine** *f.* ⟨*Bot*⟩ mucilage. – **mucillag(g)inọso** *a.* mucilaginous.

mucịna[1] *f.* ⟨*Biol*⟩ mucin.

mucịna[2] *f.* ⟨*non com*⟩ *dim. di* **mucia**.

mucinạsi *f.* ⟨*Biol*⟩ mucinase.

mucịno *m.* ⟨*non com*⟩ (*micino*) puss(y), kitten.

mucịparo *a.* ⟨*Biol*⟩ muciparous, muciferous. – **mụco** *m.* (*pl.* **-chi**) mucus.

mucocẹle *m.* ⟨*Med*⟩ mucocele.

mucọide *m.* ⟨*Biol*⟩ mucoid.

mucọsa[1] *f.* ⟨*Anat*⟩ mucosa, mucous membrane.

mucọsa[2] *f.* ⟨*Itt*⟩ (*razza bavosa*) flapper skate (*Raia macrorhynchus*).

mucosità *f.* ⟨*non com*⟩ **1.** mucosity. – **2.** ⟨*concr*⟩ (*muco*) mucus. – **mucosịte** *f.* ⟨*Med*⟩ mucositis. – **mucọso** *a.* mucous: *membrana -a* mucous membrane.

mucronạto *a.* **1.** pointed. – **2.** ⟨*Biol*⟩ mucronate(d). – **mucrọne** *m.* **1.** ⟨*Anat,Biol*⟩ mucro. – **2.** ⟨*lett*⟩ (*punta della spada*) point, tip.

mụda[1] *f.* **1.** ⟨*Ornit*⟩ moult(ing). – **2.** ⟨*non com*⟩ (*luogo dove avviene la muda*) mew. □ *fare la* ~ to moult.

mụda[2] *f.* ⟨*ven*⟩ → **muta**[2].

mudạre *v.i.* (*aus.* **avere**) ⟨*Ornit,ant*⟩ to moult.

mudẹjar *sp.* [-har]: ⟨*Art*⟩ *stile* ~ Mudejar style.

mudịr *m.* mudir. – **mudirịyya** *f.* mudiria, mudirieh.

muezzịn(o) *m.* muezzin.

mụffa *f.* **1.** mould, mildew. – **2.** ⟨*tosc*⟩ (*boria*) arrogance, conceit, ⟨*fam*⟩ bumptiousness. □ *fare la* ~ to go mouldy, to mildew; ⟨*fig*⟩ (*stare nell'ozio*) to idle; ⟨*fig*⟩ *lasciar fare la* ~ *a qc.* to neglect s.th.; ~ *grigia* (o *nobile*) common grey mould (*Botrytis cinerea*); ~ *a pennello* penicillium (*Penicillium*); ~ *verde* green mould of citrus fruits (*Penicillium digitatum*).

muffạre *v.i.* (*aus.* **essere**) ⟨*non com*⟩ (*fare la muffa*) to go mouldy (*o* musty), to mildew. – **muffạto** (*p.p. di muffare*) *a.* mouldy, musty, mildewed.

muffẹtta *f.* ⟨*Bot*⟩ (*oidio*) oidium.

mụffido *a.* ⟨*lett*⟩ (*coperto di muffa*) mouldy, mildewed.

muffiọne *m.* ⟨*rar*⟩ → **muflone**.

muffịre *v.i.* (**muffịsco, muffịsci**; *aus.* **essere**) **1.** to go mouldy (*o* musty), to mildew. – **2.** ⟨*fig*⟩ to vegetate, to rot away, to shut o.s. up, to go (*o* run) to seed, to stagnate; (*rif. a cose*) to lie idle. – **muffịto** (*p.p. di muffire*) *a.* **1.** mouldy, musty. – **2.** ⟨*fig*⟩ fossilized. – **mụffo** *a.* ⟨*ant,region*⟩ → **muffito**.

mụffola *f.* **1.** (*guanto*) mitten. – **2.** ⟨*El*⟩ box: ~ *di derivazione* dividing (*o* junction) box. – **3.** ⟨*tecn*⟩ muffle.

muffoliẹre, muffolịsta *m.* (*operaio*) (muffle) kilnman.

mụffolo *m.* ⟨*Zool*⟩ (*carlino*) pug.

muffosità *f.* ⟨*non com*⟩ **1.** (*l'essere muffoso*) mouldiness, mustiness, fustiness. – **2.** ⟨*concr*⟩ (*muffa*) mould, mildew. – **3.** ⟨*tosc*⟩ (*boria*) arrogance, haughtiness, ⟨*fam*⟩ bumptiousness. – **muffọso** *a.* ⟨*non com*⟩ **1.** (*pieno di muffa*) mouldy, musty, mildewed. – **2.** (*rif. a odore*) musty, fusty, stale. – **3.** ⟨*fig*⟩ (*vieto*) stale, antiquated, old-fashioned. – **4.** ⟨*tosc*⟩ (*borioso*) arrogant, haughty, conceited, ⟨*fam*⟩ bumptious.

mufiọne *m.* ⟨*rar*⟩ → **muflone**. – **muflọne** *m.* **1.** ⟨*Zool*⟩ mouf(f)lon (*Ovis musimon*). – **2.** ⟨*Tess*⟩ heavy woollen cloth. – **mụfo** *m.* ⟨*ant*⟩ → **muflone**.

mufti *m.* mufti.

mugẹllo *m.* ⟨*Itt*⟩ leaping grey mullet (*Mugil saliens*).

mugghiamẹnto *m.* ⟨*non com*⟩ **1.** mooing, lowing, bellowing. – **2.** (*muggito*) moo, low, bellow. – **mugghiạnte** (*p.pr. di mugghiare*) *a.* **1.** mooing, lowing, bellowing. – **2.** ⟨*estens*⟩ roaring, howling, bellowing. – **3.** ⟨*fig*⟩ roaring, howling, crashing, rumbling. – **mugghiạre** *v.i.* (**mụgghio, mụgghi**; *aus.* **avere**) → **muggire**. – **mụgghio** *m.* → **muggito**.

mugginạra *f.* ⟨*Pesc*⟩ mullet net. – **mụggine** *m.* ⟨*Itt*⟩ mullet (*Mugil*).

muggịre *v.i.* (**muggịsco, muggịsci, muggịsce/mụgge**; *aus.* **avere**) **1.** to moo, to low, to bellow. – **2.** ⟨*estens*⟩ (*urlare*) to roar, to howl, to bellow. – **3.** ⟨*fig*⟩ (*rif. a mare, vento e sim.*: *rumoreggiare*) to roar, to howl, to crash, to rumble, to thunder. – **muggịto** *m.* **1.** moo, low. – **2.** ⟨*estens*⟩ roar, howl, bellow. – **3.** ⟨*fig*⟩ (*rif. a mare, vento e sim.*) roar, howl, crash, rumble, thunder.

mugherịno *m.* ⟨*Bot*⟩ Arabian jasmine (*o* jessamine) (*Iasminum sambac*).

mughẹtto[1] *m.* **1.** ⟨*Bot*⟩ lily of the valley (*Convallaria maialis*). – **2.** (*essenza*) lily of the valley essence. – **3.** ⟨*Med*⟩ thrush. □ ⟨*Bot*⟩ ~ *d'oro* crosswort, mugwort (*Galium cruciata*).

mughẹtto[2] *m.* ⟨*Zool*⟩ kind of eight-armed cephalopod (*Eledone*).

mugiạtto *m.* ⟨*tosc*⟩ → **muciatto**.

mugịc *m.* ⟨*Stor*⟩ m(o)ujik, muzhik. – **mugịc(c)o** *m.* (*pl.* **-chi**) → **mugic**. – **mugịk** *m.* → **mugic**.

mugilidi *m.pl.* ⟨*Itt*⟩ grey mullets *pl* (*Mugilidae*).
mugliare *v.* (**muglio, mugli**) ⟨*pop,tosc*⟩ → **muggire**. – **muglio** *m.* ⟨*pop,tosc*⟩ → **muggito**.
mugnaia *f.* **1.** (woman) miller; (*moglie di mugnaio*) miller's wife. – **2.** ⟨*Bot*⟩ cornflower, bluebottle (*Centaurea cyanus*). – **3.** ⟨*Ornit*⟩ (*mignattino*) black tern (*Hydrochelidon nigra*).
mugnaiaccio *m.* ⟨*Ornit*⟩ great black-backed gull (*Larus marinus*).
mugnaio *m.* **1.** miller. – **2.** ⟨*Ornit*⟩ (*gabbiano comune*) black-headed gull (*Larus ridibundus*). – **3.** ⟨*Ornit*⟩ large egret (*Egretta alba*).
mugnere *v.* (**mungo, mugni**) ⟨*ant*⟩ → **mungere**.
mugo *m.* (*pl.* **-ghi**) ⟨*Bot*⟩ (*anche pino mugo*) mug(h)o pine, dwarf pine (*Pinus mugo*; *Pinus montana*).
mugolamento *m.* ⟨*non com*⟩ howling, whimpering, whining. – **mugolare** *v.* (**mugolo**) **I** *v.i.* (*aus.* **avere**) **1.** to howl; (*guaiolare*) to whimper, to whine, to yelp. – **2.** ⟨*estens*⟩ (*rif. a persona*) to moan, to groan, ⟨*fam*⟩ to grizzle. – **3.** ⟨*fig*⟩ (*rif. a vento e sim.*) to moan, to howl. – **II** *v.t.* (*borbottare*) to mutter, to mumble. – **mugolio** *m.* **1.** howling, whimpering, whining. – **2.** (*rif. a persona*) muttering, mumbling. – **3.** ⟨*fig,non com*⟩ (*rif. a vento e sim.*) moaning, howling. – **mugolo** *m.* ⟨*non com*⟩ howl, whimper, whine. – **mugolone** *m.* (*f.* **-a**) **1.** howler. – **2.** ⟨*scherz*⟩ (*brontolone*) grumbler, ⟨*fam*⟩ moaner, ⟨*fam*⟩ grizzler.
mugugnare *v.i.* (*aus.* **avere**) ⟨*region*⟩ (*borbottare*) to mutter, to grumble. – **mugugno** *m.* ⟨*region*⟩ (*brontolio*) muttering, grumbling.
mula *f.* **1.** ⟨*Zool*⟩ she-mule. – **2.** ⟨*Bot*⟩ (*anche erba mula*) hart's-tongue (fern) (*Scolopendrium vulgare*). – **3.** ⟨*region*⟩ (*ragazza*) girl.
mulacchia *f.* ⟨*Ornit*⟩ **1.** (*cornacchia bigia*) hooded crow (*Corvus cornix*). – **2.** (*taccola*) jackdaw (*Corvus monedula*).
mulaggine *f.* **1.** mulishness. – **2.** ⟨*fam*⟩ (*caparbietà*) mulishness, stubbornness, obstinacy. – **mulare** *a.* ⟨*non com*⟩ mule-, drawn by mules. – **mulattiera** *f.* (*anche strada mulattiera*) mule-track, bridle-path. – **mulattiere** *m.* muleteer, mule-driver. – **mulattiero** *a.* ⟨*Zootecn*⟩ mule-.
mulatto I *s.m.* (*f.* **-a**) mulatto (*f* -tress, mulatta). – **II** *a.* mulatto.
mulcere *v.* ⟨*rar*⟩ → **molcere**.
mulenda *f.* ⟨*ant*⟩ → **molenda**.
mulesco *a.* (*pl.* **-chi**) ⟨*non com*⟩ **1.** (*di mulo*) mule-, mule's. – **2.** ⟨*fig*⟩ mulish, obstinate, of a mule.
muletto *m.* ⟨*Itt*⟩ striped mullet (*Mugil cephalus*).
muliebre (*poet.* *muliebre*) *a.* woman's, feminine, womanly, female: *bellezza* ~ feminine beauty; *lavori -i* woman's (*o* women's) work. □ *statua* ~ statue of a woman. – **muliebrità** *f.* ⟨*rar*⟩ femininity, womanliness.
mulinaio *m.* → **mulinaro**.
mulinare I *v.t.* **1.** to twirl, to whirl, to swirl, to spin: ~ *un bastone* to twirl a stick; (*rif. al vento*) to whirl, to blow, to spin. – **2.** ⟨*fig*⟩ (*macchinare*) to plot, to scheme, to hatch, to lay. – **3.** ⟨*assol*⟩ (*fantasticare*) to daydream, to be lost in reverie, to give free play to one's fancy. – **II** *v.i.* (*aus.* **avere**) **1.** to eddy, to whirl, to spin (round and round): *le foglie mulinavano al vento* the leaves whirled in the wind. – **2.** ⟨*fig*⟩ (*rif. a pensieri*) to seethe.
mulinaro *m.* (*f.* **-a**) ⟨*pop*⟩ **1.** (*mugnaio*) miller. – **2.** (*nelle cave di salgemma*) crusher.
mulinello *m.* **1.** eddy, whirl; (*di aria*) whirlwind. – **2.** (*gorgo*) whirlpool. – **3.** (*tipo di giocattolo*) windmill. – **4.** (*ventilatore a elica*) ventilating fan. – **5.** (*arcolaio*) wool-winder, skein-winder. – **6.** ⟨*non com*⟩ (*filetto*) morris, merels *pl* (*costr. sing.*), mill. – **7.** (*nella scherma*) moulinet. – **8.** ⟨*Ginn*⟩ club exercise, club-swinging, mill circle (of the arms). – **9.** ⟨*Aer*⟩ roll. – **10.** ⟨*Pesc*⟩ fishing reel. – **11.** ⟨*Mar*⟩ windlass; (*di catena*) swivel. □ ⟨*Aer*⟩ ~ *aerodinamico* air brake; *fare* ~ *col bastone* to twirl one's stick; ⟨*Mecc*⟩ ~ *idrometrico* current meter.
mulino[1] *m.* **1.** mill. – **2.** ⟨*Teat*⟩ winch.
□ ~ *ad* **acqua** water-mill; ⟨*fig*⟩ *tirare l'acqua al proprio* ~ to bring grist to one's mill; ~ *a* **cilindri** cylinder mill; ~ *da* **grano** flour mill; ~ *a* **mano** hand mill, ~ *a* **martelli** hammer mill; ~ *a* **palle** ball mill (*o* grinder); ~ *da* **preghiere** prayer-wheel; ~ *a* **vapore** steam-mill; ~ *a* **vento** windmill; ⟨*fig*⟩ *combattere contro i -i a vento* to tilt at windmills; ⟨*fig*⟩ *essere un* ~ *a vento* to be a weathercock; ⟨*fig*⟩ *parlare come un* ~ *a vento* to talk non-stop, ⟨*fam*⟩ to talk the hind leg off a donkey. – *Prov.*: *il* ~ *non macina senz'acqua* nobody does anything for nothing; *chi va al* ~ *s'infarina* he that toucheth pitch shall be defiled.
mulino[2] *a.* ⟨*non com*⟩ **1.** mule's, mule-. – **2.** (*da mulo*) mulish, obstinate. – **3.** → **mulattiero**.
mullaghera *f.* **1.** ⟨*Bot*⟩ (*afaca*) yellow vetchling (*Lathyrus aphaca*). – **2.** ⟨*Bot*⟩ (*ginestrina*) bird's-foot trefoil (*Lotus corniculatus*).
mullidi *m.pl.* ⟨*Itt*⟩ red mullets *pl* (*Mullidae*). – **mullo** *m.* red mullet (*Mullus*).
mulo *m.* (*f.* **-a**) **1.** ⟨*Zool*⟩ (*incrocio di asino e cavalla*) mule; (*incrocio di cavallo e asina*) mule, hinny. – **2.** ⟨*fig*⟩ (*persona cocciuta*) mule, stubborn person. – **3.** ⟨*volg,spreg*⟩ (*bastardo*) bastard. – **4.** ⟨*region*⟩ (*ragazzo*) boy. □ ⟨*fig*⟩ *fare il* ~ to be obstinate (*o* mulish). – *Prov.*: *chi nasce* ~ *bisogna che tiri calci* the leopard doesn't change his spots.
mulomedicina *f.* ⟨*Stor.rom*⟩ (*arte veterinaria*) veterinary medicine (*o* science).
mulso *m.* ⟨*Stor.rom*⟩ honeyed wine.
multa *f.* **1.** fine, penalty: *pagare una* ~ to pay a fine; ~ *contrattuale* contractual penalty, penalty for breach of contract. – **2.** ⟨*fam*⟩ (*contravvenzione*) fine. – **3.** (*sulla paga*) docking. – **4.** ⟨*lett*⟩ (*pena*) penalty, punishment.
multanime *a.* ⟨*lett*⟩ having many souls, many-souled.
multare *v.t.* **1.** to fine. – **2.** (*elevare una contravvenzione*) to fine: ~ *qd. di mille lire* to fine s.o. a thousand lire.
multi... *pref.* multi..., many-.
multi|cellulare *a.* multicellular, pluricellular, multicell-. – **~colore** *a.* multicolour(ed), many-coloured, motley. – **~corsia** *a.* ⟨*Strad*⟩ multilane.
multi|fido *a.* ⟨*rar*⟩ **1.** (*diviso in molte parti*) having many divisions. – **2.** ⟨*Bot*⟩ multifid. – **~focale** *a.* ⟨*Ott*⟩ multifocus-. – **~forme** *a.* ⟨*lett*⟩ **1.** multiform, variform; (*vario*) varied. – **2.** (*versatile, poliedrico*) versatile, many-sided. – **~laterale** *a.* multilateral, many-sided. – **~lateralità** *f.* ⟨*non com*⟩ multilateralism. – **~lingue** *a.* **1.** multilingual, polyglot. – **2.** ⟨*non com*⟩ (*munito di molte lingue*) many-tongued. – **~lobato** *a.* ⟨*Bot*⟩ multilobate, many-lobed. – **~lustre** *a.* ⟨*lett*⟩ **1.** (*rif. a cose*) old, ancient, long-standing. – **2.** (*rif. a persone*) aged, ancient; (*rif. ad animali*) old. – **~miliardario I** *a.* having many milliards, ⟨*am*⟩ multibillionaire-, ⟨*fam*⟩ multimillionaire-. – **II** *s.m.* (*f.* **-a**) person possessing many milliards, ⟨*am*⟩ multibillionaire, ⟨*fam*⟩ multimillionaire. – **~milionario I** *a.* multimillionaire-. – **II** *s.m.* (*f.* **-a**) multimillionaire. – **~motore** *a.* ⟨*Aer*⟩ multiengine(d). – **~nucleare** *a.* multinucleate, multinuclear. – **~onda** *a.* ⟨*Rad*⟩ multi-wave.
multipara *f.* ⟨*Biol*⟩ multipara. – **multiparo** *a.* multiparous.
multiplano *m.* ⟨*Aer*⟩ multiplane.
multipletto *m.* ⟨*Fis*⟩ multiplet (line). – **multiplex** *m.* ⟨*Tel*⟩ multiplex system.
multiplicamento *m.* ⟨*ant*⟩ → **moltiplicamento**. – **multiplicare** *v.* ⟨*ant*⟩ → **moltiplicare**. – **multiplicativo** *a.* ⟨*ant*⟩ → **moltiplicativo**. – **multiplicatore** *a./s.* ⟨*ant*⟩ → **moltiplicatore**. – **multiplicazione** *f.* ⟨*ant*⟩ → **moltiplicazione**.
multiplice *a./s.* ⟨*ant*⟩ → **molteplice**. – **multiplicità** *f.* ⟨*ant*⟩ → **molteplicità**.
multiplico *m.* ⟨*ant*⟩ → **moltiplico**.
multiplo I *a.* **1.** multiple, manifold. – **2.** ⟨*tecn*⟩ multiple: *frutto* ~ multiple fruit. – **II** *s.m.* ⟨*Mat*⟩ multiple: *minimo comune* ~ least common multiple.
multi|polare *a.* multipolar, multicore. – **~razziale** *a.* multiracial.
multisonante, **multisono** *a.* ⟨*lett*⟩ resounding, resonant.
multitudine *f.* ⟨*ant*⟩ → **moltitudine**.
multi|vago *a.* (*pl.* **-ghi**) ⟨*lett*⟩ long-wandering, far-wandering. – **~valente** *a.* (*polivalente*) polyvalent, multivalent. – **~valenza** *f.* polyvalence, multivalence. – **~vibratore** *m.* ⟨*Fis*⟩ multivibrator: ~ *monostabile* (*o a un colpo*) monostabile (*o* one-shot) multivibrator; ~ *bistabile* (*o flip-flop*) bistable (*o* flip-flop) multivibrator.
multivolo *a.* ⟨*lett*⟩ of many desires.
mummia *f.* **1.** mummy. – **2.** ⟨*fig*⟩ (*persona vecchia e rinsecchita*) mummy, ⟨*fam*⟩ old bag of bones. – **3.** ⟨*fig*⟩ (*persona di idee sorpassate*) fossil, old fogey. – **mummificare** *v.t.* (**mummifico, mummifichi**) to mummify; (*imbalsamare*) to embalm. – **mummificarsi** *v.r.* **1.** to mummify, to become mummified. – **2.** ⟨*fig*⟩ (*diventare vecchio e rinsecchito*) to grow old and shrivelled, to wither up. – **3.** ⟨*fig*⟩ (*fossilizzarsi*) to fossilize. – **mummificatore I** *s.m.* (*f.* **-trice**) ⟨*non com*⟩ embalmer. – **II** *a.* mummifying. – **mummificazione** *f.* **1.** mummification; (*imbalsamazione*) embalming. – **2.** ⟨*Med*⟩ mummification. – **3.** ⟨*fig,rar*⟩ (*rinsecchimento*) mummification, shrivelling up, withering away. – **4.** ⟨*fig,rar*⟩ (*fossilizzazione*) fossilization.
mundeburdio *m.* ⟨*Dir.mediev*⟩ royal protection. – **mundeburdo** *m.* (royal) protector.
mundio *m.* ⟨*Dir.mediev*⟩ mund, (right of) guardianship. – **mundualdo** *m.* guardian.
munerare *v.t.* (**munero**) ⟨*ant*⟩ (*rimunerare*) to remunerate. – **munerazione** *f.* ⟨*ant*⟩ (*rimunerazione*) remuneration.
mungere *v.t.* (**mungo, mungi; munsi, munto**) **1.** to milk: ~ *una vacca* to milk a cow; ~ *il latte* to milk. – **2.** ⟨*fig*⟩ (*spillare*) to bleed, to squeeze, to milk: ~ *quattrini da qd.* to squeeze money out of s.o., to bleed s.o. – **mungitoio** *m.* **1.** (*luogo*) milking shed. – **2.** (*recipiente*) milking pail. – **mungitore** *m.* (*f.* **-trice**) **1.** milker. – **2.** ⟨*fig,rar*⟩ bleeder, milker, extortioner. – **mungitrice** *f.* **1.** milker, milkmaid. – **2.** (*anche macchina mungitrice*) milking machine, milker. – **mungitura** *f.* milking. □ ~ *a mano* hand milking; ~ *meccanica* machine milking; ~ *al pascolo* milking on pasture.
mungo *m.* (*pl.* **-ghi**) ⟨*Zool*⟩ banded (*o* zebra) mongoose (*Mungos mungo*).
municipale I *a.* **1.** town-, municipal, city-, borough-: *giunta* ~ town council. – **2.** ⟨*Stor.rom*⟩ municipal. – **3.** ⟨*spreg*⟩ → **municipalesco**. – **II** *s.m.pl.* ⟨*Stor*⟩ federalists *pl.* – **municipalesco** *a.* (*pl.* **-chi**) ⟨*spreg*⟩ (*campanilistico*) provincial, parochial(-minded). – **municipalismo** *m.* ⟨*non com*⟩ municipalism. – **municipalistico** *a.* (*pl.* **-ci**) municipalist, of municipalism.
municipalità *f.* ⟨*non com*⟩ **1.** (*l'essere municipale*) municipal nature. – **2.** (*autorità municipali*) municipal authorities *pl.* – **3.** (*circoscrizione amministrativa*) municipality. – **4.** ⟨*rar*⟩ (*cittadini*) citizens *pl*, municipality.
municipalizzare *v.t.* to municipalize. – **municipalizzato** (*p.p. di municipalizzare*) *a.* municipalized, taken over by the municipality: *azienda -a* company taken over by the municipality. – **municipalizzazione** *f.* municipalization.
municipio *m.* **1.** municipality, town, city, borough. – **2.** (*edificio*)

town hall. – 3. ⟨*Stor.rom*⟩ municipium. □ *sposarsi in* ~ to get (*o* be) married in a registry office, ⟨*am*⟩ to get married at city hall.
munificamẹnte *avv.* munificently, bountifully, generously. – **munificẹnte** (*sup.* **munificentịssimo**) *a.* → **munifico**. – **munificentịssimo** *a. sup. di* **munificente** *e di* **munifico**. – **munificẹnza** *f.* munificence, bountifulness, liberality, generosity. – **munịfico** (*sup.* **munificentịssimo**) *a.* (*pl.* **-ci**) ⟨*lett*⟩ 1. (*rif. a persona*) munificent, bountiful, generous, liberal, lavish. – 2. (*rif. a cosa*) munificent, generous, handsome: *una -a elargizione* a generous donation.
munịre *v.t.* (**munịsco, munịsci**) 1. (*dotare*) to provide, to furnish, to fit (out), to equip (*di* with): ~ *un'automobile della ruota di scorta* to equip a car with a spare wheel. – 2. (*provvedere*) to provide, to supply, to furnish, to put on, to fit: ~ *di denaro* to provide with money. – 3. ⟨*fig*⟩ to furnish, to provide. – 4. ⟨*lett*⟩ (*fortificare*) to fortify, to strengthen. – **munirsi** *v.r.* 1. to provide (*o* furnish) o.s., to equip o.s., ⟨*fam*⟩ to get o.s. – 2. (*provvedersi*) to provide (*o* supply, furnish) o.s., to stock up, ⟨*fam*⟩ to get: *munirsi di provviste* to furnish o.s. with provisions, to stock up.
munistẹr(i)o *m.* ⟨*ant*⟩ (*monastero*) monastery.
munịto (*p.p. di munire*) *a.* 1. (*provvisto*) provided, supplied, furnished (*di* with); (*dotato*) provided, furnished, fitted, equipped (with). – 2. ⟨*fig*⟩ having, possessing (s.th.): ~ *di santa pazienza* possessing the virtue of patience, very patient. – 3. ⟨*lett*⟩ (*fortificato*) fortified, strengthened.
munizionamẹnto *m.* ⟨*Mil*⟩ 1. munitioning. – 2. ⟨*collett*⟩ (*munizioni*) munitions *pl*, ammunition: ~ *navale* naval munitions. – **munizionạre** *v.t.* (**munizịono**) ⟨*non com*⟩ (*fornire di munizioni*) to munition, to provide with munitions.
munizịone *f.* ⟨*Mil*⟩ 1. *pl.* munitions *pl*, ammunition. – 2. *pl.* ⟨*estens*⟩ (*fabbisogno dell'esercito*) supplies *pl*, stores *pl*, provisions *pl*, victuals *pl*. – 3. ⟨*ant*⟩ (*fortificazione*) fortification. – 4. ⟨*ant*⟩ (*riserva*) reserve, supply, stock. □ *-i aeree* air force munitions; ⟨*Edil*⟩ *avere in* ~ to have in store; ⟨*rar*⟩ *-i da bocca* (*vettovaglie*) victuals *pl*, provisions *pl*; *-i da caccia* (*cartucce*) cartridges *pl*; (*pallini*) shot; (*polvere*) (gun) powder; *-i navali* naval munitions.
munizionịere *m.* ⟨*non com*⟩ munitioner.
mụno *m.* ⟨*ant*⟩ (*dono*) gift; (*ricompensa*) recompense, reward.
mụnsi *p.rem. di* **mungere**. – **mụnto** (*p.p. di mungere*) *a.* milked. □ *latte appena* ~ milk fresh from the cow.
munụscolo *m.* ⟨*ant*⟩ (*piccolo dono*) small gift.
mụoio *pr.ind. di* **morire**[1].
muọvere *v.* (*pr.ind.* **muọvo, muọvi, muọve, moviạmo, muọvono**; *impf.ind.* **movẹvo**; *fut.* **moverò**; *p.rem.* **mọssi**; *pr.cong.* **muọva, moviạmo, moviạte, muọvano**; *impf.cong.* **movẹssi**; *p.pr.* **movẹnte**; *p.p.* **mọsso**; *ger.* **movẹndo**) **I** *v.t.* 1. to move: ~ *le braccia* to move one's arms; (*agitare*) to move, to shake, to stir: *il vento muove le foglie* the wind stirs the leaves. – 2. (*far muovere*) to move, to drive: *il vapore muove la locomotiva* the steam drives the engine; *l'acqua muove la ruota del mulino* the water moves (*o* turns) the mill-wheel; (*spostare*) to move, to shift. – 3. (*rivolgere, presentare*) to submit, to put forward, to make: ~ *una richiesta* to submit (*o* make) a request; (*rif. a domande*) to ask, to put. – 4. (*sollevare*: *rif. a dubbi, questioni e sim.*) to raise, to bring up, to make: ~ *un'obiezione* to raise (*o* make) an objection; ~ *un dubbio* to raise (*o* express) a doubt; (*rif. ad accuse*) to make, to bring (forward). – 5. (*suscitare*) to rouse, to arouse, to stir up, to move: ~ *il riso* to cause laughter; ~ *il pianto in qd.* to make s.o. cry, to move s.o. to tears; ~ *a ira qd.* to rouse s.o. to anger, to anger s.o. – 6. (*causare*) to cause, to give rise to. – 7. ⟨*non com*⟩ (*smuovere*) to move, to shake, to dissuade; ~ *qd. dal suo convincimento* to shake s.o.'s conviction, to make s.o. change his mind. – 8. ⟨*lett*⟩ (*indurre*) to move, to induce, to prompt; (*spingere*) to move, to drive: *la fame lo mosse a rubare* hunger drove him to steal. – 9. ⟨*poet*⟩ (*commuovere*) to move, to touch. – **II** *v.i.* (*aus.* **essere**) 1. to move, to go, to advance: *le truppe nemiche muovono verso la capitale* the enemy troops are advancing on the capital. – 2. (*andare*) to go; (*partire*) to leave. – 3. ⟨*fig*⟩ (*prendere le mosse*) to start, to move off: ~ *da posizioni opposte* to start from opposite positions. – 4. ⟨*non com*⟩ (*avere principio*) to begin (*da* at), to start, to originate, to spring, to go (from): *la strada muove dalla piazza* the road goes from the square. – 5. ⟨*tosc*⟩ (*germogliare*) to bud, to sprout. – **muoversi** *v.r.* 1. to move (about), to stir: *il malato non poteva muoversi* the sick man was unable to move; *il mulo non vuole muoversi* the mule won't move (*o* budge); (*camminare*) to move, to walk; (*avanzare*) to move (forward), to advance, to go forward. – 2. (*mettersi in moto*) to move off, to start, to get going: *la carrozza finalmente si mosse* the carriage finally moved off; (*mettersi in cammino*) to set out, to leave. – 3. (*essere in moto*) to move: *la terra si muove intorno al sole* the earth moves (*o* turns) round the sun. – 4. ⟨*fig*⟩ to make a move, to act, to take action: *nessuno si mosse in suo aiuto* nobody made a move to help him, nobody came to his aid; (*intervenire*) to intervene, to step in. – 5. ⟨*fig*⟩ (*commuoversi*) to be moved. – 6. ⟨*fam*⟩ (*sbrigarsi*) to hurry up, ⟨*fam*⟩ to get a move on.
□ ⟨*ant*⟩ ~ *il* **campo** to break up camp, to march off; ~ **causa** *a qd.* to sue s.o., to ⌜bring an action⌝ (*o* start proceedings) against s.o.; ~ *la* **coda** (*scodinzolare*) to wag one's tail; ⟨*fam*⟩ ~ *il* **corpo** (*far andare di corpo*) to move (*o* open) the bowels; ⟨*fig*⟩ *non* ~ *un* **dito** not to lift a finger, not to make a move; ⟨*fam*⟩ ~ *le* **gambe** (*sgranchirle*) to stretch one's legs; ~ **guerra** *a* to wage war upon (*o* against); ~ **incontro** *a qd.* to go towards s.o.; ~ *le* **insegne** = *muovere il* **campo**; ~ **lite** to bring an action, to sue; *il fregio muove* **lungo** *la facciata* the frieze runs along the façade; ~ *un* **passo** to take a step (*anche fig.*); ~ *i primi passi* to begin toddling, to start walking; ⟨*non com*⟩ ~ *le* **penne** (*volare*) to fly.
mụpa *f.* ⟨*Itt*⟩ common sea bream (*Pagellus centrodontus*).
mụra[1] *f.* ⟨*Mar*⟩ tack.
mụra[2] **I** *s.f.pl. di* **muro**. – **II** *s.f.* ⟨*fam*⟩ (*muro*) wall.
murạglia *f.* 1. wall. – 2. ⟨*fig,non com*⟩ (*barriera*) barrier, wall. – 3. ⟨*Alp*⟩ (rock) wall, rock face. □ *la* ⌜~ *cinese*⌝ (*o grande muraglia*) the Great Wall of China.
muraglịone (*accr. di muraglia*) *m.* 1. retaining wall. – 2. (*rif. a fiumi e sim.*) embankment. – 3. ⟨*Mar,ant*⟩ main lower studding-sail.
muraịola *f.* 1. ⟨*Bot*⟩ wall pellitory (*Parietaria officinalis*). – 2. ⟨*Ornit*⟩ nuthatch (*Sitta europaea*).
muraịolo *a.* 1. ⟨*Bot*⟩ wall-, growing upon walls. – 2. ⟨*Zool*⟩ wall-, wall-climbing.
murạle[1] *a.* 1. (*rif. a muro*) wall-, mural: *manifesto* ~ wall poster. – 2. ⟨*Anat*⟩ mural. □ ⟨*Stor*⟩ *corona* ~ mural crown; *pittura* ~ mural.
murạle[2] *m.* → **morale**[2].
muramẹnto *m.* ⟨*non com*⟩ walling.
murạre[1] *v.t.* 1. to wall. – 2. (*chiudere con un muro*) to wall (*o* brick) up: ~ *una porta* to wall up a door. – 3. (*fissare nel muro*) to build into a wall, to embed (*o* immure) in a wall. – 4. (*occultare*) to wall (up), to immure: ~ *un tesoro* to wall up a treasure. – 5. ⟨*rar*⟩ (*circondare con un muro*) to wall (in), to enclose, to surround with a wall. – 6. ⟨*ant*⟩ (*costruire*) to build. – **murarsi** *v.r.* to shut o.s. up (*o* away), to seclude o.s.: *murarsi in casa* to shut o.s. up at home. □ ⟨*Mur*⟩ ~ *a secco* to dry wall; ⟨*fig*⟩ (*mangiare senza bere*) to eat without drinking; ~ *qd. vivo* to immure s.o.
murạre[2] *v.t.* ⟨*Mar*⟩ to tack.
murạrio *a.* building: *opera -a* building work. □ *arte* ~ masonry, bricklaying; *cinta -a di una città* walls of a city.
murạta *f.* 1. ⟨*Mar*⟩ ship's side, parapet, bulwarks *pl*. – 2. (*nella pesca del corallo*) bank. – 3. ⟨*ant*⟩ (*cittadella*) citadel, walled stronghold; (*città murata*) walled town. – 4. ⟨*ant*⟩ (*muraglia*) wall.
murạto (*p.p. di murare*[1]) *a.* 1. (*chiuso*) walled (*o* blocked) up, bricked up (*o* in): *finestra -a* walled up window. – 2. (*circondato di mura*) walled.
muratọre *m.* mason, bricklayer. □ *libero* ~ (*massone*) freemason. – **muratọria** *f.* ⟨*non com*⟩ masonry, bricklaying, building. – **muratọrio** *a.* ⟨*non com*⟩ 1. (*del muratore*) mason's, bricklayer's. – 2. (*murario*) building.
muratoriạno *a.* ⟨*Stor*⟩ Muratorian, of Muratori.
murattiạno *a.* ⟨*Stor*⟩ of (Lucien) Murat. – **murattịsmo** *m.* movement led by (Lucien) Murat.
muratụra *f.* 1. (*il murare*) walling. – 2. (*lavoro murario*) masonry, brickwork.
□ ~ *di* **cemento** cement masonry; **lavoro** *di* ~ masonry, brickwork; ~ *con* **malta** mortar masonry; ~ *di* **mattoni** brickwork; ~ *di* **pietra** stonework, stone masonry; ~ *rustica di* **riempimento** nogging; ~ *di* **sostegno** bulkhead; ~ *a* **secco** dry masonry.
murazịone *f.* ⟨*Mil.ant*⟩ fortifications *pl*, ramparts *pl*.
murạzzi *m.pl.* (lagoon) embankments *pl*, dikes *pl*.
murẹna *f.* ⟨*Itt*⟩ moray (eel), muraena (*Muraena helena*).
murettịno, murẹtto *m. dim. di* **muro**.
mụrgia *f.* (*pl.* **-ge**) ⟨*Geol,region*⟩ table mountain.
mụria *f.* ⟨*non com*⟩ (*salamoia*) pickle, brine.
muriạtico: ⟨*Chim*⟩ *acido* ~ (*acido cloridrico*) muriatic acid. – **muriạto** *m.* ⟨*ant*⟩ (*cloruro*) muriate, chloride.
murịccia *f.* (*pl.* **-ce**) ⟨*ant*⟩ 1. (*muretto a secco*) dry (*o* loose-laid) wall. – 2. (*muretto in rovina*) broken-down wall. – **muricciọlo** (*dim. di muro*) *m.* low wall.
mụrice *m.* ⟨*Zool*⟩ murex (*Murex*).
murịcolo *a.* ⟨*Bot*⟩ wall-, growing on walls.
mụridi *m.pl.* ⟨*Zool*⟩ murids *pl* (*Muridae*).
muriẹlla *f.* ⟨*tosc*⟩ (*piastrella*) disk, flat stone.
murịno *a.* ⟨*non com*⟩ murine.
mụrmure *m.* ⟨*poet*⟩ (*mormorio*) murmur. □ ⟨*Med*⟩ ~ *vescicolare* vesicular (*o* respiratory) murmur.
mụro *m.* (*pl. i* **mụri**, *le* **mụra**; the plural in *-a* is used only in a collective sense) 1. wall. – 2. *pl.* (*complesso di opere murarie*) walls *pl*; (*mura di cinta*) boundary (*o* enclosure) walls *pl*. – 3. ⟨*fig*⟩ (*barriera*) barrier, wall. – 4. ⟨*Equit*⟩ wall. – 5. ⟨*Sport*⟩ (*nello sci*) steep descent; (*nei giochi a palla*) wall.
□ **a** ~ wall-: *armadio a* ~ wall-cupboard, built-in cupboard; ⟨*non com*⟩ *stare a* ~ *a* ~ *con qd.* to be next-door neighbours, to live next door to s.o.; ~ *del* **calore** heat barrier; ⟨*Archeol*⟩ *-a* **ciclopiche** cyclopean walls; ~ *di* **cinta** boundary (*o* enclosure) wall; ~ *di* **confine** party (*o* boundary) wall; ~ *di* **contrafforte** buttressed wall; ~ **divisorio** partition (wall); *chiudersi fra le -a* **domestiche** to shut o.s. up at home; ⟨*Mar*⟩ ~ **frangiflutti** breakwater; **fuori** *le -a* outside the walls; ~ *delle* **lamentazioni** = *muro del* **pianto**; ~ **maestro** main wall; ~ *di* **mattoni** brick wall; **mettere** *al* ~ (*fucilare*) to shoot; *è come* **parlare** *al* ~ it's like talking to a brick wall; ~ **perimetrale** outside main wall; ~ *del* **pianto** (*a Gerusalemme*) Wailing Wall; ~ *in* **pietra** stone wall; ~ **portante** (*o principale*) (load) bearing wall; ~ **protettore** ramped (*o* defensive) wall, rampart; ⟨*fig*⟩ **puntare** *i piedi al* ~ to dig one's heels in; *chiudersi fra* **quattro** *-a* to shut o.s. up; ~ *di* **recinzione** = *muro di* **cinta**; ~ *di* **rivestimento** pro-

tection wall; ~ *a* **secco** dry (*o* loose-laid) wall; ~ *di* **sostegno** retaining (*o* breast) wall; ~ *del* **suono** sound-barrier: *superare il* ~ *del suono* to break the sound-barrier; ~ **tagliafuoco** (anti)fire wall, fire-division wall. – *Prov.*: *i -i parlano* (o *hanno orecchi*) walls have ears.

mursụra *f.* ⟨*non com*⟩ → **morsura.**

mus. = **1.** *musica* music (*abbr.* mus.). – **2.** *musicale* musical (*abbr.* mus.).

Mụsa *N.pr.f.* ⟨*Mitol*⟩ Muse. – **musa** *f.* **1.** (*persona ispiratrice*) muse, inspiration. – **2.** (*ispirazione poetica*) muse, inspiration, poetical genius; (*poesia*) poetry; (*poeta*) poet. □ ⟨*scherz*⟩ *la decima* ~ (*il cinema*) the cinema.

musacchịno *m.* ⟨*Mil.ant*⟩ pauldron, shoulder-piece (in the shape of an animal's snout).

musagẹte (o *musạgete*) **I** *a.* ⟨*Mitol*⟩ Muse-leading. – **II** *s.m.* Musagetes.

musaicịsta *m./f.* ⟨*non com*⟩ → **mosaicista.** – **musạico** *a./s.* (*pl.* **-ci**) **I** *a.* ⟨*ant*⟩ (*delle muse*) of the Muses, poetic. – **II** *s.m.* ⟨*non com*⟩ (*mosaico*) mosaic.

musạnga *f.* ⟨*Zool*⟩ common Indian palm civet, toddy cat (*Paradoxurus hermaphroditus*).

musarạgno *m.* ⟨*Zool*⟩ shrew (mouse) (*Sorex*).

musạre *v.i.* (*aus.* **avere**) ⟨*ant*⟩ **1.** (*oziare*) to idle, to stand around, to loaf. – **2.** (*stare a guardare*) to gaze, to stand and stare. – **3.** (*rif. ad animali*: *stare col muso levato*) to hold one's snout up.

musarọla *f.* ⟨*non com*⟩ → **museruola.**

musạta *f.* **1.** (*colpo dato col muso*) blow (with the snout). – **2.** (*colpo ricevuto sul muso*) bump on the nose. – **3.** ⟨*non com*⟩ grimace, (wry) face.

muscarịna *f.* ⟨*Chim*⟩ muscarine. – **muscarịnico** *a.* (*pl.* **-ci**) muscarinic. – **muscarinịsmo** *m.* ⟨*Med*⟩ muscarinism.

muscẹllo *m.* ⟨*Mar*⟩ sennit.

muschiạto *a.* **1.** musky. – **2.** (*che odora di muschio*) musky, musk -scented. – **3.** ⟨*Zool*⟩ musk-: *topo* ~ musk-rat.

muschiẹre *m.* ⟨*Stor*⟩ (*profumiere*) perfumer; (*fabbricatore di cosmetici*) cosmetician.

mụschio[1] *m.* musk.

mụschio[2] *m.* ⟨*pop*⟩ → **musco.** – **muschiọso** *a.* ⟨*pop*⟩ → **muscoso.**

muscịcapa *f.* ⟨*Ornit*⟩ fly-catcher (*Muscicapa*). – **muscicạpidi** *m.pl.* (true) fly-catchers *pl* (*Muscicapidae*).

muscịcapo *a.* ⟨*Biol*⟩ fly-catching. – **muscịpulo** *a.* ⟨*Bot*⟩ fly-trapping, insect-catching. – **muscịvoro** *a.* ⟨*Biol*⟩ fly-eating, insectivorous.

mụsco *m.* (*pl.* **-chi**) ⟨*Bot*⟩ moss. □ ~ *d'Islanda* Iceland moss (*o* lichen) (*Cetraria islandica*); ~ *della torba* bog moss (*Sphagnum*).

muscolạre *a.* muscular, muscle-: *tessuto* ~ muscular tissue. – **muscolatụra** *f.* **1.** musculature, muscular system. – **2.** (*muscoli*) muscles *pl*, musculature. – **muscoleggiạre** *v.* (**muscolẹggio, muscolẹggi**) ⟨*non com*⟩ **I** *v.i.* (*aus.* **avere**) to depict muscles. – **II** *v.t.* to depict the muscles of. – **muscolẹtto, muscolịno** *m. dim. di* **muscolo.**

mụscolo *m.* **1.** ⟨*Anat*⟩ muscle. – **2.** *pl.* ⟨*fig*⟩ (*forza fisica*) muscle, brawn. – **3.** ⟨*Macell*⟩ lean meat. – **4.** ⟨*Zool*⟩ mussel (*Mytilus*).

□ ~ **bicipite** biceps; ~ **brachioradiale** brachioradialis; ~ **contrattile** contractile muscle; ~ **deltoide** deltoid muscle; ~ **elevatore** levator; ~ **frontale** frontalis; *-i* **lisci** unstriated (*o* plain) muscles; ~ **masseterino** masseter; *-i* **masticatori** masticatory muscles; ~ **nasale** nasalis; ~ **orbicolare** *dell'occhio* orbicularis; ~ **otturatore** obturator; *-i* **papillari** papillary muscles; ~ **peroneo** peroneal muscle; ~ *gran* **pettorale** pectoralis major; ~ **sartorio** sartorius; *-i* **striati** skeletal (*o* striated) muscles; ~ **temporale** temporalis; ~ **tibiale** tibialis; ~ **trapezio** trapezius; ~ **tricipite** triceps.

muscolosità *f.* **1.** muscularity. – **2.** (*rif. a persona*) muscularity, brawniness. – **muscolọso** *a.* **1.** muscular: *braccia -e* muscular arms. – **2.** (*rif. a persona*) muscular, brawny, sinewy.

muscọso *a.* mossy, moss-grown.

muscovịte *f.* ⟨*Min*⟩ muscovite, common (*o* potash) mica.

musdẹca *f.* ⟨*roman*⟩ → **motella.**

museạle *a.* (*di museo*) museum-, of museums.

musẹllo *m.* ⟨*Zool*⟩ part of the muzzle between nose and mouth.

musẹo *m.* museum.

□ ~ *d'arte* art gallery, museum of art; ~ *delle* **cere** waxworks; ⟨*scherz*⟩ **da** ~ old-fashioned, out-of-date, antiquated, antediluvian; ⟨*scherz*⟩ *pezzo da* ~ museum piece; ~ **etnografico** ethnographic museum; ~ **industriale** industrial museum; ~ **militare** military museum; ~ **scientifico** science museum; ~ **storico** history museum.

musẹo|grafịa *f.* museography, museology. – **~grạfico** *a.* (*pl.* **-ci**) museological. – **~logịa** *f.* → **museografia.**

muserọla *f.* ⟨*fam*⟩ → **museruola.** – **muserolạto** *a.* ⟨*Arald*⟩ muzzled.

museruọla *f.* **1.** muzzle: *mettere la* ~ *al cane* to muzzle (*o* put a muzzle on) the dog. – **2.** (*parte delle briglie*) noseband. □ ⟨*fig*⟩ *mettere la* ~ *a qd.* to muzzle (*o* silence) s.o.

musẹtta *f.* **1.** (*sacca*) nosebag. – **2.** ⟨*Mus*⟩ musette. – **musette** *fr.* [myˈzɛt] *f.* ⟨*Mus*⟩ **1.** (*strumento*) musette, French bagpipe. – **2.** (*componimento*) musette.

musẹtto *m.* ⟨*vezz*⟩ *dim. di* **muso.**

mụsica *f.* **1.** (*arte*) music. – **2.** (*componimento musicale*) (piece of) music: *una* ~ *lenta* slow music; (*motivo*) tune. – **3.** ⟨*fig*⟩ music, melody. – **4.** ⟨*iron*⟩ din, racket. – **5.** (*note*) music: *non sa sonare senza la* ~ he can't play without the music; (*foglio*) (sheet of) music. – **6.** (*sonatori, banda*) band, orchestra, musicians *pl.*

□ ~ *per* **archi** music for strings; ~ *da* **ballo** dance (*o* ballroom) music; ⟨*scherz*⟩ **cambiare** ~ to change one's tune; ~ *da* **camera** chamber music; ~ ⌜*da* **chiesa**⌝ (o *chiesastica*) = *musica* **sacra**; ~ **classica** classical music; ~ **concreta** musique concrete; ⟨*scherz*⟩ *devo* **dirtelo** *in* ~ ? do you want me to spell it out for you?; ~ **dodecafonica** dodecaphonic (*o* twelve-tone) music; ~ **elettronica** electronic music; **fare** *della* ~ to play music; ~ *da* **film** film music (*o* score); ⟨*scherz*⟩ *quando* **finirà** *questa* ~ ? how long is this going to go on for?; ⟨*Cin*⟩ ~ *di* **fondo** background music; **in** ~ (set) to music; ~ **leggera** light (*o* pop) music; *un* **maestro** *di* ~ a music master; **mettere** *qc. in* ~ to set s.th. to music; ~ **orchestrale** orchestral music; ~ *per* **organo** organ music; ~ **pastorale** pastoral music; ~ *per* **pianoforte** piano music; ~ **popolare** folk music; ~ **programmatica** (o *a programma*) programme (*o* programmatic) music; ~ **sacra** church (*o* sacred) music; ⟨*Teat*⟩ ~ *di* **scena** incidental music; ~ **sinfonica** symphonic music; ⟨*iron*⟩ *la* **solita** (o *stessa*) ~ the same old story; ~ **strumentale** instrumental music; ~ **teatrale** = *musica di* **scena**; ~ **vocale** vocal music.

musịcabile *a.* that can be set to music. – **musicabilità** *f.* suitableness for setting to music.

musịcale *a.* **1.** musical, music-, of music: *strumenti -i* musical instruments; *arte* ~ art of music; *scuola* ~ music school. – **2.** (*che ha inclinazione per la musica*) musical. – **3.** ⟨*estens*⟩ (*armonioso*) musical, harmonious, sweet-sounding; (*melodioso*) melodious, tuneful. – **4.** ⟨*Ling*⟩ musical, pitch-: *accento* ~ musical (*o* pitch) accent, intonation. □ *commedia* ~ musical (comedy).

musịcalità *f.* **1.** musicality, musicalness. – **2.** (*armoniosità*) harmony, tunefulness, melodiousness. – **musịcalmẹnte** *avv.* musically.

musịcante **I** *s.m./f.* **1.** (*componente di una banda*) bandsman, player. – **2.** ⟨*fam,spreg*⟩ second-rate musician. – **3.** ⟨*non com*⟩ (*musicista*) musician. – **II** *a.* musician-, playing. – **musịcạre** *v.* (**mụsico, mụsichi**) **I** *v.t.* to set to music. – **II** *v.i.* (*aus.* **avere**) ⟨*ant*⟩ (*fare della musica*) to make music.

music-hall *ingl.* [ˈmju:zikˌhɔl] *m.* **1.** (*spettacolo*) music-hall (show), variety show, ⟨*am*⟩ vaudeville. – **2.** (*teatro*) music-hall, variety theatre, ⟨*am*⟩ vaudeville theater.

musịchẹtta (*dim. di musica*) *f.* **1.** (*esecuzione breve*) short (*o* light) piece, (musical) trifle. – **2.** (*piccola banda*) small band. – **musịchiẹre** *m.* ⟨*ant*⟩ (*musicista*) musician. – **musịchịna** *f. dim. di* **musica.**

musịcịsta *m./f.* **1.** (*compositore*) musician, composer. – **2.** (*sonatore*) musician, performer, player. – **mụsịco** *a./s.* (*pl.* **-ci**) **I** *a.* ⟨*lett*⟩ musical. – **II** *s.m.* (*f.* **-a**) ⟨*ant*⟩ musician. – **musịcọgrafo** *m.* musicographer. – **musịcologịa** *f.* musicology. – **musịcolọgico** *a.* (*pl.* **-ci**) musicological. – **musịcọlogo** *m.* (*pl.* **-gi**/*pop.* **-ghi**; *f.* **-a**) musicologist. – **musịcọmane** *m./f.* fanatical (*o* great) music-lover. – **musịcomanịa** *f.* **1.** ⟨*Med*⟩ musicomania. – **2.** ⟨*scherz*⟩ passion for music. – **musịcoterapịa** *f.* ⟨*Med*⟩ musicotherapy.

musịno *m.* ⟨*Itt*⟩ (*anche cefalo musino*) → **musoguzzo.**

musịvo *a.* mosaic-: *lavoro* ~ mosaic work.

mụso *m.* **1.** muzzle, snout, nose. – **2.** ⟨*fam,spreg*⟩ (*faccia*) (ugly) face, ⟨*volg*⟩ (ugly) mug: *rompere il* ~ *a qd.* to smash s.o.'s face in. – **3.** (*broncio*) pout, sulky (*o* long) face. – **4.** ⟨*Aut*⟩ nose, front. – **5.** ⟨*Aer*⟩ (*musone*) nose. – **6.** (*ogiva dell'elica*) spinner. – **7.** ⟨*Mar*⟩ (*forcola*) rowlock.

□ **allungare** *il* ~: 1. = **fare** *il muso*; 2. (*dimagrire*) to get thin, to lose weight; **avere** *il* ~ = **fare** *il muso*; ⟨*fam*⟩ **brutto** ~ (*rif. a faccia*) ugly face (*o* mug); (*rif. a persona*) nasty customer; **dire** *qc. sul* ~ *a qd.* to say s.th. to s.o.'s face; ⟨*Itt*⟩ ~ **duro** gurnard; *a* ~ *duro* resolutely; **fare** *il* ~ to sulk (*o* pout), to pull a long face; ⟨*Itt*⟩ ~ **lungo** kind of wrasse (*Coricus rostratus*); **mettere** *il* ~ = **fare** *il muso*; **ridere** *sul* ~ *a qd.* to laugh in s.o.'s face; **tenere** *il* ~ *a qd.* to be cross (*o* sulky) with s.o., ⟨*fam*⟩ to be in a huff with s.o.; **torcere** *il* ~ to pull a wry face.

musofạgidi *m.pl.* ⟨*Ornit*⟩ touracos *pl* (*Musophagidae*).

musọgụzzo *m.* ⟨*Itt*⟩ leaping grey mullet (*Mugil saliens*).

musọliẹra *f.* ⟨*ant*⟩ → **museruola.**

musọne (*accr. di muso*) **I** *s.m.* **1.** (*f.* **-a**) sulky (*o* surly) person, sulker. – **2.** ⟨*Aer*⟩ nose. – **II** *a.* sulky, sullen, surly, pouting, long faced. – **musọnerịa** *f.* sulkiness, surliness, sullenness.

musọrno *a.* ⟨*ant*⟩ (*istupidito*) stupefied, stunned.

mussạre **I** *v.i.* (*aus.* **avere**) to froth, to foam; (*rif. a vino*) to sparkle. – **II** *v.t.* ⟨*giorn*⟩ to emphasize, to stress, to give prominence to: ~ *una notizia* to give prominence to a piece of news. □ ⟨*fig,non com*⟩ *far* ~ *qc.* (*metterla in valore*) to make the most of s.th., to bring s.th. out.

mussitạre *v.i.* (**mụssito**; *aus.* **avere**) ⟨*ant*⟩ (*parlare a bassa voce*) to mutter, to talk softly. – **mussitaziọne** *f.* ⟨*Med*⟩ mussitation.

mụssola *f.* ⟨*Tess*⟩ (*di cotone*) muslin: *camicia di* ~ muslin shirt; (*mussola francese*) mousseline.

mussolạra, mussoliẹra *f.* ⟨*Pesc*⟩ mussel-net.

mussolịna *f.* → **mussola.**

mussoliniạno *a.* Mussolini's, of Mussolini.

mussolịno *m.* ⟨*ant,region*⟩ → **mussola.**

mụssolo[1] *m.* ⟨*ant,region*⟩ → **mussola.**

mụssolo[2] *m.* ⟨*ven*⟩ (*mitilo*) mussel.

mussulmạno *a./s.* → **musulmano.**

mustacchịno *m.* ⟨*Ornit*⟩ (*basettino*) bearded tit (*o* titmouse), reedling (*Panurus biarmicus*).

mustạcchio *m.* **1.** moustache, (long) whiskers *pl.* – **2.** ⟨*Mar*⟩ (*sartia dell'albero di bompresso*) bowsprit shroud. – **mustạccio** *m.* ⟨*ant*⟩ → **mustacchio.**

mustelidi *m.pl.* weasel family, mustelids *pl* (*Mustelidae*).
musteriano *a./s.* → **mousteriano.**
mustio *m.* ⟨*pop,tosc*⟩ **1.** → **muschio**[1]. – **2.** → **musco.**
musulmano I *a.* Muslim, Moslem, Mohammedan, Mahometan. – **II** *s.m.* (*f.* **-a**) Muslim, Moslem, Mohammedan, Mahometan.
mut. = ⟨*Biol*⟩ *mutazione* mutation.
muta[1] *f.* **1.** change. – **2.** (*travasatura*) decantation, pouring off. – **3.** ⟨*Zool*⟩ (*muda*) moult(ing); (*rif. alla pelle*) shedding, casting off; (*rif. a serpenti*) sloughing. – **4.** ⟨*Mil*⟩ relief, changing of the guard; (*sentinella*) guard. – **5.** (*serie*) set, suit: *una ~ di corde* a set of ropes. – **6.** (*rif. a cavalli*) team. – **7.** (*rif. a cani*) pack. – **8.** ⟨*Metr,ant*⟩ tercet. ☐ ⟨*ant*⟩ *a ~ a ~* (*a turno*) in turn(s), turn and turn about; ⟨*ant*⟩ *~ dei cavalli* relay of horses; *darsi la ~* to relieve (*o* take over from) s.o.; *~ della voce* breaking of a boy's voice.
muta[2] *f.* ⟨*Mediev*⟩ **1.** (*dazio*) tax, duty, toll, levy. – **2.** (*luogo di dogana*) customs post, custom-house.
muta[3] *f.* dumb woman, mute.
muta[4] *f.* ⟨*Fon*⟩ **1.** mute. – **2.** (*esplosiva*) (ex)plosive, mute.
mutabile I *a.* **1.** changeable, subject to alteration, mutable. – **2.** ⟨*fig*⟩ (*incostante*) changeable, mutable, inconstant, fickle. – **II** *s.f.* ⟨*Statist*⟩ variable. – **mutabilità** *f.* **1.** changeableness, alterability, mutability. – **2.** ⟨*fig*⟩ (*incostanza*) changeability, mutability, inconstancy, fickleness. – **3.** ⟨*Statist*⟩ variability. – **4.** ⟨*Biol*⟩ mutability. – **mutabilmente** *avv.* changeably, mutably, variably.
mutacismo *m.* ⟨*Psic*⟩ mytacism. – **mutacista** *m./f.* sufferer from mytacism.
mutagenico *a.* (*pl.* **-ci**) → **mutageno.** – **mutageno** *a.* ⟨*Biol*⟩ mutagenic.
mutagione *f.* ⟨*ant*⟩ → **mutazione.**
mutamente *avv.* dumbly, mutely, silently.
mutamento *m.* **1.** change, alteration, mutation; (*trasformazione*) transformation; (*variazione*) variation. – **2.** ⟨*Filos*⟩ change. ☐ ⟨*Fon*⟩ *~ condizionato* conditioned sound change; *~ fonetico* sound change; *~ di governo* change of government; ⟨*Fon*⟩ *~ spontaneo* spontaneous sound change.
mutande *f.pl.* (*da uomo*) (under)pants *pl*; (*da donna*) panties *pl.* ☐ *~ corte da donna* briefs *pl*, panties *pl*; *~ lunghe da donna* drawers *pl*, (long) knickers *pl*, bloomers *pl.* – **mutandine** (*dim. di mutande*) *f.pl.* **1.** panties *pl*, briefs *pl.* – **2.** (*per bambini*) pants *pl*, knickers *pl.* ☐ *~ da bagno* bathing trunks (*o* shorts), swimming trunks. – **mutandoni** (*accr. di mutande*) *m.pl.* long drawers *pl.*
mutante *m.* ⟨*Biol*⟩ mutant.
mutanza *f.* ⟨*ant*⟩ (*mutamento*) change.
mutare I *v.t.* **1.** to change. – **2.** (*cambiare*) to change, to alter, to modify: *~ parere* to change one's mind. – **3.** (*trasformare*) to change, to transform, to alter: *il dolore l'ha profondamente mutata* sorrow has greatly changed her. – **4.** ⟨*ant*⟩ (*trasferire*) to (re)move, to transfer. – **II** *v.i.* (*aus.* **essere**) **1.** to change, to alter. – **2.** (*trasformarsi*) to change, to be transformed. – **mutarsi** *v.r.* **1.** to change. – **2.** ⟨*ant*⟩ (*trasferirsi*) to move.
☐ *~ d'***abito** to change (one's clothes); *~* **casa** to move; *~ in* **meglio** to change for the better; *~ in* **peggio** to change for the worse; ⟨*Zool*⟩ *~* **pelle** to cast off one's skin; (*rif. a serpenti*) to slough off one's skin; ⟨*Ornit*⟩ *~ le* **penne** to moult; *~ il* **vino** (*travasarlo*) to decant wine; *il ragazzo sta mutando* **voce** the boy's voice is breaking.
mutarotazione *f.* ⟨*Chim*⟩ mutarotation.
mutatis mutandis *lat.* mutatis mutandis, allowing for the necessary changes.
mutativo *a.* ⟨*Biol*⟩ mutative. – **mutatore I** *s.m.* (*f.* **-trice**) **1.** ⟨*non com*⟩ changer. – **2.** ⟨*El*⟩ mutator. – **II** *a.* ⟨*non com*⟩ changing. – **mutatura** *f.* ⟨*rar*⟩ **1.** (*il mutare*) change, changing. – **2.** (*muta, serie*) set.
mutaziliti *m.pl.* ⟨*Rel*⟩ Mutazilites *pl.*
mutazione *f.* **1.** change, alteration, mutation; (*variazione*) variation. – **2.** ⟨*Biol,Geol,Mus*⟩ mutation.
☐ ⟨*Ling*⟩ *~* **consonantica** consonant mutation (*o* shift); ⟨*Biol*⟩ *~* **cromosomica** (chromosome) mutation; ⟨*Bot*⟩ *~* **gemmaria** bud mutation; *~* **genica** gene mutation; ⟨*Ornit*⟩ *~ delle* **penne** moult; *~ della* **voce** breaking of the voice.
mutazionismo *m.* ⟨*Biol*⟩ mutationism, theory of mutation.
mutevole *a.* changeable, mutable, variable, (ever-)changing; (*volubile*) inconstant, fickle; (*instabile*) unsettled. ☐ *essere di umore ~* to be moody. – **mutevolezza** *f.* changeability, changeableness, mutability; (*volubilità*) inconstancy, fickleness. – **mutevolmente** *avv.* changeably.
mutezza *f.* ⟨*non com*⟩ **1.** dumbness, muteness. – **2.** (*il tacere*) silence.
mutico *a.* ⟨*Bot*⟩ muticate, mutic.
mutilamento *m.* ⟨*rar*⟩ → **mutilazione.** – **mutilare** *v.t.* (**mutilo**) **1.** to mutilate, to maim, to cripple; (*troncare*) to amputate, to cut off. – **2.** ⟨*fig*⟩ to mutilate. – **mutilatamente** *avv.* brokenly. – **mutilatino** (*dim. di mutilato*) *m.* (*f.* **-a**) disabled (*o* crippled) child.
mutilato (*p.p. di mutilare*) **I** *s.m.* (*f.* **-a**) cripple, disabled (*o* handicapped) person; (*di guerra*) disabled ex-serviceman; (*del lavoro*) disabled worker. – **II** *a.* **1.** mutilated, maimed, crippled, disabled, handicapped; (*di guerra, del lavoro*) disabled. – **2.** ⟨*fig*⟩ mutilated. ☐ *~ civile* disabled (*o* handicapped) person; *~ di guerra* disabled ex-serviceman; *~ del lavoro* disabled worker.
mutilatore ⟨*non com*⟩ **I** *s.m.* (*f.* **-trice**) mutilator. – **II** *a.* mutilating. – **mutilazione** *f.* mutilation, maiming, crippling; (*asportazione chirurgica*) amputation. ☐ ⟨*Dir*⟩ *~ volontaria* self-mutilation.
mutillidi *m.pl.* ⟨*Entom*⟩ mutillids *pl* (*Mutillidae*).
mutilo *a.* ⟨*lett*⟩ (*mutilato*) **1.** mutilated, maimed. – **2.** ⟨*fig*⟩ mutilated, incomplete.
mutismo *m.* **1.** dumbness, mutism, muteness; (*lo stare muto*) (stubborn) silence, muteness; (*l'essere taciturno*) taciturnity. – **2.** ⟨*Med*⟩ mutism, dumbness.
mutizzare *v.t.* ⟨*non com*⟩ (*rendere muto il mosto*) to stop the fermentation of.
muto I *a.* **1.** dumb, mute: *~ dalla nascita* dumb from birth. – **2.** (*senza parole*) speechless, dumb, tongue-tied, silent; (*taciturno*) silent, taciturn. – **3.** (*rif. a cose*) silent, soundless, voiceless: *film ~* silent film. – **4.** ⟨*Ling*⟩ mute(d), silent, voiceless: *vocale ~* silent vowel. – **5.** ⟨*Enol*⟩ not fermenting. – **II** *s.m.* (*f.* **-a**) mute, dumb person. – **III** *s.m.* ⟨*Cin*⟩ silent films *pl*, silent cinema, ⟨*am*⟩ silent movies *pl.*
☐ **alla** *-a* (*alla maniera dei muti*) like the dumb, without words, silently; ⟨*fig*⟩ *agire alla -a* to act secretly; ⟨*Cin*⟩ **arte** *-a* silent films; **carta** *-a* blank map; **essere** *~ su di un argomento* to keep one's lips sealed about s.th., ⟨*fam*⟩ to keep mum about s.th.; *il* **linguaggio** *dei -i* deaf-and-dumb language; *essere ~ come un* **pesce** to be a clam, to be close-mouthed; **scena** *-a* dumb show; ⟨*fig*⟩ *fare scena -a* not to answer, to say not a word.
mutolezza *f.* ⟨*rar*⟩ (*mutezza*) dumbness, muteness. – **mutolino** (*dim. di mutolo*[1]) *m.* (*f.* **-a**) ⟨*lett*⟩ dumb child.
mutolo[1] ⟨*lett*⟩ **I** *a.* (*muto*) dumb, mute; (*che tace*) silent. – **II** *s.m.* (*f.* **-a**) dumb person, mute.
mutolo[2] *m.* → **mutulo.**
mutoscopio *m.* ⟨*Cin*⟩ mutoscope.
mutria *f.* **1.** (*viso accigliato*) sullen (*o* surly) face; (*viso superbo*) haughty expression. – **2.** ⟨*non com*⟩ (*sfacciataggine*) impudence. – **mutrione** *m.* (*f.* **-a**) surly person; (*superbo*) haughty person.
mutua *f.* (*anche cassa mutua*) health (*o* sickness) insurance scheme, health insurance fund, ⟨*am*⟩ medical insurance plan. ☐ ⟨*fam*⟩ *mettersi in* (*o sotto*) *~* to go sick, to claim health insurance benefits; *pagare la ~* to pay one's health insurance contribution; ⟨*fam*⟩ ⌜*stare sotto*⌝ (*o essere in*) *~* to be receiving assistance from one's health insurance scheme, to collect medical benefits.
mutuale *a.* ⟨*non com*⟩ (*mutuo*) mutual. – **mutualismo** *m.* **1.** ⟨*Biol*⟩ mutualism. – **2.** ⟨*non com*⟩ (*mutualità*) mutualism, mutual aid (*o* assistance). – **mutualista** *m./f.* panel doctor, doctor having an arrangement with a health insurance scheme. – **mutualistico** *a.* (*pl.* **-ci**) mutual (*anche Biol.*): *assistenza -a* mutual assistance. – **mutualità** *f.* **1.** mutual aid (*o* assistance). – **2.** ⟨*Pol,Econ*⟩ mutuality. – **mutuamente** *avv.* mutually.
mutuante (*p.pr. di mutuare*) **I** *a.* lending, loan-. – **II** *s.m./f.* (money) lender. – **mutuare** *v.t.* (**mutuo**) **1.** (*prendere in prestito*) to borrow. – **2.** ⟨*non com*⟩ (*dare in prestito*) to lend, to loan. – **3.** ⟨*fig,lett*⟩ to borrow from, to plagiarize. – **mutuatario** *m.* (*f.* **-a**) borrower, mutuary.
mutuato (*p.p. di mutuare*) **I** *a.* **1.** borrowed. – **2.** ⟨*fig,lett*⟩ borrowed, plagiarized. – **II** *s.m.* (*f.* **-a**) insured person, member of a sickness insurance scheme.
mutuazione *f.* ⟨*lett*⟩ (mutual) exchange.
mutulo *m.* ⟨*Arch*⟩ mutule.
mutuo[1] *a.* mutual, reciprocal: *~ soccorso* mutual aid; *assicurazione -a* mutual insurance. ☐ *società di ~ soccorso* (mutual) benefit society, mutual aid association, friendly society.
mutuo[2] *m.* ⟨*Econ,Dir*⟩ loan.
☐ *~* **bancario** bank loan; **contrarre** *un ~* to obtain (*o* get) a loan, to borrow money; (*rif. a mutuo ipotecario*) to take out a mortgage; **dare** *a ~* to loan, to lend; *~* **fruttifero** interest-bearing loan, loan at interest; *~* **garantito** secured loan, loan on security; *~* **ipotecario** mortgage (loan); *~* **usurario** usurious loan.
muzik *russ.* [-ʒ-] *m.* → **mugic.**
Mv = ⟨*Chim*⟩ *mendelevio* mendelevium.
M.V. = **1.** *Maria Vergine* Virgin Mary (*abbr.* V.M.). – **2.** *magnificenza vostra* Your Magnificence.
M/V. = *motoveliero* motor-sailer.
M.V.S.N. = ⟨*Fasc*⟩ *Milizia volontaria per la sicurezza nazionale.*

N

n, N ['ɛnne] *f./m.* (*lettera dell'alfabeto*) n, N: *due* ~ two n's; *doppia* ~ double n; *una* ~ *maiuscola* a capital N; *una* ~ *minuscola* a small n; ⟨*Tel*⟩ ~ *come Napoli* N for Nellie, ⟨*am*⟩ N for Nan.

N = ⟨*Chim*⟩ *azoto* nitrogen.

n. = **1.** *nato* born (*abbr.* b.). – **2.** ⟨*Gramm*⟩ *neutro* neuter (*abbr.* n, neut.).

N. = *Nord* north (*abbr.* N., n.).

N° = *numero* number (*abbr.* No., no.).

Na = ⟨*Chim*⟩ *sodio* sodium.

nabạb *m.* ⟨*non com*⟩ (*nababbo*) nabob. – **nabạbbo** *m.* **1.** ⟨*Stor*⟩ nabob. – **2.** ⟨*scherz*⟩ (*persona molto ricca*) king, prince, nabob: *vivere come un* ~ to live like a king, to live in (the lap of) luxury.

nabissamẹnto *m.* ⟨*ant*⟩ (*inabissamento*) sinking, plunging, engulfing. – **nabissạre** ⟨*ant*⟩ **I** *v.t.* (*inabissare*) to plunge, to sink, to engulf. – **II** *v.i.* (*aus.* **avere**) (*imperversare*) to rage, to storm.

nabla *m.* ⟨*Mat*⟩ nabla.

Nabucodọnosor (o *Nabucodonọsor*) *N.pr.m.* ⟨*Stor*⟩ Nebuchadnezzar.

nạca *f.* ⟨*region*⟩ **1.** (*culla*) hanging cot (*o* cradle). – **2.** ⟨*Pesc*⟩ drag-net.

naccaiẹllo *m.* ⟨*Itt*⟩ (*scombro*) mackerel (*Scomber scomber*).

nạcchera *f.* **1.** castanet. – **2.** ⟨*Stor*⟩ kettledrum. – **3.** ⟨*ant*⟩ (*madreperla*) mother-of-pearl, nacre.

naccherẹtta, naccherịna *f. dim. di* **nacchera**. – **naccherịno** (*dim. di nacchera*) *m.* ⟨*ant*⟩ **1.** → **nacchera**. – **2.** (*sonatore*) castanet-player. – **naccherọna** *f. accr. di* **nacchera**.

nạchero ⟨*pop,tosc*⟩ **I** *a.* (*basso e sciancato*) stunted, dwarfish. – **II** *s.m.* bent twisted person.

nacqui *p.rem. di* **nascere**[1].

nacrịte *f.* ⟨*Min*⟩ nacrite.

nadịr *m.* ⟨*Astr*⟩ nadir. – **nadirạle** *a.* nadiral.

nadorịte *f.* ⟨*Min*⟩ nadorite.

nạfta *f.* **1.** naphtha; (*per motori Diesel*) Diesel oil; (*per riscaldamento*) fuel oil. – **2.** (*petrolio greggio*) crude oil.

naftacẹne *m.* ⟨*Chim*⟩ naphthacene.

naftạlico: ⟨*Chim*⟩ *acido* ~ naphthalic acid. – **naftalịna** *f.* naphthalene. ☐ *mettere sotto* ~ to put into moth-balls; ⟨*fig,scherz*⟩ *tenere sotto* ~ to keep under lock and key, to guard jealously. – **naftalịnico**: *acido* ~ lawsone.

naftẹne *m.* ⟨*Chim*⟩ naphthene. – **naftẹnico**: *acido* ~ naphthenic acid.

naftịle *m.* ⟨*Chim*⟩ naphthyl. – **naftilẹne** *m.* naphthylene. – **naftochinọne** *m.* naphthoquinone, naphthaquinone. – **naftọlo** *m.* naphthol.

naftomanịa *f.* ⟨*Med*⟩ addiction to drinking petroleum.

nagạica *f.* (*staffile*) nagaika.

nagạna *f.* ⟨*Veter*⟩ nagana.

nạia[1] *f.* ⟨*Zool*⟩ cobra (*Naja naja*).

nạia[2] *f.* ⟨*mil*⟩ (*servizio militare*) National Service, (military) service, call-up, ⟨*am*⟩ draft: *essere sotto la* ~ to be doing one's National Service; (*vita militare*) army (*o* military) life.

naiadạcee *f.pl.* ⟨*Bot*⟩ naiads *pl* (*Naiadaceae*).

nạiade *f.* ⟨*Mitol*⟩ naiad, water-nymph.

nạibi *m.pl.* ⟨*ant*⟩ (*carte da gioco*) playing cards *pl*; (*carte da gioco per fanciulli*) children's playing cards *pl*.

nạide *f.* ⟨*rar*⟩ → **naiade**.

nạilon *m.* nylon: *di* ~ nylon-, made of nylon.

namạz [-z] *m.* ⟨*Rel*⟩ namaz.

namuriạno I *a.* ⟨*Geol*⟩ Namurian. – **II** *s.m.* Namurian (Age).

nạna *f.* **1.** (female) dwarf. – **2.** ⟨*pop,tosc*⟩ (*anatra domestica*) duck.

nanchịna *f.*, **nanchịno** *m.* ⟨*Tess*⟩ nankeen.

Nanchịno *N.pr.f.* ⟨*Geog*⟩ Nanking. ☐ *di* ~ Nanking-.

nandù *m.* ⟨*Ornit*⟩ **1.** rhea, nandu (*Rhea americana*). – **2.** *pl.* rheas *pl* (*Rheiformes*).

nanerẹllo, nanerọttolo, nanẹtto *m.* (*f.* **-a**) *dim. di* **nano**.

nạnfa: *acqua* ~ orange-flower water.

nanịsmo *m.* **1.** ⟨*Med*⟩ nanism, dwarfishness. – **2.** ⟨*Veter,Bot*⟩ nanism: ~ *renale* renal nanism. – **nanịstico** *a.* (*pl.* **-ci**) dwarfish.

nạnna *f.* ⟨*infant*⟩ **1.** (*il dormire*) sleep, ⟨*infant*⟩ bye-byes *pl*, ⟨*infant*⟩ beddie-byes *pl*. – **2.** (*ninna nanna*) lullaby. ☐ *andare a* ~ to go to bye-byes, to go beddie-byes; *fare la* ~ to sleep; *mettere a* ~ to put to bed.

nạnnoli: *ninnoli e* ~ trifles *pl*: *perdere il tempo fra ninnoli e* ~ to waste time on trifles.

nannoplạncton *m.* ⟨*Biol*⟩ nannoplankton.

nannụfaro, nannụfero *m.* → **nenufero**.

nạno I *a.* **1.** dwarf-, dwarfish: *arbusto* ~ dwarf shrub. – **2.** ⟨*estens*⟩ (*di piccole dimensioni*) tiny, miniature, dwarf(ish). – **II** *s.m.* (*f.* **-a**) **1.** (*nelle favole*) dwarf. – **2.** ⟨*estens*⟩ (*persona di piccola statura*) dwarf, short person, ⟨*fam*⟩ shortie, ⟨*spreg*⟩ shrimp, ⟨*spreg*⟩ runt.

nanosomịa *f.* → **nanismo**.

nạnte, nạnti *avv.* ⟨*ant*⟩ (*innanzi*) before.

nanụfero *m.* → **nenufero**.

nạnzi *avv.* → **nante**.

nạos *m.* ⟨*Archeol*⟩ **1.** (*tempio*) naos, temple. – **2.** (*parte più interna del tempio*) naos, cella.

nạpalm (o *napạlm*) *m.* ⟨*Chim*⟩ napalm: *bomba al* ~ napalm bomb.

napẹa *f.* ⟨*Mitol*⟩ woodland nymph, napaea.

napẹllo *m.* ⟨*Bot*⟩ monkshood, aconite (*Aconitum napellus*).

napifọrme *a.* ⟨*Bot*⟩ napiform.

nạpo *m.* ⟨*ant*⟩ (*rapa*) turnip; (*navone*) cole-seed, rape.

napoleọne *m.* **1.** ⟨*Numism*⟩ napoleon: ~ *d'oro* gold napoleon. – **2.** (*bicchiere*) kind of brandy glass.

Napoleọne *N.pr.m.* ⟨*Stor*⟩ Napoleon. – **napoleọnico** *a.* (*pl.* **-ci**) **1.** Napoleonic, of Napoleon, Napoleon's. – **2.** (*degno di Napoleone*) Napoleonic. – **3.** ⟨*Art*⟩ Empire-. – **napoleọnide** *m./f.* ⟨*lett*⟩ member of Napoleon's family.

napoleonịte *f.* ⟨*Min,ant*⟩ orthoclase.

napoletạna *f.* **1.** Neapolitan (woman). – **2.** (*anche macchinetta napoletana*) Neapolitan coffee-pot. – **3.** (*nel gioco del tressette*) trick.

napoletanịsmo *m.* ⟨*Ling*⟩ Neapolitan expression.

napoletạno I *a.* Neapolitan, of (*o* from) Naples, Naples-. – **II** *s.m.* **1.** (*dialetto*) Neapolitan (dialect). – **2.** (*abitante*; *f.* **-a**) Neapolitan, native (*o* inhabitant) of Naples. – **3.** ⟨*Dolc*⟩ (square) chocolate. – **4.** *pl.* ⟨*Alim*⟩ (*vermicelli*) vermicelli *pl*. – **Napoletano** *N.pr.m.* (*territorio*) territory around Naples, Naples area (*o* region). ☐ *alla -a* Neapolitan (style).

Nạpoli *N.pr.f.* ⟨*Geog*⟩ Naples. – **napolitạno** *a./s.* ⟨*non com*⟩ → **napoletano**.

nạppa *f.* **1.** tassel. – **2.** (*grosso nastro di seta*) broad silk ribbon. – **3.** ⟨*Conc*⟩ soft leather. – **4.** ⟨*pop*⟩ (*grosso naso*) big nose, ⟨*fam*⟩ beak; (*persona dal naso grosso*) (person with a) big nose. ☐ ~ *acquea* water bed, ground water; ⟨*Bot*⟩ ~ *di cardinale* cockscomb (*Celosia cristata*); ⟨*Zool*⟩ ~ *della coda* tuft on the end of the tail, floccus.

nappẹtta *f. dim. di* **nappa**. – **nappịna** (*dim. di nappa*) *f.* ⟨*Mil*⟩ felt-covered ornament (on soldiers' hats).

nạppo *m.* **1.** ⟨*tosc*⟩ (*recipiente per attingere olio*) tin jug (for drawing oil). – **2.** ⟨*ant*⟩ (*scodella per l'olio*) bowl (for the separation of oil). – **3.** ⟨*ant*⟩ (*tazza, bicchiere*) cup, goblet, drinking vessel; (*vaso prezioso*) precious vessel, cup.

nạppola *f.* ⟨*tosc*⟩ **1.** ⟨*Bot*⟩ cocklebur(r) (*Xanthium*). – **2.** ⟨*Bot*⟩ burdock (*Arctium lappa*). – **3.** ⟨*Bot*⟩ bur-parsley, bastard-parsley (*Caucalis daucoides*). – **4.** (*cascame di lana*) burr. – **5.** ⟨*fam*⟩ (*persona noiosa*) bore, nuisance, ⟨*fam*⟩ pest.

narạncio *m.* ⟨*ant*⟩ (*arancio*) orange.

narbonẹse I *a.* of (*o* from) Narbonne, Narbonne-. – **II** *s.m./f.* (*abitante*) inhabitant of Narbonne.

narcisạta *f.* **1.** (*componimento giocoso bolognese*) jesting Bolognese verse. – **2.** ⟨*lomb*⟩ (*scampagnata*) trip (*o* outing) into the country.

narcisịsmo *m.* ⟨*Psic*⟩ narcissism. – **narcisịsta** *m./f.* narcissist. – **narcisịstico** *a.* (*pl.* **-ci**) narcissistic.

narcịso *m.* ⟨*Bot*⟩ **1.** narcissus (*Narcissus*). – **2.** polyanthus (narcissus) (*Narcissus tazeta*). – **3.** (*fiore*) narcissus. ☐ ~ *belladonna* belladonna lily (*Amaryllis belladonna*); ~ *marino* sea-daffodil (*Pancratium maritimum*; *Pancratium illyricum*); ~ *poetico* poet's narcissus (*o* daffodil), pheasant's-eye (*Narcissus poeticus*).

Narcịso *N.pr.m.* Narcissus. – **narciso** *m.* ⟨*fig*⟩ vain person, person in love with himself, Narcissus. – **narcissịsmo** *m.* ⟨*non com*⟩ → **narcisismo**.

narcịsso *m.* ⟨*rar*⟩ → **narciso**.

Narcịsso *N.pr.m.* ⟨*ant*⟩ → **Narciso**.

narco... *pref.* **1.** (*sonno* sleep) narc(o)... – **2.** (*narcosi* narcosis) narc(o)...

narco|analịsi *f.* ⟨*Med*⟩ narcoanalysis. – **~analịtico** *a.* (*pl.* **-ci**) narcoanalitic. – **~lessịa** *f.* narcolepsy. – **~manịa** *f.* narcomania.

narcọsi *f.* ⟨*Med*⟩ narcosis, general anaesthesia: ~ *basale* basal (*o* basis) narcosis.

narcoterapịa *f.* ⟨*Med*⟩ narcotherapy.

narcọtico *a./s.* (*pl.* **-ci**) **I** *a.* **1.** narcotic. – **2.** ⟨*fig,non com*⟩ (*noioso*) boring, dull, that puts one to sleep. – **3.** ⟨*ant*⟩ (*che dà sopore*) soporific, sleep-producing. – **II** *s.m.* ⟨*Farm*⟩ narcotic.

narcotịna *f.* ⟨*Chim*⟩ narcotine.

narcotịsmo *m.* ⟨*Med*⟩ narcotism.

narcotizzạnte (*p.pr. di narcotizzare*) *a.* narcotic, narcotizing. – **narcotizzạre** *v.t.* **1.** to narcotize; ⟨*estens*⟩ (*drogare*) to drug. – **2.** ⟨*fig,non com*⟩ (*addormentare*) to send to sleep, to bore. – **narcotizzaziọne** *f.* narcotization.

nạrdo *m.* ⟨*Bot*⟩ **1.** (*spigo*) French lavender (*Lavandula spica*). – **2.** (*citronella*) citronella (grass) (*Cymbopogon nardus*).

□ ~ **celtico** Celtic nard (*Valeriana celtica*); ~ **comune** (o *italiano*) French lavender (*Lavandula spica*); ~ **indiano** nard, spikenard (*Nardostachys iatamansi*); ~ **selvatico** (*asaro*) asarabacca (*Asarum europaeum*); ~ **sottile** (*cervino*) matgrass, nard (*Nardus stricta*).

nare *f.pl.* ⟨*ant*⟩ → **nari.**

narghilè *m.* nargileh, narghile.

nari *f.pl.* ⟨*lett*⟩ nostrils *pl.*

narice *f.* (usually in pl.) nostril.

narrabile *a.* that can be narrated (*o* told), tellable.

narrare I *v.t.* **1.** to tell, to narrate, to relate. – **2.** ⟨*fig,ant*⟩ (*attestare*) to attest to, to testify to, to bear witness to. – **3.** ⟨*ant*⟩ (*spiegare*) to explain, to set out. – **II** *v.i.* (*aus.* **avere**) to tell (*di* about), to tell the story (of).

narrativa *f.* **1.** ⟨*Lett*⟩ (*genere*) fiction, narrative literature; (*arte*) narrative; (*romanzi*) novels *pl*, stories *pl.* – **2.** ⟨*Dir*⟩ narrative. – **3.** ⟨*ant*⟩ (*narrazione*) narration. – **narrativo** *a.* narrative. – **narratore** *m.* (*f.* **-trice**) narrator, (story-)teller (*anche Lett.*). – **narratorio** *a.* ⟨*non com*⟩ → **narrativo.**

narrazioncella, narrazioncina *f. dim. di* **narrazione.**

narrazione *f.* **1.** (*il narrare*) narration, telling. – **2.** (*racconto*) story, tale. – **3.** ⟨*Lett*⟩ narrative. – **4.** ⟨*Ret*⟩ narration. – **5.** ⟨*ant*⟩ (*esposizione*) account, exposition; (*discorso*) speech.

Narsete *N.pr.m.* ⟨*Stor*⟩ Narses.

nartece *m.* **1.** ⟨*Arch*⟩ narthex. – **2.** ⟨*lett*⟩ (*scrigno*) casket, box. – **3.** ⟨*lett*⟩ (*canna*) cane, rod; (*tirso*) thyrsus.

narva *f.* narrow seat (in a gondola).

narvalo *m.* ⟨*Zool*⟩ narwhal, sea-unicorn (*Monodon monoceros*).

nasaggine *f.* ⟨*non com*⟩ (*timbro nasale*) nasal tone (*o* twang), speaking through the nose.

nasale I *a.* **1.** nasal: *fosse -i* nasal fossae. – **2.** (*rif. a voce*) nasal, ⟨*fam*⟩ twangy; (*rif. a strumenti*) nasal. – **3.** ⟨*Fon*⟩ nasal: *suono* ~ nasal sound. – **II** *s.m.* ⟨*Stor*⟩ (*parte dell'elmo*) nasal, nosepiece. – **III** *s.f.* ⟨*Fon*⟩ nasal (sound).

nasalina *f.* menthol-snuff.

nasalità *f.* nasality.

nasalizzare *v.t.* ⟨*non com*⟩ to nasalize (*anche Fon.*). – **nasalizzazione** *f.* nasalization.

nasardo I *a.* ⟨*Mus*⟩ nasal. – **II** *s.m.* nazard.

nasare *v.t.* ⟨*ant,region*⟩ (*annusare*) to sniff, to smell.

nasata *f.* blow on the nose.

nascente (*p.pr. di nascere*[1]) *a.* **1.** new, new-born, dawning, rising (*anche fig.*): *il giorno* ~ the dawning day; (*rif. ad astri*) rising: *il sole* ~ the rising sun. – **2.** ⟨*Chim*⟩ nascent: *stato* ~ nascent state. – **nascenza** *f.* ⟨*ant*⟩ **1.** (*nascita*) birth. – **2.** (*enfiagione*) swelling.

nascere[1] *v.i.* (**nasco, nasci; nacqui, nato**; *aus.* **essere**) **1.** to be born: *quando è nato?* when was he born? – **2.** (*rif. a ovipari*) to hatch. – **3.** (*rif. a piante: spuntare*) to come (*o* spring) up; (*germogliare*) to germinate, to sprout, to bud; (*sbocciare*) to (burst into) bloom, to blossom. – **4.** (*spuntare, crescere*) (to begin) to grow: *gli è nata la barba* his beard has begun growing; (*rif. a denti*) to come through, to cut (*costr. pers.*): *gli sono nati i primi denti* he has cut (*o* got) his first teeth, his first teeth have come through. – **5.** (*rif. a corsi d'acqua: scaturire*) to rise, to have its source. – **6.** (*rif. ad astri: sorgere*) to rise, to come up; (*rif. al giorno*) to break, to dawn. – **7.** ⟨*fig*⟩ to arise, to start, to spring up, to begin: *nacque subito una lite* a fight started immediately. – **8.** ⟨*fig*⟩ (*avere origine*) to begin, to start (up), to originate, to come into being, to arise: *questa ditta è nata cento anni fa* this firm ⌈started up⌉ (*o* was founded) a hundred years ago. – **9.** ⟨*fig*⟩ (*derivare*) to arise (*da* from, out of), to be due (to), to begin, to come about (through), to start (because of), to spring (from), to come (from, of): *tutto è nato da un malinteso* the whole thing was due to a misunderstanding. – **10.** ⟨*fig*⟩ (*venire alla mente*) to cross one's mind, to occur, to arise: *mi nacque un dubbio* a doubt crossed my mind.

□ *è nato loro un* **bambino** they have had a baby; ⟨*pop*⟩ *sentirebbe* ~ *l'***erba** he has very keen hearing; ⟨*scherz*⟩ *nasce un* **frate** there is ⌈a lull in the conversation⌉ (*o* an angel passing); ~ *come* **funghi** to spring up like mushrooms; ⟨*scherz*⟩ *non sono nato* **ieri** I wasn't born yesterday, I'm no fool; ~ *di sette* **mesi** to be a seven-month baby; *non è nato per quel* **mestiere** he's not cut out for that job; ~ *sotto buona* **stella** to be born lucky. – *Prov.*: *si sa come si nasce, non si sa come si muore* we know the manner of our birth, but not the manner of our death, we cannot tell what life will bring; *da cosa nasce cosa* one thing leads to another; *da un male nasce un bene* it's an ill wind that blows nobody any good.

nascere[2] *m.* **1.** (*rif. al giorno*) dawn, daybreak; (*rif. ad astri*) rise: *al* ~ *del sole* at sunrise. – **2.** (*inizio*) beginning, start, outset, inception. – **3.** (*nascita*) birth. □ *stroncare qc. sul* ~ to nip s.th. in the bud.

nascimento *m.* ⟨*lett*⟩ (*nascita*) birth.

nascita *f.* **1.** birth. – **2.** (*rif. a piante: lo spuntare*) coming up; (*il germogliare*) sprouting, budding; (*lo sbocciare*) blooming, blossoming. – **3.** (*il sorgere: rif. ad astri*) rising, rise; (*rif. al giorno*) dawn, daybreak, coming of the new day. – **4.** (*giorno natalizio*) birthday. – **5.** ⟨*fig*⟩ (*inizio*) beginning, birth, rise, outset, start. – **6.** (*origine*) origin, birth, extraction; (*discendenza*) descent. – **7.** ⟨*rar*⟩ (*compleanno*) birthday.

□ *essere di* **buona** ~ to be well-born, to come of a good family; **certificato** *di* ~ birth certificate; **controllo** *delle -e* birth-control; **di** ~: 1. (*di origine*) of (*o* by) birth: *di umile* ~ of humble birth (*o* extraction); *è francese di* ~ he is French by birth; 2. (*sin dalla nascita*) from birth: *è sordo di* ~ he is deaf from birth, he was born deaf; ~ **illegittima** illegitimate birth; ~ **legittima** legitimate birth; *la* ~ *del* **sole** sunrise, ⟨*am*⟩ sun-up.

nascituro I *a.* (yet) unborn. – **II** *s.m.* (*f.* **-a**) (future) baby, coming baby.

nasco *m.* (*pl.* **-chi**) ⟨*Enol*⟩ sweet white Sardinian wine.

nascondarella, nascondarello: ⟨*roman*⟩ → **nascondino.**

nascondere *v.t.* (**nascosi, nascosto**/*poet.* **nascoso**) **1.** to hide, to conceal: ~ *il denaro* to hide the money. – **2.** (*sottrarre alla vista*) to hide (from view), to block, to cut out (*o* off): *il muro nascondeva la casa* the wall hid the house; *quell'edificio ci nasconde la vista del mare* that building blocks our view of the sea. – **3.** ⟨*fig*⟩ (*celare*) to hide, to conceal; (*dissimulare*) to disguise; (*contenere*) to keep (*o* force) back. – **4.** ⟨*fig*⟩ (*mettere a tacere*) to hide, to hush up, to keep, ⟨*fam*⟩ to keep under one's hat: ~ *la verità a qd.* to keep the truth from s.o. – **nascondersi** *v.r.* to hide (o.s.), to be hidden: *si era nascosto dietro la porta* he had (*o* was) hidden behind the door; (*rif. a bambini: giocare a nascondino*) to play hide-and-seek. □ *qui sotto si nasconde qualcosa* I smell a rat, there's something fishy about this; *andare a nascondersi*: 1. to hide (o.s.); 2. ⟨*fig*⟩ (*vergognarsi*) to be ashamed of o.s.: *va' a nasconderti!* shame on you!, you should be ashamed of yourself!; *avere qc. da* ~ to have s.th. to hide.

nascondevole *a.* ⟨*ant*⟩ (*atto a nascondere*) concealing, offering concealment.

nascondiglio *m.* hiding place; (*rif. a briganti*) hideout, lair, den. – **nascondimento** *m.* ⟨*lett*⟩ **1.** (*il nascondere, il nascondersi*) hiding, concealment. – **2.** ⟨*ant*⟩ (*nascondiglio*) hiding place.

nascondino: *giocare a* ~ to play hide-and-seek.

nasconditore *m.* (*f.* **-trice**) ⟨*non com*⟩ **1.** concealer. – **2.** ⟨*fig*⟩ (*simulatore*) dissembler, simulator. – **nascosamente** *avv.* ⟨*lett*⟩ → **nascostamente.** – **nascosi** *p.rem. di* **nascondere.** – **nascoso** (*p.p. di nascondere*) *a.* ⟨*lett*⟩ → **nascosto.** – **nascostamente** *avv.* secretly, in secret, furtively, ⟨*fam*⟩ on the sly.

nascosto (*p.p. di nascondere*) *a.* **1.** hidden, concealed; (*rif. a persona*) hidden, in hiding. – **2.** (*appartato*) hidden, remote, secluded, tucked away. – **3.** ⟨*fig*⟩ (*non evidente*) hidden, concealed: *desideri -i* hidden desires; (*segreto*) secret. □ *di* ~ → **nascostamente**; *di* ~ *di* (*o a*) *qd.* unknown to s.o., behind s.o.'s back; *rimanere* ~ to stay hidden, to remain in hiding, to hide out.

nasello[1] *m.* ⟨*Itt*⟩ hake (*Merluccius vulgaris*).

nasello[2] *m.* **1.** ⟨*Mecc*⟩ nib. – **2.** (*ferro dello stipite*) catch.

nasetto (*dim. di naso*) *m.* **1.** → **nasino.** – **2.** ⟨*Mecc*⟩ nib. – **3.** ⟨*Mus*⟩ nut (of a violin bow).

nasica *m.inv.* ⟨*Zool*⟩ **1.** proboscis monkey (*Nasalis larvatus*). – **2.** coati (*Nasua rufa*).

nasiera *f.* nose-ring.

nasino (*dim. di naso*) *m.* little (*o* button) nose. □ ~ *all'insù* snub (*o* turned-up) nose, ⟨*fam*⟩ pug nose.

nasion *m.* ⟨*Anat*⟩ nasion.

naso *m.* **1.** nose: *soffiarsi il* ~ to blow one's nose; (*rif. ad animali*) nose, snout, muzzle. – **2.** (*olfatto*) nose, sense of smell: *avere buon* ~ to have a ⌈good nose⌉ (*o* keen sense of smell). – **3.** ⟨*fig*⟩ (*fiuto*) nose, flair: *avere buon* ~ *per gli affari* to have a good nose for business, to be a good businessman. – **4.** (*beccuccio*) lip, spout. – **5.** (*nell'arcolaio*) upper part of a wool-winder. – **6.** (*nella sella*) pommel.

□ *sentire* **a** ~ (*al fiuto*) to notice (*o* feel) immediately, to sense instinctively; ~ **adunco** hooked nose; **allungare** *il* ~ (*per vedere meglio*) to crane one's neck; ~ **aquilino** hook-nose, aquiline nose; *andare in giro col* ~ *per* **aria** to have one's head in the clouds, to act absent-mindedly; **arricciare** *il* ~ (*mostrare contrarietà*) to turn up one's nose; ⟨*fig*⟩ **cacciare** *il* ~ *in qc.* to poke (*o* stick) one's nose into s.th.; *cacciare il* ~ *dappertutto* to be nosey, to snoop, to pry, ⟨*fam*⟩ to be a nosey parker; *avere il* ~ **chiuso** to have a stuffy (*o* stopped-up) nose; ~ **curvo** = *naso* **adunco**; ⟨*non com*⟩ **dar** *di* ~ *in qc.* (*imbattersi*) to run into s.th.; ⟨*fig*⟩ *dare nel* ~ *a qd.* (*essergli molesto*) to bother (*o* be a nuisance to) s.o.; *mettersi le* **dita** *nel* ~ to pick one's nose; **fare** *il* ~ *a un odore* to get used to a smell; ⟨*fig*⟩ **ficcare** *il* ~ *nei fatti altrui* to poke (*o* stick) one's nose into other people's business, to be a nosey parker; ~ *della* **fusoliera** nose; ~ *all'***insù** snub (*o* turned-up) nose, ⟨*fam*⟩ pug nose; *a* **lume** *di* ~ at a rough guess; ⟨*scherz*⟩ *giudicare a lume di* ~ to guess, to judge instinctively; **menare** *per il* ~ *qd.* to lead s.o. by the nose; ⟨*Bot*⟩ ~ **mozzo** bladdernut (*Staphylea pinnata*); **parlare** *con il* ~ to speak through one's nose, to have a (nasal) twang; ⟨*pop*⟩ ~ *a* **patata** pug nose; ~ *a* **punta** pointed (*o* sharp) nose; **restare** *con tanto* (o *un palmo*) *di* ~ to be left baffled (*o* dumbfounded); ⟨*pop*⟩ *avere il* ~ **rosso** *come un pomodoro* to have a red nose; ~ **schiacciato** flat nose; ⟨*fig*⟩ *avere qc.* **sotto** *il* ~ (*molto vicina*) to have s.th. right under one's nose; ⟨*fam*⟩ *avere la puzza sotto il* ~ (*darsi delle arie*) to put on airs, ⟨*fam*⟩ to be snooty; *chiudere la porta* **sul** ~ *a qd.* to slam the door in s.o.'s face; **tabacco** *da* ~ snuff; ⟨*pop*⟩ **tener** *il* ~ (*per il cattivo odore*) to hold one's nose; *non* **vedere** *più in là del proprio* ~ to see no farther than the end of one's nose (*anche fig.*).

naso-|ciliare: *nervo* ~ (*nervo nasale*) nasociliary nerve. – **~faringe** *f./m.* ⟨*Anat*⟩ nasopharynx. – **~frontale** *a.* nasofrontal: *sutura* ~ nasofrontal suture. – **~labiale** *a.* nasolabial. – **~lacrimale** *a.* nasolacrimal, nasolachrymal: *canale* ~ (naso)lachrymal canal.

nasọne (*accr. di naso*) *m.* **1.** big nose, ⟨*fam*⟩ beak. – **2.** (*persona; f.* **-a**) (person with a) big nose.
naso-palatịno *a.* ⟨*Anat*⟩ nasopalatine, nasopalatal: *canale* ~ nasopalatine canal.
nasọrẹo *a./s.* → **nazareo.**
nasoscopịa *f.* ⟨*Med*⟩ (*rinoscopia*) rhinoscopy. – **nasoscọpio** *m.* nasoscope, rhinoscope.
nạspo *m.* **1.** ⟨*Tess*⟩ winder, reel, swift. – **2.** (*aspa dell'argano*) capstan bar.
nạssa *f.* ⟨*Pesc*⟩ fish trap; (*per aragoste*) lobster-pot.
nạsso *m.* ⟨*Bot*⟩ (*tasso*) (English) yew (*Taxus baccata*).
nastịa *f.* ⟨*Bot*⟩ nastic movement. – **nạstico** *a.* (*pl.* **-ci**) nastic.
nastịna *f.* ⟨*Med*⟩ nastin.
nastrạio *m.* (*f.* **-a**) ⟨*rar*⟩ (*fabbricante*) ribbon manufacturer; (*venditore*) ribbon seller.
nastrạre *v.t.* ⟨*tecn*⟩ to band, to tape; (*isolare*) to insulate. – **nastrạto** (*p.p. di nastrare*) *a.* banded, taped. – **nastratụra** *f.* **1.** banding, taping. – **2.** ⟨*concr*⟩ (*rivestimento*) tape; (*per metalli*) strip.
nastrifọrme *a.* ⟨*non com*⟩ **1.** ribbon-like. – **2.** ⟨*Bot*⟩ liguliform, strap-shaped. – **nastrịno** (*dim. di nastro*) *m.* **1.** ⟨*Mil*⟩ ribbon. – **2.** *pl.* ⟨*Alim*⟩ (thin) noodles *pl.*
nạstro *m.* **1.** ribbon: *guarnire con un* ~ to trim with a ribbon, to beribbon. – **2.** (*striscia*) ribbon, strip, band. – **3.** ⟨*tecn*⟩ tape, band, strap, ribbon; (*di un trasportatore*) belt. – **4.** ⟨*fig*⟩ ribbon. – **5.** (*decorazione*) ribbon. – **6.** (*rif. a magnetofono*) tape. – **7.** (*rif. ad arma da fuoco*) belt. – **8.** ⟨*Anat*⟩ band, ribbon. – **9.** ⟨*Sport,Tip*⟩ tape. – **10.** ⟨*Arch*⟩ t(a)enia, band. – **11.** *pl.* ⟨*Alim*⟩ noodles *pl.* – **12.** ⟨*Tess*⟩ sliver.
□ **a** ~ ribbon-, ribbon-like, tape-: *metro a* ~ tape-measure; ~ *di* **acciaio** steel strip; ~ **adesivo**: 1. adhesive tape; 2. = *nastro* **isolante**; ~ **autoadesivo** pressure sensitive adhesive tape; ~ **azzurro** (*decorazione*) blue ribbon; (*persona decorata*) wearer of a blue ribbon; ⟨*Legat*⟩ ~ **capitello** headband; ~ *del* **cappello** hatband; ⟨*Tess*⟩ ~ *della* **carda** (card) sliver; ~ *di* **carta**: 1. paper tape; 2. ⟨*Tip*⟩ web, paper ribbon; 3. ⟨*Tel*⟩ (paper) tape; ~ **centimetrato** tape -measure (in centimetres); ~ **continuo** endless belt; ~ **dattilografico** typewriter ribbon; ~ **elastico** elastic (*o* rubber) band; ~ *senza* **fine** endless tape, ⟨*am*⟩ tape loop; ⟨*Met*⟩ ~ *a* **freddo** cold-rolled strip; ⟨*Mot*⟩ ~ *del* **freno** brake band; ~ **gommato** gummed tape; ~ **inchiostrato** ink ribbon; ⟨*El*⟩ ~ **isolante** electric (*o* insulating, friction) tape; ~ *per* **macchina** *da scrivere* typewriter ribbon; ⟨*Acu*⟩ ~ **magnetico** magnetic tape; ~ **metrico** tape-measure; ~ **perforato** punched tape; ⟨*Anat*⟩ ~ *di* **Reil** band (*o* ribbon) of Reil; ~ *della* **sega** (saw) blade; ~ *per* **smerigliare** sanding belt, emery tape (band); ⟨*Acu*⟩ ~ **sonoro** sound-track; ⟨*Tess*⟩ ~ **spazzatore** stripping fillet; ~ *di* **telescrivente** ticker-tape; ⟨*Mecc*⟩ ~ **trasportatore** conveyor belt, apron, ribbon (*o* belt) conveyor.
nastrotẹca *f.* tape library.
nastụrzio *m.* ⟨*Bot*⟩ **1.** Indian cress (*Nasturtium*). – **2.** watercress (*Nasturtium officinale*). □ ~ *indiano* (o *del Perù*) nasturtium, Indian cress (*Tropaeolum majus*).
nạsua *f.* ⟨*Zool*⟩ coati (*Nasua rufa*).
nasụto I *a.* **1.** (*dal naso grosso*) with a big nose, large-nosed; (*dal naso lungo*) long-nosed. – **2.** ⟨*fig,ant*⟩ (*rif. a persona*: *acuto*) sharp, perspicacious. – **II** *s.m.* (*f.* **-a**) (person with a) big nose.
Natạl *N.pr.m.* ⟨*Geog*⟩ Natal.
natạle I *a.* (*nativo*) native, of one's birth: *terra* ~ native land, land of one's birth. – **II** *s.m.* **1.** (*giorno natalizio*) birthday, day of birth. – **2.** (*ricorrenza*: *della fondazione*) anniversary of founding: *il* ~ *di Roma* the anniversary of the founding of Rome. – **3.** *pl.* (*nascita*) birth; (*origine*) birth, lineage: *essere di alti* **-i** to be of high birth; (*luogo di nascita*) birthplace. – **Natale** *m.* ⟨*Rel*⟩ Christmas, ⟨*fam*⟩ Xmas.
□ **a** ≈ at Christmas(-time), ⟨*lett*⟩ at Christmas tide; **albero** *di* ≈ Christmas-tree; **babbo** ≈ Father Christmas, Santa Claus; **buon** ≈ a Merry Christmas; *la città che* **diede** *i* **-i** *a Shelley* the city where Shelley was born; ⟨*fig*⟩ **durare** *da* ≈ *a santo Stefano* not to last long, to be short-lived; **ebbe** *i propri* **-i** *a Roma* he was born in Rome, Rome is his birthplace; **fare** (o *festeggiare*) ≈ to celebrate Christmas; *persona d'***incerti** **-i** child of unknown parents; **per** ≈ = **a** *Natale*; ≈ **viene** *una volta all'anno* Christmas comes but once a year. – *Prov.*: ≈ *con i tuoi e Pasqua con chi vuoi* spend Christmas with the family and Easter where you choose; *fino a* ≈ *il freddo non fa male* the real cold sets in after Christmas.
Natalịa *N.pr.f.* Natalie.
natalità *f.* **1.** births *pl.* – **2.** (*quantità delle nascite*) birth-rate, natality. □ ⟨*Statist*⟩ *quoziente di* ~ birth-rate.
natalịzio I *a.* **1.** birth-, of birth, natal. – **2.** (*di Natale*) Christmas-: *feste* **-e** Christmas holidays. – **II** *s.m.* (*compleanno*) birthday. □ *giorno* ~ birthday.
natạnte (*p.pr. di natare*) **I** *s.m.* ⟨*Mar*⟩ craft, boat. – **II** *a.* floating, swimming. – **natạre** *v.i.* (*aus.* **avere**) ⟨*ant*⟩ (*nuotare*) to swim.
natatọia *f.* ⟨*Zool*⟩ flipper, paddle.
natatọre *m.* **1.** ⟨*ant*⟩ (*nuotatore*) swimmer. – **2.** *pl.* ⟨*Ornit*⟩ aquatic birds *pl.* – **natatọrio** *a.* swimming: *piscina* **-a** swimming-pool. – **natazịone** *f.* ⟨*non com*⟩ swimming.
nạtica *f.* ⟨*Anat*⟩ buttock. □ *battere le natiche* to fall on one's behind.
naticefalịa *f.* ⟨*Med*⟩ caput natiforme, hot-cross-bun head. – **naticẹfalo** *a.* hot-cross-bun-, affected with caput natiforme.
naticịdi *m.pl.* ⟨*Zool*⟩ naticas *pl*, naticoids *pl* (*Naticidae*).
naticụto *a.* ⟨*non com,scherz*⟩ having large buttocks, big-bottomed, ⟨*scherz*⟩ broad in the beam.
natimortalità *f.* ⟨*Statist*⟩ natimortality, stillbirth rate.
natịo *a.* ⟨*lett*⟩ **1.** (*nativo*) native, of (one's) birth, home-: *paese* ~ native land, land of one's birth, homeland. – **2.** (*originario*) native (*di* of), born (in). – **3.** (*innato*) innate, inborn, native: *bontà* **-a** innate kindness.
nativịsmo *m.* ⟨*Filos*⟩ nativism. – **nativịsta** *m./f.* nativist. – **nativịstico** *a.* (*pl.* **-ci**) nativist(ic).
natività *f.* **1.** ⟨*Lit*⟩ Nativity. – **2.** ⟨*Teat*⟩ Nativity Play. – **3.** ⟨*Art*⟩ (*nascita di Cristo*) Nativity, Birth of Christ; (*nascita di Maria*) Nativity of Our Lady.
natịvo I *a.* **1.** native, mother-, home-, of one's birth: *paese* ~ native country, country of one's birth, homeland, motherland; *lingua* **-a** native language, mother tongue. – **2.** (*originario*) native (*di* of), born (in). – **3.** ⟨*non com*⟩ (*innato*) innate, inborn, native; (*naturale*) natural. – **4.** ⟨*Min*⟩ native: *ferro allo stato* ~ iron in the native state. – **II** *s.m.* (*f.* **-a**) native. □ *essere* ~ *di Roma* to be a Roman, to have been born in Rome.
nạto (*p.p. di nascere*[1]) **I** *a.* born: *appena* ~ newborn; (*rif. a donna sposata*) née: *Maria Bianchi* **-a** *Neri* Maria Bianchi née Neri. – **II** *s.m.* (*f.* **-a**) **1.** ⟨*lett*⟩ (*figlio*) child. – **2.** (*piccolo di animali*) young. – **3.** ⟨*burocr*⟩ person born (in a certain year).
□ ⟨*non com*⟩ *non c'era* **anima** **-a** (*nessuno*) there wasn't a soul; ~ *con la* **camicia** (*fortunato*) born with a silver spoon in one's mouth; **cieco** ~ born blind, blind from birth; *essere* ~ *da buona* **famiglia** to come of good stock, to come from a good family; *non sono* ~ **ieri** I wasn't born yesterday; ~ **morto** still-born, born dead; *è* ~ **per** *la musica* he is a born musician; *non è* ~ *per la matematica* he has no talent for maths, maths is not one of his strong points: *non è* **-a** *per fare l'insegnante* she isn't cut out to be a teacher; *il* **primo** ~ the first-born; **sordo** ~ born deaf, deaf from birth; ⟨*fam*⟩ ~ *e* **sputato** (*molto somigliante*) the living image, ⟨*fam*⟩ the spit and image: *è il padre* ~ *e sputato* he is the living image of his father.
NATO = *Organizzazione del trattato nord-atlantico* North Atlantic Treaty Organization (*abbr.* NATO).
nạtola *f.* ⟨*Mar*⟩ oar-lock, rowlock.
natrịce *f.* ⟨*Zool*⟩ (*biscia d'acqua*) grass-snake, ringed-snake (*Natrix natrix*). □ ~ *viperina* viper snake (*Natrix maura*); ~ *tessellata* checkered water snake (*Natrix tessellata*).
natrocalcịte *f.* ⟨*Min*⟩ natrochalcite.
natrolịte *f.* ⟨*Min*⟩ natrolite.
nạtron *m.* ⟨*Chim*⟩ natron.
nạtta[1] *f.* ⟨*Med*⟩ **1.** (*ateroma*) atheroma, wen. – **2.** ⟨*ant*⟩ (*tumore*) tumour.
nạtta[2] *f.* ⟨*Mar*⟩ woven mat, matting.
nattè *m.* ⟨*Tess*⟩ natté.
nattẹllo *m.* ⟨*Pesc*⟩ cork float with baited hooks.
natụra *f.* **1.** nature: *i doni della* ~ nature's gifts. – **2.** ⟨*concr*⟩ (*creato*) nature, creation. – **3.** (*indole*) nature, character, disposition, temperament: ~ *violenta* violent nature. – **4.** (*rif. a persona*) type, sort, nature: *è una* ~ *pacifica* he's a peaceful sort. – **5.** (*qualità*) nature: *la* ~ *del terreno* the nature of the land; (*carattere*) nature, character; (*genere*) nature, type, kind: *questo è di tutt'altra* ~ this is quite a different kind. – **6.** ⟨*pop*⟩ (*parti genitali femminili*) female genital organs *pl.*
□ **contro** ~ unnatural, against nature; ⟨*ant*⟩ **da** ~ = **per** *natura*; **di** ~: 1. = **per** *natura*; 2. (*naturale*) natural: *diritto di* ~ natural right; ⟨*Pitt*⟩ ~ **morta** still-life; ⟨*Filos*⟩ ~ **naturale** Natura naturans; ~ **naturata** Natura naturata; **pagare** *in* ~ to pay in kind; **per** ~ naturally, by one's very nature: *è ambizioso per* ~ he is naturally ambitious; *la* ~ *non fa* (o *va per*) **salti** Nature does not proceed by bounds, natura non facit saltus; **seconda** ~ second nature; **secondo** ~ in a natural way, naturally; **senso** *della* ~ love of nature; *allo* **stato** *di* ~ in a state of nature; ~ **umana** human nature. – *Prov.*: *dove manca* ~ *arte procura* what nature lacks art supplies.
naturạccia *f.* (*pl.* **-ce**) *pegg. di* **natura.**
naturạle I *a.* **1.** natural: *scienze* **-i** natural sciences. – **2.** (*secondo natura*) natural, of nature, instinctive: *necessità* **-i** natural needs. – **3.** (*che emula la natura*) natural, lifelike, true to life. – **4.** (*genuino*) natural, genuine, pure; (*non finto*) real: *fiori* **-i** real flowers. – **5.** (*spontaneo*) natural: *posa* ~ natural pose; (*schietto, non studiato*) natural, unstudied, artless, unaffected. – **6.** (*prevedibile, ovvio*) natural, normal: *è* ~ *che i genitori amino i loro figli* it is natural for parents to love their children. – **7.** ⟨*Fis*⟩ (*proprio*) natural: *frequenza* ~ natural frequency. – **8.** ⟨*Dir*⟩ (*illegittimo*) natural, illegitimate. – **II** *s.m.* **1.** ⟨*ant*⟩ (*indole*) nature, character. – **2.** *pl.* ⟨*non com*⟩ (*indigeni*) natives *pl.* □ *al* ~: 1. ⟨*Alim*⟩ uncooked; 2. ⟨*Art*⟩ (*a grandezza naturale*) life-size, actual size-; 3. ⟨*Art*⟩ (*conforme all'originale*) natural, lifelike; *più piccolo del* ~ smaller than life-size; *più grande del* ~ larger than life-size.
naturalẹzza *f.* **1.** naturalness. – **2.** (*disinvoltura*) naturalness, spontaneity, casualness; (*schiettezza*) naturalness, straightforwardness, frankness, unaffectedness. – **3.** ⟨*ant*⟩ (*carattere*) nature, character. □ *con* ~ naturally, in a natural way, unaffectedly; *mancare di* ~ to be unnatural, to be stilted (*o* affected).
naturalịsmo *m.* naturalism. – **naturalịsta I** *s.m./f.* naturalist. – **II** *a.* naturalist(ic). □ *medico* ~ naturopath. – **naturalịstico** *a.* (*pl.* **-ci**) naturalist(ic).

naturalità *f.* ⟨*ant*⟩ **1.** (*naturalizzazione*) naturalization. – **2.** (*l'essere naturale*) naturalness.
naturalizzare *v.t.* to naturalize (*anche Biol.*). – **naturalizzarsi** *v.r.* **1.** to be (*o* become) naturalized (*anche Biol.*). – **2.** ⟨*fig*⟩ to become established (*o* customary), to become naturalized. □ *è stato naturalizzato inglese* he became a naturalized British subject. – **naturalizzato** (*p.p. di naturalizzare*) **I** *a.* naturalized (*anche Biol.*). – **II** *s.m.* (*f.* **-a**) naturalized citizen. – **naturalizzazione** *f.* naturalization (*anche Biol.*).
naturalmente *avv.* **1.** naturally, by nature: *è ~ incline all'ozio* he is naturally lazy. – **2.** (*ovviamente*) naturally, obviously, of course; (*certamente*) naturally, of course, certainly.
naturamortista *m./f.* ⟨*Pitt*⟩ still-life painter.
naturare *v.t.* ⟨*ant*⟩ (*creare*) to create, to give nature to.
naturismo *m.* **1.** (*concezione che propugna il ritorno alla natura*) naturism, back-to-nature movement; (*nudismo*) nudism, naturism. – **2.** ⟨*Med*⟩ naturopathy. – **3.** → **naturalismo.** – **4.** ⟨*Rel*⟩ nature -worship, naturism.
naturista I *s.m./f.* **1.** ⟨*Med*⟩ naturopath. – **2.** ⟨*Filos,Econ,Art*⟩ naturalist. – **II** *a.* → **naturistico.** – **naturistico** *a.* (*pl.* **-ci**) **1.** naturalist(ic), naturistic: *concezione -a* naturalistic concept. – **2.** ⟨*Filos, Econ,Art*⟩ naturalistic.
nauco *m.* (*pl.* **-chi**) ⟨*Bot*⟩ naucum.
naucoridi *m.pl.* ⟨*Entom*⟩ water creepers *pl*, naucorids *pl* (*Naucoridae*).
naucraria *f.* ⟨*Stor.gr*⟩ administrative division.
naufragare *v.i.* (**naufrago, naufraghi**; *aus.* **essere/avere**) **1.** (*rif. a nave*) to be wrecked, to founder. – **2.** (*rif. a persone*) to be shipwrecked. – **3.** ⟨*fig*⟩ (*fallire*) to fail, to be ruined (*o* wrecked), to founder, to come to grief, to fall through.
naufragio *m.* **1.** ⟨*Mar*⟩ shipwreck. – **2.** ⟨*Aer*⟩ air crash. – **3.** ⟨*fig*⟩ (*rovina*) wreck, ruin, failure, miscarriage. □ *fare ~* to be shipwrecked; ⟨*fig*⟩ (*fallire*) to fail, to fall through, to come to grief (*o* nothing).
naufrago *m.* (*pl.* **-ghi**; *f.* **-a**) shipwrecked person, survivor of a shipwreck, castaway.
naulo *m.* ⟨*ant*⟩ (*nolo*) charter, hire.
naumachia *f.* ⟨*Stor.rom*⟩ naumachia.
naumannite *f.* ⟨*Min*⟩ naumannite.
naupatia *f.* ⟨*Med*⟩ sea-sickness, naupathia.
nauplio *m.* ⟨*Zool*⟩ nauplius.
nausea *f.* **1.** nausea, sickness. – **2.** ⟨*fig*⟩ nausea, disgust, revulsion, loathing. □ *dare* (*o far venire*) *la ~ a qd.* to make s.o. (feel) sick, to turn s.o.'s stomach, to nauseate (*o* disgust, sicken) s.o., ⟨*fam*⟩ to make s.o. want to throw up (*anche fig.*); ⟨*iperb*⟩ *fino alla ~* ad nauseam; *ha la ~* he feels sick; *provare ~* to feel sick (*anche fig.*); *senso di ~* sick feeling, queasiness, nausea.
nauseabondo *a.* → **nauseante.** – **nauseante** (*p.pr. di nauseare*) *a.* **1.** nauseating, sickening: *odore ~* nauseating smell. – **2.** ⟨*fig*⟩ (*disgustoso*) nauseating, sickening, disgusting, revolting; ⟨*iperb*⟩ (*orribile*) horrible, dreadful, vile, foul. – **nauseare** *v.t.* (**nauseo**) to nauseate, to sicken, to make (feel) sick, to turn the stomach of, to disgust, to revolt (*anche fig.*): *il fumo mi nausea* smoking makes me feel sick (*o* nauseous). – **nauseato** (*p.p. di nauseare*) *a.* nauseated, sickened (*di* by), sick. – **nauseoso** *a.* ⟨*non com*⟩ (*nauseante*) nauseous, nauseating, sickening.
nauta *m.* ⟨*poet*⟩ (*marinaio*) sailor, seaman; (*nocchiero*) navigator, pilot. – **nautica** *f.* (art of) navigation, nautical science. – **nautico** *a.* (*pl.* **-ci**) nautical: *carta -a* nautical chart.
nautilo *m.* ⟨*Zool*⟩ nautilus (*Nautilus*).
navaccia *f.* (*pl.* **-ce**) *pegg. di* **nave.**
navale *a.* **1.** (*di nave*) ship's, ship-. – **2.** (*di mare*) naval, sea-: *guerra ~* naval war. – **3.** (*relativo alla marina*) naval, navy-: *museo ~* naval museum. □ *cantiere ~* shipyard; *genio ~* Engineer Corps.
navalestro *m.* ⟨*non com*⟩ **1.** (*traghettatore*) ferryman, boatman. – **2.** (*traghetto*) ferry.
navalismo *m.* ⟨*Pol,non com*⟩ navalism. – **navalistico** *a.* (*pl.* **-ci**) ⟨*non com*⟩ navalistic, naval: *potenza -a* naval power.
navalmeccanica *f.* shipbuilding. – **navalmeccanico** *a./s.* (*pl.* **-ci**) **I** *a.* shipbuilding. – **II** *s.m.* worker in a shipyard.
navarca, navarco *m.* (*pl.* **-chi**) ⟨*Stor.gr*⟩ navarch, commander of a fleet.
Navarra *N.pr.f.* ⟨*Geog*⟩ Navarre. – **navarrese** *a./s.* → **navarrino.** – **navarrino I** *a.* Navarrese. – **II** *s.m.* (*f.* **-a**) Navarrese, inhabitant of Navarre.
navata *f.* ⟨*Arch*⟩ (*centrale*) nave; (*laterale*) aisle. □ *a una ~* with one nave, aisleless; *a tre -e* with a nave and two aisles; *~ centrale* nave; *~ laterale* aisle; *~ trasversale* (*transetto*) transept.
navato *a.* ⟨*ant*⟩ (*a forma di nave*) shaped like a ship, boat-shaped.
nave *f.* **1.** ship, vessel, ⟨*fam*⟩ boat: *allestire una ~* to fit out a ship. – **2.** (*nell'industria casearia*) skimming (*o* cream-separating) tub. – **3.** ⟨*poet*⟩ (*barca*) boat. – **4.** ⟨*ant*⟩ → **navata.**
□ *~ in* **acciaio** steel ship; ⟨*lett*⟩ *~* **aerea** (*dirigibile*) airship, dirigible, ⟨*fam*⟩ blimp; *~* **ammiraglia** flagship; *~* **appoggio** mother (*o* depot) ship, tender; *~* **atomica** nuclear ship; *~* **ausiliaria** auxiliary ship; *~ in* **avaria** damaged ship; *~* **baleniera** whaler; *~* **bananiera** banana boat; *~ da* **battaglia** battleship; *~* **bersaglio** target-ship; *~ da* **cabotaggio** coaster; *~ di piccolo cabotaggio* small coaster; *~ da* **carico** freighter, cargo ship; *~* **cisterna** tanker; *~* **civetta** decoy (ship); *~* **commerciale** = *nave* **mercantile**; *~* **corazzata** battleship, ironclad; *~* **corsara** pirate ship, privateer, commerce destroyer; *~* **costiera** coaster, coasting vessel; *~* **dragamine** minesweeper; *~ a due* **eliche** twin-screw ship; *~* **fattoria** factory ship; *~* **frigorifera** refrigerator ship; ⟨*Stor*⟩ *-i* **frumentarie** grain ships; *~* **gemella** sister ship; *~ da* **guerra** warship, man-of-war; *~ in* **legno** wooden ship; *~ di* **linea** liner; ⟨*Mar.mil*⟩ ship of the line, line-of-battle ship; *~* **mercantile** merchant ship, merchantman; *~* **ospedale** hospital ship; *~* **passeggeri** passenger ship; (*di linea*) (passenger) liner; *~ da* **pesca** fishing boat (*o* vessel); *~* **petroliera** = *nave* **cisterna**; ⟨*Rel*⟩ *la ~ di* **Pietro** the barque of St. Peter, the Catholic Church; *~* **pilota** pilot boat; *~ a due* **ponti** double-decker, ship with two decks; *~* **portaerei** aircraft-carrier; *~* **posacavi** cable -ship; *~* **posamine** minelayer; *~ per* **ricuperi** wrecker, salvage ship; *~* **rompighiaccio** ice-breaker; *~ di* **salvataggio** salvage boat, lifeboat; *~ da* **sbarco** landing-craft; *~* **scorta** convoy (*o* escort) ship; *~* **scuola** school (*o* training) ship; ⟨*Astron*⟩ *~* **spaziale** spaceship, spacecraft; *~* **traghetto** ferry, ferryboat; *~ traghetto treni* train ferry; *~ da* **trasporto** transport ship; *~ a* **vapore** steamship, steamer; *~ a* **vela** sailing ship. – *Prov.*: *dove è andata la ~ può andare il navicello* having spent so much, you might as well spend a little more, ⟨*fam*⟩ you may as well go the whole hog.
navera *f.* ⟨*ant*⟩ (*ferita d'arma da punta*) stab-wound. – **naverare** *v.t.* (**navero**) ⟨*ant*⟩ (*ferire*) to pierce, to stab, to run through, to prick, to wound.
navetta *f.* **1.** → **navette.** – **2.** ⟨*Mar*⟩ boat, skiff.
navette *fr.* [na'vɛt] *f.* (*spola*) shuttle.
navicamento *m.* ⟨*ant*⟩ → **navigazione.** – **navicante** (*p.pr. di navicare*) *a./s.* ⟨*ant*⟩ → **navigante.** – **navicare** *v.* ⟨*ant*⟩ → **navigare.** – **navicazione** *f.* ⟨*ant*⟩ → **navigazione.**
navicella (*dim. di nave*) *f.* **1.** boat, skiff, wherry. – **2.** ⟨*Lit*⟩ navicula, incense-boat. – **3.** ⟨*Aer*⟩ (*rif. a dirigibile*) gondola; (*di comando di dirigibile*) control car; (*rif. a mongolfiera, pallone*) basket, car. – **4.** ⟨*Chim*⟩ boat. – **5.** ⟨*lett*⟩ (*navetta del telaio*) shuttle. □ ⟨*Aer*⟩ *~ motore* nacelle.
navicellaio *m.* ⟨*non com*⟩ boatman.
navicellata *f.* (*carico*) boatload, boatful. – **navicello** (*dim. di nave*) *m.* two-masted sailing boat.
navichiere, navichiero *m.* ⟨*lett*⟩ → **navicellaio.**
navicolare *a.* **1.** boat-shaped. – **2.** ⟨*Anat*⟩ navicular, scaphoid. □ ⟨*Anat*⟩ *osso ~* navicular.
navigabile *a.* **1.** navigable: *fiume ~* navigable river. – **2.** ⟨*ant*⟩ (*atto a navigare*) seaworthy, navigable. – **3.** ⟨*ant*⟩ (*rif. a merce*) that can be transported overseas. – **navigabilità** *f.* **1.** navigability. – **2.** (*capacità di navigare*) seaworthiness, navigability.
navigamento *m.* ⟨*ant*⟩ → **navigazione.**
navigante (*p.pr. di navigare*) **I** *a.* **1.** ⟨*Mar*⟩ sailing, maritime. – **2.** ⟨*Aer*⟩ flight-: *personale ~* flight personnel. – **II** *s.m.* sailor, seaman; (*viaggiatore*) voyager, seafarer.
navigare *v.* (**navigo, navighi**) **I** *v.i.* (*aus.* **avere**) **1.** to sail, to navigate: *~ lungo il fiume* to sail down (*o* up) the river; (*a vela*) to sail; (*a vapore*) to steam, to sail. – **2.** (*fare il navigante*) to sail (the seas), to be at sea: *naviga da vent'anni* he has been at sea for twenty years. – **3.** ⟨*Aer*⟩ to fly. – **II** *v.t.* **1.** to sail. – **2.** ⟨*ant*⟩ (*trasportare per nave*) to carry by ship, to transport by sea.
□ ⟨*fig*⟩ *~ in cattive* **acque** to be in hard straits, ⟨*fam*⟩ to be hard up; ⟨*fig*⟩ *~ contro* **corrente** to go against the stream; *~ in* **crociera** to cruise; ⟨*fig*⟩ *~ sulla* **scia** *di qd.* to follow in someone's wake; ⟨*fig*⟩ *~ tra due* **scogli** to be between the devil and the deep blue sea; *~ a* **vela** to sail; *~ a* ⌜*vele spiegate*⌝ (*o gonfie vele*) = *navigare col* **vento** *in poppa*; ⟨*fig*⟩ *~ secondo il* **vento** to trim one's sails according to the way the wind blows, to go with the tide; ⟨*fig*⟩ *saper ~ ad ogni vento* to know what to do in any situation; ⟨*fig*⟩ *~ col vento in poppa* to have ⌜smooth sailing⌝ (*o* the wind in one's sails). – *Prov.*: *ognuno sa ~ col buon vento* success is easy when fortune is on one's side.
navigato (*p.pr. di navigare*) *a.* **1.** (*esperto del mare*) experienced, practised. – **2.** ⟨*fig*⟩ expert, experienced, worldly-wise (*anche spreg.*). – **3.** ⟨*non com*⟩ (*percorso da navi*) navigated, frequented (by ships). – **4.** ⟨*ant*⟩ (*trasportato per via mare*) shipped, carried by sea.
navigatore I *s.m.* (*f.* **-trice**) **1.** navigator, seafarer; (*marinaio*) sailor, seaman. – **2.** ⟨*Mar,Aer*⟩ navigator. – **II** *a.* seafaring: *popolo ~* seafaring people.
navigatoria *f.* ⟨*ant*⟩ → **nautica.** – **navigatorio** *a.* ⟨*non com*⟩ navigational, of navigation.
navigazione *f.* **1.** navigation. – **2.** ⟨*Mar*⟩ sailing. – **3.** ⟨*Aer*⟩ flying. – **4.** (*viaggio per mare*) sea voyage; (*traversata*) crossing. – **5.** ⟨*fig*⟩ (*corso*) course.
□ *~* **aerea** air (*o* aerial) navigation; *~* **alturiera** navigation on the high seas; *~* **astronomica** celestial navigation; ⟨*Stor*⟩ **atto** *di ~* Navigation Act; *~ di* **cabotaggio** cabotage, home-trading, coastal navigation; *~ su* **canali** canal navigation; ⟨*Aer*⟩ *~* **cieca** blind air navigation; *~ di lungo* **corso** navigation on the high seas; *~* **costiera** coastal navigation, cabotage; *~ da* **diporto** yachting; **diritto** *della ~* right of navigation; *~* **fluviale** river (*o* inland) navigation; *~ in* **immersione** submerged running; *~* **interna** inland navigation; *~* **lacuale** lake navigation; *~* **libera** free navigation; **linea** *di ~* shipping line, steamship company; *~* **marittima** maritime navigation; *~* **mediterranea** Mediterranean navigation; *~* **oceanica** ocean navigation; *~ da* **passeggeri** passenger ship navigation; ⟨*Aer*⟩ *~ ad alta* **quota** flying at high altitude; ⟨*Astron*⟩ *~*

spaziale space navigation; ~ **stimata** dead reckoning navigation; ~ **subacquea** = *navigazione in* **immersione**; ~ *in* **superficie** surface running; ~ *a* **vapore** steam navigation; ~ *a* **vela** sailing.
navịgero *a.* ⟨*lett*⟩ ship-bearing, sailed by ships.
navịgio *m.* ⟨*ant*⟩ (*nave*) ship.
navịglio *m.* **1.** shipping, ships *pl*, fleet, craft (*costr. pl.*). – **2.** (*canale navigabile*) canal, cut. – **3.** ⟨*non com*⟩ ship, boat, craft; (*flotta*) fleet. □ ~ *da* **carico** freighters *pl*; ~ *da* **diporto** pleasure craft; ~ **fluviale** river craft; ~ *da* **guerra** fleet; (*marina*) navy; ~ **mercantile** merchant marine (*o* fleet); ~ *a* **motore** motorboats *pl*; ~ *da* **passeggeri** passenger ships; ~ **peschereccio** (o *da pesca*) fishing fleet; ~ **remico** (o *a remi*) rowing-boats; ~ **silurante** torpedo craft; ~ **velico** (o *a vela*) sailing ships.
navịgrafo *m.* ⟨*Aer,ant*⟩ course recorder.
navịle, navịlio *m.* ⟨*ant*⟩ **1.** (*nave*) ship, boat. – **2.** (*flotta*) fleet.
navipẹndolo *m.* (*apparecchio*) navipendulum.
nạvolo *m.* → **naulo.**
navoncẹlla *f.* ⟨*Entom*⟩ green-veined white butterfly (*Pieris napi*).
navọne *m.* ⟨*Bot*⟩ cole-seed, rape (*Brassica napus napobrassica*).
naz. = *nazionale* national (*abbr.* nat.).
nazarẹno I *a.* Nazarene-, of (*o* from) Nazareth: *Gesù* ~ Jesus of Nazareth, Jesus the Nazarene. – **II** *s.m.* (*f.* **-a**) **1.** Nazarene. – **2.** (*Gesù Cristo*) Nazarene. – **3.** ⟨*estens*⟩ (*cristiano*) Christian, Nazarene. – **4.** *pl.* ⟨*Pitt*⟩ Nazarene. □ *capelli alla -a* flowing locks; ⟨*Rel*⟩ *-i tedeschi* Nazarenes *pl*, Nazarites *pl*, German-Roman artists.
nazarẹo I *a.* (*rif. a Gesù Cristo*) Nazarene, of Nazareth. – **II** *s.m.* (*f.* **-a**) **1.** ⟨*Rel*⟩ Nazarene. – **2.** ⟨*estens*⟩ (*cristiano*) Christian, Nazarene. – **Nạzaret(h)** *N.pr.f.* ⟨*Geog*⟩ Nazareth.
nazifascịsmo *m.* Nazi-Fascism. – **nazifascịsta I** *s.m./f.* Nazi-Fascist. – **II** *a.* Nazi-Fascist-. – **nazificạre** *v.t.* (**nazịfico, nazịfichi**) to Nazify, to convert to Nazism.
nazionalcomunịsmo *m.* National Communism. – **nazionalcomunịstico** *a.* (*pl.* **-ci**) National Communist.
nazionạle I *a.* **1.** (*della nazione*) national: *lingua* ~ national language; (*del paese*) national: *arte* ~ national art; (*dello stato*) national, state-, government-: *strada* ~ national highway. – **2.** ⟨*Pol,Econ*⟩ (*interno*) domestic, home-, national: *prodotti -i* domestic (*o* home) products. – **II** *s.m.* ⟨*Sport*⟩ member of the national team. – **III** *s.f.* **1.** (*tipo di sigarette*) brand of cigarette. – **2.** ⟨*Sport*⟩ national team: ~ *di calcio* national football (*o* soccer) team. – **3.** (*biblioteca nazionale*) national library.
nazionalịsmo *m.* nationalism. – **nazionalịsta I** *s.m./f.* nationalist. – **II** *a.* → **nazionalistico.** – **nazionalịstico** *a.* (*pl.* **-ci**) nationalist(ic), chauvinistic.
nazionalità *f.* **1.** nationality. – **2.** (*nazione*) nation. – **3.** ⟨*non com*⟩ (*l'essere nazionale*) national character, nationality. □ ⟨*Mar*⟩ *atto di* ~ (ship's) certificate of registration; ⟨*Pol*⟩ *principio di* ~ principle of the self-determination of nations.
nazionalitạrio *a.* ⟨*Pol*⟩ nationalist-, of (*o* for) nationality.
nazionalizzạre *v.t.* **1.** to nationalize: ~ *un'azienda* to nationalize a company. – **2.** (*rif. a merci, veicoli*) to register (upon importation), to enter (in the registers of another country). – **nazionalizzạto** (*p.p. di nazionalizzare*) *a.* nationalized. – **nazionalizzaziọne** *f.* **1.** nationalization. – **2.** (*rif. a merci, veicoli*) registration (after importation).
nazional-liberạle *a.* National Liberal.
nazionalsocialịsmo *m.* National Socialism, Nazism. – **nazionalsocialịsta I** *s.m./f.* National Socialist, Nazi. – **II** *a.* National Socialist-, Nazi-. – **nazionalsocialịstico** *a.* (*pl.* **-ci**) National Socialist-, Nazi-.
naziọne *f.* **1.** nation. – **2.** (*stato*) nation, state; (*paese*) country, land. – **3.** ⟨*non com*⟩ (*nazionalità*) nationality. – **4.** ⟨*ant*⟩ (*nascita*) birth; (*luogo di nascita*) birthplace. – **5.** ⟨*ant*⟩ (*origine*) origin, ancestry. – **6.** ⟨*ant*⟩ (*generazione*) generation. – **7.** ⟨*ant*⟩ (*gente*) people (*costr. pl.*), nation; (*comunità*) community, group. – **8.** ⟨*ant,Univ*⟩ nation. □ *le Nazioni Unite* the United Nations; *la Società delle -i* the League of Nations.
nazireạto *m.* ⟨*Rel*⟩ Naziriteship, Naziritism. – **nazirẹo** *m.* Nazarite, Nazirite.
nazịsmo (*accorc. di nazionalsocialismo*) *m.* Nazi(i)sm. – **nazịsta** (*accorc. di nazionalsocialista*) **I** *s.m./f.* Nazi. – **II** *a.* → **nazistico.** – **nazịstico** (*accorc. di nazionalsocialistico*) *a.* (*pl.* **-ci**) Nazi-.
nazorẹo *a./s.* → **nazareo.** – **nazzarẹno** *a./s.* ⟨*non com*⟩ → **nazareno.**
Nb = ⟨*Chim*⟩ *niobio* niobium.
N.B. = *nota bene* nota bene, note well (*abbr.* N.B.).
Nd = ⟨*Chim*⟩ *neodimio* neodymium.
N.D. = **1.** *Nobil Donna* noble woman. – **2.** ⟨*Rel*⟩ *Nostra Donna* Our Lady.
N.d.A. = *nota dell'autore* author's note.
N.d.D. = *nota della direzione* editor's note.
N.d.E. = *nota dell'editore* publisher's note.
N.d.R. = *nota della redazione* editor's note.
N.d.T. = *nota del traduttore* translator's note.
nẹ[1] *pron./avv.* (before a vowel *ne* often becomes *n'*; with the infinitive, the participle, the gerund, the imperative and *ecco* it is used enclitically) **I** *pron.* **1.** (*rif. a persona*: *di lui, su di lui*) of (*o* about) him: *non* ~ *sei degno* you aren't ⌜worthy of⌝ (*o* good enough for) him; (*di lei, su di lei*) of (*o* about) her: ~ *parlano molto* they talk about her a lot, she is much spoken of; (*di loro, su di loro*) of (*o* about) them: *perché non ce* ~ *parli mai?* why don't you ever talk about them? – **2.** (*rif. a cosa, spesso con significato neutro, rif. a frasi, concetti e sim.*: *di ciò, su ciò*) with (*o* of) it, about it, *spesso non si traduce*: *grazie del libro,* ~ *ho già letti parecchi capitoli* thanks for the book, I have already read several chapters (of it); *ho una nuova macchina, ma non* ~ *sono contento* I have a new car, but I'm not happy with it; *perché non me* ~ *parli?* why don't you talk to me about it?; (*da ciò*) from it, *spesso non si traduce*: *non saprei trarne altra conseguenza* I don't know what other conclusion I can draw (from it); (*con ciò*) with it: *eccoti il denaro*: *fanne ciò che vuoi* here is the money: do as you like with it. – **3.** (*con significato possessivo, rif. a persona*: *di lui*) his, of him; (*di lei*) her, of her: *te* ~ *mostro la foto* I will show you ⌜her photo⌝ (*o* a photograph of her); (*di loro*) their, of them: *sono stato ospite dei miei amici*: *te* ~ *descrivo la casa* I have been staying with my friends: I'll describe their house to you. – **4.** (*con significato possessivo, rif. a cose, concetti e sim.*) its; (*rif. a città*) her, its: *amo Firenze e* ~ *ammiro i monumenti* I love Florence and I admire its (*o* her) monuments. – **5.** (*con valore partitivo*: *in frasi positive e in frasi interrogative di offerta*) some, *spesso non si traduce*: *hai dei libri?* – *sì,* ~ *ho* have you any books? – yes, I have (some); ~ *vuoi di questa torta?* do you want some of this cake?; (*in frasi negative e interrogative dubitative*) any, *spesso non si traduce*: *hai del pane?* – *no, non* ~ *ho* have you any bread? – no, I haven't (any); *mi piace questo vino*; ~ *hai ancora?* I like this wine; do you have any more?; (*col verbo affermativo*) none: *non* ~ *ho* I have none; (*con un numero*) *non si traduce*: *hai figli?* – *sì,* ~ *ho tre* have you any children? – yes, I have three; (*seguito da agg. qualificativo*) one: *vuole una bambola?* ~ *ho di molto belle* do you want a doll? I have some very pretty ones. – **6.** (*pleonastico*) *non si traduce*: *di questa storia domandatene a lui* ask him about this matter; *di giornali simili non* ~ *leggo più* I don't read papers like that any more; *di vino non ce n'è più* there is no more wine. – **II** *avv.* (*moto da luogo*: *di qui*) from here, *spesso non si traduce*: *venne a casa per Natale, ma* ~ *ripartì dopo tre giorni* he came home for Christmas, but left again after three days; (*di lì*) from there, *spesso non si traduce*. □ ~ *ho bisogno* I need it; *non ce* ~ *sono più* there are no more, there aren't any more; *gliene diede tante* (*lo picchiò*) he gave him a hiding; *soffrirne di qc.* to suffer from s.th., to be bothered by s.th.
nẹ[2] *pron.pers.* ⟨*ant*⟩ (*ci*) us; (*a noi*) (to) us.
nẹ[3] *prep.* in.
Ne = ⟨*Chim*⟩ *neon* neon.
NE = *Nord-Est* North-East (*abbr.* N.E.).
né *congz.*: ~ ... ~ (*dopo il verbo negativo*) either ... or: *non posso bere* ~ *whisky* ~ *gin* I can't drink either whisky or gin; (*dopo il verbo affermativo*) neither ... nor: *non parla* ~ *l'italiano* ~ *l'inglese* he speaks neither Italian nor English; (*con più di due termini*) or: *non verrò* ~ *lunedì* ~ *martedì* ~ *mercoledì* I won't come on Monday, Tuesday, or Wednesday; *non* ... ~ (*negando due verbi*) neither ... nor, not ... not, not ... or: *non piove* ~ *tira vento* it is neither rainy nor windy, it is not rainy or windy either; *non lo giudico* ~ *lo condanno* I neither judge nor blame him, I don't judge him or blame him. □ *senza* ... ~ without ... or: *è partito senza mangiare* ~ *bere* he went off without eating or drinking; ~ *l'uno* ~ *l'altro* neither (of them), not ... either (of them): *non conosco* ~ *l'uno* ~ *l'altro* I don't know either of them, I know neither of them; ~ *più* ~ *meno* neither more nor less; ~ *punto* ~ *poco* (*niente affatto*) not at all.
ne' (*accorc. di nei*) *prep.art.* → **in.**
neạnche *avv./congz.* → **nemmeno.** – **neạnco** *avv./congz.* ⟨*ant,tosc*⟩ → **nemmeno.**
Neandertạl: ⟨*Paleont*⟩ *uomo di* ~ Neanderthal Man. – **neandertaliạno**: *uomo* ~ Neanderthal Man.
neạrtico *a.* (*pl.* **-ci**) ⟨*Geog,Zool*⟩ Neartic: *regione -a* Neartic region.
nẹbbia *f.* **1.** (*densa*) fog: *la città era coperta di* ~ the city was blanketed by fog; (*leggera*) haze; (*mista a fumo*) smog. – **2.** ⟨*fig*⟩ (*offuscamento*) haze, fog, mist, blanket. – **3.** ⟨*tecn*⟩ (*goccioline*) mist, cloud, smoke, fog. – **4.** ⟨*Bot*⟩ tufted hair-grass (*Deschampsia caespitosa*). – **5.** ⟨*Bot*⟩ baby's breath (*Gypsophila elegans*).
□ ~ **alta** high fog; **banco** *di* ~ fogbank; ~ **bassa** ground fog; **camera** *a* ~ Wilson's cloud-chamber; ⟨*Mil*⟩ **cortina** *di* ~ smoke-screen; ⟨*fig,pop*⟩ **insaccare** ~ to beat the air, to act in vain; ⟨*Agr*⟩ ~ *del* **melo** powdery mildew of apple; ⟨*Chim*⟩ *-e* **metalliche** metal fogs; ⟨*fig*⟩ **sciogliersi** *come la* ~ *al sole* to vanish into thin air; **stringere** ~ = **insaccare** *nebbia*. – *Prov.*: *la* ~ *lascia il tempo che trova* fog vanishes as it came.
nebbiạccia *f.* (*pl.* **-ce**) *pegg. di* **nebbia.** – **nebbiẹtta** (*dim. di nebbia*) *f.* → **nebbiolina.**
nẹbbio *m.* ⟨*Bot*⟩ (*ebbio*) danewort, dwarf-elder (*Sambucus ebulus*).
nebbiọgeno I *a.* ⟨*tecn*⟩ **1.** fog-producing. – **2.** (*fumogeno*) smoke-producing, smoke-. – **II** *s.m.* **1.** ⟨*Mil*⟩ (*sostanza*) smoke-producing substance; (*apparecchio*) smoke-making apparatus. – **2.** (*fumogeno*) smoke-producing substance.
nebbiolịna (*dim. di nebbia*) *f.* mist, light fog, haze.
nebbiọlo *m.* ⟨*Enol*⟩ (*vitigno*) nebbiolo, kind of vine; (*vino*) kind of Piedmontese red wine.
nebbiọne (*accr. di nebbia*) **I** *s.m.* thick (*o* pea-soup) fog. – **II** *a.* ⟨*rar*⟩ (*rif. a persona*: *dappoco*) slight, worthless, second-rate. – **nebbiosità** *f.* **1.** fogginess, mistiness, haziness. – **2.** ⟨*fig*⟩ fogginess, confusion. – **3.** ⟨*concr*⟩ (*nebbia*) fog. – **nebbiọso** *a.* **1.** foggy, misty,

hazy. – **2.** ⟨*fig*⟩ (*confuso*) foggy, indistinct, muddled, confused, hazy, clouded.

nẹbel *m.* ⟨*Mus*⟩ nebel, nabla.

nẹbride *f.* ⟨*Stor.gr,Mitol*⟩ nebris, fawnskin.

Nẹbrodi *N.pr.m.pl.* ⟨*Geog*⟩ Nebrodi Mountains *pl.*

nẹbula *f.* **1.** → **nebulosa**. – **2.** ⟨*ant*⟩ (*nebbia*) fog, mist; (*nuvola*) cloud. – **nebulạre** *a.* nebular (*anche Astr.*); (*rif. a nuvola*) cloudy, cloud-like; (*rif. a nebbia*) foggy. – **nebulẹtta** (*dim. di nebula*) *f.* ⟨*ant*⟩ (*nuvoletta*) cloudlet, small cloud.

nebụlio *m.* ⟨*Chim,ant*⟩ nebulium.

nebulịti *f.pl.* ⟨*Min*⟩ nebulites *pl.*

nebulizzạre *v.t.* to nebulize, to atomize, to vaporize. – **nebulizzatọre** *m.* (*apparecchio*) atomizer, nebulizer, vaporizer, spray(er). – **nebulizzaziọne** *f.* **1.** nebulization, atomization, vaporization. – **2.** ⟨*Med*⟩ nebulization.

nebulọne *m.* ⟨*lett*⟩ (*perdigiorno*) good-for-nothing, loafer, idler.

nebulọsa *f.* ⟨*Astr*⟩ nebula.

□ ~ *di* **Andromeda** Great Andromeda Nebula; ~ **anulare** annular nebula; ~ **extragalattica** extragalactic nebula, galaxy; ~ **galattica** galactic nebula; ~ **planetaria** planetary nebula; ~ **solare** solar nebula; ~ **spirale** spiral nebula; ~ **stellare** star cluster.

nebulosità *f.* **1.** nebulosity, cloudiness. – **2.** ⟨*fig*⟩ haziness, fogginess, obscurity. – **3.** ⟨*concr*⟩ (*nuvole*) clouds *pl*; (*nebbia*) fog, mist. – **4.** ⟨*Meteor*⟩ cloudiness.

nebulọso *a.* **1.** (*nebbioso*) foggy, misty. – **2.** (*di nebbia*) fog-: *masse -e* fogbanks; (*di nubi*) cloud-. – **3.** ⟨*fig*⟩ (*sfumato*) nebulous, hazy, indistinct, vague, formless. – **4.** ⟨*fig*⟩ (*non chiaro*) obscure, hazy, confused, muddled, vague. – **5.** ⟨*Astr*⟩ nebulous.

nẹccio ⟨*tosc*⟩ **I** *s.m.* ⟨*Dolc*⟩ chestnut-meal cake. – **II** *a.* (*di castagne*) chestnut-: *farina -a* chestnut-meal.

nécessaire *fr.* [nesɛˈsɛːr] *m.* case, kit, set. □ ~ *da lavoro* work kit; (*cestino*) work-basket; ~ *per le mani* manicure set; ~ *da viaggio* travel case, beauty (*o* vanity) case.

necessariamẹnte *avv.* necessarily.

necessạrio **I** *a.* **1.** necessary (*a* to), required (by, for), needed (for): *gli strumenti -i al chirurgo* the instruments ⌜necessary to⌝ (*o* needed by) a surgeon, the instruments needed for (*o* in) surgery. – **2.** ⟨*Filos*⟩ necessary. – **II** *s.m.* **1.** what is necessary, requisite, necessity, ⟨*fam*⟩ must. – **2.** → **nécessaire**. – **3.** ⟨*ant*⟩ (*parente*) relative. – **4.** ⟨*ant*⟩ (*gabinetto*) lavatory, water-closet. □ *credere ~ fare qc.* to think it necessary to do s.th.; *non è ~ che tu venga* you needn't come; *è ~ far presto* we must hurry; *non ho il denaro ~* I haven't the money; *il ~ per scrivere* writing materials; *non c'è lo spazio ~* there isn't the (*o* enough) space; *lo stretto ~* the bare minimum, bare necessities, what is absolutely necessary.

necẹsse *lat.* ⟨*ant*⟩ **I** *a.* (*necessario*) necessary. – **II** *s.m.inv.* necessity, requisite.

necessità *f.* **1.** necessity, essential (article). – **2.** (*bisogno*) need. – **3.** ⟨*concr*⟩ need, necessity, requirement. – **4.** (*indigenza*) need, poverty, necessity: *versare in gravi ~* to be in dire need. – **5.** (*forza superiore*) necessity: *piegarsi alla ~* to bow to necessity. – **6.** ⟨*Filos*⟩ necessity.

□ ⟨*ant*⟩ **a** ~ (*secondo le necessità*) as necessary, as needed; ~ **assoluta** absolute necessity (*o* need); *ho ~ assoluta di vederti* it is absolutely necessary for me to see you, I absolutely must see you; **avere** *~ di qc.* to need s.th.; *in* **caso** *di ~* in case of need, if necessary; ~ **corporali** (*bisogni*) physical needs; **di** ~ → **necessariamente**; **essere** *nella ~ di fare qc.* to need to do s.th.; (*esserci costretto*) to have to do s.th., to be forced (*o* compelled) to do s.th.; **mettersi** *nella ~ di fare qc.* to force o.s. to do s.th.; ⟨*Filos*⟩ ~ **morale** moral necessity; **per** ~ necessarily, of necessity; *articolo di* **prima** ~ necessity, essential; ⟨*Dir*⟩ **stato** *di ~* jeopardy; **trovarsi** (o *vedersi*) *nella ~ di fare qc.* to be forced (*o* obliged) to do s.th., to have to do s.th.; *non ne* **vedo** *la ~* I see no need for (*o* to do) it; *fare di ~* **virtù** to make a virtue of necessity. – *Prov.*: *~ abbassa nobiltà* nobility bows to necessity; *la ~ aguzza l'ingegno* necessity sharpens the wit; *~ non conosce legge* necessity knows no law.

necessitạre *v.* (**necẹssito**) **I** *v.t.* **1.** (*rendere necessario*) to necessitate, to make inevitable (*o* necessary). – **2.** ⟨*Filos*⟩ to determine. – **3.** ⟨*ant*⟩ (*obbligare, costringere*) to force, to oblige, to compel. – **II** *v.i.* (*aus.* **essere**) to need (*di qc.* s.th.), to be in need (of): *~ di cure* to need (*o* be in need of) treatment. – **III** *v.i.impers.* (*aus.* **essere**) to be necessary.

necessitạto (*p.p. di necessitare*) *a.* **1.** (*costretto*) forced, obliged, compelled. – **2.** (*imposto per necessità*) necessitated, required, made necessary. – **necessitaziọne** *f.* ⟨*rar*⟩ **1.** necessitation. – **2.** ⟨*Filos*⟩ causal determination. – **necessitịsmo** *m.* ⟨*non com*⟩ (*determinismo*) necessitarianism, determinism. – **necessitọso** *a.* ⟨*rar,ant*⟩ (*bisognoso*) needy, poor, poverty-stricken.

necro... *pref.* (*morto* dead) necr(o)...

necro|bacillọsi *f.* ⟨*Veter*⟩ necrobacillosis. – **~biọsi** *f.* ⟨*Biol*⟩ necrobiosis. – **~biọtico** *a.* (*pl.* **-ci**) necrobiotic.

necrọfago *a.* (*pl.* **-gi**) necrophagous.

necrofilịa *f.* ⟨*Psic*⟩ necrophilia. – **necrọfilo** **I** *a.* necrophilic. – **II** *s.m.* (*f.* **-a**) necrophile, necrophilic.

necrọ|fito *m.* ⟨*Bot*⟩ saprophyte, saprophite. – **~fobịa** *f.* ⟨*Psic*⟩ necrophobia.

necrọforo *m.* **1.** (*becchino*) grave-digger, sexton. – **2.** ⟨*Entom*⟩ burying (*o* sexton) beetle, necrophore (*Necrophorus*).

necro|logịa *f.* **1.** (*annuncio di morte*) obituary (notice), death notice. – **2.** (*discorso funebre*) funeral oration. – **~lọgico** *a.* (*pl.* **-ci**) obituary-, necrological. – **~lọgio** *m.* **1.** (*annuncio di morte*) obituary notice. – **2.** (*obituario*) necrology, register of deaths. – **~logịsta** *m./f.* **1.** necrologist. – **2.** ⟨*Giorn*⟩ writer of obituary notices. – **~mạnte** *m.* ⟨*Occult*⟩ necromancer. – **~manzịa** *f.* necromancy.

necrọpoli *f.* **1.** ⟨*Archeol*⟩ necropolis. – **2.** ⟨*estens*⟩ (*cimitero*) cemetery, necropolis.

necropsịa *f.* (*autopsia*) autopsy, post-mortem (examination), necropsy.

necrormọne *m.* ⟨*Biol*⟩ necrohormone.

necroṣạre *v.* (**necrọṣo**) ⟨*non com*⟩ → **necrotizzare**. – **necroṣạto** (*p.p. di necrosare*) *a.* → **necrotizzato**.

necroscopia *f.* → **necropsia**. – **necroscọpico** *a.* (*pl.* **-ci**) post-mortem-: *esame ~* post-mortem (examination), autopsy. – **necrọscopo** *m.* (*medico*) doctor who performs post-mortem examinations.

necrọṣi *f.* ⟨*Med*⟩ necrosis. □ ~ *con coagulazione* coagulation necrosis; ~ *colliquativa* colliquative necrosis.

necrospermịa *f.* ⟨*Med*⟩ necrospermia.

necrọtico *a.* (*pl.* **-ci**) ⟨*Biol*⟩ necrotic.

necrotịna *f.* → **necrormone**.

necrotizzạre *v.t.* ⟨*Biol*⟩ to necrotize. – **necrotizzạto** (*p.p. di necrotizzare*) *a.* necrotized.

necrotomịa *f.* ⟨*Med*⟩ necrotomy.

nẹcton *m.* ⟨*Zool*⟩ nekton, necton. – **nectọnico** *a.* (*pl.* **-ci**) nektonic.

nẹd *congz.* ⟨*poet*⟩ → **né**.

neẹnte *pron./avv./s.* → **niente**.

nefandẹzza *f.* **1.** wickedness, nefariousness, iniquity. – **2.** (*azione*) foul (*o* evil) deed. – **nefandità** *f.* ⟨*non com*⟩ → **nefandezza**. – **nefạndo** *a.* **1.** (*scellerato*) wicked, nefarious, iniquitous, evil, foul, dreadful. – **2.** ⟨*non com*⟩ (*malfatto*) ill-made, bad. – **nefạrio** *a.* ⟨*lett*⟩ → **nefando**.

nefạsto **I** *a.* **1.** evil, ill, black, of misfortune, unhappy; (*fatale*) fateful, ill-fated: *ricorrenza -a* ill(-fated) day. – **2.** (*di malaugurio*) ill-omened, ill-fated, inauspicious, unlucky. – **3.** ⟨*non com*⟩ (*che reca danno*) harmful, bringing ill fortune, pernicious. – **II** *s.m.pl.* (*azioni poco gloriose*) inglorious deeds *pl*; (*rif. ad avvenimenti*) inglorious events *pl.* □ ⟨*Stor.rom*⟩ *giorni -i* dies nefasti, days on which business may not be conducted.

nefelịna *f.* ⟨*Min*⟩ nepheline, nephelite. – **nefelịnico** *a.* (*pl.* **-ci**) nephelinic. – **nefelinịte** *f.* ⟨*Geol*⟩ nephelinite.

nefẹlio *m.* ⟨*Bot*⟩ litchi (*Litchi chinensis, Nephelium litchi*).

nefelometrịa *f.* ⟨*Meteor,Chim*⟩ nephelometry. – **nefelomẹtrico** *a.* (*pl.* **-ci**) nephelometric(al). – **nefelọmetro** *m.* nephelometer.

nefelopịa *f.* ⟨*Med*⟩ nephelopia.

nefeloscopịa *f.* → **nefoscopia**. – **nefeloscọpio** *m.* → **nefoscopio**.

Nefertịti *N.pr.f.* ⟨*Stor*⟩ Nefertiti.

nefoscopịa *f.* ⟨*Meteor*⟩ nephoscopy. – **nefoscọpico** *a.* (*pl.* **-ci**) nephoscopic. – **nefoscọpio** *m.* nephoscope.

nefralgịa *f.* ⟨*Med*⟩ nephralgia. – **nefrectaṣịa** *f.* nephrectasia, nephrectasy. – **nefrectomịa** *f.* nephrectomy.

nefridiạle *a.* ⟨*Zool*⟩ nephridial. – **nefrịdio** *m.* nephridium.

nefrịte[1] *f.* ⟨*Med*⟩ nephritis.

nefrịte[2] *f.* ⟨*Min*⟩ nephrite.

nefrịtico *a./s.* (*pl.* **-ci**) ⟨*Med*⟩ **I** *a.* nephritic. – **II** *s.m.* (*f.* **-a**) nephritic. – **nefrịtide** *f.* ⟨*ant*⟩ → **nefrite**[1].

nefro... *pref.* (*rene* kidney) nephr(o)...

nefro|blastọma *m.* ⟨*Med*⟩ nephroblastoma, Wilm's tumour. – **~calcinọṣi** *f.* nephrocalcinosis. – **~cẹle** *m.* nephrocoel(e), nephrocele.

nefrọ|geno *a.* ⟨*Anat*⟩ nephrogenic, nephrogenous. – **~idrọṣi** *f.* ⟨*Med*⟩ nephrohydrosis, hydronephrosis. – **~ipertrofịa** *f.* nephrohypertrophy. – **~lịṣi** *f.* nephrolysis.

nefrolitịaṣi *f.* ⟨*Med*⟩ nephrolithiasis. – **nefrọlito** *m.* nephrolith.

nefro|litotomịa *f.* ⟨*Chir*⟩ nephrolithotomy. – **~malacịa** *f.* ⟨*Med*⟩ nephromalacia.

nefrọne *m.* ⟨*Zool,Anat*⟩ nephron(e).

nefropatịa *f.* ⟨*Med*⟩ nephropathy.

nefrọpe *m.* ⟨*Zool*⟩ Norway lobster, prawn (*Nephrops norvegicus*).

nefropẹssi, nefropessịa *f.* ⟨*Chir*⟩ nephropexy.

nefro|pielịte *f.* ⟨*Med*⟩ nephropyelitis. – **~ptọṣi** *f.* nephroptosis, nephroptosia. – **~rrafịa** *f.* ⟨*Chir*⟩ nephrorrhaphy. – **~rragịa** *f.* ⟨*Med*⟩ nephrorrhagia. – **~sclerọṣi** (o *nefrosclẹroṣi*) *f.* nephrosclerosis.

nefrọṣi *f.* ⟨*Med*⟩ nephrosis: *~ lipoidea* lipoid nephrosis.

nefrostomịa *f.* ⟨*Chir*⟩ nephrostomy.

nefrọtico *a.* (*pl.* **-ci**) ⟨*Med*⟩ nephrotic.

nefro|tịṣi *f.* ⟨*Med*⟩ nephrotuberculosis, nephrophthisis. – **~tomịa** *f.* ⟨*Chir*⟩ nephrotomy.

negạbile *a.* **1.** deniable. – **2.** (*rifiutabile*) refusable. – **negabilità** *f.* ⟨*non com*⟩ **1.** deniability. – **2.** (*l'essere rifiutabile*) refusability. – **negamẹnto** *m.* ⟨*ant*⟩ **1.** (*il negare*) negation, denial. – **2.** (*rifiuto*) refusal.

negạre *v.t.* (**nẹgo/nẹgo/***ant.* **niẹgo, nẹghi/nẹghi**) **1.** to deny. – **2.** (*contestare*) to deny, to refute; (*non riconoscere*) to deny, to refuse to recognize (*o* acknowledge), to negate: *~ un diritto* to refuse to recognize a right; (*privare*) to withhold, to deny. – **3.** (*rifiutare*) to deny, to refuse: *~ il permesso a qd.* to refuse (to give) s.o. permission; (*vietare*) to prohibit, to forbid. – **4.** (*non ammettere*) to reject, to refuse to admit, to deny, to disavow. – **5.** ⟨*assol*⟩ to say no, to deny s.th. □ *farsi ~* to have s.o. say that one is not in. –

Prov.: *chi tutto nega, tutto confessa* to deny everything is to confess all.

negativa *f.* **1.** (*il negare*) denial, denying; (*rifiuto*) refusal. – **2.** ⟨*Fot*⟩ negative. □ ⟨*Fot*⟩ ~ *in bianco e nero* black and white negative; ⟨*Fot*⟩ ~ *a colori* colour negative; ⌜*mantenersi nella*⌝ (o *stare sulla*) ~ to persist in denying, to keep saying no.

negativamente *avv.* negatively, in the negative; (*con un rifiuto*) negatively. □ *rispondere* ~ to say no.

negativismo *m.* ⟨*Psic*⟩ negativism.

negatività *f.* negativeness.

negativo I *a.* **1.** negative; (*che rifiuta*) negative: *una risposta -a* a negative answer, a no. – **2.** (*sfavorevole*) unfavourable, bad, negative: *critica -a* unfavourable criticism; (*dannoso*) harmful, damaging, negative. – **3.** (*che non ha l'effetto previsto*) negative: *esito* ~ negative result. – **4.** ⟨*Mat,Fis,Gramm*⟩ negative: *particella -a* negative particle. – **II** *s.m.* ⟨*Fot*⟩ negative. □ *avere esito* ~ to be unsuccessful.

negativoscopio *m.* → **negatoscopio.**

negato (*p.p. di negare*) *a.* **1.** denied, disavowed; (*rifiutato*) refused, denied. – **2.** (*che non ha disposizione*) bad, hopeless, no good: *essere* ~ *per le lingue* to be bad (*o* no good) at languages. – **3.** ⟨*fig*⟩ (*sottratto*) taken (away), withheld, denied. □ *ore -e al riposo* hours of lost sleep.

negatone *m.* → **negatrone.**

negatore I *s.m.* (*f.* **-trice**) denier, negator; (*chi rifiuta*) refuser. – **II** *a.* negatory, nullifying, denying; (*che rifiuta*) denying, refusing.

negatoria *f.* ⟨*Dir*⟩ (*anche azione negatoria*) actio negatoria, action of quiet enjoyment.

negatoscopio *m.* ⟨*Radiol*⟩ negatoscope.

negatrone *m.* ⟨*Fis*⟩ **1.** (*elettrone*) negat(r)on, electron. – **2.** (*tubo termoelettronico*) negatron.

negazione *f.* **1.** denial, negation; (*il contestare*) denial. – **2.** (*il contrario*) negation, contrary, contradiction, opposite: *la* ~ *dell'onestà* the negation of honesty. – **3.** (*rifiuto*) refusal, denial, negation. – **4.** (*non ammissione*) denial, disavowal. – **5.** ⟨*Gramm*⟩ negative; (*particella negativa*) negative particle. – **6.** ⟨*Mat*⟩ negation. – **7.** ⟨*ant*⟩ (*mortificazione*) mortification.

negghienza *f.* ⟨*ant*⟩ (*negligenza*) negligence. – **neghittosità** *f.* **1.** laziness, slothfulness, indolence. – **2.** (*negligenza*) negligence, carelessness. – **neghittoso** *a.* **1.** (*pigro*) lazy, indolent, slothful. – **2.** (*negligente*) negligent, lax, careless.

negletto (*p.p. di negligere*) *a.* **1.** (*trascurato*) neglected, uncared for, untended; (*derelitto*) foresaken, abandoned. – **2.** (*sciatto*) untidy, slovenly, careless, shabby: *essere* ~ *nel vestire* to dress in an untidy manner.

negli *prep.art.* (formed from *in* + *gli*) → **in.**

négligé *fr.* [negli'ʒe] **I** *s.m.* **1.** ⟨*Mod*⟩ negligé(e). – **2.** (*trascuratezza affettata*) insouciance. – **II** *a.* (*negletto*) neglected, untended.

negligentaccio [-gli-] (*pegg. di negligente*) *m.* (*f.* **-a**) negligent (*o* careless) person.

negligente [-gli-] (*p.pr. di negligere*) **I** *a.* **1.** negligent, careless, inattentive, slack, lax, neglectful: *operaio* ~ negligent worker; (*pigro*) lazy, slothful, indolent. – **2.** (*trascurato*) careless, untidy, unkempt, ⟨*fam*⟩ sloppy, ⟨*fam*⟩ shabby. – **3.** ⟨*lett*⟩ (*noncurante*) careless, nonchalant, off-hand. – **II** *s.m./f.* negligent person.

negligentemente *avv.* negligently. – **negligentone** (*accr. di negligente*) *m.* → **negligentaccio.**

negligenza [-gli-] *f.* **1.** negligence, carelessness, laxity, lack of attention; (*pigrizia*) laziness, indolence, sloth. – **2.** (*azione*) careless action, oversight, negligence. – **3.** ⟨*Dir*⟩ negligence. – **negligere** *v.t.* (forms in use: *p.rem.* **neglessi**; *p.pr.* **negligente**; *p.p.* **negletto**) ⟨*lett*⟩ **1.** (*trascurare*) to neglect, to overlook. – **2.** (*disprezzare*) to disregard, to slight.

nego (o *nego*) *m.* ⟨*ant*⟩ (*negazione*) denial, denying; (*rifiuto*) refusal, denial.

negossa *f.* ⟨*Pesc*⟩ landing-net.

negoziabile *a.* negotiable (*anche Econ.*). – **negoziabilità** *f.* negotiability (*anche Econ.*).

negoziaccio *m. pegg. di* **negozio.**

negoziale *a.* ⟨*Dir*⟩ relating to a legal transaction, contractual: *documento* ~ document relating to a legal transaction.

negoziamento *m.* ⟨*ant*⟩ negotiation.

negoziante *m./f.* (*esercente*) shopkeeper; (*commerciante*) dealer, trader, merchant. □ ~ *di frutta* fruit seller; ~ *all'ingrosso* wholesaler; ~ *al minuto* retailer; ~ *di stoffe* cloth merchant; ~ *di vini* wine merchant.

negoziare *v.* (**negozio, negozi**) **I** *v.t.* **1.** to negotiate (the price of), to contract (for), to make a deal over, to deal in: ~ *una partita di stoffe* to negotiate the price of a lot of cloth. – **2.** (*mercanteggiare*) to bargain over (*o* for), to haggle over. – **3.** ⟨*Econ*⟩ (*rif. a titoli*) to transact, to buy and sell, to negotiate; (*rif. a cambiali*) to negotiate. – **4.** ⟨*Dipl*⟩ to negotiate: ~ *una tregua* to negotiate a truce. – **II** *v.i.* (*aus.* **avere**) (*commerciare*) to deal, to trade, to do business (*in* in).

negoziato *m.* (generally in pl.) negotiation (*anche Dir.,Dipl.*): *-i di pace* peace negotiations. □ *essere in* ~ *con qd.* to be negotiating with s.o.; *entrare in* ~ to begin negotiations. – **negoziatore** *m.* (*f.* **-trice**) negotiator. – **negoziazione** *f.* **1.** negotiation, transaction, dealing. – **2.** ⟨*Dipl*⟩ negotiation. – **3.** ⟨*Econ*⟩ (*rif. a titoli*) buying and selling, transaction, negotiation; (*rif. a cambiali*) negotiation.

negozietto *m.* ⟨*spreg*⟩ *dim. di* **negozio.**

negozio *m.* **1.** shop, ⟨*am*⟩ store: *aprire un* ~ to open a shop. – **2.** (*affare*) (business) deal, transaction, (piece of) business: *concludere un* ~ to wind up a deal, to make a transaction. – **3.** ⟨*fam,scherz*⟩ (*faccenda*) matter, business, thing, affair, ⟨*fam*⟩ contraption. – **4.** ⟨*Dir*⟩ (legal) transaction. – **5.** ⟨*lett*⟩ (*attività*) activity, business, occupation. – **6.** ⟨*ant*⟩ (*incarico*) task, charge.

□ **andare** *a* ~ to go to work; ~ *di* **antichità** antique shop; ~ *di* **calzature** shoe shop; *-i a* **catena** chain-stores; **condurre** *un* ~ = **gestire** *un negozio*; ⟨*Dir*⟩ ~ **dissimulato** = *negozio* **simulato**; ~ *di* **ferramenta** ironmonger's (shop), ⟨*am*⟩ hardware store; ~ *di* **frutta** fruit shop, greengrocer's; ~ *di* **generi** *alimentari* food (*o* grocery) store; ~ *di generi misti* general store; **gestire** *un* ~ to manage (*o* run) a shop; ⟨*Dir*⟩ ~ **giuridico** legal transaction; ~ **illecito** illegal transaction; ~ *all'***ingrosso** wholesale store; ~ *al* **minuto** retail shop; ⟨*Dir*⟩ ~ **simulato** fictitious (*o* sham) transaction; ~ **valido** valid transaction; ~ *di* **vini** wine shop.

negozioso *a.* ⟨*ant*⟩ (*pieno di occupazioni*) busy, taken up.

negoziuccio *m.* ⟨*spreg*⟩ *dim. di* **negozio.**

negra *f.* Negress, coloured (*o* Negro) woman.

negreggiare *v.i.* (**negreggio, negreggi**; *aus.* **avere**) ⟨*non com*⟩ (*nereggiare*) to seem black, to be blackish.

negrettino *m.* ⟨*Agr*⟩ kind of vine.

negretto[1] *m.* ⟨*Agr*⟩ kind of vine.

negretto[2] (*dim. di negro*) *m.* (*f.* **-a**) (*bambino negro*) Negro boy, piccaninny, ⟨*spreg*⟩ nigger-boy.

negrezza *f.* ⟨*lett,non com*⟩ blackness.

negricante *a.* ⟨*rar*⟩ (*nereggiante*) blackish, black-looking.

negride I *a.* Negro, black. – **II** *s.m.* Negro, black man.

negriere *m.* **1.** slave-trader. – **2.** ⟨*estens*⟩ (*mercante di schiavi*) slave -dealer, slaver. – **3.** ⟨*fig*⟩ slave-driver. – **negriero I** *a.* (*rif. alla tratta dei negri, degli schiavi*) slave-: *nave* ~ slave-ship, blackbirder. – **II** *s.m.* → **negriere.**

negrillo *m.* ⟨*Etnol,ant*⟩ negrillo.

negrità *f.* (*caratteristiche dei negri*) Negro characteristics *pl.*

negrito *sp. m.* ⟨*Etnol*⟩ negrito.

negritudine *f.* (*l'essere negro*) Negro character.

negro I *a.* **1.** Negro, black, coloured: *razza -a* Negro race; *cultura -a* Negro culture. – **2.** ⟨*ant,lett*⟩ (*nero*) black. – **3.** ⟨*fig,lett*⟩ (*tetro*) dark, gloomy. – **II** *s.m.* (*f.* **-a**) Negro (*f* -ress), black, coloured person. □ ⟨*fig*⟩ *fare il* ~ (*lavorare molto*) to slave (away); *lavorare come un* ~ to work like a slave (*o* black).

negroamericano *a.* American Negro, black American.

negrofumo *m.* ⟨*non com*⟩ → **nerofumo.**

negroide I *s.m.* Negroid. – **II** *a.* Negroid.

negromante *m.* ⟨*Occult*⟩ **1.** magician, necromancer, sorcerer, wizard. – **2.** → **necromante.** – **negromantesco** *a.* (*pl.* **-chi**) ⟨*rar*⟩ → **negromantico.** – **negromantica** *f.* → **negromanzia.** – **negromantico** *a.* (*pl.* **-ci**) (*rif. a negromanti*) necromantic; (*rif. a negromanzia*) magic, necromantic. – **negromanzia** *f.* **1.** necromancy, sorcery, magic. – **2.** → **necromanzia.**

negrore *m.* ⟨*ant*⟩ (*l'esser nero*) black(ness); (*il nereggiare*) blackening.

negundo *m.* ⟨*Bot*⟩ (*acero bianco*) box elder (*Acer negundo*).

negus *m.* Negus. – **negussita** *a.* of the Negus. □ *impero* ~ Ethiopia.

neh *intz.* ⟨*region*⟩ (*vero*) isn't it, ⟨*fam*⟩ right, ⟨*fam*⟩ eh: *una bella serata,* ~*?* it's a beautfful evening, isn't it?

nei *prep.art.* (formed from *in* + *i*) → **in.**

neismo *m.* ⟨*Bot*⟩ neism.

nekton *m.* → **necton.**

nel *prep.art.* (formed from *in* + *il*) → **in.** – **nella** *prep.art.* (formed from *in* + *la*) → **in.** – **nelle** *prep.art.* (formed from *in* + *le*) → **in.** – **nello** *prep.art.* (formed from *in* + *lo*) → **in.**

nelumbio *m.* ⟨*Bot*⟩ Indian lotus, nelumbo (*Nelumbium nucifera*).

nematelminti *m.pl.* ⟨*Zool*⟩ nemathelminths *pl* (*Nemathelminthes*).

nemato... *pref.* (*filo* thread, *filamento* filament) nemat(o)..., nem(a)..., nem(o)...

nematocecidio *m.* ⟨*Bot*⟩ (*galla*) gall.

nemato|ceri *m.pl.* ⟨*Entom*⟩ nematocerans *pl* (*Nematocera*). – **~cida** *m.* ⟨*Farm*⟩ nematocide, nematicide. – **~cisti** *m.inv.* ⟨*Zool*⟩ nematocyst.

nematodi *m.pl.* ⟨*Zool*⟩ nematodes *pl* (*Nematoda*).

nematomorfi *m.pl.* ⟨*Zool*⟩ horsehair worms *pl*, nematomorphans *pl* (*Nematomorpha*).

nembifero *a.* ⟨*poet*⟩ cloud-bearing, storm-bringing.

nembo *m.* **1.** (*nube*) rain-cloud, nimbus. – **2.** ⟨*Meteor*⟩ nimbus. – **3.** ⟨*fig,lett*⟩ (*grande quantità*) cloud, shower, hail: *-i di polvere* clouds of dust; ~ *di fiori* shower of flowers; ~ *di proiettili* hail of shells.

nemboso *a.* ⟨*lett*⟩ cloudy, black with clouds, stormy, nimbose.

nembo-strati *m.pl.* ⟨*Meteor*⟩ nimbostratus clouds *pl*, nimbostrati *pl.*

Nemea *N.pr.f.* ⟨*Geog.stor*⟩ Nemea. – **nemee** *f.pl.* ⟨*Stor.gr*⟩ (*anche feste nemee*) Nemean festivals *pl*, Nemean games *pl.* – **nemeo** *a.* Nemean: ⟨*Mitol*⟩ *il leone* ~ the Nemean lion.

nemertini *m.pl.* ⟨*Zool*⟩ nemertines *pl*, nemerteans *pl* (*Nemertini, Nemertea*).

Nemesi *N.pr.f.* ⟨*Mitol*⟩ Nemesis. – **nemesi** *f.* (*giustizia punitrice*) nemesis; (*vendetta*) revenge, vengeance.

nemicamente *avv.* ⟨*non com*⟩ in an unfriendly way. – **nemicare** *v.* → **nimicare.** – **nemichevole** *a.* → **nimichevole.** – **nemicizia** *f.* → **nimicizia.**

nemico *a./s.* (*pl.* -ci) **I** *s.m.* (*f.* -a) **1.** enemy: *farsi un* ~ to make an enemy; (*avversario*) enemy, foe, opponent, adversary. – **2.** ⟨*Rel*⟩ (*diavolo*) Satan, Devil, Enemy. – **II** *a.* **1.** enemy-, hostile. – **2.** ⟨*Mil*⟩ enemy-: *l'esercito* ~ the enemy forces. – **3.** ⟨*fig*⟩ (*avverso*) adverse, ⟨*pred*⟩ against; (*rif. a cose*) hostile, adverse: *sorte -a* hostile fate. – **4.** ⟨*fig*⟩ (*dannoso*) harmful, damaging, bad. – **5.** ⟨*non com*⟩ (*da nemico*) hostile: *sentimenti -i* hostile feelings.
□ ~ **interno** inner foe; ~ **mortale** mortal enemy (*o* foe); ⟨*scherz*⟩ *essere* ~ *mortale dell'acqua* (*sudicio*) never to wash, to hate soap and water; (*bere solo vino*) to drink only wine; ~ **numero** *uno* enemy number one: ~ *pubblico numero uno* public enemy number one; **passare** *al* ~ to go over to the enemy (*o* other side). – *Prov.*: *a* ~ *che fugge, ponti d'oro* lend a fleeing enemy a helping hand; *un* ~ *è troppo, cento amici non bastano* a single enemy is one too many, a hundred friends not enough; *non ha maggior* ~ *l'uomo di se stesso* man is his own worst enemy.

nemistà *f.* ⟨*ant*⟩ enmity, hostility.

nemmanco *avv./congz.* ⟨*ant,region*⟩ → **nemmeno.**

nemmeno **I** *avv.* not even: *non l'ho* ~ *visto* I did not even see him. – **II** *congz.* not ... either, nor: ~ *io uscirò con questo tempo* I won't go out in this weather either; *tu non lo vuoi?* ~ *io* you don't want it? ⌜nor do I⌝ (*o* I don't either). □ ~ *per sogno* I wouldn't dream of it, ⟨*fam*⟩ not on your life.

nemorale *a.* ⟨*Bot*⟩ woodland-, nemoral(is), nemorose.

nemorense: ⟨*Mitol*⟩ *Diana* ~ Diana of Nemi.

nenfro *m.* ⟨*Geol*⟩ kind of tufa.

nenia *f.* **1.** dirge, slow monotonous song. – **2.** (*cantilena*) singsong melody, monotonous refrain. – **3.** ⟨*fig*⟩ (*lamento*) whining, wailing, ⟨*fam*⟩ moaning and groaning. – **4.** ⟨*Stor.rom*⟩ dirge, funeral song.

nenufaro, nenufero *m.* ⟨*Bot*⟩ nenuphar, waterlily (*Nuphar luteum*).

neo[1] *m.* **1.** ⟨*Anat*⟩ nevus, mole, birth-mark. – **2.** ⟨*Cosmet*⟩ beauty -spot, patch. – **3.** ⟨*fig*⟩ (*piccolo difetto*) (slight) flaw, small defect, spot. □ ~ *pigmentario* pigmented mole, nevus pigmentosus; ~ *sebaceo* multiplex nevus, nevus sebaceus.

neo[2] *m.* ⟨*non com*⟩ → **neon.**

neo... *pref.* (*nuovo* new, *recente* recent) neo..., new-.

neo|accademico *a./s.* (*pl.* -ci) **I** *a.* ⟨*Filos*⟩ of the Middle and New Academy. – **II** *s.m.* (*f.* -a) member of the Middle and New Academy. – **~antropo** *m.* neoanthropine. – **~apostolico** *m.* (*pl.* -ci; *f.* -a) ⟨*Rel*⟩ member of a German Protestant sect. – **~artico** *a.* (*pl.* -ci) nearctic. – **~attico** *a.* (*pl.* -ci) ⟨*Archeol*⟩ neo-Attic. – **~capitalismo** *m.* neo-capitalism. – **~capitalista** **I** *s.m./f.* neo-capitalist. – **II** *a.* neo-capitalist(ic). – **~capitalistico** *a.* (*pl.* -ci) neo-capitalist(ic). – **~carbonico** *a./s.* (*pl.* -ci) **I** *a.* ⟨*Geol*⟩ Neo-Carboniferous. – **II** *s.m.* Neo-Carboniferous (period). – **~cattolicesimo** *m.* ⟨*Rel*⟩ Neo-Catholicism, Modernism. – **~cattolico** *m.* (*pl.* -ci; *f.* -a) **1.** new Catholic convert. – **2.** (*modernista*) Neo-Catholic, (Catholic) Modernist. – **~cerebello, ~cervelletto** *m.* ⟨*Anat*⟩ neocerebellum. – **~classicismo** *m.* ⟨*Art*⟩ neoclassicism. – **~classicista** *m./f.* neoclassicist. – **~classico** *a./s.* (*pl.* -ci) **I** *a.* ⟨*Art,Econ*⟩ neoclassic(al). – **II** *s.m.* **1.** (*stile*) neoclassic(al) style, neoclassicism. – **2.** (*artista*; *f.* -a) neoclassicist. – **~colonialismo** *m.* ⟨*Pol*⟩ neo-colonialism. – **~comiano** **I** *a.* ⟨*Geol*⟩ Neocomian. – **II** *s.m.* Neocomian (period). – **~criticismo** *m.* ⟨*Filos*⟩ neocriticism.

néo-dada *fr.* [neoda'da] *m.* → **neodadaismo.** – **neodadaismo** *m.* ⟨*Art*⟩ Neo-Dadaism.

neo|darvinismo *m.* ⟨*Biol*⟩ Neo-Darwinism. – **~darvinistico** *a.* (*pl.* -ci) Neo-Darwinian. – **~darwinismo** [-vi-] *m.* → **neodarvinismo.** – **~darwinistico** *a.* → **neodarvinistico.** – **~devonico** *a./s.* (*pl.* -ci) ⟨*Geol*⟩ **I** *a.* Neo-Devonian. – **II** *s.m.* Neo-Devonian (period). – **~dimio** *m.* ⟨*Chim*⟩ neodymium. – **~ebraico** *a./s.* (*pl.* -ci) ⟨*Ling*⟩ **I** *a.* modern Hebrew, Neo-Hebraic, Neo-Hebrew. – **II** *s.m.* modern Hebrew, Neo-Hebraic, Neo-Hebrew. – **~egiziano** **I** *a.* Neo-Egyptian, New Egyptian. – **II** *s.m.* Neo-Egyptian, New Egyptian. – **~ellenico** *a./s.* → **neogreco.** – **~empirismo** *m.* ⟨*Filos*⟩ scientific empiricism. – **~fascismo** *m.* ⟨*Pol*⟩ Neo-Fascism. – **~fascista** **I** *s.m./f.* Neo-Fascist. – **II** *a.* Neo-Fascist. – **~fascistico** *a.* (*pl.* -ci) Neo-Fascist. – **~filia** *f.* ⟨*non com*⟩ neophilism.

neofita, neofito *m.* **1.** ⟨*Rel*⟩ neophyte, proselyte, new convert. – **2.** ⟨*fig*⟩ neophyte, novice, beginner.

neo|fobia *f.* ⟨*non com*⟩ neophobia. – **~formazione** *f.* **1.** ⟨*Ling*⟩ neologism. – **2.** ⟨*Med,Bot*⟩ neoformation.

neogene *m.* ⟨*Geol*⟩ Neogene, Neocene. – **neogenico** *a.* (*pl.* -ci) Neogene, Neocene.

neo|giurassico *a./s.* (*pl.* -ci) **I** *a.* ⟨*Geol*⟩ Upper Jurassic, of the Malm period. – **II** *s.m.* Neo-Jurassic (period), Upper Jurassic, Malm (period). – **~glaciale** **I** *a.* Würmian. – **II** *s.m.* Würm. – **~gotico** *a./s.* (*pl.* -ci) ⟨*Art*⟩ **I** *a.* Neo-Gothic. – **II** *s.m.* Neo-Gothic movement. – **~grammatica** *f.* ⟨*Ling*⟩ Junggrammatiker, neogrammarian school of linguistics. – **~grammatico** *a./s.* (*pl.* -ci) **I** *a.* neogrammarian. – **II** *s.m.* neogrammarian. – **~greco** *a./s.* (*pl.* -ci) **I** *a.* Neo-Greek, modern Greek. – **II** *s.m.* Neo-Greek, modern Greek. – **~guelfismo** *m.* ⟨*Stor*⟩ Neo-Guelphism. – **~guelfo** **I** *a.* Neo-Guelphic. – **II** *s.m.* Neo-Guelph. – **~hegelianesimo, ~hegelianismo** [-ge-] *m.* → **neohegelismo.** – **~hegeliano** **I** *a.* ⟨*Filos*⟩ Neo-Hegelian. – **II** *s.m.* (*f.* -a) Neo-Hegelian. – **~hegelismo** *m.* Neo-Hegelianism. – **~impressionismo** *m.* ⟨*Art*⟩ Neo -Impressionism. – **~indonesiano** **I** *a.* Neo-Indonesian. – **II** *s.m.* (*f.* -a) Neo-Indonesian. – **~kantiano** **I** *a.* ⟨*Filos*⟩ Neo-Kantian. – **II** *s.m.* (*f.* -a) Neo-Kantian. – **~kantismo** *m.* Neo-Kantianism. – **~lamarckismo** [-ki-] *m.* ⟨*Biol*⟩ Neo-Lamarckism. – **~latinista** *m./f.* (*studioso*) Neo-Latinist. – **~latino** *a.* Neo-Latin, Romance. – **~liberalismo** *m.* ⟨*Econ*⟩ neoliberalism. – **~linguista** *m./f.* neolinguist. – **~linguistica** *f.* neolinguistics *pl* (*costr. sing.*). – **~litico** *a./s.* (*pl.* -ci) ⟨*Geol*⟩ **I** *a.* neolithic. – **II** *s.m.* Neolithic Age. – **~logia** *f.* ⟨*Ling*⟩ neology. – **~logico** *a.* (*pl.* -ci) neologic(al): *parola -a* neological word, neologism. – **~logismo** *m.* neologism. – **~logista** *m./f.* neologist. – **~malese** *a./s.* → **neoindonesiano.** – **~malt(h)usianismo** *m.* Neo-Malthusianism. – **~membrana** *f.* ⟨*Med*⟩ neomembrane, pseudomembrane. – **~menia** *f.* ⟨*Stor.gr*⟩ (*novilunio*) neomenia.

neomio *m.* ⟨*Zool*⟩ (*crossopo*) Eurasian water-shrew (*Neomys, Crossopus*).

neon *m.* ⟨*Chim*⟩ neon: *illuminazione al* ~ neon lighting.

neonato **I** *a.* **1.** newborn. – **2.** ⟨*estens*⟩ (*recente*) new, recent, young. – **II** *s.m.* (*f.* -a) newborn baby (*o* child).

neonazismo *m.* ⟨*Pol*⟩ Neo-Nazism. – **neonazista** **I** *s.m./f.* Neo-Nazi. – **II** *a.* Neo-Nazi.

neonista *m.* (*operaio*) worker specialized in neon lighting.

neontologia *f.* ⟨*Biol*⟩ neontology. – **neontologo** *m.* (*pl.* -gi; *f.* -a) neontologist.

neo|nummulitico *a./s.* (*pl.* -ci) **I** *a.* ⟨*Geol*⟩ Oligocene. – **II** *s.m.* Oligocene. – **~paganesimo** *m.* neopaganism. – **~permico** *a./s.* (*pl.* -ci) **I** *a.* ⟨*Geol*⟩ Thuringian, Upper Permian. – **II** *s.m.* Upper Permian (period), Thuringian period. – **~persiano** **I** *a.* ⟨*Ling*⟩ modern Persian. – **II** *s.m.* modern Persian. – **~pitagorico** *a./s.* (*pl.* -ci) ⟨*Filos*⟩ **I** *a.* Neo-Pythagorean. – **II** *s.m.* (*f.* -a) Neo-Pythagorean. – **~pitagorismo** *m.* Neo-Pythagoreanism. – **~plasia** *f.* ⟨*Med,Bot*⟩ neoplasia. – **~plasma** *m.* ⟨*Med*⟩ neoplasm. – **~plasticismo** *m.* ⟨*Art*⟩ neoplasticism. – **~ plastico** *a.* (*pl.* -ci) ⟨*Med,Bot*⟩ neoplastic. – **~platonico** *a./s.* (*pl.* -ci) ⟨*Filos*⟩ **I** *a.* neoplatonic. – **II** *s.m.* (*f.* -a) neoplatonist. – **~platonismo** *m.* neoplatonism. – **~positivismo** *m.* neopositivism, logical positivism. – **~positivista** **I** *s.m./f.* neopositivist. – **II** *a.* neopositivistic. – **~positivistico** *a.* (*pl.* -ci) neopositivistic. – **~prene** *m.* ⟨*Ind*⟩ neoprene. – **~realismo** *m.* **1.** ⟨*Filos*⟩ neorealism, new realism. – **2.** ⟨*Art,Cin*⟩ neorealism. – **~realista** **I** *s.m./f.* **1.** ⟨*Filos*⟩ neorealist, new realist. – **2.** ⟨*Art,Cin*⟩ neorealist. – **II** *a.* → **neorealistico.** – **~realistico** *a.* (*pl.* -ci) ⟨*Filos, Art,Cin*⟩ neorealistic. – **~scolastica** *f.* ⟨*Filos*⟩ Neo-Scholasticism. – **~scolastico** *a./s.* (*pl.* -ci) **I** *a.* Neo-Scholastic. – **II** *s.m.* Neo -Scholastic. – **~sporidi** *m.pl.* ⟨*Zool*⟩ neosporidians *pl* (*Neosporidia*). – **~striato** *m.* ⟨*Anat*⟩ neostriatum. – **~tenia** *f.* ⟨*Zool*⟩ neoteny, neoteinia. – **~tenico** *a.* (*pl.* -ci) neotenic, neotenous, neoteinic.

neoterico *a./s.* (*pl.* -ci) **I** *a.* **1.** ⟨*Lett*⟩ neoteric. – **2.** ⟨*estens*⟩ (*innovatore*) neoteric, new, recent. – **II** *s.m.* **1.** ⟨*Lett*⟩ neoteric. – **2.** ⟨*estens*⟩ (*innovatore*) neoterist, modern writer, innovator. – **neoterismo** *m.* → **neofilia.**

neo|testamentario *a.* ⟨*Bibl*⟩ New Testament-, of the New Testament. – **~tomismo** *m.* → **neoscolastica.** – **~tomista** *a./s.* → **neoscolastico.** – **~tomistico** *a.* (*pl.* -ci) Neo-Thomist(ic).

neo|trago *m.* (*pl.* -ghi) ⟨*Zool*⟩ **1.** (*anche neotrago pigmeo*) royal antelope, kleeneboc (*Neotragus pygmaeus*). – **2.** *pl.* royal antelopes *pl* (*Neotraginae*). – **~tropicale** *a.* ⟨*Geog*⟩ Neotropic(al): *regno* ~ Neotropical region, Neotropics *pl.* – **~tropico** *a.* (*pl.* -ci) → **neotropicale.** – **~umanesimo** *m.* ⟨*Filos*⟩ neo-humanism, new humanism. – **~vitalismo** *m.* ⟨*Filos*⟩ neo-vitalism, modern vitalism. – **~vitalista** *m./f.* neo-vitalist. – **~vitalistico** *a.* (*pl.* -ci) neo-vitalistic. – **~vulcanico** *a.* (*pl.* -ci) ⟨*Geol*⟩ Neovolcanic. – **~zelandese** **I** *a.* New Zealand-, of New Zealand. – **II** *s.m./f.* New Zealander. – **~zoico** *a./s.* (*pl.* -ci) **I** *a.* ⟨*Geol*⟩ Neozoic. – **II** *s.m.* (*era neozoica*) Neozoic (period).

nepa[1] *f.* ⟨*Bot*⟩ (*ginestrone*) furze, gorse, prickly broom, whin (*Ulex europaeus*).

nepa[2] *f.* ⟨*Entom*⟩ water scorpion (*o* bug) (*Nepa cinerea*).

Nepal *N.pr.m.* ⟨*Geog*⟩ Nepal (*denom.uff.*: *Regno del Nepal* Kingdom of Nepal). – **nepalese** **I** *a.* Nepalese, of Nepal, Nepali. – **II** *s.m./f.* (*abitante*) Nepalese, Nepali.

nepentacee *f.pl.* ⟨*Bot*⟩ pitcher-plant family (*Nepenthaceae*). – **nepente** *f.* **1.** ⟨*Bot*⟩ pitcher-plant (*Nepenthes*). – **2.** ⟨*Stor.gr*⟩ (*bevanda*) nepenthe.

nepetella *f.* ⟨*region*⟩ → **nepitella.**

nepidi *m.pl.* ⟨*Entom*⟩ water scorpions *pl* (*Nepidae*).

nepitella *f.* ⟨*Bot*⟩ calamint (balm), basil thyme (*Satureia calamintha*).

nepote *m./f.* ⟨*lett*⟩ (*nipote, discendente*) descendant.

nepotismo *m.* **1.** nepotism. – **2.** ⟨*estens*⟩ (*favoreggiamento*) favouritism, nepotism. – **nepotista** **I** *s.m./f.* nepotist. – **II** *a.* → **nepotistico.** – **nepotistico** *a.* (*pl.* -ci) nepotistic(al), nepotic.

neppure *avv./congz.* → **nemmeno.**

nequità, nequitanza *f.* ⟨*ant*⟩ (*iniquità*) wickedness, iniquity, evil. – **nequitoso** *a.* ⟨*ant*⟩ (*malvagio*) wicked, iniquitous, evil; (*ostile*) hostile. – **nequizia** *f.* ⟨*ant*⟩ **1.** wickedness, iniquity; (*atto*) wicked deed. – **2.** (*sdegno*) anger, indignation.

nera *f.* ⟨*Mus*⟩ crotchet, ⟨*am*⟩ quarter-note.

nerastro *a.* blackish.

nerazzurro *a.* blue-black, bluish-black.

nerbare *v.t.* (**nerbo**) ⟨*non com*⟩ **1.** to flog, to whip, to lash, to scourge. – **2.** ⟨*estens*⟩ (*bastonare*) to beat, to cane. – **nerbata** *f.* **1.** whiplash. – **2.** ⟨*estens*⟩ (*bastonata*) blow with a stick. □ *a suon di -e* by dint of thrashings. – **nerbatore** *m.* (*f.* -trice) ⟨*non com*⟩ flogger, scourger; (*col bastone*) beater. – **nerbatura** *f.* ⟨*non com*⟩ whipping, flogging.

nẹrbo *m.* **1.** whip, scourge, lash; ⟨*estens*⟩ (*staffile*) whip, lash, thong. – **2.** ⟨*fig*⟩ (*parte più forte*) core, backbone, heart. – **3.** ⟨*fig*⟩ (*forza*) strength, force, vigour, ⟨*fam*⟩ punch. – **4.** ⟨*ant*⟩ (*nervo*) nerve. □ ⟨*fig*⟩ *senza* ~ spineless, weak, ineffectual.
nerborụto *a.* (*muscoloso*) muscular, vigorous, sinewy; (*robusto*) robust, strong, tough: *gambe -e* strong legs. – **nerbụto** *a.* ⟨*non com*⟩ → **nerboruto**.
nereggiamẹnto *m.* ⟨*non com*⟩ appearing black, dark appearance, blackening, darkening. – **nereggiạnte** (*p.pr. di nereggiare*) *a.* blackish. – **nereggiạre** *v.* (**nerẹggio, nerẹggi**) **I** *v.i.* (*aus.* **avere**) ⟨*lett*⟩ to be blackish (*o* dark), to appear black, to look dark; (*diventare nero*) to blacken, to turn black, to darken: *il cielo nereggiava di nuvole* the sky was (turning) black with clouds. – **II** *v.t.* ⟨*rar*⟩ (*tingere di nero*) to blacken, to turn black.
nerẹide *f.* ⟨*Mitol*⟩ Nereid.
nerẹidi *f.pl.* **1.** ⟨*Zool*⟩ nereids *pl* (*Nereidae*). – **2.** ⟨*Bot*⟩ aquatic plants *pl.*
nerẹllo *m.* ⟨*Agr*⟩ kind of Sicilian vine.
Nerẹo *N.pr.m.* ⟨*Mitol*⟩ Nereus.
nerettịsta *m.* ⟨*giorn*⟩ writer of articles (to be printed in bold-face).
nerẹtto[1] (*dim. di nero*) *m.* **1.** blackish colour. – **2.** ⟨*Tip*⟩ bold-face, bold(-faced) type. – **3.** ⟨*giorn*⟩ article printed in bold-face. □ ⟨*Tip*⟩ *in* ~ in bold-face, bold-faced.
nerẹtto[2] *m.* ⟨*Agr*⟩ kind of vine.
nerẹzza *f.* ⟨*non com*⟩ blackness, darkness.
nericạnte (*p.pr. di nericare*) *a.* ⟨*lett*⟩ → **nereggiante**. – **nericạre** *v.* (**nẹrico, nẹrichi**) ⟨*lett*⟩ → **nereggiare**.
nerịccio *a.* blackish, darkish. – **nerịgno** *a.* ⟨*lett*⟩ → **nericcio**.
nerịtico *a.* (*pl.* **-ci**) ⟨*Geol*⟩ neritic.
nerịtidi *m.pl.* ⟨*Zool*⟩ neritids *pl* (*Neritidae*).
nẹro I *a.* **1.** black. – **2.** (*scuro*) dark, black: *occhiali -i* dark (*o* sun-) glasses; *il cielo era* ~ *di nubi* the sky was dark (*o* black) with clouds. – **3.** (*negro*) black, Negro, coloured. – **4.** (*sudicio*) black, filthy, very dirty: *mani -e* black (*o* sooty) hands. – **5.** (*rif. a vino: rosso*) red; (*rosso scuro*) dark red. – **6.** (*rif. a birra*) dark. – **7.** ⟨*fig*⟩ (*doloroso, triste*) black, dark, gloomy: *un periodo* ~ a black period. – **8.** ⟨*fig*⟩ (*scellerato*) black, wicked, evil: *un'anima -a* a black heart; (*riprovevole*) black, shameful, dishonourable, disgraceful. – **9.** ⟨*fam*⟩ (*irritato*) black, angry, bad, dark: *essere d'umore* ~ to be in a black (*o* bad) mood. – **10.** (*clericale*) black, papal, clerical. – **11.** (*fascista*) black, Fascist. – **12.** (*illecito*) black: *mercato* ~ black market. – **II** *s.m.* **1.** black: *vestire di* ~ to wear black; (*parte nera*) black (part); (*nerezza*) blackness. – **2.** (*tinta*) black (paint). – **3.** (*cera da scarpe*) blacking, black shoepolish. – **4.** (*negli scacchi*) black; (*nella roulette*) black. – **5.** (*clericale*) black. – **6.** ⟨*Min,Ind*⟩ black. – **7.** ⟨*Bot*⟩ (*fumaggine*) fumagine. – **8.** *pl.* ⟨*Stor*⟩ (*a Firenze*) Blacks *pl.*
□ ⟨*Chim*⟩ ~ **alizarina** alizarin black; ~ **animale** animal charcoal, bone-black; ~ *come il* **carbone** as black as soot (*o* ink), coal black, pitch-black; **dare** *il* ~ *a qc.* to black s.th.; ⟨*fig*⟩ *non* **distinguere** *il* ~ *dal bianco* not to know black from white; ~ *come l'***inchiostro** = *nero come il* **carbone**; **mettere** ~ *su bianco* to put down in black and white; ~ **minerale** mineral coal; ~ *d'ossa* = *nero* **animale**; **pane** ~ brown bread; ⟨*Chim*⟩ ~ *di* **platino** platinum-black; ⟨*Zool*⟩ ~ *di* **seppia** (cuttlefish) ink, sepia; ⟨*Tip*⟩ ~ *da* **stampa** printer's ink; ⟨*fig*⟩ **vedere** ~ to look on the dark side of things.
nerọfide, nerofịdio *m.* ⟨*Itt*⟩ straight-nosed pipe-fish (*Nerophis orosphidion*).
nerofụmo (o *nẹro fụmo*) *m.* lampblack, gas black; (*fuliggine*) soot. □ ~ *di gas* carbon black; ~ *di lampada* lampblack.
nerọgnolo (*dim. di nero*) *a.* blackish.
nẹrola *f.*, **nẹroli** *m.* neroli oil, orange-flower oil.
Nerọne *N.pr.m.* ⟨*Stor*⟩ Nero. – **neroniạno** *a.* **1.** Neronian, of Nero, Nero's. – **2.** ⟨*fig*⟩ (*feroce*) cruel, ferocious, tyrannical, Neronian.
neroplạncton *m.* ⟨*Zool*⟩ neritic plankton.
nerụme *m.* **1.** black (filth), dirt; (*cosa nera*) black mass (*o* stuff). – **2.** ⟨*Bot*⟩ foot-rot, late blight, spot blotch.
Nẹrva *N.pr.m.* ⟨*Stor*⟩ Nerva.
nervạle *a.* ⟨*Bot*⟩ nervalis, of nerves (*o* veins). – **nervạto** *a.* veined, nerved, ribbed; (*rinforzato*) reinforced.
nervatụra *f.* **1.** ⟨*Anat*⟩ nervous system. – **2.** ⟨*pop*⟩ (*nervi*) nerves *pl.* – **3.** ⟨*Bot,Entom*⟩ nervation, venation. – **4.** ⟨*Arch,Mecc*⟩ rib. – **5.** ⟨*Legat*⟩ raised band. – **6.** ⟨*Sart*⟩ pin-tucks *pl.* □ ⟨*Arch*⟩ ~ *a croce* cross (*o* diagonal) rib; ⟨*tecn*⟩ ~ *di irrigidimento* (o *rinforzo*) stiffening rib; ⟨*Arch*⟩ ~ *della volta* ribbing of the vault.
nervaziọne *f.* ⟨*Bot*⟩ nervation, venation.
nẹrveo *a.* ⟨*rar*⟩ (*nervoso*) nervous.
nervẹtti *m.pl.* ⟨*Gastr,region*⟩ cold dish of pickles and sliced calf's head.
nervettịno, nervẹtto *m. dim. di* **nervo**.
nervịno *a.* nerve-, nervine. □ *farmaco* ~ nervine, nerve tonic.
nẹrvo *m.* **1.** ⟨*Anat*⟩ nerve. – **2.** ⟨*fam*⟩ (*tendine*) tendon, sinew. – **3.** ⟨*fig*⟩ (*vigore*) vigour, force, strength. – **4.** ⟨*non com*⟩ (*nerbo*) strength, backbone, heart, core. – **5.** ⟨*Legat*⟩ raised band. – **6.** ⟨*Bot*⟩ vein, nerve, rib. – **7.** ⟨*Entom*⟩ vein. – **8.** ⟨*poet*⟩ (*corda di strumento musicale*) string; (*corda dell'arco*) string.
□ ~ **accessorio** accessory nerve; ⟨*fig*⟩ *-i di* **acciaio** nerves of steel; ~ **acustico** acoustic (*o* auditory) nerve; ⟨*fig*⟩ **avere** *i -i* to be irritable (*o* jumpy, touchy), to be on edge; *-i* **cardiaci** cardiac nerves; *-i* **coccigei** coccygeal nerves; *-i* **cranici** cranial nerves; ~ **cubitale** cubital (*o* ulnar) nerve; ⟨*fig*⟩ **dare** *ai* (o *sui*) *-i a qd.* to get on s.o.'s nerves; *essere* **debole** *di -i* to have poor (*o* weak) nerves, to be nervous (*o* easily upset); *-i* **digitali** digital nerves; ~ **facciale** facial nerve; ~ *dei* **fagiolini** string (of string-beans); *essere* **forte** *di -i* to have good (*o* strong) nerves, to have nerves of steel; *-i* **lombari** lumbar nerves; **malato** *di -i* suffering from a nervous complaint (*o* breakdown); ~ **masticatore** masticatory nerve; *-i* **misti** mixed nerves; *-i* **motori** motor nerves; ~ **ottico** optic nerve; *avere i -i a fior di* **pelle** to be a bundle of nerves; *avere i -i a* **pezzi** to be a nervous wreck, to be on the verge of a nervous breakdown; *avere i -i a* **posto** to have sound nerves; ⟨*Bot*⟩ *-i* **primari** costal (*o* primary) veins, ribs *pl*; *-i* **sacrali** sacral nerves; ~ **sciatico** sciatic nerve; *-i* **scossi** shaken (*o* shattered) nerves; ⟨*Bot*⟩ *-i* **secondari** secondary veins; **soffrire** *di* ~ to have weak nerves, to be nervous; ⟨*fig*⟩ **spezzare** *i -i a qd.* to shatter s.o.'s nerves; (*rif. a cosa*) to be nerve-racking; *-i* **spinali** spinal nerves; *-i dello* **stomaco** stomach nerves; ~ **toracico** thoracic nerve; ~ **trigemino** trigeminal nerve, trigeminus; ⟨*fig*⟩ **troncare** *i -i a qd.* to fatally weaken s.o., to sap s.o.'s strength; **urtare** *i -i a qd.* = **dare** *ai* (o *sui*) *nervi a qd.*; ~ **vago** vagus nerve; ⟨*fig*⟩ *far* **venire** *i -i a qd.* = **dare** *ai* (o *sui*) *nervi a qd.*; ~ **visivo** = *nervo* **ottico**.
nervosamẹnte *avv.* irritably, edgily. – **nervosịsmo** *m.* edginess, irritability, nervousness, restlessness, (nervous) excitability. – **nervosità** *f.* **1.** → **nervosismo**. – **2.** (*azione*) nervous behaviour. – **3.** ⟨*fig*⟩ (*incisività*) incisiveness, forcefulness, nervousness, vigour. □ ~ *di stile* nervous style.
nervọso I *a.* **1.** ⟨*Anat*⟩ nervous, nerve-: *sistema* ~ nervous system; *esaurimento* ~ nervous exhaustion, fatigue. – **2.** (*irritabile*) irritable, cross, short-tempered; (*eccitabile*) excitable, highly-strung, ⟨*fam*⟩ nervy. – **3.** (*muscoloso*) muscular, sinewy, vigorous: *gambe -e* muscular legs. – **4.** ⟨*fig*⟩ (*vigoroso, conciso*) nervous, forceful, incisive, vigorous: *prosa -a* vigorous prose. – **5.** (*che presenta nervature*) veined, ribbed. – **6.** ⟨*Bot*⟩ nervose. – **II** *s.m.* **1.** ⟨*fam*⟩ irritability, bad temper, excitability. – **2.** (*f.* **-a**) grouch, crosspatch. □ *farsi prendere dal* ~ to get cross (*o* upset); *gli viene il* ~ he gets cross (*o* on edge); *mi fa venire il* ~ he gets on my nerves.
nervụto *a.* ⟨*ant*⟩ ribbed, veined; (*rif. a persona*) sinewy.
nẹsci: ⟨*tosc*⟩ *fare il* ~ to pretend not to know, to pretend to be in the dark.
nesciẹnte *a.* ⟨*lett*⟩ (*ignaro*) ignorant, unaware, unknowing, nescient. – **nesciẹnza** *f.* ⟨*lett*⟩ ignorance, nescience. – **nẹscio** *a.* ⟨*lett*⟩ → **nesciente**.
nesoendemịsmo *m.* ⟨*Biol*⟩ insular endemism.
nẹspola I *s.f.* **1.** (*frutto*) medlar. – **2.** ⟨*fam,scherz*⟩ (*botta secca*) punch, blow. – **II** *pl.intz.* my goodness, good heavens. □ ~ *del Giappone* loquat, Japanese medlar (*o* plum). – **nespolịna** *f. dim. di* **nespola**. – **nẹspolo** *m.* ⟨*Bot*⟩ medlar (tree) (*Mespilus germanica*). □ ~ *del Giappone* loquat, Japanese medlar (*o* plum) (*Eriobothrya japonica*).
nẹssile *a.* ⟨*lett*⟩ (*intrecciato*) interwoven, interlaced.
nẹsso (o *nẹsso*) *m.* **1.** connection, link, bond, tie, nexus; (*relazione*) relation(ship). – **2.** ⟨*Paleogr*⟩ contraction. – **3.** ⟨*Ling*⟩ nexus. □ *senza* ~ unconnected, unrelated, disassociated.
Nẹsso *N.pr.m.* ⟨*Mitol*⟩ Nessus. □ ⟨*fig*⟩ *camicia* (o *tunica*) *di* ~ trial.
nessụno I *a.* **1.** no: *nessun uomo potrebbe farlo* no man could do it. – **2.** (*alcuno: in frasi interrogative*) any: *hai -a osservazione da fare?* do you have any comments?; (*in frasi negative*) any, no; *non ho avuto -a soddisfazione* I ⌜got no⌝ (*o* didn't get any) satisfaction; (*dopo la negazione senza*) any: *senza nessun dubbio* without any (*o* a) doubt. – **II** *pron.* **1.** (*rif. a persone*) no one, nobody: ~ *vi ha creduto* no one believed you; (*col verbo negativo*) anyone, no one: *non ho visto* ~ I didn't see anyone, I saw no one; (*in frasi interrogative*) anyone; (*con partitivi*) none, not one: ~ *di loro* none of them. – **2.** (*rif. a cose*) none, not ... any: *hai qualche domanda?* – *no, -a* have you any questions? – no, none; *non ne voglio* ~ I don't want any. – **3.** (*qualcuno*) someone; (*in frasi interrogative e dopo la negazione senza*) anyone, anybody: *senza che* ~ *se ne accorgesse* without anyone noticing; *c'era* ~*?* was anyone there? – **4.** (*persona di poco valore*) nobody, nonentity. □ *nessun altro* (*rif. a persona*) no one else, nobody else; (*rif. a cosa*) nothing else; *-a cosa* nothing, not ... anything; *in* ~ *luogo* nowhere, not ... anywhere; *non c'era quasi* ~ there was hardly anybody.
nestạia, nestaiọla *f.* ⟨*Agr*⟩ nursery for young trees. – **nestạre** *v.t.* (**nẹsto**) ⟨*ant*⟩ (*innestare*) to graft. – **nẹsto** *m.* **1.** graft, scion. – **2.** ⟨*tosc*⟩ (*innesto*) grafting.
nẹstore *m.* ⟨*Ornit*⟩ Nestor (*Nestor*).
Nẹstore *N.pr.m.* ⟨*Mitol*⟩ Nestor. – **nestore** *m.* (*persona anziana e autorevole*) Nestor, grand old man.
nestorianẹsimo, nestorianịsmo *m.* ⟨*Rel*⟩ Nestorianism. – **nestoriạno I** *a.* Nestorian. – **II** *s.m.* (*f.* **-a**) Nestorian.
nẹte *f.* ⟨*Mus*⟩ highest note of a tetrachord.
netsụke *m.* ⟨*Art*⟩ netsuke.
nettafọrma *f.* (*nell'industria alimentare*) pressure washing-machine (for pasta extruders).
nettamẹnte *avv.* **1.** (*chiaramente*) clearly, distinctly, sharply. – **2.** (*decisamente*) definitely, decidedly.
nettamẹnto *m.* ⟨*non com*⟩ cleaning.
netta|pẹnne *m.inv.* pen-wiper. – **~pẹttine** *m.* brush for cleaning combs. – **~piẹdi** *m.inv.* (*stoino*) (door)mat.
nẹttare[1] *m.* **1.** ⟨*Mitol,Bot*⟩ nectar. – **2.** ⟨*estens,poet*⟩ (*bevanda squisita*) nectar.

nettạre[2] *v.* (**nẹtto**) **I** *v.t.* **1.** (*pulire*) to clean; (*asciugare, strofinare*) to wipe (up, off); (*con la spazzola*) to scrub. – **2.** (*sbucciare*) to peel; (*sbaccellare*) to shell: ~ *i piselli* to shell peas. – **II** *v.i.* (*aus.* **avere**) ⟨*ant,tosc*⟩ (*squagliarsela*) to escape, to get away. – **nettarsi** *v.r.* to clean (*o* wipe) o.s.; (*lavarsi*) to wash o.s. ☐ *nettarsi il naso* to wipe one's nose.
nettạreo *a.* ⟨*lett*⟩ **1.** ⟨*Mitol*⟩ nectarous, of nectar. – **2.** ⟨*Bot*⟩ nectar-; (*ricco di nettare*) rich in nectar. – **nettarịfero** *a.* ⟨*Bot*⟩ nectariferous, nectar-bearing.
nettarịna *f.* ⟨*Agr*⟩ (*anche pesca nettarina*) nectarine.
nettarịne *f.pl.* ⟨*Ornit*⟩ sunbirds *pl*, nectar birds *pl* (*Nectarinia*).
nettạrio *m.* ⟨*Bot*⟩ nectary. ☐ ~ *extranuziale* (o *extrafiorale*) extranuptial nectary; ~ *nuziale* (o *fiorale*) nuptial (*o* intrafloral) nectary.
nettarocọnca *f.* → **nettaroteca.**
nettarofagịa *f.* ⟨*Zool*⟩ feeding on nectar. – **nettarọfago** *a.* (*pl.* **-gi**) nectarivorous.
nettarotẹca *f.* ⟨*Bot*⟩ nectarotheca.
nettatọio *m.* **1.** cleaner, implement for cleaning. – **2.** ⟨*Artigl*⟩ cleaning rod. – **nettatọre** *m.* (*f.* **-trice**) cleaner. – **nettatrịce** *f.* **1.** cleaner. – **2.** ⟨*Ind*⟩ (*anche macchina nettatrice*) (cotton-) gin. – **nettatụra** *f.* **1.** (*pulitura*) cleaning. – **2.** (*lo sbucciare*) peeling. – **3.** ⟨*concr*⟩ (*rifiuti*) refuse, rubbish.
nettavettụre *m.inv.* public vehicle cleaner.
nettẹzza *f.* **1.** cleanness; (*rif. a persona*) cleanness, cleanliness. – **2.** ⟨*fig*⟩ (*purezza*) purity, limpidness. – **3.** ⟨*fig*⟩ (*precisione*) clarity, precision, sharpness, terseness. – **4.** (*spazzatura*) trash, refuse. ☐ ~ *urbana* street-cleaning (service); (*raccolta delle immondizie*) refuse disposal, ⟨*am*⟩ garbage collection.
nẹtto I *a.* **1.** clean: *casa -a* clean house. – **2.** (*nitido*) sharp, clear, clear-cut, clean-cut: *il profilo* ~ *dei monti* the sharp outline of the mountains. – **3.** ⟨*fig*⟩ (*puro*) pure, limpid, clear: *anima -a* pure soul. – **4.** ⟨*fig*⟩ (*chiaro*) clear, clear-cut, sharp: *un* ~ *successo* a clear success; *una distinzione -a* a clear-cut (*o* sharp) distinction; (*deciso*) definite, plain, downright: *rifiuto* ~ downright refusal; (*sicuro*) sure, certain, decided: *una vittoria -a* a sure victory. – **5.** ⟨*Econ*⟩ (*esente da gravami*) net: *stipendio* ~ net salary; (*rif. a peso*) net. – **6.** ⟨*ant*⟩ (*impune*) unpunished, ⟨*pred*⟩ scotfree. – **II** *avv.* (*chiaramente*) clearly, distinctly, plainly. – **III** *s.m.* ⟨*Econ*⟩ net (amount). ☐ **al** ~ net; **chiaro** *e* ~ clearly and plainly, without mincing words; ⟨*lett*⟩ ~ *di* **colpa** free from guilt, guiltless; **colpo** ~ clean blow; **farla** *-a* = **uscir** *netto*; ⟨*Econ*⟩ ~ **patrimoniale** net assets (*o* property); ⟨*lett*⟩ ~ *di* **sospetto** free from suspicion; ⟨*fig*⟩ **tagliar** ~ to make a clean break; *tagliò di* ~ *il ramo* he chopped the branch clean off; *un* **taglio** ~ a clean cut; ⟨*ant*⟩ **uscir** ~ (*senza scapito o vergogna*) to come out of s.th. with honour.
nettuniạno[1] *a.* neptunian (*anche Geol.*).
nettuniạno[2] *a.* ⟨*Astr*⟩ Neptunian, of Neptune.
nettụnio[1] *a.* ⟨*lett*⟩ **1.** (*del dio Nettuno*) Neptunian, of Neptune, Neptune's. – **2.** (*del mare*) sea-, water-, Neptunian.
nettụnio[2] *m.* ⟨*Chim*⟩ neptunium.
nettunịsmo *m.* ⟨*Geol*⟩ neptunism. – **nettunịsta** *m./f.* neptunist.
Nettụno *N.pr.m.* ⟨*Mitol,Astr*⟩ Neptune. – **nettuno** *m.* ⟨*poet*⟩ (*mare*) ocean, sea, Neptune.
netturbịno *m.* dustman, ⟨*am*⟩ garbage (*o* trash) man.
nẹuma *m.* ⟨*Mus*⟩ neume, neuma. – **neumạtico** *a.* (*pl.* **-ci**) neumatic.
neurạle *a.* ⟨*Anat*⟩ neural. ☐ *apofisi* ~ neurapophysis.
neuralgịa *f.* ⟨*rar*⟩ → **nevralgia.**
neurapọfịsi *f.* ⟨*Anat*⟩ neurapophysis.
neurạsse *m.* → **neurite**[2].
neurassịte *f.* ⟨*Med*⟩ neuraxitis.
neurastenịa *f.* ⟨*rar*⟩ → **nevrastenia.**
neurectomịa *f.* ⟨*Chir*⟩ neurectomy.
neurilẹmma *m.* ⟨*Anat*⟩ neurilemma, neurolemma.
neurịna *f.* ⟨*Biol*⟩ neurine.
neurinọma *m.* ⟨*Med*⟩ neurinoma.
neurịte[1] *f.* ⟨*Med*⟩ neuritis.
neurịte[2] *m.* ⟨*Anat*⟩ neurit(e).
neurịtico *a.* (*pl.* **-ci**) ⟨*Med*⟩ neuritic. – **neurịtide** *f.* degenerative neuritis.
neuro... *pref.* (*nervo* nerve) neur(o)..., nerve-.
neuro|blạsto *m.* ⟨*Biol*⟩ **1.** neuroblast. – **2.** → **neuroectoblasto.** – **~blastọma** *m.* ⟨*Med*⟩ neuroblastoma. – **~chirurgịa** *f.* neurosurgery. – **~chirụrgo** *m.* (*pl.* **-ghi/-gi**) neurosurgeon. – **~cịto** *m.* → **neurone.** – **~citọma** *m.* ⟨*Med*⟩ neurocytoma. – **~crạnio** *m.* ⟨*Anat*⟩ neurocranium. – **~crinịa** *f.* ⟨*Biol*⟩ neurocrinia. – **~derm(at)ịte** *f.* ⟨*Med*⟩ neurodermatitis, neurodermitis. – **~dinịa** *f.* ⟨*non com*⟩ (*nevralgia*) neuralgia, neurodynia. – **~ectoblạsto** *m.* ⟨*Biol*⟩ neuro-ectoderm. – **~elettricità** *f.* neuro-electricity. – **~epitẹlio** *m.* ⟨*Anat*⟩ neuro-epithelium. – **~epiteliọma** *m.* ⟨*Med*⟩ neuro-epithelioma. – **~exẹresi** *f.* ⟨*Chir*⟩ neurexeresis. – **~fibrịlla** *f.* ⟨*Anat*⟩ neurofibril(la), nerve fibril. – **~fibrọma** *m.* ⟨*Med*⟩ neurofibroma. – **~fibromatọsi** *f.* neurofibromatosis. – **~fịsiologịa** *f.* neurophysiology. – **~gangliọma** [-gl-] *m.* nerve ganglioma.
neurọ|geno *a.* ⟨*Biol*⟩ neurogen(et)ic, neurogenous. – **~glịa** [-gl-] *f.* ⟨*Anat*⟩ (neuro)glia. – **~istologịa** *f.* ⟨*Biol*⟩ neurohistology. – **~lịsi** *f.* ⟨*Chir*⟩ neurolysis.
neurologịa *f.* ⟨*Med*⟩ **1.** neurology. – **2.** → **neuropatologia.** – **neurolọgico** *a.* (*pl.* **-ci**) neurologic(al); (*rif. a malattie nervose*) nerve-, neuropathic. ☐ *clinica -a* clinic for nervous diseases. – **neurọlogo** *m.* (*pl.* **-gi**; *f.* **-a**) **1.** neurologist. – **2.** → **neuropatologo.**
neurọma *m.* ⟨*Med*⟩ neuroma.
neurọmero *m.* ⟨*Zool,Anat*⟩ neuromere.
neurọne *m.* ⟨*Anat*⟩ neuron(e).
neuro|patịa *f.* ⟨*Med*⟩ neuropathy. – **~pạtico** *a./s.* (*pl.* **-ci**) **I** *a.* neuropathic. – **II** *s.m.* (*f.* **-a**) neuropath. – **~patologịa** *f.* neuropathology. – **~patọlogo** *m.* (*pl.* **-gi**; *f.* **-a**) neuropathologist. – **~plạsma** *m.* ⟨*Biol*⟩ neuroplasm. – **~plạstica** *f.* ⟨*Chir*⟩ neuroplasty. – **~plẹgico** *a.* (*pl.* **-ci**) ⟨*Farm*⟩ nerve-inhibiting: *farmaco* ~ nerve-inhibiting drug. – **~psicastenịa** *f.* psychastenia. – **~psichiatrịa** *f.* neuropsychiatry.
neurormọne *m.* ⟨*Biol*⟩ neurohormone.
neurorrafịa *f.* ⟨*Chir*⟩ neurorrhaphy.
neuro|secreziọne *f.* ⟨*Biol*⟩ neurosecretion. – **~sedatịvo I** *a.* ⟨*Farm*⟩ nervous sedative. – **II** *s.m.* nervous sedative.
neurọsi *f.* ⟨*non com*⟩ → **nevrosi.** – **neurọtico** *a./s.* ⟨*non com*⟩ → **nevrotico.**
neuro|tomịa *f.* ⟨*Chir*⟩ neurotomy. – **~tọnico** *a./s.* (*pl.* **-ci**) ⟨*Farm*⟩ **I** *a.* neurotonic. – **II** *s.m.* nerve tonic. – **~tọssico** *a./s.* (*pl.* **-ci**) **I** *a.* neurotoxic. – **II** *s.m.* neurotoxic substance. – **~tossịna** *f.* ⟨*Biol*⟩ neurotoxin. – **~tripsịa** *f.* ⟨*Chir*⟩ neurotripsy.
neurotropịa *f.*, **neurotropịsmo** *m.* ⟨*Med*⟩ neurotropism, neurotropy. – **neurọtropo** *a.* neurotropic.
neurọtteri *m.pl.* ⟨*Entom*⟩ neuropterons *pl*, neuropters *pl* (*Neuroptera*).
neurovegetatịvo *a.* ⟨*Anat*⟩ neurovegetative. ☐ *sistema* ~ autonomic nervous system, vegetative (*o* involuntary) nervous system.
nẹuston *m.* ⟨*Biol*⟩ neuston.
nẹustria *f.* ⟨*Entom*⟩ lackey (moth) (*Malacosoma neustria*).
neutonianịsmo *m.* ⟨*Fis*⟩ Newtonianism. – **neutoniạno** *a.* ⟨*non com*⟩ → **newtoniano.**
neutrạle I *a.* **1.** neutral (*anche Pol.*): *stato* ~ neutral state. – **2.** ⟨*Fis*⟩ (*neutro*) neutral. – **II** *s.m./f.* neutral. – **neutralịsmo** *m.* ⟨*Pol*⟩ neutralism. – **neutralịsta I** *s.m./f.* neutralist. – **II** *a.* → **neutralistico.** – **neutralịstico** *a.* (*pl.* **-ci**) neutralistic: *politica -a* neutralistic policy, policy of neutrality.
neutralità *f.* neutrality (*anche Pol., Chim.*). ☐ ~ *armata* armed neutrality; ~ *benevola* friendly (*o* benevolent) neutrality; ~ *disarmata* unarmed neutrality; ~ *garantita* guaranteed neutrality; ~ *volontaria* voluntary neutrality.
neutralịzzạbile *a.* ⟨*non com*⟩ neutralizable, that may be neutralized. – **neutralịzzabilità** *f.* neutralizability. – **neutralịzzạnte** (*p.pr. di neutralizzare*) *a.* neutralizing. – **neutralịzzạre** *v.t.* **1.** ⟨*Pol*⟩ to neutralize, to make neutral. – **2.** ⟨*fig*⟩ (*rendere vano*) to neutralize, to counteract, to counterbalance, to render ineffective. – **3.** ⟨*Chim*⟩ to neutralize. – **neutralịzzạto** (*p.p. di neutralizzare*) *a.* neutralized. – **neutralịzzaziọne** *f.* **1.** neutralization. – **2.** ⟨*fig*⟩ neutralization, counteraction, counterbalancing.
neutrẹtto *m.* ⟨*Atom*⟩ neutretto. – **neutrịno** *m.* neutrino.
nẹutro I *a.* **1.** ⟨*Gramm*⟩ neuter. – **2.** (*indefinibile*) neutral: *tinta -a* neutral shade. – **3.** ⟨*Pol,Chim,Fis,Fon,El*⟩ neutral. – **4.** ⟨*Entom*⟩ neuter. – **II** *s.m.* **1.** ⟨*Gramm*⟩ (*genere neutro*) neuter (gender); (*sostantivo neutro*) neuter (noun). – **2.** ⟨*El*⟩ (*conduttore neutro*) neutral (*o* middle) conductor. – **3.** (*neutrale*) neutral.
neutrodịna *f.* ⟨*Rad*⟩ neutrodyne.
neutrodiụrno *a.* ⟨*Bot*⟩ indifferent to the length of the daylight.
neutrọne *m.* ⟨*Atom*⟩ neutron. ☐ ~ *lento* thermal (*o* cold, slow) neutron; ~ *libero* free neutron; ~ *nucleare* nuclear neutron; ~ *ritardato* delayed neutron; ~ *veloce* fast neutron.
Nẹva *N.pr.f.* ⟨*Geog*⟩ Neva.
nevạio *m.* **1.** (*accumulo di neve*) snow-field, mass of perennial snow. – **2.** (*luogo*) snow-field. – **nevạle** *a.* ⟨*rar*⟩ → **nivale.** – **nevạre** *v.* (**nẹva**; *aus.* **essere**) ⟨*ant*⟩ → **nevicare.** – **nevạta** *f.* ⟨*non com*⟩ → **nevicata.**
nevạto I *a.* **1.** snow-clad, snow-covered, snowy, covered in snow: *montagne -e* snow-clad mountains; (*rif. a vette*) snow-capped, snow-topped, snowy. – **2.** (*bianco come la neve*) snowy, snow-white, gleaming white. – **3.** (*rinfrescato con la neve*) snow-cooled. – **II** *s.m.* firn, névé.
nẹve *f.* snow: *spalare la* ~ to shovel the snow away. ☐ ⟨*Gastr*⟩ *battere* (o *montare*) **a** ~ to whip (*o* beat) to a froth; *-i* **artiche** arctic snows; ~ **artificiale** = *neve* **carbonica**; ~ **attaccaticcia** sticky snow; ⟨*fig,scherz*⟩ *la* ~ *comincia a* **cadere** (*i capelli incanutiscono*) white hairs are beginning to appear; ~ **carbonica** dry-ice; ~ **crostosa** ice-encrusted snow, snow which has iced over; **cumulo** *di* ~ snowdrift; **da** ~ snow-: *racchetta da* ~ snow-shoe; **di** ~: 1. snow-: *pupazzo* (o *fantoccio*) *di* ~ snowman; *palla di* ~ snowball; 2. ⟨*fig*⟩ (*bianco*) snowy, snow-white; ~ **dura** hard snow; ⟨*TV*⟩ **effetto** ~ snow; ~ **farinosa** powdery snow; ~ **fresca** fresh snow; ~ **ghiacciata** frozen (*o* icy) snow; ~ **granulosa** granular snow; ~ *granulosa friabile* soft hail, snow pellets; ~ **molle** soft snow; *-i* **perenni** (o *permanenti*) perpetual snows; *limite delle -i permanenti* snowline; ~ **sciabile** snow suitable for skiing; ~ **umida** wet snow; **valanga** *di* ~ avalanche.
névé *fr.* [ne've] *m.* **1.** → **nevaio.** – **2.** (*nevato*) firn, névé.
nevicạre *v.i.impers.* (**nẹvica**; *aus.* **essere/avere**) **1.** to snow: *nevica* it is snowing. – **2.** ⟨*fig,scherz*⟩ (*rif. a capelli*: *imbiancarsi*) to turn (*o* go) white, to grow hoary, to whiten. – **3.** ⟨*rar,poet*⟩ (*cadere come la neve*) to fall like snow, to shower, to rain. ☐ *nevica a larghe falde* the snow is falling in large flakes. – *Prov.*: *non nevica*

e non diaccia che il sol non la disfaccia every cloud has a silver lining.

nevicạta *f.* **1.** (*il nevicare*) snowfall, fall of snow: *abbiamo avuto una bella* ~ we had a heavy fall of snow. – **2.** (*neve caduta*) snow(fall).

nevicạto (*p.p. di nevicare*) *a.* ⟨*Zootecn*⟩ (*rif. a cavalli*) flecked with white.

nẹvico *a.* (*pl.* -ci) ⟨*Med*⟩ n(a)evose, n(a)evoid.

nevicọso *a.* ⟨*ant*⟩ → **nevoso**[1]. – **neviẹra** *f.* snow grotto, underground room for snow. – **nevigạre** *v.* ⟨*ant*⟩ → **nevicare.**

nevịschio *m.* **1.** (*neve mista ad acqua*) sleet; (*neve minuta*) fine snow. – **2.** ⟨*Meteor*⟩ granular snow, ⟨*am*⟩ snow grains *pl.* – **nevịstio** *m.* ⟨*tosc*⟩ → **nevischio.**

nẹvo *m.* → **neo**[1].

nevocarcinọma, nevoepiteliọma *m.* ⟨*Med*⟩ nevocarcinoma.

nevọgrafo *m.* → **nivografo.**

nẹvole *f.pl.* ⟨*Dolc*⟩ kind of wafer.

nevọmetro *m.* → **nivometro.**

nevosità *f.* **1.** snowiness. – **2.** (*quantità di neve*) snowfall.

nevọso[1] *a.* **1.** snow-: *precipitazione -a* snowfall. – **2.** (*coperto di neve*) snow-covered, snowy; (*rif. a vette*) snow-capped, snow-topped. – **3.** (*ricco di neve*) snowy. – **4.** ⟨*fig,poet*⟩ (*candido*), snowy, snow-white; (*canuto*) white, hoary.

nevọso[2] *m.* ⟨*Stor*⟩ Nivôse.

nevralgịa *f.* ⟨*Med*⟩ neuralgia. – **nevrạlgico** *a.* (*pl.* -ci) neuralgic: *dolore* ~ neuralgic pain. ▭ ⟨*fig*⟩ *il punto* ~ the crux.

nevrastenịa *f.* ⟨*Psic*⟩ neurasthenia. – **nevrastẹnico** *a./s.* (*pl.* -ci) **I** *a.* **1.** ⟨*Psic*⟩ neurasthenic. – **2.** ⟨*fig*⟩ (*nervoso*) irritable, edgy, temperamental, moody, ⟨*fam*⟩ nervy. – **II** *s.m.* (*f.* -a) **1.** ⟨*Psic*⟩ neurasthenic. – **2.** ⟨*fig*⟩ (*persona nervosa*) irritable person, cross-patch.

nevrectomịa *f.* → **neurectomia.**

nevrịte *f.* → **neurite**[1]. – **nevrịtico** *a.* → **neuritico.**

nevro... *pref.* (*nervo* nerve) neur(o)..., nerve-.

nevroglịa [-gl-] *f.* → **neuroglia.**

nevrọsi *f.inv.* ⟨*Psic,Med*⟩ neurosis. ▭ ⟨*Med*⟩ ~ *cardiaca* cardiac neurosis; ~ *gastrica* gastric neurosis; ~ *intestinale* intestinal neurosis; ~ *vascolare* vasoneurosis. – **nevrọtico** *a./s.* (*pl.* -ci) **I** *a.* neurotic. – **II** *s.m.* (*f.* -a) neurotic (person).

nevrọtteri *m.pl.* → **neurotteri.**

nevvẹro *avv.* ⟨*fam*⟩ *traduzione idiomatica*: *ti sei trovato bene,* ~*?* you liked it, didn't you?; *è arrivato,* ~*?* he has arrived, hasn't he?; *sei stanco,* ~*?* you are tired, aren't you? *verranno,* ~*?* they'll come, won't they?

newton *ingl.* ['nju:tn] *m.* ⟨*Fis*⟩ newton. ▭ *legge di* ≈ law of gravity. – **newtoniạno** *a.* Newtonian. ▭ *attrazione -a* gravity.

NG = ⟨*Aut*⟩ *Norvegia* Norway.

N.H. = *Nobil Uomo* nobleman.

ni[1] *avv.* ⟨*iron*⟩ yes and no.

ni[2] *m./f.* (*lettera dell'alfabeto greco*) nu.

Ni = ⟨*Chim*⟩ *nichel* nickel.

Niạgara (o *Niagạra*) *N.pr.m.* ⟨*Geog*⟩ Niagara. ▭ *cascate del* ~ Niagara Falls.

Niạssa *N.pr.m.* ⟨*Geog*⟩ Nyas(s)a.

nịbbio[1] *m.* ⟨*Bot*⟩ (*ebbio*) danewort, dwarf elder (*Sambucus ebulus*).

nịbbio[2] *m.* ⟨*Ornit*⟩ **1.** kite (*Milvus milvus*). – **2.** (*poiana*) buzzard (*Buteo buteo*). ▭ ~ *bianco* black-winged kite (*Elanus caeruleus*); ~ *bruno* (o *nero*) black kite (*Milvus migrans*); ~ *reale* (o *maggiore*) kite (*Milvus milvus*).

Nibelụng(h)i *N.pr.m.pl.* ⟨*Mitol.nord,Lett*⟩ Nibelungs *pl*, Nibelungen *pl.* – **nibelụngico** *a.* (*pl.* -ci) of the Nibelungs. ▭ ⟨*Lett*⟩ *ciclo* ~ Nibelungenlied.

Nic = ⟨*Aut*⟩ *Nicaragua* Nicaragua.

Nicarạgua *N.pr.m.* ⟨*Geog*⟩ Nicaragua (*denom.uff.*: *Repubblica di Nicaragua* Republic of Nicaragua). – **nicaraguẹgno** **I** *a.* Nicaraguan. – **II** *s.m.* (*f.* -a) Nicaraguan. – **nicaraguẹse** *a./s.* → **nicaraguegno.**

nịcchia *f.* **1.** niche, recess. – **2.** ⟨*estens*⟩ (*ripostiglio*) recess, storage space, alcove. – **3.** ⟨*fig*⟩ niche, suitable job (*o* place). – **4.** ⟨*Alp, Biol*⟩ niche. – **5.** ⟨*tosc*⟩ (*conchiglia*) shell. – **6.** *pl.* ⟨*Alim*⟩ macaroni shells *pl.*

nicchiamẹnto *a.* ⟨*rar*⟩ hedging, hesitation. – **nicchiạre** *v.i.* (**nịcchio, nịcchi**; *aus.* **avere**) **1.** to hedge, to hesitate, ⟨*fam*⟩ to shilly-shally. – **2.** ⟨*venat*⟩ to bay. – **3.** (*lamentarsi*) to whimper, to grizzle, to moan; (*borbottare*) to grumble, to complain, ⟨*fam*⟩ to whine.

nicchiẹtta, nicchiettịna *f. dim. di* **nicchia.**

nicchiẹtto *m.* ⟨*tosc*⟩ *dim. di* **nicchio.**

nịcchio *m.* ⟨*tosc*⟩ **1.** (*conchiglia, guscio*) shell, conch. – **2.** (*lucerna*) oil lamp. – **3.** ⟨*scherz*⟩ (*cappello da prete*) three-cornered hat. – **4.** ⟨*Alim*⟩ kind of sausage.

nicchiọna *f. accr. di* **nicchia.**

nicchiọne[1] *m. accr. di* **nicchia.**

nicchiọne[2] *m.* ⟨*tosc*⟩ *accr. di* **nicchio.**

niccianẹsimo, niccianịsmo *m.* → **nietzschianesimo.** – **nicciạno** *a./s.* → **nietzschiano.**

nịccio *a./s.* → **neccio.**

niccolịte *f.* ⟨*Min*⟩ niccolite.

nịccolo *m.* ⟨*ant*⟩ (*onice*) onyx, nic(c)olo.

Niccolò *N.pr.m.* Nic(h)olas. ▭ ⟨*Stor*⟩ ~ *da Cusa* Nicholas of Cusa; *san* ~ St. Nicholas.

Nicẹa *N.pr.f.* ⟨*Geog.stor*⟩ Nicaea, Nice. – **nicẹno** *a.* Nicaean, Nicene. ▭ ⟨*Rel*⟩ *credo* (o *simbolo*) ~ Nicene Creed.

nịchel *m.* ⟨*Chim*⟩ nickel. – **nichelạre** *v.t.* (**nịchelo**) to (plate with) nickel, to nickel-plate. – **nichelạto** (*p.p. di nichelare*) *a.* nickel -plated. – **nichelatọre** **I** *s.m.* (*f.* -trice) nickel-plater. – **II** *a.* nickel-plating. – **nichelatụra** *f.* nickel-plating, nickelling.

nichelcrọmo (o *nịchel-crọmo*) *m.* → **nicromo.** – **nichelịfero** *a.* nickeliferous. – **nichelịna** *f.* → **niccolite.**

nichelịno *m.* ⟨*Numism*⟩ twenty-centesimi coin.

nichẹlio *m.* → **nichel.** – **nichellạre** *v.* (**nichẹllo**) ⟨*pop*⟩ → **nichelare.**

nichellịno *m.* ⟨*pop*⟩ → **nichelino.**

nichelọso *a.* ⟨*Chim*⟩ nickelous.

nichilịsmo *m.* ⟨*Pol,Filos*⟩ nihilism. – **nichilịsta** **I** *s.m./f.* nihilist. – **II** *a.* nihilist(ic).

nichilità, nichilitạte *f.* ⟨*ant*⟩ (*nullità*) nullity, nothingness.

nịckel *sved. m.* → **nichel.**

nicodemịsmo *m.* **1.** ⟨*Rel*⟩ behaviour of the Nicodemites. – **2.** ⟨*estens*⟩ concealment of a new faith. – **nicodemịta** *m./f.* ⟨*Rel*⟩ Nicodemite.

Nicodẹmo *N.pr.m.* ⟨*Stor*⟩ Nicodemus.

niçoise *fr.* [nisw'a:z]: ⟨*Gastr*⟩ *à la* ~ with capers, olives, tomatoes and anchovies.

nịcol *m.* ⟨*Fis*⟩ **1.** Nicol's prism, Nicol. – **2.** (*prisma polarizzatore*) polarizing prism.

Nicọla *N.pr.m.* Nic(h)olas. ▭ ⟨*Stor*⟩ ~ *Cusano* Nicholas of Cusa.

Nicolạo *N.pr.m.* ⟨*Stor*⟩ Nicolaus.

Nicolẹtta *N.pr.f.* Nicole, Nicolette.

Nicolò *N.pr.m.* → **Niccolò.**

nicomachẹo: ⟨*Filos*⟩ *etica -a* Nicomachean Ethics. – **Nicọmaco** *N.pr.m.* ⟨*Stor*⟩ Nicomachus.

Nicosịa *N.pr.f.* ⟨*Geog*⟩ Nicosia.

nicọtico *a.* → **nicotinico.** – **nicotịna** *f.* nicotine. – **nicotịnico** *a.* (*pl.* -ci) nicotinic: *acido* ~ nicotinic acid. – **nicotinịsmo** *m.* ⟨*Med*⟩ nicotinism.

nicrọmo *m.* ⟨*Met*⟩ nichrome.

nictalgịa *f.* ⟨*Med,non com*⟩ nyctalgia.

nictạlope *a.* ⟨*Med*⟩ nyctalopic. – **nictalopịa** *f.* **1.** nyctalopia, ⟨*pop*⟩ night-blindness. – **2** . (*emerolopia*) hemeralopia, nyctalopia, ⟨*pop*⟩ day-blindness.

nictạnte *a.* ⟨*Bot*⟩ noctiflorous.

nictemerạle *a.* ⟨*Biol*⟩ noctidiurnal.

nicti... *pref.* → **nicto...**

nictịcora *f.* → **nitticora.**

nicti|flọro *a.* → **nictante.** – **~nastịa** *f.*, **~tropịsmo** *m.* ⟨*Bot*⟩ nyctinasty.

nicto... *pref.* (*notte* night) nyct(i)..., nyct(o)..., noct(i)...

nictofobịa *f.* ⟨*Psic*⟩ nyctophobia.

nictọgrafo *m.* noctograph.

nictụria *f.* ⟨*Med*⟩ nocturia, nycturia.

nidạce *a./s.* ⟨*non com*⟩ → **nidiace.**

nidamentạle: ⟨*Zool*⟩ *ghiandola* ~ nidamental gland. – **nidamẹnto** *m.* mass of eggs.

nidiạce ⟨*lett*⟩ **I** *a.* **1.** ⟨*Ornit*⟩ unfledged. – **2.** (*del nido*) nest-, nesting. – **II** *s.m.* fledgeling, nestling. – **nidiạceo** *a./s.* ⟨*non com*⟩ → **nidiace.**

nidiạndolo *m.* ⟨*Zootecn,non com*⟩ nest-egg.

nidiạta *f.* **1.** brood, nest(ful), hatch: *una* ~ *di rondini* a nestful of swallows. – **2.** ⟨*fig,scherz*⟩ (*rif. a bambini*) brood, swarm.

nidịcolo: ⟨*Ornit*⟩ *uccello* ~ nidicolous (*o* altricial) bird.

nidiẹtto *m.* ⟨*pop,tosc*⟩ *dim. di* **nido.**

nidificạre *v.i.* (**nidịfico, nidịfichi**; *aus.* **avere**) ⟨*Ornit*⟩ to (build a) nest. – **nidificaziọne** *f.* nest-building.

nidifọrme *a.* nest-shaped. – **nidịfugo**: ⟨*Ornit*⟩ *uccello* ~ nidifugous (*o* precocial) bird. – **nịdio** *m.* ⟨*pop,tosc*⟩ → **nido.**

nịdo *m.* **1.** nest: *fare il* ~ to (build a) nest; ~ *di vespe* wasps' nest; (*rif. a uccelli rapaci*) (a)eyrie, (a)eyry. – **2.** (*casa*) home, nest. – **3.** ⟨*fig,spreg*⟩ (*covo*) den, lair, nest. – **4.** ⟨*non com*⟩ (*nidiata*) brood, nestful, hatch.

▭ *a* ~ *d'ape* honeycombed, honeycomb-: *struttura a* ~ *d'ape* honeycomb structure; *radiatore a* ~ *d'ape* honeycomb radiator; ~ *d'ape*: 1. ⟨*Tess*⟩ honeycomb cloth; 2. ⟨*Lav.femm*⟩ smocking; ~ *di api* bees' nest; ~ **d'infanzia** (*per bambini molto piccoli*) crèche, (day) nursery; (*per bambini più grandi*) kindergarten, nursery school; ⟨*Mil*⟩ ~ *di* **mitragliatrice** machine-gun nest; ~ *di* **rondine** swallow's nest; ⟨*Bot*⟩ ~ *di* **scricciolo** hare's-ear (*Bupleurum rotundifolium*); ~ *di* **serpi** snakes' nest; ~ **trappola** trap-nest; ⟨*Bot*⟩ ~ *di* **uccello** bird's-nest orchid (*Neottia nidus-avis*).

nidọre *m.* ⟨*lett*⟩ (*odore di marcio*) rank smell.

niẹgo *m.* → **nego.**

niellạre *v.t.* (**niẹllo**) ⟨*Oref*⟩ to (decorate with) niello. – **niellạto** (*p.p. di niellare*) *a.* nielloed, niellated. – **niellatọre** *m.* niello-worker. – **niellatụra** *f.* **1.** niello (-work). – **2.** (*parte lavorata a niello*) niello (-work). – **niẹllo** *m.* **1.** (*arte*) niello. – **2.** (*materiale, oggetto lavorato*) niello (-work).

niẹnte *pron./sost./a.inv.* (often becomes *nient'* before a vowel) **I** *pron. indef.* **1.** nothing: ~ *può fermarlo* nothing can stop him; (*posposto al verbo*) anything, nothing: *non ho comprato* ~ I didn't buy anything, I bought nothing; *non voglio dirti* ~ I don't want to tell you anything. – **2.** (*un'inezia*) a mere nothing, (next to) nothing, trifle, nothing much: *piange per* ~ she cries for a mere nothing; *è ammalato, ma pare che non sia* ~ he is ill, but it doesn't seem to be anything much. – **3.** (*in frasi interrogative*: *qualcosa*) anything: *hai bisogno* *di ~?* do you need anything? – **II** *s.m.* **1.** nothing: *la cosa finì in ~* it all came to nothing; (*col verbo negativo*) anything, nothing: *non sai un bel ~* you don't know anything at all, you know nothing. – **2.** (*poca cosa*) (mere) nothing, scrap, smallest (*o* slightest) thing, trifle: *basta un ~ per farla arrabbiare* the slightest thing makes her angry; (*rif. a tempo*) no time: *non ci metto ~ a farlo* I'll do it in no time, ⟨*fam*⟩ it won't take me a second. – **3.** (*un poco*) very little, almost (*o* next to) nothing: *l'ho avuto per ~* I got it for ⌈next to nothing⌉ (*o* a song). – **4.** (*pochezza*) smallness, unimportance, slightness, nothing. – **5.** ⟨*Filos*⟩ (*nulla*) nothingness, nothing. – **III** *a.* no, not any: *~ lettere?* no letters?, any letters? – **IV** *avv.* **1.** nothing, anything: *non m'importa ~ dei tuoi consigli* I care nothing for your advice; *non costa ~* it doesn't cost anything. – **2.** (*rafforzativo di non: affatto*) at all, in the least (*o* slightest): *non è ~ vero* it's not true at all.

□ *nient'***affatto** certainly not, not in the least; *nient'***altro** nothing else; (*in frasi interrogative o negative*) anything else; *nient'altro che* nothing but, only, just, merely, all: *non era nient'altro che un raffreddore* it was only (*o* nothing but) a cold; *non fa nient'altro che dormire* he does nothing but sleep, all he does is sleep; **come** ~ with the greatest of ease, without a thought; *spende come ~* he spends money like water; *come ~ (fosse)* without batting an eyelid, as if nothing had happened; **da** ~ unimportant, trivial, slight: *incidente da ~* slight accident; *son cose da ~* it's nothing, it doesn't matter; **di** ~ (*non c'è di che*) don't mention it, not at all; *~ di ~* nothing whatsoever (*o* at all), absolutely nothing: *non sai ~ di ~* you know nothing at all, you don't know a thing; *non fare ~ di ~* (*essere un fannullone*) to do no work, not to lift a finger; *non ci posso* **far** ~ there's nothing I can do, I can't do anything about it; *non fa ~* (*non importa*) never mind, it doesn't matter; *non se ne fa ~* nothing is going to be done about it, it's fallen through; **finire** *in* (o *nel*) ~ to come to nothing; *non c'è ~ di* **male** *a* (o *se*) there's nothing wrong in (*o* if); *~* **meno** *che* nothing less than; (*rif. a persona*) no less than; ⟨*enfat*⟩ *meno che ~* less than nothing; *non* **metterci** ~ not to take a minute (*o* second): *non ci metto ~ a tornare indietro* it won't take me a minute to turn back; *sai ~ di* **nuovo**? have you heard any news?; *non ho* **ottenuto** *un bel ~* I got nowhere; *~* **paura**! don't be afraid!, never fear!; **per** ~: 1. (*affatto*) at all: *oggi non s'è visto per ~* today he hasn't ⌈shown up at all⌉ (*o* so much as shown his face); 2. (*gratuitamente*) free, for nothing: *lavorare per ~* to work for nothing; 3. (*invano*) for nothing: *sei venuto qui per ~* you came for nothing; *non per ~* if I may ask, listen, look: *non per ~, ma non sarebbe il caso di andarsene?* isn't it time to be going, if I may ask?; *il posto è mio, non per ~ sono venuto due ore prima* the seat is mine, I didn't come two hours early for nothing; ⟨*ant*⟩ **ridursi** (o *venire*) *al ~* (*perire lentamente*) to fade away; *non* **serve** *a ~* it's no use; *essere* **venuto** *dal ~* to be a self-made man. – *Prov.*: *con ~ si fa ~* you can do nothing without money; *~ di nuovo sotto il sole* there's nothing new under the sun. || ⟨*fam*⟩ *~ ~* (*che*) (*appena*) barely, hardly, scarcely; ⟨*fam*⟩ *se ~ ~* (*solo, minimamente*) so much as, in the slightest, at all, the least bit: *se ~ ~ glielo accenni, va in bestia* if you so much as mention it to him he flies into a rage; *il mio ~* my nothingness, my unimportance.

nientedimẹno (o *niẹnte di mẹno*) **I** *avv.* (*addirittura*) actually, even. – **II** *intz.* I say, you don't say so, fancy that, go on, really; (*così tanto*) as much as that. – **III** *congz.* ⟨*ant*⟩ **1.** (*nondimeno*) nevertheless, however. – **2.** (*alla stessa maniera*) in the same way. – **nientemẹno** (o *niẹnte mẹno*) *avv./intz./congz.* → **nientedimeno**.

nietzschianẹsimo, nietzschianịsmo [nitʃa-] *m.* ⟨*Filos*⟩ Nietzscheanism, Nietzscheism. – **nietzschiạno I** *a.* Nietzschean. – **II** *s.m.* (*f.* **-a**) Nietzschean.

niẹve *f.* ⟨*ant*⟩ → **neve**.

niẹvo *m.* ⟨*ant*⟩ → **nipote**.

nịfe *m.* ⟨*Geol*⟩ nife, earth's core.

nịffo(lo), nịfo *m.* ⟨*ant*⟩ **1.** (*grugno*) snout; (*muso*) muzzle; (*dell'elefante*) trunk; (*di insetti*) proboscis. – **2.** ⟨*fig,spreg*⟩ (*viso d'uomo*) face, ⟨*fam,spreg*⟩ (ugly) mug.

nigẹlla *f.* ⟨*Bot*⟩ nigella (*Nigella*). □ *olio di ~* fennel oil.

Nịger *N.pr.m.* ⟨*Geog*⟩ Niger (*denom.uff.*: *Repubblica del Niger* Republic of Niger).

Nigẹria *N.pr.f.* ⟨*Geog*⟩ Nigeria (*denom.uff.*: *Repubblica Federale di Nigeria* Federal Republic of Nigeria). – **nigeriạno I** *a.* Nigerian. – **II** *s.m.* **1.** (*lingua*) Nigerian. – **2.** (*abitante*; *f.* **-a**) Nigerian.

night *ingl.* [nait] *m.* night-club.

nigrescẹnte, nigricạnte *a.* ⟨*lett*⟩ (*nereggiante*) blackish, nigrescent.

nigritẹlla *f.* ⟨*Bot*⟩ **1.** nigritelle (*Nigritella*). – **2.** black orchis (*o* nigritelle), scented nigritelle (*Nigritella nigra*).

nigrịtico *a.* (*pl.* **-ci**) Negritic, Negroid, Negro. – **nigrịzio I** *a.* Nigritian, Sudanese. – **II** *s.m.* Nigritian, Sudanese, Negro.

nigrosịna *f.* ⟨*Chim*⟩ nigrosin(e).

nihilịsmo *m.* → **nichilismo**. – **nihilịsta** *m./f.* → **nichilista**.

Nịke *N.pr.f.* ⟨*Mitol,Art*⟩ Nike.

nilgại, nilgạu *m.* ⟨*Zool*⟩ nilgai, blue bull (*Boselaphus tragocamelus*).

nịlo *m.* ⟨*Tip*⟩ Clarendon type, Egyptian (type-face).

Nịlo *N.pr.m.* ⟨*Geog*⟩ Nile: *~ azzurro* Blue Nile; *~ bianco* White Nile.

nilọta *m.* Nilot. – **nilọtico** *a./s.* (*pl.* **-ci**) **I** *a.* **1.** (*del Nilo*) Nile-, Nilotic. – **2.** (*rif. a popolazioni*) Nilotic. – **II** *s.m.* Nilot. – **nilọtide I** *a.* Nilotic. – **II** *s.m.* Nilot.

nimbạto *a.* ⟨*lett*⟩ haloed. – **nịmbo** *m.* **1.** (*bagliore*) glow, radiance, blaze of light, glory, halo. – **2.** (*aureola*) halo, nimbus, aureole. – **3.** ⟨*ant*⟩ (*nembo*) rain-cloud, nimbus. – **nimbọso** *a.* ⟨*lett*⟩ (*nemboso*) cloudy, overcast.

Nimẹga *N.pr.f.* ⟨*Geog*⟩ Nijmegen.

nimicạre *v.t.* (**nimịco, nimịchi**) ⟨*ant*⟩ (*trattare da nemico*) to treat as an enemy. – **nimichẹvole** *a.* ⟨*ant*⟩ (*crudele*) cruel; (*da nemico*) hostile, inimical. – **nimicịzia** *f.* ⟨*ant*⟩ (*inimicizia*) enmity, hostility. – **nimịco** *a./s.* ⟨*ant*⟩ → **nemico**. – **nimistà, nimistạnza** *f.* ⟨*ant*⟩ (*inimicizia*) → **inimicizia**.

nịmo *a.* ⟨*ant,tosc*⟩ (*nessuno*) no, not ... any, any.

Nịna (*dim. di Giovanna*) *N.pr.f.* Joan.

nịnfa *f.* **1.** ⟨*Mitol,Entom*⟩ nymph. – **2.** ⟨*fig,lett*⟩ (*giovanetta*) nymph, maiden. – **3.** *pl.* ⟨*Anat*⟩ nymphae *pl*, labia minora *pl*. □ *~ delle acque* water nymph; *~ dei fiumi* river nymph; *~ delle foreste* forest nymph; *~ dei monti* mountain nymph.

ninfạle I *a.* **1.** ⟨*lett*⟩ nymphean, nymphal; (*simile a ninfa*) nymph-like, nymphish. – **2.** ⟨*Entom*⟩ nymphal. – **II** *s.m.* **1.** ⟨*Lett*⟩ nymphal. – **2.** ⟨*Mus*⟩ (*regale*) regal.

ninfạlidi *f.pl.* ⟨*Entom*⟩ nymphalids *pl* (*Nymphalidae*).

ninfẹa *f.* ⟨*Bot*⟩ **1.** waterlily, nymphaea (*Nymphaea*). – **2.** (*anche ninfea bianca*) white waterlily (*Nymphaea alba*). □ *~* ⌈*della Cina*⌉ (o *gialla*) yellow waterlily, brandy-bottle, candock (*Nuphar luteum*). – **ninfeạcee** *f.pl.* waterlily family (*Nymphaeaceae*).

ninfectomịa *f.* ⟨*Chir*⟩ nymphectomy.

ninfẹo *m.* **1.** ⟨*Archeol*⟩ nymphaeum. – **2.** ⟨*Arch*⟩ (*fontana monumentale*) grotto.

ninfẹrno *m.* ⟨*ant*⟩ (*inferno*) hell.

ninfẹtta (*dim. di ninfa*) *f.* **1.** nymphet. – **2.** (*giovinetta precoce*) nymphet. – **ninfettịna** *f. dim. di* **ninfetta**.

ninfịte *f.* ⟨*Med*⟩ nymphitis. – **ninfo-imenạle** *a.* ⟨*Anat*⟩ nymphohymeneal.

ninfọmane I *s.f.* ⟨*Med*⟩ nymphomaniac. – **II** *a.* nymphomaniac(al). – **ninfomanịa** *f.* **1.** ⟨*Med*⟩ nymphomania. – **2.** ⟨*Veter*⟩ excessive heat.

ninfotomịa *f.* ⟨*Chir*⟩ nymphotomy.

nịni *m./f.* ⟨*fam,vezz*⟩ **1.** pet, dear, darling. – **2.** ⟨*iron*⟩ (*rif. ad adulti*) dear, darling, love, sweetheart.

Nịnive *N.pr.f.* ⟨*Geog.stor*⟩ Nineveh.

nịnna *f.* ⟨*infant*⟩ (*il dormire*) bye-byes *pl*, sleep: *fare la ~* to go to sleep.

ninnanạnna (o *nịnna nạnna*) *f.* **1.** lullaby. – **2.** ⟨*Mus*⟩ lullaby, cradle-song.

ninnạre *v.t.* **1.** to sing a lullaby to, to lull to sleep. – **2.** (*cullare*) to rock to sleep.

ninnolạre *v.t.* (**nịnnolo**) (*trastullare*) to amuse. – **ninnolarsi** *v.r.* (*gingillarsi*) to idle (*o* fritter) one's time away.

ninnolẹtto, ninnolịno *m. dim. di* **ninnolo**.

nịnnolo *m.* **1.** (*balocco*) toy, plaything. – **2.** (*gingillo*) knick-knack, trinket. – **3.** ⟨*fig*⟩ (*cosa di poco conto*) bauble, gew-gaw, trifle. □ *fra -i e nannoli* over odds and ends, in trifles.

ninnolọne *m.* (*f.* **-a**) trifler, idler.

nịno *m.* (*f.* **-a**) ⟨*fam,tosc*⟩ **1.** pet, dear, darling. – **2.** ⟨*iron*⟩ (*rif. ad adulti*) dear, darling, sweetheart.

Nịno (*dim. di Giovanni*) *N.pr.m.* Johnny, Jack(ie).

Nịobe *N.pr.f.* ⟨*Mitol*⟩ Niobe. – **niobe** *f.* (*madre infelice*) Niobe, unhappy mother.

niọbico *a.* (*pl.* **-ci**) ⟨*Chim*⟩ niobic. – **niọbio** *m.* niobium, columbium. □ *carburo di ~* niobium carbide; *cloruro di ~* columbium chloride.

nipio|igiẹne *f.* infant hygiene, child care. – **~igiẹnico** *a.* (*pl.* **-ci**) infant hygiene-, for (*o* of) child care. – **~logịa** *f.* ⟨*Med*⟩ nepiology, nipiology. – **~lọgico** *a.* (*pl.* **-ci**) nepiological.

nipitẹlla *f.* ⟨*ant*⟩ → **nepitella**.

Nịpkow *ted.* [-ko:]: ⟨*TV*⟩ *disco di ~* Nipkow disk.

nipọte *m./f.* **1.** (*di zio*) nephew (*f* niece). – **2.** (*di nonno*) grandchild, grandson (*f* -daughter). – **3.** (*rif. a figlio di cugino*) cousin's child, first cousin once removed. – **4.** (*rif. a prozio*) grand-nephew (*f* -niece), great-nephew (*f* -niece). – **5.** *pl.* ⟨*fig*⟩ (*discendenti*) descendants *pl*, progeny, posterity. □ *i -i di Adamo* mankind.

nipoterịa *f.* ⟨*scherz*⟩ (*di zio*) nieces and nephews *pl*; (*di nonno*) grandchildren *pl*. – **nipotịno** *m.* (*f.* **-a**) *dim. di* **nipote**. – **nipotịsmo** *m.* ⟨*rar*⟩ → **nepotismo**.

nịpplo *m.* ⟨*Mecc*⟩ nipple.

nippọnico *a.* (*pl.* **-ci**) ⟨*lett*⟩ Japanese, ⟨*lett*⟩ Nipponese.

niquità, niquitạnza *f.* → **nequità**. – **niquitọso** *a.* → **nequitoso**.

nirvạna *m.* **1.** ⟨*Rel*⟩ Nirvana. – **2.** ⟨*fig*⟩ (*felicità*) bliss; (*annullamento della realtà*) nirvana, oblivion. □ ⟨*Psic*⟩ *principio del ~* nirvana principle. – **nirvạnico** *a.* (*pl.* **-ci**) **1.** ⟨*Rel*⟩ nirvanic. – **2.** ⟨*fig*⟩ nirvanic, blissful.

nisạn *ebr. m.* Nisan.

nissẹno[1] **I** *a.* (*di Caltanissetta*) of (*o* from) Caltanissetta. – **II** *s.m.* (*f.* **-a**) native (*o* inhabitant) of Caltanissetta.

nissẹno[2] *a.* (*di Nissa*) of Nyssa. □ *Gregorio ~* St. Gregory of Nyssa.

nissụno *a./pron.* ⟨*ant,tosc*⟩ → **nessuno**.

nistạgmo *m.* ⟨*Med*⟩ nystagmus. – **nistagmografịa** *f.* nystagmography. – **nistagmọgrafo** *m.* nystagmograph.

nịsus formatịvus *lat. m.* ⟨*Biol*⟩ nisus formativus.

nitẹnte *a.* ⟨*lett*⟩ (*splendente*) radiant, shining, bright.

nitidamẹnte *avv.* clearly, brightly; (*rif. a immagini e sim.*) clearly, sharply, distinctly. – **nitidẹzza** *f.* **1.** clearness, brightness, limpidity;

(*rif. a immagini e sim.*) clearness, sharpness, distinctness, definition. – **2.** ⟨*fig*⟩ clearness, lucidity. – **nịtido** *a.* **1.** clear, bright, limpid, shining: *cristallo* ~ clear crystal; (*rif. a immagini e sim.*) clear, sharp, distinct, well-defined. – **2.** ⟨*fig*⟩ clear, lucid.

nitidụlidi *m.pl.* ⟨*Entom*⟩ nitidulids *pl* (*Nitidulidae*).

nịto(n) *m.* ⟨*Chim*⟩ niton, radon.

nitọre *m.* ⟨*lett*⟩ **1.** (*lucentezza*) brightness, splendour. – **2.** ⟨*fig*⟩ (*chiarezza*) clearness, lucidity.

nitrammịna *f.* ⟨*Chim*⟩ nitramin(e).

nitranilịna *f.* ⟨*Chim*⟩ nitro-aniline.

nitrạnte (*p.pr. di nitrare*) *a.* ⟨*Chim*⟩ nitrating. – **nitrạre** *v.t.* to nitrate.

nitratạre *v.t.* ⟨*Agr*⟩ to fertilize with nitrates. – **nitratazịone** *f.* ⟨*Chim*⟩ nitration.

nitrạto[1] (*p.p. di nitrare*) *a.* ⟨*Chim*⟩ nitrated.

nitrạto[2] *m.* ⟨*Chim*⟩ nitrate.

□ ~ *d'***ammonio** ammonium nitrate; ~ *d'***argento**: 1. ⟨*Chim, Min*⟩ silver nitrate; 2. ⟨*Farm*⟩ silver nitrate, lunar caustic; ~ *del* **Cile** Chile saltpetre; ~ *di* **potassio** potassium nitrate.

nitratọre *m.* ⟨*Chim*⟩ **1.** (*operaio*) nitrator. – **2.** (*apparecchio*) nitrator.

nitratụra *f.* ⟨*Agr*⟩ fertilization with nitrates.

nitrazịone *f.* ⟨*Chim*⟩ nitration.

nịtrico *a.* (*pl.* **-ci**) ⟨*Chim*⟩ nitric: *acido* ~ nitric acid.

nitrịera *f.* ⟨*Chim*⟩ nitriferous deposit.

nitrificạnte (*p.pr. di nitrificare*) *a.* ⟨*Biol,Chim*⟩ nitrifying. – **nitrificạre** *v.t.* (**nitrịfico, nitrịfichi**) to nitrify. – **nitrificatọre I** *s.m.* (*f.* **-trice**) nitrifier. – **II** *a.* → **nitrificante.** – **nitrificazịone** *f.* nitrification.

nitrịle *m.* ⟨*Chim*⟩ **1.** nitrile, organic cyanide. – **2.** (*radicale*) nitro group (*o* radical).

nitrịre *v.i.* (**nitrịsco, nitrịsci**; *aus.* **avere**) to neigh, to whinny.

nitrịto[1] *m.* neigh, whinny; (*il nitrire*) neighing. □ *emettere un* ~ to neigh.

nitrịto[2] *m.* ⟨*Chim*⟩ nitrite.

nịtro *m.* ⟨*Chim*⟩ (*salnitro*) nitre, saltpetre, potassium nitrate.

nitrobenzẹne, nitrobenzọlo *m.* ⟨*Chim*⟩ nitrobenzene.

nitro|cellulọsa *f.* ⟨*Chim*⟩ nitrocellulose. – **~fosfạto** *m.* nitrophosphate. – **~glicerịna** *f.* **1.** ⟨*Chim*⟩ nitroglycerin(e), glyceryl trinitrate. – **2.** ⟨*Farm*⟩ nitroglycerin(e).

nitrọsa *f.* ⟨*Chim*⟩ nitrose, chamber acid.

nitroṣare *v.t.* (**nitrọso**) ⟨*Chim*⟩ to nitrosate. – **nitrosazịone** *f.* ⟨*Chim,Bot*⟩ nitrosation. – **nitrọso** *a.* ⟨*Chim*⟩ nitrous: *acido* ~ nitrous acid.

nitrurạre *v.t.* ⟨*Met*⟩ to nitride, to ammonia harden. – **nitrurazịone** *f.* nitriding, ammonia hardening.

nitrụro *m.* ⟨*Chim*⟩ nitrid(e): ~ *di magnesio* magnesium nitride.

nittạlope *a.* → **nictalope.** – **nittalopịa** *f.* → **nictalopia.**

nitterẹute: ⟨*Zool*⟩ ~ *procionoide* raccoon dog (*Nyctereutes procyonoides*).

nittịcora *f.* ⟨*Ornit*⟩ night heron (*Nycticorax nycticorax*).

nittitạnte: ⟨*Zool*⟩ *membrana* ~ nictitating membrane.

nittitazịone *f.* ⟨*Med*⟩ nictitation, winking.

nitto... *pref.* → **nicto...**

niụno *a.* ⟨*ant*⟩ (*nessuno*) no.

nivạle *a.* **1.** ⟨*lett*⟩ (*nevoso*) snowy, snow-covered. – **2.** ⟨*fig*⟩ (*niveo*) snow-white, snowy. – **3.** ⟨*Geog*⟩ snow-. – **nivazịone** *f.* ⟨*Geog*⟩ nivation. – **nịveo** *a.* ⟨*lett*⟩ **1.** (*bianco*) snow-white, snowy. – **2.** ⟨*fig*⟩ (*puro*) pure, immaculate, candid.

nivogrạfico *a.* (*pl.* **-ci**) snowfall-, snow-. – **nivọgrafo** *m.* recording snow-gauge. – **nivomẹtrico** *a.* (*pl.* **-ci**) **1.** of a snow-gauge. – **2.** (*rif. a quantità di neve caduta*) snowfall-, of (*o* for) the measurement of snowfall. – **nivọmetro** *m.* snow-gauge.

nix *avv.* ⟨*scherz*⟩ (*niente*) nix, nothing.

nịzza[1] *f.* ⟨*roman*⟩ tipcat.

nịzza[2] *f.* ⟨*ant*⟩ (*linguetta di carta*) tab, flap.

Nịzza *N.pr.f.* ⟨*Geog*⟩ Nice. – **nizzạrda** *f.* **1.** (*danza*) country-dance. – **2.** ⟨*Mod*⟩ wide-brimmed straw hat. – **nizzạrdo I** *a.* Nice-, of Nice. – **II** *s.m.* (*f.* **-a**) native (*o* inhabitant) of Nice. □ ⟨*Gastr*⟩ *alla -a* with capers, olives, anchovies and tomatoes.

nizzọla *f.* ⟨*Ornit*⟩ (*zigolo nero*) cirl bunting (*Emberiza cirlus*). □ ~ *bianca* (*zigolo della neve*) snow bunting (*Plectrophenax nivalis*); ~ *gialla* (*zigolo giallo*) yellow-hammer (*Emberiza citrinella*); ~ *marina*: 1. (*zigolo muciatto*) rock bunting (*Emberiza cia*); 2. (*migliarino*) reed sparrow, reed bunting (*Emberiza schoeniclus*).

NL = ⟨*Aut*⟩ *Paesi Bassi* Netherlands.

n.n. = ⟨*Bibliot*⟩ *non numerate* unnumbered.

N.N. = ⟨*burocr*⟩ **1.** *nessuna novità* nothing new. – **2.** *nomen nescio* name unknown.

NNE = *nord-nord-est* north-north-east (*abbr.* N.N.E.).

NNO = *nord-nord-ovest* north-north-west (*abbr.* N.N.W.).

nọ[1] **I** *avv.* **1.** no: *ti è piaciuto lo spettacolo?* – ~ did you like the show? – no, I didn't. – **2.** (*con valore ellittico o con un avverbio, nelle proposizioni disgiuntive*) not?: *perché* ~*?* why not?; *sei contento? – contento* ~*, ma neppure scontento* are you pleased? – not pleased, but not displeased either; not: *hai finito il tuo lavoro o* ~*?* have you finished your work or not?; *lo conosciamo? – tu* ~*, ma io sì* do we know him? – you don't, but I do. – **II** *s.m.* **1.** refusal: *un bel* ~ a flat refusal. – **2.** (*voto contrario*) no, nay; (*con un numero*) against, no: *la proposta è stata accettata con dieci sì contro due* ~ the proposal was adopted with ⌜ten for and two against⌝ (*o* ten ayes and two nays).

□ ⟨*scherz*⟩ **anzi** *che* ~ (*piuttosto*) rather, somewhat; ~ *di* **certo** certainly not; **come** ~ of course, by all means; **credo** *di* ~ I don't think so; ~ **davvero** no indeed; **dire** *di* ~ to say no, to refuse; *non dire di* ~ (*acconsentire*) to agree; *non dico di* ~ (*lo ammetto*) I must admit, I don't say no (*o* it's not), I don't deny it: *è difficile, non dico di* ~ I ⌜must admit⌝ (*o* don't deny) that it's difficult, I don't say it's not difficult; **fare** *di* ~ *con la testa* to shake one's head; **ma** ~ no, really?, you must be joking; **ora** ~ not now; **pare** *di* ~ apparently not; *perché non vieni? –* **perché** ~ why aren't you coming? – because I'm not; *perché non posso venire? – perché* ~ why can't I come? – because you can't; ~ *e* **poi** ~: no, no, definitely not; **proprio** ~ certainly (*o* absolutely) not; **rispondere** *di* ~ to answer (*o* say) no; *rispondere di* ~ *col capo* = **fare** *di no con la testa*; **se** ~ if not, otherwise, (or) else: *studia, se* ~ *sarai bocciato* study, or else you'll fail; **sì** *e* ~ (*forse*) yes and no, perhaps, maybe; (*a malapena*) barely, not more than, a mere: *saranno sì e* ~ *due anni* it's barely two years; *vieni sì o* ~*?* are you coming or not (*o* aren't you)?; **speriamo** *di* ~ let's hope not; **stare** *per il* ~ to be against it; *stare fra il sì e il* ~ (*essere indeciso*) to be undecided; **uno** *sì e uno* ~ every second one, alternately. || *un giorno sì e uno* ~ on alternate days; *è lui,* ~*?* it's him, isn't it?; *mammina o* ~*, adesso devi andare a letto* never mind the Mummy, Mummy, you must go to bed now; *verrai,* ~*?* you'll come, won't you?

nọ[2] *m.inv.* ⟨*Teat*⟩ No(h), Nogaku.

NO = *nord-ovest* north-west (*abbr.* N.W.).

no., n.o. = *numero* number (*abbr.* no.).

nob. = *nobile* noble.

Nọbel: *premio* ~ Nobel Prize.

nobẹlio *m.* ⟨*Chim*⟩ nobelium.

nobildọnna (*o nọbil dọnna*) *f.* noblewoman; (*seguito dal nome*) The Honourable.

nọbile I *a.* **1.** noble, highborn, titled: *famiglia* ~ noble family. – **2.** ⟨*fig*⟩ noble, lofty: *animo* ~ noble mind. – **3.** ⟨*fig*⟩ (*eccellente*) noble, fine, excellent, splendid. – **4.** ⟨*Chim*⟩ noble: *gas* ~ noble gas. – **II** *s.m./f.* **1.** noble, nobleman (*f* -woman). – **2.** (*nobiltà*) nobles *pl*, nobility, aristocracy. – **3.** ⟨*Numism*⟩ noble. □ ⟨*Teat*⟩ *padre* ~ heavy.

nobilẹa *f.* ⟨*spreg*⟩ **1.** nobility, nobles *pl.* – **2.** ⟨*non com*⟩ (*arie da nobile*) aristocratic airs *pl.* – **nobilẹsco** *a.* (*pl.* **-chi**) ⟨*spreg*⟩ noble, aristocratic: *alterigia -a* aristocratic haughtiness. – **nobilẹzza** *f.* ⟨*ant*⟩ → **nobiltà.** – **nobiliạre** *a.* noble, nobiliary, of nobility: *titolo* ~ title of rank (*o* nobility). – **nobiliạrio** *m.* peerage.

nobilitamẹnto *m.* ⟨*non com*⟩ → **nobilitazione.** – **nobilitạre** *v.t.* (**nobịlito**) **1.** (*rendere nobile*) to ennoble, to raise to the nobility, to bestow a title upon. – **2.** ⟨*fig*⟩ to ennoble, to dignify, to uplift, to make lofty: *il lavoro nobilita l'uomo* work ennobles man. – **3.** ⟨*Tess*⟩ to treat. – **nobilitarsi** *v.r.* to ennoble o.s., to raise o.s. up. – **nobilitạto** (*p.p. di nobilitare*) *a.* ennobled. – **nobilitatọre** *m.* (*f.* **-trice**) ⟨*ant*⟩ ennobler. – **nobilitazịone** *f.* ennobling, ennoblement.

nobilmẹnte *avv.* nobly.

nobiltà *f.* **1.** nobility: ~ *di stirpe* nobility of birth, noble birth. – **2.** (*l'insieme dei nobili*) nobility, nobles *pl*, aristocracy, peerage. **3.** ⟨*fig*⟩ nobility, nobleness, loftiness. – **4.** ⟨*fig*⟩ (*eccellenza*) nobility, fineness, excellence. □ ~ *d'animo* noble-mindedness, high-mindedness, loftiness; *attestato di* ~ patent of nobility; ~ *terriera* landed nobility; *titolo di* ~ title of rank (*o* nobility). – *Prov.*: ~ *fa obbligo* noblesse oblige.

nobilụme *m.* ⟨*spreg*⟩ **1.** nobility, ⟨*spreg*⟩ lordlings *pl.* – **2.** (*accolta di nobili*) nobles *pl*, ⟨*spreg*⟩ lordlings *pl.*

nobiluọmo (*o nọbil uọmo*) *m.* nobleman; (*seguito dal nome*) The Honourable.

noblesse oblige *fr.* [nɔ'blɛsɔ'bliʒ] noblesse oblige.

nọcca[1] *f.* (*pl.* **nọcche**/*ant.* **nọcca**) **1.** knuckle. – **2.** ⟨*Zool*⟩ fetlock. □ ⟨*ant*⟩ *dar delle nocche* (*fare a pugni*) to fight, to box.

nọcca[2] *f.* ⟨*Bot*⟩ (*anche erba nocca*) **1.** false (*o* white) hellebore (*Veratrum*). – **2.** hellebore (*Helleborus*).

nọcchia *f.* ⟨*region*⟩ (*nocciola*) hazel-nut.

nocchiẹre, nocchiẹro *m.* **1.** ⟨*lett*⟩ helmsman, steersman. – **2.** ⟨*fig, lett*⟩ (*condottiero, capo*) leader, helmsman. – **3.** ⟨*Mar.mil*⟩ mate.

nocchierọso, nocchierụto *a.* ⟨*non com*⟩ knotty, knobby.

nocchinạre *v.t.* ⟨*tosc*⟩ (*prendere a nocchini*) to strike with the knuckles. – **nocchịno** *m.* ⟨*tosc*⟩ (*colpo dato con le nocche*) blow with the knuckles.

nọcchio *m.* ⟨*Bot*⟩ knot, knob, node, gnarl. □ *nocchi dei frutti* woody parts of fruit; *nocchi della schiena* (*vertebre*) vertebrae *pl*, ⟨*pop*⟩ knobs of the spine.

nocchiolụto *a.* ⟨*rar*⟩ → **nocchieroso.** – **nocchiọso, nocchiụto** *a.* ⟨*non com*⟩ → **nocchieroso.**

nocciọla I *s.f.* **1.** hazel-nut, filbert. – **2.** *pl.* ⟨*Alim*⟩ kind of noodles *pl.* – **II** *s.m.* (*colore*) light brown, hazel. – **III** *a.inv.* light brown, hazel.

nocciolạia *f.* ⟨*Ornit*⟩ nutcracker (*Nucifraga caryocatactes*). □ ~ *dal becco sottile* slender-billed nutcracker (*Nucifraga caryocatactes macrorhynchus*).

nocciolạio *m.* (*f.* **-a**) nut-seller. – **nocciolạto** *m.* **1.** nut chocolate. – **2.** (*cioccolato adulterato*) chocolate mixed with hazel-nut paste. – **nocciolẹto** *m.* hazel grove. – **nocciolẹtta** *f. dim. di* **nocciola.** – **nocciolịna** (*dim. di nocciola*) *f.* (*anche nocciolina americana*) peanut, groundnut, ⟨*fam*⟩ monkey-nut.

nocciolịno[1] *m.* **1.** (*croccante*) nut cake (*o* sweetmeat). – **2.** ⟨*Zool*⟩ (*moscardino*) hazel mouse, dormouse (*Muscardinus*).

nocciolịno[2] (*dim. di nocciolo*[1]) *m.* (*gioco*) children's game played with peach-stones.

nọcciolo[1] *m.* **1.** ⟨*Bot*⟩ stone, kernel: ~ *di ciliegia* cherry-stone. – **2.** ⟨*fig*⟩ (*punto principale*) heart, kernel, core, point, gist; *il* ~ *della questione* the heart of the matter; *venire al* ~ to come to the point. – **3.** ⟨*tecn*⟩ core, nucleus. □ ⟨*fig*⟩ *essere due anime in un* ~ to have two hearts that beat as one; ⟨*fig,non com*⟩ *non far di -i* (*fare sul serio*) to take s.th. seriously, to be in earnest; *giocare a -i* to play a game like marbles with peach stones; ⟨*fig*⟩ (*perdere tempo*) to waste time, to fritter one's time away; *non valere un* ~ not to be worth a brass farthing.

nocciọlo[2] *m.* ⟨*Bot*⟩ **1.** hazel, (European) filbert (*Corylus avellana*). – **2.** (*legno*) hazel. □ ~ *di Bisanzio* (o *Turchia*) Turkish filbert (*o* hazel) (*Corylus maxima*); *olio di* ~ oil of hazel.

nocciọlo[3] *m.* ⟨*Itt*⟩ (*anche palombo nocciolo*) smooth-hound (*Mustelus mustelus*).

nọccola *f.* ⟨*tosc*⟩ → **nocca**[1]. – **noccolụto** *a.* ⟨*non com*⟩ knuckled.

nọce I *s.m.* ⟨*Bot*⟩ **1.** walnut (-tree) (*Juglans regia*). – **2.** (*legno*) walnut. – **II** *s.f.* **1.** (*frutto del noce*) walnut; (*polpa*) walnut. – **2.** (*frutto secco*) nut. – **3.** (*rif. a fucili*) bolt knob. – **4.** ⟨*Macell*⟩ rumpsteak, best end of veal. – **5.** ⟨*Tess*⟩ w(h)arve, whirl, whorl.

□ ~ *di* **acagiù** cashew (nut); ~ **americano** hickory (*Carya*); (*frutto*) hickory nut; ~ *di* **areca** (*o betel*) betel (*o* areca) palm (*Areca catechu*); (*frutto*) betel (*o* areca) nut; ~ *di* **been** ben, behen; ⟨*fig*⟩ *aver le -i in* **bocca** to get one's words out with difficulty, to speak as if one has a hot potato in one's mouth; ~ *del* **Brasile** = *noce del* **Parà**; *una* ~ *di* **burro** a knob (*o* pat) of butter; ~ *di* **cocco** coconut; ~ *di* **cola** kola (*o* cola) nut; ~ *del* **collo** Adam's apple; ~ *di* **galla** gall nut; ~ **gentile** soft-shelled walnut; ⟨*fig*⟩ **giocare** *a -i* (*perdere tempo*) to waste one's time; **grosso** *come una* ~ the size of a walnut; ~ *di* **guru** = *noce di* **cola**; *un* **guscio** *di* ~ a nutshell (*anche fig.*); **legno** *di* ~ walnut (wood); ~ *delle* **Maldive** sea (*o* double) coconut, coco de mer; ~ **malescia** hard-shelled walnut; ~ **metella** hairy thorn-apple, metel (*Datura metel*); (*frutto*) (fruit of the) hairy thorn-apple; ~ **moscata**: 1. nutmeg (tree) (*Myristica fragrans*); 2. (*frutto*) nutmeg (*anche Gastr.*); ~ **nero** black walnut (*Juglans nigra*); ~ *del* **Parà** Brazil-nut, cream (*o* para) nut; ~ *di* **Pec(c)an** pecan; ~ *del* **piede** (*malleolo*) ankle-bone, malleolus; ~ **purgativa** (*seme di crotontiglio*) croton seed; ~ **puzza** (*stramonio*) stramonium; ⟨*fig*⟩ *essere* **quattro** *-i in un sacco* (*poche persone*) to be only a few; ⟨*fig*⟩ **schiacciare** *le -i* to walk heavily (*o* flat-footedly); ⟨*fig*⟩ *lasciarsi schiacciare le -i in capo* to allow o.s. to be put upon, to make a doormat of o.s.; *-i* **secche** dried walnuts; **sgusciare** *le -i* to crack (*o* shell) nuts; ~ **spinosa** = *noce* **puzza**; ~ **tardiva** late walnut; ~ *di* **terra** groundnut, peanut; ~ **vomica** nux vomica.

nocẹlla *f.* **1.** ⟨*Anat*⟩ bone at back of the wrist. – **2.** ⟨*Bot*⟩ nucellus. – **3.** ⟨*non com*⟩ (*parte del compasso*) pivot. – **4.** ⟨*ant,region*⟩ (*nocciola*) hazel-nut. – **nocellạre** *a.* ⟨*Bot*⟩ nucellar.

nocellẹto *m.* ⟨*non com*⟩ → **noccioleto**.

nocẹnte (*p.pr. di nuocere*) *a.* ⟨*ant,lett*⟩ **1.** (*che nuoce*) harmful, noxious. – **2.** (*colpevole*) guilty.

nocentịno *m.* ⟨*tosc*⟩ (*trovatello*) foundling.

nocepẹsca (o *nọce pẹsca*) *f.* ⟨*Bot*⟩ nectarine. – **nocepẹsco** (o *nọce pẹsco*) *m.* nectarine (*Prunus persica levis*).

nocẹra *m.* ⟨*Enol*⟩ kind of vine.

nọcere *v.* ⟨*pop*⟩ → **nuocere**.

nocẹto *m.* walnut grove.

nocẹtta[1] *a.inv.* light brown, hazel.

nocẹtta[2] *f.* ⟨*Venat*⟩ lure (for finches).

nocẹvole *a.* ⟨*non com*⟩ → **nocivo**. – **nocevolẹzza** *f.* → **nocività**. – **nocimẹnto** *m.* ⟨*ant*⟩ → **nocumento**.

nocịno *m.* **1.** (*gioco*) game (similar to marbles) played with walnuts. – **2.** (*liquore*) walnut-flavoured liqueur.

nọcio *m.* ⟨*pop,tosc*⟩ (*noce*) walnut tree.

nociụto *p.p. di* **nuocere**.

nocivamẹnte *avv.* harmfully, noxiously. – **nocività** *f.* ⟨*non com*⟩ harmfulness, noxiousness. – **nocịvo** *a.* harmful, noxious, injurious, prejudicial, hurtful: *cibi -i* harmful foods. □ *essere* ~ *a qd.* to harm s.o.; *insetti -i* pests *pl*; ~ *alla salute* injurious to health, unhealthy, ⟨*fam*⟩ bad for one (*o* one's health); *sostanza -a* noxious substance.

nọcqui *p.rem. di* **nuocere**.

nocumẹnto *m.* ⟨*lett*⟩ harming, injury; (*danno*) harm, injury, damage. □ *essere di* ~ *a qd.* to harm s.o., to do s.o. harm. – **nọcuo** *a.* ⟨*lett*⟩ → **nocivo**.

nodạle *a.* **1.** ⟨*tecn*⟩ nodal: *punto* ~ nodal point. – **2.** ⟨*Astr*⟩ nodical.

nodeggiạre *v.* (**nodẹggio, nodẹggi**) **I** *v.i.* (*aus.* **avere**) ⟨*non com*⟩ (*rif. a piante*) to form nodes. – **II** *v.t.* ⟨*mar*⟩ to knot.

nodẹllo (*dim. di nodo*) *m.* **1.** ⟨*Anat*⟩ wrist or ankle joint. – **2.** ⟨*Zool*⟩ fetlock. – **3.** ⟨*Bot*⟩ joint, node (of a cane).

noderọso *a.* ⟨*non com*⟩ (*nodoso*) knotty, knotted, nodose.

nodịno (*dim. di nodo*) *m.* **1.** (*fiocchetto*) bow. – **2.** ⟨*Lav.femm*⟩ French knot. – **3.** ⟨*lomb*⟩ (*costata di vitello*) veal cutlet (*o* chop).

nọdo *m.* **1.** knot: *sciogliere un* ~ to loose (*o* undo, untie) a knot; *stringere un* ~ to tighten a knot; (*a cappio*) noose. – **2.** ⟨*fig*⟩ (*legame*) bond, tie, knot: *il* ~ *coniugale* the bond of matrimony. – **3.** ⟨*fig*⟩ (*groppo*) lump: ~ *alla gola* lump in one's throat. – **4.** ⟨*fig*⟩ (*difficoltà*) difficulty, knotty problem, difficult matter; (*impedimento*) obstacle, impediment. – **5.** ⟨*fig*⟩ (*nocciolo*) heart, crux, point: *il* ~ *della vicenda* the heart of the matter. – **6.** ⟨*fig*⟩ (*intreccio, trama*) plot. – **7.** ⟨*fig*⟩ (*punto d'incrocio*) junction: ~ *ferroviario* railway junction. – **8.** ⟨*Tess,Mar*⟩ knot. – **9.** ⟨*Lav.femm*⟩ French knot. – **10.** ⟨*Astr,Biol,Fis*⟩ node. – **11.** ⟨*Bot*⟩ node; (*difetto del legname*) knot, knurl, gnarl. – **12.** ⟨*Med*⟩ (*nodosità*) node, nodosity. – **13.** ⟨*Sport*⟩ (*nel pugilato*) clinch. – **14.** (*crocchia di capelli*) bun, twist.

□ ~ *d'***acqua** (*gorgo*) whirlpool; ~ *d'***amore** love-knot; ~ *dell'***ancora** anchor knot, fisherman's bend; ~ *del* **cappello** hat bow; ~ **chirurgico** surgeons' (*o* surgical) knot; ~ *della* **cravatta** knot of a tie; *fare il* ~ *alla cravatta* to knot one's tie; ~ **doppio** double knot; ~ **dritto** = *nodo* **piano**; **fare** *un* ~ to tie (*o* make) a knot; ⟨*non com*⟩ *mi fa* ~ (*alla gola*) it sticks in my throat (*anche fig.*); *farsi un* ~ *al* **fazzoletto** (*per ricordarsi qualcosa*) to tie a ⌜knot in one's handkerchief⌝ (*o* string around one's finger); ~ *da* **gancio** double blackwall hitch; ⟨*fig*⟩ *avere un* ~ *alla* **gola** to have a lump in one's throat; ~ **gordiano** Gordian knot (*anche fig.*); ~ **incrociato** granny (*o* false) knot; ⟨*Anat*⟩ ~ ⌜*di* **Keith** *e Flack*⌝ (*o senoatriale*) Keith's node, node of Keith and Flack; ⟨*Anat*⟩ ~ **linfatico** lymph (*o* lymphatic) node; ⟨*Mar*⟩ ~ **margherita** sheepshank (knot); ~ *da* **marinaio** sailor's (*o* reef-) knot; ⟨*Geog*⟩ ~ **orografico** nexus (of several mountain ranges); ⟨*Fis*⟩ ~ *di* **oscillazione** node, nodal point; ⟨*Mar*⟩ ~ **parlato** *semplice* clove-hitch; ⟨*Mar*⟩ ~ **piano** reef- (*o* flat, square) knot; ~ *di* **pianto** sob; ⟨*Lav.femm*⟩ **punto** *a* ~ French knot; ⟨*Occult*⟩ ~ *di* **Salomone** Solomon's seal; ⟨*Mar*⟩ ~ *di* **sartia** shroud knot; ⟨*Mar*⟩ ~ *di* **Savoia** figure-of-eight (*o* Flemish) knot; ~ **scorrevole** (o *scorsoio*) slip-knot, running knot; ~ **semplice** overhand (*o* single) knot; ~ **stradale** road junction; ⟨*Mar*⟩ ~ *del* **vaccaro** carrick-bend; ~ *di* **vento** (*vortice*) whirlwind, hurricane. – *Prov.*: *tutti i -i vengono al pettine* be sure your sins will find you out, the day of reckoning will come.

nọdola *f.* ⟨*Itt*⟩ Ray's bream (*Brama rayi*).

nodosità *f.* **1.** knottiness. – **2.** ⟨*Bot*⟩ nodosity; (*nodo*) knot, nodosity, knob. – **3.** ⟨*Med*⟩ node, nodosity. – **nodọso** *a.* **1.** knotted, knotty, gnarled: *mani -e* knotted hands; *un tronco* ~ a gnarled trunk. – **2.** ⟨*Bot,Med*⟩ nodose.

nodrịre *v.* (**nodrịsco, nodrịsci**) ⟨*ant*⟩ → **nutrire**.

nodulạre *a.* nodular.

nodulaziọne *f.* sintering.

nọdulo *m.* nodule. □ ⟨*Med*⟩ ~ *leproso* leprous nodule, leproma. – **nodulọso** *a.* ⟨*Geol*⟩ nodular.

nọe *avv.* ⟨*tosc*⟩ **1.** ⟨*enfat*⟩ (*no*) no. – **2.** ⟨*iron*⟩ (*nelle risposte*) no.

Noè *N.pr.m.* ⟨*Bibl*⟩ Noah. □ ⟨*fam*⟩ *ai tempi di* ~ long ago; ⟨*fam*⟩ *vivere gli anni di* ~ to live to a ripe old age.

noel *fr.* [no'ɛl] *m.* ⟨*Mus*⟩ (Christmas) carol.

nọema *m.* ⟨*Filos*⟩ noema. – **noemạtico** *a.* (*pl.* **-ci**) noematic.

Nọemi *N.pr.f.* Naomi.

noẹsi *f.* ⟨*Filos*⟩ noesis. – **noẹtico** *a.* (*pl.* **-ci**) noetic.

nọi *pron.pers.* **1.** (*soggetto*: *atono*; usually omitted) we: ~ *non siamo potuti venire* we couldn't come; (*tonico*) we, ⟨*fam*⟩ us: *chi è?* – *siamo* ~ who is it? – it's us. – **2.** (*oggetto*) us: *avete chiamato* ~? did you call us? – **3.** (*preceduto da preposizione*) us: *perché non venite con* ~? why don't you come with us?; *raccontalo a* ~ tell it to us. – **4.** (*con valore impersonale*) we, one, you: *quando* ~ *affermiamo qualcosa, la dobbiamo provare* if one states something, one must prove it. □ *veniamo* (*o torniamo*) *a* ~ let's get ⌜to the point⌝ (*o* down to business); ~ *altri* (*noialtri*) we; *da* ~: 1. (*a casa nostra*: *stato*) at our house, with us, at home; (*moto*) to our house, to us, home: *domani verrete da* ~ tomorrow you will come to our house; 2. (*nel nostro paese*) in our country (*o* town), where we live (*o* come from): *da* ~ *c'è sempre bel tempo* in our country the weather is always fine; ~ *medesimi* (o *stessi*) ourselves.

nọia *f.* **1.** boredom, ennui. – **2.** (*tedio*) tedium, tediousness, tiresomeness, weariness; (*sazietà*) jadedness, satiety. – **3.** (*molestia*) nuisance, trouble, bother, annoyance; ⟨*concr*⟩ (*fastidio, seccatura*) nuisance, bother, trouble. – **4.** (*persona molesta*) nuisance, ⟨*fam*⟩ pest; (*persona noiosa*) bore; (*cosa molesta*) trouble, bother; (*cosa noiosa*) bore. – **5.** ⟨*ant*⟩ (*dolore, pena*) sorrow.

□ **avere** *a* ~ *qd.* to have an aversion to s.o., not to like s.o.; *avere delle -e con qd.* to have trouble with s.o.; **che** ~ *quell'uomo!* (*che noioso*) what a bore that man is!; (*che molestia*) what a nuisance that man is!; **dare** ~ *a qd.* to trouble (*o* bother) s.o., to be a nuisance to s.o.; (*tormentare*) to tease s.o.; *non darebbe* ~ *a una mosca* he wouldn't hurt a fly; ⟨*fam*⟩ **morire** *di* ~ to be bored stiff (*o* to death); ~ **mortale** deadly boredom; **prendere** *a* ~ *qd.* to take a dislike to s.o.; **ripetere** *qc. fino alla* ~ to repeat s.th. ⌜ad nauseam⌝ (*o* until one is sick of it); **venire** *a* ~ to become boring; *mi è venuto a noia* I am ⌜tired of⌝ (*o* fed up with) it.

noiạltri (o *nọi ạltri*) *pron.m.pl.* we *pl.*

noiamẹnto *m.* ⟨*non com*⟩ boredom. – **noiạre** *v.t.* (**nọio, nọi**) ⟨*ant*⟩ **1.** (*annoiare*) to bore. – **2.** (*essere molesto*) to trouble, to bother, to annoy. – **noiosamẹnte** *avv.* boringly, tediously; (*fastidiosamente*) troublesomely, annoyingly. – **noiosità** *f.* ⟨*non com*⟩ **1.** boredom, boringness. – **2.** (*fastidio*) trouble, annoyance, bother.

noiọso I *a.* **1.** boring, tedious, tiresome: *un libro* ~ a boring book. – **2.** (*fastidioso*) troublesome, annoying, bothersome, worrisome, irritating. – **II** *s.m.* (*f.* **-a**) bore. □ ~ *come una mosca cavallina* very irritating, ⟨*fam*⟩ a real pest.

noisette *fr.* [nwa'zɛt] *a.* → **nocetta**[1].

nolạno I *a.* (*di Nola*) of (*o* from) Nola. – **II** *s.m.* (*f.* **-a**) native (*o* inhabitant) of Nola.

noleggiamẹnto *m.* ⟨*non com*⟩ hiring; (*rif. a navi, ad aerei*) chartering. – **noleggiạnte** *m.* hirer; (*rif. a navi*) charterer.
noleggiạre *v.t.* (**nolęggio, nolęggi**) **1.** (*prendere a nolo*) to hire, to rent; (*rif. a navi, ad aerei*) to charter. – **2.** (*dare a nolo*) to hire, to rent; (*rif. a navi, ad aerei*) to charter. – **3.** ⟨*Cin*⟩ to distribute. – **4.** ⟨*ant*⟩ (*trasportare per nave*) to transport by ship.
noleggiạto (*p.p. di noleggiare*) *a.* hired, rented; (*rif. a navi, ad aerei*) chartered. – **noleggiatọre** *m.* (*f.* **-trice**) **1.** hirer; (*rif. a navi, ad aerei*) charterer. – **2.** → **noleggiante**. – **3.** ⟨*Cin*⟩ distributor.
nolęggio *m.* **1.** hire, rental; (*rif. a navi, ad aerei*) charter(ing). – **2.** (*prezzo del noleggio*) hire, rental; (*rif. a navi, ad aerei*) charterage, charter fee, freightage. – **3.** (*bottega*) hire (*o* rental) firm, hirers *pl*: ~ *di biciclette* bicycle hire firm. – **4.** ⟨*Cin*⟩ distribution.
□ **dare** *a* ~: 1. to hire, to rent; 2. (*rif. a navi, ad aerei*) to charter; 3. ⟨*Cin*⟩ to distribute; **prendere** *a* ~ to hire, to rent; (*rif. a navi, ad aerei*) to charter; ⟨*Cin*⟩ **prezzo** *di* ~ rental; ⟨*Cin*⟩ ~ *a* **scatola** *chiusa* blind booking; ~ *a* **tempo** time charter; **vettura** *da* ~ hire car.
nolẹnte *a.* ⟨*lett*⟩ unwilling. □ *volente o* ~ willy-nilly.
nọli mẹ tạngere *lat.* **I** ⟨*Bibl*⟩ noli me tangere. – **II** *s.m.* ⟨*Art*⟩ noli me tangere. – **III** *s.f.* ⟨*Bot*⟩ touch-me-not, yellow balsam, jewelweed (*Impatiens noli-tangere*).
nọlo *m.* **1.** (*prezzo del trasporto*) freight(age). – **2.** (*prezzo del noleggio*) hire, rental; (*rif. a navi, ad aerei*) charterage, charter fee. – **3.** ⟨*non com*⟩ (*noleggio*) hire, rental; (*rif. a navi, ad aerei*) charter(ing).
□ ~ **aereo** air-freight; ~ *di* **andata** out-freight; ~ *di andata e ritorno* out-and-home freight, round trip chartering; ~ *a* **corpo** ⌜lump sum⌝ (*o* flat-rate) freight; ~ **cumulativo** through freight; **dare** *a* ~ to hire (out), to rent; (*rif. a navi, ad aerei*) to charter; ~ *a* **distanza** distance freight; ~ **fluviale** river freight; ~ **marittimo** sea freight; ~ *a* **peso** freight on weight; **prendere** *a* ~ to hire, to rent; (*rif. a navi, ad aerei*) to charter; ~ *a* **tariffa** freight at a fixed rate; ~ *a* **tempo** time freight.
nolontà *f.* ⟨*Filos*⟩ nolition.
nom. = ⟨*Gramm*⟩ *nominativo* nominative (*abbr.* nom.).
nọma *m.* ⟨*Med*⟩ noma.
nọmade I *a.* **1.** nomad(ic): *vita* ~ nomadic life. – **2.** ⟨*fig*⟩ nomadic, wandering. – **II** *s.m./f.* **1.** nomad. – **2.** ⟨*fig*⟩ wanderer, drifter.
nomadịsmo *m.* nomadism. – **nomadizzạre** *v.i.* (*aus.* **avere**) ⟨*non com*⟩ to lead a nomadic life, to roam (about), to nomadize.
nomạrca *m.* ⟨*Stor*⟩ nomarch. – **nomarchịa** *f.* nomarchy.
nomạre *v.t.* (**nọmo**) ⟨*ant*⟩ **1.** (*dare il nome*) to name, to call. – **2.** (*chiamare per nome*) to call (by name). – **3.** (*invocare*) to invoke, to call upon. – **4.** (*raccontare*) to tell, to recount. – **nomarsi** *v.r.* **1.** (*chiamarsi*) to be called. – **2.** ⟨*estens*⟩ (*essere famoso*) to be renowned (*o* famous). – **nomạto** (*p.p. di nomare*) *a.* ⟨*ant*⟩ (*rinomato*) renowned, famous.
nọme *m.* **1.** name. – **2.** (*prenome e cognome*) (full) name: *indicare ~ e indirizzo* give full name and address; (*prenome*) Christian (*o* first) name; (*cognome*) surname, family name. – **3.** (*soprannome*) nickname: *gli hanno affibbiato il ~ di pel di carota* they gave him the nickname carrot-top; (*pseudonimo*) pen-name, pseudonym. – **4.** ⟨*fig*⟩ (*fama, reputazione*) name, reputation: *il suo ~ è incontaminato* his name is unsullied. – **5.** ⟨*Gramm*⟩ noun; (*sostantivo*) noun, substantive: *-i femminili* feminine nouns. – **6.** ⟨*ant*⟩ (*titolo*) title, name.
□ **a** ~ *di qd.* in s.o.'s name; (*da parte di*) on s.o.'s behalf; *digli a ~ mio* tell him from me; ⟨*Gramm*⟩ ~ *d'***agente** agent noun, agential noun; ⟨*Econ*⟩ **al** ~ personal, registered, nominal; ~ *d'***arte** stage -name; **assumere** *un* ~ to assume a name; ⟨*Gramm*⟩ ~ **astratto** abstract noun; **avere** ⌜*per* ~⌝ (*o il nome di*) to be called; ⟨*Gramm*⟩ ~ *d'***azione** action noun; ~ *di* **battaglia** pseudonym, nom-de-guerre; ~ *di* **battesimo** Christian name; **cambiare** ~ to change one's name; **che** ~ *ha?* what's his name?; *in ~ del* **cielo** for heaven's sake; ~ *di* **città** name of a town; ⟨*Gramm*⟩ ~ **collettivo** collective noun; ~ **commerciale** name (*o* style) of a firm; ~ **completo** full name; ⟨*Gramm*⟩ ~ **composto** compound noun; ⟨*Gramm*⟩ ~ **comune** common noun; ⟨*Gramm*⟩ ~ **concreto** concrete noun; ~ **depositato** trade-mark; **di** ~ named, called: *un ragazzo di ~ Carlo* a boy named (*o* called) Charles; *conoscere qd. di* ~ to know s.o. by name; *principe di ~ ma non di fatto* prince in name but not in fact; *in ~ di* **Dio** in God's name; ⟨*esclam*⟩ for God's sake!; *sotto* **falso** ~ under a false (*o* an assumed) name; **fare** *il ~ di qd.* (*nominarlo*) to mention s.o.'s name; (*proporlo*) to nominate (*o* propose) s.o., to put s.o. forward; *non fare -i* not to mention any names; *farsi un* ~ (*acquistare fama*) to make a name for o.s.; *farsi un cattivo* ~ to get a bad name for o.s.; *in ~ della* **giustizia** in the name of justice; **godere** *buon* ~ to have a good reputation; ~ *di* **guerra** nom-de-guerre; **in** ~ *di* in the name of: *in ~ della legge* in the name of the law; (*da parte di*) on behalf of; *in ~ altrui* on s.o. else's behalf; *in ~ proprio* on one's own behalf; ~ *di* **luogo** place name; *gli hanno* **messo** ~ *Giuseppe* they called him Joseph; ⟨*Rel*⟩ *nel ~ del* **Padre**, *del Figlio e dello Spirito Santo* in the name of the Father and of the Son and of the Holy Ghost; ~ *di* **persona** name of a person; ⟨*Gramm*⟩ personal noun; ~ *di* **pianta** plant name; ⟨*Gramm*⟩ ~ **plurale** plural noun; ⟨*Gramm*⟩ ~ *del* **predicato** predicate noun; **prendere** ~ *da qd.* to be named after s.o.; **prestare** *il* ~ to lend one's name; ⟨*Gramm*⟩ ~ **proprio** proper noun: *chiamare le cose col proprio* ~ to call a spade a spade; ~ *da* **ragazza** maiden name; **rispondere** *al ~ di Paolo* to answer to the name of Paul, to be called Paul; ~ **scientifico** scientific name; **senza** ~ nameless; ⟨*fig*⟩ (*inqualificabile*) unmentionable, unspeakable, dreadful; ~ *da* **signorina** = *nome da* **ragazza**; ⟨*Gramm*⟩ ~ **singolare** singular noun; **spendere** *il ~ di qd.* (*valersi della sua autorità*) to make use of s.o.'s name; ~ *di* **stato**: 1. ⟨*Gramm*⟩ noun indicating a state; 2. ⟨*Pol*⟩ name of a state; ~ *di* **strada** street name; **vendere** *il proprio* ~ to sell one's name.
nomẹa *f.* **1.** (*fama*) name, reputation: *avere la ~ di ladro* to have the reputation of being a thief. – **2.** ⟨*spreg*⟩ (*cattiva fama*) bad name, notoriety. □ *corre questa ~ di loro* they are notorious for this, it is said of them (that).
nomenclatọre I *s.m.* **1.** (*rif. a persone*) nomenclator; (*rif. a cose*) glossary of names, vocabulary. – **2.** ⟨*Stor.rom*⟩ nomenclator. – **II** *a.* name-, nomenclator-. – **nomenclatụra** *f.* nomenclature.
...nomia *suff.* (*governo* government, *amministrazione* management) ...nomy: *autonomia f.* autonomy.
...nomico *suff.* (*governo* government, *amministrazione* management) ...nomic(al): *tassonomico a.* taxonomic(al).
nomịgnolo (*dim. di nome*) *m.* **1.** (*soprannome*) nickname: *dare un ~ a qd.* to give s.o. a nickname; (*affettuoso*) pet name. – **2.** (*nome distintivo*) name. □ *noto col ~ di* nicknamed.
nọmina *f.* **1.** appointment, nomination: *lettera di* ~ letter of appointment; (*elezione*) election: ~ *a sindaco* election as mayor; (*chiamata*) call(ing), summons; (*istituzione*) setting up, installation. – **2.** ⟨*ant*⟩ (*biglietto gratuito*) complimentary ticket. □ *ottenere una ~ all'università* to obtain an appointment in a university; *di prima* ~ newly appointed, in one's first post.
nominạbile *a.* ⟨*non com*⟩ mentionable, nameable; (*degno di nomina*) worthy of appointment, deserving nomination.
nominạle *a.* **1.** ⟨*Gramm*⟩ nominal, noun-: *frase* ~ nominal sentence. – **2.** (*rif. al nome di persona*) nominal; (*per nome*) by name: *scrutinio* ~ poll by name. – **3.** (*di nome*) nominal: *autorità* ~ nominal authority. – **4.** ⟨*tecn*⟩ rated. – **5.** ⟨*Econ*⟩ nominal: *valore* ~ nominal (*o* par, face) value. □ *appello* ~ roll-call.
nominalịsmo *m.* ⟨*Filos*⟩ nominalism. – **nominalịsta I** *s.m./f* nominalist. – **II** *a.* nominalistic. – **nominalịstico** *a.* (*pl.* **-ci**) nominalistic.
nominalmẹnte *avv.* nominally.
nominạnza *f.* ⟨*lett*⟩ (*fama*) renown, fame.
nominạre *v.t.* (**nọmino**) **1.** (*menzionare*) to mention, to name, to speak of. – **2.** (*designare*) to appoint, to nominate, to designate; (*istituire*) to set up. – **3.** (*eleggere*) to elect: *l'hanno nominato assessore comunale* he has been elected town-councillor. – **4.** ⟨*non com*⟩ (*chiamare*: *rif. a cose*) to call; (*rif. a persone*) to call, to name. – **nominarsi** *v.r.* ⟨*ant*⟩ (*dire il proprio nome*) to say one's name. □ ~ *un avvocato* to appoint a solicitor; ~ *una commissione* to appoint a commission; ⟨*Bibl*⟩ *non ~ il nome di Dio invano* thou shalt not take the name of the Lord, thy God, in vain.
nominatamẹnte *avv.* **1.** (*espressamente*) expressly, particularly, specifically. – **2.** (*a nome*) by name.
nominatività *f.* ⟨*Econ*⟩ registration.
nominatịvo I *a.* **1.** of names: *elenco* ~ list of names. – **2.** (*che serve a nominare*) name-, naming. – **3.** ⟨*Econ*⟩ registered, personal, nominative, nominal: *titolo* ~ registered security. – **4.** ⟨*Gramm*⟩ nominative. – **II** *s.m.* **1.** ⟨*Gramm*⟩ (*caso nominativo*) nominative (case). – **2.** ⟨*burocr*⟩ (*nome*) name. – **3.** (*sigla*) call sign, call letters *pl.*
nominạto (*p.p. di nominare*) *a.* **1.** (*noto*) renowned, famous. – **2.** ⟨*burocr*⟩ *non si traduce*: *il ~ Giulio Rossi* Giulio Rossi. – **nominatọre** ⟨*rar*⟩ **I** *s.m.* (*f.* **-trice**) namer, nominator. – **II** *a.* nominating, appointing, of appointment: *comitato* ~ committee of appointment. – **nominaziọne** *f.* ⟨*non com*⟩ **1.** (*il nominare*) naming. – **2.** (*nomina*) nomination, appointment; (*elezione*) election.
nọmo *m.* ⟨*Stor*⟩ (kind of) coin.
nomo... *pref.* (*legge* law) nomo...
...nomo *suff.* (*legge* law) ...nomer, ...nomist: *astronomo m.* astronomer; *agronomo m.* agronomist.
nomo|fịlace *m.* ⟨*Stor.gr*⟩ nomophylax, magistrate. – **~filacịa** *f.* magistracy. – **~gẹnẹsi** *f.* ⟨*Biol*⟩ nomogenesis. – **~grafịa** *f.* ⟨*Mat*⟩ nomography. – **~grạfico** *a.* (*pl.* **-ci**) nomographic(al). – **~grạmma** *m.* nomogram. – **~logịa** *f.* nomology.
nomotẹta *m.* ⟨*Stor.gr*⟩ legislator, lawgiver.
nomparịglia *m.* ⟨*Tip*⟩ nonpareil.
nọn *avv.* **1.** (*seguito da un verbo*) not: ~ *posso venire* I cannot (*o* can't) come; *perché ~ rispondi?* why don't you answer? – **2.** (*rif. a un sost. determinato*: *usato col verbo*) not; (*usato col sostantivo*) no: ~ *bevo vino* I don't (*o* do not) drink wine, I drink no wine; ~ *c'è dubbio* there is no doubt, there isn't any doubt. – **3.** (*seguito da un agg.*) not: ~ *dolce* not sweet; *spesso si sostituisce con un prefisso negativo*: *oggetti ~ visibili* invisible objects; *uva ~ matura* unripe grapes. – **4.** (*seguito da altra negazione*) not: ~ *ho chiamato nessuno* I didn't call anyone; ~ *voglio niente* I don't want anything; (*seguito da mai*) *non si traduce*: ~ *ci sono mai stato* I have never been there; (*seguito da nessuno o niente come soggetti della frase*) *non si traduce*: ~ *lo vuole nessuno* nobody wants it; ~ *è stato fatto niente* nothing has been done. – **5.** (*pleonastico*) *non si traduce*: *poco mancò che ~ cadessi* I nearly fell; *per poco ~ affogavo* I nearly (*o* almost) drowned; *temo che ~ sia già avvenuto* I'm afraid it's already happened. – **6.** (*con valore di prefisso*) non-, *oppure si traduce con un prefisso negativo*: ~ *fumatore* non-smoker; ~ *credente* non-believer, unbeliever.

□ ~ ... **affatto** not ... at all: ~ *ci credo affatto* I don't believe it at all, I simply don't believe it; ~ **altrimenti** *che* just as; ~ **ancora** not yet; ~ **appena** as soon as: ~ *appena sei tornato, l'ho avvertito* as soon as you returned I notified him; ~ *c'è di* **che** don't mention it, not at all; ~ *che* (it's) not that: ~ *che io mi trovi male in compagnia, ma preferisco la solitudine* it's not that I don't like company but I prefer to be alone; *aspetterò* **finché** ~ *arriverà* I'll wait until he arrives; ~ ... **ma** not, not ... but: ~ *parto oggi, ma domani* I'm leaving tomorrow, not today, I'm not leaving today, I'm leaving tomorrow; ~ *io ma te* not me but you, you not me; ~ *di* **manco** (o *meno*) → **nondimeno**; **piaccia** *o* ~ *piaccia* whether you like it or not; ~ **più**, ~ *meno* neither more nor less; ~ **posso** *non pensarci* I can't help thinking about it; **se** ~ except, but; (*a meno che*) unless.

nona[1] *f.* **1.** ⟨*Stor.rom*⟩ none. – **2.** ⟨*Lit*⟩ Nones *pl*, None. – **3.** ⟨*Mus*⟩ (*accordo*) ninth chord; (*intervallo*) ninth.

nona[2] *f.* ⟨*Med*⟩ sleeping sickness. □ ⟨*region*⟩ *avere la* ~ (*essere dormiglione*) to be a sleepyhead.

nonagenario I *a.* nonagenarian. – **II** *s.m.* (*f.* -a) nonagenarian.

nonagesimale: ⟨*Astrol*⟩ *grado* ~ nonagesimal degree.

nonagesimo *a.* ⟨*lett*⟩ (*novantesimo*) ninetieth.

nonché (o *non che*) *congz.* **1.** ⟨*scherz,burocr*⟩ (*e inoltre*) as well as, besides, and. – **2.** ⟨*lett*⟩ (*tanto meno*) and even (*o* still) less.

nonconformismo *m.* ⟨*Pol,Rel*⟩ nonconformism; ⟨*Stor.brit*⟩ Nonconformism, Dissent. – **nonconformista I** *s.m./f.* nonconformist; ⟨*Stor.brit*⟩ Nonconformist, Dissenter. – **II** *a.* nonconformist; ⟨*Stor. brit*⟩ Nonconformist.

noncurante *a.* **1.** careless, heedless, uncaring, regardless (*di* of), ignoring (s.th.). – **2.** (*indifferente*) indifferent (*di* to), heedless (of). – **noncuranza** *f.* **1.** carelessness, heedlessness, neglect (*di* of); (*indifferenza*) indifference (to). – **2.** (*non osservanza*) disregard (*di* for), non-observance, heedlessness (of): ~ *delle norme stradali* non-observance of the traffic regulations. – **3.** (*ostentazione di disinvoltura*) nonchalance, indifference. – **4.** (*trascuratezza*) carelessness.

nondimanco (o *non di manco*) *congz.* ⟨*ant*⟩ → **nondimeno**. – **nondimeno** (o *non di meno*) *congz.* **1.** (*ciò nonostante*) nevertheless, all the same, for all that, still, yet; (*tuttavia*) however, but. – **2.** (*correlativo a un concessivo*) (al)though.

none[1] *f.pl.* ⟨*Stor.rom*⟩ nones *pl.*

none[2] *avv.* ⟨*ant,pop*⟩ (*no*) no, not.

nonetto *m.* ⟨*Mus*⟩ **1.** (*composizione*) nonet. – **2.** (*complesso*) nonet.

nonidì *m.* ⟨*Stor*⟩ nonidi, ninth day of a decade.

nonio *m.* ⟨*tecn*⟩ nonius.

nonipara I *a.* (*alla nona gravidanza*) at one's ninth pregnancy; (*al nono parto*) noniparous. – **II** *s.f.* (*donna alla nona gravidanza*) nonigravida; (*donna al nono parto*) nonipara.

non liquet *lat.* ⟨*Dir.rom*⟩ non liquet.

nonna *f.* **1.** grandmother, ⟨*fam*⟩ gran(ny), ⟨*fam*⟩ grandma. – **2.** ⟨*fam*⟩ (*persona anziana*) granny, old lady. – **3.** ⟨*Ornit*⟩ (*airone cenerino*) common (*o* grey) heron (*Ardea cinerea*). □ ⟨*Ornit*⟩ ~ *con ciuffo* (*nitticora*) night heron (*Nycticorax nycticorax*); ~ *materna* maternal grandmother, grandmother on one's mother's side; ~ *paterna* paternal grandmother, grandmother on one's father's side; ⟨*Ornit*⟩ ~ *rossa* (*airone rosso*) purple heron (*Ardea purpurea*).

nonnata *f.* ⟨*sicil*⟩ (*fragaglia*) fry, whitebait.

nonnetta (*dim. di nonna*) *f.* → **nonnina**. – **nonnetto** (*dim. di nonno*) *m.* → **nonnino**. – **nonnina** (*dim. di nonna*) *f.* granny, grandma. – **nonnino** (*dim. di nonno*) *m.* gran(d-)dad, grandpa.

nonno *m.* **1.** grandfather, ⟨*fam*⟩ gran(d-)dad, ⟨*fam*⟩ grandpa. – **2.** *pl.* (*nonno e nonna*) grandparents *pl*; (*antenati*) forefathers *pl*, ancestors *pl.* – **3.** ⟨*fam*⟩ (*persona anziana*) grandfather, old man. □ ~ *materno* maternal grandfather, grandfather on one's mother's side; ⟨*spreg*⟩ ⌜*alla moda del*⌝ (o *come il*) ~ (*in modo antiquato*) in an old-fashioned way; *si veste come il* ~ he dresses like an old man; ~ *paterno* paternal grandfather, grandfather on one's father's side.

nonnotto *m.* ⟨*Ornit*⟩ (*tarabusino*) little bittern (*Ixobrychus minutus*).

nonnulla *m.inv.* trifle, mere nothing, slightest thing: *si arrabbia per un* ~ he gets angry at the slightest thing.

nono I *a.* ninth: *il* ~ *posto* the ninth place; (*rif. a papi, a regnanti*) the Ninth: *Pio* ~ Pius the Ninth. – **II** *avv.* ninth, ninthly. – **III** *s.m.* **1.** (*ordinale*; *f.* -a) ninth. – **2.** (*frazionario*) ninth (part): *un* ~ *dell'eredità* a ninth of the inheritance.

nonostante (*non com. non ostante*) **I** *prep.* in spite of, despite, for all, notwithstanding: *è partito* ~ *il tempo cattivo* he left in spite of the bad weather. – **II** *congz.* **1.** (al)though, even though, in spite of the fact that: *è uscito* ~ *fosse tardi* he went out even though it was late. – **2.** ⟨*ant*⟩ (*tuttavia*) yet, nevertheless, but, still. □ ~ *che* although, even though, in spite of the fact that; *ciò* (o *pur*) ~ (*tuttavia*) nevertheless, despite this.

nonpariglia *m.* → **nompariglia**.

nonpertanto (o *non pertanto*) *congz.* ⟨*lett*⟩ (*tuttavia*) nevertheless, however.

non plus ultra *lat. m.* ne (*o* non) plus ultra, highest point (*o* degree), acme.

nonsenso (o *non senso*) *m.* nonsense, absurdity, ⟨*fam*⟩ rubbish: *è un* ~ it's nonsense (*o* ridiculous).

nontiscordardimé (o *non ti scordar di me*) *m.* ⟨*Bot*⟩ (*miosotide*) forget-me-not (*Myosotis*).

nonuplo ⟨*non com*⟩ **I** *a.* ninefold. – **II** *s.m.* nine times *pl* (as much).

noologia *f.* ⟨*Filos*⟩ noology. – **noologico** *a.* (*pl.* -ci) noological. – **noologista** *m./f.* noologist.

noopsiche *f.* ⟨*Psic*⟩ noopsyche.

nopal(e) *m.* ⟨*Bot*⟩ cochineal cactus (*o* plant, fig) (*Nopalea cochenillifera*). – **nopaleria** *f.* plantation of cochineal cacti.

nora *f.* ⟨*pop*⟩ → **nuora**.

Nora (*accorc. di Eleonora*) *N.pr.f.* Nora, Norah.

Norberto *N.pr.m.* Norbert.

norcineria *f.* ⟨*roman*⟩ pork-butcher's (shop). – **norcino** *m.* **1.** (*abitante di Norcia*; *f.* -a) native (*o* inhabitant) of Norcia. – **2.** ⟨*roman*⟩ (*chi macella o vende maiali*) pork-butcher. – **3.** ⟨*fig*⟩ (*chirurgo poco abile*) butcher. □ ⟨*fig*⟩ *sembrare un* ~ (*essere sudicio*) to be filthy.

nord I *s.m.* **1.** north. – **2.** (*regione settentrionale*) north, northern: *il* ~ *della Gran Bretagna* the north of Great Britain, northern Great Britain; *Francia del* ~ northern France. – **3.** (*Italia settentrionale*) northern Italy, the north of Italy. – **II** *a.* north, northern: *il polo* ~ the North Pole.

□ **a** ~ northwards, to the north, northerly; *diretto a* ~ northbound; *a* ~ *di* (to the) north of; **capo** ≈ North Cape; **Mare** *del* ≈ North Sea; **Territorio** *del* ~ Northern Territory; **vento** *del* ~ north (*o* northerly) wind, northerly; **verso** ~ northwards.

nord|americano I *a.* **1.** (*dell'America del nord*) North American. – **2.** (*degli Stati Uniti*) (North) American, United States-. – **II** *s.m.* (*f.* -a) North American. – **~atlantico** *a.* (*pl.* -ci) North Atlantic. – **~equatoriale** *a.* North Equatorial: *corrente* ~ North Equatorial Current. – **~est** *m.* north-east. □ *di* ~ north-eastern, from the north-east; (*rif. a vento*) north-east, north-easterly: *vento di* ~ north-easter, north-easterly, north-east wind; *a* ~ *di* (to the) north-east of. – **~europeo I** *a.* North European. – **II** *s.m.* (*f.* -a) North European.

nordico *a./s.* (*pl.* -ci) **I** *a.* **1.** northern: *clima* ~ northern climate. – **2.** (*del nord-Europa*) North European. – **3.** (*di razza nordica*) Nordic. – **II** *s.m.* (*f.* -a) **1.** northerner. – **2.** (*del nord Europa*) North European. – **3.** (*di razza nordica*) Nordic. □ ⟨*Stor*⟩ *guerra -a* Northern War; *lingue nordiche* Scandinavian (*o* North Germanic) languages: *razza -a* Nordic race.

nordide *m./f.* Nordic.

nordista I *s.m./f.* ⟨*Stor.am*⟩ Northerner, Federal. – **II** *a.* Northern, Federal.

nord-nord-est *m.* north-north-east.

nord-nord-ovest *m.* north-north-west.

nord-ovest *m.* **1.** ⟨*Geog*⟩ north-west. – **2.** (*cappello impermeabile*) sou'wester. □ *di* ~ north-western, from the north-west; (*rif. a vento*) north-west: *vento di* ~ north-wester, north-westerly, north-west wind; *capo* ≈ North-West Cape; ⟨*Stor*⟩ *disputa del confine di* ~ North-Western boundary dispute.

noria *f.* **1.** scoop-wheel, bucket-conveyor, elevator; (*per sollevare acqua*) water-wheel, noria, Persian wheel. – **2.** ⟨*Artigl*⟩ ammunition hoist.

norico *a./s.* (*pl.* -ci) **I** *a.* Noric (*anche Geog., Stor.*): *ferro* ~ Noric steel. – **II** *s.m.* ⟨*Geol*⟩ Noric, Norian, Middle Upper Triassic. □ ⟨*Zootecn*⟩ *razza -a* Pinzgau.

Norico *N.pr.m.* ⟨*Geog.stor*⟩ Noricum.

Norimberga *N.pr.f.* ⟨*Geog*⟩ Nuremberg. □ ⟨*Stor*⟩ *processi di* ~ Nuremberg trials.

norma *f.* **1.** (*regola*) rule, regulation: *trasgredire le -e* to break the rules. – **2.** (*precetto*) precept; (*prescrizione*) specification; (*disposizione*) regulation, provision; (*istruzione*) instruction, direction. – **3.** (*criterio*) norm, standard; (*principio*) principle. – **4.** (*uso, consuetudine*) practice, custom, usage. – **5.** ⟨*Statist*⟩ mode. – **6.** ⟨*Ling*⟩ (linguistic) norm. – **7.** ⟨*Filos,Mat,Min*⟩ norm. – **8.** ⟨*Dir*⟩ rule, regulation. – **9.** ⟨*Econ*⟩ (*minimo di produzione*) norm. – **10.** ⟨*tecn,ant*⟩ norma; (*squadra*) square: *fare a* ~ to use a square.

□ **a** ~ *di* (*conforme*) according to, in conformity (*o* accordance) with, as laid down by: *a* ~ *di legge* in accordance with the law; *a* ~ *dell'articolo 10* as laid down in Article 10; *-e di* **applicazione** provisions for enforcement; *-e di* **attuazione** rules for implementation; *-e di* **circolazione** traffic regulations; ⟨*Dir*⟩ *-e* **cogenti** binding regulations; **come** *di* ~ as usual, in the usual way; **conforme** *alla* ~ in accordance with the regulation; ⟨*Anat*⟩ ~ *del* **cranio** norma; ~ **derogatoria** regulation creating an exception; **di** ~ usually, normally, as a rule; ~ **fissa** standing rule; ~ **giuridica** legal regulation; *-e* **imperative** = *norme* **cogenti**; *-e di* **lavoro** working regulations; ~ *di* **legge** legal regulations; ⟨*Mar*⟩ *-e di* **navigazione** navigation regulations; **prendere** *qd. a* ~ to take s.o. as a model (*o* an example); *per tua* ~ *e* **regola** for your information and guidance; *-e di* **sicurezza** safety regulations; ~ **sperimentale** test regulation; ⟨*Dir*⟩ *-e* **transitorie** transitory regulations; *-e per l'uso* instructions (*o* directions) for use; *-e* **vigenti** regulations in force.

Norma *N.pr.f.* Norma (*anche Astr.*).

normale I *a.* **1.** normal, usual: *condurre una vita* ~ to lead a normal life; (*ordinario*) ordinary; (*regolare*) regular. – **2.** (*conforme alla norma*) normal, standard. – **3.** (*spiritualmente e moralmente sano*) normal. – **4.** ⟨*Geom*⟩ (*perpendicolare*) normal, perpendicular. **5.** ⟨*Chim*⟩ normal. – **II** *s.f.* **1.** ⟨*Geom*⟩ normal, perpendicular. – **2.** ⟨*Scol,ant*⟩ (*scuola normale*) teachers' training college.

normalista *m./f.* **1.** student at the Pisa Teachers' Training College. – **2.** ⟨*ant*⟩ (*studente della scuola normale*) student at a teachers' training college.

normalità *f.* normality (*anche Chim.*). ☐ *tornare alla* ~ to get back to normal.

normalizzare *v.t.* **1.** to make (*o* bring back to) normal, to normalize: ~ *gli scambi internazionali* to bring international trade back to normal. – **2.** (*standardizzare*) to standardize. – **3.** ⟨*Mat,Chim*⟩ to normalize. – **normalizzato** (*p.p. di normalizzare*) *a.* **1.** normalized. – **2.** (*standardizzato*) standardized. – **normalizzazione** *f.* **1.** normalization, bringing back to normal. – **2.** (*standardizzazione*) standardization. – **3.** ⟨*Mat,Chim,Met*⟩ normalization.

normalmente *avv.* **1.** normally; (*abitualmente*) usually, generally, as a rule. – **2.** (*secondo la norma*) normally, properly, according to regulations, as prescribed. – **3.** ⟨*Geom*⟩ (*perpendicolarmente*) normally, perpendicularly.

Normandia *N.pr.f.* ⟨*Geog*⟩ Normandy.

normanno I *a.* **1.** (*della Normandia*) Norman, of Normandy. – **2.** (*delle isole Normanne*) Channel Island-. – **3.** ⟨*Stor*⟩ Norman: *la conquista -a* the Norman Conquest; (*antico scandinavo*) Norse. – **II** *s.m.* **1.** (*dialetto*) Norman (French). – **2.** (*abitante della Normandia*; *f.* **-a**) Norman. – **3.** (*abitante delle isole Normanne*; *f.* **-a**) Channel Islander. – **4.** ⟨*Stor*⟩ Norman; (*antico scandinavo*) Northman, Norseman.

normare *v.t.* (**normo**) ⟨*rar*⟩ to regularize, to cause to conform.

normatività *f.* ⟨*non com*⟩ normativeness. – **normativo** *a.* **1.** (*che dà norme*) normative, prescriptive, establishing a norm (*o* standard): *grammatica -a* normative grammar. – **2.** (*che ha valore di legge*) regulative. – **normatore** *m.* (*f.* **-trice**) ⟨*rar*⟩ regulator.

normo... *pref.* (*normale* normal) norm(o)...

normo|blasto *m.* ⟨*Biol*⟩ normoblast. – **~cito** *m.* normocyte.

normo|grafo *m.* ⟨*tecn*⟩ stencil. – **~peso** *a.* ⟨*Med*⟩ of normal weight. – **~tensione** *f.* ⟨*non com*⟩ normotension, normal blood pressure. – **~termia** *f.* normothermia. – **~teso** ⟨*non com*⟩ **I** *a.* ⟨*Med*⟩ normotensive, having normal blood pressure. – **II** *s.m.* (*f.* **-a**) normotensive, person with normal blood pressure.

norna *f.* ⟨*Mitol.nord*⟩ Norn.

norreno *a.* ⟨*Filol*⟩ Old Norse.

norte *a./s.* ⟨*ant*⟩ → **nord**.

Norton: ⟨*Mecc*⟩ *scatola di* ~ feed gear-box, Norton-type gear-box; *cambio* ~ feed (*o* quick-change) gear.

norvegese I *a.* **1.** Norwegian. – **2.** ⟨*Stor*⟩ Norse. – **II** *s.m.* **1.** (*lingua*) Norwegian. – **2.** *m./f.* (*abitante*) Norwegian. – **3.** ⟨*Stor*⟩ Norseman, Northman. – **Norvegia** *N.pr.f.* ⟨*Geog*⟩ Norway (*denom.uff.*: *Regno di Norvegia* Kingdom of Norway).

nosco *pron.* ⟨*poet*⟩ **1.** (*con noi*) with us. – **2.** (*ai nostri tempi*) in our times.

nosemiasi *f.* ⟨*Agr*⟩ nosema disease.

noso... *pref.* (*malattia* disease) nos(o)...

noso|comiale: ⟨*Med,ant*⟩ *malattia* ~ nosocomial disease. – **~comio** *m.* ⟨*non com*⟩ (*ospedale*) hospital. – **~dromico** *a.* (*pl.* **-ci**) of (*o* concerning) the evolution of a disease. – **~fobia** *f.* ⟨*Psic*⟩ nosophobia. – **~genesi** *f.* ⟨*non com*⟩ (*patogenesi*) nosogeny, nosogenesis, pathogenesis. – **~grafia** *f.* ⟨*Med*⟩ nosography. – **~grafico** *a.* (*pl.* **-ci**) nosographic(al). – **~logia** *f.* nosology. – **~logico** *a.* (*pl.* **-ci**) nosological. – **~mania** *f.* ⟨*Psic*⟩ nosomania.

nossignora *avv.* **1.** no, Madam. – **2.** ⟨*iron*⟩ certainly not, ⟨*fam*⟩ not on your life. – **nossignore** *avv.* **1.** no, Sir. – **2.** ⟨*iron*⟩ no, Sir, certainly not, ⟨*fam*⟩ not on your life.

nostalgia *f.* **1.** nostalgia; (*rif. alla patria*) homesickness. – **2.** ⟨*estens*⟩ (*rimpianto*) longing, yearning. – **3.** ⟨*Psic*⟩ → **nostomania**. ☐ *avere* ~ *di qd.* to miss s.o., to long for s.o.; *sentire la* ~ *della patria* to be homesick (for one's native land).

nostalgicamente *avv.* nostalgically. – **nostalgico** *a./s.* (*pl.* **-ci**) **I** *a.* **1.** nostalgic: *sentimento* ~ nostalgic feeling; (*rif. alla patria*) homesick, nostalgic. – **2.** ⟨*estens*⟩ (*di rimpianto*) sad, regretful, wistful. – **II** *s.m.* (*f.* **-a**) ⟨*Pol*⟩ one who regrets the passing of a former regime; (*rif. al Fascismo*) Neofascist.

nostomania *f.* ⟨*Psic*⟩ nostomania.

nostrale *a.* **1.** home-, of our country, domestic, national, native, local: *animali -i* domestic animals; (*interno*) domestic, internal, home-; (*prodotto nel nostro paese*) home-grown, home-made, home -produced. – **2.** ⟨*ant*⟩ (*nostro*) our. ☐ *alla* ~ local (style), as we do in our country: *cucina alla* ~ local cooking; (*familiarmente*) informally.

nostrano I *a.* home-, of our country, domestic, national, native, local: *usi -i* national customs; (*interno*) domestic, internal, home-; (*prodotto nel nostro paese*) home-grown, home-made, home-produced. – **II** *s.m.* ⟨*Enol*⟩ (kind of) Ticinese wine. ☐ *alla -a* as we do in our country.

nostro I *a.poss.* **1.** our: *la -a casa* our house; *i -i errori* our mistakes; *alcuni -i compagni* some of our companions; ⟨*enfat*⟩ (*nostro proprio*) our own. – **2.** ⟨*pred*⟩ ours: *questa penna è -a* this pen is ours. – **3.** (*nelle espressioni ellittiche*) our *seguito dal sostantivo appropriato*: *il babbo sta sempre dalla -a* (*parte*) Daddy is always on our side; *vogliamo dire la -a* (*opinione*) we want to have our say. – **4.** ⟨*lett*⟩ (*plurale maiestatico*: *mio*) our. – **II** *pron.poss.* ours: *voi avete le vostre preoccupazioni, noi le -e* you have your worries, we have ours. – **III** *s.m.* **1.** (*averi*) (what is) ours, our own; (*beni materiali*) our possessions *pl*, our property; (*reddito*) our (own) income, our (own) means *pl*; (*denaro*) our money. – **2.** (*l'autore, la persona di cui si parla*) *di solito si traduce col nome proprio o il pronome*; (*protagonista*) our hero. – **3.** *pl.* (*genitori*) our parents *pl*; (*parenti*) our family, our relatives *pl*, ⟨*fam*⟩ our folks *pl*; (*amici*) our friends *pl*; (*seguaci*) our supporters *pl*, our followers *pl*, our side; (*soldati*) our men *pl*, our soldiers *pl*: *arrivano i -i!* here come our men! ☐ *una -a amica* a friend of ours; *questo* ~ *parente* this relative of ours; *vuoi essere dei -i?* will you join us?

nostromo *m.* ⟨*Mar*⟩ **1.** boatswain, coxswain, bosun. – **2.** ⟨*ant*⟩ (*uomo di fiducia*) right-hand man.

nota *f.* **1.** mark: *fare una* ~ *sul margine* to put a mark in the margin. – **2.** (*appunto*) note. – **3.** (*osservazione*) remark, note; (*spiegazione*) note. – **4.** (*lista*) list. – **5.** (*conto*) bill: *la* ~ *della sarta* the dress-maker's bill. – **6.** (*comunicazione scritta*) note. – **7.** (*giudizio*) comment. – **8.** ⟨*fig*⟩ (*tono*) note, tone: *dare una* ~ *di allegria* to give a note of gaiety. – **9.** ⟨*Dipl*⟩ (diplomatic) note. – **10.** ⟨*Mus*⟩ note. – **11.** ⟨*Filos*⟩ essential constituent of a concept.

☐ ⟨*Comm,Econ*⟩ ~ *di* **accredito** credit note; ~ *di* **addebito** debit note; ⟨*Mus*⟩ ~ **ausiliare** auxiliary note; ⟨*Tip*⟩ ~ *in* **calce** footnote; ~ **caratteristica** distinguishing mark (*o* feature); ⟨*burocr*⟩ *-e caratteristiche* report, evaluation; ⟨*Stor,Econ*⟩ ~ *di* **cassa** cash note; ⟨*fig*⟩ *a* **chiare** *-e* (*apertamente*) clearly, bluntly, out straight; ⟨*Teol*⟩ *-e della* **Chiesa** notes of the Church; ⟨*Comm*⟩ ~ *di* **consegna** delivery docket (*o* slip); **contrassegnare** *con una* ~ to mark, ⟨*am*⟩ to check; ⟨*Assic*⟩ ~ *di* **copertura** cover note; **degno** *di* ~ noteworthy; ⟨*Biol*⟩ ~ **differenziale** differentia, distinguishing property; ~ **diplomatica** diplomatic note; ⟨*scherz*⟩ *ora incominciano le* **dolenti** *-e* now comes the worst part; ⟨*Mus*⟩ ~ **dominante** dominant; ~ **falsa** false (*o* wrong) note; ~ **finale** final; ~ **fondamentale** fundamental note; ~ **forzata** forced note; ⟨*fig*⟩ *trovare la* ~ **giusta** to strike (*o* hit) the right note; ~ **illustrativa** explanatory note; ⟨*fig*⟩ *segnare qc. con -e* **indelebili** to remember s.th. to one's dying day; ~ **introduttiva** introductory note; ⟨*Mus*⟩ *-e* **legate** tied notes; ~ ⌜*a* **margine**⌝ (o *marginale*) marginal note; **mettere** *in* ~ (*musicare*) to set to music; *mettersi in* ~ (*prenotarsi*) to put o.s. down; ⟨*fig*⟩ *è una* ~ **obbligata** it is an inevitable platitude, convention (*o* custom) demands it; ⟨*Mus*⟩ ~ *di* **passaggio** passing-note; ⟨*Econ*⟩ ~ *di* **pegno** warrant; ~ *a pie' di pagina* = *nota in* **calce**; **prendere** ~ *di qc.* 1. (*scrivere*) to make a note of s.th., to note s.th. down; 2. (*osservare*) to note s.th., to take note of s.th.; 3. (*ricordare*) to bear s.th. in mind; ⟨*Comm*⟩ *prendere* ~ *di un ordine* to book an order; ⟨*Comm*⟩ **prima** ~ waste book, daybook; ⟨*Dipl*⟩ ~ **protestativa** (o *di protesta*) note of protest; ⟨*Mus*⟩ ~ **puntata** dotted note; ⟨*burocr*⟩ ~ *di* **qualifica** annual report; ~ ⌜*del* **redattore**⌝ (o *della redazione*) editor's note; ⟨*Dipl*⟩ ~ **responsiva** note of reply; ⟨*Mus*⟩ ~ **ritardata** suspended note; ⟨*Mus*⟩ **sbagliare** *una* ~ to play a wrong note; ⟨*Dipl*⟩ **scambio** *di -e* exchange of (diplomatic) notes; ~ *di* **spese** shopping -list; ⟨*Mus*⟩ *-e* **staccate** staccato notes; ~ *di* **stile** stylistic note; ⟨*fig*⟩ ~ **stonata** false (*o* jarring) note; **taccuino** *per -e* notebook; ~ *del* **traduttore** translator's note; ⟨*Comm*⟩ ~ *di* **vendita** invoice; ⟨*Dipl*⟩ ~ **verbale** note verbale.

nota bene (o *notabene*) *m.inv.* ⟨*Tip*⟩ note; (*indicazione nei libri*) nota bene, N.B., please note.

notabile I *a.* ⟨*lett*⟩ **1.** (*degno di nota*) noteworthy, notable; (*notevole*) remarkable, notable, considerable. – **2.** (*degno di memoria*) memorable. – **3.** (*illustre, importante*) notable, important. – **II** *s.m.pl.* **1.** notables *pl*. – **2.** ⟨*Stor*⟩ Notables *pl*. – **notabilità** *f.* **1.** notability. – **2.** *pl.* ⟨*concr*⟩ (*notabili*) notables *pl*. – **notabilmente** *avv.* notably.

notaio *m.* notary (public).

☐ ⟨*Stor*⟩ ~ *di* **banco** clerk of the court; **candidato** ~ aspirant notary; ⟨*Stor*⟩ ~ **criminale** (o *del malefizio*) clerk of a criminal court; **praticante** ~ articled notary; ~ **rogante** attesting notary. – *Prov.*: *notai, birri e messi, non t'impicciar con essi* it's better to have as little to do with the law as possible.

notalgia *f.* ⟨*ant*⟩ (*mal di schiena*) notalgia.

notamento *m.* ⟨*lett*⟩ (*il notare*) noting, notation.

notare[1] *v.t.* (**noto**) **1.** (*annotare*) to note, to make a note of, to write down, ⟨*fam*⟩ to jot down. – **2.** (*distinguere con un segno*) to mark. – **3.** ⟨*fig*⟩ (*accorgersi*) to notice: *non ho notato nulla di strano* I didn't notice anything odd; (*vedere*) to see: *si nota la stanchezza in lui* you can see that he is tired. – **4.** ⟨*fig*⟩ (*osservare*) to note, to notice, to remark, to observe, to take notice of; (*considerare*) to note, to consider, to take into account; (*sottolineare*) to stress, to note: *va notato che* it is worth noting that, it should be noted that. – **5.** ⟨*fig*⟩ (*ricordare*) to note, to remember, to bear in mind. – **6.** ⟨*lett*⟩ (*indicare*) to point out, to indicate: ~ *qd. a dito* to point s.o. out, to point to s.o. – **7.** ⟨*lett*⟩ (*biasimare*) to blame. – **8.** ⟨*ant*⟩ (*cantare*) to sing. ☐ *essere notato* to be noticed; *far* ~ *a qd.* to point out to s.o., to draw to s.o.'s attention; *farsi* ~ to distinguish o.s.; (*dare nell'occhio*) to make o.s. conspicuous (*o* noticed), to draw attention to o.s.

notare[2] *v.* → **nuotare**.

notarella *f. dim. di* **nota**.

notaresco *a.* (*pl.* **-chi**) ⟨*spreg*⟩ notarial, notary's. – **notaria** *f.* ⟨*ant*⟩ → **notariato**. – **notariale** *a./s.* ⟨*ant*⟩ → **notarile**. – **notariato** *m.* (*titolo*) profession of notary public; (*ufficio*) notaryship, office of notary public. – **notarile I** *a.* notarial, notary's. – **II** *s.m.* ⟨*Cart*⟩ (*formato notarile*) foolscap. – **notaro** *m.* → **notaio**.

notata *f.* ⟨*non com*⟩ → **nuotata**.

notatore[1] *m.* ⟨*non com*⟩ → **nuotatore**.

notatore[2] *m.* (*f.* **-trice**) **1.** (*chi nota*) noter. – **2.** (*chi osserva*) observer, noter.

notazịone *f.* **1.** marking; (*mediante numeri*) numbering. – **2.** (*annotazione*) annotation, note. – **3.** ⟨*concr*⟩ (*segni*) notation. – **4.** ⟨*fig*⟩ (*osservazione*) observation. – **5.** ⟨*Mus*⟩ (staff) notation.
□ ⟨*Mus*⟩ ~ **alfabetica** alphabetical notation; ~ **chironomica** ch(e)ironomic notation; ~ **musicale** staff notation; ~ **neumatica** neumatical notation; ~ **numerale** numerical notation, numbering; ~ *delle* **pagine** page numbering, paging.
noterịa *f.* ⟨*ant*⟩ → **notariato.**
nọtes *m.* notebook.
notẹvole *a.* **1.** (*degno di nota*) notable, noteworthy. – **2.** (*rilevante*) considerable, remarkable, notable, ⟨*fam*⟩ sizeable: *una somma* ~ a considerable (*o* large) sum. – **notevolmẹnte** *avv.* notably, noteworthily.
noticịna *f. dim. di* **nota.**
notịfica *f.* ⟨*burocr*⟩ → **notificazione.** – **notificamẹnto** *m.* ⟨*non com*⟩ notifying, notification. – **notificạndo** *m.* (*f.* **-a**) ⟨*burocr*⟩ person to be notified. – **notificạnte**: *banca* ~ bank notified.
notificạre *v.t.* (**notịfico, notịfichi**) **1.** (*rendere noto*) to notify, to give notice of, to intimate; (*informare*) to inform, to notify, to advise. – **2.** (*dichiarare*) to declare; (*denunciare*) to notify, to report. – **3.** ⟨*Dir*⟩ to notify: ~ *una sentenza* to notify a sentence; (*rif. a citazioni e sim.*) to serve. – **4.** ⟨*ant*⟩ (*dimostrare*) to show, to explain.
notificạto (*p.p. di notificare*) **I** *a.* notified. – **II** *s.m.* (*f.* **-a**) ⟨*burocr*⟩ person notified. – **notificatọre** ⟨*non com*⟩ **I** *s.m.* (*f.* **-trice**) notifier. – **II** *a.* notifying, of notification.
notificazịone *f.* **1.** notification. – **2.** ⟨*Dir*⟩ notification; (*rif. a citazioni e sim.*) service. – **3.** (*rif. a opere d'arte*) notification. □ ⟨*Dir*⟩ ~ *di cessione* notification of transfer; ~ *di comparire* summons to appear; ~ *in maniproprie* (o *persona propria*) direct notification of the interested party; ~ *per pubblici proclami* notification by public announcement; ~ *d'ufficio* official notification.
notịna (*dim. di nota*) *f.* ⟨*Mus*⟩ grace-note.
notịtia *lat. f.* ⟨*Mediev*⟩ notarial deed.
notịzia *f.* **1.** news *pl* (*costr. sing.*): *è una buona* ~ that's good news; *non abbiamo -e di lui* we have had no news of him; (*novella*) news *pl* (*costr. sing.*), ⟨*lett*⟩ tidings *pl.* – **2.** ⟨*Giorn*⟩ news item. – **3.** (*informazione*) information: *-e ufficiose* unofficial information; (*annuncio*) announcement. – **4.** (*indicazione, dato*) information, data *pl*: *-e particolareggiate* detailed information; *-e biografiche* biographical data. – **5.** (*in pubblicazioni scientifiche*) note. – **6.** ⟨*lett*⟩ (*cognizione*) knowledge.
□ **avere** (o *essere a*) ~ *di qc.* to know (*o* be aware of) s.th.; *fammi avere tue -e* let me hear from you, let me know how you're getting on; **dare** *-e di qc.* to give information about s.th., to tell of s.th., to report s.th.; *dare* ~ *di sé* to give news about o.s.; **giunge** (o *si ha*) ~ *che* there is a rumour (*o* report) that, it is said that; *un articolo* **ricco** *di -e utili* an article containing a wealth of useful information; ⟨*Giorn,Rad*⟩ *-e* **sportive** sports news; ~ **ufficiale** official announcement; **ultime** *-e* latest news; ⟨*ant*⟩ **venire** *in* ~ *di qc.* to hear (*o* get to know) of s.th.
notiziạccia (*pegg. di notizia*) *f.* (*pl.* **-ce**) bad news.
notiziạrio *m.* **1.** (*bollettino*) bulletin, newsletter. – **2.** ⟨*Giorn,Rad*⟩ news *pl* (*costr. sing.*), news bulletin: ~ *sportivo* sports news. – **3.** ⟨*Cin*⟩ news-reel. – **4.** ⟨*fig*⟩ (*persona informatissima*) (walking) encyclopaedia, mine of information. – **5.** ⟨*non com*⟩ (*libro di notizie*) book of information. □ ~ *cinematografico di attualità* news-reel.
notiziẹtta, notiziọla *f. dim. di* **notizia.**
nọto[1] **I** *a.* **1.** known, well-known. – **2.** (*famoso*) well-known, famous, noted: *un* ~ *romanziere* a well-known novelist. – **3.** (*famigerato*) notorious, ill-famed, noted. – **4.** ⟨*Mat*⟩ known. – **5.** ⟨*ant*⟩ (*notato*) noted, noticed. – **II** *s.m.* known. □ *ben* ~ well-known; *com'è* ~ as is well-known, as everybody knows; *fare* (o *rendere*) ~ to make known; (*pubblicare*) to publish, to put out.
nọto[2] *m.* ⟨*pop*⟩ → **nuoto.**
nọto[3] *m.* ⟨*Entom*⟩ notum.
nọto[4] *m.* ⟨*lett*⟩ (*vento austro*) south wind, ⟨*poet*⟩ notus, ⟨*poet*⟩ auster.
noto...[1] *pref.* (*dorso* back) not(o)...
noto...[2] *pref.* (*falso* false) noth(o)...
noto|cọrda *f.* ⟨*Biol*⟩ notochord. – **~cordạti** *m.pl.* ⟨*Zool*⟩ Vertebrata *pl*, vertebrates *pl.* – **~dọntidi** *m.pl.* ⟨*Entom*⟩ notodontids *pl* (*Notodontidae*).
notogamịa *f.* ⟨*Bot*⟩ nothogamy.
notogẹa *f.* ⟨*Zool,Geog*⟩ Notogaea. – **notogẹico** *a.* (*pl.* **-ci**) Notog(a)ean, Notog(a)eic. □ *reame* ~ → **notogea.**
notomịa *f.* ⟨*ant*⟩ (*anatomia*) anatomy. – **notomịsta** *m.* ⟨*ant*⟩ (*anatomista*) anatomist. – **notomizzạre** *v.t.* ⟨*ant,pop*⟩ **1.** (*anatomizzare*) to anatomize, to dissect. – **2.** ⟨*fig*⟩ (*analizzare minutamente*) to analyze, to dissect.
noto|nẹttidi *m.pl.* ⟨*Entom*⟩ notonectids *pl*, back swimmers *pl* (*Notonectidae*). – **~pọdio** *m.* ⟨*Zool*⟩ notopodium.
notoriamẹnte *avv.* notoriously. □ *è* ~ *saputo che* it is well-known that. – **notorietà** *f.* **1.** well-known character (*anche Dir.*). – **2.** ⟨*spreg*⟩ notoriety, notoriousness. – **3.** (*fama*) fame, renown. □ ⟨*Dir*⟩ *atto di* ~ attested affidavit. – **notọrio I** *a.* **1.** well-known, generally -known, ⟨*spreg*⟩ notorious. – **2.** ⟨*Dir*⟩ notorious, well-known. – **II** *s.m.* ⟨*Dir*⟩ (*fatto notorio*) common knowledge. □ ⟨*Dir*⟩ *atto* ~ attested affidavit.
notorịtto *m.* ⟨*Zool*⟩ marsupial mole (*Notoryctes typhlops*).
notosạuri *m.pl.* ⟨*Paleont*⟩ nothosaurs *pl* (*Nothosauri*).
notrịbile *a.* ⟨*ant*⟩ → **nutribile.** – **notricamẹnto** *m.* ⟨*ant*⟩ → **nutrimento.** – **notricạre** *v.* ⟨*ant*⟩ → **nutrire.** – **notricatọre** *m.* ⟨*ant*⟩ → **nutritore.**
nottambulịsmo *m.* **1.** love of night-life, habits *pl* of a night-bird, staying out at night, noctambulation, noctambulism. – **2.** (*sonnambulismo*) somnambulism. – **nottạmbulo I** *s.m.* (*f.* **-a**) **1.** night -bird, night-lover, night-wanderer. – **2.** ⟨*ant*⟩ (*sonnambulo*) sleepwalker, somnambulist, noctambule. – **II** *a.* **1.** night-wandering, night-loving, enjoying night-life. – **2.** ⟨*ant*⟩ (*sonnambulo*) somnambulistic, noctambulous.
nottạnte *m./f.* ⟨*non com*⟩ night-nurse.
nottạta *f.* night: *una* ~ *tempestosa* a stormy night; *passare una* ~ *insonne* to have a sleepless night, ⟨*fam*⟩ not to sleep a wink all night. □ *fare* ~ to stay (*o* be) up all night; (*per lavoro*) to be on duty all night, to be up all night working; *fare* ~ *bianca* to pass (*o* have) a sleepless night, ⟨*fam*⟩ not to sleep a wink all night. – **nottatạccia** *f.* (*pl.* **-ce**) *pegg. di* **nottata.**
nọtte *f.* **1.** night: *è calata la* ~ night has fallen. – **2.** ⟨*fig,lett*⟩ (*oscurità*) darkness, night.
□ ~ **bianca** (o *in bianco*) sleepless night; **buona** ~ *!* good night!; ⟨*fam*⟩ (*per troncare bruscamente*) that's that; *augurare la buona* ~ to say good night; *sul* **calar** *della* ~ at nightfall; *nel* **cuore** *della* ~ at dead of night, in the middle of the night; **da** ~ night-: *camicia da* ~ (*da donna*) nightdress, ⟨*fam*⟩ nighty; (*da uomo*) nightshirt; *tavolino da* ~ bedside (*o* night) table; *vaso da* ~ chamber-pot; **di** ~: 1. at (*o* by) night, at night-time, during the night: *è successo di* ~ it happened at night; 2. (*rif. a ora*) in the morning: *sono le tre di* ~ it's three o'clock in the morning; 3. (*della notte*) night-: *turno di* ~ nightshift; **domani** ~ tomorrow night; *la* ~ **dopo** the night after; ⟨*fig,lett*⟩ *la* ~ **eterna** (*morte*) everlasting night, death; **far** ~ (*fare tardi*) to get late; *si fa* ~ night is coming on, it's nearly night-time; *sul far della* ~ = *sul* **calar** *della notte*; *a* ~ **fatta** after dark (*o* nightfall); *col* **favore** *della* ~ under cover of darkness; ~ **fitta** pitch-dark; *era* ~ **fonda** it was pitch-black (*o* dark); **giorno** *e* ~ night and day; *fare di* ~ *giorno* to turn night into day; **ieri** ~ last night; ⟨*fig*⟩ ~ *d'***inferno** dreadful night; **innanzi** ~ before nightfall; *a* ~ **inoltrata** = *a* **tarda** *notte*; *passare una* ~ **insonne** to have a sleepless night, not to sleep a wink all night; *per -i* **intere** for nights on end; *la* ~ *di* **Natale** Christmas Eve; ⟨*fam*⟩ **peggio** *che andar di* ~ worse than ever; ⟨*Geog*⟩ ~ **polare** polar night; *la* ~ **prima** the night before; *di prima* ~ early in the night; ⟨*Mediev*⟩ *diritto di prima* ~ droit du seigneur, jus primae noctis; **questa** ~ 1. (*futura*) tonight; 2. (*passata*) = *la notte* **scorsa**; *la* ~ **scorsa** last night; *la* ~ *di san* **Silvestro** New Year's Eve; *a* **tarda** ~ late at night: *fino a tarda* ~ until late at night; *nella* ~ *dei* **tempi** at the beginning of time, long long ago; (*per*) **tutta** *la* ~ all night (long), for the whole night; **una** ~ one night. – *Prov.*: *la* ~ *porta consiglio* it's better to sleep on your decisions, night brings counsel, night is the mother of counsel.
nottetẹmpo *avv.* at (*o* by) night, during the night.
nottilucẹnte *a.* ⟨*Meteor*⟩ noctilucent.
nottịvago *a.* (*pl.* **-ghi**) ⟨*lett*⟩ **1.** night-wandering, noctivagant, noctivagous. – **2.** (*nottambulo*) noctambulant, noctam bulous, night-wandering.
nọttola[1] *f.* **1.** ⟨*Zool*⟩ noctule, great bat (*Nyctalus noctula, Pterigistes noctula*). – **2.** ⟨*Ornit*⟩ (*succiacapre*) goatsucker, nightjar (*Caprimulgus europaeus*). – **3.** ⟨*Itt*⟩ (*miliobate*) eagle ray (*Myliobatis*). – **4.** ⟨*ant*⟩ (*civetta*) owl. □ ⟨*Zool*⟩ ~ *di Leisler* Leisler's (*o* hairy-armed) bat, lesser noctule (*Nyctalus leisleri*). – *Prov.*: *portar -e ad Atene* to carry coals to Newcastle.
nọttola[2] *f.* (*saliscendi*) latch. – **nottolịno** (*dim. di nottola*[2]) *m.* **1.** (*saliscendi*) latch. – **2.** ⟨*Mecc*⟩ pallet, pawl. □ ~ *di arresto* ratchet, pawl.
nottolọne[1] (*accr. di nottola*[1]) *m.* **1.** ⟨*Ornit*⟩ (*succiacapre*) goatsucker, nightjar (*Caprimulgus europaeus*). – **2.** ⟨*tosc*⟩ (*persona buona a nulla*) good-for-nothing.
nottolọne[2] *m.* ⟨*fam*⟩ (*persona nottambula*) night-bird.
nottovịsore *m.* ⟨*Ott*⟩ noctovisor.
nọttua *f.* ⟨*Entom*⟩ noctuid, owlet moth. □ ~ *del cavolo* cabbage moth (*Mamestra brassicae*); ~ *gamma* silver Y moth, gamma moth (*Plusia gamma*); ~ ⌜*delle messi*⌝ (o *dei seminati*) turnip (*o* dart) moth (*Agrotis segetum*); ~ *della vite* (large) yellow underwing moth (*Agrotis pronuba*).
nottụidi *m.pl.* ⟨*Entom*⟩ noctuids *pl*, owlet moths *pl*, cutworms *pl* (*Noctuidae*).
nottụrno I *a.* **1.** nocturnal, night-, night-time-, of (the) night: *silenzio* ~ silence of the night. – **2.** (*di notte*) night-: *servizio* ~ night duty; *guardia -a* nightwatch. – **3.** ⟨*Bot,Zool*⟩ nocturnal: *fiore* ~ nocturnal flower. – **II** *avv.* ⟨*poet*⟩ → **nottetempo.** – **III** *s.m.* **1.** ⟨*Lit*⟩ nocturn. – **2.** ⟨*Mus*⟩ nocturne. – **3.** ⟨*Pitt*⟩ nocturne, night piece. – **4.** ⟨*Fot,Cin*⟩ night scene (*o* shot).
nọtula *f.* **1.** (*conto*) bill. – **2.** ⟨*ant*⟩ (*piccola annotazione*) short note.
nougat *fr.* [nu'ga] *m.* ⟨*Dolc*⟩ nougat. – **nougatine** *fr.* [nuga'tin] *f.* nougatine.
nọumeno *m.* ⟨*Filos*⟩ noumenon.
nous *gr.* [nus] *m.inv.* ⟨*Filos*⟩ nous.
nov. = *novembre* November (*abbr.* Nov.).
nọva *lat. f.* ⟨*Astr*⟩ nova.
novạle ⟨*lett*⟩ **I** *s.m./f.* newly-tilled land. – **II** *a.* ⟨*Dir.can*⟩ on newly -tilled land.

novamente *avv.* ⟨*pop,poet*⟩ → **nuovamente.**
novanta *a./s.inv.* **I** *a.* **1.** ninety: ~ *pagine* ninety pages. – **2.** ⟨*fig*⟩ (*molto*) scores *pl*, lots *pl*: *te l'ho ripetuto* ~ *volte* I have told you scores of times. – **II** *s.m.* **1.** ninety. – **2.** (*anno novanta*) year ninety, ninetieth year. – **3.** (*rif. a tram, autobus e sim.*) (number) ninety. □ *gli anni* ~ the nineties; *il* ~ *per cento* ninety per cent; ⟨*fig*⟩ *avere il* ~ *per cento di probabilità* to be almost certain.
novantenne I *a.* ⟨*pred*⟩ ninety years old, ⟨*attr*⟩ ninety-year-old, ⟨*pred*⟩ of ninety. – **II** *s.m./f.* ninety-year-old man (*f* woman), man (*f* woman) of ninety.
novantennio *m.* ninety years *pl.*
novantesimo I *a.* ninetieth. – **II** *s.m.* **1.** (*ordinale*; *f.* **-a**) ninetieth. – **2.** (*frazionario*) ninetieth.
novantina *f.* **1.** (*novanta*) ninety. – **2.** (*circa novanta*) about (*o* some) ninety: *c'erano una* ~ *di persone* there were about ninety people. – **3.** (*novant'anni*) ninety (years old): *aver passato la* ~ to be over ninety; *essere sulla* ~ to be about ninety; *essere vicino alla* ~ to be nearly ninety.
novatore ⟨*lett*⟩ **I** *s.m.* (*f.* **-trice**) (*innovatore*) innovator. – **II** *a.* innovating, innovatory: *tendenze novatrici* innovatory tendencies.
novazianista *m./f.* ⟨*Rel*⟩ Novatianist, Novatian.
novazione *f.* **1.** ⟨*Dir*⟩ novation. – **2.** ⟨*non com*⟩ (*innovazione*) innovation.
nove *a./s.inv.* **I** *a.* nine. – **II** *s.m.* **1.** (*numero*) nine. – **2.** (*nelle date*) ninth: *oggi è il* ~ today is the ninth; *il* ~ *di maggio* the ninth of May. – **3.** ⟨*Scol*⟩ nine (out of ten). – **4.** (*nelle carte da gioco*) nine. – **5.** (*rif. a tram, autobus e sim.*) (number) nine. – **6.** (*anno nove*) ninth year. – **III** *s.f.pl.* nine (o'clock): *ci vediamo alle* ~ I'll see you at nine. □ *ragazzino di* ~ *anni* nine-year-old (child), child of nine; *eravamo in* ~ there were nine of us; *le* ~ *e mezzo* half past nine, nine-thirty; *di* ~ *ore* nine-hour-, of nine hours.
novecentesco *a.* (*pl.* **-chi**) twentieth-century-.
novecentesimo I *a.* nine-hundredth. – **II** *s.m.* **1.** (*ordinale*; *f.* **-a**) nine-hundredth. – **2.** (*frazionario*) nine-hundredth.
novecentismo *m.* ⟨*Art,Lett*⟩ modernism, twentieth-century movements *pl.* – **novecentista I** *s.m./f.* **1.** twentieth-century writer. – **2.** ⟨*Art*⟩ modern (*o* contemporary) artist. – **3.** ⟨*Lett*⟩ modern (*o* contemporary) writer. – **II** *a.* → **novecentistico.** – **novecentistico** *a.* (*pl.* **-ci**) **1.** twentieth-century-, modern, contemporary. – **2.** ⟨*Art,Lett*⟩ twentieth-century-, modern, contemporary.
novecento *a./s.inv.* **I** *a.* **1.** nine hundred. – **2.** ⟨*Art,Arred*⟩ twentieth-century-, contemporary, modern. – **II** *s.m.* **1.** nine hundred. – **2.** (*anno*) year nine hundred. – **Novecento** *m.* twentieth century; (*rif. all'arte o alla letteratura italiana*) Italian twentieth-century school, Novecento.
novella *f.* **1.** ⟨*Lett*⟩ (short) story, tale: *una raccolta di -e* a book of short stories. – **2.** ⟨*lett*⟩ (*annuncio, notizia*) news *pl*, tidings *pl.* – **3.** ⟨*Dir*⟩ Novel. – **4.** ⟨*ant*⟩ (*discorso*) speech, conversation. □ *la buona* ~ (*il vangelo*) the Gospel; ⟨*ant*⟩ *mettere in -e* (*canzonare*) to make fun of; ⟨*fig,ant*⟩ *-e da raccontare a veglia* trifles *pl.*
novellaccia (*pegg. di novella*) *f.* (*pl.* **-ce**) poor story. – **novellaio** *m.* (*f.* **-a**) ⟨*spreg*⟩ (*novelliere*) short story writer.
novellame *m.* **1.** ⟨*Zool*⟩ young. – **2.** ⟨*Itt*⟩ fry *pl*, whitebait.
novellamente *avv.* ⟨*ant*⟩ **1.** (*recentemente*) recently. – **2.** (*di nuovo*) anew, afresh, again. – **3.** (*da principio*) from the beginning.
novellamento *m.* ⟨*ant*⟩ (*il novellare*) storytelling. – **novellante** *m.* ⟨*ant,spreg*⟩ (*narratore*) storyteller; (*scrittore*) short story writer.
novellare *v.* (**novello**) **I** *v.i.* (*aus.* **avere**) ⟨*lett*⟩ **1.** (*raccontare novelle*) to tell tales (*o* stories). – **2.** (*narrare*) to tell, to recount. – **3.** ⟨*ant*⟩ (*parlare*) to speak. – **II** *v.t.* ⟨*Dir*⟩ (*rinnovare*) to renew.
novellaro *m.* ⟨*Zootecn,region*⟩ lamb (under two years old).
novellata *f.* ⟨*ant*⟩ (unlikely) story, tall tale. – **novellatore** *m.* (*f.* **-trice**) ⟨*lett*⟩ storyteller, spinner of tales (*o* yarns). – **novelleggiare** *v.i.* (**novelleggio, novelleggi**; *aus.* **avere**) ⟨*non com*⟩ **1.** (*novellare*) to tell tales (*o* stories). – **2.** (*raccontare ciance*) to gossip. – **novelletta** (*dim. di novella*) *f.* **1.** short story. – **2.** ⟨*Mus*⟩ novelet(te), novellette.
novelliere *m.* (*f.* **-a**) **1.** (*chi scrive novelle*) short story writer. – **2.** (*chi racconta novelle*) storyteller, spinner of tales. – **3.** ⟨*non com*⟩ (*raccolta di novelle*) collection of short stories. – **4.** ⟨*ant*⟩ (*messo*) messenger.
novellina (*dim. di novella*) *f.* short story.
novellino (*dim. di novello*) **I** *a.* **1.** (*inesperto*) inexperienced, newly-fledged, ⟨*fam*⟩ raw, ⟨*fam*⟩ green. – **2.** (*primaticcio*) early, new. – **3.** ⟨*ant*⟩ (*nuovo*) new. – **II** *s.m.* (*f.* **-a**) novice, beginner, ⟨*fam*⟩ greenhorn, ⟨*fam*⟩ tenderfoot.
novellista *m./f.* **1.** (*chi scrive novelle*) short story writer. – **2.** ⟨*ant*⟩ (*gazzettiere*) second-rate journalist. – **novellistica** *f.* short story writing; (*insieme di novelle*) short stories *pl.* – **novellistico** *a.* (*pl.* **-ci**) short story-.
novellizia *f.* ⟨*ant*⟩ (*primizia*: *rif. a frutta*) early fruit; (*rif. a verdure*) early vegetable(s).
novello I *a.* **1.** (*rif. ad animali*) young: *pollo* ~ young (*o* spring) chicken; (*rif. a piante*) early, first, spring-, new: *fiori -i* spring flowers; *patate -e* new potatoes. – **2.** (*rif. a persone*) new, young, newly-: *sposi -i* newly-weds, newly-married couple; *sacerdote* ~ newly-ordained priest. – **3.** ⟨*lett*⟩ (*secondo*) second, new: *un* ~ *Cellini* a second Cellini. – **4.** ⟨*Mar*⟩ auxiliary. – **II** *s.m.* ⟨*Bot*⟩ (*pollone*) shoot, sprout. □ ⟨*ant*⟩ *da* (o *di*) ~ (*quando è nuovo*) when it is new; ⟨*poet*⟩ *età -a* (*giovinezza*) youth; ⟨*ant*⟩ *per* ~ (*recentemente*) recently; ⟨*poet*⟩ *stagione -a* (*primavera*) spring. – *Prov.*: *da* ~ *tutto è bello* novelty is fine while it lasts.
novelluccia *f.* (*pl.* **-ce**) ⟨*spreg*⟩ *dim. di* **novella.**
novembre *m.* November. □ *di* ~ (in) November, of November. – **novembrino** *a.* November-.
novemila *a./s.inv.* **I** *a.* nine thousand. – **II** *s.m.* **1.** nine thousand. – **2.** (*anno novemila*) year nine thousand.
novena *f.* ⟨*Lit*⟩ novena. – **novenante** *m./f.* ⟨*rar*⟩ person making a novena.
novenario *m.* ⟨*Metr*⟩ (*anche verso novenario*) nine-syllable line.
novendiale I *a.* ⟨*lett*⟩ novendial, nine-day-. – **II** *s.m.* **1.** ⟨*Stor.rom*⟩ novendial; (*rito funebre*) funeral service. – **2.** *pl.* ⟨*Lit*⟩ Pope's novena.
novennale *a.* **1.** (*che dura nove anni*) nine-year-, lasting nine years. – **2.** (*che ricorre ogni nove anni*) novennial, coming every nine years.
novenne I *a.* ⟨*pred*⟩ nine years old, ⟨*attr*⟩ nine-year-old, of nine. – **II** *s.m./f.* nine-year-old (child), child of nine.
novennio *m.* nine-year period, nine years *pl.*
noverare *v.t.* (**novero**) ⟨*lett*⟩ **1.** (*enumerare*) to enumerate; (*contare*) to count. – **2.** (*ricordare*) to evoke a memory, to recall.
noverca *f.* ⟨*ant,lett*⟩ (*matrigna*) stepmother.
novero *m.* **1.** ⟨*lett*⟩ group, class, circle, list: *escludere qd. dal* ~ *degli amici* to exclude s.o. from one's circle of friends. – **2.** ⟨*ant*⟩ (*numero*) number. □ ⟨*lett*⟩ *mettere nel* ~ *di* to number (*o* count, include) among.
novial *m.* ⟨*Ling*⟩ novial.
novigildo *m.* ⟨*Dir.mediev*⟩ octogild.
novilunio *m.* ⟨*Astr*⟩ new moon.
novissimo (*sup. di nuovo*) *a.* ⟨*lett*⟩ (*ultimo*) last. □ ⟨*lett*⟩ *il* ~ *dì* (*giorno del giudizio universale*) the Day of Judgement.
novità *f.* **1.** newness, novelty: ~ *di concetti* newness of concepts. – **2.** (*cosa nuova*) new thing, something new; (*oggetto da regalo o di moda*) novelty. – **3.** (*innovazione*) innovation, change: *desideroso di* ~ wishing for a change. – **4.** *pl.* (*notizie*) news *pl* (*costr. sing.*): *ci sono* ~? is there any news? – **5.** ⟨*ant*⟩ (*l'essere singolare, strano*) novelty, strangeness; (*cosa singolare, strana*) strange (*o* novel) thing. □ ~ *assoluta* absolute novelty; ~ *letteraria* new book; ~ *libraria* (o *editoriale*) new publication, book just out; *le* ~ *della moda* the latest fashions; *nessuna* ~ no news, ⟨*burocr*⟩ nothing to report.
novitade *f.* ⟨*ant*⟩ → **novità.**
noviziale *a.* ⟨*Rel*⟩ novice's. – **noviziato** *m.* **1.** ⟨*Rel*⟩ novitiate, noviciate. – **2.** ⟨*estens*⟩ (*tirocinio*) apprenticeship, novitiate. – **3.** (*collegio*) novitiate. □ ⟨*fig*⟩ *pagare il* ~ to learn the hard way.
novizio I *s.m.* (*f.* **-a**) **1.** ⟨*Rel*⟩ novice. – **2.** (*persona inesperta*) novice, beginner, tyro, fledgeling; (*tirocinante*) apprentice, learner. – **II** *a.* ⟨*non com*⟩ inexperienced, raw. □ *frate* ~ novice; *suora -a* novice.
novizzo *m.* (*f.* **-a**) ⟨*ven*⟩ (*promesso sposo*) fiancé (*f* fiancée), ⟨*lett*⟩ betrothed.
novo *a./s.* ⟨*pop,poet*⟩ → **nuovo.**
novocaina *f.* ⟨*Farm*⟩ novocain.
nozionale *a.* **1.** notional. – **2.** ⟨*spreg*⟩ purely factual, based on (merely) factual knowledge: *esame* ~ examination based on merely factual knowledge. – **nozioncella** *f. dim. di* **nozione.**
nozione *f.* **1.** (*cognizione*) notion, knowledge; (*concetto*) notion, idea, concept(ion): *avere l'esatta* ~ *di qc.* to have an exact notion of s.th. – **2.** *pl.* (*elementi fondamentali*) notion, (some, basic) knowledge, rudiments *pl*: *-i di inglese* (some) knowledge of English. – **3.** ⟨*Filos*⟩ notion, concept, idea: *-i elementari* basic concepts; ~ *generale* generic concept. □ *non avere la* ~ *del tempo* to have no notion (*o* sense) of time; *prime -i* basic knowledge, rudiments *pl*; *ignorare le prime -i di qc.* not to know the first thing about s.th.
nozionismo *m.* ⟨*spreg*⟩ superficial factual knowledge. – **nozionistico** *a.* (*pl.* **-ci**) ⟨*spreg*⟩ **1.** based on merely factual knowledge, mechanical: *conoscenza -a* merely factual knowledge. – **2.** (*rif. all'insegnamento*) stressing (*o* based on) merely factual knowledge, by rote: *insegnamento* ~ teaching which stresses merely factual knowledge, teaching by rote.
nozze *f.pl.* **1.** (*sposalizio*) wedding, ⟨*lett*⟩ nuptials *pl*; (*cerimonia*) wedding, marriage: *celebrare le* ~ to celebrate a marriage. – **2.** ⟨*fig*⟩ marriage, wedding.
□ ⟨*fig*⟩ **andare** *a* ~ to do s.th. willingly, to be glad to do s.th.; ~ **d'argento** silver wedding; ⟨*Bibl*⟩ *le* ~ *di* **Cana** the Marriage Feast of Cana; *fare le* ~ *con la* **Chiesa** to be married to the Church; **consumare** *le* ~ to consummate a marriage; **convolare** *a giuste* ~ to get married; *fare le* ~ *con* **Cristo** = *fare le nozze con la* **Chiesa**; ~ *di* **diamante** diamond wedding; ⟨*fig*⟩ *far le* ~ *coi* **funghi** (o *fichi secchi*) to do things on a shoestring; ⟨*fig*⟩ **invitare** *a* ~ *qd.* to ask s.o. to do s.th. he enjoys; ~ **mistiche** mystical wedding; ~ *d'oro* golden wedding; ⟨*Bot,ant*⟩ ~ *delle* **piante** plant fertilization; *finire come le* ~ *di* **Pulcinella** (*a botte*) to end in a row (*o* fight); ~ **regali** royal wedding; **regalo** *di* ~ wedding present; *passare a* **seconde** ~ to get married again, to remarry; **viaggio** *di* ~ honeymoon.
Np = ⟨*Chim*⟩ *nettunio* neptunium.
N.P. = ⟨*Met*⟩ *profilato normale* merchant bar (*o* iron), standard section.
ns, ns. = ⟨*Comm*⟩ *nostra* our (letter).
N.S. = **1.** *Nostro Signore* Our Lord (*abbr.* N.S.). – **2.** *Nostra Signora* Our Lady.
N.S.G.C. = *Nostro Signor Gesù Cristo* Our Lord Jesus Christ.

n.st. = *nuovo stile* New Style (*abbr.* N.S.).
Nt = ⟨*Chim*⟩ *nito* niton.
N.T. = *Nuovo Testamento* New Testament (*abbr.* N.T.).
nu *m./f.* ⟨*Fis,Mat*⟩ (*lettera dell'alfabeto greco*) nu.
N.U. = **1.** *Nazioni Unite* United Nations (*abbr.* U.N., UN). – **2.** *Nettezza Urbana* street-cleaning department. – **3.** *nobil uomo* nobleman.
nuaggiọlo *m.* ⟨*Ornit*⟩ redstart (*Phoenicurus phoenicurus*).
nuance *fr.* [nyˈã:s] *f.* nuance.
nụba *m.* ⟨*Ling*⟩ Nuba.
nụbe *f.* **1.** (*nuvola*) cloud (*anche Meteor.*): *ammasso di -i* cloud bank. – **2.** (*cosa a forma di nube*) cloud: *sollevò una ~ di polvere* it raised a cloud of dust. – **3.** ⟨*fig*⟩ (*offuscamento*) dimness, darkness, shadow. – **4.** ⟨*fig*⟩ (*ombra*) shadow, cloud.
☐ ⟨*Geol*⟩ *-i* **ardenti** eruption (*o* volcanic) clouds; *cielo* **coperto** *di -i* cloudy (*o* overcast) sky; ⟨*Meteor*⟩ *~ a* **cumulo** cumulus; ⟨*Fis*⟩ *~* **elettronica** (o *di elettroni*) electron cloud; ⟨*Meteor*⟩ **formazione** *di -i* cloud formation; ⟨*Meteor*⟩ *~* **lenticolare** lenticular cloud; ⟨*Teat*⟩ **macchina** *per le -i* cloud machine; ⟨*fig*⟩ *avvolto in una ~ di* **mistero** shrouded (*o* cloaked) in mystery; *coperto di una ~ di mistero* wrapped in mystery; *felicità* **senza** *-i* unclouded happiness; *-i* **stellari** star clouds; *~* **temporalesca** storm-cloud.
nubẹcola (*dim. di nube*) *f.* **1.** ⟨*Astr*⟩ nubecula, Magellanic cloud. – **2.** ⟨*Chim*⟩ cloud. – **3.** ⟨*Med*⟩ nubecola. – **nubecolạre** *a.* ⟨*Chim*⟩ cloudy.
nubẹndo *m.* (*f.* **-a**) ⟨*rar*⟩ person about to be married, bridegroom -to-be (*f* bride-to-be).
Nụbia *N.pr.f.* ⟨*Geog*⟩ Nubia. – **nubiạno I** *a.* Nubian. – **II** *s.m.* (*f.* **-a**) Nubian.
nubịfero *a.* ⟨*poet*⟩ (*che porta nubi*) cloud-bearing; (*avvolto di nubi*) clouds-covered.
nubifrạgio *m.* ⟨*Meteor*⟩ cloudburst, downpour, heavy storm.
nubịgena *m.* ⟨*poet*⟩ cloud-born.
nubilạto *m.* ⟨*non com*⟩ spinsterhood. – **nụbile I** *a.* unmarried, single. – **II** *s.f.* **1.** unmarried (*o* single) woman. – **2.** ⟨*Dir,burocr, spreg*⟩ spinster.
nụbilo *a.* ⟨*ant*⟩ (*nuvoloso*) cloudy. – **nubilọso** *a.* ⟨*lett*⟩ **1.** → **nubilo**. – **2.** ⟨*fig*⟩ (*mesto*) melancholy, gloomy. – **3.** ⟨*fig*⟩ (*non chiaro*) obscure, nebulous, hazy.
nụca *f.* **1.** nape (of the neck), back of the neck. – **2.** ⟨*ant*⟩ (*midollo spinale*) spinal marrow. ☐ *colpo alla ~* blow on the back of the neck, rabbit-punch. – **nucạle** *a.* nuchal.
nucẹlla *f.* ⟨*Bot*⟩ nucellus.
nucifọrme *a.* ⟨*non com*⟩ nut-shaped, nuciform.
nucịfraga *f.* ⟨*Ornit*⟩ nutcracker (*Nucifraga*).
nucleạre *a.* **1.** ⟨*Fis*⟩ nuclear, atomic: *energia ~* nuclear energy (*o* power). – **2.** ⟨*Biol*⟩ nuclear: *succo ~* nuclear sap, karyolymph.
nucleạṣi *f.* ⟨*Biol*⟩ nuclease.
nucleạto *a.* ⟨*Biol*⟩ nucleate. – **nucleaziọne** *f.* ⟨*Chim*⟩ nucleation.
nuclẹico *a.* (*pl.* **-ci**) ⟨*Chim*⟩ nucleic: *acido ~* nucleic acid. – **nucleịna** *f.* ⟨*Biol*⟩ nuclein. – **nucleinacidạṣi** *f.* → **nucleoacidasi**. – **nucleịnico** *a.* (*pl.* **-ci**) → **nucleico**.
nụcleo *m.* **1.** (*parte centrale*) nucleus, core, centre: *il ~ della città* the centre of the city. – **2.** ⟨*fig*⟩ (*piccolo gruppo di persone*) nucleus, team. – **3.** ⟨*fig*⟩ (*reparto*) unit, group, team, squad; (*rif. a militari*) squad: *~ antincendi* fire squad. – **4.** ⟨*Biol,Fis,Astr*⟩ nucleus. – **5.** ⟨*Artigl*⟩ slug. – **6.** ⟨*tecn*⟩ core: *~ magnetico* magnet core.
☐ *~* **atomico** atomic nucleus; ⟨*Anat*⟩ *~* **caudato** caudate nucleus; ⟨*Biol*⟩ *~* **cellulare** cell nucleus; *~ della* **cometa** nucleus of a comet; ⟨*Meteor*⟩ *~ di* **condensazione** nucleus, kern; ⟨*Min*⟩ *~ di* **cristallizzazione** crystallization nucleus; *~* **familiare** family; ⟨*Anat*⟩ *~* **globoso** nucleus globosus, spherical nucleus; ⟨*El*⟩ *~ dell'***indotto** armature (*o* rotor) core; ⟨*Anat*⟩ *~* **lenticolare** lenticular nucleus; ⟨*Atom*⟩ *~ del* **reattore** reactor core.
nucleoacidạṣi *f.* ⟨*Biol*⟩ nucleinase.
nucleọide *m.* ⟨*Biol*⟩ nucleoid.
nuclẹolo (*dim. di nucleo*) *m.* ⟨*Biol*⟩ nucleolus.
nucleọne *m.* ⟨*Atom*⟩ nucleon. – **nucleọnica** *f.* nucleonics *pl* (*costr. sing. o pl.*).
nucleo|plạṣma *m.* ⟨*Biol*⟩ nucleoplasm. – **~protẹide** *m.*, **~proteịna** *f.* nucleoprotein, nucleoproteid.
nucleotịde *m.* ⟨*Chim*⟩ nucleotide.
nụcula *f.* ⟨*Bot*⟩ **1.** pyrene, stone. – **2.** (*frutto a parete legnosa*) nutlet, nucule. – **nuculạnio** *m.* (*pirenario*) nuculanium, nuculane.
nudạre *v.t.* ⟨*lett,non com*⟩ **1.** (*denudare*) to strip, to bare, to denude; (*svestire*) to undress, to strip. – **2.** ⟨*fig*⟩ (*privare*) to strip, to deprive. – **nudẹzza** *f.* ⟨*non com*⟩ → **nudità**.
nudibrạnchi *m.pl.* ⟨*Zool*⟩ nudibranchs *pl*, nudibranchiates *pl* (*Nudibranchiata*).
nudịṣmo *m.* nudism. – **nudịsta I** *s.m./f.* nudist. – **II** *a.* nudist: *campo ~* nudist camp.
nudità *f.* **1.** nakedness, nudity. – **2.** ⟨*fig*⟩ (*l'essere brullo*) bareness. – **3.** ⟨*fig*⟩ (*semplicità*) plainness, simplicity. – **4.** *pl.* (*parti nude del corpo*) naked parts *pl*, nakedness; (*pudende*) private parts *pl*.
nụdo I *a.* **1.** naked, nude, unclothed, bare; (*scoperto*) bare, uncovered. – **2.** ⟨*estens*⟩ (*spoglio*) bare, naked: *una parete -a* a bare wall; (*privo*) devoid, bare, bereft: *~ d'ornamenti* devoid of ornaments, unadorned, plain. – **3.** (*rif. a spade e sim.*) naked, bare, unsheathed. – **4.** ⟨*fig*⟩ (*semplice, schietto*) plain, simple, bare, straightforward, naked: *una -a cronaca dei fatti* a straightforward account of the facts. – **5.** ⟨*fig,lett*⟩ (*indifeso*) defenceless. – **II** *s.m.* ⟨*Art*⟩ nude.
☐ *~ da* **capo** *a piedi* stark-naked; **cavallo** *~* unsaddled horse; *~ e* **crudo** plain, blunt: *la verità -a e cruda* the plain, unvarnished truth, the naked truth; (*usato avverbialmente*) plainly, bluntly; *cavalcare a* **dorso** *~* to ride bareback; ⟨*fig*⟩ **mettere** *a ~* to lay bare, to reveal; **mezzo** *~* half-naked; *~* **nato** = *nudo come un* **verme**; ⟨*fig*⟩ **parlare** *~ e rude* to speak bluntly; *a* **piedi** *-i* barefooted, barefoot; ⟨*Dir*⟩ *-a* **proprietà** residuary right of ownership, reversion, remainder; *~* **proprietario** reversioner, remainder-man; **spogliarsi** *~* to strip (o.s. naked); *~ come un* **verme** stark-naked, ⟨*fam*⟩ in one's birthday suit.
nudrịce *f.* ⟨*ant*⟩ → **nutrice**. – **nudrịre** *v.* ⟨*ant*⟩ → **nutrire**. – **nudritọre** *m.* ⟨*ant*⟩ → **nutritore**.
nụgolo *m.* **1.** ⟨*pop,lett*⟩ (*nuvolo*) cloud. – **2.** ⟨*fig*⟩ cloud, hail, shower; (*gruppo*) mass, swarm, crowd.
nụi *pron.pers.* ⟨*ant,poet*⟩ → **noi**.
nụlla *pron./sost./avv.* (often becomes *null'* before a vowel; in modern usage it must be preceded by *non* if placed after the verb) **I** *pron. indef.* **1.** nothing, anything: *non c'è più ~ da fare* there is nothing more to be done; *non ha paura di ~* he is not afraid of anything. – **2.** (*un'inezia*) (mere) nothing, trifle: *come se ~ fosse* as if it were nothing, ⟨*fam*⟩ without batting an eyelid. – **3.** (*interrogativo*: *qualcosa*) anything: *hai ~ da dirmi?* have you anything to tell me?; *hai ~ in contrario?* have you any objections? – **II** *s.m.inv.* **1.** nothing: *creare qc. dal ~* to make s.th. out of nothing. – **2.** ⟨*Filos*⟩ nothingness. – **3.** (*poca cosa*) (mere) nothing, scrap, smallest (*o* slightest) thing: *si arrabbia per un ~* he gets angry over nothing; (*rif. a persona*: *nullità*) nonentity. – **4.** (*un poco*) little, almost (*o* next to) nothing. – **III** *avv.* (*rafforzativo di non*: *affatto*) at all: *non è ~ vero* it is not true at all.
☐ *null'altro che* nothing but, only, just: *non era null'altro che un po' di febbre* it was nothing but a slight fever; *un* **bel** *~* (*nulla di nulla*) nothing at all, ⟨*fam*⟩ just nothing; *non c'è ~ di* **nuovo** there is nothing new; *non* **fa** *~* (*non importa*) it doesn't matter, never mind; *non se ne fa* (*di*) *~* it's fallen through, we're not going through with it; **finire** *in* (*un*) *~* to come to nothing; *non ci vedo ~ di* **male** there's no harm in it; **meno** *che ~* less than nothing; **per** *~*: 1. (*affatto*) at all; 2. (*gratuitamente*) free, for nothing; 3. (*invano*) (all) for nothing, in vain: *faticare per ~* to toil in vain; *non per ~* (*se è lecito*) if I may ask; *~ e* **poi** *~* absolutely nothing; **venire** *su dal ~* to be a self-made man. – *Prov.*: *~ nasce dal ~* you can't make something out of nothing.
nulladimạnco (o *nụlla di mạnco*) *avv.* ⟨*ant*⟩ → **nondimeno**. – **nulladimẹno** (o *nụlla di mẹno*) *avv.* ⟨*lett*⟩ → **nondimeno**.
nullạggine *f.* ⟨*lett*⟩ **1.** nonentity, nothingness, nullity, non-existence. – **2.** (*incapacità*) inability; (*ozio*) idleness.
nullamẹno (o *nụlla mẹno*) *avv.* ⟨*non com*⟩ → **nondimeno**.
nullaọsta (o *nụlla ọsta*) *m.inv.* **1.** authorization, permission. – **2.** ⟨*Rel. catt*⟩ nihil obstat.
nullatenẹnte I *a.* **1.** owning nothing. – **2.** ⟨*Dir*⟩ propertyless, without property. – **II** *s.m./f.* person with no property (*anche Dir.*). ☐ *i -i* ⟨*fam*⟩ the have-nots. – **nullatenẹnza** *f.* **1.** ⟨*rar*⟩ lack of property. – **2.** ⟨*Dir*⟩ propertylessness.
nullẹzza *f.* ⟨*ant,rar*⟩ → **nullità**.
nullificạre *v.t.* (**nullịfico, nullịfichi**) ⟨*rar*⟩ to nullify. – **nullificarsi** *v.r.* to become nullified, to be reduced to nothing. – **nullificaziọne** *f.* ⟨*rar*⟩ nullification.
nullịpara I *a.* ⟨*Biol*⟩ nulliparous. – **II** *s.f.* nullipara. – **nulliparità** *f.* nulliparity.
nullịṣmo *m.* ⟨*non com*⟩ (*nichilismo*) nihilism. – **nullịsta** *m./f.* ⟨*rar*⟩ (*nichilista*) nihilist. – **nullịstico** *a.* (*pl.* **-ci**) ⟨*rar*⟩ nihilistic.
nullità *f.* **1.** nullity, nothingness, emptiness; (*non validità*) invalidity, uselessness; (*l'essere senza valore*) worthlessness, insignificance. – **2.** (*rif. a persona*) nonentity, nullity. – **3.** ⟨*Dir*⟩ nullity, invalidity.
☐ ⟨*Dir*⟩ *~* **assoluta** absolute nullity; **causa** *di ~* grounds for annulment; *~* **parziale** partial nullity; *a* **pena** *di ~* under penalty of nullity (*o* being declared void); *~* **sanabile** invalidity that can be made good; *~ del* **testamento** invalidity of a will.
nụllo I *a.* **1.** null, empty, insignificant; (*non valido*) invalid; (*senza valore*) worthless, insignificant. – **2.** ⟨*non com*⟩ (*rif. a persona*) worthless, ⟨*fam*⟩ useless. – **3.** ⟨*Dir*⟩ null, (null and) void, invalid: *testamento ~* invalid will. – **4.** ⟨*Sport*⟩ drawn: *incontro ~* match that is drawn, draw. – **5.** ⟨*Mat*⟩ null. – **6.** ⟨*lett*⟩ (*nessuno*) no, any. – **II** *pron.* ⟨*lett*⟩ (*nessuno*) no one, nobody.
numạno *a.* ⟨*Stor.rom*⟩ of Numa Pompilius.
nụme *m.* ⟨*lett*⟩ **1.** numen, deity, divinity, god. – **2.** ⟨*fig,enfat*⟩ (*persona da venerare*) idol, genius. ☐ *santi -i!* my goodness!, ye gods!; *-i tutelari* tutelary deities.
numerạbile *a.* numerable, countable. – **numerabilità** *f.* ⟨*non com*⟩ numerability, countableness.
numerạccio *m. pegg. di* **numero**.
numerạle I *a.* numeral. – **II** *s.m.* numeral.
numerạre *v.t.* (**nụmero**) **1.** to number: *~ le pagine* to number the pages. – **2.** ⟨*non com*⟩ (*contare*) to count. – **3.** ⟨*non com*⟩ (*annoverare*) to count, to number, to include. – **4.** ⟨*ant*⟩ (*censire*) to take a census of; (*pagare in moneta contante*) to pay cash for.
numerạrio I *a.* **1.** number-, numerary. – **2.** ⟨*Econ*⟩ cash-. – **3.** ⟨*ant*⟩ (*rif. a impiegati*: *incluso in un numero fisso*) being one of a regular number. – **II** *s.m.* ⟨*Econ*⟩ (*denaro*) money, currency; (*denaro contante*) cash, ready money.

numeratịvo *a.* (e)numerative.
numerạto (*p.p. di numerare*) **I** *a.* **1.** numbered: *copie -e* numbered copies. – **2.** ⟨*lett*⟩ (*limitato*) numbered, limited. – **3.** ⟨*ant*⟩ (*contante*) cash-, ready. – **II** *s.m.* **1.** (*posto numerato*) numbered seat. – **2.** ⟨*ant*⟩ (*denaro contante*) cash, ready money.
numeratọre I *s.m.* (*f.* **-trice**) **1.** numberer, numerator. – **2.** ⟨*Mat*⟩ numerator. – **3.** ⟨*Tip*⟩ (*macchina*) numbering machine. – **II** *a.* (e)numerating, numbering.
numerazịone *f.* **1.** numbering, numeration. – **2.** ⟨*Mat*⟩ numeration, notation, numbering system, numbers *pl*: ~ *romana* Roman notation. □ ~ *delle pagine* paging.
numerẹtto *m. dim. di* **numero.**
numericamẹnte *avv.* numerically. – **numẹrico** *a.* (*pl.* **-ci**) **1.** numerical: *calcolo* ~ numerical calculation. – **2.** (*che si fonda sul numero*) numerical: *superiorità -a* numerical superiority.
numerịno *m. dim. di* **numero.**
numerizzạre *v.t.* (*contrassegnare con un numero*) to number.
nụmero *m.* **1.** number (*anche Mat.*); (*cifra*) figure, digit, numeral: *-i romani* Roman numerals. – **2.** (*cosa su cui è segnato un numero*) number; (*biglietto*) ticket; (*dischetto*) number disc. – **3.** (*numerosità*) numbers *pl*, numerousness: *confidare nel* ~ *degli alleati* to trust in the numbers of one's allies. – **4.** (*gruppo*) number, circle, set, group. – **5.** (*cifra che distingue cose, persone*) number: *abita al* ~ *dieci* he lives at number ten; (*rif. a stanza*) room (number): *sta al* ~ *venti* he is in room twenty. – **6.** (*numero telefonico*) (telephone) number: *il* ~ *è occupato* the number is engaged. – **7.** (*rif. a mezzi pubblici: linea*) number: *il* ~ *sette* (*rif. a tram*) the number seven tram; (*rif. ad autobus*) the number seven bus. – **8.** (*rif. a giornali e sim.*) number, issue; (*fascicolo*) number, part. – **9.** (*puntata*) instalment. – **10.** (*esibizione*) number, item, turn: *un* ~ *di ballo* a dance number. – **11.** ⟨*fig,pop*⟩ (*scenetta strana o ridicola*) scene, sight; (*persona strana o ridicola*) funny person, character, clown. – **12.** (*misura, taglia*) size: *che* ~ *di scarpe porta?* what size shoes do you wear? – **13.** *pl.* (*qualità, requisito*) requisite, (necessary) quality: *ha tutti i -i per riuscire* he has all ⌜the qualities needed⌝ (*o* it takes) to succeed. – **14.** ⟨*Gramm*⟩ number. – **15.** ⟨*Tess*⟩ count (of yarn). – **16.** ⟨*Ret*⟩ rhythm.
□ ⟨*Tel*⟩ ~ *di* **abbonato** subscriber's number; ⟨*Chim*⟩ ~ *di* **acidità** acid number; ⟨*Sport*⟩ ~ *d'***acqua** lane number; *-i* **algebrici** algebraic numbers; *-i* **arabi** Arabic numerals; ~ **arretrato** back number; ⟨*Mat*⟩ ~ **astratto** abstract number; ⟨*Chim*⟩ ~ **atomico** atomic number; ⟨*Astr*⟩ ~ **aureo** (*aggiunto*) golden number; ⟨*Chim*⟩ ~ *di* **Avogadro** Avogadro's number; *un* **buon** ~ a considerable (*o* good) number, quite a few (*o* number); ~ **cardinale** cardinal number; ~ *di* **casa** street number; ~ *di* **catalogo** catalogue number; ⟨*pop*⟩ *non se ne* **cava** *un* ~ (*non se ne capisce nulla*) there's neither rhyme nor reason to it; ⟨*scherz*⟩ ~ **cento** (*gabinetto*) lavatory, toilet, ⟨*fam*⟩ loo, ⟨*am.fam*⟩ john; **chiamare** *un* ~ to call a number; ⟨*Tel*⟩ to dial (*o* call) a number; ~ **chiuso** maximum number, numerus clausus; ~ *di quattro* **cifre** four-figure number; ~ **civico** street number; ⟨*Post*⟩ ~ *di* **codice** (postal) code number, ⟨*am*⟩ zip code; ⟨*Comm*⟩ ~ *di* **commissione** order number; ⟨*Mat*⟩ ~ **complesso** complex number; ~ **composto** composite number; ~ **concreto** concrete number; **contare** *qd. nel* ~ *degli amici* to count s.o. among one's friends, to look on s.o. as a friend; ~ *di* **conto** account number; **dare** *i -i* (*nel lotto*) to foretell the winning numbers (in the lottery); ⟨*fig*⟩ (*parlare in modo strano*) to talk cryptically; ⟨*Mat*⟩ ~ **decimale** decimal number; **di** ~ in number: *erano novanta di* ~ there were ninety of them, they were ninety in number; ⟨*scherz*⟩ *ne voglio due di* ~ I want two and no more, I want just two; ~ **dispari** odd number; *un* ~ **doppio** *di libri* twice as many books; ⟨*Gramm*⟩ ~ **duale** dual (number); ⟨*Fis*⟩ ~ *di* **durezza** hardness number; ⟨*Tip*⟩ *-i* **elzeviri** old-style (*o* non-lining) figures; **entrare** *nel* ~ *di coloro che* to ⌜form part⌝ (*o* join the ranks) of those who; ⟨*Ind*⟩ ~ *di* **fabbricazione** serial number; **fare** ~ to swell the crowd, to make up the number (*o* party); *è venuto soltanto per fare* ~ he just put in an appearance; *fare* ~ *insieme* to do an act together; ⟨*Tel*⟩ *fare* (*o formare*) *il* ~ to dial a number; ⟨*Mat*⟩ ~ **figurato** figurate number; ⟨*Mat*⟩ ~ **frazionario** fractional number; ~ *di* **giri** number of revolutions; *un* **gran** ~ a large number, a great many, a lot; *in gran* ~ in great numbers, numerous; *vennero in gran* ~ a lot of them came; ~ **illimitato** unlimited number; ⟨*Mat*⟩ ~ **immaginario** imaginary number; ⟨*Aut*⟩ ~ *d'***immatricolazione** registration number; **in** ~ in number: *erano in* ~ *di dieci* they were ten in number, there were ten of them; ⟨*Statist*⟩ ~ **indice** index number; ~ **inferiore** (*rif. a taglia di indumenti e sim.*) small(er) size; ~ **intero** whole (*o* integer) number; ~ *d'***inventario** inventory number; ⟨*Mat*⟩ ~ **irrazionale** irrational number, surd; ⟨*Dir*⟩ ~ **legale** quorum: *raggiungere il* ~ *legale* to form a quorum; *il* **maggior** ~ the majority; *il maggior* ~ *possibile* ⌜the most⌝ (*o* as many as) possible; ⟨*Fis*⟩ ~ **magico** magic number; ⟨*Fis*⟩ ~ *di* **massa** mass number; ~ *di* **matricola** serial number; ⟨*ant*⟩ ~ *del* **meno** = *numero* **singolare**; ⟨*Mat*⟩ ~ **misto** mixed number; ~ *del* **motore** engine number; ⟨*Mat*⟩ ~ **naturale** natural number; ⟨*Mat*⟩ ~ **negativo** negative number; ⟨*Ret*⟩ ~ **oratorio** rhythm; ~ **ordinale** ordinal number; ⟨*ant*⟩ ~ **ordinativo** = *numero* **ordinale**; ~ *d'***ordine** serial number: *dare un* ~ *d'ordine a qc.* to give s.th. a serial number; ⟨*Comm*⟩ ~ *dell'ordine* order number; ~ *d'***oro**: 1. ⟨*Chim*⟩ gold number; 2. ⟨*Astr*⟩ = *numero* **aureo**; ~ *d'***ottano** octane number (*o* rating); ~ *di* **pagina** page number; ~ **pari** even number; ~ **periodico** period; ⟨*ant*⟩ ~ *del* **più** = *numero* **plurale**; ⟨*scherz*⟩ *essere nel* ~ *dei più* to have passed on; ⟨*Gramm*⟩ ~ **plurale** plural number; ⟨*Mat*⟩ ~ **positivo** positive number; ⟨*burocr*⟩ ~ *di* **posizione** file (*o* dossier) number; ⟨*Mat*⟩ ~ **primo** prime number; ~ **progressivo** progressive (*o* pro) number; ⟨*burocr*⟩ ~ *di* **protocollo** reference number; ⟨*Fis*⟩ ~ **quantico** quantum number; ⟨*Mat*⟩ ~ **razionale** rational number; ⟨*Mat*⟩ ~ **reale** real number; ⟨*Mat*⟩ ~ **reciproco** reciprocal; ⟨*burocr*⟩ ~ *di* **referenza** reference number; ~ *di* **registrazione** registration number; ⟨*Mat*⟩ ~ **relativo** directed (*o* signed) number; ⟨*Etnol*⟩ ~ **sacro** sacred number; ⟨*Tel*⟩ **sbagliare** *il* ~ to get (*o* dial) a wrong number; ~ *di* **scarpe** shoe size; **senza** ~ (*innumerevole*) countless, innumerable, numberless; ~ *di* **serie** serial number; ⟨*Gramm*⟩ ~ **singolare** singular number; **sopra** ~ (*soprannumero*) supernumerary; ⟨*El*⟩ ~ *delle* **spire** number of turns; ⟨*Giorn*⟩ ~ **straordinario** (o *speciale*) special issue, extra; ~ **superiore** (*rif. a taglia di indumenti e sim.*) large(r) size; ~ *di* **targa** (registration) number, ⟨*am*⟩ license plate number; ⟨*Aut*⟩ ~ *di* **telaio** chassis number; ~ *di* **telefono** telephone number; ⟨*Filos*⟩ **teoria** *dei -i* theory of numbers; ⟨*Mat*⟩ ~ **trascendente** transcendental number; ⟨*Giorn*⟩ ~ **unico** single issue; ~ **uno** (*di prim'ordine*) first-class, first-rate, ⟨*fam*⟩ top-notch; ⟨*fam*⟩ *avere una paura* ~ *uno* to be frightened out of one's wits; ~ *di* **varietà** variety act.
numerọne *m. accr. di* **numero.**
numerosità *f.* **1.** numerousness, numerosity, great size. – **2.** (*l'essere di un certo numero*) numbers *pl.* – **3.** ⟨*lett*⟩ (*armonia*) rhythm, harmony. – **numerọso** *a.* **1.** numerous, many, in great numbers, a number (*o* lot) of: *-i errori* many (*o* a number of) mistakes; *accorrere -i* to run up in great numbers; (*grande*) large, big: *una famiglia -a* a large family. – **2.** ⟨*lett*⟩ (*armonioso*) rhythmical, harmonious. – **3.** ⟨*Bot*⟩ (*indefinito*) indeterminate.
numerụccio *m. dim. di* **numero.**
nụmerus clạusus *lat. m.* maximum number, numerus clausus.
nụmida[1] **I** *a.* Numidian. – **II** *s.m./f.* Numidian.
nụmida[2] *f.* ⟨*Ornit*⟩ guinea-fowl (*Numida meleagris*). □ ~ *vulturina* vulturine guinea-fowl (*Acryllium vulturinum*).
Numịdia *N.pr.f.* ⟨*Geog.stor*⟩ Numidia. – **numịdico** *a.* (*pl.* **-ci**) Numidian.
numịdidi *m.pl.* ⟨*Ornit*⟩ guinea-fowls *pl* (*Numididae*).
numinọso I *a.* ⟨*Filos,Rel*⟩ numinous. – **II** *s.m.* numinous.
numịsmatica *f.* numismatics *pl* (*costr. sing.*). – **numịsmatico** *a./s.* (*pl.* **-ci**) **I** *a.* numismatical: *raccolta -a* numismatical collection, ⟨*pop*⟩ coin collection. – **II** *s.m.* (*f.* **-a**) numismatist, ⟨*pop*⟩ coin collector.
nummạrio *a.* ⟨*non com*⟩ (*monetario*) monetary, coin-.
nụmmo *m.* **1.** ⟨*Stor.rom*⟩ (*sesterzo*) sesterce; (*moneta*) nummus. – **2.** ⟨*ant*⟩ (*moneta*) coin.
nummulạre *a.* ⟨*Med*⟩ nummular.
nummulạria *f.* ⟨*Bot*⟩ moneywort, creeping jenny, herb twopence (*Lysimachia nummularia*).
nummulịte *f.* ⟨*Paleont*⟩ nummulite. – **nummulịtico**: ⟨*Geol*⟩ *periodo* ~ nummulitic period, Eocene.
nụnatak *m.* ⟨*Geol*⟩ nunatak.
nunciazịone *f.* ⟨*Dir*⟩ (*denuncia*) declaration, statement, report.
nuncupatịvo: ⟨*Dir.rom*⟩ *testamento* ~ nuncupative will. – **nuncupazịone** *f.* nuncupation.
nụndine *f.pl.* ⟨*Stor.rom*⟩ nundine, market day.
nunnạta *f.* → **nonnata.**
nunziạre *v.t.* (**nụnzio, nụnzi**) ⟨*ant*⟩ (*annunziare*) to announce.
Nunziạta *N.pr.f. accorc. di* **Annunziata.**
nunziatụra *f.* ⟨*Dir.can*⟩ nunciature.
nụnzio[1] *m.* **1.** ⟨*Dir.can*⟩ nuncio: ~ *pontificio* Papal Nuncio. – **2.** ⟨*Lett, Dir.rom*⟩ messenger, envoy. – **3.** ⟨*lett*⟩ (*messaggero*) messenger: ~ *di pace* messenger of peace; (*ambasciatore*) ambassador. – **4.** ⟨*poet*⟩ (*annunciatore*) harbinger.
nụnzio[2] *m.* ⟨*lett*⟩ (*notizia*) news *pl* (*costr. sing.*).
nuọcere *v.i.* (*pr.ind.* **nọccio/nuọccio**/*rar.* **nuọco, nuọci, nuọce, nociạmo/noccịamo, nocẹte, nọcciono/nuọcciono**/*rar.* **nuọcono**; *impf.* **nocẹvo**; *fut.* **nocerò**; *p.rem.* **nọcqui, nocẹsti, nọcque, nocẹmmo, nocẹste, nọcquero**; *pr. cong.* **nọccia**/*rar.* **nuọca, nociạmo, nociạte, nọcciano**/*rar.* **nuọcano**; *impf.* **nocẹssi**; *p.pr.* **nocẹnte**; *p.p.* **nociụto**; *ger.* **nocẹndo**; *aus.* **avere**) (*danneggiare*) to harm (*a qd.* s.o.), to do harm (to), to injure (s.o.), to be bad (for), to damage (s.o.): ~ *al prestigio di qd.* to damage s.o.'s prestige.
nuọra *f.* daughter-in-law. □ ⟨*scherz*⟩ *dire a* ~ *perché suocera intenda* to say to one person what is meant for the ears of another.
nuotạre *v.* (**nuọto**) **I** *v.i.* (*aus.* **avere**) **1.** to swim: *ho nuotato due ore* I swam for two hours; *ha nuotato fino all'altra sponda* he swam to the other bank. – **2.** (*galleggiare*) to float; (*essere immerso in molto liquido*) to be swimming. – **3.** ⟨*fig*⟩ (*librarsi*) to hover, to float, to sail, to swim. – **4.** ⟨*fig*⟩ (*avere abbondanza*) to swim, to wallow, to roll. – **II** *v.t.* to swim: ~ *cento metri* to swim a hundred metres.
□ ~ *nell'***abbondanza** to be rolling in money, to live on the fat of the land; ~ *sott'***acqua** to swim underwater; ~ **bene** to be a good swimmer; ⟨*fam*⟩ *ci nuoto* **dentro** (*mi va largo*) it hangs (*o* is like a sack) on me, it's miles too big for me; ~ *sul* **dorso** to swim on one's back; ~ *a* **farfalla** to do the butterfly(-stroke); ⟨*scherz*⟩ ~ *come una* **gatta** *di piombo* (o *marmo*) to swim like a brick; ⟨*fig*⟩ ~ *nel* **grasso**: 1. (*essere ben pasciuto*) to be well-fed; 2. = *nuotare nell'***oro**; ⟨*fig*⟩ ~ *nell'***oro** to be rolling in money, ⟨*fam*⟩ to be filthy rich; ~ *come un* **pesce** to swim like a fish; ~ *a* **rana** to do the breast-stroke;

~ *nelle* **ricchezze** = *nuotare nell'oro*; ~ *nel* **sangue** (*essere sanguinario*) to be blood thirsty (*o* bloody); ~ *nel* **sudore** (*sudare abbondantemente*) to be soaked in sweat; ~ *nell'***unto** = *nuotare nell'oro*.

nuotata *f.* **1.** swim. – **2.** (*modo di nuotare*) stroke: ~ *a braccetto* overarm stroke.

□ ⟨*Aer*⟩ ~ *nell'***aria** manoeuvring in a parachute descent; *farsi una* **bella** ~ to have (*o* go for) a nice swim; *fare una* **lunga** ~ to go for a long swim; *fare una* ~ *di un'***ora** to have an hour's swim; *avere una* ~ *di* **resistenza** to be a strong swimmer; *avere una* ~ *di* **stile** to have a good swimming style; *avere una* ~ **veloce** to be a fast swimmer.

nuotatina (*dim. di nuotata*) *f.* short swim, ⟨*fam*⟩ quick dip: *fare una* ~ to have a quick dip. – **nuotatore** *m.* (*f.* **-trice**) swimmer.

nuoto *m.* swimming: *insegnare il* ~ *a qd.* to teach s.o. swimming (*o* to swim).

□ **a** ~ (*nuotando*) swimming; *salvarsi a* ~ to swim to safety; ~ *sott'***acqua** underwater swimming; **buttarsi** *a* ~ to jump into the water; ~ *a* **delfino** dolphin-stroke; **di** ~ swimming-: *campione di* ~ swimming champion; ~ *sul* **dorso** back-stroke; ~ *a* **farfalla** butterfly-stroke; **passare** *a* ~ to swim past; (*attraversare*) to swim across; ~ *a* **rana** breast-stroke; ~ *a* **stile** *libero* free-style (swimming); ~ **subacqueo** underwater swimming; **traversare** *a* ~ *un lago* to swim across a lake.

nuova *f.* (*notizia recente*) news *pl* (*costr. sing.*): *buone -e* good news.
□ ⟨*non com*⟩ *dar le -e di casa a qd.* (*prendersela con qd. al suo primo apparire*) ⟨*fam*⟩ to light into s.o. as soon as one sees him; ⟨*tosc*⟩ *mi fa* ~ (*mi meraviglia*) I'm surprised; *le cattive -e volano* bad news travels fast. – *Prov.*: *nessuna* (o *nulla*) ~, *buona* ~ no news is good news.

nuovaiorchese I *a.* New York-, of New York. – **II** *s.m./f.* New Yorker.

nuovamente *avv.* (*di nuovo*) again.

nuovayorkese *a./s.* → **nuovaiorchese**.

nuovo I *a.* **1.** new: *una casa -a* a new house. – **2.** (*che inizia*) new: *il* ~ *giorno* the new (*o* dawning) day. – **3.** (*non usato*) new: *libri -i* new books; (*in buone condizioni*) like (*o* almost) new: *queste scarpe sono ancora -e* these shoes are still like new. – **4.** (*non conosciuto*) unknown, new: *un viso* ~ a new (*o* an unfamiliar) face; (*insolito*) new, unusual, different, novel. – **5.** ⟨*fig*⟩ (*originale*) new, novel. – **6.** (*altro*) other, further, fresh, new: *ha avuto una -a offerta di lavoro* he has had another offer of work; *un* ~ *foglio* a fresh sheet. – **7.** (*rinnovato*) new, renewed, fresh: *con -e energie* with renewed energy. – **8.** (*che è da poco in una determinata condizione*) new: *i -i arrivati* the new arrivals, the newcomers; *il* ~ *impiegato* the new employee. – **9.** (*ultimo*) new: *la -a generazione* the new generation. – **10.** (*inesperto*) inexperienced, new, ⟨*fam*⟩ green: *essere* ~ *del mestiere* to be new to the job; (*estraneo*) new: *essere* ~ *di un luogo* to be new to a place. – **11.** (*novello, secondo*) second, other: *è un* ~ *Leonardo* he is another Da Vinci. – **12.** (*primaticcio*) new, early: *patate -e* new potatoes. – **13.** (*venuto dal nulla*) new, nouveau: ~ *ricco* nouveau riche. – **14.** ⟨*ant*⟩ (*nato da poco*) young, new. – **15.** ⟨*ant*⟩ (*singolare*) strange. – **II** *s.m.* (*cosa nuova*) new, novelty: *il vecchio e il* ~ the old and the new; *amante del* ~ lover of novelty; *c'è qualcosa di* ~*?* what's the news?, ⟨*fam*⟩ what's new?, ⟨*fam*⟩ what's doing?

□ *rimettere* **a** ~ (*rinnovare*) to renew, to renovate; (*rif. a case e sim.*) to redecorate, ⟨*fam*⟩ to do up; *quella cura l'ha rimesso a* ~ that treatment has made a new man of him; **di** ~ (*nuovamente*) again; ⟨*lett*⟩ *di bel* ~ = **di** *nuovo*; ~ **fiammante** brand-new; ⟨*Geog*⟩ ♁ **Galles** *del Sud* New South Wales; *il suo* **nome** *mi è* ~ I've never heard of him; **praticamente** ~ almost new; ⟨*Geog*⟩ *Nuova* **Scozia** Nova Scotia; **uomo** ~: 1. new man; 2. ⟨*Stor.rom*⟩ novus homo, homo novus; **vestirsi** *di* ~ (*con abiti nuovi*) to put on new clothes; ~ *di* **zecca** = *nuovo* **fiammante**; ⟨*Geol*⟩ *Nuova* **Zelanda** New Zealand. – *Prov.*: *nulla è* ~ *sotto il* (o *la cappa del*) *sole* there's nothing new under the sun. || *questa sì che è -a!* this is new to me!, this is a real surprise!; *questa mi giunge -a* this is the first I've heard of it.

nuraghe *m.* ⟨*Archeol*⟩ nuraghe. – **nuragico** *a.* (*pl.* **-ci**) nuraghic.

nuragus *m.* ⟨*Enol*⟩ kind of Sardinian vine.

nuro *f.* ⟨*ant*⟩ → **nuora**.

nutante *a.* ⟨*Bot*⟩ nutant, drooping.

nutazionale *a.* nutational. – **nutazione** *f.* ⟨*Astr,Bot*⟩ nutation.

nutria *f.* ⟨*Zool*⟩ coypu, nutria (*Myocastor coypus*).

nutribile *a.* **1.** ⟨*non com*⟩ nourishable. – **2.** ⟨*ant*⟩ (*nutriente*) nourishing. – **nutricamento** *m.* ⟨*ant*⟩ → **nutrimento**. – **nutricare** *v.* (**nutrico, nutrichi**) ⟨*ant*⟩ → **nutrire**. – **nutricatore** *m.* ⟨*ant*⟩ → **nutritore**. – **nutricazione** *f.* ⟨*ant*⟩ → **nutrizione**.

nutrice *f.* **1.** nursing mother. – **2.** (*balia*) wet-nurse. – **3.** ⟨*fig,lett*⟩ foster-mother, mother. – **4.** ⟨*Bot*⟩ host.

nutrico *m.* (*pl.* **-chi**) ⟨*region*⟩ (*neonato*) newborn baby, infant.

nutriente (*p.pr. di nutrire*) *a.* nourishing, nutritious: *alimento* ~ nutritious food; (*sostanzioso*) nourishing, rich.

nutrimento *m.* **1.** feeding, nourishing. – **2.** (*cibo*) food, nourishment, nutriment; (*sostanza nutriente*) nutrient. – **3.** ⟨*fig*⟩ (*alimento*) food, nourishment. □ *è un cibo che dà molto* ~ it is a very nutritious food.

nutrire *v.t.* (**nutro/nutrisco, nutri/nutrisci**) **1.** to nourish; (*fornire di cibo*) to feed: ~ *i propri figli* to feed one's children. – **2.** ⟨*fig*⟩ (*alimentare*) to feed, to nourish: ~ *la mente* to nourish one's mind. – **3.** ⟨*fig*⟩ (*coltivare*) to cherish, to nourish, to nurse, to feed: ~ *speranza* to cherish a hope; *spesso si traduce con l'aggettivo*: ~ *fiducia* to be confident, to trust; ~ *gratitudine* to be grateful; (*rif. a odio e sim.*) to harbour: ~ *sospetto* to harbour suspicion. – **4.** ⟨*lett*⟩ (*allevare*) to bring up, to rear; (*allattare*) to nurse. – **5.** ⟨*fig,non com*⟩ (*fomentare*) to foment, to encourage. – **6.** ⟨*assol*⟩ (*dare nutrimento*) to be nourishing (*o* nutritious), ⟨*fam*⟩ to be good for you: *il latte nutre* milk is nutritious (*o* good for you). – **7.** ⟨*estens*⟩ (*mantenere*) to keep. – **nutrirsi** *v.r.* **1.** to feed, to live (*di* on): *le pecore si nutrono d'erba* sheep feed on grass. – **2.** ⟨*fig*⟩ (*alimentarsi*) to live (*di* on). – **3.** (*mangiare*) to eat: *non bisogna nutrirsi troppo* one shouldn't ⌜eat too much⌝ (*o* overeat).

nutritino (*dim. di nutrito*) *a.* well-fed, plump.

nutritivo *a.* nutritive: *valore* ~ nutritive (*o* food) value; (*nutriente*) nourishing, nutritious: *cibo* ~ nourishing food; (*sostanzioso*) nourishing, rich. – **nutritizio** *a.* ⟨*ant*⟩ → **nutritivo**.

nutrito (*p.p. di nutrire*) *a.* **1.** fed, nourished. – **2.** ⟨*fig*⟩ (*fitto, denso*) thick, heavy. – **3.** ⟨*fig*⟩ (*ampio*) copious, rich, full of ideas. □ *ben* ~ well-fed, well-nourished; *i miei sospetti erano ben -i* my suspicions were well-founded; *mal* ~ ill-fed, undernourished.

nutritore *m.* (*f.* **-trice**) **1.** ⟨*non com*⟩ nourisher. – **2.** ⟨*Zootecn*⟩ feeding trough (*o* dish). – **nutritura** *f.* ⟨*non com*⟩ → **nutrimento**. – **nutrizione** *f.* **1.** nourishing, feeding, nutrition: ~ *dei neonati* infant feeding. – **2.** ⟨*Biol*⟩ nutrition. – **3.** (*cibo*) food, nourishment, diet, nutrition.

nuvola *f.* **1.** cloud: *il cielo era coperto di -e* the sky was ⌜covered with clouds⌝ (*o* overcast, cloudy). – **2.** ⟨*estens*⟩ (*oggetto a forma di nuvola*) cloud: *una* ~ *di fumo* a cloud of smoke, a smoke-cloud. □ ⟨*fig*⟩ *cadere dalle -e* to be taken aback, to be astonished; ⟨*Atom*⟩ ~ *elettronica* electron cloud; ⟨*fig*⟩ *vivere* (o *avere la testa*) *fra le -e* to have one's head in the clouds, to be absent-minded.

nuvolaccia *f.* (*pl.* **-ce**) *pegg. di* **nuvola**. – **nuvolaccio** *m. pegg. di nuvolo*. – **nuvolaglia** *f.* bank (*o* mass) of clouds. – **nuvoletta, nuvolina** *f. dim. di* **nuvola**.

nuvolo I *s.m.* **1.** cloud, cloudy weather. – **2.** ⟨*fig*⟩ (*grande quantità*) mass, swarm, crowd, host: *un* ~ *di moscerini* a swarm of midges. – **3.** ⟨*lett*⟩ (*nuvola*) cloud (*anche fig.*). – **II** *a.* (*nuvoloso*) cloudy, overcast: *cielo molto* ~ overcast sky.

nuvolone (*accr. di nuvola*) *m.* cloud (*anche fig.*).

nuvolosità *f.* **1.** cloudiness. – **2.** ⟨*concr*⟩ clouds *pl.* – **nuvoloso** *a.* **1.** cloudy, overcast. – **2.** ⟨*fig*⟩ (*non sereno*) stormy.

nuziale *a.* wedding-, bridal, ⟨*lett*⟩ nuptial: *marcia* ~ wedding-march; *anello* ~ wedding-ring. □ *cerimonia* ~ wedding; *corredo* ~ trousseau. – **nuzialità** *f.* ⟨*Statist*⟩ marriage rate. □ *premio di* ~ wedding gratuity.

nylon *ingl.* ['nailɔn] *m.* ⟨*Ind*⟩ nylon.

O

o, O *f./m.* (*lettera dell'alfabeto*) o, O: *due o* two o's; *doppia o* double o; *una o maiuscola* a capital O; *una o minuscola* a small o; ⟨*Tel*⟩ *o come Otranto* O for Oliver, ⟨*am*⟩ O for Oboe.

ọ[1] *congz.* (before a vowel it often becomes *od*) **1.** or: *hai capito o no?* do you understand or not?; (*altrimenti*) or else, otherwise. – **2.** (*ossia, vale a dire*) or, that is. ▭ *o ... o* either ... or, ... or: *lo farò o oggi o domani* I'll do it either today or tomorrow; *o questo o quello* (either) this or that; ⟨*fam*⟩ *o che ... o che* whether ... or; *o pure* → **oppure**; *o subito o mai* now or never; *o l'uno o l'altro* either (of them): *puoi prendere o l'una strada o l'altra* you can take either road; *o l'uno o l'altro mi va bene* either will do; *o vero sia* → **ovverosia**.

ọ[2] *intz.* **1.** oh, o: ~ *santo cielo* oh heavens, oh Lord; *o benedetto figliolo* oh you wretched boy. – **2.** ⟨*fam*⟩ hey, hey you there, I say: *o buon uomo* hey, my good fellow. – **3.** ⟨*enfat*⟩ oh, (oh) my, *a volte non si traduce*: *siate onesti, o figlioli* be honest my children, children be honest.

ọ[3] *intz.* ⟨*tosc*⟩ **1.** (*nelle domande*) now, well, hey, say, listen, oh, *spesso non si traduce*: ~ *chi è lei?* (now) who are you? – **2.** (*nelle risposte*) oh, well, *spesso non si traduce*.

O = ⟨*Chim*⟩ *ossigeno* oxygen.

O. = *Ovest* West (*abbr.* W.).

oạngio *m.* ⟨*Bot*⟩ oogonium.

ọạsi *f.* **1.** oasis. – **2.** ⟨*fig*⟩ oasis, haven, island: *un'* ~ *di pace* a haven of peace.

obbediẹnte (*p.pr. di obbedire*) *a.* ⟨*non com*⟩ (*ubbidiente*) obedient (*a* to), compliant (with). – **obbediẹnza** *f.* **1.** ⟨*non com*⟩ (*ubbidienza*) obedience (*a* to), compliance (with). – **2.** ⟨*Rel.catt*⟩ obedience. ▭ ⟨*Rel.catt*⟩ ~ *canonica* (o *religiosa*) obedience; ⟨*Dir*⟩ *rifiuto di* ~ refusal to obey an order, insubordination. – **obbedịre** *v.i.* (**obbedịsco, obbedịsci**; *aus.* **avere**) ⟨*non com*⟩ (*ubbidire*) to obey, to comply, ⟨*fam*⟩ to do as one is told: ~ *a qd.* to obey s.o., to do as s.o. tells one.

obbiettạre *v.* → **obiettare**.

obbiettivamẹnte *avv.* → **obiettivamente**. – **obbiettivạre** *v.* → **obiettivare**. – **obbiettivaziọne** *f.* → **obiettivazione**. – **obbiettività** *f.* → **obiettività**. – **obbiettịvo** *a./s.* → **obiettivo**. – **obbiẹtto** *m.* → **obietto**.

obbiettọre *m.* → **obiettore**. – **obbieziọne** *f.* → **obiezione**.

obbliạnza *f.* ⟨*rar*⟩ → **oblianza**. – **obbliạre** *v.* ⟨*rar*⟩ → **obliare**.

obbligạnte (*p.pr. di obbligare*) **I** *a.* obliging, affable, courteous: *modi -i* obliging ways. – **II** *s.m./f.* obliging (*o* courteous) person.

obbligạre *v.t.* (**ọbbligo, ọbblighi**) **1.** to oblige, to obligate, to require. – **2.** (*costringere*) to oblige, to make, to force, to compel. – **3.** (*indurre con insistenze*) to oblige, to force, to urge. – **4.** ⟨*rar*⟩ (*vincolare*) to bind; (*ipotecare*) to mortgage: ~ *una casa con ipoteca* to mortgage a house; (*impegnare*) to pledge. – **obbligarsi** *v.r.* **1.** to bind o.s., to take upon o.s., to undertake, to engage, to make o.s. responsible. – **2.** ⟨*Dir*⟩ (*assumere un'obbligazione*) to make o.s. liable, to bind o.s.; (*come mallevadore*) to stand surety: *obbligarsi per un altro* to stand surety for another person. ▭ *la malattia lo obbliga a letto* his illness ⌜confines him to his bed⌝ (*o* makes him bedridden).

obbligạta *f.* ⟨*Sport*⟩ (*anche discesa obbligata*) slalom.

obbligatamẹnte *avv.* constrainedly, in a forced way, with constraint; (*necessariamente*) necessarily, of necessity.

obbligatịssimo (*sup. di obbligato*) *a.* **1.** very much obliged, most indebted. – **2.** ⟨*epist*⟩ respectfully, truly: *Suo* ~ *Mario Rossi* Yours respectfully (*o* very truly), Mario Rossi.

obbligạto (*p.p. di obbligare*) **I** *a.* **1.** obliged, obligated, required, duty-bound. – **2.** (*costretto*) obliged, forced, compelled. – **3.** (*legato da gratitudine*) obliged, indebted, under an obligation (*a, verso* to): *essere* ~ *verso qd.* to be indebted to s.o. – **4.** (*che non si può cambiare*) set, fixed, compulsory, required: *schema* ~ set pattern; *rime -e* set rhymes; (*indispensabile*) indispensable, essential. – **5.** ⟨*Mus*⟩ obbligato, obligato. – **6.** ⟨*Biol*⟩ obligate. – **II** *s.m.* (*f.* **-a**) ⟨*Dir*⟩ obligor; (*obbligato principale*) debtor, obligor. ▭ ⟨*Dir*⟩ ~ *di campagna* agricultural worker on a yearly contract; ⟨*Dir*⟩ *essere civilmente* ~ to be civilly liable; *essere* ~ *a letto* to be confined to bed.

obbligatoriamẹnte *avv.* compulsorily. – **obbligatorietà** *f.* compulsoriness, obligatoriness, obligatory nature: ~ *dell'istruzione elementare* compulsoriness of primary education. – **obbligatọrio** *a.* **1.** compulsory, obligatory, required, mandatory: *materia -a* compulsory subject; *assicurazione -a* compulsory insurance. – **2.** ⟨*Dir*⟩ (legally) binding, obligatory, compulsory.

obbligazionạrio *a.* ⟨*Econ*⟩ debenture-: *capitale* ~ debenture capital.

obbligaziọne *f.* **1.** (*l'obbligare*) obliging; (*l'obbligarsi*) (self-)obligation, undertaking. – **2.** (*impegno, debito*) obligation, debt, liability. – **3.** ⟨*Dir*⟩ obligation. – **4.** ⟨*Econ*⟩ (*debenture*) bond, debenture. ▭ ⟨*Dir*⟩ ~ **alimentare** duty to pay alimony, obligation of maintenance; ⟨*Dir*⟩ ~ **alternativa** alternative obligation; ~ **bancaria** bank bond; ⟨*Econ*⟩ ~ **chirografaria** naked (*o* simple) debenture; ⟨*Econ*⟩ ~ **convertibile** convertible bond; ⟨*Econ*⟩ **-i estere** (o *in valuta estera*) foreign bonds; ⟨*Econ*⟩ ~ **estratta** called (*o* drawn) bond; ⟨*Econ*⟩ ~ **generica** obligation to supply unascertained goods; ~ **giuridica** legal obligation; ⟨*Econ*⟩ ~ **industriale** industrial bond; ~ **internazionale** interbourse security; ⟨*Dir*⟩ ~ **ipotecaria** mortgage debenture (*o* bond); ⟨*Econ*⟩ **-i irredimibili** debenture stock; ⟨*Dir*⟩ **-i naturali** moral obligations; ⟨*Econ*⟩ ~ **nominativa** registered bond; **-i pecuniarie** financial obligations; ⟨*Econ*⟩ ~ *al* **portatore** bearer bond; ~ **solidale** joint obligation; ⟨*Econ*⟩ **-i** *dello* **stato** government (*o* treasury) bonds.

obbligazionịsta *m./f.* debenture holder, bondholder.

ọbbligo *m.* (*pl.* **-ghi**) **1.** obligation; (*dovere*) obligation, duty: *ottemperare ai propri obblighi* to fulfil one's obligations. – **2.** (*legame di riconoscenza*) debt: ~ *di gratitudine* debt of gratitude. – **3.** (*condizione*) condition, requirement.
▭ **adempiere** *un* ~ to fulfil an obligation; ⟨*Dir*⟩ ~ **alimentare** (*o degli alimenti*) duty to pay alimony, obligation of maintenance; **assumersi** *un* ~ to take on an obligation; **avere** *l'*~ *di fare qc.* to be obliged (*o* under an obligation) to do s.th.; ~ *di* **coscienza** moral obligation; **d'**~ compulsory, required, obligatory; *essere d'*~ (*prescritto*) to be compulsory (*o* required), to be de rigueur; ~ *di* **denuncia** duty to report (certain crimes); **essere** *in* ~ *di fare qc.* to be obliged (*o* under an obligation) to do s.th., to be duty-bound to do s.th.; ⟨*burocr*⟩ **fare** ~ *a qd. di fare qc.* to obligate s.o. to do s.th.; *farsi un* ~ *di fare qc.* to consider o.s. duty-bound to do s.th., to make a point of doing s.th.; *è fatto* ~ *a qd. di fare qc.* s.o. is required to do s.th.; *obblighi di* **leva** compulsory military service, ⟨*am*⟩ draft; ~ *di* **manutenzione** duty of maintenance; *obblighi d'***onore** debts of honour; ⟨*Dir*⟩ ~ *di fornire le* **prove** burden (*o* onus) of proof; ⟨*Giorn*⟩ ~ *di* **pubblicare** *una rettifica* duty to publish a correction; ~ **scolastico** compulsory schooling; **sentirsi** *in* ~ *verso qd.* to feel obliged (*o* indebted) to s.o.; **soddisfare** *un* ~ to fulfil an obligation; **soggetto** *a obblighi militari* required to do military service, ⟨*am*⟩ subject to the draft; *essere soggetto all'*~ *assicurativo* to be subject to compulsory insurance requirements; **venire** *meno a un* ~: 1. not to do one's duty, to fail to fulfil an obligation; 2. ⟨*Dir*⟩ to (make) default.

obblịo *m.* ⟨*rar*⟩ → **oblio**. – **obbliọso** *a.* ⟨*rar*⟩ → **oblioso**.

obbliquạre *v.* ⟨*ant*⟩ → **obliquare**. – **obbliquità** *f.* ⟨*ant*⟩ → **obliquità**. – **obblịquo** *a.* ⟨*ant*⟩ → **obliquo**.

obbliviọne *f.* ⟨*rar*⟩ → **oblianza**. – **obbliviọso** *a.* ⟨*rar*⟩ → **oblioso**.

obbl.mo, obb.mo ⟨*epist*⟩ = *obbligatissimo* respectfully.

obbrọbrio *m.* **1.** infamy, dishonour, disgrace, ⟨*lett*⟩ opprobrium, ⟨*fam*⟩ scandal: *cadere nell'*~ to fall into disgrace; (*ignominia*) ignominy. – **2.** (*rif. a persona*) disgrace: *essere l'*~ *della famiglia* to be a disgrace to one's family, ⟨*scherz*⟩ to be the black sheep of the family. – **3.** (*orrore*) disgrace, horror, ⟨*fam*⟩ mess: *questo quadro è un* ~ this picture is a mess; (*rif. a edifici e sim.*) eyesore, blot on the landscape. – **4.** *pl.* ⟨*rar*⟩ (*insulti*) abuse, insults *pl.*

obbrobriosamẹnte *avv.* disgracefully, shamefully. – **obbrobriosità** *f.* disgracefulness, shamefulness. – **obbrobriọso** *a.* **1.** disgraceful, shameful, dishonourable, ignominious, infamous, ⟨*lett*⟩ opprobrious: *condotta -a* disgraceful conduct. – **2.** (*orribile*) disgraceful, dreadful, terrible. – **3.** ⟨*non com*⟩ (*insultante*) insulting, abusive.

ob|clavifọrme *a.* ⟨*Bot*⟩ obclavate. – **~cọnico** *a.* (*pl.* **-ci**) obconic(al). – **~cordạto** *a.* obcordate. – **~diplostẹmone** *a.* ⟨*Bot*⟩ obdiplostemonous.

obediẹnte (*p.pr. di obedire*) *a.* ⟨*ant*⟩ → **obbediente**. – **obediẹnza** *f.* ⟨*ant*⟩ → **obbedienza**. – **obedienziạrio** *m.* ⟨*Mediev*⟩ obedientiary. – **obedịre** *v.* ⟨*ant*⟩ → **obbedire**.

obelịsco *m.* (*pl.* **-chi**) **1.** (*monumento*) obelisk. – **2.** → **obelo**. – **ọbelo** *m.* ⟨*Filol*⟩ obelus.

oberạto *a.* **1.** deeply in debt, burdened (*o* weighed down) with debts, debt-ridden. – **2.** ⟨*fig*⟩ laden, overloaded, swamped, overwhelmed (*di* with), ⟨*fam*⟩ up to one's neck (in): *essere* ~ *di lavoro* to be swamped with work, to be overworked. – **3.** ⟨*Stor.rom*⟩ enslaved for debt.

ọbesità *f.* obesity, corpulence, fatness, adiposity. – **obẹso** **I** *a.* obese, corpulent, (very) fat. – **II** *s.m.* (*f.* **-a**) obese person.

ọbi *m.* obi.

ọbice *m.* **1.** ⟨*Artigl*⟩ howitzer. – **2.** (*proiettile*) shell, projectile.

obiettạre *v.t.* (**obiẹtto**) **1.** to object, to protest. – **2.** ⟨*assol*⟩ to make (*o* raise) an objection, to take exception. – **obiettitọre** *m.* ⟨*rar*⟩ → **obiettore**.

obiettivạbile *a.* ⟨*Med*⟩ objectifiable.

obiettivamẹnte *avv.* objectively; (*imparzialmente*) fairly, impartially.

obiettivạre *v.t.* **1.** ⟨*Med*⟩ to objectify, to objectivate. – **2.** ⟨*non com*⟩ (*oggettivare*) to objectify, to objectivate. – **obiettivarsi** *v.r.* to be objective, to look at (s.th.) objectively, to take an objective attitude. – **obiettivaziọne** *f.* **1.** ⟨*Med*⟩ objectification, objectivation. – **2.** ⟨*non com*⟩ (*oggettivazione*) objectification, objectivation.

obiettivịsmo *m.* ⟨*Filos*⟩ (*oggettivismo*) objectivism.

obiettività *f.* **1.** objectiveness, objectivity: ~ *di un giudizio* objectiveness of an opinion. – **2.** ⟨*non com*⟩ (*oggettività*) objectivity. □ *giudicare con* ~ to be an objective (*o* impartial) judge, not to take sides.

obiettịvo I *a.* **1.** objective: *giudizio* ~ objective opinion; (*imparziale*) fair, impartial, unbiased. – **2.** ⟨*non com*⟩ (*oggettivo*) objective. – **II** *s.m.* **1.** ⟨*Fis*⟩ objective, lens. – **2.** ⟨*Mil*⟩ objective. – **3.** ⟨*estens*⟩ (*scopo*) goal, aim, objective, target, object, purpose, end; (*finalità*) aim, intention. – **4.** ⟨*Sport*⟩ (*nel rugby*) touch-line, try-line.
□ ~ **anamorfico** anamorphic lens; ~ **apocromatico** apochromatic lens, apochromat; ⟨*Sport*⟩ **area** *di* ~ in-goal (area); ~ **bifocale** bifocal lens; ~ *da* **cannocchiale** telescope lens; ⟨*Mil*⟩ **centrare** *l'*~ to sight (*o* centre) the objective; ~ **cinematografico** movie camera lens; ~ **diascopico** diascopic lens; ~ **doppio** doublet; ⟨*fig*⟩ ~ **finale** ultimate objective, final goal; ~ **fotografico** photographic objective; ~ **grandangolare** wide-angle lens; ~ *ad* **immersione** immersion lens (*o* objective); ~ **intercambiabile** interchangeable lens; ~ *da* **microscopio** microscope objective; ~ **zoom** zoom lens.

obiẹtto *m.* ⟨*ant*⟩ (*oggetto*) object.

obiettọre *m.* (*f.* **-trice**) objector. □ ~ *di coscienza* conscientious objector.

obieziọne *f.* **1.** objection, protest: *fare* (o *muovere*) *un'*~ to raise (*o* make) an objection. – **2.** (*osservazione contraria, opposizione*) objection. □ ~ *di coscienza* conscientious objection; ~ *giuridica* legal objection; ~ *di principio* objection on principle.

ọbito *m.* **1.** ⟨*lett*⟩ (*morte*) death. – **2.** ⟨*Rel*⟩ foundation for saying prayers or Masses.

obitọrio *m.* mortuary, morgue.

obituạrio *m.* **1.** (*titolo*) deaths *pl.* – **2.** ⟨*Mediev*⟩ register of obit days.

ọbitus *lat. m.* ⟨*Med*⟩ death, decease.

obiurgạre *v.t.* (**obiụrgo, obiụrghi**) ⟨*lett*⟩ (*rimproverare*) to rebuke, to reprimand, to reprove. – **obiurgaziọne** *f.* ⟨*lett*⟩ (*rimprovero*) rebuke, reprimand.

oblạto I *a.* ⟨*Rel*⟩ belonging to an order of Oblates. – **II** *s.m.* (*f.* **-a**) oblate, Oblate.

oblatọre *m.* (*f.* **-trice**) **1.** donor, giver; (*benefattore*) benefactor. – **2.** ⟨*Dir*⟩ tenderer of proportional payment for gunable offence. – **3.** ⟨*ant*⟩ (*nelle vendite all'asta*) bidder.

oblazionạrio *m.* ⟨*Rel*⟩ oblationary.

oblaziọne *f.* **1.** offering, oblation. – **2.** ⟨*Lit*⟩ oblation; (*nell'offertorio*) Oblation. – **3.** ⟨*Dir*⟩ oblatio, tender of proportional payment for gunable offence. – **4.** ⟨*ant*⟩ (*offerta*) offer. – **5.** ⟨*ant*⟩ (*nelle vendite all'asta*) bid, offer.

obliạbile *a.* ⟨*poet*⟩ forgettable. – **obliạnza** *f.* ⟨*poet*⟩ (*dimenticanza*) forgetfulness. – **obliạre** *v.t.* (**oblịo, oblịi**) ⟨*poet*⟩ (*dimenticare*) to forget. – **obliarsi** *v.r.* to lose (*o* forget) o.s., to become completely absorbed (*in* in).

oblịco *a.* (*pl.* **-chi**) ⟨*ant*⟩ → **obliquo.**

obligạnte (*p.pr. di obligare*) *a./s.* ⟨*ant*⟩ → **obbligante.** – **obligạre** *v.* ⟨*ant*⟩ → **obbligare.** – **obligatamẹnte** *avv.* ⟨*ant*⟩ → **obbligatamente.** – **obligạto** (*p.p. di obligare*) *a./s.* ⟨*ant*⟩ → **obbligato.** – **ọbligo** *m.* ⟨*ant*⟩ → **obbligo.**

oblịo *m.* ⟨*lett*⟩ **1.** (*dimenticanza*) oblivion, forgetfulness. – **2.** (*sopore*) drowsiness. □ *cadere nell'*~ to fall into oblivion, to be forgotten (about); ⟨*Mitol*⟩ *fiume dell'*~ Lethe. – **obliọso** *a.* ⟨*poet*⟩ **1.** (*immemore*) forgetful. – **2.** (*che fa dimenticare*) bringing oblivion.

obliquamẹnte *avv.* **1.** obliquely; (*di sghimbescio*) slantwise, on a slant; (*di lato*) sideways (on). – **2.** ⟨*fig*⟩ deviously, in an underhand way: *agire* ~ to act in an underhand way. – **obliquạre** ⟨*non com*⟩ **I** *v.i.* (*aus.* **avere**) **1.** (*procedere in senso obliquo*) to go in an oblique direction, ⟨*fam*⟩ to cut across. – **2.** ⟨*Mar*⟩ to sail on an oblique course. – **II** *v.t.* (*rendere obliquo*) to turn sideways, to make oblique, to slant. – **obliquità** *f.* **1.** obliqueness, obliquity. – **2.** ⟨*fig*⟩ (*slealtà*) obliqueness, deviousness; (*disonestà*) dishonesty.

oblịquo *a.* **1.** oblique: *una linea -a* an oblique line. – **2.** (*trasversale*) crossways, sideways; (*di traverso*) sidelong. – **3.** (*inclinato*) inclined, slanting, slanted, on a slant: *raggi -i* slanting rays. – **4.** ⟨*fig*⟩ (*indiretto*) indirect, roundabout, circuitous. – **5.** ⟨*fig*⟩ (*sleale*) devious, oblique, underhand; (*disonesto*) dishonest, crooked. – **6.** ⟨*Gramm,Geom*⟩ oblique: *caso* ~ oblique case; *angolo* ~ oblique angle. – **7.** ⟨*Anat*⟩ oblique: *muscolo* ~ oblique (muscle). – **8.** ⟨*poet*⟩ (*avverso*) adverse, hostile. □ ⟨*fig*⟩ *per vie -e* indirectly, in a roundabout way.

obliterạre *v.t.* (**oblịtero**) **1.** ⟨*lett*⟩ (*cancellare*) to obliterate, to cancel; (*con una macchia*) to blot out; (*con una gomma*) to erase, to rub out; (*raschiando*) to scratch out. – **2.** (*annullare*: *rif. a marche e sim.*) to obliterate, to cancel. – **3.** ⟨*fig*⟩ (*far dimenticare*) to obliterate, to wipe out; (*eliminare*) to obliterate, to do away with, to eliminate, to efface. – **4.** ⟨*Med*⟩ (*occludere*) to occlude. – **obliterarsi** *v.r.* ⟨*Med*⟩ (*occludersi*) to become occluded.

obliterạto (*p.p. di obliterare*) *a.* **1.** ⟨*lett*⟩ obliterated, effaced. – **2.** ⟨*Med*⟩ occluded. – **obliteratọre** *m.* (*f.* **-trice**) obliterator. □ *macchina obliteratrice* obliterator.

obliteraziọne *f.* **1.** ⟨*lett*⟩ obliteration, cancelling, striking out; (*con la gomma*) erasure, rubbing out. – **2.** (*annullamento*: *rif. a marche e sim.*) obliteration, cancelling. – **3.** ⟨*non com*⟩ (*usura del tempo*) effacement, wearing down, cancelling. – **4.** ⟨*fig*⟩ (*l'offuscarsi*) fading, obliteration, dying away; (*scomparsa*) disappearance. – **5.** ⟨*Med*⟩ (*occlusione*) occlusion; (*scomparsa di cavità anatomica*) obliteration.

oblịto *a.* ⟨*poet*⟩ (*dimenticato*) forgotten. – **obliviọne** *f.* → **oblianza.** – **obliviọso** *a.* → **oblioso.**

oblò *m.* ⟨*Mar*⟩ porthole, port.

oblomovịsmo *m.* Oblomovism.

oblụngo *a.* (*pl.* **-ghi**) oblong (*anche Bot.*).

obnubilamẹnto *m.* **1.** ⟨*lett*⟩ clouding; (*rif. alla coscienza*) obnubilation. – **2.** ⟨*Med*⟩ (be)clouding: ~ *della vista* clouding (*o* dimming) of sight. – **obnubilạre** *v.t.* (**obnụbilo**) **1.** ⟨*lett*⟩ (*annebbiare*) to cloud, to obscure. – **2.** ⟨*fig,lett*⟩ to cloud, to obscure; (*rif. alla coscienza*) to obnubilate. – **3.** ⟨*Med*⟩ to cloud. – **obnubilarsi** *v.r.* to become clouded, to grow confused. – **obnubilaziọne** *f.* → **obnubilamento.**

obnuziạle *a.* ⟨*non com*⟩ marriage-: *donazione* ~ marriage gift.

ọboe *m.* ⟨*Mus*⟩ **1.** (*strumento*) oboe. – **2.** → **oboista.** □ ~ *d'amore* oboe d'amore; ~ *a baritono* baritone oboe; ~ *da caccia* oboe da caccia(s); ~ *tenore* tenor oboe.

oboè *m.* ⟨*ant*⟩ → **oboe.** – **oboịsta** *m./f.* oboist, oboe player.

obolịno *m. dim. di* **obolo.** – **ọbolo** *m.* **1.** (*piccola offerta*) (small) offering, mite. – **2.** ⟨*Stor.gr*⟩ obol, obolus. – **3.** ⟨*Stor.rom*⟩ small change, coin. □ ⟨*Mediev*⟩ ~ *di san Pietro* Peter's pence.

obovạle, obovạto *a.* ⟨*Bot*⟩ obovate.

obrettịzio *a.* → **orrettizio.** – **obreziọne** *f.* → **orrezione.**

obrịzzo *a.* ⟨*lett*⟩ (*rif. a oro*: *puro*) pure, unalloyed.

obrogaziọne *f.* ⟨*Dir, non com*⟩ obrogation.

obsecraziọne *f.* ⟨*Stor.rom*⟩ obsecration.

obsidiọne *f.* → **ossidione.**

obsolescẹnza *f.* obsolescence (*anche Econ.*). – **obsolẹto** *a.* **1.** ⟨*lett*⟩ (*disusato*) obsolete; (*antiquato*) antiquated, out-of-date. – **2.** ⟨*Bot*⟩ obsolescent. – **3.** ⟨*tecn*⟩ obsolete.

obstạre *v.i.* (**ọbsto**) ⟨*ant*⟩ (*ostare*) to hinder (*a qc.* s.th.), to be an obstacle (to); (*impedire*) to prevent (s.th.).

obumbrạre *v.t.* ⟨*ant*⟩ (*oscurare*) to hide, to obscure, to veil. – **obumbraziọne** *f.* ⟨*ant*⟩ (*oscuramento*) obscuring, darkening, concealment.

ọc: ⟨*Filol*⟩ *lingua d'*~ langue d'oc, old Provençal.

o.c. = *opera citata* opera citata (*abbr.* op.cit., o.c.).

ọca *f.* **1.** ⟨*Ornit*⟩ goose ⟨*Anser*⟩; (*il maschio*) gander; (*il piccolo*) gosling. – **2.** ⟨*fig*⟩ (*persona sciocca*) goose, fool, simpleton.
□ ⟨*Gastr*⟩ ~ **arrosto** roast goose; ⟨*scherz*⟩ *ecco fatto il* **becco** *all'*~ (*ecco terminato il lavoro*) that's that, that takes care of everything; ⟨*scherz*⟩ *essere il figlio dell'*~ **bianca** to be something special, to deserve special treatment; **camminare** *a* ~ to be pigeon-toed; ~ **canadese** Canada goose (*Branta canadensis*); ⟨*Stor.rom*⟩ *le oche* **capitoline** the Capitoline geese; ~ **cenerina** = *oca* **selvatica**; ⟨*fig*⟩ *avere il* **cervello** *di un'*~ to be bird-brained; ~ **cicogna** (*airone cenerino*) grey heron (*Ardea cinerea*); ~ **cignoide** Chinese (*o* swan) goose (*Cynopsis cygnoides*); ⟨*Mecc*⟩ **collo** *d'*~ goose neck; ~ **collorosso** red-breasted goose (*Branta ruficollis*); ~ **colombaccio** brant (goose) (*Branta bernicla*); ~ **egiziana** Egyptian (*o* Nile) goose (*Alopochen aegyptiacus*); ~ **faccia** *bianca* barnacle goose (*Branta leucopsis*); **gioco** *dell'*~ game similar to snakes and ladders; ~ **granaiola** bean goose (*Anser fabalis*); ~ **indiana** bar-headed goose (*Eulabeia indica*); ~ **iperborea** snow-goose (*Chen caerulescens*); ~ **lombardella** white-fronted goose (*Anser albifrons*); ~ *lombardella minore* lesser white-fronted goose (*Anser erythropus*); ~ **paglietana** = *oca* **selvatica**; **passo** *dell'*~ goose-step; **pelle** *d'*~ goose-flesh, ⟨*am*⟩ goose pimples *pl*: *mi fa venire la pelle d'*~ it gives me goose-flesh; **penna** *d'*~ goose quill; ⟨*fam*⟩ **porca** *l'*~ *!* damn it!, blast!, curse it!; ~ **selvatica** wild (*o* greylag) goose (*Anser anser*); ~ *di* **Tolosa** toulouse; ~ **zamperosse** pink-footed goose (*Anser brachyrhynchus*). – *Prov.*: *tanto beve l'*~ *quanto il papero* it costs much the same to keep a child or an adult.

ocạccia *f.* (*pl.* **-ce**) *pegg. di* **oca.** – **ocạggine** *f.* stupidity, foolishness, silliness.

ocarịna *f.* ⟨*Mus*⟩ ocarina, sweet-potato. – **ocarinịsta** *m./f.* ocarina player.

O.C.C. = *Organizzazione per la cooperazione commerciale* Organization for Trade Cooperation (*abbr.* OTC).

ọcca *f.* ⟨*Stor*⟩ (*unità di misura*) oke.

occamịsmo *m.* ⟨*Filos*⟩ Ockhamism, Occamism. – **occamịsta** *m./f.* Ockhamist, Occamist, Ockhamite, Ochamite. – **occamịstico** *a.* (*pl.* **-ci**) Ockhamistic, Occamistic.

occaṣionạle *a.* **1.** occasional. – **2.** (*fortuito*) chance-, casual, fortuitous: *incontro* ~ chance meeting. □ *causa* ~ immediate cause; *cliente* ~ chance customer, occasional client.

occaṣionalịsmo *m.* ⟨*Filos*⟩ occasionalism. – **occaṣionalịsta** *m./f.* occasionalist. – **occaṣionalịstico** *a.* (*pl.* **-ci**) occasionalistic.

occaṣionalmẹnte *avv.* by chance, fortuitously.

occaṣionạre *v.t.* (**occaṣiọno**) **1.** (*dare occasione*) to give rise to, to occasion, to bring about. – **2.** ⟨*burocr*⟩ (*causare*) to cause.

occaṣioncẹlla *f. dim. di* **occasione.**

occaṣiọne *f.* **1.** chance, occasion, opportunity: *ebbi l'*~ *di conoscerlo* I had occasion (*o* a chance) to meet him; *si è presentata l'*~

the opportunity has arisen. – **2.** (*causa, pretesto*) occasion, cause, motive: *dare ~ a lagnanze* to give ⌜cause for⌝ (*o* rise to) complaint. – **3.** (*caso*) occasion; (*circostanza*) circumstance, situation: *a seconda delle -i* depending on circumstances (*o* the situation). – **4.** ⟨*Comm*⟩ (*occasione di vendita*) bargain, good deal. – **5.** ⟨*Filos*⟩ occasion.

□ **all'~**: 1. (*all'occorrenza*) on occasion, when necessary; 2. → **occasionalmente**; *alla prima ~* as soon as possible, at the earliest opportunity, ⟨*fam*⟩ the first chance one gets; **aspettare** *l'~* to await ⌜one's chance⌝ (*o* the right moment); **cogliere** (o *afferrare*) *l'~ per fare qc.* to take (*o* avail o.s. of) the opportunity to do s.th.; **d'~**: 1. (*usato*) second-hand, used; (*in liquidazione*) sale-, bargain-: *acquisito d'~* sale purchase, bargain; 2. (*rif. a scritti e sim.*: *per determinate circostanze*) occasional: *versi d'~* occasional verse; **in ~ di** on the occasion of, on: *in ~ del mio compleanno* on (the occasion of) my birthday; *in* **ogni** *~* on all occasions; **per** *l'~* for the occasion; **perdere** *l'~* to lose one's chance, to miss the opportunity. – *Prov.*: *l'~ fa l'uomo ladro* opportunity makes the thief; *~ perduta non si ritrova più* (*bisogna afferrare l'occasione per i capelli*) opportunity only knocks once.

occaṣionịssima (*sup. di occasione*) *f.* ⟨*Comm*⟩ real bargain, ⟨*fam*⟩ give-away.

occạso ⟨*lett*⟩ **I** *s.m.* **1.** (*tramonto*) setting. – **2.** (*occidente*) west. – **3.** ⟨*fig*⟩ (*declino*) decline, setting. – **4.** ⟨*fig*⟩ (*morte*) death. – **II** *a.* ⟨*Astr*⟩ setting: *amplitudine -a* setting amplitude.

occhiạccio (*pegg. di occhio*) *m.* scowl, ugly (*o* black) look, ⟨*fam*⟩ dirty look: *fare gli occhiacci a qd.* to give s.o. an ugly look.

occhiadịno **I** *a.* ⟨*Min*⟩ augen. – **II** *s.m.* augen gneiss.

occhiạia *f.* **1.** (*orbita*) eye socket. – **2.** *pl.* rings *pl* (*o* circles) under the eyes.

occhialạio *m.* (*f.* -a) optician.

occhiạle **I** *a.* ⟨*ant*⟩ eye-, ocular: *vetro ~* eye-glass. – **II** *s.m.* **1.** ⟨*Zool*⟩ (*rif. a cervi*: *primo pugnale*) brow antler. – **2.** ⟨*fam*⟩ (*occhialetto*) lorgnette; (*monocolo*) eye-glass, monocle. – **3.** ⟨*ant*⟩ (*telescopio*) telescope, spy-glass. □ ⟨*tosc*⟩ *denti -i* (*denti canini*) eye-teeth.

occhialerịa *f.* ⟨*rar,ant*⟩ optician's (shop). – **occhialẹtto** (*dim. di occhiale*) *m.* **1.** lorgnette. – **2.** ⟨*non com*⟩ (*monocolo*) monocle, eye-glass.

occhiạli *m.pl.* **1.** glasses *pl*, spectacles *pl*, ⟨*fam*⟩ specs *pl*: *portare gli ~* to wear glasses. – **2.** (*nella dama*) simultaneous attack on two pieces.

□ *~* **acustici** combined glasses and hearing aid; *~* **bifocali** bifocals; *~ senza* **cerchi** rimless glasses; *~ per* **ciechi** glasses for the blind; *~* **correttivi** spectacles, glasses; **fare** *gli ~* (*nella dama*) to move a draught between two enemy pieces; *~* **forti** strong glasses; **inforcare** (o *mettersi*) *gli ~* to put on one's glasses; *~ da* **naso** = *occhiali a* **stringinaso**; *~* **neri** dark glasses, sunglasses *pl*; *~ da* **neve** snow goggles; *~* **protettivi** (o *di protezione*) protective glasses, goggles; *~ da* **saldatore** welder's goggles; *~ da* **sole** sunglasses, dark glasses; *~ a* **stanghetta** glasses, spectacles; *~ a* **stringinaso** pince-nez, nose glasses; *~* **subacquei** underwater goggles; *~ da* **vista** = *occhiali* **correttivi**.

occhialịna *f.* ⟨*Itt*⟩ brown (*o* homelyn) ray (*Raia miraletus*).

occhialịno (*dim. di occhiale*) *m.* **1.** → **occhialetto**. – **2.** ⟨*ant*⟩ (*microscopio*) microscope. – **occhialọne** (*accr. di occhiale*) *m.* **1.** ⟨*scherz*⟩ (*persona che porta grossi occhiali*; *f.* -a) person who wears big glasses. – **2.** ⟨*Itt*⟩ (*occhione*) red bream (*Pagellus centrodontus*). – **3.** ⟨*region*⟩ (*tipo di mattone*) large perforated brick.

occhialụto ⟨*scherz*⟩ **I** *a.* with (*o* wearing) glasses, bespectacled. – **II** *s.m.* (*f.* -a) wearer of glasses, bespectacled person.

occhiạre *v.t.* (**ọcchio, ọcchi**) ⟨*non com*⟩ (*adocchiare*) to set eyes on, to catch sight of; (*furtivamente*) to eye.

occhiarọlo *m.* ⟨*region*⟩ → **occhiera**.

occhiạta[1] *f.* (quick) look, glance, glimpse. □ *~ assassina* irresistible look; *dare un'~ a qc.*: 1. to glance at s.th., to cast an eye on s.th.; 2. (*dare una scorsa*) to have (*o* take) a look at s.th., ⟨*fam*⟩ to run through (*o* over) s.th.: *dare un'~ intorno* to have a look around; 3. (*badare*) to keep an eye on s.th.; *fulminare qd. con un'~* to wither s.o. with a look, to give s.o. a withering look; *lanciare un'~ a qd.* to throw (*o* give) s.o. a look, to glance at s.o.

occhiạta[2] *f.* ⟨*Itt*⟩ saddled bream (*Oblada melanura*).

occhiatạccia *f.* (*pl.* -ce) *pegg. di* **occhiata**[1].

occhiatẹlla *f.* ⟨*Itt*⟩ **1.** eyed electric ray (*Torpedo ocellata*). – **2.** → **occhialina**.

occhiatịna (*dim. di occhiata*[1]) *f.* quick look, glance: *dare un'~ a qc.* to glance at s.th.

occhiạto *a.* **1.** oculate, ocellated, patterned with eye-like spots. – **2.** (*oculiforme*) oculiform, eye-shaped, eye-like.

occhiatụra *f.* ⟨*Alim*⟩ (*rif. a formaggi*) holes *pl*.

occhiazzụrro, occhiicerụleo *a.* ⟨*poet*⟩ blue-eyed. □ *l' -a Minerva* Athena Glaucopis.

occhieggiạre *v.* (**occhiẹggio, occhiẹggi**) **I** *v.t.* (*rif. a persona*) to eye, to ogle, ⟨*fam*⟩ to make eyes at; (*rif. a cose*) to eye, to cast longing looks at. – **II** *v.i.* (*aus.* **avere**) to appear here and there (*tra* in, among), to show (through), ⟨*scherz*⟩ to peek (through); (*rif. a luci*) to gleam, to glint. – **occhieggiarsi** *v.r.* ⟨*recipr*⟩ to ogle e.o., ⟨*fam*⟩ to make eyes at e.o.

occhiellạia *f.* (*artigiana*) buttonholer. – **occhiellạio, occhiellatọre** *m.* ⟨*Mar*⟩ eyelet-maker. – **occhiellatrịce** *f.* (*anche macchina occhiellatrice*) **1.** eyelet punch; (*per vestiti*) buttonhole machine. – **2.** ⟨*Tip*⟩ paper drilling machine. – **occhiellatụra** *f.* **1.** eyelet making; (*rif. a vestiti*) buttonholing. – **2.** ⟨*collett*⟩ eyelets *pl*; (*di vestiti*) buttonholes *pl*.

occhiẹllo *m.* **1.** buttonhole: *aveva un garofano all'~* he wore a carnation in his buttonhole. – **2.** ⟨*tecn*⟩ (*asola*) eyelet, ear. – **3.** ⟨*gerg*⟩ (*ferita*) wound (from a pointed weapon), ⟨*scherz*⟩ hole. – **4.** ⟨*Tip*⟩ (*occhietto*) half-title, bastard title; (*pagina*) half-title page. □ ⟨*Sart*⟩ *-i impunturati* stitched buttonholes; *~ metallico* metal eyelet, grommet; *~ di scarpone* eyelet.

occhiẹra *f.* eye-cup.

occhiẹtto (*dim. di occhio*) *m.* **1.** ⟨*Tip*⟩ (*occhiello*) half-title, bastard title; (*pagina*) half-title page. – **2.** (*nelle lettere commerciali*) inside address (on bottom left hand corner). □ *fare l'~ a qd.* to wink at s.o.

ọcchio *m.* **1.** eye: *ha gli occhi neri* she has black eyes. – **2.** ⟨*fig*⟩ (generally in pl.) (*sguardo*) eye, look, glance, gaze: *abbassare gli occhi* to lower one's eyes, to look down. – **3.** ⟨*fig*⟩ (*vista*) eye, sight. – **4.** ⟨*fig*⟩ (*capacità di giudicare*) eye, judgement. – **5.** ⟨*fig*⟩ (*persona che osserva*) eye. – **6.** ⟨*fig*⟩ (*accortezza*) (good) eye, skill: *ci vuole ~ per fare questi lavori* this kind of work requires skill; (*esperienza*) experience, practice. – **7.** ⟨*esclam*⟩ (*attenzione*) look (*o* watch) out, careful. – **8.** (*foro*) hole, eye; (*apertura*) opening; (*buco*) hole. – **9.** ⟨*Bot*⟩ (*gemma*) bud, eye. – **10.** ⟨*Arch*⟩ eye, oculus. – **11.** ⟨*Tip*⟩ (type-)face.

□ **a** *~* roughly, in an approximate (*o* a rough and ready) way; *calcolare la distanza a ~* to make a rough estimate of the distance; **accompagnare** *qd.* (o *qc.*) *con l'~* to follow s.o. (*o* s.th.) with one's eyes, to keep one's eyes fixed on s.o. (*o* s.th.); *~* **acuto** sharp (*o* eagle) eye; *mettere gli occhi* **addosso** *a qd.* to ⌜have one's eye⌝ (*o* set eyes) on s.o., to get interested in s.o.: *ha messo gli occhi addosso a te* he's got his eye on you; *piantare gli occhi addosso a qd.* to stare (*o* gaze) at s.o.; *tenere gli occhi addosso a qd.* to keep one's gaze (*o* eyes) fixed on s.o., to watch s.o. closely; **aguzzare** *gli occhi* to look sharp, to keep one's eyes peeled (*o* skinned), to watch intently; *~* **al** *portafoglio !* watch (*o* keep an eye on) your wallet !; **alzare** *gli occhi* to raise one's eyes, to look up; *dormire a occhi* **aperti**: 1. to sleep with one eye open; 2. (*essere vigile*) to keep ⌜an eye⌝ (*o* one's eyes) open, to be on the watch; 3. (*addormentarsi*) to be falling asleep; ⟨*fig*⟩ *tenere gli occhi ben aperti* to keep one's eyes open, to watch out; **aprire** *gli occhi* to open one's eyes (*anche fig.*): *aprire gli occhi alla verità* to open one's eyes to the truth; *aprire gli occhi alla luce* (*nascere*) to be born, to see the light of day; *aprire gli occhi a qd. su qc.* to open s.o.'s eyes about s.th., to tell s.o. the truth of a matter; *occhi d'***Argo** Argus-eyes; ⟨*fig*⟩ sharp sight; *a occhi* **asciutti** dry-eyed; ⟨*Bot*⟩ *~ d'***asino** (*erba saetta*) arrow-head (*Sagittaria sagittifolia*); *occhi* **assassini** irresistible eyes; **avere** *~* to have a sure eye, to be a good judge; *avere gli occhi azzurri* to be blue-eyed, to have blue eyes; ⟨*non com*⟩ *avere l'~ a qc.* (*badarvi*) to keep an eye (*o* a watch) on s.th.; ⟨*fig*⟩ *non avere più occhi* to have ⌜weak eyes⌝ (*o* poor sight); *occhi di* **barbagianni** = *occhi di* **civetta**; *in un* **batter** *d'~* quick as a wink, in a jiffy (*o* flash), in the twinkling of an eye, before you could say Jack Robinson; *battere gli occhi* to blink; ⟨*scherz*⟩ **beati** *gli occhi che ti vedono !* where have you been hiding yourself?; *non l'ho fatto per i tuoi* **begli** *occhi* I didn't do it for love (*o* nothing); ⟨*Itt*⟩ *occhi* **belli** kind of rockfish (*Sebastes imperialis*); ⟨*Mot*⟩ *~ di* **biella** (connecting-rod) small end; ⟨*Ornit*⟩ *~ di* **bove**: 1. (*nitticora*) night heron (*Nycticorax nycticorax*); 2. (*corriere piccolo*) little ringed plover (*Chariadrius dubius*); ⟨*fig*⟩ *occhi* **bovini** (o *di bove*) large prominent eyes, saucer (*o* staring) eyes; *occhi del* **brodo** fat rings on broth; *~ di* **bue**: 1. ⟨*Bot*⟩ yellow chamomile, golden marguerite (*Anthemis tinctoria*); 2. ⟨*Arch*⟩ (*finestrino ovale*) bull's eye; 3. ⟨*Mar*⟩ bull's eye, porthole, light; ⟨*Gastr*⟩ *uovo all'~ di bue* egg fried on one side only, ⟨*am*⟩ sunny side up (egg); *vedere qd. di* **buon** *~* to approve of s.o., to look well (*o* favourably) on s.o.; *non vedere di buon ~* not to take kindly to; *avere gli occhi in* **capo** (*vedere bene*) to see well, to have good eyes; ⟨*fig*⟩ (*avere senno*) to have a good head on one's shoulders; ⟨*fam*⟩ *non avere gli occhi in capo* to lack judgement, to be heedless; *non hai gli occhi in capo ?* haven't you got eyes in your head?, where are your eyes?; ⟨*Tip*⟩ *~ del* **carattere** (type-)face; ⟨*Rad*⟩ *~* **catodico** magic eye; ⟨*fig*⟩ **cavare** *gli occhi a qd.* to scratch s.o.'s eyes out; ⟨*fig*⟩ *cavarsi qc. dagli occhi* to get s.th. out of one's sight; ⟨*fig*⟩ *cavarsi gli occhi* (*consumarsi la vista*) to ruin one's eyes; ⟨*Mar*⟩ *~ di* **cavo** cable loop; ⟨*fig*⟩ *non poter* **chiudere** *~* (*non poter dormire*) not to sleep a wink, to be unable to sleep; ⟨*fig*⟩ *chiudere gli occhi*: 1. (*addormentarsi*) to fall asleep; 2. (*morire*) to die; 3. (*voler ignorare*) to turn a blind eye, to pretend not to see what goes on; *chiudere gli occhi a qd.* (*assisterlo nell'agonia*) to be at s.o.'s death-bed; ⟨*fig*⟩ *chiudere un ~* to turn a blind eye; *a occhi* **chiusi** (*avventatamente*) blindly, headlong; (*con cieca fiducia*) blindly, in one's sleep, blindfold; ⟨*Meteor*⟩ *~ di un* **ciclone** eye of a cyclone; **cieco** *d'un ~* blind in one eye, one-eyed; ⟨*poet*⟩ *occhi del* **cielo** (*astri*) stars *pl*; *occhi* **cisposi** bleary (*o* rheumy) eyes; ⟨*Bot*⟩ *~ di* **civetta** (*primavera*) primrose (*Primula acaulis*); ⟨*fig*⟩ *occhi di civetta* round staring eyes, owl eyes; *~* **clinico** skill in diagnosis, ability to diagnose at a glance; ⟨*fig*⟩ expert (*o* practised) eye; *con la* **coda** *dell'~* out of the corner of one's eye; **colpire** *l'~ di qd.* = **dare** *nell'occhio a qd.*; **colpo** *d'~* glance, look; *a colpo d'~* at a glance (*anche fig.*); ⟨*Zool*⟩ *~* **composto** compound eye; ⟨*fig*⟩ **costare** *un ~* (*della testa*) to be terribly expensive, to cost a mint (*o* the earth);

non **credo** *ai miei occhi* I can't believe my eyes; *a* ~ *e* **croce** roughly speaking, at a rough guess; (*circa*) about, approximately, roughly; ⟨*Mar*⟩ ~ *di* **cubia** hawse (hole); ⟨*fig*⟩ **dare** *nell'*~ *a qd.* to attract s.o.'s attention, to catch s.o.'s eye, to be noticed by s.o.; *senza dare nell'*~ without attracting (undue) attention, inconspicuously; (*rif. a vestiti, colori*) without being loud (*o* flashy); *che dà nell'*~ eye-catching, striking, conspicuous; (*rif. a colori*) striking, ⟨*fam, spreg*⟩ loud, ⟨*fam,spreg*⟩ flashy; ⟨*non com*⟩ *dare d'*~ *a qd.* to wink at s.o.; *dare un* ~ *a qc.* (o *qd.*) (*badarvi*) to keep an eye on s.th. (*o* s.o.), to have a look at s.th. (*o* s.o.); *darei un* ~ *per averlo* I'd give anything to have it; *essere l'*~ **destro** *di qd.* (*la sua guida*) to be s.o.'s right arm; (*la sua pupilla*) to be the apple of s.o.'s eye; **distogliere** *gli occhi* to look away, ⟨*enfat*⟩ to tear one's eyes away; *fare gli occhi* **dolci** to make (sheep's) eyes; ⟨*Bot*⟩ ~ **dormiente** dormant bud (*o* eye); ⟨*Fis*⟩ ~ **elettrico** electric eye; **evitare** *gli occhi di qd.* to avoid s.o.'s gaze (*o* eyes); ~ **faccettato** = *occhio* **composto**; ~ *di* **falco**: 1. ⟨*Mil*⟩ hawk's eye; 2. ⟨*fig*⟩ = *occhio di* **lince**; **fare** *l'*~ *a qc.* to get used to (looking at) s.th.; *fare gli occhi feroci* to scowl, to glare, to look angry (*o* ferocious); ~ **fine** = *occhio* **acuto**; **fino** *agli occhi*: 1. up to the eyes: *avere la melma fino agli occhi* to be deep (*o* up to one's eyes) in mire; 2. ⟨*fig*⟩ up to the eyes (*o* ears, neck): *essere nei debiti fino agli occhi* to be up to one's eyes (*o* ears) in debt; ⟨*fig*⟩ *averne fin sopra gli occhi di qc.* (*esserne stufo*) to be thoroughly fed up with s.th., to be sick and tired of s.th., to have had enough (of s.th.), ⟨*fam*⟩ to be browned (*o* cheesed) off with s.th.; *occhi* **fissi** staring eyes, fixed gaze; *occhi* **foderati** *di prosciutto* bloodshot eyes with lower lid everted; *a* **forma** *d'*~ eye-shaped; ⟨*fig*⟩ *ha gli occhi* **fuori** ⌈*dell'orbita*⌉ (o *della testa*) he is furiously angry, his eyes are popping with rage; *fuori dagli occhi di qd.* = **lontano** *dagli occhi di qd.*; ⟨*Zool*⟩ *occhi di* **gambero** crab's-eyes, gastroliths *pl*; ⟨*Min*⟩ ~ *di* **gatto** cat's-eye; ⟨*fig*⟩ *occhi di gatto* cat's eyes, eyes like a cat; **gettare** *l'*~ *su qc.* (o *qd.*) to (take a) look at s.th. (*o* s.o.), to cast an eye on s.th. (*o* s.o.); *occhi* **gonfi** puffy (*o* swollen) eyes; *avere gli occhi* **gravi** *dal sonno* to have eyes that are heavy with sleep, to be sleepy-eyed; ⟨*Itt*⟩ *occhi* **grossi** Spanish mackerel (*Scomber colias*); *occhi* **incavati** deep-set eyes; (*per malattia, vecchiaia*) hollow (*o* sunken) eyes; *occhi* **iniettati** *di sangue* bloodshot eyes; ⟨*Bot*⟩ ~ **innestato** grafted eye; ⟨*Itt*⟩ ~ **largo** (*occhione*) red bream (*Pagellus centrodontus*); ⟨*fig*⟩ **lasciare** *gli occhi su qc.* (*desiderarla ardentemente*) to long for s.th., ⟨*fam*⟩ to be mad about s.th.; ⟨*Legat*⟩ ~ *di* **libro** half-title, bastard title; ⟨*fig*⟩ ~ *di* **lince** sharp (*o* eagle-) eye, lynx-eye; **lontano** *dagli occhi di qd.* out of s.o.'s sight, where s.o. cannot see one; *perdere il* **lume** *degli occhi* to see red, to lose one's temper, to fly off the handle; ⟨*Min*⟩ ~ *di* **lupo** (*pietra di luna*) moonstone; *occhi* **lustri** shining eyes; ⟨*Rad*⟩ ~ **magico** visual tuning indicator, ⟨*fam*⟩ magic eye; ⟨*Tess*⟩ ~ *della* **maglia** heald eye; *vedere qd. di* **mal** ~ to disapprove (*o* have a poor opinion) of s.o.; *occhi a* **mandorla** slanting (*o* almond-shaped) eyes; ⟨*fig*⟩ **mangiare** *qd. con gli occhi* to devour s.o. with one's eyes; ~ *del* **martello** eye of the hammer; *occhi della* **maschera** eyeholes in a mask; *gli occhi della* **mente** mind's eye; *agli occhi del* **mondo** in the eyes of the world; ~ *a* **mosaico** = *occhio* **composto**; ⟨*Tip*⟩ ~ *di* **mosca** brilliant, three-point type; *fare gli occhi* **neri** *a qd.* to give s.o. two black eyes, to beat s.o. black and blue, to thrash s.o.; *a* ~ **nudo** to (*o* with) the naked eye; ⟨*fig*⟩ *non avere né occhi né* **orecchi** to be the soul of discretion, to pretend to know nothing; *un* **paio** *d'occhi* a pair of eyes, two eyes; ⟨*teat,fig*⟩ *recitare con gli occhi nei* **palchi** to be completely sure of one's part; ⟨*Entom*⟩ ~ *di* **pavone** eye (*o* ocellus) on a peacock's tail; ⟨*Agr*⟩ *occhi di pavone* (*vaiolo dell'olivo*) olive blotch, olive leaf spot (*Cycloconium oleagineum*); **perdere** *d'*~ *qd.* to lose sight of s.o.; *non perdere d'*~ *qd.* not to let s.o. out of one's sight, not to lose sight of s.o.; *perdere gli occhi* to lose one's sight, to be blinded; *a* **perdita** *d'*~ as far as the eye can see (*o* reach); ~ *di* **pernice**: 1. = *occhio* **pollino**; 2. ⟨*Bot*⟩ pheasant's eye (*Adonis*); 3. ⟨*Alim*⟩ tiny soup noodle; ~ *di* **pesce** = *occhio di* **lupo**; ⟨*fig*⟩ *occhi di pesce lesso* (*chiari e smorti*) fish-eyes *pl*; *occhi* **pesti** (*per stanchezza*) dark-ringed eyes, eyes with circles under them; (*per percosse*) black eyes; ⟨*fig*⟩ *non aver più occhi per* **piangere** to have cried one's eyes out, to have no tears left; *piangere a caldi occhi* to weep bitterly, to weep bitter tears; *l'*~ *mi piange* my eye is watering; *occhi di* **pianto** eyes that are red from weeping, swollen (*o* tear-stained) eyes; ⟨*fig*⟩ ~ **pio** (*sguardo tenero*) tender gaze (*o* look); ~ **pollino** (*callo*) corn (between two toes); *occhi* **porcini** piggish eyes; **porre** *gli occhi sopra qd.* (o *qc.*) to set eyes on s.o. (*o* s.th.), to have one's eye on s.o. (*o* s.th.); *occhi di* **pulce** (*piccolissimi*) tiny (*o* beady) eyes; ⟨*iperb*⟩ *farebbe* (o *saprebbe fare*) *gli occhi alle pulci* he can do the impossible; *è la* **pupilla** *dei miei occhi* she is the apple of my eye; ⟨*fig*⟩ *a* **quattr'***occhi* privately, tête-à-tête; **rifarsi** *gli occhi* (*ricrearsi guardando*) to look at s.th. beautiful (*o* pleasant); ⟨*Cosmet*⟩ to touch up one's make-up; *occhi* **rossi** red eyes; **saltare** *agli occhi a qd.* to hit s.o. in the eye, to be immediately obvious to s.o., to strike s.o.; ⟨*Zool*⟩ *occhi* **semplici** simple eyes; **sgranare** *gli occhi* to open one's eyes wide, to goggle; **sognare** *ad occhi aperti* to daydream; ~ *di* **sole** sunbeam, shaft of sunlight; ⟨*fig*⟩ beautiful girl; *avere qc.* **sott'**~: 1. to have one's eye on s.th.; 2. ⟨*scherz*⟩ to have s.th. under one's nose; 3. (*sotto controllo*) to have s.th. under control; *mi è capitata sott'*~ *la tua lettera* I came across your letter; ⟨*non com*⟩ *guardare* ⌈*sott'*~⌉ (o *sott'occhi*) *qd.* to look furtively at s.o., to steal a look at s.o.; *sotto gli occhi di qd.* under s.o.'s very eyes (*o* nose); *mettere qc. sotto gli occhi di qd.* to put s.th. ⌈under s.o.'s nose⌉ (*o* where s.o. cannot miss it); **spalancare** *gli occhi* = **sgranare** *gli occhi*; ⟨*fig*⟩ **spendere** *un* ~ (*della testa*) to spend a lot (*o* mint) of money; ~ **spento** dull eye; *non riuscii a* **staccare** *gli occhi da lui* I couldn't take my eyes off him; ~ *della* **staffa** stirrup iron; ~ **strabico** (o *storto*) cross-eye, squint-eye; **stralunare** *gli occhi* to roll one's eyes; **strizzare** *gli occhi*: 1. to wink: *strizzare l'*~ *a qd.* to wink at s.o., to give s.o. a wink; 2. (*per il sole e sim.*) to squint, to screw up one's eyes; ⟨*fam*⟩ *fare* **tanto** *d'occhi* = **sgranare** *gli occhi*; **tenere** *d'*~ *qd.* to keep an eye on s.o.; ⟨*Min*⟩ ~ *di* **tigre** tiger's eye; ⟨*fig*⟩ *fare gli occhi di* **triglia** (o *tortora*) *a qd.* to make (sheep's) eyes at s.o.; ⟨*fig*⟩ *essere* **tutt'***occhi* (*essere attentissimo*) to be all eyes, to be very attentive; (*rif. a persona magrissima*) to be very thin in the face; ⟨*Meteor*⟩ ~ *dell'***uragano** eye of the hurricane; *non* **vedere** *che per gli occhi di qd.* to have eyes only for a certain person; ~ *di* **vetro** glass eye; *a* **vista** *d'*~ under one's very eyes, visibly, as one watches; *crescere a vista d'*~ to spring up, to grow quickly, to get bigger all the time; **voltar** *l'*~ to look the other way. – *Prov.*: *avere un* ~ *alla gatta e uno alla padella* to keep both eyes open; *lontan dagli occhi, lontan dal cuore* out of sight, out of mind; *l'*~ *del padrone ingrassa il cavallo* a business thrives when the owner keeps his eye on it; ~ *per* ~, *dente per dente* an eye for an eye, and a tooth for a tooth; *quattr'occhi vedono meglio di due* two heads are better than one; *l'*~ *è lo specchio dell'anima* the eye is the mirror of the soul; ~ *non vede, cuore non duole* what the eye doesn't see, the heart doesn't grieve over; *anche l'*~ *vuole la sua parte* looks also count.

occhiocọtto *m.* ⟨*Ornit*⟩ Sardinian warbler (*Sylvia melanocephala*). ◻ ~ *sardo* (*magnanina sarda*) Marmora's warbler (*Sylvia sarda*).

occhiolịno: *fare l'*~ *a qd.* to wink at s.o., to give s.o. a wink; *fare l'*~ *a qc.* to look longingly at s.th., to eye s.th.

occhiọne (*accr. di occhio*) *m.* **1.** ⟨*Artigl*⟩ lunette. – **2.** ⟨*Ornit*⟩ stone curlew (*o* plover) (*Burhinus oedicnemus*; *Oedicnemus oedicnemus*). – **3.** ⟨*Itt*⟩ red bream (*Pagellus centrodontus*). – **4.** ⟨*Itt*⟩ Spanish mackerel (*Scomber colias*).

occhiorọsso *m.* ⟨*Ornit*⟩ **1.** (*magnanina*) Dartford warbler (*Sylvia undata*). – **2.** → **occhiocotto**. – **3.** (*usignolo di fiume*) Cetti's warbler (*Cettia cetti*). – **4.** (*schiribilla grigiata*) Baillon's crake (*Porzana pusilla*).

occhiụto *a.* **1.** many-eyed. – **2.** ⟨*fig*⟩ (*vigile*) sharp-eyed, astute, watchful. – **3.** (*coperto di macchie oculiformi*) ocellated, oculate, spotted with eyes.

occidentạl [oks-] *m.* ⟨*Ling*⟩ Occidental.

occidentạle I *a.* **1.** ⟨*Geog,Pol*⟩ Western, West, Occidental, westerly: *regioni -i* Western regions, West; *venti -i* westerly (*o* west) winds, westerlies *pl.* – **2.** (*rif. a civiltà*) Western, of the West, Occidental. – **II** *s.m./f.* **1.** Westerner, Occidental. – **2.** *pl.* ⟨*Pol*⟩ Westerners *pl.* – **occidentalịsmo** *m.* Occidentalism (*anche Pol.*).

occidentalịsta[1] *m./f.* ⟨*Pol*⟩ Occidentalist.

occidentalịsta[2] *m.* ⟨*Alp*⟩ expert climber of the Western Alps.

occidentalịstico *a.* (*pl.* **-ci**) Occidentalist-.

occidentalịzzare *v.t.* to westernize, to occidentalize. – **occidentalizzarsi** *v.r.* to become westernized. – **occidentalịzzaziọne** *f.* westernization, occidentalization.

occidẹnte I *s.m.* **1.** ⟨*Geog*⟩ West, west: *il sole tramonta a* ~ the sun sets in the west; (*regioni occidentali*) West, Western part: *l'*~ *asiatico* the West of Asia, Western Asia. – **2.** ⟨*Pol*⟩ West. – **3.** (*rif. a civiltà*) West. – **II** *a.* ⟨*lett*⟩ setting. ◻ *a* ~ *di* (to the) west of: *la Spagna è a* ~ *dell'Italia* Spain is west of Italy; *verso* ~: (*agg.*) westward, westerly; (*avv.*) west, westwards.

occịdere *v.t.* (**occịsi**, **occịso**) ⟨*ant*⟩ (*uccidere*) to kill.

occịduo *a.* ⟨*poet*⟩ **1.** (*che tramonta*) setting. – **2.** (*occidentale*) western, occidental. – **3.** ⟨*Astr*⟩ setting.

occipitạle *a.* ⟨*Anat*⟩ occipital: *lobo* ~ occipital lobe. ◻ *muscolo* ~ occipitalis. – **occịpite** *m.* occiput. – **occipịzio** *m.* ⟨*ant,scherz*⟩ → **occipite**.

occiṣiọne *f.* ⟨*ant*⟩ (*uccisione*) killing.

occitạnico *a.* (*pl.* **-ci**) (*provenzale*) (old) Provençal, Languedocian.

occlụdere *v.t.* (**occlụsi**, **occlụso**) ⟨*lett*⟩ **1.** (*ostruire*) to obstruct, to block; (*chiudere*) to close, to stop (up), to cut off. – **2.** ⟨*Med*⟩ to occlude.

occluṣiọne *f.* **1.** occlusion, obstruction, stoppage. – **2.** ⟨*Med*⟩ occlusion. – **3.** ⟨*Ling,Chim,Meteor*⟩ occlusion. ◻ ⟨*Ling*⟩ ~ *dentale* dental occlusion; ⟨*Med*⟩ ~ *intestinale* ileus; ⟨*Ling*⟩ ~ *labiale* labial occlusion.

occluṣịva *f.* ⟨*Ling*⟩ (*anche consonante occlusiva*) occlusive. – **occluṣịvo** *a.* occlusive. – **occlụṣo** (*p.p. di occludere*) *a.* **1.** obstructed, blocked; (*chiuso*) stopped (up). – **2.** ⟨*Meteor,Chim*⟩ occluded.

occorrẹndo *m.* ⟨*Econ*⟩ (*anche indirizzo occorrendo*) address (to apply to) in case of need.

occorrẹnte (*p.pr. di occorrere*) **I** *a.* **1.** necessary, needed, required. – **2.** ⟨*lett*⟩ (*che avviene*) taking place, happening. – **II** *s.m.* **1.** what is necessary, necessary things *pl*, requisites *pl*; (*i mezzi*) wherewithal. – **2.** (*attrezzi e sim.*) necessary materials *pl*, equipment needed: *l'*~ *per scrivere* the necessary writing materials. – **3.** ⟨*lett*⟩ (*ciò che accade*) event, happening, occurrence. ◻ *ho con me tutto l'*~ I have everything ⌈we need⌉ (*o* necessary).

occorrẹnza *f.* **1.** eventuality, circumstance, event: *essere fornito per ogni* ~ to be ready for all eventualities. – **2.** (*bisogno*) need, requirement. – **3.** (*faccenda*) matter, affair. – **4.** (*circostanza*) circumstance, situation; (*occasione*) occasion. – **5.** ⟨*pop*⟩ (*bisogno corporale*) physical need. □ *all'*~ if necessary, if need be, when required, in case of need.

occọrrere *v.* (**occọrsi**, **occọrso**) **I** *v.i.* (*aus.* **essere**) **1.** to need (*costr. pers.*), to require (*costr. pers.*): *mi occorrono molti soldi* I need a lot of money; (*rif. a tempo o necessità finanziarie*) to take (*costr. pers. o impers.*): *per arrivarci occorrono tre ore* it takes three hours to get there. – **2.** ⟨*ant*⟩ (*venire alla mente*) to come to mind, to occur. – **3.** ⟨*ant*⟩ (*cadere sotto gli occhi*) to appear. – **4.** ⟨*ant*⟩ (*farsi incontro*) to approach, to come towards (*o* to meet). – **II** *v.i.impers.* (*aus.* **essere**) **1.** must, to have to (*costr. pers.*), to be necessary (*costr. impers.*): *occorre fare presto* we must hurry; (*in frasi negative*) to need (*costr. pers. o impers.*), to be necessary (*costr. impers.*), to have to (*costr. pers.*): *non occorre che anche tu sia presente* ⌜it is not necessary⌝ (*o* there is no need) for you to be there too, you needn't be there too. – **2.** ⟨*lett*⟩ (*capitare*) to happen, to occur.

occọrso *m.* ⟨*ant*⟩ (*incontro*) meeting.

occultạbile *a.* concealable, that may be hidden. – **occultamẹnte** *avv.* occultly, mysteriously; (*in segreto*) secretly.

occultamẹnto *m.* **1.** hiding; (*il tenere nascosto*) concealment, occultation; (*il tacere, il celare*) hiding, concealing. – **2.** ⟨*Mil*⟩ camouflage. □ ⟨*Dir*⟩ ~ *di atti* (o *documenti*) concealment of documents; ⟨*Dir*⟩ ~ *di cadavere* concealment of a corpse.

occultạre *v.t.* **1.** to conceal, to hide. – **2.** (*celare, tacere*) to keep secret, to conceal, to hush up: ~ *un delitto* to conceal a crime; (*tenere nascosto*) to keep hidden, to hide (away). – **3.** ⟨*Astr*⟩ to occult, to eclipse. – **4.** ⟨*Mil*⟩ to camouflage, to screen. – **occultarsi** *v.r.* to hide (o.s.), to conceal o.s.

occultatọre *m.* (*f.* **-trice**) ⟨*non com*⟩ concealer, hider. – **occultazione** *f.* **1.** concealment, hiding. – **2.** ⟨*Astr*⟩ occultation, eclipse. – **occultẹzza** *f.* ⟨*non com*⟩ (*segretezza*) secrecy, occultness.

occultịsmo *m.* occultism. – **occultịsta** *m./f.* occultist. – **occultịstico** *a.* (*pl.* **-ci**) occult.

occụlto *a.* **1.** occult, hidden, concealed; (*segreto*) secret, occult, mysterious, recondite. – **2.** ⟨*lett*⟩ (*sottratto alla vista*) hidden, concealed. □ *scienze -e* occultism, occult science.

occupạbile *a.* occupiable. – **occupamẹnto** *m.* ⟨*rar*⟩ → **occupazione**. – **occupạnte** (*p.pr. di occupare*) **I** *a.* occupying (*anche Mil.*): *esercito* ~ occupying army. – **II** *s.m./f.* **1.** occupier, occupant. – **2.** ⟨*Mil*⟩ occupier, member of an occupying army.

occupạre *v.t.* (**ọccupo**/*ant.* **occụpo**) **1.** (*prendere possesso*) to occupy, to take possession of. – **2.** (*coprire uno spazio*) to take (up), to occupy, to cover: *la libreria occupava tutta la parete* the bookcase took up the whole wall; (*occupare uno spazio*) to fill (up). – **3.** (*rif. a tempo*) to spend, to pass, to occupy, ⟨*fam*⟩ to put in: *occupa il tempo libero dedicandosi alla pittura* he spends his free time painting. – **4.** (*di posti a sedere*) to take, to occupy; (*tenere occupato*) to hold. – **5.** (*abitare*) to live in, to occupy; (*andare ad abitare*) to occupy, to move into, to take. – **6.** ⟨*Mil*⟩ (*conquistare*) to occupy; (*presidiare*) to hold, to occupy; (*con una guarnigione*) to garrison. – **7.** (*ingombrare*) to take up, to fill, to clutter (up), to block. – **8.** (*dare lavoro*) to employ, to take on: *la fabbrica occupa cento operai* the factory employs a hundred workers; (*trovare un lavoro*) to find a job for; (*tenere impegnato*) to give work (*o* a job) to, to busy, to keep busy (*o* occupied): *l'ho occupato a pulire l'argenteria* I've given him the job of cleaning the silver. – **9.** (*rif. a cariche e sim.*) to hold, to occupy, to fill: *occupa questo posto da tre anni* he has held this job for three years. – **10.** ⟨*fig*⟩ to fill, to absorb, to occupy: *tristi pensieri occupavano la sua mente* his mind was filled with sad thoughts. – **11.** ⟨*non com*⟩ (*venire in possesso*) to come into, to enter upon: *ha occupato l'eredità del nonno* he came into his grandfather's estate. – **occuparsi** *v.r.* **1.** to busy o.s., to occupy o.s. (*di* with), to spend time (on), to pass (*o* spend) one's time[*ger*]. – **2.** (*dedicarsi*) to be concerned (*o* occupied), to deal, to occupy o.s. (*di* with), to engage (in), to go in (for): *si occupava di problemi di fisica* he was occupied (*o* concerned) with the solving of physics problems. – **3.** ⟨*Comm*⟩ to deal (*di* in): *si occupa di legnami* he deals in timber, he is in the lumber business (*o* trade). – **4.** (*interessarsi*) to take an interest (*di* in), to be concerned (with), to deal (with), to look (into). – **5.** (*prendersi cura*) to see, to attend (*di qd.* to s.o.), to look after, to mind (s.o.), to take care (of): *occuparsi dei bambini* to mind (*o* look after) the children; *mi occuperò io della faccenda* I'll see to it (*o* the matter), I'll take care of it. – **6.** (*impicciarsi*) to get involved, to get mixed up (*di* in). – **7.** (*darsi da fare*) to take care (*di* of), to see (to), to busy o.s. (with). – **8.** (*impiegarsi*) to get a job, to find work, to be employed (*o* hired), to be taken on. □ *occupati dei fatti tuoi* mind your own business.

occupạto (*p.p. di occupare*) *a.* **1.** (*rif. a luoghi, posti e sim.*) taken, engaged, occupied, full: *il posto è* ~ the seat is taken; *camere -e* occupied rooms, rooms that are taken; (*rif. a gabinetto*) engaged, occupied. – **2.** (*affaccendato*) busy, occupied, engaged: *essere* ~ *a fare qc.* to be busy doing (*o* with) s.th.; *sarò* ~ *per tutto il giorno* I'll be busy all day; (*pieno di impegni*) busy, taken up. – **3.** (*impiegato*) employed, working: *è* ~ *in banca* he ⌜works in⌝ (*o* is employed by) a bank. – **4.** ⟨*Mil*⟩ occupied. – **5.** ⟨*Tel*⟩ engaged, busy.

occupatọre *m.* (*f.* **-trice**) **1.** occupier. – **2.** ⟨*Mil*⟩ occupier, occupying soldier.

occupaziọne *f.* **1.** occupation (*anche Mil.*): ~ *di una fabbrica* occupation of a factory. – **2.** (*attività*) occupation, activity, pursuit. – **3.** (*lavoro retribuito*) employment, work, job, position, occupation: *cercare un'*~ to look for work (*o* employment), to look for a job. – **4.** ⟨*Dir*⟩ occupancy. – **5.** ⟨*Econ*⟩ employment.
□ ~ **bellica** military occupation; ⟨*Tel*⟩ **coefficiente** *di* ~ efficiency, call fill, coefficient of occupation (*o* utilization); ⟨*Econ*⟩ **paese** *di* ~ country where one works; **piena** ~ full employment; **senza** ~ unemployed, jobless, out of work, without a job; ~ **totale** = **piena** *occupazione*.

Ọceạnia *N.pr.f.* ⟨*Geog*⟩ Oceania, Oceanica. – **oceaniạno I** *a.* Oceanian, Oceanic. – **II** *s.m.* (*f.* **-a**) Oceanian.

oceạnico *a.* (*pl.* **-ci**) **1.** oceanic, ocean-: *clima* ~ oceanic climate. – **2.** ⟨*fig*⟩ (*immenso*) vast, immense, huge: *folla -a* immense crowd. – **3.** ⟨*Biol*⟩ (*del mare*) oceanic, ocean-, marine. – **4.** (*oceaniano*) Oceanian, Oceanic.

Oceạnide, Oceanịna *N.pr.f.* ⟨*Mitol*⟩ oceanid, ocean nymph.

oceanịno *a.* ⟨*poet*⟩ ocean-, of the ocean: *ninfe -e* oceanids *pl*, ocean nymphs.

oceanịsta *m./f.* student of Oceania. – **oceanịstica** *f.* studies *pl* concerning Oceania.

ocẹano (*poet.* *oceạno*) *m.* **1.** ocean. – **2.** ⟨*fig*⟩ (*gran quantità*) ocean, sea, great quantity (*o* number). – **3.** ⟨*poet*⟩ (*mare*) sea. □ ~ *Atlantico* Atlantic Ocean; ~ *Indiano* Indian Ocean; ~ *Pacifico* Pacific Ocean.

Ocẹano *N.pr.m.* ⟨*Mitol*⟩ Oceanus.

oceanografịa *f.* oceanography. – **oceanogrạfico** *a.* (*pl.* **-ci**) oceanographic(al). – **oceanọgrafo** *m.* (*f.* **-a**) oceanographer.

ocellạto *a.* ⟨*Zool*⟩ ocellated, oculate. – **ocẹllo** *m.* **1.** ⟨*Entom*⟩ ocellus. – **2.** ⟨*non com*⟩ (*ommatidio*) ommatidium. – **3.** ⟨*Zool*⟩ (*macchia di pigmento*) ocellus.

ocelot *fr.* [ɔs'lo] *m.* → **ozelot**.

ocherẹlla (*dim. di oca*) *f.* ⟨*fig*⟩ (*donna sciocca*) goose, foolish (*o* silly) woman.

ochẹto *m.* ⟨*Mus*⟩ hocket.

ochẹtta[1] (*dim. di oca*) *f.* → **ocherella**.

ochẹtta[2] *f.* (*recipiente*) jug for feeding liquids to patients.

ochịna (*dim. di oca*) *f.* → **ocherella**. – **ochịno** (*dim. di oca*) *m.* (*f.* **-a**) (*persona sciocca*) (silly) goose, fool.

oclocrạtico *a.* (*pl.* **-ci**) ochlocratic(al). – **oclocrazịa** *f.* ochlocracy, mob rule.

oclologịa *f.* study of crowds (*o* mob behaviour).

ocọna (*accr. di oca*) *f.* ⟨*fig*⟩ (*donna sciocca*) goose, silly woman. – **ocọne** *m.* (*f.* **-a**) (*persona sciocca*) fool, goose.

ocotịlla *f.* ⟨*Bot*⟩ ocotillo, ocotilla (*Fouquieria splendens*).

ocotọna *m.inv.* ⟨*Zool*⟩ **1.** pika, mouse (*o* calling) hare (*Ochotona*). – **2.** pika (*Ochotona pusillus*). – **ocotọnidi** *m.pl.* pikas *pl*, mouse (*o* calling) hares *pl* (*Ochotonidae*).

ọcra I *s.f.* **1.** (*sostanza*) ochre, ⟨*am*⟩ ocher. – **2.** (*colore*) ochre, ⟨*am*⟩ ocher. – **II** *a.* ochre-, ochreous. □ ~ *d'antimonio* antimony ochre; *color* ~ ochre, ocher; ~ *gialla* yellow ochre, ochre yellow; ~ *di molibdeno* molybdic ochre, ferrimolybdite; ~ *rossa* red ochre.

ocrạceo *a.* ⟨*non com*⟩ **1.** (*che contiene ocra*) ochreous, ⟨*am*⟩ ocherous. – **2.** (*color ocra*) ochre-, ochreous.

ọcrea *f.* **1.** ⟨*Bot*⟩ ocrea, ochrea. – **2.** *pl.* ⟨*Stor.rom*⟩ greaves *pl*.

ocrọnọsi *f.* ⟨*Med*⟩ ochronosis.

ocrọsi *f.* ⟨*Agr*⟩ chlorosis.

ocrospọreo, ocrọsporo *a.* ⟨*Bot*⟩ yellow-spored.

octa... *pref.* → **otta...**

octactiniạri *m.pl.* ⟨*Zool*⟩ alcyonarians *pl* (*Octactiniaria*).

octạstilo *a.* octastyle, octostyle.

OCTI = *Ufficio centrale dei trasporti internazionali tramite ferrovia* Central Office for International Railway Transport.

octidị *fr. m.* ⟨*Stor*⟩ eighth day (of a decade).

octo... *pref.* (*otto* eight) oct(o)..., oct(a)...

octo|corạlli *m.pl.* ⟨*Zool*⟩ alcyonarians *pl* (*Octocorallia*). – **~drạmma** *f.* ⟨*Numism*⟩ octadrachm, octodrachm.

octọpodi *m.pl.* ⟨*Zool*⟩ octopods *pl*, octopodans *pl* (*Octopoda*).

octovalẹnte *a.* ⟨*Chim*⟩ (*ottovalente*) octavalent.

oculạre I *a.* **1.** ocular, eye-, ophthalmic: *globo* ~ eyeball. – **2.** (*che ha visto con i propri occhi*) eye-, visual, ocular: *testimone* ~ eye-witness. – **II** *s.m.* ⟨*Ott*⟩ (*lente oculare*) eyepiece, ocular. □ ~ *diagonale* diagonal eyepiece; ~ *di lettura* reading eyepiece; ~ *micrometrico* ocular (*o* eyepiece) micrometer; ⟨*Fot*⟩ ~ *del mirino* viewfinder eyepiece; ~ *reticolato* webbed eyepiece.

oculatamẹnte *avv.* cautiously; (*accortamente*) shrewdly. – **oculatẹzza** *f.* caution, prudence; (*accortezza*) shrewdness. – **oculạto** *a.* **1.** cautious, prudent, wary; (*accorto*) shrewd, sharp. – **2.** ⟨*ant*⟩ (*che ha visto con i propri occhi*) eye-, ocular.

oculifọrme *a.* **1.** eye-shaped, eye-like, oculiform: ⟨*Zool*⟩ *macchia* ~ eye-shaped spot. – **2.** (*ocellato*) ocellated, oculate.

oculịsta *m./f.* oculist, ophthalmologist, ⟨*fam*⟩ eye doctor. – **oculịstica** *f.* oculistics *pl* (*costr. sing.*), ophthalmology. – **oculịstico** *a.* (*pl.* **-ci**) ophthalmologic(al), oculistic.

ọculo *m.* ⟨*Archeol*⟩ oculus, eye.

oculo... *pref.* (*occhio* eye) ocul(o)...

oculo|cardịaco *a.* (*pl.* **-ci**) ⟨*Anat*⟩ oculocardiac: *riflesso* ~ oculocardiac reflex. – **~gịro** *a.* oculogyric. – **~motọre** *a.* oculomotor. – **~moziọne** *f.* movement of the eyeball. – **~rinịte**: ⟨*Med*⟩ ~ *spastica* (o *allergica*) pollinosis, hay-fever.

ọd *congz.* → o[1].

ọda *f.* ⟨*ant*⟩ → **ode**.

odalịsca *f.* ⟨*Stor,Art*⟩ odalisque, odalisk.

Oddọne *N.pr.m.* ⟨*Stor*⟩ Odo.

ọde *f.* ⟨*Lett*⟩ ode.
odẹo(n) *m.* ⟨*Archeol*⟩ odeum.
odepọrico *a./s.* (*pl.* **-ci**) ⟨*lett*⟩ **I** *a.* of a journey (*o* voyage). – **II** *s.m.* story of a journey.
Odẹssa *N.pr.f.* ⟨*Geog*⟩ Odessa.
o.d.g., O.d.G. = *ordine del giorno* agenda, order of the day.
odiạbile *a.* hateful, detestable, loathsome, odious.
odiạre *v.t.* (**ọdio, ọdi**) **1.** to hate, to detest, to loathe: ~ *a morte qd.* to loathe s.o., ⟨*fam*⟩ to hate s.o.'s guts. – **2.** ⟨*pop*⟩ (*detestare*) to hate, to detest, to loathe, to dislike greatly. – **odiarsi** *v.r.* ⟨*recipr*⟩ to hate e.o. – **odiạto** (*p.p. di odiare*) *a.* hated, detested, loathed. – **odiatọre** ⟨*non com*⟩ **I** *s.m.* (*f.* **-trice**) hater. – **II** *a.* hating. – **odịbile** *a.* ⟨*ant*⟩ → **odiabile.**
odicịna *f. dim. di* **ode.**
odiernamẹnte *avv.* at the present time, at present, nowadays. – **odiẹrno** *a.* **1.** (*di oggi*) today's: *la seduta -a* today's meeting; *in data -a* bearing today's date, today's. – **2.** (*dell'epoca attuale*) today's, of today; (*attuale*) present(-day); (*moderno*) modern.
...odinia *suff.* (*dolore* pain) ...odynia.
odinịte *f.* ⟨*Min*⟩ odinite.
Odịno *N.pr.m.* ⟨*Mitol.nord*⟩ Odin.
odinofagịa *f.* ⟨*Med*⟩ odyn(o)phagia.
ọdio *m.* **1.** hate, hatred: *nutrire* ~ *verso qd.* to hate s.o., to bear s.o. hatred; (*avversione*) dislike, aversion, hatred. – **2.** (*ripugnanza*) hatred, loathing, disgust, repugnance; (*intolleranza*) intolerance. – **3.** (*oggetto dell'odio*) hate.
□ ~**-amore** love-hate; **avere** *in* ~ *qd.* (o *qc.*) to hate s.o. (*o* s.th.); ~ *di* **classe** class hatred; **essere** *in* ~ *a qd.* to be hated by s.o.; **fare** *qc. in* ~ *a qd.* to do s.th. out of hatred for s.o.; ~ **mortale** mortal (*o* deadly) hatred; **portare** ~ *a qd.* (o *qc.*) = **avere** *in odio qd.* (o *qc.*); **venire** *in* ~ *a qd.* to make o.s. hated by s.o.
odiosamạto *a.* ⟨*lett,scherz*⟩ loved and hated. – **odiosamẹnte** *avv.* hatefully, odiously, detestably. – **odiosẹtto** *a. dim. di* **odioso.** – **odiosità** *f.* **1.** hatefulness, odiousness, loathsomeness. – **2.** ⟨*concr*⟩ odious action, hateful behaviour; (*abuso*) abuse. – **3.** (*odio*) hatred.
odiọso *a.* **1.** (*che suscita odio*) hateful, odious, loathsome, detestable. – **2.** (*antipatico*) unpleasant, distasteful, hateful, odious, obnoxious, unappealing, ⟨*fam*⟩ nasty: *comportamento* ~ obnoxious behaviour. – **3.** (*meritevole di odio*) odious, hateful. – **4.** ⟨*ant*⟩ (*che odia*) full of hate.
Odissẹa *N.pr.f.* ⟨*Lett*⟩ Odyssey. – **odissea** *f.* (*serie di peripezie*) odyssey.
ọdo *pr.ind. di* **udire.**
odo... *pref.* (*via, cammino* way) odo..., hodo...
Odoạcre *N.pr.m.* ⟨*Stor*⟩ Odoacer, Odovacar, Ottokar.
Odoạrdo *N.pr.m.* Edward.
odọgrafo *m.* hodograph.
odọmetro *m.* ⟨*Fis*⟩ (h)odometer.
odonạti *m.pl.* ⟨*Entom*⟩ odonates *pl*, ⟨*pop*⟩ dragon-flies *pl* (*Odonata*).
odonimịa *f.* ⟨*rar*⟩ → **odonomastica.** – **odonomạstica** *f.* **1.** street names *pl.* – **2.** (*disciplina*) study of street names. – **odonomạstico** *a.* (*pl.* **-ci**) of street names.
odontalgịa *f.* ⟨*Med*⟩ odontalgia, ⟨*pop*⟩ toothache. – **odontạlgico** *a./s.* (*pl.* **-ci**) **I** *a.* **1.** odontalgic, ⟨*pop*⟩ toothache-. – **2.** ⟨*Farm*⟩ for toothache. – **II** *s.m.* toothache remedy (*o* medicine).
odontịte *f.* ⟨*Bot*⟩ eyebright (*Odontites*).
odonto... *pref.* (*dente* tooth) odont(o)..., tooth-.
odonto|blạstico *a.* (*pl.* **-ci**) ⟨*Anat*⟩ odontoblastic. – **~blạsto** *m.* odontoblast. – **~blastọma** *m.* ⟨*Med*⟩ odontoblastoma. – **~cẹti** *m.pl.* ⟨*Zool*⟩ toothed whales *pl* (*Odontoceti*). – **~clạsta** *m.* ⟨*Anat*⟩ odontoclast. – **~gẹnẹsi** *f.* ⟨*Biol*⟩ odontogeny, odontogenesis. – **~iạtra** *m./f.* dentist, dental surgeon. – **~iatrịa** *f.* dentistry, odontotherapy. – **~iạtrico** *a.* (*pl.* **-ci**) dental.
odontọide I *a.* → **odontoideo.** – **II** *s.m.* (*apofisi odontoide*) odontoid process. – **odontoidẹo** *a.* ⟨*Anat*⟩ tooth-like, odontoid.
odontọlita *m.* → **odontolito.**
odontolịte *f.* ⟨*Min*⟩ odontolite, bone (*o* fossil) turquoise.
odontọlito *m.* ⟨*Dent*⟩ odontolith, tartar deposit.
odontologịa *f.* dentistry, odontology. – **odontolọgico** *a.* (*pl.* **-ci**) dental. – **odontọlogo** *m.* (*pl.* **-gi**; *f.* **-a**) dentist, dental surgeon, odontologist.
odontọma *m.* ⟨*Med*⟩ odontoma.
odontọ|metro *m.* ⟨*Filat*⟩ perforation gauge. – **~patịa** *f.* ⟨*Dent*⟩ odontopathy, dental disease.
odontorragịa *f.* ⟨*Dent*⟩ odontorrhagia.
odonto|scọpio *m.* → **odontometro.** – **~tẹcnica** *f.* dental mechanics *pl* (*costr. sing. o pl.*), odontotechny, ⟨*am*⟩ dental technology. – **~tẹcnico** *a./s.* (*pl.* **-ci**) **I** *a.* of dental mechanics (*o* technology). – **II** *s.m.* dental mechanic, ⟨*am*⟩ dental technician.
odorạbile *a.* smellable, that may be smelt. – **odorạccio** (*pegg. di odore*) *m.* bad smell, stink, stench. – **odoramẹnto** *m.* ⟨*non com*⟩ smelling. – **odorạnte** (*p.pr. di odorare*) **I** *a.* odoriferous, odorous, smelling. – **II** *s.m.* odorant.
odorạre *v.* (**odọro**) **I** *v.t.* **1.** (*aspirare col naso*) to smell: ~ *un fiore* to smell a flower; (*annusare*) to sniff. – **2.** (*percepire l'odore*) to smell; (*rif. ad animali*) to smell, to scent, to nose. – **3.** ⟨*fig*⟩ (*intuire*) to sense, to smell, to scent, ⟨*fam*⟩ to get wind of: ~ *il vento infido* to sense (*o* scent) danger, ⟨*fam*⟩ to smell a rat. – **4.** ⟨*non com*⟩ (*profumare*) to perfume, to scent. – **II** *v.i.* (*aus.* **avere**) **1.** to smell (*di* of): ~ *d'aglio* to smell of garlic; (*emanare un buon profumo*) to have a good smell, to smell sweet (*o* nice). – **2.** ⟨*fig*⟩ to smell, to smack: *questa faccenda odora d'imbroglio* this business smacks of swindling, the whole thing smells fishy to me. □ ~ *di buono* to smell good, to have a good smell; *odora di acido* it smells sour.
odorạto[1] *m.* (sense of) smell, ⟨*fam*⟩ nose: *non avere* ~ to have a poor sense of smell.
odorạto[2] *a.* ⟨*poet*⟩ → **odoroso.**
odọre *m.* **1.** smell, odour. – **2.** ⟨*fam*⟩ (*profumo*) good (*o* sweet) smell, scent, fragrance, perfume, aroma. – **3.** ⟨*eufem*⟩ (*cattivo odore*) (bad) smell, odour, stench, stink. – **4.** (*sostanza odorosa*) scent, perfume. – **5.** ⟨*fig*⟩ (*sentore, indizio*) wind, scent, smell, inkling. – **6.** *pl.* (*erbe aromatiche*) (aromatic) herbs *pl.*
□ **avere** ~ *di qc.* to smell of s.th.; ⟨*fig*⟩ to get wind of s.th.; *non avere* ~ to have no smell, to be odourless; **buon** ~ good (*o* sweet) smell, perfume, fragrance; ⟨*fig*⟩ *dare buon* ~ *di sé* to appear virtuous; ~ **grave** (o *forte*) strong smell; (*cattivo*) bad (*o* nasty) smell; *c'è* ~ *di* **muffa** it smells mouldy; **prendere** *un* ~ to acquire a smell; ⟨*fig*⟩ *morire in* ~ *di* **santità** to die in the odour of sanctity; **sentire** ~ *di qc.* to smell s.th.
odorẹtto *m. dim. di* **odore.** – **odorịfero** *a.* **1.** odorous, odoriferous. – **2.** ⟨*lett*⟩ → **odoroso.**
odorimetrịa *f.* odorimetry. – **odorịmetro** *m.* (*apparecchio*) odorimeter, odorometer.
odorịno *m. dim. di* **odore.**
odorivettọre I *s.m.* odorivector. – **II** *a.* odoriferous, giving rise to an odour.
odorịzzạnte (*p.pr. di odorizzare*) **I** *a.* odorizing. – **II** *s.m.* odorizer. – **odorịzzạre** *v.t.* to odorize; (*profumare*) to scent, to perfume. – **odorịzzatọre** *m.* (gas) odorant. – **odorịzzaziọne** *f.* odorization.
odorọso *a.* sweet-smelling, scented, fragrant, odorous: *sostanze -e* fragrant substances.
odoscọpio *m.* ⟨*Fis*⟩ hodoscope.
Ọdra *N.pr.f.* ⟨*Geog*⟩ Oder.
O.E.C.D. = *Organizzazione economica di cooperazione e sviluppo* Organization for Economic Co-operation and Development (*abbr.* OECD).
OECE = *Organizzazione economica per la cooperazione europea* Organization for European Economic Co-operation (*abbr.* OEEC).
oersted ['œr-] *m.* ⟨*El*⟩ oersted.
Ofẹlia *N.pr.f.* ⟨*Lett*⟩ Ophelia.
ofelimità *f.* ⟨*Econ*⟩ ophelimity. – **ofẹlimo** *a.* profitable, (economically) useful.
ọffa *f.* **1.** ⟨*Stor.rom*⟩ spelt cake. – **2.** ⟨*estens,lett*⟩ (*compenso*) bribe, sop, ⟨*fam*⟩ pay-off: *dare* (*o gettare*) *l'*~ *a qd.* to give (*o* throw) s.o. a sop. – **offẹlla** *f.* ⟨*ant*⟩ (*focaccia dolce*) cake. – **offellerịa** *f.* ⟨*lomb*⟩ (*pasticceria*) confectioner's (*o* pastry) shop. – **offelliẹre** *m.* ⟨*lomb*⟩ (*pasticciere*) pastry cook.
offẹndere *v.t.* (**offẹsi, offẹso**/*ant.* **offẹnso**) **1.** to offend, to insult: *il tuo modo di fare mi offende* your manner ⌜offends me⌝ (*o* is insulting). – **2.** (*riuscire molesto*) to offend, to hurt: ~ *la vista* to offend the eye. – **3.** (*recare danno*) to harm, to damage, to injure: *il gelo offende i germogli* the frost damages the buds. – **4.** (*violare*) to break, to violate, to offend (against), to transgress: ~ *la giustizia* to break the law. – **5.** (*insultare*) to insult, to outrage. – **6.** ⟨*non com*⟩ (*ferire, ledere*) to injure, to hurt, to wound. – **7.** ⟨*Mil*⟩ to pound, to bombard, to fire at (*o* on); (*colpire*) to hit. – **8.** ⟨*ant*⟩ (*affliggere*) to distress, to afflict. – **offendersi** *v.r.* **1.** to take offence (*di* at), to be offended (by). – **2.** ⟨*recipr*⟩ to insult e.o. □ ~ *Dio* (*bestemmiare*) to swear, to curse, to blaspheme; (*peccare*) to sin, to offend God; ~ *i diritti di qd.* to infringe on s.o.'s rights; *offendersi per un nonnulla* to be quick to take offence.
offendịbile *a.* ⟨*non com*⟩ **1.** that may be offended. – **2.** ⟨*Mil*⟩ vulnerable, open to attack. – **offenditọre** *m.* (*f.* **-trice**) ⟨*rar*⟩ → **offensore.** – **offẹnsa, offensiọne** *f.* ⟨*ant*⟩ → **offesa.**
offensịva *f.* **1.** ⟨*Mil*⟩ offensive: *prendere l'*~ to take the offensive. – **2.** ⟨*estens*⟩ (*azione energica*) campaign, drive: ~ *di pace* peace drive. – **offensịvo** *a.* **1.** offensive, insulting: *parole -e* insulting language. – **2.** ⟨*Mil*⟩ offensive, of offence: *guerra -a* offensive war.
offẹnso *p.p.ant. di* **offendere.** – **offensọre** *m.* (*f.* **offenditrịce**/*pop.* **offensọra**) **1.** offender. – **2.** ⟨*Mil*⟩ (*aggressore*) aggressor, attacker.
offerẹnte *m./f.* **1.** offerer. – **2.** ⟨*Comm*⟩ (*per un appalto*) tenderer. – **3.** (*nelle aste*) bidder: *il maggiore* (o *migliore*) ~ the highest bidder. – **offerẹre** *v.* (**ọffero, ọfferi**) ⟨*ant,lett*⟩ → **offrire.** – **offerịre** *v.* (**offerịsco, offerịsci**) ⟨*ant,lett*⟩ → **offrire.**
offẹrta *f.* **1.** offer: *fare un'*~ to make an offer. – **2.** ⟨*concr*⟩ offering, donation: *dare un'*~ to give an offering; (*regalo*) gift. – **3.** (*proposta*) offer, proposal. – **4.** ⟨*Rel*⟩ offering, oblation. – **5.** ⟨*Econ*⟩ supply: *l'*~ *supera la domanda* supply exceeds demand. – **6.** ⟨*Comm*⟩ (*prezzo che si offre per un acquisto*) offer: *accettare un'*~ to accept an offer; (*nelle aste*) bid; (*per un appalto*) tender.
□ **chiedere** *un'*~ to seek an offer; ⟨*Econ*⟩ ~ **condizionata** conditional offer; ⟨*Dir*⟩ ~ *di* **contratto** contract offer; ~ *di* **conversione** conversion offer; ⟨*Econ*⟩ ~ **costante** constant supply; ⟨*Comm*⟩ ~ **eccezionale** special offer, bargain; ~ **ferma** (o *fissa*) firm offer; ⟨*Comm*⟩ ~ *di* **fornitura** offer of supplies; ⟨*Econ*⟩ ~ **globale** aggregate supply; ~ *senza* **impegno** offer without engagement, unbinding offer; ~ *d'***impiego** offer of a job, job offer; (*inserzione*) situation vacant, ⟨*am*⟩ want ad; ~ *di* **lavoro** offer of work (*o* employment), job offer; ⟨*Econ*⟩ ~ **limitata** limited supply; ~ **manovrata** control of supply; ⟨*Comm*⟩ ~ **massima** highest offer; ~ *di* **matrimonio** proposal, offer

of marriage; ⟨*Comm*⟩ ~ *di* **merce** offer of merchandise; ~ **minima** lowest offer; (*nelle aste*) upset price; ~ *di* **opzione** offer of an option; **prima** ~ (*nelle aste*) first bid; ⟨*Dir*⟩ ~ *al* **pubblico** (*offerta di contratto alla generalità*) public offer; (*promessa al pubblico*) offer to a limited public; ⟨*Dir*⟩ ~ **reale** tender of payment, offer of cash; ⟨*Rel*⟩ ~ *d'un* **sacrificio** offering of a sacrifice; **sottoporre** *un'*~ to submit (*o* make) an offer; ⟨*Comm*⟩ ~ *di* **sottoscrizione** offer of subscription; ~ **speciale** = *offerta* **eccezionale.**

offẹrto (*p.p. di offrire*) **I** *a.* (*dedicato*) dedicated; (*presentato*) presented. – **II** *s.m.* ⟨*ant*⟩ → **oblato.**

offertọrio *m.* ⟨*Lit*⟩ Offertory.

offẹsa *f.* **1.** offence, insult, affront: *perdonare un'*~ to pardon an insult. – **2.** ⟨*fig*⟩ (*attentato*) offence (*a* to), attack (on), outrage (upon, against); (*violazione*) offence (against), violation, breach (of). – **3.** (*danno*) damage, harm. – **4.** ⟨*Mil*⟩ attack. – **5.** (*nella scherma*) offensive action, attack. – **6.** ⟨*non com*⟩ (*lesione traumatica*) wound, injury.

□ ⟨*Dir*⟩ ~ *a un* **capo** *di stato* offence against a head of state; ⟨*Dir*⟩ ~ *alla pubblica* **decenza** offence against public decency; ~ *fatta a* **Dio** offence against God; **fare** ~ *a qd.* to offend (*o* insult) s.o.; ⟨*Dir*⟩ ~ *al* **pudore** indecent behaviour; **recare** ~ *a qd.* = **fare** *offesa a qd.*; **senza** ~ no offence meant; ⟨*Mil*⟩ **stare** *sull'*~ to be on the offensive.

offẹsi *p.rem. di* **offendere.**

offẹso (*p.p. di offendere*) **I** *a.* **1.** offended, insulted. – **2.** (*ferito, lesionato*) wounded, injured, harmed; (*danneggiato*) damaged. – **II** *s.m.* (*f.* **-a**) offended party. □ *fare l'*~ to act insulted.

office *ingl.* ['ɔfis] *m.* pantry.

officiạle I *a.* ⟨*ant*⟩ (*ufficiale*) official. – **II** *s.m.* **1.** ⟨*pop,region*⟩ (*ufficiale*) officer. – **2.** ⟨*ant*⟩ (*persona incaricata di un pubblico ufficio*) officer, official.

officiạnte (*p.pr. di officiare*) **I** *a.* ⟨*Lit*⟩ officiating. – **II** *s.m.* officiant. – **officiạre** *v.* (**offịcio, offịci**) **I** *v.i.* (*aus.* **avere**) ⟨*Lit*⟩ to officiate. – **II** *v.t.* to serve. – **officiatọre** *a./s.* ⟨*non com*⟩ → **officiante.** – **officiatụra** *f.* ⟨*Lit*⟩ (*ufficiatura*) officiation.

officịna *f.* **1.** (work)shop. – **2.** (*nella massoneria*: *loggia*) lodge.

□ ~ *per* **apprendisti** apprentices' workshop; ⟨*Aut*⟩ ~ *di* **assistenza** *clienti* garage; ⟨*Aut*⟩ ~ **autorizzata** authorized garage; ⟨*Mil*⟩ ~ **campale** (o *da campo*) field workshop; ~ *del* **carpentiere** carpentry shop; ~ *da* **fabbro** smith(er)y; ~ **grafica** graphic studio, printing office; ~ **meccanica** machine shop; ~ *di* **montaggio** assembly shop; ~ *di* **produzione** works *pl*, plant, factory; ~ *di* **riparazioni** repair shop; ~ *per riparazione di automobili* garage.

officinạle *a.* medicinal, officinal.

offịcio *m.* **1.** (*servigio, interessamento*) office. – **2.** ⟨*ant*⟩ (*ufficio*) office.

officiosamẹnte *avv.* kindly, obligingly, courteously. – **officiosità** *f.* **1.** kindness, courtesy. – **2.** (*atto di cortesia*) kindness, service, courtesy. – **officiọso** *a.* **1.** (*premuroso*) kind, considerate, obliging, courteous, eager to be of service. – **2.** ⟨*rar*⟩ (*ufficioso*) unofficial, semi-official.

offiziạre *v.* ⟨*ant*⟩ → **officiare.** – **offịzio** *m.* ⟨*ant*⟩ (*ufficio*) office. – **offiziọso** *a.* ⟨*ant*⟩ → **officioso.**

offrịre *v.t.* (**ọffro; offrịi/offẹrsi/***ant.* **offerịi**; *p.pr.* **offerẹnte**; *p.p.* **offẹrto**) **1.** to offer; (*pagando*) to buy, to pay, ⟨*fam*⟩ to treat: *ti offro un caffè* I'll buy you a cup of coffee, ⟨*fam*⟩ let me treat you to a cup of coffee. – **2.** (*rif. a feste e sim.*) to have, to give, to hold, ⟨*fam*⟩ to throw. – **3.** (*esporre*) to offer, to present, to expose; (*presentare*) to present, to afford, to offer: *la vetta offre un bel panorama* the peak affords a beautiful view. – **4.** (*proporre*) to offer: ~ *un posto a qd.* to offer s.o. a job; (*prospettare*) to propose, to advance, to put forward. – **5.** (*dare, concedere*) to give, to offer. – **6.** (*dedicare, consacrare*) to offer up, to dedicate, to consecrate, to give: ~ *la propria vita all'assistenza degli infermi* to dedicate one's life to aiding the sick. – **7.** ⟨*Comm*⟩ (*proporre l'acquisto*) to offer, to put on sale: *il prodotto è offerto a un prezzo conveniente* the product is on sale at a low price; (*proporre un prezzo*) to offer: *mi hanno offerto cinque milioni per questo appartamento* I have been offered five million lire for this flat. – **8.** ⟨*Rel*⟩ to offer up; (*sacrificare*) to sacrifice. – **offrirsi** *v.r.* **1.** (*mettersi a disposizione*) to offer (o.s.): *mi offrii di aiutarlo* I offered to help him; (*offrire i propri servizi*) to offer one's services, to offer to help, to volunteer, to come forward; (*dedicarsi*) to dedicate o.s., to give o.s. up (*a* to). – **2.** (*apparire*) to appear (*a* to, before), to meet (s.th.): *uno spettacolo terrificante si offrì ai nostri occhi* a terrifying scene met our eyes. – **3.** (*presentarsi*) to present o.s. (*a* to), to come up (*o* along), to arise, to offer, to occur: *mi si offre un'ottima occasione* an excellent opportunity has come up. □ ⟨*Econ*⟩ ~ *in un appalto* to tender; ~ *all'asta* to make a bid, to bid at an auction; ~ *le proprie dimissioni* to present one's resignation; ⟨*fig*⟩ ~ *il fianco alle critiche* to ⌜leave o.s. open⌝ (*o* expose o.s.) to criticism; ⟨*Econ*⟩ ~ *in opzione* to offer on an option; ~ *in vendita* to put on sale.

offuscamẹnto *m.* **1.** (*oscuramento*) darkening, dimming, obscuring; (*intorbidimento*) clouding, blurring. – **2.** ⟨*fig*⟩ dimming, clouding, obscuring.

offuscạre *v.t.* (**offụsco, offụschi**) **1.** (*oscurare*) to darken, to dim, to obscure. – **2.** (*intorbidire*) to cloud (over), to blur, to becloud. – **3.** ⟨*fig*⟩ to cloud, to confuse, to obscure, ⟨*lett*⟩ to obfuscate. – **4.** ⟨*fig*⟩ (*rif. a fama e sim.*) to dim, to obscure, to overshadow: ~ *la gloria di qd.* to dim s.o.'s glory; (*diminuire*) to lessen, to diminish. – **offuscarsi** *v.r.* **1.** (*oscurarsi*) to grow dark, to darken, to dim, to be obscured. – **2.** (*intorbidirsi*) to cloud over, to become blurred (*o* confused), to blur, to (grow) dim. – **3.** ⟨*fig*⟩ to be obscured (*o* dimmed).

offuscatọre I *s.m.* (*f.* **-trice**) **1.** darkener, dimmer. – **2.** ⟨*Mar*⟩ sidelight screen. – **II** *a.* **1.** darkening, that darkens (*o* dims). – **2.** ⟨*fig*⟩ obscuring, dimming. – **offuscaziọne** *f.* ⟨*rar*⟩ → **offuscamento.**

ofịạsi *f.* ⟨*Med*⟩ ophiasis.

oficiạle *a./s.* → **officiale.** – **oficiạre** *v.* ⟨*ant*⟩ → **officiare.** – **ofịcio** *m.* ⟨*ant*⟩ → **offizio.**

oficiọso *a.* ⟨*ant*⟩ → **officioso.**

oficlẹide *m.* ⟨*Mus*⟩ ophicleide.

ofịdi *m.pl.* ⟨*Zool*⟩ ophidians *pl*, snakes *pl* (*Ophidia*).

ofidịạsi *f.* → **ofidismo.**

ofịdidi *m.pl.* ⟨*Itt*⟩ cusk eels *pl*, ophidiids *pl* (*Ophidiidae*).

ofidịsmo *m.* ⟨*Med*⟩ ophidism.

ofio... *pref.* (*serpente* snake, serpent) ophi(o)..., snake-.

ofiọbolo *m.* ⟨*Bot*⟩ Ophiobolus (*Ophiobolus*).

ofio|glossạcee *f.pl.* ⟨*Bot*⟩ adder's tongues *pl* (*Ophioglossaceae*). – **~latrịa** *f.* ⟨*Rel*⟩ ophiolatry. – **~lịte** *f.* ⟨*Min*⟩ ophiolite, ophicalcite. – **~lịtico** *a.* (*pl.* **-ci**) ophiolitic. – **~logịa** *f.* ⟨*Zool*⟩ ophiology.

Ofiọne (o *Ofione*) *N.pr.m.* ⟨*Mitol*⟩ Ophion.

ofịta *m.* ⟨*Filos*⟩ Ophite.

ofịte *f.* ⟨*Min*⟩ ophite, serpentine marble.

ofịtico[1] *a.* (*pl.* **-ci**) ⟨*Min*⟩ ophitic.

ofịtico[2]: ⟨*Arch*⟩ *colonna -a* envelop column.

ofiụra *f.* ⟨*Zool*⟩ ophiuroid, brittle (*o* sand) star, ophiuran (*Ophiura*). – **ofiuroidẹi, ofiurọidi** *m.pl.* ophiuroids *pl*, brittle stars *pl*, sand stars *pl* (*Ophiuroidea*).

ofiziạre *v.* ⟨*ant*⟩ → **officiare.** – **ofịzio** *m.* ⟨*ant*⟩ → **offizio.** – **ofiziọso** *a.* ⟨*ant*⟩ → **officioso.**

O.F.M. = *Ordine dei frati minori* Order of Friars Minor (*abbr.* O.F.M.).

oftalmịa *f.* ⟨*Med*⟩ ophthalmia. □ ~ *da neve* snowblindness. – **oftạlmico** *a.* (*pl.* **-ci**) ophthalmic, eye-: *nervo* ~ ophthalmic nerve; *ospedale* ~ eye hospital.

oftalmo... *pref.* (*occhio* eye) ophthalm(o)..., eye-.

...oftalmo *suff.* (*occhio* eye) ...ophthalmus, ...ophthalmos: *esoftalmo m.* exophthalmos, exophthalmus.

oftalmo|blenorrẹa *f.* ⟨*Med*⟩ ophthalmoblenorrhea. – **~dinamometrịa** *f.* ophthalmodynamometry. – **~dinamọmetro** *m.* ophthalmodynamometer. – **~iatrịa** *f.* ophthalmology, oculistics *pl* (*costr. sing.*).

oftalmologịa *f.* ⟨*Med*⟩ ophthalmology. – **oftalmolọgico** *a.* (*pl.* **-ci**) ophthalmologic(al). – **oftalmọlogo** *m.* (*pl.* **-gi**; *f.* **-a**) ophthalmologist.

oftalmomalacịa *f.* ⟨*Med*⟩ ophthalmomalacia.

oftalmometrịa *f.* ⟨*Med*⟩ ophthalmometry. – **oftalmọmetro** *m.* ophthalmometer.

oftalmo|plegịa *f.* ⟨*Med*⟩ ophthalmoplegia. – **~plẹgico** *a.* (*pl.* **-ci**) ophthalmoplegic. – **~ptọsi** *f.* ophthalmoptosis. – **~reaziọne** *f.* ophthalmoreaction, ophthalmic reaction. – **~rẹssi** *f.* ophthalmorrhexis.

oftalmorragịa *f.* ⟨*Med*⟩ ophthalmorrhagia.

oftalmo|scopịa *f.* ⟨*Med*⟩ ophthalmoscopy. – **~scọpico** *a.* (*pl.* **-ci**) ophthalmoscopic. – **~scọpio** *m.* ophthalmoscope. – **~tomịa** *f.* ⟨*Chir*⟩ ophthalmotomy. – **~tonometrịa** *f.* ⟨*Med*⟩ ophthalmotonometry. – **~tonọmetro** *m.* ophthalmotonometer.

ogạmico *a.* (*pl.* **-ci**) ⟨*Filol*⟩ og(h)amic.

oggettịno *m. dim. di* **oggetto.**

oggettivamẹnte *avv.* objectively; (*imparzialmente*) impartially, fairly. – **oggettivạre** *v.t.* **1.** to objectify, to objectivate, to make objective; (*rendere concreto*) to objectify, to make concrete. – **2.** ⟨*Psic,Filos*⟩ to objectify. – **oggettivarsi** *v.r.* **1.** to be (*o* become) objective. – **2.** (*manifestarsi*) to become concrete, to take on concrete form, to be realized. – **oggettivaziọne** *f.* objectification, objectivation (*anche Filos.*).

oggettivịsmo *m.* ⟨*Filos*⟩ objectivism. – **oggettivịsta** *m./f.* objectivist. – **oggettivịstico** *a.* (*pl.* **-ci**) objectivistic.

oggettività *f.* **1.** objectivity, objective reality, objectiveness. – **2.** (*obiettività*) objectivity, objectiveness.

oggettịvo *a.* **1.** objective (*anche Filos.*): *realtà -a* objective reality. – **2.** (*obiettivo*) objective: *giudizio* ~ objective judgement; (*imparziale*) objective, impartial, fair, unbiased, unprejudiced. – **3.** ⟨*Gramm*⟩ objective, object-: *proposizione -a* object clause.

oggẹtto *m.* **1.** object; (*cosa*) thing, article, item. – **2.** (*cosa o persona cui è diretta un'azione*) subject, object, centre: *l'ospite è stato l'*~ *dell'attenzione generale* the guest was the object of everyone's attention. – **3.** (*fine, scopo*) object, goal, purpose, end: *l'*~ *di un'inchiesta* the purpose of an inquiry. – **4.** (*argomento*) subject(-matter), theme: *l'*~ *della conversazione* the subject (*o* topic) of conversation. – **5.** ⟨*Dir*⟩ purpose, subject(-matter): ~ *del contratto* subject of the contract. – **6.** ⟨*Gramm*⟩ (*complemento oggetto*) object. – **7.** ⟨*Filos, Psic*⟩ object. – **8.** ⟨*burocr*⟩ subject; (*all'inizio di una lettera*) re: ~: *domanda di trasferimento* Re: Application for Transfer; (*nel contesto*) reference.

□ ~ *dell'***affitto** property leased, property in question; **avere** *per* ~ to have as one's purpose (*o* goal), to aim at; *-i di* **cancelleria** stationery, writing materials; ~ *da* **esposizione** exhibit; *-i in* **ferro** ironware; ⟨*burocr*⟩ **in** ~ in question, referred to; (*rif. al titolo all'inizio di una lettera*) referred to above, ⟨*am*⟩ in caption; ⟨*Gramm*⟩

~ **interno** internal object; ~ **inventariato** (o *d'inventario*) item in an inventory; ~ *di prima* **necessità** necessity, essential article; *-i* **preziosi** valuables *pl*, precious goods; *-i in* **rame** copperware; *divenire ~ di* **scherno** to become a laughing-stock; ~ *d'***uso** *corrente* everyday article; *-i di* **valore** valuables *pl*.

oggettuạle *a.* ⟨*Psic*⟩ object-.

ọggi I *avv.* **1.** today. – **2.** (*nell'epoca attuale*) today, nowadays: ~ *si ragiona in un altro modo* today people think differently; (*attualmente, presentemente*) today, now, at present, at the moment. – **3.** ⟨*tosc*⟩ (*nel pomeriggio*) this afternoon. – **II** *s.m.* today, now, the present.

□ ~ **a** *un mese* a month from today, this time next month; ~ *a otto* today week, a week (from) today; ~ *a quindici giorni* today fortnight, a fortnight today, ⟨*am*⟩ in two weeks; *per* ~ **basta** that's enough for today; ~ **come** ~ right now, today, (as things stand) at present; (*per ora*) for the time being; **da** ~ *in poi* from now on, as from today; **dall'**~ *al domani* from one day to the next; **di** ~ today's, of today; (*attuale*) today's, of today, of the present day; **fino** *a* ~: 1. until today; 2. (*finora*) up to now, so far; 3. ⟨*Comm*⟩ to date; *al* **giorno** *d'*~ nowadays, these days, in these times; **quest'**~ today; ⟨*enfat*⟩ this very day; ~ **stesso** this very day, today; *a* **tutt'**~ up till now, till today. – *Prov.*: ~ *a me, domani a te* my turn today, your turn tomorrow; ~ *in figura, domani in sepoltura* here one day and gone the next.

oggidì I *avv.* nowadays, at the present time. – **II** *s.m.* today, nowadays. – **oggigiọrno** *avv.* nowadays, today.

oggimại *avv.* ⟨*lett*⟩ (*ormai*) (by) now.

ogịva *f.* **1.** ⟨*Arch*⟩ (*arco a sesto acuto*) ogive. – **2.** ⟨*Arch*⟩ (*nervatura diagonale*) ogive. – **3.** ⟨*Mil*⟩ ogive, nose, head. □ ~ *atomica* atomic (*o* nuclear) warhead; ⟨*Aer*⟩ ~ *dell'elica* spinner; ⟨*Astron*⟩ ~ *del missile* (o *razzo*) ogive, ogival head (*o* nose).

ogivạle *a.* **1.** ⟨*Arch*⟩ ogival; (*gotico*) Gothic: *architettura* (o *stile*) ~ Gothic architecture. – **2.** ⟨*Mil*⟩ ogival. □ *arco* ~ ogive, ogival (*o* pointed) arch.

ọgne *a.* ⟨*ant*⟩ → **ogni**.

ọgni *a.* **1.** every, each: ~ *scolaro deve avere i suoi libri* every (*o* each) student must have his books; (*tutti*) all (*costr. pl.*): ~ *uomo è mortale* all men are mortal. – **2.** (*qualsiasi*) any: *a* ~ *costo* at any price, at all costs; *in* ~ *caso* in any case, at any rate. – **3.** (*in espressioni distributive*) every: *il tram passa* ~ *dieci minuti* the tram goes by every ten minutes. – **4.** (*massimo*) every, all: *con* ~ *cura* with every possible attention, with all care; *ti auguro* ~ *felicità* I wish you all (*o* every) happiness.

□ *uno* ~ **cento** one in (*o* out of) a hundred; ~ **cosa** (*tutto*) everything; *in* ~ **luogo** everywhere; *ad* ~ **modo** anyhow, anyway, at any rate; ~ **persona** everyone, everybody; *la* **vita** *di* ~ *giorno* everyday life; ~ **volta** whenever, every time.

ogniọra (o *ọgni ọra*) *avv.* ⟨*ant*⟩ → **ognora**.

ogniqualvọlta (o *ọgni quạl vọlta*) *congz.* ⟨*lett*⟩ whenever, every time (that).

Ognissạnti *m.* ⟨*Lit*⟩ All Saints' Day, Hallowmas. □ *Prov.*: ~, *manicotti e guanti* get out muffs and gloves for All Saints' Day, winter comes in with All Saints' Day.

ogniụno *pron./a.* ⟨*ant*⟩ → **ognuno**.

ognọra *avv.* ⟨*lett*⟩ (*sempre*) always. □ ⟨*ant*⟩ ~ *che* whenever, every time (that).

ognụno I *pron.indef.* everyone, everybody, each man; (*tutti*) all (of us): ~ *ha i suoi difetti* everyone has his faults, we all have our faults, no one is perfect. – **II** *a.* ⟨*ant*⟩ (*ogni*) each, every. □ *Prov.*: ~ *per sé e Dio per tutti* every man for himself and God for us all.

ọh (o *ọh*) *intz.* oh, ⟨*fam,enfat*⟩ oh my: ~, *quanto mi dispiace* oh, I'm so sorry; (*di sorpresa*) oh; (*di disgusto*) ugh; (*di dolore*) ah, ow, ouch. □ ~, ~, *quante arie!* oh my, what airs she gives herself!

ọhe, ohé *intz.* hey (there)!

ọhi *intz.* oh!, ah!, ow!

ohibò *intz.* shame, tut-tut, ⟨*lett*⟩ fie.

ohimè I *intz.* oh dear, ⟨*lett*⟩ alas, ⟨*lett*⟩ alack, ⟨*lett*⟩ woe is me. – **II** *s.m.* ⟨*non com*⟩ **1.** cry of woe. – **2.** ⟨*ant*⟩ (*lamento*) lament, lamentation, complaint.

ọhm *m.* ⟨*Fis*⟩ ohm. □ ~ *acustico* acoustic ohm; ~ *assoluto* absolute ohm; ~ *internazionale* international (*o* true) ohm.

ohmè *intz./s.* ⟨*ant*⟩ → **ohimè**.

ọhmetro *m.* → **ohmmetro**. – **ọhmico** *a.* (*pl.* **-ci**) ⟨*Fis*⟩ ohmic. – **ọhmmetro** *m.* ⟨*Fis*⟩ ohmmeter.

ọi *intz.* → **ohi**.

oibò *intz.* → **ohibò**.

oịdico *a.* (*pl.* **-ci**) oidioid, of powdery mildew. – **oịdio** *m.* **1.** ⟨*Agr*⟩ oidium. – **2.** ⟨*Bot*⟩ → **oidiospora**. □ ⟨*Agr*⟩ ~ *dei cereali* powdery mildew of grasses and cereals; ~ *del melo* apple (powdery) mildew; ~ *della vite* grape mildew, powdery grapevine mildew. – **oidiospọra** *f.* ⟨*Bot*⟩ oidium, arthrospore.

oịl: ⟨*Filol*⟩ *lingua d'*~ langue d'oil, Old French.

OIL = *Organizzazione internazionale del lavoro* International Labour Organization (*abbr.* I.L.O., ILO).

oimè *intz./s.* → **ohimè**.

oinochọe *f.* ⟨*Stor.gr*⟩ oenochoe, oinochoe.

oisé, oité *intz.* ⟨*ant*⟩ oh dear, ⟨*lett*⟩ alas, ⟨*lett*⟩ alack.

okạpi *m.* ⟨*Zool*⟩ okapi (*Okapia johnstoni*).

olà *intz.* hey, ho, hallo (there).

olạnda *f.* ⟨*Tess*⟩ Holland cloth.

Olạnda *N.pr.f.* ⟨*Geog*⟩ the Netherlands *pl*, Holland (*denom.uff.*: *Regno dei Paesi Bassi* Kingdom of the Netherlands). – **olandẹse I** *a.* Dutch, Netherlands-, Netherlandish. – **II** *s.m.* **1.** (*lingua*) Dutch, Netherlandish. – **2.** *m./f.* (*abitante*) Dutchman (*f* -woman), Netherlander, Hollander; *pl.* ⟨*collett*⟩ Dutch (*costr. pl.*). – **3.** ⟨*Alim*⟩ Edam (*o* Dutch) cheese. – **4.** (*liquore*) geneva, Hollands. – **5.** (*surrogato di caffè*) ersatz coffee. – **III** *s.f.* ⟨*Cart*⟩ (*macchina*) hollander. □ ⟨*Cart*⟩ ~ *imbiancatrice* bleaching (*o* potching) machine; ~ *lavatrice* washer, washing-machine; ~ *sfilacciatrice* breaker.

olandịna *f.* → **olanda**.

olạrtico *a.* (*pl.* **-ci**) ⟨*Geog*⟩ Holarctic.

oleạceo, oleaginọso *a.* ⟨*non com*⟩ (*oleoso*) oily, oleaginous.

oleandomịcina *f.* ⟨*Farm*⟩ oleandomycin.

oleandrịna *f.* ⟨*Chim*⟩ oleandrin.

oleạndro *m.* **1.** ⟨*Bot*⟩ oleander (*Nerium oleander*). – **2.** (*fiore*) oleander.

oleạre *v.* (*ọleo*) ⟨*non com*⟩ → **oliare**.

oleạrio *a.* **1.** oil-, of oil: *produzione -a* oil production. – **2.** (*rif. alle olive*) (olive-)oil-.

oleạstro *a./s.* ⟨*lett*⟩ → **olivastro**.

oleạto¹ *a.* oiled, oily. □ *carta -a* wax-paper, greaseproof paper.

oleạto² *m.* ⟨*Chim*⟩ oleate.

oleatọre *m.* ⟨*non com*⟩ → **oliatore**.

olecrạnico *a.* (*pl.* **-ci**) ⟨*Anat*⟩ olecranal. – **olecrạno** (o *olẹcrano*) *m.* olecranon.

olefịna *f.* ⟨*Chim*⟩ olefin(e). – **olefịnico** *a.* (*pl.* **-ci**) olefinic.

olẹico: ⟨*Chim*⟩ *acido* ~ oleic acid.

oleịcolo *a.* → **olivicolo**. – **oleicoltọre** *m.* → **olivicoltore**. – **oleicoltụra** *f.* → **olivicoltura**.

oleịfero *a.* oil-producing, oleiferous, oil-: *semi -i* oil-seeds, oleiferous seeds. – **oleifịcio** *m.* **1.** (*stabilimento*) oil-mill. – **2.** ⟨*non com*⟩ (*operazioni di produzione olearia*) oil production.

oleịna *f.* **1.** ⟨*Ind*⟩ olein(e). – **2.** ⟨*Chim*⟩ (*trioleina*) olein(e), triolein.

olẹnte (*p.pr. di olire*) *a.* → **olezzante**.

ọleo *m. accorc. di* **oleomargarina**.

oleo... *pref.* **1.** (*olio* oil) ole(o)..., olei..., oil-. – **2.** (*oliva* olive) olive-. – **3.** (*grasso* grease) fat-, grease-.

oleo|bromịa *f.* ⟨*Fot*⟩ bromoil (*o* oleobrom) process. – **~cellọsi** *f.* ⟨*Agr*⟩ oleocellosis. – **~cromịa** *f.* ⟨*non com*⟩ → **oleografia**. – **~dọtto** *m.* (oil, petroleum) pipeline. – **~grafịa** *f.* **1.** ⟨*Tip*⟩ oleography. – **2.** ⟨*fig,spreg*⟩ stereotyped painting. – **~grạfico** *a.* (*pl.* **-ci**) **1.** oleographic. – **2.** ⟨*fig,spreg*⟩ stereotyped, unoriginal: *quadro* ~ unoriginal painting. – **~grafịsmo** *m.* ⟨*Art,spreg*⟩ conventional art, unoriginality.

oleọma *m.* ⟨*Med*⟩ oleoma, paraffinoma.

oleomargarịna *f.* ⟨*Alim*⟩ oleomargarine, ⟨*fam*⟩ oleo, ⟨*fam*⟩ marge.

oleọ|metro *m.* oleometer. – **~rẹsina** *f.* oleoresin. – **~rifrattọmetro** *m.* oleorefractometer.

oleosità *f.* oiliness. – **oleọso** *a.* **1.** oily; (*untuoso*) greasy. – **2.** (*che ha l'aspetto dell'olio*) oily, oil-like, oleaginous. – **3.** (*oleifero*) oleiferous, oil-yielding.

oleo|stearịna *f.* ⟨*Ind*⟩ oleostearin(e). – **~torạce** *m.* ⟨*Med*⟩ oleothorax.

ọleum *lat. m.* ⟨*Chim*⟩ oleum.

olezzạnte (*p.pr. di olezzare*) *a.* ⟨*lett*⟩ **1.** (*odoroso*) fragrant, sweet-smelling. – **2.** ⟨*iron*⟩ (*maleodorante*) evil-smelling, malodorous. – **olezzạre** *v.i.* (*olẹzzo*; *aus.* **avere**) ⟨*lett*⟩ **1.** to smell sweet, to be fragrant, to perfume. – **2.** ⟨*iron*⟩ (*puzzare*) to stink, to smell (bad). – **olẹzzo** *m.* ⟨*lett*⟩ **1.** perfume, scent, fragrance, sweet smell. – **2.** ⟨*iron*⟩ (*cattivo odore*) stink, stench, (bad) smell.

olfattịvo *a.* olfactory, of smell: *sensazioni -e* olfactory sensations. – **olfạtto** *m.* (sense of) smell, olfaction. – **olfattometrịa** *f.* olfactometry. – **olfattọmetro** *m.* olfactometer. – **olfattọrio** *a.* olfactory: *nervo* ~ olfactory nerve.

Ọlga *N.pr.f.* Olga.

oliạggio *m.* **1.** ⟨*Mecc*⟩ oiling. – **2.** ⟨*Tess*⟩ batching.

oliạndolo *m.* ⟨*tosc*⟩ **1.** (*rivenditore d'olio*) oil seller. – **2.** (*operaio d'oleificio*) oil-mill worker.

oliạre *v.t.* (*ọlio, ọli*) **1.** (*ungere*) to oil. – **2.** ⟨*rar*⟩ (*condire*) to season with oil, to put oil on. – **3.** ⟨*Tess*⟩ to backwash, to oil, to batch.

oliạrio *m.* **1.** ⟨*ant*⟩ place for storing oil. – **2.** (*negli oleifici*) oil store-room.

oliạstro *a./s.* → **olivastro**.

oliạto (*p.p. di oliare*) *a.* **1.** (*unto*) oily, oiled. – **2.** (*condito*) with oil on, seasoned with oil. – **3.** ⟨*ant*⟩ (*contenente olio*) containing oil, oil-.

oliatọre *m.* **1.** (*recipiente*) oil-can, oiler. – **2.** ⟨*Mecc*⟩ oil feeder, lubrificator. □ ~ *a goccia* drip-feed oiler (*o* lubricator); ~ *a mano* oil-can, oiler; ~ *a pressione* oil-gun; ~ *a tazza* oil-cup.

oliatụra *f.* ⟨*Tess*⟩ oiling, batching.

olịbano *m.* ⟨*poet*⟩ (*incenso*) oliban(um), frankincense.

olidọso *m.* ⟨*Zool*⟩ (*taiasso*) white-lipped peccary (*Tayassu pecari*).

oliẹra *f.* oil cruet.

olifạnte *m.* ⟨*Mediev*⟩ oliphant, olifant.

oligạrca *m.* oligarch. – **oligarchịa** *f.* oligarchy. – **oligarchicamẹnte** *avv.* oligarchically. – **oligạrchico** *a./s.* (*pl.* **-ci**) **I** *a.* oligarchic(al), oligarchal. – **II** *s.m.* (*f.* **-a**) oligarch.

oligạsi *f.* ⟨*Chim*⟩ oligosaccharides *pl*.

oligịsto *m.* ⟨*Min*⟩ (*anche ferro oligisto*) oligist (iron), hematite.

oligo... *pref.* (*poco* few, little) olig(o)...

oligo|alịno *a.* low in salt content. – **~ạmnio** *m.* → **oligoidramnio**. – **~cẹne** *m.* ⟨*Geol*⟩ Oligocene (period). – **~chẹti** *m.pl.* ⟨*Zool*⟩ oligochaet(e)s *pl* (*Oligochaeta*). – **~cit(o)emịa** *f.* ⟨*Med*⟩ oligocythaemia.

– **~clạsio** *m.* ⟨*Min*⟩ oligoclase. – **~colịa** *f.* ⟨*Med*⟩ oligocholia. – **~crazịa** *f.* ⟨*non com*⟩ oligarchy, minority rule. – **~crom(o)emịa** *f.* ⟨*Med*⟩ oligochromaemia. – **~dinạmico** *a.* (*pl.* **-ci**) ⟨*Fisiol*⟩ oligodynamic: *azione -a* oligodynamic action; *elemento* ~ → **oligoelemento**. – **~dipsịa** *f.* ⟨*Med*⟩ oligodipsia. – **~elemẹnto** *m.* ⟨*Fisiol*⟩ trace element, micro-element. – **~emịa** *f.* ⟨*non com*⟩ (*anemia*) anaemia, oligaemia. – **~ẹmico** *a.* (*pl.* **-ci**) anaemic. – **~fịtico** *a.* (*pl.* **-ci**) → **oligofito**.

oligọ|fito *a.* ⟨*Agr*⟩ with (*o* of) few crops: *coltivazione -a* growing of few crops. – **~frenịa** *f.* ⟨*Med*⟩ oligophrenia, feeble-mindedness. – **~frẹnico** *a.* (*pl.* **-ci**) oligophrenic, feeble-minded. – **~idrạmnio** *m.* oligohydramnios, oligohydramnion. – **~idrọsi** *f.* olighydria, oligidria. – **~lecịtico** *a.* (*pl.* **-ci**) ⟨*Biol*⟩ oligolecithal, microlecithal. – **~menorrẹa** *f.* ⟨*Med*⟩ oligomenorrh(o)ea.

oligomerịa *f.* ⟨*Bot*⟩ oligomery. – **oligọmero** *a.* oligomerous.

oligo|metạllico *a.* (*pl.* **-ci**) → **oligominerale**. – **~minerạle** *a.* low in mineral content. – **~plasmịa** *f.* ⟨*Med*⟩ oligoplasmia. – **~pnẹa** *f.* oligopn(o)ea. – **~pọlio** *m.* ⟨*Econ*⟩ oligopoly. – **~polịsta I** *s.m./f.* oligopolist. – **II** *a.* oligopolistic. – **~polịstico** *a.* (*pl.* **-ci**) oligopolistic.

oligopsọnio *m.* ⟨*Econ*⟩ oligopsony. – **oligopsonịsta I** *s.m./f.* oligopsonist. – **II** *a.* oligopsonistic.

oligo|saccarạsi *f.* → **oligasi**. – **~scialịa** *f.* ⟨*Med*⟩ oligosialia, oligoptyalism. – **~spermịa** *f.* ⟨*Biol*⟩ oligospermia. – **~spẹrmo** *a.* ⟨*Bot*⟩ oligospermous, few-seeded.

oligọtrichi *m.pl.* ⟨*Zool*⟩ Oligotricha *pl* (*Oligotricha*).

oligotrichịa *f.* ⟨*Med*⟩ oligotrichia.

oligo|trofịa *f.* ⟨*Biol*⟩ oligotrophy. – **~trọfico** *a.* (*pl.* **-ci**) → **oligotrofo**.

oligọtrofo *a.* oligotrophic.

oligụria *f.* ⟨*Med*⟩ oliguria, oliguresis. – **oligụrico** *a.* (*pl.* **-ci**) oliguretic.

ọlim *lat. avv.* ⟨*scherz*⟩ (*una volta*) once.

Olịmpia *N.pr.f.* Olympia (*anche Geog.stor.*). – **olimpịaco** *a.* ⟨*non com*⟩ → **olimpico**. – **olimpịade** *f.* **1.** ⟨*Stor.gr*⟩ Olympian (*o* Olympic) Games *pl*, Olympiad; (*spazio di tempo*) Olympiad. – **2.** *pl.* ⟨*Sport*⟩ Olympic games *pl*, Olympics *pl*. □ *-i invernali* winter Olympics.

olimpicità *f.* Olympian calm (*o* detachment), imperturbability.

olịmpico *a.* (*pl.* **-ci**) **1.** (*dell'Olimpo*) Olympic, Olympian, of Olympus. – **2.** ⟨*fig*⟩ Olympic, Olympian, imperturbable, calm: *calma -a* Olympian calm. – **3.** (*di Olimpia*) Olympic, of Olympia. – **4.** ⟨*Sport*⟩ Olympic: *giochi -i* Olympic games, Olympics *pl*; *vincitore* ~ Olympic winner, winner of the Olympic games; (*nell'antichità*) Olympian, Olympic.

olịmpio *a.* **1.** (*dell'Olimpo*) Olympian, of Olympus. – **2.** (*di Olimpia*) Olympic, of Olympia.

olimpiọnico *a./s.* (*pl.* **-ci**) **I** *a.* Olympic: *campione* ~ Olympic champion; (*nell'antichità*) Olympian, Olympic. – **II** *s.m.* (*f.* **-a**) (*campione*) Olympic champion; (*atleta*) competitor in the Olympics; (*nell'antichità*) Olympian.

Olịmpo *N.pr.m.* **1.** ⟨*Geog*⟩ Olympus. – **2.** ⟨*Mitol*⟩ (*sede degli dei*) Olympus. – **3.** ⟨*poet*⟩ (*paradiso*) heaven, paradise. – **olimpo** *m.* (*ceto chiuso*) high society, exclusive set.

ọlio *m.* **1.** oil; (*olio da cucina*) cooking oil. – **2.** (*lubrificante*) oil. – **3.** ⟨*Pitt*⟩ (*quadro a olio*) oil(-painting).

□ ⟨*Cosmet*⟩ ~ **abbronzante** sun-tan oil, sun-oil; ~ **acido** acid oil; ⟨*Chim*⟩ ~ **additivato** (o *con additivi*) inhibited oil; ~ **animale** animal oil; ~ **anticorrosivo** anti-corrosion oil; ~ **antiruggine** slushing oil; ~ *di* **arachidi** peanut-oil; ~ *d'***arancio** orange oil; ~ *di* **balena** whale oil; ~ *di* **bergamotto** bergamot oil; ~ **bianco** white oil; ⟨*fig*⟩ **buttare** ~ *sul fuoco* to pour oil on the flames; ⟨*Mot*⟩ ~ *per* **cambi** gear-box oil; ~ *di* **canapa** hempseed oil; ~ *di* **canfora** camphor(ated) oil; ~ *per* **capelli** hair oil; ~ *di* **catrame** tar oil; **cheto** *come l'*~ peaceable, calm and collected; **chiaro** *come l'*~ crystal clear, as plain as day; ~ *di* **citronella** verbena oil; ~ *di* **cocco** coconut oil; **colore** *a* ~ oil (paint); ~ *di* **colza** colza oil; ~ **combustibile** fuel oil; ~ *combustibile pesante* heavy fuel oil; ~ **commestibile** edible oil; ~ **crudo** crude oil; **dare** *l'*~ *a qc.* to oil s.th.; ~ **denso** thick (*o* heavy) oil; **dipingere** *a* ~ to paint in oils; ~ **emolliente** process(ing) oil; ~ **emulsionabile** emulsifying oil; ~ **essenziale** (o *etereo*) essential oil; ~ *di* **eucalipto** eucalyptus oil; ~ *di* **finocchio** fennel oil; ~ *di* **flemma** fusel (oil); ~ **fluido** thin (*o* light) oil; **gettare** ~ *sul fuoco* = **buttare** *olio sul fuoco*; ⟨*fig*⟩ *gettare* ~ *sulle onde* (*sedare gli animi*) to pour oil on troubled waters; ~ *di* **girasole** sunflower oil; ⟨*fig*⟩ *con* ~ *di* **gomito** with elbow-grease; ~ **grafitato** graphitic oil; ~ **grasso** fatty oil; ~ **idraulico** hydraulic oil; ~ *per* **ingranaggi** gear oil; ⟨*Aut*⟩ ~ **invernale** winter oil; ~ **lampante** lamp oil; ~ *di* **lavaggio** flushing oil; ~ *di* **lavanda** lavender oil; ~ **leggero** light oil; ~ *di* **lino** linseed oil; **liscio** *come l'*~ very smooth, as smooth as glass, glassy; ⟨*fig*⟩ smoothly, without a hitch: *tutto è andato liscio come l'*~ everything went off smoothly; **livello** *dell'*~ oil level; ~ **lubrificante** lubricating oil; ~ *per* **macchine** machine oil; ~ *di* **mais** corn oil; ~ *di* **mandorle** almond oil; ~ *per* **massaggio** oil for massages; ~ *di fegato di* **merluzzo** cod-liver-oil; ~ **minerale** mineral oil; ~ *di* **mostarda** mustard oil; ~ **motore** (o *per motori*) motor (*o* engine) oil; ~ **multigrade** multigrade oil; ~ *di* **noce** walnut oil; ~ *di* **oliva** olive-oil; ~ *d'***ossa** bone oil; ~ *di* **palma** palm-oil; ~ *di* **palmisti** palm kernel (*o* nut) oil; ~ *di* **papavero** poppy oil; ~ *di* **paraffina** paraffin oil; ~ **pesante** heavy (*o* fuel) oil; ~ *di* **pesce** fish oil; ~ *di* **piede** neat's-foot oil; ~ *di legno di* **pino** pine oil; ~ *di aghi di pino* pine-needle oil; ~ **raffinato** refined oil; ~ *di* **resina** resin oil; **resistente** *all'*~ oilproof, oil resistant; ⟨*Farm*⟩ ~ *di* **ricino** castor-oil; ~ *di* **ricupero** scavenge oil; ⟨*Rel*⟩ ~ **santo** holy oil; (*estrema unzione*) extreme unction: *dare l'*~ *santo a qd.* to give s.o. extreme unction; *ricevere l'*~ *santo* to receive extreme unction; *essere all'*~ *santo* to be at ⌜death's door⌝ (*o* one's last gasp); ⟨*fig*⟩ to have reached the end of one's tether, to be at one's last gasp; ⟨*fig*⟩ *ridursi all'*~ *santo* to wait until the last minute; ~ *di* **semi** seed oil; ~ *di semi di cotone* cotton -seed oil; ~ *di semi di lino* = *olio di* **lino**; ~ *di semi di palma* = *olio di* **palmisti**; ~ *di* **senape** = *olio di* **mostarda**; ~ *di* **sesamo** sesame oil; ~ *di* **soia** soy (bean) oil; ~ **solare**: **1.** = *olio* **abbronzante**; **2.** ⟨*Ind*⟩ solar oil; ~ **solubile** soluble oil; ⟨*Gastr*⟩ **sott'**~ in oil: *funghi sott'*~ mushrooms in oil; ~ *da* **tavola** salad oil; *a* **tenuta** *d'*~ oil-sealed, oiltight; ⟨*Mot*⟩ ~ *di tenuta* seal oil; ~ *per* **trasformatori** transformer oil; ⟨*Aut*⟩ ~ **universale** = *olio* **multigrade**; ~ **usato** waste oil; ⟨*Mecc*⟩ used oil; ~ **vegetale** vegetable oil; ~ *di* **vetriolo** oil of vitriol, oleum; ~ *di* **vinaccioli** grapestone oil; ~ **volatile** = *olio* **essenziale**; **zitto** *come l'*~ as quiet as a mouse, as silent as the tomb.

oliọso *a.* ⟨*rar*⟩ → **oleoso**.

olịre *v.i.dif.* (only used in the infinitive, imperfect indicative and present participle) ⟨*poet*⟩ (*olezzare*) to be fragrant (*o* perfumed), to smell sweet (*o* good).

olịsmo *m.* ⟨*Filos*⟩ holism. – **olịstico** *a.* (*pl.* **-ci**) holistic.

olitọrio: ⟨*Archeol*⟩ *foro* ~ forum holitorium, vegetable market.

olịva I *s.f.* **1.** olive. – **2** *pl.* ⟨*Arch*⟩ olive-moulding. – **3.** ⟨*Legat*⟩ bobbin that holds a bookmark. – **4.** ⟨*ant*⟩ (*olivo*) olive (tree); (*ramo d'olivo*) olive-branch. – **II** *a.inv.* olive(-green).

□ **a** ~ olive-shaped, olivary; ⟨*Anat*⟩ ~ **accessoria** olive, olivary body; ⟨*Anat*⟩ ~ **bulbare** inferior olive (*o* olivary nucleus); **color** ~ olive(-green); *-e* **dolci** sweet olives; ⟨*Gastr*⟩ *-e* **farcite** stuffed olives; *-e* **nere** black olives; ⟨*Anat*⟩ ~ **protuberanziale** (o *superiore*) superior olive (*o* olivary nucleus); *-e da* **tavola** eating olives; *-e* **verdi** green olives.

olivạceo *a.* ⟨*non com*⟩ olive-green, olive(-coloured).

olivạgno *m.* ⟨*Bot*⟩ Russian olive, oleaster (*Elaeagnus angustifolia*).

olivạio *m.* (*locale*) store for olives. – **olivạre** *a.* olivary, olive-shaped. – **olivastrẹto** *m.* land where wild olives grow. – **olivạstro I** *a.* olive(-coloured), olivaceous: *carnagione -a* olive complexion. – **II** *s.m.* ⟨*Bot*⟩ wild olive, oleaster (*Olea europaea oleaster*). – **olivạto** *a.* ⟨*rar*⟩ (*rif. a terreno*) planted with olive trees.

olivẹlla *f.*, **olivẹllo** *m.* ⟨*Bot*⟩ **1.** (*ligustro*) privet (*Ligustrum vulgare*). – **2.** (*dafne*) spurge laurel (*Daphne*).

olivẹta *f.* ⟨*non com*⟩ → **oliveto**.

olivetạno I *a.* ⟨*Rel*⟩ Olivetan. – **II** *s.m.* Olivetan (monk).

olivetạto *a.* → **olivato**. – **olivẹto** *m.* olive-grove. □ ⟨*Bibl*⟩ *monte* ~ Mount of Olives. – **olivẹtta** (*dim. di oliva*) *f.* **1.** (*ferro da cesello*) (kind of) chisel, graving tool. – **2.** (*allacciatura degli alamari*) frog. – **olivịcolo** *a.* olive-growing, of olives, olive-. – **olivicoltọre** *m.* (*f.* **-trice**) olive grower. – **olivicoltụra** *f.* olive-growing. – **olivifọrme** *a.* ⟨*non com*⟩ → **olivare**.

olivịgno *a.* ⟨*lett*⟩ (*olivastro*) olive-, olive-coloured.

olivịle *m.* (*resina*) olive gum.

olivịna *f.* ⟨*Min*⟩ olivine. – **olivinịte** *f.* olivinite.

olivịno *m.* ⟨*Agr*⟩ young olive tree (grown from an ovule).

olịvo *m.* ⟨*Bot*⟩ **1.** olive (tree) (*Olea*; *Olea europaea*). – **2.** (*ramoscello*) olive-branch, olive-bough. □ ⟨*Rel.catt*⟩ ~ *benedetto* olive-branch which is blessed on Palm Sunday; ~ *di Boemia* → **olivagno**; ⟨*Bibl*⟩ *monte degli Olivi* Mount of Olives, Mount Olivet; ⟨*fig*⟩ *offrire un ramoscello d'*~ to extend the olive-branch; ⟨*Bot*⟩ ~ *selvatico* oleaster, wild olive (*Olea europaea oleaster*).

olivọna *f. accr. di* **oliva**.

ọlla *f.* **1.** ⟨*Archeol*⟩ earthenware jar (*o* pot). – **2.** ⟨*lett*⟩ (*pentola*) pot, jar.

ollivudiạno *a.* (*di Hollywood*) Hollywood-, Hollywoodian, of Hollywood.

olmạcee *f.pl.* ⟨*Bot*⟩ elm family (*Ulmaceae*).

olmạia *f.* → **olmeto**.

olmạria *f.* ⟨*Bot*⟩ meadow-sweet (*Spiraea ulmaria*).

olmạta *f.* ⟨*non com*⟩ (*filare di olmi*) row of elms; (*viale fiancheggiato da olmi*) elm-lined avenue. – **olmẹto** *m.* elm-grove.

ọlmio *m.* ⟨*Chim*⟩ holmium.

ọlmo *m.* **1.** ⟨*Bot*⟩ elm (*Ulmus*). – **2.** ⟨*Bot*⟩ smooth-leaved (*o* French) elm (*Ulmus campestris*; *Ulmus carpinifolia*). – **3.** (*nel gioco della passatella*) player left with nothing to drink. □ ⟨*Bot*⟩ ~ *montano* (o *riccio*) wych-elm, witch-elm (*Ulmus montana*; *Ulmus glabra*).

olo... *pref.* (*intero* entire, whole) hol(o)...

oloạrtico *a.* → **olartico**.

olocạusto I *a.* ⟨*lett*⟩ **1.** (*bruciato*) burnt. – **2.** ⟨*fig*⟩ (*sacrificato*) sacrificed, martyred. – **II** *s.m.* **1.** ⟨*Stor*⟩ burnt offering, holocaust. – **2.** ⟨*fig*⟩ (*sacrificio*) sacrifice, holocaust. □ *fare* ~ *di sé* to sacrifice o.s., to give (*o* offer up) one's life; *in* ~ as a sacrifice; *offrirsi in* ~ to give (*o* offer up) one's life.

olo|cẹfali *m.pl.* ⟨*Itt*⟩ holocephal(i)ans *pl* (*Holocephali*). – **~cẹne** *m.* ⟨*Geol*⟩ Holocene (period). – **~cẹnico** *a.* (*pl.* **-ci**) Holocene, Recent.

olọ|crino *a.* ⟨*Anat*⟩ holocrine. – **~cristallịno** *a.* ⟨*Min*⟩ holocrystalline. – **~ẹdrico** *a.* (*pl.* **-ci**) holohedral: *cristallo* ~ holohedral crystal. – **~enzịma** *m.* ⟨*Chim*⟩ holoenzyme.

olọ|fano *a.* Holophane-: *vetro* ~ Holophane glass. – **~fermẹnto** *m.* → **oloenzima**.

Olofẹrne *N.pr.m.* ⟨*Bibl*⟩ Holofernes.

olo|fịtico *a.* (*pl.* **-ci**) ⟨*Bot*⟩ holophytic. – **~frạstico** *a.* (*pl.* **-ci**) ⟨*Ling*⟩ holophrastic.

olo|grafo *a.* holograph, holographic(al): *testamento* ~ holograph(ic) will. – **~metabolia** *f.* ⟨*Entom*⟩ holometabolism, holometaboly. – **~metabolo I** *a.* holometabolous, holometabolic. – **II** *s.m.* holometabolous insect, metabolian. – **~morfo** *a.* ⟨*Mat*⟩ holomorphic.
olona *f.* ⟨*Tess*⟩ sailcloth, canvas, duck (cloth).
olo|nomo *a.* ⟨*Fis*⟩ holonomic. – **~parassita I** *a.* ⟨*Bot*⟩ holoparasitic. – **II** *s.m.* holoparasite. – **~parassitismo** *m.* holoparasitism. – **~proteide** *m.*, **~proteina** *f.* ⟨*Chim*⟩ simple protein.
olore *m.* ⟨*ant*⟩ (*odore*) smell, odour.
olo|saprofita I *a.* ⟨*Bot*⟩ holosaprophytic. – **II** *s.f.* holosaprophyte. – **~siderite** *f.* ⟨*Astr*⟩ holosiderite.
olossido *m.* ⟨*Chim*⟩ peroxide.
olosterico: ⟨*Meter*⟩ *barometro* ~ holosteric barometer.
olotrichi *m.pl.* ⟨*Zool*⟩ holotrichs *pl* (*Holotricha*).
oloturia *f.* ⟨*Zool*⟩ holothurian (*Holothuria*).
oloturoidei, oloturoidi *m.pl.* ⟨*Zool*⟩ sea cucumbers *pl*, holothurians *pl*, holothurioids *pl* (*Holothuroidea*).
olozoico *a.* (*pl.* **-ci**) ⟨*Biol*⟩ holozoic.
olpe *f.* ⟨*Archeol*⟩ olpe.
olpidiacee *f.pl.* ⟨*Bot*⟩ Olpidiaceae *pl* (*Olpidiaceae*).
oltana *f.* ⟨*Pesc*⟩ kind of fishing-net.
oltra *prep./avv.* ⟨*ant*⟩ → **oltre**.
oltra... *pref.* → **oltre...**
oltracciò *avv.* ⟨*lett*⟩ (*oltre a ciò*) furthermore, moreover, besides, in addition.
oltracotante *a.* ⟨*lett*⟩ (*tracotante*) arrogant, haughty, overbearing. – **oltracotanza** *f.* ⟨*lett*⟩ (*tracotanza*) arrogance, haughtiness, overbearing manner. – **oltracotato** *a.* ⟨*ant*⟩ → **oltracotante**.
oltraggiabile *a.* liable to outrage, offendable. – **oltraggiamento** *m.* ⟨*non com*⟩ outraging; (*offesa*) outrage, offence, insult. – **oltraggiare** *v.t.* (**oltraggio, oltraggi**) **1.** to outrage; (*offendere*) to offend, to insult. – **2.** (*profanare*) to profane; (*violare*) to violate, to break, to desecrate; (*rif. a una donna*) to ravish, to outrage, to violate. – **oltraggiatore** *m.* (*f.* **-trice**) **1.** outrager; (*che offende*) offender, insulter. – **2.** (*violatore*) violator.
oltraggio *m.* **1.** outrage; (*affronto*) affront: *subire un* ~ to suffer an affront; (*offesa, ingiuria*) offence, insult. – **2.** (*violenza*) outrage (*a* against), violation (of). – **3.** ⟨*lett*⟩ (*danno*) damage, ravages *pl.* – **4.** ⟨*non com*⟩ (*sopruso*) wrong, injustice. – **5.** ⟨*Dir*⟩ offence, outrage. – **6.** ⟨*ant*⟩ (*eccesso*) excess. □ *fare un* ~ *a qd.* to outrage s.o., to commit an outrage against s.o.; ⟨*Dir*⟩ ~ *alla magistratura* contempt of court; ⟨*Dir*⟩ ~ *al pudore* indecent behaviour; ⟨*poet*⟩ *l'*~ *del tempo* the ravages of time; ⟨*Dir*⟩ ~ *a pubblico ufficiale* insult to a public official.
oltraggiosamente *avv.* outrageously, offensively. – **oltraggioso** *a.* **1.** outrageous; (*offensivo*) offensive, insulting; (*che reca danno*) injurious. – **2.** ⟨*ant*⟩ (*eccessivo*) excessive.
oltralpe (o *oltr'alpe*) *avv.* beyond the Alps, transalpine: *paesi d'*~ countries beyond the Alps.
oltra|mare *a./avv./s.* ⟨*ant*⟩ → **oltremare**. – **~marino** *a./s.* ⟨*ant*⟩ → **oltremarino**. – **~modo** *avv.* ⟨*ant*⟩ → **oltremodo**. – **~mondano** *a.* ⟨*ant*⟩ → **oltremondano**. – **~montano** *a.* **1.** (from) beyond the mountains, ultramontane; (*d'oltralpe*) (from) beyond the Alps; (*straniero*) foreign. – **2.** ⟨*Rel,non com*⟩ (*ultramontano*) ultramontane.
oltranza *f.* **1.** ⟨*non com*⟩ exaggeration, excess. – **2.** ⟨*ant*⟩ (*oltraggio*) outrage. □ *a* ~ to the last, to the death, to the bitter end: *combattere a* ~ to fight to the bitter end; ⟨*Sport*⟩ *gara a* ~ match that goes into overtime; *sciopero a* ~ strike for an indefinite period.
oltranzismo *m.* ⟨*Pol*⟩ extremism. – **oltranzista** *m./f.* extremist.
oltrapassare *v.* ⟨*ant*⟩ → **oltrepassare**.
oltrarno *m.* the left bank of the Arno in Florence.
oltrarsi *v.r.* (**mi oltro**) ⟨*ant*⟩ (*inoltrarsi*) to advance, to go forward.
oltre I *prep.* **1.** (*al di là di*: *stato*) beyond, on the other side of, over, across: ~ *le Alpi* beyond the Alps; (*moto*) beyond, over, to the other side of, across. – **2.** (*più di*) more than, over, above: *ha un debito di* ~ *centomila lire* he has a debt of over a hundred thousand lire. – **3.** (*in aggiunta a*) in addition to, besides, as well as, apart from. – **II** *avv.* **1.** farther, further; (*rif. a luogo*) past, beyond, farther on: *passare* ~ to go past. – **2.** (*più a lungo*) longer, more; (*in frasi negative*) any more, no longer, any longer; *non posso attendere* ~ I cannot wait any longer, I can wait no longer.
□ ~ **a**: 1. (*in aggiunta*) in addition to, besides, as well as, apart from: ~ *a essere ignorante è anche sciocca* besides (*o* as well as) being rude she is also stupid; 2. (*all'infuori di*) except, with the exception of, apart from, only: ~ *a pochi intimi non c'era nessuno* no one was present except (*o* apart from) a few close friends, only a few close friends were there; ~ *a me nessuno è riuscito nell'esame* no one except me passed the examination, I was the only one who passed the exam; ~ *a perdonargli lo ha fatto anche suo amico* not only did he forgive him, he also became his friend; **andare** ~ *qc.* to go beyond s.th.; (*passare accanto*) to pass by s.th., to pass on; *essere* ~ *negli* **anni** to be well on in years, to be getting on; ~ *a* **ciò** besides (*o* as well as) this; ~ *ogni* **credere** beyond (*o* past) belief, unbelievable, incredible; ~ *ogni* **dire** unspeakably, inexpressibly; **e** ~ or more, or longer: *è durato un'ora e* ~ it lasted an hour or more; ~ *ogni* **limite** (o *misura*) exceedingly, beyond measure; **più** ~ later on; **troppo** ~ too far: *è andata troppo* ~ *nello scherzo* she carried the joke too far.
oltre... *pref.* **1.** (*oltre* beyond) ultra..., trans... – **2.** (*eccessivo* excessive) ultra...

oltreché (o *oltre che*) *congz.* ⟨*lett*⟩ as well as, besides.
oltre|cortina I *a.* behind the Iron Curtain. – **II** *s.m.* Iron Curtain countries *pl.* – **~manica I** *a.* (lying) beyond the (English) Channel. – **II** *s.m.* Great Britain, lands *pl* beyond the (English) Channel; (*Inghilterra*) England. – **~mare I** *a.* ultramarine: *blu* ~ ultramarine (blue). – **II** *avv.* overseas, beyond (*o* over) the sea, across the ocean. – **III** *s.m.* ⟨*ant*⟩ **1.** (*lapislazzuli*) lapis lazuli. – **2.** (*color azzurro intenso*) ultramarine (blue), lapis lazuli (blue). □ *d'*~ overseas: *paesi d'*~ overseas countries; (*provenienza*) from overseas. – **~marino I** *a.* **1.** (*d'oltremare*) oversea(s), beyond the seas; (*provenienza*) from overseas. – **2.** (*rif. a colore*) ultramarine. – **II** *s.m.* ⟨*non com*⟩ ultramarine (blue). – **~mirabile** *a.* ⟨*ant*⟩ (*mirabilissimo*) marvellous, very admirable. – **~misura** (o *oltre misura*) *avv.* → **oltremodo**. – **~modo** (o *oltre modo*) *avv.* ⟨*lett*⟩ extremely, exceedingly, greatly, very: *annoiarsi* ~ to be exceedingly (*o* very) bored; (*eccessivamente*) excessively. – **~mondano** *a.* ⟨*lett*⟩ of another world, beyond this world, ultramundane. – **~montano** *a.* ⟨*non com*⟩ → **oltramontano**. – **~monte, ~monti** *avv.* ⟨*rar*⟩ (*al di là dei monti*) beyond (*o* over) the mountains. – **~oceano I** *avv.* across the ocean, overseas. – **II** *s.m.* country (*o* countries *pl*) overseas.
oltrepassabile *a.* ⟨*non com*⟩ surmountable, passable.
oltrepassare *v.t.* **1.** to go beyond, to cross: ~ *la soglia* to cross the threshold; (*valicare*) to cross: ~ *un monte* to cross a mountain. – **2.** (*superare*) to pass, to outstrip, to overtake: ~ *qd. nella corsa* to pass s.o. in the race; (*in classifica e sim.*) to outdo, to beat, to surpass. – **3.** ⟨*fig*⟩ to exceed, to go beyond, to overstep, to pass: ~ *i limiti* to pass all bounds, to overstep the limit (*o* mark). – **4.** ⟨*Mar*⟩ (*doppiare*) to round. – **5.** ⟨*fig*⟩ (*andare oltre*) to overstep, to exceed: ~ *i propri poteri* to exceed one's powers. □ ~ *i limiti dello scherzo* to carry a joke too far.
oltre|tomba *m.inv.* ⟨*lett*⟩ hereafter, afterlife, next world. □ *sembrare tornato dall'*~ to have a haggard look, to look as if one has come back from the grave; *con una voce d'*~ in a hollow voice. – **~umano** *a.* superhuman.
O.M. = *Officine Meccaniche.*
omaccino (*dim. di omaccio*) *m.* ⟨*tosc,pop*⟩ (*uomo furbo*) shrewd fellow, ⟨*am.fam*⟩ smart guy. – **omaccio** *m. pegg. di* **uomo**. – **omaccione** *m. accr. di* **omaccio**.
omaggiare *v.t.* (**omaggio, omaggi**) ⟨*non com*⟩ to pay (*o* do) homage to, to pay one's respects to.
omaggio *m.* **1.** homage. – **2.** *pl.* respects *pl*: *porgere i propri omaggi a qd.* to pay one's respects to s.o.; (*complimenti*) compliments *pl*, respects *pl*, regards *pl.* – **3.** ⟨*fig*⟩ (*riconoscimento*) homage, tribute. – **4.** (*offerta, regalo*) gift, present, complimentary offer. – **5.** ⟨*Comm*⟩ sample. – **6.** ⟨*Mediev*⟩ homage.
□ ~ **dell'autore** with the author's compliments; **fare** *atto d'*~ to do (*o* render) homage; ~ **floreale** flowers *pl*; **in** ~ as a gift; ⟨*Comm*⟩ free, gratis, complimentary, as a sample (*o* specimen); *copia in* ~ complimentary (*o* sample) copy, presentation copy; **offrire** *qc. in* ~ *a qd.* to make s.o. a present of s.th.; **prestare** (o *rendere*) ~ *a qd.* to pay s.o. one's respects; **ricevere** *qc. in* ~ to be given (*o* presented with) s.th., to receive s.th. free of charge; *in* ~ *alla* **verità** out of regard for the truth.
omagra *f.* ⟨*Med,non com*⟩ omagra, gout in the shoulder.
omai *avv.* ⟨*lett*⟩ → **ormai**.
omaiade *a./s.* → **omayyade**.
omalgia *f.* ⟨*Med*⟩ omalgia, omodynia.
omalografico *a.* (*pl.* **-ci**) ⟨*Geog*⟩ homolographic.
omalopside: ⟨*Zool*⟩ ~ *boccata* homalopsid (*Homalopsis buccata*).
omarino *m.* ⟨*region*⟩ **1.** (*omuncolo*) wretched little fellow, shrimp. – **2.** (*rif. a bambino*) little fellow (*o* man).
omaro *m.* ⟨*Zool*⟩ (*gambero di mare*) lobster (*Homarus vulgaris*).
omartrite *f.* ⟨*Med,non com*⟩ omarthritis.
omaso (o *omaso*) *m.* ⟨*Zool*⟩ omasum.
omayyade I *a.* ⟨*Stor*⟩ Umayyad, Omayyad. – **II** *s.m.* Umayyad, Omayyad.
ombelicale *a.* ⟨*Anat*⟩ umbilical: *cordone* ~ umbilical cord, navel string. – **ombelicato** *a.* ⟨*Biol,Med*⟩ umbilicate. – **ombelicatura** *f.* ⟨*Med*⟩ umbilication, dimpling. – **ombelicazione** *f.* umbilication.
ombelico *m.* (*pl.* **-chi**) **1.** ⟨*Anat*⟩ umbilicus, navel, ⟨*pop*⟩ belly-button. – **2.** ⟨*fig,lett*⟩ (*punto centrale*) centre, heart, core. – **3.** ⟨*non com*⟩ (*umbone di scudo*) umbo. □ ⟨*Bot*⟩ ~ *del seme* hilum; ⟨*Bot*⟩ ~ *di Venere* pennywort, navelwort (*Cotyledon umbilicus-veneris*).
ombellicale *a.* ⟨*non com*⟩ → **ombelicale**. – **ombellico** *m.* ⟨*pop*⟩ → **ombelico**. – **ombilico** *m.* ⟨*non com*⟩ → **ombelico**.
ombra[1] **I** *s.f.* **1.** shade: *all'*~ *di un albero* in the shade of a tree. – **2.** (*immagine proiettata*) shadow. – **3.** (*oscurità, tenebra*) dark, shadows *pl*, obscurity. – **4.** (*spettro*) shade, ghost. – **5.** ⟨*fig*⟩ (*velo*: *sul viso e sim.*) shadow. – **6.** (*vana apparenza*) shadow, rainbow, will-o'-the-wisp: *correre dietro alle -e* to chase rainbows. – **7.** ⟨*fig*⟩ (*quantità minima*) touch, hint; (*in frasi negative*) trace, shadow, vestige, bit; (*rif. a bevande*) drop, touch, dash. – **8.** ⟨*fig*⟩ (*riparo, protezione*) protection, shelter, shield: *all'*~ *della legge* under the protection of the law, shielded by the law. – **9.** ⟨*fig*⟩ (*pretesto*) pretence, pretext, appearance, cover: *sotto l'*~ *della beneficenza* using charity as a cover, under pretext of charity. – **10.** (*gioco di carte*) ombre. – **11.** *pl.* ⟨*Pitt*⟩ (*toni scuri*) shading, shade. – **12.** ⟨*Radiol*⟩ skiagram, X-ray shadowgraph. – **13.** ⟨*Mitol*⟩ (*spettro*) shade. – **14.** ⟨*Psic*⟩ shadow. – **15.** ⟨*ven*⟩ (*bicchiere di vino*) glass of wine. – **16.** ⟨*poet*⟩ (*notte*) night. – **II** *a.* shadow-: *gabinetto* ~ shadow cabinet.

□ *-e* **cinesi** (Chinese) shadows, shadow-theatre; ⟨*Astron*⟩ **cono** *d'*~ umbra; ⟨*fig*⟩ **dare** ~ *a qd.* (*farlo insospettire*) to arouse s.o.'s suspicions; *senza* ~ *di* **dubbio** without a shadow of doubt; ⟨*fig*⟩ **essere** *l'*~ *di qd.* to be s.o.'s shadow, to stick close to s.o.; **fare** ~ to give shadow; *fare* ~ *a qd.* to give (*o* afford) s.o. shade; *farsi* ~ *agli occhi* to shade one's eyes; ~ **fitta** (*o folta*) deep shade (*o* shadow); ⟨*fig*⟩ **gettare** ~ *su qc.* to cast a shadow on s.th., to reflect upon s.th.; ⟨*Art*⟩ **luci** *e -e* light and shade; ⟨*scherz*⟩ *vivere all'*~ *della* **Madonnina** (*a Milano*) to live in Milan; ⟨*fig*⟩ **mettere** *in* ~ *qd.* to put s.o. in the shade, to eclipse (*o* overshadow) s.o.; ⟨*Art*⟩ **mezz'**~ half -shade, penumbra; ⟨*fig*⟩ *rimanere* (o *restare*) **nell'**~ to stay in the background, to be behind the scenes, to act secretly; ⟨*fig*⟩ *lasciare qd. nell'*~ to leave s.o. in obscurity; **parere** *l'*~ *di qd.* = **essere** *l'ombra di qd.*; ⟨*fam*⟩ *nemmeno* (o *neppure*) **per** ~ by no means, certainly not, ⟨*fam*⟩ not on your life; ⟨*fig*⟩ **prendere** (o *pigliare*) ~ *di qc.* (*impermalirsi*) to take offence (*o* umbrage) at s.th.; *prendere* ~ (*rif. a cavalli*) to shy; **proiettare** *la propria* ~ *su qc.* to cast one's shadow onto s.th.; ⟨*fig*⟩ to overshadow (*o* dominate) s.th.; *non avere l'*~ *di un* **quattrino** not to have a penny to one's name, to have not so much as a penny; ⟨*Mitol*⟩ *il* **regno** *delle -e* the shades, Hades; *essere l'*~ *di* **se** *stesso* to be the shadow of one's former self; **seguire** *qd. come un'*~ = **essere** *l'ombra di qd.*; *senz'*~ *di* **sospetto** without the slightest suspicion; ⟨*Art*⟩ **terra** *d'*~ umber; ⟨*fig*⟩ **trarre** *qd. dall'*~ to bring s.o. into the limelight; ⟨*Astr*⟩ *-e* **volanti** shadow bands; ⟨*Rad*⟩ **zona** *d'*~ shadow (*o* risk, blind) area.

ọmbra[2] *f.* ⟨*Itt*⟩ **1.** (*ombrina*) umbra, umbrine (*Umbrina cirrhosa*). – **2.** (*bocca d'oro*) maigre, meagre (*Sciaena aquila*). – **3.** (*corvina*) brown umbra (*Corvina nigra*). – **4.** (*pesce pilota*) pilot fish (*Naucrates ductor*).

ombrạre *v.* (ọmbro) **I** *v.t.* ⟨*non com*⟩ **1.** to shade, to shadow, to throw shade on, to make shady. – **2.** (*offuscare*) to darken, to shade, to overcast. – **3.** ⟨*Pitt*⟩ to shade. – **4.** ⟨*assol*⟩ (*spargere ombra*) to (give) shade, to cast a shadow. – **II** *v.i.* (*aus.* **avere**) ⟨*ant*⟩ (*adombrarsi*) to take umbrage. – **ombrarsi** *v.r.* **1.** ⟨*lett*⟩ (*coprirsi d'ombra*) to become shadowy, to be lost in the shadows, to grow dark. – **2.** ⟨*fig*⟩ (*adombrarsi*) to take umbrage (*o* offence).

ombrạtile *a.* ⟨*non com*⟩ (*umbratile*) shady, shadowy, dark, shrouded.

ombrạto (*p.p. di ombrare*) **I** *a.* **1.** (*ombreggiato*) shaded, shady, shadowy; (*offuscato*) darkened, overcast, shaded: *sole* ~ overcast sun. – **2.** (*leggermente sporco*) slightly marked (*o* spotted). – **3.** (*che presenta ombre*) marked, unevenly coloured. – **4.** (*rif. a liquidi*) with a dash (*o* drop) of something in it, slightly coloured: *latte* ~ milk with a drop of coffee in it. – **5.** ⟨*Pitt*⟩ shaded. – **II** *s.m.* → **ombratura**.

ombratụra *f.* **1.** (*nel disegno*) shading, hatching; (*in pittura*) shading. – **2.** (*zona più scura*) dark patch, mark, shadow.

ombreggiamẹnto *m.* → **ombreggiatura**.

ombreggiạre *v.t.* (**ombrẹggio, ombrẹggi**) **1.** (*fare ombra*) to shade, to shadow, to throw shade on, to make shady. – **2.** (*nel disegno*) to shade, to hatch; (*in pittura*) to shade. – **3.** ⟨*Cosmet*⟩ to put shadow on: ~ *le palpebre* to put eyeshadow on. – **ombreggiạto** (*p.p. di ombreggiare*) *a.* **1.** shady, shaded. – **2.** (*nel disegno*) shaded, hatched; (*in pittura*) shaded. – **3.** ⟨*Cosmet*⟩ with shadow on. – **ombreggiatụra** *f.* **1.** (*atto*) shading; (*effetto*) shading, shade. – **2.** (*nel disegno*) shading, hatching; (*in pittura*) shading. – **3.** ⟨*Cosmet*⟩ putting on of shadow; ⟨*concr*⟩ shadow.

ombrẹlla *f.* **1.** ⟨*Bot*⟩ umbel. – **2.** ⟨*Zool*⟩ umbrella, swimming-bell. – **3.** ⟨*lett*⟩ (*intreccio di rami*) umbrella, twisting boughs *pl.* – **4.** ⟨*region*⟩ (*ombrello*) umbrella. □ ⟨*Bot*⟩ ~ *composta* compound umbel; ~ *semplice* simple umbel.

ombrellạio *m.* (*f.* **-a**) **1.** (*fabbricante*) umbrella maker. – **2.** (*venditore*) umbrella seller. – **3.** (*operaio ambulante*) strolling umbrella mender, umbrella man.

ombrellạre *a.* ⟨*Zool*⟩ of the swimming-bell.

ombrellạta *f.* blow with an umbrella. – **ombrellẹtto** *m. dim. di* **ombrello**. – **ombrelliẹre** *m.* ⟨*ant*⟩ (*ombrellaio*) **1.** (*fabbricante*) umbrella maker. – **2.** (*venditore*) umbrella seller.

ombrellịfere *f.pl.* ⟨*Bot*⟩ umbellifers *pl* (*Umbrelliferae, Apiaceae*).

ombrellifịcio *m.* umbrella factory. – **ombrellịno** (*dim. di ombrello*) *m.* **1.** (small) umbrella; (*ombrello da donna*) (lady's) umbrella. – **2.** (*parasole*) parasol, sunshade. – **3.** ⟨*Rel*⟩ canopy.

ombrẹllo *m.* **1.** umbrella, ⟨*fam*⟩ brolly, ⟨*fam*⟩ gamp: *aprire l'*~ to put up the umbrella; *ripararsi sotto l'*~ to get under the umbrella. – **2.** (*oggetto a forma di ombrello*) umbrella. □ ~ *da donna* lady's umbrella; ~ *pieghevole* folding umbrella; ~ *da pioggia* umbrella; ~ *di seta* silk umbrella; ~ *da sole* parasol, sunshade.

ombrellọne (*accr. di ombrello*) *m.* umbrella. □ ~ *da giardino* garden umbrella; ~ *da spiaggia* beach umbrella. – **ombrellụccio** *m. dim. di* **ombrello**.

ombrẹtto *m.* ⟨*Cosmet*⟩ eyeshadow.

ombrẹvole *a.* ⟨*rar*⟩ (*ombroso*) shady, shaded, shadowy.

ombrịa[1] *f.* ⟨*ant,region*⟩ (*ombra*) shade.

ombrịa[2] *f.* ⟨*Itt*⟩ (*corifena*) dolphin, coryphene (*Coryphaena hippurus*).

ombrịfero *a.* ⟨*lett*⟩ **1.** shady, shadowy, giving shade. – **2.** ⟨*fig*⟩ (*che adombra*) hinting at.

ombrịna *f.* ⟨*Itt*⟩ umbra, umbrine (*Umbrina cirrhosa*). □ ~ *leccia* maigre, meagre (*Sciaena aquila*).

ombrinạle *m.* ⟨*Mar*⟩ scupper, watercourse.

ombrịo *m.* ⟨*tosc,ant*⟩ (*luogo ombroso*) shady place.

ombrịvago *a.* (*pl.* **-ghi**) ⟨*Bot*⟩ sciophilous, shade-loving.

ombro... *pref.* (*pioggia* rain) ombro..., rain-.

ombrofilịa[1] *f.* ⟨*Med*⟩ morbid love of shadows.

ombrofilịa[2] *f.* ⟨*Bot*⟩ ombrophily. – **ombrọfilo** *a.* ombrophilous, ombrophilic.

ombrọfita *a.* ⟨*Bot*⟩ shade-loving, shade-. □ *pianta* ~ ombrophyte.

ombrofobịa[1] *f.* ⟨*Med*⟩ morbid fear of shadows.

ombrofobịa[2] *f.* ⟨*Bot*⟩ ombrophoby. – **ombrọfobo** *a.* ombrophobous.

ombrọgrafo *m.* ombrograph. – **ombrometrịa** *f.* ⟨*non com*⟩ (*pluviometria*) pluviometry. – **ombrọmetro** *m.* (*pluviometro*) ombrometer, pluviometer, rain-gauge. – **ombroscọpio** *m.* (*pluvioscopio*) pluvioscope, rain-gauge.

ombrosẹtto *a. dim. di* **ombroso**. – **ombrosità** *f.* **1.** shadiness, shadowiness. – **2.** ⟨*fig*⟩ touchiness; (*rif. a cavalli*) skittishness.

ombrọso *a.* **1.** shady, shaded, shadowy: *viale* ~ shady walk. – **2.** (*che dà ombra*) shady. – **3.** (*rif. a cavalli*) skittish. – **4.** ⟨*fig*⟩ (*sospettoso*) suspicious; (*permaloso*) touchy, quick to take offence. – **5.** ⟨*ant*⟩ (*malinconico*) melancholy, gloomy; (*amante delle tenebre*) fond of darkness. – **6.** ⟨*ant*⟩ (*rif. a colore*: *smorto*) dull, opaque.

omẹga (o *ọmega*) *m.* (*pl.* **omẹga**/*pop.* **omẹghi**) **1.** (*ultima lettera dell'alfabeto greco*) omega. – **2.** ⟨*fig*⟩ (*fine*) omega, end(ing), last: *dall'alfa all'*~ from beginning to end, from A to Z, from first to last. – **3.** ⟨*Mar*⟩ O-flag.

omegatrọne *m.* ⟨*Fis*⟩ omegatron.

omẹi ⟨*ant*⟩ **I** *intz.* (*ohimè*) alas, woe is me. – **II** *s.m.pl.* **1.** (*lamenti*) lamentations *pl*, weeping, cries *pl* of woe. – **2.** ⟨*estens*⟩ (*avvenimenti dolorosi*) griefs *pl*, troubles *pl*, afflictions *pl*.

omelette *fr.* [ɔmˈlɛt] *f.* ⟨*Gastr*⟩ omelette.

omelịa *f.* **1.** ⟨*Rel*⟩ homily, sermon. – **2.** ⟨*fig,scherz*⟩ (*predicozzo*) sermon, (moral) lecture, talking-to. – **omeliạrio** *m.* ⟨*Mediev*⟩ homiliary, book of homilies.

omentạle *a.* ⟨*Anat*⟩ omental. – **omentịte** *f.* ⟨*Med*⟩ omentitis. – **omẹnto** *m.* ⟨*Anat*⟩ omentum: *grande* ~ greater (*o* gastrocolic) omentum; *piccolo* ~ lesser (*o* gastrohepatic) omentum.

omeo... *pref.* (*simile* like, similar) homoe(o)..., home(o)..., homoi(o)..

omeo|clamidạto, ~clạmide *a.* ⟨*Bot*⟩ homochlamydeous, homoiochlamydeous.

omeọ|geno *a.* ⟨*Geol*⟩ authigenic, authigenous. – **~merịa** *f.* ⟨*Filos*⟩ homoeomery, homoeomeria. – **~morfịsmo** *m.* hom(o)eomorphism. – **~patịa** *f.* ⟨*Med*⟩ hom(o)eopathy. – **~pạtico** *a./s.* (*pl.* **-ci**) **I** *a.* hom(o)eopathic. – **II** *s.m.* hom(o)eopath. □ *dosi omeopatiche* very small doses, homoeopathic doses; *medico* ~ hom(o)eopath, hom(o)eopathist. – **~plasịa** *f.* ⟨*Bot*⟩ hom(o)eoplasia. – **~polạre** *a.* ⟨*Chim*⟩ (*covalente*) covalent.

omeọstasi *f.* ⟨*Biol*⟩ hom(o)eostasis. – **omeostạtico** *a.* (*pl.* **-ci**) hom(o)eostatic.

omeo|telẹuto **I** *a.* ⟨*non com*⟩ homoeoteleutic. – **II** *s.m.* ⟨*Ret,Filol*⟩ homoeoteleuton. – **~termịa** *f.* ⟨*Zool*⟩ homoiothermy, warm-bloodedness. – **~tẹrmo** **I** *a.* homoiothermic, warm-blooded. – **II** *s.m.* homoiotherm, warm-blooded animal.

omerạle *a.* ⟨*Anat*⟩ humeral. □ *arteria* ~ humeral artery; ⟨*Lit*⟩ *velo* ~ humeral veil.

omẹrico *a.* (*pl.* **-ci**) **1.** Homeric, of Homer, Homer's. – **2.** ⟨*fig*⟩ (*grandioso, eccezionale*) Homeric, of epic proportions, gargantuan, great, huge: *risata -a* Homeric (*o* gargantuan) laughter; *appetito* ~ huge appetite. – **omẹrida** *m.* ⟨*Lett*⟩ Homerid. – **omerịsta** *m./f.* **1.** ⟨*Stor*⟩ actor who played Homeric parts. – **2.** (*studioso*) Homerist, Homerid, Homeric scholar.

ọmero (o *ọmero*) *m.* **1.** ⟨*Anat*⟩ humerus. – **2.** ⟨*lett*⟩ (*spalla*) shoulder. – **3.** ⟨*rar*⟩ (*cima di monte*) summit, top.

Omẹro *N.pr.m.* ⟨*Stor*⟩ Homer.

omertà *f.* **1.** conspiracy of silence. – **2.** ⟨*estens*⟩ (*tacita complicità*) tacit (*o* unspoken) complicity.

omẹsso (*p.p. di omettere*) *a.* (*tralasciato*) omitted, left out; (*non fatto*) omitted, neglected. – **omẹttere** *v.t.* (**omịsi, omẹsso**) **1.** (*tralasciare*) to omit, to leave out, not to insert: ~ *la data* to omit the date. – **2.** (*non fare*) to omit, to neglect: ~ *di fare una denuncia* to neglect to make a report. □ *non* ~ *di dirglielo* be sure to tell him.

omettịno *m. dim. di* **ometto**.

omẹtto (*dim. di uomo*) *m.* **1.** little fellow, wee chap. – **2.** ⟨*scherz*⟩ (*rif. a bambino*) little man (*o* fellow). – **3.** ⟨*Arch*⟩ (*monaco*) kingpost, queenpost. – **4.** ⟨*Alp*⟩ pyramid of rocks (erected by the first climber to reach a summit). – **5.** (*nel biliardo*) skittle, ninepin. – **6.** ⟨*region*⟩ (*gruccia*) (clothes-)hanger.

omicciạtto(lo) *m.* → **omiciattolo**. – **omicciọlo** *m. dim. di* **uomo**. – **omiciạttolo** (*dim. di uomo*) *m.* ⟨*spreg*⟩ shrimp; (*uomo meschino*) wretch, niggard.

omicịda **I** *s.m./f.* **1.** murderer, homicide, manslayer. – **2.** (*uccisore*) killer, slayer. – **II** *a.* **1.** (*rif. a persona*) murderous, homicidal. – **2.** (*rif. a cosa*) murderous. □ *donna* ~ murderess. – **omicidiạle** *a.* ⟨*ant*⟩ murderous, homicidal, of death, deadly.

omicịdio *m.* **1.** homicide, murder: *commettere* ~ to commit homicide (*o* murder); (*colposo*) manslaughter. – **2.** (*uccisione*) killing, slaying: ~ *rituale* ritual slaying.

□ ~ **aggravato** wilful murder attended by aggravating circumstances; ~ **colposo** manslaughter, culpable homicide, homicide without malice aforethought; ~ *del* **consenziente** (unlawful) killing of a consenting party; ~ *per legittima* **difesa** murder in self-defence; ~ **doloso** wilful murder; ~ **involontario** = *omicidio* **colposo**; ~ *per causa d'***onore** homicide for motives of honour; ~ **premeditato**

murder in the first degree, premeditated murder, homicide with malice aforethought; ~ **preterintenzionale** culpable homicide, homicide without malice aforethought; ~ **volontario** murder in the second degree, wilful murder.
omicron *m.* (*lettera dell'alfabeto greco*) omicron, omikron.
omileta *m.* author of a homily, homilist. – **omiletica** *f.* homiletics *pl* (*costr. sing.*). – **omiletico** *a.* (*pl.* **-ci**) ⟨*non com*⟩ **1.** homiletic(al); (*di omelie*) of homilies. – **2.** ⟨*estens*⟩ (*familiare*) informal, simple, plain, conversational: *stile* ~ informal style. – **omilia** *f.* ⟨*non com*⟩ → **omelia.**
ominacci *m.pl.* ⟨*scherz*⟩ (wretched) men *pl.*
ominazione *f.* origin of man. – **ominide** *m.* hominid, homonid.
omine *m.* ⟨*rar*⟩ (*presagio*) presage, omen, portent.
omino (*dim. di uomo*) *m.* **1.** little fellow, wee chap. – **2.** ⟨*scherz*⟩ (*rif. a bambino*) little man (*o* fellow). – **3.** ⟨*region*⟩ (*gruccia*) (clothes-) hanger. – **ominone** (*accr. di uomo*) *m.* **1.** big man, ⟨*fam, scherz*⟩ hulking great fellow. – **2.** ⟨*iron*⟩ (*grand'uomo*) ⟨*fam*⟩ bigwig, ⟨*fam*⟩ big shot.
ominoso *a.* ⟨*lett*⟩ (*di cattivo augurio*) ominous, unpropitious, fateful.
omisi *p.rem. di* **omettere.** – **omissibile** *a.* omissible.
omissione *f.* **1.** (*atto*) omitting, omission, leaving out; (*effetto*) omission. – **2.** (*il non fare*: *atto*) neglecting; (*effetto*) neglect, omission. – **3.** ⟨*Dir*⟩ failure, default, neglect.
□ ⟨*Dir*⟩ ~ *d'atti d'ufficio* ⌜neglect of⌝ (*o* refusal to fulfil) an official duty; ~ *di* **denuncia** failure to report; ~ *di* **doveri** *d'ufficio* neglect of official duties; ⟨*Comm*⟩ *salvo* **errori** *od -i* errors and omissions excepted; ~ **involontaria** involuntary neglect, unintentional omission, oversight, slip; ~ **maliziosa** omission with malicious intent; ⟨*Rel*⟩ **peccato** *d'*~ sin of omission; ~ *di* **referto** failure to report; ~ *di* **soccorso** failure to offer assistance; ~ **volontaria** wilful neglect.
omissis *lat.* ⟨*burocr*⟩ words *pl* left out, ceteris omissis, omission.
omma *m.* ⟨*Zool*⟩ compound eye, ommateum. – **ommatidio** *m.* ommatidium.
ommettere *v.* ⟨*ant*⟩ → **omettere.**
ommiade *a./s.* → **omayyade.**
omni... *pref.* → **onni...**
omnibus *m.* **1.** ⟨*Ferr*⟩ (*anche treno omnibus*) omnibus train, slow train, ⟨*am*⟩ local (train). – **2.** ⟨*Stor*⟩ horse bus, ⟨*am*⟩ horsecar.
omnidirezionale *a.* **1.** ⟨*non com*⟩ in all directions. – **2.** ⟨*Rad*⟩ omnidirectional: *microfono* ~ omnidirectional microphone.
omniscio *a.* ⟨*ant*⟩ → **onnisciente.**
omnium *m.* **1.** ⟨*Sport*⟩ open event (*o* race). – **2.** ⟨*Econ*⟩ holding company.
omnivoro *a./s.* ⟨*non com*⟩ → **onnivoro.**
omo *m.* ⟨*pop*⟩ (*uomo*) man; (*maschio*) male.
omo... *pref.* (*uguale* same, *simile* similar) hom(o)..., home(o)..., homoe(o)..., homoi(o)..., iso...
omo|centrico *a.* (*pl.* **-ci**) homocentric(al). – **~cerco** *a.* (*pl.* **-chi**) ⟨*Itt*⟩ homocercal. – **~ciclico** *a.* (*pl.* **-ci**) ⟨*Chim*⟩ homocyclic, isocyclic. – **~clamidato, ~clamide** *a.* → **omeoclamidato.** – **~cromatico** *a.* (*pl.* **-ci**) **1.** ⟨*Ott*⟩ homochromatic, isochromatic. – **2.** ⟨*Zool*⟩ having cryptic coloration. – **~cromia** *f.* ⟨*Zool*⟩ cryptic coloration. – **~cromo** *a.* ⟨*rar*⟩ homochromic, homochromous. – **~donte** *a.* ⟨*Zool*⟩ homodont. – **~dontia** *f.* condition of being homodont.
omofagia *f.* ⟨*Etnol*⟩ omophagia. – **omofago** *a.* (*pl.* **-gi**) omophagous, omophagic.
omofocale *a.* ⟨*Geom*⟩ confocal.
omofonia *f.* **1.** ⟨*Ling*⟩ homophony. – **2.** ⟨*Mus*⟩ homophony, unison; (*monodia*) monody. – **omofonico** *a.* (*pl.* **-ci**) ⟨*Mus*⟩ homophonic, unisonous; (*monodico*) monodic. – **omofono I** *a.* **1.** ⟨*Ling*⟩ homophonous, homophonic. – **2.** ⟨*Mus*⟩ homophonic, unisonous, monophonic. – **II** *s.m.* ⟨*Ling*⟩ homophone.
omoforio *m.* ⟨*Rel*⟩ omophorion.
omoftalico: ⟨*Chim*⟩ *acido* ~ homophthalic acid.
omogamia *f.* ⟨*Bot*⟩ homogamy. – **omogamo** *a.* homogamous.
omogeneità *f.* homogeneity, homogenousness (*anche Mat.*). – **omogeneizzare** *v.t.* to homogenize. – **omogeneizzatore** *m.* homogenizer. – **omogeneizzazione** *f.* homogenization.
omogeneo *a.* **1.** homogeneous, homogenous. – **2.** ⟨*fig*⟩ (*simile*) similar, like, comparable, homogeneous: *caratteri -i* similar characters. – **3.** ⟨*fig*⟩ (*ben armonizzato*) homogeneous, well blended, well put together. – **4.** (*formato da parti affini*) homogen(e)ous. – **5.** ⟨*Mat*⟩ homogeneous: *funzione -a* homogeneous function.
omogenizzare *v.* ⟨*non com*⟩ → **omogeneizzare.**
omoglottico *a.* (*pl.* **-ci**) speaking the same language.
omogrado *a.* ⟨*Statist*⟩ homograde, intensive.
omografia *f.* ⟨*Ling*⟩ homography. – **omografico** *a.* (*pl.* **-ci**) homographic. □ *corrispondenza -a* → **omografia.** – **omografo I** *a.* homograph-, homographic. – **II** *s.m.* homograph, homonym.
omoioideo: ⟨*Anat*⟩ *muscolo* ~ omohyoid (muscle).
omoioteleuto *a./s.* ⟨*rar*⟩ → **omeoteleuto.**
omoiusia *f.* ⟨*Teol*⟩ homoiousia.
omolaterale *a.* ⟨*Med*⟩ ipsilateral, homolateral.
omologare *v.t.* (**omologo, omologhi**) **1.** (*riconoscere omologo*) to recognize (*o* acknowledge) as being homologous, to homologize. – **2.** (*approvare*) to approve, to allow, to agree to recognize, to admit; (*rif. a veicoli*) to approve, to test. – **3.** ⟨*estens*⟩ (*convalidare*) to ratify, to confirm, to corroborate. – **omologato** (*p.p. di omologare*) *a.* **1.** homologized, recognized. – **2.** (*approvato*) approved, allowed; (*rif. a veicoli*) type-approved; (*rif. a macchine*) type-tested.
omologazione *f.* **1.** homologation, recognition. – **2.** (*approvazione*) approval, approbation; (*rif. a veicoli*) type-approval; (*rif. a macchine*) type-testing. – **3.** (*convalida*) ratification, recognition of validity, confirmation. □ ~ *giudiziaria* approval of the court; *prova di* ~ type test; ~ *di testamento* probate of will.
omologeta *m.* ⟨*non com*⟩ (*confessore della fede*) confessor of the faith.
omologia *f.* ⟨*tecn*⟩ homology. – **omologico** *a.* (*pl.* **-ci**) homologous, homologic(al). – **omologo** *a./s.* (*pl.* **-ghi**) ⟨*tecn*⟩ **I** *a.* homologous, homologic(al): *organi omologhi* homologous organs. – **II** *s.m.* (*persona*) opposite number.
omomorfia *f.* ⟨*Biol*⟩ homomorphy. – **omomorfismo** *m.* **1.** ⟨*Mat*⟩ homomorphism. – **2.** → **omomorfia.** – **omomorfo** *a.* ⟨*Biol,Mat*⟩ homomorphous.
omonimia *f.* **1.** having the same name, homonymy. – **2.** ⟨*Ling*⟩ homonymy. – **omonimo I** *a.* **1.** of the same name, having (*o* bearing) the same name, homonymous, homonymic: *due località -e* two places of (*o* with) the same name. – **2.** ⟨*Ling*⟩ homonymous, homonymic. – **3.** ⟨*El*⟩ ⟨*attr*⟩ like, having the same sign (*o* name). – **II** *s.m.* (*persona*: *f.* **-a**) namesake, someone having the same name. – **2.** ⟨*Ling,Bot,Zool*⟩ homonym.
omo|pausa *f.* ⟨*Astr*⟩ homopause. – **~plastico** *a.* (*pl.* **-ci**) ⟨*Chir*⟩ homoplastic.
omo|plata *f.* ⟨*Anat*⟩ (*scapola*) scapula, omoplate, ⟨*fam*⟩ shoulder -blade (*o* bone). – **~platoioideo**: → **omoioideo.**
omopolare *a.* → **omeopolare.**
omore *m.* ⟨*ant*⟩ (*umore*) humour.
omorganico *a.* (*pl.* **-ci**) ⟨*Ling*⟩ homorganic.
omoritmia *f.* ⟨*Mus*⟩ isorhythm.
omorrizia *f.* ⟨*Bot*⟩ presence of roots of the same origin.
omo|sessuale I *a.* homosexual. – **II** *s.m./f.* homosexual. – **~sessualità** *f.* homosexuality. – **~sfera** *f.* ⟨*Astr*⟩ homosphere. – **~sieroterapia** *f.* ⟨*Med*⟩ homologous serum therapy. – **~teleuto** *a./s.* → **omeoteleuto.** – **~termia** *f.* **1.** ⟨*Geog*⟩ isothermy. – **2.** ⟨*Zool*⟩ → **omeotermia.** – **~termo** *a./s.* → **omeotermo.**
omotteri *m.pl.* ⟨*Entom*⟩ homopterons *pl*, homopters *pl* (*Homoptera*).
omousia *f.* ⟨*Teol*⟩ homoousia.
omousiano *m.* homoousian.
omozigosi *f.* ⟨*Biol*⟩ homozygosis. – **omozigote I** *a.* homozygotic. – **II** *s.m.* homozygote. – **omozigotico** *a.* (*pl.* **-ci**) homozygotic.
O.M.R. = *Ordine* (*cavalleresco*) *al Merito della Repubblica.*
O.M.S. = *Organizzazione mondiale della sanità* World Health Organization (*abbr.* W.H.O., WHO).
omuncolo (*dim. di uomo*) *m.* **1.** ⟨*spreg*⟩ dwarf, shrimp, little thing. – **2.** ⟨*Alchim*⟩ homunculus, homuncule.
on. = *onorevole* Honourable (*abbr.* Hon., Honble.).
onagro (*o* **onagro**) *m.* **1.** ⟨*Zool*⟩ onager, wild ass (*Equus onager*). – **2.** ⟨*Mil.ant*⟩ onager, (kind of) catapult.
onanismo *m.* **1.** (*coitus interruptus*) onanism, coitus interruptus; (*uso di antifecondativi*) use of contraceptives. – **2.** (*masturbazione*) onanism, masturbation. – **onanista** *m.* onanist.
O.N.C. = *Opera nazionale combattenti.*
oncia *f.* (*pl.* **-ce**) **1.** ⟨*Stor*⟩ (*unità di peso*) ounce. – **2.** ⟨*Stor*⟩ (*unità monetaria*) uncia. – **3.** ⟨*Stor*⟩ (*unità di lunghezza*) inch; ⟨*estens*⟩ (*spazio piccolissimo*) inch. – **4.** ⟨*fig*⟩ (*quantità minima*) ounce, scrap, jot, bit: *non ha un'*~ *di sale in zucca* he hasn't a bit of sense. □ ⟨*fig*⟩ *a once* in dribs and drabs, a little at a time; *a* ~ *a* ~ (*a poco a poco*) little by little; *non valere un'*~ not to be worth a (brass) farthing. – *Prov.*: *val più un'*~ *di reputazione che mille libbre d'oro* a good name is worth more than all the gold in the world; ⌜*è meglio*⌝ (*o val più*) *un'*~ *di fortuna che una libbra di sapere* an ounce of luck is better than a pound of learning.
onciale I *a.* ⟨*Paleogr*⟩ uncial: *scrittura* ~ uncial script. – **II** *s.f.* uncial (script).
onciario *m.* ⟨*Stor*⟩ (*catasto*) cadastre (of Naples), register of real property.
oncilla *f.* ⟨*Zool*⟩ kind of ocelot (*Felis pardinoides*).
oncino *m.* ⟨*ant*⟩ (*uncino*) hook.
onco... *pref.* (*tumore* tumour) onc(o)..., onch(o)...
oncocercosi *f.* ⟨*Med*⟩ onchocercosis, onchocerciasis.
oncogenesi *f.* ⟨*Med*⟩ oncogenesis, oncogeny. – **oncogeno** *a.* oncogenic, oncogenous. – **oncologia** *f.* ⟨*Med*⟩ oncology. – **oncologico** *a.* (*pl.* **-ci**) oncologic. – **oncologo** *m.* (*pl.* **-gi**; *f.* **-a**) oncologist.
oncoma *m.* ⟨*non com*⟩ (*tumore*) tumour.
oncometro *m.* ⟨*Fis*⟩ oncometer.
oncosfera *f.* ⟨*Biol*⟩ onc(h)osphere.
onco|terapia *f.* ⟨*Med*⟩ oncotherapy. – **~tomia** *f.* ⟨*Chir*⟩ oncotomy.
O.N.D. = *Opera nazionale dopolavoro.*
onda *f.* **1.** wave; (*cavallone*) billow. – **2.** ⟨*fig*⟩ (*impeto*) wave, surge, flood. – **3.** ⟨*fig*⟩ (*abbondanza*) wave, surge, tide. – **4.** ⟨*Fis,Rad,Med*⟩ wave. – **5.** ⟨*Arch*⟩ (*gola*) cyma, wave moulding. – **6.** ⟨*non com*⟩ (*movimento ondeggiante*) wave, sway, surge, rise and fall. – **7.** ⟨*fig, non com*⟩ (*aspetto sinuoso*) wave, waviness. – **8.** ⟨*poet*⟩ (*mare*) waves *pl*, sea, ⟨*lett*⟩ surge, ⟨*lett*⟩ billows *pl*: *solcare l'*~ to plough the waves; (*acqua*) water.
□ **a** *-e* wavy, waving: *capelli a -e* wavy hair; *andare a -e* (*camminare barcollando*) to sway, to reel, to zigzag; *-e* **acustiche** sound -waves; ⟨*Fis*⟩ ~ **armonica** harmonic wave; ⟨*Atom*⟩ ~ **associata** associated wave; ⟨*Meteor*⟩ *-e* **bariche** (*o barometriche*) barometric waves; *-e* **capillari** capillary waves; **cavo** *dell'*~ trough of a wave;

⟨*Rad*⟩ ~ **centimetrica** microwave, centimetre wave; ⟨*Meteor*⟩ *-e* **cicloniche** progressive pressure waves; ⟨*Fis*⟩ ~ **cilindrica** cylindrical wave; ⟨*Rad*⟩ ~ **corta** short wave; ⟨*Rad*⟩ ~ **cortissima** ultra-short wave; **dare** *l'~ ai capelli* = **farsi** *le onde*; ⟨*Rad*⟩ ~ **decimetrica** decimeter wave, ultra-high-frequency wave; ⟨*Rad*⟩ ~ **diretta** ground wave; ⟨*Arch*⟩ ~ **diritta** cyma recta; ⟨*Rad*⟩ ~ **elettromagnetica** electromagnetic wave; ~ **espansiva** blast wave; ~ **esplosiva** (*o di esplosione*) = *onda d'***urto**; **farsi** *le -e* (*arricciarsi i capelli*) to wave one's hair; ⟨*Rad*⟩ ~ **fondamentale** fundamental wave; ⟨*Fis*⟩ **fronte** *d'~* wave front; ⟨*Fis*⟩ ~ **guidata** guided wave; ~ **hertziana** Hertzian wave; ⟨*Rad,TV*⟩ *andare* **in** ~ to be broadcast, to be put on, to go on the air; *mandare* (*o mettere*) *in* ~ to broadcast, to put on (the air); ⟨*Rad*⟩ ~ **indiretta** sky wave; *-e* **d'interferenza** interference waves; ⟨*Fis*⟩ *-e* **longitudinali** longitudinal waves; ~ **luminosa** light wave; ⟨*Rad*⟩ ~ **lunga** long wave: *stazione ad ~ lunga* long-wave radio station; ⟨*Mar*⟩ *-e lunghe* rollers *pl*; **lunghezza** *d'~* wave-length; ~ *di* **marea** tide wave; ~ **marina** (sea) wave; ⟨*Rad*⟩ ~ **media** medium wave; *ad -e medie* medium wave-; *-e* **metriche** metric waves, very-high-frequency waves; ~ **millimetrica** millimetric wave, extremely-high-frequency wave; ⟨*Med*⟩ *-e* **peristaltiche** (peristaltic) rushes; ⟨*Rad*⟩ ~ **persistente** continuous wave; ⟨*Fis*⟩ *-e* **piane** plane waves; ⟨*Idr*⟩ ~ *di* **piena** crest; ⟨*Mar*⟩ ~ *di* **poppa** stern wave; ⟨*Rad*⟩ ~ **portante** carrier wave; ⟨*TV*⟩ ~ *portante video* image carrier (wave); ~ *di* **pressione** pressure wave, P-wave; ~ **progressiva** progressive wave; ⟨*Mar*⟩ ~ *di* **prua** bow wave; ~ **radio** radio wave; ⟨*Fis*⟩ ~ **rettangolare** rectangular (*o* square) wave; ~ **riflessa** reflected wave; ⟨*Arch*⟩ ~ **rovescia** cyma reversa; ~ **sferica** spherical wave; ~ **sinusoidale** sine wave; ~ **smorzata** damped wave; *-e* **sonore** = *onde* **acustiche**; ⟨*Rad*⟩ ~ **spaziale** sky (*o* space, free) wave; ⟨*Fis*⟩ ~ **stazionaria** stationary (*o* standing) wave; *-e* **superficiali** surface waves; *-e* **supersoniche** supersonic (*o* ultrasonic) waves; ~ **terrestre** surface (*o* ground) wave; *-e* **trasversali** transverse waves; *-e* **ultracorte** ultra-short waves; ~ *d'urto* shock wave; ⟨*Strad*⟩ ~ **verde** synchronized traffic lights.

ondạmetro *m.* ⟨*Rad*⟩ wavemeter: ~ *ad assorbimento* absorption wavemeter.

ondạnte (*p.pr. di ondare*) *a.* ⟨*poet*⟩ **1.** (*ondeggiante*) waving, rolling, swaying, surging, rising and falling. – **2.** (*ondulato*) rolling, undulating. – **ondạre** *v.i.* (ọndo; *aus.* **avere**) ⟨*poet*⟩ (*ondeggiare*) to sway, to wave, to roll, to undulate; (*rif. a grano e sim.*) to ripple.

ondạta *f.* **1.** wave, billow, breaker. – **2.** ⟨*fig*⟩ wave, surge, tide: *un'~ di entusiasmo* a wave (*o* surge) of enthusiasm. – **3.** ⟨*Mil*⟩ wave. ☐ *a -e* in waves: ⟨*Mil*⟩ *attacco a -e* attack in waves; ~ *di caldo* heat wave; ~ *di freddo* cold-wave; ⟨*Econ*⟩ ~ *al ribasso* sudden fall in prices; ~ *di scioperi* wave (*o* series) of strikes.

ondạto *a.* ⟨*rar*⟩ (*ondulato*) **1.** wavy, waved. – **2.** ⟨*Arald*⟩ undy, undé.

ondạtra *f.* ⟨*Zool*⟩ musk-rat (beaver) (*Ondatra zibethica*).

ondaziọne *f.* **1.** undulation, swelling, billowy motion. – **2.** ⟨*ant*⟩ (*movimento ondulatorio*) swaying, rocking.

ọnde ⟨*lett*⟩ **I** *avv.interr.* where ... from, from where, ⟨*lett*⟩ whence: ~ *venite?* where do you come from?; ~ *trai tanta calma?* where do you get such calmness from? – **II** *avv.rel.* **1.** (*da cui*: *rif. a luogo*) (where) ... from, from where (*o* which), ⟨*lett*⟩ whence: *ritorno nella città ~ vengo* I am returning to the city ⌜from which I came⌝ (*o* I came from); (*rif. a cosa*) by which: *i mali ~ egli è afflitto* the evils by which he is beset. – **2.** (*dalla qual cosa*) from which, ⟨*lett*⟩ wherefore, ⟨*lett*⟩ whence: ~ *si deduce che hai torto* from which one deduces that you are wrong. – **3.** (*con cui*) with (*o* by means of) which, ⟨*ant*⟩ wherewith: *ho ricevuto il denaro ~ vivere* I have received the money ⌜with which to live⌝ (*o* to live off). – **4.** (*per cui*) for which (*o* what) reason, because (*o* on account) of which: *qual'è la ragione ~ sei venuto?* for what reason have you come?, why have you come? – **5.** (*di cui*) of which: *i libri ~ mi parlasti* the books of which you spoke (to me), the books you told me about. – **III** *congz.* **1.** (*affinché*: *con il cong.*) so that, in order that: *te l'ho detto ~ tu prendessi provvedimenti* I told you so that you could take steps; (*con l'inf.*) (in order) to: *le scrivo questa lettera ~ avvertirla* I am writing you this letter (in order) to warn you. – **2.** (*sicché*) so (that), therefore, ⟨*lett*⟩ wherefore. ☐ ⟨*non com*⟩ *averne ben ~* to have good reason; ⟨*ant*⟩ ~ *che* (*da qualunque luogo*) wherever ... from; (*cosicché*) so (that), therefore; ⟨*rar*⟩ *da ~* (*donde*) whence, from where.

ondé *fr. m.* ⟨*Tess*⟩ material with an ondulé pattern.

ondeggiamẹnto *m.* **1.** waving, rippling, rolling, swaying: *l'~ del grano* the waving (*o* rippling) of the wheat; (*rif. a imbarcazione*) rocking; (*rif. a bandiere e sim.*) fluttering; (*rif. a fiamma*) flickering; (*rif. a capelli*) blowing. – **2.** ⟨*fig*⟩ (*indecisione*) wavering, hesitation, indecision. – **3.** ⟨*non com*⟩ (*ondulazione*) waviness, undulation. – **ondeggiạnte** (*p.pr. di ondeggiare*) *a.* **1.** waving, swaying, undulating, rising and falling, rolling, rippling. – **2.** ⟨*fig*⟩ (*indeciso*) wavering, vacillating, hesitating: *volontà ~* vacillating will. ☐ *moto ~ del mare* swell.

ondeggiạre *v.i.* (ondęggio, ondęggi; *aus.* **avere**) **1.** to wave, to sway, to undulate, to rise and fall, to roll. – **2.** (*muoversi sulle onde*) to rock, to roll, to sway, to toss. – **3.** ⟨*fig*⟩ (*essere incerto*) to waver, to hesitate, to vacillate. – **4.** ⟨*Aer*⟩ to pitch. ☐ *camminare ondeggiando* to sway.

ondeggiạto (*p.p. di ondeggiare*) *a.* ⟨*rar*⟩ (*ondulato*) wavy, waving. – **ondeggiatụra** *f.* ⟨*non com*⟩ waviness, undulation.

ondịna *f.* **1.** ⟨*Mitol.nord*⟩ undine, ondine. – **2.** ⟨*fig,scherz*⟩ (*bagnante, nuotatrice*) mermaid, nymph; (*atleta di nuoto*) (expert) woman swimmer.

ondịsono *a.* ⟨*lett*⟩ filled with the sound of the waves, wave-beaten.

ondịvago *a.* (*pl.* **-ghi**) ⟨*lett*⟩ sea-roving.

ondǫgrafo *m.* **1.** (*oscillografo*) oscillograph. – **2.** ⟨*El,ant*⟩ ondograph.

ondoleggiạre *v.i.* (**ondolęggio, ondolęggi**; *aus.* **avere**) ⟨*non com*⟩ (*ondeggiare leggermente*) to sway (*o* oscillate) slightly, to fluctuate.

ondosità *f.* **1.** (*condizione del mare ondoso*) surge, swell. – **2.** (*rilievo*) waviness, undulation. – **ondọso** *a.* **1.** wave-, undulatory, undulating; *moto ~* wave motion, undulatory motion. – **2.** (*agitato dalle onde*) surging, heaving, rising and falling, billowy. – **3.** ⟨*lett*⟩ (*ondulato*) wavy, waved.

ondulamẹnto *m.* ⟨*non com*⟩ (*lieve ondeggiamento*) swaying, rippling, slight rolling (*o* undulation). – **ondulạnte** (*p.pr. di ondulare*) *a.* **1.** swaying, rolling, waving, undulating. – **2.** ⟨*Med*⟩ undulant: *febbre ~* undulant fever. – **3.** ⟨*Zool*⟩ undulating: *membrana ~* undulating membrane. – **ondulạre** *v.* (ọndulo/ọndulo) **I** *v.t.* to wave, to undulate, to corrugate; (*rif. a capelli*) to wave, to make wavy. – **II** *v.i.* (*aus.* **avere**) to sway, to ripple, to wave, to undulate.

ondulạto (*p.p. di ondulare*) **I** *a.* **1.** wavy: *capelli -i* wavy hair; (*rif. a terreno*) rolling, undulating; (*rif. a lamiera, cartone e sim.*) corrugated. – **2.** ⟨*Fis*⟩ undulatory, undulated, pulsating. – **3.** ⟨*Mus*⟩ undulating. – **4.** ⟨*non com*⟩ (*marezzato*) moiré; (*rif. a seta*) watered, moiré. – **II** *s.m.* **1.** ⟨*Tess*⟩ moiré, ripple-cloth. – **2.** ⟨*Zool*⟩ budgerigar (*Melopsittacus ondulatus*).

ondulatọre *m.* **1.** ⟨*Met*⟩ corrugator. – **2.** ⟨*Tel*⟩ undulator. – **3.** ⟨*El*⟩ inverter, inverted rectifier.

ondulatọrio *a.* **1.** swaying, waving, undulatory: *movimento ~* swaying motion. – **2.** ⟨*Fis*⟩ undulatory, wave-: *teoria -a* undulatory (*o* wave) theory; *meccanica -a* wave mechanics.

ondulaziọne *f.* **1.** waving, sway(ing), undulation, rippling. – **2.** (*carattere ondulato*) undulation: ~ *del terreno* undulation (*o* rolling) of the land. – **3.** (*rif. a capelli*: *atto*) waving; (*effetto*) waviness. – **4.** ⟨*Fis*⟩ wave, undulation; (*di corrente*) ripple. ☐ ⟨*Cosmet*⟩ ~ *ad acqua* water-waving; ~ *con i ferri* waving with curling irons; ~ *permanente*: 1. (*atto*) permanent waving; 2. (*effetto*) permanent (wave), ⟨*fam*⟩ perm.

ondurẹgno **I** *a.* (*dell'Honduras*) Honduran, Honduranean, of Honduras. – **II** *s.m.* (*f.* **-a**) Honduran.

oneiro... *pref.* ⟨*non com*⟩ → **oniro...**

oneiro|dinịa *f.* → **onirodinia.** – **~logịa** *f.* → **onirologia.** – **~manzịa** *f.* → **oniromanzia.**

onerạre *v.t.* (ọnero) **1.** (*gravare*) to burden, to weigh down, ⟨*fam*⟩ to saddle: ~ *qd. di tasse* to burden s.o. with taxes. – **2.** ⟨*lett*⟩ (*caricare*) to burden, to load (down), to encumber: ~ *qd. di qc.* to burden (*o* encumber, load) s.o. with s.th.

onerạria *f.* (*anche nave oneraria*) **1.** ⟨*Mar.ant*⟩ freighter, cargo ship. – **2.** ⟨*Mar.mil*⟩ naval auxiliary.

onerạto (*p.p. di onerare*) **I** *a.* ⟨*Dir*⟩ burdened, liened, encumbered. – **II** *s.m.* lienee; (*rif. a erede*) legatee, heir.

ọnere *m.* **1.** ⟨*lett*⟩ onus, burden, duty, charge, load: *assumersi un ~* to shoulder a burden. – **2.** ⟨*Dir*⟩ onus, burden, lien. ☐ ⟨*scherz*⟩ **avere** *gli -i ma non gli onori* to do the work but not get the credit for it; *-i di* **culto** religious obligations; ~ **finanziario** financial burden; ~ **fiscale** taxes *pl*, tax burden; ~ **ipotecario** mortgage; ⟨*Dir*⟩ ~ *della* **prova** burden of proof, onus (probandi); ⟨*Dir*⟩ ~ **reale** lien, encumberment of an estate; ~ **tributario** = *onere* **fiscale.**

onerosamẹnte *avv.* onerously. – **onerosità** *f.* **1.** burdensomeness, onerousness. – **2.** ⟨*Dir*⟩ oppressiveness, onerousness, burdensomeness. – **onerọso** *a.* **1.** onerous, burdensome, exacting; (*faticoso*) hard, heavy. – **2.** ⟨*Dir*⟩ onerous, burdensome.

onestà *f.* **1.** honesty, integrity; (*rettitudine*) uprightness, rectitude, probity; (*sincerità*) truthfulness, sincerity. – **2.** (*rif. a costumi*) virtue, honesty: *donna di dubbia ~* woman of doubtful virtue. – **3.** ⟨*ant*⟩ (*decoro*) propriety, seemliness, decorum; (*dignità*) dignity, honour. – **4.** ⟨*ant*⟩ (*nobiltà d'animo*) noble-mindedness, generosity. ☐ ⟨*Dir.can*⟩ *pubblica ~* public propriety. – *Prov.*: ~ *e gentilezza, sopravanza ogni bellezza* honesty and gentility transcend all beauty.

onestamẹnte *avv.* **1.** honestly, uprightly. – **2.** (*in verità*) honestly, frankly. – **3.** ⟨*ant*⟩ (*onorevolmente*) honourably, respectably. – **4.** ⟨*ant*⟩ (*cortesemente*) courteously. – **5.** (*castamente*) chastely, modestly, decorously.

onestạre *v.t.* (onęsto) ⟨*ant*⟩ to give an appearance of respectability to, to gloss over, to whitewash.

onęsto **I** *a.* **1.** honest; (*retto*) upright, straightforward, honest. – **2.** (*moralmente irreprensibile*) honest, decent, respectable, virtuous: *condurre una vita -a* to lead an honest life. – **3.** (*coscienzioso*) honest, conscientious, scrupulous. – **4.** (*lecito, plausibile*) honest; (*giusto*) just, fair, reasonable, moderate, honest: *prezzi -i* fair (*o* honest) prices. – **5.** (*sincero, leale*) honest, sincere, frank, loyal. – **6.** (*pudico*) honest, virtuous, modest. – **7.** ⟨*ant*⟩ (*decoroso*) decent, honest, proper, decorous, seemly; (*onorevole*) honourable. – **8.** ⟨*ant*⟩ (*dignitoso*) dignified, honourable, worthy; (*nobile*) noble. – **II** *avv.* ⟨*ant*⟩ (*nobilmente*) nobly, honestly. – **III** *s.m.* **1.** (*onestà*) honesty, what is honest, decency. – **2.** (*onesto guadagno*) fair (*o* honest) profit. – **3.** (*persona*; *f.* **-a**) honest person; *pl.* the honest (*costr. pl.*). ☐ *Prov.*: *chi non si contenta dell'~ perde il manico e il cesto* he who is not content with what is fair and just will end up with nothing.

onfalite *f.* ⟨*Med*⟩ omphalitis.
onfalo *m.* ⟨*lett*⟩ (*umbone*) umbo.
onfalo... *pref.* (*ombelico* umbilicus) omphal(o)...
onfalo|cele *m.* ⟨*Med*⟩ (*ernia ombelicale*) omphalc(o)ele, umbilical hernia. – **~flebite** *f.* omphalophlebitis.
ongarese ⟨*ant*⟩ **I** *a.* (*ungherese*) Hungarian. – **II** *s.m.* **1.** (*lingua*) Hungarian, Magyar. – **2.** *m./f.* (*abitante*) Hungarian, Magyar. – **ongaro** ⟨*ant*⟩ **I** *a.* (*ungherese*) Hungarian. – **II** *s.m.* ⟨*Numism*⟩ hungar.
onice *f.* ⟨*Min*⟩ onyx.
onichia *f.* ⟨*Med*⟩ onychia, onychosis.
onico... *pref.* (*unghia* nail) onych(o)...
onicoclasi *f.* ⟨*Med*⟩ onychoclasis.
onicofagia *f.* ⟨*Psic*⟩ onychophagy, onychophagia, ⟨*pop*⟩ nail-biting. – **onicofago** *a./s.* (*pl.* **-gi**) **I** *a.* affected by onychophagy, ⟨*pop*⟩ nail-biting. – **II** *s.m.* (*f.* **-a**) onychophagist, ⟨*pop*⟩ nail-biter.
onicofori *m.pl.* ⟨*Zool*⟩ onychophores *pl*, onychophorans *pl* (*Onychophora*).
onico|geno *a.* ⟨*Biol*⟩ onychogenic. – **~grifosi, ~griposi** *f.* ⟨*Med*⟩ onychogrypsis. – **~lisi** *f.* oncholysis. – **~malacia** *f.* onychomalacia. – **~micosi** *f.* onychomycosis.
onicoressi, onicoschizia *f.* ⟨*Med*⟩ onychorrhexis, onychoschizia.
onicosi *f.* ⟨*Med*⟩ onychosis.
onicotomia *f.* ⟨*Chir*⟩ onychotomy.
...onimo *suff.* (*nome* name: *nella formazione dei sost.*) ...onym, -name: *toponimo m.* toponym, place-name; (*nella formazione degli agg.*) ...onymous, ...onymic(al): *anonimo a.* anonymous.
onirico *a.* (*pl.* **-ci**) **1.** oneiric: *visione -a* oneiric vision. – **2.** (*simile al sogno*) oneiric, dream(-like), dreamy. – **onirismo** *m.* ⟨*Psic*⟩ oneirism.
oniro... *pref.* (*sogno* dream) oneir(o)..., onir(o)...
oniro|dinia *f.* ⟨*Psic*⟩ oneirodynia, nightmare. – **~logia** *f.* oneirology, science of dreams. – **~manzia** *f.* ⟨*Occult*⟩ oneiromancy.
onisco *m.* (*pl.* **-chi**) ⟨*Zool*⟩ oniscus, woodlouse.
onissi *f.* ⟨*Med*⟩ onychitis, onychia, onyxitis.
O.N.M.I. = *Opera nazionale per la protezione della maternità e dell'infanzia.*
onne, onni *a.* ⟨*ant*⟩ (*ogni*) every, each.
onni... *pref.* (*tutto* all, *dappertutto* everywhere) omn(i)..., all-.
onni|comprensivo *a.* ⟨*non com*⟩ all-inclusive. – **~direzionale** *a.* → **omnidirezionale.**
onninamente *avv.* ⟨*lett*⟩ (*completamente*) wholly, entirely, completely, altogether.
onni|possente *a./s.* ⟨*lett*⟩ → **onnipotente.** – **~potente I** *a.* omnipotent, almighty, all-powerful. – **II** *s.m.* (*Dio*) Almighty (God), Omnipotent. – **~potenza** *f.* omnipotence, almightiness. – **~presente** *a.* **1.** (*rif. a Dio*) omnipresent, ubiquitous. – **2.** ⟨*scherz*⟩ (*rif. a persona*) ubiquitous, omnipresent, turning up everywhere: *quel tizio è ~* that fellow turns up everywhere, he's always around. – **~presenza** *f.* omnipresence, ubiquity. – **~sciente** *a.* **1.** (*rif. a Dio*) Omniscient. – **2.** ⟨*scherz, enfat*⟩ (*rif. a persona*) all-knowing, omniscient. □ *nessuno è ~* you can't know everything. – **~scienza** *f.* omniscience, omnisciency. – **~veggente** *a.* all-seeing. – **~veggenza** *f.* all-seeingness.
onnivoro I *a.* ⟨*Biol*⟩ omnivorous. – **II** *s.m.* (*f.* **-a**) omnivor(e).
onnubilamento *m.* ⟨*non com*⟩ → **obnubilamento.** – **onnubilare** *v.* ⟨*non com*⟩ → **obnubilare.**
ono|cefalo *a.* ⟨*lett*⟩ donkey-headed, with an ass's head. – **~latria** *f.* ⟨*Rel*⟩ worship of asses.
onomanzia *f.* ⟨*Occult*⟩ onomancy.
onomasiologia *f.* ⟨*Ling*⟩ onomasiology. – **onomasiologico** *a.* (*pl.* **-ci**) onomasiologic(al). – **onomasiologo** *m.* (*pl.* **-gi**; *f.* **-a**) expert in onomasiology.
onomastica *f.* ⟨*Ling*⟩ **1.** onomastics *pl* (*costr. sing.*), onomatology. – **2.** ⟨*collett*⟩ (proper) names *pl.* – **onomastico** *a./s.* (*pl.* **-ci**) **I** *a.* onomastic, of names: *indice ~* onomastic index. – **II** *s.m.* **1.** (*giorno onomastico*) name day. – **2.** (*lessico onomastico*) onomasticon, word -book, lexicon.
onomato|mania *f.* ⟨*Psic*⟩ onomatomania. – **~manzia** *f.* ⟨*rar*⟩ → **onomanzia.**
onomatopea *f.* **1.** ⟨*Ling*⟩ onomatopoeia, onomatopoesis, onomatopy. – **2.** (*parola onomatopeica*) onomatope. – **onomatopeia** *f.* ⟨*non com*⟩ → **onomatopea.** – **onomatopeico** *a.* (*pl.* **-ci**) **1.** ⟨*Ling*⟩ onomatopoeic(al), onomatopoetic, echoic, imitative. – **2.** ⟨*Mus*⟩ imitative. – **onomatopeizzare** *v.t.* to make onomatopoeic.
ononide *f.* ⟨*Bot*⟩ **1.** restharrow (*Ononis*). – **2.** (spiny) restharrow (*Ononis spinosa*).
onorabile *a.* **1.** honourable, worthy of honour. – **2.** ⟨*ant*⟩ (*che dà onore*) honourable. – **onorabilità** *f.* **1.** honourableness, honour. – **2.** (*buona reputazione*) honour, reputation, good name: *offendere l'~ di qd.* to offend (*o* besmirch) s.o.'s honour, to cast a blot on s.o.'s reputation. – **onorabilmente** *avv.* honourably. – **onorando** *a.* ⟨*lett*⟩ honoured, honourable.
onoranza *f.* **1.** *pl.* honours *pl*, (public) tribute: *tributare solenni -e a qd.* to bestow solemn honours upon s.o. – **2.** ⟨*region*⟩ (*regalia*) gift in kind. – **3.** ⟨*non com*⟩ (*onore*) honour. □ *-e funebri* (*esequie*) funeral honours.
onorare *v.t.* (**onoro**) **1.** to (hold in) honour: *onora il padre e la madre* honour thy father and thy mother; (*rispettare*) to respect. – **2.** (*fare onore*) to honour, to pay honour to: *~ qd. della propria visita* to honour s.o. with a visit. – **3.** (*rendere onorato*) to honour, to be an honour to, to do credit (*o* honour) to: *questo scienziato onora la sua nazione* this scientist honours (*o* is an honour to) his country. – **4.** (*adempiere, soddisfare*) to honour, to live up to, to respect, to fulfil, to carry out: *~ i propri obblighi* to fulfil one's obligations. – **5.** ⟨*rar*⟩ (*venerare*) to honour, to venerate, to revere. – **onorarsi** *v.r.* **1.** to be (*o* feel) highly honoured, to be proud: *mi onoro di essere stato suo discepolo* I am proud to have been his pupil. – **2.** ⟨*epist*⟩ (*pregiarsi*) to have the honour, to beg, to be pleased: *mi onoro di informarVi* I have the honour to inform you. □ ⟨*Comm*⟩ *~ una cambiale* to honour (*o* take up) a bill.
onorario[1] *a.* **1.** honorary: *membro ~* honorary member; *cittadino ~* honorary citizen. – **2.** (*che serve ad onorare*) honorary, commemorative: *monumento ~* commemorative monument. – **3.** (*non effettivo*) titular, honorary: *carica -a* titular office.
onorario[2] *m.* (*compenso*) fee, honorarium: *~ del medico* doctor's fee; *spese e onorari* disbursements and fees.
onoratamente *avv.* honourably, in an honourable manner, of (*o* with) honour. – **onoratezza** *f.* **1.** honourableness, honour. – **2.** (*probità*) uprightness, honourableness, respectability.
onorato (*p.p. di onorare*) **I** *a.* **1.** honoured, esteemed. – **2.** (*onesto*) honest, honoured; (*rispettabile*) respected: *professione -a* honoured (*o* respected) profession. – **3.** ⟨*non com*⟩ (*onorevole*) honourable. – **4.** ⟨*Dir*⟩ receiving a gift. – **II** *s.m.* (*f.* **-a**) ⟨*Dir*⟩ donee, receiver of a gift.
Onorato *N.pr.m.* ⟨*Stor*⟩ Honoratus.
onoratore ⟨*ant*⟩ **I** *s.m.* (*f.* **-trice**) honourer. – **II** *a.* honouring.
onore *m.* **1.** honour; (*senso dell'onore*) sense of honour, self-respect. – **2.** (*buona reputazione*) honour, reputation, good name: *infamare l'~ di qd.* to besmirch s.o.'s honour (*o* good name), to cast a blot on s.o.'s reputation. – **3.** (*onorabilità*) honourableness, honour; (*moralità*) honour, morality. – **4.** (*atto d'omaggio*) honour, ceremony: *l'ospite fu ricevuto con tutti gli -i* the guest was received with full honours. – **5.** (*atto di venerazione*) honour, veneration, reverence. – **6.** (*privilegio*) honour, privilege: *è toccato a me l'~ di presiedere la seduta* the honour of chairing the meeting has fallen to me. – **7.** (*vanto*) honour, glory; (*merito*) credit, distinction: *l'~ del successo è tutto suo* credit for the success must go entirely to him; ⟨*concr*⟩ (*motivo di vanto*) honour, credit: *essere l'~ della propria famiglia* to be ⌜the honour of⌝ (*o* a credit to) one's family. – **8.** (*gloria, fama*) honour, fame, glory; (*stima*) esteem. – **9.** (*orgoglio*) pride. – **10.** *pl.* (*onorificenze*) honours *pl*: *elevare qd. ai massimi -i* to raise s.o. to the highest honours. – **11.** (*nelle carte*) honour(-card). – **12.** ⟨*lett*⟩ (*ornamento*) ornament, adornment.
□ *innalzare agli -i dell'***altare** to raise to the altars; *l'~ delle* **armi** the honours of war; ⟨*epist*⟩ **avere** *l'~* to have the honour; *avere in ~* to (hold in) honour; **avido** *di -i* thirsty for honour; *fare gli -i di* **casa** to do the honours (of the house), to play host(ess); **d'~** of honour, honourable: *parola d'~* word of honour; *uomo d'~* honourable man, man of honour; (*onorario*) honorary; *dama d'~* lady-in-waiting; *damigella d'~* maid of honour; (*nei matrimoni*) bridesmaid; **desiderio** *d'~* desire for honour (*o* prestige); ⟨*Dir*⟩ **diritto** *all'~* right to honour; **essere** *in ~* to be (highly) esteemed; *rendere gli* **estremi** *-i a qd.* to pay one's last respects to s.o., to take leave of the dead, to render s.o. the last honours; **far** *~ a*: 1. to honour, to pay homage to; 2. (*rendere degno di stima*) to be a credit (*o* an honour) to, to do honour to: *questo sentimento ti fa ~* this sentiment does you honour; *le tue azioni non fanno ~ alla tua onestà* your behaviour is not a credit to your honesty; 3. (*gradire molto*) to do justice to, to enjoy very much, to appreciate fully: *ha fatto ~ al pranzo* he did (ample) justice to the meal; 4. ⟨*Comm*⟩ to honour: *fare ~ a una cambiale* to honour (*o* take up) a bill; *fare a qd. l'~ di qc.* to do s.o. the honour of s.th.; *fare ~ alla propria firma*: 1. to fulfil one's obligations; 2. (*rif. a autori e sim.*) to live up to one's reputation; 3. ⟨*Comm*⟩ to honour one's signature; *farsi ~* to distinguish o.s.; *-i* **funebri** funeral (*o* last) honours; **in** *~ di qd.* in s.o.'s honour; *avere qd. in grande ~* to hold s.o. in great honour, to honour (*o* esteem) s.o. highly; ⟨*scherz*⟩ *l'~ del* **mento** the beard; *~ al* **merito**! give praise where praise is due; *rendere gli -i* **militari** *a qd.* to render military honours to s.o.; *essere sepolto con gli -i militari* to be buried with military honours; **perdere** *l'~* to lose one's honour, to disgrace o.s.; (*perdere la verginità*) to lose one's virginity, to be sullied; *fare ~ al* **piatto** (*nel poker*) to chip in; **rimettere** *in ~ un'usanza* to bring back a custom; **sul** *mio ~* on my honour, on my word (of honour); **tornare** *in ~* to come into one's own again; **troppo** *~ !* you do me too much honour, you are too kind; **uscirne** *con ~* to come out of it honourably; *ad onor del* **vero** to tell the truth; **Vostro** ≈ Your Honour.
onorevole I *a.* **1.** (*degno d'onore*) honourable, worthy of honour: *un cittadino ~* an honourable citizen. – **2.** (*che fa onore*) honourable. – **3.** (*appellativo dei parlamentari*) (Right) Honourable: *l'~ ministro* the Honourable Minister. – **4.** ⟨*burocr*⟩ (*rif. a enti*) honourable. – **5.** ⟨*ant*⟩ (*pomposo*) pompous, magnificent, splendid. – **II** *s.m./f.* **1.** (*deputato*) Member of Parliament; (*senatore*) Senator. – **2.** (*vocativo: deputato*) Honourable Member; (*senatore*) Honourable Senator.
onorevolezza *f.* ⟨*rar*⟩ **1.** honourableness, respectability. – **2.** (*onorabilità*) honourableness, dignity. – **onorevolmente** *avv.* **1.** (*con onore*) honourably, with honour. – **2.** (*con onori*) with honours.
onorificenza *f.* **1.** sign of honour (*o* dignity). – **2.** (*decorazione*) decoration: *insignire qd. di una ~* to confer a decoration upon s.o.

– **onorịfico** *a.* (*pl.* -ci) **1.** honorary, honorific, of honour, courtesy-: *titolo* ~ honorary (*o* courtesy) title. – **2.** (*che non comporta retribuzione*) honorary: *incarico puramente* ~ purely honorary office.

Onọrio *N.pr.m.* ⟨*Stor*⟩ Honorius.

onrạnza *f.* ⟨*ant*⟩ → **onoranza**. – **onrạre** *v.* (ọnro) ⟨*ant*⟩ → **onorare**. – **onrạto** (*p.p. di onrare*) *a./s.* ⟨*ant*⟩ → **onorato**.

ọnta *f.* **1.** shame, infamy, ignominy, disgrace; (*disonore*) disgrace, dishonour. – **2.** (*offesa*) injury, insult, outrage, offence: *lavare l'~ nel sangue* to wipe out an insult with blood. – **3.** ⟨*fig,poet*⟩ (*danno, molestia*) injury, harm. □ *a ~ di*: 1. despite, in spite (*o* defiance) of, notwithstanding: *a ~ della mia proibizione* despite (*o* in defiance of) my prohibition; 2. ⟨*ant*⟩ (*a vergogna, a infamia*) to the shame of: *a ~ di ciò* just the same, despite this; *fare* (*o recare*) ~ *a qd.* to bring shame on s.o., to shame (*o* disgrace) s.o.; *fare ~ alla verità* to shame the truth; ⟨*non com*⟩ *in ~ a* = *a onta di*.

ontanẹta *f.*, **ontanẹto** *m.* alder wood. – **ontạno** *m.* ⟨*Bot*⟩ **1.** alder (*Alnus*). – **2.** (*anche ontano nero*) black alder (*Alnus glutinosa*). □ ~ *bianco* (*o peloso*) grey alder (*Alnus incana*).

ọntico *a.* (*pl.* -ci) ⟨*Filos*⟩ ontic, ontal.

onto... *pref.* **1.** (*essere, ente* being) ont(o)... – **2.** (*essere vivente* living being) ont(o)...

onto|gẹnẹsi *f.* ⟨*Biol*⟩ ontogeny, ontogenesis. – **~genẹtico** *a.* (*pl.* -ci) ontogen(et)ic. – **~genịa** *f.* → **ontogenesi**. – **~logịa** *f.* ⟨*Filos*⟩ ontology. – **~lọgico** *a.* (*pl.* -ci) ontological: ⟨*Teol*⟩ *argomento* ~ ontological argument. – **~logịsmo** *m.* ontologism. – **~logịsta** I *s.m./f.* ontologist. – **II** *a.* ontologistic.

ontọso *a.* ⟨*ant*⟩ **1.** (*vergognoso, disonorante*) shameful, disgraceful. – **2.** ⟨*rar*⟩ (*che prova vergogna*) ashamed.

ontosofịa *f.* ⟨*Filos*⟩ ontology.

ONU = *Organizzazione delle nazioni unite* United Nations Organization (*abbr.* U.N.O., UNO).

onụsto *a.* ⟨*lett*⟩ **1.** (*carico*) laden, loaded (*di* with): ~ *d'armi* laden with arms. – **2.** ⟨*fig*⟩ laden, burdened, heavy (*di* with): ~ *d'anni* burdened with years. – **3.** ⟨*non com*⟩ (*aggravato*) burdened, loaded, weighted. □ ~ *di allori* wreathed with laurel; ~ *di gloria* crowned (*o* filled) with glory.

ọnza *f.* ⟨*ant*⟩ (*lonza*) wild beast.

oo... *pref.* (*uovo* egg) oo..., ov(i)..., ovo..., egg-.

oo|cefalịa *f.* ⟨*Med*⟩ oxycephaly, steeple head. – **~cinẹte** *m.* ⟨*Zool*⟩ ookinete. – **~cịsti** *f.* ⟨*Zool*⟩ oocyst. – **~cịto** *m.* ⟨*Biol*⟩ oocyte. – **~forịte** *f.* oophoritis, ovaritis.

oọ|foro I *a.* ⟨*Biol*⟩ ovarian, egg(-bearing). – **II** *s.m.* (*ovaio*) ovary. – **~gamịa** *f.* oogamy. – **~gẹnẹsi** *f.* oogenesis. – **~gọnio** *m.* oogonium. – **~lẹmma** *m.* oolemma. – **~lịte** *m.* ⟨*Min*⟩ oolite. – **~lịtico** *a.* (*pl.* -ci) oolitic. – **~logịa** *f.* oology. – **~micẹti** *m.pl.* ⟨*Bot*⟩ oomycetes *pl* (*Oomycetes*). – **~plạsma** *m.* ⟨*Biol*⟩ ooplasm.

OO.PP. = *Opere pubbliche* Public Works (*abbr.* P.W.).

oo|sfẹra *f.* ⟨*Bot*⟩ oosphere. – **~spọra** *f.* ⟨*Biol*⟩ oospore. – **~tẹca** *f.* ⟨*Entom*⟩ ootheca. – **~zọide**, **~zoịte** *m.* ⟨*Zool*⟩ oozooid.

op. = **1.** *opera* work, opera (*abbr.* op). – **2.** ⟨*Mus*⟩ opus (*abbr.* op.).

O.P. = ⟨*Rel*⟩ *Ordine dei predicatori* (*domenicani*) Order of Preachers (*abbr.* O.P.).

opacamẹnto *m.* ⟨*non com*⟩ becoming opaque, clouding over, opacification. – **opacạre** *v.t.* (**opạco, opạchi**) ⟨*rar*⟩ to (make) opaque, to opacify. – **opacarsi** *v.r.* to become opaque, to cloud (over), to opacify.

opacità *f.* **1.** opacity, opaqueness. – **2.** (*l'essere privo di lucentezza*) opacity, dullness. – **3.** ⟨*fig*⟩ opacity, dullness, dimness; (*rif. a suoni*) dullness, indistinctness; (*rif. a intelletto*) dullness, opacity. – **4.** ⟨*Fot*⟩ opacity. – **5.** ⟨*poet*⟩ (*oscurità*) opacity, darkness, obscurity.

opacizzạnte (*p.pr. di opacizzare*) **I** *a.* ⟨*Vetr,Ceram*⟩ opacifying. – **II** *s.m.* opacifier. – **opacizzạre** *v.t.* to opacify, to make opaque. – **opacizzarsi** *v.r.* to become opaque, to opacify. – **opacizzaziọne** *f.* opacification (*anche Radiol.*).

opạco *a.* (*pl.* -chi) **1.** opaque: *il piombo è ~ ai raggi X* lead is opaque to X-rays. – **2.** (*che non riflette la luce*) opaque, dull: *metallo* ~ dull metal; (*senza lucentezza*) dull, lustreless, mat(t); *carta patinata -a* mat paper. – **3.** ⟨*fig*⟩ obscure, dull, dim, veiled; (*rif. a suoni*) dull, muffled, indistinct; (*rif. a colori, voce*) dull; (*rif. a intelligenza*) dull. – **4.** ⟨*poet*⟩ (*oscuro*) dark; (*ombroso*) shadowy.

opạla *f.* ⟨*ant*⟩ → **opale**. – **opạle** *m./f.* **1.** ⟨*Min*⟩ opal. – **2.** ⟨*poet*⟩ (*colore: grigio*) opal grey; (*azzurro*) opal blue.

□ ~ ⌜**d'acqua**⌝ (*o di Ceylon*) moonstone; ~ **arlecchino** harlequin opal; ~ **comune** common opal; ~ *a* **fiamma** flame opal; ~ *di* **fuoco** sun (*o* fire) opal; ~ **girasole** girasol; ~ **nobile** noble (*o* precious) opal.

opalescẹnte *a.* opalescent, opalesque. – **opalescẹnza** *f.* ⟨*Fis*⟩ opalescence.

opalịna *f.* **1.** ⟨*Vetr*⟩ opaline, milk-glass, opal-glass; (*oggetto*) object of milk-glass. – **2.** ⟨*Tess*⟩ (kind of) light cotton. – **3.** ⟨*Cart*⟩ opalescent-finished paper. – **opaline** *fr.* [ɔpa'lin] *f.* **1.** ⟨*Vetr*⟩ opaline, milk-glass, opal-glass; (*oggetto*) object of milk-glass. – **2.** ⟨*Tess*⟩ (kind of) light cotton. – **opalinizzaziọne** *f.* opalization. – **opalịno** *a.* opaline, opalescent, opal-. – **opalizzạre** *v.t.* to opalize. – **opalizzạto** (*p.p. di opalizzare*) *a.* opalized. – **opạlo** *m.* ⟨*ant*⟩ → **opale**.

opạnca *f.* ⟨*Calz*⟩ kind of sandal (worn by Yugoslavian peasants).

op.cit. = *opera citata* opere citato (*abbr.* op. cit.).

ọpera *f.* **1.** work: *il progresso è ~ dell'uomo* progress is the work of man; (*operato*) work, actions *pl*, action. – **2.** (*lavoro*) work, task, ⟨*fam*⟩ job: *mettersi all'~* to set to work, to get down to work (*o* the job). – **3.** (*aiuto*) help, services *pl*: *hai bisogno dell'~ mia?* do you need my help? – **4.** (*creazione artistica*) work: *le -e di Byron* Byron's works. – **5.** (*azione*) action, deed, work: *vorrei vederlo all'~* I'd like to see him ⌜in action⌝ (*o* at it). – **6.** (*insieme di azioni*) work. – **7.** (*costruzione, edificio*) work: *-e di pubblica utilità* public works. – **8.** ⟨*Mil*⟩ work, structure: *-e difensive* defensive works. – **9.** ⟨*Mus*⟩ (*genere e composizione musicale*) work, opus; (*nei titoli*) opus. – **10.** (*teatro dell'opera*) opera(-house). – **11.** (*nome di istituti*) organization, association, board, institute. – **12.** (*lavoro a giornata*) day-labour, daywork, work by the day: *lavorare a ~* to work by the day; (*giornata di lavoro*) day's work. – **13.** ⟨*Archeol*⟩ masonry; (*nei nomi*) opus: ~ *laterizia* opus latericium. – **14.** ⟨*Tess*⟩ pattern. – **15.** ⟨*tosc*⟩ (*bracciante giornaliero*) day-labourer, day-worker. – **16.** ⟨*tosc*⟩ (*fabbriceria*) Vestry Board, Board of Trustees: ~ *del Duomo* Cathedral Vestry Board. – **17.** ⟨*ant*⟩ (*faccenda, affare*) thing, matter, affair, business.

□ *tessuto* **a** ~ patterned (*o* worked) cloth; *andare a ~* to work by the day, to do daywork; *stare a ~* to do daywork, to be a day -labourer; *a ~ di* = **per** *opera di*; **all'~** ! to work!, get (down) to work!, ⟨*fam*⟩ get cracking (*o* busy)!; *essere all'~* (*lavorare*) to be at work, ⟨*fam*⟩ to be on the job; *mettere qd. all'~* to set s.o. to work; ~ *d'***arte** work of art; ⟨*tecn*⟩ structure; ~ **assistenziale** relief (*o* charity) work; ~ *di* **bonifica** land reclamation (work); ⟨*Mus*⟩ ~ **buffa** opera buffa, comic opera; *-e* **buone** good deeds (*o* actions); ⟨*Mil*⟩ *-e* **campali** field-works *pl*; ~ *di* **carità** act of charity, charitable action; ⟨*Archeol*⟩ ~ **ciclopica** cyclopean walls; *-e* **complete** complete works; ⟨*ant*⟩ **con** ~ *di* = **per** *opera di*; ~ *di* **conquista** conquest; ~ *di* **conversione** conversion; *fare ~ di* **convinzione** *presso qd.* = *fare opera di* **persuasione** *presso qd.*; **dare** ~ *a qc.* (*porvi mano*) to begin (*o* undertake) s.th., to set to s.th.; ~ *di* **demolizione** demolition; *-e di* **difesa** *delle coste* coastal defence works; ~ **edita** published (*o* printed) work; ⟨*Mil*⟩ *-e* **esterne** outer works; ⟨*Mil*⟩ *-e di* **fortificazione** fortifications *pl*; ~ **giovanile** youthful (*o* early) work; *-e* **idrauliche** waterworks *pl*, hydraulic structures; ~ **inedita** unpublished work; *-e d'***ingegno** original works; ~ *d'***intarsio** marquetry, inlay work; *-e* **intellettuali** brain-work, intellectual work, professional services: *prestazione di -e intellettuali* rendering of professional services; ⟨*Mil*⟩ *-e* **interne** inner works; *-e d'***irrigazione** irrigation works; ~ **letteraria** literary work, book; ⟨*Mus*⟩ ~ **lirica** opera, ⟨*non com*⟩ lyric drama; *è ~ delle sue* **mani** it is his own handiwork; *-e* **manuali** manual work (*o* labour); **messa** *in* ~ installation, setting up, laying; **mettere** *in* ~: 1. (*realizzare*) to execute, to carry out; 2. (*far lavorare*) to set to work, to bring into play, to practise: *mettere in ~ l'immaginazione* to set one's imagination to work; 3. (*impiegare*) to use, to make use of; (*cominciare ad usare*) to begin to use; 4. ⟨*Mecc*⟩ to install, to set up, to lay; ~ *di* **misericordia** work (*o* act) of mercy; ⟨*Mar*⟩ ~ **morta** topside, upper works; ~ **muraria** (*in pietra*) masonry, stonework; (*in mattoni*) masonry, brickwork; ~ **musicale** work, opus; (*dramma musicale*) opera; *fare ~ di* **pace** to act as peacemaker; ~ *di* **pazienza** job which requires (a lot of) patience; **peccato** *d'~* sin of commission; **per** ~ *di* through, with the help of, thanks to, by means of; ~ **perduta** (*fatica sprecata*) wasted energy (*o* effort), waste of time (and effort); ⟨*Mil*⟩ *-e* **permanenti** permanent works; *fare ~ di* **persuasione** *presso qd.* to try to persuade s.o.; ~ **pia** charitable institution; *-e* **portuali** harbour works (*o* structures); ⟨*Mus,Lett*⟩ ~ **postuma** posthumous work; **prestare** *la propria ~ a favore di qd.* to help s.o., to lend (*o* give) s.o. a hand; *-e* **pubbliche** public works; *fare ~* **santa** to do a virtuous deed; ⟨*Idr*⟩ ~ *di* **sbarramento** dam, weir; ⟨*Mus*⟩ ~ **semiseria** opera semiseria, semi-comic (*o* semi-serious) opera; ⟨*Tess*⟩ **senza** ~ plain, unpatterned; ⟨*Mus*⟩ ~ **seria** opera seria, ⟨*pop*⟩ grand opera; *-e* **servili** servile work; ⟨*Archeol*⟩ ~ **settile** opus sectile; ⟨*lett,Mus*⟩ *l'~ da tre* **soldi** The Threepenny Opera; **teatro** *dell'~* opera(-house); **valersi** *dell'~ altrui* to avail o.s. of s.o.'s services, to make use of s.o.; ⟨*Mar*⟩ ~ **viva** quick work, bottom. – *Prov.*: *all'~ si conosce il maestro* you can tell a man by the work he does.

operạbile *a.* **1.** ⟨*Chir*⟩ operable. – **2.** ⟨*rar*⟩ (*effettuabile*) that may be done, practicable, feasible, workable. – **operabilità** *f.* **1.** ⟨*Chir*⟩ operability. – **2.** ⟨*rar*⟩ (*l'essere effettuabile*) feasibility.

operạccia *f.* (*pl.* -ce) *pegg. di* **opera**.

operạio I *s.m.* (*f.* -a) **1.** worker, workman (*f* -woman), hand, ⟨*am*⟩ laborer; (*addetto a una macchina*) operator, operative, tender. – **2.** ⟨*estens*⟩ (*lavoratore*) worker, working man (*f* woman). – **3.** ⟨*Bibl, ant*⟩ (*lavoratore agricolo a giornata*) day-labourer. – **4.** ⟨*tosc*⟩ (*fabbriciere*) Councilman, member of a church's Board of Trustees. – **II** *a.* **1.** (*degli operai*) working, worker-: *classe -a* working class; (*della classe operaia*) working-class-. – **2.** (*fra operai*) workers', workmen's: *associazioni -e* workers' associations. – **3.** (*che lavora*) worker-, working: *ape -a* worker bee; *prete* ~ worker priest.

□ *operai* **avventizi** casual labour (*o* workers), casuals *pl*, temporary workers; ~ *di* **cantiere** builder's labourer, construction worker; (*di cantiere navale*) shipyard worker, dockyardman; ~ *del* **cervello** = *operaio della penna*; ~ **comune** unskilled worker, common labourer; ~ **edile** builder's labourer, construction worker; ~ *di* **fabbrica** factory worker (*o* hand); ~ **finito** journeyman; ~ **intellettuale** = *operaio della penna*; ~ **metallurgico** metalworker, worker in metals; *operai* **militari** armed forces workmen; ~ **montatore** fitter; ~ *di* **officina** shop-worker; ⟨*fig*⟩ ~ *della* **penna** (*rif. a impiegati*) clerk, clerical worker, white-collar worker,

⟨*fam*⟩ pen-pusher; (*rif. a professionisti*) professional; ~ *addetto ai lavori* **pesanti** hodman, (unskilled) labourer, man who does the heavy work; ~ **portuale** docker, dock (*o* harbour) worker, ⟨*am*⟩ longshoreman; ~ **qualificato** (second-grade) skilled worker; ~ ⌜*non qualificato*⌝ (*o semplice*) unskilled worker, rank-and-file labourer; ~ *di* **scena** stage-hand, scene-shifter, ⟨*am.fam*⟩ grip; ~ **specializzato** skilled (*o* specialized) worker, (first-grade) skilled workman; ~ **tessile** textile worker; ~ **tracciatore** tracer, loftsman.

operaịsmo *m.* ⟨*Sociol*⟩ labourism. – **operaịstico** *a.* (*pl.* **-ci**) labouristic.

operạndo *m.* (*f.* **-a**) ⟨*non com*⟩ person about to have an operation.

operạnte (*p.pr. di operare*) **I** *a.* **1.** (*attivo*) acting, operating, working. – **2.** (*valido*) operative, effective, valid, good: *l'accordo è divenuto* ~ the agreement has become operative. – **3.** (*efficace*) effective, effectual, efficacious, operative. – **II** *s.m./f.* **1.** ⟨*rar*⟩ operator. – **2.** ⟨*Chir*⟩ operating surgeon, operator.

ọpera ọmnia *lat. f./f.pl.* ⟨*Lett*⟩ complete works *pl.*

operạre *v.* (**ọpero**) **I** *v.i.* (*aus.* **avere**) **1.** to act, to operate, to work: ~ *nell'interesse di qd.* to act in s.o.'s interest. – **2.** (*produrre effetto*) to operate, to take effect, to work, to act. – **3.** (*svolgere la propria attività*) to work. – **4.** ⟨*Chir,Mil,Mat*⟩ to operate. – **II** *v.t.* **1.** (*compiere*) to do, to work, to perform, to carry out, to operate: ~ *meraviglie* (*o miracoli*) to work wonders. – **2.** (*produrre*) to produce, to work, to bring about: ~ *un cambiamento* to produce (*o* bring about) a change. – **3.** ⟨*Chir*⟩ to operate (on), to perform an operation on: ~ *qd. di appendicite* to operate on s.o. for appendicitis, to perform an appendectomy on s.o. – **4.** ⟨*burocr,Dir*⟩ to make, to carry out, to perform: ~ *un arresto* to make an arrest, to arrest s.o. – **5.** ⟨*Tess,non com*⟩ to pattern, to figure, to work; (*damascare*) to damask. – **6.** ⟨*ant*⟩ (*usare, impiegare*) to use, to put to use, to make use of. – **operarsi** *v.r.* **1.** (*verificarsi*) to come about, to take place, to occur. – **2.** ⟨*fam*⟩ (*sottoporsi a un'operazione chirurgica*) to have an operation, to be operated upon. ▭ ~ *bene* to act well, to do right; ⟨*Econ*⟩ ~ *in borsa* to be a stockbroker, to operate (*o* deal) on the stock-exchaneg; ⟨*Chir*⟩ ~ *a caldo* to operate in the acute stage, to do (*o* perform) an emergency operation; ~ *a freddo* to operate between attacks.

operạrio *a./s.* ⟨*ant*⟩ → **operaio**.

operativịsmo *m.* → **operazionismo**.

operatịvo *a.* **1.** operative, efficacious, effective. – **2.** (*esecutivo*) enforceable, executive: *ordine* ~ enforceable order. – **3.** ⟨*burocr*⟩ (*vigente*) operative, in effect, valid, good: *l'accordo è ancora* ~ the agreement is still operative (*o* in effect), the agreement still holds good. – **4.** ⟨*Mil*⟩ operational, operating, operative. – **5.** ⟨*Chir,non com*⟩ operative, surgical. – **6.** ⟨*ant*⟩ (*attivo*) active, working, operative.

operạto (*p.p. di operare*) **I** *a.* **1.** ⟨*Chir*⟩ operated (on), who has had an operation. – **2.** ⟨*Tess*⟩ patterned, figured, worked; (*damascato*) damask. – **3.** ⟨*rar*⟩ (*effettuato*) carried out. – **4.** ⟨*ant*⟩ (*lavorato*) worked, patterned, wrought. – **II** *s.m.* **1.** actions *pl*, action, deeds *pl*, work, handiwork. – **2.** (*f.* **-a**) ⟨*Chir*⟩ patient operated on, operatee.

operatọre I *s.m.* (*f.* **-trice**) **1.** operator. – **2.** ⟨*Econ*⟩ agent, broker, operator. – **3.** ⟨*Chir*⟩ operator, operating surgeon. – **4.** ⟨*non com*⟩ (*chi opera*) worker, operator, doer, maker. – **5.** ⟨*Mat*⟩ operator. – **6.** ⟨*Filos*⟩ operator, quantifier. – **7.** ⟨*Cin,TV*⟩ (*operatore di presa*) cameraman; (*operatore di cabina*) projectionist. – **8.** ⟨*Tip*⟩ machine compositor, operator. – **9.** ⟨*ant*⟩ (*operaio, lavoratore*) worker, workman. – **II** *a.* operating: *chirurgo* ~ operating surgeon.

▭ ⟨*Econ*⟩ ~ *di* **borsa** stockbroker, operator on the stock-exchange; ⟨*Cin*⟩ ~ *di* **cabina** projectionist; ~ **cinematografico** (*o di cinema*) = *operatore di* **cabina**; ~ **economico** operator, dealer; ⟨*Cin*⟩ ~ **fonico** recordist; ⟨*Mat*⟩ ~ **lineare** linear operator; ⟨*Cin*⟩ ~ *di* **macchina** (*o presa*) cameraman; ~ *di* **proiezione** = *operatore di* **cabina**; ~ **radiofonico** sound engineer; ⟨*Tip*⟩ ~ *alla* **tastiera** operator; ⟨*Econ*⟩ ~ *in* **titoli** stockbroker, bond broker.

operatọrio *a.* **1.** ⟨*Chir*⟩ operating, surgical, operative: *camera -a* operating theatre (*o* room). – **2.** ⟨*Mat*⟩ operational: *calcolo* ~ (*funzionale*) operational calculus. – **3.** ⟨*ant*⟩ (*operativo*) operative. ▭ *intervento* ~ operation, surgery.

operatrịce *f.* **1.** (*macchina*) machine. – **2.** ⟨*Tel*⟩ operator.

operazionạle *a.* ⟨*Mat,Filos*⟩ operational.

operazionalịsmo *m.* → **operazionismo**.

operazioncẹlla, operazioncịna (*dim. di operazione*) *f.* **1.** ⟨*Chir*⟩ minor operation (*o* surgery). – **2.** ⟨*Mat*⟩ simple operation.

operaziọne *f.* **1.** (*azione*) operation, action, working, doing; (*attività*) activity, operation; (*lavoro*) work, operation. – **2.** (*insieme di atti*) operation, undertaking: ~ *di polizia* police operation. – **3.** ⟨*Chir*⟩ operation, surgery: *subire un'*~ to have an operation, to undergo surgery. – **4.** ⟨*Mil,Mat*⟩ operation. – **5.** ⟨*Econ*⟩ transaction, operation, dealing. – **6.** ⟨*ant*⟩ (*opera*) work. – **7.** ⟨*ant*⟩ (*efficacia*) operation, working, efficacy.

▭ ⟨*Econ*⟩ ~ *d'***arbitraggio** arbitrage transaction; ~ **aritmetica** arithmetical operation; ⟨*Econ*⟩ ~ **attiva** lending (*o* credit) transaction; *-i* **bancarie** bank transactions (*o* operations), banking business; ~ *di* **baratto** barter(ing); ~ **bellica** military operation; ~ *di* **borsa** stock exchange transaction; *-i di* **cambio** exchange transactions; ⟨*Mil*⟩ ~ **combinata** combined operation; ~ *di* **compensazione** compensation transaction; ~ *fatta in* **consorzio** joint transaction; ~ *in* **contanti** cash transaction (*o* deal); ⟨*Econ*⟩ ~ *di* **copertura** covering transaction; ~ *di* **credito** credit operation; ⟨*Chir*⟩ ~ **cruenta** surgery; *-i di* **deposito** deposit transactions; *-i in* **divise** foreign exchange transactions (*o* business); ⟨*Mat*⟩ ~ **elementare** basic rule (*o* operation); **fare** *un'*~ to carry out an operation, to operate; ⟨*fam*⟩ *farsi un'*~ to have an operation, to be operated on; *-i* **finanziarie** financial transactions; ⟨*Mecc*⟩ *-i di* **finitura** finishing; ⟨*Mat*⟩ *le quattro -i* **fondamentali** the four arithmetical operations; ⟨*Mecc*⟩ ~ *di* **foratura** drilling operation; ~ *di* **fresatura** milling; ~ *d'***incasso** collection transaction; ⟨*Mil*⟩ **linea** *d'-i* line of operations; ~ **matematica** mathematical operation; ~ **navale** naval operation (*o* manoeuvre); ⟨*Econ*⟩ ~ **passiva** borrowing (*o* debit) transaction; *-i a* **premio** options *pl*; ~ *di* **rastrellamento** round-up; ⟨*Mil*⟩ mopping-up operation; ⟨*Econ*⟩ ~ *al* **rialzo** bullish transaction; ~ *al* **ribasso** bearish transaction; ~ *di* **sconto** discounting; ⟨*Mil*⟩ *-i* **tattiche** tactical manoeuvres (*o* operations); ⟨*Econ*⟩ ~ *a* **termine** forward exchange dealing; ~ *su* **titoli** stock-exchange transaction, stock-jobbing, dealings in stocks; ⟨*Econ*⟩ ~ **triangolare** switch transaction; *-i in* **valute** *estere* = *operazioni in* **divise**.

operazionịsmo *m.* ⟨*Filos*⟩ operationalism.

opercolạre *a.* **1.** ⟨*Biol*⟩ opercular: *osso* ~ opercular bone. – **2.** ⟨*Bot*⟩ opercular, lidded.

opercolạti *m.pl.* ⟨*Zool*⟩ operculates *pl*, Operculata *pl* (*Operculata*).

opercolạto *a.* ⟨*Biol*⟩ opercled, operculate.

opẹrcolo *m.* **1.** ⟨*Biol*⟩ operculum: ~ *della branchia* operculum, gill cover. – **2.** ⟨*Bot*⟩ operculum, lid.

operẹtta (*dim. di opera*) *f.* **1.** ⟨*Lett*⟩ short work. – **2.** ⟨*Mus*⟩ operetta, light opera. ▭ *da* ~ (*non serio*) fairy-tale-, out of an operetta, light-hearted. – **operettịsta** *m./f.* ⟨*Mus*⟩ operettist, composer of operettas. – **operettịstico** *a.* (*pl.* **-ci**) **1.** operetta-, of operettas. – **2.** ⟨*spreg*⟩ (*fatuo, leggero*) fairy-tale-, fatuous, silly, light.

operịna *f. dim. di* **opera**.

operịstico *a.* (*pl.* **-ci**) ⟨*Mus*⟩ (*di opera*) opera-, operatic: *musica -a* opera music; (*da opera*) opera-like.

operọne *m. accr. di* **opera**.

operosamẹnte *avv.* industriously, busily, actively. – **operosità** *f.* industry, industriousness, laboriousness, activity. – **operọso** *a.* **1.** (*attivo*) industrious, busy, hard-working, active, laborious, diligent, ⟨*fam*⟩ up and doing. – **2.** ⟨*fig*⟩ active: *ingegno* ~ active mind. – **3.** (*pieno di lavoro*) busy, full, active: *giornata -a* busy (*o* hard) day. – **4.** ⟨*lett*⟩ (*faticoso*) laborious, tiring; (*elaborato*) elaborate, carefully thought (*o* worked) out. – **5.** ⟨*rar*⟩ (*operante*) working, active.

operụccia *f.* (*pl.* **-ce**) *dim. di* **opera**.

...opia *suff.* (*vista* sight)...opia, ...opy, -sightedness: *miopia f.* myopia, short-sightedness.

opifịcio *m.* factory, mill, plant, works *pl.*

opiliọni(di) *m.pl.* ⟨*Entom*⟩ harvestmen *pl*, phalangids *pl* (*Opiliones, Opilionidea*).

opịmo *a.* ⟨*lett*⟩ **1.** (*grasso*) fat. – **2.** ⟨*estens*⟩ (*fertile*) fertile, fruitful. – **3.** (*copioso, ricco*) rich, abundant, plentiful. ▭ ⟨*Stor.rom*⟩ *spoglie -e* spolia opima, honourable spoils.

opinạbile *a.* debatable, open to question: *la cosa è* ~ it's debatable, it's a matter of opinion. – **opinạre** *v.i.* (*aus.* **avere**) to think, to hold, to consider, to deem. – **opinatịvo** *a.* ⟨*rar*⟩ expressing an opinion.

opiniọne *f.* **1.** opinion, mind, (point of) view: *rimanere della propria* ~ to stick to one's opinion. – **2.** (*convinzione*) opinion, view, belief, conviction, persuasion: *-i politiche* political views; *professare un'*~ to profess a conviction, to hold a view. – **3.** (*considerazione*) opinion: *avere un'alta* ~ *di sé* to have a high opinion of o.s. – **4.** ⟨*Filos*⟩ opinion.

▭ **avere** *un'*~ *in merito a qc.* to have (*o* hold) an opinion about s.th.; *avere una buona* ~ *di qd.* to think highly of s.o.; *non avere -i* to have no opinions; **cambiare** ~ to change one's mind; ⟨*Dir*⟩ ~ **comune** common opinion, communis opinio; *essere d'*~ **contraria** to hold (*o* be of) a different opinion, to think differently, to be of a different mind; *avere il* **coraggio** *delle proprie -i* to have the courage of one's convictions; ~ **corrente** current opinion; ~ **dominante** prevailing opinion; **essere** *dell'*~ *che* to be of the opinion (*o* mind) that, to hold (the view) that, to think (*o* consider) that; *essere della stessa* ~ to have (*o* be of) the same opinion, to agree: *sono della tua* ~ I agree with you; *essere di* ~ *diversa* to hold different views, to disagree; **libertà** *d'*~ freedom of opinion; *la* **matematica** *non è un'*~ facts are facts; *l'*~ *dei* **più** majority opinion; *l'*~ *dei più è che* most people think that; ⟨*non com*⟩ **portare** ~ (*credere*) to hold an opinion, to believe; ~ **pubblica** public opinion; (*il pubblico*) public: *informare l'*~ **pubblica** to inform the public; **questione** *di* ~ matter of opinion; **rimuovere** *qd. dalla sua* ~ to make s.o. change his mind; **secondo** *la mia* ~ in my opinion, it seems to me (that); ~ **universale** general view (*o* opinion).

opịstion *m.* ⟨*Anat*⟩ opisthion.

opisto|brạnchi *m.pl.* opisthobranchiates *pl*, opisthobranchs *pl* (*Opisthobranchia*). – **~cẹle** *a.* ⟨*Anat*⟩ opisthocoelous.

opistọdomo *m.* ⟨*Archeol*⟩ opisthodome, opisthodomos.

opistogrạfico *a.* (*pl.* **-ci**) ⟨*non com*⟩ opisthographic(al). – **opistọgrafo** *a.* ⟨*Filol*⟩ opisthographic(al). ▭ *papiro* ~ opisthograph, opisthographic papyrus.

opistọtono *m.* ⟨*Med*⟩ opisthotonos, opisthotonus.

ọp là (*o ọp là*) *intz.* **1.** upsy-daisy. – **2.** (*incitamento al salto*) jump, up (*o* over) you go, alley-oop.

oplịta, oplịte *m.* ⟨*Stor.gr*⟩ hoplite. – **oplịtico** *a.* (*pl.* **-ci**) of a hoplite.

oplitodromịa *f.* ⟨*Stor.gr*⟩ race between athletes wearing heavy armour. – **oplitọdromo** *m.* athlete wearing heavy armour.
opobạlsamo *m.* ⟨*Bot*⟩ Mecca balsam, opobalsam, balm of Gilead.
opopạnaco, opopọnaco *m.* (*pl.* **-ci**) **1.** ⟨*Bot*⟩ Hercules' allheal, woundwort (*Opopanax chironium*). – **2.** ⟨*Farm*⟩ opopanax, opoponax.
opọssum *m.* ⟨*Zool*⟩ opossum (*Didelphys virginiana*).
opoterapịa *f.* ⟨*Med*⟩ opotherapy, organotherapy. – **opoterạpico** *a.* (*pl.* **-ci**) organotherapeutic.
oppelà, ọppe là (o *ọppe là*) *intz.* ⟨*rar*⟩ → **op là.**
oppiạceo I *a.* **1.** ⟨*Farm*⟩ opiate, opium-. – **2.** ⟨*fig*⟩ (*noioso*) boring, dull, opiate. – **II** *s.m.* ⟨*Farm*⟩ opiate. – **oppiạre** *v.t.* (**ọppio, ọppi**) ⟨*non com*⟩ **1.** (*mescolare con oppio*) to opiate, to mix with opium. – **2.** (*drogare*) to opiate, to drug (with opium). – **3.** ⟨*fig*⟩ to drug, to put to sleep, to deaden: ~ *la pubblica opinione* to drug (*o* bemuse) the masses. – **oppiạto** (*p.p. di oppiare*) **I** *a.* opiate, containing opium. – **II** *s.m.* ⟨*Farm*⟩ opiate.
ọppido *m.* ⟨*ant,lett*⟩ **1.** ⟨*Stor.rom*⟩ oppidum. – **2.** (*città fortificata*) fortified town.
oppignorạre *v.t.* (**oppịgnoro**) ⟨*rar*⟩ (*pignorare*) to seize, to distrain. – **oppignorạto** (*p.p. di oppignorare*) *a.* **1.** (*rif. a pegno*) distrained, confiscated, seized. – **2.** (*rif. a debitore*) distrained. □ *debitore* ~ distrainee.
oppilạre *v.t.* ⟨*ant*⟩ **1.** (*ostruire*) to obstruct, to block (*o* stop) up. – **2.** ⟨*Med*⟩ to obstruct, to occlude. – **oppilatịvo** *a.* ⟨*ant*⟩ **1.** obstructive, stopping up. – **2.** ⟨*Med*⟩ obstructive, occlusive. – **oppilaziọne** *f.* ⟨*ant*⟩ **1.** (*ostruzione*) obstruction. – **2.** ⟨*Med*⟩ obstruction, occlusion.
oppiniọne *f.* ⟨*ant*⟩ → **opinione.**
ọppio[1] *m.* **1.** opium. – **2.** ⟨*fig*⟩ (*soporifero*) opiate, drug, stupefier. □ ~ *da fumo* chandu, chandoo; ⟨*Stor*⟩ *guerra dell'*~ Opium War.
ọppio[2] *m.* ⟨*Bot*⟩ **1.** (*acero campestre*) field (*o* common, hedge) maple. – **2.** ⟨*tosc*⟩ (*pioppo*) poplar.
oppiọmane I *a.* opium addicted. – **II** *s.m./f.* opium addict, opiomaniac. – **oppiomanịa** *f.* opiomania, opium addiction.
ọppla (o *ọppla*), **opplà** *intz.* ⟨*rar*⟩ → **op là.**
opponẹnte (*p.pr. di opporre*) **I** *a.* **1.** ⟨*Dir*⟩ opponent, opposing, adverse. – **2.** ⟨*Anat*⟩ opponent, opposing. – **II** *s.m.* **1.** ⟨*Dir*⟩ opponent, adversary. – **2.** ⟨*Anat*⟩ (*muscolo opponente*) opponens.
oppọnere *v.* ⟨*ant*⟩ → **opporre.** – **oppọngo** *pr.ind. di* **opporre.** – **opponịbile** *a.* opposable.
oppọrre *v.t.* (**oppọngo, oppọni; oppọsi, oppọsto;** → **porre**) **1.** to oppose, to set: ~ *un esercito al nemico* to oppose the enemy with an army, to set an army against the enemy. – **2.** ⟨*fig*⟩ (*controbattere*) to counter, to refute, to object to. – **opporsi** *v.r.* **1.** to oppose (*a qc.* s.th.), to set o.s. (against), to withstand, to face (s.th.), to be opposed (to): *opporsi alla nomina di qd.* to oppose s.o.'s nomination; *opporsi ad una decisione* to be ⌜opposed to⌝ (*o* against) a decision. – **2.** (*essere in contrasto*) to stand (*a* against), to oppose (s.th.). – **3.** ⟨*Dir*⟩ to object (*a* to), to (lodge a) protest, to raise an objection (against): *mi oppongo !* I object !, objection !; *opporsi a una sentenza* to object to a sentence; (*appellandosi*) to appeal (against). – **4.** ⟨*rar*⟩ (*essere opposto*) to be opposite. □ ~ *un'eccezione* to raise an objection; ~ *ostacoli* to set obstacles in the way; ~ *resistenza* to offer resistance, to resist; ~ *un rifiuto* to refuse (to give one's consent), to say no.
opportunamẹnte *avv.* opportunely, at the right moment, seasonably; (*in modo adatto*) suitably, appropriately; (*convenientemente*) conveniently, expediently.
opportunịsmo *m.* opportunism, time-serving. – **opportunịsta I** *s.m./f.* opportunist, time server. – **II** *a.* opportunist(ic). – **opportunịstico** *a.* (*pl.* **-ci**) opportunist(ic).
opportunità *f.* **1.** opportuneness, timeliness. – **2.** (*occasione favorevole*) opportunity, chance, occasion, ⟨*fam*⟩ break: *dare a qd. l'*~ *di fare qc.* to give s.o. the chance (*o* opportunity) to do s.th.; *cogliere l'*~ to seize the opportunity. – **3.** ⟨*non com*⟩ (*l'essere vantaggioso*) advantageousness, favourableness. – **4.** ⟨*ant*⟩ (*necessità*) need. □ *politica d'*~ opportunism.
opportụno *a.* **1.** (*che arriva al momento giusto*) opportune, well-timed, timely, seasonable. – **2.** (*adatto*) suitable, fit(ting), well-chosen, appropriate; (*conveniente*) convenient, expedient, proper, right; (*consigliabile*) advisable. – **3.** (*rif. a persona*: *che agisce con opportunità*) seasonable, timely, welcome. □ *in un momento quanto mai* ~ at a most opportune moment, ⟨*fam*⟩ just in the nick of time; *un visitatore poco* ~ an unwelcome visitor, a visitor who comes at the wrong time; *ritenere* ~ *tacere* to think it better to say nothing.
oppositamẹnte *avv.* ⟨*lett*⟩ oppositely, in an opposite direction.
oppositi|fọglio *a.* ⟨*Bot*⟩ oppositifolious. – **~pennạto** *a.* ⟨*Bot*⟩ opposite-pinnatus. – **~sẹpalo** *a.* ⟨*Bot*⟩ oppositisepalous.
oppọsito *a.* ⟨*lett,ant*⟩ (*opposto*) opposite, facing.
oppositọre *m.* (*f.* **-trice**) **1.** opponent, opposer. – **2.** (*nemico*) opponent, adversary, foe, enemy. – **3.** ⟨*Pol*⟩ adversary, opponent.
opposizioncẹlla *f. dim. di* **opposizione.**
opposiziọne *f.* **1.** (*l'opporre*) opposition (*a* to, against), setting (against); (*l'opporsi*) opposition, resistance. – **2.** (*azione di contrasto*) opposition, objection: *incontrare molte -i* to meet with strong opposition, to be strongly opposed. – **3.** (*obiezione*) objection: *muovere* ~ to raise an objection, to object. – **4.** (*contrasto, contraddizione*) contradiction, clash, conflict. – **5.** (*negli scacchi*) opposition. – **6.** ⟨*Astr,Filos,Fon*⟩ opposition. – **7.** ⟨*Pol*⟩ Opposition. – **8.** ⟨*Dir*⟩ objection, exception, protest. – **9.** ⟨*Geog*⟩ situation on opposite sides of the earth. □ **di** ~ of the opposition, opposition-: *partito di* ~ Opposition (party); **essere** *in* ~ (*contrastarsi*) to be in conflict, to clash, to contradict (e.o.); ⟨*Dir*⟩ **fare** ~ to raise an objection, to lodge a protest, to take exception; *fare* ~ *a una proposta* to oppose (*o* object to) a proposal; ⟨*Fis*⟩ ~ *di* **fase** phase opposition, antiphase; ⟨*Fis*⟩ *in* ~ *di fase* push-pull; ⟨*Dir*⟩ ~ *al* **precetto** appeal against an injunction; ~ *di* **terzo** appeal by a third party.
oppostamẹnte *avv.* oppositely, in an opposite direction.
oppọsto (*p.p. di opporre*) **I** *a.* **1.** (*posto di fronte*) opposite, facing: *la riva -a del fiume* the opposite bank of the river. – **2.** (*contrario*) opposite, contrary: *muoversi in senso* ~ to move in the opposite direction; (*inverso*) reverse. – **3.** ⟨*fig*⟩ (*contrastante*) opposite, contrasting, contrary: *avere opinioni -e* to have contrasting opinions. – **4.** (*in opposizione*) opposing, opposed. – **5.** ⟨*Dir*⟩ objected to, to which exception is taken. – **6.** ⟨*Filos,Mat,Geom*⟩ opposite. – **II** *s.m.* opposite, contrary, reverse: *è l'*~ *di quello che volevo* it is the opposite of what I wanted. □ *all'*~ (*in modo opposto*) the opposite (way), opposite, contrary: *all'*~ *di come pensavo* contrary to what I thought; (*e invece*) on the contrary, whereas; *tutto l'*~ quite the contrary (*o* reverse).
oppressạre *v.t.* (**opprẹsso**) ⟨*ant*⟩ (*opprimere*) to oppress, to weigh down, to tyrannize. – **opprẹssi** *p.rem. di* **opprimere.**
oppressiọne *f.* **1.** (*l'opprimere*) oppression, crushing. – **2.** (*il sentirsi oppresso*) oppression, depression, heavy feeling. – **3.** (*affanno, angoscia*) oppression, trouble, worry, ⟨*fam*⟩ load on one's mind. – **4.** (*servitù*) oppression, bondage. □ *che* ~ *quella commedia !* what a depressing play !
oppressịvo *a.* **1.** oppressive, onerous, burdensome: *tributi -i* oppressive taxes. – **2.** (*angoscioso*) oppressive, depressing. – **opprẹsso** (*p.p. di opprimere*) **I** *a.* **1.** oppressed, weighed down, crushed: ~ *da un grosso peso* crushed by a heavy weight. – **2.** ⟨*fig*⟩ (*afflitto*) overwhelmed, crushed, oppressed: ~ *dal dolore* overwhelmed (*o* crushed) by sorrow. – **3.** (*tiranneggiato*) oppressed, downtrodden. – **II** *s.m.* (*f.* **-a**) oppressed person, victim of oppression; *pl.* the oppressed (*costr. pl.*), the down-trodden (*costr. pl.*). – **oppressọre I** *s.m.* oppressor, tyrant. – **II** *a.* oppressive.
opprimẹi *p.rem. di* **opprimere.**
opprimẹnte (*p.pr. di opprimere*) *a.* **1.** oppressive, overwhelming: *caldo* ~ oppressive heat. – **2.** (*angoscioso*) oppressive, overwhelming; (*deprimente*) depressing. – **3.** (*insopportabile*) unbearable, crushing. – **4.** (*che stanca*) exhausting, wearing; (*rif. a persona*: *noioso*) tiresome.
opprịmere *v.t.* (**opprẹssi/opprimẹi, opprẹsso**) **1.** to oppress, to weigh down, to crush, to press down: *cibi che opprimono lo stomaco* food that weighs down the stomach. – **2.** (*gravare*) to burden, to overwhelm, to crush, to load (down): ~ *qd. di lavoro* to load s.o. down with work, to overwork s.o. – **3.** (*tiranneggiare*) to oppress, to tyrannize: ~ *il popolo* to oppress the people. – **4.** ⟨*fig*⟩ (*affliggere*) to afflict, to torment, to oppress. – **5.** ⟨*fig*⟩ (*dare fastidio*) to weigh down, to oppress, to tire out.
opprọbrio *m.* ⟨*ant*⟩ → **obbrobrio.**
oppugnạbile *a.* confutable, refutable. – **oppugnạre** *v.t.* **1.** (*confutare*) to confute, to refute: ~ *una teoria* to refute a theory; (*impugnare*) to impugn. – **2.** ⟨*ant*⟩ (*assalire*) to attack, to assail. – **oppugnatọre** *m.* (*f.* **-trice**) ⟨*lett*⟩ **1.** (*oppositore*) opponent, antagonist, opposer. – **2.** ⟨*ant*⟩ (*assalitore*) assailant, attacker. – **oppugnaziọne** *f.* **1.** (*impugnazione*) opposition, attack, impugnation; (*confutazione*) refutation, confutation. – **2.** ⟨*ant*⟩ (*assalto*) assault, attack.
oppụre *congz.* **1.** or: *vieni* ~ *no ?* are you coming or not? – **2.** (*altrimenti*) otherwise, or else: *seguimi,* ~ *perderai la strada* follow me, otherwise you will lose your way.
ọpra *f.* ⟨*ant*⟩ → **opera.** – **oprạnte** *m.* **1.** ⟨*tosc*⟩ (*lavoratore agricolo a giornata*) day-labourer, day-worker. – **2.** ⟨*sicil*⟩ (*burattinaio*) puppeteer. – **oprạre** *v.* ⟨*ant*⟩ → **operare.**
oprịre *v.t.* (**ọpro**) ⟨*ant,region*⟩ (*aprire*) to open.
...opsia *suff.* (*vista* vision) ...opsia, ...opsy: *anopsia f.* anopsia.
opsiụria *f.* ⟨*rar*⟩ (*nicturia*) opsiuria.
opsọnico *a.* (*pl.* **-ci**) ⟨*Biol*⟩ opsonic. – **opsonịne** *f.pl.* opsonins *pl.*
optạre *v.i.* (**ọpto**; *aus.* **avere**) **1.** to choose, to select, to make a choice: ~ *fra due cariche* to choose between two positions. – **2.** ⟨*Dir,Pol, Econ*⟩ to opt (*per* for), to choose (s.th.). – **3.** ⟨*ant*⟩ (*desiderare*) to want, to desire.
optịmetro *m.* (*ottimetro*) optimeter.
ọptimum *m.inv.* optimum.
opto|grafịa *f.* ⟨*Fisiol*⟩ formation of the image on the retina. – **~grạmma** *m.* optogram.
optometrịa *f.* optometry. – **optometrịsta** *m.* (*anche ottico optometrista*) optometrist. – **optọmetro** *m.* optometer. – **optọtipo** *m.* optotype.
opulẹnto *a.* ⟨*lett*⟩ **1.** rich, abundant, copious, fertile, luxuriant, profuse, ⟨*lett*⟩ opulent: *regione -a* rich region. – **2.** ⟨*fig*⟩ (*gonfio, ridondante*) over-elaborate, florid. – **3.** ⟨*fig*⟩ (*rif. a donna*) buxom, shapely, voluptuous, with a well-developed figure, ⟨*scherz*⟩ curvaceous, ⟨*am.fam*⟩ stacked. □ *forme -e* full (*o* well-developed) figure. – **opulẹnza** *f.* ⟨*lett*⟩ **1.** opulence, abundance, plenty, wealth. – **2.** ⟨*fig*⟩ (*ridondanza*) over-elaborateness, superabundance, profusion. – **3.** ⟨*fig*⟩ (*rif. a donna*) buxomness, ⟨*scherz*⟩ curvaceousness. □ ~ *di forme* buxomness, fullness of figure.
opụnzia *f.* ⟨*Bot*⟩ prickly pear, opuntia (*Opuntia*).

opus *lat. m.* **1.** ⟨*Archeol,Mus*⟩ opus. – **2.** ⟨*Mediev*⟩ (*ricamo*) opus, embroidery. ☐ ⟨*Archeol*⟩ ~ *incertum* opus incertum; ~ *reticulatum* opus reticulatum.

opuscolaccio *m. pegg. di* **opuscolo**. – **opuscoletto**, **opuscolino** *m. dim. di* **opuscolo**. – **opuscolo** *m.* **1.** booklet, opuscule, short study, pamphlet. – **2.** (*pubblicitario*) brochure, pamphlet, booklet.

opzionale *a.* ⟨*non com*⟩ (*facoltativo*) optional.

opzione[1] *f.* **1.** (*libera scelta*) (freedom of) choice, option. – **2.** ⟨*Dir, Pol*⟩ option, choice. – **3.** ⟨*Dir*⟩ (*diritto di preferenza*) option.
☐ ⟨*Econ*⟩ ~ *per l'***acquisto** call; ~ *del* **compratore** buyer's option; ⟨*Dir.can*⟩ ~ **concistoriale** option; ~ *di* **conversione** *di obbligazioni in azioni* option to convert bonds into stocks; ⟨*Econ*⟩ **diritto** *di* ~ option, pre-emptive right; ~ **doppia** double option, put and call, ⟨*am*⟩ spread; **offrire** *le azioni in* ~ to offer stocks with a put (option); ~ *del* **venditore** put.

opzione[2] *m.* ⟨*Stor.rom*⟩ centurion's aide.

or[1] (*accorc. di ora*[2]) **I** *avv.* ago, gone by, past: *due anni ~ sono* two years ago. – **II** *congz.* now: ~ *dunque, parla* now then, talk. ☐ ~ *appunto* just now; ~ *bene* (*orbene*) well, well now, well then; ~ *invece* now however (*o* though), now on the contrary, whereas now; ~ *su* → **orsù**; ~ *via* now now, come on.

or[2] (*accorc. di ora*[1]): *un'~ di notte* an hour after the Angelus.

or[3] (*accorc. di oro*) *m.* ⟨*poet*⟩ gold.

ora[1] *f.* **1.** (*unità di tempo, parte del giorno*) hour: *ho passeggiato per due -e* I walked for two hours, I had a two-hour (*o* two-hours') walk; *le prime -e del giorno* the early hours of the day. – **2.** (*nelle indicazioni temporali*) time: *che -e sono?* what time is it?; (*nell'indicazione dell'ora del giorno*) *non si traduce*: *sono le* (*-e*) *cinque* it is five (o'clock); *il treno parte alle* (*-e*) *due e venti* the train leaves at twenty past two. – **3.** (*particolare istante del giorno*) time, hour: *a quest'~ lo spettacolo sarà finito* by this time the show will be over, the show will be over by now. – **4.** (*momento*) time, moment: *è ~ di agire* it is time to act; *è proprio ~ di andare* it's really time ⌜to go⌝ (*o* I left); *sarebbe proprio ~ che ti decidessi* it's high time you made up your mind. – **5.** (*spazio di tempo*) time, hour: *abbiamo passato insieme -e felici* we have had some good times together. – **6.** (*ora lavorativa*) man-hour, working-hour. – **7.** ⟨*Astr*⟩ hour.
☐ **a** *-e*: 1. by the hour: *pagare a -e* to pay by the hour; 2. (*di quando in quando*) from time to time; *donna a -e* domestic help who works part-time (*o* by the hour); ⟨*fig,non com*⟩ *uomo a -e* (*mutevole*) unsteady (*o* changeable) man; ⟨*ant*⟩ *a un'~* (*contemporaneamente*) at the same time, simultaneously; ⟨*ant*⟩ *a ~ a ~* (*di quando in quando*) from time to time; **all'~** per hour, an hour: *andare a cento chilometri all'~* to go at a hundred kilometres an (*o* per) hour; *-e* **antimeridiane** morning (hours), a.m.; ⟨*ant*⟩ **anzi** ~ (*prima del tempo*) before the proper time, early; *non* **avere** *-e* to keep irregular hours; **battere** *le -e* to strike the hours; ⟨*mar*⟩ to strike the ship's bell; ⟨*Mar*⟩ ~ *di* **bordo** ship's time; ⟨*ant*⟩ *in* **breve** ~ (*in breve tempo*) in a short time; ⟨*ant*⟩ *per breve ~* (*per poco tempo*) for a short time; *-e* **bruciate**: 1. = *ore* **calde**; 2. ⟨*estens*⟩ (*ore inopportune*) bad (*o* inconvenient, wrong) time; *di* **buon'~** early; *alla buon'~* at last, finally; *-e* **calde** noontide, hot time of day; *un'~ di* **cammino** an hour's walk; ⟨*Rel.catt*⟩ ~ **canonica** canonical hour; ⟨*fig*⟩ (*momento opportuno*) suitable (*o* right) time; *l'~ della* **cena** dinner time, supper time; **che** ~ *fai?* what time do you have (*o* make it)?, what time is it by your watch?; ~ *di* **chiusura** closing-time; ⟨*Astr*⟩ ~ **civile** civil time; ⟨*fig*⟩ **contare** *le -e e i minuti* to count the minutes; *ha le -e contate* (*è vicino a morire*) his days are numbered; ⟨*Sport*⟩ **corsa** *dell'~* one-hour run; **da** *un'~ all'altra* very quickly, soon; **di** ~ *in* ~ as the hours passed, hour by hour; *di cinque -e* five-hour, lasting five hours; ⟨*Rel.catt*⟩ **dire** *le -e* to recite the office, to read the breviary; *-e* **diurne** day-time, daylight hours; **è** *l'~* it's time, time is up; ~ **esatta** exact (*o* right) time; *venire all'~ esatta* to come ⌜dead on time⌝ (*o* on the dot); ~ **estiva** = *ora legale*; **fare** *l'~ di cena* to while away the hours, to kill time until dinner time; *sarà qui* **fra** *due -e* he'll be here in two hours' time; **fuor** *d'~* (*fuori orario*) after hours; (*in un momento inopportuno*) at the wrong time; ⟨*Astr*⟩ ~ *del* **fuso** *orario* standard time (in a time zone); *all'~* **giusta** at the right time; ~ *di* **Greenwich** Greenwich (mean) time; ~ **lavorativa** (*o di lavoro*) working-hour; ~ **legale** summer-time, ⟨*am*⟩ daylight saving time; *saper* **leggere** *le -e* to be able to tell the time; ⟨*Mediev*⟩ **libro** *d'-e* Book of Hours; ~ **locale** local time: *alle quattro ~ locale* at four o'clock local time; *un'~ di* **macchina** an hour's drive, an hour by car; ⟨*ant*⟩ *in* **mala** ~ (*disgraziatamente*) unfortunately, unluckily; ~ *di* **manodopera** man-hour; *-e del* **mattino** = *ore* **antimeridiane**; ⟨*Astr*⟩ ~ **media** mean time; *fra* **mezz'~** in half an hour; *un'~ e* **mezza** an hour and a half; **morire** *prima della propria ~* to die before one's time; *l'~ della* **morte** the hour of death; *-e* ⌜*della* **notte**⌝ (*o notturne*) night-time, nocturnal hours; *a* **ogni** ~ *del giorno* at all hours of the day; ~ *dei* **pasti** meal-times; **per** *-e e -e* for hours and hours, for hours on end; ~ *per* ~ hour by hour, hourly; (*continuamente*) continually, non-stop; *-e* **piccole** (*o piccine*) small (*o* wee) hours; *fare le -e piccole* to stay up late; *in piccola* (*o poco d'*) ~ = *in* **breve** *ora*; *-e* **pomeridiane** (*o del pomeriggio*) afternoon (hours), p.m.; ⟨*Geog*⟩ ~ *di* **porto** lunitidal interval; ~ *di* **pranzo** lunch-hour, lunch-time; ⟨*Mediev*⟩ ~ **prima** (*alba*) sunrise; (*circa le sei*) about six a.m.; *della prima ~* initial, early; ~ *di* **punta** rush (*o* peak) hour; **quarto** *d'~* quarter of an hour; (*momento*) time, moment: *passare un brutto quarto d'~* to have a bad time; *a* **quest'~** at this time (*o* hour), now: *domani a quest'~ l'esame sarà finito* (at) this time tomorrow the exam will be over; (*rif. ad azione cominciata nel passato*) by now, by this time: *a quest'~ saranno già arrivati* they will (*o* must) have arrived by now; ⟨*Rel*⟩ ~ **santa** holy hour; *-e* ⌜*della* **sera**⌝ (*o serali*) evening hours; ⟨*Astr*⟩ ~ **siderea** (*o siderale*) sideral time; ⟨*Astr*⟩ ~ **solare** *vera* true solar time; ~ **straordinaria** (*o di straordinario*) hour of overtime; **suonare** *le -e* to strike the hours; *a ~* **tarda** late; ⟨*Mediev*⟩ ~ **terza** tierce, about nine o'clock; *a* **tutte** *le -e* at all hours, day and night; ~ **ufficiale** standard time; *-e di* **ufficio** office (*o* business) hours; **ultima** ~: 1. (*ora della morte*) hour of death; 2. ⟨*Giorn*⟩ latest edition; ⟨*fig*⟩ *non* **vedere** *l'~* to look forward, not to be able to wait, ⟨*fam*⟩ to be dying: *non vedo l'~ di tornare a casa* I can't wait to go home, I am dying to go home; *non vedo l'~ di vederti* I am (so) looking forward to seeing you; *non vede l'~ che venga Natale* he can't wait for Christmas to come, he is eagerly looking forward to Christmas; *è* **venuta** *la sua ~* (*la morte*) his time has come; (*il momento decisivo*) his time has come, the time has come for him to act; *le -e* **volano** time flies, tempus fugit; *un'~ di* **volo** an hour's flight, an hour by air. – *Prov.*: *le -e del mattino hanno l'oro in bocca* morning hours are golden.

ora[2] **I** *avv.* **1.** (just) now, at present: ~ *non lo posso ricevere* I cannot see him now; *soltanto ~ me ne rendo conto* I only realize it now. – **2.** (*nel tempo presente*) now, nowadays, at the present time. – **3.** (*da poco*) just (now): *se n'è andato ~* he has just left. – **4.** (*fra poco*) shortly, in a moment (*o* minute), (right) now, just: *stai tranquillo, ~ arriva* don't worry, he'll be here in a minute; ~ *arrivo* I'm just coming, I'll be right there. – **5.** (*nelle correlazioni*) now ... now ..., now ... then ..., sometimes ... sometimes ..., first ... then ... – **II** *congz.* **1.** now: ~ *accadde che* now it happened that. – **2.** (*avversativo*) now (then), well: *tu affermi di aver ragione, ~ ti dico che hai torto* you say you're right, well I'm telling you that you're wrong.
☐ ⟨*rar*⟩ **ad** ~ *ad* ~ from time to time, every so often; ~ **appunto** just now, just this minute (*o* moment); *d'~ in* **avanti** from now (on), ⟨*lett*⟩ henceforth; ~ **che** now (that): ~ *che mi hai avvertito sono più tranquillo* now that you have told me I feel less worried; ~ *che ci penso hai ragione* now that I come to think of it, you are right; ~ **come** ~ (*per il momento*) right (*o* just) now, at present, for the time being, for the moment; (*in questo momento*) now, just at this moment; ~ **dunque** now then, well now; **fin** ~ (*finora*) so far, up to now, until now (*o* this time); *fin d'~* from now on, as from now; *d'~* **innanzi** = *d'ora in* **avanti**; ~ **invece** now however, now though; **or** ~ (*proprio adesso*) just now, a moment ago; (*fra poco*) at any moment now, in a moment, right now (*o* away); **per** ~ for now, for the moment (*o* time being); *d'~ in* **poi** = *d'ora in* **avanti**; **prima** *d'~* before (now), before this time; ~ **sì** *che* now, at last, finally: ~ *sì che vorrei andarmene* now I would like to go; **sin** ~ = **fin** *ora*.

ora[3] *f.* ⟨*region*⟩ **1.** ⟨*Meteor*⟩ southerly wind. – **2.** (*ombra fresca*) cool, (cool) shade. – **3.** ⟨*poet*⟩ (*brezza*) breeze, light wind.

oracolare *a.* ⟨*non com*⟩ **1.** oracular, oracle's, of an (*o* the) oracle: *responsi -i* oracular answers. – **2.** ⟨*fig*⟩ (*da oracolo*) oracular, like an oracle: *parlare in modo ~* to speak like an oracle, to talk in riddles. – **oracoleggiare** *v.i.* (**oracoleggio**, **oracoleggi**; *aus.* **avere**) ⟨*scherz*⟩ to speak like an oracle. – **oracolista** *m./f.* ⟨*ant*⟩ (person who acts like an) oracle, proclaimer of oracles. – **oracolistico** *a.* (*pl.* **-ci**) ⟨*non com*⟩ oracle's, oracular.

oracolo[1] *m.* **1.** oracle: *interpretare un ~* to interpret an oracle. – **2.** (*luogo*) oracle: *l'~ di Apollo a Delfi* Apollo's oracle at Delphi, the Delphian oracle. – **3.** (*divinità*) oracle: *consultare l'~* to consult the oracle. – **4.** ⟨*fig*⟩ (*parere autorevole*) oracle; (*persona autorevole*) oracle, authority. – **5.** ⟨*Rel*⟩ (*predizione dei profeti*) oracle, revelation, prophecy; (*parola di Cristo*) oracle, divine revelation, Word of Christ. ☐ *credersi un ~* to think one is infallible, to be dogmatic; *parlare come un ~* to talk like an oracle, to speak in riddles; *-i sibillini giudaico-cristiani* Sibylline Oracles.

oracolo[2] *m.* ⟨*ant*⟩ (*oratorio*) oratory.

ora et labora *lat.* work and pray.

orafo **I** *s.m.* ⟨*lett*⟩ goldsmith. – **II** *a.* goldsmith's, of a goldsmith: *arte -a* art of the goldsmith, goldsmith's art, goldsmithery. ☐ ⟨*fig*⟩ *pesare con la bilancia dell'~* to be fastidious, to split hairs.

orait *intz.* ⟨*pop*⟩ (*va bene*) all right, ⟨*fam*⟩ okay.

orale[1] **I** *a.* **1.** oral, mouth-, of the mouth: *cavità ~* oral cavity. – **2.** (*a voce*) oral, spoken, verbal: *tradizione ~* oral tradition, tradition handed down by word of mouth. – **II** *s.m.* ⟨*Scol*⟩ (*esame orale*) oral (examination). ☐ *per via ~* by mouth.

orale[2] *m.* **1.** ⟨*Stor*⟩ veil, (head)scarf. – **2.** ⟨*Lit*⟩ (*fanone*) fanon.

oralità *f.* oral (*o* verbal) character, orality. – **oralmente** *avv.* orally, by word of mouth.

oramai *avv.* **1.** (by) now, by this time, at this point: ~ *dovresti andartene* you should be leaving now; ~ *ci è abituato* he's got used to it by now; (*rif. al passato*) by then, by that time: ~ *era troppo tardi* it was too late by then. – **2.** (*già*) (by) now, already: *è un uomo ~ vecchio* he is old now; ~ *è giorno* it's day now, it's already day; ~ *è un anno che non lo vedo* I haven't seen him for a year now; (*già quasi*) now, almost, nearly, almost ... now, nearly ... now: ~ *ho finito il mio lavoro* I've almost finished my work (now); ~ *siamo arrivati* we're nearly there now. – **3.** (*pleonastico*) *non si traduce*: ~ *c'era da aspettarselo* it was (only) to be expected.

Orạnge [-ʒə] *N.pr.f.* ⟨*Geog*⟩ Orange. – **orangịsta** *m./f.* ⟨*Stor*⟩ Orangeman.

orạngo *m.* (*pl.* **-ghi**) ⟨*Zool*⟩ orang-outang, orang-utan (*Simia satyrus, Pongo pygmaeus*). – **orangutạn(o)** *m.* **1.** → **orango.** – **2.** ⟨*fig*⟩ (*persona scimmiesca*) ape.

Orạno *N.pr.f.* ⟨*Geog*⟩ Oran.

orạnte (*p.pr. di orare*) **I** *a.* ⟨*lett*⟩ praying. – **II** *s.m./f.* **1.** ⟨*lett*⟩ person praying, worshipper. – **2.** ⟨*Pitt*⟩ orant(e).

ǫra prǫ nǫbis *lat.* ⟨*Rel*⟩ pray for us.

orạre *v.t.* (ǫro) **1.** ⟨*lett*⟩ (*pregare*) to pray. – **2.** ⟨*lett*⟩ (*chiedere pregando*) to beg, to ask, to entreat, to implore, ⟨*lett*⟩ to pray. – **3.** ⟨*ant*⟩ (*adorare*) to adore, to worship. – **4.** ⟨*ant*⟩ (*parlare*) to speak, to harangue. □ *Prov.*: *chi per gli altri ora, per sé lavora* he who prays for others prays for himself as well.

orạrio I *a.* **1.** hourly, hour-: *angolo* ~ hour angle; (*rif. a velocità*) per hour: *velocità -a* speed per hour. – **2.** (*del tempo*) time-: ⟨*Rad*⟩ *segnale* ~ time-signal. – **II** *s.m.* **1.** hours *pl*, time, times *pl*: ~ *di apertura* business hours; ~ *di ufficio* office (*o* working) hours. – **2.** ⟨*concr*⟩ (*prospetto, fascicolo*) timetable, schedule: *consultare l'*~ to consult the timetable, to look up a time. – **3.** (*rif. a treni e sim.*) train timetable (*o* schedule). – **4.** ⟨*Scol*⟩ (school) timetable, ⟨*am*⟩ class schedule. – **5.** ⟨*Univ*⟩ timetable of courses, ⟨*am*⟩ class schedule. □ *essere in* **anticipo** *sull'*~ to be early, to be ahead of schedule; ~ *d'***arrivo** times of arrival; ~ *degli arrivi* (*prospetto*) arrival schedule; (*cartello*) Arrivals; ~ *delle* **aviolinee** airline timetable (*o* schedule); ⟨*Mar*⟩ ~ *di* **bordo** ship's schedule, schedule on board ship; ~ (*di lavoro*) **continuato** continuous working hours; (*rif. a turni*) unbroken (*o* through) shift; ~ **diurno** dayshift; ~ **estivo** summer schedule (*o* times); ~ **ferroviario** (train) timetable; **fuso** ~ time zone; ~ **generale** (*libro*) timetable; **in** ~: 1. (*puntuale*) on time, punctual, ⟨*fam*⟩ on the dot; 2. (*rif. a treni e sim.*) on time (*o* schedule): *arrivare in* ~ to arrive on time; *essere in* ~ to be on time; (*puntuale*) to be punctual; *non essere in* ~ not to be on time, to be behind time; (*rif. a treni e sim.*) to be overdue (*o* late); ~ **invernale** winter times (*o* schedule); ~ *di* **lavoro** working hours; ~ *delle* **lezioni**: 1. ⟨*Scol*⟩ (school) timetable; 2. ⟨*Univ*⟩ schedule of courses, class timetable (*o* times); ~ *dei* **negozi** shop (*o* business) hours; ~ *di* **partenza** times of departure; ~ *delle partenze* (*prospetto*) departure schedule; (*cartello*) Departures; ~ **pieno** full-time: *lavorare a* ~ *pieno* to work full-time; *lavoro a* ~ *pieno* full-time job; ~ *per il* **pubblico** hours for the public; ~ (*di lavoro*) **ridotto** part-time; (*nelle fabbriche*) short time; *lavoro a* ~ *ridotto* part-time work; *fare* ~ *ridotto* to work part-time; (*nelle fabbriche*) to work short time; *essere in* **ritardo** *sull'*~ to be behind schedule (*o* time); *in* **senso** ~ clockwise, dextrorotatory; ~ *di* **servizio** duty schedule; ~ *delle* **visite** visiting hours.

orạta *f.* ⟨*Itt*⟩ gilthead (*Sparus aurata, Chrysophrys aurata*).

orạto ⟨*ant*⟩ **I** *a.* **1.** (*dorato*) gilt, gilded. – **2.** (*aureo*) gold, of gold. – **3.** (*color oro*) golden, of gold. – **II** *s.m.* (*colore*) gold.

oratǫre *m.* (*f.* **-trice**) **1.** orator, (public) speaker: *facile* ~ glib speaker. – **2.** ⟨*Stor.gr,Stor.rom*⟩ orator. – **3.** ⟨*Stor*⟩ (*ambasciatore*) ambassador(-at-large), envoy. – **4.** ⟨*ant*⟩ (*orante*) person praying, prayer. □ ~ *sacro* preacher.

oratǫria *f.* **1.** oratory, art of public speaking, rhetoric. – **2.** (*eloquenza*) oratory, eloquence. – **3.** (*complesso di oratori*) orators *pl*; (*insieme di orazioni*) orations *pl*.

oratoriạle *a.* ⟨*Mus*⟩ oratorio-. – **oratoriạno I** *a.* ⟨*Rel*⟩ Oratorian. – **II** *s.m.* Oratorian.

oratǫrio[1] *a.* oratorical, of an orator, of oratory, orator's: *tono* ~ oratorical tone; *arte -a* orator's art, (art of) oratory.

oratǫrio[2] *m.* **1.** ⟨*Rel*⟩ (*luogo*) oratory; (*nome di congregazioni*) Oratory: ~ *di San Filippo Neri* Oratory of St. Philip Neri. – **2.** ⟨*Mus*⟩ oratorio. □ ⟨*Rel*⟩ ~ *privato* private chapel; ~ *pubblico* public oratory.

Orạzi *N.pr.m.pl.* ⟨*Stor.rom*⟩ Horatii *pl*: ~ *e Curiazi* Horatii and Curiatii.

oraziạno *a.* ⟨*Lett*⟩ Horace's, of Horace, Horatian.

Orạzio *N.pr.m.* Horace.

orazioncẹlla, orazioncịna *f. dim. di* **orazione.**

oraziọne *f.* **1.** (*preghiera*) prayer, petition: *recitare un'*~ to say a prayer. – **2.** ⟨*Stor.gr,Stor.rom*⟩ (*discorso pubblico e solenne*) oration: *le -i di Demostene* the orations of Demosthenes. – **3.** ⟨*Lit*⟩ prayer, Collect. □ *l'*~ **domenicale** the Lord's Prayer, Our Father; **essere** *in* ~ to be praying, to be at one's prayers (*o* devotions); **fare** ~ to pray; ~ **funebre** funeral oration; *-i del* **mattino** morning prayers; ~ **mentale** mental (*o* private) prayer; ~ **sacra** sermon; *-i della* **sera** evening prayers; **stare** *in* ~ = **essere** *in orazione*; ~ **vocale** spoken prayer.

orbạcca *f.* ⟨*ant*⟩ **1.** (*bacca d'alloro*) bayberry. – **2.** (*bacca di cipresso*) cypress cone. – **3.** (*bacca di mirto*) myrtle berry.

orbạce *m.* **1.** ⟨*Tess*⟩ (Sardinian) rough woollen cloth. – **2.** ⟨*Fasc*⟩ (*divisa fascista*) Fascist uniform.

orbạco *m.* (*pl.* **-chi**) ⟨*ant,region*⟩ (*alloro*) laurel.

orbạre *v.t.* (ǫrbo) ⟨*lett*⟩ **1.** to bereave, to deprive: *la disgrazia la orbò del marito* misfortune bereaved her of her husband. – **2.** (*privare della vista*) to take away the sight of, to deprive of sight; (*accecare*) to (make) blind: *orbato degli occhi* blinded, deprived (*o* bereft) of sight.

ǫrbe *m.* ⟨*lett*⟩ **1.** (*mondo*) world, orb; (*terra*) earth, orb; (*uomini*) mankind, men *pl*, world. – **2.** (*cerchio*) circle, disk; (*sfera*) sphere, globe. □ ⟨*Rel*⟩ *l'*~ *cattolico* the Catholic world; ~ *terracqueo* (*o terrestre*) (terrestrial) globe, earth.

orbè (*accorc. di orbene*) *congz.* ⟨*non com*⟩ → **orbene.**

orbẹllo *m.* ⟨*Conc*⟩ hide-stretcher.

orbęne (*o ǫr bęne*) *congz.* (*dunque*) so, well (then), now then.

orbettịno *m.* ⟨*Zool*⟩ blind-worm, slow-worm (*Anguis fragilis*).

orbẹtto[1] *m.* ⟨*non com*⟩ → **orbettino.**

orbẹtto[2] *m.* ⟨*teat*⟩ (*pubblico*) (theatre) audience, public.

orbicolạre I *a.* **1.** ⟨*non com*⟩ (*circolare*) circular, spherical, orbicular: *moto* ~ circular movement. – **2.** ⟨*Anat,Min*⟩ orbicular. – **II** *s.m.* ⟨*Anat*⟩ (*muscolo orbicolare*) orbicularis, orbicular muscle: ~ *della bocca* orbicularis oris; ~ *dell'occhio* orbicularis oculi (*o* palpebrarum). – **orbiculạre** *a./s.* ⟨*ant*⟩ → **orbicolare.**

ǫrbita *f.* **1.** ⟨*Fis*⟩ orbit. – **2.** ⟨*fig*⟩ (*limite*) limit, limits *pl*: *mantenersi nella propria* ~ to keep within one's limits; (*ambito*) sphere, range, circle, ambit. – **3.** ⟨*Astr,Astron*⟩ orbit. – **4.** ⟨*Anat*⟩ eye socket, orbit. – **5.** ⟨*ant*⟩ (*traccia di ruota*) wheel track. □ ⟨*Astr*⟩ ~ **apparente** apparent orbit; ⟨*fig*⟩ **attrarre** *qc.* (*o qd.*) *nella propria* ~ to draw s.th. (*o* s.o.) into one's orbit (*o* circle); ⟨*Astr*⟩ ~ **circolare** circular orbit; ⟨*Econ*⟩ ~ *del* **dollaro** dollar area; ⟨*Astr*⟩ ~ **ellittica** elliptical orbit; ⟨*Astron*⟩ **entrare** *in* ~ to go into orbit; ⟨*fam,scherz*⟩ *è entrato in* ~ he's off, he's got going; ~ **lunare** lunar orbit; ⟨*Astron*⟩ **mettere** *in* ~ to put into orbit; *ha gli* **occhi** *fuori delle -e* his eyes are bulging (*o* starting); ⟨*Astr*⟩ ~ **parabolica** parabolic orbit; ⟨*Astron*⟩ ~ *di* **parcheggio** parking orbit; ~ **terrestre** terrestrial orbit.

orbità *f.* ⟨*ant*⟩ **1.** (*cecità*) blindness. – **2.** (*l'essere privato di persone care*) bereavement.

orbitạle *a.* **1.** ⟨*Astr,Fis*⟩ orbital: *velocità* ~ orbital velocity. – **2.** ⟨*Anat*⟩ → **orbitario.**

orbitạre *v.i.* (ǫrbito; *aus.* **avere**) ⟨*Astr*⟩ to orbit (*attorno a qc.* around s.th.).

orbitạrio *a.* ⟨*Anat*⟩ orbital: *indice* ~ orbital index. □ *cavità -a* orbit, eye socket. – **orbitotomịa** *f.* ⟨*Chir*⟩ orbitotomy.

ǫrbo I *a.* **1.** (*cieco*) blind; (*debole di vista*) having poor sight; (*miope*) short-sighted. – **2.** ⟨*lett*⟩ (*privo*) ...less, bereft, deprived (*di* of), without (s.th.): ~ *della madre* motherless. – **3.** ⟨*fig,lett*⟩ (*privo di senno*) senseless, lacking in judgement. – **4.** ⟨*lett,assol*⟩ (*orfano*: *di ambedue i genitori*) orphan-, bereft of one's parents; (*di padre*) fatherless, having lost one's father; (*di madre*) motherless, having lost one's mother; (*senza figli*) childless; (*abbandonato*) abandoned, alone, forsaken. – **II** *s.m.* (*f.* **-a**) blind person; (*guercio*) person with poor sight; (*miope*) short-sighted person. □ *botte da -i* hail of blows, ⟨*fam*⟩ free-for-all, ⟨*fam*⟩ donnybrook; ~ *da un occhio* one-eyed, blind in one eye.

ǫrca[1] *f.* **1.** ⟨*Zool*⟩ killer (whale), orca (*Orcinus orca*). – **2.** (*mostro favoloso*) sea monster, orc.

ǫrca[2] *f.* ⟨*Mar*⟩ flat bottomed Dutch bark.

Ǫrcadi *N.pr.f.pl.* ⟨*Geog*⟩ Orkney Islands *pl*, Orkneys *pl*.

orcanẹtto *m.* ⟨*Bot*⟩ alkanet (*Alkanna tinctoria*).

orcẹlla *f.* ⟨*tosc*⟩ → **oricello.**

orcellerịa *f.* ⟨*ant*⟩ (*fabbrica di orci*) pottery, jug (*o* jar) factory.

orcẹllo *m.* ⟨*tosc*⟩ → **oricello.**

orchẹssa *f.* **1.** ogress. – **2.** ⟨*fig,spreg*⟩ (*donna brutta*) hag, ugly woman, harridan; (*donna cattiva*) harpy, witch, ogress.

orchẹstica *f.* **1.** (*arte della danza*) art of dancing; (*coreografia*) choreography, orchesography. – **2.** ⟨*Stor.gr*⟩ orchesis. – **orchẹstico** *a.* (*pl.* **-ci**) ballet-, ⟨*lett*⟩ (classical) dancing-, dance-. □ *arte-a* ballet.

orchẹstra *f.* **1.** orchestra; (*complesso da ballo*) band, dance orchestra. – **2.** ⟨*Teat*⟩ orchestra pit. – **3.** ⟨*Archeol*⟩ orchestra. □ ~ *d'***archi** string orchestra; ~ *da* **camera** chamber orchestra; **concerto** *per pianoforte e* ~ piano concerto; **direttore** *d'*~ conductor; ~ **filarmonica** philharmonic orchestra; **grande** ~ full (*o* symphony) orchestra; ~ (*di*) **jazz** jazz band; **piccola** ~ small orchestra; ~ **ritmica** rhythm band; ~ **sinfonica** symphony orchestra; ~ **teatrale** theatre orchestra.

orchestrạle I *a.* **1.** (*di orchestra*) orchestral, of (*o* for) an orchestra. – **2.** (*da orchestra*) orchestral. – **II** *s.m./f.* player (in an orchestra); (*rif. a orchestra di musica leggera*) bandsman, member of a band. □ *corpo* ~ orchestra.

orchestrạre *v.t.* (orchẹstro) **1.** ⟨*Mus*⟩ to orchestrate, to score. – **2.** ⟨*fig*⟩ (*distribuire*) to distribute, to arrange; (*organizzare*) to organize, to arrange, to orchestrate; (*preparare*) to prepare, to stage, ⟨*fam*⟩ to put up. – **3.** (*rif. a opere letterarie*) to arrange, to harmonize. – **orchestraziọne** *f.* **1.** ⟨*Mus*⟩ orchestration, scoring, instrumentation. – **2.** ⟨*fig*⟩ (*organizzazione*) organization, arrangement, orchestration. – **3.** (*rif. a opere letterarie*) harmony, balance.

orchestrịna (*dim. di orchestra*) *f.* ⟨*Mus*⟩ **1.** dance-band, light orchestra. – **2.** (*partitura musicale*) (musical) score, sheet music.

orchẹstrion *m.* ⟨*Acu*⟩ orchestrion, orchestrina.

orchẹtto (*dim. di orco*): ⟨*Ornit*⟩ ~ *marino* common scoter (*Oidemia nigra, Melanitta nigra*).

orchi... *pref.* (*testicolo* testicle) orchi...

orchialgịa *f.* ⟨*Med*⟩ orchialgia.

orchidạcee *f.pl.* ⟨*Bot*⟩ orchid family, orchids *pl* (*Orchidaceae*). – **orchidạceo** *a.* orchidaceous: *fiore* ~ orchidaceous flower. – **orchidẹa** *f.* orchid.

orchidopessịa *f.* ⟨*Chir*⟩ orchi(d)opexy. – **orchiectomịa** *f.* orchiectomy. – **orchiopessịa** *f.* → **orchidopessia.** – **orchiotomịa** *f.* ⟨*Chir*⟩ orch(i)otomy. – **orchịte** *f.* ⟨*Med*⟩ orchitis.

orciạia *f.* ⟨*tosc*⟩ store-room for oil-jars. – **orciạio, orciaiọlo** *m.* ⟨*ant*⟩ **1.** (*fabbricante*) potter, jar-maker. – **2.** (*venditore*) jar-seller. – **orcịno** *m. dim. di* **orcio**.

ọrcio *m.* (*pl. gli* **ọrci**/*ant. le* **ọrcia**) pot, jar, jug, pitcher; (*per olio*) oil-jar; (*per acqua*) water-jar, water-jug; (*per vino*) wine-jar. □ ⟨*fig*⟩ *l'acqua vien giù a orci* (*a dirotto*) it's pouring (*o* teeming), ⟨*fam*⟩ the rain is coming down by the bucketful. – **orciolạio** *m.* → **orciaio**. – **orciọlo** (*dim. di orcio*) *m.* ⟨*ant*⟩ (*orinale*) urinal.

orcipọggia *f.* (*pl.* **-ge**) ⟨*Mar.ant*⟩ tackle amidships (that can be used either side).

ọrco *m.* (*pl.* **-chi**) **1.** (*mostro favoloso*) ogre, monster. – **2.** ⟨*infant*⟩ bogey man. – **3.** ⟨*scherz*⟩ (*persona brutta*) monster. □ ⟨*Ornit*⟩ ~ *marino* velvet (*o* white-winged) scoter, velvet duck (*Oidemia fusca, Melanitta fusca*); ⟨*Ornit*⟩ ~ *marino minore* → **orchetto** *marino*; ⟨*scherz*⟩ *ha visto l'*~ he's gone hoarse; *voce d'*~ deep (*o* hollow) voice.

Ọrco *N.pr.m.* ⟨*Mitol*⟩ **1.** Orcus, Pluto. – **2.** (*Inferi*) Orcus, Underworld; (*personificazione della morte*) Death.

ọrda *f.* **1.** ⟨*Etnol*⟩ horde. – **2.** ⟨*spreg,scherz*⟩ (*torma*) horde, swarm, crowd.

ordạlia *f.* ⟨*Dir.mediev*⟩ ordeal. – **ordạlico** *a.* (*pl.* **-ci**) by ordeal: *prova -a* trial by ordeal.

ordẹgno *m.* ⟨*ant,region*⟩ → **ordigno**.

ordịgno *m.* **1.** contrivance, device. – **2.** ⟨*scherz*⟩ (*arnese strano*) contraption, gadget, thing, ⟨*fam*⟩ whatsit, ⟨*am.fam*⟩ whatchamacallit. – **3.** ⟨*region*⟩ (*arnese da lavoro*) tool, implement, instrument. – **4.** ⟨*fig,ant*⟩ (*struttura*) structure, frame(work). □ ~ *diabolico* infernal machine; ~ *di distruzione* implement of destruction; ~ *esplosivo* explosive device; ~ *di guerra* implement of war.

ordimẹnto *m.* **1.** ⟨*Tess,non com*⟩ warpage, laying of the warp. – **2.** ⟨*fig*⟩ plotting, planning, weaving, scheming; (*congiura*) plot, scheme.

ordinạbile *a.* orderable, that may be ordered.

ordinạle *a.* ordinal: *numero* ~ ordinal number.

ordinamẹnto *m.* **1.** (*il disporre*) arrangement, placing, setting out; (*disposizione*) arrangement, layout, order, disposition, organization. – **2.** (*successione*) order: ~ *alfabetico* alphabetical order. – **3.** (*regolamento*) regulations *pl*, rules *pl*; (*norma*) regulation, rule. – **4.** (*compagine*) order, system, framework, ⟨*fam*⟩ set-up: ~ *politico* political order; (*organizzazione*) organization; (*struttura*) structure. – **5.** (*istituzione*) institution. – **6.** *pl.* ⟨*Dir.mediev*⟩ statutes *pl.* – **7.** ⟨*ant*⟩ (*ordine*) order, instruction.

□ ~ **amministrativo** administrative system; ~ **civile** civil regulations; ~ **comunale** municipal organization; ~ **costituzionale** constitutional order; ~ **disciplinare** disciplinary regulation; ~ **ecclesiastico** ecclesiastical regulations; ~ **economico** economic organization; ~ **giudiziario** judiciary, court system; ~ **giuridico** legal system; ⟨*Dir.mediev*⟩ *-i di* **giustizia** statutes of justice; ~ **marittimo** maritime regulations; ~ **militare** military regulations; ~ **scolastico** educational system; ~ **sindacale** union rules (*o* regulations); ~ **sociale** social order.

ordinạndo I *s.m.* ⟨*Rel.catt*⟩ ordinand. – **II** *a.* about to be ordained.

ordinạnte (*p.pr. di ordinare*) **I** *a.* **1.** ordering, commanding. – **2.** ⟨*Econ,Comm*⟩ ordering. – **3.** ⟨*Rel*⟩ ordaining, that ordains, ordinant. – **II** *s.m.* **1.** orderer, commander. – **2.** ⟨*Econ,Comm*⟩ orderer, placer of an order. – **3.** ⟨*Rel*⟩ ordinant, ordaining bishop. □ ⟨*Econ*⟩ ~ *di un'apertura di credito* opener (*o* remitter) of a credit; ~ *di una lettera di credito* drawer (*o* taker) of a letter of credit.

ordinạnza *f.* **1.** order, arrangement. – **2.** ⟨*Dir*⟩ ordinance, order, injunction, decree; (*mandato*) warrant, writ. – **3.** ⟨*Mil*⟩ (*schieramento*) order, formation. – **4.** ⟨*Mil*⟩ (*ordinamento, organizzazione*) arrangement, organization, order. – **5.** ⟨*Mil*⟩ (*attendente*) orderly, ⟨*fam*⟩ batman. – **6.** ⟨*ant*⟩ (*ordine*) order, arrangement.

□ ⟨*Mil*⟩ **d'**~ regulation-: *uniforme d'*~ regulation uniform; ⟨*Dir*⟩ ~ *di procedura* **fallimentare** receiving order; ⟨*Mil*⟩ **fuori** ~ non-regulation-, unauthorized; ⟨*Dir*⟩ ~ **generale** blanket injunction; ⟨*Mil*⟩ ~ *di* **marcia** marching order; ⟨*Stor*⟩ *-e* **reali** (*o del re*) royal decrees; ⟨*Dir*⟩ ~ *di* **sequestro** sequestration order, writ of attachment; ~ *del* **tribunale** mandatory injunction.

ordinạre *v.t.* (**ọrdino**) **1.** (*disporre*) to arrange, to put (*o* set) in order, to set out, to dispose: ~ *le schede* to put the cards in order. – **2.** (*riordinare*) to tidy (up), to put in order (again), to straighten up, to rearrange: ~ *una stanza* to tidy up a room. – **3.** (*comandare*) to order, to command, to direct, to tell, to instruct; (*decretare*) to decree, to ordain. – **4.** (*prescrivere*) to prescribe, to order: ~ *una cura* to prescribe a treatment; ~ *una cura a un paziente* to order (*o* tell) a patient to follow a treatment. – **5.** (*fare un'ordinazione*) to order: ~ *un caffè* to order a cup of coffee; (*commissionare*) to bespeak, to order, to place an order for: ~ *una merce a una ditta* to order goods from a firm; (*rif. a opere d'arte e sim.*) to commission. – **6.** (*organizzare*) to organize, to order, to arrange, to regulate; (*mettere insieme*) to draw up, to array, to range, to marshal: ~ *l'esercito* to draw up the army. – **7.** ⟨*non com*⟩ (*assegnare*) to assign, to post: ~ *qd. a un servizio* to assign s.o. to a job. – **8.** ⟨*Rel*⟩ to ordain, to confer orders on. – **9.** ⟨*Mat*⟩ to order. – **10.** ⟨*ant*⟩ (*costituire, fondare*) to set up, to establish, to found, to constitute. – **11.** ⟨*ant*⟩ (*destinare*) to ordain, to destine. – **12.** ⟨*ant*⟩ (*predisporre*) to settle, to fix, to arrange beforehand (*o* in advance), to lay down. – **13.** ⟨*ant*⟩ (*indire, convocare*) to summon, to call, to convoke. – **ordinarsi** *v.r.* **1.** (*disporsi*) to draw up, to arrange o.s., to get (*o* fall) into line. – **2.** ⟨*Rel*⟩ to be ordained, to take Holy Orders. – **3.** ⟨*ant*⟩ (*prepararsi*) to prepare, to get ready. □ ~ *alfabeticamente* to put into alphabetical order.

ordinariamẹnte *avv.* ordinarily, usually, normally, as a rule; (*per lo più*) generally, in most cases.

ordinariạto *m.* **1.** ⟨*Univ*⟩ (full) professorship. – **2.** ⟨*Scol*⟩ teaching post on the regular staff. – **3.** ⟨*Rel.catt*⟩ ordinariate.

ordinạrio I *a.* **1.** (*consueto*) ordinary, usual, customary, routine; (*comune*) common, everyday. – **2.** (*normale*) normal, average, ordinary, regular: *statura -a* average height. – **3.** (*regolare*) regular: *socio* ~ regular (*o* dues-paying) member; (*in ruolo*) on the permanent staff, permanent, regular; (*fisso*) regular, permanent, fixed. – **4.** ⟨*spreg*⟩ (*dozzinale*) of poor quality, second-rate, inferior. – **5.** ⟨*spreg*⟩ (*rozzo*) coarse, ill-bred, low-class, rough; (*volgare*) vulgar, common: *modi ordinari* common manners. – **6.** (*rif. a treni*) regular, scheduled. – **II** *s.m.* **1.** ordinary, usual: *fuori dell'*~ out of the ordinary, unusual, extraordinary; *più dell'*~ more than usual. – **2.** ⟨*Univ*⟩ (full) professor. – **3.** ⟨*Scol*⟩ regular (*o* permanent) teacher, teacher on the permanent staff. – **4.** ⟨*Rel.catt*⟩ Ordinary. – **5.** ⟨*Stor, Post*⟩ (*corriere*) postman, mail (*o* letter) carrier, mailman; (*servizio*) post, mail. – **6.** ⟨*non com*⟩ (*pasto solito*) usual meal.

□ **d'**~ usually, ordinarily, as a rule; ~ **diocesano** Ordinary of the diocese; ⟨*Lit*⟩ ~ *della* **messa** Ordinary of the Mass; ⟨*Rel*⟩ ~ **militare** military ordinary; **per** *l'*~ = **d'***ordinario*; **secondo** *l'*~ as usual, in the usual way; **uscire** *dall'*~ to be out of the ordinary.

ordinariọne (*accr. di ordinario*) *m.* ⟨*spreg*⟩ common person, vulgarian.

ordinạta[1] *f.* putting in order, tidying up, straightening up. □ *dare un'*~ *alle proprie carte* to tidy up one's papers, to set one's papers in order.

ordinạta[2] *f.* **1.** ⟨*Mat*⟩ ordinate. – **2.** ⟨*Mar*⟩ frame. – **3.** ⟨*Aer*⟩ (*traversa*) frame, former. □ ⟨*Mat*⟩ *asse delle -e* axis of ordinates; ⟨*Mar*⟩ ~ *maestra* midship cross-section, main frame; ⟨*Mar*⟩ ~ *di paratia* bulkhead frame.

ordinatamẹnte *avv.* tidily, in an orderly way; (*metodicamente*) methodically.

ordinatạrio *m.* ⟨*Econ*⟩ payee.

ordinatịna (*dim. di ordinata*[1]) *f.* tidying up, putting in order. □ *dare un'*~ *a qc.* to tidy s.th. up.

ordinatịvo I *a.* ⟨*non com*⟩ regulative, regulating, governing. – **II** *s.m.* **1.** ⟨*Econ*⟩ (*ordine di riscossione*) collection order; (*ordine di pagamento*) order of payment. – **2.** ⟨*Comm*⟩ (*ordinazione*) order. □ ⟨*ant*⟩ *numeri -i* ordinal numbers.

ordinạto (*p.p. di ordinare*) *a.* **1.** tidy, neat, orderly, in (good) order: *tenere la casa -a* to keep one's house tidy (*o* in order). – **2.** (*osservante dell'ordine*) orderly, tidy; (*preciso*) precise, careful. – **3.** (*regolato*) orderly, regular: *vita -a* orderly (*o* regular) life. – **4.** (*disciplinato*) (well-)disciplined, orderly; (*metodico*) methodical, systematic. – **5.** (*commissionato*) ordered; (*rif. a opere d'arte e sim.*) commissioned. – **6.** ⟨*Rel*⟩ ordained. – **7.** ⟨*Mat*⟩ ordered. – **8.** ⟨*ant*⟩ (*predisposto a un fine*) ordained, destined.

ordinatọre I *s.m.* (*f.* **-trice**) **1.** orderer (*anche Comm.*). – **2.** (*organizzatore*) organizer, regulator. – **II** *a.* regulative, regulating, organizing. – **ordinatọrio** *a.* **1.** regulating, regulative. – **2.** ⟨*Dir*⟩ regulative, fixed by order.

ordinazioncẹlla *f. dim. di* **ordinazione**.

ordinaziọne *f.* **1.** ⟨*Comm*⟩ order: *ricevere un'*~ *di un articolo* to receive an order for an article; (*rif. a opere d'arte e sim.*) commission. – **2.** ⟨*Med*⟩ (*prescrizione*) prescription. – **3.** ⟨*Rel*⟩ ordination. – **4.** ⟨*rar*⟩ (*ordinamento*) arrangement, ordering, disposition.

□ **annullare** *un'*~ to cancel an order; *-i in* **corso** outstanding orders, orders in hand; **dietro** ~ = **su** *ordinazione*; **eseguire** *un'*~ to ⌜carry out⌝ (*o* fill) an order: **fare** *un'*~ to (place an) order; **su** ~ (according) to order: *fatto su* ~ made to order; (*rif. a vestiti*) bespoke, made to measure (*o* order), custom-made, tailor-made.

ọrdine *m.* **1.** (*disposizione*) order, arrangement: *mutare l'*~ to change the order, to rearrange. – **2.** (*costituzione armonica*) order: *l'*~ *della natura* the order of nature, the natural order. – **3.** (*successione*) order, succession, sequence: ~ *cronologico* chronological order; *mettere in* ~ *alfabetico* to put in alphabetical order. – **4.** (*metodo, esattezza*) order, method. – **5.** (*compagine, sistema*) order, structure, framework, ⟨*fam*⟩ set-up: ~ *sociale* social order. – **6.** (*funzionamento regolare*) order, orderliness: *riportare l'*~ *in una scuola* to restore order in a school; (*disciplina*) discipline, (good) order: *mantenere l'*~ *fra gli alunni* to keep order in class. – **7.** (*quiete pubblica*) (public) order, peace, law and order, public quiet: *mantenere l'*~ *pubblico* to keep the peace. – **8.** (*categoria*) class, category, order, degree: *albergo d'infimo* ~ third-class (*o* third-rate) hotel. – **9.** (*classe, ceto*) (social) class, rank, order. – **10.** (*carattere*) nature, kind: *problemi d'*~ *tecnico* problems of a technical nature. – **11.** (*associazione*) association, society: ~ *dei medici* Medical Association. – **12.** (*comunità religiosa o cavalleresca*) order: *l'*~ *della Giarrettiera* the Order of the Garter. – **13.** (*comando*) order, command; (*mandato*) warrant, writ, order: ~ *di cattura* warrant for arrest, arrest warrant. – **14.** (*fila*) row, file, line: ~ *di alberi* row of trees; (*rif. a stanze*) row, series; (*a teatro: rif. a poltrone*) row; (*rif. a palchi*) tier, circle. – **15.** (*serie*) series, sequence. – **16.** ⟨*Mil*⟩ order, formation, array: ~ *di battaglia* battle order (*o* array). – **17.** *pl.* ⟨*Mil*⟩ (*schiere*) ranks *pl*, formation. – **18.** ⟨*Rel*⟩ (*sacramento*) ordination, (Holy) Orders *pl.* – **19.** ⟨*Dir*⟩ order, injunction. – **20.** ⟨*Comm*⟩ (*ordinativo*)

order. – **21.** ⟨*Arch,Zool,Bot*⟩ order. – **22.** ⟨*tecn*⟩ (*nelle calcolatrici: istruzione*) instruction. – **23.** ⟨*Geol*⟩ era. – **24.** ⟨*Stor.rom*⟩ (*unità di misura di superficie*) measure of area (16.504 sq.m.). – **25.** ⟨*ant*⟩ (*grado*) rank. – **26.** ⟨*ant*⟩ (*coro: di angeli o beati*) choir, order.
□ ⟨*Mot*⟩ ~ *di* **accensione** firing order (*o* sequence); *essere* **agli** *-i di qd.* to be under s.o.'s orders, ⟨*fam*⟩ to be at s.o.'s beck and call; ⟨*mil*⟩ *agli -i!* yes, sir; ⟨*Comm*⟩ **all'~** to order: *assegno all'~* cheque to order; *pagate all'~ di* pay to the order of; **amante** *dell'~* orderly (*o* tidy, methodical) person, ⟨*fam*⟩ stickler for order; *per lungo ~* **d'anni** for many (*o* a number of) years; ⟨*Dir*⟩ ~ *di* **arresto** warrant for (*o* of) arrest; ⟨*Comm*⟩ *-i* **arretrati** outstanding orders; ⟨*Sport*⟩ ~ **d'arrivo** order of arrival; **avere** *l'~ di fare qc.* to be under orders to do s.th.; ~ *degli* **avvocati** Bar Association; ⟨*Econ*⟩ ~ *di* **banca** bank order; ~ *di* **bonifico** *giro* transfer instruction; ~ *di* **borsa** order to buy or sell on the stock-exchange; *per il* **buon** ~ for the sake of good order; *ritirarsi in buon ~* to withdraw in good order; ⟨*fig,iron*⟩ to beat a hasty retreat, ⟨*fam*⟩ to pull out, ⟨*fam*⟩ to get out while the going's good; ⟨*Mar*⟩ ~ *di* **carico** loading order; ⟨*Mediev*⟩ *-i* **cavallereschi** orders of knighthood, knightly (*o* chivalrous) orders; ⟨*Mil*⟩ ~ **chiuso** close(d) order; ~ *di* **combattimento** fighting order (*o* formation); ⟨*Dir*⟩ ~ *di* **comparizione** summons; ⟨*Arch*⟩ ~ **composito** Composite order; **con** ~ in order, in an orderly manner; ⟨*Econ*⟩ ~ *di* **consegna** delivery order; ⟨*Arch*⟩ ~ **corinzio** Corinthian order; ⟨*Comm*⟩ ~ *in* **corso** order on hand; ~ **costituito** established order; **d'~** *di* by order of; *d'~ e per conto di* by order and for account of; ~ **decrescente** decreasing order; **dell'~** *di* of, amounting to, to the order of, in the region of: *un assegno dell'~ di un milione* a cheque of (*o* for) a million lire; **dietro** ~ *di* = **per** *ordine di*; ⟨*Arch*⟩ ~ **dorico** Doric order; ~ **economico** economic order; ⟨*Stor.rom*⟩ ~ **equestre** equestrian (*o* knightly) order; ⟨*Dir*⟩ ~ **d'esecuzione** writ of execution; **eseguire** *un ~* to carry out an order; ⟨*Comm*⟩ ~ *da eseguire* outstanding order, order on hand; ~ *di* **espulsione** expulsion order, deportation warrant; **fuori** ~ out of order; *considerazioni d'~* **generale** considerations of a general nature; ~ **gerarchico** hierarchy, hierarchical order; ~ *del* **giorno**: 1. (*rif. ad assemblea*) agenda, order of the day; 2. ⟨*Mil*⟩ orderly book; 3. (*rif. a servizi pubblici, teatri e sim.*) (work) schedule; *essere all'~ del giorno* (*rif. ad assemblea*) to be on the agenda; ⟨*fig*⟩ to be ⌜quite normal⌝ (*o* a common occurrence); *mettere all'~ del giorno* to put on the agenda; *passare all'~ del giorno* to proceed ⌜with the business⌝ (*o* to the order) of the day; ~ *del giorno definitivo* approved agenda; ~ *del giorno provvisorio* provisional agenda; ⟨*Dir*⟩ ~ **giudiziario** judiciary; ~ *di* **grandezza** order of magnitude; ~ *di* **idee** way of thinking, thoughts, outlook, mentality; **impiegato** *d'~* junior clerk; **in** ~ in order: *essere in ~* to be in order; (*pulito, ordinato*) orderly, tidy, neat: *i bambini non sono in ~* the children are untidy (*o* in a mess); *essere in ~ per fare qc.* (*pronto*) to be ready to do s.th.; ⟨*burocr*⟩ *in ~ a* (*in merito a*) with regard (*o* reference) to, as to, concerning; *in ~ di* in order of, in ... order, according to: *in ~ d'età* according to age; *in ~ di merito* in order of merit; *in ~ di tempo* in chronological order; *in ~ di difficoltà* according to the difficulty involved, in order of difficulty; ⟨*Comm*⟩ ~ **d'incasso** collection order; ~ **d'internamento** order (*o* writ) of internment; ⟨*Arch*⟩ ~ **ionico** Ionic order; ⟨*Dir*⟩ ~ *delle* **ipoteche** rank of mortgages; ⟨*Econ*⟩ ~ **legato** contingent order; ⟨*Rel*⟩ *-i* **maggiori** major orders; ⟨*Mil*⟩ *-i di* **marcia** marching orders; *in ~ di* **massima** generally, as a rule, in principle; ⟨*Rel*⟩ ~ **mendicante** mendicant order; ~ *al* **merito** *del lavoro* Order of Merit for Work; **mettere** ~ to tidy up, to set in order; *mettere in ~* to put (*o* set) in order, to order, to set to rights; (*rif. a stanza*) to tidy up, to put in order; *mettersi in ~* to get into line, to line up; (*rif. a truppe*) to draw up, to fall in; (*rif. alla propria persona*) to tidy up o.s.; ⟨*Rel*⟩ *-i* **minori** minor orders; **numero** *d'~* serial number; *fino a* **nuovo** ~ until further orders (*o* instructions, notice); ⟨*Mil*⟩ ~ *di* **operazione** battle order (*o* array); ~ *di* **pagamento** order of payment; ⟨*Mil*⟩ **parola** *d'~* password; ⟨*Gramm*⟩ ~ *delle parole* word order; **per** ~ *di*: 1. by order of, at (*o* by) the command of; 2. ⟨*Comm*⟩ by order of; 3. (*secondo*) = **in** *ordine di*; ~ **permanente** standing order; ⟨*Dir*⟩ ~ *di* **pignoramento** writ (*o* order) of distraint; ⟨*Rel*⟩ ~ *dei* **predicatori** Order of Preachers; **prendere** *-i da qd.* to take orders from s.o.; *di* **prim'~**: first-class, first-rate, excellent, superb: *vino di prim'~* first-class wine; *pianista di prim'~* superb pianist; ~ *di* **prova** trial order; ⟨*Dir*⟩ ~ **pubblico** peace, (public) order; ~ **religioso** religious order; **richiamare** *qd. all'~* to call s.o. to order; **rientrare** *nell'~* to fall back in line; (*nella normalità*) to return (*o* get back) to normal; **rimettere** *in ~* to set (*o* put) in order again, to rearrange; ⟨*fig*⟩ to straighten out, to put in order, to set right; ⟨*Econ*⟩ ~ *di* **riscossione** collection order; ⟨*Rel.catt*⟩ *-i* **sacri** Holy Orders; **secondo** *gli -i* according to instructions (*o* orders), as per instructions; ⟨*Stor.rom*⟩ ~ **senatorio** senatorial order; ⟨*Dir*⟩ ~ *di* **sequestro** writ of attachment; ⟨*Mil*⟩ *in ~* **serrato** in close order, in serried ranks; ⟨*Mil*⟩ **sotto** *gli -i di* under the orders (*o* command) of; ⟨*Mil*⟩ *in ~* **sparso** in open order, scattered; *per ~* **superiore** according to orders from above; ⟨*Econ*⟩ ~ *di* **trasferimento** order of transfer; ⟨*Econ*⟩ ~ **vincolato** contingent order.

ordire *v.t.* (**ordisco, ordisci**) **1.** ⟨*Tess*⟩ to warp. – **2.** ⟨*fig*⟩ (*tramare*) to plot, to plan, to scheme, to hatch: ~ *una congiura* to hatch a plot. – **3.** ⟨*fig,lett*⟩ (*avviare*) to weave, to think up, to frame; (*compiere*) to perform, to accomplish, to achieve. – **4.** ⟨*ant*⟩ (*intrecciare*) to (inter)weave, to intertwine. – **5.** ⟨*ant*⟩ (*costruire*) to build, to make, to construct. – **6.** ⟨*Mar*⟩ to reeve. □ ~ *inganni* to intrigue, to plot.

ordito *m.* **1.** ⟨*Tess*⟩ warp, web. – **2.** ⟨*fig*⟩ (*intrico*) web, tangle: *un ~ di menzogne* a web (*o* tissue) of lies. – **3.** ⟨*fig,non com*⟩ (*abbozzo*) sketch, outline. – **orditoio** *m.* ⟨*Tess*⟩ (*macchina*) warping machine (*o* mill), beaming machine, beam warper. □ ~ *a cilindri* cylinder warping machine; ~ *meccanico* warping machine (*o* mill), warper. – **orditore** *m.* (*f.* **-trice**/*pop.* **-tora**) **1.** ⟨*Tess*⟩ (*operaio*) warper. – **2.** ⟨*fig*⟩ plotter, schemer, hatcher. □ ~ *d'inganni* intriguer. – **orditura** *f.* **1.** ⟨*Tess*⟩ (*l'ordire*) warping; (*l'ordito*) warp. – **2.** ⟨*fig*⟩ (*macchinazione*) plot, intrigue, machination, hatching a scheme. – **3.** ⟨*fig*⟩ (*trama*) plot, outline. – **4.** ⟨*Edil*⟩ frame: ~ *del tetto* roof frame (*o* scaffolding).

ordoviciano **I** *a.* ⟨*Geol*⟩ Ordovician. – **II** *s.m.* Ordovician.

Ore *f.pl.* ⟨*Mitol*⟩ Horae *pl.*

oreadi *f.pl.* ⟨*Mitol*⟩ Oreads *pl*, mountain-nymphs *pl.*

orecchia *f.* (*pl. le* **orecchie**/*gli* **orecchi**) **1.** ⟨*region*⟩ (*orecchio*) ear. – **2.** (*piega all'angolo di una pagina*) dog-ear. – **3.** (*ansa*) handle, grip, lug; (*di secchio e sim.*) lug, ear. – **4.** ⟨*Mar*⟩ bill. – **5.** ⟨*Bot*⟩ cup mushroom (*o* fungus) (*Peziza*). □ ⟨*Zool*⟩ ~ *di mare* abalone, sea-ear (*Haliotis*).

orecchiabile *a.* catchy, easily remembered: *motivo ~* catchy tune. – **orecchiabilità** *f.* catchiness.

orecchiante **I** *a.* **1.** ⟨*Mus*⟩ (*che suona a orecchio*) able to play by ear; (*che canta a orecchio*) able to sing by ear. – **2.** ⟨*fig*⟩ amateurish, superficial. – **II** *s.m./f.* **1.** ⟨*Mus*⟩ person who has a good ear for music; (*chi suona a orecchio*) person who plays by ear. – **2.** ⟨*fig*⟩ amateur, dabbler, dilettante.

orecchiare *v.i.* (**orecchio, orecchi**; *aus.* **avere**) ⟨*non com*⟩ **1.** (*tendere l'orecchio*) to strain (*o* prick up) one's ears, to listen hard. – **2.** (*origliare*) to eavesdrop.

orecchietta (*dim. di orecchia*) *f.* **1.** small ear, earlet; (*orecchia di bambino*) baby's ear. – **2.** ⟨*Anat*⟩ auricle. – **3.** (*oggetto a forma di orecchio*) ear, lug, tab. – **4.** (*rif. all'aratro*) mouldboard. – **5.** ⟨*Bot*⟩ cup mushroom (*o* fungus) (*Peziza*).

orecchino *m.* earring. □ ~ *a clip* earclip, clip-on earring.

orecchio *m.* (*pl. gli* **orecchi**/*le* **orecchie**) **1.** ⟨*Anat*⟩ ear: *sussurrare all'~ di qd.* to whisper in s.o.'s ear. – **2.** (*udito*) ear, (sense of) hearing. – **3.** ⟨*fig*⟩ (*sensibilità*) ear, sensitivity. – **4.** (*sensibilità musicale*) ear (for music): *avere molto ~* to have a good ear (for music). – **5.** ⟨*Anat*⟩ (*padiglione*) auricle. – **6.** (*piega all'angolo di una pagina*) dog-ear. – **7.** (*prominenza a forma d'orecchio*) ear, lug, handle. – **8.** (*rif. all'aratro*) mouldboard. – **9.** ⟨*Sport*⟩ figure (of) three.
□ *cantare* **a** ~ to sing by ear; ⟨*fig*⟩ *ripetere a ~* to repeat parrot-fashion, to echo other people's opinions, to express superficial judgements; ⟨*fig*⟩ **aprire** *gli orecchi* to listen, to pay attention, ⟨*fam*⟩ to open (*o* prick up) one's ears; ⟨*fig*⟩ **arrivare** *agli orecchi di qd.* to reach s.o.'s ears; *avere le -e* **d'asino** to have long (*o* ass's) ears, to be long-eared; **assordare** *gli orecchi* to be deafening; ⟨*fig*⟩ *non* **avere** *orecchi* (*non stare a sentire chiacchiere*) not to listen (*o* pay attention), to be very discreet; ⟨*fig*⟩ *andarsene con gli orecchi* **bassi** to slink off, to go away with one's tail between one's legs; **dare** ~ *a qc.* = **porgere** (o *prestare*) *orecchio a qc.*; **drizzare** *gli orecchi* to prick up one's ears; *essere* **duro** *d'orecchi* to be hard of hearing, not to hear well; **empire** *gli orecchi di qd. di chiacchiere* to fill s.o.'s ears with gossip; *per un ~* **entra** *e per l'altro esce* it goes in at one ear and out at the other; *stare con gli orecchi all'***erta** to strain one's ears, to listen attentively, to keep one's ears cocked; ⟨*Anat*⟩ ~ **esterno** external ear; **far** *l'~ a qc.* (*abituarvisi*) to get used to (hearing) s.th.; *essere d'~* **fine** to have ⌜good hearing⌝ (*o* sharp ears); ⟨*fig*⟩ *mi sento* **fischiare** *le -e* my ears are burning (*o* tingling); ⟨*Bot*⟩ ~ *di* **Giuda** Jew's-ear (*Hirneola auricula*); **giungere** *all'~ di qd.* to reach s.o.'s ears; *mi è giunto all'~* I have heard; ⟨*Anat*⟩ ~ **interno** inner ear; **lacerare** *gli orecchi di qd.* to deafen s.o.: *urla che lacerano gli orecchi* deafening (*o* ear-splitting) shouts; ⟨*fig*⟩ *avere le -e* **lunghe** (*aver l'udito fine*) to hear well, to have keen hearing (*o* ears); (*essere ignorante*) to be ignorant, ⟨*fam*⟩ to be a donkey; *avere* **mal** *d'orecchi* to have an earache; ⟨*Anat*⟩ ~ **medio** middle ear; *fare orecchi da* **mercante** to pretend not to hear, to turn a deaf ear: *fare orecchi da mercante a una richiesta* to turn a deaf ear to a request; **mettere** *la mano all'~* to cup one's ear; *i* **muri** *hanno orecchi* walls have ears; ~ **musicale** good ear (for music); *non giunge* **nuovo** *ai miei orecchi* it's not new to me; ⟨*Bot*⟩ ~ *d'orso* bear's-ear, auricula (*Primula auricula*); **parlare** *all'~ di qd.* to speak (*o* whisper) in s.o.'s ear; **porgere** (o *prestare*) ~ *a qc.* to listen closely, to bend an ear; *a* **portata** *d'~* within earshot; ⟨*fig*⟩ *avere gli orecchi foderati di* **prosciutto** (*non sentire*) to be hard of hearing; (*non voler sentire*) to turn a deaf ear; **rintronare** *gli* (o *negli*) *orecchi* to be deafening; ⟨*fig*⟩ *da quest'~ non ci* **sente** (*non vuole accondiscendere*) it is a subject he is not willing to discuss, he won't even listen if you try and talk about it; ⟨*fig*⟩ **sturare** *gli orecchi a qd.* to give s.o. a piece (*o* bit) of one's mind; *orecchi a* **sventola** flapping ears; **tapparsi** *gli orecchi* to stop (*o* put one's hands over) one's ears; ⟨*fig*⟩ to refuse to listen, to turn a deaf ear; **tendere** *l'~* to strain (*o* prick up) one's ears, to listen closely (*o* hard), to try to hear; (*rif. a animali*) to prick up one's ears; **tirare** *gli orecchi a qd.* to pull (*o* tweak) s.o.'s ears; ⟨*fig*⟩ to scold (*o* reproach) s.o., to give s.o. a telling-off; ⟨*Bot*⟩ ~ *di* **topo**: 1. (*pelosella*) mouse-ear (hawkweed), felon herb (*Hieracium pilosella*); 2. mouse-ear (chickweed) (*Cerastium*); **turarsi** *le -e* =

tapparsi *gli orecchi*; *essere* **tutt'orecchi** to be all ears. – *Prov.*: *chi ha orecchi intenda, chi ha denaro spenda* one pays a price for not listening to counsel.

orecchione (*accr. di orecchio*) *m.* **1.** *pl.* ⟨*Med*⟩ mumps *pl* (*costr. sing.*), parotitis. – **2.** ⟨*Zool*⟩ long-eared bat (*Plecotus auritus*). – **3.** ⟨*Zool*⟩ (*bargiglio auricolare del pollo*) wattle. – **4.** ⟨*Bot*⟩ (*gelone*) oyster mushroom (*o* fungus) (*Pleurotus ostreatus*). – **5.** ⟨*Mil*⟩ orill(i)on. – **6.** ⟨*Artigl*⟩ trunnion. – **7.** ⟨*region,volg*⟩ (*pederasta*) homosexual, ⟨*pop*⟩ queer.

orecchioniera *f.* ⟨*Artigl*⟩ trunnion bearing (*o* cradle).

orecchiuccio *m. dim. di* **orecchio**.

orecchiuto *a.* **1.** (*che ha orecchi*) eared. – **2.** (*che ha grandi orecchi*) big-eared; (*che ha orecchie lunghe*) long-eared. – **3.** ⟨*fig*⟩ (*ignorante*) stupid, ignorant. – **4.** ⟨*non com*⟩ (*fornito di sporgenze laterali*) with handles (*o* lugs), eared.

orefice *m.* **1.** (*negoziante*) jeweller, vendor of gold and silver plate, goldsmith. – **2.** ⟨*non com*⟩ (*orafo*) goldsmith. – **oreficeria** *f.* **1.** (*arte*) goldsmith(e)ry, goldsmith's art, gold-work. – **2.** (*laboratorio*) goldsmith's (work)shop. – **3.** (*negozio*) jeweller's (shop).

oremus *lat. m.* ⟨*Lit*⟩ oremus, let us pray.

orenda *m.* ⟨*Etnol*⟩ orenda.

oreofilo *a.* ⟨*Bot*⟩ orophilous. – **oreofita** *f.* orophyte.

oreotrago *m.* (*pl.* **-ghi**) ⟨*Zool*⟩ klipspringer (*Oreotragus*).

oreria *f.* ⟨*rar*⟩ **1.** (*lavoro d'oreficeria*) goldsmith(e)ry. – **2.** *pl.* (*oggetti d'oro*) gold objects *pl*, goldsmith(e)ry.

Oreste *N.pr.m.* ⟨*Mitol*⟩ Orestes.

Orestea *N.pr.f.* ⟨*Lett*⟩ Oresteia.

oretta *f. dim. di* **ora**[1].

orezza *f.* → **orezzo**. – **orezzare** *v.i.* (**orezzo**; *aus.* **avere**) ⟨*ant*⟩ **1.** (*spirare*) to blow gently. – **2.** (*godere il rezzo*) to enjoy the (cool) shade. – **orezzo** *m.* ⟨*ant*⟩ **1.** (*lieve brezza*) light (*o* gentle) breeze. – **2.** (*ombra fresca*) (cool) shade.

orfanatrofio *m.* ⟨*pop*⟩ → **orfanotrofio**. – **orfanello** *m.* (*f.* **-a**) *dim. di* **orfano**. – **orfanezza, orfanità** *f.* ⟨*rar*⟩ orphanhood, orphanism.

orfano I *a.* **1.** (*di madre*) motherless, having no mother; (*di padre*) fatherless, having lost one's father; (*privo di entrambi i genitori*) orphan-, parentless. – **2.** ⟨*fig*⟩ (*privo*) deprived, bereft. – II *s.m.* (*f.* **-a**) (*di ambedue i genitori*) orphan; (*di madre*) motherless child; (*di padre*) fatherless child. □ *asilo per* **-i** orphanage, orphan asylum; ~ *di guerra* war orphan; *restare* ~ to be orphaned.

orfanotrofio *m.* orphanage, orphan asylum, home for orphans.

orfea *f.* ⟨*Ornit*⟩ Orphean warbler (*Sylvia orphea*; *Sylvia hortensis*).

Orfeo *N.pr.m.* ⟨*Mitol*⟩ Orpheus. – **orfico** *a./s.* (*pl.* **-ci**) I *a.* **1.** ⟨*Stor.gr*⟩ Orphic, Orphean: *iniziazione* **-a** Orphic rites. – **2.** ⟨*fig*⟩ (*misterioso*) orphic, mystic; (*esoterico*) esoteric. – II *s.m.* ⟨*Stor.gr*⟩ Orphic, Orphist. – **orfismo** *m.* ⟨*Stor.gr,Pitt*⟩ Orphism.

organaio *m.* ⟨*non com*⟩ → **organaro**. – **organale** *a.* ⟨*non com*⟩ **1.** organ-: *musica* ~ organ music. – **2.** (*simile a un organo*) organ-like.

organamento *m.* ⟨*non com*⟩ organizing, arrangement. – **organare** *v.t.* (**organo**) ⟨*non com*⟩ **1.** (*ordinare, organizzare*) to arrange, to put (*o* set) in order, to organize. – **2.** ⟨*Biol,ant*⟩ (*sviluppare*) to organize, to develop.

organaria *f.* (*anche arte organaria*) organ-making. – **organario** *a.* organ-. – **organaro** *m.* **1.** (*fabbricante*) organ-maker. – **2.** (*riparatore*) organ-repairer.

organdi, organdì *m.* ⟨*Tess*⟩ organdie, organdy. – **organdisse** *m.* ⟨*tosc*⟩ → **organdi**.

organello *m.* ⟨*Biol*⟩ organelle, organella.

organetto (*dim. di organo*) *m.* **1.** ⟨*Mus*⟩ organette; (*a manovella*) barrel-organ. – **2.** ⟨*pop*⟩ (*armonica a bocca*) mouth-organ, harmonica; (*fisarmonica*) accordion. – **3.** ⟨*Ornit*⟩ (lesser) redpoll (*Carduelis linaria*). □ ⟨*Mus*⟩ ~ *di Barberia* barrel-organ; ⟨*Ornit*⟩ ~ *di Coues* Hornemann's redpoll (*Carduelis hornemanni exilipes*); ~ *maggiore* Holbœll's redpoll (*Carduelis flammea holboellii*); ~ *minore* lesser redpoll (*Carduelis linaria cabaret*).

organica *f.* ⟨*Mil*⟩ (*organica militare*) organization of armed forces, military organization.

organicamente *avv.* organically.

organicare *v.t.* (**organico, organichi**) ⟨*Biol*⟩ to make organic. – **organicazione** *f.* process of becoming organic.

organicismo *m.* organicism. – **organicista** *m./f.* organicist.

organicità *f.* organicity, organic unity.

organico *a./s.* (*pl.* **-ci**) I *a.* **1.** ⟨*Biol,Chim,Med*⟩ organic: *vita* **-a** organic life. – **2.** (*vivente*) organic, living. – **3.** ⟨*fig*⟩ (*ben ordinato*) organic, organized, systematic. – **4.** ⟨*fig*⟩ (*profondo, essenziale*) organic, fundamental, vital, essential. – **5.** ⟨*burocr*⟩ staff-, personnel-. – **6.** ⟨*Mil*⟩ organic. – **7.** ⟨*ant*⟩ (*relativo all'organo*) organic. – II *s.m.* **1.** ⟨*burocr*⟩ (*ruolo organico*) roll, employees *pl*, staff; (*personale*) personnel, staff. – **2.** ⟨*Mil*⟩ established strength, establishment.

organigramma *m.* ⟨*burocr*⟩ organization chart.

organino (*dim. di organo*) *m.* ⟨*Mus*⟩ **1.** (*organetto*) organette. – **2.** ⟨*pop*⟩ (*armonica a bocca*) mouth-organ, harmonica; (*fisarmonica*) accordion. – **3.** ⟨*pop*⟩ (*organetto di Barberia*) barrel-organ.

organismico *a.* (*pl.* **-ci**) ⟨*Med,non com*⟩ organismic.

organismo *m.* **1.** organism, being: ~ *vegetale* vegetable organism. – **2.** (*corpo umano*) body, organism. – **3.** ⟨*fig*⟩ (*sistema organizzato*) organism, system, body. □ ~ *animale* animal organism; ~ *umano* human body; **-i** *unicellulari* unicellular organisms, unicellulars *pl*.

organista *m./f.* organist, organ-player. – **organistico** *a.* (*pl.* **-ci**) organ-: *musica* **-a** organ music.

organistro, organistrum *m.* ⟨*Stor*⟩ organistrum, hurdy-gurdy.

organite *m.* → **organello**.

organizzamento *m.* ⟨*rar*⟩ **1.** organization, organizing; (*preparazione*) organization, arrangement, preparation. – **2.** ⟨*Biol,ant*⟩ (*sviluppo*) organization, development.

organizzare *v.t.* **1.** to organize. – **2.** (*preparare*) to organize, to arrange, to prepare, to make arrangements (*o* preparations) for: ~ *una gita* to organize an outing. – **3.** (*sistemare*) to organize, to (put in) order, to settle: ~ *la propria vita* to organize one's life. – **4.** ⟨*Biol*⟩ to organize; (*sviluppare*) to develop, to organize. – **5.** ⟨*scherz, non com*⟩ (*rubare*) to steal, to rob, ⟨*fam*⟩ to pinch. – **organizzarsi** *v.r.* **1.** to organize, to get organized. – **2.** ⟨*Biol*⟩ (*svilupparsi*) to organize, to develop. □ ~ *le proprie idee* to get one's ideas into order, to straighten out one's ideas.

organizzativo *a.* organizational, of organization, organizing: *lavoro* ~ work of organization; *fase* **-a** organizing phase; (*di organizzatore*) as an organizer, organizational: *capacità* **-a** ability as an organizer. – **organizzato** (*p.p. di organizzare*) I *a.* organized (*anche Biol.*): *stato ben* ~ well-organized state. – II *s.m.* (*f.* **-a**) member (of an organization).

organizzatore I *s.m.* (*f.* **-trice**) **1.** organizer. – **2.** (*chi allestisce*) arranger, promoter. – **3.** ⟨*Biol*⟩ organizer, inductor. – II *a.* **1.** organizing, of organization, organizational, promoting. – **2.** ⟨*Biol*⟩ organized. □ ⟨*Biol*⟩ *centro* ~ organization centre, organizer.

organizzazione *f.* **1.** organization: *l'*~ *di uno stato* the organization of a state. – **2.** (*sistemazione razionale*) organization, arrangement: *mancare di* ~ to lack organization, to be disorganized. – **3.** (*allestimento*) preparation, organization. – **4.** (*associazione*) organization, association. – **5.** ⟨*Biol*⟩ organization.

□ ≈ *dell'***aviazione** *civile internazionale* International Civil Aviation Organization; ~ **aziendale** corporate structure; ⟨*concr*⟩ business organization; ~ **bancaria** banking (organization); ~ **commerciale** trading organization; ≈ *europea di* **cooperazione** *economica* Organization for European Economic Co-operation; ≈ *di cooperazione economica e di sviluppo* Organization for Economic Co-operation and Development; ~ *dei* **datori** *di lavoro* employer's association; ~ **economica** trading organization, economic association; ~ *di* **fabbrica** factory organization; ~ **funzionale** task management; ~ **giovanile** youth organization; ≈ *internazionale del* **lavoro** International Labour Organization; ≈ **metereologica** *mondiale* World Meteorological Organization; ⟨*Econ*⟩ ~ **monopolistica** cartel; ≈ *delle* **nazioni** *unite per l'alimentazione e l'agricoltura* Food and Agricultural Organization of the United Nations; ≈ *delle nazioni unite per l'educazione, la scienza e la cultura* United Nations Educational, Scientific and Cultural Organization; ⟨*Comm*⟩ ~ **periferica** field organization; ~ **professionale** professional association; ≈ *europea e mediterranea per la* **protezione** *delle piante* European and Mediterranean Plant Protection Organization; ⟨*Dir*⟩ **-i regionali** regional organizations; ≈ *europea per la* **ricerca** *atomica* European Organization for Nuclear Research; ≈ *internazionale dei* **rifugiati** International Refugee Organization; ≈ *mondiale della* **sanità** World Health Organization; ~ **scientifica** scientific management; ~ **sindacale** labour organization, (trade-)union; ⟨*Aer*⟩ ~ *al* **suolo** ground organization; ≈ *del* **trattato** *nord-atlantico* North Atlantic Treaty Organization; ~ *di* **vendita** sales organization (*o* planning).

organo *m.* **1.** ⟨*Anat,Biol*⟩ organ. – **2.** ⟨*estens*⟩ (*parte di congegno*) part, member, unit, mechanism: *gli* **-i** *del motore* the parts of the engine. – **3.** ⟨*fig*⟩ (*persona, ente con incarichi particolari*) body, organ; (*assemblea*) assembly: ~ *deliberativo* deliberative assembly (*o* body). – **4.** (*giornale, pubblicazione*) organ, publication: ~ *di partito* party organ. – **5.** ⟨*Mus*⟩ organ: *suonare l'*~ to play the organ. – **6.** ⟨*Itt*⟩ piper (*Trigla lyra*). – **7.** ⟨*Filos*⟩ organon, organum. – **8.** ⟨*Artigl*⟩ organ gun. – **9.** ⟨*pop*⟩ (*pene*) penis, organ.

□ ~ **arbitrale** board of arbitrators; ~ *da* **chiesa** church-organ; ~ **collegiale** collegiate body, assembly; ~ *di* **controllo** supervisory body, board of control; ⟨*Anat*⟩ **-i** *della* **digestione** digestive organs; ~ **direttivo** governing (*o* policy-making) body; ⟨*Mus*⟩ ~ **elettrico** electric organ; ~ **esecutivo** executive (body); ~ **giurisdizionale** judiciary, judicial body; ~ *del* **governo** organ of government, government body; ⟨*Mus*⟩ ~ **Hammond** Hammond organ; ⟨*Mus*⟩ ~ **idraulico** water organ, hydraulicon; ~ *d'***inchiesta** fact-finding committee, investigating body; ⟨*Dir*⟩ **-i internazionali** international bodies; ~ **legislativo** legislative (body); ~ *dell'***olfatto** olfactory organ; ⟨*Anat*⟩ ~ **parietale** parietal eye (*o* organ); ~ **permanente** standing body; ⟨*El*⟩ ~ *di* **presa** current collector; ~ *della* **respirazione** respiratory organ; ~ **riproduttore** (o *della riproduzione*) reproductive organ; **-i rudimentali** rudimentary (*o* vestigial) organs, rudiments *pl*; ~ *di* **secrezione** secretionary organ; ⟨*Artigl*⟩ ~ *di* **Stalin** Katiuscha; ⟨*Anat*⟩ ~ **succhiatore** sucking pad; ~ **tattile** organ of touch; ⟨*Giorn*⟩ ~ **ufficiale** official organ (*o* publication).

organo|formativo *a.* ⟨*Biol*⟩ organ-forming. – **~genesi** *f.* organogenesis, organogeny. – **~genetico** *a.* (*pl.* **-ci**) organogenetic. – **~genia** *f.* → **organogenesi**. – **~genico** *a.* → **organogenetico**.

organogeno *a.* ⟨*Geol*⟩ organogenic.

organografia *f.* **1.** ⟨*Biol*⟩ organography. – **2.** ⟨*Mus*⟩ organography, description of musical instruments. – **organografico** *a.* (*pl.* **-ci**) organographic. – **organografo** *m.* (*f.* **-a**) organographist, student of organography.

organoide I *a.* ⟨*Biol*⟩ organoid. – II *s.m.* → **organello**.

organolẹttico *a.* (*pl.* **-ci**) ⟨*Biol*⟩ organoleptic.
organologịa *f.* **1.** ⟨*Biol*⟩ organology. – **2.** ⟨*Mus*⟩ study of musical instruments. – **organolọgico** *a.* (*pl.* **-ci**) **1.** ⟨*Biol*⟩ organologic(al). – **2.** ⟨*Fon*⟩ (*articolatorio*) articulatory. – **3.** ⟨*Mus*⟩ of (*o* relating to) the study of musical instruments. – **organọlogo** *m.* (*pl.* **-gi**; *f.* **-a**) **1.** ⟨*Biol*⟩ organologist. – **2.** student of musical instruments.
organo|metạllico *a.* (*pl.* **-ci**) ⟨*Chim*⟩ organo-metallic. – **~patịa** *f.* ⟨*Med*⟩ organopathy.
organosọl *m.* ⟨*Chim*⟩ organosol.
organoterapịa *f.* ⟨*Med*⟩ organotherapy.
organotropịsmo *m.* ⟨*Med*⟩ organotropism. – **organọtropo** *a.* organotropic.
orgạnulo *m.* → **organello.**
ọrganum *m.* ⟨*Mus*⟩ organum.
orgạnza *f.* ⟨*Tess*⟩ organza. – **organzịno** *m.* organzine.
orgạsmo *m.* **1.** ⟨*Fisiol*⟩ orgasm. – **2.** ⟨*fig*⟩ excitement, agitation. □ ⟨*fig*⟩ *essere in* ~ to be very excited, ⟨*fam*⟩ to be in a flutter (*o* state); ⟨*fig*⟩ *mettere qd. in* ~ to excite s.o., to get s.o. excited (*o* worked up), to fluster s.o.; ~ *sessuale* (o *venereo*) (sexual) orgasm.
ọrgia *f.* (*pl.* **-ge**) **1.** ⟨*Stor.gr*⟩ orgy. – **2.** ⟨*estens*⟩ (*banchetto sfrenato*) orgy; (*bagordo*) revelry, merrymaking, carousal. – **3.** ⟨*fig*⟩ (*esaltazione*) excitement. – **4.** ⟨*fig*⟩ (*abbondanza*) feast; (*rif. a luce*) blaze: *un'*~ *di luce* a blaze of light; (*rif. a colori*) riot.
orgịaco *a.* (*pl.* **-ci**) ⟨*lett*⟩ orgiastic. – **orgiạsmo** *m.* ⟨*Stor.gr*⟩ holding of orgies. – **orgiạsta** *m./f.* orgiast. – **orgiạstico** *a.* (*pl.* **-ci**) **1.** ⟨*Stor.gr*⟩ orgiastic(al). – **2.** ⟨*fig*⟩ wild, riotous.
orgọglio *m.* **1.** (*superbia*) pride; (*arroganza*) arrogance, insolence, overbearing manner; (*boria*) haughtiness. – **2.** (*fierezza*) pride; (*amor proprio*) self-respect, pride. – **3.** (*motivo di orgoglio*) pride: *è l'*~ *della famiglia* he is the pride of the family. – **4.** ⟨*ant,tosc*⟩ (*rigoglio*) luxuriance.
orgogliosạccio *m.* (*f.* **-a**) *pegg. di* **orgoglioso.** – **orgogliosamẹnte** *avv.* (*in modo superbo*) proudly, haughtily; (*in modo fiero*) proudly. – **orgogliosẹtto** *a. dim. di* **orgoglioso.**
orgogliọso *a.* **1.** (*superbo*) proud; (*arrogante*) arrogant, insolent, overbearing; (*borioso*) haughty. – **2.** (*fiero*) proud. – **3.** ⟨*ant,tosc*⟩ (*rigoglioso*) luxuriant; (*rif. a vino*: *generoso*) strong, full-bodied, generous.
orgoglịre *v.i.* (**orgoglịsco, orgoglịsci**; *aus.* **essere**) ⟨*ant*⟩ (*inorgoglire*) to become proud.
oriafiạmma *f.* ⟨*ant*⟩ → **orifiamma.**
oriạna *f.* (*sostanza colorante*) annatto, arnat(t)a, orlean.
oricạlco *m.* (*pl.* **-chi**) **1.** ⟨*Stor.rom*⟩ orichalc(h). – **2.** ⟨*ant*⟩ (*ottone*) brass. – **3.** ⟨*fig,poet*⟩ (*tromba*) trumpet, clarion.
oricạnno *m.* ⟨*ant*⟩ (*vasetto per profumi*) perfume bottle.
ọrice *m.* ⟨*Zool*⟩ oryx (*Oryx*). □ ~ *beisa* beisa, East African oryx (*Oryx beisa*); ~ *bianco* Arabian (*o* beatrix) oryx (*Oryx leucoryx*); ~ *gazzella* gemsbuck, gemsbok (*Oryx gazella*).
oricẹllo *m.* **1.** (*sostanza colorante*) archil, orchil(la). – **2.** ⟨*Bot*⟩ archil, orchil (weed) (*Roccella*).
orichịcco *m.* (*pl.* **-chi**) kind of resin. – **orichịco** *m.* ⟨*ant*⟩ → **orichicco.**
oricrinịto *a.* ⟨*poet*⟩ golden-haired.
orientạbile *a.* **1.** that can be oriented (*anche Geom.*). – **2.** ⟨*Mecc*⟩ rotary, revolving, swivel-, pivot-, flexible, adjustable.
orientạle I *a.* **1.** ⟨*Geog*⟩ east, eastern: *la costa* ~ *dell'Italia* the east coast of Italy. – **2.** (*dell'oriente, dall'oriente*) eastern, east: *vento* ~ east (*o* easterly) wind. – **3.** (*rif. a civiltà, lingue, razze*) Eastern, Oriental. – **4.** ⟨*Pol*⟩ eastern. – **II** *s.m./f.* **1.** Oriental. – **2.** (*rif. a civiltà*) Orient, East.
orientaleggiạnte *a.* Oriental, orientalizing.
orientalịde I *a.* (*in antropologia*) Oriental, Asiatic. – **II** *s.m.* Oriental.
orientalịsmo *m.* **1.** Orientalism (*anche Art.*). – **2.** → **orientalistica.** – **orientalịsta** *m./f.* Orientalist. – **orientalịstica** *f.* oriental studies *pl.* – **orientalịstico** *a.* (*pl.* **-ci**) Oriental.
orientalizzạnte (*p.pr. di orientalizzare*) *a.* → **orientaleggiante.** – **orientalizzạre I** *v.t.* to Easternize, to Orientalize. – **II** *v.i.* (*aus.* **essere**), **orientalizzarsi** *v.r.* ⟨*rar*⟩ to become Easternized (*o* Orientalized). – **orietalizzaziọne** *f.* Easternization, Orientalization.
orientamẹnto *m.* **1.** orientation, orienting, placing. – **2.** (*senso di orientamento*) sense of direction. – **3.** ⟨*fig*⟩ (*il guidare*) guidance; (*l'avviare*) orientation. – **4.** ⟨*fig*⟩ (*l'indirizzare*) orientation, directing, guidance, counselling: *l'*~ *spirituale della gioventù* the spiritual guidance of youth; (*indirizzo*) guidance, counsel. – **5.** ⟨*fig*⟩ (*informazione*) orientation. – **6.** (*titolo di manuale*) handbook, manual. – **7.** ⟨*Mar*⟩ position finding, taking of bearings; (*rif. a vele*) trimming.
□ ⟨*Econ*⟩ ~ *del* **consumo** consumption trend; **perdere** *l'*~ to lose one's bearings (*anche fig.*); ~ **professionale** vocational (*o* careers) guidance; **ritrovare** *l'*~ to get one's bearings (*anche fig.*); ~ **scolastico** vocational guidance; **senso** *di* ~ sense of direction.
orientạre *v.t.* (**oriẹnto**) **1.** to orient(ate). – **2.** ⟨*fig*⟩ (*guidare*) to guide; (*avviare*) to help (to) choose. – **3.** ⟨*fig*⟩ (*indirizzare*) to orient(ate), to direct, to steer. – **4.** ⟨*Mat*⟩ to orient. – **5.** ⟨*Mar*⟩ to steer; (*rif. a vele*) to trim. – **6.** ⟨*rar*⟩ (*volgere a oriente*) to orient, to turn to the east. – **orientarsi** *v.r.* **1.** to take (*o* get) one's bearings, to orientate o.s., to see (*o* make out) where one is. – **2.** ⟨*fig*⟩ (*raccapezzarsi*) to see one's way, to get one's bearings: *non riesco a orientarmi in questa faccenda* I can't make head or tail of this matter. – **3.** ⟨*fig*⟩ (*dirigersi*) to go in (*verso* for), to concentrate (on), to turn (to); (*rif. a idee*) to tend. □ *ho finito con l'orientarmi verso la sua proposta* I finally came round to his proposal; ~ *una carta geografica* to set (*o* orient) a map.
orientatịvo *a.* indicative, guiding. □ *a scopo* ~ as a guide. – **orientạto** (*p.p. di orientare*) *a.* **1.** oriented, orientated; (*volto*) facing, oriented. – **2.** ⟨*fig*⟩ (*diretto*) directed, concentrating, specialized; (*avviato*) turned; (*rif. a idee*) tending, leaning. – **3.** ⟨*Mat*⟩ oriented. □ *la chiesa ha la facciata -a a sud* (the façade of) the church faces south. – **orientaziọne** *f.* **1.** orientation. – **2.** (*posizione*) orientation, bearings *pl*; (*direzione*) direction. □ *avere un'*~ *a sud* to face south.
oriẹnte I *s.m.* **1.** (*est*) east, ⟨*lett*⟩ orient. – **2.** (*regioni orientali*) East; (*seguito da nome proprio*) Eastern: *l'*~ *europeo* Eastern Europe. – **3.** (*paesi asiatici*) East, Orient. – **4.** (*nella massoneria*) lodge. – **II** *a.* ⟨*lett*⟩ (*che sorge*) rising.
□ **a** ~ (*stato*) in the east; (*moto*) eastwards, (towards the) east: *essere volto a* ~ to face east(wards); *a* ~ *di* east of; **Estremo** ≈ Far East; **Grande** ≈ (*nella massoneria*) Grand Lodge; ⟨*Stor*⟩ **Impero** *d'*≈ Eastern Empire; **istituto** *per l'*~ Institute for Eastern Studies, Oriental Institute; **Medio** ≈ Middle East; ⟨*Stor*⟩ **questione** *d'*≈ Eastern question; **verso** ~ east, eastwards: *navigare verso* ~ to sail east; **Vicino** ≈ Near East.
orifiạmma *f.* **1.** oriflamme. – **2.** ⟨*Itt*⟩ goldfish (*Carassius auratus*). – **3.** ⟨*Mar,ant*⟩ (*bandiera*) pennant, long pennon, streamer, flag.
orifịcio, orifịzio *m.* **1.** opening, aperture, orifice; (*bocca*) mouth. – **2.** ⟨*Anat*⟩ orifice. □ ⟨*Anat*⟩ ~ *anale* anus, anal orifice; ~ *dell'utero* mouth of the womb, os uteri.
orịgano *m.* ⟨*Bot*⟩ **1.** origan (*Origanum*). – **2.** wild marjoram, origanum, origan(e), oregano (*Origanum vulgare*). □ *olio essenziale di* ~ origanum oil.
ọrige *m.* → **orice.**
Orịgene *N.pr.m.* ⟨*Stor*⟩ Origen. – **origenịsmo** *m.* ⟨*Rel*⟩ Origenism. – **origenịsta I** *a.* Origenist(ic). – **II** *s.m./f.* Origenist.
originạle I *a.* **1.** original: *edizione* ~ original edition. – **2.** (*autentico*) real, original, genuine, authentic. – **3.** (*con carattere proprio*) original: *stile* ~ original style; (*nuovo*) new, novel, fresh. – **4.** (*strano, bizzarro*) eccentric, odd, queer, strange. – **5.** (*congenito*) congenital. – **6.** ⟨*Filol*⟩ original. – **7.** ⟨*ant*⟩ (*originario*) native. – **II** *s.m.* **1.** original: *l'*~ *di un documento* the original of a document. – **2.** (*testo originale*) original, original text. – **3.** (*modello*) original, model. – **4.** (*persona stravagante*) eccentric, odd person, ⟨*fam*⟩ character, ⟨*am.fam*⟩ oddball.
originalità *f.* **1.** originality: *l'*~ *del suo stile* the originality of his style; (*novità*) novelty; (*autenticità*) genuineness, originality, authenticity. – **2.** (*bizzarria, stravaganza*) eccentricity, oddness, queerness, strangeness, outlandishness. – **3.** (*azione originale*) eccentricity, odd behaviour.
originalmẹnte *avv.* **1.** (*all'origine*) originally, initially, at first, in (*o* from) the beginning. – **2.** (*con originalità*) originally, with originality, in an original manner.
originạre *v.* (**orịgino**) **I** *v.t.* **1.** to originate, to bring about, to occasion; (*causare*) to cause, to give rise to. – **2.** ⟨*ant*⟩ (*assegnare un'origine*) to attribute an origin to. – **II** *v.i.* (*aus.* **essere**) **1.** to arise, to originate, to derive, to spring, to take (*o* have) origin. – **2.** ⟨*Med*⟩ (*iniziare*) to originate.
originariamẹnte *avv.* originally, at first, initially, in the beginning.
originạrio I *a.* **1.** that (originally) came, indigenous, aboriginal: *un popolo* ~ *dell'Africa* a people that originally came from Africa; (*nativo*) native. – **2.** (*che ha dato origine*) of origin, original: *paese* ~ country of origin. – **3.** (*primitivo*) original, former, primitive: *riportare un paese al suo* ~ *splendore* to restore a country to its original splendour; *stato* ~ primitive state. – **II** *s.m.* (*abitante originario*) native. □ *essere* ~ *di Firenze* to be of Florentine origin, to come from Florence; (*esservi nato*) to be a native of Florence, to be a Florentine by birth.
orịgine *f.* **1.** origin, beginning: *l'*~ *del mondo* the beginning of the world. – **2.** (*causa*) cause, origin, source: *l'*~ *di una lite* the cause of a quarrel. – **3.** (*provenienza*) origin; (*nascita, stirpe*) origin, birth, descent, extraction, stock: *la sua famiglia è di nobili -i* his family is of noble origin. – **4.** *pl.* (*inizi*) origins *pl.* – **5.** ⟨*concr*⟩ (*punto d'inizio*) starting- (*o* initial) point, place of origin; (*sorgente*) source: *l'*~ *di un fiume* the source of a river. – **6.** ⟨*Anat,Mat,Fis*⟩ origin: ⟨*Mat*⟩ ~ *delle coordinate* origin of the coordinates. – **7.** ⟨*Ling*⟩ complement of origin.
□ **all'**~ originally; ⟨*Comm*⟩ at source; *alle -i* at (*o* in) the beginning; **avere** ~ *da* to originate (*o* arise) from; **d'**~: 1. original: *peccato d'*~ original sin; 2. (*di provenienza*) of origin: *paese d'*~ country of origin; 3. (*natio*) native: *d'*~ *francese* native of (*o* to) France, of French origin (*o* extraction, birth); 4. ⟨*Comm*⟩ of origin: *certificato d'*~ certificate of origin; **dare** ~ *a qc.* to originate s.th.; (*causare*) to cause (*o* give rise to) s.th., to bring s.th. about; **in** ~ originally, at first, in the beginning; **prendere** ~ *da* to originate (*o* spring, arise) from; (*rif. a fiumi*) to rise in; **risalire** *alle -i* to trace s.th. back (to its origins).
origliạre *v.i.* (**orịglio, orịgli**; *aus.* **avere**) to eavesdrop, to listen (in): ~ *alle porte* to eavesdrop, to listen at keyholes.
origliẹre *m.* ⟨*lett*⟩ (*guanciale*) pillow.
orịna *f.* urine, ⟨*pop*⟩ water. – **orinạle** *m.* chamber-pot, urinal, ⟨*fam*⟩ jerry. – **orinalẹtto, orinalịno** (*dim. di orinale*) *m.* chamber

-pot, ⟨*infant*⟩ potty. – **orinạre I** *v.i.* (*aus.* avere) to urinate, to pass water, to relieve o.s. – **II** *v.t.* to pass (in the urine), to urinate: ~ *sangue* to pass blood in one's urine. – **orinạrio** *a.* (*urinario*) urinary. – **orinạta** *f.* **1.** urination, micturition. – **2.** (*quantità*) (quantity of) urine passed. – **orinatọio** *m.* urinal. – **orinaziọne** *f.* ⟨*non com*⟩ urination.

oriolạio *m.* ⟨*ant,tosc*⟩ → **orologiaio.**

oriọlo[1] *m.* ⟨*ant,tosc*⟩ → **orologio.**

oriọlo[2] *m.* ⟨*Ornit*⟩ (*rigogolo*) golden oriole (*Oriolus oriolus*).

Oriọne *N.pr.m.* ⟨*Mitol,Astr*⟩ Orion.

orittẹropo *m.* ⟨*Zool*⟩ aardvark (*Orycteropus*).

oritto... *pref.* (*fossile* fossil) oryct(o)...

oritto|gẹnịa *f.* ⟨*Geol*⟩ origin of fossils. – **~gnoṣịa** *f.* oryctology, paleontology.

orittọlago *m.* (*pl.* -gi) ⟨*Zool*⟩ (common European) rabbit (*Oryctolagus*).

orittologịa *f.* → **orittognosia.**

oriụndo I *a.* of ... extraction (*o* stock, origin, descent): *è* ~ *italiano* he is of Italian extraction (*o* descent); (*nativo*) native. – **II** *s.m.* (*f.* -a) person of foreign birth or extraction.

oriuọlo *m.* ⟨*ant,lett*⟩ → **orologio.**

oriẓẓọn, oriẓẓọnta *m.* ⟨*poet*⟩ → **orizzonte.**

oriẓẓontạle I *a.* **1.** horizontal, level: *in posizione* ~ in a horizontal position, horizontal. – **2.** ⟨*Econ*⟩ horizontal. – **3.** ⟨*rar*⟩ (*relativo all'orizzonte*) horizon-, horizontal, of (*o* on) the horizon: *coordinate -i* horizon coordinates. – **II** *s.f.* **1.** (*linea orizzontale*) horizontal line. – **2.** ⟨*ant*⟩ (*mondana*) prostitute, whore. ◻ *mettere in posizione* ~ to lay down; *mettersi in posizione* ~ to lie down.

oriẓẓontalità *f.* horizontality, horizontal position. – **oriẓẓontalmẹnte** *avv.* horizontally, in a horizontal position.

oriẓẓontamẹnto *m.* ⟨*non com*⟩ **1.** orientation. – **2.** ⟨*Edil*⟩ (*struttura di orizzontamento*) loft, attic, garret. – **oriẓẓontạre** *v.t.* (oriẓẓọnto) to orient(ate). – **orizzontarsi** *v.r.* **1.** to orientate o.s., to take bearings. – **2.** ⟨*fig*⟩ (*raccapezzarsi*) to get one's bearings.

oriẓẓọnte *m.* **1.** horizon. – **2.** ⟨*Astr,Geog,Geol*⟩ horizon; (*in fiitogeografia*) zone, horizon. – **3.** ⟨*fig*⟩ (*campo d'azione*) horizon, field. – **4.** ⟨*fig*⟩ (*prospettiva futura*) horizon, prospect, vista. – **5.** ⟨*Teat*⟩ stage horizon, cyclorama, cyc.

◻ ⟨*Geog*⟩ ~ **apparente** apparent horizon; ⟨*Astr*⟩ ~ **artificiale** artificial (*o* false) horizon; ~ **astronomico** astronomical horizon; **color** ~ horizon (*o* air force) blue; **comparire** *all'*~ to appear on the horizon; ⟨*fig*⟩ **giro** *d'*~ survey, review; *fare un giro d'*~ to review the situation; ~ **giroscopico** = *orizzonte* **artificiale**; ⟨*fig*⟩ *avere un* ~ **limitato** to be narrow-minded, to have a narrow outlook; ⟨*Geom*⟩ **linea** *d'*~ horizon line; ~ **marino** sea horizon; ~ **ottico** optical horizon; ~ **politico** political horizon; **scomparire** *all'*~ to disappear over (*o* below) the horizon; *alto* **sull'**~ high above the horizon; ~ **vero** true horizon; ~ **visibile** visible horizon.

Orlạndo *N.pr.m.* Roland. ◻ ⟨*Lett*⟩ *l'*~ *furioso* Orlando Furioso; ⟨*Lett*⟩ *l'*~ *innamorato* Orlando Innamorato; *contro due non la poté* ~ two against one is too much for anybody.

orlạre *v.t.* (ọrlo) **1.** to edge, to border. – **2.** (*fare l'orlo*) to edge; (*cucendo*) to hem; (*con cordoncini e sim.*) to trim, to edge, to braid. – **3.** ⟨*fig*⟩ (*bordare*) to border, to edge. – **4.** ⟨*Calz*⟩ to welt. – **5.** ⟨*Mecc*⟩ to flange, to bead.

orlatọre *m.* (*f.* -trice/*pop.* -tora) (*operaio, macchina*) hemmer. – **orlatrịce** *f.* (*operaia, macchina*) hemmer. – **orlatụra** *f.* **1.** (*l'orlare*) hemming, edging, bordering, trimming. – **2.** (*orlo*) hem; (*bordo*) edge, border. – **3.** ⟨*Calz*⟩ welt.

Orleanẹse *N.pr.m.* ⟨*Geog*⟩ Orleanais.

orleanịsta I *a.* ⟨*Stor*⟩ Orleanist-. – **II** *s.m./f.* Orleanist.

orleans *fr.* [ɔrle'ã] *m.* ⟨*Tess*⟩ orleans.

orlettạre *v.t.* (orlẹtto) **1.** to hem, to border, to edge. – **2.** (*rif. a monete*) to mill. – **orlettatụra** *f.* (*rif. a monete*) milling.

orlẹtto *m. dim. di* **orlo.**

orlịccio *m.* ⟨*tosc*⟩ **1.** (*orlo*) (jagged) edge. – **2.** ⟨*Bot*⟩ swelling on the stem of a plant.

orlịno *m. dim. di* **orlo.**

ọrlo *m.* **1.** edge, border, margin: *l'*~ *di un burrone* the edge of a ravine; (*rif. a recipiente*) lip, rim, brim. – **2.** ⟨*fig*⟩ brink, verge: *essere sull'*~ *del fallimento* to be on the verge of bankruptcy. – **3.** (*bordo, striscia*) edging, border, trimming: *il paltò ha un* ~ *di pelliccia* the coat ⌜has a border of⌝ (*o* is trimmed with) fur. – **4.** (*spigolo*) edge, corner: *l'*~ *del tavolo* the edge of the table. – **5.** ⟨*Sart*⟩ hem: *fare un* ~ *al vestito* to turn up a hem on a dress, to hem a dress. – **6.** ⟨*Mar*⟩ (*soglia*) plank-sheer, covering board. – **7.** ⟨*fig, non com*⟩ (*fine*) end. – **8.** ⟨*Arald*⟩ (*cinta*) orle. ◻ ⟨*Lav.femm*⟩ ~ *a giorno* hemstitch.

ọrlon *m.* ⟨*Tess*⟩ orlon.

ọrma *f.* **1.** (*di persone*) footprint, footmark: *lasciare le -e sul terreno* to leave footprints on the ground; (*di animali*) spoor, track: *le -e del lupo* the wolf's tracks. – **2.** ⟨*fig*⟩ (*impronta*) mark, trace: *imprimere la propria* ~ *su qc.* to make (*o* leave) one's mark on s.th. – **3.** *pl.* ⟨*fig*⟩ (*esempio*) example, footsteps *pl*: *seguire* (o *calcare*) *le -e di qd.* to follow in s.o.'s footsteps. – **4.** *pl.* ⟨*fig*⟩ (*vestigia*) traces *pl*, remains *pl*, vestiges *pl.* – **5.** ⟨*lett*⟩ (*traccia da seguire*) trail.

ormại *avv.* → **oramai.**

ormạre *v.t.* (ọrmo) ⟨*ant*⟩ **1.** (*seguire le orme*) to track, to trace. – **2.** (*inseguire*) to pursue.

ormeggịare[1] *v.t.* (ormẹggio, ormẹggi) ⟨*lett*⟩ (*seguire le orme*) to track, to trace, to follow the tracks of.

ormeggịare[2] *v.t.* (ormẹggio, ormẹggi) **1.** ⟨*Mar*⟩ to moor, to berth; (*ancorare*) to anchor. – **2.** ⟨*Aer*⟩ to moor, to anchor. – **ormeggiarsi** *v.r.* to moor, to berth.

ormeggiatọre *m.* ⟨*Mar*⟩ worker who helps with mooring.

ormẹggio *m.* **1.** mooring, moorage; (*ancoraggio*) anchorage. – **2.** (*luogo di ormeggio*) berth, moorings *pl.* – **3.** *pl.* ⟨*concr*⟩ moorings *pl*: *mollare gli ormeggi* to cast off the moorings. ◻ *essere* (o *stare*) *all'*~ to be moored (*o* berthed).

ormeṣịno *m.* ⟨*ant*⟩ (*ermisino*) light silk.

ormịno *m.* ⟨*Bot*⟩ (*sclarea*) clary (*Salvia sclarea*).

ormiṣịno *m.* ⟨*ant*⟩ → **ormesino.**

ormogọnio *m.* ⟨*Bot*⟩ hormogon(e), hormogonium.

ormonạle *a.* → **ormonico.**

ormọne *m.* ⟨*Fisiol*⟩ hormone.

◻ *-i* **cellulari** cellular hormones; **cura** *di -i* hormone treatment; *-i* **estrogeni** estrogenic hormones, estrogen; *-i* **ghiandolari** glandular hormones; ~ **melanoforo** (o *melanodipendente*) intermedin; *-i* **tessutali** tissue hormones.

ormọnico *a.* (*pl.* -ci) hormone-, hormonal, hormonic: *attività -a* hormonal activity. – **ormonologịa** *f.* ⟨*Med*⟩ hormonology, endocrinology. – **ormonoterapịa** *f.* hormonotherapy.

ornamentạle *a.* ornamental, decorative: *piante -i* ornamental plants; *motivi -i* ornamental motifs. – **ornamentạre** *v.t.* (ornamẹnto) ⟨*non com*⟩ (*ornare*) to decorate. – **ornamentaziọne** *f.* **1.** ornamentation, decoration. – **2.** (*ornamento*) adornment, decoration, embellishment; (*insieme di ornamenti*) ornaments *pl*, decorations *pl.*

ornamentịsta *m.* ⟨*Calz*⟩ (shoe) trimmer.

ornamẹnto *m.* **1.** (*l'ornare*) ornamentation, decoration, adornment, embellishment. – **2.** ⟨*concr*⟩ ornament, decoration. – **3.** *pl.* ⟨*Mod*⟩ trimmings *pl*, ornaments *pl.* – **4.** ⟨*fig*⟩ (*qualità, virtù*) virtue, ornament; (*rif. a persone*: *gloria, onore*) honour, glory. – **5.** ⟨*Art*⟩ ornament. – **6.** ⟨*Mus*⟩ ornament, grace-note, embellishment.

◻ ⟨*Art*⟩ ~ **arabesco** arabesque; **d'**~ ornamental, decorative: *piante d'*~ ornamental plants; ~ *a* **fogliame** foliation; *-i* **muliebri** finery; (*gioielli*) jewels *pl*; *-i* **retorici** rhetorical embellishments; ⟨*Arch*⟩ ~ *a* **rosone** rosette, patera; *-i dello* **stile** stylistic embellishments.

ornạre *v.t.* (ọrno) **1.** to decorate, to adorn, to embellish, to deck, to ornament: ~ *la casa di fiori* to decorate the house with flowers; (*rif. ad abiti*) to trim: ~ *un vestito di trine* to trim a dress with lace. – **2.** ⟨*fig*⟩ (*rif. a stile e sim.*) to embellish, to ornament. – **3.** ⟨*Arch*⟩ to decorate. – **4.** ⟨*Mus*⟩ to grace. – **5.** ⟨*lett*⟩ (*essere motivo di gloria*) to be the pride of, to add lustre to. ◻ *ornarsi di gioielli* to deck (*o* adorn) o.s. with jewels, to bejewel o.s.

ornatamẹnte *avv.* ornately. – **ornatẹzza** *f.* ornateness. – **ornatịsta** *m.* ⟨*Art*⟩ ornamentalist. – **ornatịvo** *a.* ⟨*non com*⟩ ornamental, decorative.

ornạto[1] (*p.p. di ornare*) *a.* **1.** (*adorno*) decorated, adorned, decked, embellished; (*guarnito*) decorated, trimmed. – **2.** ⟨*fig*⟩ ornate, flowery: *stile* ~ flowery style; (*raffinato, squisito*) elegant.

ornạto[2] *m.* **1.** ornamentation, decoration. – **2.** ⟨*Arch*⟩ ornament. – **3.** ⟨*ant*⟩ (*ornamento*) ornament.

ornatọre *m.* (*f.* -trice) ornamenter, decorator, adorner; (*chi confeziona oggetti d'ornamento*) ornament maker, ornamentist. – **ornatụra** *f.* ⟨*rar*⟩ **1.** ornamentation. – **2.** ⟨*concr*⟩ ornaments *pl*, decoration.

orneblẹnda *f.* ⟨*Min*⟩ hornblend(e): *-e basaltiche* basaltic hornblend.

orn(i)ẹllo *m.* ⟨*Bot*⟩ manna (*o* flowering) ash (*Fraxinus ornus*).

ornitịna *f.* ⟨*Chim*⟩ ornithine.

ornito... *pref.* (*uccello* bird) ornith(o)...

ornitofilịa *f.* ⟨*Bot*⟩ pollination by birds. – **ornitọfilo** *a.* ornithophilous.

ornitọgalo *m.* ⟨*Bot*⟩ ornithogalum (*Ornithogalum*).

ornitogamịa *f.* → **ornitofilia.** – **ornitọgamo** *a.* → **ornitofilo.**

ornitologịa *f.* ornithology. – **ornitolọgico** *a.* (*pl.* -ci) ornithologic(al). – **ornitọlogo** *m.* (*pl.* -gi; *f.* -a) ornithologist.

ornitomanzịa *f.* ornithomancy.

ornitorịnco *m.* (*pl.* -chi) ⟨*Zool*⟩ (duck-billed) platypus, duck-bill (*Ornithorhynchus anatinus*).

ornitọsi *f.* ⟨*Med*⟩ ornithosis.

ornitọttero *m.* **1.** ⟨*Aer*⟩ ornithopter, orthopter. – **2.** *pl.* ⟨*Entom*⟩ Ornithoptera *pl.*

ọrno *m.* ⟨*non com*⟩ → **orn(i)ello.**

ọro *m.* **1.** gold. – **2.** ⟨*fig*⟩ (*denaro*) money, gold. – **3.** *pl.* (*oggetti d'oro*) gold objects *pl*; (*gioielli d'oro*) (gold) jewellery; (*ornamenti d'oro*) gold ornaments *pl*; (*vasellame, posate d'oro*) gold-plate. – **4.** (*colore*) gold. – **5.** *pl.* (*nelle carte da gioco*) money.

◻ ~ *in* **barre** gold bars, bullion; ~ **basso** low-percentage gold; ~ **battuto** beaten gold; ~ **bianco** white gold; (*cotone*) cotton; ⟨*pop*⟩ ~ *di* **Bologna** = *oro* **falso**; ~ *a diciotto* **carati** eighteen-carat gold; **cercatore** *d'*~ gold prospector; *l'*~ *delle* **chiome** golden hair; ⟨*fig*⟩ *prendere per* ~ **colato** to take as gospel; ~ *in* **conchiglia** shell gold; ~ *di* **coppella**: 1. finest gold; 2. ⟨*fig*⟩ (*persona integra*) person of absolute integrity; 3. ⟨*fig*⟩ (*cosa eccellente*) perfect thing; **corsa** *all'*~ gold-rush; **d'**~: 1. gold: *bracciale d'*~ gold bracelet; 2. ⟨*fig*⟩ (*giallo lucente*) golden: *sabbia d'*~ golden sand; 3. ⟨*fig*⟩ (*prezioso*) golden, precious: *parole d'*~ precious words; 4. ⟨*fig*⟩ (*molto vantaggioso*) golden, wonderful: *un affare d'*~ a wonderful bargain; *occasione d'*~ golden opportunity, chance of a lifetime; *persona d'*~

sterling (*o* wonderful) person; ⟨*Comm,ant*⟩ *d'*~ *in* ~ in gold (coins); ~ **doublé** plated gold; ~ **falso** pinchbeck, talmi-gold, tombak; ⟨*fig*⟩ **farsi** *d'*~ (*arricchirsi*) to get rich; **febbre** *dell'*~ gold-fever; ~ **fino** refined gold; ~ *in* **fogli** gold-leaf, gold-foil; ⟨*Min*⟩ ~ *di* **gatto** cat-gold; ~ **giallo** yellow gold; ⟨*Min*⟩ ~ **grafico** sylvanite, graphic tellurium; ~ **greggio** unrefined gold; **in** ~ in (*o* with) gold, gold-: *abito ricamato in* ~ gold-embroidered dress; ~ **laminato** rolled gold; ~ *in* **lamine** = *oro in* **fogli**; ~ *di bassa* **lega** = *oro* **basso**; ~ *in* **lingotti** bullion, gold ingots; ~ **massiccio** solid gold; ~ **matto** = *oro* **falso**; *per tutto l'*~ *del* **mondo** for anything, for all the money in the world, ⟨*fam*⟩ for all the tea in China; ~ **monetario** gold specie, monetary gold; ~ **musivo** mosaic gold; ⟨*pop*⟩ ~ *di* **Napoli** = *oro* **basso**; ~ **nativo** native gold; ~ **nero** (*carbone*) coal, black diamonds; (*petrolio*) petroleum, black gold; ⟨*fig*⟩ **nuotare** *nell'*~ to be rolling in money; **pagare** *in* ~ to pay in gold coin; ~ *in* **pepite** gold nuggets; *pagare qc. a* **peso** *d'*~ to pay a high price for s.th.; *questa* **pioggia** *è tant'*~ *per la campagna* this rain is a blessing to the countryside; ~ **placcato** = *oro* **doublé**; ~ *in* **polvere** gold-dust; ⟨*Econ*⟩ **punto** *dell'*~ gold point; ~ **rosso** red gold; ~ **tipo** standard gold; **vale** *tant'*~ *quanto pesa* it's worth its weight in gold; ⟨*non com*⟩ ~ **verde** (*caffè*) coffee; ~ *in* **verghe** bullion, gold bars; ~ **zecchino** first-quality gold, pure (*o* fine) gold. – *Prov.*: *non è tutt'*~ *quello che luce* all that glitters is not gold.

oro...[1] *pref.* (*monte* mountain) oro...

oro...[2] *pref.* (*bocca* mouth) oro...

orobancạcee *f.pl.* ⟨*Bot*⟩ broomrapes *pl* (*Orobanchaceae*). – **orobạnche** *f.* ⟨*Bot*⟩ (*succiamele*) broomrape (*Orobanche*).

orochị(c)co *m.* ⟨*ant*⟩ → **orichicco.**

orocrinịto *a.* ⟨*lett*⟩ → **oricrinito.**

ọrofilo *a.* ⟨*Bot*⟩ orophilus, mountain-. – **orọfita** *f.* ⟨*Bot*⟩ orophyte, mountain plant.

orọ|gene *m.* ⟨*Geol*⟩ orogen. – **~gẹneṣi** *f.* orogeny, orogenesis. – **~genẹtico, ~gẹnico** *a.* (*pl.* **-ci**) orogen(et)ic. – **~grafịa** *f.* ⟨*Geog*⟩ or(e)ography. – **~grạfico** *a.* (*pl.* **-ci**) orographic(al). – **~idrografịa** *f.* orohydrography. – **~idrogrạfico** *a.* (*pl.* **-ci**) orohydrographical.

orologerịa *f.* **1.** watchmaking, clock-making. – **2.** (*negozio*) watchmaker's (shop). – **3.** (*congegno*) clockwork. ☐ *a* ~ time-, clockwork-: *bomba a* ~ time-bomb. – **orologẹtto** *m. dim. di* **orologio.** – **orologịaio** *m.* **1.** (*fabbricante, riparatore*) watchmaker, clock-maker. – **2.** (*venditore*) watch-seller, clock-seller. – **orologịaro** *m.* ⟨*non com*⟩ → **orologiaio.** – **orologiẹro** *a.* watchmaking-, clockmaking-, watch-, clock-, horological: *produzione -a* clock production. – **orologịno** *m. dim. di* **orologio.**

orolọgio *m.* **1.** clock, ⟨*lett*⟩ timepiece; (*da polso o da taschino*) watch. – **2.** (*gioco di carte*) kind of card game.

☐ ~ *ad* **acqua** water-clock; ~ *ad* **ancora** lever-watch; **andare** *come un* ~ (*rif. a meccanismo*) to run like clockwork; (*rif. a persona*) to be very punctual (*o* precise); *l'*~ **anticipa** = *l'orologio va* **avanti**; ~ *d'***argento** silver watch (*o* clock); ~ **astronomico** astronomical clock; ~ **atomico** atomic clock; ~ *a carica* **automatica** self-winding watch; *mettere l'*~ **avanti** *di alcuni minuti* to put a watch on (*o* ahead) a few minutes; *l'*~ *va avanti* the clock is fast; ~ *di* **bordo**: 1. ⟨*Aer*⟩ aircraft clock; 2. ⟨*Mar*⟩ ship's clock; ~ *a* **calendario** calendar watch; *l'*~ **cammina** the clock is going (*o* ticking); ~ *del* **campanile** church clock; **caricare** *l'*~ to wind (up) the clock; ~ *a* **carillon** chiming clock; ~ **contasecondi** stop-watch, timer; ~ *di* **controllo** time clock; ~ *da* **cucina** kitchen clock; ~ *a* **cucù** cuckoo -clock; **d'**~ whole, exact(ly): *due ore d'*~ two whole hours, exactly two hours; ~ *da* **donna** lady's watch; ~ **elettrico** electric clock; *mettere un* ~ *all'ora* **esatta** to set a clock (*o* watch); (*regolarlo*) to put a clock right; **essere** *un* ~ = **andare** *come un orologio*; *che ora* **fa** *il tuo* ~? what time is it by your watch?, what time do you make it?; *l'*~ *è* **fermo** the clock has stopped; *questo* ~ *non* **funziona** this clock doesn't go (*o* work); *l'*~ *va* **indietro** the clock is slow; ⟨*fig*⟩ *stare con l'*~ *in* **mano** (*essere puntualissimo*) to be always on the dot, to be a stickler foı punctuality; ~ **marcatempo** = *orologio di* **controllo**; ~ *a* **meridiana** sundial; ~ *da* **muro** (wall) clock; ~ *d'***oro** gold watch; ~ *a* **pendolo** pendulum clock; ~ *a pendolo con cassettone* grandfather clock; ~ *a* **peso** weight-clock; ~ *da* **polso** wrist-watch; ~ *a* **polvere** hour-glass; ~ *di* **precisione** precision watch; ~ *a* **quarzo** quartz clock; **regolare** *un* ~ to put a watch right; ~ *a* **ripetizione** repeating clock, repeater; *l'*~ **ritarda** = *l'orologio va* **indietro**; ~ *a* **sabbia** sand-glass, hour-glass; *l'*~ *è* **scarico** the clock has run down; *il mio* ~ **segna** *le dieci* it's ten o'clock by my watch, I make it ten o'clock; *nel* **senso** *delle lancette dell'*~ clockwise; *nel senso contrario alle lancette dell'*~ anti-clockwise; ~ **solare** = *orologio a* **meridiana**; ~ **subacqueo** waterproof watch; ~ ⌜*con* **soneria**⌝ (o *a sveglia*) alarm-clock; ~ *da* **taschino** pocket watch; ~ *da* **tavolo** table clock; ~ *da* **torre** tower clock; ~ *da* **uomo** man's watch.

orometrịa *f.* ⟨*Geog*⟩ orometry. – **oromẹtrico** *a.* (*pl.* **-ci**) orometric.

oronimịa *f.* ⟨*Ling*⟩ **1.** study of mountain names. – **2.** ⟨*collett*⟩ mountain names *pl.* – **orọnimo** *m.* name of a mountain.

orọptera *f.* ⟨*Astr*⟩ horopter.

oroscopịa *f.* horoscopy. – **oroscọpico** *a.* (*pl.* **-ci**) ⟨*non com*⟩ horoscopic. – **orọscopo** *m.* **1.** horoscope: *trarre l'*~ to cast a horoscope. – **2.** ⟨*estens*⟩ (*pronostico*) forecast, omen.

orpellamẹnto *m.* ⟨*lett*⟩ **1.** covering with pinchbeck. – **2.** ⟨*fig*⟩ disguising, masking, gilding over. – **orpellạre** *v.t.* (**orpẹllo**) ⟨*lett*⟩ **1.** to cover with pinchbeck. – **2.** ⟨*fig*⟩ to disguise, to mask, to cloak, to gild (over), to cover up. – **orpellatụra** *f.* ⟨*lett*⟩ **1.** (*atto*) covering with pinchbeck; (*effetto*) pinchbeck covering. – **2.** ⟨*fig*⟩ (*atto*) disguising, masking, gilding over; (*effetto*) disguise. – **orpẹllo** *m.* **1.** ⟨*Met*⟩ (*similoro*) pinchbeck, tinsel. – **2.** ⟨*fig*⟩ (*mera apparenza*) tinsel, false glitter, show.

orpimẹnto *m.* ⟨*Min*⟩ orpiment.

orrạnza *f.* ⟨*ant*⟩ → **onoranza.** – **orrạre** *v.* (**ọrro**) ⟨*ant*⟩ → **onorare.** – **orrạto** (*p.p. di orrare*) *a.* ⟨*ant*⟩ → **onorato.**

orrendamẹnte *avv.* horribly, hideously, dreadfully. – **orrendẹzza** *f.* ⟨*rar*⟩ horridness, dreadfulness. – **orrẹndo** *a.* **1.** (*orribile*) horrible, horrid, dreadful, shocking: *una storia -a* a dreadful story; (*ripugnante*) hideous, ghastly, appalling. – **2.** ⟨*poet*⟩ (*venerando*) awe -inspiring.

orrettịzio *a.* ⟨*Dir*⟩ obreptitious, fraudulent.

orrẹvole *a.* ⟨*ant*⟩ (*onorevole*) honourable. – **orrevolẹzza** *f.* ⟨*ant*⟩ (*onorevolezza*) honourableness.

orreziọne *f.* ⟨*Dir.can*⟩ obreption.

orrịbile *a.* **1.** (*spaventoso*) horrible, dreadful, awful, frightful. – **2.** (*efferato*) dreadful, horrible, monstrous, barbarous: ~ *delitto* dreadful crime. – **3.** (*ripugnante*) disgusting, revolting, ghastly; (*infame*) infamous, shocking, appalling. – **4.** (*mostruoso*) monstrous, hideous. – **5.** ⟨*iperb*⟩ (*bruttissimo*) horrible, awful, frightful, ghastly.

orribilità *f.* ⟨*rar*⟩ dreadfulness; (*ripugnanza*) loathesomeness. – **orribilmẹnte** *avv.* horribly, dreadfully, awfully, fright fully; (*in modo ripugnante*) disgustingly, revoltingly, horridly.

orridamẹnte *avv.* horridly, dreadfully, hideously. – **orridẹzza, orridità** *f.* horridness, frightfulness.

ọrrido I *a.* **1.** horrid, horrifying, hideous, awesome, grim. – **2.** (*spaventoso*) dreadful, horrible, awful, frightening, fearful. – **3.** ⟨*lett*⟩ (*ispido*) bristly, shaggy. – **II** *s.m.* **1.** horridness, hideousness. – **2.** (*gola*) ravine, precipice, gorge.

orripilạnte *a.* horrifying, hair-raising. – **orripilaziọne** *f.* ⟨*Med*⟩ horripilation.

orrịre *v.* (**orrịsco, orrịsci**) **I** *v.t.* ⟨*ant,rar*⟩ (*inorridire*) to have a horror of, to detest. – **II** *v.i.* (*aus.* **essere**) to be horrified.

orrọre *m.* **1.** horror: *essere colto da* ~ to be horror-struck. – **2.** (*ribrezzo*) horror, disgust, repugnance, abhorrence, loathing. – **3.** (*terrore*) terror, dread, fear. – **4.** ⟨*concr*⟩ (*cosa orribile*) horror, atrocity. – **5.** ⟨*lett*⟩ (*sbigottimento*) dismay, amazement.

☐ **avere** ~ *per qc.* to have a horror of s.th., to hate (*o* loathe) s.th.; *avere in* ~ *qc.* = **avere** *orrore per qc.*; **che** ~ *quel quadro* what a dreadful (*o* ghastly) painting; **destare** (o *ispirare*) ~ to horrify, to strike (*o* fill) with horror; **film** *dell'*~ horror film; **sacro** ~ awe; ⟨*scherz*⟩ (holy) terror; *avere un sacro* ~ *dell'acqua e del sapone* to ⌜be terrified of⌝ (*o* dread) soap and water; **sentire** ~ *per qc.* = **avere** *orrore per qc.*

orrorọso *a.* ⟨*lett*⟩ horrific.

ọrsa *f.* **1.** ⟨*Zool*⟩ she-bear. – **2.** ⟨*fig,non com*⟩ (*donna scontrosa*) surly woman. ☐ ⟨*Astr*⟩ ≈ *maggiore* Great Bear, Plough, Ursa Major; ≈ *minore* Little Bear, Ursa Minor.

orsacchiọtto (*vezz. di orso*) *m.* **1.** bear cub, young bear. – **2.** (*giocattolo*) teddy-bear. – **orsạggine** *f.* surliness, gruffness, bearish manners *pl.*

Orsat *fr.* [ɔr'sa]: ⟨*Fis*⟩ *apparecchio di* ~ Orsat apparatus.

orsạtto *m.* ⟨*lett*⟩ (*piccolo orso*) little bear. – **orsẹtto** (*dim. di orso*) *m.* (*pelliccia*) cat fur. ☐ ⟨*Zool*⟩ ~ *d'America* coati(mundi) (*Nasua*); ~ *lavatore* rac(c)oon (*Procyon lotor*); ~ *marsupiale* koala (bear) (*Phascolarctos cinereus*).

orsịno *a.* (*di orso*) bear's, of a bear, ursine.

ọrso *m.* **1.** ⟨*Zool*⟩ bear. – **2.** *pl.* ⟨*Zool*⟩ bears *pl* (*Ursidae*). – **3.** ⟨*fig*⟩ (*persona scontrosa*) bear, gruff (*o* surly, unsociable) person.

☐ ~ *d'***Australia** = *orso* **marsupiale**; ⟨*fig*⟩ **ballare** *come un* ~ to dance like an elephant; ~ *del* **bambù** (giant) panda (*Ailuropoda melanoleucus*); ~ **bandiera** = *orso* **formichiere**; ~ **bianco** polar (*o* white) bear (*Thalarctos maritimus*); ~ **bruno** brown bear (*Ursus arctos*); ~ *delle* **caverne** cave bear (*Ursus spelaeus*); ~ *dal* **collare** (Himalayan) black bear (*Selenarctos tibetanus*); ⟨*Etnol*⟩ **culto** *dell'*~ bear worship (*o* cult); ~ **felino** *rosso* = *orso* **gatto**; ~ **formichiere** (*formichiere gigante*) ant-bear, great ant-eater (*Myrmecophaga tridactyla*); ~ **gatto** panda, bear cat, cat bear (*Ailurus fulgens*); ~ **grigio** grizzly (bear) (*Ursus horribilis*); ~ *dell'***Himalaya** = *orso dal* **collare**; ~ **labiato** sloth bear (*Melursus ursinus*); ~ **lavatore** rac(c)oon (*Procyon lotor*); ~ **malese** Malayan (*o* sun) bear (*Helarctos malayanus*); ~ **marsupiale** koala (bear) (*Phascolarctus cinereus*); ~ *dagli* **occhiali** spectacled bear (*Tremarctos ornatus, Ursus ornatus*); ⟨*fig*⟩ *invitare l'*~ *alle* **pere** to ask a duck to swim; ~ **polare** = *orso* **bianco**; ~ **tibetano** = *orso dal* **collare**; ~ **zampa** = *orso del* **bambù**. – *Prov.*: *non vendere la pelle dell'*~ *prima di* ⌜*averla nel sacco*⌝ (o *averlo ucciso*) don't count your chickens before they are hatched.

orsọio *m.* ⟨*ant,tosc*⟩ → **organzino.**

Ọrsola *N.pr.f.* Ursula.

orsolịna *f.* ⟨*Rel*⟩ Ursuline.

orsù (o *ọr su*) *intz.* come on, come now, come come.

ortạggio *m.* vegetable: *coltivare ortaggi* to grow vegetables. – **ortạglia** *f.* **1.** vegetable (*o* kitchen) garden. – **2.** ⟨*region*⟩ → **ortaggio.**

ortatọria *f.* ⟨*lett*⟩ **1.** (*scritto esortatorio*) letter of exhortation. – **2.** (*discorso esortatorio*) exhortation.

ortẹnse *a.* ⟨*rar*⟩ (*di orto*) garden-. ☐ *piante -i* vegetables *pl.*

ortęnsia *f.* ⟨*Bot*⟩ hydrangea (*Hydrangea*).
Ǫrtęnsia *N.pr.f.* Hortense, Hortensia.
ortịca *f.* ⟨*Bot*⟩ **1.** (stinging) nettle (*Urtica*). – **2.** → **orticone.** □ ~ **bianca** white dead-nettle, white archangel (*Lamium album*); ~ **comune** → **orticone**; ⟨*fig*⟩ *essere* **conosciuto** *come l'*~ to have a bad name, to be notorious; *ci crescono le ortiche* (*rif. a luogo abbandonato*) it is overgrown with weeds; ~ **falsa** spotted dead-nettle (*Lamium maculatum*); ⟨*fig*⟩ **gettare** *la tonaca alle ortiche* to give up a religious calling; ~ **maschia** → **orticone**; ~ **minore** (o *pungentissima*) small nettle (*Urtica urens*); ⟨*fig*⟩ **pungere** *come l'*~ to be biting, to be sharp-tongued; ~ **purpurea** red dead-nettle (*o* archangel) (*Lamium purpureum*); ~ **rossa** (kind of) hemp nettle (*Galeopsis ladanum*).
orticạccio *m.* ⟨*Bot*⟩ (*luppolo*) hop (*Humulus lupulus*).
orticạcee *f.pl.* ⟨*Bot*⟩ nettle family, nettles *pl* (*Urticaceae*).
orticạio *m.* nettle-bed. – **orticạnte** *a.* **1.** ⟨*Biol*⟩ urticant, urticating, stinging. – **2.** ⟨*estens*⟩ (*irritante*) stinging, irritating.
orticạria *f.* ⟨*Med*⟩ urticaria, nettle-rash. – **orticạrico** *a.* (*pl.* **-ci**) urticarial.
orticạro *m.* ⟨*Ornit*⟩ oyster catcher (*Haematopus ostralegus*).
orticęllo *m. dim. di* **orto.**
orticheto *m.* ⟨*non com*⟩ → **orticaio.**
ortịcolo *a.* horticultural, garden-. □ *prodotti -i* vegetables *pl.* – **orticoltǫre** *m.* (*f.* **-trice**) vegetable (*o* kitchen) gardener, vegetable grower (*o* farmer); (*su grande scala*) market gardener, vegetable grower (*o* producer). – **orticoltụra** *f.* vegetable (*o* kitchen) gardening, vegetable growing, horticulture; (*su grande scala*) market gardening.
orticǫne *m.* ⟨*Bot*⟩ stinging nettle (*Urtica dioica*).
orticonoscǫpio *m.* ⟨*TV*⟩ orthicon.
orticultǫre *m.* → **orticoltore.** – **orticultụra** *f.* → **orticoltura.**
ortigomętra *f.* ⟨*Ornit*⟩ (*re di quaglie*) corncrake, land rail (*Crex crex*).
ortịte *f.* ⟨*Min*⟩ orthite.
ortịvo[1] *a.* ⟨*Astr*⟩ rising: *punto* ~ rising point.
ortịvo[2] *a.* (*rif. a orto*) vegetable-: *terreno* ~ vegetable garden. □ *colture -e* vegetables *pl.*
Ǫrtles *N.pr.m.* ⟨*Geog*⟩ Ortler Range, Ortler Alps *pl.*
ǫrto[1] *m.* garden; (*di verdure*) vegetable (*o* kitchen-) garden; (*su grande scala*) market garden; (*di frutta*) orchard. □ ~ *botanico* botanical garden; ⟨*fig*⟩ *coltivare il proprio* ~ (*farsi i fatti propri*) to get on with one's own affairs, to mind one's own business; ~ *familiare* kitchen-garden; ~ *secco* (*erbario*) herbarium.
ǫrto[2] *m.* **1.** (*il sorgere degli astri*) rising. – **2.** (*oriente*) east, orient.
orto... *pref.* (*esatto* exact, *giusto* correct) orth(o)...
orto|cefalịa *f.* orthocephaly. – **~cęfalo I** *a.* orthocephalic, orthocephalous. – **II** *s.m.* orthocephalic, orthocephalous person. – **~cęntrico** *a.* (*pl.* **-ci**) ⟨*Geom*⟩ orthocentric. – **~cęntro** *m.* orthocentre. – **~cerạtidi** *m.pl.* ⟨*Paleont*⟩ orthoceratites *pl* (*Orthoceratidae*). – **~clạsio** *m.* ⟨*Min*⟩ orthoclase. – **~cromasịa** *f.* ⟨*Biol*⟩ orthochromatic condition. – **~cromạtico** *a.* (*pl.* **-ci**) ⟨*Biol,Fot*⟩ orthochromatic. – **~cromatịsmo** *m.* **1.** ⟨*Biol*⟩ orthochromatic condition. – **2.** ⟨*Fot*⟩ orthochromatism. – **~donzịa** *f.* ⟨*Med*⟩ orthodontics *pl* (*costr. sing.*).
ortodossịa *f.* **1.** ⟨*Rel*⟩ orthodoxy. – **2.** ⟨*estens*⟩ (*conformità a una dottrina*) orthodoxy. – **3.** (*confessione della chiesa greco-scismatica*) Orthodoxy. – **ortodǫsso I** *a.* **1.** ⟨*Rel*⟩ orthodox. – **2.** ⟨*estens*⟩ (*conforme a una dottrina*) orthodox. – **3.** (*rif. alla chiesa greco-scismatica*) Orthodox. – **II** *s.m.* (*f.* **-a**) Orthodox.
orto|dromịa (o *ortodrǫmia*) *f.* orthodromy. – **~drǫmico** *a.* (*pl.* **-ci**) orthodromic. – **~epịa** *f.* orthoepy. – **~ẹpico** *a.* (*pl.* **-ci**) orthoepic(al). – **~fonịa** *f.* orthoepy. – **~fǫnico** *a.* (*pl.* **-ci**) orthoepic(al). – **~forịa** *f.* ⟨*Anat*⟩ orthophoria. – **~frẹnico** *a.* (*pl.* **-ci**) for education of the mentally deficient. – **~frenopedịa** *f.* teaching of the mentally deficient.
ortofruttịcolo *a.* fruit and vegetable-: *mercato* ~ fruit and vegetable market. – **ortofrutticoltǫre** *m.* (*f.* **-trice**) market gardener, fruit and vegetable grower. – **ortofrutticoltụra** *f.* market gardening, fruit and vegetable growing.
orto|gęnesi *f.* ⟨*Biol*⟩ orthogenesis. – **~genẹtico** *a.* (*pl.* **-ci**) orthogenetic, orthogenic. – **~geotropịsmo** *m.* ⟨*Bot*⟩ orthogeotropism. – **~geǫtropo** *a.* orthogeotropic. – **~gnatịsmo** *m.*, **~gnazịa** *f.* ⟨*Anat*⟩ orthognathism, orthognathy, orthognathia. – **~gonạle** *a.* ⟨*Geom*⟩ orthogonal, rectangular, right-angled. – **~gonalità** *f.* orthogonality. – **~grafịa** *f.* **1.** ⟨*Gramm*⟩ spelling, orthography. – **2.** ⟨*Arch*⟩ elevation, plan, orthograph. – **~graficamęnte** *avv.* orthographically.
ortogrạfico[1] *a.* (*pl.* **-ci**) spelling, orthographic(al): *errore* ~ spelling mistake.
ortogrạfico[2]: ⟨*Geog*⟩ *proiezione -a* orthographic projection.
ortolạno I *s.m.* (*f.* **-a**) **1.** (vegetable, kitchen) gardener. – **2.** (*venditore*) greengrocer. – **3.** ⟨*Ornit*⟩ ortolan (*Emberiza hortulana*). – **II** *a.* (*di orto*) garden-. □ ~ ⌜*d'acqua*⌝ (o *dei canneti*) reed bunting (*Emberiza schoeniclus*); ~ *giallo* yellow-hammer, yellow bunting (*Emberiza citrinella*); ~ *grigio* Cretzschnar's bunting (*Emberiza caesia*); ~ *di montagna* snow bunting (*Plectrophenax nivalis*); ~ *a testa nera* (*zigolo capinero*) black-headed bunting (*Emberiza melanocephala*).
orto|logịa *f.* ⟨*ant*⟩ → **ortoepia.** – **~lǫgico** *a.* ⟨*ant*⟩ → **ortoepico.** – **~morfịa** *f.* ⟨*non com*⟩ → **ortopedia.** – **~mǫrfico** *a.* (*pl.* **-ci**) ⟨*Anat*⟩ orthomorphic. – **~nęttidi** *m.pl.* ⟨*Zool*⟩ Orthonectida *pl* (*Orthonectida*). – **~ǫttica** *f.* ⟨*Med*⟩ orthoptics *pl* (*costr. sing. o pl.*). – **~pedịa** *f.* orthop(a)edics *pl* (*costr. sing. o pl.*), orthop(a)edy. – **~pẹdico** *a./s.* (*pl.* **-ci**) **I** *a.* orthop(a)edic: *apparecchio* ~ orthop(a)edic appliance (*o* device). – **II** *s.m.* (*f.* **-a**) orthop(a)edist, orthop(a)edic surgeon. – **~pnẹa** *f.* orthopn(o)ea.
ortǫ|podi *m.pl.* ⟨*Paleont*⟩ ornithischians *pl*, Orthopoda *pl* (*Orthopoda*). – **~prassịa** *f.* ⟨*non com*⟩ → **ortopedia.**
orto|scopịa *f.* orthoscopy. – **~scǫpico** *a.* (*pl.* **-ci**) orthoscopic. – **~scǫpio** *m.* orthoscope. – **~simpạtico** *m.* (*pl.* **-ci**) ⟨*Anat*⟩ orthosympathetic.
ortǫsio *m.* ⟨*ant*⟩ → **ortoclasio.**
ortǫstata *m.* ⟨*Arch*⟩ orthostat(es).
ortostạtico *a.* (*pl.* **-ci**) orthostatic. – **ortostatịsmo** *m.* orthostatism, erect posture.
ortǫstica *f.* ⟨*Bot*⟩ (*anche linea ortostica*) orthostichy.
ortǫtono *m.* ⟨*Med*⟩ orthotonos, orthotonus.
ortotropịsmo *m.* ⟨*Bot*⟩ orthotropism. – **ortǫtropo** *a.* orthotropous.
ortǫttero *m.* **1.** ⟨*Aer*⟩ or(ni)thopter. – **2.** *pl.* ⟨*Entom*⟩ orthoptera *pl*, orthopterans *pl* (*Orthoptera*).
orvietạno I *a.* of (*o* from) Orvieto, Orvieto-. – **II** *s.m.* (*f.* **-a**) native (*o* inhabitant) of Orvieto. – **Orvietano** *N.pr.m.* (*territorio*) Orvieto area (*o* region), territory around Orvieto. – **orvięto** *m.* ⟨*Enol*⟩ Orvieto.
ǫrza *f.* ⟨*Mar*⟩ **1.** (*cavo*) bowline, luff tackle. – **2.** (*lato sopravvento*) weatherboard, windward side. □ *all'*~ to the wind(ward): *andare all'*~ to haul to the wind, to luff; *stare all'*~ to keep close to ⌜the wind⌝ (*o* windward), to keep one's luff.
orzaiǫlo *m.* ⟨*Med*⟩ sty(e).
orzạre *v.i.* (ǫrzo; *aus.* **avere**) to luff, to haul to the windward.
orzarǫlo *m.* ⟨*roman*⟩ (*venditore*) grocer, pulse seller.
orzạta[1] *f.* ⟨*Mar*⟩ luff(ing).
orzạta[2] *f.* (*bibita*: *di orzo*) barley water; (*di mandorle*) orgeat. – **orzạto** *a.* ⟨*non com*⟩ (*fatto con farina d'orzo*) barley-: *pane* ~ barley bread.
orzeggiạre *v.* (**orzęggio, orzęggi**) ⟨*ant*⟩ → **orzare.**
orzęlla *f.* ⟨*Bot*⟩ two-rowed barley (*Hordeum distinchum*).
orzięro *a.* ⟨*Mar*⟩ griping, weatherly.
ǫrzo *m.* ⟨*Bot*⟩ barley (*Hordeum*).
□ ~ **autunnale** winter barley; ~ *da* **birra** brewer's (*o* malting) barley; ~ **distico** → **orzella**; ~ *da* **foraggio** fodder barley; ~ **invernale** winter barley; ~ **mondato** hulled barley; ~ **perlato** pearl barley; ~ **quadrato** (o *tetrastico*) four-rowed barley (*Hordeum sativum*); ~ **selvatico** wall barley (*Hordeum murinum*).
orzǫla *f.* → **orzella.**
Os = ⟨*Chim*⟩ *osmio* osmium.
OSA = *Organizzazione degli Stati americani* Organization of American States (*abbr.* O.A.S.).
osạnna I *intz.* hosanna. – **II** *s.m.inv.* **1.** ⟨*Lit*⟩ hosanna. – **2.** (*grido di esultanza*) hosanna, acclamation, shout of praise. □ *levare un* ~ to cry hosanna. – **osannạre** *v.i.* (*aus.* **avere**) **1.** ⟨*Rel*⟩ to sing hosanna. – **2.** ⟨*estens*⟩ to acclaim, to applaud (*a qd.* s.o.): *la folla osannò al vincitore* the crowd hailed the winner. – **3.** ⟨*fig*⟩ (*lodare*) to hosanna (*a qd.* s.o.), to sing the praises of.
osạre *v.* (ǫso) **I** *v.t.* **1.** to dare, to venture. – **2.** (*tentare*) to attempt, to dare: ~ *l'impossibile* to attempt the impossible. – **II** *v.i.* (*aus.* **avere**) to dare, to venture: *non osava avvicinarsi a me* he didn't dare (to) approach me; *non oso uscire* I ⌜don't dare⌝ (*o* daren't) go out. □ *oserei dire* I venture to say; ~ *tutto per tutto* to throw caution to the winds.
osbęrgo *m.* (*pl.* **-ghi**) ⟨*ant*⟩ (*usbergo*) hauberk.
Ǫscar *N.pr.m.* **1.** Oscar. – **2.** ⟨*Cin*⟩ (*premio*) Oscar; (*attore o film premiato*) Oscar winner.
oscenamęnte *avv.* **1.** obscenely, indecently, lewdly. – **2.** ⟨*iperb*⟩ (*malissimo*) horribly, dreadfully.
oscenità *f.* **1.** obscenity, obsceneness, indecency, lewdness. – **2.** ⟨*concr*⟩ (*azione*) obscenity, lewd action, indecency; (*discorso*) obscenity, lewd talk, indecency. – **3.** ⟨*fam*⟩ (*opera che offende il buon gusto*) obscenity, horror, monstrosity.
oscęno *a.* **1.** obscene, indecent, lewd. – **2.** ⟨*fam*⟩ (*molto brutto*) ghastly, awful. – **3.** ⟨*lett*⟩ (*ripugnante*) disgusting, revolting, loathsome, abominable. □ ⟨*Dir*⟩ *atti -i* indecent behaviour.
oscheocęle *m.* ⟨*Med*⟩ oscheocele.
oscillạnte (*p.pr. di oscillare*) *a.* **1.** oscillating, swinging. – **2.** ⟨*estens*⟩ variable, fluctuating, unsteady: *prezzi -i* fluctuating prices. – **3.** ⟨*fig*⟩ (*tentennante*) wavering, vacillating, hesitant. – **4.** ⟨*non com*⟩ (*oscillatorio*) oscillatory.
oscillạre *v.i.* (*aus.* **avere**) **1.** to oscillate, to swing, to move to and fro: *la corda oscillava al vento* the rope was swinging in the wind. – **2.** ⟨*estens*⟩ to vary, to fluctuate, to be unsteady: *il prezzo oscilla tra le trenta e le quarantamila lire* the price varies from thirty to forty thousand lire. – **3.** ⟨*fig*⟩ (*tentennare*) to waver, to vacillate, to oscillate, to hesitate. – **4.** ⟨*tecn*⟩ to oscillate.
oscillatǫre *m.* oscillator (*anche El.*).
□ ⟨*Rad*⟩ ~ *a* **cristallo** crystal oscillator; ~ **eterodina** heterodyne oscillator; ~ **pilota** pilot (*o* master) oscillator; ⟨*Rad*⟩ ~ *a* **quarzo** quartz oscillator; ~ *a* **radiofrequenza** radio-frequency oscillator; ⟨*Rad*⟩ ~ *a* **raggi** *catodici* cathode ray oscillator; ⟨*Rad*⟩ ~ *a* **valvole** valve oscillator.
oscillatǫria *f.* ⟨*Bot*⟩ Oscillatoria (*Oscillatoria*).
oscillatǫrio *a.* oscillatory, oscillating: *moto* ~ oscillatory movement; *circuito* ~ oscillating circuit.

oscillazi̥one *f.* **1.** oscillation, swinging, to-and-fro movement. – **2.** ⟨*estens*⟩ variation, fluctuation: *-i di temperatura* variations in temperature. – **3.** ⟨*tecn*⟩ oscillation. – **4.** ⟨*Geol*⟩ retreat.
□ ⟨*Fis*⟩ ~ **armonica** harmonic oscillation; ⟨*Fis*⟩ ~ **autoeccitata** self-oscillation; ⟨*Econ*⟩ *-i di* **cambio** fluctuations in rates of exchange; ⟨*Rad*⟩ ~ *a* **dente** *di sega* saw-tooth oscillation; ~ **elettrica** electric oscillation; ⟨*Fis*⟩ ~ **forzata** forced oscillation; ⟨*El*⟩ ~ **indotta** induced oscillation; ~ **libera** free oscillation; ~ **meccanica** mechanical oscillation; ⟨*Fis*⟩ ~ **parassita** parasitic oscillation; ~ **pendolare** (o *del pendolo*) hunting, pendular oscillation; ~ **persistente** undamped oscillation; ~ **propria** self-oscillation; ⟨*Econ*⟩ ~ *delle* **quotazioni** price fluctuation; ⟨*El*⟩ ~ *di* **rilassamento** relaxation oscillation; ⟨*Mar,Aer*⟩ ~ *di* **rollio** roll; ⟨*Fis*⟩ ~ **smorzata** damped oscillation.
osci̥llo *m.* ⟨*Archeol*⟩ small image.
oscillọ|fono *m.* audio oscillator. – **~grafịa** *f.* ⟨*Med*⟩ oscillography. – **~grạfico** *a.* (*pl.* **-ci**) oscillographic.
oscillọgrafo *m.* oscillograph. □ ~ *elettrico* electric oscillograph; ~ *elettrostatico* electrostatic oscillograph; ~ *a raggi catodici* cathode ray oscillograph.
oscillogrạmma *m.* ⟨*El*⟩ oscillogram.
oscillometrịa *f.* ⟨*Med*⟩ oscillometry. – **oscillomẹtrico** *a.* (*pl.* **-ci**) oscillometric. – **oscillọmetro** *m.* ⟨*Med,Mar*⟩ oscillometer.
oscilloscọpico *a.* (*pl.* **-ci**) ⟨*Fis*⟩ oscilloscopic. – **oscilloscọpio** *m.* oscilloscope: ~ *a raggi catodici* cathode ray oscilloscope.
oscịnidi *m.pl.* ⟨*Entom*⟩ frit flies *pl* (*Oscinidae*).
oscitạnte *a.* ⟨*rar*⟩ **1.** (*svogliato*) indolent, listless. – **2.** (*indeciso*) hesitant, wavering. – **oscitạnza** *f.* ⟨*rar*⟩ (*svogliatezza*) laziness, indolence. – **oscitaziọne** *f.* ⟨*rar*⟩ **1.** (*sbadiglio prolungato*) yawning, oscitancy. – **2.** (*indecisione*) hesitation, indecision.
ọsco *a./s.* (*pl.* **-ci/-chi**) ⟨*Stor*⟩ **I** *a.* Oscan. – **II** *s.m.* **1.** (*f.* **-a**) Oscan. – **2.** (*lingua*) Oscan. – **ọsco-ụmbro I** *a.* ⟨*Ling*⟩ Osco-Umbrian. – **II** *s.m.* (*f.* **-a**) Osco-Umbrian.
osculạre *v.t.* (ọsculo) **1.** ⟨*lett*⟩ (*baciare*) to kiss, ⟨*rar*⟩ to osculate. – **2.** ⟨*Mat*⟩ to osculate. – **osculatọre** *a.* ⟨*Mat*⟩ osculatory, osculating: *piano* ~ osculating plane. – **osculaziọne** *f.* **1.** ⟨*lett*⟩ (*il baciare*) kissing, ⟨*rar*⟩ osculation. – **2.** ⟨*Mat*⟩ osculation. – **ọsculo** *m.* **1.** ⟨*Zool*⟩ osculum. – **2.** ⟨*lett,scherz*⟩ (*bacio*) kiss.
oscurạbile *a.* that may be obscured (*o* darkened). – **oscuramẹnte** *avv.* **1.** obscurely, darkly. – **2.** ⟨*fig*⟩ (*confusamente*) obscurely, abstrusely, confusedly; (*vagamente*) vaguely; (*misteriosamente*) mysteriously, obscurely. – **3.** ⟨*fig*⟩ (*senza fama*) in obscurity.
oscuramẹnto *m.* **1.** darkening, obscuring, dimming, clouding (over). – **2.** ⟨*fig*⟩ clouding: ~ *delle facoltà intellettive* clouding of the mind; (*rif. alla vista*) dimming. – **3.** ⟨*Mil*⟩ (*mascheramento*) blackout.
oscurantịsmo *m.* obscurantism. – **oscurantịsta** *m./f.* **1.** obscurant(ist). – **2.** ⟨*estens*⟩ (*persona retrograda*) reactionary. – **oscurantịstico** *a.* (*pl.* **-ci**) obscurantist.
oscurạre *v.t.* **1.** to darken, to obscure, to dim, to cloud: *grosse nubi oscuravano il sole* large clouds obscured the sun. – **2.** ⟨*fig*⟩ (*offuscare*) to (be)dim, to darken, to overshadow: *un'ombra di tristezza oscurò il suo sorriso* a shadow of sadness bedimmed his smile; (*rif. a gloria, meriti e sim.*) to overshadow, to cloud, to eclipse, to throw into the shade: ~ *la fama di qd.* to put s.o. in the shade. – **3.** (*schermare*) to shade, to screen, to dim: ~ *una lampada* to screen a lamp. – **4.** ⟨*Mil*⟩ to blackout. – **oscurarsi** *v.r.* **1.** to darken, to grow (*o* get) dark, to cloud over: *il cielo si oscurò all'improvviso* the sky suddenly darkened (*o* clouded over). – **2.** ⟨*fig*⟩ to darken, to cloud: *alle mie parole si oscurò in volto* at my words his face darkened; (*rif. alla vista*) to grow dim, to weaken; (*rif. alla mente*) to cloud.
oscurạto (*p.p. di oscurare*) *a.* **1.** darkened, obscured. – **2.** ⟨*fig*⟩ (*rif. alla vista*) dim; (*rif. alla mente*) clouded. – **3.** (*schermato*) shaded screened.
oscuratọre I *s.m.* (*f.* **-trice**) **1.** darkener, dimmer. – **2.** ⟨*fig*⟩ (*detrattore*) detractor. – **3.** ⟨*Mar*⟩ deadlight, port lid. – **II** *a.* darkening, obscuring.
oscuraziọne *f.* **1.** darkening, obscuring, dimming, obscuration. – **2.** (*oscurità*) darkness. – **oscurẹzza** *f.* ⟨*ant*⟩ (*oscurità*) darkness.
oscurità *f.* **1.** darkness, dimness: *il paese era avvolto nella più profonda* ~ the village was wrapped in darkness. – **2.** ⟨*fig*⟩ (*inintelligibilità*) obscurity, obscureness. – **3.** ⟨*fig*⟩ (*mancanza di notorietà*) obscurity: *è sempre vissuto nell'*~ he has always lived in obscurity.
oscụro I *a.* **1.** dark, dim, gloomy, sombre, obscure: *casa -a* dark house; (*rif. a colore*) dark, sombre. – **2.** (*incomprensibile*) obscure, abstruse: *passo* ~ obscure passage; (*vago*) vague. – **3.** (*misterioso*) mysterious: *scomparve in circostanze -e* he disappeared in mysterious circumstances; (*non chiarito*) obscure. – **4.** (*rif. a volto*: *accigliato*) dark, sad, gloomy, downcast; (*preoccupato*) worried. – **5.** (*incerto*) uncertain, dark. – **6.** (*minaccioso*) dark, lowering. – **7.** (*sospetto*) suspicious, strange: *episodio* ~ strange event. – **8.** (*ignoto*) obscure: *poeta* ~ obscure poet; (*sconosciuto*) unknown: *il suo nome mi è completamente* ~ I have never heard of him, he is unknown to me. – **9.** (*umile*) obscure, humble, lowly: *di -e origini* of humble origins; (*inglorioso*) obscure, insignificant: *morte -a* obscure death. – **10.** ⟨*poet*⟩ (*triste, desolato*) gloomy, sad. – **II** *s.m.inv.* (*oscurità*) dark(ness): *camminare all'*~ to walk in the dark. □ ⟨*fig*⟩ *essere all'*~ *di qc.* to be in the dark about s.th.; ⟨*fig*⟩ *tenere* (o *lasciare*) *qd. all'*~ *di qc.* to keep s.o. in the dark about s.th.
osfrạdio *m.* ⟨*Zool*⟩ osphradium.
Osịride *N.pr.m.* ⟨*Rel*⟩ Osiris.
Ọslo *N.pr.f.* ⟨*Geog*⟩ Oslo.
osmạnico *a./s.* (*pl.* **-ci**) **I** *a.* Ottoman(ic), Osman(li); (*turco*) Turkish. – **II** *s.m.* ⟨*Ling*⟩ Osmanli, Ottoman; (*turco*) (Ottoman) Turkish. – **osmạnli I** *a.* Ottoman, Osman(li); (*turco*) Turkish. – **II** *s.m.* **1.** Ottoman, Osman(li). – **2.** (*lingua*) Osmanli, Ottoman; (*turco*) (Ottoman) Turkish.
osmẹro *m.* ⟨*Itt*⟩ smelt (*Osmerus eperlanus*).
osmịato *m.* ⟨*Chim*⟩ osmate. – **ọsmico** *a.* (*pl.* **-ci**) osmic: *ossido* ~ osmic oxide.
osmịlidi *m.pl.* ⟨*Entom*⟩ Osmylidae *pl* (*Osmylidae*).
ọsmio *m.* ⟨*Chim*⟩ osmium.
osmịte *f.* **1.** ⟨*Min*⟩ osmiridium, iridosmine. – **2.** ⟨*ant*⟩ (*osmio*) osmium.
osmo... *pref.* (*odore* odour) osm(o)...
osmọ|foro I *a.* ⟨*Chim*⟩ osmophoric. – **II** *s.m.* osmophore. – **~logịa** *f.* osmology, osphresiology.
osmọmetro *m.* ⟨*Fis,Chim*⟩ osmometer.
osmondịte *f.* ⟨*Met*⟩ osmondite.
osmọsi *f.* ⟨*Chim*⟩ osmosis.
osmoterapịa *f.* ⟨*Med*⟩ osmotherapy.
osmọtico *a.* (*pl.* **-ci**) osmotic: *processo* ~ osmotic process.
osmụnda *f.* ⟨*Bot*⟩ royal fern, royal osmund (*Osmunda regalis*). – **osmundạcee** *f.pl.* osmundas *pl* (*Osmundaceae*).
ọso *a.* ⟨*lett*⟩ (*ardito*) bold, daring.
ospedạle *m.* **1.** hospital. – **2.** ⟨*ant*⟩ (*ospizio*) hospice; (*asilo, ricovero*) home, asylum, shelter, ⟨*ant*⟩ hospital.
□ ⟨*scherz*⟩ *essere un* ~ **ambulante** to be full of aches and pains, to have s.th. wrong with one all the time; ~ *da* **campo** field hospital (*o* dressing station); ~ **civile** civilian hospital; ~ **clinico** teaching hospital, clinic; **entrare** *all'*~ to go into hospital, ⟨*am*⟩ to be hospitalized; **fare** *un anno di* ~ to spend a year in hospital; ~ **generico** general hospital; ~ *del* **libro** book hospital (*o* repair shop); ⟨*scherz*⟩ **mandare** *qd. all'*~ to give s.o. a thick ear; ~ **militare** military hospital; **nave** ~ hospital ship; ~ **privato** private hospital, nursing -home; ~ **psichiatrico** mental hospital (*o* home), psychiatric hospital; ~ **pubblico** public hospital.
ospedalẹtto *m. dim. di* **ospedale**. – **ospedaliẹre** *m./f.* hospital worker. – **ospedaliẹro I** *a.* hospital-: *spese -e* hospital expenses. – **II** *s.m.* (*f.* **-a**) → **ospedaliere**. □ *cavaliere* ~ Knight Hospitaller; *frate* ~ Hospitaller.– **ospedalizzạre** *v.t.* to admit to hospital, ⟨*am*⟩ to hospitalize. – **ospedalizzaziọne** *f.* admission to hospital, ⟨*am*⟩ hospitalization. – **ospedalụccio** *m. dim. di* **ospedale**.
ospitạle[1] *a.* **1.** hospitable, friendly. – **2.** ⟨*fig*⟩ (*accogliente*) inviting; (*rif. a paese*) friendly.
ospitạle[2] *m.* ⟨*ant*⟩ **1.** (*ospizio*) hospice. – **2.** (*ospedale*) hospital.
ospitalità *f.* **1.** hospitality: *dare* ~ *a qd.* to give s.o. hospitality, ⟨*fam*⟩ to put s.o. up. – **2.** (*accoglienza*) welcome (*anche fig.*): *trovare* ~ *presso qd.* to be made welcome by s.o. □ ⟨*Giorn*⟩ *dare* ~ *a un articolo* to accept an article for publication.
ospitalmẹnte *avv.* hospitably.
ospitạnte (*p.pr. di ospitare*) **I** *a.* **1.** host-. – **2.** ⟨*Sport*⟩ home-, host-: *squadra* ~ home team. – **II** *s.m./f.* **1.** host. – **2.** *pl.* ⟨*Sport*⟩ home team.
ospitạre *v.t.* (ọspito) **1.** (*avere come ospite*) to entertain, to (be) host to, to have as a guest; (*dare ospitalità*) to give hospitality to, ⟨*fam*⟩ to put up. – **2.** (*alloggiare*) to lodge, ⟨*fam*⟩ to put up; (*dare da dormire*) to sleep, ⟨*fam*⟩ to put up; (*rif. ad albergo e sim.*) to accommodate. – **3.** ⟨*fig*⟩ (*accogliere*) to accept, to take; (*contenere*) to contain, to house. – **4.** ⟨*Sport*⟩ to be host to, to host. – **5.** ⟨*Biol*⟩ to be host to.
ọspite I *s.m./f.* **1.** (*chi ospita*) host (*f* hostess). – **2.** (*persona ospitata*) guest: *ricevere gli -i* to receive the guests. – **3.** ⟨*estens, scherz*⟩ guest: *i gatti sono -i graditi in casa mia* cats are welcome guests in my house. – **4.** ⟨*Biol,Chir*⟩ host. – **II** *a.* **1.** host-: *paese* ~ host country. – **2.** ⟨*Sport*⟩ host-, home-: *squadra* ~ host (*o* home) team. □ *essere* ~ *in casa di qd.* to be a guest in s.o.'s house; ⟨*scherz*⟩ *andarsene insalutato* ~ to go off without saying good-bye; ~ *d'onore* guest of honour. – *Prov.*: *l'*~ *è come il pesce*: *dopo tre giorni puzza* when a guest stays too long he wears out his welcome.
ospịzio *m.* **1.** hospice, home, charitable institution, asylum; (*per vecchi*) old folks' home; (*per poveri*) almshouse, poorhouse. – **2.** ⟨*ant*⟩ (*albergo per passanti*) hospice. – **3.** ⟨*ant*⟩ (*ospitalità*) hospitality: *dare* ~ *a qd.* to give s.o. hospitality. – **4.** ⟨*poet*⟩ (*rifugio, asilo*) refuge, shelter; (*dimora*) dwelling, abode.
□ ~ *per* **ciechi** home for the blind, blind asylum; ~ *per* **fanciulli** children's home; ~ *di* **mendicità** workhouse, poorhouse; ~ *per* **orfani** orphanage; ~ *di* **pellegrini** pilgrims' hospice (*o* hostel); ⟨*ant*⟩ **prendere** ~ (*alloggiarsi*) to lodge; ~ *per* **trovatelli** foundling hospital; ~ *per* **vecchi** old folks' home.
ọssa *f.pl. di* **osso**. – **ossạccio** *m. pegg. di* **osso**.
ossalacẹtico: ⟨*Chim*⟩ *acido* ~ oxalacetic acid. – **ossalạto** *m.* oxalate. – **ossalemịa** *f.* ⟨*Med*⟩ oxal(a)emia. – **ossạlico** *a.* (*pl.* **-ci**) ⟨*Chim*⟩ oxalic: *acido* ~ oxalic acid. – **ossalịfero** *a.* **1.** ⟨*Bot*⟩ oxaliferous. – **2.** → **ossaloforo**. – **ossalịgeno** *a.* ⟨*Fisiol*⟩ producing oxalic acid. – **ossalịle** *m.* ⟨*Chim*⟩ oxalyl. – **ossalịsmo** *m.* ⟨*Med*⟩ oxalism.
ossalọforo *a.* containing oxalic acid. – **ossalogẹnesi** *f.* ⟨*Fisiol*⟩ production of oxalic acid. – **ossalụria** *f.* ⟨*Med*⟩ oxaluria.
ossạme *m.* **1.** ⟨*lett*⟩ heap (*o* collection) of bones; (*ossa*) bones *pl.* – **2.** ⟨*Mar*⟩ framework, frame, skeleton.
ossạmmico *a.* (*pl.* **-ci**) ⟨*Chim*⟩ oxamic: *acido* ~ oxamic acid. – **ossammịde** *f.* oxamide. – **ossammịte** *f.* ⟨*Min*⟩ oxammite.

ossario *m.* ossuary, ossarium, charnel-house.
ossatura *f.* **1.** (*costituzione scheletrica*) bone structure, bones *pl*, frame; (*scheletro*) skeleton. – **2.** ⟨*tecn*⟩ (*struttura portante*) frame (-work), structure, carcass, carcase. – **3.** ⟨*fig*⟩ framework, outlines *pl*, bones *pl*: *l'~ di un romanzo* the outlines of a novel. – **4.** ⟨*Mar*⟩ framework, structure, skeleton.
□ ⟨*Edil*⟩ ~ *di* **acciaio** steel frame; ~ *dell'***autotelaio** chassis frame; ⟨*Edil*⟩ ~ *in* **cemento** *armato* reinforced concrete frame; ~ *in* **legno** wooden scaffolding; ~ **maestra** main frame; ~ *del* **tetto** roof framework (*o* truss).
ossazolo *m.* ⟨*Chim*⟩ oxazole.
ossecrare *v.t.* (**ossecro**) ⟨*ant*⟩ (*scongiurare*) to beseech, to entreat. – **ossecrazione** *f.* ⟨*lett*⟩ **1.** (*preghiera*) plea, supplication, prayer. – **2.** ⟨*Stor.rom*⟩ obsecration.
ossedione *f.* ⟨*rar*⟩ → **ossidione.**
osseina *f.* ⟨*Biol*⟩ ossein(e), ostein. – **osseo** *a.* **1.** (*dell'osso*) bony, osseous: *tessuto* ~ bony (*o* osseous) tissue. – **2.** (*d'un osso, delle ossa*) bone-, of a bone: *frattura -a* bone fracture.
ossequente *a.* **1.** (*che ha ossequio*) respectful. – **2.** (*che mostra ossequio*) obsequious, deferential. – **3.** (*obbediente*) obedient, compliant. □ ~ *alla legge* law-abiding. – **ossequiare** *v.t.* (**ossequio, ossequi**) **1.** to pay one's respects to, to do homage to. – **2.** ⟨*scherz*⟩ (*salutare*) to say good-bye to. – **ossequiente** *a.* → **ossequente.**
ossequio *m.* **1.** respect, esteem, regard; (*manifestazione di ossequio*) respects *pl*, homage: *rendere* ~ *a qd.* to pay one's respects to s.o. – **2.** *pl.* (*saluti deferenti*) respects *pl*, (kind) regards *pl.*
□ **atto** *di* ~ gesture (*o* mark) of respect; *in atto di* ~ as a mark of respect; ⟨*epist*⟩ **con** *ossequi* with kindest regards; ⟨*epist*⟩ **gradisca** *i miei ossequi* yours very sincerely, with kindest regards; **in** ~ *a* in deference to, out of respect for; *in* ~ *alle leggi* in obedience to the law; **porgere** *i propri ossequi a qd.* to pay one's respects to s.o. || *i miei ossequi* my respects.
ossequiosamente *avv.* respectfully, deferentially; (*servilmente*) obsequiously. – **ossequiosità** *f.* **1.** respectfulness, deference; (*atteggiamento servile*) obsequiousness. – **2.** ⟨*concr*⟩ (*azione*) respectful action. – **ossequioso** *a.* **1.** (*che ha ossequio*) respectful, deferential; (*che dimostra ossequio*) obsequious; (*cerimonioso*) formal, ceremonious. – **2.** (*servile*) obsequious.
osservabile *a.* **1.** (*che si può osservare*) noticeable, visible, observable, that can be seen. – **2.** ⟨*non com*⟩ (*che si deve seguire*) obligatory, that must be observed.
osservandissimo *a.* ⟨*ant*⟩ (*spettabilissimo*) honourable, esteemed.
osservante (*p.pr. di osservare*) **I** *a.* **1.** punctilious, observant. – **2.** ⟨*Rel*⟩ practising. – **3.** ⟨*Pol*⟩ staunch, faithful. – **II** *s.m./f.* **1.** regular church-goer. – **2.** ⟨*Rel*⟩ (*minore osservante*) Observant. – **3.** ⟨*Pol*⟩ staunch supporter. □ *essere* ~ *di* to obey, to observe; *essere* ~ *delle leggi* to be law-abiding.
osservanza *f.* **1.** compliance, conformity, observance: ~ *delle leggi* observance of the law. – **2.** (*adempimento*) fulfilment, observance; (*rif. a doveri*) fulfilment. – **3.** (*il mantenere*) keeping, observance. – **4.** ⟨*Rel*⟩ Observance. □ ⟨*epist*⟩ *con* ~ yours respectfully; *con* ~ *delle leggi* in conformity with the law; ⟨*burocr*⟩ *in* ~ *alla disposizione* in accordance with the regulation; ⟨*Rel*⟩ *le -e dell'ordine* the rules of the Order; *di stretta* ~ strict.
osservare *v.* (**osservo**) **I** *v.t.* **1.** (*esaminare*) to observe, to watch, to examine, to study. – **2.** (*guardare*) to look at: ~ *un quadro* to look at a painting; (*con attenzione*) to watch: *ti osservano* you are being watched. – **3.** (*rilevare, notare*) to notice, to see: *ho osservato qc. di strano* I've noticed s.th. odd; (*considerare*) to consider. – **4.** (*fare un'obiezione*) to object to, to comment on. – **5.** (*rispettare, seguire*) to respect, to follow, to observe: ~ *una norma* to follow a rule; (*obbedire*) to obey. – **6.** (*mantenere*) to keep, to maintain: ~ *un patto* to keep a bargain; (*adempiere*) to comply with, to fulfil. – **7.** (*attenersi*) to keep, to abide by: ~ *il digiuno* to (keep the) fast. – **8.** ⟨*ant*⟩ (*fare atto di ossequio*) to pay respect to, to do homage to. – **II** *v.i.* (*aus.* **avere**) (*obiettare*) to object. – **osservarsi** *v.r.* **1.** to be circumspect (*o* careful), to watch o.s. – **2.** ⟨*non com*⟩ (*controllarsi*) to control o.s. □ ~ *una dieta rigorosa* to follow (*o* keep to) a strict diet; ~ *le distanze*: 1. ⟨*Aut*⟩ to keep the correct distance; 2. ⟨*fig*⟩ to keep one's place; *far* ~ *qc. a qd.* to point s.th. out to s.o.
osservatore **I** *s.m.* (*f.* **-trice**) **1.** observer, watcher; (*chi guarda*) observer, spectator, onlooker. – **2.** ⟨*Sport,Astr,Pol*⟩ observer. – **3.** ⟨*Mil*⟩ spotter, observer. – **4.** ⟨*Giorn*⟩ (*nei titoli*) observer. – **5.** ⟨*rar*⟩ (*chi adempie, chi mantiene*) observer, keeper. – **II** *a.* observing. □ ⟨*Mil*⟩ ~ *d'artiglieria* artillery observer; *astronomo* ~ astronomical observer; ~ *economico* economic observer; ~ *militare* military observer; *essere un* ~ *dei patti* to be a man of one's word.
osservatorio *m.* **1.** observatory: ~ *geofisico* geophysical observatory. – **2.** (*luogo d'osservazione*) observation point, vantage (point), viewpoint. – **3.** ⟨*Mil*⟩ observation post, look-out.
□ ~ **alpino** mountain observatory; ~ **astronomico** astronomical observatory; ~ **meteorologico** meteorological observatory, weather -station; ~ **ornitologico** ornithological observatory; ~ **sismico** seismic observatory; ~ **solare** solar observatory.
osservazione *f.* **1.** (*esame*) examination, study: *l'~ dei fenomeni sociali* the examination of social phenomena. – **2.** (*il guardare*) observation: *-i compiute col microscopio* observations made with a microscope – **3.** (*considerazione*) remark, observation, comment: *presentare un'~* to make a remark; (*obiezione*) objection: *fare un'~* to make (*o* raise, put forward) an objection; (*rimprovero*) reproach, rebuke, criticism. – **4.** (*nota*) note, remark. – **5.** ⟨*ant*⟩ (*rispetto, osservanza*) observance.
□ ~ **aerea** aerial observation; ~ **astronomica** astronomical observation; **campo** *d'~* field of observation; *essere tenuto* **in** ~ to be kept under observation, to be watched; **spirito** *d'~* power of observation; ~ **terrestre** ground observation.
ossessionante (*p.pr. di ossessionare*) *a.* haunting, obsessing. – **ossessionare** *v.t.* (**ossessiono**) to obsess, to haunt. – **ossessionato** (*p.p. di ossessionare*) *a.* obsessed, haunted.
ossessione *f.* **1.** obsession. – **2.** ⟨*fam*⟩ (*ciò che provoca angoscia*) nightmare, agony: *questi rumori sono un'~* that noise is a nightmare. – **3.** (*invasamento demoniaco*) obsession. – **4.** ⟨*Psic*⟩ obsession.
ossessività *f.* ⟨*non com*⟩ obsessiveness. – **ossessivo** **I** *a.* obsessive, obsessing, obsessional: *nevrosi -a* obsessional neurosis. – **II** *s.m.* (*f.* **-a**) (*nevrotico ossessivo*) obsessive neurotic.
ossesso **I** *a.* **1.** possessed. – **2.** ⟨*fig*⟩ mad, wild. – **II** *s.m.* (*f.* **-a**) **1.** possessed person, demoniac. – **2.** ⟨*fig*⟩ madman (*f* -woman), one possessed, lunatic: *gridare come un* ~ to shout like ⌜one possessed⌝ (*o* a madman).
ossetto *m. dim. di* **osso.**
ossi... *pref.* (*acuto* sharp, *aguzzo* keen) oxy...
ossia *congz.* **1.** that is, i.e., namely, in other words, viz, ⟨*lett*⟩ to wit: *la semantica,* ~ *lo studio dei significati* semantics, that is the study of meaning. – **2.** (*per meglio dire*) or rather; (*cioè*) that is (to say). – **3.** ⟨*rar*⟩ (*o*) or.
ossiacanta *f.* ⟨*Bot*⟩ (*biancospino*) hawthorn, whitethorn, May tree (*Crataegus oxyacantha*).
ossiacetilenico *a.* (*pl.* **-ci**) oxyacetylene: *fiamma -a* oxyacetylene flame.
ossiacido *m.* ⟨*Chim*⟩ oxyacid, oxy-acid.
Ossian *N.pr.m.* ⟨*Lett*⟩ Ossian. – **ossianesco** *a.* (*pl.* **-chi**) ⟨*non com*⟩ → **ossianico.** – **ossianico** *a.* (*pl.* **-ci**) Ossianic.
ossi|benzene *m.* ⟨*Chim*⟩ oxybenzene, phenol. – **~biosi** *f.* ⟨*Biol*⟩ oxybiosis, aerobiosis. – **~carbonismo** *m.* ⟨*Med*⟩ carbon monoxide poisoning.
ossicedro: ⟨*Farm*⟩ *olio di* ~ cade oil.
ossi|cellulosa *f.* ⟨*Chim*⟩ oxycellulose. – **~chinolina** *f.* (hydr)oxyquinoline.
ossicino *m. dim. di* **osso.**
ossiculectomia *f.* ⟨*Chir*⟩ ossiculectomy.
ossidabile *a.* oxidizable; (*che arrugginisce*) capable of rusting. – **ossidabilità** *f.* oxidizability.
ossidante (*p.pr. di ossidare*) **I** *a.* ⟨*Chim*⟩ oxidizing: *sostanza* ~ oxidizing agent. – **II** *s.m.* oxidizer, oxidizing agent. – **ossidare** *v.t.* (**ossido**) to oxidize. – **ossidarsi** *v.r.* to become oxidized, to oxidize; (*rif. a metalli*) to rust.
ossidasi *f.* ⟨*Biol*⟩ oxidase. – **ossidasico** *a.* (*pl.* **-ci**) oxidasic.
ossidativo *a.* ⟨*Chim*⟩ oxidative.
ossidazione *f.* oxid(iz)ation, oxidizing. □ ~ *anodica* anodizing, anodic treatment (*o* oxidation); *stato* (*o numero*) *di* ~ oxidation state (*o* number).
ossidiana *f.* ⟨*Min*⟩ obsidian.
ossidimetria *f.* ⟨*Chim*⟩ oxidimetry.
ossidionale *a.* ⟨*lett*⟩ obsidional. – **ossidione** *f.* ⟨*ant*⟩ (*assedio*) siege.
ossido *m.* ⟨*Chim*⟩ oxide.
□ ~ **acido** acid oxide; ~ *di* **alluminio** aluminium oxide; ~ **basico** basic oxide; ~ *di* **berillio** beryllium oxide; ~ *di* **calcio** calcium oxide; ~ *di* **carbonio** carbon monoxide, carbonic oxide; ~ *di* **ferro** iron oxide; ~ *di* **magnesio** magnesium oxide, magnesia; ~ *di* **piombo** lead oxide; ~ *di* **rame** copper oxide; ~ *di* **torio** thorium oxide, thoria.
ossidoriduzione *f.* ⟨*Chim*⟩ oxidation-reduction, oxidoreduction.
ossidrico *a.* (*pl.* **-ci**) oxyhydrogen, oxyhydric: *cannello* ~ oxyhydrogen blow-pipe; *fiamma -a* oxyhydrogen flame. – **ossidrile** *m.* hydroxyl. – **ossidrilico** *a.* (*pl.* **-ci**) hydroxylic.
ossidulo *m.* ⟨*Chim*⟩ protoxide.
ossiemoglobina *f.* ⟨*Med*⟩ oxyh(a)emoglobin.
ossifero *a.* ⟨*Paleont*⟩ ossiferous.
ossificare *v.t.* (**ossifico, ossifichi**) to ossify. – **ossificarsi** *v.r.* to ossify. – **ossificazione** *f.* ossification.
ossifluente: ⟨*Med*⟩ *ascesso* ~ ossifluent abscess.
ossifraga *f.* ⟨*Ornit*⟩ giant petrel (*Macronectes giganteus*).
ossigenare *v.t.* (**ossigeno**) **1.** to oxygenate. – **2.** (*rif. a capelli*) to bleach (with hydrogen peroxide), to peroxide: ~ *i capelli* to bleach hair. – **3.** ⟨*fig*⟩ (*incrementare*) to reinvigorate; (*con sovvenzioni*) to subsidize. – **ossigenarsi** *v.r.* to bleach one's hair.
ossigenasi *f.* ⟨*Chim*⟩ oxygenase.
ossigenato (*p.p. di ossigenare*) *a.* **1.** (*ricco di ossigeno*) rich in oxygen: *aria -a* air rich in oxygen. – **2.** (*rif. a capelli*) bleached, peroxided; (*rif. a persona*) with bleached hair, peroxide-blond. – **3.** ⟨*Chim*⟩ oxygenated, oxygenized. □ *acqua -a* hydrogen peroxide.
ossigenatore *m.* oxygenator. – **ossigenazione** *f.* **1.** oxygenation. – **2.** (*rif. a capelli*) bleaching, peroxiding. – **ossigenista** *m.* ⟨*Met*⟩ worker who cuts iron and steel with an oxyacetylene flame.
ossigeno *m.* ⟨*Chim*⟩ oxygen. □ ~ *atmosferico* atmospheric oxygen; ⟨*fig*⟩ *avere bisogno di* ~ (*aver bisogno di aiuti finanziari*) to need (financial) help; *dare l'~ a qd.*: 1. to give s.o. oxygen; 2. ⟨*fig*⟩ (*incoraggiare*) to encourage s.o.; 3. ⟨*fig*⟩ (*aiutare economicamente*) to give s.o. financial support; ⟨*fig*⟩ *essere all'~* (*essere in pessime condizioni finanziarie*) to be on the brink of ruin.

ossigenoterapịa *f.* ⟨*Med*⟩ oxygen therapy.
ossiliquịte *f.* liquid oxygen explosive.
ossịma *f.* ⟨*Chim*⟩ oxim(e).
ossimetrịa *f.* ⟨*Med*⟩ oximetry. – **ossịmetro** *m.* oximeter.
ossimiẹle *m.* ⟨*Farm,ant*⟩ oxymel.
ossimọro (o *ossịmoro*) *m.* ⟨*Ret*⟩ oxymoron.
ossiopịa *f.* ⟨*Med*⟩ oxyopia, oxyopy, oxyblepsia. – **ossiọpico** *a.* (*pl.* **-ci**) of (*o* relating to) oxyopia.
ossitọcico *a.* → **oxitocico**. – **ossitocịna** *f.* → **oxitocina**.
ossịtona *f.* ⟨*Gramm*⟩ oxyton(e). – **ossịtono** *a.* oxyton(e).
ossiurịasi *f.* ⟨*Med*⟩ oxyuriasis.
ossiụridi *m.pl.* ⟨*Zool*⟩ oxyurids *pl*, pinworms *pl* (*Oxyuridae*). – **ossiụro** *m.* pinworm, seatworm (*Enterobius vermicularis*).
ossịvoro: ⟨*Chir*⟩ *pinza -a* bone forceps *pl.*
ọsso *m.* (*pl. gli ọssi*/*le ọssa*; the plural in *-a* is only used in a collective sense) **1.** bone: *rompersi un* ~ to break a bone. – **2.** (*materia ossea*) bone. – **3.** (*nocciolo*) stone, pit: ~ *della ciliegia* cherry stone. – **4.** *pl.* (*membra*) bones *pl*: *le mie povere -a hanno bisogno di riposo* my poor bones need a rest; (*corpo*) body. – **5.** *pl.* (*resti mortali*) bones *pl*, remains *pl.* – **6.** ⟨*Mar*⟩ (*gratile*) bolt-rope, leech.
□ ⟨*fig*⟩ *essere ridotto* **all'**~ to have nothing left, ⟨*fam*⟩ to be on the rocks; ~ **artificiale** (*galalite*) galalith; *-a del* **bacino** pelvis; ~ *di* **balena** whalebone; ~ **buco** → **ossobuco**; *essere di* **carne** *e -a* to be (only) human, to be made of flesh and blood; *era lui, in carne e -a* it was him, in the flesh; ⟨*fam*⟩ *rompersi l'~ del* **collo** (*ammazzarsi*) to break one's neck; (*urtare contro un ostacolo*) to run into a brick wall, ⟨*fam*⟩ to come a cropper; *rimetterci l'~ del collo* to be ruined, ⟨*fam*⟩ to lose one's shirt; *spendere l'~ del collo* to spend one's last penny, to squander one's money; ~ **coronale** frontal bone; ~ *del* **cranio** skull; ~ **crurale** femur, thigh-bone; **d'**~ bone-, of bone: *bottone d'~* bone button; ⟨*fig*⟩ *avere le -a* **dure** to be tough; ⟨*fig*⟩ *un ~ duro*: 1. (*rif. a problema o sim.*) a tough nut to crack; 2. (*rif. a persona*) a tough customer; ⟨*fig*⟩ **essere** *un* ~ (*magrissimo*) to be very thin, ⟨*fam*⟩ to be all skin and bone; ⟨*fig*⟩ **fare** *l'~ a qc.* (*abituarcisi*) to get used to s.th.; ⟨*fig*⟩ *farsi le -a a qc.* (*fare esperienza*) to gain experience at s.th., to get into s.th.; **fino** *alle -a* to the bone; *bagnato fino alle -a* wet through, soaked to the skin; *economia fino all'~* very strict economy; ⟨*Ornit*⟩ ~ *a* **forchetta** wishbone; ~ **frontale** frontal bone; ~ **iliaco** ilium, iliac bone; ~ **ischiatico** ischium; ⟨*fig*⟩ **lasciarci** *le -a* to lose one's life; *-a della* **mano** bones of the hand; ~ **mascellare** *inferiore* inferior (*o* lower) maxilla, mandible, lower jaw-bone; ~ *mascellare superiore* superior (*o* upper) maxilla, superior maxillary bone, upper jaw-bone; ~ **metacarpico** metacarpus, metacarpal bone; ~ *del* **metatarso** metatarsus; ~ *con* **midollo** marrow-bone; ⟨*scherz*⟩ **molla** *l'~!* give it back!, put it down!; ~ **nasale** nasal bone; ⟨*fig*⟩ *ce l'ha* **nelle** *-a* it's in his blood; ~ **occipitale** occipital bone; ~ **parietale** parietal bone; ~ *di* **pesca** peach stone; ~ *del* **petto** breastbone; *-a* **piatte** flat bones, ossa plana; *-a del* **piede** bones of the feet; **posa** *l'~!* = **molla** *l'osso!*; ~ *del* **pube** pubic bone, (os) pubis; ⟨*scherz*⟩ **raddrizzare** (o *rompere*) *le -a a qd.* to give s.o. a hiding, ⟨*fam*⟩ to beat s.o. up; ⟨*fig*⟩ **rompersi** *le -a* to wear o.s. out; *avere le -a* **rotte** (*essere stanchissimo*) to be worn (*o* tired) out; ~ **sacro** sacrum; **senza** *-i* (*di-sossato*) boneless, boned; ~ *di* **seppia** cuttlebone; ⟨*fam,scherz*⟩ **sputa** *l'~!*: 1. = **molla** *l'osso!*; 2. (*confessa*) spit it out!, out with it!; ~ *del* **tarso** tarsal bone; ~ **temporale** temporal bone, os temporale; ~ *del* **torace** = *osso del* **petto**; *essere* **tutt'**-*a* = **essere** *un osso*; ~ **zigomatico** cheek-bone, zygomatic (*o* malar) bone.
ossobụco *m.* (*pl.* **ossibụchi**/*rar.* **ossobụchi**) ⟨*Gastr*⟩ marrow-bone, stewed shin of veal.
ossoniẹnse *a.* → **oxoniense**.
ossọnio *m.* ⟨*Chim*⟩ oxonium.
O.S.SS.A. = *Ordine superiore della Santissima Annunziata* Order of the Annunziata.
ossuạrio *m.* ⟨*Archeol*⟩ ossuary, ossuarium, (burial) urn. – **ossụccio** *m. dim. di* **osso**. – **ossụto** *a.* bony: *mani -e* bony hands.
ọsta *f.* ⟨*Mar,ant*⟩ brace.
ostacolạre *v.t.* (**ostạcolo**) **1.** to obstruct, to impede, to get in the way of: ~ *il traffico* to obstruct (the) traffic. – **2.** ⟨*fig*⟩ (*impedire*) to impede, to thwart, to stop, to prevent; (*chiudere*) to block, to obstruct, to shut (*o* cut) off: ~ *la vista* to block the view. – **3.** ⟨*fig*⟩ (*rendere difficile*) to hinder, to hamper, to handicap; (*frenare*) to delay, to hold back. – **4.** ⟨*fig*⟩ (*avversare, opporsi a*) to obstruct, to oppose, to stand in the way of: ~ *la promozione di qd.* to oppose s.o.'s promotion; (*rif. a progetti*) to interfere with.
ostacolịsta *m./f.* **1.** ⟨*Sport*⟩ hurdler. – **2.** ⟨*Equit*⟩ steeplechaser, jumper.
ostạcolo *m.* **1.** obstacle, stumbling-block: *abbattere un ~* to remove an obstacle. – **2.** (*ingombro*) encumbrance, hindrance. – **3.** ⟨*fig*⟩ (*impedimento*) obstacle, impediment, hindrance, drawback, bar; (*difficoltà*) difficulty, ⟨*fam*⟩ snag: *incontrare -i* to ⌜meet with⌝ (o run up against) difficulties. – **4.** ⟨*Sport*⟩ (*nella corsa*) hurdle, obstacle. – **5.** ⟨*Sport*⟩ (*nel salto in alto*: *asticella*) crossbar; (*corda*) rope. – **6.** ⟨*Equit*⟩ jump. – **7.** ⟨*Mil*⟩ obstacle.
□ ⟨*fig*⟩ **aggirare** *un* ~ to avoid an obstacle, to get round a difficulty; ⟨*Mil*⟩ ~ **anticarro** tank trap; ⟨*Sport*⟩ **corsa** *con* (o *a*) *-i*: 1. (*nell'atletica*) hurdle (*o* obstacle) race; 2. (*nell'ippica*) steeplechase; ⟨*fig*⟩ **essere** *di ~ a qd.* to stand in s.o.'s way, to oppose (*o* thwart) s.o., to be a hindrance to s.o.; ⟨*fig*⟩ **fare** *~ a qc.* to obstruct (*o* block) s.th., to get in the way of s.th.; ⟨*fig*⟩ **frapporre** *-i* to place obstacles in the way, to raise objections; ⟨*Equit*⟩ **rifiutare** *l'~* to refuse the jump, to balk; **rimuovere** *un* ~ to remove an obstacle; ⟨*Sport*⟩ **saltare** *un* ~ to jump a hurdle; ⟨*Equit*⟩ to jump; **superare** *un* ~ to get over an obstacle; ⟨*fig*⟩ to overcome (*o* get round) a difficulty.
ostạggio *m.* hostage: *consegnare gli ostaggi* to hand over the hostages; *tenere in* ~ to hold as a hostage.
ostạre *v.i.* (**ọsto**; pret., p.p. and compound tenses not in use) ⟨*non com*⟩ (*essere d'ostacolo*) to hinder (*a qc.* s.th.), to stand in the way (of).
ostạtico *m.* (*pl.* **-chi**) ⟨*ant*⟩ → **ostaggio**.
ostatịvo *a.* ⟨*Dir*⟩ impedimental, impedimentary.
ọste[1] *m.* (*f.* **-essa**) **1.** innkeeper, host, landlord, publican; (*taverniere*) landlord. – **2.** ⟨*ant*⟩ (*ospite*) host; (*persona ospitata*) guest. □ ⟨*fig*⟩ *domandare all'~ se ha buon vino* (*fare una domanda oziosa*) to ask a silly question; ⟨*fig*⟩ *fare i conti senza l'~* to reckon without one's host.
ọste[2] *m./f.* ⟨*lett*⟩ **1.** (*nemico*) enemy, foe. – **2.** (*esercito nemico*) enemy army, ⟨*ant*⟩ host. □ ⟨*ant*⟩ *andare a ~* to go to war; ⟨*ant*⟩ *fare ~* (*guerreggiare*) to wage war; ⟨*ant*⟩ *stare a ~* (*essere in campo*) to be in the field.
osteggiamẹnto *m.* ⟨*ant*⟩ **1.** (*l'osteggiare*) opposition, hostility. – **2.** (*assedio*) siege. – **osteggiạre** *v.* (**ostẹggio, ostẹggi**) **I** *v.t.* **1.** (*avversare*) to oppose, to be hostile (*o* opposed) to, to be against. – **2.** ⟨*ant*⟩ (*combattere*) to assail, to attack; (*assediare*) to besiege. – **II** *v.i.* (*aus.* **avere**) ⟨*ant*⟩ **1.** (*guerreggiare*) to wage war. – **2.** (*essere accampato*) to be encamped.
osteịna *f.* ⟨*non com*⟩ → **osseina**.
osteịte *f.* ⟨*Med*⟩ osteitis. □ ~ *deformante* osteitis deformans; ~ *fibrocistica* osteitis fibrosa cystica; ~ *sifilitica dei neonati* Parrot's disease, syphilitic pseudoparalysis.
ostellạggio *m.* ⟨*ant*⟩ **1.** (*alloggio*) lodging. – **2.** (*stallaggio*) stabling. – **3.** (*magazzinaggio*) storing, storage; (*diritto*) storage charge. – **ostelliẹre** *m.* ⟨*ant*⟩ (*albergatore*) innkeeper, landlord.
ostẹllo *m.* **1.** (*ostello della gioventù*) (youth) hostel. – **2.** ⟨*ant*⟩ (*albergo*) inn, hotel; (*alloggio*) dwelling, abode.
Ostẹnda *N.pr.f.* ⟨*Geog*⟩ Ostend.
ostendạle *m.* ⟨*ant*⟩ (*stendardo*) standard, banner, flag.
ostendịzie *f.pl.* ⟨*Mediev*⟩ property tax.
ostensịbile *a.* ⟨*non com*⟩ exhibitable. – **ostensibilmẹnte** *avv.* visibly. – **ostensiọne** *f.* ⟨*lett*⟩ ostension, display. □ ⟨*Stor*⟩ ~ *dei semplici* teaching of herbalism. – **ostensịvo** *a.* **1.** ⟨*Filos*⟩ ostensive, demonstrative. – **2.** ⟨*non com*⟩ → **ostensibile**. – **ostensọre** *m.* ⟨*lett*⟩ exhibitor, shower. □ ⟨*Stor*⟩ ~ *dei semplici* professor of herbalism.
ostensọrio *m.* ⟨*Lit*⟩ monstrance, ostensory, ostensorium: ~ *a raggiera* sun monstrance.
ostentamẹnto *m.* ostentation, display.
ostentạre *v.t.* (**ostẹnto**) **1.** to make a show of, to flaunt, to parade, ⟨*fam*⟩ to show off: ~ *le proprie ricchezze* to flaunt (*o* show off) one's wealth. – **2.** (*vantare*) to boast of, to brag about: ~ *i propri meriti* to boast of one's merits. – **3.** (*accentuare*) to draw attention to, to stress. – **4.** (*affettare, simulare*) to feign, to pretend, to put on, to assume, to make a show of: ~ *interesse per qc.* to pretend to be interested in s.th. – **ostentarsi** *v.r.* ⟨*rar*⟩ to draw attention to o.s.
ostentạrio *a.* ⟨*lett*⟩ omen-, of omens.
ostentatamẹnte *avv.* ostentatiously. – **ostentatịvo** *a.* ⟨*non com*⟩ ostentatious, boastful. – **ostentạto** (*p.p. di ostentare*) *a.* ostensible, professed, flaunted. – **ostentatọre I** *s.m.* (*f.* **-trice**) boaster, braggart, flaunter, ⟨*fam*⟩ show-off. – **II** *a.* ostentatious. – **ostentaziọne** *f.* **1.** ostentation, display, show, ⟨*fam*⟩ showing off. – **2.** (*il vantarsi*) boasting, bragging: ~ *del proprio coraggio* boasting of one's courage. – **3.** (*accentuazione*) ⌜attraction of⌝ (*o* seeking after) attention. – **4.** (*affettazione, simulazione*) pretence, sham.
osteo... *pref.* (*osso* bone) oste(o)...
osteo|artrịte *f.* ⟨*Med*⟩ osteoarthritis. – **~artropatịa** *f.* osteoarthropathy. – **~artrọsi** *f.* osteoarthrosis. – **~artrotomịa** *f.* ⟨*Chir*⟩ oste(o)arthrotomy. – **~atrofịa** *f.* osteanabrosis, atrophy of bone. – **~blạsto** *m.* ⟨*Biol*⟩ osteoblast. – **~clạsia** *f.* ⟨*Chir,Med*⟩ osteoclasis. – **~clạsta** *m.* ⟨*Biol*⟩ osteoclast. – **~clạste** *m.* ⟨*Chir*⟩ osteoclast. – **~clastịa** *f.* → **osteoclasia**. – **~clạstico** *a.* (*pl.* **-ci**) osteoclastic. – **~cọlla** *f.* ⟨*Chim*⟩ osteocolla. – **~condrịte** *f.* ⟨*Med*⟩ osteochondritis. – **~condrodistrofịa** *f.* osteochondrodystrophy. – **~condrọma** *m.* osteochondroma. – **~condromatọsi** *f.* osteochondromatosis.
osteọ|copo: ⟨*Med*⟩ *dolore* ~ osteocope, osteocopic pain. – **~dinịa** *f.* osteodynia, ostalgia.
osteọfita, osteọfito *m.* ⟨*Med*⟩ osteophyte.
osteọ|fono *m.* osteophone. – **~gẹnesi** *f.* ⟨*Biol*⟩ osteogenesis, osteogeny. – **~genẹtico** *a.* (*pl.* **-ci**) osteogen(et)ic. – **~glọssi** *m.pl.* ⟨*Itt*⟩ osteoglossids *pl* (*Osteoglossoidea*).
osteọide *a.* ⟨*Anat*⟩ osteoid.
osteo|lẹpidi *m.pl.* ⟨*Itt*⟩ osteolepids *pl* (*Osteolepidae*). – **~lịsi** *f.* ⟨*Med*⟩ osteolysis. – **~lịte** *f.* ⟨*Min*⟩ osteolite. – **~lịtico** *a.* (*pl.* **-ci**) ⟨*Med*⟩ osteolytic. – **~logịa** *f.* ⟨*Anat*⟩ osteology. – **~lọgico** *a.* (*pl.* **-ci**) osteologic(al).
osteọma *m.* ⟨*Med*⟩ osteoma, osteome.
osteo|malacịa *f.* ⟨*Med*⟩ osteomalacia. – **~metrịa** *f.* osteometry. – **~mẹtrico** *a.* (*pl.* **-ci**) osteometric(al). – **~mielịte** *f.* osteomyelitis. – **~mielịtico** *a.* (*pl.* **-ci**) osteomyelitic. – **~necrọsi** *f.* osteonecrosis. – **~patịa** *f.* osteopathy. – **~periostịte** *f.* osteoperiostitis. – **~porọsi**

f. osteoporosis. – **~psatirọsi** *f.* osteopsathyrosis, osteogenesis imperfecta. – **~sclerọsi** (o *osteosclerọsi*) *f.* osteosclerosis.
osteọsi *f.* ⟨*Med*⟩ osteosis.
osteosịntesi *f.* ⟨*Chir*⟩ osteosynthesis.
osteotomịa *f.* ⟨*Chir*⟩ osteotomy. – **osteọtomo** *m.* osteotome.
osterịa *f.* **1.** eating-place; (*bettola*) tavern; (*mescita*) wine-shop, public-house. – **2.** ⟨*esclam,pop*⟩ cripes, jeepers, blimey. – **3.** ⟨*ant*⟩ (*locanda*) inn. ◻ *gioco delle -e* (variation of) snakes and ladders; ⟨*fig*⟩ *fermarsi alla prima* ~ to take the first thing that ⌜comes along⌝ (*o* is offered).
osteriạccia (*pegg. di osteria*) *f.* (*pl.* -ce) low tavern, ⟨*fam*⟩ dive.
osterịggio *m.* ⟨*Mar*⟩ skylight.
ostẹssa *f.* **1.** landlady, innkeeper, hostess. – **2.** (*moglie dell'oste*) landlord's (*o* innkeeper's) wife. ◻ *Prov.*: *bella* ~, *brutti conti* the more beautiful the landlady, the higher the bill.
ostẹtrica *f.* midwife. – **ostetrịcia** *f.* ⟨*Med*⟩ obstetrics *pl* (*costr. sing. o pl.*), midwifery. – **ostẹtrico** *a./s.* (*pl.* -ci) **I** *a.* obstetric(al). – **II** *s.m.* obstetrician, accoucheur. ◻ *clinica -a* maternity home.
ọstia *f.* **1.** ⟨*Rel*⟩ Host. – **2.** (*cialda*) wafer. – **3.** ⟨*esclam,pop*⟩ Christ, damn. – **4.** ⟨*Farm*⟩ wafer sheet. – **5.** ⟨*ant*⟩ (*cialda per sigillare*) wafer (for sealing). – **6.** ⟨*ant,lett*⟩ (*sacrificio*) sacrifice; (*vittima*) victim.
ostiạco *m.* (*pl.* -chi) Ostyak, Ostiak.
ostiariạto *m.* ⟨*Rel*⟩ ostiary. – **ostiạrio** *m.* **1.** ⟨*Rel*⟩ ostiary. – **2.** ⟨*Stor. rom*⟩ (*portinaio*) ostiary, door-keeper, porter.
ọstico *a.* (*pl.* -ci) **1.** (*antipatico*) irksome, tiresome: *un lavoro* ~ a tiresome job. – **2.** ⟨*lett*⟩ (*ripugnante al gusto*) nasty, disagreeable, unpalatable.
Ostiẹnse *N.pr.f.* (*anche via Ostiense*) Via Ostiensis.
ostiẹre, ostiẹro *m.* ⟨*ant*⟩ **1.** (*taverniere*) landlord, innkeeper; (*ospite*) host. – **2.** (*dimora*) abode, dwelling. – **3.** (*accampamento*) camp, encampment.
ostịle *a.* (*avverso*) hostile, adverse, antagonistic; (*contrario*) hostile, opposed: *atteggiamento* ~ hostile attitude; (*nemico*) hostile, enemy-. ◻ *essere* ~ *a qc.* to be against s.th., to be hostile (*o* opposed) to s.th.; ~ *al governo* against the government; *mostrarsi* ~ *a qd.* to show hostility to s.o.
ostilità *f.* **1.** hostility, enmity. – **2.** (*avversione*) hostility, antagonism; (*contrarietà*) opposition. – **3.** *pl.* ⟨*Mil*⟩ hostilities *pl*: *aprire le* ~ to open hostilities. – **ostilmẹnte** *avv.* hostilely, with hostility.
ostinạrsi *v.r.* **1.** to persist: ~ *a fare qc.* to persist in doing s.th.; ~ *in un proposito* to persist with a plan. – **2.** ⟨*assol*⟩ (*impuntarsi*) to be obstinate (*o* stubborn). – **3.** (*insistere*) to insist, to continue, to keep on: *nonostante tutto si ostinava a negare* in spite of everything he continued to deny it. ◻ *la pioggia si ostina a cadere* it keeps on raining, the rain won't let up; *si ostina a non cedere* he won't give in.
ostinatamẹnte *avv.* obstinately, stubbornly, persistently. – **ostinatẹzza** *f.* → **ostinazione.**
ostinạto I *a.* **1.** (*rif. a persona*) persistent, firm; (*caparbio*) obstinate, stubborn, mulish, ⟨*fam*⟩ pigheaded: ~ *come un mulo* as stubborn as a mule; (*irriducibile*) inveterate: *fumatore* ~ inveterate smoker. – **2.** (*rif. a cosa*) obstinate, stubborn, persistent: *piogge -e* persistent rain. – **3.** (*tenace, costante*) tenacious, determined, dogged. – **4.** ⟨*fig*⟩ (*insistente*) continuous, unceasing, persistent: *ha una tosse -a* he has a persistent cough. – **5.** ⟨*Mus*⟩ ostinato. – **II** *s.m.* (*f.* -a) obstinate (*o* stubborn) person, ⟨*fam*⟩ mule. ◻ ⟨*Mus*⟩ *basso* ~ ground bass.
ostinaziọne *f.* **1.** (*l'ostinarsi*) persistence, persistency: ~ *nel male* persistence in wrongdoing. – **2.** (*l'essere ostinato*) persistency, firmness; (*caparbietà*) obstinacy, stubbornness, mulishness, ⟨*fam*⟩ pigheadedness; (*costanza*) determination, doggedness. – **3.** ⟨*fig*⟩ (*persistenza*) persistence, persistency.
ostịno *m.* ⟨*Mar*⟩ vang.
ọstio *m.* ⟨*Anat,Zool*⟩ ostium: ~ *arterioso* ostium arteriosum, arterial orifice.
ostiọlo *m.* ⟨*Bot*⟩ ostiole.
ostolạre *v.i.* (ọstolo; *aus.* **avere**) ⟨*tosc*⟩ (*ustolare*) to whine.
ostrạcidi *m.pl.* ⟨*Itt*⟩ boxfishes *pl*, trunkfishes *pl* (*Ostraciidae*).
ostracịsmo *m.* **1.** ⟨*Stor.gr*⟩ ostracism; (*bando*) banishment, exile. – **2.** ⟨*fig*⟩ ostracism. ◻ ⟨*fig*⟩ *dare l'*~ *a qc.* to boycott s.th.; ⟨*fig*⟩ *dare l'*~ *a qd.* to ostracize s.o., ⟨*fam*⟩ to send s.o. to Coventry. – **ostracizzạre** *v.t.* ⟨*lett*⟩ (*bandire*) to ostracize, to banish, to exile.
ọstraco *m.* (*pl.* -ci) ⟨*non com*⟩ → **ostracon.**
ostracọdi *m.pl.* ⟨*Zool*⟩ ostracods *pl* (*Ostracoda*).
ostracologịa *f.* ⟨*ant*⟩ (*conchiliologia*) conchology.
ọstracon, ọstrakon *m.* ⟨*Stor.gr*⟩ ostracon, ostrakon.
ostreạrio *a.* ⟨*non com*⟩ (*rif. alle ostriche*) oyster-: *parco* ~ oyster-bed.
ọstrega *intz.* ⟨*ven*⟩ (*caspita*) good heavens, my goodness.
ostregạra, ostreghẹra *f.* ⟨*Pesc,ven*⟩ oyster dredge.
ostreghẹta *intz. dim. di* **ostrega.**
ostreicoltọre *m.* (*f.* -trice) → **ostricoltore.** – **ostreicoltụra** *f.* → **ostricoltura.**
ọstrica *f.* ⟨*Zool*⟩ oyster (*Ostrea*). ◻ ⟨*fig*⟩ *attaccarsi* (o *essere attaccato*) *a qd. come un'*~ to stick to s.o. like a leech (*o* barnacle); *banco di ostriche* oyster bank (*o* -bed); ⟨*fig*⟩ *essere chiuso come un'*~ to be as close-mouthed as a clam; ~ *perlifera* pearl oyster.
ostricạio *m.* (*f.* -a) **1.** (*venditore*) oyster-seller, oysterer. – **2.** ⟨*non com*⟩ (*ostricoltore*) oyster-culturist, oyster-farmer, oysterman. – **ostricạro** *m.* **1.** → **ostrichiere.** – **2.** ⟨*region*⟩ (*ostricaio*) oyster-seller.
ostrichẹtta *f. dim. di* **ostrica.**
ostrichiẹre *m.* ⟨*Ornit*⟩ (*beccaccia di mare*) oyster-catcher (*Haematopus ostralegus*).
ostricoltọre *m.* (*f.* -trice) oyster-culturist, oyster-farmer. – **ostricoltụra** *f.* oyster culture.
ostricọna *f. accr. di* **ostrica.**
ọstro[1] *m.* **1.** ⟨*lett*⟩ (*porpora*) purple dye; (*color porpora*) purple. – **2.** (*veste color porpora*) purple; (*manto regale*) purple. – **3.** ⟨*estens*⟩ (*colore roseo della carnagione*) pink.
ọstro[2] *m.* **1.** (*vento del sud*) south wind, ⟨*lett*⟩ auster. – **2.** (*sud*) south, ⟨*lett*⟩ auster.
ostrogọtico *a.* (*pl.* -ci) Ostrogothic, Ostrogothian. – **ostrogọto I** *a.* **1.** Ostrogothic, Ostrogothian. – **2.** ⟨*fig*⟩ (*barbaro*) barbarous, uncivilized. – **3.** ⟨*scherz*⟩ (*incomprensibile*) incomprehensible. – **II** *s.m.* (*f.* -a) **1.** Ostrogoth. – **2.** ⟨*fig*⟩ (*barbaro*) barbarian. – **3.** ⟨*scherz*⟩ (*lingua incomprensibile*) double-dutch, Greek.
ostruẹnte (*p.pr. di ostruire*) *a.* ⟨*rar*⟩ obstructive, blocking. – **ostruimẹnto** *m.* ⟨*rar*⟩ obstruction.
ostruịre *v.t.* (**ostruịsco, ostruịsci**) **1.** to obstruct, to clog (up), to occlude, to stop (up), to jam; (*sbarrare*) to block, to shut off, to close (up). – **2.** ⟨*Med*⟩ to obstruct, to clog, to block. – **ostruirsi** *v.r.* to become (*o* get) obstructed, to clog. – **ostruịto** (*p.p. di ostruire*) *a.* obstructed, clogged, occluded; (*sbarrato*) blocked, closed (up). – **ostruttịvo** *a.* ⟨*non com*⟩ **1.** obstructive, obstructing. – **2.** ⟨*Med*⟩ obstruent.
ostruziọne *f.* **1.** obstruction, clogging (up), stopping, occlusion; (*sbarramento*) blocking (up), shutting (off), closing. – **2.** ⟨*Med*⟩ obstruction, clogging. – **3.** ⟨*Pol*⟩ obstructionism. – **4.** ⟨*Mil*⟩ obstacle. ◻ ⟨*Mil*⟩ ~ *antiaerea* balloon barrage; ~ *anticarro* tank trap; ⟨*fig*⟩ *fare* ~ to be obstructive (*o* an obstructionist); ⟨*Mar.mil*⟩ ~ *parasiluri* anti-torpedo defence; ⟨*Mecc*⟩ ~ *in una valvola* gag.
ostruzionịsmo *m.* **1.** ⟨*Parl*⟩ obstructionism. – **2.** ⟨*estens*⟩ (*opposizione sistematica*) obstructionism. – **3.** ⟨*Sport*⟩ obstruction. ◻ ⟨*Parl*⟩ *fare* ~ to use obstructive tactics, to filibuster; ⟨*fig*⟩ to be obstructive; ⟨*Parl*⟩ ~ *fisico* obstructionism, obstructive tactics; ⟨*Parl*⟩ ~ *tecnico* filibustering. – **ostruzionịsta I** *s.m./f.* obstructionist. – **II** *a.* → **ostruzionistico.** – **ostruzionịstico** *a.* (*pl.*-ci) obstructionist(ic): *politica -a* obstructionist policy, policy of obstruction.
Osvạldo *N.pr.m.* Oswald.
otalgịa *f.* ⟨*Med*⟩ otalgia, otalgy. – **otạlgico** *a.* (*pl.* -ci) otalgic.
otạrda *f.* ⟨*Ornit*⟩ great bustard (*Otis tarda*). ◻ ~ *minore* little bustard (*Otis tetrax orientalis*).
otạria *f.* ⟨*Zool*⟩ eared seal, sea-lion, otary (*Otaria*). ◻ ~ *californiana* Californian sea-lion (*Eumetopias californianus*); ~ *dalla criniera* (Steller's) sea-lion, northern sea-lion (*Otaria iubata, Eumetopias iubatus*). – **otạridi** *m.pl.* eared seals *pl* (*Otariidae*).
Otẹllo *N.pr.m.* Othello.
ọtico *a.* (*pl.* -ci) ⟨*Anat*⟩ otic, auricular, of the ear.
otịte *f.* ⟨*Med*⟩ otitis. – **otịtico** *a.* (*pl.* -ci) otitic.
otmạno *a./s.* ⟨*lett*⟩ → **ottomano.**
oto... *pref.* (*orecchio* ear) ot(o)...
otọba: *burro di* ~ nutmeg butter, oil of mace.
otociọne *m.* ⟨*Zool*⟩ (African) long-eared fox, bat-eared (*o* Delalande's) fox (*Otocyon megalotis*).
oto|cịsti *f.* ⟨*Biol*⟩ otocyst. – **~cọnia** *f.* otoconium, otoconite. – **~dinịa** *f.* → **otalgia.** – **~ematọma** *m.* ⟨*Med*⟩ othematoma, hematoma auris.
otọfono *m.* otophone.
otọ|geno *a.* ⟨*Med*⟩ otogenic, otogenous. – **~iạtra** *m./f.* ⟨*Med*⟩ ear specialist, aurist, otologist. – **~iatrịa** *f.* otology. – **~lẹmure** *m.* ⟨*Zool*⟩ bush baby (*Otolemur*). – **~lịte** *m.* ⟨*Anat*⟩ otolith, otolite. – **~lịtico** *a.* (*pl.* -ci) otolit(h)ic. – **~micọsi** *f.* ⟨*Med*⟩ otomycosis. – **~patịa** *f.* otopathy.
otorịno *m. accorc. di* **otorinolaringoiatra.** – **otorinolaringoiạtra** *m./f.* ear, nose and throat specialist, otorhinolaryngologist. – **otorinolaringoiatrịa** *f.* otorhinolaryngology.
otorragịa *f.* ⟨*Med*⟩ otorrhagia.
otorrẹa *f.* otorrh(o)ea.
oto|sclerọsi (*o otosclerọsi*) *f.* ⟨*Med*⟩ otosclerosis. – **~sclerọtico** *a.* (*pl.* -ci) otosclerotic. – **~scopịa** *f.* otoscopy. – **~scọpio** *m.* otoscope.
ọtre *m.* **1.** leather bag (*o* bottle), wineskin. – **2.** ⟨*fig*⟩ (*ventre*) belly, stomach: *riempirsi l'*~ to fill one's belly. ◻ ⟨*fig*⟩ *pieno come un* ~ full up, bloated; ⟨*fig*⟩ ~ *gonfio di vento* (*persona boriosa*) windbag; ⟨*Mat*⟩ ~ *di Klein* Klein bottle; ⟨*Mitol*⟩ *l'*~ *dei venti* the bag in which Aeolus bottled up the winds; ⟨*fig*⟩ ~ *di vino* drunkard, ⟨*fam*⟩ boozer.
otriạre *v.* → **ottriare.**
otricẹllo (*dim. di otre*) *m.* ⟨*Bot*⟩ (*otricolo*) utricle.
otricolạre *a.* ⟨*Anat,Bot*⟩ utricular.
otricolạria *f.* ⟨*Bot*⟩ bladder-wort (*Utricularia*).
otrịcolo *m.* ⟨*Anat,Bot*⟩ utricle.
ọtro *m.* ⟨*ant*⟩ → **otre.**
ott. = *ottobre* October (*abbr.* Oct.).
ọtta *f.* ⟨*ant*⟩ **1.** (*ora*) now. – **2.** (*tempo*) time.
◻ ⟨*ant*⟩ **a** ~ **a** ~ (*di quando in quando*) now and again, from time to time; ⟨*ant*⟩ ~ **a** ~ (*in tempo*) in time; ⟨*ant*⟩ **a bell'**~ (*a tempo giusto*) just in time; ⟨*ant*⟩ **a buon'** ~ (*alla buon'ora*) at last, thank heavens; ⟨*ant*⟩ **ogni** ~ (*ogni volta*) every time; ⟨*ant*⟩ **a pazz'**~ (*a ora inoppor-*

tuna) at an awkward moment, at an inconvenient time; ⟨*ant*⟩ *a* **un'~** (*nel tempo stesso*) at the same moment.

otta... *pref.* (*otto* eight) oct(a)..., oct(o)...

otta|cọrdo *m.* ⟨*Mus*⟩ octachord. – **~decanọlo** *m.* ⟨*Chim*⟩ octadecanol. – **~edrạle** *a.* ⟨*Geom*⟩ octahedral, octahedric(al). – **~ẹdrico** *a.* (*pl.* **-ci**) octahedral, octahedric(al). – **~edrịte** *f.* ⟨*Min*⟩ octahedrite, anatase. – **~ẹdro** *m.* ⟨*Geom*⟩ octahedron.

ottagonạle *a.* ⟨*Geom*⟩ octagonal. – **ottạgono** *m.* octagon.

ottạmetro *m.* ⟨*Metr*⟩ octameter, octometer.

ottangolạre *a.* ⟨*non com*⟩ → **ottagonale**. – **ottạngolo** ⟨*non com*⟩ **I** *s.m.* → **ottagono**. – **II** *a.* → **ottagonale**.

ottạnico *a.* (*pl.* **-ci**) ⟨*Chim*⟩ octane-. – **ottanizzạre** *v.t.* to increase the octane rating of (*o* in). – **ottạno** *m.* octane. ☐ *numero di -i* octane rating (*o* number).

ottanọlo *m.* ⟨*Chim*⟩ octanol.

ottạnta *a./s.inv.* **I** *a.* eighty. – **II** *s.m.* eighty.

ottạnte *m.* ⟨*Geom,Astr*⟩ octant.

ottantẹnne I *a.* ⟨*attr*⟩ eighty-year-old, ⟨*pred*⟩ eighty years old. – **II** *s.m./f.* eighty-year-old man (*f* woman), octogenarian. – **ottantẹnnio** *m.* ⟨*non com*⟩ eighty years *pl*, eighty-year period.

ottantẹsimo I *a.* eightieth. – **II** *s.m.* **1.** (*ordinale*; *f.* **-a**) eightieth. – **2.** (*frazionario*) eightieth.

ottantịna *f.* **1.** (*circa ottanta*) about (*o* some, around) eighty. – **2.** (*rif. a età*) (about) eighty: *avere superato l'~* to be over eighty, to be in one's eighties.

ottạrda *f.* → **otarda**.

ottạre *v.* (**ọtto**) **I** *v.t.* ⟨*ant*⟩ **1.** (*desiderare*) to want. – **2.** (*chiedere*) to ask for. – **II** *v.i.* (*aus.* **avere**) **1.** (*aspirare*) to aspire. – **2.** (*optare*) to choose.

ottạstilo *a.* ⟨*Arch*⟩ octastyle, octostyle.

Ottatẹuco *N.pr.m.* ⟨*Bibl*⟩ Octateuch.

ottatịvo I *a.* ⟨*Gramm*⟩ optative: *proposizione -a* optative proposition. – **II** *s.m.* (*modo ottativo*) optative mood.

ottạva *f.* **1.** ⟨*Lit*⟩ octave. – **2.** ⟨*Metr*⟩ octave, ottava rima. – **3.** ⟨*Mus*⟩ octave. – **4.** ⟨*estens*⟩ (*intervallo di otto unità*) octave. – **5.** ⟨*Stor*⟩ (*ottava parte di misure*) one eighth, eighth part. ☐ ⟨*Mus*⟩ *~ aumentata* augmented octave; *~ giusta* perfect octave; ⟨*Chim*⟩ *legge delle -e* law of octaves, periodic law; *~ di Natale* Octave of Christmas.

ottavạrio *m.* ⟨*Lit*⟩ **1.** octave. – **2.** (*libro*) octavary.

Ottạvia *N.pr.f.* Octavia.

Ottaviạno *N.pr.m.* ⟨*Stor*⟩ Octavianus, Octavius.

ottavịna *f.* ⟨*Metr*⟩ kind of eight-line verse.

ottavịno *m.* ⟨*Mus*⟩ piccolo, octave flute.

Ottạvio *N.pr.m.* Octavius.

ottạvo I *a.* eighth. – **II** *avv.* eighth. – **III** *s.m.* **1.** (*ordinale*; *f.* **-a**) eighth. – **2.** (*frazionario*) eighth. – **3.** ⟨*non com*⟩ (*recipiente da mezzo quarto*) eighth-of-a-litre measure. ☐ ⟨*Edit*⟩ *in ~* (in) octavo: *volume in ~* octavo volume; *~ di litro* eighth of a litre.

ottemperạnte (*p.pr. di ottemperare*) *a.* ⟨*lett,burocr*⟩ complying (*a* with). – **ottemperạnza** *f.* ⟨*burocr*⟩ compliance, obedience. ☐ *in ~ a* in compliance with. – **ottemperạre** *v.i.* (**ottẹmpero**; *aus.* **avere**) **1.** (*ubbidire*) to comply (*a* with), to obey (s.th.): *~ alle leggi* to comply with the law, to be law-abiding. – **2.** (*esaudire*) to comply (with): *~ a un desiderio* to comply with a wish.

ottenebramẹnto *m.* **1.** darkening, dimming, clouding over. – **2.** ⟨*fig*⟩ (*offuscamento*) obscuring, overshadowing; (*rif. alla vista*) dimming, fading; (*rif. alla mente*) clouding. – **ottenebrạre** *v.t.* (**ottẹnebro**) **1.** to darken, to dim, to obscure. – **2.** ⟨*fig*⟩ to cloud, to obscure, to overshadow. – **ottenebrarsi** *v.r.* **1.** to darken, to grow dark (*o* dim); (*rif. al cielo*) to cloud over, to grow dark. – **2.** (*offuscarsi*) to become obscured (*o* overshadowed); (*rif. alla vista*) to grow dim, to fade; (*rif. alla mente*) to cloud, to become cloudy. – **ottenebraziọne** *f.* → **ottenebramento**.

ottenẹre *v.* (**ottẹngo, ottiẹni; ottẹnni, ottenụto**; → **tenere**) **I** *v.t.* **1.** to obtain, to get, to come by: *~ una proroga* to get an extension. – **2.** (*raggiungere, conseguire*) to achieve, to attain, to get: *~ un buon risultato* to get a good result; *~ la laurea* to get a degree. – **3.** (*ricevere*) to receive, to get, to have: *non ho ottenuto risposta* I have had no reply. – **4.** (*procurare*) to obtain, to get: *ha ottenuto per il figlio una buona sistemazione* he got his son a good job. – **5.** (*ricavare*) to get, to obtain: *se moltiplichi tre per due ottieni sei* if you multiply three by two you get six; (*estrarre, produrre*) to produce, to extract, to get; (*acquisire*) to obtain. – **6.** ⟨*lett,rar*⟩ (*mantenere*) to maintain. – **7.** ⟨*ant*⟩ (*far accettare, far prevalere*) to get accepted. – **II** *v.i.* (*aus.* **avere**) to succeed, to achieve, to manage to get, to get permission: *ha ottenuto di poter lavorare a casa* he has got permission to work at home; (*conseguire*) to achieve, to attain. – **ottenersi** *v.r.* ⟨*ant*⟩ (*prevalere*) to prevail. ☐ *~ in prestito qc.* to get s.th. as a loan, to be lent s.th.; *~ in sposa* (o *moglie*) *qd.* to win s.o.'s hand; *la commedia ottenne un gran successo* the play was (*o* met with) a great success.

ottẹngo *pr.ind. di* **ottenere**. – **ottenịbile** *a.* **1.** obtainable. – **2.** (*conseguibile*) achievable, attainable. – **ottenimẹnto** *m.* ⟨*rar*⟩ obtaining, achievement.

ottẹnne *a.* ⟨*non com*⟩ ⟨*attr*⟩ eight-year-old, ⟨*pred*⟩ eight years old.

ottẹnni *p.rem. di* **ottenere**.

ottentọtto I *a.* Hottentot. – **II** *s.m.* (*f.* **-a**) **1.** Hottentot. – **2.** ⟨*fig*⟩ (*persona rozza*) oaf, boor.

ottenụto *p.p. di* **ottenere**.

ottẹtto *m.* ⟨*Mus,Chim*⟩ octet(te).

ọttica *f.* optics *pl* (*costr. sing.*). ☐ *d'~* optical: *negozio d'~* optical goods shop; *~ elettronica* electron optics; *~ fisica* physical optics; *~ geometrica* geometric(al) optics.

otticamẹnte *avv.* optically. – **ọttico** *a./s.* (*pl.* **-ci**) **I** *a.* **1.** optical: *strumento ~* optical instrument. – **2.** (*della vista*) optic(al): *nervo ~* optic nerve. – **II** *s.m.* (*f.* **-a**) optician.

ottimạle *a.* ⟨*non com*⟩ optimal, optimum.

ottimamẹnte *avv.* very (*o* extremely) well, excellently, ⟨*fam*⟩ fine.

ottimạre *v.t.* (**ọttimo**) to perfect.

ottimạte *m.* ⟨*Stor*⟩ optimate.

ottịmetro *m.* optimeter.

ottimịsmo *m.* optimism (*anche Filos.*). – **ottimịsta I** *s.m./f.* optimist. – **II** *a.* → **ottimistico**. – **ottimịstico** *a.* (*pl.* **-ci**) optimistic (*anche Filos.*).

ọttimo (*sup. di buono*) **I** *a.* **1.** very (*o* extremely) good, excellent, ⟨*fam*⟩ capital: *ha un ~ carattere* he has a very good character. – **2.** (*bravissimo*) very good, first-rate, top-; (*eccellente*) excellent. – **3.** (*bellissimo*) perfect, very nice; (*rif. all'aspetto*) very good, splendid. – **4.** (*rispettabilissimo*) excellent, very good: *-a famiglia* excellent family. – **5.** (*gustosissimo*) excellent, delicious. – **6.** ⟨*burocr,scol*⟩ excellent. – **II** *s.m.inv.* **1.** best. – **2.** ⟨*Econ*⟩ optimum. – **3.** ⟨*burocr, scol*⟩ excellent.

ọtto *a./s.inv.* **I** *a.* eight. – **II** *s.m.* **1.** (*cifra*) eight. – **2.** (*nelle date*) eighth: *l'~ maggio* the eighth of May, May 8th. – **3.** ⟨*Scol*⟩ eight (out of ten). – **4.** (*nelle carte da gioco*) eight. – **5.** (*rif. a tram, autobus e sim.*) (number) eight. – **6.** (*nel pattinaggio artistico su ghiaccio*) figure-of-eight. – **7.** ⟨*Sport*⟩ eight. – **III** *s.f.pl.* eight (o'clock): *sono le ~ e dieci minuti* it's ten past eight.

☐ **a** *~ a ~* in eights; *di ~* **anni** ⟨*attr*⟩ eight-year-old, ⟨*pred*⟩ eight years old; *all'~ per* **cento** eight per cent; ⟨*Sport*⟩ *~* **con** (*timoniere*) coxed eight; ⟨*Sport*⟩ *~ da* **corsa** racing eight; ⟨*fig*⟩ *dare gli ~* **giorni** *a qd.* to give s.o. a week's notice; *in* **gruppi** *di ~* in groups of eight, in eights; *siamo* **in** *~* there are eight of us; *sono le ~ e* **mezzo** it's half past eight, it's eight-thirty; **oggi** *a ~* this day week, a week from today; *di ~* **ore** ⟨*attr*⟩ eight-hour, ⟨*pred*⟩ of eight hours; *vettura a ~* **posti** eight-seater car; *in* **quattro** *e quattr'~* in a twinkle (*o* flash, jiffy); *~* **volante** (*montagne russe*) switchback, roller-coaster.

ottobrạta *f.* Indian summer; (*scampagnata*) October outing.

ottọbre *m.* October. ☐ *di ~* of (*o* in) October, October-; *il due ~* October 2nd; *a metà* (*di*) *~* in the middle of October, in mid -October; ⟨*Stor*⟩ *rivoluzione di ~* October Revolution.

ottobrịno *a.* October: *giornate -e* October days; (*rif. a frutti*) October-, ripening in October: *uva -a* October grapes.

ottobrịsta *m.* ⟨*Stor*⟩ Octobrist.

ottocentẹsco *a.* (*pl.* **-chi**) **1.** ⟨*attr*⟩ nineteenth-century-, ⟨*pred*⟩ of the nineteenth century. – **2.** ⟨*fig*⟩ (*retrogrado*) old-fashioned, Victorian.

ottocentẹsimo I *a.* eight hundredth. – **II** *s.m.* **1.** (*ordinale*; *f.* **-a**) eight hundredth. – **2.** (*frazionario*) eight hundredth.

ottocentịsta I *s.m./f.* **1.** (*scrittore*) nineteenth-century writer; (*artista*) nineteenth-century artist. – **2.** (*studioso*) nineteenth-century specialist. – **3.** ⟨*Sport*⟩ eight-hundred-metre runner. – **II** *a.* → **ottocentistico**. – **ottocentịstico** *a.* (*pl.* **-ci**) nineteenth-century-.

ottocẹnto *a./s.inv.* **I** *a.* **1.** eight hundred. – **2.** (*ottocentesco*) nineteenth-century-, of the nineteenth century; (*in stile ottocentesco*) in nineteenth-century style. – **II** *s.m.* eight hundred. – **Ottocento** *m.* nineteenth century.

ottocorạlli *m.pl.* ⟨*Zool*⟩ alcyonarians *pl* (*Octocorallia*).

ọttodo *m.* ⟨*El*⟩ octode.

ottodrạmma *f.* → **octodramma**.

ottogenạrio *a./s.* ⟨*ant*⟩ → **ottuagenario**.

ottomạna *f.* ⟨*Arred*⟩ ottoman, divan.

ottomạno ⟨*lett*⟩ **I** *a.* Ottoman(ic): *impero ~* Ottoman Empire; (*turco*) Turkish. – **II** *s.m.* **1.** Ottoman; (*turco*) Turk. – **2.** ⟨*Tess*⟩ ottoman.

ottomịla *a./s.inv.* **I** *a.* eight thousand. – **II** *s.m.* **1.** (*cifra*) eight thousand. – **2.** (*anno*) year eight thousand. – **3.** ⟨*Alp*⟩ mountain over eight thousand metres high.

ottonạio *m.* brazier, brass worker. – **ottonạme** *m.* brassware, braziery. – **ottonạre** *v.t.* (**ottọno**) ⟨*Met*⟩ to (coat with) brass.

ottonạrio I *a.* ⟨*Metr*⟩ octosyllabic. – **II** *s.m.* (kind of) octosyllabic line.

ottonạto (*p.p. di ottonare*) *a.* brass-plated, coated with brass. – **ottonatụra** *f.* brass-plating.

ottọne *m.* **1.** ⟨*Met*⟩ brass. – **2.** *pl.* ⟨*Mus*⟩ brass.

☐ *~* **bianco** white brass; *~ per* **bossoli** = *ottone* **giallo**; **color** *~* brass(-coloured); *~* **crudo** hard-drawn brass; **di** *~* brass-: *filo di ~* brass wire; *~* **giallo** (o *malleabile*) cartridge brass.

Ottọne *N.pr.m.* ⟨*Stor*⟩ Otto, Otho.

ottosịllabo *a./s.* → **ottonario**.

ottọtipo *m.* ⟨*Med*⟩ optotype.

ottovalẹnte *a.* ⟨*Chim*⟩ octovalent.

ottriạre *v.t.* ⟨*ant*⟩ (*concedere*) to grant, to concede. – **ottriạto** (*p.p. di ottriare*) *a.* ⟨*Dir*⟩ (*concesso*) granted, conceded.

ottuagenạrio I *a.* ⟨*attr*⟩ eighty-year-old, ⟨*pred*⟩ eighty years old, octogenarian. – **II** *s.m.* (*f.* **-a**) octogenarian, person of eighty.

ottụndere *v.t.* (**ottụsi, ottụso**) ⟨*lett*⟩ **1.** to blunt, to dull. – **2.** ⟨*fig*⟩ (*offuscare*) to dull, to blunt. – **ottundimẹnto** *m.* ⟨*non com*⟩ blunting, dulling (*anche fig.*).

ottuplicare *v.t.* (**ottuplico, ottuplichi**) (*moltiplicare per otto*) to multiply by eight, to octuple; (*rendere otto volte maggiore*) to make eight times bigger, to octuple. – **ottuplice** *a.* ⟨*attr*⟩ eight -part-, ⟨*pred*⟩ consisting of eight parts. – **ottuplo I** *a.* eightfold, octuple, eight times (as much). – **II** *s.m.* eight times *pl.*
otturamento *m.* **1.** stopping (up), filling (in). – **2.** (*occlusione*) occlusion. – **otturare** *v.t.* **1.** to stop (up), to close (up), to plug, to fill, to obturate: ~ *una falla* to stop a leak. – **2.** (*ostruire*) to block, to clog, to obstruct: *i rifiuti hanno otturato le fogne* the rubbish has clogged the drains; (*occludere*) to occlude, to stop up. – **3.** ⟨*Dent*⟩ to fill, to stop. – **otturarsi** *v.r.* to become choked, to clog, to become stopped (up).
otturato (*p.p. di otturare*) *a.* **1.** stopped (up), closed, plugged, filled, obturated. – **2.** (*ostruito*) blocked, clogged; (*chiuso*) closed. – **3.** ⟨*Dent*⟩ filled, stopped.
otturatore *m.* **1.** ⟨*Fot*⟩ shutter. – **2.** ⟨*Ferr*⟩ stop valve, throttle, shutter. – **3.** (*nelle armi*) breech-block, obturator.
□ ~ **centrale** interlens shutter; ~ *a* **cuneo** wedge breech-block; ~ *a* **fessura** = *otturatore a* **tendina**; ~ *del* **fucile** rifle bolt; ~ *a* **iride** (o *lamelle*) lamellar shutter; ⟨*Anat*⟩ **muscolo** ~ obturator; ~ **rotativo** rotary shutter; ~ *a* **scatto** *rapido* instantaneous shutter; ~ **sincronizzato** synchronized shutter; ~ *a* **tendina** focal-plane shutter; ~ *a* **vite** screw breech-block.
otturatorio *a.* ⟨*Anat*⟩ obturator-: *membrana -a* obturator membrane.
otturazione *f.* **1.** stopping, closing, plugging, obturation. – **2.** (*chiusura*) obstruction, blocking. – **3.** ⟨*Dent*⟩ filling, stopping; (*amalgama*) filling. □ ~ *dentaria* dental filling; *procedere all'~ di un dente* to fill (*o* stop) a tooth; *mi è saltata l'~* my filling has come out, I've lost a filling.
ottusamente *avv.* obtusely, dully.
ottusangolo *a.* ⟨*Geom*⟩ obtuse-angled, obtusangular.
ottusi *p.rem. di* **ottundere.**
ottusità *f.* **1.** obtuseness, dullness, obtusity (*anche fig.*). – **2.** (*rif. a suoni*) dullness. – **3.** ⟨*Med*⟩ dullness. □ ~ *di mente* stupidity, dullness, ⟨*fam*⟩ denseness; ~ *d'udito* hardness of hearing.
ottuso (*p.p. di ottundere*) *a.* **1.** blunt, dull. – **2.** (*rif. a suono*) dull, muffled. – **3.** (*rif. ad ambiente*) pok(e)y, cramped. – **4.** ⟨*fig*⟩ dull, obtuse: *sguardo* ~ dull gaze; (*rif. a persona*) obtuse, dull, slow -witted, ⟨*fam*⟩ dense, ⟨*fam*⟩ thick. – **5.** ⟨*Geom,Bot*⟩ obtuse: *angolo* ~ obtuse angle.
oubara *f.* ⟨*Ornit*⟩ houbara (bustard), ruffed bustard (*Chlamydotis undulata*). □ ~ *asiatica* Macqueen's bustard (*Chlamydotis undulata macqueenni*).
oui-ja [ui'ja:] *m.* ⟨*Occult*⟩ ouija (board).
out *ingl.* ['aut] *avv.* ⟨*Sport*⟩ **1.** (*nel tennis*) out. – **2.** (*nel calcio*) off-side. – **3.** (*nel pugilato*) out.
outboard *ingl.* ['autbɔ'rd] *m.* ⟨*Mar*⟩ (*barca*) outboard motorboat; (*motore*) outboard motor.
outrigger *ingl.* ['autrigər] *m.* ⟨*Sport*⟩ racing shell.
ouverture *fr.* [uvɛr'ty:r] *f.* ⟨*Mus*⟩ overture.
ovaia *f.* ⟨*Anat*⟩ ovary.
ovaio I *a.* ⟨*non com*⟩ (*ovaiolo*) laying: *gallina -a* laying hen, good layer. – **II** *s.m.* (*f.* **-a**) **1.** (*venditore di uova*) egg-seller. – **2.** ⟨*non com*⟩ → **ovaia.** – **ovaiolo I** *a.* laying. – **II** *s.m.* ⟨*non com*⟩ (*portauovo*) egg-cup.
ovalare *a.* oval, egg-shaped.
ovalbumina *f.* → **ovoalbumina.**
ovale[1] **I** *a.* oval (*anche Bot*): *tavolo* ~ oval table; *foglia* ~ oval leaf. – **II** *s.m.* oval, facial outline.
ovale[2] *f.* ⟨*Mat*⟩ oval.
ovalizzare *v.t.* **1.** to make oval. – **2.** ⟨*Mecc*⟩ to ovalize. – **ovalizzarsi** *v.r.* to become oval. – **ovalizzazione** *f.* ⟨*Mecc*⟩ ovalization.
ovalocita, ovalocito *m.* ⟨*Med*⟩ ovalocyte. – **ovalocitosi** *f.* ovalocytosis.
ovaloide *m.* ⟨*Mat*⟩ ovaloid.
ovante *a.* ⟨*lett*⟩ (*esultante*) exultant.
ovarialgia *f.* ⟨*Med*⟩ ovar(i)algia. – **ovarico** *a.* (*pl.* **-ci**) ⟨*Anat,Bot*⟩ ovarian. – **ovariectomia** *f.* ⟨*Chir*⟩ ovariectomy.
ovario *m.* **1.** → **ovaia.** – **2.** ⟨*Bot*⟩ ovary.
ovariocele *m.* ⟨*Med*⟩ ovariocele.
ovariolo *m.* ⟨*Entom*⟩ ovariole.
ovario|pessi *f.* ⟨*Chir*⟩ oophoropexy. – **~salpingectomia** *f.* ovario-salpingectomy. – **~tomia** *f.* ovariotomy.
ovarite *f.* ⟨*Med*⟩ ovaritis.
ovato *a.* **1.** ⟨*lett*⟩ (*simile a uovo*) egg-shaped, oval, ovate. – **2.** ⟨*Bot*⟩ ovate.
ovatta *f.* **1.** (*cotone idrofilo*) cotton-wool: *un batuffolo di* ~ a ball (*o* wad) of cotton-wool. – **2.** (*feltro*) wadding. – **ovattare** *v.t.* **1.** to pad, to stuff with wadding, to wad. – **2.** ⟨*fig*⟩ (*attenuare*) to attenuate, to tone down, to soften; (*rif. a suoni*) to muffle. – **ovattato** (*p.p. di ovattare*) *a.* **1.** padded, stuffed with wadding, wadded. – **2.** ⟨*fig*⟩ (*attenuato*) toned down, softened; (*rif. a suoni*) muffled. – **ovattificio** *m.* cotton-wool factory.
ovatura *f.* (*in bachicoltura*) laying (of eggs).
ovazione *f.* **1.** ⟨*Stor.rom*⟩ ovation. – **2.** ⟨*estens*⟩ (*accoglienza esultante*) ovation, enthusiastic reception; (*applausi entusiastici*) enthusiastic applause, acclamation.
ove ⟨*lett*⟩ **I** *avv.* **1.** where. – **2.** (*in cui: stato*) where, in which, that (*o* which) ... in, ⟨*lett*⟩ wherein; (*moto*) where, to (*o* into) which, that (*o* which) ... (in)to, ⟨*lett*⟩ whereto. – **3.** (*ovunque: stato*) wherever, no matter where; (*moto*) (to) wherever. – **II** *congz.* **1.** (*nel caso che*) if, in case: ~ *fosse necessario* if it should be necessary. – **2.** (*mentre*) while, whereas. – **3.** (*purché*) provided that.
over *ingl.* ['ouvər] *m.* ⟨*Sport*⟩ sidestroke.
overtura *f.* ⟨*non com*⟩ → **ouverture.**
ovest *m.* **1.** west. – **2.** ⟨*estens*⟩ (*regione occidentale*) west, ⟨*lett*⟩ occident; (*paesi occidentali*) West. □ *a* ~ *di* (to the) west of; *vento dell'*~ west (*o* westerly) wind; *verso* ~ westwards, west, in a westerly direction.
ovetto *m. dim. di* **uovo.**
ovi... *pref.* → **ovo...**
ovibove *m.* ⟨*Zool*⟩ musk-ox (*Ovibos moschatus*).
Ovidio *N.pr.m.* ⟨*Stor*⟩ Ovid.
ovidotto, ovidutto *m.* ⟨*Anat*⟩ oviduct.
ovifero *a.* ⟨*non com*⟩ (*ovigero*) ovigerous, oviferous. – **oviforme** *a.* ⟨*non com*⟩ oviform, egg-shaped, ovoid. – **ovigero I** *a.* ⟨*Zool*⟩ ovigerous, oviferous. – **II** *s.m.* oviger.
ovile *m.* (sheep)fold, pen, sheepcot(e). □ ⟨*fig*⟩ *ricondurre all'~ la pecorella smarrita* to bring the lost sheep back to the fold; ⟨*fig*⟩ *tornare all'~* to return to the fold. – **ovinicoltore** *m.* (*f.* **-trice**) sheep-farmer. – **ovinicoltura** *f.* ⟨*non com*⟩ sheep farming.
ovino[1] **I** *a.* sheep-, ovine. – **II** *s.m.pl.* ⟨*Zool*⟩ sheep *pl* (*Ovinae*). □ *carne -a* mutton.
ovino[2] *m. dim. di* **uovo.**
oviparità *f.* ⟨*Zool*⟩ oviparity, oviparousness. – **oviparo** *a.* oviparous.
ovisacco *m.* (*pl.* **-chi**) **1.** ⟨*Zool*⟩ ovisac. – **2.** ⟨*Anat,non com*⟩ ovisac, Graafian (*o* vesicular ovarian) follicle.
ovismo *m.* ⟨*Biol*⟩ ovism. – **ovista I** *a.* ovistic: *teoria* ~ ovistic theory, ovism. – **II** *s.m.* ovist.
ovo *m.* ⟨*pop*⟩ (*uovo*) egg.
ovo... *pref.* (*uovo* egg) ov(o)..., ov(i)..., egg-, oo...
ovo|albumina *f.* ⟨*Biol*⟩ ovalbumin. – **~cellula** *f.* ⟨*Bot*⟩ (*oosfera*) oosphere. – **~cita, ~cito** *m.* ⟨*Biol*⟩ ovocyte, oocyte. – **~gamia** *f.* oogamy. – **~genesi** *f.* ovogenesis, oogenesis. – **~genetico** *a.* (*pl.* **-ci**) ovogenetic, oogenetic. – **~globulina** *f.* ⟨*Chim*⟩ ovoglobulin. – **~gonio** *m.* ⟨*Biol*⟩ ovogonium, oogonium.
ovoidale *a.* ovoid(al), egg-shaped. – **ovoide I** *a.* → **ovoidale.** – **II** *s.m.* ovoid. – **ovoideo** *a.* → **ovoidale.**
ovolaccio *m.* ⟨*Bot*⟩ fly agaric (*Amanita muscaria*).
ovolaio *m.* ⟨*Agr*⟩ bed (for olive seedlings).
ovolare *a.* of a mamelon.
ovolo *m.* **1.** ⟨*Bot*⟩ (*anche ovolo buono*) royal (*o* Caesar's) agaric, Caesar's mushroom (*Amanita caesarea*). – **2.** ⟨*Agr*⟩ mamelon. – **3.** ⟨*Arch*⟩ ovolo, echinus. □ ~ *malefico* → **ovolaccio.**
ovomaltina *f.* ⟨*Alim*⟩ ovaltine.
ovone *m.* ⟨*non com*⟩ *accr. di* **uovo.**
ovopositore I *s.m.* ⟨*Entom,Itt*⟩ ovipositor. – **II** *a.* ovipositing.
ovoviviparità *f.* ⟨*Zool*⟩ ovoviviparity. – **ovoviviparo** *a.* ovoviviparous.
ovra *f.* ⟨*ant*⟩ (*opera*) work. – **ovrare** *v.* (**ovro**) ⟨*ant*⟩ **I** *v.i.* (*aus.* **avere**) (*operare*) to operate, to work, to act. – **II** *v.t.* to perform, to do, to operate, to work.
ovuccio *m. dim. di* **uovo.**
ovulare *a.* **1.** ⟨*Bot*⟩ ovular. – **2.** (*a forma di uovo*) ovoid, egg-shaped. – **ovulazione** *f.* ⟨*Biol*⟩ ovulation. – **ovulifero, ovuligeno** *a.* ⟨*Biol*⟩ ovuliferous. – **ovulismo** *m.* → **ovismo.** – **ovulista** *a./s.* → **ovista.**
ovulo (*dim. di uovo*) *m.* **1.** ⟨*Farm*⟩ globulus. – **2.** ⟨*Bot*⟩ ovule. – **3.** ⟨*Biol*⟩ ovum, egg-cell.
ovunque *avv.* ⟨*lett*⟩ **1.** (*dovunque*) wherever, anywhere, no matter where: ~ *tu vada* wherever you go. – **2.** (*dappertutto*) everywhere, ⟨*fam*⟩ all over the place: *ho cercato* ~ I looked everywhere.
ovvero *congz.* → **oppure.**
ovverosia *congz.* → **ossia.**
ovvia *intz.* come on.
ovviamente *avv.* (*naturalmente*) obviously, naturally; (*evidentemente*) clearly, evidently.
ovviare *v.* (**ovvio, ovvii**) **I** *v.i.* (*aus.* **avere**) (*prevenire*) to obviate, to prevent, to avert; (*rimediare*) to get round (*a qc.* s.th.), to find a remedy (*o* solution) (for): ~ *a una difficoltà* to get round a difficulty. – **II** *v.t.* ⟨*ant*⟩ **1.** (*andare incontro*) to go to meet. – **2.** (*opporsi*) to oppose.
ovvietà *f.* ⟨*non com*⟩ obviousness. – **ovvio** *a.* **1.** (*naturale*) obvious, natural; (*evidente*) clear, plain, (self-)evident. – **2.** (*chiaro, logico*) obvious, logical.
Oxford *N.pr.f.* ⟨*Geog*⟩ Oxford. □ ⟨*Rel*⟩ *movimento di* ~ Oxford movement; ⟨*Rel*⟩ *gruppi di* ~ Oxford Group movement; ⟨*Zootecn*⟩ *razza* ~ Oxford Down.
oxfordiano *m.* ⟨*Geol*⟩ (*anche piano oxfordiano*) Oxfordian, Oxford oolite.
oxicefalia *f.* ⟨*Med*⟩ oxycephaly, acrocephaly. – **oxicefalo I** *a.* oxycephalous, oxycephalic. – **II** *s.m.* (*f.* **-a**) oxycephalous person.
oxiopia *f.* → **ossiopia.**
oxitocico *a.* (*pl.* **-ci**) ⟨*Med*⟩ oxytocic. – **oxitocina** *f.* oxytocin.
oxoniense *a.* ⟨*lett*⟩ (*di Oxford*) Oxford-, of Oxford, Oxonian: *l'università* ~ Oxford University.
oz. = *oncia* ounce (*abbr.* oz.).
ozelot *m.* ⟨*Zool*⟩ ocelot (*Felis pardalis*).
ozena *f.* ⟨*Med*⟩ oz(a)ena.
oziaco *a.* (*pl.* **-ci/-chi**) ⟨*ant*⟩ **1.** ⟨*Occult*⟩ (*egiziaco*) inauspicious. – **2.** ⟨*estens*⟩ (*nefasto*) ill-omened, unlucky.

oziare *v.i.* (ozio, ozi; *aus.* **avere**) **1.** (*stare in ozio*) to idle (about), to loaf, to laze (about), to lounge (around). – **2.** (*girellare oziosamente*) to hang (idly) about, to wander (aimlessly) about. – **3.** (*fare il pigro*) to be lazy. – **ozieggiare** *v.i.* (oziеggio, ozieggi; *aus.* **avere**) ⟨*rar*⟩ (*oziare*) to idle, to do nothing, to while away one's time.

ozio *m.* **1.** idleness, laziness, indolence, sloth; (*inattività*) inactivity, idleness: ~ *forzato* forced inactivity. – **2.** (*periodo di riposo*) leisure. – **3.** *pl.* (*vita godereccia*) gay life. – **4.** ⟨*poet*⟩ (*quiete*) quietness. □ *marcire nell'*~ to waste away in idleness; *stare in* ~ to (be) idle; *tenere* (o *lasciare*) *qd. nell'*~ to keep s.o. idle. – *Prov.*: *l'*~ *è il padre dei vizi* the devil finds work for idle hands to do.

ozione *f.* ⟨*ant*⟩ (*opzione*) option.

oziosaggine *f.* idleness, laziness, indolence, slothfulness. – **oziosamente** *avv.* **1.** (*in modo inoperoso*) idly. – **2.** (*pigramente*) lazily, indolently. – **3.** (*in modo futile*) idly, vainly. – **oziosetto** *a. dim. di* ozioso. – **oziosità** *f.* **1.** idleness, laziness, indolence, sloth; (*inattività*) inactivity, idleness. – **2.** ⟨*fig*⟩ (*inutilità*) uselessness, idleness, futility. – **3.** *pl.* (*azioni oziose*) idleness.

ozioso I *a.* **1.** idle: *rimanere* ~ to be idle. – **2.** (*inoperoso*) inactive, idle. – **3.** (*pigro*) lazy, idle, indolent, slothful; (*scioperato*) idle. – **4.** ⟨*fig*⟩ (*vano, inutile*) idle, vain, futile, pointless, useless: *domanda -a* futile (o pointless) question. – **5.** ⟨*Econ*⟩ (*morto*) idle: *capitale* ~ idle capital. – **6.** ⟨*poet*⟩ (*che favorisce l'ozio*) inducing idleness (o sloth). – **7.** ⟨*poet*⟩ (*rif. ad acqua*: *stagnante*) still. – **II** *s.m.* (*f.* **-a**) **1.** idler, loafer. – **2.** (*pigro*) lazy person, sluggard, ⟨*fam*⟩ lazy-bones; (*scioperato*) idler.

ozobromia *f.* ⟨*Chim*⟩ ozobrome process.

ozoc(h)erite *f.* ⟨*Min*⟩ ozocerite, ozokerite.

ozonatore *m.* → **ozonizzatore**. – **ozonide** *m.* ⟨*Chim*⟩ ozonide. – **ozonizzare** *v.t.* to ozonize: ~ *l'acqua* to ozonize water. – **ozonizzatore** *m.* ozonizer. – **ozonizzazione** *f.* ozonization. – **ozono** *m.* ozone.

ozono|geno *m.* → **ozonizzatore**. – **~lisi** *f.* ⟨*Chim*⟩ ozonolysis. – **~sfera** *f.* ⟨*Astr*⟩ ozonosphere. – **~terapia** *f.* ⟨*Med*⟩ ozone treatment.

ozonuro *m.* → **ozonide**.

P

p, P [pi] *m./f.* (*lettera dell'alfabeto*) p, P, the letter P: *due p* two p's; *una p maiuscola* a capital P; *una p minuscola* a small p; ⟨*Tel*⟩ *p come Palermo* P for Peter; ⟨*Biol*⟩ *vitamina p* vitamin P.

P = **1.** ⟨*Chim*⟩ *fosforo* phosphorus. – **2.** *posteggio* parking (place) (*abbr.* P).

p. = *pagina* page (*abbr.* p., pg.).

P. = ⟨*Rel*⟩ *padre* Father (*abbr.* Fr., P.).

Pa = ⟨*Chim*⟩ *protoattinio* protactinium.

PA = ⟨*Aut*⟩ *Panama* Panama.

P.A. = **1.** *Patto Atlantico* Atlantic Treaty. – **2.** *posta aerea* air mail.

pa' (*accorc. di padre*) *m.* ⟨*region*⟩ Dad(dy), Pa, ⟨*am*⟩ Pop.

pabassina *f.* ⟨*Dolc*⟩ Sardinian fruit-cake.

pabbio *m.* ⟨*Bot*⟩ **1.** (*panicastrella*) panic grass (*Echinochloa crus-galli, Panicum crus-galli*). – **2.** (*panico*) foxtail (o Italian) millet (*Setaria italica*). – **3.** (*pesarone*) (kind of) bristle grass (*Setaria glauca*).

pabulo *m.* ⟨*ant*⟩ (*pascolo*) pasture; (*alimento*) food, nourishment.

paca *m.inv.* ⟨*Zool*⟩ paca (*Coelogenys*).

pacare *v.t.* (paco, pachi) ⟨*lett*⟩ to calm, to quiet(en), to placate, to pacify. – **pacatezza** *f.* calm, placidness, quietness, peacefulness, tranquillity. – **pacato** (*p.p. di pacare*) *a.* calm, quiet, placid: *discussione -a* calm discussion.

pacca[1] *f.* **1.** slap, smack, ⟨*fam*⟩ whack. – **2.** *pl.* ⟨*tosc*⟩ (*busse*) beating, blows *pl.* □ ⟨*fig*⟩ *dare le pacche* (*riuscire vincitore*) to be the winner; ⟨*fig*⟩ *prendere le pacche* (*essere vinto*) to take a beating, to be beaten, to lose.

pacca[2] *f.* ⟨*region*⟩ **1.** (*pezzo*) piece, bit. – **2.** ⟨*Macell*⟩ fatback. – **3.** ⟨*volg,scherz*⟩ (*natica*) buttock.

pacchebotto *m.* → **pacchetto**[2].

pacchettaggio *m.* ⟨*Mil*⟩ (soldier's) kit.

pacchettino *m. dim. di* **pacchetto**[1].

pacchettista *m.* ⟨*Tip*⟩ compositor, type-setter.

pacchetto[1] (*dim. di pacco*) *m.* **1.** packet, package. – **2.** (*busta confezionata*) packet, ⟨*fam*⟩ pack: ~ *di sigarette* packet of cigarettes. – **3.** (*mazzetto*) bundle, packet. – **4.** ⟨*Tip*⟩ column. – **5.** ⟨*Sport*⟩ (*nel rugby*) pack. – **6.** ⟨*Mil*⟩ (*caricatore a pacchetto*) charger, clip. □ ~ *azionario* holdings *pl*; ⟨*Mil*⟩ ~ *di bombe* depth bomb pack(age), depth charges dropped at the same time; ⟨*Met*⟩ *ferro al* ~ malleable (o wrought) iron; ⟨*Anat*⟩ ~ *intestinale* mass of ansae in the small intestine; ~ *di medicazione* (roll of) gauze bandage.

pacchetto[2] *m.* ⟨*Stor*⟩ (*piroscafo per servizio postale*) packet(-boat).

pacchia *f.* ⟨*fam*⟩ easy living, life of Riley.

pacchianamente *avv.* garishly, gaudily, ostentatiously. – **pacchianata** *f.* gross behaviour, incivility, boorish act; (*parole grossolane*) rude words *pl.* – **pacchianeria** *f.* garishness, showiness, gaudiness. – **pacchiano I** *a.* showy, garish, flashy, ostentatious, gaudy. – **II** *s.m.* (*f.* **-a**) ⟨*region*⟩ (*contadino*) countryman, peasant, ⟨*spreg*⟩ country bumpkin, ⟨*am.fam*⟩ hick.

pacchiare *v.i.* (pacchio, pacchi; *aus.* **avere**) ⟨*fam,scherz*⟩ to eat like a horse, to wolf, to gobble.

pacchierone, pacchierotto *m.* (*f.* **-a**) ⟨*tosc,scherz*⟩ (*giovane paffuto*) well-fed young man (*f* woman), plump (o chubby) fellow (*f* girl).

pacciamatura *f.* ⟨*Agr*⟩ mulch(ing). – **pacciame** *m.* mulch, dead leaves, leaf-mould. – **pacciume** *m.* ⟨*rar*⟩ → **pacciame**.

pacco *m.* (*pl.* **-chi**) **1.** package, parcel; (*involto*) bundle, pack: ~ *di giornali* bundle of newspapers. – **2.** ⟨*Post,Ferr*⟩ parcel, package: *spedire un* ~ to send a parcel. – **3.** ⟨*Mecc*⟩ assembly, group. – **4.** ⟨*Oref*⟩ gold-leaf before it is put in the shoder. – **5.** ⟨*Comm*⟩ ten-pound lot of cotton.

□ ~ **aereo** air parcel; ~ (*postale*) **assicurato** insured parcel; ~ **dono** gift parcel (o package); ~ **ferroviario** railway parcel; ~ **ingombrante** bulky package; ⟨*Met*⟩ ~ *di* **lamiere** mill pack; ~ **marittimo** sea parcel; ~ **ostetrico** obstetrical kit; ~ **postale** parcel; *a mezzo* ~ *postale* by parcel post; ~ *postale per l'interno* inland parcel; ~ (*postale*) **raccomandato** registered parcel; ~ *a grande* **velocità** fast goods (o freight) parcel; ~ **viveri** food parcel.

paccotiglia *f.* ⟨*rar*⟩ → **paccottiglia**. – **paccottiglia** *f.* **1.** ⟨*Stor,Mar*⟩ goods *pl* taken on board by seamen for private sale. – **2.** ⟨*spreg*⟩ (*merce scadente*) shoddy goods *pl*, poor quality merchandise; (*cosa di poco valore*) cheap stuff, worthless goods *pl*, junk, trash. □ *contratto di* ~ contract between a merchant and mariner specifying the division of profits; *diritto di* ~ mariner's portage rights.

pace *f.* **1.** peace: *in tempo di* ~ in peacetime, in time of peace. – **2.** (*trattato*) peace treaty: *stipulare una* ~ to make a peace treaty. – **3.** (*accordo, armonia*) peace, harmony: *in questa famiglia regna la* ~ peace reigns in this family. – **4.** (*quiete*) peace (and quiet), tranquillity; (*tranquillità d'animo*) peace of mind.

□ **accettare** *la* ~ to accept peace terms; *per* **amor** *di* ~ for the sake of peace and quiet; **andate** *in* ~ go in peace; ~ *dell'***anima** peace of mind; ⟨*Rel*⟩ ~ *all'anima sua* may he (o his soul) rest in peace, God rest his soul; ~ **armata** armed peace; *non* **avere** ~ to have no peace; *non avrò* ~ *finché* I won't rest until; *con* **buona** ~ *di qd.* (*col suo permesso*) with s.o.'s permission, by s.o.'s leave; **che** ~ *in questa casa !* how peaceful (o quiet) this house is !; **chiedere** *la* ~ to seek peace; *non* **darsi** ~ not to resign o.s., to give o.s. no rest; ⟨*Mediev*⟩ ~ *di* **Dio** Peace of God; **essere** *in* ~ to be at peace; *la* ~ **eterna** eternal peace (o rest); **fare** *la* ~ to make peace; (*riconciliarsi*) to make (it) up, to make (one's) peace, to be reconciled (o friends again); **lasciare** *in* ~ to leave alone (o in peace); **mettere** ~ to restore (o make) peace; *mettersi il cuore in* ~ to set one's heart at rest; ~ **onorevole** peace with honour; **prendersela** *in* ~ to accept s.th. calmly, to resign o.s. to s.th.; *la* ~ **pubblica** the (public) peace; ⟨*Mediev*⟩ *la* ~ *del* **re** the King's peace; **riposare** *in* ~ (to) rest in peace; ⟨*Stor.rom*⟩ ~ **romana** Pax Romana, Roman Peace; **santa** ~ *!* good heavens !; *starsene in santa* ~ to be in peace and quiet, to be alone and undisturbed; **senza** ~ restless, uneasy, troubled; *senza* ~ *né tregua* ceaselessly, without respite (o stopping); ~ **separata** separate peace (treaty); ⟨*Bibl*⟩ ~ *in* **terra** *agli uomini di buona volontà* peace on earth to men of good will; *non* **trovare** ~ to find no peace. – *Prov.*: *chi vuol* ~ *apparecchi la guerra* he who wants peace should prepare for war.

paceficare *v.* (pacefico, pacefichi) ⟨*ant*⟩ → **pacificare**.

pacenz(i)a *f.* → **pazienza**.

pacere *m.* ⟨*ant*⟩ → **paciere**.

pacfong *m.* ⟨*Met*⟩ packfong, pa(c)ktong.

pachi|acria *f.* ⟨*Med*⟩ pachyacria. – **~blefaria** *f.* pachyblepharon. – **~cefalia** *f.* ⟨*Med*⟩ pachycephalia, pachycephaly. – **~cefalo I** *a.*

pachycephalic, pachycephalous. – **II** *s.m.* (*f.* **-a**) pachycephalous person.

pachidẹrma *m.* **1.** ⟨*Zool*⟩ pachyderm. – **2.** *pl.* ⟨*Zool*⟩ pachyderms *pl* (*Pachydermata*). – **3.** ⟨*fig*⟩ (*persona grossa*) elephant. – **4.** ⟨*fig*⟩ (*persona poco sensibile*) thick-skinned (*o* callous) person. – **pachidermịa** *f.* ⟨*Med*⟩ pachyderm(i)a. – **pachidẹrmico** *a.* (*pl.* **-ci**) **1.** (*pesante*) heavy, elephantine, elephant-like. – **2.** ⟨*fig*⟩ (*grossolano*) rough, coarse; (*rif. a sensibilità*) callous, thick-skinned, insensitive, pachydermatous. – **pachidẹrmo** *m.* ⟨*non com*⟩ → **pachiderma.**

pachi|girịa *f.* ⟨*Med*⟩ pachygyria, macrogyria. – **~menịnge** *f.* ⟨*Anat*⟩ pachymeninx, dura mater. – **~meningịte** *f.* ⟨*Med*⟩ pachymeningitis. – **~onichịa** *f.* pachyonychia, pachyonyxis. – **~peritonịte** *f.* pachyperitonitis. – **~pleurịte** *f.* pachypleuritis.

pachịpode I *a.* ⟨*Paleont*⟩ having an over-developed lower part of the body. – **II** *s.m.* figure showing an over-developed lower part of the body. – **pachịpodi** *m.pl.* stegosaurs *pl* (*Pachypoda*).

pachistạno *a./s.* → **pakistano.**

pachivaginalịte *f.* ⟨*Med*⟩ pachyvaginalitis.

paciạre *v.t.* (**pạcio, pạci**) ⟨*ant*⟩ (*pacificare*) to pacify. – **paciạro** ⟨*ant*⟩ **I** *a.* peacemaking. – **II** *s.m.* → **paciere.**

paciẹnza *f.* ⟨*ant,region*⟩ (*pazienza*) patience, forbearance.

paciẹre *m.* (*f.* **-a**) peacemaker, make-peace, mediator. – **pacịfero** *a.* ⟨*lett*⟩ **1.** (*che simbolizza la pace*) symbolizing peace; (*che porta pace*) peace-bearing. – **2.** (*di pace*) of peace. – **pacificạbile** *a.* pacifiable. – **pacificamẹnte** *avv.* pacifically, peaceably; (*tranquillamente*) quietly, peacefully, tranquilly. – **pacificamẹnto** *m.* ⟨*non com*⟩ → **pacificazione.**

pacificạre *v.t.* (**pacịfico, pacịfichi**) **1.** to pacify, to placate. – **2.** (*riconciliare*) to reconcile, to bring together again, to make peace between. – **3.** ⟨*fig*⟩ (*tranquillizzare*) to pacify, to calm, to tranquillize. – **pacificarsi** *v.r.* **1.** to become reconciled (*con* to), to make peace, ⟨*fam*⟩ to make (it) up (with). – **2.** ⟨*fig*⟩ (*acquietarsi*) to calm down, to grow quiet.

pacificatọre I *s.m.* (*f.* **-trice**) peacemaker, conciliator. – **II** *a.* peacemaking, pacificatory, conciliatory: *azione pacificatrice* work of peace, peacemaking, pacification. – **pacificaziọne** *f.* **1.** pacification. – **2.** (*riconciliazione*) reconciliation.

pacịfico *a./s.* (*pl.* **-ci**) **I** *a.* **1.** (*amante della pace*) peaceful, peaceable, peace-loving: *essere di indole -a* to be a peaceful sort. – **2.** (*di pace, in pace*) peaceful, pacific. – **3.** (*tranquillo*) peaceful, calm, tranquil: *esistenza -a* peaceful existence. – **4.** (*incontestabile*) indisputable, unquestionable: *un'affermazione -a* an indisputable statement; (*ovvio*) obvious, clear: *è ~ che tu abbia ragione* it is clear that you are right, you are unquestionably right. – **5.** ⟨*lett*⟩ (*che dà la pace*) pacific. – **II** *s.m.* **1.** lover of peace, peaceable person. – **2.** *pl.* ⟨*Stor*⟩ officers *pl* of the peace. □ ⟨*Bibl*⟩ *beati i -i* blessed are the peacemakers.

Pacịfico *N.pr.m.* ⟨*Geog*⟩ (*anche oceano Pacifico*) Pacific (Ocean).

pacifịsmo *m.* pacifism, love of peace. – **pacifịsta I** *s.m./f.* pacifist. – **II** *a.* → **pacifistico.** – **pacifịstico** *a.* (*pl.* **-ci**) pacifist(ic).

pacifondạio I *a.* peace-mongering. – **II** *s.m.* (*f.* **-a**) peace-monger.

pacioccọne ⟨*fam*⟩ **I** *s.m.* (*f.* **-a**) fat easy-going person. – **II** *a.* (*grassoccio*) fat, chubby, plump; (*bonaccione*) easy-going, good-natured, placid.

paciọne ⟨*fam*⟩ **I** *s.m.* (*f.* **-a**) easy-going (*o* good-natured, peaceable) person, lover of peace (and quiet). – **II** *a.* quiet, tranquil, easy-going, good-natured, calm, peaceable.

paciọso *a.* ⟨*region*⟩ easy-going, placid, peaceable, quiet.

paciulì *m.* **1.** ⟨*Bot*⟩ patchouly (*o* patchouli) plant (*Pogostemon patchouli*). – **2.** (*essenza*) patchouly (*o* patchouli) oil.

pack *ingl.* [pæk] *m.* ⟨*Geol*⟩ pack(-ice).

pạco *m.* (*pl.* **-chi**) ⟨*Zool*⟩ (*alpaca*) alpaca, paco (*Lama pacos, Auchenia pacos*).

pacotịglia *f.* ⟨*rar*⟩ → **paccottiglia.**

padanità *f.* characteristics *pl* of the Po Valley and its inhabitants. – **padạno** *a.* Po-, Po River-: *pianura -a* Po Valley.

padẹlla *f.* **1.** (frying-)pan: *friggere il pesce in ~* to fry fish in a frying-pan. – **2.** (*recipiente per malati*) bed-pan. – **3.** (*scaldino*) warming-pan. – **4.** ⟨*Teat*⟩ (*riflettore*) floodlight. – **5.** ⟨*Vetr*⟩ pot, crucible. – **6.** ⟨*venat*⟩ miss. – **7.** ⟨*region*⟩ (*macchia d'unto*) oil (*o* grease) spot. – **8.** ⟨*ant*⟩ (*lampada per illuminazione*) (tallow) lamp. □ ⟨*fig*⟩ *cadere dalla ~ nella brace* to jump out of the frying-pan into the fire; *~ delle bruciate* (*per le castagne*) chestnut roaster; ⟨*venat,Sport*⟩ *fare ~* to miss; *pesce in ~* fried fish; ⟨*scherz*⟩ *la ~ dice al paiolo: fatti in là che mi tingi* (it's a case of) the pot calling the kettle black.

padellạio *m.* **1.** (*fabbricante*) maker of frying-pans. – **2.** (*venditore*) seller of frying-pans. – **padellạta** *f.* **1.** (*quantità*) panful. – **2.** ⟨*rar*⟩ (*colpo*) blow with a (frying-)pan. – **padellẹtta** *f. dim. di* **padella.** – **padellịna** (*dim. di padella*) *f.* (*per farvi sgocciolare la cera*) plate for candle drippings. – **padellịno** *m. dim. di* **padella.** – **padellọna** *f. accr. di* **padella.** – **padellọne** (*accr. di padella*) *m.* **1.** ⟨*Teat*⟩ floodlight. – **2.** ⟨*Pesc,region*⟩ (*bilancia*) square fishing-net, trawl-net. – **padellụccia** *f.* (*pl.* **-ce**) *dim. di* **padella.**

padiglioncẹllo, padiglioncịno *m. dim. di* **padiglione.**

padigliọne *m.* **1.** pavilion: *~ di un ospedale* hospital pavilion (*o* ward). – **2.** ⟨*Arch*⟩ pavilion. – **3.** (*tenda*) pavilion, (large) tent. – **4.** (*baldacchino*) canopy, tester, baldachin; (*del letto*) canopy, tester. – **5.** (*su porte finestre e sim.*) canopy. – **6.** (*nella lancia*) hand guard. – **7.** ⟨*Anat*⟩ pavilion. – **8.** ⟨*Tel*⟩ (*auricolare*) earpiece, earcap; (*cuffia*) earphone. – **9.** ⟨*Mar*⟩ shrouds and stays *pl*, rigging. – **10.** ⟨*Arald*⟩ pavilion, mantle. – **11.** ⟨*Mus*⟩ pavillon, bell. – **12.** ⟨*Oref*⟩ pavilion. □ *~ di* **caccia** hunting-lodge (*o* pavilion); *~ d'***esposizione** (exhibition) pavilion; **letto** *a ~* canopy bed, four-poster; *~ del letto* canopy, tester; ⟨*Anat*⟩ *~ dell'***orecchio** auricle, pavilion of the ear, pinna; *~ della* **salpinge** pavilion of the oviduct, infundibulum; **tetto** *a ~* hipped (*o* pavilion) roof.

padiscià *m.* padishah.

pạdo *m.* ⟨*Bot*⟩ bird-cherry tree (*Prunus padus*).

Pạdova *N.pr.f.* ⟨*Geog*⟩ Padua.

padovạna *f.* ⟨*Mus*⟩ pavan(e).

padovanẹlla *f.* **1.** sulky. – **2.** *pl.* ⟨*Teat*⟩ quips *pl.*

padovạno I *a.* Paduan, of Padua. – **II** *s.m.* **1.** (*dialetto*) Paduan (dialect). – **2.** (*abitante*; *f.* **-a**) Paduan, native (*o* inhabitant) of Padua.

pạdre *m.* **1.** father (*anche fig.*): *è stato un ~ per me* he has been (like) a father to me; (*rif. ad animali*) sire, father. – **2.** *pl.* (*antenati*) forefathers *pl*, ancestors *pl.* – **3.** ⟨*fig*⟩ (*iniziatore*) father. – **4.** ⟨*Rel*⟩ father: *~ guardiano* (Father) Guardian. – **5.** *pl.* ⟨*Rel*⟩ (*congregazione*) Fathers *pl.* – **6.** ⟨*Teol*⟩ (God the) Father. – **7.** (*progenitore*) (fore)father, progenitor. – **8.** ⟨*Bibl*⟩ (*patriarca*) patriarch, (Scriptural) father. – **9.** *pl.* ⟨*Stor.rom*⟩ (*patrizi*) patricians *pl*; (*senatori*) senators *pl.* – **10.** (*con nomi di artisti*) maestro, master. – **11.** ⟨*fig,rar*⟩ (*causa*) source, origin, father.

□ *~* **adottivo** adoptive father, foster-father; **amore** *di ~* paternal love, love of a father; *-i* **apostolici** Apostolic Fathers; **beatissimo** *~* = **santo** *padre*; *-i della* **Chiesa** Fathers of the Church; *-i* **conciliari** Council Fathers; ⟨*Stor.rom*⟩ *-i* **coscritti** conscript fathers, senators *pl*; ⟨*Rel*⟩ ≈ **Eterno** Eternal Father; *~ di* **famiglia** father (of a family); ⟨*Dir*⟩ pater familias, head of a household; ⟨*Rel*⟩ *~* **generale** (Father) General; ⟨*Teat*⟩ *~* **nobile** heavy father; ≈ **nostro** → **padrenostro**; *per* **parte** *di ~* on one's father's side, paternal; *~ della* **patria** father of the country; ⟨*Stor*⟩ *-i* **pellegrini** Pilgrim Fathers; *il* **primo** *~* (*Adamo*) Adam; *~* **putativo** putative father; **rendere** *~ qd.* to bear s.o. a child; **santo** *~* (*il Papa*) Holy Father; *~* **spirituale** spiritual father, father confessor. – *Prov.*: *a ~ avaro, figliol prodigo* a miserly father will have a prodigal son.

padreggiạre *v.i.* (**padrẹggio, padrẹggi**; *aus.* **avere**) ⟨*ant*⟩ to take after one's father.

padrenọstro (o *Pạdre nọstro*) *m.* ⟨*Rel*⟩ Lord's Prayer, Our Father: *recitare il ~* to say the Lord's Prayer.

padretẹrno *m.* **1.** Eternal Father, God the Father. – **2.** ⟨*fig*⟩ (*persona presuntuosa*) presumptuous person, ⟨*fam*⟩ God Almighty: *credersi un ~* to think one is God Almighty. – **3.** ⟨*scherz*⟩ (*pezzo grosso*) ⟨*fam*⟩ bigwig, big shot. □ *fare il ~* to lord it, ⟨*fam*⟩ to act big.

padrịgno *m.* stepfather.

padrịno *m.* **1.** (*di battesimo*) godfather (at christening); (*di cresima*) sponsor (at confirmation). – **2.** (*nei duelli*) second.

padrọna *f.* **1.** employer, ⟨*fam*⟩ boss (*anche fig.*). – **2.** (*dominatrice*) mistress, ruler. – **3.** (*possidente*) proprietress, owner. – **4.** (*ostessa*) hostess, innkeeper's wife. – **5.** (*capo*) mistress, head, chief, ⟨*fam*⟩ boss. – **6.** (*in relazione ad animali domestici*) mistress. □ *~ di casa*: 1. mistress (*o* lady) of the house; 2. (*per l'inquilino*) landlady; 3. (*per l'ospite*) hostess.

padronạggio *m.* ⟨*ant*⟩ (*dominio, padronanza*) mastery, control, domination.

padronạle *a.* **1.** (*del padrone*) master's, owner's, of a master, of an owner: *casa ~* owner's house, manor-house; (*principale*) main, master: *bagno ~* main bathroom. – **2.** (*di proprietà*) private: *automobile ~* private car. – **3.** (*imprenditoriale*) employers', managerial: *associazione ~* employers' association.

padronạnza *f.* **1.** mastery, command, control, rule: *~ dei mari* mastery of the seas. – **2.** (*diritto del padrone*) ownership, proprietorship, mastership. – **3.** ⟨*fig*⟩ (*conoscenza perfetta*) mastery, command, thorough knowledge. – **4.** ⟨*fig*⟩ (*controllo*) control, command: *perdere la ~ di sé* to lose control of o.s. – **5.** (*arroganza*) arrogance, overbearing manner, ⟨*fam*⟩ bossiness. □ *aria di ~* domineering manner; *avere ~ dell'inglese* to have ⌜a good command⌝ (*o* an excellent knowledge) of English.

padronạto *m.* **1.** (*datori di lavoro*) employers *pl.* – **2.** ⟨*tosc*⟩ (*proprietà rustica*) estate, country property. – **3.** ⟨*ant*⟩ (*patronato*) patronage. □ ⟨*tosc*⟩ *di ~* (*padronale*) owner's, master's.

padroncịno (*dim. di padrone*) *m.* (*f.* **-a**) ⟨*roman*⟩ (*tassista proprietario*) taxi-driver who owns his taxi.

padrọne *m.* (*f.* **-a**) **1.** master, ⟨*fam*⟩ boss. – **2.** (*proprietario*) proprietor, owner: *il ~ del podere* the estate owner; (*in relazione ad animali domestici*) master. – **3.** (*imprenditore*) contractor; (*datore di lavoro*) employer; (*capo*) chief, head, master, ⟨*fam*⟩ boss. – **4.** *pl.* (*per la servitù*) master and mistress, employers *pl.* – **5.** (*dominatore*) master, ruler, commander, dominator. – **6.** ⟨*fig*⟩ (*perfetto conoscitore*) master. – **7.** (*oste*) host, innkeeper. – **8.** ⟨*Mar*⟩ (ship's) master, commander, skipper. – **9.** ⟨*esclam*⟩ all right then, you're your own master, go on: *vuoi andartene? – ~!* do you want to leave? – ⌜you're quite free to⌝ (*o* who's stopping you?). – **10.** ⟨*ant*⟩ (*titolo*) master, sire. – **11.** ⟨*ant*⟩ (*patrono*) patron, protector.

□ **a** *~* (*a servizio*) in service: *andare a ~* to go into service; *essere a ~ da qd.* to be in s.o.'s service; *~ di* **bottega** shopkeeper, shop-owner; ~ *di* **casa**: 1. master (of the house), householder; 2. (*per l'inquilino*) landlord; 3. (*per l'ospite*) host; **essere** ~: 1. to be master, to be in charge (*o* command), ⟨*fam*⟩ to be the boss; 2. ⟨*fig*⟩ (*avere libertà di scelta*) to be free (to choose): *ognuno è ~ di fare ciò che vuole* everyone is free to do as he chooses (*o* thinks fit); 3. ⟨*fig*⟩ (*controllare*) to be master (*o* in command), to (have s.th. under) control: *essere ~ dei propri nervi* to have control of one's nerves; 4. ⟨*fig*⟩ (*conoscere perfettamente*) to be master of, to know thoroughly (*o* perfectly): *essere ~ di una lingua* to be master of a language, to know a language perfectly; ~ *di* **fabbrica** factory -owner; **farla** *da* ~ (*spadroneggiare*) to lord it, to play the lord and master; ~ **marittimo** (ship's) master, skipper; ⟨*scherz*⟩ ~ *del* **vapore** powerful industrialist, captain of industry. – *Prov.*: *tal ~, tal servitore* like master, like man.

padroneggiạre *v.t.* (**padronẹggio, padronẹggi**) **1.** (*dominare*) to rule, to sway, to command: ~ *la folla* to sway the crowd. – **2.** ⟨*fig*⟩ (*controllare*) to master, to control: ~ *i propri sentimenti* to control one's feelings. – **3.** ⟨*fig*⟩ (*conoscere perfettamente*) to master, to know thoroughly: ~ *una materia* to master a subject. – **padroneggiarsi** *v.r.* to control (*o* master) o.s., to keep a (tight) rein on o.s., to retain one's self-control.

padronẹsco *a.* (*pl.* **-chi**) ⟨*spreg*⟩ lordly, arrogant, haughty: *atteggiamenti padroneschi* lordly attitudes.

padronịssimo *intz.* ⟨*pop*⟩ just as you like, all right then, go on, you're your own master.

paduạna *f.* → **padovana.**

padụk *m.* (*legname*) padauk, padouk.

padulạno ⟨*tosc*⟩ **I** *a.* (*di palude*) swamp-, bog-, marsh-. – **II** *s.m.* (*f.* **-a**) marsh-dweller. – **padụle** *m./ant.f.* ⟨*tosc*⟩ (*palude*) swamp, bog, marsh. – **padulọso** *a.* ⟨*tosc*⟩ (*paludoso*) swampy, marshy, boggy.

paesạccio *m. pegg. di* **paese.**

paesạggio *m.* **1.** landscape, countryside: ~ *autunnale* autumn landscape; (*fisionomia particolare di una regione*) scenery, landscape: ~ *montano* mountain scenery. – **2.** (*veduta*) view, panorama, scene. – **3.** ⟨*Pitt*⟩ landscape. – **4.** ⟨*Fot*⟩ landscape (*o* scenic) photograph. ☐ ~ *desertico* desertscape; *difesa del ~* conservation of ⌜the countryside⌝ (*o* nature); ~ *fluviale* river landscape; ~ *marino* seascape; ~ *tropicale* tropical landscape.

paesaggịsta *m./f.* → **paesista.** – **paesaggịstico** *a.* → **paesistico.**

paesanịsmo *m.* ruralism, rural nature.

paesạno I *a.* **1.** (*del villaggio*) village-. – **2.** (*rustico*) country, rural, rustic: *costumi -i* country (*o* rural) customs. – **3.** ⟨*non com*⟩ (*del luogo*) local, native, indigenous. – **II** *s.m.* (*f.* **-a**) **1.** (*abitante di un piccolo centro*) townsman (*f* -woman); (*abitante di villaggio*) villager. – **2.** ⟨*region*⟩ (*compaesano*) fellow townsman, fellow villager. – **3.** ⟨*region*⟩ (*contadino*) countryman (*f* -woman), peasant. – **4.** ⟨*non com*⟩ (*persona del luogo*) local, native. ☐ *alla -a* country-style, after the country fashion, as countryfolk do.

paesạnte *m.* ⟨*ant*⟩ → **paesista.**

paẹse *m.* **1.** country, land, region, territory. – **2.** (*patria*) country, (native) land. – **3.** (*centro abitato*) (small) town, (rural) centre; (*villaggio*) village: ~ *di montagna* mountain village. – **4.** ⟨*collett*⟩ (*paesani: di un centro*) town, townspeople *pl*; (*di un villaggio*) village, villagers *pl.* – **5.** ⟨*non com*⟩ (*paesaggio*) landscape.

☐ ⟨*Comm*⟩ ~ **acquirente** purchasing country; ~ **adottivo** adoptive country, country of adoption; ~ **agricolo** agricultural country (*o* nation); ⟨*Pol*⟩ *-i non* **allineati** non-aligned countries; *l'***altro** ~ (*l'altro mondo*) the hereafter, the next world, the life to come; ~ **associato** = *paese* **membro**; ⟨*Geog*⟩ *Paesi* **Bassi** Low Countries (*denom. uff.*: *Regno dei Paesi Bassi* Kingdom of the Netherlands); *il* **bel** ~ (*l'Italia*) Italy; ⟨*Alim*⟩ *bel* ~ Bel Paese (cheese); ⟨*Stor*⟩ ~ ⌜*di* **capitolazione**⌝ (o *fuori cristianità*) country affording capitulatory rights; *di* **che** ~ *è?* what country (*o* town) is he from?, where does he come from?; ~ *d'***emigrazione** country of emigration; ⟨*Econ*⟩ ~ *d'***emissione** issuing country; ~ **esportatore** exporting country, exporter; ~ **firmatario** signatory country; ~ *d'***immigrazione** country of immigration; ~ **importatore** importing country, importer; ⟨*Pol*⟩ *-i* **indipendenti** independent nations (*o* countries); ~ **industriale** industrial nation; ~ **libero** free country; ⟨*pop*⟩ **mandare** *qd. a quel* ~ to tell s.o. to go to hell; ~ *di* **mare** (*nazione*) maritime nation (*o* country); (*centro abitato*) seaside (town); ~ **membro** member nation (*o* country); *da tutti i -i del* **mondo** from the whole world, from every country; ~ *d'***oltremare** overseas country; ~ *d'***origine** country of origin; ~ **ospitante** host country; ~ **partecipante** participant nation; ~ *di* **pianura** (*regione*) flat country, lowland; (*centro abitato*) plains village; ~ **produttore** producing country; ~ *di* **provenienza** country of provenance; ~ *di* **residenza** country of residence; ~ **satellite** satellite (country); ~ **sottosviluppato** underdeveloped nation (*o* country); ~ *in via di* **sviluppo** developing (*o* emerging) nation; *-i* **terzi** countries outside a bilateral agreement; ~ *di* **transito** country of transit; ~ **unionista** unionist (nation). – *Prov.*: *tanti -i, tanti costumi* (*paese che vai, usanza che trovi*) when in Rome do as the Romans do.

paesẹllo (*dim. di paese*) *m.* small village, hamlet. ☐ *tornare al ~* (*tornare a casa propria*) to go home. – **paesẹtto, paesịno** (*dim. di paese*) *m.* → **paesello.**

paesịsta *m./f.* ⟨*Pitt*⟩ landscape painter, landscapist. – **paesịstico** *a.* (*pl.* **-ci**) **1.** scenic: *bellezze paesistiche* scenic beauties. – **2.** ⟨*Art*⟩ rural, rustic, country-. – **3.** ⟨*Lett*⟩ landscape, pastoral.

paesọne, paesọtto *m. accr. di* **paese.** – **paesụccio, paesụcolo** *m.* ⟨*spreg*⟩ *dim. di* **paese.**

paf(fete) *onom.* smack.

paffutẹllo *a. dim. di* **paffuto.** – **paffutẹzza** *f.* chubbiness, plumpness. – **paffụto** *a.* chubby, plump: *guance -e* chubby cheeks.

pag. = *pagina* page (*abbr.* p., pg.).

pạga I *f.* **1.** pay, wages *pl*, wage: *aumentare la ~ agli operai* to raise the workers' pay; *quanto hai di ~?* what are your wages?, what's your pay?; (*stipendio*) pay, salary. – **2.** (*atto del pagare*) pay, payment: *giorno della ~* pay-day. – **3.** ⟨*fig*⟩ (*ricompensa*) thanks *pl*, reward. – **4.** ⟨*ant*⟩ (*rata di pagamento*) instalment, payment. – **5.** ⟨*ant*⟩ (*chi riceve una mercede*) paid person; (*soldato*) mercenary. – **II** *m./f.* ⟨*spreg*⟩ (*pagatore*) payer.

☐ ~ **base** basic wage rate, base rate; **busta** ~ pay-packet, ⟨*am*⟩ pay envelope; ~ **giornaliera** daily wage (*o* pay); ~ **iniziale** starting wage; ~ **intera** full pay; ~ **lorda** (o *al lordo*) gross salary; ~ **mensile** monthly salary; *lavorare a* **mezza** ~ to work for half pay; ⟨*Stor*⟩ **moneta** *di paghe* coin of payment; ~ **morta** → **pagamorta**; ~ **netta** (o *al netto*) net pay; ~ **oraria** (o *all'ora*) pay by the hour, hourly pay; ⟨*Mar*⟩ ~ *e* **panatica** wages and board; ⟨*fig*⟩ **per** ~ (*per ricompensa*) in return, as thanks; ~ **quindicinale** fortnightly pay; ~ **settimanale** weekly salary; **ufficio** ~ pay-office.

pagạbile *a.* (*che si può pagare*) payable, due.

☐ ~ *in* **anticipo** payable in advance; ~ *alla* **consegna** payable (*o* payment) on delivery, cash on delivery, C.O.D.; ~ *in* **contanti** payable in cash, for cash payment; ~ *a* **domicilio** payable at the address of payee; ~ *all'***ordine** payable to order; ~ *al* **portatore** payable to bearer; ~ *alla* **presentazione** payable ⌜upon presentation⌝ (*o* at sight); ~ *a* **rate** payable in instalments; ~ *a* **richiesta** payable upon demand; ~ *alla* **scadenza** payable on maturity; ~ *a* **vista** payable at sight.

pagạia *f.* **1.** (*remo a una pala*) (canoe) paddle. – **2.** (*remo a due pale*) (double-bladed) paddle.

pagamẹnto *m.* **1.** payment: *effettuare un ~* to make (*o* effect) a payment; (*rif. a salari*) payment, pay: *giorno di ~* pay-day. – **2.** (*versamento*: *atto*) payment, paying-in; (*effetto*) payment, deposit, sum paid in. – **3.** (*somma*) sum, amount (of money). – **4.** ⟨*fig,rar*⟩ (*ricompensa, premio*) reward, thanks *pl*, return.

☐ **accettare** *in* ~ to accept as payment; ~ **acconto** down payment, deposit; ~ **annuale** annual payment; ~ **anticipato** payment in advance, advance payment, prepayment; ~ **arretrato** overdue payment, arrears *pl*; ~ *a mezzo* **assegno** payment by cheque; ~ *contro* **assegno** cash on delivery; ~ *in pronta* **cassa** cash payment; **cessare** *i -i* to stop payment; **condizioni** *di* ~ terms of payment; ~ *alla* **consegna** cash on delivery; ~ *in* **contanti** cash payment, payment cash down; ~ *a* **conto** payment on account, part-payment; **dare** *in* ~ to give as payment; **dietro** ~ for payment; **differire** (o *dilazionare*) *il* ~ to defer payment; ~ **differito** (o *dilazionato*) deferred payment; ~ *dei* **dividendi** payment of dividends; ~ *contro* **documenti** payment against documents; **facilitazioni** *di* ~ easy terms; ~ **forfettario** flat(-rate) payment, lump sum payment; ~ *d'***interessi** payment of interest; *-i* **internazionali** international payments; ~ *per* **intervento** payment ⌜for honour⌝ (*o* supra protest); ~ **liberatorio** payment in full, settlement; **luogo** *di* ~ place of payment; **mancato** ~ non -payment, failure to pay, default; *per* **mancato** ~ in default of payment; ~ **mensile** monthly payment (*o* instalment); ~ *in* **natura** payment in kind; ~ **parziale** part-payment; ~ **posticipato** deferred payment; **prendere** *in* ~ to take (*o* accept) as payment; **presentare** *per il* ~ to submit (*o* present) for payment; ~ **rateale** (o *a rate*) payment by instalments, hire-purchase, H.P., instalment plan; **rifiutare** *il* ~ to refuse (*o* decline) payment; ~ *a* **saldo** payment of balance, final payment; ~ *alla* **scadenza** payment on maturity; ~ **scaduto** overdue payment; ~ **semestrale** biannual payment; **sospendere** *i -i* to stop payment; ~ *a titolo di* **tacitazione** compensation, settlement.

pagamọrta *f.* ⟨*Stor*⟩ soldier not present in the ranks.

paganeggiạre *v.* (**paganẹggio, paganẹggi**) **I** *v.i.* (*aus.* **avere**) (*mostrarsi pagano*) to paganize, to act in a pagan manner. – **II** *v.t.* ⟨*ant*⟩ (*rendere pagano*) to heathenize, to paganize, to make pagan.

paganẹllo *m.* ⟨*Itt*⟩ rock goby (*Gobius paganellus*).

paganẹsimo *m.* **1.** paganism, heathenism. – **2.** (*atteggiamento paganeggiante*) paganism. – **3.** ⟨*non com*⟩ (*pagani*) heathendom, pagan world, pagans *pl*, ⟨*non com*⟩ pagandom. – **paganẹsmo** *m.* ⟨*ant*⟩ → **paganesimo.** – **paganịa** *f.* ⟨*ant*⟩ **1.** heathendom, pagan lands *pl.* – **2.** (*pagani*) pagans *pl*, heathendom. – **paganịsmo** *m.* ⟨*ant*⟩ → **paganesimo.** – **paganizzạre I** *v.t.* ⟨*non com*⟩ to paganize, to heathenize, to make pagan. – **II** *v.i.* (*aus.* **avere**) ⟨*rar*⟩ (*paganeggiare*) to paganize, to act like a pagan, to act in a pagan manner. – **paganizzaziọne** *f.* paganization, heathenizing. – **pagạno I** *a.* **1.** pagan, heathen. – **2.** (*non cristiano*) infidel, non-Christian. – **II** *s.m.* (*f.* **-a**) **1.** pagan, heathen. – **2.** (*infedele*) infidel.

pagạnte (*p.pr. di pagare*) *a.* paying: *malato ~* paying patient.

pagạre *v.t.* (**pạgo, pạghi**) **1.** to pay: ~ *la pigione* to pay the rent; (*in cambio di qc.*) to pay for: *quanto hai pagato quel vestito?* how much did you pay for that dress? – **2.** (*versare*) to pay (in), to deposit. – **3.** (*offrire*) to stand, to pay, to buy, to treat: ~ *qc. a qd.* to treat s.o. to s.th., to stand (*o* buy) s.o. s.th.; ~ *una cena a qd.* to stand s.o. a dinner, to take s.o. out to dinner; *pago io da bere* I'm buying drinks, ⟨*fam*⟩ drinks are on me, ⟨*fam*⟩ have a drink on me. – **4.** ⟨*fig*⟩ (*ricompensare*) to (re)pay, to recompense; (*contraccambiare*) to (re)pay, to pay back, to return: ~ *di egual moneta* to repay in like coin. – **5.** ⟨*fig*⟩ (*scontare*) to pay for: *me la pagherai* you'll pay for it. – **6.** ⟨*fig*⟩ (*dare*: *in frasi esclamative*) to give: *cosa pagherebbe per essere promosso !* ⌜what wouldn't he give⌝ (*o* he'd give anything) to pass ! – **pagarsi** *v.r.* to ensure o.s. of a profit, ⟨*fam*⟩ to take care of o.s.

□ ~ *in* **acconto** to pay on account, to make a part-payment; ~ ⌜*in* **anticipo**⌝ (o *anticipatamente*) to pay in advance, to prepay; ~ *un* **assegno** to cash a cheque; ~ *una* **cambiale** to pay (*o* honour) a bill; ~ *a cambiali* to pay by draft; ⟨*fig*⟩ *gliela farò* ~ **cara** I'll make him pay dearly for it; ~ *caro qc.* to pay a lot (*o* high price) for s.th.; ⟨*fig*⟩ to pay dearly for s.th.; ~ *a* **chiacchiere** to put off with talk; ~ *in* **contanti** to pay cash (down); ~ *un* **debito** to pay a debt, to settle up; **far** ~ to charge: *quanto ti hanno fatto* ~ *quelle scarpe?* how much were you charged for those shoes?; ~ *il* **giorno** *del poi e l'anno del mai* to put off paying indefinitely; ~ *per* **intero** to pay up (*o* in full); ~ **mese** *per mese* to pay monthly; ~ *un* **occhio** *della testa* to pay through the nose; ⟨*Comm*⟩ *per me pagate all'***ordine** *di* pay to the order of; ~ *la* **pena** to pay the penalty (*o* reckoning); ⟨*fig*⟩ ~ *di* **persona** to meet one's responsibilities squarely, ⟨*fam*⟩ to face the music; ~ *qc. a* **peso** *d'oro* to pay its weight in gold for s.th.; ~ **poco** not to pay much, to pay little; (*rif. a datori di lavoro e sim.*) to pay poorly; ~ **posticipatamente** to defer (*o* delay) payment; ~ *a* **rate** to pay by instalments. – *Prov.*: *Dio non paga il sabato* the mills of God grind slowly.

pagatore I *s.m.* (*f.* **-trice**/*rar.* **-tora**) payer: ~ *moroso* defaulting payer. – **II** *a.* pay-: *ufficiale* ~ paymaster.

pagatoria *f.* treasury pay office.

page *fr.* [pa:ʒ]: *à la* ~ (*al corrente*) up-to-date: *essere à la* ~ to be up-to-date.

pagella *f.* **1.** ⟨*Scol*⟩ (school) report, report card; (*votazioni*) report, marks *pl.* – **2.** (*tessera dell'azione cattolica*) Catholic Action membership card. – **pagellino** (*dim. di pagella*) *m.* ⟨*Scol*⟩ private school report.

pagello *m.* ⟨*Itt*⟩ kind of sea bream (*Pagellus*). □ ~ *fragolino* kind of sea bream, pandora (*Pagellus erythrinus*).

paggetto (*dim. di paggio*) *m.* (*nei matrimoni*) page. – **paggio** *m.* **1.** ⟨*Stor*⟩ page(boy). – **2.** (*nei matrimoni*) page. □ ⟨*Mod*⟩ *alla* ~ pageboy-: *capelli alla* ~ pageboy hair-style.

pagherò *m.* ⟨*Econ*⟩ I owe you, ⟨*fam*⟩ IOU. □ ~ *cambiario* promissory note, note of hand.

pagina *f.* **1.** page, side. – **2.** (*foglio*) page, sheet; (*di libro*) page, leaf, folio. – **3.** (*contenuto di una pagina*) page. – **4.** ⟨*fig*⟩ (*passo, brano*) page, passage, piece, extract. – **5.** (*episodio*) episode, page, chapter. – **6.** ⟨*Bot*⟩ pagina, blade. – **7.** ⟨*Tip*⟩ page(-proof).

□ ~ **anteriore** recto, right-hand page; ⟨*Tip*⟩ ~ **bianca** blank page; ~ **campione** sample page; ~ **carta** page proof, one-side print; ⟨*Tip*⟩ ~ *in* **folio** folio, folio page (*o* leaf); ⟨*Tip*⟩ **mettere** *in* ~ to make up (into pages), to page (up); ~ **pari** verso, left-hand page; ⟨*Giorn*⟩ **prima** ~ front page; **quarta** ~ classified advertising section; ⟨*Legat*⟩ ~ *di* **rispetto** fly leaf; ⟨*Giorn*⟩ ~ **sportiva** sports page; **terza** ~ literary page; **voltare** ~: 1. to turn over (the page); 2. ⟨*fig*⟩ (*cambiare argomento*) to change the subject; 3. ⟨*fig*⟩ (*mutare sistema*) to turn over a new leaf.

paginare *v.t.* (**pagino**) to page, to paginate. – **paginatura** *f.* pagination, paging. – **paginazione** *f.* **1.** pagination, paging. – **2.** ⟨*Bibliot*⟩ pagination. – **3.** (*impaginazione*) layout, make-up, paging.

paginetta *f. dim. di* **pagina**.

paglia *f.* **1.** straw; (*fuscello*) straw. – **2.** (*oggetto di paglia*) straw object; ⟨*collett*⟩ straw goods. – **3.** (*cappello*) straw hat. – **4.** (*cannuccia per bibite*) (drinking) straw. – **5.** ⟨*tecn*⟩ seam.

□ ~ **artificiale** (artificial) straw; ~ *di* **avena** cat straw; ~ *di* **cereali** cereal straw; **color** ~ straw(-coloured); ~ **compressa** pressed straw; **dare** *la* ~ *alle bestie* to straw the cattle; **filo** *di* ~ (piece of) straw; ~ *da* **foraggio** forage straw; ~ *di* **frumento** wheat straw; ⟨*fig*⟩ *mettere la* ~ *al* **fuoco** (*esporre alle tentazioni*) to expose to temptation; ~ **intrecciata** braided (*o* woven) straw, straw braiding; ~ *da* **lavoro** straw for weaving; **tetto** *di* ~ thatched roof; ~ **trinciata** (o *tritata*) chopped straw, chaff; **uomo** *di* ~ man of straw, straw figure; ⟨*fig*⟩ (*prestanome*) man of straw, dummy, front; *essere come la* ~ *al* **vento** to be changeable (*o* inconstant). – *Prov.*: *o di* ~ *o di fieno purché il corpo sia pieno* keeping one's stomach full is what counts; *molta* ~, *poco grano* much bran and little meal.

pagliaccesco *a.* (*pl.* **-chi**) clownish, clown-like, buffoonish: *atteggiamento* ~ clownish behaviour.

pagliaccetto (*dim. di pagliaccio*) *m.* **1.** (*abito da bambino*) rompers *pl*, romper suit. – **2.** ⟨*Mod*⟩ cami-knickers *pl*, combination garment. – **3.** (*costume per ballerine e sim.*) leotard.

pagliaccia *f.* (*pl.* **-ce**) *pegg. di* **paglia**.

pagliacciata *f.* ⟨*spreg*⟩ buffoonery, clownish act, tomfoolery. – **pagliaccio** *m.* **1.** buffoon, clown, fool, jester. – **2.** ⟨*fig*⟩ clown, buffoon. – **3.** ⟨*ant*⟩ (*paglia*) straw; (*pagliericcio*) (straw) mattress, pallet.

pagliaio *m.* **1.** straw stack (*o* rick); (*mucchio di paglia*) pile of straw. – **2.** (*ambiente*) loft. – **3.** ⟨*ant*⟩ (*cumulo*) heap, pile. – **4.** ⟨*tosc,ant*⟩ (*carbonile*) bunker. □ ⟨*fig*⟩ *dar fuoco al* ~ to add fuel to the flames.

pagliaiolo *m.* ⟨*non com*⟩ **1.** (*venditore*) straw-seller. – **2.** (*lavorante*) straw-worker. – **3.** ⟨*ant*⟩ (*contadino che coltiva grano per la paglia*) grower of grain (for straw). – **4.** ⟨*ant*⟩ (*chi teneva stallaggio*) stabler.

pagliara *f.* ⟨*region*⟩ (*capanna di paglia*) straw hut.

pagliardo: ⟨*ant*⟩ *co(c)chin* ~ (*miserabile*) wretch.

pagliaresca *f.* ⟨*Ornit*⟩ yellow-hammer, yellow bunting (*Emberiza citrinella*).

pagliaresco *a.* (*pl.* **-chi**) ⟨*ant*⟩ (*di paglia*) straw-. – **pagliaro** *m.* ⟨*region*⟩ → **pagliaio**.

pagliarolo *m.* ⟨*Ornit*⟩ **1.** aquatic warbler (*Acrocephalus paludicola*). – **2.** (*forapaglie castagnolo*) moustached warbler (*Lusciniola melanopogon*).

pagliata *f.* ⟨*Gastr,roman*⟩ calf's intestines *pl.*

pagliato *a.* → **paglierino**.

pagliccio *m.* ⟨*non com*⟩ (*paglia minuta*) fine straw, chaff.

pagliereccia *f.* (*pl.* **-ce**) ⟨*Ornit*⟩ rock bunting (*Emberiza cia*).

pagliericcio *m.* **1.** pallet, straw (*o* tick) mattress; (*sacco*) palliasse. – **2.** ⟨*ant*⟩ → **pagliccio**.

paglierino *a.* (*color giallo chiaro*) straw(-yellow), straw(-coloured), strawy.

paglierolo: ⟨*Ornit*⟩ ~ *rugginoso* (*rusignolo d'Africa*) rufous warbler (*Agrobates galactodes*).

paglietano *a.* ⟨*non com*⟩ marsh-: *animale* ~ marsh animal. – **paglieto** *m.* ⟨*non com*⟩ marsh, fen, swamp.

paglietta (*dim. di paglia*) *f.* **1.** ⟨*Mod*⟩ straw hat. – **2.** (*trucioli metallici*) metal shavings *pl*; (*per pulire pentole*) steel wool. – **3.** ⟨*Bot*⟩ palea. – **4.** ⟨*El*⟩ connecting lug (*o* tag). – **5.** *pl.* (*lustrini*) sequins *pl*, spangles *pl.* – **6.** ⟨*napol,spreg*⟩ (*avvocato trafficante*) pettifogger, ⟨*am*⟩ shyster.

paglietto *m.* ⟨*Mar*⟩ mat. □ ~ *lardato* thrummed mat; ~ *turafalle* collision mat(ting).

paglino I *s.m.* straw seat (of a chair). – **II** *a.* → **paglierino**.

pagliolaia *f.* ⟨*Zool*⟩ dewlap.

pagliolato *m.* ⟨*Mar*⟩ ceiling. – **pagliolo** *m.* **1.** ceiling plank, lining piece. – **2.** (*nelle operazioni di stivaggio*) dunnage. – **3.** → **pagliolato**.

paglione (*accr. di paglia*) *m.* ⟨*ant,region*⟩ **1.** → **pagliccio**. – **2.** (*pagliericcio*) (straw) pallet, straw mattress. □ *bruciare il* ~ *con qd.* (*mancare alla promessa*) to break one's promise to s.o.; (*defraudarlo*) to swindle s.o., ⟨*fam*⟩ to do s.o.; (*non pagarlo*) to go off without paying s.o.

pagliosità *f.* ⟨*non com*⟩ strawy nature. – **paglioso** *a.* ⟨*non com*⟩ containing too much straw, strawy.

pagliuca *f.* ⟨*non com*⟩ (*pagliuzza*) (blade of) straw.

pagliume *m.* ⟨*non com*⟩ (loose) straw.

pagliuzza (*dim. di paglia*) *f.* **1.** (blade of) straw. – **2.** (*trucioli di metallo*) steel wool. – **3.** (*quantità minima*) speck, mote. – **4.** *pl.* (*lustrini*) sequins *pl*, spangles *pl.*

pagne *fr.* [paɲ] *m.* ⟨*Etnol*⟩ pagne.

pagnotta *f.* **1.** loaf: *una* ~ *di pane* a loaf (of bread). – **2.** ⟨*mil*⟩ army (*o* ration) bread. – **3.** ⟨*fig,pop*⟩ (*guadagno*) living, earnings *pl*, ⟨*fam*⟩ bread and butter: *per la* ~ for one's living. – **pagnottella** (*dim. di pagnotta*) *f.* ⟨*roman*⟩ (*panino*) roll: ~ *imbottita* filled roll, sandwich. – **pagnottina** *f. dim. di* **pagnotta**.

pago[1] *a.* (*pl.* **-ghi**) ⟨*lett*⟩ (*soddisfatto*) satisfied, content (*di* with): *essere* ~ *di qc.* to be content with s.th. □ *tenersi* ~ to be content (*o* satisfied).

pago[2] *m.* (*pl.* **-gi**) ⟨*Stor.rom*⟩ country district.

pago[3] *m.* ⟨*ant*⟩ (*ricompensa*) pay(ment), recompense, reward. □ ⟨*ant*⟩ *non aver* ~ (*non aver prezzo*) to be priceless (*o* invaluable); *in* ~ *di* (*in cambio di*) in exchange for; *lavorare a* ~ to work for payment.

pagoda *f.* ⟨*Arch,Numism*⟩ pagoda. □ *a* ~ pagoda-like, pagoda-: *tetto a* ~ pagoda roof. – **pagode, pagodo** *m.* ⟨*ant*⟩ → **pagoda**.

pagolino *a./s.* ⟨*ant*⟩ → **paolino**[2].

pagonazzo *a./s.* ⟨*ant*⟩ → **paonazzo**.

pagone *m.* ⟨*ant*⟩ (*pavone*) peacock.

pagro *m.* ⟨*Itt*⟩ porgy, pargo (*Pagrus pagrus*).

paguridi *m.pl.* ⟨*Zool*⟩ hermit crabs *pl* (*Paguridae*). – **paguro** *m.* pagurian, hermit crab.

pah *onom.* bang, pow.

paidologia *f.* ⟨*Ped*⟩ p(a)edology.

paillette *fr.* [pa'jɛt] *f.* (*lustrino*) pai(l)lette, spangle, sequin.

paino *m.* ⟨*region*⟩ (*elegantone*) dandy, fop.

paio[1] *m.* (*pl. le* **paia**) **1.** pair: *un* ~ *di occhiali* a pair of glasses; *ho comprato due -a di calze* I bought two pairs of stockings; (*rif. a selvaggina*) brace: *tre -a di pernici* three brace of partridges. – **2.** (*rif. a persona*) couple, pair, ⟨*fam*⟩ twosome: *insieme fanno un bel* ~ they make a handsome couple, ⟨*iron*⟩ they make a fine pair. – **3.** (*circa due*) couple: *tra un* ~ *d'anni* in a couple of years. □ *a -a* in pairs, by twos; *fare il* ~ to be well-matched (*o* a fine pair); *un* ~ *di forbici* a pair of scissors; *è un altro* ~ *di maniche* that's quite a different matter, ⟨*fam*⟩ that's a different kettle of fish; ⟨*ant*⟩ ~ *di nozze* (*nozze*) wedding, marriage.

paio[2] *pr.ind. di* **parere**.

paiolata *f.* potful, cauldron-full. – **paiolo** *m.* **1.** (copper) pot, cauldron. – **2.** → **paiolata**. – **3.** ⟨*Teat*⟩ (*ballatoio*) flies *pl.*

paisà *m.* ⟨*region*⟩ (*paesano*) fellow villager (*o* townsman).

PAK = ⟨*Aut*⟩ *Pakistan* Pakistan.

paka *m.* ⟨*Bot*⟩ urena (*Urena lobata*).

Pakistan *N.pr.m.* ⟨*Geog*⟩ Pakistan (*denom.uff.*: *Repubblica del Pakistan* Republic of Pakistan). – **pakistano I** *a.* Pakistani, Pakistan. – **II** *s.m.* (*f.* **-a**) Pakistani.

paktong *ingl.* ['pæktɔŋ] *m.* ⟨*Met*⟩ paktong, packfong.

pala[1] *f.* **1.** shovel. – **2.** (*estremità del remo*) blade. – **3.** (*parte del timone*) after-piece of a rudder. – **4.** (*rif. al mulino*: *elemento piano*) vane; (*parte espansa della ruota*) bucket. – 5. (*parte dell'elica, della turbina*) blade. – 6. (*per infornare*) baker's shovel, peel. – 7. ⟨*Mecc*⟩ blade, vane. – 8. ⟨*Zool*⟩ palm. – 9. ⟨*Bot*⟩ flat branch of the prickly pear. ☐ **a** *-e* paddle-: *ruota a -e* paddle-wheel; ⟨*Mar,Aer*⟩ *a due -e* two-bladed: *elica a due -e* two-bladed propeller; ~ *d'***altare** altar-piece; ~ *da* **carbone** coal-shovel; ⟨*Mecc*⟩ ~ **caricatrice** (power) loader, loading shovel, shovel loader; ⟨*fig*⟩ **con** *la* ~ (*in gran quantità*) in plenty, ⟨*fam*⟩ in heaps; *spende i suoi soldi con la* ~ he spends his money ⌜like water⌝ (*o* very freely); ~ *dell'***elica** screw (*o* propeller) blade, propeller vane; ~ *del* **forno** peel; ~ *da* **giardino** (garden) shovel; ⟨*fig*⟩ *prendere la* ~ *per il* **manico** to take things as they come; ~ *da* **neve** snow-shovel; ~ *del* **remo** (oar-)blade; ~ *di* **ruota** *idraulica* paddle; ~ *del* **timone** after-piece of a rudder; ~ *di* **turbina** blade, vane; (*di turbina Pelton*) bucket.

pala[2] *f.* ⟨*region*⟩ **1.** (*montagna*) steep-sided mountain. – **2.** (*pendio*) (steep) mountain slope.

pala[3] *f.* ⟨*Pesc*⟩ (kind of) fishing-net.

pala[4] *m.inv.* ⟨*Zool*⟩ impala, pallah (*Aepyceros melampus*).

palace *ingl.* ['palas] *m.* luxury hotel; (*in denominazioni*) palace.

palacinta *f.* ⟨*pop,tosc*⟩ (*recinto*) enclosure, pen, corral.

palacrina *f.* ⟨*Farm*⟩ (*atebrina*) Atabrine, Atebrin.

paladinesco *a.* (*pl.* **-chi**) ⟨*spreg,iron*⟩ of a champion, paladin-like. – **paladino** *m.* **1.** ⟨*Stor*⟩ paladin. – **2.** ⟨*fig*⟩ (*difensore*) champion, defender, paladin: *fare il* ~ to set o.s. up as a champion, to take up a cause.

palafitta *f.* **1.** ⟨*Etnol*⟩ palafitte, lake (*o* pile-) dwelling. – **2.** ⟨*Edil*⟩ pile(-work), piles *pl*: ~ *per fondazione* foundation pile. ☐ *ponte su -e* pile-bridge. – **palafittare** *v.t.* ⟨*non com*⟩ to pile, to support with piles. – **palafittata** *f.* ⟨*non com*⟩ pile-work. – **palafitticolo I** *a.* **1.** ⟨*Etnol*⟩ (*abitante*) lake-, pile-, living in a lake (*o* pile-) dwelling. – **2.** (*relativo alle palafitte*) lake-, pile-, of a lake (*o* pile-) dwelling: *stazione -a* lake-settlement, lake-village. – **II** *s.m.* (*f.* **-a**) lake-dweller, pile-dweller.

palafreniere, palafreniero *m.* **1.** ⟨*Stor*⟩ palfrenier, footman, groom. – **2.** ⟨*Mil. ant*⟩ (military) riding instructor. – **palafreno** (o *palafreno*) *m.* ⟨*Stor*⟩ **1.** (*cavallo da sella*) palfrey, saddle-horse. – **2.** (*cavallo nobile*) parade-horse.

palagio *m.* ⟨*ant,lett*⟩ → **palazzo.**

palagonite *f.* ⟨*Min*⟩ palagonite. – **palagonitico**: ⟨*Geol*⟩ *tufo* ~ palagonitic tuff.

palaia[1] *f.* ⟨*Itt, region*⟩ (*sogliola*) sole (*Solea solea*).

palaia[2] *f.* **1.** ⟨*Silv*⟩ coppice (for pole-timber). – **2.** ⟨*non com*⟩ (*mucchio di pali*) heap of poles.

palamella *f.* ⟨*Pesc*⟩ esparto cordage.

palamento *m.* ⟨*Mar*⟩ oarage.

palamida *f.* ⟨*region*⟩ → **palamita.**

palamidone *m.* ⟨*scherz*⟩ **1.** (*finanziera lunga*) very long frock-coat; (*cappotto lungo*) long overcoat. – **2.** ⟨*ant*⟩ (*zoticone*) boor, oaf.

palamita *f.* ⟨*Itt*⟩ **1.** (belted) bonito, pelamyd (*Sarda sarda, Pelamys sarda*). – **2.** oceanic bonito, skipjack (*Katsuwonus pelamys, Scomber pelamys*). – **palamitara** *f.* ⟨*Pesc*⟩ (kind of) fishing-net.

palamite, palamito *m.* ⟨*Pesc*⟩ boulter.

palanca[1] *f.* **1.** (*grossa tavola*) plank, board. – **2.** ⟨*Mar*⟩ gangplank. – **3.** ⟨*Mil.ant*⟩ stockade.

palanca[2] *f.* **1.** *pl.* ⟨*fam*⟩ (*denaro*) money, ⟨*fam*⟩ cash. – **2.** ⟨*Numism*⟩ soldo.

palancata *f.*, **palancato** *m.* boarding, board fence.

palanchino *m.* **1.** (*portantina*) palanquin, palankeen. – **2.** (*leva*) crowbar.

palanco *m.* ⟨*ant*⟩ → **paranco.**

palancola *f.* **1.** ⟨*Edil*⟩ sheet pile. – **2.** ⟨*non com*⟩ (*palanca su un canale*) plank(-bridge), foot-bridge. – **palancolata** *f.* sheet piling.

palandara *f.* ⟨*sicil*⟩ → **palamitara.**

palandra[1] *f.* ⟨*Mod*⟩ long fur-lined robe.

palandra[2] *f.* ⟨*Mar*⟩ (*balandra*) bilander.

palandra[3] *m.* ⟨*Ornit*⟩ (*calandro*) tawny (*o* meadow-) pipit, titlark (*Anthus campestris*).

palandrana *f.* **1.** ⟨*Mod*⟩ (man's) long houserobe. – **2.** ⟨*scherz*⟩ (*abito lungo e largo*) long loose garment. – **palandrano** *m.* ⟨*non com*⟩ → **palandrana.**

palangaro *m.* → **palamite.**

palare[1] *v.t.* ⟨*rar*⟩ **1.** to shovel. – **2.** (*rif. ai remi*) to row.

palare[2] *v.t.* ⟨*rar*⟩ to stake, to pile.

palata[1] *f.* **1.** stroke (*o* blow) with a shovel. – **2.** (*quantità*) shovelful. – **3.** (*movimento del remo*) stroke. – **4.** (*bracciata del nuotatore*) stroke. ☐ ⟨*fig*⟩ *a -e* heaps, lots, in plenty: *avere soldi a -e* to have lots (*o* heaps) of money, to have a mint of money.

palata[2] *f.* **1.** ⟨*non com*⟩ palisade. – **2.** ⟨*ant*⟩ (*rif. a fiumi*) chain or rope barrier (for river toll).

palatale I *a.* **1.** palatal, of the palate. – **2.** ⟨*Fon*⟩ palatal. – **3.** ⟨*Anat, rar*⟩ (*palatino*) palatine, palatal. – **II** *s.f.* ⟨*Fon*⟩ (*consonante palatale*) palatal.

palatalizzare *v.t.* ⟨*Fon*⟩ to palatalize. – **palatalizzarsi** *v.r.* to be palatalized. – **palatalizzato** (*p.p. di palatalizzare*) *a.* palatalized. – **palatalizzazione** *f.* palatalization.

palatico *m.* (*pl.* **-ci**) ⟨*Stor*⟩ river toll.

palatinato *m.* ⟨*Stor*⟩ **1.** (*carica*) palatinate, office of a count palatine. – **2.** (*regione*) palatinate, county palatine. – **Palatinato** *N.pr.m.* ⟨*Geog*⟩ Palatine. ☐ ~ *elettorale* Electoral Palatinate; ~ *renano* (o *inferiore*) (Rhine) Palatinate.

palatinità *f.* ⟨*non com*⟩ palatine nature.

palatino[1] **I** *a.* **1.** ⟨*Stor*⟩ palatine: *conte* ~ count palatine. – **2.** ⟨*Rel*⟩ palatine. – **II** *s.m.* ⟨*Stor*⟩ (count) palatine. ☐ ⟨*Lett*⟩ *antologia -a* Palatine Anthology.

palatino[2] **I** *a.* **1.** ⟨*Anat*⟩ palatine: *arteria -a* palatine artery. – **2.** ⟨*Ling,non com*⟩ palatal. – **II** *s.m.* (*osso palatino*) palatine (bone).

palatino[3] *a.* (*del Palatino*) Palatine, of the Palatine.

Palatino *N.pr.m.* ⟨*Geog*⟩ (*anche colle Palatino*) Palatine (Hill).

palatite *f.* ⟨*Veter*⟩ palatitis.

palatizzare *v.* → **palatalizzare.** – **palatizzato** (*p.p. di palatizzare*) *a.* → **palatalizzato.** – **palatizzazione** *f.* → **palatalizzazione.**

palato *m.* **1.** ⟨*Anat*⟩ palate. – **2.** ⟨*fig*⟩ (*gusto*) (sense of) taste, palate: *avere un buon* ~ to have a good palate. – **3.** ⟨*Bot*⟩ palate. ☐ **buono** *al* ~ palatable, savoury, agreeable to the palate; ⟨*Anat*⟩ ~ **duro** hard palate; ~ **molle** soft palate; ~ **ogivo** gothic palate; **osso** ~ palatine (*o* palate) bone; *cibi che* **stuzzicano** *il* ~ appetizing food.

palato|alveolare *a.* ⟨*Fon*⟩ palato-alveolar. – **~dinia** *f.* ⟨*Med*⟩ palatal pain. – **~plastica** *f.* ⟨*Chir*⟩ palatoplasty, uranoplasty.

palatorrafia *f.* ⟨*Chir*⟩ palatorrhaphy, uranorrhaphy.

palatoschisi *f.* ⟨*Med*⟩ palatoschisis, uranoschisis.

palatrice *f.* ⟨*Mecc*⟩ (power) loader, loading shovel, shovel loader.

palatura *f.* ⟨*Agr*⟩ staking.

palazzaccio (*pegg. di palazzo*) *m.* ugly building. – **palazzetto** *m. dim. di* **palazzo.** – **palazzina** (*dim. di palazzo*) *f.* villa, house; (*in città*) town house.

palazzo *m.* **1.** (*palazzo nobiliare*) palace, house: ~ *principesco* prince's palace. – **2.** (*edificio civile*) building, house, block; (*sede di uffici pubblici*) hall, building: ~ *municipale* town- (*o* city) hall; (*casamento*) block of flats, mansions *pl*, ⟨*am*⟩ apartment building, ⟨*spreg*⟩ tenement house, ⟨*spreg*⟩ rookery. – **3.** (*palazzo reale*) palace; (*corte*) court, palace. – **4.** ⟨*ant*⟩ (*palazzo del tribunale*) court-house, law court(s).

☐ ~ **ducale** ducal palace; (*a Venezia*) doge's palace; ~ *per* **esposizioni** exhibition hall (*o* building); ~ *di* **giustizia** law court(s), court-house, ⟨*am*⟩ (central) courts; ~ *delle* **poste** (general) post office; ~ **reale** (royal) palace; **Sacri** *-i* Vatican; ~ *per* **uffici** office block (*o* building); ~ *di* **vetro** (*a New York*) United Nations Building (*o* Secretariat).

palazzone *m. accr. di* **palazzo.** – **palazzotto** *m. dim. di* **palazzo.**

palchettista[1] *m./f.* ⟨*Teat*⟩ box-holder.

palchettista[2] *m.* (*parchettista*) parquetry layer.

palchetto[1] (*dim. di palco*) *m.* **1.** (*ripiano*) shelf, board. – **2.** ⟨*Teat*⟩ (*palco*) box. – **3.** ⟨*giorn*⟩ (*finestrella*) short framed article (*o* news item). – **4.** ⟨*Mar*⟩ (*tughetta*) forecastle; (*coffa*) crow's nest. – **5.** ⟨*Min*⟩ stull.

palchetto[2] *m.* (*parquet*) parquet.

palchettone (*accr. di palchetto*[1]) *m.* ⟨*Teat*⟩ (*barcaccia*) stage-box, double-box.

palchista *m./f.* → **palchettista**[1].

palco *m.* (*pl.* **-chi**) **1.** floor(ing), boarding; (*impalcatura*) scaffolding, stage. – **2.** (*tribuna*) (grand)stand; (*per la banda*) bandstand. – **3.** (*soffitto*) ceiling. – **4.** (*patibolo*) scaffold. – **5.** ⟨*Teat*⟩ (*palcoscenico*) stage, platform; (*palchetto*) box. – **6.** ⟨*Venat*⟩ elevated blind, raised platform. – **7.** ⟨*Ginn*⟩ (*palco di salita*) rope-climbing apparatus. – **8.** ⟨*Agr*⟩ branches *pl.* – **9.** ⟨*Zool*⟩ point, tine. – **10.** ⟨*Mar. ant*⟩ thwarts *pl*, (rowers') banks *pl.*

☐ **a** *palchi* in layers, in rows; ⟨*Mar*⟩ ~ *di* **comando** (pilot) bridge; ~ *di* **giustizia** scaffold; ~ **improvvisato** (*per oratore improvvisato*) soap-box; ⟨*Edil*⟩ ~ **morto** false roof; ⟨*Teat*⟩ ~ *di prim'***ordine** first-tier box; ~ *di* **platea** orchestra circle box; ~ *di* **proscenio** stage box; ⟨*non com*⟩ ~ **scenico** → **palcoscenico.**

palcone *m. accr. di* **palco.**

palcoscenico *m.* (*pl.* **-ci**) **1.** stage, boards *pl.* – **2.** ⟨*estens*⟩ (*teatro*) stage, theatre, the boards *pl*; (*arte del teatro*) stage, acting, theatre. ☐ ~ **abbassabile** sinking (*o* elevator) stage; ⟨*fig*⟩ **calcare** *il* ~ (*recitare*) to act, to tread the boards; ~ *a* **elevatore** elevator stage; ~ **girevole** revolving (*o* turntable) stage; ~ **meccanizzato** (o *motorizzato*) wagon stage; ~ **scorrevole** sliding stage.

paldiferro (o *pal di ferro*) *m.* crowbar.

palea *f.* ⟨*Bot*⟩ **1.** (*paglietta*) palea. – **2.** (*glumella*) glumella, glumelle, palea. – **paleaceo** *a.* paleaceous.

paleantropo *m.* Palaeonthropus.

paleartico *a.* (*pl.* **-ci**) ⟨*Geol*⟩ Pal(a)earctic.

paleggiamento *m.* ⟨*non com*⟩ → **paleggio.**

paleggiare[1] *v.t.* (**paleggio, paleggi**) **1.** to shovel; (*metodo di trasportare terra*) to transport by using a chain of shovellers. – **2.** ⟨*Agr*⟩ (*rif. al grano*) to winnow.

paleggiare[2] *v.t.* (**paleggio, paleggi**) ⟨*non com*⟩ (*munire di pali*) to stake.

paleggiatore *m.* shoveller. – **paleggio** *m.* shovelling (by a chain of workers).

paleino (*dim. di paleo*[2]) *m.* ⟨*Bot*⟩ (*anche paleino odoroso*) (sweet) vernal grass (*Anthoxanthum odoratum*).

palella *f.* ⟨*Fal*⟩ dovetail. ☐ *giunzione a* ~ dovetail joint.

palemone *m.* ⟨*Zool*⟩ prawn, palaemonid (*Palaemon serratus*).

Palemone *N.pr.m.* ⟨*Mitol*⟩ Palaemon.

paleo[1] *m.* **1.** whip(ping) top. – **2.** ⟨*Sport*⟩ puck.

paleo[2] *m.* ⟨*Bot*⟩ **1.** (*festuca*) fescue grass (*Festuca*). – **2.** (*gramigna*) couch grass (*Agropyrum*). ☐ ~ *odoroso* → **paleino**; ~ *peloso* soft cheat (*o* chess) (*Bromus mollis*); ~ *dei prati* meadow fescue (*Festuca pratensis*).

paleo... *pref.* (*antico* old) palae(o)..., pale(o)..., palaio...
paleo|antropologia *f.* pal(a)eo-anthropology. – **~artico** *a.* → **paleartico**. – **~asiatico** *a.* (*pl.* **-ci**) Pal(a)eo-Asiatic. – **~biogeografia** *f.* pal(a)eobiogeography. – **~biologia** *f.* pal(a)eobiology. – **~botanica** *f.* pal(a)eobotany. – **~botanico** *a./s.* (*pl.* **-ci**) **I** *a.* pal(a)eobotanic(al). – **II** *s.m.* pal(a)eobotanist. – **~cene** *m.* ⟨*Geol*⟩ Paleocene, Palaeocene. – **~cerebellum, ~cervelletto** *m.* ⟨*Biol*⟩ pal(a)eocerebellum. – **~clima** *m.* pal(a)eoclimate. – **~climatologia** *f.* pal(a)eoclimatology. – **~cristiano** *a.* early Christian. – **~cristico** *a./s.* (*pl.* **-ci**) **I** *a.* ⟨*Geol*⟩ pal(a)eocrystic, paleocrystallic. – **II** *s.m.* pal(a)eocrystal. – **~ecologia** *f.* pal(a)eo-ecology. – **~ecologico** *a.* (*pl.* **-ci**) pal(a)eo-ecological. – **~effusivo** *a.* ⟨*rar*⟩ → **paleovulcanico**. – **~encefalo** *m.* pale-encephalon, pal(a)eo-encephalon. – **~etnologia** *f.* ⟨*non com*⟩ → **paletnologia**.
Paleoeuropa *N.pr.f.* ⟨*Geol*⟩ part of Europe formed in the Palaeozoic era.
paleo|fitologia *f.* → **paleobotanica**. – **~flora** *f.* primeval flora. – **~floristico** *a.* (*pl.* **-ci**) of (*o* concerning) primeval flora.
paleo|gene *m.* ⟨*Geol*⟩ Pal(a)eogene. – **~genico**: *periodo* ~ → **paleogene**. – **~geografia** *f.* pal(a)eogeography.
paleografia *f.* pal(a)eography. – **paleografico** *a.* (*pl.* **-ci**) pal(a)eographic(al). – **paleografo** *m.* (*f.* **-a**) pal(a)eographer.
paleo|ittiologia *f.* paleichthyology. – **~litico** *a./s.* (*pl.* **-ci**) **I** *a.* ⟨*Archeol*⟩ Pal(a)eolithic. – **II** *s.m.* Pal(a)eolithic period. – **~malese** *a.* Indonesian, proto-Malay. – **~mongolide** *a.* Southern Mongolian, Pareoean. – **~negritico** *a.* (*pl.* **-ci**) of the oldest African Negroes. – **~nordico** *a./s.* (*pl.* **-ci**) **I** *a.* ⟨*Ling*⟩ Old Norse. – **II** *s.m.* Old Norse.
paleontologia *f.* pal(a)eontology. – **paleontologico** *a.* (*pl.* **-ci**) pal(a)eontologic(al). – **paleontologo** *m.* (*pl.* **-gi**/*pop.* **-ghi**; *f.* **-a**) pal(a)eontologist.
paleopsicologia *f.* pal(a)eopsychology.
paleornitologia *f.* paleornithology.
paleo|sardo *a.* old Sardinian. – **~siberiano** *a.* Pal(a)eosiberian, Pal(a)eo-Asiatic. – **~siberide** *a.* (East) Siberian. – **~slavo** **I** *a.* ⟨*Ling*⟩ Old Church Slavonic (*o* Slavic). – **II** *s.m.* Old Church Slavonic (*o* Slavic). – **~sudanese** *a.* old Sudanese. – **~suolo** *m.* ⟨*Geol*⟩ pal(a)eoplain, fossil plain.
paleo|tipo *m.* ⟨*Filol*⟩ incunabulum of the pre-1470 period; (*incunabolo*) incunabulum, cradle book, fifteener. – **~tropicale, ~tropico**: ⟨*Geog*⟩ *regno floristico* ~ Pal(a)eotropical flora region. – **~veneto** **I** *a.* ⟨*Stor*⟩ Venetic. – **II** *s.m.* Venetic. – **~vulcanico** *a.* (*pl.* **-ci**) ⟨*Min*⟩ pal(a)eovolcanic. – **~zoico** *a./s.* (*pl.* **-ci**) ⟨*Geol*⟩ **I** *a.* Pal(a)eozoic. – **II** *s.m.* Pal(a)eozoic. – **~zoologia** *f.* pal(a)eozoology. – **~zoologico** *a.* (*pl.* **-ci**) pal(a)eozoological. – **~zoologo** *m.* (*pl.* **-gi**; *f.* **-a**) pal(a)eozoologist.
palermitano **I** *a.* of (*o* from) Palermo, Palermo-. – **II** *s.m.* **1.** (*dialetto*) Palermo dialect. – **2.** (*abitante*; *f.* **-a**) Palermitan, native (*o* inhabitant) of Palermo. – **Palermitano** *N.pr.m.* (*territorio*) Palermo area (*o* region), territory around Palermo. – **Palermo** *N.pr.f.* ⟨*Geog*⟩ Palermo.
palesamento *m.* manifestation, display, disclosure, revelation.
palesare *v.t.* (**paleso**) **1.** (*rivelare*) to reveal, to show, to display; (*manifestare*) to manifest, to express: ~ *le proprie opinioni* to express one's views, to speak one's mind. – **2.** (*svelare*) to disclose, to reveal, to tell: ~ *un segreto* to reveal (*o* tell) a secret. – **palesarsi** *v.r.* to reveal (*o* show) o.s.; (*apparire*) to seem, to look, to appear: *la situazione si palesa difficile* the situation looks difficult.
palesatore ⟨*non com*⟩ **I** *s.m.* (*f.* **-trice**) revealer, displayer; (*chi svela*) discloser, revealer, divulger. – **II** *a.* displaying; (*che svela*) revealing, disclosing.
palese *a.* **1.** (*manifesto*) clear, obvious, manifest; (*noto*) well-known. – **2.** (*pubblico*) public, open. □ ⟨*ant*⟩ *in* ~ (*apertamente*) openly, clearly. – **palesemente** *avv.* **1.** clearly, obviously, manifestly. – **2.** (*pubblicamente*) publicly, openly.
Palestina *N.pr.f.* ⟨*Geog*⟩ Palestine. – **palestinese** **I** *a.* Palestinian, of (*o* from) Palestine. – **II** *s.m./f.* Palestinian, native (*o* inhabitant) of Palestine.
palestra *f.* **1.** (*locale coperto*) gymnasium, ⟨*fam*⟩ gym; (*all'aperto*) athletic (*o* sports) ground, training ground. – **2.** (*esercizio ginnico*) gymnastics *pl* (*costr. sing.*), (physical) exercise, ⟨*fam,scherz*⟩ physical jerks *pl*. – **3.** ⟨*fig*⟩ training ground, school: *la* ~ *della vita* the school of life, life's training ground. – **4.** ⟨*Stor*⟩ (*esercizio della lotta*) wrestling; (*luogo*) palaestra.
palestrale *a.* ⟨*ant*⟩ of (*o* relating to) a palaestra, pal(a)estral.
palestrita, palestrite *m.* ⟨*Stor*⟩ (*lottatore*) wrestler.
paletnologia *f.* pale-ethnology. – **paletnologico** *a.* (*pl.* **-ci**) pale-ethnological. – **paletnologo** *m.* (*pl.* **-gi**; *f.* **-a**) student of pale-ethnology.
paletot *fr.* [pal'to] *m.* → **paltò**.
paletta[1] (*dim. di pala*[1]) *f.* **1.** (*giocattolo*) spade: *giocare col secchiello e la* ~ to play with a bucket and spade. – **2.** (*per muovere la brace*) fire-shovel, (fireside) shovel. – **3.** ⟨*Ferr*⟩ disk (*o* hand) signal. – **4.** ⟨*Mecc*⟩ blade. – **5.** ⟨*Pesc*⟩ wide part of the shank of a fish-hook. – **6.** ⟨*Zool*⟩ palm. – **7.** ⟨*Bot*⟩ flattened branch of the prickly pear. – **8.** → **palettina**. □ ⟨*Etnol*⟩ ~ *da getto* rabbit-stick, throwing-stick; ~ *da giardiniere* garden trowel; ⟨*Ferr*⟩ ~ *di segnalazione* disk signal; ~ *per la spazzatura* dustpan; ⟨*Mot*⟩ ~ *del ventilatore* fan blade, vane.
paletta[2] *f.* (*ceduo a ceppaia*) coppice, copse.
palettare *v.t.* (**paletto**) (*munire di paletti*) to stake.
palettata *f.* **1.** (*quantità*) shovelful, spadeful. – **2.** (*colpo*) blow with a shovel.
palettatura *f.* ⟨*Mecc*⟩ blading.
palettina (*dim. di paletta*[1]) *f.* (*arnese da cucina*) egg-slice, fish-slice, food turner, ⟨*fam*⟩ flipper.
palettino[1] *m. dim. di* **paletto**.
palettino[2] (*dim. di paletta*[1]) *m.* ⟨*non com*⟩ → **palettina**.
paletto (*dim. di palo*) *m.* **1.** stake, peg, picket, post. – **2.** (*spranga*) bolt, bar. – **3.** (*picchetto da tenda*) peg, picket. – **4.** (*incudine*) anvil. □ *mettere il* ~ to bolt, to bar: *mettere il* ~ *alla porta* to bolt the door; *togliere il* ~ *alla porta* to unbolt the door.
palettone (*accr. di paletta*[1]) *m.* ⟨*Ornit*⟩ (*mestolone*) shoveller (*Spatula clypeata*).
paletuviere *m.* ⟨*Bot*⟩ (*mangrovia*) mangrove.
pali **I** *a.* ⟨*Ling*⟩ Pali-. – **II** *s.m.* Pali.
palificare *v.i.* (**palifico, palifichi**; *aus.* **avere**) ⟨*rar*⟩ **1.** to drive piles in, to pile. – **2.** (*costruire palizzate*) to put up (stake-)fences, to erect palisades. – **palificata** *f.* **1.** (*palizzata*) paling, fence, palisade. – **2.** ⟨*Edil*⟩ (*palificazione*) piling, pile-work. – **palificazione** *f.* **1.** ⟨*Edil*⟩ piling, pile-work. – **2.** ⟨*El,Tel*⟩ (series of) poles *pl*. – **3.** ⟨*rar*⟩ (*il palificare*) piling, pile-driving.
paligrafia *f.* ⟨*Med*⟩ involuntary repetition of words or phrases in writing. – **palilalia** *f.* palilalia, paliphrasia.
palilie *f.pl.* ⟨*Stor.rom*⟩ Parilia *pl*, Palilia *pl*.
palimbaccheo, palimbacchio *m.* ⟨*Metr*⟩ (*antibacchio*) antibacchius, palimbacchius.
palimpsesto *m.* ⟨*rar*⟩ → **palinsesto**.
palina[1] (*dim. di palo*) *f.* ⟨*Topogr*⟩ ranging rod, surveyor's stake.
palina[2] *f.* → **paletta**[2].
palindromo **I** *a.* (*bifronte*) palindromic. – **II** *s.m.* (*in enigmistica*) palindrome.
palingenesi *f.* **1.** ⟨*Biol,Filos*⟩ palingenesis. – **2.** ⟨*estens*⟩ (*rinnovamento*) renewal, rebirth. – **palingenesia** *f.* ⟨*rar*⟩ → **palingenesi**. – **palingenetico** *a.* (*pl.* **-ci**) **1.** ⟨*Filos*⟩ palingenetic. – **2.** ⟨*Biol*⟩ palingenic, palingenetic.
palinodia *f.* **1.** ⟨*Lett*⟩ palinode, palinody. – **2.** ⟨*iron*⟩ palinode, retraction, recantation. □ ⟨*iron*⟩ *fare* (*o cantare*) *la* ~ to eat one's words.
palinografia *f.* ⟨*Bot*⟩ description of pollens and spores. – **palinologia** *f.* palynology. – **palinologico** *a.* (*pl.* **-ci**) palynological. – **palinologo** *m.* (*pl.* **-gi**; *f.* **-a**) student (*o* scholar) of palynology.
palinsesto *m.* ⟨*Filol*⟩ palimpsest.
palinuridi *m.pl.* ⟨*Zool*⟩ spiny lobsters *pl* (*Palinuridae*).
palio *m.* **1.** (*drappo*) banner (awarded to the winner of a contest); (*gara*) contest, competition; (*gara equestre*) horse-race. – **2.** ⟨*ant*⟩ (*panno, drappo*) pall, cloth. – **3.** ⟨*ant*⟩ (*baldacchino*) canopy, baldaquin, baldachin. – **4.** ⟨*ant*⟩ → **paliotto**. – **Palio** *N.pr.m.* (*a Siena*) Palio. □ *correre il* ~ to run, to compete; *essere in* ~ to be at stake; *mettere in* ~ to offer as a prize.
paliotto *m.* ⟨*Lit*⟩ (altar-)frontal, altar-facing, antependium.
paliscalmo *m.* ⟨*ant*⟩ → **palischermo**. – **palischermo** *m.* **1.** (*imbarcazione*) boat, row-boat, skiff. – **2.** ⟨*ant*⟩ (*grossa barca a remi*) large row-boat; (*scialuppa*) longboat.
palissandro *m.* **1.** ⟨*Bot*⟩ Brazilian rosewood, palisander (*Dalbergia nigra*). – **2.** (*legno*) rosewood. □ *di* (o *in*) ~ rosewood-, of rosewood.
palissonaggio *m.* ⟨*non com*⟩ → **palissonatura**. – **palissonare** *v.t.* (**palissono**) ⟨*Conc*⟩ to stake. – **palissonatore** *m.* workman who stakes skins, skin-stretcher. – **palissonatura** *f.* staking. – **palissone** *m.* blunt steel blade (for staking skins).
paliuro *m.* ⟨*Bot*⟩ Paliurus (*Paliurus*).
palizzata *f.* palisade, paling, (stake-)fence. – **palizzato, palizzo** *m.* ⟨*ant*⟩ → **palizzata**.
palla[1] *f.* **1.** ball: *giocare a* ~ to play ball. – **2.** (*proiettile*) bullet, ball: *è stato colpito da una* ~ he was hit by a bullet; *una* ~ *di cannone* a cannon-ball. – **3.** (*oggetto a forma di palla*) ball: *una* ~ *di neve* a snowball; (*sfera*) ball, sphere, globe. – **4.** ⟨*Sport*⟩ (*azione compiuta con la palla*) ball, shot: ~ *buona* good shot. – **5.** ⟨*Arch*⟩ ball. – **6.** (*recipiente di vetro*) flask, globe, glass ball. – **7.** ⟨*Bot*⟩ head: ~ *del cavolfiore* cauliflower-head; ~ *di cavolo* cabbage-head. – **8.** (*per votazioni*) ballot. – **9.** ⟨*Stor*⟩ (*sfera pesante legata ai piedi dei carcerati*) ball. – **10.** ⟨*Arald*⟩ ball. – **11.** *pl.* ⟨*triv*⟩ (*testicoli*) testicles *pl*, ⟨*volg*⟩ balls *pl*.
□ (*fatto*) **a** ~ round, spherical, ball-shaped; ⟨*Sport*⟩ ~ *di* **allenamento** training ball; (*nel pugilato*) punching-ball, punching-bag; ~ **avvelenata** kind of ball game; *prendere la* ~ *al* **balzo** to catch the ball on the bounce; ⟨*fig*⟩ to seize one's opportunity; ~ **basca** (*pelota*) pelota, jai alai; ~ **base** → **pallabase**; ⟨*Sport*⟩ **battere** *la* ~ to start play; (*nel calcio*) to kick off; ~ *da* **biliardo** billiard-ball; ⟨*fig,scherz*⟩ (*testa calva*) bald head; ⟨*Sport*⟩ ~ *e* **caccia** kind of ball game; ⟨*ant*⟩ ~ *al* **cerchio** = *palla al* **cesto**; ~ *al* **cesto** basket-ball; ~ *di* **cuoio** leather-covered ball; **fare** *a* ~ *con qd.* to play ball with s.o., ⟨*am*⟩ to play catch with s.o.; ⟨*fig*⟩ to lead s.o. up the garden path, to give s.o. the run-around; ~ *da* **golf** golf-ball; ⟨*Mil.ant*⟩ ~ **infocata** incendiary shell, fire-ball; ⟨*fig*⟩ *tirare a -e infocate* (*polemizzare aspramente*) to argue heatedly; *pall'a* **maglio** → **pallamaglio**; **mandare** *la* ~ to pass (the ball); ~ *a* **muro** → **pallamuro**; *fare a -e di* **neve** to throw snowballs, to have a snowball fight; ⟨*Bot*⟩ ~ *di neve* snowball, guelder-rose, water elder (*Viburnum opulus*); ~ *a* **nuoto** → **pallanuoto**; ⟨*fam*⟩ *le -e degli* **occhi** (*globi oculari*) the eyeballs;

~ **ovale** → **pallovale**; ⟨*fig*⟩ *mettere la* ~ *al* **piede** *a qd.* (*ostacolarlo*) to hinder (*o* handicap) s.o., to set obstacles in s.o.'s way, to tie s.o. down; ~ *a* **pugno** fist-ball; ⟨*Stor*⟩ ~ *con la* **racchetta** old form of tennis; ~ *per* **rammendare** darning egg (*o* mushroom); *mandare la* ~ *in* **rete** to score; **rimettere** *la* ~ to put the ball back into play; ⟨*triv*⟩ **rompere** *le -e a qd.* (*seccarlo*) to bother (*o* trouble) s.o., to be a (damn) nuisance; ⟨*Stor*⟩ ~ **rovente** = *palla* **infocata**; ⟨*tosc,ant*⟩ *fare a -e e* **santi** (*a testa e croce*) to play heads or tails; ⟨*Stor*⟩ ~ *da* **scanno** old ball game; ~ *a* **sfratto** → **pallasfratto**; **sparare** *a* ~ to fire live ammunition; ~ *a* **spinta** hurling-ball; ~ *al* **tamburello** tamburello; ~ *da* **tennis** tennis-ball; ⟨*Ginn*⟩ ~ **vibrata** hurling-ball; ~ *a* **volo** → **pallavolo**.

pạlla[2] *f.* **1.** ⟨*Stor.rom*⟩ palla. – **2.** ⟨*Lit*⟩ pall, palla.

pạlla[3] *m.inv.* → **pala**[4].

pallabạse (o *pạlla bạse*) *f.* ⟨*Sport*⟩ baseball.

pallacanestrịsta *m./f.* ⟨*non com*⟩ (*cestista*) basket-ball player. – **pallacanẹstro** *f.* basket-ball.

pallạccia *f.* (*pl.* -ce) *pegg. di* **palla**[1].

pallacọrda *f.* ⟨*Stor*⟩ (*gioco*) tennis; (*luogo*) (tennis-)court. ▭ ⟨*Stor*⟩ *giuramento della* ~ oath of the Tennis-Court.

Pạllade *N.pr.f.* ⟨*Mitol*⟩ Pallas (Athena).

palladiạno *a.* ⟨*Arch*⟩ Palladian. ▭ *stile* ~ Palladian style.

pallạdio[1] *m.* ⟨*Chim*⟩ palladium.

pallạdio[2] *m.* **1.** ⟨*Stor.gr*⟩ Palladium. – **2.** ⟨*fig,ant*⟩ (*simbolo di difesa*) safeguard, palladium.

pallạdio[3] *a.* ⟨*lett*⟩ (*di Pallade*) Palladian, of Pallas.

pallafrẹno *m.* ⟨*ant*⟩ → **palafreno**.

pallạio *m.* ⟨*tosc*⟩ **1.** (*campo per le bocce*) bowling-court. – **2.** ⟨*non com*⟩ (*fabbricante di palle*) maker of balls; (*venditore*) seller of balls. – **3.** ⟨*non com*⟩ (*persona che dà le palle ai giocatori*) ball-boy.

pallamạglio (o *pall'a mạglio*) *m./f.* ⟨*Stor*⟩ pall-mall.

pallamạno *f.* ⟨*Sport*⟩ field hand-ball.

pallamụro *f.* ⟨*Sport*⟩ hand-ball.

pallanotịsta *m./f.* ⟨*Sport*⟩ water-polo player.

pallạnte *m.* ⟨*Ornit*⟩ shearwater (*Puffinus*). ▭ ~ *dell'Atlantico* great shearwater (*Puffinus gravis*); ~ *minore* Manx shearwater (*Puffinus puffinus*).

Pallạnte *N.pr.f.* ⟨*Mitol*⟩ Pallas.

pallanụoto *f.* ⟨*Sport*⟩ water-polo.

pallạre *v.t.* (*palleggiare*) to shake, to brandish.

pallasfrạtto *f.* ⟨*Sport*⟩ kind of ball game.

pallạta *f.* blow with a ball. ▭ *fare a -e di neve* to have a snowball fight.

pallavọlo (o *pạlla a vọlo*) *f.* ⟨*Sport*⟩ volley-ball.

palleggiamẹnto *m.* **1.** → **palleggio**. – **2.** ⟨*fig*⟩ tossing back and forth, ⟨*fam*⟩ buck-passing.

palleggiạre *v.* (**pallẹggio, pallẹggi**) **I** *v.i.* (*aus.* **avere**) **1.** to throw (*o* pass) the ball backwards and forwards, to exchange passes. – **2.** (*esercitarsi*) to practise (with a ball). – **3.** (*nella pallacanestro*) to dribble. – **4.** (*nel calcio*) to dribble; (*tra due giocatori*) to pass the ball backwards and forwards. – **5.** (*nel tennis*) to rally; (*prima della partita*) to knock up. – **II** *v.t.* **1.** to brandish, to shake, to wave menacingly: ~ *la clava* to brandish one's club. – **2.** (*sballottare*) to toss. – **3.** ⟨*fig*⟩ to saddle one another (with), ⟨*fam*⟩ to pass the buck. – **palleggiarsi** *v.r.* ⟨*recipr*⟩ to bandy (*o* shift) back and forth (*qc.* s.th.), to saddle one another (with): *palleggiarsi la responsabilità* to shift the responsibility back and forth, ⟨*fam*⟩ to pass the buck. ▭ ~ *un bambino* to toss a baby.

palleggiatọre *m.* (*f.* **-trice**) ⟨*non com*⟩ **1.** ⟨*Sport*⟩ dribbler. – **2.** ⟨*Mil*⟩ brandisher of a spear. – **pallẹggio** *m.* ⟨*Sport*⟩ **1.** practice play, knock-up. – **2.** (*nel calcio*) dribbling; (*tra due giocatori*) passing. – **3.** (*nella pallacanestro*) dribbling. – **4.** (*nel tennis*) rally; (*prima della partita*) knock-up.

pallẹnte *a.* ⟨*poet*⟩ (*pallido*) pallid, pale, wan.

pallẹsco *a./s.* (*pl.* **-chi**) ⟨*Stor*⟩ **I** *a.* supporting the Medici. – **II** *s.m.* Medici partisan (*o* supporter).

pallestesịa *f.* ⟨*Med*⟩ pallesthesia.

pallẹtta (*dim. di palla*[1]) *f.* ⟨*Artigl*⟩ shot, pellet; (*shrapnel*) shrapnel.

palliạre *v.t.* (**pạllio, pạlli**) ⟨*lett*⟩ **1.** to cover with a pallium, ⟨*ant*⟩ to palliate. – **2.** ⟨*fig*⟩ (*mascherare*) to cloak, to disguise, to cover up, ⟨*ant*⟩ to palliate.

palliạta *f.* ⟨*Lett*⟩ kind of classical play, (fabula) palliata.

palliatịvo **I** *a.* ⟨*Farm*⟩ palliative (*anche fig.*). – **II** *s.m.* ⟨*Farm*⟩ palliative (*anche fig.*).

pallidamẹnte *avv.* palely, faintly, dimly, pallidly. – **pallidẹtto** (*dim. di pallido*) *a.* → **pallidino**. – **pallidẹzza** *f.* (*pallore*) pallor, paleness, wanness. – **pallidịccio** (*dim. di pallido*) *a.* palish, whitish. – **pallidịno** (*dim. di pallido*) *a.* palish, somewhat (*o* rather) pale. – **pallidità** *f.* ⟨*ant*⟩ → **pallidezza**.

pạllido **I** *a.* **1.** pale, pallid, wan: *volto* ~ pale face. – **2.** (*rif. a colore*: *tenue*) pale, light, pastel: *verde* ~ pale green. – **3.** ⟨*fig*⟩ (*debole, vago*) faint, feeble, dim, vague: *un* ~ *ricordo* a dim recollection; *non ne ho la più -a idea* I haven't the faintest idea. – **II** *s.m.* **1.** paleness, wanness, pallor. – **2.** ⟨*Anat*⟩ globus pallidus, pallidum. ▭ ~ *come un morto* as pale as death, as white as a sheet; *viso* ~ paleface.

pallidọne (*accr. di pallido*) *m.* (*f.* **-a**) person with a pale face. – **pallidọre** *m.* ⟨*ant*⟩ → **pallore**. – **palliduccio** (*dim. di pallido*) *a.* → **pallidino**. – **pallidụme** *m.* ⟨*non com*⟩ → **pallore**.

pallịna (*dim. di palla*[1]) *f.* **1.** (*sfera*) sphere, globe. – **2.** (*palla*) ball: ~ *per roulette* (roulette) ball; (*da ping-pong*) (ping-pong) ball; (*da tennis*) (tennis-)ball. – **3.** (*bilia di vetro*) (glass) marble. – **4.** ⟨*Vetr*⟩ amount of glass put on a blow-pipe. – **5.** *pl.* ⟨*Tess*⟩ (polka) dots *pl*, spots *pl.*

pallinạcci *m.pl.* ⟨*Venat*⟩ large caliber shot, buckshot, pellets *pl.*

pallinạre *v.t.* ⟨*tecn*⟩ to (shot) peen. – **pallinatụra** *f.* (shot) peening.

pallịno (*dim. di palla*[1]) *m.* **1.** (*nel biliardo*) object ball; (*nel gioco delle bocce*) jack. – **2.** (*oggetto sferoidale*) knob, pommel; (*della sella*) pommel. – **3.** (*tipo di cesello*) half-round chisel. – **4.** *pl.* ⟨*Tess*⟩ (polka) dots *pl*, spots *pl*: *una cravatta a -i blu* a tie with blue polka dots, a blue-spotted tie. – **5.** *pl.* ⟨*Venat*⟩ (small) shot, pellets *pl*, BeeBees *pl*: *sparare a -i* to fire shot. – **6.** (*idea fissa*) obsession, craze, fixed idea, ⟨*fam*⟩ bee in one's bonnet; (*hobby*) hobby; (*predisposizione*) turn, (natural) bent, inclination: *ha il* ~ *della matematica* he has a natural bent for mathematics.

pạllio *m.* ⟨*Stor.rom*⟩ pallium.

pall-mall *ingl.* [pælˈmæl] *m.* (*gioco*) pall-mall.

palloccolọso *a.* → **pallottoloso**.

pallonạio *m.* **1.** (*fabbricante*) maker of balloons; (*venditore*) balloon -seller. – **2.** ⟨*fig,scherz*⟩ (*millantatore*) boaster, braggart. - **3.** ⟨*Sport, non com*⟩ ball-keeper. – **pallonạro** *m.* ⟨*region*⟩ → **pallonaio**.

pallonạta *f.* **1.** (blow with a) ball: *essere colpito da una* ~ to be hit by a ball. – **2.** ⟨*fig,scherz*⟩ (*frottola*) nonsense, bosh, ⟨*am.fam*⟩ baloney; (*millanteria*) bragging. ▭ *dire -e* to tell tall stories, to show off, to exaggerate, ⟨*fam*⟩ to talk big.

palloncịno (*dim. di pallone*) *m.* **1.** small ball; (*per bambini*) (toy) balloon. – **2.** (*camera d'aria degli aerostati*) ballon(n)et. – **3.** (*lampioncino*) Chinese lantern. – **4.** (*recipiente di vetro*) flask. – **5.** ⟨*Sport*⟩ (small hard) ball. – **6.** *pl.* ⟨*Bot*⟩ (*alchechengi*) winter cherry, Chinese (*o* Japanese) lantern plant (*Physalis alkekengi*). ▭ *maniche a* ~ puff-sleeves; ⟨*Sport*⟩ ~ *piemontese* ball used in pallone.

pallọne (*accr. di palla*[1]) *m.* **1.** ball; (*nel calcio*: *palla di cuoio*) football, soccer-ball. – **2.** (*palloncino per bambini*) (toy) balloon. – **3.** ⟨*Aer*⟩ balloon. – **4.** ⟨*Chim*⟩ flask; (*da distillazione*) distillation flask, cucurbit; (*per pesare i gas*) balloon. – **5.** ⟨*Mar*⟩ (*segnale*) ball; (*parabordo*) (round) fender; (*fiocco a pallone*) balloon jib, spinnaker. – **6.** ⟨*pop*⟩ (*ernia scrotale*) scrotal hernia.

▭ ⟨*Aer*⟩ ~ **aerostatico** air-balloon; ~ **aquilone** = *pallone* **cervo** *volante*; ⟨*Sport*⟩ ~ *con* **bracciale** pallone; ⟨*Aer*⟩ ~ **cervo** *volante* kite balloon; ⟨*Chim*⟩ ~ *a tre* **colli** three-necked flask; ⟨*Sport*⟩ ~ **elastico** kind of hand-ball; ⟨*Chim*⟩ ~ *a* **fondo** *piatto* Florence (*o* flat -bottomed) flask; ⟨*Aer*⟩ ~ **frenato** captive balloon; ⟨*Sport*⟩ **gioco** *del* ~ (association) football, ⟨*fam*⟩ soccer; ⟨*fig*⟩ ~ **gonfiato** self-important (*o* pompous) person, ⟨*fam*⟩ bighead; ⟨*Aer*⟩ ~ **libero** free balloon; ⟨*Bot*⟩ ~ *di* **maggio** snowball, guelder-rose, water elder (*Viburnum opulus*); ~ **manovrabile** navigable (*o* free, dirigible) balloon; ⟨*Meteor*⟩ ~ **meteorologico** meteorological (*o* sounding) balloon; ~ **mina** = *pallone di* **sbarramento**; ⟨*Sport*⟩ *linea del* ~ **morto** dead-ball line; ~ *di* **neve** = *pallone di* **maggio**; ⟨*Aer*⟩ ~ **osservatorio** observation balloon; ⟨*Aer*⟩ ~ **pilota** pilot balloon; ⟨*Mil*⟩ ~ *di* **sbarramento** barrage balloon; ⟨*Aer*⟩ ~ **sferico** spherical balloon; ~ **sonda** = *pallone* **meteorologico**; ⟨*Aer*⟩ ~ **stratosferico** stratospheric balloon; ⟨*Chim*⟩ ~ *di* **vetro** (glass) flask.

pallonẹtto (*dim. di pallone*) *m.* **1.** ⟨*Sport*⟩ lob. – **2.** ⟨*Aer*⟩ gas cell. – **3.** ⟨*Mar*⟩ balloon jib (*o* sail).

pallọre *m.* pallor, paleness: ~ *cadaverico* (o *mortale*) deathly pallor.

pallottiẹra *f.* ⟨*Stor*⟩ mould used for casting round-shot.

pallottịno *m.* (*f.* **-a**) ⟨*Rel*⟩ Pallottine.

pallọttola (*dim. di palla*[1]) *f.* **1.** (small) ball, pellet: *una* ~ *di vetro* a (small) ball of glass. – **2.** (*proiettile*) bullet, pellet, shot. – **3.** (*del pallottoliere*) bead, counter.

▭ **a** ~ ball-shaped, pellet-like; ⟨*Mil*⟩ ~ **dum-dum** dumdum; ~ **esplosiva** explosive bullet; ~ *di* **fucile** rifle bullet (*o* shot); **naso** *a* ~ snub nose; ⟨*Zootecn*⟩ ~ *di* **neve** star; ~ *di* **pistola** pistol bullet; ~ **tracciante** tracer bullet.

pallottolẹtta *f. dim. di* **pallottola**.

pallottoliẹra *f.* ⟨*Mil.ant*⟩ notch-holder (on a bowstring).

pallottoliẹre *m.* abacus.

pallottolịna *f. dim. di* **pallottola**.

pallottolọso *a.* ⟨*tosc*⟩ **1.** (*bozzoloso*) lumpy. – **2.** ⟨*fig*⟩ (*contorto*) involved, rambling; (*fastidioso*) irritating, tiresome.

pallovạle (o *pạlla ovạle*) *f.* ⟨*Sport*⟩ rugby.

pạlma[1] *f.* **1.** ⟨*Bot*⟩ palm. – **2.** *pl.* ⟨*Bot*⟩ palms *pl*, palm family (*Palmae, Phoenicaceae*). – **3.** ⟨*Bot*⟩ date-palm (*Phoenix dactylifera*). – **4.** (*foglia, ramo*) palm frond (*o* branch); (*nella tradizione cristiana*) palm. – **5.** ⟨*fig*⟩ (*vittoria*) palm, victory: *ottenere la* ~ to win the palm; (*ricompensa*) reward, palm.

▭ ⟨*Bot*⟩ ~ *delle* **Ande** wax palm (*Ceroxylon andicola*); ~ **catechu** betel palm (*Areca catechu*); ~ *della* **cera**: 1. carnauba (palm) (*Copernicia cerifera*); 2. = *palma delle* **Ande**; ~ *da* **cocco** coco(nut) palm (*Cocos nucifera*); ~ **dattilifera** (o *da datteri*) date-palm (*Phoenix dactylifera*); ⟨*Lit*⟩ **domenica** *delle -e* Palm Sunday; ⟨*Bot*⟩ ~ **dum** doom palm (*Hyphaene thebaica*); ~ *da* **fibra** hemp palm; ~ **nana** dwarf fan palm (*Chamaerops humilis*); ~ *da* **olio** African oil palm (*Elaeis guinensis*); ~ **palmira** palmyra (palm) (*Borassus flabelliformis*); ~ *di san* **Pietro** = *palma* **nana**; ~ **reale** royal palm (*Oreodoxa regia*); ~ *da* **sago** sago palm (*Metroxylon rumphii*); ~ *da* **scope** = *palma* **nana**; ~ *da* **zucchero** arenga (*Arenga saccharifera*).

pạlma[2] *f.* **1.** ⟨*Anat*⟩ palm. – **2.** ⟨*Zool*⟩ web. – **3.** ⟨*lett*⟩ (*pala del remo*) palm, blade. – **4.** ⟨*Mar*⟩ (*patta*) palm, fluke. – **5.** ⟨*rar*⟩ (*pianta del piede*) sole. – **6.** ⟨*lett*⟩ (*mano*) hand. ▭ *battere* ~ *a* ~ to clap hands; ⟨ant⟩ *battersi a -e* (*per la disperazione*) to beat o.s. in despair; *giungere le -e* to clasp one's hands; ~ *della mano* palm (of the hand); ⟨*fig, non com*⟩ *mostrare in ~ di mano* to show openly, to make no secret of; ⟨*fig*⟩ *portare qd. in ~ di mano* to make much of s.o., to hold s.o. highly; ⟨*rar*⟩ ~ *del piede* sole (of the foot).

palmare I *a.* **1.** ⟨*Anat*⟩ palmar: *arcata* ~ palmar arch. – **2.** ⟨*fig*⟩ (*evidente*) obvious, evident, plain. – **II** *s.m.* ⟨*Med*⟩ palmar fascia.

palmario *m.* ⟨*Dir,non com*⟩ lawyer's fee (for winning a case).

palmarosa *f.* ⟨*Bot*⟩ palmarosa (*o* geranium) oil.

palmata *f.* ⟨*ant*⟩ **1.** (*colpo*) blow on the palm, ⟨*fam*⟩ pandy. – **2.** (*stretta di mano*) handshake.

palmatifido *a.* ⟨*Bot*⟩ palmatifid.

palmato[1] *a.* **1.** ⟨*Zool*⟩ palmate(d), webbed: *piede* ~ webbed foot. – **2.** ⟨*Bot*⟩ palmate(d): *foglia -a* palmate leaf.

palmato[2] *a.* ⟨*non com*⟩ (*disegnato a palme*) having a palm-leaf design.

palmato|lobato *a.* ⟨*Bot*⟩ palmatilobate, palmatilobed. – **~partito** *a.* palmatipartite, palmatiparted.

palmatoria *f.* ⟨*Lit*⟩ bugia, palmatoria.

palmatosetto *a.* ⟨*Bot*⟩ palmatisect(ed).

palmento *m.* **1.** ⟨*Enol*⟩ wine vat. – **2.** (*macina*) millstone; (*mulino*) mill. □ ⟨*fig*⟩ *mangiare a due* (*o quattro*) *-i* to eat greedily, to wolf one's food.

palmer[1] *m.* ⟨*Mecc*⟩ micrometer gauge.

palmer[2] *m.* (*tubolare per biciclette*) tubeless (bicycle) tyre.

palmeto *m.* palm-grove, palmery.

palmetta (*dim. di palma*[1]) *f.* **1.** ⟨*Agr,Giard*⟩ fan training, training to grow flat. – **2.** ⟨*Arch*⟩ palmette.

palmidattilia *f.* ⟨*Med*⟩ (*sindattilia*) syndactyly, syndactylism.

palmiera *f.* ⟨*non com*⟩ → **paroma.**

palmiere *m.* ⟨*Stor*⟩ palmer.

palmifero *a.* ⟨*lett*⟩ palm-producing, palmiferous, palm-.

palmiforme *a.* ⟨*lett*⟩ palm-shaped, palm-like, palmiform.

palmina *f.* (kind of) coconut oil.

palminervia: ⟨*Bot*⟩ *foglia* ~ palmatinervis (*o* palminerved) leaf.

palmipede *m.* ⟨*Ornit*⟩ (*anche uccello palmipede*) palmiped, web-footed bird.

Palmira *N.pr.f.* ⟨*Geog.stor*⟩ Palmyra. – **palmireno** *a.* Palmyrene, of (*o* relating to) Palmyra.

palmisti *m.* palm kernel (*o* nut). □ *olio di* ~ palm-oil, palm-kernel oil.

palmitato *m.* ⟨*Chim*⟩ palmitate.

palmite *m.* ⟨*poet*⟩ **1.** (*tralcio*) shoot, branch; (*tralcio di vite*) vine shoot. – **2.** (*vite*) vine.

palmitico *a.* (*pl.* **-ci**) ⟨*Chim*⟩ palmitic: *acido* ~ palmitic acid. – **palmitina** *f.* (tri)palmitin.

palmizio *m.* **1.** ⟨*Bot*⟩ palm(-tree). – **2.** ⟨*Rel*⟩ (plaited) palm.

palmo *m.* **1.** (*unità di misura*) span. – **2.** ⟨*tosc*⟩ (*palma della mano*) palm (of the hand).

□ (*a*) ~ **a** ~: 1. (*poco per volta*) inch by inch, little by little; 2. (*nei minimi particolari*) thoroughly, in every detail: *conosce la città ~ a ~* he knows the city thoroughly (*o* like the palm of his hand); ⟨*fig*⟩ **alto** *un* ~ tiny, not very tall; *non* **cedere** *di un* ~ not to yield an iota; ⟨*Stor*⟩ ~ **cubo** cubic palm; *arrivare con un ~ di* **lingua** *fuori* to arrive ⌜out of breath⌝ (*o* puffing and panting); *restare con un ~ di* **naso** to be badly disappointed; *un ~ d'***ombra** a patch of shade.

palmola *f.* ⟨*non com*⟩ **1.** pitchfork. – **2.** ⟨*Mecc*⟩ (*camma*) cam.

palmone *m.* ⟨*Venat*⟩ bird-limed trap.

palmoso *a.* ⟨*lett*⟩ (*ricco di palme*) palmy.

palmula *lat. f.* ⟨*Zool*⟩ (*paletta*) palm.

palo *m.* **1.** pole, post, stake, pile: *piantare un ~* to drive a pole into the ground; (*pilone*) pylon. – **2.** ⟨*Mar*⟩ fore and aft rigged mizen-mast. – **3.** ⟨*Sport*⟩ (*nel calcio*) goal-post; (*porta*) goal; (*tiro*) ball that hits the goal-post; (*nel pugilato*) post (of a boxing-ring). – **4.** ⟨*Arald*⟩ pale.

□ ⟨*El*⟩ ~ *ad* A A-type pole; ⟨*Edil*⟩ ~ *d'***acciaio** steel pole; ⟨*Equit*⟩ ~ *d'***arrivo** post before the finishing-post; ⟨*Mar*⟩ ~ *d'***attracco** = *palo d'ormeggio*; ~ **cavo** hollow pile; ⟨*Edil*⟩ ~ *in* **cemento** *armato* reinforced concrete pole; ⟨*fig*⟩ *avere un ~ in* **corpo** (*rif. a persona dal portamento rigido*) to be as stiff as a ramrod; ~ *di* **distanza** = *palo d'arrivo*; ⟨*gerg*⟩ **fare** *il* (*o da*) ~ to act as look-out, to keep watch; ~ *di* **ferro** iron pole; ⟨*Edil*⟩ ~ *di* **fondazione** foundation pile; ⟨*fig*⟩ *saltare di ~ in* **frasca** to jump from one topic to another; ⟨*Arald*⟩ ~ **gemellato** gemmelled pale; ~ *per* **linee** *aeree* pole for aerial lines; ~ *della* **luce** lamp-post; ~ *a* **mensola** bracket-pole; **mettere** *qd. al ~* to tie s.o. to a post (*o* stake); ⟨*Mar*⟩ ~ *d'***ormeggio** bollard, mooring-post; ~ *a* **punta** stake; ⟨*El*⟩ *-i di* **rettifilo** tangent towers; *star* **ritto** *come un ~ = avere un palo in* **corpo**; **sembrare** *un* ~ to be as thin as a rake (*o* bean-pole); ⟨*Stor*⟩ **supplizio** *del ~* (*impalamento*) impalement; ~ **telegrafico** telegraph pole; ⟨*El*⟩ ~ *a* **traliccio** girder pole, pylon.

palolo *m.* ⟨*Zool*⟩ balolo, palolo (worm) (*Eunice viridis*).

palomba *f.* ⟨*Ornit*⟩ (*colombella*) stockdove, wood-pigeon (*Columba oenas*). – **palombaccio** *m.* ⟨*Ornit*⟩ (*colombaccio*) ringdove, wood-pigeon (*Columba palumbus*).

palombara *f.* ⟨*Pesc*⟩ (kind of) fixed fishing-net.

palombaro *m.* diver. □ ⟨*Med*⟩ *malattia dei -i* caisson disease, diver's paralysis, ⟨*pop*⟩ bends *pl.*

palombella (*dim. di palomba*) *f.* ⟨*Ornit*⟩ **1.** → **palomba.** – **2.** (*piccione selvatico*) rock-pigeon (*Columba livia*).

palombello *m.* ⟨*Arch*⟩ (*passafuori*) rafter end, show rafter.

palombo *m.* **1.** ⟨*Itt*⟩ (*palombo nocciolo*) smooth hound (*Mustelus vulgaris*; *Mustelus canis*). – **2.** ⟨*Itt*⟩ (*palombo stellato*) stellate smooth hound (*Mustelus asterias*). – **3.** ⟨*Ornit*⟩ → **palombaccio.** □ ⟨*Itt*⟩ ~ *canesca* (*o femmina*) tope (shark), dogfish (*Galeus canis*).

palomera *f.* ⟨*non com*⟩ → **paroma.**

palone (*accr. di palo*) *m.* ⟨*Agr*⟩ long cutting.

palorcio *m.* cable transport system.

paloscio *m.* ⟨*Mediev*⟩ (*daga*) short sword.

palpabile *a.* **1.** palpable, tangible. – **2.** ⟨*fig*⟩ (*manifesto, evidente*) plain, obvious, palpable. – **palpabilità** *f.* ⟨*non com*⟩ **1.** palpability, tangibility. – **2.** ⟨*fig*⟩ plainness, obviousness, palpability.

palpaculo *m.* ⟨*Zool*⟩ tentacle.

palpale: ⟨*Zool*⟩ *organo* ~ palpal organ.

palpamento *m.* ⟨*non com*⟩ → **palpazione.**

palpare *v.t.* **1.** to touch, to feel. – **2.** ⟨*Med*⟩ to palpate. – **3.** ⟨*non com*⟩ (*carezzare*) to caress, to fondle. – **4.** ⟨*fig,rar*⟩ (*verificare*) to obtain proof of.

palpata *f.* touch, feel. – **palpatina** (*dim. di palpata*) *f.* pat, light touch. □ *dare una ~ a qc.* to pat s.th., to run the hand over s.th., to touch s.th. lightly.

palpatorio *a.* ⟨*Med*⟩ palpatory. – **palpazione** *f.* **1.** feeling, touch(ing), palpation. – **2.** ⟨*Med*⟩ palpation. □ ⟨*Med*⟩ ~ *bidigitale* palpation with two fingers; ~ *bimanuale* bimanual palpation; ~ *digitale* digital palpation; ~ *manuale* manual palpation.

palpebra (*poet.* *palpebra*) *f.* ⟨*Anat*⟩ eyelid, palpebra: *abbassare le -e* to lower one's eyelids. □ (*s*)*battere le -e* to blink. – **palpebrale** *a.* palpebral: *regione* ~ palpebral region.

palpeggiamento *m.* ⟨*non com*⟩ touching, patting, feeling. – **palpeggiare** *v.t.* (**palpeggio, palpeggi**) to stroke, to pat, to feel. – **palpeggiata** *f.* ⟨*non com*⟩ → **palpata.** – **palpeggiatina** (*dim. di palpeggiata*) *f.* → **palpatina.**

palpifero I *a.* ⟨*Zool*⟩ palpiferous. – **II** *s.m.* ⟨*Entom*⟩ palpifer.

palpitante (*p.pr. di palpitare*) *a.* **1.** palpitant, palpitating; (*che batte*) throbbing, beating, pulsating. – **2.** (*fremente*) trembling, shaking, quivering: ~ *d'emozione* trembling with emotion. – **3.** ⟨*fig*⟩ (*rif. alla vita*) pulsing, vibrant. □ *di ~ attualità* very topical; *essere* ~ to palpitate; (*battere*) to throb, to be beating (*o* palpitating).

palpitare *v.i.* (**palpito**; *aus.* **avere**) **1.** to palpitate; (*battere*) to beat (fast), to throb, to pulsate, to palpitate, ⟨*fam*⟩ to go pit-a-pat: *il cuore gli palpitava fortemente* his heart was beating fast, ⟨*fam*⟩ his heart was hammering (*o* racing); (*rif. al seno*) to heave, to quiver. – **2.** (*fremere*) to tremble, to quiver, to shake: ~ *di sdegno* to quiver with indignation. – **3.** ⟨*fig*⟩ (*rif. alla vita*) to throb. □ ⟨*non com*⟩ ~ *per qd.* (*essere in pensiero*) to worry about s.o.

palpitazione *f.* **1.** ⟨*Med*⟩ (*palpitazione cardiaca*) palpitation. – **2.** ⟨*fig*⟩ (*ansia*) anxiety, worry, anxiousness.

palpito *m.* **1.** beat, pulsation: *-i frequenti* rapid beats; (*palpitazione*) beating, throbbing, pulsation. – **2.** ⟨*fig*⟩ (*emozione*) throb, thrill, tremor.

palpo *m.* ⟨*Zool*⟩ palp, palpus.

paltò *m.* ⟨*Mod*⟩ (over)coat, winter coat. □ ~ *da mezza stagione* top-coat, light (*o* spring) coat. – **paltoncino** (*dim. di paltò*) *m.* **1.** (*cappotto per bambino*) child's (winter) coat. – **2.** (*leggero soprabito per signora*) light (over)coat.

paltone[1] *m.* ⟨*Ind*⟩ industrial soap.

paltone[2] *m.* ⟨*ant*⟩ (*mendicante*) beggar, vagrant.

paltoniere *m.* (*f.* **-a**) → **paltone**[2].

paludamento *m.* **1.** ⟨*Stor.rom*⟩ paludament(um). – **2.** ⟨*estens*⟩ (*manto sontuoso*) rich mantle, sumptuous robe. – **3.** *pl.* ⟨*fig*⟩ (*ornamenti stilistici sovrabbondanti*) frippery, flowery embellishment.

paludare *v.t.* to dress in a rich mantle; (*vestire solennemente*) to dress solemnly. – **paludato** (*p.p. di paludare*) *a.* **1.** sumptuously dressed. – **2.** ⟨*Stor.rom*⟩ wearing a paludamentum. – **3.** ⟨*fig*⟩ (*solenne*) solemn; (*ampolloso*) pompous, inflated, bombastic, high-flown.

palude *f.*/*ant. m.* **1.** marsh, swamp, bog: *bonificare una ~* to reclaim a marsh. – **2.** *pl.* (*regione paludosa*) marshes *pl*, swamps *pl*, marshland, swampland, fenland. □ ⟨*lett*⟩ *la livida ~* (*l'Acheronte*) Acheron.

paludicolo *a.* ⟨*Bot*⟩ paludine, swamp-, marsh-. – **paludismo** *m.* ⟨*ant*⟩ (*malaria*) malaria, paludism, marsh fever. – **paludoso** *a.* marshy, swampy, boggy: *regione -a* swampy region, marshland. – **palustre** *a.* **1.** (*di palude*) palustrine, paludous, swamp-, marsh-: *piante -i* palustrine plants. – **2.** ⟨*ant*⟩ (*paludoso*) swampy, marshy.

palvesario *m.* ⟨*Mediev*⟩ pavisor, paviser. – **palvesato** *a.* (*armato di palvese*) carrying a pavis, shield-bearing. – **palvese** *m.* **1.** ⟨*Mediev*⟩ pavis(e), pavais; (*soldato armato di palvese*) pavisor, paviser. – **2.** ⟨*rar*⟩ (*gala di bandiere*) flags *pl*, flag dressing.

pamachina *f.* ⟨*Farm*⟩ (*plasmochina*) pamaquine, plasmochin.

pamela *f.* ⟨*Mod*⟩ (wide-brimmed) straw hat, leghorn.

pampa *sp. f.* (*pl.* **pampas**) ⟨*Geog*⟩ pampa.

pampana *f.* ⟨*region*⟩ → **pampino.** – **pampanaio** *a.* ⟨*non com*⟩ → **pampinaio.** – **pampano** *m.* ⟨*region*⟩ → **pampino.** – **pampanoso** *a.* ⟨*tosc*⟩ → **pampinoso.**

pampeano *a.* ⟨*Geog*⟩ (*della pampa*) pampean, pampas-.

pampepato *m.* → **panpepato.**

pampero *sp. m.* ⟨*Meteor*⟩ pampero.

pamphlet *fr.* [pɑ̃'flɛ] *m.* ⟨*Lett*⟩ satire, lampoon.

pampinaio *a.* ⟨*Bot*⟩ producing vine-leaves. – **pampinario** *a.* ⟨*ant*⟩ → **pampinaio.** – **pampineo** *a.* ⟨*lett*⟩ leafy, covered with vine-leaves.

– **pampinifero** *a.* ⟨*lett*⟩ leaf-bearing. – **pampiniforme** *a.* pampiniform.
pampino *m.* **1.** (*foglia della vite*) vine leaf. – **2.** (*germoglio*) vine shoot. □ *andare in -i* to be thick with leaves (but no fruit); ⟨*fig*⟩ to get nothing done; ⟨*fig*⟩ *assai -i e poca uva* mere show; ⟨*fig*⟩ *dar -i per uva* to put off with empty promises.
pampinoso *a.* ⟨*non com*⟩ **1.** covered with vine leaves. – **2.** ⟨*poet*⟩ (*ricco di viti*) vine-clad, covered with vines.
pamporcino *m.* → **panporcino.**
pampsichismo *m.* ⟨*Filos*⟩ panpsychism.
Pan *N.pr.m.* ⟨*Mitol*⟩ Pan.
pan... *pref.* (*tutto* all, *intero* entire) pan(o)...
panace *m.* ⟨*Bot*⟩ cow-parsnip (*Heracleum sphondylium*).
panacea *f.* **1.** → **panace.** – **2.** ⟨*fig*⟩ (*rimedio universale*) panacea, cure-all. – **3.** ⟨*ant*⟩ (*tabacco*) tobacco. □ ⟨*Alchim*⟩ ~ *universale* kermes; ⟨*Bot,ant*⟩ ~ *vegetale* (*zafferano*) saffron crocus (*Crocus sativus*).
panachage *fr.* [panaˈʃaːʒ] *m.* ⟨*Pol*⟩ panachage.
panache *fr.* [paːˈnaʃ] *m.* **1.** (*pennacchio*) panache, plumes *pl.* – **2.** *pl.* (*calzoni da cavallerizzo*) riding-breeches *pl*, jodhpurs *pl.* – **3.** (*chiassosità fanfarona*) flamboyant rowdiness. □ *fare* ~: 1. ⟨*Equit*⟩ (*rif. al cavallo*) to fall (head over heels); (*rif. al cavaliere*) to be tossed over the horse's head; 2. (*nel ciclismo*) to be tossed over the handlebars.
panafricanismo *m.* Pan-Africanism. – **panafricano** *a.* Pan-African: *conferenza -a* Pan-African Congress.
panagia *f.* ⟨*Rel*⟩ panagia.
panaia *f.* ⟨*Bot*⟩ (*anche mela panaia*) (kind of) autumn apple.
panama *m.inv.* **1.** ⟨*Mod*⟩ Panama (hat). – **2.** ⟨*Tess*⟩ (*armatura*) natte, basket-weave; (*tessuto*) natte, basket-weave cloth.
Panama I *N.pr.m.* ⟨*Geog*⟩ Panama (*denom. uff.*: *Repubblica del Panama* Republic of Panama). – **II** *N.pr.f.* Panama. □ *canale di* ~ Panama Canal; *istmo di* ~ Isthmus of Panama. – **panamegno** *a./s.* → **panamense.** – **panamense I** *a.* Panaman(ian), of Panama. – **II** *s.m./f.* Panamanian, native (*o* inhabitant) of Panama.
panamericanismo *m.* Pan-Americanism. – **panamericano** *a.* Pan-American.
panara *f.* ⟨*Pesc*⟩ (kind of) conical fishing-net.
panarabismo *m.* Pan-Arabism. – **panarabo** *a.* Pan-Arabian.
panare *v.t.* ⟨*Gastr*⟩ to bread, to cover with bread crumbs.
panareccio, panariccio *m.* ⟨*pop*⟩ → **patereccio.**
panario *a.* panary: *fermentazione -a* panary fermentation.
panasiatico *a.* (*pl.* **-ci**) Pan-Asiatic, Pan-Asian. – **panasiatismo** *m.* Pan-Asiatism.
panata *f.* ⟨*Gastr*⟩ panada, bread soup.
panatenaico *a.* (*pl.* **-ci**) ⟨*Stor.gr*⟩ Panathenaic, Panathenaean: *anfore panatenaiche* Panathenaic vases. – **panatenee** *f.pl.* Panathenaea *pl.*
panatica *f.* **1.** ⟨*Mar*⟩ board, food; (*denaro*) board-money, board-wages *pl.* – **2.** ⟨*region,scherz*⟩ (*vitto*) food. – **3.** ⟨*Mar,ant*⟩ (*provvista di pane*) stores *pl* of bread aboard a ship.
panato (*p.p. di panare*) *a.* ⟨*Gastr*⟩ breaded.
panatteria *f.* ⟨*ant,region*⟩ → **panetteria.** – **panattiere** *m.* ⟨*ant, region*⟩ → **panettiere.**
panca *f.* **1.** bench, form, seat: *panche d'osteria* tavern benches. – **2.** ⟨*Mar.mil*⟩ folding bench (in a ship's mess). – **3.** ⟨*Equit*⟩ stirrup-bar.
□ ~ *d'***angolo** corner bench; ~ *di* **chiesa** pew; ~ *da* **giardino** garden (*o* park) bench; ~ *di* **legno** (wooden) bench; ⟨*pop,tosc*⟩ **leva** *le panche e metti le panche* he (*o* she) bustles about accomplishing nothing; ⟨*fig*⟩ *consumare le panche dell'***osteria** to warm the benches at the tavern, to spend all one's time drinking; ~ *di* **pietra** stone bench (*o* seat); *far* **ridere** *le panche* to talk nonsense; *essere buono solo a* **scaldare** *le panche* (*della scuola*) to waste one's time at school; ~ *di* **scuola** school form, (school) desk; ⟨*ant,fig*⟩ *esser* ~ *da* **tenebre** (*essere il bersaglio di tutti*) to be everybody's butt.
pancaccio (*pegg. di panca*) *m.* prison bunk.
pancaciolo *m.* ⟨*Bot*⟩ gladiolus (*Gladiolus segetum*).
pancale *m.* ⟨*ant*⟩ bench-cover.
pancardite *f.* ⟨*Med*⟩ pancarditis.
pancata *f.* **1.** bench, benchful of people. – **2.** (*colpo*) blow with a bench. – **3.** ⟨*ant*⟩ (*serie di filari di viti*) parallel rows *pl* of vines.
pancera *f.* → **panciera.**
pancetta (*dim. di pancia*) *f.* **1.** paunch, (pot-)belly. – **2.** ⟨*Gastr*⟩ bacon. – **3.** ⟨*Macell,roman*⟩ belly. – **4.** ⟨*Ind*⟩ (*nella lavorazione della tartaruga*) plastron. □ ~ *di lepre* hare (fur); *mettere su un po' di* ~ to become paunchy, to get fat, to put on weight.
panchetta, panchettina (*dim. di panca*) *f.* stool, small bench. – **panchettino, panchetto** (*dim. di panca*) *m.* **1.** → **panchetta.** – **2.** (*sgabello*) footstool. – **panchina** (*dim. di panca*) *f.* bench, seat; (*nei giardini pubblici*) (park-)bench, (garden-)seat.
pancia *f.* (*pl.* **-ce**) **1.** (*ventre*) stomach, belly, ⟨*infant*⟩ tummy: *mi duole la* ~ I have a stomach-ache. – **2.** (*ventre grosso*) paunch, ⟨*fam*⟩ pot(-belly), ⟨*fam*⟩ bay-window: *mettere su* ~ to develop a paunch, to get paunchy, to grow stout (*o* fat). – **3.** ⟨*fig*⟩ (*sporgenza*) belly, bulge; (*rif. a vasi, fiaschi e sim.*) belly; (*rif. a lettere dell'alfabeto*) round part (of a letter); (*rif. a vele*) belly.
□ *starsene a* ~ *all'***aria** to lie on one's back; ⟨*fig*⟩ to laze around, to (be) idle, to take it easy; *non* **avere** ~ to have a flat stomach; *mi* **brontola** *la* ~ *per la fame* my stomach is rumbling (*o* growling); *mangiare a* **crepa** ~ to eat fit to burst, to stuff (o.s.); *avere* **dolori** *di* ~ to have a stomach-ache, ⟨*infant*⟩ to have a tummy-ache; ⟨*fig*⟩ **far** ~ to get a paunch, to grow stout; *camminare con la* ~ *in* **fuori** to walk with one's stomach sticking out; ⟨*volg,fig*⟩ **grattarsi** *la* ~ (*oziare*) to do nothing, to laze around; *avere* **mal** *di* ~ = *avere* **dolori** *di pancia*; ⟨*fam*⟩ *avere la* ~ *fino agli* **occhi** to be in the last stages of pregnancy, to be great with child; **pensare** *solo alla* ~ to think only of ⌜eating and drinking⌝ (*o* one's stomach); *essere a* ~ **piena** to have eaten, to be satisfied, to be full (up); **reggersi** *la* ~ *dalle risa* to hold (*o* split) one's sides with laughter; **salvare** *la* ~ *per i fichi* to save one's appetite for the later courses; ⟨*fig*⟩ to think of one's own safety first, to keep out of danger's way; ~ **sporgente** bulging stomach; *stare a* ~ *a* **terra** to lie on one's stomach (*o* face), to lie face down. – *Prov.*: *a* ~ *piena si consulta meglio* one thinks better on a full stomach.
panciafichismo *m.* ⟨*spreg*⟩ pacifism, ⟨*spreg*⟩ peace-mongering. – **panciafichista** *m./f.* ⟨*spreg*⟩ pacifist, ⟨*spreg*⟩ peace-monger.
panciata *f.* **1.** (*colpo sulla pancia*) blow on the stomach; (*colpo con la pancia*) bump (*o* nudge) with the stomach; (*in acqua*) belly -flop. – **2.** (*scorpacciata*) feed, surfeit, ⟨*volg*⟩ bellyful. □ *dare* (*o prendere*) *una* ~ to (do a) belly-flop.
panciera *f.* **1.** body-belt. – **2.** ⟨*Stor*⟩ (*parte dell'armatura*) skirt of tasses.
pancina (*dim. di pancia*) *f.* → **pancino.** – **pancino** (*dim. di pancia*) *m.* ⟨*infant*⟩ tummy, ⟨*infant*⟩ tum-tum.
panciolle: ⟨*tosc*⟩ *in* ~ (*in ozio*) idly, lazily, in idleness. □ *starsene in* ~ to sit (*o* idle) about, to lounge (*o* laze) around.
pancione (*accr. di pancia*) *m.* **1.** paunch, pot-belly. – **2.** (*persona dalla pancia grossa*; *f.* **-a**) paunchy (*o* pot-bellied) person, very stout person, ⟨*fam*⟩ pot-belly. – **3.** ⟨*Zool*⟩ (*rumine*) rumen, paunch.
panciotto *m.* ⟨*Mod*⟩ waistcoat, ⟨*am*⟩ vest.
panciuto *a.* **1.** (*rif. a persona*) paunchy, (very) stout, corpulent, ⟨*fam*⟩ pot-bellied. – **2.** (*rif. a cosa*) bellied, bulging, rounded: *vaso* ~ bellied vase.
panconcello (*dim. di pancone*) *m.* lath, narrow plank.
pancone (*accr. di panca*) *m.* **1.** (heavy) plank, large board. – **2.** (*banco di lavoro*) (work-)bench; (*del falegname*) carpenter's bench. – **3.** (*banco di vendita*) counter. – **4.** ⟨*Mus*⟩ (*somière*) wind-chest. – **5.** (*strato di terreno impermeabile*) underlying layer of hard soil.
pancosmismo *m.* ⟨*Filos*⟩ pancosmism.
pancotto *m.* ⟨*Gastr*⟩ panada, bread soup, pap. □ ⟨*fig*⟩ *avere il* ~ *nel cervello* (*essere corto di comprendonio*) to be soft in the head, to be flea-brained.
pancraziaste *m.* ⟨*Stor.gr*⟩ pancrati(a)st.
pancrazio[1] *m.* ⟨*Stor.gr*⟩ pancratium, pancration.
pancrazio[2] *m.* ⟨*Bot*⟩ **1.** pancratium (*Pancratium*). – **2.** sea daffodil (*Pancratium maritimum*).
Pancrazio *N.pr.m.* Pancras.
pancrea *m.* ⟨*rar*⟩ → **pancreas.** – **pancreas** *m.* ⟨*Anat*⟩ pancreas. – **pancreatico** *a.* (*pl.* **-ci**) pancreatic. – **pancreatina** *f.* ⟨*Farm*⟩ pancreatin. – **pancreatite** *f.* ⟨*Med*⟩ pancreatitis.
pancreato|patia *f.* ⟨*Med*⟩ pancreatopathy. – **~privo** *a.* lacking a pancreas.
pancreatosi *f.* ⟨*Med*⟩ pancreolysis, pancreatolysis.
pancristiano *a.* ⟨*Rel.catt*⟩ favouring (o)ecumenism, (o)ecumenical.
pancromatico *a.* (*pl.* **-ci**) ⟨*Fot*⟩ panchromatic.
panda *m.inv.* ⟨*Zool*⟩ (*panda minore*) panda (*Ailurus fulgens*).
pandano *m.* ⟨*Bot*⟩ screw-pine, pandanus (*Pandanus*).
pandemia *f.* ⟨*Med*⟩ pandemic, pandemia. – **pandemico** *a.* (*pl.* **-ci**) pandemic.
pandemio *a.* ⟨*lett*⟩ (*pubblico*) general, public, of the people. □ ⟨*lett*⟩ *venere -a* (*meretrice*) prostitute, whore.
pandemonio *m.* **1.** (*gran confusione*) pandemonium. – **2.** ⟨*Lett*⟩ Pandaemonium.
pandere *v.t.* ⟨*ant,poet*⟩ (*manifestare*) to show, to manifest.
pandermite *f.* ⟨*Med*⟩ general dermatitis.
pandette *f.pl.* **1.** ⟨*Dir.rom*⟩ Pandects *pl.* – **2.** ⟨*estens*⟩ (*testo di legge*) pandect. – **3.** ⟨*region*⟩ (*registro di atti di archivio*) register of archives. – **4.** ⟨*Univ,ant*⟩ (*digesto*) digest. – **pandettista** *m./f.* ⟨*Dir*⟩ Pandectist. – **pandettistica** *f.* ⟨*Stor*⟩ Pandectist movement.
pandiculazione *f.* ⟨*Med*⟩ pandiculation.
pandit *m.* pandit.
pandolce *m.* ⟨*Dolc*⟩ kind of cake.
pandora *f.* ⟨*Mus*⟩ (*bandura*) bandore, pandura, pandora.
Pandora *N.pr.f.* ⟨*Mitol*⟩ Pandora. □ ⟨*Mitol*⟩ *il vaso di* ~ Pandora's box (*anche fig.*).
pandoro *m.* ⟨*Dolc*⟩ kind of cake.
pandura *f.* → **pandora.**
pandurato, panduriforme *a.* ⟨*Bot*⟩ pandurate, panduriform.
panduro *m.* **1.** ⟨*Stor*⟩ pandour. – **2.** ⟨*fig*⟩ (*persona zotica*) boor, lout.
pane[1] *m.* **1.** bread; (*forma*) loaf: ~ *a cassetta* rectangular loaf of bread, sandwich (*o* store) loaf. – **2.** ⟨*fig*⟩ (*sostentamento*) bread, living, food, livelihood: *guadagnarsi il* ~ *con il lavoro* to earn one's bread by working, to work for a living. – **3.** ⟨*fig*⟩ (*nutrimento spirituale*) spiritual food (*o* nourishment). – **4.** (*massa compatta regolare*) cake loaf, block, stick: *un* ~ *di burro* a block of butter. – **5.** ⟨*Met*⟩ pig, ingot. – **6.** ⟨*poet*⟩ (*grano*) wheat, corn.
□ ~ **abbrustolito** = *pane* **tostato**; *mettere* (*qd.*) *a* ~ *e* **acqua** to put s.o. on bread and water; ⟨*Gastr*⟩ ~ **agliato** garlic bread; ~ **andante** poor-quality bread; ~ *degli* **angeli**: 1. = *pane* **eucaristico**;

2. (*la vera sapienza*) true knowledge (*o* wisdom); ~ **asciutto** (*senza companatico*) dry bread, bread without anything on it; ~ **azzimo** unleavened bread; ⟨*Rel.ebr*⟩ matzo(h); ~ **bianco** white bread; ⟨*fig*⟩ *allevare a ~ bianco* (*con cibi ricercati*) to raise on milk and honey; ⟨*fig*⟩ *nutrirsi a ~ bianco* to live comfortably (*o* a life of ease); ~ **bigio** brown bread; ~ **biscottato** (o *biscotto*) toasted bread, rusk; ~ **bollito** bread soup, panada; ~ **bruciato** burnt bread; *essere* **buono** *come il ~* to have a heart of gold, to be very good-natured; ~ *e* **burro** bread and butter, buttered bread; *essere ~ e* **cacio** *con qd.* (*andare in perfetto accordo*) to get on famously with s.o., to be as thick as thieves; ~ **casalingo** home-made bread; ~ **casareccio** = *pane* **casalingo**; ~ **celeste** = *pane* **eucaristico**; ~ *a* **ciambella** ring-shaped loaf; ~ **condito** seasoned bread; ~ **croccante** crusty bread; ⟨*Bot*⟩ ~ *di* **cuculo** green-winged orchid, dead-man's-fingers (*Orchis morio*); ⟨*fig*⟩ *non è ~ per i suoi* **denti** it's not for him, ⟨*fam*⟩ it's not his cup of tea; ~ **dolce** sweet bread; ~ **duro** (*raffermo*) stale bread; ⟨*fig*⟩ *uscire di ~ duro* to be less poor, to be slightly better off; ~ **eucaristico** Eucharist, consecrated bread, Host; **fare** *il ~* to make bread; ~ *di* **ferro** pig-iron; *rendere pan per* **focaccia** to give tit for tat; *un ~ di* **formaggio** a (whole) cheese; ~ **fresco** freshly baked bread, fresh (*o* new) bread; ~ *di* **frumento** (wheat) bread; ⟨*Bot*⟩ ~ *di san* **Giovanni** carob tree (*Ceratonia siliqua*); ~ *di* **granturco** Indian cornflour (*o* corn) bread; *pan* **grattato** (o *grattugiato*) bread crumbs *pl*; **impastare** *il ~* to knead bread dough; ~ **integrale** wholemeal (*o* brown) bread, ⟨*am*⟩ wholewheat bread; ~ *al* **latte** bread made with milk; ~ **leggero** light (well-cooked) bread; **levarsi** *il ~ di bocca* (*per qd.*) to give (s.o.) the shirt off one's back, to deprive o.s. (for another); ~ *di* **lusso** French bread; *far* **mancare** *il ~ a qd.* to deprive s.o. of his means of subsistence, to let s.o. go hungry, to keep s.o. in want; ~ *della* **mente** (*scienza*) knowledge, learning; ~ **metallico** pig, ingot; ⟨*Dolc*⟩ ~ *di* **miglio** maize-flour cake; ~ **militare** army (*o* ration) bread; ~ **misto** bread made from several kinds of flour; **misurare** *il ~ a qd.* to dole food out to s.o., to keep s.o. short of food; *la* **moltiplicazione** *dei -i* (*e dei pesci*) the miracle of the loaves (and fishes); ⟨*Dolc*⟩ ~ *dei* **morti** fruit-cake (for All Soul's Day); ⟨*ant*⟩ ~ *da* **munizione** army bread; ~ **nero** brown (*o* wholemeal) bread; (*molto scuro e pesante*) black bread; ~ *all'***olio** bread made with oil; ~ **ordinario** ordinary bread; ~ *d'***orzo** barley bread; ⟨*fig*⟩ *mangiare pan* **pentito** (*pentirsi*) to feel remorse over s.th. one has done; ⟨*Dolc*⟩ *pan* **pepato** kind of spice cake; (*di zenzero*) gingerbread; ⟨*fig*⟩ *per un* **pezzo** *di ~* for very little, for next to nothing, ⟨*fam*⟩ for a song; ⟨*Bibl*⟩ *dacci oggi il nostro ~* **quotidiano** give us this day our daily bread; ~ **raffermo** (o *rifatto*) stale bread; ⟨*Dolc*⟩ ~ *di* **ramerino** roll made with oil, rosemary and raisins; ⟨*Bot*⟩ ~ *delle* **scimmie** baobab, monkey-bread tree (*Adansonia digitata*); ~ **scuro** = *pane* **nero**; ~ *di* **segala** (o *segale*) rye-bread; ⟨*Bot*⟩ ~ *di* **serpe** (*gigaro*) cuckoo-pint, lords and ladies (*Arum maculatum*); ⟨*fig*⟩ *un ~* **sicuro** a steady job; ~ **soffice** soft bread; ~ **solo** = *pane* **asciutto**; ⟨*Dolc*⟩ *pan di* **Spagna** sponge-cake; **spezzare** *il ~* to break bread, to eat; ⟨*scherz*⟩ *spezzare il ~ della scienza* (*insegnare*) to teach, to impart knowledge; ⟨*fig*⟩ ~ **sudato** hard-earned bread; ⟨*Giard*⟩ ~ *di* **terra** ball of earth; ⟨*fig*⟩ **togliere** *il ~ a qd.* to take the bread out of s.o.'s mouth, to deprive s.o. of his livelihood; ~ **tostato** toast, toasted bread; *mangiare ~ a* **tradimento** (o *ufo*) to eat unearned bread, to be a sponger; ~ *a* **treccia** plaited bread; ~ **viennese** Vienna loaf; *dire ~ al ~ e* **vino** *al vino* to call a spade a spade, to speak clearly (*o* bluntly); *non si* **vive** *di solo ~* man does not live by bread alone; *pan di* **zucchero** sugarloaf; *cappello a pan di zucchero* conical (*o* sugarloaf) hat. – *Prov.*: *~ finché dura, ma il vino a misura* eat as much as you like, but drink with moderation; *pan d'un giorno e vin d'un anno* eat freshly baked bread and drink vintage wine; *se non è zuppa è pan bagnato* it's six of one and half a dozen of the other; *pan rubato ha buon sapore* stolen apples are the sweetest.

pạne² *m.* ⟨*Mecc*⟩ (screw-)thread.

Pạne *N.pr.m.* ⟨*Mitol*⟩ Pan.

panegịrico *a./s.* (*pl.* **-ci**) **I** *s.m.* **1.** ⟨*Stor.gr*⟩ panegyric. – **2.** ⟨*estens*⟩ (*discorso in lode di un santo*) discourse in praise of a saint. – **3.** ⟨*fig*⟩ (*esaltazione*) panegyric, eulogy, (high) praise: *tessere un ~ a qd.* to praise (*o* eulogize) s.o., to speak in s.o.'s praise. – **II** *a.* ⟨*rar*⟩ **1.** ⟨*Stor.gr*⟩ panegyrical. – **2.** ⟨*estens*⟩ (*di lode*) eulogistic, of praise, panegyrical, laudatory. – **panegirịsta** *m./f.* **1.** ⟨*Stor.gr*⟩ panegyrist. – **2.** ⟨*fig*⟩ panegyrist, eulogist, praiser.

panellẹnico *a.* (*pl.* **-ci**) Panhellenic, Pan-Hellenic. – **panellẹnio** *m.* ⟨*Stor.gr*⟩ Panhellenia. □ *Zeus ~* Zeus Panhellenius, Zeus God of all Greeks. – **panellenịsmo** *m.* ⟨*Stor*⟩ Panhellenism, Pan-Hellenism. – **panellenịsta I** *s.m.* Panhellenist, Pan-Hellenist. – **II** *a.* Panhellenic, Pan-Hellenic.

panẹllo (*dim. di pane*¹) *m.* cake; (*di semi oleosi*) oilcake.

panemocitoftịsi *f.* → **panmieloftisi.**

panteịsmo *m.* ⟨*Filos*⟩ panentheism. – **panenteịstico** *a.* (*pl.* **-ci**) panentheistic.

pạnera *f.* ⟨*lomb*⟩ (*crema di latte*) light cream, ⟨*fam*⟩ top of the milk.

panerẹccio *m.* ⟨*pop*⟩ → **patereccio.**

panettạio *m.* (*f.* **-a**) operator of a butter-packaging machine. – **panettatrịce** *f.* (*macchina*) butter-packaging machine.

panetterịa *f.* **1.** (*forno*) bakery, bakehouse. – **2.** (*bottega*) baker's (shop), bakery. – **panettiẹre** *m.* (*f.* **-a**) baker.

panẹtto (*dim. di pane*¹) *m.* **1.** cake, bar, block. – **2.** ⟨*teat*⟩ applause in the middle of a scene. □ *un ~ di burro* a package of butter.

panettọne *m.* ⟨*Dolc*⟩ light Christmas cake, panettone.

Paneurọpa *N.pr.f.* Pan-Europe. – **paneuropẹo** *a.* Pan-European.

Panfịlia *N.pr.f.* ⟨*Geog.stor*⟩ Pamphylia. – **panfịlico** *a.* (*pl.* **-ci**) Pamphylian.

panfịlio *m.* ⟨*rar*⟩ → **panfilo.** – **pạnfilo** *m.* **1.** ⟨*Mar*⟩ yacht. – **2.** ⟨*Mar. ant*⟩ galley. □ ~ *da crociera* cruising yacht, cruiser; ~ *a motore* yacht with a motor; ~ *da regata* racing yacht; ~ *a vela* (sailing) yacht.

panflettịsta *m./f.* pamphleteer. – **panflettịstico** *a.* (*pl.* **-ci**) pamphletary, pamphlet-.

panfọrte *m.* ⟨*Dolc*⟩ kind of fruit-cake, panforte.

panfotomẹtrico *a.* (*pl.* **-ci**) ⟨*Bot*⟩ panphotometric.

pangẹnesi *f.* ⟨*Biol*⟩ pangenesis. – **pangẹni** *m.pl.* pangens *pl.*

pangeometrịa *f.* ⟨*Geom*⟩ non-Euclidean hyperbolic geometry.

pangermanẹsimo, pangermanịsmo *m.* Pan-Germanism. – **pangermanịsta I** *s.m./f.* Pan-German(ist). – **II** *a.* → **pangermanistico.** – **pangermanịstico** *a.* (*pl.* **-ci**) Pan-German(ic).

Pangiạb *N.pr.m.* → **Panjab.** – **pangiạbi** *a./s.* → **panjabi.**

pangiallo (o *pan giallo*) *m.* ⟨*Dolc*⟩ Christmas fruit and nut cake.

pangolịno *m.* ⟨*Zool*⟩ pangolin, scaly ant-eater (*Manis*). □ ~ *gigante* giant pangolin (*Manis gigantea*); ~ *tricuspide* small scaled tree pangolin (*Manis tricuspis*).

pangrattạto (o *pan grattạto*) *m.* bread crumbs *pl.*

pạnia¹ *f.* **1.** ⟨*Venat*⟩ (bird-)lime. – **2.** ⟨*fig*⟩ (*allettamento, inganno*) lure, enticement, snare. □ *cadere nella ~* (*di qd.*) to be limed; ⟨*fig*⟩ to fall into s.o.'s clutches, to be ensnared by s.o.

pạnia² *f.* ⟨*Pesc*⟩ adjustable cork float (for fishing-nets).

panicastrẹlla *f.* ⟨*Bot*⟩ **1.** foxtail grass, setaria, bristle (*o* bottle) grass (*Setaria*). – **2.** green foxtail (*o* bristle grass) (*Setaria verticillata*). □ ~ *di palude* (*marisco*) (fen) sedge (*Cladium mariscus*).

panicạto *a.* ⟨*Macell*⟩ measly. – **panicatụra** *f.* measles *pl* (*costr. sing. o pl.*).

panịccia *f.* (*pl.* **-ce**) ⟨*tosc,spreg*⟩ mush, ⟨*fam*⟩ goo, ⟨*fam*⟩ soggy mess.

panicità *f.* → **panismo.**

pạnico¹ *a./s.* (*pl.* **-ci**) **I** *a.* **1.** panic: *timor ~* panic fear. – **2.** (*della natura*) natural, Nature's. – **II** *s.m.* panic: *essere colto dal ~* to be panic-stricken, to panic.

panịco² *m.* (*pl.* **-chi**) ⟨*Bot*⟩ foxtail (*o* Italian) millet (*Setaria italica, Panicum italicum*). □ ⟨*fig*⟩ *piccolo come un chicco di ~* tiny, minute; ~ *selvatico* barnyard grass (*o* millet) (*Panicum crus-galli*).

panicọcolo *m.* (*f.* **-a**) ⟨*ant*⟩ → **panettiere.**

panicolạto *a.* ⟨*Bot*⟩ paniculate(d).

panicuọcolo *m.* (*f.* **-a**) ⟨*ant*⟩ → **panettiere.**

paniẹra *f.* **1.** basket, hamper. – **2.** (*quantità*) basket(ful), ⟨*fam*⟩ hamper.

panierạccio *m. pegg. di* **paniere.** – **panierạio** *m.* (*f.* **-a**) **1.** (*fabbricante*) basket-maker. – **2.** (*venditore*) basket-seller. – **3.** ⟨*sicil*⟩ (*raccoglitore di agrumi*) citrus fruit picker. – **panierạta** *f.* **1.** basket -(ful), ⟨*fam*⟩ hamper. – **2.** (*colpo*) blow with a basket. □ ⟨*fig*⟩ *a -e* in plenty.

paniẹre *m.* **1.** basket. – **2.** (*quantità*) basket(ful). – **3.** ⟨*Mod,ant*⟩ pan(n)ier. □ ⟨*Bot*⟩ ~ *d'argento* rock-cress (*Arabis caucasica*); ⟨*tosc*⟩ ~ *senza fondo* (*impresa lunga e dispendiosa*) long and expensive undertaking; ⟨*Bot*⟩ ~ *d'oro* basket-of-gold, golden tuft (*Alyssum saxatile*).

panierịno, panierụccio (*dim. di paniere*) *m.* small basket; (*per la colazione*) lunch-box. □ *aspettare un ~ dal cielo* to wait for s.th. to ⌜drop into one's lap⌝ (*o* turn up).

panificạbile *a.* that can be ⌜made into⌝ (*o* used in making) bread. – **panificạre** *v.* (**panịfico, panịfichi**) **I** *v.i.* (*aus.* **avere**) to make bread. – **II** *v.t.* to make into bread. – **panificatọre** *m.* (*f.* **-trice**) **1.** baker. – **2.** (*lavorante di panificio*) bakery worker, baker's assistant. – **panificaziọne** *f.* bread-making, baking. □ *da ~* (suitable for) bread-making-, bread-, baker's. – **panifịcio** *m.* **1.** bakery. – **2.** (*negozio*) baker's (shop), bakery. – **3.** ⟨*ant*⟩ → **panificazione.**

panifọrte *m.* ⟨*Fal*⟩ laminboard.

panịno (*dim. di pane*¹) *m.* (bread) roll. □ ~ *al* **burro** roll made with butter, butter roll; ~ *al* **formaggio** cheese roll (*o* sandwich); ~ **imbottito** (o *gravido*) filled roll, sandwich; ~ *al* **latte** roll made with milk; ~ *all'***olio** soft roll, roll made with oil; ~ **ripieno** = *panino* **imbottito.**

paniọne *m.* ⟨*Venat*⟩ (bird-)limed stick.

panịsco *m.* (*pl.* **-chi**) ⟨*Mitol*⟩ panisc, panisk.

panịslamico *a.* (*pl.* **-ci**) Pan-Islamic. – **panịslamịsmo** *m.* Pan -Islam(ism).

panịsmo *m.* spirit of nature.

paniụzza *f.* ⟨*Venat*⟩ (bird-)limed twig.

Panjạb *N.pr.m.* ⟨*Geog*⟩ Punjab. – **panjạbi I** *a.* Punjabi, Panjabi. – **II** *s.f.* ⟨*Ling*⟩ Panjabi.

panlọgico *a.* (*pl.* **-ci**) ⟨*Filos*⟩ panlogical. – **panlogịsmo** *m.* panlogism.

panmielo|ftịsi *f.* ⟨*Med*⟩ panmyelophthisis. – **~patịa** *f.* panmyelopathy.

panmịssi, panmissịa *f.* ⟨*Biol*⟩ panmixia, panmixy, panmixie.

pạnna¹ *f.* **1.** (*crema*) cream. – **2.** (*panna montata*) whipped cream. – **3.** (*pelle del latte*) skin (of milk). □ ~ *con i cialdoni* whipped cream and cornets; ~ *montata* whipped cream.

pạnna[2] *f.* **1.** ⟨*Mar*⟩ (*disposizione delle vele*) hove-to position; (*mancanza di vento*) becalmed condition. – **2.** ⟨*Aut*⟩ breakdown, engine trouble. □ ⟨*Aut*⟩ ⌜*essere in*⌝ (*o avere una*) ~ to have ⌜a breakdown⌝ (*o* engine trouble); ⟨*Mar*⟩ *mettere in* ~ to heave to.
pạnna[3] *f.* ⟨*Mar*⟩ boom.
pannaiọlo *m.* ⟨*ant,spreg*⟩ draper.
pannạre *v.i.* (*aus.* **avere**) ⟨*non com*⟩ (*rif. al latte*) to (form) cream.
pannarọla *f.* skimmer.
pannarọne *m.* ⟨*Alim*⟩ unveined (*o* white) Gorgonzola.
panne *fr.* [pãn] *f.* → **panna**[2].
panneggiamẹnto *m.* **1.** drape(ry), draping. – **2.** (*stoffa panneggiata*) drape(ry). – **3.** ⟨*Art,non com*⟩ (*panneggio*) drapery. – **panneggiạre** *v.t.* (**pannẹggio, pannẹggi**) to drape (*anche Art.*). – **pannẹggio** *m.* **1.** (*panneggiamento*) drape(ry), draping. – **2.** ⟨*Art*⟩ drapery.
pannelbạgio *m.* ⟨*Ornit*⟩ (*mignattino*) black tern (*Hydrochelidon nigra*).
pannellatụra *f.* panelling, panels *pl*: ~ *in legno* wood panelling.
pannẹllo *m.* **1.** panel; (*tabellone*) boarding, (bill)board. – **2.** ⟨*Art*⟩ panel. – **3.** ⟨*Edil*⟩ panel, board. – **4.** ⟨*Aer*⟩ skin panel. – **5.** (*panno*) cloth. – **6.** ⟨*Sart*⟩ panel. – **7.** ⟨*region*⟩ (*grembiule*) apron. □ ⟨*Edil*⟩ ~ **acustico** baffle (-board); ⟨*Cin,Acu*⟩ ~ **antisonoro** gobo; ⟨*Arch*⟩ ~ **arabescato** diaper; ~ *di* **comando** control panel; ⟨*Arred*⟩ ~ **decorativo** (decorative) panel; ⟨*Edil*⟩ ~ **isolante** insulating board (*o* panel); ~ **portastrumenti** instrument (*o* switchboard) panel, fascia panel; **rivestire** *con -i* to panel.
pannẹtto (*dim. di panno*) *m.* (*panno di qualità scadente*) shoddy (*o* poor-quality) cloth.
panneurịte *f.* ⟨*Med*⟩ (*polineurite*) panneuritis, polyneuritis.
pannicẹllo (*dim. di panno*) *m.* **1.** (*piccolo panno*) rag, scrap (of cloth). – **2.** *pl.* ⟨*ant*⟩ (*abiti miseri*) rags *pl*, poor clothes *pl.* □ *-i caldi* hot packs (*o* compresses); ⟨*fig*⟩ (*rimedi inadeguati*) inadequate remedies.
pannicolịte *f.* ⟨*Med*⟩ panniculitis. – **pannịcolo** *m.* ⟨*Anat*⟩ panniculus. □ ~ *adiposo* panniculus adiposus.
pannilạno *m.* ⟨*ant*⟩ → **pannolano.**
pannilịno *m.* → **pannolino**[2].
pannịna *f.* ⟨*non com*⟩ **1.** roll (*o* bolt) of woollen cloth. – **2.** ⟨*collett*⟩ woollens *pl*, woollen cloth.
pannịno (*dim. di panno*) *m.* light wool (*o* woollen cloth).
pạnno *m.* **1.** cloth. – **2.** (*pezzo di stoffa*) cloth, rag: *lucidare le scarpe con un* ~ to shine (one's) shoes with a rag. – **3.** *pl.* (*biancheria*) linen; (*bucato*) washing, laundry: *stirare i -i* to iron the washing, to do the ironing. – **4.** *pl.* (*vestiti*) clothes *pl*, clothing: *cambiare i -i* to change one's clothes. – **5.** ⟨*rar*⟩ (*stoffa, tessuto*) cloth, material, fabric. – **6.** ⟨*ant*⟩ (*pelle*) skin, film; (*membrana*) membrane. – **7.** (*velo alla superficie di un liquido*) film, thin scum. □ **bianco** *come un* ~ *lavato* as white as a sheet; ⟨*Tess*⟩ ~ **bigello** homespun, frieze; *-i* **caldi** hot packs (*o* compresses); ⟨*fig*⟩ (*rimedi inadeguati*) inadequate remedies; ⟨*Med*⟩ ~ **corneale** pannus; **essere** *nei -i di qd.* to be in s.o.'s shoes: *non vorrei essere nei suoi -i* I wouldn't like to be in his shoes; *se io fossi nei tuoi -i, accetterei* if I were you, I'd accept; *-i da* **estate** summer clothes, summerwear; ⟨*fig,tosc*⟩ *c'è* ~ *per* **farlo** (*c'è la possibilità*) it's possible, there's a way to do it; ⟨*non com*⟩ ~ **funebre** pall; ~ *di* **lana** wool, woollen cloth; ⟨*non com*⟩ *-i* **leggeri** light(-weight) clothes; **mettersi** *nei -i di qd.* to put o.s. in s.o.'s place (*o* shoes); ⟨*non com*⟩ ~ **mortuario** = *panno funebre*; ⟨*Med*⟩ ~ *dell'***occhio** pannus; ⟨*fig,tosc*⟩ **pigliare** *il* ~ *per il suo verso* (*trattare nel modo più adatto*) to go about s.th. the right way; ⟨*tosc*⟩ **saper** *di che -i uno vesta* (*conoscerlo bene*) to know s.o. well, to know what ⌜s.o. is like⌝ (*o* stuff s.o. is made of); ⟨*Tip*⟩ ~ *di* **stampa** cylinder blanket; **stare** *ai -i di qd.* to keep close to s.o.; *non stare nei propri -i* to be beside o.s. with joy; ~ *per* **stirare** ironing cloth; *-i da stirare* clothes to be ironed, ⟨*fam*⟩ ironing; ⟨*fig*⟩ **stringere** *i -i addosso a qd.* to put pressure on s.o.; ⟨*fig*⟩ **tagliare** *i -i addosso a qd.* (*parlarne male*) to ⌜gossip about⌝ (*o* speak ill of) s.o., to backbite, ⟨*fam*⟩ to tear s.o. to bits; ⟨*fig,tosc*⟩ *lì c'è* ~ *da tagliare* (*rif. a persona ricca*) he has money to burn; **venire** *ai -i di qd.* to follow close behind s.o. – *Prov.*: *i -i sporchi si lavano in casa* (*o famiglia*) don't wash your dirty linen in public; *Dio manda il freddo secondo i -i* God tempers the wind to the shorn lamb.
pannọcchia[1] *f.* **1.** ⟨*Bot*⟩ panicle. – **2.** (*spiga del granturco*) ear of Indian corn, corn-cob. – **3.** ⟨*Gastr*⟩ corn on the cob.
pannọcchia[2] *f.* ⟨*Zool*⟩ squilla, mantis prawn (*o* shrimp) (*Squilla mantis*).
pannocchịna *f.* ⟨*Bot*⟩ (*mazzolina*) orchard grass, cock's-foot (*Dactylis glomerata*).
pannocchiụto *a.* ⟨*rar*⟩ panicled, paniculate.
pạnnola *f.* ⟨*Pesc*⟩ setline.
pannolạno (*o pạnno lạno*) *m.* (*pl.* **pannilạni**) ⟨*ant,tosc*⟩ woollen cloth, wool.
pannolịno[1] (*dim. di panno*) *m.* **1.** (*assorbente igienico*) sanitary towel (*o* napkin). – **2.** (*per neonati*) napkin, diaper, ⟨*fam*⟩ nappy.
pannolịno[2] (*o pạnno lịno*) (*pl.* **pannilịni**) ⟨*ant*⟩ **1.** (*panno di lino*) linen cloth. – **2.** *pl.* ⟨*ant*⟩ (*mutande*) underpants *pl*, drawers *pl*; (*biancheria*) underwear, underclothes *pl*, linen.
pannọni *m.pl.* ⟨*Stor*⟩ Pannonians *pl.* – **Pannọnia** *N.pr.f.* ⟨*Geog. stor*⟩ Pannonia. – **pannọnico** *a.* (*pl.* **-ci**) Pannonian, Pannonic.
panọcchia *f.* ⟨*region*⟩ → **pannocchia**[2].
panoftalmịa, panoftalmịte *f.* ⟨*Med*⟩ panophthalmitis.
pạnola *f.* → **pannola.**
panọlia *f.* ⟨*Zool*⟩ thamin, thameng, Panolia deer (*Rucervus eldi*).
panọplia *f.* panoply.
panorạma *m.* **1.** panorama, view: *un bellissimo* ~ a lovely view. – **2.** ⟨*fig*⟩ (*rassegna complessiva*) panorama, comprehensive survey. – **3.** ⟨*Pitt*⟩ panorama, cyclorama. – **4.** ⟨*Fot*⟩ panorama. – **5.** ⟨*Teat*⟩ stage horizon, cyclorama. □ *tracciare un* ~ *di qc.* to survey (*o* review) s.th.
panorạmica *f.* **1.** (*veduta d'insieme*) panorama, general view (*o* picture). – **2.** (*strada panoramica*) panoramic drive, scenic route (*o* road). – **3.** ⟨*Fot*⟩ panorama, panoramic picture. – **4.** ⟨*Cin*⟩ panning, pan (shot). – **5.** ⟨*Teat*⟩ stage horizon, cyclorama.
panoramicạre *v.i.* (**panorạmico, panorạmichi**; *aus.* **avere**) ⟨*Cin*⟩ to pan.
panoramicità *f.* ⟨*non com*⟩ panoramic nature (*o* quality). □ ~ *di una posizione* scenic quality of a site; ~ *di uno schermo* wideness of a screen; ~ *di una strada* scenic beauty of a road.
panorạmico *a.* (*pl.* **-ci**) **1.** panoramic, with a good view: *veduta* (*o vista*) *-a* panoramic view, panorama. – **2.** ⟨*fig*⟩ panoramic, comprehensive, complete, general: *rassegna -a* comprehensive review, general survey. – **3.** ⟨*Fot,Cin*⟩ panoramic. – **4.** ⟨*Aut,Ferr*⟩ observation-: *carrozza -a* observation (*o* dome) car. – **5.** ⟨*Ott*⟩ panoramic, wide-angle: *cannocchiale* ~ panoramic sight.
panormịta *a./s.* → **palermitano.**
panọrpa *f.* ⟨*Entom*⟩ scorpion fly (*Panorpa communis*).
panosteịte *f.* ⟨*Med*⟩ panosteitis.
panotịte *f.* ⟨*Med*⟩ panotitis.
panọttico *a.* (*pl.* **-ci**) ⟨*Edil*⟩ panoptic(al); (*rif. a prigioni*) panopticon. □ *sistema* ~ panoptic system.
panọtto *m.* ⟨*Minier*⟩ piglet.
panpepạto (*o pan pepạto*) *m.* ⟨*Dolc*⟩ kind of spice cake.
panplegịa *f.* ⟨*Med*⟩ panplegia, pamplegia.
panporcịno (*o pan porcịno*) *m.* ⟨*Bot*⟩ sow-bread (*Cyclamen europaeum*).
panpsichịsmo *m.* ⟨*Filos*⟩ panpsychism.
panromạnzo *a.* ⟨*Ling*⟩ common to Romance languages.
pansè I *s.f.* **1.** ⟨*Bot*⟩ (*viola del pensiero*) pansy (*Viola tricolor*). – **2.** (*colore*) violet, pansy. – **II** *a.* (*color violetto*) violet, pansy.
pansessualịsmo *m.* ⟨*Psic*⟩ pansexualism, pansexuality.
pansinusịte *f.* ⟨*Med*⟩ pansinu(s)itis.
panslavịsmo *m.* Pan-Slavism. – **panslavịsta I** *s.m./f.* Pan-Slavist. – **II** *a.* Pan-Slav(ic).
pansofịa *f.* pansophy, pansophism.
panspermịa *f.* ⟨*Biol*⟩ panspermia, panspermatism.
pantagruẹlico *a.* (*pl.* **-ci**) **1.** Pantagruelian, Pantagruelic. – **2.** ⟨*estens*⟩ (*rif. ad appetito e sim.*: *enorme*) huge, enormous: *appetito* ~ huge appetite.
pantaleọn(e) *m.* → **pantalon.**
pantalẹra *f.* ⟨*Edil*⟩ overhang, eaves *pl.*
pantalọn *m.* ⟨*Mus*⟩ pantal(e)on.
pantalonạia *f.* (woman) trouser-maker.
pantalọne *m.* → **pantalon.**
Pantalọne *N.pr.m.* ⟨*Teat*⟩ Pantaloon, Pantalone.
pantalọni *m.pl.* trousers *pl*, ⟨*am*⟩ pants *pl.* □ ~ **corti** short trousers, shorts; ~ *da* **donna** slacks, women's trousers; ~ **lunghi** long trousers; ~ *da* **montagna** climbing breeches; *un* **paio** *di* ~ a pair of trousers; ~ *alla* **pescatora** = ~ *a tre* **quarti**; ⟨*fig*⟩ **portare** *i* ~ to wear the trousers (*o* pants); ~ *a tre* **quarti** calf-length jeans, three-quarter length slacks, ⟨*am*⟩ pedal pushers; ~ *da* **sci** ski pants; ~ **sportivi** sports trousers, slacks; ~ *da* **uomo** (men's) trousers, ⟨*am*⟩ pants.
pantạna[1] *f.* ⟨*ant*⟩ → **pantano.**
pantạna[2] *f.* ⟨*Ornit*⟩ **1.** greenshank (*Tringa nebularia*). – **2.** (*pittima reale*) black-tailed godwit (*Limosa limosa*). □ ~ *grigia* (*totano moro*) spotted redshank (*Tringa erythropus*).
pantạno *m.* **1.** muddy land. – **2.** ⟨*estens*⟩ (*palude*) swamp, bog, marsh. – **3.** ⟨*fig*⟩ (*intrigo, imbroglio*) quagmire, mess, ⟨*fam*⟩ fix: *cacciarsi in un* ~ to get into a fine mess. – **pantanọso** *a.* **1.** marshy, boggy, full of quagmires; (*fangoso*) muddy, slushy, miry. – **2.** ⟨*rar*⟩ (*rif. a pianta*) marsh-, swamp-.
pantedẹsco *a.* (*pl.* **-chi**) pan-German(ic).
panteịsmo *m.* ⟨*Filos,Rel*⟩ pantheism. – **panteịsta** *m./f.* pantheist. – **panteịstico** *a.* (*pl.* **-ci**) pantheistic(al).
pantelịsmo *m.* ⟨*Filos*⟩ panthelism.
pạnteon *m.* → **pantheon.**
pantẹra[1] *f.* **1.** ⟨*Zool*⟩ (*leopardo*) panther, (black) leopard (*f* -dess) (*Felis pardus*). – **2.** ⟨*gerg*⟩ (*automobile della polizia*) police (patrol) car, ⟨*am*⟩ prowl (*o* squad) car. □ *agile come una* ~ as agile as a panther; ⟨*Zool*⟩ ~ *nebulosa* clouded leopard (*Felis nebulosa*); ~ *nera* (black) leopard, panther (*Felis pardus*).
pantẹra[2] *f.* **1.** ⟨*Venat*⟩ bird-net, animal-net. – **2.** ⟨*Pesc*⟩ fish-trap, permanent fish-net.
panterạna *f.* ⟨*Ornit*⟩ (*allodola*) skylark (*Alauda arvensis*).
pantẹsco *a./s.* (*pl.* **-chi**) **I** *a.* of Pantelleria, Pantelleria's. – **II** *s.m.* (*f.* **-a**) native (*o* inhabitant) of Pantelleria.
pạntheon *m.* **1.** ⟨*Stor.rom,Rel*⟩ pantheon. – **2.** ⟨*estens*⟩ (*edificio con tombe di uomini illustri*) pantheon. – **Pantheon** *N.pr.m.* ⟨*Arch*⟩ Pantheon.
pantiẹra *f.* → **pantera**[2].

pantimatura *f.* ⟨*Tess*⟩ tying together of hanks of yarn. – **pantimo** *m.* cotton tie for separating hanks of yarn.
panto... *pref.* (*tutto* all) pant(o)..., panta...
panto|clastia *f.* ⟨*Psic*⟩ morbid impulse to break things. – **~cratore** ⟨*Rel*⟩ **I** *a.* omnipotent, almighty. – **II** *s.m.* Pantocrator, Almighty.
pantofagia *f.* ⟨*Zool*⟩ pantophagy, omnivorousness. – **pantofago** *a./s.* (*pl.* **-gi**) **I** *a.* pantophagous, omnivorous. – **II** *s.m.* pantophagist, omnivore.
pantofobia *f.* ⟨*Psic*⟩ pantophobia.
pantofola *f.* slipper: *mettersi in -e* to put on one's slippers. – **pantofolaio** **I** *s.m.* (*f.* **-a**) **1.** (*fabbricante*) slipper-maker. – **2.** (*venditore*) slipper-seller. – **3.** ⟨*fig,spreg*⟩ (*chi ama troppo il quieto vivere*) person who avoids involvement, drifter. – **II** *a.* averse to action, indolent, non-committed; ⟨*estens*⟩ traditionalist, conservative: *politica -a* conservative politics, conservatism. – **pantofoleria** *f.* **1.** (*fabbrica*) slipper-factory. – **2.** (*negozio*) slipper-shop.
pantografista *m.* pantographer. – **pantografo** *m.* pantograph, pantagraph (*anche El.*).
pantometro *m.* pantometer.
pantomima *f.* **1.** ⟨*Teat*⟩ (*azione mimica*) (panto)mime, dumb show; (*genere*) pantomime. – **2.** ⟨*fig*⟩ (*gesticolazione vivace*) pantomime, dumb show, gesticulation, gestures *pl.* – **3.** ⟨*fig*⟩ (*commedia*) show, play-acting, act: *fare la ~* to put on a show (*o* an act), to play-act, ⟨*fam*⟩ to put it on. – **pantomimico** *a.* (*pl.* **-ci**) pantomimic, pantomime. – **pantomimo** *m.* **1.** (*attore*) mime, pantomimist. – **2.** (*pantomima*) pantomime.
pantonalità *f.* ⟨*Mus*⟩ pantonality.
pantopodi *m.pl.* ⟨*Zool*⟩ pycnogonids *pl*, pantopods *pl*, sea-spiders *pl* (*Pantopoda*).
pantotenico: ⟨*Chim*⟩ *acido ~* pantothenic acid.
pantun *m.* ⟨*Lett*⟩ pant(o)un.
panturanismo *m.* Pan-Turanianism, Pan-Turanism.
panturchismo *m.* Pan-Turkism. – **panturchista** **I** *s.m./f.* Pan-Turk. – **II** *a.* → **panturchistico**. – **panturchistico** *a.* (*pl.* **-ci**) pan-Turk. – **panturco** *a.* (*pl.* **-chi**) pan-Turk.
panunto (o *pan unto*) *m.* ⟨*Gastr*⟩ bread and dripping; (*fritto*) fried bread. – **Panunto** *m.* ⟨*scherz*⟩ (*arte culinaria*) cooking, ⟨*scherz*⟩ culinary art. ☐ ⟨*scherz*⟩ *maestro ≈* (*cuoco*) cook, chef; ⟨*scherz*⟩ *studiare il ≈* to think only about food, to be a gourmand.
panurgo *m.* (*pl* **-ghi**) (*furfante*) rogue, rascal, swindler.
panzana *f.* (*frottola*) tall story, yarn.
panzanella *f.* ⟨*Gastr*⟩ moistened bread seasoned with oil, vinegar and herbs.
panzarotti *m.pl.* ⟨*Gastr*⟩ kind of hash.
panzer *ted. m.* panzer.
panzerfaust *ted. f.* ⟨*Mil*⟩ anti-tank grenade.
panzerone *m. accr. di* **panziera**. – **panziera** *f.*, **panzirone** *m.* ⟨*Mil.ant*⟩ skirt of tasses.
panzone *m.* **1.** ⟨*Zool*⟩ (*rumine*) rumen, paunch. – **2.** ⟨*region*⟩ (*pancione*) paunch, pot(-belly).
Paola *N.pr.f.* Paula.
paolinismo *m.* ⟨*Rel*⟩ Paulinism.
paolino[1] *a.* ⟨*Rel*⟩ **1.** Pauline, of St. Paul, St. Paul's: *lettere -e* Epistles of St. Paul, Pauline Epistles; (*rif. alla dottrina di san Paolo*) Pauline, Paulinistic, Paulinian. – **2.** (*rif. a papa Paolo*) (Pope) Paul's, of (Pope) Paul. ☐ ⟨*Dir.can*⟩ *privilegio ~* Pauline privilege.
paolino[2] **I** *s.m.* ⟨*ant*⟩ **1.** (*uccello*) kind of bird. – **2.** ⟨*fig*⟩ (*persona sciocca*) dupe, gull, fool, ⟨*fam*⟩ sucker. – **II** *a.* (*sciocco*) silly, gullible.
paolisti *m.pl.* ⟨*Rel*⟩ Paulist Fathers *pl*, Paulists *pl.*
Paolo *N.pr.m.* **1.** Paul. – **2.** ⟨*Stor.rom*⟩ Paulus. ☐ *san ~* St. Paul: *chiesa di san ~* St. Paul's (Church).
paolotto *m.* **1.** ⟨*Rel*⟩ Minim(ite). – **2.** ⟨*fig,spreg*⟩ (*bigotto*) sanctimonious person, bigot, ⟨*fam*⟩ holy Willie.
paonazzo **I** *a.* purple; (*livido, congestionato*: *per la collera*) livid, purple; (*per la vergogna o il bere*) red; (*per il freddo*) blue. – **II** *s.m.* **1.** (*colore*) purple. – **2.** (*stoffa*) purple cloth; (*abito*) purple dress.
paoncella *f.* ⟨*Ornit*⟩ (*pavoncella*) lapwing (*Vanellus vanellus*).
paone *m.* ⟨*ant*⟩ (*pavone*) peacock.
papa[1] *m.* **1.** ⟨*Rel.catt*⟩ Pope. – **2.** ⟨*region*⟩ (*rif. a sacerdoti*: *padre*) Father.
☐ *la* **città** *dei -i* (*Roma*) Rome; *a ogni* **morte** *di ~* (*assai raramente*) very seldom, ⟨*fam*⟩ once in a blue moon; ⟨*Rel*⟩ *il ~* **nero** (*generale dei Gesuiti*) the Black Pope; *il ~* **rosso**: 1. ⟨*Rel.catt*⟩ the Red Pope; 2. ⟨*ant*⟩ (*gran maestro della massoneria*) the Grand Master; ⟨*fig*⟩ *andare a Roma e non* **vedere** *il ~* to leave out the most important thing; **vivere** (o *stare*) *come un ~* to live ⌜like a lord⌝ (*o* in the lap of luxury). – *Prov.*: *morto un ~ se ne fa un altro* the king is dead long live the king, no one is indispensable.
papa[2] *m.* ⟨*Ornit*⟩ (*anche avvoltoio papa*) king vulture (*Sarcoramphus papa*).
papà *m.* ⟨*fam*⟩ (*padre*) daddy, dad, pa(pa), ⟨*am*⟩ pop.
papabile **I** *a.* **1.** ⟨*Rel*⟩ papable, likely to be elected Pope. – **2.** ⟨*scherz*⟩ (*rif. a un candidato favorito*) likely. – **II** *s.m.* likely candidate.
papaia *f.* **1.** ⟨*Bot*⟩ papaya(-tree), papaw(-tree) (*Carica papaya*). – **2.** (*frutto*) papaya, papaio.
papaina *f.* **1.** ⟨*Biol*⟩ papain. – **2.** (*succo di papaia*) papaya juice.
papaiotina *f.* ⟨*Biol*⟩ papayotin.
papale *a.* papal, of the Pope, Pope's: *benedizione ~* papal (*o* Pope's) blessing (*o* benediction). ☐ *dirla* (o *cantarla*) *alla ~ a qd.* (*chiaramente*) to tell s.o. s.th. in no uncertain terms.
papalina *f.* skull-cap.
papalino **I** *a.* **1.** papal, Pope's: *guardia -a* papal guard. – **2.** (*fautore del potere temporale dei papi*) papalist(ic); (*clericale*) clerical. – **II** *s.m.* **1.** (*fautore del potere temporale dei papi*) papalist; (*clericale*) clerical. – **2.** (*soldato*) papal guard.
paparazzo *m.* ⟨*scherz*⟩ freelance photographer, importunate news photographer, paparazzo.
paparino (*dim. di papà*) *m.* ⟨*infant*⟩ daddy, dad, pa(pa), ⟨*am*⟩ pop.
papasi *f.* ⟨*Biol*⟩ papain.
papasso *m.* **1.** (*prete greco-ortodosso*) pope, papa. – **2.** ⟨*fig*⟩ (*caporione, capo*) leader, head; (*istigatore*) ringleader. ☐ *fare* (o *farsi*) *il ~* to put on airs, ⟨*fam*⟩ to be a little tin god.
papato *m.* **1.** Papacy. – **2.** (*dignità, durata*) papacy, pontificate, popedom: *innalzare al ~* to raise to the papacy. – **3.** ⟨*estens,scherz*⟩ (*posizione comoda*) sinecure, easy living.
papaveracee *f.pl.* ⟨*Bot*⟩ poppy family (*Papaveraceae*). – **papaverico** *a.* (*pl.* **-ci**) ⟨*scherz*⟩ (*noioso*) boring, dull, ⟨*fam*⟩ deadly. – **papaverina** *f.* ⟨*Chim*⟩ papaverine.
papavero *m.* **1.** ⟨*Bot*⟩ poppy (*Papaver*). – **2.** ⟨*Bot*⟩ corn (*o* field) poppy (*Papaver rhoeas*). – **3.** ⟨*Bot*⟩ opium poppy (*Papaver somniferum*). – **4.** ⟨*fig*⟩ (*cosa o persona noiosa*) bore. – **5.** ⟨*poet*⟩ (*sonno*) sleep. ☐ ⟨*scherz*⟩ *alto* (o *grosso*) *~* (*persona autorevole*) ⟨*fam*⟩ big shot, ⟨*fam*⟩ bigwig; ⟨*Bot*⟩ *~ cornuto*: 1. horn(ed) poppy (*Glaucium luteum*); 2. yellow horned poppy, horn (*o* sea) poppy (*Glaucium flavum*); ⟨*Bot*⟩ *~ officinale* (o *da oppio*) opium poppy (*Papaver somniferum*); *olio di ~* poppy-seed oil, poppy oil.
papera *f.* **1.** gosling, young goose. – **2.** ⟨*fig*⟩ (*donna sciocca*) (silly) goose, silly woman. – **3.** ⟨*fig*⟩ (*sbaglio commesso parlando*) blunder, mistake, slip of the tongue: *prendere una ~* to make a blunder, to slip up; (*recitando*) to fluff. ☐ ⟨*fam*⟩ *camminare a ~* to walk with one's toes turned out.
paperello *m. dim. di* **papero**. – **paperetta** *f. dim. di* **papera**. – **paperetto** *m. dim. di* **papero**. – **paperina** (*dim. di papera*) *f.* ⟨*Bot*⟩ chickweed, startwort (*Stellaria media*). – **paperino** *m. dim. di* **papero**. – **Paperino** *N.pr.m.* Donald Duck.
papero *m.* ⟨*Ornit*⟩ (*oca giovane*) gosling, young goose; (*oca maschio*) young gander. ☐ *camminare a ~* to walk with one's toes turned out. – *Prov.*: *buon ~, cattiva oca* a promising child does not always turn out well; *i -i menano a bere le oche* don't try to teach your grandmother how to suck eggs.
paperone *m. accr. di* **papero**. – **Paperone** *N.pr.m.* Donald Duck's Uncle Scrooge. – **paperotto(lo)** *m. dim. di* **papero**.
papesco *a.* (*pl.* **-chi**) ⟨*spreg*⟩ popish, papistic(al).
papessa *f.* **1.** (female) pope, she-pope. – **2.** ⟨*iron*⟩ (*papa debole*) weak pope. ☐ ⟨*scherz*⟩ *vivere come una ~* to live in the lap of luxury, to be in clover.
papié *m.* ⟨*pop,scherz*⟩ (*foglio scritto*) document, paper.
papier collé *fr.* [pa,pjekɔ'le] *m.* ⟨*Art*⟩ papier collé, collage.
papier peint *fr.* [pa,pje'pɛ̃] *m.* (*carta da parati*) (hand-finished) wallpaper.
papiglionacee *f.pl.* ⟨*Bot*⟩ pea family, Leguminosae *pl* (*Papilionaceae*). – **papiglionaceo** *a.* papilionaceous. – **papiglionate** *f.pl.* ⟨*Bot*⟩ Papilionatae *pl*, papilionaceous flowers *pl* (*Papilionatae*).
papiglione *m.* → **papilione**.
papigliotto *m.* (*bigodino*) (hair-)curler, (hair-)roller; (*pezzetto di carta*) (curl)paper, papillote.
papilionacee *f.pl.* → **papiglionacee**. – **papilionaceo** *a.* → **papiglionaceo**. – **papilionate** *f.pl* → **papiglionate**.
papilione *m.* ⟨*ant*⟩ (*farfalla*) butterfly.
papilionidi *m.pl.* ⟨*Entom*⟩ papilionoids *pl*, swallowtails *pl* (*Papilionidae*).
papilla[1] *f.* ⟨*Anat,Bot*⟩ papilla. ☐ ⟨*Anat*⟩ *-e linguali* lingual papillae, papillae of the tongue; *-e renali* renal papillae.
papilla[2] *f.* ⟨*Med*⟩ (*capezzolo*) nipple, ⟨*ant*⟩ papilla.
papillare *a.* ⟨*Anat*⟩ papillary. – **papillite** *f.* ⟨*Med*⟩ papillitis. – **papilloma** *m.* papilloma.
papillon *fr.* [papi'jɔ̃] *m.* ⟨*Mod*⟩ bow-tie.
papilloso *a.* ⟨*Bot*⟩ papillose, papillate.
papillote *fr.* [papi'jɔt] *f.* **1.** → **papigliotto**. – **2.** ⟨*Gastr*⟩ papillote. – **3.** ⟨*Entom*⟩ envelope for butterfly specimens.
Papin *fr.* [pa'pɛ̃]: ⟨*Fis*⟩ *marmitta* (o *pentola*) *di ~* (Papin's) steam digester.
papiraceo *a.* **1.** papyrus-, papyrian, papyrine: *codice ~* papyrus manuscript. – **2.** ⟨*Med*⟩ (*che ha aspetto di papiro*) papyraceous. – **papiriforme** *a.* ⟨*Archeol*⟩ papyrus-: *capitello ~* papyrus capital.
papiro *m.* **1.** ⟨*Bot*⟩ papyrus, paper reed (*o* rush), ⟨*ant*⟩ bul(l)rush (*Cyperus papyrus*). – **2.** (*fiore*) papyrus flower. – **3.** (*materiale scrittorio*) papyrus; (*rotolo*) papyrus (scroll). – **4.** (*testo scritto su papiro*) papyrus: *-i egiziani* Egyptian papyri. – **5.** ⟨*scherz*⟩ (*documento, foglio scritto*) document, paper; (*scritto lungo*) book. – **6.** ⟨*univ*⟩ freshman's charter. – **7.** ⟨*ant*⟩ (*carta*) paper. – **8.** ⟨*ant*⟩ (*lucignolo*) wick.
papirografia *f.* **1.** silhouette cutting. – **2.** ⟨*Tip*⟩ papyrography.
papirologia *f.* ⟨*Filol*⟩ papyrology. – **papirologico** *a.* (*pl.* **-ci**) papyrological. – **papirologista** *m./f.* → **papirologo**. – **papirologo** *m.* (*pl.* **-gi**/*pop.* **-ghi**; *f.* **-a**) papyrologist.
papismo *m.* ⟨*Rel*⟩ papism, popery. – **papista** *m./f.* Papist, papist.
papite *f.* ⟨*Chim*⟩ (*acroleina*) acrolein.
pappa *f.* **1.** (*pane cotto in acqua*) bread soup; (*per bambini*) pap, mush. – **2.** ⟨*estens*⟩ (*poltiglia*) mush, goo: *il riso era una ~* the rice was ⌜a mush⌝ (*o* overcooked). – **3.** (*impiastro*) bread poultice.

□ ⟨*infant*⟩ **fare** *la* ~ to eat, ⟨*infant*⟩ to have din-dins; ⟨*scherz*⟩ ~ **fredda** (*rif. a persona insulsa*) dull (*o* insipid) person, milksop; ⟨*fig*⟩ **mangiare** *la* ~ *in capo a qd.*: 1. (*essere più alto*) to be taller than s.o.; 2. (*essere più furbo*) to be able to twist s.o. round one's little finger, ⟨*fam*⟩ to be away ahead of s.o.; ~ **molle** spineless person; ~ **reale** royal jelly; ⟨*fig*⟩ **scodellare** *la* ~ *a qd.* (*dargli istruzioni minute*) to spoon-feed (*o* spell things out for) s.o.; ⟨*fig*⟩ *trovare la* ~ *scodellata* to find everything on a silver platter; *la* ~ *scodellata piace a tutti* everyone likes to have things made easy for him; *avere la* ~ *nella* **testa** not to have an ounce of sense, to be feather-brained.

pappacẹce, pappacẹci *m.* ⟨*ant*⟩ (*fannullone*) loafer, ⟨*am.fam*⟩ bum. □ *mangiare a* ~ (*ingoiare avidamente*) to wolf, to eat greedily, to gobble; ⟨*fig*⟩ (*essere credulone*) to be gullible, to believe anything.

pappafịco *m.* (*pl.* **-chi**) **1.** ⟨*Ornit*⟩ (*beccafico*) garden warbler (*Sylvia borin*). – **2.** ⟨*Mar*⟩ (*vela*) fore-topgallant sail; (*pennone*) fore-topgallant yard. – **3.** ⟨*roman*⟩ (*pizzo della barba*) goatee, Vandyke beard. – **4.** ⟨*ant*⟩ (*cappuccio*) hood; (*cuffia femminile*) bonnet.

pappagallạta, pappagallerịa *f.* ⟨*non com*⟩ parrotry. – **pappagallescamẹnte** *avv.* parrot-like, parrot-fashion. – **pappagallẹsco** *a.* (*pl.* **-chi**) parrot-like, parroty: *ripetizione* **-a** parrot-like repetition. □ *ripetere in modo* ~ to repeat parrot-fashion, to parrot, to say by rote.

pappagallịno (*dim. di pappagallo*) *m.* ⟨*Ornit*⟩ parakeet, little parrot. □ ~ *ondulato* budgerigar, zebra parakeet, ⟨*fam*⟩ budgie (*Melopsittacus undulatus*).

pappagallịsmo *m.* **1.** ⟨*non com*⟩ parrotry. – **2.** ⟨*fam*⟩ (*il molestare le donne per la strada*) flirting, making passes, ⟨*am*⟩ mashing.

pappagạllo *m.* **1.** ⟨*Ornit*⟩ parrot, ⟨*fam*⟩ poll(y). – **2.** *pl.* ⟨*Ornit*⟩ parrots *pl* (*Psittaci*). – **3.** ⟨*fig*⟩ parrot. – **4.** ⟨*pop*⟩ (*pappagallo della strada*) wolf, ⟨*am*⟩ masher. – **5.** (*orinale*) urinal. – **6.** ⟨*Mecc*⟩ adjustable pipe wrench. □ *a* ~ parrot-fashion, like a parrot: *imparare a* ~ to learn parrot-fashion (*o* by rote); ⟨*Ornit*⟩ ~ *dell'Amazzonia* Amazon parrot (*Amazona aestiva*); ~ *cenerino* grey parrot (*Psittacus erythacus*); ~ *pigmeo* pygmy parrot (*Micropsitta keiensis*).

pappagallọne *m. accr. di* **pappagallo**.

pappagọrgia *f.* (*pl.* **-ge**) double chin.

pappalạrdo *m.* **1.** (*mangione*) glutton, ⟨*fam*⟩ greedy-guts. – **2.** (*uomo sciocco*) fool, dolt, simpleton. – **3.** ⟨*ant*⟩ (*bigotto*) bigot, hypocrite.

pappalẹcco *m.* (*pl.* **-chi**) ⟨*ant*⟩ **1.** (*ghiottoneria*) titbit, tasty food. – **2.** (*mangiata*) feed, ⟨*fam*⟩ blow-out.

pappamọsche *m.inv.* ⟨*Ornit*⟩ **1.** (*mignattino*) black tern (*Hydrochelidon nigra*). – **2.** (*pigliamosche*) (European) spotted fly-catcher (*Muscicapa striata*). – **3.** (*succiacapre*) (European) goatsucker, nightjar (*Caprimulgus europaeus*). – **4.** (*cutrettola gialla*) yellow (*o* blue-headed) wagtail (*Motacilla flava*).

pappardẹlla *f.* **1.** ⟨*scherz*⟩ rambling talk, rigmarole. – **2.** *pl.* ⟨*Gastr*⟩ lasagne *pl*, broad noodles *pl*.

pappạre ⟨*fam*⟩ **I** *v.i.* (*aus.* **avere**) **1.** to eat one's fill, ⟨*fam*⟩ to stuff (o.s.). – **2.** ⟨*fig*⟩ (*fare guadagni illeciti*) to line one's pockets, to profiteer, to feather one's own nest, ⟨*fam*⟩ to fiddle. – **II** *v.t.* **1.** to wolf, to eat greedily, to gobble (down), ⟨*fam*⟩ to hog. – **2.** ⟨*fig*⟩ (*guadagnare illecitamente*) to gain illicitly, to pocket, to get one's rake-off from. – **pappạta** *f.* **1.** hearty (*o* square) meal, feed, ⟨*fam*⟩ blow-out. – **2.** ⟨*fig*⟩ (*profitti illeciti*) illicit gains *pl*, rake-off, loot, kick-back; (*rif. a pubblici ufficiali*) graft.

pappatạci *m.* **1.** ⟨*Entom*⟩ sand-fly (*Phlebotomus papatasi*). – **2.** ⟨*fig*⟩ jelly-fish, doormat, worm. □ ⟨*Med*⟩ *febbre da* ~ pappataci (*o* sand-fly) fever.

pappatọre *m.* (*f.* **-trice**) ⟨*non com*⟩ **1.** glutton, ⟨*fam*⟩ hog. – **2.** ⟨*fig*⟩ (*scroccone*) sponger. – **pappatọria** *f.* **1.** feeding, good living, eating well, ⟨*volg*⟩ belly; (*lauto pranzo*) good tuck-in. – **2.** ⟨*estens*⟩ (*guadagno*) gain, bread and butter. – **3.** ⟨*fig*⟩ (*fonte di profitti illeciti*) source of graft, ⟨*fam*⟩ racket.

pappié *m.* → **papié**.

pappịna (*dim. di pappa*) *f.* **1.** (*impiastro*) poultice, plaster. – **2.** ⟨*non com*⟩ (*infermiera*) nurse. – **pappịno** *m.* ⟨*non com*⟩ **1.** (*infermiere*) (male) nurse. – **2.** ⟨*mil,scherz*⟩ (*soldato di sanità*) soldier in the medical corps.

pạppo[1] *m.* ⟨*Bot*⟩ pappus.

pạppo[2] *m.* ⟨*infant*⟩ (*cibo*) food, ⟨*infant*⟩ din-dins.

pappolạta *f.* **1.** mush, mash, ⟨*fam*⟩ goo. – **2.** ⟨*fig,spreg*⟩ (*discorso scipito*) hot air, rigmarole. – **pappolọne** *m.* (*f.* **-a**) ⟨*fam,non com*⟩ **1.** (*mangione*) glutton, ⟨*fam*⟩ greedy-guts. – **2.** ⟨*fig*⟩ (*chiacchierone*) chatterbox, windbag.

pappọne *m.* (*f.* **-a**) ⟨*fam*⟩ (*mangione*) glutton, ⟨*fam*⟩ greedy-guts.

pappọso *a.* ⟨*Bot*⟩ pappose, pappous.

pappụccia *f.* (*pl.* **-ce**) ⟨*non com*⟩ (*babbuccia*) babouche.

pạprica, pạprika *f.* ⟨*Gastr*⟩ paprika.

papụa (o *pạpua*) *a./s.inv.* **I** *a.* Papuan. – **II** *s.m.* Papuan.

Pạpua: ⟨*Geog*⟩ *Territorio del* ~ Territory of Papua.

papuạno, papuạso I *a.* **1.** Papuan. – **2.** (*melanesiano*) Melanesian. – **II** *s.m.* (*f.* **-a**) **1.** Papuan. – **2.** (*abitante della Melanesia*) Melanesian.

pạpula *f.* ⟨*Med*⟩ papula, papule, pimple. – **papulọide** *a.* papuloid. – **papulọso** *a.* papulose, papulous, papular.

par (*troncamento di paro*) *m.* ⟨*non com*⟩ couple: *tra un* ~ *di mesi* in a couple of months.

par. = *paragrafo* paragraph (*abbr.* par., para.).

pạra[1] *f.* Pará (rubber).

para[2] *fr.* [pa'ra] *m.inv.* (*paracadutista*) **1.** parachutist. – **2.** ⟨*Mil*⟩ paratrooper.

para... *pref.* (*vicinanza* nearness, *affinità* resemblance) par(a)...

parạbașe *f.* ⟨*ant*⟩ → **parabasi**. – **parạbași** *f.* ⟨*Lett*⟩ parabasis.

parabẹllum *m.* Luger, parabellum.

parạbile *a.* that can be parried.

para|biọnte *m.* ⟨*Biol*⟩ parabiont. – **~biọși** *f.* parabiosis. – **~biọtico** *a.* (*pl.* **-ci**) parabiotic.

parạbola[1] *f.* **1.** ⟨*Mat,Fis*⟩ parabola. – **2.** ⟨*fig*⟩ course, rise and fall. □ *compiere la propria* ~ to be on the decline (*o* way down), to be going downhill; *toccare il vertice della propria* ~ to reach one's peak.

parạbola[2] *f.* **1.** ⟨*Lett*⟩ parable, comparison, similitude. – **2.** ⟨*Bibl*⟩ parable: *la* ~ *del figliol prodigo* the parable of the prodigal son. – **3.** ⟨*ant*⟩ (*parola*) word. – **4.** (*racconto*) fable, story.

parabolạno *m.* **1.** ⟨*Stor*⟩ parabolanus. – **2.** ⟨*non com*⟩ (*chiacchierone*) great talker, chatterer, ⟨*fam*⟩ windbag, ⟨*fam*⟩ gas-bag.

parabọlico *a.* (*pl.* **-ci**) ⟨*Mat*⟩ **1.** parabolic: *punto* ~ parabolic point. – **2.** (*paraboloidico*) paraboloidal. – **parabolọide** *m.* **1.** ⟨*Mat*⟩ paraboloid: ~ *iperbolico* hyperbolic paraboloid. – **2.** ⟨*Rad*⟩ parabolic (*o* dish) antenna. – **paraboloịdico** *a.* (*pl.* **-ci**) parabolic, paraboloidal: *riflettore* (o *specchio*) ~ parabolic reflector (*o* mirror).

parabolọne *m.* ⟨*non com*⟩ (*chiacchierone*) boaster, ⟨*fam*⟩ big mouth.

para|bọrdo *m.* ⟨*Mar*⟩ fender, bumper. – **~bọtte** *a.inv.* shield-, defensive, parrying. – **~brẹzza** *m.inv.* ⟨*Aut*⟩ windscreen, ⟨*am*⟩ windshield.

paracadutạre *v.t.* ⟨*Aer*⟩ to parachute, to drop. – **paracadutarsi** *v.r.* to parachute; (*in casi di emergenza*) to bale out.

paracadụte *m.inv.* **1.** ⟨*Aer*⟩ parachute. – **2.** ⟨*Minier*⟩ parachute. □ ~ *ad apertura automatica* automatic (opening) parachute; ~ *ausiliario* auxiliary (*o* retarder) parachute; ⟨*fig*⟩ *fare da* ~ *a qd.* (*proteggerlo*) to shield (*o* screen) s.o.; ~ *frenante* brake-parachute; *lanciarsi col* ~ to (jump with a) parachute; (*in casi di emergenza*) to bale out.

paracadutịsmo *m.* ⟨*Aer*⟩ parachuting, parachutism. – **paracadutịsta I** *s.m./f.* **1.** parachutist, parachuter. – **2.** ⟨*Mil*⟩ paratrooper. – **II** *a.* parachute-, para-, parachutic: *truppe* **-e** parachute troops, paratroops. – **paracadutịstico** *a.* (*pl.* **-ci**) parachute-, parachuting.

para|cạlli *m.inv.* corn-plaster, corn-pad, corn-protector. – **~caminẹtto** *m.* fire-screen. – **~cardịaco** *a.* (*pl.* **-ci**) ⟨*Anat*⟩ paracardiac. – **~cạrpico** *a.* (*pl.* **-ci**) ⟨*Bot*⟩ paracarpous. – **~cạrro** *m.* ⟨*Strad*⟩ stone post, kerbstone; (*a protezione delle murature*) stone buffer. – **~catẹna** *m.inv.* chain guard.

Paracẹlso *N.pr.m.* ⟨*Stor*⟩ Paracelsus.

paracẹnere *m.inv.* fender.

paracentẹși (o *paracẹntesi*) *f.* ⟨*Med*⟩ paracentesis, tapping.

para|centrạle *a.* paracentral. – **~cheratọși** *f.* ⟨*Med*⟩ parakeratosis, paraceratosis. – **~ciẹlo** *m.* ⟨*non com*⟩ canopy, sounding-board. – **~cinẹși** *f.* ⟨*Med*⟩ parakinesia, parakinesis. – **~cistịte** *f.* ⟨*Med*⟩ paracystitis, perystitis. – **~clạși** *f.* ⟨*Geol*⟩ (*faglia*) fault.

Paraclẹto, Parạclito *m.* ⟨*Rel*⟩ Paraclete.

para|cọlpi *m.inv.* doorstop, bumper. – **~colpịte** *f.* ⟨*Med*⟩ paracolpitis. – **~cọlpo** *m.* ⟨*Anat*⟩ paracolpium. – **~cordạle** *a.* ⟨*Anat*⟩ parachordal. – **~corọlla** *f.* ⟨*Bot*⟩ paracorolla.

parạcqua *m.inv.* ⟨*non com*⟩ (*ombrello*) umbrella.

paracușịa *f.* ⟨*Med*⟩ parac(o)usis, paracusia.

para|dẹnti *m.inv.* ⟨*Sport*⟩ gum-shield. – **~dentọși** *f.* ⟨*Dent*⟩ paradentosis, periodontosis. – **~dẹnzio** *m.* ⟨*Anat*⟩ paradentium. – **~diafonịa** *f.* ⟨*Tel*⟩ near-end cross-talk.

paradịgma *m.* **1.** ⟨*Gramm,Ret*⟩ paradigm. – **2.** ⟨*fig*⟩ (*esempio*) example, model. – **paradigmạtico** *a.* (*pl.* **-ci**) ⟨*lett*⟩ (*esemplare*) paradigmatic(al), exemplary.

paradịșea *f.* ⟨*Ornit*⟩ bird of paradise (*Paradisea*). – **paradișẹidi** *m.pl.* birds *pl* of paradise (*Paradiseidae*).

paradișịaco *a.* (*pl.* **-ci**) **1.** heavenly, celestial, paradisiac(al): *beatitudine* **-a** celestial bliss. – **2.** ⟨*fig*⟩ heavenly, delightful.

paradịșo[1] *m.* **1.** ⟨*Rel*⟩ Heaven, Paradise. – **2.** ⟨*collett*⟩ (*spiriti beati*) Heaven. – **3.** ⟨*fig*⟩ paradise, (seventh) heaven: *essere in* ~ to be in seventh heaven, to be blissfully happy. – **4.** ⟨*fig*⟩ (*luogo ameno*) paradise, heaven. – **5.** ⟨*Arch*⟩ paradise. – **Paradiso** *m.* ⟨*Lett*⟩ Paradise.

□ **andare** *in* ~ to go to Heaven; *voler andare in* ~ *in carrozza* to want to go to Heaven in a sedan; **di** ~ heavenly, celestial, paradisiacal; (*incantevole*) heavenly, delightful, ⟨*fam*⟩ divine: *una giornata di* ~ a heavenly day; (*angelico*) angelical; ⟨*Lett*⟩ *il* ~ **perduto** Paradise Lost; ⟨*fig*⟩ **promettere** *il* ~ *a qd.* to promise s.o. ⌜everything under the sun⌝ (*o* the moon); ⟨*scherz*⟩ **stare** *in* ~ (*nella parte più alta di un edificio*) to live right at the top; ⟨*scherz*⟩ *voler stare in* ~ *a dispetto dei santi* to stay where one is not wanted; ⟨*Rel*⟩ ~ **terrestre** Garden of Eden, Earthly Paradise; ⟨*Ornit*⟩ **uccello** *del* ~ → **paradisea**; *Dio l'ha* **voluto** *in* ~ God has taken him to Heaven (*o* Himself).

paradịșo[2] *m.* ⟨*Bot*⟩ (*anche melo paradiso*) Paradise apple (*Pirus malus paradisiaca*).

paradọre *m.* ⟨*Idr*⟩ temporary dike (*o* floodwall).

paradọrso *m.* **1.** ⟨*Mil.ant*⟩ parados. – **2.** ⟨*Edil*⟩ → **paradosso**[2].

paradossạle *a.* paradoxical. – **paradossalità** *f.* paradoxicality, paradoxicalness. – **paradossalmẹnte** *avv.* paradoxically. – **paradossạre** *v.i.* (**paradọsso**; *aus.* **avere**) ⟨*non com*⟩ to paradox, to use (*o* utter) paradoxes. – **paradosseggiạre** *v.* (**paradossẹggio, paradossẹggi**; *aus.* **avere**) ⟨*rar*⟩ → **paradossare**. – **paradossịsta** *m./f.* ⟨*non com*⟩ paradoxist, paradoxer.

paradọsso[1] **I** *s.m.* paradox: ⟨*Fis*⟩ ~ *idrostatico* hydrostatic paradox. – **II** *a.* **1.** ⟨*non com*⟩ paradoxical. – **2.** ⟨*Med*⟩ paradoxical.

paradọsso[2] *m.* ⟨*Edil*⟩ rafter.
paradossografịa *f.* ⟨*Lett*⟩ classical wonder tales *pl.* – **paradossogrạfico** *a.* (*pl.* -ci) of classical wonder tales. – **paradossọgrafo** *m.* (*f.* -a) writer of wonder tales.
paradossụro *m.* ⟨*Zool*⟩ palm civet (*o* cat) (*Paradoxurus*). ☐ ~ *ermafrodito* common India palm civet, toddy cat (*Paradoxurus hermaphroditus*); ~ *larvato* masked palm civet (*Paradoxurus larvatus*).
para|ẹlica *m.* ⟨*Mar*⟩ propeller guard. – **~etimologịa** *f.* → **paretimologia.** – **~etimolọgico** *a.* → **paretimologico.**
parạfa *f.* **1.** ⟨*burocr*⟩ initials *pl*, paraph. – **2.** ⟨*Dipl*⟩ initialling.
parafạngo *m.* (*pl.* -ghi) **1.** mudguard, splashguard. – **2.** ⟨*Aut*⟩ mudguard, wing, ⟨*am*⟩ fender.
parafạre *v.t.* to initial, to paraph.
parafaṣịa *f.* ⟨*Psic*⟩ paraphasia.
parafatụra *f.* initialling. – **parạffa** *f.* → **parafa.** – **paraffạre** *v.* → **parafare.** – **paraffatụra** *f.* → **parafatura.**
paraffịna *f.* ⟨*Chim*⟩ paraffin; (*solido*) paraffin (wax): *olio di* ~ paraffin oil, ⟨*am*⟩ kerosene. – **paraffinạggio** *m.* ⟨*Cart*⟩ paraffining. – **paraffinạre** *v.t.* to paraffin, to waterproof (with paraffin), to wax. – **paraffinatọre** *m.* worker who applies paraffin. – **paraffinatụra** *f.* paraffin(iz)ing, waterproofing. – **paraffịnico** *a.* (*pl.* -ci) paraffinic. – **paraffinọma** *m.* ⟨*Med*⟩ paraffinoma.
parạffo *m.* ⟨*non com*⟩ → **parafa.**
para|fiạmma *m.inv.* **1.** fire wall, fireproof partition. – **2.** ⟨*Mot*⟩ flame (*o* spark) arrester, flame damper. – **3.** ⟨*Mil*⟩ flame damper. – **4.** ⟨*Aer,Mar*⟩ fireproof bulkhead. – **~fịli** *m.inv.* ⟨*Tel*⟩ wire-guard. – **~fimọṣi** (o *parafimọṣi*) *f.* ⟨*Med*⟩ paraphimosis.
parạfiṣi *f.* ⟨*Anat,Bot*⟩ paraphysis.
parafraṣạre *v.t.* (**parạfraṣo**) **1.** to paraphrase; (*dire con parole proprie*) to tell in one's own words. – **2.** ⟨*spreg*⟩ (*ripetere idee o giudizi di altri*) to crib, to plagiarize. – **parạfraṣe** *f.* ⟨*ant*⟩ → **parafrasi.** – **parạfraṣi** *f.* **1.** paraphrase; (*il dire con parole proprie*) telling in one's own words. – **2.** ⟨*Mus*⟩ paraphrase. ☐ *fare la* ~ *di qc.* to paraphrase s.th.
parafraṣịa *f.* ⟨*Psic*⟩ paraphrasia.
parafrạste *m.* ⟨*lett*⟩ paraphraser, paraphrast. – **parafrasticamẹnte** *avv.* in paraphrases, paraphrastically. – **parafrạstico** *a.* (*pl.* -ci) paraphrastic.
para|frẹddo *m.inv.* draught excluder. ☐ ~ *per finestre* draught strip (*o* excluder), window strip (*o* seal). – **~frenịa** *f.* ⟨*Psic*⟩ paraphrenia. – **~frọnte** *m.* ⟨*Minier*⟩ breast board. – **~fụlmine** *m.* **1.** lightning rod (*o* conductor). – **2.** ⟨*fig,non com*⟩ (*riparo*) shield, protection. – **~fuọco** *m.inv.* **1.** firescreen. – **2.** (*nelle gare di tiro*) shelter. – **~gạmbe** *m.inv.* **1.** ⟨*Mar*⟩ (bridge) dodger. – **2.** ⟨*Sport*⟩ leg-guard. – **~gammacịṣmo** *m.* ⟨*Ling*⟩ paragammacism. – **~gạnglio** [-gl-] *m.* ⟨*Anat*⟩ paraganglion. – **~gangliọma** [-gl-] *m.* ⟨*Med*⟩ paraganglioma. – **~gẹneṣi** *f.* ⟨*Min*⟩ paragenesis. – **~genẹtico** *a.* (*pl.* -ci) paragenetic. – **~geuṣịa** *f.* ⟨*Med*⟩ parageusia.
parạggi *m.pl.* **1.** (coastal) waters *pl.* – **2.** ⟨*estens*⟩ (*vicinanze*) neighbourhood, quarter, parts *pl*, environs *pl.* ☐ *nei* ~ *di* near, round about, in the neighbourhood of: *abito nei* ~ *di Roma* I live near Rome; *in questi* ~ in these waters; ⟨*scherz*⟩ (*da queste parti*) in these parts, around here.
parạggio[1] *m.* ⟨*ant*⟩ **1.** (*condizione sociale*) class, birth, parage. – **2.** (*origine nobile*) noble birth (*o* lineage), nobility. – **3.** ⟨*Dir.mediev*⟩ share due to younger brothers and sisters (under primogeniture).
parạggio[2] *m.* ⟨*ant*⟩ (*paragone*) comparison. ☐ *a* ~ *di* compared (*o* in comparison) with; *senza* ~ without comparison (*o* compare).
paragglutinaziọne *f.* ⟨*Med*⟩ paragglutination.
paraghiạcci(o) *m.inv.* ⟨*Mar*⟩ ice-guard, ice-fender.
pạrago *m.* (*pl.* -ghi) ⟨*Itt*⟩ **1.** (*sarago*) sargo (*Sargus sargus, Diplodus sargus*). – **2.** (*occhialone*) red bream (*Pagellus centrodontus*).
paragọcce *a.inv.* drip-catcher.
paragọge *f.* ⟨*Ling*⟩ paragoge. – **paragọgico** *a.* (*pl.* -ci) paragogic(al).
paragonạbile *a.* comparable.
paragonạre *v.t.* (**paragọno**) **1.** (*mettere a confronto*) to compare, ⟨*lett*⟩ to paragon: ~ *un oggetto con un altro* to compare one thing with another; (*assomigliare*) to compare: ~ *la terra a una palla* to compare the earth to a ball. – **2.** ⟨*ant*⟩ (*saggiare*: *rif. all'oro*) to test. – **3.** ⟨*ant*⟩ (*eguagliare*) to be equal, to compare with, to match. – **paragonarsi** *v.r.* to compare o.s.
paragọne *m.* **1.** comparison: *fare un* ~ *fra due periodi storici* to make a comparison between two periods of history. – **2.** (*similitudine*) example, analogy, parallel: *portare un* ~ to give an example, to draw a parallel. – **3.** ⟨*ant*⟩ (*diaspro nero*) touchstone, lydite. – **4.** ⟨*ant*⟩ (*saggio dell'oro*) test (of gold). – **5.** ⟨*fig,ant*⟩ (*prova*) test, trial.
☐ **a** ~ *di* in comparison with, compared with; *non c'è* ~ (*fra*) there is no comparison (between); *non c'è* ~ *fra teatro e cinema* there's no comparing the theatre with the cinema; **in** ~ *di* (o *a*) = **a** *paragone di*; ⟨*fig*⟩ **pietra** *di* ~ touchstone; **reggere** *al* ~ to bear (*o* stand) comparison; *il* ~ *non regge* the comparison won't stand; **senza** ~ beyond compare, incomparable, unequalled, ⟨*lett*⟩ peerless; **termini** *di* ~ terms of comparison; *non* **trovar** ~ to be unequalled (*o* incomparable). – *Prov.*: *i -i sono sempre odiosi* comparisons are odious; *al* ~ *si conosce l'oro* the proof of the pudding is in the eating.
paragonịte *f.* ⟨*Min*⟩ paragonite.
paragrafạre *v.t.* (**parạgrafo**) to paragraph, to divide into paragraphs.
paragrafịa *f.* ⟨*Psic*⟩ paragraphia.
parạgrafo *m.* **1.** paragraph. – **2.** ⟨*Tip*⟩ section mark. – **3.** ⟨*Dir*⟩ paragraph, article, section. – **4.** ⟨*Sport*⟩ figure (-of-) eight.
paraguạgio *a./s.* ⟨*non com*⟩ → **paraguaiano.** – **paraguaiạno I** *a.* Paraguayan. – **II** *s.m.* (*f.* -a) Paraguayan.
paraguạnce *m.inv.* ⟨*Mil.ant*⟩ cheek-piece.
Paraguạy *N.pr.m.* ⟨*Geog*⟩ **1.** (*fiume*) Paraguay. – **2.** (*stato*) Paraguay (*denom.uff.*: *Repubblica del Paraguay* Republic of Paraguay).
paraidrọṣi *f.* ⟨*Med*⟩ par(ah)idrosis.
paralẹllo *a./s.* ⟨*ant*⟩ → **parallelo.**
paralẹssi *f.* ⟨*Ret*⟩ (*preterizione*) paral(e)ipsis, preterition.
paralẹtico *a./s.* ⟨*ant*⟩ → **paralitico.**
parạlico *a.* (*pl.* -ci) ⟨*Geol*⟩ paralic. – **parạlio** *a.* ⟨*lett,rar*⟩ (*litorale*) coastal, lit(t)oral.
paralipofobịa *f.* ⟨*Psic*⟩ paralipophobia.
paralipọmeni *m.pl.* **1.** ⟨*Bibl*⟩ Paralipomena *pl*, Books *pl* of Chronicles. – **2.** ⟨*estens*⟩ (*appendice*) supplement, paralipomena *pl.*
parạliṣi *f.* **1.** ⟨*Med*⟩ paralysis, palsy. – **2.** ⟨*fig*⟩ (*arresto di un'attività*) paralysis: ~ *economica* economic paralysis. ☐ ⟨*Med*⟩ ~ *agitante* paralysis agitans, Parkinson's disease, shaking palsy; ~ *infantile* infantile paralysis, polio(myelitis); ~ *progressiva* general paralysis (of the insane), general paresis, dementia paralytica. – **paraliṣịa** *f.* ⟨*ant*⟩ → **paralisi.**
paralịtico *a./s.* (*pl.* -ci) **I** *a.* **1.** paralytic, paralysed, palsied. – **2.** (*proprio della paralisi*) paralytic: *fenomeni -i* paralytic phenomena. – **3.** ⟨*fig,non com*⟩ (*debole*) weak, helpless. – **II** *s.m.* (*f.* -a) paralytic.
paraliẓẓạre *v.t.* **1.** ⟨*Med*⟩ to paralyse, to palsy. – **2.** ⟨*fig*⟩ to paralyse: ~ *il traffico* to paralyse traffic. – **paraliẓẓạto** (*p.p. di paralizzare*) *a.* **1.** paralysed, palsied. – **2.** ⟨*fig*⟩ paralysed.
parallạsse *f.* ⟨*Fis,Astr,Fot*⟩ parallax. ☐ ⟨*Astr*⟩ ~ *di altezza* parallax in altitude; ~ *annua* annual (*o* heliocentric) parallax; ~ *diurna* diurnal (*o* geocentric) parallax; ~ *orizzontale* horizontal parallax. – **parallạttico** *a.* (*pl.* -ci) parallactic.
parallẹla *f.* **1.** ⟨*Geom*⟩ parallel. – **2.** *pl.* (*nel disegno*) parallel rulers (*o* rules) *pl.* – **3.** *pl.* ⟨*Ginn*⟩ parallel bars *pl.* – **4.** *pl.* ⟨*Mil.ant*⟩ parallels *pl.*
parallelamẹnte *avv.* parallelly, in parallel (*anche fig.*).
parallelepịpedo I *s.m.* ⟨*Geom*⟩ parallelepiped(on). – **II** *a.* ⟨*non com*⟩ parallelepipedal.
parallelinẹrvio *a.* ⟨*Bot*⟩ parallel-nerved.
paralleliṣmo *m.* **1.** ⟨*Geom*⟩ parallelism. – **2.** ⟨*estens*⟩ (*disposizione parallela*) parallelism, parallel arrangement. – **3.** ⟨*fig*⟩ (*svolgimento parallelo*) parallelism, similarity. – **4.** ⟨*Ret*⟩ parallelism.
parallẹlo I *a.* **1.** ⟨*Geom*⟩ parallel: *due piani -i* two parallel planes. – **2.** (*con direzione equidistante*) parallel. – **3.** ⟨*fig*⟩ parallel. – **II** *s.m.* **1.** ⟨*Geog*⟩ parallel (of latitude). – **2.** ⟨*fig*⟩ (*paragone*) parallel, comparison: *fare* (o *istituire*) *un* ~ *tra due situazioni* to draw a comparison between two situations. – **3.** ⟨*Sport*⟩ parallel Christiania. ☐ ⟨*El*⟩ *accoppiamento in* ~ parallel coupling; ~ *all'asse* axially parallel; ~ *geografico* parallel (of latitude).
parallelogrạmma, parallelogrạmmo *m.* ⟨*Geom*⟩ parallelogram. ☐ ⟨*Fis*⟩ ~ *delle forze* parallelogram of forces.
paralogịṣmo *m.* ⟨*Filos*⟩ paralogism. – **paralogịstico** *a.* (*pl.* -ci) paralogistic, fallacious.
para|lụce *m.inv.* ⟨*Fot*⟩ lens-hood, lens-screen. – **~lụme** *m.* lamp-shade. – **~magnẹtico** *a.* (*pl.* -ci) ⟨*Fis*⟩ paramagnetic. – **~magnetịṣmo** *m.* paramagnetism. – **~mạniche** *m.inv.* sleevelet, oversleeve.
paramạno[1] *m.* **1.** ⟨*Sart*⟩ cuff. – **2.** ⟨*Edil*⟩ relining (*o* facing) brick.
paramạno[2] *m.* ⟨*Mil*⟩ (*nella spada*: *guardamano*) hilt; ⟨*non com*⟩ (*nella lancia*: *padiglione*) handguard.
paramẹcio *m.* ⟨*Zool*⟩ paramecium (*Paramecium*).
paramẹnto *m.* **1.** *pl.* ⟨*Lit*⟩ vestments *pl*, paraments *pl.* – **2.** ⟨*Edil*⟩ face, surface. – **3.** ⟨*ant*⟩ (*addobbo*) decoration. – **4.** *pl.* (*drappi*) hangings *pl.*
parạ|meri *m.pl.* ⟨*Zool*⟩ parameres *pl.* – **~mẹtrico** *a.* (*pl.* -ci) ⟨*Mat, Fis*⟩ parametric, parametral. – **~mẹtrio** *m.* ⟨*Anat*⟩ parametrium. – **~metrịte** *f.* ⟨*Med*⟩ parametritis.
parạmetro *m.* ⟨*Mat,Fis*⟩ parameter: ~ *della parabola* parameter of a parabola.
parameẓẓạle *m.* ⟨*Mar*⟩ keelson, inner keel.
para|militạre *a.* paramilitary. – **~mimịa** *f.* ⟨*Psic*⟩ paramimia. – **~mịne** *m.inv.* ⟨*Mar*⟩ paravane.
paramneṣịa *f.* ⟨*Psic*⟩ paramnesia.
pạramo *m.* ⟨*Geog*⟩ paramo vegetation.
paramonetạrio: ⟨*Econ*⟩ *oro* ~ non-circulating gold.
paramontụra *f.* ⟨*Sart*⟩ (lapel) facing.
para|morfọṣi (o *paramọrfoṣi*) *f.* ⟨*Min*⟩ paramorphism. – **~mọsche** *m.inv.* **1.** fly-net, dishcover. – **2.** (*scacciamosche*) fly-swatter. – **~nạso** *m.inv.* ⟨*Mil.ant*⟩ nosepiece, nasal.
parancạre *v.i.* (**parạnco, parạnchi**; *aus.* **avere**) ⟨*tecn*⟩ to bouse, to bowse. – **paranchẹtto, paranchịno** (*dim. di paranco*) *m.* ⟨*Mar*⟩ jigger (tackle).
parạnco *m.* (*pl.* -chi) **1.** ⟨*Mecc*⟩ pulley block, (block and) tackle, hoist. – **2.** ⟨*Mar*⟩ tackle, hoist, purchase.
☐ ~ *a* **bandiera** swing hoist; ~ *a* **catena** chain block; ~ *a* **corda** rope tackle; ~ **differenziale** differential tackle; ⟨*Mar*⟩ ~ **semplice** jigger, light luff tackle; ~ *a* **vite** *senza fine* worm gear hoist.
para|nefrịte *f.* ⟨*Med*⟩ paranephritis. – **~nẹve** *m.inv.* **1.** snow gaiter. – **2.** ⟨*Ferr*⟩ snow fence (*o* shed). – **~nịnfo** *m.* (*f.* -a) **1.** (*sensale di matrimoni*) (professional) matchmaker, marriage-agent. – **2.** ⟨*eufem*⟩

(*mezzano, ruffiano*) procurer (*f* -ress), pimp, pander. – 3. ⟨*Stor.gr*⟩ paranymph.

parannạnza *f.* ⟨*region*⟩ (*grembiule*) apron.

paranọia *f.* ⟨*Psic*⟩ paranoia. – **paranọico** *a./s.* (*pl.* -ci) I *a.* paranoi(a)c. – II *s.m.* (*f.* -a) paranoi(a)c. – **paranọide** *a.* paranoid.

paranormạle I *a.* 1. ⟨*Med*⟩ not quite normal. – 2. (*parapsicologico*) paranormal. – II *s.m.* paranormality, paranormal.

parantẹlio *m.* ⟨*Astr*⟩ paranthelion.

parạntropo *m.* ⟨*Paleont*⟩ paranthropus, ⟨*pop*⟩ ape-man.

para|nụca *m.inv.* ⟨*Mil.ant*⟩ neck-guard. – **~nụcleo** *m.* ⟨*Biol*⟩ paranucleus.

parạnza *f.* 1. ⟨*Mar*⟩ (lateen-rigged) fishing-boat, pair trawler. – 2. ⟨*Pesc*⟩ (*rete*) trawl net, paranza trawl, paranzella net. – 3. ⟨*roman*⟩ (*compagnia*) company, group, set (of friends). – 4. ⟨*napol*⟩ (*gruppo di camorristi*) camorra. □ ⟨*roman*⟩ *far* ~ (*stringere amicizia*) to make friends. – **paranzẹlla** (*dim. di paranza*) *f.* ⟨*Mar*⟩ small fishing smack.

paraọcchi *m.inv.* blinkers *pl*, ⟨*am*⟩ blinders *pl* (*anche fig.*). □ ⟨*fig*⟩ *mettersi i -i* to close one's eyes to s.th., to refuse to see farther than one's own nose.

parạola *f.* ⟨*ant*⟩ (*parola*) word.

para|ọlio *m.* oil baffle (*o* retainer). – **~ọnde** *m.inv.* ⟨*Mar*⟩ breakwater. – **~orẹcchie** *m.inv.* ⟨*Sport*⟩ helmet. – **~pạlle** *m.inv.* ⟨*Mil*⟩ butt.

parapettạta *f.* ⟨*Teat*⟩ (*anche scena parapettata*) set with platforms around the upper part. – **parapettạto** *a.* parapeted. – **parapẹtto** *m.* 1. railing, railings *pl*, bannister; (*in muratura*) parapet. – 2. ⟨*Mar*⟩ rail; (*di murata*) bulwark. – 3. ⟨*Mil*⟩ parapet, breastwork.

para|pịede *m.* ⟨*Sport*⟩ shin-guard. – **~pịglia** *m.inv.* turmoil, commotion, hubbub, pandemonium. – **~piọggia** *m.inv.* umbrella. – **~pineạle**: ⟨*Zool*⟩ *organo* ~ parapineal body. – **~plạsma** *m.* ⟨*Biol*⟩ paraplasm. – **~plasmạtico** *a.* (*pl.* -ci) paraplasmic, paraplastic. – **~plegịa** *f.* ⟨*Med*⟩ paraplegia. – **~plẹgico** *a.* (*pl.* -ci) paraplegic. – **~pneumọnico** *a.* (*pl.* -ci) parapneumonic. – **~pọdio** *m.* ⟨*Zool*⟩ parapodium. – **~pọlvere** *m.inv.* dust-cover. – **~proctịte** *f.* ⟨*Med*⟩ paraproctitis. – **~psịchico** *a.* (*pl.* -ci) parapsychic(al), parapsychological. – **~psicologịa** *f.* parapsychology. – **~psicolọgico** *a.* (*pl.* -ci) parapsychological, parapsychic(al).

parạre *v.t.* 1. (*coprire di parati e sim.*) to adorn, to deck, to decorate. – 2. (*difendere, riparare*) to protect, to shield, to shelter: *l'ombrello ti para dalla pioggia* the umbrella ⌜protects you from the rain⌝ (*o* keeps the rain off you). – 3. (*tenere lontano*) to shade from, to keep off (*o* out, away): ~ *il sole* to keep out the sun. – 4. (*scansare*) to ward off, to fend (off), to parry: ~ *un colpo* to ward off a blow. – 5. ⟨*Sport*⟩ to save; (*fermare*) to stop, to block. – 6. ⟨*Lit*⟩ to vest. – 7. ⟨*Equit*⟩ to check, to rein in (*o* up). – 8. ⟨*non com*⟩ (*trattenere*) to stop, to halt, to block, to check. – 9. ⟨*non com*⟩ (*allontanare*) to drive off (*o* away), to keep off, to get rid of: ~ *le mosche* to keep off the flies. – 10. ⟨*non com*⟩ (*porgere, presentare*) to offer; (*stendere*) to hold (*o* stretch) out: ~ *la mano* to hold out one's hand. – 11. ⟨*non com*⟩ (*rif. a mandrie e sim.*: *spingere*) to drive. – 12. ⟨*tosc*⟩ (*impedire*) to prevent, to stop. – 13. ⟨*ant*⟩ (*preparare*) to prepare. – 14. ⟨*ant,region*⟩ (*badare*: *rif. ad animali*) to mind, to herd, to watch. – **pararsi** *v.r.* 1. (*ripararsi*) to shield (*o* protect) o.s., to shelter. – 2. ⟨*Lit*⟩ to vest. – 3. ⟨*scherz*⟩ (*vestirsi con abiti sontuosi*) to dress up, to deck o.s. (out), ⟨*fam*⟩ to get o.s. up. □ *andare a* ~ (*tendere*) to drive (*o* get) at, to lead up to: *non capisco dove le tue parole vadano a* ~ I don't know what you are driving (*o* getting) at; *pararsi davanti* (o *innanzi*): 1. (*piantarsi davanti*) to appear (*o* come) before, to plant o.s. in front of; 2. (*apparire*) to appear, to be found: *si fermò al primo negozio che gli si parò innanzi* he stopped at the first shop ⌜to appear⌝ (*o* to be found); 3. ⟨*non com*⟩ (*spingere avanti a sé*) to drive, to herd; ~ *a festa* to adorn, to deck out; ~ *a lutto* to drape in black; ~ *per la messa* to vest for Mass; ~ *la vista a qd.* to block s.o.'s view.

para|renạle *a.* ⟨*Anat*⟩ pararenal. – **~rettạle** *a.* ⟨*Anat*⟩ pararectal. – **~sạle** *m.inv.* ⟨*Ferr*⟩ axle guide, horn plate, ⟨*am*⟩ pedestal.

parasạnga *f.* ⟨*Stor*⟩ (*unità di misura*) parasang.

para|sartịe *m.inv.* ⟨*Mar*⟩ channel, chainwale. – **~scẹnio** *m.* ⟨*Archeol*⟩ parascenium. – **~schẹgge** *m.inv.* ⟨*Mil*⟩ splinter guard (*o* screen). – **~scintịlle** *m.inv.* 1. ⟨*Ferr*⟩ spark arrester (*o* catcher), cinder frame. – 2. ⟨*El*⟩ spark arrester. – **~scolạstico** *a.* (*pl.* -ci) educational, extracurricular. – **~selẹne**, **~selẹnio** *m.* ⟨*Astr*⟩ paraselene, ⟨*pop*⟩ mock moon. – **~sigmatịsmo** *m.* ⟨*Ling*⟩ parasigmatism(us), ⟨*pop*⟩ lisping. – **~silụri** *m.inv.* ⟨*Mar.mil*⟩ torpedo-net. – **~simpạtico** *a./s.* (*pl.* -ci) ⟨*Anat*⟩ I *a.* parasympathetic. – II *s.m.* (*sistema parasimpatico*) parasympathetic (nervous) system. – **~sintẹtico**: ⟨*Ling*⟩ *composto* ~ parasyntheton, parasynthetic compound. – **~sịto** *a./s.* ⟨*ant*⟩ → **parassita**. – **~sọle** *a./s.inv.* I *s.m.* 1. parasol, sunshade. – 2. ⟨*Mar*⟩ awning. – 3. ⟨*Fot*⟩ lens-hood, lens-screen. – II *a.* sun-: *visiera* ~ sun-screen, glare shield. □ ⟨*Aer*⟩ *aeroplano a* ~ parasol. – **~spạlle** *m.inv.* ⟨*Sport*⟩ shoulder-pad. – **~spịgolo** *m.* ⟨*Mur*⟩ staff angle. – **~spọre** *f.pl.* ⟨*Bot*⟩ paraspores *pl*, conidia *pl*, conidiospores *pl*. – **~sprụzzi** *m.inv.* 1. ⟨*Aut*⟩ mud-flap, fender. – 2. ⟨*Mecc*⟩ splash-guard.

parassiạle *a.* ⟨*Ott*⟩ paraxial.

parassịta I *s.m./f.* 1. ⟨*Biol*⟩ parasite: ~ *degli animali* animal parasite. – 2. ⟨*fig*⟩ (*scroccone*) parasite, sponger: ~ *della società* parasite on society. – 3. ⟨*Agr*⟩ (*animale o pianta nociva*) pest. – 4. ⟨*Rad*⟩ (*rumore parassita*) interference, static. – 5. ⟨*Stor.gr*⟩ parasite. – II *a.* ⟨*Biol,El*⟩ parasitic(al): *piante -e* parasitic plants.

parassitạre *v.t.* 1. ⟨*Biol*⟩ to parasitize. – 2. ⟨*fig,non com*⟩ (*vivere a spese altrui*) to sponge on, to be a parasite on. – **parassitạrio** *a.* 1. ⟨*Biol*⟩ parasitic(al). – 2. ⟨*fig*⟩ parasitic(al). – **parassiticịda** I *a.* ⟨*Chim*⟩ parasiticidal. – II *s.m.* parasiticide. – **parassịtico** *a.* (*pl.* -ci) ⟨*rar*⟩ → **parassitario**. – **parassitịsmo** *m.* 1. ⟨*Biol*⟩ parasiticism. – 2. ⟨*fig*⟩ parasiticism, sponging. – **parassịto** *a./s.* ⟨*ant*⟩ → **parassita**. – **parassitologịa** *f.* ⟨*Biol*⟩ parasitology. – **parassitolọgico** *a.* (*pl.* -ci) parasitological. – **parassitọlogo** *m.* (*pl.* -gi; *f.* -a) parasitologist. – **parassitọtropo** *a.* ⟨*Farm*⟩ parasitotropic drug.

parạsta *f.* ⟨*Arch*⟩ (*lesena*) pilaster strip.

para|statạle I *a.* government-controlled, state-controlled, semi-governmental: *impresa* ~ state-controlled enterprise. – II *s.m./f.* employee of a government-controlled body. – **~stịnchi** *m.inv.* ⟨*Sport*⟩ shin-guard, leg-guard, pad. – **~strạppi** *m.inv.* ⟨*Aut*⟩ flexible coupling, spring drive. – **~strụma** *m.* ⟨*Med*⟩ parastruma.

parạta *f.* 1. (*rivista militare*) (military) review, parade; (*sfilata*) march-past; (*esibizione*) parade, (formal) display, (pompous) show. – 2. (*sbarramento*) barrier. – 3. ⟨*Sport*⟩ parry, defence; (*nella scherma*) parry, parade; (*nella boxe*) parry; (*nel calcio*) save; (*il prendere un pallone*) saving, catching. – 4. ⟨*Equit*⟩ pulling (*o* reining) up, halt. – 5. ⟨*Folcl*⟩ halting of the wedding procession. – 6. ⟨*Venat*⟩ battue. – 7. ⟨*Mar.ant*⟩ (*parabordo*) bumper, fender. – 8. ⟨*ant*⟩ (*riparo, schermo*) shelter, screen.

□ ⟨*Sport*⟩ ~ **alta** upward parry; ⟨*Sport*⟩ ~ *di* **contro** circular parry; **di** ~: 1. (*di lusso*) gala: *pranzo di* ~ gala dinner; *carrozza di* ~ state-coach; 2. ⟨*Mil*⟩ parade-: *a passo di* ~ at parade march, in parade step; ⟨*Sport*⟩ **fare** *una* ~: 1. (*parare un colpo*) to parry (*o* ward off) a blow; 2. (*nel calcio*) to make a save, to save the ball; 3. (*prendere una palla*) to catch the ball; *vedere la* **mala** ~ to see that things are taking a bad turn; ⟨*Sport*⟩ **mettersi** *in* ~ to put up one's guard; ⟨*Sport*⟩ ~ *con pugni* fisting; **sfilare** *in* ~ to march past, to parade.

para|tạsca *m.* ⟨*Sart*⟩ pocket flap. – **~tạssi** *f.* ⟨*Gramm*⟩ parataxis. – **~tạttico** *a.* (*pl.* -ci) paratactic(al).

paratẹlla *f.* ⟨*Venat*⟩ bird-net.

paratịa *f.* ⟨*Mar,tecn*⟩ bulkhead. □ ~ *di collisione* collision bulkhead; ~ *parafiamma* fireproof bulkhead, fire wall; ~ *stagna* watertight bulkhead; ~ *trasversale* athwartship bulkhead; ~ *verticale* (o *longitudinale*) longitudinal bulkhead.

parạtico *m.* (*pl.* -ci) ⟨*Mediev*⟩ guild.

paratịfico *a.* (*pl.* -ci) ⟨*Med*⟩ paratyphoid. – **paratịfo** *m.* paratyphoid (fever).

paratịo *m.* ⟨*ant*⟩ 1. (*riparo*) shelter, screen. – 2. (*tramezzo*) wall, partition.

paratirọide *f.* ⟨*Anat*⟩ parathyroid gland.

parạto[1] *m.* 1. (*drappo*) hanging, drape; (*tappezzeria*) tapestry. – 2. *pl.* ⟨*Arred*⟩ (*carta da parati*) wallpaper. – 3. *pl.* ⟨*Lit*⟩ vestments *pl.* □ ⟨*Arred*⟩ *carta da* ~ (o *parati*) wallpaper.

parạto[2] (*p.p. di parare*) *a.* ⟨*lett,ant*⟩ 1. (*addobbato*) decorated, adorned, decked; (*drappeggiato*) hung, draped: *chiesa -a a lutto* church hung with black. – 2. (*pronto, disposto*) ready. – 3. (*preparato*) prepared.

paratọia *f.* ⟨*Idr*⟩ sluice-gate, sluice-valve.

para|tọnico *a.* (*pl.* -ci) ⟨*Bot*⟩ paratonic. – **~tọpi** *m.inv.* ⟨*Mar*⟩ rat guard.

paratọre *m.* 1. decorator. – 2. ⟨*Venat*⟩ beater. – 3. ⟨*region*⟩ (*custode di mandrie*) herdsman; (*di greggi*) shepherd; (*chi conduce il bestiame*) drover, cattle-driver.

paratubercolạre *a.* ⟨*Med,Veter*⟩ paratuberculous. – **paratubercolọsi** *f.* 1. ⟨*Med*⟩ paratuberculosis. – 2. ⟨*Veter*⟩ paratuberculosis, Johne's disease.

paratụra *f.* 1. (*il parare*: *con drappi*) hanging, draping; (*con addobbi*) decoration. – 2. (*parati*) hangings *pl*, drapes *pl*; (*addobbi*) decorations *pl.*

para|uretrạle *a.* ⟨*Anat*⟩ para-urethral. – **~ụrti** *m.inv.* 1. ⟨*Aut*⟩ bumper. – 2. ⟨*Ferr*⟩ (*del binario*) buffer (stop); (*del vagone*) buffer, bumper. – **~valạnghe** *m.inv.* ⟨*Strad*⟩ snowshed. – **~vẹnto** *m.* 1. ⟨*Arred*⟩ screen. – 2. ⟨*fig*⟩ (*copertura, schermo*) screen, cover, front. – 3. ⟨*Etnol*⟩ habitable windbreak. □ ⟨*fig*⟩ *fare* (o *servire*) *da* ~ *a qd.* to shield (o cover up for) s.o.

par avion *fr.* [-ˈvjɔ̃] ⟨*Post*⟩ (by) air mail.

parazọnio *m.* ⟨*Stor.rom*⟩ parazonium.

Pạrca *N.pr.f.* ⟨*Mitol*⟩ Parca, Fate. – **parca** *f.* ⟨*lett*⟩ (*morte*) death.

parcamẹnte *avv.* frugally, sparingly.

parcamẹnto *m.* ⟨*non com*⟩ 1. ⟨*Artigl*⟩ parking. – 2. ⟨*rar*⟩ (*parcheggio*) parking. – **parcạre** *v.* (**pạrco**, **pạrchi**) I *v.t.* 1. ⟨*Artigl*⟩ to park. – 2. ⟨*rar*⟩ (*parcheggiare*) to park. – II *v.i.* (*aus.* **avere**) 1. ⟨*Artigl*⟩ to park. – 2. ⟨*rar*⟩ (*parcheggiare*) to park.

parcẹlla *f.* 1. (*piccolo appezzamento di terreno*) plot, lot. – 2. (*nota delle spese di professionisti*) bill, account. □ ~ *catastale* parcel (subject to land-tax). – **parcellạre** *a.* 1. in lots. – 2. ⟨*Med*⟩ localized, local. – **parcellaziọne** *f.* (*suddivisione del latifondo*) parcelling out, apportionment.

parcenẹvole *m.* → **parzioniere**.

pạrcere *v.i.dif.* (**pạrco**, **pạrci**; no past participle or compound tenses) ⟨*ant*⟩ (*perdonare*) to pardon; (*risparmiare*) to spare, to save.

parchè *m.* → **parquet**.

parcheggiạre *v.t./i.* (**parchẹggio**, **parchẹggi**; *aus.* **avere**) to park.

parchẹggio *m.* 1. (*sosta*) parking: *è vietato il* ~ no parking. – 2. (*spazio*) car park, parking area (*o* place, lot).

☐ ~ *in* **colonna** parking in rows; ~ **custodito** guarded car park; **divieto** *di* ~ no parking; ~ *a* **pagamento** paying car park; ~ *a* **spina** *di pesce* diagonal parking; ~ *a* **veicoli** *affiancati* parking ⌈side by side⌉ (*o* at right angles to the curb).

parchettatụra *f.* parqueting, laying of a parquet floor. – **parchettịsta** *m.* parquetry layer.

parchẹtto[1] (*dim. di parco*[1]) *m.* ⟨*Venat*⟩ coop, pen.

parchẹtto[2] *m.* **1.** parquet board. – **2.** *pl.* parquet.

parchẹzza *f.* (*sobrietà*) sobriety, soberness; (*moderazione*) moderation.

parchịmetro *m.* ⟨*Aut*⟩ parking-meter.

parchinsọnia *f.* ⟨*Bot*⟩ **1.** Parkinsonia (*Parkinsonia*). – **2.** Jerusalem thorn (*Parkinsonia aculeata*).

parcità *f.* ⟨*ant*⟩ → **parchezza.**

pạrco[1] *m.* (*pl.* **-chi**) **1.** park: ~ *nazionale* national park. – **2.** (*giardino*) garden. – **3.** (*stabbio, addiaccio*) enclosure, paddock, pen, fold. – **4.** (*deposito*) depot, deposit; (*insieme di attrezzi*) stores *pl*; (*raccolta di veicoli*) fleet. – **5.** ⟨*Ferr*⟩ rolling stock. – **6.** ⟨*Mil*⟩ park. – **7.** ⟨*Aut*⟩ (*parcheggio*) parking area (*o* place, lot).

☐ ~ **autocarri** fleet of trucks; ~ **automobilistico** fleet of cars; ~ *di* **deposito** stockyard; ~ *dei* **divertimenti** amusement park, fun-fair; ⟨*Ferr*⟩ ~ **locomotive** locomotive stock; ⟨*Ferr*⟩ ~ **materiale** *rotabile* rolling stock; ~ **municipale** town (*o* city) park; ~ *delle* **rimembranze** memorial park; ⟨*Ferr*⟩ ~ **veicoli** rolling stock; ~ *di* **vetture** = ~ **automobilistico.**

pạrco[2] *a.* (*pl.* **-chi**) **1.** (*sobrio*) sober. – **2.** (*moderato*) moderate, temperate. – **3.** (*frugale*) frugal, thrifty. – **4.** (*scarso*) sparing, parsimonious: ~ *di parole* sparing of words; (*avaro*) mean, stingy, niggardly. ☐ ~ *nello spendere* careful with money.

parcọmetro *m.* → **parchimetro.**

pardatụra *f.* (*rif. al cavallo*) spots *pl* (*o* mottles *pl*) on a horse.

pardịglio ⟨*ant*⟩ **I** *a.* (*grigio*) dark grey. – **II** *s.m.* **1.** (*colore*) dark grey. – **2.** ⟨*Min*⟩ (*bardiglio*) bardiglio.

pạrdo *m.* ⟨*ant,lett*⟩ (*leopardo*) leopard, ⟨*ant*⟩ pard.

pardon *fr.* [parˈdɔ̃] *intz.* **1.** (*scusi*) (I'm) sorry, I beg your pardon. – **2.** (*con permesso*) excuse me.

pạrdula *f.* ⟨*Dolc*⟩ kind of cheesecake.

pạre *a./s.* ⟨*ant*⟩ → **pari**[1].

paré *f.* ⟨*Pesc,region*⟩ weir.

parẹcchio I *a.* **1.** (*rif. a numero*) several, quite a few, a lot of, lots of, a number of, many: *ho -e cose da fare* I have quite a few things to do; *da parecchi giorni* for several days; (*rif. a quantità*) a lot of, lots of, quite a bit of, a good deal of: *ha* ~ *danaro* she has quite a bit of money. – **2.** (*rif. a tempo*) a long, a good deal of, a lot of: *ci vorrà* ~ *tempo* it will take a long time. – **3.** (*rif. a distanza*) quite a (long) way, some way; (*in frasi interrogative*) far. – **4.** ⟨*ant*⟩ (*simile*) similar, like; (*uguale*) same, like. – **II** *pron.* **1.** (*rif. a numero*) several, a lot, lots, quite a few, many: *parecchi erano fatti di piombo* quite a few were made of lead; (*rif. a quantità*) a lot, quite a bit, ⟨*fam*⟩ plenty: *ho speso* ~ I've spent a lot. – **2.** (*rif. a tempo*) quite a while, a long time: *dovremo attendere* ~ we'll have to wait quite a while. – **3.** (*rif. a distanza*) a long way: *manca* ~ *alla città* it's a long way to the city; (*in frasi interrogative*) far, a long way. – **4.** *pl.* (*rif. a persone*) many (people), quite a lot (of people), several (people), quite a few (people), quite a number: *parecchi mi hanno chiesto di te* many people asked me about you. – **III** *avv.* rather (a lot), quite (a lot); (*molto*) very much, really: *sono stato* ~ *in ansia* I was really anxions; (*con aggettivi*) very, really. ☐ *parecchi altri* several others; *da* ~ (*tempo*) for quite a while (*o* long time); ~ *tempo* quite a while (*o* time), rather a long time, some time; *è* ~ *tempo che* it's ⌈some time⌉ (*o* quite a while) since.

pareggiạbile *a.* that can be levelled (*o* equalized).

pareggiamẹnto *m.* **1.** (*spianamento*) levelling. – **2.** (*uguagliamento*) equalizing, equalization. – **3.** ⟨*fig*⟩ (*livellamento*) levelling; (*rif. a conti e sim.*) balancing. – **4.** (*equiparazione: rif. a scuola*) putting on a par with state schools, official recognition.

pareggiạre *v.* (**parẹggio, parẹggi**) **I** *v.t.* **1.** (*spianare*) to (make) level, to smooth, to make even. – **2.** (*tagliare in modo uguale*) to trim. – **3.** (*uguagliare*) to equalize, to make equal, to even (up). – **4.** ⟨*fig*⟩ (*livellare*) to level (out), to make uniform, to put on a par with; (*rif. a conti e sim.*) to balance, to square: ~ *un bilancio* to balance a budget. – **5.** ⟨*fig*⟩ (*uguagliare, divenire pari*) to match, to equal, to have an equal (*costr. pers.*): *nessuno può pareggiarlo in sapienza* ⌈nobody can equal his⌉ (*o* he has no equal in) learning. – **6.** ⟨*Scol*⟩ (*equiparare*) to put on a par with state schools, to recognize officially. – **7.** ⟨*Tip*⟩ to jog, to knock up. – **II** *v.i.* (*aus.* **avere**) ⟨*Sport*⟩ to draw, to tie: *la Germania ha pareggiato con la Francia* Germany has drawn with France. – **pareggiarsi** *v.r.* to be equal.

pareggiạto (*p.p. di pareggiare*) *a.* **1.** (*spianato*) levelled, smooth, even; (*tagliato in modo uguale*) trimmed, even. – **2.** (*uguagliato*) matched, equalled. – **3.** ⟨*fig*⟩ (*livellato*) levelled, equal; (*rif. a conti e sim.*) balanced. – **4.** ⟨*Scol*⟩ (*equiparato*) officially recognized (as on a par with state schools).

pareggiatọre I *s.m.* (*f.* **-trice**) **1.** ⟨*non com*⟩ leveller, equalizer. – **2.** ⟨*Agr*⟩ sheaf-binder. – **II** *a.* ⟨*non com*⟩ levelling, equalizing. – **pareggiatrịce** *f.* ⟨*Tip*⟩ jogging (*o* knocking up) machine. – **pareggiatụra** *f.* ⟨*non com*⟩ **1.** (*spianamento*) levelling; (*il tagliare*) trimming. – **2.** (*uguagliamento*) equalizing, equalization.

parẹggio *m.* **1.** ⟨*Econ*⟩ (*equilibrio*) balance. – **2.** ⟨*Sport*⟩ tie, draw, drawn game. ☐ ⟨*Econ*⟩ *a* ~ (*in borsa*) undecided, at even; ⟨*Econ*⟩ *chiudere in* ~ to balance; ⟨*Sport*⟩ *chiudersi in* ~ to (end in a) tie (*o* draw).

parẹglio[1] *a./avv.* ⟨*ant*⟩ → **parecchio.**

parẹglio[2] *m.* ⟨*ant*⟩ → **pareggio.**

paregọrico *a.* (*pl.* **-ci**) ⟨*Farm,ant*⟩ paregoric.

parẹlio *m.* ⟨*Astr*⟩ parhelion, mock sun.

parẹlla *f.* → **palella.**

paremịaco *m.* (*pl.* **-ci**) ⟨*Metr*⟩ (*anche verso paremiaco*) paroemiac.

paremiografịa *f.* paroemiography. – **paremiogrạfico** *a.* (*pl.* **-ci**) paroemiographic. – **paremiọgrafo** *m.* paroemiographer. – **paremiologịa** *f.* paroemiology. – **paremiolọgico** *a.* (*pl.* **-ci**) paroemiological. – **paremiọlogo** *m.* (*pl.* **-gi**; *f.* **-a**) paroemiologist.

parẹnchima *m.* ⟨*Biol*⟩ parenchyma. – **parenchimạtico** *a.* (*pl.* **-ci**) parenchymatous, parenchymatic, parenchymal. – **parenchimatọso** *a.* parenchymatous.

parenchimẹlla, parenchịmula *f.* ⟨*Biol*⟩ parenchymula, planula.

parẹnẹsi *f.* ⟨*lett*⟩ **1.** (*esortazione*) exhortation; (*ammonimento*) admonition. – **2.** ⟨*Lett*⟩ par(a)enesis. – **parenẹtica** *f.* ⟨*lett*⟩ par(a)enetical literature. – **parenẹtico** *a.* (*pl.* **-ci**) ⟨*lett*⟩ par(a)enetical, admonitory, hortatory.

parentạdo *m.* **1.** (*parenti*) relatives *pl*, relations *pl*, kin(dred) (*costr. pl.*), kinsfolk *pl.* – **2.** ⟨*non com*⟩ (*famiglia*) family: *essere di nobile* ~ to come of a noble family; (*casato*) stock, birth, descent, strain. – **3.** ⟨*non com*⟩ (*vincolo di parentela*) relationship, kinship; (*matrimonio*) marriage: *concludere il* ~ to arrange a marriage. ☐ ⟨*scherz*⟩ *fare* ~ (*congiungersi carnalmente*) to have intercourse, ⟨*eufem*⟩ to sleep together. – **parentạggio** *m.* ⟨*ant*⟩ → **parentado.**

parentạle *a.* ⟨*lett*⟩ **1.** (*dei parenti*) family: *vincoli -i* family ties. – **2.** (*dei genitori*) parental: *autorità* ~ parental authority.

parentạli *m.pl.*, **parentạlie** *f.pl.* **1.** ⟨*Stor.rom*⟩ Parentalia *pl.* – **2.** ⟨*lett*⟩ (*commemorazione*) commemoration, memorial celebrations *pl.*

parentạto *m.* ⟨*rar*⟩ → **parentado.**

parẹnte I *s.m./f.* **1.** relative, relation, ⟨*lett*⟩ kinsman (*f* -woman): *un* ~ *alla lontana* a distant relative. – **2.** *pl.* ⟨*lett*⟩ (*genitori*) parents *pl.* – **II** *a.* **1.** related. – **2.** ⟨*fig*⟩ related, ⟨*pred*⟩ akin.

☐ ~ **acquisito** relative by marriage, in-law; ~ *in* (*o di*) *terzo* **grado** relative in the third degree; *-i* **lontani** distant relatives; ⟨*pop*⟩ *questo e* **niente** *è* ~ this is next to nothing; *il* **primo** ~ (*Adamo*) our first parent; *i primi -i* (*Adamo ed Eva*) our first parents; ~ **prossimo** (*o* **stretto**) close relative; *i -i più* **stretti** the next of kin.

parentẹla *f.* **1.** relationship, kinship. – **2.** (*parenti*) relatives *pl*, relations *pl*, kin(dred) (*costr. pl.*), kinsfolk *pl.* – **3.** ⟨*fig*⟩ (close) relationship. – **4.** ⟨*Dir*⟩ kindred, relationship.

☐ ~ **adottiva** adoptive kinship; **grado** *di* ~ degree of kindred; ~ *in* **linea** *collaterale* collateral relationship; ~ *in linea diretta* lineal relationship; ~ *delle* **lingue** relationship between languages; ~ **naturale** natural relationship; **relazione** (*o* **rapporto**) *di* ~ relationship; ~ **spirituale** spiritual tie between godparent and godchild.

parenterạle *a.* ⟨*Med*⟩ parenteral: *nutrizione per via* ~ parenteral feeding. – **parenteralmẹnte** *avv.* parenterally.

parẹntẹsi *f.inv.* **1.** parenthesis; (*digressione*) digression, parenthesis. – **2.** (*segno grafico*) parenthesis, bracket (*anche Mat.*): *mettere tra* ~ to put in parentheses (*o* brackets), to bracket, to parenthesize. – **3.** ⟨*fig*⟩ (*intervallo di tempo*) period, interval, interlude, parenthesis.

☐ ~ **aperta** open bracket; ⟨*esclam*⟩ brackets *pl*; **aprire** *una* ~ to make a digression; (*rif. al segno grafico*) to open a parenthesis (*o* the brackets); ~ **chiusa** closed bracket; ⟨*esclam*⟩ close the brackets; ⟨*fig*⟩ *sia* **detto** *tra* ~ by the way, incidentally; ~ **graffe** (*o a graffa*) double brackets; ~ **quadra** square bracket; ~ **tonda** round bracket; ~ **uncinata** angle (*o* broken, pointed) bracket.

parenteticamẹnte *avv.* parenthetically. – **parentẹtico** *a.* (*pl.* **-ci**) parenthetic(al): *proposizione -a* parenthetic proposition.

parentẹvole *a.* ⟨*ant*⟩ (*affettuoso*) affectionate.

parẹre[1] *v.i.* (*pr.ind.* **pạio, pạri, pạre, paiạmo/pariạmo, parẹte, pạiono**; *fut.* **parrò**; *p.rem.* **pạrvi**; *pr.cong.* **pạia, paiạmo/pariạmo, paiạte/pariạte, pạiano**; *impf.cong.* **parẹssi**; *imperat.* lacking; *p.pr.* **parvẹnte**; *p.p.* **pạrso**/*ant.* **parụto**; *ger.* **parẹndo**; *aus.* **essere**) **1.** (*avere l'apparenza*) to seem, to appear, to look (like): *pare una persona onesta* he ⌈looks like⌉ (*o* seems) an honest person; *vestito così pareva un brigante* dressed that way, he looked like a bandit; *pare ammalato ma non lo è* he seems (*o* looks) ill, but he's not; (*rif. a cose viste*) to look: *quelle rose paiono molto belle* those roses look lovely; (*rif. a cose udite*) to sound (like): *queste campane paiono d'argento* these bells sound silvery; *pare una strada molto lunga* (*a quanto si dice*) it sounds like a long way. – **2.** (*ritenere, credere*) to think: *che Le pare?* what do you think?; *che te ne pare?* what do you think of it?; *mi pare che non sia vero* I don't think that's true; *mi pare che voglia nevicare* I think it's going to snow, it looks like snow; *che ti pare del mio vestito nuovo?* what do you think of my new dress?; *come ti pare questo vino?* what do you think of this wine?; *il prezzo mi pare eccessivo* I think the price is too high; (*ritenere opportuno*) to seem, to think: *mi pareva che fosse ora di andare* I thought it was time to go. – **3.** (*avere l'impressione*) to think, to seem, to look (*costr. impers.*): *mi è parso di averlo già visto* I thought I had seen him before; *ci pareva di sognare* we thought we were dreaming; *pareva proprio che non gliene importasse nulla* it really looked (*o* seemed) as if he didn't care, he really didn't seem to care. – **4.** (*volere*) to like, to want, to please, to think fit: *faccio quello che* *mi pare* I do whatever I like, I do just as I please; *fate pure come vi pare* do just as you like, do whatever you want. – **5.** ⟨*ant*⟩ (*apparire, sembrare*) to appear.

□ *pare* **impossibile** (*esprimendo disappunto*) it just doesn't seem possible, it seems impossible (*o* incredible); *mi par* **mill'***anni che non ti vedo* it's been ages since I've seen you; *pare di* **no** it seems not, it doesn't seem so; *mi pare di no* I don't think so; **per** *ben* ~ to make a good impression; *per non* ~ in order not to be noticed; *a* **quanto** *pare* apparently, it would seem, as far as ⌜we know⌝ (*o* can be seen); **senza** ~ without making o.s. noticed; *pare di* **sì** it seems so; *mi pare di sì* I think so; *non mi par* **vero** (*non posso crederlo*) I can't believe it. || *ma Le pare?* do you really think so?: *io dire questo, ma Le pare?* do you really think I could have said such a thing?; (*rispondendo a scuse o ringraziamenti*) don't mention it, not at all.

parere[2] *m.* **1.** opinion, view: *rimanere* (o *restare*) *del proprio* ~ to stick to one's opinion. – **2.** (*consiglio*) advice: *accettare i -i di qd.* to take s.o.'s advice. – **3.** ⟨*Dir*⟩ opinion, ruling. – **4.** ⟨*burocr*⟩ opinion, view.

□ **a** *mio* ~ in my opinion (*o* view); *essere di* ~ **diverso** to disagree; **esprimere** *un* ~ *su qc.* to express an opinion on s.th., to air one's views about s.th.; **essere** *del* ~ *che* to think that; ~ **giuridico** legal opinion; **mutare** ~ to change one's mind; ⟨*fig*⟩ *i -i di* **Perpetua** common sense advice; ⟨*non com*⟩ *fare il* **proprio** ~ (*agire come meglio si crede*) to do as one thinks best; **secondo** *il mio* ~ = **a** *mio parere*; *essere dello* **stesso** ~ *di qd.* to agree with s.o., to share s.o.'s views.

parergo *m.* (*pl.* **-ghi**) ⟨*lett,ant*⟩ **1.** (*aggiunta*) parergon, supplement. – **2.** (*digressione*) digression.

paresi (o *paresi*) *f.* ⟨*Med*⟩ paresis.

parestesia *f.* ⟨*Med*⟩ par(a)esthesia.

paretaio *m.* **1.** ⟨*Venat*⟩ bird-trap. – **2.** ⟨*fig*⟩ trap, snare.

parete *f.* **1.** wall, partition; (*superficie esterna*) face, outer surface, side. – **2.** (*muro*) wall: *appendere un quadro alla* ~ to hang a picture on the wall. – **3.** ⟨*fig*⟩ (*barriera*) wall, barrier. – **4.** ⟨*Anat,Biol*⟩ wall, paries: *la* ~ *dello stomaco* the wall of the stomach. – **5.** ⟨*Alp*⟩ face. – **6.** ⟨*Pesc*⟩ side (of a trawl-net). – **7.** ⟨*ant*⟩ (*paretaio*) bird -trap, bird-net.

□ **da** ~ wall-: *ventilatore da* ~ wall ventilator; ⟨*Edil*⟩ ~ **divisoria** partition (wall), divider; *le -i* **domestiche** (*la propria casa*) home: *tra le -i domestiche* at home; *a* **doppia** ~ double-walled; ⟨*Edil*⟩ ~ **esterna** outside wall; ⟨*Alp*⟩ ~ *di* **ghiaccio** ice wall; ⟨*Edil*⟩ ~ **interna** inside wall; ~ *in* **legno** wooden partition (wall); ⟨*Edil*⟩ ~ *di* **mattoni** brick wall; ~ **mobile** adjustable wall panel; ⟨*Edil*⟩ ~ **portante** bearing wall; ~ **protettiva** protective wall; ⟨*Alp*⟩ ~ **rocciosa** rock-face (*o* wall); *a* ~ **sottile** thin-walled; *a* ~ **spessa** thick -walled.

paretella (*dim. di parete*) *f.* ⟨*Venat,non com*⟩ bird-net.

paretico *a.* (*pl.* **-ci**) ⟨*Med*⟩ paretic.

paretimologia *f.* ⟨*Ling*⟩ popular etymology. – **paretimologico** *a.* (*pl.* **-ci**) of (*o* relating to) popular etymology.

paretina (*dim. di parete*) *f.* ⟨*Alp*⟩ smooth rock-face.

pargasite *f.* ⟨*Min*⟩ pargasite.

pargoleggiare *v.i.* (**pargoleggio, pargoleggi**; *aus.* **avere**) ⟨*lett*⟩ **1.** to behave like a child, to romp, to be babyish. – **2.** ⟨*spreg*⟩ (*essere lezioso*) to be affected. – **pargoletta** (*dim. di pargola*) *f.* ⟨*lett*⟩ **1.** baby (girl). – **2.** ⟨*ant*⟩ (*giovane donna*) young woman, girl. – **pargoletto** (*dim. di pargolo*) ⟨*lett*⟩ **I** *s.m.* baby (boy). – **II** *a.* little, tiny. – **pargolezza, pargolità** *f.* ⟨*ant*⟩ **1.** (*fanciullezza*) childhood, infancy. – **2.** (*piccolezza*) smallness, littleness. – **pargolo** ⟨*lett*⟩ **I** *s.m.* (*f.* **-a**) (*fanciullo*) child; (*infante*) baby. – **II** *a.* **1.** (*piccolo*) little, small, tiny. – **2.** (*non sviluppato, immaturo*) immature.

pari[1] **I** *a.* **1.** (*uguale*) equal, same: *i due alberi sono di* ~ *altezza* the two trees are the same height; (*simile*) like, similar: *un libro* ~ *a questo* a book similar to this one; *un mio* ~ one like me; (*stesso*) same: *abbiamo tutti* ~ *diritti e* ~ *doveri* we all have the same rights and the same duties. – **2.** (*quantitativamente uguale*) equal, same, equivalent: *il dollaro è* ~ *a circa ... lire italiane* the dollar is equivalent to approximately ... Italian lire; *a* ~ *prezzo* at the same price; (*equivalente*) equivalent. – **3.** (*allo stesso livello*) level, even; (*della stessa lunghezza o altezza*) the same length (*o* height): *le gambe della sedia non sono* ~ the legs of the chair are not even (*o* the same height); (*senza rientranze o sporgenze*) even, level: *una fila di mattoni tutti* ~ an even row of bricks. – **4.** (*adeguato, adatto, idoneo*) equal, ⟨*fam*⟩ up (*a* to): *essere* ~ *a un compito* to be equal to a task. – **5.** ⟨*Mat*⟩ even: *numeri* ~ *e dispari* odd and even numbers. – **6.** (*nei giochi e nello sport*) tied, drawn, equal. – **7.** ⟨*Anat*⟩ paired. – **II** *avv.* **1.** equally. – **2.** (*allo stesso livello*) on the same level. – **3.** ⟨*ant*⟩ (*di pari passo*) at the same speed (*o* rate).

□ ⟨*non com*⟩ **a un** ~ (*allo stesso livello*) at (*o* on) the same level; ⟨*fig*⟩ on the same level, like, equal; **al** ~ *di*: 1. (*nello stesso modo*) (just) like: *ha agito al* ~ *di un ladro* he acted like a thief; 2. (*nella stessa misura*) as much as: *ne ho diritto al* ~ *di te* I have as much right as you; 3. (*alla stessa altezza*) as high as, the same height as: *l'armadio arriva al* ~ *del soffitto* the wardrobe reaches (*o* is as high as) the ceiling; 4. ⟨*non com*⟩ (*in confronto*) compared with; **alla** ~: 1. (*allo stesso grado o livello*) on a (*o* the same) level; 2. (*come eguale*) as an equal: *trattare qd. alla* ~ to treat s.o. as an equal; 3. ⟨*Econ*⟩ at par, at face value; 4. (*rif. a ospitalità*) au pair: *vivere alla* ~ to live au pair; *non* **avere** ~ to be unequalled (*o* unrivalled), to be incomparable, to have no equal (*o* match); ⟨*ant*⟩ *fare* ~ *e* **caffo** = *fare a pari e* **dispari**; ⟨*tosc*⟩ **camminare** ~ (*con ostentata compostezza*) to walk very primly (*o* sedately); **da** ~ *a* ~ as an equal: *trattare qd. da* ~ *a* ~ to treat s.o. as an equal; *da par suo* as befits him, as one would expect of him: *vive da par suo* he lives as one would expect him to; *sono cose da un tuo* ~ it's just like you, it's what one would expect from you; (*cose degne di te*) it's worthy of you; **del** ~: 1. (*ugualmente*) also, as well, too, equally (*o* just as) well; 2. ⟨*ant*⟩ (*di pari passo*) at the same pace; ⟨*ant*⟩ **di** ~ = **del** *pari*; *fare a* ~ *e* **dispari** to play odds and evens; **essere** ~ to be equal (*o* evenly matched); *essere* ~ *a*: 1. (*valere*) to be worth: *la sterlina è* ~ *a millecinquecento lire* the pound is worth one thousand five hundred lire; 2. (*corrispondere*) to equal, to be equal (*o* equivalent) to; ⟨*fig*⟩ *essere* ~ *con qd.* (*non avere con lui né debiti né crediti*) to be quits (*o* all square) with s.o.: *ti ho dato ciò che ti dovevo, ora siamo* ~ I have given you what I owed you, now we are quits; **far** ~ (*pareggiare*) to even (*o* straighten) up; (*nei giochi e sim.*) to draw, to tie; *di* ~ **grado** of the same grade (*o* rank); **mettere** *alla* ~ to compare, to put on the same level; *mettere in* ~ to put on the same level, to even (up), to make the same height; *mettersi in* ~ *con gli altri* to catch up with the others; *mettersi in* ~ *col pagamento* to pay (up) one's arrears, to square accounts; *mettersi alla* ~ *con qd.* to place o.s. on the same footing as s.o.; ~ **pari** (*testualmente*) literally, word for word, verbatim: *concetti presi* ~ *pari da un articolo* ideas copied word for word from an article; *di* ~ **passo** at the same pace (*o* rate): *andare di* ~ *passo coi tempi* to keep up with the times; *fare* ~ *e* **patta** to be quits (*o* square); *saltare a* **piè** ~ to jump with one's feet together, to make a standing jump; ⟨*fig*⟩ to skip, to leave out, to by-pass; *i* **propri** ~ one's equals (*o* peers); **scommettere** *alla* ~ to place equal stakes; **senza** ~ (*unico*) peerless, matchless, incomparable; *esser senza* ~ = *non* **avere** *pari*; ⟨*Econ*⟩ **sopra** *la* ~ above par; ⟨*Econ*⟩ **sotto** *la* ~ below par: *le azioni scesero sotto la* ~ the shares fell below par; **stare** *alla* ~ *con qd.* to be s.o.'s equal, to be on the same level as s.o.; *stare in* ~ to be (on the same) level, to be even; *in* ~ **tempo** at the same time; **tenere** *qd. in* ~ (*al corrente*) to keep s.o. advised (*o* informed, up-to-date); **vendere** *alla* ~ to sell at cost (price).

pari[2] *m.* **1.** ⟨*GB*⟩ peer (*f* peeress). – **2.** ⟨*Stor*⟩ (*in Francia*) peer; (*paladino*) paladin. □ ⟨*GB*⟩ *camera dei* ~ House of Lords.

paria[1] *m./f.inv.* **1.** pariah. – **2.** ⟨*estens*⟩ pariah, outcast.

paria[2] *f.* ⟨*non com*⟩ **1.** ⟨*GB*⟩ peerage. – **2.** ⟨*Stor*⟩ (*in Francia*) peerage.

Paride *N.pr.m.* ⟨*Mitol*⟩ Paris.

paridi *m.pl.* ⟨*Ornit*⟩ Paridae *pl* (*Paridae*).

paridigitati *m.pl.* ⟨*Zool*⟩ (*artiodattili*) artiodactyl(e)s *pl* (*Artiodactyla*).

paridrosi *f.* → **paraidrosi.**

parietale I *a.* **1.** wall-, mural, parietal: *iscrizioni -i* wall inscriptions. – **2.** ⟨*Anat,Biol*⟩ parietal: *occhio* (o *organo*) ~ parietal eye. – **II** *s.m.* ⟨*Anat*⟩ (*osso parietale*) parietal (bone).

parietali *f.pl.* ⟨*Bot*⟩ Parietales *pl* (*Parietales*).

parietaria *f.* ⟨*Bot*⟩ pellitory, pellitory-of-the-wall (*Parietaria*).

parietario *a.* ⟨*non com*⟩ (*parietale*) wall-, mural.

parifica *f.* ⟨*burocr*⟩ → **parificazione.** – **parificamento** *m.* ⟨*non com*⟩ → **parificazione.** – **parificare** *v.t.* (**parifico, parifichi**) to make equal, to recognize as equal; (*rif. a scuola*) to recognize officially, to put on a footing with state schools. – **parificato** (*p.p. di parificare*) *a.* made (*o* recognized as) equal; (*rif. a scuola*) officially recognized. – **parificazione** *f.* equalization, recognition as equal; (*rif. a scuola*) official recognition, placing on a level with state schools.

Parigi *N.pr.f.* ⟨*Geog*⟩ Paris. □ ⟨*Stor*⟩ *Conferenza di* ~ Conference of Paris; ⟨*Stor*⟩ ~ *val bene una messa* Paris is well worth a Mass.

parigina *f.* **1.** (*stufa*) slow-combustion stove. – **2.** ⟨*Ferr*⟩ hump. – **3.** (*un gioco di biliardo*) type of billiards.

parigino I *a.* Parisian, of Paris, Paris-. – **II** *s.m.* (*f.* **-a**) Parisian (*f* Parisienne). □ *vestire come un* ~ to dress too elegantly.

pariglia *f.* **1.** pair, couple, brace; (*rif. a cavalli*) pair. – **2.** (*nel gioco dei dadi*) pair. – **3.** ⟨*Mar*⟩ pair of tackles. – **4.** ⟨*ant*⟩ (*carta doppia*) pair. □ *rendere la* ~ to give tit for tat, to pay s.o. back in his own coin.

parigrado *a.* of equal grade (*o* degree, rank).

parimente *avv.* ⟨*non com*⟩ → **parimenti.** – **parimenti** *avv.* ⟨*lett*⟩ **1.** (*ugualmente*) likewise, just as, similary, equally, also. – **2.** (*unitamente, insieme*) together.

pariniano I *a.* ⟨*Lett*⟩ Parini's, of Parini. – **II** *s.m.* **1.** follower of Parini. – **2.** (*imitatore*) imitator of Parini.

pario *a.* **1.** Parian: *marmo* ~ Parian marble. – **2.** ⟨*lett*⟩ (*di marmo*) marble-.

paripennato *a.* ⟨*Bot*⟩ paripinnate.

parisillabo I *a.* ⟨*Gramm,Metr*⟩ parisyllabic, parisyllable. – **II** *s.m.* **1.** ⟨*Gramm*⟩ parisyllabic noun, parisyllable. – **2.** ⟨*Metr*⟩ parisyllabic line.

parison *m.* ⟨*Ret*⟩ parison, isocolon.

parità *f.* **1.** (*uguaglianza*) equality, parity, likeness; (*di diritti*) equality. – **2.** ⟨*Sport*⟩ draw, tie; (*rif. a gare*) dead heat. – **3.** ⟨*Econ*⟩ parity.

□ ⟨*Econ*⟩ ~ **aurea** gold parity (*o* standard); ⟨*Econ*⟩ ~ **cambiaria** exchange parity, par (*o* equivalence) of exchange; ⟨*Sport*⟩ **chiudere** *in* ~ (*rif. ai giocatori*) to draw, to tie; *chiudersi in* ~ (*rif. alla partita*) to end in a draw; *a* ~ *di* **condizioni** on the same terms, conditions being equal; ~ *di* **diritti** equal rights; ⟨*Econ*⟩ ~ **monetaria** mint par (of exchange); *a* ~ *di* **punti** with equal points; ~ *di*

trattamento equal (*o* the same) treatment; ⟨*Econ*⟩ ~ **ufficiale** official par.

paritạde *f.* ⟨*ant*⟩ → **parità.**

paritạrio *a.* **1.** equal. – **2.** → **paritetico.** – **pariteticità** *f.* ⟨*non com*⟩ **1.** joint nature. – **2.** (*rappresentanza paritetica*) joint representation. – **paritẹtico** *a.* (*pl.* **-ci**) joint: *commissione* **-a** joint committee.

parkeriạcee *f.pl.* ⟨*Bot*⟩ floating ferns *pl* (*Parkeriaceae*).

parkerizzạre *v.t.* ⟨*Met*⟩ to parkerize, to rustproof. – **parkerizzaziọne** *f.* rustproofing.

parkinsoniạno *a.* ⟨*Med*⟩ parkinsonian. – **parkinsonịsmo** *m.* Parkinsonism, Parkinson's disease.

parlạbile *a.* ⟨*non com*⟩ speakable.

parlạgio *m.* ⟨*Mediev*⟩ assembly place.

parlamentạre[1] **I** *a.* **1.** parliamentary, of Parliament: *commissione* ~ parliamentary committee. – **2.** ⟨*estens*⟩ (*che rispetta le convenienze*) polite, civil, courteous. – **II** *s.m./f.* **1.** member of parliament, parliamentarian, parliamentary. – **2.** ⟨*non com*⟩ (*parlamentare di guerra*) parliamentary, parleyer (under a flag of truce).

parlamentạre[2] *v.i.* (**parlamẹnto**; *aus.* **avere**) **1.** to (hold a) parley, to negotiate. – **2.** ⟨*estens*⟩ (*trattare*) to parley, to discuss, ⟨*fam*⟩ to have a (little) talk, ⟨*fam*⟩ to arrange matters. – **3.** ⟨*non com*⟩ (*parlare in pubblica adunanza*) to make a speech, to speak.

parlamentạrio *a./s.* ⟨*ant*⟩ → **parlamentare[1].**

parlamentarịsmo *m.* ⟨*Pol*⟩ parliamentarianism. – **parlamentarịsta** *m./f.* parliamentarianist. – **parlamentarịstico** *a.* (*pl.* **-ci**) parliamentarian, of parliamentarianism.

parlamẹnto *m.* **1.** parliament: *essere eletto al* ~ to be elected (*o* returned) to parliament; (*edificio*) parliament building (*o* house). – **2.** ⟨*Stor*⟩ (*pubblica adunanza*) assembly. – **3.** ⟨*ant*⟩ (*colloquio*) discussion, talk; (*convegno*) parley, conference. □ ⟨*Stor*⟩ ~ *breve* Short Parliament; ~ *europeo* European Parliament; ⟨*Stor*⟩ ~ *lungo* Long Parliament; *sedere in* ~ to be a member of parliament.

parlạnte (*p.pr. di parlare[1]*) **I** *a.* **1.** speaking, talking. – **2.** (*dotato della parola*) talking. – **3.** ⟨*fig*⟩ lifelike, that seems alive: *ritratto* ~ lifelike portrait; (*espressivo*) expressive: *occhi* **-i** expressive eyes; (*eloquente*) eloquent. – **4.** ⟨*ant*⟩ (*che ha la parola facile*) eloquent, glib. – **II** *s.m.* ⟨*Ling*⟩ speaker.

parlantịna *f.* ⟨*fam*⟩ talkativeness, loquaciousness, glibness, ⟨*fam*⟩ gift of (the) gab. □ *avere una buona* ~ to be a glib talker, to have the gift of (the) gab.

parlạnza *f.* ⟨*ant*⟩ **1.** (*il parlare*) speaking, talking. – **2.** (*discorso*) talk, conversation.

parlạre[1] **I** *v.i.* (*aus.* **avere**) **1.** (*pronunciare suoni articolati*) to speak, to talk: *gli animali non parlano* animals ⌜don't speak⌝ (*o* can't talk); (*rif. all'emissione della voce*) to speak: *chi ha parlato?* who spoke? – **2.** (*esprimere pensieri e sentimenti*) to speak, to talk: *parla solo se sei interrogato* speak when you are spoken to. – **3.** (*discorrere, conversare*) to talk, to converse (*con* to, with, *di* about); *non parlavo con te* I wasn't talking to you; (*conferire, avere un colloquio*) to speak (*con* with, to), to talk (to), ⟨*fam*⟩ to have a talk: *vorrei* ~ *col direttore* I would like to speak to the manager. – **4.** (*tenere un discorso*) to speak, to make a speech: ~ *in un comizio* to speak at a meeting. – **5.** (*rivolgere la parola*) to talk, to speak (*a* to), to address (s.o.): *il presidente del consiglio parlerà alle due camere* the Prime Minister will address both houses. – **6.** (*confessare*) to confess, to talk; (*confidare cose segrete*) to talk, ⟨*pop*⟩ to blab, ⟨*gerg*⟩ to sing: qd. *ha parlato* s.o. talked. – **7.** (*fare oggetto di chiacchiere*) to talk, to gossip: *tutto il paese parla di lui* the whole village is talking about him. – **8.** (*intendere, alludere*) to talk (*di* about), to refer (to): *di quale avvenimento parlavi?* what event were you talking about? – **9.** ⟨*estens*⟩ (*trattare per iscritto*) to speak, to talk, to write. – **10.** ⟨*fig*⟩ (*farsi capire*) to speak, to talk, to communicate: ~ *con le mani* to speak with one's hands, to communicate with gestures. – **11.** ⟨*fig*⟩ (*provare, manifestare*) to speak, to testify, to be witness: *tutto parla a tuo favore* everything speaks in your favour. – **12.** ⟨*fig*⟩ (*ricordare*) to speak, to remind, to bring back memories: *queste mura mi parlano della mia infanzia* these walls ⌜remind me of my childhood⌝ (*o* bring back childhood memories). – **13.** ⟨*pop*⟩ (*amoreggiare*) to court, to go out together, ⟨*fam*⟩ to go steady. – **II** *v.t.* **1.** to speak: ~ *inglese* to speak English. – **2.** (*conoscere, sapere*) to speak, to know: *parla bene il tedesco* he speaks German well. – **3.** ⟨*ant,poet*⟩ (*dire*) to say; (*predire*) to foretell. – **parlarsi** *v.r.* ⟨*recipr*⟩ **1.** to speak to e.o. – **2.** ⟨*pop*⟩ (*amoreggiare*) to be courting, to go together, ⟨*fam*⟩ to go steady. – **3.** (*avere rapporti amichevoli*) to be on speaking terms: *quei due non si parlano più* those two aren't on speaking terms any more.

□ *parliamo d'altro* let's change the subject; ⟨*fam*⟩ ~ **arabo** = *parlare* **ostrogoto**; *parla, ti* **ascolto** go on, I'm listening; ~ **bene** *di qd.* to praise (*o* speak well of) s.o.; ~ *a* **braccia** (*o* **braccio**) (*improvvisare*) to speak extempore, to give an impromptu speech, ⟨*fam*⟩ to speak off the cuff; ⟨*Tel*⟩ *pronto,* **chi** *parla? – qui Carlo* hello, who's speaking? – this is Charles; ~ **chiaro** to speak clearly; ⟨*fig*⟩ to speak frankly (*o* one's mind), to speak man to man; *per parlar chiaro* to be frank; ~ *alla* **coscienza** *di qd.* to appeal to s.o.'s conscience; ~ *fra i* **denti** to mutter (under one's breath); ~ **dentro** *di sé* to say to o.s.; ~ *al* **deserto** = *parlare al* **muro**; ~ *per* **esperienza** to speak (*o* talk) from experience, to know what one is talking about; ~ *di* **fare** *una cosa* to talk about doing s.th.; *far* ~ *qd.*: 1. (*lasciar parlare*) to ⌜let s.o.⌝ (*o* allow s.o. to) speak; 2. (*dare la parola*) to call upon s.o. to speak; 3. (*indurre a parlare*) to make s.o. talk, to get s.th. out of s.o.; 4. (*lasciar terminare il discorso*) to let s.o. ⌜have his say⌝ (*o* finish speaking); ⟨*fam*⟩ *non farmi* ~*!* don't ask me to say any more!; *far* ~ *di sé* to get o.s. talked about; *parlando* **francamente** frankly, to be frank; **generalmente** *parlando* generally speaking; ~ *in* **gergo** to talk slang; ~ *a* **gesti** to use sign-language; ~ **grasso** to talk smut, to use foul language, ⟨*fam*⟩ to talk dirty; ~ (**in**) **italiano** to speak (in) Italian; ⟨*fam*⟩ *ho parlato italiano?* don't you understand (the Queen's) English?, wasn't I clear enough?; ~ *come un* **libro** *stampato* to talk like a book; ~ *in* **lingua** to speak correctly (*o* well); ⟨*fam*⟩ *parli perché hai la lingua* (*in bocca*) you talk just for the sake of talking; ~ *al* **muro** to waste one's breath; *è come* ~ *al muro* it's like talking to a brick wall; ~ *col* **naso** to speak through one's nose, to have a twang; **non** *si parlano più* they are not on speaking terms anymore; ⟨*fam*⟩ ~ **ostrogoto** to talk double-dutch; ~ *senza* **peli** *sulla lingua* to speak one's mind, to be outspoken; ~ *con i* **piedi**: 1. (*dire spropositi*) to talk through one's hat; 2. (*dare calci*) to kick; ~ *del* **più** *e del meno* to chat (about this and that); ~ *di* **politica** to talk politics; *con* **rispetto** *parlando* if you don't mind my saying so; ~ *tra* **sé** (*e sé*) to say to o.s.; ~ *da* **solo** to talk to o.s.; ~ *al* **vento** = *parlare al* **muro**; ⟨*fig*⟩ ~ *del vento e della pioggia* to make small-talk; ~ *il linguaggio della* **verità** to tell (*o* speak) the truth; ~ *ad alta* **voce** to speak loudly, to speak up. – *Prov.*: *chi parla per udita, aspetti la smentita* it's better not to speak from hearsay; *chi molto parla, spesso falla* those who talk too much often talk nonsense, it's safer to keep quiet; *altro è* ~ *di morte, altro è morire* actions speak louder than words; *chi parla semina, chi tace raccoglie* he that speaks sows, and he that holds his peace gathers; *chi parla rado è tenuto a grado* those who talk least are most respected; *chi vuol ben* ~ *ci deve ben pensare* think twice before you speak. ‖ *ehi, parlo con te!* hey, I'm talking to you, hey there!; (*qui*) *si parla inglese* English (is) spoken (here); ⌜*per non*⌝ (*o senza*) ~ *di* not to mention, let alone; *non se ne parli più!* let's forget about it!, let's drop it!

parlạre[2] *m.* **1.** talking, speaking, speech: *il* ~ *giova poco* talking is not much use. – **2.** (*modo di parlare*) way of speaking, speech: *un* ~ *scelto* a refined way of speaking. – **3.** (*parlata*) language, speech, way of speaking; (*dialetto*) dialect; (*accento*) accent. – **4.** (*discorso*) words *pl*, speech, talk.

parlạscio *m.* → **parlagio.**

parlasịa *f.* ⟨*ant*⟩ → **paralisi.**

parlạta *f.* **1.** speech, way of speaking, language. – **2.** (*dialetto*) dialect; (*accento*) accent. – **3.** ⟨*pop*⟩ (*discorso*) words *pl*, speech, talk.

parlạto[1] (*p.p. di parlare[1]*) **I** *a.* spoken: *la lingua* **-a** the spoken language, the vernacular. – **II** *s.m.* **1.** ⟨*Mus*⟩ spoken part. – **2.** ⟨*Cin*⟩ (*dialogo*) dialogue. – **3.** ⟨*fam*⟩ (*cinema parlato*) talking films *pl*, ⟨*fam*⟩ talkies *pl*. – **4.** ⟨*ant*⟩ (*discorso*) words *pl*, speech, talk. □ ⟨*Mus*⟩ *in* ~ spoken; *l'uso* ~ *della lingua* the language as it is spoken, the vernacular.

parlạto[2] *m.* ⟨*Mar*⟩ (*anche nodo parlato*) clove-hitch.

parlatọre *m.* (*f.* **-trice**/*pop.* **-tora**) speaker, talker.

parlatọrio *m.* **1.** parlour, parlatory. – **2.** ⟨*roman*⟩ (*bocca*) mouth. – **3.** ⟨*ant*⟩ (*luogo dove si teneva parlamento*) place of assembly, meeting-place.

parlatụra *f.* ⟨*ant*⟩ **1.** (*parlata*) speech, way of speaking. – **2.** (*discorso*) words *pl*, speech, talk.

parlesịa *f.* ⟨*ant*⟩ → **paralisi.**

parlẹtico[1] *a./s.* ⟨*ant*⟩ → **paralitico.**

parlẹtico[2] *m.* (*pl.* **-ci**) ⟨*ant,pop*⟩ (*tremore*) tremor, shake.

parlottạre *v.i.* (**parlọtto**; *aus.* **avere**) **1.** to talk in a low voice, to whisper. – **2.** ⟨*fig*⟩ (*mormorare*) to murmur, to mutter. – **parlottịo** *m.* whispering, low talking, muttering.

parlucchiạre *v.t.* (**parlụcchio, parlụcchi**) to speak some (*o* a little), to have a smattering of: ~ *l'inglese* to speak some (*o* broken) English.

pạrma *f.* ⟨*Stor.rom*⟩ buckler.

parmeliạcee *f.pl.* ⟨*Bot*⟩ Parmeliaceae *pl* (*Parmeliaceae*).

Parmẹnide *N.pr.m.* ⟨*Stor*⟩ Parmenides.

parmẹnse **I** *a.* (*di Parma*) Parmesan, of Parma. – **II** *s.m./f.* native (*o* inhabitant) of Parma.

parmigiạna *f.* ⟨*Gastr*⟩ (*parmigiana di melanzane*) egg-plant parmigiana, aubergine pie.

parmigiạno **I** *a.* of Parma, Parmesan. – **II** *s.m.* **1.** (*abitante*; *f.* **-a**) native (*o* inhabitant) of Parma. – **2.** ⟨*Alim*⟩ Parmesan (cheese). □ ⟨*Gastr*⟩ *alla* **-a** with Parmesan cheese, parmigiana.

parnạsio *a.* ⟨*lett*⟩ **1.** Parnassian, of (Mount) Parnassus. – **2.** (*rif. alla poesia*) Parnassian. – **Parnạso** **I** *N.pr.m.* ⟨*Geog*⟩ (Mount) Parnassus. – **II** *s.m.* ⟨*fig*⟩ (*poesia*) Parnassus, poetry; (*l'insieme dei poeti*) poets *pl*.

parnassianẹsimo, parnassianịsmo *m.* ⟨*Lett*⟩ Parnassianism, Parnassian school of poetry. – **parnassiạno** **I** *a.* Parnassian. – **II** *s.m.* Parnassian. – **parnạssio** *a.* → **parnasio.** – **Parnạsso** *N.pr.m.* ⟨*rar*⟩ → **Parnaso.**

pạrnidi *m.pl.* ⟨*Entom*⟩ Parnidae *pl*, Dryopidae *pl* (*Parnidae*).

pạro *m.* (*pl. le* **pạra**) ⟨*ant*⟩ (*paio*) pair. □ ⟨*ant*⟩ *mettere a* ~ to compare; ⟨*ant*⟩ *camminare a* ~ to walk side by side.

Pạro *N.pr.f.* ⟨*Geog*⟩ Paros.

...paro *suff.* (*generante* bearing) ...parous: *viviparo a.* viviparous.

parọcchi *m.* → **paraocchi.**

parochẹtto *m.* ⟨*ant*⟩ → **parrocchetto.**

parocịsmo *m.* ⟨*ant*⟩ → **parossismo.**

parodịa *f.* **1.** ⟨*Lett,Mus*⟩ parody. – **2.** ⟨*fig*⟩ (*caricatura*) caricature, poor imitation, parody; (*pagliacciata*) farce, burlesque. □ *fare la ~ di qd.* to parody s.o. – **parodiạre** *v.t.* (**parọdio, parọdi**) to parody, to parodize, to make a parody of. – **parọdico** *a.* (*pl.* **-ci**) parodic(al), burlesque; (*di parodia*) parodistic. – **parodịsta** *m./f.* parodist. – **parodịstico** *a.* (*pl.* **-ci**) parodistic.

pạrodo *m./f.* parode, parodos.

parodontịte *f.* ⟨*Dent*⟩ parodontitis, periodontitis. – **parodontọsi** *f.* parodontosis, paradentosis.

parọffia *f.* ⟨*ant*⟩ **1.** (*parte*) part. – **2.** (*schiera*) host, group.

parọla *f.* **1.** word. – **2.** (*vocabolo*) word: *cercare una ~ nel dizionario* to look up a word in the dictionary. – **3.** (*frase, detto*) sentence, words *pl.* – **4.** *pl.* (*discorso*) words *pl*: *le tue -e non mi hanno convinto* ⌜your words have⌝ (*o* what you say has) not convinced me. – **5.** *pl.* (*consiglio*) advice, words *pl*: *ascolta le mie -e* take my advice, mark my words, listen to what I say. – **6.** (*facoltà di parlare*) speech: *il dono della ~* the gift of speech. – **7.** (*permesso di parlare*) leave (*o* permission) to speak: *chiedere la ~* to ask ⌜leave to speak⌝ (*o* for the floor). – **8.** (*il parlare*) talking, speaking. – **9.** (*modo di esprimersi*) way of speaking, speech. – **10.** (*menzione*) mention, word: *non fare ~ di qc.* not to mention (*o* breathe a word about) s.th., to make no mention of s.th. – **11.** (*impegno*) word, promise: *essere* (*un uomo*) *di ~* to be a man of one's word; (*intesa, accordo*) agreement, understanding. – **12.** *pl.* ⟨*spreg*⟩ (*chiacchiere*) talk, words *pl*, ⟨*fam*⟩ hot air: *non sono altro che -e* that's only talk, they're mere words. – **13.** *pl.* ⟨*Mus*⟩ (*testo*) words *pl*; (*rif. a musica leggera*) lyrics *pl*, words *pl.* – **14.** *pl.* (*ingiurie*) insults *pl*, abuse. – **15.** (*nei giochi di carte*) call, choice, play. – **16.** ⟨*ant*⟩ (*permesso*) permission.

□ *in* **altre** *-e* in other words; ⟨*Ling*⟩ ~ **antiquata** obsolete word; *non* **avere** *-e* to be at a loss for words, to be speechless; *non ho -e per ringraziarvi* I don't know how to thank you; *mettere* (*o spendere*) *una* **buona** *-a per qd.* to say (*o* put in) a good word for s.o.; **buttare** *le -e* to waste one's breath; *esprimersi con -e* **chiare** to express o.s. clearly, to make one's meaning clear; ~ **chiave** key word, catchword; ⟨*Ling*⟩ ~ **composta** compound word; *tra* (*di*) *loro non* **corre** *mai una* (*cattiva*) ~ there's never a cross word between them; **dare** *la ~*: 1. ~ to call upon (to speak): ⟨*Dir*⟩ *dare la ~ alla difesa* to call upon the defence; 2. (*promettere*) to give one's word; **di** ~ *in* ~ from one subject to another; ⟨*Ling*⟩ ~ **dotta** learned word; **due** *-e* a few words, a word: *raccontare qc. in due -e* to tell s.th. briefly (*o* in a few words); *avere la ~* **facile** to have a glib (*o* ready) tongue, ⟨*fam*⟩ to have the gift of (the) gab; ⟨*Ling*⟩ ~ **fantasma** ghost word (*o* name); **fare** ~ *di qc. con qd.* to mention s.th. to s.o.; *-e di* **fuoco** impassioned (*o* fiery) words; ~ *di* **galantuomo** word of honour; ⟨*esclam*⟩ on my (word of) honour!; **gioco** *di -e* pun, play on words; *-e* **grosse** (*offese*) insults; *corsero -e grosse tra loro* they insulted e.o., they had words; ⟨*Ling*⟩ ~ **importata** loan-word, foreign word; *la persona* **in** ~ the person in question; *essere in ~* to be negotiating; *in una ~* in a word; *-e* **incrociate** crossword puzzle; **libertà** *di ~* freedom of speech; ~ **magica** magic word; **male** *-e* rude (*o* rough) words, abuse; **mancare** *alla ~* (*data*) to break one's word (*o* promise); **mantenere** *la ~* to keep one's word (*o* promise), to be as good as one's word; *non dire* **mezza** ~ not to ⌜open one's mouth⌝ (*o* say a word); *esprimersi con mezze -e* to be vague, to hint at s.th.; **misurare** *le -e* to weigh one's words; *di* **molte** *-e* talkative; *essere di molte -e* to be a great talker; ⟨*ant*⟩ **muovere** *la ~ a qd.* = **rivolgere** *la parola a qd.*; ⟨*Ling*⟩ ~ **nuova** neologism; ~ *d'***onore** word of honour; ⟨*esclam*⟩ on my word of honour!, I give you my word; ~ *d'***ordine**: 1. ⟨*Mil*⟩ password, countersign; 2. ⟨*Bibliot*⟩ catchword; 3. ⟨*fig*⟩ watchword; **passare** *la ~*: 1. (*trasmettere un ordine*) to pass word on; 2. (*nei giochi di carte*) to pass; *mi si passi la ~* if I may use this word; ~ **per** ~ (*testualmente*) word for word, verbatim; **perdere** *la ~* to lose the power of speech; *di* **poche** *-e* of few words, untalkative; *in -e* **povere** in short; **prendere** *la ~* to start to speak, to take the floor; *prendere qd. in ~* to take s.o. at his word; ⟨*Ling*⟩ ~ **radicale** radical, root; **restituire** *la ~ a qd.* to release s.o. from a promise; **riacquistare** *la ~* to get back the power of speech; **rimangiarsi** *la ~* (*data*) to go back on one's word; **ritirare** *la ~* to take back what one has said; **rivolgere** *la ~ a qd.* to address (*o* speak to) s.o.; ⟨*fam*⟩ *-e* **sante** (*le tue*) every word you say is true; *restare* **senza** *-e* to be dumbfounded (*o* left speechless), to be at a loss for words; **sulla** ~ at one's word: *credere a qd. sulla ~* to take s.o. at his word; *essere prigioniero sulla ~* to be on parole; *sulla mia ~* (*d'onore*)! on my word of honour!; ~ **tecnica** technical term; **togliere** *la ~ di bocca a qd.* to take the words out of s.o.'s mouth; *togliere la ~ a qd.* to cut s.o. short, to interrupt s.o.; **troncare** *a qd. la ~ in bocca* to cut s.o. short, ⟨*fam*⟩ to shut s.o. up; *non* **trovare** *-e* to be at a loss for words, to have no words; *avere l'***ultima** ~ to have the last word; *è* **una** ~! (it's) easier said than done!, it's easy enough to talk; **venire** *a -e* to have words, to quarrel; *venire meno alla ~* (*data*) = **mancare** *alla parola* (*data*). – *Prov.*: *una ~ tira l'altra* one word leads to another; *dove non servono le -e, le bastonate non giovano* if persuasion doesn't work force is unlikely to either; *la ~ è d'argento, il silenzio è d'oro* speech is silver, but silence is golden: *le -e volano, quel ch'è scritto rimane* say what you like but be careful what you sign.

parolạccia (*pegg. di parola*) *f.* (*pl.* **-ce**) swear-word, dirty word, curse word. □ *dire parolacce* to use bad language, to swear. – **parolạio I** *s.m.* (*f.* **-a**) great talker, windbag, chatterbox. – **II** *a.* empty, hot-air-.

parolịbero *a.* ⟨*lett*⟩ written in the Futurist technique.

parolịere *m.* lyricist.

parolọna *f.*, **parolọne** *m. accr. di* **parola**. – **parolọso** *a.* ⟨*rar*⟩ (*verboso*) wordy, verbose.

parọma *f.* ⟨*Mar*⟩ lift (of a yard).

paronichịa (o *paronịchia*) *f.* ⟨*Med*⟩ paronychia.

paronimịa *f.* ⟨*Gramm*⟩ paronymy. – **paronịmico** *a.* (*pl.* **-ci**) paronymous, paronymic. – **parọnimo** *m.* paronym.

paronomạsia (o *paronomasịa*) *f.* ⟨*Ret*⟩ pun, play on words, paronomasia.

paroọforo *m.* ⟨*Anat*⟩ paroophoron.

paropsịa *f.* ⟨*Med,non com*⟩ paropsis.

paroressịa *f.* ⟨*Med*⟩ parorexia.

parosmịa *f.* ⟨*Med*⟩ parosmia.

parossịsmo *m.* **1.** ⟨*Med*⟩ paroxysm. – **2.** ⟨*fig*⟩ paroxysm, fit, outburst: *nel ~ dell'ira* in a paroxysm (*o* fit) of rage. □ ⟨*Geol*⟩ ~ *vulcanico* paroxysm of a volcano. – **parossịstico** *a.* (*pl.* **-ci**) **1.** ⟨*Med*⟩ paroxysmal, paroxysmic. – **2.** ⟨*fig*⟩ (*agitato*) violent, furious, agitated, ⟨*fam*⟩ very het-up.

parossịtona *f.* ⟨*Gramm*⟩ (*parola parossitona*) paroxytone. – **parossịtono** *a.* paroxytone.

parọtide *f.* ⟨*Anat*⟩ parotid (gland). – **parotidẹo** *a.* parotidean, parotid. – **parotịte** *f.* ⟨*Med*⟩ parotitis, ⟨*pop*⟩ mumps *pl* (*costr. sing.*). – **parotịtico** *a.* (*pl.* **-ci**) parotitic.

parpaglịone[1] *m.* ⟨*pop,non com*⟩ (*grossa farfalla*) big butterfly.

parpaglịone[2] *m.* ⟨*Mar.ant*⟩ jib.

parquet *fr.* [par'kɛ] *m.* **1.** parquet (flooring). – **2.** (*sala della borsa valori*) floor of the Stock-Exchange.

Parrạsia *N.pr.f.* ⟨*Geog.stor*⟩ Parrhasia. – **parrạsio** ⟨*lett*⟩ **I** *a.* **1.** ⟨*Geog.stor*⟩ of Parrhasia. – **2.** ⟨*estens*⟩ (*arcadico*) Arcadian. – **II** *s.m.* (*f.* **-a**) inhabitant of Parrhasia.

parricịda I *s.m./f.* **1.** parricide. – **2.** ⟨*non com*⟩ (*uccisore di parente stretto*) parricide. – **3.** ⟨*fig*⟩ (*traditore della patria*) traitor, parricide. – **II** *a.* parricidal. – **parricịdio** *m.* **1.** parricide. – **2.** ⟨*non com*⟩ (*omicidio di parente stretto*) parricide. – **3.** ⟨*fig,lett*⟩ (*tradimento della patria*) treason, parricide. □ ⟨*Dir*⟩ ~ *improprio* murder of a descendant.

pạrridi *m.pl.* ⟨*Ornit*⟩ jacanas *pl* (*Parridae*).

parrò *fut. di* **parere**[1].

parrocchẹtto *m.* **1.** ⟨*Ornit*⟩ parakeet. – **2.** ⟨*Mar*⟩ (*vela*) fore-topsail; (*tronco*) fore-topmast; (*pennone*) fore-topyard. □ ⟨*Mar*⟩ *basso ~* lower fore-topsail; ⟨*Ornit*⟩ ~ *canoro* budgerigar, ⟨*fam*⟩ budgie (*Melopsittacus undulatus*); ⟨*Mar*⟩ ~ *fisso* lower fore-topsail; ⟨*Ornit*⟩ ~ *notturno* (o *occidentale*) night parrot (*Geopsittacus occidentalis*); ⟨*Mar*⟩ ~ *volante* upper fore-topsail.

parrọcchia *f.* **1.** parish. – **2.** (*chiesa*) parish church. – **3.** (*sede*) parish hall; (*ufficio*) parish office. – **4.** (*i parrocchiani*) parish, parishioners *pl.* – **5.** ⟨*fig,spreg*⟩ (*combriccola*) band, gang, set. – **parrocchiạle I** *a.* **1.** (*della parrocchia*) parish-, parochial. – **2.** (*del parroco*) parish priest's. – **II** *s.f.* (*chiesa parrocchiale*) parish church. – **parrocchialità** *f.* ⟨*non com*⟩ parochialness, parochiality.

parrocchiạno *m.* **1.** (*f.* **-a**) parishioner. – **2.** ⟨*ant*⟩ (*parroco*) parish priest. – **pạrroco** *m.* (*pl.* **-ci**/*ant.* **-chi**) parish priest.

parrọffia *f.* → **paroffia**.

parrọzzo *m.* ⟨*Dolc*⟩ (kind of) chocolate covered cake.

parrụcca *f.* **1.** wig, ⟨*ant*⟩ periwig: *portare la ~* to wear a wig. – **2.** ⟨*scherz*⟩ (*zazzera*) long hair, mane. – **3.** ⟨*spreg*⟩ (*persona retrograda*) old-fashioned person, ⟨*fam*⟩ old fogey, ⟨*fam*⟩ fossil. – **4.** ⟨*fig, region*⟩ (*sgridata*) scolding, ⟨*fam*⟩ dressing down, ⟨*fam*⟩ telling (*o* ticking) off. – **5.** ⟨*fig,region*⟩ (*sbornia*) drunkenness. – **parruccạio** *m.* (*f.* **-a**) wig-maker.

parrucchịere *m.* (*f.* **-a**) **1.** (*per signora*) (ladies') hairdresser; (*per uomo*) (gentlemen's) hairdresser: *andare dal ~* to go to the hairdresser's. – **2.** (*barbiere*) barber, (gentlemen's) hairdresser. – **3.** ⟨*ant*⟩ → **parruccaio**.

parrucchịna *f.*, **parrucchịno** *m. dim. di* **parrucca**. – **parruccọna** *f. accr. di* **parrucca**. – **parruccọne** (*accr. di parrucca*) *m.* ⟨*spreg*⟩ (*persona retriva*) old-fashioned person, ⟨*fam*⟩ old fogey, ⟨*fam*⟩ fossil.

pạrsec *m.* ⟨*Astr*⟩ parsec.

pạrsi I *a.* Parsee-. – **II** *s.m./f.* (*abitante*) Parsi, Parsee.

Pạrsifal *N.pr.m.* **1.** ⟨*Lett*⟩ Parzival, Percival(e), Parsifal. – **2.** ⟨*Mus*⟩ Parsifal.

parsimọnia *f.* **1.** thrift(iness), frugality, economy. – **2.** ⟨*fig*⟩ economy; (*moderazione*) moderation. □ *con ~* economically, sparingly; *legge di ~* law of parsimony. – **parsimoniọso** *a.* **1.** (*economo*) thrifty, economical, frugal. – **2.** (*moderato*) moderate. – **3.** ⟨*fig*⟩ economical, thrifty. □ ~ *come una formica* very thrifty.

parsịsmo *m.* ⟨*Rel*⟩ Parsiism, Parseeism.

pạrso *p.p. di* **parere**[1].

part. = *participio* participle (*abbr.* part.).

partạccia (*pegg. di parte*) *f.* (*pl.* **-ce**) **1.** (*cattivo comportamento*) bad behaviour; (*colpo mancino*) dirty trick: *fare una ~ a qd.* to play a dirty trick on s.o., to treat s.o. badly (*o* shamefully); (*mancando di parola*) to let s.o. down badly. – **2.** (*sgridata*) scolding, ⟨*fam*⟩ telling off, ⟨*fam*⟩ dressing down: *fare una ~ a qd.* to tell s.o. off, to give s.o. a telling off.

pạrte I *s.f.* **1.** part, piece, portion, section: *tagliare una torta in sei -i* to cut a cake into six pieces. – **2.** (*quota spettante a ciascuno*) share, part: *ognuno ha la sua ~ di delusioni* everyone has his share of disappointments. – **3.** (*luogo*) place; (*regione*) region, part: *da* *queste -i* in (*o* around) these parts. – **4.** (*lato*) side, part: *la* ~ *destra della carreggiata* the right side of the roadway. – **5.** (*direzione*) way, direction: *da questa* ~, *prego* this way, please. – **6.** (*fazione*) faction, side: *della* ~ *avversaria* on the other side, of the opposing faction; (*partito*) party. – **7.** ⟨*Dir*⟩ party. – **8.** ⟨*Anat*⟩ (*parte del corpo*) part. – **9.** ⟨*Teat,Cin*⟩ part, role: *fare* (o *recitare*) *una* ~ to act (*o* play) a part, to play a role; *la prima* ~ the leading role. – **10.** ⟨*fig*⟩ role: *fare una* ~ *meschina* to play a miserable role, to behave shabbily. – **11.** ⟨*Mus*⟩ part; (*foglio*) part. – **12.** ⟨*Mat*⟩ part. – **13.** (*nelle correlazioni*) part, some: ~ *dei convenuti era contraria,* ~ *favorevole* some of those present were opposed, some (*o* others) were in favour. – **II** *avv.* **1.** (*nelle correlazioni*: *in parte*) partly, in parts: *la giornata è stata* ~ *bella,* ~ *nuvolosa* the day was partly fine, partly cloudy. – **2.** ⟨*ant*⟩ (*intanto, frattanto*) meanwhile.

□ **a** ~: 1. (*separatamente*) separately: *le bevande si pagano a* ~ drinks are charged separately; 2. (*separato*) separate: *stanza a* ~ separate room; 3. ⟨*Comm*⟩ (*in busta a parte*) under separate cover; 4. ⟨*Teat*⟩ aside; *a* ~ *questo fatto* (*a prescindere*) apart from this, ⟨*am*⟩ aside from this; (*ad eccezione*) except for this; *scherzi a* ~ joking apart; *modestia a* ~ though I say it myself; ~ **alta** top, upper part; *d'***altra** ~ on the other hand; *dall'altra* ~: 1. (*stato*: *nell'altra direzione*) in the other direction; (*dall'altro lato*) on the other side; 2. (*moto*: *nell'altra direzione*) the other way, in the other direction; (*verso l'altro lato*) to the other side; 3. (*provenienza*: *dall'altra direzione*) from the other direction; (*dall'altro lato*) from the other side; *voltarsi dall'altra* ~ to turn around (*o* the other way); *dall'altra* ~ *della strada* on (*o* from) the other side of the road; *da una* ~ *e dall'altra* on both sides; ~ **anteriore** front; ⟨*Dir*⟩ ~ **assente** absent party; ⟨*Dir*⟩ ~ **attrice** plaintiff, complainant, complaining party; **avere** ~ *in qc.* (*partecipare*) to take (*o* have a) part in s.th., to share (*o* participate) in s.th.; *non voglio avere* ~ *in questa faccenda* I want no ⌜part of⌝ (*o* share in) the matter, I will have no hand in this; ~ **avversa** opposing party, opponent; ~ **bassa** bottom, lower part; ⟨*pop*⟩ *-i* **basse** = *parti* **genitali**; ⟨*Dir*⟩ ~ *in* **causa** party to the case; ⟨*fig*⟩ (*interessato*) person concerned (*o* in question); ~ **centrale** middle, central part; ⟨*ant*⟩ ~ **che** (*mentre*) while; ⟨*Dir*⟩ ~ **citata** party subpoenaed; ⟨*Dir*⟩ ~ **civile** plaintiff for damages (in criminal proceedings), civil party (in a criminal case); *costituirsi* ~ *civile* to institute a civil action in a criminal case, to be a plaintiff for damages in criminal proceedings; *non so da che* ~ **cominciare** I don't know where to begin; ~ **contendente** opponent, rival; ⟨*Dir*⟩ ~ **contraente** contracting party, party to a contract; ⟨*Dir*⟩ ~ **contumace** party in default; ~ **convenuta** defending party; **da** ~: 1. (*stato*) to (*o* on) one side, aside: *se ne stava da* ~ he was standing on one side; 2. (*moto*) to one side; 3. (*in serbo*) aside, (set) by: *mettere da* ~ to set aside (*o* by), to lay up; *mettere da* ~ *gli scrupoli* to forget one's scruples; *da* ~ *di*: 1. from; 2. (*rif. a parentela*) on the side of: *nonno da* ~ *di padre* paternal grandfather, grandfather on one's father's side; 3. (*per incarico di*) on behalf of, from: *da* ~ *mia* (*per mio incarico*) from me, on my behalf; (*per ciò che dipende da me*) for my part, as far as I'm concerned, as for me; *da che* ~ (*da dove*) from where; (*dove*) where, whereabouts; (*verso dove*) where, which way: *da che* ~ *sei diretto?* which way are you going?; *non si sa da che* ~ *prenderlo* it's hard to know how to take him; *da* ~ *a* ~ right through, through and through, from one side to the other: *trapassare il cuore da* ~ *a* ~ to pierce right through the heart; *da una* ~ (*in un certo senso*) in one way, in a certain sense; *da una* ~ ... *dall'altra* (*parte*) ... on the one hand ... on the other (hand) ...; ~ **davanti** front; ~ *di* **dentro** inside, interior; **di** ~ party-: *lotta di* ~ party struggle; ~ *di* **dietro** back, rear; ⟨*Gramm*⟩ *-i del* **discorso** parts of speech; ⟨*Teat, Cin*⟩ **distribuzione** *delle -i* casting; ~ *di* **eredità** share of an inheritance; **essere** *dalla* ~ *di qd.* to be on s.o.'s side; *essere a* ~ *di qc.* (*a conoscenza*) to ⌜know about⌝ (*o* be aware of) s.th.; ~ **esterna** outside, exterior; ⟨*fig*⟩ **far** *la* ~ *della vittima* to play the victim; *fare le -i* (*dividere*) to divide s.th. up (*o* into parts); (*distribuire*) to share s.th. out; *far* ~ *a qd. di qc.* (*comunicare*) to inform s.o. of s.th.; *fare* ~ *di* (*appartenere*) to be (*o* form) part of; (*essere membro*) to belong to, to be a member of; *fare* ~ *di una commissione* to be (*o* sit) on a committee; ⟨*fig*⟩ *fare* ~ *per se stesso* to act independently; *farsi da* ~ to step aside, to get out of the way; *-i* **genitali** genitals, ⟨*eufem*⟩ private parts; *è molto* **gentile** *da* ~ *tua* it's very kind of you; **gran** ~ *di* a lot of, a great deal of, many; *in gran* ~ largely, to a great extent, to a considerable degree; **in** ~ partly, in part; ~ **integrante** integral part; ⟨*fig*⟩ **intendere** *qc. in buona* ~ to take s.th. in good part; ⟨*fig*⟩ *intendere qc. in mala* ~ to take s.th. amiss, to take offence at s.th.; ⟨*Dir*⟩ ~ **interessata** interested party; ~ **interna** inside, interior; ⟨*Dir*⟩ ~ **interveniente** invervening party; ⟨*Dir*⟩ ~ **intervenuta** person present; **lasciare** *da* ~ to neglect, to take no notice of; ~ **laterale** side; *fare la* ~ *del* **leone** to take the lion's share; ⟨*Dir*⟩ ~ **lesa** injured party; ~ *di* **macchina** part of a machine; *la* **maggior** ~ most, the majority: *la maggior* ~ *degli alunni* most of the pupils; *la maggior* ~ *dei cani è affettuosa* most dogs are affectionate; *per la maggior* ~ for the most part, mostly; *in* **massima** ~ mostly, mainly, principally; **mettere** *qd. a* ~ *di qc.*: 1. (*farlo partecipe*) to share s.th. with s.o.: *mettere qd. a* ~ *del guadagno* to share the profits with s.o.; 2. (*informarlo*) to inform s.o. of s.th., ⟨*fam*⟩ to let s.o. in on s.th.; *mettersi dalla* ~ *di qd.* to take s.o.'s side; ~ *di* **mezzo** middle; *dare la* **miglior** ~ *di sé* to give (of) one's best; ⟨*Geog*⟩ *-i del* **mondo** continents; *da* **nessuna** ~ (*col verbo affermativo*) nowhere: *non si trova da nessuna* ~ it's nowhere to be found; (*con verbo negativo o in frasi interrogative*) anywhere: *non vado da nessuna* ~ I'm not going anywhere; *dalle* **nostre** *-i* in our parts (of the country), where we come from; (*nel nostro paese*) in our town; *in* **ogni** ~ (*dappertutto*) everywhere; *da ogni* ~ = *da* **tutte** *le parti*; **per** ~ *mia* for my part, as far as I am concerned; ⟨*non com*⟩ ~ *per* ~ (*ogni parte per sé*) piece by piece, item by item, (each part) separately; ~ **perdente** = *parte* **soccombente**; *la* **più** ~ = *la* **maggior** *parte*; ⟨*fig*⟩ *fare più -i in commedia* to be two-faced; ~ **posteriore** back, rear; (*rif. a veicoli*) rear; **prendere** ~ *a qc.* to ⌜take part⌝ (*o* have a share) in s.th., to participate (*o* join) in s.th.: *prendere* ~ *alla conversazione* to join in the conversation; *prendere qd. dalla* ~ *del cuore* to appeal to s.o.'s feelings, to touch s.o.'s soft spot; *prendere* ~ *fra due contendenti* to take sides between two opponents; *fare la* **propria** ~ (*il proprio dovere*) to do one's part, ⟨*fam*⟩ to do one's bit (*o* share), ⟨*fam*⟩ to pull one's weight; *da* **qualche** ~ somewhere; *da* **quelle** *-i* (*stato*) in those parts; (*moto*) to those parts; *da* **questa** ~ (*in questa direzione*) this way, in this direction; *da un anno a questa* ~ for the past year; *non lo vedo da un anno a questa* ~ I haven't seen him for a year now; *che fai da queste -i?* what are you doing ⌜in these parts⌝ (*o* around here)?; *essere dalla* ~ *della* **ragione** to be in the right; ~ *di* **ricambio** spare part; ⟨*Dir*⟩ ~ **ricorrente** plaintiff, complainant, appellant, applicant; **rompersi** *in -i* to break in pieces; ⟨*Dir*⟩ ~ **soccombente** unsuccessful party; *la* **terza** ~ *dell'intero* one-third (of the whole); *essere dalla* ~ *del* **torto** to be in the wrong; *passare dalla* ~ *del torto* to put o.s. in the wrong; *da* **tutte** *le -i*: 1. (*provenienza*) from every direction; 2. (*dappertutto*) on all sides, everywhere, all over the place; *la* ~ **vecchia** *di una città* the old part (*o* quarter, sector) of a town; *prendere* **viva** ~ *a qc.* to take an active part in s.th.; *prendere viva* ~ *alle disgrazie altrui* to commiserate with s.o. in misfortune.

partecipạbile *a.* communicable. – **partecipamẹnto** *m.* ⟨*ant*⟩ → **partecipazione**.

partecipạnte (*p.pr. di partecipare*) **I** *a.* **1.** participating, taking part (*a* in). – **2.** ⟨*Comm*⟩ sharing, participating (in). – **3.** (*che annunzia, comunica*) announcing, communicating. – **II** *s.m./f.* **1.** participant, participator, partaker. – **2.** ⟨*Comm*⟩ partner, associate. – **3.** (*chi annunzia, comunica*) announcer, informer. □ *i -i alla cerimonia* those ⌜present at⌝ (*o* attending) the ceremony. – **partecipạnza** *f.* ⟨*Dir*⟩ (*partecipazione*) participation.

partecipạre *v.* (**partẹcipo**) **I** *v.i.* (*aus.* **avere**) **1.** to take part, to participate, to partake, ⟨*fam*⟩ to have a hand (*a* in): ~ *a un gioco* to take part in a game, to be a player. – **2.** (*essere presente*) to be present (at), to attend (s.th.), to go (to): ~ *a un convegno* to attend a meeting. – **3.** (*condividere*) to share (in): ~ *al dolore di qd.* to share in s.o.'s grief. – **4.** (*contribuire*) to contribute (towards, to), to have a share (in), to share (s.th., in s.th.): ~ *alla spesa* to share expenses. – **5.** ⟨*Comm*⟩ to (have a) share (in). – **6.** (*rif. a esposizioni e sim.*) to be present, to exhibit (at). – **7.** ⟨*ant*⟩ (*praticare*) to associate, to mix. – **II** *v.t.* **1.** (*comunicare*) to make known, to communicate; (*annunziare*) to announce: ~ *le nozze di un figlio* to announce the wedding of a son. – **2.** ⟨*lett*⟩ (*spartire*) to share (out); (*dispensare*) to bestow, to grant.

partecipatọre *m.* (*f.* **-trice**) ⟨*rar*⟩ **1.** (*chi comunica*) announcer, informer. – **2.** (*partecipe*) participant, participator, partaker, sharer.

partecipaziọne *f.* **1.** participation, taking part, participating (*a* in). – **2.** (*collaborazione*) participation. – **3.** (*presenza*) presence, attendance (at). – **4.** (*il condividere*) sharing. – **5.** (*comunicazione*) communication; (*annuncio*) announcement: ~ *di morte* announcement of a death; *ricevere una* ~ *di nozze* to receive a wedding announcement. – **6.** ⟨*Econ*⟩ partnership, association, sharing; (*quota*) share. – **7.** ⟨*Filos,Etnol*⟩ participation.

□ ~ **aziendale** partnership in a company; ~ **azionaria** shareholding; ~ **bancaria** shareholding interest in a bank; ~ *di* **controllo** controlling interest; ~ *al* **dividendo** share of dividends; ~ **estera** foreign shareholding; ~ **finanziaria** financial participation; **in** ~ in association (*o* partnership); ~ **maggioritaria** (o *di maggioranza*) controlling interest (*o* stake); ~ *di* **matrimonio** = *partecipazione di* **nozze**; ~ *di* **minoranza** minority interest (*o* holding); ~ *di* **nascita** birth announcement; ~ *di* **nozze** wedding announcement; ~ *alle* **spese** sharing of expenses; *-i* **statali** state shareholdings; ⟨*Teat,Mus*⟩ *con la* ~ **straordinaria** *di* with a special appearance (*o* performance) by; ~ *agli* **utili** profit-sharing.

partẹcipe *a.* **1.** participating, participant, taking part, sharing (*di* in); (*rif. a benefici*) sharing (in). – **2.** (*rif. a sentimenti altrui*) sharing (in), sympathizing (with). □ *essere* ~ *di qc.* to share (in) s.th., to participate (*o* take part) in s.th.; *far* ~ *qd. di qc.* to share s.th. with s.o., to bring s.o. in on s.th.; *farsi* ~ *di qc.* to share in s.th. – **partẹfice** *a.* ⟨*ant,tosc*⟩ → **partecipe**.

parteggiamẹnto *m.* ⟨*non com*⟩ siding, taking sides, support. – **parteggiạnte** (*p.pr. di parteggiare*) **I** *a.* supporting, siding. – **II** *s.m./f.* supporter, partisan, adherent. – **parteggiạre** *v.* (**partẹggio, partẹggi**) **I** *v.i.* (*aus.* **avere**) to take sides (*per* for), to side (with); (*stare dalla parte*) to be on the side (of). – **II** *v.t.* ⟨*lett,rar*⟩ (*spartire*) to share (out), to split up. – **parteggiatọre** *m.* (*f.* **-trice**) ⟨*non com*⟩ supporter, adherent.

partenẹre *v.i.* (**partẹngo, partiẹni; partẹnni, partenụto**; → **tenere**; *aus.* **avere**) ⟨*ant*⟩ (*riguardare, spettare*) to be of concern (*a* to), to concern (s.th.).

partẹni *m.pl.* ⟨*Lett*⟩ parthenia.

partẹnio *m.* ⟨*Bot*⟩ (*matricale*) feverfew (*Chrysanthemum parthenium*).
parteno... *pref.* (*verginale* virgin-) parthen(o)...
parteno|carpịa *f.* ⟨*Bot*⟩ parthenocarpy. – **~cạrpico** *a.* (*pl.* **-ci**) parthenocarpic(al), parthenocarpous. – **~gamịa** *f.* ⟨*Biol*⟩ parthenogamy. – **~gẹnesi** *f.* **1.** ⟨*Biol*⟩ parthenogenesis. – **2.** ⟨*fig*⟩ parthenogenesis. ▭ *per* ~ by parthenogenesis; ⟨*fig*⟩ by parthenogenesis, of itself, from nothing. – **~geneticamẹnte** *avv.* parthenogenetically. – **~genẹtico** *a.* (*pl.* **-ci**) parthenogenetic.
Partenọne *N.pr.m.* ⟨*Archeol*⟩ Parthenon.
Partẹnope *N.pr.f.* ⟨*Geog.stor*⟩ Parthenope. – **partenopẹo I** *a.* **1.** ⟨*Stor*⟩ Parthenopean. – **2.** (*napoletano*) Neapolitan. – **II** *s.m.* (*f.* **-a**) **1.** ⟨*Stor*⟩ Parthenopean. – **2.** (*napoletano*) Neapolitan.
parteno|spermịa *f.* ⟨*Bot*⟩ parthenospermy. – **~spọra** *f.* parthenospore.
partẹnte (*p.pr. di partire*[1]) **I** *a.* **1.** leaving, departing; (*rif. a veicoli*) leaving; (*rif. ad aerei*) taking off; (*rif. a navi*) sailing. – **2.** ⟨*Sport*⟩ starting. – **II** *s.m./f.* **1.** person leaving, departing person. – **2.** ⟨*Sport*⟩ starter, competitor.
partẹnza *f.* **1.** departure, leaving: *prepararsi alla* ~ to prepare for departure, to get ready to leave. – **2.** (*rif. a veicoli*) departure; (*rif. a navi*) sailing; (*rif. ad aerei*: *decollo*) take-off. – **3.** (*l'incamminarsi*) departure, start(ing). – **4.** ⟨*Mecc*⟩ starting. – **5.** ⟨*Sport*⟩ start; (*punto di partenza*) starting-point, starting-post; (*linea*) starting-line. – **6.** ⟨*Ginn*⟩ starting position. – **7.** (*in missilistica*) blast-off, lift-off.
▭ ⟨*Sport*⟩ ~ *all'***americana** crouch start; **essere** *di* (*o in*) ~ to be ⌜about to leave⌝ (*o* just leaving); ⟨*Sport*⟩ **falsa** ~ false start; ~ *da* **fermo** standing start; **in** ~: 1. (*partente*) leaving, departing, about to leave; 2. (*rif. a veicoli*) leaving, about to leave; 3. (*rif. a corrispondenza*) outgoing; ⟨*Sport*⟩ ~ **irregolare** false start; ~ **lanciata** flying start; ⟨*fig*⟩ ~ *per l'altro* **mondo** death, departure from this world; **pronto** *per la* ~: 1. ready (*o* about) to leave; 2. ⟨*Sport*⟩ ready to start, on one's mark; 3. ⟨*Aer*⟩ ready to take off; 4. ⟨*Mar*⟩ ready to sail; ⟨*Aer*⟩ ~ **rimorchiata** towed start; ~ *senza* **ritorno** voyage of no return (*anche fig.*); **segnale** *di* ~ starting-signal; ⟨*Sport*⟩ ~ *a* **tuffo** racing dive.
parterre *fr.* [par'tɛr] *m.* **1.** parterre. – **2.** ⟨*Teat*⟩ parterre, stalls *pl.*
partịbile *a.* ⟨*lett*⟩ divisible, dividable, that may be divided (*o* split) up.
partic. = ⟨*Gramm*⟩ *particella* particle.
particẹlla (*dim. di parte*) *f.* **1.** particle, minute portion. – **2.** ⟨*Fis*⟩ particle. – **3.** ⟨*Gramm*⟩ particle, relation word. – **4.** ⟨*Dir*⟩ (*porzione di terreno*) parcel.
▭ ⟨*Fis*⟩ ~ **alfa** alpha particle; ⟨*Fis*⟩ ~ **beta** beta particle; ⟨*Fis*⟩ ~ *del* **campo** field quantum, fundamental field particle; ⟨*Dir*⟩ ~ **catastale** cadastral parcel; ⟨*Fis*⟩ ~ **elementare** elementary particle; ⟨*Gramm*⟩ ~ **pronominale** pronominal particle; ⟨*Fis*⟩ ~ **virtuale** virtual particle.
particellạre *a.* **1.** ⟨*Fis*⟩ particle-. – **2.** (*rif. al terreno*) by plots. ▭ *catasto* ~ detailed survey (for the cadastre).
particịna (*dim. di parte*) *f.* ⟨*Teat,Cin*⟩ bit part, minor role.
participạbile *a.* ⟨*rar,ant*⟩ → **partecipabile.** – **participamẹnto** *m.* → **partecipazione.** – **participạnte** *a./s.* ⟨*rar*⟩ → **partecipante.** – **participạre** *v.* ⟨*rar*⟩ → **partecipare.** – **participatọre** *m.* ⟨*ant*⟩ → **partecipatore.** – **participaziọne** *f.* ⟨*ant*⟩ → **partecipazione.** – **partịcipe** *a.* ⟨*ant*⟩ → **partecipe.**
participiạle *a.* ⟨*Gramm*⟩ participial. – **particịpio** *m.* participle. ▭ ~ *futuro* future participle; ~ *passato* past participle; ~ *presente* present participle.
partịcola *f.* **1.** ⟨*Lit*⟩ particle, Host. – **2.** ⟨*ant*⟩ (*particella*) particle, small part; (*suddivisione*) subdivision. – **3.** ⟨*ant,Gramm*⟩ (*particella*) particle.
particolạre I *a.* **1.** particular, special, peculiar: *segni -i* special signs. – **2.** (*proprio*) personal, of one's own, private: *il segretario* ~ *del ministro* the minister's private secretary. – **3.** (*privato*) individual, private, special: *dare lezioni -i* to give private lessons. – **4.** (*strano*) peculiar, singular, odd, of one's own; (*non comune*) unusual, uncommon: *questo vino ha un sapore* ~ this wine has ⌜an unusual taste⌝ (*o* a taste all of its own). – **5.** (*eccezionale*) exceptional, unusual, singular, special: *ha una disposizione* ~ *per le lingue* he has an exceptional flair for languages. – **II** *s.m.* **1.** (*dettaglio*) detail, particular: *raccontare qc. fin nei minimi -i* to describe s.th. down to the smallest details; *con ricchezza di -i* with a wealth of detail. – **2.** (*persona privata*) individual, private person. – **3.** (*interesse privato*) private interest. – **4.** ⟨*Filos*⟩ particular. – **5.** ⟨*Mecc*⟩ (*pezzo*) part, component: *un* ~ *su misura* a part finished to size; (*elemento di attrezzo o macchina*) detail. ▭ ⟨*tecn*⟩ *-i costruttivi* construction (*o* structural) details; *in* ~ in particular, particularly; (*in modo speciale*) especially; *entrare* (*o scendere*) *in -i* to go into detail; ~ *tecnico* technical detail.
particolareggiạre *v.* (**particolarẹggio, particolarẹggi**) **I** *v.t.* **1.** to (describe in) detail, to give particulars (*o* full details) of, to specify (in detail). – **2.** ⟨*Comm*⟩ to itemize. – **II** *v.i.* (*aus.* **avere**) to go into details. – **particolareggiạto** (*p.p. di particolareggiare*) *a.* **1.** detailed, circumstantial, particularized. – **2.** (*curato, minuzioso*) detailed, minute: *esame* ~ detailed examination. – **3.** ⟨*Comm*⟩ itemized.
particolarịsmo *m.* **1.** ⟨*Pol*⟩ particularism. – **2.** (*parzialità, favoritismo*) favouritism, partiality. – **particolarịsta** *m./f.* ⟨*non com*⟩ **1.** ⟨*Pol*⟩ particularist. – **2.** (*chi è parziale*) favourer. – **particolarịstico** *a.* (*pl.* **-ci**) **1.** ⟨*Pol*⟩ particularistic. – **2.** (*che denota favoritismo*) partial, biased.
particolarità *f.* **1.** particularity; (*proprietà*) peculiarity, characteristic. – **2.** (*dettaglio*) detail, particular.
particolarizzạre *v.* ⟨*non com*⟩ → **particolareggiare.**
particolarmẹnte *avv.* **1.** (*accuratamente*) in detail, carefully. – **2.** (*in modo speciale*) particularly, (e)specially; (*principalmente*) in particular, principally.
particulạre *a./s.* ⟨*ant*⟩ → **particolare.**
partịgene *m.* ⟨*Biol*⟩ partigen.
partigiạna *f.* ⟨*Mil.ant*⟩ partisan.
partigianerịa *f.* partisanship, party feeling; (*favoritismo*) favouritism. – **partigianẹsco** *a.* (*pl.* **-chi**) ⟨*spreg*⟩ partisan.
partigiạno I *s.m.* (*f.* **-a**) **1.** (*fautore*) advocate, supporter, champion; (*lottatore*) fighter. – **2.** ⟨*Stor*⟩ (*combattente della resistenza*) partisan, guer(r)illa. – **II** *a.* **1.** (*dei partigiani*) partisan: *guerra -a* partisan warfare. – **2.** (*fazioso*) party-, factious. – **3.** ⟨*lett*⟩ (*parziale*) partial, prejudiced, biased.
partigiọne *f.* ⟨*ant*⟩ (*suddivisione*) division, partition.
partimẹnto *m.* ⟨*ant*⟩ **1.** (*suddivisione*) division, partition. – **2.** ⟨*concr*⟩ parting, line of division. – **3.** (*scomparto*) division. – **4.** (*separazione*) partition, parting, separation; (*scissione*) division, cleavage, splitting. – **5.** (*partenza*) parting, departure.
partịre[1] *v.i.* (*aus.* **essere**) **1.** to leave, to depart, to go away: *partiremo da Roma per Londra* we shall leave Rome for London; *tra due giorni partiamo per le vacanze* in two days' time we are going away on holiday; (*assentarsi*) to go away. – **2.** (*rif. a veicoli*) to leave; (*rif. ad aerei*: *decollare*) to take off; (*rif. a navi*: *salpare*) to sail; (*rif. a corrispondenza*) to go: *la posta parte alle sei* the post goes at six. – **3.** (*rif. a colpi e sim.*) to go off. – **4.** (*incamminarsi*) to set out (*o* off), to start (off), to get going; (*allontanarsi*) to go off (*o* away). – **5.** (*ritirarsi*) to go, to leave; (*sloggiare*) to be off, ⟨*fam*⟩ to clear off. – **6.** ⟨*Teat*⟩ to exit. – **7.** (*emigrare*) to emigrate, to leave. – **8.** ⟨*fig*⟩ (*uscire, provenire*) to come, to arise (*da* from), to leave (s.th.): *un grido partì dalla folla* a shout came from the crowd; *la proposta partì da te* the suggestion came from you, it was your suggestion; *un sospiro partì dalle sue labbra* a sigh left (*o* escaped) his lips. – **9.** ⟨*fig*⟩ (*prendere le mosse*) to start. – **10.** ⟨*fig*⟩ (*avere inizio*) to lead off (*da* from), to come (from, out of). – **11.** ⟨*fig,scherz*⟩ (*innamorarsi*) to fall in love; (*ubriacarsi*) to get drunk, ⟨*fam*⟩ to get tight (*o* high). – **12.** ⟨*fam*⟩ (*rompersi*) to break, to come apart; (*rif. ad apparecchi*: *guastarsi*) to break down; (*rif. a pneumatici*: *scoppiare*) to burst (*o* go flat). – **13.** ⟨*Sport*⟩ to start; (*rif. a motore*) to start. – **14.** ⟨*rar*⟩ (*allontanarsi*) to move away, to go off. – **partirsi** *v.r.* ⟨*lett*⟩ **1.** (*dividersi*) to separate, to part. – **2.** (*allontanarsi*) to go away, to leave. – **3.** ⟨*fig*⟩ (*deviare*) to stray, to turn.
▭ **a** ~ *da* as (*o* beginning) from, as of, effective, with effect from: *a* ~ *da domani* (as) from tomorrow; ~ *all'***assalto** to launch the attack (*anche fig.*); ⟨*Sport*⟩ ~ **bene** to make a good start; ⟨*scherz*⟩ **è** *partito!* he's off!, there he goes!; ~ *per il* **fronte** to leave for the front; ~ *per la* **guerra** to go to war; ⟨*lett*⟩ *partirsi da questo* **mondo** (*morire*) to depart this world, to die; ~ *in* **quarta** to start in fourth gear; ⟨*fig*⟩ to be off like a shot; ~ **soldato** to go to do one's military service. – *Prov.*: ~ *è un po' morire* saying good-bye is like dying a little.
partịre[2] *v.t.* (**partịsco**/*poet.* **pạrto, partịsci**/*poet.* **pạrti**) ⟨*lett*⟩ **1.** (*dividere*) to divide; (*scindere*) to divide, to cleave. – **2.** (*separare*) to separate, to part. – **3.** (*disunire*) to divide, to disunite. – **4.** (*distribuire*) to share (out), to divide up. – **5.** (*allontanare*) to put (*o* take, drive) away. – **6.** (*rif. a liti e sim.*) to separate.
partịta[1] *f.* **1.** ⟨*Comm*⟩ lot, parcel: *una* ~ *di merce* a lot of goods. – **2.** (*gioco*) game: *fare una* ~ *a carte* to play a game of cards. – **3.** ⟨*Sport*⟩ game, match: *una* ~ *di rugby* a rugby match. – **4.** ⟨*fig*⟩ (*azione rischiosa*) game. – **5.** ⟨*Comm,Econ*⟩ entry, item. – **6.** ⟨*Mus*⟩ partita; (*suite*) partita, suite. – **7.** ⟨*ant*⟩ (*parte*) part. – **8.** ⟨*ant*⟩ (*partito*) party.
▭ ⟨*Sport*⟩ ~ **amichevole** friendly match; ⟨*ant*⟩ ~ *d'***armi** (*duello*) duel; ⟨*Comm*⟩ *-e* **attive** assets, credits; *-e di* (*o in*) **avere** credit entries; ~ *di* **caccia** hunting party; ⟨*Sport*⟩ ~ *di* **campionato** championship match; ⟨*fig*⟩ *considerare* **chiusa** *una* ~ to consider s.th. settled; ⟨*Comm*⟩ ~ *di* **compensazione** counter-item; ~ *a* **credito** credit item; ⟨*Comm*⟩ ~ *del* **dare** debit entry; ⟨*Comm*⟩ ~ **doppia** double entry; ⟨*fig*⟩ *giocare a* ~ *doppia* to play a double game, to run with the hare and hunt with the hounds; **essere** *della* ~ to be one of the party; ⟨*Econ*⟩ *-e di* **giro** clearing transactions, clearing (*o* suspense) accounts; ⟨*Sport*⟩ ~ **internazionale** international match; ⟨*Comm*⟩ ~ *d'***inventario** closing entry; ⟨*Econ*⟩ *-e* **invisibili** invisible items; ~ *d'***onore** (*duello*) duel; ⟨*Comm*⟩ *-e* **passive** debits, liabilities; ⟨*non com*⟩ ~ *di* **piacere** (*gita*) (pleasure) trip, outing; ⟨*fig*⟩ **saldare** *la* ~ (*regolare i conti*) to settle up (*o* a score); ~ *a* **scacchi** game of chess; ⟨*Comm*⟩ *-e* **scoperte** outstanding debts; ⟨*Comm*⟩ ~ **semplice** single entry; ⟨*Econ*⟩ ~ *in* **sospeso** outstanding item (*o* debt); *dare* ~ **vinta** *a qd.* to give in to s.o. – *Prov.*: ~ *rimandata non è persa* a delay means the issue is still open.
partịta[2] *f.* ⟨*ant,lett*⟩ **1.** (*partenza*) departure; (*l'allontanarsi*) going away. – **2.** ⟨*fig*⟩ (*morte*) death.
partitạccia *f.* (*pl.* **-ce**) *pegg. di* **partita**[1].
partitamẹnte *avv.* ⟨*lett*⟩ (*distintamente*) separately, point by point.
partitạnte[1] *m./f.* **1.** supporter, partisan, adherent. – **2.** ⟨*ant*⟩ (*finanziere*) financier.
partitạnte[2] *m./f.* ⟨*Dir,region*⟩ participant (in a share farming scheme).
partitạrio[1] *m.* ⟨*Comm*⟩ ledger.

partitạrio[2] *a.* ⟨*non com*⟩ → **partitico.**
partịtico *a.* (*pl.* **-ci**) party-.
partitịna *f. dim. di* **partita**[1].
partitịno *m. dim. di* **partito**[1].
partitịvo I *a.* ⟨*Gramm*⟩ partitive. – **II** *s.m.* partitive.
partịto[1] *m.* **1.** ⟨*Pol*⟩ party: *essere iscritto a un ~* to be a party member. – **2.** (*soluzione*) solution, decision: *scegliere il ~ migliore* to make the best decision; (*alternativa*) alternative. – **3.** (*occasione di matrimonio*) match, catch: *quel ragazzo sarebbe un ottimo ~* that young man would make a good match. – **4.** ⟨*Mil*⟩ side. – **5.** ⟨*ant*⟩ (*deliberazione*) deliberation, resolution; (*votazione, scrutinio*) voting, vote. – **6.** ⟨*ant*⟩ (*negli scacchi: problema*) problem.
□ ~ **agrario** agrarian party; ~ *d'azione* Action Party; *-i* **borghesi** middle class parties; ⟨*ant*⟩ *avere* **buon** ~ (*essere in situazione vantaggiosa*) to be at an advantage; ⟨*ant*⟩ *avere* **cattivo** ~ to be at a disadvantage; ~ *di* **centro** centre party; ⟨*fig*⟩ *mettere il* **cervello** *a* ~ (*mettere giudizio*) to turn over a new leaf, to get sense; ~ **clericale** clerical party; ~ *di* **coalizione** coalition party; ~ **comunista** Communist Party; ~ *comunista italiano* Italian Communist Party; ~ **conservatore** Conservative Party; ~ *dei* **contadini** Farmer's Party; ~ **democratico** Democratic Party; ~ **democristiano** Christian -Democrat Party; ~ *di* **destra** right-wing party, party of the Right; ~ **fratello** allied party; **giornale** *di* ~ party (news)paper; ~ *al* **governo** party in power, governing party; **ingannarsi** *a* ~ (*di grosso*) to be completely deceived; ~ **laburista** Labour Party; ~ **liberale** Liberal Party; ~ *di* **maggioranza** majority party; *a* **mal** ~ (*in cattive condizioni*) in a bad way, in a sorry plight: *ridurre a mal ~* to put in a bad way, ⟨*lett*⟩ to bring low; ~ *di* **massa** broadly-based party; ⟨*ant*⟩ **mettere** *a* ~: 1. (*ai voti*) to put to the vote; 2. (*in discussione*) to discuss; ~ **moderato** moderate party; ⟨*ant*⟩ *a* **nessun** ~ (*a nessun patto*) on no terms (*o* account); ~ *di* **opposizione** opposition party; ~ **politico** (political) party; ~ **popolare** people's party; **prendere** ~ *per qd.* to take s.o.'s side, to side with s.o.; *per* ~ **preso** deliberately, on purpose; ~ **repubblicano** Republican Party; ~ *di* **sinistra** left -wing party, party of the Left; ~ **socialdemocratico** Social-Democrat party; ~ **socialista** Socialist Party; *al di* **sopra** *dei -i* above party politics; *mettere la* **testa** *a* ~ = *mettere il cervello a partito*; **trarre** ~ *da qc.* (*trarre vantaggio*) to take advantage of s.th.; ~ **unico** single party; *sistema a ~ unico* one-party system; ~ **unionista** unionist party.
partịto[2] (*p.p. di partire*[2]) **I** *a.* **1.** (*diviso*) divided; (*separato*) separated; (*rif. ai capelli*) parted. – **2.** ⟨*fig*⟩ (*discorde*) divided, at variance. – **3.** ⟨*Bot*⟩ parted. – **4.** ⟨*Arald*⟩ party, parted. – **II** *s.m.* ⟨*Arald*⟩ (*partizione*) partition.
partitocrạtico *a.* (*pl.* **-ci**) ⟨*Pol*⟩ partyist. – **partitocrazịa** *f.* party power, partyism.
partitọna *f. accr. di* **partita**[1].
partitọne[1] *m. accr. di* **partita**[1].
partitọne[2] *m. accr. di* **partito**[1].
partitọre I *s.m.* (*f.* **-trice**) **1.** ⟨*lett*⟩ (*chi divide*) divider. – **2.** ⟨*El*⟩ divider: ~ *di tensione* potential (*o* voltage) divider. – **3.** ⟨*Idr*⟩ divisor, box. – **II** *a.* (*che divide*) dividing.
partitụccio *m. dim. di* **partito**[1].
partitụra *f.* **1.** ⟨*Mus*⟩ score; (*strumentazione*) orchestration, instrumentation. – **2.** ⟨*rar*⟩ (*divisione*) division.
partiziọne *f.* **1.** division, partition; (*spartizione*) division, sharing (out). – **2.** (*parte*) part, section; (*scomparto*) partition, compartment. – **3.** ⟨*Bot,Chim,Arald*⟩ partition.
pạrtner *ingl. m./f.* partner.
pạrto[1] *m.* **1.** birth, childbirth, delivery, parturition. – **2.** (*creatura partorita*) (newborn) baby, infant. – **3.** ⟨*fig*⟩ product, work. – **4.** ⟨*poet*⟩ (*figlio*) child.
□ ~ **abortivo** miscarriage; (*procurato*) abortion; ~ **accelerato** accelerated labour; ~ **distocico** dystocia, ⟨*pop*⟩ difficult labour; **donna** (*fresca*) *di* ~ woman who has just given birth; ~ **eutocico** eutocia, ⟨*pop*⟩ easy (*o* normal) childbirth; ⟨*fig*⟩ ~ *della* **fantasia** figment of the imagination; ~ *di un* **feto** *morto* still-birth; ~ **forzato** forced delivery; ~ **gemellare** twin (*o* double) birth; ~ **indolore** painless (*o* natural) childbirth; ~ **interrotto** false labour; ~ **maturo** full-term birth; ⟨*fig,lett*⟩ ~ *della* **montagna** the mountain in labour; ~ **pilotato** assisted delivery; ~ **precoce** (o *prematuro*) premature birth; **sala** ~ delivery room; ~ **semplice** single birth; *essere* **sotto** ~ to be in labour; ~ **tardivo** post-term (*o* retarded) birth; ⟨*Rel*⟩ ~ **virginale** virgin birth.
pạrto[2] *m.* ⟨*Stor*⟩ Parthian.
partoriẹnte (*p.pr. di partorire*) **I** *s.f.* parturient, woman in labour, (*o* childbed). – **II** *a.* in labour, in childbed, ⟨*attr*⟩ lying-in, parturient. – **partorimẹnto** *m.* ⟨*non com*⟩ giving birth.
partorịre *v.* (**partorịsco, partorịsci**) **I** *v.t.* **1.** to give birth to, to bear, to have, to be delivered of, to bring into the world. – **2.** (*rif. ad animali*) to produce, to drop, to give birth to, to throw, to litter, to have; (*rif. a bestia feroce*) to cub; (*rif. a cagna*) to pup, to whelp; (*rif. a cavalla*) to foal; (*rif. a gatta*) to kitten; (*rif. a mucca*) to calve; (*rif. a pecora*) to lamb; (*rif. a scrofa*) to farrow. – **3.** ⟨*fig*⟩ (*causare*) to beget, to breed: *l'invidia partorisce l'odio* envy begets hatred. – **4.** ⟨*fig,scherz*⟩ (*produrre*) to produce. – **5.** ⟨*lett,rar*⟩ (*rif. a piante*) to put forth. – **II** *v.i.* (*aus.* **avere**) **1.** to give birth (to a child), ⟨*fam*⟩ to have a baby. – **2.** (*rif. ad animali*) to litter.
pạrty *ingl. m.* (*trattenimento*) party.
parụlide *f.* ⟨*Med*⟩ parulis, ⟨*pop*⟩ gumboil.
parure *fr.* [pa'ry:r] *f.* (*insieme*) set; (*rif. a gioielli*) set, parure; (*rif. a indumenti*) set.
parusịa *f.* ⟨*Filos,Rel*⟩ parousia.
parụta *f.* ⟨*ant*⟩ **1.** (*apparenza*) appearance, aspect. – **2.** (*sembianza*) appearance, semblance, guise.
parụto *p.p.ant. di* **parere**[1].
parvẹnte (*p.pr. di parere*[1]) ⟨*ant*⟩ **I** *a.* (*apparente*) apparent, visible. – **II** *s.m.* **1.** (*aspetto*) appearance, aspect. – **2.** (*opinione*) opinion.
parvenu *fr.* [parvə'ny] *m.* parvenu, upstart, nouveau-riche.
parvẹnza *f.* **1.** ⟨*lett*⟩ (*aspetto*) appearance, aspect. – **2.** ⟨*fig*⟩ (*apparenza*) appearance, show, semblance: *senza la minima ~ di giustizia* without the least semblance of justice. – **3.** ⟨*ant*⟩ (*opinione*) opinion.
pạrvi *p.rem. di* **parere**[1].
parvicellulạre *a.* ⟨*Biol*⟩ parvicellular.
parvità *f.* ⟨*lett,rar*⟩ (*piccolezza*) smallness, littleness. – **pạrvo** *a.* ⟨*lett*⟩ (*piccolo*) small, little.
pạrvolo *a./s.* ⟨*ant*⟩ → **pargolo.**
parziạle *a.* **1.** partial. – **2.** (*non obiettivo*) partial, prejudiced, biased, unfair. – **parzialità** *f.* **1.** partiality, partialness, prejudice, bias, unfairness. – **2.** ⟨*concr*⟩ partiality. – **3.** ⟨*ant*⟩ (*fazione*) faction.
parzializzạre *v.t.* ⟨*tecn*⟩ to choke, to shut. – **parzializzatọre** *m.* ⟨*tecn*⟩ shutter. – **parzializzaziọne** *f.* ⟨*tecn*⟩ choking, shutting.
parziạria *f.* ⟨*Dir*⟩ (*anche colonia parziaria*) agricultural lease on a profit-sharing basis, share leasing (*o* tenancy), share-cropping. – **parziarietà** *f.* divisibility. – **parziạrio** *a.* divisible.
parzioniẹre *m.* ⟨*Dir.ant*⟩ associate, partner.
PAS(A) = ⟨*Chim*⟩ *acido paramminosalicilico* para-aminosalicylic acid (*abbr.* PAS, PASA).
pascạle *a.* ⟨*ant*⟩ (*pasquale*) Easter-, Paschal.
pascaliạno *a.* ⟨*Filos,Mat*⟩ Pascal's.
pascạtico *m.* (*pl.* **-ci**) ⟨*Mediev*⟩ herbage, grazing rights *pl.*
pascẹnte (*p.pr. di pascere*) *a.* ⟨*lett*⟩ grazing.
pạscere *v.* (**pạsco, pạsci**; **pascẹtti**/*non com.* **pascẹi, pasciụto**) **I** *v.t.* **1.** to graze, to pasture, to feed on. – **2.** (*condurre al pascolo*) to graze, to pasture. – **3.** (*nutrire*) to feed. – **4.** ⟨*fig*⟩ to feed, to nourish; ⟨*spreg*⟩ to feed, to fill, to delude: ~ *il popolo di promesse* to delude the people with promises. – **II** *v.i.* (*aus.* **essere**) ⟨*lett*⟩ (*mangiare*) to feed. – **pascersi** *v.r.* **1.** (*cibarsi*) to feed (*di* on), to eat (s.th.). – **2.** ⟨*fig*⟩ (*appagarsi*) to cherish, to nurse: *pascersi di speranze* to cherish hopes. □ ⟨*fig*⟩ ~ *d'aria* (*o di vento*) to put off with ⌜empty words⌝ (*o* promises); ⟨*fig*⟩ *pascersi* ⌜*d'aria*⌝ (*o di fumo*) to be deceived, ⟨*fam*⟩ to let o.s. be taken in; ⟨*fig*⟩ *pascersi di dolore* (*o lacrime*) to dwell on one's sorrows; *pascersi d'erba* to graze; ~ *gli occhi* to feast one's eyes.
pascià *m.* pasha. □ ⟨*fig*⟩ *fare il* ~ to live like a lord. – **pascialạto** *m.* **1.** (*dignità*) pashaship, office of a pasha. – **2.** (*periodo*) pashadom.
pasciọna *f.* ⟨*non com*⟩ **1.** (*produzione abbondante*) rich crop. – **2.** ⟨*estens*⟩ (*prosperità*) prosperity, abundance, plenty.
pascipạscolo *m.* ⟨*Dir,region*⟩ grazing contract.
pasciulì *m.* → **patchouli.**
pasciụto (*p.p. di pascere*) *a.* **1.** fed, nourished. – **2.** ⟨*fig*⟩ (*nutrito*) nourished. – **3.** ⟨*fig*⟩ (*soddisfatto*) satisfied.
pạsco *m.* (*pl.* **-chi**) ⟨*ant,poet*⟩ (*pascolo*) pasture(land), pasturage; (*il pascolare*) grazing, pasturing.
pascolạre *v.* (**pạscolo**) **I** *v.t.* **1.** to graze, to pasture. – **2.** (*mangiare*) to eat, to feed on. – **II** *v.i.* (*aus.* **avere**) **1.** (*pascere*) to graze, to pasture, ⟨*fam*⟩ to browse. – **2.** ⟨*fig,non com*⟩ (*trarre illeciti profitti*) to line one's pockets, to make illicit profits, ⟨*fam*⟩ to feather one's nest.
pascolatịvo *a.* pasturable, pasture-, grazing: *zona -a* pasture area. □ *terreno* ~ pasture(land), pasturage, grazing land. – **pascolatọre I** *s.m.* (*f.* **-trice**) ⟨*Zootecn*⟩ grazer. – **II** *a.* grazing.
pascoliạno *a.* ⟨*Lett*⟩ Pascoli's, of Pascoli. – **pascolịsmo** *m.* style of (Giovanni) Pascoli.
pascolịvo *a.* ⟨*non com*⟩ → **pascolativo.**
pạscolo *m.* **1.** pasture(land), pasturage, grazing land. – **2.** (*erba*) pasture, pasturage: ~ *scarso* poor pasture. – **3.** (*il pascolare*) grazing, pasturing, feeding, pasture: *portare il gregge al ~* to take the flock to graze (*o* pasture). – **4.** ⟨*fig*⟩ (*nutrimento*) food, nourishment. – **5.** ⟨*fig*⟩ (*profitto illecito*) illicit profit.
□ ⟨*fig*⟩ **dare** *in* ~ (*dare in pasto*) to feed; **diritto** *di* ~ grazing rights *pl*, common of pasture; **divieto** *di* ~ grazing prohibited; ~ **grasso** rich pasture; ~ **magro** poor pasture; ~ **permanente** permanent pasture.
pascọre *m.* ⟨*ant*⟩ (*primavera*) spring.
pasigrafịa *f.* ⟨*Ling*⟩ pasigraphy. – **pasilalịa** *f.* ⟨*Ling*⟩ pasilaly.
paso dọble *sp. m.* (*danza*) paso doble.
Pạsqua *N.pr.f.* **1.** Easter. – **2.** ⟨*Rel.ebr*⟩ Passover, Pesach, ⟨*ant*⟩ Pasch. – **pasqua** *f.* **1.** ⟨*ant,pop*⟩ (*festa religiosa*) feast. – **2.** ⟨*ant*⟩ (*festa, allegria*) festivity, rejoicing, merrymaking.
□ ~ *d'agnello* = *Pasqua di* **risurrezione**; ⟨*Rel*⟩ ~ **alta** late Easter; ~ **bassa** early Easter; ⟨*ant,pop*⟩ ≈ ⌜*di* **Befana**⌝ (*o d'Epifania*) (feast of the) Epiphany; **buona** ~ ! happy Easter !; *essere* **contento** *come una* ≈ to be as happy as a king (*o* sandboy); ⟨*ant*⟩ ≈ *del* **corpo** *di Cristo* (*Corpus Domini*) Corpus Christi; **di** ~ Easter-: *uovo di ~* Easter egg; **fare** ~ *in famiglia* to spend Easter with the family; ⟨*Rel*⟩ *fare la ~* to do one's Easter duty; ⟨*sicil*⟩ ≈ *dei* **fiori** (*Pentecoste*) Whitsun(day), Pentecost; ⟨*non com*⟩ ≈ **fiorita** (*domenica delle palme*) Palm Sunday; ⟨*Geog*⟩ **Isola** *di* ~ Easter Island; ~ **maggiore** = *Pasqua di* **risurrezione**; *dare la* **mala** ≈ *a qd.* to spoil s.o.'s fun; ≈ *dei* **morti** (*Ognissanti*) All Saints Day; ⟨*ant,pop*⟩ ≈ ⌜*di* **Natale**⌝ (*o della Natività*) Christmas; ⟨*pop*⟩ ≈ **piccola** (*lunedì dopo*

Pasqua) Easter Monday; *(domenica in albis)* Low Sunday; ⟨*Rel*⟩ ~ *di* **risurrezione** Easter; ≈ **rosata** (o *di rosa*) → **pasquarosa**; ⟨*pop*⟩ ≈ *d'uovo* = *Pasqua di* **risurrezione**.

pasquale *a.* Easter-, paschal: *auguri -i* Easter greetings.

Pasquale *N.pr.m.* Pascal, Pasquale.

Pasqualina *(dim. di Pasquale) N.pr.f.* Pasqualina.

pasquare *v.i.* (*aus.* **avere**) ⟨*ant*⟩ *(celebrare la Pasqua)* to celebrate Easter.

pasquarosa (o *pasqua rosa*) *f.* ⟨*pop*⟩ *(Pentecoste)* Whitsun(day), Pentecost.

pasquetta *(dim. di Pasqua) f.* ⟨*pop*⟩ **1.** *(lunedì dopo Pasqua)* Easter Monday. – **2.** ⟨*region*⟩ *(Epifania)* Epiphany. – **3.** ⟨*region*⟩ *(Pentecoste)* Whitsun(day), Pentecost.

pasquiere *m.* ⟨*Stor*⟩ collector of grazing dues.

pasquinata *f.* **1.** ⟨*Stor*⟩ pasquinade, pasquil. – **2.** ⟨*estens*⟩ *(scritto ingiurioso)* lampoon, squib, pasquinade.

pass. = **1.** ⟨*Gramm*⟩ *passato* past (*abbr.* p.). – **2.** *passim* passim (*abbr.* pass.). – **3.** ⟨*Gramm*⟩ *passivo* passive (*abbr.* pass.).

passa: *uva* ~ raisins *pl.*

passa-alto *a./s.inv.* ⟨*El,Acu*⟩ **I** *a.* high-pass. – **II** *s.m.* high-pass filter.

passa-banda *a./s.inv.* ⟨*El,Acu*⟩ **I** *a.* band-pass. – **II** *s.m.* band-pass filter.

passa-basso *a./s.inv.* ⟨*El,Acu*⟩ **I** *a.* low-pass. – **II** *s.m.* low-pass filter.

passabile *a.* *(discreto)* passable, fair, quite (*o* fairly) good, reasonable, ⟨*fam*⟩ not bad. – **passabilmente** *avv.* passably, fairly, quite (*o* fairly) well.

passa|brodo *m.inv.* ⟨*region*⟩ *(colabrodo)* colander, strainer. – **~caglia** *f.* ⟨*Mus*⟩ passacaglia, passacaille. – **~cavallo** *m.* ⟨*Mar.ant*⟩ Levantine cargo boat. – **~cavo** *m.* **1.** ⟨*tecn*⟩ whipping. – **2.** ⟨*Mar*⟩ fairlead, chock. – **~fieno** *m.inv.* hatch (for passing fodder). – **~fili** *m.inv.* ⟨*Tess*⟩ guiding slit. – **~film** *m.inv.* ⟨*Cin*⟩ **1.** *(aiutante del montatore)* splicer. – **2.** *(aiutante del noleggiatore)* distributor's assistant, film checker. – **3.** *(aiutante del proiezionista)* projectionist's assistant. – **~filo** *m.* ⟨*tecn*⟩ whipping. – **~fino** *m.inv.* ⟨*region*⟩ → **passamano**[2]. – **~fuori** *m.inv.* ⟨*Edil*⟩ rafter end, show rafter.

passagaglio *m.* ⟨*ant*⟩ → **passagallo**. – **passagallo** *m.* **1.** *(suono di chitarra)* strumming (of a guitar). – **2.** → **passacaglia**.

passaggere *m.* → **passaggiere**. – **passaggeria** *f.* ⟨*ant*⟩ *(ufficio di dogana)* toll-house. – **passeggiere, passeggiero** *m.* ⟨*ant*⟩ **1.** *(gabelliere)* exciseman, tax- (*o* toll) collector. – **2.** *(passeggero)* passenger.

passaggio *m.* **1.** *(il passare davanti)* passing (by), passage. – **2.** *(il passare attraverso)* crossing, passage, transit, passing (through); *(rif. a truppe)* marching through; *(rif. ad aerei)* flying across (*o* through). – **3.** *(il passare oltre)* crossing, passing (beyond), passage (across): *il ~ della Manica* the Channel crossing. – **4.** *(movimento, traffico)* movement, traffic. – **5.** ⟨*concr*⟩ passage(way), pass, way; *(strada)* pass(age), way; *(in mare)* passage. – **6.** *(viaggio per nave o aereo)* passage. – **7.** ⟨*estens*⟩ *(breve tragitto su veicolo altrui)* lift, ride: *chiedere un ~ a qd.* to ask s.o. for a lift; *dare un ~ a qd.* to give s.o. a lift. – **8.** ⟨*fig*⟩ *(cambiamento)* change(-over), transition, move, shift: *~ a un'altra linea politica* change of policy. – **9.** *(il porgere, il dare)* passing, handing (over), giving. – **10.** *(promozione)* promotion (*anche Scol.*); *(avanzamento)* promotion, advancement. – **11.** ⟨*Astr*⟩ transit, culmination. – **12.** ⟨*Mat*⟩ transformation. – **13.** ⟨*Mus,Lett*⟩ passage. – **14.** ⟨*Sport*⟩ pass; *(nel salto con l'asta)* bar clearance; *(nel baseball)* throw. – **15.** ⟨*Cin*⟩ *(rif. a un quadro)* transition (shot); *(proiezione)* projection, showing, screening. – **16.** ⟨*ant*⟩ *(crociata)* Crusade. – **17.** *(pedaggio)* toll.

□ **aprirsi** *un ~ tra la folla* to make (*o* push) one's way through the crowd; ⟨*Mus*⟩ ~ *di* **bravura** bravura passage; ~ *del* **confine** crossing (of) the border; ~ **coperto** covered passageway; ⟨*El*⟩ ~ *di* **corrente** passage (*o* flow) of current; **di** ~: 1. *(rif. a persone)* (just) passing through, only stopping off: *era lì di ~* he was just passing through; 2. *(per incidenza)* incidentally, in passing; 3. *(provvisoriamente)* temporarily, provisionally; 4. ⟨*Strad*⟩ *(con molto transito)* where much traffic goes by, busy, important; ⟨*Dir*⟩ **diritto** *di ~* right of way; ~ *della* **frontiera** = *passaggio del* **confine**; ⟨*fig*⟩ *il* **gran** ~ *(la morte)* death, passing away; ⟨*Ferr*⟩ ~ **intercomunicante** gangway (between coaches), vestibule; ⟨*Sport*⟩ ~ **laterale** lateral pass, cross pass; ⟨*Ferr*⟩ ~ *a* **livello** level crossing, ⟨*am*⟩ grade crossing; ~ *a livello con barriere* level crossing with barrier; ~ *a livello custodito* protected (*o* guarded) level crossing; ~ *a livello incustodito* unprotected (*o* unguarded) level crossing; ⟨*Aut*⟩ ~ *a una* **marcia** *inferiore* changing down (*o* to a lower gear), ⟨*am*⟩ shifting down; ~ *a una marcia superiore* changing up (*o* into a higher gear), ⟨*am*⟩ shifting up; ⟨*Astr*⟩ ~ *al* **meridiano** meridian passage; ⟨*Stor*⟩ ~ *a* **nord-ovest** North-West Passage; ⟨*Mus*⟩ **nota** *di ~* passing-note; ~ **obbligato** obligatory way (*o* road); ⟨*fig*⟩ necessary step, only way; **ostruire** *il ~* to block the passage, to be in the way; ⟨*Strad*⟩ ~ **pedonale** (pedestrian) crossing; ~ *pedonale zebrato* zebra crossing; ~ *di* **poteri** transfer of power (*o* authority); ⟨*Sport*⟩ ~ *in* **profondità** deep pass; ⟨*Dir*⟩ ~ *di* **proprietà** transfer of title, conveyance; ⟨*Sport*⟩ ~ **rovesciato** reverse pass; ~ *di* **servizio** service road; ⟨*Ferr*⟩ ~ *a* **soffietto** vestibule; **vietato** *il ~* no transit, no horoughfare, no through way; ~ **zebrato** zebra crossing.

passaglione *m.* ⟨*Idr*⟩ supporting dike.

passalidi *m.pl.* ⟨*Entom*⟩ passalids *pl* *(Passalidae)*.

passamaneria *f.* **1.** braid(ing), trimming(s), passementerie. – **2.** *(fabbrica)* ribbon and braid factory; *(negozio)* ribbon and braid shop.

passamano[1] *m.* **1.** passing from hand to hand: *far ~ per scaricare qc.* to pass s.th. from hand to hand for unloading. – **2.** ⟨*Mar*⟩ *(corrimano)* handrail.

passamano[2] *m.* *(nastro)* braid, trimming.

passamanteria, passamenteria *f.* ⟨*rar*⟩ → **passamaneria**.

passamento *m.* ⟨*ant*⟩ **1.** *(il passare)* passing. – **2.** *(passaggio)* passing, passage, transit. – **3.** ⟨*fig*⟩ *(morte)* death, passing away.

passamezzo *m.* ⟨*Mus*⟩ passamezzo, ⟨*ant*⟩ passymeasure.

passa|montagna *m.inv.* hood(-cap), balaclava (helmet). – **~nastro** *m.* embroidered (*o* lace) piece with eyelets.

passante *(p.pr. di passare)* **I** *a.* **1.** passing (by). – **2.** ⟨*Arald*⟩ passant. – **II** *s.m.* loop. – **III** *s.m./f.* passer-by.

passa|palle *m.inv.* ⟨*Stor*⟩ bore-gauge. – **~patate** *m.inv.* ⟨*region*⟩ *(schiacciapatate)* potato-masher. – **~piede** *m.* ⟨*Mus*⟩ passepied, paspy.

passaporto *m.* passport.

□ ~ **collettivo** group passport; ⟨*fig*⟩ **dare** *il ~ a qc.* to accept (*o* approve of) s.th.; ~ **diplomatico** diplomatic passport; ~ *per l'***estero** passport; ~ **individuale** (individual) passport; ~ **Nansen** Nansen passport; ⟨*Stor*⟩ ~ **rosso** emigrant's passport; ~ **sanitario** bill of health; ~ *di* **servizio** official passport.

passare I *v.i.* (*aus.* **avere**) **1.** to pass (*o* go) by: *ho visto ~ tuo figlio* I saw your son go by. – **2.** *(attraversare)* to pass, to go (*per* through), to cross, to go across (s.th.): *passerai anche per Parigi* you will ⌜pass through⌝ (*o* take in) Paris too; *la strada passa per un bosco* the road goes through a wood; *(nel senso della lunghezza: rif. a strade)* to go (along): *~ per una strada* to go along a street. – **3.** *(trattenersi brevemente)* to pass, to come (*a, in, da* by), to call (in), ⟨*fam*⟩ to drop in (at), to call on (s.o.): *passa da me quando ritorni* ⌜pass by my place⌝ (*o* call on me) on your way back. – **4.** *(entrare)* to come in(to), to go in(to), to get in(to); *prego, passi!* do come (*o* go) in!; *è riuscito a ~ senza biglietto* he got in without a ticket; *(rif. a cose: venire spostato)* to be moved (*o* shifted), to go: *il sofà è passato in salotto* the sofa was moved into the drawing-room. – **5.** *(penetrare)* to get (in), to come (in), to go (in), to enter (*per, da* through): *il gatto è passato dalla finestra* the cat got in through the window; *è così grasso che non riesce a ~ attraverso la porta* he's too fat to get through the door. – **6.** *(trasferirsi)* to move, to go, to transfer: *è passato a Milano* he has moved to Milan. – **7.** *(tramandarsi: rif. a cose concrete)* to pass: *alla sua morte tutti i suoi beni passarono ai nipoti* upon his death all his property passed to his grandchildren; *tradizioni che passano di padre in figlio* traditions that are handed down from father to son. – **8.** ⟨*fig*⟩ *(cambiare stato)* to go, to change, to pass: *~ dalla tristezza all'allegria* to go from sadness to gaiety. – **9.** *(cambiare argomento)* to go (*o* move) on, to pass (on), to proceed (*a* to). – **10.** *(avanzare di grado)* to be promoted, to get a promotion, to move up: *~ capitano* to be promoted (to the rank of) captain. – **11.** ⟨*scol*⟩ to move (*o* go) up, ⟨*am*⟩ to be promoted; *(superare)* to pass. – **12.** ⟨*fig*⟩ *(ottenere l'approvazione)* to pass, to be approved (*o* passed): *la legge è passata* the law (was) passed. – **13.** ⟨*fig*⟩ *(essere ritenuto accettabile)* to pass, to be passable, ⟨*fam*⟩ to do: *non è l'ideale, ma può ~* it's not exactly what I wanted, but it will do; *per questa volta passi* I'll let it pass (*o* go) this time, never mind for this time. – **14.** *(rif. a tempo: trascorrere)* to pass, to elapse, to go by: *sono passati tre anni* three years have passed (*o* gone by). – **15.** ⟨*fig*⟩ *(cessare)* to pass (over, off), to be over, to go, to end, to finish, to wear off: *il dolore è passato* the pain has passed (off); *il temporale è passato* the storm is over; *ti è passato il raffreddore?* has your cold gone? – **16.** ⟨*fig*⟩ *(intercorrere)* to be: *tra i due fratelli passa una gran differenza* there is a big difference between the two brothers; *fra noi passano rapporti amichevoli* there are friendly relations between us, we are on good terms, we get on well. – **17.** *(guastarsi)* to spoil, to go bad (*o* off), to turn (bad): *d'estate i cibi passano presto* food spoils quickly in summer. – **18.** *(nei giochi di società e di carte)* to pass. – **19.** ⟨*Sport*⟩ *(effettuare un passaggio)* to (make a) pass. – **20.** ⟨*ant*⟩ *(morire)* to die, to pass away (*o* on). – **21.** ⟨*ant*⟩ *(avvenire)* to happen, to come about, ⟨*lett*⟩ to come to pass. – **II** *v.t.* **1.** *(attraversare)* to pass, to cross: *~ il confine* to cross the border; *(con un veicolo)* to cross, to drive across; *(navigando)* to sail across (*o* over), to cross: *~ il fiume con un vaporetto* to cross the river on a steamer; *(oltrepassare)* to pass: *passata la banca, volta a sinistra* turn left after you pass the bank. – **2.** *(sorpassare)* to pass, to overtake. – **3.** *(forare, trafiggere)* to pierce, to go (right) through: *il proiettile gli passò il cuore* the bullet pierced his heart. – **4.** *(far passare)* to pass, to pass across (*o* through), to run through: *passarsi una mano sulla fronte* to pass a hand across one's brow; *passarsi la mano sui capelli* to pass (*o* run) a hand through one's hair; *(spingendo)* to pass, to push; *(tirando)* to pull; *(infilare)* to thread: *~ il filo nell'ago* to thread a needle. – **5.** *(far scorrere)* to pass, to run, to wipe: *passa uno straccio umido sul tavolo di cucina* run a damp cloth over the kitchen table, give the kitchen table a wipe-over. – **6.** *(mettere)* to put, to pass, to place: *~ la corda al collo di qd.* to put the rope around s.o.'s neck. – **7.** *(spostare)* to move, to transfer; *(portare)* to carry, to take. – **8.** *(cedere)* to pass (*o* hand) on, to give: *passò i vestiti smessi al fratello* he gave his cast-off suits to his brother; *(regalare)* to give (away), to make a present of; *(fornire)* to supply, to furnish: *il collegio non passa le divise* the school does not supply uniforms; *(dare di nascosto)* to give, to slip: *gli hanno passato la traduzione di latino* they slipped him the Latin translation. – **9.** *(assegnare)* to give, to assign: *~ un sussidio a qd.* to give s.o. an allowance; *(pagare)* to pay: *~ gli ali-*

menti alla moglie to pay one's wife alimony. – **10.** (*distribuire, vendere*) to give (*o* pass) out, to distribute; (*porgere*) to pass, to hand: *passami il pane, per favore* please pass me the bread. – **11.** ⟨*fig*⟩ (*superare*) to surpass, to outdo, *spesso si traduce col comparativo*: ~ *qd. in bravura* to be better than s.o. – **12.** ⟨*fig*⟩ (*oltrepassare*) to be over (*o* more than), to pass, to exceed: *ha passato ormai la cinquantina* he's over fifty now; *spesso si ricorre a una traduzione libera*: *la lettera passa il peso* the letter is overweight (*o* too heavy). – **13.** ⟨*fig*⟩ (*incontrare, affrontare*) to have, to undergo, to meet with: *ha passato un bel guaio* he had some nasty trouble; (*patire, soffrire*) to suffer, to endure, to go through, to have: *ne ha passate tante nella sua vita* he has suffered a great deal in his life, he has been through a lot. – **14.** (*trasmettere*) to pass (*o* hand) on, to transmit: ~ *un ordine* to pass on an order. – **15.** (*sottoporsi*) to have, to undergo: ~ *una visita medica* to have a medical examination. – **16.** ⟨*scol*⟩ (*promuovere*) to let pass (*o* go up), ⟨*am*⟩ to promote: *il professore ha passato tutti gli studenti* the teacher let all the students pass. – **17.** (*avanzare di grado*) to promote, to advance, to move up: *l'hanno passato generale* they promoted him (to the rank of) general. – **18.** ⟨*fam*⟩ (*perdonare, tollerare*) to forgive, to let pass, to overlook, ⟨*fam*⟩ to let go (by): *non sono disposta a passartele tutte* I don't feel like forgiving you (for) everything, I'm not going to let you off completely. – **19.** (*approvare*) to pass, to approve: ~ *una legge* to pass a law. – **20.** (*trascorrere*) to spend, to pass: ~ *l'estate al mare* to spend the summer at the sea; ~ *il pomeriggio a leggere* to spend the afternoon reading; (*sopravvivere*) to live through (*o* out), to last, to see out: *il malato non passerà la notte* the patient won't live through the night. – **21.** (*scorrere con lo sguardo, esaminare*) to look (*o* run, glance) through, to go over (*o* through): ~ *tutto il quaderno* to go through the whole notebook. – **22.** ⟨*Gastr*⟩ (*ridurre in poltiglia*) to strain, to pass (*o* put) through a strainer: ~ *la verdura* to strain the vegetables. – **23.** ⟨*Tel*⟩ to give, to put through to: *mi passi Milano* give me Milan. – **24.** ⟨*lett*⟩ (*tralasciare*) to pass (over), to leave out.

□ ~ **accanto** *a qd.* to pass by s.o.; ⟨*fig*⟩ *ne è passata di* **acqua** *sotto i ponti* a lot of water has flown under the bridge; ⟨*Med*⟩ ~ *le acque* to go to a spa, to take the waters; ~ *per le* **armi** to shoot, to execute; ~ **attraverso** to pass (*o* cross) through, to go across; ⟨*fig*⟩ to go through, to have: *è passato attraverso mille difficoltà* he's had a lot of difficulties, he's had his (share of) troubles; ⟨*fig*⟩ ~ **avanti** *a qd.* (*superarlo*) to surpass (*o* get ahead of) s.o.; ⟨*fam*⟩ *passarla* **bella** to have a narrow squeak; ⟨*fig*⟩ ~ *di* **bocca** *in bocca* to spread by word of mouth; *che cosa ti passa per il* **capo** ? = *che cosa ti passa per la* **mente** ?; ~ *a* **cavallo** to ride by (*o* past); **ci** *passa* (*c'è una bella differenza*) there's a big difference; ⟨*fam*⟩ *passarne di* ⌜*tutti i* **colori**⌝ (*o cotte e di crude*) to go through thick and thin; ⟨*Comm*⟩ ~ *a nuovo* **conto** to carry a balance forward; ~ *qc. in bella* **copia** to ⌜write the final draft⌝ (*o* make a fair copy) of s.th.; ~ *di* **corsa** to rush by; ⟨*Gastr*⟩ ~ *di* **cottura** to be overcooked; ~ *per il rotto della* **cuffia** to scrape through; ⟨*fig*⟩ ~ *il* **cuore** (*addolorare*) to wring the heart; ~ *la* **dogana** to pass (*o* go) through customs; ~ *il giorno* **dormendo** to spend the day sleeping, to sleep through the day; ⟨*fam*⟩ **e** *passa* and more, and then some, more than, over: *avrà quarant'anni e passa* he must be over (*o* more than) forty; ⟨*Scol*⟩ ~ *un* **esame** (*dare un esame*) to take an exam(ination); ~ *a un esame* (*superarlo*) to pass an exam(ination); **far** ~ (*far accomodare*) to show (*o* usher) in: *fa'* ~ *il signore in salotto* show the gentleman into the sitting-room; *mi farai* ~ *un guaio* you'll get me into trouble; ⟨*fam*⟩ *non gliene fanno* ~ *una* they don't let him get away with anything; ~ *di* **fianco** to pass alongside (*o* next to); ~ *a* **fil** *di spada* to put to the sword; ~ *di* **grado** to be promoted, to get a promotion; ~ *a* **guado** to ford; ⟨*Sport*⟩ ~ **indietro** to pass back, to make a back pass; ~ **inosservato** to go (*o* pass) unnoticed; *far* ~ *una* **legge** to have a law passed, to get a bill through; ~ *il* **limite** to overstep the limit, to go too far; ⟨*fam*⟩ *passarla* **liscia** to get away with it, to get off scotfree; ~ *di* **mano** *in mano* to pass from hand to hand, to hand around; ~ *di* **mente** to forget (*costr. pers.*), to slip one's mind: *mi è passato di mente* I forgot all about it, it quite slipped my mind; ~ *per la mente* to cross one's mind; *che cosa ti passa per la mente?* what can you be thinking of?; ~ *di* **moda** to go out of fashion, to become unfashionable (*o* passé); ~ *al* **nemico** to go over to the enemy; ~ *a seconde* **nozze** to remarry, to marry again; ~ *un fiume a* **nuoto** to swim across a river; ~ **oltre** to move on; ~ *agli* **ordini** *di qd.* to be transferred to s.o.'s command; ⟨*Gastr*⟩ ~ *in* **padella** to sauté, to fry lightly; ~ *la* **palla** to pass the ball; ~ *la* **parola** (*comunicare*) to pass word (on); *mi si passi la parola* if I may (be allowed to) use the word; ~ *da* **parte** *a parte* to pierce, to pass (*o* go) right through; ~ **per** (*essere considerato*) to pass for, to be considered as, to be supposed to be: *passa per un genio, ma non lo è* he's supposed to be a genius but he isn't; ~ *per stupido* to be thought a fool; *far* ~ *qd. per* to pass s.o. off as, to make s.o. out to be: *far* ~ *qd. per stupido* to make s.o. out to be stupid; *è passato il* **postino**? has the postman been (*o* called, come)?; ~ *a* **prendere** *qd.* to call for s.o.; ⟨*Mil*⟩ ~ *in* **rassegna** to (pass in) review; ⟨*fig*⟩ to review, to examine in detail, to go over; ⟨*burocr*⟩ ~ *di* **ruolo** to be put on the roll (of permanent staff); ~ *qc. sotto* **silenzio** to pass s.th. over in silence, to keep quiet about s.th.; ~ **sopra** *a qc.* (*tralasciarla*) to overlook (*o* dismiss, make light of) s.th., not to bother about s.th.; *passiamoci sopra* let's forget (*o* skip) it, never mind; ⟨*fig*⟩ *non entrerai se non passando sopra il mio corpo* you wont get in unless it's over my dead body; ~ *allo* **staccio** to pass through a sieve, to sift, to strain; ~ *alla* **storia** to go down in history; *con il* ~ *del* **tempo** with the passing of time; *per* ~ *il tempo* to while the time away; ⟨*Gastr*⟩ ~ *la carne nell'***uovo** to dip the meat in egg; ~ **via** to go on, to continue on one's way; (*togliersi di mezzo*) to get out of the way; *passa via!* go away!, ⟨*fam*⟩ scram!, ⟨*fam*⟩ beat it!; ~ *a* **vie** *di fatto* to come to blows; ⟨*fig*⟩ ~ *a miglior* **vita** (*morire*) to die, to pass away (*o* on); *me ne è passata la* **voglia** I don't feel like it any more; ~ *qc. ai* **voti** to put s.th. to the vote. || *passarsela* to get on (*o* along): *come te la passi?* how are you getting along?, how are things?; *passarsela male* to be badly off; ⟨*fam*⟩ *passarla a qd.* (*perdonargli*) to forgive s.o., to let s.o. off; *gli passerà!* he'll get over it!; *passo*: 1. ⟨*Tel*⟩ over: *passo e chiudo* over and out; 2. (*nei giochi di carte*) pass. – *Prov.*: *acqua passata non macina più* let bygones be bygones.

passạta *f.* **1.** pass(ing); (*strofinata*) (quick) rub, wiping, wipe-over. – **2.** ⟨*Gastr*⟩ (*passato*) purée, soup. – **3.** ⟨*Venat*⟩ (*passo*) passage. – **4.** ⟨*Equit*⟩ flying change of lead. – **5.** ⟨*Met*⟩ pass, cut, traverse. – **6.** ⟨*Edil*⟩ (*luce*) archway, span. – **7.** ⟨*non com*⟩ (*passaggio*) passing, passage; (*rif. a eserciti*) march(ing) through.

□ ~ *di* **collera** (out)burst of anger, fit of rage; **dare** *una* ~ *a qc. con qc.* to pass s.th. quickly over s.th.; ⟨*fam*⟩ *dare una* ~ *alla casa* to tidy up the house; *dare una* ~ *in padella alla carne* to sauté the meat, to fry the meat quickly (*o* lightly); **di** ~ incidentally, in passing; ~ *di* **febbre** touch of fever; *dare una* ~ *col* **ferro** *da stiro a qc.* to give s.th. a quick iron(-over); ⟨*Met*⟩ ~ *di* **finitura** finishing cut (*o* pass); *dare una* ~ *alla* **lezione** to run over (*o* through) the lesson, to review the lesson quickly; *dare una* ~ *a un* **libro** to ⌜glance through⌝ (*o* skim through, have a quick look at) a book; ⟨*Gastr*⟩ ~ *di* **patate** mashed potatoes: ~ *di* **pioggia** shower; ⟨*Met*⟩ ~ *di* **sgrossatura** roughing-out cut; *dare una* ~ *di* **vernice** *a qc.* to give s.th. a (quick) coat of paint.

passatẹlla *f.* (*gioco*) drinking game.

passatẹlli *m.pl.* ⟨*Gastr*⟩ (kind of) home-made noodles *pl.*

passatẹllo (*dim. di passato*) *a.* ⟨*scherz*⟩ (*rif. a persona non più giovane*) getting on (in years), elderly, passé.

passatẹmpo *m.* **1.** pastime, diversion, recreation. – **2.** ⟨*region*⟩ (*seme di zucca tostato*) roasted pumpkin-seed. – **3.** ⟨*Stor*⟩ (*cappuccio*) hood.

passatịni *m.pl.* → **passatelli.**

passatịsmo *m.* ⟨*non com*⟩ traditionalism. – **passatịsta** *m./f.* traditionalist. – **passatịstico** *a.* (*pl.* **-ci**) traditionalistic.

passạto (*p.p. di passare*) **I** *a.* **1.** past, last, ⟨*attr*⟩ bygone: *nei tempi -i* in past times, in bygone days; *nei giorni -i* in the last few days. – **2.** (*scorso*) last, past: *l'inverno* ~ *è stato molto mite* last winter was very mild; (*precedente*) previous, former. – **3.** (*non attuale*) old-fashioned, out-of-date, passé: *moda -a* out-of-date fashion. – **4.** (*guasto*) spoiled, ⟨*pred*⟩ bad, ⟨*pred*⟩ off. – **5.** ⟨*fam*⟩ (*sfiorito*) faded, passé. – **6.** ⟨*Gramm*⟩ past: *participio* ~ past participle. – **7.** ⟨*lett*⟩ (*morto*) dead, passed on (*o* away). – **II** *s.m.* **1.** past (time), bygone days *pl*, time gone by, former times *pl*: *dimenticare il* ~ to forget the past; *in* (*o nel*) ~ in the past; (*condotta precedente*) past: *una donna che ha un* ~ a woman with a past. – **2.** ⟨*Gastr*⟩ purée, soup: ~ *di legumi* vegetable purée; ~ *di piselli* pea-soup. – **3.** ⟨*Gramm*⟩ (*preterito*) preterite, past (tense); (*perfetto*) perfect (tense). – **4.** *pl.* ⟨*ant*⟩ (*antenati*) ancestors *pl*, forefathers *pl.*

□ *non si può* **annullare** *il* ~ what's done ⌜is done⌝ (*o* cannot be undone); **come** *per il* ~ as in the past, as formerly; ~ *di* **cottura** overcooked, overdone; *essere* ~ *di* **moda** to have gone out of fashion, to be old-fashioned; ~ *di* **patate** mashed potatoes, ⟨*fam*⟩ mash; *mettere una* **pietra** *sul* ~ to let bygones be bygones; ⟨*Gramm*⟩ ~ **prossimo** present perfect (tense); ⟨*Gramm*⟩ ~ **remoto** simple past (tense), past definite.

passatọia *f.* **1.** (*tappeto*) runner. – **2.** ⟨*Ferr*⟩ foot-crossing (between platforms).

passatọio *m.* stepping-stones *pl.*

passatọre *m.* ⟨*ant*⟩ **1.** (*traghettatore*) ferryman. – **2.** (*chi aiuta all'espatrio clandestino*) mountain guide who helps illegal emigrants.

passatrịce *f.* (*macchina*) strainer.

passatụra *f.* **1.** ⟨*Lav.femm*⟩ darn. – **2.** ⟨*Tess*⟩ reeding.

passatụtto *m.inv.* vegetable mill, purée-maker.

passavạnti *m.inv.* ⟨*Mar*⟩ gangway.

passa|vedụte *m.inv.* ⟨*Fot*⟩ (*per diapositive in telaio*) slide-changer; (*per strisce di pellicola*) strip loader. – **~vẹnto** *m.* ⟨*ant*⟩ (*passatempo*) hood. – **~verdụra, ~verdụre** *m.inv.* vegetable mill, purée-maker. – **~vịa** *m.inv.* ⟨*rar*⟩ (*cavalcavia*) railway bridge, viaduct, fly-over, ⟨*am*⟩ overpass.

Passạvia *N.pr.f.* ⟨*Geog*⟩ Passau.

passavogạre *v.i.* (**passavọgo, passavọghi**; *aus.* **avere**) ⟨*Mar*⟩ to stroke faster or harder.

passavolạnte *m.* ⟨*Mil.ant*⟩ long-range culverin; (*cannone di legno*) dummy gun.

passeggẹre *a./s.* ⟨*ant*⟩ → **passeggero.**

passeggẹro **I** *a.* **1.** passing, temporary, transitory: *un malessere* ~ a temporary indisposition; (*fugace*) fleeting, passing, short-lived, ephemeral: *gioie -e* fleeting pleasures. – **2.** ⟨*Mar,Aer*⟩ temporary. – **II** *s.m.* (*f.* **-a**) **1.** passenger: ⟨*Mar*⟩ ~ *di terza classe* third-class passenger. – **2.** ⟨*lett*⟩ (*passante*) passer-by; (*viandante*) wayfarer, traveller. – **3.** ⟨*ant*⟩ (*forestiero*) stranger. – **4.** ⟨*ant*⟩ (*traghettatore*) ferryman. □ ~ *clandestino* stowaway.

passeggiamẹnto *m.* ⟨*rar*⟩ pacing, walking (back and forth).
passeggiạre *v.* (**passẹggio, passẹggi**) **I** *v.i.* (*aus* **avere**) **1.** to (go for a) walk, to stroll, to ramble; (*su e giù*) to promenade, to stroll (*o* walk) up and down: ~ *per il lungomare* to stroll along the sea-front; (*con un veicolo*) to (take a) drive, to go for a ride; (*a cavallo*) to (go for a) ride. – **2.** (*andare in giro*) to go around, to wander about. – **3.** (*andare avanti e indietro*) to pace (back and forth), to walk ⌜up and down⌝ (*o* to and fro): *passeggiava nervosamente per la stanza* he paced nervously up and down the room. – **II** *v.t.* **1.** ⟨*ant, lett*⟩ (*percorrere passeggiando*) to walk through (*o* across). – **2.** ⟨*non com*⟩ (*far passeggiare*) to (take for a) walk: ~ *un cavallo* to walk a horse.
passeggiạta *f.* **1.** (*il passeggiare*) walk(ing). – **2.** (*percorso compiuto a piedi*) walk, stroll: *fare una* ~ to take (*o* go for) a walk; (*specie lungo il mare*) promenade; (*fatta con comodo*) stroll, saunter, ramble; (*con un veicolo*) drive; (*a cavallo o in bicicletta*) ride. – **3.** (*giretto*) short walk, stroll. – **4.** (*strada*) promenade, (public) walk: ~ *a mare* seaside promenade, ⟨*fam*⟩ prom. – **5.** ⟨*fig*⟩ (*cosa facile*) child's -play, walk-over: *è stata una* ~ it was child's-play. – **6.** ⟨*Mar*⟩ promenade deck. ☐ *è una* ~ (*un breve tratto*) it's (just) a short walk; ~ *militare*: 1. route march; 2. ⟨*fig*⟩ (*facile azione bellica*) walk-over, child's-play.
passeggiatọre *m.* (*f.* **-trice**/*pop.* **-tora**) ⟨*non com*⟩ walker, person walking. – **passeggiatrịce** *f.* **1.** walker. – **2.** ⟨*eufem*⟩ (*prostituta*) prostitute, street-walker.
passeggiẹre, passeggiẹro *a./s.* ⟨*ant*⟩ → **passeggero.**
passeggịno *m.* push-cart, push-chair, go-cart, ⟨*am*⟩ stroller.
passẹggio *m.* **1.** walk, stroll, promenade. – **2.** (*luogo di passeggio*) (public) walk, promenade. – **3.** (*gente che passeggia*) promenaders *pl*, people promenading. – **4.** ⟨*Equit*⟩ passage. ☐ *andare a* ~ to go (out) for a walk; *da* ~ walking-: *abito da* ~ walking-dress; *gelato da* ~ ice-cream cone (*o* on a stick); *scarpe da* ~ walking-shoes; *uniforme da* ~ walking-out dress; ⟨*Mar*⟩ shore kit.
passe-partout *fr.* [paspar'tu:] *m.* **1.** (*comunella*) master-key, pass-key, passe-partout, skeleton-key. – **2.** ⟨*fig*⟩ passe-partout, master-key, key to all doors. – **3.** (*sopraffondo*) passe-partout, mount.
pạssera[1] *f.* (*anche uva passera*) currant.
pạssera[2] *f.* **1.** ⟨*Ornit*⟩ sparrow. – **2.** ⟨*Itt*⟩ (*passera di mare*) flounder (*Pleuronectes flesus*). – **3.** ⟨*triv,tosc*⟩ (*vulva*) female pudenda, ⟨*triv*⟩ cunt.
☐ ~ **alpestre** = *passera* **lagia**; ~ **capannaia** (o *europea*) house -sparrow (*Passer domesticus*); ~ **gazzera** (*averla piccola*) red-backed shrike (*Lanius collurio*); ~ **lagia** rock sparrow (*Petronia petronia*); ⟨*Itt*⟩ ~ *di* **mare** flounder (*Pleuronectes flesus*); ~ **mattugia** tree -sparrow (*Passer montanus*); ~ **montanina** = *passera* **lagia**; ~ **nostrale** (o *oltremontana*) = *passera* **capannaia**; ~ **reale** = *passera* **capannaia**; ~ **sarda** Spanish sparrow (*Passer hispaniolensis*); ~ **scopaiola** hedge-sparrow (*Prunella modularis, Accentor modularis*); ~ *scopaiola asiatica* mountain accentor (*Prunella montanella*); ~ **solitaria** blue rock-thrush (*Monticola solitarius*).
passerạcei *m.pl.* ⟨*Ornit*⟩ passerines *pl* (*Passeres*).
passerạio *m.* **1.** chirping, cheeping, twittering. – **2.** ⟨*fig*⟩ (*cicaleccio*) chattering, prattle, ⟨*fam*⟩ jabber.
pạssere *m.* ⟨*ant*⟩ → **passero.**
passerẹlla *f.* **1.** foot-bridge. – **2.** ⟨*Mar*⟩ (*di servizio*) catwalk; (*di accesso alla nave*) gangway, gangplank. – **3.** ⟨*Ferr*⟩ foot-bridge. – **4.** ⟨*Teat*⟩ runway, gallery. – **5.** ⟨*Mod*⟩ (*nelle sfilate*) runway. ☐ ⟨*Teat*⟩ *terminato lo spettacolo gli attori hanno fatto la* ~ the company finished the show with a walkdown; ⟨*Mar*⟩ ~ *di sbarco* gangway; ⟨*Teat*⟩ ~ *sospesa* fly gallery.
passerifọrmi *m.pl.* ⟨*Ornit*⟩ passerines *pl* (*Passeriformes*).
passerịna[1] *f. dim. di* **passera**[1].
passerịna[2] (*dim. di passera*[2]) *f.* **1.** (*giovane passera*) young sparrow. – **2.** ⟨*tosc*⟩ (*panino*) (kind of) roll.
passerịno[1] *a.* (*del passero*) passerine: *piede* ~ passerine foot.
passerịno[2] *m.* ⟨*Mar*⟩ light rope; (*guardacorpo*) life-line.
passerịo *m.* ⟨*non com*⟩ → **passeraio.**
pạssero *m.* ⟨*Ornit*⟩ Italian sparrow (*Passer italiae*).
☐ ~ **campagnolo** (o *mattugio*) tree-sparrow (*Passer montanus*); ~ **domestico** (o *oltremontano*) house-sparrow (*Passer domesticus*); ~ **repubblicano** sociable weaverbird (*Philetairus socius*); ~ **solitario** blue rock-thrush (*Monticola solitarius*); ~ **turco** (*zigolo della neve*) snow bunting, snowflake (*Phlectophenax nivalis*).
passerọtto (*dim. di passero*) *m.* **1.** fledgeling (*o* baby) sparrow. – **2.** ⟨*fig*⟩ (*sproposito*) blunder, (gross) mistake, ⟨*fam*⟩ howler: *fare* (*o prendere*) *un* ~ to make a blunder; (*errore di stampa*) misprint, ⟨*fam*⟩ typo. – **3.** ⟨*fig*⟩ (*indovinello*) riddle. – **4.** ⟨*vezz*⟩ (*bambino*) lamb(kin), ducky.
passettịno *m. dim. di* **passetto**[1].
passẹtto[1] (*dim. di passo*[1]) *m.* **1.** short step. – **2.** ⟨*Stor*⟩ (*unità di misura*) pace. – **3.** ⟨*region*⟩ (*metro pieghevole*) folding rule.
passẹtto[2] (*dim. di passo*[2]) *m.* **1.** (*stretto passaggio*) narrow passage. – **2.** ⟨*Venat*⟩ path (leading into a snare). – **3.** ⟨*Legat*⟩ hasp. – **4.** ⟨*roman*⟩ (*passaggio coperto*) covered passageway.
pạssi *m.* ⟨*burocr*⟩ pass.
passịbile *a.* **1.** liable (*di* to): ~ *di pena* liable to punishment, punishable. – **2.** (*suscettibile*) liable, subject (to), susceptible (of): *il prezzo è* ~ *di aumento* the price is subject to increase, the price may go up. – **3.** ⟨*ant*⟩ (*atto a soffrire*) capable of suffering, ready to suffer, ⟨*lett*⟩ passible. – **passibilità** *f.* ⟨*ant*⟩ readiness to suffer, ⟨*lett*⟩ passibility.

passiflọra *f.* ⟨*Bot*⟩ passion-flower (*Passiflora*; *Passiflora coerulea*). – **passiflorạcee** *f.pl.* passion-flower family (*Passifloraceae*).
pạssim *lat. avv.* (*in luoghi diversi*) passim, throughout.
passinạta *f.* ⟨*Edil*⟩ joists and beams *pl.*
passịno[1] *m.* strainer.
passịno[2] *dim. di* **passo**[1].
pạssio *lat. f.* ⟨*Rel*⟩ Passion.
passionạccia *f.* (*pl.* **-ce**) *pegg. di* **passione.**
passionạle[1] *a.* **1.** passional, of passion, of the passions: *delitto* ~ crime of passion. – **2.** (*appassionato*) passionate, impassioned: *amore* ~ passionate love.
passionạle[2] *m.* ⟨*non com*⟩ → **passionario**[2].
passionalità *f.* passionateness, passion.
passionạre *v.t.* (used only in the infinitive, past participle and compound tenses) ⟨*ant*⟩ **1.** (*sottoporre a martirio*) to martyr, to torture, to make suffer. – **2.** ⟨*fig*⟩ (*tormentare*) to torment, to torture.
passionạrio[1] ⟨*non com*⟩ **I** *a.* passionate, easily roused. – **II** *s.m.* (*f.* **-a**) passionate person.
passionạrio[2] *m.* ⟨*Lit*⟩ passional, passionary.
passionạto (*p.p. di passionare*) *a.* **1.** ⟨*non com*⟩ passionate, ⌜moved by⌝ (*o* under the influence of) passion. – **2.** ⟨*non com*⟩ (*non obiettivo*) prejudiced, biased, partial. – **3.** ⟨*ant*⟩ (*tormentato*) suffering, tormented.
passioncẹlla, passioncịna *f. dim. di* **passione.**
passiọne *f.* **1.** passion, emotion: *frenare le proprie -i* to control one's passions; *essere schiavo delle -i* to be a slave of passion; (*moto amoroso*) passion. – **2.** ⟨*estens*⟩ (*forte inclinazione*) passion, great love, enthusiasm, zeal; (*cosa preferita*) (ruling) passion, love: *i libri sono la mia* ~ books are my passion, I love (*o* am very fond of) books. – **3.** (*persona amata*) passion, love. – **4.** (*parzialità*) bias, partiality. – **5.** (*sofferenza spirituale*) (spiritual) suffering, distress; (*tormento*) torment, anguish. – **6.** ⟨*Mus,Lit*⟩ Passion. – **7.** ⟨*ant*⟩ (*sofferenza fisica*) (physical) suffering. – **8.** ⟨*ant*⟩ (*martirio*) martyrdom, passion.
☐ ~ **amorosa** passion (of love); **avere** ~ *per qc.* to have a passion for s.th., to love (*o* be passionately fond of) s.th., ⟨*fam*⟩ to adore s.th.; *avere una* ~ *per qd.* to be filled with passion for s.o., to love s.o. passionately; **con** ~ with passion, passionately; (*con trasporto*) passionately, with fervour, enthusiastically; ⟨*Lit*⟩ **domenica** *di* ~ Passion Sunday; *avere la* ~ *del* **gioco** to have a passion for gambling; ⟨*Mus*⟩ ~ *secondo* **Matteo** St. Matthew Passion; *far* **morire** *qd. di* ~ to break s.o.'s heart; **prendere** ~ *per qc.* to become passionately fond of s.th., to develop a great liking for s.th.; *ha preso* ~ *per lo sport* sport has become a passion wth him; ⟨*Lit*⟩ **settimana** *di* ~ Passiontide. Passion Week; **tempo** *di* ~ Passiontide.
passionịsta *m.* ⟨*Rel*⟩ Passionist.
passịre *v.i.* (**passịsco, passịsci**; *aus.* **essere**) ⟨*ant*⟩ (*appassire*) to fade, to wither.
Passịria: ⟨*Geog*⟩ *val* ~ Passer Valley.
passịsta *m.* ⟨*Sport*⟩ long-distance racing cyclist.
passịto *m.* ⟨*Enol*⟩ (*vino passito*) raisin wine.
passivamẹnte *avv.* passively.
passivạnte (*p.pr. di passivare*) *a.* ⟨*Gramm,Chim*⟩ passivating. – **passivạre** *v.t.* ⟨*Chim*⟩ to passivate. – **passivaziọne** *f.* ⟨*Chim*⟩ passivation: ~ *elettrochimica* electro-chemical passivation.
passivịsmo *m.* passivism, practice of passive resistance.
passività *f.* **1.** passivity, passiveness; (*inattività*) passiveness, inactivity; (*non partecipazione*) passivity, inertia. – **2.** ⟨*Econ*⟩ loss, indebtedness: *chiudere in* ~ to close at a loss, ⟨*fam*⟩ to close in the red. – **3.** *pl.* ⟨*Comm*⟩ (*debiti*) debts *pl*, liabilities *pl.* – **4.** ⟨*Filos, Chim*⟩ passivity.
passịvo **I** *a.* **1.** passive: *resistenza -a* passive resistance. – **2.** (*inattivo*) passive, inactive, latent; (*inerte*) inert, quiescent. – **3.** ⟨*Gramm*⟩ passive: *verbo* ~ passive verb. – **4.** ⟨*Econ*⟩ debit-, loss-: *bilancio* ~ debit balance; (*rif. a ditte e sim.*) passive, running at a loss, ⟨*fam*⟩ in the red. – **5.** ⟨*Filos*⟩ inert, quiescent, latent. – **6.** ⟨*Chim*⟩ passive, inert, inactive. – **II** *s.m.* **1.** ⟨*Gramm*⟩ passive (voice). – **2.** ⟨*Econ*⟩ loss, debit; (*complesso dei debiti*) debts *pl*, liabilities *pl*, indebtedness; (*sezione del bilancio*) debit side, left side (of the ledger): *registrare al* ~ to enter on the debit side.
pạsso[1] *m.* **1.** step, pace, stride: *camminare a -i veloci* to walk with quick steps, to step along briskly; *gli alberi sono stati piantati a venti -i l'uno dall'altro* the trees were planted twenty paces apart. – **2.** (*orma*) footstep, footprint, footmark; (*rif. ad animali*) track; (*rumore di un passo*) (foot)step, footfall. – **3.** (*andatura*: *rif. alla velocità*) pace, rate: *tenere un buon* ~ to go at a good (*o* brisk) pace; (*modo di camminare*) walk, gait, way of walking. – **4.** ⟨*fig*⟩ (*modo*) rate, way: *di questo* ~ at this rate. – **5.** ⟨*fig*⟩ (*brano*) passage, extract. – **6.** ⟨*fig*⟩ (*progresso*) progress, step (forward), stride: *gli antibiotici hanno segnato un grande* ~ *nella medicina* antibiotics marked a great step forward in medicine. – **7.** ⟨*fig*⟩ (*azione*) step, move, act(ion): *un* ~ *pericoloso* a dangerous move. – **8.** (*passo di danza*) (dance) step. – **9.** ⟨*Mil,esclam*⟩ command used to mark the marching rhythm. – **10.** ⟨*Sport*⟩ step. – **11.** ⟨*Cin*⟩ gauge, pitch. – **12.** ⟨*tecn*⟩ pitch. – **13.** ⟨*Mar*⟩ distance between the ribs of the hull. – **14.** ⟨*Stor*⟩ (*unità di misura*) pace.
☐ ⟨*Strad*⟩ *veicoli* **al** ~ (drive) dead slow; *andare al* ~ to march (in step); *mettere il cavallo al* ~ to (put the horse into a) lope; **allungare** *il* ~ to lengthen one's stride, to hurry, to step out; ⟨*Sport*⟩ ~ **alternato** alternating step; ⟨*Mecc*⟩ ~ **assiale** axial (*o* divided) pitch; ⟨*Sport*⟩ ~ **avanti** (*nella scherma*) lunge; ⟨*El*⟩ ~ **d'av-**

volgimento winding pitch; ⟨*Mil*⟩ ~ *di* **carica** double (time): *a ~ di carica* on the double; ⟨*Strad*⟩ ~ **carrabile** passageway for vehicles, ⟨*am*⟩ driveway; ~ *del* **cavallo** lope; ⟨*Mecc*⟩ ~ *di* **chiodatura** rivet pitch; ⟨*Mecc*⟩ ~ *di* **dentatura** pitch of teeth; ~ **diplomatico** diplomatic move, démarche; ~ **doppio** two-step; (*ballo*) paso doble; ~ *a* **due** pas-de-deux, duet; *a due -i* (*da qui*) a ⌜short way⌝ (*o* few steps) from here, within a stone's throw; *fare due -i* to take a (short) walk; ⟨*Aer*⟩ ~ *dell'***elica** propeller pitch; ⟨*fig*⟩ *il* ~ **estremo** death; ~ **falso** false step; ⟨*fig*⟩ false step, bad move; *fare un ~ falso* to stumble, to trip, to make a false step; ⟨*fig*⟩ to make a bad move, to make a false step; ~ *di* **filettatura** = *passo di* **vite**; ⟨*Sport*⟩ ~ **finlandese** Finnish step; ⟨*Cin*⟩ ~ *di* **fotogramma** frame gauge; ⟨*fig*⟩ *far -i da* **gigante** to make great strides, to go ahead by leaps and bounds; ⟨*fig*⟩ *fare il* **gran** ~ to take the plunge; (*sposarsi*) to get married; *a* **grandi** *-i* with very long strides; ⟨*fig*⟩ quickly, rapidly, by leaps and bounds; **guidare** *i -i di qd.* to guide s.o.'s steps, to help s.o. walk; ⟨*fig*⟩ to guide (*o* help, lead) s.o.; ⟨*Sport*⟩ ~ **incrociato** (*nel pattinaggio*) crossing-over step; ⟨*Sport*⟩ ~ **indietro** (*nella scherma*) withdrawing, step back; ~ **leggero** light step; ⟨*Sport*⟩ ~ *a* **lisca** *di pesce* herring-bone; ⟨*Mecc*⟩ ~ **longitudinale** longitudinal pitch; ⟨*fig*⟩ *camminare a -i di* **lumaca** to go at a snail's pace, to walk slowly, to crawl; **mantenere** *il* ~ to keep up the pace; ~ *di* **marcia** march step; ⟨*fam*⟩ *far tre -i su un* **mattone** (*camminare a piccoli passi*) to take small steps; ⟨*fig*⟩ **muovere** *un* ~ to (make a) move, to take a step, to lift a finger; *muovere i primi -i* to take one's first steps, to begin walking; ⟨*fig*⟩ to begin, to (make a) start; ⟨*fig*⟩ *senza muovere un* ~ without lifting a finger; ~ **normale**: 1. ⟨*Mecc*⟩ standard (*o* normal) pitch; 2. ⟨*Cin*⟩ standard gauge; ⟨*mil*⟩ ~ *dell'***oca** goose-step; ⟨*fig*⟩ *ad* **ogni** ~ every few feet, at every corner, continually; ⟨*fig*⟩ *fermarsi ad ogni* ~ to stop ⌜at every step⌝ (*o* every few feet); ~ *di* **parata** parade-step; ⟨*fig*⟩ *di* **pari** ~ at the same rate; ⟨*fig*⟩ *andare di pari ~ con qd.* to keep up (*o* pace) with s.o.; (*a*) ~ (*a*) **passo** step by step, one step at a time, little by little; (*lentamente*) slowly, an inch at a time; ⟨*Sport*⟩ ~ **pattinato** (o *di pattinaggio*) skating step; **perdere** *il* ~ to break (*o* get out of) step; ⟨*Cin*⟩ ~ *di* **perforazione** perforation gauge; ~ **pesante** heavy tread; ⟨*El*⟩ ~ **polare** pole pitch; ⟨*fig*⟩ *fare il* **primo** ~ to take the first step, to begin, to make the first move; *fare* **quattro** *-i* = *fare* **due** *passi*; **raddoppiare** *il* ~ (o *i passi*) to double one's pace, to speed up; ⟨*Cin*⟩ ~ **ridotto** reduced gauge; *pellicola a ~ ridotto* sub-standard (*o* 16 mm.) film; ⟨*Ferr*⟩ ~ **rigido** rigid wheelbase; ⟨*Ginn*⟩ ~ **ritmico** rhythmical step; ⟨*Fasc*⟩ ~ **romano** (Fascist) goose-step; ~ *delle* **ruote** wheelbase; ⟨*Sport*⟩ ~ *a* **scala** (o *scalinata*) side-stepping; ⟨*Sport*⟩ ~ **scivolato** gliding step; **segnare** *il* ~ to mark time (*anche fig.*); ⟨*fig*⟩ **seguire** *i -i di qd.* to follow in s.o.'s footsteps; ⟨*Mil*⟩ ~ *di* **strada**! break step!; ⟨*fig*⟩ **tornare** *un ~ indietro* to go back to what one was saying, to take up from an earlier point; *tornare sui propri -i* to retrace one's steps; ⟨*fig*⟩ to review (*o* go back over) what one has done; (*ricominciare*) to begin again from ⌜the beginning⌝ (*o* scratch); ⟨*Sport*⟩ ~ **triplo** three-step; ~ **ufficiale** official step (*o* move); *a ~ d'uomo* at a walking pace, slowly; (*rif. a veicoli*) slowly; ~ *di* **valzer** waltz-step; ~ *di un* **veicolo** wheelbase; *e* **via** *di questo* ~ and so on (and so forth); ⟨*Mecc*⟩ ~ *di* **vite** thread (of a screw); ⟨*Sport*⟩ ~ *a* **volo** *d'aquila* spread-eagle spring (*o* step). – *Prov.*: *bisogna fare il ~ secondo la gamba* one mustn't bite off more than one can chew; *il peggior ~ è quello dell'uscio* the first step is the hardest.

pạsso[2] *m.* **1.** passing, passage, ⟨*lett*⟩ way. – **2.** (*via*) way, road, route: *sbarrare il ~ a qd.* to bar s.o.'s way. – **3.** (*luogo di passaggio*) passage(way), thoroughfare. – **4.** ⟨*fig*⟩ (*situazione difficile*) difficult situation, hard task. – **5.** ⟨*Ornit*⟩ passage. – **6.** ⟨*Itt*⟩ migration. – **7.** ⟨*Geog*⟩ pass. – **8.** ⟨*Mar*⟩ strait, pass, channel. – **9.** ⟨*lett*⟩ (*morte*) death, passing, passing on (*o* away).

□ **aprirsi** *il ~ tra la gente* to make (*o* push) one's way through the crowd; ⟨*Mediev*⟩ ~ *d'***arme** passage of arms; ⟨*Geog*⟩ ~ *di* **Calais** Straits *pl* of Dover; **cedere** *il ~ a qd.* to let s.o. go ahead (*o* in front) of one, to give way to s.o.; **diritto** *di* ~ right of way; **essere** *di* ~ (*di passaggio*) to be passing through; ~ *di* **montagna** mountain pass; ⟨*Tess*⟩ ~ *d'***ordito** shed; **uccelli** *di* ~ birds of passage, migratory birds.

pạsso[3] *a.* (*secco*) dried. □ *uva -a* raisins *pl.*

passolạto *m.* ⟨*Enol*⟩ white dessert wine (from Sicily).

passonạta *f.* ⟨*Edil*⟩ (wooden) foundation piling. – **passonatụra** *f.* ⟨*Strad,Edil*⟩ consolidation by means of wooden piles. – **passọne** *m.* **1.** ⟨*Strad,Edil*⟩ (wooden) pile. – **2.** ⟨*ant*⟩ (*grosso palo*) post, stake, pole.

pạsta *f.* **1.** (*impasto di farina*) dough, paste: *fare la ~* to make dough. – **2.** ⟨*Alim*⟩ spaghetti, macaroni, pasta; (*pasta all'uovo*) noodles *pl.* – **3.** ⟨*Dolc*⟩ pastry. – **4.** (*pasticcino*) cake, pastry. – **5.** ⟨*fig*⟩ (*natura*) stuff, nature, temper(ament), paste: *è fatto d'altra ~* he's made of different stuff. – **6.** (*polpa di frutti*) flesh, pulp. – **7.** (*impasto*) mixture, blend, paste. – **8.** ⟨*Farm*⟩ paste. – **9.** ⟨*Cart*⟩ pulp, stuff.

□ ~ **abrasiva** polishing paste; ~ *d'***acciughe** anchovy paste; ~ **asciutta** → **pastasciutta**; ~ *in* **bianco** pasta seasoned with oil or butter (without sauce); ~ *da* **brodo** pasta for soup; ⟨*Edil*⟩ ~ *di* **cemento** mix, mixture; ~ **dentifricia** toothpaste, dentifrice; ⟨*Conc*⟩ ~ *per* **depilazione** depilatory; ⟨*Tip*⟩ ~ **essiccante** drier; ~ *e* **fagioli** bean and pasta soup; ⟨*Geol*⟩ ~ **fondamentale** groundmass; **formaggio** *a ~ dura* hard cheese; *formaggio a ~ molle* soft cheese; ~ **frolla**: 1. ⟨*Dolc*⟩ short pastry; 2. ⟨*fig*⟩ spineless (*o* weak) person; ⟨*Alim*⟩ ~ **glutinata** gluten pasta; ⟨*fig*⟩ *uomo di* ~ **grossa** (*rozzo*) rough fellow; (*credulone*) gullible person, ⟨*fam*⟩ sucker; **lavorare** *la* ~ to knead dough; ⟨*Cart*⟩ ~ *di* **legno** wood pulp; ~ **lievitata** leavened dough; ⟨*fig*⟩ *avere le* **mani** *in* ~ to have a finger in the pie, to be mixed up in s.th.; ⟨*fig*⟩ *mettere le mani in* ~ to get mixed up in s.th.; ⟨*pegg*⟩ to meddle in other people's affairs; ~ *da* **minestra** = *pasta da* **brodo**; ⟨*Cart*⟩ ~ *di* **paglia** straw pulp (*o* stuff); ⟨*Dolc*⟩ ~ **reale**: 1. (*pasta di mandorla*) marzipan; 2. (*pan di Spagna*) angel (*o* sponge) cake; 3. (*pallottoline che si mettono nel brodo*) soup nuts; ~ *per* **saldare** soldering paste; ⟨*Ind*⟩ ~ *di* **saponificazione** soapstock; ⟨*Dolc*⟩ ~ **sfoglia** puff pastry; **spianare** *la* ~ to roll dough; *siamo tutti della* **stessa** ~ we are all of the same stuff; ⟨*Cart*⟩ ~ *di* **stracci** rag pulp; ~ *al* **sugo** pasta with (tomato) sauce; *una ~ d'uomo* a good-natured man; ~ **verde** green pasta.

pastạio *m.* (*f.* **-a**) **1.** (*fabbricante*) maker of pasta. – **2.** (*operaio*) worker in a pasta factory; (*impastatore*) kneader. – **3.** (*venditore*) seller of pasta.

pastasciụtta *f.* (*pl. tosc.* **pastasciụtte**) pasta. – **pastasciuttạio** *m.* (*f.* **-a**) ⟨*fam*⟩ great eater of pasta.

pastạzzo *m.* ⟨*Zootecn*⟩ mash (of squeezed citrus fruit).

pastẹca *f.* ⟨*region*⟩ (*cocomero*) water-melon.

pastẹcca *f.* ⟨*Mar*⟩ snatch-block.

pasteggiạbile *a.* ⟨*Enol*⟩ table-.

pasteggiạre *v.i.* (**pastẹggio, pastẹggi**; *aus.* **avere**) ⟨*non com*⟩ **1.** (*consumare abitualmente un determinato cibo*) to dine (*a* on), to live on: *~ a polli* to live on chicken. – **2.** (*prendere una determinata bevanda mangiando*) to drink s.th. with one's meals: *~ a latte* to drink milk with a meal. – **3.** (*mangiare assaporando*) to savour (food). □ *vino da ~* table-wine.

pastẹlla *f.* ⟨*Gastr*⟩ batter.

pastellịsta *m./f.* pastellist.

pastẹllo **I** *s.m.* **1.** (*matita*) pastel (crayon): *una scatola di -i* a box of pastels; (*colore*) pastel. – **2.** (*dipinto*) pastel (drawing). – **3.** ⟨*ant*⟩ (*pezzo di pasta*) paste. – **II** *a.inv.* pastel: *rosa ~* pastel pink. □ *a ~* pastel, in pastel; (*con i pastelli*) pastel, with pastels.

pastẹtta (*dim. di pasta*) *f.* **1.** → **pastella**. – **2.** ⟨*fam*⟩ (*imbroglio*) fraud, trick, scheming.

pasteurizzạre [paste-, pastø-] *v.* → **pastorizzare**. – **pasteurizzatọre** *m.* ⟨*rar*⟩ → **pastorizzatore**. – **pasteurizzaziọne** *f.* → **pastorizzazione**.

pastịcca *f.* **1.** tablet, lozenge, pastille. – **2.** ⟨*Farm*⟩ lozenge, pastille, pill: *pasticche per la tosse* cough lozenges (*o* drops). – **3.** ⟨*Mod*⟩ polka dot.

pasticcẹre *m.* ⟨*non com*⟩ → **pasticciere**.

pasticcerịa *f.* **1.** pastry-making, confectionery. – **2.** (*negozio*) confectioner's (shop), pastry-shop, cake-shop. – **3.** (*pasticcini*) fancy (*o* tea) cakes *pl*, pastries *pl*, confectionery: *~ da tè* teacakes.

pasticcẹtto *m. dim. di* **pasticcio**. – **pasticciạccio** *m. pegg. di* **pasticcio**.

pasticciạno *m.* → **pastricciano**.

pasticciạre *v.* (**pastịccio, pastịcci**) **I** *v.t.* **1.** (*eseguire male*) to bungle, to botch, to make a mess (*o* hash) of, to mess up. – **2.** (*sporcare*) to (get) dirty, to mess up, to smudge: *~ il quaderno* to mess up one's exercise-book; (*con inchiostro*) to get ink all over, to blot. – **II** *v.i.* (*aus.* **avere**) to make a mess.

pasticciạta *f.* ⟨*Gastr*⟩ marinated beef stewed in wine.

pasticciẹre *m.* (*f.* **-a**) **1.** (*chi fa paste dolci*) pastry-cook, confectioner. – **2.** (*chi vende paste dolci*) confectioner. – **pasticcịno** (*dim. di pasticcio*) *m.* ⟨*Dolc*⟩ (fancy) cake, pastry: *-i da tè* teacakes.

pastịccio *m.* (*pl.* **-ci**) **1.** ⟨*Gastr*⟩ pie, past(r)y: *~ di fegato* liver pie; *~ di cacciagione* game pie. – **2.** ⟨*fig*⟩ (*lavoro mal fatto*) clumsy (*o* slapdash) piece of work, botch, bungle, mess. – **3.** ⟨*fig*⟩ (*situazione imbrogliata*) tricky (*o* awkward) situation, mess, ⟨*fam*⟩ fix, ⟨*fam*⟩ tight spot, ⟨*fam*⟩ scrape. – **4.** ⟨*fig*⟩ (*miscuglio*) muddle, jumble, hotchpotch, mess. – **5.** ⟨*Mus*⟩ pasticcio, pastiche. – **6.** ⟨*Dolc,non com*⟩ cake, pastry.

□ ⟨*fig*⟩ **cacciarsi** *nei pasticci* to get into trouble (*o* scrapes); **che** *~!* what a mess (*o* fix)!; **essere** *nei pasticci* to be in a fix (*o* tight spot); ~ *di* **fegato** *d'oca* pâté de foie gras; ~ *di* **lepre** hare pie; ~ *di* **maccheroni** macaroni pie; **mettersi** *nei pasticci* = **cacciarsi** *nei pasticci*; **togliere** (o *tirar fuori*) *qd. dai pasticci* to help s.o. out of a tight spot.

pasticciọne *m.* (*f.* **-a**) **1.** (*arruffone*) bungler, muddler, muddle-head. – **2.** (*imbroglione*) swindler, cheat.

pastiẹra *f.* ⟨*Dolc*⟩ Easter cake.

pastiẹre *m.* ⟨*Mar.ant*⟩ (*galloccia*) (belaying) cleat.

pastificạre *v.* (**pastịfico, pastịfichi**) **I** *v.i.* (*aus.* **avere**) to make pasta. – **II** *v.t.* to produce pasta from. – **pastificatọre** *m.* (*f.* **-trice**) maker of pasta. – **pastificaziọne** *f.* making of pasta.

pastifịcio *m.* pasta factory.

pastịglia *f.* **1.** ⟨*Farm*⟩ pastille, tablet, lozenge. – **2.** ⟨*Arred*⟩ (*pasta per decorazioni*) plaster. – **3.** ⟨*Stor*⟩ pastille. – **pastigliạre** *v.t.* (**pastịglio, pastịgli**) ⟨*Farm*⟩ to make lozenges (*o* pastilles) from, to make into pastilles.

pastịna (*dim. di pasta*) *f.* **1.** (small) pasta: *~ in brodo* soup with pasta. – **2.** ⟨*Dolc*⟩ cake, (small) pastry.

pastinạca *f.* **1.** ⟨*Itt*⟩ sting-ray (*Dasyatis pastinaca, Trygon vulgaris*). – **2.** ⟨*Bot*⟩ parsnip (*Pastinaca sativa*). □ ⟨*scherz*⟩ *essere come il pesce ~* to make no sense, to be nonsensical (*o* rambling); ⟨*Bot*⟩ *~ spinosa* (*o marina*) sea parsnip (*Echinophora spinosa*).

pastinạre *v.t.* (**pạstino**) ⟨*ant*⟩ (*dissodare*) to break up. – **pastinạto**

m. ⟨*Mediev*⟩ contract to develop land with option of possession. – **pạstino** *m.* ⟨*ant*⟩ (*dissodamento*) breaking up of ground.

pạsto[1] *m.* **1.** eating; (*a un'ora determinata*) meal; *fare due -i al giorno* to have two meals a day; (*rif. ad animali*) feeding, eating. – **2.** (*cibo*) meal, food: *un* ~ *sostanzioso* a hearty meal; (*rif. ad animali*) feed, fodder. – **3.** ⟨*Macell,tosc*⟩ (*polmone*) lung.

□ **a** ~ at meal-time, during meals; **buon** ~ ! have a good dinner, enjoy your meal; **consumare** *un* ~ to eat (*o* have) a meal; **da** ~ table-: *vino da* ~ table-wine; **dare** *qc. in* ~ *a qd.* to give s.o. s.th. to eat, to feed s.o. (on) s.th.; ⟨*fig*⟩ to regale s.o. with s.th., to reveal s.th. to s.o; *dare in* ~ *al pubblico* to feed people's curiosity; *essere dato in* ~ *alle belve* to be thrown to wild beasts; **fare** *un* ~ = **consumare** *un pasto*; **fuori** *dei -i* between meals; ⟨*ant*⟩ *essere di* **gran** ~ to eat a lot, to have a hearty appetite; ~ **leggero** light meal; **lontano** *dai -i* between meals; ⟨*non com*⟩ *essere di* **molto** ~ to eat a lot, to be a great (*o* hearty) eater; *essere di* **poco** ~ to be a light eater; ~ *a* **prezzo** *fisso* fixed-price (*o* table-d'hôte) meal; ~ **principale** main meal; ⟨*Med*⟩ ~ *di* **prova** test meal; ⟨*Med*⟩ ~ **radiologico** (*o di Rieder*) barium meal; **saltare** *un* ~ to skip a meal; **stare** *ai -i* to eat only at meals; ⟨*non com*⟩ *a* **tutto** ~ continually, always.

pạsto[2] *p.p.ant. di* **pascere**.

pastọcchia *f.* fraud, deceit, (idle) talk, yarn, ⟨*fam*⟩ tall story.

pastọia *f.* **1.** hobble, fetters *pl.* – **2.** ⟨*fig*⟩ shackles *pl*, fetters *pl*, trammels *pl*, curb, check: *liberarsi dalle -e dei pregiudizi* to free o.s. from the shackles of prejudice. – **3.** ⟨*Veter*⟩ (*pastorale*) pastern.

pastọne (*accr. di pasta*) *m.* **1.** mash; (*per cavalli*) (bran-)mash. – **2.** ⟨*estens*⟩ (*vivanda troppo cotta*) mush, soggy mess. – **3.** ⟨*fig*⟩ hotchpotch, muddle, jumble, mixture. – **4.** (*massa di pasta*) dough. – **5.** ⟨*Zootecn*⟩ → **pastazzo**. – **6.** ⟨*Giorn*⟩ foreign political survey, review of the foreign press.

pastọra[1] *f.* ⟨*ant*⟩ (*pastoia*) pastern.

pastọra[2] *f.* shepherdess.

pastorạle[1] *a.* **1.** (*di pastore*) pastoral, shepherd's, shepherds'. – **2.** (*rif. alla pastorizia*) stock-; (*rif. a pecore*) sheep-, of sheep-rearing. – **3.** ⟨*Rel*⟩ pastoral: *teologia* ~ pastoral theology. – **4.** ⟨*Lett*⟩ pastoral, bucolic: *poesia* ~ pastoral poetry. □ ⟨*Mus*⟩ *Sinfonia* ~ Pastoral Symphony.

pastorạle[2] *f.* **1.** ⟨*Mus*⟩ pastorale, pastoral; (*sinfonia pastorale*) pastoral symphony. – **2.** ⟨*Rel*⟩ (*anche lettera pastorale*) pastoral (letter).

pastorạle[3] *m.* ⟨*Rel*⟩ (*anche bastone pastorale*) pastoral (staff), crosier.

pastorạle[4] *m.* ⟨*Zool*⟩ pastern (bone).

pastọre *m.* **1.** (*f.* **-a**) (*pecoraio*) shepherd (*f* -ess); (*bovaro*) herdsman. – **2.** ⟨*fig*⟩ (*guida*) guide, leader. – **3.** ⟨*fig*⟩ (*sacerdote*) pastor, shepherd: ~ *di anime* pastor (*o* shepherd) of souls. – **4.** ⟨*Rel.ev*⟩ pastor, minister, clergyman; (*nella chiesa anglicana*) clergyman. – **5.** (*cane pastore*) sheepdog, shepherd dog. – **6.** ⟨*Lett*⟩ (*membro dell'Arcadia*) member of the Arcadia (Academy).

□ ⟨*Zool*⟩ ~ **alsaziano** = *pastore* **tedesco**; il **Buon** ~ (*Cristo*) the Good Shepherd; ⟨*Zool*⟩ ~ **scozzese** collie; *il* **supremo** ~ (*il papa*) the Pope, the Holy Father; ⟨*Zool*⟩ ~ **tedesco** German shepherd (dog), Alsatian.

pastorẹccio *a.* ⟨*ant*⟩ → **pastorale**[1].

pastorẹlla (*dim. di pastora*[2]) *f.* **1.** shepherd lass (*o* girl), young shepherdess. – **2.** ⟨*Lett*⟩ (*poetessa dell'Arcadia*) Arcadian poetess. – **3.** ⟨*Mus*⟩ pastoral; (*canzone di Natale*) (Christmas) carol. – **4.** ⟨*Lett*⟩ (*componimento*) pastoral. – **5.** ⟨*Mod*⟩ (woman's) broad-brimmed straw hat.

pastorellerịa *f.* ⟨*Lett*⟩ **1.** pastoral work. – **2.** *pl.* ⟨*spreg*⟩ affected Arcadian poetry.

pastorẹllo (*dim. di pastore*) *m.* **1.** shepherd boy, ⟨*lett*⟩ (shepherd) swain. – **2.** ⟨*Lett*⟩ (*poeta dell'Arcadia*) Arcadian poet.

pastorịzia *f.* stock-rearing; (*rif. a ovini*) sheep-rearing, sheep-raising, sheep-farming. – **pastorịzio** *a.* sheep-rearing, of (*o* from) sheep -rearing, of (*o* from) sheep.

pastorizzạre *v.t.* to pasteurize. – **pastorizzạto** (*p.p. di pastorizzare*) *a.* pasteurized: *latte* ~ pasteurized milk. – **pastorizzatọre** *m.* **1.** (*operaio*) pasteurizer. – **2.** (*apparecchio*) pasteurizer. – **pastorizzaziọne** *f.* pasteurization.

pastosità *f.* **1.** pastiness, doughiness. – **2.** ⟨*fig*⟩ mellowness, softness. – **3.** ⟨*Pitt*⟩ mellowness. – **pastọso** *a.* **1.** pasty, doughy. – **2.** ⟨*fig*⟩ mellow, soft; (*rif. a suoni*) warm, full, mellow. – **3.** ⟨*Pitt*⟩ mellow, soft. – **4.** ⟨*Enol*⟩ mellow. – **5.** ⟨*Med*⟩ pasty.

pastrạno *m.* overcoat, top-coat, greatcoat.

pastricciạno *m.* **1.** ⟨*Bot*⟩ parsnip (*Pastinaca sativa*). – **2.** ⟨*fig,ant*⟩ (*uomo bonario*) good-natured person, easy-going fellow.

pastrọcchio *m.* ⟨*pop*⟩ **1.** (*intruglio*) hotchpotch, mess, mixture. – **2.** ⟨*fig*⟩ (*pasticcio*) mess, bungle.

pastụme *m.* **1.** ⟨*non com*⟩ (*pastone per polli*) mash, chicken-feed. – **2.** (*vivanda di pasta*) pasta dish.

pastụra *f.* **1.** pasture, grazing, pasturage: *portare gli animali alla* ~ to lead animals to pasture. – **2.** (*luogo*) pasture, pasturage, grassland, grazing land. – **3.** (*cibo*) grass, pasture. – **4.** ⟨*Venat*⟩ (*sterco di selvaggina*) (game) dung, droppings *pl*; (*odore di selvaggina*) scent of game. – **5.** ⟨*Pesc*⟩ chum. – **6.** ⟨*fig,ant*⟩ (*nutrimento spirituale*) food for the spirit. □ ⟨*Venat*⟩ *levar la* ~ *a* to gut.

pasturạle *m.* **1** → **pastorale**[3]. – **2.** → **pastorale**[4].

pasturạre I *v.t.* **1.** to (lead to) pasture, to (put out to) graze. – **2.** ⟨*estens*⟩ (*nutrire*) to feed, to nourish. – **3.** ⟨*fig*⟩ to have cure of the souls of. – **4.** ⟨*Pesc*⟩ to attract by chumming, to throw chum to, ⟨*am*⟩ to chum. – **II** *v.i.* (*aus.* **avere**) ⟨*ant*⟩ (*rif. ad animali*: *pascersi*) to graze.

patạcca *f.* **1.** (*moneta di scarso valore*) farthing, ⟨*am*⟩ cent. – **2.** ⟨*roman*⟩ (*moneta falsa*) counterfeit coin; (*oggetto falso*) fake (antique). – **3.** (*medaglia*) medal, decoration. – **4.** (*grosso orologio da tasca*) (big) pocket-watch, ⟨*fam*⟩ turnip. – **5.** ⟨*fam*⟩ (*macchia d'unto*) grease spot (*o* stain). □ *costare una* ~ to cost very little; *non valere una* ~ to be worth very little, not to be worth a brass farthing. – **pataccạro** *m.* ⟨*roman*⟩ **1.** seller of fake old coins. – **2.** ⟨*estens*⟩ (*imbroglione*) swindler, shady dealer. – **patạcco** *m.* (*pl.* **-chi**) ⟨*ant*⟩ → **patacca**. – **pataccọna** *f. accr. di* **patacca**.

pataccọne (*accr. di patacca*) *m.* **1.** (*grosso orologio da tasca*) big old-fashioned pocket-watch, ⟨*fam*⟩ turnip. – **2.** ⟨*fam*⟩ (*grossa macchia d'unto*) big grease spot, large stain. – **3.** (*persona piena di patacche*) messy (*o* dirty) person, ⟨*am.fam*⟩ slob. – **4.** ⟨*region*⟩ (*grossa moneta di scarso valore*) large coin of small worth. – **5.** ⟨*ant*⟩ (old) coin.

patạffio *m.* ⟨*pop,ant*⟩ (*epitaffio*) epitaph.

pataffiọne *m.* (*f.* **-a**) **1.** ⟨*ant*⟩ (*persona autorevole*) authoritative person; (*persona boriosa*) pompous person. – **2.** ⟨*region*⟩ (*persona massiccia e rozza*) big clumsy fellow, ⟨*fam*⟩ lubber.

patạgio *m.* ⟨*Zool,Entom*⟩ patagium.

patagọne *m.* Patagonian. – **Patagọnia** *N.pr.f.* ⟨*Geog*⟩ Patagonia.

patanfiọne *m.* → **pataffione**.

patapụm *onom.* (*rif. a tonfo*) bang, thud; (*rif. a scoppio*) boom.

paterạcchio *m.* → **pateracchio**.

patarạccia *f.* (*pl.* **-ce**) ⟨*Itt*⟩ kind of flatfish (*Citharus linguatula*).

patarạsso, patarạzzo *m.* ⟨*non com*⟩ → **paterazzo**.

patarịa *f.* ⟨*Stor*⟩ Pataria. – **patarịnico** *a.* (*pl.* **-ci**) Paterine, of the Patarines. – **patarịno I** *a.* Paterine. – **II** *s.m.* (*aderente alla pataria*) Patarine; (*cataro*) Cathar; (*eretico*) heretic. – **pạtaro** *m.* ⟨*Stor*⟩ Patarine.

patạssio *m.* ⟨*tosc*⟩ **1.** (*baccano*) noise, din, clamour, hubbub, babel, ⟨*fam*⟩ racket; (*lite*) argument, ⟨*fam*⟩ row. – **2.** ⟨*estens*⟩ (*sgridata*) scolding.

patạta *f.* **1.** ⟨*Bot*⟩ potato (*Solanum tuberosum*). – **2.** (*tubero*) potato. – **3.** ⟨*pop*⟩ (*callosità del piede*) bunion. – **4.** (*persona stupida*) lump, booby, ⟨*am*⟩ jerk.

□ ~ **americana** = *patata* **dolce**; ~ *del* **Canadà** Jerusalem artichoke (*Helianthus tuberosus*); ~ **dolce** sweet-potato, batata, ⟨*am*⟩ yam (*Ipomoea batatas*); *-e* **farinose** mealy potatoes; *-e da* **foraggio** feed (*o* fodder) potatoes; *-e* **fritte** chips, French fried potatoes; ~ (*per uso*) **industriale** industrial potato; ~ **lessa**: 1. boiled potato; 2. ⟨*fig,fam*⟩ lump, ⟨*am*⟩ jerk; ~ **precoce** early potato; ~ *da* **seme** seed-potato; ~ **tardiva** late potato.

pataticoltọre *m.* (*f.* **-trice**) potato-grower. – **pataticoltụra** *f.* potato-growing.

patatịna (*dim. di patata*) *f.* **1.** (*patata novella*) new potato. – **2.** *pl.* ⟨*Gastr*⟩ (potato) crisps *pl*, ⟨*am*⟩ potato chips *pl.* – **patatọna** *f. accr. di* **patata**.

patatrạc I *onom.* crash, bang, crack. – **II** *s.m.* **1.** crash, bang, crack. – **2.** ⟨*fig*⟩ (*rovina, fallimento*) bankruptcy, (financial) ruin, ⟨*fam*⟩ crash.

patavinità *f.* ⟨*Lett*⟩ Patavinity. – **patavịno** ⟨*lett*⟩ **I** *a.* (*padovano*) Paduan, of Padua. – **II** *s.m.* (*f.* **-a**) Paduan, native (*o* inhabitant) of Padua.

patchouli *fr.* [patʃu'li] *m.* **1.** ⟨*Bot*⟩ patchouli (*Pogostemum patchouly*). – **2.** (*essenza*) patchouli. □ *olio essenziale di* ~ patchouli oil.

pạto *m.* ⟨*ant*⟩ (*padre*) father.

paté *fr. m.* ⟨*Gastr*⟩ paté. paste.

patẹlla *f.* **1.** ⟨*Anat*⟩ patella, knee-cap. – **2.** ⟨*Zool*⟩ patella, limpet (*Patella*). – **patellạre** *a.* ⟨*Anat*⟩ patellar, of the knee-cap: *riflesso* ~ patellar reflex, knee jerk.

patẹllidi *m.pl.* ⟨*Zool*⟩ limpets *pl*, patellids *pl* (*Patellidae*).

patẹma *m.* (*accoramento*) grief, heartache, affliction; (*angoscia*) (great) anxiety, anguish, great worry. □ ~ *d'animo* (state of) anxiety, anguish.

patẹna *f.* ⟨*Lit*⟩ paten.

patentamẹnto *m.* ⟨*Met*⟩ patenting: ~ *in aria* air patenting. – **patentạre** *v.t.* (**patẹnto**) to patent. □ ~ *in aria* to air patent.

patentạto *a.* **1.** (*abilitato*) licensed, certified, authorized: *dentista* ~ licensed dentist. – **2.** (*munito di patente di guida*) holding a (driver's) licence. – **3.** ⟨*fig,scherz*⟩ out and out, downright, thorough, utter: *bugiardo* ~ out and out liar. – **4.** ⟨*Met*⟩ patented: ~ *in aria* air patented.

patẹnte[1] *a.* **1.** (*evidente*) evident, obvious, clear, patent. – **2.** ⟨*Bot*⟩ patent, patulous, spreading. – **3.** ⟨*lett*⟩ (*aperto*) open, patent.

patẹnte[2] *f.* **1.** (*concessione*) authorization, permit, certificate; (*licenza*) licence, permit. – **2.** (*patente di guida*) driving (*o* driver's) licence. – **3.** (*brevetto*) patent. – **4.** ⟨*Stor*⟩ (*lettera-patente*) letters *pl* patent.

□ ⟨*fig,scherz*⟩ *dare a qd. la* ~ *di* **bugiardo** to brand (*o* label) s.o. as a liar; ⟨*Mar*⟩ ~ *di* **capitano** Master's Certificate; ⟨*Aut*⟩ ~ *di* **guida** driving (*o* driver's) licence; ~ **internazionale** international driver's licence; **lettere** *-i* letters patent; ⟨*Mar*⟩ ~ **netta** clean bill of health; ⟨*Aut*⟩ **prendere** *la* ~ to get a driver's licence; ⟨*Aut*⟩ **ritiro** *della* ~ withdrawing (*o* revoking) of a driver's licence; ⟨*Mar*⟩ ~ **sanitaria** bill of health; ⟨*Mar*⟩ ~ **sporca** foul bill of health.

patentịno (*dim. di patente*[2]) *m.* temporary licence, ⟨*am*⟩ learner's permit.

pater *m.* ⟨*Rel*⟩ Lord's Prayer, Paternoster, ⟨*fam*⟩ Our Father.
patera[1] *f.* ⟨*Stor.rom*⟩ patera.
patera[2] *f.* ⟨*non com*⟩ (*attaccapanni a muro*) (wall) clothes-peg.
pateracchio *m.* ⟨*tosc*⟩ **1.** (*patto*) agreement. – **2.** (*promessa di matrimonio*) promise of marriage.
paterazzetto, paterazzino (*dim. di paterazzo*) *m.* ⟨*Mar*⟩ small backstay. – **paterazzo** *m.* backstay (of a mast-top).
patereccio *m.* ⟨*Med*⟩ whitlow, paronychia.
pater familias *lat. m.* ⟨*Dir.rom*⟩ paterfamilias, head of a family.
paterino *a./s.* → **patarino.**
paternale I *a.* ⟨*ant*⟩ (*paterno*) paternal, of a father, father's. – **II** *s.f.* rebuke, reprimand, scolding, ⟨*fam*⟩ lecture, ⟨*fam*⟩ telling-off: *fare la ~ a qd.* to reprimand (*o* rebuke) s.o., to give s.o. a telling-off.
paternalismo *m.* ⟨*Pol*⟩ paternalism. – **paternalista** *m.* paternalist. – **paternalistico** *a.* (*pl.* **-ci**) paternalistic.
paternamente *avv.* paternally, like a father.
paternità *f.* **1.** paternity, fatherhood: *le gioie della ~* the joys of fatherhood. – **2.** ⟨*burocr*⟩ (*nome del padre*) father's name. – **3.** ⟨*fig*⟩ authorship, paternity. ☐ ⟨*Dir*⟩ ~ *legittima* legitimate fatherhood; ~ *naturale* illegitimate fatherhood; *ricerca della ~* paternity test; ⟨*Rel*⟩ ~ *spirituale* godfatherhood; ⟨*Rel*⟩ *Vostra ~* Your Paternity.
paterno *a.* **1.** (*del padre*) paternal, father's, of a father: *l'amore ~* a father's love, the love of a father; *casa -a* paternal home; (*da parte di padre*) paternal, on one's father's side: *zio ~* paternal uncle. – **2.** (*affettuoso, benevolo*) fatherly, benevolent, paternal: *un ~ rimprovero* a fatherly reproach. – **3.** → **paternalistico.**
paternoster *m.* ⟨*Rel*⟩ Lord's Prayer, Pater noster, ⟨*fam*⟩ Our Father. ☐ ⟨*tecn*⟩ *a ~* endless, continuous: *ascensore a ~* paternoster, continuous (*o* endless) hoist.
paternostro *m.* **1.** ⟨*Rel*⟩ Lord's Prayer, Pater noster, ⟨*fam*⟩ Our Father: *recitare il ~* to say the Lord's Prayer. – **2.** (*chicco del rosario*) paternoster, large bead of a rosary; ⟨*estens*⟩ rosary. – **3.** *pl.* ⟨*Alim*⟩ short pasta (for soup). – **4.** ⟨*Mar*⟩ parrel truck. ☐ ⟨*scherz*⟩ *il ~ della bertuccia* the devil's paternoster; ⟨*Bot*⟩ *-i di san Domenico*: 1. Indian licorice (*Abrus precatorius*); 2. chinaberry tree, Indian lilac (*Melia azedarach*); *masticare -i* (*bestemmiare fra sé*) to mumble oaths, to swear to o.s.; *sapere qc. come il ~* to know s.th. ⌜by heart⌝ (*o* inside out); *essere vero come il ~* to be absolutely true.
Patetica *N.pr.f.* ⟨*Mus*⟩ (*sonata, sinfonia*) Pathetique.
pateticamente *avv.* pathetically. – **pateticità** *f.* ⟨*non com*⟩ pathetic tone (*o* character).
patetico I *a.* (*pl.* **-ci**) **1.** pathetic. – **2.** (*svenevole*) mawkish, affected, sentimental. – **3.** (*che suscita emozioni*) moving, affecting, touching. – **4.** ⟨*Mus*⟩ patetico, movingly, with feeling. – **II** *s.m.* pathetic, pathos. ☐ ⟨*Anat*⟩ *nervo ~* pathetic (*o* trochlear) nerve.
pateticone (*accr. di patetico*) *m.* (*f.* **-a**) ⟨*scherz*⟩ sentimentalist, mawkish person. – **pateticume** *m.* ⟨*spreg*⟩ sentimentality, mawkishness. – **patetismo** *m.* **1.** sentimentalism. – **2.** → **pateticità.**
pathos *m.* pathos.
...patia *suff.* (*sofferenza* suffering) ...pathy: *apatia f.* apathy.
patibile I *a.* **1.** endurable, bearable. – **2.** ⟨*ant*⟩ (*disposto a patire*) willing to suffer. – **II** *s.m.inv.* endurable, bearable, what can be borne (*o* tolerated).
patibolare *a.* fit for the gallows, sinister, criminal, ⟨*fam*⟩ no good, ⟨*fam*⟩ gallows bird-: *faccia ~* face of a gallows bird, face fit for the gallows. – **patibolo** *m.* (*palco*) scaffold, place of execution. ☐ *che ~!* what torture!, ⟨*fam*⟩ what a pain!; *da ~* → **patibolare.**
patico *a.* (*pl.* **-ci**) ⟨*ant,pop*⟩ (*epatico*) hepatic.
...patico *suff.* (*sofferente* suffering) ...pathetic, ...pathic: *apatico a.* apathetic; *protopatico a.* protopathic.
patimento *m.* **1.** suffering. – **2.** (*dolore*) pain; (*tormento*) torment, affliction. – **3.** (*stento*) hardship, suffering, privation.
patina *f.* **1.** (*rif. a sculture*) patina; (*rif. a pitture*) gallery varnish. – **2.** (*velatura su rame e sim.*) patina. – **3.** (*smalto*) glaze, enamel. – **4.** ⟨*Cart*⟩ coat(ing), glaze. – **5.** (*della lingua*) fur, coating; (*dei denti*) tartar. – **6.** (*smalto dato a porcellane, terracotte e sim.*) glaze. – **7.** (*strato di vernice*) coat of varnish. – **8.** ⟨*Conc*⟩ dubbing. – **9.** ⟨*region*⟩ (*lucido da scarpe*) (shoe-)polish. ☐ ~ *linguale* fur, coating; ⟨*Strad*⟩ ~ *scivolosa* slippery surface; ⟨*Art*⟩ ~ *del tempo* gallery varnish, patina (of time); ⟨*fig*⟩ patina, aging.
patinare *v.t.* (**patino**) **1.** to patinate; (*verniciare*) to varnish. – **2.** ⟨*Cart*⟩ to coat, to glaze. – **3.** ⟨*Conc*⟩ to dub. – **4.** (*rif. a porcellane e sim.*) to glaze. – **patinato** (*p.p. di patinare*) *a.* ⟨*Cart*⟩ coated, glazed: *carta -a* coated (*o* art, glossy) paper. – **patinatore** *m.* (*f.* **-trice**) (paper) glazer, coater. – **patinatura** *f.* **1.** (artificial) patinating. – **2.** ⟨*Cart*⟩ coating, glazing.
patino *m.* → **pattino**[2].
patinoire *fr.* [patinw'a:r] *m.* → **pattinatoio.**
patinoso *a.* furred, coated: *avere la lingua -a* to have a furred tongue.
patio *sp. m.* patio.
patire[1] *v.* (**patisco, patisci**) **I** *v.t.* **1.** (*subire*) to suffer, to undergo, to receive: ~ *un'ingiustizia* to suffer a wrong, to be wronged; ~ *il martirio* to suffer martyrdom. – **2.** (*provare, sentire*) to suffer, to experience, to endure, to feel, to go through: ~ *la fame* to suffer hunger, to go hungry. – **3.** (*ammettere*) to admit of, to allow (of), to brook, to permit (of): *l'affare non può ~ ritardi* the matter ⌜admits of⌝ (*o* will brook) no delay, the matter cannot be delayed. – **4.** (*tollerare*) to bear, to put up with, to tolerate, to stand, to endure, ⟨*lett*⟩ to suffer: *certe ingiustizie non si devono ~* there are some injustices one should not put up with. – **5.** ⟨*lett*⟩ (*essere soggetto a*) to be subject to. – **II** *v.i.* (*aus.* **avere**) **1.** to suffer (*di* from), to be afflicted (by): ~ *di mal di capo* to suffer from headaches; ⟨*fig*⟩ ~ *di gelosia* to suffer from jealousy, to be wracked by jealousy. – **2.** (*sopportare dolori*) to suffer. – **3.** (*soffrire disagi*) to be uncomfortable, to be put to discomfort. – **4.** (*accorarsi, affliggersi*) to suffer, to be grieved (*o* saddened), to feel sorry (*o* distressed). – **5.** (*risentire danno*) to suffer (*per* from). – **6.** ⟨*ant*⟩ (*sentire la mancanza*) to feel the lack (*di* of). ☐ ⟨*rar*⟩ *non mi patisce il cuore* (o *l'animo*) I haven't the heart to; *ha finito di ~* his sufferings are over (*o* at an end). – *Prov.*: *ognuno patisce del suo mestiere* who is worse shod than the shoemaker's wife?
patire[2] *m.* (*sofferenza*) suffering.
patisco *pr.ind. di* **patire**[1].
patite *f.* ⟨*Med*⟩ inflammatory disease.
patito (*p.p. di patire*[1]) **I** *a.* sickly, suffering; (*smunto*) haggard, worn, thin, drawn, emaciated. – **II** *s.m.* (*f.* **-a**) **1.** (*fanatico*) lover, enthusiast, fan: *un ~ della montagna* a lover of mountain climbing; *i -i del calcio* football fans. – **2.** (*innamorato*) sweetheart, lover. ☐ *è un ~ del teatro* he's a theatre-lover, ⟨*fam*⟩ he's a great one for the theatre.
pato... *pref.* (*malattia* disease) path(o)...
pato|fobia *f.* ⟨*Psic*⟩ pathophobia. – **~genesi** *f.* ⟨*Med*⟩ pathogenesis. – **~genetico** *a.* (*pl.* **-ci**) pathogen(et)ic.
pato|geno *a.* ⟨*Med*⟩ pathogenic: *agenti -i* pathogens, pathogenic agents. – **~gnomonico** *a.* (*pl.* **-ci**) pathognomonic: *sintomo ~* pathognomonic symptom.
patois *fr.* [patw'a] *m.* patois.
patologia *f.* pathology.
☐ ~ **cellulare** cellular pathology; ~ **comparata** comparative pathology; ~ **generale** general pathology; **istituto** *di ~* institute of pathology, pathological institute; ~ **medica** medical pathology; ~ **umana** human pathology; ~ **vegetale** vegetable (*o* plant) pathology, phytopathology; ~ **veterinaria** veterinary pathology.
patologico *a.* (*pl.* **-ci**) **1.** pathological. – **2.** (*morboso*) pathological, morbid, abnormal, unwholesome: *caso ~* pathological case. – **3.** ⟨*Filos*⟩ pathological, passional. – **patologo** *m.* (*pl.* **-gi**; *f.* **-a**) pathologist.
pato|mimia *f.* ⟨*Psic*⟩ pathomimesis, pathomimicry. – **~nevrosi** *f.* pathoneurosis.
patos *m.* → **pathos.**
patosi *f.* ⟨*Med*⟩ pathosis.
Patrasso *N.pr.f.* ⟨*Geog*⟩ Patras. ☐ ⟨*fig*⟩ *andare a ~* (*morire*) to die, ⟨*fam*⟩ to go west; ⟨*fig, non com*⟩ *mandare a ~*: 1. (*uccidere*) to kill, ⟨*fam*⟩ to bump off; 2. (*rovinare*) to ruin.
patre *m.* ⟨*ant*⟩ (*padre*) father.
patria *f.* **1.** (*luogo, regione*) native land, (native) country, home; (*nazione*) country, home(land), nation, fatherland, motherland: *tradire la ~* to betray one's country. – **2.** (*città natale*) birthplace, native town (*o* city), ⟨*fam*⟩ home-town. – **3.** ⟨*estens*⟩ (*luogo d'origine*) home, place of origin. – **4.** ⟨*Zool*⟩ patria, natural habitat. – **5.** ⟨*fig*⟩ home, birthplace, land. ☐ ⟨*Rel*⟩ ~ *celeste* Heaven; ~ ⌜*d'elezione*⌝ (o *adottiva*) adoptive country, country of adoption; *madre ~* mother country, motherland; *seconda ~* adoptive country, second home. – *Prov.*: *la ~ è dove si sta bene* home is where the heart is.
patriarca *m.* (*pl.* **-chi**) **1.** ⟨*Etnol*⟩ patriarch (*anche fig.*). – **2.** ⟨*lett*⟩ (*istitutore di un ordine religioso*) founder, patriarch.
patriarcale *a.* **1.** ⟨*Etnol*⟩ patriarchal, patriarchic. – **2.** ⟨*estens*⟩ patriarchal, patriarchic, austere: *famiglia ~* patriarchal family. – **3.** ⟨*Rel*⟩ patriarchal: *basilica ~* patriarchal basilica. ☐ ⟨*Arald*⟩ *croce ~* patriarchal (*o* archiepiscopal) cross. – **patriarcalmente** *avv.* patriarchally.
patriarcato *m.* **1.** ⟨*Etnol*⟩ patriarchy, patriarchate. – **2.** ⟨*Rel*⟩ patriarchate. – **patriarchio** *m.* ⟨*non com*⟩ (*residenza del patriarca*) patriarchate.
patricida *m./f.* ⟨*lett*⟩ → **parricida.** – **patricidio** *m.* ⟨*lett*⟩ → **parricidio.**
patricio *a./s.* ⟨*ant*⟩ → **patrizio.**
patrigno *m.* stepfather, step-parent.
patri|lineare, ~lineo *a.* ⟨*Etnol*⟩ patrilineal, patrilinear. – **~locale** *a.* patrilocal. – **~località** *f.* patrilocality.
patrimo *a.* ⟨*Stor.rom*⟩ with one's father living.
patrimoniale *a.* property-, estate-, of an estate, of assets. ☐ *asse ~* estate, patrimony; *beni -i* estate, assets; *imposta ~* capital levy; ⟨*Comm*⟩ *situazione* (o *stato*) ~ statement of assets and liabilities; *tassa ~* property tax.
patrimonio *m.* **1.** estate, property, possessions *pl.* – **2.** ⟨*fig*⟩ possessions *pl*, wealth, richness: ~ *artistico di una nazione* artistic wealth of a country.
☐ ~ **complessivo** total assets *pl*; ⟨*iperb*⟩ **costare** *un ~* to cost a fortune (*o* mint); ⟨*Biol*⟩ ~ **cromosomico** set of chromosomes; ~ **culturale** cultural heritage; (*rif. a individui*) culture, education; ~ **ecclesiastico** church property (*o* estate); ⟨*Biol*⟩ ~ **ereditario** heredity; ~ **familiare** family estate; ~ **forestale** forests *pl*; ~ **ideale** (stock of) ideas *pl*, thoughts *pl*; ~ **immobiliare** real property (*o* estate); ~ **ittico** fish *pl*; ⟨*Ling*⟩ ~ **lessicale** vocabulary; ~ **pubblico** public property; ⟨*Comm*⟩ ~ **sociale** (total) assets *pl* of the company; ~ **zootecnico** livestock resources *pl*.
patrino *m.* ⟨*ant*⟩ → **padrino.**
patrio *a.* **1.** (*rif. alla patria*: *in quanto regione, luogo*) native: *il ~*

suolo one's native land (*o* soil); (*in quanto nazione*) of one's country, nation's: *amor* ~ love of one's country (*o* native land), patriotism. – **2.** ⟨*lett*⟩ (*paterno*) paternal, father's, of one's father. □ *-a potestà* patria potestas.

patriọta *m./f.* **1.** patriot. – **2.** ⟨*Stor*⟩ (*partigiano*) patriot, partisan. – **3.** ⟨*pop*⟩ (*compatriota*) fellow countryman (*f* -woman), compatriot. – **patriotạrdo** *a./s.* ⟨*non com*⟩ → **patriottardo**. – **patrioticamẹnte** *avv.* ⟨*ant*⟩ → **patriotticamente**. – **patriọtico** *a.* ⟨*ant*⟩ → **patriottico**. – **patriọtta** *m./f.* → **patriota**. – **patriottạrdo** ⟨*spreg*⟩ **I** *a.* patrioteering, flag-waving. – **II** *s.m.* (*f.* **-a**) patrioteer, flag-waver. – **patriotticamẹnte** *avv.* patriotically. – **patriọttico** *a.* (*pl.* **-ci**) patriotic: *spirito* ~ patriotic spirit, patriotism. – **patriottịsmo** *m.* patriotism. – **patriọtto** *m.* ⟨*rar*⟩ → **patriota**.

patripassianịsmo *m.* ⟨*Stor*⟩ Patripassianism. – **patripassiạno** *m.* Patripassian(ist).

patrịstica *f.* patristics *pl* (*costr. sing.*), patrology. – **patrịstico** *a.* (*pl.* **-ci**) **1.** (*rif. alla patristica*) patristic. – **2.** (*rif. ai padri della chiesa*) patristic, of the Fathers of the Church.

Patrịzia *N.pr.f.* Patricia.

patriziạle *a.* ⟨*non com*⟩ patrician. – **patriziạto** *m.* **1.** ⟨*Stor.rom*⟩ patrician order (*o* class), patriciate. – **2.** ⟨*estens*⟩ (*nobiltà*) nobility, aristocracy, patricians *pl.*

patrịzio **I** *a.* **1.** ⟨*Stor.rom*⟩ patrician. – **2.** ⟨*estens*⟩ (*nobile*) patrician, noble, aristocratic. – **II** *s.m.* (*f.* **-a**) **1.** ⟨*Stor.rom*⟩ patrician. – **2.** ⟨*estens*⟩ (*nobile*) aristocrat, noble(man), patrician.

Patrịzio *N.pr.m.* Patrick.

patrizzạre *v.* (*aus.* **avere**) ⟨*ant*⟩ → **padreggiare**.

patrocinạnte (*p.pr. di patrocinare*) **I** *a.* ⟨*Dir*⟩ defending, defence-, for the defence, pleading. – **II** *s.m./f.* defence counsel, counsel for the defence; (*difensore*) defender. □ ~ *in cassazione* lawyer permitted to plead before the Court of Cassation. – **patrocinạre** *v.t.* **1.** ⟨*Dir*⟩ to plead, to defend: ~ *una causa* to plead a case. – **2.** ⟨*estens*⟩ (*sostenere*) to uphold, to champion, to support; (*promuovere*) to sponsor. – **3.** ⟨*assol*⟩ to be a lawyer, to practise (law).

patrocinatọre *m.* (*f.* **-trice**) **1.** ⟨*Dir*⟩ lawyer; (*difensore*) defence (counsel). – **2.** ⟨*fig*⟩ supporter, backer, upholder; (*difensore*) defender, champion. □ ⟨*Dir*⟩ ~ *legale* barrister, lawyer.

patrocịnio *m.* **1.** ⟨*Dir*⟩ legal protection; (*difesa*) (legal) defence. – **2.** ⟨*estens*⟩ (*protezione*) protection, support, sponsorship; (*difesa*) defence. – **3.** ⟨*Stor,Rel*⟩ patronage. □ ⟨*Dir*⟩ *gratuito* ~ legal aid: *ammettere qd. al gratuito* ~ to grant s.o. legal aid, to allow s.o. to sue in forma pauperis.

Pạtroclo *N.pr.m.* ⟨*Mitol*⟩ Patroclus.

patrologịa *f.* **1.** ⟨*Lett*⟩ patrology, patristics *pl* (*costr. sing.*). – **2.** (*opere dei padri della chiesa*) patrology. – **patrọlogo** *m.* (*pl.* **-gi**; *f.* **-a**) patrologist.

patron *fr.* [pa'trɔ̃] *m.* **1.** ⟨*Sport*⟩ organizer of the Tour de France. – **2.** ⟨*Sart*⟩ (*cartamodello*) (dressmaker's) pattern.

patrọna *f.* ⟨*Rel*⟩ patron saint, patron.

patronạle *a.* patron's, of a patron, patronal.

patronạto *m.* **1.** ⟨*Stor.rom*⟩ patron and client relationship. – **2.** ⟨*Dir.can*⟩ patronage. – **3.** (*protezione*) protection, favour, patronage. – **4.** (*patrocinio*) sponsorship. – **5.** (*istituzione benefica*) charitable institution (*o* society). □ *alto* ~ patronage; ~ *scolastico* institution giving aid to schoolchildren.

patronẹssa *f.* patroness, sponsor.

patronimịa *f.* ⟨*Etnol*⟩ patronymic system. – **patronịmico** *a./s.* (*pl.* **-ci**) **I** *a.* ⟨*Ling,Etnol*⟩ patronymic(al). – **II** *s.m.* ⟨*Ling*⟩ patronymic.

patronịte *f.* ⟨*Min*⟩ patronite.

patrọno *m.* **1.** (*protettore*) protector, backer; (*difensore*) defender. – **2.** (*santo patrono*) patron (saint). – **3.** (*membro di un patronato di beneficenza*) patron, sponsor. – **4.** ⟨*Dir*⟩ counsel, lawyer. – **5.** ⟨*Dir.rom,Dir.can*⟩ patron.

pạtta[1] *f.* **1.** ⟨*Sart*⟩ (pocket) flap. – **2.** ⟨*region*⟩ (*lista di stoffa che copre i bottoni*) flap, fly. – **3.** ⟨*region*⟩ (*presa per tegami e sim.*) pot-holder. – **4.** ⟨*region*⟩ (*nell'industria casearia*) dressing cloth. □ ~ *dei calzoni* trouser fly; ~ *della tasca* pocket flap.

pạtta[2] **I** *s.f.* (*risultato pari*) draw, tie; (*negli scacchi*) stalemate. – **II** *a.* even, square, quits. □ *essere* (*pari e*) ~: 1. (*nel gioco*) to tie, to (have a) draw; 2. (*negli scacchi*) to stalemate; 3. ⟨*fig*⟩ to be even (*o* square); *far partita* ~ to draw, to tie.

pạtta[3] *f.* ⟨*Mar*⟩ palm, (anchor) fluke. □ ~ *di bolina* bowline bridle; ~ *d'oca* crow('s)-foot.

pattạre **I** *v.t.* (*far patta*) to draw, to tie. – **II** *v.i.* (*aus.* **avere**) to draw, to tie; (*negli scacchi*) to stalemate.

patte d'oie *fr.* [patdw'a] *f.* (*zampa di gallina*) crow's-foot.

patteggiạbile *a.* ⟨*non com*⟩ negotiable, that can be arranged, open to negotiation.

patteggiamẹnto *m.* negotiation, bargaining. – **patteggiạre** *v.* (**pattẹggio, pattẹggi**) **I** *v.t.* to negotiate; (*stipulare*) to arrange the terms of: ~ *la resa* to ⌜negotiate the⌝ (*o* arrange the terms of) surrender; (*contrattare*) to bargain over. – **II** *v.i.* (*aus.* **avere**) to negotiate, to enter into negotiations. – **patteggiatọre** *m.* (*f.* **-trice**) negotiator, negotiating party.

pattịna (*dim. di patta*[1]) *f.* **1.** ⟨*Sart*⟩ strip, flap; (*risvolto di tasche*) pocket flap. – **2.** (*striscia di stoffa che copre i bottoni*) flap, fly. – **3.** (*presa per tegami e sim.*) pot-holder.

pattinạggio *m.* ⟨*Sport*⟩ (*su ghiaccio*) ice-skating; (*a rotelle*) roller-skating.

□ ~ **acrobatico** *a rotelle* acrobatic roller-skating; ~ **artistico** *su ghiaccio* figure-skating; ~ *a* **coppie** pairs skating; ~ *a* **figure** *su ghiaccio* figure-skating; ~ **individuale** solo-skating; ~ **libero** free-skating; ~ *a* **vela** skate-sailing; ~ *di* **velocità** speed-skating.

pattinạre *v.t.* (**pạttino**; *aus.* **avere**) **1.** (*su ghiaccio*) to (ice-)skate; (*con pattini a rotelle*) to (roller-)skate. – **2.** (*nello sci*) to skate. – **3.** ⟨*Aut*⟩ to skid.

pattinatọio *m.* ice-rink, (ice-skating) rink; (*pista per pattinaggio a rotelle*) (roller-skating) rink. – **pattinatọre** *m.* (*f.* **-trice**) (*su ghiaccio*) (ice-)skater; (*a rotelle*) (roller-)skater.

pạttino[1] *m.* **1.** (*da ghiaccio*) (ice-)skate; (*a rotelle*) (roller-)skate. – **2.** (*di slitta e sim.*) runner. – **3.** ⟨*Aer*⟩ skid; (*dell'elicottero*) skid. – **4.** ⟨*tecn*⟩ sliding (*o* link) block, sliding (*o* guide) shoe; (*nei veicoli elettrici*) collector shoe.

□ ⟨*Aer*⟩ ~ *da* **atterraggio** landing skid; ~ *di* **coda** tail skid; ~ *di* **estremità** wing skid; ~ *da* **ghiaccio** (ice-)skate; ~ *da* **hockey** hockey skate; ~ *da* **neve** snow-shoe; ~ *per* **pattinaggio** *artistico* figure-skate; ⟨*Ferr*⟩ ~ *di* **presa** (*pantografo*) pantograph, friction pan; ~ *a* **rotelle** roller-skate; ~ *della* **slitta** sleigh runner; ⟨*Mecc*⟩ ~ *di* **spinta** pressure pad; ~ *di* **velocità** racing-skate.

pattịno[2] *m.* ⟨*Mar*⟩ (*moscone*) raft. □ ~ *a pedali* pedal boat.

pattịno[3] *m.* ⟨*ant*⟩ (*ciabatta*) slipper.

pattinsonạggio *m.* ⟨*Met*⟩ Pattinson process.

pattịzio *a.* ⟨*Dir,non com*⟩ contractual.

pạtto *m.* **1.** agreement, compact, arrangement, settlement: *rispettare un* ~ to keep an agreement. – **2.** (*convenzione*) pact, treaty, agreement, convention, covenant, accord: ~ *di non aggressione* non-aggression pact. – **3.** (*punto di un accordo*) term, point, proviso: *discutere i -i* to discuss the points. – **4.** (*condizione*) condition, term: *i -i sono troppo duri* the terms are too hard. – **5.** ⟨*Dir*⟩ contract, agreement.

□ **a** ~ *che* on condition that, providing (*o* with the proviso) that; ⟨*Stor*⟩ ≈ *d'***acciaio** Pact of Steel; ~ *d'***alleanza** alliance; ~ *d'***amicizia** pact of friendship; ⟨*Bibl*⟩ **antico** ~ (Old) Covenant; ≈ **Atlantico** Atlantic Treaty; *comprare a* **buoni** *-i* to buy on good terms; ⟨*Dir*⟩ ~ **commissorio** lex commissoria, covenant for forfeiture (on mortgage); ~ **coniugale** marriage contract; *fare il* ~ *col* **diavolo** to ⌜sell one's soul to⌝ (*o* make a pact with) the devil; ⟨*Pol*⟩ ~ *di reciproca* **difesa** mutual defence treaty; ⟨*Comm*⟩ ~ *di* **esclusività** exclusive contract; ⟨*Stor*⟩ ~ *di* **famiglia** family compact; ⟨*Stor*⟩ *Patti* **Lateranensi** Lateran Treaty (*o* Treaties *pl*); ⟨*Bibl*⟩ **nuovo** ~ New Covenant; ~ **nuziale** = *patto* **coniugale**; *a* **ogni** ~ at any price, at all costs; ⟨*Dir*⟩ ~ *di* **riscatto** right to repurchase; **scendere** *a -i con qd.* = **venire** *a patti con qd.*; ~ *di* **sindacato** underwriting contract; ⟨*Filos*⟩ ~ **sociale** social contract; ⟨*non com*⟩ *a* **tutti** *i -i* = *a* **ogni** *patto*; **venire** *a -i con qd.* to come to terms (*o* an agreement) with s.o.; (*arrendersi*) to accept s.o.'s conditions, to give in to s.o.'s demands. – *Prov.*: *-i chiari* ⌜*amici cari*⌝ (*o amicizia lunga*) ⌜clear agreements⌝ (*o* short reckonings) make long friendships.

pattọna *f.* ⟨*Gastr,tosc*⟩ chestnut-flour polenta.

pattọne *m.* ⟨*Mod*⟩ front flap of breeches.

pattovịre *v.* ⟨*ant*⟩ → **pattuire**.

pattụglia *f.* **1.** ⟨*Mil*⟩ patrol. – **2.** ⟨*Aer*⟩ (air) patrol. – **3.** ⟨*fig*⟩ (*gruppetto*) (small) group, cluster, knot. □ ~ *aerea* air patrol; ~ *di combattimento* combat group, combat patrol; *essere di* ~ to be on patrol; ~ *radiocomandata* radio(-equipped) patrol; ~ *di ricognizione* reconnaissance patrol.

pattugliamẹnto *m.* ⟨*Mil*⟩ patrol(ling). – **pattugliạre** *v.* (**pattụglio, pattụgli**) **I** *v.i.* (*aus.* **avere**) to (carry out a) patrol, to go on patrol. – **II** *v.t.* to patrol. – **pattugliatọre** *m.* patroller. – **pattugliọne** *m. accr. di* **pattuglia**.

pattuịre *v.t.* (**pattuịsco, pattuịsci**) to stipulate, to contract, to lay down; ~ *il prezzo di vendita* to stipulate the selling price; (*accordarsi*) to agree on, to settle. – **pattuịto** (*p.p. di pattuire*) **I** *a.* agreed (upon), stipulated, fixed, settled: *prezzo* ~ price agreed upon, agreed price. – **II** *s.m.* agreement, terms *pl*: *attenersi al* ~ to keep to terms. – **pattuiziọne** *f.* **1.** negotiation, stipulation, coming to terms. – **2.** (*patto*) contract, agreement.

pattumạglia *f.* ⟨*spreg*⟩ rubbish, trash, junk, garbage. – **pattụme** *m.* ⟨*tosc*⟩ **1.** rubbish, refuse, garbage, trash. – **2.** ⟨*non com*⟩ (*fango*) mud, mire, sludge.

pattumiẹra *f.* dustbin, ash-bin, ⟨*am*⟩ garbage (*o* trash) can.

patullạre *v.t.* ⟨*tosc*⟩ **1.** (*beffeggiare*) to make fun of, to poke fun at, to taunt, to mock. – **2.** (*sballottare*) to toss (*o* knock) about. – **patullarsi** *v.r.* (*provare gusto*) to enjoy (o.s.).

pạtulo *a.* ⟨*lett*⟩ (*ampio*) wide, ample, broad.

patụrn(i)e *f.pl.* ⟨*pop*⟩ **1.** (*malumore, stizza*) (bad) temper, bad (*o* ill) humour, bad mood. – **2.** ⟨*non com*⟩ (*malinconia*) melancholy, dejection, low spirits *pl*, ⟨*fam*⟩ dumps *pl.* □ *avere le* ~: 1. (*essere malinconico*) to be in the doldrums (*o* dumps), to be ⌜out of sorts⌝ (*o* in low spirits), to be depressed; 2. (*essere di cattivo umore*) to be in a bad temper (*o* mood); *far venire le* ~ *a qd.* to irritate s.o., to put s.o. in a bad temper, ⟨*fam*⟩ to get s.o.'s goat.

pauciflọro *a.* ⟨*Bot*⟩ pauciflorous.

paulịsta *m.* ⟨*Rel*⟩ Paulist.

paulọnia *f.* ⟨*Bot*⟩ kiri, paulownia (*Paulownia tomentosa*; *Paulownia imperialis*).

pauperịsmo *m.* **1.** poverty, pauperism. – **2.** ⟨*Rel*⟩ (*povertà*) poverty, poorness. – **pauperịstico** *a.* (*pl.* **-ci**) **1.** of pauperism (*o* poverty). – **2.** (*della povertà*) of poverty.

paupulạre *v.i.* (**pạupulo**; *aus.* **avere**) ⟨*lett*⟩ (*rif. ai pavoni*) to shriek.

paụra *f.* **1.** fear, dread: *incutere* ~ *a qd.* to arouse fear in s.o., to make s.o. afraid; (*mista a riverenza*) awe; (*spavento*) fright, scare; (*ansia*) fear, anxiety. – **2.** (*timore, preoccupazione*) fear, apprehension, worry.

□ **aver** ~ *che* to be afraid (*o* scared) that, to fear that; *aver* ~ *di qc.* to be frightened (*o* afraid) of s.th., to fear (*o* dread) s.th.; *aver* ~ *di qd.* to be afraid (*o* frightened) of s.o.; *ho* ~ *di no* I'm afraid not; *ho* ~ *di sì* I'm afraid so; *non aver* ~ *!* : 1. don't be afraid (*o* frightened)!; 2. ⟨*fam*⟩ (*stai sicuro*) don't worry!, you can be quite sure of that!, have no fear!; *una* ~ *del* **diavolo** terrible (*o* great) fear, terror, ⟨*fam*⟩ a blue funk; *avere una* ~ *del diavolo* to be very afraid, ⟨*fam*⟩ to be scared to death; *la* ~ *gli* **entrò** *addosso* (*o* *in corpo*) he ⌜was frightened⌝ (*o* got scared), he was terror-struck; **far** ~ *a qd.* to frighten (*o* scare) s.o., to make s.o. afraid; (*spaventarlo*) to frighten (*o* scare, startle) s.o.; *da far* ~ (*agg.*) dreadful, terrible, frightful; (*avv.*) dreadfully, terribly, ⟨*fam*⟩ fearfully, ⟨*fam*⟩ awfully: *brutto da far* ~ terribly ugly, as ugly as sin; *magro da far* ~ dreadfully thin; *una* **gran** ~ a terrible fright (*o* scare), great fear; *una* ~ **matta** (*o da morire*) = *una paura del* **diavolo**; **mettere** ~ *a qd.* = **far** *paura a qd.*; *che mette* ~ frightening, fearful, ⟨*fam*⟩ scary; ⟨*non com*⟩ *mettersi in* ~ to be frightened (*o* worried); **niente** ~ *!* don't be afraid!; ⟨*fig*⟩ *la* ~ *fa* **novanta** fear makes one do strange things; **per** ~ from (*o* out of) fright, for fear; *per* ~ *di* for fear of, lest; *essere* **preso** *dalla* ~ to be frightened, to take fright; **senza** ~: 1. ⟨*esclam*⟩ = **niente** *paura*; 2. fearless. – *Prov.*: *chi ha* ~ *non vada alla guerra* don't get into situations you can't deal with; *chi ha* ~ *d'ogni figura spesso inciampa nell'ombra* a too cautious person will trip up over his own shadow; *cane scottato dall'acqua calda ha* ~ *di quella fredda* once bitten twice shy.

paurạccia *f.* (*pl.* **-ce**) *pegg. di* **paura**.

paurạra *f.* ⟨*Pesc*⟩ (kind of) fishing-net.

pạuro *m.* ⟨*Itt*⟩ (*pagro*) pargo (*Pagrus pagrus*).

paurọpodi *m.pl.* ⟨*Zool*⟩ pauropods *pl* (*Pauropoda*).

paurosamẹnte *avv.* frightfully, fearfully, terribly. – **paurọso** *a.* **1.** fearful, timorous; (*timido*) timid: ~ *come un coniglio* as timid as a rabbit. – **2.** (*che mette paura*) fearful, frightful, dreadful.

pạusa *f.* **1.** pause, stop, break, respite: ~ *del lavoro* pause during work, break from work; *fare una* ~ to call a (short) halt, to take a break; (*interruzione*) interruption, breaking off, pause. – **2.** (*arresto, sosta*) stop(page), standstill: *il lavoro ha subito una* ~ the work has come to a stop. – **3.** (*intervallo*) interval, ⟨*am*⟩ intermission. – **4.** (*breve silenzio*) pause. – **5.** ⟨*Mus*⟩ pause, rest: ~ *di una croma* quaver rest. – **6.** ⟨*Med,Fon*⟩ pause. □ ⟨*Med*⟩ ~ *del cuore* perisystole; ⟨*Mus*⟩ ~ *d'un ottavo* quaver rest, ⟨*am*⟩ eight-note rest; ~ *di una semibreve* semibreve rest.

Pausạnia *N.pr.m.* ⟨*Stor*⟩ Pausanias.

pausạre *v.* (**pạuso**) ⟨*lett*⟩ **I** *v.i.* (*aus.* **avere**) **1.** (*fare una pausa*) to (make a) pause, to stop. – **2.** ⟨*rar*⟩ (*fare pause nel parlare*) to pause. – **II** *v.t.* (*interrompere con pause*) to pause in, to break up.

pausạrio *m.* ⟨*Stor.rom*⟩ stroke setter (on Roman galleys).

pạussidi *m.pl.* ⟨*Entom*⟩ paussids *pl* (*Paussidae*).

pavạna *f.* ⟨*Mus*⟩ pavan(e), pavin.

pavạno ⟨*ant*⟩ **I** *a.* (*padovano*) of Padua, Paduan. – **II** *s.m.* (*dialetto*) Paduan dialect.

pavé *fr. m.* ⟨*Strad*⟩ (*strada lastricata*) (stone-)paved road, pavement; (*acciottolato*) cobblestone pavement.

paventamẹnto *m.* ⟨*non com*⟩ fear. – **paventạre** *v.* (**pavẹnto**) ⟨*lett*⟩ **I** *v.t.* (*temere*) to fear, to be afraid of. – **II** *v.i.* (*aus.* **avere**) **1.** (*avere paura*) to be afraid; (*spaventarsi*) to take fright, to get frightened, to be scared. – **2.** (*sospettare*) to be suspicious. – **3.** ⟨*region*⟩ (*adombrarsi*) to shy.

pavẹnto *m.* ⟨*ant*⟩ (*spavento*) fright; (*timore*) fear, dread; (*ansia, paura*) fear, anxiety. – **paventọso** *a.* ⟨*lett*⟩ **1.** (*spaurito*) frightened, scared, afraid. – **2.** (*spaventoso*) fearful, frightening, dreadful.

pavẹra *f.* ⟨*Bot*⟩ **1.** (*carice*) sedge (*Carex*). – **2.** (*tifa*) cat-tail (*Typha*). – **3.** (*giunco*) rush (*Juncus*).

pavẹre *v.t.* ⟨*poet*⟩ (*temere*) to fear, to be afraid of.

pavesạre *v.t.* (**pavẹso**) **1.** to decorate, to adorn, to (be)deck. – **2.** ⟨*Mar*⟩ (*issare il pavese*) to dress (with flags). – **3.** ⟨*ant*⟩ (*fornire di impavesata*) to bulwark with shields. – **pavesạta** *f.* **1.** ⟨*Mar*⟩ (*pavese*) bunting, flags *pl.* – **2.** ⟨*ant*⟩ (*impavesata*) bulwark.

pavẹse[1] *m.* **1.** ⟨*Mar*⟩ (*gala*) flags *pl*, flag dressing. – **2.** ⟨*Mar.ant*⟩ bulwark of shields. – **3.** ⟨*Mil.ant*⟩ pavis(e), pavais. – **4.** ⟨*lett*⟩ (*scudo*) shield. □ ~ *di bandiere* (*gran pavese*) dressing overall; *alzare il gran* ~ to dress a ship overall.

pavẹse[2] **I** *a.* of (o from) Pavia, Pavia-, Pavia's. – **II** *s.m./f.* (*abitante*) inhabitant of Pavia. – **III** *s.f.* ⟨*Gastr*⟩ (*anche zuppa pavese*) soup with fried bread and eggs.

pạvia *f.* ⟨*Bot*⟩ buck-eye, horse-chestnut (tree) (*Pavia rubra, Aesculus pavia*).

Pavịa *N.pr.f.* ⟨*Geog*⟩ Pavia.

paviạno *m.* ⟨*Zool*⟩ baboon (*Papio*). □ ~ *nero* chacma (baboon) (*Papio porcarius*); ~ *rosso* (*o sfinge*) red baboon (*Papio papio*).

pavidità *f.* ⟨*non com*⟩ fearfulness; (*timidezza*) timidness. – **pạvido** *a.* ⟨*lett*⟩ **1.** (*timoroso*) fearful; (*timido*) timid. – **2.** (*vile*) cowardly, mean.

padiglịone[1] *m.* ⟨*ant*⟩ (*padiglione*) pavilion.

paviglịone[2] *m.* ⟨*ant*⟩ (*bandiera navale*) ensign, flag.

pavimentạle *a.* (*del pavimento*) floor-, pavement-, pavemental. – **pavimentạre** *v.t.* (**pavimẹnto**) **1.** to floor, to lay the floor of: ~ *una stanza* to floor a room; (*con tavole*) to plank; (*con parquet*) to parquet. – **2.** (*lastricare*) to pave. – **pavimentatọre** *m.* **1.** floorer, floor-layer. – **2.** ⟨*Strad*⟩ paver, paviour. – **pavimentatrịce** *f.* (road-)paver.

pavimentaziọne *f.* **1.** flooring, laying of a floor; (*con tavole*) planking; (*con parquet*) parqueting, laying of parquet. – **2.** (*pavimento*) floor, flooring; (*di tavole*) planking, batten (*o* deal) flooring; (*parquet*) parquet (flooring), parquetry. – **3.** ⟨*Strad*⟩ (*atto*) paving; (*effetto*) paving, pavement.

□ ⟨*Strad*⟩ ~ **antisdrucciolevole** non-skid pavement; ~ ⌜*di* **bitume**⌝ (*o* *bituminosa*) asphalt bitumen pavement; ~ *a* **blocchetti** block paving; ~ *in* **calcestruzzo** concrete paving; ~ *in* **cemento** concrete flooring; ~ *di* **gomma** rubber flooring; ~ *in* **macadam** macadam, macadamized pavement; ~ *di* **mattoni** brick paving; ~ **sdrucciolevole** slippery pavement; ~ **stradale** paving, pavement; (*lastricato*) (stone-)paving.

pavimentịsta *m.* (*operaio*) floorer, floor-layer; (*lastricatore*) paver, paviour.

pavimẹnto *m.* **1.** floor: *lucidare il* ~ to polish the floor. – **2.** (*lastrico*) (stone-)paving, pavement. – **3.** ⟨*Anat*⟩ floor, fundus.

□ ~ **battuto** jointless flooring; ~ *in* **cemento** concrete floor; ~ *di* **marmo** marble floor; ~ *di* **mattonelle** tiled floor, tiling; ~ *di* **mattoni** brick paving; ~ *a* **mosaico** mosaic floor; ~ *a* **palchetti** parquet (floor); ⟨*Anat*⟩ ~ **pelvico** pelvic diaphragm (*o* floor); ~ *a* **piastrelle** tiled floor, tile flooring; ~ *in* **pietra** stone floor; ~ **stradale** paving, pavement, road surface; (*lastricato*) (stone-)paving; ~ *di* **tavole** batten (*o* plank, deal) floor.

pavonạto *a.* ⟨*Arald*⟩ having a peacock's-tail.

pavonạzzo *a./s.* ⟨*rar*⟩ → **paonazzo**.

pavoncẹlla (*dim. di pavone*) *f.* ⟨*Ornit*⟩ lapwing (*Vanellus vanellus*). □ ~ *armata* (o *ornata*) spur-winged plover (*Hoplopterus spinosus*); ~ *codabianca* white-tailed plover (*Chettusia leucura*); ~ *combattente* ruff (*Philomachus pugnax*); ~ *gregaria* sociable plover (*Chettusia gregaria*); ~ *di palude* (*nitticora*) night heron (*Nycticorax nycticorax*).

pavoncẹllo (*dim. di pavone*) *m.* ⟨*Ornit*⟩ fantail (pigeon).

pavọne *m.* **1.** ⟨*Ornit*⟩ peafowl, ⟨*pop*⟩ peacock (*Pavo*); (*maschio*) peacock; (*femmina*) peahen. – **2.** ⟨*Ornit*⟩ (*pavone crestato*) Indian peacock (*o* peafowl) (*Pavo cristatus*). – **3.** ⟨*fig*⟩ peacock, vain person. – **4.** (*colore*) peacock (-blue). – **Pavone** *N.pr.m.* ⟨*Astr*⟩ Pavo, Peacock.

□ ~ **africano** (*nitticora*) night heron (*Nycticorax nycticorax*); **blu** ~ peacock-blue; ~ *del* **Congo** afropavo, Congo peacock (*Afropavo congensis*); ⟨*Entom*⟩ ~ **diurno** peacock butterfly (*Vanessa io*); ⟨*fig*⟩ **fare** *il* ~ → **pavoneggiarsi**; ⟨*Itt*⟩ ~ *di* **mare** (*pesce volpe*) thresher(-shark), sea-fox (*Alopias vulpes*); ⟨*Entom*⟩ ~ *di* **notte** giant silkworm moth (*Saturnia pyri*); **verde** ~ peacock green.

pavoneggiạrsi *v.r.* (**mi pavonẹggio, ti pavonẹggi**) to strut (and pose), to show off, to peacock.

pavọnia *f.* ⟨*Entom*⟩ saturniid (*Saturnia*). □ ~ *maggiore* giant silkworm moth (*Saturnia pyri*); ~ *minore* emperor (*o* peacock) moth (*Saturnia pavonia*).

pazientạre *v.i.* (**paziẹnto**; *aus.* **avere**) to be patient.

paziẹnte **I** *a.* **1.** patient; (*che esprime pazienza*) patient: *occhi -i* patient eyes. – **2.** (*accurato*) careful, precise; (*diligente*) conscientious, diligent; (*fatto con pazienza*) painstaking, patient: *ricerche -i* painstaking research. – **3.** ⟨*ant,Gramm*⟩ patient. – **4.** ⟨*ant,Filos*⟩ passive. – **II** *s.m./f.* **1.** patient. – **2.** ⟨*ant,Gramm*⟩ (*elemento passivo*) patient. □ ~ *iscritto alla mutua* patient on a health (*o* sickness) insurance scheme; ~ *privato* private patient.

pazientemẹnte *avv.* patiently.

paziẹnza *f.* **1.** patience: *abusare della* ~ *di qd.* to take advantage of s.o.'s patience, ⟨*fam*⟩ to stretch s.o.'s patience. – **2.** (*costanza*) patience, constancy, endurance, steadfastness. – **3.** ⟨*esclam*⟩ never mind! – **4.** ⟨*Rel*⟩ scapular; (*cordoglio*) friar's (knotted) cord. – **5.** ⟨*Mar*⟩ (*cavigliera*) rack for belaying pins. – **6.** ⟨*Bot*⟩ (*anche erba pazienza*) patience (dock) (*Rumex patientia*). – **7.** ⟨*ant*⟩ (*patimento*) suffering, torment, pain.

□ ⟨*Bot*⟩ **albero** *della* ~ chinaberry tree, Indian lilac (*Melia azedarach*); **avere** ~ to be patient; *abbia* ~ *!* (*scusi*) I'm sorry!, excuse me!; (*permette*) excuse me please, may I (pass)?; *abbia la* ~ *di ripetermelo* please be good enough to repeat it; **benedetta** ~ *!* = **santa** *pazienza !*; ⟨*fig*⟩ ~ *da* **certosino** great patience; **con** ~ with (*o* in) patience, patiently; *la* ~ *di* **Giobbe** the patience of Job; **gioco** *di* ~ puzzle; (*gioco di carte*) patience, solitaire; **perdere** *la* ~ to lose (one's) patience; **portare** ~ to be patient; **santa** ~ *!* heavens above!, give me patience!; *far* **scappare** *la* ~ *a qd.* to make s.o. lose his patience (*o* temper), ⟨*fam*⟩ to get s.o.'s goat; *farebbe scappare la* ~ *a un santo* he would try the patience of a saint; *mi scappa la* ~ I am losing (my) patience; *avere la* ~ *di un* **somaro** to be infinitely patient. – *Prov.*: *la* ~ *è una buona erba ma non nasce in tutti gli orti* patience is a flower that grows not in every garden; *la* ~ *è la virtù degli asini* patience is an ass's virtue.

pazzamẹnte *avv.* **1.** madly, like a madman, insanely, crazily. – **2.** (*moltissimo, eccessivamente*) wildly, madly, very much, excessively: *essere* ~ *innamorato di qd.* to be madly (*o* head over heels) in love with s.o. – **3.** (*avventatamente*) rashly, recklessly.

pazzariẹllo *m.* ⟨*napol*⟩ costumed crier of wares.

pazzeggiạre *v.i.* (**pazzẹggio, pazzẹggi**; *aus.* **avere**) **1.** (*fare il pazzo*) to act like a madman, to play the fool. – **2.** (*fare chiasso*) ⟨*fam*⟩ to make a racket, ⟨*fam*⟩ to kick up a rumpus.

pazzerellịno, pazzerẹllo (*dim. di pazzo*) *m.* mad (*o* giddy) fellow, idiot, madcap. – **pazzerellọne** (*accr. di pazzo*) **I** *a.* crazy, madcap-. – **II** *s.m.* (*f.* **-a**) fool, madcap.

pazzescamẹnte *avv.* madly, wildly, foolishly, like mad. – **pazzẹsco** *a.* (*pl.* **-chi**) **1.** mad, wild, foolish, crazy. – **2.** ⟨*fig*⟩ (*insensato*) absurd, foolish, senseless, wild, nonsensical, mad, ⟨*fam*⟩ crack-brained: *un'impresa -a* a foolish venture.

pazzịa *f.* **1.** madness, insanity, lunacy. – **2.** (*azione, discorso*) madness, mad act, (act of) lunacy, folly: *questa è un'altra delle sue -e* this is another of his follies. □ *dare in* ~ to go mad, to become insane; *dire -e* to talk nonsense (*o* rubbish); ~ *furiosa* raving madness; *avere un ramo di* ~ to be a little crazy, ⟨*fam*⟩ to have a screw loose, ⟨*fam*⟩ to be touched; *sarebbe una* ~ it would be madness (*o* sheer folly). – *Prov.*: *chi non fa -e in gioventù, le fa in vecchiaia* a young saint makes an old devil.

pazziarịello *m.* → **pazzariello.**

pạzzo I *a.* **1.** mad, insane, lunatic, crazy, ⟨*fam*⟩ nutty, ⟨*pred*⟩ round the bend. – **2.** ⟨*fig*⟩ (*sfrenato*) wild, mad, frenzied. – **3.** ⟨*fig*⟩ (*stravagante*) eccentric, odd, strange, ⟨*am.fam*⟩ screwy. – **4.** ⟨*fig*⟩ (*insensato*) absurd, nonsensical, senseless, wild, foolish, mad: *discorsi -i* wild talk. – **II** *s.m.* (*f.* **-a**) madman (*f* -woman), lunatic: *urlare come un* ~ to shout like a madman. □ ⟨*fig*⟩ *andare* (o *essere*) ~ *per qc.* (o *qd.*) to be mad (*o* crazy) about s.th. (*o* s.o.); *un* ~ *ne fa cento* one fool makes many; ~ *furioso* raving lunatic; ~ *da legare* stark (*o* raving) mad. – *Prov.*: *ne sa più un* ~ *a casa sua che un savio a casa d'altri* a fool is a wise man in his own home.

pazzọide I *a.* crazy, half-mad, ⟨*fam*⟩ touched, ⟨*fam*⟩ dotty, ⟨*am.fam*⟩ screwy. – **II** *s.m./f.* madcap, eccentric, ⟨*am*⟩ nut.

Pb = ⟨*Chim*⟩ *piombo* lead.

p.c. = **1.** ⟨*burocr*⟩ *per conoscenza* copy to, carbon copy (*abbr.* cc., c.c.). – **2.** ⟨*epist*⟩ *per condoglianze* with sympathy.

P.C. = ⟨*Dir*⟩ *parte civile* plaintiff (*abbr.* plf., plff.).

P/C = ⟨*Comm*⟩ *polizza di carico* bill of lading (*abbr.* B/L, b.l.).

p.c.c. = *per copia conforme* certified (*o* true) copy (*abbr.* cert.).

P.C.I. = *Partito comunista italiano* Italian Communist Party.

Pd = ⟨*Chim*⟩ *palladio* palladium.

P.d.A. = ⟨*Stor*⟩ *Partito d'azione* Action Party.

P.D.C. = *Partito democratico cristiano* Christian Democrat Party.

PE = ⟨*Aut*⟩ *Perù* Peru.

p.e. = **1.** *per esempio* for example (*abbr.* e.g.). – **2.** ⟨*Med*⟩ *parti eguali* equal parts.

peạna *m.* **1.** ⟨*Lett*⟩ paean. – **2.** ⟨*Mitol,rar*⟩ (*Apollo*) Paian, Apollo. – **3.** ⟨*rar,Metr*⟩ paeon. – **peạne** *m.* ⟨*rar*⟩ → **peana.**

peạta *f.* ⟨*Mar*⟩ kind of Venetian barge.

peatạggio *m.* ⟨*Mar*⟩ lightening.

pebrịna *f.* (*in bachicoltura*) pebrine.

pecạn *m.* **1.** ⟨*Bot*⟩ pecan(-tree) (*Carya illinoensis*; *Carya pecan*). – **2.** (*noce*) pecan (nut).

pẹcari *m.* ⟨*Zool*⟩ peccary (*Dicotyles, Tayassu*). □ ~ *dal collare* collared peccary (*Tayassu angulatus*); ~ *labiato* white-lipped peccary (*Tayassu pecari*).

pẹcca *f.* **1.** (*difetto*) defect, flaw, fault, shortcoming, blemish. – **2.** ⟨*ant*⟩ (*peccato*) sin. □ *pieno di pecche* full of defects, faulty; *privo di pecche* faultless, without blemish.

peccạbile *a.* ⟨*non com*⟩ liable to sin, peccable, fallible. – **peccabilità** *f.* ⟨*non com*⟩ liability to sin, peccability.

peccaminosità *f.* sinfulness. – **peccaminọso** *a.* **1.** sinful, wicked; (*che costituisce peccato*) sinful. – **2.** (*lussurioso*) lustful, lascivious: *pensieri -i* lustful thoughts.

peccạre *v.i.* (**pẹcco, pẹcchi**; *aus.* **avere**) **1.** to sin (*contro* against), to offend (s.o.). – **2.** (*essere colpevole*) to be guilty, to commit the sin (*di* of): ~ *d'ingratitudine* to be guilty of ingratitude, to be ungrateful. – **3.** (*essere manchevole*) to be deficient (*o* lacking, faulty) (*di, in* in), to lack (s.th.): *il romanzo pecca nell'intreccio* the novel lacks a good plot. – **4.** ⟨*assol*⟩ to (commit a) sin. □ ~ *di gola* to commit the sin of gluttony, to be a glutton; ~ *mortalmente* to commit (a) mortal sin; ~ *in parole* to sin in word; ~ *in pensieri* to sin in thought, to have sinful thoughts; ~ *venialmente* to commit a venial sin. – *Prov.*: *il* ~ *è da uomini, l'ostinarsi è da bestia* to err is human, to persist in error is bestial.

peccatạccio *m. pegg. di* **peccato.**

peccạto *m.* **1.** ⟨*Rel*⟩ sin, ⟨*lett*⟩ trespass: *commettere* ~ to (commit) sin. – **2.** (*colpa grave, errore*) fault, error, transgression, offence. – **3.** ⟨*esclam*⟩ what a shame, what a pity. – **4.** ⟨*rar*⟩ (*pecca*) fault, flaw, blemish.

□ ~ **abituale** habitual sin; ~ **attuale** actual sin; **brutto** *come il* ~ (*mortale*) as ugly as sin; **cadere** *in* ~ to fall (*o* lapse) into sin; **che** ~ ! what a pity (*o* shame) !; ~ *di* **commissione** sin of commission; ~ *di* **gioventù**: 1. (*malattia venerea*) venereal disease; 2. ⟨*fig*⟩ (*figlio illegittimo*) illegitimate child; 3. (*opera*) youthful work (*o* effort); ~ *di* **gola** (sin of) gluttony; ~ **grave** grave (*o* serious) offence, (grave) sin; ⟨*fig*⟩ (*sciocchezza imperdonabile*) unforgivable foolishness; ~ **mortale** mortal (*o* deadly) sin; ~ *di* **omissione** sin of omission; ~ **originale** original sin; ⟨*fam*⟩ *fare il* ~ *e la* **penitenza** to commit a sin which brings no pleasure; **rimettere** *i -i* to forgive sins; ~ **veniale** venial sin. – *Prov.*: *si dice il* ~ *ma non il peccatore* to discuss s.o.'s faults without mentioning names; ~ *confessato è mezzo perdonato* a fault confessed is half redressed; *chi ha fatto il* ~ *faccia la penitenza* he who errs must pay for it.

peccatọre *m* (*f.* **-trice**/*rar.* **-tora**) sinner: ~ *incallito* hardened sinner. – **peccatụccio** (*dim. di peccato*) *m.* peccadillo, slight fault.

peccẹta *f.* ⟨*region*⟩ (*bosco di abeti rossi*) fir-wood.

pẹcchero *m.* ⟨*ant*⟩ (*grosso bicchiere*) goblet.

pẹcchia *f.* ⟨*non com*⟩ (*ape*) bee. – **pecchiạio** *m.* ⟨*ant*⟩ (*luogo dove si tengono gli alveari*) apiary.

pecchiaiọlo: ⟨*Ornit*⟩ *falco* ~ honey-buzzard (*Pernis apivorus*).

pecchiọne *m.* (*fuco*) drone.

pẹccia[1] *f.* (*pl.* **-ce**) ⟨*ant*⟩ (*pancia*) belly, stomach.

pẹccia[2] *f.* (*pl.* **-ce**) ⟨*Bot*⟩ (*abete rosso*) Norway spruce (*Picea excelsa*).

pẹce *f.* pitch.

□ ~ *da* **birrai** brewer's pitch; ~ ⌜*di* **Borgogna**⌝ (o *bianca*) Burgundy (*o* white) pitch; ~ ⌜*di* **colofonia**⌝ (o *greca*) colophony, Greek pitch, rosin; ~ **liquida** tar; ⟨*fig*⟩ *essere* **macchiati** *della stessa* ~ to be tarred with the same brush; ⟨*Mar*⟩ ~ **nera** pitch; *nero come la* ~ as black as pitch, pitch-black.

pecẹtta *f.* ⟨*region*⟩ **1.** (*cerotto*) (sticking-)plaster, ⟨*am*⟩ band-aid. – **2.** ⟨*estens*⟩ (*toppa*) patch. – **3.** ⟨*fig*⟩ (*persona noiosa*) nuisance, bore. – **4.** ⟨*fig,non com*⟩ (*macchia di sudicio*) spot, stain. □ *mettere una* ~ to patch, to put a patch on; ⟨*fig*⟩ (*rimediare alla meglio*) to patch up.

pechblẹnda [-k-] *f.* ⟨*Min*⟩ pitchblende.

pechinẹse I *a.* Pekin(g)ese, of Peking. – **II** *s.m.* **1.** (*dialetto*) Pekin(g)ese. – **2.** (*cane pechinese*) Pekin(g)ese, ⟨*fam*⟩ Peke. – **III** *s.m./f.* (*abitante*) Pekin(g)ese, native (*o* inhabitant) of Peking. – **Pechịno** *N.pr.f.* ⟨*Geog*⟩ Peking.

peciạrio *m.* ⟨*Mediev*⟩ manuscript-keeper.

pecilọpodi *m.pl.* ⟨*Zool*⟩ xiphosures *pl* (*Poecilopoda*).

pecilotermịa *f.* ⟨*Zool*⟩ poikilothermism. – **pecilotẹrmo I** *a.* poikilothermic, poikilothermous, cold-blooded. – **II** *s.m.* poikilotherm.

pecionạta *f.* ⟨*roman*⟩ (*lavoro raffazzonato*) botch, bungle, bad job, ⟨*fam*⟩ mess. – **peciọne** *m.* ⟨*roman*⟩ **1.** (*ciabattino*) cobbler, shoemaker. – **2.** ⟨*fig*⟩ bungler, botcher.

peciọso *a.* ⟨*non com*⟩ **1.** (*sporco di pece*) smeared (*o* soiled) with pitch, pitchy. – **2.** (*simile alla pece*) pitchy, like pitch.

peciọtto *m.* ⟨*Ornit*⟩ (*picchio muratore*) nuthatch (*Sitta europaea caesia*).

pẹco *f.* ⟨*ant*⟩ (*pecora*) sheep.

pẹcora *f.* **1.** ⟨*Zool*⟩ sheep (*Ovis*); (*maschio*) ram; (*femmina*) ewe. – **2.** (*carne*) mutton. – **3.** ⟨*fig,spreg*⟩ (*persona paurosa*) sheep, ⟨*fam*⟩ milksop; (*persona vile*) coward. – **4.** ⟨*fig*⟩ (*animale mansueto*) lamb, docile animal: *il mio cavallo è una* ~ my horse is ⌜very docile⌝ (*o* gentle as a lamb).

□ ~ *di* **allevamento** breeding ewe; ~ *da* **carne** mutton sheep; ⟨*Zool*⟩ ~ *dalle grosse* **corna** bighorn sheep (*Ovis canadensis*); ~ **domestica** domestic sheep (*Ovis aries*); ~ *da* **lana** wool sheep; ~ **lattifera** (o *da latte*) milk sheep; ⟨*fig*⟩ *affidare la* ~ *al* **lupo** to set a wolf to guard the sheep; ~ **merino** Merino (sheep); ⟨*fig*⟩ ~ **nera** black sheep; ~ *a* **pelo** *grossolano* coarse-woolled sheep, coarse-hair sheep; ~ ⌜*di* **razza**⌝ (o *da riproduzione*) breeding sheep (*o* ewe); ~ *di razza montana* mountain sheep; ~ *della* **Romania** kind of zackelschaf (*o* Walachian sheep); ~ **selvatica** wild sheep (*Ovis*); ~ *delle* **steppe** urial (*Ovis vignei arkal*); ~ *di prima* **tosa** shearling; ~ **zurcana** = *pecora della* **Romania**. – *Prov.*: *una* ~ *marcia ne guasta un branco* one rotten apple will spoil the barrel; *chi* ~ *si fa, il lupo lo mangia* he that makes himself a sheep shall be eaten by the wolf.

pecorạggine *f.* **1.** (*viltà*) moral cowardice. – **2.** ⟨*ant*⟩ (*scempiaggine*) doltishness, stupidity.

pecorạio *m.* (*f.* **-a**) **1.** (*guardiano*) shepherd (*f* -dess). – **2.** ⟨*fig*⟩ (*persona rozza*) boor, churl, rustic. – **pecorạme** *m.* **1.** sheep *pl*, flock of sheep. – **2.** (*servilismo*) servility. – **pecorạro** *m.* ⟨*region*⟩ → **pecoraio.**

pecorẹccio I *a.* ⟨*rar*⟩ of a sheep, sheep's. – **II** *s.m.* ⟨*non com*⟩ **1.** (*odore di pecora*) smell of sheep. – **2.** ⟨*ant*⟩ (*letamaio*) sheep droppings *pl.* – **3.** ⟨*fig*⟩ (*situazione imbrogliata*) difficult situation, ⟨*fam*⟩ mess, ⟨*fam*⟩ fix.

pecorẹlla (*dim. di pecora*) *f.* **1.** ⟨*fig*⟩ (*nuvoletta bianca*) (small) fleecy cloud. – **2.** ⟨*fig*⟩ (*onda spumeggiante*) whitecap, white horse. – **3.** ⟨*Rel*⟩ sheep: ~ *smarrita* lost sheep. – **4.** ⟨*Itt*⟩ (*motella dai tre barbigli*) three-bearded rockling (*Onos vulgaris*; *Onos tricirratus*). – **5.** ⟨*Itt*⟩ (*motella dai cinque barbigli*) five-bearded rockling (*Onos fuscus*). □ ⟨*Entom*⟩ ~ *della Madonna* (*coccinella*) ladybird, ⟨*am*⟩ ladybug (*Coccinella*); ⟨*Dolc*⟩ ~ *di zucchero* sugar lamb. – *Prov.*: *cielo a -e, acqua a catinelle* mackerel skies bring rain.

pecorẹsco *a.* (*pl.* **-chi**) ⟨*non com,spreg*⟩ **1.** (*timoroso*) fearful, timid, sheep-like, sheepish; (*vile*) cowardly. – **2.** (*sciocco*) foolish, sheepish, silly. – **pecorịle I** *a.* ⟨*non com*⟩ sheep-, sheep's, of a sheep. – **II** *s.m.* **1.** (*ovile*) (sheep)fold. – **2.** ⟨*ant*⟩ (*sterco di pecora*) sheep dung. – **pecorịna** (*dim. di pecora*) *f.* (*sterco di pecora*) sheep dung (*o* droppings *pl*). – **pecorịno I** *a.* sheep's, sheep-, of a sheep. – **II** *s.m.* ⟨*Alim*⟩ (*formaggio*) Pecorino, ewe's-milk cheese.

pecorịsmo *m.* ⟨*non com*⟩ (*servilismo*) servilism.

pẹcoro *m.* ⟨*rar*⟩ **1.** (*montone*) ram, tup. – **2.** ⟨*spreg*⟩ (*pecora*) ugly sheep. – **3.** ⟨*fig*⟩ → **pecorone.**

pecorọne (*accr. di pecora*) *m.* **1.** (*montone*) ram. – **2.** ⟨*fig*⟩ (*persona vile*) sheep, coward, sheep-like person, spineless fellow. – **3.** ⟨*ant, fig*⟩ (*persona sciocca*) fool.

pecorọso *a.* ⟨*lett*⟩ covered with flocks (of sheep). – **pecorụme** *m.* → **pecorame.**

pectạsi *f.* ⟨*Biol*⟩ pectinesterase, pectase.

pẹctico *a.* (*pl.* **-ci**) ⟨*Chim*⟩ pectic: *acido* ~ pectic acid.

pẹctide *f.* ⟨*Stor.gr*⟩ magadis.

pectịna *f.* ⟨*Chim*⟩ pectin.

pectinạsi *f.* → **pectasi**.
pectinibrạnchi *m.pl.* ⟨*Zool*⟩ pectinibranchiates *pl* (*Pectinibranchia, Pectinibranchiata*).
pectinọgeno *m.* ⟨*Chim*⟩ protopectin, pectinogen.
pectinọṣio *m.* ⟨*Chim*⟩ pectinose, pectin sugar.
pectiẓẓaziọne *f.* ⟨*Chim*⟩ pectization.
pectolịtico *a.* (*pl.* **-ci**) ⟨*Chim*⟩ pectolytic.
pectọṣio *m.* → **pectinosio**.
peculạto *m.* ⟨*Dir*⟩ embezzlement (of public funds), peculation.
peculiạre *a.* ⟨*lett*⟩ **1.** (*particolare*) peculiar, distinctive, singular, special, particular: *costrutto* ~ *di una lingua* construction peculiar to a language. – **2.** ⟨*Astr*⟩ peculiar: *moto* ~ peculiar motion. – **peculiarità** *f.* peculiarity, distinctiveness. – **peculiarmẹnte** *avv.* peculiarly, particularly.
pecụlio *m.* **1.** savings *pl*, ⟨*fam*⟩ nest-egg. – **2.** ⟨*Dir.rom*⟩ peculium: ~ *avventizio* peculium adventicium, bona adventicia. – **3.** ⟨*Mediev*⟩ (*fondo di riserva*) reserve fund. – **4.** ⟨*ant*⟩ (*gregge*) flock; (*mandria*) herd. – **5.** ⟨*ant,fig*⟩ (*moltitudine*) multitude, crowd, (great) number.
pecụnia *f.* ⟨*lett*⟩ (*denaro*) money. – **pecuniạle** *a.* ⟨*ant*⟩ → **pecuniario**. – **pecuniạrio** *a.* pecuniary, money-, monetary: *pena -a* pecuniary (*o* money) penalty. – **pecuniọso** *a.* ⟨*lett*⟩ (*danaroso*) rich, wealthy, moneyed.
ped. = ⟨*Mus*⟩ *pedale* pedal (*abbr.* ped.).
pedaggiẹre *m.* ⟨*ant*⟩ (*gabelliere*) toll-collector.
pedạggio *m.* ⟨*Stor,Strad*⟩ toll. □ ⟨*Strad*⟩ *a* ~ toll-.
pedạgna *f.* **1.** plank, foot-bridge. – **2.** ⟨*Mar*⟩ stretcher, foot-rest. – **3.** ⟨*region*⟩ (*pedana*) footboard.
pedagnọla *f.* ⟨*Edil*⟩ tilting lath.
pedagnọlo[1] *m.* **1.** (*fusto di albero giovane*) young tree trunk. – **2.** (*palancola*) treetrunk serving as a bridge.
pedạgnolo[2] *m.* ⟨*non com*⟩ (*picciolo*) stalk, petiole.
pedagogịa *f.* p(a)edagogy, pedagogics *pl* (*costr. sing.*). – **pedagogicamẹnte** *avv.* pedagogically. – **pedagọgico** *a.* (*pl.* **-ci**) pedagogic(al), paedagogic; (*dell'istruzione*) teaching-, educational. – **pedagogịsmo** *m.* pedantry. – **pedagogịsta** *m./f.* pedagogist. – **pedagogiẓẓạre** *v.i.* (*aus* **avere**) ⟨*rar*⟩ **1.** (*fare il pedagogista*) to be a pedagogist. – **2.** ⟨*scherz*⟩ (*darsi arie da pedagogo*) to play the pedagogue, to be pedantic. – **pedagọgo** *m.* (*pl.* **-ghi**; *f.* **-a**) **1.** ⟨*lett*⟩ instructor, educator, pedagogue; (*insegnante*) teacher, schoolmaster. – **2.** ⟨*scherz*⟩ pedagogue. – **3.** ⟨*rar*⟩ → **pedagogista**.
pedalạbile *a.* ⟨*Sport*⟩ (*rif. a strada*) good for cycling on. – **pedalạre** *v.i.* (*aus.* **avere**) **1.** to (work a) pedal. – **2.** ⟨*estens*⟩ (*andare in bicicletta*) to pedal, to cycle, to (ride a) bicycle, ⟨*fam*⟩ to bike. – **pedalạta** *f.* **1.** push on a pedal. – **2.** (*modo di pedalare*) way of pedalling. – **pedalatọre** *m.* (*f.* **-trice**) cyclist.
pedạle[1] *m.* **1.** pedal: ~ *della bicicletta* bicycle pedal. – **2.** ⟨*Mus*⟩ pedal: ~ *del pianoforte* piano pedal; (*di armonium*) pedal, foot-lever, treadle. – **3.** ⟨*Mus*⟩ (*nota grave*) pedal (point). – **4.** ⟨*tecn*⟩ pedal, foot-lever, treadle. – **5.** ⟨*Calz*⟩ (cobbler's) strap. – **6.** ⟨*Bot*⟩ (*piede del tronco*) base, foot, stump; (*parte del ramo*) base of branch; (*tronco*) trunk, stock, bole. – **7** ⟨*Ferr*⟩ treadle, pedal. – **8.** ⟨*Pesc*⟩ cod (end) of a tunny-net. – **9.** ⟨*region*⟩ (*calzino*) sock.
□ **a** ~ pedal-, treadle-: *azionamento a* ~ pedal (*o* treadle) drive; ⟨*Aut*⟩ ~ *dell'***acceleratore** accelerator pedal; ⟨*Mus*⟩ ~ *di* **accoppiamento** coupler; ~ *di* **avviamento** kick-starter; ~ *di* **comando** foot control lever; ⟨*Mus*⟩ ~ *di* **combinazione** composition pedal, double touch; ⟨*Mus*⟩ ~ *del* **crescendo** crescendo pedal; ⟨*Mus*⟩ ~ *del* **forte** sustaining (*o* damper, forte) pedal, ⟨*pop*⟩ loud pedal; ⟨*Aut*⟩ ~ *del* **freno** brake pedal; ~ *della* **frizione** clutch pedal; ~ *del* **gas** = *pedale dell'***acceleratore**; ⟨*Mus*⟩ ~ *del* **piano** soft (*o* piano) pedal; **schiacciare** *il* ~ to step (*o* put one's foot) on the pedal; ⟨*Mus*⟩ ~ **tonale** soft pedal.
pedạle[2] *a.* **1.** ⟨*Zool*⟩ pedal, foot-. – **2.** ⟨*Bot*⟩ basal.
pedaleggiạre *v.i.* (**pedalẹggio, pedalẹggi**; *aus.* **avere**) ⟨*Mus*⟩ to pedal, to work the pedals.
pedaliẹra *f.* **1.** floor (board); ⟨*collett*⟩ pedals *pl.* – **2.** ⟨*Mus*⟩ pedal keyboard, pedals *pl*, pedalier; (*nell'organo*) pedalier, pedal board. – **3.** ⟨*Aer*⟩ rudder bar. – **4.** ⟨*Tess*⟩ tread(le) loom.
pedalịna *f.* ⟨*Tip*⟩ platen (*o* job) press.
pedalịno (*dim. di pedale*[1]) *m.* ⟨*region*⟩ (*calzino*) sock.
pedalpịno *a.* ⟨*lett*⟩ (*che sta ai piedi delle Alpi*) at the foot of the Alps.
pedạna *f.* **1.** footboard, foot-rest, foot-rail; (*della cattedra*) platform, dais. – **2.** ⟨*Aut*⟩ running-board. – **3.** ⟨*Sport*⟩ (*nel salto*) springboard, take-off board; (*nella scherma*) strip, piste, planche. – **4.** ⟨*Sart*⟩ edging, tape, binding. – **5.** (*rif. a portoni*: *predella*) board reinforcing the bottom of a door. – **6.** ⟨*non com*⟩ (*tappetino*) small rug; (*scendiletto*) bedside rug. – **7.** ⟨*Mil.ant*⟩ (*uosa*) sab(b)aton. □ ⟨*Sport*⟩ ~ *di battuta* springboard, beat(ing) board, take-off board; ~ *elastica* springboard; ~ *elettrica* metal piste; ~ *di lancio* (*nel baseball*) (pitcher's) mound (*o* plate); (*nel lancio del peso e sim.*) (throwing) circle; ~ *di rincorsa* springboard.
pedạno[1] *m.* ⟨*Fal*⟩ mortise chisel.
pedạno[2] *m.* ⟨*tosc*⟩ (*tronco d'albero*) (tree) trunk.
pedantạggine *f.* ⟨*non com*⟩ → **pedanteria**.
pedạnte I *a.* **1.** pedantic. – **2.** ⟨*estens*⟩ (*meticoloso*) pedantic, (over-)meticulous, ⟨*fam*⟩ donnish. – **II** *s.m./f.* **1.** pedant, precisian, formalist. – **2.** ⟨*ant*⟩ (*insegnante*) teacher, schoolmaster, ⟨*ant*⟩ pedant.
pedanteggiạre *v.i.* (**pedantẹggio, pedantẹggi**; *aus.* **avere**) to be pedantic. – **pedanterịa** *f.* pedantry. – **pedantẹsco** *a.* (*pl.* **-chi**) **1.** pedantic. – **2.** ⟨*estens*⟩ (*minuzioso*) meticulous, pedantic, (over-) scrupulous, finicky. – **pedantẹssa** *f.* ⟨*non com*⟩ pedant. – **pedantịsmo** *m.* ⟨*non com*⟩ → **pedanteria**. – **pedantiẓẓạre** *v.* ⟨*ant*⟩ → **pedanteggiare**.
pedarọla *f.* **1.** ⟨*Mar*⟩ (*mura*) tack. – **2.** ⟨*Pesc*⟩ (kind of) seine net. – **3.** ⟨*ant,Bot*⟩ (*pollone*) shoot, sucker.
pedạta *f.* **1.** kick: *dare una* ~ *a qd.* to give s.o. a kick, to kick (*o* boot) s.o. – **2.** (*orma*) footprint, footmark, footstep, track; ⟨*non com*⟩ (*rif. ad animali*) track. – **3.** (*larghezza del gradino*) tread. – **4.** ⟨*rar*⟩ (*rumore di passi*) footfall, (foot)step. □ *prendere qd. a -e* to kick s.o.; *aprire la porta con una* ~ to kick the door open; *cacciare via qd. a -e* to kick (*o* boot) s.o. out.
pedatịfido *a.* ⟨*Bot*⟩ pedatifid. – **pedạto** *a.* pedate. – **pedatolobạto** *a.* pedatilobed. – **pedatopartịto** *a.* pedatipartite. – **pedatosẹtto** *a.* pedatisect.
pedatrofịa *f.* ⟨*Med*⟩ pedatrophia, athrepsia, marasmus.
pedemontạno *a.* **1.** ⟨*Geog*⟩ piedmont. – **2.** ⟨*lett*⟩ (*piemontese*) Piedmontese. – **pedemọnte** *m.* ⟨*non com*⟩ (*regione pedemontana*) piedmont.
pederạsta *m.* **1.** p(a)ederast. – **2.** (*omosessuale*) homosexual, ⟨*fam*⟩ queer. – **pederastịa** *f.* **1.** (*pedofilia erotica*) p(a)ederasty. – **2.** (*omosessualità*) homosexuality. – **pederạstico** *a.* (*pl.* **-ci**) p(a)ederastic.
pedẹstre *a.* **1.** (*dimesso, non geniale*) unimaginative, pedestrian, prosaic, dull. – **2.** ⟨*non com*⟩ pedestrian, foot-, on foot.
pedẹte *m.* ⟨*Zool*⟩ jumping hare (*Pedetes*).
pediạtra *m./f.* p(a)ediatrician, p(a)ediatrist. – **pediatrịa** *f.* p(a)ediatrics *pl* (*costr. sing. o pl.*). – **pediạtrico** *a.* (*pl.* **-ci**) p(a)ediatric, children's, child-: *ospedale* ~ p(a)ediatric (*o* children's) hospital. – **pediạtro** *m.* ⟨*rar*⟩ → **pediatra**.
pẹdibus calcạntibus *lat.* ⟨*scherz*⟩ (*a piedi*) on foot.
pedicaziọne *f.* p(a)edicatio, anal intercourse.
pedicellạria *f.* ⟨*Zool*⟩ pedicellaria.
pedicellạto *a.* ⟨*Bot*⟩ pedicellate(d).
pedicẹllo[1] *m.* ⟨*Bot*⟩ pedicel, peduncle, footstalk.
pedicẹllo[2] *m.* **1.** ⟨*region*⟩ (*piccolo foruncolo*) pimple, spot. – **2.** ⟨*ant*⟩ (*pidocchio*) louse; (*verme*) small worm.
pedicolạre *f.* ⟨*Bot*⟩ lousewort (*Pedicularis*).
pediculạti *m.pl.* ⟨*Itt*⟩ pediculates *pl* (*Pediculati*).
pedicụlidi *m.pl.* ⟨*Entom*⟩ pediculids *pl* (*Pediculidae*). – **pediculọṣi** *f.* ⟨*Med*⟩ pediculosis.
pedicụra *f.* ⟨*non com*⟩ (woman) chiropodist. – **pedicụre** *m./f.inv.* chiropodist, pedicure, podiatrist. – **pedicurịsta** *m./f.*, **pedicụro** *m.* → **pedicure**.
pedịdia *f.* ⟨*Anat*⟩ (*anche arteria pedidia*) arteria dorsalis pedis, dorsal artery of the foot. – **pedịdio** *m.* (*anche muscolo pedidio*) extensor digitorum brevis.
pedignọne *m.* ⟨*ant*⟩ (*gelone ai piedi*) chilblain (of the foot).
pedigree *ingl.* ['pedigri:] *m.* ⟨*Biol*⟩ pedigree.
pedilụvio *m.* foot-bath.
pedịna *f.* **1.** piece, (draughts)man; (*negli scacchi*) pawn. – **2.** ⟨*fig, scherz*⟩ (*donna di poco conto*) woman of no importance. □ ⟨*fig*⟩ *essere una* ~ *nelle mani di qd.* to be a pawn in s.o.'s hands; *muovere una* ~: 1. to make a move; 2. ⟨*fig*⟩ to set wheels in motion.
pedinamẹnto *m.* following, ⟨*fam*⟩ tailing, ⟨*fam*⟩ shadowing.
pedinạre I *v.t.* **1.** to follow, to tail, to shadow: *far* ~ *qd.* to have s.o. followed. – **2.** (*seguire una donna per corteggiarla*) to follow (after). – **II** *v.i.* (*aus.* **avere**) ⟨*venat*⟩ (*rif. a uccelli*) to run with short steps.
pedinẹrvio *a.* ⟨*Bot*⟩ pedatinerved.
pẹdio *m.* ⟨*Min*⟩ pedion.
pedionalgịa *f.* ⟨*Med*⟩ acrodynia, pedionalgia.
pedipạlpi *m.pl.* ⟨*Entom*⟩ pedipalps *pl* (*Pedipalpi*). – **pedipạlpo** *m.* pedipalp(us).
pedissequamẹnte *avv.* blindly, unthinkingly. – **pedịssequo I** *a.* unoriginal, slavish. – **II** *s.m.* **1.** ⟨*Stor.rom*⟩ (*anche servo pedissequo*) footman, slave who followed his master. – **2.** (*imitatore*) imitator.
pedivẹlla *f.* ⟨*Mecc*⟩ pedal crank.
pẹdo *m.* **1.** ⟨*Stor*⟩ staff, crook. – **2.** (*insegna del papa*) papal staff.
pedo|battẹṣimo *m.* ⟨*Rel*⟩ p(a)edobaptism, infant baptism. – **~cẹntrico** *a.* (*pl.* **-ci**) ⟨*Ped*⟩ child-centred. – **~centrịsmo** *m.* child-centring. – **~cọmio** *m.* ⟨*non com*⟩ (*ospedale per bambini*) p(a)ediatric (*o* children's) hospital. – **~filịa** *f.* p(a)edophilia. – **~gẹneṣi** *f.* ⟨*Entom*⟩ paedogenesis.
pedologịa[1] *f.* ⟨*Agr*⟩ pedology, soil science.
pedologịa[2] *f.* ⟨*Psic*⟩ pedology.
pedolọgico *a.* (*pl.* **-ci**) ⟨*Agr*⟩ pedologic(al). – **pedọlogo** *m.* (*pl.* **-gi**) pedologist, soil scientist.
pedomẹtrico *a.* (*pl.* **-ci**) pedometric(al). – **pedọmetro** *m.* pedometer.
pedọna *f.* ⟨*ant*⟩ (*negli scacchi*: *pedone*) pawn.
pedonạle *a.* pedestrian, pedestrian's: *attraversamento* ~ pedestrian crossing.
pedonạre *v.i.* (**pedọno**) ⟨*venat*⟩ to (follow the) scent, to hunt.
pedọne I *s.m.* **1.** pedestrian, person on foot: *investire un* ~ to run down a pedestrian. – **2.** (*negli scacchi*) pawn. – **3.** ⟨*Mil.ant*⟩ (*fante*) foot-soldier. – **II** *a.* ⟨*ant*⟩ (*a piedi*) on foot, afoot.
pedọta, pedọto *m.* ⟨*ant*⟩ (*pilota*) pilot, guide.
pedọtriba *m.* ⟨*Stor.gr*⟩ paedotribe.
pedotrofịa *f.* ⟨*Zool*⟩ alimentation of young organisms. – **pedotrọfico** *a.* (*pl.* **-ci**) concerning the alimentation of young organisms.
pedọtta, pedọtto *m.* → **pedota**.
pedụccio (*dim. di piede*) *m.* **1.** ⟨*tosc*⟩ (*di lepre*) paw; (*di capra, pecora*) hoof; (*di maiale*) trotter. – **2.** ⟨*Arch*⟩ corbel. – **3.** (*basamento*) base, foot.

pedụle[1] *m.* **1.** (*parte della calza*) stocking sole. – **2.** (*calza*) stocking. □ *calza a* ~ one-piece stocking.
pedụle[2] *f.pl.* ⟨*Alp*⟩ (mountain-)climbing shoes *pl.*
peduncolạre *a.* ⟨*Bot,Anat,Med*⟩ peduncular. – **peduncolạto** *a.* pedunculate(d).
peduncolẹtto (*dim. di peduncolo*) *m.* ⟨*Bot*⟩ pedicel.
pedụncolo *m.* **1.** ⟨*Bot*⟩ peduncle, footstalk. – **2.** ⟨*Zool*⟩ peduncle, pedicel, stem. – **3.** ⟨*Anat,Med*⟩ peduncle. □ ⟨*Anat*⟩ ~ *cerebrale* cerebral peduncle; ⟨*Bot*⟩ ~ *fiorale* (floral) peduncle, flower stalk; ⟨*Anat*⟩ ~ *dell'ipofisi* tuberal part of the hypophysis; ~ *polmonare* radix pulmonis.
pegamọide *f./m.* leatherette, imitation leather, pegamoid.
pegasẹo *a.* **1.** ⟨*Mitol*⟩ Pegasean, Pegasian, of Pegasus. – **2.** ⟨*Astr*⟩ of Pegasus. □ ⟨*Mitol*⟩ *fonte -a* Hippocrene; ⟨*fig*⟩ (*ispirazione poetica*) poetic inspiration, Pegasus.
pegạsidi *m.pl.* ⟨*Itt*⟩ pegasids *pl*, sea moths *pl* (*Pegasidae*).
Pẹgaso *N.pr.m.* **1.** ⟨*Mitol*⟩ Pegasus. – **2.** ⟨*Astr*⟩ Pegasus, Winged Horse.
pẹggio I *avv.* (*compar. di male*) worse, not so well, less well: *con questi occhiali vedo* ~ I ⌜see worse⌝ (*o* don't see so well) with these glasses; *è* ~ *parlare che tacere* talking is worse than keeping quiet. – **II** *a.inv.* **1.** (*compar. di cattivo*: *peggiore*) worse: *la mia stanza è* ~ *della tua* my room is worse than yours. – **2.** (*sup. di cattivo*: *il peggiore*): *è la* ~ *cosa che tu potessi fare* it's the worst thing you could do. – **III** *s.m./f.* worst: *è il* ~ *che mi potesse capitare* it's the worst (thing) that could have happened to me; *tu non sai la* ~ you don't know the worst.
□ **al** ~ at the worst; **alla** ~: 1. (*alla meno peggio*) as well as possible, as best one may: *ci siamo sistemati alla* ~ we've settled down as well as possible; 2. (*nella peggiore delle ipotesi*) if worse comes to worst, at the worst; *fatto alla* ~ done in a slipshod way, botched; **andar** ~ (*peggiorare*) to worsen, to get worse; (*ottenere risultati inferiori*) to do worse, not to do so well; ~ *che andar di notte* worse than ever, worse still; *non si potrebbe andare* ~ *di così* it couldn't go (*o* be) worse than this; **avere** *la* ~ to get the worst of it; ⟨*ant*⟩ *avere il* ~ = **avere** *la peggio*; **cambiare** *in* ~ to change (*o* take a turn) for the worse; *c'è* **di** ~ there is worse to come; ~ *che* **mai** worse than ever, worse yet; *di* **male** *in* ~ from bad to worse; *non c'è* **niente** *di* ~ there's nothing worse; *il* ~ **possibile** the worst possible; **stare** ~ to be worse (off): *il malato sta* ~ the patient is worse; **tanto** ~ so much the worse: *tanto* ~ *per lui* so much the worse for him.
peggioramẹnto *m.* worsening.
peggiorạre *v.* (**peggiọro**/*pop. tosc.* **pẹggioro**) **I** *v.t.* **1.** to worsen, to make worse. – **2.** ⟨*ant*⟩ (*danneggiare*) to harm, to cause damage to. – **II** *v.i.* (*aus.* **essere/avere**) **1.** to worsen, to become (*o* get) worse, to deteriorate, to go down: *la situazione peggiora di minuto in minuto* the situation is getting worse every minute; *l'ammalato sta peggiorando* the patient ⌜is getting worse⌝ (*o* has taken a turn for the worse).
peggiorativo I *a.* **1.** disparaging, depreciatory, pejorative. – **2.** ⟨*Gramm*⟩ pejorative. – **II** *s.m.* ⟨*Gramm*⟩ pejorative (word).
peggioratọre I *s.m.* (*f.* **-trice**) worsener. – **II** *a.* worsening, that makes worse.
peggiọre I *a. comparativo* **1.** worse: *il suo carattere è* ~ *del tuo* his character is worse than yours. – **2.** (*meno capace*) worse, less able (*o* capable), not so good. – **3.** (*più scadente*) worse, inferior, poorer (quality): *merce* ~ poorer quality goods. – **II** *a. superlativo* **1.** worst: *trovarsi nelle -i condizioni* to be in the worst conditions. – **2.** (*il più cattivo*) worst, most wicked. – **3.** (*il meno capace*) worst, least capable. – **III** *s.m./f.* worst. – **IV** *avv.* ⟨*ant*⟩ (*peggio*) worst. □ *non c'è cosa* ~ *dell'ingratitudine* there is nothing worse than ingratitude; ⌜*nella* ~ *delle ipotesi*⌝ (*o nel peggiore dei casi*) if worse comes to worst; *nel peggior modo possibile* in the worst possible way.
pẹgli *prep.art.* (formed from *per* + *gli*) ⟨*ant*⟩ → **per**.
pegmatịte *f.* ⟨*Min*⟩ pegmatite. – **pegmatịtico** *a.* (*pl.* **-ci**) pegmatitic.
pẹgno *m.* **1.** pledge, security, bailment: *dare in* ~ *qc. a qd.* to give s.o. s.th. as security (*o* a pledge). – **2.** ⟨*fig*⟩ pledge, token, sign, evidence. – **3.** (*nei giochi*) forfeit.
□ ~ *d'amore* token of love; (*figlio*) pledge of love; **camera** (*o casa*) *di* ~ pawnbroker's; **dare** *in* ~ to pawn, ⟨*am*⟩ to hock; ~ **manuale** pledge, security; *contratto di* ~ **marittimo** maritime lien; **nota** *di* ~ mortgage bond; **polizza** *di* ~ pawn-ticket; **prendere** *in* ~ to take ⌜into pawn⌝ (*o* as security); **prestare** *su* ~ to lend ⌜on pledge⌝ (*o* against security).
pegnorạre *v.t.* (**pẹgnoro**) ⟨*non com*⟩ (*pignorare*) to distrain up (on), to seize.
pẹgola *f.* ⟨*non com*⟩ **1.** (*pece*) pitch. – **2.** ⟨*fig,region*⟩ (*sfortuna*) misfortune, bad luck.
pegolịera *f.* ⟨*Mar*⟩ ship equipped with a pitch cauldron (for caulking).
pegù *m.* **1.** ⟨*Bot*⟩ catechu (*Acacia melanoxylon*). – **2.** (*legno*) pegu catechu, cutch.
pẹi *prep.art.* (formed from *per* + *i*) ⟨*non com*⟩ → **per**.
peignoir *fr.* [pɛɲw'a:r] *m.* **1.** short shoulder cape, peignoir. – **2.** (*accappatoio*) bath-robe; (*vestaglia*) dressing-gown, peignoir.
peiorịsmo *m.* ⟨*Filos*⟩ deteriorism.
pẹl *prep.art.* (formed from *per* + *il*) ⟨*non com*⟩ → **per**.
pelacạni *m.inv.* **1.** ⟨*ant*⟩ (*conciatore di pelli*) tanner. – **2.** ⟨*spreg*⟩ (*persona volgare*) low-class fellow, boor, lout.
pelacchiạre *v.t.* (**pelạcchio, pelạcchi**) ⟨*non com*⟩ **1.** (*spelacchiare*) to pluck. – **2.** ⟨*fig*⟩ (*derubare*) to rob, ⟨*fam*⟩ to fleece; (*sfruttare*) to use, to exploit.
pelagạtti *m.inv.* ⟨*non com*⟩ (*imbroglione*) swindler, cheat, ⟨*fam*⟩ trickster.
pelagiạle *a.* → **pelagico**.
pelagianịsmo *m.* ⟨*Rel*⟩ Pelagianism. – **pelagiạno I** *a.* Pelagian. – **II** *s.m.* Pelagian.
pelạgico *a.* (*pl.* **-ci**) ⟨*Geog*⟩ pelagic.
Pelạgio *N.pr.m.* ⟨*Stor*⟩ Pelagius.
pẹlago *m.* (*pl.* **-ghi**) **1.** ⟨*lett*⟩ (*mare*) (open) sea, high sea. – **2.** ⟨*fig*⟩ (*grande quantità*) sea, host, great deal, ⟨*fam*⟩ load. – **3.** ⟨*fig*⟩ (*vortice*) whirl, vortex, tumult, rush.
pelạme *m.* fur, hair, coat, ⟨*non com*⟩ pelage.
pelamẹnto *m.* ⟨*non com*⟩ unhairing; (*rif. a volatili*) plucking.
pelạmide *f.* → **palamita**.
pelạnda *f.* **1.** ⟨*Macell*⟩ (*pelatoio*) sweat room. – **2.** ⟨*region*⟩ (*sfrondatura dei gelsi*) mulberry leaf stripping.
pelạndra *f.* ⟨*ant*⟩ (*palandra*) loose robe.
pelandrọne *m.* (*f.* **-a**) ⟨*region*⟩ (*fannullone*) loafer, slacker, idler.
pelapatạte *m.inv.* potato-peeler.
pelạrda *f.* ⟨*ant*⟩ → **pellanda**.
pelạre *v.t.* (**pẹlo**) **1.** to unhair, to strip the hair off. – **2.** (*spennare*) to pluck: ~ *un pollo* to pluck a chicken. – **3.** (*sbucciare*) to peel: ~ *le banane* to peel bananas. – **4.** (*sfrondare*) to strip (bare): *il vento ha pelato gli alberi* the wind stripped (the leaves from) the trees. – **5.** ⟨*fig*⟩ (*rif. al caldo*) to scald, to scorch, to skin; (*rif. al freddo*) to pierce, to bite, to cut to the bone. – **6.** ⟨*fam*⟩ (*tagliare i capelli quasi a zero*) to crop, to cut close (*o* very short); (*radere*) to shave off. – **7.** ⟨*fig*⟩ (*privare dei quattrini*) to clean out, ⟨*fam*⟩ to skin: *gli amici l'hanno pelato al gioco* his friends cleaned him out gambling; ⟨*fam*⟩ (*far pagare prezzi eccessivi*) to fleece, to soak, to overcharge, ⟨*fam*⟩ to make pay through the nose: *in quel ristorante pelano i clienti* in that restaurant they make you pay through the nose. – **pelarsi** *v.r.* ⟨*fam*⟩ (*diventare calvo*) to become (*o* go) bald; (*rif. ad animali*) to shed, to moult; (*rif. a volatili*) to moult.
pelargọnico *a.* (*pl.* **-ci**) ⟨*Chim*⟩ pelargonic: *acido* ~ pelargonic acid.
pelargọnio *m.* ⟨*Bot*⟩ **1.** pelargonium, geranium (*Pelargonium*). – **2.** (*geranio edera*) ivy-leaved pelargonium (*Pelargonium peltatum*).
pelạsgico *a.* (*pl.* **-ci**) ⟨*Stor*⟩ Pelasgian, Pelasgic. – **pelạsgio** *m.* Pelasgian.
pelạta[1] *f.* **1.** plucking, shearing. – **2.** ⟨*fam*⟩ (*rif. a capelli*) cropping. – **3.** ⟨*fig*⟩ skinning, fleecing: *giocando a poker ha preso una* ~ he got a skinning at poker.
pelạta[2] *f.* ⟨*scherz*⟩ **1.** (*testa calva*) bald head; (*testa rasata*) shaved head. – **2.** (*zona calva del cranio*) bald spot.
pelatịna (*dim. di pelata*[2]) *f.* ⟨*Veter*⟩ alopecia.
pelạto (*p.p. di pelare*) **I** *a.* **1.** hairless. – **2.** (*calvo*) bald, hairless: *testa -a* bald head, bald pate. – **3.** (*brullo*) barren, bare. – **4.** (*sbucciato*) peeled, pared. – **II** *s.m.pl.* ⟨*Alim*⟩ (*pomodori pelati*) peeled tomatoes.
pelatọio *m.* ⟨*Macell*⟩ sweat room. – **pelatọre** *m.* (*f.* **-trice**) **1.** unhairer. – **2.** ⟨*fig*⟩ fleecer, skinner, swindler. – **pelatrịce** *f.* ⟨*Alim*⟩ (*macchina*) peeler, peeling machine.
pelatụra *f.* **1.** (*rif. ad animali*) unhairing, stripping; (*rif. a volatili*) plucking; (*rif. a frutta*) peeling. – **2.** ⟨*fig*⟩ fleecing, skinning.
pelavẹrga *m.* ⟨*Agr*⟩ kind of vine.
peleạno *a.* ⟨*Geol*⟩ pelean: *attività -a* pelean activity.
pelecanọididi *m.pl.* ⟨*Ornit*⟩ diving petrels *pl* (*Pelecanoididae*).
pelecịpodi *m.pl.* ⟨*Zool*⟩ bivalves *pl*, pelecypods *pl*, lamellibranchs *pl* (*Pelecypoda*).
pelẹggio *m.* ⟨*ant*⟩ (*pileggio*) course, way.
pelẹle *m.* ⟨*Etnol*⟩ (African) lip ornament.
pêle-mêle *fr.* [pɛl'mɛ:l] **I** *s.m.* pell-mell, jumble, muddle, confusion. – **II** *avv.* pell-mell, helter-skelter, haphazardly.
Pẹleo (*o* **Pelẹo**) *N.pr.m.* ⟨*Mitol*⟩ Peleus.
pelẹtto *m. dim. di* **pelo**.
pelịaco *a.* (*pl.* **-ci**) ⟨*lett*⟩ (*del monte Pelio*) of (Mount) Pelion.
Pelịde *N.pr.m.* ⟨*Mitol*⟩ Pelides. □ *il* ~ *Achille* Achilles, son of Peleus.
pelịfero *a.* ⟨*rar*⟩ (*pilifero*) piliferous, bearing hairs.
pelịke *f.* ⟨*Archeol*⟩ pelike.
pelịno *m. dim. di* **pelo**.
peliọsi *f.* ⟨*Med*⟩ (*porpora*) peliosis, purpura.
pelịte *f.* ⟨*Min*⟩ pelite. – **pelịtico** *a.* (*pl.* **-ci**) pelitic.
pẹlla *prep.art.* (formed from *per* + *la*) ⟨*ant*⟩ → **per**.
pellạccia (*pegg. di pelle*[1]) *f.* (*pl.* **-ce**) **1.** fellow, type. – **2.** ⟨*fig*⟩ (*persona resistente*) strong person, ⟨*fam*⟩ tough fellow. – **3.** ⟨*fig*⟩ (*persona disonesta*) rascal, swindler.
pellạgra *f.* ⟨*Med*⟩ pellagra. – **pellagrosạrio** *m.* (*reparto ospedaliero*) pellagra ward; (*ospedale*) hospital for pellagra treatment. – **pellagrọso I** *a.* pellagric, pellagrous. – **II** *s.m.* (*f.* **-a**) pellagrin.
pellạio *m.* **1.** (*conciatore*) tanner, (leather-)dresser. – **2.** (*venditore*) hide-seller, leather-dealer. – **pellạme** *m.* **1.** hides *pl*, skins *pl*, pelts *pl*, peltry. – **2.** ⟨*spreg*⟩ (*pelle vizza*) flabby (*o* flaccid) skin.
pellạncia *f.* (*pl.* **-ce**) ⟨*region*⟩ (*pelletica*) gristle.
pellạnda *f.* ⟨*Mod*⟩ loose hooded cloak (*o* robe).
pellạro *m.* ⟨*region*⟩ → **pellaio**.
pellavẹrga *m.* → **pelaverga**.
pẹlle[1] *prep.art.* (formed from *per* + *le*) ⟨*ant*⟩ → **per**.
pẹlle[2] *f.* **1.** skin: *avere la* ~ *delicata* to have sensitive skin. – **2.** (*di animali*) hide, skin; (*coperta di peli*) pelt, skin, fell. – **3.** (*cuoio*)

leather: *una cintura di* ~ a leather belt. – **4.** (*buccia*) skin, rind, peel. – **5.** (*corteccia*) bark, cortex. – **6.** (*superficie*) surface, skin. – **7.** ⟨*fam*⟩ (*vita*) skin, life: *rischiare la* ~ to risk one's skin (*o* life). – **8.** ⟨*pop*⟩ (*individuo*) person, fellow, type, character. – **9.** ⟨*fig,non com*⟩ (*aspetto esteriore*) look, aspect, appearance. – **10.** ⟨*fig,ant*⟩ (*mano di vernice*) coat (of paint). – **11.** ⟨*Arald*⟩ (*pelliccia*) fur.

□ ~ *d'***agnello** lambskin; ~ **bovina** cowhide, rawhide; ⟨*fig*⟩ *una* **buona** ~ a bold (*o* daring) fellow; ~ *di* **camoscio** chamois (leather), shammy; ~ *di* **capra** goatskin; ~ *di* **capretto** kid; ~ *di* **cinghiale** pigskin; ~ *di* **coccodrillo** crocodile (skin); ~ **conciata** dressed hide; ~ *non conciata* pelt, rawhide; ~ *di* **coniglio** rabbit (skin), con(e)y; *-i da* **cuoio** leather hides; ~ *di* **daino** deerskin, doeskin, buckskin; ⟨*Conc*⟩ ~ **depilata** unhaired (*o* dehaired) skin; **di** ~ leather: *guanti di* ~ leather gloves; ⟨*Tess*⟩ ~ *di* **diavolo** coarse cloth (resembling suede); ⟨*fig*⟩ *avere la* ~ **dura**: 1. (*essere resistente*) to be strong, ⟨*fam*⟩ to be tough (*o* a tough one); 2. (*essere poco sensibile*) to be thick-skinned (*o* insensitive); ⟨*El*⟩ **effetto** *di* ~ skin (*o* surface) effect; ⟨*fig*⟩ *non voler* **essere** *nella* ~ *di qd.* not to want to be in s.o.'s place (*o* shoes); ⟨*pop*⟩ **fare** *la* ~ *a qd.* (*ucciderlo*) to kill s.o., ⟨*fam*⟩ to bump (*o* knock) s.o. off, ⟨*fam*⟩ to do s.o. in; *a* **fior** *di* ~: 1. lightly, brushing the skin; 2. ⟨*fig*⟩ skin-deep, superficial; *avere i nervi a fior di* ~ to be very on edge; *una ferita a fior di* ~ a graze; ~ *di* **foca** sealskin; ⟨*Sport*⟩ *-i* (*di foca*) (seal)skins; *mi ci* **giocherei** *la* ~ I'd bet my life on it; ~ **grassa** oily skin; ⟨*Legat*⟩ ~ **intera** whole -leather (binding): *in* ~ *intera* (full-)bound in leather, in whole -leather binding; **lasciarci** *la* ~ (*morire*) to die, to lose one's life, to get killed; **levare** *la* ~ *a qd.* to skin s.o., to flay s.o. alive; ⟨*fig*⟩ (*tormentarlo*) to flay (*o* torture) s.o.; ~ *di* **lucertola** lizard; ⟨*fig*⟩ *fare la* ~ **lustra** (*ingrassare*) to grow (*o* get) fat, to put on weight; **malattia** *della* ~ skin disease; ~ *di* **marocchino** Morocco (leather); ⟨*Legat*⟩ **mezza** ~ half-leather binding, half-binding: *volume in mezza* ~ volume in half-binding, half-bound volume; *avere la* ~ *d'***oca** to have goose-flesh; *essere* ~ *e* **ossa** to be (all) skin and bone, to be gaunt; ~ *di* **pecora** sheepskin; (*in*) ~ (*in*) **pelle** = *a* **fior** *di pelle*; ⟨*fig*⟩ *avere una risata in* ~ *in pelle* to be about to laugh, to have a laugh up one's sleeve; *-i da* **pellicceria** fur skins, furs *pl*, furriery; **per** *la* ~ for life, lifelong, staunch, out and out: *un francese per la* ~ a staunch Frenchman; *amici per la* ~ bosom (*o* close, inseparable) friends; **prima** ~ outer skin; **rimetterci** *la* ~ = **lasciarci** *la pelle*; **riportare** *a casa la* ~ = **salvare** *la pelle*; ⟨*Conc*⟩ ~ **salata** salted skin; **salvare** *la* ~ to save one's skin, to get off all in one piece; *salvare la* ~ *a qd.* to save s.o.'s life; ~ **scamosciata** suede; ⟨*Legat*⟩ ~ *di* **scrofa** pigskin; ~ **secca** dry skin; **seconda** ~ true skin; ~ *di* **serpente** snakeskin; ⟨*fig*⟩ *non* **stare** *più nella* ~ to be ⌜beside o.s.⌝ (*o* terribly impatient); ~ *del* **tamburello** vellum drumhead; **tra** ~ *e* ~ superficial, skin-deep, light, brushing the skin; ~ *dell'***uovo** shell membrane, ⟨*fam*⟩ skin; ⟨*fig*⟩ **vendere** *cara la propria* ~ to sell one's life dearly; ~ *di* **vitello** calf. – *Prov.*: *vendere la* ~ *dell'orso prima d'averlo preso* to count one's chickens before they are hatched.

pẹlle² *f.* ⟨*Stor*⟩ (*unità di misura*) measure of liquid capacity (for oil).

pellęcchia *f.* ⟨*region*⟩ (*pelletica*) gristle.

pellegrịna¹ *f.* ⟨*Mod*⟩ shoulder cape.

pellegrịna² *f.* ⟨*Itt*⟩ scallop (*Pecten jacobaeus*).

pellegrinạggio *m.* **1.** ⟨*Rel*⟩ pilgrimage. – **2.** (*comitiva di pellegrini*) group of pilgrims, pilgrims *pl*. – **3.** ⟨*non com*⟩ (*peregrinazione*) wandering, roaming. □ *andare in* ~ to make (*o* go on) a pilgrimage; ⟨*fig*⟩ ~ *terreno* (*vita*) earthly pilgrimage, life.

pellegrinạre *v.i.* (*aus.* **avere**) ⟨*non com*⟩ **1.** (*andare in pellegrinaggio*) to make (*o* go on) a pilgrimage. – **2.** (*vivere*) to live on earth. – **3.** ⟨*lett*⟩ (*errare*) to wander, to roam, to rove. – **pellegrinaziǫne** *f.* ⟨*rar*⟩ peregrination.

pellegrinità *f.* ⟨*ant*⟩ → **peregrinità**.

pellegrịno I *a.* **1.** ⟨*non com*⟩ (*da pellegrino*) pilgrim-, pilgrim's. – **2.** ⟨*lett*⟩ (*errabondo*) wandering, roaming, wayfaring, pilgrim-. – **3.** ⟨*lett*⟩ (*forestiero*) foreign, alien. – **4.** ⟨*fig,lett*⟩ (*strano*) strange, outlandish, uncommon. – **II** *s.m.* (*f.* -a) **1.** pilgrim. – **2.** (*viandante*) wanderer, wayfarer, traveller. – **3.** ⟨*fig*⟩ pilgrim. – **4.** ⟨*fam*⟩ (*pidocchio*) louse.

pellerǫssa *m./f.inv.* Red (*o* North American) Indian, redskin.

pellętica *f.* ⟨*pop*⟩ **1.** ⟨*Macell*⟩ gristle. – **2.** ⟨*spreg*⟩ (*pelle vizza*) flabby (*o* flaccid) skin.

pellętta¹ (*dim. di pelle*¹) *f.* (*pellicola*) film, thin skin, pellicle; (*pipita*) hangnail; (*cuticula*) cuticle.

pellętta² *f.* ⟨*Alim*⟩ rennet.

pelletterịa *f.* **1.** (*oggetti di pelle*) leather goods *pl*. – **2.** (*negozio*) leather goods shop. – **3.** (*industria*) leather (goods) industry. – **4.** (*fabbrica*) leather goods factory. – **5.** (*insieme di pelli: conciate*) (dressed) skins *pl*; (*da conciare*) peltry, pelts *pl*.

pellettięre *m.* **1.** (*fabbricante*) maker of leather goods. – **2.** (*venditore*) leather goods dealer. – **3.** (*operaio*) repairer of leather articles.

pellicạno *m.* **1.** ⟨*Ornit*⟩ pelican (*Pelecanus*). – **2.** ⟨*Ornit*⟩ white pelican (*Pelecanus onocrotalus*). – **3.** ⟨*Ornit*⟩ (*spatola*) spoonbill (*Platalea leucorodia*). – **4.** (*storta*) pelican. – **5.** (*uncino per l'estrazione dei denti*) pelican. □ ~ *bruno* brown pelican (*Pelecanus occidentalis*); ~ *crespo* (o *riccio*) Dalmatian pelican (*Pelecanus crispus*); ~ *rossiccio* pink-backed pelican (*Pelecanus rufescens*).

pellicceria *f.* **1.** (*insieme di pellicce*) furs *pl*. – **2.** (*negozio*) furrier's (shop). – **3.** (*mestiere*) furriery, furrier's art.

pelliccętta (*dim. di pelliccia*) *f.* **1.** (*indumento*) short casual fur coat. – **2.** ⟨*spreg*⟩ tawdry (*o* cheap) fur coat.

pellịccia *f.* (*pl.* -ce) **1.** ⟨*Zool*⟩ coat, fur: ~ *invernale* winter coat. – **2.** ⟨*Mod*⟩ fur; (*cappotto*) fur coat, ⟨*fam*⟩ fur. – **3.** (*parte erbosa*) sward, turf, sod. – **4.** ⟨*Arald*⟩ fur. □ ~ *di visone* mink (fur) coat, ⟨*fam*⟩ mink.

pelliccịaio¹: ⟨*Anat*⟩ *muscolo* ~ platysma.

pelliccịaio² *m.* (*f* -a) **1.** (*negoziante*) furrier, dealer in furs, fur-trader. – **2.** (*confezionista*) furrier. – **3.** (*conciatore*) furrier, fur-dresser.

pelliccịame *m.* furs *pl*. – **pelliccịare** *v.t.* (**pellịccio, pellịcci**) ⟨*ant*⟩ (*foderare di pelliccia*) to (line with) fur. – **pelliccięre** *m.* (*f.* -a) ⟨*ant*⟩ → **pellicciaio**².

pellicciǫne (*accr. di pelliccia*) *m.* **1.** ⟨*Stor*⟩ fur-trimmed robe. – – **2.** ⟨*scherz,ant*⟩ (*vulva*) female pudenda, ⟨*triv*⟩ cunt. – **pelliccịǫtto** (*dim. di pelliccia*) *m.* (*indumento*) fur jacket.

pellicịna (*dim. di pelle*¹) *f.* **1.** pellicle. – **2.** (*intorno alle unghie*) hangnail; (*cuticola*) cuticle.

pellicịno *m.* ⟨*ant*⟩ **1.** corner (of a sack). – **2.** (*otre*) leather bag; (*sacco*) bag, sack.

pellịcola *f.* **1.** (*pelle o membrana sottile*) film, pellicle, (thin) skin, membrane, cuticle. – **2.** ⟨*Fot,Cin*⟩ film. – **3.** (*nastro cinematografico impressionato*) film; (*opera cinematografica*) film, (motion) picture, ⟨*fam*⟩ movie. – **4.** (*strato sottile*) film.

□ ~ *all'acetato* acetate film; ~ **cinematografica** film, (motion) picture, ⟨*fam*⟩ movie; ~ *con* **colonna** *sonora* sound film (*o* motion picture); ~ *a* **colori** colour film; ~ *a* **contatto** contact film; ~ *in* **foglio** = *pellicola* **piana**; ~ *di piccolo* **formato** miniature film; ~ **fresca** green film; ~ *da* **impressionare** = *pellicola* **vergine**; ~ **impressionata** exposed film; ~ **invertibile** reverse(-type) film; ~ **larga** wide film; ~ **muta** silent film; ~ **normale** standard film; ~ *di* **olio** film of oil; ~ *a* **pacco** film pack; ~ **pancromatica** panchromatic film; ~ *a* **passo** *normale* standard (*o* thirty-five millimetre) film; ~ *a passo ridotto* sub-standard (*o* narrow-gauge) film, sixteen-millimetre film; ~ **piana** flat (*o* sheet, cut) film; ~ **pubblicitaria** advertising film, (film) advertisement; ~ **radiografica** X-ray film; ~ *in* **rotolo** roll film; ~ *di* **sicurezza** safety (*o* non-flam) film; ~ **sonora** sound film, ⟨*am.fam*⟩ talkie; ~ **vergine** unexposed (*o* raw) film, (film) stock; ~ *di* **vernice** thin coat of paint.

pellicolạre *a.* pellicular, pelliculous, skin-: ⟨*El*⟩ *effetto* ~ skin effect.

pellicolętta, pellicolịna *f. dim. di* **pellicola**.

pellirǫssa *m./f.inv.* → **pellerossa**.

pẹllo *prep.art.* (formed from *per* + *lo*) → **per**.

pellucidità *f.* pellucidity, pellucidness, translucence. – **pellụcido** *a.* pellucid, translucent.

pẹlo *m.* **1.** hair: *strappare un* ~ to pull out a hair. – **2.** *pl.* hair. – **3.** (*setola*) bristle. – **4.** (*pelame*) coat, fur. – **5.** (*pelliccia*) fur: *un colletto di* ~ a fur collar. – **6.** ⟨*Bot*⟩ trichome, hair. – **7.** ⟨*Tess*⟩ hair: ~ *di cammello* camel-hair. – **8.** ⟨*Tess*⟩ (*filamento: di tessuto grezzo*) pile; (*di tessuto lavorato*) nap. – **9.** ⟨*fam*⟩ (*pochissimo*) hair's breadth, skin of one's teeth: *c'è mancato un* ~ *che non cadesse* he came within a hair's breadth of falling, he almost fell; *per un* ~ *non affogava* he escaped drowning by the skin of his teeth, he narrowly escaped drowning; (*differenza minima*) slight (*o* little) difference, small amount: *ci corre un* ~ there's little difference, it's six of one and half a dozen of the other.

□ **a** ~ (*a pennello*) perfectly, exactly, ⟨*fam*⟩ just right; ⟨*Idr*⟩ ~ *dell'***acqua** surface of the water; ⟨*Anat*⟩ *-i* **ascellari** axillary hair; ⟨*fig*⟩ *essere d'un* ~ *e d'una* **buccia** to be tarred with the same brush; *me la sono* **cavata** *per un* ~ that was a ⌜close shave⌝ (*o* near thing); **contro** ~ the wrong way; (*rif. a tessuti*) against the nap; *fare il* ~ *e il contropelo* to shave with and against the lie of the hair; ⟨*fig*⟩ to give a dressing down; ⟨*fig*⟩ *avere il* **cuore** *con tanto di* ~ (*essere insensibile*) to be callous (*o* hard-hearted); **fare** ~ to crack; *-i* **ispidi** shaggy (*o* bristly) hair; ⟨*pop*⟩ **levare** *il* ~ *a qd.*: 1. (*picchiarlo*) to thrash s.o., ⟨*fam*⟩ to give s.o. a hiding, ⟨*fam*⟩ to tan s.o.; 2. (*rimproverarlo*) to scold s.o., ⟨*fam*⟩ to tell s.o. off; ⟨*fig*⟩ *non avere -i sulla* **lingua** to be very outspoken, not to mince words; *un cane dal* ~ **lungo** a long-haired (*o* shaggy) dog; *pel di* **lupo** (*baio lupino*) dun; ⟨*Min*⟩ ~ *del* **marmo** veining in marble; ⟨*Equit*⟩ **montare** *a* ~ to ride bareback; ~ **pelo** barely, (only) just; *di* **primo** ~ (*inesperto*) raw, callow, ⟨*fam*⟩ green; ⟨*Bot*⟩ *-i* **radicali** root hairs; *pel di* **ratto** (*grigio sorcino*) mouse grey; *-i* **superflui** unwanted hairs; ⟨*fig*⟩ *non* **torcere** *un* ~ *a qd.* (*non fargli del male*) not to lay a finger on s.o., not to touch a hair of s.o.'s head; ⟨*fig*⟩ *cercare il* ~ *nell'***uovo** to always be picking holes in things; *tutto* **va** *a* ~ everything is going perfectly (*o* fine); *pel di* **vacca** (*del mantello del cavallo*) having a light mane and tail; **vale** *più un* ~ *della sua barba che tutta la vostra* he is ten times better than you are; *nel* **verso** *del* ~ with the lie of the pile, with the nap.

pelǫbate *m.* ⟨*Zool*⟩ spadefoot (toad) (*Pelobates*). □ ~ *fosco* common spadefoot (toad) (*Pelobates fuscus*). – **pelobạtidi** *m.pl.* pelobatids *pl*, spadefoot toads *pl* (*Pelobatidae*).

pelǫbio, pelǫfilo *a.* ⟨*Biol*⟩ pelophilous. – **pelǫfita** *f.* ⟨*Bot*⟩ pelophyte.

pelǫide I *a.* ⟨*Med*⟩ peloid-. – **II** *s.m.* peloid. – **peloidoterapịa** *f.* ⟨*Med*⟩ pelotherapy.

pelomǫrto *m.* ⟨*Conc*⟩ tough hair.

peloncịno *m.* ⟨*tosc*⟩ (*flanella di cotone*) flannelette.

pelǫne *m.* ⟨*Tess*⟩ (kind of) heavy coating.

Pẹlope *N.pr.m.* ⟨*Mitol*⟩ Pelops.

pelǫpio *m.* ⟨*Chim*⟩ pelopium.

peloponnẹsiaco *a./s.* (*pl.* -ci) **I** *a.* Peloponnesian. – **II** *s.m.* (*f.* -a) Peloponnesian. – **Peloponnẹso** *N.pr.m.* ⟨*Geog*⟩ Peloponnese, Peloponnesus.

peloria *f.* ⟨*Bot*⟩ peloria, pelory. – **pelorico** *a.* (*pl.* **-ci**) peloric, pelorian.
pelosella *f.* ⟨*Bot*⟩ mouse-ear hawkweed (*Hieracium pilosella*).
pelosità *f.* hairiness. – **peloso** *a.* **1.** hairy, ⟨*lett*⟩ hirsute: *braccia -e* hairy arms; (*rif. ad animali*) shaggy. – **2.** ⟨*Bot*⟩ pilose, hairy.
pelota *f.* pelota, jai alai.
pelouse *fr.* [pəˈlu:z] *f.* ⟨*Giard*⟩ lawn.
peloxeno *a.* ⟨*Biol*⟩ mud-hating, that will not live in mud.
pelta *f.* ⟨*Archeol*⟩ pelta. – **peltasta, peltaste** *m.* ⟨*Stor.gr*⟩ peltast.
peltatifido *a.* ⟨*Bot*⟩ peltafid. – **peltato** *a.* **1.** (*armato di pelta*) armed with a pelta. – **2.** ⟨*Bot*⟩ peltate, shield-shaped. – **peltatolobato** *a.* ⟨*Bot*⟩ peltate and divided into lobes.
Peltier *fr.* [peltˈje]: ⟨*Fis*⟩ *effetto* ~ Peltier effect.
peltiforme *a.* ⟨*non com*⟩ (*a forma di scudo*) peltiform, peltate, shield-shaped.
peltinervio *a.* ⟨*Bot*⟩ peltinerved, peltinervate.
Pelton *ingl.*: *turbina* ~ Pelton wheel.
peltro *m.* **1.** ⟨*Met*⟩ pewter. – **2.** ⟨*ant*⟩ (*metallo*) metal. □ *vasellame di* ~ pewter (vessels *pl*).
peluccio *m. dim. di* **pelo**.
peluche *fr.* [pəˈlyʃ] *f.* ⟨*Tess*⟩ plush.
peluria *f.* down. □ *coperto di* ~ downy. – **peluto** *a.* ⟨*non com*⟩ hairy. – **peluzzo** *m. dim. di* **pelo**.
pelvi *f.* ⟨*Anat*⟩ pelvis: ~ *renale* renal pelvis. – **pelvico** *a.* (*pl.* **-ci**) pelvic: *regione -a* pelvic region; *cintura -a* pelvic girdle (*o* arch). – **pelvimetria** *f.* ⟨*Med*⟩ pelvimetry. – **pelvimetro** *m.* pelvimeter. – **pelviperitonite** *f.* pelviperitonitis.
pemfigo *m.* ⟨*Med*⟩ pemphigus. – **pemfigoide** *a.* pemphigoid.
pemmican *ingl.* [ˈpemikən] *m.* ⟨*Gastr*⟩ pem(m)ican.
pena *f.* **1.** punishment, penalty, ⟨*lett*⟩ pain: *mitigare una* ~ to mitigate a punishment. – **2.** ⟨*Dir*⟩ sentence, term of imprisonment: ~ *di morte* death sentence. – **3.** (*afflizione*) grief, sorrow, affliction, trouble; (*dolore fisico*) suffering, pain. – **4.** (*compassione*) compassion, pity. – **5.** (*preoccupazione, ansia*) worry, anxiety. – **6.** (*fatica*) trouble, bother.

□ **a** ~ (*appena*) hardly, barely; ⟨*Dir*⟩ ~ **accessoria** additional (*o* extra) penalty; *un'***anima** *in* ~ a soul in torment; ~ **capitale** capital punishment; **casa** *di* ~ penitentiary; **darsi** *la* ~ *di fare qc.* to take (*o* go to) the trouble of doing s.th., to bother to do s.th.; ⟨*Dir*⟩ ~ **detentiva** sentence of detention; ~ **disciplinare** disciplinary punishment; **è** *una* ~ *vederlo così ridotto* it's pitiful to see him in such a state, he is a sorry sight; ~ **esemplare** exemplary punishment; ⟨*Rel*⟩ ~ **eterna** eternal punishment; **far** ~ to be pitiful; *mi fai* ~ I'm sorry for you, I pity you; *a* **gran** ~ = *a* **mala** *pena*; ~ **grave** severe punishment; ⟨*Mediev*⟩ ~ **infamante** infamous punishment; *-e dell'***inferno** pains of hell; ⟨*Dir*⟩ *la* ~ **inflitta** (o *irrogata*) the sentence; *a* **mala** ~ hardly, barely, scarcely; ⟨*Dir*⟩ ~ **massima** maximum penalty; ~ *la* **morte** on (*o* under) pain of death; ⟨*Dir*⟩ *a* (o *sotto*) ~ *di* **nullità** under penalty of nullity; ⟨*pop*⟩ **pagare** *la* ~ to pay (the penalty); (*essere punito*) to be punished; ~ **pecuniaria** fine; ~ **perpetua** life penalty; ⟨*Dir*⟩ ~ **prescritta** statute-barred penalty; ~ **principale** main penalty; ~ *in caso di* **recidiva** penalty in case of repetition; **scontare** *una* ~ to pay a penalty; (*in carcere*) to serve a sentence (*o* term); **sotto** ~ *di* on (*o* under) pain of; **stare** *in* ~ *per qd.* to be worried (*o* anxious) about s.o.; ⟨*Rel*⟩ ~ **temporale** temporal punishment; **togliere** *qd. di* ~ to set s.o.'s mind at rest, ⟨*scherz*⟩ to put s.o. out of his agony; ⟨*fig*⟩ *è* **uscito** *di* ~ he has come out of jail; *non* **vale** *la* ~ it isn't worth-while (*o* it); *non vale la* ~ *parlarne* it isn't worth talking about, it's pointless to talk about it.
penace *a.* ⟨*ant*⟩ (*tormentoso*) painful, tormenting, of torment.
penale I *a.* criminal, penal: *processo* ~ criminal trial. – **II** *s.f.* **1.** (*sanzione*) penalty, punishment. – **2.** (*clausola penale*) penal clause.
penalista *m./f.* ⟨*Dir*⟩ (*criminalista*) criminalist, penologist; (*avvocato difensore*) criminal lawyer. – **penalistico** *a.* (*pl.* **-ci**) penological, of criminal law.
penalità *f.* **1.** (*penale*) penalty, punishment. – **2.** ⟨*Sport*⟩ (*svantaggio*) penalty; (*infrazione*) foul; (*tiro di punizione*) free (*o* penalty) kick. – **3.** ⟨*ant*⟩ (*sofferenza*) suffering. □ ⟨*Comm*⟩ ~ *per ritardata consegna* penalty for late (*o* overdue) delivery; ~ *contrattuale* penalty fixed by contract, stipulated penalty; ~ *per inadempienza contrattuale* penalty for non-performance of contract; ~ *di mora* forfeit for arrears; ~ *per ritardo* delayage. – **penalitade, penalitate** *f.* ⟨*ant*⟩ → **penalità**.
penalizzare *v.t.* ⟨*Sport*⟩ to penalize. – **penalizzazione** *f.* (*penalità*) penalty; (*assegnazione della penalità*) penalization.
penalmente *avv.* ⟨*Dir*⟩ penally. □ *perseguire qd.* ~ to conduct criminal proceedings against s.o., to prosecute s.o.
penanza *f.* ⟨*ant*⟩ (*pena, afflizione*) affliction, grief, sorrow. – **penante** *m.* ⟨*ant*⟩ (*anche anima penante*) soul in Purgatory, poor (*o* holy) soul.
penare *v.i.* (**peno**; *aus.* **avere**) **1.** to suffer. – **2.** (*sopportare disagi*) to suffer, to go through (*o* put up with) a lot, to be troubled: *suo figlio la fa molto* ~ she goes through a lot for her son, her son causes her a lot of trouble (*o* suffering). – **3.** (*faticare*) to have trouble (*o* difficulty), to find it difficult: *ho penato molto per trovare la strada* I had a lot of trouble finding the road. □ ⟨*eufem*⟩ *ha finito di* ~ his sufferings are over; ~ *poco* (*fare in fretta*) to be quick, to waste no time.
penati *m.pl.* **1.** ⟨*Mitol*⟩ penates *pl*, household gods *pl*. – **2.** ⟨*fig, scherz*⟩ (*focolare domestico*) home, household: *ritornare ai propri* ~ to go (back) home.
penato[1] (*p.p. di penare*) *a.* ⟨*ant*⟩ (*afflitto*) afflicted, suffering.
penato[2] *m.* ⟨*ant*⟩ (*pena*) penalty.
PEN Club [ˈpenˌklʌb] *N.pr.m.* P.E.N. Club.
pencolamento *m.* swaying, unsteadiness. – **pencolante** (*p.pr. di pencolare*) *a.* **1.** swaying, wobbling. – **2.** (*pendente*) leaning. – **3.** ⟨*fig*⟩ hesitating, wavering. – **pencolare** *v.i.* (**pencolo**; *aus.* **avere**) **1.** to sway; (*minacciare di cadere*) to wobble, to shake, to be unsteady. – **2.** (*pendere*) to lean (to one side), to hang (down): *il muro pencola un po'* the wall leans a bit to one side. – **3.** ⟨*fig*⟩ (*essere indeciso*) to hesitate, to waver, to dither, ⟨*fam*⟩ to shilly-shally. – **pencolio** *m.* **1.** swaying (to and fro), oscillation. – **2.** ⟨*fig*⟩ hesitation, wavering, vacillation.
pendaglio *m.* **1.** ⟨*Oref*⟩ pendant; (*rif. a bracciali e simili*) charm. – **2.** ⟨*Mil*⟩ (*cinghia*) frog. – **3.** ⟨*Aut,Ferr*⟩ strap. □ ~ *da forca* (*malvivente*) gallows-bird.
pendant *fr.* [pɑ̃ˈdɑ̃] *m.* (*riscontro*) match, companion, pendant. □ *fare* ⌜*da* ~ *a*⌝ (o ~ *con*) *qc.* to match s.th.
pendente (*p.pr. di pendere*) **I** *a.* **1.** hanging, pendent: *frutti -i dall'albero* fruit hanging from the tree. – **2.** (*inclinato*) leaning, sloping, slanting: *la Torre* ~ *di Pisa* the Leaning Tower of Pisa. – **3.** ⟨*Dir*⟩ pending, pendent. – **II** *s.m.* **1.** ⟨*Oref*⟩ pendant. – **2.** *pl.* ⟨*Oref*⟩ (*orecchini*) drop-earrings *pl*, pendent-earrings *pl*. – **3.** ⟨*Zool*⟩ (*della capra*) wattle. – **4.** ⟨*Pesc*⟩ seine. – **5.** ⟨*ant*⟩ (*pendio*) slope, slant. – **6.** ⟨*ant, Gramm*⟩ (*anche passato pendente*) imperfect (tense). – **III** *prep.* ⟨*ant*⟩ (*durante*) during. □ ⟨*ant*⟩ *in* ~ (*in sospeso*) pending: *tenere in* ~ to keep pending.
pendentif *fr.* [pɑ̃dɑ̃ˈtif] *m.* **1.** ⟨*Oref*⟩ pendant. – **2.** *pl.* (*orecchini*) drop-earrings *pl*, pendent-earrings *pl*. – **3.** ⟨*Arch*⟩ pendentive.
pendenza *f.* **1.** (*dislivello*) slope, slant, incline; (*rapporto tra piano pendente e piano orizzontale*) gradient, grade, inclination. – **2.** ⟨*Mat*⟩ inclination. – **3.** ⟨*Aer*⟩ angle of pitch. – **4.** ⟨*Geol*⟩ dip, pitch. – **5.** ⟨*Dir*⟩ pendency. – **6.** ⟨*Comm*⟩ (*credito*) (outstanding) debt: *regolare le -e* to settle up (*o* one's debts); (*conto*) outstanding account. – **7.** ⟨*fig,ant*⟩ (*propensione*) leaning, tendency, inclination, penchant. – **8.** ⟨*El*⟩ slope (conductance).

□ *a* **forte** ~ steeply sloping; **grado** *di* ~ gradient; **in** ~: 1. sloping; 2. (*scosceso*) steep; 3. (*in sospeso*) pending; 4. ⟨*Comm*⟩ outstanding: *conto in* ~ outstanding account; ⟨*Ferr*⟩ ~ **limite** (o *massima*) maximum (*o* limiting) gradient; ⟨*Dir*⟩ ~ *della* **lite** pendency of action; ⟨*Aut*⟩ ~ **superabile** (hill-)climbing ability; ~ *massima superabile* maximum climbing ability; ⟨*Edil*⟩ ~ *del* **tetto** slope of the roof.
pendere *v.i.* (**pendei/pendetti**, *rar.* **penduto**; *aus.* **avere**) **1.** to hang (down): *dall'albero pendevano frutti maturi* ripe fruit hung from the tree; *il quadro pende alla parete* the picture is hanging on the wall. – **2.** (*essere inclinato*) to lean: *gli alberi pendono verso il fiume* the trees lean towards the river; (*rif. a nave*) to list: *la nave pende a sinistra* the ship ⌜is listing⌝ (*o* has a list) to port. – **3.** ⟨*fig*⟩ (*incombere*) to hang (*su* over): *sul suo capo pende una terribile punizione* a terrible punishment hangs over his head. – **4.** ⟨*fig*⟩ (*propendere*) to lean, to be inclined, to tend: ~ *per il no* to be inclined to say no. – **5.** ⟨*fig*⟩ (*rimanere sospeso*) to be pending (*anche Dir.*). – **6.** ⟨*non com*⟩ (*essere in pendio*) to slope, to slant: *il terreno pende verso il lago* the ground slopes towards the lake. – **7.** ⟨*non com*⟩ (*derivare*) to derive. – **8.** ⟨*ant*⟩ (*rif. a colori e sim.*: *tendere*) to verge (*in* on). □ ⟨*fig*⟩ *la bilancia pende dalla tua parte* the scales tip in your favour; ⟨*fig*⟩ ~ ⌜*dalle labbra*⌝ (o *dalla bocca*) *di qd.* to hang on s.o.'s words; ~ *per una soluzione* to be in favour of a solution; *ti pende la sottoveste* your slip is showing.
pendevole *a.* ⟨*ant*⟩ (*pendente*) hanging.
pendice *f.* ⟨*lett*⟩ **1.** slope, declivity. – **2.** *pl.* (*falde*) lower slopes *pl*, sides *pl*.
pendima *f.* → **pentima**.
pendino *m.* **1.** ⟨*El,Tel*⟩ hanger, suspension, dropper. – **2.** ⟨*Edil*⟩ protruding tie. – **3.** ⟨*Ferr*⟩ hanger.
pendio *m.* **1.** (*pendenza*) slope, slant, inclination, declivity: *essere in* ~ to (be on a) slope. – **2.** (*declivio*) slope, declivity. – **3.** ⟨*Mil*⟩ (*piovente*) exterior slope (of a parapet).
pendola *f.* pendulum clock.
pendolamento *m.* **1.** pendulation, oscillation. – **2.** ⟨*Mar*⟩ proceeding alternately. – **3.** ⟨*El*⟩ hunting; (*di un alternatore*) swing.
pendolare[1] *v.i.* (**pendolo**; *aus.* **avere**) **1.** to pendulate, to oscillate. – **2.** ⟨*estens*⟩ (*pendere oscillando*) to swing (to and fro), to dangle, to sway.
pendolare[2] **I** *a.* pendular, pendulous, pendulant: *moto* ~ pendular movement, swing. – **II** *s.m./f.* commuter.
pendolazione *f.* ⟨*Geog*⟩ pendulation, oscillation.
pendolinista *m./f.* diviner (who uses a pendulum), ⟨*am*⟩ doodle-bug(ger).
pendolino[1] (*dim. di pendolo*[2]) *m.* (*in radioestesia e rabdomanzia*) pendulum, ⟨*am*⟩ doodle-bug.
pendolino[2] *m.* ⟨*Ornit*⟩ penduline titmouse (*Anthoscopus pendulinus*; *Remiz pendulinus*).
pendolo[1] *a.* ⟨*rar*⟩ → **pendulo**.
pendolo[2] *m.* **1.** ⟨*Fis*⟩ pendulum. – **2.** → **pendola**. – **3.** ⟨*Edil*⟩ pendulum bearing. – **4.** ⟨*Alp*⟩ pendulum.

□ **a** ~ pendulum-: *orologio a* ~ pendulum clock; ~ **compensato** compensation pendulum; ~ **conico** conical (*o* spherical) pendulum; ~ **fisico** compound (*o* physical) pendulum; ~ *di* **Foucault** Foucault pendulum; ~ **matematico** simple (*o* mathematical) pendulum; **muoversi** *a* ~ to oscillate, to pendulate, to swing (to and fro); ~ **orizzontale** horizontal pendulum; ~ *di* **risonanza** resonance pendulum; ~ *di* **torsione** torsion pendulum.

pendolọne, pendolọni *avv.* ⟨*region*⟩ → **penzolone.**

pendọne *m.* ⟨*Arred*⟩ hanging.

pendulaziọne *f.* → **pendolazione.**

pẹndulo *a.* ⟨*lett*⟩ (*pendente*) hanging, pendent.

pẹne *m.* ⟨*Anat*⟩ penis.

penẹidi *m.pl.* ⟨*Zool*⟩ penaeids *pl* (*Penaeidae*).

penẹio *a.* ⟨*poet*⟩ of Peneus. ☐ *fronda -a* laurel.

penẹlope *f.* ⟨*Ornit*⟩ (*fischione*) wi(d)geon (*Anas penelope*).

Penẹlope *N.pr.f.* ⟨*Lett*⟩ Penelope. – **penelope** *f.* (*donna fedele*) faithful wife, Penelope.

Penẹo *N.pr.m.* ⟨*Geog*⟩ Peneus.

penepiạno *m.* ⟨*Geol*⟩ peneplain, peneplane.

peneplanaziọne *f.* ⟨*Geol*⟩ peneplanation.

penerạta *f.* ⟨*Tess,non com*⟩ fringe, fringing. – **pẹnero** *m.* **1.** ⟨*Tess*⟩ fringe. – **2.** ⟨*fig,poet*⟩ (*frangia*) fringe, border.

penetrạbile *a.* **1.** penetrable. – **2.** ⟨*rar*⟩ (*che può penetrare*) penetrating. – **penetrabilità** *f.* penetrability.

penetrạle *m.* (generally in pl.) **1.** ⟨*Archeol*⟩ penetral, penetralia *pl*: *i -i del tempio* the penetralia of the temple, the temple sanctuary. – **2.** ⟨*fig*⟩ (*l'intimo*) depth, innermost part.

penetramẹnto *m.* ⟨*non com*⟩ penetration, penetrating.

penetrạnte (*p.pr. di penetrare*) *a.* **1.** penetrating, piercing. – **2.** ⟨*fig*⟩ (*acuto*) acute, discerning, penetrating, thorough: *analisi* ~ thorough analysis. – **3.** ⟨*fig*⟩ (*rif. a odore*) pungent, penetrating, strong; (*rif. a suono*) penetrating, piercing, sharp, shrill; (*rif. a sguardo*) piercing, penetrating, searching, keen.

penetrạnza *f.* **1.** ⟨*Fis*⟩ penetrative capacity. – **2.** ⟨*Biol*⟩ penetrance.

penetrạre *v.* (**pẹnetro**/*poet.* **penẹtro**) **I** *v.i.* (*aus.* **avere**) **1.** (*entrare*) to penetrate (s.th.), to go (into), to enter (s.th.): *il chiodo penetrò nella parete* the nail penetrated (*o* went into) the wall; (*infiltrarsi*) to penetrate, to get (into), to slip (through). – **2.** (*attraversare*) to penetrate (*in* through, into), to pass (through), to pierce (s.th.); (*avanzare*) to penetrate, to advance (through). – **3.** ⟨*fig*⟩ to penetrate, to sink. – **II** *v.t.* **1.** to penetrate (into, through), to pierce, to seep into: *questa umidità penetra le ossa* this damp seeps into one's bones. – **2.** ⟨*fig*⟩ (*approfondire*) to penetrate, to fathom, to comprehend. – **penetrarsi** *v.r.* ⟨*non com*⟩ (*convincersi, compenetrarsi*) to be convinced (*di* of), to realize (s.th.). ☐ ~ *nel cuore* to touch the heart.

penetratịva *f.* ⟨*non com*⟩ penetration, keen insight, discernment, acumen. – **penetratịvo** *a.* ⟨*lett*⟩ **1.** penetrative, penetrating. – **2.** ⟨*fig*⟩ penetrating, discerning, sharp, acute; (*rif. a sguardo*) penetrating, piercing, searching. – **penetrạto** (*p.p. di penetrare*) *a.* ⟨*non com*⟩ (*convinto, compenetrato*) convinced (*di, in* of).

penetratọre *m.* (*f.* **-trice**) **1.** ⟨*non com*⟩ penetrator. – **2.** ⟨*Mecc*⟩ penetrator, indenter. ☐ ~ *di diamante* diamond penetrator; ~ *a sfera d'acciaio* steel ball penetrator.

penetraziọne *f.* **1.** (*l'entrare*) penetration, penetrating, entry. – **2.** (*avanzata*) penetration (*anche Mil.*). – **3.** ⟨*fig*⟩ penetration, entry: *la* ~ *di vocaboli stranieri nella lingua italiana* the entry (*o* penetration) of foreign words into the Italian language. – **4.** ⟨*fig*⟩ (*intuizione, prontezza*) penetration, acuteness, discernment. – **5.** ⟨*tecn*⟩ penetration. – **6.** ⟨*Geom*⟩ penetration. ☐ ~ *economica* economic penetration; *forza di* ~ penetration (*anche fig.*); ⟨*Pol*⟩ ~ *pacifica* peaceful penetration; ⟨*Met*⟩ ~ *di tempra* depth of hardening.

penetrẹvole *a.* ⟨*ant*⟩ (*penetrante*) penetrating.

penetrọmetro *m.* ⟨*tecn*⟩ penetrometer.

pẹnfigo *m.* → **pemfigo.**

penịce *f.* ⟨*Mar*⟩ lighter.

penicillạsi *f.* ⟨*Biol*⟩ penicillinase.

penicillạto *a.* ⟨*Bot*⟩ penicillate.

penicillịna *f.* ⟨*Farm*⟩ penicillin. – **penicillịnico** *a.* (*pl.* **-ci**) penicillin-.

penicillino|-resistẹnte *a.* ⟨*Biol*⟩ penicillin-fast, penicillin-resistant. – **~-resistẹnza** *f.* resistance to penicillin. – **~-sensịbile** *a.* penicillin -sensitive. – **~-sensibilità** *f.* penicillin-sensitivity.

penicịllio *m.* ⟨*Bot*⟩ penicillium, blue mould (*Penicillium*).

penicịllo *m.* **1.** ⟨*Med*⟩ (*arteria a penicillo*) penicillus. – **2.** ⟨*Bot*⟩ penicillus.

pẹnico *a.* (*pl.* **-ci**) ⟨*Anat*⟩ penile, penial, of the penis. – **penịeno** *a.* → **penico.**

penịnsola *f.* ⟨*ant*⟩ → **penisola.**

peninsulạre *a.* ⟨*Geog*⟩ peninsular. ☐ *l'Italia* ~ the Italian mainland. – **penịsola** *f.* **1.** peninsula: ~ *balcanica* Balkan peninsula. – **2.** (*Italia*) Italy.

penitẹnte **I** *a.* (*che si pente*) penitent, repentant, contrite; (*che fa penitenza*) penitent. – **II** *s.m./f.* **1.** penitent. – **2.** ⟨*Rel*⟩ penitent; (*chi si confessa*) penitent. – **3.** ⟨*Rel*⟩ (*monaco*) Penitent. ☐ *neve* ~ penitent snow, nieve penitente.

penitẹnza *f.* **1.** (*pentimento*) repentance, penitence, contrition. – **2.** (*mortificazione*) penance. – **3.** ⟨*Rel.catt*⟩ penance; (*preghiera o opera buona*) penance. – **4.** (*punizione*) punishment, ⟨*ant*⟩ penance. – **5.** (*nei giochi*) forfeit, consequence: *fare la* ~ to pay the forfeit, to take the consequence. ☐ *fare* ~ to do penance; ⟨*scherz*⟩ *vieni a far* ~ *a casa mia* come and take potluck at my house; ⟨*Rel*⟩ *giorni di* ~ days of fast and abstinence; *in* ~ *dei propri peccati* as a penance for one's sins.

penitenziạle *a.* ⟨*Rel*⟩ penitential: *salmi -i* penitential psalms. ☐ *libro* ~ penitential.

penitenziạrio **I** *s.m.* (*carcere*) prison, goal, jail, ⟨*am*⟩ penitentiary. – **II** *a.* **1.** penitentiary. – **2.** ⟨*non com*⟩ (*penitenziale*) penitential.

penitenziẹre *m.* ⟨*Rel*⟩ penitentiary: ~ *maggiore* Grand Penitentiary. – **penitenzierịa** *f.* penitentiary (tribunal).

pẹnna *f.* **1.** ⟨*Ornit,Mod*⟩ feather. – **2.** *pl.* ⟨*collett*⟩ plumage. – **3.** (*strumento per scrivere*) pen; (*penna d'oca*) quill(-pen). – **4.** ⟨*fig*⟩ (*scrittore*) writer, pen(man); (*lo scrivere*) writing: *avere la* ~ *facile* to be good at writing. – **5.** (*pennino*) nib. – **6.** (*parte della freccia*) feather, vane. – **7.** ⟨*Mar*⟩ peak. – **8.** *pl.* (*ali*) wings *pl*: *l'uccello spiega le -e* the bird spreads its wings. – **9.** *pl.* ⟨*Alim*⟩ short bias-cut pasta tubes. – **10.** ⟨*Mus*⟩ (*plettro*) quill, plectrum. – **11.** ⟨*tecn*⟩ (*parte del martello*) peen. – **12.** ⟨*Alp*⟩ blade of an ice-axe. – **13.** ⟨*Geog*⟩ (*cima di monte*) peak, top, tip. – **14.** ⟨*Itt*⟩ (*palombo*) smooth hound (*o* dogfish) (*Mustelus mustelus*). – **15.** ⟨*Zool*⟩ (*aculeo dell'istrice*) quill. – **16.** ⟨*ant*⟩ (*pinna dei pesci*) fin.

☐ **a** ~ in (pen and) ink, pen-and-ink: *disegnare a* ~ to draw with pen and ink; *disegno a* ~ pen-and-ink drawing; ~ *d'***acciaio** steel nib; ~ *del* **contorno** contour feather, plume; ⟨*ant*⟩ *-e* **copritrici** coverts, tectrices; **dar** *di* ~ to cross out; ⟨*Ornit*⟩ *-e* **falcate** sickle feathers; ⟨*Ornit*⟩ *-e* **filiformi** filoplumes; *uccelli di* **grossa** ~ large birds; ⟨*fig*⟩ **intingere** *la* ~ *nel fiele* to dip one's pen in gall; ⟨*fig*⟩ **lasciare** *nella* ~ (*tralasciare*) to omit, to leave unsaid, not to write; ⟨*fig*⟩ *lasciarci le -e* to lose one's life; ⟨*Ornit*⟩ ~ **maestra** flight feather, quill (*o* pen) feather; ⟨*Zool*⟩ ~ *di* **mare** sea pen (*Pennatula*); ~ *del* **martello** peen of a hammer; ⟨*Ornit*⟩ ~ **matta** (*peluria*) filoplume; **mettere** *le -e* to fledge; ⟨*Mil*⟩ *-e* **nere** (*alpini*) Alpini, Alpine troops; ~ *d'***oca** goose quill; ⟨*Bot*⟩ ~ *di* **pavone** dwarf morning -glory (*Convolvulus tricolor*); ⟨*fig*⟩ *coprirsi delle -e del pavone* to deck o.s. in borrowed feathers (*o* plumes), to take credit for s.th. one has not done; ⟨*fig*⟩ **posare** *la* ~ to lay (*o* set) down one's pen, to stop writing; **prendere** *la* ~ *in mano* to take up one's pen; *avere una parola sulla* **punta** *della* ~ to have trouble remembering a word when writing; **restare** (o *rimanere*) *nella* ~ to be left unwritten; **rimetterci** *le -e* = **lasciarci** *le penne*; ~ **scrivente** pen; ~ *a* **sfera** ballpoint pen, biro; ~ **stilografica** (o *a serbatoio*) fountain-pen; ⟨*fig*⟩ *saper* **tenere** *la* ~ *in mano* to be a good writer; ⟨*fig*⟩ **togliere** *le -e maestre a qd.* to clip s.o.'s wings; *togliere le -e a un pollo* to pluck a chicken; **uomo** *di* ~ writer, man of letters; ⟨*fig*⟩ *lasciarsi* **uscire** *qc. di* ~ to write s.th. without thinking.

pennacchiẹra *f.* plume-holder.

pennacchịni *m.pl.* ⟨*Bot*⟩ silky bent (*o* apera) (*Apera spica-venti*).

pennạcchio *m.* **1.** plume, bunch of feathers, panache. – **2.** (*ornamento dei carri funebri e sim.*) plume. – **3.** ⟨*Mar*⟩ windcane (of feathers). – **4.** ⟨*Arch*⟩ (*a triangolo sferico*) pendentive; (*a triangolo piano*) sprandel. – **5.** ⟨*El*⟩ brush (discharge). – **6.** ⟨*Bot*⟩ (*infiorescenza*) staminate (*o* male) inflorescence. – **7.** *pl.* ⟨*Bot*⟩ (*piumini*) bog cottons *pl*, cotton-grasses *pl* (*Eriophorum*). ☐ ⟨*Astr*⟩ *pennacchi coronali* solar prominences; ⟨*Equit*⟩ *fare* ~ (*rif. al cavaliere*) to be thrown (over the horse's head); (*rif. al cavallo*) to fall head over heels (over an obstacle); ~ *di fumo* plume (*o* wreath) of smoke.

pennacchiụto *a.* ⟨*rar,scherz*⟩ plumed.

pennạccia *f.* (*pl.* **-ce**) *pegg. di* **penna.**

pennaccịno *m.* ⟨*Mar*⟩ martingale boom, dolphin strike.

pennạce *a.* → **penace.**

pennạio *m.* (*f.* **-a**) feather-dresser.

pennaiọlo *m.* **1.** ⟨*Stor*⟩ pen-case, quill-stand. – **2.** ⟨*spreg*⟩ (*letterato*) hack(-writer), scribbler, literary drudge.

pennarẹllo *m.* felt pen, marking pen.

pennạta *f.* **1.** (*quantità di inchiostro*) penful (of ink). – **2.** (*tratto di penna*) stroke of the pen. – **3.** (*colpo dato con la penna*) blow with a pen.

pennatịfido *a.* ⟨*Bot*⟩ pinnatifid.

pennạto[1] *m.* ⟨*Agr*⟩ bill-hook.

pennạto[2] *a.* **1.** feathered, plumed. – **2.** (*a forma di penna*) feathery, feather-shaped. – **3.** ⟨*Bot*⟩ pinnate.

pennato|lobạto *a.* ⟨*Bot*⟩ pinnate-lobed. – **~partịto** *a.* pinnate -parted.

pennạtula *f.* ⟨*Zool*⟩ sea pen (*Pennatula*). – **pennatulạri** *m.pl.* pennatularians *pl* (*Pennatularia*).

pennẹcchio *m.* ⟨*Tess*⟩ flax (*o* wool) on the distaff.

pennellạre *v.i.* (**pennẹllo**; *aus.* **avere**) to brush.

pennellạta *f.* **1.** stroke (*o* touch) of the brush, brush-stroke: *dare un'ultima* ~ to give a last ⌜touch of the brush⌝ (*o* brush-over). – **2.** (*modo di usare il pennello*) brush work, style: *una* ~ *decisa* clear-cut brush work. – **3.** ⟨*fig*⟩ (*rif. a scritti*) (well-chosen) phrase.

pennellatụra *f.* **1.** brush work. – **2.** ⟨*Med*⟩ painting. – **pennellaziọne** *f.* ⟨*non com*⟩ → **pennellatura.**

pennelleggiạre *v.* (**pennellẹggio, pennellẹggi**) ⟨*non com*⟩ **I** *v.t.* (*dipingere*) to paint. – **II** *v.i.* (*aus.* **avere**) to paint.

pennellẹssa *f.* flat brush.

pennellifịcio *m.* brush factory.

pennẹllo[1] *m.* **1.** brush: ~ *di setole* bristle brush. – **2.** ⟨*fig*⟩ (*stile*) style, brush. – **3.** ⟨*Idr,Edil*⟩ (*argine*) groin, groyne; (*molo*) pier, mole, jetty. – **4.** ⟨*Fis*⟩ pencil. – **5.** ⟨*Sport*⟩ (*tuffo a pennello*) feet -first dive. – **6.** ⟨*Mar*⟩ (*ancorotto*) back anchor.

☐ **a** ~ perfectly: *andare* (*o calzare, stare*) *a* ~ to fit perfectly (*o* like a glove), to be just right; *fare una cosa a* ~ to do s.th. perfectly; **arte** *del* ~ painting, the painter's art; ~ *da* **barba** shaving-brush;

~ *per la* **colla** (*dell'imbianchino*) paste-brush; ⟨*Fis*⟩ ~ *di* **elettroni** electron beam; ~ *per* **imbiancare** whitewash brush; ⟨*Ott*⟩ ~ **luminoso** pencil of light; *saper* **maneggiare** *il* ~ to be a good artist; ~ *a* **punta** pointed brush; ~ **rotondo** round brush; ~ *per* **scrivere** writing-brush.

pennẹllo[2] *m.* **1.** ⟨*Mar*⟩ signal (flag), triangular flag. – **2.** ⟨*ant*⟩ (*stendardo*) flag.

pennẹse *m.* ⟨*Mar*⟩ supply rating, boatswain's storeman.

pennẹtta *f. dim. di* **penna**.

pennichẹlla *f.* ⟨*roman*⟩ (*pisolino*) (afternoon) nap, siesta: *fare la* ~ to have a nap.

pennịna *f. dim. di* **penna**.

pennịni *m.pl.* ⟨*Bot*⟩ cottage (*o* garden) pinks *pl* (*Dianthus plumarius*).

pennịno[1] *m.* (pen-)nib.

□ ~ *d'***acciaio** steel nib; ~ *da* **disegno** drawing-nib; ~ *di* **metallo** metal nib; ~ *d'***oro** gold nib; ~ *che* **stride** scratchy nib; ~ *di* **vetro** glass nib.

pennịno[2] *m.* ⟨*Ornit*⟩ (*garzetta*) little egret (*Egretta garzetta*).

pennisẹto *m.* ⟨*Bot*⟩ **1.** millet (*Pennisetum*). – **2.** (*miglio africano*) pearl (*o* cat-tail) millet (*Pennisetum typhoideum*).

pennivẹndolo *m.* (*scrittore mercenario*) hack(-writer).

pennịzza *f.* ⟨*Ornit*⟩ wood-warbler (*Phylloscopus sibilatrix*).

pennọla *f.* ⟨*Mar*⟩ boom, spar.

pennoncẹllo (*dim. di pennone*) *m.* **1.** (*stendardo*) pennoncel, streamer. – **2.** (*pennacchio*) plume. – **pennoncịno** (*dim. di pennone*) *m.* ⟨*Mar*⟩ **1.** yard. – **2.** (*per segnali*) signal yard.

pennọne *m.* **1.** (*asta per la bandiera*) flagpole, flagstaff. – **2.** ⟨*Mar*⟩ yard. – **3.** (*stendardo*) standard, banner; (*nella cavalleria*) pennon, pennant, regimental flag. – **4.** ⟨*ant*⟩ (*schiera di soldati*) troop, men *pl.*

□ ⟨*Mar*⟩ ~ *di* **controvelaccino** fore-royal yard; ~ *di* **controvelaccio** (main-)royal yard; ~ *di* **gabbia** (*fissa*) main topsail yard; ~ *di gabbia volante* upper main topsail yard; ~ *di* **parrocchetto** *fisso* fore-topsail yard; ~ *di parrocchetto volante* upper fore-topsail yard; ~ *di* **trinchetto** foreyard; ~ *di* **velaccino** fore-topgallant yard; ~ *di* **velaccio** main-topgallant yard.

pennonịẹre *m.* **1.** ⟨*Mar*⟩ yardman. – **2.** ⟨*ant*⟩ (*alfiere*) standard -bearer.

pennụccia *f.* (*pl.* **-ce**) *dim. di* **penna**.

pennụto I *a.* feathered, fledged, feather-covered, plumed. – **II** *s.m.* (*uccello*) bird.

pẹno *a.* ⟨*lett*⟩ (*cartaginese*) Carthaginian; (*punico*) Punic.

penọmbra *f.* **1.** half-light, semi-darkness, dim (*o* faint) light: *la stanza era in* ~ the room was ⌜in semi-darkness⌝ (*o* shadowy); *la* ~ *del bosco* the dim light of the wood; (*della sera*) twilight, dusk. – **2.** ⟨*Fis,Astr*⟩ penumbra. □ ⟨*fig*⟩ *restare nella* (o *in*) ~ to stay in the background.

penosamẹnte *avv.* **1.** painfully, distressingly. – **2.** (*con fatica*) laboriously, with difficulty. – **penosità** *f.* **1.** painfulness, distress. – **2.** (*imbarazzo*) painfulness, awkwardness. – **3.** (*fatica*) laboriousness, strain, arduousness. – **penọso** *a.* **1.** (*doloroso*) painful, distressing, sad, upsetting. – **2.** (*imbarazzante*) painful, awkward: *seguì un silenzio* ~ an awkward silence followed. – **3.** (*faticoso*) tiring, laborious, arduous, heavy, trying.

pensạbile *a.* thinkable, imaginable, conceivable. □ *non è* ~ it's unthinkable. – **pensabilità** *f.* ⟨*non com*⟩ conceivability.

pensamẹnto *m.* ⟨*non com*⟩ **1.** (*il pensare*) thinking, cogitation; (*pensiero*) thought. – **2.** ⟨*scherz*⟩ (*proposito*) purpose, plan.

pensạnte (*p.pr. di pensare*) **I** *a.* thinking, cogitative. – **II** *s.m.* thinker, person thinking.

pensạre *v.* (**pẹnso**) **I** *v.i.* (*aus.* **avere**) **1.** to think: *parole che fanno* ~ words that ⌜make you think⌝ (*o* give you food for thought). – **2.** (*volgere la mente*) to think (*a* of): *non ci avevo pensato* I hadn't thought of it; *pensa a me* think of me. – **3.** (*ricordare*) to think (of, back to): *penso spesso agli anni della mia gioventù* I often think of when I was young, I often think back to my youth. – **4.** (*prevedere, considerare*) to think (of, about): *perché non ci hai pensato prima?* why didn't you think of it before? – **5.** (*progettare*) to think (of, about), to plan (s.th.). – **6.** (*provvedere, badare*) to see (to), to take care (of), to look (after): *penso io a tutto* I shall see to everything; *pensa lei al sostentamento della famiglia* she ⌜looks after⌝ (*o* supports) the family. – **7.** (*giudicare*) to think, to have an opinion: *c'è chi pensa in modo diverso dal nostro* some people ⌜think differently⌝ (*o* don't agree with us). – **8.** (*credere, supporre*) to think, to believe: *penso che tutto sia andato nel migliore dei modi* I think that everything has gone perfectly. – **9.** (*immaginare*) to think, to imagine, to guess: *pensa chi ho incontrato sull'autobus* guess who I met on the bus, who do you think I met on the bus? – **10.** (*avere l'intenzione*) to intend, to think, to mean: *non pensavo di addolorarti tanto* I didn't ⌜mean to⌝ (*o* think I would) upset you like this; *penso di andare in Inghilterra in agosto* I'm thinking of going to England in August. – **11.** ⟨*Filos*⟩ to think: *penso, dunque sono* I think, therefore I am. – **II** *v.t.* **1.** to think of: *ti penso* I am thinking of you; *pensa un numero* think of a number. – **2.** (*credere possibile*) to imagine, to suspect, to think, to believe: *ero lontano dal* ~ *una simile nefandezza* I never imagined such wickedness; *non l'avrei mai pensato* I would never have thought it. – **3.** (*immaginare*) to picture, to imagine, to think of: *ti lascio* ~ *la mia sorpresa* you can (just) imagine my surprise. – **4.** (*riflettere*) to consider, to think over: *pensa bene la risposta* think your reply over well; (*a fondo*) to think out. – **5.** (*andare col pensiero*) to think of. – **6.** (*giudicare*) to think: *che cosa ne pensi?* what do you think (of it)? – **pensarsi** *v.r.* ⟨*fam*⟩ (*immaginarsi*) to think o.s.: *ma chi si pensa di essere?* who does he think he is?

□ ~ **bene** *di qd.* to have a good opinion of s.o., to think well of s.o.; **dar** *da* ~ (*preoccupare*) to worry; ~ *ai* **fatti** *propri* to mind one's own business; ~ **male** *di qd.* to have a bad opinion of s.o., to think ill of s.o.; *penso di* **no** I don't think so; *pensa e* **ripensa** (*dopo lunga riflessione*) after long thought, after much racking of one's brains; ⟨*scherz*⟩ *pensa alla* **salute** (*non preoccuparti*) don't worry; *penso di* **sì** I think so; **una** *ne fa e cento ne pensa* he's always got s.th. new up his sleeve. – *Prov.*: *ognun pensi per sé e Dio per tutti* every man for himself; *bisogna pensarci avanti per non pentirsi poi* look before you leap; *pensa molto, parla poco e scrivi meno* think much, speak little, and write less. || *non pensarci* forget about it, don't think about it; *ci penso io* I'll see to it, leave it to me; *e* ~ *che* and to think that.

pensạta *f.* **1.** thought. – **2.** (*idea, trovata*) idea, find: *hai avuto una bella* ~ you had a ⌜good idea⌝ (*o* brainwave). – **pensạto** (*p.p. di pensare*) **I** *a.* (*ben meditato*) well thought out, (well) considered, meditated, studied. – **II** *s.m.* ⟨*Filos*⟩ object thought about. – **pensatọio** *m.* **1.** place for thinking (*o* meditation). – **2.** ⟨*ant*⟩ (*attività del pensiero*) thought. □ *entrare nel* ~ to put on one's thinking-cap; *mettere qd. nel* ~ to give s.o. s.th. to think about. – **pensatọre** *m.* (*f.* **-trice**) thinker. □ *libero* ~ freethinker; *di* (o *da*) *libero* ~ freethinker's, freethinking.

pensée *fr.* [pã'se] *f.* ⟨*Bot*⟩ (*viola del pensiero*) wild pansy, heartsease (*Viola tricolor*).

pensẹro *m.* ⟨*ant*⟩ → **pensiero**.

pensiẹre[1] *m.* ⟨*ant*⟩ → **pensiero**.

pensiẹre[2] *m.* ⟨*Tess*⟩ loop (to hold the end of the distaff).

pensierịno (*dim. di pensiero*) *m.* **1.** (*affettuosa attenzione*) thought, (act of) kindness, attention, thoughtfulness; (*regalino*) little gift. – **2.** ⟨*scol*⟩ composition.

pensiẹro *m.* **1.** (*attività mentale*) thought, thinking; (*capacità di pensare*) thought. – **2.** (*mente*) mind, thought: *riandare col* ~ *a qc.* to cast one's mind back to s.th. – **3.** (*immaginazione*) thought, imagination. – **4.** (*idea*) thought: *riordinare i propri -i* to sort out one's ideas; *essere assorto nei propri -i* to be lost in thought. – **5.** (*dottrina*) (school of) thought, philosophy, theory. – **6.** (*attenzione*) thought: *hai avuto un* ~ *gentile* that was a kind thought. – **7.** (*preoccupazione*) worry, care, trouble, problem: *ho troppi -i* I have too many worries. – **8.** (*opinione*) opinion, mind, view: *cambiare* ~ to change one's mind. – **9.** (*proposito*) intention, thought, idea; (*progetto*) plan. – **10.** (*sentenza*) maxim, saying.

□ **accarezzare** *un* ~ to cherish a thought; ⟨*fig*⟩ *sulle* **ali** *del* ~ on the wings of thought; *ho* **altri** *-i per la testa* I have other things ⌜to think about⌝ (*o* on my mind); **darsi** ~ *per qd.* to worry about s.o.; *non dartene* ~ don't worry about it; **denso** *di -i* full of thought, crammed with ideas; **essere** *in* ~ *per qd.* to be worried about s.o.; **fermare** *il* ~ *su qc.* to dwell on s.th., to stop to consider (*o* think about) s.th.; ~ **filosofico** philosophy; **gradisca** *il* ~ please accept this little gift; **leggere** *nel* ~ *di qd.* to read s.o.'s mind (*o* thoughts); **mettere** *qd. in* ~ to worry s.o.; **povero** (o *privo*) *di -i* ⌜thin on⌝ (*o* poor in) ideas, with few ideas; **prendersi** ~ *per qd.* to worry about s.o.; **senza** *-i* carefree; *essere* **sopra** ~ (*distratto*) to be lost in thought; **stare** *in* ~ *per qd.* to worry (*o* be anxious) about s.o.; **tornare** *al* (o *nel*) ~ to come to mind, to recollect (*costr. pers.*); **uomo** *di* ~ thinker, intellectual, ⟨*fam*⟩ egghead; **volgere** *il* ~ *a qd.* to think of s.o. – *Prov.*: *il* ~ *non si può vincolare* thought is free.

pensierosità *f.* thoughtfulness, pensiveness. – **pensierọso** *a.* **1.** thoughtful, pensive, lost (*o* wrapt) in thought. – **2.** (*preoccupato*) worried, concerned.

pẹnsile *a.* **1.** (*sospeso*) hanging, suspended, pensile. – **2.** ⟨*Edil*⟩ hanging: *giardino* ~ hanging garden. – **3.** ⟨*Dir*⟩ (*pendente*) pending, pendent.

pensilịna *f.* **1.** cantilever roof. – **2.** ⟨*Ferr*⟩ station canopy (*o* awning), platform roofing.

pensionạbile *a.* **1.** pensionable. – **2.** (*che ha raggiunto i limiti di età*) pensionable, eligible for a pension. – **pensionamẹnto** *m.* retirement.

pensionạnte *m./f.* boarder, lodger: ~ *fisso* regular boarder.

pensionạre *v.t.* (**pensiọno**) ⟨*burocr*⟩ to pension (off), to retire on pension; (*per raggiunti limiti d'eta*) to superannuate. – **pensionạrio** ⟨*ant*⟩ **I** *a.* on pension. – **II** *s.m.* (*pensionante*) boarder, lodger.

pensionạtico *m.* (*pl.* **-ci**) (*diritto di pascolo*) grazing rights *pl.*

pensionạto (*p.p. di pensionare*) **I** *a.* pensioned (off), ⟨*pred*⟩ on pension; (*per raggiunti limiti d'età*) superannuated. – **II** *s.m.* (*f.* -a) **1.** pensioner: ~ *dello Stato* state pensioner. – **2.** (*istituto*) hostel, home: ~ *per studenti* students' hostel; (*con scuola*) boarding-school. – **3.** ⟨*non com*⟩ (*diritto di essere ospitati in un pensionato*) scholarship, bursary. □ *piccolo* ~ person receiving a small pension.

pensioncịna *f. dim. di* **pensione**.

pensiọne *f.* **1.** pension: *beneficiare di una* ~ to draw (*o* have) a pension; (*per raggiunti limiti d'età*) pension, superannuation. – **2.** (*prestazione di alloggio e vitto*) board and lodging, room and board: *tenere qd. a* ~ to board s.o., to keep (*o* have) s.o. as a boarder; (*retta*) charge (for board and lodging), room and board. – **3.** (*albergo familiare*) boarding-house, guest-house; (*nell'Europa continentale*) pension(e). – **4.** ⟨*ant*⟩ (*retribuzione di funzionari in servizio*) salary, wage. – **5.** ⟨*ant*⟩ (*tributo*) tribute.

□ ~ **adeguata** adequate pension; ~ **alimentare** alimony, legal maintenance; **andare** *in* ~ to retire (on pension); ~ **base** basic pension; ~ **completa** full board; **essere** *a* ~ *presso qd.* to board (*o* lodge) with s.o.; **fondo** *-i* pension fund; ~ *di* **guerra** war pension; ~ **indiretta** pension for surviving dependants; ~ *d'***invalidità** disability pension; ~ *d'invalidità e vecchiaia* disability and old age pension; **mettere** *qd. in* ~ to pension s.o. off, to retire s.o.; **mezza** ~ half board; ~ *della* **previdenza** *sociale* social security pension; ~ **reversibile** (o *di reversibilità*) = *pensione* **indiretta**; **ricevere** *una* ~ to receive a pension; ~ **statale** government (*o* state) pension; ~ *di* **vecchiaia** old age pension; ~ **vedovile** widow's pension; ~ *a* **vita** pension for life.

pẹnso *m.* **1.** ⟨*scol*⟩ extra homework (assigned as a punishment), pensum, imposition. – **2.** ⟨*Stor.rom*⟩ daily quota of wool to be spun.

pensosamẹnte *avv.* thoughtfully, pensively. – **pensosità** *f.* thoughtfulness, pensiveness. – **pensọso** *a.* **1.** (*pensieroso*) thoughtful, pensive, lost (*o* wrapt) in thought; (*rif. a cosa*) meditative. – **2.** ⟨*lett*⟩ (*preoccupato*) concerned, worried (*di* about, by); (*sollecito*) solicitous (about, for, of). – **3.** ⟨*lett*⟩ (*che pensa*) thinking, thoughtful.

penta... *pref.* (*cinque* five) pent(a)..., five-.

pentacịclico *a.* (*pl.* **-ci**) ⟨*Chim,Bot*⟩ pentacyclic.

pentạcolo *m.* ⟨*Occult*⟩ pentacle.

pentacọrdo *m.* ⟨*Mus*⟩ pentachord.

pentạculo *m.* → **pentacolo.**

pentadạttilo *a.* ⟨*Biol*⟩ pentadactyl, pentadactylate.

pẹntade *f.* ⟨*non com*⟩ pentad.

penta|decạgono *m.* ⟨*Geom*⟩ pentadecagon. – **~decạno** *m.* ⟨*Chim*⟩ pentadecane.

pentạdico: ⟨*Mat*⟩ *sistema* ~ system based on the number five.

penta|drạmma *m.* ⟨*Numism*⟩ five-drachma coin. – **~edrạle** *a.* ⟨*Geom*⟩ pentahedral, pentahedrous. – **~ẹdro** *m.* pentahedron. – **~fịllo** *m.* ⟨*Bot*⟩ (*cinquefoglie*) creeping cinquefoil (*Potentilla reptans*). – **~fonịa** *f.* ⟨*Mus*⟩ pentatonicism. – **~fọnico** *a.* (*pl.* **-ci**) pentatonic.

pentạfora I *a.* ⟨*Arch*⟩ having (*o* with) five lights. – **II** *s.f.* mullioned window with five lights.

pentagonạle *a.* **1.** ⟨*Geom*⟩ pentagonal. – **2.** ⟨*Sport*⟩ with (the teams of) five nations or associations competing. – **pentạgono I** *s.m.* **1.** ⟨*Geom*⟩ pentagon. – **2.** (*in enigmistica*) puzzle in the form of a pentagon. – **II** *a.* ⟨*Geom*⟩ pentagonal: *dodecaedro* ~ pentagonal dodecahedron. – **Pentagono** *N.pr.m.* Pentagon.

pentagonododecaẹdro *m.* ⟨*Geom,Min*⟩ pentagonal dodecahedron.

pentagrạmma *m.* **1.** ⟨*Mus*⟩ staff, stave. – **2.** ⟨*Geom*⟩ pentagram. – **3.** ⟨*Occult*⟩ pentagram. – **pentagrammạto** *a.* ⟨*Mus*⟩ music-, furnished with blank staves: *carta -a* music paper.

pentạlfa *m.* ⟨*Occult*⟩ pentalpha.

pentạmero *a.* ⟨*Bot*⟩ pentamerous.

pentạmetro *m.* ⟨*Metr*⟩ (*anche verso pentametro*) pentameter; (*pentametro elegiaco*) (elegiac) pentameter.

pentạngolo, pentạngulo *a./s.* → **pentagono.**

pentạno *m.* ⟨*Chim*⟩ pentane.

pentapodịa *f.* ⟨*Metr*⟩ pentapody.

pentạpoli *f.* ⟨*Stor*⟩ pentapolis.

pentạrca *m.* ⟨*Stor*⟩ pentarch. – **pentarchịa** *f.* pentarchy.

pentasịllabo *a.* ⟨*Metr*⟩ pentasyllabic, having five syllables.

pentạstico *a.* (*pl.* **-ci**) **1.** ⟨*Bot*⟩ pentastichous. – **2.** ⟨*Metr*⟩ five-line-, of five lines. – **3.** ⟨*Pitt*⟩ five-panel-. – **4.** ⟨*Arch*⟩ with (*o* having) five rows of columns.

pentastọmidi *m.pl.* ⟨*Zool*⟩ tongue worms *pl*, pentastomes *pl*, linguatulids *pl* (*Pentastomida*).

Pentatẹuco *N.pr.m.* ⟨*Bibl*⟩ Pentateuch, Law (*o* Five Books *pl*) of Moses.

pẹntathlon *m.* ⟨*Sport,Stor*⟩ pentathlon. – **pentathlonẹta** *m./f.* ⟨*rar*⟩ → **pentatleta.** – **pentatlẹta** *m./f.* ⟨*Sport*⟩ pentathlete. – **pẹntatlo(n)** *m.* → **pentathlon.** – **pentatlonẹta, pentatlonịsta** *m./f.* ⟨*rar*⟩ → **pentatleta.**

pentatọmico *a.* (*pl.* **-ci**) ⟨*Chim*⟩ pentatomic.

pentatonạle *a.* ⟨*non com*⟩ → **pentatonico.** – **pentatonịa** *f.* ⟨*Mus*⟩ pentatonicism. – **pentatọnico** *a.* (*pl.* **-ci**) pentatonic.

pentavalẹnte *a.* ⟨*Chim*⟩ pentavalent, quinquevalent.

pentecọntoro *f.* ⟨*Stor.gr*⟩ penteconter.

pentecostạle *a.* ⟨*Rel*⟩ Pentecostal, Whitsun, Whit. – **Pentecọste** *N.pr.f.* Pentecost, Whit Sunday.

pentemịmera, pentemịmere *f.* ⟨*Metr*⟩ (*anche cesura pentemimera*) penthemimeral caesura.

pentẹne *m.* ⟨*Chim*⟩ pentene.

pentẹra *f.* ⟨*Stor.gr*⟩ (*quinquereme*) quinquereme.

pentẹrsi *v.r.* (**mi pẹnto**; **mi pentẹi**) ⟨*ant*⟩ (*pentirsi*) to repent.

pẹntima *f.* ⟨*region*⟩ (*terreno in pendio*) sloping land, slope.

pentimẹnto *m.* **1.** repentance, sorrow, regret. – **2.** ⟨*Rel*⟩ repentance, contrition. – **3.** ⟨*estens*⟩ (*mutamento d'opinione*) change of mind, second thoughts *pl*. – **4.** ⟨*estens*⟩ (*correzione*) correction, amendment. – **5.** ⟨*Art*⟩ retouch, pentimento. □ *non farsi prendere dai -i* not to have regrets; *provare un sincero* ~ to be truly repentant.

pentịrsi *v.r.* (**mi pẹnto**) **1.** to repent (*di* of), to be sorry (for), to regret (s.th.): *te ne pentirai* you will regret it; (*mutare proposito*) to repent, to change one's mind. – **2.** ⟨*Rel*⟩ to repent (of), to be sorry (for): ~ *dei propri peccati* to repent of one's sins.

pẹntodo *m.* ⟨*El*⟩ pentode (valve).

pẹntola *f.* **1.** pot: *mettere la* ~ *sul fuoco* to put on the pot. – **2.** (*contenuto*) pot(ful). – **3.** ⟨*Mil.ant*⟩ incendiary bomb.

□ ~ *d'acciaio inossidabile* stainless steel pot; ⟨*fig*⟩ *qualcosa* **bolle** *in* ~ something's brewing (*o* cooking, up); ⟨*Fal*⟩ ~ *della* **colla** glue-pot; ⟨*Mil.ant*⟩ ~ *di* **ferro** (*pignatta piena di materie incendiarie*) incendiary bomb; ⟨*pop*⟩ *avere la* ~ *al* **fuoco** (*avere di che vivere*) to have enough to live on; ⟨*Gastr*⟩ **in** ~ boiled: *pollo in* ~ boiled chicken; ⟨*fig*⟩ *far la* ~ *a due* **manici** (*stare senza far niente*) to idle, to loaf (with hands on hips); ⟨*Fis*⟩ ~ *di* **Papin** autoclave; ~ *a* **pressione** pressure-cooker. – *Prov.*: *ogni* ~ *ha il suo coperchio* there's a solution to every problem; *dura più una* ~ *vecchia* (o *fessa*) *che una nuova* a cracked cup never breaks.

pentolạccia (*pegg. di pentola*) *f.* (*pl.* **-ce**) (*gioco*) game in which blindfolded players try to break a pot. – **pentolạio** *m.* (*f.* **-a**) **1.** (*fabbricante*) potter. – **2.** (*venditore*) dealer in pottery (*o* earthenware articles).

pentolạre *m.* ⟨*Stor*⟩ (*anche elmo pentolare*) cylindrical helmet.

pentolạta *f.* **1.** (*quantità*) pot(ful). – **2.** (*colpo*) blow with a pot. – **pentolịna** (*dim. di pentola*) *f.* (sauce)pan.

pentolịno (*dim. di pentola*) *m.* **1.** → **pentolina.** – **2.** (*quantità*) (sauce)panful. – **3.** ⟨*scherz*⟩ (*chepì*) kepi. – **4.** *pl.* ⟨*Bot*⟩ starch grape -hyacinth (*Muscari racemosum*). – **5.** *pl.* ⟨*Bot*⟩ (common) grape -hyacinth, grape-flower (*Muscari botryoides*). □ ~ *della colla* glue-pot.

pẹntolo *m.* ⟨*tosc*⟩ **1.** pot. – **2.** (*quantità*) pot(ful). – **pentolọna** *f.* *accr. di* **pentola.** – **pentolọne** (*accr. di pentola*) *m.* ⟨*fig,ant*⟩ (*uomo grasso e sciocco*) fat fool.

pentọsio *m.* ⟨*Chim*⟩ pentose.

pentot(h)ạl *m.* ⟨*Farm*⟩ pentothal.

pentrịte *f.* (*esplosivo*) pent(h)rite.

pẹnula *f.* ⟨*Stor.rom*⟩ paenula.

penụltima *f.* ⟨*Gramm*⟩ (*anche penultima sillaba*) penult, penultima(te). – **penụltimo I** *a.* last but one, second-last, next to last, penultimate: *la -a fila di poltrone* the last row of seats but one. – **II** *s.m.* last but one, next to last, second-last.

penurịa *f.* **1.** (*scarsità*) shortage, scarcity, lack, ⟨*lett*⟩ dearth. – **2.** (*estrema povertà*) poverty, ⟨*lett*⟩ penury. □ ~ *d'acqua* water shortage; ~ *di alloggi* housing shortage; ~ *di capitali* lack of capital; ~ *di manodopera* labour shortage.

penzolạre *v.i.* (**pẹnzolo**; *aus.* **avere**) to dangle, to hang (down). – **penzolarsi** *v.r.* ⟨*rar*⟩ (*spenzolarsi*) to lean (*o* hang) out.

pẹnzolo I *s.m.* **1.** bunch, cluster. – **2.** ⟨*Mar*⟩ pendant. – **II** *a.* ⟨*ant*⟩ (*pendente*) hanging.

penzolọne, penzolọni *avv.* dangling, hanging down: *starsene con le gambe* ~ to sit with one's legs dangling. □ *a* ~ (*penzolando*) hanging down, dangling; *con la lingua* ~ with one's tongue hanging out.

peọcio *m.* ⟨*ven*⟩ (*mitilo*) mussel.

peonạggio *m.* ⟨*Stor*⟩ peonage.

peọne[1] *m.* ⟨*Metr*⟩ paeon.

peọne[2] *m.* **1.** (*bracciante*) peon, day-labourer. – **2.** ⟨*Stor*⟩ peon.

peọnia *f.* ⟨*Bot*⟩ peony (*Paeonia*; *Paeonia officinalis*).

peọnico *a.* (*pl.* **-ci**) ⟨*Metr*⟩ paeonic. – **peọnio** *a.* → **peonico.**

peọta *f.* ⟨*Mar.ant*⟩ (kind of) rowing-boat.

pepaiọla *f.* **1.** pepper-pot, pepper-box, pepper-shaker, pepper-caster. – **2.** (*macinino per il pepe*) pepper-mill, pepper-grinder. – **pepạre** *v.t.* (**pẹpo**) to pepper. – **peparọla** *f.* ⟨*region*⟩ → **pepaiola.** – **pepạto** (*p.p. di pepare*) *a.* **1.** peppery, peppered, hot. – **2.** ⟨*fig*⟩ (*salace*) racy, ⟨*fam*⟩ spicy, ⟨*fam*⟩ naughty; (*pungente*) sharp, biting. – **3.** ⟨*fig*⟩ (*costoso*) dear, expensive; (*rif. a prezzi*) exorbitant, high.

pẹpe *m.* **1.** ⟨*Bot*⟩ pepper (*Piper*). – **2.** (*frutto*) pepper(corn). – **3.** ⟨*Gastr*⟩ pepper.

□ ~ *d'***acqua** water pepper (*Polygonum hydropiper*); ~ **bianco** white pepper; ~ *di* **Caienna** Cayenne (*o* red) pepper; ~ *in* **chicchi** whole pepper; ~ **cornuto** = *pepe* **rosso**; ~ **cubebe** (o *a coda*) Java pepper (*Piper cubeba*); ⟨*fig*⟩ **essere** *tutto* ~ (*vivace*) to be lively, ⟨*fam*⟩ to be full of pep; (*spiritoso*) to be witty; ~ **garofanato** (o *della Giamaica*) allspice, Jamaica pepper, pimento; ~ *in* **grani** = *pepe in* **chicchi**; ~ **lungo** long pepper; ~ **macinato** ground pepper; ~ **matto** = *pepe* **rosso**; ~ *dei* **monaci** fruit of the chaste tree; ~ **montano** daphne (*Daphne*); ~ **nero** black pepper; ~ *di* **palude** common pillwort (*Pilularia globulifera*); ~ **rosso** paprika; ⟨*fig*⟩ ~ *e* **sale** (*bianco e nero*) pepper-and-salt.

peperẹlla *f.* ⟨*Bot*⟩ (*mostardina*) dittander (*Lepidium latifolium*).

peperịni *m.pl.* ⟨*Alim*⟩ tiny grains *pl* of pasta (for soup).

peperịno[1]: *erba -a* → **pepina**; *menta -a* → **peperita.**

peperịno[2] *m.* ⟨*Min*⟩ peperino.

peperịta: ⟨*Bot*⟩ *menta* ~ peppermint (*Mentha piperita*).

peperonạta *f.* ⟨*Gastr*⟩ kind of ratatouille.

peperoncịno (*dim. di peperone*) *m.* **1.** ⟨*Bot*⟩ capsicum (*Capsicum*). – **2.** (*frutto*) pepper. – **3.** ⟨*Gastr*⟩ paprika.

peperọne *m.* **1.** ⟨*Bot*⟩ capsicum (*Capsicum*). – **2.** ⟨*Bot*⟩ Guinea (*o* red) pepper (*Capsicum annuum*). – **3.** (*frutto*) pepper, chili (pepper). – **4.** ⟨*pop,fig*⟩ (*naso rosso e grosso*) big red nose. □ ⟨*Bot*⟩ ~ *rabbioso* spur (*o* goat) pepper (*Capsicum frutescens*); *rosso come un* ~ as red as a beetroot (*o* cherry).

pepiẹra *f.* ⟨*non com*⟩ → **pepaiola.**

pepịna *f.* ⟨*Bot*⟩ (*anche erba pepina*) dropwort (*Spiraea filipendula*; *Filipendula hexapetala*).

pepiniẹra *f.* → **pépinière.** – **pépinière** *fr.* [pepinj'ɛ:r] *f.* (*vivaio*) nursery. – **pepinierịsta** *m.* (*vivaista*) nurseryman.

pepịta *f.* ⟨*Min*⟩ nugget: ~ *d'oro* gold nugget.

pẹplo *m.* ⟨*Stor*⟩ peplos, peplus.

pepolịno *m.* ⟨*Bot*⟩ (*timo*) thyme (*Thymus*).

pepọnide *f.*, **pepọnio** *m.* ⟨*Bot*⟩ pepo.

Pẹppe (*dim. di Giuseppe*) *N.pr.m.* ⟨*fam*⟩ Joe.

pẹppola *f.* ⟨*Ornit*⟩ brambling, bramble finch (*Fringilla montifringilla*).

pepsịna *f.* ⟨*Biol*⟩ pepsin.

pẹptico *a.* (*pl.* **-ci**) ⟨*Fisiol*⟩ peptic.

peptịde *m.* ⟨*Biol*⟩ **1.** peptide. – **2.** (*polipeptide*) polypeptide.

peptiẓẓạnte (*p.pr. di peptizzare*) *a.* ⟨*Chim*⟩ peptizing: *agente* ~ peptizing agent. – **peptiẓẓạre** *v.t.* to peptize. – **peptiẓẓạto** (*p.p. di peptizzare*) *a.* peptized. – **peptiẓẓatọre I** *s.m.* peptizer. – **II** *a.* → **peptizzante**. – **peptiẓẓaziọne** *f.* peptization. – **peptọne** *m.* ⟨*Fisiol*⟩ peptone. – **peptoniẓẓaziọne** *f.* peptonization. – **peptonụria** *f.* ⟨*Med*⟩ peptonuria.

pẹr *prep./congz.* (in classical literature when followed by the definite article it may become **pẹl** [*per* + *il*], **pẹllo** [*per* + *lo*], **pẹlla** [*per* + *la*], **pẹi** [*per* + *i*], **pẹgli** [*per* + *gli*], **pẹlle** [*per* + *le*]) **I** *prep.* **1.** (*moto per luogo*: *attraverso*) through: *passare* ~ *la città* to go through the city; (*sopra*) over, across: *passare* ~ *il ponte* to go over the bridge; (*lungo*) along, down, up: *il corteo passa* ~ *questa strada* the procession will come along this road. – **2.** (*moto a luogo*: *verso*) for: *sono in partenza* ~ *la Svizzera* I am leaving for Switzerland. – **3.** (*moto per luogo circoscritto*) in, through: *cacciare* ~ *il bosco* to hunt in the wood; *passeggiare* ~ *i prati* to walk through the fields; (*senza direzione fissa*) about, around: *camminare* ~ *la stanza* to walk about the room. – **4.** (*stato in luogo*) in, on: *l'ho visto* ~ *la strada* I saw him in the street; (*su*) on, upon: *sedere* ~ *terra* to sit on the ground. – **5.** (*durante*) for, during, *spesso non si traduce*: ~ *un anno* for a year; ~ *tutta l'estate* (for) the whole summer, all summer (through), throughout the summer. – **6.** (*rif. a tempo determinato*) for: *sarò a casa* ~ *Natale* I shall be home for Christmas; (*entro*) by: *l'avrò finito* ~ *mercoledì* I shall have finished it by Wednesday. – **7.** (*termine fino al quale dura un'azione*) for, *spesso non si traduce*: *rimarrà* ~ *due anni* he will stay two years. – **8.** (*a vantaggio o svantaggio di*) for: ~ *lui farebbe qualsiasi cosa* she would do anything for him; *peggio* ~ *te* so much the worse for you; *l'amore* ~ *qd.* love for s.o. – **9.** (*per conto di*) for; (*per incarico di*) for, on behalf of; (*da parte di*) for, on behalf of, from; (*per amore di*) for the sake of, for: *fallo* ~ *me* do it for me (*o* my sake). – **10.** (*scopo, fine*) for, *talvolta si traduce con una frase o parola composta*: *la lotta* ~ *l'esistenza* the struggle for existence; *equipaggiamento* ~ *la pesca* fishing-gear; *crema* ~ *la notte* night-cream; *macchina* ~ *cucire* sewing-machine. – **11.** (*per mezzo di*: *rif. a cose*) by, via: *ti invierò il pacco* ~ *posta* I shall send you the parcel by post; ~ *aereo* by air; (*rif. a persone*) by, through. – **12.** (*a causa di*) because of, owing to, on account of, due to: ~ *il maltempo* because of the bad weather; (*rif. a colpa*) for: *fu condannato* ~ *furto* he was sentenced for theft; (*in conseguenza di*) through; (*rif. ad atti involontari*) with, from, out of: *tremare* ~ *la paura* to tremble with fear; *uccidere* ~ *gelosia* to kill from (*o* out of) jealousy. – **13.** (*modo*) in: ~ *iscritto* in writing. – **14.** (*al prezzo di*) for: *ho venduto la mia macchina* ~ *centomila lire* I sold my car for one hundred thousand lire. – **15.** (*quantità*) *non si traduce*: *ne ha avuto* ~ *un milione* he got one million's worth; *è stato multato* ~ *diecimila lire* he was fined ten thousand lire. – **16.** (*in virtù di*) for, on account of: *una città famosa* ~ *la sua bellezza* a city famous for its beauty; (*in relazione a*) for: *è grande* ~ *la sua età* he is big for his age. – **17.** (*successione*) by, after: *giorno* ~ *giorno* day by day; *cercare stanza* ~ *stanza* to search through one room after another. – **18.** (*distributivo*) in, per: *essere allineati* ~ *tre* to be drawn up in threes; *dieci litri* ~ *cento chilometri* one hundred kilometres to (*o* per) ten litres, ten litres in (*o* per) a hundred kilometres; *spesso non si traduce*: *disporsi* ~ *file* to line up. – **19.** (*misura, estensione*) for: *la strada costeggia il lago* ~ *due chilometri* the road runs along the lake for two kilometres. – **20.** (*in esclamazioni, giuramenti e sim.*) for, by: ~ *amor di Dio* for God's sake; *lo giuro* ~ *ciò che ho di più caro* I swear by all that's dear to me. – **21.** (*nei compl. predicativi*: *come*) as: *tenere* ~ *certo qc.* to regard s.th. as a certainty, to be sure about s.th.; *prendere* ~ *moglie* to take as one's wife, to marry. – **22.** ⟨*Mat*⟩ (*nelle moltiplicazioni*) by, times: *tre* ~ *tre* three (multiplied) by three, three times three; *due* ~ *due fa quattro* two times two is four, two twos are four; (*nelle divisioni*) by: *dividere* ~ *cinque* to divide by five. – **23.** (*in cambio di*) (in exchange) for: *occhio* ~ *occhio, dente* ~ *dente* an eye for an eye, a tooth for a tooth. – **II** *congz.* **1.** (*concessivo*) however, no matter how, *talvolta non si traduce*: ~ *poco che sia, è già qualcosa* ⌜however little it is⌝ (*o* little though it may be), it's still something; ~ *quanto grande, è ancora un bambino* big as he is (*o* may be) he is still a child, no matter how big he is he is still a child; ~ *cercare che io facessi, non trovai nulla* search as I might, I found nothing. – **2.** (*finale*) (in order) to, so as: *vado a casa* ~ *studiare* I am going home to study; *telefono* ~ *ringraziarti* I'm phoning to thank you; *abbassò gli occhi* ~ *non doverlo vedere* she lowered her eyes so as not to have to look at him. – **3.** (*causale*) for, *spesso non si traduce*: *è stato punito* ~ *aver detto una bugia* he was punished for telling a lie; *è noto* ~ *essere avaro* he is known to be mean. – **4.** (*consecutivo*) *non si traduce*: *è troppo bello* ~ *essere vero* it is too good to be true.

□ ~ **aria**: 1. (*stato*) in the air; 2. (*moto*) by air; 3. ⟨*fig*⟩ up in the air; ⟨*fig*⟩ *stare con la testa* ~ *aria* to have one's head in the clouds, to daydream; ~ **caso** by chance, by accident; ~ **cento** per cent: *uno sconto del dieci* ~ *cento* a ten per cent discount; ~ **colpa** *mia* through (*o* because of) me: *è successo* ~ *colpa mia* it was my fault it happened, it happened because of me; ~ **esempio** for example (*o* instance); **essere** ~ = **stare** *per*; ~ *il* **fatto** *che* because; **finire** ~ to end up by, to come to (*costr. pers.*): *finirò* ~ *rimanere* I shall end up by staying; *andare* ~ **funghi** to go gathering (*o* looking for) mushrooms; ~ **incarico** *di* on behalf of; (*per ordine di*) by order of, on the instructions of; ~ *l'***ingiù** downwards; ~ *l'***insù** right-side-up; ~ **lungo** *e* ~ *largo* (*dappertutto*) far and wide, throughout everywhere, all over; ⟨*fig*⟩ at length, thoroughly; ~ **mare** by sea; **mese** ~ *mese* month by (*o* after) month; ~ **modo** *di dire* so to speak (*o* say), as it were; ~ **ora** (*o il momento*) for the moment (*o* present), ⟨*fam*⟩ right now; ~ **parte** *mia* for my part, as far as I am concerned; ~ **poco**: 1. (*quasi*) almost, nearly; 2. (*a buon mercato*) cheaply, for very little; 3. (*per poco tempo*) for a short time; **prendere** ~ *il braccio* to take by the arm; ~ **quel** *che mi riguarda* as far as I am concerned; ~ *quel che ne so* as far as I know, for all I know; ~ **scherzo** as a joke; **stare** ~ [*inf*] (*essere sul punto di*) to be just about (*o* going) to, to be on the point of: *il treno sta* ~ *partire* the train is (just) about to leave; ~ **stavolta** (for) this time; **su** ~ *le scale* up the stairs; ~ **tempo**: 1. (*di buon'ora*) early, in good time; 2. (*in tempo*) in time; ~ **terra** by land; ~ **traverso** crosswise; ⟨*fig*⟩ *andare* ~ *traverso* to go wrong; *uno* ~ **volta** one at a time.

pẹra[1] *f.* **1.** pear: *sbucciare una* ~ to peel a pear. – **2.** ⟨*estens*⟩ (*oggetto a forma di pera*) pear-shaped object. – **3.** ⟨*scherz*⟩ (*testa*) head, pate.

□ **a** ~: 1. pear-shaped; 2. ⟨*fig*⟩ silly, illogical; ~ **avocado** avocado (pear), alligator pear; ~ **butirra** butter-pear, soft pear; ~ **cotta**: 1. baked pear; 2. ⟨*fig*⟩ slow dull person; ⟨*fig*⟩ *cadere* (*o cascare*) *come una* ~ *cotta*: 1. to fall sound asleep; 2. (*lasciarsi abbindolare*) to be taken in, to be duped; 3. (*innamorarsi*) to fall head over heels in love; ⟨*fig*⟩ *cascare come le -e cotte* to die (off) like flies; *non vale una* ~ *cotta* it's not worth a fig (*o* twopence); ~ **moscatella** musk-pear; ~ *da* **mosto** perry-pear. – *Prov.*: *quando la* ~ *è matura convien che caschi* everything comes to him who waits.

pẹra[2] *f.* ⟨*ant*⟩ (*borsa*) purse.

perạcido *m.* ⟨*Chim*⟩ peracid.

peracottạio *m.* baked-pear seller. – **peracottạro** *m.* **1.** → **peracottaio**. – **2.** ⟨*roman,pop*⟩ (*buono a nulla*) good-for-nothing.

peragrạre *v.i.* (*aus.* **avere**) ⟨*ant*⟩ (*attraversare*) to travel, to journey (through).

perạltro (*o pẹr ạltro*) *avv.* (*del resto*) moreover, besides, what is more; (*però*) however, on the other hand.

peramẹle *m.* ⟨*Zool*⟩ bandicoot (*Perameles*). – **peramẹlide**: ~ *nasuto* long-nosed bandicoot (*Perameles nasuta*). – **peramẹlidi** *m.pl.* bandicoots *pl* (*Peramelidae*).

perạnco (*o pẹr ạnco*) *avv.* ⟨*lett*⟩ **1.** (*finora*) yet, still, so far. – **2.** (*di nuovo*) again, once more. – **3.** (*persino*) even.

perạstro *m.* ⟨*Bot*⟩ wild pear (*Pirus communis piraster*). – **perạzzo** *m.* ⟨*non com*⟩ → **perastro**.

perbạcco (*o pẹr bạcco*) *intz.* by Jove.

perbẹne (*o pẹr bẹne*) **I** *a.* respectable, decent, well-bred, law-abiding, nice. – **II** *avv.* **1.** properly, well, nicely. – **2.** (*accuratamente*) carefully. – **perbenịno** (*o pẹr benịno*) *a./avv.* → **perbene**. – **perbenịsmo** *m.* respectability, propriety.

perborạto *m.* ⟨*Chim*⟩ perborate. – **perbọrico**: *acido* ~ perboric acid.

perbụna *f.* ⟨*Ind*⟩ perbunan.

pẹrca *f.* ⟨*Itt*⟩ (*pesce persico*) perch (*Perca*).

percạlle *m.* ⟨*Tess*⟩ percale. – **percallịna** *f.* percaline. – **percạllo** *m.* ⟨*rar*⟩ → **percalle**.

percẹnto (*o pẹr cẹnto*) **I** *s.m.* ⟨*non com*⟩ (*percentuale*) percentage, per cent. – **II** *avv.* per cent. □ *interesse del cinque* ~ five per cent interest. – **percentuạle I** *a.* per cent: *aumento* ~ increase per cent. – **II** *s.f.* **1.** percentage, per cent. – **2.** (*rapporto percentuale*) ratio: ⟨*Fis*⟩ ~ *isotopica* isotopic ratio.

percentualiẓẓạre *v.t.* to calculate in percentages. – **percentualiẓẓaziọne** *f.* calculation in percentages.

percepịbile *a.* **1.** ⟨*burocr*⟩ receivable, that may be received (*o* drawn). – **2.** ⟨*non com*⟩ (*percettibile*) perceptible, noticeable. – **percepibilità** *f.* ⟨*non com*⟩ → **percettibilità**.

percepịre I *v.t.* (**percepịsco, percepịsci; percepịi, percepịto**/*rar.* **percẹtto**) **1.** to perceive, to notice, to see: ~ *un colore* to notice a colour; (*rif. a suoni*) to hear. – **2.** (*accorgersi*) to perceive, to be aware of, to realize, to notice, to see: ~ *un pericolo* to be aware of a danger. – **3.** ⟨*Filos,Psic*⟩ to perceive. – **4.** ⟨*burocr*⟩ (*riscuotere*) to receive, to get, to draw, to collect. – **II** *s.m.* ⟨*Filos,Psic*⟩ (*cosa percepita*) percept.

percepịto *p.p. di* **percepire**.

percettịbile *a.* **1.** perceptible, noticeable, perceivable; (*rif. a suoni*) audible. – **2.** ⟨*Filos*⟩ perceptible. – **percettibilità** *f.* **1.** perceptibility, perceptibleness; (*rif. a suoni*) audibility, audibleness. – **2.** ⟨*Filos*⟩ perceptibility.

percettịva, percettività *f.* perceptiveness, perceptivity. – **percettịvo** *a.* perceptive. – **percẹtto** *m.* ⟨*Filos, Psic*⟩ percept.

percettọre *m.* ⟨*ant*⟩ (*chi riscuote*) recipient, drawer, collector.

percezionalịsmo *m.* → **percezionismo**.

perceziọne *f.* **1.** perception. – **2.** (*facoltà percettiva*) perception, cognition. – **3.** ⟨*Filos,Psic*⟩ perception: ~ *extrasensoriale* extrasensory perception. – **4.** ⟨*burocr*⟩ (*riscossione*) collection, receipt, drawing. ☐ ⟨*Filos*⟩ ~ *intellettiva* intellectual perception; ~ *sensitiva* sensory perception.

percezionịsmo *m.* ⟨*Filos*⟩ perceptionism.

perché I *avv.* why, what ... for: ~ *non sei venuto ieri?* why didn't you come yesterday?; ~ *prendi l'ombrello?* what are you taking your umbrella for? – **II** *congz.* **1.** (*causale*) because, as, since, for: *leggo ~ non ho nulla da fare* I'm reading because I have nothing to do. – **2.** (*finale*) so (that), in order that, so as: *te lo dico ~ tu lo sappia* I'm telling you so that you know; *lo rimprovero ~ si abitui a obbedire* I scold him so that he will get used to obeying. – **3.** (*consecutivo*) for: *è troppo difficile ~ tutti lo possano intendere* it is too difficult ⌜for everybody to understand⌝ (*o* to be understood by everybody); *sei troppo simpatico ~ mi possa arrabbiare con te* you're too nice for me to get angry with. – **4.** ⟨*lett*⟩ (*poiché, siccome*) as, since. – **5.** ⟨*ant*⟩ (*concessivo: sebbene, per quanto*) (al)though. – **6.** ⟨*ant*⟩ (*dichiarativo: che*) that. – **III** *s.m.inv.* (*causa, motivo*) reason, why: *senza un ~* without any reason. – **IV** *pron.rel.* (*per cui*) why: *la ragione ~ me ne sono andato* the reason why I went away; (*perciò*) so, therefore. ☐ ⟨*fam*⟩ *~? – ~ due non fa tre* why? – because; *ti dirò il ~* I'll tell you why; *gioco del ~* parlour game where player must answer questions without saying «because»; ~ *mai* why on earth, why ever, ⟨*fam*⟩ how come: ~ *mai non sei venuto a trovarmi?* why on earth didn't you come to see me?; *il ~ e il percome* the why(s) and wherefore(s); *quanti ~!* what a lot of questions you ask!

percheron *fr.* [pɛrʃəˈrɔ̃] *m.* ⟨*Equit*⟩ Percheron.

pẹrcidi *m.pl.* ⟨*Itt*⟩ percids *pl* (*Percidae*).

perciò (o *pẹr ciò*) *congz.* so, therefore, consequently: *si è fatto tardi, ~ torno a casa* it's late, so I'm going home. ☐ *non ~* (*ciò nonostante*) nevertheless, however.

perciocché (o *pẹr ciò chẹ*) *congz.* ⟨*ant*⟩ **1.** (*causale*) because, as, since, for. – **2.** (*finale*) so (that), in order that, so as.

percipiẹnte *a.* ⟨*Filos*⟩ perceiving.

perclorạto *m.* ⟨*Chim*⟩ perchlorate. – **perclọrico** *a.* (*pl.* **-ci**) perchloric: *acido ~* perchloric acid. – **perclorụro** *m.* perchloride.

percolạre *v.* (**pẹrcolo**) ⟨*non com*⟩ **I** *v.i.* (*aus.* **essere/avere**) to percolate, to filter. – **II** *v.t.* to percolate, to filter. – **percolatọre** *m.* ⟨*tecn*⟩ **1.** percolator. – **2.** (*anche letto percolatore*) filter-bed. – **percolazịone** *f.* percolation, filtering.

percọme ⟨*fam*⟩ **I** *congz.* (*come*) as. – **II** *s.m.inv.* wherefore: *il perché e il ~* the why(s) and wherefore(s).

percomọrfi *m.pl.* ⟨*Itt*⟩ percomorphs *pl* (*Percomorphi*).

percọpsidi *m.pl.* ⟨*Itt*⟩ percopsids *pl* (*Percopsidae, Percopsiformes*).

percorrẹnza *f.* mil(e)age.

percọrrere *v.t.* (**percọrsi, percọrso**) **1.** (*attraversare*) to go through (*o* across), to run across, to pass through, to cross; (*con un veicolo*) to drive through (*o* across), to pass (*o* go) through, to cross. – **2.** (*compiere un tragitto*) to travel, to cover, to traverse. ☐ ~ *in lungo e in largo* to scour, to go all over, to travel throughout; ~ *con l'occhio* to scan; *c'è molta strada da ~* there's a long way to go.

percorrịbile *a.* ⟨*non com*⟩ that can be covered (*o* travelled over).

percọrsi *p.rem. di* **percorrere.**

percọrso *m.* **1.** journey, trip, run, way: *durante il ~* during the journey, on the way, en route. – **2.** (*tratto*) route, course, way: *il ~ più lungo* the longest way (*o* route). – **3.** (*distanza percorsa*) distance covered.

☐ ⟨*Aut*⟩ ~ *di* **arresto** braking distance; ⟨*Aer*⟩ ~ *di* **atterraggio** landing distance; ⟨*Aer*⟩ ~ *di* **decollo** take-off distance; ⟨*Sport*⟩ ~ **lanciato** race (*o* speed trial) with a flying start; ⟨*Sport*⟩ ~ **netto** clear round; ⟨*Aut*⟩ ~ *di* **prova** trial run; (*tragitto*) trial course; ⟨*Aut*⟩ ~ *in* **salita** hill trial; (*tragitto*) hill trial course, hill-climb.

percọssa *f.* **1.** blow, stroke. – **2.** (*urto*) knock, bump, crash. – **3.** ⟨*Fis*⟩ impulsive force, impact (force). – **4.** ⟨*Dir*⟩ blow. – **5.** ⟨*non com*⟩ (*segno*) mark.

percọssi *p.rem. di* **percuotere.** – **percọsso** *p.p. di* **percuotere.** – **percọtere** *v.* ⟨*pop,poet*⟩ → **percuotere.**

percotimẹnto *m.* ⟨*ant*⟩ **1.** striking, hitting, beating, knocking. – **2.** (*percossa*) blow, stroke. – **percotitọio** *m.* ⟨*ant*⟩ **1.** striker. – **2.** (*percussore*) percussion-pin, firing-pin, striker. – **percotitọre** *m.* (*f.* **-trice**) ⟨*non com*⟩ **1.** striker, hitter. – **2.** (*feritore*) wounder, assailant; (*uccisore*) killer, slayer.

percuọtere *v.* (**percọssi, percọsso**) **I** *v.t.* **1.** to strike, to hit, to beat, to deal a blow to (*o* on). – **2.** (*colpire, urtare*) to strike, to hit, to knock against: *essere percosso da un fulmine* to be struck by lightning; (*continuamente*) to beat against (*o* on): *le onde percuotevano il molo* the waves beat against the pier. – **3.** ⟨*fig*⟩ (*colpire*) to strike, to hit, to afflict: *un'epidemia ha percosso la città* the city has been struck by an epidemic. – **4.** (*colpire i sensi: rif. a luce o calore*) to beat upon, ⟨*ant*⟩ to smite; (*rif. a suoni*) to fall (*o* burst) upon: *un forte rumore percosse le nostre orecchie* a loud noise burst upon our ears. – **5.** ⟨*Mus*⟩ to strike, to pluck. – **6.** ⟨*lett*⟩ (*ferire*) to injure, to wound; (*uccidere*) to kill. – **7.** ⟨*ant*⟩ (*spingere*) to push, to drive. – **II** *v.i.* (*aus.* **avere**) ⟨*lett,non com*⟩ **1.** (*urtare*) to strike, to hit (*in qc.* s.th.), to knock (into, against). – **2.** (*rif. a luce e sim.: battere*) to beat (*in* upon). – **3.** ⟨*ant*⟩ (*imbattersi*) to meet (*in qd.* s.o.). – **percuotersi** *v.r.* ⟨*recipr*⟩ to strike (*o* hit) e.o. ☐ ⟨*fig*⟩ *percuotersi il petto* to beat one's breast.

percuotitọre *m.* → **percotitore.**

percussịone *f.* **1.** percussion. – **2.** ⟨*Fis*⟩ (*percossa*) impulsive force, impact (force). – **3.** ⟨*Med*⟩ percussion, tapping. – **4.** (*rif. ad armi*) percussion. – **5.** ⟨*Mus*⟩ percussion. – **6.** *pl.* ⟨*Mus*⟩ (*nel jazz*) percussion instruments *pl*, percussion. ☐ ⟨*Mus*⟩ *strumento a ~* percussion instrument.

percussọre *m.* **1.** percussion-pin, firing-pin, striker. – **2.** ⟨*ant*⟩ (*chi percuote*) striker.

percutạneo *a.* ⟨*Med*⟩ percutaneous.

percuziẹnte ⟨*ant*⟩ **I** *a.* (*che percuote*) striking. – **II** *s.m.* striker.

perdẹndosi I *avv.* ⟨*Mus*⟩ perdendosi, dying away. – **II** *s.m.* perdendosi (symbol).

perdẹnte (*p.pr. di perdere*) **I** *a.* losing (*anche Sport.*). – **II** *s.m./f.* loser (*anche Sport.*).

perdẹnza *f.* ⟨*ant*⟩ **1.** (*perdita*) loss. – **2.** ⟨*fig*⟩ (*danno*) ruin, perdition.

pẹrdere *v.* (**pẹrsi/perdẹi/perdẹtti, pẹrso/perdụto**) **I** *v.t.* **1.** to lose: ~ *la clientela* to lose customers; *gli alberi perdono le foglie* the trees lose their leaves; (*smarrire*) to lose, to mislay, to misplace: *ho perso l'orologio* I have mislaid my watch. – **2.** (*lasciar sfuggire liquidi*) to leak: *la botte perde acqua* the barrel is leaking, water is leaking from the barrel. – **3.** (*rif. a denaro: rimetterci*) to lose. – **4.** (*non riuscire a mantenere*) to lose: ~ *la pazienza* to lose one's temper, to run out of patience. – **5.** (*scemare*) to lose: *sta perdendo la vista* he is losing his sight. – **6.** (*rif. a persone defunte*) to lose: *ha perso il marito* she has lost her husband. – **7.** (*corrompere*) to corrupt, to ruin; (*rif. all'anima*) to lose: ~ *l'anima* to lose one's soul. – **8.** (*lasciarsi sfuggire*) to miss: *non voglio ~ il concerto* I don't want to miss the concert; (*volontariamente*) to skip, to miss: *ha perso l'ultima lezione* he skipped the last lesson. – **9.** (*avere la peggio*) to lose: *il pugile ha perso l'incontro* the boxer has lost the match. – **10.** (*sciupare, sprecare*) to waste: *ho perso tutta la mattinata* I have wasted the whole morning. – **11.** (*abbandonare inavvertitamente*) to lose: ~ *la strada* to lose one's way; ~ *il filo del discorso* to lose track (of what one was saying). – **12.** ⟨*rar,lett*⟩ (*mandare in rovina*) to ruin. – **II** *v.i.* (*aus.* **avere**) **1.** (*colare*) to leak: *il serbatoio perde* the tank is leaking. – **2.** (*avere la peggio, rimetterci*) to lose: ~ *di prestigio* to lose face. – **perdersi** *v.r.* **1.** (*smarrirsi*) to get lost, to lose o.s., to lose one's way: *mi persi nel dedalo delle viuzze* I got lost in the maze of narrow streets. – **2.** (*andare smarrito*) to get (*o* be) lost, to be mislaid, to go astray: *la tua lettera si è persa* your letter has ⌜got lost⌝ (*o* gone astray). – **3.** (*sparire dalla vista*) to disappear, to vanish, to go out of sight: *il sentiero si perde nel bosco* the path disappears into the wood. – **4.** ⟨*fig*⟩ (*traviarsi*) to go astray. – **5.** (*confondersi*) to be (*o* become, get) confused. – **6.** (*svanire*) to fade (away); (*rif. a suoni*) to fade (away), to die (away); (*tra la folla, il chiasso e sim.*) to be lost. – **7.** (*naufragare*) to be wrecked (*o* lost).

☐ ~ *un'***abitudine** to get out of a habit; *perdersi d'***animo** = *perdersi di* **coraggio**; ⟨*scol*⟩ ~ *l'***anno** to be kept back, to fail, to flunk; ⟨*fig,scherz*⟩ ~ *l'***autobus** (*l'occasione*) to miss an opportunity, ⟨*fam*⟩ to miss the bus; ⟨*fig*⟩ *perdersi in un* **bicchier** *d'acqua* to be unable to deal with the slightest difficulty; *perdersi in* **chiacchiere** to waste one's time in talk; ⟨*Mot*⟩ ~ **colpi** to misfire; *perdersi di* **coraggio** to lose heart; *perdersi in* **dettagli** to get lost (*o* bogged down) in detail, to waste time on unnecessary details; *perdersi* **dietro** *a un lavoro* to waste a lot of time on a job; *perdersi dietro a qd.* to throw o.s. away on s.o.; ~ *un* **diritto** to lose a right; **far** ~ *la voglia di fare qc. a qd.* to cure s.o. of doing s.th.; ~ *il* **fiato** to waste one's breath; ~ *al* **gioco** to lose money gambling; **lasciar** ~ to forget about s.th.; *lascia ~* forget it, never mind, ⟨*fam*⟩ drop (*o* skip) it; *non aver* **nulla** *da ~* to have nothing to lose; ~ *un'***occasione** to miss an opportunity, to let a good opportunity go by; ~ *il* **passo** to get out of step; ⟨*Sport*⟩ ~ *ai* **punti** to lose on points; ⟨*Lav.femm*⟩ ~ *un punto* to drop a stitch; ~ **sangue** to lose blood, to bleed; **saper** ~ to be a good loser; *non sa ~* he's a poor loser, he takes defeat badly; ~ *ogni* **speranza** to lose all hope; ⟨*fig*⟩ ~ *la* **testa** to lose one's head; ~ *la* **vita** (*morire*) to lose one's life.

perdiạna (o *pẹr Dịana*) *intz.* (*meraviglia*) my word!, ⟨*fam*⟩ gosh!; (*impazienza*) for heaven's sake!; (*rafforzando una minaccia*) by heavens!, by God!

perdịbile *a.* ⟨*non com*⟩ losable.

perdịce *m.* ⟨*ant*⟩ (*pernice*) partridge.

perdi|fiato: *a ~*: 1. (*rif. alla corsa*) at breakneck speed: *correre a ~* to run at breakneck speed; 2. (*rif. alla voce*) at the top of one's voice. – **~giọrno** *m./f.inv.* idler, loafer. – **~lẹgno** *m.* ⟨*Entom*⟩ goat moth (*Cossus cossus*). ☐ ~ *bianco* leopard moth (*Zeuzera pyrina*).

perdimẹnto *m.* **1.** loss; (*spreco*) waste: *un ~ di tempo* a waste of time. – **2.** ⟨*fig,lett*⟩ (*rovina*) ruin, perdition.

perdịnci, perdindirindịna *intz.* → **perdio.** – **perdịo** *intz.* ⟨*pop*⟩ (*meraviglia*) my word, ⟨*fam*⟩ gosh!; (*impazienza*) for heaven's sake!; (*rafforzando una minaccia*) by heavens!, by God!

pẹrdita *f.* **1.** loss: *una ~ irreparabile* an irreparable loss; (*spreco*) waste: *una ~ di tempo* a waste of time. – **2.** (*scapito*) loss. – **3.** (*uscita*) leak(age). – **4.** ⟨*Med*⟩ discharge, flow. – **5.** ⟨*Dir*⟩ (*decadimento*) loss, forfeit: ~ *di un diritto* loss of a right.

☐ ⟨*Med*⟩ ~ *delle* **acque** breaking of the bag of waters; ⟨*Med*⟩ **-e bianche** (*leucorrea*) leucorrhoea; ⟨*Econ*⟩ ~ *di* **cambio** loss on exchange; ⟨*Idr*⟩ ~ *di* **carico** loss of pressure; ~ *di* **clienti** loss of customers, fall-off in clientele; ⟨*Mot*⟩ ~ *di* **colpi** misfiring; ⟨*Mot*⟩ ~ *di* **compressione** compression loss; ⟨*El*⟩ ~ *di* **corrente** leakage of current; ⟨*Fis*⟩ ~ *di* **energia** energy (*o* power) loss; ⟨*Met*⟩ ~ *al* **fuoco** melting loss; ~ *dell'***impiego** loss of one's job; ⟨*Comm*⟩ **lavorare** *in ~* to work at a loss; *a ~ d'***occhio** as far as the eye can see; ~ **parziale** partial loss; ~ *di* **peso** loss of weight; ⟨*Fis*⟩ ~ *di* **potenza** power loss; ⟨*Econ*⟩ ~ *di* **produzione** loss of production;

⟨*Econ*⟩ **profitti** *e* **-e** (*conto*) profit and loss (account); ⟨*Aer*⟩ ~ *di* **quota** loss of altitude; ⟨*Med*⟩ ~ **seminale** spermatorrhoea; ⟨*Fis*⟩ ~ *di* **spinta** loss of lift (*o* buoyancy); ~ **totale** total loss.
perditẹmpo I *s.m.* waste of time. – **II** *s.m./f.inv.* time-waster.
perditọre *m.* (*f.* **-trice**) loser.
perdiziọne *f.* **1.** (*rovina*) ruin. – **2.** ⟨*fig*⟩ (*dannazione*) damnation, perdition: *la via della* ~ the road to perdition (*o* Hell). ☐ *luogo di* ~ place of ill-fame; *andare in* (o *a*) ~ to go to ruin, to be ruined; *mandare in* (o *a*) ~ to waste, to ruin.
perdonạbile *a.* pardonable, forgiveable, excusable: *fallo* ~ pardonable fault.
perdonạnza *f.* ⟨*ant*⟩ **1.** (*perdono*) pardon, forgiveness. – **2.** (*indulgenza*) indulgence. – **3.** ⟨*rar*⟩ (*penitenza*) penance.
perdonạre *v.* (**perdọno**) **I** *v.t.* **1.** to forgive, to pardon: *gli perdono il male che mi ha fatto* I forgive him (for) the harm he has done to me. – **2.** ⟨*Rel*⟩ to forgive. – **3.** (*scusare*) to excuse, to pardon, to forgive. – **4.** (*risparmiare*) to spare: *la morte non perdona nessuno* death spares nobody. – **5.** ⟨*rar*⟩ (*condonare*) to remit. – **II** *v.i.* (*aus.* **avere**) **1.** to forgive, to pardon: *non gli ho perdonato* I have not forgiven him. – **2.** (*risparmiare*) to spare. ☐ *che non perdona* unforgiving, pitiless, relentless; (*rif. a malattia*) incurable; *mi si perdoni l'espressione* excuse the expression; *perdoni!* excuse me!, I beg your pardon!; ~ *la vita a qd.* to spare s.o.'s life. – *Prov.*: *alla prima si perdona, alla seconda si bastona* one can forgive the first time but not the second.
perdọno *m.* **1.** forgiveness, pardon: *implorare il* ~ to beg for forgiveness. – **2.** ⟨*Rel*⟩ forgiveness. – **3.** ⟨*Rel*⟩ (*indulgenza*) indulgence; (*chiesa in cui si accorda l'indulgenza*) church to which an indulgence is attached. – **4.** (*scusa*) pardon: *chiedo* ~ I beg your pardon; ⟨*esclam*⟩ (I'm) sorry!, (I beg your) pardon!, excuse me! ☐ *concedere il* ~ to forgive, to pardon. – *Prov.*: *la miglior vendetta è il* ~ the noblest vengeance is to forgive.
perdụcere *v.* → **perdurre**.
perduelliọne *f.* ⟨*Dir.rom*⟩ (*alto tradimento*) high treason, perduellion.
perdurạbile *a.* ⟨*non com*⟩ durable, lasting, enduring. – **perdurạre** *v.i.* (*aus.* **essere**) **1.** to continue, to last, to go on, ⟨*non com*⟩ to perdure. – **2.** (*perseverare*) to persist, to persevere: ~ *nei propri propositi* to persist in one's intentions.
perdụrre *v.t.* (**perdụco, perdụci; perdụssi, perdụtto;** → **condurre**) ⟨*ant*⟩ (*condurre*) to bring, to lead.
perdutamẹnte *avv.* hopelessly, desperately, madly: *innamorarsi* ~ *di qd.* to fall madly in love with s.o.
perdụto (*p.p. di perdere*) *a.* **1.** (*smarrito*) lost. – **2.** ⟨*fig*⟩ (*corrotto*) corrupt, depraved; (*dissoluto*) dissolute; (*rif. a donna*) fallen, lost. – **3.** ⟨*fig*⟩ (*dannato*) lost, damned. – **4.** (*paralizzato*) paralyzed, useless. – **5.** (*estinto, non più esistente*) extinct, lost. ☐ *andare* ~ to get lost; ⟨*fig*⟩ *andare* ~ *di qd.* (*esserne pazzamente innamorato*) to be madly in love with s.o.; ⟨*fig*⟩ *essere* (o *sentirsi*) ~ to give up hope; *è una fatica* **-a** it's a waste of time; ⟨*ant*⟩ *navigare per* ~ (*rimettersi alla sorte*) to trust to luck.
peregrinạre *v.i.* (*aus.* **avere**) ⟨*lett*⟩ **1.** (*vagare*) to wander, to roam, to rove: *peregrinò di città in città* he wandered from town to town. – **2.** (*camminare*) to travel, to walk, ⟨*lett*⟩ to peregrinate. – **3.** ⟨*rar*⟩ (*fare un pellegrinaggio*) to make (*o* go on) a pilgrimage. – **peregrinaziọne** *f.* ⟨*lett*⟩ **1.** wandering, roaming, roving: *le -i di un esiliato* the wanderings of an exile. – **2.** (*viaggio a piedi*) travelling (on foot), ⟨*non com*⟩ peregrination. – **3.** ⟨*fig,rar*⟩ (*divagazione*) digression.
peregrinità *f.* ⟨*lett*⟩ **1.** (*eleganza*) elegance, refinement; (*affettazione*) affectedness. – **2.** (*cosa ricercata*) rarity, refinement.
peregrịno ⟨*lett*⟩ **I** *a.* singular, strange, odd, uncommon. – **II** *s.m.* (*f.* **-a**) **1.** ⟨*non com*⟩ (*forestiero*) stranger. – **2.** ⟨*rar*⟩ (*pellegrino*) pilgrim.
perennạre *v.* (**perẹnno**) **I** *v.i.* **1.** ⟨*Bot*⟩ (*aus.* **avere**) to be perennial, to perennate. – **2.** ⟨*rar,lett*⟩ (*perpetuarsi*; *aus.* **essere**) to live on, to last, to persist, to be immortalized. – **II** *v.t.* ⟨*rar,lett*⟩ (*perpetuare*) to perpetuate.
perẹnne I *a.* **1.** perpetual, everlasting, eternal, perennial, enduring: *gloria* ~ eternal glory. – **2.** (*continuo*) continuous, endless, never-ending, perpetual. – **3.** ⟨*Bot*⟩ perennial. – **II** *s.f.* ⟨*Bot*⟩ perennial. – **perennemẹnte** *avv.* perpetually, everlastingly, eternally, perennially.
perennifọglio *a.* ⟨*Bot*⟩ (*sempreverde*) evergreen.
perennità *f.* ⟨*non com*⟩ perpetuity.
perentoriamẹnte *avv.* peremptorily. – **perentorietà** *f.* **1.** ⟨*Dir*⟩ peremptoriness. – **2.** ⟨*estens*⟩ incontrovertibility, decisiveness. – **perentọrio** *a.* **1.** ⟨*Dir*⟩ peremptory. – **2.** ⟨*estens*⟩ incontrovertible, decisive, conclusive, final.
perenziọne *f.* ⟨*Dir*⟩ quashing, nonsuit, ⟨*lett*⟩ peremption: ~ *d'istanza* nonsuit, quashing of a petition. ☐ ~ *di un diritto* debarment of a right.
perequạre *v.t.* (**perẹquo**) ⟨*burocr*⟩ to equalize, to distribute equally, to make equal. – **perequatịvo** *a.* equalizing. – **perequatọre I** *s.m.* (*f.* **-trice**) equalizer. – **II** *a.* equalizing. – **perequaziọne** *f.* equalization, equal distribution. ☐ ~ *dei cambi* equalization of rates of exchange; ~ *fiscale* equalization of taxes; ~ *degli oneri* equalization of burdens; ~ *dei prezzi* standardization of prices; ~ *degli stipendi* equalization of salaries.
perẹto *m.* ⟨*Agr*⟩ pear orchard.
perẹtta (*dim. di pera*[1]) *f.* **1.** ⟨*El*⟩ (*interruttore*) pear push (*o* switch). – **2.** (*recipiente per clisteri*) rubber syringe; (*clistere*) enema.

perfettamẹnte *avv.* **1.** perfectly. – **2.** (*molto bene*) perfectly (well): *ci vedo* ~ I can see perfectly. – **3.** (*assolutamente*) absolutely, quite, completely, perfectly: *è una cosa* ~ *inutile* it is quite useless. – **4.** (*naturalmente*) certainly, of course, exactly, that's right: *hai capito?* – ~ do you understand? – of course.
perfettịbile *a.* ⟨*lett*⟩ perfectible. – **perfettibilịsmo** *m.* perfectibilism, perfectionism. – **perfettibilịsta** *m./f.* perfectibilist, perfectionist. – **perfettibilità** *f.* perfectibility.
perfettịvo *a.* perfective (*anche Ling.*): *aspetto* ~ perfective (aspect).
perfẹtto I *a.* **1.** (*compiuto*) perfect. – **2.** (*assoluto*) perfect, complete, thorough, utter, absolute: *silenzio* ~ perfect silence. – **3.** (*ottimo*) perfect, excellent, first-class: *impiegato* ~ excellent employee. – **4.** (*vero*) perfect, real: *un* ~ *gentiluomo* a perfect gentleman; ⟨*iron*⟩ perfect, utter, out-and-out, downright: *è un* ~ *idiota* he's a perfect (*o* downright) fool. – **5.** ⟨*Bot,Entom*⟩ (*completo*) perfect. – **6.** ⟨*Teol*⟩ perfect. – **7.** ⟨*Fis,Mat,Gramm*⟩ perfect. – **II** *s.m.* **1.** ⟨*Gramm*⟩ perfect (tense). – **2.** *pl.* ⟨*Rel*⟩ (*catari*) Perfecti *pl.*
perfezionạbile *a.* perfectible. – **perfezionabilità** *f.* ⟨*non com*⟩ perfectibility.
perfezionamẹnto *m.* **1.** perfection, perfecting. – **2.** (*miglioramento, correzione*) improvement. – **3.** (*specializzazione*) specialization: *corso di* ~ specialization (*o* post-graduate) course; ~ *professionale* professional specialization. – **4.** ⟨*Dir*⟩ execution, completion.
perfezionạre *v.t.* (**perfeziọno**) **1.** to (make) perfect: ~ *l'opera* to perfect one's work. – **2.** (*migliorare*) to improve, to better: ~ *un metodo* to improve a method. – **3.** ⟨*Dir*⟩ to execute, to complete, to finalize: ~ *un contratto* to execute a contract. – **perfezionarsi** *v.r.* **1.** to improve (o.s.), to become perfect. – **2.** (*rif. all'istruzione*) to specialize (*in* in), to improve one's knowledge (of).
perfezionatịvo *a.* ⟨*lett*⟩ perfecting. – **perfezionatọre I** *s.m.* (*f.* **-trice**) perfecter; (*chi migliora*) improver. – **II** *a.* perfecting; (*che migliora*) improving.
perfeziọne *f.* **1.** perfection: *aspirare alla* ~ to strive for perfection. – **2.** ⟨*Dir*⟩ execution, completion, finalization. ☐ *a* (o *alla*) ~ perfectly, to perfection: *parla tre lingue alla* ~ he speaks three languages perfectly; *condurre a* ~ to (make) perfect; *avere tutte le -i* to possess all the best qualities. – *Prov.*: *la* ~ *non è di questo mondo* nothing in this world is perfect.
perfezionịsmo *m.* perfectionism. – **perfezionịsta** *m./f.* perfectionist.
perfịcere *v.t.* ⟨*ant*⟩ (*rendere perfetto*) to (make) perfect.
perfidamẹnte *avv.* treacherously, perfidiously.
perfịdia *f.* **1.** treacherousness, treachery, perfidiousness, perfidy; (*malvagità*) malice, wickedness; (*slealtà*) faithlessness, disloyalty, deceit. – **2.** (*atto*) treachery, perfidy. – **3.** ⟨*ant*⟩ (*pervicace incredulità*) stubborn incredulity. – **4.** ⟨*ant*⟩ (*tradimento*) treachery.
perfidiạre *v.i.* (**perfịdio, perfịdi**; *aus.* **avere**) ⟨*rar*⟩ **1.** to be treacherous (*o* perfidious). – **2.** ⟨*ant*⟩ (*ostinarsi nel sostenere qc. a torto*) to be obdurate (*o* obstinate). – **perfidiọso** *a.* ⟨*non com*⟩ **1.** treacherous, perfidious. – **2.** (*ostinato*) obstinate, stubborn.
pẹrfido *a.* **1.** treacherous, perfidious; (*malvagio*) malicious, wicked. – **2.** (*sleale*) treacherous, perfidious. – **3.** ⟨*fam*⟩ (*pessimo*) dreadful, ⟨*fam*⟩ horrible, ⟨*fam*⟩ ghastly: *la minestra è -a* the soup is horrible.
perfịne: ⟨*non com*⟩ *alla* ~ (*finalmente*) finally, in the end, at last.
perfinịre *m.inv.* witty conclusion.
perfịno *avv.* even: *conosce* ~ *l'arabo* he even knows Arabic. ☐ ⟨*ant, non com*⟩ ~ *che* (*finché*) until, till.
perfogliạto *a.* ⟨*Bot*⟩ perfoliate.
perforạbile *a.* perforable, pierceable. – **perforamẹnto** *m.* ⟨*non com*⟩ perforation. – **perforạnte** (*p.pr. di perforare*) *a.* perforating, piercing: *proiettile* ~ (armour-)piercing bullet (*o* projectile).
perforạre *v.t.* (**perfọro**) **1.** to perforate; (*forare da parte a parte*) to pierce (through), to perforate; (*trivellare*) to bore, to drill; (*punzonare*) to punch. – **2.** (*rif. a proiettile*) to pierce. – **3.** (*saldando*) to pierce. – **4.** ⟨*El*⟩ to puncture.
perforạto (*p.p. di perforare*) *a.* **1.** perforated, pierced; (*punzonato*) punched, punch-: *scheda -a* punch(ed) card. – **2.** ⟨*Biol*⟩ perforated. ☐ ⟨*Anat*⟩ *spazio* ~ perforate(d) space. – **perforatọre** *m.* (*f.* **-trice**) **1.** (*operaio*) driller, borer. – **2.** ⟨*Mecc*⟩ (*macchina perforatrice*) drill. – **3.** ⟨*Tel*⟩ perforator. – **perforatrịce** *f.* **1.** ⟨*Mecc*⟩ drill: ~ *da roccia* rock drill; (*per carta e sim.*) perforator, punch. – **2.** ⟨*Legat*⟩ perforating machine. ☐ ~ *per nastri* tape punch, perforator; ⟨*Minier*⟩ ~ *pneumatica* pneumatic drill; ~ *di schede* card punch. – **perforatụra** *f.* ⟨*non com*⟩ → **perforazione**.
perforaziọne *f.* **1.** perforation. – **2.** (*trivellazione*) drilling, boring. – **3.** (*rif. a schede e sim.*: *atto*) punching, perforation; (*effetto*) punch, perforation. – **4.** ⟨*Med*⟩ perforation. – **5.** (*rif. a proiettili*) piercing. – **6.** ⟨*El*⟩ puncture, (disruptive) breakdown. – **7.** ⟨*Legat*⟩ stabbing.
☐ ⟨*Minier*⟩ ~ *d'***assaggio** exploratory boring; ⟨*Mediev*⟩ ~ *della* **lingua** slitting of the tongue; ⟨*Fot,Cin*⟩ ~ **marginale** marginal perforation, sprocket hole; ~ *di* **nastri** tape punching; ~ **petrolifera** drilling for oil; ⟨*Minier*⟩ ~ **profonda** deep drilling; ⟨*Minier*⟩ ~ **sottomarina** offshore (*o* submarine) drilling.
performance *ingl.* [pə'fɔːməns] *f.* ⟨*Sport*⟩ performance. ☐ ⟨*Psic*⟩ *test di* ~ performance test.
perfosfạto *m.* ⟨*Chim*⟩ superphosphate. ☐ ~ *minerale* phosphate rock.
perfrigerạnte *a.* ⟨*Med*⟩ freezing. – **perfrigerạre** *v.t.* (**perfrịgero**) to freeze. – **perfrigeraziọne** *f.* perfrigeration, frostbite.

perfusione *f.* perfusion (*anche Med.*). – **perfuso** *a.* ⟨*lett*⟩ (*asperso*) perfused, suffused, sprinkled.

pergamena *f.* **1.** parchment. – **2.** (*documento scritto su pergamena*) parchment (manuscript). □ *di* (o *in*) ~ parchment-, in parchment. – **pergamenaceo** *a.* parchment-: *codice* ~ parchment codex; (*simile a pergamena*) pergameneous. – **pergamenato**: ⟨*Cart*⟩ *carta -a* parchment paper, vegetable parchment. – **pergamenista** *m./f.* parchment-paper maker. – **pergamenizzazione** *f.* parchmentization.

pergameno I *a.* ⟨*Stor.gr*⟩ of Pergamum, Pergamene, Pergamese. – **II** *s.m.* (*f.* **-a**) native (*o* inhabitant) of Pergamum.

pergamina *f.* ⟨*Cart*⟩ (*anche carta pergamina*) parchment paper.

pergamo *m.* ⟨*lett*⟩ (*pulpito*) pulpit. □ *eloquenza del* ~ (*oratoria sacra*) preaching; *montare in* ~ (*predicare*) to preach, to sermonize (*anche fig.*).

Pergamo *N.pr.f.* ⟨*Geog.stor*⟩ Pergamum.

pergiurare ⟨*ant*⟩ **I** *v.i.* (*aus.* **avere**) (*spergiurare*) to perjure o.s., to swear falsely, to forswear o.s. – **II** *v.t.* to swear falsely.

pergiuro[1] ⟨*ant*⟩ **I** *a.* perjured, perjurious. – **II** *s.m.* (*f.* **-a**) perjurer.

pergiuro[2] *m.* ⟨*ant*⟩ (*falso giuramento*) perjury.

pergola *f.* **1.** pergola, arbour, bower, trellis. – **2.** (*pianta rampicante*) climbing plant, creeper. – **3.** (*anche uva pergola*) kind of grape (grown on a pergola). – **4.** ⟨*Arch*⟩ pergola.

pergolaro *m.* framework (used in oyster culture).

pergolato[1] **I** *s.m.* **1.** (*pergola*) pergola, arbour, bower, trellis. – **2.** ⟨*collett*⟩ series of pergolas. – **II** *a.* ⟨*rar*⟩ with (*o* having) a pergola, trellissed, arboured.

pergolato[2] *m.* ⟨*Bot*⟩ (hedge) bedstraw (*Galium mollugo*).

pergolese *f.* kind of grape (grown on a pergola).

pergoletta, pergolina *f. dim. di* **pergola**.

pergolona *f.* kind of white grape. – **pergolone** *m.* (*vitigno*) kind of vine.

peri... *pref.* (*intorno* about) peri...

peri|adenite *f.* ⟨*Med*⟩ periadenitis. – **~anale** *a.* perianal. – **~antartico** *a.* (*pl.* **-ci**) ⟨*Geog*⟩ Periantarctic.

perianziale *a.* ⟨*Bot*⟩ perianthial, perianth-. – **perianzio** *m.* perianth.

peri|artico *a.* (*pl.* **-ci**) ⟨*Geog*⟩ Periarctic. – **~articolare** *a.* ⟨*Anat*⟩ periarticular. – **~artrite** *f.* ⟨*Med*⟩ periarthritis. – **~astro** *m.* ⟨*Astr*⟩ periastron.

periblema *m.* ⟨*Bot*⟩ periblem.

peribolo *m.* ⟨*Archeol*⟩ peribolos.

peri|cardico *a.* (*pl.* **-ci**) ⟨*Anat*⟩ pericardiac, pericardial. – **~cardiectomia** *f.* ⟨*Chir*⟩ pericardiectomy. – **~cardio** *m.* ⟨*Anat*⟩ pericardium. – **~cardiotomia** *f.* ⟨*Chir*⟩ pericardiotomy. – **~cardite** *f.* ⟨*Med*⟩ pericarditis. – **~carditico** *a./s.* (*pl.* **-ci**) **I** *a.* pericarditic. – **II** *s.m.* (*f.* **-a**) sufferer from pericarditis. – **~carpico** *a.* (*pl.* **-ci**) ⟨*Bot*⟩ pericarpic, pericarpial. – **~carp(i)o** *m.* pericarp. – **~cecale** *a.* ⟨*Anat*⟩ pericaecal. – **~cemento** *m.* → **periodonto**. – **~ciclico** *a.* (*pl.* **-ci**) ⟨*Bot*⟩ pericyclic. – **~ciclo** *m.* pericycle. – **~clasi** *f.* ⟨*Geol*⟩ (*faglia*) fault. – **~clasio** *m.* ⟨*Min*⟩ periclase.

Pericle *N.pr.m.* ⟨*Stor*⟩ Pericles.

peri|clinale *a.* **1.** ⟨*Geol*⟩ periclinal, quaquaversal. – **2.** ⟨*Bot*⟩ periclinal: *chimera* ~ periclinal chimera. – **~clino** *m.* ⟨*Min*⟩ pericline.

periclitare *v.i.* (**periclito**; *aus.* **avere**) ⟨*lett*⟩ (*correre pericolo*) to be in danger. – **periclo** *m.* ⟨*poet*⟩ → **pericolo**.

pericolante (*p.pr. di pericolare*) *a.* **1.** endangered, unsafe; (*che minaccia di cadere*) unsafe, tottering, likely to fall: *trave* ~ unsafe beam. – **2.** ⟨*fig*⟩ precarious, shaky.

pericolare *v.i.* (**pericolo**; *aus.* **avere**) **1.** to be unsafe (*o* unsteady), to totter, to be in danger of falling. – **2.** ⟨*fig*⟩ to be threatening, to look precarious (*o* shaky). – **3.** ⟨*rar*⟩ (*correre pericolo*) to be in danger. – **4.** ⟨*poet*⟩ (*esporsi al pericolo*) to run a risk, to brave danger.

pericolo *m.* **1.** danger, risk, hazard, peril, jeopardy: *esporsi al* ~ to brave danger, to run a risk. – **2.** ⟨*concr*⟩ danger, peril, menace: *è un* ~ *per la società* he's a menace to society. – **3.** ⟨*Mar*⟩ distress. – **4.** ⟨*fam,scherz*⟩ (*probabilità*) fear, danger, likelihood: *non c'è* ~ there's no fear (of that), that's highly unlikely.

□ *in* **caso** *di* ~ in case of danger; **col** ~ *di* at the risk (*o* hazard) of; **correre** ~ to run a risk, to be in danger; **essere** *in* ~ to be in danger (*o* jeopardy); **fuori** ~ out of danger; ⟨*Aut*⟩ ~ **generico** danger; ~ **giallo** Yellow Peril; ~ **imminente** impending danger; *i -i del* **mare** the perils of the sea; **mettere** *qd. in* ~ to endanger s.o., to jeopardize s.o.'s life; ⟨*non com*⟩ *mettersi a* ~ *di* to run the risk of; ~ *di* **morte** danger of death; ⟨*Dir*⟩ ~ **pubblico** state of emergency; ~ *pubblico numero uno* public enemy number one; *a tuo* **rischio** *e* ~ at your own risk (*o* peril); ⟨*Comm*⟩ *la merce viaggia a rischio e* ~ *del committente* goods are transported at the customer's own risk; **salvare** *qd. da un* ~ to save s.o. from (a) danger; **scampare** (*da*) *un* ~ to escape from danger; ~ *di* **vita** danger of death (*o* losing one's life). – *Prov.*: *chi ama il* ~ *perirà in esso* he that seeks danger shall perish therein.

pericolosamente *avv.* dangerously, perilously. – **pericolosità** *f.* danger, dangerousness: ⟨*Dir*⟩ ~ *sociale* danger to society. – **pericoloso** *a.* **1.** dangerous, perilous, hazardous: *strada -a* dangerous road. – **2.** (*che può recare danno*) dangerous, risky, unsafe: *è* ~ *sporgersi dai finestrini* it is dangerous to lean out of the windows.

pericondrale *a.* ⟨*Anat*⟩ perichondrial. – **pericondrio** *m.* perichondrium. – **pericondrite** *f.* ⟨*Med*⟩ perichondritis.

pericopa, pericope *f.* ⟨*lett*⟩ **1.** (*estratto*) selection, extract, ⟨*lett*⟩ pericope. – **2.** ⟨*Bibl,Metr*⟩ pericope.

peri|cranio *m.* ⟨*Anat*⟩ pericranium. – **~dentario** *a.* peridental, periodontal. – **~derma** *m.* ⟨*Biol*⟩ periderm.

peridinidi *m.pl.* ⟨*Zool*⟩ peridinians *pl*, peridinids *pl* (*Peridiniidae*).

peridotico *a.* → **peridotitico**. – **peridotite** *f.* ⟨*Min*⟩ peridotite. – **peridotitico** *a.* (*pl.* **-ci**) peridotitic.

peridoto *m.* ⟨*Min*⟩ peridot, olivine.

perieco *m.* (*pl.* **-ci**) ⟨*Stor.gr*⟩ perioecian.

periegesi *f.* ⟨*Stor.gr*⟩ periegesis. – **periegeta** *m.* **1.** (*guida*) guide. – **2.** (*autore di periegesi*) writer of a periegesis. – **periegetico** *a.* (*pl.* **-ci**) periegetic.

perielio *m.* ⟨*Astr*⟩ perihelion.

periemante *a.* ⟨*Bot*⟩ persistent.

periepate *m.* ⟨*Anat*⟩ Glisson's capsule. – **periepatite** *f.* ⟨*Med*⟩ perihepatitis.

periferia *f.* **1.** suburbs *pl*, suburbia, outskirts *pl*: *abitare in* ~ to live in the suburbs; (*zona periferica*) suburb. – **2.** (*zona marginale*) periphery, edge. – **3.** (*strato superficiale*) periphery, surface. – **4.** ⟨*ant,Geom*⟩ (*circonferenza*) circumference. □ *di* ~ suburban: *quartiere di* ~ suburban district, suburb.

periferico *a.* (*pl.* **-ci**) **1.** (*suburbano*) suburban, on the outskirts: *zona -a* suburban area. – **2.** (*ai margini*) peripheral, peripheric. – **3.** ⟨*fig*⟩ (*marginale*) marginal. □ *mare* ~ adjacent sea.

peri|flebite *f.* ⟨*Med*⟩ periphlebitis. – **~fluviale** *a.* ⟨*Geog*⟩ riverside-, near a river.

perifrasare *v.t.* (**perifraso**; generally used only in the infinitive) ⟨*non com*⟩ to periphrase. – **perifrasi** *f.* periphrasis, periphrase, circumlocution. – **perifrastico** *a.* (*pl.* **-ci**) **1.** periphrastic, circumlocutory, roundabout. – **2.** ⟨*Gramm*⟩ periphrastic: *coniugazione -a* periphrastic conjugation.

peri|gastrico *a.* (*pl.* **-ci**) ⟨*Anat*⟩ perigastric. – **~gastrite** *f.* ⟨*Med*⟩ perigastritis. – **~genesi** *f.* ⟨*Biol*⟩ perigenesis, pangenesis.

perigeo I *s.m.* ⟨*Astr*⟩ perigee. – **II** *a.* perigean, perigeal. □ ~ *lunare* lunar perigee; ~ *solare* solar perigee.

perigino *a.* ⟨*Bot*⟩ perigynous.

periglaciale *a.* ⟨*Geol*⟩ periglacial.

perigliare *v.* (**periglio, perigli**) ⟨*poet*⟩ **I** *v.i.* (*aus.* **avere**) to be in danger, to be imperilled. – **II** *v.t.* (*mettere in pericolo*) to imperil, to endanger. – **perigliarsi** *v.r.* **1.** to run (*o* take) a risk. – **2.** (*cimentarsi*) to compete, to try one's strength. – **periglio** *m.* ⟨*ant,poet*⟩ **1.** (*pericolo*) peril, danger. – **2.** (*prova*) proof. – **periglioso** *a.* ⟨*ant,poet*⟩ → **pericoloso**.

perigonio *m.* ⟨*Bot*⟩ perigonium.

perimento *m.* ⟨*Dir*⟩ loss, destruction.

perimere *v.i.* (*aus.* **essere**) ⟨*Dir,non com*⟩ to lapse.

perimetrale *a.* **1.** external, outer: *mura -i* external walls. – **2.** ⟨*Geom, Med*⟩ perimetric(al). – **perimetria** *f.* ⟨*Med*⟩ perimetry. – **perimetrico** *a.* (*pl.* **-ci**) **1.** ⟨*Geom*⟩ perimetric(al). – **2.** ⟨*Med*⟩ perimetric.

perimetrio *m.* ⟨*Anat*⟩ perimetrium. – **perimetrite** *f.* ⟨*Med*⟩ perimetritis.

perimetro *m.* **1.** boundary, circumference. – **2.** ⟨*Geom,Med*⟩ perimeter.

perina *f. dim. di* **pera**[1].

perineale *a.* ⟨*Anat*⟩ perineal.

perinefrite *f.* ⟨*Med*⟩ perinephritis. – **perinefritico** *a.* (*pl.* **-ci**) perinephritic.

perineo *m.* ⟨*Anat*⟩ perineum.

perinervio *m.* ⟨*Anat*⟩ perineurium. – **perinervite** *f.* ⟨*Med*⟩ perineuritis. – **perineurio, perinevrio** *m.* → **perinervio**.

perioca *f.* ⟨*Filol*⟩ summary of contents.

periodare[1] *v.i.* (**periodo**; *aus.* **avere**) to make (*o* form) sentences.

periodare[2] *m.* turn of phrase, (literary) style.

periodato *m.* ⟨*Chim*⟩ periodate.

periodicamente *avv.* **1.** periodically, at regular intervals, intermittently. – **2.** ⟨*Mat*⟩ recurrently. – **periodicità** *f.* **1.** periodicity, recurrence. – **2.** (*intervallo di tempo*) interval: ~ *mensile* monthly interval. □ ~ *di un giornale* frequency of publication of a paper.

periodico[1] *a./s.* (*pl.* **-ci**) **I** *a.* **1.** periodic(al), recurrent, recurring: *venti -i* recurrent winds. – **2.** ⟨*Fis*⟩ periodic: *funzione -a* periodic function. – **3.** ⟨*Mat*⟩ recurring: *frazione -a* recurring fraction. – **4.** ⟨*Giorn*⟩ periodical: *pubblicazione -a* periodical publication. – **II** *s.m.* ⟨*Giorn*⟩ **1.** periodical, journal, review, magazine: ~ *letterario* literary journal; ~ *femminile* women's magazine. – **2.** (*giornale*) (news)paper.

periodico[2]: ⟨*Chim*⟩ *acido* ~ periodic acid.

periodizzamento *m.* ⟨*non com*⟩ periodization, division (of history) into periods. – **periodizzare** *v.t.* to divide into periods. – **periodizzazione** *f.* ⟨*non com*⟩ periodization, division (of history) into periods.

periodo *m.* **1.** period. – **2.** (*spazio di tempo*) period, age: *il* ~ *aureo della letteratura latina* the golden age of Latin literature. – **3.** (*durata*) period, cycle. – **4.** ⟨*Gramm*⟩ sentence, period. – **5.** ⟨*Geol*⟩ period: ~ *cretacico* (o *cretaceo*) Cretaceous period. – **6.** ⟨*Med*⟩ period, stage: ~ *iniziale di una malattia* initial stage of a disease.

□ ~ *di* **addestramento** training period; **andare** *a -i* to be moody (*o* changeable), to have one's ups and downs; ⟨*burocr*⟩ ~ *di* **aspettativa** (period of) leave of absence; ⟨*Mot*⟩ ~ *di* **aspirazione** suction (*o* intake) period; ⟨*Mecc*⟩ ~ *d'***assestamento** run-in (*o* break-in) period; ~ *di apertura della* **caccia** hunting (*o* shooting) season; ~ **contabile** accounting (*o* trading) period; (*anno*) financial year; ~ **critico** critical period; ~ **elettorale** election time; ~ *d'***esercizio** = *periodo* **contabile**; ⟨*Mot*⟩ ~ *di* **espansione** expansion period, power stroke; ⟨*Med*⟩ ~ **espulsivo** *del parto* expulsive stage of labour; ~ *di* **funzionamento** period of operation, working time; ⟨*Comm*⟩ ~ *di* **garanzia** warranty period, duration of guarantee; ⟨*Dir*⟩ ~ *di* **grazia** days *pl* of grace; ⟨*Econ*⟩ ~ **inflazionistico** inflationary period; ⟨*Gramm*⟩ ~ **ipotetico** *dell'irrealtà* conditional sentence with unreal condition; ~ *ipotetico della possibilità* conditional sentence with concessive condition; ~ *ipotetico della realtà* conditional sentence with open condition; ⟨*Fis*⟩ ~ *di* **oscillazione** (oscillation) period; ~ *di* **preavviso** (period of) notice; ~ *di* **prova** trial (*o* probationary) period; (*rif. a macchine e sim.*) testing period; ~ *di* **quarantena** quarantine (period); ~ **radioattivo** decay period, half-life; ⟨*Astr*⟩ ~ *di* **rivoluzione** period of revolution; ⟨*Aut*⟩ ~ *di* **rodaggio** running-in (*o* breaking-in) period; ⟨*Astr*⟩ ~ *di* **rotazione** period of rotation; ⟨*Mot*⟩ ~ *di* **scarico** exhausting period, exhaust (*o* scavenging) stroke; *in un breve* ~ *di* **tempo** in a short (period of) time; ~ **transitorio** (o *di transizione*) transition period (*o* phase).

periodontịte *f.* ⟨*Dent*⟩ periodontitis. – **periodọnto** *m.* ⟨*Anat*⟩ periodontium.

perioftạlmidi *m.pl.* ⟨*Itt*⟩ mudskippers *pl* (*Periophtalmidae*).

perionichịa (o *perionịchia*) *f.* ⟨*Med*⟩ perionychia. – **perionịssi** *f.* perionyxis.

peri|optometrịa *f.* ⟨*Med*⟩ perioptometry. – **~orạle** *a.* perioral, peribuccal.

periọstio *m.* ⟨*Anat*⟩ periosteum. – **periostịte** *f.* ⟨*Med*⟩ periostitis.

periọtico *a./s.* (*pl.* **-ci**) **I** *a.* ⟨*Anat*⟩ periotic. – **II** *s.m.* (*osso periotico*) periotic (bone).

peripatẹtica *f.* street-walker, prostitute.

peripatẹtico *a./s.* (*pl.* **-ci**) ⟨*Filos*⟩ **I** *a.* Peripatetic. – **II** *s.m.* (*f.* **-a**) Peripatetic. – **peripatetịsmo** *m.* ⟨*non com*⟩ Peripateticism.

Perịpato *N.pr.m.* **1.** ⟨*Archeol*⟩ Peripatos. – **2.** ⟨*estens*⟩ (*scuola peripatetica*) Peripatetic school.

peripezịa *f.* **1.** mishap, piece of bad luck, misadventure, mischance. – **2.** *pl.* vicissitudes *pl*, ups and downs *pl.* – **3.** ⟨*Teat*⟩ peripeteia.

periplaṣmọdio *m.* ⟨*Bot*⟩ periplasmodium.

pẹriplo *m.* **1.** (*circumnavigazione*) circumnavigation, periplus. – **2.** ⟨*Lett*⟩ periplus. ▭ *fare il* ~ *di un'isola* to sail round an island.

periproctịte *f.* ⟨*Med*⟩ periproctitis.

perịptero *m.* ⟨*Archeol*⟩ (*anche tempio periptero*) peripteral temple.

perịre *v.i.* (**perịsco**/*ant.* **pẹro**, **perịsci**; *pr.cong.* **perịsca**/*ant.* **pẹra**; *aus.* **essere**) **1.** to die, to perish, to expire: ~ *in un incidente* to die in an accident. – **2.** ⟨*fig*⟩ (*passare*) to perish, to die, to pass away, to fade: *la sua fama non perirà* his fame shall not die. – **3.** (*andare in rovina*) to be destroyed, to perish.

peri|renạle *a.* ⟨*Anat*⟩ perirenal. – **~rettạle** *a.* perirectal. – **~salpingịte** *f.* ⟨*Med*⟩ perisalpingitis.

periscọpico *a.* (*pl.* **-ci**) ⟨*Ott*⟩ periscopic. – **periscọpio** *m.* periscope. ▭ ~ *a cannocchiale* telescopic periscope; ~ *a specchi* mirror periscope.

perispẹrma, **perispẹrmio** *m.* ⟨*Bot*⟩ perisperm.

perisplenịte *f.* ⟨*Med*⟩ perisplenitis.

perispọmena *f.* ⟨*Gramm*⟩ (*anche parola perispomena*) perispomenon.

perissodạttili *m.pl.* ⟨*Zool*⟩ perissodactyls *pl* (*Perissodactyla*).

peristạlsi *f.* ⟨*Fisiol*⟩ peristalsis. – **peristạltico** *a.* (*pl.* **-ci**) peristaltic.

perịstaṣi *f.* ⟨*Archeol*⟩ peristyle.

peristịlio *m.* ⟨*Archeol,Edil*⟩ peristyle.

peristọma *m.* ⟨*Biol*⟩ peristome. – **peristomạtico** *a.* (*pl.* **-ci**) peristomatic, peristomial. – **peristọmio** *m.* → **peristoma**.

peritạle *a.* ⟨*non com*⟩ expert-.

peritạnza *f.* ⟨*lett*⟩ (*esitazione*) hesitation.

peritạrsi *v.r.* (**mi pẹrito**) ⟨*lett*⟩ **1.** (*esitare*) to hesitate. – **2.** ⟨*non com*⟩ (*vergognarsi*) to be ashamed (*o* bashful).

peritẹcio *m.* ⟨*Bot*⟩ perithecium.

peritẹttico *a./s.* (*pl.* **-ci**) **I** *a.* ⟨*Chim,Fis*⟩ peritectic. – **II** *s.m.* peritectic phase.

perịto I *a.* (*esperto*) expert, skilled, skilful. – **II** *s.m.* expert, consultant, specialist.

▭ ~ **agrario** agronomy expert, agronomist; ~ *di compagnia di* **assicurazioni** assessor; ~ **calligrafico** handwriting expert; ~ **chimico** non-graduate chemist; ~ **commerciale** (o *contabile*) qualified accountant; ~ **edile** master-builder; ~ **giudiziario** assessor, expert witness appointed by a court; ~ **giurato** sworn expert; ~ **industriale** industrial expert; ⟨*Mar*⟩ ~ **stazzatore** marine surveyor; ~ **stimatore** appraiser; ~ **traduttore** sworn translator.

peritoneạle *a.* ⟨*Anat*⟩ peritoneal. – **peritonẹo** *m.* peritoneum. – **peritoneoscopịa** *f.* ⟨*Med*⟩ peritoneoscopy. – **peritonịte** *f.* peritonitis.

peritọso *a.* ⟨*lett*⟩ **1.** (*esitante*) hesitant, hesitating. – **2.** (*timoroso*) bashful, shy, timid.

peritrachẹlio *m.* ⟨*Lit*⟩ epitrachelion.

perịtrichi *m.pl.* ⟨*Zool*⟩ peritrichs *pl* (*Peritricha*).

perịttero *m.* → **periptero**.

peritụro *a.* ⟨*lett*⟩ transient, passing, fleeting: *fama* **-a** passing fame. ▭ *non* ~ undying, everlasting.

periụro ⟨*ant*⟩ **I** *a.* (*spergiuro*) perjured, perjurious. – **II** *s.m.* (*f.* **-a**) perjurer.

perivulcạnico: ⟨*Geol*⟩ *fenomeno* ~ volcanic phenomenon.

perịzia *f.* **1.** skill, skilfulness, ability, expertise; (*esperienza*) experience. – **2.** (*stima*) estimate, assessment; (*valutazione*) valuation, appraisal. – **3.** (*parere*) expert opinion (*o* judgement); (*relazione scritta*) (expert's) report, survey report.

▭ ~ **arbitrale** arbitration award, arbitrator's assessment; **aver** *grande* ~ to be very skilful; ~ **calligrafica** expert opinion on handwriting, examination by a handwriting expert; ⟨*Comm*⟩ **certificato** *di* ~ survey report; ~ *dei* **danni** damage appraisal (*o* survey); **falsa** ~ perjured expert evidence; ~ **giudiziale** expert evidence, expert's report; ~ **medico-legale** medical examination; ~ **psichiatrica** psychiatrist's report; **spese** *di* ~ survey expenses; ~ **tecnica** technical report.

periziạle *a.* → **peritale**.

periziạre *v.t.* (**perịzio**, **perịzi**) ⟨*burocr*⟩ to appraise; (*valutare*) to value, to estimate, to assess, to survey: *far* ~ *un patrimonio* to have an inheritance assessed. – **periziạto** (*p.p. di periziare*) *a.* appraised; (*valutato*) valued, estimated, assessed.

perizọma *m.* ⟨*Etnol*⟩ loin-cloth.

pẹrla I *s.f.* **1.** pearl: *una collana di* **-e** a pearl necklace. – **2.** (*oggetto a forma di perla*) pearl. – **3.** ⟨*fig*⟩ pearl, jewel, treasure, gem: *è una* ~ *di marito* he is a treasure of a husband. – **4.** ⟨*Med*⟩ pearl, capsule, ⟨*am*⟩ perle. – **5.** ⟨*Tip*⟩ pearl (type). – **6.** *pl.* ⟨*Arch*⟩ beading, beads *pl.* – **7.** ⟨*ant*⟩ (*filo metallico*) wire. – **8.** *pl.* ⟨*poet*⟩ (*denti*) pearly teeth *pl*, ⟨*poet*⟩ pearls *pl.* – **9.** *pl.* ⟨*poet*⟩ (*gocce di rugiada*) dewdrops *pl*, ⟨*poet*⟩ pearls *pl* (of dew). – **II** *a.inv.* pearl: *grigio* ~ pearl-grey. – **Perla** *N.pr.f.* ⟨*Astr*⟩ Corona Borealis.

▭ **-e** *d'***acqua** *dolce* freshwater pearls; **-e barocche** baroque pearls; **color** ~ pearl-colour(ed), pearly; **-e coltivate** culture(d) pearls, cultivated pearls; **-e false** imitation pearls; **-e francesi** = *perle* **parigine**; ⟨*Alim*⟩ **-e** *del* **Giappone** tiny pasta for soup; ~ **giapponese**: **1.** half pearl; **2.** ⟨*fig*⟩ (*errore grossolano*) blunder, ⟨*fam*⟩ howler; **-e marine** seawater pearls; **-e naturali** natural pearls; **-e parigine** (o *romane*) artificial pearls; **pescatore** *di* **-e** pearl-diver; ⟨*Bot*⟩ **pianta** *delle* **-e** (*sinforicarpo*) symphoricarpos (*Symphoricarpus*); **-e vedove** perforated pearls; **-e** *di* **Venezia** Venetian glass beads; **-e vergini** virgin pearls. – *Prov.*: *non buttare* **-e** *ai porci* cast not thy pearls before swine.

perlạceo *a.* pearly, pearl-coloured. – **perlagiọne** *f.* pearliness, pearl colour. – **perlạio** *m.* (*f.* **-a**) **1.** worker in pearls. – **2.** (*venditore*) pearl-seller, pearl-dealer.

perlạri *m.pl.* ⟨*Entom*⟩ stone flies *pl* (*Perlaria, Plecoptera*).

perlạria *f.* ⟨*Bot*⟩ (*avena altissima*) tall oat grass, tall meadow oat (*Arrhenatherum elatius*).

perlạro *m.* ⟨*Bot*⟩ **1.** nettle-tree (*Celtis australis*). – **2.** chinaberry tree (*Melia azedarach*).

perlạssa *f.* ⟨*Chim*⟩ potash.

perlạto *a.* **1.** (*ornato di perle*) pearl-studded, decorated (*o* set) with pearls. – **2.** (*color perla*) pearly; (*con termine indicante colore*) pearl-: *grigio* ~ pearl-grey.

perlé *fr. m.* ⟨*Tess*⟩ (*anche cotone perlé*) pearl cotton, folded yarn, ⟨*am*⟩ ply yarn.

perlịfero *a.* pearl-, yielding (*o* producing) pearls: *ostrica* **-a** pearl oyster.

perlịna (*dim. di perla*) *f.* **1.** seed-pearl. – **2.** *pl.* (*conterie*) glass beads *pl.* – **3.** ⟨*El*⟩ insulating sheath (*o* tube). – **4.** ⟨*Fal*⟩ matchboard. – **5.** ⟨*Ornit*⟩ (*cinciallegra*) great tit(mouse), ox-eye (*Parus maior*).

perlinạggio *m.* ⟨*Edil*⟩ matchboarding. – **perlinạre** *v.t.* to matchboard. – **perlinạto I** *a.* beaded: *schermo* ~ beaded screen. – **II** *s.m.* matchboarding.

perlinguạle *a.* ⟨*Farm*⟩ perlingual.

perlịte *f.* **1.** ⟨*Min*⟩ perlite, pearl-stone. – **2.** ⟨*Met*⟩ pearlite. – **perlịtico** *a.* (*pl.* **-ci**) **1.** ⟨*Min*⟩ perlitic. – **2.** ⟨*Met*⟩ pearlitic.

perloché (o *pẹr lọ chẹ*) *congz.* ⟨*ant*⟩ (*per la qual cosa*) therefore.

perlomẹno (o *pẹr lọ mẹno*) *avv.* (*almeno*) at least: *era molto contento,* ~ *così sembrava* he was very pleased, at least he seemed to be.

pẹrlon *m.* ⟨*Tess*⟩ perlon.

perlopiù (o *pẹr lọ più*) *avv.* mainly, in most cases.

perlustrạre *v.t.* **1.** to patrol, to do the rounds of. – **2.** ⟨*Mil*⟩ to patrol, to reconnoitre. – **3.** ⟨*fam*⟩ to search, to scour, to explore. – **perlustratọre** *m.* (*f.* **-trice**) **1.** patroller. – **2.** ⟨*Mil*⟩ scout. – **perlustraziọne** *f.* **1.** patrol(ling): *mandare qd. in* ~ to send s.o. on patrol. – **2.** ⟨*Mil*⟩ reconnaissance.

permalloy *ingl.* ['pə:mələi] *m.* ⟨*Met*⟩ permalloy.

permalosità *f.* irritability, irritableness; (*suscettibilità*) touchiness, ⟨*fam*⟩ huffiness. – **permalọso** *a.* irritable, testy; (*suscettibile*) touchy, ⟨*fam*⟩ huffy.

permanẹnte (*p.pr. di permanere*) **I** *a.* **1.** permanent, lasting; (*fisso*) permanent, standing, fixed: *esercito* ~ standing army. – **2.** ⟨*tecn*⟩ permanent. – **II** *s.f.* **1.** (*ondulazione artificiale dei capelli*) permanent (wave), ⟨*fam*⟩ perm: *farsi la* ~ to have ⌜a perm⌝ (*o* one's hair permed). – **2.** (*invalidità permanente*) permanent disablement. – **III** *s.m.* **1.** ⟨*Mil*⟩ soldier doing military service. – **2.** (*biglietto permanente*) free pass. ▭ ~ *a caldo* hot perm; ~ *a freddo* cold perm.

permanentemẹnte *avv.* permanently.

permanẹnza *f.* **1.** permanence, permanency. – **2.** (*il perdurare*) persistence. – **3.** (*soggiorno*) stay, sojourn: *buona* ~*!* have a good stay! ▭ ~ *in azienda* length of service; *in* (o *di*) ~ (*stabilmente*) permanently; ⟨*Geol*⟩ ~ ⌜*degli oceani*⌝ (o *delle aree oceaniche*) permanence of the ocean basins.

permanẹre *v.i.* (**permạngo**, **permạni**; *p.rem.* **permạsi**/*ant.* **permạnsi**; *fut.* **permarrò**; *p.p.* **permạso** not used; *aus.* **essere**) **1.** to persist; (*continuare*) to continue (to be), to remain. – **2.** (*sostare, dimorare*) to remain, to stay on.

permanganạto *m.* ⟨*Chim*⟩ permanganate. – **permangạnico** *a.* (*pl.* **-ci**) permanganic: *acido* ~ permanganic acid.

permango *pr.ind. di* **permanere.** – **permasi** *p.rem. di* **permanere.**
permeabile *a.* permeable, pervious: *membrana* ~ permeable membrane; ~ *all'acqua* permeable to water.
permeabilità *f.* **1.** permeability, perviousness. – **2.** ⟨*Fis*⟩ permeability. □ ~ *all'***aria** perviousness to air; ~ **assoluta** absolute permeability; ~ **capillare** capillary permeability; **coefficiente** *di* ~ permeability coefficient; ~ **magnetica** magnetic permeability; ~ **relativa** relative permeability.
permeametro *m.* ⟨*Fis*⟩ permeameter.
permeanza *f.* ⟨*El*⟩ permeance.
permeare *v.t.* (**permeo**) to permeate. – **permeazione** *f.* ⟨*non com*⟩ permeation.
permessione *f.* → **permissione.** – **permessivo** *a.* → **permissivo.**
permesso[1] (*p.p. di permettere*) *a.* **1.** permitted, allowed: *sosta -a* parking permitted. – **2.** ⟨*interr*⟩ may I?; (*posso entrare?*) may I come in?; (*nel farsi strada*) excuse me (please).
permesso[2] *m.* **1.** permission, leave: *ho chiesto il* ~ *di uscire* I asked permission to go out; ⟨*concr*⟩ permit, licence. – **2.** ⟨*Mil,burocr*⟩ (*licenza, congedo*) leave (of absence); (*foglio*) pass. □ ~ *di* **caccia** permission to hunt; ⟨*concr*⟩ shooting (*o* game) licence; ~ *di* **circolazione** registration book; **con** ~*!*: 1. may I?, allow me!, by your leave!; 2. (*posso entrare?*) may I come in?; 3. (*passando avanti*) excuse me (please); ~ *d'***entrata** entry permit; **essere** *in* ~ to be on leave; ~ *di* **lavoro** work permit; *avere un* **mese** *di* ~ to have a month's leave; ~ *di* **pesca** permission to fish; ⟨*concr*⟩ fishing licence; ⟨*Mil*⟩ ~ **serale** evening pass; ~ *di* **soggiorno** residence permit.
permettanza *f.* ⟨*El,ant*⟩ (*capacità*) capacitance. □ ⟨*ant*⟩ ~ *specifica* (*costante dielettrica*) dielectric constant, permittivity, specific inductive capacity.
permettere *v.t.* (**permisi, permesso**) **1.** to allow, to let, to permit: ~ *a qd. di fare qc.* to let s.o. do s.th., to allow (*o* permit) s.o. to do s.th.; *le autorità non hanno permesso la manifestazione* the authorities did not allow the demonstration to take place; *non permette ch'io esca* he won't let me go out. – **2.** (*dare la possibilità*) to enable, to make possible, to allow: *la sua autorità gli permette di parlare francamente* his authority enables him to speak frankly. – **3.** (*tollerare*) to permit, to allow, to tolerate, to let. – **4.** (*in formule di cortesia*) to permit. – **5.** ⟨*lett*⟩ (*affidare*) to entrust. – **permettersi** *v.r.* **1.** to allow o.s., to treat o.s. to; (*rif. a spese e sim.*) to afford: *non posso permettermi una simile spesa* I can't afford the expense. – **2.** (*prendersi la libertà*) to dare: *come si permette!* how dare you! – **3.** (*in formule di cortesia*) to take the liberty: *mi permetto di scriverle* I am taking the liberty of writing to you. □ *permette una parola?* may I put in a word?; *non posso* ~ *che tu le parli così* I won't have you speak to her like that; *non ti sarà permesso di entrare senza biglietto* ⌈they won't let you in⌉ (*o* you won't be allowed in) without a ticket; *la sua malattia non gli permette grandi sforzi* his illness prevents him from exerting himself.
permettività *f.* ⟨*ant*⟩ (*costante dielettrica*) dielectric constant, permittivity.
permiano I *a.* ⟨*Geol*⟩ Permian. – **II** *s.m.* Permian. – **permico** *a./s.* (*pl.* **-ci**) → **permiano.**
permio (*o per mio*) *intz.* ⟨*eufem*⟩ → **perdio.**
permisi *p.rem. di* **permettere.**
permissibile *a.* ⟨*ant,non com*⟩ permissible, allowable.
permissionario *m.* ⟨*Dir*⟩ permit-holder.
permissione *f.* ⟨*ant*⟩ (*permesso*) permission, leave. □ *con* ~ by your leave. – **permissivo** *a.* ⟨*lett,non com*⟩ permissive.
permistione *f.* ⟨*ant*⟩ (*miscuglio*) mixture.
permittività *f.* → **permettività.**
permo|carbonico, ~carbonifero *m.* ⟨*Geol*⟩ (*anche periodo permocarbonico o permocarbonifero*) Permocarboniferous.
permotore *m.* (*f.* **-trice**) ⟨*ant*⟩ (*principio motore*) mover. – **permuovere** *v.t.* (**permossi, permosso**) ⟨*ant*⟩ (*muovere*) to move.
permuta *f.* **1.** exchange, permutation. – **2.** ⟨*Dir*⟩ (*contratto*) barter, permutation, exchange. – **3.** ⟨*ant*⟩ (*cambiamento*) change. – **permutabile** *a.* **1.** exchangeable. – **2.** ⟨*Mat*⟩ permutable. – **permutabilità** *f.* **1.** exchangeability, permutability. – **2.** (*rif. a voti religiosi*) commutability. – **3.** ⟨*Mat*⟩ permutability. – **permutamento** *m.* ⟨*non com*⟩ exchanging. – **permutante** *m./f.* ⟨*Dir*⟩ party to an exchange. – **permutanza** *f.* ⟨*ant*⟩ (*scambio*) exchange.
permutare *v.t.* (**permuto**/*ant.* **permuto**) **1.** to barter, to exchange, to permute. – **2.** ⟨*Mat*⟩ to permute. – **3.** ⟨*rar*⟩ (*cambiare*) to change. – **4.** ⟨*ant*⟩ (*trasferire*) to transfer, to move. – **permutarsi** *v.r.* **1.** (*cambiarsi*) to change (*in* to). – **2.** ⟨*ant*⟩ (*spostarsi*) to move.
permutatore ⟨*lett*⟩ **I** *s.m.* **1.** (*f.* **-trice**) permuter, transformer. – **2.** ⟨*El*⟩ permutator. – **II** *a.* permuting, transforming.
permutazione *f.* **1.** exchange, barter(ing). – **2.** ⟨*Mat*⟩ permutation. – **3.** ⟨*ant*⟩ (*trasferimento*) transfer, change (of ownership); (*rif. a persone*) transfer, move, transference. – **4.** ⟨*ant*⟩ (*permuta*) exchange, barter.
permutite *f.* ⟨*Chim*⟩ permutite. □ *metodo alla* ~ permutite process.
pernacchia *f.* raspberry, ⟨*am*⟩ Bronx cheer. – **pernacchio** *m.* ⟨*napol*⟩ → **pernacchia.**
Pernambuco: *legno di* ~ Pernambuco wood.
pernasale *a.* ⟨*Chir*⟩ pernasal.
pernice *f.* **1.** ⟨*Ornit*⟩ (*starna*) (common grey) partridge (*Perdix perdix*). – **2.** ⟨*Gastr*⟩ partridge: *pasticcio di -i* partridge pie. □ ~ *d'***Africa** = *pernice* **sarda**; ~ **alpestre** (*o bianca*) rock ptarmigan (*Lagopus mutus*); ~ **bianca** *nordica* willow ptarmigan (*o* grouse) (*Lagopus lagopus*); ~ **cinericcia** (*o cenerognola*) (common grey) partridge (*Perdix perdix*); ~ *di* **Cirenaica** = *pernice* **sarda**; ~ **colombaria** = *pernice* **greca**; ~ **comune** = *pernice* **rossa**; ~ **greca** (*o maggiore*) Greek partridge (*Alectoris graeca*); ~ *di* **mare** pratincole (*Glareola pratincola*); ~ *di mare orientale* black-winged pratincole (*Glareola nordmanni*); ~ *di* **monte** (*o delle nevi*) = *pernice* **alpestre**; ~ **rossa** red-legged partridge (*Alectoris rufa*); ~ **sarda** (*o di Sardegna*) Sardinian (*o* Barbary) partridge (*Alectoris barbara*); ~ **sassatile** = *pernice* **greca**; ~ *di* **Scozia** red grouse (*Lagopus scoticus*); ~ **turchesca** = *pernice* **sarda.**
pernicetta (*dim. di pernice*) *f.* partridge chick, young partridge.
perniciosa *f.* ⟨*Med*⟩ (*anche febbre perniciosa*) pernicious malaria.
perniciosità *f.* ⟨*non com*⟩ perniciousness. – **pernicioso** *a.* **1.** (*nocivo*) harmful, pernicious, injurious, ruinous, noxious, destructive. – **2.** (*funesto*) deadly, fatal. – **3.** ⟨*Med*⟩ pernicious.
perniciotto (*dim. di pernice*) *m.* → **pernicetta.**
pernio *m.* → **perno.**
pernione *m.* ⟨*Med*⟩ (*gelone*) chilblain.
pernizioso *a.* ⟨*ant*⟩ → **pernicioso.**
perno *m.* **1.** pin. – **2.** ⟨*Mecc*⟩ pivot, bolt, journal, pin. – **3.** ⟨*fig*⟩ pivot, hinge. – **4.** ⟨*Mar*⟩ (*chiodo*) nail, rivet. – **5.** ⟨*Sport*⟩ (*nel pattinaggio*) pivot, spin. – **6.** ⟨*Dent*⟩ pivot, dowel. □ ⟨*Mecc*⟩ ~ *d'***articolazione** joint pin, trunnion; ⟨*Mot*⟩ ~ *di* **biella** crank-pin; ~ **cavo** hollow pin; ~ *di* **centraggio** dowel, grub; ~ **cilindrico** cylindrical pin; ⟨*fig*⟩ **fare** ~ *su qc.* to hinge on s.th.; ~ **portante** supporting journal; ~ *di* **rotazione** journal; ~ **sferico** ball-and-socket joint; ~ *di* **spinta** thrust block (*o* bearing); ⟨*Mot*⟩ ~ *dello* **stantuffo** gudgeon (pin), piston pin.
pernottamento *m.* overnight stay, spending the night. – **pernottare** *v.i.* (**pernotto**; *aus.* **avere**) to stay overnight, to spend the night: ~ *all'addiaccio* to spend the night in the open air.
pernotto *m.* ⟨*Mar*⟩ nail, rivet.
pero *m.* **1.** ⟨*Bot*⟩ pear(-tree) (*Pyrus communis*). – **2.** (*legno*) pear wood. □ ⟨*tosc*⟩ *andare* (*o viaggiare*) *sui -i* (*parlare con ricercatezza*) to speak affectedly; ~ *avocado* avocado (pear) (*Persea gratissima*); ~ *cervino* Juneberry (*Amelanchier ovalis*); ~ *cotogno* quince tree (*Cydonia vulgaris*; *Cydonia oblonga*); ~ *selvatico* → **peruggine.**
però *congz.* **1.** but: *è un brav'uomo,* ~ *non è fortunato* he is a good man but he is not lucky. – **2.** (*tuttavia*) however, nevertheless, yet, still, *spesso non si traduce*: *anche se non ti sono simpatici, devi* ~ *essere gentile con loro* even if you don't like them, ⌈(nevertheless) you must be nice to them⌉ (*o* you must still be nice to them). – **3.** ⟨*pop,lett*⟩ (*perciò*) therefore, for this reason, so. □ ~ *che* → **perocché**; *e* ~ (*epperò*) therefore, so; ⟨*fam*⟩ *ma* ~ but: *questa volta ti perdono ma* ~ *devi stare più attento* this time I'll forgive you but you have to be more careful.
perocché (*o però che*) *congz.* **1.** ⟨*lett*⟩ (*poiché*) since, as, because. – **2.** ⟨*ant*⟩ (*benché*) although, even if, (even) though.
peromisco *m.* (*pl.* **-chi**) ⟨*Zool*⟩ white-footed mouse (*Peromyscus*).
perone *m.* ⟨*Anat*⟩ (*fibula*) fibula, perone. – **peroneo, peroniero** *a.* fibular, peroneal.
peronismo *m.* ⟨*Pol*⟩ Peronism. – **peronista I** *s.m./f.* Peronist. – **II** *a.* Peronist.
peronospera *f.* ⟨*pop*⟩ → **peronospora.**
peronospora *f.* **1.** ⟨*Bot*⟩ Peronospora (*Peronospora*). – **2.** ⟨*Agr*⟩ (*malattia*) downy mildew, mould, blight. – **peronosporato** *a.* ⟨*Agr*⟩ mildewed, mouldy. – **peronosporico** *a.* (*pl.* **-ci**) downy -mildew-, mould-.
perorale *a.* ⟨*Chir*⟩ peroral.
perorare *v.* (**peroro/peroro**) ⟨*lett*⟩ **I** *v.t.* to defend, to plead: ~ *una causa* to plead a cause. – **II** *v.i.* (*aus.* **avere**) to speak, to defend: ~ *in difesa di qd.* to speak in s.o.'s defence, to defend s.o. – **perorazione** *f.* **1.** speech, pleading, defence. – **2.** ⟨*Ret*⟩ peroration.
Peroscia *N.pr.f.* ⟨*ant*⟩ → **Perugia.**
perossidasi *f.* ⟨*Biol*⟩ peroxidase.
perossido *m.* ⟨*Chim*⟩ peroxide: ~ *d'idrogeno* hydrogen peroxide.
perpendicolare I *a.* **1.** perpendicular. – **2.** ⟨*Geom*⟩ perpendicular: *retta* ~ *a un piano* line perpendicular to a plane. – **II** *s.f.* ⟨*Geom, Mar*⟩ perpendicular. □ ⟨*Arch*⟩ *stile* ~ perpendicular style. – **perpendicolarità** *f.* ⟨*non com*⟩ perpendicularity. – **perpendicolarmente** *avv.* perpendicularly (*anche Geom.*).
perpendicolo *m.* **1.** perpendicular. – **2.** (*filo a piombo*) plumb-line, plummet. □ *a* ~ perpendicularly, straight down, vertically.
perpetrare *v.t.* (**perpetro**/*poet.* **perpetro**) ⟨*lett*⟩ to perpetrate, to commit: ~ *un delitto* to commit a crime. – **perpetratore** *m.* (*f.* **-trice**) ⟨*non com*⟩ perpetrator. – **perpetrazione** *f.* ⟨*non com*⟩ perpetration, committing.
Perpetua *N.pr.f.* Perpetua. – **perpetua** *f.* **1.** priest's housekeeper. – **2.** ⟨*estens*⟩ (*donna di servizio vecchia e ciarliera*) elderly talkative housekeeper.
perpetuabile *a.* ⟨*non com*⟩ perpetuable, that may be perpetuated. – **perpetuale** *a.* ⟨*ant*⟩ → **perpetuo.** – **perpetualmente** *avv.* → **perpetuamente.** – **perpetuamente** *avv.* **1.** perpetually, continuously. – **2.** (*per sempre*) perpetually, eternally, forever.
perpetuare *v.t.* (**perpetuo**) **1.** (*eternare*) to perpetuate, to immortalize: ~ *la memoria di qd.* to perpetuate (*o* immortalize) s.o.'s memory. – **2.** (*continuare*) to continue. – **perpetuarsi** *v.r.* **1.** to go on (forever), to be(come) eternal, to be perpetuated. – **2.** (*continuare*) to continue, to go on.

perpetuatọre ⟨*non com*⟩ **I** *s.m.* (*f.* **-trice**) perpetuator. – **II** *a.* perpetuating. – **perpetuaziọne** *f.* ⟨*non com*⟩ **1.** (*il perpetuare*) perpetuation, immortalization. – **2.** (*il perpetuarsi*) perpetuation, continuing, continuance.

perpetuịno *m.* ⟨*Bot*⟩ (*semprevivo*) everlasting flower.

perpetuità *f.* perpetuity. ☐ ⟨*non com*⟩ *a* ~ perpetually, forever. – **perpetuitạde, perpetuitạte** *f.* ⟨*ant*⟩ → **perpetuità**.

perpẹtuo *a.* **1.** (*eterno*) perpetual, eternal, everlasting: *in* ~ *ricordo di* in everlasting memory of. – **2.** (*ininterrotto*) perpetual, continuous, incessant, ⟨*fam*⟩ eternal, ⟨*fam*⟩ everlasting. – **3.** (*che dura tutta la vita*) life-, permanent, perpetual: *carcere* ~ life imprisonment. – **4.** ⟨*Mecc*⟩ perpetual, endless: *vite -a* perpetual (*o* endless) screw. – **5.** ⟨*lett*⟩ (*sempreverde*) evergreen. ☐ *calendario* ~ perpetual calendar; *in* ~ → **perpetuamente**; *moto* ~ perpetual motion; ⟨*fig*⟩ *essere un moto* ~ to be restless, to have quicksilver in one's veins.

perplessità *f.* **1.** perplexity. – **2.** (*irresolutezza*) uncertainty, indecision, irresolution. – **perplẹsso** *a.* **1.** perplexed, puzzled, nonplussed, bewildered, at a loss. – **2.** (*irresoluto*) uncertain, doubtful, undecided. – **3.** ⟨*lett*⟩ (*poco chiaro*) confused, complicated; (*ambiguo*) ambiguous. ☐ *lasciare* (o *rendere*) ~ to puzzle, to perplex, to nonplus.

perquiṣire *v.t.* (**perquiṣịsco, perquiṣịsci**) to search: *la polizia ha perquisito l'appartamento* the police have searched the apartment. – **perquiṣitọre** ⟨*non com*⟩ **I** *s.m.* (*f.* **-trice**) searcher. – **II** *a.* searching, search-.

perquiṣiziọne *f.* search (by warrant), perquisition: *fare un'attenta* ~ to make a thorough search. ☐ ~ *domiciliare* house search, search of premises; *ordine* (o *mandato*) *di* ~ search-warrant; ~ *personale* search of the person.

perrụcca *f.* ⟨*ant,region*⟩ (*parrucca*) wig.

pẹrsa *f.* ⟨*Bot*⟩ (*maggiorana*) sweet marjoram (*Origanum majorana*; *Majorana hortensis*).

perscrutạbile *a.* ⟨*non com*⟩ investigable, fathomable. – **perscrutạre** *v.t.* ⟨*lett*⟩ (*scrutare*) to investigate, to probe (into), to fathom, to delve into.

persecutọre I *s.m.* (*f.* **-trice**) **1.** persecutor. – **2.** ⟨*Mil.ant*⟩ kind of cannon. – **II** *a.* persecuting, persecutive, persecutory. – **persecutọrio** *a.* persecutory, of persecution.

persecuziọne *f.* **1.** persecution. – **2.** ⟨*fig*⟩ persecution, pestering. ☐ ~ *antisemitica* (o *degli ebrei*) persecution of the Jews; ⟨*Stor*⟩ ~ *dei cristiani* persecution of the Christians; ⟨*Psic*⟩ *mania di* ~ persecution complex; ~ *razziale* racial persecution.

Persẹfone *N.pr.f.* ⟨*Mitol*⟩ Persephone.

perseguịbile *a.* ⟨*Dir*⟩ prosecutable: *reato* ~ prosecutable crime.

perseguimẹnto *m.* following, pursuit. – **perseguịre** *v.t.* (**persẹguo; perseguịi/ant. persegụetti**) **1.** to pursue, to follow: ~ *uno scopo* to pursue (*o* have) an aim. – **2.** ⟨*Dir*⟩ to prosecute. – **3.** ⟨*ant*⟩ (*perseguitare*) to persecute. – **4.** ⟨*ant*⟩ (*proseguire*) to continue.

perseguitạre *v.t.* (**persẹguito**) **1.** to persecute. – **2.** ⟨*fig*⟩ to persecute, to harass, to torment; (*molestare*) to pester, to persecute: ~ *qd. con richieste* to pester s.o. with requests. – **3.** ⟨*ant*⟩ (*proseguire*) to continue. ☐ *essere perseguitato dalla fortuna* to be Fortune's butt. – **perseguitạto** (*p.p. di perseguitare*) **I** *a.* persecuted. – **II** *s.m.* (*f.* **-a**) victim of persecution. – **persegui(ta)tọre** *m.* (*f.* **-trice**) ⟨*ant*⟩ (*persecutore*) persecutor.

persẹidi *f.pl.* ⟨*Astr*⟩ Perseids *pl.*

perseità *f.* ⟨*Filos*⟩ perseity.

Pẹrseo (o *Persẹo*) *N.pr.m.* ⟨*Mitol*⟩ Perseus.

Persẹpoli *N.pr.f.* ⟨*Geog.stor*⟩ Persepolis.

persẹsco *a.* (*pl.* **-chi**) ⟨*ant*⟩ (*persiano*) Persian.

persevạnte *m.* ⟨*Stor*⟩ pursuivant (of arms).

perseverạnte (*p.pr. di perseverare*) *a.* persevering. – **perseverạnza** *f.* perseverance. ☐ *con* ~ with perseverance, perseveringly. – **perseverạre** *v.i.* (**persẹvero**; *aus.* **avere**) to persevere, to persist: ~ *nel male* to persist in wrongdoing. – **perseveraziọne** *f.* **1.** ⟨*Psic*⟩ perseveration. – **2.** (*perseveranza*) perseverance. – **persevrạre** *v.* ⟨*ant*⟩ → **perseverare**.

pẹrsi *p.rem. di* **perdere**.

pẹrsia *f.* → **persa**.

Pẹrsia *N.pr.f.* ⟨*Geog*⟩ Persia.

persiạna *f.* shutter, blind: *chiudere le -e* to close the shutters. ☐ ~ *avvolgibile* roller shutter; ~ *ribaltabile* (door-type) shutter; ~ *scorrevole* sliding shutter.

persianịna (*dim. di persiana*) *f.* **1.** (*sportello di persiana*) flap (in the lower part of a shutter). – **2.** ⟨*Alim*⟩ (*stuoia di vimini*) wicker strainer (for cheese-making).

persianịsta *m./f.* Persian scholar. – **persianịstica** *f.* Persian studies *pl.*

persiạno I *a.* Persian. – **II** *s.m.* **1.** (*lingua*) Persian. – **2.** (*abitante*; *f.* **-a**) Persian. – **3.** ⟨*Zool*⟩ (*gatto persiano*) Persian cat (*Felis ocreata cattus*). – **4.** ⟨*Zool*⟩ (*razza di pecore*) broadtail (sheep), Karakul. – **5.** (*pelliccia*) Persian lamb.

pẹrsica *f.* ⟨*region,lett*⟩ (*pesca*) peach.

persicạria *f.* ⟨*Bot*⟩ persicary, persicaria, peachwort (*Polygonum persicaria*).

persicạta *f.* ⟨*Dolc*⟩ (solidified) peach jam.

pẹrsico[1] *a.* (*pl.* **-ci**) Persian: *golfo* ~ Persian Gulf.

pẹrsico[2] *m.* (*pl.* **-ci**) ⟨*ant,region*⟩ ⟨*Bot*⟩ **1.** (*pesco*) peach(-tree) (*Prunus persica*). – **2.** (*pesca*) peach.

pẹrsico[3] *m.* (*pl.* **-ci**) ⟨*Itt*⟩ perchis (*Perca fluviatilis*). ☐ ~ *sole* (common) sunfish, pumpkin-seed (*Eupomotis gibbosus*); ~ *trota* largemouth (black) bass (*Micropterus salmonoides*).

persiflage *fr.* [pɛrsiˈflaːʒ] *m.* teasing, banter, mocking.

pẹrsil *m.* ⟨*Ind*⟩ persil.

persimmon *ingl.* [pəˈsimən] *m.* ⟨*Bot*⟩ persimmon.

persịno *avv.* → **perfino**.

Pẹrsio *N.pr.m.* ⟨*Stor*⟩ Persius.

persistẹnte (*p.pr. di persistere*) *a.* **1.** persistent, persisting: *febbre* ~ persistent fever. – **2.** ⟨*Bot*⟩ persistent. – **persistẹnza** *f.* **1.** persistence, persistency: *la* ~ *della pioggia* the persistence of the rain. – **2.** ⟨*Ott*⟩ (*persistenza dell'immagine*) persistence of vision.

persịstere *v.i.* (**persistẹi/persistẹtti, persistịto**; *aus.* **avere**) **1.** (*insistere*) to persist, to insist; (*restare*) to persist, to remain: ~ *in un errore* to persist in an error. – **2.** (*durare*) to persist, to remain, to last: *la febbre persiste* the fever persists; (*continuare*) to continue, to go on. ☐ *il caldo persiste* it is still very hot.

pẹrso[1] (*p.p. di perdere*) *a.* **1.** lost; (*sprecato*) wasted. – **2.** ⟨*fig*⟩ wasted. ☐ *darsi per* ~ (*per vinto*) to give o.s. up for lost, ⟨*fam*⟩ to throw in the sponge; *mettere* (o *tenere*) ~ (*considerare perduto*) to consider as lost; *mettersi* (*per*) ~ *a fare qc.* (*essere completamente assorbito in qc.*) to be completely absorbed in doing s.th., to be wrapped up in s.th.; ~ *per* ~ as a last resort, having nothing further to lose; *è tempo* ~ it's a waste of time; *a tempo* ~ in one's leisure (*o* spare) time, as a side-line.

pẹrso[2] ⟨*ant*⟩ **I** *a.* **1.** purplish-black, dark purple. – **2.** ⟨*estens*⟩ dark, sombre. – **II** *s.m.* **1.** (*colore*) purplish-black, perse, dark purple. – **2.** (*stoffa*) purplish-black cloth, perse.

persolfạto *m.* ⟨*Chim*⟩ persulphate. – **persolfọrico**: *acido* ~ persulphuric acid. – **persolfụro** *m.* persulphide.

persọna *f.* **1.** person (*pl* people [*costr. pl.*], persons): *la sua famiglia è composta di sei -e* there are six people in his family; (*uomo*) person, man (*f* woman): *una* ~ *per bene* a respectable man. – **2.** *pl.* (*gente*) people (*costr. pl.*), persons *pl*, ⟨*lett,fam*⟩ folk (*costr. pl.*). – **3.** (*corpo*) body, person; (*figura*) figure; (*aspetto*) appearance: *curare la propria* ~ to look after one's appearance. – **4.** (*qualcuno*: *in frasi affermative*) someone, somebody: *c'è una* ~ *che ti cerca* somebody wants you; (*in frasi negative e interrogative*) anyone; (*nessuno*) no one, nobody: *non c'è* ~ *al mondo che conosca il mio segreto* no one in the world knows my secret. – **5.** (*preceduto da aggettivo possessivo*) oneself, *oppure si traduce col pronome personale corrispondente*: *la mia* ~ myself. – **6.** ⟨*Gramm, Filos*⟩ person. – **7.** ⟨*Dir*⟩ person; *pl.* persons *pl.* – **8.** ⟨*Psic*⟩ persona. – **9.** ⟨*lett*⟩ (*personaggio*) character. – **10.** ⟨*ant*⟩ (*vita*) life.

☐ ⟨*epist*⟩ **alla** ~ personal; **di** ~: 1. (*personalmente*) in person, personally: *è venuto di* ~ he came in person; 2. (*per esperienza personale*) personally, from personal (*o* one's own) experience; *pagare di* ~ to meet one's responsibilities squarely, to face the consequences, ⟨*fam*⟩ to face the music; ~ *di* **diritto** *pubblico* corporate (*o* public) body, public corporation; ⟨*Dir*⟩ ~ **extraterritoriale** extraterritorial person; ~ *di* **famiglia** member of the family; ~ *di* **fiducia** reliable person, right-hand man; ⟨*Dir*⟩ ~ **fisica** natural person; ~ **giuridica** juristic (*o* juridical, artificial) person, corporation, body corporate; ⟨*Dipl*⟩ ~ **grata** persona grata; **in** ~: 1. (*personalmente*) in person, personally; 2. (*personificato*) personified, itself: *essere la saggezza in* ~ to be wisdom personified (*o* itself); *è lui in* ~ *!* it's him!, it's the very man!; ⟨*ant*⟩ *in* ~ *di*: 1. (*invece di*) instead of, in the place of; 2. (*in nome di*) on behalf of; ⟨*ant*⟩ **metter** ~ (*irrobustirsi*) to get strong, to toughen up; *due* **per** ~ two a head, two each (*o* apiece); *parlare in* **prima** ~ to speak in the first person; ~ *di* **servizio** domestic servant (*o* help); *-e di servizio* domestic staff (*o* servants *pl*); ⟨*rar*⟩ **sostenere** ~ *di* (*fare le veci di*) to act for (*o* on behalf of), to represent; **tavola** *apparecchiata per dieci -e* table laid for ten; **terza** ~: 1. ⟨*Gramm*⟩ third person; 2. ⟨*Dir*⟩ (*terzo*) third party; *usare la terza* ~ *con qd.* (*dare del lei*) to use the ⌜polite form⌝ (*o* formal third person) when speaking to s.o.; *non l'ho detto a* ~ **viva** I haven't told a soul.

personạggio *m.* **1.** personage, personality, celebrity, ⟨*fam*⟩ bigwig, ⟨*fam*⟩ V.I.P., ⟨*fam*⟩ big shot. – **2.** ⟨*Lett*⟩ character, personage: ~ *principale* main character, hero, protagonist. – **3.** ⟨*fam*⟩ (*uomo, tipo*) odd fellow, ⟨*fam*⟩ character. – **4.** ⟨*ant*⟩ (*persona mascherata*) masked person, masquerader. ☐ ⟨*Lett*⟩ *sei personaggi in cerca d'autore* Six Characters in Search of an Author.

personạle I *a.* **1.** personal, one's own: *agire per interesse* ~ to act out of personal interest, ⟨*fam*⟩ to grind one's own axe. – **2.** (*del corpo*) personal, bodily: *pulizia* ~ personal cleanliness. – **3.** (*privato*) personal, private: *aereo* ~ personal plane. – **4.** (*originale, particolare*) personal, original: *interpretazione* ~ personal interpretation. – **5.** (*fatto di persona*) personal, in person: *interessamento* ~ personal interest. – **6.** ⟨*Gramm*⟩ personal: *costruzione* ~ personal construction. – **II** *s.m.* **1.** (*figura*) figure, shape: *avere un bel* ~ to have a good figure; (*corpo*) body. – **2.** (*dipendenti*) staff (*costr. pl.*), personnel (*costr. pl.*), employees *pl*; (*maestranze*) workers *pl*, hands *pl.* – **III** *s.f.* (*mostra personale*) one-man show.

☐ ~ **aeronavigante** flight personnel (*o* crew); ~ **ausiliario** temporary staff, extra help (*o* personnel); **capo** *del* ~ personnel manager; ⟨*Mar*⟩ ~ *di* **coperta** deck hands, upper-deck personnel; ~ **diplomatico** members of the diplomatic corps; ~ **direttivo** (o *di direzione*) management, ⟨*am*⟩ executive personnel; ⟨*Mil*⟩ ~ **effettivo** regular forces; ⟨*Ind,Comm*⟩ ~ **fisso** regular staff, permanent employees; ~ *in* **forza** personnel on strength; ~ **insegnante**

60.

(teaching) staff, teachers *pl*; ~ *di* **macchina** engine-room personnel (*anche Mar.*); ⟨*Aer*⟩ ~ *di* **manovra** ground crew; ~ **navigante** = *personale di* **volo**; ~ **qualificato** (o *specializzato*) skilled workers (*o* labour); ~ *di* **servizio** domestic servants *pl* (*o* staff); ⟨*Aer*⟩ ~ *di* **terra** ground personnel (*o* crew); ~ **d'ufficio** office staff (*o* employees), ⟨*fam*⟩ white-collar workers; ⟨*Ferr*⟩ ~ **viaggiante** train staff (*o* crew); ⟨*Aer*⟩ ~ *di* **volo** flight personnel.

personalismo *m.* ⟨*Filos,Psic*⟩ personalism. – **personalista** *m./f.* ⟨*non com*⟩ personalist. – **personalistico** *a.* (*pl.* **-ci**) **1.** personalist(ic). – **2.** (*egoistico*) self-centred, selfish.

personalità *f.* **1.** personality. – **2.** (*carattere*) personality, character, disposition, temper, nature. – **3.** ⟨*estens*⟩ (*personaggio*) personality, celebrity, personage, ⟨*fam*⟩ bigwig, ⟨*fam*⟩ V.I.P., ⟨*fam*⟩ big shot. – **4.** ⟨*non com*⟩ (*l'essere personale*) personal nature, personalness, personality. □ ~ *giuridica* juridical (*o* legal) personality.

personalmente *avv.* **1.** personally, in person, (by) oneself: *si occupa* ~ *dei suoi affari* he sees to his business personally (*o* himself). – **2.** (*per quanto riguarda un individuo*) personally, for one's (own) part, as far as one is concerned: ~ *non sono d'accordo* personally (*o* as for me, for my part) I disagree, as far as I'm concerned I disagree. – **3.** ⟨*Gramm*⟩ personally.

personeggiare *v.i.* (**personeggio, personeggi**; *aus.* **avere**) ⟨*rar*⟩ to act the part (*di* of), to impersonate (s.o.).

personificare *v.t.* (**personifico, personifichi**) **1.** to personify, to incarnate: ~ *le forze della natura* to personify the forces of nature. – **2.** (*simboleggiare*) to personify, to embody, to represent, to symbolize, to typify. – **personificato** (*p.p. di personificare*) *a.* **1.** personified. – **2.** (*in persona*) personified, in person, incarnate: *essere la virtù -a* to be virtue personified (*o* itself). – **personificazione** *f.* **1.** personification, incarnation, embodiment. – **2.** (*rif. a persona*) personification. – **3.** ⟨*concr*⟩ (*rappresentazione*) representation, symbol. □ *essere la* ~ *della bontà* to be goodness personified (*o* itself), to be the soul (*o* essence) of goodness.

perspex *m.* perspex.

perspicace *a.* **1.** (*pronto*) keen, sharp, quick, perspicacious, discerning: *mente* ~ quick (*o* keen) mind. – **2.** (*rif. ad azione: accorto*) clever, discerning, penetrating, shrewd, sagacious. – **3.** ⟨*non com*⟩ (*dalla vista acuta*) sharp-sighted, clear-sighted. – **perspicacia** *f.* keenness, sharpness, perspicacity, discernment. – **perspicacità** *f.* ⟨*non com*⟩ **1.** → **perspicacia**. – **2.** (*acutezza di vista*) keenness of sight.

perspicuità *f.* **1.** perspicuity, clearness, plainness. – **2.** ⟨*non com*⟩ (*trasparenza*) transparency. – **perspicuo** *a.* **1.** perspicuous, clear, plain, evident: *ragionamento* ~ clear reasoning. – **2.** ⟨*non com*⟩ (*trasparente*) transparent.

perspirazione *f.* ⟨*Fisiol*⟩ perspiration, sweat.

persuadente (*p.pr. di persuadere*) *a.* ⟨*rar*⟩ (*persuasivo*) persuasive, convincing.

persuadere *v.t.* (**persuasi, persuaso**) **1.** (*convincere*) to convince, to persuade, to prevail upon: *le tue parole non mi persuadono* you haven't convinced me. – **2.** (*indurre*) to induce, to make, to lead, to talk into; (*dissuadere*) to talk out of. – **3.** ⟨*fam*⟩ (*andare a genio*) to like, to care for: *ha una faccia che non mi persuade* I don't like his face. – **persuadersi** *v.r.* to convince (*o* persuade) o.s., to become convinced, to be satisfied. □ *cercare di* ~ *qd.* to try to convince s.o., to urge (*o* coax) s.o.; *lasciarsi* ~ to let o.s. be convinced, to be talked into s.th.; *non saper persuadersi di qc.* to be unable to believe s.th.

persuadibile *a.* → **persuasibile**. – **persuaditore** *m.* (*f.* **-trice**) ⟨*non com*⟩ → **persuasore**. – **persuasi** *p.rem. di* **persuadere**. – **persuasibile** *a.* ⟨*non com*⟩ **1.** persuadable, easy to convince. – **2.** (*che può essere creduto*) credible, convincing.

persuasione *f.* **1.** persuasion, convincing; (*l'indurre*) inducing. – **2.** (*convinzione*) conviction, belief: *rimanere nelle proprie -i* to stick to one's convictions.

persuasiva *f.* (*arte di persuadere*) persuasiveness; (*forza di persuasione*) persuasion, persuasiveness. – **persuasivo** *a.* persuasive, convincing (*anche fig.*): *prove -e* convincing evidence. – **persuaso** (*p.p. di persuadere*) *a.* **1.** convinced, persuaded. – **2.** (*deciso*) determined, decided. □ *rendere* ~ *qd. di qc.* to convince s.o. of s.th. – **persuasore** *m.* (*f.* **persuaditrice**) persuader.

persufflazione *f.* ⟨*Med*⟩ insufflation.

persutto *m.* ⟨*region*⟩ (*prosciutto*) ham.

pertanto *congz.* (*perciò, quindi*) therefore, so, consequently, for this reason, thus, hence: *mi sentivo stanco,* ~ *decisi di andarmene* I felt tired, so I decided to leave; *gradirei* ~ *una risposta* I should therefore like a reply; (*dunque*) therefore, so, then. □ ⟨*ant*⟩ ~ *che* (*perché*) because, as, for, since; *ciò non* ~ (*tuttavia*) however, yet, nevertheless.

pertenente *a.* ⟨*ant*⟩ → **pertinente**.

pertenere *v.i.* (**pertengo, pertieni**; **pertenni, pertenuto**; → **tenere**; *aus.* **avere**), **pertenersi** *v.r.* ⟨*ant*⟩ (*appartenere*) to belong.

perterrito *a.* ⟨*ant*⟩ (*atterrito*) terrified.

perthite *f.* ⟨*Min*⟩ perthite.

pertica *f.* **1.** pole, rod, perch. – **2.** ⟨*fam,scherz*⟩ (*persona alta e magra*) tall thin person, ⟨*fam*⟩ bean-pole, ⟨*fam*⟩ lamp-post. – **3.** ⟨*Ginn*⟩ pole. – **4.** (*unità di misura*) perch, pole, rod. – **5.** ⟨*Stor.rom*⟩ ten-foot measure. – **6.** ⟨*Venat*⟩ perch.

perticara *f.* ⟨*Agr*⟩ kind of plough.

perticare *v.t.* (**pertico, pertichi**) ⟨*ant*⟩ **1.** (*misurare a pertiche*) to measure (by the perch). – **2.** (*battere con una pertica*) to beat (with a rod); (*bacchiare*) to beat (*o* knock) down with a pole.

perticato *m.* ⟨*Stor*⟩ land tax.

perticatore *m.* (*f.* **-trice**) ⟨*ant*⟩ **1.** (*chi misura con una pertica*) measurer, surveyor. – **2.** (*chi percuote con una pertica*) beater (with a rod). – **perticazione** *f.* ⟨*ant*⟩ land measurement (by the perch).

pertichetta, pertichina *f. dim. di* **pertica**.

pertichino *m.* ⟨*non com*⟩ **1.** ⟨*tosc*⟩ (*bestia da tiro*) extra draught animal. – **2.** ⟨*teat*⟩ bit player.

perticone (*accr. di pertica*) *m.* (*f.* **-a**) ⟨*fam,scherz*⟩ (*persona alta e magra*) tall thin person, ⟨*fam*⟩ bean-pole, ⟨*fam*⟩ lamp-post.

pertinace *a.* **1.** (*ostinato*) stubborn, obstinate, pertinacious; (*deciso*) determined, resolute, firm. – **2.** (*tenace*) tenacious, persistent, pertinacious. – **pertinacia** *f.* **1.** (*ostinazione*) stubbornness, obstinacy, pertinacity. – **2.** (*tenacia*) tenaciousness, persistency, pertinacity. – **3.** ⟨*Teol*⟩ (*perseveranza*) perseverance; (*caparbietà*) obstinacy.

pertinente *a.* **1.** (*attinente*) relating, pertinent (*a* to), connected (with). – **2.** (*spettante*) pertaining, relevant (to). □ *domanda* ~ relevant question, question which is to the point; *non* ~ irrelevant.

pertinenza *f.* ⟨*non com*⟩ **1.** (*attinenza*) pertinence, pertinency, relevance, relation, concern, connection. – **2.** (*spettanza*) competency. – **3.** ⟨*Dir,concr*⟩ appurtenance, competency. □ *essere di* ~ *di qd.* to be s.o.'s concern (*o* business), to be (*o* lie) within s.o.'s province; ⟨*Dir,burocr*⟩ to fall within s.o.'s competence. – **pertinenziale** *a.* ⟨*Dir*⟩ pertinent, relevant.

pertite *f.* → **perthite**. – **pertitico** *a.* (*pl.* **-ci**) ⟨*Min*⟩ perthitic.

pertosse *f.* ⟨*Med*⟩ whooping-cough, pertussis.

pertrattare *v.t.* ⟨*lett*⟩ (*trattare esaurientemente*) to deal with at length, to treat thoroughly of.

pertugiare *v.t.* (**pertugio, pertugi**) ⟨*ant*⟩ (*forare*) to pierce, to perforate, to bore. – **pertugio** *m.* **1.** (*buco*) hole, perforation. – **2.** (*passaggio stretto*) narrow opening, slot, slit.

perturbamento *m.* ⟨*non com*⟩ → **perturbazione**. – **perturbare** *v.t.* **1.** (*turbare*) to upset, to disturb, to trouble, to perturb, to unsettle, to throw out: *un incidente ha perturbato la corsa* an accident upset the race; (*sconvolgere*) to derange, to upset, to throw into confusion. – **2.** ⟨*Astr*⟩ to perturb. – **perturbarsi** *v.r.* **1.** (*perdere la calma*) to become (*o* get) upset, to be troubled. – **2.** (*rif. al tempo*) to grow stormy, to get unsettled.

perturbativo *a.* upsetting, disturbing. – **perturbatore I** *s.m.* (*f.* **-trice**) upsetter, disturber. – **II** *a.* **1.** upsetting, disturbing. – **2.** ⟨*Astr*⟩ perturbing. – **perturbazione** *f.* **1.** disturbance, upset, unsettlement, trouble, perturbation, agitation, disorder: ~ *economica* economic disorder. – **2.** ⟨*Meteor*⟩ disturbance, front. – **3.** ⟨*Astr*⟩ perturbation. □ ~ *mentale* perturbation (of mind), upset.

pertuso *m.* ⟨*region,ant*⟩ → **pertugio**.

Perù *N.pr.m.* ⟨*Geog*⟩ Peru (*denom.uff.*: *Repubblica Peruviana* Republic of Peru). □ *balsamo del* ~ balsam of Peru, Peru balsam; ⟨*pop*⟩ *valere un* ~ (*molto*) to be worth a fortune (*o* mint).

peruggine *m./f.* ⟨*Bot*⟩ (*pero selvatico*) wild pear tree (*Pyrus communis piraster*).

Perugia *N.pr.f.* ⟨*Geog*⟩ Perugia. – **perugino I** *a.* of (*o* from) Perugia, Perugian. – **II** *s.m.* **1.** (*dialetto*) dialect of Perugia. – **2.** (*abitante*; *f.* **-a**) Perugian, native (*o* inhabitant) of Perugia.

perula *f.* ⟨*Bot*⟩ perula, perule, leaf-bud scale.

peruviano[1] **I** *a.* Peruvian, of Peru. – **II** *s.m.* (*f.* **-a**) Peruvian, native (*o* inhabitant) of Peru.

peruviano[2] *m.* ⟨*Bot*⟩ hedge cactus (*Cereus peruvianus*).

pervadere *v.t.* (**pervasi, pervaso**) **1.** ⟨*lett*⟩ to pervade, to spread through, to permeate, to penetrate. – **2.** ⟨*fig*⟩ to pervade, to permeate.

pervagare *v.t.* (**pervago, pervaghi**) ⟨*ant*⟩ (*andare vagando*) to roam, to rove, to wander through (*o* about, across).

pervenire *v.i.* (**pervengo, pervieni**; **pervenni, pervenuto**; → **venire**; *aus.* **essere**) **1.** to arrive (*a* at), to reach (s.th.), to get, to come (to); (*rif. a lettere e sim.*) to have (*costr. pers.*), to come, to reach: *mi è pervenuta una lettera* I have had (*o* received) a letter. – **2.** ⟨*fig*⟩ to reach (*a qc.* s.th.), to get, to come (to): *mi è pervenuto alle orecchie che* it has come to my ears that, I have heard that. – **3.** ⟨*burocr*⟩ to arrive (at), to reach (s.th.). – **4.** ⟨*tosc*⟩ (*spettare*) to be entitled (*costr. pers.*), to be due (to); (*rif. a eredità e sim.*) to fall (*a* to), to inherit (s.th.) (*costr. pers.*), to come (into) (*costr. pers.*). □ *far* ~ *qc.* to have s.th. sent (*o* delivered), to let s.o. have s.th.; ~ *alla meta* to reach one's destination; ⟨*fig*⟩ to achieve one's end.

perversione *f.* **1.** perversion, depravation, degeneration. – **2.** ⟨*Psic*⟩ perversion. – **3.** (*deviazione*) deviation, turning aside, straying.

perversità *f.* **1.** perversity, perverseness, wickedness. – **2.** (*azione*) perversity, wicked deed. – **3.** ⟨*non com*⟩ (*avversità*) adversity, bad luck, misfortune; (*inclemenza*) inclemency, harshness. – **perversitade, perversitate** *f.* ⟨*ant*⟩ → **perversità**.

perverso *a.* **1.** perverse, wicked, bad. – **2.** ⟨*lett,non com*⟩ (*avverso*) adverse, hostile. – **3.** ⟨*ant*⟩ (*pervertito*) perverted.

pervertimento *m.* **1.** perversion, perverting. – **2.** (*corruzione*) corruption, depravity. – **3.** (*perversione*) perversion.

pervertire *v.t.* (**perverto**) **1.** (*corrompere*) to pervert, to corrupt, to lead astray: ~ *la gioventù* to corrupt the youth. – **2.** ⟨*Psic*⟩ to pervert. – **3.** ⟨*ant*⟩ (*mutare*) to change, to upset. – **pervertirsi** *v.r.* to be (*o* become) perverted, to be corrupted (*o* led astray). – **pervertito** (*p.p. di pervertire*) **I** *a.* perverted. – **II** *s.m.* (*f.* **-a**) pervert;

(*omosessuale*) homosexual. – **pervertitore I** *s.m.* (*f.* **-trice**) perverter, corrupter. – **II** *a.* perverting, corrupting.
pervibratore *m.* ⟨*Mecc*⟩ (concrete) vibrator.
pervicace *a.* ⟨*lett*⟩ (*ostinato*) wilful, refractory, obstinate, stubborn, headstrong, ⟨*fam*⟩ pigheaded. – **pervicacemente** *avv.* ⟨*lett*⟩ wilfully, obstinately, stubbornly. – **pervicacia** *f.* ⟨*lett*⟩ wilfulness, obstinacy, stubbornness.
pervietà *f.* ⟨*non com*⟩ **1.** openness, accessibility. – **2.** ⟨*Med*⟩ patency.
pervigile *a.* ⟨*ant*⟩ (*attentissimo*) extremely watchful, very careful.
pervinca I *s.f.* **1.** ⟨*Bot*⟩ periwinkle (*Vinca*). – **2.** (*colore*) periwinkle blue. – **II** *a.inv.* periwinkle-, periwinkle blue. □ ~ *maggiore* greater periwinkle (*Vinca major*); ~ *minore* lesser periwinkle (*Vinca minor*).
pervio *a.* ⟨*lett*⟩ **1.** open, accessible. – **2.** ⟨*Med*⟩ patent.
p.es. = *per esempio* for example (*abbr.* e.g.).
pesa *f.* **1.** (*pesatura*) weighing: *portare le merci alla* ~ to bring goods ⌜for weighing⌝ (*o* to be weighed). – **2.** (*basculla*) weigh-bridge, weighing-machine; (*pesa a ponte*) weigh-bridge. – **3.** (*luogo della pesatura*) weigh-house, public scales *pl*: *la* ~ *comunale* the municipal weigh-house. – **4.** ⟨*Stor*⟩ (*tributo*) weighing-tax. □ ~ *per bestiame* livestock (*o* cattle) scales, cattle-weighing platform; ⟨*Ferr*⟩ ~ *da binario* weigh-bridge, ⟨*am*⟩ track scale; *casello della* ~ weigh-house; ~ *per persone* scales *pl.*
pesabambini *m.inv.* (*anche bilancia pesa-bambini*) baby-scales *pl.*
pesabile *a.* weighable.
pesafiltro *m.* ⟨*Chim*⟩ weighing-bottle.
pesage *fr.* [pəˈsa:ʒ] *m.* ⟨*Sport*⟩ **1.** (*locale per il peso*) weighing-in room. – **2.** (*luogo dove passeggiano i cavalli*) paddock, enclosure.
pesa|latte *m.inv.* lactodensimeter, lactometer. – **~lettere** *m.inv.* letter-scales *pl*, letter-balance. – **~liquidi** *m.inv.* **1.** hydrometer. – **2.** ⟨*ant*⟩ (*aerometro*) aerometer.
pesame *m.* ⟨*ant*⟩ (*gravezza*) gravity, seriousness.
pesamento *m.* ⟨*non com*⟩ weighing.
pesa|mosto *m.inv.* ⟨*Enol*⟩ saccharimeter. – **~neve** *m.inv.* ⟨*Meteor*⟩ snow-gauge.
pesante (*p.pr. di pesare*) *a.* **1.** heavy, weighty: *un pacco* ~ a heavy parcel. – **2.** (*che dà sensazione di pesantezza*: *rif. all'aria*) heavy, close, stuffy, oppressive: *aria* ~ stuffy air; (*indigesto*) indigestible, rich, heavy: *pasto* ~ heavy meal. – **3.** (*goffo*) heavy, awkward, clumsy, ungainly: *passo* ~ clumsy gait. – **4.** (*faticoso*) tiring, fatiguing, wearing. – **5.** (*noioso*) dull, boring, tiresome, monotonous, heavy: *uno scrittore* ~ a boring writer; (*molesto*) troublesome, wearisome, annoying. – **6.** (*massiccio*) massive, heavy. – **7.** (*duro*) rough, hard: *gioco* ~ rough game. – **8.** (*profondo*) deep, heavy: *sonno* ~ deep sleep. – **9.** (*rif. a scherzi e sim.*: *volgare*) coarse, vulgar, in bad taste; (*lubrico*) lewd, salacious, dirty. – **10.** (*rif. a indumenti*) heavy, warm, thick. – **11.** ⟨*tecn,Mil*⟩ heavy: *industria* ~ heavy industry.
pesantemente *avv.* **1.** heavily, weightily; (*con tutto il peso*) heavily, bodily, with one's full weight. – **2.** (*goffamente*) heavily, clumsily, awkwardly. – **3.** (*rif. a indumenti*) heavily, warmly. – **4.** (*profondamente*) deeply, soundly, heavily: *dormire* ~ to sleep deeply. – **5.** (*duramente*) roughly, hard.
pesantezza *f.* **1.** heaviness, weightiness, weight: *la* ~ *di una valigia* the weight (*o* heaviness) of a suitcase. – **2.** (*sensazione di peso*) heaviness, weight. – **3.** (*goffaggine*) heaviness, awkwardness, clumsiness. – **4.** (*l'essere noioso*) dullness, tediousness, boredom, tiresomeness, monotonousness. – **5.** (*l'essere massiccio*) massiveness, heaviness. – **6.** ⟨*Fis*⟩ (*peso specifico relativo*) specific gravity (*o* weight). □ *con* ~ heavily; ~ *di testa* headache, heavy-headedness.
pesanza *f.* ⟨*ant*⟩ **1.** (*pesantezza*) heaviness, weightiness. – **2.** ⟨*fig*⟩ (*dolore, afflizione*) pain, suffering, grief.
pesare *v.* (**peso**) **I** *v.t.* **1.** to weigh: ~ *un pacco* to weigh a parcel. – **2.** ⟨*fig*⟩ (*valutare attentamente*) to weigh (up), to ponder, to consider: ~ *il pro e il contro* to weigh the pros and cons; ~ *le parole* to weigh one's words. – **3.** ⟨*fig*⟩ (*giudicare*) to judge. – **4.** ⟨*Pesc*⟩ to judge the weight of. – **II** *v.i.* (*aus.* **avere/essere**) **1.** to weigh: *quanto pesa?* what (*o* how much) does it weigh? – **2.** (*essere pesante*) to be heavy. – **3.** (*gravare*) to rest, to weigh (heavily), to bear down (*su* on), to be supported (by): *la cupola pesa su pilastri* the dome rests on pillars. – **4.** ⟨*fig*⟩ (*opprimere*) to be a burden, to weigh, to lie heavy. – **5.** ⟨*fig*⟩ (*avere importanza*) to count, to be of weight, to have importance, to matter. – **6.** ⟨*fig*⟩ (*dispiacere, rincrescere*) to regret (*costr. pers.*), to be sorry (*costr. pers.*), to grieve: *mi pesa doverlo fare* I am sorry to have to do it; (*riuscire molesto*) to find it hard (*costr. pers.*), to be hard (*o* burdensome), to trouble: *questo lavoro mi pesa molto* I find this work very hard. – **7.** ⟨*fig*⟩ (*incombere*) to hang, to loom: *pesa su di lui una terribile accusa* a terrible charge hangs over him (*o* his head). – **pesarsi** *v.r.* to weigh o.s. □ ⟨*fig,scherz*⟩ ~ *con la bilancia del farmacista* to examine very minutely (*o* critically); *un cibo che pesa sullo stomaco* food that lies heavy on the stomach, indigestible food.
pesarolo *m.* ⟨*Tess*⟩ (*fusaiolo*) whorl, whirl.
pesarone *m.* ⟨*Bot*⟩ yellow foxtail, bristle grass (*Setaria glauca*; *Setaria lutescens*).
pesata *f.* **1.** (*il pesare*) weighing. – **2.** (*quantità*) weight, amount weighed. □ *dare una* ~ *a qc.* to weigh s.th. – **pesatore** *m.* (*f.* **-trice**) **1.** ⟨*non com*⟩ weigher. – **2.** ⟨*fig,rar*⟩ (*chi giudica*) judge. – **pesatura** *f.* **1.** weighing. – **2.** ⟨*Sport*⟩ weigh-in. – **3.** ⟨*Stor*⟩ (*gabella del peso*) weighage, weighing fee.
pesavino *m.inv.* → **pesamosto.**
pesca[1] *f.* **1.** peach: *sbucciare una* ~ to skin a peach. – **2.** ⟨*fig*⟩ (*livido*) bruise; (*occhiaia*) dark circle (*o* ring) under the eye.
pesca[2] *f.* **1.** fishing, fishery; (*industria della pesca*) fishing (industry), fishery. – **2.** (*quantità*) catch, haul, draught. – **3.** ⟨*fig*⟩ (*lotteria*) draw; (*estraendo oggetti*) lucky dip.
□ ~ *d'acqua dolce* freshwater fishing; ~ *in acque interne* inland-water fishing; ~ *d'altura* deep-sea fishing; **andare** *a* ~ *di* to go fishing for; ⟨*fig*⟩ (*andare in cerca*) to go looking for, to fish for, to go after; ~ *delle* **aringhe** herring fishing (*o* fishery); ~ *di* **beneficenza** charity draw; *fare* **buona** ~ to have a good catch (*o* haul); ~ *con la* **canna** fishing with a rod, angling; ⟨*Sport*⟩ fishing; ~ *del* **corallo** coral fishing; ~ **costiera** inshore (*o* coastal) fishing; **da** ~ fishing-: *barca da* ~ fishing boat; **divieto** *di* ~ No Fishing; ~ **fluviale** freshwater fishing, inland (*o* river) fishery; **grande** ~ = *pesca* **oceanica**; ~ **lacustre** lake fishing; ~ *con la* **lenza** = *pesca con la* **canna**; ~ *con* **lenzara** long-lining, fishing with a boulter; ~ *di* **mare** sea fishing; ~ *d'alto* **mare** deep-sea fishing; ~ **marittima** = *pesca di* **mare**; ~ *del* **merluzzo** cod fishing (*o* fishery); ~ **miracolosa** draw, lucky dip; ~ *con le* **nasse** fishing with traps, (fish) trapping; ~ **oceanica** ocean fishing; ~ *con* **palamite** = *pesca con* **lenzara**; ~ *delle* **perle** pearl fishing (*o* diving), pearl fishery; **piccola** ~ = *pesca* **costiera**; ~ *di* **posta** drift-net fishery; ~ *con la* **rete** fishing with a net, netting; ~ *con rete di aggiramento* seining; ~ **sportiva** fishing for sport; ~ *delle* **spugne** sponge fishing (*o* diving); ~ ⌜*a* **strascico**⌝ (o *con tartana*) trawling; ~ **subacquea** underwater fishing; ~ *del* **tonno** tunny (*o* tuna) fishing.
pescaggio *m.* **1.** ⟨*Mar*⟩ draught, draft. – **2.** (*altezza di aspirazione di una pompa*) suction lift, height of suction. – **3.** ⟨*Min*⟩ fishing.
pescagione *f.* **1.** ⟨*non com*⟩ fishing. – **2.** (*frutto della pesca*) catch, haul. – **3.** → **pescaggio.**
pescaia *f.* **1.** ⟨*Pesc*⟩ fish-weir. – **2.** ⟨*Idr*⟩ weir, dam. – **pescaiolo** *m.* ⟨*Pesc*⟩ fish-weir.
pescamartino *m.* ⟨*Ornit*⟩ (*martin pescatore*) kingfisher (*Alcedo atthis*).
pescare *v.* (**pesco, peschi**) **I** *v.t.* **1.** to fish for; (*con l'amo*) to angle for. – **2.** (*recuperare dall'acqua*) to fish out, to draw out. – **3.** (*prendere su a caso*) to pick out (*o* on), to draw (from): ~ *una carta nel mazzo* to draw a card (from the pack), to pick a card out of the pack. – **4.** ⟨*fam*⟩ (*trovare*) to find, to come upon (*o* across), to get (hold of): *dove posso pescarlo a quest'ora?* where can I get hold of him at this hour?; (*acciuffare*) to catch: *lo hanno pescato con le mani nel sacco* they caught him red-handed. – **5.** ⟨*ant*⟩ (*indagare, cercare*) to seek, to hunt. – **II** *v.i.* (*aus.* **avere**) ⟨*Mar*⟩ to draw: *lo scafo pesca cinque metri* the hull draws five metres. □ ~ *con l'amo* (o *la lenza*) to angle, to fish with hook and line; ~ *con la rete* to (fish with a) net; *è sparito e chi lo pesca più* he's vanished into thin air, he's unfindable; ⟨*fig*⟩ ~ *nel torbido* to fish in troubled waters.
pescareccio *a./s.* ⟨*ant*⟩ → **peschereccio.**
pescaria *f.* ⟨*ant*⟩ → **pescheria.**
pescata *f.* (*quantità*) haul, catch, draught. □ *fare una* ~ to fish; (*rif. alla quantità pescata*) to have a catch (*o* haul).
pescatello *m.* ⟨*ant,rar*⟩ (*pesciolino*) small fish.
pescatico *m.* ⟨*Stor*⟩ fishing dues *pl.*
pescatore *m.* (*f.* **-trice**) **1.** fisherman, fisher; (*con l'amo*) angler. – **2.** ⟨*Mar*⟩ fish (*o* cat) tackle. – **3.** ⟨*Mecc*⟩ fishing tool.
□ ⟨*fig*⟩ *-i* **d'anime** fishers of souls; ~ *di* **canna** rod-and-line fisherman, angler; ~ *di* **frodo** (fish) poacher; ~ *d'alto* **mare** deep-sea fisherman; ~ *di* **perle** pearl-fisher, pearl-diver; ~ *del* **re** → **pescamartino**; ~ **subacqueo** underwater fisher(man); (*senza scafandro*) skin-diver.
pescatorio *a.* ⟨*non com*⟩ (*piscatorio*) fishermen's, of fishermen, piscatory, piscatorial.
pescatrice *f.* ⟨*Itt*⟩ (*anche rana pescatrice*) angler (*Lophius piscatorius*).
pescatubi *m.inv.* ⟨*Mecc*⟩ tube fishing tool.
pesce *m.* **1.** fish. – **2.** *pl.* ⟨*Itt*⟩ fishes *pl*, fish *pl* (*Pisces*). – **3.** *pl.* ⟨*Astr*⟩ Pisces *pl* (*costr. sing.*), Fishes *pl.* – **4.** ⟨*Tip*⟩ (*errore di composizione*) omission. – **5.** ⟨*pop*⟩ (*bicipite*) biceps (muscle). – **6.** ⟨*triv*⟩ (*pene*) penis, ⟨*triv*⟩ cock.
□ ~ **abissale** abyssal fish; ~ *d'acqua dolce* freshwater fish; ⟨*fig*⟩ *essere* (o *sentirsi*) *come un* ~ *fuor d'acqua* to be (*o* feel) like a fish out of water; ~ **affumicato** smoked (*o* cured) fish; ~ **ago** pipe-fish (*Syngnathus*); ~ **angelo** angel shark, monkfish (*Rhina squatina*; *Squatina squatina*); ~ **d'aprile** April fool's trick (*o* joke): *fare un* ~ *d'aprile a qd.* to play an April fool's trick on s.o.; ~ **aquila** eagle-ray (*Myliobatis aquila*); ~ **arciere** archer (fish) (*Toxotes jaculator*); ~ **d'argento**: 1. ribbon (*o* deal) fish (*Trachypterus taenia*); 2. (*argentina*) argentine (*Argentina sphyraena*); ⟨*Astr*⟩ ~ **australe** Piscis austrinus (*o* australis), Southern Fish; ~ **azzurro** blue-fish (*Pomatomus saltator*); ~ **balestra**: 1. trigger-fish (*Balistes capriscus*); 2. = *pesce* **martello**; ~ **bandiera**: 1. = *pesce* **cipolla**; 2. = *pesce* **volpe**; 3. (*pesce d'argento*) ribbon (*o* deal) fish (*Trachypterus taenia*); 4. = *pesce* **fiamma**; ⟨*fig*⟩ *fare il* ~ *in* **barile** to remain neutral, ⟨*fam*⟩ to sit on the fence; ~ **beccaccino** snipe-eel (*Nemichthys scolopaceus*); ~ *in* **bianco** boiled fish; ~ **bove** six-gilled shark (*Hexanchus griseus*); ⟨*fig*⟩ **buttarsi** *a* ~ *su qc.* to make a dive for s.th.; ~ **cane** → **pescecane**; ~ **capello** common sting-ray (*Dasyatis pastinaca*); ~ **cappone** gurnard (*Trigla*); ~ **castagna** Ray's bream, pomfret (*Brama rayi*); ~ **cavallo**: 1. horse mackerel (*Trachurus trachurus*); 2. (*sgombro*) Atlantic mackerel (*Scomber scomber*); ~ **chirurgo** surgeon-fish (*Acanthurus chirurgus*); ~ **chitarra** guitar-fish (*Rhinobatus rhinobatus*); ~ **cinghiale** boar-fish (*Capros aper*); ~ **cipolla** red band-fish

(*Cepola rubescens*); -*i* **cofano** globe-fish, balloon-fish; ~ **colombo** = *pesce* **aquila**; ~ **combattente** Siamese fighting fish, betta (*Betta pugnax*); ~ **conservato** cured fish; ~ **corvo** black umbra (*Corvina nigra*); ~ **diavolo** angular rough shark (*Centrina salviani*; *Oxynotus centrina*); ~ **donzella** rainbow wrasse (*Coris iulis*); ~ **dorato** goldfish (*Carassius auratus*); ~ **elefante** basking shark (*Cetorhinus maximus*); ~ *da* **esca** live bait; ~ **falcone** flying gurnard (*Dactylopterus volitans*); ~ **ferraro**: 1. = *pesce* **diavolo**; 2. spiny dogfish (*Squalus acanthias*); ~ **fiamma** scabbard fish (*Lepidopus caudatus*); ~ **figo**: 1. (*lampuga*) (kind of) pomfret (*Stromateus fiatola*); 2. greater fork-beard (*Phycis blennioides*); ~ **fresco** fresh fish; ~ **fritto** fried fish; ~ **gallinella** = *pesce* **cappone**; ~ **gallo** = *pesce san* **Pietro**; ⟨*scherz*⟩ ~ **grosso** ⟨*fam*⟩ bigwig, ⟨*fam*⟩ big-shot; ~ **impuro** black-mouthed dogfish (*Galeus melanostomus*); ~ **istrice** porcupine fish (*Diodon hystrix*); ~ **lucerna** star-gazer (*Uranoscopus scaber*); ~ **luminescente** luminescent fish; ~ **luna** = *pesce* **mola**; ~ **lupo**: 1. wolf-fish (*Aanarrhichas lupus*); 2. (*spigola*) European bass (*Morone labrax*); ~ **manzo** = *pesce* **bove**; ~ **martello** hammer-head (*Sphyrna zygaena*); ~ **minuto** whitebait, small fry; ~ **mola** ocean sun-fish (*Mola mola*; *Orthagoriscus mola*); ~ **molo** Couch's whiting (*Gadus poutassou*, *Micromesistius poutassou*); ~ **nastro** cutlass-fish (*Trichiurus lepturus*); ~ (*dai*) *quattro* **occhi** four-eyed fish (*Anableps tetrophthalmus*); -*i d'oro* goldfish; ~ **pampana** dolphin (*Coryphaena hippurus*); ~ **paradiso** paradise-fish (*Macropodus opercularis*); ~ **pavone**: 1. mackerel-shark (*Ixurus oxyrrhyncus*); 2. = *pesce* **volpe**; ~ **persico** → **persico**[3]; ~ *san* **Pietro** John Dory (*Zeus faber*); ~ **pilota** pilot-fish (*Naucrates ductor*); ~ **porco**: 1. = *pesce* **diavolo**; 2. (*scorfano*) scorpion fish (*Scorphaena*); 3. angler (fish) (*Lophius budegassa*); 4. (*pesce balestra*) trigger-fish (*Balistes capriscus*); 5. → **pescatrice**; 6. = *pesce* **cinghiale**; ~ **prete**: 1. = *pesce* **lucerna**; 2. (*nasello*) hake (*Merluccius vulgaris*); **pulire** *il* ~ to clean (*o* gut) fish; ~ **ragno**: 1. (greater) weever (*Trachinus draco*); 2. (*spigola*) bass (*Morone labrax*); ~ **rana** → **pescatrice**; ~ **ratto** = *pesce* **aquila**; ~ **regina** cook (*o* red, striped) wrasse (*Labrus mixtus*); **ricco** *di* ~ teeming with fish; ~ **rondine** = *pesce* **falcone**; ~ **rosso** = *pesce* **dorato**; ~ **rota** = *pesce* **mola**; ~ *delle* **sabbie** adda, skink (*Scincus officinalis*); *non* **sapere** *che -i prendere* (o *pigliare*) to be at ⌜one's wits' end⌝ (*o* a loss), not to know which way to turn; ~ *in* **scatola** tinned fish, ⟨*am*⟩ canned fish; ~ **sciabola**: 1. = *pesce* **fiamma**; 2. = *pesce* **nastro**; ~ *di* **scoglio** rock-fish; ~ **sega** sawfish (*Pristis pectinatus*); -*i* **serpenti** cusk eels (*Ophidiidae*); ~ **serra** = *pesce* **azzurro**; ~ **sole** = *pesce* **mola**; ~ **spada** swordfish (*Xiphias gladius*); ~ **spatola** paddle-fish (*Polyodon spathula*); ~ **squadro** (*o squadrolino*) = *pesce* **angelo**; ~ **stampella** = *pesce* **martello**; ~ **stella** louvar (*Luvarus imperialis*); ~ *da* **taglio** fish sold by the slice; ~ **tamburo** = *pesce* **mola**; ~ *di* **Tobia** sand-eel, sand-la(u)nce (*Ammodytes tobianus*); ~ **trombetta**: 1. = *pesce* **cinghiale**; 2. snipe (*o* bellows) fish (*Macrorhamphosus scolopax*; *Centriscus scolopax*); ~ **vacca**: 1. devil-fish (*Mobula mobular*); 2. = *pesce* **bove**; ~ **violino** = *pesce* **chitarra**; ~ **volante**: 1. flying-fish (*Exocoetus*); 2. = *pesce* **falcone**; ~ **volpe** thresher (*o* fox) shark (*Alopias vulpes*). – *Prov.*: *ogni ~ ha la sua lisca* every rose has a thorn; *i -i grossi mangiano i piccini* the big fish eat the small fry, might is right; *il ~ puzza dalla testa* trouble starts at the top.

pescecạne *m.* (*pl.* **pescicạni/pescecạni**) **1.** ⟨*Itt*⟩ great white shark, man-eater, ⟨*pop*⟩ shark (*Carcharodon carcharias*). – **2.** ⟨*Itt*⟩ kind of sand shark (*Carcharias ferox*). – **3.** ⟨*Itt*⟩ kind of mackerel-shark (*Isurus oxyrhynchus*). – **4.** ⟨*fig*⟩ (*profittatore arricchito*) profiteer; (*profittatore di guerra*) wartime profiteer.

pesceduọvo (o *pẹsce d'uọvo*) *m.* ⟨*ant,region*⟩ (fish-shaped) omelette.

pescenovellạnte *m.* ⟨*Pesc*⟩ catcher of fish for breeding purposes.

pescẹtto (*dim. di pesce*) *m.* ⟨*region,Macell*⟩ (*soccoscio*) silverside, top side.

peschereccio I *s.m.* ⟨*Mar*⟩ fishing-boat, (fishing-)smack. – **II** *a.* fishing-. ☐ ~ *d'alto mare* deep-sea fishing-boat; ~ *per pesca a strascico* trawler.

pescherịa *f.* **1.** (*negozio*) fishmonger's (shop), fish-shop; (*mercato*) fish-market. – **2.** ⟨*lomb*⟩ (*minutaglia*) small fish *pl* (for frying). – **3.** ⟨*ant*⟩ (*quantità di pesce pescato*) catch, haul, draught.

peschẹto *m.* peach orchard. – **peschịcolo** *a.* peach-growing. – **peschicoltọre** *m.* (*f.* **-trice**) peach-grower. – **peschicoltụra** *f.* peach-growing.

peschiẹra *f.* ⟨*Pesc*⟩ **1.** (*bacino*) vivarium, fish-pool, fishpond; (*fosso*) trough (*o* ditch) for pisciculture; (*baia*) lagoon. – **2.** ⟨*ant*⟩ (*pescaia*) fish-weir.

pesciạccio *m. pegg. di* **pesce**.

pesciaiọla *f.* **1.** (*pescivendola*) fishwife, fishmonger. – **2.** (*recipiente per lessare il pesce*) fish-kettle. – **3.** ⟨*Ornit*⟩ smew (*Mergus albellus*). – **4.** ⟨*Ornit*⟩ (*smergo minore*) red-breasted merganser (*Mergus serrator*). ☐ ⟨*Ornit*⟩ ~ *grossa* (*smergo maggiore*) goosander (*Mergus merganser*).

pesciaiọlo *m.* → **pescivendolo**.

pescicoltọre *m.* (*f.* **-trice**) ⟨*non com*⟩ (*piscicoltore*) pisciculturist. – **pescicoltụra** *f.* ⟨*non com*⟩ (*piscicoltura*) pisciculture, fish-rearing, fish culture, fish-hatching.

pesciẹra *f.* ⟨*region*⟩ fish-kettle.

pescịna *f.* ⟨*Ornit*⟩ (*pesciaiola*) smew (*Mergus albellus*).

pescịno *m.* small boat.

pesciolịno *m. dim. di* **pesce**. – **pesciọne** *m. accr. di* **pesce**.

pescivẹndolo *m.* (*f.* **-a**) fishmonger.

pẹsco *m.* (*pl.* **-chi**) ⟨*Bot*⟩ peach(-tree) (*Prunus persica*). ☐ ⟨*non com*⟩ ~ *armeniaco* (*albicocco*) apricot(-tree) (*Prunus armeniaca*).

pescosità *f.* abundance (*o* quantity) of fish. – **pescọso** *a.* abounding in fish, teeming with fish: *acque -e* waters abounding in fish.

pesẹta *sp. f.* (*unità monetaria*) peseta.

pesẹzza *f.* ⟨*fam,tosc*⟩ (*pesantezza*) heavy feeling, heaviness.

pesiẹra *f.* **1.** (*serie di pesi*) set of weights. – **2.** (*cassetta*) box of weights.

pesịsta *m.* ⟨*Sport*⟩ weight-lifter; (*lanciatore di peso*) shot-putter, ⟨*am*⟩ weight-man. – **pesịstica** *f.* weight-lifting. – **pesịstico** *a.* (*pl.* **-ci**) weight-lifting-.

pẹso[1] *m.* **1.** weight (*anche Fis.*): *controllare il ~ della merce* to check the weight of the goods. – **2.** (*peso corporeo*) (body) weight. – **3.** ⟨*concr*⟩ weight, load: *portare grossi -i* to carry heavy loads; (*corpo di metallo per pesare*) weight: *i -i della bilancia* balance weights. – **4.** (*pesata*) weight: ~ *abbondante* good weight; (*pesa*) weigh-house, weighing-place, public scales *pl*: ~ *comunale* municipal weigh-house. – **5.** ⟨*fig*⟩ (*sensazione di peso*) weight, heavy feeling. – **6.** ⟨*fig*⟩ (*onere*) burden, charge, load: *essere di ~ a qd.* to be a burden to s.o.; (*carico*) weight, burden, load: *mi sono levato un ~ dallo stomaco* I've got a load (*o* weight) off my mind; *il ~ degli anni* the weight of years. – **7.** ⟨*fig*⟩ (*importanza*) importance, weight, consequence: *dare ~ a qc.* to attach importance to s.th. – **8.** ⟨*Sport*⟩ (*sfera metallica*) shot, weight; (*manubrio*) dumb-bell. – **9.** ⟨*Sport*⟩ (*recinto del peso*) weighing-in room. – **10.** ⟨*ant*⟩ (*grado*) standing, rank.

☐ **a** ~ by weight: *comperare a ~* to buy by weight; ⟨*Fis*⟩ ~ **apparente** apparent weight; **assenza** *di* ~ weightlessness; ~ **atomico** atomic weight; ⟨*fig*⟩ **aver** ~ to carry weight, to be important; ~ *della* **bilancia** balance weight; *fare* (o *dare*) **buon** ~ to give good weight; -*i* **campione** standard weights; ~ *di* **combinazione** = *peso* **equivalente**; ~ **corporeo** body weight; ⟨*fig*⟩ *avere un ~ sulla* **coscienza** to have ⌜a load⌝ (*o* s.th. weighing) on one's conscience; **del** ~ *di* weighing: *un pesce del ~ di dieci chili* a fish weighing ten kilos, ⟨*fam*⟩ a twenty-pounder; **di** ~: 1. bodily, forcibly, by (sheer) force: *alzare qd. di ~* to lift s.o. up bodily; 2. (*esatto*) exactly: *tre chili di ~* exactly three kilos; **eccesso** *di* ~ overweight, excess weight; ⟨*Chim*⟩ ~ **equivalente** equivalent (*o* combining) weight; ⟨*Aut*⟩ ~ *di* **esercizio** service (*o* dead) weight; ⟨*Sport*⟩ ~ **gallo** bantam weight class; (*atleta*) bantam weight; ~ **legale** legal weight; ~ *netto legale* standard weight; ⟨*Sport*⟩ ~ **leggero** lightweight class; (*atleta*) lightweight; ~ **lordo** gross weight; ~ **massimo**: 1. maximum weight; 2. ⟨*Sport*⟩ heavy-weight class; (*atleta*) heavy-weight; ⟨*Sport*⟩ ~ **medio-leggero** welter-weight class; (*atleta*) welter-weight; ⟨*Sport*⟩ ~ **medio-massimo** light heavy-weight class; (*atleta*) light heavy-weight; ~ **minimo** minimum weight; ⟨*fig*⟩ *far due -i e due* **misure** to judge by two different yardsticks, to be unfair (*o* partial) in one's judgement; ~ **molecolare** molecular weight; ⟨*fig*⟩ *di* **molto** ~ very important, of great weight (*o* consequence, moment); ~ **morto**: 1. dead-weight; 2. ⟨*fig*⟩ dead-weight, burden; 3. ⟨*Mar*⟩ dead-weight; 4. = *peso a* **vuoto**; ⟨*Sport*⟩ ~ **mosca** flyweight class; (*atleta*) flyweight; ~ **naturale** natural weight; ⟨*fig*⟩ *di* **nessun** ~ unimportant, insignificant; ~ **netto** net weight; ⟨*Fis*⟩ ~ **normale** standard weight; ⟨*Aut*⟩ ~ *in* **ordine** *di marcia* kerb weight, weight in running order, vehicle (*o* service) weight; ⟨*fig*⟩ *a ~ d'oro* at a very high price, dear: *pagare qc. a ~ d'oro* to pay a very high price for s.th., ⟨*fam*⟩ to pay ⌜the earth⌝ (*o* through the nose) for s.th.; *vendere a ~ d'oro* to sell at a very high price; **passare** *il* ~ to be overweight; ~ *a* **pieno** (*carico*) = *peso* **totale**; ⟨*Sport*⟩ ~ **piuma** feather-weight class; (*atleta*) feather-weight; ~ **proprio** dead load; ~ *di* **reazione** = *peso* **equivalente**; **rubare** *sul* ~ to give short weight, to cheat on weight; *fare ~* **scarso** to give short weight; ~ **scorrevole** sliding weight, rider; ~ *a* **secco** dry weight; **senza** ~ weightless; ⟨*Fis*⟩ ~ **specifico** specific weight (*o* gravity); ~ *specifico relativo* relative specific weight; *avere un ~ sullo* **stomaco** to have s.th. sitting on one's stomach; ⟨*fig*⟩ to have a load on one's mind; *mi sento un ~ sulla* **testa** I feel loggy (*o* heaveyheaded); ~ **totale** total weight; ⟨*Aer*⟩ gross (*o* all-up, maximum) weight; ~ *ad* **umido** wet weight; ~ **unitario** unit weight; ~ **vivo** live weight (*o* load); ⟨*Aer*⟩ ~ *a* **vuoto** weight empty, empty (running) weight, dead-weight.

pẹso[2] *sp. m.* (*unità monetaria*) peso.

pẹso[3] *a.* ⟨*tosc*⟩ → **pesante**.

pẹsolo *a.* ⟨*ant*⟩ (*pendulo*) hanging (down), pendent.

pessạrio *m.* ⟨*Med*⟩ **1.** (*supposta*) suppository. – **2.** (*strumento ginecologico*) (ring) pessary.

pessimamẹnte *avv.* very badly.

pessimịsmo *m.* pessimism (*anche Filos.*). – **pessimịsta I** *s.m./f.* pessimist (*anche Filos.*). – **II** *a.* → **pessimistico**. – **pessimịstico** *a.* (*pl.* **-ci**) **1.** pessimistic, gloomy, looking on the dark (*o* black) side. – **2.** ⟨*Filos*⟩ pessimistic.

pẹssimo (*sup. di cattivo*) *a.* **1.** very bad (*o* evil, wicked), nasty. – **2.** (*del tutto incapace*) very bad (*o* poor), completely incompetent, ⟨*fam*⟩ hopeless, ⟨*fam*⟩ useless. – **3.** (*molto scadente*) very poor (*o* bad, faulty), ⟨*fam*⟩ dreadful. – **4.** (*molto sgradevole*) very unpleasant (*o* disagreeable), (very) nasty, dreadful. – **5.** (*bruttissimo*) hidious, ⟨*fam*⟩ awful, terrible, dreadful, frightful.

pẹsta *f.* (generally in pl.) **1.** (*orma*) footprint, footstep, track. – **2.** *pl.* (*rif. ad animali*) tracks *pl*, traces *pl*. – **3.** ⟨*non com*⟩ (*calca*) crowd, throng, crush. – **4.** ⟨*non com*⟩ (*il pestare*) tread(ing), stepping; (*rumore*) footfall, footstep. ☐ ⟨*fig*⟩ *essere sulle -e di qd.* to be on s.o.'s trail (*o* tracks); ⟨*fig*⟩ *lasciare qd. nelle -e* to leave s.o. in trouble (*o* the lurch); ⟨*fig*⟩ *seguire le -e di qd.* to follow in s.o.'s footsteps; ⟨*fig*⟩ *trovarsi nelle -e* to be in trouble.

pestạggio *m.* **1.** beating (up), thrashing, ⟨*fam*⟩ going-over. – **2.** ⟨*estens*⟩ (*rissa*) brawl, scuffle.

pestalozziạno I *a.* ⟨*Ped*⟩ Pestalozzian, Pestalozzi's, of Pestalozzi. – **II** *s.m.* (*f.* **-a**) Pestalozzian. – **pestalozzịsmo** *m.* Pestalozzianism, Pestalozzi's system of education.

pesta|pạglia *m.inv.* ⟨*Agr*⟩ beater. – **~pẹpe** *m.inv.* ⟨*ant*⟩ pepper -grinder.

pestạre *v.t.* (**pẹsto**) **1.** to pound, to crush, to beat, to pestle: *~ l'aglio* to crush garlic. – **2.** (*calpestare*) to tread on, to trample (up)on: *~ il piede a qd.* to tread on s.o.'s foot. – **3.** ⟨*fam*⟩ (*picchiare*) to thrash, to give a hiding to, to beat (up): *lo hanno pestato di santa ragione* they gave him a good hiding (*o* walloping). – **4.** ⟨*scherz*⟩ (*sonare male*) to thump, to pound. – **5.** ⟨*Ind*⟩ to pound. ☐ *~ qd. di botte* to beat s.o. black and blue, ⟨*fam*⟩ to thrash the living daylights out of s.o.; *~ i colori* to grind colours (*o* pigments); ⟨*fig*⟩ *~ i piedi a qd.* to step on s.o.'s toes; *~ i piedi in terra* to stamp one's feet (on the ground); ⟨*fig*⟩ to dig one's heels in, to be stubborn; *~ l'uva* to tread grapes.

pestạta *f.* **1.** crushing, pounding. – **2.** (*pestone*) treading, trampling. – **3.** ⟨*fam,tosc*⟩ (*orma*) footmark, footprint. ☐ *dare una ~ a*: 1. to pound, to crush; 2. (*calpestare*) to tread (*o* trample) on.

pestatọio *m.* (*pestello*) pestle.

pestatọre *m.* (*f.* **-trice**) ⟨*non com*⟩ **1.** crusher, pounder. – **2.** (*rif. a colori*) grinder. – **3.** (*chi picchia*) thrasher, beater.

pestatụra *f.* **1.** (*il pestare*) crushing, pounding. – **2.** (*rif. a colori*) grinding. – **3.** (*bastonatura*) beating, thrashing, hiding, ⟨*fam*⟩ wallop(ing). ☐ *dare una bella ~ a qd.* to give s.o. a good hiding, ⟨*fam*⟩ to tan s.o.'s hide.

pẹste *f.* **1.** ⟨*Med*⟩ plague, pestilence: *morire di ~* to die from the plague. – **2.** ⟨*Stor*⟩ (*peste nera, peste orientale*) Black Death. – **3.** ⟨*fig*⟩ (*cosa dannosa*) plague, scourge, bane, curse. – **4.** ⟨*fig*⟩ (*persona noiosa*) pest, nuisance, pain, ⟨*fam*⟩ curse. – **5.** ⟨*fig*⟩ (*puzzo*) stink, stench, foul smell. – **6.** ⟨*Veter*⟩ plague, pest. – **7.** ⟨*ant*⟩ (*sifilide*) syphilis.

☐ ⟨*Bot*⟩ *~ d'acqua* waterweed (*Anacharis canadensis*); ⟨*Veter*⟩ *~ dell'ape* foul brood; *~* **aviaria** fowl pest (*o* plague); *~* **bovina** cattle plague; ⟨*Med*⟩ *~* **bubbonica** bubonic plague; ⟨*fig*⟩ *dire ~ e* **corna** *di qd.* (*parlarne male*) to run s.o. down, ⟨*fam*⟩ to tear s.o. to bits; ⟨*Veter*⟩ *~* **equina** equine plague, African horse sickness; *~* **gialla** = *peste* **bubbonica**; ⟨*Med*⟩ *~* **polmonare** pneumonic plague; ⟨*Veter*⟩ *~* **suina** hog cholera, swine fever (*o* plague, pest).

pestẹllo *m.* **1.** pestle. – **2.** ⟨*Met*⟩ rammer, board. – **3.** ⟨*Edil,Strad*⟩ tamper. ☐ *~ per calcestruzzo* concrete-rammer, concrete-tamper; *~ da formatore* moulding pestle; *~ pneumatico* pneumatic rammer.

pesticciạre *v.* (**pestịccio, pestịcci**) ⟨*tosc*⟩ **I** *v.t.* to tramp(le) on, to tread on. – **II** *v.i.* (*aus.* **avere**) to tramp, to stamp (with one's feet). – **pesticciạto** (*p.p. di pesticciare*) *a.* trampled: *neve -a* trampled snow.

pestịfero *a.* **1.** pestiferous, pestilential. – **2.** ⟨*fig*⟩ (*nocivo*) harmful, injurious, noxious, pernicious (*per* to); (*molesto*) troublesome, irritating, ⟨*fam*⟩ pestilential. – **3.** ⟨*fig*⟩ (*fetido*) stinking, evil-smelling, foul. ☐ *sei un ragazzo ~* what a pest (*o* plague, nuisance) you are. – **pestịgeno** *a.* pestiferous, pestilential.

pestilẹnte *a.* ⟨*non com*⟩ **1.** pestilential. – **2.** (*malato di peste*) pestiferous, plague-stricken. – **3.** ⟨*non com*⟩ (*fetido*) stinking, evil-smelling, foul. – **4.** ⟨*fig,non com*⟩ (*nocivo*) harmful, pernicious. – **pestilẹnza** *f.* **1.** (bubonic) plague, pestilence. – **2.** ⟨*fig*⟩ (*cosa rovinosa*) plague, pestilence, scourge, curse, bane. – **3.** ⟨*fig*⟩ (*puzzo*) stink, stench, foul smell. – **pestilẹnzia** *f.* ⟨*ant*⟩ → **pestilenza.**

pestilenziạle *a.* **1.** ⟨*Med*⟩ pestilential: *contagio ~* pestilential infection, plague, pestilence. – **2.** ⟨*fig*⟩ (*dannoso*) harmful, noxious, deadly. – **3.** ⟨*fig*⟩ (*fetido*) foul-smelling, stinking, fetid. – **pestilenziọso** *a.* ⟨*non com*⟩ → **pestilenziale.**

pestịo *m.* ⟨*tosc*⟩ (*scalpiccio*) tramp(l)ing, stamping.

pẹsto I *a.* (*pestato*) ground, crushed, pounded: *pepe ~* ground pepper. – **II** *s.m.* **1.** (*roba pestata*) pounded (*o* ground) mixture; (*poltiglia*) pulp. – **2.** ⟨*Gastr*⟩ (mincemeat) filling; (*condimento genovese di erbe*) pesto. – **3.** ⟨*Cart*⟩ half-stuff, half-stock. ☐ *buio ~* pitch-darkness, pitch-black; *occhio ~* (*per un colpo*) black eye; (*occhiaia*) dark circle (*o* ring) under the eye; *sentirsi le ossa -e* to have aching bones.

pestọne *m.* **1.** tamper. – **2.** ⟨*fam*⟩ (*pestata*) treading, trampling. ☐ *dare un ~ a qd.* to tread on s.o.'s toes (*o* foot).

pestọso *a.* ⟨*Med*⟩ pestilential, plague-.

petạccio *m.* ⟨*Mar.ant*⟩ man-of-war, sailing ship.

petacciọla *f.* ⟨*Bot*⟩ **1.** (*piantaggine*) plantain (*Plantago*). – **2.** (*piantaggine maggiore*) broad-leaved plantain (*Plantago maior*).

petạcco *m.* (*pl.* **-chi**) → **petaccio.**

pẹtalo *m.* ⟨*Bot*⟩ petal.

petalodịa *f.* ⟨*Bot*⟩ petalody. – **petalọide, petaloidẹo** *a.* petaloid, petal-like. – **petalomanịa** *f.* petalomania.

petardẹtto (*dim. di petardo*) *m.* ⟨*Artigl*⟩ primer. – **petardiẹre** *m.* ⟨*Mil.ant*⟩ petardier.

petạrdo *m.* **1.** ⟨*Artigl*⟩ petard; (*bomba a mano*) hand-grenade. – **2.** (*bomba di carta*) fire-cracker, petard, ⟨*fam*⟩ banger. – **3.** ⟨*Ferr, Minier*⟩ petard, torpedo. – **4.** ⟨*Mil.ant*⟩ petard.

petarọla *f.* ⟨*Pesc*⟩ bag-net.

pẹtaṣo *m.* ⟨*Stor.gr*⟩ petasus, petasos.

petaurịsta *m.* ⟨*Zool*⟩ flying squirrel, petaurist (*Petaurista*). – **petauristịni** *m.pl.* flying squirrels *pl* (*Petauristinae*).

petạuro *m.* ⟨*Zool*⟩ flying phalanger (*o* opossum) (*Petaurus*).

petẹcchia *f.* **1.** ⟨*Med*⟩ petechia. – **2.** ⟨*Bot*⟩ peteca. – **3.** ⟨*Bot*⟩ (*antracnosi*) anthracnose, bitter (*o* ripe) rot. – **4.** ⟨*fig,non com*⟩ (*persona avara*) miser, niggard. ☐ ⟨*Entom*⟩ *mal delle -e* (*pebrina*) pebrine. – **petecchiạle** *a.* ⟨*Med*⟩ petechial: *tifo ~* petechial typhoid, typhus (*o* spotted) fever.

petẹnte *m./f.* ⟨*burocr*⟩ applicant, petitioner, suppli(c)ant.

petit-beurre *fr.* [pəti'bœ:r] *m.* ⟨*Dolc*⟩ petit-beurre.

petit-grain *fr.* [pəti'grɛ̃]: *olio essenziale di ~* petit-grain oil.

petit-gris *fr.* [pəti'gri] *m.* ⟨*Mod*⟩ grey-squirrel (fur).

petitọre *m.* (*f.* **-trice**) (*chi fa una petizione*) petitioner, suppli(c)ant, applicant. – **petitọrio I** *a.* ⟨*Dir*⟩ petitory. – **II** *s.m.* petitory plaintiff.

petit-point *fr.* [pətipw'ɛ̃] *m.* ⟨*Lav.femm*⟩ piccolo punto *m.*

petiziọne *f.* **1.** petition, (formal) request, suit: *rivolgere una ~* to make a petition. – **2.** ⟨*ant*⟩ (*domanda, richiesta*) request. ☐ ⟨*Stor*⟩ *~ dei diritti* Petition of Right; *diritto di ~* right to petition; *~ per interessi generali* public petition; *~ per interessi particolari* private petition; ⟨*Filos*⟩ *~ di principio* petitio principii.

pẹto *m.* breaking wind, ⟨*volg*⟩ fart(ing). ☐ ⟨*Bot*⟩ *~ di lupo* (*vescia di lupo*) puff-ball (*Lycoperdon*); *fare* (*o tirare*) *un ~* to break wind, ⟨*volg*⟩ to fart.

...peto *suff.* (*verso* towards) ...petal: *centripeto a.* centripetal.

petonciạno *m.* ⟨*ant*⟩ (*melanzana*) aubergine, egg-plant.

petọrrito *m.* ⟨*Stor.rom*⟩ cart.

pẹtra *f.* ⟨*ant*⟩ (*pietra*) stone.

petragnọla *f.* ⟨*Ornit*⟩ (*culbianco*) wheatear (*Oenanthe oenanthe*).

petrạia *f.* ⟨*lett*⟩ (*cumulo di pietre*) heap of stones; (*terreno pietroso*) stony ground.

petraiọla *f.* → **petragnola.**

petrạle[1] *m.* ⟨*Itt*⟩ **1.** Grohmann's scald-fish (*Arnoglossus grohmanni*). – **2.** megrin, lantern flounder, scald-fish (*Arnoglossus laterna*). – **3.** spotted flounder (*Citharus linguatula*).

petrạle[2] *m.* ⟨*Archeol*⟩ rectangular stone temple.

petrạme *m.* ⟨*lett*⟩ (*pietrame*) stones *pl.*

Petrạrca *N.pr.m.* ⟨*Lett*⟩ Petrarch.

petrarcheggiạnte (*p.pr. di petrarcheggiare*) *a.* ⟨*lett*⟩ imitating Petrarch's style, Petrarch(i)an. – **petrarcheggiạre** *v.i.* (**petrarchẹggio, petrarchẹggi**; *aus.* **avere**) ⟨*lett*⟩ to Petrarchize, to imitate Petrarch. – **petrarchescamẹnte** *avv.* in the style of Petrarch. – **petrarchẹsco** *a.* (*pl.* **-chi**) Petrarch(i)an, of Petrarch, Petrarchal; (*che imita Petrarca*) Petrarchan. – **petrarchịsmo** *m.* ⟨*Lett*⟩ Petrarchism, Petrarchianism. – **petrarchịsta** *m./f.* **1.** (*imitatore*) Petrarchist, imitator of Petrarch. – **2.** (*studioso*) scholar of Petrarch, Petrarch scholar.

petrefạtto I *a.* petrified. – **II** *s.m.* fossil, petrifaction.

petrẹllo *m.* ⟨*Ornit*⟩ (*procellaria*) storm(y) petrel (*Hydrobates pelagicus*).

petrịcolo *a.* ⟨*Bot*⟩ petricolous, living on rock, rock-.

petriẹra *f.* **1.** ⟨*Mil.ant*⟩ pedrero, petrary. – **2.** ⟨*Mar.ant*⟩ stone -throwing cannon. – **3.** (*palla di cannone*: *di pietra*) stone cannon -ball; (*di piombo*) lead shot. – **petriẹro** *m.* (*anche cannone petriero*) → **petriera.**

petrificạre *v.* → **pietrificare.** – **petrificaziọne** *f.* → **pietrificazione.**

petrịgno *a.* ⟨*non com*⟩ **1.** stone-; (*simile a pietra*) stony, petrous. – **2.** ⟨*fig*⟩ (*caparbio*) obstinate, stubborn.

petrịna *f.* ⟨*ant*⟩ (*pietra*) stone.

petrinịsmo *m.* ⟨*Rel*⟩ Petrinism.

petro... *pref.* (*pietra* stone, *roccia* rock) petr(o)..., petr(i)..., rock-.

petrochịmica *f.* petrochemistry.

petrọfilo *a.* ⟨*Biol*⟩ petrophilous, rock-. – **petrọfita** *f.* ⟨*Bot*⟩ petrophyte, rock plant.

petrogẹneṣi *f.* ⟨*Min*⟩ petrogenesis. – **petrogenẹtico** *a.* (*pl.* **-ci**) petrogenic.

petrọglifo [-gl-] *m.* ⟨*Archeol*⟩ petroglyph.

petrografịa *f.* petrography, petrology. – **petrogrạfico** *a.* (*pl.* **-ci**) petrographic, petrologic(al). – **petrọgrafo** *m.* petrographer, petrologist.

petrolchịmica *f.* petrochemistry.

petrolẹne *m.* ⟨*Chim*⟩ petrolene.

petroliẹra *f.* ⟨*Mar*⟩ (oil-)tanker.

petroliẹre I *s.m.* **1.** ⟨*Ind*⟩ (*operaio*) oil industry worker. – **2.** ⟨*non com*⟩ (*rivoluzionario incendiario*) (revolutionary) incendiary, pétroleur (*f* -euse). – **II** *a.* ⟨*rar*⟩ (*rivoluzionario*) (professional) revolutionary.

petroliẹro *a.* ⟨*non com*⟩ oil-: *industria -a* oil industry. – **petrolịfero** *a.* oil-, petroliferous, rich in oil: *campi -i* oil-fields.

petrọlio *m.* petroleum, (mineral) oil. ☐ *a ~* oil-, paraffin-, kerosene-: *fornello a ~* Primus stove, oil-stove; *~ greggio* (crude) oil, petroleum; *~ illuminante* paraffin, kerosene; *pozzo di ~* oil-well.

petrolịsmo *m.* ⟨*Med*⟩ disease caused by petroleum.

petrologịa *f.* ⟨*non com*⟩ → **petrografia.** – **petrolọgico** *a.* ⟨*non com*⟩ → **petrografico.**

petrọmidi *m.pl.* ⟨*Zool*⟩ rock rats *pl* (*Petromyidae*). – **petrọmio** *m.* rock rat (*Petromys*).

petromiẓọnti(di) *m.pl.* ⟨*Itt*⟩ lampreys *pl* (*Petromyzontidae*).

petronciạna *f.*, **petronciạno** *m.* → **petonciano.**

petrọne *m.* ⟨*Ornit*⟩ (*strillozzo*) corn bunting (*Emberiza calandra*).

petroniạno I *a.* (*di Bologna*) Bolognese, of Bologna. – **II** *s.m.* (*f.* -a) (*Bolognese*) Bolognese, native (*o* inhabitant) of Bologna.
Petrọnio *N.pr.m.* ⟨*Stor.rom*⟩ Petronius.
petrosẹllo, petrosịllo *m.* ⟨*ant,region*⟩ (*prezzemolo*) parsley.
petrosità *f.* ⟨*lett*⟩ stoniness.
petrosịte *f.* ⟨*Med*⟩ petrositis.
petrọso *a.* ⟨*lett*⟩ **1.** (*sassoso*) stony, rocky, pebbly. – **2.** ⟨*fig*⟩ (*insensibile*) stony, hard, unfeeling. – **3.** ⟨*Anat*⟩ petrosal, petrous: *rocca -a* petrous pyramid. ☐ ⟨*Anat*⟩ *osso* ~ petrosal (bone).
petta(b)bọtta *f.* ⟨*Mil.ant*⟩ breastplate.
pettạta *f.* **1.** (*salita ripida*) steep slope (*o* rise). – **2.** ⟨*non com*⟩ (*colpo dato col petto*) blow with the chest (*o* breast); (*colpo ricevuto sul petto*) blow on the chest (*o* breast). – **3.** ⟨*Pesc*⟩ coral-reef.
pettazzụrro *m.* ⟨*Ornit*⟩ blue-throat (*Luscinia svecica*). ☐ ~ *occidentale* white-spotted blue-throat (*Luscinia svecica cyanecula*).
pettẹgola *f.* **1.** gossip, scandalmonger, telltale, tattler. – **2.** ⟨*Ornit*⟩ redshank, redleg, red-legged snipe (*Tringa totanus*). – **pettegolạre** *v.i.* (pettẹgolo; *aus.* **avere**) to gossip, to spread scandal, to (tittle-) tattle. – **pettegolạta** *f.* (*pettegolezzo*) gossip, scandal, tittle-tattle. – **pettegoleggiạre** *v.* (pettegolẹggio, pettegolẹggi) → **pettegolare**. – **pettegolẹzzo** *m.* **1.** gossip, small talk, tittle-tattle: *fare -i* to (spread) gossip, to tell tales. – **2.** (*discorso malizioso*) talk, gossip, scandal: *girano dei -i sul tuo conto* there is talk about you. – **3.** ⟨*non com*⟩ (*battibecco*) squabble, argument, ⟨*fam*⟩ tiff.
pettegolịno (*dim. di pettegolo*) **I** *s.m.* (*f.* -a) gossip. – **II** *a.* gossipy. – **pettegolịo** *m.* **1.** gossip(ing), talk. – **2.** (*chiacchierio molesto*) chatter(ing), prattle. – **pettẹgolo I** *a.* gossipy, given to gossip, gossiping, talkative, scandalmongering. – **II** *s.m.* (*f.* -a) gossip(er), scandalmonger. – **pettegolọne** (*accr. di pettegolo*) **I** *s.m.* (*f.* -a) gossip. – **II** *a.* gossipy. – **pettegolụme** *m.* ⟨*non com*⟩ **1.** (*pettegolezzi*) gossip. – **2.** (*persone pettegole*) gossips *pl.*
pẹttide *f.* ⟨*Archeol*⟩ (*pectide*) magadis, pectis.
pettiẹra *f.* → **pettorale**.
pettiẹre *m.* → **pettirosso**.
pettignọne *m.* ⟨*ant*⟩ (*pube*) pubic region, pubes.
pettịmio *m.* ⟨*Bot*⟩ (*cuscuta*) dodder, love vine, hellweed (*Cuscuta epithymum*).
pettịna *f.* ⟨*region*⟩ → **pettino**.
pettinạccia *f.* (*pl.* -ce) ⟨*Tess*⟩ wool waste, (wool) noil.
pettinạio *m.* comb-maker.
pettinạre *v.t.* (pẹttino) **1.** to comb: ~ *i capelli a qd.* to comb s.o.'s hair. – **2.** (*acconciare i capelli*) to do (*o* arrange, dress) the hair of: ~ *i capelli a qd.* to do s.o.'s hair. – **3.** ⟨*Tess*⟩ (*rif. a lana*) to comb, to tease; (*rif. a canapa o lino*) to hackle. – **4.** ⟨*fam*⟩ (*rimproverare*) to lecture, ⟨*fam*⟩ to tick (*o* tell) off, ⟨*fam*⟩ to dress down. – **5.** ⟨*fam*⟩ (*ridurre a mal partito*) to thrash, ⟨*fam*⟩ to tan the hide of. – **6.** ⟨*ant, scherz*⟩ (*divorare*) to devour, to gobble up, to gulp down. – **pettinarsi** *v.r.* **1.** to comb one's hair. – **2.** (*acconciarsi i capelli*) to do (*o* arrange) one's hair, to have a hairstyle: *pettinarsi in modo diverso* to change one's hairstyle, to do one's hair differently. ☐ ~ *l'erba* to rake the grass; ⟨*Tess*⟩ ~ *in fino* to comb with a fine hackle; ⟨*Tess*⟩ ~ *in grosso* to comb with a coarse hackle.
pettinạta *f.* **1.** combing, comb. – **2.** ⟨*fam*⟩ (*sgridata*) scolding, lecture, ⟨*fam*⟩ telling-off, ⟨*fam*⟩ dressing-down. ☐ *dare una* ~ *a qd.* to comb s.o.'s hair; ⟨*fig*⟩ to give s.o. a telling off. – **pettinatịna** (*dim. di pettinata*) *f.* quick comb(-through).
pettinạto[1] (*p.p. di pettinare*) **I** *a.* **1.** (well-)combed. – **2.** ⟨*Tess*⟩ (*rif. a lana*) combed, teased: *lana -a* combed wool; (*rif. a canapa o lino*) hackled. – **II** *s.m.* ⟨*Tess*⟩ **1.** (*nastro di lana pettinata*) top. – **2.** (*tessuto di lana pettinata*) worsted.
pettinạto[2] *a.* ⟨*Bot,Anat*⟩ pectinate: *foglia -a* pectinate leaf.
pettinatọio *m.* cape; (*mantellina lunga*) peignoir.
pettinatọre *m.* (*f.* -trice) **1.** ⟨*Tess*⟩ comber, teaser; (*di canapa o lino*) hackler. – **2.** ⟨*non com*⟩ (*parrucchiere*) hairdresser.
pettinatrịce *f.* **1.** (*parrucchiera*) hairdresser. – **2.** ⟨*Tess*⟩ (*operaia*) comber, teaser; (*di canapa o lino*) hackler. – **3.** ⟨*Tess*⟩ (*macchina*) comber, combing machine; (*per canapa o lino*) hackling machine. ☐ ⟨*Tess*⟩ ~ *in fino* fine hackling machine; ~ *in grosso* coarse hackling machine, rougher.
pettinatụra *f.* **1.** combing. – **2.** (*acconciatura*) hairstyle, ⟨*fam*⟩ hair-do. – **3.** ⟨*Tess*⟩ combing, teasing; (*rif. a canapa o lino*) hackling. ☐ *avere una* ~ *a coda di cavallo* to have a pony-tail; ⟨*Tess*⟩ ~ *in grosso* coarse hackling, ruffing; ~ *della lana* wool combing; ~ *alla paggio* pageboy (hairstyle).
pẹttine *m.* **1.** comb: *passarsi il* ~ *nei capelli* to put a comb through one's hair, to comb one's hair. – **2.** (*pettine da testa*) (back) comb. – **3.** ⟨*Tess*⟩ (*rif. a lana*) comb; (*rif. a canapa o lino*) hackle. – **4.** ⟨*Mar*⟩ (*sulle gondole*) iron beak. – **5.** ⟨*Mecc*⟩ (screw) chaser. – **6.** ⟨*Sport*⟩ (*nello sci*) flush. – **7.** ⟨*Ornit*⟩ pecten, comb. – **8.** ⟨*Itt*⟩ (*rombo di rena*) wide-eyed flounder (*Bothus podas*). – **9.** ⟨*Zool*⟩ scallop, pecten (*Pecten*).
☐ ~ *all'***andalusa** Spanish hairstyle; ⟨*Tess*⟩ ~ *per* **canapa** hemp hackle; ~ *da* **cavallo** curry-comb; ~ **circolare**: 1. ⟨*Mecc*⟩ circular chaser; 2. ⟨*Tess*⟩ combing cylinder; ~ *a* **coda** rat-tail comb; ~ **doppio** comb with two sizes of teeth; ⟨*Mecc*⟩ ~ *per* **filettare** chaser; ⟨*Tess*⟩ ~ *in* **fino** fine hackle; ⟨*Tess*⟩ ~ *di* **fissaggio** top comb; ⟨*Tess*⟩ ~ **fisso** fast reed; ~ **fitto**: 1. toothcomb, fine-tooth comb; 2. ⟨*Tess*⟩ switch, fine hackle; ⟨*Tess*⟩ ~ *in* **grosso** coarse hackle; (*per lino*) ruffer; ~ **invergatore** lease comb; ~ *da* **lana** comb; ~ **metallico** metal comb; ~ **rado** wide-toothed comb; ⟨*Tess*⟩ ~ *da* **sgrossatura** coarse hackle; ~ **stretto** → **pettinina**; ⟨*Bot*⟩ ~ *di* **Venere** lady's-comb (*Scandix pecten-veneris*).
pettinẹlla (*dim. di pettine*) *f.* **1.** fine-toothed comb. – **2.** ⟨*Mar*⟩ (small) harpoon. – **3.** (*strumento per modellare la creta*) wooden spatula (for modelling clay).
pettịneo *a.* ⟨*Anat*⟩ pectineal, comb-like, pectinate. ☐ *muscolo* ~ pectineus.
pettinibrạnchi *m.pl.* ⟨*Zool*⟩ pectinibranchiates *pl* (*Pectinibranchia, Pectinibranchiata*).
pettịnidi *m.pl.* ⟨*Zool*⟩ scallops *pl*, pectens *pl* (*Pectinidae*).
pettinifọrme *a.* pectinate, comb-shaped.
pettinịna (*dim. di pettine*) *f.* fine-toothed comb. – **pettinịno** *m. dim. di* **pettine**.
pettịno *m.* ⟨*Sart*⟩ **1.** bib, jabot, plastron. – **2.** (*nelle camice da uomo*) shirt-front, plastron, ⟨*fam*⟩ dickey.
pettirọsso *m.* ⟨*Ornit*⟩ robin (*Erithacus rubecula*).
pẹtto *m.* **1.** chest, ⟨*poet*⟩ breast: ~ *ampio* broad chest; (*seno*) breast, bosom, ⟨*fam*⟩ bust. – **2.** ⟨*Anat*⟩ breast; (*torace*) thorax, ⟨*pop*⟩ chest. – **3.** ⟨*fig*⟩ (*animo*) breast, heart, bosom. – **4.** ⟨*Macell*⟩ (*rif. a carne bovina*) brisket; (*rif. a uccelli*) breast. – **5.** ⟨*Sart*⟩ (*parte del vestito*) breast, front; (*misure: per uomo*) chest (measurement); (*per donne*) bust. – **6.** ⟨*Idr*⟩ breast. – **7.** ⟨*lett*⟩ (*persona*) person. – **8.** ⟨*Mil.ant*⟩ breastplate.
☐ **a** ~ *di* (o *a*) (*di fronte*) facing, opposite; ⟨*fig*⟩ (*a paragone*) compared to (*o* with); ~ *a* ~ (*di fronte*) face to face, man to man; *l'acqua arriva* (*fino*) *al* ~ the water is chest-high (*o* breast-high); **allargare** *il* ~ to take a deep breath; ⟨*fig*⟩ to heave (*o* give) a sigh of relief; ⟨*Bot*⟩ ~ *d'angelo* mock orange, common syringa (*Philadephus coronarius*); **avere** *un bambino al* ~ to breast-feed a baby, to nurse (*o* suckle) a baby; **battersi** *il* ~ to beat one's breast; ⟨*fig*⟩ to be remorseful, to repent, to beat one's breast; ~ *da* **calzolaio** cobbler's chest; ⟨*Med*⟩ ~ **carenato** chicken (*o* pigeon) breast, keeled chest; **di** ~: 1. (*di fronte*) facing, opposite; 2. ⟨*fig*⟩ head-on, with enthusiasm; 3. ⟨*Mus*⟩ chest-, from the chest: *voce di* ~ chest voice; ⟨*Sart*⟩ *a* **doppio** ~ double-breasted; *doppio* ~ double-breasted coat (*o* jacket); **malato** *di* ~ consumptive; ~ *di* **pollo**: 1. = *petto* **carenato**; 2. ⟨*Gastr*⟩ breast of chicken; **prendere** *qd. per il* ~ to grab s.o. by the lapels; ⟨*fig*⟩ to force s.o.; *prendere di* ~: 1. (*prendere di punta*) to clash openly with, to meet head-on; 2. (*impegnarsi*) to commit o.s. whole-heartedly, to throw o.s. into; ⟨*fig*⟩ *prendersi a* ~ (*prendersi cura*) to take to heart; ⟨*fig*⟩ **stare** *a* ~ *con qd.* to stand comparison with s.o.; ~ **turchino** → **pettazzurro**; ⟨*Sart*⟩ *a* **un** ~ single-breasted; ⟨*Gastr*⟩ ~ *di* **vitello** breast of veal.
pettobiạnco (o *pẹtto biạnco*) *m.* ⟨*Ornit*⟩ (*mignattino*) black tern (*Chlidonias nigra*).
pettorạle I *a.* **1.** chest-, breast-, pectoral. – **2.** ⟨*Med*⟩ pectoral, chest-. – **3.** ⟨*ant*⟩ (*espettorante*) pectoral. – **II** *s.m.* (*finimento*) breast -strap, harness. ☐ *croce* ~ pectoral (cross).
pettoreggiạre *v.t.* (pettorẹggio, pettorẹggi) ⟨*ant*⟩ (*opporsi col petto*) to hit (*o* push) with the chest.
pettorịna *f.* **1.** ⟨*Stor*⟩ camisole, underbodice. – **2.** ⟨*Sart*⟩ (*pettino*) bib, jabot, plastron.
pettorụto *a.* **1.** broad-chested, full-chested. – **2.** ⟨*estens*⟩ (*impettito*) with one's chest thrown out. – **3.** ⟨*fig*⟩ (*tronfio*) puffed up, strutting, bombastic. ☐ *una donna -a* a big-bosomed woman.
petulạnte I *a.* **1.** impertinent, insolent, pert, brash, ⟨*fam*⟩ cheeky. – **2.** (*molesto*) troublesome, nagging. – **3.** ⟨*lett*⟩ (*lascivo*) lascivious, wanton. – **II** *s.m./f.* impertinent (*o* insolent) person, ⟨*fam*⟩ cheeky devil. – **petulạnza** *f.* impertinence, pertness, insolence, ⟨*fam*⟩ cheek.
petụlco *a.* (*pl.* -ci) ⟨*lett,rar*⟩ **1.** (*che cozza con le corna*) butting. – **2.** (*aggressivo*) aggressive.
petụnia *f.* ⟨*Bot*⟩ petunia (*Petunia*).
peucẹdano *m.* ⟨*Bot*⟩ **1.** Peucedanum (*Peucedanum*). – **2.** mountain parsley (*Peucedanum creoselinum*).
peuh *intz.* pooh.
pẹvera *f.* funnel.
peverạccia *f.* (*pl.* -ce) **1.** ⟨*Zool*⟩ (*poveraccia*) venus (*Venus gallina*). – **2.** ⟨*non com*⟩ → **peveraccio**. – **peverạccio** *m.* ⟨*Bot*⟩ peppery milky cap (*Lactarius piperatus*). ☐ ~ *giallo* (kind of) agaric (*Lactarius volemus*).
peverạda, peverạta *f.* ⟨*Gastr*⟩ very highly peppered sauce.
peverạzza *f.* → **peveraccia**.
peverẹlla *f.*, **peverẹllo** *m.* ⟨*Bot*⟩ **1.** (*barbaforte*) horse-radish (*Armoracia lapathifolia*; *Armoracia rusticana*). – **2.** (*agretto*) garden (*o* pepper) cress (*Lepidium sativum*). – **3.** summer savory (*Satureia hortensis*). – **4.** winter savory (*Satureia montana*).
peverịno (*dim. di pevera*[1]) *m.* ⟨*ant*⟩ (*piccolo imbuto di legno*) small wooden funnel.
peverọne *m.* → **peveraccio**.
peyọte, peyọti *m.* ⟨*Bot*⟩ mescal, peyote (*Echinocactus williamsii*; *Anhalonium williamsii*; *Lophophora williamsii*).
pezẹtẹro *m.* ⟨*Stor.gr*⟩ heavy-armed foot-soldier.
peziọlo (o *peziọlo*) *m.* **1.** ⟨*Entom*⟩ petiole. – **2.** ⟨*ant*⟩ (*picciolo*) petiole, leaf-stalk.
peziẓạcee *f.pl.* ⟨*Bot*⟩ cup mushrooms *pl* (*Pezizaceae*).
pẹzza *f.* **1.** rag, cloth: ~ *per pulire i pavimenti* floor-cloth, cleaning-rag; *bambola di* ~ rag-doll. – **2.** (*pannolino per bambini*) (baby's) napkin, ⟨*fam*⟩ nappy, ⟨*am*⟩ diaper. – **3.** (*toppa*) patch: *un vestito pieno di -e* a suit ⌜full of patches⌝ (*o* patched all over). – **4.** ⟨*fig*⟩ (*macchia*)

patch, (large) spot. – **5.** ⟨*Tess*⟩ piece (*o* roll) of cloth, bolt. – **6.** ⟨*Numism*⟩ piece, coin. – **7.** ⟨*ant*⟩ (*pezzo*) part, piece.

□ ⟨*burocr*⟩ ~ ⌜**d'appoggio**⌝ (o *giustificativa*) voucher, justification, supporting document; ~ **giustificativa** *d'entrata* (voucher for) receipt; ~ *giustificativa di pagamento* expense voucher, voucher for payment; ~ *giustificativa di un'uscita di cassa* cashier's receipt, cash voucher; ⟨*lett*⟩ *da* **lunga** ~ (*da molto tempo*) for a long while (*o* time); ⟨*fig*⟩ **mettere** *una* ~ *a qc.* (*rimediare*) to remedy (*o* make up for) s.th., to patch s.th. up, to put (*o* set) s.th. right; ~ *da* **piedi** foot-cloth, foot wrapping; ⟨*fig*⟩ *trattare qd. come una* ~ *da piedi* to treat s.o. like a doormat, to wipe one's feet all over s.o.; ~ *da* **spolvero** dust-cloth, dust-rag, duster.

pezzạme *m.* ⟨*non com*⟩ **1.** pieces *pl.* – **2.** *pl.* (*stracci per pulire*) rags *pl.* – **3.** (*lana usata in carderia*) pieces *pl.*

pezzạto *a.* **1.** (*rif. ad animali*) spotted, dappled, with patches: *cavallo* ~ *di bianco* horse with white patches, white-dappled horse. – **2.** (*rif. a cose: variegato*) flecked, mottled. – **3.** ⟨*non com*⟩ (*rif. a persone*) blotchy.

pezzatụra[1] *f.* patches *pl*, spots *pl*, dappling. □ *cavallo con* ~ *bianca* white-dappled horse, horse with white patches.

pezzatụra[2] *f.* **1.** size: ~ *del carbone* size of coal. – **2.** ⟨*El,Tel*⟩ factory length of a cable.

pezzęnte *m./f.* **1.** beggar, down-and-out, poor fellow (*o* devil), indigent, wretch. – **2.** (*mendicante, accattone*) beggar, tramp, ⟨*am*⟩ panhandler. – **3.** ⟨*iperb*⟩ (*persona tirchia*) miser, ⟨*fam*⟩ skinflint. □ ⟨*Stor*⟩ *-i dei boschi* Beggars, Les Gueux; ⟨*Stor*⟩ *-i del mare* Sea Beggars.

pezzenterịa *f.* ⟨*non com*⟩ **1.** beggarliness, beggary. – **2.** ⟨*collett*⟩ beggars *pl*, beggardom, ragamuffins *pl.* – **3.** ⟨*fig*⟩ (*meschinità*) meanness, pettiness.

pezzẹtta (*dim. di pezza*) *f.* (*panno o garza per impacchi*) pack, compress: *fare le -e* (*fare gli impacchi*) to apply compresses.

pezzettịno, pezzẹtto (*dim. di pezzo*[1]) *m.* bit, scrap.

pęzzo[1] *m.* **1.** (*quantità indeterminata*) piece, bit: *un* ~ *di legno* a piece of wood; (*quantità determinata*) piece, portion: *ho diviso la torta in quattro -i* I've cut the cake into four pieces (*o* slices). – **2.** (*componente, elemento*) piece, part, bit. – **3.** (*oggetto*) piece: *un* ~ *raro* a rare piece. – **4.** ⟨*fig*⟩ (*passo, brano*) piece, passage, part: *un* ~ *dell'Amleto* a passage from Hamlet. – **5.** ⟨*fig*⟩ (*periodo di tempo*) (quite a) while, some time: *è un bel* ~ *che non ti vedevo* I haven't seen you for quite a time (*o* while); *è andato via da un bel* ~ he's been gone for quite some time. – **6.** (*esemplare, campione: rif. a uomini*) (fine) figure, fine fellow: *un* ~ *di ragazzo* a fine figure of a boy, ⟨*fam*⟩ quite some boy; (*rif. a donne*) fine figure (of a woman). – **7.** (*moneta*) piece, coin, bit. – **8.** ⟨*Mil*⟩ piece, gun. – **9.** ⟨*giorn*⟩ article. – **10.** (*nei giochi da tavola*) counter; (*negli scacchi*) (chess) man, piece. – **11.** ⟨*Met*⟩ casting. – **12.** ⟨*Arald*⟩ ordinary.

□ **a** (o *in*) *-i* in (*o* to) pieces, to bits: *cascare a -i* to fall to pieces, to fall down; **andare** *in -i* (*rompersi*) to fall to pieces (*o* bits), to crumble; ~ *d'***antiquariato** antique; ~ *d'***asino**! jackass!, stupid fool!, ⟨*fam*⟩ dimwit!, ⟨*fam*⟩ fat-head!; *la casa è un* **bel** ~ *da qui* the house is some (*o* quite a) way from here; *a -i e* **bocconi** (*un po' alla volta*) a bit (*o* little) at a time, bit by bit, piecemeal, piece by piece; ⟨*Mus*⟩ ~ *di* **bravura** bravura, brilliant passage (*o* part); *un* ~ *di* **cielo** a patch of sky; **due** *-i*: 1. (*vestito*) two-piece; 2. (*costume da bagno*) two-piece bathing costume (*o* suit); ⟨*Dolc*⟩ ~ **duro** ice-cream cake; ~ *da* **esposizione** show-piece: ~ **esterno** outer part; **fare** *in* (*o a*) *-i*: 1. to break (*o* pull) to pieces; 2. (*sbranare*) to tear to pieces; 3. ⟨*fig*⟩ (*ridurre a mal partito*) to beat ⌜black and blue⌝ (*o* the life out of); *fare in tre -i* to break (*o* divide) into three; ~ **forte**: 1. ⟨*Calz*⟩ counter, heel-stiffener; 2. ⟨*fig*⟩ strong point; 3. ⟨*fig*⟩ (*cavallo di battaglia*) pièce de résistance, show-piece; ⟨*Met*⟩ ~ **fucinato** forging; ⟨*Met*⟩ ~ **fuso** casting; ~ **grosso** important person, ⟨*fam*⟩ bigwig, ⟨*fam*⟩ big-shot, ⟨*fam*⟩ big-noise, ⟨*fam*⟩ V.I.P.; ~ **intercambiabile** interchangeable part; ~ **interno** inner part; ~ ⌜*da* **lavoro**⌝ (o *in lavorazione*) workpiece, work; **mandare** *in -i* (*rompere*) to break (*o* smash) into pieces, ⟨*fam*⟩ to smash to smithereens, to send crashing, to shatter; ⟨*Artigl*⟩ ~ **mascherato** camouflaged piece; ~ *da* **museo** museum piece; ⟨*fig*⟩ museum piece, old fogey; ~ *di* **musica** piece of music; ⟨*Mecc*⟩ ~ **normalizzato** standardized piece; ⟨*fig*⟩ *comprare qc.* **per** *un* ~ *di pane* to buy s.th. ⌜for a song⌝ (*o* dirt cheap); ~ *di* **ricambio** spare part; ~ *di* **riempimento** deadwood; ~ **sagomato** make-up piece; ⟨*Ind*⟩ ~ *costruito in* **serie** mass-produced part; **smontare** ~ *per* ~ to take to pieces (*o* bits); ⟨*Met*⟩ ~ **stampato** (*a caldo*) drop-forging; (*a freddo*) cold stamping; ~ *di* **terreno** piece (*o* plot) of land; ⟨*fig*⟩ **tutto** *d'un* ~: 1. (*rigidamente*) stiffly, bolt upright: *camminare tutto d'un* ~ to walk stiffly; 2. (*onesto*) upright, of (sterling) character; ~ **unificato** = *pezzo* **normalizzato**; **volare** *in -i* to scatter, to shatter.

pęzzo[2] *m.* ⟨*Bot*⟩ (*abete rosso*) Norway spruce (*Picea excelsa*).

pezzǫla *f.* → **pezzuola.**

pezzolạta *f.* handkerchief ful.

pezzọne *m.* (*in bachicoltura*) shelving.

pezzọtto *m.* **1.** ⟨*Mod*⟩ veil. – **2.** (*tappeto*) patchwork carpet.

pezzụllo *m.* ⟨*giorn*⟩ short article.

pezzuǫla (*dim. di pezza*) *f.* **1.** (*fazzoletto*) (large) handkerchief. – **2.** ⟨*Pesc*⟩ (kind of) fishing-net.

pF = ⟨*El*⟩ *picofarad* picofarad (*abbr.* pf, PF).

p.f. = *per favore* please.

P.G. = *Procuratore Generale* Attorney General (*abbr.* A.G.).

p.g.r. = *per grazia ricevuta* thanks for grace received.

pH = ⟨*Chim*⟩ *esponente d'idrogeno* pH (number).

phaéton *fr.* [fae'tɔ̃] *m.* ⟨*Stor*⟩ phaeton.

phạllus *lat.* [f-] *m.* ⟨*Anat*⟩ (*fallo*) phallus.

phi [fi] *m./f.* (*lettera dell'alfabeto greco*) phi.

phlọx *lat.* [f-] *f.* ⟨*Bot*⟩ phlox (*Phlox*).

phọn [f-] *m.* ⟨*Acu*⟩ (*fon*) phon.

phọt [f-] *m.* ⟨*Fis*⟩ (*fot*) phot.

pi *f./m.* **1.** p, P, the letter P. – **2.** (*nell'alfabeto greco*) pi.

P.I. = *Pubblica istruzione* Public Education.

piacciantęo ⟨*pop,tosc*⟩ **I** *a.* (*tardo*) slow, lazy, languid. – **II** *s.m.* slowcoach, dawdler, sluggard, ⟨*am*⟩ slowpoke.

piaccicạre *v.* (**piạccico, piạccichi**) ⟨*pop,tosc*⟩ **I** *v.t.* **1.** (*pesticciare*) to tread on, to tramp(le). – **2.** (*sgualcire*) to crumple, to crease, to crush. – **II** *v.i.* (*aus.* **avere**) to tramp, to stamp. – **piaccichịccio** *m.* ⟨*pop,tosc*⟩ (*fanghiglia*) mud, slush, mire.

piaccicọne *m.* (*f.* **-a**) ⟨*pop,tosc*⟩ slowcoach, slow clumsy person, ⟨*am*⟩ slowpoke.

piaccicọso *a.* ⟨*pop,tosc*⟩ **1.** (*appiccicoso*) sticky. – **2.** (*fangoso*) muddy. – **piaccicọtto** *m.* ⟨*pop,tosc*⟩ **1.** dirty sticky thing, ⟨*fam*⟩ gooey mess. – **2.** ⟨*fig*⟩ (*rattoppo*) patch, botch.

piạccio *pr.ind. di* **piacere**[1].

piacęnte (*p.pr. di piacere*[1]) *a.* attractive, charming.

piacentęro *a./s.* ⟨*ant,rar*⟩ → **piacentiere.** – **piacentięre, piacentięro I** *a.* **1.** ⟨*lett,rar*⟩ (*adulatore*) flattering, adulatory. – **2.** ⟨*ant*⟩ (*piacevole, dilettoso*) delightful, pleasant. – **II** *s.m.* ⟨*lett*⟩ flatterer, adulator.

piacentịno I *a.* of Piacenza, Piacenza-. – **II** *s.m.* **1.** (*dialetto*) dialect of Piacenza. – **2.** (*abitante; f.* **-a**) native (*o* inhabitant) of Piacenza. – **3.** ⟨*Ornit*⟩ kind of pigeon. – **Piacentino** *N.pr.m.* territory around Piacenza.

piacęnza *f.* ⟨*ant*⟩ **1.** pleasantness, attractiveness, charm. – **2.** (*piacere, diletto*) pleasure, delight, enjoyment.

piacenziạno I *a.* ⟨*Geol*⟩ Piacenzian. – **II** *s.m.* Piacenzian, Upper Pliocene, Astian.

piacęre[1] *v.i.* (*pr.ind.* **piạccio, piạci, piạce, piacciạmo/piaciạmo, piacęte, piạcciono**; *p.rem.* **piạcqui**; *pr.cong.* **piạccia, piacciạmo/piaciạmo, piacciạte/piaciạte, piạcciano**; *p.p.* **piaciụto**; *aus.* **essere**) **1.** to like (*costr. pers.*), to be fond of (*costr. pers.*), to please: *mi piace molto la poesia* I like poetry very much, I am very fond of poetry; *mi piace il tuo modo di ragionare* I like your reasoning, your way of thinking appeals to me; *ti piace andare in aereo?* do you like flying?; (*in frasi negative*) to like (*costr. pers.*), to care for (*costr. pers.*): *le caramelle non mi piacciono* I don't like (*o* care for) sweets. – **2.** (*essere gradevole*) to like (*costr. pers.*), to be pleasant (*o* agreeable): *non mi piace il freddo* I don't like the cold; *è un sapore che mi piace* it's a pleasant taste. – **3.** (*incontrare il consenso*) to be well-received, to like (*costr. pers.*), to please, to be approved of: *il nuovo romanzo è piaciuto molto alla critica* the critics liked the new novel very much, the new novel was well-received by the critics. – **4.** (*attrarre*) to be attracted by (*costr. pers.*), to find attractive (*costr. pers.*), to like (*costr. pers.*): *gli piacciono le donne alte* he likes (*o* is attracted by) tall women. – **5.** ⟨*ant*⟩ (*compiacere*) to please, to gratify, to humour (*a qd.* s.o.).

□ *una ragazza* **che** *piace* a likeable girl; (*fisicamente*) an attractive girl; *non mi piace che tu vada lì* I don't like your going there; *non gli piace che si rida di lui* he doesn't like being laughed at; ⟨*lett*⟩ **come** *piace al filosofo* according to the philosopher; **così** *mi piace* (*sono soddisfatto*) that's how I like it, that's it (*o* right); *come a* **Dio** *piacque* somehow or other, with God's help; *piaccia a Dio* (may it) please God; ⟨*lett*⟩ *mi piace* **meglio** (o *piuttosto*) I prefer, I like better; *ti piaccia o* **non** *ti piaccia* whether you like it or not. – *Prov.*: *a ciascuno piace il suo* every man to his own taste.

piacęre[2] *m.* **1.** pleasure: *ti ho rivisto con vero* ~ ⌜it was a real pleasure⌝ (*o* I was so pleased) to see you again. – **2.** (*godimento*) enjoyment, pleasure: *dedito al* ~ pleasure-loving; (*diletto*) delight, pleasure. – **3.** (*divertimento*) pleasure, treat: *la gita fu per me un vero* ~ the trip was a real treat for me. – **4.** (*favore*) favour, kindness: *fare un* ~ *a qd.* to do s.o. a favour. – **5.** (*desiderio*) will, liking, wish. – **6.** (*nelle presentazioni*) how do you do?, pleased to meet you. – **7.** ⟨*Filos*⟩ pleasure. – **8.** ⟨*ant*⟩ (*bellezza*) beauty, loveliness.

□ **a** ~: 1. as much as one likes, ad lib, at will; 2. (*secondo il proprio arbitrio*) freely, as one wishes (*o* pleases), at pleasure (*o* will); 3. ⟨*Mus*⟩ a piacere, at pleasure, at the performer's discretion; *a piacer vostro* (*come piace a voi*) as you wish (*o* prefer), at your pleasure; ⟨*pop*⟩ **averci** ~ to be glad (*o* pleased); *vorrei* **chiederle** *un* ~ I'd like to ask you a favour; *fare qc.* **con** ~: 1. to like doing s.th., to do s.th. with pleasure (*o* delight): *fumo con* ~ I like (*o* enjoy) smoking; 2. (*volentieri*) to be glad (*o* happy) to do s.th., to do s.th. gladly (*o* with pleasure): *lo farò con* ~ I'll be glad (*o* happy) to do it; *l'ho saputo con* ~ I was delighted to hear about it; *con gran* ~ with great pleasure; ~ *di fare la sua* **conoscenza** pleased to meet you, how do you do?; **di** ~ pleasure-: *viaggio di* ~ pleasure trip; **fare** ~ *a qd.* to be pleased (*costr. pers.*), to give s.o. pleasure: *mi fa piacere che tu sia qui con noi* I am pleased (*o* glad) that you are here with us; (*divertirlo*) to give s.o. pleasure (*o* enjoyment), to be a treat for s.o., to delight s.o.; *se ti fa* ~ if you like; *mi farebbe* ~ I'd be pleased; *mi farebbe molto* ~ I'd be delighted; *fammi il* ~ *di* do me the favour of, be so kind (*o* good) as to; *ma mi faccia il* ~! ⟨*fam*⟩ go on with you, ⟨*fam*⟩ who do you think you're kidding?; **per** ~ please; *te lo chiedo per* ~ I am asking you as a favour; **provare** ~ *in qc.* to enjoy s.th., to (take) delight in s.th.; *fammi il* **santo** ~ *di smetterla* (just) do me the favour of stopping that, do (*o* would) you mind stopping that?; **tanto** ~*!*: 1. (I'm) very pleased to meet you; 2. ⟨*fam*⟩ (*e chi se ne importa*) so what! – *Prov.*: *chi piacer fa piacer riceve* giving is receiving. || ⟨*fam*⟩ *che è un* ~ beautifully, ⟨*fam*⟩ wonderfully, ⟨*fam*⟩ fabulously: *suona il pianoforte che è un* ~ he plays the piano beautifully, it's a real pleasure to hear him play the piano; *mangia che è un* ~ it's a treat to watch him eating; *è un* ~ *per me* it's a pleasure for me; *il* ~ *è* (*tutto*) *mio* the pleasure is (all) mine.

piacerino (*dim. di piacere*[2]) *m.* favour.

piacevole *a.* **1.** pleasant, agreeable, nice: *una visita* ~ a pleasant visit. – **2.** (*simpatico*) nice, pleasant, pleasing. – **3.** (*piacente*) attractive, charming. – **4.** ⟨*ant*⟩ (*sereno, tranquillo*) quiet. – **5.** ⟨*ant*⟩ (*gentile*) kind. – **6.** ⟨*ant*⟩ (*propizio*) favourable.

piacevoleggiare *v.i.* (**piacevoleggio, piacevoleggi**; *aus.* **avere**) ⟨*non com*⟩ to make pleasantries, to crack jokes, to be witty.

piacevolezza *f.* **1.** pleasantness, charm; (*gradevolezza*) pleasantness, agreeableness. – **2.** (*azione*) attention, kindness. – **3.** (*spiritosaggine*) pleasantry, joke. – **4.** *pl.* (*complimenti*) compliments *pl*, flattery.

piacevolmente *avv.* **1.** pleasantly, agreeably: *intrattenersi* ~ *con qd.* to chat pleasantly with s.o., to have a pleasant conversation with s.o. – **2.** ⟨*ant*⟩ (*garbatamente*) politely, courteously.

piacevolone (*accr. di piacevole*) *m.* (*f.* **-a**) ⟨*non com*⟩ witty (*o* agreeable) person.

piacimento *m.* ⟨*ant*⟩ (*piacere*) liking, pleasure. ☐ *a* ~ (*a volontà*) at will, as (much as) one pleases, ad lib: *mangiare a* (*proprio*) ~ to eat as much as one pleases, to eat ⌜at will⌝ (*o* one's fill); *essere di* ~ *di qd.* to be to s.o.'s liking.

piaciuto *p.p. di* **piacere**[1].

piacolo *m.* ⟨*Stor.rom*⟩ **1.** (*espiazione*) piaculum. – **2.** (*infrazione*) infringement of ceremonial rules.

piacqui *p.rem. di* **piacere**[1].

piada *f.* ⟨*region*⟩ (*focaccia*) cake, bun.

piadena *f.* ⟨*region*⟩ (*scodella*) dish, bowl.

piaffare *v.i.* (*aus.* **avere**) ⟨*Equit*⟩ to piaffe.

piaga *f.* **1.** sore: *avere il corpo coperto di piaghe* to have one's body covered with sores; (*ferita*) wound. – **2.** ⟨*fig*⟩ (*male*) scourge, plague, curse, trouble. – **3.** ⟨*fig*⟩ (*dolore*) wound, sorrow, grief: *riaprire una* ~ to open up an old wound. – **4.** ⟨*scherz*⟩ (*persona molesta*) pest, plague, trial, bane, nuisance, ⟨*fam*⟩ pain in the neck. ☐ ⟨*Bibl*⟩ *le piaghe d'Egitto* the plagues of Egypt; ⟨*fig*⟩ (*calamità*) plagues *pl*, scourges *pl*; *mettere il dito sulla* (o *nella*) ~ to touch on a sore point.

piagaccia *f.* (*pl.* **-ce**) *pegg. di* **piaga.**

piagare *v.t.* (**piago, piaghi**) **1.** to produce a sore in (*o* on); (*ferire*) to wound, to hurt, to injure. – **2.** ⟨*fig*⟩ (*recare dolore*) to wound, to hurt, to pain.

piagentare *v.t.* (**piagento**) ⟨*ant*⟩ (*mostrarsi condiscendente*) to flatter, to be obliging to.

piagente (*p.pr. di piagere*) *a.* ⟨*ant,poet*⟩ (*piacente*) charming, lovely, attractive. – **piagenza** *f.* ⟨*ant,poet*⟩ (*avvenenza*) attractiveness, charm.

piagere I *v.i.* (*aus.* **essere**) ⟨*ant*⟩ (*piacere*) to please. – **II** *s.m.* pleasure, delight, enjoyment.

piaggeria *f.* → **piaggiamento.**

piaggia *f.* (*pl.* **-ge**) **1.** ⟨*lett,region*⟩ (*spiaggia*) (sloping) beach, shore. – **2.** ⟨*ant*⟩ (*luogo in pendio*) slope. – **3.** ⟨*ant*⟩ (*luogo*) place, spot.

piaggiamento *m.* ⟨*ant*⟩ (*lusinga*) adulation, flattery. – **piaggiare** *v.* (**piaggio, piaggi**) **I** *v.t.* ⟨*ant*⟩ (*lusingare*) to flatter. – **II** *v.i.* (*aus.* **avere**) ⟨*ant*⟩ **1.** (*navigare vicino alla costa*) to coast. – **2.** ⟨*fig*⟩ (*barcamenarsi*) to steer a middle course, to sit on the fence. – **piaggiatore** ⟨*lett*⟩ **I** *s.m.* (*f.* **-trice**) flatterer. – **II** *a.* flattering.

piaghetta *f. dim. di* **piaga.**

piagnere *v.* (**piango, piagni**) ⟨*ant*⟩ → **piangere**[1].

piagnisteo *m.* **1.** wailing, crying, whining; (*rif. a bambini*) crying, whimpering, puling. – **2.** ⟨*ant*⟩ (*lamento funebre*) funeral lament, wailing. – **piagnistero** *m.* ⟨*non com*⟩ → **piagnisteo.**

piagnoloso *a.* ⟨*lett*⟩ → **piagnucoloso.**

piagnone *m.* (*f.* **-a**) **1.** ⟨*fam*⟩ complainer, whiner, ⟨*fam*⟩ moaner; (*rif. a bambini*) whiner, ⟨*fam*⟩ cry-baby. – **2.** *pl.* ⟨*Stor*⟩ followers *pl* of Savonarola. – **3.** ⟨*region*⟩ (*persona che prende parte alle lamentazioni funebri*) weeper, (hired) mourner. – **4.** ⟨*Itt*⟩ crucian (carp) (*Carassius vulgaris*).

piagnucolamento *m.* ⟨*non com*⟩ whimpering, whining, grizzling. – **piagnucolare** *v.* (**piagnucolo**) **I** *v.i.* (*aus.* **avere**) to whimper, to whine, to cry feebly, to grizzle. – **II** *v.t.* ⟨*non com*⟩ (*balbettare lamentosamente*) to whimper, to whine. – **piagnucolio** *m.* whimper(ing), crying.

piagnucolone *m.* (*f.* **-a**) **1.** whimperer, whiner, ⟨*fam*⟩ moaner, ⟨*fam*⟩ grizzler; (*rif. a bambini*) whiner, ⟨*fam*⟩ cry-baby. – **2.** ⟨*Ornit*⟩ (*stiaccino*) whinchat (*Saxicola rubetra*). – **piagnucoloso** *a.* **1.** whimpering, whiny, ⟨*fam*⟩ grizzling; (*rif. a bambini*) whiny, cry-baby-. – **2.** (*lamentoso*) whining, weepy, tearful, doleful.

piagoso *a.* ⟨*non com*⟩ covered with sores.

piaguccia *f.* (*pl.* **-ce**) *dim. di* **piaga.**

piale *a.* ⟨*Anat*⟩ pial.

pialla *f.* ⟨*Fal*⟩ plane.
☐ ~ *a doppio* **ferro** double-iron plane; ⟨*pop*⟩ *c'è passata la* ~ *di san* **Giuseppe** (*rif. a donna che ha poco seno*) she's flat-chested (*o* flat as an ironing-board); ~ **lunga** try(ing) plane; ~ *per* **scanalature** grooving plane; ~ *per* **sgrossare** jack plane; ~ *per* **superfici** *curve* radius (*o* compass) plane; ~ *da* **tavolo** bench (*o* hand) plane.

piallaccio *m.* ⟨*Fal*⟩ **1.** billet. – **2.** (*costituente del compensato*) veneer.

piallare *v.t.* **1.** ⟨*Fal*⟩ to plane, to shoot. – **2.** ⟨*fig*⟩ (*smussare*) to make smooth, to smooth away. ☐ ~ *a misura* to shoot; ~ *a spessore* to thickness. – **piallata** *f.* **1.** (*il piallare*) planing, smoothing down. – **2.** (*tratto di pialla*) stroke of a plane; (*colpo di pialla*) blow with a plane. ☐ *dare una* ~ *a qc.* to give s.th. a smoothing down. – **piallatina** *f. dim. di* **piallata.** – **piallatore I** *s.m.* (*f.* **-trice**) planer, plane operator. – **II** *a.* planing. – **piallatrice** *f.* **1.** (*operaia*) planer. – **2.** (*macchina*) planer, planing-machine. ☐ ~ *per legname* wood -planer; ~ *rapida* high-speed planer. – **piallatura** *f.* **1.** planing. – **2.** ⟨*non com*⟩ (*trucioli*) shavings *pl*, cuttings *pl*, chips *pl.* ☐ ~ *di sgrosso* jack planing; ~ *a spessore* thicknessing.

piallettare *v.t.* (**pialletto**) to jack plane, to level off with a smoothing plane. – **pialletto** (*dim. di pialla*) *m.* **1.** ⟨*Fal*⟩ jack (*o* smoothing) plane; (*per doghe*) stave-plane. – **2.** ⟨*Mur*⟩ float, patter. ☐ ~ *per scanalature* grooving plane. – **piallone** (*accr. di pialla*) *m.* ⟨*Fal*⟩ plane, long (*o* trying) plane.

piamente *avv.* piously, devoutly, religiously.

piana[1] *f.* plain, level ground; (*come toponimo*) plain.

piana[2] *f.* **1.** ⟨*Met*⟩ flatter. – **2.** ⟨*region*⟩ (*pialla*) plane.

pianale *m.* **1.** (*terreno piano*) flat ground. – **2.** ⟨*Ferr*⟩ platform car, flatcar. – **3.** ⟨*tecn*⟩ (*piano*) floor, platform. – **4.** ⟨*Aut*⟩ platform: ~ *di carico* load-carrying platform, flat-bed, flat-rack.

pianamente *avv.* ⟨*ant,lett*⟩ **1.** (*con calma*) calmly, slowly. – **2.** (*con facilità*) easily. – **3.** (*senza rumore*) softly, gently, quietly. – **4.** (*modestamente*) unassumingly, modestly. – **5.** (*gentilmente*) kindly.

pianare *v.t.* ⟨*non com*⟩ (*spianare*) to make smooth (*o* level).

pianatoio, pianatore *m.* ⟨*Mecc*⟩ smoothing chisel.

piancito *m.* → **piantito.**

pianeggiante (*p.pr. di pianeggiare*) *a.* flat, level: *terreno* ~ level ground. – **pianeggiare** *v.* (**pianeggio, pianeggi**) **I** *v.i.* (*aus.* **avere**) (*essere in piano*) to be flat (*o* level). – **II** *v.t.* (*spianare*) to level (off), to smooth down.

pianella *f.* **1.** ⟨*Calz*⟩ (heelless) slipper, mule. – **2.** (*mattonella*) (paving-)tile; (*tegola*) (roofing-)tile. – **3.** ⟨*Zootecn*⟩ (*ferro*) ox-shoe. – **4.** ⟨*Mil.ant*⟩ kind of iron helmet. ☐ ⟨*Bot*⟩ ~ *della Madonna* lady's slipper (*Cypripedilum calceolus*).

pianellaio *m.* (*f.* **-a**) ⟨*non com*⟩ **1.** (*fabbricante*) slipper-maker. – **2.** (*venditore*) slipper-seller. – **pianellata** *f.* ⟨*non com*⟩ blow with a slipper. – **pianelletta, pianellina** *f. dim. di* **pianella.**

pianello *m.* ⟨*non com*⟩ (*terreno fra due filari di viti*) strip of ground between two rows of vines.

pianellone (*accr. di pianella*) *m.* (*mattonella, tegola*) large tile.

pianerottolo *m.* **1.** ⟨*Edil*⟩ landing. – **2.** ⟨*Alp*⟩ ledge, platform, shelf.

pianeta[1] **I** *s.m.* **1.** ⟨*Astr*⟩ planet. – **2.** ⟨*fig*⟩ (*destino*) lot, destiny, fate. – **3.** (*foglietto con l'oroscopo*) horoscope, fortune; (*oroscopo*) horoscope. – **4.** ⟨*poet*⟩ (*stella*) star, sun. – **5.** ⟨*poet*⟩ (*donna amata*) star, beloved. – **II** *s.f.* **1.** ⟨*ant*⟩ planet. – **2.** ⟨*pop*⟩ (*destino*) destiny, lot. – **3.** ⟨*pop*⟩ (*foglietto con l'oroscopo*) horoscope, fortune; (*oroscopo*) horoscope.

pianeta[2] *f.* ⟨*Lit*⟩ chasuble, planet(a).

pianetino *m.* ⟨*Astr*⟩ planetoid, asteroid. – **pianeto** *m.* ⟨*ant*⟩ → **pianeta**[1]. – **pianetografico** *a.* (*pl.* **-ci**) planetary. – **pianetoide** *m.* → **pianetino.**

pianetto (*dim. di piano*[3]) *m.* ⟨*Arch*⟩ listel, fillet, reglet, flat moulding. ☐ ⟨*Aer*⟩ ~ *compensatore* stub plane, balancing surface.

pianezza *f.* ⟨*non com*⟩ **1.** levelness, flatness. – **2.** ⟨*ant*⟩ (*pianura*) plain, flat land.

pianforte *m.* ⟨*region*⟩ → **pianoforte.**

piangente (*p.pr. di piangere*[1]) *a.* **1.** crying, weeping, tearful, in tears. – **2.** (*rif. a cose*) weeping, tearful.

piangere[1] *v.* (**piango, piangi; piansi, pianto**) **I** *v.i.* (*aus.* **avere**) **1.** to cry, to weep: *la donna piangeva amaramente* the woman wept bitterly; *non* ~ don't cry; ~ *di gioia* to weep for joy. – **2.** ⟨*estens*⟩ (*soffrire*) to grieve, to suffer. – **3.** (*lacrimare*) to water: *piango* (o *mi piangono gli occhi*) *per il freddo* my eyes are watering from the cold. – **4.** ⟨*fig*⟩ (*gocciolare*) to drip, to bleed. – **5.** ⟨*fig*⟩ (*lamentarsi*) to complain. – **II** *v.t.* **1.** to cry, to weep: ~ *amare lacrime* to weep (*o* shed) bitter tears. – **2.** (*dolersi*) to complain of, to bewail, to lament: ~ *miseria* to complain of one's lot, to cry poverty. – **3.** (*compiangere*) to mourn, to lament, to weep for (*o* over), to bewail. – **4.** (*scontare*) to atone for, to pay for. – **5.** ⟨*non com*⟩ (*rimpiangere*) to regret, to grieve over, to lament.

☐ *mi piange il* **cuore** it hurts me; **far** ~: 1. to make cry (*o* weep); 2. (*far lacrimare*) to make water; 3. ⟨*fig*⟩ (*essere commovente*) to move to tears, to be heartbreaking; 4. ⟨*fam*⟩ (*essere fatto male*) to be pathetic (*o* pitiful), ⟨*fam*⟩ to be shocking (*o* awful): *ha fatto un lavoro che fa* ~ he's done a shocking (*o* dreadful) job; ⟨*fig*⟩ ~ *come una* **fontana** to cry one's heart out, ⟨*fam*⟩ to cry buckets; ~ **lacrime** *di gioia* to shed tears of joy; ⟨*fig*⟩ ~ *sul* **latte** *versato* to cry over spilt milk; ~ *i propri* **peccati** to bewail one's sins; ⟨*pop*⟩ *far* ~ *i* **sassi** to melt a heart of stone; ⟨*rar*⟩ *il* **tempo** *piange* the weather is wet, it's rainy; *mi* **viene** *da* ~ it makes me want to cry; ~ *come un* **vitello** to blubber.

piangere[2] *m.* crying, weeping.

piangevole *a.* **1.** ⟨*rar*⟩ (*che piange*) weeping, crying; (*che piange facilmente*) tearful, weepy. – **2.** ⟨*ant*⟩ (*miserevole*) pitiful, wretched.

– **piangitọre** *m.* (*f.* **-trice**) ⟨*non com*⟩ weeper, lamenter. – **piangitrịce** *f.* (*prefica*) weeper, (hired) mourner. – **piangiucchiạre** *v.i.* (**piangiụcchio, piangiụcchi**; *aus.* **avere**) to cry feebly, to grizzle, to whimper. – **piangolạre** *v.* (**piạngolo**) ⟨*non com*⟩ → **piangiucchiare**. – **piangolọne** *m.* → **piagnone**. – **piangolọso, piangulọso** *a.* ⟨*ant*⟩ → **piagnucoloso**.

pianificạbile *a.* projectable, that can be planned. – **pianificạre** *v.t.* (**pianịfico, pianịfichi**) to plan (*anche Econ.*): ~ *il lavoro* to plan the work. – **pianificạto** (*p.p. di pianificare*) *a.* planned: *economia -a* planned economy. – **pianificatọre I** *s.m.* (*f.* **-trice**) planner. – **II** *a.* planning. – **pianificaziọne** *f.* planning (*anche Econ.*). □ ~ *aziendale* business planning; ~ *economica* economic planning; ~ *del lavoro* work planning.

pianigiạno ⟨*non com*⟩ **I** *a.* plain-, lowland. – **II** *s.m.* plain-dweller, lowlander.

pianịno[1] *avv. dim. di* **piano**[1].

pianịno[2] (*dim. di piano*[4]) *m.* ⟨*Mus*⟩ **1.** pianino, small upright piano. – **2.** ⟨*region*⟩ (*organetto di Barberia*) barrel-organ.

pianịsmo[1] *m.* ⟨*Econ*⟩ tendency towards planned economy.

pianịsmo[2] *m.* ⟨*Mus*⟩ (style of) piano-playing, pianism.

pianịssimo I *avv.* ⟨*Mus*⟩ pianissimo, very softly. – **II** *s.m.* pianissimo, very soft passage.

pianịsta *m./f.* pianist, piano-player. – **pianịstico** *a.* (*pl.* **-ci**) piano-, pianistic.

piạno[1] **I** *a.* **1.** flat, level, even, smooth: *regione -a* flat region. – **2.** ⟨*fig*⟩ (*chiaro*) plain, clear: *dimostrazione -a* clear proof; (*agevole, facile*) easy, smooth: *percorso* ~ easy way. – **3.** ⟨*Geom*⟩ plane. – **4.** ⟨*Ling*⟩ paroxytone, stressed on the penultimate syllable. – **5.** ⟨*ant, fig*⟩ (*modesto*) simple, modest, unpretentious. – **II** *avv.* **1.** (*adagio*) slow(ly): *andare* ~ to go slowly; (*con cautela*) gently, carefully: *fate* ~ go carefully, ⟨*fam*⟩ easy there. – **2.** (*a voce bassa*) softly, in a low voice, quietly: *parlare* ~ to speak softly. – **3.** ⟨*Mus*⟩ piano, softly, quietly.

□ **andare** *per la -a* to take the easiest road; ⟨*fig*⟩ to choose the easiest way; ⟨*Mus*⟩ **canto** ~ plain-song; ⟨*Sport*⟩ **corsa** *-a* flat race; **in** ~ level, flat; (*orizzontale*) horizontal, level; ⟨*Lit*⟩ **messa** *-a* Low Mass; ⟨*Mus*⟩ **mezzo** ~ mezzo piano, moderately soft; ⟨*tecn*⟩ **per** ~ flatwise; **pian** ~ very slowly (*o* gently); (*a poco a poco*) little by little; **posa** ~ Handle with Care, Fragile. – *Prov.*: *chi va* ~ *va sano* (*e va lontano*) slow and steady wins the race, slow but sure.

piạno[2] *m.* **1.** (*superficie*) plane, level. – **2.** (*lastra*) top: *il* ~ *del tavolo* the table-top, the top of the table; (*rif. a sedile*) seat; (*rif. a una macchina utensile*) table; (*ripiano*) shelf. – **3.** (*dello scalino*) rung. – **4.** (*pianura*) plain, flat (*o* level) land; (*come toponimo*) plain. – **5.** ⟨*fig*⟩ (*livello*) plane, level: *porre sullo stesso* ~ to put on the same plane. – **6.** ⟨*Edil*⟩ floor, storey: *abito al terzo* ~ I live on the third floor; *casa a tre -i* three-storey house. – **7.** (*rif. a nave o autobus*) deck. – **8.** ⟨*Geom*⟩ plane. – **9.** ⟨*Geol*⟩ layer, stratum. – **10.** ⟨*Alp*⟩ (*pianerottolo*) ledge, shelf. – **11.** ⟨*Legat*⟩ (*piatto*) (book-)cover.

□ ⟨*Edil*⟩ **a** *due -i* two-storey-, two-storied; *a più -i* multi-storey-, multi-storied; ⟨*Aer*⟩ ~ **alare** wing (*o* plane) area, main plane; ⟨*Cin*⟩ ~ **americano** close medium shot, middle-distance shot, ⟨*am*⟩ knee-shot; ~ **d'appoggio** face; ⟨*Mus*⟩ ~ **armonico** sound-board, belly; ⟨*Edil*⟩ ~ **attico** attic storey, penthouse (floor); ~ *di* **caricamento**: 1. ⟨*Ferr*⟩ loading platform; 2. ⟨*Met*⟩ charging floor; ⟨*Aer*⟩ ~ *di* **coda** empennage, tail boom; ⟨*Astr*⟩ ~ *di* **collimazione** plane of collimation; ⟨*Ott*⟩ *-i* **coniugati** conjugate planes; ⟨*Geom*⟩ ~ *di* **contatto** tangent plane; ⟨*Aer*⟩ ~ *di* **deriva** fin; ⟨*Geom*⟩ ~ **diametrale** diametral plane; ⟨*Aer*⟩ ~ *di* **direzione** vertical (*o* tail) fin, ⟨*am*⟩ vertical stabilizer; ⟨*Astr*⟩ ~ **equatoriale** equatorial plane; ⟨*Geol*⟩ ~ *di* **faglia** fault plane; ⟨*Ferr*⟩ ~ *del* **ferro** rail level; ⟨*Ott*⟩ ~ **focale** focal plane; ⟨*Edil*⟩ ~ *di* **fondazione** bearing surface; ⟨*Tip*⟩ ~ *per serrare le* **forme** imposing stone (*o* surface); ⟨*Mecc*⟩ ~ *di* **fresatura** milling-table, cutting-table; ⟨*Geom*⟩ ~ **frontale** frontal plane; ⟨*Mar*⟩ ~ *di* **galleggiamento** water plane; ⟨*Min*⟩ ~ *di* **geminazione** twinning plane; ⟨*Ott*⟩ ~ **d'incidenza** plane of incidence; ~ **inclinato**: 1. ⟨*Fis*⟩ inclined plane; 2. (*scivolo*) chute; 3. (*rampa*) ramp; 4. ⟨*Mar*⟩ slip; ~ *inclinato elicoidale* spiral chute; ⟨*Mecc*⟩ ~ **dell'incudine** anvil plane (*o* face); ⟨*Edil*⟩ ~ **interrato** basement, cellar; ~ *di* **lavoro**: 1. (*progetto*) work-plan; 2. (*tavolo*) work table, ⟨*am*⟩ work platen; ⟨*Mar*⟩ ~ **longitudinale** sheer plan, profile; ~ *di* **marmo** marble top; ⟨*Edil*⟩ ~ **nobile** piano nobile; ⟨*Ott*⟩ *-i* **nodali** nodal planes; ⟨*Astr*⟩ ~ *dell'***orbita** orb; ⟨*Astr*⟩ ~ **orbitale** trajectory (*o* orbital) plane; ~ **orizzontale**: 1. ⟨*Geom*⟩ horizontal plane; 2. ⟨*Aer*⟩ tail-plane, ⟨*am*⟩ stabilizer; ⟨*Geom*⟩ ~ **osculatore** osculating plane, plane of osculation; ~ *di* **paragone** marking-off table, ⟨*am*⟩ laying-out plate; ~ *della* **pialla** planer table (*o* bed); ⟨*Fis*⟩ ~ *di* **polarizzazione** polarization plane; ⟨*Aut*⟩ ~ **portaoggetti** parcel shelf (*o* tray); ~ *portaoggetti mobile* sliding object stage; ⟨*Cin*⟩ ~ *di* **presa** field of image; ⟨*Cin*⟩ **primissimo** ~ extreme (*o* big) close-up; **primo** ~: 1. (*nella prospettiva*) foreground; 2. ⟨*Cin,Fot*⟩ close-up; 3. ⟨*Edil*⟩ first floor, ⟨*am*⟩ second floor; ⟨*fig*⟩ *persona di primo* ~ prominent (*o* front-ranking) person; ⟨*fig*⟩ *essere in primo* ~ to be prominent (o in the foreground); ⟨*fig*⟩ *mettere in primo* ~ to emphasize, to bring out, to give prominence; *mezzo primo* ~ = *piano* **americano**; ⟨*Ott*⟩ *-i* **principali** principal planes; ~ *di* **proiezione** plane of projection; ⟨*Edil*⟩ ~ **rialzato** mezzanine, entresol; ~ **ribaltabile** tipper body; ⟨*Ott*⟩ ~ *di* **rifrazione** plane of refraction; ⟨*Mecc*⟩ ~ *di* **riscontro** surface (*o* face) plate; ⟨*Mecc*⟩ ~ *a* **rulli** roll(er) table; ⟨*Teat*⟩ ~ **scenico** (*palcoscenico*) stage; ⟨*Mar*⟩ ~ *dello* **scivolo** slipway floor; ~ *di* **scorrimento** sliding surface, slide; **secondo** ~: 1. ⟨*Edil*⟩ second floor, ⟨*am*⟩ third floor; 2. (*nella prospettiva*) background; ⟨*fig*⟩ *passare in secondo* ~ to fade into the background, to take second place; ⟨*fig*⟩ *figura di secondo* ~ secondary (*o* minor) figure; ⟨*Edil*⟩ ~ **seminterrato** basement; ⟨*Geom,Min*⟩ ~ *di* **simmetria** plane of symmetry; ⟨*Aer*⟩ ~ **stabilizzatore** tail-plane, ⟨*am*⟩ stabilizer; ⟨*Tip*⟩ ~ *di* **stampa** printing bed; ~ **stradale** roadway; ~ **tangente** = *piano di* **contatto**; ~ **terra** → **pianoterra**; ⟨*Mar*⟩ ~ *del* **timone** rudder blade; ~ *del* **torchio** bed(plate); ⟨*Edil*⟩ **ultimo** ~ top floor (*o* storey); ⟨*tosc,fig*⟩ *avere l'ultimo* ~ *spigionato* (*essere senza cervello*) ⟨*fam*⟩ to be weak in the upper storey, ⟨*fam*⟩ to have a screw loose; ⟨*Geog*⟩ ~ *di* **vegetazione** vegetation belt; ⟨*Mar*⟩ ~ *della* **velatura** sail plan; ⟨*Geom*⟩ ~ **verticale** vertical plane.

piạno[3] *m.* **1.** (*progetto*) plan, project, scheme; (*disegno*) plan, design. – **2.** (*programma*) plan, programme, ⟨*am*⟩ schedule. – **3.** (*intenzione*) plan: *-i per le vacanze* holiday plans. – **4.** ⟨*Econ*⟩ plan.

□ ⟨*Econ*⟩ ~ **d'ammortamento** sinking plan; ~ *di* **battaglia** plan of battle (*o* campaign); ⟨*fig*⟩ plan of action, strategy; ~ *di* **caccia** hunting programme; ⟨*Econ*⟩ ~ *dei* **conti** chart of accounts; ⟨*Mar*⟩ ~ *di* **costruzione** body plan; ~ **economico** economic plan; ⟨*Econ*⟩ ~ **d'esercizio** budget; ⟨*Cin*⟩ ~ *di* **lavorazione** production programme, shooting schedule breakdown; ~ *di* **lavoro** operation plan, programme of work; ⟨*Edil*⟩ ~ *di* **lottizzazione** allotment plan; ⟨*Stor*⟩ ≈ **Marshall** Marshall Plan; ⟨*Econ*⟩ ~ **quinquennale** five-year plan; ⟨*Geog*⟩ ~ **quotato** contour (*o* spot height) map; ⟨*Edil*⟩ ~ **regolatore** town (development) plan, town-planning (*o* urban development) scheme; **secondo** *i -i* according to plan; ⟨*Mar*⟩ ~ *di* **stivaggio** stowage (*o* cargo) plan; ~ *degli* **studi** syllabus, curriculum; ⟨*Econ*⟩ ~ *di* **sviluppo** development plan; ~ *di* **volo** flight plan.

piạno[4] (*accorc. di pianoforte*) *m.* → **pianoforte**.

piano|cilịndrico *a.* (*pl.* **-ci**) ⟨*Tip*⟩ plano-cylindrical. – **~cọncavo** *a.* ⟨*Ott*⟩ plano-concave. – **~convẹsso** *a.* plano-convex.

pianofọrte *m.* piano, pianoforte: *sonare il* ~ to play the piano.

□ ~ *a* **coda** grand (piano); ~ *a gran coda* concert grand; ~ *a mezza coda* baby grand; ~ *da* **concerto** concert piano; ~ *a* **corde** *oblique* oblique (*o* cottage) piano; ~ *a* **martelli** piano; ~ **meccanico** → **pianola**; ~ **quadrato** square piano; ~ **verticale** upright (*o* cabinet) piano.

pianọla *f.* ⟨*Mus*⟩ player-piano, pianola.

piano-parallẹlo *a.* plane-parallel.

pianọro *m.* upland plain, plateau.

pianotẹrra (o **piạno tẹrra**) *m.inv.* ⟨*Edil*⟩ ground floor, ⟨*am*⟩ first (*o* street) floor.

piạnsi *p.rem di* **piangere**[1].

piạnta *f.* **1.** plant. – **2.** (*albero*) tree; (*arbusto*) shrub, bush: *una* ~ *di oleandro* an oleander bush. – **3.** (*disegno*) plan, design; (*rif. a costruzione*) plan, drawing. – **4.** ⟨*Topogr*⟩ map: *una* ~ *di Roma* a map of Rome. – **5.** (*pianta del piede*) sole; (*suola di scarpe*) sole. – **6.** ⟨*lett*⟩ (*rampollo*) offspring. – **7.** ⟨*lett*⟩ (*opera*) work, product. – **8.** ⟨*poet*⟩ (*piede*) foot; (*orma*) footprint, track.

□ ~ **acquatica** aquatic (*o* water) plant, hydrophyte; ~ **alpina** alpine (plant); ~ **anemofila** anemophilous plant; ~ **annua** *estiva* summer annual; ~ **d'appartamento** indoor plant; ~ **arborea** tree; ~ **aromatica**: 1. (*da condimento*) herb, aromatic (plant); 2. = *pianta da* **profumo**; ~ **boschiva** forest plant; ~ *di* **brughiera** heath (*o* moor) plant; ~ *a* **bulbo** bulb, bulbous plant; ~ **carnivora** carnivorous plant; ~ **cellulare** thallophyte; ~ *della* **città** street plan, map of the town; ~ **colorante** dye-plant, dyer's-weed; ~ **coltivata** cultivated plant; ~ **composta** composite (plant); ~ **conciante** tanning plant; ~ **conifera** conifer, coniferous plant; ~ *di una* **costruzione** construction plan (*o* drawing); ~ **erbacea** herbaceous plant; ~ *da* **fibra** fibrous plant; ~ **foraggera** forage (*o* fodder) plant; *-e* **geocarpe** geocarpic plants; ~ *da* **giardino** garden plant; ~ **grassa** succulent (plant); ~ **industriale** industrial plant; ~ **inferiore** lower plant, cryptogam; ~ **insettivora** = *pianta* **carnivora**; ~ *da* **lacca** lacquer (*o* varnish) tree, lacquer plant; ~ **legnosa** woody (*o* ligneous) plant; ~ **leguminosa** leguminous plant, legume(n); ~ **limosa** = *pianta* **palustre**; ~ **madre** parent plant; ~ **marittima** marine plant; ~ **medicinale** medicinal herb; ~ **mellifera** honey plant; ~ **meteorica** meteoric plant; ~ **natante** natant plant; ⟨*burocr*⟩ ~ **organica** roll, staff; ~ **ornamentale** ornamental plant; ~ **palustre** (o *di palude*) marsh plant; ~ **parassita** parasite, parasitic plant; ~ **perenne** perennial (plant); ~ *del* **piede** sole (of the foot); ⟨*Mar*⟩ ~ *del* **ponte** deck plan; ~ *da* **profumo** perfume plant; ~ *da* **rafia** bast plant; ~ **rampicante** climber, creeper; ~ **resinosa** resinous plant; ~ **rupestre** rock plant; *di* **sana** ~ (*completamente*) completely, entirely; (*dal principio alla fine*) from beginning to end: *inventare di sana* ~ to make up from beginning to end; ~ **selvatica** wild plant; ~ **sempreverde** evergreen (plant); ~ *da* (o *di*) **serra** greenhouse (*o* hot-house) plant; *essere in* ~ **stabile**: 1. ⟨*burocr*⟩ to be on the permanent staff; 2. ⟨*fig*⟩ (*essere sempre presente*) to be always around (*o* present); *-e* **superiori** higher (*o* vascular) plants; ~ **terrestre** terrestrial plant; ~ **tessile** textile plant; ~ **tintoria** = *pianta* **colorante**; ⟨*Bot*⟩ ~ *di* **Tolomane** Queensland arrowroot (*Canna edulis*); ~ **tuberosa** tuberous plant; *-e* **vascolari** = *piante* **superiori**; ~ *da* (o *in*) **vaso** potted plant; ~ **velenosa** poisonous plant; ~ **volubile** climber, vine, twining (*o* voluble) plant.

piantạbile *a.* ⟨*non com*⟩ **1.** (*rif. a terreno*) plantable. – **2.** ⟨*rar*⟩ (*rif. a pianta*) plantable.

piantacarọte *a./s.inv.* ⟨*pop*⟩ **I** *s.m./f.* (*chi racconta fandonie*) yarn-spinner, ⟨*fam*⟩ storyteller, ⟨*fam*⟩ fibber. – **II** *a.* fibbing.
piantạccia (*pegg. di pianta*) *f.* (*pl.* -ce) weed.
piantạggine *f.* ⟨*Bot*⟩ **1.** plantain (*Plantago*). – **2.** (*piantaggine minore*) ribwort, ribgrass, English plantain (*Plantago lanceolata*). – **3.** (*piantaggine maggiore*) greater plantain (*Plantago maior*). – **piantaginạcee** *f.pl.* plantain family (*Plantaginaceae*).
piantagiọne *f.* **1.** (*coltura*) plantation: ~ *di caffè* coffee plantation. – **2.** ⟨*non com*⟩ (*il piantare*) planting.
piantagrạne *m./f.inv.* ⟨*pop*⟩ troublemaker, fault-finder.
piantamẹnto *m.* ⟨*rar*⟩ (*il piantare*) planting.
piantạna *f.* ⟨*Edil*⟩ standard, (scaffold) pole.
piantanimạle *f.* ⟨*ant*⟩ (*zoofito*) zoophyte, plant-animal.
piantạre *v.t.* **1.** to plant: ~ *una talea* to plant a cutting. – **2.** (*coltivare*: *rif. a terreno*) to plant: ~ *un terreno a frutteto* to plant land with fruit trees; (*rif. a piante*) to plant; (*rif. a semi*) to sow. – **3.** ⟨*estens*⟩ (*conficcare*) to plant, to drive, to knock, to thrust: ~ *in terra un palo* to drive a stake into the ground; (*col martello*) to hammer: ~ *un chiodo nel muro* to hammer (*o* drive) a nail into the wall. – **4.** ⟨*estens*⟩ (*collocare*) to plant, to put, to set; (*rif. a tende e sim.*) to pitch, to put up. – **5.** ⟨*fam*⟩ (*abbandonare*: *rif. a persone*) to leave, to desert, ⟨*fam*⟩ to leave in the lurch, ⟨*fam*⟩ to ditch: *il fidanzato l'ha piantata* her boy friend has left (*o* jilted) her; (*rif. a cose*) to leave, to abandon, ⟨*fam*⟩ to quit. – **6.** ⟨*non com*⟩ (*istituire*) to set up, to start. – **piantarsi** *v.r.* ⟨*fam*⟩ **1.** ⟨*fam*⟩ to plant o.s., ⟨*fam*⟩ to dig o.s. in: *si piantò davanti al televisore* he planted himself in front of the television. – **2.** (*conficcarsi*) to settle, to run (*in* into). – **3.** ⟨*recipr*⟩ to leave e.o., to split up.
□ ~ *in* **asso** *qd.* to leave s.o. in the lurch; ~ **baracca** *e burattini* to give up everything; ⟨*fig*⟩ ~ **carote** to tell lies; ⟨*fam*⟩ *andare a piantar* **cavoli** (*ritirarsi a vita privata*) to retire (*o* withdraw) from public life; ⟨*fig*⟩ ~ **chiodi** (*fare debiti*) to run up debts; ⟨*fam*⟩ ~ *una* **grana** to make trouble, ⟨*pop*⟩ to stir the muck; ⟨*fig*⟩ ~ *gli* **occhi** *addosso a qd.* to fix (*o* glue) one's eyes on s.o.; ⟨*fig*⟩ ~ *le* **tende** to pitch one's tent, to settle down, to take up one's residence. || ⟨*fam*⟩ *piantarla* (*smetterla*) to stop it: *piantala!* stop it!, ⟨*fam*⟩ cut it out!
piantastẹcchi *m.inv.* ⟨*Calz,ant*⟩ awl.
piantạta *f.* **1.** (*il piantare*) planting. – **2.** (*insieme di piante*) plantation; (*filare di piante*) row of plants. – **3.** ⟨*Aer*⟩ stopping, stalling.
piantạto (*p.p. di piantare*) *a.* **1.** planted, set. – **2.** (*rif. a terreno*) planted: *terreno* ~ *a vigna* land planted with vines; (*rif. a piante*) planted. – **3.** ⟨*fig*⟩ rooted (to the spot), stiff. □ ⟨*fig*⟩ *ben* ~ well-built, well-set, sturdy.
piantatọio *m.* dibble. – **piantatọre** *m.* (*f.* **-trice**/*non com.* **-tora**) **1.** planter. – **2.** (*chi possiede una piantagione*) planter, plantation owner. – **3.** ⟨*non com*⟩ → **piantatoio**. – **piantatrịce** *f.* planter, planting-machine. – **piantatụra** *f.* ⟨*non com*⟩ **1.** (*atto*) planting. – **2.** (*periodo*) planting time (*o* season).
pianterẹllo: ⟨*fam*⟩ *fare un* ~ to have a little cry.
pianterrẹno (o **piạn terrẹno**) *m.* ⟨*Edil*⟩ ground floor, ⟨*am*⟩ first (*o* street) floor: *abitare al* ~ to live on the ground floor.
pianticẹlla, pianticịna *f. dim. di* **pianta**.
piantịme *m.* ⟨*Giard*⟩ seedling.
piantịna (*dim. di pianta*) *f.* **1.** seedling. – **2.** ⟨*Topogr*⟩ small map.
piantịto *m.* ⟨*region*⟩ (*pavimento*) floor.
piạnto[1] *m.* **1.** tears *pl*, weeping, crying: *prorompere in un* ~ *disperato* to burst into ⌜tears of despair⌝ (*o* bitter weeping); *un* ~ *da spezzare il cuore* heart-rending tears. – **2.** ⟨*fig*⟩ (*lacrime*) tears *pl*: *asciugarsi il* ~ to wipe away one's tears. – **3.** ⟨*fig*⟩ (*dolore*) suffering(s), anguish, distress: *il* ~ *del mondo* the sufferings of the world; (*causa di dolore*) sorrow, grief, distress: *la sua scomparsa è stata un* ~ *per tutti* his death ⌜brought sorrow to⌝ (*o* grieved) everyone. – **4.** (*lamentazione*) wailing, lamentation; (*lamento funebre*) funeral lament, dirge. – **5.** ⟨*Lett*⟩ (*lamento*) lament, dirge, elegy. – **6.** ⟨*Bot*⟩ bleeding. □ ⟨*fig,scherz*⟩ *essere un* ~ to be enough to make one weep, to be awful.
piạnto[2] *p.p. di* **piangere**[1].
piantonạia *f.*, **piantonạio** *m.* ⟨*Agr*⟩ nursery.
piantonamẹnto *m.* **1.** (*il piantonare*) guarding. – **2.** ⟨*Agr*⟩ transplantation.
piantonạre *v.t.* (**piantọno**) **1.** (*vigilare*) to stand guard over, to guard, to keep watch over (*o* on). – **2.** ⟨*Agr*⟩ to transplant.
piantọne *m.* **1.** ⟨*Agr*⟩ (*arboscello*) sapling; (*pollone*) shoot, cutting, scion. – **2.** (*guardiano*) watchman, guard. – **3.** ⟨*Mil*⟩ sentry, sentinel, guard; (*attendente*) orderly. – **4.** ⟨*Mar*⟩ watch. – **5.** ⟨*Aut*⟩ steering column. – **6.** (*rif. a scala a chiocciola*) newel. □ *essere* (*o stare*) *di* ~ to be on guard (*o* the watch), to keep watch; *mettere di* ~ to post, to put on guard; ⟨*Arch*⟩ ~ *orizzontale* transom; ⟨*Arch*⟩ ~ *verticale* mullion.
pianụra *f.* plain, flat (*o* level) land, lowland: ~ *ondulata* rolling plain.
pianụzza *f.* ⟨*Itt*⟩ (*passera di mare*) plaice (*Pleuronectes platessa*).
piạrda *f.* ⟨*Geog*⟩ high-water bed.
piạre *v.i.* (**pịo, pịi**; *aus.* **avere**) ⟨*poet*⟩ (*pigolare*) to cheep, to peep, to chirp.
piarịsta *m.* ⟨*Rel*⟩ Piarist.
piasentiẹre *a./s.* ⟨*ant,rar*⟩ → **piacentiere**.
piassạva *f.* ⟨*Tess*⟩ piassava.
piạstra *f.* **1.** plate, slab. – **2.** (*unità monetaria*) piaster, piastre. – **3.** (*parte della serratura*) key-plate. – **4.** (*rif. all'aratro*: *versoio*) mould-board. – **5.** ⟨*Mil*⟩ armour-plate. – **6.** ⟨*El,Mecc,Edil*⟩ plate. – **7.** ⟨*Artigl*⟩ (*acciarino*) hammer. – **8.** ⟨*ant*⟩ (*lamina per le armature*) plate; (*armatura*) (plate-)armour.
□ ⟨*El*⟩ ~ *dell'***accumulatore** (accumulator) plate, grid, electrode; ~ *d'***amianto** asbestos mat; ⟨*Edil*⟩ ~ *d'***ancoraggio** anchor plate; ⟨*Edil*⟩ ~ *d'***appoggio** bearing slab; (*di fondazione*) foundation plate; ~ *di* **base** = *piastra di* **fondazione**; ⟨*Bot*⟩ ~ **cribrosa** sieve plate (*o* disk); ⟨*Biol*⟩ ~ **equatoriale** equatorial plate; ~ *di* **fissaggio** anchor (*o* clamp) plate; ⟨*Edil*⟩ ~ *di* **fondazione** foundation (*o* bed, base) plate; ~ *del* **fornello** hot-plate; ⟨*Ferr*⟩ ~ *di* **guardia** axle guide (*o* guard); ~ **isolante** insulating plate; ⟨*El*⟩ ~ *di* **massa** earth (*o* ground) plate; ~ **metallica** metal plate; ⟨*El*⟩ ~ **negativa** negative plate; ⟨*Anat*⟩ ~ **neurale** neural plate; ⟨*El*⟩ ~ **positiva** positive plate; ~ *di* **raffreddamento** cooling plate; ~ **riscaldante** hot-plate; ⟨*El*⟩ ~ *di* **terra** (*dispersore*) ground plate; ⟨*Ferr*⟩ ~ **tubiera** tube plate (*o* sheet).
piastrẹlla (*dim. di piastra*) *f.* **1.** (*mattonella*) tile; (*per muri*) (wall-)tile; (*per pavimenti*) (paving-)tile, (floor-)tile; (*mattonella smaltata*) (glazed) tile. – **2.** (*pietra piatta, anche per giocare*) small flat stone, disk.
piastrellạio *m.* **1.** (*fabbricante*) tile-maker. – **2.** (*applicatore*) tiler.
piastrellamẹnto *m.* **1.** (*rimbalzo sull'acqua*) bouncing. – **2.** ⟨*Aer*⟩ bounce. – **piastrellạre** *v.* (**piastrẹllo**) **I** *v.t.* to tile. – **II** *v.i.* (*aus.* **avere**) ⟨*Aer*⟩ (*rimbalzare*) to bounce. – **piastrellạto** (*p.p. di piastrellare*) *a.* tiled. – **piastrellịsta** *m.* → **piastrellaio**.
piastrịccia *f.* (*pl.* -ce) ⟨*Minier*⟩ quarry face (*o* bed).
piastrịccio *m.* ⟨*fam*⟩ sticky mess.
piastrịna (*dim. di piastra*) *f.* **1.** plate, plaque. – **2.** ⟨*Fisiol*⟩ blood platelet. – **3.** ⟨*Mil*⟩ identification disk (*o* tag), ⟨*am.fam*⟩ dog tag. – **4.** ⟨*Tess*⟩ sinker. – **5.** ⟨*Ferr*⟩ plate.
piastrịno (*dim. di piastra*) *m.* **1.** plate, plaque. – **2.** ⟨*Mil*⟩ identification disk (*o* tag), ⟨*am.fam*⟩ dog tag.
piastrọne (*accr. di piastra*) *m.* **1.** ⟨*Zool*⟩ plastron. – **2.** ⟨*Sport*⟩ (*nella scherma*) plastron. – **3.** ⟨*Met*⟩ slab. – **4.** ⟨*ant*⟩ (*petto della corazza*) breastplate, plastron.
piatịre *v.i.* (**piatịsco, piatịsci**; *aus.* **avere**) **1.** ⟨*fam*⟩ (*chiedere insistentemente*) to beg, to nag, ⟨*fam*⟩ to cadge. – **2.** ⟨*lett*⟩ (*contendere in giudizio*) to carry on a lawsuit, to go to law, to sue; (*litigare*) to argue, to quarrel, to fight, to wrangle. – **piạto** *m.* ⟨*non com*⟩ **1.** (*lite giudiziaria*) lawsuit, action. – **2.** (*contesa*) dispute, quarrel, fight, wrangle.
piatọso *a.* ⟨*ant,poet*⟩ (*pietoso*) pitiful.
piạtta *f.* **1.** ⟨*Mar*⟩ (*chiatta*) barge, lighter. – **2.** ⟨*ant*⟩ (*piastra di armatura*) plate.
piattabạnda *f.* ⟨*Edil*⟩ **1.** platband, lintel. – **2.** (*architrave in ferro*) iron girder; (*elemento di travi metalliche composte*) reinforcing band (*o* plate) in compound girder.
piattafọrma *f.* **1.** platform. – **2.** ⟨*Alp*⟩ platform, ledge. – **3.** ⟨*Ferr*⟩ (*rif. alla locomotiva*) platform. – **4.** ⟨*fig*⟩ platform, policy, programme. – **5.** ⟨*Pol*⟩ platform. – **6.** ⟨*Mar*⟩ (*ponte piattaforma*) platform deck (in the hold). – **7.** ⟨*Artigl*⟩ gun platform. – **8.** ⟨*Mil.ant*⟩ (*nelle fortificazioni*) battlement, ⟨*ant*⟩ platform.
□ ~ **anteriore** front platform; ~ *di* **caricamento** loading platform; ⟨*Geol*⟩ ~ **continentale** continental shelf; ⟨*Sport*⟩ ~ **fissa** firm board; ~ **girevole**: 1. ⟨*Ferr*⟩ turntable; 2. ⟨*Teat*⟩ revolving (*o* turntable) stage; ~ *di* **lancio**: 1. (*rif. ad aerei*) launching platform; 2. (*rif. a missili*) launching pad; 3. ⟨*Sport*⟩ circle; ~ *di* **lavoro** working platform; ~ **litorale** = *piattaforma* **continentale**; ⟨*Mecc*⟩ ~ **magnetica** magnetic chuck; ~ *di* **manovra** (*nel teatro delle marionette*) operating platform (*o* bridge); ~ *di* **rovesciamento** tipping platform; ⟨*Teat*⟩ ~ **slittante** (o *scorrevole*) sliding stage; ~ **stradale** formation level, bottoming.
piattạia *f.* dish-rack, plate-rack, dish-drainer.
piattạio *m.* (*f.* **-a**) ⟨*Ceram*⟩ plate-maker.
piattaiọne *m.* ⟨*Ornit*⟩ nightjar, goatsucker (*Caprimulgus europaeus*).
piattẹllo (*dim. di piatto*[2]) *m.* **1.** (*oggetto a forma di piccolo piatto*) small plate, disk. – **2.** (*nel tiro a volo*) clay-pigeon. – **3.** (*gioco*) kind of card game. □ *far* ~: 1. ⟨*Aer*⟩ to bounce; 2. (*nel gioco del piattello*) to have a flush, to win; ⟨*Etnol*⟩ ~ *labiale* labret; ⟨*Sport*⟩ *tiro al* ~ trap-shooting, clay-pigeon shooting.
piattẹzza *f.* ⟨*non com*⟩ **1.** flatness, levelness. – **2.** ⟨*fig*⟩ (*banalità*) dullness, triteness, platitude.
piattịna *f.* **1.** skid, platform truck. – **2.** (*profilato metallico*) metal strap. – **3.** ⟨*El*⟩ twin-lead. □ ⟨*El*⟩ ~ *di massa* ground strap.
piattịno (*dim. di piatto*[2]) *m.* (*sottocoppa*) saucer.
piattitụdine *f.* ⟨*lett*⟩ (*mancanza di originalità*) banality, triteness, flatness, platitude.
piạtto[1] *a.* **1.** flat: *cesto col fondo* ~ flat-bottomed basket. – **2.** ⟨*fig*⟩ (*uniforme*) monotonous, unchanging, flat: *paesaggio* ~ monotonous scenery; (*scialbo*) dull, dreary, flat, trite, uninteresting: *una narrazione -a e incolore* a dreary, uninteresting story. – **3.** ⟨*ant*⟩ (*appiattito*) flattened.
piạtto[2] *m.* **1.** plate, dish: *lavare i -i* to wash the dishes, to wash up. – **2.** (*quantità*) plate(ful), dish: *un* ~ *di patate* a plate of potatoes. – **3.** (*portata*) course: *secondo* ~ second course; (*vivanda*) dish: *un* ~ *del luogo* a local dish. – **4.** (*oggetto a forma di piatto*) plate, plaque; (*disco*) disk. – **5.** (*superficie piatta*) flat: *il* ~ *di una lama* the flat of a blade. – **6.** (*nei giochi*: *posta*) stakes *pl*. – **7.** *pl.* ⟨*Mus*⟩

cymbals *pl.* – **8.** ⟨*Legat*⟩ cover. – **9.** ⟨*Sport*⟩ (*nel baseball*) home plate (*o* base), home.

□ ~ *della* **bilancia** scale-pan; ~ **caldo** hot dish; ~ **cardinalizio** (*appannaggio annuo*) cardinal's annual allowance; ~ *di* **carne** meat dish; ~ *di* **carta** paper plate; ~ *di buona* **cera** = *piatto di buon* **viso**; ⟨*Mus*⟩ *-i* **cinesi** Chinese crash cymbals; **colpire** *di* ~ to hit with the flat of something; ~ **fondo** soup-plate, soup-dish; ~ **forte** main course; ⟨*fig*⟩ (*numero più importante*) highlight, main attraction, star turn; ~ **freddo** cold dish; ~ *del* **giorno** plat du jour, ⟨*fam*⟩ special; ~ *da* **lavoro** work tray; ~ **piano** (dinner) plate; ~ **portadischi** (record-player) turntable; ~ **unico** single dish, hotpot; ~ *di buon* **viso** simple but hearty meal; ~ **volante** (*disco volante*) flying saucer.

piạttola *f.* **1.** → **piattone.** – **2.** ⟨*Entom*⟩ (*scarafaggio*) Oriental cockroach, black beetle (*Blatta orientalis*). – **3.** ⟨*fig*⟩ (*persona molesta*) pest, nuisance, ⟨*fam*⟩ pain in the neck.

piattonạre *v.t.* (**piattọno**) ⟨*non com*⟩ to strike with the flat of a sword. – **piattonạta** *f.* blow with the flat of a sword.

piattọne *m.* ⟨*Entom*⟩ crab louse (*Phthirius pubis*).

piạvola *f.* ⟨*ven*⟩ (*bambola*) doll.

piạzza *f.* **1.** square, place, plaza: *la* ~ *del duomo* the cathedral square; (*piazza rotonda*) square, circus, place. – **2.** (*gente adunata in piazza*) crowd, people *pl* (in the square): *tutta la* ~ *applaudì* the whole crowd applauded. – **3.** ⟨*fig*⟩ (*plebe*) mob, rabble, populace. – **4.** (*spazio*) room, space: *far* ~ to make room; (*luogo*) place. – **5.** ⟨*pop*⟩ (*mercato*) market(-place). – **6.** ⟨*fam,scherz*⟩ (*pelata*) bald patch (*o* spot). – **7.** ⟨*Comm*⟩ market. – **8.** ⟨*Mil*⟩ fortress, stronghold. – **9.** ⟨*Sport*⟩ (*nel golf*) green. – **10.** ⟨*Stor*⟩ (*gabella della piazza*) stallage (rent).

□ *letto* **a** *due -e* double bed; *lenzuolo a una* ~ single sheet; ⟨*fam, scherz*⟩ **andare** *in* ~ (*diventare calvo*) to go bald; ~ *d'***armi**: 1. ⟨*Mil*⟩ parade-ground, drill-ground, barrack square; 2. ⟨*fig*⟩ (*ambiente molto spazioso*) huge place barn, barracks; 3. ⟨*ant*⟩ (*fortificazione*) fortification; ~ **bancaria** bank(ing) place; ~ **commerciale** market; ~ **forte** → **piazzaforte**; *-e* **internazionali** international markets; ~ *san* **Marco** St. Mark's Square; ~ **marittima** fortified harbour; ~ *del* **mercato** market(-place), market-square; ⟨*fig*⟩ **mettere** *qc. in* ~ to make s.th. public, to spread s.th. abroad; ⟨*fig*⟩ *il meglio che* **offra** *la* ~ the best on the market, ⟨*fam*⟩ the best going; *la* ~ *del* **paese** the village square; ~ *san* **Pietro** St. Peter's Square; ⟨*Comm*⟩ *i* **prezzi** *della* ~ spot prices, the prices quoted on the market; ⟨*fig*⟩ *far* ~ **pulita** to make a clean sweep; ⟨*fig,scherz*⟩ **rovinare** *la* ~ *a qd.* to put a spoke in s.o.'s wheel.

piazzafọrte *f.* (*pl.* **piazzefọrti**) **1.** ⟨*Mil*⟩ fortress, stronghold. – **2.** ⟨*fig*⟩ (*baluardo*) bulwark.

piazzaiolạta *f.* ⟨*spreg,non com*⟩ low (*o* vulgar) action; (*chiassata*) din, hubbub, uproar, scene, row. – **piazzaiọlo** ⟨*spreg*⟩ **I** *a.* vulgar, common, mob-, low; (*demagogico*) demagogic. – **II** *s.m.* (*f.* **-a**) coarse (*o* vulgar) fellow, lout.

piazzạle *m.* (large) square. □ ~ *interno*: 1. ⟨*Ferr*⟩ station premises; 2. ⟨*Mil.ant*⟩ inner square (*o* yard); ⟨*Ferr*⟩ ~ ⌜*di stazione*⌝ (*o esterno*) station square.

piazzamẹnto *m.* **1.** placing, positioning, placement. – **2.** ⟨*Econ, Sport*⟩ placing. – **3.** ⟨*Dipl*⟩ distribution of places.

piazzạre *v.t.* **1.** to place, to put, to position. – **2.** ⟨*Comm*⟩ to market, to sell. – **3.** ⟨*Econ,Sport*⟩ to place. – **4.** ⟨*Mil*⟩ to (bring into) position. – **piazzarsi** *v.r.* **1.** ⟨*fam*⟩ (*sistemarsi*) to settle (down), ⟨*fam*⟩ to dump (*o* plunk) o.s.: *si è piazzato in casa nostra* he's dumped himself on us. – **2.** ⟨*Sport*⟩ to be placed, to come.

piazzạro *m.* ⟨*ant*⟩ (*banditore*) town-crier.

piazzạta *f.* **1.** (*chiassata*) din, scene, uproar, racket; (*scandalo*) row, rumpus, ⟨*fam*⟩ shindy. – **2.** ⟨*non com*⟩ (*radura*) clearing. – **3.** ⟨*non com*⟩ (*calvizie*) bald patch (*o* spot). – **4.** ⟨*non com*⟩ (*macchia sui tessuti*) blotch, streak.

piazzạto (*p.p. di piazzare*) *a.* **1.** placed, positioned. – **2.** ⟨*Econ, Sport*⟩ placed. – **3.** ⟨*fam*⟩ (*ben sistemato*) doing well, nicely settled, ⟨*fam*⟩ well-off. □ *ben* ~ (*corpulento*) sturdy, well-built; ⟨*fig*⟩ (*con solida posizione*) doing nicely, well established, having made a good position for o.s.

piazzeggiạre *v.i.* (**piazzẹggio, piazzẹggi**; *aus.* **avere**) ⟨*ant*⟩ (*andare a zonzo*) to stroll (around), to dawdle, to loaf around.

piazzẹtta, piazzettịna *f. dim. di* **piazza.**

piazzịsta *m./f.* ⟨*Comm*⟩ commercial traveller, (travelling) salesman, canvasser, ⟨*am*⟩ solicitor.

piazzọla (*dim. di piazza*) *f.* **1.** → **piazzetta.** – **2.** ⟨*Strad*⟩ layby, parking area, ⟨*am*⟩ turnout. – **3.** ⟨*Mur*⟩ mixing platform (*o* pad). – **4.** ⟨*Artigl*⟩ emplacement, platform. □ ⟨*Strad*⟩ ~ *di emergenza* emergency layby; ⟨*Sport*⟩ ~ *di partenza* (*nel golf*) tee; ⟨*Strad*⟩ ~ *di sosta* layby, parking area.

pịca[1] *f.* ⟨*Ornit*⟩ **1.** magpie (*Pica pica*). – **2.** (*ghiandaia marina*) roller (*Coracias garrulus*). – **3.** (*gazza marina*) razorbill, razor-billed auk (*Alca torda*; *Utamania torda*). – **4.** (*pulcinella di mare*) puffin (*Fratercula arctida*).

pịca[2] *f.* ⟨*Tip*⟩ pica.

picadọr *sp. m.* picador.

picạrdo *a./s.* ⟨*ant*⟩ → **piccardo.**

picarẹsco *a.* (*pl.* **-chi**) ⟨*Lett*⟩ picaresque, roguish: *romanzo* ~ picaresque novel. – **pịcaro** *sp. m.* rogue, vagabond, picaro.

pịcca[1] *f.* **1.** ⟨*Mil*⟩ (*arma*) pike; (*soldato*) pikeman. – **2.** *pl.* (*seme di carte*) spades *pl.* □ ⟨*fig*⟩ *contare quanto il fante* (o *re*) *di picche* to count for little or nothing; ⟨*fig*⟩ *sembrare il fante di picche* to be a foolish braggart; *rispondere picche a qd.* to say no (to s.o.), to give s.o. a flat refusal, to turn s.o. down flatly.

pịcca[2] *f.* **1.** (*puntiglio*) pique, resentment, animosity, spite: *per* ~ in a fit of pique, out of resentment (*o* spite). – **2.** (*azione*) resentful action, spiteful trick. □ ⟨*non com*⟩ *fare a* ~ (*gareggiare*) to compete.

piccạggia *f.* (*pl.* **-ge**) ⟨*Itt*⟩ (*cepola*) red band-fish (*Cepola rubescens*).

piccạnte *a.* **1.** spicy, pungent, hot, piquant: *sapore* ~ spicy flavour. – **2.** ⟨*fig*⟩ (*arguto*) witty, spirited. – **3.** ⟨*fig*⟩ (*licenzioso*) spicy, racy, risqué, off-colour.

Piccardịa *N.pr.f.* ⟨*Geog*⟩ Picardy.

piccardịsmo *m.* ⟨*Rel*⟩ Picard movement.

piccạrdo I *a.* Picard, of Picardy. – **II** *s.m.* **1.** (*dialetto*) Picard. – **2.** (*abitante*; *f.* **-a**) Picard, native (*o* inhabitant) of Picardy.

piccạre *v.* (**pịcco, pịcchi**) ⟨*ant*⟩ **I** *v.t.* (*pungere*) to prick. – **II** *v.i.* (*aus.* **avere**) (*rif. a vino*: *frizzare*) to sparkle.

piccarẹssa *f.* ⟨*Mar*⟩ cathead stopper.

piccarọcca *f.* ⟨*Minier*⟩ pick(axe).

piccạrsi *v.r.* (**mi pịcco, ti pịcchi**) **1.** (*ostinarsi*) to be obstinate, ⟨*fam*⟩ to be pig-headed. – **2.** (*sostenere*) to maintain, to insist; (*pretendere*) to pride o.s., to flatter o.s. (*di* on), to claim: *si picca di parlare bene l'inglese* he flatters himself on speaking English well. – **3.** (*impermalirsi*) to take offence (*per* at), to be piqued (*o* offended), to be put out (by). – **4.** ⟨*tosc*⟩ (*gareggiare*) to compete, to vie.

piccạta[1] *f.* ⟨*ant*⟩ (*colpo di picca*) blow with (*o* from) a pike.

piccạta[2] *f.* ⟨*Gastr*⟩ (*anche carne piccata*) veal in sour lemon sauce.

piccatịna *f. dim. di* **piccata**[2].

piccạto[1] (*p.p. di piccarsi*) *a.* **1.** (*risentito*) resentful, offended, piqued: *tono* ~ resentful tone. – **2.** ⟨*Gastr*⟩ flavoured with lemon sauce.

piccạto[2] *m.* → **picchè.**

picchè *m.* ⟨*Tess*⟩ piqué: ~ *di cotone* cotton piqué.

picchettạggio *m.* ⟨*non com*⟩ → **picchettamento.**

picchettamẹnto *m.* **1.** → **picchettazione.** – **2.** (*sorveglianza*) picketing.

picchettạre *v.t.* (**picchẹtto**) **1.** to stake out (*o* off), to mark off with stakes, to picket. – **2.** ⟨*pop*⟩ (*picchiettare*) to fleck, to spot, to dot. – **3.** (*sorvegliare*) to picket. – **4.** ⟨*Mus*⟩ to play saltato. – **5.** ⟨*Sart*⟩ to draw threads from.

picchettatọre *m.* staker. – **picchettatụra** *f.* → **picchettazione.**

picchettaziọne *f.* staking out (*o* off), picketing. □ ~ *della livelletta* marking the height; ⟨*Ferr*⟩ ~ *della via* marking (*o* staking) out of a line.

picchẹtto[1] *m.* **1.** (*paletto*) stake, peg, picket. – **2.** ⟨*Mil*⟩ picket; (*gruppo di soldati*) platoon, troop: ~ *armato* armed troop. – **3.** ⟨*Stor*⟩ (*punizione*) picket. – **4.** ⟨*Mar.mil*⟩ watch. – **5.** (*gruppo di scioperanti*) picket. □ ⟨*Mil*⟩ *di* ~ (*di servizio*) on picket duty: *essere* (o *montare*) *di* ~ to be (*o* go) on picket duty; *ufficiale di* ~ orderly officer; ~ *d'onore* guard of honour; ~ *da tenda* tent-peg.

picchẹtto[2] *m.* (*gioco di carte*) piquet.

picchiạccio *m.* ⟨*Ornit*⟩ (*picchio verde*) green woodpecker (*Picus viridis pronus*).

picchiamẹnto *m.* ⟨*non com*⟩ **1.** (*il picchiare*) beating, knocking, hitting. – **2.** (*il picchiarsi*) fight.

picchiapẹtto I *m./f.inv.* ⟨*non com*⟩ (*bigotto*) bigot, sanctimonious hypocrite. – **II** *m.* (*pendente*) pendant.

picchiạre *v.* (**pịcchio, pịcchi**) **I** *v.t.* **1.** (*battere*) to hit, to strike: *ha picchiato il gomito contro la tavola* he struck his elbow against the table; (*battere forte*) to bang, to thump: ~ *un pugno sul tavolo* to ⌜bang one's fist⌝ (*o* thump) on the table. – **2.** (*bastonare*) to thrash, to beat (up), to cudgel, to give a thrashing to, ⟨*fam*⟩ to wallop: ~ *qd. di santa ragione* to give s.o. a good thrashing, ⟨*fam*⟩ to tan s.o.'s hide. – **3.** (*bussare*) to knock on (*o* at), to give a knock on: ~ *un colpo alla porta* to (give a) knock on the door. – **II** *v.i.* (*aus.* **avere**) **1.** (*bussare*) to knock: *qualcuno picchia alla porta* someone is knocking on the door; (*battere leggermente*) to tap: ~ *con le dita sul vetro della finestra* to tap on the window-pane. – **2.** (*colpire*) to beat, to hit, to strike: *la pioggia picchia sulle finestre* the rain is beating on the windows; (*cadere*) to beat down. – **3.** ⟨*fam*⟩ (*insistere*) to insist, to harp. – **4.** ⟨*Aer*⟩ to (go into a) dive. – **5.** ⟨*Mot*⟩ to knock. – **6.** ⟨*tosc*⟩ (*battere le castagne*) to split (chestnuts) open. – **picchiarsi** *v.r.* ⟨*recipr*⟩ to hit e.o., to fight.

□ **dagli**, *picchia e martella* (*a furia di insistere*) by constantly insisting, by asking again and again, by keeping on; *picchia e* **mena** (*insistendo*) by dint of insisting; *picchiarsi il* **petto** to beat one's breast; *picchia e* **ripicchia**, *ha ottenuto quello che voleva* he got what he wanted through sheer doggedness; ⟨*Mot*⟩ ~ *in* **testa** to pink; ⟨*fig*⟩ ~ *a tutti gli* **usci** to ask for help from all and sundry.

picchiarịno *m.* ⟨*Ornit*⟩ (*picchio rosso minore*) lesser spotted woodpecker, barred woodpecker (*Dryobates minor burtlini*).

picchiạta *f.* **1.** knock(ing), blow. – **2.** (*busse*) beating, thrashing. – **3.** ⟨*Aer*⟩ (nose-)dive, pitch. – **4.** ⟨*Sport*⟩ (*nel tennis*) slam. □ ⟨*Aer*⟩ *bombardare in* ~ to dive-bomb; ⟨*Aer*⟩ ~ *in candela* nose-dive; *scendere in* ~: 1. ⟨*Aer*⟩ to (nose-)dive; 2. ⟨*fig*⟩ to plunge headlong, to fall steeply; ⟨*Aer*⟩ ~ *in spirale* corkscrew dive; ~ *verticale* = *picchiata in candela.*

picchiatẹllo[1] (*dim. di picchiato*) **I** *a.* (*stravagante*) crazy, ⟨*fam*⟩ nuts, ⟨*fam*⟩ screwy, ⟨*fam*⟩ crack-brained, ⟨*fam*⟩ potty, ⟨*fam*⟩ touched. – **II** *s.m.* (*f.* **-a**) crazy person, ⟨*fam*⟩ crackpot, ⟨*fam*⟩ nut.

picchiatẹllo[2] *m.* ⟨*Aer*⟩ dive-bomber.

picchiạto (*p.p. di picchiare*) *a.* **1.** beaten, hit, struck. – **2.** (*strambo*)

eccentric, crazy. – **3.** ⟨*Aer*⟩ dive-, diving. □ ⟨*fam*⟩ *essere ~ in testa* to be crazy, ⟨*fam*⟩ to be nutty (*o* dotty); ⟨*Aer*⟩ *volo ~* (nose-)dive.
picchiatọre *m.* (*f.* **-trice**) **1.** beater. – **2.** ⟨*Sport*⟩ (*nel pugilato*) hard hitter, slugger. – **3.** ⟨*Aer*⟩ dive-bomber; (*pilota*) dive-bomber pilot. – **picchiatụra** *f.* beating.
picchiẹre *m.* ⟨*Mil.ant*⟩ pikeman.
picchierellạre *v.* (**picchierẹllo**) **I** *v.t.* to tap, to drum: *~ le dita sul tavolo* to tap one's fingers on the table. – **II** *v.i.* (*aus.* **avere**) to patter, to tap, to drum: *la pioggia picchierella sui vetri* the raindrops are pattering on the window-panes.
picchiettạre *v.* (**picchiẹtto**) **I** *v.t.* **1.** to pat, to tap, to drum: *~ la pelle* to pat the skin. – **2.** (*punteggiare*) to fleck, to spot, to dot. – **3.** ⟨*Mus*⟩ to play saltato. – **4.** ⟨*Mar*⟩ (*rif. alle lamiere*) to chip, to scale; (*rif. alla pittura*) to scrape. – **II** *v.i.* (*aus.* **avere**) to patter. – **picchiettạto** (*p.p. di picchiettare*) **I** *a.* spotted, flecked, dotted: *~ di nero* black-spotted. – **II** *s.m.* ⟨*Mus*⟩ arco saltando, saltato, spiccato. – **picchiettatụra** *f.* ⟨*non com*⟩ **1.** (*atto*) spotting, dotting, flecking. – **2.** (*effetto*) spot, dot, fleck.
picchiettịni *m.pl.* ⟨*Gastr*⟩ (*manfricoli*) kind of noodles.
picchiettịno *m.* ⟨*Mar*⟩ chipper, scaler.
picchiettịo *m.* pattering, tapping, drumming.
picchiẹtto[1] *m.* ⟨*Mar*⟩ chipping (*o* scaling) hammer.
picchiẹtto[2] (*dim. di picchio*[1]): ⟨*Ornit*⟩ *~ cardinale* → **picchiarino.**
picchịno *a.* ⟨*tosc,vezz*⟩ (*piccino*) small, tiny, ⟨*fam*⟩ teeny-weeny.
pịcchio[1] *m.* ⟨*Ornit*⟩ **1.** woodpecker. – **2.** *pl.* Picidae *pl*, ⟨*pop*⟩ woodpeckers *pl* (*Picidae*). – **3.** woodpecker (*Dryobates, Dendrocopos*). □ *~* **cenerino** (o *cinericcio*) grey-headed woodpecker (*Picus canus*); *~* **corvo** = *picchio* **nero**; *~* (*a*) **dorsobianco** white-backed woodpecker (*Dendrocopos leucotos*); *~* **mezzano** middle spotted woodpecker (*Dryobates medius*); *~* **minore** *vario* = *picchio* **rosso** *minore*; *~* **muraiolo** wall creeper (*Tichodroma muraria*); *~* **muratore** → **picchiotto**[2]; *~ muratore dalmatino* (o *di roccia*) rock nuthatch (*Sitta neumayeri*); *~* **nero** black woodpecker (*Dryocopus martius martius*); *~* **piccolo** = *picchio* **rosso** *minore*; *~ piccolo grigio* → **picchiotto**[2]; *~* **rosso** *dal dorso bianco* = *picchio* (*a*) **dorsobianco**; *~ rosso maggiore* great spotted woodpecker, pied woodpecker (*Dendrocopos major*; *Dryobates major*); *~ rosso mezzano* = *picchio* **mezzano**; *~ rosso minore* lesser spotted woodpecker, barred woodpecker (*Dendrocopos minor*; *Dryobates minor burtlini*); *~* **siriaco** Syrian woodpecker (*Dendrocopos syriacus*); *~* **tridattilo** three-toed woodpecker (*Picoides tridactylus alpinus*); *~* **vario** = *picchio* **mezzano**; *~* **verde** → **picchiaccio**; *~ verde di Norvegia* = *picchio* **cenerino.**
pịcchio[2] *m.* ⟨*non com*⟩ blow, knock. □ ⟨*fig*⟩ *avere* (o *battere*) *un ~* to have a reverse of fortune, to suffer a (financial) setback; *di* (o *in*) *~* (*di colpo*) all at once, suddenly.
picchịo[3] *m.* ⟨*rar*⟩ knocking, tapping.
picchiolạre *v.t.* (**pịcchiolo**) ⟨*non com*⟩ **1.** (*picchiettare*) to pat. – **2.** (*variegare*) to spot, to fleck, to dot.
picchiottạre *v.* (**picchiọtto**) ⟨*non com*⟩ **I** *v.t.* to knock on (*o* at). – **II** *v.i.* (*aus.* **avere**) to knock (on the door).
picchiọtto[1] *m.* (door-)knocker.
picchiọtto[2] *m.* ⟨*Ornit*⟩ nuthatch (*Sitta europaea*).
pịccia *f.* (*pl.* **-ce**) ⟨*tosc*⟩ (*coppia*) two, pair. □ *a picce* (*in grande quantità*) in plenty, plentifully.
picciafẹrro *m.inv.* ⟨*Ornit*⟩ (*gruccione*) bee-eater (*Merops apiaster*).
piccinạco *a./s.* (*pl.* **-ci**) ⟨*ant*⟩ **I** *a.* (*di bassa statura*) dwarfish. – **II** *s.m.* (*f.* **-a**) dwarf, midget. – **piccinạcolo** *a./s.* → **piccinaco.**
piccinerịa *f.* **1.** pettiness, small-mindedness, meanness. – **2.** (*azione*) petty action.
piccinịna (*dim. di piccino*) *f.* ⟨*lomb*⟩ (*apprendista di sartoria*) dressmaker's apprentice. – **piccinịno** *m.* (*f.* **-a**) *dim. di* **piccino.**
piccịno I *a.* **1.** ⟨*vezz*⟩ (*piccolo*) little, (very) small, itty-bitty, teeny -weeny. – **2.** (*rif. a statura*) tiny, (very) little, ⟨*vezz*⟩ wee. – **3.** ⟨*fig, spreg*⟩ (*gretto*) petty, small-minded, mean, narrow. – **II** *s.m.* (*f.* **-a**) **1.** little boy (*f* girl), (small) child, tot, ⟨*fam*⟩ kid(dy). – **2.** (*animale appena nato*) young, cub, baby-. □ ⟨*fig*⟩ *farsi ~* to shrink, to cower; *un film per grandi e -i* a film for adults and children; ⟨*fam*⟩ *~ picciò* (*piccolo piccolo*) tiny, ⟨*vezz*⟩ teeny-weeny, ⟨*vezz*⟩ wee (little): *una donnina -a picciò* a wee little woman.
picciol(ett)ạto *a.* ⟨*Bot*⟩ petiolate(d), stemmed, stalked.
picciolẹtto[1] *a.* ⟨*lett*⟩ *dim. di* **picciolo**[1].
picciolẹtto[2] *m.* ⟨*Bot*⟩ *dim. di* **picciolo**[2].
pịcciolo[1] **I** *a.* ⟨*lett*⟩ **1.** (*piccolo*) little. – **2.** ⟨*ant*⟩ (*umile, modesto*) humble, lowly, simple. – **II** *s.m.* ⟨*tosc*⟩ (*spicciolo*) small coin, penny. □ *non valere un ~* not to be worth a ⌜brass farthing⌝ (*o* cent).
picciọlo[2] *m.* ⟨*Bot*⟩ **1.** petiole, leafstalk. – **2.** (*peduncolo*) peduncle, stalk.
piccionạia *f.* **1.** pigeon-loft. – **2.** (*soffitta*) garret, attic. – **3.** ⟨*Teat, scherz*⟩ (*loggione*) gallery, ⟨*fam*⟩ gods *pl*, ⟨*am.fam*⟩ peanut gallery; (*spettatori del loggione*) people *pl* in the gallery, ⟨*fam*⟩ gods *pl*.
piccioncịno (*dim. di piccione*) *m.* (*f.* **-a**) **1.** ⟨*fam,vezz*⟩ sweet(heart), ⟨*fam*⟩ love, ⟨*fam*⟩ pet, ⟨*fam*⟩ honey, ⟨*fam*⟩ darling. – **2.** ⟨*Ornit*⟩ (*gabbianello*) little gull (*Larus minutus*). – **3.** ⟨*Gastr*⟩ pigeon-shaped roll.
picciọne *m.* (*f.* **-a**) ⟨*Ornit*⟩ **1.** pigeon, dove (*Columba*). – **2.** *pl.* pigeons *pl*, doves *pl* (*Columbae*). – **3.** (*colombo domestico*) domestic pigeon. □ ⟨*Sport*⟩ *~* **d'argilla** clay-pigeon; ⟨*fig*⟩ *prendere due -i con una* **fava** to kill two birds with one stone; *~* **marino** = *piccione* **selvatico**; ⟨*Sport*⟩ *~ di* **rame** clay-pigeon; *~* **selvatico** (o *di rocca*) rock-pigeon, rock-dove (*Columba livia*); *~* **torraiolo** (o *di torre*) = *piccione* **selvatico**; *~* **viaggiatore** carrier pigeon, homing-pigeon.
picciọtto *m.* (*f.* **-a**) ⟨*sicil*⟩ **1.** (*giovanotto*) young man, youth. – **2.** ⟨*Stor*⟩ Sicilian insurgent.
piccirịllo *m.* (*f.* **-a**) ⟨*napol*⟩ (*bambino*) baby; (*ragazzo*) small child, lad.
pịcco[1] *m.* (*pl.* **-chi**) **1.** peak, pinnacle, summit, ⟨*lett*⟩ pike. – **2.** ⟨*Mar*⟩ gaff, peak. – **3.** ⟨*tecn*⟩ peak. □ *a ~* sheer, straight up (*o* down), perpendicularly; *a ~ sul mare* sheer above (*o* out of) the sea, rising steeply above (*o* out of) the sea; ⟨*Mar*⟩ *~ di carico* derrick; *colare a ~*: 1. (*affondare*) to sink, to go to the bottom; 2. = *mandare a picco*; 3. ⟨*fig*⟩ (*andare in rovina*) to go to rack and ruin, ⟨*fam*⟩ to go to the dogs; *mandare a ~* (*far affondare*) to sink.
pịcco[2] *m.* (*pl.* **-chi**) ⟨*region*⟩ → **piccone.**
piccolẹzza *f.* **1.** smallness, littleness. – **2.** (*inezia*) trifle, mere nothing. – **3.** ⟨*spreg*⟩ (*piccineria*) pettiness, smallness, meanness. □ *~ di mente* pettiness, small-mindedness, narrow-mindedness; *~ di statura* shortness, small stature (*o* size).
pịccolo I *a.* (*compar.* **più pịccolo/minọre**, *sup.* **piccolịssimo/mịnimo**) **1.** small, little: *una casa -a* a small house; (*piccolissimo*) tiny, very small, ⟨*vezz*⟩ wee. – **2.** (*basso*) low: *una -a altura* a low rise. – **3.** (*poco esteso*) small, little: *un ~ terreno* a small plot. – **4.** (*giovane*) young, small: *figli -i* young children. – **5.** (*breve*) short, little, brief: *un ~ intervallo* a short interval. – **6.** (*rif. a quantità*) small, slight: *una -a parte* a small share. – **7.** (*debole*) faint, slight, little, small; (*rif. a suoni*) faint, slight, soft: *un ~ rumore* a slight noise. – **8.** (*poco importante*) small, trifling, minor, slight: *un ~ errore* a slight error. – **9.** (*modesto*) small, small-scale: *un ~ negoziante* a small shop-keeper. – **10.** (*meschino*) petty, small, mean: *mente -a* small mind; (*ristretto*) narrow. – **11.** (*in miniatura*) little, miniature: *questa città è una -a Parigi* this town is a miniature Paris. – **12.** ⟨*spreg*⟩ little, petty: *non è altro che un ~ imbroglioncello* he's nothing but a little cheat. – **II** *s.m.* (*f.* **-a**) **1.** (*bambino*) (small) child, ⟨*fam*⟩ kid(dy). – **2.** (*rif. ad animali*) young, offspring; ⟨*collett*⟩ young. – **3.** ⟨*region*⟩ (*aiuto cameriere*) apprentice waiter, piccolo, ⟨*am*⟩ busboy.
□ ⟨*Mar*⟩ *~ di* **camera** cabin-boy, ship's-boy; **da** *~* as a child; *fin da ~* since childhood, from childhood on; **farsi** *~* to cower, to shrink; *~ come una* **formica** tiny, minute; **in** *~* (*in misura ridotta*) on a small (*o* reduced) scale, in miniature, small-scale (*anche fig.*); *nel* **mio** *~* in my own small way.
picconạre *v.* (**piccọno**) **I** *v.t.* to (strike with a) pickaxe. – **II** *v.i.* (*aus.* **avere**) to (use a) pickaxe. – **picconạta** *f.* blow with a pickaxe. – **picconatrịce** *f.* ⟨*Mecc*⟩ pneumatic pick. – **piccọne** *m.* (pick)axe. □ ⟨*fig*⟩ *dare il primo colpo di ~* to begin demolition; *~ pneumatico* pneumatic pick; *~ a zappa* pick. – **picconiẹre** *m.* pickman.
piccosạggine, piccosità *f.* ⟨*rar*⟩ obstinacy, ⟨*fam*⟩ cussedness; (*permalosità*) touchiness. – **piccọso** *a.* (*caparbio*) obstinate, stubborn, ⟨*fam*⟩ cussed; (*permaloso*) touchy, querulous, peevish, testy.
piccọzza *f.* **1.** mattock. – **2.** ⟨*Alp*⟩ ice-axe. □ *~ per ghiaccio* ice-axe; *~ da pompiere* fireman's axe.
piccọzzo *m.* → **picozzo.**
pịcea *f.* ⟨*Bot*⟩ (*abete rosso*) Norway spruce (*Picea excelsa*).
pịceo *a.* ⟨*lett*⟩ **1.** (*di pece*) piceous, pitch-. – **2.** (*simile alla pece*) pitchy, piceous. – **3.** ⟨*poet*⟩ (*fumoso*) smoky.
pịcidi *m.pl.* ⟨*Ornit*⟩ Picidae *pl*, ⟨*pop*⟩ woodpeckers *pl* (*Picidae*).
pịck-up *ingl.* [-ʌp] *m.* pick-up. □ *~ acustico* sound-box, acoustic pick-up.
picnịc *m.* picnic. □ *fare un ~* to have (*o* go on) a picnic.
pịcnico *a./s.* (*pl.* **-ci**) **I** *a.* ⟨*Med*⟩ pyknic. – **II** *s.m.* pyknic.
picnịdio *m.* ⟨*Bot*⟩ pycnidium. – **pịcnio** *m.* pycnium.
picnolessịa *f.* ⟨*Med*⟩ pyknolepsy.
picnọmetro *m.* ⟨*Chim*⟩ pycnometer, density bottle.
picnomọrfo *a.* ⟨*Biol*⟩ pycnomorphous.
picnonọtidi *m.pl.* ⟨*Ornit*⟩ bulbuls *pl* (*Pycnonotidae*).
picnọsi *f.* ⟨*Biol*⟩ pycnosis. – **picnọtico** *a.* (*pl.* **-ci**) pycnotic.
pịco *m.* ⟨*lett,rar*⟩ → **picchio**[1].
picofạrad *m.* ⟨*El*⟩ picofarad.
picọzzo *m.* ⟨*Zool*⟩ incisor.
picrạto *m.* ⟨*Chim*⟩ picrate. – **pịcrico** *a.* (*pl.* **-ci**) picric: *acido ~* picric acid. – **picrịle** *m.* picryl.
picrịna *f.* ⟨*Chim*⟩ picrin.
picrịte *f.* ⟨*Geol*⟩ picrite.
picro|micịna *f.* ⟨*Farm*⟩ picromycin. – **~tossịna** *f.* ⟨*Chim*⟩ picrotoxin.
picto|grafịa *f.* ⟨*Paleogr*⟩ (*pittografia*) pictography, picture-writing. – **~grạmma** *m.* (*pittogramma*) pictograph, pictogram.
pidocchierịa *f.* **1.** meanness, niggardliness, stinginess. – **2.** (*azione*) mean (*o* niggardly) action.
pidocchiẹtto (*dim. di pidocchio*) *m.* ⟨*region*⟩ (*rif. a cinema, teatro*) flea-pit, ⟨*am.fam*⟩ flea-bag.
pidọcchio *m.* **1.** louse. – **2.** ⟨*Entom*⟩ common louse (*Pediculus humanus*).
□ *~ delle* **api** bee louse (*Braula caeca*); *~ delle* **carpe** carp louse (*Argulus foliaceus*); *~* **comune** head louse (*Pediculus humanus capitis*); *~ del* **melo** woolly ⌜plant louse⌝ (*o* apple aphid) (*Eriosoma lanigerum*); *~* **nero** (o *dell'olivo*) olive thrips (*Phlaeothrips oleae*); *~ delle* **piante** plant louse; *~* **pollino** shaft louse (*Menopon pallidum*); *~ del* **pube** crab-louse (*Phthirius pubis*); ⟨*fig*⟩ *~* **rifatto** brazen upstart (*o* nouveau riche); ⟨*tosc*⟩ *~* **riunto** = *pidocchio* **rifatto**; *~ delle* **rose** green-fly, rose aphid (*Macrosiphon rosae*); ⟨*fig*⟩ **scorticare** *il ~* (*essere avaro*) to be a skinflint; *~ dei* **suini** pig (*o* hog)

louse (*Haematopinus suis*); ~ *dei* **vestiti** body (*o* clothes) louse (*Pediculus humanus corporis*).

pidocchioso *a.* **1.** lice-ridden, pediculous, lousy. – **2.** ⟨*fig*⟩ (*gretto*) mean; (*avaro*) stingy, niggardly, miserly.

piè (*accorc. di piede*) *m.* ⟨*poet*⟩ foot.

□ **a** ~ at the foot (*o* bottom): *a* ~ *del monte* at the foot of the mountain; ⟨*Mar*⟩ ~ *d'***albero** mast heel, foot of a mast; **da** ~ at the foot (*o* bottom): *da* ~ *del letto* at the foot of the bed; *a* ~ **fermo** unflinchingly; ⟨*Bot*⟩ ~ *di* **gallo** winter aconite (*Eranthis hiemalis*); *a* ~ *d'***opera** on site; *nota a* ~ *di* **pagina** footnote; *saltare a* ~ **pari** to take a standing jump, to jump with both feet together; ⟨*fig*⟩ to leave out, ⟨*fam*⟩ to skip; ⟨*Zool*⟩ ~ *di* **pellicano** pelican's foot (*Aporrhais pespelecani*); ~ *di* **pollo**: 1. ⟨*Bot*⟩ broom sedge (*Andropogon ischaemum*); 2. ⟨*Mar*⟩ wall knot; 3. (*negli scacchi*) fork; ~ *di* **porco** crowbar, jimmy; ⟨*fig*⟩ *a ogni* ~ **sospinto** at every step (*o* turn).

pièce *fr.* [pjɛs] *f.* ⟨*Teat*⟩ play, performance.

pied-à-terre *fr.* [pjeda'tɛ:r] *m.* pied-à-terre. – **piedatterra** *m.inv.* → **pied-à-terre.**

pied-d'éléphant *fr.* [pjedele'fã] *m.* ⟨*Alp*⟩ (kind of) sleeping-bag.

pied-de-poule *fr.* [pjed'pul] *m.* ⟨*Tess*⟩ hound's-tooth check.

piede *m.* **1.** foot. – **2.** (*zampa*) paw, foot, hoof. – **3.** (*parte di sostegno*) foot, base: *il* ~ *del tavolo* the foot of the table; (*parte inferiore*) foot, bottom: *ai -i della scalinata* at the foot of the stairs. – **4.** ⟨*Anat*⟩ (*porzione inferiore*) foot. – **5.** ⟨*Bot*⟩ (*fusto*) footstalk, stem; (*gambo*) stalk, stem; (*del fungo*) stipe, stalk. – **6.** ⟨*Metr, Mat,Tip*⟩ foot.

□ **a** *-i* on foot: *andare a -i* to walk, to go on foot; *sono venuto a* ~ I walked here; **ai** *-i* (*in fondo*) at the foot (*o* bottom): *ai -i del colle* at the foot of the hill; *gettarsi ai -i di qd.* to throw o.s. at s.o.'s feet; ⟨*Mar*⟩ ~ *d'***albero** mast heel, foot of a mast; ⟨*Bot*⟩ ~ **anserino** goosefoot; ~ **anteriore** forefoot; ⟨*Mil*⟩ *pied'***arm**! ground arms!; ⟨*Med*⟩ ~ *d'***atleta** athlete's foot; ⟨*Mecc*⟩ ~ *di* **biella** small end; ~ **biforcuto** cloven hoof; **cadere** *in -i* to fall on one's feet (*anche fig.*); *da* **capo** *a -i* from head to foot (*o* toe), from top to bottom; ⟨*fig*⟩ **cavare** *i -i da qc.* to find a way out of s.th., to make headway with s.th.; ⟨*Med*⟩ ~ **cavo** hollow foot; ⟨*fig*⟩ *mettere i -i sul* **collo** *a qd.* to keep s.o. down (*o* underfoot); ⟨*Bot*⟩ ~ *di* **colombo** (*vitigno*) kind of vine; **con** *i -i* with one's feet; ⟨*fig*⟩ *fare qc. con i -i* to do s.th. in a slipshod way, to bungle s.th.; *lavoro fatto con i -i* slipshod work, botch; ~ **cubico** cubic foot; ⟨*fam*⟩ **da** *-i* at the foot; *su* **due** *-i* (*immediatamente*) at once, immediately; (*senza preavviso*) without warning, by surprise; ⟨*Med*⟩ ~ **equino** club-foot, talipes (*o* pes) equinus; *mettere un* ~ *in* **fallo** to put a foot wrong, to take a false step; ⟨*non com*⟩ *a* ~ **fermo** (*a piè fermo*) unflinchingly; ⟨*fig*⟩ *avere un* ~ *nella* **fossa** to have one foot in the grave; *essere sempre* **fra** *i -i di qd.* to be in s.o.'s way all the time; ⟨*fig*⟩ *mettere qc. fra i -i di qd.* (*ostacolarlo*) to put s.th. in s.o.'s way, to hinder (*o* thwart) s.o.; ⟨*Bot*⟩ ~ *di* **gatto** cat's-foot, mountain everlasting (*Antennaria dioica*); *essere sul* ~ *di* **guerra** to be on a war footing, to be ready for war; ⟨*Tip*⟩ **in** ~ standing: *tenere in* ~ *la composizione* to keep type standing; *in -i*: 1. on one's feet, standing: *posto in -i* standing room; 2. (*alzato*) ⟨*pred*⟩ up: *sei ancora in -i a quest'ora?* (are you) still up at this hour?; *alzarsi in -i* to stand up, to get (*o* rise) to one's feet; *essere* (o *stare*) *in -i*: 1. to stand, to be standing (*o* on one's feet); 2. (*essere alzato*) to be up; 3. ⟨*fig*⟩ (*essersi rimesso*) to be ⌜on one's feet⌝ (*o* up and about) again; ~ *dell'***incudine** anvil body; *mettere un* ~ **innanzi** *all'altro* to take one step at a time; ⟨*fig*⟩ to proceed step by step; *un* ~ *di* **lattuga** a head of lettuce; ~ *del* **letto** foot of the bed; ⟨*fig*⟩ **levarsi** *qd. dai -i* to get rid of s.o.; ⟨*Dir*⟩ *a* ~ **libero** on bail; ⟨*fig*⟩ *aiutarsi con le* **mani** *e con i -i* to use every means available; *avere* ~ **marino** (*non soffrire il mal di mare*) to have sea-legs; **mettere** ~ *in* to set foot in: *non ci metterò più* ~ I'll never set foot in there again; *mettere qc. in -i* to set s.th. on foot, to start s.th. (up); *non ho* **mosso** ~ *da qui* I haven't budged from this spot; *a -i* **nudi** barefoot; *saltare a -i* **pari** to jump with both feet together, to take a standing jump; ⟨*fig*⟩ (*tralasciare*) to leave out, ⟨*fam*⟩ to skip; *trattare qd. su un* ~ *di* **parità** to treat s.o. on an equal footing; **pestare** *i -i* to stamp one's feet; *pestare i -i a qd.* to tread (*o* step) on s.o.'s toes (*o* foot); ⟨*fig*⟩ to get in s.o.'s way; *-i* **piatti**: 1. ⟨*Med*⟩ flat feet; 2. ⟨*gerg*⟩ (*poliziotto*) policeman, ⟨*fam*⟩ cop, ⟨*gerg*⟩ flatfoot; ⟨*fig*⟩ *andare con i -i di* **piombo** to go very carefully, to be very wary, ⟨*fam*⟩ to watch one's step; ⟨*Mar*⟩ ~ *di* **pollo** wall-knot; ~ *di* **porco** crowbar; (*arnese di ladri*) jemmy; **prendere** ~ (*attecchire*) to take root; ⟨*fig*⟩ to take root, to catch on; *in* **punta** *di -i* on tiptoe; **puntare** *i -i* to dig one's heels in (*anche fig.*); ~ **quadrato** square foot; *andare a* **quattro** *-i* to go on all fours; **ragionare** *con i -i* to reason like a fool, ⟨*fam*⟩ to talk through one's hat; *non* **reggersi** *in -i*: 1. to be unable to stay on one's feet, ⟨*fam*⟩ to be all-in; 2. ⟨*fig*⟩ to be unconvincing, not to ⌜stand up⌝ (*o* hold water); 3. ⟨*fig*⟩ (*non durare*) not to hold; **restare** *a -i*: 1. to have to go on foot; 2. (*perdere il treno e sim.*) to miss the train, to be left behind; 3. ⟨*fig*⟩ (*rimanere deluso*) to miss the bus; ⟨*Ferr*⟩ ~ *della* **rotaia** flange (*o* foot) of the rail; *a -i* **scalzi** = *a piedi* **nudi**; *mettersi qc.* **sotto** *i -i* to tread s.th. underfoot (*anche fig.*); ⟨*fig*⟩ *tenere i -i in due* **staffe** to run with the hare and hunt with the hounds, to serve two masters; ⟨*Med*⟩ ~ **talo** club-foot, talipes; ⟨*fam*⟩ **togliti** *dai -i!* get out of the way, ⟨*fam*⟩ beat it, ⟨*fam*⟩ hop it, ⟨*fam*⟩ scram, ⟨*fam*⟩ clear off; ⟨*Med*⟩ ~ *di* **trincea** trench foot; ~ **valgo** talipes (*o* pes) valgus; ~ **varo** pigeon-toes *pl*, talipes (*o* pes) varus.

piedepalumbo *m.* → **piedirosso.**

piedestallo *m.* → **piedistallo.**

piedino (*dim. di piede*) *m.* **1.** ⟨*Giorn*⟩ (*trafiletto*) short article. – **2.** (*della macchina da cucire*) pressure foot (*o* shoe). □ ⟨*El*⟩ ~ *dell'anodo* anode stem; ⟨*fam*⟩ *far* ~ to play footsie.

piedirosso *m.* (*vitigno*) kind of vine.

piedistallo *m.* ⟨*Arch*⟩ pedestal, footstall, plinth. □ ⟨*fig*⟩ *far da* ~ *a qd.* to support (*o* uphold) s.o.; ⟨*fig*⟩ *mettere* (o *tenere*) *qd. sul* ~ to put (*o* keep) s.o. on a pedestal.

piedone *m. accr. di* **piede.**

piedra *f.* ⟨*Med*⟩ piedra.

piedritto *m.* ⟨*Arch*⟩ (*di un ponte*) pier, abutment; (*di un edificio*) wall; (*di un portale*) column.

piega *f.* **1.** pleat, fold: *gonna a pieghe* skirt with pleats, pleated skirt. – **2.** (*curva*) bend, curve, turn. – **3.** (*ondulazione*) wave. – **4.** (*ruga*) wrinkle, crease, furrow. – **5.** ⟨*fig*⟩ (*andamento*) turn, course: *prendere una brutta* ~ to take a turn for the worse. – **6.** ⟨*Geol*⟩ fold. – **7.** ⟨*Anat*⟩ (*plica*) fold, plica; (*solco*) sulcus, groove, trench, furrow. – **8.** ⟨*Legat*⟩ fold.

□ ⟨*Geol*⟩ ~ **anticlinale** anticlinal fold, anticline; ~ *del* **cappello** crease (*o* dent) in a hat; ⟨*Geol*⟩ ~ **coricata** recumbent fold; ~ **diritta** symmetric(al) fold; ~ **faglia** fault fold; **fare** *una* ~ to bend; (*rif. a indumenti*) to crease, to wrinkle, to pucker; *non fare una* ~: 1. not to pucker, to fit perfectly; 2. ⟨*fig*⟩ (*non scomporsi*) to be completely unruffled, ⟨*fam*⟩ not to bat an eyelid; 3. ⟨*fig*⟩ (*essere perfetto*) to be perfect (*o* flawless); ⟨*Anat*⟩ ~ **inguinale** groin; ⟨*Geol*⟩ ~ **isoclinale** isoclinal fold; **messa** *in* ~ (hair-)set: *farsi la messa in* ~ to have one's hair set; ⟨*Geol*⟩ ~ **obliqua** oblique fold; ⟨*Legat*⟩ ~ *a* **organetto** concertina folding; ~ *dei* **pantaloni** trouser crease; ⟨*Legat*⟩ ~ **parallela** parallel folding; ⟨*Geol*⟩ ~ **rovesciata** overturned fold, overfold; ~ **sinclinale** synclinal fold, syncline; ⟨*Geol*⟩ **sistema** *di -e* folding; ⟨*Sart*⟩ ~ **soleil** sunburst pleat.

piegabaffi *m.inv.* moustache curler.

piegabile *a.* **1.** foldable, folding, pliable. – **2.** (*curvabile*) bendable, flexible. – **piegaccia** *f.* (*pl.* -ce) *pegg. di* **piega.**

piegaferro *m.inv.* **1.** ⟨*Mecc*⟩ rod bending machine, rod bender. – **2.** (*operaio*) bender.

piegafogli *f.inv.* ⟨*Tip*⟩ (sheet) folding-machine.

piegaggio *m.* ⟨*Tess*⟩ beaming, winding, warping.

piegamento *m.* **1.** fold(ing). – **2.** (*curvatura*) bend(ing). – **3.** ⟨*Ginn*⟩ bend(ing); (*nella danza*) plié.

piegare *v.* (**piego, pieghi**) **I** *v.t.* **1.** to fold: ~ *il tovagliolo* to fold the table napkin; (*ripiegare*) to fold (up): ~ *un foglio di carta* to fold up a sheet of paper. – **2.** (*curvare*) to bend, to curve: ~ *una sbarra di ferro* to bend an iron bar; (*rif. a parti del corpo*) to bend, to bow: ~ *le ginocchia* to bend one's knees; ~ *il capo* to bow the head. – **3.** (*inclinare*) to bend: *il vento piegava le cime degli alberi* the wind bent the tree-tops; (*da una parte*) to bend over; (*torcere*) to twist, to bend. – **4.** ⟨*fig*⟩ (*indurre*) to sway, to induce, to prevail upon, to persuade, to convince; (*costringere*) to compel, to force. – **5.** ⟨*fig*⟩ (*domare, sottomettere*) to subdue, to overcome, to bend: ~ *il nemico* to overcome the enemy; ~ *qd. al proprio volere* to bend s.o. to one's will; (*spezzare*) to break: ~ *la resistenza di qd.* to break s.o.'s resistance. – **6.** ⟨*Legat*⟩ to fold. – **II** *v.i.* (*aus.* **avere**) **1.** (*voltare*) to turn, to bend: *il fiume piega a destra* the river bends to the right. – **2.** (*inclinarsi*) to lean, to bend, to bow; (*rif. a nave*) to heel (*o* keel) over, to list: *la nave piegò sul fianco* the ship heeled over. – **piegarsi** *v.r.* **1.** (*incurvarsi*) to bend, to bow; (*torcersi*) to twist, to warp. – **2.** ⟨*fig*⟩ (*cedere*) to yield, to submit, to bow, to bend: *piegarsi al volere di qd.* to submit (*o* bend) to s.o.'s will; (*accondiscendere*) to comply (*a* with). – **3.** ⟨*fig*⟩ (*propendere*) to be inclined, to lean (*a* toward): *piegarsi a sentimenti di pietà* to be inclined toward compassion. – **4.** ⟨*ant*⟩ (*mutare*) to alter, to change. □ ~ *in due* to fold (*o* bend) in two; ~ *in quattro* to double-fold.

piegarola *f.* ⟨*Legat*⟩ folding stick, folder.

piegata *f.* **1.** fold(ing). – **2.** ⟨*Sport*⟩ (*svolta*) bend, turn. – **3.** ⟨*Ginn*⟩ lunge position. □ *dare una* ~ *a qc.* to fold s.th. (up). – **piegatina** *f. dim. di* **piegata.** – **piegato** (*p.p. di piegare*) *a.* **1.** folded. – **2.** (*curvato*) bent. – **piegatore** *m.* (*f.* -trice) **1.** folder. – **2.** ⟨*Legat*⟩ folder. – **3.** ⟨*Met*⟩ plate-bender. – **piegatrice** *f.* **1.** ⟨*Legat*⟩ folding-machine. – **2.** ⟨*Mecc*⟩ bender, bending-machine. □ ⟨*Mecc*⟩ ~ *per lamiere* bending press, plate-bending machine; ~ *per tubi* tube-bending machine.

piegatura *f.* **1.** folding; (*il ripiegare*) folding (up). – **2.** (*incurvamento*) bending; (*flessione verso un lato*) bending over; (*torsione*) twisting, bending. – **3.** ⟨*concr*⟩ (*piega*) fold; (*di indumento*) pleat; (*incurvatura*) bend, curve. – **4.** ⟨*Legat*⟩ (*atto*) folding; (*effetto*) fold. □ ~ *del braccio* crook of the arm, bend of the elbow; ⟨*Legat*⟩ ~ *a intercalare* folding in quires, quiring; ⟨*Legat*⟩ ~ *mista* miscellaneous folding; ⟨*Mecc*⟩ *prova di* ~ bend test.

pieghetta (*dim. di piega*) *f.* **1.** → **pieghina.** – **2.** → **piegarola.**

pieghettare *v.t.* (**pieghetto**) **1.** to pleat. – **2.** ⟨*Sart*⟩ to pleat, to make pleats in. – **pieghettato** (*p.p. di pieghettare*) **I** *a.* **1.** pleated (*anche Sart.*). – **2.** ⟨*Bot*⟩ (*plicato*) plicate. – **II** *s.m.* ⟨*Sart*⟩ pleating, pleats *pl.* – **pieghettatore** *m.* (*f.* -trice) ⟨*Sart*⟩ pleater. – **pieghettatrice** *f.* **1.** ⟨*Tess*⟩ pleating-machine. – **2.** ⟨*Cart*⟩ folding-machine. – **pieghettatura** *f.* ⟨*Sart*⟩ **1.** pleating. – **2.** (*insieme di pieghette*) pleating, pleats *pl.*

pieghevole **I** *a.* **1.** pliant, pliable, bendable; (*rif. a mobili e sim.*) folding, collapsible: *tavolo* ~ folding table. – **2.** (*flessibile*) flexible, pliant, supple: *arbusto* ~ flexible shrub; (*agile, flessuoso*) supple, lithe, agile: *membra -i* supple limbs. – **3.** ⟨*fig*⟩ (*versatile*) versatile, supple. – **4.** ⟨*fig*⟩ (*remissivo*) pliant, docile, yielding, tractable. – **5.** ⟨*spreg*⟩ (*opportunista*) time-serving, compliant, opportunistic. – **II** *s.m.* folder.

pieghevolẹzza *f.* **1.** pliancy, pliability. – **2.** (*flessibilità*) flexibility, suppleness. – **3.** ⟨*fig*⟩ (*condiscendenza*) compliance.

pieghịna (*dim. di piega*) *f.* tuck, small pleat.

pięgo *m.* (*pl.* **-ghi**) ⟨*Post*⟩ packet, bundle.

piegolịna *f.* ⟨*Sart*⟩ *dim. di* **piega**. – **piegọne** *m. accr. di* **piega**. – **piegọso** *a.* ⟨*rar*⟩ pleated, full of pleats (*o* folds).

pielectasịa *f.* ⟨*Med*⟩ pyelectasis. – **pielectomịa** *f.* ⟨*Chir*⟩ pyelic resection.

pięlego *m.* (*pl.* **-ghi**) ⟨*Mar,ant*⟩ fishing boat.

pięlico *a.* (*pl.* **-ci**) ⟨*Anat*⟩ pyelic. – **pielịte** *f.* ⟨*Med*⟩ pyelitis.

pielo... *pref.* (*pelvi renale* renal pelvis) pyel(o)...

pielo|grafịa *f.* ⟨*Radiol*⟩ pyelography. – **~grạmma** *m.* pyelogram. – **~litotomịa** *f.* ⟨*Chir*⟩ pyelolithotomy. – **~nefrịte** *f.* ⟨*Med*⟩ pyelonephritis. – **~plạstica** *f.* ⟨*Chir*⟩ pyeloplasty. – **~rragịa** *f.* ⟨*Med*⟩ nephrorragia. – **~scopịa** *f.* ⟨*Radiol*⟩ pyeloscopy. – **~stomịa** *f.* ⟨*Chir*⟩ pyelostomy. – **~tomịa** *f.* ⟨*Chir*⟩ pyelotomy.

piemẹsi *f.* ⟨*Med*⟩ pyemesis. – **piemịa** *f.* py(a)emia. – **pięmico** *a.* (*pl.* **-ci**) pyemic.

Piemọnte *N.pr.m.* ⟨*Geog*⟩ Piedmont. – **piemontẹse I** *a.* Piedmontese, of Piedmont. – **II** *s.m.* **1.** (*dialetto*) Piedmontese dialect. – **2.** *m./f.* (*abitante*) Piedmontese, native (*o* inhabitant) of Piedmont. – **piemontesịsmo** *m.* ⟨*Ling*⟩ Piedmontese expression.

piemontịte *f.* ⟨*Min*⟩ piedmontite.

pięna *f.* **1.** flood, spate: *essere in* ~ to be in flood, to be swollen; (*inondazione*) flood. – **2.** (*massa d'acqua*) flood, flood waters *pl.* – **3.** ⟨*fig*⟩ (*concorso di gente*) crowd, throng. – **4.** ⟨*fig*⟩ (*foga*) transport, ardour, heat, height; (*accesso*) outburst, fit, surge, rush.

pienamẹnte *avv.* (*completamente*) quite, completely, fully.

pienẹzza *f.* **1.** fullness. – **2.** ⟨*fig*⟩ height, peak, fullness: *essere nella* ~ *delle proprie forze* to be at the height of one's powers. – **3.** ⟨*Mar*⟩ fineness. ▭ ⟨*Dir*⟩ ~ *di competenza* full competence; ~ *di giurisdizione* full jurisdiction; ⟨*Teol*⟩ ~ *dei tempi* fullness of time. – **pienitụdine** *f.* ⟨*ant*⟩ → **pienezza**.

pięno I *a.* **1.** full (*di* of), filled (with): *il bicchiere è* ~ *di vino* the glass is full of wine; *una casa -a di zanzare* a house filled (*o* swarming) with mosquitoes. – **2.** ⟨*fig*⟩ full (of): *essere* ~ *di vita* to be full of life; ~ *d'ira* full of wrath, wrathful. – **3.** ⟨*fam*⟩ (*sazio, rimpinzato*) full (up): *mi sento* ~ I feel full (up). – **4.** ⟨*fig*⟩ (*stufo*) ⟨*fam*⟩ fed up (with), sick (of): *sono* ~ *delle tue belle parole* ⌜I am fed up with⌝ (*o* I've had enough of) your fine words. – **5.** (*massiccio, solido*) solid: *mattone* ~ solid brick. – **6.** (*paffuto*) full, chubby, plump, rounded: *volto* ~ chubby face; *fianchi -i* full hips. – **7.** (*intero, completo*) complete, total, full: *una vittoria -a* total victory; ~ *accordo* full agreement. – **8.** ⟨*lett*⟩ (*appagato*) satisfied, granted; (*adempiuto*) accomplished, fulfilled, carried out. – **9.** ⟨*lett*⟩ (*rif. a tempo*: *compiuto*) finished, ⟨*pred*⟩ over. – **II** *s.m.* **1.** fullness. – **2.** (*colmo*) height, peak: *nel* ~ *delle forze* at the height of one's powers. – **3.** (*carico completo*) full load (*o* amount). – **4.** ⟨*non com*⟩ (*limite di riempimento*) capacity, limit. – **5.** ⟨*ant,Econ*⟩ cover, necessary funds *pl.*

▭ **a** ~ (*appieno*) completely, quite, thoroughly, fully; *essere* ~ *di* **amici** to have lots of friends; *essere* ~ *di* **ammirazione** to be ⌜full of⌝ (*o* all) admiration; *essere* ~ *d'***anni** (*essere vecchio*) to be old (*o* advanced in years); ⟨*fig*⟩ **cogliere** *in* ~ to score a bull's-eye, to hit the mark, to strike home; *essere* ~ *di* **debiti** to be deep in debt, ⟨*fam*⟩ to be up to one's neck in debt; *in -a* **estate** at the height of summer; **fare** *il* ~ *di benzina* to fill up with petrol; *era* **giorno** ~ it was broad daylight; *a -a* **gola** = *a piena* **voce**; *essere* ~ *di* **guai** to have more than one's share of troubles; **in** ~ fully, completely: *sbagliare in* ~ to be completely wrong; *nel* ~ *dell'***inverno** in the depths (*o* middle) of winter; *essere* ~ *di* **lavoro** to be up to the eyes in work, to be very busy; *a -e* **mani** abundantly; *in -a* **notte** at dead (*o* thick) of night; ⟨*fig*⟩ *essere* ~ *fino agli* **occhi** *di qc.* ⟨*fam*⟩ to be thoroughly fed up with s.th., ⟨*fam*⟩ to be sick ⌜to death⌝ (*o* and tired) of s.th., ⟨*fam*⟩ to be fed up to the teeth with s.th.; ~ *di* **orchestra** full orchestra; ⟨*pop*⟩ ~ *come un* **otre** full up, bloated; *in* ~ **petto** right (*o* full) in the chest; ~ **raso** full to the brim; *in -a* **regola** in perfect order; *essere* ~ *di* **sé** to be full of o.s.; *avere le* **tasche** *-e di qd.* to be fed up with s.o.; *a -a* **voce** at the pitch (*o* top) of one's voice; *essere promosso a -i* **voti** to pass with ⌜full marks⌝ (*o* flying colours); ~ **zeppo** full to overflowing (*o* bursting), packed tight, chock-full.

pienọne (*accr. di pieno*) *m.* **1.** large crowd, throng. – **2.** ⟨*Teat*⟩ full house, big audience. – **pienọtto** (*accr. di pieno*) *a.* (*grassoccio*) plump, rather full; (*paffuto*) chubby.

pienovẹnto: ⟨*Agr,ant*⟩ *albero a* ~ tree with a tall trunk, tall tree.

Pięra *N.pr.f.* Piera.

Piẹria *N.pr.f.* ⟨*Geog.stor*⟩ Pieria.

pięridi *m.pl.* ⟨*Entom*⟩ pierids *pl* (*Pieridae*).

Pięridi *N.pr.f.pl.* ⟨*Mitol*⟩ Muses *pl*, Pierides *pl.*

Pierịna (*dim. di Piera*) *N.pr.f.* Pierina. – **Pierịno** (*dim. di Piero*) **I** *N.pr.m.* Pete. – **II** *s.m.* (*bambino terribile*) mischievous boy.

pięrio *a.* ⟨*lett*⟩ **1.** (*della Pieria*) Pierian. – **2.** (*delle Pieridi*) Pierian, of the Muses.

Pierluịgi *N.pr.m.* Peter Lewis, Peter Louis.

Pięro *N.pr.m.* Peter.

Pierrette *fr.* [pjɛˈrɛt] *f.* ⟨*Teat*⟩ Pierrette. – **Pierrot** *fr.* [pjɛˈro] *m.* ⟨*Teat,Mus*⟩ Pierrot.

pięta *f.* ⟨*lett*⟩ **1.** (*angoscia*) anguish, distress. – **2.** (*amore filiale*) piety, filial love.

pietà *f.* **1.** (*compassione*) pity, compassion: *muovere qd. a* ~ to move s.o. to pity; (*misericordia*) mercy. – **2.** (*devozione*) piety, devoutness, devotion. – **3.** ⟨*lett*⟩ (*amore*) piety, love, devotion: *la* ~ *verso i propri genitori* filial piety, ⌜love for⌝ (*o* devotion to) one's parents. – **4.** ⟨*Art*⟩ Pietà.

▭ **avere** ~ *di qd.* (*compatirlo*) to pity (*o* be sorry for) s.o.; (*averne misericordia*) to have mercy on s.o.; **far** ~: 1. to arouse pity; 2. ⟨*fam*⟩ to be deplorable (*o* pitiful), ⟨*fam*⟩ to be awful; *mi fai* ~ I feel sorry for you; **libri** *di* ~ devotional books; **per** ~*!* for pity's sake!; **pratiche** *di* ~ devotions; **senza** ~ pitiless(ly), merciless(ly).

pietạnza[1] *f.* dish, (main) course.

pietạnza[2] *f.* ⟨*ant*⟩ → **pietà**.

pietanzịna *f. dim. di* **pietanza**[1].

pietịsmo *m.* **1.** ⟨*Rel*⟩ Pietism. – **2.** ⟨*spreg*⟩ (*devozione esagerata*) pietism. – **pietịsta** *m./f.* **1.** ⟨*Rel*⟩ Pietist. – **2.** ⟨*spreg*⟩ (*bigotto*) sanctimonious person, bigot. – **pietịstico** *a.* (*pl.* **-ci**) **1.** ⟨*Rel*⟩ Pietistic. – **2.** ⟨*spreg*⟩ pietistic; (*bigotto*) sanctimonious, bigotted.

pietosamẹnte *avv.* **1.** compassionately, mercifully; (*con devozione*) piously, devoutly. – **2.** (*miseramente*) pitifully, wretchedly. – **pietọso** *a.* **1.** (*che sente pietà*) compassionate, pitiful, tender, sympathetic; (*misericordioso*) merciful. – **2.** (*che desta pietà*) pitiful, pitiable, piteous, deplorable. – **3.** ⟨*fam*⟩ (*misero*) pitiful, wretched, ⟨*fam*⟩ awful, ⟨*fam*⟩ dreadful, ⟨*fam*⟩ frightful. – **4.** ⟨*lett*⟩ (*devoto*) pious, devout, religious.

piętra *f.* **1.** (*sasso*) stone: *gettare una* ~ to throw a stone. – **2.** (*materia pietrosa*) stone; (*roccia*) rock. – **3.** (*pietra preziosa*) (precious) stone, gem. – **4.** (*pietra sepolcrale*) (grave)stone, tombstone. – **5.** ⟨*Farm*⟩ caustic, ⟨*ant*⟩ stone: ~ *infernale* (o *lunare*) lunar caustic, silver nitrate, ⟨*ant*⟩ infernal stone. – **6.** ⟨*rar*⟩ (*cippo*) stone, inscribed pillar; (*statua*) statue.

▭ ~ **abrasiva** whetstone; ~ *da* **affilare** hone, whetstone; ~ *d'***allume** styptic pencil; ~ **angolare** corner-stone; ~ **artificiale**: 1. ⟨*Edil*⟩ artificial stone; 2. ⟨*Oref*⟩ boule; ~ **bugnata** rusticated ashlar; ~ **calcarea** limestone; ~ *di* **cava** quarrystone; ~ *da* **cemento** cement stone (*o* rock); ~ *di* **chiave** keystone; ~ **chilometrica** milestone, mile-post; ~ ⌜*di* **confine**⌝ (o *confinaria*) boundary stone, landmark; ~ *di* **coronamento** capstone; ~ *da* **costruzione** building (*o* structural) stone; ~ *da* **cote** whetstone, honestone; **di** ~: 1. stone-, stony: *muro di* ~ stone wall; 2. ⟨*fig*⟩ of stone, stony, hard: *avere un cuore di* ~ to have a heart of stone, to have a stony (*o* hard) heart; ~ **dura** semi -precious stone; **duro** *come una* ~ as hard as stone; **età** *della* ~ Stone Age; ⟨*Oref*⟩ ~ **falsa** false (*o* imitation) stone; ⟨*fig*⟩ **farsi** (o *diventare*) *di* ~ to be(come) petrified, to turn to stone; ⟨*Alchim*⟩ ~ **filosofale** (o *dei filosofi*) philosophers' stone; ~ **fine** (*per uso industriale*) jewel; ⟨*Archeol*⟩ ~ **fitta** (*menhir*) menhir; ~ **focaia** flint(stone); ~ *da* **gesso** gypsum; ~ **grezza** rough (*o* uncut) stone; ⟨*fig*⟩ ~ *d'***inciampo** stumbling block, obstacle; ~ *da* **lastrico** flagstone; ~ **litografica** lithographic stone; ⟨*Min*⟩ ~ *di* **luna** moonstone; ~ *da* **macine** grindstone, millstone; ~ **meteorica** meteorite; ~ **miliare** milestone (*anche fig.*); ~ **molare**: 1. = *pietra da* **macine**; 2. ⟨*lett*⟩ (*pietra dura*) hard stone; ⟨*Edil*⟩ ~ **naturale** natural stone; ~ *di* **paragone** touchstone (*anche fig.*); ~ *da* **pavimentazione** paving stone; ~ **pomice** pumice stone; ~ **preziosa** (precious) stone, gem; *posare la* **prima** ~: 1. to lay the foundation stone; 2. ⟨*fig*⟩ to set afoot, to begin, to establish; ⟨*fig*⟩ *scagliare la prima* ~ to cast the first stone; ~ **refrattaria** firestone; ⟨*Min*⟩ ~ **sanguigna** (o *del sangue*) bloodstone, heliotrope; ⟨*Min*⟩ ~ **saponaria** soapstone, steatite; ~ *per* **sarti** tailor's (*o* French) chalk; ⟨*fig*⟩ ~ *dello* **scandalo** cause of scandal; ~ **semipreziosa** semi-precious stone; ~ **sepolcrale** tombstone, gravestone; ⟨*fig*⟩ *metterci una* ~ **sopra** to let bygones be bygones, to bury the hatchet, to forget about s.th.; *mettiamoci una* ~ *sopra* let bygones be bygones, let's forget about it; ~ **squadrata** ashlar, hewn (*o* squared) stone; ~ *da* **taglio** freestone; ~ **vera** true gem stone.

pietrafẹndola *f.* ⟨*Dolc*⟩ kind of nougat.

pietrạia *f.* **1.** (*cumulo di pietre*) heap of stones. – **2.** (*terreno pietroso*) stony ground. – **3.** ⟨*non com*⟩ (*cava*) stone quarry. ▭ ⟨*Geol*⟩ ~ *carsica* stratum of karstic limestone.

pietrạio *m.* ⟨*ant*⟩ (*operaio*) stone-cutter, stonemason, stone-dresser. – **pietrạme** *m.* stones *pl.* ▭ ⟨*Strad,Ferr*⟩ ~ *minuto* ballast, gravel, broken stones *pl.*

pietrạta *f.* ⟨*rar*⟩ (*sassata*) blow with (*o* from) a stone. ▭ *prendere qd. a -e* to stone s.o.

pietrificạre *v.t.* (**pietrịfico, pietrịfichi**) **1.** to petrify, to turn to stone. – **2.** ⟨*fig*⟩ to petrify, to numb, to stun. – **pietrificarsi** *v.r.* to become petrified, to turn to stone. – **pietrificạto** (*p.p. di pietrificare*) *a.* **1.** petrified. – **2.** ⟨*fig*⟩ (*stupefatto*) petrified, stupefied, paralysed, numb. – **pietrificaziọne** *f.* petrification (*anche Biol.*).

pietrịgno *a.* stone-, of stone. – **pietrịna** (*dim. di pietra*) *f.* (*pietrina focaia*) (lighter-)flint. – **pietrịno** (*dim. di pietra*) *m.* ⟨*non com*⟩ (*per le porte*) doorstop.

pietrịsco *m.* **1.** crushed stone, road metal; (*ghiaia*) gravel. – **2.** (*massicciata*) roadbed.

pietrịsta *m.* **1.** (*anche pittore pietrista*) grainer. – **2.** (*chi fabbrica pietre artificiali*) maker of artificial stones.

Piẹtro *N.pr.m.* **1.** Peter. – **2.** ⟨*Stor*⟩ Peter, Petrus. ☐ *san* ~: 1. ⟨*Stor*⟩ St. Peter; 2. (*Basilica di san Pietro*) St. Peter's; ⟨*Stor*⟩ ~ *Apostolo* Peter the Apostle; ⟨*Stor*⟩ ~ *il Crudele* (o *Giustiziere*) Peter the Cruel; ⟨*Stor*⟩ ~ *l'Eremita* Peter the Hermit; ⟨*Stor*⟩ ~ *il Grande* Peter the Great.

Pietrobụrgo *N.pr.f.* ⟨*Geog.stor*⟩ St. Petersburg, Petrograd.

pietrọne *m. accr. di* **pietra.**

pietrosità *f.* ⟨*non com*⟩ stoniness. – **pietrọso** *a.* **1.** (*di pietra*) stone-, made of stone. – **2.** (*sassoso*) stony: *un sentiero* ~ a stony path. – **3.** (*simile a pietra*) stony; (*duro come pietra*) hard as stone, stone -hard.

pietrụzza (*dim. di pietra*) *f.* small stone, pebble. ☐ ⟨*fig*⟩ *aggiungere la propria* ~ to make one's own small contribution.

pievanịa *f.* **1.** (*territorio*) parish. – **2.** (*casa*) parsonage, rectory, parish priest's house. – **3.** (*dignità*) parsonage, rectorate. – **pievạno** *m.* parish priest, parson, rector. – **piẹve** *f.* **1.** parish. – **2.** (*edificio*) parish (*o* parochial) church. – **3.** (*complesso dei fedeli*) parish, parishioners *pl.*

pievelọce *a.* fleet-footed.

pieviạle *m.* ⟨*ant*⟩ → **piviale.**

piezo... *pref.* (*pressione* pressure) piezo...

piezo|elettricità *f.* ⟨*Fis*⟩ piezo-electricity. – **~elẹttrico** *a.* (*pl.* **-ci**) piezo-electric: *effetto* ~ piezo-electric effect.

piezomẹtrico *a.* (*pl.* **-ci**) ⟨*Fis*⟩ piezometric. – **piezọmetro** *m.* piezometer. – **piezooscillatọre** *m.* piezo-electric oscillator, piezo resonator.

pifanịa *f.* ⟨*pop*⟩ (*epifania*) Epiphany.

pịfaro, pịfero *m.* ⟨*ant*⟩ → **piffero.**

pifferạio *m.* piper, fifer; (*in Italia*) pifferaro, piffero-player. – **pifferạre** *v.i.* (**pịffero**; *aus.* **avere**) ⟨*rar*⟩ to pipe, to play the fife (*o* piffero). – **pifferạro** *m.* ⟨*region*⟩ → **pifferaio.** – **pifferạta** *f.* ⟨*non com*⟩ piping. – **pịffero** *m.* **1.** piffero, pipe, fife. – **2.** (*sonatore*) piper, fifer, pifferaro. ☐ *fare come i -i di montagna che andarono per sonare e furono sonati* (*voler dare le botte e invece riceverle*) to go for wool and come home shorn.

pigạle *a.* ⟨*Biol*⟩ pygal.

pịgamo *m.* ⟨*Bot*⟩ meadow rue (*Thalictrum angustifolium*).

pigạrgo *m.* (*pl.* **-ghi**) **1.** ⟨*Zool*⟩ bontebok (*Damaliscus pygargus*). – **2.** ⟨*Ornit*⟩ (*aquila di mare*) white-tailed sea eagle (*Haliaëtus albicilla*).

piggioramẹnto *m.* ⟨*ant*⟩ (*peggioramento*) worsening. – **piggiorạre** *v.* (**piggiọro**) ⟨*ant*⟩ **I** *v.t.* (*peggiorare*) to worsen, to make worse. – **II** *v.i.* (*aus.* **essere/avere**) to worsen, to get (*o* change for the) worse. – **piggiọre** *a.* ⟨*ant*⟩ (*peggiore*: *tra due*) worse; (*tra più di due*) worst.

pigheạle *a.* → **pigale.**

pịgia: ~ *pigia* (*calca*) crowd, press, throng.

pigiadiraspatrịce *f.* ⟨*Agr*⟩ grape-crusher.

pigiạma *m.* (*pl.* *inv.*/**-i**) pyjamas *pl*, ⟨*am*⟩ pajamas *pl.* ☐ ⟨*Mod*⟩ ~ *palazzo* pyjama suit; ~ *da spiaggia* beach pyjamas.

pigiamẹnto *m.* ⟨*non com*⟩ **1.** (*atto*) pressing, crushing. – **2.** (*effetto*) press, crush.

pigiạre *v.t.* (**pịgio, pịgi**) **1.** (*premere*) to press; (*comprimere*) to press, to crush, to squeeze, to squash; (*spingere*) to push. – **2.** (*calpestare*) to trample, to tread on; (*rif. al terreno*) to ram, to tamp. – **3.** ⟨*fig*⟩ (*insistere*) to insist, to keep on. – **pigiarsi** *v.r.* (*affollarsi*) to crowd, to throng. ☐ ~ *il tabacco nella pipa* to pack (*o* tamp) tobacco in one's pipe; ~ *l'uva* to press grapes; (*con i piedi*) to tread (*o* press) grapes.

pigiạta *f.* **1.** press(ing), crush(ing). – **2.** ⟨*Met*⟩ monolithic lining material. ☐ *dare una* ~ *a qc.* to press (*o* ram) s.th. – **pigiatịna** *f. dim. di* **pigiata.** – **pigiatọre** *m.* (*f.* **-trice**) **1.** presser, crusher, squeezer. – **2.** (*chi pigia l'uva*) (grape-)presser; (*con i piedi*) (grape-)treader. – **pigiatrịce** *f.* (*anche macchina pigiatrice*) (wine-)press. – **pigiatụra** *f.* **1.** (*atto*) pressing, crushing; (*effetto*) press, crush, squeeze. – **2.** (*rif. all'uva*) (grape-)pressing; (*con i piedi*) (grape-)treading. – **3.** ⟨*Met*⟩ ramming. – **4.** ⟨*Edil*⟩ tamping.

pigịdio *m.* ⟨*Biol*⟩ pygidium.

pigịno *m.* ⟨*tosc*⟩ push-button.

pigịo *m.* ⟨*tosc*⟩ (*il pigiare*) crush, press; (*folla*) crowd, throng, press.

pigionạle *m./f.* **1.** tenant. – **2.** ⟨*tosc*⟩ (*fittavolo*) tenant farmer. – **pigionạnte** *m./f.* tenant.

pigiọne *f.* **1.** rent. – **2.** (*canone di locazione*) rent, rental: *pagare la* ~ to pay the rent. ☐ ⟨*fig*⟩ *avere il cervello a* ~ to be senseless; *dare a* ~ to let, to rent; *prendere a* ~ to rent; ⟨*fig*⟩ to borrow for too long; *stare a* ~ to be a tenant; ⟨*fig*⟩ to stay too long.

pịglia: ~ *piglia* grabbing, seizing, ⟨*fam*⟩ free-for-all. – **pigliạbile** *a.* ⟨*non com*⟩ that can be taken, seizable. – **pigliamẹnto** *m.* ⟨*rar*⟩ taking, catching.

pigliamọsche *m.inv.* **1.** fly-catcher, fly-trap; (*carta moschicida*) fly-paper; (*palettina*) fly-swatter. – **2.** ⟨*Ornit*⟩ spotted fly-catcher (*Muscicapa striata*). – **3.** ⟨*Bot*⟩ Venus's fly-trap (*Dionaea muscipula*). ☐ ⟨*Ornit*⟩ ~ *latirostre* brown fly-catcher (*Muscicapa latirostris*); ⟨*Ornit*⟩ ~ *pettirosso* red-breasted fly-catcher (*Siphia parva*).

pigliạre *v.* (**pịglio, pịgli**) ⟨*fam*⟩ → **prendere.**

pigliatụtto: *asso* ~: 1. (kind of) card game; 2. ⟨*scherz*⟩ (*persona prepotente*) overbearing (*o* arrogant) person.

pịglio[1] *m.* **1.** (*il prendere*) taking (hold), seizing. – **2.** ⟨*non com*⟩ (*profitto*) profit, gain. ☐ *dar di* ~ *a qc*: 1. (*afferrarla*) to take (*o* lay hold of) s.th., to seize (*o* grasp) s.th.; 2. ⟨*fig*⟩ (*iniziarla*) to start (*o* set to) s.th.

pịglio[2] *m.* countenance, look, expression, aspect, ⟨*lett*⟩ mien: ~ *disinvolto* nonchalant look.

Pigmaliọne *N.pr.m.* ⟨*Mitol,Lett*⟩ Pygmalion.

pigmeịsmo *m.* pygmyism.

pigmentạle *f.* ⟨*Biol*⟩ (*anche cellula pigmentale*) pigment cell. – **pigmentạre** *v.t.* (**pigmẹnto**) ⟨*Chim*⟩ to pigment. – **pigmentarsi** *v.r.* ⟨*Biol*⟩ to become pigmented. – **pigmentạrio** *a.* ⟨*Biol*⟩ pigment-, pigmentary, pigmental. – **pigmentạto** (*p.p. di pigmentare*) *a.* pigmented.

pigmentatrịce *f.* ⟨*Tip*⟩ pigmenting-machine.

pigmentaziọne *f.* ⟨*Biol*⟩ pigmentation: ~ *cutanea* pigmentation (of the skin). – **pigmentịfero** *a.* pigment-, pigmentary: *cellula -a* pigment cell.

pigmẹnto *m.* ⟨*Biol,Chim*⟩ pigment. ☐ ⟨*Chim*⟩ *-i artificiali* artificial pigments; ⟨*Biol*⟩ ~ *biliare* bile pigment; ⟨*Tip*⟩ ~ *colorato* pigment; ⟨*Biol*⟩ ~ *cutaneo* pigment of the skin; ⟨*Chim*⟩ *-i sintetici* synthetic pigments.

pigmẹo **I** *a.* **1.** ⟨*Etnol*⟩ Pygmy, Pigmy. – **2.** ⟨*estens*⟩ pygmy, dwarf-, dwarfish, midget-. – **II** *s.m.* (*f.* **-a**) **1.** ⟨*Etnol*⟩ Pygmy, Pigmy. – **2.** ⟨*fig,spreg*⟩ pygmy, dwarf. – **pigmịde** **I** *a.* ⟨*Etnol*⟩ Pygmy, pygmaean. – **II** *s.m./f.* Pygmy, Pigmy. – **pigmọide** **I** *a.* pygmoid. – **II** *s.m./f.* Pygmy, Pigmy.

pịgna *f.* **1.** ⟨*Bot*⟩ (pine-)cone. – **2.** ⟨*Arch*⟩ pine-cone, cone-shaped ornamentation; (*pinnacolo*) pinnacle, spire. – **3.** ⟨*Mar*⟩ strum box. – **4.** (*spigolo della pila di un ponte*) fore-starling. – **5.** ⟨*non com*⟩ (*grappolo d'uva*) bunch (of grapes). ☐ ⟨*roman*⟩ *avere le -e in testa* (*avere idee strane*) to have ⌈strange ideas⌉ (*o* a bee in one's bonnet), to be odd; ⟨*scherz*⟩ ~ *verde* (*avaro*) miser.

pignạtta *f.* **1.** (*pentola*) (cooking-)pot. – **2.** ⟨*Mur*⟩ large perforated block. – **3.** ⟨*Mil.ant*⟩ fire-pot, (kind of) incendiary bomb. – **pignattạio** *m.* (*pentolaio*) potter, pot-maker. – **pignạtto** *m.* ⟨*ant*⟩ → **pignatta.**

pignere *v.* (**pịngo, pịgni**) ⟨*ant*⟩ → **pingere**[1], **pingere**[2].

pignoccạta *f.*, **pignoccạto** *m.* ⟨*Dolc*⟩ **1.** sweet cake with pine-seeds. – **2.** → **pignolata.**

pignolạggine *f.* → **pignoleria.**

pignolạta *f.* ⟨*Dolc*⟩ (*struffoli*) fried honey-cake (in the shape of a pine-cone).

pignolạto *m.* ⟨*Tess,ant*⟩ cloth with pine-shaped designs.

pignoleggiạre *v.i.* (**pignolẹggio, pignolẹggi**; *aus.* **avere**) to fuss, to be pedantic. – **pignolerịa** *f.* ⟨*fam*⟩ **1.** fussiness, fastidiousness. – **2.** (*azione*) fuss, fussy behaviour. – **pignolẹsco** *a.* (*pl.* **-chi**) fussy, pedantic, particular, fastidious, meticulous, ⟨*am*⟩ picky.

pignolẹtto *m.* ⟨*Agr*⟩ (kind of) maize.

pignọlo **I** *a.* fussy, pedantic, particular, fastidious, over-nice, ⟨*am*⟩ picky. – **II** *s.m.* **1.** → **pinolo.** – **2.** ⟨*Agr*⟩ (*tipo di vitigno*) kind of vine. – **3.** ⟨*Agr*⟩ (*varietà d'olivo*) kind of olive-tree. – **III** *s.m.* (*f.* **-a**) fussy (*o* pedantic) person, pedant, ⟨*fam*⟩ fuss-pot, ⟨*am.fam*⟩ nitpicker. ☐ *non fare il* ~*!* stop fussing!, don't be so particular (*o* fussy)!

pignọne *m.* **1.** ⟨*Idr*⟩ embankment, dike; (*di ponte*) cut water. – **2.** ⟨*Edil*⟩ (kind of) retaining wall. – **3.** ⟨*Mecc*⟩ pinion. ☐ ~ *per catena* sprocket (wheel); ~ *di comando* driving (*o* control) pinion; ~ *conico* bevel pinion; ~ *a lanterna* lantern pinion, wallower, trundle.

pignorạbile *a.* distrainable, liable to distraint. – **pignorabilità** *f.* liability to distraint. – **pignoramẹnto** *m.* distraint, attachment, distress: ~ *dei beni* distraint of goods. – **pignorạnte** **I** *a.* distraining. – **II** *s. m./f.* distrainer. – **pignorạre** *v.t.* (**pịgnoro**) **1.** to distrain, to attach, to seize. – **2.** (*impegnare al monte di pietà*) to pawn, to pledge, ⟨*fam*⟩ to hock. – **pignoratạrio** *m.* → **pignorante.** – **pignoratịzio** *a.* secured: *credito* ~ secured credit. ☐ *creditore* ~ pawnee, pledgee.

pịgo *m.* (*pl.* **-ghi**) ⟨*Itt*⟩ dace (*Leuciscus pigus*).

pịgola *f.* ⟨*Agr*⟩ irregularly shaped field.

pigolamẹnto *m.* → **pigolio.** – **pigolạre** *v.i.* (**pịgolo**; *aus.* **avere**) **1.** to cheep, to chirp, to chirrup, to peep. – **2.** ⟨*fig*⟩ (*piagnucolare*) to whine, to complain, to grumble, ⟨*fam*⟩ to moan, ⟨*fam*⟩ to grizzle; (*chiedere insistentemente*) to nag, to worry.

pigolatọri *m.pl.* ⟨*Ornit*⟩ suboscine Passeriformes *pl.*

pigolịo *m.* cheeping, chirping, chirruping, peeping.

pigolọne *m.* ⟨*Ornit*⟩ (*ciurlo maggiore*) curlew (*Numenius arquata*).

pigostịlo *m.* ⟨*Ornit*⟩ pygostyle.

pigrạccio (*pegg. di pigro*) *m.* (*f.* **-a**) lazy good-for-nothing. – **pigramẹnte** *avv.* lazily. – **pigrẹzza** *f.* ⟨*non com*⟩ → **pigrizia.** – **pigrịzia** *f.* laziness, slothfulness, sluggishness; (*indolenza*) indolence, inactivity, idleness. ☐ ~ *mentale* sloth.

pịgro **I** *a.* **1.** lazy, slothful, sluggish; (*indolente*) indolent, inactive, idle. – **2.** (*che denota pigrizia*) lazy, idle, sluggish: *gesti -i* lazy gestures. – **3.** ⟨*lett*⟩ (*che induce a pigrizia*) deadening, stupefying. – **4.** ⟨*fig*⟩ (*ottuso*) slow, dull. – **5.** ⟨*Mar*⟩ slow to respond to the helm. – **II** *s.m.* (*f.* **-a**) lazy man (*f* woman), idler, loafer, ⟨*fam*⟩ lazy-bones.

pịla *f.* **1.** pile, heap, stack: *una* ~ *di piatti* a stack of dishes. – **2.** (*vasca*) (stone) basin. – **3.** ⟨*Edil*⟩ (*pilastro di ponte*) pier. – **4.** ⟨*El*⟩ cell, pile; (*batteria*) battery. – **5.** ⟨*region*⟩ (*pentola*) pot. – **6.** ⟨*ant*⟩ (*controconio*) engraved die (for reverses). – **7.** ⟨*ant*⟩ (*sepolcro*) sepulchre. ☐ **a -e** battery-, battery operated; *radiolina a -e* portable radio; ~ **dell'acqua** *santa* holy-water stoup (*o* font, fountain); ~ *dell'acquaio* sink; ⟨*Atom*⟩ ~ **atomica** atomic pile, nuclear reactor; ⟨*El*⟩ ~ **Bunsen** Bunsen cell; ⟨*El*⟩ ~ **campione** standard cell, normal element (*o* cell); ⟨*El*⟩ ~ *a* **carbone** carbon cell; ⟨*El*⟩ ~ **cilindrica** cylindrical cell; ⟨*Atom*⟩ ~ *a* **combustibile** fuel cell; ⟨*El*⟩ ~ **Daniell** Daniell's cell; ~ **elettrica** electric element; ~ *della* **fontana** basin of a fountain; ⟨*El*⟩ ~ *a* **liquido** hydro-electric battery, wet cell; ⟨*Ind*⟩ ~ **olandese** hollander; ~ *delle* **olive** olive-press; ~ *a* **secco** dry battery; ~ **secondaria** secondary (*o* accumulator, storage) cell; ⟨*Idr*⟩ ~ **spalla** abutment pier; ~ **tascabile** electric (*o* pocket) torch, flashlight; ~ **termoelettrica** thermopile, thermo-electric pile; ⟨*Atom*⟩ ~ *a* **uranio** uranium reactor; ⟨*El*⟩ ~ *di* **Volta** voltaic pile (*o* cell), Volta's pile; ~ **Weston** Weston cell.

Pịlade *N.pr.m.* ⟨*Mitol*⟩ Pylades.

pilạf *m.* ⟨*Gastr*⟩ pilaf(f).

pilạno *m.* ⟨*Stor.rom*⟩ triary.

pilạo *m.* → **pilaf.**

pilạre *v.t.* ⟨*Ind*⟩ to husk.

pilastrạta *f.* pilastrade, pillars *pl*, pilasters *pl*, piers *pl*. – **pilastrịno** (*dim. di pilastro*) *m.* ⟨*Arch*⟩ newel.

pilạstro *m.* **1.** ⟨*Arch*⟩ pillar, pilaster, column, post, pier. – **2.** ⟨*fig*⟩ (*sostegno*) pillar, mainstay, chief support, prop: *sei il ~ della famiglia* you are the mainstay of the family. – **3.** ⟨*Alp*⟩ rock face (*o* wall). – **4.** ⟨*Anat*⟩ pillar: ~ *del palato* pillar (*o* isthmus) of the fauces.

□ **a** ~ pillar-like, in the shape of a pillar; ⟨*Arch*⟩ ~ **d'angolo** corner pillar (*o* post); ⟨*Anat*⟩ ~ *del* **diaframma** pillar (*o* crura) of the diaphragm; ⟨*fig*⟩ **far** *da* ~ (*essere immobile*) to be motionless, to be still as a statue (*o* rock); ~ *a* **fascio** = *pilastro* **polistilo**; ⟨*Minier*⟩ ~ *di* **minerale** (ore) pillar; ⟨*Arch*⟩ ~ **polistilo** bundle pillar, clustered column (*o* pier, pillar); ⟨*fig*⟩ **saldo** *come un* ~ as solid as a rock; ⟨*Geol*⟩ ~ **tettonico** horst.

pilạta *f.* ⟨*non com*⟩ **1.** pile, heap, stack. – **2.** basin(ful), pot(ful).

pilạto: *zucchero* ~ (coarsely) refined sugar.

Pilạto *N.pr.m.* ⟨*Stor*⟩ Pilate. □ *Ponzio* ~ Pontius Pilate; ⟨*fig*⟩ *mandare qd. da Erode a* ~ to send s.o. from pillar to post, ⟨*fam*⟩ to give s.o. the run-around; ⟨*fig*⟩ *fare come* ~ (*disinteressarsi di qc.*) to wash one's hands of s.th.

pịlatro *m.* ⟨*Bot*⟩ Klamath weed (*Hypericum perforatum*).

pilatụra *f.* ⟨*Ind*⟩ husking, hulling.

pilé *fr. a.* → **pilato.**

pileạto *a.* ⟨*lett*⟩ wearing a pileus, pileate(d).

pile|flebịte *f.* ⟨*Med*⟩ pylephlebitis. – **~flebịtico** *a.* (*pl.* **-ci**) pylephlebitic.

pileggiạre *v.i.* ⟨*ant*⟩ (*navigare*) to sail. – **pilẹggio** *m.* ⟨*ant*⟩ (*navigazione*) navigation, sailing; (*rotta*) route, course.

pilẹnto *m.* ⟨*Stor.rom*⟩ four-wheeled carriage.

pịleo *m.* **1.** ⟨*Stor*⟩ pileus. – **2.** ⟨*Ornit*⟩ pileum. – **3.** ⟨*Bot*⟩ (*cappello*) pileus.

pileorịza *f.* ⟨*Bot*⟩ pileorhiza, root-cap, calyptra.

pilerịa *f.* ⟨*Ind*⟩ rice-husking factory.

pilẹtta (*dim. di pila*) *f.* **1.** (*piletta di scarico*) drain. – **2.** (*griglia a pavimento*) floor drain.

piliẹre *m.* **1.** ⟨*Arch*⟩ (*pilastro*) pillar, pilaster, column, post, pier; (*pilastro polistilo*) bundle pillar, clustered column (*o* pier, pillar). – **2.** ⟨*Equit*⟩ pillar.

pilịfero *a.* **1.** hairy, hair-covered, piliferous, pilose. – **2.** ⟨*Bot*⟩ piliferous. □ *apparato* ~ body hair; *manto* ~ pelt.

pillạcchera *f.* ⟨*tosc*⟩ **1.** (*macchia di fango*) splash (of mud), muddy stain. – **2.** ⟨*fig*⟩ stain, blemish, fault, defect, flaw, spot. – **pillaccherọso** *a.* ⟨*tosc*⟩ muddy, mud-splashed, bespattered with mud.

pillạre *v.t.* to ram, to tamp, to pound.

pillịccia *f.* (*pl.* **-ce**) ⟨*ant*⟩ (*pelliccia*) fur, coat.

pịllo *m.* ⟨*Strad,Edil*⟩ rammer, tamper.

pịllola *f.* **1.** ⟨*Farm*⟩ pill. – **2.** (*pillola anticoncezionale*) birth-control (*o* contraceptive) pill, ⟨*fam*⟩ the pill. – **3.** (*ciottolo*) (large) pebble. – **4.** ⟨*fig*⟩ (*dispiacere, cosa sgradita*) (bitter) pill: *ingoiare la* ~ to swallow a bitter pill. – **5.** ⟨*gerg*⟩ (*proiettile*) bullet.

□ ⟨*fig*⟩ ~ **amara** bitter pill; ~ **confettata** sugar-coated pill; ⟨*scherz*⟩ *-e di* **gallina** *e sciroppo di cantina* eggs and wine; **in** *-e* in (the form of) pills; ⟨*fig*⟩ a little at a time, in small doses, in dribs and drabs; ⟨*fig*⟩ **indorare** *la* ~ to gild (*o* sugar-coat) the pill; ~ **lassativa** (*o purgativa*) laxative (*o* purgative) pill.

pillolạme *m.* ⟨*non com*⟩ pills *pl.* – **pillolạre** *a.* pil(l)ular, pill-: *massa* ~ pilular mass.

pillolạrio *m.* ⟨*Entom*⟩ dung beetle (*o* chafer) (*Scarabaeus*).

pillolẹtta *f. dim. di* **pillola.** – **pilloliẹra** *f.* (*utensile*) pill-cutter. – **pillolịna** *f. dim. di* **pillola.**

pịllora *f.* ⟨*tosc,pop*⟩ (*pillola*) pill.

pillọtta *f.* ⟨*Stor*⟩ (*palla*) pelota (ball); (*gioco*) pelota, jai alai.

pillottạre *v.t.* (**pillọtto**) **1.** ⟨*Gastr*⟩ to baste. – **2.** ⟨*estens*⟩ (*lardellare*) to grease, to lard. – **3.** ⟨*fig,roman*⟩ (*importunare*) to pester, to nag. – **pillọtto** *m.* ⟨*Gastr*⟩ basting-ladle, basting-spoon. □ ⟨*fig,roman*⟩ *dare il ~ a qd.* (*importunarlo*) to pester (*o* nag) s.o.

pịlo[1] *m.* ⟨*Stor.rom*⟩ pilum, javelin.

pịlo[2] *m.* ⟨*ant*⟩ **1.** (*vasca*) stone basin. – **2.** (*sepolcro*) sepulchre, tomb.

Pịlo *N.pr.f.* ⟨*Geog.stor*⟩ Pylos.

pilobezọario *m.* → **piloconcrezione.**

pilocarpịna *f.* ⟨*Farm*⟩ pilocarpine.

pilo|concreziọne *f.* ⟨*Zool*⟩ (tricho)bezoar. – **~motọre** *a.* ⟨*Anat*⟩ pilomotor.

pilonamẹnto *m.* ⟨*Edil*⟩ tamping. – **pilonạre** *v.t.* (**pilọno**) to tamp.

pilọne[1] *m.* **1.** ⟨*Edil*⟩ pillar; (*di ponte*) pier. – **2.** (*sostegno verticale: di linee elettriche*) pylon, tower; (*di antenne*) antenna tower. – **3.** ⟨*Arch*⟩ (*edicola*) aedicula, shrine; (*nicchia*) niche. – **4.** ⟨*Med*⟩ pylon, pillion, artificial leg. – **5.** ⟨*Alp*⟩ rock face (*o* wall). – **6.** ⟨*Mar*⟩ dolphin. – **7.** ⟨*Aer*⟩ mooring mast (*o* tower, post). – **8.** ⟨*Sport*⟩ (*nel rugby*) prop forward.

□ ~ *di* **funivia** ropeway (*o* cableway) support; ⟨*Aer*⟩ ~ *di* **lancio** catapult; ⟨*El*⟩ ~ *per* **linea** *aerea* overhead line tower, transmission line pylon; ⟨*Aer*⟩ ~ **d'ormeggio** mooring mast (*o* tower); ~ *di* **ponte** (bridge) pier; ~ *a* **traliccio** pylon, lattice tower; ⟨*Aer*⟩ ~ *di* **virata** turning pylon.

pilọne[2] *m.* ⟨*Archeol*⟩ pylon.

pilorectomịa *f.* ⟨*Chir*⟩ pylorectomy.

pilọrico *a.* (*pl.* **-ci**) ⟨*Anat*⟩ pyloric: *canale* ~ pyloric canal; *sfintere* ~ pyloric ring (*o* sphincter, valve). – **pilorịte** *f.* ⟨*Med*⟩ pyloritis.

pilorịza *f.* → **pileoriza.**

pilọro *m.* ⟨*Anat*⟩ pylorus.

pilosẹlla *f.* ⟨*Bot*⟩ (*pelosella*) mouse ear (hawkweed), felon herb, mouse blood-wort (*Hieracium pilosella*).

pilọso *a.* ⟨*ant*⟩ (*peloso*) hairy, hirsute.

pilọta I *s.m.* **1.** ⟨*Aer*⟩ pilot, airman. – **2.** ⟨*Mar*⟩ pilot. – **3.** ⟨*Aut*⟩ racing-car driver. – **4.** ⟨*Ferr*⟩ pilot. – **5.** ⟨*Mar,ant*⟩ pilot, helmsman, steersman, navigation officer. – **II** *a.inv.* **1.** pilot: *pallone* ~ pilot balloon; *nave* ~ pilot boat. – **2.** (*su cui si fa un esperimento, che servirà di norma per il futuro*) pilot, test: *impianto* ~ pilot plant.

□ ⟨*Mar*⟩ ~ ⌜**d'altura**⌝ (*o d'alto mare*) sea pilot; ~ **automatico** ⟨*Aer,Mar*⟩ auto(matic) pilot, gyropilot, ⟨*fam*⟩ iron mike; ⟨*Aer*⟩ ~ *da* **caccia** fighter pilot; ~ **civile** civil pilot; ~ **collaudatore** test -pilot; ~ **istruttore** flying instructor; ⟨*Mar*⟩ ~ *di* **porto** (harbour) pilot; ⟨*Aer*⟩ **primo** ~ captain, first pilot; **secondo** ~ co-pilot, second pilot; ~ **spaziale** space pilot; ⟨*Mil*⟩ ~ **suicida** suicide pilot, kamikaze (pilot).

pilotạggio *m.* **1.** ⟨*Mar*⟩ pilotage, piloting, conn. – **2.** ⟨*Aer*⟩ pilotage, piloting, flying.

□ **diritti** *di* ~ pilotage (dues); **obbligo** *del* ~ compulsory pilotage; **organi** *di* ~ contro; **scuola** *di* ~ flying-school; ~ **spaziale** space flight; ~ **strumentale** instrumental flight.

pilotạre *v.t.* (**pilọto**) **1.** ⟨*Aer*⟩ to fly, to pilot. – **2.** ⟨*Mar*⟩ to pilot, to conn; (*manovrare*) to manoeuvre, to steer. – **3.** ⟨*Aut*⟩ to drive. – **4.** ⟨*fam*⟩ (*condurre*) to lead, to guide, to steer.

pilotịna *f.* ⟨*Mar*⟩ pilot-boat, pilot-cutter.

pilọto *m.* ⟨*lett*⟩ (*nocchiero*) helmsman, steersman, pilot.

pilottạre *v.* → **pillottare.**

pilọtto[1] *m.* → **pillotto.**

pilọtto[2] *m.* ⟨*Stor*⟩ (*unità di misura*) old measure of volume (22.3 m.^{3}).

piluccạre *v.t.* (**pilụcco**, **pilụcchi**) **1.** to pick (off), to pluck (one at a time). – **2.** ⟨*estens*⟩ (*mangiucchiare*) to nibble (at), to pick (at). – **3.** ⟨*scherz*⟩ (*rubacchiare*) to extort, to rob. – **4.** ⟨*fig,ant*⟩ (*consumare*) to eat up (little by little). – **piluccatọre** *m.* (*f.* **-trice**) ⟨*non com*⟩ **1.** nibbler, picker, ⟨*fam*⟩ nosher. – **2.** ⟨*fig*⟩ fleecer, robber, pilferer. – **piluccọne** *m.* (*f.* **-a**) ⟨*scherz*⟩ extortionist, blood-sucker.

pimentạre *v.t.* (**pimẹnto**) ⟨*rar*⟩ **1.** to season with pimento. – **2.** ⟨*fig*⟩ (*rendere eccitante*) to give spice to, ⟨*fam*⟩ to hot up. – **pimẹnto** *m.* **1.** pimento. – **2.** ⟨*fig*⟩ spice, exciting ingredient. □ ~ *inglese* (*o della Giamaica*) pimento, allspice, Jamaica pepper.

pimpạnte *a.* ⟨*fam*⟩ **1.** (*vistoso*) showy, gaudy, flashy: *un vestito* ~ a gaudy dress. – **2.** (*baldanzoso*) jaunty, ⟨*fam*⟩ cocky.

pimperimpạra, pimperimpẹra: *polvere di* (*o del*) ~ magical powder; ⟨*scherz*⟩ (*rimedio inefficace*) hocus pocus, fraud.

pimpinẹlla *f.* ⟨*Bot*⟩ Pimpinella (*Pimpinella*). □ ~ *maggiore* greater burnet saxifrage (*Pimpinella major*); ~ *minore*: 1. burnet saxifrage (*Pimpinella saxifraga*); 2. salad burnet, burnet blood-wort, pimpernel (*Sanguisorba minor*).

Pimplẹe *N.pr.f.pl.* ⟨*Mitol*⟩ (*Muse*) Muses *pl.* – **pimplẹo** *a.* ⟨*lett*⟩ of Pimplea.

pịna *f.* ⟨*tosc*⟩ **1.** (*pigna*) pine-cone. – **2.** ⟨*Arch*⟩ pine-cone, cone-shaped ornament. □ ⟨*iron*⟩ *largo* (*o stretto*) *come una* ~ *verde* (*taccagno*) miserly, tight, stingy; ⟨*fig*⟩ *sodo come una* ~ firm(-fleshed), solid.

pinạccia *f.* (*pl.* **-ce**) ⟨*Mar*⟩ **1.** pinnace. – **2.** (*barcaccia*) longboat, sloop.

pinạce[1] *m.* ⟨*ant*⟩ → **pinax.**

pinạce[2] *m.* ⟨*Mar.ant*⟩ compass rose.

pinạcee *f.pl.* ⟨*Bot*⟩ pine family (*Pinaceae*).

pinaco... *pref.* (*quadro* picture) pinac(o)..., pinak...

pinacografịa *f.* ⟨*Filol*⟩ literary and historical catalogues *pl.*

pinacọide I *a.* ⟨*Min*⟩ pinacoidal, pinakoidal. – **II** *s.m.* pinacoid, pinakoid.

pinacotẹca *f.* **1.** picture (*o* art) gallery. – **2.** ⟨*Stor.gr*⟩ pinacotheca.

pinạstro *m.* ⟨*Bot*⟩ pinaster, cluster pine (*o* fir) (*Pinus pinaster*).

pinạto: ⟨*tosc*⟩ *grasso* ~ plump and firm-fleshed.

pịnax *m.* ⟨*Archeol*⟩ tablet, pinax.

pịnca *f.* ⟨*ant*⟩ (*cetriolo*) cucumber.

pince[1] *fr.* [pɛ̃:s] *f.* ⟨*Sart*⟩ dart, tuck, fold.

pince[2] *m.* ⟨*Zool*⟩ pinche, cotton-head tamarin (*Oedipomidas*).

pince-nez *fr.* [pɛ̃:s'ne] *m.* pince-nez.

pincẹrna *m.* ⟨*ant*⟩ **1.** (*coppiere*) Ganymede, cup-bearer. – **2.** ⟨*Mediev*⟩ (*carica di coppiere*) cup-bearer.

pinciọne *m.* ⟨*ant*⟩ → **pinziolo.**

pịnco[1] *m.* (*pl.* **-chi**) **1.** (*pene*) penis, member. – **2.** ⟨*fig*⟩ (*min-

chione) simpleton, fool, dolt. ☐ ≈ *Pallino* (*persona sconosciuta*) just anybody, someone or other, ⟨*fam*⟩ Johnny, ⟨*am.fam*⟩ Joe Blow.

pịnco[2] *m.* (*pl.* **-chi**) ⟨*Mar.ant*⟩ three-masted merchant vessel.

pindạrico *a./s.* (*pl.* **-ci**) **I** *a.* Pindaric: *ode -a* Pindaric ode. – **II** *s.m.* ⟨*Metr*⟩ pindaric. ☐ *volo* ~ discursive digression. – **pindarịsmo** *m.* ⟨*Lett*⟩ **1.** imitation of Pindar. – **2.** ⟨*collett*⟩ imitators *pl* of Pindar. – **Pịndaro** *N.pr.m.* ⟨*Stor*⟩ Pindar.

Pịndo *N.pr.m.* ⟨*Geog*⟩ Pindus.

pineạle: ⟨*Anat*⟩ *ghiandola* (o *corpo*) ~ pineal body. – **pinealọma** *m.* ⟨*Med*⟩ pinealoma, pinealoblastoma.

pinẹlla[1] *f.* ⟨*region*⟩ (*pinolo*) pine-seed.

pinẹlla[2] *f.* (*nel gioco della canasta*) deuce.

pinẹllo *m.* → **pinella**[1].

pinẹne *m.* ⟨*Chim*⟩ pinene.

pinẹta *f.* pine forest, pine-wood. – **pinẹto** *m.* ⟨*lett*⟩ → **pineta.**

pịngere[1] *v.t.* (**pịngo, pịngi; pịnsi, pịnto**) ⟨*lett*⟩ **1.** (*dipingere*) to paint; (*colorire*) to colour, to tinge, to tint. – **2.** ⟨*fig*⟩ (*descrivere vivacemente*) to paint, to portray, to depict, to describe. – **3.** ⟨*fig*⟩ (*immaginare*) to imagine, to picture. – **4.** ⟨*fig*⟩ (*rif. a cosa: esprimere*) to express.

pịngere[2] *v.t.* (**pịngo, pịngi; pịnsi, pịnto**) ⟨*poet*⟩ (*spingere*) to push. – **pingersi** *v.r.* (*inoltrarsi*) to go forward, to advance.

ping-pọng *m.* ping-pong, table-tennis.

pịngue *a.* **1.** (*grasso*) fat, stout, portly, corpulent, fleshy, ⟨*scherz*⟩ pinguid. – **2.** (*fertile*) fertile, rich, fruitful, ⟨*lett*⟩ fat. – **3.** ⟨*fig*⟩ (*ricco*) rich, fat, large.

pinguẹcula *f.* ⟨*Med*⟩ pinguecula, palpebral blotch.

pinguẹdine *f.* fatness, stoutness, portliness, corpulence, fleshiness, ⟨*scherz*⟩ pinguidity.

pinguịcola *f.* ⟨*Bot*⟩ butterwort (*Pinguicula*).

pinguịno *m.* **1.** ⟨*Ornit*⟩ penguin. – **2.** *pl.* ⟨*Ornit*⟩ penguins *pl* (*Sphenisci, Aptenodytiformes*). – **3.** ⟨*Aer*⟩ (*velivolo scuola*) penguin, trainer (airplane); (*aspirante pilota*) trainee pilot. – **4.** ⟨*Dolc*⟩ (*gelato*) chocolate-covered ice-cream on a stick. ☐ ~ *dorato* rock -hopper (*o* Victoria, crested) penguin (*Eudyptes cristatus*); ~ *tordo* razorbill, razor-billed auk (*Alca torda*).

pinirọlo *m.* ⟨*Ornit*⟩ (*piro-piro culbianco*) green sandpiper (*Tringa ochropus*).

pịnna[1] *f.* **1.** ⟨*Itt*⟩ fin, flipper. – **2.** ⟨*Sport*⟩ flipper. – **3.** ⟨*Mar*⟩ (*aletta di rollio*) bilge keel, rolling chock. – **4.** ⟨*Aer*⟩ sponson, stub (plane). – **5.** ⟨*Aut*⟩ fin. – **6.** ⟨*Anat*⟩ (*aletta nasale*) ala nasi, wing (*o* ala) of the nose. – **7.** ⟨*Zool*⟩ (*auricola*) pinna, auricle. – **8.** ⟨*Bot*⟩ (*fogliolina*) pinna, leaflet. – **9.** ⟨*Stor.rom*⟩ merlon. – **10.** ⟨*non com*⟩ (*pinnacolo*) pinnacle. – **11.** ⟨*Mar,rar*⟩ (*deriva*) lee-board, keel.
☐ ⟨*Itt*⟩ ~ **anale** anal fin; *-e* **anti-rollio** = *pinne* **stabilizzatrici**; ⟨*Itt*⟩ ~ **caudale** tail (*o* caudal) fin; ⟨*Mar*⟩ ~ *di* **deriva** lee-board, keel; ⟨*Itt*⟩ ~ **dorsale** dorsal fin; ⟨*Itt*⟩ ~ **pettorale** pectoral fin; ⟨*Mar*⟩ *-e* **stabilizzatrici** stabilizing fins; ⟨*Itt*⟩ ~ **ventrale** ventral fin.

pịnna[2] *f.* ⟨*Zool*⟩ Pinna (*Pinna*).

pinnạcolo[1] *m.* **1.** ⟨*Arch*⟩ spire, pinnacle. – **2.** ⟨*Geog*⟩ pinnacle, aiguille, lofty peak.

pinnạcolo[2] *m.* (*gioco di carte*) pinoc(h)le.

pinnạto *a.* with flippers, flipper-: *nuoto* ~ swimming with flippers.

pinnịpedi *m.pl.* ⟨*Zool*⟩ pinnipeds *pl*, seals and walruses *pl* (*Pinnipedia*).

pinnotẹridi *m.pl.* ⟨*Zool*⟩ pinnotherids *pl* (*Pinnotheridae*).

pịnnula *f.* ⟨*Biol,Astr*⟩ pinnule.

pịno *m.* **1.** ⟨*Bot*⟩ (true) pine, pine-tree (*Pinus*). – **2.** (*legno*) pine. – **3.** ⟨*poet*⟩ (*albero di nave*) mast; (*nave*) ship.
☐ ~ *d'Aleppo* Aleppo (*o* Jerusalem) pine (*Pinus halepensis*); ~ **austriaco** = *pino* **nero**; ~ **bianco** white (*o* Weymouth) pine (*Pinus strobus*); ~ *di* **Calabria** (o *Corsica*) = *pino* **laricio**; ~ **domestico** = *pino da* **pinoli**; ~ *di* **fastelle** → **pinastro**; ~ *di* **Gerusalemme** = *pino d'Aleppo*; ~ *d'Italia* = *pino da* **pinoli**; ~ **laricio** Corsican pine (*o* fir, larch) (*Pinus laricio*); ~ **marittimo** → **pinastro**; ~ **montano** Swiss mountain pine (*Pinus montana*); ~ **nero** black (*o* Austrian) pine (*Pinus austriaca*); **olio** *di* ~ pine-oil; ~ ⌜*da* **pinoli**⌝ (o *a ombrello*) stone (*o* umbrella) pine (*Pinus pinea*); ~ **selvatico** → **pinastro**; ~ **silvestre** (o *di Scozia*) Scotch pine (*Pinus silvestris*); ~ **strobo** = *pino* **bianco**; ~ **vulcanico**: 1. ⟨*Geol*⟩ mushroom-shaped (*o* umbrella-shaped) cloud; 2. ⟨*Atom*⟩ mushroom (-shaped cloud).

Pịno (*dim. di Giuseppe*) *N.pr.m.* Joe(y).

pinocc(hi)ạta *f.* ⟨*Dolc*⟩ pine-seed cake.

pinocchiẹlla *f.* ⟨*Bot*⟩ white stonecrop (*Sedum album*).

pinocchiẹsco *a.* (*pl.* **-chi**) Pinocchio-like. ☐ *naso* ~ Pinocchio-like nose, nose like Pinocchio's.

pinocchiẹtto *m. dim. di* **pinocchio.**

Pinocchiẹtto (*dim. di Pinocchio*) *N.pr.m.* ⟨*Lett*⟩ little Pinocchio. – **pinocchietto** *m.* (*persona piccola, magra e nasuta*) short, thin person with a big nose.

pinocchịno[1] *m. dim. di* **pinocchio.**

pinocchịno[2] *m.* (*ghiaia*) (fine) gravel.

pinọcchio *m.* → **pinolo.**

Pinọcchio *N.pr.m.* ⟨*Lett*⟩ Pinocchio.

pinọlo *m.* pine-seed.

pinsạpo *m.* ⟨*Bot*⟩ Spanish fir (*Abies pinsapo*).

pịnta[1] *f.* ⟨*Stor*⟩ (*unità di misura*) pint.

pịnta[2] *f.* ⟨*Med*⟩ pinta, pinto, mal de los pintos, spotted sickness.

pịnta[3] *f.* ⟨*ant*⟩ (*spinta*) thrust, push.

pịnto[1] *m.* ⟨*Itt*⟩ (*donzella*) rainbow wrasse (*Coris iulis*).

pịnto[2]: *mal del* ~ → **pinta**[2].

pịnto[3] *p.p. di* **pingere**[1] *e* **pingere**[2].

pintọre *m.* ⟨*ant*⟩ (*pittore*) painter. – **pintụra** *f.* ⟨*ant*⟩ **1.** (*pittura*) painting. – **2.** (*dipinto*) painting, picture.

pịnza *f.* **1.** pliers *pl* (*costr. sing. o pl.*). – **2.** ⟨*Med*⟩ forceps *pl*. – **3.** ⟨*Zool*⟩ (*chela*) pincer, nipper, chela. – **4.** ⟨*Equit*⟩ coronet. – **5.** ⟨*Tip*⟩ gripper. – **6.** ⟨*Mecc*⟩ (*nel tornio a revolver*) collet.
☐ ~ *da* **bucato** clothes-peg, clothes-pin; ~ *per* **chiodi** nail puller; *-e* **chirurgiche** tenaculum (forceps); ~ *da* **crogiuolo** crucible tongs *pl*; *-e del* **dentista** dental (*o* dentist's) forceps; ⟨*Med*⟩ ~ **emostatica** haemostatic forceps *pl*; ~ *ad* **espansione** spring collet; *-e da* **filatelico** stamp (*o* philatelic) tweezers; ~ *per* **fili** wire nippers *pl*; ~ **foratrice** (o *per forare*) punch pliers *pl*; ~ *da* **gasista** gas pliers *pl*; ~ *per* **occhielli** eyelet pincers *pl* (*o* setter); ~ **piana** (o *piatta*) flat-nose (*o* linking-up) pliers *pl*; ~ **piegatubi** pipe wrench (*o* tongs *pl*); ~ **portaelettrodi** electrode-holder, electrode-pliers *pl*; ~ **portafresa** mill collet; ~ *a* **punte** *piatte* = *pinza* **piana**; ~ *a punte tonde* round-nose pliers *pl*; ~ *per* **saldatura** welding gun (*o* yoke); ⟨*El*⟩ ~ **spellafilo** wire stripper (*o* splitter); ~ **tagliacavi** cable cutter (*o* shears *pl*); ~ **tagliafili** wire cutter; ~ **termoelettrica** thermo-electric couple (*o* pair); ~ *per* **tubi** = *pinza* **piegatubi**; ~ **universale** cutting pliers *pl*; *-e per lo* **zucchero** sugar-tongs.

pinzạcchio *m.* ⟨*Ornit*⟩ (*frullino*) jack snipe (*Lymnocryptes minimus*).

pinzạre *v.t.* **1.** (*pungere*) to sting, to bite. – **2.** ⟨*non com*⟩ (*stringere con le pinze*) to grasp with pliers. – **pinzạta** *f.* **1.** stinging, biting. – **2.** ⟨*estens*⟩ (*puntura*) sting, bite. – **pinzatrịce** *f.* ⟨*Tess*⟩ picker. – **pinzatụra** *f.* **1.** (*puntura*) sting, bite. – **2.** ⟨*Tess*⟩ picking.

pinzẹtta (*dim. di pinza*) *f.* tweezers *pl.* ☐ ~ *del filatelico* stamp (*o* philatelic) tweezers *pl*; ~ *da orologiaio* watchmaker's tweezers *pl*; ~ *per le sopracciglia* eyebrow tweezers *pl*; *-e per lo zucchero* sugar -tongs.

pinzillạcchera *f.* ⟨*fam*⟩ trifle, mere nothing, bagatelle.

pinzimọnio *m.* ⟨*Gastr*⟩ dip made of olive-oil, pepper and salt.

pinziọlo *m.* ⟨*Ornit*⟩ (*fringuello*) chaffinch (*Fringilla coelebs*).

pịnzo[1] *m.* ⟨*tosc*⟩ → **pinzata.**

pịnzo[2] *a.* ⟨*tosc*⟩ (*pieno zeppo*) full up, ⟨*fam*⟩ bursting.

pịnzo[3] *m.* ⟨*region*⟩ (*lembo*) corner; (*parte terminale*) tip, end; (*orlo*) edge, margin, border, rim.

pinzọchero *m.* (*f.* **-a**) (*bigotto*) bigot.

pịo[1] *a.* **1.** (*devoto*) pious, devout, godly. – **2.** (*riverente*) pious, reverent, dutiful. – **3.** (*sacro*) holy, sacred. – **4.** (*rif. a istituti di carità e sim.*) charitable, charity-, benevolent. – **5.** (*pietoso*) pitiful, merciful; (*misericordioso*) merciful, compassionate, charitable. – **6.** ⟨*scherz*⟩ vain, futile: *un* ~ *desiderio* a vain hope, wishful thinking. – **7.** ⟨*rar*⟩ (*che suscita pietà*) pitiful, piteous, pitiable. – **8.** ⟨*lett*⟩ (*magnanimo*) generous, magnanimous.

pịo[2] *onom.* cheep, tweet, chirp, peep.

Pịo *N.pr.m.* Pius.

pio... *pref.* (*pus* pus) py(o)...

pio|bacillọsi *f.* ⟨*Veter*⟩ pyobacillosis. – **~cẹfalo** *m.* ⟨*Med*⟩ pyocephalus. – **~cẹle** *m.* ⟨*Med*⟩ pyocele. – **~cịsti** *f.* ⟨*Med*⟩ pyocyst. – **~coltụra** *f.* pyoculture.

piọda *f.* ⟨*Alp*⟩ slab (of smooth rock).

pio|dermịte *f.* ⟨*Med*⟩ pyodermitis, pyodermatitis, pyodermatosis. – **~emịa** *f.* (*piemia*) py(a)emia. – **~ẹmico** *a.* (*pl.* **-ci**) (*piemico*) py(a)emic.

piogẹnico *a.* (*pl.* **-ci**) ⟨*Med*⟩ pyogen(et)ic. – **piọgeno I** *a.* pyogen-(et)ic. – **II** *s.m.* pyogen.

pioggerẹlla, pioggerellịna (*dim. di pioggia*) *f.* drizzle, fine rain.

piọggia *f.* (*pl.* **-ge**) **1.** rain. – **2.** ⟨*fig*⟩ shower, hail, flood, deluge: *una* ~ *di fiori* a shower of flowers; *una* ~ *di rimproveri* a flood of reproach. – **3.** ⟨*Cin,TV*⟩ rain.
☐ **a** ~ sprinkling, like rain; ~ **artificiale** artificial rain; ⟨*Geol*⟩ ~ *di* **cenere** rain of ashes; ~ **continua** steady rain; ~ **dirotta** downpour, heavy rainfall, pouring (*o* teeming) rain; ⟨*fig*⟩ **far** *la* ~ *e il bel tempo* (*dettar legge*) to lay down the law; ~ **fine** drizzle, light (*o* fine) rain; ~ **fitta** pelting (*o* driving) rain; **innaffiare** *a* ~ to sprinkle; ~ *mista a* **neve** sleet; ⟨*Mitol*⟩ ~ *d'oro* shower of gold; **periodo** *delle piogge* = **stagione** *delle piogge*; ~ **radioattiva** (radioactive) fall-out; ~ *a* **rovesci** shower; ~ *di* **sassi** hail of stones; *dopo la* ~ *viene il* **sole** after clouds fair weather; *camminare* **sotto** *la* ~ to walk in the rain; **stagione** *delle piogge* rainy season, rains *pl*; ~ *di* **stelle** meteorite shower; ~ **torrenziale** torrential rain; ⟨*Bibl*⟩ ~ *di* **zolfo** rain of fire and brimstone. – *Prov.*: ~ *di febbraio empie il granaio* a rainy February means a good harvest.

pioggiatọre *m.* ⟨*Etnol*⟩ rain-maker, rain-doctor.

pioggiọso *a.* ⟨*ant*⟩ (*piovoso*) rainy.

piọide *a.* ⟨*Med*⟩ pyoid, pus-like.

piọlo *m.* **1.** peg, stake, post; (*gancio*) peg, hook: ~ *dell'attaccapanni* peg (*o* hook) of a clothes-stand. – **2.** (*rif. a scale*) rung: ~ *della scala* rung of a ladder. – **3.** ⟨*tosc*⟩ (*colonnetta di pietra*) stone pillar (*o* post). ☐ *stare piantato come un* ~ to stand motionless (*o* stock -still), to be as still as a statue.

piolọtto *m.* ⟨*Ornit*⟩ (*totano moro*) black redshank (*Tringa erythropus*).

piombagginạre *v.t.* (**piombạggino**) to graphitize, to coat with blacklead. – **piombạggine** *f.* **1.** plumbago, blacklead, graphite. – **2.** ⟨*Bot*⟩ (*caprinella*) (European) leadwort (*Plumbago europaea*).

piombạggio *m.* ⟨*non com*⟩ (*piombatura*) **1.** lead coating, leading; (*il sigillare con piombo*) plumbing, sealing (with lead). – **2.** ⟨*Dent*⟩ filling, stopping.

piombạre[1] *v.* (**piọmbo**) **I** *v.i.* (*aus.* **essere**) **1.** (*cadere dall'alto*) to fall, to shoot (down), to hurtle, to drop; (*precipitare*) to fall (headlong), to topple, to hurtle. – **2.** ⟨*fig*⟩ (*avventarsi*) to pounce, to throw o.s., to fall (*su* upon), to assail (s.th., s.o.); (*rif. a veicoli*) to bear down (upon). – **3.** ⟨*fig*⟩ (*rif. a disgrazie e sim.*) to befall, to strike. – **4.** ⟨*fam*⟩ (*giungere all'improvviso*) to arrive (*o* turn up) unexpectedly, to drop in suddenly: ~ *in casa a qd.* to arrive at s.o.'s house unexpectedly. – **5.** ⟨*non com*⟩ (*sovrastare*) to overhang. – **II** *v.t.* (*far cadere*) to drop, to let fall. ◻ ~ *nella disperazione* to plunge into despair; ~ *a terra* to drop (*o* fall) to the ground.

piombạre[2] *v.t.* (**piọmbo**) **1.** (*rivestire di piombo*) to cover (*o* coat) with lead; (*riempire di piombo*) to fill with lead. – **2.** ⟨*Dent*⟩ to fill, to stop. – **3.** (*chiudere con sigilli di piombo*) to plumb, to seal (with lead): ~ *un pacco* to seal a parcel with lead, to put a lead seal on a parcel. – **4.** (*saldare con piombo*) to solder. – **5.** ⟨*Edil*⟩ to plumb.

piombạto *m.* ⟨*Chim*⟩ plumbate.

piombatọia *f.*, **piombatọio** *m.* ⟨*Mil.ant*⟩ machicolation.

piombatọre *m.* ⟨*Rel.catt*⟩ Sealer (in the Papal Chancery).

piombatụra *f.* **1.** leading, lead covering (*o* coating, plating). – **2.** (*il sigillare con piombo*) sealing, plumbing; (*sigillo*) (lead) seal. – **3.** ⟨*Dent*⟩ filling, stopping (*anche concr.*). – **4.** ⟨*Mecc*⟩ (lead-)soldering. – **5.** ⟨*Mar*⟩ splice.

Piọmbi *N.pr.m.pl.* ⟨*Stor*⟩ Piombi *sing.*, Leads *sing.*

piombịfero *a.* plumbiferous, lead-bearing, containing lead: *minerale* ~ plumbiferous mineral.

piombịno[1] (*dim. di piombo*) *m.* **1.** (*proiettile*) bullet. – **2.** (*sigillo*) (lead) seal. – **3.** (*matita*) lead pencil. – **4.** ⟨*Mur*⟩ (*del filo a piombo*) plumb-bob, plummet. – **5.** ⟨*Mar,Pesc*⟩ sinker, plumb. – **6.** ⟨*Idr*⟩ (*strumento per sturare condutture*) plumber's tool for unstopping drains. – **7.** ⟨*Lav.femm*⟩ bobbin. – **8.** ⟨*Sart*⟩ (lead) weight. – **9.** ⟨*Ornit*⟩ (*martin pescatore*) kingfisher (*Alcedo atthis ispida*). – **10.** ⟨*non com*⟩ (*archipendolo*) plumb-line. ◻ ⟨*Mar*⟩ ~ *dello scandaglio* sounding lead.

piombịno[2] *a.* ⟨*non com*⟩ (*color piombo*) lead-coloured.

piọmbo *m.* **1.** ⟨*Chim*⟩ lead. – **2.** (*piombino del filo a piombo*) plummet, plumb-bob. – **3.** (*piombino per sigillare*) (lead) seal. – **4.** *pl.* ⟨*Pesc*⟩ sinkers *pl*, plummets *pl.* – **5.** ⟨*Equit*⟩ (lead) weight. – **6.** ⟨*Edil*⟩ (*lastra*) lead sheet. – **7.** ⟨*Tip*⟩ lead, type metal. – **8.** ⟨*Agr*⟩ silver leaf of fruit trees, silvering. – **9.** ⟨*lett*⟩ (*proiettile*) bullet; ⟨*collett*⟩ (*proiettili*) lead, bullets *pl.*
◻ **a** ~ plumb, vertical, perpendicular, straight down: *cadere a* ~ to fall plumb; *essere a* ~ to be plumb; ⟨*Met*⟩ ~ **affinato** refined lead; ⟨*Tip*⟩ ~ **antimoniale** antimonial (*o* hard) lead; **cadere** *di* ~ to fall headlong (*o* suddenly); ⟨*Tip*⟩ ~ *per* **caratteri** *di stampa* lead, type metal; ⟨*ant*⟩ ~ **cinereo** (*bismuto*) bismuth; **di** ~ lead, made of lead, leaden; (*color piombo*) lead-coloured, leaden; ~ **doganale** customs seal; ⟨*Met*⟩ ~ **duro** hard lead; ~ **grezzo** unrefined lead; ⟨*Vetr*⟩ ~ *in* **lista** leads *pl*; ⟨*Edil*⟩ **messa** *a* ~ plumbing; **mettere** *a* ~ to plumb; **minerale** *di* ~ lead ore; ~ **molle** soft lead; *-i del* **palombaro** diver's weights; ⟨*Met*⟩ ~ *in* **pani** pig-lead; **uscire** *di* ~ to get out of plumb (*anche fig.*).

piombọso *a.* ⟨*non com*⟩ **1.** (*che contiene piombo*) leaden, made of lead, plumbiferous. – **2.** (*pesante come il piombo*) as heavy as lead, leaden. – **3.** (*color piombo*) lead-coloured, leaden, plumbeous. – **4.** ⟨*Chim*⟩ plumbous.

piomẹtra *f.* ⟨*Med*⟩ pyometra.

piọne *m.* ⟨*Fis*⟩ pi-meson, pion.

pio|nefrịte *f.* ⟨*Med*⟩ pyonephritis. – **~nefrọsi** *f.* pyonephrosis.

pioniẹre I *s.m.* (*f.* **-a**) pioneer (*anche fig.*): *un* ~ *della scienza* a pioneer in science. – **II** *a.* ⟨*non com*⟩ pioneer-. – **pionierịsmo** *m.* **1.** pioneering. – **2.** ⟨*fig*⟩ (*tendenza all'avventura*) pioneer (*o* adventurous) spirit. – **pionierịstico** *a.* (*pl.* **-ci**) pioneer-, pioneering, that opens up the way: *impresa -a* pioneer undertaking.

pịo pịo I *onom.* cheep cheep, tweet tweet, chirp chirp, peep peep. – **II** *s.m.* cheeping, tweeting, chirping, peeping.

piọppa *f.* ⟨*ant*⟩ → **pioppo**. – **pioppạia** *f.* poplar grove (*o* plantation). – **pioppạta** *f.* ⟨*Agr*⟩ poplar supporting vines. – **pioppẹlla** *f.* poplar sapling. – **pioppẹto** *m.* poplar grove (*o* wood). – **pioppịcolo** *a.* poplar, of poplars. – **pioppicoltọre** *m.* (*f.* **-trice**) poplar-grower. – **pioppicoltụra** *f.* poplar-growing.

piọppo *m.* **1.** ⟨*Bot*⟩ poplar (*Populus*). – **2.** (*legno*) poplar(-wood).
◻ ~ **balsamico** balsam poplar (*Populus balsamifera*); ~ **bianco** white poplar (*Populus alba*); ~ **cipressino** (*o d'Italia*) Lombardy (*o* Italian) poplar (*Populus nigra italica*); ~ **nero** (*o nostrano*) black poplar (*Populus nigra*); ~ **tremolo** (European) aspen, trembling poplar (*Populus tremula*).

piọrno *a.* ⟨*ant*⟩ (*piovoso*) rainy.

piorrẹa *f.* ⟨*Med*⟩ pyorrh(o)ea. – **piorrọico** *a.* (*pl.* **-ci**) pyorrheal, pyorrheic.

piosalpịnge *f.* ⟨*Med*⟩ pyosalpinx.

piọta *f.* **1.** (*zolla erbosa*) sod, turf; (*pane di terra*) ball (of earth). – **2.** ⟨*region,scherz*⟩ (*grosso piede*) big foot. – **3.** ⟨*ant*⟩ (*piede*) foot; (*pianta del piede*) sole (of the foot). – **4.** ⟨*fig,ant*⟩ (*radice, origine*) root, origin. – **5.** (*nel gioco del tzan*) bat, racket. ◻ ⟨*fig,region*⟩ *stare in* ~ to be on the ball, to be sharp, ⟨*fam*⟩ to be all there.

piotạre *v.t.* (**piọto**) ⟨*Giard*⟩ to turf, to sod. – **piotatụra** *f.* ⟨*non com*⟩ turfing, sodding.

piotorạce *m.* ⟨*Med*⟩ empyema, pyothorax.

piottịsi *f.* ⟨*Med*⟩ pyoptysis.

piọva *f.* ⟨*poet*⟩ (*pioggia*) rain.

piovanạtico *m.* (*pl.* **-ci**) ⟨*ant*⟩ (*pievania*) **1.** (*territorio*) parish. – **2.** (*casa*) parsonage, rectory, parish priest's house. – **3.** (*dignità*) parsonage, rectorate. – **piovanạto** *m.* ⟨*ant*⟩ (*dignità di pievano*) parsonage, rectorate.

piovanẹllo *m.* ⟨*Ornit*⟩ curlew sandpiper (*Calidris ferruginea*).
◻ ~ *dei* **boschi** wood sandpiper (*Tringa glareola*); ~ **codibianco** green sandpiper (*Tringa ochropus*); ~ **maggiore** knot (*Calidris canutus*); ~ **nano** Temminck's stint (*Calidris temminckii*); ~ **pancianera** dunlin, red-backed sandpiper (*Calidris alpina*); ~ **tridattilo** sanderling (*Crocethia alba*); ~ **violetto** purple sandpiper (*Calidris maritima*).

piovanịa *f.* ⟨*region*⟩ → **piovanatico**.

piovạno[1] *m.* ⟨*pop*⟩ (*pievano*) parish priest, rector, parson.

piovạno[2] *a.* (*di pioggia*) rain, of rain: *acqua -a* rainwater. – **piovạsco** *m.* (*pl.* **-chi**) squall.

piovẹnte *m.* **1.** (*spiovente*) slope (of a roof). – **2.** ⟨*Mil.ant*⟩ exterior slope (of a parapet).

piọvere *v.* (**piọvve**, **piovụto**) **I** *v.i.impers.* (*aus.* **essere/avere**) to rain. – **II** *v.i.* (*aus.* **essere**) **1.** to rain, to fall: *piovevano goccioloni radi* large drops of rain were falling. – **2.** ⟨*estens*⟩ (*cadere*) to hail, to fall, to pour, to rain, to shower. – **3.** ⟨*fig*⟩ (*fioccare*) to rain (down), to pour (in), to shower: *piovvero gli auguri* good wishes poured in. – **4.** ⟨*fig*⟩ (*giungere: rif. a mali e sim.*) to rain, to befall, to strike. – **5.** ⟨*fig*⟩ (*affollarsi*) to pour (in), to swarm, to stream. – **6.** ⟨*fam*⟩ (*capitare*) to arrive unexpectedly, to drop in suddenly, to turn up without warning: *ci è piovuto addosso un parente* a relative has arrived unexpectedly. – **7.** ⟨*lett*⟩ (*colare*) to drip, to trickle, to drop; (*scorrere*) to flow, to stream. – **III** *v.t.* ⟨*lett*⟩ (*far piovere*) to rain, to pour, to shower.
◻ ⟨*fig*⟩ *piove sul* **bagnato** it never rains but it pours; ~ *a* **catinelle** to pour, to pelt, ⟨*fam*⟩ to rain cats and dogs, ⟨*fam*⟩ to come down in buckets; ⟨*fig*⟩ ~ *dal* **cielo** to fall ⌜from heaven⌝ (*o* into one's lap); ~ *a* **dirotto** to pour; ⟨*fam*⟩ *non ci piove e non ci* **grandina** it's a sure thing, you can't go wrong; ~ *a* **secchi** (*o torrenti*) = *piovere a* **catinelle**; *ha* **smesso** *di* ~ it has stopped raining, the rain has stopped; **pare** (*o sembra*) *che voglia* ~ it looks like rain. – *Prov.*: *chi è al coperto quando piove è ben matto se si muove* he is wise that knows when he's well enough. || ⟨*gerg*⟩ *piove !* the cops!

pioviccicạre *v.* (**piovịccica**) → **piovigginare**.

pioviẹre *m.* ⟨*ant*⟩ → **piviere**[2].

piovịfero *a.* ⟨*ant*⟩ → **piovoso**[1].

pioviggịnạre *v.i.impers.* (**piovịggina**; *aus.* **essere/avere**) to drizzle. – **piovịggine** *f.* drizzle, fine rain. – **pioviggịnọso** *a.* drizzly. – **pioviscolạre** *v.* (**piovịscola**) → **piovigginare**.

piovọrno *a.* ⟨*lett*⟩ → **piovoso**[1].

piovosità *f.* **1.** raininess. – **2.** (*quantità di pioggia*) rainfall.

piovọso[1] *a.* **1.** rainy, wet, ⟨*lett*⟩ pluvious: *tempo* ~ rainy (*o* wet) weather. – **2.** ⟨*Geog*⟩ (*ricco di piogge*) pluviose, rainy.

piovọso[2] *m.* ⟨*Stor*⟩ Pluviose.

piọvra *f.* **1.** ⟨*Zool*⟩ giant squid, octopus. – **2.** ⟨*fig*⟩ (*sfruttatore*) leech, blood-sucker.

piọvve *p.rem. di* **piovere**.

pịpa[1] *f.* **1.** pipe: *fumare la* ~ to smoke a pipe. – **2.** (*quantità di tabacco*) pipe(ful). – **3.** ⟨*Ling*⟩ hook (serving as diacritic mark). – **4.** ⟨*Mil*⟩ (*mostrina*) insignia, tab, badge. – **5.** ⟨*Vetr*⟩ blow-pipe, blowtube. – **6.** (*nelle teleferiche*) carrying-cable support. – **7.** ⟨*Bot*⟩ Dutchman's pipe, pipe vine (*Aristolochia macrophylla*). – **8.** ⟨*Mecc*⟩ lug.
◻ ~ **bianca** = *pipa di* **gesso**; ~ *di* **bosso** boxwood pipe; **caricare** *la* ~ to fill one's pipe; ~ *di* **gesso** clay-pipe; ~ **gialla** yellow clay-pipe; ~ *di* **legno** wood pipe; ⟨*Etnol*⟩ ~ *della* **pace** peace-pipe, calumet; ~ *di* **radica** briar pipe; ~ **rossa** red clay-pipe; ~ *di* **schiuma** meerschaum (pipe); ⟨*fig*⟩ *una* ~ *di* **tabacco** (*piccolissima quantità*) very little, a small amount: *per una* ~ *di tabacco* for practically nothing, for very little, ⟨*fam*⟩ for a song; ~ **tirolese** Tyrolean pipe.

pịpa[2] *f.* ⟨*Zool*⟩ Surinam toad (*Pipa*).

pịpa[3] *f.* **1.** (*botte*) pipe, cask. – **2.** ⟨*Stor*⟩ (*unità di misura*) pipe.

pipạio *m.* pipe-maker. – **pipạre** *v.i.* (*aus.* **avere**) to smoke a pipe. – **pipạta** *f.* **1.** smoking, smoke (of a pipe). – **2.** (*boccata di fumo*) draw (on a pipe). – **3.** (*quantità di tabacco*) pipe(ful). ◻ *fare una* ~ (*fumare*) to smoke a pipe. – **pipatọre** *m.* (*f.* **-trice**) ⟨*scherz*⟩ (*fumatore di pipa*) great pipe-smoker.

pipelet *fr.* [pip'le] *m.* ⟨*scherz*⟩ (*portiere*) concierge, porter, door-keeper.

pipeline *ingl.* ['paiplain] *f.inv.* pipeline.

piperạcee *f.pl.* Pipers *pl* (*Piperaceae*).

piperẹlla *f.* ⟨*Bot*⟩ (*mostardina*) dittander (*Lepidium latifolium*).

piperidịna *f.* ⟨*Chim*⟩ piperidine.

piperịno *m.* ⟨*Min*⟩ peperino.

piperịta *f.* ⟨*Bot*⟩ (*peperita*) peppermint (*Mentha piperita*).

pipẹtta (*dim. di pipa*[1]) *f.* ⟨*Chim*⟩ pipette. ◻ ~ *graduata* graduated pipette; ~ *da vino* wine pipette. – **pipettạre** *v.t.* (**pipẹtto**) to pipette.

pipì ⟨*infant*⟩ **I** *s.f.* (*orina*) ⟨*fam*⟩ wee-wee, ⟨*fam*⟩ pee-pee: *fare (la)* ~ to (do one's) wee-wee, to pee; *mi scappa la* ~ I have to pee (*o* go to the bathroom). – **II** *s.m.* (*pene*) penis.

pipiạre *v.i.* (**pịpio**, **pipịi**; *aus.* **avere**) ⟨*non com*⟩ (*pigolare*) to peep, to chirp. – **pipilạre** *v.* (**pịpilo**) ⟨*non com*⟩ → **pipiare**.

pipịno *m.* (*f.* **-a**) ⟨*scherz*⟩ (*iscritto al partito popolare*) member of the Popular (*o* People's) Party.
Pipịno *N.pr.m.* ⟨*Stor*⟩ Pippin, Pepin. ▭ ⟨*Stor*⟩ ~ *il Breve* Pippin the Short.
pipiọna *f.* ⟨*Enol*⟩ kind of sweet Spanish wine.
pipịsta *m./f.* → **pipino.**
pipistrẹllo *m.* **1.** ⟨*Zool*⟩ bat. – **2.** *pl.* ⟨*Zool*⟩ bats *pl*, chiropter(an)s *pl* (*Chiroptera*). – **3.** ⟨*Mod*⟩ (*pastrano*) (kind of) Inverness cape. ▭ ~ **alpestre** = *pipistrello di* **Savi**; ~ **coda** *di topo* mouse-tailed bat (*Rhinopoma microphyllum*); ~ **emarginato** Geoffroy's bat (*Myotis emarginatus*); ~ *dai* **mustacchi** whiskered bat (*Myotis mistacinus*); ~ *di* **Nathusi** Nathusius' pipistrelle (*Pipistrellus nathusii*); ~ *di* **Natterer** Natterer's (*o* red-grey) bat (*Myotis nattereri*); ~ **orecchie** *di topo* mouse-eared bat (*Myotis myotis*); ~ *delle* **paludi** pond bat (*Myotis dasycneme*); ~ *di* **Savi** Savi's pipistrelle (*Pipistrellus savii*); ~ **serotino** serotine (bat) (*Eptesicus serotinus*).
pipịta *f.* **1.** ⟨*Veter*⟩ pip. – **2.** (*pellicola intorno alle unghie della mano*) hangnail. – **3.** ⟨*non com*⟩ (*germoglio*) sprout, shoot. ▭ ⟨*scherz*⟩ *avere la* ~: 1. to be very thirsty; 2. (*essere taciturno*) to be taciturn, ⟨*fam*⟩ to have the pip; ⟨*scherz*⟩ *ti venisse la* ~ ! I wish you would keep quiet!, ⟨*fam*⟩ dry up!
pippì *f./m.* ⟨*tosc*⟩ → **pipì.**
pippiolịno *m.* ⟨*Lav.femm*⟩ edging on crochet work.
pippiọne *m.* ⟨*ant*⟩ (*piccione giovane*) fledgling pigeon, squab.
pịppo[1] *m.* ⟨*tosc*⟩ → **pippolo.**
pịppo[2]: *far* ~ (*far la spia*) to play the spy.
Pịppo (*dim. di Filippo*) *N.pr.m.* Phil.
pippollịno: ⟨*Bot*⟩ *aglio* ~ crow (*o* field, wild) garlic (*Allium vineale*).
pịppolo *m.* ⟨*tosc*⟩ **1.** (*bacca*) pip, grain, seed, stone. – **2.** (*pallottolina*) knob, pimple. – **3.** ⟨*Tess*⟩ polka dot, spot.
piqué *fr.* [pi'ke] *m.* ⟨*Tess*⟩ piqué.
pịra *f.* ⟨*lett*⟩ pyre, funeral pile.
pirạlide *f.* ⟨*Entom*⟩ pyralis, pyralid (*Pyralis*). ▭ ~ *della farina* meal (snout)mouth (*Pyralis farinalis*); ~ *della vite* vine pyralid caterpillar (*Sparganothis pilleriana*). – **pirạlidi** *f.pl.* pyralidids *pl* (*Pyralidae*).
piramidạle *a.* **1.** pyramidal, pyramidic(al), pyramid-shaped, pyramid-like: *costruzione* ~ pyramid-shaped building. – **2.** ⟨*Anat*⟩ pyramidal: *cellule -i* pyramidal cells. – **3.** ⟨*fig*⟩ (*colossale*) enormous, huge, monstrous: *un errore* ~ a huge mistake, a blunder, ⟨*fam*⟩ a howler.
pirạmide *f.* **1.** pyramid. – **2.** ⟨*estens*⟩ (*mucchio disposto a piramide*) pyramid: *una* ~ *di scatole* a pyramid of cartons. – **3.** ⟨*Geol*⟩ earth pillar (*o* pyramid), demoiselle. ▭ **a** ~ pyramidal, pyramidic(al), pyramid-shaped; ⟨*Anat*⟩ ~ **anteriore** anterior pyramid; ⟨*Stor*⟩ **battaglia** *delle -i* Battle of the Pyramids; ~ *di* **erosione** = *piramide di* **terra**; ⟨*Anat*⟩ ~ *di* **Ferrein** Ferrein's pyramid; ⟨*Archeol*⟩ ~ *a* **gradini** step-pyramid; ⟨*Anat*⟩ *-i di* **Malpighi** pyramids of Malpighi, renal (*o* Malpighian) pyramids; ⟨*Geom*⟩ ~ **ortorombica** orthorhombic pyramid; ~ *a base* **quadrangolare** quadrilateral pyramid; ~ **regolare** regular pyramid; ~ **retta** right-angle pyramid; ⟨*Statist*⟩ ~ **sociale** social pyramid, social order (*o* scale); ⟨*Geol*⟩ ~ *di* **terra** earth pillar (*o* pyramid).
piramidọne *m.* ⟨*Farm*⟩ pyramidon, aminopyrine.
Pịramo *N.pr.m.* ⟨*Mitol*⟩ Pyramus.
pirandelliạno *a.* Pirandellian, of Pirandello.
pirạnha *port.* [-ɲa] *m.* ⟨*Itt*⟩ spotted (*o* white) piranha (*Serrasalmo rhombeus*).
piranọmetro *m.* ⟨*Meteor*⟩ pyranometer.
pirargịte *f.* ⟨*Min*⟩ pyrargyrite, dark-red silver ore, ruby silver.
pirạta I *s.m.* **1.** pirate, sea-robber, freebooter. – **2.** ⟨*estens*⟩ (*ladro*) pirate, robber, thief. – **II** *a.* **1.** pirate-, piratical: *nave* ~ pirate(-ship), sea-rover. – **2.** ⟨*estens*⟩ thieving, piratical, robber-. ▭ ~ *dell'aria* aeroplane hijacker, skyjacker; ~ *della strada* hit-and-run driver.
pirateggiạre *v.i.* (**piratẹggio, piratẹggi**; *aus.* **avere**) **1.** to (be a) pirate, to commit piracy. – **2.** ⟨*estens*⟩ to steal, to rob, to pirate, to cheat. – **piraterịa** *f.* **1.** piracy, high-sea robbery. – **2.** ⟨*fig*⟩ robbery, theft, stealing, cheating, piracy; (*rif. a scritti, invenzioni e sim.*) plagiarism, piracy. ▭ ~ *aerea* aeroplane hijacking, skyjacking. – **piratẹsco** *a.* (*pl.* **-chi**) **1.** piratical, pirate-like, of pirates. – **2.** ⟨*estens*⟩ thieving, piratical, robber-. – **pirạtico** *a.* (*pl.* **-ci**) ⟨*lett*⟩ piratical, of pirates. – **pirạto** *a./s.* ⟨*ant*⟩ → **pirata.**
pirazọlo *m.* ⟨*Chim*⟩ pyrazole.
pirazolọne *m.* ⟨*Chim*⟩ pyrazolone.
pịrchio ⟨*ant*⟩ **I** *a.* (*tirchio*) stingy, miserly, mean, tight. – **II** *s.m.* (*f.* **-a**) miser, niggard.
pireliọgrafo *m.* ⟨*Meteor*⟩ recording pyrheliometer. – **pireliọmetro** *m.* pyrheliometer.
pirenạico *a.* (*pl.* **-ci**) **1.** (*dei Pirenei*) Pyrenean, of the Pyrenees. – **2.** (*iberico*) Iberian: *penisola -a* Iberian peninsula.
pirẹne *m.* ⟨*Chim*⟩ pyrene.
Pirenẹi *N.pr.m.pl.* ⟨*Geog*⟩ Pyrenees *pl.* – **pirenẹico** *a.* ⟨*non com*⟩ → **pirenaico.**
pirenọide *m.* ⟨*Bot*⟩ pyrenoid.
Pirẹo *N.pr.m.* ⟨*Geog*⟩ Piraeus.
piressịa *f.* ⟨*Med*⟩ pyrexia, fever, hyperthermia. – **pirẹtico** *a.* (*pl.* **-ci**) pyrexial, pyrexic, pyretic, feverish. – **piretoterapịa** *f.* pyre(to)therapy.
piretrịna *f.* ⟨*Chim*⟩ pyrethrin.
pirẹtro (o **pịretro**) *m.* ⟨*Bot*⟩ pyrethrum (*Chrysanthemum cinerariaefolium*). ▭ ~ ⌜*di Dalmazia*⌝ (o *della razzia*) pyrethrum (*Chrysanthemum cinerariaefolium*; *Pyrethrum cinerariaefolium*); ~ *germanico* German pellitory (*Anacyclus officinarum*); ~ *romano* pellitory (of Spain), pyrethrum (*Anacyclus pyrethrum*).
pịrex *m.* ⟨*Ind*⟩ pyrex, pirex.
pirgeọmetro *m.* ⟨*Meteor*⟩ pyrgeometer.
pirgocefalịa *f.* ⟨*Med*⟩ pyrgocephaly.
pịrico *a.* (*pl.* **-ci**) igniferous, fire-producing, pyric. ▭ *polvere -a* gunpowder; *spettacolo* ~ display of fireworks, pyrotechnics *pl.*
piridịna *f.* ⟨*Chim*⟩ pyridine. – **piridịnico** *a.* (*pl.* **-ci**) pyridine-.
piridossịna *f.* ⟨*Biol*⟩ pyridoxin(e), vitamin B_6, adermin.
pirifọrme *a.* piriform, pear-shaped.
pirịte *f.* ⟨*Min*⟩ pyrite, iron pyrites, fool's gold. ▭ ~ *bianca* marcasite, white iron pyrites; ~ *capillare* capillary (*o* hair) pyrites; ~ *magnetica* pyrrhotite, pyrrhotine, magnetic pyrites. – **pirịtico** *a.* (*pl.* **-ci**) pyritic(al), pyritous; (*che contiene pirite*) pyritiferous.
Pirịtoo *N.pr.m.* ⟨*Mitol*⟩ P(e)irithous.
piritọso *a.* ⟨*Min*⟩ pyritiferous.
pịro *m.* ⟨*region*⟩ (*piolo*) wooden stake (*o* post).
piro... *pref.* (*fuoco* fire) pyr(o)...
piro|acẹtico: ⟨*Chim*⟩ *acido* ~ (pyro)acetic acid. – **~bạrca** *f.* steamboat, steam pinnace. – **~borạto** *m.* ⟨*Chim*⟩ pyroborate, tetraborate. – **~bọrico**: *acido* ~ pyroboric (*o* tetraboric) acid. – **~cannonięra** *f.* ⟨*Mar.mil*⟩ steam gunboat. – **~catechịna** *f.* ⟨*Chim*⟩ (pyro)catechol, (pyro)catechin. – **~cellulọsa** *f.* ⟨*Ind*⟩ pyrocellulose. – **~clạsi** *f.* → **pirolisi.** – **~clạstico**: ⟨*Min*⟩ *roccia -a* pyroclastic (rock). – **~corvẹtta** *f.* ⟨*Mar.ant*⟩ steam corvette. – **~crọidi** *m.pl.* ⟨*Entom*⟩ scarlet (and black) cardinal beetles *pl* (*Pyrochroidae*). – **~croịte** *f.* ⟨*Min*⟩ pyrochroite. – **~cromạto** *m.* ⟨*Chim*⟩ bichromate. – **~drạga** *f.* steam dredger. – **~elettricità** *f.* pyro-electricity. – **~elẹttrico** *a.* (*pl.* **-ci**) pyro-electric. – **~eliọmetro** *m.* → **pireliometro.**
piroẹtta *f.* **1.** pirouette, spin, whirl. – **2.** ⟨*estens*⟩ (*movimento agile*) brisk movement, nimble gesture. – **3.** (*figura di danza*) pirouette. – **4.** ⟨*Equit*⟩ pirouette. – **5.** ⟨*fig,non com*⟩ (*voltafaccia*) volte-face, about-face, reversal. – **piroettạre** *v.i.* (**piroẹtto**; *aus.* **avere**) to pirouette.
pirọfila *f.* **1.** (*materia*) heat-resistant material; (*pirex*) pyrex. – **2.** (*tegame*) cooking utensil.
pirofillịte *f.* ⟨*Min*⟩ pyrophyllite.
pirọfilo *a.* heat-resistant: *vetro* ~ heat-resistant glass; (*di pirex*) pyrex.
pirofobịa *f.* pyrophobia, morbid dread of fire. – **pirọfobo** *m.* (*f.* **-a**) pyrophobic individual.
pirofọrico *a.* (*pl.* **-ci**) ⟨*Chim*⟩ pyrophoric, pyrophorous: *lega -a* pyrophoric alloy.
pirọforo *m.* ⟨*Entom*⟩ fire beetle (*Pyrophorus*).
piro|fosfọrico: ⟨*Chim*⟩ *acido* ~ pyrophosphoric (*o* diphosphoric) acid. – **~fregạta** *f.* ⟨*Mar.ant*⟩ steam frigate.
pirọga *f.* pirogue, piragua.
piro|gạllico: *acido* ~ → **pirogallolo.** – **~gallọlo** *m.* ⟨*Chim*⟩ pyrogallol, pyrogallic acid.
pirogenạre *v.t.* (**pirọgeno**) ⟨*Chim*⟩ to crack, to subject to heat. – **pirogenạto** (*p.p. di pirogenare*) *a.* cracked, subjected to heat. – **pirogenaziọne** *f.* pyrogenation, cracking, subjection to heat.
piro|gẹnesi *f.* ⟨*Min*⟩ pyrogenesis. – **~genẹtico** *a.* (*pl.* **-ci**) pyrogenetic.
pirọgeno I *a.* ⟨*Med*⟩ pyrogenic, pyrogenous. – **II** *s.m.* pyrogen.
pirogeọmetro *m.* → **pirgeometro.**
pirografịa *f.* **1.** (*tecnica*) pyrography, pyrogravure, pokerwork. – **2.** (*incisione*) pyrograph(y), pyrogravure, pokerwork. – **pirogrạfico** *a.* (*pl.* **-ci**) pyrographic. – **pirografịsta** *m./f.* pyrographer. – **pirọgrafo** *m.* poker. – **piroincisiọne** *f.* → **pirografia.**
pirolạcee *f.pl.* ⟨*Bot*⟩ wintergreen family (*Pyrolaceae*).
pirolegnọso *a.* ⟨*Chim*⟩ pyrolign(e)ous: *acido* ~ pyroligneous acid; *alcole* (o *spirito*) ~ pyroligneous alcohol (*o* spirit, ether), methyl (*o* wood) alcohol.
pirolẹtta *f.* ⟨*tosc*⟩ → **piroetta.**
piro|lịsi *f.* ⟨*Chim*⟩ pyrolysis. – **~lịtico** *a.* (*pl.* **-ci**) pyrolytic.
pirọlo *m.* ⟨*Mus,region*⟩ (*bischero*) peg.
pirolusịte *f.* ⟨*Min*⟩ pyrolusite.
pirọmane *m./f.* pyromaniac, ⟨*fam*⟩ fire-bug. – **piromanịa** *f.* pyromania.
piromạnte *m./f.* ⟨*Occult*⟩ pyromantic, pyromancer. – **piromanzịa** *f.* pyromancy, divination by fire.
piromatịta *f.* → **pirografo.**
pirometrịa *f.* ⟨*Fis*⟩ pyrometry. – **pirometrico** *a.* (*pl.* **-ci**) pyrometric(al).
pirometrịsta *m.* ⟨*Met*⟩ pyrometer operator.
pirọmetro *m.* ⟨*Fis*⟩ pyrometer. ▭ ~ *ottico* optical pyrometer; ~ *a radiazioni* radiation pyrometer; ~ *a resistenza* resistance pyrometer.
piromorfịte *f.* ⟨*Min*⟩ pyromorphite, green lead ore.
pirọne[1] *m.* **1.** ⟨*Mar*⟩ (*tarozzo*) futtock staff. – **2.** ⟨*Mus*⟩ peg. – **3.** ⟨*ant*⟩ (*piolo*) wooden pin.
pirọne[2] *m.* ⟨*Chim*⟩ pyrone.
piropescherẹccio *m.* steam trawler.
piro-pịro *m.inv.* ⟨*Ornit*⟩ sandpiper (*Tringa*). ▭ ~ **becco** *torto* (*terechia*) terek (*Terekia cinerea*); ~ **boschereccio** wood sandpiper (*Tringa glareola*); ~ **culbianco** green sandpiper (*Tringa ochropus*); ~ **fulvo** buff-breasted sandpiper (*Tryngites subruficollis*); ~ **gambe** *lunghe* (*albastrello*) marsh sandpiper

(*Tringa stagnatilis*); ~ **macchiato** spotted sandpiper (*Tringa macularia*); ~ *dal* **petto** *rossiccio* short-billed dowitcher (*Limnodromus griseus*); ~ **piccolo** common sandpiper (*Tringa hypoleuca*); ~ **solitario** solitary sandpiper (*Tringa solitaria*).

piroplaṣmọṣi *f.* ⟨*Veter*⟩ piroplasmosis, babesiasis.

pirọpo¹ *m.* **1.** ⟨*Min*⟩ pyrope. – **2.** ⟨*fig*⟩ (*rosso fiammeggiante*) scarlet, flaming red. – **3.** ⟨*Enol*⟩ kind of red wine.

pirọpo² *sp. m.* (*complimento galante*) flirtatious compliment (*o* remark), flattery.

pirọscafo *m.* steamship, steamboat, steamer.
□ ~ *da* **carico** freighter, cargo-ship, cargo-boat; ~ *a* **elica** screw-steamer; ~ **fluviale** river steamer; ~ *di* **linea** liner; ~ **misto** mixed ship; ~ *da* **passeggeri** passenger ship (*o* steamer); ~ **postale** mail boat, mailer; ~ *a* **ruote** paddle-steamer.

piro|scịndere *v.t.* (**piroscịssi, piroscịsso**) ⟨*Chim*⟩ to crack, to subject to heat. – **~scissiọne** *f.* cracking, pyrolysis, pyrogenation, subjection to heat. – **~scọpio** *m.* ⟨*Fis*⟩ pyroscope. – **~sfẹra** *f.* ⟨*Geol*⟩ pyrosphere.

pirọṣi *f.* ⟨*Med*⟩ pyrosis, heartburn.

pirosọmidi *m.pl.* ⟨*Zool*⟩ pyrosomes *pl* (*Pyrosomida*).

pirọsseni *m.pl.* ⟨*Min*⟩ pyroxene group. – **pirossẹnico** *a.* (*pl.* **-ci**) pyroxenic. – **pirossenịte** *f.* pyroxenite. – **pirọsseno** *m.* pyroxene.

pirossilịna *f.* ⟨*Chim*⟩ pyroxylin(e), collodion cotton, soluble gun -cotton (*o* nitrocellulose).

pirotecnịa, pirotẹcnica *f.* pyrotechnics *pl* (*costr. sing. o pl.*), pyrotechny. – **pirotẹcnico** *a./s.* (*pl.* **-ci**) **I** *a.* pyrotechnic(al), firework-: *spettacolo* ~ firework display. – **II** *s.m.* **1.** (*stabilimento*) arsenal, munitions factory. – **2.** (*operaio*; *f.* **-a**) pyrotechnist, pyrotechnician, firework-maker. □ *arte* ~ pyrotechnics *pl* (*costr. sing. o pl.*).

pirọtico *a.* (*pl.* **-ci**) ⟨*ant*⟩ (*caustico*) caustic, corrosive.

Pịrra *N.pr.f.* ⟨*Mitol*⟩ Pyrrha.

pịrrica *f.* ⟨*Stor.gr*⟩ pyrrhic, martial dance.

pirrịchio *m.* ⟨*Metr*⟩ pyrrhic, pyrrhichius. – **pirrịcchio** *m.* ⟨*non com*⟩ → **pirrichio**.

Pịrro *N.pr.m.* ⟨*Stor*⟩ Pyrrhus. □ ⟨*fig*⟩ *vittoria di* ~ Pyrrhic victory.

pirrocọrace: ⟨*Ornit*⟩ ~ *alpino* (*gracchio*) alpine chough (*Pyrrhocorax graculus*).

pirrocọridi *m.pl.* ⟨*Entom*⟩ firebugs *pl*, pyrrhocorids *pl* (*Pyrrhocoridae*).

pirrọlico *a.* (*pl.* **-ci**) ⟨*Chim*⟩ pyrrolic. – **pirrọlo** *m.* pyrrole.

Pirrọne *N.pr.m.* ⟨*Stor*⟩ Pyrrho. – **pirroniṣmo** *m.* **1.** ⟨*Filos*⟩ Pyrrhonism. – **2.** ⟨*estens*⟩ (*scetticismo*) scepticism. – **pirronịsta** *m./f.* **1.** ⟨*Filos*⟩ Pyrrhonist. – **2.** ⟨*estens*⟩ (*scettico*) sceptic.

pirrotịna, pirrotịte *f.* ⟨*Min*⟩ pyrrhotite, pyrrhotine, magnetic pyrites.

piruẹtta *f.* ⟨*non com*⟩ → **piroetta**.

pirụvico: ⟨*Chim*⟩ *acido* ~ pyruvic acid.

Pịsa *N.pr.f.* ⟨*Geog*⟩ Pisa. – **pisạno I** *a.* Pisan, of (*o* from) Pisa. – **II** *s.m.* (*f.* **-a**) Pisan, inhabitant (*o* native) of Pisa. – **Pisano** *N.pr.m.* (*territorio*) Pisa area (*o* region), territory around Pisa.

piscạtico *m.* (*pl.* **-ci**) ⟨*Dir.mediev*⟩ fishing tax.

piscatọrio *a.* ⟨*lett*⟩ piscatory, piscatorial, fishing-: *anello* ~ piscatory ring.

pịscia *f.* (*pl.* **-ce**) ⟨*volg*⟩ (*orina*) urine, ⟨*volg*⟩ piss. □ *fare la* ~ to urinate, ⟨*volg*⟩ to piss.

pisciacạne *m.* ⟨*Bot*⟩ **1.** (*dente di leone*) dandelion (*Taraxacum officinale*). – **2.** stinkhorn, carrion fungus (*Phallus impudicus*).

pisciallẹtto *m./f.inv.* ⟨*pop*⟩ **1.** bed-wetter. – **2.** ⟨*estens,non com*⟩ (*bambino*) child. – **3.** ⟨*region*⟩ → **pisciacane**.

pisciạre *v.* (**pịscio, pịsci**) ⟨*volg*⟩ **I** *v.i.* (*aus.* **avere**) (*orinare*) to urinate, to pass water, ⟨*volg*⟩ to piss, ⟨*volg*⟩ to take a leak. – **II** *v.t.* **1.** to pass, ⟨*volg*⟩ to piss. – **2.** ⟨*fig,spreg*⟩ to spew.
□ *pisciarsi* **addosso** to wet o.s.; ~ *a* **letto** to wet the bed; ~ **sangue** to pass blood; ⟨*fig*⟩ (*fare una gran fatica*) to sweat blood; *mi* **scappa** *di* ~ I can't wait any more; ⟨*fig*⟩ *pisciarci* **sopra** not to care (*o* give a damn); ⟨*fig*⟩ *pisciarsi* **sotto** (*dalla paura*) to wet one's pants (for fear), ⟨*volg*⟩ to pee o.s.; (*dalle risa*) ⟨*volg*⟩ to pee o.s. laughing.

pisciarẹlla (*dim. di piscia*) *f.* urge (*o* need) to urinate frequently. □ ⟨*fam*⟩ *avere la* ~ to urinate frequently, to have a weak bladder.

pisciasạngue *m.* ⟨*Veter,pop*⟩ bovine piroplasmosis, Texas fever.

pisciạta *f.* ⟨*volg*⟩ **1.** (*azione*) urination, ⟨*volg*⟩ piss(ing). – **2.** (*orina emessa*) urine, ⟨*volg*⟩ piss. – **3.** ⟨*fig*⟩ (*discorso o scritto prolisso*) long drawn-out speech. □ *fare una* ~ to urinate, ⟨*volg*⟩ to piss, ⟨*volg*⟩ to take a leak.

pisciatọio *m.* ⟨*volg*⟩ (*orinatoio*) (public) urinal, pissoir.

piscicoltọre *m.* (*f.* **-trice**) pisciculturist, fish breeder (*o* farmer). – **piscicoltụra** *f.* pisciculture, fish culture (*o* breeding).

piscifọrme *a.* fish-shaped.

piscịna *f.* **1.** (*impianto*) swimming-bath, swimming-pool; (*vasca*) swimming-pool, bathing-pool, ⟨*fam*⟩ pool. – **2.** ⟨*ant*⟩ (*peschiera*) fish-pond, piscina, vivarium. □ ~ *coperta* indoor swimming-pool; ~ *per non-nuotatori* non-swimmers' pool; ~ *pubblica* public swimming-pool; ~ *scoperta* outdoor (*o* open-air) swimming-pool.

pịscio *m.* ⟨*volg*⟩ (*orina*) urine, ⟨*volg*⟩ piss. – **pisciọne** *m.* (*f.* **-a**) ⟨*volg*⟩ pisser.

pisciọso *a.* ⟨*volg*⟩ (*sporco di piscia*) wet (with urine), ⟨*volg*⟩ pissy.

pisciottiạno *m.* ⟨*Agr*⟩ kind of olive.

piscịvoro *a.* piscivorous, feeding on fish.

pịscopo *m.* ⟨*ant*⟩ (*vescovo*) bishop.

piscọso *a.* ⟨*ant*⟩ (*pescoso*) fishy, abounding in fish.

pisellạio *m.* pea-field, pea-bed. – **piselliṣmo** *m.* ⟨*Med*⟩ allergy to peas, pea fever.

pisẹllo I *s.m.* **1.** ⟨*Bot*⟩ pea, garden (*o* common) pea (*Pisum sativum*). – **2.** (*legume*) pea: *minestra di -i* pea-soup; *sgranare i -i* to shell peas; (*seme*) pea, pea-seed. – **3.** ⟨*tecn*⟩ (*tipo di pezzatura*) pea. – **4.** ⟨*pop*⟩ (*pene*) penis. – **II** *a.* pea-: *color* (*o verde*) ~ pea-green.
□ ~ **asparagio** asparagus trefoil (*Lotus siliquosus*); ~ *dei* **campi** field pea (*Pisum arvense*); ~ **dolce** sugar pea, edible-podded pea (*Pisum sativum saccharatum*); ~ **inglese** winged pea (*Lotus tetragonolobus*); ~ **odoroso** sweet-pea (*Lathyrus odoratus*); ~ **precoce** spring (*o* early) pea; ~ **rugoso** tall (*o* wrinkled pole) pea; *-i da* **sgranare** shelling peas.

pisellọne (*accr. di pisello*) *m.* (*f.* **-a**) ⟨*fig*⟩ (*persona sciocca*) fool, silly person, ⟨*fam*⟩ fat-head.

pisifọrme *m.* ⟨*Anat*⟩ pisiform.

Piṣịstrato *N.pr.m.* ⟨*Stor*⟩ Pisistratus.

piṣolạre *v.i.* (**pịṣolo**; *aus.* **avere**) ⟨*fam*⟩ (*sonnecchiare*) to (take a) nap, to doze, to snooze. – **piṣolịno** *m.* ⟨*fam*⟩ nap, doze, snooze, ⟨*fam*⟩ forty winks *pl*: *schiacciare un* ~ to (take a) nap, to doze, to have forty winks.

piṣolịte *f.* ⟨*Min*⟩ pisolite, pea stone. – **piṣolịtico** *a.* (*pl.* **-ci**) pisolitic.

Pisọne *N.pr.m.* ⟨*Stor*⟩ Piso.

pispigliạre *v.i.* (**pispịglio, pispịgli**; *aus.* **avere**) ⟨*non com*⟩ (*bisbigliare*) to whisper. – **pispịglio** (*o pispiglịo*) *m.* (*bisbiglio*) whisper(ing). – **pispillịo** *m.* ⟨*non com*⟩ → **pispiglio**.

pispillọria *f.* ⟨*scherz,ant*⟩ **1.** (*cinguettio*) twittering, chirping. – **2.** (*cicaleccio*) chattering, babbling. – **3.** ⟨*fig*⟩ (*discorso prolisso*) long drawn-out speech, rambling talk.

pispinạre *v.i.* (**pịspino**; *aus.* **essere/avere**) ⟨*rar*⟩ (*zampillare*) to gush, to spout, to jet, to spurt. – **pịspino** *m.* ⟨*rar*⟩ (*zampillo*) gush, spout, jet, spurt.

pịspola *f.* **1.** ⟨*Ornit*⟩ meadow pipit (*Anthus pratensis*). – **2.** ⟨*Venat*⟩ (*fischietto*) bird-call. – **3.** ⟨*fig*⟩ (*fandonia*) nonsense, tall story (*o* tale). □ ~ *a gola rossa* red-throated pipit (*Anthus cervinus*); ~ *maggiore* → **pispolone**; ~ *di palude* (*spioncello*) water pipit (*Anthus spinoletta*).

pispolạre *v.i.* (**pịspolo**; *aus.* **avere**) **1.** ⟨*venat*⟩ (*fischiare con la pispola*) to make a bird-call, to call. – **2.** ⟨*estens*⟩ (*cinguettare*) to twitter, to chirp, to chirrup.

pispolẹtta (*dim. di pispola*) *f.* ⟨*Ornit*⟩ **1.** short-toed lark (*Calandrella rufescens heinei*). – **2.** (*calandro*) tawny pipit, titlark (*Anthus campestris*). □ ~ *minore* lesser short-toed lark (*Calandrella minor*). – **pispolọne** (*accr. di pispola*) *m.* ⟨*Ornit*⟩ tree pipit (*Anthus trivialis*).

pissalụtto *m.* ⟨*Agr*⟩ (kind of) fig-tree.

pissasfạlto *m.* ⟨*ant*⟩ petroleum.

pissẹtta *f.* ⟨*Chim*⟩ (*spruzzetta*) wash bottle.

pịssi: ~ *pissi* (*bisbiglio*) whisper; (*mormorio*) murmur; *fare* ~ *pissi* (*confabulare*) to whisper.

pịsside *f.* ⟨*Lit*⟩ pyx, ciborium.

pissọleo *m.* ⟨*ant*⟩ (*petrolio*) petroleum, oil.

pịsta *f.* **1.** (*traccia*) track, trail; (*rif. ad animali*) scent, trail. – **2.** (*sentiero*) path, track; (*via*) lane, way. – **3.** (*nei circhi*) ring. – **4.** ⟨*Sport*⟩ (*circuito*) track, course; (*rif. al pattinaggio*) rink; (*rif. al bob*) run. – **5.** ⟨*Aer*⟩ runway; (*in terra battuta o di fortuna*) airstrip, landing strip. – **6.** ⟨*Strad*⟩ unpaved road, dirt-road. – **7.** ⟨*Rad*⟩ (*rif. a registratori*) (sound-)track: *doppia* ~ double track.
□ ~ **aeroportuale** airport runway; ~ **d'atterraggio**: 1. ⟨*Aer*⟩ runway; (*in terra battuta o di fortuna*) airstrip, landing strip; 2. ⟨*Sport*⟩ landing slope; ~ *da* **ballo** dance-floor; ~ *per* **bob** bob-sled course (*o* run, chute); ~ **ciclabile** (*ciclo-pista*) cycle-path, cycle-track; ~ *di* **collaudo** test track; ~ *per* **corse** *automobilistiche* (car-)racing track; ⟨*Mecc*⟩ ~ *del* **cuscinetto** ball race (*o* track); ⟨*Aer*⟩ ~ *di* **decollo** (take-off) runway; ⟨*fig*⟩ **essere** *sulle -e di qd.* to be on s.o.'s track (*o* trail); ~ *di* **ghiaccio** ice-skating rink, ice-rink; ~ *da* **golf** golf-course; ~ *di* **lancio**: 1. ⟨*Sport*⟩ run-up track; (*nello sci*) approach; 2. ⟨*Aer*⟩ runway, strip; ~ *a* **ostacoli** steeplechase course; ⟨*Sport*⟩ ~ *di* **partenza** run-down, approach; ⟨*Sport*⟩ ~ *di* **pattinaggio** roller(-skating) rink; (*su ghiaccio*) ice(-skating) rink; ~ *di* **prova** = *pista di* **collaudo**; **registratore** *a quattro -e* four-track tape-recorder; ⟨*Aer*⟩ ~ *di* **rullaggio** taxiway, taxi track (*o* strip); ~ *da* **sci** ski slope; ⟨*fig*⟩ **seguire** *una* ~ to follow a track (*o* clue); ⟨*Cin*⟩ ~ **sonora** (*colonna sonora*) sound-track; ~ *di* **volo** line of flight, flight path. || *pista!* track!

pistacchiẹto *m.* **1.** pistachio-grove. – **2.** (*coltura*) pistachio-growing.

pistạcchio I *s.m.* **1.** ⟨*Bot*⟩ pistachio(-tree) (*Pistacia vera*). – **2.** (*seme*) pistachio nut. – **II** *a.* pistachio-: *color* (*o verde*) ~ pistachio (green). □ ~ *falso* (*o di montagna*) bladdernut (*Staphylea pinnata*); ~ *di terra* (*arachide*) peanut (*Arachis hypogaea*); ⟨*ant*⟩ *non valere un* ~ (*nulla*) not to be worth a straw (*o* pin).

pistacịte *f.* ⟨*Min*⟩ epidote, pistacite.

pistạgna *f.* ⟨*Sart*⟩ coat collar; (*passamano*) braid.

pistaiọlo *m.* ⟨*Sport*⟩ track cyclist. – **pistard** *fr.* [pi'sta:r] *m.* → **pistaiolo**.

pistazịte *f.* → **pistacite**.

pistillịfero *a.* ⟨*Bot*⟩ pistillate, pistilliferous. – **pistịllo** *m.* pistil.

pistọcco *m.* (*pl.* **-chi**) ⟨*Alp*⟩ alpenstock.

pistọla¹ *f.* **1.** pistol: *puntare la* ~ *contro qd.* to aim a pistol at s.o., to hold a pistol to s.o. – **2.** ⟨*Aer*⟩ hook.
□ ~ *ad* **acqua** water-pistol; ~ **automatica** automatic pistol; *avere la* ~ **facile** to be trigger-happy; ~ *per* **gonfiaggio** *pneumatici*

tyre gun; ⟨*fig*⟩ *stare con la* ~ *alla* **mano** to use force; ~ **mitragliatrice** machine-pistol, (light) sub-machine-gun, magazine-pistol; ~ *a* **percussione** percussion pistol; ~ *a* **rotazione** = *pistola a* **tamburo**; ⟨*Mecc*⟩ ~ *per* **saldatura** soldering gun; ~ **scacciacani** dummy pistol; ~ *da* **segnalazione** Very (*o* pyrotechnic) pistol; ⟨*Mecc*⟩ ~ **sparachiodi** riveting (*o* stud) gun; ~ *a* **spruzzo** spray pistol, spray -gun; ~ *a* **tamburo** revolver; ~ **Very** = *pistola da* **segnalazione**.

pistola[2] *f.* ⟨*ant*⟩ (*epistola*) letter, epistle.

pistola[3] *f.* ⟨*Numism*⟩ pistole.

pistolenz(i)a *f.* ⟨*ant*⟩ (*pestilenza*) pestilence, plague.

pistolero *m.* **1.** gunman, ⟨*am.fam*⟩ gunslinger. – **2.** (*anarchico*) anarchist; (*attentatore*) assailant.

pistolese *m.* ⟨*Stor*⟩ (*coltello da caccia*) hunting-knife.

pistolettata *f.* pistol-shot.

pistoletto (*dim. di pistola*[1]) *m.* **1.** ⟨*Mil.ant*⟩ (kind of) rudimentary pistol. – **2.** ⟨*Minier*⟩ (*fioretto*) steel, ⟨*am*⟩ drilling bit.

pistoliere *m.* ⟨*Mil.ant*⟩ light cavalryman.

pistolochia *f.* ⟨*Bot*⟩ (*aristolochia*) birthwort (*Aristolochia clematitis*).

pistolone *m. accr. di* **pistola**[1].

pistolotto (*dim. di pistola*[2]) *m.* ⟨*scherz*⟩ **1.** (*discorso di rimprovero*) lecture, ⟨*fam*⟩ talking-to. – **2.** (*discorso enfatico*) emphatic speech, rhetoric. – **3.** ⟨*Teat*⟩ peroration (that brings the house down).

pistonaggio *m.* → **pilonamento**.

pistone[1] *m.* **1.** ⟨*Mecc*⟩ piston. – **2.** ⟨*Mus*⟩ piston, valve. – **3.** ⟨*Mil. ant*⟩ (h)arquebus.

□ ⟨*Mecc*⟩ ~ **cavo** trunk piston; ~ **equilibratore** balancing piston; ~ *del* **freno** brake piston; ~ **idraulico** hydraulic ram; ~ *per* **pompa** plunger, piston; ~ *di* **pressione** ram, plunger; ~ **rotante** rotary piston.

pistone[2] *m.* ⟨*ant,region*⟩ **1.** (*pestone*) large pestle. – **2.** (*pestata*) pounding, crushing up, grinding; (*con i piedi*) treading, stamping. □ *dare un* ~ *a qd.* to tread on s.o.'s toes.

pistore *m.* ⟨*ant*⟩ (*fornaio*) baker.

pistrice *f.* ⟨*lett*⟩ (*mostro marino*) sea-monster.

pistrino *m.* ⟨*ant*⟩ **1.** (*mulino, frantoio*) mill. – **2.** (*forno*) oven.

pita *f.* ⟨*Bot*⟩ pita.

pitaffio *m.* ⟨*ant,pop*⟩ (*epitaffio*) epitaph.

Pitagora *N.pr.m.* ⟨*Stor*⟩ Pythagoras. □ ⟨*Geom*⟩ *teorema di* ~ theorem of Pythagoras, Pythagorean proposition. – **pitagoreggiare** *v.i.* (**pitagoreggio, pitagoreggi**; *aus.* **avere**) ⟨*non com*⟩ to Pythagorize. – **pitagoreo** *a.* ⟨*non com*⟩ (*pitagorico*) Pythagorean, Pythagoric(al). – **pitagorico** *a./s.* (*pl.* **-ci**) **I** *a.* Pythagorean, Pythagoric(al), of Pythagoras. – **II** *s.m.* (*f.* **-a**) Pythagorean, Pythagorist. □ *tavola -a* multiplication table. – **pitagorismo** *m.* ⟨*Filos*⟩ Pythagor(ean)ism.

pitaista *m.* ⟨*Stor.gr*⟩ consultant of the Delphian oracle.

pitale *m.* ⟨*pop*⟩ (*orinale*) chamber-pot.

Pitea (o **Pitea**) *N.pr.m.* ⟨*Stor*⟩ Pytheas.

pitecantropo *m.* ⟨*Paleont*⟩ pithecanthropus, pithecanthrope, ape -man.

pitecia *m./f.* ⟨*Zool*⟩ monk saki (*Pithecia monachus*).

piteco *m.* (*pl.* **-chi**) ⟨*Zool*⟩ macaque (*Pithecus*).

pitecoide *a.* pithecoid, pithecan, ape-like.

pitetto *a.* ⟨*ant*⟩ (*piccolo*) small, little.

pitia *f.* ⟨*rar*⟩ → **pizia**.

pitiade *f.* ⟨*Stor.gr*⟩ Pythiad.

pitiambico *m.* → **piziambico**.

pitiatico *a.* (*pl.* **-ci**) ⟨*Psic*⟩ pithiatic. – **pitiatismo** *m.* pithiatism.

piticchia *f.* ⟨*region*⟩ (*petecchia*) blemish (on lemon skin).

Pitiche *N.pr.f.pl.* ⟨*Stor.gr*⟩ Pythian Games *pl*. – **pitico** *a.* (*pl.* **-ci**) Pythian, Pythic: *feste pitiche* Pythian Games. – **pitio** *a.* → **pizio**. – **pitionico** (o *pitionico*) *m.* (*pl.* **-ci**) ⟨*Stor.gr*⟩ winner of the Pythian Games.

pitiriasi *f.* ⟨*Med*⟩ pityriasis. – **pitiriasico** *a.* (*pl.* **-ci**) ⟨*non com*⟩ pityriasic. – **pitiriasiforme** *a.* pityriasic-like.

pitoccare *v.i.* (**pitocco, pitocchi**; *aus.* **avere**) ⟨*spreg*⟩ **1.** (*mendicare*) to beg. – **2.** ⟨*fig*⟩ (*chiedere insistentemente, senza dignità*) to beg, to whine. – **pitoccheria** *f.* ⟨*spreg*⟩ **1.** beggary, mendicancy, mendicity. – **2.** (*tirchieria*) stinginess, meanness, niggardliness. – **3.** (*azione da pitocco*) beggarly action, mean action.

pitocchetto *m.* (*gioco di carte*) kind of card game.

pitocco *m.* (*pl.* **-chi**; *f.* **-a**) ⟨*spreg*⟩ **1.** (*accattone*) beggar, mendicant. – **2.** (*straccione*) beggar, ragged person, tramp. – **3.** ⟨*fig*⟩ beggar. – **4.** (*persona avara*) miser, skinflint. – **5.** ⟨*ant*⟩ (*veste corta da uomo*) short garment. □ *fare il* ~ to beg; ⟨*fig*⟩ (*piangere miseria*) to cry misery.

pitone *m.* **1.** ⟨*Zool*⟩ python (*Python*). – **2.** ⟨*Ornit*⟩ (*colombo piacentino*) kind of pigeon. □ ⟨*Zool*⟩ ~ *reale* ball (*o* royal) python (*Python regius*); ⟨*Zool*⟩ ~ *reticolato* reticulated python (*Python reticulatus*).

Pitone *N.pr.m.* ⟨*Mitol*⟩ Python.

pitonessa *f.* **1.** ⟨*Stor*⟩ (*pizia*) pythoness, priestess of Apollo, Pythia. – **2.** ⟨*fig,scherz*⟩ (*indovina*) fortune-teller, soothsayer.

pitonini *m.pl.* ⟨*Zool*⟩ pythonids *pl* (*Pythoninae*).

Pitot *fr.* [pi'to]: ⟨*Fis*⟩ *tubo di* ~ Pitot tube.

pitta[1] *f.* → **pita**.

pitta[2] *f.* ⟨*Ornit*⟩ pitta (*Pitta*). □ ~ *del Bengala* short-tailed pitta (*Pitta brachyura*).

Pittaco *N.pr.m.* ⟨*Stor*⟩ Pittacus.

pittare *v.t.* ⟨*Pesc*⟩ to nibble.

pittavino *a.* **1.** (*del Poitou*) of (*o* from) Poitou. – **2.** (*di Poitiers*) of (*o* from) Poitiers.

pittiere, pittieri *m.* ⟨*ant*⟩ (*pettirosso*) robin.

pittima[1] *f.* ⟨*Ornit*⟩ godwit (*Limosa*). □ ~ ⌜*coda nera*⌝ (o *reale*) black-tailed godwit (*Limosa limosa*); ~ *minore* (o *piccola*) bar-tailed godwit (*Limosa lapponica*).

pittima[2] *f.* **1.** (*impiastro*) decoction. – **2.** ⟨*fig*⟩ (*persona uggiosa*) bore, pest, nuisance. – **3.** ⟨*non com*⟩ (*persona tirchia*) miser, niggard, skinflint.

pittimo *m.* ⟨*Bot*⟩ (*cuscuta*) (common) dodder, love vine (*Cuscuta epithymum*).

pittografia *f.* pictography, picture-writing. – **pittografico** *a.* (*pl.* **-ci**) pictographic. – **pittogramma** *m.* pictograph, pictogram.

pittore *m.* (*f.* **-trice**) **1.** painter (*f* -tress), artist. – **2.** (*imbianchino*) painter. – **3.** ⟨*fig*⟩ (*rif. a scrittori, oratori e sim.*) painter, graphic describer, portrayer.

□ ~ **astrattista** abstract-painter; ~ *di* **marine** marine-painter, seascapist; ~ *di* **nature** *morte* still-life painter; ~ *di* **paesaggi** landscape -painter, landscapist; ~ *di* **ritratti** portrait-painter, portraitist; ~ *di* **scenari** scene-painter.

pittorello (*dim. di pittore*) *m.* ⟨*spreg*⟩ dauber, minor painter.

pittorescamente *avv.* **1.** picturesquely, in a picturesque way. – **2.** ⟨*fig*⟩ picturesquely, vividly. – **pittoresco** *a./s.* (*pl.* **-chi**) **I** *a.* **1.** picturesque, pictorial, like a picture. – **2.** ⟨*estens*⟩ (*caratteristico, interessante*) picturesque, quaint, characteristic. – **3.** ⟨*fig*⟩ picturesque, colourful, vivid. – **4.** (*pittorico*) pictorial, of painting. – **II** *s.m.inv.* pictoresque, picturesqueness.

pittoria *f.* ⟨*Ceram*⟩ paint-works *pl* (*costr. sing. o pl.*).

pittoricismo *m.* **1.** (*rif. alla pittura*) picturesqueness. – **2.** (*rif. ad altre arti*) pictorialness. – **pittoricità** *f.* ⟨*non com*⟩ pictorialness, pictorial quality, vividness. – **pittorico** *a.* (*pl.* **-ci**) **1.** pictorial, of painting: *scuola -a* school of painting. – **2.** ⟨*estens*⟩ pictorial.

pittoruccio (*dim. di pittore*) *m.* → **pittorello**.

pittrice *f.* ⟨*non com*⟩ painter, ⟨*non com*⟩ paintress, artist.

pittura *f.* **1.** (*arte*) painting. – **2.** (*dipinto*) painting, picture. – **3.** ⟨*fig*⟩ (*rif. a descrizione letteraria*) portrayal, vivid representation (*o* description). – **4.** ⟨*region*⟩ (*vernice*) paint: ~ *fresca* wet paint.

□ ~ *ad* **acqua** water-paint; ~ *ad* **acquarello** water-colour; ~ **alluminata** (o *d'alluminio*) aluminium paint; ~ **anabbagliante** anti-dazzle paint, ⟨*am*⟩ anti-glare paint; ⟨*Aut*⟩ ~ **antirombo** sound deadener, deadening mixture; ~ **antiruggine** anti-rust (*o* anti-corrosive) paint; ~ **antivegetativa** = *pittura* **sottomarina**; ~ **artistica** artistic painting; ~ **astratta** abstract (painting); ~ *delle* **caverne** cave painting; ⟨*Etnol*⟩ ~ *del* **corpo** body painting; ~ **decorativa** ornamental painting; ~ **emulsionata** emulsion paint; ~ *a* **fresco** fresco (painting); ~ *di* **genere** genre painting; ~ *a* **guazzo** gouache; ~ **metafisica** metaphysical painting; ~ **murale** mural (painting); ~ *a* **olio**: 1. (*tecnica*) oil(-painting); 2. (*colore*) oils *pl*, oil -paint; ~ **opaca** mat (*o* non-gloss) paint; ~ **paesaggistica** landscape (painting); ~ **rupestre** cave (*o* rock) painting; ~ *a* **smalto** enamel paint; ⟨*Mar*⟩ ~ **sottomarina** anti-fouling (*o* underwater) paint; ~ *su* **tavola** painting on wood; ~ *su* **tela** (painting on) canvas; ~ *a* **tempera** tempera (painting); ~ *dal* **vero** painting from life; ~ *su* **vetro** stained-glass.

pitturare *v.t.* **1.** (*dipingere*) to paint; (*ornare con pitture*) to paint. – **2.** (*verniciare, tinteggiare*) to paint. – **3.** ⟨*pop*⟩ (*truccare*) to make up. – **pitturarsi** *v.r.* ⟨*pop*⟩ (*imbellettarsi*) to make up. – **pitturato** (*p.p. di pitturare*) *a.* **1.** painted. – **2.** ⟨*pop*⟩ (*imbellettato*) made up, ⟨*spreg*⟩ painted. – **pitturazione** *f.* ⟨*non com*⟩ painting.

pituita (o *pituita*) *f.* ⟨*rar*⟩ **1.** phlegm, mucus. – **2.** ⟨*ant*⟩ (*pus*) pus. – **pituitario** *a.* ⟨*Anat*⟩ pituitary: *membrana -a* pituitary membrane; *ghiandola -a* pituitary gland (*o* body).

piturlo *m.* ⟨*Ornit*⟩ (*tottavilla*) wood-lark (*Lullula arborea*).

più (*compar. di molto*) **I** *avv.* **1.** more: ~ *del necessario* more than necessary; (*maggiormente*) most: *te ne sei andato quando* ~ *avevamo bisogno di te* you left when we needed you most. – **2.** (*nel comparativo di maggioranza*) more, *oppure si traduce col comparativo*: ~ *importante* more important; ~ *fortunato* more fortunate, luckier; ~ *vecchio* older; ~ *profondo* deeper; ~ *gentilmente* more kindly; *sei* ~ *intelligente di Maria* you are cleverer than Mary; *sono* ~ *alto di te* I am taller than you. – **3.** (*nel superlativo relativo: tra più di due*) most, *oppure si traduce col superlativo*: *il* ~ *importante* the most important; *il* ~ *fortunato* the luckiest; *il* ~ *profondo* the deepest; *è il* ~ *bravo dei fratelli* he is the best of the brothers; *il* ~ *diligente di tutti* the most diligent of all; (*tra due*) more, *oppure si traduce col comparativo*: *la* ~ *bella delle due sorelle* the prettier (*o* more beautiful) of the two sisters. – **4.** (*in frasi negative: rif. a tempo, a quantità*) no more: *non c'è* ~ *pane* there is no more bread; (*col verbo negativo*) any more: *non c'è* ~ *pane* there isn't any more bread; *non ti voglio* ~ *vedere* I don't want to see you any more; *ti prometto che non lo farò* ~ I promise I won't do it ⌜any more⌝ (*o* again); (*non più oltre*) no longer, no more: *non posso aspettare* ~ I can wait no longer; (*col verbo negativo*) any longer, any more: *non posso aspettare* ~ I can't wait any longer. – **5.** (*rif. a temperatura: sopra lo zero*) above zero (*o* freezing point): ~ *dodici* (*gradi*) twelve degrees above zero. – **6.** ⟨*Mat*⟩ plus, and: *otto* ~ *due è uguale a dieci* eight plus two equals ten, eight and two are ten. – **7.** ⟨*Scol*⟩ plus: *sette* ~ seven plus. – **8.** (*enfatico*) more than, extremely, very, quite: *sono* ~ *che contento di te* I am extremely (*o* more than) pleased with you; *la tua osservazione è* ~ *che giusta* your comment is ⌜more than justified⌝ (*o* quite correct); *sei* ~ *che ricco, sei un miliardario* you're more than rich, you're a multimillionaire. – **II** *prep.* (*inoltre*) plus, in addition to, besides: *siamo in cinque* ~ *la zia* there are five of us besides Auntie. – **III** *a.inv.* **1.** (*con valore di comparativo*) more, *oppure si traduce col comparativo*: *tu hai* ~ *danaro di me* you have more money than me (*o* I have); *ha* ~ *appetito del solito* he's hungrier than usual; *ci vuole* ~ *tempo* we need longer (*o* more time). – **2.** (*con valore di superlativo*) most, *oppure si traduce col superlativo*: *tu hai* ~ *danaro di tutti* you have the most money of all. – **3.** (*parecchi*) several: *per* ~ *giorni* for several days. – **IV** *s.m. inv.* **1.** (*massimo*) most: *questo è il* ~ *che posso fare* this is the most I can do; (*la parte maggiore*) most, biggest part, bulk: *il* ~ *è fatto* most of it is done. – **2.** (*la cosa più importante*) most important thing: *il* ~ *è incominciare* the most important thing is to start; (*la cosa più difficile*) hardest part. – **3.** *pl.* (*maggioranza*) majority, most (people) (*costr.pl.*): *i* ~ *erano favorevoli* the majority was in favour, most (people) were in favour; *l'opinione dei* ~ the majority opinion, the opinion of the majority. – **4.** (*segno del più*) plus sign. ☐ **al** ~ (*al* ~) = **tutt'***al più*; **ancor** ~ even (*o* still) more, more still; ⟨*lett*⟩ **che** ~? what more is there to say?; ~ *di* **così** more (*o* better) than that: ~ *di così non potevi ottenere* you couldn't get more (*o* better) than that; *essere* **da** ~ (*essere superiore*) to be (*o* go one) better; **di** ~: 1. (*maggiormente*) more: *bisogna lavorare di* ~ we must work more (*o* harder); 2. (*inoltre*) moreover, besides, else: *che cosa vuole di* ~? what else does he want?, what more does he expect?; *fare a chi corre di* ~ to race e.o., to see who can run fastest; *il di* ~ (*ciò che sopravanza*) the surplus; *mi hai dato cento lire* **in** ~ you gave me a hundred lire ⌈too much⌉ (*o* extra); **mai** ~ never again: *non lo farò mai* ~ I'll never do it again; ~ *che mai* more than ever; ~ *o* **meno** (*all'incirca*) more or less, about, approximately: *sono tutti così* ~ *o meno* they are all more or less like that; *parlare del* ~ *e del meno* to talk of ⌈nothing in particular⌉ (*o* this and that); *né* ~ *né meno*: 1. (*in persona*) in person; 2. (*proprio*) neither more nor less; *chi* ~ *chi meno* some more some less; ~ ... *meno* the more ... the less, *oppure si traduce con due comparativi preceduti da* the: ~ *lo ascolto meno mi convince* the more I listen to him the less I believe him; ~ *si fa vecchio e meno ci sente* the older he gets the less he hears; **molto** ~ much more; **niente** (*di*) ~ no more; **non** ~! (*basta*) that's enough; *tra non* ~ *di un mese* in not more than a month, in a month at most; ⟨*ant*⟩ **numero** *del* ~ (*plurale*) plural; ⟨*fig*⟩ *passare nel numero dei* ~ (*morire*) to die, to pass away; **per** *di* ~ (*inoltre*) moreover, furthermore, what's more; *per lo* ~ (*perlopiù*) mostly, for the most part, usually: *per lo* ~ *lo trovi in casa la sera* you can usually find him at home in the evening; **poco** ~, *poco meno* = *più o* **meno**; *il* ~ **possibile** as much as possible: *studiavo il* ~ *possibile* I studied ⌈as much as possible⌉ (*o* all I could); ⟨*fam*⟩ *a* ~ *non* **posso** as hard (*o* much) as one can, with all one's might, to the very utmost: *beve a* ~ *non posso* he drinks ⌈as much as he can⌉ (*o* like a fish); *al* ~ **presto**: 1. as soon as possible; 2. ⟨*Comm*⟩ at your earliest convenience; **sempre** ~ *difficile* harder and harder, more and more difficult; *sempre* ~ *facile* easier and easier; *tutto diventa sempre* ~ *caro* everything is getting more and more expensive; ⟨*ant*⟩ **senza** ~ (*senz'altro*) without (any) further delay; **tanto** ~ all the more so, so much the more, especially: *tutti lo sapevano, tanto* ~ *io, che sono suo fratello* everybody knew it, especially me, his brother; *tanto* ~ *che* all the more so because (*o* in that); *al* ~ **tardi** at the latest; **tutt'***al* ~ at (the) most, (at) the most, (at) the latest: *potrò darti tutt'al* ~ *mille lire* I can give you a thousand lire at most, the most I can give you is a thousand lire; ~ **volte** many times, several times, more than once; *il* ~ *delle volte* most times, in the majority of cases, mostly. || ~ ... *più* the more ... the more, *oppure si traduce con due comparativi preceduti da* the: ~ *lo guardo e* ~ *mi piace* the more I look at him the more I like him; ~ *si è ricchi,* ~ *la vita è facile* the richer you are the easier life is.

piucche(p)perfẹtto *m.* ⟨*Gramm*⟩ past perfect (tense), pluperfect (tense).

piụma I *s.f.* **1.** down, feather; (*collett*) down; (*penna*) feather, plume. – **2.** (*per cuscini e sim.*) down, feather. – **3.** ⟨*fig*⟩ (*ala*) wing, pinion. – **4.** *pl.* (*piumaggio*) plumage, feathers *pl*, feathering. – **5.** *pl.* (*letto*) bed; (*letto di piume*) feather-bed. – **6.** *pl.* ⟨*poet*⟩ (*peli, barba*) beard. – **II** *s.m.* ⟨*Sport*⟩ feather-weight (boxer). ☐ ⟨*fig*⟩ *essere una* ~ to be very light; *guanciale di -e* down-pillow, feather-pillow; *leggero come una* ~ (as) light as a feather; ⟨*lett*⟩ *molli -e* (*morbidi cuscini*) downy (*o* soft) cushions; ⟨*Sport*⟩ *peso* ~ (*categoria*) feather-weight; (*pugile*) feather-weight (boxer).

piumạccio *m.* **1.** ⟨*Archeol*⟩ bolster. – **2.** ⟨*Mar.ant*⟩ (*paglietto turafalle*) collision (*o* protecting) mat. – **3.** ⟨*ant*⟩ (*guanciale di piume*) down-pillow, feather-pillow.

piumạggio *m.* ⟨*Ornit*⟩ plumage, feathers *pl*, feathering.

piumạio *m.* (*operaio*) feather-man, feather-dresser.

piumạto *a.* **1.** (*ornato di piume*) plumed, feathered, feathery, adorned with feathers. – **2.** (*coperto di piume*) plumed, feathery, covered with feathers.

piumẹtta (*dim. di piuma*) *f.* ⟨*Bot*⟩ plumule, primary bud. – **piumettịna** *f. dim. di* **piumetta**.

piumịno *m.* **1.** ⟨*Ornit*⟩ down feather; (*collett*) down. – **2.** (*copertura del letto*) eiderdown. – **3.** (*proiettile*) air-gun dart. – **4.** ⟨*Cosmet*⟩ (*piumino da cipria*) powderpuff. – **5.** (*per spolverare*) feather-duster. – **6.** ⟨*Bot*⟩ hare's-tail grass (*Lagurus ovatus*). – **7.** ⟨*Mod*⟩ (*sul cappello*) plume, feather. ☐ ~ *da cipria* powderpuff.

piumosità *f.* ⟨*non com*⟩ featheriness, downiness, ⟨*lett*⟩ plumosity. – **piumọso** *a.* **1.** feathered, feathery, downy. – **2.** ⟨*fig*⟩ (*soffice*) soft (as down), downy. – **3.** ⟨*Bot*⟩ plumose, plumate. – **4.** ⟨*rar*⟩ (*leggero come una piuma*) light (as a feather).

piuọlo *m.* ⟨*lett*⟩ → **piolo**.

piurịa *f.* ⟨*Med*⟩ pyuria.

piuttọsto *avv.* **1.** (*più volentieri*) rather, sooner: *prenderei* ~ *una bibita* I'd rather (*o* sooner) have a drink, I'd prefer a drink. – **2.** (*più*) rather: *è simpatico* ~ *che intelligente* he is nice rather than intelligent; (*più facilmente*) instead of, rather, sooner, more likely: *qui piove d'estate* ~ *che d'inverno* here it rains more often in summer than in winter. – **3.** (*alquanto*) rather, somewhat, fairly, ⟨*fam*⟩ pretty: *sei stato* ~ *scortese nei miei riguardi* you were rather impolite to me; *una signora* ~ *anziana* a fairly old woman, an oldish woman. – **4.** (*invece*) instead: *la gente critica* ~ *che dare il buon esempio* people criticize instead of setting a good example. – **5.** (*meglio*) rather, better (still): *facciamo così, o* ~ *in quest'altro modo* let's do it that way, or better still this way.

piuvicạre *v.t.* (**piụvico, piụvichi**) ⟨*ant*⟩ (*pubblicare*) to publish. – **piụvico** *a.* (*pl.* **-ci**) ⟨*ant*⟩ (*pubblico*) public.

pịva *f.* **1.** (*cornamusa*) bagpipe, piva. – **2.** (*piffero*) fife, pipe. – **3.** ⟨*Stor*⟩ (*danza*) piva, hornpipe. ☐ ⟨*fig*⟩ *tornare con le -e nel sacco* to return (*o* be left) empty-handed, to be frustrated; ⟨*fam*⟩ *avere la* ~ (*essere imbronciato*) to pout, to sulk.

pivellịno (*dim. di pivello*) *m.* (*f.* **-a**) ⟨*fam*⟩ whipper-snapper. – **pivẹllo** *m.* ⟨*fam*⟩ (*novellino*) beginner, tyro, novice, ⟨*fam*⟩ greenhorn.

piverọne (*accr. di piviere*[1]) *m.* → **pivieressa**.

pivẹtta (*dim. di piva*) *f.* reed.

pivẹtto (*dim. di pivo*) *m.* ⟨*Mar*⟩ **1.** ship's boy, young sailor. – **2.** (*allievo dell'accademia navale*) midshipman, naval cadet, ⟨*fam*⟩ middy, ⟨*fam*⟩ snotty; (*allievo del primo anno*) plebe.

piviạle *m.* **1.** ⟨*Lit*⟩ cope, pluvial. – **2.** ⟨*scherz*⟩ (*ampio mantello*) (wide) cloak.

piviẹre[1] *m.* ⟨*Ornit*⟩ plover (*Charadrius*). ☐ ~ *a* **coda** *bianca* white-tailed plover (*Chettusia leucura*); ~ *col* **collare** → **pivierello**; ~ **dorato** golden plover (*Charadrius apricarius*); **gran** ~ (*occhione*) stone curlew, ⟨*am*⟩ thick-knee (*Burhinus oedicnemus*); ~ *di* **Leschenault** greater sand plover (*Charadrius leschenaultii*); ~ **minore** American golden plover (*Charadrius dominicus dominicus*); ~ **montano** → **pivieressa**; ~ **morinello** → **pivierino**; ~ **orientale** Asiatic golden plover, ⟨*am*⟩ Pacific golden plover (*Charadrius dominicus fulvus*) ~ **tortolino** (o *solitario*) → **pivierino**.

piviẹre[2] *m.* ⟨*ant*⟩ **1.** (*pievania*) parish. – **2.** ⟨*collett*⟩ (*parrocchiani*) parish, parishioners *pl*.

pivierẹllo *m.* ⟨*Ornit*⟩ (*corriere grosso*) ringed plover (*Charadrius hiaticula*). – **pivierẹssa** *f.* ⟨*Ornit*⟩ black-bellied plover (*Squatarola squatarola*). – **pivierịno** *m.* ⟨*Ornit*⟩ dotterel (*Charadrius morinellus*).

pịvo *m.* (*f.* **-a**) ⟨*ant*⟩ (*ragazzo*) (young) boy. – **pịvolo** *m.* (*f.* **-a**) ⟨*gerg*⟩ (*novellino*) beginner, tyro, novice, ⟨*fam*⟩ greenhorn.

pivot *fr.* [pi'vo:] *m.* ⟨*Sport*⟩ pivot player.

piz *m.* ⟨*region*⟩ (*cima*) peak, summit.

pịzia *f.* ⟨*Stor.gr*⟩ Pythia.

piziạmbico *m.* (*pl.* **-ci**) ⟨*Metr*⟩ (*anche verso piziambico*) Pythiambic verse.

pịzio *a.* Pythian, Pythic.

pịzza *f.* **1.** ⟨*Gastr*⟩ pizza(-pie). – **2.** ⟨*Dolc*⟩ cake. – **3.** ⟨*Cin*⟩ film can; (*pellicola*) (reel of) film. – **4.** ⟨*roman*⟩ (*cosa noiosa*) bore, nuisance, ⟨*fam*⟩ drag; (*persona noiosa*) bore, nuisance, pest, ⟨*fam*⟩ drag. – **5.** ⟨*region*⟩ (*schiaffo*) slap, smack, cuff. ☐ ⟨*Gastr*⟩ ~ *alla napoletana* Neapolitan pizza; ⟨*Dolc*⟩ ~ *pasquale* (o *di Pasqua*) Easter cake; *ridurre qc. una* ~ to squash s.th. flat; ~ *romana* (kind of) bread; ⟨*Gastr*⟩ ~ *rustica* kind of pizza.

pizzacherịno *m.* ⟨*Ornit*⟩ (*beccaccino maggiore*) great (*o* double) snipe (*Gallinago media*).

pizzaiọlo *m.* (*f.* **-a**) **1.** pizza-maker. – **2.** (*gestore di pizzeria*) pizza-seller. ☐ ⟨*Gastr*⟩ *alla -a* seasoned with tomato, garlic and oregano.

pizzạrda *f.* **1.** ⟨*Ornit*⟩ (*beccaccia*) woodcock (*Scolopax rusticola*). – **2.** → **pizzardino**. – **3.** ⟨*roman*⟩ (*feluca*) cocked hat.

pizzardẹlla *f.* ⟨*Ornit*⟩ (*beccaccino*) common (*o* whole) snipe (*Gallinago gallinago*).

pizzardịno *m.* ⟨*Ornit*⟩ (*frullino*) jack snipe (*Lymnocryptes minimus*).

pizzạrdo *m.* ⟨*Ornit*⟩ (*croccolone*) great snipe (*Capella media*).

pizzardọne *m.* ⟨*roman*⟩ **1.** (*guardia municipale*) (municipal) policeman; ⟨*scherz*⟩ (*vigile urbano*) (city) policeman, ⟨*fam*⟩ bobby, ⟨*fam*⟩ cop(per). – **2.** → **pizzardo**.

pizzerịa *f.* pizzeria, pizza-shop, ⟨*am*⟩ pizza parlor.

pizzẹtta[1] (*dim. di pizza*) *f.* ⟨*Gastr*⟩ small Neapolitan-style pizza.

pizzẹtta[2] *f.* (*passamaneria*) passementerie, fancy edging, ornamental trimming.

pizzicạgnolo *m.* (*f.* **-a**) (*salumaio*) grocer.

pizzicamẹnto *m.* pinching, nipping.

pizzicamọsche *m.inv.* ⟨*Ornit*⟩ (*bigiarella*) lesser whitethroat (*Sylvia curruca*).

pizzicạre *v.* (**pịzzico, pịzzichi**) **I** *v.t.* **1.** to pinch, to nip: *mi pizzicò un braccio* he pinched my arm. – **2.** (*rif. a insetti e sim.*: *pungere*) to sting, to bite: *mi ha pizzicato un'ape* a bee stung me. – **3.** (*rif. a volatili*: *beccare*) to peck: *le galline pizzicano il grano* the chickens are pecking at the corn. – **4.** (*mangiare a spizzichi*) to nibble, to pick at. – **5.** (*rif. a freddo e sim.*) to nip, to sting, to pierce. – **6.** (*rif. a sostanze acri*) to burn. – **7.** ⟨*fig*⟩ (*lanciare frecciate*) to taunt, to gibe (*o* make digs) at, to tease, to hurt. – **8.** ⟨*fam*⟩ (*acciuffare*) to catch, to nab: *la polizia lo ha pizzicato* the police caught him. – **9.** ⟨*gerg*⟩ (*rif. a cocaina: fiutare*) to sniff. – **10.** ⟨*Mus*⟩ to pluck, to twang: ~ *le corde del violino* to pluck the strings of a violin. – **II** *v.i.* (*aus.* **avere**) **1.** (*prudere*) to itch, to be itchy: *mi pizzica il naso* my nose is itching; (*formicolare*) to tingle, to have pins and needles. – **2.** (*sentir bruciare*) to sting, to tingle, to smart: *gli occhi mi pizzicano per il freddo* my eyes are smarting from the cold. – **3.** ⟨*Gastr*⟩ (*essere pizzicante*) to be hot (*o* spicy, strong), to burn, to taste sharp: *la salsa pizzica* the sauce is hot (*o* spicy). – **4.** ⟨*fig,non com*⟩ (*avere qualcosa di*) to smack, to have a touch (*di* of), to be a little (*o* bit): *tu pizzichi di matto* you're a bit mad. □ ⟨*fig*⟩ *mi pizzicano le mani* (*ho gran voglia di picchiarti*) my hands are itching (to get at you).

pizzicarolo *m.* ⟨*roman*⟩ → **pizzicagnolo.**

pizzicata *f.* **1.** (*il pizzicare*) pinching, nipping. – **2.** (*pizzicotto*) pinch, nip.

pizzicato I *a.* ⟨*Mus*⟩ pizzicato, plucked. – **II** *s.m.* pizzicato.

pizzicheria *f.* (*salumeria*) grocer's (shop).

pizzichino *a.* ⟨*fam*⟩ (*piccante*) hot, strong, spicy, pungent; (*frizzante*) sparkling, fizzy, effervescent, bubbly.

pizzico *m.* (*pl.* **-chi**) **1.** (*pizzicotto*) pinch, nip. – **2.** (*puntura*) sting, bite. – **3.** (*piccola quantità*) pinch, dash, little: *un ~ di sale* a pinch of salt. – **4.** ⟨*fig*⟩ (*un poco*) touch, little, bit: *un ~ di ottimismo non guasta mai* a little optimism doesn't hurt. – **5.** ⟨*non com*⟩ (*pizzicore*) itch(ing); (*formicolio*) tingling. □ *dare un ~ a qd.* to pinch s.o.; *mangiare a pizzichi* to nibble, to eat a little at a time; ⟨*fig*⟩ *ridursi un ~* to shrink, to cower; ⟨*fig*⟩ *non avere un ~ di sale in zucca* not to have an ounce (*o* a scrap) of sense in one's head.

pizzicore *m.* **1.** (*prurito*) itch(ing); (*formicolio*) tingle, tingling, pins and needles *pl.* – **2.** ⟨*fam,scherz*⟩ (*voglia capricciosa*) itch, whim: *mi viene il ~ di fare qc.* I ⌜have an itch⌝ (*o* am itching) to do s.th. □ *ha il ~ addosso* he can't ⌜stay still a minute⌝ (*o* stop fidgeting), ⟨*fam*⟩ he has ants in his pants. – **pizzicorino** (*dim. di pizzicore*) *m.* ⟨*fam*⟩ (*solletico*) tickle, tickling. □ ⟨*fam*⟩ *fare il ~ a qd.* to tickle s.o.

pizzicottare *v.t.* (**pizzicotto**) ⟨*fam*⟩ (*dare pizzicotti*) to pinch. – **pizzicotto** *m.* pinch, nip.

pizzo[1] *m.* **1.** (*barba appuntita*) goatee, imperial (*o* Vandyke) beard. – **2.** *pl.* ⟨*non com*⟩ (*basette*) (pointed) sideburns *pl*, (pointed) side -whiskers *pl.* – **3.** (*trina*) lace: ~ *di Bruxelles* (o *Fiandra*) Brussels lace. – **4.** (*punta, estremità*) point, tip, edge, corner: *sedere in ~ alla sedia* to sit on the edge of the chair. – **5.** ⟨*region*⟩ (*vetta di monte*) peak, summit.

pizzo[2] *m.* ⟨*Itt*⟩ sheepshead bream (*Charax puntazzo*).

pizzocchero *m.* (*f.* **-a**) **1.** ⟨*region*⟩ (*pinzochero*) bigot. – **2.** *pl.* ⟨*Alim*⟩ kind of noodles.

pizzuga *f.* ⟨*tosc,pop*⟩ **1.** (*tartaruga*) tortoise. – **2.** ⟨*fig*⟩ (*persona lenta*) tortoise, ⟨*fam*⟩ slowcoach, ⟨*am.fam*⟩ slowpoke.

pizzutello *m.* ⟨*roman*⟩ (*uva pizzutella*) (kind of) long table grape.

pizzuto *a.* ⟨*region*⟩ (*aguzzo*) pointed, sharp. □ ⟨*region*⟩ *faccia -a* (*imbronciata*) long face, sulky expression.

PL = ⟨*Aut*⟩ *Polonia* Poland.

pl. = ⟨*Gramm*⟩ *plurale* plural (*abbr.* pl.).

placabile *a.* placable, appeasable, tractable. – **placabilità** *f.* ⟨*non com*⟩ placability, appeasibility. – **placamento** *m.* ⟨*rar*⟩ placating, appeasement.

placare *v.t.* (**placo, plachi**) **1.** (*tranquillizzare*) to calm (down), to quiet(en): *cercherò di ~ (il) nonno* I'll try to calm grandfather down. – **2.** (*mitigare*) to placate, to soothe, to lessen, to alleviate, to allay: ~ *l'ira di qd.* to placate s.o.'s anger. – **placarsi** *v.r.* **1.** (*acquietarsi*) to calm down. – **2.** (*rif. a sentimenti e sim.*) to subside, to be appeased, to abate; (*rif. a elementi naturali*) to subside, to abate, to die (*o* calm) down, to grow calm: *il mare si va placando* the sea is growing calm. □ ~ *la fame di qd.* to satisfy s.o.'s hunger; ~ *la sete di qd.* to quench s.o.'s thirst.

placato (*p.p. di placare*) *a.* (*tranquillo*) calm, quiet, placated. – **placatore** *m.* (*f.* **-trice**) ⟨*rar*⟩ appeaser, soother, placater. – **placazione** *f.* ⟨*ant*⟩ → **placamento.**

placca *f.* **1.** (*piastra*) plate. – **2.** (*targhetta*) plate, badge. – **3.** (*decorazione*) plaque, honorary badge, decoration. – **4.** ⟨*Med*⟩ plaque, patch. – **5.** ⟨*Rad*⟩ (*anodo*) plate, anode. – **6.** ⟨*Alp*⟩ stretch of ice (*o* smooth rock). – **7.** ⟨*Anat*⟩ plate.

□ ~ *di* **cottura** = *placca di* **essiccazione**; ⟨*Bot*⟩ ~ **cribrosa** sieve plate (*o* disk); ⟨*TV*⟩ ~ **deflettrice** deflecting plate, deflection electrode; ⟨*Met*⟩ ~ *di* **essiccazione** core (carrier) plate; ⟨*Met*⟩ ~ *di* **forno** hob; ⟨*El*⟩ ~ *a* **griglia** grid; ⟨*tecn*⟩ ~ **modello** match (*o* pattern) plate; ⟨*El*⟩ ~ **negativa** negative plate; ~ *di* **piombo** lead plate; ⟨*El*⟩ ~ **positiva** positive plate; ~ *di* **protezione** protecting (*o* guard) plate.

placcaggio *m.* ⟨*Sport*⟩ tackling. – **placcare** *v.t.* (**placco, placchi**) **1.** ⟨*Met,Oref*⟩ to plate. – **2.** ⟨*Sport*⟩ to tackle. – **3.** ⟨*Fal*⟩ to veneer, to overlay. □ ~ *in argento* to plate with silver, to silver-plate; ~ *in oro* to plate with gold, to gold-plate. – **placcato** (*p.p. di placcare*) *a.* plated. – **placcatore** *m.* (*operaio*) plater. – **placcatura** *f.* **1.** ⟨*Met,Oref*⟩ plating. – **2.** ⟨*Fal*⟩ veneering. □ ~ *elettrolitica* electro-plating.

placchetta (*dim. di placca*) *f.* **1.** ⟨*Art*⟩ plaquette. – **2.** ⟨*non com*⟩ (*opuscolo*) booklet, pamphlet, brochure.

placebo *lat. m.inv.* ⟨*Med*⟩ placebo.

placenta *f.* **1.** ⟨*Anat*⟩ placenta; (*al momento del parto*) afterbirth. – **2.** ⟨*Bot*⟩ placenta. – **placentale** *a.* → **placentare.** – **placentali** *m.pl.* ⟨*Zool*⟩ eutherians *pl*, placentals *pl* (*Placentalia*). – **placentare** *a.* ⟨*Anat,Bot*⟩ placental, placentary. – **placentario I** *a.* → **placentare.** – **II** *s.m.* ⟨*Bot*⟩ (*placenta*) placenta. – **placentati** *m.pl.* → **placentali.** – **placentazione** *f.* ⟨*Anat,Bot*⟩ placentation. – **placentite** *f.* ⟨*Med*⟩ placentitis, inflammation of the placenta. – **placentografia** *f.* placentography.

placet *lat. m.* **1.** ⟨*Dir*⟩ placet. – **2.** ⟨*estens,fam*⟩ (*consenso*) consent, approval, assent.

placidamente *avv.* placidly, calmly, peacefully. – **placidezza** *f.* ⟨*non com*⟩ → **placidità.** – **placidità** *f.* placidity, calm(ness), peacefulness. – **placido** *a.* **1.** placid, calm, peaceful, serene, tranquil: *carattere ~* placid nature; *mare ~* calm sea. – **2.** (*lento*) slow.

Placido *N.pr.m.* ⟨*Stor*⟩ Placidus.

placitare *v.t.* (**placito**) ⟨*ant*⟩ (*intimare mediante decreto*) to decree, to ordain. – **placitazione** *f.* ⟨*Dir*⟩ submission for obligatory civil consent.

placito *m.* **1.** (*sentenza*) placitum, decree, sentence. – **2.** ⟨*Dir.mediev*⟩ (*tributo*) tax (for the administration of justice). – **3.** ⟨*Mediev*⟩ (*assemblea*) assembly, meeting. □ ⟨*ant*⟩ *a ~ di qd.* (*ad arbitrio di qd.*) at s.o.'s discretion, as s.o. thinks fit.

placode *m.* ⟨*Biol*⟩ placode.

placo|dermi *m.pl.* ⟨*Paleont*⟩ placoderms *pl* (*Placodermi*). – **~donti** *m.pl.* ⟨*Paleont*⟩ placodonts *pl* (*Placodontia*). – **~ganoidi** *m.pl.* → **placodermi.**

placoide *a.* placoid. □ ⟨*Itt*⟩ *scaglie -i* placoid scales.

plafond *fr.* [pla'fɔ̃:] *m.* **1.** (*soffitto*) ceiling, plafond. – **2.** ⟨*Teat*⟩ border, overhead scenery. – **3.** ⟨*Aer*⟩ (*quota di tangenza*) ceiling. – **4.** ⟨*Econ*⟩ ceiling.

plafone *m.* ⟨*Teat,non com*⟩ border, overhead scenery.

plafoniera *f.* overhead light, ceiling light fixture.

plaga *f.* (*pl.* **-ghe**/*ant.* **-ge**) ⟨*lett*⟩ **1.** (*regione*) region, district, zone. – **2.** ⟨*ant*⟩ (*tratto di cielo*) (expanse of) sky.

plagale *a.* ⟨*Mus*⟩ plagal: *cadenza ~* plagal cadence: *modi -i* plagal modes.

plagas: *dire ~ di qd.* (*dirne male*) to slander (*o* speak ill of) s.o., to run s.o. down.

plagente (*p.pr. di plagere*) *a.* ⟨*ant*⟩ (*piacente*) pleasant, pleasing, attractive. – **plagenza** *f.* ⟨*ant*⟩ (*avvenenza*) attractiveness. – **plagere** *v.i.* (**plago, plagi**; *aus.* **essere**) ⟨*ant*⟩ (*piacere*) to like (*costr. pers.*), to please.

plagiare *v.t.* (**plagio, plagi**) **1.** to plagiarize. – **2.** ⟨*Dir*⟩ to subjugate morally. – **plagiario I** *a.* plagiaristic. – **II** *s.m.* (*f.* **-a**) plagiarist, literary thief. – **plagio** *m.* **1.** plagiarism, literary theft. – **2.** ⟨*Dir*⟩ moral subjugation. – **3.** ⟨*Dir.rom*⟩ enslavement of a freeman.

plagio|cefalia *f.* ⟨*Anat*⟩ plagiocephaly. – **~clasio** *m.* ⟨*Min*⟩ plagioclase.

plagiostomi *m.pl.* ⟨*Itt*⟩ plagiostomes *pl* (*Plagiostomata*).

plagiotropismo *m.* ⟨*Bot*⟩ plagiotropism. – **plagiotropo** *a.* plagiotropic, plagiotropous.

plaid *ingl.* [plæd] *m.* (travelling-)rug, plaid blanket.

plaisanterie *fr.* [plɛzɑ̃'tri] *f.* (*scherzo*) joke, jest.

planamento *m.* ⟨*Aer*⟩ gliding. – **planare** *v.i.* (*aus.* **avere**) to glide.

planaria *f.* ⟨*Zool*⟩ planarian.

planario *a.* ⟨*Dir.ant*⟩ summary.

planata *f.* ⟨*Aer*⟩ glide.

planatico *a.* (*pl.* **-ci**) ⟨*Ott*⟩ having spherical aberration. – **planatismo** *m.* spherical aberration.

plancia *f.* (*pl.* **-ce**) **1.** ⟨*Mar*⟩ (*ponte di comando*) bridge; (*passerella di legno*) gangplank, gangway. – **2.** (*nelle caserme*) shelf. – **3.** ⟨*tecn*⟩ (*cruscotto*) instrument panel. – **4.** ⟨*Aut*⟩ dashboard. – **5.** ⟨*non com*⟩ (*cartellone*) billboard.

Planck: ⟨*Atom*⟩ *costante di ~* Planck constant.

planctofago *a.* (*pl.* **-gi**) ⟨*Zool*⟩ planktivorous. – **planctofito** *m.* ⟨*Bot*⟩ planktophyte. – **plancton** *m.* ⟨*Biol*⟩ plankton. – **planctonico** *a.* (*pl.* **-ci**) planktonic, planctonic.

planetario I *a.* **1.** (*dei pianeti*) planetary: *moto ~* planetary motion. – **2.** ⟨*tecn*⟩ planetary: *ingranaggio ~* planetary gear(ing), planet differential (*o* gear). – **II** *s.m.* **1.** (*apparecchio*) planetarium, orrery. – **2.** (*edificio*) planetarium. – **3.** ⟨*Aut*⟩ crown-wheel.

planeto: ⟨*Mediev*⟩ *denaro ~* flat Carolingian coin.

planetografico *a.* → **planetografico.**

planetoide *m.* **1.** (*asteroide*) asteroid, planetoid. – **2.** (*pianeta artificiale*) (artificial) satellite, man-made planet.

planeur *fr.* [pla'nœ:r] *m.* ⟨*Aer*⟩ glider.

plangere *v.i.* (**plango, plangi; plansi, planto**; *aus.* **avere**) ⟨*ant*⟩ (*piangere*) to cry, to weep.

plani... *pref.* (*piano* flat) plan(i)...

planiglobo *m.* → **planisfero.**

planimetria *f.* **1.** planimetry. – **2.** (*pianta*) plan, blueprint. – **planimetrico** *a.* (*pl.* **-ci**) planimetric(al). – **planimetro** *m.* (*strumento*) planimeter, surface gauge.

planipede *m.* ⟨*Stor.rom*⟩ mime actor.

planipenni *m.pl.* ⟨*Entom*⟩ neuropterons *pl* (*Planipennia, Neuroptera*).

planisferio *m.* ⟨*ant*⟩ → **planisfero.** – **planisfero** *m.* ⟨*Geog*⟩ planisphere. □ ~ *celeste* celestial planisphere.

planitudine *f.* planeness, flatness.

planiziario *a.* ⟨*Bot*⟩ plain-growing, plain-.

plankton *m.* → **plancton.**

plano... *pref.* (*piano* flat; *movimento* movement) plan(o)...

planocita, planocito *m.* ⟨*Biol*⟩ macrocyte.

plano|gamẹte *m.* ⟨*Bot*⟩ planogamete. – **~grafịa** *f.* ⟨*Tip*⟩ planography, planographic printing. – **~grạfico** *a.* (*pl.* **-ci**) planographic.
planọmenon *m.* ⟨*Bot*⟩ aquatic plants *pl*, planomenon.
planọrbidi *m.pl.* ⟨*Zool*⟩ planorbids *pl* (*Planorbidae*).
planospọra *f.* ⟨*Bot*⟩ planospore, zoospore.
plantagenẹto *a.* ⟨*Stor*⟩ Plantagenet, of the Plantagenets.
plantaginạcee *f.pl.* ⟨*Bot*⟩ Plantaginaceae *pl* (*Plantaginaceae*).
plantạre I *a.* ⟨*Anat*⟩ plantar, of the sole of the foot. – **II** *s.m.* ⟨*Med*⟩ arch support, arches *pl.* – **plantarịno** (*dim. di plantare*) *m.* ⟨*Med*⟩ arch support.
plantations song *ingl.* [plæn'teiʃənz'sɔŋ] *m.* ⟨*Mus*⟩ Negro spiritual.
plantịgrado I *a.* **1.** ⟨*Zool*⟩ plantigrade. – **2.** ⟨*fam*⟩ (*lento*) slow-moving. – **II** *s.m.* **1.** ⟨*Zool*⟩ plantigrade. – **2.** ⟨*fam*⟩ (*persona lenta*) slowcoach, snail, ⟨*am.fam*⟩ slowpoke.
plạntula *f.* ⟨*Bot*⟩ plantule, embryo plant.
plạnula *lat. f.* ⟨*Zool*⟩ planula.
plaquette *fr.* [pla'kɛt] *f.* (*opuscolo*) pamphlet, booklet, brochure.
...plasia *suff.* (*alterazione* alteration) ...plasia, ...plasy: *displasia f.* dysplasia.
plạsma *m.* **1.** ⟨*Biol*⟩ plasma; (*protoplasma*) protoplasm, plasma; (*plasma sanguigno*) (blood) plasma. – **2.** ⟨*Fis,Min*⟩ plasma. □ ⟨*Biol*⟩ ~ *germinale* germplasm, germinative plasma; ⟨*Fis*⟩ ~ *ideale* plasma; ⟨*Biol*⟩ ~ *muscolare* muscle plasma; ~ *sanguigno* (blood) plasma.
plasmạbile *a.* **1.** mouldable, plastic: *la creta è un materiale* ~ clay is a plastic substance. – **2.** ⟨*fig*⟩ malleable, trainable: *carattere* ~ malleable character. – **plasmabilità** *f.* **1.** malleability, plasticity. – **2.** ⟨*fig*⟩ malleability, capacity for being shaped (*o* formed).
plasmạre *v.t.* **1.** to mould, to shape, to form, to model: ~ *la creta* to mould (*o* model) clay. – **2.** ⟨*fig*⟩ to mould, to train, to shape: ~ *un carattere* to mould a character.
plasmạtico *a.* (*pl.* **-ci**) ⟨*Biol*⟩ plasmatic.
plasmatocịto *m.* → **plasmocita.**
plasmatọre *m.* (*f.* **-trice**) ⟨*lett*⟩ moulder, shaper (*anche fig.*).
plasmo|chịna *f.* ⟨*Farm*⟩ pamaquine, plasmochin. – **~cịta, ~cịto** *m.* ⟨*Biol*⟩ phlogocyte, plasma cell, plasmocyte. – **~dẹrma** *m.* ⟨*Bot*⟩ ectoplasm, plasmoderma. – **~dẹsma** *m.* plasmodesm(a), plasmodesmus, cell bridge.
plasmọdio *m.* ⟨*Biol*⟩ plasmodium.
plasmodiọfora *f.* ⟨*Bot*⟩ Plasmodiophora (*Plasmodiophora*).
plasmo|gonịa *f.* ⟨*Biol*⟩ abiogenesis, plasmogony, spontaneous generation. – **~lẹmma** *m.* → **plasmoderma.**
plasmọlisi *f.* ⟨*Biol*⟩ plasmolysis. – **plasmolizzạre** ⟨*non com*⟩ **I** *v.t.* to plasmolyze, to subject to plasmolysis. – **II** *v.i.* (*aus.* **avere**) to plasmolyze, to undergo plasmolysis.
plạstica *f.* **1.** ⟨*Art*⟩ plastic art(s), plastics *pl* (*costr. sing. o pl.*), plastic, modelling, sculpturing. – **2.** ⟨*non com*⟩ (*modello*) model. – **3.** (*materiale sintetico*) plastic. – **4.** ⟨*Chir*⟩ plastic surgery, plastics *pl* (*costr. sing. o pl.*): *farsi la* ~ to undergo plastic surgery. □ *di* ~ plastic, made of plastic: *recipiente di* ~ plastic container; ⟨*Chir*⟩ ~ *facciale* facioplasty, plastic surgery of the face; ⟨*Ind*⟩ ~ *da stampaggio* compression moulding material.
plasticamẹnte *avv.* plastically.
plasticạre *v.t.* (**plạstico, plạstichi**) **1.** (*lavorare materie plastiche*) to model, to cast. – **2.** (*ricoprire con plastica*) to cover with plastic, to plastic-coat. – **plasticạto** (*p.p. di plasticare*) *a.* modelled, cast; (*ricoperto con plastica*) covered with plastic, plastic-coated. – **plasticatọre** *m.* (*f.* **-trice**) plastic artist, modeller.
plasticịsmo *m.* ⟨*Art*⟩ plasticism.
plasticità *f.* **1.** (*l'essere plastico*) plasticity. – **2.** ⟨*Art*⟩ sculptural quality, tactile effect. – **3.** ⟨*Biol*⟩ plasticity, pluripotency. – **4.** ⟨*Psic*⟩ plasticity. – **plasticizzaziọne** *f.* plasticization.
plạstico *a./s.* (*pl.* **-ci**) **I** *a.* **1.** plastic: *arte -a* plastic art. – **2.** (*in rilievo*) in relief, relief-, plastic. – **3.** (*in plastica*) plastic, made of plastic. – **4.** (*che è plasmato bene*) well-modelled. – **5.** (*che crea l'idea del rilievo*) three-dimensional. – **II** *s.m.* **1.** relief model: *il* ~ *dell'antica Roma* the relief model of ancient Rome. – **2.** (*esplosivo*) plastic explosive. □ *bomba al* ~ plastic bomb; *chirurgia -a* plastics *pl* (*costr. sing. o pl.*), plastic surgery; *materie plastiche* plastics *pl* (*costr. sing.*).
plastịdio *m.* ⟨*Biol*⟩ plastid(e), plastidium.
plastificạnte (*p.pr. di plastificare*) **I** *a.* plasticizing. – **II** *s.m.* plasticizer. – **plastificạre** *v.t.* (**plastịfico, plastịfichi**) **1.** (*rendere plastico*) to plasticize. – **2.** (*ricoprire con plastica*) to cover with plastic, to plastic-coat. – **plastificaziọne** *f.* **1.** plasticization, plastification. – **2.** ⟨*Cart*⟩ plastic-coating. – **plastilịna** *f.* plasteline, plastiline, plastilina.
plastịna *f.* ⟨*Biol*⟩ linin, plastin, achromatin.
...plasto *suff.* (*plastidio* plastid) ...plast: *leucoplasto m.* leucoplast.
plastron *fr.* [plas'trɔ̃:] *m.* ⟨*Mod*⟩ wide necktie.
platanạcee *f.pl.* ⟨*Bot*⟩ plane-tree family, planes *pl*, platan(e)s *pl* (*Platanaceae*).
platanạria *f.* ⟨*Bot*⟩ (*acero platano*) Norway maple (*Acer platanoides*).
platanẹto *m.* plane(-tree) wood (*o* grove).
platanịsta *f.* ⟨*Zool*⟩ platanist, (Indian) susu (*Platanista*). – **platanịstidi** *m.pl.* river dolphins *pl* (*Platanistidae*).
plạtano *m.* ⟨*Bot*⟩ plane(-tree) (*Platanus*). □ ~ ⌜*d'America*⌝ (*o occidentale*) sycamore, American plane(-tree) (*Platanus occidentalis*); ~ *falso* (*acero di monte*) sycamore (maple) (*Acer pseudoplatanus*); ~ *d'Oriente* Oriental plane(-tree) (*Platanus orientalis*).
platẹa *f.* **1.** ⟨*Teat,Cin*⟩ stalls *pl*, orchestra, ⟨*am*⟩ parquet. – **2.** (*pubblico della platea*) audience in the stalls, ⟨*spreg*⟩ pit. – **3.** ⟨*estens*⟩ (*pubblico*) (the general) public: *cercare gli applausi della* ~ to seek the plaudits of the public. – **4.** ⟨*Geol*⟩ (*rialto sottomarino*) shelf, plateau. – **5.** ⟨*Edil*⟩ (*piattaforma di calcestruzzo*) concrete bed. – **6.** ⟨*Mar*⟩ bottom (*o* floor) of a dock. □ ⟨*Geol*⟩ ~ *continentale* continental shelf; ⟨*Edil*⟩ ~ *di fondazione* mat, raft foundation.
plateạle *a.* ⟨*non com*⟩ **1.** (*volgare*) vulgar, coarse, common, plebeian, low: *insulto* ~ vulgar insult. – **2.** (*evidentissimo*) glaring, evident, obvious, plain: *errore* ~ glaring mistake, ⟨*fam*⟩ howler. – **platealmẹnte** *avv.* vulgarly, coarsely, commonly.
plateạtico *m.* (*pl.* **-ci**) ⟨*Dir.mediev*⟩ merchants' tax.
plateau *fr.* [pla'to:] *m.* **1.** ⟨*Geol*⟩ (*rialto sottomarino*) shelf, plateau; (*ripiano in zona montuosa*) plateau, tableland. – **2.** (*nei diagrammi*) plateau. – **3.** ⟨*Mecc*⟩ face-plate. – **4.** ⟨*region*⟩ (*vassoio*) tray, salver, plateau.
platelmịnti *m.pl.* ⟨*Zool*⟩ platyhelminth(e)s *pl*, flatworms *pl* (*Platyhelminthes*).
platẹnse *a.* ⟨*Geog*⟩ of Rio de la Plata.
platerẹsco *a.* (*pl.* **-chi**) ⟨*Arch*⟩ plateresque, plateresco: *stile* ~ plateresque style.
platẹssa *f.* ⟨*Itt*⟩ flounder (*Pleuronectes flesus*).
platicefalịa *f.* ⟨*Med*⟩ platycephaly, platycephalism. – **platicẹfalo I** *a.* platycephalic, platycephalous. – **II** *s.m.* (*f.* **-a**) platycephalic individual.
platicẹrco *m.* (*pl.* **-chi**) ⟨*Ornit*⟩ rosella (*Platycercus*).
platidạttilo: ⟨*Zool*⟩ ~ *muraiolo* tarente (*Tarentola mauritanica*; *Platydactylus mauritanicus*).
plạtina[1] (o platịna) *f.* **1.** ⟨*Tip*⟩ platen. – **2.** ⟨*Tess*⟩ sinker. □ ~ *automatica* automatic platen press (*o* machine); ⟨*Tip*⟩ ~ *fustellatrice* punching platen, cutting and creasing platen press.
plạtina[2] *f.* ⟨*ant*⟩ → **platino.**
platinạggio *m.* platinizing. – **platinạre** *v.t.* (**plạtino**) **1.** to platinize, to coat with platinum, to platinum-plate. – **2.** (*rif. a capelli*) to dye (*o* bleach) platinum blonde. – **platinạto** (*p.p. di platinare*) *a.* **1.** platinized, coated with platinum, platinum-plated. – **2.** (*rif. a. capelli*) dyed (*o* bleached) platinum blonde; (*rif. a persona*) platinum: *bionda -a* platinum blonde. – **platinatụra** *f.* platinizing, coating with platinum, platinum-plating. – **platịnico** *a.* (*pl.* **-ci**) ⟨*Chim*⟩ platinic. – **platinịfero** *a.* platinic, platiniferous: *minerale* ~ platinic mineral.
platinịte[1] *f.* ⟨*Min*⟩ platynite, platinite.
platinịte[2] *f.* ⟨*Met*⟩ platinite.
plạtino *m.* ⟨*Met*⟩ platinum. □ *di* ~ platinum, made of platinum: *filo di* ~ platinum wire; *nero di* ~ platinum-black. – **platinọide**: ⟨*Met*⟩ *lega* ~ platinoid. – **platinọso** *a.* platinous.
plạtipo *m.* ⟨*Zool*⟩ (*ornitorinco*) platypus, duck-bill, duck-mole, ornithorhynchus (*Platypus*).
platipọdidi *m.pl.* ⟨*Entom*⟩ ambrosia beetles *pl* (*Platypodidae*).
platirrịne *f.pl.* ⟨*Zool*⟩ (*anche scimmie platirrine*) platyrrhine monkeys *pl*, platyrrhines *pl* (*Platyrrhyna*).
platirrinịa *f.* ⟨*Anat*⟩ platyr(r)hiny. – **platirrịno** *a.* platyr(r)hine, platyr(r)hinian, platyrrhinic.
platitude *fr.* [plati'tyd] *f.* banality, triteness, dullness, platitude.
platọdi *m.pl.* → **platelminti.**
Platọne *N.pr.m.* Plato. – **platonicamẹnte** *avv.* Platonically.
platọnico[1] *a./s.* (*pl.* **-ci**) **I** *a.* **1.** Platonic, of Plato, Plato's: *scritti -i* works of Plato, Plato's works. – **2.** (*di sentimenti privi di sensualità*) Platonic: *amicizia -a* Platonic friendship; *amore* ~ Platonic love. – **3.** (*che non si traduce in realtà*) idealistic, unreal, impossible, Platonic: *un desiderio* ~ an impossible wish. – **II** *s.m.* Platonist, follower of Plato.
platọnico[2] *m.* (*pl.* **-ci**) ⟨*Metr*⟩ (*anche verso platonico*) platonic verse (*o* metre).
platonịsmo *m.* Platonism.
plaudẹnte (*p.p. di plaudere*) *a.* ⟨*lett*⟩ **1.** applauding, clapping, cheering. – **2.** ⟨*fig*⟩ applauding, approving. – **plạudere, plaudịre** *v.i.* (*aus.* **avere**) ⟨*lett*⟩ **1.** (*applaudire*) to applaud, to clap. – **2.** ⟨*fig*⟩ (*approvare entusiasticamente*) to applaud, to approve: ~ *a una buona iniziativa* to applaud a commendable undertaking.
plausịbile *a.* **1.** (*convincente*) plausible, convincing, credible: *una scusa* ~ a plausible excuse. – **2.** ⟨*lett*⟩ (*degno di plauso*) praiseworthy, laudable, commendable. – **plausibilità** *f.* plausibility, credibility.
plạuso *m.* **1.** ⟨*lett*⟩ (*applauso*) applause, clapping. – **2.** ⟨*fig*⟩ (*approvazione entusiasta*) approval, acclamation, applause, plaudits *pl*: *la proposta ha ottenuto il* ~ *generale* the proposal ⌜met with general approval⌝ (*o* was generally welcomed). – **3.** ⟨*poet*⟩ (*battito d'ali*) beating (of wings).
plạustro *m.* ⟨*Stor.rom,lett*⟩ cart.
plautịno *a.* (*di Plauto*) plautine, of Plautus. – **Plạuto** *N.pr.m.* ⟨*Stor*⟩ Plautus.
playboy *ingl.* [plei'bɔi] *m.* playboy.
plebạglia *f.* ⟨*spreg*⟩ rabble, mob, riff-raff.
plẹbe *f.* **1.** ⟨*Stor.rom*⟩ plebs. – **2.** ⟨*lett*⟩ (*popolo*) commoners *pl*, common people (*costr. pl.*), populace, plebs. – **3.** ⟨*spreg*⟩ rabble, mob, riff-raff, proles *pl*, (lumpen) proletariat. – **4.** ⟨*fig,lett*⟩ (*moltitudine*) crowd, throng, multitude.
plebeiamẹnte *avv.* ⟨*rar*⟩ (*in modo plebeo*) vulgarly, coarsely.
plebẹio *a./s.* ⟨*ant*⟩ → **plebeo.** – **plebeịsmo** *m.* ⟨*non com*⟩ **1.** plebeianism, crudeness, vulgarity, lowness. – **2.** (*detto plebeo*) vulgar (*o* coarse) expression, vulgarism; (*azione plebea*) vulgar action,

vulgarism. – **plebęo I** *a.* **1.** ⟨*Stor.rom*⟩ plebeian. – **2.** ⟨*estens*⟩ (*del popolo*) plebeian, of the commoners (*o* common people). – **3.** ⟨*spreg*⟩ (*volgare*) vulgar, crude, coarse, low(-class), common, plebeian: *modi -i* coarse ways. – **II** *s.m.* (*f.* **-a**) **1.** ⟨*Stor.rom*⟩ plebeian. – **2.** ⟨*estens*⟩ commoner, one of the common people, plebeian. – **3.** ⟨*spreg*⟩ peasant, prole, common person, plebeian.

plebiscitạrio *a.* plebiscitary, plebiscitarian. – **plebiscịto** *m.* **1.** ⟨*Stor.rom*⟩ plebiscitum, plebiscite. – **2.** ⟨*Dir*⟩ plebiscite, plebescite. – **3.** ⟨*fig*⟩ (*consenso unanime*) general agreement (*o* consent), unanimity: *un vero ~ di consensi* a genuine unanimity of accord. ☐ ⟨*fig*⟩ *un ~ di lodi* unanimous praise.

plecọtteri *m.pl.* ⟨*Entom*⟩ stone flies *pl*, plecopterids *pl* (*Plecoptera*).

plectęnchima *m.* ⟨*Bot*⟩ plectenchyma.

plęd *m.* → **plaid.**

plegạdidi *m.pl.* ⟨*Ornit*⟩ ibises *pl* (*Plegadidae*).

...plegịa *suff.* (*paralisi* paralysis) ...plegia, ...plegy.

plęiade *f.* **1.** ⟨*Lett*⟩ pleiad, group of seven. – **2.** ⟨*fig*⟩ pleiad, select group: *una ~ di poeti* a pleiad of poets. ☐ ⟨*Lett*⟩ *~ alessandrina* Pleiad.

Pléiade *fr.* [ple'jadə] *N.pr.f.* ⟨*Lett*⟩ Pléiade.

Plęiadi *N.pr.f.pl.* **1.** ⟨*Mitol*⟩ Pleiades *pl.* – **2.** ⟨*Astr*⟩ Pleiades *pl*, Seven Sisters *pl.*

plein-air *fr.* [plɛ'nɛ:r] *m.* ⟨*Pitt*⟩ plein air.

pleio... *pref.* (*aumento* more) pleio..., pleo..., plio...

pleiocạsio *m.* ⟨*Bot*⟩ pleiochasium.

pleistocęne *m.* ⟨*Geol*⟩ Pleistocene. – **pleistocęnico** *a.* (*pl.* **-ci**) Pleistocene.

plenạrio *a.* **1.** (*completo*) plenary, complete, fully attended: *assemblea -a* plenary assembly. – **2.** (*totale*) total, full, entire, plenary, complete: *consenso ~* full consent. ☐ ⟨*Rel.catt*⟩ *indulgenza -a* plenary indulgence.

plenicọrni *m.pl.* ⟨*Zool*⟩ plenicorns *pl.*

plenilunạre *a.* ⟨*lett*⟩ of (*o* with) the full moon, plenilunal, plenilunar(y). – **plenilụnio** *m.* ⟨*Astr*⟩ (time of) full moon, plenilune: *una notte di ~* a night of the full moon, a night when the full moon is shining.

plenipotenziạrio I *a.* ⟨*Dipl*⟩ plenipotentiary: *ministro ~* minister plenipotentiary. – **II** *s.m.* plenipotentiary.

plenitụdine *f.* ⟨*lett*⟩ **1.** fullness, completeness, plenitude. – **2.** ⟨*rar*⟩ (*moltitudine*) multitude, host.

plęnum *lat. m.* general assembly, plenum.

pleo... *pref.* → **pleio...**

pleo|cịclico *a.* (*pl.* **-ci**) ⟨*Bot*⟩ polycarpic, polycarpous. – **~crọico** *a.* (*pl.* **-ci**) ⟨*Fis*⟩ pleochroic. – **~croịsmo** *m.* pleochroism.

pleofagịa *f.* ⟨*Biol*⟩ polyphagism. – **pleọfago** *a.* (*pl.* **-gi**) pleophagous, pleotrophic, polyphagous.

pleomerịa *f.* ⟨*Bot*⟩ pleiomery. – **pleọmero** *a.* pleiomeric.

pleomorfịsmo *m.* → **polimorfismo.** – **pleomọrfo** *a.* → **polimorfo.**

plęon *m.* → **pleuston.**

pleonạsmo *m.* ⟨*Gramm*⟩ pleonasm, redundancy. – **pleonạstico** *a.* (*pl.* **-ci**) pleonastic.

plerọma[1] (*o plęroma*) *m.* ⟨*Filos*⟩ pleroma.

plerọma[2] *m.* ⟨*Bot*⟩ plerom(e).

pleṣiạntropo *m.* ⟨*Paleont*⟩ Plesianthropus.

plesio... *pref.* (*vicinanza* nearness) plesi(o)...

pleṣiosạuro *m.* ⟨*Paleont*⟩ plesiosaur (*Plesiosaurus*).

plessimetrịa *f.* ⟨*Med*⟩ pleximetry. – **plessịmetro** *m.* **1.** ⟨*Med*⟩ pleximeter. – **2.** ⟨*Mus*⟩ (*metronomo*) metronome.

plęsso *m.* ⟨*Anat*⟩ plexus. ☐ *~* **brachiale** brachial plexus, brachiplex; *~* **cardiaco** cardiac plexus; *-i* **coroidei** choroid plexuses; *-i* **nervosi** neuroplexuses, nerve (*o* nervous) plexuses; *~* **sacrale** sacral plexus; *-i* **vascolari** vascular plexuses.

pletiṣmografịa *f.* ⟨*Med*⟩ plethysmography. – **pletiṣmọgrafo** *m.* plethysmograph. – **pletiṣmogrạmma** *m.* plethysmogram.

pletodọnti *m.pl.* ⟨*Zool*⟩ plethodont(id)s *pl* (*Plethodontinae*).

plętora *f.* **1.** ⟨*Med,Bot*⟩ plethora. – **2.** ⟨*fig*⟩ (*sovrabbondanza*) plethora, excess, overabundance: *una ~ di impiegati* an excess of staff. – **pletọrico** *a.* (*pl.* **-ci**) **1.** ⟨*Med*⟩ plethoric. – **2.** ⟨*fig*⟩ (*sovrabbondante*) plethoric, excessive, overabundant, overlarge: *una classe -a* an overlarge class. ☐ ⟨*Econ*⟩ *mercato ~* overstocked market.

plętro *m.* ⟨*Stor.gr*⟩ plethron.

plettọgnati *m.pl.* ⟨*Itt*⟩ plectognaths *pl* (*Plectognathi*).

plęttro *m.* **1.** ⟨*Mus*⟩ plectrum, plectron, plectre. – **2.** ⟨*fig,lett*⟩ (*ispirazione poetica*) poetic inspiration. ☐ *strumento a ~* plucked stringed instrument.

plęura *f.* ⟨*Anat*⟩ pleura. ☐ *~ parietale* parietal pleura; *~ viscerale* visceral pleura. – **pleurạle** *a.* → **pleurico.** – **pleuralgịa** *f.* ⟨*Med, non com*⟩ pleuralgia. – **plęurico** *a.* (*pl.* **-ci**) pleural, pleuri(ti)c: *cavità -a* pleural cavity; *aderenza -a* pleural adhesion. – **pleurịte** *f.* ⟨*Med*⟩ pleurisy. ☐ *~ emorragica* haemorrhagic pleurisy; *~ essudativa* exudative pleurisy; *~ purulenta* empyema (of the chest), pyothorax, purulent pleurisy; *~ secca* dry (*o* adhesive) pleurisy. – **pleurịtico** *a./s.* (*pl.* **-ci**) **I** *a.* **1.** (*della pleurite*) pleuritic. – **2.** (*che è affetto da pleurite*) pleuritic. – **II** *s.m.* pleuritic sufferer.

pleurocạrpo *a.* ⟨*Bot*⟩ pleurocarpous, pleurocarpic.

pleurodinịa *f.* ⟨*Med*⟩ pleurodynia.

pleurodịri *m.pl.* ⟨*Zool*⟩ pleurodirans *pl*, pleurodires *pl* (*Pleurodira*).

pleuronęttidi *m.pl.* ⟨*Itt*⟩ pleuronectids *pl* (*Pleuronectidae*).

pleuro|pneumonịa *f.* → **pleuropolmonite.** – **~polmonạre** *a.* ⟨*Anat*⟩ pleuropulmonary. – **~polmonịte** *f.* ⟨*Med*⟩ pleuropneumonia.

pleurorrẹa *f.* ⟨*Med,non com*⟩ pleurorrhea.

pleustọfita *f.* ⟨*Bot*⟩ pleuston plant. – **plęuston** *m.* pleuston.

plexiglạs (*o plęxiglas*) *m.* ⟨*Ind*⟩ plexiglas.

P.L.I. = *Partito liberale italiano* Italian Liberal Party.

pliant *fr.* [pli'ã] *m.* (*sedia pieghevole*) folding-chair, collapsible chair.

plịca *f.* **1.** ⟨*Anat*⟩ (*piega*) plica, fold, groove, plait: *pliche cutanee* skin folds; *~ mongolica* Mongolian (*o* epicanthic) fold. – **2.** ⟨*Mus*⟩ plica.

plicatịvo *a.* ⟨*Bot*⟩ plicate, folded into pleats, plaited. – **plicạto** *a.* **1.** ⟨*Zool*⟩ plicate, folded. – **2.** ⟨*Bot*⟩ → **plicativo.**

plịco *m.* (*pl.* **-chi**) **1.** packet, bundle: *prese tutti i documenti e ne formò un ~* he took all the papers and made a packet of them. – **2.** ⟨*Post*⟩ parcel, package: *un ~ inviato per posta* a parcel sent by mail. ☐ ⟨*burocr*⟩ *in ~ separato* under separate cover; *nello stesso ~* under the same cover.

plinịana *f.* ⟨*Min,ant*⟩ (*arsenopirite*) arsenopyrite, arsenical pyrites, mispickel.

Plịnio *N.pr.m.* ⟨*Stor*⟩ Pliny. ☐ *~ il Giovane* Pliny the Younger; *~ il Vecchio* Pliny the Elder.

plintạto *a.* **1.** having a plinth. – **2.** ⟨*Arald*⟩ billetty. – **plịnto** *m.* **1.** ⟨*Arch*⟩ plinth, footstall. – **2.** ⟨*Edil*⟩ foundation plinth. – **3.** ⟨*Ginn*⟩ vaulting box, box horse. – **4.** ⟨*Arald*⟩ billet.

pliocęne *m.* ⟨*Geol*⟩ Pliocene. – **pliocęnico** *a.* (*pl.* **-ci**) Pliocene.

plissé *fr.* **I** *a.* → **plissettato.** – **II** *s.m.* ⟨*Tess*⟩ plissé. – **plissettạto** *a.* pleated.

plistocęne *m.* → **pleistocene.**

plocẹidi *m.pl.* ⟨*Ornit*⟩ weaverbirds *pl* (*Ploceidae*).

plọia *f.* ⟨*ant*⟩ (*pioggia*) rain.

plongeon *fr.* [plɔ̃'ʒɔ̃] *m.* **1.** (*tuffo*) dive, plunge. – **2.** (*nel calcio: parata a tuffo*) dive.

plorạre *v.* (**plọro**) ⟨*poet*⟩ **I** *v.i.* (*aus.* **avere**) (*piangere*) to weep, to cry; (*lamentarsi*) to moan, to groan, to lament. – **II** *v.t.* to mourn, to grieve over. – **plọro** *m.* ⟨*poet*⟩ (*pianto*) weeping, lament.

Plotịno *N.pr.m.* ⟨*Stor*⟩ Plotinus.

plotọne *m.* **1.** ⟨*Mil*⟩ platoon. – **2.** ⟨*Sport*⟩ group (of cyclists). ☐ *~ di comando* command platoon; *~ d'esecuzione* firing squad; *~ fucilieri* rifle platoon.

plụgo *m.* (*pl.* **-ghi**) ⟨*Pesc*⟩ (artificial) bait.

plumạrio *a.* feather-, feather-bedecked.

plumbaginạcee *f.pl.* ⟨*Bot*⟩ plumbago family (*Plumbaginaceae*).

plumbạrio *m.* ⟨*Stor.rom*⟩ maker of water pipes.

plụmbeo *a.* **1.** (*color piombo*) plumbeous, lead(-coloured), leaden, (dull) grey: *cielo ~* leaden (*o* grey) sky. – **2.** ⟨*fig*⟩ (*opprimente*) oppressive, heavy, dull, leaden. – **3.** ⟨*lett*⟩ (*di piombo*) lead-, leaden, plumbeous.

plumbịna *f.* ⟨*Pesc,region*⟩ (kind of) fishingnet.

plum-cake *ingl.* ['plʌmkeik] *m.* ⟨*Dolc*⟩ fruit-cake, plumcake.

plumetis *fr.* [plym'ti] *m.* (*ricamo*) embroidery, ornamental needlework.

plụmula *f.* ⟨*Bot*⟩ plumule, primary bud.

plurạle I *a.* ⟨*Gramm*⟩ plural. – **II** *s.m.* plural. ☐ *al ~* in the plural; *~* ⌜*d'autore*⌝ (*o di modestia*) editorial plural (*o* we); *~ enfatico* (*o poetico*) poetic plural; *~ maiestatico* royal we.

pluralịsmo *m.* ⟨*Filos,Pol*⟩ pluralism. – **pluralịsta I** *a.* pluralist(ic). – **II** *s.m.* pluralist. – **pluralịstico** *a.* (*pl.* **-ci**) pluralist(ic). – **pluralità** *f.* **1.** (*molteplicità*) plurality, multiplicity. – **2.** (*maggioranza*) majority. – **pluralizzạre** *v.t.* ⟨*lett*⟩ (*rendere plurale*) to pluralize, to make plural.

pluri... *pref.* (*molteplicità* many) pluri..., multi..., many-.

pluri|aggravạto *a.* ⟨*Dir*⟩ having more than one aggravating circumstance. – **~angolạre** *a.* **1.** ⟨*Geom*⟩ mult(i)angular, having many angles. – **2.** → **plurilaterale.** – **~annuạle** *a.* plurannual. – **~articolạto** *a.* multi-articulate(d). – **~atọmico** *a.* (*pl.* **-ci**) ⟨*Fis*⟩ polyatomic. – **~bạcca** *f.* ⟨*Bot*⟩ multiple bacca fruit. – **~canạle** *a.* ⟨*Rad*⟩ multichannel: *ricevitore ~* multichannel receiver. – **~cellulạre** *a.* ⟨*Biol*⟩ pluricellular, multicellular. – **~cigliạto** *a.* ⟨*Biol*⟩ pluriciliate. – **~cilịndrico** *a.* (*pl.* **-ci**) ⟨*tecn*⟩ multicylinder: *motore ~* multicylinder engine. – **~clạsse** *f.* mixed-level elementary school class. – **~colọre** *a.* ⟨*non com*⟩ multicolour(ed). – **~coltụra** *f.* ⟨*Agr*⟩ diversified farming (*o* cropping), diversification, mixed cultivation. – **~dattilịa** *f.* ⟨*Med*⟩ polydactyly, polydactylism. – **~decennạle** *a.* over (*o* lasting) many decades. – **~decorạto I** *a.* much-decorated, with many decorations. – **II** *s.m.* much-decorated person. – **~dimensionạle** *a.* multidimensional. – **~drụpa** *f.* ⟨*Bot*⟩ multiple drupe fruit. – **~ennạle** *a.* lasting many years, plurennial. – **~ęnne** *a.* ⟨*Bot*⟩ plurennial.

plurị|fora I *a.* ⟨*Arch,non com*⟩ having many lights. – **II** *s.f.* window with many lights. – **~gemellạre, ~gęmino** *a.* multiparous. – **~laterạle** *a.* multilateral, plurilateral. – **~lịngue** *a.* multilingual, plurilingual. – **~miliardạrio I** *a.* multimillionaire, ⟨*am*⟩ multibillionaire. – **II** *s.m.* (*f.* **-a**) multimillionaire (*f* -ress), ⟨*am*⟩ multibillionaire (*f* -ress). – **~milionạrio I** *a.* multimillionaire. – **II** *s.m.* (*f.* **-a**) multimillionaire (*f* -ress). – **~millenạrio** *a.* multi-millennial.

plụrimo *a.* multiple, plural.

pluri|motọre I *a.* ⟨*Aer*⟩ multi-engine(d). – **II** *s.m.* multi-engine plane. – **~nazionạle** *a.* multinational: *stato ~* multinational country. – **~nęrvio** *a.* ⟨*Bot*⟩ polyneuris-. – **~nominạle** *a.* multi-member, plurinominal: *collegio ~* multi-member constituency. – **~nucleạto**

a. ⟨*Biol*⟩ multi-nucleate, multi-nuclear. – **~ovulạre** *a.* ⟨*Biol*⟩ pluri-ovular.
plurị|para I *a.f.* ⟨*Med*⟩ multiparous, pluriparous. – **II** *s.f.* multipara, pluripara. – **~partịtico** *a.* (*pl.* **-ci**) ⟨*Pol*⟩ multiple-party: *governo ~* multiple-party (*o* coalition) government. – **~pennạto** *a.* ⟨*Bot*⟩ multi-pinnate. – **~pọsto I** *a.* multi-seater-, having many places (*o* seats). – **II** *s.m.* multi-seater, airplane with many places. – **~potẹnte** *a.* ⟨*Biol*⟩ pluri-potent, plastic. – **~potẹnza** *f.* ⟨*Biol*⟩ pluri-potentiality. – **~secolạre** *a.* centuries-old, (many-)centuried. – **~sịllabo** *a.* ⟨*Gramm*⟩ multi-syllabic, polysyllabic. – **~soggettịvo** *a.* ⟨*Dir*⟩ implicating two or more persons. – **~stạdio** *a.* multi-stage: *missile ~* multi-stage missile. – **~statạle** *a.* of (*o* between) many states. – **~stratificạto** *a.* ⟨*Anat*⟩ stratified. – **~valẹnte** *a.* **1.** multivalent. – **2.** ⟨*Chim*⟩ plurivalent, polyvalent, multivalent.
plurịvoro *a.* ⟨*Biol*⟩ plurivorous.
plusọri ⟨*ant*⟩ **I** *a.pl.* (*parecchi*) several, rather a lot of, (quite) a number of. – **II** *pron.pl.* several people *pl*, quite (*o* rather) a lot, quite a few (*o* number).
plusvalọre *m.* ⟨*Econ*⟩ surplus value: *teoria del ~* doctrine of surplus value.
plutarchịsmo *m.* ⟨*Lett*⟩ idealization of Plutarch's heroes. – **Plutạrco** *N.pr.m.* ⟨*Stor*⟩ Plutarch.
plụteo *m.* pluteus.
plụteus *lat. m.* ⟨*Zool*⟩ pluteus.
plutọcrate *m.* plutocrat. – **plutocrạtico** *a.* (*pl.* **-ci**) plutocratic(al). – **plutocrazịa** *f.* **1.** plutocracy. – **2.** (*insieme di plutocrati*) plutocracy, plutocrats *pl*. – **plutodemocrazịa** *f.* ⟨*Fasc*⟩ (*demoplutocrazia*) plutodemocracy.
plutọne *m.* ⟨*Geol*⟩ pluton.
Plutọne *N.pr.m.* ⟨*Mitol,Astr*⟩ Pluto.
plutoniạno[1] *a.* ⟨*Astr*⟩ plutonian.
plutoniạno[2] *a.* ⟨*Geol*⟩ plutonian, plutonic.
plutọnico *a.* (*pl.* **-ci**) → **plutoniano**[2].
plutọnio *m.* ⟨*Chim*⟩ plutonium.
plutonịsmo *m.* ⟨*Geol*⟩ plutonism, plutonic theory. – **plutonịte** *f.* ⟨*Min*⟩ plutonite.
plụvia *f.* ⟨*ant*⟩ (*pioggia*) rain. – **pluviạle I** *a.* rain-, pluvial: *acqua ~* rainwater. – **II** *s.m.* (*canale di scarico per acqua piovana*) (down)spout, drainpipe, (rain)spout, (water)spout. ◻ *foresta ~* (tropical) rain forest.
pluviẹre *m.* ⟨*Ornit*⟩ (*piviere dorato*) golden plover (*Charadrius apricarius*).
plụvio *a.* ⟨*rar*⟩ (*piovoso*) rainy, ⟨*lett*⟩ pluvian. ◻ ⟨*Mitol*⟩ *Giove ~* Jupiter Pluvius.
pluvio... *pref.* (*pioggia* rain) pluvi(o)..., pluvia..., rain-.
pluviogrạfico *a.* (*pl.* **-ci**) ⟨*Meteor*⟩ pluviographic(al). – **pluviọgrafo** *m.* pluviograph, rainfall recorder. – **pluviometrịa** *f.* pluviometry. – **pluviomẹtrico** *a.* (*pl.* **-ci**) pluviometric(al). – **pluviọmetro** *m.* pluviometer, rain-gauge. – **pluvionivạle** *a.* ⟨*Meteor*⟩ precipitation-fed. – **pluvionivọmetro** *m.* rain and snowfall gauge. – **pluvioscọpio** *m.* pluvioscope.
pluviọso *a.* ⟨*ant*⟩ (*piovoso*) rainy, ⟨*lett*⟩ pluvious, ⟨*lett*⟩ pluviose.
plv = ⟨*Farm*⟩ **1.** *polvere* powder (*abbr.* pulv.). – **2.** *polverizzato* pulverized (*abbr.* pulv.).
Pm = ⟨*Chim*⟩ *prometeo* promethium.
p.m. = *pomeridiano* afternoon (*abbr.* p.m.).
P.M. = **1.** *polizia militare* military police (*abbr.* MP). – **2.** ⟨*Dir*⟩ *Pubblico ministero* Public Prosecutor. – **3.** ⟨*Stor.rom*⟩ *Pontefice massimo* Pontifex Maximus (*abbr.* P.M.). – **4.** *Posta militare* Military Post (Office) (*abbr.* M.P.O.).
P.M.I. = ⟨*Mot*⟩ *punto morto inferiore* bottom dead-centre (*abbr.* BDC).
P.M.S. = ⟨*Mot*⟩ *punto morto superiore* top dead-centre (*abbr.* TDC).
pnẹuma *m.* **1.** ⟨*Filos*⟩ pneuma. – **2.** ⟨*Mus*⟩ pneuma, neume.
pneumạrtro *m.* → **pneumoartro.**
pneumạtica *f.* ⟨*Filos*⟩ pneumatology, pneumatics *pl* (*costr. sing.*).
pneumạtico *a./s.* (*pl.* **-ci**) **I** *a.* **1.** (*gonfiabile*) pneumatic, inflatable: *battello ~* inflatable boat. – **2.** ⟨*Mecc*⟩ (*che funziona ad aria compressa*) pneumatic, air-, compressed-air: *martello ~* pneumatic (*o* air) hammer, jackhammer. – **3.** ⟨*Filos,Rel*⟩ pneumatic. – **4.** ⟨*Bot*⟩ (*aerifero*) aeriferous. – **II** *s.m.* tyre, pneumatic (tyre), ⟨*am*⟩ tire; (*copertone*) shoe.
◻ *~* **accoppiato** = *pneumatico* **doppio**; *~ per* **aeroplani** airplane tyre, aerotyre; (*tipo speciale a bassa pressione*) airwheel; *~* **antiforo** puncture-proof tyre; *~ per* **autocarri** lorry tyre, ⟨*am*⟩ truck tire; *~ per* **biciclette** bicycle tyre; *~ senza* **camera** *d'aria* tubeless tyre; **campana** *-a* pressure tank; *~* **cinturato** radial ply tyre; **con** *-i* tyred; *~* **doppio** coupled tyre; *~ di* **gomma** rubber tyre; *~* **invernale** snow tyre; **montare** *i -i* to tyre, ⟨*am*⟩ to tire; *~ a bassa* **pressione** low-pressure tyre; *~ ad alta pressione* high-pressure tyre; *~ di* **riserva** (*o scorta*) spare tyre; ⟨*Filos*⟩ **scuola** *-a* pneumatic school; *~ per fuori* **strada** cross-country tyre, off-the-road tyre; *~ a* **tallone** beaded-edge tyre; *~ a* **terra** flat tyre, ⟨*fam*⟩ flat; *~* **tubolare** tube tyre.
pneumatizzạto *a.* ⟨*Biol*⟩ pneumatized. – **pneumatizzaziọne** *f.* ⟨*Biol*⟩ pneumatization.
pneumatocẹle *m.* ⟨*Med*⟩ pneumatocele.
pneumatọfori *m.pl.* ⟨*Zool*⟩ physophores *pl* (*Pneumatophora*).
pneumatọforo *m.* **1.** ⟨*Bot*⟩ pneumatophore. – **2.** ⟨*Zool*⟩ pneumatocyst.
pneumatọ|lịsi *f.* ⟨*Geol*⟩ pneumatolysis. – **~lịtico** *a.* (*pl.* **-ci**) pneumatolytic: *fenomeno ~* pneumatolytic phenomenon, pneumatolysis. – **~logịa** *f.* **1.** ⟨*Filos*⟩ → **pneumatica.** – **2.** ⟨*Rel*⟩ pneumatology. – **3.** ⟨*ant*⟩ (*psicologia*) psychology. – **~metrịa** *f.* → **pneumometria.**
pneumatorạce *m.* → **pneumotorace.**
pneumatọsi *f.* ⟨*Med*⟩ pneumatosis: *~ cistica* pneumatosis cystoides intestinalis.
pneumatụria *f.* ⟨*Med*⟩ pneumaturia.
pneumectomịa *f.* → **pneumonectomia.**
pnẹumico *a.* (*pl.* **-ci**) ⟨*Med*⟩ pulmonary, lung-, pneumonic.
pneumo... *pref.* **1.** (*aria* air) pneum(o)... – **2.** (*polmone* lung) pneum(o)..., pneumon(o)..., pulmo..., pulmon(i)..., lung-.
pneumo|allergịa *f.* ⟨*Med*⟩ allergy affecting the lungs. – **~cẹle** *m.* ⟨*Med*⟩ pneumocele, pleurocele. – **~ạrtro** *m.*, **~artrografịa** *f.* ⟨*Radiol*⟩ pneumo-arthrography. – **~cọcco** *m.* (*pl.* **-chi**) ⟨*Biol*⟩ pneumococcus. – **~coniọsi** *f.* ⟨*Med*⟩ pneumo(no)coniosis, pneumo(no)koniosis. – **~dinamometrịa** *f.* spirometry, pneumatometry. – **~dinamọmetro** *m.* spirometer, pneumatometer.
pneumografịa *f.* ⟨*Med*⟩ pneumography. – **pneumọgrafo** *m.* pneumograph.
pneumo|lịsi *f.* ⟨*Chir*⟩ pneum(on)olysis. – **~logịa** *f.* ⟨*Med*⟩ pneumology.
pneumometrịa *f.* ⟨*Fis*⟩ pneumometry. – **pneumọmetro** *m.* current meter.
pneumo|micọsi *f.* ⟨*Med*⟩ pneumomycosis. – **~nectạsịa** *f.* ⟨*Med, ant*⟩ (pulmonary) emphysema, pneumonectasia, pneumonectasis. – **~nectomịa** *f.* ⟨*Chir*⟩ pneumonectomy.
pneumonịa *f.* ⟨*ant*⟩ (*polmonite*) pneumonia, pneumonitis. – **pneumọnico** *a.* (*pl.* **-ci**) pneumonic, pulmonary, lung-. – **pneumonịte** *f.* → **pneumonia.**
pneumo|patịa *f.* ⟨*Med*⟩ pneumopathy. – **~pericạrdio** *m.* pneumopericardium. – **~peritonẹo** *m.* pneumoperitoneum.
pneumorragịa *f.* ⟨*Med*⟩ pneumo(no)rrhagia.
pneumo|tịfo *m.* ⟨*Med*⟩ pneumotyphus. – **~tomịa** *f.* ⟨*Chir*⟩ pneum(on)otomy. – **~torạce** *m.* ⟨*Med*⟩ pneumothorax. ◻ *~ artificiale* artificial (*o* therapeutic) pneumothorax; *~ spontaneo* spontaneous pneumothorax; *~ a valvola* valvular pneumothorax.
P.N.F. = ⟨*Stor*⟩ *Partito nazionale fascista* National Fascist Party.
P.N.M. = *Partito nazionale monarchico* National Monarchist Party.
Pnx = ⟨*Med*⟩ *pneumotorace* pneumothorax.
Pọ *N.pr.m.* ⟨*Geog*⟩ Po.
Po = ⟨*Chim*⟩ *polonio* polonium.
pọ'[1] *apoc. di* **poco.**
pọ'[2] *apoc. di* **poi.**
pọa *f.* ⟨*Bot*⟩ poa, meadow grass (*Poa*). ◻ *~ comune* rough meadow grass, bird grass (*Poa trivialis*); *~ palustre* swamp meadow grass, fowl bluegrass (*Poa palustris*); *~ pratense* (smooth) meadow grass, June (*o* Kentucky blue)grass (*Poa pratensis*).
POA = *Pontificia opera di assistenza.*
poạna *f.* ⟨*Ornit*⟩ (*poiana*) buzzard, buteo (*Buteo*).
pocạnzi (*o* poc'ạnzi) *avv.* ⟨*lett*⟩ a short time ago, a little while ago.
pọccia *f.* (*pl.* **-ce**) ⟨*tosc*⟩ (*poppa*) breast. – **pocciạre** *v.t.* (**pọccio, pọcci**) ⟨*tosc*⟩ (*poppare*) to suckle, to nurse.
pochade *fr.* [pɔ'ʃad] *f.* ⟨*Teat*⟩ light comedy, farce.
poche *fr.* [pɔʃ] *f.* ⟨*Dolc*⟩ pastry bag. ◻ ⟨*Met*⟩ *~ di colata* (bull) ladle.
poché *fr.* [pɔ'ʃe] *a.* ⟨*Gastr*⟩ poached.
pọcher *m.* ⟨*rar*⟩ (*poker*) poker. – **pocherịno** (*dim. di pocher*) *m.* poker session. – **pocherịsta** *m./f.* poker-player.
pochette *fr.* [pɔ'ʃɛtə] *f.* **1.** stationery folder, writing-paper kit. – **2.** ⟨*Mus*⟩ pochette.
pochettịno, pochẹtto *dim. di* **poco.**
pochẹzza *f.* **1.** (*scarsezza, esiguità*) slightness, scarsity, insufficiency. – **2.** ⟨*fig*⟩ (*modestia*) slightness, scantiness; (*meschinità*) meanness, smallness. ◻ *nella sua ~* in his own small way.
pochịno *dim. di* **poco.**
pochoir *fr.* [pɔʃw'a:r] *m.* (*stampino*) stencil.
pọco *a./s./pron.* (*pl.* **-chi**; when preceded by the indefinite article or by the demonstrative pronoun is often abbreviated to *po'*) **I** *a.* **1.** little, not much: *mangio ~ pane* I don't eat much bread; *abbiamo ~ denaro* we have little money, we haven't much money. – **2.** (*rif. a tempo, spazio: breve, corto*) short, not long, little: *in ~ tempo c'è riuscito* he managed it in a short time; *rimango qui solo ~ tempo* I am staying here only a ⌜short time⌝ (*o* little while), I am not staying here long. – **3.** (*scarso*) little, not much, slight: *ha -a voglia di studiare* he hasn't much desire to study, he doesn't want to study. – **4.** (*piccolo*) little, small, slight: *con -a spesa* with little expense, at low cost; *mi sei stato di ~ aiuto* you were of little help to me, you didn't help me much. – **5.** ⟨*fam*⟩ (*esile*) slight, small, little. – **6.** *pl.* few (*costr. pl.*), not many (*costr. pl.*): *riceviamo poche lettere* we get few letters, we don't get many letters; *abbiamo avuto poche belle giornate* we had few fine days; *pochi inglesi sanno il russo* not many English people know Russian. – **II** *avv.* **1.** (*con verbi*) little, not much: *ho dormito ~* I did not sleep much; *i vecchi mangiano ~, molto ~* old people eat very, very little; *questa musica mi piace ~* I don't much like this music. – **2.** (*con agg. e avv. al positivo: con valore attenuativo*) not very: *~ utile* not very useful, of little use; *è ~ bella* she is not very beautiful; (*con valore negativo*) *si traduce spesso col corrispondente inglese preceduto da* dis-, un-, non-, *o seguito da* -less: *~ onesto* dishonest; *~ apprezzato* unappreciated; *~ attento* careless; *~ probabile* not very likely, unlikely.

– **3.** (*con agg. e avv. al comparativo*) not much, little: *sei* ~ *più alto di me* you aren't much taller than I am; *è* ~ *più intelligente di noi* he is not much more intelligent than we are; *sono* ~ *più vecchio di te* I am not much older than you. – **4.** (*rif. a tempo*) little (while), short time, nearly, almost: *manca* ~ *all'una* it's a little before one, it's almost one; *la recita è durata* ~ the performance lasted (only) a short time. – **5.** (*preceduto dall'art. indeterminativo*: *con valore attenuativo*) little, bit: *spostati un po' a destra* move a bit to the right; *pensa un po' prima di rispondere* think a little before answering; (*con valore rafforzativo*) rather, quite, somewhat, little, bit: *sono un po' abbattuto* I am rather (*o* a bit) depressed; *vorrei discutere un po' con te* I'd like to ⌜talk a bit to⌝ (*o* have a little talk with) you; (*rif. a tempo*) little (while), short time, bit: *resta ancora un po'* stay another little while, stay a bit longer; *verrà fra un po'* he'll come ⌜in a short time⌝ (*o* before long), he'll come shortly (*o* soon). – **III** *pron.* **1.** little, not much: *ci vorrebbe molta costanza e io ne ho -a* it would take a lot of perseverance and I don't have much. – **2.** *pl.* few, not many (*costr. pl.*): *pochi studiano il turco* few (people) study Turkish; *ai pochi fortunati* to the fortunate few; *siamo in pochi* there are few of us, there aren't many of us; *pochi ma buoni* few but good. – **IV.** *s.m.* (only in the singular) **1.** little: *il* ~ *è meglio che niente* a little is better than nothing. – **2.** (*seguito da un partitivo*: *dinanzi a sost.*) little, bit, not much, some: *avere un po' di qc.* to have some (of) s.th., to have a little (*o* bit of) s.th., not to have much s.th.; *un po' di pane* a little bread, some bread; *prenderò un po' di latte* I'll have a little milk; *con un po' di buona volontà potresti riuscire* with a little real effort you could succeed; (*dinanzi a un determinativo*) little, some: *dammi un po' di quel vino* give me ⌜a little⌝ (*o* some) of that wine; *conosce un po' di tutto* he knows a little of everything; (*in frasi interrogative o col verbo negativo*) any, little, bit: *avete un po' di carta?* have you got any (*o* a bit of) paper? – **3.** ⟨*enfat*⟩ (*quantità notevole*; *spesso ripetuto*): *con quel po'* (*po'*) *di soldi che ha* with all the money he has; *che po' po' di roba* what a load of stuff.

□ **a** ~ *a* ~ (*gradatamente*) little by little, bit by bit; *un* **bel** *po'* quite a bit (*o* lot), a good bit (*o* amount); *un* ~ *di* **buono** a good-for-nothing; *ci* **corre** ~ (*c'è poca distanza*) it's not (very) far, it's only a short way; ⟨*fig*⟩ (*c'è poca differenza*) there's little (*o* not much) difference; *c'è* **corso** ~ *che perdessi il treno* I nearly missed the train; *è -a* **cosa** it's nothing (*o* not much), it's a mere trifle; **da** ~ (*di poco conto*) unimportant, of little importance, slight, trifling: *una ferita da* ~ a slight wound; *sono qui da* ~ I've only been here a short time, I haven't been here long; *a* **dir** ~ (*almeno*) to say the least; ~ **dopo** shortly (*o* not long) after, a little after: ~ *dopo le dieci* shortly after ten; **esserci** ~ *da* [*inf*] to be little (*o* nothing, not much) to: *c'è* ~ *da dire* there's not much one can say; *c'è* ~ *da ridere* there's nothing to laugh about; *è* ~ *che è arrivato* he has (only) just come, he came just a short time ago, he didn't come long ago; ~ **fa** a short time (*o* while) ago, not long ago; (*pochi minuti fa*) a few minutes ago: *l'ho incontrato* ~ *fa* I met him a few minutes ago; *a* **far** ~ = *a* **dir** *poco*; **fra** ~ soon, in a ⌜short time⌝ (*o* little while), shortly; *a fra* ~*!* see you soon!, ⟨*fam*⟩ be seeing you!; *di* **lì** *a* ~ = *poco* **dopo**; ~ **lontano** not far away, nearby, a short distance away; ~ **male** never mind, it doesn't matter; ~ **mancò** *che non affogasse* he nearly (*o* almost) drowned, he came close to drowning; **men** *che* ~ very little, almost nothing, little or nothing; ⟨*ant*⟩ ~ *men che* (*per poco*) nearly, just about, almost; ~ *meno* little less (*o* under), just under; **non** ~ (*molto*) very, considerably, quite: *sono stato non* ~ *in pena per te* I've been very worried about you; *non pochi* many, not (*o* quite) a few; ⟨*non com*⟩ *a* **ogni** ~ (*molto spesso*) often, very often; **per** ~: 1. (*a buon mercato*) cheap, for (*o* at) a low price, for (very) little; 2. (*quasi*) nearly, almost, about, on the point of: *per* ~ *non dicevo una sciocchezza* I ⌜nearly said⌝ (*o* was on the point of saying) s.th. silly; *per* ~ *che tu rimanga* even if you only stay a little; *per un* ~ (*rif. a tempo*) for a ⌜short time⌝ (*o* little while); *un po' per ... un po' per ...* what with ... (and) what with, a bit because (of) ... and a bit because (of), partly through ... partly through: *mi sento stordito un po' per il caldo, un po' per la stanchezza* what with the heat and (what with) being tired I feel knocked out; ~ **più** little more, just over; **press'***a* ~ about, roughly; ~ **prima** shortly (*o* little) before: ~ *prima di mezzanotte* shortly before midnight; ~ *o* **punto** = **men** *che poco*; **sapere** *di* ~ (*avere poco sapore*) to have very little taste; (*non aver sapore*) to be tasteless; ⟨*fig*⟩ (*essere insignificante*) to be insignificant (*o* insipid, flat, colourless): *un film che sa di* ~ an insignificant film; ⟨*ant*⟩ ~ **stante** = *poco* **dopo**; **stare** ~ *bene* (*non molto bene*) not to be very well; (*male*) to be unwell; **troppo** ~ too little; *un po' troppo* a little (*o* bit) too much, rather too much: *c'è un po' troppo sale in questo brodo* there is rather too much salt in this broth; *un po' per* **uno** a bit each; *di* ~ **valore** of little value; **vediamo** *un po'* (now) let's see; *ci vuol* ~ *a capire* ⌜it doesn't take much⌝ (*o* it's not hard) to understand. – *Prov.*: *molti pochi fanno un assai* many a mickle makes a muckle.

pocolịno (*dim. di poco*) *a./avv.* ⟨*tosc*⟩ → **pochino.**

pocrisịa *f.* ⟨*ant*⟩ (*ipocrisia*) hypocrisy.

pọculo *m.* **1.** ⟨*Archeol*⟩ drinking-vessel, cup, container. – **2.** ⟨*lett*⟩ (*calice*) chalice, cup.

podạgra *f.* ⟨*Med*⟩ podagra, gout.

podagrạria *f.* ⟨*Bot*⟩ (*castalda*) goutweed, bishop's weed, dwarf elder (*Aegopodium podagraria*).

podạgrico *a./s.* (*pl.* **-ci**) **I** *a.* ⟨*Med*⟩ **1.** podagric, podagral, podagrous, gouty. – **2.** (*malato di podagra*) podagral, podagrous, podagric. – **II** *s.m.* (*f.* **-a**) sufferer from gout, podagric. – **podagrọso** *a./s.* → **podagrico.**

podalgịa *f.* ⟨*Med*⟩ podalgia.

podạlico *a.* (*pl.* **-ci**) ⟨*Med*⟩ breech: *parto* ~ breech delivery; *presentazione -a* breech presentation.

podalịrio *m.* ⟨*Entom*⟩ papilio, swallow-tail butterfly (*Papilio podalirius*).

podạrgidi *m.pl.* ⟨*Ornit*⟩ frogmouths *pl* (*Podargidae*).

podạria *f.* ⟨*Geom*⟩ pedal, podaire.

poderạio *m.* ⟨*ant*⟩ tenant-farmer, métayer, ⟨*am*⟩ share-cropper. – **poderạle** *a.* estate-, farm-, of a farm: *strada* ~ estate road; *casa* ~ farm-house. – **poderạno** *m.* → **poderaio.** – **poderạnte** ⟨*ant*⟩ **I** *s.m./f.* **1.** (*proprietario*) (estate-)owner. – **2.** (*fittavolo*) tenant-farmer. – **II** *a.* tenant-.

podẹre[1] *m.* estate, holding, farm. □ *essere a* ~ (*lavorare come mezzadro*) to be a tenant-farmer (*o* métayer), ⟨*am*⟩ to share-crop; ⟨*fig*⟩ *un* ~ *in pieno* a profitable investment; ⟨*fig*⟩ *aver trovato un* ~ to have found a gold-mine.

podẹre[2] *m.* ⟨*ant*⟩ (*potere*) power.

poderẹtto, poderịno *m. dim. di* **podere**[1]. – **poderọne** *m. accr. di* **podere**[1].

poderosamẹnte *avv.* vigorously, mightily, powerfully. – **poderọso** *a.* powerful, (very) strong, mighty, vigorous: *braccia -e* powerful arms; *ingegno* ~ powerful mind.

podestà[1] *m.* ⟨*Mediev,Fasc*⟩ podesta. □ *Prov.*: *fare come il* ~ *di Sinigaglia* (*comandare e fare da sé*) command your man and do it yourself.

podestà[2] *f.* ⟨*ant*⟩ (*potestà*) power.

podestarẹssa *f.* ⟨*non com,scherz*⟩ (*moglie del podestà*) podesta's wife. – **podestariạto** *m.* **1.** (*carica*) podesterate, office of a podesta. – **2.** (*periodo*) podesta's term of office. – **podestarịle** *a.* of a podesta, podesta's.

podestạte *f.* ⟨*ant*⟩ → **podestà**[2].

podesterịa *f.* **1.** → **podestariato.** – **2.** (*sede*) podesta's (seat of) office. – **3.** (*territorio*) region under a podesta's jurisdiction. – **podestẹssa** *f.* → **podestaressa.**

podiạtra *m./f.* ⟨*Med*⟩ chiropodist, podiatrist.

pọdice *m.* **1.** ⟨*lett*⟩ (*deretano*) bottom, buttocks *pl*, ⟨*fam*⟩ seat, ⟨*fam*⟩ backside, ⟨*fam*⟩ behind. – **2.** ⟨*Med*⟩ breech.

pọdio *m.* **1.** podium, dais, platform, stand; (*pedana per il direttore d'orchestra*) podium. – **2.** ⟨*Archeol*⟩ podium.

podịsmo *m.* ⟨*Sport*⟩ track events *pl*, ⟨*am*⟩ track; (*marcia*) walking, racing; (*corsa*) racing, running. – **podịsta** *m./f.* **1.** ⟨*Sport*⟩ track athlete, racer; (*marciatore*) walker; (*corridore*) runner. – **2.** ⟨*estens*⟩ (*gran camminatore*) (great) walker, walking enthusiast. – **podịstico** *a.* (*pl.* **-ci**) track-: *gara -a* track event; (*di marcia*) walking, foot-; (*di corsa*) running.

podocạrpo *m.* ⟨*Bot*⟩ podocarp (*Podacarpus*).

podofillịna *f.* ⟨*Farm*⟩ podophyllin, podophyllum resin.

podofịllo[1] *m.* ⟨*Zool*⟩ podophyllous tissue.

podofịllo[2] *m.* ⟨*Bot*⟩ May-apple (*Podophyllum peltatum*).

podofillọso: *tessuto* ~ → **podofillo**[1].

podọ|gino *m.* ⟨*Bot*⟩ (*ginoforo*) podogynium, gynophore. – **~logịa** *f.* ⟨*Veter*⟩ farriery, study of the horse's hoof. – **~lọgico** *a.* (*pl.* **-ci**) farrier's, of farriery, relating to the study of the horse's hoof.

podọmetro *m.* **1.** horseshoe-gauge. – **2.** (*contapassi*) pedometer, passometer.

podsọl *m.* ⟨*Geol*⟩ podzol (soil), podsol (soil).

poecilịano [pe-] *m.* ⟨*Geol*⟩ (*anche periodo poeciliano*) poikilitic (*o* poecilitic) period.

poẹma *m.* **1.** poem. – **2.** ⟨*fig,scherz*⟩ (*scritto lungo*) book, tome. – **3.** ⟨*fig,scherz*⟩ (*cosa fuori del comune*) dream, vision, poem, wonder, marvel.

□ ~ **cavalleresco** romantic epic, heroic poem; ~ **didascalico** didactic poem; ~ **epico** epic (poem), epopee, epos; ~ **eroico** heroic poem; ~ **eroicomico** mock-heroic poem; ~ **mitico** mythic poem; ⟨*Mus*⟩ ~ **sinfonico** symphonic poem, tone-poem; ~ **storico** historical poem.

poemẹtto *m. dim. di* **poema.**

poẹsi *f.* ⟨*poet*⟩ → **poesia.**

poesịa *f.* **1.** (*arte*) poetry. – **2.** (*componimento poetico*) poem, poetry, ⟨*lett*⟩ poesy: *raccolta di -e* collection of poetry; (*l'opera poetica di un autore*) poems *pl*, poetry; *la* ~ *di Shelley* Shelley's poems (*o* poetry). – **3.** (*suggestione estetica e fantastica*) poetry, poeticalness: *la* ~ *della campagna* the poetry of the countryside. – **4.** ⟨*fig*⟩ (*sogno, illusione*) dream, fancy.

□ ~ **bucolica** pastoral (*o* bucolic) poetry; ~ **burlesca** = *poesia* **giocosa**; ~ **cavalleresca** romantic poetry; ~ **dialettale** dialectal poetry; ~ **didascalica** didactic poetry; ~ **dotta** erudite poetry; ~ **drammatica** dramatic poetry; ~ **epica** epic poetry; ~ **erudita** = *poesia* **dotta**; ~ **giocosa** burlesque poetry; **in** ~ in verse, verse-: *opera in* ~ work in verse; ~ **lirica** lyric poetry; ~ **pastorale** = *poesia* **bucolica**; ~ **popolare** folk poetry; ~ **pura** pure poetry; ~ **ritmica** rhythmical poetry; ~ **rusticana** rural poetry; ~ **satirica** satire, satirical poetry.

poesiạccia *f.* (*pl.* **-ce**) *pegg. di* **poesia.** – **poesiẹtta, poesiọla** *f. dim. di* **poesia.** – **poesiụccia** *f.* (*pl.* **-ce**) ⟨*spreg*⟩ *dim. di* **poesia.**

poẹta *m.* (*f.* **-essa**) **1.** poet (*f* **-ess**). – **2.** ⟨*fig*⟩ (*persona amante del* *bello*) poet, beauty-lover: *ogni artista dev'essere* ~ there must be a poet in every artist. – **3.** ⟨*iron*⟩ (*sognatore*) dreamer, visionary. ▭ ~ **cesareo** (o *di corte*) court poet; ~ **dialettale** poet who writes in dialect; ~ **drammatico** dramatic poet; ~ **epico** epic poet; ~ **estemporaneo** extemporary poet; ~ **laureato** poet laureate; ~ **lirico** lyric poet. – *Prov.*: *a tutti i -i manca un verso* no one is perfect; ~ *si nasce oratore si diventa* poets are born, orators are made.

poetạbile *a.* ⟨*rar*⟩ that can be put into verse. – **poetạccio** (*pegg. di poeta*) *m.* → **poetastro.** – **poetạre** *v.* (**poẹto**) **I** *v.i.* (*aus.* **avere**) to compose poetry, to write verse. – **II** *v.t.* ⟨*non com*⟩ **1.** (*mettere in versi*) to versify. – **2.** (*trattare in poesia*) to put into poetry, to poeti(ci)ze. – **poetạstro** (*pegg. di poeta*) *m.* poetaster, versifier, versemonger, hack poet.

poeteggiạre *v.i.* (**poetẹggio, poetẹggi**; *aus.* **avere**) ⟨*spreg*⟩ **1.** to write verse occasionally, to dabble in verse. – **2.** (*assumere tono da poeta*) to play (*o* act) the poet. – **poetẹssa** *f.* poet(ess).

poẹtica *f.* **1.** (*arte, concezione*) poetics *pl* (*costr. sing.*). – **2.** ⟨*concr*⟩ poetics *pl* (*costr. sing.*), treatise on poetry. – **poeticamẹnte** *avv.* poetically. – **poeticherịa** *f.* ⟨*spreg,rar*⟩ poeticality. – **poeticịsmo** *m.* ⟨*rar*⟩ poetic expression, poeticism. – **poeticità** *f.* poeticalness, poetic quality. – **poeticizzạre** *v.t.* to poeti(ci)ze, to give a poetic quality to.

poẹtico I *a.* (*pl.* **-ci**) **1.** poetic(al), of poetry: *attività -a* poetic activity; *l'arte -a* the art of poetry; (*di poeta*) poetic, poet's, of a poet: *ispirazione -a* poetic inspiration. – **2.** (*proprio della poesia*) poetic: *linguaggio* ~ poetic language; *parola -a* poetic word. – **3.** (*in versi*) verse-, in verse, poetic: *opera -a* work in verse. – **4.** (*che dimostra disposizione alla poesia*) poetic(al): *animo* ~ poetic nature. – **II** *s.m. inv.* poetic (quality).

poetịno (*dim. di poeta*) *m.* ⟨*spreg*⟩ poetling, petty poet.

poetizzạre *v.* ⟨*ant*⟩ **I** *v.t.* **1.** (*trattare in versi*) to versify. – **2.** → **poeticizzare.** – **II** *v.i.* (*aus.* **avere**) **1.** to compose poetry, to write verse. – **2.** → **poeteggiare.**

poetọnzolo (*dim. di poeta*) *m.* → **poetino.**

poetrịa *f.* ⟨*ant*⟩ (*poesia*) poetry.

poetụccio, poetụcolo (*dim. di poeta*) *m.* → **poetino.**

poffạre *intz.* ⟨*ant,scherz*⟩ good heavens!, by Jove!

poggerẹllo, poggẹtto *m. dim. di* **poggio.**

pọggia *f.* (*pl.* **-ge**) ⟨*Mar*⟩ **1.** ⟨*rar*⟩ (*cima per orientare la vela*) vang. – **2.** ⟨*estens*⟩ (*lato sottovento*) leeward, lee-side. – **3.** (*il poggiare*) bearing up. ▭ *andare a* ~ to bear up.

poggia|cạpo *m.inv.* **1.** headrest. – **2.** (*copripoltrona*) antimacassar, ⟨*am*⟩ tidy. – **~fẹrro** *m.inv.* iron-stand.

poggiaiọlo ⟨*non com*⟩ **I** *a.* (*che abita su un poggio*) hill-dwelling. – **II** *s.m.* (*f.* **-a**) hillman (*f* -woman), hill-dweller, ⟨*am.fam*⟩ hillbilly.

poggia|mạno *m.inv.* **1.** ⟨*Pitt*⟩ mahlstick, maulstick. – **2.** (*corrimano*) handrail. – **~pịedi** *m.inv.* **1.** foot-rail, foot-rest. – **2.** (*nelle barche*) stretcher. – **3.** (*sgabello*) footstool.

poggiạre[1] *v.* (**pọggio, pọggi**) **I** *v.t.* **1.** (*appoggiare*) to lean, to rest, to prop, to lay: ~ *la scala al muro* to lean the ladder against the wall. – **2.** (*posare*) to put, to lay: *poggiò il cappello sulla sedia* he put his hat on the chair. – **3.** ⟨*ant*⟩ (*salire, scalare*) to climb, to go up, to mount. – **II** *v.i.* (*aus.* **avere**) **1.** to rest, to stand (*su* on, upon), to be supported (by): *la statua poggia su un basamento marmoreo* the statue rests on a marble base. – **2.** ⟨*fig*⟩ (*basarsi*) to be based (*o* founded, grounded), to rest (on, upon): *le tue accuse poggiano su sospetti infondati* your accusations are based on groundless suspicions. – **3.** ⟨*Mil*⟩ to close (ranks): ~ *a sinistra* to the left, close. – **4.** ⟨*ant*⟩ (*salire, levarsi*) to climb up, to (a)rise; ⟨*fig*⟩ (*innalzarsi*) to rise, to lift o.s. up, to exalt o.s. – **poggiarsi** *v.r.* **1.** (*appoggiarsi*) to lean, to rest (*su* on, against); (*sostenersi*) to prop (*o* hold) o.s. up, to be supported. – **2.** ⟨*fig*⟩ to rely, to depend, to base o.s. (on, upon).

poggiạre[2] *v.i.* (**pọggio, pọggi**; *aus.* **avere**) **1.** ⟨*Mar*⟩ to bear up. – **2.** ⟨*Mar*⟩ (*rifugiarsi in un porto*) to shelter (in a harbour). – **3.** ⟨*ant*⟩ (*rif. al vento*: *spirare*) to blow.

poggiạta[1] *f.* ⟨*Equit*⟩ pesade.

poggiạta[2] *f.* ⟨*Mar*⟩ bearing up.

poggiatẹsta *m.inv.* → **poggiacapo.**

poggiẹro *a.* ⟨*Mar,Aer*⟩ that falls to leeward, carrying lee helm.

pọggio *m.* **1.** mound, hillock, knoll. – **2.** (*rialto artificiale*) bank, mound. – **3.** (*nelle cave*) loading place (in a quarry). – **4.** ⟨*poet, scherz*⟩ (*mammella*) breast.

poggiolịna *f.* (*allieva del collegio di Poggio Imperiale*) student at the Poggio Imperiale School (in Florence).

poggiọlo[1] *m. dim. di* **poggio.**

poggiọlo[2] *m.* ⟨*region*⟩ (*terrazzino*) balcony.

pogliạna *f.* ⟨*Ornit*⟩ (*falco marino*) marsh-harrier (*Circus aeruginosus*).

pogrom *russ.* [pa'grɔm] *m.* pogrom.

pọh *intz.* (*disprezzo*) poh, pooh(-pooh); (*disgusto*) ugh, pooh.

pọi I *avv.* **1.** (*dopo*) after(wards), then: *ora studia,* ~ *uscirai* now do your homework, ⌜then you can go out⌝ (*o* you can go out afterwards). – **2.** (*più tardi*) later (on), after(wards): *il resto te lo dirò* ~ I'll tell you the rest later (on); *di questo parleremo* ~ we'll talk about this later. – **3.** (*inoltre*) (and) then, besides, moreover, too, as well, ⟨*fam*⟩ what's more: *pensa* ~ *che non ha ancora sei anni* remember, too, that he's not even six yet; *e* ~, *non vedi che sono stanco?* and besides can't you see that I'm tired? – **4.** (*con valore avversativo*) but, still, yet, although, then: *io me ne vado, tu* ~ *sei padronissimo di restare* I'm leaving, but you can stay if you wish; *loro* ~ *che colpa ne hanno?* and then why should they be to blame? – **5.** ⟨*enfat*⟩ (and) then, what then: *e* ~ *ti lamenti!* and then you complain!, *spesso non si traduce*: *io* ~ *non c'entro* I have nothing whatever to do with it; *ti voglio tanto e* ~ *tanto bene* I love you (ever) so much. – **6.** (*posposto*: *dunque, infine*) finally, at last, in the end, then: *lo hai persuaso* ~? did you finally convince him? – **II** *s.m.* (*l'avvenire*) future: *pensa al* ~ think of the future. – **III** *prep.* ⟨*ant*⟩ **1.** (*dopo*) after. – **2.** (*dietro*) behind, after. – **IV** *congz.* ⟨*ant*⟩ (*dopo che*) after, when; (*poiché*) since, as, because.

▭ **a** ~ (*a più tardi*) (until) later, till later on: *di questo, a* ~ we'll talk about this later; *arrivederci a* ~ good-bye until later, ⟨*fam*⟩ see you later; ~ **appresso** then after; ⟨*ant*⟩ ~ **di** (*dopo che*) after; **e** ~ and then, and secondly: *e* ~ *nessuno ti obbliga* and then, no one is forcing you; *e* ~? and then (what)?; **in** ~ on(wards), starting, beginning: *da lunedì in* ~ from Monday on, as from Monday, starting Monday; **no** *e* ~ *no* no!, never!, no and no again!; **per** ~ for later; ⟨*ant*⟩ **poco** ~ a little later, soon after; **prima** *o* ~ sooner or later; **questo** ~ *no!* this is too much!, not on your life!, ⟨*volg*⟩ not bloody likely!; *il* **senno** *di* ~ hindsight, afterwit, being wise after the event.

pọia *f.* ⟨*region*⟩ → **polana.** – **poiạna** *f.* ⟨*Ornit*⟩ buzzard (*Buteo buteo*). ▭ ~ *calzata* rough-legged buzzard, ⟨*am*⟩ rough-legged hawk (*Buteo lagopus*); ~ *dalla coda bianca* long-legged buzzard (*Buteo rufinus*; *Buteo ferox*); ~ *comune* buzzard (*Buteo buteo*); ~ *delle steppe* desert buzzard (*Buteo buteo vulpinus*).

poiché (o *pọi chẹ*) *congz.* **1.** (*causale*) since, as, because, seeing that: ~ *sono malato non vado a scuola* as I'm not well I'm not going to school. – **2.** ⟨*lett*⟩ (*temporale*: *dopo che*) after, when.

poichilo|citọsi *f.* ⟨*Med*⟩ poikilocytosis. – **~dermịa** *f.* poikilodermia.

poiẹsi *f.* ⟨*lett*⟩ poiesis.

...poiesi *suff.* (*formazione* formation) ... poiesis.

poiẹtico *a.* (*pl.* **-ci**) ⟨*non com*⟩ poietic, creative.

poilu *fr.* [pwa'ly] *m.* poilu.

poinsẹzia *f.* ⟨*Bot*⟩ poinsettia (*Poinsettia pulcherrima*).

pointillé *fr.* [pwɛ̃ti'je] **I** *a.* ⟨*Tess*⟩ (*punteggiato*) pointillé, dotted, spotted. – **II** *s.m.* dotted cloth.

pointillisme *fr.* [pwɛ̃ti'jism] *m.* ⟨*Pitt*⟩ pointillism(e). – **pointilliste** *fr.* [pwɛ̃ti'jist] *m./f.* pointillist(e).

pois *fr.* [pw'a] *m.* ⟨*Mod*⟩ (polka) dot. ▭ *stoffa a* ~ polka dot(ted) cloth.

poise *fr.* [pw'a:z] *m.* ⟨*Fis*⟩ poise.

pọker *m.* poker: *giocare a* ~ to play poker. – **pokerịsta** *m./f.* poker-player.

pol. = **1.** *politica* politics (*abbr.* pol.). – **2.** *politico* politician (*abbr.* pol.).

pọla *f.* ⟨*Ornit*⟩ **1.** (*taccola*) jackdaw (*Corvus monedula*; *Coloeus monedula*). – **2.** (*beccaccia*) woodcock (*Scolopax rusticola*). – **3.** (*cornacchia*) crow (*Corvus*). – **4.** (*gracchio corallino*) Cornish chough (*Pyrrhocorax pyrrhocorax*).

Pọla *N.pr.f.* ⟨*Geog*⟩ Pola.

polạcca[1] *f.* **1.** ⟨*Mus*⟩ polonaise, polacca. – **2.** ⟨*Mod*⟩ polonaise. – **3.** ⟨*Calz*⟩ high-laced shoe.

polạcca[2] *f.* ⟨*Mar.ant*⟩ polacre.

polacchịni *m.pl.* ⟨*Calz*⟩ children's high-laced shoes *pl.*

polạcco *a./s.* (*pl.* **-chi**) **I** *a.* Polish, of Poland. – **II** *s.m.* **1.** (*lingua*) Polish. – **2.** (*abitante*; *f.* **-a**) Pole, ⟨*non com*⟩ Polander, ⟨*spreg*⟩ Polack. – **3.** *pl.* → **polacchini.**

polạre I *a.* **1.** polar: *spedizione* ~ polar expedition; *orso* ~ polar bear. – **2.** ⟨*Mat,Fis,Chim*⟩ polar, pole-: *intensità* ~ pole strength. – **3.** ⟨*fig*⟩ (*antitetico*) polar, antithetic(al). – **II** *s.f.* ⟨*Geom*⟩ polar: ~ *di una curva* polar (of a curve).

polarimetrịa *f.* ⟨*Ott*⟩ polarimetry. – **polarimẹtrico** *a.* (*pl.* **-ci**) polarimetric. – **polarịmetro** *m.* polarimeter. – **polariscọpio** *m.* polariscope.

polarità *f.* **1.** ⟨*Fis,Biol*⟩ polarity. – **2.** ⟨*fig*⟩ polarity, oppositeness: *la* ~ *delle nostre posizioni politiche* the polarity of our political positions. ▭ ⟨*El*⟩ *indicatore di* ~ polarity indicator; *inversione di* ~ polarity reversal.

polarizzạnte (*p.pr. di polarizzare*) *a.* ⟨*Fis*⟩ polarizing. – **polarizzạre** *v.t.* **1.** ⟨*Fis*⟩ to polarize. – **2.** ⟨*fig*⟩ (*volgere*) to polarize, to direct: ~ *la propria attenzione su qd.* to direct one's attention towards s.o. – **polarizzarsi** *v.r.* **1.** ⟨*Fis*⟩ to be polarized. – **2.** ⟨*fig*⟩ (*orientarsi*) to polarize, to turn. – **polarizzạto** (*p.p. di polarizzare*) *a.* polarized: *luce -a* polarized light. – **polarizzatọre I** *s.m.* ⟨*Ott*⟩ polarizer: ~ *a riflessione* reflection polarizer. – **II** *a.* polarizing: *microscopio* ~ polarizing microscope.

polarizzaziọne *f.* ⟨*Fis*⟩ polarization (*anche fig.*).

▭ ~ **circolare** circular polarization; ~ **dielettrica** dielectric polarization; **effetto** *di* ~ polarization effect; ~ **elettrolitica** electrolytic polarization; ⟨*Rad*⟩ ~ *di* **griglia** grid bias; ~ *della* **luce** polarization of light; ~ **magnetica** magnetic polarization; **togliere** *la* ~ to depolarize.

polarografịa *f.* ⟨*Chim*⟩ polarography. – **polarọgrafo** *m.* polarograph. – **polarogrạmma** *m.* polarogram.

polarọide I *s.m.* ⟨*Fis*⟩ light-polarizing material, polaroid. – **II** *a.* light-polarizing, polaroid.

pọlca *f.* ⟨*Mus*⟩ polka. – **polchẹtta** *f. dim. di* **polca.**

Polcinẹlla *N.pr.m.* ⟨*ant*⟩ (*Pulcinella*) Punch(inello).

pọlder *m.* ⟨*Geog*⟩ polder.
polẹdro *m.* (*f.* -a) ⟨*lett*⟩ (*puledro*) foal, ⟨*pop*⟩ colt.
polẹggia *f.* (*pl.* -ge) ⟨*ant*⟩ (*puleggia*) pulley, tackle.
polemarco *m.* ⟨*Stor.gr*⟩ polemarch.
polẹmica *f.* **1.** polemics *pl* (*costr. sing.*), polemic. – **2.** (*controversia*) polemic, controversy, dispute: *entrare in* ~ *con qd.* to engage in controversy with s.o. – **polemicamẹnte** *avv.* polemically, controversially. – **polemicità** *f.* polemic tone (*o* character). – **polẹmico** *a.* (*pl.* -ci) **1.** (*combattivo*) polemic(al), contentious, disputatious. – **2.** (*proprio della polemica*) polemic(al): *tono* ~ polemical tone. – **polemịsmo** *m.* ⟨*non com*⟩ polemic attitude (*o* spirit). – **polemịsta** *m./f.* **1.** polemi(ci)st, polemic. – **2.** (*autore di scritti polemici*) polemicist, polemic writer. – **polemizzạre** *v.i.* (*aus.* **avere**) to polemi(ci)ze, to argue.
polemoscọpio *m.* ⟨*Ott*⟩ polemoscope.
polẹna *f.* ⟨*Mar*⟩ figure-head.
polẹnda *f.* ⟨*tosc*⟩ → **polenta.** – **polendọne** *m.* (*f.* -a) ⟨*tosc,non com*⟩ → **polentone.**
polẹnta *f.* **1.** ⟨*Gastr*⟩ polenta, corn-meal mush. – **2.** ⟨*spreg*⟩ (*sostanza pastosa*) mush, ⟨*fam*⟩ goo. – **3.** ⟨*fig*⟩ (*persona lenta*) sluggard, ⟨*fam*⟩ slowcoach, ⟨*am. fam*⟩ slowpoke. ▭ ~ *dolce* chestnut-meal mush, polenta; ~ *gialla* polenta, corn-meal mush; ~ *nera* buckwheat -meal mush. – **polentạio** *m.* (*f.* -a) polenta-maker. – **polentịna** (*dim. di polenta*) *f.* **1.** ⟨*Gastr*⟩ kind of polenta. – **2.** (*impiastro di semi di lino*) linseed poultice. – **3.** ⟨*fig*⟩ (*persona lenta*) sluggard, ⟨*fam*⟩ slowcoach. – **polentọne** (*accr. di polenta*) *m.* (*f.* -a) **1.** ⟨*pop*⟩ (*persona fiacca e lenta*) sluggard, dawdler, ⟨*fam*⟩ slowcoach. – **2.** ⟨*scherz*⟩ (*mangiatore di polenta*) great polenta-eater. – **3.** ⟨*scherz*⟩ (*abitante dell'Italia settentrionale*) North Italian.
poleografịa *f.* ⟨*Geog*⟩ urban geography.
polesạno I *a.* **1.** (*di Pola*) of (*o* from) Pola. – **2.** (*del Polesine*) of (*o* from) the Po delta, of Polesine. – **II** *s.m.* (*f.* -a) **1.** (*abitante di Pola*) inhabitant (*o* native) of Pola. – **2.** (*abitante del Polesine*) inhabitant (*o* native) of the Po delta, inhabitant of Polesine. – **Polẹsine** *N.pr.m.* ⟨*Geog*⟩ Po delta, Polesine.
pọli *f.* → **polis.**
poli... *pref.* (*molteplice* many) poly..., multi..., pluri..., many-.
...poli *suff.* (*città* city) ...polis: *metropoli f.* metropolis.
poli|achẹnio *m.* ⟨*Bot*⟩ multiple-achene fruit. – **~ạcido** *m.* ⟨*Chim*⟩ polyacid. – **~acrilạto** *m.* ⟨*Chim*⟩ polyacrylate. – **~acrịlico** *a.* (*pl.* -ci) polyacrylic. ▭ *resine poliacriliche* acrylic resins.
polịade *a.* ⟨*Stor*⟩ poliadic, that protects the city: *divinità* ~ poliadic deity, deity that protects the city, poliad. ▭ *Atena* ~ Athena Polias.
poliadẹlfia *f.* ⟨*Bot*⟩ polyadelphia (*Polyadelphia*). – **poliadẹlfo** *a.* polyadelphous.
poli|alịte *f.* ⟨*Min*⟩ polyhalite. – **~ambulạnza** *f.* ⟨*non com*⟩ → **poliambulatorio.** – **~ambulatọrio** *m.* general surgery, general outpatient's clinic. – **~ammịde** *f.* ⟨*Chim*⟩ polyamide. – **~andrịa** *f.* ⟨*Bot*⟩ polyandry. – **~ạndro** *a.* **1.** ⟨*Archeol*⟩ common: *sepolcro* ~ common grave. – **2.** ⟨*Bot*⟩ polyandrous. – **~archịa** *f.* polyarchy. – **~ạrchico** *a.* (*pl.* -ci) polyarchic(al). – **~artrịte** *f.* ⟨*Med*⟩ polyarthritis.
poli|atọmico *a.* (*pl.* -ci) ⟨*Chim*⟩ polyatomic. – **~azọico** *a.* (*pl.* -ci) ⟨*Chim*⟩ having many azo groups. – **~basịte** *f.* ⟨*Min*⟩ polybasite. – **~carburạnte**: ⟨*Mot*⟩ *motore* ~ multi-fuel engine. – **~carpịa** *f.* ⟨*Bot*⟩ polycarpy. – **~cạrpico** *a.* (*pl.* -ci) polycarpic, polycarpous. – **~cạrpio** *m.* polycarpic fruit. – **~cạsio** *m.* polychasium. – **~cẹfalo** *a.* ⟨*Biol*⟩ polycephalous. – **~cẹntrico** *a.* (*pl.* -ci) polycentric. – **~cẹti** *m.pl.* ⟨*Zool*⟩ polych(a)etes *pl* (*Polychaeta*). – **~cịclico** *a.* (*pl.* -ci) ⟨*Chim*⟩ polycyclic. – **~cịstico** *a.* (*pl.* -ci) ⟨*Med*⟩ polycystic: *rene* ~ polycystic kidney. – **~citemịa** *f.* → **poliglobulia.** – **~cladịa** *f.* ⟨*Bot*⟩ polyclady, cladomania.
Policlẹto *N.pr.m.* ⟨*Stor*⟩ Polyclitus, Polycletus.
poli|clịnico *m.* (*pl.* -ci) polyclinic. – **~coltụra** *f.* ⟨*Agr*⟩ mixed farming. – **~condensaziọne** *f.* ⟨*Chim*⟩ polycondensation. – **~corạle** *a.* ⟨*Mus*⟩ polychoral, antiphonal. – **~cọrdo** *m.* polychord. – **~corịa** *f.* ⟨*Med*⟩ polycoria. – **~cọro** *a.* ⟨*Bot*⟩ having more than one type of dissemination. – **~cọtile**, **~cotilẹdone** *a.* ⟨*Bot*⟩ polycotyledon, polycot. – **~crẹsto** *a.* ⟨*ant,Farm*⟩ polychrestic. ▭ *rimedio* ~ polychrest. – **~crọico** *a.* → **pleocroico.** – **~croịsmo** *m.* → **pleocroismo.**
policromạre *v.t.* (**polịcromo**) to polychrome. – **policromạtico** *a.* (*pl.* -ci) **1.** → **policromo.** – **2.** ⟨*Fis*⟩ polychrom(at)ic. – **policromạto** (*p.p. di policromare*) *a.* **1.** (*decorato in policromia*) polychrome(d). – **2.** → **policromo.** – **policromịa** *f.* **1.** polychrome. – **2.** ⟨*Art*⟩ polychromy. – **3.** ⟨*Tip*⟩ colour printing. – **polịcromo** *a.* polychrome, multi-coloured, many-coloured, polychromatic.
poli|crono *a.* ⟨*Bot*⟩ long-flowering. – **~cuspidạle** *a.* ⟨*Arch*⟩ multicuspidate. – **~dattilịa** *f.* ⟨*Med*⟩ polydactyly, polydactylism. – **~demonịsmo** *m.* ⟨*Rel*⟩ polyd(a)emonism. – **~dipsịa** *f.* ⟨*Med*⟩ polydipsia, polydypsia.
Polidọro *N.pr.m.* ⟨*Mitol,Stor*⟩ Polydorus.
poliedrạle *a.* ⟨*Mat*⟩ polyhedral, polyhedric(al). – **poliedrịa** *f.* **1.** ⟨*Min*⟩ imperfect symmetry of crystals. – **2.** (*malattia del baco da seta*) polyhedrosis, polyhedral disease, ⟨*pop*⟩ yellows *pl.* – **poliedricità** *f.* **1.** ⟨*Geom*⟩ many-sidedness, polyhedric nature. – **2.** ⟨*fig*⟩ many-sidedness, versatility. – **poliẹdrico** *a.* (*pl.* -ci) **1.** ⟨*Geom*⟩ polyhedric(al), polyhedral. – **2.** ⟨*fig*⟩ many-sided, having many facets, versatile: *attività -a* many-sided activity. – **poliẹdro** *m.* ⟨*Geom*⟩ polyhedron.

poli|embrionịa *f.* ⟨*Biol*⟩ polyembryony. – **~emịa** *f.* ⟨*non com*⟩ **1.** (*iperglobulia*) hyperglobulia, erythrocytosis. – **2.** (*pletora*) poly(a)emia, plethora. – **~ennạle** *a.* **1.** plurennial. – **2.** ⟨*Econ*⟩ long-dated. – **~ẹstere I** *a.* ⟨*Chim*⟩ polyester-. – **II** *s.m.* polyester. – **~estesịa** *f.* ⟨*Med*⟩ poly(a)esthesia. – **~etilẹne** *m.* ⟨*Chim*⟩ polyethylene.
polịfagi *m.pl.* ⟨*Entom*⟩ Polyphaga *pl* (*Polyphaga*).
polifagịa *f.*, **polifagịsmo** *m.* **1.** ⟨*Biol*⟩ polyphagism. – **2.** ⟨*Med*⟩ polyphagia, polyphagy. – **polịfago** *a./s.* (*pl.* -gi/-ghi) **I** *a.* **1.** ⟨*Biol*⟩ polyphagic, polyphagous. – **2.** ⟨*non com*⟩ (*affetto da fame insaziabile*) polyphagian. – **II** *s.m.* **1.** ⟨*Biol*⟩ polyphage. – **2.** ⟨*non com*⟩ (*chi è affetto da fame insaziabile*) polyphagian.
polifạse *a.inv.* ⟨*Fis*⟩ polyphase, multiphase: *alternatore* ~ multiphase generator.
Polifẹmo *N.pr.m.* ⟨*Mitol*⟩ Polyphemus.
polifenịa *f.* ⟨*Biol*⟩ pleiotropia, pleiotropy. – **polifẹnico** *a.* (*pl.* -ci) pleiotropic.
poli|fenọlo *m.* ⟨*Chim*⟩ polyphenol. – **~filetịa** *f.* → **polifiletismo.** – **~filẹtico** *a.* (*pl.* -ci) ⟨*Biol*⟩ polyphyletic. – **~filetịsmo** *m.* polyphylet(ic)ism. – **~filịa** *f.* polyphylesis, polygenesis. – **~fillịa** *f.* ⟨*Bot*⟩ polyphyll. – **~fịllo** *a.* polyphyllous.
polifịtico *a.* (*pl.* -ci) → **polifito.** – **polịfito** *a.* ⟨*Agr*⟩ having more than one kind of crop.
polifonịa *f.* ⟨*Mus*⟩ polyphony, counterpoint. – **polifọnico** *a.* (*pl.* -ci) polyphonic, polyphonous, contrapuntal. – **polifonịsmo** *m.* polyphonism, use of polyphony. – **polifonịsta** *m./f.* polyphonist, contrapuntist. – **polifonịstico** *a.* (*pl.* -ci) polyphonic, contrapuntal, polyphonous.
polịfora I *s.f.* ⟨*Arch*⟩ mullioned window having several lights. – **II** *a.f.* polylychnous, having several lights.
polịgala *f.* ⟨*Bot*⟩ milkwort, polygala (*Polygala*). – **poligalạcee** *f.pl.* milkwort family (*Polygalaceae*).
poligal(att)ịa *f.* ⟨*Med*⟩ polygalactia, galactorrh(o)ea.
poligamịa *f.* **1.** polygamy; (*poliginia*) polygyny, polygamy. – **2.** ⟨*Zool*⟩ polygamy. – **poligạmico** *a.* (*pl.* -ci) polygamous, polygamic(al). – **polịgamo I** *a.* **1.** polygamist(ic). – **2.** ⟨*Zool*⟩ polygamous, polygamic(al). – **II** *s.m.* (*f.* -a) **1.** polygamist. – **2.** ⟨*Zool*⟩ polygamous animal.
poli|gẹnesi *f.* **1.** (*origine molteplice*) polygeny. – **2.** ⟨*Biol*⟩ polygenesis, polyphylesis, polygenism. – **~genẹtico** *a.* (*pl.* -ci) **1.** ⟨*Biol*⟩ polygenetic, polyphyletic, polygenistic. – **2.** ⟨*Chim*⟩ polygenetic. – **~gẹnico** *a.* (*pl.* -ci) ⟨*Biol*⟩ polymeric, polygenic. – **~genịsmo** *m.* polygenism. – **~genịsta I** *s.m./f.* polygenist. – **II** *a.* polygenistic.
poli|gẹno *a.* ⟨*Min*⟩ polygenous. – **~ginịa** *f.* polygyny (*anche Entom.*). – **~gịnico** *a.* (*pl.* -ci) polygyn(i)ous, polygynic (*anche Entom.*). – **~globulịa** *f.* ⟨*Med*⟩ (*eritrocitosi*) polycyth(a)emia, erythrocytosis, polyglobulism.
poliglọtta I *s.m./f.* polyglot. – **II** *a.* polyglot, multilingual: *dizionario* ~ polyglot dictionary. – **poliglọttico** *a.* (*pl.* -ci) polyglot(tic), polyglottal, polyglottous. – **poliglottịsmo** *m.* polyglottism. – **poliglọtto** *a./s.* ⟨*non com*⟩ → **poliglotta.**
Polignọto *N.pr.m.* ⟨*Stor*⟩ Polygnotus.
poligonạcee *f.pl.* ⟨*Bot*⟩ buckwheat family (*Polygonaceae*).
poligonạle I *a.* ⟨*Geom*⟩ polygonal, polygonic, polygonous. – **II** *s.f.* **1.** ⟨*Geom*⟩ (*linea poligonale*) polygonal (*o* broken) line. – **2.** ⟨*Topogr*⟩ traverse.
poligonạto *m.* ⟨*Bot*⟩ polygonatum (*Polygonatum*).
poligonaziọne *f.* ⟨*Topogr*⟩ polygonation.
polịgono[1] *m.* **1.** ⟨*Geom,Mil*⟩ polygon. – **2.** ⟨*Sport*⟩ (*campo del tiro a segno*) rifle-range. ▭ ⟨*Fis*⟩ ~ *delle forze* polygon of forces; ⟨*Geom*⟩ ~ *regolare* regular polygon; ~ *di tiro* rifle-range.
polịgono[2] *m.* ⟨*Bot*⟩ polygonum (*Polygonum*).
poligrafạre *v.t.* (**polịgrafo**) ⟨*Tip*⟩ to hectograph, to make copies of.
poligrafịa *f.* **1.** hectographing, polygraphy. – **2.** (*copia*) hectograph copy. – **3.** ⟨*non com*⟩ (*lo scrivere molto*) polygraphy. – **poligrạfico** *a./s.* (*pl.* -ci) **I** *a.* **1.** (*di poligrafia*) polygraphic, hectographic. – **2.** (*grafico*) graphic. – **3.** (*rif. alla stampa in genere*) printing: *stabilimento* ~ printing plant. – **II** *s.m.* (*operaio*) printer, typographer. – **Poligrafico** *m.* (*anche Istituto poligrafico dello stato*) State Printing Works and Stationery Office. – **polịgrafo I** *s.m.* **1.** polygraph. – **2.** ⟨*Tip*⟩ hectograph, polygraph. – **II** *a.* polygraphic.
poli|ịbrido *m.* ⟨*Biol*⟩ polyhybrid. – **~lalịa** *f.* ⟨*Med*⟩ polyphrasia. – **~lobạto** *a.* multifoiled. – **~mastịa** *f.* ⟨*Med*⟩ polymastia.
polimatẹrico *a./s.* (*pl.* -ci) **I** *a.* ⟨*Art*⟩ made with different materials. – **II** *s.m.* work in which different materials have been employed. – **polimaterịsmo** *m.* use of different materials for the same work.
polimatịa, **polimazịa** *f.* polymathy.
Polimẹde *N.pr.f.* ⟨*Mitol*⟩ Polymede.
Polimẹla *N.pr.f.* ⟨*Mitol*⟩ Polymele, Polymela.
polimelịa *f.* ⟨*Med*⟩ polymelia, polymely. – **polimẹlio**, **polịmelo I** *a.* polymelian, affected by polymelia. – **II** *s.m.* (*f.* -a) sufferer from polymelia.
poli|melọdico *a.* (*pl.* -ci) ⟨*Mus*⟩ polyphonic, contrapuntal. – **~menịa**, **~menorrẹa** *f.* ⟨*Med*⟩ polymenorrh(o)ea, polymenia.
polimentạre *v.* (*polimẹnto*) → **polire.**
polimerịa *f.* ⟨*Chim,Biol*⟩ polymery, polymerism. – **polimẹrico** *a.* (*pl.* -ci) polymeric. – **polimerịsmo** *m.* ⟨*Chim*⟩ polymerism. – **polimerizzạre I** *v.t.* ⟨*Chim*⟩ to polymerize. – **II** *v.i.* (*aus.* **essere**), **polimerizzarsi** *v.r.* to polymerize, to undergo polymerization. – **polimerizzạto** (*p.p. di polimerizzare*) *a.* polymerized: *composto* ~

polymerized compound. – **polimerizzazione** *f.* polymerization. – **polimero I** *a.* polymeric, polymerous. – **II** *s.m.* polymer(ide).
polimetria *f.* ⟨*Metr*⟩ polymetry. – **polimetrico** *a.* (*pl.* **-ci**) polymetric. – **polimetro I** *a.* polymetric. – **II** *s.m.* **1.** ⟨*Metr*⟩ polymetric poem. – **2.** ⟨*El*⟩ analyzer.
polimito *a.* ⟨*lett*⟩ woven of many colours, ⟨*ant*⟩ polymite.
poli|morfia *f.* ⟨*non com*⟩ → **polimorfismo.** – **~morfismo** *m.* ⟨*Min, Biol*⟩ polymorphism, polymorphy. – **~morfo** *a.* **1.** ⟨*Min,Biol*⟩ polymorphic, polymorphous. – **2.** ⟨*rar*⟩ (*multiforme*) polymorph(ic), polymorphous. – **~motore** *a./s.* ⟨*non com*⟩ → **plurimotore.**
Polinesia *N.pr.f.* ⟨*Geog*⟩ Polynesia. – **polinesiano I** *a.* Polynesian. – **II** *s.m.* (*f.* **-a**) Polynesian.
polineurite *f.* ⟨*Med*⟩ polyneuritis.
Polinice *N.pr.m.* ⟨*Mitol*⟩ Polynices.
Polinnia *N.pr.f.* ⟨*Mitol*⟩ Polyhymnia.
polinomiale *a.* ⟨*Mat*⟩ polynomial. – **polinomio** *m.* polynomial.
polinucleato I *a.* ⟨*Biol*⟩ polynuclear. – **II** *s.m.* granulocyte.
polio[1] (*accorc. di poliomielite*) *f.inv.* ⟨*fam*⟩ (*paralisi infantile*) poliomyelitis, infantile paralysis, ⟨*fam*⟩ polio.
polio[2] *m.* ⟨*Bot*⟩ kind of germander (*Teucrium polium*).
poliodo *m.* ⟨*El*⟩ multi-electrode valve.
polioencefalite *f.* ⟨*Med*⟩ polioencephalitis.
poliomielite *f.* ⟨*Med*⟩ poliomyelitis, infantile paralysis, ⟨*fam*⟩ polio. □ ~ *anteriore acuta* acute anterior poliomyelitis. – **poliomielitico** *a./s.* (*pl.* **-ci**) **I** *a.* poliomyelitic. – **II** *s.m.* (*f.* **-a**) poliomyelitic sufferer.
polionimia *f.* polyonymy.
poliopia *f.* ⟨*Med*⟩ polyopia, multiple vision.
poliopirite *f.* ⟨*Min*⟩ marcasite.
poliopsia *f.* → **poliopia.**
poliorcete *m.* ⟨*lett*⟩ poliorcetes, besieger. – **poliorcetica** *f.* ⟨*Mil. ant*⟩ (*anche arte poliorcetica*) poliorcetics *pl* (*costr. sing.*), art of laying siege. – **poliorcetico** *a.* (*pl.* **-ci**) poliorcetic, siege-.
poli|orchidia *f.* ⟨*Med*⟩ polyorchi(di)sm. – **~pedia** *f.* ⟨*Med*⟩ polypodia. – **~peptide** *m.* ⟨*Chim*⟩ polypeptide. – **~petalia** *f.* ⟨*Bot*⟩ polypetaly. – **~petalo** *a.* polypetalous. – **~ploide** *a.* ⟨*Biol*⟩ polyploid(ic). – **~ploidia** *f.* polyploidy. – **~pnea** *f.* ⟨*Fisiol*⟩ polypn(o)ea.
polipo *m.* **1.** ⟨*Zool*⟩ polyp; (*polpo*) octopus. – **2.** ⟨*Med*⟩ polyp(us): ~ *nasale* nasal polypus, rhinopolypus.
polipodia *f.* → **polipedia.**
polipodio *m.* ⟨*Bot*⟩ **1.** polypody (*Polypodium*). – **2.** (*felce dolce*) polypody (*Polypodium vulgare*).
polipoide *a.* ⟨*Biol*⟩ polypoid(al).
polipolio *m.* ⟨*Econ*⟩ market situation in which there are many sellers. – **polipolista** *m./f.* seller (on a market which has many others).
poliporo *m.* ⟨*Bot*⟩ polyporus (*Polyporus*).
poliposi *f.* ⟨*Med*⟩ polyposis. – **poliposo** *a.* → **polipoide.**
polipropilene *m.* ⟨*Chim*⟩ polypropylene.
polipteridi *m.pl.* ⟨*Itt*⟩ polypterids *pl* (*Polypteridae*).
poliptico *m.* (*pl.* **-ci**) ⟨*Stor*⟩ inventory.
poliptoto *m.* ⟨*Ret*⟩ polyptoton.
poliradicol(oneur)ite *f.* ⟨*Med*⟩ polyradiculitis, polyradiculoneuritis.
polire *v.t.* (**polisco, polisci**) **1.** (*levigare*) to polish, to burnish, to smooth. – **2.** ⟨*fig*⟩ (*rifinire*) to polish, to refine, to finish off.
poli|reme *f.* ⟨*Mar.ant*⟩ polyreme. – **~ritmia** *f.* polyrhythm. – **~ritmico** *a.* (*pl.* **-ci**) polyrhythmic. – **~ritmo** *a.* → **poliritmico.**
polis *f.* ⟨*Stor.gr*⟩ polis, Greek city-state.
poli|saccaride *m.* ⟨*Chim*⟩ polysaccharide. – **~sarcia** *f.* ⟨*Med*⟩ polysarcia. – **~sarcico** *a.* (*pl.* **-ci**) polysarcous. □ *cuore* ~ polysarcia cordis, cor adiposum. – **~scenico** *a.* (*pl.* **-ci**) ⟨*non com*⟩ (*a più scene*) having many scenes. – **~semantico** *a.* (*pl.* **-ci**) ⟨*Ling*⟩ polysemantic, polysemous. □ *vocabolo* ~ polysemant. – **~semantismo** *m.* high percentage of polysemants. – **~semia** *f.* polysemy. – **~senso I** *a.* having many senses, polysemous. – **II** *s.m.* polysemant, word with many meanings.
poli|sierosite *f.* ⟨*Med*⟩ polyserositis. – **~sillabico** *a.* (*pl.* **-ci**) ⟨*Gramm*⟩ polysyllabic(al), polysyllable. – **~sillabo I** *a.* → **polisillabico.** – **II** *s.m.* polysyllable. – **~sillogismo** *m.* ⟨*Filos*⟩ polysyllogism. – **~simmetrico** *a.* (*pl.* **-ci**) ⟨*Bot*⟩ (*raggiato*) polysymmetrical, actinomorphic. – **~sindeto** *m.* ⟨*Gramm*⟩ polysyndeton. – **~sinovite** *f.* ⟨*Med*⟩ polysynovitis. – **~sintesi** *f.* ⟨*Ling*⟩ polysynthesis(m). – **~sintetico** *a.* (*pl.* **-ci**) polysynthetic(al) (*anche Ling.*). – **~sintetismo** *m.* polysynthet(ic)ism. – **~somatia** *f.* → **polisarcia.** – **~spermia** *f.* ⟨*Biol*⟩ polyspermy. – **~sportivo** *a.* ⟨*non com*⟩ **1.** (*rif. a persona*) that practices many sports. – **2.** (*rif. a luoghi*) sports-: *campo* ~ sports ground.
Polissena *N.pr.f.* ⟨*Mitol*⟩ Polyxena.
polissoir *fr.* [pɔlisw'aːr] *m.* polisher.
polista *m.* ⟨*Sport*⟩ polo-player.
polistadio *a.inv.* ⟨*Aer*⟩ multi-stage.
polistico[1] *a.* (*pl.* **-ci**) ⟨*Bot*⟩ polystichous.
polistico[2] *a.* (*pl.* **-ci**) ⟨*Sport*⟩ polo-.
polistilo *a.* ⟨*Arch*⟩ bundle-, cluster(ed), ⟨*ant*⟩ polystyle: *pilastro* ~ bundle (pillar), clustered pillar (*o* column).
polistirene, polistirolo *m.* ⟨*Chim*⟩ polystyrene.
Polistrato *N.pr.m.* ⟨*Stor*⟩ Polystratus.
politeama *m.* theatre.
politecnico *a./s.* (*pl.* **-ci**) **I** *a.* polytechnic(al). – **II** *s.m.* polytechnic (institute), polytechnic school.
politeismo *m.* ⟨*Rel*⟩ polytheism. – **politeista I** *s.m./f.* polytheist. – **II** *a.* polytheistic(al), polytheist-. – **politeistico** *a.* (*pl.* **-ci**) polytheistic(al), polytheist-.
poli|telia *f.* → **polimastia.** – **~tematico** *a.* (*pl.* **-ci**) many-themed, having many themes.
politene *m.* → **polietilene.**
politeuma *m.* ⟨*Stor*⟩ independant civic organization.
politezza *f.* **1.** polish. – **2.** ⟨*fig*⟩ polish, finish. – **3.** ⟨*fig*⟩ (*raffinatezza*) refinement, polish, politesse.
politia *f.* ⟨*Filos*⟩ politeia.
politica *f.* **1.** (*scienza*) politics *pl* (*costr. sing. o pl.*). – **2.** (*linea di condotta*) policy: ~ *coloniale* colonial policy; *una* ~ *lungimirante* a far-sighted policy. – **3.** ⟨*fig*⟩ (*condotta astuta*) diplomacy, tact: *ci vorrebbe un po' di* ~ a little diplomacy would be advisable. □ ~ **agraria** farm (*o* agricultural) policy; ~ **annessionistica** annexational policy; ~ **aziendale** corporate (*o* company) policy; ~ *da* **caffè** armchair (*o* café) politics *pl*; *la* ~ *del* **carciofo** the policy of progressive annexation; ~ *di* **colonizzazione** colonization policy; ~ **commerciale** commercial policy; ~ **congiunturale** (*o della congiuntura*) cyclical (*o* cycle-conscious) policy; ~ **creditizia** credit policy; ~ **demografica** demographic (*o* population) policy; ~ **doganale** tariff policy; ~ **ecclesiastica** church policy; ~ **economica** economic policy; ~ **energica** vigorous policy; ~ **espansionistica** expansionist policy; ~ *delle* **esportazioni** export policy; ~ **estera** foreign policy; ~ **finanziaria** financial policy; ~ **fiscale** fiscal policy; ~ **forestale** forest policy; ~ **industriale** industrial policy; ~ **inflazionistica** inflationary policy; ~ **interna** home (*o* domestic) politics *pl*; *di* ~ *interna* concerning home affairs; ~ **liberista** free-trade (policy), laissez-faire; ~ *di* **mercato** market policy; ~ **migratoria** migration policy; ~ **monetaria** monetary policy; ~ **neutralistica** (o *di neutralità*) policy of neutrality; ~ *dei* **prezzi** price policy; ~ *dei* **redditi** incomes policy; ~ **revisionistica** revisionism, revisionist policy; ~ **rinunciataria** policy of abandonment; ~ **salariale** (*o dei salari*) wage policy; ~ **sindacale** (trade-)union policy; ~ **sociale** social policy; ~ **tributaria** = *politica* **fiscale**; ~ **valutaria** = *politica* **monetaria.**
politicamente *avv.* **1.** politically. – **2.** ⟨*fig*⟩ (*con diplomazia*) diplomatically, tactfully; (*con astuzia*) cunningly, cleverly. – **politicante** *m./f.* ⟨*spreg*⟩ **1.** (petty) politician, politicaster, politicker. – **2.** ⟨*estens*⟩ (*intrigante*) intriguer, schemer. – **politicantismo** *m.* ⟨*non com*⟩ meddling in politics, political intrigue. – **politicare** *v.i.* (**politico, politichi**; *aus.* **avere**) ⟨*lett*⟩ **1.** to take part in politics. – **2.** (*discutere di politica*) to talk politics, to politick. – **politicastro** *m.* ⟨*spreg*⟩ politicaster, (petty) politician. – **politichino** (*dim. di politico*[1]) *m.* ⟨*fam*⟩ **1.** → **politicastro.** – **2.** ⟨*fig*⟩ shrewd (*o* politic) schemer, cunning fellow. – **politicismo** *m.* putting politics first. – **politicità** *f.* politicalness, political nature. – **politicizzare** *v.t.* **1.** to politicize, to make political, to politicalize. – **2.** (*infondere una coscienza politica*) to bring into politics, to give political awareness to. – **politicizzazione** *f.* politicalization.
politico[1] *a./s.* (*pl.* **-ci**) **I** *a.* political: *dottrina -a* political theory; *condotta -a* political conduct. – **II** *s.m.* **1.** politician, ⟨*fam*⟩ politico. – **2.** ⟨*fig*⟩ (*persona abile*) politician, politic person, diplomat, ⟨*fam*⟩ operator.
□ **carta** *-a* political map; **detenuto** ~ political prisoner; **diritti** *-i* political rights; **geografia** *-a* political geography; **prezzo** ~ fixed price, supported (*o* pegged) price, subsidized (*o* non-commercial) price; **scienze** *politiche* political science; **uomo** ~ politician.
politico[2]: ⟨*Metr*⟩ *verso* ~ political verse.
politicone (*accr. di politico*[1]) *m.* (*f.* **-a**) **1.** expert politician, ⟨*am. fam*⟩ big-time politico. – **2.** ⟨*fig*⟩ politician, shrewd operator, diplomat.
poli|tipia *f.* ⟨*Biol*⟩ polytypicism. – **~tipico** *a.* (*pl.* **-ci**) polytypic(al). – **~tipismo** *m.* → **politipia.** – **~tipo** *m.* ⟨*Tip*⟩ logotype.
polito *a.* ⟨*lett*⟩ **1.** (*levigato*) polished, burnished, smooth(ed). – **2.** ⟨*fig*⟩ polished, finished, refined: *stile* ~ polished style.
poli|tomia *f.* ⟨*Bot*⟩ polytomy. – **~tonale** *a.* **1.** ⟨*Mus*⟩ polytonal. – **2.** ⟨*fig*⟩ having many poetic tones. – **3.** ⟨*Ling*⟩ polytonic. – **~tonalità** *f.* **1.** ⟨*Mus*⟩ polytonality. – **2.** ⟨*fig*⟩ (*varietà di toni*) variety of poetic tones. – **~trichia** *f.* ⟨*Med*⟩ polytrichia, hypertrichosis.
politrico *m.* (*pl.* **-chi**) ⟨*Bot*⟩ hair(cap) moss (*Polytrichum commune*).
politropico *a.* (*pl.* **-ci**) ⟨*Fis*⟩ polytropic.
politropo *a.* ⟨*lett,rar*⟩ (*versatile*) versatile, many-sided; (*astuto*) astute, artful, crafty.
polittico *m.* (*pl.* **-ci**) **1.** ⟨*Art*⟩ polyptych. – **2.** ⟨*fig,lett*⟩ work made up of many parts.
polittoto *m.* ⟨*rar*⟩ → **poliptoto.**
politura *f.* **1.** polishing, burnishing, smoothing. – **2.** ⟨*fig*⟩ polishing, finishing, perfecting.
poli|uretano *m.* ⟨*Chim*⟩ polyurethan(e). – **~uria** *f.* ⟨*Med*⟩ polyuria. – **~valente** *a.* **1.** ⟨*Chim*⟩ polyvalent. – **2.** ⟨*fig*⟩ multivalent, multiple. – **~valenza** *f.* **1.** ⟨*Chim*⟩ polyvalence, polyvalency. – **2.** ⟨*fig*⟩ multivalence. – **~vinile** *m.* ⟨*Chim*⟩ polyvinyl. □ *acetato di* ~ polyvinyl acetate; *cloruro di* ~ polyvinyl chloride. – **~vinilico**: *alcole* ~ polyvinyl alcohol. – **~vocale** *a.* ⟨*Mus*⟩ polyphonic, polyphonous, part-, concerted. – **~vomere**: *aratro* ~ gang (*o* multibottom) plough.
polizia *f.* **1.** police (*general. costr. pl.*), police force: *denunciare qd. alla* ~ to report s.o. to the police; *arriva la* ~ the police are coming. – **2.** (*commissariato*) police station – **3.** ⟨*ant*⟩ (*forma di governo*) government.
□ **agente** *di* ~ policeman; ~ **amministrativa** security police; ~

annonaria food-control police (*o* office); ~ **ausiliaria** auxiliary police (force); ~ **commerciale** anti-fraud department (of the police); ~ **confinaria** = *polizia di* **frontiera**; ~ *dei* **costumi** vice squad; ~ **criminale** = *polizia* **giudiziaria**; **di** ~ police-: *misure di* ~ police measures; ~ **edilizia** building inspectors *pl*; ~ **femminile** women's police (force); ~ **ferroviaria** railway police; ~ *di* **frontiera** frontier (*o* border) police; ~ **giudiziaria** criminal police; ~ **militare** military police; ~ ⌜*della* **navigazione**⌝ (o *marittima*) maritime police, coast-guard; ~ **rurale** rural police, ⟨*am*⟩ state police; ~ **sanitaria** sanitary (*o* health) inspectors *pl*; ~ **scientifica** criminal laboratory department; ~ **segreta** secret police; ~ *di* **sicurezza** security police; ~ **stradale** (o *della strada*) traffic police; (*su strade extraurbane*) highway police (*o* patrol); ~ **tributaria** excise and revenue police; ~ **urbana** city (*o* metropolitan) police.

polizięsco *a.* (*pl.* **-chi**) **1.** police-: *indagine -a* police investigation. – **2.** ⟨*spreg*⟩ police-, police-like: *metodi polizieschi* police methods. – **3.** ⟨*Lett,Cin*⟩ detective, mystery-, crime-: *film* ~ detective film, ⟨*fam*⟩ thriller.

poliziọtto *m.* **1.** policeman (*f* -woman), (police) constable, ⟨*fam*⟩ bobby, ⟨*am.fam*⟩ cop. – **2.** ⟨*spreg*⟩ (*sbirro*) cop(per), ⟨*am*⟩ flatfoot, ⟨*am*⟩ fuzz. □ *cane* ~ police dog; ~ *privato* private detective, ⟨*fam*⟩ private eye, ⟨*fam*⟩ dick.

polizọi *m.pl.* ⟨*Zool*⟩ bryozoans *pl* (*Polyzoa*; *Bryozoa*).

pǫlizza *f.* **1.** receipt, voucher: ~ *di deposito* deposit receipt. – **2.** ⟨*Assic*⟩ policy. – **3.** ⟨*ant*⟩ (*biglietto d'ingresso o per trasporti*) ticket; (*cartoncino*) card; (*scheda*) card, form, paper.
□ ~ *d'***abbonamento** floating (*o* open) policy; ~ **aperta** open policy; ~ *d'***assicurazione** insurance policy; ⟨*ant*⟩ ~ *di* **cambio** (*cambiale*) bill (of exchange); ~ *di* **carico** bill of lading; ~ *di carico in bianco* blank bill of lading; ~ *di carico diretta* through (*o* straight) bill of lading; **fare** *una* ~ to take out a policy; ⟨*Assic*⟩ ~ **flottante** floating policy, floater; ~ **globale** blanket policy, open policy for a specified amount; ~ *d'***indennità** indemnity policy; ~ **individuale** individual policy; ~ **marittima** *sopra merci* cargo policy; ~ **nominata** named policy; ~ *di* **pegno** pawn-ticket; ~ *di* **restituzione** *del dazio* drawback debenture; ~ **valutata** valued policy.

polizzạrio *m.* (*registro*) policy register. – **polizzịno** (*dim. di polizza*) *m.* **1.** slip. – **2.** ⟨*Comm*⟩ (*documento rilasciato dalle società di navigazione*) bill of lading (for small shipments). – **3.** ⟨*Econ*⟩ (*fede di credito*) bond, note.

pǫlka *f.* ⟨*Mus*⟩ polka.

pǫlla *f.* **1.** spring. – **2.** (*vena d'acqua*) vein (of water). – **3.** ⟨*fig*⟩ (*vena*) vein, strain. – **4.** ⟨*rar*⟩ (*pollone*) bud, sprout, shoot.

pollạcco *a./s.* ⟨*ant*⟩ → **polacco.**

pollachimenorrẹa *f.* → **polimenorrea.**

pollachiụria *f.* ⟨*Med*⟩ pollakiuria.

pollạio *m.* **1.** hen-roost, hen-house, chicken-coop; (*recinto*) fowl-run, chicken-run. – **2.** ⟨*collett*⟩ poultry. – **3.** ⟨*fam*⟩ (*luogo sporco*) pigsty, barnyard. – **4.** ⟨*fam*⟩ (*luogo chiassoso*) mad house, bedlam. □ *andare a* ~ (*rif. a uccelli*) to roost; ⟨*fig*⟩ to go to bed; *essere a* ~ to be at roost; ⟨*fig*⟩ to be asleep, to sleep; ⟨*fig*⟩ *star bene a* ~ to be comfortable, ⟨*fam*⟩ to be nice and comfy.

pollaiọlo *m.* (*f.* **-a**) poulterer, poultry-man.

pollạme *m.* poultry. □ ~ *di allevamento* (o *razza*) breeding poultry; ~ *vivo* live poultry.

pollạnca *f.* ⟨*region*⟩ **1.** (*gallina giovane*) pullet. – **2.** (*tacchina giovane*) young hen turkey. – **3.** (*cappona*) poulard. – **4.** ⟨*fig*⟩ → **pollanchella.** – **pollanchẹlla, pollanchẹtta** (*dim. di pollanca*) *f.* ⟨*fig*⟩ (*donna giovane, allegra e piacente*) ⟨*fam*⟩ chick, ⟨*fam*⟩ good-looker.

pollạre *v.i.* (**pǫllo**; *aus.* **avere**) ⟨*ant*⟩ (*germogliare*) to bud, to sprout, to shoot.

pollạstra *f.* **1.** pullet. – **2.** ⟨*fig,scherz*⟩ chicken, ⟨*fam*⟩ chick. – **pollastrẹlla** *f. dim. di* **pollastra.** – **pollastrẹllo** *m. dim. di* **pollastro.** – **pollastrịna** *f. dim. di* **pollastra.** – **pollastrịno** *m. dim. di* **pollastro.** – **pollạstro** *m.* **1.** (*giovane pollo*) young fowl; (*galletto*) cockerel. – **2.** ⟨*fig,scherz*⟩ (*persona ingenua*) simpleton, fool, ⟨*fam*⟩ mug, ⟨*fam*⟩ sucker. – **pollastrọne** *m. accr. di* **pollastro.**

pollẹdro *m.* (*f.* **-a**) ⟨*lett*⟩ (*puledro*) foal.

pollerịa *f.* poultry shop, poulterer's. – **pollẹtto** *m. dim. di* **pollo.**

pǫllice *m.* **1.** (*della mano*) thumb; (*del piede*) big (*o* great) toe. – **2.** (*unità di misura*) inch. – **3.** ⟨*fig*⟩ (*breve spazio*) inch. – **4.** (*rif. a finestre*: *arpione*) hinge.

pollicoltọre *m.* (*f.* **-trice**) poultry-farmer, chicken-farmer, poultry-man. – **pollicoltụra** *f.* poultry-farming, poultry-breeding, chicken-farming. – **pollicultọre** *m.* (*f.* **-trice**) → **pollicoltore.** – **pollicụltura** *f.* → **pollicoltura.**

pollịna *f.* (*concime*) chicken droppings *pl*, fowl dung.

pollinạro *m.* ⟨*ant*⟩ → **pollaiolo.**

pollinaziọne *f.* ⟨*Bot*⟩ pollination, pollinization, pollenation. – **pǫlline** *m.* pollen. – **pollịnico** *a.* (*pl.* **-ci**) pollen-, pollinic: *analisi -a* pollen analysis; *tubo* ~ pollen tube. – **pollinịfago** *a.* (*pl.* **-gi**) ⟨*Entom*⟩ pollenophagous. – **pollinịfero** *a.* ⟨*Bot*⟩ polliniferous. – **pollịnio** *m.* pollinium, pollen mass. – **pollinizzạre** *v.t.* ⟨*non com*⟩ (*impollinare*) to pollinate, to pollen. – **pollinizzaziọne** *f.* ⟨*non com*⟩ (*impollinazione*) pollination.

pollịno[1] *a.* (*del pollo*) chicken-, fowl-, poultry-. □ ⟨*Entom*⟩ *pidocchio* ~: 1. bird-louse (*Mallofagi*); 2. shaft-louse (*Menopon gallinae*).

pollịno[2] *m.* ⟨*ant*⟩ **1.** (*isola galleggiante*) floating grass. – **2.** (*terreno paludoso*) marsh(land), swamp.

pollinọsi *f.* ⟨*Med*⟩ pollinosis, pollenosis, ⟨*fam*⟩ hay-fever.

pollivẹndolo *m.* (*f.* **-a**) poulterer, poultry dealer, poultry-man.

pǫllo *m.* **1.** chicken, fowl; (*gallo*) rooster, cock; (*gallina*) hen. – **2.** ⟨*fig,scherz*⟩ (*semplicione*) dupe, gull, ⟨*fam*⟩ sucker, ⟨*fam*⟩ mug: *è un buon* ~ he's a real gull.
□ ⟨*fig*⟩ **alzarsi** *con i -i* (*all'alba*) to get up at ⌜the crack of dawn⌝ (*o* daybreak), to get up when the cock crows; ⟨*fig*⟩ **conoscere** *i propri -i* to know whom one has to deal with; ⟨*Gastr*⟩ ~ *alla* **diavola** (highly seasoned) grilled chicken; ⟨*fig*⟩ **fare** *il* ~: 1. (*fare lo stupido*) to play the fool; 2. (*fare il finto tonto*) to pretend to be stupid; 3. (*fare lo svenevole*) to act mawkish; ⟨*Ornit*⟩ ~ *d'***India**: 1. (*gallina faraona*) guinea-hen, guinea-fowl, galeeny (*Numidia meleagris*); 2. (*tacchino*) turkey (*Meleagris gallopavo*); ~ *da* **ingrassamento** broiler; ~ **lesso** boiled chicken; ⟨*fig*⟩ *andare a* **letto** ⌜*con i*⌝ (o *all'ora dei*) *-i* to go to bed ⌜very early⌝ (*o* at sundown); ⟨*fig*⟩ *far* **ridere** *i -i* to make a fool (*o* laughing-stock) of o.s.; ⟨*Gastr*⟩ ~ **ripieno** stuffed chicken; ⟨*Ornit*⟩ ~ **sultano**: 1. purple gallinule, sultana (bird) (*Porphyrio porphyrio*; *Porphyrio caeruleus*); 2. (*gallinella d'acqua*) water (*o* moor) hen (*Gallinula chloropus*); ⟨*Ornit*⟩ ~ *sultano dorsoverde* green-backed gallinule (*Porphyrio madagascariensis*).

pollonạnte *a.* ⟨*Bot*⟩ that produces shoots (*o* suckers). – **pollọne** *m.* **1.** ⟨*Bot*⟩ (side-)shoot, sucker. – **2.** ⟨*lett*⟩ (*rampollo, discendente*) scion, descendant, offspring. □ ⟨*Bot*⟩ *-i radicali* root suckers. – **pollonẹto** *m.* ⟨*Agr*⟩ side-shoot nursery, nursery bed of suckers.

Pollǫnia *N.pr.f.* ⟨*ant*⟩ → **Polonia.**

pollonịfero *a.* → **pollonante.**

Pollụce *N.pr.m.* ⟨*Mitol,Astr*⟩ Pollux.

pollụto *a.* ⟨*lett*⟩ (*contaminato*) polluted, contaminated, tainted, defiled. – **polluziọne** *f.* **1.** ⟨*Med*⟩ pollution. – **2.** ⟨*tecn,lett*⟩ (*contaminazione*) pollution. □ ~ *dell'acqua* water pollution; ~ *dell'atmosfera* air (*o* atmospheric) pollution; ~ *marina* marine pollution, pollution of the sea.

polmonạre I *a.* pulmonary, of the lungs, lung-: *arteria* ~ pulmonary artery. – **II** *s.f.* (*valvola polmonare*) pulmonary valve.

polmonạria *f.* ⟨*Bot*⟩ **1.** lungwort, pulmonary (*Pulmonaria*). – **2.** Virgin Mary's honeysuckle, lungwort, pulmonary (*Pulmonaria officinalis*).

polmonạti *m.pl.* ⟨*Zool*⟩ pulmonates *pl* (*Pulmonata*).

polmoncịno *m. dim. di* **polmone.**

polmọne *m.* lung: *quest'aria fa bene ai -i* this air is good for the lungs.
□ ⟨*Med*⟩ ~ *d'***acciaio** iron lung; *sentirsi* **allargare** *i -i* to feel one can breathe again (*anche fig.*); ⟨*Mar*⟩ ~ **idropneumatico** pressure tank for opening air vents; *respirare a* **pieni** *-i* to take deep breaths, to breathe (in) deeply; ⟨*fig*⟩ **rimetterci** *i -i* to waste one's breath; ⟨*fig*⟩ **sputare** *i -i* to sweat blood.

polmonịte *f.* ⟨*Med*⟩ pneumonia: ~ *lobare* lobar pneumonia. – **polmonịtico** *a.* (*pl.* **-ci**) pneumonic.

pǫlo[1] *m.* **1.** pole: ~ *di una calamita* pole of a magnet. – **2.** ⟨*fig*⟩ (*posizione antitetica*) pole: *i due -i del bene e del male* the two poles of good and evil; *essere ai -i opposti* to be poles apart (*o* asunder). – **3.** ⟨*fig*⟩ (*luogo di attrazione*) pole (of attraction). – **4.** ⟨*poet*⟩ (*emisfero*) hemisphere, region of the earth; (*cielo*) heavens *pl*, sky, firmament.
□ ⟨*Fis*⟩ **a** *due -i* bipolar; ⟨*fig*⟩ *da un* ~ *all'***altro** (*dappertutto*) from pole to pole, from one pole to the other, everywhere; ~ **antartico** = *polo* **sud**; ~ **artico** = *polo* **nord**; ⟨*El*⟩ ~ **ausiliario** interpole, commutating (*o* commuting) pole; ~ **australe** = *polo* **sud**; ~ **boreale** = *polo* **nord**; ⟨*Biol*⟩ ~ **cefalico** cephalic pole; ⟨*Astr*⟩ *-i* **celesti** celestial poles; ~ *di* **commutazione** = *polo* **ausiliario**; ~ *del* **freddo** pole of cold, cold pole; ~ **geografico** geographical pole; ~ **magnetico** magnetic pole; ⟨*El*⟩ ~ **negativo** negative pole; ~ **nord** North Pole; ⟨*fig*⟩ *abitare* (o *stare*) *al* ~ *nord* to live ⌜in a very remote place⌝ (*o* miles away), ⟨*am*⟩ to live in the boondocks (*o* sticks); ⟨*El*⟩ ~ **positivo** positive pole; ~ **sud** South Pole; ⟨*Geol*⟩ ~ *di un* **terremoto** epicentre of an earthquake; ~ **terrestre** (terrestrial) pole.

pǫlo[2] *m.* ⟨*Sport*⟩ polo-. □ ⟨*Mod*⟩ *collo a* ~ turtle (*o* polo-) neck.

Pǫlo *N.pr.m.* ⟨*ant*⟩ (*Paolo*) Paul.

polonaise *fr.* [pɔlɔˈnɛ:z] *f.* → **polacca.** – **polonẹse I** *m.* ⟨*Tess*⟩ ottoman. – **II** *f.* → **polacca.**

Polǫnia *N.pr.f.* ⟨*Geog*⟩ Poland (*denom.uff.*: *Repubblica Popolare di Polonia* Polish People's Republic). – **polọnico** *a.* (*pl.* **-ci**) ⟨*ant*⟩ (*polacco*) Polish.

polọnio[1] *a./s.* → **polono.**

polọnio[2] *m.* ⟨*Chim*⟩ polonium.

polọno ⟨*ant*⟩ **I** *a.* Polish. – **II** *s.m.* Pole.

pọlpa *f.* **1.** (*carne*) flesh. – **2.** (*di frutti*) pulp, flesh: ~ *di albicocca* apricot pulp. – **3.** ⟨*Macell*⟩ lean, lean meat. – **4.** ⟨*fig*⟩ (*parte sostanziale*) pith, meat, substance, point, essential part: *la* ~ *di un discorso* the pith of a speech. – **5.** *pl.* ⟨*pop*⟩ (*polpacci*) calves *pl.* – **6.** *pl.* ⟨*Ind*⟩ beet pulp. – **7.** ⟨*ant*⟩ (*parte dello stivale*) boot-top.
□ ~ *dentaria* (dental) pulp; *in -e* (*con calzoni corti e calze aderenti al polpaccio*) in knee-breeches (*o* livery); ⟨*Ind*⟩ ~ *di legno* wood pulp.

polpạccio *m.* ⟨*Anat*⟩ calf (of the leg).

polpacciọlo (*dim. di polpaccio*) *m.* ⟨*tosc*⟩ **1.** (*polpastrello*) (digital) pulp, fleshy part of a fingertip. – **2.** ⟨*Macell*⟩ piece of lean (meat). – **polpacciụto** *a.* **1.** (*che ha molta polpa*) (very) fleshy, meaty; (*rif. a frutti*) fleshy, pulpy. – **2.** (*con grossi polpacci*: *rif. alla persona*) having big (*o* fat) calves; (*rif. alla gamba*) fat, big, thick.

polpạra *f.* ⟨*Pesc*⟩ lure for fishing octopus.
polpastrẹllo *m.* ⟨*Anat*⟩ (*delle dita della mano*) (digital) pulp, fleshy part of a fingertip; (*delle dita del piede*) (digital) pulp, pulp of the toe.
polpẹtta *f.* **1.** ⟨*Gastr*⟩ meat-ball, rissole. – **2.** (*cibo avvelenato*) poisoned food (for animals). ☐ ⟨*fig*⟩ *far -e di qd.* to make mincemeat of s.o.; ⟨*Gastr*⟩ ~ *di mare* roast octopus stuffed with fish-liver. – **polpettịna** *f. dim. di* **polpetta**. – **polpettọna** *f. accr. di* **polpetta**. – **polpettọne** (*accr. di polpetta*) *m.* **1.** ⟨*Gastr*⟩ meat-loaf. – **2.** ⟨*fig*⟩ (*opera farraginosa*) jumble, muddle, farrago, rambling work. – **3.** ⟨*fig,non com*⟩ (*sgridata*) good scolding, severe reprimand.
polpịte *f.* ⟨*Med*⟩ (*pulpite*) pulpitis.
pọlpo *m.* ⟨*Zool*⟩ octopus (*Octopus vulgaris*). ☐ ⟨*Gastr*⟩ *-i affogati* (*o alla luciana*) octopus stewed with tomato and oil.
polpọso *a.* (*che ha molta polpa*) fleshy, pulpy, pulpous: *frutta -a* fleshy fruit. ☐ *consistenza -a* fleshiness, pulpiness. – **polpụto** *a.* **1.** fleshy, fat, plump: *braccia -e* fat arms. – **2.** ⟨*Enol*⟩ full-bodied.
polsịno (*dim. di polso*) *m.* **1.** ⟨*Sart*⟩ cuff. – **2.** ⟨*Sport*⟩ cutting blow (aimed at the wrist).
pọlso *m.* **1.** ⟨*Anat*⟩ wrist. – **2.** ⟨*Med*⟩ pulse; (*il battito*) pulse(beat): ~ *regolare* regular pulse. – **3.** ⟨*Sart*⟩ cuff. – **4.** ⟨*fig*⟩ (*energia*) vigour, energy, forcefulness, strength: *uomo di* ~ vigorous man, man of energy.
☐ ~ **aritmico** arrhythmic (*o* irregular) pulse; ~ **arterioso** arterial pulse; ~ **celere** frequent pulse; ~ **debole** weak pulse: *l'ammalato ha il* ~ *debole* the patient has a weak pulse, the patient's pulse is weak; ~ **febbrile** febrile pulse; ⟨*fig*⟩ ~ **fermo** strong (*o* steady) hand, firmness: *con* ~ *fermo* with a strong hand, firmly; *avere un* ~ *di* **ferro** to be very firm (*o* energetic); ~ **frequente** = *polso* **celere**; **orologio** *da* ~ wrist-watch; **tastare** *il* ~ *a qd.* to feel s.o.'s pulse (*anche fig.*); ~ **venoso** venous pulse.
polsonẹtto *m.* copper pot.
pọlta *f.* ⟨*lett*⟩ mush, porridge; (*di fave*) bean-flour mush. – **poltạceo** *a.* pultaceous.
poltịglia *f.* **1.** mash, mush, pulp, porridge. – **2.** (*fanghiglia*) mire, mud, slush. – **3.** ⟨*Agr*⟩ (spray) mixture, (fungicide) mixture: ~ *bordolese* Bordeaux mixture. ☐ ⟨*scherz*⟩ *ridurre qd. in* ~ to make mincemeat of s.o. – **poltiglịoso** *a.* ⟨*non com*⟩ pulpy, mushy, mashy.
poltrịre *v.i.* (**poltrịsco**, **poltrịsci**; *aus.* **avere**) **1.** (*indugiare nel letto*) to lie lazily in bed. – **2.** (*starsene ozioso*) to idle, to laze, to loaf.
pọltro ⟨*ant*⟩ **I** *a.* **1.** (*rif. ad animali*: *non ancora domato*) unbroken, untamed. – **2.** (*pigro*) slow, lazy, indolent. – **II** *s.m.* (*letto*) bed.
poltrọna *f.* **1.** ⟨*Arred*⟩ armchair, (easy-)chair. – **2.** ⟨*fig*⟩ (*posto comodo*) secure well-paid position, ⟨*fam*⟩ cushy job. – **3.** ⟨*Teat*⟩ stall, ⟨*am*⟩ orchestra seat.
☐ ~ *da* **barbiere** barber's chair; ~ *da* **dentista** dentist's chair; ~ *da* **giardino** lawn (*o* garden) chair; ~ **letto** chair-bed; ~ *con* **poggiatesta** armchair with headrest; ~ *a* **rotelle** wheel-chair; ~ *a* **sdraio** deck-chair; ⟨*fig*⟩ **starsene** *in* ~ to loaf, to idle one's time away, to take things easy.
poltronạccio *m.* (*f.* **-a**) *pegg. di* **poltrone**. – **poltronạggine** *f.* laziness, idleness, indolence, sloth. – **poltroncẹllo** *m.* (*f.* **-a**) *dim. di* **poltrone**.
poltroncịna (*dim. di poltrona*) *f.* **1.** ⟨*Arred*⟩ small armchair. – **2.** ⟨*Teat*⟩ pit-stall, ⟨*am*⟩ back orchestra seat.
poltroncịone *m.* (*f.* **-a**) ⟨*non com*⟩ *accr. di* **poltrone**.
poltrọne **I** *s.m.* (*f.* **-a**) **1.** lazy (*o* indolent) person, idler, loafer, sluggard, ⟨*fam*⟩ lazy-bones. – **2.** ⟨*Zool*⟩ (*bradipo*) three-toed sloth (*Bradypus*). – **3.** ⟨*ant*⟩ (*vigliacco*) poltroon, coward. – **4.** ⟨*ant*⟩ (*uomo di bassa condizione*) common man, one of the common people. – **II** *a.* lazy, idle, sluggish, indolent. ☐ *Prov.*: *per i -i è sempre festa* it's always a holiday for the idle.
poltroneggịare *v.i.* (**poltronẹggio**, **poltronẹggi**; *aus.* **avere**) ⟨*non com*⟩ to idle one's time away, to loaf, to laze around. – **poltronerịa** *f.* **1.** laziness, indolence, sluggishness, sloth. – **2.** ⟨*ant*⟩ (*vigliaccheria*) cowardice, poltroonery. – **poltronẹsco** *a.* (*pl.* **-chi**) lazy, indolent, sluggish. – **poltronịẹre**, **poltronịẹro** *m.* ⟨*ant*⟩ **1.** (*poltrone*) lazy (*o* indolent) person, idler, sluggard. – **2.** (*vigliacco*) coward, poltroon. – **3.** (*uomo di bassa condizione*) common man.
poltronịssima *f.* ⟨*Teat*⟩ front stall, ⟨*am*⟩ front seat.
poltronịte *f.* ⟨*scherz*⟩ laziness, ⟨*fam*⟩ lazy-bonesitis.
pọlve *f.* ⟨*poet*⟩ **1.** (*polvere*) dust, powder. – **2.** ⟨*fig*⟩ (*ceneri, resti mortali*) mortal remains *pl*, dust, ashes *pl*; (*corpo*) body. – **polverạccio** *m.* **1.** ⟨*non com*⟩ (*polverume*) dust. – **2.** ⟨*ant*⟩ (*sterco*) dried dung (for manuring).
polverạio *a.* ⟨*rar*⟩ (*secco, asciutto*) dry, without rain.
pọlvere *f.* **1.** dust: *una nuvola di* ~ a cloud of dust, a dust cloud. – **2.** (*sostanza simile alla polvere*) powder, dust: ~ *d'oro* gold-dust. – **3.** (*polvere pirica*) (gun)powder. – **4.** ⟨*lett*⟩ (*ceneri, spoglie mortali*) ashes *pl*, mortal remains *pl*, dust. – **5.** ⟨*lett,rar*⟩ (*impresa difficile*) hard task, difficult undertaking.
☐ **alzare** *la* ~ = **far** *polvere*; ⟨*fig*⟩ *tenere le -i* **asciutte** to keep one's powder dry; ⟨*Med*⟩ ~ **astringente** styptic powder; ~ *di* **carbone** coal dust; ~ *per* **cementazione** hardening powder; ⟨*non com*⟩ ~ *di* **cipria** (*cipria*) (face-)powder; ~ **effervescente** effervescent powder; **far** ~ to raise dust; ⟨*pop*⟩ *fare* ~ *di qd.* to make mincemeat of s.o.; ~ *di* **ferro** iron filings *pl*; *-i senza* **fumo** = *polveri* **infumi**; *dar* **fuoco** *alle -i* to fire the powder; ⟨*fig*⟩ (*scatenare una sommossa*) to set off a revolt, to spark (*o* start) a revolution; *fuoco alle -i!* fire!; **in** ~ powdered, ground, in powder, pulverized: ⌜*cacao in* ~⌝ (*o* ~ *di cacao*) cocoa powder; *latte in* ~ powdered milk; *caffè in* ~ instant coffee; *sapone in* ~ soap powder; *-i* **infumi** smokeless powders; ~ **insetticida** insecticide, insect-powder; ⟨*fig*⟩ *non ha* **inventato** *la* ~ (*di chi dice cose sciocche e risapute*) that's no discovery, that's nothing new; ~ *di* **legno** wood flour; **levare** *la* ~ to dust; ~ **magica** magic powder; **mangiare** *la* ~ to breathe in dust; ⟨*fig*⟩ *far mangiare la* ~ *a qd.* to make s.o. eat dust, to outstrip s.o., to leave s.o. (far) behind; ⟨*Farm*⟩ *-i* **medicinali** (medicinal) powders; ~ **meteorica** meteoritic (*o* meteor) dust; ~ **miracolosa** = *polvere* **magica**; ⟨*fig*⟩ **mordere** *la* ~ (*essere sconfitto*) to bite the dust, to be beaten; ~ **nera** black (*o* blasting) powder, gunpowder; ⟨*fig*⟩ *darsi la* ~ *negli* **occhi** (*illudersi*) to illude o.s., to fool (*o* deceive) o.s.; ⟨*fig*⟩ *gettare la* ~ *negli occhi a qd.* to throw dust in s.o.'s eyes; *fiutare* (*o sentire*) **odore** *di* ~ (*presentire una contesa*) to smell a battle (*o* fight); *non aver mai sentito l'odore della* ~ (*non aver mai combattuto*) never to have been in combat; **orologio** *a* ~ hour-glass; *libro* **pieno** *di* ~ dusty book; ~ **pirica** gunpowder; ~ **radioattiva** radioactive dust; **ridurre** *in* ~ to pulverize, to make into dust; ⟨*fig*⟩ (*annientare*) to pulverize, to make mincemeat of, to tear to bits; ⟨*fig,iron*⟩ **scuotere** *la* ~ *di dosso a qd.* (*bastonarlo*) to beat (*o* thrash) s.o.; *scuotersi la* ~ *di dosso* to dust o.s. off, to shake (*o* brush) the dust off; ~ *per* **smerigliare** emery powder; **sparare** *a* ~ (*a salve*) to fire salvoes; ~ *da* **sparo** = *polvere* **pirica**; ~ *di* **tabacco** snuff; *a* **tenuta** *di* ~ dust-proof, sealed against dust; **tirare** *a* ~ = **sparare** *a polvere*; ⟨*fig*⟩ **trarre** *qc. dalla* ~ (*dalla dimenticanza*) to dust s.th. off; ~ *di* **vetro** powdered (*o* finely ground) glass; ⟨*Geol*⟩ *-i* **vulcaniche** volcanic dust.
polverịccio *m.* ⟨*non com*⟩ very fine powder.
polverịẹra *f.* **1.** ⟨*Mil*⟩ powder-magazine. – **2.** ⟨*fig*⟩ powder-keg, tinder-box: *il Medio Oriente è una* ~ the Middle East is a powder -keg.
polverifịcio *m.* powder factory (*o* mill).
polverịna (*dim. di polvere*) *f.* **1.** fine powder (*o* dust). – **2.** ⟨*Farm*⟩ powder.
polverịno (*dim. di polvere*) *m.* **1.** (*per asciugare l'inchiostro*) sand; (*vasetto*) sand-box, dust-box. – **2.** (*polvere di carbone*) coal dust. – **3.** (*in pirotecnica*) black (*o* blasting) powder. ☐ ⟨*fig*⟩ *mettere il* ~ *a qc.* to approve (*o* pass, sanction) s.th., to set one's seal on s.th. (without examining it); ~ *di miniera* slack.
polverịo *m.* cloud of dust.
polverizzạbile *a.* pulverizable, pulverable. – **polverizzamẹnto** *m.* ⟨*non com*⟩ **1.** pulverizing, pulveration, pulverization. – **2.** (*nebulizzazione*) nebulization, atomizing.
polverizzạre *v.t.* **1.** to pulverize: ~ *lo zucchero* to pulverize sugar. – **2.** (*nebulizzare*) to nebulize, to atomize, to pulverize. – **3.** ⟨*fig*⟩ (*annientare*) to pulverize, to annihilate, to demolish, to wipe out: ~ *le argomentazioni degli oppositori* to demolish the opponents' arguments. – **4.** ⟨*pop*⟩ (*uccidere*) to kill, to do away with. – **5.** ⟨*non com*⟩ (*cospargere di polvere*) to (cover with) powder, to dust. – **6.** ⟨*fig,non com*⟩ (*suddividere in frazioni minime*) to fraction, to divide into small parts, to break up. – **polverizzarsi** *v.r.* **1.** to turn to powder (*o* dust). – **2.** ⟨*fig*⟩ to melt away, to disappear, to go up in smoke: *i milioni in mano sua si polverizzano* the millions just melt away in his hands.
polverizzạto (*p.p. di polverizzare*) *a.* **1.** pulverized, powdered: *zucchero* ~ powdered (*o* pulverized) sugar. – **2.** (*nebulizzato*) atomized. – **3.** ⟨*fig*⟩ (*eccessivamente frazionato*) fragmentized, fractionalized.
polverizzatọre *m.* (*f.* **-trice**) **1.** (*operaio*) sprayer, pulverizer. – **2.** (*apparecchio*) sprayer, pulverizer; (*nebulizzatore*) atomizer, nozzle; (*per polvere insetticida*) duster. – **3.** ⟨*Mot*⟩ injector (nozzle), spray nozzle. – **4.** ⟨*Agr*⟩ (*tipo di erpice*) pulverizer, acme (*o* blade) harrow. ☐ ⟨*Met*⟩ ~ *di carburante* fuel nozzle; ~ *a pressione* pressure nozzle; ~ *a vapore* steam jet sprayer.
polverizzazịọne *f.* **1.** (*di solidi*) pulverization; (*di liquidi*) atomizing: ~ *del combustibile* atomizing (*o* spraying) of fuel. – **2.** (*il cospargere di polvere*) dusting, spraying. – **3.** ⟨*Farm*⟩ pulverizing, pulverization. – **4.** ⟨*Agr*⟩ dusting, sulphuring. ☐ ⟨*Econ*⟩ ~ *della terra* (*o proprietà terriera*) fragmentation of holdings, splitting-up of an estate.
polverọne (*accr. di polvere*) *m.* thick cloud of dust.
polverọso *a.* **1.** (*pieno di polvere*) dusty, full of dust: *sentiero* ~ dusty path; (*coperto di polvere*) dusty, dust-covered: *scaffali -i* dusty shelves. – **2.** (*rif. a vento*: *che solleva molta polvere*) raising much dust. – **3.** (*rif. a neve*: *simile a polvere*) powder-, powdery: *neve -a* powder (snow), powdery snow.
polverulẹnto *a.* **1.** ⟨*lett*⟩ powdery, dusty, covered with dust, ⟨*lett*⟩ pulverous. – **2.** (*in polvere*) powdery, pulverulent. – **polverụme** *m.* ⟨*spreg*⟩ **1.** dust. – **2.** (*oggetti coperti di polvere*) dusty (*o* dust -covered) objects *pl*; (*roba vecchia*) dust-collectors *pl*. – **polvịglio** *m.* ⟨*ant*⟩ **1.** (*polvere sottile*) (fine) powder, dust. – **2.** (*cuscinetto pieno di spigo per profumare la biancheria*) lavender-bag, sachet. – **polvịscolo** *m.* ⟨*non com*⟩ (*pulviscolo*) (fine) dust.
pọma *f.* ⟨*ant*⟩ **1.** (*pomo, frutto*) fruit; (*mela*) apple. – **2.** *pl.* ⟨*fig*⟩ (*poppe*) breasts *pl*. – **3.** (*nel gioco del toccapoma*) place, base. ☐ ~ *granata* (*mela granata*) pomegranate; ~ *rancia* (*melarancia*) sweet orange.
pomạcee *f.pl.* ⟨*Bot*⟩ pome (*o* pip) fruits *pl* (*Pomaceae*).
pomacẹntridi *m.pl.* ⟨*Itt*⟩ damselfishes *pl*, pomacentrids *pl* (*Pomacentridae*).
pomạceo *a.* pomaceous.

pomarạncia *f.* ⟨*ant*⟩ (*arancio*) orange(-tree).
pomạrio *m.* ⟨*lett*⟩ (*frutteto*) orchard.
pomạta *f.* **1.** ⟨*Farm*⟩ ointment, salve. – **2.** ⟨*Cosmet*⟩ cream, pomade, pomatum.
pomatiạṣidi *m.pl.* ⟨*Zool*⟩ cyclostomes *pl* (*Pomatiasidae*).
pomatịna *f. dim. di* **pomata.**
pomạto *a.* **1.** ⟨*non com*⟩ (*pomellato*) dappled. – **2.** ⟨*Arald*⟩ pommé, pommetty, pommelly. – **3.** ⟨*ant*⟩ (*coltivato ad alberi da frutto*) planted with fruit trees, fruit-.
pọme *m.* **1.** ⟨*poet*⟩ (*frutto*) fruit; (*mela*) apple. – **2.** ⟨*ant*⟩ (*gioco fanciullesco*) tag, tig.
pomellạto I *a.* **1.** (*rif. a cavalli*) dappled. – **2.** ⟨*estens*⟩ (*chiazzato*) mottled, marked, spotted, patchy. – **II** *s.m.* (*cavallo pomellato*) dapple(d)-grey. – **pomellatụra** *f.* dappling.
pomẹllo (*dim. di pomo*) *m.* **1.** (*parte della gota*) cheek(-bone). – **2.** (*oggetto sferico*) pommel, knob, ball-grip.
pomẹlo *m.* → **pompelmo.**
pọmere *m.* (*anche cane pomere*) Pomeranian (dog), ⟨*fam*⟩ Pom.
pomeridiạno *a.* **1.** afternoon-, post meridian: *lezioni -e* afternoon classes. – **2.** (*con l'indicazione di ore*) p.m., in the afternoon: *alle cinque -e* at five p.m. □ *nelle ore -e* in the afternoon.
pomerịggio *m.* afternoon: *le ore del* ~ the afternoon (hours). □ *di* (*o nel*) ~ in the afternoon; *domani* ~ tomorrow afternoon.
pomẹrio *m.* ⟨*Stor.rom*⟩ pomoerium.
pọmero *m.* → **pomere.**
pomẹto *m.* ⟨*non com*⟩ (*frutteto*) orchard.
pọmfo *m.* ⟨*Med*⟩ wheal, pomphus. – **pomfọide** *a.* pomphoid, wheal-like.
pọmice *f.* **1.** ⟨*Min*⟩ (*anche pietra pomice*) pumice(-stone). – **2.** (*polvere*) pumice (powder), pumicite. □ *dare la* ~ *alle stoviglie* to clean the pots and pans with pumice, to pumice the pots and pans. – **pomịceo** *a.* pumiceous.
pomiciạre *v.* (**pọmicio, pọmici**) **I** *v.t.* (*pulire con pomice*) to pumice, to clean (*o* smooth) with pumice. – **II** *v.i.* (*aus.* **avere**) ⟨*roman*⟩ **1.** (*fare il pomicione*) to be a wolf, to flirt, ⟨*am.fam*⟩ to mash. – **2.** (*abbandonarsi a effusioni amorose*) to neck, to pet. – **pomiciatụra** *f.* pumicing. – **pomiciọne** *m.* ⟨*roman*⟩ wolf, flirt, ⟨*am.fam*⟩ masher. □ *un vecchio* ~ a dirty old man. – **pomiciọso** *a.* ⟨*non com*⟩ **1.** (*simile a pomice*) pumiceous, pumice-like. – **2.** (*ricco di pomice*) pumiceous, rich in pumice.
pomicoltọre *m.* ⟨*non com*⟩ (*frutticoltore*) fruit-farmer, fruit-grower. – **pomicoltụra** *f.* ⟨*non com*⟩ fruit-farming, fruit-growing. – **pomicultọre** *m.* → **pomicoltore.** – **pomicultụra** *f.* → **pomicoltura.**
pomidorạta *f.* ⟨*pop*⟩ → **pomodorata.** – **pomidọro** *m.* ⟨*pop*⟩ → **pomodoro.**
pomịfero *a.* ⟨*lett,non com*⟩ (*fruttifero*) fructiferous, fruit-producing.
pommarọla *f.* ⟨*napol*⟩ **1.** (*pomodoro*) tomato. – **2.** (*salsa*) tomato sauce.
pọmo *m.* (*pl. i* **pọmi**/*ant. le* **pọma**) **1.** (*mela*) apple; ⟨*estens*⟩ fruit resembling an apple. – **2.** ⟨*Bot*⟩ apple(-tree). – **3.** (*oggetto simile a mela*) pommel, knob; (*rif. alla spada*) pommel. – **4.** ⟨*Stor*⟩ (*insegna di regalità*) orb. – **5.** ⟨*Mar*⟩ (*formaggetta*) truck. – **6.** ⟨*Bot*⟩ (*frutto delle rosacee*) pome. – **7.** *pl.* ⟨*lett*⟩ (*mammelle*) breasts *pl.* □ ~ *di* **acagiù** (*frutto dell'anacardio*) cashew (nut); ~ *d'***Adamo**: 1. = *il pomo* **vietato**; 2. ⟨*Anat*⟩ Adam's apple; ~ **amaro** colocynth, bitter-apple (*Citrullus colocynthis*); ~ **cotogno** (*melo cotogno*) quince (-tree) (*Cydonia vulgaris*); (*frutto*) quince; ⟨*Mitol*⟩ ~ *della* **discordia** apple of discord; ⟨*fig*⟩ bone of contention; ⟨*Mitol*⟩ *-i delle* **Esperidi** golden apples of the Hesperides; ~ **granato** (*melograno*) pomegranate(-tree) (*Punica granatum*); ~ *di* **Media** (*cedro*) cedar (*Cedrus*); ~ **meraviglia** balsam apple (*Momordica charantia*); ~ *di* **Paride** = *pomo della* **discordia**; ~ *di* **Persia** = *pomo di* **Media**; ⟨*lett*⟩ ~ **punico** = *pomo* **granato**; ~ *della* **sella** (saddle) pommel; ~ **spinoso** (*stramonio*) Jimsonweed, apple of Peru (*Datura stramonium*); ⟨*region*⟩ ~ *di* **terra** (*patata*) potato; ⟨*Bibl*⟩ *il* ~ **vietato** the forbidden fruit.
pomodorạta *f.* blow with a tomato. □ ⟨*fig*⟩ *prendere qd. a -e* to throw tomatoes at s.o., to jeer (*o* boo) s.o.
pomodọro *m.* (*pl.* **pomodọri**/**pomidọro**) **1.** ⟨*Bot*⟩ tomato (*Lycopersicum esculentum*; *Solanum lycopersicum*). – **2.** (*frutto*) tomato. □ **conserva** *di* ~ tomato paste (*o* purée); **insalata** *di -i* tomato salad; ⟨*Zool*⟩ ~ *di* **mare** sea anemone (*Actinia equina*); *-i* **pelati** peeled tomatoes; *-i* **ripieni** stuffed tomatoes; **succo** *di* ~ tomato juice; **sugo** *di* ~ tomato sauce.
pomogranạto (o *pọmo granạto*) *m.* **1.** ⟨*Bot*⟩ (*melograno*) pomegranate(-tree) (*Punica granatum*). – **2.** (*melograna*) pomegranate.
pọmolo *m.* ⟨*region*⟩ (*impugnatura*) knob, pommel, (round) handle.
pomologịa *f.* ⟨*Bot*⟩ pomology. – **pomolọgico** *a.* (*pl.* **-ci**) pomological. – **pomọlogo** *m.* (*f.* **-a**) pomologist.
pomọso *a.* ⟨*lett*⟩ (*ricco di frutti*) fruit-laden, fruit-filled.
pọmpa[1] *f.* **1.** pump. – **2.** (*idrante*) hydrant, water plug. – **3.** (*distributore di benzina*) petrol (*o* service) station, ⟨*am*⟩ filling (*o* gasoline) station; (*colonnina*) petrol pump, ⟨*am*⟩ gas pump. □ ⟨*Mot*⟩ ~ *d'***accelerazione** accelerating pump; ~ *dell'***acqua** water pump; ⟨*Mot*⟩ ~ *d'***adescamento** priming pump; ~ *d'***alimentazione** feed pump; ~ **antincendio** fire-engine; ~ *ad* **aria** air -pump; ~ **aspirante** suction (*o* sucking) pump; ~ **ausiliaria** booster pump; ⟨*Mot*⟩ ~ *della* **benzina** fuel pump; ~ *a* **capsulismo** = *pompa* **rotativa**; ~ **centrifuga** centrifugal pump; ~ **elettrica** electric pump; *-e* **elevatorie** lift pumps; ⟨*Mar*⟩ ~ *di* **esaurimento** bilge pump; ~ *a* **getto** jet pump; ~ **idrovora** dewatering pump; ~ *da* **incendio** = *pompa* **antincendio**; ~ *a* **ingranaggi** gear pump; ⟨*Mot*⟩ ~ *d'***iniezione** bulk (*o* fuel) injection pump; (*per motore Diesel*) injector pump; ~ *di* **lavaggio** washdown pump; ~ *per* **lubrificazione** lubricating pump; ~ *a* **mano** hand pump; ~ *a* **membrana** diaphragm (*o* membrane) pump; ~ **multipla** multistage pump; ⟨*Mot*⟩ ~ *dell'***olio** oil pump; ~ *a* **palette** vane pump; ~ *a* **pedale** foot pump; ~ *a* **pistone** piston pump; ~ **pneumatica** = *pompa ad* **aria**; ~ *per* **pneumatici** tyre pump; ~ **premente** force (*o* forcing) pump, pressure (*o* pressing) pump; ~ *a* **pressione** *d'aria* airlift pump; ~ *di* **prosciugamento** = *pompa* **idrovora**; ~ *di* **recupero** scavenge pump; ⟨*Mot*⟩ ~ *di* **ripresa** accelerator pump; ~ **rotativa** rotary pump; ~ *di* **sentina** = *pompa di* **esaurimento**; ~ **sommersa** submergible pump; ~ *a* **stantuffo** = *pompa a* **pistone**; ~ *a* **vapore** steam pump; ~ *a* **vento** wind pump; ~ *a* **vuoto** vacuum pump; ~ *per alto vuoto* high-vacuum pump.
pọmpa[2] *f.* **1.** (*apparato sfarzoso*) pomp (and circumstance), display, magnificence, splendour: *nozze celebrate con gran* ~ wedding celebrated with great pomp. – **2.** ⟨*lett*⟩ (*ostentazione*) pomp, (ostentatious) display, ostentation, show, parade: *far* ~ *della propria ricchezza* to make a display of one's wealth. – **3.** ⟨*ant*⟩ (*processione*) procession. □ ⟨*fig*⟩ *far* ~ *di qc.* to show s.th. off, to parade s.th., to make a show (*o* an ostentatious display) of s.th.: *far* ~ *di dottrina* to parade one's learning; ⟨*lett*⟩ ~ *funebre* funeral, last rites *pl*; (*impresa di*) *-e funebri* undertaker's (establishment), ⟨*am*⟩ mortician's, ⟨*am*⟩ funeral home (*o* parlor); *impresario di -e funebri* undertaker, ⟨*am*⟩ mortician, ⟨*am*⟩ funeral director; *carro per -e funebri* hearse; ⟨*scherz*⟩ *mettersi in* ~ *magna* to dress up, to put on one's best.
pompạggio *m.* pumping.
pompạre *v.* (**pọmpo**) **I** *v.t.* **1.** to pump: ~ *l'acqua dal pozzo* to pump water from the well. – **2.** (*gonfiare*) to pump (up), to blow up, to inflate. – **3.** ⟨*fig*⟩ (*esagerare*) to exaggerate, to blow up. – **II** *v.i.* (*aus.* **avere**) **1.** (*azionare una pompa*) to pump. – **2.** ⟨*scol*⟩ (*sgobbare*) to study hard, ⟨*fam*⟩ to swot, ⟨*fam*⟩ to grind.
pompạta *f.* **1.** pump(ing). – **2.** (*quantità*) amount drawn by one pump stroke, pumpful. □ *dare una* ~ *a una gomma* to give a tyre a quick pumping. – **pompatịna** *f. dim. di* **pompata.**
pompeạno *a./s.* → **pompeiano**[2].
pompeggiạre *v.i.* (**pompẹggio, pompẹggi**; *aus.* **avere**) ⟨*non com*⟩ (*ostentare*) to show off, to parade (*con, di qc.* s.th.), to make a show (*o* display) (of). – **pompeggiarsi** *v.r.* (*pavoneggiarsi*) to show off, to parade about, to peacock, to preen o.s.
Pompẹi *N.pr.f.* ⟨*Geog*⟩ Pompeii. – **pompeiạna** *f.* ⟨*non com*⟩ (*tipo di vasca da bagno*) hip-bath, sitz-bath.
pompeiạno[1] **I** *a.* Pompei(i)an, of Pompeii: *rosso* ~ Pompeiian red; *le rovine -e* the ruins of Pompeii. – **II** *s.m.* (*abitante*; *f.* **-a**) native (*o* inhabitant) of Pompeii, Pompei(i)an.
pompeiạno[2] **I** *a.* ⟨*Stor.rom*⟩ (*di Pompeo*) of Pompey, Pompey's. – **II** *s.m.* (*soldato o seguace di Pompeo*) soldier (*o* follower) of Pompey.
pompẹlmo *m.* ⟨*Bot*⟩ **1.** shaddock(-tree) (*Citrus decumana*); (*frutto*) shaddock, pomelo, pompelmoose. – **2.** grapefruit(-tree) (*Citrus paradisi*); (*frutto*) grapefruit, ⟨*non com*⟩ pomelo.
Pompẹo *N.pr.m.* ⟨*Stor*⟩ Pompey, Pompeius.
pompẹtta (*dim. di pompa*[1]) *f.* **1.** (*oliatore per macchine da cucire*) oil-can. – **2.** ⟨*Med*⟩ (*peretta*) pump. □ ⟨*Med*⟩ ~ *tira-latte* breast pump.
pompiẹre *m.* **1.** (*vigile del fuoco*) fireman. – **2.** *pl.* ⟨*collett*⟩ firemen *pl*, fire-brigade: *chiamare i -i* to call the firemen. – **3.** ⟨*fig,lett*⟩ (*artista grossolano*) pompier artist, mediocre pretentious artist (*o* writer). □ *il corpo dei -i* the fire-brigade, ⟨*am*⟩ the fire department. – **pompierịṣmo** *m.* ⟨*non com*⟩ pompier style, conventionalism. – **pompierịstico** *a.* (*pl.* **-ci**) ⟨*non com*⟩ fireman's, of a fireman, fire-, pompier.
pompịlidi *m.pl.* ⟨*Entom*⟩ pompilids *pl* (*Pompilidae*).
pọmpilo *m.* ⟨*Itt*⟩ tunny, tuna(fish), bluefin (tuna) (*Thunnus thynnus*).
pompịsta *m./f.* **1.** pumper, ⟨*am*⟩ pumpman. – **2.** (*addetto ai distributori di benzina*) service-station attendant.
pompon *fr.* [pɔ̃ˈpɔ̃] *m.* (*nappa*) pompon.
pomposamẹnte *avv.* pompously, with pomp. – **pomposità** *f.* ⟨*non com*⟩ pompousness. – **pompọso** *a.* **1.** pompous, (over-)magnificent, splendid. – **2.** (*ostentato*) pompous, showy, ostentatious; (*vanitoso*) pompous, vainglorious. – **3.** ⟨*Mus*⟩ pomposo, imposing pompous.
pọnce (o *pọnce*) *m.* (*bevanda*) punch.
ponceau *fr.* [pɔ̃ˈso] **I** *a.* ponceau(-red), poppy-red. – **II** *s.m.* ponceau.
poncẹtto *m.* ⟨*Lav.femm*⟩ (*puncetto*) punto avorio.
pọncho *sp.* [-tʃo] *m.* poncho.
poncif *fr.* [pɔ̃ˈsif] *m.* **1.** (*spolvero*) pouncing. – **2.** ⟨*fig*⟩ (*lavoro banale*) banal (*o* trite, unoriginal) work.
poncịno *m. dim. di* **ponce.**
pọncio *m.* → **poncho.**
ponciọne *m.* ⟨*lomb*⟩ (*punta rocciosa*) rocky peak, crag.
ponderạbile *a.* **1.** ponderable, weighable. – **2.** ⟨*fig*⟩ that is to be pondered, worthy of careful consideration. – **ponderabilità** *f.* ponderability.
ponderạle *a.* ponderal, weight-, of weight: *unità* ~ unit of weight.
ponderạre *v.t.* (**pọndero**) **1.** (*considerare*) to ponder, to consider, to think about (*o* over), to weigh up, to reflect upon: *pondera bene ciò che devi fare* think well about what you must do. – **2.** ⟨*ant*⟩ (*pesare*) to weigh; (*gravare*) to weigh down upon, to burden.

ponderatamẹnte *avv.* thoughtfully, deliberately, after due (*o* careful) consideration, with due thought. – **ponderạto** (*p.p. di ponderare*) *a.* **1.** (*meditato*) (well-)considered, well-pondered, (carefully) thought out: *parole -e* well-considered words. – **2.** (*rif. a persona*: *assennato*) careful, circumspect, deliberate. – **ponderatọre** ⟨*non com*⟩ **I** *s.m.* (*f.* **-trice**) ponderer. – **II** *a.* pondering. – **ponderaziọne** *f.* **1.** (*riflessione*) pondering, reflection, thought, careful consideration: *agire senza* ~ to act without careful (*o* due) thought. – **2.** ⟨*Scult*⟩ ponderation. – **3.** ⟨*Statist*⟩ weighting.
ponderosità *f.* ⟨*non com*⟩ **1.** heaviness, weightiness, ponderousness. – **2.** ⟨*fig*⟩ heaviness, hardness, difficulty, laboriousness. – **ponderọso** *a.* (very) heavy, weighty, ponderous (*anche fig.*): *un compito* ~ a weighty task.
pọndo *m.* ⟨*lett*⟩ **1.** (*peso*) weight. – **2.** (*fardello*) burden, weight, load; (*corpo*) body. – **3.** ⟨*fig*⟩ (*fatica*) effort, labour. ☐ ⟨*fig,lett*⟩ *di gran* ~ (*molto importante*) very important, of great weight (*o* importance, moment), weighty; *mal del* ~ dysentery.
ponẹnte[1] *m.* **1.** west: *a* ~ *dell'Italia* west of Italy. – **2.** ⟨*Meteor*⟩ (*vento*) west (*o* westerly) wind, wester(ly). – **3.** ⟨*non com*⟩ (*paesi occidentali*) West, western countries *pl.* ☐ *verso* ~ west, westwards: *dirigersi verso* ~ to go west, to be westbound.
ponẹnte[2] *m.* ⟨*Dir.can*⟩ ponens relator.
ponẹnte[3] *p.pr. di* **porre**.
ponentịno (*dim. di ponente*[1]) **I** *a.* ⟨*ant*⟩ west-, western. – **II** *s.m.* **1.** ⟨*ant*⟩ (*abitante dei paesi occidentali*; *f.* **-a**) Westerner, Occidental. – **2.** ⟨*Meteor*⟩ (*a Roma*: *brezza di mare*) sea-breeze.
pọnere *v.* ⟨*ant*⟩ → **porre**.
poney *fr.* [pɔ'nɛ] *m.* → **pony**.
pọnfo *m.* → **pomfo**. – **ponfọide** *a.* → **pomfoide**.
pọngo *pr.ind. di* **porre**.
ponimẹnto *m.* ⟨*rar*⟩ (*il porre*) laying (down), putting (down), setting (down), placing. ☐ ⟨*ant*⟩ ~ *del sole* (*tramonto*) sunset.
ponitọre *m.* (*f.* **-trice**) ⟨*ant*⟩ **1.** (*chi pone*) placer, setter down. – **2.** ⟨*Cart*⟩ coucher. ☐ ⟨*ant*⟩ ~ *di leggi* (*legislatore*) legislator.
ponọgeno *m.* ⟨*Fisiol*⟩ (*anche veleno ponogeno*) ponogen, fatigue poison (*o* toxin), kenotoxin.
pọnor *m.* ⟨*Geol*⟩ ponor.
ponsò *a./s.inv.* → **ponceau**.
pontạggio *m.* → **pontatico**.
pontạio *m.* ⟨*tosc,ant*⟩ → **ponteggiatore**. – **pontaiọlo** *m.* → **ponteggiatore**.
pontạre *v.* (**pọnto**) ⟨*ant*⟩ **I** *v.t.* (*puntare*) to push, to lean on. – **II** *v.i.* (*aus.* **avere**) **1.** (*premere*) to press, to drive. – **2.** ⟨*fig*⟩ (*stimolare*) to urge, to stimulate, to spur on.
pontạtico *m.* (*pl.* **-ci**) ⟨*Dir.mediev*⟩ right to a bridge-toll.
pontạto *a.* ⟨*Mar*⟩ decked.
pọnte *m.* **1.** bridge: *attraversare il* ~ to cross the bridge. – **2.** ⟨*Edil*⟩ (*impalcatura*) scaffold(ing), staging. – **3.** ⟨*Mar*⟩ deck: *salire sul* ~ to go on deck; (*ponte di comando*) bridge, fore (*o* pilot, navigating) bridge. – **4.** (*nel biliardo*) bridge. – **5.** ⟨*Dent*⟩ bridge. – **6.** ⟨*Ginn, Sport*⟩ backbend, bridge. – **7.** ⟨*Aut*⟩ axle. – **8.** ⟨*El*⟩ bridge, jumper. – **9.** ⟨*Mus*⟩ bridge (passage). – **10.** ⟨*non com*⟩ (*gioco del bridge*) bridge.
☐ ⟨*Mar*⟩ **a** *due -i* two deck-; *vascello a tre -i* three-decker; ~ *in* **acciaio** steel bridge; ~ **aereo** airlift; ⟨*Aut*⟩ ~ **anteriore** front axle; ~ *a tre* **arcate** three-arch bridge; ~ *ad* **arco** arch(ed) bridge; ~ *a schiena d'***asino** hump-backed bridge; ⟨*Mar.mil*⟩ ~ *di* **atterraggio** flight-deck, landing platform (*o* deck); ~ **ausiliario** emergency (*o* temporary) bridge; ~ *di* **barche** bridge of boats; ⟨*Mil*⟩ pontoon bridge; ~ *a* **bilico**: 1. bascule (*o* counter-posed) bridge; 2. (*per carico merci*) tipping bridge; 3. (*stadera a ponte*) weigh-bridge, platform scale; ⟨*Teat*⟩ ~ *di* **bocca** *d'opera* bridge; ⟨*fig*⟩ **bruciare** *i -i alle spalle* to burn one's bridges behind one; ~ *in* **calcestruzzo** concrete bridge; *a* **capo** *del* ~ at the beginning of the bridge; ~ *a* **catene** chain bridge; ~ *a* **cavi** cable (*o* suspension) bridge; ~ *di* **chiatte** = *ponte di* **barche**; ~ *di* **coperta** upper deck; ~ **corazzato** armoured deck; ~ *di* **corridoio** third (*o* orlop) deck; ⟨*Mar.mil*⟩ ~ *di* **decollo** flight-deck, take-off deck; ~ **dentario** (dental) bridge; ~ *d'***emergenza** = *ponte* **ausiliario**; ⟨*Edil*⟩ ~ *di* **fabbrica** scaffolding; ⟨*fig*⟩ **far** ~ *a qd.* to help s.o., to back s.o. up; ⟨*fig*⟩ *fare il* ~ (*rif. a giorni festivi*) to take a holiday on a day falling between two holidays; ~ *in* **ferro** iron bridge; ~ **ferroviario** railway bridge; ~ *di* **fortuna** jury bridge; ~ **galleggiante** pontoon (*o* floating) bridge; **gettare** *un* ~ to build (*o* throw) a bridge: *gettare un* ~ *su un fiume* to ⌈build a bridge over⌉ (*o* bridge) a river; ~ **girevole** swing (*o* turn) bridge; ~ *della* **gru** crane girder; ⟨*El*⟩ ~ *d'***impedenze** impedance bridge; ⟨*Mar*⟩ ~ *delle* **lance** boat deck; ~ *in* **legno** wooden bridge; ~ **levatoio** drawbridge; ⟨*Teat*⟩ ~ **luce** light bridge; ~ *a più* **luci** bridge with more than one span, multi-arched bridge; ⟨*Mar*⟩ ~ *di* **manovra** awning (*o* hurricane) deck; ⟨*El*⟩ ~ *di* **misura** meter bridge; ~ **mobile** movable bridge, hanging stage, drawbridge; ⟨*Geol*⟩ ~ **naturale** natural bridge; ⟨*Geol*⟩ ~ *di* **neve** snowbridge; ⟨*fig*⟩ *fare i -i d'***oro** *a qd.* to make s.o. an advantageous offer; ⟨*Mar*⟩ ~ *di* **passeggiata** promenade deck; ~ *a* **pedaggio** toll-bridge; ~ **pedonale** foot-bridge; ~ *di* **pietra** stone bridge; ⟨*Mar*⟩ ~ *di* **poppa** aft (*o* poop) deck, afterdeck; ⟨*Aut*⟩ ~ **posteriore** rear axle; ⟨*Mar*⟩ ~ **principale** main deck; ⟨*Mar*⟩ ~ *di* **prora** fore bridge (*o* deck); ~ **radio** radio link, repeater (*o* radio relay) system; ~ **ribaltabile** bascule bridge; ⟨*Mar*⟩ ~ **scoperto** weather deck; ~ **scorrevole** roller (*o* traversing) bridge; ~ *di* **servizio** = *ponte di* **fabbrica**; ~ **sollevabile** lift-bridge, ⟨*am*⟩ lifting (*o* vertical-lift) bridge; ~ **sollevatore** (auto) lift; ~ **sospeso** suspension bridge; ≈ *dei* **sospiri** Bridge of Sighs; ⟨*ant,fig*⟩ **stare** *in* ~ (*essere indeciso*) to be undecided (*o* irresolute), to hesitate; ⟨*Mar*⟩ ~ *di* **stiva** orlop deck; ~ **stradale** road bridge; ~ **superiore** = *ponte di* **coperta**; ⟨*fig*⟩ **tagliare** *i -i con qd.* to break off with s.o.; ⟨*fig*⟩ **tenere** *in* ~ (*rif. a persone*: *lasciare nell'incertezza*) to keep in a state of uncertainty (*o* doubt), to keep on tenterhooks; (*rif. a cose*: *lasciare indeciso*) to leave undecided, to keep in abeyance; ⟨*Mil*⟩ **testa** *di* ~ bridgehead (*anche fig.*); ~ *a* **traliccio** lattice bridge; ~ *a* **travata** truss (*o* girder) bridge; ⟨*Anat*⟩ ~ *di* **Varolio** pons (Varolii); ⟨*Mar.mil*⟩ ~ *di* **volo** flight-deck; ⟨*El*⟩ ~ *di* **Wheatstone** Wheatstone (*o* resistance) bridge.
pontefịcale *a./s.* ⟨*ant*⟩ → **pontificale**. – **pontefịcato** *m.* ⟨*ant*⟩ → **pontificato**.
pontẹfice *m.* **1.** ⟨*Rel.catt*⟩ (*papa*) Pope, Pontifex, Pontiff. – **2.** ⟨*Stor. rom*⟩ pontifex. – **3.** ⟨*Lit*⟩ (*vescovo*) bishop, ⟨*ant*⟩ pontiff. – **4.** ⟨*fig, scherz*⟩ (*capo*) head, chief, high priest. ☐ ⟨*Stor.rom*⟩ ~ *massimo* Pontifex Maximus, chief priest; ⟨*Rel.catt*⟩ *sommo* ~ Sovereign (*o* Supreme) Pontiff, Pope.
ponteggiatọre *m.* ⟨*Edil*⟩ scaffolder, scaffold-builder. – **pontẹggio** *m.* scaffolding, staging. ☐ ~ *in legno* wood scaffold(ing); ~ *sospeso* suspended scaffold; ~ *tubolare* (o *in tubi*) tubular (steel) scaffolding.
pontiạno **I** *a.* ⟨*Geol*⟩ Pontian. – **II** *s.m.* Pontian (stage).
pontịcello (*dim. di ponte*) *m.* **1.** ⟨*Mus*⟩ bridge, ponticello. – **2.** (*nell'impugnatura della spada*) curved part of guard extending to the pommel. – **3.** (*sostegno*) bridge. – **4.** ⟨*El,Tel*⟩ jumper (connection).
ponticità *f.* ⟨*ant*⟩ (*l'essere aspro*) sourness.
pọntico[1] *a./s.* (*pl.* **-ci**) **I** *a.* **1.** ⟨*lett*⟩ (*del Mar Nero*) Pontic, of the Black Sea. – **2.** ⟨*Geol,Geog*⟩ Pontian. – **II** *s.m.* ⟨*Geol*⟩ Pontian (stage).
pọntico[2] *a.* (*pl.* **-ci**) → **pontino**[2].
pontiẹre *m.* **1.** ⟨*Mil*⟩ pontonier, pontoneer. – **2.** ⟨*ant*⟩ (*traghettatore*) ferryman.
pontificạle **I** *a.* **1.** ⟨*Rel.catt*⟩ (*del papa*) pontifical, papal: *seggio* ~ papal seat. – **2.** ⟨*Stor.rom*⟩ pontifical. – **3.** ⟨*Lit*⟩ (*del vescovo*) pontifical, episcopal. – **4.** ⟨*fig,scherz*⟩ (*volutamente solenne*) pontifical, inflated, pompous. – **II** *s.m.* ⟨*Lit*⟩ **1.** (*messa pontificale*) Pontifical Mass. – **2.** (*libro*) pontifical. ☐ ⟨*ant*⟩ *in* ~ (*in abito solenne*) in pontificalibus, (dressed) in pontificals.
pontificạre *v.i.* (**pontịfico, pontịfichi**; *aus.* **avere**) **1.** ⟨*Lit*⟩ to pontificate. – **2.** ⟨*fig,scherz*⟩ (*assumere un tono solenne*) to pontificate, to be dogmatic, to act the pontiff. – **pontificạto** *m.* **1.** ⟨*Rel.catt*⟩ (*papato*) papacy, pontificate. – **2.** ⟨*Stor.rom*⟩ pontificate. – **3.** ⟨*non com*⟩ (*dignità di vescovo*) episcopate, pontificate. – **pontifịcio** *a.* pontifical, papal, of the Pope, Pope's: *esercito* ~ papal (*o* Pope's) army.
pontịle[1] *m.* ⟨*Mar*⟩ pier, wharf, quay; (*da sbarco*) landing-stage.
pontịle[2] *m.* ⟨*Arch*⟩ rood-lift, rood-screen.
pontịno[1] *a.* ⟨*Geog*⟩ Pontine: *paludi -e* Pontine marshes.
pontịno[2] *a.* ⟨*Anat*⟩ (*del ponte di Varolio*) pontine.
pontịsta *m.* ⟨*Edil*⟩ scaffolder, scaffold-builder.
pọnto *m.* ⟨*poet*⟩ (*mare*) sea.
Pọnto *N.pr.m.* ⟨*Geog.stor*⟩ Pontus.
pontonạio *m.* ⟨*ant*⟩ **1.** (*traghettatore*) ferryman, ferrier. – **2.** (*addetto alla riscossione del pontatico*) (bridge) toll-collector; (*addetto alla custodia di un ponte*) bridge keeper, bridge-man.
pontọne *m.* **1.** (*grosso galleggiante*) pontoon. – **2.** (*barca usata per traghettare*) ferry(-boat), pontoon.
pontoniẹre *m.* ⟨*non com*⟩ ⟨*Mar,Mil*⟩ pontonier, pontoneer.
pony *ingl.* ['pouni] *m.* pony.
ponzamẹnto *m.* ⟨*non com*⟩ effort, labour, strain. – **ponzạre** *v.* (**pọnzo**) **I** *v.i.* (*aus.* **avere**) **1.** ⟨*tosc*⟩ (*fare sforzi*) to strain, to labour, to exert o.s. – **2.** ⟨*fig,scherz*⟩ (*spremersi il cervello*) to rack (*o* cudgel) one's brains, to think hard. – **II** *v.t.* ⟨*scherz*⟩ (*produrre con fatica*) to produce with great effort, to labour over. – **ponzatụra** *f.* → **ponzamento**.
poọfita *f.* ⟨*Bot*⟩ poophyte.
pop. = *popolazione* population (*abbr.* pop.).
pọpe *russ. m.inv.* ⟨*Rel*⟩ pope, papa.
pọpelin *m.*, **popelịna** *f.* → **popeline**. – **popeline** *fr.* [pɔp'lin] *f.* ⟨*Tess*⟩ poplin.
pọplite *m.* ⟨*Anat*⟩ **1.** (*muscolo*) popliteus, popliteal muscle. – **2.** ⟨*lett*⟩ (*polpaccio*) calf muscle. ☐ ⟨*Anat*⟩ *regione del* ~ (*posteriore del ginocchio*) poples, popliteal space, ⟨*pop*⟩ back of the knee. – **poplitẹo** *a.* popliteal. ☐ *losanga -a* popliteal space.
popò ⟨*infant*⟩ **I** *s.f.* (*feci*) ⟨*infant*⟩ poopy, ⟨*fam*⟩ caca, ⟨*fam*⟩ number two. – **II** *s.m.* (*sedere*) seat, ⟨*infant*⟩ botty, ⟨*volg*⟩ bum, ⟨*am.fam*⟩ fanny.
popolạccio (*pegg. di popolo*[1]) *m.* scum (*o* dregs *pl*) of society, riff-raff, populace, hoi polloi.
popolạglia *f.* ⟨*non com*⟩ (*gentaglia*) mob, rabble, dregs *pl* of society.
popolamẹnto *m.* **1.** peopling, populating, population. – **2.** (*rif. ad animali e piante*) populating, population.
popolạno **I** *a.* **1.** (*del popolo*) of the (common) people, popular: *saggezza -a* wisdom of the common people. – **2.** (*che appartiene al popolo*) of the people, people's. – **II** *s.m.* (*f.* **-a**) **1.** man (*f* woman) of the people, member of the lower classes. – **2.** (*abitante*) inhabitant. – **3.** ⟨*non com*⟩ (*parrocchiano*) parishioner.
popolạre[1] *v.t.* (**pọpolo**) **1.** to people, to populate; (*rif. ad animali e piante*) to populate. – **2.** (*abitare*) to inhabit, to populate, to dwell (*o* live) in; (*rif. ad animali*) to inhabit, to live in; (*rif. a piante*) to grow in. – **popolarsi** *v.r.* **1.** (*rif. a persone*) to become populous,

to fill with people, ⟨*am*⟩ to populate. – **2.** (*rif. ad animali e piante*) to propagate.

popolạre² **I** *a.* **1.** (*del popolo*) popular, of the (common) people: *rivolta* ~ popular revolt, revolt of the people. – **2.** (*frequentato o abitato dal popolo*) low class-, common, working class-: *quartiere* ~ working-class neighborhood. – **3.** (*diffuso nel popolo*) popular, folk-: *credenze -i* popular beliefs; (*nato in mezzo al popolo*) folk-: *canti -i* folksongs. – **4.** (*fatto a favore del popolo*) working-class-, of (*o* for) the poorer classes, ⟨*am*⟩ low-income-: *costruzione di case -i* building of ⌜working-class homes⌝ (*o* council houses), ⟨*am*⟩ construction of low-income housing; (*a modico prezzo*) popular, inexpensive: *a prezzi -i* at popular prices. – **5.** (*noto, diffuso*) popular, widespread: *uno sport* ~ *in tutto il mondo* a sport popular the world over; (*rif. a persona*) popular: *un attore* ~ a popular actor. – **6.** (*divulgativo*) popular: *libri -i* popular books. – **7.** ⟨*ant*⟩ (*affabile*) easy-going, affable, informal, sociable. – **II** *s.m.* ⟨*Mediev*⟩ **1.** one of the people. – **2.** *pl.* people *pl*.

popolareggiạnte *a.* inspired by folk art. – **popolarẹsco** *a.* (*pl.* **-chi**) of the (common) people, popular, folk-.

popolarità *f.* **1.** popularity: *la* ~ *di un cantante* the popularity of a singer. – **2.** (*conformità all'uso del popolo*) popular nature. ☐ *godere di grande* ~ to be very popular. – **popolarizzạre** *v.t.* ⟨*non com*⟩ **1.** (*diffondere*) to popularize, to make popular. – **2.** (*rendere adatto al popolo*) to popularize, to put into popular form. – **popolarmẹnte** *avv.* popularly, in popular form.

popolạto (*p.p. di popolare¹*) *a.* **1.** peopled, populated, inhabited. – **2.** (*affollato*) crowded, heavily populated, populous. – **3.** ⟨*fig*⟩ (*pieno*) filled (*di* with), populated (with, by): *cielo* ~ *di stelle* sky filled with stars, star-filled (*o* star-strewn) sky.

popolatọre *m.* (*f.* **-trice**) ⟨*rar*⟩ populator, peopler.

popolaziọne *f.* **1.** population: *la* ~ *della terra* the earth's population. – **2.** (*agglomerato umano*) people, nation: *-i nordiche* northern peoples. – **3.** ⟨*Biol*⟩ population: *la* ~ *della giungla* the population of the jungle.

☐ ~ **agraria** (*o agricola*) = *popolazione rurale*; ~ **attiva** working population; **censimento** *della* ~ (population) census; ~ **civile** civilized people; ⟨*Dir*⟩ civilian population; ~ **fissa** (*o residente*) resident population; ~ **fluttuante** floating population; ~ *in età da* **lavoro** working-age population; ~ **rurale** rural population; ~ **scolastica** school-age population; ~ **stabile** = *popolazione* **fissa**; ~ **urbana** urban population.

popolazionịsmo *m.* → **populazionismo**. – **popolazionịsta** *a./s.* → **populazionista**. – **popolẹsco** *a.* (*pl.* **-chi**) ⟨*ant*⟩ (*popolare*) popular, common; (*popolaresco*) of the (common) people, folk-. – **popolịno** (*dim. di popolo¹*) *m.* ⟨*spreg*⟩ common people, masses *pl*, rabble, lower classes *pl*, populace.

pọpolo¹ *m.* **1.** people: *il* ~ *italiano* the Italian people; *i -i europei* the peoples of Europe; (*nazione*) nation: *un* ~ *giovane* a young nation. – **2.** (*abitanti di una città*) inhabitants *pl*, people (*costr. pl.*): *il* ~ *di Roma* the people of Rome. – **3.** (*moltitudine, folla*) people (*costr. pl.*), crowd, throng: *una piazza gremita di* ~ a square packed with people, a very crowded square. – **4.** (*insieme di cittadini*) people (*costr. pl.*): *un re amato dal suo* ~ a king loved by his people. – **5.** (*insieme delle classi sociali più modeste*) (common) people (*costr. pl.*), lower (*o* working) classes *pl*: *una ragazza del* ~ a girl of the people; *parole che si sentono sulla bocca del* ~ words used by the common people. – **6.** (*moltitudine di animali o cose*) mass, crowd, swarm. – **7.** ⟨*Stor*⟩ (*governo popolare*) government by the people, democracy. – **8.** ⟨*ant*⟩ (*parrocchiani*) parishioners *pl*; (*parrocchia*) parish.

☐ *un* ~ **civile** a civilized people; ~ **cristiano** (*o di Cristo*) Christians *pl*, Christian people, Christendom; ⟨*Rel*⟩ ~ *di* **Dio** People of God; ⟨*Bibl*⟩ *il* ~ **eletto** the Chosen People; ⟨*ant*⟩ **far** ~ (*radunare molta gente*) to get a crowd (*o* lot of people) together; *a* **furor** *di* ~: 1. by the people, ⟨*spreg*⟩ by the mob; 2. (*rif. a successo e sim.*) by popular acclaim; ⟨*Mediev*⟩ ~ **grasso** middle classes *pl*; *il* ~ **d'Israele** the children *pl* of Israel; ⟨*Mediev*⟩ ~ **minuto** lower classes *pl*, populace; ⟨*ant*⟩ *a* (*o in*) **pieno** ~ (*davanti a gran folla*) in public, before a great crowd; *i -i* **sovrani** the sovereign (*o* self-governing) peoples.

pọpolo² *m.* ⟨*ant*⟩ (*pioppo*) poplar.

popolọso *a.* populous, heavily populated.

poponạia *f.* melon-bed. – **poponạio** *m.* **1.** (*venditore*) melon-seller. – **2.** → **poponaia**. – **popọne** *m.* **1.** ⟨*Bot*⟩ musk melon (*Cucumis melo*). – **2.** ⟨*fig,scherz*⟩ (*gobba*) hunch, hump. ☐ ⟨*Bot*⟩ ~ *cotignolo* (*o arancio*) mango melon. – **poponẹlla** (*dim. di popone*) *f.* ⟨*region*⟩ (*popone primaticcio*) early musk melon.

pọppa¹ *f.* **1.** ⟨*Mar*⟩ stern, poop. – **2.** ⟨*Aer*⟩ tail. – **3.** ⟨*poet*⟩ (*nave*) ship. ☐ ⟨*Mar*⟩ **a** ~ aft, astern, abaft; ⟨*pop*⟩ **andare** *in* ~ (*avere buon esito*) to turn out well, to be successful; ~ **arrotondata** round stern; **di** ~ after, stern-, aft: *cabina di* ~ after cabin; *fanale di* ~ stern light; *mare di* ~ following sea; *ponte di* ~ aft deck; ⟨*Mar*⟩ **mollare** *in* ~ to make for shelter; *da* ~ *a* **prua** fore and aft, from stem to stern; ~ **quadra** square stern; **vento** *in* ~ aft (*o* stern) wind; *avere il vento in* ~ to sail before the wind (*anche fig.*).

pọppa² *f.* **1.** (*mammella*) breast; (*di vacca e sim.*) udder. – **2.** ⟨*non com*⟩ (*latte*) milk. – **3.** ⟨*poet*⟩ (*petto*) breast, chest. ☐ *dare la* ~ *a un bambino* to give the breast to a baby, to breast-feed (*o* suckle) a baby; *levare dalla* ~ (*svezzare*) to wean; ⟨*Bot*⟩ ~ *di Venere* kind of peach.

poppạnte (*p.pr. di poppare*) **I** *a.* **1.** (*lattante*) suckling, nursing. – **2.** ⟨*iron*⟩ (*inesperto, novellino*) green, inexpert, novice. – **II** *s.m./f.* **1.** suckling, baby, infant. – **2.** ⟨*iron*⟩ (*ragazzo inesperto*) callow youth, ⟨*fam*⟩ whipper-snapper. – **poppạre** *v.t.* (**pọppo**) **1.** to suck, to nurse. – **2.** ⟨*estens*⟩ (*bere con avidità*) to lap up, to drink (*o* gulp) down. – **3.** (*succhiare*) to suck: *popparsi le dita* to suck one's fingers. – **poppạta** *f.* **1.** (*azione*) feed(ing), suck(ing), nursing. – **2.** (*quantità di latte poppato*) feed. ☐ *fare una* ~ to have a feed; *l'ora della* ~ feeding-time. – **poppatịna** *f. dim. di* **poppata**. – **poppatọio** *m.* **1.** (*recipiente di vetro*) feeding (*o* baby) bottle. – **2.** (*levaolio*) oil remover.

poppavịa: ⟨*Mar*⟩ *a* ~ aft, abaft, astern.

Poppẹa *N.pr.f.* ⟨*Stor*⟩ Poppaea.

poppẹse *a.* ⟨*Mar*⟩ stern, aft. – **poppẹtta** (*dim. di poppa¹*) *f.* cockpit.

poppiẹre *m.* ⟨*Mar*⟩ **1.** stern-sheets man. – **2.** (*capovoga*) stroke. – **poppiẹro** **I** *a.* stern, after, aft. – **II** *s.m.* ⟨*rar*⟩ → **poppiere**. ☐ *estremità -a* stern.

poppò *m./f.* → **popò**.

poppụto *a.* ⟨*scherz*⟩ full-bosomed, big-breasted, buxom, ⟨*fam*⟩ bosomy.

populạre *a./s.* ⟨*ant*⟩ → **popolare²**. – **populaziọne** *f.* ⟨*ant*⟩ → **popolazione**.

populazionịsmo *m.* **1.** ⟨*Pol*⟩ policy favouring population increase. – **2.** ⟨*ant*⟩ (*demografia*) demography. – **populazionịsta** **I** *s.m./f.* ⟨*ant*⟩ (*demografo*) demographer, populationist. – **II** *a.* ⟨*Pol*⟩ advocating population increase.

popụleo *a.* ⟨*lett*⟩ **1.** (*di pioppo*) poplar. – **2.** (*ornato di pioppi*) poplared.

populịsmo *m.* **1.** ⟨*Pol*⟩ populism, Populism. – **2.** ⟨*Stor*⟩ (*in Russia*) Populism, Narodnik (*o* People's) Movement. – **populịsta** **I** *a.* → **populistico**. – **II** *s.m./f.* **1.** ⟨*Pol*⟩ populist, Populist. – **2.** ⟨*Stor*⟩ (*in Russia*) Populist, Narodnik. ☐ ⟨*SU*⟩ *partito* ~ Populist (*o* People's) Party. – **populịstico** *a.* (*pl.* **-ci**) **1.** ⟨*Pol*⟩ populist, Populist(ic), people's, popular. – **2.** ⟨*Stor*⟩ (*in Russia*) Populist(ic).

pọpulo *m.* ⟨*ant*⟩ → **popolo¹**.

pọr (*apoc. di porta*) *f.* ⟨*tosc*⟩ gate.

poradenịte *f.* → **poroadenite**.

porazzạra *f.* ⟨*Pesc*⟩ (kind of) fishing-net.

pọrca¹ *f.* ⟨*Agr*⟩ ridge.

pọrca² *f.* **1.** (*femmina del porco*) sow. – **2.** ⟨*volg*⟩ (*donna sudicia o disonesta*) ⟨*fam*⟩ pig, ⟨*fam*⟩ slut, ⟨*fam*⟩ bitch.

pọrca³ *f.* ⟨*Mar,ant*⟩ (strengthening) inner rib.

porcạcchia *f.* ⟨*Bot*⟩ purslane (*Portulaca oleracea*).

porcacciọne (*accr. di porco*) *m.* (*f.* **-a**) filthy (*o* dirty) person, sloven, ⟨*fam*⟩ pig, ⟨*am.fam*⟩ slob (*anche fig.*).

porcạio¹ *m.* **1.** (*luogo sudicio*) pigsty, filthy place. – **2.** ⟨*fig*⟩ (*ambiente equivoco*) questionable (*o* dubious) surroundings *pl*. – **3.** ⟨*fig*⟩ (*situazione immorale*) immoral situation, ⟨*fam*⟩ dirty set-up.

porcạio² *m.* **1.** (*guardiano*) swineherd, ⟨*am*⟩ pig-man. – **2.** (*mercante*) pig-dealer.

porcarẹccia *f.* piggery, swinery.

porcạro *m.* → **porcaio²**.

porcạta *f.* (*mascalzonata*) dirty (*o* rascally) trick, mean (*o* nasty) thing to do.

porcẹlla *f.* ⟨*Mur*⟩ low brick vault.

porcellạna¹ *f.* **1.** ⟨*Ceram*⟩ (*materiale*) porcelain, china(ware). – **2.** (*oggetto*) porcelain (object), piece of china. – **3.** ⟨*Zool*⟩ (*ciprea*) cowrie (*Cypraea*).

☐ **bianco** ~ (*rif. a mantello equino*) blue roan; **di** ~ porcelain-, china-: *tazzina di* ~ porcelain (*o* china) cup; ⟨*Stor*⟩ *torre di* ~ Porcelain Tower; ~ **dura** hard(-paste) porcelain; *-e* **feldspatiche** vitreous china; ~ **fosfatica** bone china; ~ *a* **fritta** faience d'Oiron, frit-porcelain; ~ **inglese** (*o tenera*) bone porcelain (*o* china), soft -paste (*o* artificial) porcelain; ~ **opaca** opaque porcelain.

porcellạna² *f.* ⟨*Bot*⟩ purslane (*Portulaca oleracea*). ☐ ~ *lattaria* (*calenzuola piccola*) petty (*o* least) spurge (*Euphorbia peplus*); ~ *di mare* (*alimo*) salt bush (*Atriplex halimus*).

porcellạna³ *f.* ⟨*Ornit*⟩ (*schiribilla grigiata*) Baillon's crake (*Porzana pusilla*).

porcellanạre *v.t.* to porcelainize. – **porcellanạto** (*p.p. di porcellanare*) *a.* porcelain-, glazed: *cartoncino* ~ glazed paper. – **porcellạnico** *a.* (*pl.* **-ci**) ⟨*non com*⟩ porcel(l)aneous, porcelain-like.

porcellẹtto (*dim. di porcello*) *m.* piglet. – **porcellịno** (*dim. di porcello*) *m.* **1.** → **porcelletto**. – **2.** ⟨*scherz*⟩ (*bimbo sporco*) dirty boy (*f* girl), ⟨*fam*⟩ piggy, ⟨*fam*⟩ dirty little thing. – **3.** (*stufa portatile*) kind of portable heater. ☐ ⟨*Entom*⟩ ~ *di* ⌜*Sant'Antonio*⌝ (*o terra*): 1. woodlouse, sow bug (*Oniscus asellus*); 2. greenhouse pill bug, dooryard sow bug (*Porcellio laevis*); ⟨*Zool*⟩ ~ *d'India* guinea-pig, cavy (*Cavia*; *Cavia cobaya*); ~ *da latte* suck(l)ing-pig.

porcẹllo (*dim. di porco*) *m.* (*f.* **-a**) **1.** (*maiale giovane*) young pig. – **2.** ⟨*scherz*⟩ (*persona sudicia*) filthy person, sloven, ⟨*fam*⟩ pig, ⟨*am. fam*⟩ slob (*anche fig.*). – **porcellọne** (*accr. di porcello*) *m.* (*f.* **-a**) (*persona sporca*) dirty (*o* filthy) person, ⟨*fam*⟩ pig (*anche fig.*). – **porcellọtto** *m. accr. di* **porcello**.

porcherẹccia *f.* ⟨*rar*⟩ → **porcareccia**.

porcherẹccio *a.* ⟨*rar*⟩ (*di porco*) pig-, hog-, of pigs.

porcherịa *f.* **1.** (*sporcizia*) filth, dirt, muck: *nel cortile c'è molta* ~ there's a lot of muck in the courtyard. – **2.** ⟨*pop*⟩ (*cibo o bevanda disgustosa*) muck, slop, swill, hogwash: *questa pietanza è una* ~ this food is muck. – **3.** ⟨*fig*⟩ (*oscenità: atto*) obscene act; (*detto*) obscene (*o* indecent) thing to say. – **4.** ⟨*fam*⟩ (*azione sleale*) dirty (*o* nasty) trick, mean thing to do. – **5.** ⟨*fam*⟩ (*lavoro mal fatto*) botch, bad job; (*opera brutta*) rubbish, trash, ⟨*volg*⟩ crap: *hanno premiato un quadro che è una* ~ they gave a prize to a painting that's mere trash. ▭ *che* ~ *questo film!* what a dreadful (*o* rotten) film this is!

porcheriọla *f. dim. di* **porcheria.**

porchẹtta (*dim. di porca*[2]) *f.* **1.** ⟨*Gastr*⟩ spiced roast pork, roast suckling-pig. – **2.** ⟨*Itt*⟩ gurnard (*Trigla*). – **porchettạio** *m.* ⟨*non com*⟩ roast suckling-pig seller. – **porchettạro** *m.* ⟨*roman*⟩ → **porchettaio.**

porchẹtto (*dim. di porco*) *m.* **1.** piglet, young pig. – **2.** ⟨*Itt*⟩ gurnard (*Trigla*).

porciglịone *m.* ⟨*Ornit*⟩ water rail (*Rallus aquaticus*).

porcịle *m.* **1.** pigsty, pig-pen. – **2.** ⟨*fig*⟩ (*luogo sudicio*) pigsty.

porcillamẹnto *m.* ⟨*Agr*⟩ trees *pl* planted along an embankment.

porcịna *f.* ⟨*region*⟩ (*carne di maiale*) pork.

porcinẹlla *f.*, **porcinẹllo** *m.* ⟨*Bot*⟩ kind of boletus (*Boletus scaber*).

porcịno I *a.* **1.** pig's, of pigs, pork-, porcine: *grasso* ~ pork fat. – **2.** (*simile al porco*) piggish, pig-like, piggy, pig-, porcine: *occhi -i* piggy eyes. – **II** *s.m.* ⟨*Bot*⟩ (*anche porcino buono o comune*) edible boletus (*o* pore mushroom) (*Boletus edulis*). ▭ *carne -a* pork; ⟨*Bot*⟩ ~ *malefico* kind of poisonous mushroom (*Boletus satanas*); ~ *nero* kind of edible mushroom (*Boletus aereus*).

pọrco *a./s.* (*pl.* **-ci**) **I** *s.m.* (*f.* **-a**) **1.** (*maiale*) pig, swine; (*il maschio: castrato*) hog; (*non castrato*) boar; (*la femmina*) sow. – **2.** ⟨*Macell*⟩ pork. – **3.** ⟨*volg*⟩ (*persona sudicia*) pig, filthy person, ⟨*am.fam*⟩ slob (*anche fig.*). – **4.** ⟨*fig*⟩ (*persona ingorda*) pig, hog, glutton. – **II** *a.* ⟨*volg*⟩ **1.** filthy, damned, hellish, ⟨*fam*⟩ stinking, ⟨*volg*⟩ bloody. – **2.** ⟨*esclam*⟩ damn, hell, blast.

▭ *fare la vita del* **beato** ~ (*oziare*) to lead a life of pleasure; ⟨*Zool*⟩ ~ **cinghiale** swine, (European) wild boar (*Sus scrofa*); **grasso** *come un* ~ as fat as a pig; **mangiare** *come un* ~ to eat like a pig, to make a pig of o.s., to hog; ⟨*volg*⟩ ~ **mondo** damn it all; ⟨*fig*⟩ *fare l'***occhio** *del* ~ (*guardare con la coda dell'occhio*) to look out of the corner of one's eye, to glance slyly; *gettare le* **perle** *ai -i* to cast pearls before swine; ~ **selvatico** = *porco* **cinghiale.** – *Prov.*: ~ *pulito non fu mai grasso* a clean pig was never fat.

porcospịno *m.* **1.** ⟨*Zool*⟩ (European) porcupine (*Hystrix cristata*). – **2.** ⟨*Zool*⟩ (*riccio*) hedgehog (*Erinaceous*). – **3.** ⟨*fig*⟩ (*persona scontrosa*) touchy (*o* cantankerous) person. – **4.** ⟨*Tess*⟩ porcupine opener. – **5.** ⟨*Mar.mil*⟩ squid. ▭ ⟨*Zool*⟩ ~ *formichiere*: 1. echidna (*Echidna, Tachyglossus*); 2. (*echidna istrice*) echidna, spiny ant-eater (*Tachyglossus aculeatus*).

porcụme *m.* **1.** (*insieme di porci*) swine *pl*, pigs *pl*, hogs *pl*, swinery. – **2.** ⟨*fig,spreg*⟩ (*insieme di persone o cose sozze*) filth, muck, garbage, rubbish: *non toccare quel* ~ don't touch that filth; (*insieme di persone immorali*) filthy (*o* dirty) people *pl*.

porencefalịa *f.* ⟨*Med*⟩ porencephaly, porencephalia.

pọrfido *m.* ⟨*Min*⟩ porphyry. – **porfịreo** *a.* ⟨*lett*⟩ (*di porfido*) porphyritic.

porfirịa *f.* ⟨*Med*⟩ porphyria.

porfịrico *a.* (*pl.* **-ci**) ⟨*Min*⟩ porphyritic.

porfirịna *f.* ⟨*Biol*⟩ porphyrin. – **porfirinurịa** *f.* ⟨*Med*⟩ porphyrinuria.

porfiriọne *m.* ⟨*Ornit*⟩ (*pollo sultano*) purple gallinule (*o* coot), porphyrio (*Porphyrio caeruleus*).

porfirịte *f.* ⟨*Min*⟩ porphyrite.

porfirizẓạre *v.t.* ⟨*Farm*⟩ to porphyrize. – **porfirizẓaziọne** *f.* porphyrization.

pọrfiro *m.* ⟨*ant,lett*⟩ → **porfido.**

porfiro... *pref.* **1.** (*color porpora* purple) porphyr(o)..., purple. – **2.** (*porfido* porphyry) porphyr(o)...

porfiro|blạstico *a.* (*pl.* **-ci**) ⟨*Min*⟩ porphyroblastic. – **~blạsto** *m.* porphyroblast. – **~gẹnito** *a.* ⟨*Stor*⟩ porphyrogenite, born in the purple.

porfirọide I *a.* ⟨*Min*⟩ porphyroid, having a porphyritic structure. – **II** *s.m.* porphyroid.

pọrgere[1] *v.* (**pọrgo, pọrgi; pọrsi, pọrto**) **I** *v.t.* **1.** to hand, to give: ~ *un libro a qd.* to hand s.o. a book; (*passare*) to pass: *porgimi il sale, per piacere* pass me the salt, please; (*consegnare*) to deliver. – **2.** (*rif. a parti del corpo*) to give, to hold out: ~ *la mano a qd.* to give s.o. one's hand, to hold out one's hand to s.o. – **3.** ⟨*lett*⟩ (*offrire, dare*) to give, to offer, to afford: ~ *aiuto a qd.* to offer s.o. aid; (*apportare*) to give, to cause, to produce, to bring (about): ~ *diletto* to give pleasure, to delight. – **4.** ⟨*ant*⟩ (*suscitare*) to rouse, to kindle. – **5.** ⟨*ant*⟩ (*rivolgere*) to address. – **6.** ⟨*ant*⟩ (*riferire*) to tell, to relate, to say. – **II** *v.i.* (*aus.* **avere**) ⟨*lett*⟩ **1.** (*parlare*) to speak (*o* recite) well, to have fine delivery. – **2.** (*servire a tavola*) to serve. – **porgersi** *v.r.* ⟨*lett*⟩ (*presentarsi*) to offer, to occur: *quando si porgerà l'occasione* as occasion offers, when the opportunity arises. ▭ ~ *ascolto* (o *orecchio*) to lend an ear, to listen; ~ *fede alle parole di qd.* to believe (*o* lend credit to) s.o.'s words; ~ *grazie* to offer (*o* give) thanks; ~ *l'occasione* (o *il destro*) to give the opportunity (*o* chance).

pọrgere[2] *m.* speaking, good delivery: *l'arte del* ~ *in pubblico* the art of public speaking.

porgimẹnto *m.* ⟨*non com*⟩ handing, giving, delivery, presentation. – **porgitọre** *m.* (*f.* **-trice**) **1.** ⟨*non com*⟩ (*chi porge*) passer, giver, hander; (*chi consegna*) deliverer, bearer. – **2.** (*chi parla con garbo*) good speaker.

porịferi *m.pl.* ⟨*Zool*⟩ sponges *pl* (*Porifera*).

poriomanịa *f.* ⟨*Psic*⟩ poriomania.

pornografịa *f.* pornography. – **pornogrạfico** *a.* (*pl.* **-ci**) pornographic. – **pornọgrafo** *m.* pornographer.

pọro *m.* ⟨*Anat,Bot*⟩ pore. ▭ ⟨*Bot*⟩ ~ *aerifero* (*stoma*) air (*o* breathing) pore, stoma; ⟨*Bot*⟩ ~ *corticale* (*lenticella*) lenticel; ⟨*Anat*⟩ *-i gustativi* taste pores; ~ *sudorifero* sweat pore, porus sudoriferus; *sudare da tutti i -i* (*abbondantemente*) to sweat freely (*o* at every pore), to be bathed in perspiration; ⟨*fig*⟩ *sprizzare salute da tutti i -i* to be bursting (*o* brimming) with health; ⟨*fig*⟩ *sprizzare veleno da tutti i -i* to breathe evil (*o* venom) from every pore.

poro|adenịte *f.* ⟨*Med*⟩ (*adenite*) poradenitis. – **~encefalịa** *f.* → **porencefalia.**

porosità *f.* **1.** porosity. – **2.** *pl.* ⟨*concr*⟩ (*pori*) pores *pl*. – **porọso** *a.* porous.

pọrpora I *s.f.* **1.** (*sostanza colorante*) purple (dye). – **2.** (*colore*) purple; (*scarlatto*) scarlet, (bright) red: *un cielo di* ~ a red sky. – **3.** (*stoffa*) purple (cloth); (*veste*) purple (robe). – **4.** ⟨*fig*⟩ (*dignità regia*) purple; (*dignità cardinalizia*) purple, cardinal's rank, cardinalate. – **5.** ⟨*Med*⟩ purpura. – **6.** ⟨*lett*⟩ (*rossore*) blush, flush. – **II** *a.inv.* purple; (*scarlatto*) scarlet, bright red.

▭ ~ **cardinalizia** (*dignità*) purple, cardinal's rank (*o* dignity), cardinalate; (*abito*) cardinal's scarlet robes *pl*; *assunto alla* ~ *cardinalizia* raised to the purple; ~ *di* **Cassio** purple of Cassius, Cassius purple; **di** ~ purple; (*scarlatto*) scarlet, (bright) red; ⟨*Med*⟩ ~ **emorragica** purpura haemorrhagica, thrombopenic purpura; **farsi** (o *diventare*) *di* ~ (*arrossire*) to go red, to blush, to flush; **legno** ~ purple heart, ⟨*am*⟩ amaranth; ⟨*Med*⟩ ~ **retinica** (o *visiva*) rhodopsin, visual purple; **sacra** ~ = *porpora* **cardinalizia.**

porporạto I *a.* porporate, clad in purple. – **II** *s.m.* (*cardinale*) cardinal.

porporeggịare *v.i.* (**porporẹggio, porporẹggi;** *aus.* **avere**) ⟨*lett*⟩ (*tendere al color porpora*) to be purplish.

porporịna *f.* **1.** purpurin, madder-purple. – **2.** (*polvere per colorare in oro o argento*) bronzing (powder). – **porporịno** *a.* purple; (*scarlatto*) scarlet, (bright) red: *labbra -e* red lips.

porrạccio *m.* ⟨*Bot*⟩ (*asfodelo*) asphodel (*Asphodelus*).

porrạceo *a.* ⟨*non com*⟩ **1.** (*simile al porro*) leek-like. – **2.** (*del colore del porro*) leek-green.

porrạia *f.* ⟨*Bot*⟩ (*anche erba porraia*) **1.** (*celidonia*) greater celandine, swallow-wort, tetterwort (*Chelidonium majus*). – **2.** (*eliotropio*) heliotrope, turnsole (*Heliotropium europaeum*).

porrạio: ⟨*Bot*⟩ *cipolla -a* leek-shaped onion.

porrạta *f.* ⟨*Gastr*⟩ leek salad. ▭ ⟨*fig,ant*⟩ *farsi beffe della* ~ to laugh (*o* turn up one's nose) at s.th. good; *guastare la* ~ (*guastare i progetti di qd.*) to spoil (*o* upset) s.o.'s plans.

porrạzzo *m.* → **porraccio.**

pọrre *v.t.* (*pr.ind.* **pọngo, pọni, pọne, poniạmo, ponẹte, pọngono;** *fut.* **porrò;** *p.rem.* **pọsi, ponẹsti, pọse, ponẹmmo, ponẹste, pọsero;** *pr. cong.* **pọnga, poniạmo, ponẹte, pọngano;** *impf.* **ponẹssi;** *imperat.* **pọni, pọnga, poniạmo, ponẹte, pọngano;** *p.pr.* **ponẹnte;** *p.p.* **pọsto;** *ger.* **ponẹndo**) **1.** to put (down), to place, to set (down), to lay (down): ~ *la pentola sul fuoco* to put the saucepan on the stove; *pose la valigia sulla sedia* he put (*o* set) the suitcase (down) on the chair; (*collocare orizzontalmente*) to lay, to put, to place: ~ *il bimbo nella culla* to lay the baby in the cradle; (*collocare verticalmente*) to stand, to put, to place: ~ *le bottiglie sulla mensola* to stand the bottles on the shelf. – **2.** (*stabilire*) to set, to fix, to settle: ~ *un termine* to set a limit. – **3.** (*rivolgere*) to put: ~ *un quesito a qd.* to put (*o* ask) s.o. a question. – **4.** (*riporre*: *rif. ad affetti e sim.*) to put, to place: ~ *tutte le proprie speranze in qd.* to put all one's hopes in s.o. – **5.** ⟨*assol*⟩ (*rif. a monumenti e sim.*: *dedicare*) to set up, to erect: *la patria riconoscente pose a memoria perenne* erected by a grateful country in eternal remembrance. – **6.** (*supporre*) to suppose: *poniamo il caso che non possa venire* (let us) suppose he cannot come. – **7.** ⟨*non com*⟩ (*piantare*) to plant: ~ *un terreno a olivi* to plant land with olives. – **8.** ⟨*lett*⟩ (*innalzare, erigere*) to erect, to set up, to build. – **9.** ⟨*rar*⟩ (*indossare*) to put on. – **10.** ⟨*ant*⟩ (*smettere, deporre*) to lay (*o* set) aside, to forget. – **11.** ⟨*ant*⟩ (*rif. a tributi e sim.*: *imporre*) to levy, to put. – **porsi** *v.r.* **1.** (*mettersi seduto*) to sit down, to seat o.s.: *porsi a tavola* to sit down at table. – **2.** (*accingersi*) to set to (*o* about): *porsi al lavoro* to set to work.

▭ ⟨*non com*⟩ ~ *l'***animo** *a qd.* (*interessarsene*) to take a liking to s.o., to get interested in s.o.; ~ *l'***assedio** to lay siege; ~ **attenzione** *a qc.* to take notice of s.th., to pay attention to s.th.; ~ *in* **atto** = *porre a* **effetto**; ~ *al* **bando** to exile, to banish; ~ *la propria* **candidatura** (*a una carica*) to apply; (*alle elezioni*) to stand, to run; ~ *in* **chiaro** to make clear; (*accertare*) to ascertain; ~ *a* **confronto** to compare, to confront; *porsi in* **contatto** *con qd.* to get in touch with s.o.; ~ *in* **disordine** *la casa* to throw the house into disorder, to make the house untidy; ~ *in* **dubbio** to doubt, to (call in) question; ~ *a* **effetto** to put into effect, to carry out; ~ *in* **essere** (*realizzare*) to realize, to bring about; ~ *in* **evidenza** to emphasize, to point out, to stress; *porsi in* **fila** to get in line; *por* **freno** *a qc.* to curb (*o* check, put a stop to) s.th.; ~ *in* **fuga** to put to flight; ⟨*ant*⟩ ~ **giù** (*deporre*) to lay (*o* put) aside, to forget; ~ *in* **grado** to enable; *porsi a* **letto**: 1. (*coricarsi*) to go to bed; 2. (*in caso di malattia*) to take to bed; *por* **mano** *a qc.* (*iniziarla*) to begin s.th., to set to (*o* about) s.th.; *por* **mente** *a qc.* to turn one's mind to s.th., to consider s.th.; ~ *a* **morte** to put to death, to kill; ~ *in* **musica** to set to music; ⟨*lett*⟩ ~ *in* **oblio** to consign to oblivion, to forget;

~ *in* **opera** to set going (*o* in operation); ~ **ostacoli** to place obstacles in the way; ~ *da* **parte** to lay (*o* set) aside, to lay by, to set apart; ~ **piede** *in* to set foot in; ~ *in* **questione** to (call in) question, to doubt; ~ **rimedio** to (find a) remedy, to put (*o* set) right; *porsi in* **salvo** to save o.s., to reach safety; *porsi a* **sedere** to sit down; ~ *una* **sentinella** to post a sentry; ⟨*Dir*⟩ ~ *il* **sequestro** *su qc.* to sequester s.th.; (*confiscarla*) to confiscate s.th.; ⟨*rar*⟩ ~ *il* **tempo** *in qc.* (*dedicarlo*) to give (*o* dedicate) one's time to s.th.; *senza por tempo in mezzo* without delay (*o* losing time); ~ *in* **vendita** to put ⌜on sale⌝ (*o* up for sale); ~ *in* **versi** to put into verse; ~ *qc. ai* **voti** to put s.th. to the vote.

porrettịna *f.* ⟨*Bot*⟩ young chestnut-tree (grown for wood).

porrịgo *lat. f.inv.* ⟨*Med*⟩ porrigo.

porrịna[1] *f.* ⟨*Bot*⟩ **1.** (*pianta del porro*) leek. – **2.** (*bulbo*) leek bulb.

porrịna[2] *f.* ⟨*Agr*⟩ shoot grown from seed.

pọrro *m.* **1.** ⟨*Bot*⟩ leek (*Allium porrum*). – **2.** ⟨*Med*⟩ (*verruca volgare*) wart.

□ ⟨*fig*⟩ *non essere una* **buccia** *di* ~ (*valere molto*) to be worth a lot, ⟨*fam*⟩ not to be sneezed at, ⟨*fam*⟩ to be worth a pretty penny; ⟨*fig*⟩ *non valere una buccia di* ~ (*non valere nulla*) not to be worth a straw; ⟨*fig*⟩ *mangiare il* ~ *dalla* **coda** (*far le cose a rovescio*) to put the cart before the horse, to do things back to front; ⟨*fig*⟩ **piantare** *un* ~ (*raccontare una fandonia*) to tell tall stories, to spin yarns; ⟨*fig*⟩ **predicare** *ai -i* to talk to the wind, to waste one's breath.

porrò *fut. di* **porre**.

porrọne *m.* ⟨*Bot*⟩ leek-shaped onion.

porrọso *a.* warty, full of warts.

Porsẹnna *N.pr.m.* ⟨*Stor*⟩ Porsen(n)a.

pọrsi *p.rem. di* **porgere**[1].

pọrta *f.* **1.** door: *la* ~ *della cucina* the kitchen door; (*portone*) main entrance, main (*o* front) door: ~ *di casa* ⌜front door⌝ (*o* main entrance) to the house. – **2.** (*vano*) door(way), opening: *aprire una* ~ *nuova* to make a new doorway. – **3.** (*porta della città*) gate: *aprire le -e al nemico* to open the gates to the enemy. – **4.** (*sportello*) door: *la* ~ *della cassaforte* the safe door. – **5.** ⟨*Sport*⟩ goal. – **6.** ⟨*Anat*⟩ portal vein. – **7.** ⟨*Geog*⟩ (*varco montano*) pass, gate; (*apertura di ghiacciaio*) mouth (of a glacier). – **8.** ⟨*Idr*⟩ (flood)gate. – **9.** ⟨*Mediev*⟩ (*contrada*) district. – **10.** ⟨*fig,lett*⟩ (*ingresso*) admission, entrance: *vietare la* ~ *a qd.* to refuse s.o. admission. – **11.** ⟨*poet*⟩ (*foce di fiume*) (river-)mouth.

□ **a** *due* ~ two-doored, double-doored, two-door-; *abitare* ~ *a* ~ *con qd.* to live next door to s.o.; ~ **antincendio** fire door; ⟨*Pol*⟩ ~ **aperta** open door; ⟨*fig*⟩ **aprire** *la* ~ *a qd.* (*accoglierlo cordialmente*) to welcome s.o., to throw one's doors open to s.o.; ⟨*Edil*⟩ ~ *ad* **arco** arched door; ⟨*Art*⟩ ~ *d'***armonia** golden section; ~ *a due* **battenti** double(-leaf) door; ~ *a un battente* single(-leaf) door; ⟨*Geog*⟩ ≈ **Burgundica** Belfort Gap, Burgundy Gate; **bussare** *alla* ~ = **picchiare** *alla porta*; ⟨*scherz*⟩ **cacciatelo** *dalla* ~, *rientrerà dalla finestra* he always turns up like a bad penny; ⟨*Met*⟩ ~ *di* **carico** (*di un forno*) charging door; ~ **carraia** carriage gateway, gateway for carts; **chiudere** *la* ~ *in faccia a qd.* to slam the door in s.o.'s face; ~ *della* **chiusa** floodgate, sluice(-gate); *a -e* **chiuse** behind closed doors, in secret; ⟨*Dir*⟩ in camera: *il processo sarà tenuto a -e chiuse* the trial will be held in camera; ⟨*Teat*⟩ ~ **comune** main stage-door, principal door in stage set; *fare una colletta* **di** ~ *in* ~ to make (*o* take up) a door-to-door collection; *andare di* ~ *in* ~ to go (*o* beg) from door to door; **doppia** ~ double door; **entrare** *dalla* ~ to go (*o* come) in through the door; ⟨*Anat*⟩ ~ **erniaria** hernial opening (*o* orifice); **essere** *alle -e* to be at the gates; ⟨*fig*⟩ (*essere imminente*) to be ⌜at the door⌝ (*o* very near): *la carestia è alle -e* famine is at the door; ~ **esterna** outer door; ~ **falsa** = *porta* **finta**; ⟨*Teat*⟩ **far** ~ (*aprire al pubblico l'accesso al teatro*) to open the doors, to let the audience in; ~ **finestra** → **portafinestra**; ~ **finta** false (*o* blank, dummy, blind) door; ~ *a* **fisarmonica** folding (*o* accordion) door; ~ *del* **forno**: 1. oven door; 2. ⟨*Met,Ferr*⟩ fire(box) door; **fuori** ~ (*fuori città*) outside the town (*o* old city walls); ⟨*Geol*⟩ ~ *di un* **ghiacciaio** mouth of a glacier; ~ **girevole** revolving door; ~ **imbottita** padded door; **indicare** *la* ~ *a qd.* = **mostrare** *la porta a qd.*; ~ *d'***ingresso** entrance, (front) door; ~ **laterale** side door; ~ *a* **libro** folding (*o* accordion, multiple-leaf) door; ⟨*ant*⟩ ~ **maestra** (*o* *mastra*) (*rif. a città o castello*) main gate; ~ **maggiore** (*di una chiesa*) main (*o* front) door; ⟨*fig*⟩ **mettere** *qd. alla* ~ (*cacciarlo*) to throw (*o* turn) s.o. out; ⟨*fig*⟩ **mostrare** *la* ~ *a qd.* to show s.o. the door; ~ **oscillante** swing(ing) door; ~ *a due* **pannelli** two-panel(led) door; ⟨*fig*⟩ *le -e del* **paradiso** the gates of Heaven (*o* Paradise); **picchiare** *alla* ~: 1. to knock on (*o* at) the door; 2. ⟨*fig*⟩ to seek help; ~ **posteriore** back (*o* rear) door; ⟨*fig*⟩ **prendere** *la* ~ (*andarsene*) to go off, to leave; ~ **principale** main (*o* front) door; ⟨*fam*⟩ **quella** *è la* ~ get out; ⟨*Rel*⟩ ~ **santa** Holy Door; ~ *a* **saracinesca** roller door; ~ **scorrevole** sliding door; ~ **segreta** secret (*o* hidden) door; ~ *di* **servizio** tradesmen's (*o* service) entrance, back door; ⟨*fig*⟩ **sfondare** *una* ~ *aperta* to state the obvious, to flog a dead horse; ~ *di* **sicurezza** emergency door (*o* exit); ~ *di* **strada** street door; **Tebe** *dalle cento -e* hundred-gated Thebes; ~ *a* **vento** = *porta* **oscillante**; ~ *a* **vetri** glass (*o* sash) door.

porta|ạcqua *m./f.inv.* **1.** (*acquaiolo*) water-carrier. – **2.** ⟨*Sport*⟩ (*nel ciclismo*) cyclist who supplies the team captain with water. – **~ạghi** *m.inv.* **1.** ⟨*Lav.femm*⟩ needle-case, needle-book. – **2.** ⟨*Chir*⟩ needle-holder. – **~ampọlle** *m.inv.* ⟨*non com*⟩ (*oliera*) cruet-stand.

portabagạgli *a./s.inv.* **I** *s.m.* **1.** (*facchino*) porter. – **2.** (*portabagaglio*) luggage-rack, ⟨*am*⟩ baggage-rack; (*sul tetto delle automobili*) roof-rack; (*bagagliaio*) luggage van (*o* compartment), ⟨*am*⟩ baggage van (*o* car). – **II** *a.* luggage-, ⟨*am*⟩ baggage-: *carrello* ~ luggage truck (*o* trolley), ⟨*am*⟩ baggage truck (*o* trolley). □ ⟨*Aut*⟩ ~ *incorporato* boot, luggage compartment, ⟨*am*⟩ trunk.

porta|bagạglio *m.* luggage-rack, ⟨*am*⟩ baggage-rack. – **~bandiẹra** *m.inv.* **1.** ⟨*Mil*⟩ standard-bearer. – **2.** ⟨*fig*⟩ (*esponente principale*) standard-bearer, leader, spokesman. □ *ufficiale* ~ standard-bearer. – **~bastọni** *m.inv.* **1.** walking-stick stand, stick-rack. – **2.** ⟨*Sport*⟩ (*nel golf*) caddie.

portạbile *a.* **1.** (*che si può portare*) portable. – **2.** (*agevole a portarsi*) easy to carry.

portạbiti *m.inv.* valet, clothes-stand.

porta|bọllo *m.inv.* (road) licence-holder. – **~borrạcce** *m.inv.* ⟨*Sport*⟩ (*nel ciclismo*) cyclist who supplies the team captain with water. – **~bottịglie** *m.inv.* bottle-stand, bottle-rack. □ *cesto* ~ bottle-basket, bottle-crate. – **~brạnde** *m.inv.* ⟨*Mar*⟩ (*impavesata*) quarter boards *pl*, topgallant bulwarks *pl*, hammock-rail. – **~cappẹlli** *m.inv.* ⟨*non com*⟩ (*cappelliera*) hatbox. – **~cạrica** *m.inv.* ⟨*Mil*⟩ powder monkey, charge carrier. – **~cạrte** *a./s.inv.* **I** *s.m.* **1.** (*mobiletto*) paper-stand, paper-rack. – **2.** (*astuccio, busta*) brief-case, letter-case, paper-holder, file. – **II** *a.* paper-: *busta* ~ paper-holder, cover. – **~catịno** *m.* ⟨*non com*⟩ wash-stand. – **~cẹnere** *m.inv.* ashtray; (*ceneraio*) ash-box, ash-pan, ashpit. – **~cẹsta, ~cẹste** *m./f.inv.* ⟨*Teat*⟩ wardrobe porter. – **~chiạvi** *m.inv.* (*anello*) key-ring; (*custodia*) key-case. – **~cịpria** *m.inv.* (powder-)compact. – **~colọri** *m.inv.* ⟨*Sport*⟩ jockey wearing racing colours.

portạcqua *m./f.inv.* → **portaacqua**.

porta|crọce *a./s.inv.* **I** *a.* bearing a cross, cruciferous: *Cristo* ~ Christ bearing His cross. – **II** *s.m.* ⟨*Lit*⟩ cross-bearer, crucifer. – **~dịschi** *m.inv.* **1.** (*piatto portadischi*) turntable. – **2.** (*album*) record-album; (*mobiletto*) record-rack, record-stand. – **~dọlci** *m.inv.* cake-stand. – **~elẹttrodo** *m.* ⟨*El*⟩ electrode-holder. – **~ẹlica** *a.inv.* ⟨*Mar*⟩ propeller-: *albero* ~ propeller (*o* tail) shaft. – **~elicọtteri** *f.inv.* ⟨*Mar.mil*⟩ helicopter-carrier.

portaẹrei *m./f.inv.* **I** *s.f.* ⟨*Mar*⟩ (*anche nave portaerei*) aircraft-carrier; (*senza ponte di volo*) aircraft depot-ship. – **II** *s.m.* ⟨*Aer*⟩ composite aircraft, carrier (*o* parent) aircraft. – **portaeroplạni** *f.inv.* ⟨*rar*⟩ (*anche nave portaeroplani*) aircraft-carrier.

porta|etichẹtte *m.inv.* label-holder, label-rack. – **~fanạle** *m.* lantern-bracket, lamp-holder. – **~ferịti** *m.inv.* ⟨*Mil*⟩ stretcher-bearer. – **~fiạccole** *m.inv.* torch-holder. – **~fiammịferi** *m.inv.* match-holder. – **~fiạsco** *m.* (*pl.* **-co/-chi**) flask-stand. – **~fịli** *m.inv.* ⟨*Tess*⟩ thread carrier. – **~filiẹra** *m.* ⟨*Mecc*⟩ (die-)stock, screwstock; (*per filettatura a macchina*) die head (*o* holder). – **~fịltro** *m.* filter-holder, filter-ring, filter-frame. – **~finẹstra** (o *pọrta finẹstra*) *f.* ⟨*Edil*⟩ french window. – **~fiọri** *a./s.inv.* **I** *s.m.* flower-stand, vase. – **II** *a.* flower-: *vaso* ~ flowerpot. – **~fọgli** *m.inv.* **1.** wallet, pocket-book, ⟨*am*⟩ billfold. – **2.** ⟨*Tip*⟩ drop fingers *pl.*

portafọglio *m.* **1.** wallet, pocket-book, ⟨*am*⟩ billfold: *un* ~ *di pelle nera* a black leather wallet. – **2.** (*borsa per documenti*) brief-case. – **3.** (*carica e funzione di ministro*) portfolio, ministry. – **4.** ⟨*Econ*⟩ (list of) securities *pl*, holdings *pl*, stocks *pl* and shares *pl*, portfolio.

□ ⟨*scherz*⟩ **alleggerire** *il* ~ *a qd.* (*derubarlo*) to steal from s.o., to rob s.o.; (*farlo spendere*) to make s.o. shell out; ⟨*scherz*⟩ *alleggerire qd. del* ~ (*rubarglielo*) to relieve s.o. of his wallet; ⟨*Econ*⟩ ~ **cambiario** bills *pl* in (*o* on) hand, bills *pl* in case; ⟨*Econ*⟩ ~ **estero** foreign bills (*o* currency reserves) *pl*; (*ufficio*) exchange control office, foreign exchange department (*o* office); ⟨*fig*⟩ *avere il* ~ **gonfio** to have a fat purse, to be rich; ⟨*fig*⟩ *metter* **mano** *al* ~ (*sborsare denaro*) to pay out, to loosen one's purse-strings; **ministro** *senza* ~ minister without portfolio.

porta|fortụna *a./s.inv.* **I** *s.m.* good-luck piece, talisman; (*amuleto*) amulet; (*ciondolo*) lucky charm; (*mascotte*) mascot. – **II** *a.* lucky, good-luck-, that brings good luck: *anello* ~ good-luck ring. – **~frụsta** *m.inv.* whip-holder, whip-case. – **~frụtta** *a./s.inv.* **I** *s.m.* fruit dish (*o* bowl). – **II** *a.* fruit-. – **~fusịbili** *m.inv.* ⟨*El*⟩ fuse carrier.

portạghi *m.inv.* → **portaaghi**.

porta|ghiạccio *m.* ice-tray; (*secchiello*) ice-bucket. – **~giọie, ~gioiẹlli** *a./s.inv.* **I** *s.m.* jewel-case, jewel-box, casket. – **II** *a.* jewel-. – **~gomịtoli, ~gomịtolo** *m.* (*rif. a lana*) wool-holder; (*rif. a spago*) string-holder. – **~immondịzie** *m.inv.* dustbin, rubbish-bin, ⟨*am*⟩ garbage can. – **~incẹnso** *m.inv.* (*navicella*) incense boat, navicula. – **~infạnte** *m.* ⟨*rar*⟩ → **porte-enfant.** – **~innẹsto** *m.* ⟨*Agr*⟩ stock. – **~insẹgna** *m.inv.* **1.** standard-bearer. – **2.** ⟨*fig*⟩ leader, standard-bearer.

portalạmpada, portalạmpade *m.inv.* ⟨*El*⟩ lamp-holder, bulb (*o* lamp) socket.

□ ~ *a* **baionetta** bayonet lamp socket (*o* -holder); ⟨*Cin*⟩ *carrello* ~ light truck; ~ *con* **chiavetta** key-type lamp socket; ~ *tipo* **Edison** Edison screw lamp-holder; ~ **micromignon** miniature lamp-holder; ~ **mignon** mignon lamp-holder; ~ *a* **vite** screw lamp-holder.

portalạpis *m.* pencil-holder.

portạle[1] *a.* ⟨*Anat*⟩ portal.

portạle[2] *m.* **1.** ⟨*Arch,tecn*⟩ portal. – **2.** ⟨*non com*⟩ (*portone*) main (*o* front) door, main entrance.

porta|lẹttere *m./f.inv.* postman (*f* -woman), mailman, letter-carrier. – **~luminẹllo** *m.* ⟨*Artigl*⟩ lock-plate. – **~mantẹlli** *m.inv.* ⟨*region*⟩ (*attaccapanni*) clothes-rack, clothes-stand. – **~mantẹllo** *m.* ⟨*ant*⟩

travelling bag, valise, portmanteau. – **~matịta** *m.* **1.** → **portalapis.** – **2.** (*nel compasso*) pencil-holder. – **~matịte** *m.inv.* (*astuccio*) pencil-case, pencil-box.

portamẹnto *m.* **1.** bearing, carriage: *avere un ~ disinvolto* to have an easy carriage; (*andatura*) walk, gait, way of walking. – **2.** ⟨*fig*⟩ (*condotta*) conduct, behaviour, ⟨*lett*⟩ deportment. – **3.** ⟨*Mus*⟩ portamento, vocal glide. – **4.** ⟨*Biol*⟩ (*abito*) habit. – **5.** ⟨*ant*⟩ (*il portare*) conveyance, transport, carrying. □ *avere un ~ goffo* to have an awkard gait, to move awkwardly.

porta|mịccia *m.inv.* ⟨*Mil.ant*⟩ fuse pin. – **~mịna** *m.inv.* propelling pencil. – **~mịssili** *m.inv.* ⟨*Aer*⟩ rocket launcher. – **~monẹte** *m.inv.* (change-)purse. – **~mọrso** *m.inv.* ⟨*Equit*⟩ cheek-strap, cheek-piece.

portampọlle *m.inv.* → **portaampolle.**

porta|munizịoni *m.inv.* ⟨*Mil*⟩ member of a gun crew who brings up ammunition. – **~mụsica** *m.inv.* ⟨*non com*⟩ music-stand.

portạnte (*p.pr. di portare*) **I** *a.* **1.** carrying, load-bearing, supporting: *armatura ~* supporting framework. – **2.** ⟨*Rad,TV*⟩ carrier-. – **3.** ⟨*ant*⟩ (*rif. al cavallo*) ambling. – **II** *s.m.* **1.** (*ambio*) amble. – **2.** ⟨*Rad,TV*⟩ carrier. – **3.** ⟨*ant*⟩ (*cavallo che va naturalmente all'ambio*) ambler. – **III** *s.f.* ⟨*El*⟩ (*anche onda portante*) carrier wave. □ *andare di buon ~* to go at a good pace; *ben ~* (*benportante*) hale (and hearty), flourishing, sprightly, vigorous; ⟨*fam*⟩ *prendere il ~* (*andarsene*) to get going, to be (*o* set) off.

portantẹnna *m.inv.* ⟨*Mar.ant*⟩ forecastle.

portantịna *f.* **1.** ⟨*Stor*⟩ sedan (chair). – **2.** (*lettiga, barella*) stretcher, litter.

portantịno I *s.m.* (*f.* **-a**) **1.** (*inserviente addetto al trasporto dei malati*) stretcher-bearer. – **2.** *pl.* (*personale subalterno di un ospedale*) orderlies *pl.* – **3.** ⟨*Stor*⟩ sedan-bearer, litter-bearer. – **II** *a.* ⟨*non com*⟩ orderly.

portạnza *f.* **1.** (load-)carrying capacity, admissible (*o* maximum) load, bearing capacity (*o* power). – **2.** ⟨*Aer,Mar*⟩ lift.

porta|oggẹtti *m.inv.* (*anche vetrino portaoggetti*) slide. – **~ombrẹlli** *m.inv.* umbrella-stand; (*sacchetto*) umbrella-cover, umbrella-sheath. – **~ọrdini** *m.inv.* ⟨*Mil*⟩ dispatch rider, courier, messenger. – **~ọvo** *m.inv.* → **portauovo.** – **~pạcchi** *m.inv.* **1.** (*postino*) parcel-postman; (*fattorino*) parcel-deliverer, messenger. – **2.** (*della bicicletta*) parcel rack (*o* grid). – **~pạgine** *m.inv.* ⟨*Tip*⟩ page paper. – **~pẹnne** *m.inv.* **1.** pen-holder. – **2.** (*astuccio*) pen-case. – **~piạtti** *m.inv.* **1.** plate -rack, dish-rack. – **2.** (*grande vassoio*) large tray. – **~plạni** *f.inv.* → **portaeroplani.** – **~posạte** *m.inv.* cutlery canteen (*o* box, basket). – **~prạnzi** *m.inv.* insulated food-hamper. – **~prạnzo** *m.* ⟨*rar*⟩ → **portapranzi.** – **~pụnta** *m.* etching-needle holder. – **~quạglie** *m.inv.* ⟨*Ornit*⟩ (*succiacapre*) goatsucker, nightjar (*Caprimulgus europaeus*). – **~rạzzi** *m.inv.* → **portamissili.**

portạre *v.* (**pọrto**) **I** *v.t.* **1.** (*avvicinandosi verso chi parla*) to bring: *portami il giornale di ieri* bring me yesterday's newspaper; *mi porti il libro che è sul tavolo* will you bring me the book that is on the table; *quando vieni alla lezione d'inglese porta sempre il dizionario* always bring your dictionary when you come to your English lesson; (*allontanandosi da chi parla*) to take: *porta questi giornali a tuo padre* take these newspapers to your father; *quando porterà alla posta il pacco?* when is he going to take the parcel to the post office? – **2.** (*portare di peso, trasportare*) to carry, ⟨*lett*⟩ to bear: *portò la valigia sulle spalle* he carried the suitcase on his shoulders; *la signora portava il bambino in braccio* the lady was carrying the baby in her arms; *questo autocarro porta sette tonnellate* this lorry can carry seven tons. – **3.** (*rif. a vestiti: indossare, avere addosso*) to wear, to have on, to be dressed in: *portava un vestito rosso* she was wearing a red dress; *non mi piace la cravatta che porti* I don't like the tie you ⌜are wearing⌝ (*o* have on); *perché non porti il cappello?* why don't you wear a hat?; *~ il lutto* to wear mourning; (*rif. a capelli e sim.*) to wear, to have: *molti portano i capelli lunghi* many people ⌜wear their hair long⌝ (*o* have long hair). – **4.** (*portare con sé*) to take, to bring, to carry, to have: *quando viaggio porto pochi bagagli* I don't take much luggage when I travel; *non porti mai molto denaro con te* you never have (*o* carry) much money on you; *porto sempre con me il libretto degli assegni* I always carry my cheque-book with me. – **5.** (*andare a prendere*) to fetch, ⟨*fam*⟩ to (go and) get: *portami quella rivista che ho dimenticato* fetch me that magazine I left behind; *mi porti una sedia* will you (go and) get me a chair. – **6.** (*condurre*) to take: *~ a spasso i bambini* to take the children for a walk; *domani ti porterò a teatro* I'll take you to the theatre tomorrow; (*accompagnare in macchina*) to take (by car), to drive: *stasera mi porti alla stazione?* will you drive (*o* take) me to the station tonight?; (*guidare*) to take, to lead, to drive: *~ il bestiame al pascolo* to take (*o* lead) the cattle to pasture; *questa strada non porta alla stazione* this road does not lead to the station. – **7.** (*reggere, sostenere*) to support, to carry, to bear, to hold (up): *lo stelo porta il fiore* the stalk supports the flower. – **8.** (*accostare*) to bring, to put, to place, to carry: *~ il cibo alla bocca* to bring food to one's mouth; *~ una mano sul petto* to put one's hand on one's breast. – **9.** (*rif. al portamento*) to carry, to hold, to bear: *~ la testa alta* to hold one's head high; *porta diritta la persona* he holds (*o* carries) himself very straight. – **10.** (*rif. a sentimenti: provare*) to bear: *~ amore a qd.* to bear s.o. love, to love s.o.; *non mi porta rancore* he does not bear me a grudge; *spesso si traduce con* to be *e un aggettivo oppure col verbo corrispondente*: *~ rispetto verso qd.* to be respectful to s.o., to respect s.o.; *~ pazienza* to be patient. – **11.** (*produrre*) to bring (forth), to yield: *la primavera porta molti fiori* spring brings many flowers; (*causare*) to bring (about), to cause, to give rise to, to result in: *la guerra porta dolore* war brings suffering; *queste piogge porteranno ancora un'inondazione* these rainstorms will cause another flood. – **12.** (*addurre*) to bring (*o* put) forward, to advance, to produce, to give: *~ una prova* to produce (*o* bring forward) evidence; *~ ragioni plausibili* to give (*o* put forward) plausible reasons. – **13.** (*avere*) to have, to bear: *porta il nome della madre* she has her mother's name; *~ un braccio al collo* to have one's arm in a sling; (*mostrare*) to bear: *la città porta ancora i segni della guerra* the town still bears the signs of war. – **14.** (*sopportare*) to bear, to endure, to suffer: *~ la miseria con dignità* to bear poverty with dignity. – **15.** (*essere in grado di sostenere*) to carry, to support, to bear, to hold: *la mia auto porta solo quattro persone* my car only holds (*o* seats) four people. – **16.** (*rif. a corsi d'acqua: trasportare*) to carry, to bear, to take. – **17.** ⟨*Mat*⟩ (*riportare*) to carry: *scrivo quattro e porto nove* I put down four and carry nine. – **18.** ⟨*lett*⟩ (*importare*) to matter, to be important. – **19.** ⟨*lett*⟩ (*giovare*) to be useful (*o* worth-while). – **II** *v.i.* (*aus.* **avere**) **1.** ⟨*non com*⟩ (*volere, esigere*) to require, to dictate, to make necessary, to lay down, to call for: *si veste come porta la moda* he dresses as fashion requires. – **2.** ⟨*non com*⟩ (*essere incinta*) to be pregnant, ⟨*fam*⟩ to be expecting; (*rif. ad animali*) to be with young, ⟨*fam*⟩ to be expecting. – **3.** ⟨*Mat*⟩ (*operare, agire*) to operate (*sopra* on, upon). – **4.** (*avere una portata di: rif. ad armi, a strumenti ottici*) to have a range of, to carry: *è un fucile che porta lontano* it is a gun with a long range, it is a long-range gun; *questo cannocchiale porta a dieci chilometri* this telescope has a ⌜range of ten kilometers⌝ (*o* ten-kilometer range). – **portarsi** *v.r.* **1.** (*andare*) to go: *l'ispettore si portò sul luogo del delitto* the inspector went to the scene of the crime; (*trascinarsi*) to drag o.s.: *si portò fin sulla sponda del fiume* he dragged himself to the riverbank. – **2.** (*rif. a veicolo: spostarsi*) to move: *l'autocarro si portò sul margine della carreggiata* the lorry moved to the side of the road. – **3.** (*presentarsi*) to present o.s. as, to stand as: *si portò candidato alle elezioni* he stood as a candidate at the elections. – **4.** (*comportarsi*) to behave, to act: *ti sei portato molto male* you have behaved very badly.

□ *~ in* **alto** to lift up (high), to raise (up); *~ male i propri* **anni** to look older than one's age; *~ bene i propri anni* not to look one's age, to carry one's years lightly; *~ ad* **armacollo** to carry slung across one's shoulders; ⟨*fig*⟩ *~* **avanti** *qc.* (*farla progredire*) to ⌜make progress⌝ (*o* carry on) with s.th., to get ahead with s.th.; *~* **bene** (*portare fortuna*) to bring luck, to be lucky; *portarsi bene* (*comportarsi bene*) to behave well; (*stare bene*) to be well (*o* in good health); *~ a* (*o in*) **casa** (*guadagnare*) to bring home; *~ a* **cavalluccio** to carry piggyback; *~ a* **compimento** to finish (off), to wind up, to conclude; ⟨*fig*⟩ **essere** *portato a* to be inclined to: *è sempre portato a criticare* he's inclined to criticize, he's given to criticizing; ⟨*ant*⟩ *~* **fede** (*essere fedele*) to be loyal; *~* **fortuna** to bring good luck; *~* **innanzi** *qc.* = *portare* **avanti** *qc.*; *~ in* **lungo** (*protrarre*) to prolong, to draw out, to extend; *~* **male** (*portare sfortuna*) to bring bad luck, to be unlucky; *portarsi male* (*comportarsi male*) to behave badly; (*stare male*) to be ill (*o* in bad health); *~ qd. in* **palma** *di mano* to hold s.o. in great esteem, to think highly of s.o., to have a high opinion of s.o.; *~ in* **regalo** to bring, to take (as a present): *mi ha portato in regalo un foulard* she brought me a scarf; *~ in* **seno** to carry in one's womb, to bear, to be pregnant with; *~* **sfortuna** to bring bad luck, to be unlucky; *~ sulle* **spalle** to carry (*o* bear) on one's shoulders; *~ qd. alle* **stelle** to praise s.o. to the skies; *~* **su** to bring (*o* take) up, to lift, to raise; (*far aumentare*) to increase, to raise, to put up; *~ in* **tavola** to serve dinner, to take (*o* bring) the food in; *~ un* **titolo** to bear (*o* have) a title; *~ in* **trionfo** to carry (*o* bear) in triumph; *~* **via**: 1. to take (*o* carry) away, to remove: *porta via questi fiori appassiti* take these dead flowers away; 2. (*rubare*) to carry off, to steal: *mi hanno portato via il baule* they have stolen my trunk; 3. (*far morire*) to carry off: *la malattia l'ha portato via in pochi giorni* the illness carried him off in a few days; 4. (*mettere in prigione*) to take off to prison, to put behind bars; 5. ⟨*fig*⟩ (*soffiare: rif. a clienti e sim.*) to steal, to take away, ⟨*fam*⟩ to pinch; 6. (*rif. a tempo: richiedere*) to take (up): *questo lavoro mi ha portato via due settimane* it took me two weeks to do this work, this work took me two weeks.

porta|ritrạtti *m.inv.* picture-frame, photograph-holder. – **~rivịste** *m.inv.* magazine-stand, magazine-rack. – **~rocchẹtto** *m.* ⟨*Lav. femm*⟩ reel-holder, spool-holder. – **~sạcchi** *m.inv.*, **~sạcco** *m.* ⟨*Mar.mil*⟩ kit-bag locker (*o* rack). – **~sapọne**, **~saponẹtte** *m.inv.* soap-dish. – **~satẹlliti** *m.inv.* ⟨*Mecc*⟩ spider. – **~scalmiẹra** *m.inv.* ⟨*Mar*⟩ rowlock plate; (*braccio metallico sporgente*) outrigger. – **~scạlmo** *m.* thole board. – **~sigarẹtte** *m.inv.* cigarette-case, cigarette-box. – **~sịgari** *m.inv.* cigar-case, cigar-box. – **~spạzzole** *m.inv.* ⟨*El*⟩ brush-holder. – **~spazzolịno** *m.* (tooth)brush-holder. – **~spịlli** *m.inv.* pincushion. – **~stạnghe** *m.inv.* shaft-strap. – **~stecchịni** *m.inv.* toothpick-holder. – **~stendạrdo** *m.* **1.** standard -bearer. – **2.** (*supporto per sostenere lo stendardo*) standard-holder. – **~strumẹnti** *m.inv.* instrument-case.

portạta *f.* **1.** course: *pranzo di due portate* two-course lunch. – **2.** (*capacità di carico: rif. a treni, auto ecc.*) carrying (*o* loading) capacity; (*rif. a navi*) burden: *~ di una nave* ship's burden. – **3.** ⟨*Edil*⟩ capacity load. – **4.** ⟨*Mil,Ott*⟩ range: *~ di un cannone* range of a cannon; *~ di un cannocchiale* range of a telescope. – **5.** (*rif. a* *strumento: valore massimo misurabile*) capacity, measuring range, scope of measurement. – **6.** (*rif. a macchine e sim.*: *resa*) efficiency, output, performance. – **7.** ⟨*fig*⟩ (*importanza*) significance, importance, portent, moment: *un avvenimento di ~ storica* an event of historical importance. – **8.** ⟨*Idr*⟩ (rate of) flow: *~ al secondo* flow per second. – **9.** ⟨*Arch*⟩ span. – **10.** ⟨*ant*⟩ (*rif. a persona*: *grado*) rank, influence.

□ ~ **acustica** earshot, hearing; **alla** ~ *di*: 1. (*accessibile*) within the range (*o* reach) of: *prezzi alla ~ di tutti* prices within the reach of everybody; 2. (*comprensibile*) within the reach (*o* grasp) of: *è un libro alla ~ di tutti* it is a book within everyone's grasp; ⟨*Met*⟩ ~ *d'***anima** core print; ⟨*Ferr*⟩ ~ *di* **calettamento** wheel seat, axle bearing (*o* -box); ⟨*Fisiol*⟩ ~ **cardiaca** heart minute volume, cardiac output; ⟨*Fisiol*⟩ ~ **circolatoria** circulation volume; ~ *della* **corrente** current output; ⟨*Mar*⟩ ~ (*luminosa*) *di un* **faro** (light) range of a beacon; ~ **geografica** geographical range; ~ *di una* **gru** lifting power of a crane; ⟨*Fisiol*⟩ ~ **lattea** (*montata lattea*) lactation; ⟨*Mar*⟩ ~ **lorda** dead-weight capacity; *cannone di* **lunga** ~ long-range cannon; *a ~ di* **mano** (*vicino*) within reach, handy, at (*o* to) hand; ~ **massima** *ammissibile* maximum admissible load; ⟨*Fisiol*⟩ ~**-minuto** minute volume; *di* ~ **mondiale** of world-wide importance; ~ **nominale**: 1. ⟨*Idr*⟩ rated (*o* nominal) flow; 2. ⟨*Aut*⟩ rated load; ~ *d'***occhio** = *portata* **visiva**; ~ **oraria** hourly capacity, output per hour; ~ *d'***orecchio** = *portata* **acustica**; ⟨*Idr*⟩ ~ *di* **piena** flood capacity; ~ *di un* **radiotrasmettitore** range of a transmitter; ⟨*Fisiol*⟩ ~ **renale** renal blood flow per minute; *a ~ di* **tiro** within firing range; ~ **visiva** eyeshot, sight; *a ~ di* **voce** within call.

portatẹssera, portatẹssere *m.inv.* ticket-holder, card-holder.

portạtico *m.* (*pl.* **-ci**) ⟨*Dir.mediev*⟩ (*tassa per entrare in città*) city entrance tax; (*per entrare in porto*) port tax.

portạtile I *a.* portable: *radiolina ~* portable (radio). – **II** *s.f.* (*macchina da scrivere portatile*) portable (typewriter).

portatịmbri *m.inv.* stamp-rack.

portatịvo I *a.* ⟨*ant*⟩ portable, portative. – **II** *s.m.* ⟨*Mus*⟩ (*organo portativo*) portative (organ).

portạto (*p.p. di portare*) **I** *a.* **1.** carried, borne: *foglie -e dal vento* leaves borne by the wind. – **2.** ⟨*fig*⟩ (*incline*) inclined, prone, given (*a* to): *essere ~ all'ira* to be inclined to get angry, to be prone (*o* quick) to anger; (*che ha inclinazione per qc.*) having a bent, cut out (for): *il giovane è ~ alle scienze naturali* the boy has a bent for natural sciences. – **3.** (*usato*) worn, used, old, second-hand: *vestiti -i* used clothes. – **II** *s.m.* **1.** (*risultato, effetto*) result, outcome: *è il ~ della civiltà moderna* it is the result of modern civilization. – **2.** ⟨*lett*⟩ (*frutto del concepimento*) offspring, progeny.

portatọre *m.* (*f.* **-trice**) **1.** bearer, carrier: *una lettiga con quattro -i* a litter with four bearers; *~ di buone notizie* bearer (*o* bringer) of good news. – **2.** (*portabagagli*) porter. – **3.** ⟨*Med*⟩ carrier. – **4.** ⟨*Econ*⟩ bearer; (*possessore*) holder: *~ di un'obbligazione* bondholder. □ ⟨*Econ*⟩ *al ~* (payable) to bearer: *assegno al ~* cheque payable to bearer; *titoli al ~* bearer bonds; *~ d'azioni* shareholder; ⟨*Med*⟩ *~ di germi* germ-carrier; ⟨*Itt*⟩ *~ di spada* sword-tail (*Xiphophorus helleri*).

porta|tovagliọlo *m.* (*anello*) serviette-ring, napkin ring; (*busta*) serviette-holder, serviette-folder. – **~trạpano** *m.* (drill) chuck. – **~trẹno** *m.* ⟨*Mecc*⟩ spider.

portatụra *f.* **1.** ⟨*non com*⟩ (*trasporto*) carriage, transport. – **2.** ⟨*ant*⟩ (*portamento*) behaviour, demeanour. – **3.** ⟨*ant*⟩ (*abito*) dress, costume, garb. – **4.** ⟨*ant*⟩ (*acconciatura*) hair-style.

porta|uọva *m.inv.* (*scatola*) egg-box. – **~uọvo** *m.inv.* (*vasetto*) egg-cup. – **~utensịli** *m.inv.* ⟨*Mecc*⟩ tool-holder, tool-carrier. □ *~ a cerniera* clapper-box; *~ a torretta* turret tool-post, capstan tool-holder, monitor. – **~vạlvola** *m.inv.* ⟨*El*⟩ (*anche tubo portavalvola*) valve base, tube-holder, tube-socket. – **~vạsi** *m.inv.* **1.** (*sostegno*) flower-box, flower-stand. – **2.** (*vaso*) cachepot, flowerpot-holder. – **3.** ⟨*Mar*⟩ ground way. – **~vẹtro** *m.* glass-holder. – **~vivạnde** *a./s.inv.* **I** *s.m.* **1.** (*portapranzi*) insulated food-hamper. – **2.** (*carrello*) trolley, serving-table, dumb-waiter. – **II** *a.* dinner-. – **~vọce** *m.inv.* **1.** (*megafono*) megaphone. – **2.** (*tubo metallico*) speaking-tube, voice-pipe. – **3.** ⟨*fig*⟩ spokesman: *~ del governo* government spokesman.

porte|-bonheur *fr.* [pɔrtbɔ'nœ:r] *m.* (*portafortuna*) good-luck piece, talisman; (*ciondolo*) lucky charm; (*amuleto*) amulet; (*mascotte*) mascot. – **~-enfant** *fr.* [-ã'fã] *m.* bunting.

portẹgno I *a.* (*di Buenos Aires*) of (*o* from) Buenos Aires. – **II** *s.m.* (*f.* **-a**) native (*o* inhabitant) of Buenos Aires.

portẹlla *f.* **1.** (*sportello*) door. – **2.** (*nei proiettori per segnalazioni*) shutter, diaphragm. – **3.** ⟨*Geog*⟩ narrow pass, gate.

portellerịa *f.* ⟨*Mar*⟩ portholes *pl.*

portellịno (*dim. di portello*) *m.* ⟨*Mar*⟩ scuttle, small hatch (*o* port).

portẹllo (*dim. di porta*) *m.* **1.** wicket, small door (*o* gate). – **2.** (*sportello*) door. – **3.** ⟨*Mar,Aer*⟩ porthole. – **4.** ⟨*Pitt*⟩ shutter, wing(piece). □ *~ d'areazione* ventilator door; ⟨*Mar*⟩ *~ di boccaporto* hatch; ⟨*Met*⟩ *~ ⌈di carica⌉* (o *del focolare*) fire door; *~ scorrevole* sliding door.

portellọne (*accr. di portello*) *m.* **1.** ⟨*Mar*⟩ port, hatch. – **2.** ⟨*Aer*⟩ hatch. – **3.** ⟨*Aer.mil*⟩ bomb door. – **4.** ⟨*Mar.mil*⟩ (*rif. a sottomarino*) shutter.

portenạio *m.* ⟨*ant*⟩ → **portinaio**.

portẹndere *v.t.* (**portẹsi, portẹso**) ⟨*ant*⟩ (*presagire*) to foreshadow, to foretell, to predict. – **portendersi** *v.r.* (*preannunziarsi*) to be promised (*o* predicted).

portẹnto *m.* **1.** (*avvenimento straordinario*) portent, wonder, miracle. – **2.** ⟨*fig*⟩ (*persona straordinaria*) prodigy, wonder, marvel: *un ~ d'intelligenza* a prodigy of intelligence. □ ⟨*enfat*⟩ *fare* (o *operare*) *-i* to work miracles (*o* wonders); *essere un ~ di memoria* to have a prodigious memory. – **portentosamẹnte** *avv.* prodigiously, marvellously, wonderfully. – **portentọso** *a.* **1.** portentous, significant. – **2.** (*straordinario*) prodigious, extraordinary, wonderful, marvellous: *memoria -a* prodigious memory.

porterịa *f.* ⟨*non com*⟩ porter's lodge (*o* desk).

porticạle *m.* ⟨*ant*⟩ (*portico*) portico, open gallery, arcade.

porticạto I *s.m.* portico, colonnade, arcade, open gallery. – **II** *a.* (*fornito di portici*) porticoed.

porticịna *f. dim. di* **porta**.

pọrtico *m.* (*pl.* **-ci**) **1.** ⟨*Arch*⟩ portico, colonnade, open gallery. – **2.** (*costruzione rurale*) lean-to, shed. – **Portico** *m.* ⟨*Filos*⟩ (*Stoa*) Stoic philosophy, Porch.

portiẹra[1] *f.* **1.** ⟨*Aut*⟩ (car-)door. – **2.** (*tenda pesante*) quilted curtain, portiere. □ ⟨*Aut*⟩ *~ anteriore* front door; *~ posteriore* rear door.

portiẹra[2] *f.* **1.** concierge, porter, portress. – **2.** (*moglie del portiere*) porter's wife. – **portierạto** *m.* porter's job, position as a door-keeper. – **portiẹre** *m.* (*f.* **-a**) **1.** porter, door-keeper, concierge: *~ d'albergo* hotel porter. – **2.** ⟨*Sport*⟩ goalkeeper, ⟨*fam*⟩ goalie. – **3.** ⟨*ant*⟩ (*gabelliere*) tax-collector at city gates.

portịna (*dim. di porta*) *f.* ⟨*Geog*⟩ narrow pass (*o* gap), gate.

portinạia *f.* → **portiera**[2]. – **portinạio** *m.* (*f.* **-a**) **1.** porter, door-keeper, concierge, janitor. – **2.** ⟨*ant*⟩ (*usciere*) hall-porter, doorman. – **3.** ⟨*ant*⟩ (*guardiano delle porte di una città*) gateman, gatekeeper; (*gabelliere*) tax-collector at city gates. – **portinạro** *m.* ⟨*ant*⟩ → **portinaio**.

portincẹnso *m.inv.* → **portaincenso**.

portinerịa *f.* porter's desk (*o* lodge).

portinfạnte *m.* ⟨*non com*⟩ → **porte-enfant**.

portinnẹsto *m.* → **portainnesto**.

portinsẹgna *m.inv.* → **portainsegna**.

Pọrtland: *cemento ~* Portland cement.

pọrto[1] *m.* **1.** port, harbour, ⟨*lett*⟩ haven: *entrare in ~* to enter port. – **2.** (*città portuale*) port. – **3.** ⟨*fig*⟩ (*meta*) goal, end, aim: *giungere in ~* to reach one's goal; (*rifugio*) haven, shelter, port.

□ ~ **aperto** open harbour (*o* anchorage); ~ **artificiale** artificial harbour; ⟨*fig*⟩ *essere a* **buon** ~ to be at a good point, to be nearing the end; ~ **canale** canal harbour; ~ **chiuso** closed (*o* blocked) harbour; ~ **commerciale** trading port; **condurre** *qc. in ~* to bring s.th. to a successful conclusion, to accomplish s.th., to carry s.th. off; ~ *di* **destinazione** port of destination; **diritti** *di ~* harbour dues; ~ *d'***esportazione** port of export(ation), shipping-port; ⟨*fig*⟩ **essere** *in ~* (*al termine di un'impresa*) to have reached one's goal; (*al sicuro*) to be safe (*o* out of danger); ~ *di* **estuario** estuary harbour; ~ **fluviale** river port (*o* harbour); ~ **franco** free port; ~ *d'***imbarco** port of loading (*o* shipment); ~ *d'***immatricolazione** port of registry; ~ **interno** inner harbour; ~ **lacustre** (o *lacuale*) lake harbour; ~ **lagunare** (o *di laguna*) lagoon harbour; ~ *a* **livello** *costante* wet dock; ⟨*fig*⟩ ~ *di* **mare** open house: *la sua casa è un ~ di mare* he keeps an open house, his house is open to all; ~ *a* **marea** tidal harbour; ~ **marittimo** seaport, sea-harbour; ~ **mercantile** merchant (*o* trading) port; ~ **militare** naval port (*o* base); ~ **naturale** natural harbour; ~ **peschereccio** (o *da pesca*) fishing port; ~ *di* **quarantena** quarantine harbour; ~ *di* **rifugio** (o *ridosso*) port (*o* harbour) of refuge; ~ *di* **rilascio** port of distress; ~ *di* **sbarco** landing port, port of discharge; ~ *di* **scalo** port of call; ~ *di* **scarico** port of discharge; **toccare** *un ~* to call at a port; ~ *di* **transito** transit (*o* bonded) port; ~ *di* **trasbordo** trans-shipment harbour; ~ **turistico** tourist harbour.

pọrto[2] *m.* **1.** (*il portare*) carrying. – **2.** (*trasporto*) transport, carriage, conveyance, ⟨*am*⟩ freight: *~ a mezzo ferrovia* rail transport; (*prezzo del trasporto*) carriage, ⟨*am*⟩ freight(age). – **3.** ⟨*non com*⟩ (*affrancatura*) postage. □ *~ d'armi* carrying of arms; (*licenza*) licence to carry fire-arms, gun licence; *~ abusivo d'armi* unlawful carrying of arms; *in ~ assegnato* carriage forward; *franco di ~*: 1. carriage free (*o* paid); 2. ⟨*Post*⟩ postage prepaid.

pọrto[3] *m.* ⟨*Enol*⟩ port.

pọrto[4] *p.p. di* **porgere**[1].

portogạllo *m.* **1.** ⟨*Bot*⟩ (*arancio dolce*) sweet (*o* common) orange(-tree) (*Citrus aurantium dulcis*). – **2.** (*frutto*) sweet (*o* common) orange.

Portogạllo *N.pr.m.* ⟨*Geog*⟩ Portugal (*denom.uff.*: *Repubblica del Portogallo* Portuguese Republic). – **portoghẹse I** *a.* Portuguese. – **II** *s.m.* **1.** (*lingua*) Portuguese. – **2.** (*abitante*; *m./f.*) Portuguese. – **3.** ⟨*fig*⟩ ⟨*fam*⟩ gate-crasher. – **4.** ⟨*Bot*⟩ (*vitigno*) kind of grapevine. □ ⟨*fig*⟩ *fare il ~* ⟨*fam*⟩ to gate-crash, to get in free.

portolanịa *f.* ⟨*ant*⟩ **1.** (*ufficio del portolano*) road surveyor's office. – **2.** (*dazio*) trade tax. – **portolạno** *m.* **1.** ⟨*Mar*⟩ pilot (book), navigation manual, ⟨*non com*⟩ portolano, ⟨*non com*⟩ portulan. – **2.** ⟨*Aer*⟩ pilot's handbook, aeronautical chart. – **3.** ⟨*ant*⟩ (*guardiano dei porti*) harbour-master. – **4.** ⟨*ant*⟩ (*ufficiale preposto alla manutenzione delle strade*) road surveyor.

portolạta *f.*, **portolạto** *m.* ⟨*Mar*⟩ tender. – **portolạtto** *m.* ⟨*Mar*⟩ **1.** → **portolata**. – **2.** ⟨*ant*⟩ (*capovoga*) stroke.

portombrẹlli *m.inv.* → **portaombrelli**.

portọna (*accr. di porta*) *f.* ⟨*Geog*⟩ wide pass (*o* gap), gate.

portonạio *m.* ⟨*ant*⟩ → **portinaio**.

portoncịno *m. dim. di* **portone**. – **portǫne** (*accr. di porta*) *m.* (*entrata principale di edifici*) main entrance, main (*o* front) door.
portorealịsta *m./f.* ⟨*Filos*⟩ Port Royalist.
portoricạno I *a.* Puerto Rican, Porto Rican. – **II** *s.m.* (*f.* -**a**) Puerto Rican, Porto Rican. – **Portorịco** (o *Pǫrto Rịco*) *N.pr.m.* ⟨*Geog*⟩ Puerto Rico. – **portorico** *m.* Puerto Rican coffee.
portǫrio *m.* ⟨*Stor.rom*⟩ import duty.
portǫro *m.* **1.** (*abitante di Portovenere*) inhabitant of Portovenere. – **2.** ⟨*Min*⟩ Portor marble.
portuạle I *a.* ⟨*Mar*⟩ harbour-, port- : *opere -i* harbour works. – **II** *s.m.* docker, dock worker; (*scaricatore*) stevedore, ⟨*am*⟩ longshoreman.
portuạria *f.* ⟨*Mar*⟩ (*anche milizia portuaria*) harbour militia. – **portuạrio** *a.* (*di porto*) harbour-, port-: *vigilanza -a* harbour control.
portulạca *f.* ⟨*Bot*⟩ **1.** portulaca (*Portulaca*). – **2.** purslane (*Portulaca oleracea*). – **portulacạcee** *f.pl.* purslane family (*Portulacaceae*).
portulạno *m.* ⟨*ant*⟩ → **portolano**.
portunạtico *m.* (*pl.* -**ci**) ⟨*Mediev*⟩ harbour (*o* port) dues.
portuọso *a.* **1.** (*ricco di porti*) rich in harbours, having many ports. – **2.** (*che può servire da porto*) harbour-.
porzạna *f.* ⟨*Ornit*⟩ **1.** (*schiribilla*) little crake (*Porzana parva*). – **2.** (*schiribilla grigiata*) Baillon's crake (*Porzana pusilla*).
porzionạrio *m.* ⟨*Dir.ant*⟩ (*parzioniere*) associate, partner.
porzioncẹlla, porzioncịna *f. dim. di* **porzione**.
porziọne *f.* **1.** share, portion, part: *una ~ del patrimonio* a share in the estate. – **2.** (*rif. a cibi*) portion, helping, serving; (*fetta*) slice, piece: *una ~ di dolce* a slice of cake. – **3.** ⟨*Anat*⟩ part, portio. – **4.** ⟨*ant*⟩ (*quota*) quota; (*azione*) share. ▭ *a -i* in portions; *fare le -i* to divide into portions; *mezza ~* half-portion; ⟨*scherz*⟩ (*persona di bassa statura*) ⟨*fam*⟩ shorty, ⟨*fam*⟩ runt, ⟨*fam*⟩ half-pint.
pǫsa *f.* **1.** (*il posare*) laying, setting: *la ~ della prima pietra* the laying of the foundation stone. – **2.** (*posizione*) position, attitude, posture: *assumere una ~ naturale* to assume a natural position; (*artificiosa o sforzata*) pose. – **3.** (*contegno affettato*) pose, affectation, airs *pl*, pretentiousness: *le sue sono tutte -e* it's all a pose, he puts it all on. – **4.** ⟨*Art*⟩ (*il posare*) posing; (*l'atteggiamento*) pose; (*seduta*) sitting: *una ~ per un ritratto* a sitting for a portrait. – **5.** ⟨*Fot*⟩ (*esposizione*) exposure, time exposure, (*tempo di posa*) exposure (time); (*ripresa*) shot, pose: *quante -e puoi fare ancora?* how many more shots can you take?; (*immagine*) picture, snapshot. – **6.** (*deposito, sedimento*) sediment, dregs *pl*, lees *pl*: *la ~ del vino* wine-dregs. – **7.** ⟨*Fon*⟩ (*accento*) stress, accent. – **8.** ⟨*lett*⟩ (*pace, tregua*) rest, respite: *lavorare senza ~* to work ⌜without respite⌝ (*o* non-stop). – **9.** ⟨*ant*⟩ (*pausa musicale o della voce*) rest, pause.
▭ *~ di* **cavi** laying of cables; ⟨*Mus*⟩ *~ delle* **dita** fingering, finger position; ⟨*Edil*⟩ *~ delle* **fondazioni** laying of the foundations; ⟨*Fot*⟩ **latitudine** *di ~* exposure-range; **mettersi** *in ~* to assume a pose; ⟨*Art*⟩ to pose; *~ in* **opera** installation, erection; (*rif. a tubi e sim.*) laying; ⟨*Pitt*⟩ **restare** *in ~* to hold a pose; *non* **trovare** *~* to have no rest (*o* peace).
posa|cạvi *f.inv.* ⟨*Mar*⟩ (*anche nave posacavi*) cable-ship. – **~cẹnere** *m.inv.* → **portacenere**. – **~fẹrro** *m.inv.* iron-stand.
posamẹnto *m.* ⟨*non com*⟩ **1.** (*il posare*) laying, setting. – **2.** ⟨*ant*⟩ (*appoggio*) support, foundation, base, stand.
posa|mịne *a./s.inv.* **I** *a.* ⟨*Mar*⟩ mine-laying-: *sommergibile ~* mine-laying submarine. – **II** *s.f.* (*nave posamine*) minelayer. – **~mọlle** *m.inv.* stand (for a fireset). – **~piạno** *m./f.inv.* ⟨*scherz*⟩ (*persona pigra e lenta*) ⟨*fam*⟩ slowcoach, ⟨*fam*⟩ snail, ⟨*fam*⟩ tortoise, ⟨*am.fam*⟩ slowpoke.
posạre *v.* (**pǫso**) **I** *v.t.* **1.** to put (down), to set (down), to lay (down): *posò il bagaglio a terra* he put his luggage (down) on the ground; *~ il cappello* to put one's hat down; (*in piedi*) to stand, to put (*o* set) down; (*in posizione orizzontale*) to lay (down), to put (*o* set) down: *~ il ricevitore* to put down the receiver; *~ un piatto sul tavolo* to lay a plate on the table. – **2.** (*rif. a parti del corpo: appoggiare*) to lay, to rest, to put: *~ il capo sul cuscino* to lay one's head on the pillow. – **3.** ⟨*tecn*⟩ to lay: *~ un cavo* to lay a cable. – **4.** ⟨*fig,lett*⟩ (*placare*) to calm, to curb: *~ le ire* to curb one's anger. – **5.** ⟨*ant,rar*⟩ (*far riposare*) to (let) rest. – **II** *v.i.* (*aus.* **avere**) **1.** (*poggiare*) to stand, to rest: *il ponte posa su due piloni* the bridge rests on two pillars. – **2.** ⟨*fig*⟩ (*fondarsi*) to be based (*o* founded), to rest. – **3.** (*fare da modello*) to pose, to sit. – **4.** ⟨*fig*⟩ (*darsi delle arie*) to ⌜put on⌝ (*o* give o.s.) airs, to strike a pose; (*atteggiarsi*) to pose, to act affectedly, to posture, to act, to play: *~ a intellettuale* to pose as an intellectual; *~ a gran dama* to act (*o* play) the fine lady. – **5.** (*rif. a liquidi: lasciare la posa*) to settle, to stand. – **6.** ⟨*lett*⟩ (*fermarsi*) to stop. – **7.** ⟨*lett*⟩ (*riposare*) to rest. – **8.** ⟨*ant,poet*⟩ (*cessare*) to stop, to pause. – **posarsi** *v.r.* **1.** to settle: *l'ape si posa sui fiori* the bee settles on the flowers; (*rif. a uccelli*) to perch, to alight, to (come to) rest; (*deporsi: rif. a neve ecc.*) to fall, to settle: *la neve si posa sulle colline* the snow is settling on the hills. – **2.** (*ristare*) to stay, to rest: *il suo sguardo si posò su di lei* his gaze rested on her. – **3.** ⟨*ant,poet*⟩ (*riposare*) to rest, to lie. ▭ ⟨*fig*⟩ *~ le armi* (*cessare le ostilità*) to lay down (one's) arms; ⟨*Post*⟩ *posa piano!* handle with care!; *il vento si è posato* the wind has subsided (*o* abated, died down).
posarẹti *m./f.inv.* ⟨*Mar*⟩ (*anche nave posareti*) net-layer.
posạta[1] *f.* **1.** cutlery, flatware, silverware: *cambiare le -e* to change the silverware; *-e d'acciaio inossidabile* stainless-steel flatware. – **2.** ⟨*estens*⟩ (*coperto*) cover. ▭ *-e d'argento* silverware; *-e da dolce* cake knife and fork; *-e per l'insalata* salad set servers; *-e da pesce* fish knife and fork; *servizio di -e* cutlery canteen, set of silverware (*o* flatware).
posạta[2] *f.* ⟨*non com*⟩ **1.** (*il posare*) laying (*o* setting) down; (*il posarsi*) settling; (*rif. a uccelli*) perching, alighting; (*rif. a insetti*) settling. – **2.** (*sosta, fermata*) stop, rest, halt; (*luogo dove ci si ferma*) stopping-place. – **3.** (*sedimento*) sediment, dregs *pl*, lees *pl*.
posatamẹnte *avv.* calmly, composedly, sensibly.
posaterịa *f.* cutlery, flatware, silverware.
posatẹzza *f.* composure, self-possession, poise, calm. ▭ *con ~* composedly, calmly.
posatịna *f. dim. di* **posata**[1].
posạto (*p.p. di posare*) *a.* **1.** (*calmo: rif. a persona*) composed, poised, calm, cool, staid, ⟨*scherz*⟩ cool calm and collected; (*rif. a cosa*) calm. – **2.** (*equilibrato: rif. a persona*) sensible, steady, sane: *un ragazzo ~* a sensible boy; (*rif. a cosa*) moderate, measured, sensible, (well-)balanced: *discorso ~* moderate speech. – **3.** ⟨*Arald*⟩ posé.
posatọio *m.* perch, roost.
posatọre *m.* (*f.* -**trice**) **1.** (*operaio*) layer. – **2.** ⟨*fig*⟩ (*chi si dà delle arie*) poseur, poser.
posatụra *f.* (*rif. a liquidi: il posare*) settling, subsiding; (*sedimento*) sediment, dregs *pl*, lees *pl*.
pọsbẹllico *a.* ⟨*pop*⟩ → **postbellico**.
pǫsca *f.* **1.** ⟨*lett*⟩ (*miscela di acqua e aceto*) vinegar-water. – **2.** ⟨*region*⟩ (*vinello*) light (*o* thin) wine.
pǫscia *avv.* ⟨*lett*⟩ (*poi*) then, after(wards). ▭ *~ che*: 1. (*dopoché*) after; 2. (*poiché*) since, as.
posciadẹsco *a.* (*pl.* -**chi**) → **posciadistico**. – **posciạdico** *a.* (*pl.* -**ci**) ⟨*non com*⟩ → **posciadistico**. – **posciadịstico** *a.* (*pl.* -**ci**) **1.** (*della pochade*) comic, amusing, funny. – **2.** (*farsesco*) farcical, of a farce.
posconsonạntico *a.* ⟨*rar*⟩ → **postconsonantico**.
poscrại *avv.* ⟨*ant*⟩ (*dopodomani*) the day after tomorrow.
poscrịtta *f.* ⟨*ant*⟩ → **poscritto**. – **poscrịtto** *m.* postscript, ⟨*fam*⟩ P.S.
pọsdatạre *v.* ⟨*pop*⟩ → **postdatare**. – **pọsdatạto** (*p.p. di posdatare*) *a.* ⟨*pop*⟩ → **postdatato**. – **pọsdatazịone** *f.* ⟨*pop*⟩ → **postdatazione**.
pọsdentạle *a./s.* ⟨*rar*⟩ → **postdentale**.
pọsdiluviạno *a.* ⟨*rar*⟩ → **postdiluviano**.
pọsdomạne *avv.* ⟨*ant*⟩ → **posdomani**. – **pọsdomạni** *avv.* ⟨*lett*⟩ (*dopodomani*) the day after tomorrow.
pǫsi *p.rem. di* **porre**.
Posịdọne *N.pr.m.* ⟨*Mitol*⟩ Poseidon.
posịdọnia *f.* ⟨*Bot*⟩ **1.** Posidonia (*Posidonia*). – **2.** kind of sea-grass (*Posidonia oceanica*).
posịtịva *f.* ⟨*Fot*⟩ positive (print).
posịtivamẹnte *avv.* **1.** (*con certezza*) certainly, definitely, undoubtedly, positively. – **2.** (*affermativamente*) affirmatively, in the affirmative: *ha risposto ~* he replied in the affirmative. – **3.** (*favorevolmente*) favourably, positively: *giudicare ~ qd.* to judge s.o. positively.
posịtivịsmo *m.* **1.** ⟨*Filos*⟩ positivism. – **2.** (*spirito pratico*) positiveness, practical outlook. ▭ ⟨*Filos*⟩ *~ logico* logical positivism. – **posịtivịsta** *m./f.* **1.** ⟨*Filos*⟩ positivist. – **2.** (*persona pratica*) practical (*o* down-to-earth) person, realist. – **posịtivịstico** *a.* (*pl.* -**ci**) ⟨*Filos*⟩ positivist(ic).
posịtività *f.* ⟨*non com*⟩ **1.** positiveness, positivity. – **2.** (*risultato positivo*) positive result.
posịtịvo I *a.* **1.** (*reale, effettivo*) positive, real, concrete: *conoscenza -a* positive knowledge. – **2.** (*certo, sicuro*) certain, sure, positive, definite: *non si sa ancora nulla di ~* we don't know anything definite yet. – **3.** (*rif. a persona: pratico, che non si perde in fantasticherie*) practical, down-to-earth, realistic: *è un uomo ~* he's a practical man. – **4.** (*affermativo*) positive, affirmative: *risposta -a* affirmative answer. – **5.** (*favorevole*) favourable, positive: *esprimere un giudizio ~* to express a favourable opinion. – **6.** (*vantaggioso*) positive, advantageous, good: *i lati -i dell'affare* the positive aspects of the matter. – **7.** (*che prescrive di fare una cosa*) positive: *comando ~* positive command. – **8.** (*contrapposto a naturale*) positive: *filosofia -a* positive philosophy; *leggi -e* positive laws; (*che si fonda sull'esperienza*) positive, empiric(al), practical: *scienze -e* practical sciences. – **9.** ⟨*Fis,Mat,Med,Gramm*⟩ positive: *polo ~* positive pole; *numero ~* positive number; *grado ~ dell'aggettivo* positive degree of the adjective. – **II** *s.m.* **1.** positive, reality. – **2.** ⟨*Gramm*⟩ (*grado positivo*) positive (degree). – **3.** ⟨*Ott,Fot*⟩ positive. – **4.** ⟨*Mus*⟩ (*tipo di organo*) positive (organ). – **III** *avv.* **1.** (*certamente*) certainly, definitely, undoubtedly, positively: *pensi che verrà? – ~* do you think he'll come? – definitely. – **2.** (*realmente*) positively, really. ▭ *è ~ che* certainly, surely, positively: *è ~ che non voleva offenderti* he certainly didn't want to offend you.
posịt(r)ọne *m.* ⟨*Fis*⟩ positron, positive electron.
positrọnio *m.* ⟨*Fis*⟩ positronium.
posịtụra *f.* ⟨*non com*⟩ **1.** (*modo*) positioning, arrangement. – **2.** (*luogo*) position, place, location. – **3.** (*posizione del corpo*) position, attitude, posture. – **4.** ⟨*Arald*⟩ (*posizione*) position.
posịzionạle *a.* **1.** (*di posizione*) positional. – **2.** ⟨*Fis,Mat*⟩ positional: *valore ~ di una cifra* positional value of a figure.
posịziọne *f.* **1.** position: *la ~ di un pianeta rispetto al sole* a planet's position in relation to the sun. – **2.** (*disposizione*) position, arrange-

ment, layout: *cambiare la ~ dei mobili* to change the furniture arrangement. – **3.** (*ubicazione*) situation, position, location, site, spot, place: *la casa si trova in una splendida ~* the house is in a fine position. – **4.** (*rif. al corpo umano: atteggiamento*) position, attitude, posture: *cambiare ~* to change position. – **5.** ⟨*fig*⟩ (*stato, condizione*) position, status: *stabilire la ~ giuridica di qd.* to establish s.o.'s legal position; *~ finanziaria* financial position (*o* standing). – **6.** (*nella carriera*) position, rank, status: *avere una buona ~* to have a good position; (*grado sociale*) position, (social) standing, status. – **7.** ⟨*fig*⟩ (*situazione*) position, situation: *trovarsi in una ~ imbarazzante* to find o.s. in an awkward position. – **8.** ⟨*fig*⟩ (*convinzione, principio*) attitude, (point of) view, opinion: *una ~ superata* an outdated attitude; (*a proposito di una controversia*) position, stand, point of view: *prendere ~* to take a position (*o* stand). – **9.** ⟨*fig*⟩ (*il porre una tesi*) position, statement of a thesis. – **10.** (*nei giochi, nello sport*) position. – **11.** ⟨*Mil*⟩ position: *-i fortificate* fortified positions. – **12.** ⟨*Mar*⟩ strength of crew.

□ **angolo** *di ~*: 1. ⟨*Astr*⟩ position angle, angle of position; 2. ⟨*Mecc*⟩ setting angle; ⟨*El*⟩ *~ di* **apertura** off-position; ⟨*Astr*⟩ ~ **apparente** apparent place (*o* position); *~ d'***attenti**: 1. ⟨*Mil*⟩ (position of) attention; 2. ⟨*Ginn*⟩ basic position, standing to attention; ~ **chiave** key position; ⟨*El*⟩ *~ di* **chiusura** on-position; ⟨*Mar*⟩ **determinazione** *della ~* reckoning, determining of a ship's position; *~ di* **equilibrio** position of equilibrium, balanced position; ⟨*fig*⟩ **farsi** *una ~* to achieve a degree of success, ⟨*fam*⟩ to get somewhere; ⟨*Fon*⟩ ~ **finale** final position; ⟨*Ginn*⟩ ~ **flessa** bent standing position; ⟨*Aut*⟩ *~ di* **folle** neutral position; *~ di* **forza** position of strength, strong position; *~ di* **funzionamento** on-position; *~ di* **guardia** defensive (*o* on-guard) position; ⟨*Fon*⟩ ~ **iniziale** initial position; *~ di* **lavoro** operating (*o* working) position; ⟨*Sport*⟩ *~ della* **mano** (*nella scherma*) position of the hand; ⟨*Mecc*⟩ *~ di* **marcia** running position; ⟨*Mar*⟩ *~ di una* **nave** ship's position, fix; *~ di* **nuoto** swimming stroke; ⟨*Mar*⟩ ~ **organica** strength of crew; ⟨*Sport*⟩ *~ di* **partenza** starting position; *~ in* **piedi** standing position; ⟨*Sport*⟩ *~ del* **pugno** (*nel pugilato*) position of the fists; ⟨*Mat*⟩ **regola** *della falsa ~* rule of (false) position, rule of trial and error; **restare** *in ~* = **tenersi** *in posizione*; *~ di* **riposo**: 1. ⟨*Mil,Ginn*⟩ at ease position; 2. ⟨*Mecc*⟩ off-position, resting (*o* home, normal) position; ⟨*Mil*⟩ **ritirarsi** (*o ripiegare*) *sulle proprie -i* to withdraw (*o* retreat) to one's own positions; ⟨*Mar,Aer*⟩ ~ **stimata** dead reckoning; ⟨*Mil*⟩ ~ **strategica** strategic position; **tenersi** *in ~* to keep in position; *~ a* **zero** zero (*o* null) position, point of rest.

pọsola *f.* **1.** (*parte dei finimenti*) cross-girth. – **2.** ⟨*fam,tosc*⟩ (*peso, danno*) burden, trouble, weight. – **posolịno** (*dim. di posola*) *m.* (*sottocoda*) crupper.

posologịa *f.* ⟨*Farm*⟩ posology.

pospạsto *m.* ⟨*ant*⟩ (*ultima portata di un pranzo*) last course.

posponimẹnto *m.* ⟨*non com*⟩ → **posposizione.**

pospọrre *v.t.* (**pospọngo, pospọni; pospọsi, pospọsto;** → **porre**) **1.** to place (*o* put) after, to put second: *~ il cognome al nome* to place the surname after the given name. – **2.** ⟨*fig*⟩ to put after, to subordinate: *~ l'amicizia all'interesse* to subordinate friendship to interest; *~ la virtù alla bellezza* to put beauty before virtue, to ⌜prefer beauty to⌝ (*o* set a higher store by beauty than) virtue. – **3.** (*differire*) to postpone, to defer, to put off.

pospositịvo *a.* **1.** postponing. – **2.** (*che si pospone*) postpositive: *congiunzione -a* postpositive conjunction. – **posposiziọne** *f.* **1.** postposition, placing after. – **2.** ⟨*Gramm*⟩ postposition. – **pospọsto** (*p.p. di posporre*) *a.* **1.** placed after. – **2.** ⟨*fig*⟩ overlooked, passed over, subordinated.

pọssa *f.* ⟨*lett*⟩ (*forza*) strength, force, vigour; (*potere*) power, might. □ *con ogni ~* with all one's strength, with might and main. – **possạnza** *f.* ⟨*ant*⟩ **1.** (*potere*) power, potency, authority. – **2.** (*forza*) strength, force, vigour. – **3.** (*facoltà*) faculty. – **4.** (*efficacia*) efficacy, potency, force.

possedẹre *v.t.* (**possiẹdo/possẹggo, possiẹdi, possiẹde, possediạmo, possedẹte, possiẹdono/possẹggono;** *p.rem.* **possedẹi/possedẹtti, possedẹsti, possedé/possedẹtte, possedẹrono/possedẹttero;** *pres.cong.* **possiẹda/possẹgga, possediạmo, possediạte, possiẹdano/possẹggano;** *p.pr. rar.* **possedẹnte;** *p.p.* **possedụto**) **1.** to possess, to own, to have: *~ una villa al mare* to own a house by the sea. – **2.** ⟨*assol*⟩ (*avere beni propri*) to own (*o* have) property. – **3.** (*avere, disporre*) to have, to possess: *~ ingegno* to have brains. – **4.** (*avere in dominio*) to have, to hold, to rule, to be master (*f* mistress) of: *l'Inghilterra possedeva molte colonie* England had many colonies. – **5.** ⟨*fig*⟩ (*conoscere alla perfezione*) to be master of, ⟨*lett*⟩ to possess: *~ una lingua* to be master of a language, to know a language perfectly (*o* fluently). – **6.** ⟨*lett*⟩ (*dominare*) to possess, to rule, to dominate: *essere posseduto dall'ambizione* to be possessed by ambition. – **7.** ⟨*lett*⟩ (*occupare*) to be in, to occupy, to inhabit. □ *~ una donna* to possess (*o* take) a woman.

possedimẹnto *m.* **1.** (*possesso*) possession, ownership: *il ~ di una tenuta agricola* possession of a farm holding. – **2.** (*proprietà*) estate, (landed) property: *avere molti -i* to have much property, to be a ⌜propertied man⌝ (*o* man of estate). – **3.** ⟨*Pol*⟩ possession, dominion; (*colonia*) colony.

posseditọre *m.* (*f.* **-trice**) ⟨*non com*⟩ → **possessore.** – **possedụto** (*p.p. di possedere*) *a.* (*invasato*) possessed: *~ dal demonio* possessed by the devil.

possẹnte *a./s.* ⟨*lett*⟩ → **potente.**

possessiọne *f.* ⟨*non com*⟩ **1.** (*proprietà*) estate, (landed) property, possessions *pl*: *avere ricche -i* to have a great estate. – **2.** (*possesso*) possession, ownership: *essere in ~ di qc.* to be in possession of s.th. – **3.** (*presa di possesso*) taking possession, occupancy. – **4.** ⟨*fig*⟩ (*ossessione*) possession (by a spirit).

possessịvo I *a.* **1.** ⟨*Gramm*⟩ possessive. – **2.** ⟨*fig*⟩ (*gelosamente affezionato*) possessive. – **II** *s.m.* ⟨*Gramm*⟩ possessive. □ ⟨*Gramm*⟩ *caso ~* (*genitivo*) possessive (case).

possẹsso *m.* **1.** possession, ownership, holding, tenure: *il ~ di un terreno* possession of land. – **2.** (*possedimento*) estate, property, possession; ⟨*collett*⟩ estate, property, possessions *pl*; (*rif. a oggetti personali*) belongings *pl*. – **3.** ⟨*Pol*⟩ possession, dominion. – **4.** ⟨*fig*⟩ (*padronanza, dominio*) control, command. – **5.** ⟨*fig*⟩ (*piena cognizione*) mastery, expert knowledge, full grasp. – **6.** ⟨*Dir*⟩ possession.

□ *~ di* **azioni** shareholding; **cadere** *in ~ di qd.* to come into s.o.'s possession; ⟨*Dir*⟩ ~ **continuato** uninterrupted possession; **entrare** *in ~ di qc.* to enter (*o* come) into possession of s.th.; ⟨*Dir*⟩ ~ **esclusivo** exclusive (*o* sole) possession; **essere** *in ~ di qc.* to be in possession of s.th., to have s.th.; ⟨*Dir*⟩ *~ di buona* **fede** holding in good faith, bona fide holding; *~ di mala fede* holding in bad faith, mala fide holding; ⟨*Dir*⟩ **garanzia** *di ~* freedom of tenure; ~ **giusto** lawful possession; ~ **illegittimo** unlawful possession; ⟨*Dir*⟩ ~ **incontrastato** undisputed ownership; ~ **legittimo** = *possesso* **giusto**; ~ **pacifico** undisturbed possession; *avere il* **pieno** *~ delle proprie facoltà mentali* to be in full possession of one's mental faculties; *avere il pieno ~ dei propri nervi* to have full control over one's nerves; ~ **precario** precarious (*o* precarial) tenure, precarious possession, possession in the name of a third party; **prendere** *~ di qc.*: 1. to take possession of s.th., ⟨*fam*⟩ to get hold of s.th., ⟨*lett*⟩ to possess o.s. of s.th.; 2. (*assumere*) to assume s.th., to take s.th. over: *prendere ~ della direzione* to take over the management; **presa** *di ~* taking possession, taking over; ⟨*Dir*⟩ *~ in* **proprio** possession as owner; **venire** *in ~ di qc.* = **entrare** *in possesso di qc.*

possessọre *m.* (*f.* **posseditrịce**/*pop.* **possessọra**) possessor, owner, holder.

□ *~ di una* **cambiale** bearer of a bill; ⟨*Dir*⟩ *~ in buona* **fede** holder in good faith, bona fide holder; *~ di mala fede* holder in bad faith, mala fide holder; ~ **intermedio** intermediate holder; ~ **legittimo** lawful (*o* rightful) owner; *~ in* **proprio** proprietary owner, possessor as owner.

possessọrio I *a.* ⟨*Dir*⟩ possessory, of (*o* for) possession: *azione -a* possessory action, action for the recovery of possession; *provvedimento ~* order for possession. – **II** *s.m.* ⟨*ant*⟩ (*anche giudizio possessorio*) possessory judgement.

possịbile I *a.* **1.** possible: *nella vita tutto è ~* everything is possible in life. – **2.** (*probabile*) possible, likely, *spesso si traduce col verbo* may: *è ~ che domani sia bel tempo* it may be fine tomorrow, we may have good weather tomorrow. – **3.** (*fattibile*) possible, feasible: *non mi sarà ~ venire oggi* ⌜it won't be possible for me⌝ (*o* I won't be able) to come today. – **4.** (*pensabile, concepibile*) possible, conceivable, thinkable. – **5.** (*con superlativi relativi o con comparativi*) possible: *il più presto ~* as soon as possible. – **6.** (*in frasi interrogative: esprime stupore*) really?, incredible: *è finito sotto una macchina e non si è fatto niente! – ~?* he ended up under a car and didn't get hurt! – incredible! – **7.** (*accettabile*) reasonable, quite good, decent, tolerable, ⟨*fam*⟩ not bad. – **II** *s.m.* **1.** possible: *ha oltrepassato i limiti del ~* it has gone beyond the limits of the possible. – **2.** (*ciò che può essere fatto*) everything possible, one's best (*o* utmost): *farò il ~* I will do ⌜everything possible⌝ (*o* all I can). □ *con tutta la cura ~* with all possible care, as carefully as possible; *essere ~* to be possible, can: *è ~ che abbia detto una cosa simile?* can he possibly (*o* ever) have said such a thing?; *è ~ che tu non sappia nuotare?* you really can't swim?; *non è ~* it's impossible, it's not possible: *non è ~ che io venga* it is not possible for me to come, I can't come; ⟨*iperb*⟩ *~ e immaginabile* possible, conceivable; *nei limiti del ~* as far as possible; *rendere qc. ~* to make s.th. possible, to enable s.th. to happen; *tutto il ~* everything possible.

possibilịsmo *m.* ⟨*Pol*⟩ possibilism.

possibilịssimo (*sup. di possibile*) *a.* very possible (*o* likely), highly probable: *è ~ che piova* it is very likely to rain.

possibilịsta I *s.m./f.* ⟨*Pol*⟩ possibilist. – **II** *a.* possibilist. – **possibilịstico** *a.* (*pl.* **-ci**) possibilist.

possibilità *f.* **1.** possibility: *non vedo la ~ di arrivare in tempo* I can't see any possibility of getting there in time; (*probabilità*) likelihood, probability. – **2.** (*capacità, potere*) possibility, power; (*occasione*) chance, opportunity; (*via, mezzo*) means, way: *una ~ di salvezza* a means of escape, a way out. – **3.** *pl.* (*forze, mezzi*) means *pl*, power: *ti aiuterò secondo le mie ~* I'll help you as far as lies within my power; (*condizioni economiche*) means *pl*: *dare secondo le proprie ~* to give according to one's means. □ *sono nella ~ di fare qc.* I can (*o* am able to) do s.th.; *mettere qd. nella ~ di fare qc.* to enable s.o. to do s.th.

possibilmẹnte *avv.* if possible.

possidẹnte *m./f.* **1.** landowner, landed proprietor, man (*f* woman) of property: *~ terriero* country landowner, squire. – **2.** (*chi possiede case*) landlord (*f* -lady). □ *grosso ~* large landed proprietor; *piccolo ~* small landowner. – **possidentụccio, possidentụcolo** *m.* ⟨*spreg*⟩ *dim. di* **possidente.** – **possidẹnza** *f.* ⟨*non com*⟩ **1.** (right of) possession, ownership. – **2.** (*possedimento*) possession, property. – **3.** (*ceto dei possidenti*) landowners *pl*, landed class.

pọsso *pr.ind. di* **potere**[1].
possụto *p.p.ant. di* **potere**[1].
post... *pref.* **1.** (*dopo* after) post..., after-. – **2.** (*posteriore* behind) post...
pọsta[1] *f.* **1.** (*servizio*) post, mail: *spedire un pacco per* ~ to send a parcel by post. – **2.** (*organizzazione*; generally in pl.) Post Office: *impiegato delle -e* Post Office clerk. – **3.** (*ufficio postale*) post office: *porta queste lettere alla* ~ take these letters to the post office. – **4.** (*corrispondenza*) post, letters *pl*, correspondence, mail: *distribuire la* ~ to deliver the mail; *ho ricevuto molta* ~ I have received a lot of mail. – **5.** (*nei giochi*) stake, stakes *pl* (*anche fig.*). – **6.** ⟨*Venat*⟩ stand; (*posizione nascosta*) hide, blind, butt: *mettersi alla* ~ to go to one's hide, to take up one's stand. – **7.** ⟨*Edil*⟩ guide line, reference point. – **8.** ⟨*Cart*⟩ post. – **9.** ⟨*Stor*⟩ (*servizio di corriera*) post, mail; (*vettura*) stage-coach, post-chaise; (*per la corrispondenza*) mail coach, post; (*stazione della corriera*) stage, station; (*locanda*) post-house, posting-house; (*tratto di strada fra una posta e l'altra*) stage. – **10.** ⟨*Mat*⟩ (*addendo*) addend, item. – **11.** ⟨*lett*⟩ (*dimora*) abode, dwelling-place: *non avere* ~ *fissa* to have no fixed abode; (*rif. ad animali*: *posto nella stalla*) stall, box. – **12.** ⟨*Rel*⟩ (*decina di rosario*) decade; (*nella Via Crucis*) station. – **13.** ⟨*ant*⟩ (*posto di ormeggio*) berth, moorings *pl*. – **14.** ⟨*ant*⟩ (*volontà, piacere*) will, pleasure: *a mia* ~ at my will (*o* pleasure). – **15.** ⟨*ant*⟩ (*paga*) (mercenary's) pay. – **16.** ⟨*ant*⟩ (*infisso*) fixture, frame, casing. – **17.** ⟨*ant*⟩ (*imposta*) tax.

□ **a** ~ (*apposta*) on purpose, deliberately, purposely, intentionally, expressly; ~ **aerea** air mail: *per* ~ *aerea* (by) air mail; ⟨*ant*⟩ **andare** *a* ~ *sicura* (*andare a colpo sicuro*) to go straight to one's goal, to act unhesitatingly; ~ *in* **arrivo** incoming mail; ⟨*ant*⟩ *non* **aver** ~ *di qd.* (*non sapere dove possa trovarsi*) not to know s.o.'s whereabouts; ~ **bianca**: 1. ⟨*Cart*⟩ post; 2. ⟨*ant,Econ*⟩ blank tax entry; ⟨*Comm*⟩ ~ *di* **bilancio** balance item; **cavallo** *di* ~ post-horse; ~ **centrale** main (*o* general) post office; ⟨*Econ*⟩ ~ *di* **conto** entry, item; ⟨*ant*⟩ **dare** *a qd. la* ~ *in un luogo* (*dare un appuntamento*) to arrange a rendezvous with s.o., to arrange to meet s.o. in a certain place; **direttore** *delle -e* postmaster; **distribuzione** *della* ~ (mail) delivery; ⟨*fig*⟩ **fare** *la* ~ to lie in wait; ⟨*Post*⟩ **fermo** (*in*) ~ poste restante, ⟨*am*⟩ general delivery; ⟨*fig*⟩ *la* ~ *in* **gioco** *è alta* the stakes are high, a lot is at stake; *a* (*stretto*) **giro** *di* ~ by return of post, ⟨*am*⟩ by return mail; *la* ~ *dei* **lettori** = **piccola** *posta*; ⟨*fig*⟩ **mettersi** *alla* ~ *di qd.* to be on the look-out for s.o.; *a* **mezzo** ~ = **per** *posta*; ~ **militare** army postal service; **ministro** *delle Poste e Telecomunicazioni* Postmaster General; *per* ~ **normale** by ordinary post, ⟨*am*⟩ (by) regular mail; ~ *in* **partenza** outgoing mail; **per** ~ by post; ⟨*Giorn*⟩ **piccola** ~ letters *pl* to the editor; ~ **pneumatica** pneumatic post (*o* dispatch); ~ *d'una* **scommessa** betting stake(s); **spese** *di* ~ postage; ⟨*fig*⟩ **stare** *alla* ~ to lie in wait; ⟨*fig*⟩ *non stare alla* ~ (*non stare ai patti*) not to keep an agreement (*o* a bargain); ⟨*ant*⟩ **tenere** *a propria* ~ (*a propria disposizione*) to keep ⌜at one's disposal⌝ (*o* available).
pọsta[2] *f.* **1.** ⟨*region,ant*⟩ (*il porre*) placing, putting; (*il piantare*) planting. – **2.** ⟨*ant*⟩ (*orma, traccia*) trace, mark. □ ~ *del nome* (*imposizione*) naming, giving of a name.
postaccelerazione *f.* ⟨*El*⟩ post-acceleration.
postạccio *m. pegg. di* **posto**[1].
postagịro *m.* (*pl.* **postagịro/postagịri**) postal transfer (*o* giro).
postạle I *a.* **1.** postal, post-, mail-, post-office-: *timbro* ~ postmark; *vaglia* ~ postal order, ⟨*am*⟩ money order; *impiegato* ~ post-office clerk. – **2.** (*che fa servizio di posta*) mail-: *nave* ~ mail boat. – **II** *s.m.* (*nave*) mail boat, packet(-boat); (*treno*) mail train; (*aereo*) mail-plane; (*autocorriera per posta e passeggeri*) mail-bus. □ *cartolina* ~ postcard; *casella* ~ post-office box; *cassetta* ~ letter-box, post-box, ⟨*am*⟩ mail-box; (*a colonna*) pillar-box; *francobollo* ~ postage stamp; *tariffa* ~ postage.
postalizzạre *v.t.* ⟨*non com*⟩ to adjust public transport tariffs to postal rates. – **postalizzaziọne** *f.* ⟨*non com*⟩ adjustment of public transport tariffs to postal rates.
postạre *v.t.* (**pọsto**) ⟨*Mil*⟩ to post, to station, to position, to place: ~ *l'artiglieria* to position the artillery; *postò i suoi soldati lungo il fiume* he posted his troops along the river. – **postarsi** *v.r.* **1.** to station (*o* post) o.s., to take up one's position. – **2.** (*piantarsi in atteggiamento risoluto*) to plant o.s. – **postaziọne** *f.* ⟨*Mil*⟩ **1.** (*il postare*) stationing, posting, positioning: *la* ~ *di un cannone* the stationing of a cannon. – **2.** (*luogo*) weapon-pit.
post|bẹllico *a.* (*pl.* **-ci**) post-war: *crisi -a* post-war crisis. – **~bruciatọre** *m.* afterburner, reheater. – **~combustiọne** *f.* afterburning, reheating. – **~combustọre** *m.* → **postbruciatore**. – **~com(m)ụnio** *m.* ⟨*Lit*⟩ post-communion. – **~comuniọne** *f.* ⟨*rar*⟩ → **postcom(m)unio**. – **~consonạntico** *a.* (*pl.* **-ci**) ⟨*Ling*⟩ post-consonantal.
postdatạre *v.t.* **1.** to post-date, to date forward. – **2.** (*assegnare una data posteriore a quella comunemente accettata*) to assign a later date (to), to post-date: ~ *un rinvenimento archeologico* to assign a later date to an archaeological find. – **postdatạto** (*p.p. di postdatare*) *a.* post-dated: *assegno* ~ post-dated cheque. – **postdataziọne** *f.* ⟨*non com*⟩ post-dating.
post|dentạle I *a.* ⟨*Ling*⟩ post-dental. – **II** *s.f.* post-dental. – **~desinenziạle** *a.* following the desinence (*o* ending). – **~diluviạle I** *a.* ⟨*Geol*⟩ Holocene, Recent, Post-Diluvial. – **II** *s.m.* Holocene period. – **~diluviạno** *a.* **1.** post-diluvian. – **2.** ⟨*ant*⟩ (*postdiluviale*) Holocene, Recent, Post-Diluvial.

posteggiạre[1] *v.t./i.* (**postẹggio, postẹggi**; *aus.* **avere**) (*parcheggiare*) to park.
posteggiạre[2] *v.t.* (**postẹggio, postẹggi**) ⟨*non com*⟩ (*fare la posta*) to lie in wait for, to be on the look-out for.
posteggiatọre *m.* (*f.* **-trice**) **1.** (*custode di posteggio*) car-park attendant; (*custode di macchine parcheggiate*) parking attendant. – **2.** (*chi usufruisce del posteggio*) parker. – **3.** ⟨*napol*⟩ (*sonatore ambulante*) strolling musician. – **4.** ⟨*roman*⟩ (*rivenditore con posteggio fisso*) stall-holder.
postẹggio *m.* **1.** parking (area), ⟨*am*⟩ parking lot; (*per automobili*) car-park. – **2.** (*spazio riservato a un rivenditore*) stand.

□ ~ *per* **auto** *pubbliche* taxi-rank, ⟨*am*⟩ taxi (*o* cab) stand; ~ **autorizzato** authorized car-park; ~ *di* **biciclette** (*luogo*) bicycle park; (*attrezzatura*) bicycle stand (*o* rack); **divieto** *di* ~ no parking, parking prohibited; ~ **libero** free parking; ~ *di* **motociclette** motorcycle park; ~ **notturno** night parking; ~ *a* **pagamento** paying car-park.
postelegrạfico *a./s.* (*pl.* **-ci**) **I** *a.* post and telegraph-, postal telegraphic: *ufficio* ~ post and telegraph office. – **II** *s.m.* (generally in pl.) post and telegraph employees. – **postelegrafọnico** *a./s.* (*pl.* **-ci**) **I** *a.* post telegraph and telephone-, postal telegraphic and telephonic. – **II** *s.m.* (generally in pl.) post telegraph and telephone employees.
postelementạre *a.* ⟨*Scol*⟩ postelementary.
postẹma *f.* **1.** (*ascesso*) abscess, boil, ulcer, sore. – **2.** ⟨*pop*⟩ (*preoccupazione*) worry, trouble; (*peso*) burden, load.
post|embrionạle *a.* ⟨*Biol*⟩ post-embryonic: *sviluppo* ~ post-embryonic development. – **~emorrạgico** *a.* (*pl.* **-ci**) post-haemorrhagic.
postergạle *m.* (*schienale*) back (of a chair).
postergạre *v.t.* (**postẹrgo, postẹrghi**) ⟨*non com*⟩ **1.** (*posporre*) to defer, to put off. – **2.** ⟨*Dir*⟩ to postpone, to defer: ~ *un'ipoteca* to postpone a mortgage. – **3.** ⟨*lett*⟩ (*trascurare*) to neglect; (*disprezzare*) to disregard, to spurn, to turn one's back on. – **postergaziọne** *f.* ⟨*Dir*⟩ postponement, deferment.
posterịa *f.* ⟨*lomb*⟩ (*negozio di generi alimentari*) grocery store, food -shop.
posteriọre I *a.* **1.** rear, back: *la parte* ~ *della casa* the back (part) of the house; (*rif. al corpo umano*) posterior, back; (*rif. ad animale*) hind, rear, back: *le zampe posteriori di un animale* the hind legs of an animal. – **2.** (*rif. a tempo*) later, subsequent, posterior, following: *gli avvenimenti -i* later (*o* subsequent) events. – **II** *s.m.* **1.** ⟨*eufem*⟩ (*deretano*) buttocks *pl*, bottom, ⟨*fam*⟩ behind. – **2.** *pl.* (*rif. a cavalli*: *arti posteriori*) hind legs *pl*. □ ~ *di un anno* a year later; *Petrarca è* ~ *a Dante* Petrarch is later than Dante.
posteriorità *f.* **1.** (*rif. a tempo*) posteriority, subsequence. – **2.** ⟨*rar*⟩ (*rif. a spazio*) being posterior. – **posteriormẹnte** *avv.* **1.** (*nella parte posteriore*) at the back (*o* rear), behind, ⟨*lett*⟩ posteriorly. – **2.** (*rif. a tempo*: *più tardi*) subsequently, later, ⟨*lett*⟩ posteriorly; (*dopo*) after(wards), later (on).
posterità *f.* **1.** (*l'insieme dei posteri*) posterity. – **2.** (*discendenza*) posterity, descendants *pl*, successors *pl*.
postẹrla *f.* → **postierla**.
pọstero I *a.* subsequent, later, future. – **II** *s.m.* (generally in pl.) descendants *pl*.
postero|linguạle *a.* ⟨*Ling*⟩ velar. – **~palatạle** *a.* post-palatal.
post|eșilịaco, ~eșịlico *a.* (*pl.* **-ci**) ⟨*non com*⟩ post-exilic, post-exilian. – **~formaziọne** *f.* ⟨*Biol*⟩ epigenesis. – **~glaciạle** *a.* ⟨*Geol*⟩ post -glacial.
postịccia *f.* (*pl.* **-ce**) ⟨*Agr*⟩ row of trees. – **posticciạre** *v.t.* (**postịccio, postịcci**) ⟨*non com*⟩ (*piantare a filari*) to plant in rows. – **posticciạta** *f.* plantation of trees in rows.
postịccio I *a.* **1.** (*artificiale*) false, artificial: *denti posticci* false teeth. – **2.** ⟨*non com*⟩ (*provvisorio*) temporary. – **II** *s.m.* **1.** ⟨*Mod*⟩ (*rif. a capelli*) postiche, hairpiece. – **2.** ⟨*Agr*⟩ (*vivaio*) nursery. – **3.** ⟨*Mar. ant*⟩ gunwale.
posticịno (*dim. di posto*[1]) *m.* **1.** spot. – **2.** ⟨*fam*⟩ (*gabinetto*) lavatory, ⟨*fam*⟩ loo, ⟨*am.fam*⟩ john.
posticipạre *v.t.* (**postịcipo**) to postpone, to defer, to put off, to delay: ~ *la partenza* to put off one's departure. – **posticipạto** (*p.p. di posticipare*) *a.* deferred, postponed: *pagamento* ~ deferred payment. – **posticipaziọne** *f.* postponement, deferment, delay.
postịco *a./s.* (*pl.* **-ci**) ⟨*Archeol*⟩ **I** *a.* back, rear. – **II** *s.m.* back, rear.
postiẹre *m.* **1.** ⟨*ant*⟩ (*mastro di posta*) postmaster. – **2.** ⟨*region*⟩ → **postino**.
postiẹri *avv.* ⟨*ant*⟩ (*l'altro ieri*) the day before yesterday.
postiẹrla *f.* ⟨*Stor*⟩ postern, sidegate.
postigliọne *m.* (*nelle vetture di posta*) postillion, post-boy; (*nelle carrozze signorili*) postillion.
postịlla *f.* **1.** (*annotazione*) annotation, marginal note. – **2.** (*nota di commento*) marginal note, comment, postil; (*chiosa*) gloss. – **3.** ⟨*fig,scherz*⟩ (*osservazione*) comment. – **4.** ⟨*Tip*⟩ marginal note, sidenote. – **5.** ⟨*Dir*⟩ rider, amendment.
postillạre *v.t.* (*annotare con postille*) to annotate, to write (marginal) notes on; (*chiosare*) to gloss; (*commentare*) to comment. – **postillatọre** *m.* (*f.* **-trice**) annotator, commenter. – **postillatụra** *f.* **1.** (*il postillare*) annotating. – **2.** (*insieme di postille*) notes *pl*, annotations *pl*.
postịme *m.* ⟨*tosc*⟩ **1.** (*insieme di piantine da trapiantare*) seedlings *pl*; (*vivaio*) nursery. – **2.** ⟨*ant*⟩ (*terra depositata da alluvioni*) alluvial soil.
postimpressionịșmo *m.* ⟨*Pitt*⟩ Post-Impressionism.

postincunạbolo, postincunạbulo *m.* ⟨*non com*⟩ book printed in the early sixteenth century.

postịno *m.* (*f.* **-a**) postman (*f* -woman), ⟨*am*⟩ mailman, ⟨*am*⟩ letter -carrier.

postipnọtico *a.* (*pl.* **-ci**) ⟨*Psic*⟩ post-hypnotic.

postịte *f.* ⟨*Med*⟩ posthitis, acrobystitis. – **postịtico** *a.* (*pl.* **-ci**) posthitic.

post|lụdio *m.* ⟨*Mus*⟩ postlude. – **~luminescẹnza** *f.* afterglow, persistence. – **~maturaziọne** *f.* ⟨*Bot*⟩ after-ripening, post-maturation. – **~militạre** *a.* after military service.

pọsto¹ *m.* **1.** (*luogo assegnato*) place: *questo è il mio ~* this is my place; *il libro non è al suo ~* the book is not in its (right) place; *il suo ~ è accanto a te* his place is next to you; *ogni cosa al suo ~* everything in its place. – **2.** (*spazio*) room, space: *c'è ~ per tutti* there is room for everybody; *nella valigia non c'è più ~* there's no more room in the suitcase. – **3.** (*posto a sedere*) seat: *~ d'angolo* corner seat; *è libero questo ~?* is this seat free? – **4.** (*posizione in graduatoria*) place, position, *spesso non si traduce*: *occupa il secondo ~ in classifica* he is ⌜in second place⌝ (*o* second); *essere all'ultimo ~* to be (*o* come) last; (*turno*: *in una fila*) place: *una signora mi ha ceduto il ~* a lady let me take her place. – **5.** (*impiego*) position, job, post: *ha trovato un ottimo ~* he found an excellent job; (*mansioni*) place: *tu prenderai il mio ~* you will take my place. – **6.** (*luogo in genere*) place, spot: *conosco un ~ dove si mangia bene* I know a place where the food is good; *è un ~ molto tranquillo* it is a very quiet place (*o* spot); *che bei -i!* what beautiful places! – **7.** ⟨*Mil*⟩ post, station: *~ di combattimento* combat station. – **8.** ⟨*Mat*⟩ place: *~ decimale* decimal place.

□ **a** *quattro -i* four-seater: *automobile a quattro -i* four-seater (car); **al** *~ di*: 1. (*invece di*) instead (*o* in place) of: *ci vado io al ~ tuo* I'll go ⌜instead of you⌝ (*o* in your place); 2. (*rif. a situazione individuale*) in the place (*o* shoes) of: *al ~ di mio fratello io protesterei* if I were in my brother's place I'd protest; *io, al suo ~, l'avrei già fatto* if I were in his shoes, I'd have done it already; ⟨*Mar*⟩ *~ di* **ancoraggio** berth; ⟨*Mil*⟩ *~ d'***ascolto** listening post; ⟨*Mil*⟩ *~* **avanzato** outpost; *~ di* **blocco**: 1. ⟨*Ferr*⟩ blockpost; 2. ⟨*Strad*⟩ roadblock; **cambiare** *di ~* to change places (*o* one's seat), to move to another place (*o* seat); *~ di* **controllo** checkpoint, control post; ⟨*Ferr*⟩ *~* **cuccetta** couchette, sleeping-berth; *~ del* **delitto** scene of the crime; *~* **direttivo** executive post; **essere** *a ~*: 1. (*in ordine*) to be tidy, to be in order (*o* place): *la stanza è a ~* the room is tidy; 2. (*sentirsi soddisfatto*) to be happy (*o* content), to feel satisfied: *dammi ancora mille lire e sono a ~* give me another thousand lire and I'll be happy; *essere a ~ con la propria coscienza* to have a clear conscience; ⟨*iron*⟩ *ora siamo a ~!* (*siamo fritti*) ⟨*fam*⟩ now we're done for!, ⟨*fam*⟩ now we've had it!; **far** *~ a qd.* to make room for s.o.; *~ di* **fiducia** position of trust, confidential post; ⟨*Ferr*⟩ *~ al* **finestrino** window seat; ⟨*Mar*⟩ *~ di* **fonda** anchorage, berth; *~ di* **frontiera** frontier post; **fuori** *~* out of place (*anche fig.*); ⟨*Teat*⟩ *~ di* **galleria** circle seat, ⟨*am*⟩ balcony seat; (*loggione*) gallery seat; *~* **gratuito** (*o gratis*) free seat; *~ di* **guardia** sentry (*o* look-out) post; *~ di* **guida** driver's seat, driving position; *~ di* **lavoro** place of work; (*impiego*) job, position, post; *~* **letto** bed, sleeping accommodation: *ospedale con mille -i letto* hospital with a thousand beds, thousand-bed hospital; *il suo ~ è in* **manicomio** his place is in a lunatic asylum, he ought to be put away; ⟨*Ferr*⟩ *~ di* **manovra** signal-box (*o* cabin); *~ di* **medicazione** dressing station, first-aid station (*o* post); **mettere** *a ~ qc.*: 1. to put s.th. in order (*o* place), to tidy s.th. up; 2. (*ripararla*) to repair s.th., to put (*o* set) s.th. right; 3. ⟨*fig*⟩ (*chiarirla*) to clear s.th. up, to get s.th. straight; *farsi mettere a ~ qc.* to have s.th. seen to; *mettere a ~ qd.*: 1. (*dargli un lavoro*) to give s.o. a job, to get (*o* find) s.o. work, to fix s.o. up with a job; 2. (*richiamarlo energicamente*) to put s.o. in his place; *mettersi a ~*: 1. (*rassettarsi*) to tidy o.s. (up), to make o.s. tidy; 2. ⟨*fig*⟩ (*trovare una sistemazione*) to get settled in a job, to get o.s. fixed up; 3. ⟨*fig*⟩ (*formarsi una famiglia*) to settle down, to start a family; **occupare** *un ~* to take (up) a place; (*un impiego*) to hold a position; *questo ~ è occupato* this seat is taken; *~ d'onore* place of honour; *~ in* **organico** position on the permanent staff; ⟨*Mil*⟩ *~ di* **osservazione** observation post; ⟨*Mil*⟩ **piccolo** *~* (outlying) picket; *~ in* **piedi** standing room; ⟨*Aer*⟩ *~ di* **pilotaggio** cockpit; ⟨*Teat*⟩ *~ di* **platea** seat in the stalls, stall, ⟨*am*⟩ orchestra seat; *~ di* **polizia** police station; *~* **prenotato** = *posto* **riservato**; ⟨*Comm*⟩ *~ di* **produzione** place of production; *andare al* **proprio** *~* to go to one's place; ⟨*fig*⟩ *essere al proprio ~* to be in one's place; *restare al proprio ~* to stay in one's place; ⟨*fig*⟩ *stare al proprio ~* to keep one's place; ⟨*fam*⟩ **quel** *~*: 1. (*gabinetto*) the lavatory, ⟨*fam*⟩ the loo, ⟨*am*⟩ the john; 2. (*deretano*) ⟨*fam*⟩ bottom, ⟨*fam*⟩ behind; ⟨*pop*⟩ *mandare qd. in quel ~* to tell s.o. to go to hell; *~ di* **responsabilità** responsible position; ⟨*Aut*⟩ *~ di* **rifornimento** petrol station, ⟨*am*⟩ filling (*o* service, gas) station; *~* **risèrvato** reserved seat; *~ di* **ristoro** refreshment stand (*o* room, pavilion); *~ a* **sedere** seat; *~ di pronto* **soccorso** first-aid post; *~ al* **sole**: 1. ⟨*Pol*⟩ place in the sun; 2. ⟨*fig*⟩ (*piccola proprietà*) place in the sun, sufficient land to produce a decent living; **sul** *~* on the spot (*o* scene, site): *recarsi sul ~ dell'incidente* to go to the scene of the accident; *~ a* **tavola** place (*o* seat) at table; *~* **telefonico** call-box, public telephone (booth); **tenere** *un ~ per qd.* to keep (*o* save) a seat for s.o.; *tenere le mani a ~* to keep one's hands to o.s.; ⟨*fig*⟩ **trovar** *~* to find a place, to fit in; *~* **vacante** vacancy, vacant position.

pọsto² *p.p. di* **porre.**

postọnico *a.* (*pl.* **-ci**) ⟨*Ling*⟩ post-tonic.

post|operatọrio *a.* ⟨*Med*⟩ post-operative. – **~palatạle** *a.* ⟨*Ling*⟩ post-palatal, velar. – **~pleurịtico** *a.* (*pl.* **-ci**) ⟨*Med*⟩ post-pleuritic, following on pleurisy. – **~prandiạle** *a.* ⟨*lett*⟩ (*che segue il pranzo*) after-dinner-, postprandial.

postraumạtico *a.* (*pl.* **-ci**) ⟨*Med*⟩ post-traumatic.

postrẹmo *a.* ⟨*lett*⟩ (*ultimo*) last.

postribolạre *a.* bawdy, lewd. – **postrịbolo** *m.* ⟨*lett*⟩ brothel, ⟨*lett*⟩ bawdy-house.

postridentịno *a.* post-Tridentine, after the Council of Trent.

postrisorgimentạle *a.* after the Risorgimento.

postscẹnio *m.* ⟨*Archeol*⟩ backstage.

pọst scrịptum *lat. m.* → **poscritto.**

post|sincroniẓẓạre *v.t.* ⟨*Cin*⟩ to post-synchronize. – **~sincroniẓẓaziọne** *f.* post-synchronization. – **~traumạtico** *a.* → **postraumatico.**

postulạnte (*p.pr. di postulare*) **I** *a.* **1.** petitioning, soliciting, pleading. – **2.** ⟨*Dir.can*⟩ asking for admission into a religious order, postulating. – **II** *s.m./f.* **1.** petitioner, postulant. – **2.** ⟨*Dir.can*⟩ postulant. – **postulạre** *v.t.* (pọstulo) **1.** to postulate, to solicit, to petition. – **2.** ⟨*Filos*⟩ (*richiedere come premessa*) to postulate, to assume, to presuppose. – **3.** ⟨*Mat*⟩ to postulate. – **postulạto** *m.* **1.** ⟨*Filos,Mat*⟩ postulate. – **2.** ⟨*Dir.can*⟩ postulancy. – **postulatọre** *m.* (*f.* **-trice**) **1.** ⟨*non com*⟩ petitioner, postulant. – **2.** ⟨*Dir.can*⟩ postulator. – **postulatọrio** *a.* ⟨*rar*⟩ postulatory. – **postulaziọne** *f.* ⟨*non com*⟩ (*il postulare*) postulation (*anche Dir.can.*).

Postụmia *N.pr.f.* ⟨*Geog*⟩ Postojna, Postumia: *grotte di ~* caves of Postumia.

pọstumo I *a.* **1.** posthumous: *figlio ~* posthumous child; *scritti -i* posthumous works. – **2.** (*tardivo*) tardy, belated: *timori -i* belated misgivings. – **II** *s.m.pl.* **1.** ⟨*Med*⟩ after-effect. – **2.** ⟨*estens*⟩ (*conseguenze*) after-effects *pl*, consequences *pl*: *i -i della guerra* the after -effects of war.

postụra *f.* **1.** ⟨*non com*⟩ (*posizione*) position, attitude. – **2.** ⟨*ant*⟩ (*accordo segreto*) plot, conspiracy. – **posturạle** *a.* ⟨*Med*⟩ postural: *drenaggio ~* (*o di posizione*) postural drainage.

postụtto: ⟨*ant*⟩ *al ~* (*insomma*) after all, all in all.

postvocạlico *a.* (*pl.* **-ci**) ⟨*Ling*⟩ post-vocalic.

potạbile *a.* **1.** drinking, drinkable, ⟨*lett*⟩ potable: *acqua ~* drinking -water; *acqua non ~* water not (fit) for drinking. – **2.** ⟨*scherz*⟩ drinkable: *vino ~* drinkable wine. – **potabilità** *f.* drinkableness, ⟨*lett*⟩ potability. – **potabiliẓẓạre** *v.t.* to purify, to make drinkable. – **potabiliẓẓaziọne** *f.* purifying.

potage *fr.* [pɔ'ta:ʒ] *m.* ⟨*Gastr*⟩ potage, thick soup.

potạggio *m.* ⟨*Gastr*⟩ thick stew, meat in sauce (*o* gravy).

potagiọne *f.* ⟨*ant*⟩ → **potatura.** – **potaiọlo** *m.* ⟨*non com*⟩ → **potatoio.** – **potamẹnto** *m.* ⟨*ant*⟩ → **potatura.**

potamo... *pref.* (*fiume* river) potam(o)..., river-.

potamo|chẹro *m.* ⟨*Zool*⟩ (African) river hog (*Potamochoerus*). □ *~ dai ciuffetti* (*potamochero occidentale*) bush pig, red river hog, bosvark (*Potamochoerus porcus*); *~ orientale* type of African ⌜bush pig⌝ (*o* river hog) (*Potamochoerus larvatus*). – **~getonạcee** *f.pl.* ⟨*Bot*⟩ pondweed family, potamogetons *pl* (*Potamogetonaceae*). – **~logịa** *f.* ⟨*Geog*⟩ potamology, study of rivers. – **~plạncton** *m.* ⟨*Biol*⟩ potamoplankton, river plankton.

potạre¹ *v.t.* (pọto) **1.** to prune, to trim, to lop: *~ un albero* to prune a tree. – **2.** ⟨*estens*⟩ (*recidere*) to cut (*o* chop) off, to excise, to remove. – **3.** ⟨*fig,non com*⟩ (*sfrondare*) to cut (down), to prune, to reduce: *~ un articolo* to cut an article down; *~ un film* to cut a film.

potạre² *v.t.* (pọto) ⟨*ant*⟩ (*bere*) to drink.

potạssa *f.* ⟨*Chim*⟩ potash, potassium carbonate. □ *~ caustica* caustic potash, potassium hydroxide. – **potạssico** *a.* (*pl.* **-ci**) potassic, potassium-: *sali -i* potassium salts.

potạssio *m.* ⟨*Chim*⟩ potassium.

□ **carbonato** *di ~* potassium carbonate; **cianuro** *di ~* potassium cyanide; **cloruro** *di ~* potassium chloride; **idrato** *di ~* caustic potash, potassium hydroxide; **nitrato** *di ~* potassium nitrate, saltpetre; **silicato** *di ~* potassium silicate, (potash) waterglass; **solfato** *di ~* potassium sulphate.

potatọio *m.* (*tipo di roncola*) pruning-knife, bill-hook. – **potatọre** *m.* (*f.* **-trice**) pruner.

potatọrio *a.* ⟨*rar*⟩ drinking, ⟨*lett*⟩ potatory.

potatụra *f.* **1.** pruning, lopping, trimming. – **2.** ⟨*concr*⟩ (*insieme dei rami potati*) prunings *pl*, trimmings *pl*, lopped branches *pl*. □ *~* **conica** spindle-training; *~ a* **corona** pollarding, heading; *~* **corta** hard pruning; *~* **estiva** = *potatura* **verde**; *~* **invernale** = *potatura* **secca**; *~* **lunga** light pruning; *~ a* **palmetta** fan-training; *~* **secca** winter pruning; *~* **verde** summer pruning.

potaziọne *f.* ⟨*ant*⟩ → **potatura.**

potentạto *m.* ⟨*lett*⟩ **1.** powerful state, ⟨*lett*⟩ potentate. – **2.** (*capo di stato*) ruler, sovereign, prince, ⟨*lett*⟩ potentate.

potẹnte (*p.pr. di potere¹*) **I** *a.* **1.** powerful, mighty, great: *una nazione ~* a powerful nation. – **2.** (*molto forte*) powerful, strong, hefty: *muscoli -i* powerful (*o* strong) muscles. – **3.** (*di grande efficacia*) potent, strong, efficacious: *veleno ~* potent poison; (*rif. a persona*) forceful, persuasive: *oratore ~* forceful speaker; (*rif. ad argomenti e sim.*) cogent, strong, forceful, telling. – **4.** (*rif. ad apparecchi e sim.*) powerful: *motore ~* powerful engine. – **5.** ⟨*fam*⟩ (*rif. a caffè, liquori e sim.*) strong, powerful. – **6.** ⟨*Med*⟩ (*dotato di* *potenza sessuale*) potent. – **7.** ⟨*non com*⟩ (*capace*) capable, able. – **II** *s.m.* **1.** potentate, powerful person. – **2.** *pl.* powerful (*costr. pl.*), mighty (*costr. pl.*): *adulare i -i* to flatter ⌜the powerful⌝ (*o* those in power).

potentemęnte *avv.* **1.** potently, powerfully, mightily. – **2.** (*fortemente*) greatly, considerably.

potentịlla *f.* ⟨*Bot*⟩ potentilla, cinquefoil (*Potentilla*).

potęnza *f.* **1.** power, might: *la ~ di un partito* the power of a party; *la ~ dell'amore* the power of love; (*forza*) strength; (*prestigio*) prestige. – **2.** (*forza fisica, vigoria*) strength, force, vigour, might. – **3.** (*energia, intensità*) strength, force, intensity, violence: *la ~ del vento* the force of the wind. – **4.** (*efficacia*) power, potency, effectiveness: *la ~ del denaro* the power of money. – **5.** ⟨*fig*⟩ (*capacità*) power, capacity: *~ visiva* visual power. – **6.** ⟨*concr*⟩ power: *le maggiori -e europee* the major European powers. – **7.** (*persona potente*) force, power, influential person. – **8.** ⟨*Filos*⟩ (*facoltà*) power, faculty: *~ conoscitiva* faculty of knowing, cognitive faculty; (*possibilità di divenire*) potential(ity), potency. – **9.** ⟨*Mat*⟩ power: *innalzare un numero a una ~* to raise a number to a power. – **10.** ⟨*Fis, El*⟩ capacity, power. – **11.** ⟨*Geol*⟩ thickness. – **12.** ⟨*Mar*⟩ (*caviglìera*) rack for belaying pins.

□ ~ **acustica** acoustic power; ⟨*Mat*⟩ *due* **alla** *terza* ~ two to the third power; ⟨*Fis*⟩ ~ **apparente** apparent power (*o* output); ⟨*Mot*⟩ ~ *sull'***asse** shaft horse-power; ~ **assorbita** absorbed power; ~ **attiva** = *potenza* **reale**; ⟨*Pol*⟩ ~ **coloniale** colonial power; ⟨*Fis*⟩ ~ *della* **corrente** current strength (*o* intensity); ⟨*Aer*⟩ ~ *di* **crociera** cruising power; ⟨*Aer*⟩ ~ *di* **decollo** take-off power; ⟨*Mot*⟩ ~ **effettiva** brake (*o* effective) horse-power; ~ **elettrica** electric power; ⟨*Mat*⟩ *all'***ennesima** ~ to the nth power; ⟨*fig*⟩ (*al più alto grado*) to the nth (*o* highest) degree; ⟨*Mecc*⟩ ~ *di* **entrata** input (power); ⟨*fam*⟩ **essere** *una* ~: 1. (*rif. a cose*) to be first-rate, to be good (*o* great, terrific, splendid): *mi ha raccontato una barzelletta che è una ~* he told me a great joke; 2. (*rif. a persone*) to be powerful (*o* influential), ⟨*fam*⟩ to be a big shot; ⟨*El*⟩ **fattore** *di* ~ power factor; ~ **finanziaria** financial (*o* capital) power; ⟨*Pol*⟩ ~ **firmataria** signatory power; ⟨*Aut*⟩ ~ **fiscale** tax rating, nominal horse-power; ~ *al* **freno** brake horse-power; ⟨*Pol*⟩ ~ **garante** guarantor power; ⟨*Pol*⟩ **grande** ~ great power; ~ *d'***immaginazione** (power of) imagination; **in** ~: 1. (*agg.*) potential: *un pericolo in ~* a potential danger; 2. (*avv.*) potentially; 3. ⟨*Mar.mil*⟩ in being; ⟨*Rad*⟩ ~ **irradiata** radiated power; ~ **luminosa** light flux, luminous intensity, candle-power; ~ **marinara** sea-power; ~ **massima** maximum (*o* peak) power, capacity; ~ *del* **motore** engine power (*o* rating); ⟨*El*⟩ ~ **nominale** rated (*o* nominal) capacity; ⟨*Pol*⟩ ~ *di* **occupazione** occupying power; ⟨*Mecc*⟩ ~ **oraria** output per hour, one-hour rating; ⟨*Mecc*⟩ ~ **propulsiva** propelling (*o* motive) power, propulsion force; ⟨*Pol*⟩ ~ **protettrice** protecting power; ⟨*Fis*⟩ ~ **reale** active (*o* true, real) power, brake horse-power; ⟨*Aer*⟩ ~ *di* **salita** climbing power; ⟨*Fisiol*⟩ ~ **sessuale** sexual potency; ⟨*Mecc*⟩ ~ *di* **spinta** buoyancy (force); ⟨*Mecc*⟩ ~ *di* **trazione** pull, traction; ⟨*Mecc*⟩ ~ **utile** useful (*o* useable) horse-power, useful effect (*o* output); ⟨*Pol*⟩ ~ **vincitrice** conquering power.

potęnzia *f.* ⟨*ant*⟩ → **potenza**.

potenziạle I *a.* **1.** potential: *energia ~* potential energy. – **2.** ⟨*Gramm, Ling*⟩ potential. – **II** *s.m.* **1.** ⟨*Fis*⟩ potential. – **2.** ⟨*estens*⟩ (*complesso di mezzi*) strength, force, power: *~ economico* economic strength. – **3.** ⟨*Gramm,Ling*⟩ potential (mood). – **4.** ⟨*tecn*⟩ (*potenzialità*) potential, capacity, efficiency.

□ ~ **bellico** *di una nazione* military strength of a nation; ⟨*Fis*⟩ ~ **elastico** elasticity, tensile strength; ~ **elettrico** electric potential; ⟨*Rad*⟩ ~ *di* **griglia** grid potential (*o* bias); ~ *di* **lavoro** working strength; ~ **magnetico** magnetic potential; ~ *di* **manodopera** labour force; ⟨*Econ*⟩ ~ *di* **mercato** market potential; ⟨*Econ*⟩ ~ *di* **produzione** production capacity; *allo* **stato** ~: 1. (*agg.*) potential: *pericolo allo stato ~* potential danger; 2. (*avv.*) potentially; ⟨*Fis*⟩ ~ **termodinamico** thermodynamic potential; ⟨*Econ*⟩ ~ *di* **vendita** sales potential; ⟨*Fis*⟩ ~ **vettore** vector potential; ⟨*El*⟩ ~ **zero** zero potential.

potenzialità *f.* **1.** (*capacità*) potentiality, capacity: *~ economica* economic capacity. – **2.** ⟨*tecn*⟩ capacity, efficiency. – **potenzialmęnte** *avv.* potentially.

potenziamęnto *m.* **1.** (*rafforzamento*) strengthening; (*incremento*) expansion, development, increasing: *il ~ dell'industria* the expansion of industry. – **2.** ⟨*Farm*⟩ potentia(liza)tion. – **potenziạre** *v.t.* (**potęnzio, potęnzi**) (*rafforzare*) to strengthen; (*incrementare*) to expand, to increase, to develop. – **potenziạto** (*p.p. di potenziare*) **I** *a.* **1.** strengthened, given power. – **2.** ⟨*Arald*⟩ potent. – **II** *s.m.* ⟨*Arald*⟩ potent.

potenziomętrico *a.* (*pl.* **-ci**) ⟨*El*⟩ potentiometric. – **potenziọmetro** *m.* potentiometer.

potęre[1] *v.t.* (*pr.ind.* **pọsso, puọi, può**/*ant.* **puọte**/*tosc.* **pọte, possiạmo, potęte, pọssono**; *impf.* **potęvo**; *fut.* **potrò**; *p.rem.* **potẹi/potẹtti, potẹsti, poté/potẹtte, potẹmmo, potẹste, potẹrono/potẹttero**; *pr.cong.* **pọssa, possiạmo, possiạte, pọssano**; *impf.cong.* **potẹssi**; *p.pr.* **potęnte**; *p.p.* **potụto**; *ger.* **potęndo**; when *potere* is used as a modal verb it usually takes the auxiliary required by the verb it is used with) **1.** (*essere in grado*) can, could, to be able to: *possiamo aiutarti* we can help you; *non potrò fare questo lavoro* I won't (*o* will not) be able to do this work; *credo che possa farlo molto bene* I think he can do it very well; *non sono potuto andare* I couldn't go; *non potei farlo ieri perché ero troppo stanco* I couldn't do it yesterday because I was too tired; *avrebbe potuto scriverci* he could have written to us; *non potemmo andare in campagna ieri* we could not go to the country yesterday, we were ⌜not able⌝ (*o* unable) to go to the country yesterday. – **2.** (*avere la possibilità*) can, may, could, to be able, to be possible: *spero che possa venire* I hope he can come; *potrebbero venire domani* they may come tomorrow; *non poteva fare ciò che voleva* he could not do as he pleased; *non ho potuto vederlo ieri* I wasn't able to see him yesterday, yesterday it wasn't possible for me to see him. – **3.** (*essere probabile*: *nelle supposizioni*) may, might, could: *può avere vent'anni* he may be twenty; *potete aver ragione* you may be right; *potrai forse trovarlo a casa* you may perhaps find him at home; *questo potrebbe essere un po' difficile* this might be a little difficult; *poteva uscire quando voleva* he could go out whenever he liked. – **4.** (*avere il permesso, essere lecito*) may, can, might, to be able (*o* allowed, permitted): *posso fumare?* may (*o* can) I smoke?; *può fumare se vuole* you can (*o* may) smoke if you like; *posso entrare?* may I come in?; *possiamo vedere la stanza?* may (*o* might) we see the room?; *non potrò andare domani* I shall not be able (*o* allowed) to go to tomorrow; *i ragazzi non possono fare chiasso a scuola* children ⌜may not⌝ (*o* are not allowed to) make noise in school. – **5.** (*avere ragione o motivo*) can, to have reason: *puoi esserne contento* you can be happy, you have reason to be happy; *non posso lagnarmi* I can't complain; *potete ringraziare il cielo per la fortuna che avete avuto* you can thank heaven you were so lucky. – **6.** (*dovere*: only in the negative) must, might, should: *la sentinella non può lasciare il suo posto* the sentry must not leave his post; *il medico ha detto che non puoi affaticarti* the doctor said you mustn't overdo things; *non potresti rispondere quando ti parlo?* shouldn't you answer when I speak to you? – **7.** (*nelle frasi augurali*) may: *possiate essere felici* may you be happy. – **8.** (*pleonastico*) can: *chi può essere?* who can it be?; *non posso crederlo* I can't believe it. – **9.** (*usato assolutamente*: *avere influenza*) to be influential (*o* powerful), to have influence: *il segretario può molto presso il presidente* the secretary has a lot of influence with the president; (*avere possibilità economiche*) to be well-off (*o* well -to-do): *è una famiglia che può molto* it's a well-to-do family; (*avere efficacia*) *si traduce con frasi idiomatiche*: *l'esempio può più delle parole* example is better than precept; *dove non può la forza, può spesso la persuasione* where force fails, persuasion often prevails. □ *si arrangia come può* he manages as best he can, he gets by to the best of his ability; *può darsi* may be, it's possible, could be; *può darsi che io vada* I may (*o* might) go; *può darsi che tu abbia sbagliato* you may (*o* might) be wrong; *può darsi che non conosca il mio nome* he may not know my name; *non posso fare a meno di* [*inf*] I can't help [ger]: *non posso fare a meno di ridere quando ci penso* I can't help laughing when I think of it; *non posso farci nulla* I can't help it; *non poterne più*: 1. (*essere esausto*) to be exhausted, ⟨*fam*⟩ to be all-in (*o* done in); 2. (*essere al limite della sopportazione*) to be unable to stand (*o* stick, bear, take) it any longer, to have had enough: *non ne posso più di questa faccenda* I've have enough of this matter, ⟨*fam*⟩ I'm ⌜sick and tired of⌝ (*o* fed up to the back teeth with) this business; *a più non posso* with all one's strength (*o* might), as hard as one can; *i ragazzini gridavano a più non posso* the children were yelling at the top of their voices; *per quanto posso* as far as I can (*o* am able).

potęre[2] *m.* **1.** (*potenza*) power, might: *il ~ di Dio* the power of God; *persona dotata di magico ~* person endowed with magic power. – **2.** (*influenza, potestà*) power, influence, sway: *non ho alcun ~ sull'animo di lui* I have no influence over him. – **3.** (*dominio, balìa*) power: *ridurre il nemico in proprio ~* to subjugate the enemy in one's power. – **4.** (*autorità*) power, authority: *esercitare un ~* to exercise a power; *avere il ~ di giudicare* to have the power to judge. – **5.** (*suprema autorità politica*) power: *salire al ~* to come into power; *i -i dello stato* government powers. – **6.** ⟨*Dir, Fis*⟩ power. – **7.** ⟨*Econ*⟩ power: *~ d'acquisto* purchasing power.

□ ⟨*Dir*⟩ **abuso** *di* ~ abuse of power; ~ **aderente** adhesive capacity; ⟨*Dir*⟩ ~ *di* **alienare** right to alienate; ⟨*Mot*⟩ ~ **antidetonante** antiknock value; ~ **assoluto** absolute power; ~ **assorbente** absorptive power, absorptivity; **assumere** *il* ~ to assume power; ⟨*Fis*⟩ ~ **calorifico** heating (*o* calorific) power; ⟨*Pol*⟩ ~ **centrale** central power; ~ **civile** civil power; ⟨*Dir*⟩ ~ **coercitivo** disciplinary power; ⟨*Chim*⟩ ~ **colorante** staining power; **conferire** *a qd. il ~ di fare qc.* to empower s.o. to do s.th.; **conservare** *il* ~ to keep (*o* stay in) power; *i -i* **costituiti** the established powers, ⟨*fam*⟩ the powers that be; ⟨*Pol*⟩ ~ **costituzionale** constitutional power; ~ **decolorante** reducing power; ⟨*Dir*⟩ ~ *di* **delega** delegatory power (*o* authority); ⟨*Chim*⟩ ~ **detergente** detergency; ⟨*Dir*⟩ ~ **discrezionale** discretionary power; ~ **dispersivo** dispersive power; ~ **dolcificante** sweetening power; **eccedere** *i propri -i* to exceed one's powers; *-i* **eccezionali** exceptional powers; ~ **ecclesiastico** ecclesiastical power; ~ **esecutivo** executive (power); **essere** *al* ~ to be in power; *essere in ~ di qd.* to be in s.o.'s power (*o* hands); (*essere di competenza di qd.*) to be within s.o.'s province; ~ **generale** general authority; ~ **giudiziario** judicial (*o* legal) power; ~ **governativo** governmental power; ⟨*Med*⟩ ~ **inibitorio** inhibitory power; ~ **legante** binding (*o* bonding) power; (*di agglomerato minerale*) cementitious value; ~ **legislativo** legislative power, legislature; ~ **lubrificante** lubrificating quality (*o* property); ~ **marittimo** sea-power; ⟨*Econ*⟩ ~ *di* **mercato** marketability; *-i* **militari** military powers; *a* **mio** ~ to the best of my ability, as far as I can; ~ *di* **nomina** power of appointment; ~ **nutritivo** nutritive power; ⟨*Pol*⟩ ~ **periferico** local authority; **pieni** *-i* full powers; ⟨*Dipl*⟩ plenary powers; ~ **politico** political power; **pubblico** ~ public authority; **quarto** ~ (*la stampa*) fourth estate, press; ⟨*Dir*⟩ ~ *di* **rappresentanza** power (*o* right) to represent, power of agency; ⟨*Fis*⟩ ~ **rifrangente** refractive power; ⟨*El*⟩ ~ *di* **rottura** breaking capacity; ⟨*Ott*⟩ ~ **separatore** resolving power; ~ **solvente** solvent power; ~ *di* **sorveglianza** control (*o* supervising) authority; ~ **sovrano** (o *di sovranità*) sovereign power; ⟨*Atom*⟩ ~ **specifico** specific power; ~ **spirituale** spiritual power; ~ **supremo** supreme power; ~ **taumaturgico** miraculous power; *il* ~ **temporale** *del papa* the temporal power of the Pope; *a tutto* ~ (*con tutto l'impegno*) with all one's might (*o* power), with might and main; ~ *di* **vita** *e di morte* power of (*o* over) life and death.

potestà[1] *f.* **1.** (*potere*) power: *avere la* ~ *di fare qc.* to have the power to do s.th. – **2.** ⟨*Dir*⟩ power, right, authority. – **3.** ⟨*Mediev*⟩ (*supremo magistrato*) podesta, chief magistrate. – **4.** ⟨*lett*⟩ (*chi detiene il potere*) authority, power. – **5.** ⟨*ant*⟩ (*potenza*) power.
☐ ⟨*Stor.rom*⟩ ~ **consolare** consular power; ⟨*Dir*⟩ ~ **esecutiva** executive power; ~ **giurisdizionale** jurisdiction, legal authority; ~ *di* **governo** governmental power; ~ **legislativa** legislative power; ~ **maritale** marital authority, husband's right; **patria** ~ patria potestas, parental authority.

potestà[2] *m.* ⟨*lett*⟩ (*podestà*) podesta, chief magistrate.

potestạde *f.* ⟨*ant*⟩ → **potestà**[1].

potẹstas *lat. f.* ⟨*Dir*⟩ potestas, power.

potestạte *f.* ⟨*ant*⟩ → **potestà**[1].

potestatịvo *a.* ⟨*Dir*⟩ potestative: *condizione -a* potestative condition.

potesterịa *f.* ⟨*lett*⟩ (*podesteria*) podesterate, office of a podesta, chief magistracy.

potetọmetro *m.* → **potometro.**

potẹtti *p.rem. di* **potere**[1].

potịssimo *a.* ⟨*lett,ant*⟩ (*principale*) principal, chief.

pọto *m.* ⟨*ant*⟩ (*bevanda*) drink.

potọmetro *m.* ⟨*Bot*⟩ potometer.

potọrio *a.* ⟨*rar*⟩ drinking.

pot-pourri *fr.* [potpu'ri] *m.* **1.** ⟨*Gastr*⟩ stew, hodge-podge. – **2.** ⟨*estens*⟩ (*miscuglio*) jumble, hodge-podge, mixture. – **3.** ⟨*Mus,Lett*⟩ pot-pourri, medley.

potrò *fut. di* **potere**[1].

pọtta *f.* ⟨*triv*⟩ (*vulva*) female pudenda, ⟨*triv*⟩ cunt.

pottaiọne ⟨*tosc*⟩ **I** *s.m.* (*f.* **-a**) (*chi si dà grandi arie*) exhibitionist, ⟨*fam*⟩ show-off. – **II** *a.* (*vistoso*) showy, gaudy.

pottinịccio *m.* ⟨*fam*⟩ **1.** (*fanghiglia*) mud, mire, slush. – **2.** ⟨*fig*⟩ (*guazzabuglio*) confusion, muddle, jumble, hotchpotch; (*lavoro mal riuscito*) clumsy job, botch, ⟨*fam*⟩ mess, ⟨*fam*⟩ hash.

pouf *fr.* [puf] *m.* **1.** (*sgabello*) pouf(fe). – **2.** ⟨*Mod*⟩ (*tipo di acconciatura*) pouf; (*sbuffo*) puff, pouf; (*sellino*) bustle.

poujadịsmo [puʒ-] *m.* ⟨*Stor*⟩ Poujadism. – **poujadịsta** *m./f.* Poujadist.

poulain *fr.* [pu'lɛ̃] *m.* **1.** (*puledro*) foal, colt. – **2.** ⟨*Sport*⟩ trainee.

poule *fr.* [pul] *f.* **1.** (*somma puntata*) pool, stake, bet. – **2.** (*gara*) pool, game, contest. – **3.** (*gironi di eliminazione*) preliminary rounds *pl*, eliminatory tournaments *pl.* – **4.** (*nel biliardo*) pool.

pouponnière *fr.* [pupɔn'jɛ:r] *f.* day-nursery.

povẹnta: ⟨*region*⟩ *a* ~ (*al riparo dal vento*) ⌜out of⌝ (*o* sheltered from) the wind.

poverạccio (*pegg. di povero*) *m.* (*f.* **-a**) **1.** poor thing, poor fellow (*f* woman), ⟨*fam*⟩ poor devil. – **2.** ⟨*spreg,fam*⟩ poor wretch. – **poverạglia** *f.* ⟨*spreg*⟩ (gang of) beggars *pl*, beggarly crew. – **poveramẹnte** *avv.* **1.** poorly, wretchedly: *vestire* ~ to dress poorly. – **2.** (*in povertà*) in poverty. – **poverẹllo** (*dim. di povero*) **I** *s.m.* (*f.* **-a**) **1.** poor person. – **2.** *pl.* ⟨*ant*⟩ (*seguaci di San Francesco*) followers *pl* of St. Francis of Assisi. – **II** *a.* ⟨*ant*⟩ poor. ☐ *il* ~ *d'Assisi* (*San Francesco*) St. Francis, the Poor Man of Assisi. – **poverẹtto, poverịno** (*dim. di povero*) **I** *a.* **1.** (*indigente*) poor, needy. – **2.** (*infelice*) wretched, poor, luckless. – **II** *s.m.* (*f.* **-a**) poor fellow (*f* woman), ⟨*fam*⟩ poor thing.

pọvero I *a.* **1.** (*indigente*) poor, needy, poverty-stricken: *una famiglia -a* a poor family. – **2.** (*misero*) poor, wretched, miserable, lowly: *una -a capanna* a wretched hut; *vestiva i suoi -i panni* he was wearing his miserable rags. – **3.** (*modesto, umile*) poor, modest, mean, humble: *un* ~ *dono* a modest gift; *questa è la mia -a opinione* this is my humble opinion; (*disadorno*) plain, bare: *una stanza -a* a plain room. – **4.** (*semplice*: *rif. a pasti*) frugal, meagre: *una -a cena* a frugal dinner. – **5.** (*privo, scarso*) lacking, wanting, poor (*di* in), devoid (of), having little (*pl* few): *un paese* ~ *di materie prime* a country lacking in raw materials; *libro* ~ *di idee* book with few ideas, book wanting in ideas; *fiume* ~ *d'acqua* river which has little water. – **6.** (*sterile*) poor, barren: *terreni -i* barren lands. – **7.** (*defunto*) late: *la mia -a nonna* my late grandmother. – **8.** (*che desta compassione*) poor: *non sei che un* ~ *idiota* you're nothing but a poor fool; *il* ~ *bambino piangeva disperatamente* the poor child cried bitterly. – **II** *s.m.* (*f.* **-a**) **1.** poor person, pauper; *pl.* the poor (*costr. pl.*): *i -i della città* the city poor. – **2.** (*mendicante*) beggar, pauper: *fare l'elemosina ai -i* to give money to beggars, to give alms to the poor. ☐ *alla -a* poor, meagre; ~ ⌜*in canna*⌝ (o *come Giobbe*) poor as ⌜a church mouse⌝ (*o* Job), poverty-stricken, down-and-out; ~ *me!* poor me!, woe is me!, oh dear!: ~ *me, ho dimenticato la chiave* oh dear, I've forgotten the key; ⟨*eufem*⟩ ~ *di spirito* (*idiota*) dull-witted, simple-minded; ⟨*Bibl*⟩ *beati i -i di spirito* blessed are the poor in spirit; *pover'uomo* → **poveruomo.** – *Prov.*: *è meglio il dire* ~ *me che -i noi* (*non accasarti se sei povero*) it's better to be poor single than poor married.

poverọmo *m.* ⟨*pop*⟩ → **poveruomo.**

povertà *f.* **1.** (*miseria*) poverty, want, wretchedness, poorness: *vivere nella più squallida* ~ to live in the most squalid poverty. – **2.** (*scarsità*) shortage, dearth, scarcity, want, poverty: ~ *d'acqua* scarcity of water. – **3.** ⟨*fig*⟩ (*meschinità*) poorness, meanness, smallness. – **4.** ⟨*rar,concr*⟩ (*i poveri*) the poor (*costr. pl.*), poor people *pl.* ☐ *cadere in* ~ to ⌜fall into⌝ (*o* be reduced to) poverty; ⟨*Rel*⟩ ~ *evangelica* evangelic poverty. – *Prov.*: *la* ~ *è una cattiva compagnia* poverty is an evil counsellor; *la* ~ *non è un delitto* poverty is no crime (*o* disgrace).

poveruọmo (o *pover'uọmo*) *m.* **1.** poor fellow (*o* creature), poor thing. – **2.** ⟨*spreg*⟩ (*uomo dappoco*) poor wretch (*o* devil).

poziọne *f.* **1.** ⟨*Farm*⟩ potion, draught. – **2.** ⟨*lett*⟩ (*filtro magico*) (magic) potion.

poziọre *a.* ⟨*Dir*⟩ preferred, preference-, preferential: *titoli -i* preference shares, preferred stock; *credito* ~ preferential credit. – **poziorità** *f.* priority, preference.

pọzza *f.* puddle, pool: *la strada era piena di -e* the road was full of puddles; *una* ~ *di sangue* a pool of blood.

pozzạnghera *f.* **1.** puddle. – **2.** (*piccolo stagno*) pond, pool.

pozzẹtta (*dim. di pozza*) *f.* **1.** dimple. – **2.** ⟨*Gastr*⟩ well.

pozzẹtto (*dim. di pozzo*) *m.* **1.** (*cavità per contenere liquidi*) tank, cistern. – **2.** (*nelle fognature*) shaft, chamber. – **3.** ⟨*Mar*⟩ cockpit, well-deck, stern-sheets *pl.* ☐ ⟨*Arred*⟩ *sedia a* ~ kind of tub chair; ⟨*Strad*⟩ ~ *di drenaggio* drain(-hole), drainage pit; ⟨*Edil*⟩ ~ *intercettatore* trap; ⟨*Mot*⟩ ~ *dell'olio* oil-sump; ~ *raccolta fanghi* mud pocket (*o* trap).

pozzịno *m.* ⟨*Edil*⟩ radial stone (*o* brick).

pọzzo *m.* **1.** well: *attingere acqua al* ~ to draw water from the well. – **2.** (*cavità naturale o artificiale*) shaft, pit, hole: *scavare un* ~ to sink a shaft. – **3.** ⟨*fig*⟩ well, mine: *un* ~ *di dottrina* a mine of learning. – **4.** ⟨*Minier*⟩ shaft, pit. – **5.** ⟨*Mar*⟩ well; (*dell'elica*) aperture.
☐ ~ **artesiano** artesian well; ⟨*Edil*⟩ ~ *dell'***ascensore** lift shaft, ⟨*am*⟩ elevator shaft; ~ **biologico** = *pozzo* **chiarificatore**; ⟨*Mar*⟩ ~ **caldo** hot well; ⟨*Minier*⟩ ~ **carbonifero** coal-pit, coal-mine, colliery; ~ *a* **carrucola** draw-well; ⟨*Geol*⟩ ~ **carsico** karst sink(hole), swallow -hole; ⟨*Mar*⟩ ~ *delle* **catene** chain locker; ⟨*Edil*⟩ ~ **chiarificatore** septic tank; ⟨*Minier*⟩ ~ **cieco** blind shaft, staple pit; ⟨*Minier*⟩ ~ *di* **comunicazione** winze; ~ *di* **decantazione** settling tank; ~ *di* **drenaggio**: 1. ⟨*Idr*⟩ de-watering well; 2. ⟨*Minier*⟩ draining shaft; ⟨*Mar*⟩ ~ *dell'***elica** screw aperture; ⟨*Minier*⟩ ~ **esplorativo** wildcat well; ⟨*Minier*⟩ ~ *di* **estrazione** hoisting (*o* hauling) shaft; ~ **filtrante** settling pit, seeping (*o* oozing) well; ⟨*Edil*⟩ ~ *di* **fondazione** foundation pit (*o* trench); ⟨*Geol*⟩ ~ **glaciale** glacier well, glacial mill, moulin; ~ **inclinato** = *pozzo* **obliquo**; ⟨*Minier*⟩ ~ **maestro** main shaft; ~ *di* **mina** (blasting) gallery; ~ *di* **miniera** mine shaft; ~ *della* **morte** wall of death; ~ *in* **muratura** brickwork well; ~ **nero**: 1. cesspool, cesspit; 2. ⟨*estens*⟩ (*escrementi*) excrements *pl*; ~ **obliquo** inclined shaft; ⟨*fig*⟩ ~ *di san* **Patrizio** bottomless pit; *essere* (*come*) *il* ~ *di san Patrizio* to be inexhaustible; ~ **petrolifero** (o *di petrolio*) oil-well; ⟨*Idr*⟩ ~ **piezometrico** surge tank (*o* chamber); ⟨*El*⟩ ~ *di* **potenziale** potential well; ⟨*Idr*⟩ ~ *di* **raccolta** collecting (*o* deep) well; ⟨*Edil*⟩ ~ *delle* **scale** well-hole; ~ *di* **trivellazione** borehole, drill-hole, boring; ~ **tubolare** tube (*o* driven) well; ⟨*Minier*⟩ ~ *d'***uscita** ascent shaft; ⟨*Minier*⟩ ~ *di* **ventilazione** air-shaft, ventilating shaft. – *Prov.*: *tante volte al* ~ *va la secchia, ch'ella vi lascia il manico e l'orecchia* the pitcher that goes too often to the well is soon broken.

pozzolạna[1] *f.* ⟨*Min*⟩ pozz(u)olana.

pozzolạna[2] *f.* ⟨*Mar*⟩ (*anche barca pozzolana*) Neapolitan fishing-boat.

pozzolạnico *a.* (*pl.* **-ci**) pozz(u)olanic.

pozzonẹro *m.* (*pl.* **pozzinẹri**) cesspool, cesspit.

pozzuọlo *m.* ⟨*ant*⟩ *dim. di* **pozzo.**

pp. = **1.** ⟨*Mus*⟩ *pianissimo* very soft(ly) (*abbr.* pp.). – **2.** ⟨*Farm*⟩ *preparato* prepared (*abbr.* prepd.). – **3.** *pagine* pages (*abbr.* pp.). – **4.** *per procura* by proxy (*abbr.* pp). – **5.** *padri della Chiesa* Church Fathers.

PP. = **1.** *porto pagato* carriage paid (*abbr.* C.P.). – **2.** *posero* dedicated.

p.p. = **1.** ⟨*Post*⟩ *pacco postale* parcel. – **2.** ⟨*Post*⟩ *posa piano* handle with care. – **3.** *per procura* by proxy (*abbr.* pp). – **4.** ⟨*Dir*⟩ *prima parte* first part. – **5.** *primo piano* first floor, ⟨*am*⟩ second floor.

P.P. = **1.** ⟨*Post*⟩ *posa piano* handle with care. – **2.** ⟨*Biol*⟩ *vitamina P.P.* pellagra preventive (*abbr.* PP), nicotinic acid.

ppa. = *per procura* by proxy (*abbr.* pp).

p.p.c. = ⟨*epist*⟩ *per prendere commiato* to take leave (*abbr.* p.p.c., P.P.C.).

P.P.I. = ⟨*Stor*⟩ *Partito popolare italiano* Italian People's Party.

ppm. = ⟨*Fis*⟩ *parti per milione* parts per million (*abbr.* ppm, p.p.m.).

P.Q.M. = ⟨*Dir*⟩ *per questi motivi* for these reasons, wherefore.

pr. = ⟨*Gramm*⟩ **1.** *preposizione* preposition (*abbr.* pr., prep.). – **2.** *pronome* pronoun (*abbr.* pr., pron.).

Pr = ⟨*Chim*⟩ *praseodimio* praseodymium.

Pr. = ⟨*Farm*⟩ *prendi* take.

p.r. = ⟨*epist*⟩ *per ringraziamento* with thanks.

P.R.A. = *Pubblico registro automobilistico* Motor Registration Office, ⟨*am*⟩ Motor Vehicle Bureau.

prạcrito I *a.* ⟨*Ling*⟩ Prakritic. – **II** *s.m.* Prakrit.

Prạga *N.pr.f.* ⟨*Geog*⟩ Prague.
pragmạtica *f.* ⟨*Filos*⟩ pragmatics *pl* (*costr. sing. o pl.*). – **pragmạtico** *a.* (*pl.* **-ci**) pragmatic. – **pragmatịsmo** *m.* pragmatism. – **pragmatịsta** *m./f.* pragmatist. – **pragmatịstico** *a.* (*pl.* **-ci**) pragmatistic, pragmatist.
prạio *m.* ⟨*Itt*⟩ (*pagro*) porgy, pagrus, Couch's sea bream (*Pagrus pagrus, Pagrus vulgaris*).
pralịna *f.* ⟨*Dolc*⟩ praline.
prạma *f.* ⟨*Mar*⟩ pra(a)m, flat-bottomed Dutch lighter.
prammạtica *f.* custom, usage. □ *di* ~ customary.
prammạtico *a.* (*pl.* **-ci**) pragmatic: ⟨*Stor*⟩ *-a sanzione* pragmatic sanction. – **prammatịsmo** *m.* ⟨*non com*⟩ → **pragmatismo**. – **prammatịsta** *m./f.* ⟨*non com*⟩ → **pragmatista**. – **prammatịstico** *a.* ⟨*non com*⟩ → **pragmatistico**.
prạna *m.* ⟨*Filos*⟩ prana.
prạndio *m.* ⟨*ant*⟩ (*pranzo*) meal, lunch, dinner.
prạnico *a.* ⟨*Filos*⟩ pranic.
prạnso *a.* ⟨*ant*⟩ (*che ha mangiato*) fed.
pranzạre *v.i.* (*aus.* **avere**) **1.** to (have) lunch, to have dinner. – **2.** (*cenare*) to have dinner (*o* supper), to dine. – **pranzẹtto** (*dim. di pranzo*) *m.* (*pranzo tra amici senza pretese*) informal luncheon party; (*cenetta*) supper.
prạnzo *m.* **1.** lunch, dinner: *invitare qd. a* ~ to ask s.o. to lunch; (*ufficiale*) luncheon. – **2.** (*pasto della sera*) dinner; (*più leggero*) supper. – **3.** (*lauto pasto*: *di mezzogiorno*) luncheon, dinner; (*di sera*) dinner, dinner-party.
□ **da** ~ lunch-, dinner-: *tavolo da* ~ dinner-table, dining-room table; *sala da* ~ dining-room; **dare** *un* ~ to give a lunch (*o* dinner -party); **dopo** ~: 1. after lunch (*o* dinner); 2. (*nel pomeriggio*) in the afternoon; ~ *di* **gala** banquet; ~ (*di*) **magro** meatless lunch; ~ *di* **nozze** wedding banquet (*o* dinner); **ora** *di* ~ lunch-time, dinner-time: *all'ora di* ~ at lunch-time.
praseodịmio *m.* ⟨*Chim*⟩ praseodymium.
prạsino **I** *a.* ⟨*lett*⟩ (*color verde scuro*) leek(-green), ⟨*lett*⟩ prasine. – **II** *s.m.* ⟨*Stor*⟩ green(s).
prạsio *m.* ⟨*Min*⟩ prase. – **prạsma** *f.* ⟨*ant*⟩ → **prasio**.
Prassẹde *N.pr.f.* Praxedes.
prạssi *f.* **1.** (*attività pratica*) practice, (practical) activity, praxis. – **2.** ⟨*Dir,burocr*⟩ (*procedura abituale*) routine (*o* usual) procedure, accepted (*o* regular) practice: *attenersi alla* ~ to follow the routine procedure. – **3.** ⟨*Filos*⟩ praxis.
prassịsmo *m.* ⟨*Filos*⟩ practical conception (*o* outlook).
Prassịtele *N.pr.m.* ⟨*Stor*⟩ Praxiteles.
prataiọla *f.* → **pratolina**.
prataiọlo **I** *a.* (*dei prati*) meadow-, field-. – **II** *s.m.* ⟨*Bot*⟩ (*fungo prataiolo*) meadow (*o* field) mushroom (*Psalliota campestris*). □ ⟨*Bot*⟩ ~ *maggiore* horse-mushroom (*Agaricus arvensis*).
pratellịna *f.* → **pratolina**.
pratẹnse *a.* ⟨*lett*⟩ meadow-, field-: *fiori -i* meadow flowers.
pratẹria *f.* grassland, meadowlands *pl*; (*nell'America settentrionale*) prairie. □ ⟨*Zool*⟩ *cane delle -e* prairie-dog (*Canis latrans*); ⟨*Ornit*⟩ *gallo delle -e* prairie chicken (*o* fowl, grouse) (*Tympanuchus americanus*).
prạtica *f.* **1.** practice: *imparare con la* ~ to learn by practice; *mettere in* ~ *un progetto* to put a plan into practice. – **2.** (*conoscenza*) experience (*di* of, in), knowledge (of), skill (in): *avere* ~ *di uno strumento* to be skilled (*o* practised) in the use of an instrument, to ⌜have experience of⌝ (*o* be used to) an instrument. – **3.** (*abilità, esperienza*) experience, skill: *avere molta* ~ *nell'insegnamento* to have a lot of ⌜experience in teaching⌝ (*o* teaching experience), to be an experienced teacher. – **4.** (*tirocinio*) practice, training: *ha fatto* ~ *di avvocato nello studio del padre* he did his legal training in his father's chambers; (*addestramento*) training. – **5.** (*usanza*) practice, custom, usage: *la* ~ *di onorare i morti* the practice of honouring the dead. – **6.** (*trattativa*) negotiations *pl*, dealings *pl*. – **7.** ⟨*burocr*⟩ (*passo, atto*; generally in pl.) steps *pl*, procedure: *fare le pratiche per il matrimonio* to take the necessary steps in order to get married; (*affare*) case, matter, business, affair: *insabbiare una* ~ to shelve a case; (*incartamento*) file, dossier, record: *cercare una* ~ *nell'archivio* to look for a file in the records; (*documento*) paper, document. – **8.** ⟨*Rel*⟩ practice: *pratiche religiose* religious practices. – **9.** ⟨*non com*⟩ (*relazione*) relations *pl*, relation(ship), connexion, association: *non ho* ~ *con questa gente* I have no relations with these people; (*relazione amorosa*) (love-)affair, liaison, intrigue. – **10.** ⟨*non com*⟩ (*relazione d'affari*) dealings *pl*, business association. – **11.** ⟨*Mar*⟩ pratique, permission to enter port.
□ **aver** ~ *con qd.* (*essere in relazione*) to have dealings with s.o.; *aver* ~ *di qc.* to have experience (*o* skill) in s.th., to be used to s.th., to know s.th. well: *ha molta* ~ *di questo tipo di lavoro* she knows this job inside-out; *non aver* ~ *di qc.* to have no experience in s.th., to know nothing about s.th.; ⟨*non com*⟩ *aver* ~ *di qd.* (*conoscerlo*) to be familiar with s.o.: *aver* ~ *di un autore* to be familiar with an author; **fare** ~ to train (*di qc.* in s.th.), to improve one's knowledge, to get experience, to gain practical knowledge (of s.th.); *fare* ~ *con qd.* to do one's training with s.o.; *fare* ~ *d'ospedale* to do one's hospital training, to get hospital experience; ⟨*Dir*⟩ *pratiche* **illecite** unlawful practices; **in** ~ (*in modo concreto*) in practice; (*in realtà*) in actual (*o* point of) fact, really, in practice; ⟨*Mar*⟩ **libera** ~ pratique, permission to enter port: *avere libera* ~ to have permission to enter port; ~ **medica** medical practice; **mettere** *qc. in* ~ to put s.th. into practice, to carry out s.th.; *mettere in* ~ *un consiglio* to take (*o* act on) s.o.'s advice; **per** ~ from practice (*o* experience): *parlare per* ~ to speak from experience; **perdere** *la* ~ to get out of practice, to lose one's ability; **prendere** ~ to learn by experience; *pratiche* **d'ufficio** office business; (*documenti*) office papers. – *Prov.*: *val più la* ~ *della grammatica* practice is better than theory.
praticạbile **I** *a.* **1.** (*usabile*) practicable, usable. – **2.** (*realizzabile*) practicable, feasible, realizable, that can be put into practice; (*esercitabile*) that may be practised, exercisable. – **3.** (*che si può percorrere*) practicable, passable, negotiable: *strada* ~ practicable road; (*accessibile*) accessible. – **4.** (*rif. a campi da gioco*) playable. – **II** *s.m.* **1.** ⟨*Teat*⟩ rostrum, platform. – **2.** ⟨*Edil*⟩ catwalk. – **praticabilità** *f.* **1.** (*l'essere percorribile*: *a piedi*) practicability, negotiability. – **2.** (*rif. a campi da gioco*) playability.
praticạccia (*pegg. di pratica*) *f.* (*pl.* **-ce**) ⟨*scherz*⟩ knack, empirical skill.
praticạle *a.* ⟨*ant*⟩ customary.
praticamẹnte *avv.* **1.** (*in modo pratico*) practically, in a practical way, by practice. – **2.** (*in sostanza*) practically, virtually, to all practical purposes: *il lavoro è* ~ *terminato* the job is practically finished.
praticantạto *m.* ⟨*non com*⟩ (*tirocinio*) training (period), practice.
praticạnte (*p.pr. di praticare*) **I** *a.* practising. – **II** *s.m./f.* **1.** professional trainee (*o* assistant), junior; (*apprendista*) apprentice. – **2.** (*chi esercita un mestiere o una professione*) practitioner. – **3.** ⟨*spreg*⟩ (*dilettante*) amateur, quack. – **4.** (*chi osserva pratiche religiose*) a person who practises a religion, church-goer.
praticạre *v.* (**prạtico, prạtichi**) **I** *v.t.* **1.** (*mettere in pratica*) to put into practice, to make a practice of, to carry out: ~ *la giustizia* to make a practice of justice. – **2.** (*fare, eseguire*) to perform, to make, to do, to give: ~ *un'incisione* to make an incision; ~ *la respirazione artificiale* to give artificial respiration; ~ *un foro* to make (*o* bore) a hole. – **3.** (*esercitare una professione*) to practise, to follow, to do: ~ *un commercio* to follow (*o* ply) a trade; ~ *uno sport* to do (*o* engage in) a sport. – **4.** (*seguire*: *rif. a usanze e sim.*) to practise: ~ *la poligamia* to practise polygamy; (*rif. a consigli e sim.*) to follow, to take. – **5.** (*frequentare*: *rif. a persone*) to associate (*o* have dealings) with, to mix (*o* have to do) with: *praticava pochissime persone* he associated with very few people; (*rif. a luoghi*) to frequent, ⟨*fam*⟩ to hang out at: *mio fratello pratica il caffè all'angolo* my brother frequents the café on the corner. – **6.** ⟨*Comm*⟩ (*fare*) to charge: ~ *prezzi bassi* to charge low prices; (*concedere*) to give, to allow, to grant: ~ *un ribasso* to give a reduction. – **7.** ⟨*ant*⟩ (*negoziare*) to negotiate. – **II** *v.i.* (*aus.* **avere**) **1.** (*frequentare*) to frequent, to haunt (*in qc.* s.th.), ⟨*fam*⟩ to hang out (in): ~ *in un'osteria* to frequent a tavern. – **2.** (*esercitare una professione*) to practise. □ ~ *una cura* to follow a treatment; ~ *la professione di avvocato* to practise ⌜the law⌝ (*o* as a lawyer). – *Prov.*: *chi molto pratica molto impara* practice makes perfect; *dimmi con chi pratichi e ti dirò chi sei* birds of a feather flock together, you can judge a man by his friends; *chi pratica* (*con*) *lo zoppo impara a zoppicare* bad company is infectious.
praticịsmo *m.* empiricism. – **praticịstico** *a.* (*pl.* **-ci**) empiricist.
praticità *f.* **1.** (*l'essere pratico*) practicality, practicalness. – **2.** (*funzionalità*) practicality, functional capacity: *la* ~ *di una macchina* the functional capacity of a machine. – **3.** (*facilità a tradursi in pratica*) practicality, feasibility, applicability.
prạtico *a./s.* (*pl.* **-ci**) **I** *a.* **1.** practical: *metodo* ~ practical method. – **2.** (*fornito di senso pratico, positivo*) practical, realistic, down-to -earth: *è una persona assai -a* he's a very practical person. – **3.** (*esperto*) experienced, skilled (*di* in), familiar (with), having a good knowledge (of). – **4.** (*funzionale*) practical, serviceable, convenient, handy, functional, sensible, useful: *la disposizione delle stanze è molto -a* the arrangement of the rooms is very practical. – **5.** (*reale*) real, actual, practical: *nella vita -a* in real life. – **II** *s.m.* (*f.* **-a**) ⟨*non com*⟩ expert. □ *una persona -a degli affari* a business expert; *all'atto* ~ in practice, in actual fact, when it comes to it (*o* the point); *essere* ~ *di qc.* to be ⌜familiar with⌝ (*o* skilled in) s.th., to know s.th. well: *essere* ~ *di un luogo* to know (*o* be familiar with) a place; *essere* ~ *del proprio mestiere* to know one's trade; *non sono* ~ *di qui* I'm a stranger here myself; *non essere* ~ *di motori* to ⌜be unfamiliar⌝ (*o* have no experience) with engines, to know little about engines.
pratịcolo *a.* ⟨*Zool*⟩ prairie-, grassland-.
praticoltọre *m.* (*f.* **-trice**) grassland farmer. – **praticoltụra** *f.* grassland (*o* prairie) farming.
praticọne (*accr. di pratico*) *m.* (*f.* **-a**) ⟨*spreg*⟩ practised hand, practitioner.
pratịle *m.* ⟨*Stor*⟩ Prairial.
pratịsta *m.* ⟨*Sport*⟩ (field-)hockey player.
pratịto *a.* ⟨*non com*⟩ → **prativo**. – **pratịvo** *a.* meadow-, grass-: *terreno* ~ meadowland, grassland, land under grass.
prạto *m.* (*pl.ant. le prạta/le prạtora*) **1.** meadow, meadowland, grassland. – **2.** ⟨*Giard*⟩ green, grass, lawn: *giocare sul* ~ to play on the grass. – **3.** (*pascolo*) pasture, grassland. – **4.** ⟨*Sport*⟩ field: *hockey su* ~ field-hockey; (*nel tennis*) lawn.
□ **a** ~ meadow-, grass-: *terreno coltivato a* ~ meadowland, grassland, land under grass; *-i* **alterni** temporary grassland, seeded pasture rotation; ~ **artificiale** seeded grassland (*o* pasture); ~ **boschivo** forest (*o* woodland) meadow; **fiori** *di* ~ meadow flowers; ⟨*Giard*⟩ ~ **inglese** lawn; ~ *di* **montagna** upland (*o* mountain) meadow;

~ **naturale** natural grassland; ~ **paludoso** marshy meadow (*o* pasture); *-i* **permanenti** permanent meadows; ~ *a* **tappeto** = *prato* **inglese**; ~ **temporaneo** arable meadow.

pratolịna *f.* ⟨*Bot*⟩ (English) daisy (*Bellis perennis*). ☐ ~ *selvatica* purple (*o* red) clover (*Trifolium pratense*).

pratolịno *a./s.* → **prataiolo.**

pratọso *a.* ⟨*non com*⟩ (*ricco di prati*) full of meadows, meadowy.

prạulo *m.* ⟨*Itt*⟩ Spanish bream (*Pagellus bogaraveo*).

pravamẹnte *avv.* ⟨*lett*⟩ wickedly. – **pravità** *f.* ⟨*lett*⟩ (*malvagità*) wickedness, iniquity. – **prạvo** ⟨*lett*⟩ **I** *a.* **1.** (*malvagio*) wicked, evil, iniquitous. – **2.** (*depravato*) depraved, perverse. – **II** *s.m.* (*f.* **-a**) wicked person; *pl.* the wicked (*costr. pl.*).

pre|accennạre *v.t.* (**preaccẹnno**) ⟨*burocr*⟩ to mention before (*o* previously). – **~accennạto** (*p.p. di preaccennare*) *a.* aforementioned, mentioned before. – **~accẹnno** *m.* ⟨*non com*⟩ (*preannuncio*) indication, (warning) sign, (preliminary) announcement. – **~accensiọne** *f.* ⟨*Mot*⟩ pre-ignition. – **~accọrdo** *m.* ⟨*non com*⟩ (*accordo preliminare*) preliminary agreement. – **~adamịta** *m./f.* pre-adamite. – **~adamịtico** *a.* (*pl.* **-ci**) **1.** pre-adamite, pre-adamitic(al). – **2.** ⟨*scherz*⟩ (*molto antiquato*) antiquated, old-fashioned. – **~adamitịsmo** *m.* pre-adamitism. – **~adattamẹnto** *m.* pre-adaptation. – **~agọnico** *a.* (*pl.* **-ci**) ⟨*Med*⟩ pre-agonal, pre-agonic. – **~allạrme** *m.* warning signal (*anche fig.*). – **~allegạre** *v.* (**preallẹgo, preallẹghi**) ⟨*ant*⟩ → **preaccennare.** – **~alpẹggio** *m.* ⟨*Zootecn*⟩ first grazing after the winter, pre-summer grazing. – **⁓ạlpi** *N.pr.f.pl.* ⟨*Geog*⟩ Pre-Alps *pl*, foothills *pl* of the Alps. – **~alpịno** *a.* Pre-Alpine, of (*o* in) the foothills of the Alps.

preambolạre *v.i.* (**preạmbolo**; *aus.* **avere**) ⟨*ant*⟩ to (make a) preamble. – **preạmbolo** *m.* **1.** preamble. – **2.** ⟨*ant*⟩ (*prefazione*) preface, introduction. ☐ *dire qc. senza tanti -i* to come straight out with s.th.; *non facciamo tanti -i* let's get to the point straight away, ⟨*fam*⟩ let's not beat about the bush. – **preạmbulo** *m.* ⟨*ant*⟩ → **preambolo.**

pre|amplificatọre *m.* ⟨*Rad*⟩ preamplifier, booster. – **~anạle** *a.* ⟨*Zool*⟩ pre-anal. – **~anestesịa** *f.* ⟨*Med*⟩ pre-anaesthesia. – **~anestẹtico** *a.* (*pl.* **-ci**) ⟨*Med*⟩ pre-anaesthetic. ☐ *farmaco* ~ pre-anaesthetic. – **~animịsmo** *m.* ⟨*Rel*⟩ pre-animism. – **~animịstico** *a.* (*pl.* **-ci**) pre-animistic.

preannunciạre *v.t.* (**preannụncio, preannụnci**) **1.** to state (*o* announce) previously: *contrariamente a quanto è stato preannunciato, la trasmissione non avrà luogo* contrary to what was previously announced, the broadcast will not take place. – **2.** ⟨*fig*⟩ (*essere indizio di*) to forecast, to be a sign of, to forebode, to herald. – **preannunciatọre** ⟨*non com*⟩ **I** *s.m.* (*f.* **-trice**) herald, sign. – **II** *a.* foreboding, heralding. – **preannụncio** *m.* **1.** previous (*o* advance) announcement, forecasting. – **2.** (*indizio*) sign, herald, (fore)warning.

preannunziạre *v.* → **preannunciare.** – **preannunziatọre** *a./s.* → **preannunciatore.** – **preannụnzio** *m.* → **preannuncio.**

pre|appenninịco *a.* (*pl.* **-ci**) ⟨*Geog*⟩ Subapennine. – **⁓appennịno** *N.pr.m.* Subapennines *pl.* – **~ạrio** *a.* ⟨*Ling,Stor*⟩ pre-Aryan. – **~arioeuropẹo** *a.* ⟨*Ling*⟩ pre-Indo-European. – **~atlẹtico** *a.* (*pl.* **-ci**) ⟨*Sport*⟩ preparatory: *esercizi -i* preparatory (*o* warming-up) exercises. – **~avvertimẹnto** *m.* ⟨*non com*⟩ advance notice, (fore-) warning; (*premonizione*) premonition, forewarning. – **~avvertịre** *v.* (**preavvẹrto**) → **preavvisare.** – **~avviamẹnto** *m.* ⟨*Tip*⟩ pre-make -ready. – **~avvisạre** *v.t.* **1.** to inform in advance, to give advance notice to: ~ *il cliente della spedizione* to give the client advance notice of dispatch. – **2.** (*ammonire preventivamente*) to (fore)warn.

preavvịso *m.* **1.** (advance) notice: *con* ~ *di un mese* at a month's notice. – **2.** ⟨*fig*⟩ (*segno premonitore*) (fore)warning, warning sign. – **3.** ⟨*Ferr*⟩ warning signal. – **4.** ⟨*Tel*⟩ reservation of a person-to-person call. ☐ *senza* ~ without notice (*o* warning): *licenziamento senza* ~ dismissal without notice.

pre|bạrba *a./s.inv.* **I** *a.* pre-shave. – **II** *s.m.* pre-shave lotion. – **~barọcco** *a.* (*pl.* **-chi**) ⟨*lett*⟩ pre-Baroque. – **~bẹllico** *a.* (*pl.* **-ci**) pre-war. – **~belligerạnza** *f.* pre-war period.

prebẹnda *f.* **1.** ⟨*Rel*⟩ (*reddito*) prebend; (*beneficio*) prebend, prebendal stall. – **2.** ⟨*estens*⟩ (*guadagno*) high profit (*o* gain). – **3.** ⟨*ant*⟩ (*provvigione*) provision, supply. – **4.** ⟨*ant*⟩ (*quantità di biada*) fodder ration. – **prebendạrio** *m.* prebendary.

prebendạto[1] ⟨*ant*⟩ **I** *a.* ⟨*Rel*⟩ prebendal, prebendary-. – **II** *s.m.* → **prebendario.**

prebendạto[2] *m.* ⟨*non com*⟩ prebendaryship.

pre|cambriạno **I** *a.* ⟨*Geol*⟩ Precambrian. – **II** *s.m.* Precambrian (period). – **~cạmera** *f.* ⟨*Mot*⟩ precombustion chamber. – **~campionạto** **I** *a.inv.* ⟨*Sport*⟩ prechampionship-. – **II** *s.m.* prechampionship. – **~cancerọso** *a.* ⟨*Med*⟩ precancerous.

precạre *v.* (**prẹco, prẹchi**) ⟨*ant*⟩ **I** *v.t.* (*pregare*) to pray, to beseech, to implore. – **II** *v.i.* (*aus.* **avere**) to pray, to make an entreaty.

precạria *f.* ⟨*Dir.mediev*⟩ precarium.

precariamẹnte *avv.* precariously, insecurely. – **precarietà** *f.* precariousness.

precạrio *a.* **1.** (*di incerta durata*) unstable, temporary: *impiego* ~ unstable job. – **2.** (*malsicuro*) precarious, insecure, uncertain, ⟨*fam*⟩ shaky: *in -e condizioni economiche* in a precarious financial state. – **3.** ⟨*Dir*⟩ precarious, precarial. – **precarịsta** *m./f.* precarium tenant.

precarolịno *a.* ⟨*Stor*⟩ pre-Carolingian.

precatịvo **I** *a.* ⟨*Gramm*⟩ (*in sanscrito*) precative. – **II** *s.m.* precative.

precauzionạle *a.* precautionary, precautional: *misure -i* precautionary measures. – **precauziọne** *f.* **1.** (*cautela*) caution, care: *con la massima* ~ with the greatest care. – **2.** *pl.* (*provvedimenti*) precautions *pl*: *ho preso le mie -i* I have taken precautions; *-i sanitarie* sanitary precautions.

prẹce *f.* ⟨*lett*⟩ (*preghiera*) prayer, supplication, entreaty.

precedẹnte **I** *a.* previous, preceding, former, ⟨*pred*⟩ before, prior (to): *il capitolo* ~ the previous chapter; *la volta* ~ the time before, the last time; *la settimana* ~ *alla mia partenza* the week before my departure. – **II** *s.m.* **1.** precedent: *creare un* ~ to create a precedent. – **2.** *pl.* ⟨*Dir*⟩ precedents *pl.* – **3.** ⟨*burocr*⟩ (past) record. ☐ *non* **avere** *-i* to be unprecedented (*o* without precedent); *-i* **giudiziari** record (of previous convictions); *-i* **giurisprudenziali** (o *di giurisprudenza*) court precedents; *i -i dell'***imputato** the record of the accused; *-i* **penali** criminal record; **senza** *-i*: 1. unprecedented, without precedent; 2. (*incensurato*) without a (criminal) record.

precedentemẹnte *avv.* previously, before, formerly.

precedẹnza *f.* **1.** precedence, priority: *la* ~ *spetta a te* you have priority. – **2.** ⟨*Strad*⟩ right-of-way, priority: *dare la* ~ *a un veicolo* to give a vehicle the right-of-way, ⟨*am*⟩ to yield. ☐ *avere la* ~ to have priority, to take precedence; ⟨*burocr*⟩ *avere la* ~ *assoluta* to have top priority; ⟨*Strad*⟩ *strada con diritto di* ~ priority road, road with right-of-way; *in* ~ previously, formerly; ⟨*Dipl*⟩ *ordine delle -e* order of priority.

precẹdere *v.* (**precedẹi/precedẹtti**/*ant.* **precẹssi, precedụto**/*ant.* **precẹsso**) **I** *v.t.* **1.** to precede, to go (*o* come) before: *il lampo precede il tuono* lightning precedes thunder; ~ *un corteo* to go before a procession. – **2.** (*rif. a dignità o rango*) to have precedence over, to come (*o* go) before, to precede. – **3.** ⟨*fig*⟩ (*essere superiore*) to excel, to surpass: *questo ragazzo precede tutti i suoi compagni* this boy surpasses all his companions. – **II** *v.i.* (*aus.* **avere**) (*rif. a persona*) to precede, to go (*o* come) first: *precedeva il più anziano, gli altri seguivano* the oldest went first, the others followed. ☐ *far* ~ *qc. da qc.* to preface s.th. with s.th.

precẹssi *p.rem. ant. di* **precedere.**

precessiọne *f.* ⟨*Mecc,Astr*⟩ precession: ~ *degli equinozi* precession of the equinoxes.

precẹsso *p.p.ant. di* **precedere.**

precessọre *m.* ⟨*ant*⟩ (*predecessore*) predecessor.

precettạre *v.t.* (**precẹtto**) **1.** ⟨*burocr*⟩ to summon, to cite. – **2.** ⟨*Mil*⟩ to mobilize, to call up, ⟨*am*⟩ to draft. – **3.** ⟨*ant*⟩ (*ordinare*) to order, to command. – **precettaziọne** *f.* **1.** ⟨*non com*⟩ (*il precettare*) summoning. – **2.** ⟨*Mil*⟩ call-up, mobilization, ⟨*am*⟩ draft.

precettịsta *m./f.* ⟨*non com*⟩ (*chi dà precetti*) preceptist, dogmatist, teacher by precept. – **precettịstica** *f.* **1.** ⟨*Ped*⟩ dogmatic (*o* formal) teaching, teaching by precept. – **2.** (*serie di precetti*) precepts *pl*, dogmas *pl.* – **precettịstico** *a.* (*pl.* **-ci**) ⟨*non com*⟩ preceptive, didactic, dogmatic.

precettivamẹnte *avv.* ⟨*non com*⟩ (*in forma di precetto*) as a precept, preceptively. – **precettịvo** *a.* ⟨*non com*⟩ preceptive, didactic.

precẹtto *m.* **1.** (*norma*) precept, rule. – **2.** ⟨*Rel*⟩ precept, commandment, rule: *i -i della Chiesa* the precepts of the Church. – **3.** ⟨*Dir*⟩ precept, injunction, writ, notice. – **4.** ⟨*Mil*⟩ call-up notice, ⟨*am*⟩ draft notice. – **5.** ⟨*non com*⟩ (*regola*) precept, rule, dogma: *seguire i -i dell'arte* to follow the precepts of art. – **6.** ⟨*lett*⟩ (*ordine*) precept, order, command. ☐ ⟨*Rel.catt*⟩ *festa di* ~ holy-day of obligation; ~ *festivo* religious obligation; ⟨*Rel.catt*⟩ ~ *pasquale* Easter duty.

precettọre *m.* **1.** (*insegnante privato*) tutor, teacher, preceptor. – **2.** (*nei collegi: istitutore*) assistant housemaster, ⟨*am*⟩ proctor. – **3.** ⟨*non com*⟩ (*chi dà precetti, maestro*) master, teacher.

precettorịa *f.* ⟨*ant*⟩ (*governo*) government; (*prefettura*) prefecture.

precidạneo *a.* ⟨*Stor.rom*⟩ preparatory: *sacrificio* ~ preparatory (*o* propitiatory) sacrifice.

precịdere *v.t.* (**precịsi, precịso**) ⟨*lett*⟩ **1.** (*troncare*) to break off, to cut off. – **2.** ⟨*fig*⟩ (*interrompere*) to interrupt, to cut short, to break off; (*impedire*) to prevent, to check, to block.

precịngere *v.t.* (**precịngo, precịngi; precịnsi, precịnto**) ⟨*ant*⟩ (*cingere*) to surround, to encompass, to enclose. – **precingersi** *v.r.* (*mettersi una cintura*) to gird o.s. – **precịnto** (*p.p. di precingere*) ⟨*ant*⟩ **I** *a.* surrounded, enclosed, girt (about), encompassed. – **II** *s.m.* (*recinto*) enclosure, ring, circle. – **precinziọne** *f.* **1.** ⟨*ant*⟩ (*il precingere*) surrounding, encompassing; (*il precingersi*) girding o.s. – **2.** ⟨*Archeol*⟩ belt.

precipitạbile *a.* ⟨*Chim*⟩ precipitable. – **precipitabilità** *f.* precipitability.

precipitạndo *m.* ⟨*Mus*⟩ precipitando, impetuously.

precipitạnte *m.* ⟨*Chim*⟩ precipitant.

precipitạnza *f.* ⟨*ant*⟩ **1.** (*precipizio*) precipice. – **2.** ⟨*fig*⟩ (*rovina*) downfall, ruin.

precipitạre *v.* (**precịpito**) **I** *v.t.* **1.** (*far cadere con impeto*) to throw (*o* hurl, fling) down, to cast headlong, to send flying down: ~ *qd. da una rupe* to throw s.o. off (*o* from) a cliff; *con una spinta lo precipitò dalle scale* with a shove he sent him headlong down the stairs. – **2.** ⟨*fig*⟩ (*affrettare eccessivamente*) to precipitate, to hasten, to press forward, to speed up: ~ *la partenza* to hasten one's departure, to leave earlier than intended (*o* expected). – **3.** ⟨*fig,non com*⟩ (*mandare in rovina*) to ruin. – **4.** ⟨*Chim*⟩ to precipitate; (*coagulare*) to coagulate. – **5.** ⟨*Mus*⟩ to accelerate (the tempo) quickly. – **II** *v.i.* (*aus.* **essere**) **1.** (*cadere*) to fall (headlong), to plunge (*o* hurtle) down, to crash: ~ *dalla finestra* to fall (headlong) out of the window. – **2.** ⟨*fig*⟩ (*affrettare eccessivamente*) to be overhasty (*o* precipitous):

non devi ~ la decisione don't be overhasty in deciding. – **3.** ⟨*iperb*⟩ (*muoversi in modo precipitoso*) to jump, to leap, to tumble: *alle sei del mattino precipito dal letto e vado via* at six in the morning I jump out of bed and go out. – **4.** ⟨*fig*⟩ (*piombare, sprofondare*) to fall, to plunge: *~ nella più nera disperazione* to plunge into blackest despair. – **5.** ⟨*Chim*⟩ to precipitate, to settle out as a precipitate. – **precipitarsi** *v.r.* **1.** (*gettarsi*) to throw (*o* hurl, fling) o.s.: *si precipitò da uno scoglio* he threw himself off a cliff. – **2.** (*affrettarsi*) to rush, to hasten, ⟨*fam*⟩ to dash: *precipitarsi in aiuto di qd.* to rush (*o* run) to s.o.'s help. □ *gli eventi precipitano* events are coming to a head; ⟨*lett*⟩ *~ gli indugi* (*affrettarsi*) to take action, to act fast, ⟨*fam*⟩ to get (things) moving; *~ una risoluzione* to make a hasty decision.

precipitatamẹnte *avv.* (over)hastily, rashly, impetuously.

precipitạto (*p.p. di precipitare*) **I** *a.* **1.** thrown (*o* flung) down. – **2.** ⟨*fig*⟩ (*affrettato*) (over)hasty, rush(ed), rash, precipitate. – **II** *s.m.* ⟨*Chim*⟩ precipitate.

precipitaziọne *f.* **1.** (*il precipitare*) precipitation, falling headlong; (*caduta*) fall. – **2.** ⟨*Meteor,Chim*⟩ precipitation: *~ annua* annual precipitation. – **3.** ⟨*fig*⟩ (*fretta eccessiva*) hastiness, haste, rush: *parlare con troppa ~* to speak ⌜in haste⌝ (*o* too hastily); (*avventatezza*) recklessness, rashness.

□ *-i* **atmosferiche** (atmospheric) precipitation; **con** *~* (over-)hastily, precipitately, rashly; ⟨*Chim*⟩ *~* **elettrolitica** electrolytic precipitation, precipitation by electrolysis, electrodeposition; ⟨*El*⟩ *~* **elettrostatica** electrostatic precipitation; ⟨*Chim*⟩ *~* **frazionata** fractional precipitation; ⟨*Meteor*⟩ *-i* **liquide** rainfall; *-i* **radioattive** (radioactive) fallout; **senza** *~* (*con calma*) without rushing, calmly; ⟨*Meteor*⟩ *-i* **solide** snow and hail.

precịpite *a.* ⟨*lett*⟩ **1.** (*a capofitto*) headlong; (*che cade a capofitto*) falling, precipitating. – **2.** ⟨*fig*⟩ (*ripido*) precipitous, steep. – **3.** ⟨*fig*⟩ (*precipitoso*) precipitous, hasty, sudden, rash.

precipitẹvole *a.* ⟨*lett,non com*⟩ (*precipitoso*) impulsive, rash. – **precipitevolissimevolmẹnte** *avv.* ⟨*scherz*⟩ very hurriedly, in a great rush. – *Prov.*: *chi troppo in alto sal cade sovente ~* the higher you climb the faster you fall. – **precipitevolmẹnte** *avv.* precipitously, headlong.

precipitịna *f.* ⟨*Biol*⟩ precipitin.

precipitosamẹnte *avv.* **1.** (*in fretta*) hurriedly, hastily, headlong: *fuggire ~* to flee headlong, ⟨*fam*⟩ to beat a hasty retreat. – **2.** (*avventatamente*) rashly, recklessly, precipitately: *giudicare ~* to judge rashly, to make a rash judgement.

precipitọso *a.* **1.** (*impetuoso*) hurried, hasty, headlong. – **2.** ⟨*fig*⟩ (*avventato*) rash, reckless, precipitate: *essere ~ nel prendere una decisione* to be rash in making a decision; (*affrettato*) hasty, hurried, rushed: *lavoro ~* hurried work. – **3.** (*ripido*) steep, precipitous.

precipiziạre *v.i.* (**precipịzio, precipịzi**; *aus.* **avere**) ⟨*ant*⟩ (*precipitare*) to be ruined.

precipịzio *m.* **1.** precipice; (*burrone*) ravine, gorge: *una montagna piena di precipizi* a mountain full of ravines. – **2.** ⟨*fig*⟩ (*rovina*) ruin: *l'impresa è sull'orlo del ~* the firm is on the brink of ruin. – **3.** ⟨*fam*⟩ (*quantità enorme*) great deal, ⟨*fam*⟩ lots *pl*, ⟨*fam*⟩ a heap, ⟨*fam*⟩ masses *pl*: *un ~ di applausi* lots of applause, thunderous applause. – **4.** ⟨*fig*⟩ (*trambusto*) turmoil, confusion, commotion. □ *a ~*: 1. steeply, precipitously: *il sentiero scendeva a ~* the path sloped steeply downwards; 2. (*rif. a caduta*) headlong; 3. ⟨*fig*⟩ (*precipitosamente*) hurriedly, hastily, headlong, precipitately: *correre a ~* to run headlong (*o* at top speed).

precipuamẹnte *avv.* ⟨*lett*⟩ principally, mainly, chiefly. – **precịpuo** *a.* ⟨*lett*⟩ **1.** (*principale*) principal, main, chief: *argomento ~* principal matter. – **2.** (*essenziale*) essential, basic, fundamental: *norma -a* basic principle.

precisamẹnte *avv.* **1.** (*con precisione*) precisely, accurately, with precision. – **2.** (*proprio*) exactly, just. – **3.** (*nelle risposte: esattamente*) precisely, exactly, quite so: *voleva dir questo? – ~* is this what you meant? – precisely.

precisạre *v.t.* **1.** to specify, to state (precisely), to tell (exactly): *ti scrivo per precisarti l'ora del mio arrivo* I am writing to tell you the exact time of my arrival. – **2.** ⟨*estens*⟩ (*esporre con precisione*) to explain (in detail), to give full details of, ⟨*fam*⟩ to spell out: *precisò come si svolsero i fatti* he gave full details of what had happened; *~ i dettagli di un piano* to explain the details of a plan. – **precisaziọne** *f.* **1.** specification, clarification. – **2.** *pl.* (*indicazioni*) precise information: *fare -i in merito alla questione* to provide precise information regarding the matter.

precisiọne *f.* **1.** (*esattezza*) precision, accuracy, exactness: *la ~ di un orologio* the accuracy of a clock. – **2.** (*chiarezza*) clarity, preciseness. □ *con ~*: 1. precisely, exactly; 2. (*con accuratezza*) accurately, carefully: *lavorare con ~* to work carefully; *di ~* precision: *strumenti di ~* precision instruments; *grado di ~* degree of accuracy (*o* precision); *lavoro senza ~* inaccurate work; ⟨*Artigl*⟩ *~ di tiro* accuracy of aim.

precịso **I** *a.* **1.** (*esatto*) precise, exact: *dimmi il giorno ~ della partenza* tell me the exact date of departure. – **2.** (*accurato*) accurate, careful: *un lavoro ~* an accurate piece of work. – **3.** (*puntuale*) punctual, on time: *sii ~* be punctual; (*con l'indicazione dell'ora*) sharp, exactly, ⟨*fam*⟩ on the dot: *alle sette -e* at seven o'clock sharp. – **4.** (*appropriato*) precise, exact: *esprimersi con termini -i* to use precise terms, to be precise. – **5.** (*rif. a strumenti*) accurate, precise: *orologio ~* accurate clock. – **6.** (*uguale, identico*) identical (*a* to), the same (as), just like (s.th.): *questo vestito è ~ al mio* this suit is the same as mine. – **II** *avv.* ⟨*rar*⟩ precisely, exactly, quite so, yes, that's right: *volevi dir questo? – ~!* is this what you meant? – that's right! □ ⟨*fam*⟩ *è ~ suo padre* he is ⌜exactly like⌝ (*o* just the same as) his father; *queste sono le sue -e parole* these are his very words.

precitạto *a.* ⟨*non com*⟩ aforesaid, aforementioned; (*in uno scritto*) above-mentioned.

preclaramẹnte *avv.* ⟨*lett*⟩ illustriously, eminently, nobly. – **preclarità** *f.* ⟨*lett*⟩ illustriousness, eminence, distinction. – **preclạro** *a.* ⟨*lett*⟩ (*illustre*) illustrious, eminent, distinguished.

preclụdere *v.t.* (**preclụsi, preclụso**) to preclude, to prevent, to debar: *~ ogni possibilità di scampo* to prevent any possibility of escape; *~ una carriera a qd.* to debar s.o. from a career. – **preclụsi** *p.rem. di* **precludere**. – **preclusiọne** *f.* **1.** preclusion, prevention. – **2.** ⟨*Dir*⟩ estoppel. – **preclusịvo** *a.* ⟨*non com*⟩ precluding, preventive, preclusive. – **preclụso** *p.p. di* **precludere**.

prẹco *m.* (*pl.* **-chi**) ⟨*ant*⟩ (*preghiera*) prayer.

precọce *a.* **1.** precocious: *un bambino ~* a precocious child; *pianta ~* precocious plant. – **2.** (*prematuro*) early, premature, precocious: *inverno ~* early winter; (*rif. a morte*) untimely: *morte ~* untimely death. – **precocemẹnte** *avv.* precociously. – **precocità** *f.* **1.** precocity. – **2.** (*prematurità*) untimeliness, earliness. □ *~ d'ingegno* precocious genius.

precognitịvo *a.* ⟨*non com*⟩ precognitive. – **precọgnito** *a.* ⟨*lett*⟩ (*conosciuto in precedenza*) foreknown, already known. – **precognizịọne** *f.* ⟨*non com*⟩ precognition, foreknowledge.

precọio *m.* ⟨*region*⟩ (*procoio*) pen, fold.

pre|colombiạno *a.* pre-Columbian: *civiltà -a* pre-Columbian civilization. – **~combustiọne** *f.* ⟨*Mot*⟩ precombustion. □ *camera di ~* precombustion chamber. – **~comprẹsso** (*p.p. di precomprimere*) **I** *a.* ⟨*Edil*⟩ prestressed. – **II** *s.m.* prestressed concrete. – **~comprịmere** *v.t.* (**precomprẹssi, precomprẹsso**) to prestress. – **~concẹtto** **I** *a.* preconceived. – **II** *s.m.* prejudice, preconceived idea (*o* opinion), preconception. □ *antipatia -a* prejudice.

precọne *m.* ⟨*ant*⟩ (*banditore*) crier.

precongressuạle *a.* precongressional.

precọnio *m.* ⟨*ant*⟩ **1.** (*proclamazione*) proclamation, announcement. – **2.** ⟨*estens*⟩ (*elogio*) eulogy, praise.

preconizzạre *v.t.* **1.** (*preannunciare*) to foretell, to predict: *gli preconizzarono una brillante carriera* they foretold a brilliant career for him, they predicted that he would have a brilliant career. – **2.** ⟨*Rel*⟩ to preconize. – **preconizzatọre** *m.* (*f.* **-trice**) ⟨*lett*⟩ foreteller. – **preconizzaziọne** *f.* **1.** ⟨*lett*⟩ foretelling, prediction. – **2.** ⟨*Rel*⟩ preconization.

pre|conoscẹnza *f.* ⟨*lett*⟩ foreknowledge, prescience, precognition. – **~conọscere** *v.t.* (**preconọsco, preconọsci; preconọbbi, preconosciụto**) ⟨*lett*⟩ to foreknow, to know beforehand. – **~conoscimẹnto** *m.* ⟨*non com*⟩ **1.** foreknowledge, precognition. – **2.** (*presentimento*) presentiment, foreboding. – **~cọnscio** **I** *a.* ⟨*Psic*⟩ preconscious. – **II** *s.m.* preconscious. – **~consonạntico** *a.* (*pl.* **-ci**) ⟨*Ling*⟩ pre-consonantal. – **~contrattuạle** *a.* ⟨*Dir*⟩ pre-contractual: *responsabilità ~* pre-contractual liability. – **~coracọide** *f.* ⟨*Anat*⟩ pre-coracoid.

precọrdi *m.pl.* ⟨*lett*⟩ **1.** pericardium. – **2.** ⟨*fig*⟩ heart-strings *pl.* – **3.** → **precordio**. – **precordiạle** *a.* ⟨*Anat*⟩ pr(a)ecordial. – **precordialgịa** *f.* ⟨*Med*⟩ pr(a)ecordialgia. – **precọrdio** *m.* ⟨*Anat*⟩ pr(a)ecordium.

precọrrere *v.* (**precọrsi, precọrso**) ⟨*lett*⟩ **I** *v.t.* **1.** (*superare correndo*) to outrun, to outstrip. – **2.** ⟨*fig*⟩ (*prevenire*) to anticipate, to precede, to forestall: *~ un desiderio* to anticipate a wish. – **II** *v.i.* (*aus.* **essere**) **1.** (*correre avanti*) to forerun, to run before. – **2.** ⟨*fig*⟩ (*precedere nel tempo*) to precede, to come before. □ *~ gli eventi* to anticipate events; *~ i tempi* to be in advance of one's age, to be ahead of one's time.

precorritọre ⟨*lett*⟩ **I** *s.m.* (*f.* **-trice**) forerunner, precursor. – **II** *a.* forerunning, precursory, heralding: *l'alba precorritrice del giorno* dawn heralding the day. – **precọrsi** *p.rem. di* **precorrere**. – **precọrso** *p.p. di* **precorrere**.

pre|costituịre *v.t.* (**precostituịsco, precostituịsci**) to establish in advance, to set up beforehand. □ *maggioranza precostituita* pre-constituted majority. – **~cristiạno** *a.* pre-Christian.

precuọio *m.* → **precoio**.

precursọre **I** *s.m.* (*f. non com.* **precorritrịce**) **1.** forerunner, precursor: *i -i del romanticismo* the forerunners of romanticism; (*annunciatore*) herald, harbinger. – **2.** ⟨*rar*⟩ (*chi precorre*) forerunner. – **II** *a.* forerunning, precursory; (*di avvertimento*) warning: *segni -i* warning (*o* first) signs.

pred. = ⟨*Gramm*⟩ *predicato* predicate (*abbr.* pred.).

prẹda *f.* **1.** loot, ⟨*fam*⟩ swag: *i ladri hanno fatto buona ~* the thieves got plenty of loot. – **2.** (*vittima dell'animale predatore*) prey, quarry: *l'aquila teneva tra gli artigli la ~* the eagle held its prey in its claws. – **3.** (*animale preso durante la caccia*) bag; (*rif. a pesci*) catch. – **4.** ⟨*Dir*⟩ (*bottino*) booty, spoils *pl*, plunder: *~ di guerra* spoils of war. – **5.** ⟨*fig*⟩ prey: *cadere in ~ alla disperazione* to fall a prey to despair. □ **da** *~* of prey, predatory: *uccello da ~* bird of prey; **dare** *qc. in ~ a qd.* to give s.th. into s.o.'s hands (*o* power); ⟨*fig*⟩ *darsi in ~ al vizio* to abandon o.s. to vice, to become a slave of vice; **diritto** *di ~* right of seizure; *diritto di ~ marittima* prize law; **essere** *in ~ a* to be seized by, to be a prey to: *essere in ~ alla disperazione* to be ⌜seized by⌝ (*o* a prey to) despair; *la casa era in ~ alla fiamme* the house was in flames; *essere in ~ alle onde* to be at the mercy of the waves; *essere in ~ al terrore* to be terror-struck; *essere* **facile** ~ *di*: 1. to be an easy prey to: *la città fu facile ~ dei nemici* the city fell an easy prey to the enemy; 2. ⟨*fig*⟩ (*lasciarsi andare senza resistenza*) to give way to, to be overcome by; **fare** ~ (*saccheggiare*) to plunder, to sack.

predạce *a.* ⟨*lett*⟩ **1.** predatory, predacious. – **2.** ⟨*fig*⟩ (*avido*) rapacious, grasping.

predạre *v.t.* (**prẹdo**) **1.** to plunder, to pillage, to sack: ~ *una città* to sack a town. – **2.** ⟨*non com*⟩ (*prendere come preda*) to prey upon, to seize. – **3.** ⟨*ant*⟩ (*pignorare*) to seize, to distrain.

predatạre *v.t.* to pre-date.

predatọre I *s.m.* (*f.* **-trice**) **1.** plunderer, pillager, predator. – **2.** (*rif. ad animali*) predator, beast of prey. – **II** *a.* **1.** plundering, pillaging. – **2.** (*rif. ad animali*) predatory, of prey, predacious. – **predatọrio** *a.* ⟨*non com*⟩ predatory, predacious.

predecessọre *m.* **1.** predecessor. – **2.** *pl.* (*antenati*) ancestors *pl*, forefathers *pl.*

predeịsmo *m.* ⟨*Rel*⟩ primitive phases of religion.

predẹlla[1] *f.* **1.** base, platform; (*poggiapiedi*) footstool. – **2.** ⟨*Rel*⟩ (*suppedaneo*) predella, altar-step. – **3.** ⟨*Pitt*⟩ predella. – **4.** (*nei portoni*) baseboard.

predẹlla[2] *f.* ⟨*ant*⟩ (*briglia*) rein.

predellẹtta, predellịna *f. dim. di* **predella**[1]. – **predellịno** (*dim. di predella*[1]) *m.* **1.** (*montatoio di carrozza*) running board, footboard, step. – **2.** (*sgabello*) footstool.

predeṣinenziạle *a.* ⟨*Ling*⟩ preceding an ending, (placed) before a desinence.

predestinạre *v.t.* (**predestịno**/*rar.* **predẹstino**) **1.** to (pre)destine, to preordain. – **2.** ⟨*Teol*⟩ to predestine, to predestinate. – **predestinatịvo** *a.* ⟨*rar*⟩ predestinating. – **predestinạto** (*p.p. di predestinare*) *a.* **1.** (pre)destined, preordained. – **2.** ⟨*Teol*⟩ predestined, predestinated.

predestinaziạno I *a.* ⟨*Teol*⟩ predestinational, predestinarian. – **II** *s.m.* (*f* **-a**) predestinarian, predestinationist.

predestinaziọne *f.* **1.** predestination (*anche Teol.*). – **2.** (*destino prestabilito*) destiny, fate.

predestinazionịṣmo *m.* ⟨*Teol*⟩ predestinarianism, predestinationism. – **predestinazionịsta** *m./f.* predestinarian, predestinationist.

predeterminạre *v.t.* (**predetẹrmino**) to predetermine, to preordain. – **predeterminaziọne** *f.* ⟨*Teol*⟩ predetermination. – **predeterminịṣmo** *m.* ⟨*Filos*⟩ predeterminism.

predẹtto (*p.p. di predire*) *a.* **1.** aforesaid, afore-mentioned: *per i -i motivi* for the afore-mentioned reasons; (*in uno scritto*) above-mentioned. – **2.** (*preannunciato*) predicted, foretold.

prediạle I *a.* ⟨*Dir*⟩ pr(a)edial, landed, real: *servitù* ~ praedial servitude. – **II** *s.f.* (*imposta prediale*) land tax.

predibattimentạle *a.* ⟨*Dir,burocr*⟩ preliminary, before a hearing.

prẹdica *f.* **1.** ⟨*Rel*⟩ sermon: *ascoltare una ~* to listen to a sermon. – **2.** ⟨*fam*⟩ (*discorso moraleggiante*) lecture: *mi hai seccato con le tue prediche* I'm fed up with your lectures; (*ramanzina*) talking-to, telling-off, scolding. – **3.** ⟨*ant*⟩ (*insieme di fedeli*) congregation. – **4.** ⟨*ant*⟩ (*incarico di predicare*) preachership. □ *fare una ~ a qd.* to give s.o. a lecture, to lecture s.o., to tell s.o. off; ⟨*iron*⟩ *da che pulpito viene la ~!* look who's talking!, the pot is calling the kettle black!

predicạbile I *a.* **1.** ⟨*lett*⟩ preachable. – **2.** ⟨*Filos*⟩ predicable. – **II** *s.m.* ⟨*Filos*⟩ predicable.

predicamẹnto *m.* **1.** ⟨*Filos*⟩ predicament, category. – **2.** ⟨*rar*⟩ (*fama*) reputation, repute, name. – **3.** ⟨*ant*⟩ (*predica*) sermon; (*il predicare*) preaching.

predicạre *v.* (**prẹdico, prẹdichi**) **I** *v.t.* **1.** to preach: ~ *il Vangelo* to preach the Gospel. – **2.** (*esortare all'osservanza*) to preach, to exhort to. – **3.** ⟨*Filos*⟩ to predicate. – **4.** ⟨*lett*⟩ (*esaltare*) to extol, to praise: ~ *i meriti di qd.* to extol s.o.'s merits. – **5.** ⟨*ant*⟩ (*pregare, scongiurare*) to beg, to beseech, to implore. – **II** *v.i.* (*aus.* **avere**) **1.** to preach, to give a sermon: ~ *sul matrimonio* to give a sermon on marriage. – **2.** (*fare discorsi moraleggianti*) to preach, to lecture, to sermonize: *ha la mania di ~* he's always lecturing. – **3.** (*parlare in pubblico*) to speak in public.

□ ~ *al* **deserto** = *predicare al* **vento**; ⟨*iron*⟩ ~ *il* **digiuno** *a stomaco pieno* not to practise what one preaches; ⟨*fig*⟩ ~ *in* **piazza** to speak indiscretely, ⟨*fam*⟩ to shout from the roof tops; ~ *il* **quaresimale** (o *la quaresima*) to preach (a course of) Lenten sermons; ~ *bene e* **razzolare** *male* = *predicare il* **digiuno** *a stomaco pieno*; **saper** ~ *bene* to be a good preacher; ⟨*fig*⟩ ~ ⌜*al* **vento**⌝ (o *ai sordi*) to waste one's breath, to preach (o talk) to the winds.

predicatịvo *a.* **1.** ⟨*Gramm*⟩ predicative, predicate. – **2.** ⟨*Filos*⟩ predicative, predicating.

predicạto *m.* **1.** ⟨*Gramm,Filos*⟩ predicate. – **2.** (*titolo nobiliare*) predicate, (assertory) title. □ ⟨*non com*⟩ *essere in ~ di* (*stare per ottenere*) to be considered for; ~ *nobiliare* predicate of nobility, (assertory) title; ⟨*Gramm*⟩ ~ *nominale* nominal predicate; ~ *d'onore* honorary title; ⟨*Gramm*⟩ ~ *verbale* verbal predicate.

predicatọre *m.* (*f.* **-trice**/*pop.* **-tora**) **1.** preacher. – **2.** ⟨*fig*⟩ preacher, advocate: ~ *della pace* advocate of peace. – **3.** ⟨*scherz*⟩ (*chi sermoneggia*) preacher, sermonizer. – **4.** ⟨*Ornit*⟩ (*stiaccino*) whinchat (*Saxicola rubetra*). – **5.** ⟨*non com*⟩ (*esaltatore*) extoller, praiser. □ ⟨*Rel*⟩ ~ *apostolico* Apostolic Preacher; *frate ~* preaching friar, predicant; ~ *di quaresima* Lenten preacher.

predicatorẹllo (*dim. di predicatore*) *m.* ⟨*spreg*⟩ poor preacher. – **predicatọrio** *a.* preaching, sermonizing, predicatory: *tono ~* sermonizing tone. – **predicaziọne** *f.* **1.** preaching: *la ~ degli Apostoli* the preaching of the Apostles; *darsi alla ~* to devote o.s. to preaching. – **2.** ⟨*Filos*⟩ predication. – **3.** ⟨*ant*⟩ (*predica*) sermon.

predịcere *v.t.* (**predịco, predịci; predịssi, predẹtto**) ⟨*ant*⟩ (*premettere*) to state in advance.

predichẹtta, predichịna *f. dim. di* **predica.**

predicitọre *m.* (*f.* **-trice**) ⟨*ant*⟩ (*chi predice*) predictor, foreteller.

predicọna *f.*, **predicọne** *m. accr. di* **predica.** – **predicọzzo** *m.* ⟨*scherz*⟩ (*ramanzina*) scolding, talking-to, telling-off: *fare un ~ a qd.* to give s.o. a scolding, to tell s.o. off. – **predicụccia** *f.* (*pl.* **-ce**) ⟨*spreg*⟩ *dim. di* **predica.**

predigerịto *a.* predigested. – **predigestiọne** *f.* predigestion.

predilẹssi *p.rem. di* **prediligere.**

predilẹtto (*p.p. di prediligere*) **I** *a.* favourite, preferred: *autore ~* favourite author; (*il più caro*) dearest, best-loved: *il compagno ~* one's dearest friend. – **II** *s.m.* (*f.* **-a**) favourite, pet, darling: *era il ~ della mamma* he was mother's pet. – **predileziọne** *f.* **1.** preference, fondness, partiality, special love, predilection: *nutrire ~ per qd.* to have a partiality for s.o., to be especially fond of s.o. – **2.** (*quanto si predilige*) favourite, pet; (*passatempo preferito*) favourite pastime: *la nostra ~ è la pesca* our favourite pastime is fishing. □ *ha una ~ per te* you are her favourite. – **predilịgere** *v.t.* (**predilịgo, predilịgi; predilẹssi, predilẹtto**) to prefer, to be particularly fond of, to have a preference for, to like best.

prẹdio *m.* ⟨*non com*⟩ (*podere*) property, holding.

predịre *v.t.* (**predịco, predịci; predịssi, predẹtto**; → **dire**) **1.** to foretell, to predict, to prophesy: ~ *il futuro* to foretell the future. – **2.** (*prevedere*) to foresee, to expect: *si è comportato come avevi predetto* he behaved just as you expected. – **3.** ⟨*rar*⟩ (*preannunciare*) to forebode, to portend, to be a sign of: *queste nuvole predicono pioggia* these clouds are a sign of rain. – **4.** ⟨*ant*⟩ (*prestabilire*) to pre-establish.

predisponẹnte (*p.pr. di predisporre*) *a.* ⟨*Med*⟩ predisposing, predisponent: *fattori -i* predisposing factors.

predispọrre *v.t.* (**predispọngo, predispọni; predispọsi, predispọsto**; → **porre**) **1.** (*preparare*) to arrange (beforehand), to prepare (in advance), to plan: ~ *una cerimonia* to plan a ceremony. – **2.** (*preparare psicologicamente*) to prepare, to predispose: ~ *qd. a una brutta notizia* to prepare s.o. for bad news; ~ *alla benevolenza* to predispose to benevolence. – **3.** ⟨*assol*⟩ to predispose: *la denutrizione predispone alla tubercolosi* malnutrition predisposes to tuberculosis. – **predispọrsi** *v.r.* to prepare o.s.: *predisporsi a una delusione* to prepare o.s. for a disappointment.

predisposiziọne *f.* **1.** tendency, inclination, bent, turn, predisposition: *ha ~ alla musica* he has a bent for music. – **2.** ⟨*Med*⟩ predisposition, susceptibility: ~ *alla tubercolosi* predisposition to tuberculosis.

prediziọne *f.* **1.** foretelling. – **2.** (*vaticinio*) prediction, prophecy.

predniṣọlone *m.* ⟨*Farm*⟩ prednisolone. – **predniṣọne** *m.* prednisone.

predominạnte (*p.pr. di predominare*) *a.* **1.** predominant, predominating: *pensiero ~* predominant thought. – **2.** (*più frequente*) prevailing, prevalent, predominant: *malattia ~ nel paese* illness prevalent in the country; *venti -i* prevailing (*o* predominant) winds. – **predominạnza** *f.* ⟨*ant*⟩ → **predominio.** – **predominạre** *v.* (**predọmino**) **I** *v.i.* (*aus.* **avere**) **1.** to predominate: *in questa stanza predomina il verde* green predominates (*o* is the predominant colour) in this room. – **2.** (*essere più numeroso*) to prevail, to be predominant (*o* prevalent): *in quella regione predominano le coste rocciose* rocky coasts prevail in that region. – **II** *v.t.* ⟨*non com*⟩ (*dominare*) to dominate, to rule. – **predominaziọne** *f.* ⟨*rar*⟩ → **predominio.** – **predomịnio** *m.* **1.** (*supremazia*) predominance: ~ *della cultura latina* predominance of Latin culture. – **2.** (*dominio*) domination, dominion, sway: *essere soggetto al ~ dello straniero* to be under foreign domination. – **3.** ⟨*fig*⟩ prevalence, sway: *il ~ delle passioni* the sway of passions.

predọne *m.* marauder, plunderer, robber. □ *-i del deserto* desert marauders; *-i del mare* pirates, sea-robbers.

pre|elẹggere *v.t.* (**preelẹggo, preelẹggi; preelẹssi, preelẹtto**) ⟨*ant*⟩ **1.** (*scegliere in precedenza*) to pre-elect, to select beforehand. – **2.** (*preferire*) to elect, to choose. – **~ellẹnico** *a.* (*pl.* **-ci**) ⟨*Stor*⟩ pre-Hellenic. – **~eminẹnza** *f.* ⟨*ant*⟩ (*preminenza*) pre-eminence, superiority. – **~ẹnfaṣi** *f.* ⟨*Rad*⟩ pre-emphasis. – **~eṣistẹnte** (*p.pr. di preesistere*) *a.* pre-existent, existing before. – **~eṣistẹnza** *f.* ⟨*Filos, Teol*⟩ pre-existence. – **~eṣịstere** *v.i.* (**preeṣistẹi/preeṣistẹtti, preeṣistịto**; *aus.* **essere**) to pre-exist, to exist before. – **~ẹtnico** *a.* (*pl.* **-ci**) ⟨*Ling*⟩ pre-Indo-European.

pref. = **1.** *prefazione* preface (*abbr.* pref.). – **2.** *prefisso* prefix (*abbr.* pref.).

prefabbricạre *v.t.* (**prefạbbrico, prefạbbrichi**) to prefabricate. – **prefabbricạto** (*p.p. di prefabbricare*) *a.* prefabricated: *casa -a* prefabricated house, ⟨*fam*⟩ prefab. – **prefabbricaziọne** *f.* prefabrication.

prefạto *a.* ⟨*lett*⟩ (*predetto*) aforesaid, afore-mentioned.

prefatọre *m.* ⟨*lett*⟩ prefacer, author of a preface.

prefạzio *m.* **1.** ⟨*Lit*⟩ Preface. – **2.** ⟨*ant*⟩ (*anticipazione*) anticipation. – **prefazionạre** *v.t.* (**prefaziọno**) ⟨*non com*⟩ (*scrivere una prefazione*) to write a preface to, to preface. – **prefaziọne** *f.* preface, foreword.

preferẹnza *f.* **1.** preference, partiality: *la sua ~ per te è palese* his partiality for you is obvious. – **2.** ⟨*Dir*⟩ (*prelazione*) pre-emption. □ **a** ~ *di* rather than, in preference to; **avere** ~ *per qd.* to prefer (*o* have a preference for) s.o.; (*favorirlo*) to favour s.o.; *non avere -e* to have no preferences; **dare** *la* ~ *a qc.* to prefer (*o* choose) s.th.; *dare la* ~ *a qd.* to give preference to s.o.; **di** ~ → **preferibilmente**; **diritto** *di* ~ right of pre-emption: *diritto di* ~ *nella vendita* right of pre-emption on a sale; **nutrire** ~ *per qd.* = **avere** *preferenza per qd.*; **voto** *di* ~ preferential vote.

preferenziale *a.* preferential, preference-: *tariffa* ~ preferential tariff; *voto* ~ preferential vote.

preferibile *a.* preferable, more desirable, better: *sarebbe* ~ *confessargli tutto* it would be better to tell him everything. – **preferibilmente** *avv.* **1.** preferably, in preference. – **2.** (*per lo più*) mostly, generally, for the most part.

prefericolo *m.* ⟨*Archeol*⟩ sacrificial vessel.

preferire *v.t.* (**preferisco, preferisci**) **1.** to prefer, to like better (*o* best), would rather: *preferisco camminare a piedi* I prefer to walk, I'd rather walk; *preferisce la birra al vino* he likes beer better than wine; *preferisco che tu non ci vada* I should prefer you not to go, I'd rather you didn't go. – **2.** (*prediligere*) to prefer, to have a preference for. □ ~ *la morte al disonore* death rather than dishonour. – **preferito** (*p.p. di preferire*) **I** *a.* favourite. – **II** *s.m.* **1.** (*f.* -**a**) favourite; (*beniamino*) pet, darling. – **2.** *pl.* ⟨*Dolc*⟩ liqueur chocolates *pl.*

prefestivo *a.* ⟨*non com*⟩ before a holiday, pre-holiday.

prefettessa *f.* ⟨*scherz, rar*⟩ (*moglie del prefetto*) prefect's wife.

prefettizia *f.* ⟨*Mod*⟩ frock-coat, redingote.

prefettizio *a.* prefect's, prefector(i)al: *decreto* ~ prefectorial decree.

prefetto *m.* (*f. scherz,rar.* **prefettessa**) **1.** prefect. – **2.** ⟨*ant*⟩ (*direttore di biblioteca*) chief librarian.
□ ⟨*Stor*⟩ ~ *dell'annona* victualling officer; ⟨*Dir.can*⟩ ~ **apostolico** prefect apostolic; ~ *di* **disciplina** (*nei seminari*) rector; ⟨*Rel*⟩ ~ *delle cerimonie* **pontificie** master of pontificial ceremonies; ⟨*Stor.rom*⟩ ~ *dell'***urbe** city prefect, praefectus urbis.

prefettura *f.* **1.** prefecture. – **2.** ⟨*non com*⟩ (*provincia*) province, prefecture.

prefica *f.* **1.** weeper, hired mourner. – **2.** ⟨*scherz*⟩ whiner, moaner, grumbler, ⟨*fam*⟩ belly-acher: *non fare la* ~ don't be such a belly-acher.

prefiggere *v.t.* (**prefiggo, prefiggi; prefissi, prefisso**) **1.** (*fissare in anticipo*) to fix beforehand (*o* in advance), to settle (in advance), to arrange (in advance): ~ *il termine di pagamento* to fix the term of payment beforehand. – **2.** (*prestabilire*) to pre-arrange. – **3.** ⟨*Ling*⟩ (*premettere*) to prefix. – **prefiggersi** *v.r.* (*proporsi*) to be resolved (*o* determined), to determine (*o* resolve) upon, to decide, to intend: *prefiggersi di fare qc.* to resolve upon doing s.th. □ *prefiggersi uno scopo* to have an end in view, to set o.s. a goal.

prefiggimento *m.* ⟨*lett*⟩ **1.** prior arrangement, fixing (in advance). – **2.** (*proponimento*) aim, intention.

prefiguramento *m.* ⟨*non com*⟩ → **prefigurazione**. – **prefigurare** *v.t.* **1.** (*preannunciare simbolicamente*) to prefigure. – **2.** (*anticipare*) to prefigure, to prerepresent. – **prefigurazione** *f.* **1.** prefiguration. – **2.** (*anticipazione*) prefiguration, prerepresentation.

pre|filatoio *m.* ⟨*Tess*⟩ (*macchina*) carding-machine. – **~filatura** *f.* carding. – **~filtro** *m.* pre-cleaner. – **~finanziamento** *m.* ⟨*Econ*⟩ **1.** advance on a long-term financing. – **2.** ⟨*concr*⟩ advance funds *pl.* – **~finanziare** *v.t.* (**prefinanzio, prefinanzi**) to give a (short -term) advance on forthcoming loan funds. – **~finire** *v.t.* (**prefinisco, prefinisci**) ⟨*lett*⟩ (*predestinare*) to predestine. – **~fiorenza** *f.* → **prefioritura**. – **~fiorire** *v.i.* (**prefiorisco, prefiorisci**; *aus.* **essere**) to flower early. – **~fioritura** *f.* early flowering.

prefissi *p.rem. di* **prefiggere**.

prefisso (*p.p. di prefiggere*) **I** *a.* (*prefissato*) appointed, fixed (beforehand), established, set, (pre-)arranged, settled previously (*o* in advance): *la data -a* the appointed (*o* set) date. – **II** *s.m.* **1.** ⟨*Ling*⟩ prefix: ~ *nominale* nominal prefix. – **2.** ⟨*Tel*⟩ code number, ⟨*am*⟩ area code. – **prefissoide** *m.* ⟨*Ling*⟩ prefix.

pre|florazione *f.* ⟨*Bot*⟩ (*estivazione*) pr(a)efloration, (a)estivation. – **~fogliazione** *f.* ⟨*Bot*⟩ pr(a)efoliation, vernation. – **~formante** *m.* ⟨*Ling*⟩ preformative, prefix. – **~formare** *v.t.* (**preformo**) ⟨*non com*⟩ **1.** to preform, to form beforehand (*o* in advance). – **2.** ⟨*Biol*⟩ to preform. – **preformarsi** *v.r.* **1.** to be preformed, to be formed beforehand. – **2.** ⟨*Biol*⟩ to be preformed. – **~formato** (*p.p. di preformare*) *a.* ⟨*Biol*⟩ preformed. – **~formazione** *f.* **1.** preformation, previous formation. – **2.** ⟨*Biol*⟩ preformation. – **~formismo** *m.* ⟨*Biol*⟩ (theory of) preformation, preformationism. – **~formista** *m./f.* supporter of the preformation theory, preformationist. – **~formistico** *a.* (*pl.* **-ci**) of the theory of preformation. – **~frontale** **I** *a.* ⟨*Anat*⟩ prefrontal: *regione* ~ prefrontal region. – **II** *s.m.* prefrontal (bone).

prefurnio *m.* ⟨*Stor.rom*⟩ water-heating room.

prega(d)dio *m.inv.* ⟨*Entom*⟩ (*mantide religiosa*) praying mantis (*Mantis religiosa*).

pregado *m.* ⟨*Stor*⟩ Venetian senator.

pregante (*p.pr. di pregare*) **I** *a.* praying; (*chiedente*) asking, requesting, entreating. – **II** *s.m./f.* prayer; (*chi chiede*) applicant, requester, beseecher.

pregare *v.t.* (**prego**/*ant.* **priego, preghi**/*ant.* **prieghi**) **1.** to pray: ~ *Iddio* to pray (to) God. – **2.** ⟨*assol*⟩ (*recitare preghiere*) to pray, to say prayers: ~ *ad alta voce* to pray aloud. – **3.** (*chiedere*) to request, to beg, to ask, ⟨*lett*⟩ to pray: *l'ho pregato di aiutarmi* I asked him to help me; ~ *qd. di un favore* to beg a favour of s.o. – **4.** (*in formule di cortesia*) please: *non si disturbi, La prego* please don't trouble; *ti prego di rispondere presto* please reply soon. □ *farsi* ~ to wait to be asked twice, to have to be persuaded, to play hard to get: *non farti* ~ don't wait to be asked, come on; *non si farà* ~ he won't take much persuading.

pregatore *a./s.* (*f.* **-trice**) → **pregante**.

pre|genitale *a.* ⟨*Psic*⟩ pregenital. – **~germogliamento** *m.* ⟨*Agr*⟩ sprouting before planting.

pregevole *a.* excellent, of worth, valuable. – **pregevolezza** *f.* ⟨*rar*⟩ excellence, worth, value. – **pregevolmente** *avv.* excellently, valuably.

preghero *m.* ⟨*ant*⟩ → **preghiera**.

preghiera *f.* **1.** prayer: *recitare una* ~ to say a prayer. – **2.** (*richiesta*) request, entreaty: *esaudire le -e di qd.* to grant s.o.'s requests.
□ **a** ~ *di qd.* at s.o.'s request; ⟨*Rel.ev*⟩ *Libro delle -e* **comuni** Book of Common Prayer; ⟨*Comm*⟩ **con** ~ please: *con* ~ *di inoltro immediato* please forward immediately; *-e per i* **defunti** prayers for the dead; **dietro** ~ *di qd.* = **a** *preghiera di qd.*; **dire** *le -e* to say one's prayers; *-e del* **mattino** morning prayers; ~ **mentale** mental prayer; **rivolgere** *una* ~ *a qd.* to make a request to (*o* of) s.o., to ask s.o. s.th.; *-e della* **sera** evening prayers; *rimanere* **sordo** *alle -e di qd.* to turn a deaf ear to s.o.; **su** ~ *di qd.* = **a** *preghiera di qd.*

preghierina *f. dim. di* **preghiera**.

pregiabile *a.* ⟨*lett*⟩ → **pregevole**. – **pregiabilità** *f.* → **pregevolezza**.

pregiare *v.t.* (**pregio, pregi**) **1.** ⟨*lett*⟩ (*stimare*) to (hold in) esteem, to appreciate, to value, to think highly of. – **2.** ⟨*rar*⟩ (*celebrare*) to praise. – **3.** ⟨*ant*⟩ (*valutare*) to value. – **pregiarsi** *v.r.* **1.** (*gloriarsi*) to be honoured: *mi pregio della sua benevolenza* I am honoured by his goodwill. – **2.** ⟨*non com*⟩ (*vantarsi*) to pride o.s. (*di* on), to take pride (in). – **3.** ⟨*epist*⟩ to have the honour, to be pleased (*o* honoured), to have pleasure: *mi pregio comunicarVi* I ⌜am pleased⌝ (*o* beg) to inform you, I have pleasure in informing you.

pregiatissimo (*sup. di pregiato*) *a.* ⟨*epist*⟩ (*nell'introduzione*) Dear: ~ *signore* Dear Sir; (*negli indirizzi*) *non si traduce*: ~ *signor Luigi Bianchi* Mr. Luigi Bianchi, Luigi Bianchi Esq.

pregiato (*p.p. di pregiare*) *a.* **1.** (*stimato*) esteemed, valued. – **2.** ⟨*epist*⟩ esteemed, *normalmente non si traduce*: *in risposta alla Vostra -a lettera* in reply to your letter. – **3.** (*di valore*) prized, valuable.

pregiatore *m.* (*f.* **-trice**) ⟨*non com*⟩ appreciator.

pregio *m.* **1.** (*considerazione*) esteem, regard: *avere in (gran)* ~ *qd.* to hold s.o. in (high) esteem, to esteem s.o. (highly). – **2.** (*dote, merito*) good quality (*o* point), merit, excellence: *conosco i tuoi pregi* I know your merits. – **3.** ⟨*ant*⟩ (*prezzo*) price. □ *di* ~ valuable, precious, prized; ⟨*epist*⟩ *farsi* ~ *di* (*pregiarsi*) to have the honour, to be honoured (*o* pleased), to have pleasure, to beg; *di gran* ~ very precious (*o* valuable); *essere tenuto in gran* ~ to be held in high esteem, to be highly thought of; *di nessun* ~ worthless, valueless; *perdere* ~ to lose value.

pregione[1] *f.* ⟨*ant*⟩ (*prigione*) prison.

pregione[2] *m.* ⟨*ant*⟩ (*prigioniero*) prisoner.

pregiudicare *v.t.* (**pregiudico, pregiudichi**) **1.** (*compromettere*) to prejudice, to jeopardize, to compromise: *il tuo comportamento ha pregiudicato la situazione* your behaviour has jeopardized the situation. – **2.** (*danneggiare*) to damage, to injure, to impair, to harm, to be detrimental to, to be harmful (*o* bad for): *il fumo pregiudica la salute* smoking impairs (*o* is bad for) the health. – **3.** ⟨*non com*⟩ (*giudicare prima*) to prejudge.

pregiudicativo *a.* ⟨*rar*⟩ prejudicial. – **pregiudicato** (*p.p. di pregiudicare*) **I** *a.* **1.** (*compromesso*) jeopardized, bound to fail, doomed, compromised: *affare* ~ affair (which is) bound to fail, doomed enterprise. – **2.** ⟨*non com*⟩ (*giudicato prima*) prejudged. – **II** *s.m.* (*f.* **-a**) ⟨*Dir*⟩ previous offender; (*chi è stato in prigione*) ex-convict. – **pregiudicio** *m.* ⟨*ant*⟩ → **pregiudizio**.

pregiudiziale **I** *a.* **1.** ⟨*Dir*⟩ preliminary, prejudicial: *questione* ~ preliminary issue. – **2.** ⟨*non com*⟩ → **pregiudizievole**. – **II** *s.f.* **1.** matter that must be settled before the main question. – **2.** ⟨*Pol*⟩ condition: *sollevare una* ~ to stipulate a condition. – **3.** ⟨*Dir*⟩ preliminary issue. – **pregiudizialità** *f.* ⟨*Dir*⟩ preliminary nature. – **pregiudizialmente** *avv.* prejudicially.

pregiudizievole *a.* prejudicial, detrimental, harmful (*a* to), bad (for): ~ *alla salute* bad for the health. – **pregiudizievolmente** *avv.* ⟨*non com*⟩ prejudicially, detrimentally.

pregiudizio *m.* **1.** (*preconcetto*) prejudice, bias: *pieno di pregiudizi* full of prejudice(s), prejudiced. – **2.** (*credenza superstiziosa*) superstition: *un* ~ *diffuso tra la gente semplice* a widespread superstition among simple folk. – **3.** (*danno*) detriment, harm, damage, disadvantage, prejudice: *con grave* ~ *della sua salute* to the great detriment of his health. – **4.** ⟨*Dir.rom*⟩ prejudgement, preliminary (*o* anticipatory) judgement. □ *avere pregiudizi contro qd.* to be prejudiced against s.o.; *essere di* ~ *a* to be detrimental (*o* prejudicial) to; *portare* (*o recare*) ~ *a qc.* to be harmful to s.th., to harm (*o* injure) s.th., to prejudice (*o* jeopardize) s.th.; *sgombro da pregiudizi* unprejudiced, unbiased.

pregiuliano *a.* ⟨*Stor*⟩ pre-Julian: *calendario* ~ pre-Julian calendar.

preg.mo = ⟨*epist*⟩ *pregiatissimo Dear.*

pregnante *a.* **1.** ⟨*lett*⟩ (*gravida*) pregnant. – **2.** ⟨*fig*⟩ (*denso di significato*) pregnant, meaningful, significant. – **pregnanza** *f.* **1.** ⟨*non com*⟩ (*l'essere gravida*) pregnancy. – **2.** ⟨*fig*⟩ significance, meaningfulness, pregnancy.

pregnezza *f.* ⟨*ant*⟩ (*gravidanza*) pregnancy. – **pregno** *a.* **1.** (*impregnato*) impregnated, soaked: *il terreno era* ~ *d'acqua* the ground was soaked with water. – **2.** (*saturo, pieno*) full (*di* of), teeming (with). – **3.** (*gravido: rif. ad animale*) pregnant, with young; ⟨*pop*⟩ (*rif. a donna*) pregnant, ⟨*lett*⟩ with child.

prẹgo[1] *intz.* (*in formule di cortesia*) please: ~, *si accomodi* please come in; (*in risposta a ringraziamento*) don't mention it, not at all, it's a pleasure, ⟨*am*⟩ you're welcome; (*cedendo il passo a qd.*) after you.

prẹgo[2] *m.* (*pl.* **-ghi**) ⟨*poet*⟩ (*preghiera*) prayer.

pre|grammaticạle *a.* ⟨*Ling*⟩ pregrammatical. – **~grẹco** *a./s.* (*pl.* **-ci**) ⟨*Stor*⟩ **I** *a.* pre-Greek, pre-Hellenic. – **II** *s.m.* pre-Greek.

pregrẹsso *a.* ⟨*non com*⟩ (*precedente*) previous, former.

pregustamẹnto *m.* ⟨*non com*⟩ foretaste, foretasting, anticipation. – **pregustạre** *v.t.* to look forward to, to foretaste: ~ *la gioia delle vacanze* to look forward to one's holidays. – **pregustatọre** *m.* (*f.* **-trice**) **1.** foretaster. – **2.** ⟨*Stor.rom*⟩ taster. – **pregustaziọne** *f.* ⟨*lett*⟩ foretaste, foretasting, anticipation.

pre|indeuropẹo *a./s.* → **preindoeuropeo.** – **~indicạto** *a.* ⟨*non com*⟩ (*sopraindicato*) above-mentioned, aforesaid, afore-mentioned. – **~indoeuropẹo I** *a.* ⟨*Ling*⟩ pre-Indo-European. – **II** *s.m.* pre-Indo -European. – **~ipọfisi** *f.* ⟨*Anat*⟩ prehypophysis.

preịre *v.i.dif.* (used only in the following forms: *pr.ind.* **preịte**; *impf.* **preịva, preịvano**; *fut.* **preirẹmo, preirẹte**; *p.rem.* **preịsti, preịrono**; *p.p.* **preịto**; *aus.* essere) ⟨*ant*⟩ (*andare avanti*) to go before, to precede.

preistọria *f.* **1.** prehistory. – **2.** ⟨*estens*⟩ (*prime origini*) early history, beginnings *pl.* – **preistọrico** *a.* (*pl.* **-ci**) **1.** (*della preistoria*) prehistoric. – **2.** ⟨*scherz*⟩ (*stravecchio*) ancient, antediluvian.

prelatẹsco *a.* (*pl.* **-chi**) ⟨*spreg*⟩ prelate-like.

prelatịno I *a.* pre-Latin. – **II** *s.m.* pre-Latin.

prelatịzio[1] *a.* ⟨*Dir*⟩ preferential.

prelatịzio[2] *a.* (*da prelato*) prelatic(al), prelate's: *abito* ~ prelate's dress.

prelạto *m.* ⟨*Rel.catt*⟩ prelate. – **prelatụra** *f.* **1.** prelacy, prelature, prelateship. – **2.** ⟨*collett*⟩ prelacy, prelatry, prelature, prelates *pl.*

prelaziọne *f.* **1.** ⟨*Dir*⟩ pre-emption. – **2.** ⟨*ant*⟩ (*preferenza*) preferment, ⟨*lett*⟩ prelation. □ ⟨*Dir*⟩ *diritto di* ~ right of pre-emption; ⟨*Econ*⟩ pre-emptive right.

prelegatạrio *m.* (*f.* **-a**) ⟨*Dir*⟩ prelegatee. – **prelegạto** *m.* pre-legacy, preferential legacy.

pre|lẹggi *f.pl.* ⟨*Dir*⟩ preliminary provisions *pl* (to the Civil Code). – **~letterạrio** *a.* preliterary.

prelevamẹnto *m.* **1.** taking: ~ *di un campione* taking of a sample. – **2.** ⟨*Econ*⟩ withdrawal, drawing: ~ *di capitali* withdrawal of capital; ~ *in contanti* cash withdrawal; (*somma prelevata*) sum withdrawn, drawings *pl.* □ *buono di* ~ withdrawal slip; *fare un* ~ to withdraw money; ~ *del sangue* taking of a blood sample.

prelevạre *v.t.* (**prelẹvo**) **1.** to take: ~ *un campione* to take a sample. – **2.** ⟨*estens*⟩ (*requisire*) to requisition, to seize, to commandeer, to take over; (*catturare*) to capture, to take (prisoner); (*arrestare*) to arrest. – **3.** ⟨*scherz*⟩ (*passare a prendere*) to collect, to pick up: *verrò a prelevarti verso le dieci* I shall come and pick you up at about ten. – **4.** ⟨*Econ*⟩ to withdraw, to draw: ~ *denaro da un conto* to draw money from an account.

preleziọne *f.* ⟨*ant*⟩ (*lezione introduttiva*) preliminary (*o* introductory) lesson.

preliạre *v.i.* (**prẹlio, prẹli**; *aus.* **avere**) ⟨*ant*⟩ (*combattere*) to fight.

prelibạre *v.t.* ⟨*lett*⟩ **1.** (*gustare in anticipo*) to foretaste. – **2.** (*trattare brevemente*) to deal briefly with; (*trattare prima*) to deal first with. – **prelibatẹzza** *f.* choiceness, deliciousness, excellence. – **prelibạto** (*p.p. di prelibare*) *a.* **1.** (*squisito*) choice, delicious, excellent: *un piatto* ~ a choice dish; *vino* ~ excellent wine. – **2.** ⟨*ant*⟩ (*accennato in precedenza*) afore-mentioned, dealt with before. – **prelibaziọne** *f.* **1.** foretasting, foretaste. – **2.** ⟨*Etnol*⟩ defloration.

preliẹvo *m.* **1.** taking, collecting: ~ *del sangue* taking of a blood sample. – **2.** ⟨*Econ*⟩ withdrawal, drawing; (*somma prelevata*) sum withdrawn, drawings *pl.*

preliminạre I *a.* preliminary, introductory: *osservazioni -i* introductory remarks. – **II** *s.m.* **1.** preliminary, premise. – **2.** ⟨*Dir*⟩ promise: ~ *di vendita* promise to sell. – **3.** *pl.* ⟨*Dipl*⟩ preliminaries *pl*: *-i di pace* peace preliminaries, preliminaries to peace. – **4.** *pl.* ⟨*Tip*⟩ preliminaries *pl*, front matter. – **preliminarmẹnte** *avv.* preliminarily: *esaminare* ~ to examine preliminarily, to make a preliminary examination (of).

prelinneạno *a.* ⟨*Zool*⟩ pre-Linnaean.

prẹlio *m.* ⟨*ant*⟩ (*battaglia*) battle.

pre|lodạto *a.* ⟨*non com*⟩ (*sunnominato*) above-mentioned, aforesaid. – **~lọgico** *a.* (*pl.* **-ci**) ⟨*Psic*⟩ prelogical. – **~logịsmo** *m.* prelogic.

prelụdere *v.i.* (**prelụsi, prelụso**; *aus.* **avere**) **1.** (*preannunciare*) to prelude, to foreshadow, to forebode, to betoken (*a qc.* s.th.), to be a sign (of): *queste nuvole preludono a un temporale* these clouds forebode a storm. – **2.** (*introdurre, fare una premessa*) to introduce, to prelude (s.th.).

preludiạre *v.i.* (**prelụdio, prelụdi**; *aus.* **avere**) **1.** ⟨*Mus*⟩ to prelude. – **2.** ⟨*fig*⟩ (*preannunciare*) to prelude, to forebode (*a qc.* s.th.). – **prelụdio** *m.* **1.** ⟨*Mus*⟩ prelude. – **2.** ⟨*estens*⟩ (*introduzione*) prelude, introduction. – **3.** ⟨*fig*⟩ (*preannuncio*) prelude, (warning) sign, token: *il* ~ *della guerra* the prelude to war; *fatto che è* ~ *di una crisi* warning sign of an approaching crisis.

prelụsi *p.rem. di* **preludere.** – **prelụso** *p.p. di* **preludere.**

pre-maman *fr.* [-ˈmã] **I** *a.* ⟨*Mod*⟩ maternity-. – **II** *s.m.* maternity dress.

prematrimoniạle *a.* prematrimonial: *visita* ~ prematrimonial examination.

prematurạnza, prematurità *f.* prematurity (*anche Med.*).

prematụro I *a.* **1.** (*anticipato*) premature, (too) early; (*precipitoso*) (over-)hasty, precipitate: *decisione -a* hasty decision. – **2.** (*precoce*) early, premature, untimely: *morte -a* untimely death. – **3.** ⟨*Med*⟩ premature: *parto* ~ premature birth. – **II** *s.m.* ⟨*Med*⟩ (*neonato prematuro*) premature baby, pre(e)mie.

premeditạre *v.t.* (**premẹdito**) to premeditate, to plan (*o* consider) beforehand: ~ *un delitto* to premeditate a crime. – **premeditatamẹnte** *avv.* premeditatedly, with premeditation. – **premeditạto** (*p.p. di premeditare*) *a.* premeditated (*anche Dir.*): *omicidio* ~ premeditated murder. – **premeditaziọne** *f.* **1.** premeditation, planning. – **2.** ⟨*Dir*⟩ premeditation. □ ⟨*Dir*⟩ *con* ~ with premeditation, premeditated, with malice aforethought, with malicious (*o* criminal) intent: *delitto con* ~ premeditated crime.

premẹnte (*p.pr. di premere*) *a.* pressing.

prẹmere *v.* (**premẹi/premẹtti/***ant.* **prẹssi, premụto/***ant.* **prẹsso**) **I** *v.t.* **1.** to press: ~ *un pulsante* to press (*o* push) a button; ~ *il pedale* to press (*o* put one's foot on) the pedal. – **2.** (*spingere*) to press (upon, against): *la folla lo premeva da ogni parte* the crowd pressed upon him from all sides. – **3.** (*spremere*) to squeeze, to squash: ~ *un limone* to squeeze a lemon. – **4.** ⟨*fig,lett*⟩ (*opprimere*) to oppress, to burden: ~ *con le tasse* to burden with taxes. – **5.** (*tormentare*) to torment, to afflict: *un affanno che preme il cuore* a trouble which afflicts the heart. – **II** *v.i.* (*aus.* **avere**) **1.** to press: ~ *col dito su un pulsante* to press on a button. – **2.** (*opprimere, gravare*) to bear down, to oppress. – **3.** ⟨*fig*⟩ (*far pressione*) to put (*o* exert) pressure, to bring pressure to bear (*su qd.* on s.o.), to press (s.o.): ~ *sugli alunni perché studino di più* to ⸢put pressure on⸣ (*o* urge) the pupils to study harder; (*insistere*) to insist, to press: *non* ~ *troppo su questo tasto* don't insist too much on this subject. – **4.** (*incalzare*) to press, to bear down upon: *i nemici premono da ogni parte* our enemies are pressing from all sides. – **5.** ⟨*fig*⟩ (*stare a cuore*) to matter, to be important (*o* of interest), to care (*o* worry) about (*costr. pers.*), to be anxious (about) (*costr. pers.*), to be concerned (*costr. pers.*): *mi preme la tua salute* your health matters (*o* is important) to me, I care about your well-being; *se non preme a te* if you don't care; *mi preme di finire il lavoro* I am anxious to finish the work. – **6.** ⟨*fig*⟩ (*essere urgente*) to be urgent (*o* pressing): *non è affare che prema* it is not an urgent matter.

premẹssa *f.* **1.** (*preambolo*) preamble; (*introduzione*) introduction. – **2.** ⟨*Filos*⟩ premise, premiss. □ *fare una* ~ to make a preliminary (*o* an introductory) statement; ⟨*Filos*⟩ ~ *maggiore* major premise; ⟨*Filos*⟩ ~ *minore* minor premise; *senza tante -e* straight to the point, without beating around the bush.

premẹsso (*p.p. di premettere*) *a.* already stated, stated in advance; (*precedente*) previous, preceding. □ *ciò* ~ that being said (*o* stated), having stated this; ~ *che* since, considering that: ~ *che tu abbia ragione* considering that you are right; (*nella terminologia giuridica*) whereas.

premestruạle *a.* ⟨*Fisiol*⟩ premenstrual.

premẹttere *v.t.* (**premịsi, premẹsso**) **1.** to state first (*o* beforehand, in advance), to start by saying, to premise: *vorrei* ~ *che non avevo l'intenzione di offenderti* I should like to start by saying that I didn't mean to offend you. – **2.** (*far precedere*) to put (*o* give, set out) beforehand, to premise: ~ *un'introduzione a un libro* to premise a book with an introduction; ~ *alcune osservazioni di carattere informativo* to premise some general remarks for information; ~ *il nome al cognome* to put one's first name before one's surname.

premiạbile *a.* ⟨*non com*⟩ deserving a prize, prize-worthy. – **premiạndo** *m.* (*f.* **-a**) ⟨*non com*⟩ prize-winner.

premiạre *v.t.* (**prẹmio, prẹmi**) **1.** to give (*o* award) a prize to: *premiarono gli scolari migliori* they awarded prizes to the best pupils. – **2.** (*ricompensare*) to reward, to repay, to recompense: ~ *la diligenza di qd.* to reward s.o.'s diligence. – **premiạto** (*p.p. di premiare*) **I** *a.* prize-winning, given (*o* awarded) a prize: *la -a ditta* the prize-winning firm. – **II** *s.m.* (*f.* **-a**) prize-winner: *l'elenco dei -i* the list of prize-winners. – **premiatọre** ⟨*non com*⟩ **I** *s.m.* (*f.* **-trice**) prize-giver. – **II** *a.* prize-giving. – **premiaziọne** *f.* **1.** (*il premiare*) giving (*o* awarding) of prizes. – **2.** (*cerimonia*) prize-giving. □ *giorno della* ~ prize(-giving) day.

premibadẹrna *m.inv.* → **premistoppa.**

prẹmice *a.* ⟨*Bot*⟩ easy to crack, easily crushed, soft(-shelled).

premier *ingl.* [ˈpremjər] *m.* Premier, Prime Minister.

première *fr.* [prəmˈjɛːr] *f.* **1.** ⟨*Teat*⟩ première, first (*o* opening) night. – **2.** ⟨*Sart*⟩ forewoman.

premilamiẹra *f.inv.* ⟨*tecn*⟩ blank holder.

premilitạre I *a.* ⟨*Fasc*⟩ premilitary. – **II** *s.f.* premilitary instruction. – **III** *s.m.* one who follows a premilitary course of instruction, member of a premilitary youth movement.

preminẹnte *a.* pre-eminent, prominent, superior, outstanding. – **preminẹnza** *f.* pre-eminence, prominence, superiority: *avere la* ~ *su tutti* to have pre-eminence over all.

prẹmio *m.* **1.** prize, award: *vincere un* ~ to win a prize; *assegnare un* ~ *a qd.* to award a prize to s.o., to give s.o. a prize. – **2.** (*ricompensa*) reward, recompense: *la virtù è* ~ *a se stessa* virtue is its own reward. – **3.** (*premiato*) prize-winner. – **4.** (*ciò che si vince*) prize: *estrazione dei -i* drawing of the prizes. – **5.** ⟨*Comm*⟩ bounty, rebate, premium, bonus: ~ *all'esportazione* export bounty. – **6.** ⟨*As-*

sic⟩ premium: ~ *d'assicurazione* insurance premium; ~ *annuale* annual premium. – **7.** ⟨*burocr*⟩ (*indennità*) allowance, bonus: ~ *d'anzianità* long-service bonus. – **8.** ⟨*Econ*⟩ (*aggio*) agio, premium. ☐ ~ *di* **acceleramento** (o *allestimento*) dispatch money; ~ *di* **assicurazione** insurance premium; **avere** *in* ~ to receive as a prize, to be awarded; ~ *di* **consolazione** consolation prize; ~ *a* **dare** premium for the put; ~ *in* **denaro** cash prize; ⟨*Econ*⟩ ~ *d'***emissione** issuing (*o* share) premium; ~ **estratto** prize drawn; ~ *di* **fedeltà** refund, rebate; (*rif. a impiegati*) bonus; ⟨*Assic*⟩ ~ **fisso** fixed premium; ~ **forfettario** inclusive premium, lump-sum bonus; *avere il* **giusto** ~ to be properly rewarded; ⟨*Sport*⟩ **Gran** ≈ Grand Prix; **in** ~ *di* as a reward for; ~ *d'***incentivo** incentive bonus; (*per stimolare attività artistiche o ricerche*) grant; ~ *d'***ingaggio** transfer (*o* signing-on) fee, ⟨*am*⟩ bonus; ~ **letterario** literary award; ~ *di* **maternità** (o *nascita*) maternity bonus; ~ **Nobel** (*istituzione*) Nobel Prize; (*vincitore*) Nobel prize-winner; ~ *di* **nuzialità** marriage bonus; ⟨*Econ*⟩ **operazioni** *a* ~ options *pl*; ~ *d'***operosità** bonus for hard work; ~ *di* **perequazione** equalization bonus; ~ *di* **presenza** attendance prize; ~ *per* **prestazioni** *straordinarie* task bonus; ~ *di* **produzione** (o *produttività, rendimento*) production bonus; ~ *a* **ricevere** premium for the call; **riportare** *un* ~ to win (*o* be awarded) a prize; ~ *di* **risparmio** savings bonus; **vendite** *a* ~ premium sales.

premi|stọffa *a./s.inv.* **I** *a.* ⟨*Lav.femm*⟩ presser-. – **II** *s.m.* (presser) foot. – **~stọppa** *m.inv.* ⟨*tecn*⟩ stuffing box.

prẹmito *m.* ⟨*Med*⟩ cramp, contraction.

premitrẹcce *m.inv.* → **premistoppa.**

premitụra *f.* ⟨*rar*⟩ **1.** (*il premere*) pressing. – **2.** (*pressione*) pressure.

premodulaziọne *f.* ⟨*Rad*⟩ premodulation.

pre|molạre I *a.* ⟨*Anat*⟩ premolar: *denti -i* premolar teeth, premolars. – **II** *s.m.* premolar. – **~monạstico** *a.* (*pl.* **-ci**) ⟨*Rel*⟩ secular, before taking the habit. – **~mọnda** *f.* ⟨*Agr*⟩ first weeding.

premonịre *v.t.* (**premonịsco, premonịsci**) ⟨*lett*⟩ to forewarn, to warn, ⟨*lett*⟩ to premonish. – **premonitọre I** *s.m.* (*f.* **-trice**) forewarner, ⟨*lett*⟩ premonitor. – **II** *a.* → **premonitorio.** – **premonitọrio** *a.* warning, premonitory. – **premoniziọne** *f.* **1.** (*ammonizione anticipata*) premonition, forewarning. – **2.** ⟨*Psic*⟩ premonition.

premontạggio *m.* ⟨*tecn*⟩ pre-assembly. – **premontạre** *v.t.* (**premọnto**) to pre-assemble.

premoriẹnza *f.* ⟨*Dir*⟩ pre-decease, prior decease: *in caso di* ~ in case of prior decease. – **premorịre** *v.i.* (**premuọio, premuọri; premorịi, premọrto;** → **morire;** *aus.* **essere**) to pre-decease, to provide before (*a qd.* s.o.). – **premọrte** *f.* → **premorienza.** – **premọrto** (*p.p. di premorire*) *a.* pre-deceased.

premostrạre *v.t.* (**premọstro**) ⟨*rar*⟩ to show beforehand, to foreshow.

premostratẹnse I *a.* ⟨*Rel*⟩ Premonstratensian: *regola* ~ Premonstratensian rule. – **II** *s.m.* Premonstratensian, White Canon, Norbertine.

premoziọne *f.* ⟨*Rel*⟩ premotion.

premunịre *v.t.* (**premunịsco, premunịsci**) **1.** (*munire anticipatamente*) to fortify (beforehand), to strengthen; (*mettere in guardia*) to warn (*contro* against). – **2.** ⟨*fig*⟩ to preserve (from). – **premunirsi** *v.r.* **1.** to protect o.s., to take precautions: *premunirsi contro una malattia* to protect o.s. against an illness. – **2.** (*provvedersi di*) to provide o.s. with: *premunirsi di una rivoltella* to provide (*o* arm) o.s. with a revolver. – **premuniziọne** *f.* ⟨*non com*⟩ **1.** fortification, protection. – **2.** ⟨*Med*⟩ premunition.

premụra *f.* **1.** (*sollecitudine*) care, solicitude, attention: *avrò* ~ *di comunicarti la notizia al più presto* I shall take care to notify you as soon as possible. – **2.** (*gentilezza*) kindness, thoughtfulness: *era pieno di -e per noi* he was ⌜full of kindness⌝ (*o* very kind) to us. – **3.** (*fretta, urgenza*) haste, hurry, urgency: *ho* ~ *di partire* I am in a hurry to leave. – **4.** ⟨*concr*⟩ (*azione premurosa*) kindness, kind (*o* thoughtful) action, attention. ☐ *con* ~ with care, carefully: *lavorare con* ~ to work carefully, to take pains over one's work; *darsi* (*o farsi*) ~: 1. (*avere cura*) to take care, to take pains (*o* trouble); 2. (*preoccuparsi*) to worry; *di* ~ (*urgente*) urgent, pressing; (*importante*) important; *far* ~ *a qd.* to tell s.o. to hurry up, to hurry s.o. up, ⟨*fam*⟩ to put pressure (*o* the screws) on s.o.

premurạre *v.t.* ⟨*non com*⟩ (*far premura*) to hurry, to urge, ⟨*fam*⟩ to put pressure (*o* the screws) on. – **premurarsi** *v.r.* to take care, to be careful, to see to it. – **premurosamẹnte** *avv.* **1.** (*con sollecitudine*) carefully, with care. – **2.** (*gentilmente*) kindly, thoughtfully. – **premurosità** *f.* thoughtfulness, attentiveness. – **premurọso** *a.* **1.** (*sollecito*) careful, solicitous. – **2.** (*gentile*) kind; (*pieno di riguardi*) thoughtful, attentive: *un marito* ~ a thoughtful husband.

pre|narcọsi *f.* ⟨*Med*⟩ pre-narcosis. – **~narrạto** *a.* ⟨*ant*⟩ **1.** (*narrato precedentemente*) told before, previously narrated. – **2.** (*suddetto*) above-mentioned, aforesaid, foregoing. – **~natạle** *a.* pre-natal.

prẹnce *m.* ⟨*ant,poet*⟩ (*principe*) prince.

prẹndere *v.* (**prẹsi**/*ant.* **prendẹi**/*ant.* **prendẹtti, prẹso**/*ant.* **prịso**) **I** *v.t.* **1.** to take: ~ *un bambino in braccio* to take a child in one's arms. – **2.** (*afferrare*) to seize, to catch (hold of), to take (hold of), to grip, to grasp, ⟨*fam*⟩ to grab: ~ *qd. per un braccio* to catch ⌜s.o.'s arm⌝ (*o* s.o. by the arm); ~ *con le pinze* to grip with pliers. – **3.** (*portare con sé*) to take: *ho preso l'ombrello perché piove* I took my umbrella because it's raining; (*farsi accompagnare*) to take: *prese con sé tre uomini fidati* he took three trusted men with him. – **4.** (*ritirare, andare a prendere*) to collect, to get, to fetch, to pick up: ~ *le valigie alla stazione* to collect (*o* pick up) the suitcases at the station; *vado a* ~ *i bambini a scuola* I'm going to collect the children from school. – **5.** (*rif. a cibi, bevande e sim.*) to have, to take: *prendo solo un dito di vino* I'll just have a little wine; ~ *una medicina* to take a medicine. – **6.** (*incamminarsi*) to take, to set off (along), to go by: *prendi la seconda strada a destra* take the second turn to the right; ~ *una direzione sbagliata* to go (*o* set off) in the wrong direction. – **7.** (*rubare*) to steal, ⟨*fam*⟩ to pinch: *gli hanno preso il portafoglio* his wallet has been stolen. – **8.** (*catturare, far prigioniero*) to catch, to capture, to take prisoner: *ho preso il ladro* I caught the thief; (*sorprendere*) to catch (at): *guai a te se ti ci prendo* you'll be sorry if I catch you at it. – **9.** (*far preda a caccia, a pesca*) to catch, to bag, to take; (*uccidere*) to kill. – **10.** (*percepire, guadagnare*) to earn, to get, to make: *quanto prendi all'ora?* how much do you make an hour?; (*rif. a professionista*) to charge; (*chiedere*) to ask: *quanto prendi per lezione?* how much do you ask per lesson? – **11.** (*ottenere con studio, con fatica*) to win, to get, to earn, to take, to succeed in getting: ~ *la laurea* to get a degree. – **12.** (*buscarsi*) to be given (*o* dealt), to get: ~ *una botta in testa* to be dealt a blow on the head. – **13.** (*comprare*) to buy, to get: *ho preso un vestito* I bought a dress. – **14.** (*rif. a sentimenti*) to take: ~ *piacere a qc.* to ⌜take a liking to⌝ (*o* get to like) s.th.; ~ *coraggio* to take courage. – **15.** (*assumere*) to engage, to employ, to hire, to take on: ~ *una cameriera* to engage a maid. – **16.** (*colpire, percuotere*) to hit: ~ *qd. a sassate* to hit (*o* pelt) s.o. with stones. – **17.** (*conquistare*) to conquer, to take: *la città fu presa per fame* the city was conquered by starving it out. – **18.** (*occupare*) to take up, to occupy: *questo tavolo prende troppo posto* this table takes up too much room. – **19.** (*trattare*) to treat, to deal with, to handle: *so ben io come* ~ *i bambini capricciosi* I know how to deal with naughty children; ~ *qd. con le buone* to treat (*o* handle) s.o. tactfully. – **20.** (*rif. a malattie, abitudini e sim.: contrarre*) to catch, to get: ~ *un raffreddore* to catch a cold; ~ *un vizio* to get (*o* acquire) a bad habit. – **21.** (*rif. a studi e sim.: scegliere*) to go in for, to take, ⟨*fam*⟩ to do: *ha preso medicina* he ⌜has gone in for⌝ (*o* is doing) medicine. – **22.** (*rif. ad aspetto, odore e sim.: assumere*) to take (on), to get, to acquire: ~ *odore di muffa* to get a musty smell. – **23.** (*derivare*) to adopt, to get, to derive, to take: ~ *un'usanza da qd.* to adopt a custom from s.o.; *è un'abitudine che ha preso dalla madre* it's a habit he got (*o* learnt) from his mother. – **24.** (*scambiare*) to take, to mistake, to think: *ti avevo preso per tuo fratello* I took you for your brother, I thought you were your brother; *per chi m'hai preso?* who do you take me for? – **25.** (*nei giochi*) to catch. – **26.** ⟨*Fot*⟩ to take, to photograph, ⟨*fam*⟩ to snap: ~ *qd. di profilo* to photograph s.o. in profile. – **27.** ⟨*lett*⟩ (*prendere in moglie*) to marry. – **II** *v.i.* (*aus.* **avere**) **1.** (*attecchire*) to (take) root: *ho piantato una rosa, ma pare che non voglia* ~ I planted a rose but it doesn't seem to be taking root; (*crescere*) to grow. – **2.** (*accendersi*) to light, to take: *il fuoco non prende* the fire won't light. – **3.** (*rapprendersi*) to set: *la malta non prende* the mortar will not set. – **4.** (*avviarsi*) to go, to set off, to strike out; (*voltare*) to turn: ~ *a destra* to turn right. – **5.** ⟨*Mar*⟩ (*rif. all'ancora*) to grip, to bite, to hold. – **prendersi** *v.r.* **1.** ⟨*non com*⟩ (*aggrapparsi*) to catch (*o* seize) hold of: *si prese alla sponda del letto* he caught hold of the edge of the bed. – **2.** ⟨*recipr*⟩ (*afferrarsi*) to catch (*o* seize) e.o. – **3.** ⟨*recipr*⟩ (*andare d'accordo*) to get along (*o* on well together).

☐ ~ **a** [*inf*] (*cominciare*) to start, to begin, to take to: *prese a lamentarsi* he started complaining; ~ *l'***abito** (*farsi prete*) to become a priest, to take orders; ~ *un'***abitudine** to get into a habit; ~ *l'abitudine di bere* to turn (*o* take) to drink; *che ti prenda un* **accidente**! blow (*o* blast) you!; ~ *in* **affitto** to rent; **andare** *a* ~ to go and get, to (go and) fetch; (*ritirare, prelevare*) to collect, to pick up; ~ *in* **appalto** to take on contract; ~ **appunti** to take notes; ~ **aria** to get some air; ~ *le* **armi** to take up arms; ⟨*Mil*⟩ ~ *d'***assalto** to storm; ~ **atto** *di qc.* to take note of s.th., to note s.th.; ~ *un* **bagno** to have (*o* take) a bath; ~ *qd. per il* **bavero** = *prendere in* **giro** *qd.*; ~ *a* **benvolere** to get (*o* come) to like, to become fond of; ~ *a* **bordo** to take on (board); ~ *qd. con le* **buone** to treat s.o. tactfully (*o* gently); ~ *qd. a* **calci** to kick s.o.; ~ **casa** to take up residence, to settle in; ~ *qd. con le* **cattive** to be rude (o unpleasant) to s.o.; ~ *in* **collo** to take in one's arms, to pick up; *prendersela* **comoda** to take things easy; *prendersela* **con** *qd.* to get angry with s.o.; (*incolparlo*) to blame s.o.; *prendersela con il destino* to curse one's fate (*o* luck), to rail against fate; ~ **congedo** *da* to take one's leave of; ~ *in* **consegna** *qc.* to take delivery of s.th.; ~ *in* **considerazione** to take into consideration, to consider; ~ **contatto** *con qd.* to get in touch with s.o., to contact s.o.; ~ *a* **cuore** to take to heart; *prendersi* **cura** *di qd.* to take care of s.o., to look after s.o.; ~ *alle proprie* **dipendenze** to engage, to take on, to employ, to hire; ~ *qd. in* **disparte** to take (*o* draw) s.o. aside; ~ *in* **esame** to examine; ~ *qd. in* **fallo** to catch s.o. out (*o* red-handed); **fare** *a prendersi* (*nei giochi da bambini*) to play tag; ~ *la* **fuga** to run away, to flee; ~ **fuoco** to catch fire; ⟨*fig*⟩ ~ *in* **giro** *qd.* to tease (*o* make fun of) s.o., ⟨*fam*⟩ to pull s.o.'s leg, ⟨*fam*⟩ to take the mickey out of s.o.; *prenderci* **gusto** to acquire a taste for, to take to, to begin to like; ~ *un* **impegno** to take s.th. on, to make an engagement, to commit o.s.; ~ **informazioni** to make inquiries; *prenderla* **larga** = *prenderla alla* **lontana**; ~ *il* **largo**: 1. ⟨*Mar*⟩ = *prendere il* **mare**; 2. ⟨*fig*⟩ (*squagliarsela*) to clear off, to make o.s. scarce, ⟨*fam*⟩ to take a powder; ~ *o* **lasciare** take it or leave it; ~ *alla* **lettera** to take literally; *prenderla* ⌜*alla* **lontana**⌝ (o *da lontano*) to approach indirectly; **mandare** *a* ~ to send for; ~ *la* **mano**: 1. ⟨*Equit*⟩ to bolt, to run away, to get out of control; 2. ⟨*fig*⟩ (*rif. a persone*) to get out of hand; ~

in mano qc. to take s.th. in one's hand, to take hold of s.th.; ⟨*fig*⟩ to take charge of s.th., to see to s.th.; ~ *il* **mare** to put out to sea, to set sail; ~ *per* **marito** to marry; ~ *la* **mira** to take aim; ~ *di mira qc.* to aim at s.th.; ⟨*fig*⟩ ~ *di mira qd.* to attack s.o., to ⌜have it in for⌝ (*o* go after) s.o.; ~ (*delle*) **misure** to take steps; ~ *in* **moglie** to marry, ⟨*lett*⟩ to take to wife; ⟨*fig*⟩ ~ *qd. con le* **molle** ⟨*fam*⟩ to handle s.o. with kid gloves; ⟨*iperb*⟩ *da* ~ *con le molle* dreadful: *è un errore da* ~ *con le molle* it's a dreadful (*o* gross) blunder; ~ *qc. per buona* **moneta** to take s.th. ⌜as genuine⌝ (*o* at its face value), to believe s.th. implicitly; ~ *qd. per il* **naso** (*ingannarlo*) to fool s.o., to hoodwink s.o.; ~ *a* **nolo** to rent, to hire; ~ **nota** *di qc.* to (take) note of s.th.; ~ *in* **odio** *qd.* to come to hate s.o.; ~ *qc. per* **oro** *colato* = *prendere qc. per buona* **moneta**; *prendersela in santa* **pace** to take things easy; ~ *la* **parola** to take the floor, to speak; ~ *qd. in parola* to take s.o. at his word; ~ *a male parole* to abuse, to be rude to; ~ **parte** *a qc.* (*partecipare*) to take part in s.th.; ~ *qc. in mala parte* to take s.th. amiss; ~ *qd. a* **pedate** = *prendere qd. a* **calci**; ~ *in* **pegno** to take as a pledge; *prendersi* **pensiero** to get worried; ~ **per**: 1. (*stimare*) to think, to consider: *l'aveva preso per un brav'uomo* she considered him a good man; 2. (*scambiare*) to take, to mistake, to think: *ti avevo preso per Giovanni* I mistook you for John; ~ *di* **peso** to lift up (bodily), to hoist; ⟨*fig*⟩ ~ *di* **petto** *qd.* to stand (*o* face) up to s.o.; ~ **piede** (*diventar di moda*) to become fashionable, to catch on; (*rif. ad abitudini: attecchire*) to take root; ~ *una* **posizione** to take a stand; ~ *un* **posto** to take a seat; ~ **pratica** *di qc.* to get ⌜practice in⌝ (*o* experience of) s.th.; ~ *in* **prestito** to borrow; ~ (*dei*) **provvedimenti** = *prendere* (*delle*) **misure**; ~ *qd. a* **pugni** to punch s.o.; ~ *di* **punta** *qc.* (*affrontarla con decisione*) to face s.th. squarely; ~ **ripetizioni** to take private lessons; ~ *qd. con le mani nel* **sacco** = *prendere qd. in* **fallo**; ~ *una* **sbornia** to get drunk; ~ *qd. a* **schiaffi** to slap s.o.; ~ *con* **sé** (*in casa*) to take into one's home; (*portare con sé*) to take with one; ~ *al proprio* **servizio** to employ, to take on; ~ *il* **sole** to sunbathe; ~ **sonno** to fall asleep; ⟨*fig*⟩ ~ **sopra** *di sé* to take on (*o* over), to undertake; ~ *di* **sorpresa** to take by surprise; ⟨*fig*⟩ ~ *qd. alle* **spalle** to stab s.o. in the back; ~ **su** (*raccattare*) to pick up; ⟨*fig*⟩ ~ *qd. in* **trappola** to catch s.o. out; ~ *qd. in* **uggia** to come to dislike s.o., ⟨*fam*⟩ to get tired of s.o.; ~ *il* **velo** (*farsi monaca*) to take the veil; **venire** *a* ~ to call (*o* come) for; (*ritirare, prelevare*) to collect, to pick up, to come and fetch (*o* get), to come for. || ⟨*fam*⟩ *che ti prende?* what's the matter with you?, ⟨*fam*⟩ what's up (with you)?; *prendersela* to be annoyed (*o* upset), to take s.th. amiss: *non te la* ~*!* don't worry!, don't get upset about it!; ⟨*fam*⟩ *prenderle* (*o prenderne, prendercele*) to be beaten, to get a hiding; (*rif. a bambini*) to get a spanking.

prendịbile *a.* takable. – **prendibilità** *f.* ⟨*non com*⟩ takability. – **prendimẹnto** *m.* ⟨*ant*⟩ (*il prendere*) taking.

prendisọle *m.inv.* **1.** (*costume da spiaggia*) sun-suit, beach outfit. – **2.** (*abito molto scollato*) sun-dress.

prenditọre *m.* (*f.* **-trice**) **1.** taker, receiver. – **2.** ⟨*Sport*⟩ (*nel baseball*) catcher. – **3.** ⟨*Tip*⟩ inking roller. – **4.** ⟨*Econ*⟩ payee: ~ *di cambiale* payee of a bill. – **5.** ⟨*ant*⟩ (*ricevitore del lotto*) receiver (for the State lottery).

prenditorịa *f.* ⟨*ant*⟩ (*ricevitoria del lotto*) State lottery office.

preneolịtico *a./s.* (*pl.* **-ci**) **I** *a.* pre-Neolithic. – **II** *s.m.* pre-Neolithic period.

Prenestịna *N.pr.f.* (*anche via Prenestina*) Via Prenestina. – **prenestịno I** *a.* (*dell'antica Preneste*) Praenestine, of Praeneste; (*di Palestrina*) of Palestrina. – **II** *s.m.* (*f.* **-a**) (*abitante di Preneste*) Praenestine, inhabitant of Praeneste; (*abitante di Palestrina*) inhabitant of Palestrina.

prenọme *m.* **1.** (*nome individuale*) given (*o* first) name. – **2.** ⟨*Stor. rom*⟩ praenomen.

prenominạto *a.* ⟨*lett*⟩ aforesaid, above-mentioned.

prenotạnte *m./f.* person booking (*o* reserving).

prenotạre *v.t.* (**prenọto**) to book, to reserve: ~ *una camera* to book a room. – **prenotarsi** *v.r.* to put one's name down, to book, to make a booking (*o* reservation): *prenotarsi per una gita* to book for an excursion. – **prenotạto** (*p.p. di prenotare*) *a.* reserved, booked, taken. – **prenotaziọne** *f.* **1.** booking, reservation. – **2.** ⟨*concr*⟩ (*documento, ricevuta*) booking (o reservation) slip.

prenoziọne *f.* ⟨*Filos*⟩ prenotion.

prẹnsile *a.* ⟨*Zool*⟩ prehensile: *coda* ~ prehensile tail.

prensiọne *f.* **1.** (*il prendere*) prehension, taking (hold): *organi di* ~ organs of prehension. – **2.** (*presa*) grip.

prenunziạre *v.t.* (**prenụnzio, prenụnzi**) ⟨*non com*⟩ (*preannunciare*) to foretell. – **prenunziatọre** *m.* (*f.* **-trice**) ⟨*non com*⟩ (*preannunciatore*) foreteller.

prenunziaziọne *f.*, **prenụnzio** *m.* ⟨*rar*⟩ (*preannuncio*) foretelling, prediction.

prẹnze *m.* ⟨*ant*⟩ (*principe*) prince.

preoccupạnte (*p.pr. di preoccupare*) *a.* worrying, worrisome.

preoccupạre *v.t.* (**preọccupo**) **1.** to worry, to make anxious, to trouble: *è questo che mi preoccupa* that's what worries me. – **2.** ⟨*ant*⟩ (*occupare in precedenza*) to preoccupy, to occupy beforehand. – **3.** ⟨*fig,ant*⟩ (*predisporre*) to predispose. – **preoccuparsi** *v.r.* **1.** to be worried (*o* concerned), to be anxious (*di, per* about): *non te ne* ~ don't worry (about it); *mi preoccupo per la sua salute* I am anxious about his health. – **2.** (*prendersi cura*) to be careful, to take care, to make sure (*o* certain) (of): *mi sono preoccupato di spedirgli in tempo le valigie* I made sure I sent him the suitcases in time.

preoccupạto (*p.p. di preoccupare*) *a.* worried, troubled (*per, di* about, by), anxious (about): *essere* ~ *per il ritardo* to be worried about the delay.

preoccupaziọne *f.* **1.** worry, problem, anxiety, care, trouble: *avere delle -i* to have problems (*o* something on one's mind). – **2.** ⟨*Ret, non com*⟩ (*prolessi*) prolepsis, ⟨*ant*⟩ preoccupation. – **3.** ⟨*ant*⟩ (*l'occupare in precedenza*) preoccupation, previous occupation. – **4.** ⟨*fig, ant*⟩ (*idea preconcetta*) preconception.

pre|olimpiọnico *a.* (*pl.* **-ci**) ⟨*Sport*⟩ Olympic trial-. – **~omẹrico** *a.* (*pl.* **-ci**) pre-Homeric. – **~omịnide** *m.* ⟨*Paleont*⟩ prehuman. – **~opinạnte I** *a.* ⟨*burocr*⟩ who spoke previously, who has already expressed an opinion. – **II** *s.m.* previous speaker. – **~orạle** *a.* ⟨*Zool*⟩ pre-oral.

preordinamẹnto *m.* **1.** preordination, fore-ordination. – **2.** (*preparazione*) preparation. – **preordinạre** *v.t.* (**preọrdino**) to preordain, to fore-ordain, to establish beforehand: ~ *il proprio avvenire* to preordain one's future. – **preordinaziọne** *f.* preordination, fore-ordination.

prep. = ⟨*Gramm*⟩ *preposizione* preposition (*abbr.* prep.).

prepalatạle *a.* ⟨*Fon*⟩ prepalatal.

preparamẹnto *m.* ⟨*rar*⟩ **1.** (*il preparare*) preparation, preparing. – **2.** (*preparazione*) preparation.

preparạre *v.t.* **1.** (*predisporre tutto a un determinato scopo*) to prepare for, to get ready for, to make preparations for: ~ *una spedizione* to prepare for an expedition. – **2.** (*approntare*) to get ready, to prepare: ~ *una camera* to get a room ready; ~ *una tesi di laurea* to prepare a degree thesis; (*rif. a cibi*) to get ready, to prepare, to cook: ~ *la cena* to get dinner ready, to cook dinner. – **3.** (*predisporre*) to prepare: ~ *qd. a una notizia* to prepare s.o. for some news; ~ *gli alunni per un esame* to prepare (*o* coach) pupils for an exam. – **4.** ⟨*assol*⟩ (*imbandire*) to lay (*o* set) the table. – **5.** ⟨*Chim*⟩ to prepare. – **6.** ⟨*Min*⟩ to dress. – **prepararsi** *v.r.* **1.** to make preparations, to get ready, to prepare (o.s.): *prepararsi per l'atterraggio* to prepare (*o* get ready) to land. – **2.** (*accingersi*) to be about to: *mi preparavo a uscire* I was just about to go out. – **3.** (*stare per accadere*) to be about to happen, to be brewing, to be in store (*o* the offing): *si preparano grandi eventi* great things are about to happen; *cosa ci prepara l'avvenire?* what does the future hold in store?

preparatịvo I *a.* ⟨*non com*⟩ preparatory, preparative. – **II** *s.m.* (generally in pl.) preparations *pl*, ⟨*lett*⟩ preparative: *fare -i* to make preparations; *-i di guerra* preparations for war.

preparạto (*p.p. di preparare*) **I** *a.* **1.** prepared; (*ben preparato*) well-prepared. – **2.** (*pronto*) ready. – **II** *s.m.* **1.** ⟨*Farm*⟩ preparation. – **2.** ⟨*Biol*⟩ prepared specimen, preparation. □ ~ *microscopico* prepared slide, specimen, section.

preparatọre I *s.m.* (*f.* **-trice**) **1.** (*operaio*) preparer. – **2.** ⟨*Med,Chim*⟩ preparator. – **3.** ⟨*non com*⟩ (*impagliatore di animali*) taxidermist, stuffer. – **II** *a.* preparation-, preparatory. □ ⟨*Ind*⟩ ~ *di terra* crusher, breaker.

preparatọrio *a.* preparatory, preliminary: *scuola -a* preparatory school, ⟨*fam*⟩ prep school; *lavori preparatori* preliminary work.

preparaziọne *f.* **1.** preparation, preparing: ~ *alla vita* preparation for life; *la* ~ *per un esame* preparation for an examination; ~ *della guerra* preparing for war. – **2.** (*approntamento*) preparation, preparing, making (*o* getting) ready; (*rif. a cibi e sim.*) preparation, cooking, getting ready. – **3.** ⟨*Farm,Biol*⟩ (*preparato*) preparation: *-i anatomiche* anatomical preparations. – **4.** ⟨*Sport*⟩ training. – **5.** ⟨*rar*⟩ (*preparativo*) preparation.

□ ⟨*Met*⟩ ~ *della* **carica** burdening; ~ *di una* **macchina** setting of a machine; ~ *di* **minerali** (ore) dressing; ~ **professionale** vocational training; **senza** ~ unprepared; ⟨*Tip*⟩ ~ *di uno* **stampo** make-ready; ⟨*Art*⟩ ~ *della* **superficie** (*per il colore*) priming; ~ *dei* **tessuti** textile dressing.

preponderạnte (*p.pr. di preponderare*) *a.* preponderant, predominant, prevailing: *opinione* ~ prevailing opinion. – **preponderạnza** *f.* preponderance, predominance; (*maggioranza*) majority; (*superiorità*) superiority. – **preponderạre** *v.i.* (**prepọndero**; *aus.* **avere**) ⟨*non com*⟩ to predominate, to prevail, to be preponderant (*o* prevalent), to preponderate.

prepọrre *v.t.* (**prepọngo, prepọni, prepọsi, prepọsto**; → **porre**) **1.** (*porre innanzi*) to place (*o* put) before, to precede. – **2.** (*mettere a capo*) to appoint (*o* put at the) head, to put in charge, to make responsible: ~ *qd. a qc.* to appoint s.o. head of s.th., to put s.o. ⌜at the head⌝ (*o* in charge) of s.th., to make s.o. responsible for s.th.; *fu preposto all'amministrazione* he was put in charge of the administration. – **3.** ⟨*fig*⟩ (*preferire*) to prefer, to give preference to, to put before: ~ *una persona a un'altra* to prefer one person to another; ~ *il dovere al piacere* to put duty before pleasure. – **4.** ⟨*rar*⟩ (*dare la precedenza*) to give precedence to.

prepoṣitạle *a.* ⟨*non com*⟩ → **prepositurale**.

prepoṣitịvo *a.* **1.** prepositive, preceding. – **2.** ⟨*Gramm*⟩ prepositive, prefixed; (*che ha funzione di preposizione*) prepositional.

prepọṣito *m.* **1.** ⟨*Stor.rom*⟩ head, commander, praepositus. – **2.** ⟨*Rel*⟩ provost, dean, pr(a)epositor. – **prepoṣitụra** *f.* **1.** ⟨*Stor.rom*⟩ command. – **2.** ⟨*Rel*⟩ provostship, pr(a)epositorship. – **prepoṣiturạle** *a.* ⟨*Rel*⟩ provostorial, provostal.

prepoṣiziọne *f.* **1.** ⟨*Gramm*⟩ preposition. – **2.** ⟨*non com*⟩ (*il pre-*

porre) appointment. ▭ *-i articolate* prepositions combined with the definite article.

prepossẹnte *a.* ⟨*lett*⟩ (*molto possente*) extremely powerful.

prepọsto *m.* **1.** person responsible (*o* in charge). – **2.** ⟨*Rel*⟩ (*prevosto*) provost, dean.

prepotẹnte I *a.* **1.** (*impellente*) overbearing, overwhelming, pressing, irresistible: *bisogno* ~ pressing need. – **2.** (*arrogante*) overbearing, arrogant, high-handed, overweening, domineering, ⟨*fam*⟩ uppish: *uomo* ~ overbearing (*o* arrogant) man; *ragazzino* ~ wilful child, ⟨*fam*⟩ uppish (*o* cheeky) kid. – **3.** ⟨*lett*⟩ (*molto potente*) extremely powerful. – **II** *s.m./f.* arrogant (*o* domineering) person, bully. – **prepotentemẹnte** *avv.* arrogantly, overbearingly, insolently. – **prepotentọne** (*accr. di prepotente*) *m.* (*f.* **-a**) ⟨*fam*⟩ big bully. – **prepotẹnza** *f.* **1.** (*qualità*) arrogance, high-handedness, bullying, insolence: *con la* ~ *non si ottiene nulla* high-handedness will get you nowhere. – **2.** (*azione*) overbearing behaviour, arrogant action, bullying: *smettila con le -e* stop bullying, stop this arrogant behaviour. ▭ *di* ~ by force.

prepotẹre *m.* excessive power.

prepuberạle, prepụbere *a.* prepuber(t)al. – **prepubertà** *f.* prepuberty.

prepuziạle *a.* ⟨*Anat*⟩ preputial, prepucial. – **prepụzio** *m.* prepuce, foreskin.

prequọio *m.* → **procoio.**

pre|raffaellịṣmo *m.* ⟨*Art*⟩ Pre-Raphaelitism, Pre-Raphaelism. – **~raffaellịta I** *a.* Pre-Raphaelite. – **II** *s.m./f.* Pre-Raphaelite. – **~raffreddamẹnto** *m.* ⟨*Alim*⟩ pre-cooling. – **~raffreddạre** *v.t.* (**preraffrẹddo**) to pre-cool. – **~rinascimentạle** *a.* pre-Renaissance: *pittura* ~ pre-Renaissance painting. – **~riscaldamẹnto** *m.* ⟨*Alim*⟩ pre-heating. – **~riscaldạre** *v.t.* to pre-heat. – **~riscaldatọre** *m.* ⟨*Chim*⟩ pre-heater. ▭ ~ *dell'aria* air (pre-)heater; ⟨*Met*⟩ ~ *del vento* Cowper stove, hot-blast stove.

prerogatịva *f.* **1.** (*privilegio*) prerogative, privilege: ~ *parlamentare* parliamentary privilege; *regia* ~ Royal Prerogative. – **2.** (*qualità particolare*) (special) quality, property, feature: *far diminuire la febbre è una* ~ *del chinino* one of the properties of quinine is that it brings down the temperature; (*rif. a persona*) gift, special quality, great merit, prerogative.

pre|romạnico *a.* (*pl.* **-ci**) ⟨*Art*⟩ pre-Romanesque. – **~romạno** *a.* pre-Roman. – **~romanticịṣmo** *m.* ⟨*Lett*⟩ pre-Romanticism. – **~romạntico** *a.* (*pl.* **-ci**) pre-Romantic. – **~romạnzo** *a.* ⟨*Ling*⟩ pre-Romance. – **~rompitọre** *m.* **1.** ⟨*Tess*⟩ licker-in. – **2.** ⟨*tecn*⟩ primary crusher.

pres. = ⟨*Gramm*⟩ *presente* present (*abbr.* pres.).

prẹsa *f.* **1.** (*il prendere*) taking, catching, seizing: ~ *di posizione* taking of a stand, taking of a position. – **2.** (*conquista, espugnazione*) taking, seizure: *la* ~ *di una città* the taking of a town. – **3.** (*cattura*) capture: *la* ~ *di un delinquente* the capture of a criminal. – **4.** ⟨*Venat*⟩ (*rif. a selvaggina*) bag, kill, take; (*rif. a pesci*) catch, haul: *fare una bella* ~ to have a good catch. – **5.** (*stretta*) grip, grasp, hold: *avere la* ~ *forte* to have a strong grip. – **6.** (*pizzico*) pinch: *una* ~ *di sale* a pinch of salt. – **7.** (*manico*) handle: *le -e di una pentola* the handles of a pot. – **8.** (*sorta di cuscinetto*) holder; (*per afferrare pentole calde*) pot-holder. – **9.** ⟨*fig*⟩ (*forza, impressione*) hold, impression, effect: *le tue parole hanno sempre una gran* ~ *su di lui* your words always make a great impression on him. – **10.** ⟨*fig*⟩ (*appiglio, pretesto*) cause, grounds *pl*, rise: *dare* ~ *ai pettegolezzi* to give rise to gossip, to cause gossip. – **11.** (*rif. a piante: attecchimento*) rooting, taking root. – **12.** (*rif. a colla e sim.*) set(ting): ~ *rapida* quick-setting. – **13.** (*nei giochi di carte*) trick; (*negli scacchi*) capture, capturing; (*insieme di pezzi catturati*) captured pieces *pl*. – **14.** ⟨*tecn*⟩ (*derivazione*) outlet. – **15.** ⟨*El*⟩ point, tap, electric outlet, socket; (*morsetto*) terminal. – **16.** ⟨*Mecc*⟩ (*contatto di denti di ingranaggi*) mesh. – **17.** ⟨*Sport*⟩ (*nella lotta*) catch, grip, hold; (*nel calcio*) save; (*nel rugby*) tackle; (*nel nuoto*) touching; (*nella ginnastica*) grip, grasp. – **18.** ⟨*Fot,Cin*⟩ (*ripresa*) shot, take. – **19.** ⟨*Agr*⟩ (*presella*) (newly -cultivated) plot. – **20.** ⟨*Mar.ant*⟩ (*bottino*) prize, plunder, spoils *pl*.

▭ **abbandonare** *la* ~ to let go one's hold; ⟨*Idr*⟩ ~ **d'acqua** water plug (*o* intake); ⟨*Cin*⟩ **angolo** *di* ~ camera (*o* shooting) angle; ⟨*Cin*⟩ ~ *all'angolo* angle (*o* canted) shot; ⟨*Rad*⟩ ~ **d'antenna** aerial socket; ⟨*Mot*⟩ ~ *d'***aria** air intake; ~ **bipolare** bipolar socket (*o* outlet), two -pole wall shoe; ⟨*Venat*⟩ **cane** *da* ~ retriever; ~ **combinata**: 1. ⟨*Cin*⟩ composite shot; 2. ⟨*Ginn*⟩ combined grip; ~ *in* **consegna** taking delivery; ~ *in* **considerazione** taking into consideration; ⟨*fig*⟩ ~ *di* **contatto** contact; ⟨*El*⟩ ~ *di* **corrente** (power) socket, plug, outlet, power point (*o* plug); (*pantografo*) current collector, trolley; ~ *di corrente tripla* three-way (*o* three-plug) socket; ~ *in* **custodia** taking into custody; ~ **diretta**: 1. ⟨*Mecc*⟩ direct drive; 2. ⟨*Aut*⟩ (*velocità più elevata*) top (*o* high) gear; 3. ⟨*Cin*⟩ live sound; ~ *a* **domicilio** home collection (*o* pick up); ⟨*Mur*⟩ **durata** *della* ~ setting time; **essere** *alle -e con un problema* to be struggling (*o* wrestling) with a problem; *essere alle -e con un avversario* to be up against an adversary; **far** ~: 1. (*attaccarsi*) to catch (on), to get a good hold, to hold: *l'ancora fece* ~ the anchor held; 2. (*asciugarsi*) to set: *il cemento fa* ~ the cement is setting; ⟨*fig*⟩ *fare* ~ *su qd.* (*colpirlo, impressionarlo*) to ⌜make an impression⌝ (*o* have an effect) on s.o., to grip s.o.; ⟨*Mecc*⟩ ~ *di* **forza** power take-off; ~ *del* **gas** gas outlet; ~ *in* **giro** (*imbroglio*) swindle, cheat, trick; (*canzonatura*) mockery, joke, jest, leg-pull; ⟨*El*⟩ ~ *da* **incasso** flush socket; ⟨*Ginn*⟩ ~ **incrociata** crossed grip; ⟨*El*⟩ ~ *a* **jack** jack; ⟨*venat*⟩ **lasciare** *la* ~ to let go, to drop; ⟨*Mur*⟩ *a* **lenta** ~ slow-setting; ⟨*Cin*⟩ **macchina** *da* ~ cine -camera, motion-picture camera, ⟨*am*⟩ movie-camera; ⟨*Mecc*⟩ ~ *di* **moto** drive; ⟨*El*⟩ ~ **multipla** multiple jack; ⟨*Mar*⟩ ~ *d'***ormeggio** bollard, (mooring) bitt; (*a terra*) landfast; ⟨*Cin*⟩ **ottica** *da* ~ cinema camera lens; ⟨*El*⟩ ~ *da* **parete** wall socket; ~ *di* **possesso** taking possession; ~ *del* **potere** seizing of power; ⟨*Mur*⟩ *a* **pronta** (*o rapida*) ~ quick-setting; ⟨*Cin*⟩ **ripetere** *la* ~ to retake, to reshoot; **stringere** *la* ~ to tighten one's grip; ~ **telefonica** phone jack; ⟨*Mur*⟩ **tempo** *di* ~ setting time; ⟨*El*⟩ ~ *ad alta* **tensione** high voltage tap; ⟨*El*⟩ ~ *di* **terra** earth plate; ~ **tripolare** three-pole wall shoe; ⟨*Ginn*⟩ ~ **unita** close grasp; ⟨*fig*⟩ **venire** *alle -e con qd.* to come to grips with s.o.; ~ *di* **visione** examination, taking note.

presạcco *m.* (*pl.* **-chi**) ⟨*Pesc*⟩ landing-net.

preṣagịbile *a.* ⟨*rar*⟩ (*prevedibile*) foreseeable. – **preṣagimẹnto** *m.* ⟨*lett*⟩ → **presagio.**

preṣạgio *m.* **1.** (*predizione*) prediction. – **2.** ⟨*Meteor*⟩ forecasting. – **3.** (*indizio di eventi futuri*) sign, omen, presage: *essere di buon* ~ to be a good omen; (*presentimento*) presentiment, presage, premonition, foreboding: *avere il* ~ *di qc.* to have a presentiment of s.th.

preṣagịre *v.t.* (**preṣagịsco, preṣagịsci**) **1.** (*predire*) to foretell, to predict. – **2.** (*presentire*) to have a presentiment (*o* premonition) of, to presage, to forebode. – **preṣạgo** *a.* (*pl.* **-ghi**) having a presentiment (*o* premonition), presaging, foreboding: *essere* ~ *di qc.* to have a premonition of s.th., to foresee (*o* presage) s.th.

presalạrio *m.* ⟨*Univ*⟩ student's grant.

presạme *m.* ⟨*Biol*⟩ (*caglio*) rennet. – **presamịgeno** *a.* rennet -producing: *fermento* ~ rennet-producing enzyme.

presantificạti: ⟨*Lit*⟩ *messa dei* ~ Mass of the Presanctified.

preṣbiacụṣia *f.* ⟨*Med*⟩ presbycusis, presbyacusia.

preṣbiofrenịa *f.* ⟨*Psic*⟩ presbyophrenia. – **preṣbiofrẹnico** *a.* (*pl.* **-ci**) presbyophrenic.

preṣbiopịa *f.* ⟨*Med*⟩ presbyopia, long sight. – **prẹṣbite I** *a.* presbyopic, long-sighted, far-sighted. – **II** *s.m./f.* presbyte, presbyope, long-sighted person.

preṣbiterạle *a.* ⟨*Rel,non com*⟩ (*rif. a presbiterato*) presbyterial; (*rif. a preti*) clerical. – **preṣbiterạto** *m.* presbyterate.

preṣbiterianẹṣimo, preṣbiterianịṣmo *m.* ⟨*Rel*⟩ Presbyterianism. – **preṣbiteriạno I** *a.* Presbyterian. – **II** *s.m.* (*f.* **-a**) Presbyterian.

presbitẹrio *m.* **1.** ⟨*Arch*⟩ presbytery. – **2.** (*collegio presbiterale*) presbytery. – **3.** (*casa del parroco*) parish priest's house, presbytery, presbytère. – **4.** ⟨*ant*⟩ (*dignità e ufficio sacerdotale*) priesthood.

preṣbịtero *m.* ⟨*Bibl*⟩ presbyter.

preṣbitịṣmo *m.* → **presbiopia.**

prescẹgliere *v.t.* (**prescẹlgo, prescẹgli; prescẹlsi, prescẹlto;** → **scegliere**) to select, to choose, to pick out: ~ *un candidato* to select a candidate. – **prescẹlsi** *p.rem. di* **prescegliere.** – **prescẹlto** (*p.p. di prescegliere*) **I** *a.* selected, chosen. – **II** *s.m.* (*f.* **-a**) chosen person. ▭ *pochi -i* chosen few, few select people.

prẹscia *f.* ⟨*roman*⟩ (*fretta*) haste, hurry.

presciẹnte (*p.pr. di prescire*) *a.* prescient, foreseeing. – **presciẹnza** *f.* **1.** ⟨*Rel*⟩ prescience. – **2.** ⟨*non com*⟩ (*preveggenza*) foresight, foreknowledge.

prescịndere *v.i.* (**prescindẹi**/*rar.* **prescịssi**, *p.p. non com.* **prescịsso**; *aus.* **avere**) to leave out of consideration, to exclude (*da qc.* s.th.), to prescind (from). ▭ *a* ~ *da* apart from.

presciolọso *a.* ⟨*roman*⟩ (*frettoloso*) hasty, hurried.

prescịre *v.t.* (used only in the inf., ger. and p.pr.) to foresee, to foreknow.

prescịto (*p.p. di prescire*) *a.* ⟨*ant*⟩ (*reprobo*) reprobate.

presciụtto *m.* ⟨*pop*⟩ (*prosciutto*) ham.

prescolạstico *a.* (*pl.* **-ci**) preschool-: *istruzione -a* preschool training.

prescrittịbile *a.* ⟨*Dir*⟩ prescriptible, prescribable, subject to the statute of limitations. ▭ *non* ~ indefeasible. – **prescrittibilità** *f.* ⟨*non com*⟩ prescriptibility.

prescrịtto (*p.p. di prescrivere*) **I** *a.* **1.** (*fissato in precedenza*) prescribed, established, fixed, appointed, set: *il giorno* ~ the day fixed, the appointed day. – **2.** (*imposto*) prescribed, laid down, compulsory: *secondo le norme -e* according to the rules laid down. – **3.** ⟨*Med*⟩ prescribed: *medicine -e* medicines prescribed. – **4.** ⟨*Dir*⟩ statute -barred, time-barred: *diritto* ~ statute-barred right. – **II** *s.m.* prescript, ordinance. ▭ *è* ~ *l'abito da sera* evening dress (de rigueur).

prescrịvere *v.t.* (**prescrịssi, prescrịtto**) **1.** (*stabilire, ordinare*) to prescribe, to order, to enjoin: *la legge prescrive la presenza di due testimoni* the law prescribes the presence of two witnesses. – **2.** ⟨*Med*⟩ to prescribe: *il medico ha prescritto questa cura* the doctor has prescribed this treatment. – **3.** ⟨*Dir*⟩ to make statute-barred, to make invalid by prescription. – **4.** ⟨*ant*⟩ (*porre un termine*) to limit. – **prescrịversi** *v.r.* ⟨*Dir*⟩ to become (statute-)barred, to become invalid by prescription, to prescribe.

prescrivịbile *a.* → **prescrittibile.** – **prescrizionạle** *a.* ⟨*Dir*⟩ of limitation: *termine* ~ period of limitation.

prescriziọne *f.* **1.** (*il prescrivere*) prescription, prescribing. – **2.** (*norma, disposizione*) ordinance, regulation, rule, provision. – **3.** ⟨*Med*⟩ orders *pl*: ~ *medica* doctor's orders; (*disposizioni scritte*) prescription. – **4.** ⟨*Dir*⟩ prescription.

▭ ⟨*Dir*⟩ ~ **acquisitiva** positive (*o* acquisitive) prescription; **cadere** *in* ~ to become (statute-)barred, to fall under the statute of limitations, to become invalid by prescription, to prescribe; ~ **estintiva** negative (*o* extinctive) prescription; ~ **legale** legal regulation, rule of law; **mandare** *in* ~ to make statute-barred; **soggetto** *a* ~ prescriptive, subject to the statute of limitations.

presedẹre *v.* ⟨*ant*⟩ → **presiedere.**

presegnalạre *v.t.* ⟨*Strad*⟩ to signal (in advance), to warn. – **presegnạle** *m.* warning signal.

preselettọre *m.* ⟨*Tel*⟩ preselector. □ ⟨*Aut*⟩ *cambio a* ~ preselector gear-box (*o* transmission); ⟨*Aut*⟩ ~ *delle marce* preselector (gear). – **preselezionạre** *v.t.* (**preseleziọno**) **1.** (*selezionare in precedenza*) to select (beforehand). – **2.** ⟨*Strad*⟩ to direct, to channel. – **preselezione** *f.* ⟨*Tel,Aut*⟩ preselection.

presẹlla *f.* **1.** (*parte delle briglie*) reins *pl.* – **2.** ⟨*Agr*⟩ (newly-cultivated) plot. – **3.** ⟨*Mecc*⟩ caulking-iron, caulker; (*per fucinatura*) fuller. – **presellạre** *v.t.* (**presẹllo**) ⟨*Mecc*⟩ to caulk, to jag. – **presellatura** *f.* bevelling, caulking. □ ~ *a mano* hand bevelling; ~ *pneumatica* pneumatic caulking.

pre|sẹmina *f.* ⟨*Agr*⟩ preparation (of the ground) for sowing. – **~senịle** *a.* ⟨*Med*⟩ presenile: *demenza* ~ presenile dementia, dementia praesenilis.

preṣentạbile *a.* presentable, fit to be seen (*anche fig.*). □ *non* ~ unpresentable. – **preṣentabilità** *f.* presentability, presentableness.

preṣentạneo *a.* ⟨*ant*⟩ (*di effetto immediato*) instantaneous, instant.

preṣentạre *v.t.* (**preṣẹnto**) **1.** (*esibire*) to show, to produce: ~ *il passaporto* to show one's passport. – **2.** (*mostrare, esporre*) to show, to present: *la luna presenta sempre la stessa faccia* the moon always shows the same face; ~ *il fianco al nemico* to present one's flank to the enemy. – **3.** (*porgere offrendo*) to offer, to proffer, to hand: *gli presentò un piatto di spaghetti* he offered (*o* gave) him a plate of spaghetti. – **4.** (*proporre*) to propose, to introduce: ~ *la candidatura di qd.* to propose s.o.'s candidature; ~ *un progetto di legge* to introduce a bill. – **5.** (*far conoscere*) to introduce, to present: *mi hanno presentato tua madre* they introduced your mother to me; *Le presento il mio amico Carlo* may I introduce my friend Charles; ~ *qd. a un circolo* to introduce s.o. into a club; (*condurre alla presenza di qd.*) to present: *la delegazione fu presentata al ministro* the delegation was presented to the minister. – **6.** (*in formule di cortesia*) to present: ~ *i propri ossequi* to present one's respects. – **7.** ⟨*fig*⟩ (*illustrare*) to present, to describe, to put: *così come lo hai presentato, l'affare mi sembra vantaggioso* the way you describe (*o* put) it, it seems to be a profitable affair; (*far apparire*) to make seem, to pass off: *ha presentato la faccenda come un malinteso* he passed the matter off as a misunderstanding. – **8.** ⟨*fig*⟩ (*implicare*) to present, to offer, to involve: *l'affare presenta molte difficoltà* the matter presents (*o* involves) many difficulties; *questo libro non presenta niente di nuovo* this book has nothing new to offer. – **9.** ⟨*burocr*⟩ (*inoltrare*) to put (*o* send) in, to make, to submit: ~ *una domanda* to submit (*o* make, put in) an application; ~ *un reclamo* to make (*o* lodge) a complaint; (*per l'approvazione e sim.*) to submit: ~ *una relazione* to submit a report. – **10.** ⟨*Dir*⟩ to lodge, to file: ~ *un'istanza* to lodge (*o* file, make) a petition. – **11.** ⟨*Teat, Cin*⟩ to present. – **12.** ⟨*ant*⟩ (*regalare*) to present. – **presentarsi** *v.r.* **1.** to present o.s., ⟨*fam*⟩ to turn (*o* show) up, ⟨*fam*⟩ to show one's face: *si è presentato alla festa* he ⌜came to⌝ (*o* turned up at) the party; *non si è più presentato in casa mia* he never showed his face at my house again; (*per ragioni di servizio*) to report: *è venuto a presentarsi un nuovo giardiniere* a new gardener has reported for work. – **2.** (*comparire*) to appear, to come forward, to make an appearance: *si presentò ai giudici* he appeared before the judges. – **3.** (*farsi conoscere, dire il proprio nome*) to introduce o.s.: *permette che mi presenti?* may I introduce myself? – **4.** ⟨*fig*⟩ (*offrirsi*) to arise, to occur, ⟨*fam*⟩ to come (*o* turn) up: *mi si è presentata una buona occasione* a good opportunity has arisen for me; *se si presenteranno delle difficoltà* if any difficulties arise. – **5.** (*essere, apparire*) to be, to look, to appear: *la superficie si presenta levigata* the surface is smooth.

□ ⟨*Mil*⟩ ~ *le* **armi** to present arms; *presentarsi* **bene** (*rif. a cose*) to look promising (*o* good); (*rif. a persone*) to have a good appearance, to look nice (*o* good); ~ *una* **cambiale** to present a bill (for payment); *non so come abbia il* **coraggio** *di presentarsi* I don't know how he can show his face; ⟨*Mil*⟩ *presentarsi al* **corpo** to report to one's unit; *presentarsi al* **cospetto** *di qd.* to appear before s.o.; ~ **denuncia** to send in a report; (*rif. a reati*) to make (*o* present) a denunciation; ⟨*Mil*⟩ *presentarsi alla* **leva** to report for military service; *presentarsi alla* **mente** to come to mind; ⟨*Mar*⟩ ~ *la* **prua** *al vento* to swing head to wind; *presentarsi in* **pubblico** to appear in public; *presentarsi sulla* **scena** to appear on stage, to act, to perform; ~ *le proprie* **scuse** to apologize, to make one's apologies. || *mi saluti Sua moglie – presenterò* give my regards to your wife – certainly.

preṣentatạrm (o *preṣẹntat'ạrm*) *intz.* ⟨*Mil*⟩ present arms!

preṣentatọre *m.* (*f.* **-trice**) **1.** presenter; (*rif. a domande*) applicant; (*rif. a documenti*) bearer, presenter: ~ *di una cambiale* presenter of a bill. – **2.** ⟨*Teat,TV*⟩ compère, Master of Ceremonies, ⟨*fam*⟩ M.C.

preṣentaziọne *f.* **1.** presentation; (*il mostrare*) showing. – **2.** (*dimostrazione: rif. a prodotti e sim.*) demonstration. – **3.** (*proposta di eleggere*) nomination, proposal: ~ *di candidati* nomination of candidates. – **4.** (*rif. a persone: il far conoscere*) introduction; (*l'introdurre in pubblico*) introduction, presentation; (*discorso di presentazione*) introductory speech. – **5.** (*prefazione*) introduction. – **6.** ⟨*Teat*⟩ compèring. – **7.** ⟨*Cin*⟩ titles *pl*, credits *pl*; (*scene di un film di prossima programmazione*) trailer, preview. – **8.** ⟨*burocr*⟩ (*inoltro*) submission. – **9.** ⟨*Giorn*⟩ (*confezione, veste esteriore*) format, layout: ~ *del giornale* layout of the paper. – **10.** ⟨*Dir*⟩ appearance: ~ *in giudizio* appearance before court. – **11.** ⟨*Med,Filos,Rel*⟩ presentation.

□ ⟨*Comm*⟩ ~ *all'***accettazione** presentation for acceptance; *all'***atto** *della* ~ upon presentation; ⟨*Med*⟩ ~ *di* **bregma** face presentation; ~ *di una* **cambiale** presentation of a bill; ⟨*Med*⟩ ~ **cefalica** cephalic presentation; ⟨*Cin*⟩ **copia** *di* ~ final (*o* release) print; **dietro** ~ = *all'atto della presentazione*; ⟨*Med*⟩ ~ *di* **faccia** = *presentazione di* **bregma**; **fare** *le -i* to do the introducing, to perform the introductions; ⟨*Med*⟩ ~ *di* **fronte** brow presentation; ~ *per il* **pagamento** presentation for payment; ⟨*Med*⟩ ~ **podalica** breech presentation; ⟨*Rel*⟩ ~ *di Maria Vergine al* **tempio** Presentation of the Virgin Mary in the temple; ⟨*Med*⟩ ~ *di* **vertice** vertex presentation.

preṣẹnte[1] **I** *a.* **1.** present: *era* ~ *anche lui alla riunione* he too was present at the meeting. – **2.** ⟨*assol*⟩ in the presence of: *lo ha detto -i molti testimoni* he said it in the presence of many witnesses; *te* ~ in your presence, before you. – **3.** (*questo*) this: *la* ~ *opera* this work; (*attuale*) present: *l'epoca* ~ the present time; (*corrente*) this, current: *il* ~ *mese* this month, the current month. – **4.** (*esistente*) present, existing. – **5.** ⟨*esclam*⟩ (*negli appelli*) present, here. – **6.** ⟨*Gramm*⟩ present: *participio* ~ present participle. – **7.** ⟨*lett*⟩ (*terreno*) earthly, terrestrial. – **II** *s.m.* **1.** (*tempo attuale*) present (time): *il* ~ *e il futuro* the present and the future. – **2.** ⟨*Gramm*⟩ present (tense). – **III** *s.m./f.* **1.** person present; *pl.* those present: *rivolgersi ai -i* to address those present. – **2.** *pl.* ⟨*lett*⟩ (*persone viventi*) living (persons). – **IV** *s.f.* ⟨*epist*⟩ this (letter): *con la* ~ *Vi comunico che* this is to inform you that, I herewith inform you that. – **V** *avv.* ⟨*ant*⟩ (*personalmente*) personally.

□ **al** ~ (*presentemente*) at the moment, at present; **avere** ~: 1. (*ricordare*) to remember, to recollect: *non aver più* ~ *un fatto* not to remember s.th. any more, to have no further recollection of s.th.; 2. (*conoscere*) to know: *hai* ~ *via Garibaldi?* (do) you know Via Garibaldi?; ⟨*lett*⟩ **di** ~ (*senza indugi*) immediately; **essere** ~ *alla mente* to be in (s.o.'s) mind; **far** ~ *qc. a qd.* to point s.th. out to s.o., to draw s.th. to s.o.'s attention; ⟨*Gramm*⟩ ~ **narrativo** = *presente* **storico**; **per** *il* ~ for the present (*o* moment), for now; *essere* ~ *a* **se stesso** to be very clear-minded, ⟨*fam*⟩ to have one's wits about one; ⟨*Gramm*⟩ ~ **storico** historical present; **tenere** ~ to bear (*o* keep) in mind, to take into account, to consider.

preṣẹnte[2] *m.* (*regalo*) present, gift.

preṣentemẹnte *avv.* at present, at the moment, (right) now.

presentimẹnto *m.* presentiment, premonition, foreboding: *ho un brutto* ~ I have an unpleasant presentiment. – **presentịre** *v.t.* (**presẹnto**) to have a presentiment (*o* foreboding) of: *presentivo la catastrofe* I had a presentiment of the catastrophe.

preṣẹnza *f.* **1.** presence: *nessuno si era accorto della sua* ~ nobody was aware of his presence, nobody noticed he was there. – **2.** (*esistenza*) presence, existence: *la* ~ *di bacilli nel sangue* the presence of bacilli in the blood. – **3.** (*aspetto fisico*) appearance: *una ragazza di bella* ~ a girl with a good (*o* smart, neat) appearance, a good -looking girl.

□ **accertare** *la* ~ *di petrolio* to find oil; **alla** ~ *di qd.* in s.o.'s presence, before s.o.: *alla sua* ~ in his presence; *fare* **atto** *di* ~ to put in an appearance; *non* **avere** ~ (*essere smilzo*) to be insignificant (*o* unimposing), to be mean-looking, not to cut much of a figure; **di** ~ (*personalmente*) in person, personally; ⟨*Chim*⟩ **in** ~ present; *in* ~ *di qd.* = **alla** *presenza di qd.*; *in* ~ *del pericolo* in moments of danger; **portare** *alla* ~ *di qd.* to bring into s.o.'s presence; ~ *di* **spirito** presence of mind.

preṣẹnzia *f.* ⟨*ant*⟩ → **presenza.** – **preṣenziạle** *a.* ⟨*non com*⟩ (*presente*) present. – **preṣenzialità** *f.* ⟨*non com*⟩ presence. – **preṣenzialmẹnte** *avv.* ⟨*rar*⟩ personally, in person.

preṣenziạre *v.* (**preṣẹnzio, preṣẹnzi**) **I** *v.t.* to be present at, to attend, to take part in. – **II** *v.i.* (*aus.* **avere**) to be present.

prẹṣepe *m.* ⟨*non com*⟩ → **presepio.** – **Presepe** *N.pr.m.* ⟨*Astr*⟩ Praesepe, Beehive. – **preṣẹpio** *m.* **1.** crib, crèche. – **2.** ⟨*non com*⟩ (*mangiatoia*) manger, crib; (*stalla*) stable. – **3.** ⟨*fig,non com*⟩ (*dimora*) dwelling. – **4.** ⟨*Stor*⟩ (*asilo-nido*) crèche, day-nursery.

pre-sẹrie *f.* ⟨*Ind*⟩ pre-production model.

preservamẹnto *m.* preservation. – **preservạre** *v.t.* (**presẹrvo**) **1.** to keep, to preserve, to save: *Dio ci preservi da simili sciagure* God keep us from such misfortune. – **2.** (*difendere*) to protect (*da* against, from), to preserve (from): ~ *il legno dai tarli* to protect wood from woodworm. – **preservatịvo I** *a.* preservative. – **II** *s.m.* **1.** (*rimedio preservativo*) preservation. – **2.** (*guaina profilattica*) condom, prophylactic, ⟨*fam*⟩ rubber, ⟨*fam*⟩ French letter. – **preservatọre** ⟨*non com*⟩ **I** *s.m.* (*f.* **-trice**) preserver, keeper. – **II** *a.* preservative. – **preservaziọne** *f.* preservation.

prẹsi *p.rem. di* **prendere.**

prẹside *m./f.* **1.** ⟨*Scol*⟩ headmaster (*f* -mistress), ⟨*am*⟩ principal, ⟨*fam*⟩ head. – **2.** ⟨*Univ*⟩ dean, head: ~ *di facoltà* dean, head of a department. – **3.** ⟨*non com*⟩ (*chi presiede a un ufficio*) head, chief. – **4.** ⟨*Stor.rom*⟩ governor of a province, praeses.

presidentạto *m.* ⟨*non com*⟩ presidency.

presidẹnte *m.* (*f.inv./-essa*) **1.** president. – **2.** ⟨*Pol*⟩ president. – **3.** ⟨*Comm*⟩ (*rif. a società*) chairman: ~ *del consiglio d'amministrazione* chairman of the board (of directors).

□ ~ *della* **camera** (*dei deputati*) Speaker of the Chamber of

Deputies, ⟨*GB*⟩ Speaker of the House of Commons, ⟨*SU*⟩ Speaker of the House of Representatives; ~ *del* **collegio** *elettorale* returning officer, ⟨*am*⟩ president of the electoral college; ~ *del* **consiglio** (*dei ministri*) Prime Minister, Premier; ⟨*Dir*⟩ ~ *della* **corte** presiding judge; ~ **federale** federal president; ⟨*Comm*⟩ ~ *ad* **interim** interim chairman; ⟨*Comm*⟩ ~ **onorario** honorary chairman; ~ *di un gruppo* **parlamentare** leader of a parliamentary group; ~ *della* **repubblica** President of the Republic; ~ *del* **seggio** *elettorale* presiding officer; ~ *del* **senato** President (*o* Speaker) of the Senate.

presidentẹssa *f.* **1.** chairwoman (*anche Comm.*). – **2.** ⟨*Pol*⟩ president. – **3.** (*moglie del presidente*) president's wife.

presidẹnza *f.* **1.** (*carica*) presidency; (*sede*) presidential palace. – **2.** ⟨*Comm*⟩ (*rif. a società*) chairmanship. – **3.** ⟨*Pol*⟩ presidency, ⟨*GB*⟩ premiership. – **4.** ⟨*Scol*⟩ (*carica*) headmastership, ⟨*am*⟩ principalship; (*sede*) headmaster's study (*o* office). – **5.** ⟨*collett*⟩ management, managing committee, board of directors. – **6.** ⟨*Univ*⟩ deanship, office of dean. □ *assumere la* ~ to take the chair.

presidenziạle **I** *a.* presidential: *decreto* ~ presidential decree. – **II** *s.f.* ⟨*Mil*⟩ Presidential Guard.

presidiạle *a.* ⟨*non com*⟩ of a garrison, garrison-, ⟨*lett*⟩ presidial.

presidiạre *v.t.* (**presịdio, presịdi**) **1.** (*munire, essere di presidio*) to garrison: ~ *le mura di una città* to garrison the walls of a town. – **2.** ⟨*fig*⟩ (*proteggere*) to protect.

presidiạrio *a.* garrison-, of a garrison, ⟨*lett*⟩ presidiary: *truppe -e* garrison troops.

presịdio *m.* **1.** ⟨*Mil*⟩ (*guarnigione, sede*) garrison. – **2.** (*circoscrizione territoriale*) military sector. – **3.** ⟨*fig*⟩ (*difesa*) protection, defence.

presiẹdere **I** *v.t.* to preside over, to act as chairman at, to chair: ~ *una seduta* to chair (*o* act as chairman at) a meeting. – **II** *v.i.* (*aus.* **avere**) **1.** to preside (*a* over), to be in charge (of): ~ *ai lavori* to be in charge of the work; (*rif. a sedute e sim.*) to chair (*a qc.* s.th.), to be chairman (of); ⟨*assol*⟩ to be in the chair. – **2.** (*avere un posto di comando*) to be at the head, to be in charge. – **3.** ⟨*fig*⟩ (*svolgere una funzione*) to regulate, to govern (*a qc.* s.th.), to be a principal factor (in): *il cuore presiede alla funzione circolatoria* the heart regulates the circulation.

presịna (*dim. di presa*) *f.* **1.** pinch. – **2.** (*cuscinetto per afferrare recipienti caldi*) pot-holder. – **3.** ⟨*Farm*⟩ (*cartina*) (envelope containing a) dose.

presingịro *f.inv.* (*presa in giro, imbroglio*) swindle, cheat, trick; (*canzonatura*) joke, jest, leg-pull, mockery.

pre|sinterazịone *f.* ⟨*Met*⟩ presintering. – **~sịstole** *f.* ⟨*Fisiol*⟩ presystole. – **~sistọlico** *a.* (*pl.* **-ci**) presystolic. – **~slạvico** *a.* (*pl.* **-ci**) → **preslavo**. – **~slạvo** *a.* ⟨*Etnol*⟩ pre-Slavic.

prẹso (*p.p. di prendere*) *a.* **1.** (*impegnato*) busy, taken up: *sei sempre così* ~ you are always so busy. – **2.** (*rif. a posto e sim.*: *occupato*) taken, engaged. – **3.** (*occupato militarmente*) taken, occupied.

pre|socrạtico *a./s.* (*pl.* **-ci**) **I** *a.* ⟨*Filos*⟩ pre-Socratic. – **II** *s.m.* pre-Socratic. – **~solạre** *a.* ⟨*Astr*⟩ presolar. – **~sollecitạre** *v.t.* (**presollẹcito**) ⟨*tecn*⟩ to prestress. – **~sollecitạto** (*p.p. di presollecitare*) *a.* prestressed: *cemento* ~ prestressed concrete. – **~sollecitazịone** *f.* prestressing.

presọntuọso *a.* ⟨*ant*⟩ → **presuntuoso**.

prespinạle *a.* ⟨*Anat*⟩ prespinal.

prẹssa *f.* **1.** (*il pressare*) pressing. – **2.** (*calca*) crowd, throng, ⟨*lett*⟩ press. – **3.** ⟨*tecn*⟩ press. – **4.** ⟨*Cin*⟩ film-splicer. – **5.** ⟨*ant*⟩ (*premura, fretta*) hurry, haste.

□ ~ **allargatubi** tube expander, tube-expanding press; ~ **automatica** automatic press; ~ *per* **balle** baler, bale-pressing machine; ~ *a* **bilanciere** fly press; ~ *per* **coniare** coining (*o* stamping) press; ~ *a* **eccentrico** eccentric(-shaft) press; ⟨*region*⟩ **far** ~ (*far premura*) to urge; ~ **idraulica** hydraulic press; ~ *per* **impiallacciare** veneering press; ~ *da* **lavanderia** laundry press; ~ *da* **legatore** lying press; ~ **litografica** lithographic press; ~ *a* **mano** hand press; ~ *per* **matrici** moulding press; ~ **meccanica** mechanical press; ~ **multipla** multiple press; ~ *per* **paglia** straw baler; ~ *a* **pedale** pedal press; ~ ⌜*a* **rotazione**⌝ (*o rotante*) rotary press; ~ **sbavatrice** flash trimming press; ~ *per la* **stampa** printing-press; ~ **umida** press roll, wet press; ~ *a* **vite** screw press.

pressa|cacạo *m.inv.* ⟨*Ind*⟩ **1.** (*macchina*) cocoa press. – **2.** (*operaio*) cocoa-press operator. – **~cạrte** *m.inv.* paperweight. – **~fiẹno** *m.inv.* hay press. – **~forạggi(o)** *m.inv.* forage press. – **~guarnitụra** *m.inv.* → **premistoppa**.

pressạnte (*p.pr. di pressare*) *a.* urgent, pressing: *affari -i* urgent business. – **pressantemẹnte** *avv.* urgently, pressingly.

pressa|pạglia *m.inv.* ⟨*Agr*⟩ straw baler. – **~pạsta** *m.inv.* ⟨*Cart*⟩ couch(ing) roll.

pressappochịsmo *m.* carelessness, inaccuracy. – **pressappochịsta** *m./f.* careless (*o* inaccurate) person, slapdash person.

pressappọco (o *prẹss'a pọco*) *avv.* approximately, about, roughly, more or less.

pressạre *v.t.* (**prẹsso**) **1.** to press: ~ *le olive* to press olives. – **2.** ⟨*fig*⟩ (*incalzare*) to press, to urge. – **pressatọre** *m.* (*f.* **-trice**) presser.

pressatrẹcce *m.inv.* → **premistoppa**.

pressatụra *f.* pressing.

pressiọne *f.* pressure (*anche fig.*).

□ ⟨*tecn*⟩ **a** ~ pressure-; ⟨*Fis,Meteor*⟩ **alta** ~ high pressure; ⟨*Fisiol*⟩ ~ *alta* high blood-pressure; ~ **ambiente** ambient pressure; ⟨*Fisiol*⟩ ~ **arteriosa** arterial pressure; ⟨*Mecc*⟩ ~ *di* **aspirazione** suction pressure; ⟨*Fis*⟩ ~ **assoluta** absolute pressure; ~ **atmosferica** (o *barometrica*) atmospheric pressure; ⟨*Fis*⟩ **aumento** *di* ~ pressure increase; ⟨*Fis,Meteor*⟩ **bassa** ~ low pressure; ⟨*Fisiol*⟩ ~ *bassa* low blood-pressure; *a bassa* ~ low-pressure-; ~ *nella* **caldaia** boiler pressure; ⟨*Mecc*⟩ ~ **cinetica** kinetic (*o* dynamic) pressure; ~ *di* **compressione** compression pressure; ⟨*Fis,Meteor*⟩ ~ **costante** constant pressure; ~ **critica** critical pressure; ~ **demografica** population pressure; ~ **differenziale**: 1. ⟨*Aer*⟩ superpressure; 2. ⟨*Fisiol*⟩ pulse pressure; ⟨*Fis*⟩ ~ **dinamica** dynamic (*o* velocity) pressure; **far** ~ *su qd.* to ⌜put pressure⌝ (*o* bring pressure to bear) on s.o., to press s.o.; ~ **fiscale** incidence of taxation, tax burden; ~ **idrostatica** hydrostatic pressure; ⟨*Mot*⟩ ~ *d'***iniezione** injection pressure; ⟨*Fis*⟩ ~ **massima** peak (*o* maximum) pressure; ~ **media** mean (*o* medium) pressure; ⟨*Mecc*⟩ **mettere** *in* (o *sotto*) ~ to raise steam; ⟨*Meteor*⟩ ~ **normale** rated (*o* standard, normal) pressure; ⟨*Mot*⟩ ~ *dell'***olio** oil pressure; *indicatore di* ~ *dell'olio* oil pressure-gauge; ⟨*Fis*⟩ ~ **osmotica** osmotic pressure; **pentola** *a* ~ pressure-cooker; ⟨*Aut*⟩ ~ *dei* **pneumatici** tyre pressure; ⟨*Comm*⟩ ~ *sui* **prezzi** pressure on prices; ⟨*Fis,Meteor*⟩ ~ **relativa** relative pressure; ⟨*Mecc*⟩ ~ *di* **saldatura** welding pressure; ⟨*Fisiol*⟩ ~ **sanguigna** (o *del sangue*) blood pressure; *essere* **sotto** ~: 1. ⟨*Mecc*⟩ to be under pressure (*anche fig.*); 2. ⟨*Mar*⟩ to be under steam; ⟨*Fis*⟩ ~ **specifica** specific pressure; ~ **statica** static pressure (*o* head); ~ **superficiale** surface pressure; ~ **tributaria** = *pressione* **fiscale**; ⟨*Mecc*⟩ ~ *dell'***utensile** pressure of tool; ⟨*Idr*⟩ ~ *a* **valle** downstream pressure; ⟨*Fisiol*⟩ ~ **venosa** venous pressure; ~ *del* **vento** wind load (*o* pressure).

prẹsso **I** *prep.* (followed by *di* when used with a personal pronoun) **1.** near, in the vicinity of, not far from: *è andato in un paese* ~ *Firenze* he has gone to a village near Florence; (*accanto a*) by, near: *sedeva* ~ *la porta* he was sitting near (*o* by) the door. – **2.** (*in casa di*) with, at (the house of): *vive* ~ *parenti* he lives with relatives; *abitano* ~ *i genitori di lui* they are living at his parents' (house). – **3.** ⟨*fig*⟩ to: *ambasciatore* ~ *la Santa Sede* Ambassador to the Holy See. – **4.** (*alle dipendenze di*) for, with: *lavora* ~ *un avvocato* he works for a solicitor. – **5.** ⟨*fig*⟩ (*rif. a scrittori*) according to: ~ *Cicerone* according to Cicero; (*fra*) among, with: *gode di una certa rinomanza* ~ *gli intenditori* it has quite a good reputation among connoisseurs. – **6.** ⟨*epist*⟩ care of, *di solito in forma abbreviata* c/o: *al Signor Rossi,* ~ *Bianchi* Mr. Rossi, c/o Bianchi. – **II** *avv.* near (at hand), nearby, close at hand: *abitiamo qui* ~ we live nearby. – **III** *a.* ⟨*ant*⟩ (*vicino*) near(by). – **IV** *s.m.pl.* neighbourhood, region: *nei -i di Roma* ⌜in the neighbourhood of⌝ (*o* near, around) Rome.

□ ~ **a**: 1. near (to); 2. (*pressappoco*) about, roughly, approximately: ~ *a tre anni* about three years; 3. ⟨*ant*⟩ (*circa, quasi*) nearly, almost; **da** ~ (*vicino*) near; (*da vicino*) closely, at close quarters; *da* ~ *a* next (*o* near) to, close to (*o* by); *le si sedette da* ~ he sat near her; ⟨*lett*⟩ ~ **di** with; *a un di* ~ (*pressappoco*) approximately, about, roughly; **essere** ~ *a fare qc.* to be about to do s.th., to be on the point of doing s.th.; **meno** ~ less (*o* not so) near; **più** ~ nearer: *farsi più* ~ (*avvicinarsi*) to come nearer, to draw closer; ⟨*ant*⟩ **sul** ~ *della sera* towards evening.

pressocettọre *m.* ⟨*Anat*⟩ pressoreceptor.

pressoché (o *prẹsso chẹ*) *avv.* nearly, almost, all but.

presso|flessiọne *f.* ⟨*Edil*⟩ combined compressive and bending stress. □ *prova di* ~ test of combined compressive and bending stress. – **~fonditọre** *m.* (*operaio*) (pressure) die-caster. – **~fusiọne** *f.* ⟨*Ind*⟩ (pressure) die-casting. □ ~ *sotto vuoto* vacuum die-casting; *stampo per* ~ die. – **~fụso** *a.* die-cast.

pressọio *m.* press, presser. – **pressọre** *a.* pressure-: *rullo* ~ pressure roller.

pressọrio *a.* ⟨*Fisiol*⟩ pressor. □ *sensibilità -a* (*barestesia*) baresthesia, pressure sense.

pressọstato *m.* ⟨*Mecc*⟩ thrust meter.

presspạn *m.* ⟨*Ind*⟩ pressboard, presspan.

pressụra *f.* ⟨*lett*⟩ **1.** (*pressione*) pressure. – **2.** ⟨*fig*⟩ (*oppressione*) oppression.

pressurizzạre *v.t.* ⟨*tecn*⟩ to pressurize. – **pressurizzạto** (*p.p. di pressurizzare*) *a.* pressurized: *cabina -a* pressurized cabin. – **pressurizzatọre** *m.* ⟨*Aer*⟩ pressurizer. □ ~ *di cabina* pressurizer, cabin supercharger. – **pressurizzaziọne** *f.* pressurization.

prẹsta *f.* → **prestanza**[2].

prestabilịre *v.t.* (**prestabilịsco, prestabilịsci**) to pre-arrange, to fix beforehand (*o* in advance). – **prestabilịto** (*p.p. di prestabilire*) *a.* **1.** pre-arranged, fixed beforehand (*o* in advance). – **2.** ⟨*Filos*⟩ pre-established: *armonia -a* pre-established harmony.

prestanọme *m./f.inv.* dummy, figure-head, man of straw, front.

prestạnte **I** *a.* **1.** fine, good-looking. – **2.** ⟨*ant*⟩ (*eccellente*) excellent. – **II** *s.m.* ⟨*Mus*⟩ prestant, principal.

prestantịno *m.* ⟨*Mar*⟩ (*di poppa*) sternson; (*di prora*) stemson.

prestạnza[1] *f.* ⟨*lett*⟩ **1.** good looks *pl* (*o* appearance). – **2.** ⟨*ant*⟩ (*eccellenza*) excellence.

prestạnza[2] *f.* ⟨*ant,Mediev*⟩ **1.** (*prestito*) loan. – **2.** ⟨*rar*⟩ (*tributo*) tribute. – **prestanziạre** *v.t.* (**prestạnzio, prestạnzi**) ⟨*ant*⟩ (*gravare di tributo*) to levy a tribute on.

prestạre *v.t.* (**prẹsto**) **1.** (*dare in prestito*) to lend: *prestami il tuo dizionario* lend me your dictionary; (*rif. a denaro*) to lend, to loan: ~ *denaro al cinque per cento* to lend money at five per cent interest. – **2.** (*dare, concedere*) to give, to lend, *di solito si traduce col verbo corrispondente*: ~ *aiuto a qd.* to lend a helping hand to s.o., to help s.o.; ~ *giuramento* to swear, to take an oath; ~ *fede a qd.* to believe (*o* trust) s.o. – **prestarsi** *v.r.* **1.** (*rif. a persone: adoperarsi*) to help (*per qd.* s.o.), to be helpful (to), to go to trouble, to put o.s. out (for): *si presta sempre per gli amici* he always helps (*o* puts himself out for) his friends. – **2.** (*rif. a cose: essere adatto a uno scopo*) to be fit, to lend itself (*a* to): *la nuova fibra si presta a molti usi* the new fibre ⌜lends itself to many uses⌝ (*o* can be used in many ways). – **3.** (*rif. a persone: essere pronto*) to be ready (to): *il vile si presta al compromesso* the coward is ready to compromise.

□ ~ **attenzione** to pay attention; ~ **cauzione** to give surety; *la sua condotta si prestò alle* **critiche** his behaviour ⌜exposed him⌝ (*o* left him open) to criticism; ~ **garanzia** to give a guarantee, to stand surety; ~ *a* **interesse** to lend (money) at interest; ~ *su* **ipoteca** to lend on a mortgage; ~ *il proprio* **nome** to lend one's name; ~ **obbedienza** *a qd.* to obey s.o.; ~ **omaggio** *a qd.* to pay homage to s.o.; ~ **orecchio** *a qd.* to listen to s.o., to lend an ear to s.o., to give s.o. one's attention; ~ *sulla* **parola** to lend on trust; ~ *su* **pegno** to lend (money) on security; ~ **servizio** to work, to be employed; ~ *a* **strozzo** (o *usura*) to lend (money) on usury, to lend at usurious rates, to shylock; ~ *a* **titolo** *gratuito* to lend money free of interest.

prestạria *f.* ⟨*Dir.mediev*⟩ document granting a precarium.

prestatọre *m.* (*f.* **-trice**/*pop.* **-tora**) **1.** lender, loaner. – **2.** ⟨*rar*⟩ (*usuraio*) usurer, shylock. □ ~ ⌜*di lavoro*⌝ (o *d'opera*) employee.

prestavọce *m./f.inv.* ⟨*Cin*⟩ dubber.

prestaziọne *f.* **1.** (*il prestare*) lending. – **2.** (*rendimento*) performance: *la ~ di un motore* the performance of an engine. – **3.** *pl.* (*servizi*) services *pl*: *le -i di un avvocato* the services of a solicitor. – **4.** *pl.* (*tributi, tasse*) tribute, taxes *pl.*

□ ⟨*Assic*⟩ ~ *d'***assistenza** (giving of) assistance; ~ *di* **cauzione** giving of security; ~ *in* **denaro** payment in cash; ⟨*Assic*⟩ **diritto** *alle -i* right to assistance; ~ *di* **garanzia** warranty, guarantee; ~ *in* **natura** payment in kind; ⟨*Econ*⟩ ~ *d'***opera** work, service; ~ **pecuniaria** = *prestazione in* **denaro**; ~ **sanitaria** medical assistance; ~ *di* **servizi** rendering of services; ⟨*Aer*⟩ ~ *di* **volo** flying performance.

pre|stellạre *a.* ⟨*Astr*⟩ pre-stellar. – **~sternạle** *a.* ⟨*Anat*⟩ presternal, of the presternum.

prestẹzza *f.* ⟨*non com*⟩ (*rapidità*) promptness, quickness.

prestidigitatọre *m.* ⟨*non com*⟩ → **prestigiatore**. – **prestidigitaziọne** *f.* conjuring, sleight-of-hand, ⟨*lett*⟩ legerdemain, ⟨*lett*⟩ prestidigitation.

prestigiạre *v.t.* (**prestịgio, prestịgi**) ⟨*ant*⟩ (*ingannare con false apparenze*) to deceive, to trick, to take in.

prestigiatọre *m.* (*f.* **-trice**) **1.** conjurer, magician. – **2.** ⟨*fig*⟩ (confidence) trickster, swindler, ⟨*fam*⟩ con-man.

prestịgio *m.* **1.** (*credito, reputazione*) prestige: *godere di grande ~* to have great prestige. – **2.** ⟨*lett*⟩ (*illusione*) illusion. – **3.** → **prestidigitazione**. □ *giochi di ~* conjuring tricks.

prestigiọso *a.* **1.** prestigious, impressive, having prestige. – **2.** ⟨*ant*⟩ (*illusorio*) illusory, deceptive.

prestinạio *m.* ⟨*lomb*⟩ (*fornaio*) baker. – **prestịno** *m.* ⟨*lomb*⟩ (*forno*) oven.

prẹstito *m.* **1.** (*il prestare, cosa prestata*) loan: *lanciare un ~* to float a loan. – **2.** ⟨*Ling*⟩ loan-word. – **3.** ⟨*Etnol*⟩ borrowing.

□ ~ **ammortizzabile** amortizable loan; ~ **bancario** bank loan; ~ *a* **cambio** *marittimo* bottomry bond; **collocare** *un ~* to place a loan; ~ **consolidato** funding loan, consolidated stock, consol; ~ **consuntivo** consumer credit; **contrarre** *un ~* to incur (*o* take out) a loan; ~ **convertibile** convertible loan; **dare** *a* (o *in*) ~ to lend; ~ *in* **denaro** cash loan; **emettere** *un ~* to issue (*o* float) a loan; ~ **estero** foreign loan; ~ **fiduciario** fiduciary loan; ~ **forzato** forced loan; ~ **fruttifero** = *prestito a* **interesse**; ~ **garantito** secured (*o* collateral) loan; ~ *contro* (o *su*) **garanzia** loan against security; ~ **gratuito** = *prestito senza* **interesse**; ~ *di* **guerra** war loan; **in** ~ on loan: *il libro è in ~* (*è fuori*) the book is out (on loan); ~ *a* **interesse** loan at interest; ~ *senza interesse* interest-free loan; ~ **internazionale** = *prestito* **estero**; ~ **ipotecario** mortgage loan; ~ **irredimibile** perpetual debt (*o* loan); ~ **libero** unsecured loan; ~ **matrimoniale** marriage loan; ~ **monetario** = *prestito in* **denaro**; ~ *in* **natura** loan in kind; ~ **obbligazionario** debenture (*o* loan) stock; ~ *su* **pegno** loan on pawn (*o* collateral), secured loan; ~ *a* **premio** loan at premium; **prendere** *in ~ qc.* to borrow s.th.; **preso** *in ~* borrowed (*anche fig.*); ~ **pubblico** public loan; **ricevere** *qc. in ~* to receive (*o* get) s.th. on loan, to be lent s.th.; ~ **rimborsabile** *a richiesta* loan at call, call money, loan repayable on demand; ~ *rimborsabile su preavviso* loan repayable at notice; ~ *a breve* **scadenza** short-term loan; ~ *allo* **scoperto** unsecured loan; **sottoscrivere** *un ~* to subscribe to a loan; ~ *dello* **stato** government loan; ~ *a breve* **termine** = *prestito a breve* **scadenza**; **togliere** *in ~ qc. a qd.* to borrow s.th. from s.o.; ~ **usurario** usurious loan; **vivere** *sul ~* to live on credit (*o* borrowed money).

prẹsto[1] **I** *avv.* **1.** soon, before long, in a short time, shortly: *~ ti scriverò* I'll be writing to you shortly; *si è stancato ~* he soon got tired. – **2.** (*in fretta*) quickly: *ha fatto il lavoro ~* he did the work quickly. – **3.** ⟨*esclam*⟩ hurry up, (be) quick, ⟨*fam*⟩ get a move on: *~, muoviti* come on, hurry up. – **4.** (*prima del tempo stabilito, di buon'ora*) early: *sono arrivato ~ alla riunione* I arrived early for the meeting; *stamattina mi sono alzato ~* I got up early this morning. – **5.** (*facilmente*) easily: *questo passo si capisce ~* this passage is ⌜easily understood⌝ (*o* easy to understand). – **6.** ⟨*Mus*⟩ presto, quickly. – **II** *s.m.* ⟨*Mus*⟩ presto. – **III** *a.* ⟨*ant*⟩ **1.** (*preparato, pronto*) ready, prepared. – **2.** (*sollecito, rapido*) quick.

□ **a** ~ good-bye, see you soon; **ben** ~ very soon (*o* quickly); *è ~* **detto** it's easily said; **far** ~ *a fare qc.*: 1. (*affrettarsi*) to be quick to do s.th., to do s.th. quickly, to hurry up and do s.th.: *fa' ~ a vestirti* hurry up and get dressed; 2. (*non costare fatica*) to have no trouble doing s.th., to do s.th. quickly: *ha fatto ~ a consolarsi* he got over it quickly; *si fa presto a dire* it's easy to talk; *al* **più** ~: 1. = *al più presto* **possibile**; 2. (*non prima*) at the earliest, not before: *alle otto al più ~* not before eight, eight o'clock at the earliest; ⟨*ant*⟩ *più ~* (*più volentieri*) more willingly (*o* gladly); *al più ~* **possibile** as soon as possible; (*il più rapidamente*) as quickly as possible; ~ *o* **tardi** sooner or later. – *Prov.*: *~ e bene raro avviene* haste and wisdom are things far odd; *chi ~ mangia ~ lavora* a quick eater is a quick worker.

prẹsto[2] *m.* ⟨*ant*⟩ **1.** (*prestito*) loan. – **2.** (*monte di pietà*) pawnshop.

prẹsule *m.* ⟨*lett*⟩ (*vescovo*) bishop, prelate.

presụmere (o *presumere*) *v.* (**presụnsi/presunsi, presụnto/presunto**) **I** *v.t.* to imagine, to think, to presume: *nessuno presumeva così vicina la catastrofe* nobody imagined that the catastrophe was so near at hand. – **II** *v.i.* (*aus.* **avere**) to expect too much (*di* of), to rely too much (on), to think too highly (of): *presume delle proprie forze* he relies too much on his own strength; *~ troppo di sé* to think too highly of o.s., to be presumptuous.

presumịbile (o *presumibile*) *a.* presumable, probable, likely. □ *è ~ che* presumably, it is probable that; *come è ~* as may be expected. – **presumibilità** (o *presumibilità*) *f.* ⟨*non com*⟩ presumability, probability, likelihood. – **presumibilmẹnte** *avv.* presumably. – **presụmmere** *v.* ⟨*ant*⟩ → **presumere**. – **presụnsi** *p.rem. di* **presumere**.

presuntịvo *a.* **1.** (*che si può calcolare in anticipo*) estimated. – **2.** (*che si può presumere*) presumptive, expected: *erede ~* heir presumptive, presumptive heir. □ *bilancio ~* budget. – **presụnto** (*p.p. di presumere*) *a.* **1.** presumed: *morte -a* presumed death; (*probabile*) probable. – **2.** (*rif. a criminali*) alleged, suspected. – **3.** (*valutato*) estimated: *spese -e* estimated expenditure.

presuntuosạggine *f.* ⟨*non com*⟩ → **presuntuosità**. – **presuntuosamẹnte** *avv.* presumptuously. – **presuntuosità** *f.* presumptuousness, presumption, (self-)conceit. – **presuntuọso** *a.* **1.** (*rif. a persona*) presumptuous, (self-)conceited, ⟨*fam*⟩ cocky. – **2.** (*rif. a cosa*) presumptuous. – **presunziọne** *f.* **1.** (*l'essere presuntuoso*) presumptuousness, presumption, nerve, gall: *ebbe la ~ di cimentarsi con te* he had the nerve to compete with you. – **2.** ⟨*Dir*⟩ presumption: *~ di proprietà* presumption of title.

presuọla *f.* ⟨*Bot*⟩ (*caglio*) yellow bedstraw, cheese rennet (*Galium verum*).

presuppọrre *v.t.* (**presuppọngo, presuppọni; presuppọsi, presuppọsto**; → **porre**) **1.** to presuppose. – **2.** (*supporre*) to suppose, to assume: *presupponevo che lo sapessi* I assumed that you knew. – **presupposiziọne** *f.* **1.** (*supposizione*) supposition, assumption. – **2.** ⟨*Dir*⟩ presupposition. – **presuppọsto** *m.* **1.** assumption, supposition: *siamo partiti da un ~ sbagliato* we started from a mistaken assumption. – **2.** (*condizione necessaria*) presupposition, requirement.

presụra *f.* ⟨*ant*⟩ **1.** (*il prendere*) taking; (*cattura*) capture. – **2.** (*bottino*) booty, loot. – **3.** (*caglio*) rennet.

pretạccio *m. pegg. di* **prete**. – **pretạglia** *f.* ⟨*spreg*⟩ gang of priests. – **pretaiọlo** *a.* ⟨*non com,spreg*⟩ priest-loving.

prẹte *m.* **1.** ⟨*Rel.catt*⟩ priest: *farsi ~* to become a priest, to take orders. – **2.** ⟨*pop*⟩ (*trabiccolo dello scaldino*) frame for a bed-warmer. □ *morire senza ~* to die without the last Sacraments (*o* rites); *~ operaio* worker priest; ⟨*spreg*⟩ *scherzo da ~* dirty trick.

pretẹlla *f.* ⟨*Met*⟩ stone (casting-)mould. □ ⟨*fig*⟩ *gettare in -e* (*fare in fretta*) to hurry (up).

pretendẹnte (*p.pr. di* **pretendere**[1]) *m./f.* **1.** claimant; (*al trono*) pretender. – **2.** (*chi aspira alla mano di una ragazza*) suitor, wooer, beau.

pretẹndere[1] *v.* (**pretẹsi, pretẹso**) **I** *v.t.* **1.** (*esigere*) to want, to require, to expect: *~ il pagamento* to require payment; *pretende di passare senza aver studiato* he expects to pass without studying. – **2.** (*chiedere più del dovuto*) to want, to ask: *pretende diecimila lire per quel libriccino* he wants ten thousand lire for that tiny book. – **II** *v.i.* (*aus.* **avere**) **1.** (*sostenere*) to maintain, to assert, to claim: *alcuni pretendono che il quadro sia di Raffaello* some people maintain that the picture is by Raphael. – **2.** (*credere a torto*) to think, to say, to claim, to profess, to be under the illusion, to make (o.s.) out: *pretende di aver sempre ragione* he thinks he is always right; *pretende di essere lui l'inventore* he says (*o* claims) he is the inventor. – **3.** (*presumere*) to expect, to presume, to rely too much, to think: *~ di parlare l'inglese dopo un mese* to expect to be speaking English after one month; *pretende di misurarsi con il campione* he thinks he can compete with the champion. – **4.** (*aspirare*) to aspire, to lay claim; (*rif. al trono, alla successione*) to pretend. – **pretendersi** *v.r.* (*atteggiarsi*) to profess (*o* make o.s. out) to be, to pose as, to play: *si pretende a grand'uomo* he professes to be a great man. □ *~ alla mano di una ragazza* to want to marry a girl, ⟨*lett*⟩ to pretend to a girl's hand.

pretẹndere[2] *v.t.* (**pretẹsi, pretẹso**) ⟨*Edil*⟩ to pretension.

pretensiọne[1] *f.* **1.** (*pretesa*) claim, pretension. – **2.** (*presunzione*) pretentiousness, pretension.

pretensiọne[2] *f.* ⟨*Edil*⟩ pretensioning.

pretensiosità *f.* **1.** (*pretesa*) pretentiousness. – **2.** (*alterigia*) conceit. – **pretensiọso** *a.* **1.** pretentious. – **2.** (*presuntuoso*) pretentious, conceited, self-important. – **pretenzionọso** *a.* ⟨*tosc*⟩ → **pretensioso.** – **pretenziosità** *f.* → **pretensiosità.** – **pretenziọso** *a.* → **pretensioso.**

preterintenzionạle *a.* ⟨*Dir*⟩ unintentional. ☐ *omicidio* ~ (voluntary) manslaughter. – **preterintenzionalità** *f.* unintentionality.

preterịre *v.t.* (**preterịsco, preterịsci**) ⟨*lett*⟩ (*omettere*) to pass over, to omit.

pretẹrito (o *preterịto*) **I** *a.* ⟨*lett*⟩ (*trascorso*) past. – **II** *s.m.* **1.** (*tempo passato*) past. – **2.** ⟨*Gramm*⟩ preterite tense, past (tense). – **3.** ⟨*fam, scherz*⟩ (*deretano*) ⟨*fam*⟩ bottom, ⟨*fam*⟩ seat, ⟨*fam*⟩ behind.

preterizịone *f.* **1.** omission. – **2.** ⟨*Ret*⟩ preterition.

pretermẹsso (*p.p. di pretermettere*) *a.* **1.** omitted, pretermitted. – **2.** ⟨*Med*⟩ premature: *parto* ~ premature birth. – **pretermẹttere** *v.t.* (**pretermịsi, pretermẹsso**) ⟨*lett*⟩ (*omettere*) to omit, to pretermit. – **pretermissịone** *f.* ⟨*lett*⟩ (*omissione*) omission, pretermission.

preternaturạle *a.* **1.** ⟨*Rel*⟩ supernatural, preternatural. – **2.** ⟨*Med*⟩ preternatural, abnormal, unnatural.

pretẹsa *f.* **1.** pretension, claim, pretence: *avere la ~ d'essere elegante* to have pretensions to elegance; *far valere le proprie -e* to enforce one's claims. – **2.** (*richiesta*) claim, demand: *avanzare -e irragionevoli* to make unreasonable demands. – **3.** ⟨*Dir*⟩ right, claim.

☐ **accampare** *-e* to put forward unjustified demands; **avanzare** *delle -e su qc.* to claim rights over s.th.; *è una* **bella** ~ that's asking a lot, ⟨*fam*⟩ that's a tall order; ⟨*Econ*⟩ ~ **eccessiva** excessive demand; *avere* **molte** *-e* to expect a lot; *è un uomo di* **poche** *-e* he's an easy man to please, he's easily pleased; **senza** *-e* unpretentious.

pretẹsco *a.* (*pl.* **-chi**) **1.** ⟨*spreg*⟩ priest-like, priestly, sanctimonious: *fare* ~ sanctimonious manner. – **2.** (*da prete*) priest's, priestly: *abito* ~ priest's habit, priest's clothes *pl.*

pretẹso[1] (*p.p. di pretendere*[1]) *a.* **1.** (*chiesto come dovuto*) claimed, demanded. – **2.** (*presunto*) supposed, alleged: *questa -a neutralità* this alleged neutrality.

pretẹso[2] (*p.p. di pretendere*[2]) *a.* ⟨*Edil*⟩ pretensioned.

pretẹssere *v.t.* ⟨*ant*⟩ (*addurre pretesti*) to put forward pretexts.

pretẹsta *f.* ⟨*Stor.rom*⟩ **1.** (*toga*) praetexta. – **2.** ⟨*Lett*⟩ (*anche favola pretesta*) drama with Roman subject. – **pretestạto** *a.* ⟨*lett*⟩ (*vestito di pretesta*) wearing a praetexta.

pretẹsto *m.* **1.** pretext, excuse, pretence: *mendicare -i* to find excuses. – **2.** (*occasione, appiglio*) opportunity, occasion. ☐ *prendere qc. a* ~ to use s.th. as an excuse; *sotto il ~ di* on the pretext of.

pretestuọso *a.* ⟨*non com*⟩ used as a pretext.

pretịno[1] *m. dim. di* **prete.**

pretịno[2] *a.* ⟨*spreg*⟩ **1.** (*pretesco*) priest-like, sanctimonious. – **2.** (*clericale*) clerical.

pretịno[3] *m.* ⟨*Ornit*⟩ (*corriere grosso*) ring(ed) plover (*Charadrius hiaticula*).

pretọne *m.* ⟨*spreg*⟩ *accr. di* **prete.**

pretọnico *a.* (*pl.* **-ci**) ⟨*Ling*⟩ pretonic.

pretọnzolo (*dim. di prete*) *m.* ⟨*spreg*⟩ priestling.

pretọre *m.* **1.** magistrate, judge (of a lower court). – **2.** ⟨*Stor.rom*⟩ praetor. – **pretọria** *f.* ⟨*ant*⟩ (*pretura*) magistrate's court. – **pretoriạle** *a.* ⟨*non com*⟩ → **pretorio**[1].

pretoriạno *m.* **1.** ⟨*Stor.rom*⟩ Praetorian. – **2.** ⟨*spreg*⟩ bodyguard, henchman.

pretorịle *a.* magistrate's.

pretọrio[1] *a.* **1.** (*del pretore*) magistrate's, magisterial. – **2.** ⟨*Stor. rom*⟩ praetorian, praetorial. – **3.** (*municipale*) municipal, town-: *palazzo* ~ town-hall.

pretọrio[2] *m.* ⟨*Stor.rom*⟩ praetorium; (*corpo dei pretoriani*) Praetorian Guard.

prettamẹnte *avv.* typically, truly, utterly. – **prẹtto** (o *prẹtto*) *a.* pure, real, true, genuine: *in ~ inglese* in pure English. ☐ *vino* ~ unadulterated wine; *una -a menzogna* a downright lie.

pretụcolo (*dim. di prete*) *m.* → **pretonzolo.**

pretụra *f.* **1.** magistrate's court; (*circoscrizione*) district over which a magistrate has authority. – **2.** ⟨*Stor.rom*⟩ praetorship.

preụso *m.* ⟨*Dir*⟩ use of a trade-mark prior to its registration by another party.

prevalẹnte (*p.pr. di prevalere*) *a.* **1.** prevailing, prevalent: *l'opinione* ~ the prevailing opinion. – **2.** (*più numeroso*) prevailing, predominant. ☐ *vento* ~ prevailing wind. – **prevalentemẹnte** *avv.* mainly, mostly. – **prevalẹnza** *f.* **1.** priority, supremacy, superiority: ~ *militare* military superiority; (*l'essere prevalente*) prevalence, predominance. – **2.** ⟨*Idr*⟩ head, lift: ~ *totale* total head. ☐ ⌜*avere la*⌝ (o *essere in*) ~ to prevail, to take priority; (*essere più numerosi*) to be in the majority, to predominate; *in* ~ mainly, mostly.

prevalẹre *v.i.* (**prevạlgo, prevạli; prevạlsi, prevạlso;** → **valere;** *aus.* **essere/avere**) **1.** (*avere maggiore importanza*) to prevail, to predominate, to take priority: *non sempre prevale la ragione* reason does not always prevail. – **2.** (*vincere*) to prevail. – **prevalersi** *v.r.* (*valersi*) to avail o.s., to take advantage, to make use: *prevalersi della propria autorità* to take advantage of one's authority.

prevaricamẹnto *m.* ⟨*non com*⟩ → **prevaricazione.** – **prevaricạre** *v.* (**prevạrico, prevạrichi**) **I** *v.i.* (*aus.* **avere**) **1.** to be dishonest, to act dishonestly; (*abusare del proprio potere*) to abuse one's office, to deviate from one's duty, to commit a breach of trust: *ha prevaricato dai suoi doveri per interesse* he abused his position for his own profit. – **2.** ⟨*Dir*⟩ (*rif. ad avvocato*) to collude with the opposing party, ⟨*ant*⟩ to prevaricate. – **II** *v.t.* ⟨*ant*⟩ (*trasgredire*) to transgress. – **prevaricatọre** *m.* (*f.* **-trice**) prevaricator. – **prevaricazịone** *f.* **1.** dishonesty, corruption: *fu accusato di* ~ he was accused of dishonesty; (*rif. a pubblico ufficiale*) malfeasance (in office), malpractice, breach of trust. – **2.** ⟨*Dir*⟩ collusion with the opposing party, ⟨*ant*⟩ prevarication.

prevedẹre *v.t.* (**prevẹdo; prevịdi, prevedụto/prevịsto;** → **vedere**) **1.** to foresee, to expect, to foretell: *avevo previsto il tuo successo* I foresaw your success; *non potevo ~ le conseguenze di quest'azione* I could not foresee the consequences of this action. – **2.** (*considerare*) to provide for: *la legge non prevede questo caso* the law does not provide for this case. ☐ *Prov.*: *meglio ~ che provvedere* an ounce of prevention is worth a pound of cure.

prevedịbile *a.* foreseeable, to be expected. – **prevedibilità** *f.* foreseeableness. – **prevedimẹnto** *m.* ⟨*rar*⟩ foreseeing.

preveggẹnte *a.* ⟨*lett*⟩ → **previdente.** – **preveggẹnza** *f.* ⟨*lett*⟩ (*previdenza*) foresight.

prevenịre *v.t.* (**prevẹngo, previẹni; prevẹnni, prevenụto;** → **venire**) **1.** (*precedere*) to precede, to arrive before: *lo prevenni di qualche minuto* I arrived a few minutes before him. – **2.** ⟨*fig*⟩ to forestall, to anticipate: ~ *il desiderio di qd.* to anticipate s.o.'s wish. – **3.** (*impedire*) to prevent; (*evitare*) to avoid, to avert, to ward off: ~ *le difficoltà* to avoid difficulties; ~ *una guerra* to avert a war. – **4.** (*avvertire in precedenza*) to (fore)warn, to inform (beforehand), to notify, to let know: *vi prevengo che non si accettano reclami* I warn you that complaints will not be accepted; (*ammonire*) to warn. – **5.** (*influenzare*) to influence, to predispose.

preventivamẹnte *avv.* beforehand, in advance, previously. – **preventivạre** *v.t.* ⟨*burocr*⟩ to estimate: ~ *le entrate* to estimate income. – **preventivạto** (*p.p. di preventivare*) **I** *a.* estimated: *spese -e* estimated expenses. – **II** *s.m.* estimate: *il ~ della spesa* the estimate of expenditure. – **preventivịsta** *m./f.* estimator.

preventịvo **I** *a.* **1.** (*atto a prevenire*) preventive, precautionary: *cura -a* preventive (o prophylactic) treatment. – **2.** (*che si fa in precedenza*) advance, preliminary: *indagine -a* preliminary enquiry. – **3.** ⟨*Bot*⟩ (*dormiente*) dormant, preventitious. – **II** *s.m.* ⟨*Econ*⟩ (*valutazione non impegnativa*) estimate: ~ *di costo e spese* cost estimate; (*impegno scritto con valore legale*) tender. ☐ ~ *di cassa* cash budget; ~ *dettagliato* detailed estimate; ~ *di massima* rough estimate; ~ *di spesa* estimate.

preventọrio *m.* ⟨*Med*⟩ preventorium.

preventrịglio *m.* ⟨*Zool*⟩ proventriculus.

prevenụto (*p.p. di prevenire*) **I** *a.* **1.** (*maldisposto*) prejudiced, biased: *sei ~ contro di noi* you are prejudiced against us. – **2.** ⟨*non com*⟩ (*preavvisato*) (fore)warned. – **II** *s.m.* (*f.* **-a**) ⟨*Dir*⟩ (*imputato*) accused.

prevenzịone *f.* **1.** (*preconcetto*) prejudice, bias: *giudicare senza -i* to judge without prejudice. – **2.** ⟨*non com*⟩ (*il prevenire*) prevention: ~ ⌜*dei sinistri*⌝ (o *degli infortuni*) accident prevention, prevention of accidents; (*l'evitare*) avoidance. – **3.** ⟨*Dir*⟩ prevention, priority (between pending actions). – **4.** ⟨*Med*⟩ (*profilassi*) prevention, prophylaxis.

preverbazịone *f.* ⟨*Gramm*⟩ use of a preverb. – **prevẹrb(i)o** *m.* preverb.

prevertebrạle *a.* ⟨*Anat*⟩ prevertebral.

previamẹnte *avv.* previously, beforehand, in advance.

previdẹnte *a.* provident, far-seeing, far-sighted: *sei ~, hai pensato a tutto* you are very far-seeing, you have thought of everything; (*prudente*) prudent, wise. – **previdentemẹnte** *avv.* providently, prudently. – **previdẹnza** *f.* **1.** providence, foresight; (*prudenza*) prudence. – **2.** (*ente*) social security, national insurance. ☐ *cassa di* ~ provident fund; ~ *sociale* social security (system), national insurance. – **previdenziạle** *a.* social security-, national insurance-.

previgịlia *f.* ⟨*non com*⟩ (*antivigilia*) the day before the eve.

prẹvio *a.* ⟨*burocr*⟩ previous, prior, after, subject to, upon. ☐ ~ *accordo* upon (o by previous) agreement; ~ *avviso* upon (o subject to) notice, with previous notice; ~ *esame* after examination; ⟨*Med*⟩ *placenta -a* placenta praevia.

previsịbile *a.* ⟨*non com*⟩ → **prevedibile.**

previsịone *f.* **1.** forecast, prevision, foretelling, prediction: *-i del raccolto* forecast for the harvest. – **2.** (*supposizione*) expectation, forecast: *le mie -i si sono avverate* my expectations have come true, my forecast has proved correct. – **3.** ⟨*Comm*⟩ estimate: ~ *delle entrate* estimate of revenue. ☐ ⟨*Comm*⟩ *bilancio di* ~ budget; *in ~ di* in expectation (o anticipation) of: *in ~ di un'estate torrida* in anticipation of a hot summer; (*nel caso di*) in case of, in the event that: *in ~ di una disgrazia* in case of accident; *-i metereologiche* weather forecast *sing*; *secondo le -i* according to expectations, as expected.

previsọ *a.* ⟨*ant*⟩ (*previsto*) foreseen, expected.

previsto (*p.p. di prevedere*) **I** *a.* **1.** foreseen, expected: *l'esito* ~ the expected result. – **2.** ⟨*Comm*⟩ estimated. – **3.** (*considerato*) provided for: *caso ~ dalla legge* case provided for in law. – **II** *s.m.* expectations *pl*, thing expected. ☐ *come* ~ as expected, according to expectations; *ho speso più del* ~ I spent more than I had expected (o bargained for); *prima del* ~ sooner (o earlier) than expected. – *Prov.*: *cosa -a, mezzo provvista* forewarned is forearmed.

prevocạlico *a.* (*pl.* **-ci**) ⟨*Ling*⟩ prevocalic, antevocalic.

prevostạle *a.* **1.** ⟨*Rel*⟩ provost's, provostal. – **2.** ⟨*Dir*⟩ provost-: *corte* ~ provost court. – **prevọsto** *m.* **1.** ⟨*Rel*⟩ provost, dean, rector; (*parroco*) parish priest. – **2.** ⟨*Stor*⟩ (*magistrato*) provost. – **prevostụra** *f.* **1.** ⟨*Rel*⟩ provostry, provostship. – **2.** ⟨*Mediev*⟩ (*in Francia*) provostship.

preziạrio I *a.* (*di prezzi*) price-, of prices. – II *s.m.* ⟨*non com*⟩ → **prezzario.**

preziǫsa *f.* ⟨*Lett*⟩ précieuse. – **preziosamẹnte** *avv.* **1.** richly, preciously. – **2.** ⟨*fig*⟩ (*con scrupolo*) carefully, scrupulously, with great care. – **preziosịsmo** *m.* **1.** affectation, artificiality, preciosity (*anche concr.*). – **2.** ⟨*Lett*⟩ preciosity. – **preziosità** *f.* **1.** preciousness, great value. – **2.** ⟨*fig*⟩ (*ricercatezza*) affectation, artificiality, preciosity (*anche concr.*): ~ *di stile* preciosity of style.

preziǫso I *a.* **1.** precious, (very) valuable, costly: *un quadro* ~ a valuable painting. – **2.** ⟨*fig*⟩ precious, valuable, (highly) valued: *consigli -i* valuable advice. – **3.** ⟨*fig*⟩ (*ricercato, affettato*) affected, artificial, over-elaborate, precious: *stile* ~ artificial style. – II *s.m.* **1.** valuable, precious object; (*gioiello*) jewel: *vendita di -i* sale of jewels. – **2.** ⟨*Lett*⟩ précieux (*f* précieuse). □ *fare il* ~ to put on airs, ⟨*fam*⟩ to play hard to get; ⟨*fam*⟩ *farsi* ~ to keep to o.s., to seldom show one's face.

prẹzza *f.* ⟨*ant*⟩ (*apprezzamento*) appraisal.

prezzạre *v.t.* (**prẹzzo**) **1.** ⟨*Comm*⟩ to price, to fix the price of. – **2.** ⟨*ant*⟩ (*stimare, valutare*) to value, to appraise, to evaluate. – **3.** ⟨*fig,ant*⟩ (*curarsi*) to mind, to care about. – **prezzarsi** *v.r.* ⟨*ant*⟩ **1.** (*apprezzarsi*) to think well of o.s. – **2.** (*vantarsi*) to pride o.s. (*di* on), to be proud (of).

prezzạrio *m.* ⟨*Comm*⟩ price-list, catalogue.

prezzẹmolo *m.* ⟨*Bot*⟩ parsley (*Petroselinum hortense*).

□ ⟨*tosc*⟩ **antico** *come il* ~ as old as the hills; ⟨*pop*⟩ **entrare** *in qc. come il* ~ to make no difference to s.th., to have no effect on s.th.; ⟨*scherz*⟩ **essere** *come il* ~ to be (*o* turn up) everywhere; ⟨*Bot*⟩ ~ **falso** (*cicuta minore*) fool's parsley (*Aethusa cynapium*); ~ **riccio** parsley (*Petroselinum crispum*).

prẹzzo *m.* **1.** price: *stabilire un* ~ to fix a price. – **2.** (*costo*) cost, price: ~ *della manodopera* cost of labour; *il* ~ *di un biglietto d'entrata* the cost of an admission ticket, the entrance fee. – **3.** (*tariffa*) rate: ~ *dell'abbonamento* subscription rate (*o* price); (*rif. a trasporti pubblici*) fare: *il* ~ *del viaggio aereo a Londra* the plane fare to London. – **4.** ⟨*concr*⟩ (*cartellino col prezzo*) price card (*o* ticket, tag, label). – **5.** ⟨*fig*⟩ (*pregio, valore*) price: *i buoni amici non hanno* ~ good friends are ⌜without price⌝ (*o* priceless).

□ **a** ~ *di* (*a costo di*) at the cost of: *a* ~ *di grandi sacrifici* at the cost of great sacrifices; **abbassare** *i -i* to lower prices; ~ *d'***acquisto** purchase price; ~ *d'***affezione** sentimental value; ~ *d'***affitto** rent, rental cost; **al** ~ *di* for, at the price of; **allineare** *i -i* to align (*o* adjust) prices; *far* **alzare** *i -i* to raise (*o* increase, send up) prices; ⟨*Econ*⟩ ~ *d'***apertura** opening price; **aumentare** *un* ~ to increase (*o* raise) a price; (*far pagare di più*) to charge more; *i -i sono in* **aumento** prices are rising (*o* going up); ⟨*fig*⟩ *non* **aver** ~ to be priceless; ~ **base** basic price, base-rate; ~ **bassissimo** very low price, ⟨*fam*⟩ rock-bottom price; *a* **basso** ~ cheaply, at a low price; ~ *di un* **biglietto** *ferroviario* train fare; ~ **bloccato** frozen price; *a* **buon** ~ cheaply, reasonably, inexpensively, at a good price; *far* **cadere** *i -i* = **comprimere** *i prezzi*; ~ *di* **calmiere** = *prezzo* **controllato**; *a* **caro** ~ dearly, expensively, at a high price; ⟨*fig*⟩ *vendere qc. a caro* ~ to sell s.th. dearly; ⟨*Econ*⟩ ~ *di* **chiusura** closing price; ~ *di* **collocamento** = *prezzo di* **vendita**; ~ *di* **compensazione** making-up price; ~ **competitivo** = *prezzo* **concorrenziale**; ~ **complessivo** = *prezzo* **totale**; ~ *tutto* **compreso** all-in(clusive) price; **comprimere** *i -i* to bring (*o* force) prices down; ~ **concorrenziale** (*o di concorrenza*) competitive price; ~ *al* **consumatore** consumer price; ~ *per* **contanti** cash price; **conteggiare** *il* ~ *di qc.* to calculate (*o* work out) the price of s.th., to price s.th.; ~ **contrattuale** contract price; ~ **controllato** controlled price, price fixed by the authorities; ~ **conveniente** low price; ~ *di* **copertina** published (*o* marked) price; ~ **corrente** current (*o* market) price; ~ *di* **costo** cost price; ~ *al* **dettaglio** = *prezzo al* **minuto**; **di** ~ expensive, valuable; **diminuire** *i -i* = **abbassare** *i prezzi*; *far* **diminuire** *i -i* to lower (*o* send down) prices; ~ *di* **domanda** asking price, price asked; ~ **effettivo**: 1. cash price; 2. (*quotato in Borsa*) actual quotation, price quoted; ~ **elevato** high price; ~ *d'***emissione** issue price, rate of issue; ~ **esorbitante** exorbitant price; ~ *all'***esportazione** export price; ~ *di* **fabbrica** manufacturer's (*o* factory) price; ~ ⌜*di* **fattura**⌝ (*o fatturato*) invoice price; ~ *di* **favore** special price; ~ **finale** final price; ~ **fisso** (*non trattabile*) fixed price, no discount given; ~ **forfettario** (*o a forfait*) price by the job, contract price; ~ **franco** price delivered; ~ *franco frontiera* price free frontier; ~ *del* **giorno** = *prezzo* **corrente**; ~ **giusto** fair price; ⟨*lett*⟩ *fare* **gran** ~ *di qd.* to hold s.o. in high esteem, to think highly of s.o.; ~ *all'***importazione** import price; ~ **imposto** forced price; ~ **inaccessibile** = *prezzo* **proibitivo**; ~ **indicativo** approximate (*o* guiding) price; ~ *all'***ingrosso** wholesale price; ~ **intero** full price; ~ *d'***inventario** stock-taking price; *-i* **irrisori** extremely low prices, ⟨*fam*⟩ rock-bottom prices; ~ **libero** free market price; ~ **limite** maximum (*o* top) price; ~ *di* **liquidazione** sale (*o* bargain) price; *a -i di liquidazione* at cut (*o* knock-down) prices; ~ *di* **listino** list price; ~ *della* **locazione** rent, cost of hire; ~ **lordo** gross price; ~ **massimo** maximum (*o* top, highest) price; ~ **medio** average price; ~ *di* **mercato** market price; ~ *del mercato libero* price on the free market; *a* **metà** ~ (at) half price; (*rif. a viaggi*) (at) half fare; ⟨*spreg*⟩ **mettere** *a* ~ *qc.* to sell s.th.: *mettere a* ~ *il proprio nome* to sell one's good name; *al* **miglior** ~ at the best price; *fare -i migliori* to undercut; ~ **minimo** reserve price; ~ *al* **minuto** retail price; ~ **mobile** sliding-scale price; ~ **modico** (*o moderato*) reasonable (*o* moderate) price; ~ *di* **monopolio** monopoly price; ~ **netto** net price; ~ **nominale** nominal price; ~ **normale** standard (*o* normal) price; ~ **normativo** (*o orientativo*) = *prezzo* **indicativo**; ~ *d'***offerta** selling price; *far* **pagare** *un certo* ~ to charge a certain amount; ~ *del* **passaggio** passage money; ~ *della* **piazza** spot price, quotation; *di* **pochissimo** ~ very cheap, ⟨*fam*⟩ dirt cheap; ~ **politico** subsidized (*o* non-commercial) price, supported (*o* pegged) price; *-i* **popolari** low (*o* popular) prices; ~ *di* **produzione** cost of production; (*prezzo di fabbrica*) manufacturer's price; ~ **proibitivo** prohibitive price; ~ *di* **propaganda** bargain price; *a* **qualunque** ~ at all costs, at any price; ~ **quotato** quoted price; ~ **ragionevole** = *prezzo* **giusto**; ~ *a* **rate** hire-purchase (*o* instalment) price; ~ **reclamistico** = *prezzo di* **propaganda**; ~ **ribassato** reduced price; ~ *in* **ribasso** falling price; ~ **ridotto** reduced (*o* cut) price; ~ *di* **riscatto** redemption price; ~ **ristrettissimo** = *prezzo* **bassissimo**; **sbloccare** *i -i* to unfreeze (*o* decontrol) prices; *il* ~ *del* **silenzio** the price of silence, ⟨*fam*⟩ hush-money; ~ **sottocosto** below-cost price; ~ **sovvenzionato** subsidized price; ~ **speciale** special price; ~ **stagionale** seasonal price; ~ *di* **svendita** = *prezzo di* **liquidazione**; **tirare** *sul* ~ to haggle (over the price), to bargain; ~ **totale** total cost; ~ *di* **trasporto** carriage, freight(age), shipping charges *pl*; ~ *della* **traversata** = *prezzo del* **passaggio**; ~ **ufficiale** official price; **ultimo** ~ lowest price, (rock-) bottom price; ~ **unitario** unit price, cost per unit; ~ *d'***uso** usual price; ~ *di* **vendita** selling price; ~ *di vendita al minuto* retail price; ~ **vincolato** = *prezzo* **controllato**.

prezzolạre *v.t.* (**prẹzzolo**) to hire, to pay; (*corrompere*) to bribe. – **prezzolạto** (*p.p. di prezzolare*) *a.* hired; (*corrotto*) bribed.

P.R.I. = **1.** *Partito repubblicano italiano* Italian Republican Party. – **2.** *Partito radicale italiano* Italian Radical Party.

prịa *avv.* ⟨*poet*⟩ before.

priaboniạno I *a.* ⟨*Geol*⟩ Priabonian, Upper Eocene. – II *s.m.* Priabonian, Upper Eocene (epoch).

Prịamo *N.pr.m.* ⟨*Mitol*⟩ Priam.

priapẹo I *a.* ⟨*Metr*⟩ priapean, Priapean. – II *s.m.* **1.** ⟨*Metr*⟩ priapean (verse). – **2.** ⟨*Lett*⟩ poem to Priapus.

priapịsmo *m.* ⟨*Med*⟩ priapism.

Priạpo *N.pr.m.* ⟨*Mitol*⟩ Priapus.

pricissiọne *f.* ⟨*pop*⟩ → **processione.**

priẹgo *m.* → **prego**[2].

priẹmere *v.* ⟨*ant*⟩ → **premere.**

prigiọne[1] *f.* **1.** prison, gaol, jail, ⟨*fam*⟩ clink, ⟨*am.fam*⟩ lock-up: *mettere qd. in* ~ to send s.o. to prison, to imprison s.o., to lock s.o. up, to put s.o. behind bars. – **2.** *pl.* (*edificio*) prison, gaol, jail, ⟨*am.fam*⟩ lock-up. – **3.** (*pena*) imprisonment, prison, ⟨*lett*⟩ incarceration: *scontare due anni di* ~ to serve two years of imprisonment, to spend two years behind bars. – **4.** ⟨*fig*⟩ (*luogo angusto e buio*) dungeon; (*ambiente in cui non c'è libertà*) prison. – **5.** (*nei giochi di fanciulli*) jail, prison; (*nel gioco dell'oca*) jail. □ ~ *sotterranea* dungeon.

prigiọne[2] *m.* ⟨*ant*⟩ (*prigioniero*) prisoner.

prigionịa *f.* **1.** imprisonment, incarceration, captivity. – **2.** (*detenzione*) detention, confinement, captivity. – **3.** ⟨*fig*⟩ captivity. □ ~ *bellica* captivity.

prigionịẹre *a./s.* ⟨*ant*⟩ → **prigioniero.**

prigionịẹro I *a.* **1.** captured, captive: *soldati -i* captured soldiers. – **2.** (*imprigionato*) imprisoned, jailed, confined, locked up, behind bars. – **3.** ⟨*fig*⟩ confined, shut up, captive; (*schiavo*) enslaved: *essere* ~ *dei pregiudizi* to be ⌜enslaved by⌝ (*o* a slave to) prejudice. – **4.** (*nei giochi di fanciulli*) captured. – II *s.m.* (*f.* **-a**) **1.** prisoner, captive. – **2.** ⟨*Mecc*⟩ stud (bolt), screw stud. – **3.** ⟨*ant*⟩ (*carceriere*) gaoler, jailer, prison guard (*o* warder). □ *fare qd.* ~ to take (*o* make) s.o. prisoner, to imprison s.o.; *fare -i* to take (*o* make) prisoners; ~ *di guerra* prisoner of war, captive; ~ *politico* political prisoner.

prillạre I *v.t.* to spin, to whirl, to twirl. – II *v.i.* (*aus.* **avere**) to spin, to whirl, to twirl. – **prịllo** *m.* **1.** spin(ning), whirl(ing), twirl(ing). – **2.** ⟨*Ornit*⟩ (*corriere grosso*) ring(ed) plover (*Charadrius hiaticula*).

prịma[1] I *avv.* **1.** (*precedentemente*) before, previously: *qualche giorno* ~ a few days previously; ~ *non lo conoscevo* I didn't know him before; *potevi pensarci* ~ you could have thought of that before. – **2.** (*in anticipo*) first, beforehand, in advance: *un'altra volta dimmelo* ~ the next time tell me first (*o* in advance). – **3.** (*più presto*) earlier, sooner: *perché non ti alzi* ~ ? why don't you get up earlier?; *un'altra volta vieni* ~ next time come earlier. – **4.** (*una volta, per l'addietro*) once, formerly, at one time: ~ *si faceva così, ora no* at one time we used to do it that way, now we don't; ~ *qui si viveva meglio* life here used to be better before. – **5.** (*in primo luogo, per prima cosa*) first: ~ *lo studio e poi il divertimento* first study and then pleasure, study comes before pleasure; ~ *tu e poi io* first you and then me. – **6.** (*rif. a luogo*) first: ~ *c'è un giardino, poi la mia casa* first there's a garden, then my house; (*prima di ciò*) before (that): *un chilometro* ~ one kilometre before. – **7.** (*più sopra*) above, before, earlier (on): *i versi citati* ~ the lines quoted above, the above-quoted lines. – **8.** ⟨*ant*⟩ (*per la prima volta*) for the first time. – II *a.inv.* (*precedente*) past, last, previous, preceding: *l'anno* ~ the previous year, last year.

□ ~ **che**: 1. before: ~ *che parlassi io* before I spoke; *bisogna finire il lavoro* ~ *che egli venga* we must finish the work before he gets here; 2. (*piuttosto*) rather than, sooner than; **come** ~ (just) as before; ⟨*lett*⟩ (*appena che*) as soon as; **da** ~ (*dapprima*) at first, first of all, in the first place; ~ **di**: 1. (*rif. a tempo*) before; ~ *del pranzo* before dinner; *l'ho visto* ~ *di Natale* I saw him before Christmas; *bussa* ~ *di entrare* knock before entering; 2. (*rif. a luogo*) before: ~ *della scuola* before the school; 3. (*piuttosto*) rather than, sooner than: *si farebbe uccidere* ~ *di parlare* he'd let himself be killed rather than talk; *di* ~ (*di una volta*) former, once, of old: *le usanze di* ~ the customs of old; *non è più quello di* ~ he's not the man he once was, he's no longer his former self; **molto** (*tempo*) ~ long before; *tre* **pagine** ~ three pages back; **poco** (*tempo*) ~ shortly (*o* a short time) before, a little before; ~ *o* **poi** sooner or later; ~ **possibile** as soon (*o* quickly) as possible; *ne so* **quanto** ~ I'm ⌜as wise as⌝ (*o* no wiser than) before; *quanto* ~ (*al più presto*) as soon as possible: *quanto* ~ *potrò* as soon as I can; *quanto* ~ *tanto meglio* the sooner the better; **subito** ~ just before; *ai* **tempi** *di* ~ in the old days, ⟨*lett*⟩ in days of yore; ~ *di* **tutto** first of all.

prima[2] *f.* **1.** ⟨*Scol*⟩ (*rif. alle scuole elementari*) first class, ⟨*am*⟩ first grade; (*rif. alle scuole medie*) first form (*o* class), ⟨*am*⟩ first year (of junior high school). – **2.** ⟨*Teat,Cin*⟩ première, first (*o* opening) night, first performance. – **3.** ⟨*Aut*⟩ first (gear): *partire in* ~ to start in first. – **4.** ⟨*Ferr*⟩ (*prima classe*) first class: *viaggiare in* ~ to travel first class. – **5.** ⟨*Sport*⟩ (*nella scherma*) prime, first. – **6.** ⟨*Alp*⟩ first ascent. – **7.** ⟨*Lit*⟩ prime.
□ ⟨*Teat,Cin*⟩ ~ **assoluta** première; ⟨*Econ*⟩ ~ *di* **cambio** first of exchange; ⟨*Ferr*⟩ *una* **carrozza** *di* ~ a first-class carriage; ⟨*Ginn*⟩ **mettersi** *in* ~ to stand to attention; ⟨*Teat,Cin*⟩ ~ **mondiale** world première; **sulle** *-e* at first, in the beginning.

primaccio *m.* ⟨*ant*⟩ (*piumaccio*) down mattress, feather-bed.

primaio *a.* ⟨*ant*⟩ (*primo*) first.

primaiola *f.* ⟨*tosc*⟩ **1.** (*rif. a donna*) primipara. – **2.** (*rif. ad animale*) animal parturient for the first time.

primamente *avv.* ⟨*lett*⟩ (*prima*) first, in the first place.

primariamente *avv.* **1.** (*in primo luogo*) in the first place, first(ly), primarily. – **2.** (*specialmente*) principally, primarily, mainly, chiefly.

primario I *a.* **1.** (*principale*) primary, chief, main, principal, first, leading, ⟨*am*⟩ major: *un problema di -a importanza* a problem of primary importance, a major problem; *le -e famiglie della città* the principal (*o* leading) families in the city; (*massimo*) the greatest, great, ⟨*am*⟩ major: *di* ~ *interesse* of the greatest interest. – **2.** (*primo di una serie*) primary (*anche Geol.,Chim.*): *scuola -a* primary school, elementary school; *insegnamento* ~ primary teaching. – **II** *s.m.* **1.** ⟨*Med*⟩ chief (*o* head) physician, hospital superintendent; (*caporeparto*) chief physician of a hospital ward. – **2.** ⟨*Fis*⟩ (*circuito primario*) primary circuit.

primate *m.* ⟨*Rel*⟩ Primate.

primati *m.pl.* ⟨*Zool*⟩ primates *pl* (*Primates*).

primaticcio *a.* early: *fichi primaticci* early figs.

primatista *m./f.* ⟨*Sport*⟩ record-holder.

primativo *m.* → **primitivo**[2].

primato *m.* **1.** supremacy, pre-eminence, superiority, primacy: *il* ~ *politico di una nazione* the political supremacy of a country. – **2.** ⟨*Sport*⟩ record: *detenere un* ~ to hold a record. – **3.** ⟨*Rel*⟩ primacy.
□ ⟨*Sport*⟩ **abbassare** (*o battere, migliorare*) *un* ~ to break (*o* beat) a record; ⟨*Sport*⟩ ~ *dell'***ora** one-hour record; ⟨*Rel*⟩ ~ **pontificio** primacy, pontifical (*o* episcopal) jurisdiction; **stabilire** *un* ~ to set (up) a record; *a* **tempo** *di* ~ in record time; **tenere** *il* ~ to be supreme.

primavera *f.* **1.** spring(time). – **2.** ⟨*fig*⟩ (*clima mite*) spring: *in quest'isola c'è un'eterna* ~ on this island it's always spring. – **3.** ⟨*scherz*⟩ (*anno*) year, winter: *avere molte -e sulle spalle* to be advanced in years, to have seen many winters. – **4.** ⟨*fig*⟩ (*giovinezza*) youth, springtime, prime: *morì nella* ~ *della vita* he died in the ⌜springtime of his life⌝ (*o* prime of life). – **5.** ⟨*Bot*⟩ (→ **primaverina**. – **6.** ⟨*Bot*⟩ (*margheritina*) (English) daisy (*Bellis perennis*). □ *una giornata di* ~ a spring day; ⟨*Bot*⟩ ~ *maggiore* oxlip (*Primula elatior*); ⟨*Bot*⟩ ~ *odorosa* cowslip (*Primula veris, Primula officinalis*); ⟨*Stor.rom*⟩ ~ *sacra* ver sacrum, spring offering.

primaverile *a.* **1.** spring-, of spring, ⟨*lett*⟩ vernal: *fiore* ~ spring flower; *abiti -i* spring (*o* light) clothes. – **2.** ⟨*fig*⟩ (*mite*) spring-, spring-like, mild. – **3.** ⟨*Bot*⟩ early: *legno* ~ early wood.

primaverina *f.* ⟨*Bot*⟩ (common) primrose, English primrose (*Primula acaulis, Primula vulgaris*).

primazia *f.* **1.** ⟨*Rel*⟩ primacy, primateship. – **2.** ⟨*fig*⟩ (*superiorità su altri*) primacy, superiority. – **primaziale** *a.* ⟨*Rel*⟩ primatial.

primeggiare *v.i.* (**primeggio, primeggi**; *aus.* **avere**) **1.** (*essere tra i primi*) to be one of the best, to be pre-eminent, to take the lead: *mio figlio primeggia in latino* my son is one of the best in Latin. – **2.** (*spiccare*) to stand out, to be outstanding: *l'Italia ha primeggiato nell'arte* Italy has been outstanding in art.

primevo *a.* ⟨*lett*⟩ **1.** (*antichissimo*) prim(a)eval, primitive, primordial, earliest, primal. – **2.** ⟨*rar*⟩ (*giovanile*) youthful, young.

primiceriale *a.* ⟨*Rel.catt*⟩ primicerial. – **primiceriato** *m.* status of primicerius. – **primicerio** *m.* primicerius.

primieramente *avv.* first of all, in the first place, primarily, firstly. – **primiero I** *a.* ⟨*poet*⟩ **1.** (*primo*) first. – **2.** (*anteriore*) former, previous. – **II** *avv.* ⟨*ant*⟩ first. – **III** *s.m.* (*in enigmistica*) first part (of the word).

primigenio *a.* ⟨*lett*⟩ original, primitive, ⟨*lett*⟩ primigenial: *struttura -a* primitive structure.

primipara *f.* ⟨*Med*⟩ primipara.

primipilo *m.* ⟨*Stor.rom*⟩ chief centurion (of the third division).

primissimo (*sup. di primo*) *a.* foremost, (very) first: *in* ~ *luogo* in the (very) first place.

primitivamente *avv.* **1.** primitively. – **2.** (*originariamente*) originally. – **primitivismo** *m.* primitivism. – **primitività** *f.* primitiveness.

primitivo[1] **I** *a.* **1.** (*di prima*) former, earlier, previous: *ha ripreso la forma -a* it went back to its former shape; (*originario*) original: *significato* ~ *di una parola* original meaning of a word. – **2.** (*preistorico*) primitive, prehistorical, prim(a)eval, primordial: *le tribù -e dell'Australia* the primitive tribes of Australia; (*non civilizzato*) primitive. – **3.** ⟨*fig*⟩ (*rozzo*) primitive, crude, unpolished. – **II** *s.m.* (*f.* **-a**) **1.** primitive man. – **2.** ⟨*fig*⟩ uncouth person.

primitivo[2] *m.* ⟨*Agr*⟩ (kind of) vine.

primizia *f.* **1.** (*rif. a frutti della terra*) early (*o* first) produce. – **2.** ⟨*estens*⟩ (*notizia fresca*) latest news *pl*; (*opera inedita*) excerpt from an unpublished work. – **3.** ⟨*giorn*⟩ (*colpo, notizia in esclusiva*) scoop.

primiziale *a.* ⟨*rar*⟩ of first fruits.

primo I *a.* **1.** first: *il* ~ *giorno dell'anno* the first day of the year, New Year's Day; *ha dato il* ~ *esame* he took his first exam; (*primo dei due*) former: *Luigi e Antonio sono amici; il* ~ *è medico, il secondo ingegnere* Louis and Anthony are friends; the former is a doctor, the latter an engineer; (*più anziano, più grande*: *tra più di due*) eldest, first: *il* ~ *dei miei figli* my eldest (*o* first) son; (*tra due*) elder. – **2.** (*iniziale*) early, first: *nella -a infanzia* in early childhood; *le -e luci dell'alba* the first (*o* early) light of dawn. – **3.** (*di prima, di una volta*) former, old: *tornare alle -e abitudini* to go back to one's old habits. – **4.** (*prossimo*) next, first: *partirò col* ~ *treno* I'm leaving on the next train. – **5.** (*non definitivo*) first, preliminary: *-a scelta* preliminary choice. – **6.** (*più valente, più ragguardevole*) leading, foremost, chief: *le -e famiglie del paese* the leading (*o* foremost) families in the country; *la* ~ *attrice* the leading lady; (*migliore*) best: *il* ~ *medico della città* the best doctor in town. – **7.** ⟨*fig*⟩ (*principale, fondamentale*) principal, chief, main, prime, ⟨*am*⟩ major: *la causa -a della sua rovina* the main cause of his downfall. – **8.** ⟨*fig*⟩ (*elementare*) basic, elementary, first: *-e nozioni* basic knowledge. – **9.** (*rif. a regnanti e pontefici*) the First: *Napoleone* ~ Napoleon the First, Napoleon I. – **II** *avv.* first: ~ *studia di più, secondo non ti distrarre* first study harder, second don't get sidetracked. – **III** *s.m.* **1.** first, top: *il* ~ *in graduatoria* the first on the list; *essere tra i -i* to be near the top. – **2.** (*il migliore*) best, top, cleverest: *sei il* ~ *della classe* you are top of the class. – **3.** (*primo giorno*) first day: *il* ~ *del mese* the first day of the month; (*nelle date*) first: *il* ~ (*di*) *ottobre* the first of October, October first; *oggi è il* ~ today's the first. – **4.** (*minuto primo*) minute. – **5.** ⟨*Geom*⟩ (*minuto*) minute. – **6.** (*duellante*) principal. – **7.** *pl.* ⟨*ant*⟩ (*antenati*) ancestors *pl*, forbears *pl*.
□ **ai** *-i del mese* at the beginning of the month; *ai -i del Novecento* ⌜in the early⌝ (*o* at the beginning of the) twentieth century; *ai -i di aprile* in early April. at the beginning of April; **alla** *-a* (*subito*) immediately, at once, straight away; *il* ~ **arrivato**: 1. ⟨*Sport*⟩ the winner, the first home; 2. (*il primo che capita*) just anybody, a nobody; *a* **bella** *-a* = *a* **tutta** *prima*; ⟨*Econ*⟩ **costo** ~ prime cost; *in* ~ **luogo** in the first place, first of all; **materia** *-a* raw material; ⟨*Pol*⟩ ~ **ministro** Prime Minister, Premier; ⟨*Mat*⟩ **numero** ~ prime number; **per** ~ first; *di* ~ **pomeriggio** early in the afternoon; *di -a* **qualità** first quality, best, prime; ⟨*non com*⟩ **sul** ~ = **sulle** *prime*; **sulle** *-e* at (*o* in) the beginning, at first; *in un* ~ **tempo** at first; *a* **tutta** *-a* in the beginning, at first; *dal* ~ *all'***ultimo** from (the) first to (the) last; *il* ~ **venuto** = *il primo* **arrivato**. – *Prov.*: *chi* ~ *arriva,* ~ *macina* first come first served, the early bird catches the worm.

primofiore: ⟨*Bot*⟩ *limone* ~ early (*o* first) lemon.

primogenito I *a.* **1.** firstborn: *figlio* ~ firstborn (*o* eldest) son. – **2.** ⟨*estens*⟩ (*prediletto*) favourite. – **II** *s.m.* (*f.* **-a**) firstborn. – **primogenitore** *m.* (*f.* **-trice**) **1.** ⟨*Bibl*⟩ primogenitor. – **2.** *pl.* ⟨*non com*⟩ (*antenati*) ancestors *pl*, ⟨*lett*⟩ primogenitors *pl*. – **primogenitura** *f.* **1.** primogeniture. – **2.** (*diritto di primogenitura*) primogeniture(ship), birthright.

primola *f.* → **primula**.

primordiale *a.* **1.** primordial, prim(a)eval, earliest: *fase* ~ *di una civiltà* primordial stage of a civilization. – **2.** (*originario*) original: *riportare a forma* ~ to restore to the original form. – **primordialmente** *avv.* primordially, prim(a)evally.

primordine (*o prim'ordine*): *di* ~ first-class, first-rate, excellent, outstanding.

primordio *m.* **1.** (generally in pl.) beginning, origin, dawn, ⟨*lett*⟩ primordium: *i primordi della letteratura inglese* the beginnings of English literature. – **2.** ⟨*Bot*⟩ primordium, anlage. □ *ai primordi* at the beginning (*o* dawn).

primula *f.* ⟨*Bot*⟩ primrose (*Primula*) □ ⟨*Lett*⟩ *la* ~ *rossa* The Scarlet Pimpernel.

primulacee *f.pl.* ⟨*Bot*⟩ primrose family (*Primulaceae*).

prince *a./s.* ⟨*ant,lett*⟩ → **principe**.

princesse *fr.* [prɛ̃'sɛs] *f.* ⟨*Mod*⟩ princess(e) dress.

principale I *a.* **1.** main, chief, principal: *parte* ~ main part; *il difetto* ~ *di mia moglie* my wife's main defect. – **2.** (*di maggior valore*) main, chief, ⟨*am*⟩ major: *il pezzo* ~ *di una collezione* the main work in a collection. – **3.** (*il più importante*) leading, foremost, chief, main, most important, ⟨*am*⟩ major. – **II** *s.m.* **1.** main point, chief matter, most important thing, essentials *pl*: *badare al* ~ to think only of essentials. – **2.** ⟨*fam*⟩ (*capo*) chief, head, supervisor, ⟨*fam*⟩ boss; (*padrone*) employer, ⟨*fam*⟩ boss. – **3.** ⟨*Teat*⟩ (*fondale dipinto*) back-drop. – **4.** ⟨*Mus*⟩ principal. ▭ ⟨*Comm*⟩ *sede* ~ head office.

principalmẹnte *avv.* mainly, chiefly, principally.

principạto *m.* **1.** (*dignità*) principality, princedom: *aspirare al* ~ to pretend to the princedom. – **2.** (*governo*) rule, reign: *sotto il* ~ *di Nerone* under Nero's rule. – **3.** (*territorio*) principality, princedom. – **4.** ⟨*fig,non com*⟩ (*primato*) supremacy, pre-eminence, superiority, primacy. – **5.** *pl.* ⟨*Rel*⟩ (*rif. ad angeli*) principalities *pl.*

prịncipe I *s.m.* (*f.* **-essa**) **1.** prince (*f* -cess): *un* ~ *del sangue* a prince of the blood (royal). – **2.** ⟨*fig*⟩ (*persona importante*) prince, king: *il* ~ *del foro* the prince of lawyers; *il* ~ *degli imbroglioni* the prince of swindlers. – **3.** ⟨*Stor.rom*⟩ princeps. – **II** *a.inv.* ⟨*lett*⟩ (*primo, il più antico*) original, first, princeps-: *edizione* ~ first edition, editio princeps.

▭ ~ *degli* **apostoli** (*san Pietro*) Prince of the Apostles, St. Peter; ⟨*scherz*⟩ *il* ~ **azzurro** prince charming; ⟨*Rel.catt*⟩ ~ *della* **chiesa** (*cardinale*) Prince of the Church, cardinal; ~ **consorte** Prince Consort; ⟨*Stor*⟩ ~ **elettore** elector (*f* -tress); ~ **ereditario** crown prince, heir apparent, prince royal; ~ *di* **Galles**: 1. Prince of Wales; 2. ⟨*Tess*⟩ Prince of Wales check; ⟨*Stor*⟩ ~ *dell'***impero** prince of the Holy Roman Empire; ~ **reggente** Prince Regent; **spendere** *da* ~ to spend ⌜like a prince⌝ (*o* lavishly); ~ *delle* **tenebre** (*demonio*) prince of darkness, Satan; ⌜**vivere** *come un*⌝ (*o far vita da*) ~ to live like a prince.

principescamẹnte *avv.* like a prince, in a princely manner, princely. – **principẹsco** *a.* (*pl.* **-chi**) **1.** (*appartenente a un principe*) princely, prince's, of a prince: *palazzo* ~ prince's palace. – **2.** (*da principe*) princely, magnificent: *un'accoglienza -a* a princely welcome.

principẹssa *f.* **1.** princess: *una* ~ *di sangue reale* a princess of the blood. – **2.** ⟨*pop*⟩ (*donna ricca ed elegante*) princess, queen, lady: *vivere come una* ~ to live like a queen. – **principessịna** *f. dim. di* **principessa.**

principiamẹnto *m.* ⟨*non com*⟩ (*inizio*) beginning.

principiạnte (*p.pr. di principiare*) **I** *s.m./f.* **1.** beginner, novice, tyro, ⟨*fam*⟩ greenhorn; (*apprendista*) apprentice. – **2.** ⟨*spreg*⟩ (*persona inesperta*) amateur, beginner: *lavoro da -i* job done by amateurs, badly-done job. – **II** *a.* raw. new, inexpert, inexperienced, green: *idraulico* ~ inexperienced plumber.

principiạre *v.* (**princịpio, princịpi**) **I** *v.t.* (*iniziare*) to begin, to start, to commence: ~ *un lavoro* to start a job. – **II** *v.i.* (*aus.* **avere/essere**) **1.** (*cominciare*) to begin, to start, to commence: ~ *a studiare* to begin studying. – **2.** (*aver principio*) to begin, to start (out): *lo spettacolo principia alle nove* the show starts at nine; (*rif. a libri, film e sim.*) to open, to start. ▭ *a* ~ *da* starting, beginning, as of, as from, effective, with effect from: *a* ~ *dal primo di agosto* starting August the first, as of (*o* from) August the first; *tutti, a* ~ *da te* everyone, starting with you; ~ *male* to get off to a bad start.

principiatọre *m.* (*f.* **-trice**) ⟨*lett*⟩ (*iniziatore*) beginner, initiator, originator.

principịno *m. dim. di* **principe.**

princịpio *m.* **1.** (*inizio*) beginning, start: *il* ~ *della guerra* the beginning (*o* outset) of the war; *al* ~ *della lezione* at the beginning of the lesson; (*rif. a luoghi*) beginning: *il* ~ *di una strada* the beginning of a road. – **2.** (*parte iniziale*) beginning, first part: *il* ~ *del viaggio* the first part of the trip; (*rif. a libri, film e sim.*) beginning, opening. – **3.** (*origine, causa*) beginning, origin, source, cause: *la malattia del padre fu il* ~ *della loro rovina* their father's illness was the cause of their ruin. – **4.** (*concetto*) principle, idea, notion, concept: *si tratta di principi superati* those concepts are out-of-date; *partendo dal* ~ *che* starting from the principle that. – **5.** (*canoni di comportamento*) principle, rule, norm, canon: *ispirare la propria condotta a principi di giustizia* to base one's conduct on the principle of justice. – **6.** *pl.* (*elementi*) elements *pl*, first principles *pl*, rudiments *pl.* – **7.** (*legge, norma, massima*) principle, law, rule, maxim, axiom: *il* ~ *di Archimede* Archimedes' principle (*o* law); *principi religiosi* religious principles. – **8.** ⟨*Dir*⟩ (*prima parte*) first sub-section, first sub-paragraph. – **9.** *pl.* ⟨*non com*⟩ (*antipasto*) hors d'œuvre.

▭ **al** ~ *dell'anno* at the beginning of the year; ~ *d'***autorità** principle of authority; **da** ~ in the beginning, at first; **dar** ~ *a qc.* (*avviarla*) to start (*o* begin) s.th.; ⟨*Fis*⟩ ~ *di* **equivalenza** principle of equivalence, equivalence principle; *il* ~ *della* **fine** the beginning of the end; *dal* ~ *alla fine*: 1. from beginning to end, completely, entirely, right through; 2. (*sempre*) always; *principi* **fondamentali** fundamental (*o* basic) principles; ⟨*Filos*⟩ ~ *d'***identità** law (*o* principle) of identity; **in** ~ = **da** *principio*; *in* **linea** *di* ~ in principle; ⟨*Pol*⟩ ~ **maggioritario** majority principle; ⟨*Econ*⟩ ~ **monetario** (*o metallico*) metallic standard; ⟨*non com*⟩ **nel** ~ = **da** *principio*; ⟨*ant*⟩ ~ **originale** origin, cause; **per** ~ on principle; **persona** *di alti principi* high-principled person, person of high principles; *persona senza principi* unprincipled person; ⟨*Filos*⟩ **petizione** *di* ~ begging the question; **prendere** ~ *da qc.* to start from s.th.; **questione** *di* ~ matter of principle; **rifarsi** *dal* ~ to start again from ⌜the beginning⌝ (*o* scratch); **sin** *dal* ~ from the very beginning, right from the start; **sul** ~ = **da** *principio.*

principọne (*accr. di principe*) *m.* powerful prince. – **principọtto, principụccio** (*dim. di principe*) *m.* ⟨*spreg*⟩ princeling, petty prince.

princisbẹcco *m.* (*pl.* **-chi**) ⟨*Met*⟩ pinchbeck. ▭ ⟨*scherz*⟩ *rimanere di* ~ (*di stucco*) to be dumbfounded (*o* astounded).

Prin.sa = *Principessa* princess.

priọra *f.* ⟨*Rel*⟩ prioress. – **priorạle** *a.* prioral, of a prior: *chiesa* ~ prioral church. – **priorạto** *m.* **1.** (*dignità*) priorate, priorship, priory. – **2.** (*durata*) priorate.

priọre *m.* **1.** ⟨*Rel*⟩ prior. – **2.** ⟨*Mediev*⟩ prior, head of a guild. ▭ ~ *conventuale* conventual prior; ~ *generale* general prior; *gran* ~ Grand Prior; *padre* ~ father prior.

priorịa *f.* ⟨*non com,Rel*⟩ **1.** (*titolo, dignità, ufficio*) priorate, priorship, priory. – **2.** (*chiesa*) priory.

priorịsta *m.* ⟨*Mediev*⟩ book (*o* roll) of priors.

priorità *f.* **1.** (*precedenza*) priority, precedence: ~ *assoluta* top priority. – **2.** (*prevalenza*) prevalence, predominance, prominence: *la* ~ *dei valori spirituali* the prevalence of spiritual values. ▭ ⟨*Econ*⟩ *azioni di* ~ preference shares, privileged stock; ~ *cronologica* chronological precedence; *diritto di* ~ right of priority, priority right.

prioritạrio *a.* priority-.

prịsco *a.* (*pl.* **-chi**) ⟨*ant,poet*⟩ (*antico*) ancient, old.

prịsma *m.* prism.

▭ ⟨*Geom*⟩ ~ **archimedeo** Archimedean prism; ⟨*Ott*⟩ ~ **deflettore** deflecting prism; ~ **esagonale** hexagonal prism; ~ *di* **Nicol** Nicol('s) prism, Nicol; ⟨*Ott*⟩ ~ **polarizzatore** polarizing prism; ~ **rotante** rotating prism.

prismạtico *a.* (*pl.* **-ci**) **1.** ⟨*Geom*⟩ prismatic, prismal, of a prism. – **2.** (*a forma di prisma*) prismatic, prismal, prism-like. – **prismatọide** *m.* ⟨*Geom*⟩ prismatoid. – **prismọide** *m.* prismoid.

prịso *p.p.ant. di* **prendere.**

prịspola *f.* ⟨*Ornit*⟩ (*pispola*) meadow pipit (*Anthus pratensis*). – **prispolịno** *m. dim. di* **prispola.** – **prispolọne** (*accr. di prispola*) *m.* ⟨*Ornit*⟩ tree pipit (*Anthus trivialis*). ▭ ~ *indiano* Indian tree pipit (*Anthus hodgsoni*).

prịstidi *m.pl.* ⟨*Itt*⟩ sawfishes *pl* (*Pristidae*).

prịstino *a.* ⟨*lett*⟩ (*di prima*) original, primitive, former, pristine. ▭ *rimettere qc. in* ~ to restore s.th. to its former state.

prịtane *m.* → **pritano.** – **pritanẹo** *m.* ⟨*Stor.gr*⟩ prytaneum. – **pritanịa** *f.* prytany. – **prịtano** *m.* prytanis.

privạdo *m.* ⟨*ant*⟩ (*latrina*) latrine, lavatory.

privạre *v.t.* to deprive, to strip, to divest, to take away: ~ *qd. della libertà* to deprive s.o. of his freedom; ~ *qd. dei diritti* to take s.o.'s rights away. – **privarsi** *v.r.* (*fare a meno*) to do (*o* go) without, to deprive o.s.: *devono privarsi anche del necessario* they even have to do without necessities; (*rinunciare*) to give up, to deny o.s.: *è ammalato, deve privarsi anche di un bicchiere di vino* he's ill, and has even had to give up his glass of wine.

privatamẹnte *avv.* **1.** (*da privato*) privately, as a private person (*o* citizen), unofficially: *vivere* ~ to live privately. – **2.** (*in forma privata*) privately, in private: *il matrimonio è stato celebrato* ~ the wedding was celebrated privately. – **3.** (*in privato*) privately, confidentially, in private, behind closed doors, alone: *desidero parlargli* ~ I want to talk to him in private.

privatịsta *m./f.* **1.** ⟨*Scol*⟩ private-school pupil; (*agli esami*) private (*o* external) candidate. – **2.** ⟨*Dir*⟩ (*studioso*) expert on private law. – **privatịstico** *a.* (*pl.* **-ci**) **1.** ⟨*Econ*⟩ private, non-government. – **2.** ⟨*Dir*⟩ private, of private law.

privatịva *f.* **1.** (*monopolio*) monopoly: *avere la* ~ *del sale* to have a monopoly on salt. – **2.** ⟨*fig*⟩ (*proprietà esclusiva*) monopoly, exclusive possession. ▭ *diritto di* ~ patent right, exclusive right.

privativamẹnte *avv.* alone, without others, privately.

privatịvo *a.* **1.** ⟨*rar*⟩ depriving, privative. – **2.** ⟨*Ling*⟩ privative: *particella -a* privative particle. – **3.** ⟨*ant*⟩ (*negativo*) negative, privative.

privatiẓẓạre *v.t.* to make private, to put under private (*o* non-government) control, to privatize, to denationalize. – **privatiẓẓaziọne** *f.* making private, putting under private (*o* non-government) control, denationalization.

privạto I *a.* **1.** (*non pubblico*) private, non-government, non-State-: *azienda -a* private concern; *scuola -a* private (*o* non-State) school, ⟨*GB*⟩ public school, ⟨*SU*⟩ private school. – **2.** (*personale*) private, personal: *questione -a* personal matter: *segretaria -a* private (*o* confidential) secretary. – **II** *s.m.* (*f.* **-a**) **1.** private citizen (*o* person, individual). – **2.** ⟨*Stor*⟩ (*ministro favorito*) favourite minister. – **3.** ⟨*ant*⟩ (*latrina*) latrine, lavatory. ▭ *in* ~ in private, privately, in confidence (*o* secret).

privatọre ⟨*rar*⟩ **I** *s.m.* (*f.* **-trice**) depriver. – **II** *a.* depriving.

privaziọne *f.* **1.** (de)privation, depriving, divesting, stripping, taking away; (*il privarsi*) (de)privation, hardship, sacrifice: *dobbiamo fare molte -i* we must ⌜make many sacrifices⌝ (*o* undergo many privations). – **2.** (*l'essere privato*) loss, privation, bereavement: ~ *dei diritti civili* loss of civil rights. – **3.** ⟨*ant,lett*⟩ (*mancanza*) absence, lack.

privịgno *m.* (*f.* **-a**) ⟨*rar*⟩ (*figliastro*) step-son (*f* -daughter).

privilegiạre *v.t.* (**privilẹgio, privilẹgi**) to grant a privilege to, to bestow a privilege on, to privilege: ~ *qd. di qc.* to grant s.o. a privilege. – **privilegiạto I** *a.* privileged. – **II** *s.m.* (*f.* **-a**) privileged person. ▭ *credito* ~ preferential debt.

privilẹgio *m.* **1.** privilege: *abolire un* ~ to abolish a privilege. – **2.** ⟨*estens*⟩ (*onore speciale*) honour, privilege: *gli toccò il* ~ *di rappresentare la scuola* he had the honour of representing the school. – **3.** (*qualità, dote*) merit, quality, advantage, gift, knack: *questo articolo ha il* ~ *di essere chiaro* this article has the merit of being clear; ⟨*iron*⟩ *hai il* ~ *di farmi arrabbiare* you have a knack for making

me angry. – **4.** ⟨*concr*⟩ (*documento*) charter. – **5.** ⟨*Dir*⟩ lien, charge, priority, preference: ~ *del creditore* creditor's lien.
□ *-i del* **clero** benefit *sing* (*o* privilege) of clergy; **di** ~ privileged: *essere in una situazione di* ~ to be in a privileged position; ~ **fiscale** tax privilege; ~ **legale** legal privilege; ~ *di battere* **moneta** right of minting coin; ~ **regio** diploma; ~ *di* **stampa** sole printing right.

privo *a.* without (*di qc.* s.th.), lacking, wanting (in), devoid, deprived, bereft (of): *una stanza -a di luce* a room without light; *un uomo* ~ *di carattere* a man lacking in character; *spesso si rende il concetto con una frase negativa o premettendo* un- *o posponendo* -less *all'aggettivo corrispondente*: *una giornata -a di sole* a sunless day; ~ *di denaro* penniless, having no money, not having any money; ~ *di dignità* undignified; ~ *di utilità* useless, of no use.
□ ~ *di* **effetto** *giuridico* without legal effect; **essere** ~ *di qc.* to be lacking in s.th., not to have s.th.; *essere* ~ *di notizie* to have no news; ~ *di* **mezzi** without (*o* lacking in) means; **non** ~ *di qc.* not without, with some; ~ *di* **sensi** (*svenuto*) senseless, unconscious, in a faint; ~ *di* **significato** meaningless; ~ *di* **vita** (*morto*) lifeless, dead.

prizzato *a.* ⟨*non com*⟩ (*screziato*) streaked, speckled.

Pr.mo = ⟨*epist*⟩ *pregiatissimo* Dear.

pro[1] *lat.* **I** *prep.* **1.** (*in favore di*) for, pro, in favour of, on behalf of, for the benefit of: *organizzazione* ~ *infanzia abbandonata* Organization for Abandoned Children. – **2.** ⟨*rar*⟩ (*per*) for. – **II** *s.m.inv.* pro: *ponderare il* ~ *e il contro* to weigh up the pros and cons. □ ~ *forma* (*formalmente*) as a matter of form, for form's sake, pro-forma; ⟨*Comm*⟩ *fattura* ~ *forma* pro-forma invoice; ~ *memoria* (*promemoria*) memorandum, ⟨*fam*⟩ memo.

pro[2] *m.* **1.** (*giovamento, vantaggio*) advantage, use, benefit, good. – **2.** ⟨*ant*⟩ (*interesse*) interest.
□ **a** ~ to advantage: *a* ~ *di qd.* to s.o.'s advantage, for s.o.'s good; *a* ~ *suo* to his advantage; ⟨*ant*⟩ *andare a* ~ *di qc.* (*venirne a capo*) to carry s.th. through; **buon** ~ (*ti faccia*)*!* much good may it do you!; *a* **che** ~*?* what good will it do?, what's the ⌜use of it⌝ (*o* point)?, ⟨*fam*⟩ what for?; **far** ~ *a*: 1. (*giovare alla salute*) to be good for; 2. ⟨*non com*⟩ (*far comodo*) to be of use (*o* good) to; **in** ~ useful: *tornare in* ~ (*riuscire utile*) to be useful; ⟨*ant,non com*⟩ **mal** ~ *ti faccia!* may it bring you bad luck!; ⟨*ant*⟩ **recare** *a* ~ (*portare a compimento*) to accomplish successfully; **senza** ~ (*inutilmente*) uselessly, to no end. – *Prov.*: *più* ~ *fa il pane asciutto a casa sua che l'arrosto a casa d'altri* dry bread at home is better than meat abroad.

pro' (*accorc. di prode*) *a.* ⟨*ant*⟩ brave, courageous.

pro... *pref.* **1.** (*invece di* taking the place of, instead of) pro... – **2.** (*che favorisce* favouring) pro...

proavo *m.* (*f.* **-a**) ⟨*lett*⟩ **1.** (*bisnonno*) great-grandfather (*f* great-grandmother). – **2.** *pl.* (*antenati*) ancestors *pl*, forefathers *pl*, forbears *pl*. – **proavolo** *m.* ⟨*ant*⟩ → **proavo.**

probabile *a.* **1.** probable, likely: *è* ~ *che domani faccia bel tempo* it's likely (*o* probable) the weather will be good tomorrow, the weather is likely to be good tomorrow; *è* ~ *ch'egli venga* he is likely to come, he'll probably come. – **2.** (*presumibile, verosimile*) probable, likely: *una congettura* ~ a likely supposition. – **3.** ⟨*ant*⟩ (*degno d'approvazione*) approvable. □ *poco* ~ unlikely, improbable.

probabiliorismo *m.* ⟨*Teol*⟩ probabiliorism. – **probabiliorista** *m./f.* probabiliorist. – **probabilismo** *m.* ⟨*Filos,Teol*⟩ probabilism. – **probabilista** *m./f.* probabilist. – **probabilistico** *a.* (*pl.* **-ci**) **1.** ⟨*Filos, Teol*⟩ probabilistic. – **2.** ⟨*Mat*⟩ of probability.

probabilità *f.* **1.** probability, likelihood: *negare la* ~ *di un fatto* to deny the likelihood of s.th. – **2.** (*possibilità*) opportunity, chance: *ha scarse* ~ *di riuscita* he doesn't have much chance of succeeding. – **3.** ⟨*Filos,Mat*⟩ probability. □ ⟨*Mat*⟩ *calcolo delle* ~ theory (*o* calculus) of probability; *con molta* ~ in all probability (*o* likelihood), very probably; ⟨*Filos*⟩ ~ *morale* moral probability; *con ogni* (*o tutta*) ~ = *con molta probabilità*. – **probabilmente** *avv.* probably, likely: *tornerò* ~ *lunedì* I'll probably be back Monday; ~ *non lo sa* he probably (*o* very likely) doesn't know; (*forse*) maybe, perhaps, possibly.

probamente *avv.* ⟨*lett*⟩ honestly, uprightly.

probandato *m.* ⟨*Rel*⟩ probation. – **probando** *m.* **1.** ⟨*Rel*⟩ postulant, probationer, novice. – **2.** ⟨*Biol*⟩ proband.

probante *a.* convincing, probative, probatory: *argomento* ~ convincing argument.

probatio *lat. f.* **1.** ⟨*Dir.rom*⟩ (*prova*) proof; (*esame*) examination; (*approvazione*) approval. – **2.** ⟨*Ret*⟩ argument.

probativo *a.* **1.** probative, probatory, evidential: *argomenti -i* probative arguments. – **2.** → **probante.** – **probatorio** *a.* ⟨*Dir*⟩ probative, probatory: *elemento* ~ probative element. – **probazione** *f.* ⟨*ant*⟩ **1.** (*prova*) proof, evidence (*anche Dir.*). – **2.** ⟨*Rel*⟩ (*periodo di prova*) probation.

probità *f.* honesty, integrity, uprightness, rectitude, probity: *la* ~ *di un magistrato* the integrity of a judge. – **probitade, probitate** *f.* ⟨*ant*⟩ → **probità.**

probivirale *a.* ⟨*non com*⟩ arbitral, of arbiters, of arbitration: *collegio* ~ court of arbitration. – **probiviro** *m.* → **proboviro.**

problema *m.* **1.** problem: *-i economici* economic problems. – **2.** ⟨*Mat*⟩ problem, proposition; (*esercizio*) exercise, problem. – **3.** ⟨*fig*⟩ (*situazione complessa*) problem, difficulty, issue, question, puzzle; (*persona difficile*) problem, worry.

problematica *f.* (fundamental) problems *pl*: *la* ~ *del nostro tempo* the problems of our age. – **problematicamente** *avv.* problematically.

problematicismo *m.* ⟨*Filos*⟩ problematicism.

problematicità *f.* dubiousness, uncertainty. – **problematico** *a.* (*pl.* **-ci**) **1.** problematic(al). – **2.** (*dubbio, incerto*) uncertain, questionable, doubtful, dubious: *la sua partecipazione è -a* his participation is doubtful. – **3.** (*denso di problemi*) problematic(al), perplexing, puzzling: *un autore* ~ a perplexing author.

problematismo *m.* ⟨*rar*⟩ → **problematicismo.**

problemino (*dim. di problema*) *m.* easy (*o* simple) problem.

problemismo *m.* → **problematicismo.** – **problemista** *m./f.* problemist.

probo I *a.* **1.** ⟨*lett*⟩ (*onesto*) honest, upright, righteous. – **2.** ⟨*ant*⟩ (*valoroso*) brave, courageous. – **II** *s.m.* ⟨*ant*⟩ (*persona prode*) brave (*o* valiant) person.

proboscidati *m.pl.* ⟨*Zool*⟩ proboscideans *pl* (*Proboscidea*). – **proboscidato** *a.* proboscidate, having a proboscis. – **proboscide** *f.* **1.** ⟨*Zool*⟩ proboscis, ⟨*pop*⟩ trunk. – **2.** ⟨*Entom*⟩ proboscis. – **3.** ⟨*fig*⟩ (*naso lungo*) long nose, proboscis.

proboviro *m.* (*pl.* **probiviri**) **1.** judge, arbiter. – **2.** ⟨*Dir.mediev*⟩ magistrate or citizen with administrative or consultative duties.

procaccevole *a.* ⟨*lett*⟩ **1.** procuring, providing. – **2.** (*industrioso*) industrious, hard-working.

procaccia *m./f.inv.* **1.** messenger, courier. – **2.** ⟨*Post*⟩ postman, mailman, letter carrier.

procacciamento *m.* ⟨*non com*⟩ procurement, procuring, obtaining, getting.

procacciante (*p.pr. di procacciare*) **I** *a.* **1.** ⟨*lett*⟩ (*industrioso*) industrious, hard-working. – **2.** ⟨*spreg*⟩ (*trafficante*) profiteering, speculating, sharp. – **II** *s.m./f.* ⟨*spreg*⟩ profiteer, speculator, sharp business man. – **procacciantismo** *m.* ⟨*non com,spreg*⟩ profiteering, speculating. – **procacciare** *v.t.* (**procaccio, procacci**) to procure, to get, to obtain, to provide: ~ *il pane alla famiglia* to provide (*o* earn) bread for the family. – **procacciarsi** *v.r.* to get, to obtain: *procacciarsi un impiego* to get a job; (*guadagnare*) to earn.

procacciato *m.* ⟨*Post*⟩ (rural) postal service.

procacciatore *m.* (*f.* **-trice**) ⟨*non com*⟩ procurer, provider. – **procaccino** *m.* (*f.* **-a**) **1.** → **procaccia.** – **2.** ⟨*fig,spreg*⟩ factotum, errand -boy, go-between. – **3.** ⟨*ant*⟩ (*procacciante*) profiteer, speculator. – **procaccio** *m.* ⟨*ant*⟩ **1.** (*il procacciare*) procurement, procuring, providing. – **2.** (*guadagno*) profit, gain; (*vantaggio*) advantage, use, good. – **3.** → **procaccia.**

procace *a.* **1.** (*provocante*) provocative, piquant: *una donna* ~ a provocative woman. – **2.** (*sfrontato*) bold, forward, impudent, pert, ⟨*fam*⟩ saucy, ⟨*fam*⟩ cheeky. – **3.** (*licenzioso*) loose, wanton, lewd, licentious: *atteggiamento* ~ licentious attitude. – **procacemente** *avv.* **1.** (*in modo provocante*) provocatively. – **2.** (*licenziosamente*) lewdly, wantonly, licentiously. – **3.** (*sfrontatamente*) boldly, in a forward manner, impudently. – **procacia** *f.* ⟨*ant*⟩ → **procacità.** – **procacità** *f.* ⟨*lett*⟩ **1.** (*licenziosità*) looseness, lewdness, licentiousness. – **2.** (*insolenza*) insolence, impudence, pertness.

procambiale *a.* ⟨*Bot*⟩ procambial. – **procambio** *m.* procambium.

procanico *m.* (*pl.* **-ci**) ⟨*Agr*⟩ kind of vine.

pro capite *lat.* (*a testa*) per capita: *cento grammi di pane* ~ one hundred grams of bread per capita; *consumo* ~ per capita consumption.

procarpio *m.* ⟨*Bot*⟩ procarp, procarpium.

procavia *f.* ⟨*Zool*⟩ hyrax, coney (*Procavia*). □ ~ *abissina* Abyssinian coney (*Procavia habessinica*).

proccura *f.* ⟨*ant*⟩ → **procura.** – **proccurare** *v.* ⟨*ant*⟩ → **procurare.** – **proccuratore** *m.* ⟨*ant*⟩ → **procuratore.** – **proccurazione** *f.* → **procurazione.**

procedenza *f.* ⟨*rar*⟩ **1.** (*il procedere*) originating, coming. – **2.** ⟨*Teol*⟩ procession.

procedere[1] *v.i.* (**procedetti**/*non com.* **procedei**/*ant.* **processi**, **proceduto**/*ant.* **processo**; *aus.* **essere**/**avere**) **1.** (*avanzare*) to proceed, to advance, to move forward: ~ *lentamente* to proceed slowly. – **2.** ⟨*fig*⟩ (*progredire*) to progress, to advance, to go forward, to proceed: ~ *nella via della virtù* to progress on the path of virtue; (*seguire il proprio corso*) to proceed, to come along, to get on: *i lavori procedono bene* the work is coming along well. – **3.** (*continuare*) to proceed, to continue, to go on: ~ *nell'indagine* to proceed with one's enquiry; ~ *nella trattazione di un argomento* to continue discussing a subject. – **4.** (*agire, comportarsi*) to act, to behave: *non mi piace il suo modo di* ~ I don't like the way he behaves. – **5.** (*dare inizio*) to proceed, to go forward, to start, to begin: ~ *alla votazione* to proceed to the voting. – **6.** (*derivare*) to originate, to come, to arise, to proceed (*da* from), to be due (to): *la sua indecisione procede da debolezza* his indecisiveness is due to weakness. – **7.** ⟨*Dir*⟩ to proceed, to start (*o* take) proceedings, to go to law, to take action: ~ *contro i trasgressori* to take proceedings against offenders. – **8.** ⟨*Teol*⟩ to proceed. □ ⟨*Dir*⟩ *non luogo a* ~ non-suit, no case; ~ *negli anni* to advance in years, to get old(er); ~ *oltre* (*proseguire*) to continue, to go on; ~ *di pari passo* to proceed at the same rate (*o* pace); ~ *per vie legali* to start legal proceedings.

procedere[2] *m.* **1.** (*il passare*) passing, process. – **2.** (*azione*) conduct, behaviour. □ *con il* ~ *del tempo* ⌜with the passing⌝ (*o* in course) of time.

procedibile *a.* ⟨*Dir*⟩ prosecutable. – **procedibilità** *f.* prosecutableness.

procedimẹnto *m.* **1.** (*svolgimento*) course: *spiegare il ~ dei fatti* to explain the course of events. – **2.** (*modo d'agire*) behaviour, conduct, way of doing (*o* going about) things, (mode of) procedure: *un ~ poco onesto* a rather dishonest way of doing things. – **3.** ⟨*tecn*⟩ process, procedure: *~ chimico* chemical process. – **4.** ⟨*Dir*⟩ proceedings *pl*: *promuovere un ~ contro qd.* to start proceedings against s.o. – **5.** ⟨*rar*⟩ (*processione*) procession.
□ ⟨*Aer*⟩ *~ d'***avvicinamento** approach procedure; *~ di* **cassazione** revision of a case; *~ di* **cognizione** judicial enquiry; *~* **conciliativo** conciliatory (*o* conciliation) proceedings; *~ in* **contumacia** default proceedings; *~* **disciplinare** disciplinary procedure; *~ d'***espropriazione** expropriation proceedings; *~ d'***estradizione** extradition proceedings; *~ di* **fabbricazione** manufacturing process; ⟨*Met*⟩ *~ di* **fusione** melting process; *~* **giudiziario** judicial (*o* legal, court) proceedings, proceedings at law; *~ d'***impugnazione** appeal (*o* contestation) proceedings; *~ di* **lavorazione** manufacturing process; *~* **legale** = *procedimento* **giudiziario**; *~ di* **liquidazione** liquidation proceedings; *~ di* **naturalizzazione** naturalization proceedings; *~ di* **notifica** notification proceedings; *~* **penale** criminal proceedings; *~ di* **pignoramento** attachment proceedings; *~* **sommario** summary proceedings; *~* **speciale** special (*o* short) procedure; *~ d'***urgenza** emergency procedure.

procedụra *f.* **1.** procedure, proceedings *pl*, practice (*anche Dir.*): *~ burocratica* bureaucratic procedure; *seguire la ~ normale* to follow ⌜the usual procedure⌝ (*o* common practice). – **2.** ⟨*ant*⟩ (*comportamento*) behaviour, conduct. □ *~ civile* civil proceedings (*o* procedure); *~ fallimentare* bankruptcy proceedings; *~ giudiziaria* (o *legale*) legal proceedings; *~ penale* criminal proceedings; *~ d'urgenza* emergency procedure.

procedurạle *a.* ⟨*Dir*⟩ procedural, of procedure: *norme -i* rules of procedure. – **procedurịsta** *m./f.* expert in procedure.

procẹle *a.* ⟨*Anat*⟩ proc(o)elous.

proceleusmạtico *m.* (*pl.* **-ci**) ⟨*Metr*⟩ proceleusmatic.

procẹlla *f.* ⟨*lett*⟩ **1.** (*tempesta*) storm, tempest. – **2.** ⟨*fig*⟩ (*calamità*) disaster, calamity, catastrophe, cataclysm, (great) misfortune: *le -e della vita* the great misfortunes of life.

procellạria *f.* ⟨*Ornit*⟩ stormy petrel (*Hydrobates pelagicus*; *Procellaria pelagicus*). □ *~ artica* fulmar (petrel) (*Fulmarus glacialis*); *~ del Capo* Cape pigeon, ⟨*am*⟩ Cape petrel (*Daption capensis*); *~ dalla coda forcuta* Leach's petrel (*Oceanodroma leucorrhoa*).

procellọso *a.* ⟨*lett*⟩ **1.** (*tempestoso*) stormy, tempestuous. – **2.** ⟨*fig*⟩ (*agitato*) stormy, tempestuous, turbulent: *vita -a* stormy life.

prọceri *m.pl.* ⟨*lett*⟩ (*cittadini ragguardevoli*) magnates *pl*, patricians *pl*.

processạbile *a.* ⟨*Dir*⟩ prosecutable, indictable, liable to prosecution. – **processabilità** *f.* ⟨*non com*⟩ liability to prosecution, indictableness.

processạre *v.t.* (**procẹsso**) to try, to put on trial: *~ per alto tradimento* to try for high treason. □ *far ~* to prosecute, to bring to trial.

processionạle *a.* ⟨*Lit*⟩ processional, of a procession: *canti -i* processional chants. – **processionalmẹnte** *avv.* in procession, processionally. – **processionạnti** *m.pl.* ⟨*non com*⟩ processionists *pl*, walkers *pl* in a procession. – **processionạre** *v.i.* (**processiọno**; *aus.* **avere**) ⟨*non com*⟩ to (move in) procession.

processionạria *f.* ⟨*Entom*⟩ **1.** processionary moth, procession(al) moth (*Thaumatopoea processionea*). – **2.** *pl.* processionary moths *pl* (*Thaumatopoeidae*).

processiọne *f.* **1.** ⟨*Lit*⟩ procession: *andare in ~* to go in procession. – **2.** ⟨*estens*⟩ (*lunga fila*) long line, procession, string: *una ~ di dimostranti* a long line of demonstrators. – **3.** ⟨*Rel*⟩ procession. □ ⟨*fig*⟩ *a ~* (*in gran numero*) in droves, in herds, in flocks; ⟨*fig*⟩ *accorrere a ~* to flock (*o* pour) in; ⟨*fig*⟩ *in ~* (*lentamente*) slowly; ⟨*fig*⟩ *portare* (o *condurre*) *in ~* to take around.

procẹsso *m.* **1.** (*successione di fatti*) course, process: *il ~ storico* the course of history. – **2.** (*procedimento*) procedure, process, method: *~ di fabbricazione* manufacturing process. – **3.** ⟨*Dir*⟩ (law)suit, action (at law), proceedings *pl*, trial, case: *aprire un ~* to start a trial; (*incartamento processuale*) file, dossier. – **4.** ⟨*Med*⟩ process: *~ infiammatorio* inflammatory process; (*decorso*) course: *~ patologico* pathological course. – **5.** ⟨*Anat*⟩ process(us), apophysis: *~ articolare* articular process. – **6.** ⟨*Filos*⟩ process. – **7.** ⟨*ant*⟩ (*comportamento*) behaviour, conduct.
□ ⟨*Dir*⟩ *~ d'***accertamento** judicial investigation and determination of facts; ⟨*Met*⟩ *~ d'***affinazione** refining (procedure), fining process; ⟨*Anat*⟩ *~* **alare** alar process; ⟨*Anat*⟩ *~* **alveolare** alveolar (*o* dental) process; ⟨*Dir*⟩ *~* **amministrativo** administrative proceedings; ⟨*Met*⟩ *~* **basico** basic process; *~* **Bessemer** Bessemer process; *~* **canonico** ecclesiastical trial; *~* **chimico** chemical process; ⟨*Dir*⟩ *~* **civile** civil proceedings (*o* lawsuit, action); *~ di* **cognizione** judicial enquiry, process of cognizance of action; *~ di* **condanna** proceedings which end in a conviction; ⟨*Med*⟩ *~* **degenerativo** degenerative course; ⟨*Chim*⟩ *~* **endotermico** endothermic process; ⟨*Dir*⟩ *~ di* **esecuzione** execution proceedings; ⟨*Chim*⟩ *~* **esotermico** exothermic process; ⟨*fig*⟩ **fare** *il ~ a qd.* to give s.o. the third-degree, to come down on s.o., to put s.o. through it; ⟨*ant*⟩ **in** *~* (*in seguito*) later on, afterwards; *in ~ di tempo* (*con l'andar del tempo*) in course of time; ⟨*Dir*⟩ **istruire** *un ~* to prepare a case for trial, to collect the evidence for a trial; ⟨*Met*⟩ *~* **Martin-Siemens** open-hearth process; ⟨*Anat*⟩ *~* **olecranico** olecranon (process); ⟨*Dir*⟩ *~* **penale** criminal trial (*o* proceedings); *~* **psichico** psychic process; ⟨*Ind*⟩ *~ a* **secco** dry process (*o* method); *essere* **sotto** *~* to be awaiting trial; *mettere qd. sotto ~* to bring s.o. to trial; *pagare le* **spese** *di un ~* to pay legal costs; *~ di* **stampa** printing process; ⟨*Met*⟩ *~* **Thomas** Thomas process; ⟨*Ind*⟩ *~ a* **umido** wet process; ⟨*Dir*⟩ *~ d'***urgenza** emergency procedure; *~* **verbale** record, report, minutes *pl*, proceedings *pl*.

processuạle *a.* **1.** ⟨*Dir*⟩ trial, of a trial, court-: *atti -i* records of a trial. – **2.** ⟨*Filos*⟩ process. – **processualịsta** *m./f.* ⟨*Dir*⟩ expert on trial law.

Proc.Gen. = *Procuratore Generale* Attorney General (*abbr.* A.G.).

prochẹilo: *vocale -a* vowel made with lip-rounding.

procidẹnza *f.* ⟨*Med*⟩ procidentia.

procịnto: *in ~ di* about to, on the point of. □ *essere* (o *trovarsi*) *in ~ di fare qc.* to be about to do s.th., to be on the point of doing s.th.: *sono in ~ di partire* I am about to leave, I am just leaving; ⟨*non com*⟩ *mettersi in ~ di* to be ⌜about to⌝ (*o* on the point of).

prociọne *m.* ⟨*Zool*⟩ rac(c)oon (*Procyon*). □ *~ cancrivoro* (o *granchiaiolo*) crab-eating rac(c)oon (*Procyon cancrivorus*); *~ lavatore* rac(c)oon (*Procyon lotor*).

Prociọne *N.pr.m.* ⟨*Astr*⟩ **1.** Procyon. – **2.** ⟨*ant*⟩ (*Cane minore*) Canis Minoris. – **prociọnidi** *m.pl.* ⟨*Zool*⟩ Procyonidae *pl* (*Procyonidae*). – **prociọnoide** *a.* (*simile al procione*) rac(c)oon-like.

procissiọne *f.* ⟨*pop*⟩ → **processione**.

proclạma *m./ant. f.* **1.** proclamation, manifesto. – **2.** ⟨*ant*⟩ (*pubblicazioni di matrimonio*) marriage banns *pl*.

proclamạre *v.t.* **1.** to proclaim: *~ la repubblica* to proclaim the republic; (*annunciare*) to announce. – **2.** (*dichiarare pubblicamente*) to proclaim, to declare, to state: *~ qd. innocente* to proclaim s.o. innocent. – **proclamatọre** *m.* (*f.* **-trice**) ⟨*non com*⟩ **1.** proclaimer. – **2.** (*banditore*) (public) crier.

proclamaziọne *f.* **1.** proclamation, proclaiming; (*annuncio*) announcement: *~ dei risultati elettorali* announcement of the election results. – **2.** (*dichiarazione solenne*) proclamation, declaration, statement: *~ dei diritti dell'uomo* Declaration of the Rights of Man.

prọclisi, proclịsia *f.* ⟨*Ling*⟩ proclisis. – **proclịtica** *f.* proclitic. – **proclịtico** *a.* (*pl.* **-ci**) proclitic: *particelle prolitiche* proclitic particles.

proclịve *a.* inclined, disposed, tending, prone: *~ al male* prone to evil. – **proclività** *f.* ⟨*non com*⟩ (*inclinazione*) proclivity, tendency.

prọco *m.* (*pl.* **-ci/ant. -chi**) **1.** ⟨*lett*⟩ (*pretendente*) suitor, courter, wooer. – **2.** *pl.* ⟨*Lett*⟩ suitors *pl* of Penelope.

procọio *m.* **1.** (*recinto per il bestiame*) fold, pen, enclosure. – **2.** ⟨*ant*⟩ (*mandria*) herd, drove; (*gregge*) flock.

procombẹnte (*p.pr. di procombere*) *a.* ⟨*Bot*⟩ procumbent. – **procọmbere** *v.i.* (**procombẹi/procombẹtti**; lacks the past participle) ⟨*lett*⟩ **1.** (*cadere in avanti*) to fall forward, to fall on one's face. – **2.** (*cadere combattendo*) to fall in battle.

proconsolạre *a.* ⟨*Stor.rom*⟩ proconsular. – **proconsolạto** *m.* proconsulate, proconsulship. – **procọnsole** *m.* proconsul. – **procọnsolo** *m.* **1.** ⟨*Mediev*⟩ proconsul, leading official. – **2.** ⟨*ant*⟩ → **proconsole**.

Procọpio *N.pr.m.* ⟨*Stor*⟩ Procopius.

procrastinamẹnto *m.* → **procrastinazione**. – **procrastinạre** *v.t.* (**procrạstino**) ⟨*lett*⟩ **1.** to put off, to postpone, to defer, to delay: *~ un pagamento* to put off payment. – **2.** ⟨*assol*⟩ to procrastinate. – **procrastinatọre** *m.* (*f.* **-trice**) ⟨*non com*⟩ procrastinator. – **procrastinaziọne** *f.* ⟨*non com*⟩ procrastination, delaying.

procreạbile *a.* generable, that can be procreated. – **procreamẹnto** *m.* ⟨*non com*⟩ → **procreazione**. – **procreạre** *v.t.* (**procrẹo**) to procreate, to generate, to beget. – **procreatọre** *m.* (*f.* **-trice**) ⟨*lett*⟩ procreator, generator, begetter, parent. – **procreaziọne** *f.* procreation, generation, begetting.

procromosọma *m.* ⟨*Biol*⟩ prochromosome.

Procrụste *N.pr.m.* → **Procuste**.

proctịte *f.* ⟨*Med*⟩ proctitis, rectitis, architis.

procto... *pref.* (*ano* anus) proct(o)..., proct(i)...

procto|clịsi *f.* ⟨*Med*⟩ proctoclysis, rectoclysis, Murphy's drip (*o* method). – **~logịa** *f.* proctology. – **~sigmoidoscopịa** *f.* ⟨*Med*⟩ proctosigmoidoscopy. – **~sigmoidoscọpio** *m.* proctosigmoidoscope. – **~stạsi** *f.* proctostasis. – **~tomịa** *f.* ⟨*Chir*⟩ proctotomy, rectotomy.

procuọio *m.* → **procoio**.

procụra *f.* **1.** ⟨*Dir*⟩ power of attorney, mandatory power, proxy, procuration: *conferire la ~ a qd.* to grant s.o. power of attorney. – **2.** (*atto di procura*) power (*o* letter) of attorney: *firmare la ~* to sign a power of attorney. – **3.** (*ufficio del procuratore*) attorney's office.
□ *~ in* **bianco** blank (*o* unlimited) power of attorney, ⟨*am*⟩ blanket authority, ⟨*am*⟩ carte-blanche; *~* **collettiva** collective power of attorney; **dare** *~* to give (*o* grant) power of attorney; *~* **espressa** express procuration; *~* **generale**: 1. general power (of attorney), full power; 2. = *Procura della* **Repubblica**; *~ alle* **liti** (legal) power of attorney; **per** *~* by proxy: *agire per ~* to act by proxy; *matrimonio per ~* marriage by proxy; *votare per ~* to vote by proxy; *~ della* **Repubblica** Public Prosecutor's office, ⟨*SU*⟩ Attorney General's office, ⟨*SU*⟩ Prosecuting Attorney's office; *~* **speciale** special power (of attorney).

procuragiọne *f.* → **procurazione**.

procurạre **I** *v.t.* **1.** to obtain, to get, to procure: *devo procurarmi i soldi per il viaggio* I have to get the money for the trip. – **2.** (*dare*) to give, to afford, to bring: *la professione gli procura molte soddisfazioni* his profession affords him great satisfaction; (*causare*) to cause, to bring about, to give: *~ dolore* to cause pain. – **3.** ⟨*ant*⟩

(*amministrare*) to manage, to administer. – **II** *v.i.* (*aus.* **avere**) **1.** (*fare in modo*) to make sure, to see to: *procurate che nessuno manchi* ⌜make sure⌝ (*o* see to it) that no one is missing. – **2.** ⟨*ant, Dir*⟩ (*patrocinare la causa*) to defend (*per qd.* s.o.), to plead the cause (of).

procuratẹla *f.* ⟨*non com*⟩ attorneyship. – **procuratẹssa** *f.* ⟨*Stor*⟩ wife of the procurator of St. Mark. – **procuratịa** *f.* **1.** procuratorate, procuratorship. – **2.** *pl.* residence of the procurator of St. Mark. – **procuratorạto** *m.* **1.** (*carica*) procuratorate, procuratorship. – **2.** (*durata*) procurator's term of office, procuratorship.

procuratọre *m.* (*f.* **-trice**) **1.** (*chi è munito di procura*) holder of a proxy (*o* power of attorney), procurator, proxy, attorney. – **2.** ⟨*estens*⟩ (*incaricato*) agent, deputy, representative. – **3.** ⟨*Dir*⟩ procurator. – **4.** ⟨*Sport*⟩ (*manager*) manager. – **5.** ⟨*ant*⟩ (*amministratore di beni pubblici*) procurator.

□ ⟨*Dir*⟩ ~ **aggiunto** *della Repubblica* Assistant Public Prosecutor, ⟨*SU*⟩ Assistant District (*o* Prosecuting) Attorney; ~ **distrettuale** regional Public Prosecutor, ⟨*SU*⟩ District Attorney; ~ **generale** Attorney General; ⟨*scherz,ant*⟩ **gentiluomo** *per* ~ (*falso gentiluomo*) false (*o* phony) gentleman; ⟨*Dir*⟩ ~ **legale** attorney-at-law, solicitor; ⟨*Stor*⟩ ~ *di san* **Marco** procurator of St. Mark; ⟨*Dir*⟩ ~ *della* **Repubblica** Public Prosecutor, ⟨*am*⟩ District Attorney.

procuratorịa *f.* ⟨*non com*⟩ (*procuratia*) procuratorate, procuratorship. – **procuratọrio** *a.* of an attorney, of a procurator. – **procurazịọne** *f.* ⟨*ant*⟩ procuration, obtaining.

procurerịa *f.* ⟨*ant*⟩ (*mediazione*) mediation.

Procụste *N.pr.m.* ⟨*Mitol*⟩ Procrustes. □ *letto di* ~ bed of Procrustes.

prọda *f.* ⟨*lett*⟩ **1.** (*riva*) bank, shore, coast, ⟨*lett*⟩ strand: *la barca urtò contro la* ~ the boat struck the bank. – **2.** (*striscia di terreno in pendio*) sloping ground. – **3.** (*estremità*) edge, side, border: *la ~ del letto* the edge of the bed, the bedside; (*margine*) edge, brink: *la ~ di un fosso* the edge of a ditch. – **4.** ⟨*ant*⟩ (*prua*) prow, bow.

prọde ⟨*lett*⟩ **I** *a.* brave, courageous, valiant, bold. – **II** *s.m.* **1.** brave (*o* courageous) person, valiant person. – **2.** ⟨*ant*⟩ (*giovamento*) benefit, advantage, use(fulness), good. □ ⟨*ant*⟩ *essere* ~ (*giovare*) to be useful (*o* of use), to benefit.

prodeggịare *v.i.* (**prodẹggio, prodẹggi**; *aus.* **avere**) ⟨*ant*⟩ (*bordeggiare*) to tack.

prodẹse *m.* ⟨*Mar*⟩ bow fast, bow mooring.

prodetonạnte *m.* ⟨*Mot*⟩ detonation promoter.

prodẹzza *f.* **1.** (*coraggio*) bravery, courage, valour. – **2.** (*atto di coraggio*) feat, deed of valour, brave act, exploit: *le -e di Orlando* the exploits of Orlando. – **3.** ⟨*iron*⟩ (*bravata*) bravado, ⟨*iron*⟩ fine exploit.

prọ dịe *lat.* ⟨*Farm*⟩ per day.

prodiẹre *m.* ⟨*Mar*⟩ bowman. – **prodiẹro** *a.* **1.** (*di prua*) forward, bow-, fore, forecastle-, ⟨*fam*⟩ fo'castle-. – **2.** (*a proravia*) forward, ahead. □ *albero* ~ foremast.

prodigalità *f.* **1.** (*l'esser prodigo*) extravagance, lavishness, prodigality, wastefulness. – **2.** (*sperpero*) wasteful (*o* reckless) spending, squandering, dissipation, prodigality: *non approvo le sue* ~ I don't approve of his wastefulness (*o* wasteful spending). – **prodigalịzzạre** ⟨*rar*⟩ **I** *v.i.* (*aus.* **avere**) to be wasteful (*o* extravagant), to spend recklessly. – **II** *v.t.* to waste, to squander. – **prodiga(l)mẹnte** *avv.* lavishly, extravagantly, prodigally, wastefully.

prodigạre *v.t.* (**prọdigo, prọdighi**) **1.** (*spendere senza misura*) to spend freely (*o* extravagantly): ~ *grandi somme per gli altri* to spend extravagantly on other people. – **2.** ⟨*fig*⟩ (*dispensare largamente*) to lavish, to be lavish with, to bestow freely, to pour forth: ~ *consigli* to give (*o* dispense) advice freely, to be lavish with one's advice. – **prodigarsi** *v.r.* **1.** (*profondersi*) to be lavish (*o* profuse, prodigal): *prodigarsi in complimenti* to be lavish with one's compliments, to be extremely complimentary. – **2.** (*dedicarsi*) to do everything possible (*o* in one's power), to do one's utmost (*o* very best), to do all one can: *il medico si prodiga per salvarlo* the doctor is doing ⌜all he can⌝ (*o* everything in his power) to save him.

prodịgio *m.* **1.** prodigy, wonder, marvel, miracle: *i prodigi della tecnica* the prodigies of technology. – **2.** ⟨*fig*⟩ (*persona straordinaria*) prodigy, genius: *questo ragazzo è un* ~ this boy is a genius; *è un ~ di erudizione* he is a prodigy of learning. – **3.** (*miracolo*) miracle; (*segno premonitore di disastri*) omen, portent, prodigy. □ *essere un ~ di memoria* to have a prodigious (*o* remarkable) memory.

prodigiosamẹnte *avv.* wonderfully, marvellously, prodigiously. – **prodigiosità** *f.* prodigiousness. – **prodigịọso** *a.* **1.** (*portentoso*) wonderful, marvellous, amazing, prodigious, ⟨*fam*⟩ fantastic. – **2.** (*che opera prodigi*) miraculous, wonderful, wonder-working: *un rimedio* ~ a miraculous cure.

prọdigo *a./s.* (*pl.* **-ghi**) **I** *a.* **1.** lavish, extravagant, wasteful, prodigal: *il figliol* ~ the prodigal son. – **2.** ⟨*fig*⟩ lavish, free (*di* with): *essere ~ di consigli* to be free with one's advice; (*generoso*) generous: ~ *di aiuti* generous with one's help. – **II** *s.m.* (*f.* **-a**) spendthrift, squanderer, ⟨*lett*⟩ prodigal.

prodịna *f.* ⟨*Venat*⟩ (kind of) bird netting.

proditọre *m.* ⟨*ant*⟩ (*traditore*) traitor. – **proditoriamẹnte** *avv.* ⟨*lett*⟩ treacherously, treasonably. – **proditọrio** *a.* treacherous, traitorous, treasonable: *atto* ~ treacherous act.

prodittatọre *m.* pro-dictator. – **prodittatoriạle** *a.* pro-dictatorial, of a pro-dictator. – **prodittatụra** *f.* pro-dictatorship.

prodizịọne *f.* ⟨*ant*⟩ (*tradimento*) treachery, treason.

prọdomo *m.* → **pronao.**

prodọtto[1] *m.* **1.** product: *-i industriali* industrial products; *-i agricoli* farm products (*o* produce). – **2.** ⟨*fig*⟩ (*risultato, frutto*) result, fruit, product: *è un ~ della sua fantasia* it's a product of his imagination. – **3.** ⟨*Mat*⟩ product. – **4.** ⟨*Econ*⟩ (*reddito*) income, revenue, product. – **5.** ⟨*Med*⟩ secretion, product.

□ *-i* **alimentari** foodstuffs; *-i* **antiparassitari** pesticides, insecticides; *-i di* **banco** shelf goods (*o* items); *-i di* **base** staple (*o* chief, main) products, primary products; *-i di* **bellezza** cosmetics, beauty products; *-i dei* **campi** agricultural (*o* farm) produce, crops; *-i* **chimici** chemicals, chemical products; ~ *della* **combustione** product of combustion; ~ *di* **condensazione** condensate; *-i d'***esportazione** exports, export goods (*o* articles); *-i* **farmaceutici** pharmaceuticals, pharmaceutical products; ~ **finito** final (*o* end) product; ~ *di* **fissione** fission product; ~ **grezzo** raw produce; *-i* **lavorati** finished goods; *-i in* **lavorazione** goods in process; ~ **manufatto** manufactured product (*o* article); ~ *di* **marca** brand-name product; ~ **marginale** marginal product; ~ *di* **massa** mass-produced product; ⟨*Econ*⟩ ~ **medio** average income; ~ **nazionale** *lordo* gross national product; ~ **netto** net income (*o* revenue, proceeds *pl*); *-i* **petroliferi** oil (*o* petroleum) products; *-i di* **qualità** quality products; *-i di* **scarto** waste products; *-i* **secondari** by-products; *-i* **semilavorati** semi-manufactured products; ~ **sintetico** synthetic product; *-i del* **suolo** produce *sing* of the soil; *-i* **tessili** textiles; ⟨*Econ*⟩ ~ **totale** total product.

prodọtto[2] (*p.p. di produrre*) *a.* ⟨*ant*⟩ (*esteso*) drawn out, extended.

prodrọmico *a.* (*pl.* **-ci**) ⟨*non com*⟩ **1.** warning, premonitory: *segni -i* warning signs. – **2.** ⟨*Med*⟩ prodromal, prodromic: *sintomo* ~ prodromal symptom. – **prọdromo** *m.* **1.** (*indizio*) warning sign, signal: *i -i della crisi economica* the warning signs of the economic crisis. – **2.** ⟨*Med*⟩ prodrome, premonitory symptom. – **3.** ⟨*lett,ant*⟩ (*introduzione*) prodromus, prodrome, introductory work.

producere *v.* ⟨*ant*⟩ → **produrre.**

producịbile *a.* **1.** (*che può essere prodotto*) producible. – **2.** ⟨*ant*⟩ (*atto a produrre*) producing, productive. – **producibilità** *f.* ⟨*non com*⟩ productiveness. – **producimẹnto** *m.* ⟨*ant*⟩ (*produzione*) production, producing.

prodụco *pr.ind. di* **produrre.**

prodụrre *v.* (**prodụco, prodụci**; **prodụssi, prodọtto**/*ant.* **prodụtto**; → **condurre**) **I** *v.t.* **1.** (*generare, creare*) to produce, to yield, to bear (*anche fig.*): *l'Asia ha prodotto grandi civiltà* Asia has produced great civilizations; (*rif. a piante*) to produce: *quest'oleandro non produce fiori* this oleander doesn't produce flowers; (*rif. ad animali*) to give birth to, to produce, to breed. – **2.** (*fabbricare*) to produce, to manufacture, to make, to turn out: *la ditta produce televisori* the company manufactures television sets. – **3.** (*secernere*) to produce, to secrete: *alcune ghiandole producono ormoni* certain glands produce hormones. – **4.** (*ottenere, ricavare*) to obtain, to get, to make. – **5.** (*causare*) to cause, to give rise to, to produce: *la guerra produce danni e sventure* war causes damage and misfortune. – **6.** ⟨*fig*⟩ (*creare: rif. a opere d'arte*) to create, to compose, to produce, to turn out: *è uno scrittore che produce molto* he is a writer who produces a lot, he is a prolific writer; (*pubblicare*) to publish, to bring out. – **7.** (*presentare*) to produce, to show, to present, to exhibit, to bring (*o* put) forward: ~ *prove a propria discolpa* to produce (*o* show) evidence of one's innocence. – **8.** ⟨*lett*⟩ (*protrarre: rif. a tempo*) to prolong. – **II** *v.i.* (*aus.* **avere**) **1.** (*essere fertile*) to be fertile (*o* productive). – **2.** (*essere creativo*) to be creative (*o* prolific). – **prodursi** *v.r.* **1.** (*esibirsi*) to play, to act, to perform, to appear: *prodursi in uno spettacolo* to play in a show. – **2.** (*formarsi*) to be produced (*o* secreted): *la saliva si produce nella bocca* saliva is produced in the mouth.

□ ~ *una* **ferita** *a qd.* to wound s.o.; ~ **frutti** to bear fruit (*anche fig.*); ~ *in* **pubblico** (*pubblicare*) to publish; ~ *sulle* **scene** (*rappresentare*) to produce; ~ *in* **serie** to mass-produce; ~ *un* **testimonio** to call (*o* produce) a witness.

prodụssi *p.rem. di* **produrre.**

produttịbile *a.* **1.** ⟨*non com*⟩ (*producibile*) producible. – **2.** ⟨*ant*⟩ (*allungabile*) prolongable, extendable.

produttivịstico *a.* (*pl.* **-ci**) production-, productional: *politica -a* production policy.

produttività *f.* **1.** productivity, productiveness. – **2.** (*fertilità*) fertility, productivity, fruitfulness. – **3.** ⟨*Econ*⟩ productivity. □ ⟨*Econ*⟩ ~ *marginale* marginal productivity; ~ *massima* maximum productivity.

produttịvo *a.* **1.** productive, fruitful: *carriera -a* fruitful career. – **2.** (*fertile*) fertile, productive, fruitful: *terreni -i* fertile lands. – **3.** ⟨*fig*⟩ (*creativo*) creative, productive: *un ingegno* ~ creative genius. – **4.** ⟨*Econ*⟩ productive, yielding, bearing: *spese -e* productive (*o* profit-yielding) expenses; (*della produzione*) production-, of production. – **5.** ⟨*Ling*⟩ productive.

prodụtto *p.p.ant. di* **produrre.**

produttọre **I** *s.m.* (*f.* **-trice**) **1.** producer: *dal ~ al consumatore* from producer to consumer; (*fabbricante*) manufacturer, maker. – **2.** ⟨*Cin*⟩ producer. – **3.** ⟨*Comm*⟩ (*rappresentante*) agent, salesman, representative. – **4.** ⟨*Zootecn*⟩ (*stallone*) stud-horse, stallion. – **II** *a.* producing, producer-: *paese* ~ producer country; *paesi -i di cotone* cotton-producing countries; (*che fabbrica*) manufacturing: *industrie produttrici* manufacturing industries. □ ⟨*Cin*⟩ *casa produttrice* film company, producer; ~ *cinematografico* film producer, ⟨*am*⟩ movie-maker; ⟨*Comm*⟩ ~ *occasionale* occasional agent.

produziọne *f.* **1.** production (*anche Econ.*): *aumentare la ~ del petrolio* to increase oil production; (*fabbricazione*) manufacture, make: *articolo di ~ straniera* article of foreign make, foreign-made article. – **2.** (*risultato quantitativo di un'attività*) production, output: *~ annua di una fabbrica* annual output of a factory; *la ~ agrumaria dell'anno* citrus fruit production for the year; (*rif. ad attività intellettuali*) output, production, work: *la ~ drammatica di un autore* a writer's theatrical output. – **3.** (*formazione*) production, secretion: *la ~ della clorofilla* the production of chlorophyll. – **4.** (*opera dell'ingegno*) creation, production, work: *una ~ letteraria di alto livello* a literary work of high standard. – **5.** (*presentazione*) showing, presentation, exhibition, production: *~ di documenti* exhibition of documents. – **6.** (*esibizione*) show, performance, exhibition. – **7.** ⟨*Cin*⟩ production; (*opera cinematografica*) film, ⟨*fam*⟩ picture, ⟨*fam*⟩ movie.
□ ~ **agricola** agricultural (*o* farm) production; ~ **annua** annual output (*o* production); ⟨*burocr*⟩ ~ *di* **atti** production of records, exhibition (*o* presentation) of documents; ⟨*Cin*⟩ **casa** *di* ~ film company, producer; ~ *a* **catena** belt (*o* line) production; ~ **corrente** current production; ⟨*Cin*⟩ **direttore** *di* ~: 1. production (*o* unit) manager; 2. associate (*o* executive) producer; ⟨*Econ*⟩ ~ **domestica** home (*o* domestic) production; ~ *di* **energia** power production; *vini di* ~ **estera** foreign (*o* imported) wines; ~ *a* **flusso** *continuo* = *produzione a* **catena**; ~ *di* **gas**: 1. formation (*o* generation) of gas; 2. ⟨*Ind*⟩ gas-making, gas production; ~ **giornaliera** daily output (*o* production); ~ **industriale** industrial production, manufacture; ~ *di* **legno** wood production; ⟨*Ginn*⟩ ~ **libera** free standing exercise, ⟨*am*⟩ free gymnastics; ~ *a* **lotti** batch production; ~ **nazionale** home (*o* domestic) production; ~ **oraria** output per hour, hourly production; ~ **primaria** primary production; ~ **programmata** planned production; ~ **propria** home production; *di ~ propria* home-produced, home-made; ~ *di* **qualità** quality production; ~ *in* **serie** mass-production; ⟨*Econ*⟩ **spese** *di* ~ production costs.

prọedro (o **proẹdro**) *m.* ⟨*Stor.gr*⟩ member of the ecclesia.

proeggiạre *v.* → **prodeggiare.**

proembriọne *m.* ⟨*Bot*⟩ proembryo.

proemiạle *a.* (*introduttivo*) introductory, prefatory, preliminary, ⟨*lett*⟩ proemial: *dichiarazione ~* introductory statement. – **proemialmẹnte** *avv.* preliminarily, as an introduction. – **proemiạre** *v.i.* (**proẹmio, proẹmi;** *aus.* **avere**) to preface. – **proẹmio** *m.* **1.** ⟨*lett*⟩ introduction, preface, ⟨*lett*⟩ proem. – **2.** (*preambolo*) preamble.

pro|encẹfalo *m.* → **prosencefalo.** – **~ẹtnico** *a.* (*pl.* **-ci**) ⟨*Ling*⟩ (*preetnico*) proethnic.

prof. = **1.** *professore* professor (*abbr.* Prof.), teacher. – **2.** *profondità* depth.

profanamẹnte *avv.* profanely, irreverently. – **profanamẹnto** *m.* ⟨*non com*⟩ → **profanazione.** – **profanạre** *v.t.* **1.** (*rif. a cose consacrate*) to desecrate, to profane: *~ un altare* to desecrate an altar. – **2.** (*contaminare*) to debase, to defile: *~ il ricordo di qd.* to defile s.o.'s memory. □ *~ un nome* to debase a name. – **profanatọre I** *s.m.* (*f.* **-trice**) **1.** desecrater, profaner. – **2.** (*contaminatore*) debaser, defiler. – **II** *a.* desecrating, profaning, debasing, defiling. – **profanaziọne** *f.* **1.** desecration, profanation: *la ~ di una chiesa* the desecration of a church. – **2.** (*contaminazione*) debasement, defilement. – **profanità** *f.* **1.** profanity, profaneness. – **2.** (*atto profano*) profanity, profane act.

profạno I *a.* **1.** (*non sacro*) secular, profane, lay: *musica -a* secular music; *storia -a* profane history. – **2.** (*indegno di accostarsi a ciò che è sacro*) unsanctified, profane, unholy: *mani -e* profane hands; (*empio*) profane, irreverent, blasphemous, sacrilegious. – **3.** (*non competente*) ignorant, unskilled, profane, unknowledgeable: *essere ~ in un'arte* to be ignorant of an art. – **4.** ⟨*rar*⟩ (*peccaminoso*) sinful. – **II** *s.m.* (*cosa non sacra*) profane: *il sacro e il ~* the sacred and the profane. – **III** *s.m.* (*f.* **-a**) **1.** (*chi non è consacrato*) layman, laic. – **2.** (*incompetente*) layman, non-expert, no (*o* bad) judge: *essere un ~ in pittura* to be a bad judge of painting. – **3.** ⟨*rar*⟩ (*peccatore*) sinner.

profạse *f.* ⟨*Biol*⟩ prophase.

profẹnda *f.* ⟨*rar*⟩ (*razione di biada*) feed, fodder.

proferạre, proferẹre *v.* (**prọfero**) ⟨*ant*⟩ → **proferire.** – **proferịbile** *a.* ⟨*non com*⟩ utterable, pronounceable, expressible. – **proferimẹnto** *m.* ⟨*non com*⟩ utterance, pronouncement.

proferịre *v.t.* (**proferịsco, proferịsci; proferịi, proferịto**) **1.** to utter, to articulate, to pronounce: *non riusciva a ~ parola* he couldn't utter a word. – **2.** (*esprimere*) to say, to express, to pronounce: *~ un giuramento* to pronounce an oath. – **3.** ⟨*non com*⟩ (*offrire*) to offer. – **4.** ⟨*ant*⟩ (*dimostrare*) to show, to demonstrate.

proferitọre *m.* (*f.* **-trice**) ⟨*non com*⟩ **1.** utterer, pronouncer. – **2.** ⟨*rar*⟩ (*chi offre*) offerer.

profẹrta *f.* ⟨*ant*⟩ → **profferta.**

professạnte (*p.pr. di professare*) *a.* professing, practising.

professạre *v.* (**profẹsso**) **I** *v.t.* **1.** (*dichiarare*) to profess, to declare, to acknowledge, to affirm, to confess, to avow: *~ a qd. la propria simpatia* to acknowledge one's liking for s.o. – **2.** (*manifestare pubblicamente*) to profess: *~ idee liberali* to profess liberal ideas. – **3.** (*esercitare*) to practise, to profess: *~ la medicina* to practise medicine. – **II** *v.i.* (*aus.* **avere**) **1.** (*esercitare*) to practise, to profess: *è avvocato ma non professa* he's a lawyer but he doesn't practise. – **2.** ⟨*Rel*⟩ to take vows, to make one's profession. – **professarsi** *v.r.* **1.** (*dichiararsi*) to declare (*o* profess, avow) o.s., to claim, to say: *professarsi innocente* to declare o.s. innocent, to say one is innocent. – **2.** ⟨*epist*⟩ to remain: *mi professo Suo devotissimo* I remain yours sincerely. □ ⟨*Rel*⟩ *~ i voti* to take vows. – **professatọre** *m.* (*f.* **-trice**) ⟨*rar*⟩ **1.** professant, professor. – **2.** (*chi esercita*) practiser, professor.

professionạle *a.* **1.** (*rif. alla professione*) professional: *segreto ~* professional secrecy (*o* confidence); (*rif. ad aspetti tecnici della professione*) vocational: *istruzione ~* vocational training; *scuola ~* vocational school; (*connesso a una professione*) occupational: *malattie -i* occupational diseases; *rischio ~* occupational risk (*o* hazard). – **2.** (*specialistico*) technical, specialized: *argomenti -i che interessano soltanto pochi lettori* technical subjects which interest very few readers. – **3.** ⟨*Dir*⟩ professional: *delinquente ~* professional criminal. – **professionalità** *f.* **1.** (*carattere professionale*) professionalism, professional nature. – **2.** ⟨*Dir*⟩ professionalism: *~ nel reato* professionalism in crime. – **professionalmẹnte** *avv.* professionally.

professiọne *f.* **1.** profession, occupation, calling: *esercitare una ~* to practise a profession; *che ~ esercita tuo padre?* what is your father's occupation?, what does your father do? – **2.** (*dichiarazione di un sentimento*) profession, declaration, avowal: *~ di amicizia* profession of friendship. – **3.** ⟨*Rel*⟩ profession, taking of vows.
□ ~ **artigiana** handicraft; **di** ~ professional, by profession: *è* (*o fa lo*) *scrittore di ~* he's a professional writer; *giocatore di calcio di ~* professional footballer; **fare** *la ~ di medico* to practise medicine, to be a doctor; ~ *di* **fede** profession of faith; *-i* **legali** legal professions; **libera** ~ profession; ~ **manuale** manual occupation; **scegliere** *una ~* to choose (*o* take up) a profession; ⟨*Rel*⟩ ~ **semplice** simple vows *pl*; ⟨*Rel*⟩ ~ **solenne** solemn vows *pl*; *fare a qd. le più alte -i di* **stima** to declare one's high esteem for s.o.

professionịsmo *m.* professionalism (*anche Sport*). – **professionịsta** *m./f.* **1.** (*non com*) professionist. – **2.** ⟨*Sport*⟩ professional, ⟨*fam*⟩ pro. □ *libero ~* professional. – **professionịstico** *a.* (*pl.* **-ci**) professional (*anche Sport.*).

profẹsso I *a.* ⟨*Rel*⟩ professed, having taken vows: *monaca -a* professed nun. – **II** *s.m.* (*f.* **-a**) professed religious, professed monk (*f* nun).

professorạle *a.* **1.** ⟨*Scol*⟩ of a teacher, teacher's. – **2.** ⟨*Univ*⟩ professorial, of a professor: *dignità ~* professorial dignity. – **3.** ⟨*spreg*⟩ (*pedantesco*) pedantic, academic, donnish: *aria ~* pedantic air. – **professorạto** *m.* ⟨*non com*⟩ **1.** ⟨*Scol*⟩ teacher's post; (*durata*) term of a teaching post. – **2.** ⟨*Univ*⟩ (*ufficio*) professorship, professorate; (*durata*) professorate.

professọre *m.* (*f.* **-essa**) **1.** (*insegnante*) teacher, (school)master (*f* schoolmistress): *~ di ginnastica* gym teacher (*o* instructor). – **2.** ⟨*Univ*⟩ professor, don: *~ all'università di Roma* professor at Rome University. – **3.** ⟨*ant*⟩ (*chi professa*) professor.
□ *darsi* **arie** *da ~* to assume a professorial air; ~ *di* **filosofia** philosophy professor, professor of philosophy; ~ **incaricato**: 1. ⟨*Univ*⟩ lecturer (with an annual appointment), ⟨*am*⟩ assistant professor; 2. ⟨*Scol*⟩ teacher with an annual appointment; ~ **d'orchestra** orchestra-player, member of an orchestra, instrumentalist; ~ **ordinario** (full) professor; ~ **ospite** visiting professor; ~ *di* **ruolo** teacher (*o* professor) on the permanent staff; *ne* **sa** *quanto un ~* he's a know-all; ~ **straordinario** visiting (*o* temporary) lecturer; ~ **supplente** substitute teacher (*o* professor), temporary (*o* supply) teacher; ~ **titolare** regular (*o* titular) professor.

professorẹllo *m.* ⟨*spreg*⟩ *dim. di* **professore.** – **professorẹssa** *f.* **1.** ⟨*Scol*⟩ (*insegnante*) teacher, (school)mistress, instructress. – **2.** ⟨*Univ*⟩ professor. – **professorịno** (*dim. di professore*) *m.* young teacher (*o* professor). – **professorọne** (*accr. di professore*) *m.* **1.** famous (*o* great) professor. – **2.** ⟨*estens*⟩ (*persona dotta*) learned person, scholar. – **professorụccio, professorụcolo** *m.* ⟨*spreg*⟩ *dim. di* **professore.**

profẹsto: ⟨*Stor.rom*⟩ *giorni -i* workdays *pl.*

profẹta I *s.m.* **1.** prophet: *i -i del Vecchio Testamento* the Old Testament prophets. – **2.** ⟨*estens*⟩ (*indovino*) prophet, predictor. – **II** *a.* prophetic(al), prophet-. □ *~ di sventura* prophet of woe. *Prov.*: *nessuno è ~ in patria* no man is a prophet in his own country.

profetạre *v.* (**profẹto**) **I** *v.t.* **1.** to prophesy. – **2.** ⟨*estens*⟩ (*predire*) to prophesy, to foretell, to predict. – **II** *v.i.* (*aus.* **avere**) to prophesy. – **profeteggiạre** *v.* (**profetẹggio, profetẹggi**) ⟨*lett*⟩ → **profetare.**

profetẹssa *f.* **1.** prophetess. – **2.** (*donna dotata di spirito profetico*) fortune-teller, predictor. – **3.** ⟨*lett*⟩ (*Sibilla*) Sibyl, Sybil.

profeticamẹnte *avv.* prophetically. – **profẹtico** *a.* (*pl.* **-ci**) **1.** prophetic(al), of a prophet: *scritture profetiche* prophetic scriptures. – **2.** ⟨*estens*⟩ (*capace di prevedere il futuro*) prophetic: *virtù -a* prophetic virtue. – **profetịsmo** *m.* prophetism. – **profetizzạre** *v.* → **profetare.** – **profezịa** *f.* **1.** ⟨*Rel*⟩ prophecy. – **2.** (*divinazione*) divination, prophecy. – **3.** ⟨*estens*⟩ (*predizione*) prediction, prophecy, forecast.

proff. = *professori* professors (*abbr.* Profs.).

profferạre, profferẹre *v.* (**prọffero**) ⟨*ant*⟩ → **proferire.**

profferịre *v.t.* (**profferịsco, profferịsci; profferịi/proffẹrsi, proffẹrto**) ⟨*non com*⟩ **1.** (*offrire*) to offer. – **2.** → **proferire.** – **profferitọre** *m.* (*f.* **-trice**) ⟨*non com*⟩ offerer.

proffẹrlo *m.* ⟨*Arch*⟩ outside staircase.

proffẹrta *f.* ⟨*non com*⟩ (*offerta*) offer.

proffilạre *v.* ⟨*ant*⟩ → **profilare.** – **proffilạto** (*p.p. di proffilare*) *a./s.* ⟨*ant*⟩ → **profilato.** – **proffilatọio** *m.* ⟨*ant*⟩ → **profilatoio.** – **proffịlo** *m.* ⟨*ant*⟩ → **profilo.**

proficiat *lat. intz.* good health.
proficiente ⟨*ant*⟩ **I** *a.* making good progress, profiting, proficient. – **II** *s.m./f.* proficient, person making progress.
profico *m.* (*pl.* **-chi**) ⟨*Bot*⟩ flower of the caprifig.
proficuamente *avv.* usefully, profitably. – **proficuità** *f.* ⟨*non com*⟩ usefulness, profitableness. – **proficuo** *a.* (*giovevole*) useful, profitable: *attività -a* profitable activity.
profilamento *m.* ⟨*non com*⟩ **1.** outlining, profiling. – **2.** (*il profilarsi*) standing out.
profilare *v.t.* **1.** to outline, to draw (*o* sketch) in outline, to profile: ~ *una foglia* to sketch a leaf. – **2.** ⟨*Sart*⟩ to trim, to edge, to border. – **3.** ⟨*Mecc*⟩ to profile. – **profilarsi** *v.r.* **1.** to stand out, to be outlined, to appear: *le montagne si profilavano all'orizzonte* the mountains stood out in the distance. – **2.** ⟨*fig*⟩ (*essere imminente*) to be imminent, to be: *si profilava la minaccia di una guerra* the threat of war was imminent; *si profila qualche speranza* there is some hope.
profilassi *f.* ⟨*Med*⟩ prophylaxis, prevention of disease, preventive treatment.
profilato (*p.p. di profilare*) **I** *a.* **1.** outlined, profiled, clear-cut: *un volto nettamente* ~ a face with clear-cut features. – **2.** (*affilato*) sharp, pointed: *naso* ~ sharp (*o* pointed) nose. – **3.** ⟨*Sart*⟩ trimmed, edged, bordered. – **II** *s.m.* ⟨*tecn*⟩ section (iron), structural shape. □ ~ *di* **acciaio** steel section, structural steel; ~ **cantonale** (*o a L*) angle (iron); ~ **laminato** rolled section; ~ **leggero** light section; ~ **metallico** metal section; ~ **normale** standard section, merchant bar (*o* iron); ~ **speciale** shape; ~ *a* **T** Tee; ~ *a doppio T* H-beam, I-beam; ~ *a* **U** channel.
profilatoio *m.* ⟨*Met*⟩ engraving chisel. – **profilatrice** *f.* forming (*o* moulding) machine.
profilattico *a./s.* (*pl.* **-ci**) **I** *a.* ⟨*Med*⟩ prophylactic, preventive. – **II** *s.m.* (*preservativo*) condom, prophylactic, ⟨*fam*⟩ rubber, ⟨*fam*⟩ French letter.
profilatura *f.* **1.** outlining, drawing (*o* sketching) in outline, profiling. – **2.** ⟨*Sart*⟩ trimming, edging, bordering; (*profilo*) trim, edge, border. – **3.** ⟨*tecn*⟩ profiling, forming. □ ~ *al tornio* profile turning.
profillo *m.* ⟨*Bot*⟩ (*bratteola*) bracteole, bractlet, prophyll.
profilo *m.* **1.** outline, profile; (*contorno*) contour. – **2.** (*linea del volto*) profile: *un* ~ *regolare* a classic profile; (*immagine di profilo*) profile. – **3.** ⟨*fig*⟩ (*descrizione*) sketch, profile; (*biografia*) profile, biographical sketch. – **4.** (*rif. a pneumatici*) tyre sculpture (*o* engraving). – **5.** ⟨*tecn*⟩ (*disegno*) profile, side elevation (view): ~ *di una costruzione* profile of a building. – **6.** ⟨*Sart*⟩ trim, edge, border. – **7.** ⟨*Geom,Geol*⟩ profile. – **8.** ⟨*Met*⟩ → **profilatoio**.
□ ⟨*Aer*⟩ ~ **aerodinamico** aerofoil section; ~ **alare** wing contour (*o* section, profile); ~ *a* **catena** chain tread, ⟨*am*⟩ chain profile; ~ **dentato** saw teeth tread, ⟨*am*⟩ saw teeth profile; ⟨*Mecc*⟩ ~ *del* **dente** tooth contour; **di** ~ in profile: *fare una fotografia di* ~ to take a photograph in profile; ⟨*non com*⟩ **in** ~ = **di** *profilo*; ~ **lamellato** lamella tread, ⟨*am*⟩ lamella profile; ~ **longitudinale** longitudinal profile (*o* section); ⟨*rar*⟩ **per** ~ = **di** *profilo*; ~ **scanalato** grooved tread, ⟨*am*⟩ grooved profile; ~ *della* **strada** street profile; ~ *del* **terreno** soil profile; ~ **trasversale** cross-section.
profilografo, profilometro *m.* ⟨*Met*⟩ profilometer, profilograph.
profime *m.* (*nell'aratro*) plough beam.
profitente *m./f.* ⟨*Rel*⟩ religious making his (*o* her) profession.
profiterole *fr.* [-'trɔl] *m.* ⟨*Dolc*⟩ (small) cream puff, profiterole.
profittabile *a.* ⟨*ant*⟩ → **profittevole**.
profittare *v.i.* (*aus.* **avere**) **1.** (*far profitto, progredire*) to (make) progress, to do well (*in* in): ~ *nello studio* to make progress in one's studies. – **2.** (*trarre profitto*) to profit (*di* by), to gain, to benefit (by, from), to get a lot (out of), to make good use (of), to put (s.th.) to good use: ~ *di un consiglio* to put advice to good use, to profit by advice. – **3.** (*approfittare*) to take advantage, to avail o.s., to make the most (*di* of): ~ *di un'occasione* to take advantage of an opportunity; (*abusare*) to abuse (s.th.), to take (undue) advantage (of): *non* ~ *della mia pazienza* don't ⌜toy with⌝ (*o* abuse) my patience. – **4.** ⟨*non com*⟩ (*recare profitto*) to be useful (*o* of service), to benefit, to be profitable: *l'impresa mi ha profittato poco* it wasn't a very profitable undertaking. – **5.** ⟨*Bot*⟩ (*allignare*) to thrive: *è un terreno in cui le piante profittano poco* it's (the kind of) land in which the plants don't thrive.
profittatore *m.* (*f.* **-trice**) exploiter, profiteer. – **profittevole** *a.* ⟨*lett*⟩ (*vantaggioso*) profitable, advantageous, lucrative. – **profittevolmente** *avv.* profitably, with profit.
profitto *m.* **1.** (*vantaggio*) advantage, profit: *trarre* ~ *da qc.* to take advantage of s.th.; (*giovamento*) benefit, good: *trarre qualche* ~ *da una cura* to ⌜get some good out of⌝ (*o* benefit by) a treatment. – **2.** (*guadagno*) profit, profits *pl*, earnings *pl*, return, gain: *da quella vendita ha ricavato un gran* ~ he made a good profit on that sale. – **3.** *pl.* (*reddito*) income, revenue: *accertare i -i di un'azienda* to ascertain a company's income. – **4.** ⟨*fig*⟩ (*progresso*) progress: *far* ~ *negli studi* to make progress at school.
□ **a** ~ *di qd.* (*a suo vantaggio*) to s.o.'s advantage, for s.o.'s benefit; *-i di* **congiuntura** boom profits, profits due to a favourable economic situation; **dare** ~ to (be of) benefit, to do good; ⟨*ant*⟩ *non* **far** ~ (*non conseguire l'intento*) to fail to achieve one's object; *-i di* **guerra** war profits; ~ **lordo** gross profit; **mettere** *a* ~ *qc.* to turn s.th. to profit (*o* account), to take advantage of s.th., to make ⌜the most⌝ (*o* good use) of s.th.: *mettere a* ~ *le proprie esperienze* to turn one's experience to account, to make good use of personal experience; ~ **netto** net profit; ~ **probabile** imaginary (*o* anticipated) profit; **realizzare** *un* ~ to make a profit; **recare** ~ = **dare** *profitto*; **senza** ~ to no advantage (*o* avail), uselessly, unprofitably.
profligare *v.t.* (**profligo, profilghi**) ⟨*lett*⟩ (*sconfiggere*) to defeat, to overcome.
profluvio *m.* **1.** profluvium, (copious) discharge. – **2.** ⟨*fig*⟩ (*abbondanza*) flood, stream, deluge: *un* ~ *di improperi* a stream of insults.
profoga *f.* ⟨*Entom*⟩ (*grillotalpa*) mole cricket (*Gryllotalpa gryllotalpa*).
profondamente *avv.* **1.** deep(ly), to a great depth: *scavare* ~ to dig deep. – **2.** ⟨*fig*⟩ (*intensamente*) profoundly, deeply, intensely: ~ *commosso* deeply moved; (*molto*) very much, deeply, greatly: *ti compiango* ~ I deeply sympathize with you, I'm very sorry for you.
profondamento *m.* ⟨*non com*⟩ sinking.
profondare *v.* (**profondo**) **I** *v.t.* ⟨*non com*⟩ **1.** (*affondare*) to sink, to force down: ~ *le radici nel terreno* to sink roots into the ground. – **2.** (*rendere più fondo*) to deepen, to make deeper: ~ *un canale* to deepen a canal. – **II** *v.i.* (*aus.* **essere**) ⟨*rar*⟩ (*sprofondare*) to sink, to go to the bottom. – **profondarsi** *v.r.* ⟨*lett*⟩ **1.** (*immergersi*) to sink, to disappear (*in* into), to be swallowed up (by). – **2.** ⟨*fig*⟩ (*addentrarsi*) to go deeply (into), to become absorbed (*o* immersed) (in), to study (s.th.) profoundly.
profondere *v.t.* (**profusi, profuso**) **1.** (*spendere liberamente*) to squander, to waste, to lavish, to spend freely (*o* extravagantly): ~ *il proprio danaro* to squander one's money. – **2.** ⟨*fig*⟩ (*prodigare*) to lavish, to be lavish (*o* free) with: ~ *lodi* to lavish praise, to bestow lavish praise. – **profondersi** *v.r.* to be profuse (*o* lavish): *profondersi in scuse* to be profuse in one's apologies.
profondezza *f.* ⟨*ant*⟩ → **profondità**.
profondimetro *m.* depth-gauge.
profondità *f.* **1.** depth: *la* ~ *di un fiume* the depth of a river; *questo golfo ha cento metri di* ~ this gulf is one hundred metres ⌜in depth⌝ (*o* deep). – **2.** (*fondo*) depth, bottom: *esplorare le* ~ *marine* to explore the ⌜sea depths⌝ (*o* bottom of the sea). – **3.** ⟨*fig*⟩ (*rif. a sentimenti: intensità*) depth, intensity: *la* ~ *di un sentimento* the depth of a feeling. – **4.** ⟨*fig*⟩ (*l'essere difficile a comprendersi*) deepness, depth, abstruseness. – **5.** ⟨*fig*⟩ (*la parte più intima*) depth, innermost part, bottom: *le* ~ *del cuore umano* the depths of the human heart.
□ *nella* ~ *dell'***animo** deep down, at bottom; ⟨*Ott*⟩ ~ *di* **campo** depth of field; ⟨*Mar*⟩ ~ *d'***immersione** draught; **in** ~: 1. deeply, into the depths: *scendere in* ~ to descend into the depths, to go deep down; 2. ⟨*fig*⟩ deeply, profoundly; 3. ⟨*Sport*⟩ deep: *passaggio in* ~ deep pass; *nella* ~ *della* **notte** at dead of night, in the depths of night; ~ **oceaniche** ocean depths; ~ *di* **scavo** digging depth; ⟨*Minier*⟩ ~ *di* **taglio** cutting depth; ⟨*Met*⟩ ~ *di* **tempra** chill depth.
profonditore *m.* (*f.* **-trice**) ⟨*non com*⟩ squanderer, lavisher.
profondo **I** *a.* **1.** deep: *un lago molto* ~ a very deep lake; *una voragine -a venti metri* a chasm twenty metres deep. – **2.** ⟨*fig*⟩ (*rif. a sentimenti: intenso*) deep, profound, intense: *nutrire* ~ *amore per qd.* to feel deep love for s.o. – **3.** ⟨*fig*⟩ (*non superficiale, approfondito*) deep, profound, complete, thorough: *conoscenza -a* profound knowledge. – **4.** ⟨*fig*⟩ (*difficile a comprendersi*) deep, profound, difficult, abstruse, recondite: *un pensiero* ~ a profound thought. – **5.** ⟨*fig*⟩ (*totale*) complete, total, profound, absolute, utter: *-a ignoranza* utter (*o* abysmal) ignorance. – **6.** (*rif. a colori: cupo*) deep: *blu* ~ deep blue. – **7.** (*rif. a suoni: grave*) deep: *voce -a* deep voice. – **8.** ⟨*ant*⟩ (*rif. a regioni: interno*) inner, inland, interior. – **II** *avv.* ⟨*non com*⟩ **1.** deep(ly), profoundly. – **2.** ⟨*fig*⟩ (*in modo difficile*) deeply, profoundly: *parlare* ~ to speak profoundly. – **III** *s.m.* **1.** depth, depths *pl*, bottom. – **2.** ⟨*fig*⟩ depth, innermost part, bottom: *dal* ~ *dell'anima* from the depths of the soul, from the bottom of one's heart. – **3.** ⟨*Psic*⟩ depth: *psicologia del* ~ depth psychology, psychoanalysis. – **4.** ⟨*poet*⟩ (*parte interna*) depth, innermost part. □ ⟨*non com*⟩ *in* ~ (*in profondità*) deeply, profoundly; *nel* ~ *di* at the bottom of, deep in, in the depths of.
pro forma *lat.* **1.** as a matter of form, for form's sake, pro forma. – **2.** ⟨*Comm*⟩ pro forma: *fattura* ~ pro forma invoice.
profosso *m.* ⟨*Stor*⟩ (*carceriere*) warder, gaoler, prison guard.
prof.ssa = *professoressa* (woman) professor (*abbr.* Prof.).
prof.sta = *professionista* professional (*abbr.* prof.).
profugo *a./s.* (*pl.* **-ghi**) **I** *a.* **1.** fugitive, exiled, refugee. – **2.** ⟨*Pol*⟩ refugee, fugitive. – **II** *s.m.* (*f.* **-a**) **1.** fugitive, exile, refugee, evacuee. – **2.** ⟨*Pol*⟩ refugee.
profumare **I** *v.t.* to perfume, to scent, to make fragrant: ~ *la biancheria* to perfume the linen. – **II** *v.i.* (*aus.* **avere**) to perfume, to smell sweet, to be fragrant: *senti come profumano questi fiori* smell how fragrant these flowers are. – **profumarsi** *v.r.* to put perfume on, to perfume o.s., to use scent: *si profuma di lavanda* she uses lavender scent.
profumatamente *avv.* ⟨*fam*⟩ (*lautamente*) handsomely, lavishly: *pagare qc.* ~ to pay handsomely (*o* a high price) for s.th., ⟨*fam*⟩ to pay through the nose for s.th.
profumato (*p.p. di profumare*) *a.* **1.** (*odoroso*) fragrant, sweet-smelling, sweet-scented: *un fiore assai* ~ a very sweet-smelling (*o* fragrant) flower. – **2.** (*odorante di profumo*) perfumed, scented: *acqua -a di rose* rose-scented water. – **3.** ⟨*fam*⟩ (*caro*) expensive, dear, costly, high-priced; (*generoso*) excellent, liberal: *paga -a* excellent pay. – **4.** ⟨*Enol*⟩ fragrant.
profumatore *m.* (*f.* **-trice**) ⟨*non com*⟩ perfumer, scenter.
profumeria *f.* **1.** (*industria, fabbrica*) perfumery. – **2.** (*negozio*) perfumery, perfume-shop. – **3.** *pl.* (*assortimento di profumi*) perfumes

pl, scents *pl*, perfumery. – **profumiẹra** *f*. **1.** perfume-seller, perfume saleswoman. – **2.** ⟨*non com*⟩ (*vaso*) perfume bottle. – **profumiẹre** *m*. (*f*. **-a**) **1.** (*fabbricante*) perfume manufacturer, perfumer. – **2.** (*venditore*) perfume-seller, perfume salesman (*f* -woman), perfumer. – **profumiẹro** *a*. perfume-, scent-, of perfumes (*o* scents): *industria -a* perfume industry.

profumịno (*dim. di profumo*) *m*. ⟨*fam*⟩ **1.** good smell, fragrance. – **2.** ⟨*iron*⟩ (*cattivo odore*) bad smell, odour, ⟨*iron*⟩ fragrance. – **profumịsta** *m./f*. perfumery manufacturer, perfumer.

profụmo *m*. **1.** (*esalazione odorosa*) sweet smell, fragrance, scent, perfume: *il ~ dei fiori* the fragrance of flowers; *emanare ~* to give off a sweet smell. – **2.** (*essenza odorosa*) perfume, scent: *una boccetta di ~* a bottle of perfume. – **3.** ⟨*fig*⟩ sweet air, fragrance: *il ~ dell'innocenza* the sweet air of innocence. ☐ *il ~ della santità* the odour of sanctity; *senza ~* odourless, scentless, having no fragrance.

profuṣamẹnte *avv*. **1.** (*copiosamente*) profusely, copiously. – **2.** ⟨*fig*⟩ (*estesamente*) lavishly, widely, amply.

profuṣiọne *f*. **1.** (*atto*) pouring forth, discharging; (*effetto*) profusion. – **2.** ⟨*fig*⟩ (*abbondanza*) profusion, copiousness, over-abundance, lavish (*o* copious) supply. – **3.** ⟨*fig*⟩ (*prodigalità*) profusion, prodigality, extravagance, lavish expenditure. ☐ *a ~* (*in gran copia*) in profusion, in abundance.

profụṣo (*p.p. di profondere*) *a*. **1.** profuse, copious, abundant. – **2.** ⟨*Med*⟩ profuse. – **3.** ⟨*fig,non com*⟩ (*distribuito con larghezza*) profuse, lavish, prodigal, extravagant. – **4.** ⟨*fig,non com*⟩ (*prolisso*) long-winded, verbose.

progạmico *a*. (*pl*. **-ci**) ⟨*Biol*⟩ progamic, progamous.

progenerạre *v.t.* (**progẹnero**) ⟨*lett,rar*⟩ (*generare*) to beget, to procreate.

progẹneṣi *f*. ⟨*Biol*⟩ progenesis.

progẹnie *f.inv*. ⟨*lett*⟩ **1.** (*stirpe*) stock, race, lineage: *~ di eroi* race of heroes. – **2.** ⟨*spreg*⟩ (*genia*) tribe, pack, breed. – **3.** ⟨*scherz*⟩ (*figlio*) child, ⟨*scherz*⟩ offspring; (*figli*) children *pl*, ⟨*scherz*⟩ progeny *pl*.

progenitọre *m*. (*f*. **-trice**) **1.** progenitor (*f* -trix/-tress). – **2.** *pl*. (*antenati*) ancestors *pl*, forefathers *pl*, forbears *pl*, progenitors *pl*. – **3.** *pl*. ⟨*Bibl*⟩ (*Adamo ed Eva*) Adam and Eve, first progenitors *pl*.

progerịa *f*. ⟨*Med*⟩ progeria, premature senility.

progestatịvo *a*. ⟨*Biol*⟩ progestational. – **progesterọne** *m*. progesterone. – **progestịna** *f*. progestin.

progettạre *v*. (**progẹtto**) **I** *v.t.* **1.** to plan, to arrange: *~ un viaggio* to plan a trip. – **2.** ⟨*tecn*⟩ to plan, to project, to design, to devise: *~ la costruzione di una diga* to project the construction of a dam. – **II** *v.i.* (*aus*. **avere**) to plan, to make plans. – **progettaziọne** *f*. **1.** planning. – **2.** ⟨*tecn*⟩ designing, planning, projecting. – **progettịsta I** *s.m./f*. **1.** ⟨*Edil*⟩ designer, planner. – **2.** ⟨*Ind*⟩ design(er) engineer; (*rif. a macchine*) engineer. – **3.** ⟨*fig*⟩ (*chi fa grandi progetti per l'avvenire*) schemer, projector. – **II** *a*. design-. – **progettịstica** *f*. designing, planning, projecting. – **progettịstico** *a*. (*pl*. **-ci**) design-, planning.

progẹtto *m*. **1.** plan, project. – **2.** ⟨*tecn*⟩ design, layout, plan: *il ~ di una casa* the plan of a house; (*cianografia*) blueprint. – **3.** (*programma*) plan, intention: *che -i hai per le vacanze?* what are your plans for the holidays?; *ha la mente sempre piena di -i* his head is always full of plans.
☐ **avere** *in ~ di fare qc.* to plan to do s.th.; *~* **definitivo** (*o esecutivo*) definite project, final plan; *~* **edile** building plan; **essere** *in ~* to be in the planning stage; *~ di* **legge** bill; *~ di legge governativo* government bill; *~ di* **massima** = *progetto* **preliminare**; ⟨*non com*⟩ **per** *~* (*deliberatamente*) deliberately, intentionally, on purpose, by design; *~* **preliminare** preliminary project; ⟨*tecn*⟩ **presentare** *un ~* to present a project; *~ di* **risoluzione** draft resolution.

proginọne *m*. ⟨*rar,Biol*⟩ (*estrone*) estrone.

proglọttide *f*. ⟨*Zool*⟩ proglottid, proglottis.

prognatịṣmo *m*. prognathism. – **prognạto** *a*. prognathous, prognathic.

prọgno *m*. ⟨*region*⟩ (*torrente*) stream, torrent.

prọgnoṣi *f*. ⟨*Med*⟩ prognosis.
☐ *~* **benigna** (*o fausta*) favourable prognosis, prognosis fausta; **fare** *una ~* to make a prognosis; *~* **immediata** immediate prognosis; *~* **infausta** unfavourable prognosis, prognosis infausta; *~* **riservata** uncertain prognosis.

prognosticạre *v*. ⟨*rar*⟩ → **pronosticare**. – **prognọstico** *a./s*. (*pl*. **-ci**) **I** *a*. ⟨*Med*⟩ prognostic(al). – **II** *s.m.* ⟨*non com*⟩ **1.** ⟨*Med*⟩ (*prognosi*) prognosis. – **2.** (*pronostico*) prognostic.

progrạmma *m*. **1.** program(me), plan, schedule: *stabilire un ~* to make (*o* draw up) a programme. – **2.** (*progetto*) programme, plan: *fare -i per l'avvenire* to make plans for the future; *che -i hai per domani?* what's your programme for tomorrow? – **3.** ⟨*concr*⟩ (*opuscolo*) program(me): *~ di un concerto* concert programme. – **4.** ⟨*Scol*⟩ syllabus: *~ didattico* (teaching) syllabus. – **5.** ⟨*Pol*⟩ platform, program(me): *~ di riforma* reform platform. – **6.** (*rif. a macchine elettroniche*) program(me), routine: *~ assemblatore* assembly program.
☐ ⟨*Cin*⟩ *~* **doppio** double-feature programme; *~* **dei concorsi** competition programme; *~* **economico** economic plan (*o* programme); ⟨*Pol*⟩ *~* **elettorale** electoral platform; *~ di* **fabbricazione** production schedule, manufacturing programme; **fuori** *~*: 1. additional, extra; 2. ⟨*fig,scherz*⟩ unplanned, unscheduled, unexpected, unforeseen; 3. ⟨*Cin*⟩ supporting programme; *~ di* **governo** government programme; *essere* **in** *~* to be on the programme; ⟨*estens*⟩ (*essere progettato*) to be planned; *~* **d'insegnamento** = *programma* **scolastico**; ⟨*Cin*⟩ *~ di* **lavorazione** daily shooting schedule; *~* **dei lavori** work programme; *~ di lavoro* master schedule; **musica** *a ~* programme music; *~* **politico** (political) platform; *~* **scolastico** syllabus; (*insieme di materie*) curriculum; *~ di* **sviluppo** development programme; *~* **teatrale** theatre programme.

programmạre *v.t.* **1.** to program(me), ⟨*am*⟩ to schedule. – **2.** ⟨*Cin*⟩ (*proiettare*) to play, to show, to put on. – **3.** ⟨*Econ*⟩ to plan, to program(me). – **4.** (*rif. a macchine elettroniche*) to program(me). – **programmạtico** *a*. (*pl*. **-ci**) **1.** (*che riguarda il programma*) programmatic, of a program(me). – **2.** (*che è nel programma*) on a program(me), programmed. – **programmatọre** *m*. (*f*. **-trice**) **1.** ⟨*Econ*⟩ planner. – **2.** (*rif. a macchine elettroniche*) programmer.

programmaziọne *f*. **1.** programming, scheduling. – **2.** ⟨*Econ*⟩ planning, programming. – **3.** ⟨*Cin*⟩ (*proiezione*) playing, showing, screening. – **4.** (*rif. a macchine elettroniche*) programming.
☐ *~* **automatica** automatic programming; *~* **economica** economic planning; *~ del* **lavoro** work planning (*o* programming); *~* **lineare** (*o rettilinea*) linear programming; ⟨*Cin*⟩ *di* **prossima** *~* coming soon (*o* shortly).

programmịno (*dim. di programma*) *m*. scanty programme. – **programmịsta** *m./f*. **1.** programmer, planner, ⟨*am*⟩ scheduler. – **2.** ⟨*Rad,TV*⟩ (programme) announcer. – **3.** (*rif. a macchine elettroniche*) programmer.

progredịre *v.i.* (**progredịsco, progredịsci**; *aus*. **avere/essere**) **1.** (*andare avanti*) to (make) progress, to proceed, to get on: *il lavoro progredisce bene* the work is ⌜progressing well⌝ (*o* making good progress). – **2.** ⟨*fig*⟩ (*migliorare*) to improve, to (make) progress, to grow (*o* get) better. – **progredịto** (*p.p. di progredire*) *a*. advanced, developed, progressive: *civiltà -e* advanced civilizations; *popolo ~* progressive people.

progressiọne *f*. **1.** advance, progress, progression. – **2.** ⟨*Mat*⟩ progression: *~ aritmetica* arithmetical progression. – **3.** ⟨*Ret*⟩ climax. – **4.** ⟨*Mus*⟩ (*rif. alla melodia*) sequence; (*rif. all'armonia*) progression. ☐ *crescere in ~ geometrica* to increase in geometric progression; ⟨*fig*⟩ (*aumentare rapidamente*) to increase rapidly.

progressịṣmo *m*. progressivism. – **progressịsta I** *s.m./f*. progressive, progressivist, progressionist, progressist. – **II** *a*. → **progressistico**. – **progressịstico** *a*. (*pl*. **-ci**) progressive.

progressịva *f*. ⟨*Strad*⟩ section (*o* stretch) of road.

progressivamẹnte *avv*. **1.** progressively, in order: *numerare ~* to number progressively. – **2.** (*gradualmente*) step by step, little by little. – **progressività** *f*. progressiveness. – **progressịvo** *a*. progressive.

progrẹsso *m*. **1.** progress, advance: *il ~ della tecnica* the progress of technology; *i -i della medicina* advances in medicine; (*miglioramento*) improvement, betterment, progress(ion). – **2.** (*avanzamento*) advance(ment), progress: *il ~ dei lavori di restauro* the progress in the restoration work; (*sviluppo*) spread, growth, development: *il ~ della malattia* the spread of the disease. ☐ *fare -i* (*migliorare*) to make progress, to improve; *essere in ~* to be in progress; *in ~ di tempo* (*con l'andar del tempo*) in the course of time.

proibịre *v.t.* (**proibịsco, proibịsci**) **1.** to forbid, to prohibit: *le autorità hanno proibito la manifestazione* the authorities prohibited the demonstration; *ti proibisco di farlo* I forbid you to do it, you are not to do it. – **2.** ⟨*non com*⟩ (*impedire*) to prevent, to hinder, to block: *~ l'avanzata del nemico* to prevent the enemy's advance.

proibitịvo I *a*. **1.** prohibitive: *disposizione -a* prohibitive order. – **2.** ⟨*Ling*⟩ prohibitive, negative. – **II** *s.m.* ⟨*Ling*⟩ (*anche imperativo proibitivo*) prohibitive (*o* negative) imperative. ☐ *prezzi -i* prohibitive prices; *tempo ~* terrible weather.

proibịto (*p.p. di proibire*) *a*. forbidden, prohibited: *il frutto ~* the forbidden fruit. ☐ *~ fumare* no smoking, smoking is not allowed; *libri -i* forbidden books, books on the Index; *~ l'ingresso* no admittance; *~ dalla legge* prohibited by law, against the law. – **proibitọre** *m*. (*f*. **-trice**) ⟨*non com*⟩ forbidder, prohibitor. – **proibitọrio** *a*. ⟨*Dir,rar*⟩ prohibitive, prohibitory. – **proibiziọne** *f*. **1.** forbiddance, prohibition. – **2.** (*divieto*) prohibition, veto. – **3.** ⟨*Dir*⟩ prohibition.

proibizionịṣmo *m*. prohibition. – **proibizionịsta I** *s.m./f*. prohibitionist. – **II** *a*. prohibitionist-.

proiciẹnte ⟨*ant*⟩ **I** *a*. (*che proietta*) launching. – **II** *s.m.* launcher.

proiettạre *v.t.* (**proiẹtto**) **1.** to cast, to throw, to project: *~ una luce* to project a light; *gli alberi proiettavano lunghe ombre sull'erba* the trees threw long shadows on the grass. – **2.** (*scagliare*) to hurl, to fling, to throw, to project; (*gettare fuori*) to eject, to throw out: *fu proiettato dalla cabina* he was ⌜ejected from⌝ (*o* thrown out of) the cabin. – **3.** ⟨*Cin*⟩ to project, to screen, to show. – **4.** ⟨*Geom, Psic*⟩ to project.

proiettifịcio *m*. bullet (*o* ammunition) factory.

proiẹttile *m*. **1.** projectile, missile. – **2.** ⟨*Mil*⟩ projectile, missile, shell; (*pallottola*) bullet, shot, ball.
☐ *~* **atomico** atomic missile; *~ di* **fucile** rifle bullet; *~* **fumogeno** smoke ammunition; *~* **illuminante** star shell; *~* **incendiario** incendiary shell; *~* **inesploso** dud; *~* **nebbiogeno** smoke shell; *~* **nucleare** nuclear projectile (*o* missile); *~* **perforante** armour-piercing shell; *a* **prova** *di ~* bullet-proof; *~* **radiocomandato** guided missile; *~ a* **razzo** rocket missile; *~* **tracciante** tracer bullet; *-i* **vulcanici** volcanic ejecta, tephra.

proiettività *f*. ⟨*Geom*⟩ projectivity.

proiettivo *a.* projective (*anche Geom,Psic.*).
proietto *m.* **1.** projectile, missile. – **2.** ⟨*region*⟩ (*trovatello*) foundling, waif. ▭ ⟨*Geol*⟩ *-i vulcanici* volcanic ejecta, tephra.
proiettore *m.* **1.** ⟨*Fot,Cin*⟩ projector. – **2.** (*riflettore*) searchlight, projector, floodlight, spotlight. – **3.** ⟨*Aut*⟩ headlamp, headlight.
▭ ⟨*Aut*⟩ ~ **abbagliante** driving (*o* high) beam, ⟨*am.fam*⟩ brights *pl*; **accendere** *i -i* to switch on the headlights; ~ **anabbagliante** dipped headlight, ⟨*am*⟩ low beam, ⟨*am.fam*⟩ dims *pl*; ~ **antinebbia** fog-lamp, fog light; ~ **ausiliario** spotlight, auxiliary headlamp; ~ **cinematografico** (*o per cinema*) motion-picture projector, ⟨*am*⟩ movie projector; ⟨*Mil*⟩ ~ **controaereo** anti-aircraft searchlight; ⟨*Fot*⟩ ~ *per* **diapositive** slide projector; ~ **elettronico** electron gun; ⟨*Cin*⟩ ~ **familiare** home-movie projector; ~ *a largo* **fascio** broad beam headlamp (*o* headlight); ~ **fendinebbia** = *proiettore* **antinebbia**; ⟨*Cin*⟩ ~ **muto** silent projector; ⟨*Rad*⟩ ~ *di* **onda** *rotante* scanner; ⟨*Aut*⟩ ~ **orientabile** swivelling headlamp; ⟨*Teat*⟩ ~ *per* **palcoscenico** spotlight; ~ **parabolico** paraboloid headlight; ⟨*Aer*⟩ ~ *di* **pista** floodlight; ⟨*Met*⟩ ~ *di* **profili** projector, optical comparator; ⟨*Aut*⟩ ~ *di grande* **profondità** ⌜high beam⌝ (*o* far-reaching) headlight; ⟨*Teat*⟩ ~ *di* **proscenio** perch (*o* tormentor) spot; ⟨*Aut*⟩ ~ *per* **retromarcia** back-up light (*o* lamp); ⟨*Cin*⟩ ~ **sonoro** sound projector; ~ **ultrasonoro** supersonic oscillator.
proiettura *f.* ⟨*ant*⟩ (*aggetto*) projection, overhang.
proiezione *f.* **1.** casting, throwing, projecting: *la* ~ *dell'ombra terrestre* the casting of the earth's shadow. – **2.** ⟨*Cin,Fot*⟩ projection. – **3.** ⟨*Cin*⟩ (*visione*) showing, screening. – **4.** ⟨*Geom,Psic*⟩ projection. – **5.** ⟨*Mil*⟩ (*lancio*) launch, firing. – **6.** ⟨*non com*⟩ (*il lanciare*) launching; (*lo scagliare*) hurling, flinging.
▭ ⟨*Geom*⟩ ~ *all'***americana** third-angle projection; ~ **cartografica** projection; ~ **centrale** central projection; ~ **cilindrica** cylindrical projection; ~ **cinematografica** cinema (*o* movie) projection, film show(ing), screening; ~ **conica** conical projection; ~ *di* **diapositive** slide projection, showing of slides; ⟨*Geom*⟩ ~ (*all'*) **europea** first-angle projection; ~ *di* **film** = *proiezione* **cinematografica**; ~ **fissa** slide projection; ⟨*TV*⟩ ~ *di* **fondo** background projection; ~ **geografica** geographical projection; ~ *dell'***immagine** projection of the image; ⟨*Geom*⟩ ~ *all'***inglese** = *proiezione* (*all'*) **europea**; ~ **isometrica** isometric projection; ~ **laterale** side elevation; ~ *di* **Mercatore** Mercator's projection; ~ **obliqua** oblique projection; ⟨*Mar*⟩ ~ **orizzontale** deck section; ~ **ortogonale** orthographic projection; ~ **parallela** parallel projection; ⟨*Cin*⟩ **sala** *di* ~ projection room.
proiezionista *m.* ⟨*Cin*⟩ operator, ⟨*am*⟩ projectionist.
prolabio *m.* ⟨*Anat*⟩ prolabium.
prolactina *f.* → **prolattina**.
prolamina *f.* ⟨*Biol*⟩ prolamin.
prolan *m.* ⟨*Biol*⟩ prolan.
prolassato *a.* ⟨*Med*⟩ prolapsed. – **prolasso** *m.* prolapse, prolapsis, prolapsus: ~ *dell'utero* prolapse of the uterus.
prolattina *f.* ⟨*Biol*⟩ lactogenic hormone, prolactin.
prolazione *f.* ⟨*ant*⟩ **1.** (*il parlare*) speech, utterance; (*pronuncia*) pronunciation. – **2.** ⟨*Mus*⟩ prolation.
prole *f.* **1.** children *pl*, offspring, issue, progeny: *è sposato con* ~ he is married with children. – **2.** ⟨*scherz,lett*⟩ (*figlio*) child, son (*f* daughter), ⟨*scherz*⟩ offspring. – **3.** ⟨*estens*⟩ (*stirpe*) stock, race, lineage. – **4.** ⟨*non com*⟩ (*rif. ad animali*) young, offspring: ~ *inetta al volo* young unable to fly.
▭ ⟨*lett*⟩ **celeste** ~ heavenly issue; ⟨*lett*⟩ ~ **divina** (*o di dei*) child of the gods; ~ **femminile** daughter, female issue; ~ **gemella** twins *pl*; ⟨*Dir*⟩ ~ **illegittima** illegitimate offspring; ~ **legittima** legitimate issue; ~ **maschile** son, male issue; *una* **numerosa** ~ a large family; ⟨*lett*⟩ **romulea** ~ Romans *pl*; **senza** ~ childless; ~ **unica** only child.
prolegato *m.* ⟨*Stor.rom,Rel*⟩ pro-legate, deputy legate.
prolegomeni *m.pl.* **1.** (*esposizione preliminare*) prolegomena *pl*, prefatory remarks *pl*, introductory observations *pl*. – **2.** (*discorso introduttivo*) introduction, preface, ⟨*lett*⟩ prolegomenon.
prolepsi *f.* ⟨*rar*⟩ → **prolessi**. – **proleptico** *a.* ⟨*rar*⟩ → **prolettico**. – **prolessi** *f.* **1.** ⟨*Gramm,Filos,Bot*⟩ prolepsis. – **2.** ⟨*Ret*⟩ prolepsis, procatalepsis.
proletariato *m.* **1.** (*condizione*) proletarianism. – **2.** (*classe*) proletariat: ~ *industriale* industrial proletariat. – **proletario I** *s.m.* (*f.* **-a**) **1.** ⟨*Stor.rom*⟩ proletarian; ⟨*collett*⟩ proletariat. – **2.** proletarian, wage-earner, worker, member of the working classes. – **II** *a.* working class-, proletarian. – **proletarizzare** *v.t.* ⟨*non com*⟩ to proletarianize. – **proletarizzazione** *f.* ⟨*non com*⟩ proletarianization.
prolettico *a.* (*pl.* **-ci**) ⟨*Gramm,Bot*⟩ proleptic.
proliferare *v.i.* (**prolifero**; *aus.* **avere**) **1.** ⟨*Biol*⟩ to proliferate, to multiply. – **2.** ⟨*fig*⟩ (*espandersi velocemente*) to spread fast, to spring up, to proliferate. – **proliferativo** *a.* ⟨*Biol*⟩ proliferative. – **proliferazione** *f.* **1.** ⟨*Biol*⟩ proliferation, multiplication. – **2.** ⟨*fig*⟩ (*espansione rapida*) spreading, proliferation: ~ *delle armi nucleari* proliferation of nuclear weapons. – **3.** ⟨*Bot*⟩ prolification. – **prolifero** *a.* **1.** ⟨*Biol*⟩ proliferous, prolific. – **2.** ⟨*Bot*⟩ proliferous, proliferating, proliferate.
prolificare *v.i.* (**prolifico**, **prolifichi**; *aus.* **avere**) **1.** (*generare*) to beget, to procreate. – **2.** ⟨*fig*⟩ to proliferate, to expand, to spread, to burgeon. – **3.** ⟨*Bot*⟩ to proliferate. – **prolificazione** *f.* **1.** begetting, procreation, generation, prolification. – **2.** ⟨*fig*⟩ proliferation. – **3.** ⟨*Bot*⟩ prolification. – **prolificità** *f.* **1.** fertility, fruitfulness, fecundity, ⟨*lett*⟩ prolificacy; (*rif. a persone*) fertility. – **2.** ⟨*fig*⟩ fruitfulness, fertility. – **prolifico** *a.* (*pl.* **-ci**) **1.** fertile, fruitful, fecund, prolific; (*rif. a persone*) fertile, prolific. – **2.** ⟨*fig*⟩ (*fecondo*) fertile, prolific.
proligere *a.* ⟨*Biol*⟩ proligerous, proliferative.
prolina *f.* ⟨*Chim*⟩ proline. – **prolinasi** *f.* ⟨*Biol*⟩ prolinase.
prolissamente *avv.* in a long-winded manner, verbosely, prolixly. – **prolissità** *f.* long-windedness, verboseness, tedious lengthiness, prolixity. – **prolisso** *a.* **1.** long-winded, verbose, tediously long (*o* lengthy), prolix: *un discorso* ~ a long-winded speech; (*rif. a persone*) long-winded, verbose, prolix. – **2.** ⟨*tosc*⟩ fussy, particular, pedantic. – **3.** ⟨*lett*⟩ (*lungo, fluente*) long and flowing. – **4.** ⟨*ant*⟩ (*che si prolunga nel tempo*) lengthy.
pro loco *lat.* **I** *a.* in favour of the place (*o* town). – **II** *s.f.* local tourist board.
prologare *v.i.* (**prologo**, **prologhi**; *aus.* **avere**) ⟨*ant*⟩ **1.** (*fare un prologo*) to deliver a prologue. – **2.** (*raccontare con gran giro di parole*) to tell in a roundabout way. – **prologo** *m.* (*pl.* **-ghi**) **1.** ⟨*Teat*⟩ prologue; (*personaggio*) prologue, prologuist. – **2.** ⟨*estens*⟩ (*introduzione*) introduction, preface, prologue. – **3.** ⟨*fig*⟩ prologue.
proludere *v.i.* (**prolusi**, **proluso**; *aus.* **avere**) ⟨*lett*⟩ **1.** (*cominciare a parlare*) to begin to speak. – **2.** (*pronunciare una prolusione*) to give an inaugural lecture.
prolunga *f.* **1.** extension. – **2.** ⟨*El*⟩ extension (cord). – **3.** ⟨*Mil*⟩ (*carro*) transport cart (*o* wagon). – **4.** ⟨*Mil,ant*⟩ (*fune*) prolonge. – **prolungabile** *a.* prolongable; (*estensibile*) extensible. – **prolungabilità** *f.* ⟨*non com*⟩ possibility of prolonging, prolongableness; (*estensibilità*) extensibility. – **prolungamento** *m.* **1.** (*rif. a spazio*) expansion, continuation, prolongation; (*estensione*) extension. – **2.** (*rif. a tempo*) prolongation, protraction, extension, lengthening. – **3.** ⟨*concr*⟩ (*prolunga*) extension, continuation: *il* ~ *di un cavo* an extension cable. – **4.** (*seguito*) continuation. – **5.** ⟨*Biol*⟩ head process, notochordal plate.
prolungare *v.t.* (**prolungo**, **prolunghi**) **1.** (*rif. a spazio*) to extend, to lengthen, to make longer, to prolong: ~ *una linea* to make a line longer; (*estendere*) to extend. – **2.** (*rif. a tempo*) to prolong, to protract, to extend, to lengthen: ~ *una seduta* to prolong a meeting; (*tirare in lungo*) to draw out. – **3.** ⟨*ant*⟩ (*differire*) to postpone, to delay, to defer. – **prolungarsi** *v.r.* **1.** (*rif. a spazio*) to extend, to continue, to stretch, to go: *il prato si prolunga fino al lago* the meadow extends to the lake. – **2.** (*rif. a tempo*) to grow longer, to draw out, to be prolonged (*o* extended, protracted): *la sua permanenza si prolungò di cinque giorni* his stay was extended by five days; (*durare, estendersi*) to last, to continue. – **3.** (*dilungarsi*) to dwell (at length), to be drawn out.
prolungatamente *avv.* at (great) length. – **prolungativo** *a.* ⟨*non com*⟩ capable of prolonging. – **prolungato** (*p.p. di prolungare*) *a.* prolonged, protracted. – **prolungatore** *m.* (*f.* **-trice**) ⟨*non com*⟩ prolonger. – **prolungazione** *f.* ⟨*rar*⟩ → **prolungamento**.
prolusione *f.* **1.** introductory lecture, prolusion. – **2.** ⟨*Univ*⟩ inaugural lecture.
proluvie *f.* ⟨*lett*⟩ **1.** (*inondazione*) flood, deluge. – **2.** ⟨*fig*⟩ (*abbondanza*) flood, super-abundance. ▭ ⟨*Med*⟩ ~ *di ventre* (*diarrea*) diarrhoea.
promanare *v.* ⟨*lett*⟩ **I** *v.i.* (*aus.* **essere**) **1.** (*emanare*) to emanate, to issue, to come, to flow, to proceed (*da* from), to be given off (by). – **2.** ⟨*fig*⟩ (*derivare*) to come, to derive, to proceed, to emanate (from). – **II** *v.t.* **1.** to give off (*o* out, forth), to send out, to emit. – **2.** ⟨*fig*⟩ (*emettere*) to issue, to publish, to enact, to promulgate.
promantia *f.* ⟨*Stor.gr*⟩ precedence in consulting an oracle.
promegaloblasto *m.* ⟨*Biol*⟩ promegaloblast.
promemoria *m.inv.* memorandum, note, ⟨*fam*⟩ memo: *stendere un* ~ to write a memorandum.
pro memoria *lat.* as a reminder.
promenoir *fr.* [prɔmənw'a:r] *m.* ⟨*Teat*⟩ standing room.
promere *v.t.* ⟨*poet*⟩ (*manifestare*) to put forth, to express, to manifest.
promeristema *m.* ⟨*Bot*⟩ promeristem.
promerope *m.* ⟨*Ornit*⟩ Promerops (*Promerops*). ▭ ~ *delle Proteacee* Cape promerops (*Promerops cafer*).
promessa *f.* **1.** promise: *fare una* ~ to make a promise; (*promessa solenne*) vow, pledge. – **2.** (*parole con cui si promette*) promise, pledge: ~ *scritta* written promise. – **3.** ⟨*fig*⟩ promise, hope: *una* ~ *del teatro* an actor of promise, a promising actor.
▭ **adempiere** *una* ~ to keep a promise; *essere* **fedele** *a una* ~ = **mantenere** *una promessa*; ~ **giurata** vow, pledge, solemn promise; **mancare** *a una* ~ to break a promise; ~ **mancata** breach of promise; **mantenere** *una* ~ to keep a promise; ~ *di* **marinaio** dicer's oath; ~ *di* **matrimonio** promise of marriage; ~ *di* **pagamento** promise of payment; **pascere** *qd. di -e* to fob s.o. off with promises; **restituire** *la* ~ *a qd.* to free s.o. from a promise; ⟨*Econ*⟩ ~ *di* **vendita** promise to sell; (*compromesso*) pro-contract, contract of agreement, conditional sale. – *Prov.*: *ogni* ~ *è debito* promise is debt.
promessione *f.* ⟨*ant*⟩ → **promissione**.
promesso (*p.p. di promettere*) **I** *a.* **1.** promised. – **2.** (*fidanzato*) engaged, ⟨*lett*⟩ betrothed. – **II** *s.m.* (*f.* **-a**) **1.** (*fidanzato*) fiancé (*f* fiancée). – **2.** ⟨*non com*⟩ (*cosa promessa*) promised (thing), what has been promised. ▭ ⟨*Bibl*⟩ *la terra -a* the Promised Land.
prometeico *a.* (*pl.* **-ci**) ⟨*lett*⟩ **1.** (*di Prometeo*) Promethean, of Prometheus. – **2.** ⟨*fig*⟩ Promethean, daring, original.
prometeo[1] *a.* ⟨*lett*⟩ (*prometeico*) Promethean, of Prometheus.

promẹteo² *m.* ⟨*Chim*⟩ promethium.

Promẹteo (o *Prometẹo*) *N.pr.m.* ⟨*Mitol*⟩ Prometheus. □ ⟨*Lett*⟩ ~ *legato* (o *incatenato*) Prometheus Bound; ⟨*Lett*⟩ ~ *liberato* Prometheus Unbound.

prometịde *m.* ⟨*lett*⟩ **1.** ⟨*Mitol*⟩ (*figlio di Prometeo*) Deucalion. – **2.** *pl.* (*il genere umano*) mankind.

promettẹnte (*p.pr. di promettere*) *a.* promising, full of promise. □ *poco* ~ not very promising, unpromising.

promẹttere *v.* (**promịsi, promẹsso**) **I** *v.t.* **1.** to promise: *non ti posso ~ nulla* I can't promise you anything; (*promettere solennemente, contrarre un obbligo*) to vow, to swear. – **2.** (*minacciare*) to threaten, to promise: *mi ha promesso un sacco di botte* he threatened to give me a good hiding. – **3.** ⟨*fig*⟩ (*preannunciare*) to look (*o* seem) like, to promise, to give hope of: *il tempo promette pioggia* it looks like rain; *i campi promettono un ottimo raccolto* the fields promise an excellent harvest. – **4.** (*fidanzare*) to engage, to promise in marriage, ⟨*lett*⟩ to betroth. – **II** *v.i.* (*aus.* **avere**) **1.** to promise, to make a promise. – **2.** ⟨*fig*⟩ (*far sperare*) to be (*o* look) promising, to look hopeful, to promise: *l'affare promette bene* the deal ⌜looks promising⌝ (*o* promises well). – **3.** ⟨*ant,pop*⟩ (*assicurare*) to assure, to promise. – **4.** ⟨*lett*⟩ (*offrire*) to offer. – **promettersi** *v.r.* **1.** (*fidanzarsi*) to become (*o* get) engaged. – **2.** ⟨*non com*⟩ (*aspettarsi*) to expect, to look forward to: *mi prometto un forte guadagno da quest'affare* I expect a good profit out of this deal. □ ⟨*iron*⟩ *promette bene* (*rif. a persona che ha tendenza al male*) no good will come of him; *promettersi a Dio* to dedicate (*o* give) o.s. to God; ~ ⌜*mari e monti*⌝ (*o Roma e Toma*) to promise the earth; ~ *una ragazza in moglie* (*o matrimonio*) to promise a girl in marriage; *promettersi in sposa* (*o moglie*) to get engaged.

promettitọre *m.* (*f.* **-trice**) ⟨*lett*⟩ **1.** promiser. – **2.** (*chi è facile alle promesse*) ready promiser.

promẹzio *m.* → **prometeo**².

promielo|cịta, ~cịto *m.* ⟨*Biol*⟩ premyelocyte, promyelocyte.

prominẹnte *a.* **1.** prominent, jutting, protuberant. – **2.** (*eminente*) prominent, eminent, leading, notable. – **prominẹnza** *f.* **1.** prominence, projection, protuberance: *la ~ del mento* the prominence of the chin. – **2.** ⟨*concr*⟩ (*parte prominente*) protuberance. – **3.** ⟨*Met*⟩ swell. □ ⟨*Astr*⟩ *-e solari* (*protuberanze*) solar prominences.

prominịstro *m.* ⟨*ant*⟩ deputy (*o* acting) minister.

promiscuamẹnte *avv.* indiscriminately, haphazardly, promiscuously. – **promiscuità** *f.* **1.** mixing, indiscriminate mingling, promiscuity, promiscuousness: ~ *di razze* racial promiscuity. – **2.** (*mescolanza indiscriminata dei sessi*) indiscriminate mingling of the sexes. – **3.** ⟨*Etnol*⟩ promiscuity, promiscuousness.

promịscuo *a.* **1.** haphazard, mingled indiscriminately, heterogeneous, promiscuous: *società -a* heterogeneous society. – **2.** ⟨*Gramm*⟩ common gender-. – **3.** ⟨*Teat*⟩ versatile. □ *matrimonio* ~ mixed marriage; *classe -a* mixed (*o* co-educational) class.

promissạrio *m.* ⟨*Dir,non com*⟩ promisee. – **promissiọne** *f.* **1.** ⟨*ant*⟩ (*promessa*) promise. – **2.** ⟨*Stor*⟩ (*promissione ducale*) Doge's oath. □ *terra di* ~ (*terra promessa*) Promised Land. – **promissịvo** *a.* ⟨*non com*⟩ promissory.

promissọre *m.* **1.** promittor. – **2.** ⟨*ant*⟩ (*promettitore*) promiser. – **promissọrio** *a.* ⟨*Dir*⟩ promissory: *giuramento* ~ promissory oath. – **promittẹnte** *m./f.* promisor.

promontọrio *m.* **1.** promontory, headland. – **2.** ⟨*Anat*⟩ (*angolo sacro-vertebrale*) promontory of the sacrum, sacrovertebral angle, promontorium; (*sporgenza della cassa del timpano*) promontory of the tympanum, promontorium.

promọsso (*p.p. di promuovere*) **I** *a.* **1.** ⟨*Scol*⟩ successful, having (been) passed, ⟨*am*⟩ promoted. – **2.** ⟨*burocr*⟩ promoted. – **II** *s.m.* (*f.* **-a**) **1.** ⟨*Scol*⟩ successful candidate, student who has been passed. – **2.** ⟨*burocr*⟩ person who is promoted.

promotion *ingl.* [prə'mouʃən] *f.* ⟨*Comm*⟩ promotion, publicity.

promotọre I *s.m.* (*f.* **-trice**) **1.** promoter, patron, organizer: *il ~ della manifestazione* the organizer of the demonstration. – **2.** (*protettore*) protector, defender. – **3.** *pl.* ⟨*Econ*⟩ company promoters *pl.* – **4.** ⟨*Chim*⟩ promoter. – **II** *a.* **1.** (*che dà impulso*) promoting, patronizing; (*che favorisce*) encouraging, fostering, furthering, favouring, promoting. – **2.** (*organizzatore*) organizing, promoting: *comitato ~* organizing (*o* organization) committee. – **3.** ⟨*Chim*⟩ promoting. □ *farsi ~ di qc.* to promote (*o* further) s.th.; *società promotrice delle belle arti* society for the promotion of the fine arts.

promovẹndo ⟨*non com*⟩ **I** *a.* ready (*o* due, up) for promotion. – **II** *s.m.* employee ready (*o* due) for promotion.

promọvere *v.* ⟨*lett,pop*⟩ → **promuovere**. – **promovimẹnto** *m.* ⟨*non com*⟩ promotion, promoting, advancing, favouring. – **promovitọre** *a./s.* ⟨*non com*⟩ → **promotore**.

promozionạle *a.* ⟨*Comm*⟩ promotional, publicity-.

promoziọne *f.* **1.** ⟨*burocr*⟩ promotion. – **2.** ⟨*Scol*⟩ passing up, ⟨*am*⟩ promotion; (*superamento di un esame*) passing. – **3.** ⟨*Sport*⟩ move up. – **4.** (*negli scacchi*) promotion. – **5.** ⟨*Comm*⟩ promotion. □ ⟨*Comm*⟩ ~ *delle vendite* sales promotion; *ottenere una ~* to get (*o* win) a promotion, to be promoted; ⟨*Scol*⟩ *ottenere la ~* to be passed, to pass up, ⟨*am*⟩ to be promoted.

promulgamẹnto *m.* ⟨*non com*⟩ → **promulgazione**. – **promulgạre** *v.t.* (**promụlgo, promụlghi**) **1.** ⟨*Dir*⟩ to promulgate, to publish: ~ *una legge* to promulgate a law. – **2.** (*proclamare*) to promulgate, to proclaim: ~ *un dogma* to proclaim a dogma. – **3.** (*diffondere*) to spread, to divulge, to propagate, to make known: ~ *una teoria* to spread a theory. – **promulgatọre** *m.* (*f.* **-trice**) promulgator. – **promulgaziọne** *f.* **1.** ⟨*Dir*⟩ promulgation, official publication; (*emanazione*) issue, enactment, promulgation. – **2.** (*diffusione*) spread, diffusion, propagation, divulging.

promuọvere *v.t.* (**promọssi, promọsso**) **1.** (*dare impulso*) to patronize, to encourage, to foster, to further, to favour, to promote, to advance, to forward, to support: ~ *l'agricoltura* to promote agriculture. – **2.** (*provocare*) to stir up, to excite, to bring on, to provoke. – **3.** (*far aumentare*) to increase. – **4.** ⟨*burocr*⟩ to promote, to raise to the rank of, to advance: *è stato promosso maggiore* he was promoted (to the rank of) major. – **5.** ⟨*Scol*⟩ to pass up, ⟨*am*⟩ to promote: *è stato promosso in terza elementare* he was promoted to the third grade; (*in un esame*) to pass. – **6.** ⟨*Dir*⟩ to start, to bring, to enter, to lodge. – **7.** ⟨*ant*⟩ (*sollecitare*) to urge. □ ⟨*Dir*⟩ ~ *un'azione* to start proceedings; ⟨*Dir*⟩ ~ *una causa* to bring an action; ⟨*Scol*⟩ *essere promosso* to pass up, ⟨*am*⟩ to be promoted; (*in un esame*) to pass; ~ *una rivolta* to stir up a revolt.

promutạre *v.t.* ⟨*ant*⟩ (*permutare*) to exchange, to barter. – **promutaziọne** *f.* ⟨*ant*⟩ (*permutazione*) exchange, barter.

pron. = ⟨*Gramm*⟩ *pronome* pronoun (*abbr.* pron.).

prọnao *m.* ⟨*Arch*⟩ pronaos.

pronatọre I *a.* ⟨*Anat*⟩ pronator-, of a pronator. – **II** *s.m.* pronator.

pronẹfrico *a.* (*pl.* **-ci**) ⟨*Biol*⟩ pronephric. – **pronẹfro** *m.* pronephros, pronephron.

pronepọte *m./f.* ⟨*lett,pop*⟩ → **pronipote**. – **pronipọte** *m./f.* **1.** (*rif. a nonno*) great-grandchild, great-grandson (*f* great-granddaughter); (*rif. a zio*) grand-nephew (*f* grand-niece). – **2.** (*discendente*) descendant.

pronità *f.* ⟨*ant*⟩ (*l'essere incline*) proneness.

prọno *a.* ⟨*lett*⟩ **1.** prone, prostrate, on one's stomach, face down: *dormire -i* to sleep ⌜on one's stomach⌝ (*o* face down). – **2.** ⟨*fig*⟩ (*disposto*) inclined, disposed, prone, given. – **3.** ⟨*spreg*⟩ (*arrendevole*) yielding, easily swayed.

pronọme *m.* ⟨*Gramm*⟩ pronoun.

□ ~ **dimostrativo** demonstrative pronoun; ~ **indefinito** indefinite pronoun; ~ **interrogativo** interrogative pronoun; ~ **numerale** numeral (pronoun); ~ **personale** personal pronoun; ~ **possessivo** possessive pronoun; ~ **relativo** relative pronoun; ~ **riflessivo** reflexive pronoun.

pronominạle *a.* ⟨*Gramm*⟩ pronominal: *declinazione* ~ pronominal declension.

pronosticamẹnto *m.* ⟨*non com,scherz*⟩ foretelling, predicting. – **pronosticạre** *v.t.* (**pronọstico, pronọstichi**) **1.** to foretell, to predict, to prophesy, to prognosticate. – **2.** (*far prevedere*) to presage, to forebode, to foreshow, to augur, to prognosticate: ~ *bene* to augur well. – **pronosticatọre** *m.* (*f.* **-trice**) ⟨*non com*⟩ predictor, forecaster, prognosticator. – **pronosticaziọne** *f.* ⟨*non com*⟩ **1.** foretelling, predicting, prophesying, prognosticating. – **2.** (*pronostico*) forecast, prediction, prophecy, prognostic.

pronọstico *m.* (*pl.* **-ci**) **1.** forecast, prediction, fortune, prophecy, prognostic(ation): *trarre un* ~ to tell a fortune. – **2.** (*previsione*) forecast, prediction: *far -i sull'andamento degli esami* to make a prediction as to the examination results. – **3.** (*indizio*) sign, omen, presage. – **4.** (*rif. a giochi e sim.*) forecast. – **5.** ⟨*pop,tosc*⟩ (*lungo preambolo*) long introductory speech. – **6.** ⟨*non com,Med*⟩ (*prognosi*) prognosis.

prontamẹnte *avv.* **1.** (*senza indugio*) promptly, without delay. – **2.** (*con sveltezza*) quickly, rapidly, swiftly, readily; (*subito*) at once, straight off, immediately.

prontạre *v.t.* (**prọnto**) ⟨*ant*⟩ (*sollecitare*) to urge, to incite, to stimulate.

prontẹzza *f.* **1.** readiness, quickness, promptness, speed, rapidity, swiftness: ~ *di riflessi* quickness of reflexes. – **2.** ⟨*non com*⟩ (*l'essere preparato*) readiness, preparedness. – **3.** ⟨*tecn*⟩ speed of response. – **4.** ⟨*ant*⟩ (*improntitudine*) boldness, impudence. □ ~ *di parola* glibness, ready speech (*o* tongue); *rispondere con* ~ to answer promptly (*o* quickly); ~ *di spirito* readiness (*o* quickness) of wit, presence of mind.

prontitụdine *f.* ⟨*ant*⟩ **1.** (*prontezza*) readiness, promptness, quickness. – **2.** (*improntitudine*) boldness, impudence.

prọnto *a.* **1.** (*rif. a cosa*: *preparato*) ready, prepared; (*rif. a cibi*: *cotto*) ready, cooked: *il pranzo è* ~ dinner is ready. – **2.** (*rif. a persona*) ready, prepared, set: *sei ~ per uscire?* are you ready (*o* all set) to go out? – **3.** (*disposto*) ready, quick: *essere ~ a tutto* to be ready for anything; (*incline*) inclined, disposed, willing. – **4.** (*rapido*: *rif. a persona*) fast, quick, prompt, rapid, ⟨*fam*⟩ quick off the mark; (*rif. a cosa*) prompt, quick, fast: *una -a risposta* a prompt answer. – **5.** (*vivace*) lively, quick, alert: *intelligenza -a* lively intelligence, ready wit. – **6.** (*rif. a denaro*: *in contanti*) ready, cash-, in cash; (*liquido*) ready, available. – **7.** ⟨*Tel*⟩ hello: ~, *chi parla?* hello, who's speaking? – **8.** ⟨*Sport*⟩ on your mark(s). – **9.** ⟨*tecn*⟩ fast-response-, quick, rapid, high-speed-. – **10.** ⟨*ant*⟩ (*desideroso*) eager.

□ ⟨*Comm*⟩ **a** *-i* (*in contanti*) (for) cash: *pagamento a -i* cash payment, payment cash down; **avere** ~ (*a disposizione*) to have available (*o* on hand); ~ *per la* **consegna** ready for delivery; ⟨*Aer*⟩ ~ *per il* **decollo** ready for take-off; **essere** ~ *a* (*stare per*) to be ready (*o* about) to; ⟨*lett*⟩ **in** ~ (*a disposizione*) ready, available, on hand: *avere in* ~ to have ready, to hold in readiness; *tenere in* ~ to keep ready; ~ **soccorso** first-aid; **tenersi** ~ to keep ready, to be on the ready; ~ *per l'***uso** ready to use, ready for use; *-i* **via**! ready, get set, go!

prontosịl *m.* ⟨*Farm*⟩ prontosil.
prontuạrio *m.* **1.** handbook, manual: ~ *del giardiniere* gardener's manual; (*opera di carattere lessicale*) dictionary, word-book, lexicon. – **2.** (*tavola*) table.
prọnuba *f.* **1.** ⟨*Stor.rom*⟩ pronuba. – **2.** ⟨*lett*⟩ (*donna che assiste la sposa durante la cerimonia nuziale*) matron of honour, ⟨*lett*⟩ pronuba. – **prọnubo I** *s.m.* **1.** ⟨*Stor.rom*⟩ pronubus, best man. – **2.** ⟨*fig, poet*⟩ (*chi promuove la conclusione di un matrimonio*) matchmaker; (*paraninfo*) paranymph, go-between, pander. – **3.** ⟨*Bot*⟩ pollinator. – **II** *a.* ⟨*poet*⟩ matchmaking.
pronụcleo *m.* ⟨*Biol*⟩ pronucleus.
pronụncia *f.* **1.** pronunciation, utterance: ~ *chiusa di una vocale* closed pronunciation of a vowel. – **2.** (*complesso di norme fonetiche*) pronunciation: *la* ~ *tedesca* German pronunciation. – **3.** (*accento, cadenza*) pronunciation, accent, speech, way of speaking. – **4.** ⟨*Dir*⟩ (*decisione*) judgement, ruling, decision, decree. □ *dalla* ~ *si capisce che è napoletano* you can tell he's Neapolitan from his pronunciation (*o* accent); *difetto di* ~ defect of pronunciation, faulty articulation; ~ *dolce* soft pronunciation; ⟨*Dir*⟩ ~ *della sentenza* delivery (*o* pronouncing) of judgement, passing of the sentence.
pronunciạbile *a.* **1.** pronounceable. – **2.** (*di facile pronuncia*) easily pronounced.
pronunciamẹnto[1] *m.* ⟨*Pol*⟩ pronunciamento, proclamation, edict, manifesto; (*colpo di stato militare*) military revolt (*o* coup d'état), pronunciamento.
pronunciamẹnto[2] *m.* ⟨*rar*⟩ (*il pronunciare*) pronouncing, pronouncement, pronunciation.
pronunciạnte (*p.pr. di pronunciare*) *a.* ⟨*Dir*⟩ sentencing, ruling.
pronunciạre *v.* (**pronụncio, pronụnci**) **I** *v.t.* **1.** to pronounce: ~ *un suono* to pronounce a sound. – **2.** (*proferire*) to utter, to say, to articulate, to pronounce: *non ha pronunciato una parola per tutto il giorno* he didn't say (*o* utter) a word all day long; (*dire pubblicamente*) to pronounce, to deliver: ~ *un discorso* to deliver a speech. – **3.** ⟨*Dir*⟩ to pronounce: ~ *una sentenza* to pronounce sentence, to pass sentence. – **4.** ⟨*ant*⟩ (*dichiarare*) to declare, to pronounce, to proclaim; (*asserire*) to profess, to declare, to make known. – **II** *v.i.* (*aus.* **avere**) **1.** ⟨*Dir*⟩ to give (*o* deliver a) judgement, to pass sentence. – **2.** ⟨*non com*⟩ (*dichiararsi*) to pass judgement, to pronounce (*o* declare) one's opinion. – **pronunciarsi** *v.r.* **1.** to pass judgement, to pronounce (*o* declare) one's opinion, to speak one's mind. – **2.** ⟨*Dir*⟩ to pass sentence, to give judgment. □ ~ *la propria condanna* to pronounce one's own sentence, to speak one's own doom; *pronunciarsi a favore di qc.* to declare one's support of s.th., to pronounce o.s. in favour of s.th.; ~ *un giuramento* to take an oath.
pronunciạto (*p.p. di pronunciare*) **I** *a.* **1.** (*prominente*) prominent, jutting, protruding: *zigomi -i* prominent cheek-bones. – **2.** ⟨*fig*⟩ (*accentuato*) marked, strong, decided, pronounced: *avere una -a tendenza al bere* to have a strong tendency to drink. – **II** *s.m.* **1.** (*sentenza*) sentence, decree, judgment: *il* ~ *del giudice* the judge's sentence. – **2.** ⟨*non com*⟩ (*proposizione, enunciato*) proposition, statement.
pronunciatọre *m.* (*f.* **-trice**) ⟨*non com*⟩ **1.** pronouncer. – **2.** ⟨*Dir*⟩ judge passing sentence. – **pronunciaziọne** *f.* **1.** ⟨*Ret*⟩ elocution, delivery, ⟨*ant*⟩ pronunciation. – **2.** ⟨*non com*⟩ (*dichiarazione*) declaration, pronouncement. – **3.** ⟨*rar*⟩ (*pronuncia*) pronunciation.
pronụnzia *f.* → **pronuncia**. – **pronunziạbile** *a.* → **pronunciabile**. – **pronunziamẹnto** *m.* → **pronunciamento**[2]. – **pronunziạre** *v.* → **pronunciare**. – **pronunziạto** (*p.p. di pronunziare*) *a./s.* → **pronunciato**. – **pronunziatọre** *m.* → **pronunciatore**. – **pronunziaziọne** *f.* → **pronunciazione**.
proọdico *a.* (*pl.* **-ci**) ⟨*Metr*⟩ proodic. – **proọdo** *m.* proode.
proossịgeno *m.* ⟨*Chim*⟩ pro-oxidant, pro-oxygen.
propagạbile *a.* **1.** propagable. – **2.** (*che può essere diffuso*) spreadable, diffusible. – **propagamẹnto** *m.* ⟨*non com*⟩ → **propagazione**.
propagạnda *f.* **1.** propaganda. – **2.** (*pubblicità*) advertising, publicity, promotion.
□ ~ **commerciale** advertising; **fare** ~ *per qc.* to propagandize s.th.; (*fare pubblicità*) to advertise s.th.; ~ **politica** political propaganda; ~ **radiofonica** radio advertising; ~ **religiosa** religious propaganda; ~ **televisiva** television advertising.
propagandạre *v.t.* **1.** (*diffondere*) to propagandize. – **2.** ⟨*Comm*⟩ to advertise, to publicize, to promote: ~ *un nuovo prodotto* to advertise (*o* promote) a new product. – **propagandịsta** *m./f.* **1.** propagandist. – **2.** ⟨*Comm*⟩ (*rappresentante*) representative, salesman. – **propagandịstico** *a.* (*pl.* **-ci**) **1.** (*che riguarda la propaganda*) propaganda-, propagandist(ic). – **2.** ⟨*Comm*⟩ (*fatto a scopo di propaganda*) advertising-, promotional, publicity-: *film* ~ promotional (*o* publicity) film; *a scopo* ~ for promotional reasons, for publicity.
propagạre *v.t.* (**propạgo, propạghi**) **1.** (*diffondere*) to propagate, to spread. – **2.** ⟨*Biol*⟩ (*riprodurre*) to propagate, to reproduce. – **3.** ⟨*lett*⟩ (*estendere*) to extend, to propagate. – **propagarsi** *v.r.* **1.** (*diffondersi*) to spread, to become widespread, to circulate. – **2.** ⟨*Biol*⟩ (*riprodursi*) to propagate, to multiply. – **3.** ⟨*Fis*⟩ (*trasmettersi nello spazio*) to be propagated; (*rif. a suoni e sim.*) to travel, to be propagated.
propagatọre *m.* (*f.* **-trice**) propagator: *-i di nuove idee* propagators of new ideas. – **propagaziọne** *f.* **1.** propagation, spreading, dissemination: *la* ~ *del cristianesimo* the dissemination of Christianity. – **2.** ⟨*Biol,Fis*⟩ propagation. □ ~ *del calore* heat transmission; *costante di* ~ propagation constant (*o* coefficient); *direzione di* ~ direction of propagation; ~ *del suono* sound propagation.
propagginamẹnto *m.* ⟨*Agr*⟩ (*propagginazione*) layerage, layering. – **propagginạre** *v.t.* (**propạggino**) **1.** ⟨*Agr*⟩ to layer. – **2.** ⟨*Biol,non com*⟩ to propagate. – **3.** ⟨*Stor*⟩ to bury alive (head downwards). – **propagginatọre** *m.* (*f.* **-trice**) ⟨*Agr*⟩ person who layers plants. – **propagginaziọne** *f.* **1.** ⟨*Agr*⟩ layerage, layering, propagation (by layering). – **2.** ⟨*Biol,non com*⟩ propagation. – **3.** ⟨*Stor*⟩ execution by burying alive.
propạggine *f.* **1.** ⟨*Agr*⟩ (*ramo*) layer; (*propagginazione*) layering, layerage: *riprodurre per* ~ to multiply by layering, to layer. – **2.** (*diramazione*) branch, offshoot; (*rif. a monti*) offshoot, spur, branch: *le -i di una catena montuosa* the spurs of a mountain range. – **3.** (*discendenza*) descendants *pl*, offspring *pl*: *le ultime -i di una stirpe* the last descendants of a race. – **4.** ⟨*ant*⟩ (*stirpe*) stock, lineage, race. – **propạgine** *f.* ⟨*ant*⟩ → **propaggine**. – **propạgo** *f.* ⟨*ant,lett*⟩ (*stirpe*) stock, race, line.
propalạre *v.t.* ⟨*lett*⟩ to divulge, to disclose, to reveal, to make known: ~ *un segreto* to divulge a secret. – **propalatọre** *m.* (*f.* **-trice**) ⟨*lett*⟩ divulger, revealer. – **propalaziọne** *f.* divulging, revealing.
propạno *m.* ⟨*Chim*⟩ propane.
propanọlo *m.* ⟨*Chim*⟩ propyl alcohol, propanol.
proparossịtona *f.* ⟨*Gramm*⟩ proparoxytone. – **proparossịtono** *a.* proparoxytone, proparoxytonic.
propedẹutica *f.* propaedeutics *pl* (*costr.sing.*), propaedeutic. – **propedẹutico** *a.* (*pl.* **-ci**) **1.** propaedeutic, introductory, preparatory. – **2.** ⟨*Filos*⟩ propaedeutic.
propellẹnte (*p.pr. di propellere*) **I** *a.* propellant, propellent, propelling, driving forward: *carica* ~ propelling charge. – **II** *s.m.* propellant, propellent. □ ~ *liquido* liquid propellant; ~ *per razzi* (rocket) propellant; ~ *solido* solid propellant.
propẹllere *v.t.* (**propụlsi, propụlso**) ⟨*rar*⟩ to propel, to drive ahead (*o* forward).
propẹndere *v.i.* (**propendẹi/propendẹtti**, *rar.* **propendụto**; *aus.* **avere**) to incline (*per* to), to be inclined, to lean (towards), to favour (s.th.), to have a propensity (for), to tend: ~ *per una soluzione di compromesso* to favour (*o* lean towards) a compromise solution; *propendo a credere che tu abbia ragione* I am inclined to believe that you are right. □ ~ *per il no* to not be in favour, to be against; ~ *per il sì* to be inclined to ⌜think so⌝ (*o* say yes), to be in favour.
propẹne *m.* → **propilene**.
propenịle *m.* ⟨*Chim*⟩ propenyl.
propenọlo *m.* ⟨*Chim*⟩ allylalcohol.
propensạre *v.* (**propẹnso**) ⟨*ant*⟩ **I** *v.t.* (*premeditare*) to premeditate, to think out beforehand. – **II** *v.i.* (*aus.* **avere**) (*divisare*) to plan.
propensiọne *f.* **1.** (*simpatia*) liking, fondness, fancy: *avere* ~ *per qd.* to have a liking for s.o. – **2.** (*inclinazione*) inclination, liking, leaning, propensity, taste: *non avere* ~ *per gli studi* to have no inclination towards study; (*disposizione*) disposition, tendency, turn, bent, (natural) gift. – **3.** (*tendenza*) inclination, tendency. – **4.** ⟨*Econ*⟩ propensity: ~ *al risparmio* propensity to save; ~ *al consumo* consumption function, propensity to consume.
propẹnso (*p.p. di propendere*) *a.* **1.** (*disposto*) disposed, inclined: *non mi sento* ~ *a perdonarti* I don't feel ⌜inclined to forgive⌝ (*o* like forgiving) you. – **2.** (*favorevole*) favourable, well-disposed: *il giudice era* ~ *verso di lui* the judge was well-disposed towards him.
properispọmena *f.* ⟨*Gramm*⟩ properispomenon, properispome. – **properispọmeno** *a.* properispome. □ *parola -a* properispomenon.
Propẹrzio *N.pr.m.* ⟨*Stor*⟩ Propertius.
propiamẹnte *avv.* ⟨*pop*⟩ → **propriamente**. – **propietà** *f.* ⟨*pop*⟩ → **proprietà**.
propịle *m.* ⟨*Chim*⟩ propyl.
propilẹi *m.pl.* ⟨*Archeol*⟩ propylaeum, propylaea *pl*.
propilẹne *m.* ⟨*Chim*⟩ propylene.
propịlico *a.* (*pl.* **-ci**) ⟨*Chim*⟩ propyl-, propylic. □ *alcole* ~ propyl (*o* propylic) alcohol; *bromuro* ~ propyl bromide.
propilịte *f.* ⟨*Geol*⟩ propylite.
propịna *f.* **1.** (examiner's) fee. – **2.** ⟨*ant*⟩ (*regalo*) gift.
propinạre I *v.t.* **1.** to administer: ~ *un veleno* to administer a poison. – **2.** ⟨*lett,ant*⟩ (*fare un brindisi*) to toast, to make (*o* propose) a toast to. – **II** *v.i.* (*aus.* **avere**) ⟨*rar*⟩ (*brindare*) to drink, to drink a toast (*a* to), to toast (s.o.).
propinatọre *m.* (*f.* **-trice**) giver, administrator. □ ~ *di veleno* poisoner.
propinquità *f.* ⟨*lett*⟩ **1.** (*vicinanza*) nearness, proximity, ⟨*lett*⟩ propinquity. – **2.** (*parentela*) kinship, relationship, ⟨*lett*⟩ propinquity. – **propinquitạde** *f.* ⟨*ant*⟩ → **propinquità**. – **propịnquo** ⟨*lett*⟩ **I** *a.* **1.** (*vicino*) near (*a qc.* to s.th., s.th.), close (to s.th.). – **2.** ⟨*fig*⟩ (*stretto, intimo*) very near (*o* close). – **3.** ⟨*Bot*⟩ narrow, short-range, close. – **II** *s.m.* (*parente*) relative, relation.
prọpio *a./s./avv.* ⟨*pop*⟩ → **proprio**.
propiọlico *a.* (*pl.* **-ci**) ⟨*Chim*⟩ propiolic: *acido* ~ propiolic acid.
propionạto *m.* ⟨*Chim*⟩ propionate. – **propiọnico** *a.* (*pl.* **-ci**) ⟨*Chim*⟩ propionic: *acido* ~ propionic acid.
propiziamẹnte *avv.* propitiously, favourably. – **propiziạre** *v.t.* (**propịzio, propịzi**) **1.** (*rendere propizio*) to propitiate, to render (*o* make) favourable, to conciliate. – **2.** (*placare*) to soothe, to appease, to placate, to calm: ~ *l'ira divina* to appease the wrath of the gods. – **propiziatịvo** *a.* ⟨*non com*⟩ propitiative. – **propiziatọre** *m.* (*f.* **-trice**) propitiator. – **propiziatọrio I** *a.* propitiatory. – **II** *s.m.* ⟨*Rel.ebr*⟩ mercy-seat. – **propiziaziọne** *f.* propitiation.

propizio *a.* **1.** (*favorevole*) propitious, favourable, auspicious: *mese ~ per la caccia* favourable month for hunting. – **2.** (*opportuno, adatto*) propitious, favourable, right, suitable: *attendere l'occasione -a* to wait for the right opportunity. ☐ *rendersi propizi gli dei* to propitiate the gods.

propoli *f./m.* ⟨*Biol*⟩ propolis, bee-glue.

proponente (*p.pr. di proporre*) **I** *a.* ⟨*burocr*⟩ proposing, proponent. **II** *s.m./f.* proposer, proponent, mover. – **proponere** *v.* ⟨*ant*⟩ → **proporre**. – **proponibile** *a.* that can be proposed, proposable. – **proponibilità** *f.* ⟨*non com*⟩ possibility of being proposed.

proponimento *m.* intention, resolution, resolve: *fece il ~ di obbedire ai genitori* he made a resolution to obey his parents. – **proponitore** *m.* (*f.* **-trice**) ⟨*rar*⟩ proposer, proponent.

proporre *v.* (**propongo, proponi; proposi, proposto;** → **porre**) **I** *v.t.* **1.** (*presentare*) to propose, to propound, to put: *~ un quesito* to propose a question, to raise a query; *~ un tema* to propound a topic. – **2.** (*fare una proposta*) to propose, to suggest: *ho proposto una gita al mare* I suggested a trip to the sea. – **3.** (*consigliare, suggerire*) to suggest, to propose, to put forward: *~ un rimedio* to propose a remedy. – **4.** (*indicare*) to indicate, to hold (*o* set) up, to point out: *~ una persona come modello* to hold a person up as a model. – **5.** ⟨*Dir*⟩ to start, to bring, to put forward, to promote: *~ un'azione giudiziaria* to start legal proceedings, to bring (*o* institute) a suit. – **6.** ⟨*ant*⟩ (*offrire*) to offer, to put (*o* set) before. – **7.** ⟨*ant*⟩ (*premettere*) to premise, to state beforehand. – **8.** ⟨*ant*⟩ (*esporre*) to set out (*o* forth). – **II** *v.i.* (*aus.* **avere**) to propose, to suggest: *propongo che non se ne parli più* I suggest (that) we don't talk about it any more; *propongo di andare al cinema* I suggest ⌜we go⌝ (*o* going) to the pictures. – **proporsi** *v.r.* (*prefiggersi*) to intend, to resolve, to set o.s., to propose (to o.s.): *si era proposto di tacere* he intended to say nothing; *proporsi una meta* to set o.s. a goal; *proporsi di fare qc.* to intend to do s.th., to resolve on doing s.th.; *si proposero di raggiungere la meta* they resolved to achieve their end. ☐ *~ una denuncia* to make a report; *~ a esempio qd.* to hold s.o. up as an example; *~ un progetto di legge* to introduce (*o* bring in) a bill; *~ una querela* to file (*o* bring) suit. – *Prov.*: *l'uomo propone e Dio dispone* man proposes, God disposes.

proporzionabile *a.* that can be proportioned, proportionable.

proporzionale **I** *a.* **1.** proportional, proportionate: *la pena deve essere ~ alla colpa* the punishment must be proportionate to the crime. – **2.** ⟨*Mat*⟩ proportional: *grandezze direttamente -i* directly proportional quantities. – **II** *s.f.* ⟨*Pol*⟩ proportional representation. ☐ *imposta ~* proportional tax; ⟨*Pol*⟩ *sistema ~* proportional representation. – **proporzionalità** *f.* proportionality (*anche Mat.*). ☐ ⟨*Mat*⟩ *~ diretta* direct proportionality; ⟨*Mat*⟩ *~ inversa* inverse proportionality; *limite di ~* limit of proportionality. – **proporzionalmente** *avv.* **1.** proportionally, in proportion, to the same degree. – **2.** ⟨*Mat*⟩ proportionally.

proporzionare *v.t.* (**proporziono**) to proportion, to (make) proportionate, to adjust: *~ le spese alle entrate* to adjust expenditure to income. – **proporzionatamente** *avv.* proportionately. – **proporzionato** (*p.p. di proporzionare*) *a.* **1.** proportionate, in proportion. *premio ~ al rendimento* reward proportionate to performance. – **2.** (*armonico*) well-proportioned, in proportion, proportionate.

proporzione *f.* **1.** proportion, ratio, relation: *ci dev'essere ~ tra pena e colpa* there must be a relation between the punishment and the crime. – **2.** (*distribuzione armonica*) proportion, balance, symmetry: *la ~ tra gli elementi di un complesso architettonico* the balance between the elements of an architectural complex. – **3.** *pl.* (*dimensioni*) size, proportions *pl*, dimensions *pl*: *un palazzo di -i enormi* a building of huge proportions; *i danni hanno assunto -i preoccupanti* the damage has reached alarming proportions. – **4.** ⟨*Mat*⟩ proportion, ratio.

☐ ⟨*ant*⟩ **a** *~* = **in** *proporzione*; *~* **aritmetica** arithmetical proportion; ⟨*Mat*⟩ *~* **diretta** direct proportion; *~* **geometrica** geometric proportion; **giusta** *~* due proportion, symmetry; **in** *~*: 1. (*in misura corrispondente*) in proportion, proportionate (*a* to): *la quantità di vino dev'essere in ~ alla sete degli invitati* the quantity of wine should be in proportion to the thirst of the guests; 2. (*in confronto*) compared (*a* with, to), as against (s.th.): *è troppo poco in ~ a ciò che mi spettava* it is too little compared to what I should have had; ⟨*Mat*⟩ *~* **inversa** inverse proportion; *di* **piccole** *-i* small.

proporzionevole *a.* ⟨*ant*⟩ **1.** → **proporzionato**. – **2.** → **proporzionabile**.

proposito *m.* **1.** resolution, resolve, determination, intention, purpose: *se ne andò col ~ di non ritornare più* he left with the intention of never coming back; *essere pieno di buoni -i* to be full of good intentions. – **2.** (*progetto*) plan, project: *ti esporrò i miei -i* I'll tell you my plans. – **3.** (*occasione*) chance, occasion, opportunity: *ne parla a ogni ~* he talks about it ⌜on every occasion⌝ (*o* every chance he gets). – **4.** (*argomento*) subject, matter: *hai nulla da dire a questo ~?* have you nothing to say about the matter?

☐ **a** *~*: 1. (*opportunamente*) in the nick of time, just in time, at the right time (*o* moment): *arrivi proprio a ~* you've come just in the nick of time; 2. (*opportuno*) right, suitable, opportune, fitting: *non riesco mai a trovare le parole a ~* I can never find the right words; 3. ⟨*esclam*⟩ by the way, incidentally: *a ~, quando parti?* by the way, when are you leaving?; *a ~ di* (*riguardo a*) apropos (*o* on the subject) of, with regard to, talking about; *a ~ di che?* in what connection (*o* regard)?, what about?, apropos of what?; **cambiare** *~* to change one's mind; **col** *~ di* [*inf*] with the purpose (*o* intention) of [*ger*], intending [*inf*]; ⟨*Dir*⟩ *~* **criminoso** criminal intent; **di** *~* (*intenzionalmente*) on purpose, intentionally, deliberately; **fare** *al ~ di qd.* to meet s.o.'s requirements, to be just what s.o. needs, ⟨*fam*⟩ to be just the job for s.o.; ⌜**fuor** *di*⌝ (*o male a*) *~*: 1. = **poco** *a proposito*; 2. (*non pertinente*) off (*o* beside) the point: *quel che dici è fuor di ~* what you say is off the point; **poco** *a ~*: 1. (*inopportunamente*) at the wrong time (*o* moment), inopportunely: *giungi poco a ~* you've come at the wrong time; 2. (*inopportuno*) unsuitable, inopportune, out of place; *a* **quale** *~?*: 1. = **a** *proposito di che?*; 2. (*a che scopo*) for what reason?, what's the purpose?; *a* **questo** *~* in this connection, concerning this.

propositura *f.* ⟨*ant,tosc*⟩ (*prepositura*) rectory.

proposizionale: ⟨*Mat*⟩ *calcolo ~* propositional calculus.

proposizione *f.* **1.** ⟨*Gramm*⟩ (*frase*) clause; (*periodo*) sentence, proposition. – **2.** ⟨*Filos,Mat*⟩ proposition. – **3.** (*asserzione*) statement, assertion: *difendere una ~* to defend an assertion. – **4.** ⟨*lett*⟩ (*proemio*) proem, introduction, ⟨*lett*⟩ proposition. – **5.** ⟨*Dir*⟩ (*proposta*) proposal: *~ della legge* proposal of the law.

☐ *~* **affermativa** affirmative sentence; *~* **avversativa** adversative clause; *~* **causale** causal proposition; *~* **comparativa** comparative clause; *~* **complementare** complementary clause; *~* **complessa** (*o composta*) complex (*o* compound) sentence; *~* **concessiva** concessive clause; *~* **condizionale** conditional clause (*o* sentence); *~* **consecutiva** consecutive clause; *~* **coordinata** co-ordinate clause; *~* **copulativa** copulative sentence; *~* **dipendente** = *proposizione* **secondaria**; *~* **disgiuntiva** (o *distintiva*) disjunctive proposition; *~* **ellittica** elliptical clause; *~* **enunciativa** declarative proposition (*o* sentence); *~* **finale** final clause; *~* **imperativa** imperative sentence; *~* **implicita** infinitive clause; *~* **incidentale** parenthetical clause, parenthesis; *~* **indipendente** independent clause; *~* **interrogativa** interrogative sentence, question; *~* *interrogativa diretta* direct question; *~* *interrogativa indiretta* indirect question; *~* **locale** local clause, clause of place; *~* **modale** modal proposition; *~* **negativa** negative sentence; *~* **oggettiva** object clause; *~* **ottativa** optative sentence; *~* **parentetica** = *proposizione* **incidentale**; *~* **principale** principal clause; *~* **relativa** relative clause; *~* **secondaria** subordinate (*o* dependent) clause; *~* **semplice** simple sentence; *~* **soggettiva** nominative (*o* subjective) clause; *~* **subordinata** = *proposizione* **secondaria**; *~* **temporale** temporal clause.

proposta *f.* **1.** proposal, suggestion, proposition. – **2.** (*offerta*) proposal, offer: *fare una ~ ragionevole* to make a reasonable offer. – **3.** ⟨*lett*⟩ (*enunciazione*) enunciation. – **4.** ⟨*ant*⟩ (*affermazione*) assertion, statement.

☐ **approvare** *una ~* to approve a proposal; *~ di* **contratto** contract proposal; ⟨*Parl*⟩ *~* **d'emendamento** proposal of an amendment; ⟨*Parl*⟩ *~ di* **legge** bill; *~ di* **matrimonio** (marriage) proposal; *~ di* **pace** peace proposal.

propostato *m.* ⟨*ant*⟩ (*prepositura*) rectorship.

proposto[1] *m.* ⟨*ant*⟩ **1.** (*tema*) subject, theme. – **2.** (*proposito*) intention, purpose.

proposto[2] *m.* ⟨*ant,tosc*⟩ **1.** (*prevosto*) rector, parish priest. – **2.** (*capo*) provost, head.

propostura *f.* → **propositura**.

proprefetto *m.* ⟨*Stor.rom*⟩ propraefectus, proprefect. – **propretore** *m.* propraetor.

propriamente *avv.* **1.** (*realmente*) really (and truly), actually, in fact. – **2.** (*letteralmente*) literally: *il brano va inteso ~* the passage is to be taken literally. – **3.** (*con proprietà di linguaggio*) properly: *esprimersi ~* to express o.s. properly (*o* with propriety). ☐ *~ detto* in the strict (*o* proper) sense of the word: *la fatica ~ detta può essere pericolosa alla salute* fatigue, in the strict sense of the word, can be bad for the health.

proprietà *f.* **1.** (*qualità peculiare*) property: *le ~ dell'acqua marina* the properties of salt water; *le ~ cliniche di un acido* the clinical properties of an acid. – **2.** (*precisione nell'uso dei vocaboli*) propriety, correctness: *scrivere con ~* to write with propriety. – **3.** ⟨*Dir*⟩ (*possesso*) ownership, property, title, proprietorship: *la tutela della ~* the protection of ownership. – **4.** ⟨*concr*⟩ (*cosa posseduta*) property, estate, possessions *pl*: *amministro io stesso la mia ~* I administer my estate myself; (*podere*) farm, property, land, estate, holding: *ha delle ~ in campagna* he has land in the country. – **5.** (*decoro*) propriety, decorum: *vestire con ~* to dress with propriety.

☐ *~* **allodiale** freehold (property); *~* **artistica** (artistic) copyright; *~* **assoluta** absolute ownership, fee-simple; **beni** *di ~* property, real estate; ⟨*Dir*⟩ *~* **collettiva** joint (*o* collective) ownership; **con** *~* (*giustamente*) correctly, with propriety; *~* **demaniale** State property; *essere* **di** *~ di qd.* to belong to s.o., to be s.o.'s property: *il terreno è di ~ del comune* the land ⌜belongs to the town⌝ (*o* is municipal property); *la casa è di mia ~* the house ⌜is mine⌝ (*o* belongs to me); **diritto** *di ~* title, right of ownership, proprietary right; *~* **esclusiva** exclusive (*o* sole) ownership; *~* **familiare** family property; *~* **fondiaria** real estate (*o* property), land, landed estate; *~* **immobiliare** real estate, realty; *~* **individuale** severalty, individual property; *~* **indivisa** joint ownership, property owned in common; *~* **industriale** patent rights *pl*, ⟨*am*⟩ design patent; *~* **intellettuale** copyright; *~* **letteraria** copyright: *violazione di ~ letteraria* infringement of copyright; *~ letteraria tutelata* copyright reserved; *~* **mobiliare** personal property (*o* estate); **passaggio** *di ~* = **trapasso** *di proprietà*; **piccola** *~* small property (*o* holding); *~* **presunta** reputed

ownership; ~ **privata** private property; ~ **pubblica** public property; ~ **rustica** landed estate; ~ **terriera** = *proprietà* **fondiaria**; **trapasso** *di* ~ transfer of title (*o* property); ~ **urbana** urban (*o* town) property.
proprietạrio *m.* (*f.* **-a**) **1.** owner, proprietor (*f* -tress): *il* ~ *della fabbrica* the factory owner; *restituire qc. al legittimo* ~ to return s.th. to its lawful owner. – **2.** (*rif. a proprietà data in affitto*) landlord (*f* -lady). ☐ ~ *assoluto* (o *unico*) sole owner; *grande* (o *grosso*) ~ large landowner; ~ *d'immobile* real estate owner; *piccolo* ~ small holder; ~ *terriero* landowner.
prọprio I *a.* **1.** (*possessivo impersonale*) one's: *morire per il* ~ *paese* to die for one's country; *fare del* ~ *meglio* to do one's best; *bisogna aver cura della -a salute* one must take care of one's health. – **2.** (*rafforzativo di possessivo*) own, *sempre accompagnato dall'aggettivo possessivo*: *ha agito per i suoi propri interessi* he acted in his own interest; *l'ho visto con i miei propri occhi* I saw it with my own eyes; *ogni casa ha il* ~ *giardino* every house has its own garden; (*impersonale*) one's own: *fare qc. di -a iniziativa* to do s.th. on one's own initiative. – **3.** (*caratteristico*) peculiar, proper (*di* to), characteristic, typical (of), inherent (in): *la ragione è -a dell'uomo* reason is peculiar to man; *le qualità -e degli animali* the qualities typical of animals; *a volte non si traduce*: *l'egoismo* ~ *dei giovani* the selfishness of the young. – **4.** (*particolare, speciale*) of one's own, special, particular: *ha un metodo tutto* ~ he has a ⌜method all his own⌝ (*o* special method). – **5.** (*esatto*) proper, precise, exact, correct: *usare il termine* ~ to use the proper term. – **6.** (*opportuno*) appropriate, suitable, fitting, proper: *un rimedio* ~ *contro la febbre* a suitable remedy for fever. – **7.** ⟨*Mat,Gramm*⟩ proper: *frazioni -e e improprie* proper and improper fractions; *nome* ~ proper noun. – **8.** ⟨*ant*⟩ (*pulito*) clean; (*ordinato*) neat, orderly. – **9.** ⟨*ant*⟩ (*bene educato*) well-bred. – **II** *avv.* **1.** (*esattamente*) just, exactly, precisely: ~ *adesso* just now, at this very moment; *è andata* ~ *così* that's just how it happened, it was exactly this way. – **2.** (*veramente*) really: *questo vestito ti sta* ~ *bene* this dress really suits you; (*seguito da un pronome*) really, actually, *qualche volta non si traduce*: *era* ~ *lui* it was really him; *l'hai detto* ~ *tu* you said so. – **3.** (*nelle risposte affermative*) (yes) that's right, really, quite: *sei stato tu?* – ~ *!* was it you? – ⌜it really was⌝ (*o* yes it was, yes that's right)! – **4.** (*rafforzativo*: *di negazioni*) really, at all: *non ho* ~ *fame* I'm ⌜really not⌝ (*o* not at all) hungry; (*di affermazioni*) really: *grazie, ho* ~ *mangiato abbastanza* thank you, I've really had enough. – **III** *s.m.* **1.** one's own, what belongs to one: *vivere del* ~ to live off one's own; (*ciò che spetta di diritto*) one's due. – **2.** (*qualità peculiare*) characteristic, trait, peculiarity: *il* ~ *di una situazione* the peculiarity of a situation. – **3.** *pl.* (*parenti*) family, relatives *pl*: *trascorrere il Natale con i propri* to spend Christmas with the family. – **4.** ⟨*Lit*⟩ Proper. – **5.** ⟨*Filos*⟩ property, proprium.

☐ **avere** *di* ~ (*come qualità particolare*) to have about one, to have the characteristic (*o* trait) of: *ha questo di* ~, *non si arrabbia mai* he has this about him, he never gets angry; *per* **conto** ~ by oneself, for oneself, on one's own: *studiare per conto* ~ to study by oneself; ~ **così** just like that; *avere qc.* **in** ~ to own (*o* be the owner of) s.th., to have s.th. ⌜of one's own⌝ (*o* in one's own name); *lavorare in* ~ to work on one's own, to be independent (*o* self-employed); *mettersi in* ~ to start (*o* set up) business on one's own; *rispondere in* ~ (*avere diretta responsabilità*) to be directly responsible, to answer in person; *con le -e* **mani** with one's own hands; **non** ~ not exactly; **rimetterci** *del* ~ to have to dip into one's own pocket; **vero** *e* ~ real, out and out, ⟨*fam*⟩ proper: *sei un vero e* ~ *mascalzone* you're a real scoundrel.
propriocettịvo *a.* ⟨*Biol*⟩ proprioceptive. – **propriocettọre** *m.* proprioceptor.
proptọsi *f.* ⟨*Med*⟩ proptosis.
propugnạcolo *m.* ⟨*rar*⟩ **1.** (*opera di fortificazione*) bulwark, ⟨*lett*⟩ propugnacle, ⟨*lett*⟩ propugnaculum. – **2.** ⟨*estens*⟩ (*luogo difeso*) bastion, fortress. – **3.** ⟨*fig*⟩ (*baluardo*) bulwark, bastion, defence.
propugnạre *v.t.* (*sostenere*) to fight for, to support, to advocate, to champion: ~ *l'uguaglianza dei diritti* to fight for the equality of rights. – **propugnatọre** *m.* (*f.* **-trice**) champion, advocate, defender, upholder: ~ *dei diritti del popolo* champion of the rights of the people. – **propugnaziọne** *f.* ⟨*non com*⟩ (*difesa*) defence.
propulsạre *v.t.* ⟨*non com*⟩ **1.** ⟨*lett*⟩ (*respingere*) to repel, to drive (*o* push) back, to repulse. – **2.** ⟨*tecn*⟩ to propel. – **propulsatọre I** *s.m.* (*f.* **-trice**) ⟨*lett,rar*⟩ (*chi respinge*) repeller. – **II** *a.* ⟨*tecn*⟩ → **propulsorio.**
propụlsi *p.rem. di* **propellere.**
propulsiọne *f.* **1.** propulsion. – **2.** ⟨*concr*⟩ (*sistema di propulsione*) propulsion unit, driving mechanism (*o* gear).

☐ **a** ~ propelled: *a* ~ *autonoma* self-propelled; ~ **atomica** nuclear propulsion; ~ *a* **cinghia** belt drive; ~ **elettrica** electric propulsion; ~ *a* **elica** screw propulsion; ~ *a* **getto** jet-propulsion; *con* ~ *a getto* jet-propelled; ~ *a* **razzo** rocket propulsion; *con* ~ *a razzo* rocket -propelled; ~ *a* **reazione** jet-propulsion; ~ **remica** rowing, propulsion by oars; ~ *a* **ruote** wheel drive; ~ *a* **turbina** turbine propulsion; ~ **turboelettrica** turbo-electric propulsion; ~ *a* **turbogetto** turbo-jet propulsion; ~ **velica** propulsion under sail.
propulsịvo *a.* propulsive, propelling. – **propụlso** *p.p. di* **propellere.** – **propulsọre** *m.* **1.** ⟨*tecn*⟩ propulsor. – **2.** ⟨*Etnol*⟩ sling. ☐ ~ *a elica* propeller; ~ *a getto* jet power unit; ~ *a razzo* rocket propulsor. – **propulsọrio** *a.* propulsory, propulsive, driving.
proquestọre *m.* ⟨*Stor.rom*⟩ proquaestor.
proquọio *m.* → **procoio.**
prọra *f.* **1.** (*prua*) bow, prow. – **2.** ⟨*lett*⟩ (*nave*) ship. ☐ *a* ~: 1. bow-, fore-, stern-; 2. (*comando*) bows *pl*; ~ *a bulbo* bulbous bow; *da* ~ *a poppa* fore and aft; ~ *diritta* straight stern; ~ *rigonfia* bluff bow.
proravịa *f.* ⟨*Mar*⟩ before, afore. ☐ *a* ~ fore-, ahead, forward.
prorẹgolo *m.* ⟨*Ornit*⟩ (*luì forestiero*) yellow-browed warbler (*Phylloscopus inornatus*).
prorẹne *m.* → **pronefro.**
prorettọre *m.* ⟨*Scol,Univ*⟩ pro-rector.
prọroga *f.* **1.** extension (of time), delay, respite: *concedere una* ~ to grant a respite. – **2.** (*differimento*) deferment, postponement. – **prorogạbile** *a.* extendible, delayable, liable to deferment, subject to postponement: *termine* ~ expiry date liable to deferment. ☐ *non* ~ not liable to deferment. – **prorogabilità** *f.* extendibility. – **prorogạre** *v.t.* (**prọrogo, prọroghi**) **1.** (*prolungare la durata*) to extend, to protract, to prolong: ~ *un mandato* to extend a mandate. – **2.** (*differire il termine*) to postpone, to delay, to defer, to put off: ~ *il pagamento di un debito* to defer payment of a debt.
prorogaziọne *f.* ⟨*non com*⟩ → **proroga.**
prorompẹnte (*p.pr. di prorompere*) *a.* **1.** (*incontenibile*) bursting forth; (*rif. ad acque*) gushing. – **2.** ⟨*fig*⟩ unrestrainable, irrepressible: *gioia* ~ irrepressible joy.
prorọmpere *v.i.* (**prorụppi, prorọtto**; *aus.* **avere**) **1.** to burst (out, forth); (*rif. ad acque*) to burst (forth), to gush (out): *l'acqua proruppe attraverso la breccia* the water burst through the gap. – **2.** ⟨*fig*⟩ to burst (out, forth), to break (out): *l'ira del popolo proruppe improvvisamente* the anger of the people suddenly broke out; ~ *in pianto* to burst ⌜into tears⌝ (*o* out crying). – **3.** ⟨*assol*⟩ to burst out, to exclaim: *all'improvviso proruppe*: «*ma te ne vuoi andare?*» suddenly he burst out: "are you going or not?". – **4.** ⟨*lett*⟩ (*avventarsi*) to fling (*o* hurl) o.s. ☐ ~ *in grida* to start shouting; ~ *in un grido* to give (*o* let out) a shout; ~ *in una risata* to burst out laughing.
prorompimẹnto *m.* ⟨*non com*⟩ bursting (out), breaking (out), outburst.
prorụmpere *v.* ⟨*ant*⟩ → **prorompere.**
prọsa[1] *f.* **1.** prose: *scrivere in* ~ to write in prose. – **2.** (*opera in prosa*) prose (writing), prose work (*o* composition); ⟨*collett*⟩ prose: *una scelta di -e manzoniane* a selection of Manzoni's prose. – **3.** ⟨*Teat*⟩ (straight) theatre, drama. – **4.** ⟨*spreg*⟩ (*opera in versi non riuscita*) uninspired poetry (*o* verse). – **5.** ⟨*fig*⟩ (*prosaicità*) ordinariness, matter-of-factness, humdrum, prose, prosaicness: *la* ~ *della vita quotidiana* the humdrum of daily life. – **6.** ⟨*Rel,Mediev*⟩ prose, sequence.

☐ ~ *d'arte* artistic (*o* formal, literary) prose; ⟨*Teat*⟩ *una* **compagnia** *di* ~ a theatrical company; **in** ~ prose-, in prose; ~ **lirica** (o *poetica*) lyric prose; ~ **narrativa** narrative prose; **teatro** *di* ~ theatre, playhouse; ⟨*fig*⟩ (straight) theatre, drama.
prọsa[2] *f.* ⟨*Agr*⟩ (*porca*) ridge.
proṣạccia *f.* (*pl.* **-ce**) *pegg. di* **prosa**[1].
proṣaicamẹnte *avv.* prosaically, matter-of-factly. – **proṣaicịṣmo** *m.*, **proṣaicità** *f.* prosaicness, prosaicalness. – **proṣạico** *a.* (*pl.* **-ci**) **1.** (*prosastico*) prosaic, of prose. – **2.** ⟨*fig*⟩ (*banale, sciatto*) dull, flat, unimaginative, prosaic: *versi -i* prosaic poetry. – **3.** ⟨*fig*⟩ (*rif. a persone*: *volgare, meschino*) insensitive, dull. – **proṣaịṣmo** *m.* ⟨*non com*⟩ prosaism, prosaic expression.
proṣạpia *f.* ⟨*lett*⟩ (*stirpe*) lineage, family, stock.
proṣạre *v.i.* (**prọṣo**; *aus.* **avere**) ⟨*ant*⟩ **1.** (*scrivere in prosa*) to (write in) prose. – **2.** ⟨*pop*⟩ (*parlare con prosopopea*) to talk pretentiously (*o* pompously). – **proṣasticamẹnte** *avv.* conversationally, ⟨*fam*⟩ chattily. – **proṣasticità** *f.* prosiness, prosaicness. – **proṣạstico** *a.* (*pl.* **-ci**) **1.** prose-, prosaic. – **2.** (*discorsivo*) conversational, prosy, ⟨*fam*⟩ chatty. – **proṣatọre** *m.* (*f.* **-trice**) prose writer, proser, prosaist.
proscẹnio *m.* **1.** ⟨*Teat*⟩ (*parte anteriore del palcoscenico*) proscenium; (*palcoscenico*) stage: *chiamare un attore al* ~ to call an actor back on stage. – **2.** ⟨*Archeol*⟩ proscenium. ☐ *palco di* ~ stage (*o* proscenium) box; *presentarsi al* ~ to take a curtain-call.
proscịmmie *f.pl.* ⟨*Zool*⟩ prosimians *pl* (*Prosimiae*).
prosciọgliere *v.t.* (**prosciọlgo, prosciọgli; prosciọlsi, prosciọlto**) **1.** to release, to (set) free, to absolve: ~ *qd. da un voto* to release s.o. from a vow. – **2.** ⟨*Dir*⟩ (*assolvere*) to acquit, to absolve: *è stato prosciolto in istruttoria* he was acquitted at the inquest; ~ *qd. da un'accusa* to acquit (*o* clear) s.o. of a charge, to dismiss a charge against s.o. – **prosciogliimẹnto** *m.* **1.** release, freeing, absolving: ~ *da un voto* release from a vow. – **2.** ⟨*Dir*⟩ (*assoluzione*) acquittal. – **prosciogliitọre** *m.* (*f.* **-trice**) ⟨*non com*⟩ acquitter, absolver.
prosciugamẹnto *m.* **1.** (*il prosciugare*) drying up, draining: *il* ~ *di un terreno* the draining of land; (*il prosciugarsi*) drying up. – **2.** ⟨*Idr*⟩ (*il bonificare*) reclamation, reclaiming, draining, drainage: *il* ~ *delle paludi pontine* the reclamation of the Pontine Marshes.
prosciugạre *v.* (**prosciụgo, prosciụghi**) **I** *v.t.* **1.** (*bonificare*) to drain, to reclaim: ~ *una palude* to drain a marsh. – **2.** (*disseccare*) to dry up (*o* out): *la siccità ha prosciugato le piante* the drought has dried up the plants. – **II** *v.i.* (*aus.* **essere**) ⟨*non com*⟩ to dry (up), to go dry: *aspetta che la vernice prosciughi* wait until the paint dries. – **prosciugarsi** *v.r.* to dry (up).
prosciụgo *m.* (*pl.* **-ghi**) **1.** (*prosciugamento*) drying up, drainage. – **2.** ⟨*Pitt*⟩ matt effect.
prosciuttạto *a.* ⟨*Gastr*⟩ cured (like ham).

prosciutto *m.* ham.
□ ~ **affumicato** smoked ham; ⟨*Bot*⟩ ~ *di sant'***Antonio** evening primrose (*Oenothera lamarckiana*); ~ **arrotolato** rolled ham; ~ **cotto** cooked (*o* boiled, baked) ham; ~ **crudo** raw (*o* dry-cured) ham, prosciutto; ~ *di* **montagna** mountain ham; ⟨*fig*⟩ *levarsi la sete col* ~ to try unsuitable remedies.

proscritto (*p.p. di proscrivere*) **I** *a.* proscribed; (*esiliato*) exiled, banished. – **II** *s.m.* (*f.* **-a**) proscript; (*esiliato*) exile. – **proscrittore** *m.* (*f.* **-trice**) ⟨*non com*⟩ proscriber, banisher. – **proscrivere** *v.t.* (**proscrissi, proscritto**) **1.** to proscribe; (*esiliare*) to exile, to banish: *i patrioti venivano spesso proscritti* patriots were often exiled. – **2.** ⟨*fig*⟩ (*abolire*) to abolish: ~ *un'usanza* to abolish a custom; (*vietare*) to forbid, to outlaw, to proscribe, to prohibit: ~ *una pubblicazione* to proscribe a publication. – **proscrizione** *f.* **1.** (*esilio*) exile, banishment. – **2.** ⟨*Stor.rom*⟩ proscription. – **3.** ⟨*fig*⟩ (*abolizione*) abolition; (*veto*) proscription, prohibition.

prosecco *m.* ⟨*Enol*⟩ kind of white wine.

prosecuzione *f.* carrying on, continuation: *la* ~ *dei lavori* the continuation of the work.

proseggiare *v.i.* (**proseggio, proseggi**; *aus.* **avere**) ⟨*lett*⟩ to (write in) prose.

prosegretario *m.* (*f.* **-a**) (*vicesegretario*) under-secretary.

proseguimento *m.* continuation, continuing, carrying on. □ *buon* ~*!* all the best!; (*a chi viaggia*) have a good trip!, I hope you enjoy the rest of your journey.

proseguire *v.* (**proseguo**) **I** *v.t.* to continue, to go (*o* carry) on with, to keep on, to pursue: ~ *il viaggio* to continue one's trip; ~ *la lettura* to go on (with one's) reading. – **II** *v.i.* (*aus.* **avere**) **1.** to go ahead (*o* on), to continue: *il lavoro prosegue alacremente* the work is going ahead briskly. – **2.** (*procedere oltre*: *rif. a persone*) to go on, to continue one's journey (*per* to): *voglio* ~ *per Napoli* I want to go on to Naples; (*rif. a veicoli*; *aus.* **avere/essere**) to continue, to go on (*o* farther): *questo treno non prosegue* this train doesn't go any farther. □ *far* ~ *qc.* to forward s.th., to send s.th. on: *far* ~ *una lettera* to forward a letter; ~ *in qc.* to continue (with) s.th., to go on with s.th., to keep s.th. up: ~ *negli studi* to continue studying (*o* with one's studies), to keep up one's studies.

proseguitare *v.* (**proseguito**) ⟨*ant*⟩ **I** *v.t.* (*continuare*) to continue, to go (*o* carry) on. – **II** *v.i.* (*aus.* **avere**) **1.** (*seguitare*) to continue, to go (*o* keep) on. – **2.** (*insistere*) to persist, to persevere.

proseguo *m.* ⟨*non com*⟩ → **prosieguo**.

proselite *m./f.* ⟨*non com*⟩ → **proselito**. – **proselitismo** *m.* proselytism. – **proselitista** *m./f.* ⟨*rar*⟩ proselytizer, proselytist. – **proselito** *m.* proselyte, convert: *fare -i* to make converts (*o* proselytes).

proseminario *m.* ⟨*Univ*⟩ proseminar.

prosencefalo *m.* ⟨*Biol*⟩ prosencephalon.

prosenchima *m.* ⟨*Bot*⟩ prosenchyma. – **prosenchimatico** *a.* (*pl.* **-ci**) prosenchymatous.

proserella *f.* ⟨*spreg*⟩ *dim. di* **prosa**[1].

Proserpina *N.pr.f.* ⟨*Mitol*⟩ Proserpine, Proserpina.

prosettore *m.* ⟨*Med*⟩ prosector.

prosieguo *m.* ⟨*burocr*⟩ (*proseguimento*) continuance, course. □ *in* ~ *di tempo* in (course of) time, in due course.

pro|sillogismo *m.* ⟨*Filos*⟩ prosyllogism. – **~sindaco** *m.* (*pl.* **-ci**) acting (*o* deputy) mayor.

prosit *lat. intz.* **1.** ⟨*Lit*⟩ prosit. – **2.** (*nel brindare*) cheers, (here's) to your health, ⟨*fam*⟩ bottoms up; (*a chi starnutisce*) (God) bless you, ⟨*am.fam*⟩ gesundheit.

prosobranchi *m.pl.* ⟨*Zool*⟩ prosobranchs *pl*, streptoneurans *pl* (*Prosobranchia*).

prosodia *f.* prosody. – **prosodiaco** *a.* ⟨*rar*⟩ → **prosodico**. – **prosodico** *a.* (*pl.* **-ci**) ⟨*Gramm*⟩ prosodic(al), prosodiac(al), prosodial.

prosodio *m.* ⟨*Stor.gr*⟩ prosodion.

prosodista *m./f.* prosodist.

prosoma *m.* ⟨*Biol*⟩ prosoma.

prosone *m.* ⟨*Agr*⟩ wide ridge.

prosontuoso *a.* ⟨*ant*⟩ (*presuntuoso*) presumptuous. – **prosonzione** *f.* ⟨*ant*⟩ (*presunzione*) presumption.

prosopalgia *f.* ⟨*Med*⟩ prosopalgia, facial neuralgia.

prosopite *f.* ⟨*Min*⟩ prosopite.

prosopoplegia *f.* ⟨*Med*⟩ prosopoplegia, facial paralysis.

prosopo|grafia *f.* ⟨*Ret*⟩ prosopography. – **~metria** *f.* ⟨*Anat*⟩ facial measurement, prosopometer, measurement of the face.

prosopopea *f.* **1.** ⟨*Ret*⟩ prosopopoeis. – **2.** ⟨*fig,spreg*⟩ (*sussiego*) pomposity, pretentiousness, self-importance, affected gravity: *parlare con una gran* ~ to talk with great pomposity. – **prosopopeia** *f.* ⟨*non com*⟩ → **prosopopea**. – **prosopopeico** *a.* (*pl.* **-ci**) ⟨*Ret*⟩ prosopopoeic(al).

prosopospasmo *m.* ⟨*Med*⟩ prosopospasm.

prosperamente *avv.* prosperously, flourishingly, thrivingly. – **prosperamento** *m.* ⟨*non com*⟩ flourishing, thriving, prosperity.

prosperare *v.* (**prospero**) **I** *v.i.* (*aus.* **avere**) to thrive, to flourish, to prosper, to do well (*anche fig.*): *nei paesi mediterranei prospera l'ulivo* the olive-tree thrives (*o* prospers) in Mediterranean countries; *i tuoi affari prosperano* your business is thriving (*o* flourishing). – **II** *v.t.* ⟨*ant*⟩ (*favorire*) to favour, to make prosperous, ⟨*lett*⟩ to prosper. □ ⟨*scherz,non com*⟩ *che il Signore vi prosperi!* may God bless you!

prosperevole *a.* ⟨*ant*⟩ → **prospero**[1]. – **prosperevolmente** *avv.* prosperously.

prosperità *f.* **1.** prosperity, prosperousness, well-being: *vivere nella* ~ to live in prosperity. – **2.** ⟨*Econ*⟩ prosperity. – **3.** ⟨*ant*⟩ (*salute del corpo*) well-being, prosperity. – **4.** (*rivolto a chi starnutisce*) (God) bless you!, ⟨*am.fam*⟩ gesundheit.

prospero[1] *a.* **1.** (*felice*) auspicious, favourable, happy, successful: *sorte -a* auspicious fortune. – **2.** (*favorevole, propizio*) favourable, propitious, ⟨*lett*⟩ prosperous: *un vento* ~ a favourable wind. – **3.** (*florido*) prosperous, flourishing, thriving: *condizioni economiche -e* prosperous economic conditions; *salute -a* flourishing health. – **4.** (*robusto, vigoroso*) robust, flourishing, healthy, sturdy: *un bambino* ~ a sturdy baby.

prospero[2] *m.* ⟨*roman*⟩ (*zolfanello*) (sulphur) match.

prosperosamente *avv.* prosperously. – **prosperosità** *f.* ⟨*non com*⟩ (*floridezza*) prosperity. – **prosperoso** *a.* **1.** (*fiorente*) flourishing, thriving, prosperous, successful: *commercio* ~ flourishing trade. – **2.** (*pieno di salute*) thriving, hale and hearty, sturdy, vigorous, lusty: *un aspetto* ~ a hale and hearty appearance. – **3.** (*formoso*) buxom, shapely, well filled out, ⟨*fam*⟩ curvaceous: *una ragazza -a* a buxom girl.

prospettare *v.* (**prospetto**) **I** *v.t.* **1.** (*presentare, esporre*) to present, to point out, to show, to state: *gli prospettarono le diverse soluzioni* they pointed out the various solutions to him; (*formulare*) to advance, to put forward. – **2.** ⟨*non com*⟩ (*avere la vista su un luogo*) to look (*o* give) onto, to overlook, to front (onto): *le finestre prospettano il giardino* the windows look onto the garden. – **II** *v.i.* (*aus.* **avere**) ⟨*non com*⟩ to look (out), to overlook, to give, to front (*su* onto): *la finestra prospetta sul mare* the window overlooks the sea. – **prospettarsi** *v.r.* **1.** (*presentarsi*) to look, to seem: *come si prospetta la situazione?* how does the situation look? – **2.** (*delinearsi*) to look forward to, to anticipate, to expect, to be in view (*o* sight): *mi si prospettano forti guadagni* I expect high profits; *mi si prospetta una brutta annata* I anticipate a bad year, a bad year is in view for me; *non si prospettano altre possibilità* there are no other possibilities (in sight).

prospettazione *f.* ⟨*non com*⟩ (*presentazione*) presentation, pointing out, stating.

prospetticamente *avv.* in perspective, perspectively. – **prospettico** *a./s.* (*pl.* **-ci**) **I** *a.* **1.** perspective: *veduta -a della villa* perspective view of the villa. – **2.** (*disegnato in prospettiva*) in perspective. – **3.** ⟨*Biol*⟩ (*prospettivo*) potential. – **II** *s.m.* → **prospettivista**.

prospettiva *f.* **1.** (*tecnica*) perspective: *le leggi della* ~ the rules of perspective. – **2.** ⟨*concr*⟩ (*rappresentazione grafica*) perspective. – **3.** (*vista panoramica*) view, prospect, perspective: *da quassù si gode una meravigliosa* ~ *dei dintorni* from up here one has a marvellous view of the surroundings. – **4.** ⟨*fig*⟩ (*previsione*) prospect, outlook: *la* ~ *della guerra* the prospect of war; (*possibilità*) prospect: *essere senza -e* to have no prospects.
□ ~ **acustica** sound perspective; ~ **aerea** aerial perspective; *avere* **buone** *-e* to have good prospects; ~ **centrale** (*o conica*) central perspective; **effetto** *di* ~ perspective (*anche fig.*); **errore** *di* ~ wrong perspective; ⟨*fig*⟩ (*errata valutazione*) misjudgement, mistaken estimation, seeing things out of perspective; **in** ~: 1. in perspective; 2. (*di scorcio*) foreshortened; ~ **invertita** inverted perspective; ~ **lineare** linear perspective; ⟨*fig*⟩ **mancare** *di* ~ to have no sense of perspective, to be narrow-minded; ⟨*ant*⟩ **mettere** (*o porre*) *in* ~ (*in vista*) to put in sight; ~ **parallela** (*o rapida*) parallel perspective, isometric projection; ~ *a* **volo** *d'uccello* bird's-eye view.

prospettivamente *avv.* ⟨*non com*⟩ → **prospetticamente**. – **prospettivista** *m./f.* **1.** (*studioso*) scholar of perspective. – **2.** (*disegnatore, pittore*) perspective painter. – **prospettività** *f.* ⟨*Geom*⟩ perspectivity.

prospettivo **I** *a.* ⟨*non com*⟩ **1.** perspective, in perspective: *proiezione -a* projection in perspective. – **2.** (*futuro*) prospective, future. – **3.** ⟨*Biol*⟩ potential. – **II** *s.m.* ⟨*ant*⟩ (*anche pittore prospettivo*) perspective painter.

prospetto *m.* **1.** (*tabella riassuntiva*) table, list, statement, ⟨*am*⟩ schedule: *il* ~ *delle entrate* the statement of assets. – **2.** ⟨*Comm*⟩ (*foglio pubblicitario*) prospectus. – **3.** (*rappresentazione grafica*) elevation, view. – **4.** (*veduta, panorama*) view, prospect, panorama, perspective: *la casa ha un bel* ~ *sul mare* the house has a beautiful view of the sea. – **5.** (*facciata*) façade, face, front: *il* ~ *della cattedrale* the façade of the cathedral. – **6.** ⟨*Dir*⟩ (*finestra*) window (with outlook), aperture. □ *di* ~ (*di fronte*) facing, in front; (*da davanti*) from the front: *ritrarre qd. di* ~ to draw s.o. from the front; *ritratto di* ~ full-face portrait; ⟨*Edil*⟩ ~ *laterale* side elevation (*o* view); ⟨*Dir*⟩ *servitù di* ~ easement of outlook.

prospettografo *m.* perspectograph, perspectometer.

prospettore *m.* ⟨*Minier*⟩ prospector.

prospezione *f.* ⟨*Minier*⟩ **1.** prospecting. – **2.** (*grafico*) prospecting chart.
□ ⟨*Arch*⟩ ~ **archeologica** archaeologic prospection; ~ **aurifera** gold prospecting; **eseguire** *-i* to prospect; ~ **geodetica** geodetic surveying, geodesy; ~ **geofisica** geophysical prospecting; ~ **gravimetrica** gravity prospecting; ~ **magnetica** magnetic prospecting; ~ **mineraria** mining engineering; ~ **sismica** seismic prospecting; ~ *del* **terreno** surface prospecting; ~ **terrestre** land-surveying.

prospiciente *a.* facing, looking towards, overlooking, looking out upon (*o* over): *una villa* ~ *il lago* a villa overlooking the lake.

prosseneta *m.* ⟨*lett*⟩ **1.** (*mediatore*) mediator, broker, go-between, agent. – **2.** ⟨*spreg*⟩ (*mezzano*) procurer, pimp, pander. – **prossenetico** *m.* (*pl.* **-ci**) ⟨*lett*⟩ (*compenso*) brok(er)age. □ ~ *matrimoniale* marriage brok(er)age. – **prosseneti̇ṣmo** *m.* ⟨*lett*⟩ procuring, pandering.

prossenịa *f.* ⟨*Stor.gr*⟩ proxeny. – **prọsseno** *m.* proxenus, proxenos.

prossimạle *a.* **1.** ⟨*non com*⟩ (*prossimo*) very near, closest, nearest. – **2.** ⟨*Anat*⟩ proximal.

prossimamẹnte *avv.* **1.** soon, in a short time, shortly, in the near future: *arriverà* ~ he'll be coming soon. – **2.** ⟨*rar*⟩ (*vicino*) near(by), near at hand. – **3.** ⟨*ant*⟩ (*recentemente*) recently, not long ago. ☐ ⟨*Cin*⟩ ~ *su questo schermo* coming soon.

prossimạno ⟨*ant*⟩ **I** *a.* (*prossimo*) near, close. – **II** *s.m.* (*congiunto*) relative, kinsman.

prossimiọre *a.* ⟨*Dir,ant*⟩ next of kin.

prossimità *f.* **1.** (*rif. a spazio*) nearness, closeness, proximity: *la ~ del mare rende il clima più dolce* the nearness of the sea makes the climate milder; (*rif. a tempo*) imminence, proximity, closeness: *la ~ degli esami d'ammissione* the imminence of the entrance examination. – **2.** ⟨*fig,non com*⟩ (*affinità*) similarity, affinity, likeness. – **3.** ⟨*ant*⟩ (*legame*: *di parentela*) relationship, kinship; (*d'amicizia*) (bond of) friendship. ☐ *in ~ di*: 1. (*rif. a spazio*) near (*o* close) to, ⌜not far⌝ (*o* a short distance) from, ⟨*lett*⟩ in (close) proximity to: *eravamo in ~ della capitale* we were close to the capital; 2. (*rif. a tempo*) shortly before, close (*o* near) to: *siamo in ~ del Natale* we are near Christmas, Christmas is coming (*o* drawing near).

prọssimo **I** *a.* **1.** (*vicino*: *rif. a spazio*) near (*a qc.* to s.th., s.th.), close (to s.th.): *l'ufficio postale è ~ alla stazione* the post office is near the station; *~ al mare* near (to) the sea, close to the sea; (*rif. a tempo*) near, close, at hand: *in un ~ avvenire* in the near future; *l'inverno è ormai ~* winter is very near now. – **2.** (*che viene subito dopo*: *rif. a spazio*) next: *la -a fermata* the next stop; *scenderò alla -a stazione* I am getting out at the next station; (*rif. a tempo*) next: *sabato ~* next Saturday. – **3.** (*diretto, immediato*) immediate, direct, ⟨*lett*⟩ proximate: *le cause -e* the direct causes. – **4.** ⟨*fig*⟩ (*simile, affine*) alike, similar. – **5.** ⟨*fig*⟩ (*stretto*) close: *parenti -i* close relatives. – **6.** ⟨*non com*⟩ (*recente*) recent, near. – **II** *s.m.* **1.** neighbour, fellow(-man): ⟨*Bibl*⟩ *ama il ~ tuo come te stesso* love thy neighbour as thyself. – **2.** ⟨*non com*⟩ (*parente*) relation, relative, kinsman (*f* -woman). – **3.** ⟨*non com*⟩ (*persona vicina*) neighbour. ☐ **essere** *~ ai cinquant'anni* to be almost (*o* nearly, nearing) fifty; *essere ~ a fare qc.* to be about to do s.th., to be on the point of doing s.th.: *siamo -i a partire* we are on the point (*o* verge) of leaving; *i* **nostri** *-i* our fellow-men; ⟨*Gramm*⟩ **passato** ~ present perfect; *in un passato ~* recently, not long ago; *i nostri desideri sono -i a* **realizzarsi** our wishes are about to come true; ⟨*spreg*⟩ *non* **riconoscere** *qd. nemmeno per ~* to wish to have nothing to do with s.o.; ⟨*Gramm*⟩ **trapassato** ~ past perfect, pluperfect; ~ **venturo** next, following: *lunedì ~ venturo* next Monday.

prọstata *f.* ⟨*Anat*⟩ prostate (gland), prostata. – **prostatectomịa** *f.* ⟨*Chir*⟩ prostatectomy. – **prostạtico** *a./s.* (*pl.* **-ci**) **I** *a.* prostate, prostatic: *ghiandole prostatiche* prostate glands. – **II** *s.m.* sufferer from prostatic hypertrophy. – **prostati̇ṣmo** *m.* ⟨*Med*⟩ prostatism. – **prostatịte** *f.* prostatitis.

prostato|dinịa *f.* ⟨*Med*⟩ prostatodynia, prostatalgia. – **~tomịa** *f.* ⟨*Chir*⟩ prostatotomy. – **~vescicạle** *a.* ⟨*Anat*⟩ prostaticovesical. – **~vescicolectomịa** *f.* ⟨*Chir*⟩ prostatovesiculectomy.

prostẹndere *v.t.* (**prostẹsi, prostẹso**) ⟨*lett*⟩ (*stendere innanzi*) to stretch out (*o* forth), to hold out, to extend. – **prostendersi** *v.r.* (*prosternarsi*) to prostrate o.s. ☐ ⟨*rar*⟩ *prostendersi in discorsi* (*o parole*) to talk at length, to spread o.s.

prosternạre *v.t.* (**prostẹrno**) ⟨*lett*⟩ **1.** (*stendere a terra, abbattere*) to throw down (*o* flat), to prostrate. – **2.** ⟨*fig*⟩ to lay. – **prosternarsi** *v.r.* to prostrate o.s., to bow down (*anche fig.*).

prosternaziọne *f.* ⟨*non com*⟩ prostration.

prostẹrnere *v.t.* (the past and past participle are not used) ⟨*ant*⟩ **1.** (*abbattere*) to throw (*o* knock) down, to prostrate. – **2.** ⟨*fig*⟩ (*avvilire*) to humble, to abase. – **prosternersi** *v.r.* **1.** to prostrate o.s., to lie down. – **2.** ⟨*fig*⟩ (*umiliarsi*) to humble o.s.

prọsteṣi *f.* ⟨*non com*⟩ → **protesi**.

prostẹtico *a.* → **protetico**.

prostigmịna *f.* ⟨*Chim*⟩ prostigmin(e), neostigmine.

prọstilo *m.* ⟨*Archeol*⟩ prostyle.

prostituịre *v.t.* (**prostituịsco, prostituịsci**) to prostitute (*anche fig.*): *~ l'ingegno* to prostitute one's talent. – **prostituirsi** *v.r.* to prostitute o.s. (*anche fig.*). – **prostitụta** *f.* prostitute, whore. – **prostituziọne** *f.* **1.** prostitution: *darsi alla ~* to take to prostitution (*o* the streets). – **2.** ⟨*collett*⟩ (*complesso delle prostitute*) prostitution. – **3.** ⟨*fig*⟩ (*svilimento*) prostitution, debasement: *~ dell'ingegno* prostitution of one's talent, intellectual prostitution. ☐ *~ maschile* (male) prostitution; *~ professionale* prostitution.

prostramẹnto *m.* ⟨*non com*⟩ → **prostrazione**.

prostrạre *v.t.* (**prọstro**) **1.** (*abbattere*) to knock down, to prostrate, ⟨*fam*⟩ to flatten: *~ il nemico* to prostrate the enemy. – **2.** ⟨*fig*⟩ (*indebolire*) to prostrate, to weaken, to debilitate, to wear out: *la lunga malattia lo ha prostrato* he was prostrated by his long illness, his long illness weakened him. – **3.** ⟨*fig*⟩ (*umiliare, avvilire*) to humble, to abase: *~ l'orgoglio di qd.* to humble s.o.'s pride. – **prostrarsi** *v.r.* **1.** (*prosternarsi*) to prostrate o.s.: *prostrarsi davanti all'altare* to prostrate o.s. before the altar. – **2.** ⟨*fig*⟩ (*umiliarsi*) to humble o.s.

prostrạto (*p.p. di prostrare*) *a.* **1.** (*abbattuto*) prostrate, overthrown; (*disteso*) prostrate, flat. – **2.** ⟨*fig*⟩ (*sfinito*) prostrate(d), exhausted, worn-out. – **3.** ⟨*Bot*⟩ prostrate, procumbent. – **prostraziọne** *f.* **1.** (*spossatezza fisica*) (physical) prostration, exhaustion, weakness. – **2.** (*depressione psichica*) prostration, depression, dejection. – **3.** ⟨*non com*⟩ (*il prostrare*) prostration, throwing down (*o* flat). – **4.** ⟨*Lit*⟩ prostration.

proṣụmere *v.* ⟨*ant*⟩ → **presumere**.

proṣuntuọso *a.* → **prosontuoso**. – **proṣunziọne** *f.* → **prosonzione**.

prosuọcera *f.* grandmother-in-law. – **prosuọcero** *m.* grandfather-in-law.

protagonịsta *m./f.* **1.** ⟨*Teat*⟩ protagonist, hero (*f* heroine), chief character; (*ruolo principale*) main role, leading part; (*attore principale*) leading actor (*f* -tress); (*di un film*) star, lead. – **2.** ⟨*fig*⟩ protagonist, chief figure, hero, central character: *essere il ~ di un'avventura* to be the protagonist (*o* hero) of an adventure. – **3.** ⟨*Stor.gr*⟩ protagonist.

Protạgora *N.pr.m.* ⟨*Stor*⟩ Protagoras.

protallạre *a.* ⟨*Bot*⟩ prothallial, prothallic: *tessuto ~* prothallic tissue. – **protạllo** *m.* prothallium, prothallus, gametophyte. – **protallọgame** *f.pl.* (*pteridofite*) pteridophytes *pl* (*Pteridophyta*).

protam(m)ịna *f.* ⟨*Chim*⟩ protamine.

protạnope **I** *a.* ⟨*Med*⟩ protanopic. – **II** *s.m./f.* protanope. – **protanopịa** *f.* protanopia.

protạntropo *m.* → **protoantropo**.

protargọlo *m.* ⟨*Farm*⟩ protargol.

prọtaṣi *f.* ⟨*Lett,Gramm,Filos*⟩ protasis.

protattịnio *m.* → **protoattinio**.

proteạcee *f.pl.* ⟨*Bot*⟩ Proteaceae *pl* (*Proteaceae*).

proteạṣi *f.* ⟨*Biol*⟩ protease.

protẹggere *v.t.* (**protẹggo, protẹggi; protẹssi, protẹtto**) **1.** to protect, to take care of, to keep: *la chioccia protegge i suoi pulcini* the hen takes care of her chicks; *che Dio vi protegga* may God protect (*o* keep) you. – **2.** (*riparare*) to protect, to keep (out), to shelter, to shield: *una catena di montagne protegge il paese dai venti* a mountain chain protects (*o* shelters) the town from the winds; *l'impermeabile protegge dalla pioggia* a raincoat keeps the rainout. – **3.** ⟨*fam*⟩ (*stare dalla parte di*) to defend, to shield, to protect: *non ~ il ragazzo quando lo sgrido* don't defend the boy when I scold him. – **4.** (*promuovere*) to promote, to patronize, to foster: *~ le arti* to promote the arts. – **5.** ⟨*Mil*⟩ to cover: *la cavalleria proteggeva la ritirata* the cavalry covered the retreat.

proteggitọre *a./s.* ⟨*lett*⟩ → **protettore**.

protẹico *a.* (*pl.* **-ci**) ⟨*Biol*⟩ protein-, proteinaceous, proteic. – **protẹide** *m.* conjugated protein, proteide.

protẹidi *m.pl.* ⟨*Zool*⟩ proteids *pl* (*Proteidae*).

proteifọrme *a.* protean, proteiform.

proteịna *f.* ⟨*Biol*⟩ protein. – **proteinạṣi** *f.* proteinase, endopeptidase. – **proteinemịa** *f.* proteinemia, protidemia. – **proteịnico** *a.* → **proteico**. – **proteinurịa** *f.* ⟨*Med,non com*⟩ (*albuminuria*) albuminuria, proteinuria.

proteịṣmo *m.* ⟨*non com*⟩ protean nature, variation in form.

prọtele *m.* ⟨*Zool*⟩ aardwolf (*Proteles cristatus*).

prọ tẹmpore *lat.* (*per un certo tempo*) pro tempore, for the time being, ⟨*fam*⟩ pro tem.

protẹndere *v.t.* (**protẹsi, protẹso**) to hold (*o* stretch) out: *~ le braccia* to hold out one's arms. – **protendersi** *v.r.* to lean, to stretch forward: *si protese fuori del balcone* he leaned (out) over the balcony; (*stendersi*) to extend, to stretch, to reach (out): *~ nel mare* to extend (*o* reach) into the sea.

prọteo *m.* ⟨*Zool*⟩ olm (*Proteus anguineus*).

Prọteo *N.pr.m.* ⟨*Mitol*⟩ Proteus. – **proteo** *m.* weathercock, fickle (*o* inconstant) person, Proteus. ☐ *essere un ≈* to be always changing one's mind.

proteolịṣi *f.* ⟨*Chim*⟩ proteolysis. – **proteolịtico** *a.* (*pl.* **-ci**) proteolytic.

proteọṣi *f.* ⟨*Chim*⟩ (*albumosa*) proteose, albumose.

proterandrịa *f.* ⟨*Biol*⟩ prot(er)andry. – **proterạndro** *a.* protandrous, proterandr(i)ous, proterandric.

proterạnto *a.* ⟨*Bot*⟩ proteranthous. – **proteranzịa** *f.* proteranthy.

protero... *pref.* (*anteriore* before) proter(o)..., prot(o)...

proteroginịa *f.* ⟨*Biol*⟩ prot(er)ogyny. – **proterọgino** *a.* prot(er)ogynous.

proterozọico *a./s.* (*pl.* **-ci**) ⟨*Geol*⟩ **I** *a.* Proterozoic, Arch(a)ean. – **II** *s.m.* Proterozoic (era), Arch(a)ean era.

protervamẹnte *avv.* ⟨*lett*⟩ arrogantly, haughtily. – **protẹrvia** *f.* ⟨*lett*⟩ stubborn pride, arrogance, ⟨*lett*⟩ protervity. – **protẹrvo** *a.* ⟨*lett*⟩ **1.** (*altero*) haughty, proud. – **2.** ⟨*spreg*⟩ (*sfrontato*) impudent, forward, arrogant. – **3.** (*ardito*) bold, daring.

prọteṣi *f.* **1.** ⟨*Chir,Ling*⟩ pro(s)thesis. – **2.** ⟨*Archeol*⟩ prothesis. ☐ *~ del braccio* artificial arm (*o* limb); *~ dentaria* dental prosthesis, denture; *~ della gamba* artificial leg (*o* limb); *~ lavorativa* (*o di lavoro*) functional prosthesis. – **protẹṣico** *a.* (*pl.* **-ci**) ⟨*non com, Chir*⟩ prosthetic. – **proteṣịsta** *m./f.* **1.** ⟨*Chir*⟩ prosthetist. – **2.** ⟨*Dent*⟩ prosthodentist.

protẹso (*p.p. di protendere*) *a.* outstretched, stretched (*o* held) out: *con la mano -a* with outstretched hand.

protẹssi *p.rem. di* **proteggere**.

protẹsta *f.* **1.** protest: *una lettera di ~* a letter of protest; *per ~* in protest. – **2.** ⟨*Dir*⟩ protest. – **3.** ⟨*Psic*⟩ masculine protest. – **4.** ⟨*non com*⟩ (*dichiarazione*) protestation, avowal: *le fece mille -e di fedeltà* he made her a thousand protestations of faithfulness.

protestạnte (*p.pr. di protestare*) **I** *a.* ⟨*Rel*⟩ Protestant: *setta ~* Protestant sect. – **II** *s.m./f.* **1.** ⟨*Rel*⟩ Protestant. – **2.** ⟨*non com*⟩ (*miscredente*) unbeliever. – **protestantesimo** *m.* Protestantism. – **protestantico** *a.* (*pl.* -ci) ⟨*non com*⟩ Protestant.

protestare *v.* (**protesto**) **I** *v.i.* (*aus.* **avere**) to protest, to make (*o* lodge) a protest: ~ *contro un'ingiustizia* to protest against an injustice. – **II** *v.t.* **1.** (*dichiarare*) to declare, to protest, to assert, to aver: ~ *la propria stima verso qd.* to declare one's esteem for s.o.; *protestava di non sapere nulla* he protested that he knew nothing. – **2.** ⟨*Econ*⟩ to protest: ~ *una cambiale* to protest a bill. – **protestarsi** *v.r.* to protest (o.s.), to declare (o.s.): *protestarsi innocente* to declare o.s. innocent, to protest one's innocence.

protestatario *a.* protesting, of protest. – **protestativo** *a.* ⟨*Dipl*⟩ of protest: *nota -a* note of protest. – **protestato** (*p.p. di protestare*) *a.* protested: *cambiale -a* protested (*o* dishonoured) bill. – **protestatore** *m.* (*f.* **-trice**) protester, protestor (*anche Dir.*). – **protestatorio** *a.* ⟨*rar*⟩ protesting, of protest. – **protestazione** *f.* ⟨*rar*⟩ protestation.

protesto *m.* **1.** ⟨*Econ*⟩ protest: ~ *cambiario* protest of a bill. – **2.** ⟨*Stor*⟩ inaugural address. – **3.** ⟨*ant*⟩ (*protesta*) protestation.

□ ~ *per mancata* **accettazione** protest for non-acceptance; **andare** *in* ~ to be protested; *lasciare andare in* ~ *una cambiale* to dishonour a bill; ~ *d'***avaria** ship's (*o* Captain's) protest; **avviso** *di* ~ notice of protest; **elevamento** *di* ~ serving of a protest; ~ **marittimo** (o *di mare*) (ship's) protest; ~ *per mancato* **pagamento** protest for non-payment; **spese** *di* ~ protest charges.

protetico *a.* (*pl.* -ci) ⟨*Ling*⟩ prosthetic.

protettivo *a.* protective: *involucro* ~ protective cover. □ ⟨*Zool*⟩ *colorazione -a* protective coloration; ⟨*Econ*⟩ *dazio* ~ protective duty.

protetto (*p.p. di proteggere*) **I** *a.* **1.** protected, shielded, sheltered, kept: ~ *dai venti del nord* sheltered from the north winds. – **2.** ⟨*Mar. mil*⟩ armoured, protective. – **II** *s.m.* (*f.* **-a**) protégé (*f* protégée), favourite: *è il* ~ *del principale* he's the boss's favourite.

protettorale *a.* ⟨*rar*⟩ protectoral, protector's.

protettorato *m.* **1.** ⟨*Pol*⟩ protectorate: *la Tunisia era sotto il* ~ *della Francia* Tunisia was under the protectorate of France; (*stato*) protectorate, protected state. – **2.** ⟨*non com*⟩ (*protezione*) protection.

protettore **I** *s.m.* (*f.* **-trice**) **1.** protector (*f* -tress), guardian, defender: *essere il* ~ *dei poveri* to be the protector of the poor. – **2.** (*sostenitore*) patron, supporter: ~ *delle arti* patron of the arts. – **3.** ⟨*Stor.brit*⟩ Protector. – **4.** (*patrono*) patron (saint). – **5.** ⟨*eufem*⟩ (*chi mantiene la propria amante*) protector, ⟨*fam*⟩ sugar-daddy. – **6.** ⟨*gerg*⟩ (*sfruttatore di prostitute*) pimp, ⟨*fam*⟩ ponce. – **II** *a.* patron-, guardian-: *santo* ~ patron saint.

protettoria *f.* ⟨*Rel*⟩ protectorship.

protezione *f.* **1.** protection: ~ *dal freddo* protection from the cold; (*azione protettiva*) protection, defence, conservation, preservation: ~ *del paesaggio naturale* preservation (*o* conservation) of nature. – **2.** (*attività di chi protegge*) protection: *mettersi sotto la* ~ *di qd.* to put o.s. under s.o.'s protection. – **3.** (*mecenatismo*) patronage. – **4.** ⟨*spreg*⟩ (*favoreggiamento*) favour, protection: *è stato promosso a forza di -i* he got his promotion by favour.

□ ~ *degli* **animali** protection of animals; ~ **antiaerea** air defence, air-raid precautions *pl*; ~ **antifonica** = *protezione contro i* **rumori**; ⟨*Aer*⟩ ~ **antighiaccio** de-icing; ~ **antincendio** fireproofing, fire protection; ⟨*Assic*⟩ ~ **antinfortunistica** accident coverage; *avere un'***aria** *di* ~ to have a paternalistic air; ⟨*El*⟩ ~ *per* **cavi** cable sheathing; ~ **civile** civil defence; ~ **consolare** consular protection; ~ *contro la* **corrosione** *dei metalli* protection against corrosion, corrosion prevention; ~ **diplomatica** diplomatic protection; **dispositivo** *di* ~ protective (*o* safety) device, guard; ~ **doganale** (customs) protection; ~ *della* **famiglia** family welfare; ~ **giudiziaria** legal protection; ~ *dell'***infanzia** child welfare; ⟨*El*⟩ ~ *contro difetti d'***isolamento** leakage protection; ⟨*Pol*⟩ ~ *delle* **minoranze** protection of the minorities; ~ *contro i* **rumori** sound-proofing; *essere* **senza** ~ to be unprotected; ~ **sociale** social welfare.

protezionismo *m.* **1.** (*favoritismo*) favouritism. – **2.** ⟨*Econ*⟩ protectionism. □ ~ *agrario* agricultural protectionism; ~ *doganale* (customs tariff) protectionism; ~ *industriale* industrial protectionism; ~ *marittimo* maritime protectionism.

protezionista **I** *s.m./f.* ⟨*Econ*⟩ protectionist. – **II** *a.* → **protezionistico**. – **protezionistico** *a.* (*pl.* -ci) protectionist: *misure protezionistiche* protectionist measures.

protide *m.* → **proteina**. – **protidopenia** *f.* → **proteinemia**.

protista *m.* ⟨*Biol,ant*⟩ protist. – **protistologia** *f.* (*microbiologia*) protistology, micro-biology.

proto *m.* **1.** ⟨*Tip*⟩ printing works foreman; (*tipografo*) printer, typographer. – **2.** (*a Venezia*) curator (of the fabric) of St. Mark's. – **3.** ⟨*ant,region*⟩ (*capo operaio*) foreman.

proto... *pref.* (*primo* first) prot(o)...

proto|antropo *m.* ⟨*Paleont*⟩ proto-human. – **~attico** *a.* (*pl.* -ci) ⟨*Archeol*⟩ proto-Attic. – **~attinio** *m.* ⟨*Chim*⟩ prot(o)actinium. – **~calligrafo** *m.* ⟨*Mediev*⟩ chief scribe, head amanuensis. – **~canonico** *a.* (*pl.* -ci) ⟨*Bibl*⟩ protocanonical. – **~cele** *m.* ⟨*Biol*⟩ blastoc(o)ele.

protocollare[1] *v.t.* (**protocollo**) ⟨*burocr*⟩ to protocol; (*registrare nel libro protocollo*) to record, to register: ~ *una lettera* to record a letter.

protocollare[2] *a.* protocolar, protocolic, of protocol.

protocollista *m./f.* recorder, keeper of a register.

protocollo *m.* **1.** ⟨*Dipl*⟩ (*documento*) protocol, preliminary draft. – **2.** (*complesso di norme*) protocol: *una questione di* ~ a matter of protocol. – **3.** (*carta protocollo*) foolscap (paper). – **4.** ⟨*burocr*⟩ (*libro protocollo*) protocol book, register, record.

□ ~ **addizionale** supplementary protocol; ~ *di* **firma** protocol of signature; ~ *di* **Ginevra** Geneva protocol; ~ **interpretativo** protocol of interpretation; **numero** *di* ~ reference number; ~ *di* **proroga** protocol of extension; ~ **segreto** secret protocol.

proto|concezionale: ⟨*Statist*⟩ *intervallo* ~ interval between marriage and the first pregnancy. – **~corinzio** *a.* ⟨*Archeol*⟩ proto-Corinthian. – **~cordati** *m.pl.* ⟨*Zool*⟩ protochordata *pl.* – **~derma** *m.* ⟨*Bot, rar*⟩ (*dermatogeno*) dermatogen, protoderm. – **~dorico** *a.* ⟨*Archeol*⟩ proto-Doric. – **~fillo** *m.* ⟨*Bot*⟩ (*cotiledone*) protophyll, cotyledon. – **~fisico** *m.* ⟨*ant*⟩ → **protomedico**.

protofita *f.* ⟨*Bot*⟩ protophyte.

protofloema *m.* ⟨*Bot*⟩ protophloem.

protogeno *a.* ⟨*Fis*⟩ that cedes protons.

protoginia *f.* → **proteroginia**. – **protogino** *m.* ⟨*Min*⟩ protogine.

proto|italico *a.* (*pl.* -ci) ⟨*Ling*⟩ early Italic. – **~lingua** *f.* proto-language. – **~litico** *a.* (*pl.* -ci) ⟨*Geol*⟩ protolithic, Eolithic. □ *età -a* Eolithic, Old (*o* Early) Stone Age. – **~maestro** *m.* → **protomastro**. – **~martire** *m./f.* ⟨*Rel*⟩ protomartyr. – **~mastro** *m.* ⟨*ant*⟩ (*capomastro*) master-builder. – **~medico** *m.* (*pl.* -ci) **1.** ⟨*Stor*⟩ (chief) medical examiner. – **2.** ⟨*ant*⟩ (*medico principale*) head physician. – **~morfo** **I** *a.* (*in antropologia*) protomorphic, primitive. – **II** *s.m.* protomorph, primitive.

protone *m.* ⟨*Fis*⟩ proton: ~ *nucleare* nuclear proton.

protonema *m.* ⟨*Bot*⟩ protonema.

protoneolitico *a./s.* (*pl.* -ci) ⟨*Geol*⟩ **I** *a.* (*preneolitico*) preneolithic. – **II** *s.m.* preneolithic culture.

protonico[1] *a.* (*pl.* -ci) ⟨*Fis*⟩ proton-, protonic: *carica -a* proton charge.

protonico[2] *a.* (*pl.* -ci) ⟨*Ling*⟩ (*pretonico*) pretonic.

protonotariato *m.* ⟨*Stor*⟩ prot(h)onotaryship. – **protonotaro** *m.* prot(h)onotary. □ ⟨*Rel*⟩ ~ *apostolico* Protonotary Apostolic.

proto|paleolitico *a.* (*pl.* -ci) protopaleolithic. – **~patico** *a.* (*pl.* -ci) ⟨*Med*⟩ protopathic. – **~plasma** *m.* ⟨*Biol*⟩ protoplasm. – **~plasmatico** *a.* (*pl.* -ci) protoplasm(at)ic, protoplasmal. – **~plasmatologia** *f.* cytology.

protoquamquam *m.* ⟨*scherz*⟩ (*pedante*) pundit, ⟨*fam*⟩ know-it-all, ⟨*fam*⟩ wiseacre.

proto|romantico *a./s.* (*pl.* -ci) ⟨*Lett*⟩ **I** *a.* early Romantic. – **II** *s.m.* early Romantic.

protosside *m.* ⟨*Chim*⟩ protoxide.

proto|statuario *m.* ⟨*Scult*⟩ director of the sculpture of a single work. – **~stele** *f.* ⟨*Bot*⟩ protostele. – **~storia** *f.* protohistory. – **~storico** *a.* (*pl.* -ci) protohistoric.

prototeri *m.pl.* ⟨*Zool*⟩ Prototheria *pl*, prototheres *pl* (*Prototheria*).

prototipo **I** *s.m.* **1.** (*modello*) prototype, pattern. – **2.** ⟨*fig*⟩ (*esemplare caratteristico*) prototype, exemplar: *l'Iliade è il* ~ *del poema epico* the Iliad is the prototype of the epic poem. – **II** *a.* prototype-, prototypic(al), prototypal.

proto|tipografo *m.* ⟨*Stor*⟩ printer of incunabula. – **~vangelo** *m.* ⟨*Bibl*⟩ protevangelium. – **~xilema** *m.* ⟨*Bot*⟩ protoxylem. – **~zoario** *a.* protozoan. – **~zoi** *m.pl.* ⟨*Zool*⟩ protozoans *pl*, Protozoa *pl* (*Protozoa*). – **~zoico** *a./s.* (*pl.* -ci) **I** *a.* ⟨*Geol*⟩ (*archeozoico*) Archaeozoic, Protozoic. – **II** *s.m.* Archaeozoic period, Protozoic period. – **~zoologia** *f.* ⟨*Zool*⟩ protozoology. – **~zoosi** *f.* ⟨*Med*⟩ protozoiasis.

protrarre *v.t.* (**protraggo**, **protrai**; **protrassi**, **protratto**; → **trarre**) **1.** (*prolungare*) to protract, to draw out, to prolong, to extend: ~ *le trattative* to prolong the negotiations. – **2.** (*prorogare*) to put off, to set back, to delay. – **protrarsi** *v.r.* to last, to go on, to continue: *la riunione si protrasse per parecchie ore* the meeting went on for several hours.

protrattile *a.* protactile, protrusile.

protrazione *f.* **1.** protraction, extension, prolongation. – **2.** (*proroga*) setting back, putting off.

protrudere *v.* (**protrusi**, **protruso**) ⟨*Med*⟩ **I** *v.t.* to protrude. – **II** *v.i.* (*aus.* **essere**) to protrude, to bulge. – **protrusione** *f.* protrusion, projection.

protuberante *a.* protuberant, bulging.

protuberanza *f.* **1.** protuberance, bulge, protrusion. – **2.** ⟨*Anat*⟩ protuberance, protrusion. – **3.** ⟨*Astr*⟩ prominence, protuberance. □ ⟨*Anat*⟩ ~ *anulare* (*ponte di Varolio*) pons Varolii; ⟨*Anat*⟩ ~ *frontale* superciliary arch (*o* ridge), brow ridge; *-e solari* solar prominences (*o* protuberances). – **protuberanziale** *a.* ⟨*Anat*⟩ of the pons Varolii.

proturi *m.pl.* ⟨*Entom*⟩ proturans *pl* (*Protura*).

protutore *m.* (*f.* **-trice**) ⟨*Dir*⟩ acting (*o* deputy) guardian.

proustismo [pru-] *m.* ⟨*Lett*⟩ Proustianism.

proustite [pru-] *f.* ⟨*Min*⟩ proustite.

prova *f.* **1.** test, trial, proof, examination: *sottoporre qc. a una* ~ to put s.th. to the test, to test s.th. – **2.** (*tentativo*) attempt, try: *ha fallito alla prima* ~ he failed at the first try. – **3.** (*momento difficile, doloroso*) trial, affliction, trouble. – **4.** (*dimostrazione*) demonstration, proof: *dar* ~ *di coraggio* to give a demonstration of courage, to display (*o* show one's) courage; *è una nuova* ~ *della sua disonestà* this is yet further proof of his dishonesty. – **5.** (*argomento, testimonianza*) proof, evidence (*anche Dir.*): *fornire le -e di un'asserzione* to give proof of what one says; *le -e della colpevolezza di qd.* proof of s.o.'s guilt. – **6.** (*cimento*) test, trial: *vincere la* ~ to pass the test; *mettere alla* ~ *qd.* to put s.o. to the test. – **7.** (*saggio*

preparatorio) try-out, trial; ⟨*Teat*⟩ rehearsal. – **8.** ⟨*Scol*⟩ (*esame*) exam(ination): *sostenere una* ~ to take an exam; (*informale*) test, quiz. – **9.** ⟨*Sport*⟩ (*gara*) try-out, trial, competition, contest: *la* ~ *dei cento metri* the hundred-metre competition (*o* race). – **10.** ⟨*Mat*⟩ proof, demonstration. – **11.** ⟨*Sart*⟩ fitting. – **12.** ⟨*tecn, Med*⟩ test, check-up.
□ ⟨*ant*⟩ **a** ~ (*a gara*) in competition; *a* ~ *di*: 1. (*resistente a*) -proof: *a* ~ *di fuoco* fireproof; *a* ~ *d'acqua* waterproof; 2. (*in testimonianza di*) as proof of: *a* ~ *della mia amicizia* as proof of my friendship; *a* ~ *di bomba*: 1. bomb-proof; 2. (*resistente*) tough; 3. ⟨*fig*⟩ tried, strong, unflagging, trusty: *un amico a* ~ *di bomba* a tried and true friend; ⟨*tecn*⟩ ~ *d'***abrasione** abrasion test; ~ *d'***accettazione** = *prova di* **collaudo**; ⟨*Dir*⟩ ~ *del tasso* **alcolico** blood-test for alcohol content; *vorrei vederlo* **alla** ~ I'd like to see him at it; ~ *delle* **armi** trial by combat (*o* battle); ~ **attitudinale** aptitude test; ~ *al* **banco** bench test; ⟨*fig*⟩ *dar* **buona** ~ *di sé* to give a good account of o.s., to prove o.s., to stand the test; ⟨*tecn*⟩ ~ *a* **caldo** hot test; ⟨*Mot*⟩ ~ *a* **carico** load test; ⟨*fig*⟩ *dar* **cattiva** ~ *di sé* to give a poor account of o.s., to prove a failure, to do badly; ~ *di* **collaudo** testing, acceptance test, reliability trial; ~ *di* **compressione** compression test; ⟨*Aut*⟩ ~ *di* **consumo** fuel consumption test; *sino a* ~ **contraria** until proved to the contrary; ~ *di* **corrosione** corrosion test; **dar** ~ *di* (*dimostrare*) to display, to show, to give proof of: *dar* ~ *di lealtà* to display loyalty; **di** ~ trial, test: *volo di* ~ test (*o* trial) flight; *periodo di* ~ trial (*o* probationary) period; ⟨*Dir*⟩ ~ **diretta** direct evidence; ~ *a* **discarico** evidence for the defence; ~ **documentata** documentary evidence; *mettere a* **dura** ~ *la pazienza di qd.* to put s.o.'s patience to a severe test, to try s.o.'s patience sorely; ~ *di* **durata**: 1. endurance test; 2. ⟨*Sport*⟩ long-distance trial; ~ *di* **durezza** hardness test; ~ *di* **elasticità** elasticity test; ⟨*Teol*⟩ ~ *dell'***esistenza** *di Dio* proof of the existence of God; ~ *di* **fatica** fatigue test; ~ **fisica** physical test; ~ *di* **flessione** deflection test; ⟨*Tip*⟩ **foglio** *di* ~ specimen page; **fornire** *la* ~ to furnish proof, to prove; ~ *di* **forza** trial of strength; ~ *a* **freddo** cold test; ~ *di* **frenatura** brake test; ~ *del* **fuoco**: 1. ⟨*Mediev*⟩ ordeal (*o* trial) by fire; 2. ⟨*fig*⟩ crucial test; ⟨*Teat*⟩ ~ **generale** dress rehearsal; ~ *d'***idoneità** (fitness) test; **in** ~: 1. on trial, on probation; 2. ⟨*Comm*⟩ on approval: *spedire della merce in* ~ to send goods on approval; *essere in* ~: 1. ⟨*Teat*⟩ to be in rehearsal (*o* rehearsing); 2. (*rif. a impieghi e sim.*) to be on trial; *assumere qd. in* ~ to hire s.o. on trial; ⟨*Dir*⟩ ~ **indiziaria** circumstantial evidence; ⟨*El*⟩ ~ *d'***isolamento** insulation test; ~ *di* **laboratorio** laboratory test; ~ **legale** (legal) evidence; ⟨*Dir*⟩ ~ **materiale** material proof; ~ **meccanica** mechanical test; **mettere** *in* ~: 1. to test, to try (out), to put on trial; 2. ⟨*Sart*⟩ to try on, to fit; *mettere alla* ~ to put to the test (*o* trial, proof), to test; ~ *del* **nove**: 1. ⟨*Mat*⟩ casting out nines; 2. ⟨*fig*⟩ crucial test; ~ *d'***officina** shop test; ~ *d'***omologazione** type-approval test; ⟨*Teol*⟩ ~ **ontologica** ontological proof; ⟨*Scol*⟩ ~ **orale** oral (examination); ⟨*Mar*⟩ ~ *sugli* **ormeggi** quay trial; **per** ~ (*per esperienza*) from (*o* by) experience: *conoscere qc. per* ~ to know s.th. from experience; ~ *di* **piegatura** bend test; ~ **preliminare** try-out, preliminary examination; ~ *di* **pressione** pressure test; ⟨*Tip*⟩ **prima** ~ galley(-proof); ~ *di* **qualificazione** qualifying test; ⟨*Aut*⟩ ~ *di* **regolarità** reliability trial; ~ *di* **rottura** breaking test; ⟨*Scol*⟩ ~ **scritta** written exam(ination); ⟨*Mar*⟩ ~ *di* **stabilità** stability test, heeling experiment; ⟨*Tip*⟩ ~ *di* **stampa** proof; ~ **statica** static test; ⟨*Aut*⟩ ~ *su* **strada** road test; ⟨*Dir*⟩ ~ **testimoniale** testimonial evidence; ~ *di* **trazione** tensile test; *a* **tutta** ~: 1. (*rif. a persona*) reliable, trusty, true: *un amico a tutta* ~ a tried (*o* true) friend; *è un galantuomo a tutta* ~ he is a true gentleman; 2. (*rif. a qualità*) well-tried, proved: *la sua onestà è a tutta* ~ his honesty is well-tried; ~ *d'***urto** shock test; ~ *d'***usura** wear test; ~ *di* **velocità** speed trial; ⟨*Aer*⟩ ~ *di* **volo** flight test. – *Prov.*: *alla* ~ *si scortica l'asino* the proof of the pudding is in the eating.

provạbile *a.* provable, demonstrable. – **provabilità** *f.* provableness, demonstrability.

provacircụiti *m.inv.* ⟨*El*⟩ circuit tester.

provanatụra *f.* ⟨*Agr*⟩ layerage.

provạno *a.* ⟨*ant*⟩ (*ostinato*) stubborn, obstinate.

provạre *v.* (prọvo) **I** *v.t.* **1.** to try (out): ~ *una nuova medicina* to try a new medicine; (*rif. a vestiti e sim.*) to try on; (*dal sarto*) to have a fitting for, to try on. – **2.** (*collaudare*) to test, to try out: *voglio* ~ *la macchina nuova* I want to try out the new car. – **3.** (*assaggiare*) to taste, to try. – **4.** (*rif. a spettacoli e sim.*) to rehearse: *gli attori hanno già provato la commedia* the actors have already rehearsed the play. – **5.** (*sperimentare, conoscere*) to (know from) experience, to have personal knowledge of; (*rif. a esperienze dolorose*) to go through: *ho provato ogni sventura* I've been through all kinds of misfortune. – **6.** (*sentire*) to feel, to experience: ~ *dolore* to feel pain; ~ *piacere* to feel pleased. – **7.** (*mettere alla prova*) to (put to the) test, to try: *i dolori provano gli uomini* suffering puts men to the test; (*indebolire, logorare*) to weaken, to debilitate, to wear out: *la lunga malattia lo aveva provato* his long illness had debilitated him. – **8.** (*dimostrare*) to prove, to demonstrate, to show: ~ *l'esistenza di Dio* to prove the existence of God; (*documentare*) to document, to prove (by documentary evidence); (*costituire una prova di*) to prove, to be proof of, to show: *questo gesto prova la sua onestà* this gesture proves his honesty. – **9.** (*sondare*) to sound, to search, to probe, to examine: ~ *le intenzioni di qd.* to sound s.o.'s intentions, to sound s.o. out; ~ *l'animo di qd.* to search s.o.'s heart. – **10.** ⟨*rar*⟩ (*saggiare*) to test, to assay: ~ *la purezza di un metallo* to assay the purity of a metal. – **II** *v.i.* (*aus.* **avere**) **1.** to try, to attempt: *provai a bussare alla porta ma nessuno rispose* I tried knocking on the door but no one answered; *prova ad alzarti* try to get up. – **2.** (*osare*) to try, to dare: *prova a farlo !* just try (to do it)! – **3.** (*rif. a spettacoli e sim.*) to rehearse, to be in rehearsal; (*rif. a sonatori: in gruppo*) to rehearse; (*da soli*) to practise. – **4.** ⟨*ant*⟩ (*attecchire*) to take (root). – **provarsi** *v.r.* **1.** (*tentare*) to try: *vorrei provarmici anch'io* I want to try too. – **2.** (*cimentarsi, misurarsi*) to try one's hand at: *provarsi nell'uso delle armi* to try one's hand at the use of weapons. – **3.** (*gareggiare*) to compete, to vie. □ (*bisogna*) ~ *per credere* try it and see, you have to try it for yourself; ~ *fame* to be hungry; ~ *sete* to be thirsty.

provatịvo *a.* ⟨*non com*⟩ (*probante*) of proof, probative.

provạto (*p.p. di provare*) *a.* **1.** (*sperimentato*) tried, tested, proved, proven: *uomo di -a onestà* man of proven honesty. – **2.** (*affaticato*) exhausted, worn-out. – **3.** (*colpito*) tried: *uomo* ~ *dalle sventure* man tried by misfortune. – **4.** (*fedele, sicuro*) real, true, tried, proven, proved: *un amico* ~ a tried and true friend.

provatọre *m.* (*f.* **-trice**) tester.

provatụra *f.* ⟨*Gastr*⟩ fresh buffalo-milk cheese.

provavạlvole *m.inv.* ⟨*tecn*⟩ valve (*o* tube) tester (*o* checker).

proveniẹnte (*p.pr. di provenire*) *a.* coming (*da* from): *merci -i dall'estero* goods coming from abroad. – **proveniẹnza** *f.* **1.** place of origin, provenance, source: *la* ~ *dei viaggiatori* the ⌈place of origin⌉ (*o* point of departure) of the travellers. – **2.** ⟨*fig*⟩ (*origine*) origin, source: *notizie di sicura* ~ news from a reliable source. □ *essere di* ~ *inglese* to come from England.

provenimẹnto *m.* ⟨*ant*⟩ → **provento.**

provenịre *v.i.* (**provẹngo, proviẹni; provẹnni, provenụto;** → **venire**; *aus.* **essere**) **1.** to come (*da* from): *questi turisti provengono dalla Francia* these tourists come from France. – **2.** ⟨*fig*⟩ (*derivare*) to come, to originate, to spring (from), to arise (out of), to be caused (by): *tutti questi guai provengono dalla sua leggerezza* all these troubles spring from his lack of seriousness. – **3.** ⟨*ant*⟩ (*rif. a piante: attecchire*) to take root.

proventiẹre *m.* ⟨*ant*⟩ person who lives on unearned income.

proventịzio: ⟨*Bot*⟩ *gemma -a* dormant bud (*o* eye).

provẹnto *m.* (*utile*) profit, proceeds *pl*, return: *i -i di un'azienda* a company's profits; (*entrata*) income. □ ⟨*Comm*⟩ *-i vari* non -operating profits.

pro|ventrịcolo *m.* ⟨*Entom*⟩ proventriculus. – **~ventrịglio** *m.* ⟨*Ornit*⟩ proventriculus.

Provẹnza *N.prf.*. ⟨*Geog*⟩ Provence. – **provenzạle I** *a.* **1.** Provençal. – **2.** ⟨*Gastr*⟩ Provençale. – **II** *s.m.* **1.** (*lingua*) Provençal. – **2.** *m./f.* (*abitante*) Provençal. – **provenzaleggiạnte** *a.* (written) in the Provençal manner. – **provenzaleggiạre** *v.i.* (**provenzalẹggio, provenzalẹggi**; *aus.* **avere**) to imitate the Provençal literary style, to write after the Provençal model. – **provenzalẹsco** *a.* (*pl.* **-chi**) ⟨*ant*⟩ (*provenzale*) Provençal. – **provenzalịsmo** *m.* ⟨*Ling*⟩ Provençal idiom. – **provenzalịsta** *m./f.* ⟨*Ling,Lett*⟩ scholar of Provençal language and literature.

proverbiạle *a.* **1.** proverbial: *locuzione* ~ proverbial expression, proverb. – **2.** ⟨*fig*⟩ proverbial, famous: *l'astuzia di Ulisse era* ~ Ulysses' cunning was proverbial (*o* famous); (*rif. a qualità negative*) proverbial, notorious, ⟨*pred*⟩ a byword: *la sua avarizia è* ~ his miserliness is proverbial, he is notorious (*o* a byword) for his miserliness. – **proverbialmẹnte** *avv.* proverbially: *persona* ~ *onesta* proverbially honest person. – **proverbiạre** *v.t.* (**provẹrbio, provẹrbi**) ⟨*ant*⟩ (*rimproverare*) to reproach, to scold, to upbraid. – **provẹrbio** *m.* **1.** proverb, adage, saw. – **2.** ⟨*ant*⟩ (*ingiuria*) insult, abuse. □ ⟨*Bibl*⟩ *il Libro dei proverbi* The Book of Proverbs; *il gioco dei proverbi* proverbs *pl* (*costr. sing. o pl.*); *passare in* ~ to become a byword. – **proverbiosamẹnte** *avv.* ⟨*ant*⟩ **1.** (*con ira*) angrily, wrathfully. – **2.** (*villanamente*) roughly, rudely. – **proverbiọso** *a.* ⟨*non com*⟩ **1.** sententious, aphoristic: *un parlare* ~ a sententious way of talking. – **2.** ⟨*ant*⟩ (*offensivo*) offensive, reproaching. – **proverbịsta** *m./f.* proverbialist, aphorist.

provẹse *m.* → **prodese.**

provẹtta *f.* **1.** ⟨*Chim*⟩ test-tube: ~ *graduata* graduated test-tube, graduate. – **2.** ⟨*tecn*⟩ (*provino*) test-piece, specimen.

provẹtto I *a.* **1.** (*esperto*) experienced, expert, skilful, skilled, practised. – **2.** ⟨*lett*⟩ (*maturo*) mature, advanced in years (*o* age). – **II** *s.m.* ⟨*lett*⟩ (*persona matura*) middle-aged person, person of mature years.

proviạnda *f.* ⟨*rar*⟩ (*vettovaglia*) provisions *pl*, victuals *pl.*

provicariạto *m.* ⟨*Rel*⟩ provicariate, provicarship, office of pro-vicar. – **provicạrio** *m.* pro-vicar.

providẹnza, providẹnzia *f.* ⟨*ant*⟩ → **provvidenza.** – **prọvido** *a.* ⟨*ant*⟩ → **provvido.**

provigionạre *v.* ⟨*ant*⟩ → **provvisionare.** – **provigiọne** *f.* ⟨*ant*⟩ → **provvisione.**

provinatrịce *f.* ⟨*Tess*⟩ tester (of yarns). – **provinatụra** *f.* testing (of yarns).

provịnca *f.* ⟨*Bot*⟩ (*pervinca*) periwinkle (*Vinca*).

provịncia *f.* (*pl.* **-ce**) **1.** province: *il territorio italiano è diviso in province* Italy is divided into provinces. – **2.** ⟨*estens*⟩ (*territorio contrapposto al capoluogo*) provinces *pl*, country, ⟨*am.fam*⟩ sticks *pl*: *s'è ritirato a vivere in* ~ he has gone to live in the country. –

3. ⟨*Stor.rom,Rel*⟩ province. – **4.** ⟨*ant*⟩ (*regione*) province, region. – **5.** ⟨*ant*⟩ (*incarico*) province, duty, office. □ ~ *biologica* province (of distribution); *di* ~ provincial, from the provinces, countrified, unsophisticated, country-: *abitudini di* ~ provincial customs; *gente di* ~ provincials *pl*, people from the provinces, ⟨*am.fam*⟩ hicks *pl*; *paese di* ~ country town.

provincialạto *m.* ⟨*Rel*⟩ provincialate. – **provinciạle I** *a.* **1.** provincial: *consiglio* ~ provincial council; *strada* ~ provincial road. – **2.** ⟨*spreg*⟩ provincial, countrified, unsophisticated, ⟨*am.fam*⟩ hick: *gusti -i* provincial tastes. – **II** *s.m./f.* **1.** provincial, provincialist, person from the country. – **2.** ⟨*spreg*⟩ provincial, ⟨*fam*⟩ country cousin, ⟨*am.fam*⟩ hick. – **3.** ⟨*Rel*⟩ (*anche padre provinciale*) (Father) Provincial. – **III** *s.f.* (*anche strada provinciale*) secondary (*o* provincial) road. – **provincialịsmo** *m.* **1.** ⟨*spreg*⟩ provincialism, narrow-mindedness. – **2.** ⟨*Ling*⟩ provincialism. – **provincialità** *f.* ⟨*spreg*⟩ provinciality, provincialism. – **provincialmẹnte** *avv.* in a provincial way, provincially.

provinịsta *m./f.* accordion tuner.

provịno *m.* **1.** ⟨*Cin*⟩ (*rif. all'attore*) screen test; (*rif. alla pellicola*) test strip (*o* film), (film) test; (*incisione di prova*) test recording. – **2.** (*provetta*) test-tube. – **3.** ⟨*tecn*⟩ test-piece, specimen, sample. – **4.** ⟨*Mil.ant*⟩ (*anche mortaio provino*) kind of small mortar. □ ⟨*Cin*⟩ ~ *fotografico* screen test; ⟨*Cin*⟩ ~ *sonoro* sound test; ⟨*Cin*⟩ ~ *di stampa* test strip.

provisionạre *v.* → **provvisionare.** – **provisiọne** *f.* → **provvisione.** – **provisọre** *m.* → **provvisore.**

provitamịna *f.* ⟨*Biol*⟩ provitamin.

prọvo: ⟨*ant*⟩ *a* ~ (*vicino, accanto*) near, next to, nearby.

provocạbile *a.* ⟨*non com*⟩ **1.** that can be caused (*o* excited). – **2.** (*irascibile*) irritable, irascible, easily provoked. – **provocamẹnto** *m.* ⟨*ant*⟩ → **provocazione.** – **provocạnte** (*p.pr. di provocare*) *a.* **1.** (*irritante*) provoking, provocative, irritating: *contengo* ~ provocative behaviour. – **2.** (*eccitante*) provocative, sensual: *sguardi -i* provocative looks.

provocạre *v.t.* (**prọvoco, prọvochi**) **1.** (*causare*) to provoke, to cause, to bring about: *il temporale ha provocato gravi danni* the storm caused great damage; (*rif. a sentimenti*) to excite, to arouse, to stir up, to provoke: ~ *l'invidia di qd.* to arouse s.o.'s envy. – **2.** (*eccitare una reazione*) to incite, to provoke, to goad, to (a)rouse: ~ *il popolo alla ribellione* to incite the people to revolt; (*irritare*) to provoke, to annoy, to make angry, to bother, to irritate: *se vuoi che non perda la pazienza non provocarmi* if you don't want me to lose my patience don't provoke (*o* bother, annoy) me. – **3.** (*muovere, spingere*) to move, to arouse, to make: ~ *qd. all'azione* to move s.o. to action, to make s.o. act. – **4.** (*sfidare*) to challenge: ~ *qd. a duello* to challenge s.o. to a duel. – **5.** (*eccitare alla sensualità*) to excite, to provoke, to arouse. □ ~ *un raffreddore* to bring on a cold; ~ *il riso* to provoke laughter; ~ *lo starnuto* to cause sneezing; ~ *la tosse* to cause coughing; ~ *il vomito* to induce vomiting.

provocatịvo *a.* **1.** ⟨*lett*⟩ → **provocatorio.** – **2.** ⟨*Med*⟩ provocative, stimulating. – **provocatọre I** *s.m.* (*f.* **-trice**) provoker, trouble-maker. – **II** *a.* **1.** → **provocatorio.** – **2.** ⟨*non com*⟩ (*che suscita una reazione fisica*) provocative, stimulating, stimulant, inducing: *sostanza provocatrice del vomito* vomit-inducing substance. □ *agente* ~ agent provocateur.

provocatọrio *a.* provocative, provoking. – **provocaziọne** *f.* **1.** provocation: *scattare alla minima* ~ to get angry at the slightest provocation. – **2.** (*incitamento*) incitement: ~ *al vizio* incitement to vice. – **3.** ⟨*Dir*⟩ provocation.

prọvola *f.* ⟨*Gastr*⟩ provola, buffalo-milk cheese. – **provolọne** *m.* provolone (cheese).

provvedẹnza *f.* ⟨*ant*⟩ → **provvidenza.**

provvedẹre *v.* (**provvẹdo; provvịdi, provvedụto/provvịsto;** → **vedere**) **I** *v.i.* (*aus.* **avere**) **1.** to provide, to make provision (*a* for), to see (to): ~ *al benessere della popolazione* to provide for the well-being of the population; *il padre deve* ~ *ai figli* the father must provide for his children. – **2.** (*prendere un provvedimento*) to take steps, to act: *dobbiamo* ~ *subito, altrimenti saranno guai* we must act immediately, otherwise there will be trouble. – **3.** (*badare, occuparsi*) to look after, to see to, to do, to get done, to take care of: ~ *alla pulizia della casa* to ⌜see to⌝ (*o* do) the house-cleaning, to get the house-cleaning done; *provvederò alla villeggiatura della famiglia* I'll see to the family's holiday. – **4.** ⟨*ant*⟩ (*prevedere*) to foresee, to predict. – **II** *v.t.* **1.** (*procurare*) to provide, to make provision for, to procure: ~ *il necessario alla propria famiglia* to provide the necessities for one's family. – **2.** (*fornire*) to furnish, to provide, to supply: ~ *una città di viveri* to provide food for a city, to supply a city with food. – **provvedersi** *v.r.* **1.** to supply (*o* furnish) o.s., to stock up, to take (*o* get) in supplies: *provvedersi di legna per l'inverno* to ⌜get in supplies of⌝ (*o* stock up on) wood for the winter. – **2.** (*organizzarsi*) to make arrangements, to take steps.

provvedimẹnto *m.* **1.** measure, action, steps *pl*: *prendere un* ~ to take steps; (*precauzione*) precaution: *-i di sicurezza* safety precautions; *-i sanitari* sanitary precautions. – **2.** ⟨*lett*⟩ (*rimedio*) remedy, cure.

□ *-i* **amministrativi** administrative measures; *-i* **disciplinari** disciplinary measures (*o* action); ~ **discriminatorio** discriminatory measure; *-i* **giudiziari** judicial measures; ~ **legislativo** legislative measure; ~ *di* **polizia** police measure; ~ *d'***urgenza** emergency measure.

provveditorạto *m.* **1.** (*carica*) directorship, superintendency. – **2.** (*ente*) superintendency, board. – **3.** (*sede*) director's (*o* superintendent's) office. – **4.** (*provveditorato agli studi*) provincial education office. □ ~ *alle opere pubbliche* public-works office; ~ *generale dello stato* government stationery office.

provveditọre *m.* (*f.* **-trice**) **1.** (*nell'amministrazione statale*) superintendent, director. – **2.** (*in associazioni, aziende e sim.*) administrator. – **3.** ⟨*Stor*⟩ governor, administrator. – **4.** ⟨*non com*⟩ (*chi provvede*) provider; (*rif. a vettovaglie*) purveyor. □ ~ *della Real Casa* Purveyor to the Royal Household, by appointment to H.M.; ~ *alle opere pubbliche* superintendent of public works; ⟨*Mar*⟩ ~ *navale* ship-chandler; ~ *agli studi* (provincial) director of education.

provveditorịa, provveditụra *f.* ⟨*ant*⟩ → **provveditorato.**

provvedutamẹnte *avv.* ⟨*ant*⟩ (*attentamente*) carefully, attentively. – **provvedụto** (*p.p. di provvedere*) *a.* **1.** (*fornito*) stocked, supplied, furnished (*di* with). – **2.** (*dotato*) gifted, endowed, well-provided (with): *essere* ~ *di un'intelligenza eccezionale* to be endowed with exceptional intelligence. – **3.** ⟨*fig*⟩ (*accorto*) prudent, wary; (*esperto*) expert, experienced.

provvidamẹnte *avv.* ⟨*lett*⟩ providently. – **provvidẹnte** *a.* ⟨*ant*⟩ → **provvido.**

provvidẹnza *f.* **1.** (Divine) Providence: *sperare nella* ~ to trust in Divine Providence. – **2.** ⟨*fig*⟩ (*avvenimento fortunato*) (good) luck, godsend: *è stata una vera* ~ it was a real stroke of good luck, it was really providential; *la pioggia è stata una* ~ *per i campi* the rain has been a godsend to the fields. – **3.** *pl.* ⟨*burocr*⟩ (*provvedimenti*) measures *pl*, steps *pl*, provisions *pl*: *-e a favore dei disoccupati* provisions (*o* measures) for the unemployed: *-e per l'infanzia abbandonata* provisions for abandoned children. – **4.** ⟨*ant*⟩ (*previdenza*) providence, prudence.

provvidẹnzia *f.* ⟨*ant*⟩ → **provvidenza.**

provvidenziạle *a.* **1.** (*opportuno*) providential, miraculous, lucky: *il tuo intervento è stato* ~ your intervention was providential. – **2.** (*della divina provvidenza*) providential, of (*o* sent by) Providence: *un uomo* ~ a man sent by Providence. – **provvidenzialità** *f.* opportuneness, usefulness. – **provvidenzialmẹnte** *avv.* providentially.

prọvvido *a.* ⟨*lett*⟩ **1.** (*previdente*) prudent, provident: *un uomo* ~ a prudent man. – **2.** (*utile*) useful, beneficial, helpful: *una -a istituzione* a useful institution. – **3.** ⟨*non com*⟩ (*che provvede*) providing.

provvigionạre *v.* → **provvisionare.**

provvigiọne *f.* **1.** ⟨*Comm*⟩ (*commissione*) commission. – **2.** ⟨*ant*⟩ (*stipendio*) allowance, stipend.

□ *lavorare* **a** ~ to work on commission; ~ *d'***accettazione** acceptance commission; ~ **bancaria** banker's commission, bank charges *pl*; ~ *del* **commissionario** (agent's) commission; ~ *di* **garanzia** underwriting commission; ~ *d'***incasso** cashing (*o* collecting) com mission; ~ *di* **star** *del credere* del credere commission; ~ *sulle* **vendite** sales commission.

provvisionạle *a.* ⟨*Dir*⟩ provisional, conditional. – **provvisionạre** *v.t.* (**provvisiọno**) ⟨*ant*⟩ (*dare uno stipendio*) to give a stipend (*o* an allowance) to. – **provvisionạto** *m.* ⟨*Stor*⟩ (*soldato mercenario*) mercenary (soldier), paid (*o* hired) soldier. – **provvisiọne** *f.* ⟨*ant*⟩ **1.** (*il provvedere*) providing, provision. – **2.** ⟨*concr*⟩ (*provvista*) provision, supply, stock. – **3.** (*stipendio*) allowance, stipend. – **4.** ⟨*Dir.mediev*⟩ (*deliberazione*) deliberation. – **provvisọre** *m.* ⟨*Stor*⟩ (*provveditore*) director, administrator, governor.

provvisoriamẹnte *avv.* provisionally, temporarily, for the time being. – **provvisorietà** *f.* **1.** provisional nature, temporariness, impermanence: *la* ~ *di un impiego* the temporariness of a job. – **2.** (*incertezza*) uncertainty, doubtfulness. – **provvisọrio** *a.* **1.** provisional, temporary: *governo* ~ provisional government; *impiego* ~ temporary job. – **2.** (*poco fondato*) uncertain, vague, doubtful; (*poco sicuro*) precarious, unstable. – **3.** (*di emergenza, improvvisato*) provisional, emergency-. □ *in via -a* → **provvisoriamente.**

provvịsta *f.* **1.** (*riserva*) stock, store, supply, reserve: *le -e stanno per finire* stocks (*o* supplies) are running low; *la* ~ *del legname per l'inverno* the supply of wood for the winter; (*rif. ad alimentari*) provisions *pl*, victuals *pl*, store, supply, stock: ~ *di vino* wine stock. – **2.** ⟨*fig*⟩ measure, supply, stock: ~ *di buona volontà* measure of good will. □ ⟨*Mar*⟩ *-e di bordo* ship's (*o* naval) stores, provisions, victuals; *far* ~ *di qc.* to stock up on s.th., to lay in stocks (*o* supplies) of s.th.

provvịsto (*p.p. di provvedere*) *a.* **1.** (*fornito*) supplied, furnished, provided, equipped (*di* with): *essere* ~ *di qc.* to be supplied with s.th., to have (stocks of) s.th. – **2.** (*dotato*) endowed, gifted (with). □ *essere ben* ~ to be well-off.

prozịa *f.* great-aunt, grand-aunt. – **prozịo** *m.* great-uncle, grand-uncle.

prụa *f.* **1.** ⟨*Mar*⟩ bow, stem, head, ⟨*lett*⟩ prow. – **2.** ⟨*Mar*⟩ (*direzione*) course: ~ (*alla*) *bussola* compass course. – **3.** ⟨*Aer*⟩ prow. □ ⟨*fig*⟩ *capitare sotto la* ~ (*venire a tiro*) to cross one's path, to show up; *se mi capita sotto la* ~ if I ⌜get hold of⌝ (*o* lay hands on) him; *di* ~ head-, forward, fore, bow-: *vento di* ~ headwind; *onda di* ~ bow wave; *castello di* ~ forecastle; ⟨*Mar*⟩ *dirigere la* ~ *al largo* to stand out to sea, to stand off; *diritto di* ~ *!* dead (*o* straight) ahead!; *da poppa a* ~ from stem to stern, fore and aft.

pruavịa: ⟨*mar*⟩ *a* ~ (*a proravia*) ahead, forward, towards the bows.

prụcia *f.* ⟨*Ornit*⟩ crested lark (*Galerida cristata*).

prude *fr.* [pryd] **I** *a.* prudish, prim, priggish. – **II** *s.m./f.* prude.

prudẹnte *a.* **1.** careful, prudent: *sii ~ quando guidi* be careful when you drive. – **2.** (*ispirato alla prudenza*) wise, judicious, prudent: *parole -i* wise (*o* prudent) words. – **3.** ⟨*eufem*⟩ (*pauroso*) cautious, timid, timorous. – **prudentemẹnte** *avv.* prudently, carefully; (*cautamente*) cautiously, warily. – **prudẹnza** *f.* **1.** prudence, care. – **2.** ⟨*Teol*⟩ prudence. – **3.** ⟨*esclam*⟩ careful, take care, look (*o* watch) out. ☐ *con ~* carefully; *la ~ non è mai troppa* you can't be too careful; *usare ~* to use caution, to be prudent. – *Prov.*: *~ è madre di sicurezza* prudence is the mother of safety. – **prudenziạle** *a.* prudential: *misure -i* prudential steps, precautions. – **prudenzialmẹnte** *avv.* prudentially.

prụdere *v.i.* (*p.rem. rar.* **prudé/prudẹtte**; lacks past participle and compound tenses) to itch, to be itchy: *mi prude sotto la pianta del piede* the sole of my foot itches. ☐ ⟨*fig*⟩ *mi sento ~ la lingua* I'm itching to let everything out; ⟨*fig*⟩ *mi sento ~ le mani* (*avrei voglia di picchiarti*) I'm itching to get at (*o* my hands on) you; ⟨*fig*⟩ *toccare qd. dove prude* to touch s.o. on a sore spot.

pruderie *fr.* [pry'dri] *f.* (*moralismo*) prudery, primness, priggishness.

prudọre *m.* ⟨*non com*⟩ (*prurito*) itch(ing).

prueggiạre *v.i.* (**prueggio, prueggi**; *aus.* **avere**) ⟨*Mar*⟩ **1.** to luff (up). – **2.** ⟨*ant*⟩ (*bordeggiare*) to tack. – **pruẹggio** *m.* **1.** luff. – **2.** ⟨*ant*⟩ (*bordeggio*) tack. ☐ *navigare a ~* to luff (up); *stare a ~* to be hove to.

prụgna I *s.f.* plum; (*secca*) prune. – **II** *a.inv.* plum-: *color ~* plum (colour). – **prụgno** *m.* ⟨*Bot*⟩ (*susino*) plum(-tree) (*Prunus domestica*). ☐ *~ selvatico* → **prugnolo**[1].

prụgnola *f.* sloe.

prụgnolo[1] *m.* ⟨*Bot*⟩ blackthorn, sloe (*Prunus spinosa*).

prugnọlo[2] *m.* ⟨*Bot*⟩ (kind of) edible mushroom (*Tricholoma georgii*). ☐ *~ bastardo* miller (*Clitopilus prunulus*).

pruịna *f.* **1.** ⟨*Bot*⟩ pruinescence. – **2.** ⟨*poet*⟩ (*brina*) (hoar)frost; (*neve*) snow. – **pruinọso** *a.* **1.** ⟨*Bot*⟩ pruinose, pruinous. – **2.** ⟨*poet*⟩ (*coperto di brina*) frosty.

prụna *f.* ⟨*ant*⟩ → **prugna.**

prunạia *f.*, **prunạio** *m.* **1.** (blackthorn) thicket, thorn-scrub. – **2.** ⟨*fig*⟩ (*faccenda imbrogliata*) tangle, ⟨*fam*⟩ mess, ⟨*fam*⟩ fix.

prunạlbo *m.* ⟨*poet*⟩ → **prunbianco.**

prunạme *m.* ⟨*tosc,non com*⟩ thorn-bushes *pl.* – **prunạta** *f.* ⟨*tosc*⟩ (*siepe di pruni*) blackthorn hedge.

prunbiạnco *m.* (*pl.* **-chi**) ⟨*Bot*⟩ (*biancospino*) hawthorn, whitethorn, May-tree (*Crataegus oxyacantha*).

prunẹlla[1] *f.* **1.** ⟨*Enol*⟩ prunelle, plum brandy. – **2.** ⟨*Tess*⟩ prunella.

prunẹlla[2] *f.* ⟨*Bot*⟩ (*brunella*) self-heal (*Brunella vulgaris*).

prunẹto *m.* (blackthorn) thicket, thorn-scrub.

prụno *m.* **1.** (*arbusto spinoso*) thorn-bush, bramble(-bush). – **2.** (*spina*) thorn. – **3.** ⟨*region*⟩ → **prugno.** – **4.** ⟨*region*⟩ → **prugnolo**[1]. ☐ ⟨*ant*⟩ *saper distinguere il ~ dal melarancio* (*il buono dal cattivo*) to be able to tell good from bad; ⟨*ant*⟩ *far del ~ un melarancio* to make a silk purse out of a sow's ear; ⟨*fig*⟩ *essere un ~ in un occhio a qd.* to be a thorn in s.o.'s side (*o* flesh); ⟨*fig*⟩ *stare sui -i* to be on tenterhooks.

pruọva *f.* ⟨*ant*⟩ → **prova.**

pruọvo: ⟨*ant*⟩ *a ~* (*vicino, accanto*) near, next to, beside.

prurịgine *f.* **1.** (*prurito*) itch(ing), itchiness. – **2.** ⟨*fig*⟩ (*voglia improvvisa*) sudden urge (*o* itch, craving). – **3.** ⟨*Med*⟩ prurigo. – **pruriginọso** *a.* **1.** itching. – **2.** ⟨*fig*⟩ (*stuzzicante*) appetizing, tempting; (*eccitante*) titillating, exciting. – **prurịto** *m.* **1.** itch(ing), pruritus. – **2.** ⟨*fig*⟩ (*voglia improvvisa*) sudden urge (*o* itch, craving). ☐ *dare ~* to (make) itch.

Prụssia *N.pr.f.* ⟨*Geog*⟩ Prussia. – **prussianẹsimo, prussianịsmo** *m.* ⟨*non com*⟩ Prussianism. – **prussiạno I** *a.* Prussian. – **II** *s.m.* **1.** (*dialetto*) Prussian (dialect). – **2.** (*abitante*; *f.* **-a**) Prussian.

prussiạto *m.* ⟨*Chim*⟩ prussiate. – **prụssico**: *acido ~* prussic (*o* hydrocyanic) acid.

ps *intz.* → **pss.**

Ps. = ⟨*Bibl*⟩ *salmo* psalm (*abbr.* Ps., Psa.).

P.S. = **1.** *post scriptum* postscript (*abbr.* P.S.). – **2.** *pubblica sicurezza* police. – **3.** *previdenza sociale* social security, national insurance.

psalmodịa *f.* ⟨*ant*⟩ (*salmodia*) psalmody.

psaltẹr(i)o *m.* ⟨*ant*⟩ **1.** ⟨*Mus*⟩ psaltery. – **2.** ⟨*Bibl*⟩ psalter. – **3.** ⟨*Rel*⟩ (*velo monastico*) veil.

psammịte *f.* ⟨*Geol*⟩ sandstone, psammite. – **psammịtico** *a.* (*pl.* **-ci**) psammitic, psammolithic, sandstone-: *sedimenti -i* psammitic sediments. ☐ *roccia -a* → **psammite.**

psammo... *pref.* (*sabbia* sand) psamm(o)..., sand-.

psammocạridi *m.pl.* ⟨*Entom*⟩ psammocharids *pl*, pompolids *pl* (*Psammocharidae*).

psammofilịa *f.* ⟨*Biol*⟩ psammophilous state, love of sand. – **psammọfilo** *a.* psammophilous, sand-loving.

psammọ|fita *f.* ⟨*Bot*⟩ psammophyte. – **~terapịa** *f.* ⟨*Med*⟩ psammotherapy, ammotherapy.

P.S.D.I. = *Partito socialista democratico italiano* Italian Socialist Democratic Party.

psefịsma *m.* ⟨*Stor.gr*⟩ psephism(a).

psefịte *f.* ⟨*Geol*⟩ psephite. – **psefịtico** *a.* (*pl.* **-ci**) psephitic.

psellịsmo *m.* ⟨*Med,rar*⟩ (*balbuzie*) psellism.

pseudạnto *a.* ⟨*Bot*⟩ pseudanthic. – **pseudanzịa** *f.* pseudanthis.

pseudartrọsi *f.* → **pseudoartrosi.**

pseudepigrafịa *f.* ⟨*Art*⟩ pseudepigraphy. – **pseudepịgrafo I** *a.* pseudepigraphic(al), pseudepigraphal, pseudopigraphous. – **II** *s.m.* **1.** pseudepigraphic work. – **2.** ⟨*Bibl*⟩ pseudepigraph.

pseudo... *pref.* (*falso* false) pseud(o)..., false.

pseudo|ạcido *m.* ⟨*Chim*⟩ pseudo acid. – **~allucinaziọne** *f.* ⟨*Psic*⟩ pseudohallucination. – **~artrọsi** *f.* ⟨*Med*⟩ pseud(o)arthrosis. – **~bụlbo** *m.* ⟨*Bot*⟩ pseudobulb. – **~cạrpio** *m.* ⟨*Bot*⟩ pseudocarp. – **~cạrsico** *a.* (*pl.* **-ci**) ⟨*Geol*⟩ karst-like. – **~cịsti** *f.* ⟨*Med*⟩ pseudocyst. – **~concẹtto** *m.* ⟨*Filos*⟩ pseudoconcept. – **~crịsi** *f.* ⟨*Med*⟩ pseudocrisis. – **~cụpola** *f.* ⟨*Archeol*⟩ primitive form of dome. – **~difterịte** *f.* ⟨*Med*⟩ (*laringite stridula*) pseudodiphtheria. – **~dimostraziọne** *f.* ⟨*Mat*⟩ mathematical sophism. – **~dịptero** *m.* ⟨*Arch*⟩ pseudodipteros. – **~ẹlio** *m.* ⟨*Astr*⟩ anthelion, antisun, countersun. – **~ermafroditịsmo** *m.* ⟨*Biol*⟩ pseudohermaphroditism. – **~ermafrodịto I** *a.* pseudohermaphroditic. – **II** *s.m.* pseudohermaphrodite. – **~estesịa** *f.* ⟨*Psic*⟩ pseudaesthesia. – **~galẹna** *f.* ⟨*Min*⟩ pseudogalena, sphalerite.

pseudografịa *f.* ⟨*non com*⟩ pseudograph. – **pseudọgrafo** ⟨*non com*⟩ **I** *a.* pseudepigraphic(al), pseudepigraphal. – **II** *s.m.* pseudograph.

pseudo|intellettuạle *m./f.* ⟨*spreg*⟩ pseudo-intellectual. – **~isidoriạno**: ⟨*Dir.can*⟩ *collezione -a* Pseudo-Isidorian decretals. – **~letterạto** *m.* (*f.* **-a**) ⟨*spreg*⟩ would-be man of letters.

pseudologịa *f.* ⟨*Psic*⟩ pseudologia phantastica. – **pseudọlogo** *m.* (*f.* **-a**) **1.** ⟨*Psic*⟩ sufferer from pseudologia phantastica. – **2.** ⟨*lett, rar*⟩ (*mentitore*) liar, pseudologist.

pseudo|mnesịa *f.* ⟨*Psic*⟩ paramnesia. – **~mọrfico** *a.* (*pl.* **-ci**) → **pseudomorfo.** – **~mọrfo** *a.* ⟨*Min*⟩ pseudomorphous, pseudomorphic. – **~morfọsi** (o *pseudomọrfosi*) *f.* pseudomorphosis.

pseudonimịa *f.* **1.** pseudonymity. – **2.** → **pseudepigrafia.** – **pseudọnimo I** *s.m.* pseudonym(e); (*nome d'arte*) pen-name, pseudonym(e), nom de plume; (*falso nome*) false name, alias. – **II** *a.* ⟨*non com*⟩ pseudonymous, pseudonymic.

pseudo|parẹnchima *m.* ⟨*Bot*⟩ pseudoparenchyma. – **~perịptero** *m.* ⟨*Arch*⟩ pseudoperipteros. – **~pọdio** *m.* ⟨*Biol*⟩ pseudopod(e), pseudopodium. – **~profẹta** *m.* ⟨*spreg*⟩ false prophet, pseudo-prophet. – **~rạbbia** *f.* ⟨*Med*⟩ (*lissofobia*) pseudorabies, lyssophobia. – **~riflessịvo** *a.* ⟨*Gramm*⟩ pseudoriflexive. – **~risịpola** *f.* ⟨*Med*⟩ (*erisipeloide*) erysipeloid. – **~sạle** *m.* ⟨*Chim*⟩ pseudo-salt. – **~scorpiọni** *m.pl.* ⟨*Zool*⟩ book scorpions *pl*, pseudoscorpions *pl* (*Pseudoscorpiones, Pseudoscorpionidae*). – **~simmetrịa** *f.* ⟨*Min*⟩ pseudosymmetry. – **~soluziọne** *f.* ⟨*Chim*⟩ pseudosolution. – **~tịfo** *m.* ⟨*Med, non com*⟩ (*febbre melitense*) pseudotyphoid. – **~vọlta** *f.* ⟨*Arch*⟩ false vault.

psi *m./f.* (*lettera dell'alfabeto greco*) psi.

P.S.I. = *Partito socialista italiano* Italian Socialist Party.

psic... *pref.* → **psico...**

psicagogịa *f.* **1.** ⟨*Occult*⟩ psychagogy, necromancy. – **2.** ⟨*Psic*⟩ psychagogy. – **psicagọgico** *a.* (*pl.* **-ci**) **1.** ⟨*Occult*⟩ psychagogic, necromantic(al). – **2.** ⟨*Psic*⟩ psychagogic. – **psicagọgo** *m.* (*pl.* **-ghi**) **1.** ⟨*Occult*⟩ psychagogue, necromancer. – **2.** ⟨*Psic*⟩ psychagogue.

psicalgịa *f.* ⟨*Psic*⟩ psychalgia.

psicanalịsi *f.* psychoanalysis. – **psicanalịsta** *m./f.* psychoanalyst. – **psicanaliticamẹnte** *avv.* psychoanalytically. – **psicanalịtico** *a.* (*pl.* **-ci**) psychoanalytic(al). – **psicanalizzạre** *v.t.* to psychoanalyse.

psicastenịa *f.* ⟨*Med*⟩ psychasthenia. – **psicastẹnico** *a.* (*pl.* **-ci**) psychasthenic.

psịche[1] *f.* psyche, self, personality; (*mente*) psyche, mind.

psịche[2] *f.* ⟨*Arred*⟩ cheval-glass, psyche.

Psịche *N.pr.f.* ⟨*Mitol*⟩ Psyche.

psichedẹlico *a.* (*pl.* **-ci**) psychedelic, psychodelic: *musica -a* psychedelic music.

psichiạtra *m./f.* psychiatrist. – **psichiatrịa** *f.* psychiatry. – **psichiạtrico** *a.* (*pl.* **-ci**) psychiatric(al).

psịchico *a.* (*pl.* **-ci**) **1.** psychic(al), mental: *stato ~* psychic condition. – **2.** (*paranormale*) psychic, parapsychological. – **3.** ⟨*Teol*⟩ psychical: *uomo ~* psychical (*o* natural) man.

psịchidi *m.pl.* ⟨*Entom*⟩ psychids *pl* (*Psychidae*).

psichịsmo *m.* psychism.

psico... *pref.* (*anima* soul, spirit) psych(o)...

psico|analịsi *f.* → **psicanalisi.** – **~analịsta** *m./f.* → **psicanalista.** – **~analịtico** *a.* → **psicanalitico.** – **~astenịa** *f.* ⟨*non com*⟩ → **psicastenia.** – **~astẹnico** *a.* ⟨*non com*⟩ → **psicastenico.** – **~chịmica** *f.* ⟨*Med*⟩ psychochemistry. – **~chirurgịa** *f.* psychosurgery. – **~degeneraziọne** *f.* mental degeneration. – **~diagnọstica** *f.* psychodiagnostics *pl* (*costr. sing.*). – **~diagnọstico** *a.* (*pl.* **-ci**) psychodiagnostic. – **~dinạmica** *f.* psychodynamics *pl* (*costr. sing.*). – **~dinạmico** *a.* (*pl.* **-ci**) psychodynamic. – **~drạmma** *m.* psychodrama. – **~fạrmaco** *m.* (*pl.* **-ci**) psychotrope drug. – **~fịsica** *f.* psychophysics *pl* (*costr. sing.*). – **~fịsico** *a.* (*pl.* **-ci**) psychophysical. – **~fisiologịa** *f.* psychophysiology, physiological psychology. – **~fisiolọgico** *a.* (*pl.* **-ci**) psychophysiologic(al). – **~gẹnesi** *f.* psychogenesis. – **~genẹtico** *a.* (*pl.* **-ci**) psychogenetic.

psicọgeno *a.* psychogenic, psychogenetic: *reazione -a* psychogenic reaction.

psicografịa *f.* psychography, psychological biography. – **psicogrạfico** *a.* (*pl.* **-ci**) psychographic. – **psicọgrafo** *m.* (*strumento*) psychograph. – **psicogrạmma** *m.* psychogram.

psicoigiẹne *f.* mental hygiene.

psicologịa *f.* **1.** (*scienza*) psychology. – **2.** (*modo di pensare*) psychology, way of thinking: *~ infantile* child psychology. ☐ *~* **analitica** analytic(al) psychology; *~* **animale** animal psychology; ~ **applicata** (*psicotecnica*) applied psychology, psychotechnology, psychotechnics *pl* (*costr. sing.*); ~ **clinica** clinical psychology; ~ **comparata** comparative psychology; ~ *del* **comportamento** (*behaviorismo*) behaviour(istic) psychology, behaviourism; ~ **criminale** criminal psychology; ~ **differenziale** differential (*o* variational) psychology; ~ **etnica** (o *etnografica*) ethnopsychology, folk psychology; ~ **evolutiva** = *psicologia* **genetica**; ~ **filosofica** = *psicologia* **razionale**; ~ **fisiologica** psychophysiology, physiologic(al) psychology; ~ *della* **folla** mob psychology; ~ **genetica** genetic psychology; ~ **infantile** child psychology; ~ **industriale** (o *del lavoro*) industrial psychology; ~ *della* **lingua** psycholinguistics *pl* (*costr. sing.*); ~ **medica** medical psychology; ~ **patologica** psychopathology; ~ **pedagogica** educational psychology; ~ *del* **profondo** depth psychology; ~ **razionale** philosophical psychology; ~ **scientifica** empiric (*o* scientific) psychology; ~ **sessuale** psychology of sex; ~ **sociale** social psychology; ~ **sperimentale** experimental psychology; ~ *dello* **sviluppo** developmental psychology; ⟨*Filos*⟩ ~ **trascendentale** Philosophy of the Spirit.

psicologicamẹnte *avv.* psychologically. – **psicolọgico** *a.* (*pl.* **-ci**) psychologic(al): *disturbo* ~ psychological disturbance. – **psicologịsmo** *m.* **1.** ⟨*Filos*⟩ psychologism. – **2.** ⟨*Lett*⟩ over-emphasis of psychological factors. – **psicologịsta** *m./f.* psychologue. – **psicologịstico** *a.* (*pl.* **-ci**) psychologistic. – **psicọlogo** *m.* (*pl.* **-gi**; *f.* **-a**) **1.** psychologist: ~ *d'azienda* work (*o* industrial) psychologist. – **2.** ⟨*estens*⟩ psychologist, keen observer of human behaviour.

psicomanzịa *f.* ⟨*Occult*⟩ necromancy, ⟨*ant*⟩ psychomancy.

psicọ|metra *m./f.* ⟨*Occult*⟩ psychometer. – **~metrịa** *f.* **1.** ⟨*Occult*⟩ psychometry. – **2.** ⟨*Psic*⟩ psychometrics *pl* (*costr. sing.*), psychometry. – **~mẹtrico** *a.* (*pl.* **-ci**) psychometric. – **~monịsmo** *m.* ⟨*Filos*⟩ psychomonism, solipsism. – **~motọrio** *a.* ⟨*Psic*⟩ psychomotor. – **~neurọsi** *f.* → **psiconevrosi**. – **~neurọtico** *a./s.* → **psiconevrotico**. – **~nevrọsi** *f.* psychoneurosis; (*nevrosi*) neurosis. – **~nevrọtico** *a./s.* (*pl.* **-ci**) **I** *a.* psychoneurotic. – **II** *s.m.* (*f.* **-a**) psychoneurotic. – **~patịa** *f.* **1.** psychopathy, psychopathic personality. – **2.** (*infermità mentale*) psychopathy, mental disorder. – **~pạtico** *a./s.* (*pl.* **-ci**) **I** *a.* psychopathic. – **II** *s.m.* (*f.* **-a**) **1.** psychopath, psychopathic personality. – **2.** (*malato di mente*) psychopath. – **~patologịa** *f.* psychopathology. – **~patolọgico** *a.* (*pl.* **-ci**) psychopathologic(al). – **~patọlogo** *m.* (*pl.* **-gi**; *f.* **-a**) psychopathologist. – **~pedagogịa** *f.* educational psychology. – **~pọmpo** **I** *a.* ⟨*Mitol*⟩ psychopompal, psychopompous. – **II** *s.m.* psychopomp(os). – **~profilạssi** *f.* ⟨*Psic*⟩ psychoprophylaxis. – **~profilạttico** *a.* (*pl.* **-ci**) psychoprophylactic. – **~sensoriạle** *a.* psychosensory, psychosensorial. – **~sessuạle** *a.* psychosexual.

psicọsi *f.* psychosis. □ ~ *maniaco-depressiva* manic-depressive psychosis. – **psicọsico** *a.* → **psicotico**.

psico|sociologịa *f.* psychosociology. – **~somạtico** *a.* (*pl.* **-ci**) psychosomatic.

psicọstasi, psicostasịa *f.* ⟨*Rel*⟩ psychostasia, psychostasy.

psico|statịstica *f.* psychological statistics *pl* (*costr. sing. o pl.*). – **~tẹcnica** *f.* psychotechnology, psychotechnics *pl* (*costr. sing.*). – **~tẹcnico** *a./s.* (*pl.* **-ci**) **I** *a.* psychotechnic(al). – **II** *s.m.* psychotechnician. – **~terapẹuta** *m./f.* ⟨*non com*⟩ → **psicoterapista**. – **~terapẹutico** *a.* ⟨*non com*⟩ → **psicoterapico**. – **~terapịa** *f.* psychotherapy. – **~terạpico** *a.* (*pl.* **-ci**) psychotherapeutic. – **~terapịsta** *m./f.* psychotherapist.

psicọtico *a.* (*pl.* **-ci**) psychotic.

psicrofilịa *f.* ⟨*Biol*⟩ psychrophilic condition. – **psicrọfilo** *a.* psychrophilic, psychrophile.

psicrọgrafo *m.* ⟨*Meteor*⟩ psychrograph. – **psicromẹtrico** *a.* (*pl.* **-ci**) psychrometric: *tabella -a* psychrometric chart. – **psicrọmetro** *m.* psychrometer.

psịlla *f.* ⟨*Entom*⟩ jumping plant-louse (*Psylla*). □ ~ *del melo* apple sucker (*Psylla mali*); ~ *del pero* pear louse, pear(-tree) psylla (*Psylla piricola*). – **psịllidi** *m.pl.* ⟨*Entom*⟩ jumping plant-lice *pl*, psyllids *pl*, psyllas *pl* (*Psyllidae*).

psilomelạno *m.* ⟨*Min*⟩ psilomelane.

psilọsi *f.* ⟨*Ling,Med*⟩ psilosis. – **psilọtico** *a.* (*pl.* **-ci**) ⟨*Ling*⟩ psilotic.

psittạcidi *m.pl.* ⟨*Ornit*⟩ psittacines *pl*, parrots *pl* (*Psittacidae*). – **psittacịsmo** *m.* psittacism. – **psittacọsi** *f.* ⟨*Med*⟩ psittacosis.

PSIUP = *Partito socialista italiano di unità proletaria* Italian Socialist Party of Proletarian Unity.

psọas *m.* ⟨*Anat*⟩ psoas.

psocọtteri *m.pl.* ⟨*Entom*⟩ Corrodentia *pl* (*Psocoptera*).

psọfidi *m.pl.* ⟨*Ornit*⟩ trumpeters *pl* (*Psophiidae*).

psofometrịa *f.* ⟨*El,Acu*⟩ psophometry. – **psofomẹtrico** *a.* (*pl.* **-ci**) psophometric, noise- (*anche Tel.*): *tensione -a* (audible) noise voltage, psophometric voltage. – **psofọmetro** *m.* psophometer.

psoịte *f.* ⟨*Med*⟩ psoitis.

psorịasi *f.* ⟨*Med*⟩ psoriasis.

psọrico *a.* (*pl.* **-ci**) ⟨*non com*⟩ (*scabbioso*) psoric, scabby.

psorofobịa *f.* ⟨*Psic*⟩ scabiophobia.

pss *intz.* **1.** (*per richiamare l'attenzione*) psst. – **2.** (*per imporre silenzio*) shh.

P.S.U. = *Partito socialista unitario* Unitary Socialist Party.

psyché *fr.* [psi'ʃe] *f.* → **psiche**[2].

Pt = ⟨*Chim*⟩ *platino* platinum.

p.t. = *pianterreno* ground floor.

P.T. = *Poste e Telegrafi* Postal and Telegraph Services.

ptạrmico *a.* (*pl.* **-ci**) ⟨*ant*⟩ (*starnutatorio*) sternutatory, ptarmic.

pteridọfite *f.pl.* ⟨*Bot*⟩ pteridophytes *pl* (*Pteridophyta*).

pteridografịa *f.* pteridography. – **pteridọgrafo** *m.* specialist in pteridography. – **pteridologịa** *f.* pteridology. – **pteridọlogo** *m.* (*pl.* **-gi**; *f.* **-a**) pteridologist.

pteridospẹrme *f.pl.* ⟨*Paleont*⟩ pteridosperms *pl*, seed ferns *pl* (*Pteridospermae*).

pterịgio[1] *m.* ⟨*Med*⟩ pterygium.

pterịgio[2] *m.* ⟨*Itt*⟩ ichthyopterygium.

pterịgion *m.* → **pterigio**[1].

pterigọti *m.pl.* ⟨*Entom*⟩ pterygote (*o* pterygotous) insects *pl* (*Pterygota*).

pterịlio *m.* ⟨*Ornit*⟩ pteryla, feather tract. – **pterilọsi** *f.* pterylosis.

pterịna *f.* ⟨*Chim*⟩ pterin.

ptero... *pref.* (*ala* wing) pter(o)...

pterọ|clidi *m.pl.* ⟨*Ornit*⟩ sand-grouses *pl* (*Pteroclidae*). – **~dạttili** *m.pl.* ⟨*Paleont*⟩ pterodactyls *pl* (*Pterodactyloidea*).

pterọdio *m.* ⟨*Bot*⟩ samara, pterodium.

ptẹropo *m.* ⟨*Zool*⟩ (common) fruit-bats *pl*, flying-foxes *pl* (*Pteropus*).

pterọ|podi *m.pl.* ⟨*Zool*⟩ pteropods *pl* (*Pteropoda*). – **~sạuri** *m.pl.* ⟨*Paleont*⟩ pterosaurs *pl* (*Pterosauria*).

ptialịna *f.* ⟨*Biol*⟩ ptyalin. – **ptialịsmo** *m.*, **ptialorrẹa** *f.* ⟨*Med*⟩ ptyalism, ptyalorrh(o)ea.

ptilonorịnchidi *m.pl.* ⟨*Ornit*⟩ bower-birds *pl* (*Ptilonorhynchidae*).

ptilọsi *f.* ⟨*Med*⟩ ptilosis.

ptịsi *f.* ⟨*ant*⟩ (*tisi*) tuberculosis, consumption, phthisis.

P.T.M. = ⟨*Dir*⟩ *per tali motivi* on these grounds, for such reasons.

ptocotrọfio *m.* ⟨*lett*⟩ (*ospizio*) almshouse, poorhouse.

ptomạina *f.* ⟨*Biol*⟩ ptomaine.

ptọsi *f.* ⟨*Med*⟩ ptosis.

P.T.P. *Posto telefonico pubblico* public telephone (*abbr.* T.).

Pu = ⟨*Chim*⟩ *plutonio* plutonium.

pụah *intz.* ugh, pugh.

pubblicạbile *a.* publishable.

pubblicamẹnte *avv.* **1.** (*in pubblico*) publicly, in public, openly: *accusare* ~ *qd.* to accuse s.o. publicly. – **2.** (*fra tutti*) generally, by (*o* to) everyone, commonly: *un artista* ~ *noto* an artist known to everyone, a well-known artist.

pubblicamẹnto *m.* ⟨*non com*⟩ making public, publishing.

pubblicạno *m.* **1.** ⟨*Stor.rom*⟩ publican. – **2.** ⟨*estens,non com*⟩ (*gabelliere*) tax-collector, ⟨*lett*⟩ publican; ⟨*spreg*⟩ (*esattore esoso*) publican.

pubblicạre *v.t.* (**pụbblico, pụbblichi**) **1.** to publish, to put out, to issue: ~ *un romanzo* to publish a novel; ~ *a dispense* to publish in instalments; (*stampare*) to print, to publish: ~ *un giornale* to print a newspaper. – **2.** ⟨*estens*⟩ (*divulgare*) to make public, to publish, to spread abroad, to disclose, to circulate: ~ *una notizia* to publish news. – **3.** ⟨*Dir*⟩ (*promulgare*) to promulgate, to publish: ~ *una legge* to promulgate a law. – **4.** ⟨*ant*⟩ (*espropriare*) to confiscate. □ ~ *un annunzio su un giornale* to advertise (*o* put an ad) in a (news)paper.

pubblicatọre *m.* (*f.* **-trice**) ⟨*non com*⟩ **1.** publisher. – **2.** ⟨*estens*⟩ (*divulgatore*) person who makes s.th. public, divulger, propagator.

pubblicaziọne *f.* **1.** publication, publishing, issue: *la* ~ *di un libro* the publication of a book; *il giornale ha sospeso le -i* the newspaper suspended publication; (*stampa*) printing, publishing: *curare la* ~ *di un libro* to see a book through its printing. – **2.** ⟨*concr*⟩ (*opera pubblicata*) book, publication: *non ho ancora visto la tua ultima* ~ I haven't seen your latest publication yet. – **3.** (*il rendere pubblico*) publication, making public. – **4.** ⟨*Dir*⟩ (*promulgazione*) promulgation, publication: *la* ~ *di una legge* the promulgation of a law. – **5.** *pl.* (*pubblicazioni di matrimonio*) (marriage) banns *pl*: *fare le -i* to publish (*o* put up) the banns. – **6.** ⟨*ant*⟩ (*espropriazione*) confiscation.

pubblicịsmo *m.* (*mezzi di informazione*) media *pl*; (*mezzi pubblicitari*) advertising media. – **pubblicịsta** *m./f.* **1.** freelance newspaperman (*o* journalist). – **2.** ⟨*Dir*⟩ expert in public law. – **pubblicịstica** *f.* **1.** political journalism, writing on current public affairs. – **2.** ⟨*concr*⟩ (*insieme di pubblicazioni*) writings *pl* on current public affairs, political articles *pl* (*o* press). – **3.** ⟨*Dir*⟩ study of public law. – **pubblicịstico** *a.* (*pl.* **-ci**) **1.** of (*o* on) current public affairs, used in political journalism. – **2.** ⟨*Dir*⟩ of public law.

pubblicità *f.* **1.** publicity, publicness, public nature. – **2.** (*diffusione*) spreading, diffusion, propagation. – **3.** (*reclame, propaganda*) advertising, publicity, ⟨*am*⟩ promotion. – **4.** ⟨*Giorn*⟩ advertising section, advertisements *pl*, ⟨*fam*⟩ ads *pl*.

□ ~ **abbinata** tied-in advertising; ~ **affissionale** poster advertising, posters *pl*; **agente** *di* ~ advertising agent, ⟨*am.fam*⟩ adman; (*al servizio di una persona celebre*) publicity (*o* press) agent; **agenzia** *di* ~ advertising agency, ⟨*fam*⟩ ad agency; ~ **cinematografica** film advertising (*o* publicity); ~ **collettiva** collective advertising; **dare** ~ *a qc.* to publicize (*o* give publicity to) s.th., to make s.th. widely known, to spread s.th. about; *queste osservazioni non erano* **destinate** *alla* ~ these comments were not intended to be made public; ~ **diretta** direct advertising (*o* mail); ~ **economica** = **piccola** *pubblicità*; ~ **esterna** outdoor advertising; **fare** ~ *a qc.* to advertise (*o* publicize) s.th., ⟨*am*⟩ to promote s.th., ⟨*fam*⟩ to push (*o* plug) s.th.: *fare* ~ *a uno spettacolo* to advertise a show; *fare molta* ~ *a un prodotto commerciale* to promote (*o* plug, push) a commercial product; ~ **invisibile** = *pubblicità* **subliminale**; ~ **istituzionale** institutional (*o* prestige) advertising; ~ **locale** retail advertising; ~ **luminosa** neon sign; ~ **murale** = *pubblicità* **affissionale**; ⟨*Giorn*⟩

piccola ~ classified advertisements *pl*, ⟨*fam*⟩ want ads *pl*; ~ *di* **prestigio** = *pubblicità* **istituzionale**; ~ *sul* **punto** *di acquisto* point-of-purchase advertising; ~ *sul punto di vendita* point-of-sale advertising; ~ **radiofonica** radio advertising, radio commercials *pl*; ~ *a nome del* **rivenditore** co-operative advertising; ~ *ai* (o *verso i*) *rivenditori* trade advertising; ~ **selettiva** selective advertising; **servizio** ~ advertising department; ~ *per mezzo della* **stampa** newspaper advertising, advertising in the press; ~ **subliminale** subliminal advertising; ~ **televisiva** television advertising, TV commercials *pl*.

pubblicitạrio I *a*. advertising-, publicity-, ⟨*am*⟩ promotional: *campagna -a* advertising campaign; *film* ~ advertising film. – **II** *s.m.* (*f.* **-a**) advertising expert (*o* agent), ⟨*am.fam*⟩ adman. □ *annuncio* ~ advertisement, ⟨*fam*⟩ ad; *montatura -a* publicity stunt; *propaganda -a* advertising, publicity; *stanziamento* ~ advertising budget.

pụbblico *a./s.* (*pl.* **-ci**) **I** *a*. **1.** public: *tenere una -a riunione* to hold a public meeting. – **2.** (*comune, generale*) public, common, general: *l'interesse* ~ the common interest; *l'opinione -a* public opinion. – **3.** (*dello stato*) public, government-, state-: *debito* ~ public debt; *fare qc. a pubbliche spese* to do s.th. at public expense; *scuole pubbliche* state schools, ⟨*am*⟩ public schools. – **4.** (*accessibile a tutti*) public: *giardini -i* public parks. – **5.** (*notorio, palese*) public, open. – **II** *s.m.* **1.** public: *parlare al* ~ to speak to the public; *fiera aperta al* ~ fair open to the public. – **2.** (*spettatori*) public, spectators *pl*: *il* ~ *gremiva lo stadio* the spectators filled the stadium; (*in un teatro e sim.*) audience, public; (*della TV*) viewers *pl*; (*ascoltatori*) audience, listeners *pl*, public; (*lettori*) readers *pl*, public. – **3.** (*clientela*) customers *pl*, clientele, public. – **4.** ⟨*ant*⟩ (*erario pubblico*) public treasury.

□ ⟨*Dir*⟩ **atto** ~ deed under seal; *di* **dominio** ~ of common knowledge; **in** ~ in public: *mostrarsi in* ~ to show o.s. in public; *c'era* **poco** ~ *alla riunione* the meeting was poorly attended, there ⌜was a small audience⌝ (*o* weren't many people) at the meeting; **rendere** *-a qc.* to make s.th. public, to broadcast s.th.

pụbe *m.* ⟨*Anat*⟩ **1.** (*osso*) pubis, pubic bone. – **2.** (*parte inferiore dell'addome*) pubes, pubic region.

puberạle *a.* ⟨*Fisiol*⟩ puber(t)al, of puberty: *crisi* ~ puberal crisis. – **pụbere I** *a.* pubescent. – **II** *s.m./f.* pubescent. – **pubertà** *f.* puberty.

pubescẹnte *a.* **1.** ⟨*Bot*⟩ pubescent. – **2.** ⟨*ant*⟩ (*puberale*) puber(t)al, of puberty. – **pubescẹnza** *f.* ⟨*Bot*⟩ pubescence.

pụbico *a.* (*pl.* **-ci**) ⟨*Anat*⟩ pubic: *osso* ~ pubic bone.

pubiotomịa *f.* ⟨*Chir*⟩ pubiotomy.

publicạno *m.* ⟨*lett*⟩ → **pubblicano**.

publicạre *v.* ⟨*lett*⟩ → **pubblicare**. – **publicaziọne** *f.* ⟨*lett*⟩ → **pubblicazione**. – **pụblico** *a./s.* ⟨*lett*⟩ → **pubblico**.

puddellạggio *m.* ⟨*Met*⟩ puddling, pig boiling. – **puddellạre** *v.t.* (**puddẹllo**) to puddle. – **puddellatụra, puddellaziọne** *f.* → **puddellaggio**.

puddịnga *f.* ⟨*Min*⟩ pudding-stone, conglomerate.

pudellạggio *m.* → **puddellaggio**. – **pudellạre** *v.* → **puddellare**. – **pudellatụra, pudellaziọne** *f.* → **puddellaggio**.

pudẹnde *f.pl.* pudenda *pl*. – **pudẹndo** *a.* ⟨*Anat*⟩ pudendal, pudic. □ *parti -e* private parts.

pudibọndo *a.* **1.** ⟨*lett*⟩ modest, demure, bashful. – **2.** ⟨*scherz*⟩ (*che ostenta pudore*) prudish, priggish, coy.

pudicamẹnte *avv.* modestly, chastely. – **pudicịzia** *f.* **1.** modesty, chastity. – **2.** ⟨*non com*⟩ (*azione*) modest (*o* chaste) act. – **pudịco** *a.* (*pl.* **-chi**) **1.** modest, chaste. – **2.** ⟨*lett*⟩ (*riservato*) reserved, discreet.

pudọre *m.* **1.** (*pudicizia*) modesty, chastity. – **2.** (*ritegno, vergogna*) shame, decency. – **3.** (*riservatezza*) discretion, reserve. □ *pubblico* ~ public decency (*o* morality); *senza* ~ (*agg.*) shameless; (*avv.*) shamelessly.

pụdu *m.* ⟨*Zool*⟩ pudu (*Pudu*).

puericoltọre *m.* → **puericultore**. – **puericoltrịce** *f.* → **puericultrice**. – **puericoltụra** *f.* → **puericultura**. – **puericultọre** *m.* ⟨*Med*⟩ (*pediatra*) p(a)ediatrician, baby doctor. – **puericultrịce** *f.* baby nurse. – **puericultụra** *f.* puericulture, mother and child care.

puerịle *a.* **1.** child's, children's, youthful, ⟨*lett*⟩ puerile: *voci -i* children's voices; *trastullo* ~ children's game. – **2.** ⟨*spreg*⟩ (*immaturo*) puerile, childish, infantile: *discorsi -i* childish talk. □ *età* ~ childhood. – **puerilịsmo** *m.* ⟨*Psic*⟩ (*immaturità psichica*) puerilism. – **puerilità** *f.* ⟨*spreg*⟩ **1.** childishness, immaturity, puerility. – **2.** (*azione puerile*) puerility, piece of childishness. – **puerilmẹnte** *avv.* ⟨*spreg*⟩ childishly, immaturely, puerilely. – **puerịzia** *f.* ⟨*lett*⟩ (*fanciullezza*) childhood.

puerocẹntrico *a.* (*pl.* **-ci**) ⟨*Ped*⟩ (*pedocentrico*) child-centered. – **puerocentrịsmo** *m.* (*pedocentrismo*) child-centering.

puẹrpera *f.* puerpera. – **puerperạle** *a.* puerperal. – **puerpẹrio** *m.* puerperium. □ ⟨*Etnol*⟩ ~ ⌜*dell'uomo*⌝ (*o maritale*) couvade.

puf[1]: ⟨*region*⟩ *far* ~ (*far debiti*) to run up debts, to get into debt; *prendere a* ~ (*a credito*) to take (*o* buy) on credit.

puf[2] *m.* ⟨*Arred*⟩ (*pouf*) ottoman, pouf(fe).

puff[1] *onom.* flop, plop. □ ~ *puff* (*di macchine a vapore e sim.*) puff puff, ⟨*am*⟩ choo choo.

puff[2] *intz.* ⟨*non com*⟩ ugh, pugh.

puffịno *m.* ⟨*Ornit*⟩ puffin, Manx shearwater (*Puffinus*).

puggiạre *v.i.* (**pụggio, pụggi**; *aus.* **avere**) ⟨*Mar*⟩ (*poggiare*) to bear up. – **puggiạta** *f.* (*poggiata*) bearing up. – **puggiẹro** *a.* (*poggiero*) carrying lee helm.

pugiadịsmo *m.* ⟨*Stor*⟩ (*poujadismo*) Poujadism. – **pugiadịsta** *m./f.* (*poujadista*) Poujadist.

pugilạto *m.* **1.** ⟨*Sport*⟩ boxing, ⟨*lett*⟩ pugilism. – **2.** ⟨*estens*⟩ (*scontro a pugni*) (fist-)fight, fisticuffs *pl* (*costr. sing.*). □ *di* ~ boxing: *incontro di* ~ boxing-match; *fare del* ~ to box, to be a boxer. – **pugilatọre** *m.* ⟨*non com*⟩ → **pugile**. – **pụgile** *m.* ⟨*Sport*⟩ boxer, ⟨*fam*⟩ fighter, ⟨*lett*⟩ pugilist. – **pugilịsta** *m.* ⟨*non com*⟩ → **pugile**. – **pugilịstico** *a.* (*pl.* **-ci**) boxing-, ⟨*lett*⟩ pugilistic: *incontro* ~ boxing-match.

pụgio *m.* ⟨*Stor.rom*⟩ dagger.

pụglia *f.* **1.** (*gettone*) counter, fish. – **2.** (*insieme di gettoni*) pool.

Pụglia *N.pr.f.*, **Pụglie** *N.pr.f.pl.* ⟨*Geog*⟩ Apulia. – **pugliẹse I** *a.* Apulian, of (*o* from) Apulia. – **II** *s.m.* **1.** (*dialetto*) Apulian dialect. – **2.** *m./f.* (*abitante*) Apulian, inhabitant (*o* native) of Apulia.

pụgna *f.* ⟨*lett*⟩ **1.** (*combattimento*) fight; (*battaglia*) battle. – **2.** ⟨*fig*⟩ battle, fight, struggle. – **pugnạce** *a.* ⟨*lett*⟩ **1.** (*bellicoso*) aggressive, pugnacious, warlike, bellicose. – **2.** (*che sprona a combattere*) inciting. – **pugnacemẹnte** *avv.* ⟨*lett*⟩ aggressively, pugnaciously.

pugnalạre *v.t.* to stab, to knife. – **pugnalạta** *f.* **1.** stab; (*ferita*) stab (*o* knife) wound. – **2.** ⟨*fig*⟩ (great) blow, shock. □ *una -a alle spalle* a stab in the back (*anche fig.*). – **pugnalatọre** *m.* (*f.* **-trice**) ⟨*non com*⟩ stabber, knifer. – **pugnạle** *m.* **1.** dagger, knife: *mettere mano al* ~ to draw one's knife. – **2.** ⟨*Zool*⟩ tine, point, prong. – **pugnalẹtto, pugnalịno** *m. dim. di* **pugnale**.

pugnạre *v.i.* (*aus.* **avere**) ⟨*lett*⟩ **1.** (*combattere*) to fight. – **2.** ⟨*fig*⟩ to fight, to struggle, to battle. – **pugnatọre** *m.* (*f.* **-trice**) ⟨*lett*⟩ fighter, struggler.

pugnẹllo (*dim. di pugno*) *m.* ⟨*rar*⟩ handful, fistful: *un* ~ *di sale* a handful of salt.

pụgnere *v.* (**pụngo, pụgni**) ⟨*ant,poet*⟩ → **pungere**.

pugnẹtta *f.* ⟨*region*⟩ **1.** (*presina*) (flat-iron) holder. – **2.** ⟨*triv*⟩ (*atto di masturbazione*) act of masturbation, ⟨*triv*⟩ toss-off, ⟨*triv*⟩ jerk-off. □ ⟨*fig,spreg*⟩ *mezza* ~ (*uomo piccolo e da poco*) shrimp, runt, ⟨*fam*⟩ half pint.

pugnẹtto *m. dim. di* **pugno**.

pugnitọpo *m.* ⟨*tosc*⟩ → **pungitopo**.

pụgno *m.* **1.** fist: *battere i -i sul tavolo* to bang one's fists on the table. – **2.** (*mano*) hand, fist: *stringere i -i* to clench one's fists. – **3.** (*colpo dato col pugno*) punch, blow: *tirare un* ~ *a qd.* to give s.o. a punch, to punch s.o. – **4.** (*quantità che si può tenere in un pugno*) handful, fistful. – **5.** ⟨*fig*⟩ (*piccola quantità*) handful. – **6.** ⟨*fig,lett*⟩ (*drappello*) handful, band, group.

□ **avere** *in* ~ = **tenere** *in pugno*; *uomo dal* ~ **facile** man free with his fists; **fare** *a -i*: 1. to fight; 2. ⟨*iperb*⟩ (*farsi largo*) to fight (*o* elbow) one's way; 3. ⟨*fig*⟩ (*contrastare*) to clash, to be in conflict (*con* with), to go against (s.th.); ~ *di* **ferro** (*tirapugni*) knuckleduster, brass knuckles *pl*; ⟨*fig*⟩ *restare con un* ~ *di* **mosche** to be left empty-handed; **mostrare** *i -i* to shake one's fists; ⟨*fig*⟩ *essere un* ~ *in un* **occhio** to be an eyesore; **prendere** *qd. a -i* to punch s.o., to beat up s.o.; *avere il* ~ **proibito** to have a powerful (*o* deadly) punch; ⟨*fam*⟩ (*essere molto forte*) to be very strong; *di* **proprio** ~ in one's own hand (*o* writing); **tenere** *in* ~: 1. to grip, to clutch, to hold (in one's hand); 2. ⟨*fig*⟩ (*dominare*) to hold in the palm of one's hand, to control; *tenere la vittoria in* ~ to be within reach of victory, to have victory in one's grasp.

pụgnoro *m.* ⟨*Stor*⟩ (*unità di misura*) unit of land measurement (3.64 m^2).

puh *intz.* ugh, pugh, pooh.

pui *avv.* ⟨*ant*⟩ (*poi*) then.

pụia, puiạna *f.* ⟨*Ornit*⟩ (*poiana*) buteo, buzzard hawk (*Buteo*).

puịna *f.* ⟨*region*⟩ (*ricotta*) ricotta, kind of cottage cheese.

pụla *f.* ⟨*Agr*⟩ chaff, husks *pl*.

pụlca *f.* pulka.

pụlce *f.* ⟨*Entom*⟩ **1.** flea. – **2.** (*pulce dell'uomo*) common (*o* human) flea (*Pulex irritans*).

□ *-i d'***acqua** water-fleas (*Cladocera*); ~ *del* **cane** dog-flea (*Ctenocephalus canis*); **color** ~ grey-green; ~ *del* **gatto** cat-flea (*Ctenocephalus felis*); ~ *dei* **ghiacciai** kind of spring-tail (*Desoria glacialis*; *Isotoma saltans*); **gioco** *delle -i* tiddley-winks *pl* (*costr. sing.*); ~ *delle* **nevi** kind of snow-flea (*Degeeria nivalis*); ⟨*fig*⟩ *mettere una* ~ *nell'***orecchio** *a qd.* to put a flea in s.o.'s ear; ~ **penetrante** chigoe(-flea), chigger (*Tunga penetrans*; *Dermatophilus penetrans*; *Sarcopsylla penetrans*); *-i di* **terra** leaf-beetles (*Chrysomelidae*); ~ *dell'***uomo** common (*o* human) flea (*Pulex irritans*).

pulcẹlla *f.* ⟨*ant,lett*⟩ ⟨*lett*⟩ maid(en), ⟨*lett,poet*⟩ damsel. – **Pulcella** *N.pr.f.* ⟨*Stor*⟩ (*Giovanna d'Arco*) Joan of Arc. □ ⟨*Stor*⟩ *la* ~ *d'Orléans* the Maid of Orléans. – **pulcellạggio** *m.* ⟨*ant,lett*⟩ (*verginità*) maidenhood, virginity.

pulcesẹcca *f.* ⟨*non com*⟩ **1.** (*pizzico*) pinch, nip. – **2.** (*segno*) bruise (*o* mark) from a pinch.

pulcẹtta, pulcettịna *f. dim. di* **pulce**. – **pulciạccia** *f.* (*pl.* **-ce**) *pegg. di* **pulce**. – **pulciạio** *m.* ⟨*non com*⟩ **1.** flea-ridden place. – **2.** ⟨*estens*⟩ (*luogo sporco*) pigsty.

pulcinạia *f.*, **pulcinạio** *m.* **1.** ⟨*Zootecn*⟩ brooder(-house). – **2.** ⟨*fig*⟩ (crowded) nest.

Pulcinẹlla *N.pr.m.* ⟨*Teat*⟩ Punch, Punchinello. – **pulcinella** *m.* **1.** (*fantoccio*) Punch puppet. – **2.** ⟨*fig*⟩ (*persona volubile e poco seria*) fickle (*o* inconstant) person, flibbertigibbet, weathercock. □ *fare il* ~ to be a weathercock; ⟨*Ornit*⟩ ~ *di mare* puffin (*Fratercula arctica*); *segreto di* ~ open secret.

pulcinellạta *f.* ⟨*non com*⟩ tomfoolery, nonsense, foolishness. – **pulcinellęsco** *a.* (*pl.* **-chi**) **1.** Punch-like, of Punchinello. – **2.** ⟨*fig*⟩ (*buffonesco*) clownish, foolish, nonsensical; (*poco serio*) flighty, frivolous, thoughtless.
pulcịno *m.* **1.** chick. – **2.** ⟨*Sport*⟩ ⟨*am*⟩ rookie. ◻ *bagnato come un* ~ soaked to the skin, wet through; *parere un* ~ *bagnato* to be timid (*o* ill at ease); *sembrare un* ~ *nella stoppa* not to know which way to turn.
pulciọso ⟨*non com*⟩ **I** *a.* flea-ridden, flea-infested. – **II** *s.m.* (*persona sporca*) filthy person, sloven.
pụlcro *a.* ⟨*lett*⟩ (*bello*) beautiful, ⟨*lett*⟩ pulchritudinous.
pulędra *f.* filly, foal. – **pulędro** *m.* **1.** colt, foal. – **2.** ⟨*lett*⟩ (*giovane di animale*) young. – **3.** ⟨*Stor*⟩ rack.
pulęggia *f.* (*pl.* **-ge**) ⟨*Mecc*⟩ **1.** (driving) pulley. – **2.** (*carrucola*) pulley.
◻ ~ *a* **cinghia** belt pulley; ~ *di* **comando** driving pulley, drive pulley; ~ **conica** conical disk pulley; ~ **differenziale** differential pulley block; ~ **fissa** fixed (*o* fast) pulley; ~ **folle** idle (*o* loose) pulley; ~ *del* **freno** brake pulley; ~ *a* **gola** grooved pulley, sheave; ~ *a* **gradini** cone (*o* speed, step) pulley; ~ **motrice** driving pulley; ~ *di* **rinvio** return pulley, snatch block, idler (pulley).
pulęggio[1]: ⟨*tosc*⟩ *dare il* ~ (*mandar via*) to send off (*o* packing); *pigliar* ~ (*andarsene*) to leave, to go away.
pulęggio[2] *m.* ⟨*Bot*⟩ pennyroyal (*Mentha pulegium*). – **pulęgio** *m.* → **puleggio**[2].
pulęnda *f.* ⟨*pop,tosc*⟩ (*polenta*) polenta, corn-meal mush. – **pulendọne** *m.* (*f.* **-a**) ⟨*pop,tosc*⟩ (*polentone*) slow-moving person, dawdler, ⟨*fam*⟩ slowcoach, ⟨*am.fam*⟩ slowpoke.
pụlica *f.* ⟨*Vetr*⟩ (*bollicina*) seed, boil.
pulicạria *f.* ⟨*Bot*⟩ fleawort (*Plantago psyllium*).
pulịcchio *m.* → **pulo**.
pụliga *f.* → **pulica**. – **puligọso** *a.* ⟨*Vetr*⟩ seedy.
pulimentạre *v.t.* (**pulimẹnto**) ⟨*tecn*⟩ to polish. – **pulimentaziọne** *f.* polishing. – **pulimẹnto** *m.* (*atto*) polishing; (*effetto*) polish.
pulịre *v.t.* (**pulịsco, pulịsci**) **1.** to clean: ~ *la casa* to clean the house; (*lavando*) to wash; (*passando un panno umido*) to wipe (over), to clean: ~ *la lavagna* to wipe (*o* clean) the blackboard; ~ *le finestre* to clean the windows; (*spazzolando*) to brush: *pulisciti le scarpe* brush (*o* polish) your shoes. – **2.** (*mondare, sbucciare*) to peel. – **3.** (*ripulire da erbacce*) to weed. – **4.** ⟨*non com*⟩ (*levigare*) to polish, to smooth. – **5.** ⟨*fig,non com*⟩ (*rendere più perfetto*) to perfect, to polish; (*emendare*) to correct. – **pulirsi** *v.r.* to clean (o.s.); (*lavarsi*) to wash (o.s.); (*spazzolarsi*) to clean, to brush: *pulirsi i denti* to clean (*o* brush) one's teeth. ◻ *pulirsi il naso* to wipe one's nose; (*soffiando*) to blow one's nose.
pulisci|orẹcchi *m.inv.* ear-pick. – **~pẹnne** *m.inv.* pen-wiper. – **~piẹdi** *m.inv.* ⟨*non com*⟩ doormat.
pulịta *f.* quick wash (*o* clean), quick wipe(-over). ◻ *dare una* ~ *a qc.* to give s.th. a quick wipe-over.
pulitamẹnte *avv.* **1.** (*in modo pulito*) cleanly. – **2.** (*con bel garbo*) neatly, properly, cleanly. – **3.** (*onestamente*) honestly. – **pulitẹzza** *f.* ⟨*non com*⟩ **1.** (*pulizia*) cleanness, cleanliness. – **2.** (*politezza*) smoothness. – **3.** ⟨*fig*⟩ (*eleganza*) refinement, finish, politesse. – **pulitịna** (*dim. di pulita*) *f.* quick clean (*o* wash), fast wipe(-over): *dare una* ~ *a qc.* to give s.th. a quick clean. – **pulitịno** (*dim. di pulito*) *a.* neat.
pulịto (*p.p. di pulire*) **I** *a.* **1.** (*rif. a persone e a cose*) clean: *questo bambino è sempre* ~ *e ben tenuto* this child is always clean and neat. – **2.** ⟨*fig*⟩ (*onesto*) honest, clean, aboveboard: *condurre una vita -a* to lead a clean life. – **3.** ⟨*scherz*⟩ (*privo di denaro*) ⟨*fam*⟩ broke, ⟨*fam*⟩ cleaned out. – **4.** ⟨*pop*⟩ (*netto*) net: *paga -a* net (*o* take-home) pay. – **5.** ⟨*non com*⟩ (*levigato*) polished, smooth(ed). – **6.** ⟨*fig,non com*⟩ (*ordinato*) tidy, neat, orderly; (*elegante*) finished, polished, smooth. – **II** *s.m.* **1.** clean part. – **2.** (*bella copia*) fair (*o* final) copy. – **III** *avv.* elegantly: *scrivere* ~ to write elegantly. ◻ *bombe -e* clean bombs; ⟨*iron*⟩ ~ *come un baston da pollaio* filthy; *copiare* (o *mettere*) *al* ~ *qc.* (*in bella copia*) to make a final (*o* good) copy of s.th.; ⟨*fig*⟩ *farla* (o *passarla*) *-a* (*farla franca*) to get away with s.th; *una faccenda poco -a* a dishonest (*o* shady) business.
pulitọre *m.* (*f.* **-trice**) **1.** cleaner. – **2.** ⟨*tecn*⟩ polisher. – **pulitrịce** *f.* **1.** (*lucidatrice*) polisher, buffer. – **2.** ⟨*Agr*⟩ seed winnower, cleaning shoe. – **pulitụra** *f.* **1.** cleaning; (*il lavare*) washing; (*lo strofinare*) wiping (over). – **2.** ⟨*Tess*⟩ cleaning, beating, carding, willowing, ginning. – **3.** ⟨*tecn*⟩ (*lucidatura*) buffing, polishing. – **4.** ⟨*fig, non com*⟩ (*rifinitura*) polish, finishing (*o* final) touch.
pulizịa *f.* **1.** cleanness, cleanliness. – **2.** (*il pulire*) cleaning. – **3.** ⟨*fig, non com*⟩ (*buone maniere*) politeness, politesse. ◻ *donna delle -e* cleaning woman, charwoman, ⟨*fam*⟩ char; *far* ~: **1.** (*sgombrare*) to clear, to clean off (*o* out); **2.** ⟨*scherz*⟩ (*portar via tutto*) to make a clean sweep, to clean out; *fare le -e* to do the cleaning, to clean; *-e pasquali* spring-cleaning; ~ *personale* personal hygiene (*o* cleanliness).
pụlka *f.* ⟨*non com*⟩ pulka.
pullạrio *m.* ⟨*Stor.rom*⟩ pullarius, keeper of the sacred chickens.
pụllman *m.* **1.** ⟨*Aut*⟩ coach, charabanc, ⟨*am*⟩ (long-distance) bus. – **2.** ⟨*Ferr*⟩ pullman.
pullulamẹnto *m.* pullulation, swarming.
pullulạre *v.i.* (**pụllulo**; *aus.* **avere**) **1.** to swarm, to teem, to be full of: *in questa casa pullulano le formiche* this house is swarming with ants; *la spiaggia pullulava di bagnanti* the beach was teeming with bathers. – **2.** ⟨*fig*⟩ to be rife (*o* rampant), to multiply, to increase, to spread: *le cattive notizie pullulano* bad news is rife, there is a lot of bad news about. – **3.** ⟨*ant*⟩ (*germogliare*) to bud, to germinate, to pullulate. – **4.** ⟨*ant*⟩ (*gorgogliare*) to bubble.
pullulaziọne *f.* **1.** (*il pullulare*) swarming. – **2.** ⟨*ant*⟩ (*germinazione*) budding, germination, pullulation.
pulmentạrio *m.* ⟨*ant*⟩ (*vivanda cotta*) cooked food; (*companatico*) food eaten with bread. – **pulmẹnto** *m.* ⟨*Stor.rom*⟩ food eaten with bread.
pụlo *m.* ⟨*Geol*⟩ karstic basin.
pulọne *m.* ⟨*Agr*⟩ (*pula del riso*) rice hull (*o* chaff).
pulpạre *a.* ⟨*Dent*⟩ pulpal, pulpar, pulp-. – **pulpịte** *f.* pulpitis.
pụlpito *m.* **1.** pulpit. – **2.** ⟨*Stor.rom*⟩ (*palco, tribuna*) platform, stand, stage, ⟨*ant*⟩ pulpit; (*nel teatro*) stage. – **3.** ⟨*Alp*⟩ platform, ledge. – **4.** ⟨*tecn*⟩ control desk (*o* console), control pulpit. ◻ ⟨*Rad*⟩ ~ *di controllo* (o *comando, manovra*) control desk (*o* console, pulpit); ⟨*fig*⟩ *montare* (o *salire*) *in* ~ to preach, to sermonize, to lecture; ⟨*iron*⟩ *da che* ~ *viene la predica* look who's talking!, the pot calling the kettle black!
pulpopatịa *f.* ⟨*Dent*⟩ dental pulp disease.
pụlque *sp.* [-ke] *m.* (*bevanda*) pulque.
pulsạnte[1] *m.* **1.** (push-)button: *premere il* ~ to push the button. – **2.** ⟨*El*⟩ (push-)button, plunger. – **3.** ⟨*Sport*⟩ (*nella scherma*) button. ◻ ~ *di avviamento* starter button; ⟨*Aut*⟩ ~ *dell'avvisatore* horn (*o* hooter) button; ~ *del campanello* bell-push, bell-button; ~ *dell'orologio* pusher; ⟨*Fot*⟩ ~ *di scatto* shutter release.
pulsạnte[2] (*p.pr. di pulsare*) *a.* ⟨*Fis*⟩ pulsating: *corrente* ~ pulsating current.
pulsantiẹra *f.* ⟨*non com*⟩ (*bottoniera*) control panel.
pulsantịno (*dim. di pulsante*[1]) *m.* (*pulsante dell'orologio*) pusher.
pulsạre *v.i.* (*aus.* **avere**) **1.** (*battere*) to beat, to pulsate, to pulse, to throb (*anche fig.*): *il cuore pulsava regolarmente* the heart was beating regularly. – **2.** (*essere pieno di vita*) to pulsate, to throb: *il traffico della metropoli pulsa giorno e notte* traffic in the city pulsates day and night. – **3.** ⟨*ant*⟩ (*bussare*) to knock, to rap.
pulsạtile *a.* ⟨*non com*⟩ pulsating, pulsatile.
pulsatịlla *f.* ⟨*Bot*⟩ pasque-flower (*Pulsatilla vulgaris*; *Anemone pulsatilla*).
pulsatọre *m.* ⟨*tecn*⟩ pulsator, pulsating-machine.
pulsaziọne *f.* **1.** ⟨*Fisiol*⟩ beating, pulsation, throbbing. – **2.** ⟨*Fis*⟩ pulsatance.
pulsiọne *f.* **1.** ⟨*tecn*⟩ impulse. – **2.** ⟨*Psic*⟩ drive.
pulsogẹtto *m.* → **pulsoreattore**.
pulsọmetro *m.* ⟨*Fis*⟩ pulsometer.
pulsoreattọre *m.* ⟨*Aer*⟩ intermittent jet, pulse-jet engine.
pultạceo *a.* ⟨*ant*⟩ (*poltaceo*) mushy, ⟨*fam*⟩ gooey. – **pụlte** *f.* ⟨*non com*⟩ (*polta*) pap, pottage, bean-flour mush (*o* polenta).
pultịglia *f.* ⟨*ant*⟩ (*poltiglia*) mush, pap.
pulv., Pulv. = ⟨*Farm*⟩ **1.** *polvere* powder (*abbr.* pulv.). – **2.** *polverizzato* pulverized (*abbr.* pulv.).
pulverulẹnto *a.* ⟨*lett*⟩ powdery, dusty, ⟨*lett*⟩ pulverulent.
pulvinạre *m.* ⟨*Stor.rom*⟩ **1.** pulvinar, couch of the Gods. – **2.** ⟨*estens*⟩ (*letto imperiale*) imperial couch (*o* bed). – **3.** (*palco imperiale*) Emperor's box.
pulvinạto *a.* ⟨*Bot*⟩ pulvinate, cushion-shaped.
pulvịno *m.* **1.** ⟨*Arch*⟩ (Byzantine) dosseret, pulvin. – **2.** ⟨*Bot*⟩ → **pulvinulo**. – **3.** ⟨*Edil*⟩ bearing block. – **pulvịnulo** *m.* ⟨*Bot*⟩ pulvinus.
pulvịscolo *m.* fine dust. ◻ ~ *atmosferico* atmospheric dust, motes *pl*; ~ *cosmico* cosmic dust; ~ *radioattivo* radioactive dust.
pulzẹlla *f.* → **pulcella**. – **pulzellạggio** *m.* → **pulcellaggio**.
pum *onom.* (*rif. a spari*) bang; (*rif. a tonfi*: *in acqua*) splash; (*a terra*) thud, boom.
pụma *m.* ⟨*Zool*⟩ puma, cougar (*Felis concolor*).
pummarọla *f.* ⟨*napol*⟩ **1.** (*pomodoro*) tomato. – **2.** (*salsa di pomodoro*) tomato sauce.
pụmmelo *m.* ⟨*Bot*⟩ pomelo, shaddock, pompelmoose.
pụna *f.* ⟨*Geol*⟩ puna.
puncẹtto *m.* ⟨*Lav.femm*⟩ punto avorio, Venetian needlepoint.
pụncio *m.* (*poncio*) poncho.
punciọtto *m.* wedge used in quarrying.
pụnga *f.* ⟨*ant*⟩ → **pugna**.
pungẹnte (*p.pr. di pungere*) *a.* **1.** pungent; (*ispido*) prickly, scratchy, rough, sharp: *barba* ~ prickly beard. – **2.** (*intenso, irritante*) pungent, intense, sharp, poignant: *odore* ~ pungent smell; *freddo* ~ intense (*o* bitter) cold. – **3.** ⟨*fig*⟩ (*mordace*) pungent, cutting, sharp, stinging, biting: *risposta* ~ cutting reply. – **pungentemẹnte** *avv.* **1.** pungently. – **2.** ⟨*fig*⟩ sharply, bitingly.
pụngere *v.t.* (**pụngo, pụngi; pụnsi, pụnto**) **1.** to prick: *lo punsi con uno spillo* I pricked him with a pin; (*rif. a insetti*) to sting, to bite: *mi ha punto un insetto* I've been stung by an insect; (*rif. a barba e sim.*) to prickle, to scratch. – **2.** (*pizzicare*) to sting, to bite, to nip: *l'ortica punge la pelle* nettles sting the skin. – **3.** (*irritare*) to irritate, to sting, to be hot (*o* sharp) to: *un odore che punge le narici* a smell that stings the nostrils, a sharp smell. – **4.** ⟨*fig*⟩ (*colpire, ferire*) to sting, to cut, to nettle, to vex, ⟨*fam*⟩ to get a dig at: *le sue parole mi punsero sul vivo* his words cut me to the quick. – **5.** ⟨*fig,lett*⟩ (*stimolare, pungolare*) to prick, to goad, to prod. – **6.** ⟨*fig,lett*⟩ (*tormentare*) to prick, to torment, to trouble: *si sentiva punto dal rimorso* his conscience pricked him, he felt remorse-

ful. – **7.** ⟨*assol*⟩ (*rif. al vento, freddo e sim.*) to be biting (*o* piercing), to be sharp: *il freddo punge* the cold is biting.

pungętto *m.* ⟨*ant, lett*⟩ (*pungolo*) goad, prod.

pungiglịone *m.* ⟨*Zool*⟩ sting.

pungitọio *m.* ⟨*tosc*⟩ slaughtering tool.

pungitọpo *m.* ⟨*Bot*⟩ butcher's-broom (*Ruscus aculeatus*).

pungitọre ⟨*non com*⟩ **I** *s.m.* (*f.* **-trice**) pricker. – **II** *a.* pricking.

pungolạre *v.t.* (**pụngolo**) **1.** to goad, to drive (forward): ~ *i buoi* to goad the oxen. – **2.** ⟨*fig*⟩ (*stimolare*) to goad, to urge on, to prod, to incite. – **pụngolo** *m.* **1.** goad, prod: *spingere i buoi con il* ~ to drive the oxen forward with a goad, to goad the oxen. – **2.** ⟨*fig*⟩ (*stimolo*) goad, spur, stimulus, incitement.

punịbile *a.* **1.** (*che può essere punito*) punishable; (*che merita una punizione*) punishable, that should be punished. – **2.** ⟨*Dir*⟩ punishable. – **punibilità** *f.* ⟨*Dir*⟩ punishableness.

punịceo *a.* ⟨*lett*⟩ (*di color rosso scuro*) dark red, ⟨*lett*⟩ puniceous.

pụnico *a./s.* (*pl.* **-ci**) **I** *a.* Punic, Carthaginian: *le guerre puniche* the Punic Wars. – **II** *s.m.* **1.** (*lingua*) Punic (language). – **2.** (*scrittura*) Punic writing.

punịre *v.t.* (**punịsco, punịsci**) to punish: ~ *la slealtà di qd.* to punish s.o.'s disloyalty. – **punitịvo** *a.* punitive, punitory: *giustizia -a* punitive justice. – **punitọre I** *s.m.* (*f.* **-trice**) punisher. – **II** *a.* punishing, chastising, punitive. – **punizịọne** *f.* **1.** punishment, chastisement: *infliggere una* ~ *a qd.* to inflict a punishment on s.o., to punish s.o. – **2.** ⟨*Sport*⟩ penalty. ☐ ~ *disciplinare* disciplinary punishment; ~ *fisica* corporal punishment; ~ *morale* moral punishment.

pụnsi *p.rem. di* **pungere**.

pụnta[1] *f.* **1.** point, tip: *la* ~ *della spada* the sword point; (*della forchetta*) prong, tine. – **2.** (*quantità minima*) pinch, touch, trace; (*rif. a sentimenti*) touch, tinge, trace: *una* ~ *d'invidia* a trace of envy. – **3.** (*massima frequenza o intensità*) peak, maximum, height, ⟨*am*⟩ high: *la* ~ *delle partenze si è verificata ieri* departures reached a maximum (level) yesterday. – **4.** ⟨*fig*⟩ (*fitta*) twinge, sharp pain; (*al fianco*) stitch. – **5.** (*punta dei piedi*) tiptoe, tip of the toes: *camminare sulle -e* to (walk on) tiptoe, to walk on the tip of one's toes; (*rif. alla danza classica*) point: *sulle -e* on point. – **6.** (*parte più avanzata*) fornt rank, forward line, spearhead, van(guard). – **7.** ⟨*Geog*⟩ (*sporgenza della costa*) point, small headland (*o* promontory); (*cima montuosa*) peak, point. – **8.** ⟨*Fal,Calz*⟩ (*tipo di chiodo*) tack, nail. – **9.** ⟨*Archeol*⟩ point, (pointed flint) axe. – **10.** ⟨*Mus*⟩ (*dell'arco*) point, head (of a bow). – **11.** ⟨*poet*⟩ (*arma*) pointed (*o* stabbing) weapon. – **12.** (*attacco, assalto*) attack, assault. – **13.** ⟨*ant*⟩ (*veemenza*) violence, vehemence, strength.

☐ **a** ~ pointed, in (*o* to, at) a point: *terminare a* ~ to be pointed, to end in a point; *a cinque -e* five-pointed; ⟨*Alim*⟩ *-e* **d'ago** kind of pasta for soup; ~ **dell'albero** tree-top; ⟨*Art*⟩ ~ **d'argento** silver -point; ⟨*Enol*⟩ **avere** *la* ~ to have a sour taste; ⟨*fig*⟩ *fino alla* ~ *dei* **capelli** up to one's eyes (*o* ears, neck); ⟨*El*⟩ ~ *di* **carico** peak-load; ~ *del* **compasso** compass point; ⟨*fig*⟩ *avere qc. sulla* ~ *delle* **dita** to have s.th. at one's fingertips; *la* ~ *del dito* fingertip; ⟨*El*⟩ **effetto** *delle -e* point effect; ⟨*Mecc*⟩ ~ **elicoidale** (*o a elica*) twist drill; **fare** *la* ~ *a qc.* to sharpen s.th., to give s.th. a point: *fare la* ~ *alla matita* to sharpen a pencil; *fare* (*una*) ~ to pay a quick (*o* flying) visit; **fatto** *a* ~ pointed; ~ **fonografica** stylus, needle; ⟨*fig*⟩ *parlare in* ~ *di* **forchetta** to speak affectedly (*o* mincingly); ~ *di* **legno** wooden peg (*o* nail, pin); ⟨*Mecc*⟩ ~ *per legno* wood bit (*o* drill); ⟨*fig*⟩ *avere qc. sulla* ~ *della* **lingua** to have s.th. on the tip of one's tongue; ⟨*fig*⟩ **mettersi** *di* ~ *in qc.* (*impegnarvisi a fondo*) to do one's best, to put one's heart into s.th.; **ore** *di* ~ rush hours; ⟨*Minier*⟩ ~ *da* **perforazione** bit; ⟨*Macell*⟩ ~ *di* **petto** (*di manzo*) beef brisket; *in* ~ *di* **piedi** on tiptoe; ⟨*fig*⟩ **prendere** *qd. di* ~ to contradict s.o., to oppose s.o. openly, to stand up squarely to s.o.; ⟨*fig*⟩ *prendere qc. di* ~ to set about s.th. with enthusiasm, to throw o.s. into s.th.; ⟨*Arald*⟩ ~ *dello* **scudo** point (of a shield); ~ *del* **tavolo** corner of the table; ~ *di* **terra** point, headland; ~ *del* **tornio** (lathe) centre; ⟨*Mecc*⟩ ~ *per* **tracciare** scriber, marking tool; ⟨*Strad*⟩ ~ *del* **traffico** traffic peak; ⟨*Mecc*⟩ ~ *da* **trapano** drill, drill bit; **uomo** *di* ~ leading (*o* front-rank) man; ⟨*Mar*⟩ ~ *di* **vela** peak (of a sail).

pụnta[2] *f.* ⟨*Venat*⟩ point. ☐ *cane da* ~ pointer.

puntạglia *f.* ⟨*ant*⟩ (*combattimento*) clash, skirmish, conflict.

puntạle *m.* **1.** cap, ferrule, shoe. – **2.** ⟨*Mecc*⟩ push rod. – **3.** ⟨*Mar*⟩ (*puntello di sostegno*) hold pillar (*o* stanchion); (*altezza della nave*) depth of a vessel. ☐ ⟨*Mar*⟩ ~ *di coperta* deck pillar (*o* stanchion); ⟨*Mar*⟩ ~ *dello scafo* hold pillar (*o* stanchion); ~ *di stiva* depth of hold.

puntalịno (*dim. di puntale*) *m.* ⟨*Mot*⟩ (valve) cap.

puntalmęnte *avv.* ⟨*ant*⟩ (*punto per punto*) in detail, point by point.

puntamạro *m.* ⟨*Pesc*⟩ type of drift-net.

puntamęnto *m.* aiming, levelling, sighting; (*rif. a cannoni e sim.*) training, laying, pointing. ☐ ~ *automatico* automatic aiming; *congegno di* ~ aiming device; ~ *diretto* direct laying; ~ *in elevazione* elevation pointing; ~ *indiretto* indirect laying.

puntapięędi *m.inv.* ⟨*Mar*⟩ (*pedagna*) stretcher.

puntạre[1] **I** *v.t.* **1.** to plant, to push, to thrust, to dig, to put: ~ *i gomiti sul tavolo* to plant one's elbows on the table. – **2.** (*drizzare, rivolgere*) to point, to direct: ~ *il dito verso qd.* to point one's finger at s.o. – **3.** (*rif. ad armi da fuoco*) to point, to aim, to level: ~ *il fucile* to point the rifle; (*rif. a cannoni*) to lay, to point, to train; (*mirare*) to aim. – **4.** (*rif. a strumenti ottici*) to train, to range; (*mettere a fuoco*) to focus. – **5.** (*scommettere*) to bet, to wager, to put: *puntò mille lire sul rosso* he bet a thousand lire on the red. – **6.** (*guardare insistentemente*) to stare at, to gaze at. – **7.** ⟨*Venat*⟩ to point. – **II** *v.i.* (*aus.* **avere**) **1.** (*dirigersi*) to head, to make (*su* for), to make one's way (towards): *l'esercito puntava sulla capitale* the army headed for the capital. – **2.** ⟨*fig*⟩ (*tendere*) to aim (*a* at), to concentrate (on), to have (s.th.) as one's goal: ~ *al successo* to aim at success. – **3.** ⟨*fig*⟩ (*contare*) to count, to rely, to depend. – **4.** (*rif. ad armi*) to point, to level (*contro* at); (*mirare*) to aim (at), to sight (s.th.). – **5.** (*scommettere*) to bet, to put one's money ~ *sul rosso* to bet on the red. – **puntarsi** *v.r.* **1.** to plant o.s. firmly, to prop o.s. (*a* against, at): *l'ubriaco s'era puntato al muro* the drunk propped himself against the wall; (*porsi, fermarsi*) to (come to a) stop: *le si puntò di fronte* he stopped in front of her. – **2.** ⟨*fig*⟩ (*volere ostinatamente*) to be set (*di* on), to set one's mind, to be determined. – **3.** ⟨*fig*⟩ (*essere fermamente convinto*) to be firmly convinced, to have got it into one's head. ☐ ~ *sul cavallo perdente* to back the wrong horse (*anche fig.*); ~ *i piedi* to dig in one's heels (*anche fig.*).

puntạre[2] *v.t.* **1.** (*segnare con punti*) to dot. – **2.** (*forare con punti*) to perforate, to punch (*o* make) holes in. – **3.** (*fornire di segni d'interpunzione*) to punctuate.

puntasęcca *f.* **1.** (*tecnica*) dry-point, dry-point process. – **2.** (*incisione, stampa*) dry-point.

puntaspịlli *m.inv.* pincushion.

puntạta[1] *f.* **1.** stab, prick, poke. – **2.** (*breve escursione*) short trip: *abbiamo fatto una* ~ *a Roma* we made a short trip to Rome; (*breve visita*) short visit. – **3.** (*il puntare al gioco*) betting, wagering; (*denaro puntato*) bet, stake, wager. – **4.** ⟨*Mil*⟩ (*incursione*) raid, foray, incursion. – **5.** ⟨*Sport*⟩ (*nel calcio*) kick with the toe, toe kick. – **6.** ⟨*Agr*⟩ (*fitta*) thrust of a spade. – **7.** ⟨*non com*⟩ (*pugno*) punch, blow.

puntạta[2] *f.* **1.** (*fascicolo*) instalment, number, part. – **2.** (*parte di romanzo e sim.*) instalment, part, episode. ☐ *a -e* serial-, serialized, in serial form: *romanzo a -e* serial (story); (*a fascicoli*) in instalments (*o* parts).

puntatịna *f. dim. di* **puntata**[1].

puntạto[1] (*p.p. di puntare*[2]) *a.* dotted: *nota -a* dotted note. ☐ *lettera -a* letter followed by a full stop.

puntạto[2] *a.* ⟨*ant*⟩ (*puntuto*) pointed.

puntatọre *m.* (*f.* **-trice**) **1.** ⟨*Artigl*⟩ (gun-)layer; (*in elevazione*) pointer. – **2.** ⟨*Aer*⟩ bombardier. – **3.** (*chi scommette al gioco*) gambler, better, bettor, punter. – **4.** (*nel gioco delle bocce*) leader.

puntatrịce *f.* ⟨*Mecc*⟩ spot welder (*o* welding-machine).

puntazịọne *f.* ⟨*Ling*⟩ punctuation, pointing.

puntạzza *f.* ⟨*tecn*⟩ pile shoe.

punteggiamęnto *m.* ⟨*non com*⟩ **1.** (*atto*) dotting, punching, perforating. – **2.** (*effetto*) dots *pl*, perforation.

punteggiạre *v.t.* (**puntęggio, puntęggi**) **1.** to dot: ~ *una linea* to dot a line. – **2.** ⟨*fig*⟩ (*intercalare*) to dot, to punctuate: ~ *un discorso di esclamazioni* to dot a speech with exclamations. – **3.** (*forare*) to perforate, to make holes in, to prick (out). – **4.** (*fornire di segni d'interpunzione*) to punctuate. – **5.** ⟨*Pitt*⟩ to stipple.

punteggiạta *f.* ⟨*Geom*⟩ (*anche linea punteggiata*) dotted line.

punteggiạto (*p.p. di punteggiare*) *a.* **1.** dotted. – **2.** ⟨*fig*⟩ (*intercalato*) dotted, punctuated: *un articolo* ~ *di citazioni* an article dotted with quotes. – **3.** (*cosparso di punti*) dotted, spotted: *una stoffa -a di verde* a green-dotted material. – **4.** ⟨*Bot*⟩ punctuate, dotted. – **5.** ⟨*Gramm*⟩ (*interpunto*) punctuated.

punteggiatọre *m.* (*f.* **-trice**) ⟨*non com*⟩ dotter, punctuator. – **punteggiatụra** *f.* **1.** (*il punteggiare*) dotting. – **2.** (*macchiettatura*) speckles *pl*, speckling, dots *pl*, spotting. – **3.** ⟨*Gramm*⟩ punctuation. – **4.** ⟨*Med*⟩ abnormal red-cell granulation. – **puntęggio** *m.* **1.** ⟨*non com*⟩ (*il punteggiare*) dotting. – **2.** (*numero di punti ottenuti*) score: *nella classifica il suo* ~ *è scarso* he's got a low score in the results.

puntellamęnto *m.* **1.** propping, shoring. – **2.** ⟨*Minier*⟩ propping, pillaring.

puntellạre *v.t.* (**puntęllo**) **1.** to prop (up), to shore (up), to support: ~ *un muro* to prop up a wall. – **2.** ⟨*estens*⟩ (*sorreggere*) to prop (up), to hold up: ~ *il mento con la mano* to prop one's chin in one's hand. – **3.** ⟨*fig*⟩ (*sostenere*) to support, to back up, to buttress.

puntellatụra *f.* **1.** propping, shoring. – **2.** ⟨*concr*⟩ props *pl*, shores *pl*, supports *pl*. – **3.** ⟨*Mar*⟩ shoring, shores *pl*.

puntellịno *m.* graver, graving-tool.

puntęllo *m.* **1.** prop, shore, support. – **2.** ⟨*fig*⟩ (*sostegno*) support, backing, buttress; (*rif. a persona*) prop, support, mainstay. – **3.** ⟨*Mar*⟩ (*per navi in bacino*) shore, bilge block, stay, prop. – **4.** ⟨*Minier*⟩ prop, pillar. ☐ ⟨*Minier*⟩ ~ *d'acciaio* steel prop; ⟨*fig*⟩ *andare avanti a forza di -i* to keep going only with help; ⟨*fig*⟩ *aver bisogno di -i* to need backing (*o* support); ⟨*Minier*⟩ ~ *di legno* wooden prop; *mettere i -i alla porta* to prop (*o* shore) up the door.

punterịa *f.* **1.** ⟨*Mot*⟩ tappet. – **2.** ⟨*Mil*⟩ laying gear. – **3.** ⟨*Mar.mil*⟩ laying, training. ☐ ⟨*Mil*⟩ *congegno di* ~ aiming device; ⟨*Mot*⟩ ~ *a disco* flat bottom tappet; ⟨*Mot*⟩ ~ *a rullo* roller tappet; ~ *delle valvole* valve tappet.

punterọlo *m.* ⟨*pop*⟩ → **punteruolo**. – **punteruọlo** *m.* **1.** ⟨*Calz*⟩ awl, drift, punch. – **2.** ⟨*Entom*⟩ (*punteruolo del grano*) corn (*o* granary) weevil (*Calandra granaria*). ☐ ⟨*Entom*⟩ ~ *delle galle dei cavoli* cabbage gall weevil (*Ceutorrhynchus pleurostigma*); ~ *dell'erba medica* alfafa (*o* lucerne) weevil (*Phytonomus punctatus*); ~ *del riso* rice weevil (*Calandra oryzae*).

puntiforme *a.* punctiform, like a spot (*o* dot).

puntigliare *v.i.* (**puntiglio, puntigli**; *aus.* **avere**) ⟨*rar*⟩ (*impuntarsi*) to be obstinate (*o* stubborn). – **puntiglio** *m.* **1.** (*caparbietà*) obstinacy, stubbornness, ⟨*fam*⟩ cussedness, ⟨*fam*⟩ pigheadedness. – **2.** (*volontà decisa*) determination, punctilio. □ *fare qc. per* ~ to do s.th. out of (sheer) obstinacy. – **puntigliosamente** *avv.* obstinately, stubbornly. – **puntigliosità** *f.* obstinacy, stubbornness. – **puntiglioso** *a.* stubborn, obstinate, ⟨*fam*⟩ cussed, ⟨*fam*⟩ pigheaded.

puntina (*dim. di punta*[1]) *f.* **1.** tip, small point. – **2.** (*bulletta di acciaio*) drawing-pin, ⟨*am*⟩ thumb-tack. – **3.** (*punta fonografica*) needle, stylus. – **4.** ⟨*Calz*⟩ tack, nail. – **5.** (*nell'industria del riso*) broken rice. – **6.** ⟨*Veter*⟩ spavin(e). □ ⟨*Mot*⟩ ~ *platinata* platinum point; ⟨*Mot*⟩ ~ *del ruttore* contact breaker point.

puntinismo *m.* ⟨*Pitt*⟩ (*divisionismo*) divisionism, pointillism(e). – **puntinista** *m.* (*divisionista*) divisionist, pointillist(e).

puntino (*dim. di punto*[1]) *m.* **1.** dot. – **2.** (*indumento delle ballerine di varietà*) g-string. □ *a* ~: 1. properly, nicely: *fare le cose a* ~ to do things properly; 2. (*opportunamente*) pat: *arrivare* (o *venire*) *a* ~ to come pat; *tutto procedette a* ~ everything went like clockwork; *a* - dotted; ⟨*Tip*⟩ *-i di guida* (o *conduzione, accompagnamento*) leaders; ⟨*fig*⟩ *mettere i -i sulle i* to dot one's i's, to be very precise; ⟨*Tip*⟩ *-i di sospensione* dots, suspension points (*o* periods), breaks.

puntizzatore *m.* ⟨*Mecc*⟩ centre point.

punto[1] **I** *s.m.* **1.** point. – **2.** (*segno piccolissimo, macchiolina*) dot, spot, speck, blob: *sembrare un* ~ *all'orizzonte* to be (just) a dot on the horizon; *il vetro era coperto di -i* the glass was covered with specks. – **3.** (*luogo determinato*) point, place, spot: *da questo* ~ *si vede tutta la città* from this spot you can see the whole city. – **4.** (*passo di uno scritto*) point, passage, part. – **5.** (*articolo, capoverso*) point, paragraph, heading. – **6.** (*argomento*) point: *abbiamo già esaminato diversi -i* we have already examined several points. – **7.** (*momento, istante*) point, moment, instant, time: *siamo arrivati al* ~ *giusto* we've arrived at the right time; *a un certo* ~ at a certain point. – **8.** (*grado, momento culminante*) point, extent, degree, stage: ~ *di maturità* degree of maturity. – **9.** (*nel gioco o nello sport*) point; (*nei dadi*) pip, spot. – **10.** ⟨*Scol*⟩ mark: *togliere un* ~ to take off a mark; (*voto*) mark, ⟨*am*⟩ grade: *ha preso sempre ottimi -i in tedesco* he always got very good marks in German; *riportare il massimo dei -i* to get top marks. – **11.** ⟨*Comm*⟩ (*buono premio*) point, trading stamp, gift coupon. – **12.** ⟨*Lav.femm*⟩ stitch: *cucire a -i fitti* to make close stitches; (*forellino lasciato dall'ago*) stitch mark; (*maglia*) stitch: *lasciar cadere un* ~ to drop a stitch. – **13.** ⟨*Geom,Tip,Fis*⟩ point: *il* ~ *di fusione del ferro* the melting point of iron. – **14.** ⟨*Mus*⟩ dot. – **15.** ⟨*Gramm*⟩ full stop, ⟨*am*⟩ period. – **16.** ⟨*Tess*⟩ interlacing. – **17.** ⟨*Chir*⟩ stitch, suture: *gli hanno tolto oggi i -i* they took his stitches out today. – **18.** ⟨*Mar,Aer*⟩ (*posizione geografica*) position, fix, reckoning. – **19.** ⟨*Econ*⟩ point: *le azioni sono salite di due -i* shares have risen by two points. – **20.** (*per cucitrici*) staple. – **II** *a.* ⟨*fam,tosc*⟩ (*nessuno*) no: *non aver -a voglia di uscire* to have no wish to go out. – **III** *avv.* **1.** (*in frasi negative*) at all. – **2.** ⟨*tosc*⟩ (*senza negazione espressa*) not at all, hardly: *un uomo* ~ *gentile* a hardly courteous man. – **3.** ⟨*non com*⟩ (*poco*) slightly, a little.

□ ⟨*Lav.femm*⟩ ~ **accavallato** slip-stitch; ~ **d'accensione**: 1. ⟨*Mot*⟩ moment of sparking; 2. ⟨*Chim,Fis*⟩ fire (*o* burning) point; *-i di* **accompagnamento** = *punti di* **guida**; **al** ~ *di* (o *che*) so, to the point of, to the extent that: *è geloso al* ~ *di* he is so jealous that; *al* ~ *in cui stanno le cose* as matters (*o* things) stand; ⟨*Lav.femm*⟩ ~ **d'Alençon** Alençon lace; ~ **alpino** = *punto* **avorio**; ⟨*TV*⟩ ~ **analizzatore** scanning spot; ~ **d'appoggio**: 1. ⟨*Edil*⟩ point of support, bearing surface; 2. ⟨*Fis*⟩ fulcrum; 3. ⟨*Aer*⟩ touchdown point; 4. ⟨*Topogr*⟩ control point; 5. ⟨*fig*⟩ backing, support; **arrivare** *al* ~ *di fare qc.* to go so far as to do s.th., to get to the point of doing s.th.; ⟨*Lav.femm*⟩ **aumentare** *i -i* to cast on; ⟨*Lav.femm*⟩ ~ **avorio** punto avorio, Venetian needlepoint; ⟨*fam*⟩ ~ *e* **basta** and that's that (*o* the end of it); *di* ~ *in* **bianco** point-blank, suddenly, all of a sudden, ⟨*fam*⟩ out of the blue; ⟨*Lav.femm*⟩ ~ *di* **Bruxelles** Brussels lace; *il lavoro è a* **buon** ~ the work is ⌜going on well⌝ (*o* at a satisfactory stage); ~ (*e*) *a* **capo**: 1. ⟨*scol*⟩ new paragraph; 2. ⟨*fig*⟩ and that's that, let's chang ethe subject; ⟨*Astr*⟩ ~ **cardinale** cardinal point; ⟨*Lav.femm*⟩ ~ **catenella** chain-stitch; *a* **che** ~ *siamo?* how are we doing?, where have we got up to?; ~ **cieco**: 1. ⟨*Anat*⟩ blind spot; 2. ⟨*Lav.femm*⟩ blind-stitch; ⟨*Med*⟩ ~ *cieco di Mariotte* Mariotte's spot; ⟨*Fis*⟩ ~ *di* **combustione** ignition (*o* fire) point; *-i di* **conduzione** = *punti di* **guida**; ⟨*Fis*⟩ ~ *di* **congelamento** freezing point; ~ *di* **contatto** point of contact (*anche fig.*); ⟨*Lav.femm*⟩ ~ **cordoncino** couching-stitch; ⟨*Lav.femm*⟩ ~ (*a*) **coste** rib-stitch; ~ **critico**: 1. ⟨*tecn*⟩ critical point; 2. ⟨*fig*⟩ crucial point; ⟨*Lav.femm*⟩ ~ *in* **croce** cross-stitch; ~ *di* **cucito** (sewing) stitch; ⟨*fig*⟩ **dare** *dei -i a qd.* (*essergli superiore*) to outdo s.o., ⟨*fam*⟩ to knock the spots off s.o.; ⟨*fam*⟩ *dare un* ~ *a qc.* (*fare una piccola cucitura*) to give s.th. a quick stitch, to put a few stitches in s.th.; *a un* **dato** ~ at a certain (*o* given) point; ~ **debole** weak point (*anche fig.*); ⟨*Tip*⟩ ~ **Didot** Didot point; ⟨*Lav.femm*⟩ **diminuire** *i -i* to cast off; ⟨*Med*⟩ ~ **dolente** sore (*o* painful) place; ⟨*Lav.femm*⟩ ~ **dritto** plain stitch; ⟨*Gramm*⟩ **due** *-i* (*doppio punto*) colon; ⟨*Fis*⟩ ~ **d'ebollizione** boiling-point; ⟨*Astr*⟩ ~ **equinoziale** equinoctial point; ⟨*Lav.femm*⟩ ~ **erba** stem -stitch; ⟨*Gramm*⟩ ~ **esclamativo** exclamation mark (*o* point); ~ **essenziale** main (*o* essential) point; ⟨*fig*⟩ **far** ~ to (come to a) stop; ⟨*Mar*⟩ *fare il* ~ to determine the position, to take the bearings (*o* reckoning); ⟨*fig*⟩ *fare il* ~ *di qc.* to see how s.th. stands, to take stock of s.th., to get s.th. straight: *fare il* ~ *della situazione* to ⌜take stock of⌝ (*o* review) the situation, to see what the situation is; ⟨*fig*⟩ ~ *a* **favore** point in favour; ⟨*Gramm*⟩ ~ **fermo** full stop, ⟨*am*⟩ period; ⟨*Lav.femm*⟩ ~ **festone** buttonhole-stitch; ~ **filza** running -stitch; ~ **fisso**: 1. ⟨*Fis*⟩ fixed point; 2. ⟨*Topogr*⟩ datum point; ⟨*Ott*⟩ ~ **focale** focal (*o* focusing) point; ~ **francese** = *punto* **Didot**; ~ **franco** → **puntofranco**; ⟨*Geom*⟩ ~ *di* **fuga** vanishing point; ⟨*Fis*⟩ ~ *di* **fusione** melting point; ⟨*Aer*⟩ ~ **futuro** predicted target position; ~ **gaze** = *punto di* **Bruxelles**; ⟨*Geom*⟩ ~ **generale** general point; ⟨*Lav.femm*⟩ ~ *di* **Genova** Genoese lace; ⟨*Lav.femm*⟩ ~ *a* **giorno** hemstitch; ~ *di* **giunzione** joint, junction; ⟨*Tip*⟩ *-i di* **guida** leaders; ⟨*Tess*⟩ ~ **d'imbastitura** tack; ⟨*Mat*⟩ ~ **immaginario** imaginary point; ⟨*Artigl*⟩ ~ **d'impatto** point of impact; ⟨*Lav.femm*⟩ ~ **d'impuntura** lock-stitch, quilting; **in** ~: 1. exactly, sharp, ⟨*fam*⟩ on the dot (*o* button): *erano le cinque in* ~ it was exactly five o'clock, it was five o'clock on the dot; 2. ⟨*lett*⟩ (*in ordine*) in order; ~ **incrociato** = *punto in* **croce**; ⟨*Lav.femm*⟩ ~ **indietro** backstitch; ~ **d'infiammabilità** flash point; ⟨*Lav.femm*⟩ ~ **d'Inghilterra** point d'Angleterre, bobbin lace; ~ **inglese** broderie anglaise, eyelet embroidery; ⟨*Gramm*⟩ ~ **interrogativo** question mark; ⟨*scherz*⟩ *sembrare un* ~ *interrogativo*: 1. (*rif. a persona curva*) to be very bent, to have bowed shoulders; 2. ⟨*fig*⟩ (*attendere con viva curiosità*) to be ⌜very anxious⌝ (*o* a bundle of curiosity); ⟨*Geom*⟩ ~ **d'intersezione** point of intersection; ⟨*Lav.femm*⟩ ~ **intrecciato** criss-cross stitch; ⟨*El*⟩ ~ *di* **lavoro** operating point; ~ *a* **legaccio** = *punto* **dritto**; ~ **luminoso**: 1. ⟨*Ott*⟩ luminous point; 2. ⟨*TV*⟩ spot; ⟨*Lav.femm*⟩ ~ **macchina** machine-stitch; ~ **Madera** = *punto* **inglese**; *a* **mal** ~ at a bad moment, at the wrong point; ⟨*El*⟩ ~ *a* **massa** earthed point, ⟨*am*⟩ grounded point; ⟨*Anat*⟩ ~ **mentoniero** mental point, pogonion, tip of the chin; ⟨*Scol*⟩ ~ *di* **merito** mark, ⟨*am*⟩ grade; ~ **metallico**: 1. = *punto dell'***oro**; 2. ⟨*Med*⟩ agraffe; **mettere** *a* ~: 1. to put (*o* set) right, to put in order, ⟨*am*⟩ to fix; 2. (*rif. a macchine*) to set up; 3. ⟨*Mot*⟩ to tune (up): *mettere a* ~ *un motore* to tune (up) an engine; 4. (*rif. a cannocchiali e sim.*) to focus, to adjust; 5. ⟨*fig*⟩ to clear up, to clarify, to get straight, to restate, to define; ⟨*fig*⟩ *mettere i -i sulle i* to dot one's i's, to be very precise; ⟨*Lav.femm*⟩ ~ *di* **Milano** point de Milan; ⟨*Mil*⟩ ~ *di* **mira** point of aim; ⟨*Tel*⟩ ~ **Morse** Morse dot; *essere in* ~ *di* **morte** to be at (*o* on) the point of death, to be at death's door; ~ **morto**: 1. ⟨*Mecc*⟩ dead-centre, dead-point; 2. ⟨*Mil*⟩ dead angle; 3. ⟨*fig*⟩ dead -end; ⟨*Lav.femm*⟩ ~ **nascosto** blind-stitch; ⟨*Mar*⟩ ~ **nave** fix, ship's position; ~ **nero**: 1. (*comedone*) blackhead; 2. ⟨*fig*⟩ blot on one's reputation; ⟨*El*⟩ ~ **neutro** neutral point; ~ **nevralgico**: 1. ⟨*Med*⟩ painful (*o* Valleix's) point, punctum dolorosum; 2. ⟨*fig*⟩ crux; ⟨*Fis*⟩ ~ **nodale** nodal point; ~ **d'onore** point of honour; ⟨*Lav.femm*⟩ ~ **operato** stocking-stitch; ⟨*Lav.femm*⟩ ~ **orlo** hemstitch; ~ **ornamentale** ornamental stitch; ⟨*Econ*⟩ ~ *dell'***oro** gold (*o* specie) point; ⟨*Mar*⟩ ~ **osservato** position fixed by observation, observed (astronomical) position; ~ **d'osservazione** look-out point; ~ *di* **partenza** starting-point (*anche fig.*); ~ *di* **passaggio**: 1. crossing point, passing place; 2. (*rif. a veicoli*) passage, crossing point; 3. ⟨*Lav.femm*⟩ darning stitch; ~ *di* **penalità** penalty point; ⟨*fig*⟩ **per** *un* ~ by a hair's breadth, almost; ⟨*Lav.femm*⟩ **piccolo** ~ petit-point; ⟨*Lav.femm*⟩ ~ **pieno** satin-stitch; *né* ~ *né* **poco** (*per niente*) not at all, not in the least; ⟨*El*⟩ ~ *di* **presa** junction, connection point; *siamo al* ~ *di* **prima** we are back where we started; ~ *per* **punto**: 1. (*con ordine*) point by point; 2. (*particolareggiatamente*) in detail: *trattare qc.* ~ *per* ~ to go into s.th. in detail; *-i di* **reticenza** = *punti di* **sospensione**; ⟨*Tip*⟩ *-i del* **retino** half-tone (*o* screen) dots; ⟨*Lav.femm*⟩ ~ *di* **ricamo** embroidery stitch; ~ *di* **riferimento**: 1. point of reference; 2. ⟨*Aer*⟩ checkpoint; 3. ⟨*Topogr*⟩ datum point; ⟨*Aer,Mar*⟩ ~ **rilevato** (terrestrial) fix; ⟨*Lav.femm*⟩ ~ **rovescio** purl (stitch); ⟨*Fis*⟩ ~ *di* **rugiada** dew-point; ~ **saliente** salient point; ⟨*fig*⟩ **saperne** *un* ~ *più del diavolo* to be very crafty, to be one up on the devil; ~ **saraceno** = *punto* **avorio**; ⟨*Fis*⟩ ~ *di* **saturazione** saturation point; ⟨*Chim*⟩ ~ *di* **scorrimento** pour point; ⟨*Sport*⟩ **segnare** *un* ~ to score a point; ~ **smerlo** = *punto* **festone**; ⟨*Lav.femm*⟩ ~ **smock** smocking stitch; ⟨*Fis*⟩ ~ *di* **solidificazione** solidifying point; ⟨*Lav.femm*⟩ ~ **sopraggitto** whip -stitch; (*sopraffilo*) overcast stitch; ⟨*Gramm*⟩ *-i di* **sospensione** dots, suspension points, breaks; ⟨*Lav.femm*⟩ ~ **spina** herring-bone stitch; *qui* **sta** *il* ~ that's the point (*o* problem); ⟨*Topogr*⟩ ~ **stazione** control station; ~ **stelo** = *punto* **erba**; ⟨*Mar,Aer*⟩ ~ **stimato** dead reckoning, estimated position; ~ **strega** = *punto* **spina**; *essere* **sul** ~ *di* to be on the point (*o* verge) of, to be about to: *ero sul* ~ *di partire* I was ⌜about to leave⌝ (*o* on the point of leaving); *a* **tal** ~ to such an extent; ⟨*Geom*⟩ ~ *di* **tangenza** tangent(ial) point; ~ **tipografico** point; ⟨*Lav.femm*⟩ ~ **treccia** fishbone stitch; ⟨*Topogr*⟩ ~ **trigonometrico** trigonometric point; *di* **tutto** ~ completely, thoroughly; *armato di tutto* ~ armed ⌜to the teeth⌝ (*o* from head to toe); *vestito di tutto* ~ perfectly dressed (*o* got up), ⟨*fam*⟩ dressed (up) to the nines; ⟨*non com*⟩ *in* **un** ~ (*contemporaneamente*) at the same time, together; ⟨*Comm*⟩ ~ *di* **vendita** point of sale; ⟨*Lav.femm*⟩ ~ **Venezia** Venetian lace; **venire** *al* ~ (*al nocciolo della questione*) to come (*o* get) to the crux (*o* point) of the problem; ⟨*Sport*⟩ **vincere** *ai -i* to win on points; ⟨*Gramm*⟩ ~ *e* **virgola** semicolon; ~ *di* **vista**: 1. ⟨*Geom*⟩ view point; 2. ⟨*fig*⟩ point of view, viewpoint, standpoint; ⟨*Sart*⟩ ~ (*di*) **vita** waistline; ⟨*Lav.femm*⟩ ~ **zig-zag** zigzag stitch. – *Prov.*: *per un* ~ *Martin perse la cappa* for want of a nail the shoe was lost.

punto[2] *p.p. di* **pungere**.

puntofranco (o *punto franco*) *m.* ⟨*Mar*⟩ entrepôt.

puntolino (*dim. di punto*[1]) *m.* dot.
puntone *m.* **1.** ⟨*Edil*⟩ strut; (*del tetto*) rafter: ~ *d'angolo* hip rafter. – **2.** ⟨*tosc,ant*⟩ (*baluardo*) bulwark. □ ⟨*Edil*⟩ ~ *diagonale* diagonal strut; *falso* ~ (common) rafter.
puntorio: ⟨*Med*⟩ *dolore* ~ boring (*o* terebrant) pain.
puntuale *a.* **1.** punctual, ⟨*pred*⟩ on time: *arrivare* ~ to be punctual, to arrive on time. – **2.** (*preciso*) precise, exact. – **3.** ⟨*Ling*⟩ perfective, punctual, aoristic. – **puntualità** *f.* **1.** punctuality. – **2.** (*precisione*) precision, exactness. □ *Prov.*: *la* ~ *è la virtù dei re* punctuality is the politeness of kings.
puntualizzare *v.t.* to define precisely, to take stock of, to review in detail: ~ *un problema* to define a problem precisely. – **puntualizzazione** *f.* precise definition.
puntualmente *avv.* **1.** punctually, on time. – **2.** ⟨*iron*⟩ regularly, unfailingly. – **3.** ⟨*non com*⟩ (*punto per punto*) point by point, in detail, precisely.
puntuazione *f.* ⟨*non com*⟩ → **puntazione**.
puntura *f.* **1.** prick: *la* ~ *di un ago* a needle prick; (*d'insetto*) sting, bite. – **2.** (*fitta*) sharp pain, twinge, stab of pain: *sentire una* ~ *al petto* to feel a sharp pain in one's chest; (*a un fianco*) stitch. – **3.** ⟨*fig*⟩ pang: ~ *dei rimorsi* pang of remorse. – **4.** ⟨*fig*⟩ (*frecciata*) cutting remark, gibe, taunt, ⟨*fam*⟩ dig. – **5.** ⟨*Med*⟩ puncture: ~ *lombare* lumbar puncture. – **6.** ⟨*pop*⟩ (*iniezione*) injection, ⟨*fam*⟩ shot.
puntuto *a.* **1.** (*appuntito*) pointed. – **2.** ⟨*fig*⟩ (*mordace*) cutting, stinging, sharp.
punzecchiamento *m.* **1.** prick(ing). – **2.** ⟨*fig*⟩ teasing, taunting. – **punzecchiare** *v.t.* (**punzecchio, punzecchi**) **1.** to prick; (*rif. a insetti*) to sting, to bite. – **2.** ⟨*estens*⟩ (*toccare ripetutamente*) to poke, to prod, to jab. – **3.** ⟨*fig*⟩ to tease, to taunt, to goad, ⟨*fam*⟩ to get at. – **punzecchiatura** *f.* → **punzecchiamento**.
punzecchio[1] *m.* ⟨*Equit*⟩ rowel.
punzecchio[2] *m.* ⟨*non com*⟩ **1.** (constant) pricking. – **2.** ⟨*fig*⟩ taunting.
punzello *m.* ⟨*ant*⟩ (*pungolo*) urging, incitement.
punzonare *v.t.* (**punzono**) **1.** (*marcare con punzoni*) to punch, to stamp. – **2.** ⟨*Sport*⟩ to attach a leaden seal to. – **3.** ⟨*Cin*⟩ to de-bloop, to punch. – **punzonatore** *m.* (*f.* **-trice**) (*operaio*) stamper, puncher. – **punzonatrice** *f.* **1.** (*operaia*) stamper, puncher. – **2.** (*macchina*) punching-machine, punching-press, punch. – **3.** ⟨*Cin*⟩ de-blooper, triangular puncher. □ ~ *per occhielli* eyelet punch; ~ *per schede* card punch, perforator. – **punzonatura** *f.* **1.** stamping, punching. – **2.** ⟨*Sport*⟩ attaching of leaden seals. – **3.** ⟨*Cin*⟩ de-blooping, triangular punching. □ ~ *di controllo* hallmark, plate-mark.
punzone *m.* **1.** stamp, (prick-)punch, drift. – **2.** ⟨*Met*⟩ punch, perforating die; (*per la sbavatura di pezzi fucinati*) trimming tool. – **3.** ⟨*Macell*⟩ bolt, spike. – **4.** ⟨*Oref*⟩ pusher. – **5.** ⟨*tosc,ant*⟩ (*colpo dato col pugno*) punch; (*pugno*) fist. □ ~ *a fuoco* brandin-iron; ~ *monetario* (o *per coniare*) (minting) die, punch; ⟨*Met*⟩ ~ *della pressa* plunger, punch, heading tool; ~ *a revolver* revolving die hammer.
punzonista *m.* punch-cutter.
può 3ª *pers. pres.ind. di potere*[1].
pupa[1] *f.* **1.** (*bambola*) doll. – **2.** ⟨*estens*⟩ (*bambina*) little girl, ⟨*fam*⟩ pet, ⟨*fam*⟩ poppet; (*ragazza*) girl; (*amore, tesoro*) sweetheart, ⟨*am. fam*⟩ baby, ⟨*am.fam*⟩ doll.
pupa[2] *f.* ⟨*Entom*⟩ pupa.
pupario *m.* puparium.
puparo *m.* ⟨*sicil*⟩ (*burattinaio*) puppeteer, puppet showman.
pupattola *f.* (*bambola*) doll (*anche fig.*).
pupazzettista *m./f.* **1.** cartoonist. – **2.** (*caricaturista*) caricaturist. – **pupazzetto** *m. dim. di* **pupazzo**. – **pupazzo** *m.* **1.** (*disegno*) childish drawing of a human figure. – **2.** (*fantoccio*) doll. – **3.** ⟨*fig*⟩ (*persona leggera*) puppet, pawn, yes-man. □ *fare -i* to draw funny faces; ~ *di neve* snowman; ~ *di stoffa* rag doll.
pupilla *f.* **1.** ⟨*Anat*⟩ pupil. – **2.** ⟨*fig*⟩ (*cosa preziosa*) apple: *sei la* ~ *dei miei occhi* you are the apple of my eye. – **3.** ⟨*Ott*⟩ (*foro di diaframma*) aperture, diaphragm, stop. – **4.** ⟨*lett*⟩ (*occhio*) eye; (*vista*) (eye)sight. □ *amare qd. come la* ~ *dei propri occhi* to think the world of s.o.
pupillare[1] *a.* ⟨*Anat*⟩ pupillary, of the pupil: *margine* ~ pupillary margin.
pupillare[2] *a.* ⟨*Dir*⟩ pupillary, of a ward.
pupillo *m.* (*f.* **-a**) **1.** ⟨*Dir*⟩ ward, pupil. – **2.** ⟨*estens*⟩ (*persona favorita*) pet, favourite. □ ~ *sotto tutela d'ufficio* ward of court, ward in chancery; *uscire dai -i* (*dalla minore età*) to come of age.
pupillometria *f.* ⟨*Med*⟩ pupillometry.
Pupin: ⟨*Tel*⟩ *bobina* ~ Pupin (*o* loading) coil. – **pupinizzare** *v.t.* to pupinize, to coil-load. – **pupinizzato** (*p.p. di pupinizzare*) *a.* coil-loaded. – **pupinizzazione** *f.* coil loading, pupinization.
pupipari *m.pl.* ⟨*Entom*⟩ Pupipara *pl* (*Pupipara*).
pupo *m.* (*f.* **-a**) **1.** (*burattino*) puppet, marionette. – **2.** ⟨*fam*⟩ (*bambino*) little boy, tot, ⟨*fam*⟩ kiddie, ⟨*fam*⟩ little chap; ⟨*scherz*⟩ (*giovanotto*) boy, lad, young man (*o* fellow).
puppa[1] *f.* → **puppola**[2].
puppa[2] *f.* ⟨*tosc*⟩ (*mammella*) breast. – **puppare** *v.t.* ⟨*pop,ant*⟩ (*poppare*) to suck (milk from).
puppola[1] *f.* ⟨*Bot*⟩ (*ovolo*) mamelon.
puppola[2] *f.* ⟨*Ornit*⟩ (*upupa*) hoopoe (*Upupa epops*).
pupurrì *m.* ⟨*tosc*⟩ (*pot-pourri*) pot-pourri.
puramente *avv.* purely, merely, just, only. □ ~ *e semplicemente* purely and simply.

purché (o *pur ché*) *congz.* provided that, on condition that, as (*o* so) long as: *sono disposto ad andare* ~ *tu mi accompagni* I'm willing to go as long as you come with me.
purchessia (*rar. pur ché sia*) *a.indef.inv.* ⟨*non com*⟩ (*qualsiasi*) any, any ... whatever (*o* whatsoever): *dammene uno* ~ give me any one.
pure I *avv.* **1.** (*anche*) too, also, as well: *hanno invitato* ~ *me* they've invited me too; (*altresì*) likewise, too. – **2.** (*pleonastico*): *faccia* ~ *come fosse a casa sua* make yourself at home; *bisognerà* ~ *che qualcuno ti aiuti* someone will have to help you. – **3.** (*eventualmente, forse*) perhaps, possibly, maybe: *potrebbe* ~ *venire domani* he may possibly come tomorrow. – **4.** (*concessivo*) if you like, if you want, *spesso non si traduce*: *ammettiamo* ~ *che i fatti si siano svolti così* let's admit, if you like, that this is what happened; *diciamo* ~ *che la colpa è mia* I admit that it's my fault. – **5.** (*in frasi esortative*) anyway, please, by all means, certainly, if you like: *si sieda* ~ please (*o* do) sit down. – **II** *congz.* **1.** (*concessivo*) even though (*o* if), although: *pur volendole bene, non la capiva* although (*o* even though) he loved her, he didn't understand her. – **2.** (*tuttavia, nondimeno*) nevertheless, however, still, yet, but, all the same, *spesso non si traduce*: *benché sia giovane,* ~ *è un ragazzo maturo* although he's young, he's a mature boy (all the same); *lavoro molto,* ~ *trovo il tempo di leggere* I work a lot, but I still find time to read.
□ **ammesso** ~ *che tu abbia ragione* even assuming that you're right; ⟨*rar*⟩ *pur* **che** → **purché**; ⟨*rar*⟩ *pur che sia* → **purchessia**; **fosse** ~ *il direttore a chiedermelo, non farei questo lavoro* even if the director (himself) asked me, I wouldn't do this job; ⟨*ant*⟩ **non** ~ (*neppure*) not even; ⟨*lett*⟩ *non* ~ ... *ma* (*anche*) not only ... but (also); ⟨*lett*⟩ *pur* **ora** just now, a moment ago; **quando** (o *se*) ~ (*anche se*) even if; **sia** ~ however, even if (*o* though): *ho bisogno di un aiuto, sia* ~ *modesto* I need help, however slight; *sia* ~ *un buono a nulla, è sempre vostro padre* even though he is a good-for -nothing, he's still your father; *sia* ~ (*e sia*) all right (then), very well, ⟨*fam*⟩ okay; ⟨*rar*⟩ *pur* **troppo** → **purtroppo**; *pur* **tuttavia** and yet, all the same, nevertheless.
purè *m.* ⟨*Gastr*⟩ purée: ~ *di patate* potato purée, mashed potatoes *pl*. – **purea** *f.* ⟨*non com*⟩ → **purè**.
purezza *f.* **1.** purity, pureness: *la* ~ *di un cristallo* the purity of a crystal; (*limpidezza*) clearness, pureness, purity: *la* ~ *dell'aria* the clearness of the air. – **2.** ⟨*fig*⟩ (*castità*) purity, pureness, chastity. – **3.** ⟨*fig*⟩ (*correttezza*) purity, correctness: ~ *di linguaggio* purity of language; (*finezza*) purity, pureness, fineness: ~ *di linee* purity of line. – **4.** ⟨*Chim,Min*⟩ purity.
purga *f.* **1.** (*il purgare*) purge, purgation, purging, cleansing. – **2.** ⟨*fam*⟩ (*purgante*) laxative, purgative, purge: *prendere la* ~ to take a laxative. – **3.** ⟨*fig*⟩ (*epurazione*) purge. – **4.** ⟨*Conc*⟩ bating. – **5.** ⟨*Ind*⟩ refining, scouring, clarifying. – **6.** ⟨*Gastr*⟩ soaking, steeping, blanching. – **7.** ⟨*non com*⟩ (*mestruazione*) menstruation. □ ⟨*Econ*⟩ ~ *monetaria* drastic monetary reform; ⟨*Tess*⟩ ~ *della seta* (*sgommatura*) degumming, scouring, boiling off; ⟨*Gastr*⟩ *mettere in* ~ *la trippa* to leave the tripe to soak.
purgabile *a.* ⟨*non com*⟩ purgeable. – **purgagione** *f.* ⟨*ant*⟩ (*purgazione*) purgation, cleansing. – **purgamento** *m.* ⟨*rar*⟩ purging, cleansing (*anche fig.*). – **purgante** (*p.pr. di purgare*) **I** *a.* ⟨*Farm*⟩ laxative, purgative, purging: *preparato* ~ laxative (preparation). – **II** *s.m.* laxative, purgative, purge. □ *anime -i* souls in purgatory; *Chiesa* ~ Church Suffering.
purgare *v.t.* (**purgo, purghi**) **1.** (*liberare da impurità*) to purge, to purify, to clean(se), to clear, to depurate, to refine: ~ *il sangue* to clear the blood. – **2.** (*dare un purgante*) to give a laxative to. – **3.** ⟨*fig*⟩ (*espiare*) to purge away, to expiate, to atone for. – **4.** ⟨*fig*⟩ (*epurare*) to purge. – **5.** ⟨*fig*⟩ (*censurare*) to expurgate, to censor, to bowdlerize: ~ *uno scritto* to expurgate a work. – **purgarsi** *v.r.* **1.** (*prendere un purgante*) to take a laxative. – **2.** ⟨*fig*⟩ (*purificarsi*) to purge (*o* cleanse) o.s., to purify o.s. (*di* of, from), to rid o.s. (of).
purgata *f.* ⟨*non com*⟩ (*il purgare*) purge, purgation; (*il purgarsi*) taking of a laxative, purge. – **purgatamente** *avv.* in a pure (*o* faultless) way, correctly. – **purgatezza** *f.* ⟨*lett*⟩ purity, correctness. – **purgativo** *a.* laxative, purgative: *cioccolatino* ~ laxative chocolate, chocolate laxative. – **purgato** (*p.p. di purgare*) *a.* **1.** (*puro*) pure, purged, cleansed. – **2.** ⟨*fig*⟩ pure, faultless, correct. – **3.** ⟨*Edit*⟩ expurgated, censored, bowdlerized: *edizione -a* expurgated edition. – **purgatoio** *m.* ⟨*non com*⟩ (*luogo di spurgo*) drain. – **purgatore** *m.* (*f.* **-trice**) **1.** purger, cleaner. – **2.** ⟨*Conc*⟩ unhairer.
purgatorio I *a.* ⟨*non com*⟩ **1.** purgative. – **2.** ⟨*fig*⟩ purgatorial, purgatory, purifying. – **II** *s.m.* **1.** ⟨*Teol*⟩ purgatory. – **2.** ⟨*fig*⟩ (*stato di pena*) purgatory. – **3.** ⟨*Ind*⟩ drain, depository. – **4.** ⟨*Lett*⟩ Purgatory. □ *le anime del* ~ the souls in purgatory; ⟨*fig*⟩ *essere* (o *sembrare*) *un'anima del* ~ to be (*o* seem) a restless soul.
purgatura *f.* ⟨*non com*⟩ **1.** purging, clean(s)ing, purifying. – **2.** ⟨*concr*⟩ (*impurità*) impurities *pl*. – **purgazione** *f.* **1.** ⟨*rar*⟩ purgation, clean(s)ing. – **2.** ⟨*fig,non com*⟩ cleansing, purification; (*espiazione*) expiation. – **3.** ⟨*Dir*⟩ clearing, release, redemption.
purghetta *f. dim. di* **purga**.
purificamento *m.* ⟨*non com*⟩ purification, purifying.
purificare *v.t.* (**purifico, purifichi**) **1.** to purify, to cleanse: ~ *il vino* to purify wine. – **2.** ⟨*fig*⟩ to purify (*di* of), to cleanse (of, from), to free (from): ~ *l'anima dal peccato* to cleanse the soul from sin. – **3.** ⟨*Met,Chim*⟩ to scavenge, to clean, to purify, to refine: ~ *il petrolio* to refine oil. – **purificarsi** *v.r.* **1.** to purify o.s. – **2.** ⟨*fig*⟩ (*divenire puro*) to become pure, to be purified.

purificativo *a.* ⟨*non com*⟩ purifying, of purification. – **purificatoio** *m.* ⟨*Lit*⟩ purificator. – **purificatore I** *s.m.* (*f.* **-trice**) purifier, cleanser. – **II** *a.* → **purificatorio**. – **purificatorio** *a.* purifying, of purification. – **purificazione** *f.* **1.** purification, purifying, cleansing (*anche fig.*). – **2.** ⟨*Lit*⟩ purification. – **3.** ⟨*Met,Chim*⟩ scavenging, refining, purifying, cleansing. ☐ ⟨*Rel*⟩ ∼ *della Beata Vergine Maria* Purification of the Blessed Virgin Mary.

puriforme *a.* ⟨*Med*⟩ puriform, purulent.

purillo *m.* ⟨*region*⟩ (*rotolino di stoffa sul berretto basco*) tab; (*berretto*) beret.

Purim *N.pr.m.* ⟨*Rel.ebr*⟩ Purim.

purina *f.* ⟨*Chim*⟩ purine.

purino *m.* ⟨*Agr*⟩ liquid manure.

purisimile *a.* ⟨*Med*⟩ puriform, purulent.

purismo *m.* ⟨*Lett,Art*⟩ purism. – **purista** *m./f.* purist. – **puristico** *a.* (*pl.* **-ci**) puristic(al).

purità *f.* ⟨*lett*⟩ **1.** purity, pureness. – **2.** ⟨*fig*⟩ purity; (*innocenza*) purity, innocence, chastity.

puritanesimo *m.* **1.** ⟨*Rel.ev*⟩ Puritanism. – **2.** ⟨*estens*⟩ (*rigido moralismo*) puritanism. – **puritano I** *a.* **1.** ⟨*Rel.ev*⟩ Puritan. – **2.** ⟨*estens*⟩ (*rigidamente moralistico*) puritanical. – **II** *s.m.* (*f.* **-a**) **1.** ⟨*Rel.ev*⟩ Puritan. – **2.** ⟨*estens*⟩ (*rigido moralista*) puritan.

puro I *a.* **1.** pure: *seta -a* pure silk; *aria -a* pure air; *parlava in purissimo italiano* he spoke in pure Italian. – **2.** (*limpido*) clear, pure, limpid: *acqua -a* clear water. – **3.** ⟨*fig*⟩ (*casto*) pure, chaste, innocent. – **4.** ⟨*fig*⟩ (*onesto*) pure, honest, sincere: *le sue intenzioni sono -e* his intentions are honest; (*libero*) free: ∼ *di peccato* free from sin. – **5.** (*solo, soltanto*) mere, sheer, pure, simple, only: *dobbiamo portare il* ∼ *necessario* we must take only what is necessary; *queste sono -e fantasie* this is mere imagination. – **6.** (*non applicato*) pure: *matematica -a* pure mathematics. – **7.** ⟨*Filos*⟩ pure. – **II** *s.m.* (*f.* **-a**) **1.** pure (*o* uncontaminated) person, innocent soul. – **2.** ⟨*Sport*⟩ amateur. ☐ ⟨*scherz*⟩ *essere* ∼ *come la broda dei maccheroni* to have a bad conscience, to have a past; ∼ *e semplice* pure and simple.

purosangue *a./s.inv.* **I** *a.* **1.** ⟨*Zootecn*⟩ thoroughbred. – **2.** ⟨*scherz*⟩ true-born, real, thorough(bred). – **II** *s.m.* ⟨*Zootecn*⟩ thoroughbred.

purpara *f.* ⟨*Pesc*⟩ octopus-fishing tackle.

purpureggiare *v.i.* (**purpureggio, purpureggi**; *aus.* **avere**) ⟨*lett*⟩ (*rosseggiare*) to appear reddish, to glow. – **purpureo** *a.* ⟨*lett*⟩ **1.** (*della porpora*) purple: *veste -a* purple dress. – **2.** (*rosso vivo*) crimson, deep red. – **3.** ⟨*non com*⟩ (*vestito di porpora*) dressed in purple.

purpurico *a.* (*pl.* **-ci**) ⟨*Chim*⟩ purpuric: *acido* ∼ purpuric acid.

purpuridi *m.pl.* ⟨*Zool*⟩ purples *pl* (*Purpuridae*).

purpurina *f.* ⟨*Chim*⟩ purpurin.

purtroppo (*rar. pur troppo*) *avv.* unfortunately, sad to say, ⟨*fam*⟩ worse luck: ∼ *è così* unfortunately that's the way it is; *ti senti meglio?* – ∼ *no* do you feel better? – no, worse luck.

purulento *a.* ⟨*Med*⟩ purulent. – **purulenza** *f.* purulence, purulency. – **puruloide** *a.* ⟨*non com*⟩ puruloid, puriform.

pus *m.* ⟨*Med*⟩ pus.

pusignare *v.i.* (*aus.* **avere**) ⟨*ant*⟩ (*fare uno spuntino dopo cena*) to have a late-night snack. – **pusigno** *m.* ⟨*ant*⟩ (*spuntino dopo cena*) late-night snack.

pusillanime I *a.* pusillanimous, cowardly, faint-hearted, mean-spirited. – **II** *s.m./f.* coward. – **pusillanimità** *f.* ⟨*non com*⟩ cowardice, mean-spiritedness, pusillanimity. – **pusillanimo** *a./s.* ⟨*ant*⟩ → **pusillanime**. – **pusillità** *f.* ⟨*non com*⟩ → **pusillanimità**.

pusillo *a.* ⟨*ant*⟩ **1.** (*piccolino*) little, tiny. – **2.** ⟨*fig*⟩ (*umile*) humble, lowly; (*povero*) poor.

pusta *f.* → **puszta**.

Pusteria *N.pr.f.* ⟨*Geog*⟩ (*anche Val Pusteria*) Pustorthal.

pustierla *f.* ⟨*region*⟩ (*postierla*) postern.

pustola *f.* **1.** ⟨*Med*⟩ pustule, pimple. – **2.** ⟨*Bot*⟩ pustule. – **pustoloso** *a.* ⟨*Med*⟩ **1.** pustular. – **2.** (*pieno di pustole*) pustular, pustulate, pustulous.

puszta [-sta] *f.* ⟨*Geog*⟩ puszta, steppe.

putacaso (o *puta caso*) *avv.* ⟨*scherz*⟩ (*per ipotesi*) (just) suppose, supposing, if by chance: ∼ *che non venga* supposing he doesn't come.

putativo *a.* **1.** ⟨*Dir*⟩ putative, reputed, presumed, supposed: *padre* ∼ putative father. – **2.** ⟨*iron*⟩ (*falso*) false, supposed, apparent.

puteale *m.* ⟨*Arch*⟩ puteal, well-head.

putera *f.* ⟨*Bot*⟩ **1.** stonewort (*Chara*). – **2.** (*lenticchia d'acqua*) common duckweed (*Lemna minor*).

puticchia *f.* ⟨*Ornit*⟩ **1.** (*cinciarella*) blue tit(mouse) (*Parus caeruleus*). – **2.** (*puticchia grossa*) great tit (*Parus maior*).

putidezza *f.* ⟨*lett*⟩ (*fetore*) stench, stink. – **putido** *a.* ⟨*lett*⟩ (*fetido*) stinking, foul, rank.

Putifarre *N.pr.m.* ⟨*Bibl*⟩ Potiphar, Putiphar.

putiferio *m.* **1.** (*litigio*) quarrel, ⟨*fam*⟩ row. – **2.** ⟨*fig*⟩ (*schiamazzo*) uproar, ⟨*fam*⟩ rumpus, ⟨*fam*⟩ row, ⟨*fam*⟩ shindy. – **3.** ⟨*fig*⟩ (*confusione*) confusion, mess, pandemonium.

putine, putino *m.* ⟨*Bot*⟩ **1.** (*alaterno*) buckthorn (*Rhamnus alaternus*). – **2.** (*frangola*) alder buckthorn (*Rhamnus frangula*; *Frangula alnus*). – **3.** (*terebinto*) terebinth(-tree) (*Pistacia terebinthus*).

putipù *m.* ⟨*Mus*⟩ Neapolitan drum.

putire *v.i.* (**putisco/puto, putisci/puti**; *aus.* **avere**) ⟨*lett*⟩ (*puzzare*) to smell foul, to reek.

putizza *f.* ⟨*Geol*⟩ sulphureous exhalations *pl*, gaseous vapour.

putre *a.* ⟨*ant*⟩ **1.** (*putrido*) putrid, rotten. – **2.** ⟨*fig*⟩ (*corrotto*) corrupt, depraved, rotten. – **putredine** *f.* **1.** putrefaction, rot(ting), decay. – **2.** ⟨*concr*⟩ (*cosa putrefatta*) putrefaction, putrescence, putrid matter. – **3.** ⟨*fig*⟩ (*corruzione*) corruption, decay. – **putredinoso** *a.* ⟨*rar*⟩ (*putrido*) putrid, putrescent, rotting.

putrefare *v.* (**putrefaccio, putrefai; putrefeci, putrefatto**; → **fare**) **I** *v.i.* (*aus.* **avere**) to putrefy, to rot, to decay; (*rif. a cibi*) to go bad (*o* off), to spoil. – **II** *v.t.* ⟨*rar*⟩ to putrefy. – **putrefarsi** *v.r.* to putrefy, to rot, to decay, to become putrid; (*rif. a cibi*) to go bad (*o* off), to spoil. – **putrefattibile** *a.* ⟨*non com*⟩ putrescible. – **putrefattivo** *a.* putrefactive. – **putrefatto** (*p.p. di putrefare*) *a.* **1.** putrid, putrefied, rotten, decayed, decomposed. – **2.** ⟨*fig*⟩ (*depravato, corrotto*) depraved, rotten, corrupt. – **putrefazione** *f.* **1.** (*decomposizione*) putrefaction, decay, decomposition, rotting (away). – **2.** ⟨*fig*⟩ (*corruzione*) corruption, decay, rottenness.

putrella *f.* ⟨*Edil*⟩ iron beam (*o* girder).

putrescente *a.* ⟨*non com*⟩ putrescent, decaying, rotting. – **putrescenza** *f.* ⟨*non com*⟩ putrescence, decay. – **putrescibile** *a.* ⟨*non com*⟩ perishable, corruptible, putrescible.

putrescina *f.* ⟨*Chim*⟩ putrescine.

putridità *f.* ⟨*non com*⟩ putridity, putridness, rottenness.

putrido I *a.* **1.** putrid, decayed, bad, rotten, decomposed: *carne -a* rotten meat, meat that has gone off (*o* bad). – **2.** ⟨*fig*⟩ (*corrotto*) corrupt, putrid, depraved, rotten. – **II** *s.m.inv.* (*corruzione*) corruption, rottenness. ☐ ⟨*Lett,scherz*⟩ *c'è del* ∼ *in Danimarca* something is rotten in the state of Denmark.

putridume *m.* **1.** putrified (*o* decayed) matter, putrescence, putrilage. – **2.** ⟨*fig*⟩ (*corruzione*) corruption, rottenness. – **putrire** *v.i.* (**putrisco, putrisci, putrisce/putre, putriscono/putrono**; *aus.* **avere**) ⟨*lett*⟩ (*imputridire*) to putrefy, to decay, to rot.

putta[1] *f.* ⟨*lett*⟩ (*meretrice*) prostitute, whore, ⟨*lett*⟩ harlot.

putta[2] *f.* ⟨*ant*⟩ (*fanciulla*) (little) girl.

puttana ⟨*volg*⟩ **I** *s.f.* **1.** (*meretrice*) prostitute, whore, ⟨*lett*⟩ harlot, ⟨*fam*⟩ tart; (*passeggiatrice*) street-walker. – **2.** ⟨*spreg*⟩ (*persona senza carattere*) opportunist, faithless person, turncoat, trimmer. – **3.** ⟨*esclam*⟩ (*insulto*) whore, bitch, slut. – **II** *a.* confounded, ⟨*volg*⟩ bloody. ☐ ∼ *d'alto bordo* high-class whore; *figlio di* ∼ son of a bitch.

puttaneggiare *v.i.* (**puttaneggio, puttaneggi**; *aus.* **avere**) ⟨*volg*⟩ **1.** (*fare la puttana*) to be a prostitute, to walk the streets, to solicit. – **2.** (*comportarsi da puttana*) to act like a slut, to sleep around, to be loose (*o* cheap). – **3.** ⟨*fig*⟩ to be open to all offers, to favour all and be faithful to none. – **puttanella** (*dim. di puttana*) *f.* **1.** little slut (*o* trollop). – **2.** ⟨*Ornit*⟩ (*schiribilla grigiata*) Baillon's crake (*Porzana pusilla*). – **puttanesco** *a.* (*pl.* **-chi**) ⟨*volg*⟩ whorish, sluttish, ⟨*fam*⟩ tarty. – **puttanesimo** *m.* ⟨*rar,volg*⟩ **1.** prostitution, whoredom, street-walking. – **2.** (*azione*) prostituting, prostitution, whoring. – **puttaniere** *m.* ⟨*volg*⟩ whoremonger, lecher, debauchee.

putto[1] *m.* **1.** ⟨*Art*⟩ putto. – **2.** ⟨*region*⟩ (*bambino*) child.

putto[2] *a.* **1.** (*da puttana*) whorish, sluttish, cheap, ⟨*pop*⟩ tarty. – **2.** ⟨*fig*⟩ (*interessato*) opportunistic.

putupum *onom.* bump, thump, boom.

puzza *f.* ⟨*region*⟩ → **puzzo**. – **puzzacchiare** *v.* → **puzzicchiare**.

puzzare *v.i.* (*aus.* **avere**) **1.** to smell, to stink, to reek, ⟨*pop*⟩ to pong: ∼ *di sudore* to smell of sweat; ∼ *di rancido* to smell rancid, to have a rancid smell. – **2.** ⟨*fig*⟩ to smell, to smack, ⟨*fam*⟩ to be fishy: ∼ *di eresia* to smack of heresy; *il tuo modo di comportarti puzza di imbroglio* your behaviour is fishy. – **3.** ⟨*fam*⟩ (*non interessare*) not to mean anything, not to interest: *forse gli puzzano i soldi* perhaps money doesn't interest (*o* mean anything to) him. – **4.** ⟨*fig*⟩ (*infastidire*) to become a nuisance, to get tedious (*o* tiresome), to weary. ☐ *gli puzza il fiato* he has bad breath; ⟨*fig*⟩ *non puzza e non odora* it's neither fish nor fowl, it has no character, it's wishy-washy; ∼ *di rinchiuso* to smell musty, to have a stale smell.

puzzicchiare *v.i.* (**puzzicchio, puzzicchi**; *aus.* **avere**) ⟨*fam*⟩ (*puzzare leggermente*) to smell, to have a faint smell.

puzzle *ingl.* [pʌzl] *m.* **1.** (*gioco di pazienza*) jigsaw puzzle. – **2.** (*cruciverba*) crossword puzzle. – **3.** (*rompicapo*) puzzle, riddle, problem, brainteaser, braintwister.

puzzo *m.* **1.** (bad) smell, stink, reek, stench: ∼ *di rinchiuso* musty smell. – **2.** ⟨*fig*⟩ (*indizio*) smell, taint, trace. – **3.** ⟨*fig,non com*⟩ (*eccessivo rumore*) fuss, ⟨*fam*⟩ stink, ⟨*fam*⟩ row. – **4.** ⟨*fig,non com*⟩ (*fastidio*) nausea, repugnance. ☐ ⟨*fig*⟩ *c'è* ∼ *di imbroglio* it smells fishy; *mandare* ∼ *di qc.* to smell (*o* stink) of s.th.; *mandare* ∼ *di rinchiuso* to have a musty smell.

puzzola *f.* ⟨*Zool*⟩ polecat (*Mustela putorius*).

puzzolente *a.* **1.** foul, stinking, putrid, rank, ⟨*fam*⟩ smelly. – **2.** ⟨*fig, volg*⟩ stinking, rotten.

puzzonata *f.* ⟨*roman,volg*⟩ **1.** (*azione disonesta*) rotten (*o* lousy) trick. – **2.** (*cosa mal fatta*) trash, rubbish, ⟨*fam*⟩ wash-out. – **puzzone** *m.* (*f.* **-a**) ⟨*roman,volg*⟩ **1.** (*persona puzzolente*) smelly person, ⟨*fam*⟩ stinker. – **2.** ⟨*fig*⟩ (*persona disonesta*) despicable person, skunk, ⟨*pop*⟩ stinker, ⟨*pop*⟩ louse.

p.v. = *prossimo venturo* next.

P.V. = ⟨*Ferr*⟩ *piccola velocità* slow goods service, ⟨*am*⟩ ordinary freight service.

PVC = ⟨*Chim*⟩ *cloruro di polivinile* polyvinyl chloride (*abbr.* PVC, P.V.C.).

PY = ⟨*Aut*⟩ *Paraguay* Paraguay.

pyrex *m.* (*pirex*) pyrex.

P.za = *piazza* square (*abbr.* Sq.).

Q

q, Q [ku] *f./m.* (*lettera dell'alfabeto*) q, Q: *una q maiuscola* a capital Q; *una q minuscola* a small q; *doppia q* double q; ⟨*Tel*⟩ *q come Quebec* Q for Queenie, ⟨*am*⟩ Q for Queen.
q = *quintale* quintal (*abbr.* q.).
q. = *quadrato* square (*abbr.* sq.).
q.b. = ⟨*Farm*⟩ *quanto basta* as much as is sufficient (*abbr.* qs., QS).
q.e.d. = *come dovevasi dimostrare* quod erat demonstrandum (*abbr.* Q.E.D.).
Q.G. = *quartier generale* headquarters (*abbr.* H.Q.).
Q.I. = *quoziente di intelligenza* intelligence quotient (*abbr.* I.Q.).
ql. = *quintale* quintal (*abbr.* q., ql.).
q.l. = ⟨*Farm*⟩ *quantum libet* as much as you please (*abbr.* ql., QL).
q.pl. = ⟨*Farm*⟩ *quantum placet* as much as you please (*abbr.* q.pl., QP).
q.s. = ⟨*Farm*⟩ *quantum satis* as much as is sufficient (*abbr.* q.s., QS).
qu *f./m.* Q.
qua[1] *avv.* **1.** here: *le forbici sono* ~ the scissors are here; *eccomi* ~ here I am; *vieni* ~ come here. – **2.** (*rafforzativo di questo*) here, *spesso non si traduce*: *questo vestito* ~ *ti sta meglio* this dress (here) suits you better; ⟨*fam*⟩ *che cosa dice questo* ~*?* what does this fellow (here) say?; (*con un imperativo*) here, just, *spesso non si traduce*: *guarda* ~ *che cosa hai combinato* just look what a mess you've got me into; *prendi* ~ *questi soldi* take this money; *date* ~ *quei libri* give me those books, hand those books over here; (*con un imperativo sottinteso*) here, *spesso non si traduce*: ~ *i soldi* (put) the money here.
□ ~ **dentro** in here: *entrate* ~ *dentro* come in here; **di** ~: 1. (*moto da luogo*) from here: *di* ~ *non mi muovo* I'm not budging from here; 2. (*moto a luogo*) over here, this way: *vieni un momento di* ~, *devo parlarti* come over here a minute, I want to talk to you; 3. (*stato in luogo*) here: *resta di* ~ *un momento, torno subito* stay here a minute, I'll be right back; ⟨*fig*⟩ *finché sto di* ~, *voglio godermi la vita* as long as I'm here (*o* alive), I want to enjoy life; ⟨*fig*⟩ *essere più di là che di* ~ to be at death's door, to be more dead than alive; *di* ~ *da, al di* ~ *di* (on) this side of: *di* ~ *dalle Alpi* this side of the Alps; *al di* ~ *del fiume* on this side of the river; ~ **dietro** behind here; **fin** ~ (*rif. a spazio*) ⌜as far as⌝ (*o* up to) here, to this point; (*rif. a tempo*) till (*o* up to) now, so far; **in** ~ (*verso questa parte*) over here: *guarda in* ~ look over here; *farsi* (*più*) *in* ~ to come close(r), to draw near(er), to move over; *da ... in* ~ for ... now: *da un anno in* ~ for a year now, for the last (*o* past) year; *da qualche tempo in* ~ for some time now; *da quando in* ~*?* since when?; ~, ... **là** here, ... there: *mamma* ~ *mamma là* Mummy here Mummy there; *andare in* ~ *e in là* to go here and there, to go about; ~ *e là si vedevano piccole case bianche* small white houses ⌜could be seen here and there⌝ (*o* were dotted about); ~ *la* **mano** (*concludendo un affare*) (let's) shake on it, shake; **per** *di* ~ this way: *andiamo per di* ~ let's go this way; ~ **sopra** up here: ~ *sopra non c'è niente* there's nothing up here; *metti* ~ *sopra le tue carte* put your papers up here; ~ **sotto** under (*o* down) here; ~ **vicino** near, close, near here, hereabout(s): *vieni* ~ *vicino, hai paura di me?* come near, are you afraid of me?
qua[2] **I** *onom.* quack. – **II** *s.m.* quack.
quạcchera: *alla* ~ (*senza cerimonie*) without formality, simply.
quaccherịsmo *m.* **1.** ⟨*Rel*⟩ Quakerism. – **2.** ⟨*estens*⟩ (*rigido moralismo*) austerity, puritanism. – **quạcchero I** *a.* **1.** Quaker-, Quakerish, Quakerly. – **2.** ⟨*non com*⟩ (*rigidamente moralistico*) austere, puritanical. – **II** *s.m.* (*f.* **-a**) **1.** Quaker (*f* -ress), Friend. – **2.** ⟨*non com*⟩ (*rigido moralista*) puritan, austere person. – **quacquerịsmo** *m.* → **quaccherismo**. – **quạcquero** *a./s.* → **quacchero**.
quaderlẹtto *m.* ⟨*tosc*⟩ **1.** (*nelle camicie da uomo*) (shirt) gusset. – **2.** (*nelle calze*) (stocking) gusset.
quadẹrna *f.* ⟨*tosc*⟩ (*quaterna*) set of four numbers.
quadernạle *m.* → **quarnale**.
quadernạre *v.t.* (**quadẹrno**) ⟨*ant*⟩ (*ridurre in quaderni*) to quire.
quadernạrio ⟨*non com*⟩ **I** *a.* quaternary. – **II** *s.m.* ⟨*Metr*⟩ **1.** quadrisyllabic (*o* four-syllabled) line. – **2.** ⟨*ant*⟩ (*quartina*) quatrain.
quadernẹtto, quadernịno *m. dim. di* **quaderno**.
quadẹrno *m.* **1.** exercise-book, copy-book, notebook: ~ *di matematica* maths exercise-book. – **2.** ⟨*Edit*⟩ booklet, book, pamphlet; (*pubblicazione periodica*) number, issue, (serial) part. – **3.** (*nei codici*) quire, quaternion. – **4.** ⟨*Agr*⟩ unit of arable land.
□ ~ *ad* **anelli** ring-binder, loose-leaf notebook; ⟨*scol*⟩ ~ *di* **bella** (*copia*) best book; ~ *di* **brutta** (*copia*) rough book; ⟨*Econ, ant*⟩ ~ *di* **cassa** cash-book; ~ *degli* **esercizi** exercise-book; ~ *a* **quadretti** square-ruled notebook; ~ *a* **righe** ruled notebook.
quadernọne *m. accr. di* **quaderno**.
quạdra *f.* **1.** ⟨*Mar*⟩ (*anche vela quadra*) squaresail. – **2.** ⟨*lett*⟩ (*pezzo di pane*) piece of bread; (*fetta di pane*) slice of bread. – **3.** ⟨*ant*⟩ (*maniera*) way, manner, fashion. – **4.** ⟨*ant*⟩ (*quadrante*) quadrant.
quadrạbile *a.* ⟨*rar*⟩ quadrable, that can be squared.
quadragenạrio ⟨*non com*⟩ **I** *a.* quadragenarian, forty-year-old, of forty. – **II** *s.m.* (*f.* **-a**) quadragenarian, forty-year-old person, person of forty.
quadragẹṣima *f.* **1.** (*quaresima*) Lent. – **2.** (*prima domenica di quaresima*) Quadragesima (Sunday). – **quadrageṣimạle** *a.* (*quaresimale*) Lenten, of Lent.
quadragẹṣimo *a.* ⟨*lett*⟩ (*quarantesimo*) fortieth.
quadramẹnto *m.* ⟨*non com*⟩ **1.** squaring. – **2.** (*quadratura*) quadrature, squaring.
quadrangolạre *a.* **1.** quadrangular. – **2.** ⟨*fig*⟩ four-way, four-team: *incontro* ~ four-way match. – **quadrạngolo I** *a.* quadrangular. – **II** *s.m.* ⟨*Geom*⟩ quadrangle: ~ *irregolare* irregular quadrangle.
quadrantạle: ⟨*Mar*⟩ *deviazione* ~ quadrantal deviation.
quadrạnte *m.* **1.** ⟨*Orol*⟩ dial(-plate), face. – **2.** (*scala graduata*) dial. – **3.** (*nella bussola*) quadrant. – **4.** ⟨*Astr,Mat*⟩ quadrant. – **5.** ⟨*Legat*⟩ (*piatto*) cover. □ ⟨*Astr*⟩ ~ *graduato* quadrant; ~ *di lettura* dial; ~ *luminoso* luminous dial; ~ *murale* quadrant; ~ *solare* sundial.
quadrạrco *m.* (*pl.* **-chi**) ⟨*Arch*⟩ quadrangular building with arches on each side.
quadrạre I *v.t.* **1.** to (make) square: ~ *un foglio da disegno* to make a piece of drawing-paper square. – **2.** ⟨*fig*⟩ (*assestare*) to put straight, to set in order. – **3.** ⟨*Mat*⟩ (*elevare al quadrato*) to square. – **II** *v.i.* (*aus.* **essere/avere**) **1.** (*corrispondere*) to fit, to suit (*con qc.* s.th.), to be compatible, to be in keeping (with), to be right (for): *questo titolo non quadra con l'argomento* this title is not in keeping with the subject-matter. – **2.** (*essere giusto*) to tally, to balance: *i conti non quadrano* the accounts don't tally. – **3.** ⟨*fam*⟩ (*andare a genio*) to suit, to please, to like (*costr. pers.*), to be to one's liking: *quel tipo non mi quadra* I don't like (*o* trust) that person, that man seems a little fishy to me. □ *far* ~ *un bilancio* to square (*o* balance) an account, to strike a balance; ⟨*fig*⟩ ~ *a capello* (*adattarsi perfettamente*) to fit like a glove.
quadratạrio *m.* ⟨*Stor*⟩ stone-cutter, engraver.
quadrạtico *a.* (*pl.* **-ci**) ⟨*Mat*⟩ quadratic: *equazione -a* quadratic equation.
quadratịno (*dim. di quadrato*[2]) *m.* **1.** ⟨*Tip*⟩ em (*o* nut) quad. – **2.** ⟨*Mar*⟩ gunroom, junior (*o* warrant) officers' mess.
quadrạto[1] (*p.p. di quadrare*) *a.* **1.** ⟨*Geom*⟩ square, quadrate: *una figura -a* a square figure. – **2.** (*quadrangolare*) quadrangular, four -cornered. – **3.** ⟨*Mat,Fis*⟩ square: *centimetro* ~ square centimetre. – **4.** ⟨*fig*⟩ (*robusto*) square, solid, stocky: *spalle -e* square shoulders. – **5.** ⟨*fig*⟩ (*assennato, giudizioso*) sensible, level-headed, well-balanced: *tuo fratello è una persona -a* your brother is a sensible person. □ ⟨*Arch*⟩ *croce -a* Greek cross; ⟨*fig*⟩ *fronte -a* (*chi pensa molto*) thinker; ⟨*Mus*⟩ *nota -a* square note; ⟨*Mat*⟩ *numero* ~ square number; ⟨*fig*⟩ *avere le spalle -e* (*avere forza morale*) to have a strong character.
quadrạto[2] *m.* **1.** ⟨*Geom*⟩ square, quadrate: *tracciare un* ~ to draw a square. – **2.** (*figura quadrangolare*) square: *questa stanza è un* ~ *perfetto* this room is a perfect square; (*quadrangolo*) quadrangle. – **3.** ⟨*Mat*⟩ square: *nove è il* ~ *di tre* nine is the square of three. – **4.** (*panno per neonati*) nappy, napkin, ⟨*am*⟩ diaper. – **5.** (*in enigmistica*) square. – **6.** ⟨*Sport*⟩ (*nel pugilato*) ring. – **7.** ⟨*Tip*⟩ (*quadratone*) em (*o* mutton) quad. – **8.** ⟨*Arch*⟩ intersection. – **9.** ⟨*Mil,Mecc*⟩ square. – **10.** ⟨*Mar.mil*⟩ (officers') mess-room. □ ⟨*Mat*⟩ *elevare un numero al* ~ to square a number; ⟨*Sport*⟩ ~ *di gioco* (*nella pallavolo*) either half of the court; ⟨*Tip*⟩ ~ *lineato* em-rule; ~ *magico* magic square; ⟨*Astr*⟩ ~ *di Pegaso* square of Pegasus.
quadratọne (*accr. di quadrato*[2]) *m.* ⟨*Tip*⟩ em (*o* mutton) quad.
quadratọre *m.* ⟨*non com*⟩ **1.** (*chi quadra*) squarer. – **2.** (*riquadratore*) stone-cutter, stonemason.
quadratụra *f.* **1.** squaring, quadrature. – **2.** (*riquadro*) square; (*pannello*) panel. – **3.** ⟨*Comm*⟩ squaring, balancing, settling, tallying. – **4.** ⟨*Geom*⟩ squaring. – **5.** ⟨*Mat*⟩ (*elevazione al quadrato*) squaring; (*nel calcolo integrale*) quadrature. – **6.** ⟨*Pitt*⟩ quadratura, perspective wall painting. – **7.** ⟨*Astr*⟩ quadrature. – **8.** ⟨*Tip*⟩ quads *pl*, quadrats *pl*. □ ~ *del circolo*: 1. ⟨*Geom*⟩ squaring of the circle; 2. ⟨*fig*⟩ (*problema insolubile*) insoluble problem, end of the rainbow; ⟨*fig*⟩ *cercare la* ~ *del circolo* to strive after the impossible, to look for the end of the rainbow; ⟨*fig*⟩ ~ *mentale* level-headedness, sensibleness.
quadraturịsmo *m.* ⟨*Pitt*⟩ quadratura, perspective wall painting. – **quadraturịsta** *m.* quadraturist.
quadrellatụra *f.* (*nel disegno*) quadrillage.
quadrẹllo *m.* **1.** (*mattonella quadrata*) square tile, quadrel. – **2.** (*nei guanti*) gusset, insert. – **3.** (*righello*) square ruler. – **4.** (*grosso ago*) bodkin. – **5.** ⟨*Mecc*⟩ (*lima*) square file. – **6.** ⟨*Venat*⟩ (*gabbia*) quadrangular cage. – **7.** ⟨*ant*⟩ (*tipo di dardo*) quarrel; (*pugnale*) poniard, dagger. – **8.** ⟨*non com*⟩ (*piccolo riquadro*) (small) square.
quadrerịa *f.* **1.** (*pinacoteca*) picture gallery. – **2.** (*collezione di quadri*) collection of paintings.

quadrettare *v.t.* (**quadretto**) **1.** to divide into squares, to square off. – **2.** ⟨*Tess*⟩ to chequer, to checker. – **quadrettato** (*p.p. di quadrettare*) **I** *a.* squared, chequered, checked, with squares: *carta -a* squared paper. – **II** *s.m.* ⟨*Tess*⟩ check (material). – **quadrettatura** *f.* **1.** division into squares, chequering. – **2.** (*reticolato di quadretti*) checks *pl*, squares *pl*, chequerwork. – **3.** ⟨*Art*⟩ squaring.

quadrettino (*dim. di quadretto*) *m.* small check (*o* square). ◻ *a -i* check, checked, squared: *stoffa a -i* check(ed) material, check.

quadretto (*dim. di quadro*[2]) *m.* **1.** ⟨*fig*⟩ (*scenetta*) (charming) scene, picture. – **2.** *pl.* ⟨*Alim*⟩ small pasta for soup. – **3.** ⟨*Mar,Stor*⟩ (*bandierina*) ensign, flag. – **4.** ⟨*Stor*⟩ (*unità di misura di superficie*) old square measure (0.35 m^2). ◻ *a -i* square(d), check(ed), chequered: *carta a -i* squared paper; ~ *ad acquarello* (small) water-colour; ~ *di genere* genre picture (*o* painting); ⟨*fig*⟩ (*scena vivace*) picture, (charming) scene.

quadri... *pref.* (*quattro* four) quadr(i)..., four-.

quadriade *f.* ⟨*rar*⟩ (*serie di quattro*) series of four.

quadrica *f.* ⟨*Mat*⟩ quadric.

quadri|cromia *f.* ⟨*Tip*⟩ **1.** (*procedimento*) four-colour process. – **2.** (*immagine*) four-colour print, quadrichromatic print. – **~dimensionale** *a.* ⟨*Fis,Mat*⟩ four-dimensional. – **~ennale I** *a.* **1.** (*che dura quattro anni*) four-year-. – **2.** (*che avviene ogni quattro anni*) four-yearly, quadr(i)ennial. – **II** *s.f.* ⟨*Art*⟩ quadrennial exhibition. – **~ennio** *m.* four years *pl*, quadr(i)ennium.

quadri|fido *a.* ⟨*Bot*⟩ quadrifid. – **~fogliato** *a.* four-leaved, quadrifoliate. – **~foglio** *m.* **1.** ⟨*Bot*⟩ four-leaved clover. – **2.** ⟨*Strad*⟩ (*raccordo a quadrifoglio*) cloverleaf.

quadri|fora I *a.* ⟨*Arch*⟩ four-light-. – **II** *s.f.* four-light window. – **~forme** *a.* ⟨*rar*⟩ **1.** square. – **2.** (*che ha quattro forme*) quadriform. – **~fronte** *a.* ⟨*rar*⟩ four-faced.

quadriga *f.* **1.** ⟨*Stor*⟩ quadriga. – **2.** (*gruppo di quattro cavalli*) team of four horses. ◻ *una ~ di muli* a team of four mules. – **quadrigario I** *a.* of a quadriga (*anche Stor.*). – **II** *s.m.* ⟨*Stor*⟩ quadriga driver.

quadrigemino *a.* quadruple: *parto ~* quadruple birth. ◻ ⟨*Anat*⟩ *corpi* (o *tubercoli*) *-i* quadrigeminal bodies, corpora quadrigemina.

quadrigetto *m.* ⟨*Aer*⟩ four-engined jet (aircraft).

quadriglia *f.* **1.** (*danza*) quadrille. – **2.** ⟨*Sport*⟩ four-man team. – **3.** ⟨*Minier*⟩ sulphur kiln (with four chambers). – **4.** ⟨*Mil*⟩ commando (*o* independent fighting) unit. – **5.** ⟨*Mil.ant*⟩ rank of four soldiers.

quadriglio *m.* quadrille.

quadriglione *m.* (*tipo di passamaneria*) thick braid.

quadrilatero I *a.* quadrilateral, four-sided. – **II** *s.m.* **1.** quadrilateral (*anche Geom.*). – **2.** (*fortificazione*) four-sided stronghold; (*territorio difeso da quattro fortezze*) quadrilateral. – **3.** ⟨*Sport*⟩ (*nel calcio*) defence formation.

quadrilingue *a.* quadrilingual: *vocabolario ~* quadrilingual dictionary.

quadrilione *m.* quadrillion, ⟨*am*⟩ septillion.

quadrilobato *a.* **1.** ⟨*Bot*⟩ quadrilobate, quadrilobed. – **2.** ⟨*Arch*⟩ quatrefoiled, four-foiled. ◻ *cerchio ~* quatrefoil. – **quadrilobo I** *a.* → **quadrilobato**. – **II** *s.m.* quatrefoil.

quadri|loculare *a.* ⟨*Biol*⟩ quadrilocular. – **~logia** *f.* ⟨*rar*⟩ (*tetralogia*) tetralogy. – **~lungo** *a.* (*pl.* **-ghi**) ⟨*non com*⟩ oblong. – **~lustre** *a.* ⟨*lett*⟩ (*ventennale*) twenty-year-old-, twenty-year-, which has lasted twenty years.

quadrimestrale *a.* **1.** (*che dura un quadrimestre*) four-month-, of four months. – **2.** (*che avviene ogni quadrimestre*) four-monthly. – **quadrimestre I** *s.m.* **1.** four months *pl.* – **2.** (*rata quadrimestrale*) four-monthly payment. – **II** *a.* ⟨*rar*⟩ → **quadrimestrale**.

quadri|motore I *a.* four-engined. – **II** *s.m.* four-engined aircraft. – **~nomio I** *a.* ⟨*Mat*⟩ quadrinomial, quadrinominal. – **II** *s.m.* quadrinomial expression. – **~partire** *v.t.* (**quadripartisco, quadripartisci**) ⟨*non com*⟩ to divide into four parts.

quadripartito[1] (*p.p. di quadripartire*) *a.* quadripartite: *patto ~* quadripartite treaty.

quadripartito[2] **I** *a.* ⟨*Pol*⟩ four-party-. – **II** *s.m.* (*governo quadripartito*) four-party government.

quadri|partizione *f.* ⟨*rar*⟩ quadripartition, division into four. – **~pendolo** *m.* ⟨*Fis*⟩ geodetic pendulum. – **~plegia** *f.* ⟨*Med*⟩ (*tetraplegia*) quadriplegia, tetraplegia. – **~polare** *a.* ⟨*Fis*⟩ four-pole-, four-polar. – **~polo** *m.* ⟨*El*⟩ quadrupole, quadripole, four-pole network. – **~portico** *m.* (*pl.* **-ci**) ⟨*Arch*⟩ (*cortile*) arcaded court; (*portico*) four-sided portico. – **~reattore I** *a.* ⟨*Aer*⟩ four-engined. – **II** *s.m.* four-engined jet (aircraft). – **~reme** *f.* ⟨*Mar.ant*⟩ quadrireme. – **~ripartizione** *f.* → **quadripartizione**. – **~sdrucciolo** *a.* ⟨*non com*⟩ stressed on the sixth to last syllable. – **~sillabo I** *a.* ⟨*Gramm, Metr*⟩ quadrisyllabic, four-syllable(d). – **II** *s.m.* ⟨*Metr*⟩ quadrisyllable.

quadriugo *m.* (*pl.* **-ghi**) ⟨*lett,rar*⟩ (*anche cavallo quadriugo*) horse in a quadriga.

quadrivalente *a.* ⟨*Chim*⟩ quadrivalent, tetravalent.

quadrivio *m.* **1.** crossroad(s), meeting of four roads. – **2.** ⟨*Mediev*⟩ (*arti del quadrivio*) quadrivium.

quadro[1] *a.* **1.** (*quadrato*) square, quadrate. – **2.** (*quadrangolare*) quadrangular, four-cornered. – **3.** (*ad angoli retti*) square, right-angled. – **4.** ⟨*fig*⟩ (*robusto*) square, solid: *spalle -e* square shoulders. – **5.** (*rif. a unità di misura*) square: *centimetro ~* square centimetre.

quadro[2] *m.* **1.** (*dipinto*) painting, picture: *dipingere un ~* to paint a picture. – **2.** ⟨*fig*⟩ (*spettacolo*) sight, picture: *un ~ terrificante* a terrifying sight. – **3.** ⟨*fig*⟩ (*descrizione*) picture, description, outline: *tracciare un ~ vivace degli avvenimenti* to draw a vivid picture of events. – **4.** ⟨*fig*⟩ (*ambito*) framework, limits *pl*, scope, range: *nel ~ dei nuovi accordi* within the framework of the new agreements. – **5.** (*quadrato*) square. – **6.** (*prospetto*) chart, table, list: *~ riassuntivo* summary chart. – **7.** (*pannello con comandi*) board, panel. – **8.** ⟨*Teat*⟩ scene: *dramma in tre atti e cinque -i* play in three acts and five scenes. – **9.** ⟨*Cin*⟩ shot, take; (*immagine proiettata*) picture. – **10.** ⟨*TV*⟩ image, picture. – **11.** *pl.* (*complesso di persone rappresentative*) cadre, nucleus, leading (*o* core) group, leaders *pl*: *i -i di un partito* the nucleus of a party; *-i amministrativi* administrative cadres. – **12.** *pl.* ⟨*Mil*⟩ cadres: *rinnovare i -i* to renew the cadres. – **13.** ⟨*Sport*⟩ bocce court. – **14.** *pl.* (*nelle carte francesi*) diamonds *pl*: *asso di -i* ace of diamonds. – **15.** *pl.* ⟨*scol*⟩ notices *pl*, results *pl*: *esporre i -i* to put up the results. – **16.** ⟨*Geom*⟩ plane. – **17.** ⟨*giorn*⟩ short article in two columns. – **18.** ⟨*Rad*⟩ (*antenna a quadro*) frame aerial, loop antenna. – **19.** ⟨*Minier*⟩ set, timber frame (*o* set). – **20.** ⟨*Stor*⟩ (*quadro vivente*) tableau vivant, living picture; (*gioco di società*) tableaux vivants *pl.* – **21.** ⟨*non com*⟩ (*cornice*) frame.

◻ **a -i** check(ed), checkered, chequered, squared, with squares: *una stoffa a -i blu e bianchi* a blue-and-white check (material); ~ *per le* **affissioni** = *quadro per gli* **avvisi**; ⟨*El*⟩ ~ *ad* **armadio** cupboard (*o* cubicle-)type (switch)board; ⟨*burocr*⟩ ~ *di* **avanzamento** promotion list; ~ *per gli* **avvisi** notice-board, bulletin-board; ⟨*Ferr*⟩ ~ *dei* **binari** track diagram; ⟨*El*⟩ ~ *di* **comando** control board; ~ *di* **controllo**: 1. = *quadro* **generale**; 2. (*nei vaglia*) counterfoil, stub; *-i* **direttivi** executive cadres; ⟨*El*⟩ ~ *di* **distribuzione** distribution board (*o* panel); ⟨*Cin*⟩ ~ **fisso** still (shot), insert; **fuori** ~: 1. ⟨*Mil*⟩ on temporary transfer, on special duty; 2. ⟨*Cin*⟩ out-of-frame; ⟨*El*⟩ ~ **generale** (main) control board, main switchboard, master panel; *-i* **industriali** industrial cadres; ⟨*El*⟩ ~ *a* **leggio** desk switchboard; ~ **luminoso** illuminated diagram; ⟨*El*⟩ ~ *di* **manovra** control board (*o* panel); ⟨*Cin*⟩ **messa** *in* ~ framing; ⟨*fig,iron*⟩ **mettere** *in* ~ to keep in a glass case, to put on show (*o* display): *questo cappello è proprio da mettersi in ~* this hat should be put on show; ⟨*Cin*⟩ ~ **mobile** action shot; ⟨*Scol, non com*⟩ *-i* **murali** (school) wall-charts; (*nella pubblicità*) posters; ⟨*El*⟩ ~ *a* **muro** panel (*o* wall-type) board; ~ **numeratore** (*nel biliardo*) marker; ⟨*Pitt*⟩ ~ *a* **olio** oil-painting; ~ **orario** timetable (poster): ~ *orario dei treni in partenza* departure timetable; ⟨*Pitt*⟩ ~ *a* **pastello** pastel (drawing); ⟨*Mar*⟩ ~ *di* **poppa** transom, flat of the stern; ~ **portachiavi** keyboard; ~ **portastrumenti** instrument board (*o* panel); ⟨*El*⟩ ~ **pulsanti** (*pulsantiera*) push-button panel (*o* board); ⟨*Econ*⟩ ~ *delle* **quotazioni** list of quotations, official (stock) list; ~ **radar** radar display unit; ⟨*Mil*⟩ *-i del* **reggimento** regimental cadres; ⟨*Sport*⟩ ~ *dei* **risultati** score -board; ~ **sinottico** synoptic table; ~ *degli* **strumenti** = *quadro* **portastrumenti**; ⟨*Ginn*⟩ ~ **svedese** wall-bars *pl*; *-i* **tecnici** technical corps; ⟨*Teat*⟩ ~ **vivente** tableau vivant.

quadrone (*accr. di quadro*[2]) *m.* **1.** (*torcia formata da quattro ceri*) square wax torch. – **2.** ⟨*Edil*⟩ (*tipo di laterizio*) large square brick (for flooring); (*lastra di pietra*) ashlar, square hewn stone.

quadrotta *f.* ⟨*Cart*⟩ size of paper.

quadruccio (*dim. di quadro*[2]) *m.* **1.** (*piccolo quadro*) (small) picture. – **2.** (*piccolo quadrato*) (small) square, check. – **3.** *pl.* ⟨*Alim*⟩ small pasta for soup. ◻ ⟨*Cin*⟩ ~ *di proiezione* film trap (*o* gate), aperture.

quadrumane I *a.* ⟨*Zool*⟩ quadrumanous, four-handed. – **II** *s.m.* (*scimmia*) quadrumane.

quadrumvirato *m.* → **quadrunvirato**. – **quadrumviro** *m.* → **quadrunviro**. – **quadrunvirato** *m.* **1.** board of four, quadrumvirate. – **2.** ⟨*Stor.rom*⟩ quadrumvirate, quatuorvirate. – **quadrunviro** *m.* **1.** member of a quadrumvirate, one of a body of four, ⟨*lett*⟩ quadrumvir. – **2.** ⟨*Stor.rom*⟩ quatuorvir, quadrumvir.

quadrupede I *a.* ⟨*Zool*⟩ quadruped(al), four-footed. – **II** *s.m.* quadruped, four-footed animal.

quadrupla *f.* ⟨*Numism*⟩ quadruple.

quadruplicare *v.t.* (**quadruplico, quadruplichi**) to quadruple, to quadruplicate, to multiply by four. – **quadruplicarsi** *v.r.* to quadruple, to increase fourfold. – **quadruplicazione** *f.* quadruplication.

quadruplice I *a.* four(fold), quadruple. – **II** *s.f.* ⟨*Stor*⟩ (*anche quadruplice alleanza*) Quadruple Alliance. – **quadruplicità** *f.* quadruplicity.

quadruplo I *a.* **1.** quadruple, four times: *mi occorre una somma -a di quella che possiedo* I need four times what (*o* as much as, the amount) I have. – **2.** ⟨*Mat*⟩ quadruple. – **II** *s.m.* quadruple, four times as much (*o* great): *questo vale il ~ di quello* this is worth four times as much (as that).

quadrupolo *m.* → **quadripolo**.

quagga *m.* ⟨*Zool*⟩ quagga (*Equus quagga*).

quaggiù *avv.* **1.** down here: ~ *in cantina c'è poca luce* down here in the cellar there isn't much light; *vieni ~* come down here. – **2.** (*sulla terra*) here below, of (*o* in) this world: *le cose di ~* the things of this world. – **quaggiuso** *avv.* ⟨*ant*⟩ → **quaggiù**.

quaglia *f.* ⟨*Ornit*⟩ quail (*Coturnix coturnix*).

quagliara *f.* ⟨*Venat*⟩ method of quail catching.

quagliare *v.i.* (**quaglio, quagli**; *aus.* **essere**) ⟨*region*⟩ **1.** (*cagliare*) to curdle. – **2.** ⟨*fig*⟩ (*giungere a un risultato concreto*) to materialize, to come to something: *la cosa non quaglia* nothing is coming of this matter. – **quagliata** *f.* ⟨*region*⟩ (*giuncata*) junket, curds *pl.*

quagliera *f.* ⟨*region*⟩ (*quaglia*) quail. – **quagliere** *m.* ⟨*Venat*⟩ quail call (*o* pipe). – **quaglietta** (*dim. di quaglia*) *f.* ⟨*Gastr*⟩ veal olive (on a skewer).

quạglio *m.* ⟨*region*⟩ (*caglio*) rennet.
quagliọdromo *m.* ⟨*Venat*⟩ land where dogs are trained for quail hunting.
quagliottịno *m.* ⟨*Ornit*⟩ (*forapaglie*) sedge warbler, sedge bird (*o* wren) (*Acrocephalus schoenobaenus*).
quại *pl. rar. di* **quale.**
quạlche I *a.indef.inv.* **1.** (*partitivo*: *in frasi positive*) some: *ho* ~ *lettera da scrivere* I have some letters to write; *deve avere* ~ *motivo* he must have some reason; *aspetto già da* ~ *ora* I've been waiting some hours now; (*alcuni*) a few (*costr. pl.*): *partirò tra* ~ *giorno* I'll be leaving in a few days; *ho solo* ~ *dollaro in tasca* I've only a few dollars in my pocket. – **2.** (*in frasi dubitative*) any: *hai* ~ *sigaretta?* have you any cigarettes?; *hai* ~ *speranza di partire domani?* have you any hope of leaving tomorrow?; *non hai* ~ *amico che ti aiuti?* haven't you any friend who will help you?; *chissà se c'è* ~ *giornale inglese* I wonder if there are any English papers; (*nelle offerte*) some: *vuoi* ~ *caramella?* do you want some sweets? – **3.** (*un po'*) some, a little: *ha* ~ *esperienza* he has some experience. – **4.** (*uno*) a: *c'è* ~ *medico?* is there a doctor? – **5.** (*uno qualsiasi*) some (or other): *dobbiamo venire a* ~ *decisione* we must come to some decision; *verrò a trovarti* ~ *giorno* I'll come and see you ⌜some day or other⌝ (*o* one of these days). – **6.** (*un certo*) some, a certain (amount of): *gode di una* ~ *considerazione* he is held in some esteem; *lo affermò con* ~ *certezza* he said it with some (*o* a degree of) certainty. – **II** *avv.* ⟨*ant,region*⟩ (*circa*) about, around: *dista* ~ *cinque chilometri* it's about five kilometres away. □ ~ *cosa* → **qualcosa**; *in* ~ *luogo* somewhere; (*in frasi interrogative*) anywhere; *in* ~ *modo*: 1. (*in un modo o nell'altro*) somehow, in some way (or other); 2. ⟨*region*⟩ (*alla bell'e meglio*) as best one can, as well as possible; ~ *volta* sometimes.
qualchedụno *pron./a.* → **qualcuno.**
qualcọsa I *pron.indef.* **1.** (*in frasi positive*) something: *dammi* ~ *di buono da mangiare* give me something good to eat; *deve essere* ~ *d'importante* it must be something important; ~ *mi dice che arriverà oggi* something tells me he'll come today; *vorrei* ~ *di più pesante* I'd like something heavier. – **2.** (*in frasi dubitative*) anything: *hai* ~ *da dire?* have you anything to say?; *è arrivato* ~ *per me?* has anything come for me?; *dimmi se c'è* ~ *di sbagliato in questo* tell me if there is anything wrong with this; (*nelle offerte*) something: *vuoi* ~ *da leggere?* do you want something to read? – **3.** ⟨*fam*⟩ (*persona importante*) somebody, something (special): *crede di essere* ~ he thinks he is somebody. – **II** *avv.* ⟨*lett*⟩ (*un poco*) a little, slightly, just.
□ *qualcos'***altro** something else; ⟨*enfat*⟩ *essere* ~ *di* **bello** to be really beautiful, to be lovely; ⟨*pop*⟩ ~ **come** something like, about, around: *ha pagato* ~ *come sette milioni* he paid something like seven million lire; *è* **già** ~ that's something (anyway); **hai** ~? is something the matter (with you)?, is anything wrong?; ~ **meno** *di* slightly less than, just under; ~ **più** *di* a little more than. – *Prov.*: *meglio* ~ *che nulla* half a loaf is better than no bread, better aught than naught.
qualcosẹtta, qualcosịna *pron.indef. dim. di* **qualcosa.**
qualcụno I *pron.indef.* **1.** (*in frasi positive*) somebody, someone: ~ *bussa alla porta* somebody is knocking at the door; ~ *glielo avrà raccontato* somebody must have told him; (*in frasi dubitative*) anybody, anyone: *c'è* ~ *che ha un dizionario?* has anyone got a dictionary?; *se dovesse venire* ~, *digli che sono uscito* if anyone should come, tell him I've gone out. – **2.** (*alcuni*: *in frasi positive*) some (*costr.pl.*): ~ *è favorevole a noi* some are on our side; ~ *dei libri non è rilegato* some of the books are not bound; *ho visto* ~ *dei suoi quadri* I saw some of his paintings; (*in frasi dubitative*) any: *c'è* ~ *di voi disposto ad aiutarmi?* are any of you willing to help me?; *conosci -a di quelle persone?* do you know any of those people? – **3.** ⟨*fam*⟩ (*persona importante*) someone, somebody: *si crede* ~ *ora che è diventato ricco* now that he's rich he thinks he's somebody. – **4.** (*uno*) one, people *pl.* – **II** *a.* ⟨*ant*⟩ (*qualche*) some. □ *qualcun altro* someone (*o* somebody) else; (*in frasi interrogative*) anyone (*o* anybody) else.
quạle (often shortened to *qual*; obsolete plurals *quai* and *qua'*) **I** *a.* **1.** (*specificando*: *rif. a natura, qualità, prezzo e sim.*) what: *-i libri hai letto su questo argomento?* what books have you read on this subject?; ~ *dizionario adoperi?* what dictionary do you use? – **2.** (*scegliendo fra un numero limitato*) which: ~ *strada dobbiamo prendere, questa o quella?* which road must we take, this one or that one?; *-i sono i nostri libri?* which books are ours?; ~ *squadra ha vinto?* which team won? – **3.** (*come*) as: *ha fatto cose -i non avrei mai immaginato* he has done things such as I'd never have imagined; *la stanza è* ~ *l'abbiamo lasciata* the room is (just) as we left it. – **4.** (*nelle esclamazioni*: *al singolare*) what a: ~ *onore!* what an honour!; (*al plurale*) what: *-i idee sciocche!* what silly ideas! – **II** *pron.interr.* **1.** (*specificando*: *rif. a natura, qualità, prezzo e sim.*) what: *qual è il prezzo di questo vestito?* what's the price of this suit? – **2.** (*scegliendo fra un numero limitato*) which (one): ~ *di questi libri preferisci?* which of these books do you prefer?; *voglio una di queste paste* – ~? I want one of these cakes – which one? – **III** *pron.rel.* **1.** (*soggetto*: *rif. a persone*) who, that: *non conosco l'uomo il* ~ *parla* I don't know the man who (*o* that) is speaking; (*in proposizioni incidentali*) who: *mio fratello, il* ~ *abita a Milano, non è sposato* my brother, who lives in Milan, isn't married; (*rif. a cose o animali*) which, that: *ha una casa la* ~ *dà sul mare* he has a house which (*o* that) overlooks the sea. – **2.** ⟨*non com*⟩ (*oggetto*: *rif. a persone*) that, who(m), *spesso non si traduce*: *l'attore il* ~ *preferisco non fa molti film* the actor (that, who) I like best doesn't make many films; (*in proposizioni incidentali*) who(m): *mi ha telefonato quel signore, il* ~ *tu avevi offeso* that man, who(m) you offended, phoned me; (*rif. a cose o animali*) that, which, *spesso non si traduce*: *mi hanno portato il vestito il* ~ *avevo mandato a pulire* they brought me the suit (that) I had sent to be cleaned; (*in proposizioni incidentali*) which: *sulla sinistra è il lago di Garda, il* ~ *abbiamo visto ieri* on the left is Lake Garda, which we saw yesterday. – **3.** (*complemento indiretto*: *rif. a persone*) that, who(m), *spesso non si traduce*: *il ragazzo al* ~ *hai regalato il libro* the boy (that, who) you gave the book to, the boy to whom you gave the book; *i compagni con i -i giochi* the friends you play with; (*in proposizioni incidentali*) who, whom: *mia sorella, della* ~ *parlavamo, ha solo vent'anni* my sister, ⌜who we were talking of⌝ (*o* of whom we were talking), is only twenty years old; (*rif. a cose o animali*) that, which, *spesso non si traduce*: *il ponte sul* ~ *ci troviamo* the bridge we are on; *la casa nella* ~ *abiti* the house ⌜you live in⌝ (*o* in which you live); *il cane al* ~ *hai dato un osso* the dog ⌜you gave a bone to⌝ (*o* to which you gave a bone); (*in proposizioni incidentali*) which: *il treno proveniente da Londra, sul* ~ *viaggia il mio amico, è in ritardo* the London train, ⌜which my friend is travelling on⌝ (*o* on which my friend is travelling), is late. – **4.** (*possessivo*: *rif. a persone*) whose: *la signora della* ~ *ammiriamo la gentilezza* the lady whose kindness we admire; (*rif. a cose o animali*) of which, whose: *la chiesa, della* ~ *l'altare è famosissimo, risale al Trecento* the church, ⌜the altar of which is very famous⌝ (*o* with the famous altar), dates from the fourteenth century; *l'uccello del* ~ *abbiamo udito il canto* the bird whose singing we heard. – **5.** (*nelle esemplificazioni*) such as, like: *molti uccelli, -i il merlo, l'uccello del paradiso, ecc.* many birds, such as the blackbird, the bird of paradise, etc. – **6.** (*come*) like, such as: *due poeti -i Dante e Shakespeare* two poets like Dante and Shakespeare; *una disgrazia* ~ *non avrei mai pensato* a misfortune such as I'd never have imagined. – **7.** ⟨*lett*⟩ (*chiunque*) whoever, anybody, anyone; (*colui che*) the one (*o* man) who. – **IV** *avv.* **1.** (*in qualità di, come*) as, in one's capacity as: *fu mandato in Francia* ~ *ambasciatore* he was sent to France as ambassador. – **2.** (*a guisa di*) as, as ... as: *bianco* ~ *neve* (as) white as snow. – **V** *s.m. inv.* ⟨*ant,poet*⟩ (*qualità*) quality: *conta più il* ~ *che il quanto* quality counts more than quantity.
□ *un* **certo** *qual* a certain: *aveva una certa qual conoscenza dell'inglese* he had a certain knowledge of English; *in certo qual modo* in a way (*o* sense); ~ **che** whatever: ~ *che sia la loro opinione* whatever their opinion may be; *la qual* **cosa** which: *non venne, la qual cosa fu un bene* he didn't come, which was a good thing; ⟨*fam*⟩ **per** *la* ~: 1. (*agg.*; *perbene*) good, respectable: *una ragazza per la* ~ a good girl; 2. (*avv.*; *bene, in modo soddisfacente*) well; ⟨*lett*⟩ ~ ..., **quale** (*questi* ..., *quegli*) some ..., others, some ..., some: *-i ridevano, -i piangevano* some were laughing, others were crying; *non* **so** ~ (*un certo*) a certain (*o* strange, vague), an undefinable: *sentivo non so qual voglia di piangere* I felt a strange desire to cry; **tale** (*e*) ~: 1. (*identico*) just like, identical (to), exactly the same (as): *è il padre tale* ~ he is just like his father; *questo libro è tale e* ~ *il tuo* this book is ⌜exactly the same as⌝ (*o* identical to) yours; *ve la dico tale e* ~ *l'ho sentita* I'm telling you exactly as I heard it; *è tale* ~ *lo immaginavo* he is just as I imagined him; 2. (*la stessa cosa*) all the same: *fa' come vuoi, per me è tale e* ~ do what you want, ⌜it's all the same to me⌝ (*o* it makes no difference to me); ⟨*lett*⟩ ~ ... *tale* (*nelle similitudini*) like ... like: *qual padre, tal figlio* like father, like son.
qualịfica *f.* **1.** name, designation, attribute; (*titolo*) title: ~ *di dottore* title of doctor. – **2.** (*complesso di doti professionali*) qualification: ~ *professionale* professional qualification. – **3.** ⟨*burocr*⟩ (*giudizio*) appraisal, report: *quell'impiegato merita una buona* ~ that employee deserves a good appraisal. – **4.** ⟨*non com*⟩ (*qualità caratteristica*) characteristic, distinctive character. □ *dare a qd. la* ~ *di* to call s.o., to give s.o. the title of; *meritare la* ~ *di sciocco* to deserve being called a fool.
qualificạbile *a.* qualifiable.
qualificạre *v.t.* (**qualịfico, qualịfichi**) **1.** (*caratterizzare*) to describe as, to call, to qualify: ~ *qd. come un serio professionista* to call s.o. a real professional; *non so come* ~ *il tuo comportamento* I don't know what to call (*o* make of) your behaviour. – **2.** ⟨*burocr*⟩ (*attribuire una qualifica*) to judge, to appraise. – **qualificarsi** *v.r.* **1.** to describe o.s. as: *si è qualificato ragioniere* he described himself as an accountant. – **2.** (*ottenere una qualifica*) to qualify as: *qualificarsi idoneo* to qualify as suitable. – **3.** ⟨*Sport*⟩ to qualify.
qualificatịvo *a.* qualifying (*anche Gramm.*): *aggettivo* ~ qualifying adjective.
qualificạto (*p.p. di qualificare*) *a.* **1.** accomplished, having good qualities, ⟨*ant*⟩ qualified. – **2.** (*dotato di preparazione professionale*) qualified, skilled, competent: *operaio* ~ skilled worker; *sei il più* ~ *per questo lavoro* you're the best qualified for this job. – **3.** ⟨*Dir*⟩ aggravated, with aggravating circumstances: *furto* ~ aggravated larceny. – **4.** ⟨*estens,non com*⟩ (*vero e proprio*) real, (true and) utter, downright: *questo è proprio un abuso* ~ this is downright abuse.
qualificatọre I *s.m.* (*f.* **-trice**) **1.** qualifier. – **2.** ⟨*Rel.catt*⟩ qualificator. – **II** *a.* qualifying, qualificatory.
qualificaziọne *f.* **1.** qualification. – **2.** (*il qualificare*) describing,

classification. □ ⟨*Sport*⟩ *gare di* ~ qualifying games; ⟨*Comm*⟩ ~ *delle merci* description of the goods; ~ *professionale* professional qualification; ⟨*Econ*⟩ ~ *dei terreni* cadastral land description.

qualità *f.* **1.** quality: *mi interessa la* ~, *non la quantità* I'm interested in quality, not quantity. – **2.** (*dote, pregio*) (good) quality, merit, virtue, good point: *un giovane pieno di* ~ a young man with many good qualities. – **3.** (*specie*) sort, kind, type: *persone di ogni* ~ all kinds of people. – **4.** ⟨*Comm*⟩ quality, grade: *abbiamo due sole* ~ *di frutta* we have only two grades of fruit; *merce di prima* ~ top -quality goods. – **5.** ⟨*Filos*⟩ quality. – **6.** (*negli scacchi*) value. – **7.** ⟨*lett*⟩ (*ceto*) rank, social standing, ⟨*lett*⟩ quality. – **8.** ⟨*lett*⟩ (*maniera*) manner, way.

□ ~ **aerodinamica** performance; *di* **alta** ~ high (*o* choice) quality-, top (*o* first) grade-, prime; *di* **cattiva** ~ low grade-, poor quality-; **controllo** *della* ~ quality control; **di** ~: 1. (*di buona condizione sociale*) of rank (*o* high standing), ⟨*lett*⟩ of quality; 2. (*di buona qualità*) good (*o* high) quality-; ⟨*ant*⟩ *di* ~ *che* (*o da*) (*tale che*) such that; (*di modo che*) so that, so as to; **grado** *di* ~ grade; **in** (*o nella*) ~ *di* as, in one's capacity as: *parlo in* ~ *di direttore* I'm speaking as director; *di* ~ **inferiore** inferior; *di* **infima** ~ worthless, shoddy, trashy; ~ **intellettuali** intellectual qualities; ~ *di* **lavorazione** grade of workmanship, quality (of production); ⟨*Comm*⟩ ~ **media** average (*o* medium) quality; ⟨*Mar*⟩ ~ **nautiche** seaworthiness; *di* **prima** ~ top (*o* first) grade-, prime: *merce di prima* ~ prime (*o* best quality) goods, first-grade goods; *di* **tutte** *le* ~ of all kinds; ⟨*Aer*⟩ ~ *di* **volo** airworthiness.

qualitativamẹnte *avv.* qualitatively. – **qualitatịvo I** *a.* qualitative. – **II** *s.m.* ⟨*Comm*⟩ quality, grade.

qualmẹnte *avv.* ⟨*ant*⟩ (*come*) how, in what way. □ ⟨*pop*⟩ *come* ~ (*in che modo*) how.

qualọra *congz.* **1.** (*se mai*) if, in case: ~ *ciò avvenisse* if this should happen; ~ *tu non potessi farlo* if you can't (*o* shouldn't be able to) do it. – **2.** ⟨*ant*⟩ (*allorché*) whenever.

qualsịa *a.indef.inv.* ⟨*ant*⟩ → **qualsiasi**. – **qualsịasi** *a.indef.inv.* (*pl. rar.* **qualsịansi**) **1.** any: *un giorno* ~ any day. – **2.** (*ogni*) any, all, every: *a* ~ *prezzo* at any price; ~ *persona l'avrebbe saputo* anyone would have known. – **3.** (*qualunque*) (just) any, (just) ordinary, ⟨*fam*⟩ any old: *è un mio parente, non una persona* ~ he's a relative of mine, not just anyone; *una ragazza* ~ just an ordinary girl. – **4.** (*in frasi concessive*) whatever: *sono con te,* ~ *decisione tu prenda* whatever decision you may take, I'm with you; (*rif. a un numero ridotto*) whichever.

qualsisịa *a.indef.inv.* (*pl. rar.* **qualsisịano**) ⟨*tosc*⟩ → **qualsiasi**.

qualsivọglia *a.indef.* (*pl. rar.* **qualsivọgliano**) ⟨*lett*⟩ **1.** (*qualsiasi*) any, any ... what(so)ever. – **2.** (*ogni*) any, every.

qualụnque *a./pron.indef.inv.* **I** *a.* **1.** (*con valore relativo*) whatever: ~ *novità ci sia, avvertimi* whatever news there is, let me know; (*rif. a un numero ridotto*) whichever: ~ *strada prendi arriverai sempre in ritardo* whichever road you take, you will still arrive late. – **2.** (*ogni*) every, all: *sarebbe capace di* ~ *cattiveria* he would be capable of every kind of mischief. – **3.** (*posposto*: *uno qualsiasi*) any, (just) ordinary, nondescript, ⟨*fam*⟩ any old: *ci fermeremo in un albergo* ~ we'll stay in any old hotel; *è un impiegato* ~ he's just an ordinary clerk. – **4.** ⟨*non com*⟩ (*purchessia*) any, any ... whatever. – – **II** *pron.* ⟨*ant*⟩ (*chiunque*) anyone.

□ ~ **altro**: 1. (*rif. a persona*) anyone else; 2. (*rif. a cosa*) any other; ~ **cosa** anything, anything at all: *farei* ~ *cosa per aiutarti* I'd do anything to help you; *in* ~ **luogo** anywhere; ~ **persona** anyone, anybody; ~ (*si*) **sia** whatever it might be; **uno** ~: 1. (*rif. a persona*) (just) anyone, anybody; 2. (*rif. a cosa*) just any one; *l'uomo* ~ (*l'uomo comune*) the man in the street; ~ **volta** whenever, every time.

qualunquịsmo *m.* **1.** ⟨*Pol*⟩ man-in-the-street movement. – **2.** ⟨*estens*⟩ (*indifferenza*) indifference, non-commitment. – **qualunquịsta I** *s.m./f.* **1.** ⟨*Pol*⟩ adherent of the man-in-the-street movement. – **2.** ⟨*estens*⟩ drifter. – **II** *a.* → **qualunquistico**. – **qualunquịstico** *a.* (*pl.* **-ci**) **1.** of the man-in-the-street movement. – **2.** ⟨*estens*⟩ (*indifferente*) indifferent, non-committal.

qualvọlta (*o qual vọlta*) *congz.* ⟨*lett*⟩ (*ogni qual volta*) whenever, every time.

quạndo I *avv.* **1.** (*interrogativo*) when: ~ *parti?* when will you leave?; *gli domandava* ~ *sarebbe tornato* she asked him when he would be back. – **2.** (*relativo*) that, when, *spesso non si traduce*: *il giorno* ~ *arrivai in Italia* the day (that) I arrived in Italy. – **II** *congz.* **1.** when: *lo incontrai* ~ *ero a Parigi* I met him when I was in Paris; ~ *tornerò a casa, ti risponderò* when I get back home, I'll give you an answer; ~ *sarai grande, capirai certe cose* when you are bigger, you'll understand certain things. – **2.** (*tutte le volte che*) when(ever), every time (that): ~ *comincia la primavera, gli alberi rifioriscono* when spring begins, the trees burst into blossom again. – **3.** (*dopo che*) when, after. – **4.** (*avversativo*) when, whereas, while: *sembrava triste* ~ *invece era contento* he seemed sad whereas (*o* when in fact) he was happy; *perché dovrei fargli un piacere* ~ *lui non me ne ha mai fatti?* why should I do him a favour when he's never done one for me? – **5.** (*causale*: *giacché*) when, since, as: *è sciocco insistere* ~ *sai che è inutile* it's silly to keep on when you know it's no use. – **6.** (*condizionale*) if, in case: ~ *tu ci ripensassi, fammi una telefonata* if (*o* in case) you should change your mind, give me a ring. – **7.** (*in frasi ellittiche*: *se*) if: *quand'è così* if that is how it is, if that's how matters stand. – **III** *s.m.inv.* **1.** when: *il come e il* ~ the how and the when, the reason and the time. – **2.** ⟨*lett*⟩ (*attimo*) moment, instant.

□ **a** ~ when: *a* ~ *la laurea?* when do you get your degree?; ⟨*lett*⟩ *a* ~ *a* ~ = **di** *quando in quando*; *quand'***anche** even if (*o* though): *quand'anche fosse così* even if that were so; **come** ~ as ... when: *la città è rimasta come* ~ *io ero piccolo* the town has remained as it was when I was small; **da** ~: 1. (*dacché*) (ever) since: *soffre molto da* ~ *sei partito* he has suffered a lot since you left; 2. (*interrogativo*) since when?, how long?; *da* ~ *in qua tu ami il calcio?* since when have you been a soccer fan?; **di** ~: 1. (*del tempo in cui*) from (the time) when: *sono i vestiti di* ~ *ero piccola* these are my clothes from when I was small; 2. (*interrogativo*) what date?, when?: *di* ~ *è questa mobilia?* what date (*o* period) is this furniture?; *di* ~ *in* ~ from time to time, now and then (*o* again), at times, every so often, occasionally; *quand'***ecco** (*che*) when suddenly; **fino** *a* ~: 1. until, till, up to the time that; 2. (*interrogativo*) till when?; (*per quanto tempo*) how long?; ~ **mai** since when, when(ever), ⟨*fam*⟩ when on earth: ~ *mai si tratta così la gente?* since when are people treated like this?; **per** ~: 1. for when; 2. (*interrogativo*) when?: *per* ~ *sarà pronto?* when will it be ready?; ~ ... **quando** sometimes ... sometimes: ~ *rideva,* ~ *piangeva* sometimes he would laugh, sometimes he would cry; **se** *non* ~ until, before; ~ **sì** ~ *no* (*non sempre*) not always, now and then, sometimes; ~ *che* **sia** sometime or other.

quandụnque *congz.* ⟨*ant*⟩ (*tutte le volte che*) whenever, every time (that).

quạntico *a.* ⟨*non com*⟩ → **quantistico**.

quantificaziọne *f.* ⟨*Filos*⟩ quantification.

quantịmetro *m.* ⟨*non com*⟩ (*dosimetro*) quantimeter, dosimeter.

quantịstico *a.* (*pl.* **-ci**) ⟨*Fis*⟩ quantic, quantum-: *teoria -a* quantum theory.

quantità *f.* **1.** quantity, amount: *bada alla qualità piuttosto che alla* ~ have an eye to quality rather than quantity; (*numero*) number. – **2.** (*gran numero, moltitudine*) great (*o* good) deal, lot, great many *pl*, ⟨*fam*⟩ heap, ⟨*fam*⟩ load: *mi è capitata una* ~ *di guai* I've had a load of troubles; *una gran* ~ *d'acqua* a lot (*o* great deal) of water. – **3.** ⟨*Mat,Filos,Ling*⟩ quantity. – **4.** ⟨*ant*⟩ (*somma di denaro*) sum (*o* amount) of money.

□ ⟨*Fis*⟩ ~ *di* **calore** quantity of heat; *una* ~ *di* **gente** a ⌜lot of⌝ (*o* great many) people; **in** ~ many, plenty (*o* a lot) of, ⟨*fam*⟩ lots (*o* loads) of: *ha soldi in* ~ he has a lot of money; ⟨*Fis*⟩ ~ *di* **luce** quantity of light; ~ *di* **moto** momentum; ⟨*Mat*⟩ ~ **negativa** negative quantity; ~ **numerica** numerical quantity.

quantitativamẹnte *avv.* quantitatively. – **quantitatịvo I** *a.* quantitative: *analisi -a* quantitative analysis. – **II** *s.m.* ⟨*Comm*⟩ quantity, amount: ~ *offerto* amount offered; (*numero*) number.

quantiẓẓạre *v.t.* ⟨*Fis*⟩ to quantize. – **quantiẓẓạto** (*p.p. di quantizzare*) *a.* quantized. – **quantiẓẓaziọne** *f.* quantization.

quạnto[1] **I** *a.* **1.** (*interrogativo*) how much (*pl* how many): ~ *denaro hai?* how much money have you?; *-i uomini ci sono?* how many men are there?; *non so* ~ *tempo potrò dedicare a questo lavoro* I don't know how ⌜much time⌝ (*o* long) I can give to this work. – **2.** (*esclamativo*) what a lot of, what, how much (*pl* how many): ~ *fracasso!* what a lot of noise; (*rif. a tempo*) what a long: ~ *tempo è passato!* what a long time has gone by!, hasn't it been a long time! – **3.** (*in correlazione con tanto*) as: *ho tanti amici -i ne ha lui* I have as many friends as he has. – **4.** (*nella misura o quantità che*) as much as (*pl* as many as), all the: *puoi mangiare* ~ *pane vuoi* you can eat as much bread as you like; (*rif. a tempo*) as long as: *rimani pure* ~ *tempo vuoi* stay just as long as you like. – **II** *pron.* **1.** (*interrogativo*) how much (*pl* how many): *-i partiranno con voi?* how many will leave with you?; (*rif. a tempo*) how long: ~ *ti fermerai?* how long will you stay? – **2.** (*relativo*: *ciò che*) what, all (that): *non credere a* ~ *ti ha detto* don't believe what (*o* all) he told you; *fare* ~ *si può* to do ⌜all one can⌝ (*o* everything possible). – **3.** *pl.* (*relativo*: *tutti quelli che*) (all) those *pl* who: *non ha saputo dire di no a -i glielo hanno chiesto* he couldn't say no to all those who asked him. – **4.** (*seguito dal partitivo*) *non si traduce*: *è* ~ *di meglio io abbia* it is the best I have. – **5.** (*in correlazione con tanto*) as: *siamo tanti -i eravamo agli inizi* we are as many as we were at the beginning; ~ *denaro hai? – ne ho tanto* ~ *ne hai tu* how much money have you? – I have as much as you (have). – **6.** *pl.* (*rif. a data*) what date: *-i ne abbiamo?* what is the date?, what date is it today? – **III** *avv.* **1.** (*interrogativo*: *seguito da un verbo*) how much (*pl* how many): ~ *hai speso?* how much have you spent?; *non sa* ~ *vale* he doesn't know how much it is worth; (*con aggettivi o avverbi*) how: ~ *è grande tuo figlio?* how old is your son?; *vuole sapere* ~ *sei alto* he wants to know how tall you are; (*rif. a tempo*) how long; (*rif. a distanza*) how far. – **2.** (*esclamativo*) what a lot, how much: ~ *hai fumato oggi!* what a lot you've smoked today!; (*intensità*: *rif. a verbi*) how, how much (*o* greatly): ~ *ha sofferto quella donna!* how that woman has suffered!; (*rif. ad aggettivi e avverbi*) how: ~ *è bella!* how beautiful she is!, isn't she beautiful! – **3.** (*nella misura o quantità che*) as much as, all (that): *ho visto* ~ *era possibile vedere* I saw as much as it was possible to see. – **4.** (*come*: *in frasi positive*) as ... as: *forte* ~ *un lottatore* as strong as a wrestler; (*in frasi negative*) so (*o* as) ... as: *non è sciocco* ~ *credi* he isn't so (*o* as) stupid as you think. – **5.** (*in correlazione con tanto*: *in frasi positive*) as ... as: *è tanto preciso* ~ *intelligente* he is as accurate as he is intelligent; (*quantità*) as much as: *tu lavori tanto* ~ *lui* you work as much (*o* hard) as he does; (*in frasi negative*) so (*o* as) much as: *la ammiro non tanto per la sua intelligenza, ~ per la sua bontà* I admire her not so much for her intelligence as for her kindness. – **6.** (*come pure*) both ... and, as well as: *venderò tanto la casa al mare, ~ quella in città* I shall sell both the seaside house and the town one.

□ ~ **a** as for, as regards, as far as ... concerned: *~ a me* as for me, as far as I am concerned; *a ~ scrive* from what he writes; *a ~ si dice* from (*o* going by) what people say; **da** ~: 1. (*da quanto tempo*) how long; 2. (*di quale valore*) how much; 3. (*per quello che*) from what, as far as: *da ~ ho capito* from what I understood; 4. ⟨*fam*⟩ (*tanto*) so: *non è uscito da ~ si sentiva male* he felt so bad he didn't go out; 5. ⟨*fam*⟩ (*per quanto*) so much (*pl* so many): *non spera più in nulla da -e disillusioni ha avuto* ⌜he has had so many disappointments⌝ (*o* what with all the disappointments he has had) he has lost all hope; *a conferma* **di** *~ sopra* in confirmation of the above; *questo* **è** ~ (*è tutto quello che c'era da dire*) that's all, there you are; ~ **fa**? (*quanto costa?*) how much ⌜is it⌝ (*o* does it cost)?; *~ fa due più due?* what (*o* how much) is two and two?; **in** ~: 1. (*in qualità di*) as, in one's capacity as: *in ~ ambasciatore* as ambassador; 2. (*nella misura in cui*) as much (*o* far) as, all: *ti aiuterò in ~ posso* I will help you ⌜as much as⌝ (*o* all) I can; 3. (*poiché*) as, since, because, in that: *non si presentò all'esame in ~ non era preparato* he didn't take the exam as he wasn't prepared for it; *in ~ a* = *quanto* **a**; *in ~ che* (*poiché*) since, as: *tacque, in ~ che spettava ad altri parlare* he kept silent since it was s.o. else's turn to speak; ~ **mai**: 1. (*con aggettivi*) very, extremely: *è ~ mai simpatica* she is very nice; *uno spettacolo ~ mai divertente* an extremely funny show; 2. (*con verbi*) very much, greatly, enormously: *mi sono ~ mai divertito* I enjoyed myself very much; ~ **meno** (*almeno*) at least; **per** ~: 1. (*con aggettivi e avverbi*) however, for all: *per ~ brava, fa degli errori* ⌜however good she may be⌝ (*o* good though she is) she still makes mistakes; 2. (*con verbi*) however much, for all: *per ~ cerchi, non riuscirai a trovarmi* however much (*o* hard) you look, you won't succeed in finding me, for all your searching you won't find me; 3. (*con valore limitativo*) as far as: *per ~ ne so io* as far as I know; *per ~ sta in me* as far as I'm concerned; (*per quanto mi è possibile*) as far as I can; ~ **più** *velocemente* as fast as possible; *~ più si può* as much as possible; ~ **prima** as soon (*o* quickly) as possible; ⟨*Comm*⟩ at your earliest convenience; (*prossimamente*) (very) soon, shortly; *~ prima tanto meglio* the sooner (*o* earlier, faster) the better; *è* **tanto** *buona ~ è bella* she is as good as she is beautiful; *~ più ..., tanto più* the more ... the more: *~ più lo vedo, tanto più mi è antipatico* the more I see him ⌜the more I dislike him⌝ (*o* the less I like him); ~ **tempo**? how long?; **tutti** *-i* all, everyone: *ci andremo tutti -i* we will all go, all of us will go, everyone is going; *tutto* ~: 1. (*intero*) all, whole, entire; 2. (*avv.*) all, completely; 3. (*pron.*) everything, ⟨*fam*⟩ the lot: *ha perso tutto ~* he has lost everything; *quant'è* **vero** *Dio* as sure as there's a God; *quant'è vero che vivo* as true as I live (*o* am standing here).

quạnto² **I** *m.inv.* **1.** (*quantità*) quantity. – **II** *m.* ⟨*Fis*⟩ quantum. □ ⟨*Fis*⟩ *~ d'azione* quantum of action; *~ del campo* field quantum; *~ d'energia* energy quantum, quantum of energy; *~ gamma* gamma quantum; *~ di luce* light quantum, photon.

quantomeccạnica *f.* ⟨*Fis*⟩ quantum mechanics *pl* (*costr. sing. o pl.*).

quạntum *lat. m.* ⟨*Fis*⟩ quantum.

quantụnque I *congz.* [*cong*] although, though, even though, even if: *~ sia molto stanco, ti accompagnerò a casa* although I am very tired, I'll take you home; *~* (*fosse*) *ammalato, lavorò sempre molto* though (he was) ill, he still worked hard. – **II** *a.inv.* ⟨*ant*⟩ **1.** (*quanto*) as much ... as (*pl* as many ... as). – **2.** (*per quanto grande*) however great, great as. – **III** *avv.* ⟨*ant*⟩ (*quanto*) as much as. – **IV** *pron.* ⟨*ant*⟩ (*tutto ciò che*) all that.

quarạnta *a./s.inv.* **I** *a.* **1.** forty: *~ lire* forty lire. – **2.** ⟨*iperb*⟩ (*molto*) a lot of, scores of, dozens of. – **II** *s.m.* **1.** forty. – **2.** *pl.* (*gli anni quaranta*) the forties *pl.* □ *sui ~* in one's forties: *un uomo sui ~* a man in his forties.

quarantẹna *f.* **1.** (*periodo di quaranta giorni*) forty days, quarantine. – **2.** (*periodo di segregazione*) quarantine. – **3.** (*contumacia*) quarantine, isolation. – **4.** ⟨*Rel,ant*⟩ forty days' fast. □ *essere in ~* to be in quarantine; *mettere in ~* to (put in) quarantine; ⟨*fig*⟩ *mettere in ~ una notizia* (*riservarsi di verificarne l'esattezza*) to wait a while before accepting a piece of news as valid.

quarantenạrio *a.* ⟨*Med*⟩ quarantinable.

quarantennạle I *a.* **1.** (*che dura quarant'anni*) forty-year-long, lasting forty years. – **2.** (*che ricorre ogni quarant'anni*) forty-year-, every forty years. – **II** *s.m.* fortieth anniversary. □ *~ della morte* fortieth anniversary of the death.

quarantẹnne I *a.* forty-year-old, quadragenarian, ⟨*pred*⟩ forty (years old). – **II** *s.m./f.* forty-year-old, quadragenarian, person of forty. – **quarantẹnnio** *m.* forty years *pl.*

quarantẹno *m.* ⟨*ant*⟩ (*quarantesima parte*) fortieth.

quarantẹsimo I *a.* fortieth. – **II** *s.m.* **1.** (*ordinale*; *f.* **-a**) fortieth. – **2.** (*frazionario*) fortieth.

quarantịa *f.* ⟨*Stor*⟩ (*a Venezia*) bench of forty magistrates; (*a Firenze*) criminal court of forty members.

quarantịgia *f.* (*pl.* **-ge**) ⟨*ant*⟩ (*guarentigia*) guarantee.

quarantịna *f.* **1.** (*circa quaranta*) about forty. – **2.** (*rif. a età*) forty (years of age): *ha passato la ~* he is over forty. – **3.** ⟨*ant*⟩ (*quarantena*) quarantine.

quarantịno *a.* ⟨*Agr*⟩ fast-ripening.

quarantọre (o *quarant'ọre*) *f.pl.* ⟨*Rel*⟩ forty hours' devotion: *fare le ~* to do forty hour's devotion.

quarantottạta *f.* ⟨*iron*⟩ disorderly political demonstration.

quarantottẹsco *a.* (*pl.* **-chi**) **1.** ⟨*Stor*⟩ (eighteen-)forty-eight-, of (eighteen) forty-eight. – **2.** ⟨*iron*⟩ (*caotico*) confused, chaotic.

quarantọtto *a./s.inv.* **I** *a.* forty-eight. – **II** *s.m.* **1.** (*numero*) forty-eight. – **2.** (*anno quarantotto*) eighteen forty-eight. – **3.** ⟨*fam*⟩ (*confusione*) confusion, turmoil, bedlam: *fare un ~* to create confusion (*o* turmoil), ⟨*fam*⟩ to raise hell; *succede un ~* there is bedlam.

quạre *avv.* ⟨*ant*⟩ (*perché*) wherefore.

quarẹsima *f.* ⟨*Lit*⟩ **1.** Lent. – **2.** ⟨*non com*⟩ (*periodo di digiuno*) fast. □ *fare* (o *osservare la*) *~* to keep Lent (*o* the Lenten fast); ⟨*fig*⟩ *lungo come una ~* (*rif. a persone*) as slow as a snail; (*rif. a cose*) never-ending, interminable; *mezza ~* Mid-Lent; ⟨*scherz*⟩ *parere una ~* (*rif. a persona alta e magra*) to look half-starved, to be as thin as a rake.

quareṣimạle I *a.* ⟨*Rel*⟩ Lenten, Lent-, Quadragesimal: *prediche -i* Lent sermons. – **II** *s.m.* **1.** ⟨*Rel*⟩ (*serie di prediche*) Lent(en) sermons *pl*; (*libro*) book of Lenten sermons. – **2.** ⟨*Dolc*⟩ almond cake. – **quareṣimalịsta** *m.* Lent preacher.

quarnạle *m.* ⟨*Mar.ant*⟩ four-stranded rope.

Quarnạro, Quarnẹro *N.pr.m.* ⟨*Geog*⟩ (Gulf of) Quarnero.

quạrra *f.* ⟨*Stor*⟩ **1.** (*quarta parte dello staio*) quarter of a bushel. – **2.** (*unità di misura di capacità*) old measure of capacity (25.25 lit.).

quạrta *f.* **1.** ⟨*Scol*⟩ (*quarta classe*) fourth class (*o* form), ⟨*am*⟩ fourth grade. – **2.** ⟨*Aut*⟩ fourth (gear): *innestare la ~* to change into fourth. – **3.** ⟨*Mus*⟩ fourth: *~ diminuita* diminished fourth. – **4.** ⟨*Dir*⟩ fourth part of an inheritance. – **5.** ⟨*Geog*⟩ quadrant. – **6.** ⟨*Mar*⟩ point; (*nella rosa dei venti*) rhumb, compass point. – **7.** ⟨*Tel*⟩ (*bicoppia*) quad. – **8.** ⟨*Sport*⟩ quarte, fourth. – **9.** ⟨*Stor*⟩ (*unità di peso*) old unit of weight (6,61 g.); (*unità di superficie*) old unit of area (914.15 m²). – **10.** ⟨*Stor*⟩ → **quartese.**

□ ⟨*Sport*⟩ ~ **alta** high fourth; ~ **bassa** low fourth; ⟨*Mus*⟩ ~ **eccedente** (o *aumentata*) augmented fourth; ⟨*Dir.can*⟩ ~ **funeraria** quarter (*o* fourth) of the funeral expenses; ⟨*Mus*⟩ ~ **giusta** perfect fourth; ⟨*Dir*⟩ ~ **legittima** legal fourth part (of an inheritance); ⟨*fig*⟩ **partire** *in ~* to be off like a shot, to make a flying start; ⟨*Sport*⟩ ~ *al* **torace** cut-at-chest.

quartabọno *m.* ⟨*pop*⟩ → **quartabuono.** – **quartabuọno** *m.* ⟨*Fal*⟩ **1.** bevel (square). – **2.** (*squadra a forma di triangolo*) triangle. □ *a ~* acute-angled.

quartạna *f.* ⟨*Med*⟩ (*anche febbre quartana*) quartan (fever), quartan ague. – **quartanạrio** *a.* ⟨*ant*⟩ (*affetto da febbre quartana*) suffering from quartan fever.

quartạno *a.* ⟨*Biol*⟩ fourth.

quartạra *f.*, **quartạro** *m.* old liquid volume measure (4.20-17.2 lit.).

quartarọla *f.* ⟨*Stor*⟩ old measure of capacity.

quartarọlo *m.* **1.** ⟨*Stor*⟩ old measure of capacity (14.58 lit.). – **2.** ⟨*Mar. ant*⟩ fourth oarsman.

quartạto *a.* ⟨*non com*⟩ **1.** strong, sturdy. – **2.** ⟨*Arald*⟩ quartered.

quartazịone *f.* ⟨*Met*⟩ (*inquartazione*) inquartation.

quarterịa *f.* ⟨*Agr*⟩ four-year crop rotation.

quarterọne *m.* ⟨*Stor*⟩ old liquid volume measure.

quarteruọlo *m.* ⟨*Numism*⟩ counter.

quartẹse *m.* ⟨*Stor*⟩ (tax of) fortieth part of agricultural produce.

quartettịsta *m./f.* ⟨*Mus*⟩ **1.** (*componente di un quartetto*) member of a quartet. – **2.** (*autore di quartetti*) composer of quartets. – **quartẹtto** *m.* **1.** ⟨*Mus*⟩ quartet, quartette. – **2.** ⟨*fig*⟩ foursome, quartet(te). – **3.** (*nei giochi di carte*) matched set, four of a kind. □ *~ d'archi* string quartet; *~ vocale e strumentale* vocal and instrumental quartet.

quarticịno *m.* **1.** ⟨*Stor*⟩ old measure of capacity (0.61 lit.). – **2.** ⟨*Tip*⟩ (*quartino*) four-page folder, signature.

quartidị *fr. m.* fourth day of a decade.

quartierạto *a.* ⟨*Mar*⟩ round, having blunt ends.

quartiẹre *m.* **1.** quarter, district, area. – **2.** ⟨*Mil*⟩ quarters *pl*, barracks *pl.* – **3.** ⟨*Arald*⟩ quarter. – **4.** ⟨*Mar*⟩ section of a ship. – **5.** ⟨*Mar*⟩ (*chiusura di boccaporto*) hatch(-cover). – **6.** ⟨*Equit*⟩ flap. – **7.** ⟨*Calz*⟩ quarter. – **8.** (*nel biliardo*) balk. – **9.** ⟨*region*⟩ (*appartamento*) flat, ⟨*am*⟩ apartment. – **10.** ⟨*ant*⟩ (*alloggio*) lodging, quarters *pl.*

□ ~ *degli* **affari** business quarter; *-i* **alti** exclusive neighbourhood *sing*; *-i* **bassi** slums; ~ **centrale**: 1. central district; 2. ⟨*Mar*⟩ midship; ⟨*Mil*⟩ **chiedere** ~ to ask for quarter; *non* **concedere** ~ to give no quarter; **dare** ~ to give quarter, to grant (*o* show) mercy, to spare; ⟨*Mil*⟩ *-i d'***estate** summer quarters; *Quartier* **generale** headquarters *pl* (*costr. sing. o pl.*); ⟨*Mil*⟩ *-i d'***inverno** winter quarters; ≈ **latino** (*a Parigi*) Latin Quarter; ⟨*Mar*⟩ ~ **poppiero** stern, after (*o* hind) part; ~ **postale** postal district; ⟨*tosc,scherz*⟩ **prendere** ~ *in un posto* (*rimanere in un luogo più del convenuto*) to dig o.s. in; ⟨*Mar*⟩ ~ **prodiero** bow, prow, foreship, fore (part); (*velatura*) fore rigging, headsails *pl*; ~ **residenziale** residential district (*o* area, quarter); ⟨*fig*⟩ *lotta* **senza** ~ fight without quarter.

quartierịno (*dim. di quartiere*) *m.* ⟨*region*⟩ (*appartamentino*) (small) flat.

quartiermạstro *m.* ⟨*Mil.ant*⟩ quartermaster.

quartigliẹre *m.* **1.** ⟨*Mar.mil*⟩ (mess-deck) sweeper. – **2.** ⟨*Mil*⟩ soldier detailed to clean out dormitories. – **3.** (*nelle carceri*) trusty.

quartịglio *m.* → **quadriglio.**

quartịna *f.* **1.** ⟨*Metr*⟩ quatrain. – **2.** ⟨*Cart*⟩ size of writing paper. – **3.** ⟨*Mus*⟩ quadruplet. – **4.** ⟨*Filat*⟩ block of four stamps. – **5.** ⟨*Mar. ant*⟩ quarter (point). – **6.** ⟨*Stor*⟩ (*unità di misura di capacità*) old measure of capacity.

quartịno (*dim. di quarto*) *m.* **1.** (*quarto di litro*) quarter (of a) litre. – **2.** (*recipiente*) quarter-litre vessel; (*bottiglia*) quarter-litre bottle. – **3.** ⟨*fam*⟩ (*quarto di litro di vino*) quarter (of a) litre of wine. – **4.** ⟨*Tip*⟩ four-page folder, signature.

quartirọlo *m.* **1.** ⟨*Alim*⟩ kind of cheese. – **2.** ⟨*Agr*⟩ hay from (*o* of) the fourth mowing.

quạrto I *a.* **1.** fourth. – **2.** (*posposto: rif. a regnanti*) the Fourth: *Enrico* ~ Henry the Fourth, Henry IV. – **II** *s.m.* **1.** (*ordinale*; *f.* **-a**) fourth: *è il* ~ *nella lista* it's the fourth on the list. – **2.** (*frazionario*) quarter, fourth. – **3.** (*quarto d'ora*) quarter of an hour, quarter (-hour); (*nelle indicazioni dell'ora*) quarter: *le due e un* ~ a quarter past two, two-fifteen. – **4.** (*quarto di litro*) quarter (of a) litre; (*recipiente da un quarto di litro*) quarter-litre vessel; (*bottiglia*) quarter-litre bottle. – **5.** ⟨*Macell*⟩ quarter. – **6.** ⟨*Astr*⟩ quarter: *ultimo* ~ last quarter. – **7.** ⟨*Arald*⟩ quarter. – **8.** ⟨*Mar*⟩ (*guardia*) watch. – **9.** ⟨*region*⟩ (*quarto di chilo*) quarter (of a) kilo.
□ **da** *un* ~ quarter-litre-: *bottiglia da un* ~ quarter-litre bottle; **fare** *in -i* to quarter; ⟨*Sport*⟩ *-i di* **finale** quarter-finals; ⟨*Edit*⟩ **in** ~ quarto: *volume in* ~ quarto volume; **manca** *un* ~ *alle sei* it is a quarter to six; ⟨*Arald*⟩ *avere i quattro -i di* **nobiltà** to be of noble lineage, to have the four quarterings of nobility; ~ *d'***ora**: 1. quarter of an hour, fifteen minutes; 2. (*breve spazio di tempo*) moment, quarter of an hour: *un brutto* ~ *d'ora* a bad quarter of an hour; *essere in un cattivo* ~ *d'ora* (*in un momento di malumore*) to be in a bad mood, to be out of sorts; ⟨*Univ*⟩ ~ *d'ora accademico* fifteen -minute wait before a lecture; ⟨*fig*⟩ ~ *d'ora di Rabelais* (*momento critico*) critical (*o* awkward) moment; (*momento di pagare il conto*) hour of reckoning, time to pay up; *una -a* **parte** a quarter; *un* ~ *di* **pollo** a quarter of a chicken; ⟨*Mus*⟩ ~ *di* **tono** quarter tone; *sono le due e* **tre** *-i* it is a quarter to three, it is two forty-five; ⟨*Sart*⟩ *a tre -i* three-quarter length; ⟨*Dir.ant*⟩ ~ **vedovile** widow's share.

quartodęcimo *a.* ⟨*lett*⟩ (*quattordicesimo*) fourteenth.

quartogęnito I *a.* fourth-born. – **II** *s.m.* (*f.* **-a**) fourth child.

quartụccio *m.* **1.** ⟨*Stor*⟩ (*unità di misura di capacità*) old unit of capacity (0.28-0.85 lit.). – **2.** ⟨*region*⟩ (*fiaschetto da un quarto di litro*) quarter-litre flask.

quartụltimo *a.* fourth to last, last but three.

quarzịfero *a.* ⟨*Min*⟩ quartziferous. – **quarzịte** *f.* quartzite. – **quạrzo** *m.* ⟨*Min*⟩ quartz. □ ~ *affumicato* smoky (*o* brown) quartz, cairngorm; ~ *citrino* citrine, false topaz; ~ *ialino* (*cristallo di rocca*) rock crystal; ~ *roseo* (o *rubino*) rose quartz; ⟨*Fis*⟩ ~ *stabilizzatore* control (*o* oscillator) crystal. – **quarzọso** *a.* ⟨*Min*⟩ quartzose.

quạṣi I *avv.* **1.** almost, nearly, ⟨*lett*⟩ well-nigh: *ci vediamo* ~ *tutti i giorni* we see each other nearly every day; (*con valore negativo*) hardly: *non ti vedo* ~ *mai* I hardly ever see you. – **2.** (*attenuativo*) almost, all but: *oserei* ~ *affermare che non ha tutti i torti* I'd almost dare to say that he isn't completely wrong. – **3.** (*poco meno che*) almost, nearly, not quite, a little less than: *pesa* ~ *un chilo* it weighs nearly a kilo. – **4.** (*come, come se fosse*) as if: *mi guardava* ~ *spaventata* she looked at me as if (she were) frightened. – **5.** (*a metà*) half: ~ *deciso* half decided. – **II** *congz.* [*cong*] (*come se*) as if: *protestava,* ~ *avesse ragione lui* he protested as if he were in the right.
□ ~ *che* as if; ~ *quasi* very nearly, ⟨*fam*⟩ for two pins: ~ *quasi me ne andrei a casa* for two pins I'd go home, I've half a mind to go home; *senza* ~ (*completamente*) (there's) no doubt about it, certainly.

quạṣi contrạtto *m.* ⟨*Dir*⟩ quasi contract, contract quasi, implied contract.

quaṣicristallịno *a.* ⟨*Min*⟩ hypocrystalline, semi-crystalline.

quạṣi delịtto *m.* ⟨*Dir*⟩ quasi delict.

quaṣimẹnte *avv.* ⟨*ant,pop*⟩ (*quasi*) almost, nearly.

quaṣimọdo: ⟨*Rel*⟩ *domenica* (*di*) ~ Low Sunday, Quasimodo.

quassazione *f.* ⟨*Farm*⟩ crushing, pulverizing, grinding, powdering.

quạssia *f.* ⟨*Bot*⟩ (Surinam) quassia (*Quassia amara*). – **quassịna** *f.* ⟨*Farm*⟩ quassin, quassite. – **quạssio** *m.* quassia(-wood).

quassù *avv.* up here. □ *di* ~ from up here. – **quassụso** *avv.* ⟨*ant*⟩ → **quassù.**

quatẹrna *f.* **1.** (*nei giochi*) set of four numbers: *fare* ~ to make a win of four numbers. – **2.** (*lista di quattro*) list of four (persons or things). – **3.** ⟨*Mat*⟩ quaternary.

quaternạrio I *a.* **1.** (*di quattro parti*) quaternary. – **2.** ⟨*Chim*⟩ quaternary. – **3.** ⟨*Geol*⟩ Quaternary. – **II** *s.m.* **1.** ⟨*Metr*⟩ quadrisyllabic (*o* four-syllabled) line. – **2.** ⟨*Geol*⟩ (*anche era quaternaria*) Quaternary (period).

quaternạto *a.* → **quaterno.**

quaterniọne *m.* **1.** ⟨*Mat*⟩ quaternion. – **2.** ⟨*Filol*⟩ (*nei codici*) quaternion, quire.

quatẹrno *a.* ⟨*Biol*⟩ quaternate.

quatriduạno *a.* ⟨*lett*⟩ (*di quattro giorni*) four-day-, four-day-old.

quạtto *a.* crouched, huddled (up), squatting. □ ~ *quatto* (*in silenzio*) very quietly, as quiet as a mouse; (*di nascosto*) stealthily; *andarsene* ~ *quatto* to go off quietly, to creep away unnoticed; *starsene* ~ *quatto* to keep very quiet. – **quattọni** *avv.* ⟨*non com*⟩ (*anche quatton quattoni*) (*in silenzio*) very quietly, silently, as quiet as a mouse; (*di nascosto*) stealthily.

quattordicẹnne I *a.* fourteen-year-old, of fourteen, ⟨*pred*⟩ fourteen (years old). – **II** *s.m./f.* fourteen-year-old, boy (*f* girl) of fourteen.

quattordicẹṣimo I *a.* fourteenth. – **II** *s.m.* **1.** (*ordinale*; *f.* **-a**) fourteenth. – **2.** (*frazionario*) fourteenth.

quattọrdici *a./s.inv.* **I** *a.* fourteen. – **II** *s.m.* **1.** (*numero*) fourteen. – **2.** (*nelle date*) fourteenth: *il* ~ *agosto* the fourteenth of August, August (the) fourteenth. – **3.** (*tram*) (number) fourteen. – **III** *s.f.pl.* two (o'clock), two p.m.; (*negli orari internazionali*) fourteen hundred hours *pl.*

quattordicịna *f.* about (*o* some) fourteen, fourteen or so.

quattriduạno *a.* → **quatriduano.**

quattrinạio I *a.* **1.** (*ricco*) rich, wealthy, moneyed. – **2.** (*avido*) money-grubbing, grasping. – **II** *s.m.* (*f.* **-a**) **1.** (*ricco*) rich (*o* wealthy) person. – **2.** (*persona avida*) money-grubber.

quattrinẹlla *f.* ⟨*Bot*⟩ money-wort, creeping Jennie, herb twopence (*Lysimachia nummularia*).

quattrinẹlli (*dim. di quattrino*) *m.pl.* money, pennies *pl.*

quattrịno *m.* **1.** ⟨*Numism*⟩ quattrino. – **2.** ⟨*estens*⟩ (*moneta di poco valore*) farthing, penny, ⟨*am*⟩ cent. – **3.** *pl.* (*denaro*) money, ⟨*fam*⟩ cash, ⟨*fam*⟩ dough, ⟨*fam*⟩ lolly, ⟨*am.fam*⟩ moola: *far -i* to make money; *ha guadagnato un bel po' di -i* he has earned quite a bit (of money).
□ **ballar** *sopra un* ~ to be very exact, not to exceed due bounds; *restare senza il* **becco** *d'un* ~ to be left without a penny, ⟨*fam*⟩ to be (stony-)broke; **fior** *di -i* a mint of money, a pretty penny, ⟨*fam*⟩ a packet: *l'apparecchio mi costò fior di -i* the appliance cost me a mint of money; *-i a* **palate** a lot (*o* mint) of money, ⟨*fam*⟩ loads of money; **senza** *-i* penniless, ⟨*fam*⟩ broke; *non* **stimare** *un* ~ (*marcio*) not to give a halfpenny (*o* brass farthing) for; *non* **valere** (*il becco di*) *un* ~ to be worthless. – *Prov.*: *a* ~ *a* ~ *si fa il fiorino* little and often fills the purse, every little helps, many a little makes a mickle; ~ *risparmiato, due volte guadagnato* a penny saved is a penny earned; *coi -i si fa tutto* money talks (*o* opens all doors); *-i e santità metà della metà* don't believe everything you hear about the rich and the holy.

quạttro *a./s.inv.* **I** *a.* **1.** four: *le* ~ *stagioni* the four seasons. – **2.** (*alcuni*) a few (*costr. pl.*): *scambiare* ~ *parole* to exchange a few words; (*pochi*) few *pl.* – **II** *s.m.* **1.** (*numero*) four. – **2.** (*nelle date*) fourth: *il* ~ *agosto* the fourth of August, August (the) fourth. – **3.** ⟨*Scol*⟩ four (out of ten). – **4.** (*nelle carte da gioco*) four. – **5.** (*tram*) (number) four. – **III** *s.f.pl.* four (o'clock): *sono le* ~ *precise* it is exactly four o'clock.
□ **a** ~ *a* ~ four at a time, in fours, four by four; *fare le scale a* ~ *a* ~ to go up (*o* down) the stairs very quickly; ⟨*Sport*⟩ ~ **con** (*timoniere*) four with coxswain; **dirne** ~ *a qd.* to tell s.o. a thing or two, to give s.o. a piece of one's mind; **farsi** *in* ~ to do one's utmost (*o* very best); **in** ~ four: *saremo in* ~ there will be four of us; *le* ~ *e* **mezzo** half-past four; *di* ~ **ore** four-hour-, of four hours; *in* ~ *e quattr'***otto** in a moment, in less than no time, in the twinkling of an eye; *è vero come* ~ *e* ~ *fanno otto* it is quite plain, it's as true as I'm standing here; *fare* ~ **passi** to take a stroll, to go for a short walk; **per** ~ by four; *mettersi in fila per* ~ to line up in fours; ⟨*Comm*⟩ *al* ~ *per cento* at four per cent; ⟨*Sport*⟩ ~ *di* **punta** *con timoniere* four-oared shell with coxswain; ⟨*Sport*⟩ ~ **senza** (*timoniere*) coxswainless (*o* light) four; *per* ~ **soldi** for very little (money), ⟨*fam*⟩ for a song; **tutt'***e* ~ all four. – *Prov.*: *non dire* ~ *se non l'hai nel sacco* don't count your chickens before they are hatched.

quattrọcchi (o *quattr'ọcchi*) *m.* **1.** ⟨*scherz*⟩ (*persona che porta gli occhiali*) person wearing glasses, ⟨*fam*⟩ four-eyes *pl* (*costr. sing.*). – **2.** ⟨*Ornit*⟩ goldeneye (*Bucephala clangula*). □ *a* ~ privately, in private, tête-à-tête, confidentially; ⟨*Ornit*⟩ ~ *americano* bufflehead, butterball, spirit duck (*Bucephala albeola*); ~ *islandico* Barrow's goldeneye (*Bucephala islandica*).

quattrocentẹsco *a.* (*pl.* **-chi**) fifteenth-century-, of the fifteenth century: *la pittura -a* fifteenth-century painting; (*rif. all'arte e letteratura italiana*) Quattrocento-, fifteenth-century-.

quattrocentẹṣimo I *a.* four-hundredth. – **II** *s.m.* **1.** (*ordinale*; *f.* **-a**) four hundredth. – **2.** (*frazionario*) four hundredth.

quattrocentịna *f.* ⟨*Filol*⟩ (*anche edizione quattrocentina*) incunabulum, cradle book, fifteener. – **quattrocentịno** *a.* fifteenth-century-, of the fifteenth century.

quattrocentịsta *m.* **1.** (*artista*) fifteenth-century artist, quattrocentist; (*scrittore*) fifteenth-century writer, quattrocentist. – **2.** ⟨*Sport*⟩ (*nell'atletica*) four-hundred-metre runner; (*nel nuoto*) four-hundred -metre swimmer. – **quattrocentịstico** *a.* (*pl.* **-ci**) fifteenth-century-, of the fifteenth century; (*rif. all'arte e letteratura italiana*) Quattrocento-, fifteenth-century-, of the quattrocentists.

quattrocẹnto *a./s.inv.* **I** *a.* four hundred. – **II** *s.m.* four hundred. – **Quattrocento** *m.* fifteenth century; (*rif. all'arte e letteratura italiana*) Quattrocento, fifteenth century.

quattromịla *a./s.inv.* **I** *a.* four thousand. – **II** *s.m.* **1.** four thousand. – **2.** ⟨*Alp*⟩ mountain of (over) four thousand metres. – **3.** (*anno quattromila*) year four thousand.

quattromillẹṣimo I *a.* four-thousandth. – **II** *s.m.* **1.** (*ordinale*; *f.* **-a**) four thousandth. – **2.** (*frazionario*) four thousandth.

quattuọrviri *lat. m.pl.* ⟨*Stor.rom*⟩ quadrumvirate, quatuorvirate.

que' *apoc. tosc. di* **quegli** *e* **quelle.**

Quebec [kui'bek] *N.pr.f.* ⟨*Geog*⟩ Quebec.

quebracho *sp.* [ke'bratʃo] *m.* **1.** ⟨*Bot*⟩ (*quebracho bianco*) white quebracho (*Aspidosperma quebracho-blanco*). – **2.** (*legno*) quebracho. □ ⟨*Bot*⟩ ~ *colorado* red quebracho (*Schinopsis lorentzii*).

quẹgli I *m.pl. di* **quello.** – **II** *pron.m.sing.* (used only in reference to persons) that person (*o* man), he; (*il primo di due*) the former: *Mario e Luigi sono studenti*: *questi è più giovane di* ~ Mario and

Luigi are students: the latter is younger than the former. – **quei** *m.pl. di* **quello.** – **quel** *apoc. di* **quello.** – **quell'** *elis. di* **quello.**

quello *a./pron.dimostr.* (before a masculine noun beginning with a consonant, except *s*+consonant, *gn, ps, z, x, quello* becomes *quel* in the singular and *quei* in the plural; before *s*+consonant, *gn, ps, z, x* it remains *quello* in the singular and changes to *quegli* in the plural; before a vowel in the singular it becomes *quell'* and in the plural *quegli*; in the latter case *quegli* often becomes *quegl'* before an *i*; *quella* is used before feminine nouns in the singular and normally becomes *quell'* before a vowel; *quelle* is used before feminine nouns in the plural and sometimes becomes *quell'* before an *e*; the plural of the masculine pronoun is always *quelli*) **I** *a.* **1.** that (*pl* those): *dammi quel giornale, per favore* give me that newspaper please; *vorrei -a cravatta che è in vetrina* I'd like that tie in the window; *quei ragazzi mi disturbano* those boys bother me. – **2.** ⟨*enfat*⟩ (*grande, forte*) such, great: *mi ha dato una di -e sgridate* he gave me such a telling off; *ho avuto una di -e paure* I had such a fright. – **3.** (*con valore rafforzativo seguito da un'apposizione*) that: *quel somaro di Carletto* that ass Charlie. – **4.** ⟨*pop*⟩ (*chiamando una persona sconosciuta*) *non si traduce*: *ehi, quel signore* hey there, mister! – **II** *pron.* **1.** that (one) (*pl* those): *dei due vestiti, ~ è più bello* of the two dresses, that one is the nicer; *-a è mia moglie* that is my wife; *questo libro è mio, il tuo è ~* this book is mine, that one is yours. – **2.** (*ciò*) that: *ti assicuro che ~ non è vero* I assure you (that) that is not true. – **3.** (*quella persona*) the man (*f* woman), that man (*f* woman): *~ degli stracci* (*lo straccivendolo*) the ragman; *è tornato ~ di ieri* the man from yesterday is back. – **4.** ⟨*lett*⟩ (*il primo di due*) the former: *Maria e Anna, -a bruna, questa bionda* Mary and Ann, the former a brunette, the latter a blonde. – **5.** (*lo stesso, il medesimo*) the same: *è sempre ~* (*lo stesso*) he is still the same; *non è più ~ di prima* he is no longer the same (*o* man he used to be).

□ **a** *quel che ne so io* as far as I know; ⟨*fam*⟩ *mezzo litro di ~* **buono** (*di vino buono*) half a litre of the best; *~* **che**: 1. (*colui che*) the one (*o* man) who (*pl* those who): *non sei ~ che cerco* you're not the man I'm looking for; *non dar retta a -i che parlano male degli altri* don't pay attention to those who speak badly about others; *tutti -i che lo conoscono lo amano* all those who know him love him; 2. (*ciò che*) what: *~ che hai detto è giusto* what you have said is correct; *mi darà ~ che voglio* he will give me what I want; *una ragazza bruttina e, quel che è peggio, antipatica* an unattractive girl, and, what is worse, unpleasant too; ⟨*enfat*⟩ **di** *-e* all sorts (of things), such (things): *me ne ha dette di -e* he told me all sorts of stories, ⟨*fam*⟩ he told me some whoppers; *di ~ che* (*di quanto*) than: *è più bello di ~ che mi aspettassi* it is more beautiful than I expected; ⟨*lett*⟩ **in** *-a* (*in quel momento*) at that moment; *in quel dì* (*nel territorio di*) in the neighbourhood (*o* vicinity) of; *~* **là**: 1. (*rif. a cosa*) that one there; 2. (*rif. a persona*) that man (*o* fellow) there; *~* **laggiù** that (*o* the) one over there; (*quello là sotto*) that (*o* the) one down there; *quel* **medesimo** the (very) same, the self-same, one and the same; **per** *quel che ne so io* = **a** *quel che ne so io*; *per ~* (*per quella faccenda*) concerning (*o* as regards) that matter; *~* **sì** *che è vino!* that really is wine!; *~* **stesso** = *quel* **medesimo**; *quel* **tale** the one, the person, that fellow; ⟨*eufem*⟩ **una** *di -e* (*una prostituta*) a street-walker.

querce *f.* ⟨*tosc*⟩ → **quercia.** – **querceta** *f.* ⟨*non com*⟩ → **querceto.** – **querceto** *m.* oak wood (*o* forest).

quercia *f.* (*pl.* **-ce**) **1.** ⟨*Bot*⟩ oak, English (*o* common) oak (*Quercus robur*). – **2.** (*legno di quercia*) oak(-wood). – **3.** ⟨*fig*⟩ (*persona salda e forte*) rock. – **4.** ⟨*Ginn*⟩ headstand.

□ *~* **castagnara** (*o castagnola*) durmast (oak) (*Quercus sessiliflora*; *Quercus virgiliana*); *~* **cerro** Adriatic (*o* Turkey) oak, cerris (*Quercus cerris*); *~* **comune** = *quercia* **gentile**; **di** *~* oak-, oaken, of oak(-wood); *~* **gentile** (*o farnia*) English (*o* pedunculate) oak (*Quercus pedunculata*); *~* **leccio** holm (*o* holly) oak (*Quercus ilex*); *~* **rossa** red oak (*Quercus rubra*); *~* **sessiliflora** = *quercia* **gentile**; *~* **spinosa** kermes (*o* scarlet) oak (*Quercus coccifera*); *~* **sughera** cork oak (*Quercus suber*); *~ dei* **tintori** → **quercitrone.**

quercino *a.* ⟨*non com*⟩ (*di quercia*) oak-, oaken.

querciola (*dim. di quercia*) *f.* ⟨*Bot*⟩ **1.** oak sapling, oakling. – **2.** (*camedrio*) wall germander (*Teucrium chamaedrys*). □ ⟨*tosc*⟩ *far ~* (*camminare con le mani a terra e i piedi in alto*) to walk on one's hands.

querciolo (*dim. di quercia*) *m.* **1.** (*quercia giovane*) oak sapling, oaklet. – **2.** (*pezzo di legno di quercia*) oak wood, oak branch (*o* log).

quercitannico: ⟨*Chim*⟩ *acido ~* quercitannic acid.

quercite *f.*, **quercitolo** *m.* ⟨*Chim*⟩ quercite, quercitol. – **quercitrina** *f.* quercitrin.

quercitrone *m.* ⟨*Bot*⟩ black (*o* dyer's) oak, quercitron (oak) (*Quercus tinctoria*). □ *estratto di ~* extract of quercitron.

querela *f.* **1.** ⟨*Dir*⟩ complaint, action, suit, charge, plaint; (*atto*) statement of claim, complaint, petition, declaration. – **2.** (*lagnanza*) complaint, protest. – **3.** ⟨*lett*⟩ (*lamento*) wailing, lament(ing), lamentation, ⟨*lett*⟩ plaint; (*rif. a voci di animali*) crying, moaning, whining, whimpering, howling.

□ **dare** *~ a qd.* = **sporgere** *querela contro qd.*; *~ per* **diffamazione** libel action; *~ di* **falso** summons challenging a document; *~ per* **ingiurie** action for personal offence; *~ di* **parte** private prosecution (*o* action), complaint; **presentare** (*o sporgere*) *~ contro qd.* to ⌜lodge a complaint⌝ (*o* bring an action) against s.o., to summons s.o.

querelante (*p.pr. di querelare*) **I** *a.* ⟨*Dir*⟩ prosecuting: *parte ~* prosecuting party. – **II** *s.m./f.* plaintiff, complainant. – **querelare** *v.t.* (**querelo**) to sue, to lodge a complaint against, to take action (*o* legal proceedings) against, ⟨*fam*⟩ to have up: *~ qd. per diffamazione* to sue s.o. for libel. – **querelarsi** *v.r.* **1.** to sue (*con qd.* s.o.), to take action (*o* legal proceedings), to lodge a complaint (against). – **2.** ⟨*lett*⟩ (*lamentarsi*) to complain. – **querelato** (*p.p. di querelare*) **I** *a.* accused. – **II** *s.m.* (*f.* **-a**) defendant, accused. – **querelatore** *a./s.* (*f.* **-trice**) ⟨*non com*⟩ → **querelante.** – **querelatorio** *a.* ⟨*rar*⟩ of a charge (*o* complaint).

querelόso *a.* ⟨*ant*⟩ (*querulo*) complaining, querulous.

querente ⟨*lett*⟩ **I** *a.* (*che chiede*) enquiring, questioning. – **II** *s.m./f.* enquirer, questioner.

querimonia *f.* ⟨*lett*⟩ **1.** (*lamentela*) complaint, complaining. – **2.** (*lamento*) lament, lamentation; (*rif. ad animali*) crying, moan(ing). – **3.** ⟨*ant*⟩ (*reclamo*) claim, (formal) complaint.

querulo *a.* ⟨*lett*⟩ **1.** (*lamentoso*: *rif. a persona*) querulous, complaining, fretful; (*rif. a voce o suono*) querulous, plaintive, mournful, whining. – **2.** (*rif. a luogo*) mournful, strident.

querulomane **I** *a.* ⟨*Psic*⟩ complaining. – **II** *s.m./f.* sufferer from paranoia querulans. – **querulomania** *f.* paranoia querulans, complaining paranoia.

quesito[1] *m.* **1.** (*problema*) problem: *sciogliere un ~* to solve a problem; (*domanda*) question, query, enquiry. – **2.** ⟨*lett*⟩ (*supplica, domanda*) request, petition.

quesito[2]: ⟨*Dir*⟩ *diritti -i* acquired rights, vested interests (*o* rights).

questi **I** *m.pl. di* **questo.** – **II** *pron.m.sing.* (used only in reference to persons) this person, he; (*quest'ultimo, il secondo di due*) the latter: *Mario e Luigi sono amici*: *~ studia, quegli lavora* Mario and Luigi are friends: the latter studies, the former works.

questionabile *a.* ⟨*non com*⟩ (*discutibile*) questionable, debatable. – **questionare** *v.i.* (**questiono**; *aus.* **avere**) **1.** (*discutere*) to discuss, to debate, to talk over (*su qc.* s.th.). – **2.** (*litigare*) to argue, to quarrel, to wrangle (*di* about, *su* over).

questionario *m.* questionnaire.

questionatore *m.* (*f.* **-trice**) ⟨*non com*⟩ arguer, disputer, quarrelsome person.

questione *f.* **1.** (*affare*) matter, question, affair, business: *definire una ~* to settle a matter. – **2.** (*problema*) problem, question: *risolvere una ~* to solve a problem. – **3.** (*discussione*) issue, argument, dispute, controversy, ⟨*fam*⟩ fuss: *non fare tante -i* don't make such an issue (of it), ⟨*fam*⟩ don't make such a fuss. – **4.** ⟨*lite*⟩ quarrel, argument, dispute, ⟨*fam*⟩ row. – **5.** ⟨*non com*⟩ (*obiezione*) objection, protest. – **6.** ⟨*fam*⟩ (*dubbio*) question, doubt. – **7.** ⟨*lett*⟩ (*contrasto*) dialogue(-poem). – **8.** ⟨*ant*⟩ (*interrogazione giudiziaria*) questioning, interrogation; (*tortura*) torture, ⟨*ant*⟩ question; (*lite giudiziaria*) lawsuit.

□ *-i* **amministrative** administrative matters; **è** *~ di tempo* it is a question (*o* matter) of time; *è ~ di fortuna* it is a matter of luck; *è ~ di vita o di morte* it is a matter of life and death; *non* ⌜*(c')è*⌝ (*o se ne fa*) *~* there's no doubt (about it), it is beyond (all) question; *~* **economica** economic problem (*o* question); ⟨*Parl*⟩ *~ di* **fiducia** question of confidence; *è* **fuor** *di ~* it is out of the question; (*non è pertinente*) it's not a matter to be discussed now, it's off the point; *~* **giuridica** legal point (*o* issue); **in** *~* in question, at issue; *~* **incidentale** incidental question, secondary matter: *porre una ~ incidentale* to raise an incidental question, ⟨*fam*⟩ to throw in a question; *~* **insoluta** open question, unsolved problem; ⟨*fig*⟩ *~ di* **lana** *caprina* hair-splitting, fruitless (*o* pointless) discussion; *~* **legale** = *questione* **giuridica**; **mettere** *in ~* (*in dubbio*) to doubt, to call in question; *~ d'onore* affair (*o* question) of honour: *battersi per una ~ d'onore* to settle an affair of honour, to fight a duel; ⟨*Stor*⟩ *~* **d'Oriente** Eastern question; ⟨*Mat*⟩ *~ delle* **parallele** problem of parallels; ⟨*Dir*⟩ *~* **pregiudiziale** preliminary issue (*o* question of law), pre-judicial question; *~* **preliminare** preliminary question; *~ in* **sospeso** pending question; **venire** *a ~* (*litigare*) to quarrel, to argue.

questo *a./pron.dimostr.* **I** *a.* (used before a word beginning with a vowel, *questo* and *questa* often become *quest'*) **1.** this (*pl* these): *prendi -a penna* take this pen; *~ libro che sto leggendo* this book I'm reading; *-i bambini fanno troppo chiasso* these children make too much noise; *verrò a trovarti -a settimana* I'll come and see you this week. – **2.** ⟨*enfat*⟩ (*rif. a parti del corpo*: *proprio*) one's own, this very: *l'ho visto con -i occhi* I saw him with ⌜my own⌝ (*o* these very) eyes. – **3.** (*seguente*) this, the following: *ti voglio dire -a cosa* I want to say this to you. – **4.** (*passato*) last (*pl* last few): *non l'ho visto in -i giorni* I haven't seen him in the last few days. – **5.** (*molto prossimo*) this, next: *verrò uno di -i giorni* I'll come one of these days; *tornerò quest'estate* I'll be back next summer. – **6.** (*di questo genere*) this, such: *con ~ tempo non mi sento di uscire* I don't feel like going out in this weather. – **II** *pron.* **1.** this (one) (*pl* these): *~ è tuo* this (one) is yours; *-i sono i miei figli* these are my children. – **2.** (*cosa seguente, quanto segue*) this, the following: *~ ti voglio dire* I want to say this to you. – **3.** (*ciò*) this, that: *~ mi dispiace* I'm sorry about that (*o* this); *~ non devi dirlo a nessuno* you mustn't tell this (*o* that) to anyone; *in ~ non siamo d'accordo* we don't agree about this; *da ~ proviene il tuo insuccesso* that is the reason for your failure. – **4.** (*con valore di pron. pers. di terza persona*) he (*f* she, *pl* they): *lo dissi agli amici, ma -i non vollero ascoltarmi* I told my friends but they wouldn't listen (to me); *aiutai la signora, ma -a* *non mi ringraziò* I helped the lady, but she didn't thank me. – **5.** (*questa persona*) the man (*f* woman), this man (*f* woman). – **6.** (*il secondo di due*) the latter: *ecco le mie amiche Carla e Maria*: *-a è maestra, quella studentessa* here are my two friends Carla and Maria: the former is a student, the latter is a teacher. – **7.** (*al femminile col sostantivo sottinteso*) this, that: *senti -a* just listen to this; *-a mi giunge nuova* this is new to me; *-a non me l'aspettavo da lui* I didn't expect this from him; *ci mancherebbe anche -a* ⌜this is⌝ (*o* that's) all we need; *-a poi è bella !* that's a good one !, that's rich !

□ **con** ~: 1. (*con queste parole*) with (*o* upon) this, with these words, so saying; 2. (*ciò malgrado*) despite (*o* in spite of) this: *con* (*tutto*) ~ *le rimase sempre fedele* despite (all) this he was always faithful to her; 3. (*a questo patto*) on (*o* under) this condition: *con* ~ *però, che tu non lo dirai a nessuno* on this condition though, that you don't tell anyone; *e con ~?* and so?, well (then)?, what about it?, ⟨*fam*⟩ so what?; **in** ~ *ti sbagli* you're wrong here (*o* about that); ⟨*lett*⟩ *in* ~ (*in questo frattempo*) during this time, in the meantime (*o* meanwhile); ~ **mai**! never!; ~ *mai e poi mai!* (absolutely) never!, ⟨*fam*⟩ over my dead body!; ~ **no**! no, not that!; **per** ~: 1. (*perciò*) that's why, for this reason: *per* ~ *non ho scritto prima* that's why I didn't write before; 2. (*a questo fine*) for this purpose, to this end; ~ **qua** (o *qui*): 1. (*rif. a cosa*) this one here; 2. (*rif. a persona*) this person, this fellow here; ~ *è* **quanto** (*questo è tutto*) that (*o* this) is all; ~ ... **quello** (*chi ... chi*) some ... others: *qui non c'è mai silenzio*: ~ *parla, quello ride* it's never quiet here: some talk, others laugh; ~ **sì**! yes (that's true)!

questore *m.* **1.** questor, high police official. – **2.** ⟨*Stor.rom*⟩ quaestor. – **questorio** *a.* ⟨*Stor.rom*⟩ quaestorial, of a quaestor, quaestor's.

questua *f.* **1.** begging. – **2.** ⟨*Rel*⟩ mendicancy, begging (*o* collecting) of alms. □ *fare la* ~ to beg (*o* collect) alms, ⟨*lett*⟩ to quest. – **questuante** (*p.pr. di questuare*) **I** *a.* mendicant, begging: *frate* ~ mendicant friar. – **II** *s.m.* Mendicant. – **questuare** *v.* (**questuo**) **I** *v.t.* **1.** to collect: ~ *doni* to collect gifts; (*mendicare*) to beg. – **2.** ⟨*fig*⟩ to beg, to ask, to seek: ~ *benefici* to beg favours. – **II** *v.i.* (*aus.* **avere**) to beg, to collect alms.

questura *f.* **1.** (*carica*) questorship, office of a police commissary; (*periodo*) term of office of a questor. – **2.** (*sede*) police headquarters *pl* (*costr.sing.*), police station. – **3.** ⟨*collett*⟩ (*polizia*) police *pl*. – **4.** ⟨*Stor.rom*⟩ quaestorship.

questurino *m.* ⟨*pop*⟩ (*agente della questura*) policeman.

quetanza *f.* ⟨*ant*⟩ → **quietanza**.

quetare *v.* ⟨*lett*⟩ → **quietare**. – **queto** *a.* ⟨*lett*⟩ → **quieto**.

quetzal *sp.* [keθ-] *m.* **1.** ⟨*Ornit*⟩ quetzal (bird) (*Pharomacrus mocinno*). – **2.** (*unità monetaria*) quetzal.

qui *avv.* **1.** (*stato in luogo*) here: *rimani* ~ *e aspettami* stay here and wait for me; (*moto a luogo*) here: *vieni* ~ come here. – **2.** (*rafforzativo*) here, *spesso non si traduce*: *questo libro* ~ *non mi serve più* I don't need this book (here) any more; *in questo momento* ~ *ho da fare* I'm busy at the moment; *prendi ~!* here, take it! – **3.** ⟨*fig*⟩ (*a questo punto*) here, at this point: ~ *scoppiò a piangere* at this point she burst out crying.

□ ⟨*Comm*⟩ ~ **accluso** herewith enclosed; **da** ~ = **di** *qui*; ~ **dentro** in here; ~ *a* **destra** here on (*o* to) the right; **di** ~: 1. (*moto da luogo*) from here; 2. (*moto a luogo*) here; 3. (*originario di questo paese*) from here, from these parts; 4. (*causale*) from this, ⟨*lett*⟩ whence, ⟨*lett*⟩ hence: *di* ~ *nacque l'equivoco* the misunderstanding arose ⌜from this⌝ (*o* in this way), this was the cause of the misunderstanding; *di* ~ *a*: 1. (*rif. a spazio*) from here to: *di* ~ *a casa mia* from here to my house; 2. (*rif. a tempo*) from now: *ci si rivedrà di* ~ *a un mese* we'll meet again a month from now; *di* ~ *in avanti* (o *poi*): 1. (*rif. a spazio*) from here on(wards); 2. (*rif. a tempo*) from now on, as from now, ⟨*lett*⟩ henceforth; *di* ~ *a poco* in a short while from now, soon, before long, shortly; **eccoti** ~ here you are; **fin** ~ (*rif. a spazio*) here, as far as here, up to here; (*rif. a tempo*) (up) till now, so far; ~ **fuori** out here; *fuori di* ~ out of here; ~ *e* **lì**: 1. here and there; 2. (*da una parte e dall'altra*) here and there, on this side and that; ~ *a due* **passi** a stone's-throw from here, very near; **per** ~ here; *per di* ~: 1. this way, by here: *deve passare per di* ~ he must pass by here, he must come this way; 2. (*qui attorno*) around here, hereabouts: *deve abitare per di* ~ he must live around here; ~ **sopra** up here; ~ **sotto** down here, here below; ~ **vicino** near (*o* not far from) here, close by, hereabouts.

quia *lat.m.* ⟨*lett*⟩ **1.** (*il perché*) reason why, why and wherefore. – **2.** (*argomento principale*) point (at issue): ⟨*scherz*⟩ *veniamo al ~!* let's get to the point!

quici *avv.* ⟨*ant*⟩ → **qui**.

quid *lat. m.* (*un certo che*) (a certain) something.

quiddità *f.* ⟨*Filos*⟩ quiddity. – **quidditate** *f.* ⟨*ant*⟩ → **quiddità**. – **quidditativo** *a.* quidditative. – **quiditate** *f.* ⟨*ant*⟩ → **quiddità**. – **quiditativo** *a.* ⟨*ant*⟩ → **quidditativo**.

quidsimile (o *quid simile*) *lat. m.* ⟨*ant*⟩ (*qualcosa di simile*) something similar, something of the sort.

quiescente *a.* **1.** (*in stato di quiete*) quiescent, still, inactive, at rest, motionless. – **2.** ⟨*non com*⟩ (*acquiescente*) submissive, acquiescent. – **quiescenza** *f.* **1.** ⟨*Dir,burocr*⟩ dormancy, inactivity, quiescence: ~ *di un diritto* dormancy of a right; (*pensione*) retirement: *andare in* ~ to retire, to go into retirement. – **2.** ⟨*Bot*⟩ dormant state. □ ⟨*burocr*⟩ *trattamento di* ~ pension, superannuation.

quiescere *v.i.* (**quiesco, quiesci**; *aus.* **avere**) ⟨*ant*⟩ (*riposare*) to be at rest (*o* peace).

quietamente *avv.* quietly, peacefully.

quietanza *f.* ⟨*Comm*⟩ receipt. □ ~ *in bianco* blank receipt, receipt in blank; *per* ~ paid, received with thanks. – **quietanzare** *v.t.* **1.** (*firmare per quietanza*) to receipt. – **2.** ⟨*non com*⟩ (*saldare un debito*) to settle, to pay (up).

quietare *v.t.* (**quieto**) **1.** to quiet(en), to calm, to make quiet, to hush, to still. – **2.** (*placare*) to calm, to appease, to soothe: ~ *l'ira* to appease anger. – **3.** ⟨*fig*⟩ (*appagare*) to satisfy: ~ *un desiderio* to satisfy a wish. – **4.** ⟨*ant*⟩ → **quitare**. – **quietarsi** *v.r.* **1.** to calm down, to become quiet (*o* calm), to quiet(en) down: *il vento si è quietato* the wind has calmed down. – **2.** ⟨*fig*⟩ (*appagarsi*) to be satisfied (*o* at rest).

quietazione *f.* ⟨*ant*⟩ → **quietanza**.

quiete *f.* **1.** (*assenza di moto*) stillness, calm(ness): *la* ~ *dell'aria* the stillness of the air. – **2.** (*silenzio*) quiet, silence, hush; (*tranquillità, pace*) peace(fulness), serenity, tranquillity. – **3.** (*pace dell'anima*) peace (of mind), (peace and) quiet, rest. – **4.** ⟨*Fis*⟩ state of rest. □ ~ *pubblica* (Queen's, King's) peace.

quietezza *f.* ⟨*non com*⟩ quiet(ness), tranquillity.

quietismo *m.* quietism. – **quietista I** *a.* → **quietistico**. – **II** *s.m./f.* quietist. – **quietistico** *a.* (*pl.* **-ci**) quietist(ic).

quietitudine *f.* ⟨*ant*⟩ (*quiete*) quiet(ness), tranquillity, peace.

quieto *a.* **1.** still, calm, motionless: *il mare era* ~ the sea was calm; *acque -e* still waters. – **2.** (*silenzioso, tranquillo*) quiet, silent, tranquil, peaceful, calm; (*pacifico*) peaceable, peace-loving. – **3.** ⟨*Fis*⟩ still, at rest. – **4.** ⟨*non com*⟩ (*quietato*) calmed, at rest. □ ⟨*fig*⟩ ~ *come un olio* (*rif. a cose*) perfectly calm, as smooth as glass, glassy; (*rif. a persone*) calm and collected, peaceable.

quietudine *f.* → **quietitudine**.

quilio *m.* (*falsetto*) falsetto. □ ⟨*tosc*⟩ *cantare in* ~ to sing falsetto.

quillaina *f.* ⟨*Farm*⟩ saponin from soap-bark.

quinale *m.* ⟨*Mar.ant*⟩ five-stranded hemp rope.

quinamonte *avv.* ⟨*ant,tosc*⟩ (*qui su, in alto*) up there.

quinario I *a.* **1.** ⟨*Metr*⟩ pentasyllabic, five-syllable(d). – **2.** ⟨*Biol*⟩ quinary, ⟨*pred*⟩ in fives. – **3.** ⟨*non com*⟩ (*di cinque elementi*) quinary, of (*o* in) five parts. – **II** *s.m.* **1.** ⟨*Metr*⟩ pentasyllable, five-syllable. – **2.** ⟨*Numism*⟩ quinarius.

quinato *a.* ⟨*Bot*⟩ quinate.

quinavalle *avv.* ⟨*ant,tosc*⟩ (*qui giù, in basso*) down there.

quinci *avv.* ⟨*ant,lett*⟩ **1.** (*moto da luogo*) from here, ⟨*lett*⟩ hence; (*moto attraverso luogo*) through here, this way. – **2.** (*temporale*: *da allora*) from then on, ⟨*lett*⟩ thenceforth; (*da adesso*) from now on, ⟨*lett*⟩ henceforth. – **3.** ⟨*fig*⟩ (*perciò*) thus, therefore, consequently, ⟨*lett*⟩ hence.

□ ⟨*rar*⟩ **da** ~ *addietro* (*finora*) up to now, so far, ⟨*lett*⟩ hitherto; *da* ~ *innanzi* (*d'ora in poi*) from now on, as from now, ⟨*lett*⟩ henceforth; **di** ~: 1. (*moto da luogo*) from here, ⟨*lett*⟩ hence; 2. (*moto attraverso luogo*) through here; ⟨*ant*⟩ ~ **entro** (*qui dentro*) in here; ⟨*scherz*⟩ ⌜**parlare** *in*⌝ (o *star sul*) ~ *e quindi* to speak affectedly (*o* mincingly); ~ *e* **quindi** here and there, to this side and that.

quinconce *f./m.* **1.** quincunx. – **2.** ⟨*Stor.rom*⟩ (*cinque dodicesimi*) five twelfths *pl*, quincunx. – **3.** ⟨*Numism*⟩ five twelfths *pl* of the Roman as. – **4.** ⟨*Agr*⟩ quincunx. – **quinconciale** *a.* quincuncial, quincunxial: *disposizione* ~ quincuncial arrangement, quincunx. – **quincunce** *f./m.* → **quinconce**. – **quincunciale** *a.* ⟨*non com*⟩ → **quinconciale**.

quindecemvirale *a.* → **quindecenvirale**. – **quindecemvirato** *m.* → **quindecenvirato**. – **quindecemviro** *m.* → **quindecenviro**. – **quindecenvirale** *a.* of the quindecemvirs. – **quindecenvirato** *m.* quindecemvirate. – **quindecenviro** *m.* quindecemvir.

quindecimo *a.* ⟨*ant*⟩ (*quindicesimo*) fifteenth.

quindennio *m.* ⟨*ant*⟩ (*quindicennio*) (period of) fifteen years.

quindi I *congz.* (*dunque*) therefore, so, thus, consequently, ⟨*lett*⟩ hence. – **II** *avv.* **1.** (*poi*) then. – **2.** ⟨*ant*⟩ (*moto da luogo*) from there (*o* here), ⟨*lett*⟩ thence; (*moto attraverso luogo*) through there, that way. – **3.** ⟨*ant*⟩ (*perciò*) therefore, so, thus, consequently, ⟨*lett*⟩ hence. □ ⟨*ant*⟩ ~ *a pochi dì* (*dopo pochi giorni*) a few days later, after a few days; ⟨*ant*⟩ ~ *è che* so, for this reason, ⟨*lett*⟩ hence; ⟨*ant*⟩ *da* ~ *innanzi* (*da allora in poi*) from then on, ⟨*lett*⟩ thenceforth; ⟨*ant*⟩ ~ *innanzi* (*da ora in poi*) from now on, ⟨*lett*⟩ henceforth; ⟨*ant*⟩ *per* ~ through there.

quindicennale I *a.* **1.** (*che dura quindici anni*) fifteen-year-, of fifteen years, fifteen years long. – **2.** (*che ricorre ogni quindici anni*) fifteenth-yearly, (recurring) every fifteen years. – **II** *s.m.* (*quindicesimo anniversario*) fifteenth anniversary, quindecennial. – **quindicenne I** *a.* of fifteen, fifteen-year-old, ⟨*pred*⟩ fifteen (years old). – **II** *s.m./f.* fifteen-year-old, boy (*f* girl) of fifteen. – **quindicennio** *m.* fifteen years *pl*, fifteen-year period.

quindicesima *f.* ⟨*Mus*⟩ interval of two octaves.

quindicesimo I *a.* fifteenth. – **II** *s.m.* **1.** (*ordinale*; *f.* **-a**) fifteenth. – **2.** (*frazionario*) fifteenth.

quindici *a./s.inv.* **I** *a.* fifteen. – **II** *s.m.* **1.** (*numero*) fifteen. – **2.** (*nelle date*) fifteenth: *Parigi,* ~ *dicembre* Paris, the fifteenth of December. – **3.** (*tram*) (number) fifteen. – **4.** ⟨*Sport*⟩ (*nel rugby*: *squadra*) rugby team. – **5.** (*gioco di carte*) card game (with winning score of fifteen). – **III** *s.f.pl.* three (o'clock), three p.m.; (*negli orari internazionali*) fifteen hundred hours *pl*. □ *fra* (o *in*) ~ *giorni* in a fortnight (*o* fortnight's time), in two weeks' time; *oggi a* ~ a fortnight from today.

quindicịna *f.* **1.** (*quindici*) fifteen. – **2.** (*circa quindici*) about (*o* some) fifteen. – **3.** (*due settimane*) fortnight, two weeks *pl.* – **4.** (*paga di quindici giorni*) fortnight's pay. □ *la prima* ~ *di novembre* the first half (*o* two weeks) of November.

quindicinạle I *a.* **1.** (*di quindici giorni*) fortnight's, two weeks'. – **2.** (*che ricorre ogni quindici giorni*) forthnightly, biweekly. – **II** *s.m.* ⟨*Giorn*⟩ fortnightly (review), biweekly.

quịno *a.* ⟨*Biol*⟩ quinary.

quinọa *m.* ⟨*Bot*⟩ quinoa (*Chenopodium quinoa*).

quinquagenạrio ⟨*lett*⟩ **I** *a.* of fifty, quinquagenarian, fifty-year-old. – **II** *s.m.* (*cinquantenario*) fiftieth anniversary.

quinquagę̣sima *f.* **1.** ⟨*Lit*⟩ Quinquagesima (Sunday), Shrove Sunday. – **2.** ⟨*ant*⟩ (*Pentecoste*) Whitsun(day), Pentecost. – **3.** ⟨*Stor*⟩ two per -cent maritime customs tax. – **quinquagę̣simo** *a.* ⟨*lett*⟩ (*cinquantesimo*) fiftieth.

quinquenę̣rvio *a.* ⟨*Bot*⟩ quinquenerved.

quinquennạle *a.* **1.** (*che dura un quinquennio*) five-year-, of five years, five years long, quinquennial: *piano* ~ five-year plan. – **2.** (*che ricorre ogni cinque anni*) five-yearly, quinquennial. – **quinquę̣nne** *a.* ⟨*non com*⟩ (*cinquenne*) of five, five-year-old, ⟨*pred*⟩ five (years old). – **quinquę̣nnio** *m.* five years *pl*, quinquennium.

quinquerę̣me *f.* ⟨*Mar.ant*⟩ quinquereme, quinquireme.

quinquevirạto *m.* ⟨*Stor.rom*⟩ quinquevirate. – **quinquę̣viro** *m.* quinquevir.

quinta *f.* **1.** ⟨*Scol*⟩ fifth form (*o* class), ⟨*am*⟩ fifth grade, ⟨*am*⟩ grade five. – **2.** ⟨*Teat*⟩ wing, coulisse, side-scene. – **3.** ⟨*Mus*⟩ fifth, quint. – **4.** ⟨*Sport*⟩ (*nella scherma*) quinte, fifth.

□ ~ **aumentata** = *quinta* **eccedente**; ⟨*fig*⟩ *stare* (o *restare*) **dietro** *le -e* to be (*o* keep) behind the scenes, to stay in the background; ⟨*Mus*⟩ ~ **diminuita** diminished fifth; ~ **eccedente** augmented fifth; ~ **giusta** (o *maggiore*) perfect fifth; ~ **minore** = *quinta* **diminuita**; ⟨*Cin*⟩ ~ *di* **studio** movable scene, ⟨*am*⟩ getaway.

quintadę̣cima *f.* ⟨*rar*⟩ (*anche luna in quintadecima*) full moon. □ ⟨*scherz*⟩ *essere tondo come la luna in* ~: 1. (*rif. al corpo*) to be as round as a barrel; 2. (*rif. alla faccia*) to have a face like a full moon, to be pudding-faced.

quintalạto *m.* ⟨*Stor*⟩ pay for the kneading of a quintal of flour.

quintạle *m.* quintal, one hundred kilos *pl.*

quintạna[1] *f.* ⟨*Med*⟩ (*anche febbre quintana*) quintan (fever, ague).

quintạna[2] *f.* **1.** ⟨*Stor.rom*⟩ camp road. – **2.** ⟨*Mediev*⟩ quintain.

quintę̣llo *m.* ⟨*Stor*⟩ (*a Venezia*) (five per-cent) death duty.

quinterịa *f.* ⟨*Agr*⟩ five-year crop rotation.

quintę̣rna *f.* ⟨*Stor,Mus*⟩ five-stringed guitar.

quintę̣rno *m.* **1.** ⟨*Cart*⟩ quinternion. – **2.** ⟨*Bibliot, non com*⟩ (*segnatura*) (sheet) signature.

quintessę̣nza *f.* **1.** ⟨*Filos,Alchim*⟩ quintessence. – **2.** ⟨*estens*⟩ (*caratteristica essenziale*) buintessence. – **3.** ⟨*Chim,ant*⟩ (*olio essenziale*) essential oil. – **quintessenziạle** *a.* quintessential. – **quintessenziạre** *v.t.* (**quintessę̣nzio, quintessę̣nzi**) ⟨*non com*⟩ to quintessentialize.

quintẹtto *m.* **1.** ⟨*Mus*⟩ quintet, quintette. – **2.** ⟨*Sport*⟩ five. – **3.** ⟨*fig*⟩ (*insieme di cinque persone*) five, fivesome, quintet.

quintidi *fr.* [kyẽti'di] *m.* ⟨*Stor*⟩ fifth day of a decade.

quintịglio *m.* (*gioco di carte*) five-handed card game.

quintịle *m.* ⟨*Stor.rom*⟩ Quintilis.

Quintiliạno *N.pr.m.* ⟨*Stor*⟩ Quintilian.

quintiliọne *m.* trillion, ⟨*am*⟩ quintillion.

quintịna *f.* **1.** ⟨*Mus*⟩ quintuplet, quintole. – **2.** ⟨*Stor*⟩ tax. – **3.** ⟨*rar*⟩ (*nella tombola*: *cinquina*) five-number row, bingo; (*nel gioco del lotto*: *giocata*) five numbers *pl* played; (*numeri estratti*) set of five winning numbers.

quintịno (*dim. di quinto*) *m.* **1.** (*quinta parte di litro*) fifth of a litre. – **2.** (*recipiente*) vessel holding a fifth of a litre.

quịnto I *a.* **1.** fifth. – **2.** (*rif. a regnanti*) the Fifth: *Carlo* ~ Charles the Fifth, Charles V. – **II** *s.m.* **1.** (*ordinale*; *f.* -a) fifth. – **2.** (*frazionario*) fifth. – **3.** ⟨*Dir*⟩ fifth share (*o* part), fifth. – **4.** (*quinta parte di litro*) fifth of a litre; (*recipiente*) vessel holding a fifth of a litre. – **5.** ⟨*Mar*⟩ rib. □ *una -a parte* one fifth.

quintodę̣cimo *a.* ⟨*lett*⟩ (*quindicesimo*) fifteenth.

quintogę̣nito I *a.* fifth-born. – **II** *s.m.* (*f.* -a) fifth-born child.

quinton *fr.* [k'ẽtɔ̃] *m.* ⟨*Mus,Stor*⟩ quinton.

quintụltimo (o *quint'ụltimo*) *a.* fifth to last, last but four.

quintuplicạre *v.t.* (**quintụplico, quintụplichi**) to quintuple, to multiply by five, to make five times as much (*o* many). – **quintuplicarsi** *v.r.* to quintuple, to become five times as much (*o* many). – **quintụplice** *a.* fivefold, quintuple. – **quịntuplo I** *a.* quintuple, fivefold, five times as great. – **II** *s.m.* quintuple, five times as much.

quiproquò (o *qui prǫ quǫ*) *lat. m.* (*equivoco*) misunderstanding, mix-up, confusion, mistake.

Quirinạle *N.pr.m.* **1.** Quirinal. – **2.** (*residenza del presidente della Repubblica Italiana*) Quirinal (Palace).

quiritạrio *a.* ⟨*Dir.rom*⟩ quiritarian, quiritary. – **quirịte I** *a.* of the Quirites. – **II** *s.m.* Quiris.

quirịtta *avv.* ⟨*ant*⟩ **1.** (*appunto qui*) just (*o* right) here, in this (very) place. – **2.** (*in questo momento*) just (*o* right) now. – **quirịtto** *avv.* ⟨*rar*⟩ → **quiritta.**

quisquịlia *f.* **1.** (*inezia*) trifle, mere nothing, minor (*o* petty) detail. – **2.** ⟨*ant*⟩ (*impurità*) impurity, imperfection.

uissịmile *m.* → **quidsimile.**

quistionạre *v.* ⟨*tosc*⟩ → **questionare.** – **quistiọne** *f.* ⟨*tosc*⟩ → **questione.**

quitạnza *f.* ⟨*pop*⟩ → **quietanza.** – **quitạre** *v.t.* ⟨*ant*⟩ **1.** (*quietanzare*) to receipt. – **2.** (*saldare*) to settle, to pay (up). – **3.** (*cedere*) to surrender, to give up, to cede. – **quitaziọne** *f.* ⟨*ant*⟩ → **quietanza.** – **quịto** *a.* → **quitto.** – **quittạnza** *f.* ⟨*ant*⟩ → **quietanza.** – **quịtto** *a.* ⟨*Comm,ant*⟩ free, out of debt.

quịvi I *avv.* ⟨*lett*⟩ **1.** (*ivi*) there, ⟨*lett*⟩ therein. – **2.** (*allora*) then. – **II** *s.m.* ⟨*ant*⟩ (*questo luogo*) this (*o* that) place.

quivirịtta *avv.* → **quiritta.**

quọdlibet *lat.m.inv.* quodlibet. – **quodlibetạle** *a.* ⟨*Mediev*⟩ quodlibetic(al). – **quọlibet** *m.* → **quodlibet.**

quọndam *lat.* ⟨*scherz*⟩ **I** *avv.* **1.** (*una volta, un tempo*) formerly, at one time; (*ex*) one-time, former, quondam: *il mio* ~ *professore* my one-time professor. – **2.** (*nell'indicazione della paternità*: *fu*) late. – **II** *s.m.* (*defunto*) deceased, dead person: *essere tra i* ~ to be among the deceased, to be dead.

quọrum *lat. m.* (*numero legale*) quorum. □ *il* ~ *è raggiunto* there is a quorum; *verificare il* ~ to ascertain that there is a quorum.

quọta *f.* **1.** (*contributo*) share, contribution, dues *pl*: *pagare la propria* ~ *d'iscrizione* to pay one's enrolment dues (*o* fee). – **2.** (*parte spettante*) share, quota, due: *esigere la propria* ~ to demand one's rightful share. – **3.** (*altitudine*) height (above sea-level). – **4.** ⟨*Aer*⟩ altitude, height: *perdere* ~ to lose altitude. – **5.** ⟨*fig*⟩ (*livello*) level. – **6.** ⟨*Sport*⟩ (*posizione*) points *pl*: *la nostra squadra è a* ~ *dodici* our team has twelve points. – **7.** ⟨*Statist*⟩ quota, number: ~ *degli immigrati* immigration quota. – **8.** ⟨*Topogr*⟩ elevation, altitude.

□ ⟨*Statist*⟩ ~ *d'***accrescimento** rate of growth; ⟨*Econ*⟩ ~ *d'***ammortamento** depreciation allowance; ⟨*Stor*⟩ ~ *di* **concorso** tax on Church property; ⟨*Aer*⟩ ~ *di* **crociera** cruising altitude (*o* height); ~ *del* **datore** *di lavoro* employer's contribution; ⟨*Dir*⟩ ~ *di* **eredità** share (*o* portion) of an inheritance; ⟨*Econ*⟩ ~ *d'***esportazione** export quota; ~ *d'***importazione** import quota; ~ *d'***incremento** = *quota d'***accrescimento**; ⟨*Econ*⟩ ~ *di* **partecipazione** share in a company's capital, member's share in a company (*o* partnership); ⟨*Aer*⟩ **prendere** ~ to gain altitude, to climb; ⟨*Comm*⟩ **pro** ~ pro rata, proportionally; ⟨*Aer*⟩ ~ *di* **sicurezza** safety height; ~ **sociale**: 1. membership fee; 2. ⟨*Econ*⟩ = *quota di* **partecipazione**; **volare** *ad alta* ~ to fly high (*o* at a high altitude); *volare a bassa* ~ to fly low (*o* at a low altitude); ⟨*Topogr*⟩ ~ **zero** sea-level; *essere a* ~ *zero*: 1. ⟨*Sport*⟩ to have no points, to be in the same position as at the start; 2. ⟨*fig*⟩ (*essere al punto di partenza*) to be back ⌜where one started⌝ (*o* at square one), to have to start again from scratch.

quotalịte (*o* *quọta lịte*) *f.* ⟨*Dir*⟩ champerty, champertous contract, contingent fee. – **quotalịzio** *m.* → **quotalite.**

quotạre *v.t.* (**quọto**) **1.** (*stabilire una quota*) to assign a share to, to assess. – **2.** ⟨*fig*⟩ (*stimare*) to esteem, to think highly of, to value, to hold (*o* rate) high. – **3.** ⟨*Econ*⟩ (*determinare il corso*) to quote (at): *fu quotato un milione* it was quoted at a million. – **4.** ⟨*Topogr*⟩ to survey. – **5.** (*rif. a disegno tecnico*) to dimension. – **6.** ⟨*ant*⟩ (*ordinare, collocare*) to arrange in order, to classify. – **quotarsi** *v.r.* to take on as one's share (*per qc.* s.th.), to put o.s. down, to subscribe (for), to promise to pay (s.th.): *mi sono quotato per diecimila lire* I subscribed for ten thousand lire.

quotạto (*p.p. di quotare*) *a.* **1.** ⟨*Econ*⟩ quoted. – **2.** ⟨*fig*⟩ (*apprezzato, stimato*) esteemed, well thought of, highly valued; (*di successo*) successful: *uno scrittore molto* ~ a very successful writer, a writer who is thought a lot of. – **3.** ⟨*Topogr*⟩ surveyed. □ *punto* ~ spot elevation (*o* height); ⟨*Econ*⟩ *titoli non -i* unquoted securities.

quotatụra *f.* (*rif. a disegno tecnico*) dimensioning.

quotaziọne *f.* **1.** ⟨*Econ*⟩ quotation. – **2.** (*nelle scommesse*) odds *pl.* – **3.** ⟨*fig,non com*⟩ (*apprezzamento*) esteem, regard, consideration, appreciation; (*successo*) success. – **4.** ⟨*non com*⟩ → **quotatura.**

□ ⟨*Econ*⟩ *titoli* **ammessi** *alla* ~ *di borsa* officially quoted securities; ~ *d'***apertura** opening price (*o* quotation); ⟨*fig*⟩ *le -i di quell'***artista** *sono basse* that artist is not very highly thought of; ~ *delle* **azioni** quotation of stocks; ~ *di* **borsa** exchange quotation, market-rate; ~ *dei* **cambi** quotation of exchange rates; ~ *di* **chiusura** closing quotation; ~ *a* **contanti** quotation for cash; ~ *dei* **corsi** price (*o* market) quotation; **diritto** *di* ~ fee for admission to the Exchange; ~ *dei* **prezzi** quotation of prices; ~ **telegrafica** tape price; ~ *dei* **titoli** stock-rate, quotation (*o* price) of stocks; ~ **ufficiale** official quotation, quoted list.

quotidianamẹnte *avv.* daily, everyday. – **quotidianịsta** *m./f.* ⟨*giorn*⟩ contributor to a daily newspaper. – **quotidianità** *f.* ⟨*non com*⟩ daily nature, everyday occurrence.

quotidiạno I *a.* **1.** daily: *il nostro pane* ~ our daily bread. – **2.** ⟨*estens*⟩ (*solito, ordinario*) everyday, ordinary, common, usual: *la vita -a* everyday life. – **II** *s.m.* ⟨*Giorn*⟩ daily (newspaper).

quotịsta *m./f.* ⟨*Econ*⟩ member of a limited company. – **quotità** *f.* quota, proportional share.

quotizzạre *v.t.* **1.** (*lottizzare*) to divide into lots. – **2.** ⟨*non com*⟩ (*assegnare una quota*) to assign a share to, to assess for. – **quotizzarsi** *v.r.* to subscribe, to promise to pay. – **quotizzaziọne** *f.* division into lots.

quọto *m.* **1.** ⟨*Mat*⟩ quotient. – **2.** → **quotità.**

quozię̣nte *m.* **1.** ⟨*Mat*⟩ quotient. – **2.** ⟨*Statist*⟩ quotient, rate. □ ⟨*Pol*⟩ ~ *elettorale* electoral quotient; ⟨*Psic*⟩ ~ ⌜*d'intelligenza*⌝ (o *intellettuale*) intelligence quotient, ⟨*fam*⟩ I.Q.; ⟨*Statist*⟩ ~ *di mortalità* death-rate; ~ *di natalità* birth-rate.

R

r, R ['ɛrre] *f./m.* (*lettera dell'alfabeto*) r, R: *due R* two r's; *una r maiuscola* a capital R; *una r minuscola* a small r; *doppia r* double r; ⟨*Tel*⟩ *r come Roma* R for Robert, ⟨*am*⟩ R for Roger.
r = **1.** ⟨*Geom*⟩ *raggio* radius (*abbr.* r., R., rad.). – **2.** ⟨*Fis*⟩ *roentgen* roentgen (*abbr.* r.).
R = **1.** ⟨*Aut*⟩ *Romania* Rumania. – **2.** ⟨*Fis*⟩ *Réaumur* Réaumur (*abbr.* Réaum., R.).
r. = ⟨*Bibliot*⟩ *recto* recto (*abbr.* r.).
R. = **1.** ⟨*Post*⟩ *raccomandata* registered (*abbr.* reg., r.). – **2.** *re* king (*abbr.* r., R.); (*negli scacchi*) king (*abbr.* k., K.). – **3.** *regina* queen (*abbr.* r., R.). – **4.** *regio* royal (*abbr.* r., R.). – **5.** *reverendo* reverend (*abbr.* Rev.). – **6.** ⟨*Ferr*⟩ *rapido* express.
Ra = ⟨*Chim*⟩ *radio* radium.
RA = ⟨*Aut*⟩ *Argentina* Argentina.
rạba *f.* ⟨*Stor*⟩ **1.** (*magazzino*) granary, grain warehouse. – **2.** (*gabella della raba*) (kind of) sales tax.
rabạcchio *m.* → **rabocchio.**
rabạrbaro *m.* **1.** ⟨*Bot*⟩ rhubarb (*Rheum*). – **2.** (*liquore*) rhubarb cordial. ☐ ~ *alpino* Alpine dock (*Rumex alpinus*). – **rabạrbero** *m.* ⟨*ant,pop*⟩ → **rabarbaro.**
rabat *fr.* [-'ba] *m.* **1.** (*facciola*) rabat. – **2.** ⟨*Mod*⟩ (*baverino*) (coat) collar.
rabattịno ⟨*fam*⟩ **I** *s.m.* (*f.* **-a**) (*chi si arrabatta*) ⟨*fam*⟩ pusher, ⟨*fam*⟩ go-getter, ⟨*fam*⟩ live-wire. – **II** *a.* ⟨*fam*⟩ pushing, ⟨*fam*⟩ go-getting.
rabạzza *f.* ⟨*Mar*⟩ heel.
rạbba *f.* → **raba.**
rabbaruffạre *v.t.* ⟨*ant*⟩ (*scompigliare*) to ruffle, to dishevel. – **rabbaruffạto** (*p.p. di rabbaruffare*) *a.* ⟨*non com*⟩ ruffled, dishevelled.
rabbassạre *v.* ⟨*rar*⟩ → **riabbassare.**
rabbạttere *v.t.* ⟨*non com*⟩ (*socchiudere*) to half-close, to leave ajar (*o* slightly open). – **rabbattersi** *v.r.* **1.** (*imbattersi*) to meet unexpectedly, to run across (*o* into). – **2.** (*incontrarsi di nuovo*) to ⌜come across⌝ (*o* run into) again.
rabbạzza *f.* ⟨*non com*⟩ → **rabazza.**
rabbellịre *v.t.* (**rabbellịsco, rabbellịsci**) ⟨*non com*⟩ **1.** (*abbellire*) to beautify, to embellish. – **2.** (*riabbellire*) to beautify (*o* make beautiful) again; (*rendere più bello*) to make more beautiful. – **rabbellirsi** *v.r.* to become (*o* make o.s.) more beautiful, to take on beauty.
rabberciamẹnto *m.* **1.** (*atto*) patching (up), botching, mending. – **2.** (*effetto*) patch, botch, mend. – **rabberciạre** *v.t.* (**rabbẹrcio, rabbẹrci**) **1.** to patch (up), to botch, to mend anyhow. – **2.** ⟨*fig*⟩ to patch (*o* vamp) up, to botch (up): ~ *una commedia* to patch up a play. – **rabberciạto** (*p.p. di rabberciare*) *a.* **1.** patched (up), botched, mended. – **2.** ⟨*fig*⟩ patched (*o* vamped) up, botched (up): *versi* **-i** botched up verses. – **rabberciatọre** *m.* (*f.* **-trice**) ⟨*non com*⟩ patcher, botcher. – **rabberciatụra** *f.* **1.** patching (up), botching. – **2.** ⟨*concr*⟩ (*cosa rabberciata*) botch, patchwork, rehash: ~ *di un vecchio articolo* rehash of an old article.
rạbbi *m.* ⟨*Rel.ebr,Bibl*⟩ rabbi. ☐ ⟨*tosc,ant*⟩ *fare l'ave* ~ (*ostentare amicizia*) to feign friendship.
rạbbia *f.* **1.** (*ira*) anger, fury, rage: *era tremante di* ~ he was trembling with anger; *si rodeva l'anima dalla* ~ he was consumed by rage. – **2.** (*stizza, disappunto*) anger, annoyance, irritation. – **3.** (*avidità, desiderio smodato*) rage, fury, frenzy, thirst, greed, passion: ~ *di fare quattrini* thirst to make money, passion for money-making; (*libidine*) lust, desire. – **4.** (*accanimento*) fury, frenzy: *lavorare con* ~ to work like a fury, to work frenziedly (*o* furiously, very hard). – **5.** ⟨*fig*⟩ (*impeto, furia*) fury: *la* ~ *dei venti* the fury of the winds. – **6.** ⟨*Veter,Med*⟩ rabies, hydrophobia. – **7.** ⟨*Agr*⟩ (*antracnosi*) anthracnose, bitter (*o* ripe) rot. – **8.** ⟨*lett*⟩ (*furia bestiale*) unbridled rage, fury. ☐ ⟨*Veter*⟩ ~ *canina* rabies, hydrophobia, lyssa, canine madness; *che* ~! how infuriating!, how maddening!; ⟨*pop*⟩ *crepare di* ~ to be furious (*o* livid), to be beside o.s. with rage, ⟨*fam*⟩ to be hopping mad; *fare* ~ *a qd.*: 1. to make s.o. angry (*o* furious), to enrage (*o* infuriate) s.o., ⟨*fam*⟩ to make s.o. see red; 2. (*muovere a stizza, a disappunto*) to annoy (*o* irritate) s.o., ⟨*fam*⟩ to get s.o.'s goat: *la sua indecisione mi fa* ~ his indecisiveness ⌜annoys me⌝ (*o* gets my goat).
rabbiạccia *f.* (*pl.* **-ce**) *pegg. di* **rabbia.** – **rabbiẹtta, rabbiettịna** *f. dim. di* **rabbia.**
rabbifọrme *a.* → **rabiforme.**
rabbịnico *a.* (*pl.* **-ci**) ⟨*Rel.ebr*⟩ rabbinic(al), Rabbinic(al). – **rabbinịsmo** *m.* ⟨*non com*⟩ **1.** rabbinism. – **2.** (*ebraismo*) (Rabbinic) Judaism. – **rabbinịsta** *m./f.* (*studioso*) Rabbinist, Rabbinite. – **rabbịno** *m.* rabbi, Rabbi: ~ *maggiore* Chief Rabbi.
rạbbio *m.* ⟨*Pesc*⟩ kind of trawl net.
rabbiosạccio *a. pegg. di* **rabbioso.** – **rabbiosamẹnte** *avv.* **1.** angrily, furiously. – **2.** (*accanitamente*) implacably, relentlessly. – **rabbiosẹtto, rabbiosịno** *a. dim. di* **rabbioso.**
rabbiọso *a.* **1.** angry, furious: *sguardo* ~ angry look. – **2.** (*irascibile*) irascible, irritable, peppery, short-tempered. – **3.** (*furioso*) furious, enraged, rabid: *odio* ~ furious hatred. – **4.** (*accanito, spietato*) implacable, relentless. – **5.** ⟨*fig*⟩ (*rif. agli elementi*) raging, furious, violent: *una tempesta* **-a** a raging storm. – **6.** ⟨*Veter,Med*⟩ (*idrofobo*) rabid, hydrophobic, mad.
rabbiụccia *f.* (*pl.* **-ce**) *dim. di* **rabbia.**
rabboccạre *v.t.* (**rabbọcco, rabbọcchi**) **1.** ⟨*non com*⟩ (*riempire fino all'orlo*) to fill (up), to fill to the brim; (*riempire di nuovo*) to refill, to fill (up) again. – **2.** ⟨*Mur*⟩ to point (up), to grout. – **rabboccatụra** *f.* ⟨*non com*⟩ **1.** filling to the brim; (*il riempire nuovamente*) refilling. – **2.** ⟨*Mur*⟩ pointing (up), grouting.
rabbonacciạre *v.t.* (**rabbonạccio, rabbonạcci**) to calm (down), to pacify, to soothe (*anche fig.*). – **rabbonacciarsi** *v.r.* **1.** (*rif. ad acqua*) to grow calm (*o* smooth); (*rif. a vento*) to subside, to drop, to abate, to calm (down). – **2.** ⟨*fig*⟩ (*calmarsi*) to calm down.
rabbonịre *v.t.* (**rabbonịsco, rabbonịsci**) **1.** to calm (down), to pacify, to appease. – **2.** (*calmare*) to calm, to soothe. – **rabbonirsi** *v.r.* **1.** to be quietened, to calm down, to be pacified (*o* appeased). – **2.** (*placarsi*: *rif. agli elementi*) to grow calm again.
rabbottonạre *v.t.* (**rabbottọno**) ⟨*non com*⟩ (*riabbottonare*) to button (up) again.
rabbracciạre *v.t.* (**rabbrạccio, rabbrạcci**) ⟨*non com*⟩ (*riabbracciare*) to embrace again, to hug (*o* clasp) again.
rabbriccicạre *v.t.* (**rabbrịccico, rabbrịccichi**) ⟨*non com*⟩ (*raccomodare alla meglio*) to patch up, to mend.
rabbrividịre *v.i.* (**rabbrividịsco, rabbrividịsci**; *aus.* **essere**/*non com.* **avere**) **1.** (*sentire i brividi*) to shiver, to shake, to tremble: ~ *per il freddo* to shiver with cold. – **2.** ⟨*fig*⟩ to shudder, to shiver, to shake, to quake: ~ *dal terrore* to quake with terror; ~ *per l'orrore* to shudder with horror. – **rabbrividịto** (*p.p. di rabbrividire*) *a.* (*intirizzito*) (frozen) stiff, numb (with cold); (*preso dai brividi*) shivering.
rabbrunạre *v.t.* ⟨*non com*⟩ (*abbrunare*) to darken, to make black.
rabbruscamẹnto *m.* ⟨*tosc*⟩ **1.** becoming overcast, darkening, clouding over. – **2.** ⟨*fig*⟩ becoming gloomy (*o* morose), turning sombre; (*rif. al volto*) darkening. – **rabbruscạre** *v.i.* (**rabbrụsco, rabbrụschi**; *aus.* **essere**), **rabbruscarsi** *v.r.* ⟨*tosc*⟩ **1.** (*rif. al tempo*) to grow threatening; (*rif. al cielo*) to become overcast, to lower, to darken, to cloud over. – **2.** ⟨*fig*⟩ (*rabbuiarsi*) to become gloomy (*o* morose), to turn sombre; (*rif. al volto*) to darken: *si rabbruscò in volto* his face darkened.
rabbuffamẹnto *m.* ⟨*non com*⟩ ruffling, dishevelling. – **rabbuffạre** *v.t.* **1.** (*scompigliare*) to ruffle, to dishevel, to tousle: *il vento le aveva rabbuffato i capelli* the wind had ruffled her hair. – **2.** ⟨*fig*⟩ (*sgridare, rimproverare*) to rebuke, to scold, ⟨*fam*⟩ to tell off. – **rabbuffarsi** *v.r.* **1.** (*rif. al tempo*) to grow stormy; (*rif. al mare*) to grow rough, to get up. – **2.** ⟨*recipr,ant*⟩ (*azzuffarsi*) to fight, to scuffle. ☐ *il tempo si rabbuffa* there is a storm brewing.
rabbuffạta *f.* ⟨*fam*⟩ → **rabbuffo.** – **rabbuffạto** (*p.p. di rabbuffare*) *a.* (*scompigliato*) ruffled, dishevelled, tousled. ☐ *cielo* ~ lowering (*o* stormy) sky; *mare* ~ rough sea; *viso* ~ dark face. – **rabbụffo** *m.* (*rimprovero*) scolding, reprimand, ⟨*fam*⟩ telling-off, ⟨*fam*⟩ wigging. ☐ *dare un* ~ *a qd.* to give s.o. a scolding, to scold s.o., ⟨*fam*⟩ to tell s.o. off; *ricevere un solenne* ~ to get a good scolding, ⟨*fam*⟩ to get it in the neck.
rabbuiạrsi *v.r.* (**mi rabbụio, ti rabbụi**) **1.** to darken, to grow dark: *il cielo si è rabbuiato* the sky has darkened (*o* grown overcast), the sky is dark (*o* lowering). – **2.** ⟨*fig*⟩ (*adombrarsi*) to darken, to grow dark: *si rabbuiò in volto* his face darkened. – **3.** ⟨*non com*⟩ (*usato impersonalmente*: *farsi notte*) to grow (*o* get) dark: *si rabbuiò presto* it got dark early, night fell early.
rabdịtidi *m.pl.* ⟨*Zool*⟩ rhabditids *pl* (*Rhabditidae, Anguillulidae*).
rabdo... *pref.* (*verghetta* rod, *bastoncino* stick) rhabd(o)...
rabdocẹli *m.pl.* ⟨*Zool*⟩ rhabdocoelans *pl*, rhabdocoeles *pl* (*Rhabdocoela*).
rabdọide I *a.* ⟨*Zool*⟩ rhabdoid(al). – **II** *s.m.* (*anche corpo rabdoide*) rhabdoid.
rabdọma *m.* ⟨*Zool*⟩ rhabdom(e).
rabdomạnte *m./f.* **1.** ⟨*Occult*⟩ rhabdomancer, diviner. – **2.** (*radioestesista*) diviner, dowser, rhabdomancer, rhabdomantist. – **rabdomạntico** *a.* (*pl.* **-ci**) divining, dowsing, rhabdomantic. – **rabdomanzịa** *f.* **1.** ⟨*Occult*⟩ rhabdomancy, divining. – **2.** (*radioestesia*) divining, dowsing, rhabdomancy.
rabdo|miogẹnico: *tumore* ~ → **rabdomioma.** – **~miọma** *m.* ⟨*Med*⟩ rhabdomyoma. – **~miosarcọma** *m.* rhabdomyosarcoma.
rabelesịano *a.* ⟨*non com*⟩ **1.** ⟨*Lett*⟩ Rabelaisian, of Rabelais. – **2.** (*satirico*) Rabelaisian, satirical.
rabescạre *v.t.* (**rabẹsco, rabẹschi**) **1.** to decorate with arabesques.

– **2.** ⟨*fig*⟩ (*coprire di ghirigori*) to scrawl on, to scribble on, ⟨*fam*⟩ to doodle on. – **rabescạto** (*p.p. di rabescare*) *a.* **1.** arabesqued, decorated (*o* ornamented) with arabesques. – **2.** ⟨*estens*⟩ (*arzigogolato*) artificial, affected, stilted, elaborate. – **rabescatụra** *f.* **1.** decorating with arabesques. – **2.** ⟨*concr*⟩ (*rabesco*) arabesques *pl*, arabesque work. – **rabẹsco** *m.* (*pl.* **-chi**) **1.** arabesque. – **2.** ⟨*fig*⟩ scrawl, scribble, hieroglyph, ⟨*fam*⟩ doodle. – **3.** ⟨*fig,spreg*⟩ (*scritto, disegno indecifrabile*) scrawl, scribble, ⟨*fam*⟩ hen tracks *pl*, ⟨*am. fam*⟩ chicken scratch.

rạbi *f.* ⟨*Agr*⟩ rabi.

rabicanatụra *f.* ⟨*Zootecn*⟩ roan markings *pl.* – **rabicạno I** *a.* roan. – **II** *s.m.* roan (horse).

rạbico *a.* (*pl.* **-ci**) **1.** ⟨*Med,Veter*⟩ rabic. – **2.** (*affetto da rabbia*) rabid, hydrophobic, mad.

rạbido *a.* **1.** ⟨*poet*⟩ (*furioso*) furious, raging, rabid. – **2.** ⟨*non com*⟩ → **rabico.**

rabifọrme *a.* ⟨*Med,Veter*⟩ rabiform.

rabịno *a.* ⟨*tosc*⟩ (*irascibile*) irritable, irascible, hot-tempered, peppery.

rabọcchio *m.* ⟨*rar*⟩ (*fanciullo*) child, urchin.

rabọso *m.* ⟨*Enol*⟩ kind of vine.

rabuffạre *v.* ⟨*ant*⟩ → **rabbuffare.**

rạbula *m.* ⟨*lett,spreg*⟩ (*avvocato chiacchierone e intrigante*) quack lawyer, pettifogger, ⟨*am*⟩ shyster.

rạca: ⟨*non com*⟩ *dire* (o *gridare*) ~ *a qd.* (*insultarlo*) to insult s.o., to call s.o. a fool.

rạcano *m.* ⟨*Zool*⟩ (*ramarro*) green lizard (*Lacerta viridis*).

racc. = ⟨*Post*⟩ *raccomandata* registered (*abbr.* reg., r.).

raccapezzạre *v.t.* (**raccapẹzzo**) **1.** to scrape (*o* get) together, to gather, to collect: ~ *una sommetta* to get a small sum together. – **2.** (*capire*) to understand, to grasp, ⟨*fam*⟩ to get: *non ci raccapezzo niente del tuo discorso* I ⌜don't understand at all⌝ (*o* can't make head or tail of) what you're saying; ~ *il senso di qc.* to grasp the sense of s.th. – **3.** ⟨*non com*⟩ (*venire a sapere, scoprire*) to find out, to discover. – **4.** ⟨*ant*⟩ (*accomodare*) to settle, to put right. – **raccapezzarsi** *v.r.* to see things clearly, to make (*o* figure) s.th. out: *non mi ci raccapezzo proprio* I simply can't make out what's happening, I'm at a loss.

raccapigliạrsi *v.r.* (**mi raccapịglio, ti raccapịgli**) ⟨*recipr,non com*⟩ **1.** (*azzuffarsi di nuovo*) to come to blows again, to scuffle (*o* brawl, fight) again. – **2.** (*litigare di nuovo*) to quarrel (*o* wrangle) again.

raccapriccẹvole *a.* ⟨*non com*⟩ → **raccapricciante.** – **raccapricciạnte** (*p.pr. di raccapricciare*) *a.* horrifying, terrifying, blood-curdling, ghastly, gruesome, fearful dreadful: *spettacolo* ~ fearful sight. – **raccapricciạre** *v.* (**raccaprịccio, raccaprịcci**) **I** *v.i.* (*aus.* **essere**), **raccapricciarsi** *v.r.* to be horrified, to feel one's ⌜hair stand on end⌝ (*o* flesh creep), to shudder, to have the shivers, to tremble: ~ *di spavento* to shudder with fear. – **II** *v.t.* ⟨*ant*⟩ (*causare raccapriccio*) to horrify, to curdle the blood of. – **raccaprịccio** *m.* **1.** shuddering, trembling. – **2.** (*sentimento di orrore, spavento*) horror, dread. ☐ *pensare con* ~ *a qc.* to shudder (*o* be horrified) at the thought of s.th., to feel one's blood run cold at the thought of s.th. – **raccapriccịre** *v.* (**raccapriccịsco, raccapriccịsci**) → **raccapricciare.**

raccartocciạre *v.t.* (**raccartọccio, raccartọcci**) to twist into a cone, to roll up. – **raccartocciarsi** *v.r.* to curl up.

raccatta|cẹnere *m.inv.* **1.** (*ceneratoio*) ash-pit, ash-pan. – **2.** ⟨*non com*⟩ (*portacenere*) ashtray. – **~cịcche** *m.inv.* ⟨*pop*⟩ collector of cigarette-butts, person who picks up fag-ends. – **~fiẹno** *m.inv.* ⟨*Agr*⟩ buck (*o* sweep) rake, hay-sweep. – **~pạlle** *m.inv.* ⟨*Sport*⟩ ball-boy.

raccattạre *v.t.* **1.** to pick up (from the ground): *raccattami la matita* pick up the pencil for me; (*rif. a oggetti sparsi*) to gather, to pick up. – **2.** (*raccogliere, mettere insieme*) to gather, to collect: ~ *conchiglie* to collect shells. – **3.** (*racimolare*) to scrape (*o* get) together, to pick up: *riuscì a* ~ *pochi soldi* he managed to get a little money together. – **4.** ⟨*non com*⟩ (*sollevare da terra*) to pick up, to lift. – **5.** ⟨*tosc*⟩ (*ripigliare*) to take up again, to pick up; (*rif. a lavori a maglia*) to pick up: ~ *una maglia* to pick up a stitch.

raccattatịccio *m.* ⟨*spreg,non com*⟩ odds and ends *pl*, bits and pieces *pl.* – **raccattatọre** *m.* (*f.* **-trice**) ⟨*non com*⟩ picker(-up), collector. – **raccattatụra** *f.* ⟨*tosc*⟩ **1.** gathering, collecting, picking up. – **2.** ⟨*concr*⟩ (*roba raccattata*) pickings *pl*, gleanings *pl.* – **3.** ⟨*Agr*⟩ gathering, collecting, harvest(ing); ⟨*concr*⟩ windfalls *pl*, gleanings *pl.*

raccenciạre *v.t.* (**raccẹncio, raccẹnci**) ⟨*pop,tosc*⟩ **1.** to patch up, to botch, to mend. – **2.** ⟨*fig*⟩ (*accomodare alla meglio*) to patch (up), to botch. – **raccenciarsi** *v.r.* (*migliorare le proprie condizioni*) to improve one's position, ⟨*fam*⟩ to come up in the world.

raccẹndere *v.t.* (**raccẹsi, raccẹso**) ⟨*lett*⟩ (*riaccendere*) to relight, to rekindle. – **raccendimẹnto** *m.* ⟨*non com*⟩ **1.** rekindling, relighting. – **2.** ⟨*fig*⟩ (*rif. a cosa che si rinnova*) rekindling, revival.

raccennạre *v.i.* (**raccẹnno**) ⟨*rar*⟩ (*riaccennare*) to mention (*o* refer to) again.

raccerchiạre *v.t.* (**raccẹrchio, raccẹrchi**) **1.** ⟨*intens*⟩ (*accerchiare completamente*) to surround completely. – **2.** (*cerchiare di nuovo*) to ring again; (*rif. a botte*) to re-hoop, to replace the hoops of; (*rif. a ruote*) to re-tyre (*o* re-rim).

raccertạre *v.t.* (**raccẹrto**) ⟨*intens*⟩ (*accertare*) to assure, to confirm. – **raccertarsi** *v.r.* (*assicurarsi*) to make sure, to ascertain, to assure o.s.

racchetạre *v.t.* (**racchẹto**) ⟨*lett*⟩ **1.** to make stop crying, to soothe. – **2.** (*calmare*) to calm, to quiet, to pacify, to placate. – **racchetarsi** *v.r.* to be consoled, to calm down, to stop crying; (*rif. a cose*) to grow quiet, to die (*o* calm) down.

racchẹtta[1] *f.* **1.** ⟨*Sport*⟩ (*nel tennis*) racquet, racket; (*nel ping-pong*) bat, racket, paddle. – **2.** ⟨*Sport*⟩ (*nei bastoni da sci*) disk (of a ski-pole); (*bastone da sci*) ski-pole, ski-stick. – **3.** (*parte dell'orologio*) regulator, index. – **4.** ⟨*Aut*⟩ (*parte del tergicristallo*) (windscreen-)wiper blade; (*visiera termica*) defroster, de-icer. ☐ ⟨*Etnol*⟩ ~ *canadese* (Canadian) snow-shoe; ~ *da neve* snow-shoe, racket, web; ⟨*Aut*⟩ ~ *tergente* windscreen-wiper blade.

racchẹtta[2] *f.* ⟨*Mil*⟩ Very (*o* illuminating) rocket, flare.

racchettiẹre *m.* racketeer.

rạcchio[1] *a.* ⟨*fam*⟩ (*brutto*) ugly, plain, ill-shaped, ungainly.

rạcchio[2] *m.* ⟨*tosc*⟩ (*piccolo grappolo*) small bunch of stunted grapes.

racchiocciolạre *v.t.* (**racchiọcciolo**) ⟨*rar,intens*⟩ (*acchiocciolare*) to coil (up), to wind in a spiral. – **racchiocciolarsi** *v.r.* to curl (o.s.) up.

racchiọne (*accr. di racchio*[1]) *m.* (*f.* **-a**) ugly brute.

racchiụdere *v.t.* (**racchiụsi, racchiụso**) **1.** to enclose, to hold, to contain. – **2.** ⟨*fig*⟩ to contain, to hold: ~ *un segreto nel cuore* to hold a secret in one's heart. – **3.** ⟨*ant*⟩ (*rinchiudere*) to shut up. – **4.** ⟨*lett,ant*⟩ (*chiudere, impedire*) to block, to impede.

racciabattạre *v.t.* ⟨*non com*⟩ (*accomodare alla meglio*) to patch up, to mend clumsily.

raccoccạre *v.t.* (**raccọcco, raccọcchi**) ⟨*ant*⟩ **1.** (*vibrare di nuovo*) to give (*o* deal) again. – **2.** ⟨*assol*⟩ to deal another blow, to hit (*o* strike) again.

raccọgliere *v.t.* (**raccọlgo, raccọgli; raccọlsi, raccọlto**) **1.** (*raccattare*) to pick up: ~ *una moneta caduta* to pick up a fallen coin; (*rif. a persone e oggetti sparsi*) to gather, to pick up: ~ *i feriti* to gather the wounded. – **2.** (*rif. a frutti, fiori e sim.*) to pick, to pluck: ~ *fave* to pick beans; ~ *un fiore* to pick a flower. – **3.** (*fare il raccolto*) to harvest, to gather. – **4.** (*mettere insieme, radunare*) to collect, to gather, to put (*o* get) together, to assemble: ~ *le proprie cose* to collect one's things, to get one's things together; ~ *notizie* to gather news; (*rif. a persone*) to collect, to assemble, to bring (*o* gather, get) together. – **5.** (*rif. a fiumi*) to receive: *il Reno raccoglie le acque di molti affluenti* the Rhine receives the waters of many tributaries. – **6.** (*collezionare*) to collect: ~ *francobolli* to collect stamps, to be a stamp-collector. – **7.** (*rif. a opere letterarie*) to collect, to bring together: ~ *in un volume le opere di un poeta* to collect a poet's works in a single volume. – **8.** (*dare rifugio, accogliere*) to take in, to shelter: ~ *i fanciulli abbandonati* to take in foundlings. – **9.** ⟨*fig*⟩ (*ricavare*) to reap, to harvest: ~ *il frutto delle proprie fatiche* to reap the fruits of one's labour. – **10.** ⟨*fig*⟩ (*ottenere*) to meet with, to obtain, to receive, to win: ~ *successi* to meet with success, to be successful; ~ *onori* to win honour; *la proposta ha raccolto l'approvazione di tutti* the proposal ⌜met with everyone's approval⌝ (*o* was unanimously approved of). – **11.** ⟨*fig*⟩ (*concentrare*) to gather, to summon up, to collect, to concentrate: ~ *le forze* to gather (*o* summon up) one's strength; ~ *le idee* to collect one's thoughts. – **12.** ⟨*Fis*⟩ to gather, to collect: ~ *i raggi luminosi* to gather light rays. – **13.** ⟨*Sport*⟩ to take, to receive. – **14.** ⟨*lett*⟩ (*ricevere*) to receive. – **15.** ⟨*lett*⟩ (*accogliere, ricevere presso di sé*) to welcome, to take, to receive. – **16.** ⟨*fig,ant*⟩ (*ascoltare*) to listen to. – **17.** ⟨*fig,ant*⟩ (*capire, comprendere*) to understand; (*riflettere*) to consider, to think over. – **raccogliersi** *v.r.* **1.** to gather (together), to assemble, to collect, to come (*o* get) together: *gli alunni si raccolsero intorno al maestro* the students gathered around the teacher; (*in gran numero*) to crowd. – **2.** ⟨*fig*⟩ (*volgere la mente*) to concentrate (*su, in* on), to be immersed (in): *raccogliersi nella contemplazione* to be immersed (*o* absorbed) in thought, to be deep in contemplation. – **3.** ⟨*fig,assol*⟩ (*concentrarsi*) to concentrate, to collect one's thoughts. – **4.** (*convergere in un punto*) to focus, to converge, to be fixed (*su* on), to turn (to): *tutti gli sguardi si sono raccolti su di lei* all eyes ⌜turned to⌝ (*o* were fixed on) her. – **5.** ⟨*non com*⟩ (*riunire le membra*) to draw o.s. up (*o* together). – **6.** ⟨*Sport*⟩ (*nella scherma*) to take guard. – **7.** ⟨*lett*⟩ (*comporsi*) to compose (*o* collect) o.s. – **8.** ⟨*ant*⟩ (*rifugiarsi*) to take shelter. – **9.** ⟨*ant*⟩ (*ritirarsi*) to retire, to withdraw.

☐ *gli uccelli raccolgono le* **ali** the birds fold their wings; ~ *un'***allusione** to take a hint; ~ *un* **appello** to respond to an appeal; ⟨*lett*⟩ ~ *un'***eredità** to inherit s.th., to come into a legacy; ⟨*fig*⟩ ~ *il* **guanto** (*accettare la sfida*) to take up the gauntlet, to accept the challenge; ⟨*fig*⟩ ~ *la* **mente** to concentrate; ⟨*lett*⟩ ~ *i* **passi** to stop walking; ~ *un* **pettegolezzo** to believe idle gossip; ~ *una* **provocazione** to react to a provocation, to allow o.s. to be provoked; ⟨*Pesc*⟩ ~ *le* **reti** to draw (*o* haul) in the nets; ~ *in* **sé** to contain, to hold, to include; ⟨*ant*⟩ ~ *lo* **spirito** (*riprendere fiato*) to catch one's breath; ⟨*Mar*⟩ ~ *le* **vele** to furl the sails, to take in sail. – *Prov.*: *ognuno raccoglie ciò che ha seminato* whatsoever a man soweth, that shall he also reap.

raccoglimẹnto *m.* **1.** concentration, attention, absorption: *ascoltavano con* ~ *le parole del predicatore* they listened with attention to the preacher's words. – **2.** ⟨*non com*⟩ (*il raccogliere*) gathering, collecting. ☐ *un minuto di* ~ a moment's silence; *pregare con* ~ to be absorbed (*o* deep) in prayer.

raccoglitịccio I *a.* **1.** (*raccolto a caso*) random, haphazard, picked up here and there, scratch: *un esercito* ~ an army picked up here and there. – **2.** ⟨*fig*⟩ bitty, patchy, picked up here and there: *cultura -a* patchy education, knowledge picked up here and there. –

II *s.m.* **1.** haphazard (*o* random) collection, motley. – **2.** ⟨*fig*⟩ hotchpotch, (miscellaneous) assortment, rag-bag: *il libro è un ~ di vecchie nozioni* the book is a hotchpotch of old ideas.

raccoglitọre I *s.m.* (*f.* **-trice**) **1.** collector, gatherer: *~ di quadri* art collector. – **2.** (*cartella*) file(-holder), loose-leaf binder (*o* book). – **3.** ⟨*Agr,region*⟩ picker. – **4.** ⟨*ant*⟩ (*esattore*) tax-collector. – **II** *a.* **1.** collecting, gathering. – **2.** ⟨*Etnol*⟩ collector-, collection-, collecting: *popolo ~* collector population; *coltura raccoglitrice* collection culture; *economia raccoglitrice* collecting economy. □ ⟨*Tip*⟩ *macchina raccoglitrice* collating table.

raccoglitrụcioli *m.inv.* ⟨*Fal*⟩ chip-pan, chip-basket.

rạccolo *m.* ⟨*Itt*⟩ (*pastinaca*) sting-ray (*Dasybatus pastinacus*).

raccọlta *f.* **1.** collecting, collection, gathering: *~ di fondi* fund collecting (*o* raising). – **2.** (*collezione*) collection: *una ~ di poesie moderne* a collection of modern poems. – **3.** ⟨*Agr*⟩ harvesting, picking: *~ dell'uva* grape harvesting; (*raccolto*) harvest, crop: *quest'anno speriamo in una buona ~* this year we hope to have a good harvest. – **4.** (*riunione*) gathering, assembly, meeting: *una ~ di persone* a gathering (of people), ⟨*spreg*⟩ crowd, ⟨*spreg*⟩ band, ⟨*spreg*⟩ gang. – **5.** ⟨*Etnol*⟩ collecting economy. – **6.** ⟨*Med*⟩ collection. – **7.** ⟨*ant*⟩ (*accoglienza*) reception.

□ **bacino** *di ~* reservoir, storage pool (*o* lake); *~ di* **capitali** raising of capital; ⟨*Mar*⟩ **caricare** *a ~* to load a mixed cargo; **chiamare** *a ~*: 1. to call (*o* gather) together, to assemble; 2. ⟨*Mil*⟩ to gather, to muster; 3. ⟨*fig*⟩ to rally, to collect, to summon up: *chiamare a ~ le proprie forze* to rally (*o* summon up) one's strength; **fare** *la ~ di qc.* to collect (*o* gather) s.th.; (*collezionare*) to collect s.th., to be a collector of s.th.; *~ di* **leggi** code, body of laws; ⟨*Tip*⟩ *~ delle* **segnature** gathering; ⟨*Mil*⟩ **sonare** *a ~* to sound (the) muster call, to sound the rally; **tempo** *della ~* harvest-time.

raccoltamẹnte *avv.* thoughtfully, meditatively, intently, with concentration.

raccọlto[1] *m.* **1.** ⟨*Agr*⟩ harvest, crop, yield: *il ~ delle olive* the olive crop; *cattivo ~* bad (*o* poor) harvest; *~ frutticolo* fruit harvest (*o* crop). – **2.** (*tempo della raccolta*) harvest-time. – **3.** ⟨*estens*⟩ (*somma raccolta*) collection. – **4.** ⟨*rar,ant*⟩ (*raccolta*) assembly, collection, gathering.

raccọlto[2] (*p.p. di raccogliere*) *a.* **1.** (*rannicchiato*) crouching, huddled (up), curled (*o* drawn) up: *sedeva -a in una poltrona* she sat huddled up in an armchair. – **2.** (*riunito*) collected, gathered (together). – **3.** (*composto, dignitoso*) collected, composed. – **4.** (*concentrato nei propri pensieri*) thoughtful, meditative, deep in thought; (*assorto*) absorbed, engrossed, intent. – **5.** (*appartato*) secluded, quiet: *un luogo ~* a secluded place. □ *capelli -i in trecce* plaited (*o* braided) hair, hair gathered into plaits; ⟨*fig*⟩ *essere ~ in qd.* to be combined in s.o., to meet in s.o.: *tutte le doti sono -e in lui* all talents are combined in him, he possesses (*o* is the epitome of) all talents.

raccomandạbile *a.* **1.** recommendable, commendable, to be recommended. – **2.** (*rif. a persone*) reliable, trustworthy. □ *una persona poco ~* an unreliable (*o* untrustworthy) person. – **raccomandạnte** *m./f.* recommender.

raccomandạre I *v.t.* **1.** to recommend, to commend: *~ l'anima a Dio* to commend one's soul to God; (*affidare*) to recommend, to entrust, to commit, to consign: *raccomando a te mio figlio* I entrust my son to you. – **2.** (*appoggiare, segnalare*) to recommend, to put in a good word for: *~ un candidato a un concorso* to put in a good word for a candidate in a competition. – **3.** (*consigliare*) to recommend, to advise: *~ un ristorante* to recommend a restaurant. – **4.** (*richiedere, esortare*) to urge (strongly), to exhort, to enjoin: *ti raccomando la massima segretezza* I urge you to keep it a secret, (please) do keep it a secret; *di solito si traduce con un imperativo*: *ti raccomando la prudenza* (do) be careful. – **5.** ⟨*Post*⟩ to register: *~ un pacco* to register a parcel. – **6.** ⟨*lett*⟩ (*assicurare, attaccare*) to fasten, to secure: *~ l'ancora a una catena* to fasten the anchor to a chain. – **II** *v.i.* (*aus.* **avere**) to urge, to exhort: *gli raccomandai di farlo bene* I urged him to do it well; *di solito si traduce con un imperativo*: *ti raccomando che sia l'ultima volta* let this be the last time; *ti raccomando di non dire nulla al direttore* don't say anything to the director; *ti raccomando di tornare presto* make sure you come back early; *ti raccomando di non dimenticartene* don't forget it. – **raccomandarsi** *v.r.* **1.** to commend o.s., to commit (*o* entrust) o.s.: *raccomandarsi a Dio* to commend o.s. to God. – **2.** (*implorare*) to implore, to beg, to entreat (*a qd.* s.o.). – **3.** (*affidarsi*) to rely (*a* on, upon), to trust (to): *raccomandarsi alla clemenza dei giudici* to rely on the mercy of the judges. □ ⟨*fig*⟩ *può ~ l'anima a Dio* he is near the end; *mi raccomando!* don't forget!, mind you do it!, please do!; ⟨*fig*⟩ *raccomandarsi a tutti i santi del Paradiso* to call upon all the saints in heaven; ⟨*fig,scherz*⟩ *raccomandarsi alle gambe* to take to one's heels; *raccomandarsi da sé* (*o solo*) to need no recommendation; ⟨*iron*⟩ *te lo raccomando, quello!* he is a fine one!

raccomandạta *f.* ⟨*Post*⟩ **1.** (*lettera raccomandata*) registered letter; (*spedizione*) registered mail: *spedire per ~* to send by registered mail. – **2.** (*dicitura sulle lettere*) Registered. □ *~ espresso* express registered letter; *fare una ~* to register a letter, to send a registered letter; *~ a mano* registered letter to be delivered by hand; *~ con ricevuta di ritorno* registered letter with advice of receipt, registered letter with return receipt requested.

raccomandatạrio *m.* (*f.* **-a**) **1.** person acting "in loco parentis". – **2.** (*persona cui è rivolta una raccomandazione*) person to whom one is recommended. – **3.** ⟨*Dir*⟩ ship's agent (*o* husband).

raccomandatịzia *f.* (*anche lettera raccomandatizia*) letter of recommendation, recommendatory letter.

raccomandạto (*p.p. di raccomandare*) **I** *a.* **1.** recommended. – **2.** ⟨*Post*⟩ registered. – **3.** ⟨*lett*⟩ (*fissato*) fastened, secured, made fast. – **II** *s.m.* (*f.* **-a**) person recommended, protégé. □ ⟨*scherz*⟩ *un ~ di ferro* a person with pull (*o* connections); *la sua vita è -a a un filo* his life is hanging by a thread; *essere fortemente ~* to be highly recommended.

raccomandatọre *m.* (*f.* **-trice**) ⟨*non com*⟩ recommender, backer. – **raccomandatọrio** *a.* of recommendation, recommendatory, recommending, commendatory: *lettera -a* letter of recommendation, recommendatory letter.

raccomandaziọne *f.* **1.** (re)commendation, committing. – **2.** (*consiglio*) advice, recommendation; (*esortazione*) exhortation, urging; (*avvertimento*) warning, admonition. – **3.** (*intercessione*) a good word, influence, recommendation: *ha ottenuto questo posto a forza di -i* he got this job through influence, ⟨*fam*⟩ he got this job by pulling strings. – **4.** ⟨*Post*⟩ registration. – **5.** ⟨*Dir*⟩ recommendation, enjoiner.

raccomandịgia *f.* (*pl.* **-ge**) ⟨*ant*⟩ → **raccomandazione**.

raccomodamẹnto *m.* **1.** (*atto*) repairing, mending; (*riassetto*) straightening, adjustment. – **2.** (*effetto*) repair, mend. – **3.** ⟨*fig*⟩ setting right. – **raccomodạre** *v.t.* (**raccọmodo**) **1.** to repair, to mend, to put right: *~ una bicicletta* to repair a bicycle. – **2.** (*riassettare*) to straighten, to adjust, to arrange, to tidy (up): *raccomodarsi la cravatta* to straighten one's tie. – **3.** ⟨*fig*⟩ (*rimettere in sesto*) to put (*o* set) right, to set to rights. – **4.** ⟨*fig,lett*⟩ (*rimediare*) to remedy, to make up for. – **raccomodatọre** *m.* (*f.* **-trice**) ⟨*non com*⟩ repairer, mender. – **raccomodatụra** *f.* **1.** (*atto*) repairing, mending. – **2.** (*effetto*) repair, mend.

raccompagnạre *v.t.* ⟨*rar*⟩ (*accompagnare di nuovo*) to accompany (*o* go with) again; (*accompagnare indietro*) to take back, to go back with.

raccomunạre *v.t.* ⟨*non com*⟩ **1.** (*riaccomunare*) to join (*o* unite) again. – **2.** ⟨*intens*⟩ (*accomunare*) to join, to unite, to associate. – **raccomunarsi** *v.r.* ⟨*ant*⟩ (*riunirsi*) to meet, to join up.

racconciamẹnto *m.* ⟨*rar*⟩ repairing, mending. – **racconciạre** *v.t.* (**raccọncio, raccọnci**) ⟨*non com*⟩ **1.** (*accomodare*) to set to rights, to put in order, to tidy up; (*riparare*) to repair, to mend. – **2.** ⟨*fig*⟩ to improve. – **3.** ⟨*ant*⟩ (*rappacificare*) to reconcile. – **racconciarsi** *v.r.* **1.** (*rif. al tempo*: *rasserenarsi*) to clear up. – **2.** ⟨*ant*⟩ (*rappacificarsi*) to become reconciled, to make it up. – **racconciatọre** *m.* ⟨*rar*⟩ → **raccomodatore**. – **racconciatụra** *f.* ⟨*non com*⟩ → **raccomodatura**. – **raccọncio** *a.* ⟨*ant*⟩ (*racconciato*) repaired, mended.

racconsolạre *v.t.* (**racconsọlo**) ⟨*lett*⟩ (*consolare*) to console, to comfort. – **racconsolạto** (*p.p. di racconsolare*) *a.* consoled, comforted. – **racconsolatọre** *m.* (*f.* **-trice**) ⟨*non com*⟩ comforter, consoler.

raccontạbile *a.* fit to be told, that can be told, tellable: *una storia non ~* a story not fit to be told, an untellable (*o* unrepeatable) story; (*che merita di essere raccontato*) that deserves to be told, that is worth telling.

raccontafạvole *m./f.inv.* (*bugiardo*) storyteller, fibber.

raccontamẹnto *m.* ⟨*ant*⟩ (*il raccontare*) telling, recounting.

raccontạre *v.t.* (**raccọnto**; **raccontạto**/*poet.* **raccọnto**) **1.** to tell, to recount, to relate: *~ a qd. i propri guai* to tell s.o. all one's woes; (*riferire*) to tell, to relate, to recount, to report, to give an account of. – **2.** (*narrare*) to tell, ⟨*lett*⟩ to narrate: *~ una favola* to tell a story (*o* tale); *il romanzo racconta la storia di un operaio* the novel tells the story of a workman. – **3.** ⟨*ant*⟩ (*menzionare*) to mention, to speak of; (*esporre*) to state, to expound, to set forth.

□ **a** *raccontarla, nessuno ci crede* (*o crederebbe*) no one would believe you if you told them; ⟨*fam*⟩ *a* **chi** *la racconti?* who are you trying to kid?, tell it to the marines; *raccontarne di tutti i* **colori** to tell tall stories, to spin yarns; *raccontarne di tutti i colori a proposito di qd.* to ⌜tell all sorts of stories⌝ (*o* say all sorts of things) about s.o.; *~* **frottole** to tell tall stories, to spin yarns; ⟨*pop*⟩ **poterla** *~* (*averla scampata bella*) to live to tell the tale; ⟨*iron*⟩ **saperla** *~* (*rif. a chi mente sfacciatamente*) to be a good liar, ⟨*fam*⟩ to know how to shoot a line; *a me la* **vieni** *a ~?* = *a* **chi** *la racconti?*

raccontatọre *m.* (*f.* **-trice**) ⟨*non com*⟩ **1.** speaker, teller. – **2.** (*narratore*) storyteller, narrator.

raccontịno (*dim. di racconto*[1]) *m.* **1.** short story. – **2.** (*per bambini*) children's story.

raccọnto[1] *m.* **1.** (*il raccontare*) narration, telling, relating. – **2.** (*fatto raccontato*) story, tale. – **3.** (*relazione*) account, relation: *~ storico* historical account; *fammi un ~ del tuo viaggio* ⌜give me an account of⌝ (*o* tell me all about) your trip. – **4.** ⟨*Lett*⟩ story, tale: *-i per bambini* children's stories.

□ *~* **favoloso** fairy-tale; *~* **filmato** story made into a film, screen version of a story; ⟨*Mus*⟩ *i -i di* **Hoffmann** the Tales of Hoffmann; ⟨*Lett*⟩ *&* **d'inverno** The Winter's Tale; *un* **libro** *di -i* a story-book; *~ dal* **vero** true-life story.

raccọnto[2] *p.p. poet. di* **raccontare**.

raccoppiạre *v.t.* (**raccọppio, raccọppi**) ⟨*non com*⟩ to join together (again).

raccorciamẹnto *m.* shortening.

raccorciạre *v.t.* (**raccọrcio, raccọrci**; **raccorciạto**/*ant.* **raccọrcio**) **1.** (*accorciare*) to shorten, to make shorter: *~ un vestito* to shorten (*o* take up) a dress. – **2.** (*abbreviare*) to shorten, to curtail, to reduce, to abridge, to cut: *~ un articolo* to shorten (*o* cut) an article. –

raccorciarsi *v.r.* to shorten, to become (*o* get) shorter; (*diminuire*) to lessen, to diminish, to shrink; (*rif. a giornate*) to draw in, to grow (*o* get) shorter.

raccọrcio *p.p. ant. di* **raccorciare**. – **raccorcịre** *v.* (**raccorcịsco, raccorcịsci**) ⟨*tosc*⟩ → **raccorciare**.

raccordạre[1] *v.t.* (**raccọrdo**) **1.** to join together (*o* up), to link (up), to connect (up): ~ *due canali* to link two canals. – **2.** ⟨*Ferr*⟩ to connect (by a siding). – **3.** ⟨*Strad*⟩ to link. – **4.** ⟨*Mecc*⟩ to joint.

raccordạre[2] *v.t.* (**raccọrdo**), **raccordarsi** *v.r.* ⟨*ant*⟩ (*ricordare*) to remember, to recall.

raccordatọre ⟨*non com*⟩ **I** *s.m.* (*f.* **-trice**) connector, link. – **II** *a.* connecting, linking (up).

raccọrdo *m.* **1.** connection, link, joint; (*punto di raccordo*) junction. – **2.** ⟨*Strad*⟩ junction, intersection; (*strada di raccordo*) connecting road, link road. – **3.** ⟨*Ferr*⟩ loop-line, junction (*o* branch) line, connecting track (*o* line). – **4.** ⟨*Mecc*⟩ union, ⟨*am*⟩ connector. – **5.** ⟨*Cin*⟩ linking shot.
□ ⟨*Strad*⟩ ~ *di* **accesso** access road; ⟨*Mecc*⟩ ~ *ad* **angolo** corner connection; ⟨*Strad*⟩ ~ **anulare** (o *ad anello*) ring-road, by-pass, ⟨*am*⟩ belt highway; ⟨*Mecc*⟩ ~ **concavo** fillet; ⟨*Mecc*⟩ ~ *a* **croce** (o *crociera*) cross; ⟨*Strad*⟩ ~ *di* **entrata** approach road (*o* ramp), access road; ~ **ferroviario** connecting track (*o* line), loop-line, junction (*o* branch) line; ⟨*Mecc*⟩ ~ **filettato** nipple; ~ *a* **gomito**: 1. ⟨*Ferr*⟩ gusset (*o* corner) plate; 2. ⟨*Mecc*⟩ elbow (pipe), bend; ⟨*Aut*⟩ ~ *per* **lubrificazione** grease (*o* lubrication) nipple; ⟨*Mecc*⟩ ~ **orientabile** banjo union; ⟨*Ferr*⟩ ~ **privato** private siding; ⟨*Strad*⟩ ~ *a* **quadrifoglio** cloverleaf; ~ **stradale** connecting road; ~ *stradale circolare* rotary intersection; ~ *stradale interno* (*a elica*) inner loop; ⟨*Strad*⟩ ~ *di* **svincolo** exit road (*o* ramp), turn-off; ~ *per* **tubazioni** pipe fitting; ~ *a quattro* **vie** = *raccordo a* **croce**; ~ *a* **vite** = *raccordo* **filettato**.

raccọrgersi *v.r.* (**mi raccọrgo, ti raccọrgi; mi raccọrsi, raccọrto**) ⟨*ant*⟩ (*ravvedersi*) to see the error of one's ways.

raccọrre *v.* ⟨*pop,poet*⟩ → **raccogliere**.

raccortạre *v.t.* (**raccọrto**) ⟨*ant*⟩ (*accorciare*) to shorten.

raccosciạrsi *v.r.* (**mi raccọscio, ti raccọsci**) ⟨*ant*⟩ (*stringersi con le cosce*) to crouch.

raccostamẹnto *m.* **1.** (*il raccostare*) bringing near, putting close; (*il raccostarsi*) approach(ing), nearing. – **2.** (*effetto*) approach. – **3.** ⟨*fig*⟩ (*confronto*) comparison, contrast.

raccostạre *v.t.* (**raccọsto**) **1.** (*riaccostare*) to bring (*o* take) near again, to set near again. – **2.** ⟨*intens*⟩ (*accostare*) to bring near (*o* up), to put (*o* take) close. – **3.** ⟨*fig*⟩ (*confrontare*) to compare, to set side by side: ~ *due colori* to compare two colours; (*per trovare somiglianza*) to match. – **raccostạto** (*p.p. di raccostare*) *a.* ⟨*Ling*⟩ analogized.

raccozzamẹnto *m.* ⟨*non com*⟩ **1.** (*il raccozzare*) scraping together, collecting with difficulty; (*il raccozzarsi*) meeting, joining up. – **2.** (*effetto*) random collection, scratch assortment.

raccozzạre *v.t.* (**raccọzzo**) (*accozzare*) to throw together, to jumble up. – **raccozzarsi** *v.r.* **1.** (*radunarsi*) to assemble, to meet, to get together, to join up. – **2.** (*incontrarsi*) to meet. – **3.** ⟨*ant*⟩ (*trovarsi d'accordo*) to be in agreement, to agree.

racẹllo *m.* ⟨*Mod*⟩ buckram.

racemạto **I** *a.* ⟨*Chim*⟩ racemic. – **II** *s.m.* racemate. – **racẹmico** *a.* (*pl.* **-ci**) racemic: *acido* ~ racemic acid.

racemịfero *a.* ⟨*poet*⟩ bearing clusters of grapes.

racemizzaziọne *f.* ⟨*Chim*⟩ racemization.

racẹmo *m.* **1.** ⟨*Bot*⟩ raceme. – **2.** ⟨*Arch*⟩ floral pattern, foliage. – **3.** ⟨*Chim*⟩ (*composto racemico*) racemate, racemic compound. – **4.** ⟨*poet*⟩ (*grappolo d'uva*) small bunch of grapes.

racemọso *a.* ⟨*Bot*⟩ racemose.

racer *ingl.* ['reisər] *m.* ⟨*Mar*⟩ (*motoscafo da competizione*) racing (motor)boat.

Rachẹle *N.pr.f.* Rachel.

rạchi *m.* (*liquore*) raki, rakee.

rachi... *pref.* (*spina dorsale* spine) rachi(o)..., rhachi(o)...

rachialgịa *f.* ⟨*Med*⟩ r(h)achialgia.

rachianẹctidi *m.pl.* ⟨*Zool*⟩ grey whales *pl* (*Rhachianectidae*).

rachi|anestesịa *f.* ⟨*Med*⟩ r(h)achianaesthesia, spinal anaesthesia. – **~centẹsi** (o *rachicentẹsi*) *f.* (*puntura lombare*) r(h)achicentesis, spinal (*o* lumbar) puncture. – **~cocainizzaziọne** *f.* r(h)achiococainization, spinal cocainization.

rạchide *m./f.* **1.** ⟨*Biol*⟩ rachis, rhachis. – **2.** ⟨*Anat*⟩ (*colonna vertebrale*) rachis, rhachis, vertebral (*o* spinal) column, spine. – **rachidẹo, rachidiạno** *a.* ⟨*Anat*⟩ r(h)achidian, r(h)achidial.

rachịlla *f.* ⟨*Bot*⟩ rachilla.

rachio... *pref.* → **rachi...**

rachiotomịa *f.* ⟨*Chir*⟩ r(h)achiotomy.

rachịpago *m.* (*pl.* **-ghi**) ⟨*Med*⟩ r(h)achipagus.

rachi|puntụra *f.* → **rachicentesi**. – **~schịsi** *f.* ⟨*Med*⟩ r(h)achischisis.

rachitamịna *f.*, **rachitasterọlo** *m.* ⟨*Biol,ant*⟩ (*vitamina D*) vitamin D.

rachịtico *a./s.* (*pl.* **-ci**) **I** *a.* **1.** ⟨*Med*⟩ r(h)achitic, suffering from rickets. – **2.** ⟨*fig*⟩ (*misero, stentato*) stunted, ill-grown, underdeveloped. – **II** *s.m.* (*f.* **-a**) sufferer from rickets. – **rachịtide** *f.*, **rachitịsmo** *m.* ⟨*Med*⟩ rickets *pl* (*costr. sing.*), r(h)achitis.

racimolạre *v.t.* (**racịmolo**) **1.** to glean, to pick. – **2.** ⟨*fig*⟩ to scrape (*o* get) together, to glean. – **racimolatọre** *m.* (*f.* **-trice**) ⟨*non com*⟩ **1.** gleaner, picker. – **2.** ⟨*fig*⟩ gleaner, collector: *un* ~ *di notizie* a gleaner of news. – **racimolatụra** *f.* **1.** (*atto*) gleaning (in vineyards). – **2.** ⟨*estens*⟩ (*residui*) gleanings *pl.* – **racịmolo** *m.* ⟨*Bot*⟩ small cluster of grapes; (*piccolo grappolo*) small bunch of grapes.

rạcla *f.* ⟨*Tip*⟩ doctor (*o* wiping) blade.

racọforo *m.* ⟨*Zool*⟩ polypedatid (*Rhacophorus*).

racquattạrsi *v.r.* ⟨*ant*⟩ (*acquattarsi*) to crouch, to squat.

racquetạre *v.t.* (**racquẹto**) ⟨*lett*⟩ (*acquietare*) to calm (down), to quieten (down). – **racquetarsi** *v.r.* to calm down, to grow quiet. – **racquietạre** *v.* ⟨*non com*⟩ → **racquetare**.

racquistạre *v.t.* ⟨*rar*⟩ (*riacquistare*) to regain, to recover. – **racquịsto** *m.* ⟨*ant*⟩ **1.** (*riacquisto*) regaining, recovery. – **2.** (*riconquista*) reconquest.

rad[1] *m.* ⟨*Fis*⟩ rad.

rad[2] = ⟨*Geom*⟩ *radiante* radian (*abbr.* rad.).

Rad = ⟨*Med*⟩ *radice* root (*abbr.* rad.).

rạda *f.* ⟨*Mar*⟩ anchorage, roads *pl*, roadstead.

Radamạnto *N.pr.m.* ⟨*Mitol*⟩ Rhadamanthus.

radamẹnte *avv.* ⟨*rar*⟩ (*raramente*) rarely, seldom.

rạdar *a./s.inv.* **I** *s.m.* ⟨*Fis*⟩ radar. – **II** *a.* radar-: *installazione* ~ radar installation.
□ ~ **aeronautico** aeronautical radar; ⟨*Aer*⟩ ~ *d'***avvicinamento** *di precisione* precision approach radar; ~ *d'***avvistamento** warning (*o* search) radar; ⟨*Mar*⟩ ~ *di* **bordo** ship's radar; **controllo** ~ radar monitoring; ~ **diretto** primary radar; ~ *d'***esplorazione** scanning (*o* search) radar; ~ **meteorologico** weather radar; ~ **nautico** = *radar di* **bordo**; ~ **panoramico** mapping radar, radar landscape scanner, panoramic unit; ~ **portuale** harbour-control radar; ~ **primario** primary radar; ~ **secondario** (o *ripetitore*) secondary radar, radar beacon; ~ **tachimetro** radar speedometer; ~ **televisivo** teleran, television radar; ~ **terrestre** ground (*o* land-based) radar.

radar-|assistẹnza *f.* ⟨*Mar*⟩ radar assistance. – **~fạro** *m.* ⟨*Aer, Mar*⟩ (*radiofaro a domanda e risposta*) radar beacon, secondary radar, racon.

radarịsta *m.* radar operator (*o* engineer, controller), ⟨*am*⟩ radarman.

radar|localizzaziọne *f.* radar detection. – **~-tẹcnica** *f.* radar engineering.

radatụra *f.* ⟨*non com*⟩ **1.** ⟨*Tess*⟩ thin patch (in cloth). – **2.** (*zona del capo*) balding patch.

radạzza *f.* ⟨*Mar,Pesc*⟩ (*redazza*) swab, mop. – **radazzạre** **I** *v.t.* ⟨*Mar*⟩ (*redazzare*) to swab, to mop (down). – **II** *v.i.* (*aus.* **avere**) to mop down.

radd. = ⟨*Ling*⟩ *raddoppiamento* reduplication.

raddensạbile *a.* that may be thickened. – **raddensamẹnto** *m.* ⟨*non com*⟩ thickening.

raddensạre *v.t.* (**raddẹnso**) **1.** (*addensare*) to thicken, to make dense; (*rif. a liquidi*) to thicken, to condense. – **2.** ⟨*fig*⟩ (*rendere più frequente*) to make more frequent, to intensify. – **raddensarsi** *v.r.* **1.** to thicken, to become thicker; (*rif. a nuvole*) to gather, to mass. – **2.** (*affollarsi*) to crowd, to throng. – **raddensatọre** **I** *s.m.* (*f.* **-trice**) thickener, condenser. – **II** *a.* thickening, condensing.

raddimandạre *v.* → **raddomandare**.

raddirizzamẹnto *m.* ⟨*non com*⟩ → **raddrizzamento**. – **raddirizzạre** *v.* ⟨*non com*⟩ → **raddrizzare**. – **raddirizzatọre** *a./s.* ⟨*non com*⟩ → **raddrizzatore**. – **raddirizzatụra** *f.* ⟨*non com*⟩ → **raddrizzatura**.

raddobbạre *v.t.* (**raddọbbo**) ⟨*Mar*⟩ to refit, to repair. – **raddọbbo** *m.* refit, repair.

raddolcimẹnto *m.* ⟨*non com*⟩ **1.** (*rif. a suoni, colori*) softening, toning down. – **2.** ⟨*fig*⟩ relief, mitigation, assuaging, alleviation. – **3.** ⟨*Fon*⟩ (*palatalizzazione*) palatalization; (*lenizione*) lenition. – **4.** ⟨*Met*⟩ softening.

raddolcịre *v.t.* (**raddolcịsco, raddolcịsci**) **1.** (*addolcire*) to sweeten. – **2.** ⟨*fig*⟩ (*rif. a suoni, colori*) to soften, to tone down, to subdue, to moderate: ~ *la voce* to soften one's tone. – **3.** ⟨*fig*⟩ (*mitigare*) to soothe, to allay, to mitigate, to relieve, to soften: ~ *un dolore* to soothe a pain. – **4.** ⟨*Met*⟩ to soften. – **raddolcirsi** *v.r.* (*rif. a carattere, espressione*) to mellow, to soften, to grow gentler; (*rif. al tempo*) to grow (*o* get) milder: *la stagione si è raddolcita* the season has grown milder.

raddomandạre *v.t.* ⟨*ant*⟩ **1.** (*domandare di nuovo*) to ask again. – **2.** (*chiedere in restituzione*) to ask for the return of, to ask for back.

raddoppiamẹnto *m.* **1.** doubling, redoubling. – **2.** ⟨*Ling*⟩ reduplication. □ ⟨*Ling*⟩ ~ *sintattico* syntactic gemination.

raddoppiạre *v.* (**raddọppio**) **I** *v.t.* **1.** to double: ~ *lo stipendio a qd.* to double s.o.'s salary. – **2.** ⟨*fig*⟩ (*aumentare*) to (re)double, to increase, to intensify: ~ *i propri sforzi* to redouble one's efforts. – **3.** ⟨*Ling*⟩ to reduplicate; (*rafforzare*) to redouble, to geminate. – **II** *v.i.* (*aus.* **essere**) **1.** to be doubled, to double: *il reddito annuo è quasi raddoppiato* annual income has almost doubled. – **2.** ⟨*fig*⟩ (*crescere*) to double, to increase. – **3.** (*nel biliardo*) to double. – **4.** ⟨*Equit*⟩ to do a redoppe. – **5.** ⟨*Sport*⟩ (*nella scherma*) to counter-disengage.

raddoppiạta *f.* ⟨*Equit,non com*⟩ (*raddoppio*) redoppe.

raddoppiạto (*p.p. di raddoppiare*) *a.* **1.** double(d), that has doubled: *spese -e* expenses that have doubled. – **2.** ⟨*fig*⟩ (*accresciuto*) (re)doubled, increased, intensified: *con* ~ *zelo* with increased zeal. – **3.** (*piegato in due*) folded in two (*o* half); (*formato da due strati*) double.

raddoppiatụra *f.* ⟨*non com*⟩ **1.** (re)doubling, increasing. – **2.** ⟨*concr*⟩ fold, folded part.

raddọppio *m.* **1.** doubling. – **2.** (*nel biliardo*) double. – **3.** ⟨*Equit*⟩ redoppe. – **4.** ⟨*Sport*⟩ (*nella scherma*) counter-disengagement. – **5.** ⟨*Teat*⟩ (*doppione*) double role (*o* part). □ ⟨*Ferr*⟩ *binario di* ~ double track; ⟨*Ferr*⟩ ~ *di un binario* laying of a second track.

raddormentạre *v.t.* (raddormẹnto) ⟨*non com*⟩ (*riaddormentare*) to put to sleep again. – **raddormentarsi** *v.r.* to fall asleep again.
raddọtto *m.* ⟨*rar*⟩ (*luogo di riunione*) meeting-place.
raddrizzamẹnto *m.* **1.** straightening. – **2.** ⟨*fig*⟩ (*correzione*) correction, straightening out. – **3.** ⟨*Med*⟩ redressment, straightening. – **4.** ⟨*El*⟩ rectification. □ ⟨*Mecc*⟩ ~ *a caldo* heat-straightening.
raddrizzạre *v.t.* **1.** to straighten, to make straight; (*mediante spostamenti*) to put (*o* set) straight, to straighten: *raddrizza questo quadro* straighten this picture; (*spianando*) to straighten (out), to unbend. – **2.** (*rimettere in piedi*) to stand up again, to set upright (*o* on one's feet) again. – **3.** ⟨*fig*⟩ (*correggere*) to correct, to put straight, to straighten out: ~ *le idee storte* to correct mistaken ideas (*o* impressions). – **4.** ⟨*Mecc*⟩ to straighten, to rectify; (*rif. a veicolo*) to right. – **5.** ⟨*El*⟩ to rectify. – **raddrizzarsi** *v.r.* **1.** to straighten, to become straight. – **2.** (*rimettersi in piedi*) to stand up again; (*raddrizzare la schiena*) to straighten (up). – **3.** ⟨*fig*⟩ (*correggersi*) to correct o.s., to straighten o.s. out. □ ⟨*Mecc*⟩ ~ *a freddo* to cold-straighten; ⟨*fig*⟩ ~ *le gambe ai cani* to attempt the impossible; ⟨*fig*⟩ ~ *le ossa a qd.* (*bastonarlo*) to beat s.o. up; ⟨*fig*⟩ ~ *la testa a qd.* to set s.o.'s ideas straight.
raddrizzatọre I *s.m.* (*f.* **-trice**) **1.** ⟨*non com*⟩ straightener. – **2.** ⟨*fig, non com*⟩ righter, corrector. – **3.** ⟨*El,Fot*⟩ rectifier. – **II** *a.* ⟨*El*⟩ rectifier-: *elemento* ~ rectifier element.
□ ~ *ad* **arco** arc rectifier; ~ *a* **contatto** contact (*o* dry) rectifier, metal rectifier; ~ *di* **corrente** rectifier; ~ *a* **cristallo** crystal rectifier (*o* diode); ~ **elettrolitico** electrolytic rectifier; ~ **elettronico** electronic rectifier; ~ *a* **gas** gas-filled rectifier; ~ **metallico** = *raddrizzatore a* **contatto**; ~ *a* **onda** *piena* full-wave rectifier; ~ *a* **ponte** bridge rectifier; ~ *a* **secco** = *raddrizzatore a* **contatto**; ~ *al* **selenio** selenium rectifier; ~ *di* **semionda** half-wave rectifier; ~ *a* **tubo** valve rectifier; ~ *a* **vapori** *di* **mercurio** mercury-arc rectifier.
raddrizzatrịce *f.* **1.** ⟨*Met*⟩ straightener. – **2.** ⟨*Rad*⟩ rectifier (*o* rectifying) tube, thermionic rectifier. □ ~ *per lamiere* sheet straightening machine; ~ *a rulli* roller leveller. – **raddrizzatụra** *f.* **1.** straightening (*anche Mecc.*). – **2.** ⟨*El*⟩ rectification.
raddụrre *v.t.* (raddụco, raddụci; raddụssi, raddọtto; → **condurre**) ⟨*lett*⟩ (*ricondurre*) to bring (*o* take) back. – **raddursi** *v.r.* **1.** (*raccogliersi in un luogo*) to assemble, to gather. – **2.** (*ritornare*) to return.
radẹnte (*p.pr. di radere*) *a.* **1.** (*rasente*) grazing, passing very close, skimming. – **2.** ⟨*Mil*⟩ (*rif. al tiro*) grazing, with a flat trajectory. □ ⟨*Fis*⟩ *attrito* ~ sliding friction; ⟨*Mar*⟩ *corrente* ~ current following the coast; ⟨*Mil*⟩ *difesa* ~ flank shots *pl*; ⟨*Mar*⟩ *rotta* ~ coasting; ⟨*Aer*⟩ *volo* ~ flying extremely low, ⟨*fam*⟩ hedge-hopping. – **radẹnza** *f.* grazing (*o* skimming) movement.
rạdere *v.t.* (rạsi, rạso) **1.** to shave (off): ~ *i baffi* to shave off s.o.'s moustache. – **2.** ⟨*assol*⟩ (*fare la barba*) to shave. – **3.** ⟨*fig*⟩ (*sfiorare*) to graze, to skim, to brush against, to pass close to; (*rif. ad aerei e sim.*) to skim. – **4.** (*tagliare alla base*) to raze: ~ *un bosco* to raze a wood (to the ground). – **5.** ⟨*ant*⟩ (*raschiare*) to scrape; (*rif. a monete*) to clip. – **6.** ⟨*ant*⟩ (*cancellare*) to erase, to cross out. – **radersi** *v.r.* to shave (o.s.). □ ~ ⌜*al suolo*⌝ (*o a terra*) to raze to the ground; ~ *a zero* to shave (down to the roots); *farsi* ~ *a zero i capelli* to have one's hair shaved off.
radẹzza *f.* **1.** thinness, looseness, sparseness, scantiness. – **2.** ⟨*fig*⟩ infrequency, rareness, scarcity. □ ~ *dei capelli* thinness (*o* sparseness) of hair, thin hair.
radịale[1] **I** *a.* **1.** ⟨*Mat,Fis*⟩ radial: *linea* ~ radial line. – **2.** ⟨*Biol*⟩ radial, radiate. – **II** *s.f.* **1.** radial line. – **2.** (*linea tranviaria*) tram-line going out to the suburbs. □ ⟨*Aut*⟩ *pneumatico* ~ radial tyre.
radịale[2] *a.* ⟨*Anat*⟩ radial: *nervo* ~ radial nerve.
radialmẹnte *avv.* radially.
radịante[1] (*p.pr. di radiare*[2]) *a.* **1.** (*che emette energia per irraggiamento*) radiant, radiating: *superficie* ~ radiant (*o* radiating) surface. – **2.** ⟨*non com*⟩ (*raggiante*) radiant, bright: ~ *di gioia* radiant with joy. – **3.** ⟨*ant*⟩ (*splendente*) radiant, bright, shining.
radịante[2] *m.* **1.** ⟨*Mat*⟩ radian. – **2.** ⟨*Astr,Geom*⟩ radiant.
radịanza *f.* ⟨*Fis*⟩ radiance.
radịare[1] *v.t.* (rạdio, rạdi) ⟨*burocr*⟩ **1.** (*cancellare*) to cancel, to strike off (*o* out): ~ *dall'albo dei medici* to strike off the medical register. – **2.** (*espellere*) to expel, to remove: ~ *da un partito* to expel from a party. □ ⟨*Mar*⟩ ~ *una nave* to withdraw a ship from the sea-going register.
radịare[2] *v.i.* (rạdio, rạdi; *aus.* avere) ⟨*ant*⟩ (*emettere raggi*) to radiate, to emit rays.
radiati *m.pl.* → **raggiati**.
radiatịvo *a.* ⟨*Fis*⟩ radiation-, radiating.
radịato *a.* ⟨*Biol*⟩ (*raggiato*) radial, radiate(d): *simmetria -a* radial symmetry.
radiatọre *m.* **1.** ⟨*tecn*⟩ radiator. – **2.** ⟨*Rad*⟩ (*antenna trasmittente*) radiator, transmitting antenna.
□ ~ **acustico** acoustic radiator (*o* radiating element); ⟨*Aer*⟩ ~ **alare** wing radiator; ⟨*Mot*⟩ ~ *ad* **alette** gilled (*o* ribbed, finned) radiator; ~ *per* **autoveicolo** radiator; ~ *di* **calore** heat radiator; ~ **cellulare** = *radiatore a* **nido** *d'ape*; ~ **dielettrico** dielectric radiator; ~ *a* **fenditura** slot radiator; ⟨*Fis*⟩ ~ **nero** black body, black (*o* full) radiator, Planckian radiator; ⟨*Mot*⟩ ~ *a* **nido** *d'ape* honeycomb radiator; ⟨*Mot*⟩ ~ *dell'***olio** oil cooler; ~ **termico** thermal radiator; ⟨*Mot*⟩ ~ **tubolare** (o *a tubo d'acqua*) tubular radiator.
radiatorịsta *m.* ⟨*Mot*⟩ radiator mechanic.
radiatụra *f.* ⟨*Fal*⟩ spider (*o* star) shake.
radiaziọne[1] *f.* ⟨*Fis*⟩ radiation.
□ ~ **alfa** alpha radiation (*o* rays *pl*); ~ **ambientale** background radiation; ⟨*Rad*⟩ ~ *di* **antenna** aerial radiation; ~ **atomica** atomic radiation; ~ **beta** beta radiation, beta-ray emission; ~ **complessa** complex radiation; ~ **cosmica** cosmic radiation (*o* rays *pl*); ⟨*Atom*⟩ ~ *di* **decelerazione** braking radiation; ~ **diffusa** scattered radiation; ~ **elettromagnetica** electromagnetic radiation; ~ **elettronica** electronic radiation; ~ **gamma** gamma radiation; ~ **infrarossa** infra-red radiation; ~ **invisibile** invisible radiation; ~ **luminosa** light (*o* visible) radiation; ~ **nera** full (*o* black-body) radiation; ~ **nucleare** nuclear radiation; ~ **ondulatoria** wave (*o* undulatory) radiation; ⟨*Anat*⟩ *-i* **ottiche** optic radiation, radiation of Gratiolet, radiatio occipitothalamica; ~ **penetrante** penetrating radiation; ~ **polarizzata** polarization, polarized radiation; ~ **radioattiva** (radioactive) radiation; ~ **solare** sun (*o* solar) radiation; ⟨*Rad*⟩ ~ **spuria** spurious radiation; ~ **termica** thermal radiation; ~ **ultravioletta** ultra-violet radiation; ~ **visibile** visible radiation.
radiaziọne[2] *f.* ⟨*burocr*⟩ **1.** (*cancellazione*) cancellation, striking off. – **2.** (*espulsione*) expulsion, removal.
rạdica *f.* **1.** ⟨*pop*⟩ (*radice*) root. – **2.** (*legno della radice del noce*) walnut (root). – **3.** (*legno per pipe*) briar, briarwood: *pipa di* ~ briar-pipe. – **4.** ⟨*roman*⟩ (*persona astuta*) sharp (*o* wily) person. □ ⟨*Bot*⟩ ~ *amara* black salsify (*Scorzonera*); ⟨*Bot*⟩ ~ *gialla* (*carota*) carrot (*Daucus carota*); ⟨*Bot*⟩ ~ *rossa* (*barbabietola rossa*) red beet (*Beta vulgaris conditiva*).
radicạle I *a.* **1.** radical, drastic: *riforma* ~ radical reform. – **2.** ⟨*Pol*⟩ Radical: *partito* ~ Radical party. – **3.** ⟨*Bot,Ling,Mat*⟩ radical, root-: *peli -i* root-hairs, radical hairs. – **II** *s.m.* **1.** ⟨*Ling,Mat*⟩ root, radical: *il* ~ *di una parola* the root of a word. – **2.** ⟨*Chim*⟩ radical. – **3.** *m./f.* ⟨*Pol*⟩ Radical: ~ *di sinistra* left-wing Radical.
radicaleggịante (*p.pr. di radicaleggiare*) *a.* ⟨*Pol*⟩ favouring (*o* leaning toward) radicalism. – **radicaleggịare** *v.i.* (radicalẹggio, radicalẹggi; *aus.* avere) to favour (*o* lean toward) radicalism. – **radicalịsmo** *m.* radicalism (*anche Pol.*). – **radicalizzạre** *v.t.* ⟨*Pol*⟩ to radicalize. – **radicalizzarsi** *v.r.* to move towards radicalism, to become radical (*o* extremist). – **radicalizzaziọne** *f.* radicalization.
radicalmẹnte *avv.* **1.** radically, fundamentally. – **2.** (*completamente*) radically, completely, thoroughly, root and branch.
radicamẹnto *m.* ⟨*non com*⟩ taking root.
radicạndo *m.* ⟨*Mat*⟩ radicand, radical quantity.
radicạnte (*p.pr. di radicare*) *a.* ⟨*Bot*⟩ rooting, radicant. – **radicạre** *v.* (rạdico, rạdichi) **I** *v.i.* (*aus.* avere/*non com.* essere), **radicarsi** *v.r.* **1.** ⟨*Bot*⟩ to take (*o* strike) root, to root, to put out roots; (*mettere radici avventizie*) to put out adventitious roots. – **2.** ⟨*estens*⟩ (*rif. a idee e sim.*) to become deep-rooted, to take root. – **3.** ⟨*fig*⟩ (*stabilirsi*) to take root, to settle (down). – **II** *v.t.* ⟨*rar*⟩ (*far penetrare*) to root, to implant: *ha radicato le sue idee nella mente dei figli* he implanted his ideas in the minds of his children.
radicạta *f.* ⟨*ant*⟩ (*radice*) root. □ ⟨*Mar.ant*⟩ ~ *di corsia* gangway staunchions *pl*.
radicạto (*p.p. di radicare*) *a.* **1.** ⟨*Bot*⟩ rooted, that has taken root. – **2.** ⟨*fig*⟩ (*fissato*) (deep-)rooted, deep-seated, firmly-established: *difetti -i* deep-rooted (*o* ingrained) faults. □ *ben* ~ deep-rooted, deep-seated, firmly-established; ⟨*fig*⟩ *essere* ~ *in un'abitudine* to have an ingrained (*o* inveterate) habit; ⟨*fig*⟩ *essere* ~ *in un'opinione* to have a deep-rooted (*o* firm, settled) opinion.
radicaziọne *f.* ⟨*Bot*⟩ **1.** rooting, taking root, ⟨*lett*⟩ radication. – **2.** (*rizotassi*) root distribution.
radicchiẹlla *f.*, **radicchiẹllo** *m.* ⟨*Bot*⟩ (*dente di leone*) dandelion (*Taraxacum officinale*).
radicchiẹtto *m. dim. di* **radicchio**. – **radịcchio** *m.* ⟨*Bot*⟩ chicory, witloof (*Cichorium intybus*).
radịce *f.* **1.** ⟨*Bot*⟩ root: *le -i di un albero* the roots of a tree; (*rizoma*) rhizome, rootstock. – **2.** ⟨*estens*⟩ (*base*) foot, base, bottom: *la* ~ *della montagna* the foot of the mountain. – **3.** ⟨*fig*⟩ (*principio, origine*) root, origin, source; (*causa*) root, (root-)cause, heart: *la* ~ *del male* the root of evil; *arrivare alle -i della faccenda* to get to the heart of the matter. – **4.** ⟨*Anat,Mat*⟩ root. – **5.** ⟨*Ling*⟩ root(-word), radical. – **6.** ⟨*Bot*⟩ radish (*Raphanus raphanistrum sativus*). – **7.** ⟨*poet*⟩ (*progenitore, capostipite*) progenitor; (*genitore*) parent.
□ ~ **aerea** aerial root; ~ **avventizia** adventitious root; ⟨*Bot*⟩ ~ **brasiliana** (*ipecacuana*) ipecacuanha, ipecac (*Cephaelis ipecacuanha*); ~ *del* **callo** root of a corn; *arrossire fino alla* ~ *dei* **capelli** to blush deeply (*o* to the roots of one's hair); ⟨*Mat*⟩ ~ **cubica** cube root; ⟨*Anat*⟩ ~ *del* **dente** root of a tooth; ⟨*Mat*⟩ **estrarre** *la* ~ to extract the root; ~ *a* **fittone** tap-root; ⟨*Bot*⟩ ~ **gialla** (*curcuma*) turmeric (*Curcuma longa*); ~ **laterale** lateral (*o* secondary) root; ⟨*Anat*⟩ ~ *della* **lingua** radix linguae; **mettere** *-i*: 1. (*attecchire*) to take (*o* strike) root, to put down roots; 2. ⟨*fig*⟩ (*penetrare*) to take root; 3. ⟨*fig*⟩ (*sistemarsi stabilmente*) to settle down, to establish o.s.; ⟨*Anat*⟩ ~ *del* **nervo** nerve root; ~ *del* **pelo** hair root; ~ **primaria** (o *principale*) primary root; ⟨*Mat*⟩ ~ **quadrata** square root; ~ **secondaria** secondary root; ⟨*Mat*⟩ **segno** *della* ~ radical sign; ⟨*Mat*⟩ ~ **semplice** simple root; *mettere le -i al* **sole** *a un albero* (*abbatterlo*) to fell a tree; **strappare** *dalle -i* to pull out by the roots; ⟨*fig*⟩ (*distruggere*) to uproot, to root out; ~ **tuberizzata** (root) tuber; ⟨*Anat*⟩ ~ *dell'***unghia** nail root; ⟨*Mat*⟩ ~ *di* **uno** root of one; ⟨*Bot*⟩ ~ *della* **vita** ginseng (*Panax ginseng*). – *Prov.*: *le -i della virtù sono amare, i frutti dolci* virtue's roots are bitter, its fruits sweet.
radicẹtta *f. dim. di* **radice**.

radichetta (*dim. di radica*) *f.* **1.** ⟨*Bot*⟩ rootlet; (*ramo della radice*) root branch. – **2.** (*nella tecnica del malto*) barley germ. – **radichina** *f. dim. di* **radica**.
radiciamento *m.* ⟨*Mur*⟩ reinforcement with iron tie rods.
radicicole *f.pl.* ⟨*Entom*⟩ (*anche femmine radicicole*) radicolae. – **radicicolo I** *a.* ⟨*Biol*⟩ radicicolous. – **II** *s.m.* radicicolous organism.
radiciforme *a.* ⟨*Bot*⟩ radiciform.
radicina *f. dim. di* **radice**.
radicolare *a.* ⟨*Anat,Med*⟩ radicular.
radicolite *f.* ⟨*Med*⟩ radiculitis. – **radicoloneurite** *f.* ⟨*Med*⟩ radiculoneuritis, infectious polyneuritis.
radiestesia *f.* → **radioestesia**. – **radiestesico** *a.* → **radioestesico**. – **radiestesista** *m./f.* → **radioestesista**.
radimadia *f.inv.* scraper (for a kneading-trough).
radimento *m.* ⟨*non com*⟩ **1.** (*raschiamento*) scraping. – **2.** (*il cancellare*) erasing, crossing out.
radio[1] *f.inv.* **1.** (*radiofonia*) radio, radiophony, wireless (telephony), radiotelephony; (*radiotelegrafia*) wireless telegraphy, radiotelegraphy; (*radiotecnica*) radio-engineering. – **2.** (*ente che diffonde programmi radiofonici*) radio broadcasting company, radio; (*stazione trasmittente*) broadcasting (*o* transmitting) station. – **3.** (*radioricevitore*) radio (set), wireless (set), radio receiver (*o* receiving set): *accendere la* ~ to turn on the radio (*o* wireless). – **4.** (*radiotrasmittente*) radio transmitter (*o* transmitting set): ~ *clandestina* underground (*o* pirate) radio transmitter.
□ **abbassare** *la* ~ to turn the wireless down, to lower the radio; *sentire un programma* **alla** ~ to hear a programme on the radio (*o* wireless); **ascoltare** *la* ~ to listen to the radio, to listen in; ~ *a* **batterie** battery-operated radio (*o* wireless); **comunicare** *per* ~ to communicate by radio, to broadcast; ~ *a* **galena** crystal set; **giornale** ~ (radio) news *pl*, newscast: *ascoltare il giornale* ~ to listen to the news; ~ *a* **onde** *corte* short-wave radio; ~ **portatile** portable radio; ~ *per le* **scuole** educational (*o* school) radio programmes *pl*; ~ **segnale** radio signal.
radio[2] *m.* ⟨*Chim*⟩ radium.
radio[3] *m.* ⟨*Anat*⟩ radius.
radio[4] *m.* ⟨*ant*⟩ **1.** (*raggio*) ray, beam. – **2.** ⟨*Zool*⟩ radius.
radio... *pref.* **1.** (*rif. alla radio*) radio..., wireless-. – **2.** ⟨*Chim*⟩ (*rif. al radium*) radio... – **3.** ⟨*Fis*⟩ radio... – **4.** ⟨*Radiol*⟩ radio..., roentgen-.
radio|abbonato *m.* (*f.* **-a**) radio subscriber. – **~aiuto** *m.* → **radioassistenza**. – **~altimetro** *m.* ⟨*Aer*⟩ radio altimeter. – **~amatore** *m.* (*f.* **-trice**) amateur radio operator, ⟨*fam*⟩ (radio) ham. – **~ascoltatore** *m.* (*f.* **-trice**) (radio) listener. – **~ascolto** *m.* listening in. – **~assistenza** *f.* ⟨*Aer,Mar*⟩ radio (*o* instrument) navigation. – **~astronomia** *f.* radio astronomy. – **~astronomico** *a.* (*pl.* **-ci**) radioastronomical. – **~astronomo** *m.* radio astronomer. – **~attinio** *m.* ⟨*Chim*⟩ radioactinium. – **~attivare** *v.t.* ⟨*Fis*⟩ to radioactivate, to make radioactive. – **~attivazione** *f.* radioactivating.
radioattività *f.* ⟨*Fis*⟩ radioactivity.
□ ~ **alfa** alpha radioactivity; ~ *dell'***aria** air (*o* atmospheric) radioactivity; ~ **artificiale** artificial radioactivity; ~ **beta** beta radioactivity; ~ **gamma** gamma radioactivity; ~ **naturale** natural radioactivity.
radio|attivo *a.* radioactive: *fango* ~ radioactive mud. □ *elemento* ~ radioactive element; *pioggia* *-a* fall-out. – **~auditore** *m.* (*f.* **-trice**) ⟨*non com*⟩ → **radioascoltatore**. – **~audizione** *f.* **1.** (*ascolto*) listening in. – **2.** (*trasmissione*) broadcast, radio transmission, wireless programme. – **~autore** *m.* (*f.* **-trice**) writer (of plays) for the radio. – **~biologia** *f.* radiobiology. – **~biologico** *a.* (*pl.* **-ci**) radiobiologic(al). – **~biologo** *m.* (*pl.* **-gi**; *f.* **-a**) radiobiologist. – **~bussola** *f.* ⟨*Mar,Aer*⟩ radio compass. – **~canale** *m.* ⟨*Rad*⟩ (radio-) channel. – **~carbonio** *m.* ⟨*Atom*⟩ radio carbon. – **~carpico** *a.* (*pl.* **-ci**) ⟨*Anat*⟩ radio-carpal: *articolazione -a* radio-carpal articulation. – **~centro** *m.* ⟨*Rad*⟩ broadcasting station. – **~chimica** *f.* radiochemistry. – **~chimografia** *m.* ⟨*Radiol*⟩ radiokymography, roentgen kymography. – **~chimografo** *m.* radiokymograph, radiocymograph. – **~chimogramma** *m.* radiokymogram, radiocymogram. – **~chirurgia** *f.* radiosurgery. – **~cinema** *m.inv.* ⟨*TV*⟩ television transmission of films. – **~cinematografia** *f.* ⟨*Radiol*⟩ roentgenocinematography. – **~cobalto** *m.* ⟨*Chim*⟩ radio cobalt. – **~collegamento** *m.* ⟨*Rad*⟩ radio link. – **~comandare** *v.t.* to radio-control. – **~comandato** (*p.p. di radiocomandare*) *a.* radio-controlled: *nave -a* radio-controlled ship. – **~comando** *m.* **1.** radio control. – **2.** (*dispositivo*) radio-control device. – **3.** (*radiosegnale*) radio signal. – **~commedia** *f.* radio play. – **~conversazione** *f.* radio talk (*o* discussion). – **~cronaca** *f.* running (radio) commentary; (*radiocronaca registrata*) recorded commentary. – **~cronista** *m./f.* (radio) commentator. – **~derm(at)ite** *f.* ⟨*Med*⟩ radiodermatitis. – **~diagnosi** *f.* radiodiagnosis. – **~diagnostica** *f.* ⟨*Radiol*⟩ radiodiagnostics *pl.* – **~diagnostico** *a.* (*pl.* **-ci**) radiodiagnostic. – **~diffondere** *v.t.* (**radiodiffusi, radiodiffuso**) to broadcast, to transmit, to put on the air. – **~diffonditrice** *f.* ⟨*non com*⟩ (*stazione radiodiffonditrice*) broadcasting (*o* transmitting) station. – **~diffusione** *f.* broadcasting, transmission. □ ~ *su filo* wired radio, wire broadcasting. – **~dilettante** *m./f.* → **radioamatore**. – **~discorso** *m.* radio speech (*o* talk). – **~disturbo** *m.* ⟨*Tel*⟩ interference, static, atmospherics *pl.* □ *eliminare i -i* to suppress interference, to eliminate static. – **~dramma** *m.* radio play. – **~eco** *m.* (*pl.* **-chi**) radio-echo. – **~elemento** *m.* ⟨*Chim*⟩ (*elemento radioattivo*) radioelement, radioactive element. – **~elettricista** *m.* ⟨*Aer*⟩ (*marconista*) radio (*o* wireless) operator. – **~elettricità** *f.* radio, wireless. – **~elettrico** *a.* (*pl.* **-ci**) radio, wireless-, Hertzian. – **~emanazione** *f.* ⟨*Atom*⟩ (*emanazione radioattiva*) radon, radium (*o* radioactive) emanation. – **~estesia** *f.* divining, dowsing, rhabdomancy. – **~estesico** *a.* (*pl.* **-ci**) divining, dowsing, rhabdomantic. – **~estesista** *m./f.* diviner, dowser, rhabdomancer, rhabdomantist.
radiofaro *m.* ⟨*Aer,Mar*⟩ (*radio*) beacon, beacon transmitter, radiophare.
□ ⟨*Aer*⟩ ~ *d'***atterraggio** landing approach beacon; ~ *d'***avvicinamento** approach beacon; ~ **direttivo** (*o fisso*) radio range beacon; ~ **girevole** rotating radio beacon; ~ **localizzatore** localizer beacon; ~ **omnidirezionale** omnidirectional radio beacon; ~ *di* **rotta** course -indicating beacon; ~ *di* **segnalazione** marker (radio) beacon; ~ *di* **terra** ground radio beacon.
radiofilo I *a.* amateur radio-, ⟨*fam*⟩ ham. – **II** *s.m.* (*f.* **-a**) → **radioamatore**. – **radiofobo I** *a.* ⟨*scherz*⟩ radio-hating. – **II** *s.m.* (*f.* **-a**) hater of the radio.
radio|fonia *f.* (radio) broadcasting. – **~fonicamente** *avv.* by (*o* on the) radio. – **~fonico** *a.* (*pl.* **-ci**) (radio) broadcasting-, radio, broadcast: *stazione* ~ broadcasting station; *programma* ~ radio programme, broadcast; *collegamento* ~ radio link. – **~fonista** *m.* ⟨*Mil*⟩ radio (*o* wireless) operator. – **~fonobar** *m.* ⟨*Arred*⟩ combined radiogram and bar (*o* cocktail cabinet). – **~fonografo** *m.* → **radiogrammofono**. – **~fosforo** *m.* ⟨*Chim*⟩ radio-phosphorus. – **~foto** *f.inv.* ⟨*Fot*⟩ radio-photo(graph). – **~fotografia** *f.* → **radiotelefotografia**. – **~fotogramma** *m.* → **radiotelefotogramma**. – **~frequenza** *f.* radio frequency. – **~furgone** *m.* mobile (radio) unit. – **~genico** *a.* (*pl.* **-ci**) radiogenic. – **~geologia** *f.* radioactive geology. – **~geologico** *a.* (*pl.* **-ci**) of radioactive geology. – **~goniometraggio** *m.* ⟨*Aer,Mar*⟩ (radio) direction-finding. – **~goniometrare** *v.t.* (**radiogoniometro**) to locate by the radiogoniometer (*o* direction finder). – **~goniometria** *f.* study and practice of radiogoniometry. – **~goniometrico** *a.* (*pl.* **-ci**) (radio) direction-finding, radiogoniometric: *stazione -a* direction-finding station. – **~goniometro** *m.* (radio) direction finder, radiogoniometer. – **~goniometrista** *m.* direction-finder operator. – **~governo** *m.* ⟨*non com*⟩ → **radioguida**. – **~grafare** *v.t.* (**radiografo**) to X-ray, to radiograph, to make a radiograph of. – **~grafia** *f.* **1.** radiography, roentgenography. – **2.** ⟨*concr*⟩ (*fotografia*) X-ray, radiograph, radiogram, roentgenograph. – **~grafico** *a.* (*pl.* **-ci**) radiographic: *esame* ~ radiographic examination. – **~gramma** *m.* **1.** ⟨*Radiol*⟩ radiogram, roentgenogram. – **2.** → **radiotelegramma**. – **~grammofono** *m.* radiogram, radio -gramophone, ⟨*am*⟩ radio-phonograph; (*con mobiletto*) (cabinet) radiogram, ⟨*am*⟩ radio-phonograph console. – **~guida** *f.* radio control. – **~guidare** *v.t.* to radio-control.
radioide: ⟨*Geom*⟩ ~ *agli archi* clothoid, Cornu's (*o* Euler's) spiral; ~ *alle corde* lemniscate of Bernoulli, hyperbolic lemniscate.
radio|indicatore *m.* ⟨*Atom*⟩ radioactive tracer. – **~interferometro** *m.* ⟨*Astr*⟩ radio-interferometer. – **~intervista** *f.* radio interview, (broadcast) interview. – **~isotopo** *m.* ⟨*Atom*⟩ radioisotope, radioactive isotope.
radiola (*dim. di radio*[1]) *f.* → **radiolina**.
radiolari *m.pl.* ⟨*Zool*⟩ radiolarians *pl* (*Radiolaria*).
radiolarite *f.* ⟨*Min*⟩ radiolarite.
radiolesione *f.* ⟨*Med*⟩ radiolesion.
radiolina (*dim. di radio*[1]) *f.* portable radio; (*a transistor*) transistor radio.
radiolite *f.* ⟨*Min*⟩ nastrolite, radiolite.
radiolocalizzare *v.t.* to locate by radar. – **radiolocalizzatore** *m.* (radio) directionfinder. – **radiolocalizzazione** *f.* (radio) direction -finding.
radiologia *f.* ⟨*Fis,Med*⟩ radiology. – **radiologico** *a.* (*pl.* **-ci**) **1.** radiologic(al): *gabinetto* ~ radiological laboratory. – **2.** (*ottenuto per mezzo della radiologia*) radiologic(al): *reperto* ~ radiological finding. – **radiologo** *m.* (*pl.* **-gi**; *f.* **-a**) radiologist.
radioluminescenza *f.* radioluminescence.
radio|mane *m./f.* ⟨*scherz*⟩ radio addict (*o* fan). – **~mania** *f.* craze for the wireless, radio-addiction. – **~maniaco** *a./s.* (*pl.* **-ci**) **I** *s.m.* (*f.* **-a**) → **radiomane**. – **II** *a.* ⟨*scherz*⟩ radio-crazy, mad on the radio. – **~mante** *m.* → **radioestesista**. – **~manzia** *f.* ⟨*non com*⟩ → **radioestesia**. – **~messaggio** *m.* radio (*o* wireless) message. – **~metallografia** *f.* radiometallography. – **~meteorografo** *m.* radiometeorograph. – **~meteorologia** *f.* radio meteorology.
radiometria *f.* ⟨*Fis*⟩ radiometry. – **radiometrico** *a.* (*pl.* **-ci**) radiometric. – **radiometro** *m.* radiometer: ~ *acustico* acoustic radiometer.
radio|montatore *m.* (*operaio*) radio mechanic. – **~mucosite** *f.* ⟨*Med*⟩ radiolesion of a mucosa. – **~navigazione** *f.* ⟨*Mar,Aer*⟩ radio navigation. – **~nuclide** *m.* ⟨*Atom*⟩ (*nuclide radioattivo*) radionuclide, radioactive nuclide. – **~onda** *f.* ⟨*Fis*⟩ (*onda hertziana*) radio (*o* Hertzian) wave. – **~opaco** *a.* (*pl.* **-chi**) ⟨*Radiol*⟩ radiopaque. – **~operatore** *m.* ⟨*Rad*⟩ radio operator.
radiopaco *a.* → **radioopaco**.
radio|parassita *m.* → **radiodisturbo**. – **~pilota** *m.* ⟨*Aer*⟩ radio -controlled pilot. – **~piombo** *m.* ⟨*Chim*⟩ radio lead. – **~pirata** *m./f.* ⟨*scherz*⟩ **1.** (*ascoltatore abusivo*) pirate listener. – **2.** (*stazione trasmittente abusiva*) pirate radio station. – **~pirometro** *m.* ⟨*Fis*⟩ (*pirometro a radiazione totale*) total radiation pyrometer. – **~propagazione** *f.* ⟨*Rad*⟩ (radio) propagation. – **~relè** *m.* ⟨*El*⟩ radio relay. – **~resistente** *a.* ⟨*Med*⟩ radio-resistant. – **~resistenza** *f.* radio resistance. – **~ricevente I** *a.* ⟨*Rad*⟩ radio receiving: *stazione* ~

radio receiving station. – II *s.f.* **1.** (*stazione*) radio (*o* wireless) receiving station. – **2.** (*apparecchio*) radio (*o* wireless) receiver, radio receiving set, radio.

radioricevitọre *m.* radio receiver (*o* receiving set), radio. □ ~ *per* **onde** *corte* short-wave receiver; ~ *per onde lunghe* long -wave receiver; ~ *per onde medie* medium-wave receiver; ~ *a* **pile** battery-operated radio; ~ **portatile** portable radio (receiver); ~ *a* **supereterodina** superheterodyne (radio receiver); ~ *a* **transistor** transistor radio (receiver).

radio|ricezịone *f.* radio reception. – **~rilevamęnto** *m.* (radio) direction-finding, radio-bearing. – **~riparatọre** *m.* radio technician (*o* mechanic, repairman), ⟨*am*⟩ radioman. – **~ripetitọre I** *s.m.* radio repeater, radio relay system. – **II** *a.* radio repeating, radio relay-. – **~rivịsta** *f.* radio show (*o* revue). – **~rumọre** *m.* interference, static, atmospherics *pl*, noise. – **~scopịa** *f.* ⟨*Med*⟩ radioscopy. □ *eseguire una* ~ *su qd.* to carry out a radioscopic examination on s.o. – **~scọpico** *a.* (*pl.* **-ci**) radioscopic. – **~segnalamęnto** *m.* ⟨*Aer,Mar*⟩ (radio) beam, radio signal. – **~sẹgnale** *m.* radio signal. □ ~ *orario* time signal. – **~sensịbile** *a.* ⟨*Med*⟩ radiosensitive. – **~sensibilità** *f.* radiosensitivity. – **~servịzio** *m.* ⟨*Giorn*⟩ radio news report. – **~sestạnte** *m.* ⟨*Aer,Mar*⟩ radio sextant.

radiosità *f.* brightness, splendour, radiance (*anche fig.*). – **radiọso** *a.* bright, shining, radiant, brilliant (*anche fig.*): *sole* ~ bright (*o* brightly shining) sun; *volto* ~ radiant face.

radio|sọdio *m.* ⟨*Chim*⟩ radiosodium. – **~sọnda** *f.* ⟨*Meteor*⟩ radiosonde. – **~sondạggio** *m.* radio-sounding. – **~sorgęnte** *f.* radio source. □ ⟨*Astr*⟩ ~ *discreta* → **radiostella**. – **~spettrạle** *a.* ⟨*Fis*⟩ radio spectrum-, radio spectral. – **~spęttro** *m.* radio spectrum. – **~spolętta** *f.* ⟨*Artigl*⟩ (radio) proximity fuse, variable time fuse. – **~stęlla** *f.* ⟨*Astr*⟩ radio star. – **~stellạre** *a.* of (*o* in) radio astronomy. – **~tęcnica** *f.* radio engineering (*o* technology). – **~tęcnico** *a./s.* (*pl.* **-ci**) **I** *a.* of radio engineering (*o* technology). – **II** *s.m.* radio engineer; (*riparatore*) radio mechanic (*o* technician, repairman), ⟨*am*⟩ radioman. – **~telecomạndo** *m.* ⟨*non com*⟩ → **radiocomando**. – **~telefonịa** *f.* ⟨*Tel*⟩ radiotelephony. – **~telefọnico** *a.* (*pl.* **-ci**) radiotelephonic. – **~telęfono** *m.* radiotelephone, radiophone. – **~telefotografịa** *f.* **1.** radiophotography. – **2.** (*fotografia trasmessa*) radio photograph, wire photo. – **~telefotogrạfico** *a.* (*pl.* **-ci**) radiophotographic. – **~telefotogrạmma** *m.* radiophoto(gram), radiophotograph, radio picture, wire photo. – **~telegrafịa** *f.* ⟨*Tel*⟩ radiotelegraph(y), wireless telegraphy. – **~telegrạfico** *a.* (*pl.* **-ci**) radiotelegraphic: *apparecchio* ~ radiotelegraphic set. – **~telegrafịsta** *m./f.* **1.** radiotelegraphist. – **2.** ⟨*Mar,Aer*⟩ wireless (*o* radio) operator. – **~telegrạmma** *m.* ⟨*Tel*⟩ radiotelegram, radiogram. – **~telemeccạnica** *f.* radio telemechanics *pl* (*costr. sing.*). – **~telęmetro** *m.* → **radiolocalizzatore**. – **~telescọpio** *m.* radiotelescope. – **~telescrivęnte** *f.* radio teleprinter. – **~televisịone** *f.* **1.** television (broadcasting company). – **2.** (*televisione effettuata per mezzo di radioonde*) television, radio vision. – **~televisịvo** *a.* television-, televisual: *ente* ~ television company. – **~terapęutico** *a.* → **radioterapico**. – **~terapịa** *f.* ⟨*Med*⟩ radiotherapy, radiotherapeutics *pl* (*costr. sing.*). – **~terạpico** *a.* (*pl.* **-ci**) radiotherapeutic. – **~terapịsta** *m./f.* radiotherapist, radiotherapeutist. – **~tọrio** *m.* ⟨*Chim*⟩ radiothorium. – **~tossicọsi** *f.* ⟨*Med*⟩ radiation toxicity. – **~trasmęttere** *v.t.* (**radiotrasmịsi, radiotrasmęsso**) **1.** ⟨*TV*⟩ to transmit, to broadcast. – **2.** ⟨*Rad*⟩ to broadcast, to transmit, to put on the air. – **~trasmettitọre** *m.* **1.** ⟨*TV*⟩ (television) transmitter. – **2.** ⟨*Rad*⟩ (radio) transmitter, (radio) transmitting set. – **~trasmissịone** *f.* **1.** ⟨*TV*⟩ television transmission (*o* programme), (television) broadcast. – **2.** ⟨*Rad*⟩ broadcast, radio transmission (*o* programme). – **~trasmittęnte** (*p.pr. di radiotrasmettere*) **I** *a.* **1.** ⟨*TV*⟩ (television) transmitting, (television) broadcasting. – **2.** ⟨*Rad*⟩ broadcasting, (radio) transmitting: *antenna* ~ transmitting aerial. – **II** *s.f.* (*stazione*) broadcasting (*o* transmitting) station. – **~trasparęnte** *a.* ⟨*Radiol*⟩ radiotransparent. – **~utęnte** *m./f.* → **radioabbonato**. – **~valịgia** *f.* (*pl.* **-ge**) portable radio. – **~vęnto** *m.* ⟨*Meteor*⟩ (radio) anemometer. – **~visịone** *f.* ⟨*rar*⟩ (*televisione*) radiovision, television.

radità *f.* ⟨*non com*⟩ **1.** thinness, sparseness, scarcity. – **2.** (*rarità*) rarity, infrequency.

raditụra *f.* ⟨*non com*⟩ **1.** shaving. – **2.** (*raschiatura*) scraping, rasping. – **3.** ⟨*concr*⟩ scrapings *pl.*

rạdium *m.* → **radio**[2]. – **radiumterapịa** *f.* → **radioterapia**. – **radiumterapịsta** *m./f.* → **radioterapista**.

rạdo I *a.* **1.** (*non compatto*) loose, thin, loosely-packed: *sabbia -a* loosely-packed sand. – **2.** (*non fitto*) thin, sparse: *capelli -i* thin hair; (*rif. a tessuto*) loosely-woven; (*rif. a maglieria*) loosely-knit. – **3.** (*sparso*) (thinly-)scattered, sparse, widely-spaced: *case -e* scattered houses. – **4.** (*raro*) rare, infrequent, ⟨*fam*⟩ few and far between. – **II** *avv.* ⟨*poet*⟩ (*raramente*) seldom, rarely. □ *di* ~ (*raramente*) seldom, rarely, infrequently.

radọmo *m.* ⟨*Aer*⟩ radome.

rạdon *m.* ⟨*Chim*⟩ radon.

radọre *m.* ⟨*non com*⟩ **1.** (*radezza*) looseness, thinness, sparseness; (*rif. a tessuto*) loose weave. – **2.** ⟨*lett*⟩ (*radura*) clearing, glade.

rạdula *f.* ⟨*Zool*⟩ radula.

radụme *m.* ⟨*non com,spreg*⟩ (*radezza*) sparseness, thinness; (*spazio o luogo rado*) bare patch, worn spot. □ *essere un* ~ to be thin (*o* sparse); (*rif. a vestiti*) to be threadbare (*o* worn thin).

radunạbile *a.* ⟨*non com*⟩ that may be collected (*o* assembled). – **radunamęnto** *m.* ⟨*non com*⟩ **1.** (*il radunare*) gathering, assembling, collecting; (*il radunarsi*) gathering (together), assembly. – **2.** (*adunanza*) assembly, meeting, gathering. – **radunạnza** *f.* ⟨*non com*⟩ **1.** (*accumulo*: *rif. a cose*) pile, heap. – **2.** (*riunione*) assembly, meeting, gathering.

radunạre *v.t.* **1.** to get together, to gather, to collect, to assemble: *radunò tutti i suoi libri sul tavolo* he got all his books together on the table; ~ *intorno a sé la propria famiglia* to gather one's family around one. – **2.** (*racimolare*) to scrape (*o* get) together. – **3.** (*fare la raccolta*) to collect. – **4.** (*accumulare*) to amass, to accumulate, to heap (*o* pile) up: ~ *ricchezze* to accumulate wealth. – **radunarsi** *v.r.* **1.** (*rif. a persone*) to assemble, to meet, to gather (*o* get) together, to congregate. – **2.** ⟨*rar*⟩ (*rif. a cose*) to collect, to gather. – **3.** ⟨*ant*⟩ (*unirsi*) to join (*con qd.* s.o.).

radunạta *f.* **1.** gathering, assembly: *fare una* ~ to hold an assembly. – **2.** (*persone riunite*) assembly, meeting, gathering: *la* ~ *si sciolse* the meeting broke up. – **3.** ⟨*Mil*⟩ muster. □ ⟨*Dir*⟩ ~ *sediziosa* seditious assembly (*o* gathering).

radunatọre *m.* (*f.* **-trice**) ⟨*non com*⟩ gatherer, assembler. – **radunịsta** *m./f.* ⟨*non com*⟩ **1.** participant at an assembly, member of a meeting. – **2.** ⟨*Sport*⟩ participant in a rally (*o* meet), competitor.

radụno *m.* **1.** assembly, gathering, meeting. – **2.** (*riunione*) gathering, meeting: *fare un* ~ to hold a meeting. – **3.** ⟨*Sport*⟩ meet, meeting; (*rif. ad automobili*) rally(e).

radụra *f.* **1.** clearing, glade. – **2.** ⟨*non com*⟩ (*parte rada*) bare patch (*o* place), thin (*o* worn) part.

rafanęllo *m.* → **ravanello**.

rafanịa *f.* ⟨*Med*⟩ raphania.

rafanịstro *m.* ⟨*Bot*⟩ wild radish, jointed charlock (*Raphanus raphanistrum*).

rạfano *m.* ⟨*Bot*⟩ **1.** radish (*Raphanus*). – **2.** → **rafanistro**. □ ~ *oleifero* oil radish (*Raphanus sativus oleiferus*); ~ *selvatico* → **rafanistro**; ~ *tedesco* (o *rusticano*) horse-radish (*Armoracia lapathifolia*; *Armoracia rusticana*).

rạfe *m.* ⟨*Biol*⟩ raphe, rhaphe.

raffacciạre *v.t.* (**raffạccio, raffạcci**) ⟨*ant*⟩ (*rinfacciare*) to reproach. – **raffạccio** *m.* ⟨*ant*⟩ (*rinfaccio*) reproach.

Raffaęle *N.pr.m.* Raphael.

raffaęlla: *alla* ~ Raphaelesque, Raffaelesque, after (*o* in the style of) Raphael: *cappello alla* ~ cap in the style of Raphael.

Raffaęlla *N.pr.f.* Raffaella.

raffaelleggiạre *v.i.* (**raffaellęggio, raffaellęggi**; *aus.* **avere**) ⟨*Pitt*⟩ to imitate (*o* paint in the manner of) Raphael. – **raffaellęsca** *f.* ⟨*Art*⟩ grotesque. – **raffaellęsco** *a.* (*pl.* **-chi**) **1.** (*di Raffaello*) by Raphael, Raphael's. – **2.** (*alla maniera di Raffaello*) Raphaelesque, after (*o* in the style of) Raphael; (*degno di Raffaello*) worthy of Raphael. – **3.** ⟨*estens*⟩ (*dolce*) Raphaelesque, pure, delicate.

Raffaęllo *N.pr.m.* ⟨*Stor*⟩ Raphael.

raffagottạre *v.t.* (**raffagọtto**) ⟨*non com*⟩ (*infagottare*) to wrap (*o* bundle) up, to muffle.

raffạre I *v.i.* (*aus.* **avere**) (*nelle bocce*) to bowl out. – **II** *v.t.* ⟨*ant*⟩ (*rif. a cose*: *arraffare*) to seize, to snatch; (*rif. a persone*: *rapire*) to abduct, to kidnap.

raffazzonamęnto *m.* **1.** touching up, refurbishing, restoration. – **2.** (*cosa raffazzonata*) patched-up job, botch. – **raffazzonạre** *v.t.* (**raffazzọno**) **1.** to do (*o* touch) up, to refurbish; (*rabberciare*) to patch (up), to mend (as best one can), to botch. – **2.** ⟨*ant*⟩ (*adornare*) to beautify, to adorn. □ ~ *un pranzo* to get (*o* throw) a dinner together at the last moment. – **raffazzonạto** (*p.p. di raffazzonare*) *a.* **1.** refurbished, touched (*o* done) up; (*rabberciato*) clumsily repaired (*o* mended), patched up, botched. – **2.** ⟨*ant*⟩ (*adornato*) beautified, adorned. – **raffazzonatọre** *m.* (*f.* **-trice**) botcher; (*rif. a scrittore*) hack. – **raffazzonatụra** *f.* **1.** (*atto*) botching, patching up. – **2.** (*cosa raffazzonata*) botch, piece of hackwork, patched-up (*o* botched-up) job.

raffẹrma *f.* **1.** confirmation in office, renewal of office. – **2.** ⟨*Mil*⟩ re-enlistment.

raffermạre[1] *v.* (**raffẹrmo**) **I** *v.t.* **1.** (*riconfermare*) to reconfirm; (*rif. a persone*) to reconfirm, to keep on: *lo hanno raffermato sindaco* he was reconfirmed as mayor. – **2.** ⟨*Mil*⟩ to re-enlist. – **II** *v.i.* (*aus.* **essere**) ⟨*tosc*⟩ (*rassodare*) to harden, to become hard (*o* firm). – **raffermarsi** *v.r.* **1.** (*riconfermarsi*) to confirm one's position (*o* job), to renew an appointment (*o* engagement), to agree to stay on. – **2.** ⟨*Mil*⟩ to re-enlist. – **3.** ⟨*tosc*⟩ (*rassodarsi*) to harden, to become hard (*o* firm).

raffermạre[2] *v.t.* (**raffẹrmo**) ⟨*non com*⟩ **1.** (*riaffermare*) to reaffirm, to affirm again. – **2.** (*affermare*) to affirm, to assert.

raffermatọre *m.* (*f.* **-trice**) ⟨*non com*⟩ affirmer.

raffẹrmo *a.* hard, firm; (*rif. a pane, dolciumi e sim.*) stale.

raffibbiạre *v.t.* (**raffịbbio, raffịbbi**) ⟨*ant,rar*⟩ **1.** (*riaffibbiare*) to rebuckle. – **2.** (*dare o assestare di nuovo*) to give (*o* deal) again. – **3.** ⟨*fig*⟩ (*affibbiare*) to burden, to saddle.

rạffica *f.* **1.** (*folata*) gust, squall: *il vento soffiava a forti raffiche* the wind blew in strong gusts. – **2.** ⟨*Artigl*⟩ burst, volley, salvo. – **3.** ⟨*fig*⟩ hail, storm, shower, volley: *una* ~ *di male parole* a storm of abuse. □ ⟨*Meteor*⟩ ~ *ascendente* up-gust; ~ *di grandine* squall (*o* gust) of hail; ~ *di neve* squall of snow; ~ *di pioggia* rain-squall, squall of rain; ⟨*Meteor*⟩ ~ *trasversale* cross-gust.

raffidạre *v.t.* ⟨*ant*⟩ (*rassicurare*) to encourage, to hearten.

raffievolịre *v.t.* (**raffievolịsco, raffievolịsci**) ⟨*non com*⟩ (*affievolire*) to weaken, to enfeeble.

raffigurạbile *a.* ⟨*non com*⟩ **1.** (*riconoscibile*) recognizable, that can be made out. – **2.** (*rappresentabile*) representable, capable of being portrayed. – **raffiguramẹnto** *m.* ⟨*non com*⟩ **1.** (*atto*) representing, portraying. – **2.** (*effetto*) representation, portrayal.

raffigurạre *v.t.* **1.** (*rappresentare*) to represent, to portray, to depict, to show: *il quadro raffigura una scena di battaglia* the painting portrays a battle-scene. – **2.** (*simboleggiare*) to symbolize, to stand for, to represent: *la colomba raffigura il candore* the dove symbolizes (*o* is the symbol of) purity. – **3.** ⟨*ant*⟩ (*riconoscere*) to recognize, to make out. – **4.** ⟨*non com*⟩ (*somigliare*) to look (like), to appear. – **raffigurarsi** *v.r.* to imagine, to picture (to o.s.).

raffilạre I *v.t.* **1.** (*affilare di nuovo*) to whet (*o* sharpen) again; (*affilare*) to whet, to sharpen. – **2.** (*pareggiare*) to trim, to pare, to clip: ~ *un panno* to trim a cloth. – **3.** ⟨*Legat*⟩ to shave, to trim, to cut. – **II** *v.i.* (*aus.* **avere**) ⟨*non com*⟩ (*limitare*) to cut down (*su* on), to curtail, to restrict (s.th.): ~ *sulle spese* to cut down on expenses.

raffilatọio *m.* ⟨*Legat*⟩ trimmer, shaver. – **raffilatrịce** *f.* ⟨*tecn*⟩ trimmer. – **raffilatụra** *f.* **1.** (*l'affilare*) whetting, sharpening. – **2.** (*pareggiamento*) trimming, clipping, paring. – **3.** (*ciò che si toglie raffilando*) trimmings *pl*, clippings *pl*, parings *pl*. – **4.** ⟨*Legat*⟩ shaving.

raffinamẹnto *m.* **1.** → **raffinatura**. – **2.** ⟨*fig*⟩ (*perfezionamento*) refinement, polishing, perfecting, finishing.

raffinạre I *v.t.* **1.** to refine, to purify: ~ *lo zucchero* to refine sugar. – **2.** ⟨*fig*⟩ (*perfezionare*) to refine, to polish, to perfect: ~ *le maniere* to refine one's manners. – **3.** ⟨*Met*⟩ to purify, to refine, to remove the dross from. – **4.** ⟨*Cart*⟩ to beat, to mill, to refine. – **5.** ⟨*non com*⟩ (*rendere più sottile*) to thin, to pare down. – **II** *v.i.* (*aus.* **essere**) ⟨*non com*⟩ **1.** to acquire polish, to become (more) refined. – **2.** (*diventare più sottile*) to become thinner (*o* more slender). – **raffinarsi** *v.r.* to become (more) refined.

raffinatamẹnte *avv.* with refinement, in a refined way, refinedly. – **raffinatẹzza** *f.* **1.** refinement, polish, elegance: ~ *di gusti* refinement of taste, refined taste; *vestire con* ~ to dress with elegance. – **2.** ⟨*concr*⟩ objet d'art; (*rif. a cibi*) delicacy. □ *-e stilistiche* stylistic subtleties, niceties of style.

raffinạto (*p.p. di raffinare*) **I** *a.* **1.** refined, purified: *olio* ~ refined oil. – **2.** ⟨*fig*⟩ (*ricercato, perfezionato*) refined, polished, perfected, finished: *arte -a* refined art; (*rif. a persona*) refined, cultivated, polished. – **II** *s.m.* **1.** (*f.* **-a**) refined person. – **2.** ⟨*Ind*⟩ raffinate.

raffinatọre I *s.m.* **1.** (*f.* **-trice**) (*operaio*) refiner, trier. – **2.** ⟨*tecn*⟩ beater, beating (*o* perfecting) engine, refiner. – **3.** ⟨*fig,non com*⟩ (*chi migliora*) improver, polisher. – **II** *a.* refining, purifying.

raffinatụra, raffinaziọne *f.* **1.** ⟨*Ind*⟩ refining, purification. – **2.** ⟨*Met*⟩ (*affinazione*) refining.

raffinerịa *f.* **1.** ⟨*Ind*⟩ refinery: ~ *di petrolio* oil refinery; ~ *dello zucchero* sugar refinery (*o* mill). – **2.** ⟨*non com*⟩ (*attività tecnologica*) refining.

raffinịre *v.i.* (**raffinịsco, raffinịsci**; *aus.* **essere**) ⟨*ant*⟩ **1.** (*acquistare purezza*) to become finer (*o* purer); (*acquistare sottigliezza*) to become thinner (*o* more slender). – **2.** ⟨*fig*⟩ (*raffinarsi*) to become more refined (*o* polished).

raffinọs(i)o *m.* ⟨*Chim*⟩ raffinose, melitose.

rạffio *m.* **1.** grapnel. – **2.** ⟨*Mar*⟩ grappling-iron, grappling-hook. – **3.** ⟨*Mar. ant*⟩ grappling-iron.

raffittịre *v.* (**raffittịsco, raffittịsci**) **I** *v.t.* ⟨*non com*⟩ **1.** to thicken, to make thicker. – **2.** (*rendere più frequente*) to make more frequent, to increase. – **3.** ⟨*Silv*⟩ to make denser. – **II** *v.i.* (*aus.* **essere**), **raffittirsi** *v.r.* to thicken, to become (*o* get) thicker. □ *il buio raffittisce* it is getting darker (and darker); ⟨*rar*⟩ ~ *le visite* to come (*o* visit) more often.

rafflesịacee *f.pl.* ⟨*Bot*⟩ rafflesiaceae *pl* (*Rafflesiaceae*).

rafforzamẹnto *m.* **1.** strengthening, fortifying, reinforcement: *il* ~ *delle difese* the reinforcement of the defences. – **2.** ⟨*estens*⟩ (*il rinvigorire*) strengthening, invigorating, fortifying; (*il rinvigorirsi*) becoming stronger, gaining strength, strengthening: *il* ~ *dei muscoli* the strengthening of the muscles. – **3.** ⟨*fig*⟩ (*il fortificare*) strengthening, fortifying, reinforcement: ~ *del carattere* strengthening of character. – **4.** ⟨*Ling,tecn*⟩ reduplication. □ ⟨*Econ*⟩ ~ *dei prezzi* strengthening of prices.

rafforzạre *v.t.* (**raffọrzo**) **1.** to strengthen, to fortify, to reinforce: ~ *la guarnigione* to fortify the garrison. – **2.** ⟨*estens*⟩ (*rinvigorire*) to strengthen, to invigorate, to fortify. – **3.** ⟨*fig*⟩ (*fortificare*) to strengthen, to fortify, to reinforce: ~ *un'opinione* to strengthen an opinion. – **4.** ⟨*Ling*⟩ to reduplicate. – **rafforzarsi** *v.r.* **1.** to strengthen, to become (*o* get) stronger. – **2.** ⟨*estens*⟩ (*rinvigorirsi*) to be strengthened (*o* invigorated, fortified), to (re)gain strength, to grow stronger. – **3.** ⟨*fig*⟩ (*fortificarsi*) to become stronger, to be strengthened (*o* fortified).

rafforzatịvo *a.* **1.** reinforcing, strengthening. – **2.** ⟨*Gramm*⟩ intensifying. – **rafforzạto** (*p.p. di rafforzare*) *a.* **1.** strengthened, fortified, reinforced. – **2.** ⟨*estens*⟩ (*rinvigorito*) strengthened, invigorated, fortified. – **3.** ⟨*fig*⟩ (*fortificato*) strengthened, fortified, reinforced. – **4.** ⟨*Ling*⟩ reduplicated.

rafforzịno *m.* (*tipo di corda*) binder twine.

raffọrzo *m.* ⟨*non com*⟩ (*rinforzo*) strengthening, reinforcement.

raffratellạre *v.t.* (**raffratẹllo**) to bring together (again), to unite (again) in brotherhood (*o* comradeship). – **raffratellarsi** *v.r.* to fraternize (again), to be on fraternal terms (again).

raffreddamẹnto *m.* **1.** (*il raffreddare*) cooling; (*il raffreddarsi*) cooling (down, off), becoming cool(er): *il* ~ *della terra* the cooling of the earth. – **2.** ⟨*fig*⟩ cooling (off, down), waning: *il* ~ *dell'entusiasmo* the cooling of enthusiasm. – **3.** ⟨*tecn*⟩ cooling: ~ *del motore* engine cooling.

□ ~ *ad* **acqua** water-cooling; *con* ~ *ad acqua* water-cooled; ~ **adiabatico** adiabatic heat drop; ~ *ad* **aria** air-cooling; *con* ~ *ad aria* air-cooled, with air-cooling; ⟨*Atom*⟩ ~ *a* **elio** helium-cooling; ⟨*Fis*⟩ ~ *per* **evaporazione** cooling by evaporation; **impianto** *di* ~ cooling plant (*o* system); ~ **intermediario** intercooling; ~ *per* **irraggiamento** radiant cooling; ~ **naturale** self-cooling; *con* ~ *naturale* natural-cooled; ~ *a* **pioggia** spray-cooling.

raffreddạre *v.* (**raffrẹddo**) **I** *v.t.* **1.** to cool, to make cool(er): *il temporale ha raffreddato l'aria* the storm has cooled the air. – **2.** ⟨*fig*⟩ to cool (off, down), to damp(en), to chill, to lessen: ~ *l'entusiasmo di qd.* to dampen (*o* put a damp on) s.o.'s enthusiasm. – **II** *v.i.* (*aus.* **essere**) ⟨*tosc*⟩ (*diventare più freddo*) to cool, to become cooler. – **raffreddarsi** *v.r.* **1.** to cool (down, off), to grow cool, to get cold: *la minestra si è raffreddata* the soup got cold. – **2.** ⟨*fig*⟩ to cool (down, off), to wane. – **3.** ⟨*fam*⟩ (*prendere un raffreddore*) to catch (a) cold. □ ~ *ad acqua* to water-cool; ~ *ad aria* to air-cool.

raffreddạto (*p.p. di raffreddare*) *a.* **1.** cooled (off), chilled. – **2.** ⟨*fam*⟩ (*affetto da raffreddore*) with a cold. □ ~ *ad acqua* water-cooled; ~ *ad aria* air-cooled; *è tutto* ~ he has caught a bad cold; *sono un po'* ~ I have a slight cold.

raffreddatọre *m.* (*f.* **-trice**) **1.** ⟨*non com*⟩ cooler. – **2.** ⟨*fig,non com*⟩ cooler, damper, chiller. – **3.** ⟨*tecn*⟩ cooler: ~ *a pioggia* spray-cooler. – **4.** ⟨*Met*⟩ chill.

raffreddatụra *f.* ⟨*non com*⟩ **1.** → **raffreddamento**. – **2.** → **raffreddore**. – **raffrẹddo** *a.* ⟨*tosc,pop*⟩ (*raffreddato*) cooled (off), calmed down.

raffreddọre *m.* cold: *prendersi un bel* ~ to catch a bad (*o* nasty) cold. □ ~ *di petto* chest cold; ~ *di testa* head cold.

raffrenạbile *a.* ⟨*non com*⟩ **1.** controllable, restrainable. – **2.** ⟨*fig*⟩ controllable, checkable, that may be kept back. – **raffrenamẹnto** *m.* ⟨*non com*⟩ controlling, restraining, checking.

raffrenạre *v.t.* (**raffrẹno/raffrẹno**) **1.** (*frenare*) to brake (abruptly, sharply); (*rif. a cavalli*) to curb, to check, to rein in (*o* up). – **2.** (*trattenere*) to restrain, to hold (back), to hold in check. – **3.** ⟨*fig*⟩ to control, to curb, to restrain, to check, to keep a hold (*o* check) on: ~ *l'ira* to control one's anger. – **raffrenarsi** *v.r.* **1.** (*padroneggiarsi*) to control o.s., to keep a hold (*o* check) on o.s. – **2.** (*contenersi*) to limit (*o* restrain) o.s., to keep o.s. back: *raffrenarsi nel bere* to limit one's drinking, to keep one's drinking under control.

raffrenatịvo *a.* ⟨*non com*⟩ restraining, controlling, curbing. – **raffrenatọre** *m.* (*f.* **-trice**) ⟨*non com*⟩ **1.** restrainer, limiter. – **2.** ⟨*fig*⟩ restrainer, curber, checker.

raffrescamẹnto *m.* ⟨*tosc*⟩ (*rinfrescamento*) cool(ness), freshness. – **raffrescạre** *v.i.* (**raffrẹsco, raffrẹschi**; *aus.* **essere**) ⟨*tosc*⟩ (*rinfrescare*) to cool, to get cool(er). – **raffrescạta** *f.* ⟨*tosc*⟩ (*rinfrescata*) cooling.

raffrettạre *v.t.* (**raffrẹtto**) ⟨*ant*⟩ (*affrettare*) to hurry, to hasten.

raffrontamẹnto *m.* ⟨*non com*⟩ comparing, confronting.

raffrontạre *v.t.* (**raffrọnto**) **1.** (*confrontare*) to compare; (*collazionare*) to collate, to compare. – **2.** ⟨*Dir*⟩ to confront. – **3.** ⟨*ant*⟩ (*incontrare di nuovo*) to meet (*o* come across) again. – **4.** ⟨*ant*⟩ (*affrontare di nuovo*) to face again. – **raffrontarsi** *v.r.* ⟨*ant*⟩ (*incontrarsi di nuovo*) to meet again.

raffrontatọre *m.* (*f.* **-trice**) collator. – **raffrọnto** *m.* **1.** comparison: *fare un* ~ *fra due persone* to ⌜make a comparison between⌝ (*o* compare) two people; (*collazione*) collation, comparison. – **2.** ⟨*Dir*⟩ confrontation.

rạfia *f.* **1.** ⟨*Bot*⟩ raffia (palm) (*Raphia*). – **2.** (*fibra*) raffia, raphia.

...rafia *suff.* ⟨*Med*⟩ (*sutura* seam, suture) ...r(h)aphia, ...r(h)aphy: *diasrafia f.* dysr(h)aphia.

rạfidi *m.pl.* ⟨*Bot*⟩ raphides *pl*.

rafịdidi *m.pl.* ⟨*Entom*⟩ raphidians *pl*, raphidiids *pl* (*Raphidides*).

rafịgne *f.* ⟨*Pesc*⟩ kind of fishing-net.

rafle *fr.* [ra:fl] *f.* **1.** clearing out (*o* away). – **2.** (*retata*) round-up.

rag. = *ragioniere* accountant (*abbr.* acct.).

rạgade *f.* ⟨*Med*⟩ rhagades *pl*.

raganẹlla *f.* **1.** ⟨*Zool*⟩ tree-toad, hyla (*Hyla arborea*). – **2.** ⟨*Mus*⟩ rattle. – **3.** ⟨*Mil*⟩ (*mitragliatrice tedesca*) German heavy machine-gun. □ ⟨*Zool*⟩ ~ *grillo* semi-aquatic tree-toad (*Acris gryllus*).

rạgano *m.* **1.** → **racano**. – **2.** ⟨*roman*⟩ (*persona brutta*; *f.* **-a**) ugly person, ⟨*fam*⟩ monster, ⟨*fam*⟩ fright.

ragastịna *f.* ⟨*Pesc*⟩ night-fishing net.

ragạzza *f.* **1.** girl, lass: *un bel pezzo di* ~ a fine figure of a girl; (*giovane donna*) young woman, girl. – **2.** (*nubile*) unmarried (*o* single) girl: *ha una sorella ancora* ~ he has a sister who is still single. – **3.** ⟨*fam*⟩ (*fidanzata*) girl, girl-friend, sweetheart. □ *nome da* ~ maiden name; ~ *madre* unmarried mother; ~ (*in età*) *da marito* girl of marriageable age; *rimanere* ~ (*non sposarsi*) to remain unmarried, to stay single (*o* a spinster); ~ *di servizio* maid(-servant), (serving-)girl.

ragazzạccia (*pegg. di ragazza*) *f.* (*pl.* **-ce**) loose (*o* fast) girl. – **ragazzạccio** (*pegg. di ragazzo*) *m.* hooligan, young lout.

ragazzạglia *f.* ⟨*spreg*⟩ gang, mob, band. – **ragazzạme** *m.* ⟨*rar*⟩ → **ragazzaglia**. – **ragazzạta** *f.* boyish prank, childish act. – **ragazzẹsco** *a.* (*pl.* **-chi**) ⟨*spreg*⟩ puerile, childish.

ragazzẹtta (*dim. di ragazza*) *f.* (little) girl, ⟨*fam*⟩ kid. – **ragazzẹtto** (*dim. di ragazzo*) *m.* (little) boy, ⟨*fam*⟩ kid. – **ragazzịna** (*dim. di* *ragazza*) *f.* → **ragazzetta**. – **ragazzino** (*dim. di ragazzo*) *m.* → **ragazzetto**.

ragazzo *m.* **1.** boy, lad, youngster, ⟨*fam*⟩ kid. – **2.** (*giovanotto*) young man, youth. – **3.** ⟨*fam*⟩ (*rif. a persona adulta*) ⟨*fam*⟩ fellow, ⟨*fam*⟩ chap, ⟨*am.fam*⟩ guy: *è un bravo* ~ he's a good fellow. – **4.** ⟨*spreg*⟩ child: *non fare il* ~ don't act like a child. – **5.** (*figlio*) boy, son, child, ⟨*fam*⟩ kid; *pl.* (*figli maschi*) boys, children, sons; *pl.* (*figli maschi e femmine*) children, ⟨*fam*⟩ kids: *ho mandato i -i a giocare* I've sent the children out to play. – **6.** ⟨*fam*⟩ (*fidanzato*) boy-friend, sweetheart. – **7.** (*garzone*) boy, shop-boy, errand-boy. – **8.** *pl.* ⟨*Sport*⟩ junior: *campionato -i* junior (football) championship. – **9.** ⟨*Mar*⟩ (*giovane mozzo*) ship's-boy, cabin-boy. – **10.** ⟨*Agr*⟩ farm boy. – **11.** ⟨*ant*⟩ (*mozzo di stalla*) stableboy; (*servitore*) (serving-)boy, servant.

□ ~ *di* **bottega** shop-boy, errand-boy; **città** (o *repubblica*) *dei -i* boys' town; **da** ~: 1. when a boy, as a child: *da* ~ *era biondo* when he was a boy he had fair hair; 2. ⟨*spreg*⟩ like a child, childishly, puerilely; *gioco da -i* child's play; ~ **difficile** problem child; (*nella psicopedagogia*) exceptional child; **fin** *da* ~ since boyhood, from childhood up; ~ **mio** my fellow, my lad, my boy; ~ *del* **panettiere** baker's boy. – *Prov.*: *-i e polli imbrattan la casa* kids and hens dirty their pens; *-i e polli non si trovan mai satolli* children and chicken must always be pickin'.

ragazzola *f.* ⟨*scherz,region*⟩ *dim. di* **ragazza**. – **ragazzolo** *m.* ⟨*scherz, region*⟩ *dim. di* **ragazzo**. – **ragazzona** (*accr. di ragazza*) *f.* **1.** big girl. – **2.** ⟨*scherz*⟩ (*rif. a donna ingenua e allegra*) overgrown child. – **ragazzone** (*accr. di ragazzo*) *m.* **1.** big (*o* large) boy. – **2.** ⟨*scherz*⟩ (*rif. a uomo ingenuo e allegro*) overgrown boy. – **ragazzotta** (*accr. di ragazza*) *f.* sturdy (*o* robust) girl. □ ~ *sveglia* clever girl, ⟨*fam*⟩ smart gal. – **ragazzotto** (*accr. di ragazzo*) *m.* well built fellow, sturdy boy (*o* lad). – **ragazzume** *m.* ⟨*non com*⟩ → **ragazzaglia**.

raggelare *v.* (**raggelo**) **I** *v.i.* (*aus.* **essere**), **raggelarsi** *v.r.* **1.** to freeze, to become frozen. – **2.** ⟨*fig*⟩ to freeze. – **II** *v.t.* **1.** to freeze. – **2.** ⟨*fig*⟩ to freeze, to chill.

raggentilire *v.t.* (**raggentilisco, raggentilisci**) ⟨*non com*⟩ (*ingentilire*) to refine, to polish.

raggera *f.* ⟨*non com*⟩ → **raggiera**.

ragghiare *v.* (**ragghio, ragghi**) ⟨*ant,tosc*⟩ → **ragliare**. – **ragghio** *m.* ⟨*ant,tosc*⟩ → **raglio**.

raggiamento *m.* ⟨*rar*⟩ **1.** (*atto*) radiating, shining. – **2.** (*effetto*) radiance, brightness, brilliance, splendour.

raggiante (*p.pr. di raggiare*) *a.* **1.** radiant, shining, beaming, radiating (*anche fig.*): *un sole* ~ a radiant sun; *essere* ~ *di gioia* to be radiant with joy. – **2.** ⟨*Fis*⟩ radiant: *energia* ~ radiant energy. – **3.** ⟨*Arald*⟩ rayonnant, rayonné, radiant. – **4.** ⟨*Bot*⟩ radiant. □ *essere* ~ *di bellezza* to be radiantly beautiful.

raggiare *v.* (**raggio, raggi**) **I** *v.i.* (*aus.* **avere**) **1.** to radiate, to shine, to beam, to emit rays. – **2.** ⟨*estens*⟩ (*risplendere*) to shine, to glow. – **3.** ⟨*fig*⟩ (*rif. a persona*) to be radiant, to beam, to glow: ~ *di gioia* to be radiant with joy; (*rif. a cosa*) to shine (out), to be bright: *la luce della verità raggia sempre* the light of truth always shines out. – **4.** ⟨*non com*⟩ (*derivare*) to grow out (*da* of), to spring, to emanate (from). – **II** *v.t.* **1.** to radiate, to give off, to emanate. – **2.** ⟨*fig*⟩ to radiate, to shine (*o* beam, glow) with, to be radiant with: ~ *felicità dal volto* to radiate happiness, to shine (*o* glow) with happiness, to be radiant (*o* beaming). – **3.** ⟨*poet*⟩ (*irradiare, illuminare*) to illuminate, to irradiate.

raggiati *m.pl.* ⟨*Zool,ant*⟩ radiates *pl* (*Radiata*).

raggiato[1] *a.* **1.** (*disposto a raggi*) radial, radiate(d), spokelike. – **2.** ⟨*Biol*⟩ radiate, radial: *simmetria -a* radial symmetry. – **3.** ⟨*Bot*⟩ radiate, rayed, ray-. – **4.** ⟨*Min*⟩ radiated.

raggiato[2] (*p.p. di raggiare*) *a.* ⟨*poet*⟩ (*luminoso*) bright, shining, luminous.

raggiera *f.* **1.** halo, rays *pl*, rayed effect, sunburst: *la* ~ *dell'ostensorio* the rays of a monstrance; (*del sole in eclissi*) corona. – **2.** ⟨*fig*⟩ halo, radiance, aureole. – **3.** ⟨*region*⟩ (*ornamento di spille*) hair ornament. □ *a* ~ sunburst-: *ornamento a* ~ sunburst decoration.

raggio *m.* **1.** ray, beam. – **2.** (*luce*) light, ray, radiance: *il* ~ *della luna* the light of the moon, moonlight, moonshine. – **3.** *pl.* (*raggi del sole*) rays *pl*, sun(light), day(light). – **4.** ⟨*fig*⟩ ray, gleam, glimmer: *un* ~ *di speranza* a ray of hope. – **5.** (*zona*) radius: *per* (o *entro*) *un* ~ *di cinque chilometri* for a radius of five kilometres, within a five-kilometre radius. – **6.** ⟨*fig*⟩ (*ambito*) range, scope, extent, radius: *un vasto* ~ *d'azione* a wide range of action, a wide scope. – **7.** (*elemento della ruota*) spoke, radius. – **8.** ⟨*Fis*⟩ ray, beam. – **9.** ⟨*Art*⟩ ray. – **10.** ⟨*Geom*⟩ radius. – **11.** ⟨*Edil*⟩ (*braccio*) arm, wing; (*nelle gallerie*) prop, leg, post, beam. – **12.** ⟨*Zool*⟩ ray, radius. – **13.** ⟨*Bot*⟩ ray flower (*o* floret), ray. – **14.** ⟨*poet*⟩ (*luce del giorno*) (day)light. – **15.** ⟨*fig,poet*⟩ (*luce*: *rif. a sorrisi, sguardi, e sim.*) radiance, light. – **16.** *pl.* ⟨*poet*⟩ (*occhi*) eyes *pl*, ⟨*lett*⟩ light. – **17.** ⟨*ant*⟩ (*lancetta dell'orologio*) hand, finger.

□ ⟨*Fis*⟩ *raggi* **alfa** alpha rays; ⟨*TV*⟩ ~ **analizzatore** scanning beam; ⟨*Fis*⟩ *raggi* **attinici** actinic rays; ~ *d'***azione**: 1. radius of action, operating range; 2. ⟨*fig*⟩ (*ambito*) range of action, scope; 3. ⟨*Aer*⟩ radius of action, (cruising) range; 4. ⟨*TV*⟩ range; ⟨*Fis*⟩ *raggi* **beta** beta rays; *raggi* **canale** canal (*o* positive) rays; *raggi* **catodici** cathode rays; ~ **convergente** convergent beam; *raggi* **corpuscolari** corpuscular rays; ⟨*Astr*⟩ *raggi* **cosmici** cosmic rays; ⟨*Geom*⟩ ~ *di* **curvatura** bending radius; ⟨*Fis*⟩ *raggi* **delta** delta rays; ~ **diffranto** diffracted ray; ~ **diretto** direct (*o* ground) ray; ⟨*Ott*⟩ *raggi* **divergenti** diverging rays (*o* beams); ⟨*Fis*⟩ *raggi* **elettronici** electron beams; ⟨*Ott*⟩ ~ **emergente** emergent ray; ~ **esploratore** = *raggio* **analizzatore**; ⟨*Radiol*⟩ **fare** *i raggi* to X-ray, to roentgenize, to radiograph; ⟨*Radiol*⟩ **farsi** *i raggi* to be X-rayed, to have X-rays taken; ⟨*Fis*⟩ *raggi* **gamma** gamma rays; ~ **giratorio** = *raggio d'***inerzia**; *raggi di* **Goldstein** = *raggi* **canale**; ~ **idraulico** hydraulic radius; ⟨*Ott*⟩ ~ **incidente** incident ray; ⟨*Mecc*⟩ ~ *d'***inerzia** radius of gyration; *raggi* **infrarossi** = *raggi* **ultrarossi**; *a* **largo** ~ (*di vasta portata*) with a wide range, wide-ranging, far-reaching, extensive in scope: *azione a largo* ~ action with a wide range; ~ **luminoso** (o *di luce*) light ray, ray of light, beam; ~ *di* **luna** moonbeam, ray of moonlight; ~ **medio** = *raggio* **idraulico**; ⟨*Bot*⟩ *raggi* **midollari** medullary rays; ⟨*Aut*⟩ ~ **minimo** *di volta* turning radius; ⟨*Fis*⟩ *raggi* **molecolari** molecular beams; *raggi* **negativi** = *raggi* **catodici**; ⟨*Topogr*⟩ ~ *d'***orizzonte** horizon distance; ⟨*Bot*⟩ ~ *d'***oro** (kind of) carline (*Carlina corymbosa*); ⟨*Ott*⟩ ~ **parassiale** paraxial ray; ⟨*fam*⟩ **passare** *i raggi* = **farsi** *i raggi*; *raggi* **positivi** = *raggi* **canale**; *ai* **primi** *raggi* (*all'alba*) at dawn, at first light, at daybreak; ~ **primitivo** (*di un ingranaggio*) pitch circle radius; ⟨*Mecc*⟩ ~ *di* **raccordo** radius; ⟨*Ott*⟩ ~ **riflesso** reflected ray; ~ **rifratto** refracted ray; *raggi* **Roentgen** = *raggi* **X**; ~ *della* **ruota** spoke (of a wheel); ~ *di* **sole** sunbeam, ray of sunlight; ⟨*Aut*⟩ ~ *di* **sterzata** turning radius; ⟨*Ott*⟩ ~ **straordinario** extraordinary ray; *raggi* **ultrarossi** infra-red rays; *raggi* **ultravioletti** ultra-violet rays; ⟨*Geom*⟩ ~ **vettore** radius vector; *raggi* **X** X-rays, roentgen rays.

raggiornare *v.* (**raggiorno**) **I** *v.t.* ⟨*tosc*⟩ (*aggiornare*) to put off, to postpone, to adjourn. – **II** *v.i.* (*aus.* **essere**) ⟨*poet*⟩ **1.** (*tornare*: *rif. al giorno*) to return, to dawn again. – **2.** (*usato impersonalmente*) to get light.

raggiramento *m.* **1.** ⟨*non com*⟩ (*raggiro*) swindle, cheat(ing). – **2.** ⟨*ant*⟩ (*l'aggirarsi*) roaming around. – **raggirare** *v.t.* **1.** (*ingannare*) to cheat, to trick, to swindle, to take in. – **2.** ⟨*non com*⟩ (*far girare intorno*) to wind around. – **raggirarsi** *v.r.* **1.** (*aggirarsi*) to circle (*o* roam) around, to move about. – **2.** ⟨*fig,non com*⟩ (*vertere*) to deal with. – **raggiratore** *m.* (*f.* **-trice**) cheat, trickster, swindler, ⟨*fam*⟩ con-man.

raggiro *m.* **1.** (*inganno*) cheat, trick, swindle, fraud, sharp practice, ⟨*fam*⟩ dodge; (*truffa all'americana*) confidence trick; (*intrigo*) intrigue, scheming. – **2.** ⟨*Dir*⟩ fraud, false pretences *pl*. – **raggirone** *m.* ⟨*fam,tosc*⟩ (*persona abile nei raggiri*) trickster, swindler, ⟨*fam*⟩ dodger, ⟨*fam*⟩ con-man.

raggiugnere *v.* (**raggiungo, raggiugni**) ⟨*ant*⟩ → **raggiungere**.

raggiungere *v.t.* (**raggiungo, raggiungi; raggiunsi, raggiunto**) **1.** (*arrivare in un luogo*) to reach, to come to, to arrive at, to get to; (*facendo uno sforzo*) to reach, to gain, to get to: ~ *la vetta* to reach (*o* gain) the top. – **2.** (*riprendere qd. che precede*) to catch up (with), to come up with, to reach: *per quanto corresse forte, l'ho raggiunto* although he was running fast I managed to catch ⌜up with him⌝ (*o* him up); (*riunirsi a*) to join, to be with: *vi raggiungerò in giardino* I'll join you in the garden; *ti raggiungo subito* I'll be with you in a minute. – **3.** (*toccare*) to reach, to touch: *la temperatura ha raggiunto gli ottanta gradi* the temperature has reached eighty. – **4.** ⟨*fig*⟩ (*arrivare ad allinearsi*) to catch up (with), to get to the same point as: *il nuovo scolaro ha raggiunto i suoi compagni* the new boy has caught up with the rest of the class. – **5.** ⟨*fig*⟩ (*conquistare*) to attain, to achieve, to reach, to gain, to win: *ha raggiunto un'ottima posizione* he has reached an excellent position; ~ *la meta* to reach one's goal, to gain (*o* win, achieve) one's end. – **6.** ⟨*ant*⟩ (*congiungere*) to unite, to join. – **raggiungersi** *v.r.* (*ricongiungersi*) to rejoin, to reunite. □ ~ *un accordo* to come to an agreement; ~ *il bersaglio* to hit the mark (*o* target); ~ *la maggiore età* to come of age.

raggiungibile *a.* **1.** reachable: *la cima è* ~ *solo dal nord* the summit is reachable only from the north. – **2.** ⟨*fig*⟩ attainable, reachable, ⟨*pred*⟩ within reach: *il nostro scopo è ora* ~ our goal is now within reach. – **raggiungimento** *m.* **1.** reaching. – **2.** (*il riprendere*) catching up. – **3.** ⟨*fig*⟩ attainment, achievement, reaching, gaining: *il* ~ *di un fine* the attainment of a goal.

raggiuntare *v.t.* **1.** (*aggiuntare*) to join (*o* fasten) together. – **2.** (*aggiuntare di nuovo*) to join (*o* fasten) together again.

raggiustamento *m.* **1.** mending, repairing. – **2.** ⟨*fig*⟩ (*accomodamento*) straightening out. – **3.** ⟨*fig*⟩ (*riconciliazione*) reconciliation, ⟨*fam*⟩ making up.

raggiustare *v.t.* **1.** (*aggiustare*) to repair, to mend, to put right, ⟨*fam*⟩ to fix; (*aggiustare di nuovo*) to mend again. – **2.** ⟨*fig*⟩ (*accomodare*) to straighten out, to put (*o* set) right. – **3.** ⟨*fig*⟩ (*riconciliare*) to reconcile, to bring together (again). – **raggiustarsi** *v.r.* to make peace, to be reconciled.

raggiustatura *f.* **1.** (*il raggiustare*) repair(ing), mending. – **2.** (*cosa raggiustata*) repair, mend.

raggomitolamento *m.* ⟨*non com*⟩ **1.** (*il raggomitolare*) winding (into a ball), balling. – **2.** (*il raggomitolarsi*) curling up, huddling. – **3.** (*posizione*) huddle, crouch, curled-up position. – **raggomitolare** *v.t.* (**raggomitolo**) (*aggomitolare*) to wind (into a ball), to ball, to coil; (*aggomitolare di nuovo*) to wind (into a ball) again. – **raggomitolarsi** *v.r.* (*rannicchiarsi*) to curl up, to huddle. – **raggomitolato** (*p.p. di raggomitolare*) *a.* **1.** wound (into a ball), balled: *filo* ~ thread wound into a ball. – **2.** ⟨*fig*⟩ (*rannicchiato*) curled up, coiled, huddled.

raggranchiạre *v.* (**raggrạnchio, raggrạnchi**) **I** *v.i.* (*aus.* **essere**) (*aggranchiare*) to become numb, to be numbed. – **II** *v.t.* (*intirizzire*) to (make) numb. – **raggranchịre** *v.* (**raggranchịsco, raggranchịsci**) → **raggranchiare.**

raggrandịre *v.t.* (**raggrandịsco, raggrandịsci**) ⟨*non com*⟩ (*ingrandire*) to enlarge, to make bigger, to magnify.

raggranellạre *v.t.* (**raggranẹllo**) to get together, to scrape together (*o* up): ~ *un po' di soldi* to scrape some money together.

raggravạre *v.t.* ⟨*non com*⟩ (*aggravare*) to aggravate, to make more serious; (*peggiorare*) to worsen, to make worse.

raggricchiạre *v.* (**raggrịcchio, raggrịcchi**) ⟨*non com*⟩ → **raggricciare.** – **raggricciạre** *v.i.* (**raggrịccio, raggrịcci**; *aus.* **essere**) ⟨*lett*⟩ to cower, to shrink; (*rabbrividire*) to shiver, to shudder. – **raggricciarsi** *v.r.* **1.** to cower, to shrink; (*rabbrividire*) to shiver, to shudder. – **2.** ⟨*fig*⟩ (*contrarsi*) to dwindle (away), to lessen, to shrink.

raggrinzamẹnto *m.* wrinkling, puckering, corrugating. – **raggrinzạre** *v.* **I** *v.t.* **1.** to wrinkle, to crease, to pucker. – **2.** (*corrugare*) to wrinkle, to corrugate, to pucker (up), to crease: ~ *la fronte* to wrinkle one's brow. – **II** *v.i.* (*aus.* **essere**), **raggrinzarsi** *v.r.* **1.** to become wrinkled, to wrinkle, to crease. – **2.** (*corrugarsi*) to become wrinkled, to wrinkle up, to crease. – **raggrinzạto** (*p.p. di raggrinzare*) *a.* ⟨*non com*⟩ → **raggrinzito.** – **raggrinzịre** *v.* (**raggrinzịsco, raggrinzịsci**) → **raggrinzare.** – **raggrinzịto** (*p.p. di raggrinzire*) *a.* wrinkled, creased: *pelle -a* wrinkled skin.

raggrottạre *v.t.* (**raggrọtto**) ⟨*non com*⟩ (*aggrottare*) to contract. □ ~ *la fronte* to knit one's brow; ~ *le sopracciglia* to frown.

raggrovigliạre *v.t.* (**raggrovịglio, raggrovịgli**) **1.** (*aggrovigliare*) to tangle, to snarl. – **2.** (*aggrovigliare di nuovo*) to tangle (*o* snarl) again.

raggrumạre *v.t.* **1.** (*condensare*) to thicken, to coagulate. – **2.** (*rif. al sangue*) to clot, to coagulate. – **raggrumarsi** *v.r.* **1.** to thicken, to coagulate. – **2.** (*rif. al sangue*) to coagulate, to clot. – **raggrumạto** (*p.p. di raggrumare*) *a.* **1.** thickened, coagulated. – **2.** (*rif. al sangue*) clotted, coagulated.

raggrumolạre *v.t.* (**raggrụmolo**) **1.** to lump, to collect (*o* gather) in lumps. – **2.** (*raggranellare*) to scrape up (*o* together), to get together. – **raggrumolarsi** *v.r.* ⟨*Bot*⟩ to form a head (*o* heart).

raggruppamẹnto *m.* **1.** (*il raggruppare*) grouping, arranging (in groups). – **2.** (*gruppo*) group, gathering, cluster, knot. – **3.** ⟨*Mil*⟩ (*reparto*) group; (*unità*) unit.

raggruppạre *v.t.* **1.** (*riunire in gruppi*) to group (together), to ⌜arrange in⌝ (*o* put into) groups, to bunch together: ~ *gli alunni per classi* to group the students by classes. – **2.** (*riunire*) to gather (*o* bring) together again. – **raggrupparsi** *v.r.* **1.** to form a group, to gather (in a group), to assemble. – **2.** ⟨*non com*⟩ (*formare groppo*) to (form into a) knot. – **raggruppạto** (*p.p. di raggruppare*) *a.* **1.** grouped (together), put together, bunched. – **2.** (*raccolto in se stesso*) curled up, huddled. □ ⟨*Sport*⟩ *posizione -a* tuck position.

raggruzzolạre *v.t.* (**raggrụzzolo**) **1.** to get together, to collect. – **2.** ⟨*ant*⟩ (*raccogliere*) to get together.

ragguagliạbile *a.* ⟨*non com*⟩ comparable. – **ragguagliamẹnto** *m.* ⟨*non com*⟩ **1.** equalizing, making even. – **2.** (*paragone*) comparison.

ragguagliạre *v.t.* (**ragguạglio, ragguạgli**) **1.** (*pareggiare*) to equalize, to make even, to level out; (*livellare*) to level: ~ *la superficie di un campo* to level the surface of a field. – **2.** (*paragonare*) to compare, to set against. – **3.** (*informare*) to inform, to notify, to tell, to acquaint: *mi ragguagliò per lettera dell'accaduto* he informed me by letter of what had happened. – **4.** ⟨*Mat*⟩ (*calcolare*) to convert. – **5.** ⟨*Comm*⟩ to balance: ~ *le partite del dare e dell'avere* to balance the debit and credit accounts.

ragguagliatịvo *a.* ⟨*rar*⟩ **1.** (*atto a pareggiare*) equalizing. – **2.** (*atto a informare*) of information, informative. – **ragguagliạto** (*p.p. di ragguagliare*) *a.* **1.** (*pareggiato*) equalized, levelled (out). – **2.** (*confrontato*) compared. – **3.** (*informato*) (kept) informed, up-to-date. – **ragguagliatọre** *m.* (*f.* **-trice**) ⟨*non com*⟩ **1.** person who equalizes. – **2.** (*informatore*) informant, teller.

ragguạglio *m.* **1.** (*informazione*) information, details *pl*: *fornire ulteriori ragguagli* to give further details; (*relazione*) report: *fare un* ~ *dell'accaduto* to give a report of the event. – **2.** (*paragone*) comparison. – **3.** ⟨*Mat*⟩ (*calcolo*) conversion: *tavole di* ~ conversion tables; (*rif. a monete*) conversion. – **4.** ⟨*Comm*⟩ (*pareggio*) balance.

ragguardamẹnto *m.* ⟨*ant*⟩ (*considerazione*) careful examination, close look. – **ragguardạre** *v.t.* ⟨*ant*⟩ (*considerare*) to examine carefully.

ragguardẹvole *a.* **1.** (*rif. a persona: degno di riguardo*) worthy (of respect), notable, distinguished: *è una persona molto* ~ he is a very worthy person. – **2.** (*notevole*) considerable, ⟨*fam*⟩ pretty (large), ⟨*fam*⟩ sizeable: *una somma* ~ a considerable (*o* large) sum. – **ragguardevolẹzza** *f.* ⟨*non com*⟩ notability, importance.

rạgia[1] *f.* (*pl.* **-gie/-ge**) **1.** ⟨*ant*⟩ (*resina*) (pine) resin. – **2.** ⟨*fig,tosc*⟩ (*astuzia*) sharpness, cleverness, shrewdness; (*inganno*) fraud, swindle, trick. – **3.** ⟨*fig,tosc*⟩ (*disavventura*) mishap, misfortune, misadventure; (*pericolo*) danger, peril. – **4.** ⟨*fig,tosc*⟩ (*rabbuffo*) rebuke, reprimand; (*punizione*) punishment. □ *acqua* ~ turpentine.

rạgia[2] *m.* ⟨*non com*⟩, **ragià** *m.* raja(h).

...ragia *suff.* ...rrhagia: *emorragia f.* haemorrhagia, h(a)emorrhage.

ragionacchiạre *v.i.* (**ragionạcchio, ragionạcchi**; *aus.* **avere**) ⟨*non com*⟩ to reason loosely, to think idly.

ragionamẹnto *m.* **1.** reasoning (*anche Filos.*): *seguire un* ~ to follow a line of reasoning; *il tuo* ~ *è giusto* your reasoning is correct; (*argomentazione*) reasoning, argument: *persuadere col* ~ to persuade by argument. – **2.** (*discussione*) discussion, discourse: *quanti -i inutili!* what useless discussion! – **3.** ⟨*non com*⟩ (*conversazione, discorso*) conversation, discourse, talk: *troncare un* ~ to interrupt a conversation. – **4.** ⟨*ant*⟩ (*trattato*) dissertation, treatise. □ ~ *deduttivo* deductive reasoning; ⟨*ant*⟩ *entrare in* ~ *con qd.* (*discorrere*) to begin talking to s.o.; *fare -i stupidi* to talk nonsense; *non fare troppi -i* don't reason too much; ~ *induttivo* inductive reasoning.

ragionạnte (*p.pr. di ragionare*[1]) *a.* ⟨*non com*⟩ (*dotato di ragione*) rational, reasoning, thinking, reasonable.

ragionạre[1] *v.* (**ragiọno**) **I** *v.i.* (*aus.* **avere**) **1.** to reason, to think (rationally): *quando si è spaventati non si ragiona* when someone is frightened he doesn't think rationally; (*riflettere*) to reason, to think (clearly), to consider: *non c'è verso di farlo* ~ you can't make him ⌜think clearly⌝ (*o* use his head). – **2.** (*argomentare*) to reason, to argue: ~ *a fil di logica* to reason logically; (*parlare ragionevolmente*) to talk logically (*o* reasonably), to reason. – **3.** (*discutere*) to talk (*di* about), to discuss (s.th.), to deal (with): ~ *di politica* to discuss politics. – **4.** ⟨*ant*⟩ (*calcolare*) to calculate. – **5.** ⟨*ant*⟩ (*tener conto*) to bear in mind. – **II** *v.t.* **1.** ⟨*ant*⟩ (*parlare*) to talk; (*trattare*) to discuss, to deal with. – **2.** ⟨*ant*⟩ (*calcolare*) to calculate. □ *che modo di* ~ *è questo?* what kind of thinking is this?; ⟨*scherz*⟩ ~ *con i piedi* to talk through one's hat; ⟨*fam*⟩ *non se ne ragiona* there's no question about it.

ragionạre[2] *m.* ⟨*ant*⟩ → **ragionamento.**

ragionatamẹnte *avv.* reasonably, rationally. – **ragionatịvo** *a.* ⟨*rar*⟩ (*razionale*) rational, of reason.

ragionạto[1] (*p.p. di ragionare*[1]) *a.* **1.** reasonable, logical, rational, judicious: *un giudizio* ~ a judicious judgement. – **2.** (*accompagnato da giudizi*) annotated, explained: *grammatica -a* annotated grammar. □ *ben* ~ well-reasoned, thought out.

ragionạto[2] *m.* ⟨*ant*⟩ **1.** ⟨*Econ*⟩ abstract of an account. – **2.** ⟨*region*⟩ (*ragioniere*) accountant.

ragionatọre *m.* (*f.* **-trice**) reasoner, thinker.

ragiọne *f.* **1.** (*facoltà raziocinante*) reason: *la* ~ *è propria dell'uomo* reason is peculiar to man; (*intelletto*) mind, intellect, reason, ⟨*lett*⟩ wits *pl*: *perdere la* ~ to go out of one's mind; *riacquistare l'uso della* ~ to regain the use of reason. – **2.** (*prova, dimostrazione*) argument, case, reason, justification, proof: *le tue -i sono infondate* your arguments are unfounded. – **3.** (*causa, motivo*) reason, cause, motive: *non so la* ~ *del suo comportamento* I don't know the ⌜reason for⌝ (*o* cause of) his behaviour; *per -i di salute* for reasons of health; *per quale* ~? for what reason?, why? – **4.** (*diritto*) right: *far valere le proprie -i* to assert one's rights. – **5.** ⟨*fig*⟩ (*conto*) account, explanation, reckoning: *rendere* ~ *di qc.* to give an account of s.th., to justify (*o* account for) s.th.; *domandare* ~ *di qc.* to ask for an explanation of s.th. – **6.** *pl.* (*esigenze*) reasons *pl*: *per -i di spazio* for reasons of space. – **7.** (*proporzione, rapporto*) rate: *lo pagano in* ~ *di poche lire per riga* they pay him at the rate of a few liras a line. – **8.** ⟨*Econ*⟩ (*tasso, saggio*) rate: *in* ~ *del sei per cento* at the rate of six per cent. – **9.** ⟨*Mat*⟩ (*rapporto*) ratio, proportion: ~ *diretta* direct ratio. – **10.** ⟨*non com*⟩ (*competenza*) business, concern, province: *non sono cose di mia* ~ this is no concern of mine. – **11.** ⟨*ant*⟩ (*tema*) theme; (*proemio*) introduction, proem. – **12.** ⟨*ant*⟩ (*norme giuridiche*) law: *ragion canonica* canon law; *ragion civile* civil law. – **13.** ⟨*ant*⟩ (*giustizia*) justice; (*tribunale*) court, seat of justice. – **14.** ⟨*ant*⟩ (*discorso*) talk; (*ragionamento*) reasoning. – **15.** ⟨*ant*⟩ (*specie*) kind, type. – **16.** ⟨*ant*⟩ (*calcolo*) calculation, reckoning.

□ **a** ~ justly, rightly; *a torto o a* ~ rightly or wrongly; **ascoltare** *le -i di qd.* to listen to what s.o. has to say; **aver** ~ to be right; ⟨*scherz*⟩ *aver* ~ *da vendere* to be absolutely (*o* quite) right, ⟨*fam*⟩ to be dead right; *aver* ~ *di qd.* (*vincerlo*) to get the upper hand of s.o.; *aver* ~ *di fare qc.* to be right ⌜to do⌝ (*o* in doing) s.th.; *aver* ~ *di pensare qc.* to be right in thinking s.th., to have every reason to think s.th.; *ho* (*qualche*) ~ *di pensare* I have reason to believe; *vuol sempre avere* ~ he always wants to have his own way; ⟨*ant*⟩ *aver* ~ *in* (*o sopra*) *qc.* to have authority (*o* power) over s.th.; *avere la* ~ *dalla sua* to be in the right; *ho le mie* **buone** *-i* I've got my reasons; *non è una buona* ~ that's no reason; **con** ~ = **a** *ragione*; **conforme** *a* ~ according to reason, reasonably; **dare** ~ *a qd.* to admit that s.o. is right, to agree with s.o.: *non voleva darmi* ~ he wouldn't admit I was right; *gli avvenimenti mi hanno dato* ~ events have proved me right; ⟨*fig*⟩ *darsi* ~ *di qc.*: 1. (*comprenderla*) to understand (*o* account for) s.th.: *non so darmi* ~ *di ciò che ho fatto* I can't understand why I did it; 2. (*rassegnarsi*) to resign o.s., to accept the inevitable; *a chi* **di** ~ to the person concerned, to the proper person: *darò le mie informazioni a chi di* ~ I'll give my information to the proper person; *mi appartiene di* ~ it is mine by right; **dire** *le proprie -i* to state one's case, to have one's say; ~ **d'essere** reason for existence, raison d'être, justification, ground: *avere* ~ *d'essere* to have a raison d'être, to be justified; *le sue preoccupazioni non hanno più* ~ *d'essere* his worries no longer have a raison d'être, he no longer has any reason to be worried; ⟨*ant*⟩ *è* ~ (*è giusto*) it is right (*o* proper); *-i di* **famiglia** family reasons; ⟨*ant*⟩ **far** *la* ~ (*calcolare*) to calculate, to reckon; ⟨*fig,ant*⟩ *fare* ~ (*stimare*) to think; ⟨*lett*⟩ *far* ~ *a qd.* (*rendergli giustizia*) to do s.o. justice, to concede s.o.'s rights; **farsi** ~ *di qc.* to accept s.th., to resign o.s. to s.th., to bow to the inevitable; *farsi* ~ *da sé* (*farsi giustizia da sé*) to take the law into one's own hands; ⟨*non com*⟩ *a più* **forte** ~ = *a* **maggior** *ragione*; ⟨*ant*⟩ ~ *delle* **genti** law of nations, international law; ⟨*Mat*⟩ ~ **geometrica** geometric ratio; **in** ~ *di*: 1. (*nel rapporto di*) in the ratio (*o* proportion) of, at the rate of: *in ~ del cinque per cento* at the rate of five per cent; 2. (*dell'ammontare di*) to the amount of; 3. (*secondo*) according to: *in ~ dell'età* according to age, on the basis of age; *non* **intendere** *-i* = *non* **sentire** *ragioni*; ⟨*Mat*⟩ ~ **inversa** inverse ratio (*o* proportion); *a* **maggior** ~ that is all the more reason, even more (so): *se lui è debole a maggior ~ lo devi aiutare* if he is weak that's all the more reason why you should help him; **mettere** *a* ~ = **far** *la ragione*; ⟨*tosc*⟩ *d'***ogni** ~ (*d'ogni specie*) of all kinds; *essere dalla* **parte** *della* ~ to be (in the) right: *io sono dalla parte della ~ e tu del torto* I'm right and you are wrong; ~ **per** *cui* that's why, which is why; *per nessuna ~* for no reason, on no account; *dimmi la ~ per la quale l'hai fatto* tell me (the reason) why you did it; *per -i di economia* for economy's sake; *per -i di ordine interno* for good order's sake; ⟨*Filos*⟩ *ragion* **pratica** practical reason; *di* **pubblica** ~ public knowledge: *il fatto è di pubblica ~* it is public knowledge, everybody knows about it; *rendere di pubblica ~* (*divulgare*) to make widely known, to make public (knowledge); ⟨*Filos*⟩ *ragion* **pura** pure reason; ⟨*fig*⟩ **rendersi** ~ *di qc.* = **darsi** *ragione di qc.*; **ridurre** *qd. alla ~* to make s.o. see reason (*o* sense); ⟨*fig,ant*⟩ **rivedere** *la ~* (*esaminare la propria coscienza*) to examine one's conscience; ⟨*fam*⟩ *di* **santa** ~ (*abbondantemente*) thoroughly, very much, hard; *sonarle di santa ~ a qd.* to give s.o. a good (*o* sound) beating, ⟨*fam*⟩ to lay into s.o.; ⟨*Econ*⟩ *-i di* **scambio** terms of trade; **secondo** ~ = **conforme** *a ragione*; *non* **sentire** *-i* to refuse to listen to reason, to be unreasonable: *non sente -i* he won't listen to reason; **senza** ~ without any reason, groundlessly; ⟨*Comm*⟩ ~ **sociale** style (of a firm), ⟨*am*⟩ corporate name; ⟨*Pol*⟩ ~ *di* **Stato** reason of State; ⟨*non com*⟩ *alla* **stessa** ~ in the same proportion; ⟨*Filos*⟩ ~ **sufficiente** sufficient reason (*o* condition); ⟨*Filos*⟩ ~ **ultima** *delle cose* first cause of things; *non* **vedere** *la ~ di qc.* not to see the reason for s.th.; *a ragion* **veduta**: 1. after due consideration, everything considered; 2. (*intenzionalmente*) intentionally, deliberately. – *Prov.*: *la ~ è del più forte* might makes right.

ragionerịa *f.* **1.** (*disciplina*) accounting, accountancy; (*contabilità*) book-keeping. – **2.** (*ufficio*) accounting department, counting-house. – **3.** ⟨*Scol*⟩ (*istituto tecnico commerciale*) commercial school, institute of commerce (specializing in accounting). □ ~ *applicata* applied accounting; ~ *generale* general accounting; ~ *privata* private (*o* individual) accounting; ~ *pubblica* public accounting.

ragionerịsta *m./f.* specialist in accountancy.

ragionẹvole *a.* **1.** reasoning, reasonable, thinking, rational: *un essere ~* a reasoning being. – **2.** (*sensato, opportuno*) reasonable, sensible: *proposte -i* sensible suggestions. – **3.** (*giustificato, fondato*) reasonable, well-founded, justified: *è un dubbio ~ il tuo* your doubt is reasonable. – **4.** (*giusto, conveniente*) reasonable, fair: *prezzi -i* fair prices; *le sue pretese sono -i* his claims are reasonable. – **5.** (*piuttosto abbondante*) reasonable, fair, sufficient: *il compenso è più che ~* the pay is very fair.

ragionevolẹzza *f.* **1.** sense, reasonableness, sensibleness: *non ha un briciolo di ~* he hasn't a scrap of sense. – **2.** (*fondatezza*) reasonableness, soundness: *la ~ di una proposta* the reasonableness of a proposal. – **3.** (*giustezza, convenienza*) reasonableness, fairness.

ragionevolmẹnte *avv.* **1.** reasonably, in a reasonable manner. – **2.** (*fondatamente*) reasonably, with good reason (*o* grounds).

ragionięre *m.* (*f.* **-a**) **1.** accountant. – **2.** ⟨*ant*⟩ (*contabile*) book-keeper. – **ragionierịstico** *a.* (*pl.* **-ci**) **1.** account-, accounting-. – **2.** ⟨*estens, spreg*⟩ (*pignolo*) finical, ⟨*fam*⟩ pernickety.

ragiọso *a.* ⟨*ant*⟩ (*resinoso*) resinous.

raglạn *ingl.* **I** *a.* ⟨*Mod*⟩ raglan-: *maniche ~* raglan sleeves. – **II** *s.m.* (*tipo di soprabito*) raglan. □ *a ~* raglan-: *manica a ~* raglan sleeve.

ragliamẹnto *m.* braying, hee-hawing. – **ragliạre** *v.* (**rạglio, rạgli**) **I** *v.i.* (*aus.* **avere**) **1.** to bray, to hee-haw: *l'asino raglia* the donkey brays. – **2.** ⟨*fig,spreg*⟩ (*parlare o cantare sgradevolmente*) to bray, to bellow. – **3.** ⟨*fig,spreg*⟩ (*dire sciocchezze*) to talk nonsense (*o* like an ass). – **II** *v.t.* (*cantare o dire sgraziatamente*) to bray (out). □ *Prov.*: *al ~ si vedrà che non è leone* results will show how little it is worth. – **ragliạta** *f.* bray(ing) (*anche fig.*). – **rạglio** *m.* **1.** bray, hee-haw. – **2.** ⟨*fig,spreg*⟩ bray, howl, ⟨*fam*⟩ awful row; (*discorso sciocco*) asinine (*o* stupid) remark, cackling, nonsense. □ *Prov.*: *~ d'asino non arriva in cielo* a wise man does not hear a fool's words.

rạgna *f.* **1.** ⟨*lett*⟩ (*ragnatela*) cobweb, (spider's) web. – **2.** ⟨*tosc*⟩ (*rete per catturare uccelli*) kind of bird-net. – **3.** ⟨*fig,tosc*⟩ (*tranello*) trap, snare, web: *cadere nella ~* to fall into the trap. – **4.** ⟨*tosc*⟩ (*parte di stoffa logora*) threadbare (*o* worn) spot, thin patch. – **5.** ⟨*tosc*⟩ (*nuvola diradata*) fleecy cloud, mare's tail. – **6.** ⟨*pop*⟩ (*bava dei bozzoli del baco da seta*) floss-silk. – **7.** ⟨*Bot*⟩ (*cuscuta*) dodder, love vine, hell-weed (*Cuscuta epithymum*). – **8.** ⟨*ant*⟩ (*ragno*) spider.

ragnạia *f.* ⟨*Venat*⟩ kind of bird-net; (*luogo*) grove (where nets are spread).

ragnạre *v.i.* (*aus.* **essere/avere**) **1.** ⟨*tosc*⟩ (*rif. a tessuti*: *consumarsi*) to wear thin, to become threadbare. – **2.** ⟨*tosc*⟩ (*rif. al cielo*: *essere velato da nuvole*) to be covered with fleecy clouds, to have mare's tails. – **3.** ⟨*Venat*⟩ to spread nets for birds.

ragnatẹla *f.* **1.** cobweb, (spider's) web. – **2.** ⟨*fig*⟩ (*tessuto sottile e logoro*) threadbare cloth. □ *essere pieno di -e* to be cobwebby (*o* covered with cobwebs). – **ragnatẹlo** *m.* ⟨*non com*⟩ → **ragnatela**. – **ragnatelọso** *a.* ⟨*lett*⟩ (*pieno di ragnatele*) cobwebby, full of cobwebs.

ragnạto (*p.p. di ragnare*) *a.* ⟨*tosc*⟩ **1.** (*rif. a tessuti*) worn, threadbare, thin. – **2.** (*rif. al cielo*) covered with fleecy clouds, full of mare's tails, feathery. – **ragnatụra** *f.* ⟨*tosc*⟩ **1.** (*rif. a tessuti*) threadbare patch, worn (*o* thin) spot. – **2.** (*rif. al cielo*) patch of sky covered with mare's tails.

ragnettịno, **ragnẹtto** *m. dim. di* **ragno**.

rạgno *m.* **1.** ⟨*Zool*⟩ spider. – **2.** *pl.* ⟨*Zool*⟩ spiders *pl*, araneids *pl* (*Araneae*). – **3.** ⟨*Itt*⟩ weever (fish), weaver (*Trachinus*). – **4.** ⟨*Itt*⟩ (*spigola*) bass (*Morone labrax*). – **5.** ⟨*Pesc*⟩ kind of trawl-net. – **6.** ⟨*Astr*⟩ rete.

□ ⟨*Zool*⟩ ~ **acquaiolo** (o *d'acqua dolce*) water spider (*o* spinner) (*Argyroneta aquatica*); ⟨*fig*⟩ *non* **cavare** *un ~ dal buco* to be completely unsuccessful, to get nowhere; ~ **crociato** = *ragno* **portacroce**; ~ **domestico** house spider; ~ *di* **mare** sea spider, spider crab; ~ **portacroce** garden spider (*Epeira diademata*); ~ **rosso** European red mite (*Paratetranychus pilosus*); ⟨*scherz*⟩ **sembrare** *un ~* to be skinny (*o* spidery).

ragnọla *f.* ⟨*Venat*⟩ kind of bird-net.

rạgnolo *m.* ⟨*ant,tosc*⟩ → **ragno**.

ragoidẹo: ⟨*Anat,ant*⟩ *tunica -a* (*uvea*) uvea.

ragọsta *f.* ⟨*Zool*⟩ (*aragosta*) spiny lobster, langouste, sea crayfish (*o* crawfish), ⟨*pop*⟩ lobster (*Palinurus vulgaris*).

ragù *m.* ⟨*Gastr*⟩ (Bolognese) meat sauce.

ragunạnza *f.* ⟨*ant*⟩ → **radunanza**. – **ragunạre** *v.* ⟨*ant*⟩ → **radunare**. – **ragunạta** *f.* ⟨*ant*⟩ → **radunata**. – **ragunatọre** *m.* ⟨*ant*⟩ → **radunatore**.

rai *m.pl. ant. di* **raggio**.

RAI = **1.** *Radio-audizioni Italia* Italian Broadcasting Corporation. – **2.** *Registro aeronautico italiano* Italian Air Register.

rạia *f.* ⟨*Itt*⟩ (*razza*) ray, skate (*Raja*).

raiạre *v.* (**rạio, rại**) ⟨*poet,ant*⟩ → **raggiare**.

raid *ingl.* ['reid] *m.* **1.** ⟨*Sport*⟩ long-distance ralley (*o* race): *il ~ Pechino-Parigi* the Peking-Paris race. – **2.** ⟨*Mil*⟩ (*incursione*) raid, foray.

Raimọndo *N.pr.m.* Raymond.

rạion *m.* ⟨*Tess*⟩ rayon. □ ~ *acetato* acetate (fiber), acetate rayon; ~ *al cuprammonio* cuprammonium rayon.

rạis *m.* **1.** ⟨*Stor*⟩ rais, reis. – **2.** ⟨*Pesc*⟩ head of a tunny-fishing team. □ ⟨*Pesc*⟩ ~ *di montagna* look-out for tunny shoals.

rạitro *m.* ⟨*Stor*⟩ reiter, reister.

RAI-TV = *Radiotelevisione italiana* Italian Broadcasting Corporation.

rajah *fr.* [-'ʒa] *m.* → **ragià**.

ralịnga *f.* ⟨*Mar*⟩ bolt-rope, leech. □ ~ ⌜*di bordame*⌝ (o *lunata*) foot-rope; ~ *di caduta* luff roping. – **ralingạre** *v.t.* (**ralịngo, ralịnghi**) **1.** to sew bolt-rope on. – **2.** (*tendere*: *rif. a vele*) to haul taut and stretch.

rạlla *f.* **1.** ⟨*Mecc*⟩ thrust bearing (*o* block). – **2.** ⟨*Ferr*⟩ centre casting (*o* plate). – **3.** ⟨*Mar*⟩ brass, brush. – **4.** (*morchia*) oily deposit.

rallacciạre *v.t.* (**rallạccio, rallạcci**) ⟨*non com*⟩ (*riallacciare*) to fasten (*o* tie up) again, to reattach.

rallargạre *v.t.* (**rallạrgo, rallạrghi**) **1.** (*allargare*) to widen, to broaden. – **2.** (*distanziare*) to leave behind, to outdistance, to outstrip. – **3.** ⟨*fig*⟩ (*ampliare*) to broaden, to widen, to expand. – **rallargarsi** *v.r.* **1.** (*distanziarsi*) to increase a distance, to move away. – **2.** (*dilatarsi*) to expand, to widen (out), to spread.

rallegramẹnto *m.* **1.** (*il rallegrarsi*) rejoicing. – **2.** *pl.* congratulations *pl*: *tutti i miei -i per la tua promozione* congratulations on your promotion. – **3.** ⟨*ant*⟩ (*gioia*) rejoicing, joy.

rallegrạre *v.t.* (**rallęgro**) **1.** (*rendere allegro*) to cheer up, to raise the spirits of, to make happy (*o* glad), to gladden. – **2.** (*far piacere*) to please, to make glad (*o* happy), to delight: *le buone notizie mi rallegrarono assai* the good news delighted me, I was delighted to hear the good news. – **3.** ⟨*fig*⟩ (*rendere vivace*) to cheer (up), to brighten: *questi fiori rallegrano la stanza* these flowers brighten (*o* add a gay note to) the room. – **4.** ⟨*non com*⟩ (*consolare*) to console, to comfort. – **rallegrarsi** *v.r.* **1.** to be glad (*o* happy), to rejoice, to cheer up, to be delighted: *mi rallegro che tutto sia andato bene* I am glad it all went well. – **2.** (*congratularsi*) to congratulate: *~ con qd. per qc.* to congratulate s.o. on s.th. □ *mi rallegro con te per la tua promozione* congratulations on your promotion; *me ne rallegro di cuore* I'm delighted (*o* very pleased).

rallegrạta *f.* ⟨*Equit*⟩ prance.

rallegratịvo *a.* ⟨*non com*⟩ gladdening, cheering. – **rallegratọre** *m.* (*f.* **-trice**) **1.** ⟨*non com*⟩ cheerer. – **2.** ⟨*rar*⟩ (*chi si rallegra*) congratulator, well-wisher. □ *è sempre lui il ~ della compagnia* he's always the life of the party. – **rallegratụra** *f.* ⟨*non com*⟩ **1.** cheerfulness, brightness. – **2.** (*aspetto allegro, compiaciuto*) cheerful look, sunniness. – **rallegraziọne** *f.* ⟨*rar*⟩ → **rallegramento**.

rallentamẹnto *m.* **1.** slowing (down), slackening: *il ~ della velocità* slowing down. – **2.** ⟨*fig*⟩ (*attenuazione d'intensità*) slackening (off), lessening, easing (off): *~ nella produzione* slackening in production, production fall-off. – **3.** ⟨*Fis,tecn*⟩ (*decelerazione*) deceleration.

rallentạndo **I** *avv.* ⟨*Mus*⟩ rallentando, slowing down. – **II** *s.m.inv.* rallentando.

rallentạre *v.* (**rallẹnto**) **I** *v.t.* **1.** (*rif. a cosa*) to slow (down), to reduce the speed of: *~ il passo* to slow one's pace; (*rif. a velocità*) to slacken, to reduce, to decrease: *~ la velocità* to slacken speed, to slow down. – **2.** ⟨*fig*⟩ (*diminuire l'intensità di*) to slacken, to reduce, to lẹssen, to ease off: ~ *il ritmo del lavoro* to slacken the work-rate. – **3.** ⟨*fig*⟩ (*diminuire la frequenza di*) to reduce (the number of), to decrease: ~ *le visite* to reduce the number of visits. – **4.** ⟨*non com*⟩ (*allentare*) to loosen, to ease (off), to slacken: ~ *la fune* to slacken the rope. – **5.** ⟨*Mus*⟩ to decrease, to slacken. – **II** *v.i.* (*aus.* **avere/essere**) **1.** to slow (down), to go slower, to decrease speed: ~ *in curva* to slow down on a curve. – **2.** ⟨*fig*⟩ (*diminuire d'intensità*) to slacken, to lessen, to drop off. – **3.** ⟨*Mus*⟩ to become slower, to slacken in tempo. – **rallentarsi** *v.r.* **1.** to slow down, to become slower, to slacken pace. – **2.** ⟨*fig*⟩ (*diminuire d'intensità*) to slacken, to drop off, to lessen. ☐ ~ *la disciplina* to relax discipline.

rallentatọre *m.* (*f.* **-trice**) **1.** ⟨*non com*⟩ slackener, person who slows down. – **2.** ⟨*Cin*⟩ slow-motion camera. – **3.** ⟨*Atom*⟩ (*moderatore*) moderator. ☐ ⟨*Cin*⟩ *al* ~ in slow motion, slow-motion-: *ripresa al* ~ slow-motion shot (*o* take).

rallevạre *v.t.* (**rallẹvo**) ⟨*tosc*⟩ (*allevare*) **1.** (*rif. a persone*) to raise, to bring up. – **2.** (*rif. ad animali*) to breed, to raise.

rạllidi *m.pl.* ⟨*Ornit*⟩ rails *pl* (*Rallidae*).

ralliement *fr.* [rali'mã] *m.* ⟨*Stor*⟩ rally(ing).

rallignạre *v.i.* (*aus.* **essere**), **rallignarsi** *v.r.* **1.** (*allignare di nuovo*) to take root again, to thrive (*o* flourish) again. – **2.** ⟨*fig*⟩ (*rinascere*) to be reborn, to arise again.

rạllo *m.* ⟨*Ornit*⟩ (*porciglione*) (European) water rail (*Rallus aquaticus*).

ralluminạre *v.t.* (**rallụmino**) ⟨*ant*⟩ **1.** (*illuminare*) to illuminate, to light up. – **2.** ⟨*fig*⟩ to enlighten.

rallungạre *v.t.* (**rallụngo, rallụnghi**) ⟨*non com*⟩ (*allungare*) to make longer, to lengthen.

rally *ingl.* ['ræli] *m.* **1.** ⟨*Aut*⟩ rally(e). – **2.** (*nel tennis: ribattuta*) rally.

rạma *f.* ⟨*tosc*⟩ **1.** (*ramo*) branch, shoot, bough; (*ramo con frutti*) fruit-bearing branch. – **2.** (*complesso di rami*) branches *pl*, boughs *pl*.

ramadạn *m.* ⟨*Rel*⟩ Ramad(h)an, Ramazan.

ramages *fr.* [ra'ma:ʒ]: *a* ~ with a floral design (*o* pattern): *tessuto a* ~ fabric with a floral design.

ramạglia *f.* branches *pl.* – **ramagliatụra** *f.* polling, pruning, lopping.

ramạio *m.* **1.** coppersmith. – **2.** (*calderaio*) boiler-maker; (*stagnino*) tinker, coppersmith.

ramaiolạta *f.* **1.** (*quantità*) ladleful. – **2.** (*colpo*) blow with a ladle. – **ramaiọlo** *m.* **1.** ladle. – **2.** ⟨*ant,region*⟩ (*pentola di rame*) copper pot; (*secchio*) copper pail.

ramanzịna *f.* ⟨*fam*⟩ lecture, scolding, talking-to, ⟨*fam*⟩ telling-off: *fare una* ~ *a qd.* to give s.o. a lecture (*o* talking-to), to scold s. o., ⟨*fam*⟩ to tell (*o* tick) s.o. off.

ramạre *v.t.* **1.** ⟨*Met*⟩ to copper, to coat (*o* sheathe) with copper. – **2.** ⟨*Agr*⟩ to spray with copper sulphate.

ramạrro *m.* ⟨*Zool*⟩ green lizard (*Lacerta viridis*). ☐ *verde* ~ bright green.

ramaṣịte *f.* ⟨*Tess*⟩ (kind of) sizing.

ramạta[1] *f.* ⟨*Venat*⟩ bat (*o* club) for stunning birds.

ramạta[2] *f.* ⟨*non com*⟩ (*graticolato*) wire netting.

ramạto[1] (*p.p. di ramare*) **I** *a.* **1.** coppered, copper-coated, copper -sheathed: *filo* ~ copper-coated wire. – **2.** (*rossiccio*) auburn, copper (-coloured): *capelli -i* auburn hair. – **3.** (*contenente rame*) copper. – **II** *s.m.* ⟨*Agr*⟩ (*zolfo ramato*) copper sulphate.

ramạto[2] *m.* (*indaco*) indigo.

ramatọre *m.* ⟨*Met*⟩ (*operaio*) workman who coats with copper.

ramatụra[1] *f.* **1.** ⟨*Met*⟩ coppering, copper coating; (*rivestimento di rame*) copper sheathing (*o* coat). – **2.** ⟨*Agr*⟩ spraying with copper sulphate. – **3.** ⟨*Artigl*⟩ copper deposit on the bore of a cannon.

ramatụra[2] *f.* ⟨*non com*⟩ (*complesso di rami*) branches *pl.*

ramạzza *f.* broom, besom. ☐ ⟨*mil*⟩ *esser* (*comandato*) *di* ~ to be on the cleaning detail. – **ramazzạre** *v.t.* to sweep.

rambạrgio *m.* → **ramberga.**

rambạta *f.* ⟨*Mar.ant*⟩ (*rembata*) forecastle deck.

rambẹrga *f.* ⟨*Mar.ant*⟩ **1.** (*vascello*) row-barge, sailing-boat with oars. – **2.** (*piccola nave fluviale*) river-boat.

rạme **I** *s.m.* **1.** ⟨*Chim*⟩ copper. – **2.** *pl.* (*oggetti di rame*) copper. – **3.** (*incisione su rame*) copperplate. – **4.** ⟨*ant*⟩ (*spiccioli*) coppers *pl*, small change. – **5.** ⟨*rar*⟩ (*colore*) copper (colour). – **II** *a.inv.* (*color rame*) copper; (*rif. a capelli*) auburn, copper(-coloured).

☐ ~ **affinato** refined copper, tough pitch (copper); ~ *in* **catodi** = *rame* **elettrolitico**; *-i da* **cucina** copper pots and pans; **di** ~: 1. copper, of copper: *moneta di* ~ copper (coin); 2. (*color rame*) copper, copper-coloured; ~ **elettrolitico** electrolytic (*o* cathode) copper; ⟨*Min*⟩ ~ **epatico** bornite, purple (*o* variegated) copper ore; ~ **fosforoso** phosphor copper; ⟨*Met*⟩ ~ **granulare** feather shot; ~ **grezzo** (o *nero*) blister (copper), coarse (*o* black) copper; ~ **lavorato** wrought copper; ~ **paonazzo** (o *variegato*) = *rame* **epatico.**

ramè *m.* → **ramia.**

rameạle *a.* ⟨*Bot*⟩ branch-.

rameggiạre *v.* (**ramẹggio, ramẹggi**) **I** *v.i.* (*aus.* **avere**) ⟨*lett*⟩ (*ramificarsi*) to ramify, to branch out (*anche fig.*). – **II** *v.t.* ⟨*Giard, non com*⟩ to stake, to plant stakes for.

ramẹico *a.* (*pl.* **-ci**) ⟨*Chim*⟩ cupric: *acetato* ~ cupric (*o* copper) acetate.

ramẹngo *m.* (*pl.* **-ghi**) ⟨*gerg,region*⟩ (*bastone*) stick. ☐ *andare a* ~: 1. (*andare in malora*) to go to rack and ruin, ⟨*fam*⟩ to go to the dogs; 2. ⟨*Mar*⟩ to go adrift, to drift; 3. ⟨*non com*⟩ (*andare vagabondando*) to roam, to wander; *mandare qd. a* ~ (*mandarlo alla malora*) to tell s.o. to go to hell.

ramẹnto *m.* ⟨*Bot*⟩ palea, ramentum.

rameọso *a.* ⟨*Chim*⟩ cuprous: *cloruro* ~ cuprous chloride.

ramerịno *m.* ⟨*Bot*⟩ (*rosmarino*) rosemary (*Rosmarinus officinalis*).

Ramẹsse(ṣe) *N.pr.m.* ⟨*Stor*⟩ Ramses, Rameses.

ramẹtto[1] (*dim. di ramo*) *m.* **1.** twig, branchlet. – **2.** ⟨*Bot*⟩ branchlet.

ramẹtto[2] (*dim. di rame*) *m.* ⟨*Art*⟩ (portrait) miniature on copper.

rameuse *fr.* [ra'mø:z] *f.* ⟨*Tess*⟩ industrial fabric drier.

ramịa *f.* **1.** ⟨*Bot*⟩ (*anche ramia bianca*) ramie, ramee (*Boehmeria nivea*). – **2.** (*fibra*) ramie (hemp).

ramicẹllo (*dim. di ramo*) *m.* → **rametto**[1].

ramiè *m.* → **ramia.** – **ramiẹto** *m.* ramie plantation.

ramịfero[1] *a.* ⟨*Min,non com*⟩ cupriferous, copper-bearing: *minerale* ~ cupriferous mineral.

ramịfero[2] *a.* (*ramoso*) ramified, branchy, branching, branch-bearing, ⟨*lett*⟩ ramiferous: *albero* ~ branch-bearing tree.

ramificạre *v.i.* (**ramịfico, ramịfichi**; *aus.* **avere**) to ramify, to branch. – **ramificarsi** *v.r.* **1.** to ramify, to branch, to split up into branches. – **2.** ⟨*fig*⟩ to branch (out), to ramify; (*suddividersi*) to split up, to branch. – **ramificạto** (*p.p. di ramificare*) *a.* branched, branching, ramified (*anche fig.*).

ramificaziọne *f.* **1.** branching, ramifying, ramification. – **2.** ⟨*fig*⟩ ramification, branching (out); (*suddivisione*) splitting up, division. – **3.** ⟨*concr*⟩ (*insieme dei rami*) branches *pl*, ramification; (*ramo*) branch, bough. – **4.** ⟨*fig*⟩ (*bracci*) branches *pl*, ramification, arms *pl*: *le -i di un fiume* the branches of a river.

☐ ⟨*Bot*⟩ ~ **apicale** (o *dicotomica*) apical ramification; ~ **falsa** pseudoramification; ~ *a* **grappolo** racemic ramification; ~ **laterale** lateral ramification; ~ **monopodiale** (o *a monopodio*) monopodial ramification; ~ **simpodiale** sympodial (*o* cymose) ramification; ~ **vera** true ramification.

ramịfico *a.* (*pl.* **-ci**) ⟨*lett*⟩ branch-bearing, ⟨*lett*⟩ ramiferous.

ramịna *f.* **1.** (*scaglia del rame*) copper flake (*o* chip). – **2.** (*paglia d'acciaio*) steel wool. – **3.** ⟨*region*⟩ (*ramino*) copper kettle; (*pentola*) copper pot.

ramingạre *v.i.* (**ramịngo, ramịnghi**; *aus.* **avere**) ⟨*lett*⟩ (*errare*) to wander, to roam. – **ramịngo** *a.* (*pl.* **-ghi**) **1.** (*errante, vagabondo*) wandering, roaming, drifting. – **2.** ⟨*ant*⟩ (*rif. a uccelli*) hopping from one branch to another. ☐ *andarsene* ~ *per il mondo* to roam the world.

ramịno[1] *m.* **1.** (*bricco*) kettle. – **2.** ⟨*region*⟩ (*mestolo bucherellato*) skimmer.

ramịno[2] *m.* (*gioco di carte*) rummy.

rammagliạre *v.t.* (**rammạglio, rammạgli**) **1.** ⟨*Lav.femm*⟩ to darn; (*rif. a smagliatura*) to mend a run (*o* ladder) in: ~ *una calza* to mend a run in a stocking. – **2.** ⟨*Conc*⟩ to flesh. – **rammagliatrịce** *f.* stocking-mender. – **rammagliatụra** *f.* **1.** ⟨*Lav.femm*⟩ darning; (*rif. a smagliatura*) mending of runs (*o* ladders). – **2.** ⟨*Conc*⟩ fleshing (of skins).

rammarcạre *v.* ⟨*poet*⟩ → **rammaricare.** – **rammạrco** *m.* ⟨*poet*⟩ → **rammarico.**

rammarginạre *v.t.* (**rammạrgino**) ⟨*ant*⟩ (*rimarginare*) to heal.

rammaricamẹnto *m.* ⟨*rar*⟩ regret(ting).

rammaricạre *v.t.* (**rammạrico, rammạrichi**) to afflict, to grieve, to distress. – **rammaricarsi** *v.r.* **1.** (*affliggersi*) to regret, to feel (very) sorry, to grieve: *mi rammarico di non essere stato presente* I regret (*o* am sorry) I wasn't there. – **2.** (*lamentarsi*) to complain: *non fa che rammaricarsi* he does nothing but complain. – **rammaricạto** (*p.p. di rammaricare*) *a.* sorry (*di* for, about), saddened, grieved (by): *essere* ~ *di qc.* to be sorry about s.th., to regret s.th. – **rammaricaziọne** *f.* ⟨*non com*⟩ → **rammarico.** – **rammarichẹvole** *a.* ⟨*ant*⟩ (*che esprime rammarico*) grieving, sorrowful; (*che dà rammarico*) saddening, sad. – **rammarichịo** *m.* ⟨*tosc,non com*⟩ complaining, lamenting.

rammạrico *m.* (*pl.* **-chi**) **1.** (*afflizione*) sorrow, grief, pain. – **2.** (*rincrescimento*) regret, sorrow, remorse. – **3.** (*lamento*) complaint, lament. ☐ *avere il* ~ to regret, to suffer remorse; *provare* (o *sentire*) *vivo* ~ *per* (*o di*) *qc.* to feel very sorry about s.th., to regret s.th. deeply. – **rammaricọso** *a.* ⟨*ant*⟩ complaining.

rammassạre *v.t.* **1.** ⟨*non com*⟩ (*accumulare*) to amass, to pile up. – **2.** ⟨*rar*⟩ (*riammassare*) to pile up again, to amass once more.

rammattonạre *v.t.* (**rammattọno**) to floor (*o* pave) with bricks again.

rammemorạbile *a.* ⟨*non com*⟩ memorable, worth remembering. – **rammemorạre** *v.* (**rammẹmoro**) ⟨*lett*⟩ → **rammentare.** – **rammemoraziọne** *f.* ⟨*lett*⟩ remembrance, memory, recollection.

rammendạre *v.t.* (**rammẹndo**) **1.** ⟨*Lav.femm*⟩ to mend, to darn: ~ *un paio di calze* to mend a pair of stockings. – **2.** ⟨*ant*⟩ (*correggere*) to correct. – **rammendạto** (*p.p. di rammendare*) *a.* mended, darned. – **rammendatọre** *m.* (*f.* **-trice**/*pop.* **-tora**) **1.** ⟨*Lav.femm*⟩ mender, darner. – **2.** ⟨*Tess*⟩ finishing. – **rammendatụra** *f.* **1.** ⟨*Tess*⟩ finisher. – **2.** ⟨*non com*⟩ → **rammendo.** – **rammendịno** *m. dim. di* **rammendo.** – **rammẹndo** *m.* **1.** ⟨*Lav.femm*⟩ mending, darning. – **2.** (*parte rammendata*) mend, darn. ☐ *ago da* ~ darning-needle; *fare un* ~ *a qc.* to darn (*o* mend) s.th.

rammentạre *v.t.* (**rammẹnto**) **1.** (*ricordare*) to remember, to recall: ~ *i giorni felici* to remember happy times; (*tenere presente*) to remember, to bear in mind: *rammenta i miei consigli* remember my advice. – **2.** (*richiamare alla memoria*) to remind, to call to mind: *quella casa mi rammenta la mia infanzia* that house reminds me of my childhood. – **3.** (*somigliare a*) to remind, to bring to mind, to make one think of: *la tua voce mi rammenta quella di mio padre* your voice reminds me of my father's. – **4.** (*nominare, menzionare*) to mention, to speak of: *lo rammentiamo spesso nei nostri discorsi* we mention him often when we talk. – **rammentarsi** *v.r.* **1.** to remember, to recall, to recollect: *non mi rammentavo più di lui* I didn't remember him any more; *rammentati della tua promessa* remember your promise. – **2.** (*rimpiangere*) to regret (*di qc.* s.th.). □ *Prov.*: *non si rammentano i morti a tavola* don't bring up a subject at the wrong moment.

rammentatore *m.* (*f.* **-trice**) **1.** person who reminds. – **2.** ⟨*Teat*⟩ (*suggeritore*) prompter.

rammeschinire *v.i.* (**rammeschinisco, rammeschinisci**; *aus.* **essere**) ⟨*lett*⟩ to become mean (*o* petty).

rammodernare *v.t.* (**rammoderno**) ⟨*non com*⟩ (*rimodernare*) to remodernize, to make modern.

rammollimento *m.* **1.** softening. – **2.** ⟨*fig*⟩ (*infiacchimento*) weakening, slackening, softening, loosening. – **3.** ⟨*Med*⟩ (*malacia*) malacia, softening. □ ⟨*Med*⟩ ~ *cerebrale* encephalomalacia.

rammollire *v.* (**rammollisco, rammollisci**) **I** *v.t.* **1.** to soften, to make soft(er). – **2.** ⟨*fig*⟩ (*indebolire*) to weaken, to slacken, to soften, to loosen. – **3.** ⟨*fig*⟩ (*intenerire*) to make tender, to soften. – **II** *v.i.* (*aus.* **essere**), **rammollirsi** *v.r.* **1.** to soften, to become (*o* get) soft. – **2.** ⟨*fig*⟩ (*diventare fiacco*) to soften (up), to weaken, to grow soft (*o* weak), to slacken.

rammollito (*p.p. di rammollire*) **I** *a.* **1.** softened, soft. – **2.** ⟨*fig*⟩ (*effeminato*) weak, spineless. – **3.** ⟨*fig*⟩ (*rimbambito*) doting, doddering, in one's second childhood. – **II** *s.m.* (*f.* **-a**) weakling, milksop, namby-pamby, spineless person. □ *un vecchio* ~ a dotard.

rammorbidimento *m.* **1.** softening. – **2.** ⟨*fig*⟩ (*addolcimento*) softening, mellowing. – **rammorbidire** *v.t.* (**rammorbidisco, rammorbidisci**) **1.** to soften, to make soft(er). – **2.** ⟨*fig*⟩ to soften, to mellow, to make gentler (*o* more docile). – **rammorbidirsi** *v.r.* **1.** to become (*o* grow) soft, to soften. – **2.** ⟨*fig*⟩ to soften, to mellow.

ramnacee *f.pl.* ⟨*Bot*⟩ buckthorn family (*Rhamnaceae*). – **ramno** *m.* buckthorn (*Rhamnus*).

ramo *m.* **1.** branch, bough, limb: *un* ~ *carico di frutti* a fruit-laden branch. – **2.** ⟨*fig*⟩ (*diramazione*) branch; (*braccio*) arm. – **3.** (*in genealogia*: *linea di parentela*) branch; (*discendenza*) descent, lineage; (*discendente*) descendant, scion. – **4.** (*branca*) branch: ~ *dello scibile* branch of knowledge; (*campo*) field, line, branch: ~ *commerciale* line of business. – **5.** (*nel ferro di cavallo*) branch. – **6.** ⟨*Anat*⟩ branch, ramus, ramification. – **7.** ⟨*Zool*⟩ branch, antler, tine. □ ~ **ascendente** ascending branch; ~ **bancario** banking; ⟨*Geog*⟩ ~ *del* **delta** delta branch; ~ **discendente** descending branch; ⟨*Bot*⟩ ~ **fiorito** flowering branch; ⟨*Assic*⟩ ~ **incendi** fire insurance; ~ *dell'***industria** branch of industry; ~ **laterale** (*in genealogia*) collateral line; ~ **maestro** = *ramo* **principale**; *avere un* ~ *di* **pazzia** to have a touch of madness, ⟨*fam*⟩ to have a screw loose; ~ **principale** (o *primario*) main branch, scaffold branch (*o* limb); ⟨*fig*⟩ ~ **secco** (*persona inutile*) useless person, deadwood; ⟨*Assic*⟩ ~ **vita** life insurance. – *Prov.*: *il* ~ *somiglia al tronco* like father like son, a chip off the old block.

ramolaccio *m.* ⟨*Bot*⟩ jointed charlock, wild radish (*Raphanus raphanistrum*).

ramoluto, ramoruto *a.* ⟨*ant*⟩ → **ramoso.**

ramosa *f.* → **rameuse.**

ramoscello (*dim. di ramo*) *m.* twig, sprig, spray. □ ⟨*fig*⟩ *portare un* ~ *d'olivo* to reconcile (*o* make peace between) two opponents.

ramosità *f.* branchiness. – **ramoso** *a.* **1.** (*con molti rami*) branchy, full of branches. – **2.** (*ramificato*) branched, branching, ⟨*lett*⟩ ramose. – **3.** ⟨*Arald*⟩ attired.

rampa *f.* **1.** (*di scale*) flight (of stairs). – **2.** ⟨*Strad*⟩ ramp; (*salita*) slope. – **3.** (*in missilistica*) (launching) pad, ramp, track. – **4.** ⟨*tecn*⟩ ramp. – **5.** ⟨*Aer*⟩ slope, gradient. – **6.** ⟨*Arald*⟩ paw. – **7.** ⟨*non com*⟩ (*zampa anteriore*) forepaw, foreleg. □ ~ *d'***accesso** road approach, approach ramp; ⟨*Aer*⟩ **angolo** *di* ~ angle of climb; ~ *di* **caricamento** loading ramp; ~ *di* **lancio** launching pad (*o* ramp, track); ⟨*Edil*⟩ ~ *di* **scala** flight; ⟨*Ferr*⟩ ~ *per* **veicoli** incline, ramp.

rampante (*p.pr. di rampare*) **I** *a.* ⟨*Arald*⟩ rampant: *leone* ~ lion rampant. – **II** *s.m.* **1.** (*rampa di scala*) flight. – **2.** *pl.* ⟨*Sport*⟩ sealskins *pl*, climbers *pl*, creepers *pl.* □ ⟨*Arch*⟩ *arco* ~ flying arch flying-buttress. – **rampare** *v.i.* (*aus.* **essere**) ⟨*rar*⟩ **1.** (*arrampicarsi*) to climb. – **2.** (*rif. ad animali*) to rear up. – **3.** ⟨*Arald*⟩ to ramp, to be rampant.

ramparo *m.* ⟨*Mil.ant*⟩ glacis, rampart.

rampata *f.* ⟨*non com*⟩ **1.** (*colpo di zampa*) blow from a paw. – **2.** ⟨*Strad*⟩ slope, ramp.

rampicante (*p.pr. di rampicare*) **I** *a.* **1.** ⟨*Bot*⟩ climbing, creeping: *pianta* ~ climbing plant, creeper. – **2.** ⟨*Zool*⟩ climbing. – **II** *s.m.* ⟨*Zool*⟩ (*uccello arrampicatore*) climber, creeper. – **rampicare** *v.i.* (**rampico, rampichi**; *aus.* **essere**), **rampicarsi** *v.r.* ⟨*non com*⟩ (*arrampicarsi*) to climb (up). – **rampicatore** ⟨*non com*⟩ **I** *s.m.* (*f.* **-trice**) (*arrampicatore*) climber. – **II** *a.* climbing; (*che si arrampica bene*) who is a good climber. □ *alpinista* ~ good climber, first-class mountaineer; *ciclista* ~ good uphill cyclist.

rampichino I *s.m.* **1.** ⟨*Ornit*⟩ → **rampinello.** – **2.** ⟨*Bot*⟩ creeper, climber. – **3.** ⟨*scherz*⟩ (*ragazzo vivace*) live wire, imp. – **II** *a.* ⟨*Bot*⟩ creeping, climbing. □ ⟨*Ornit*⟩ ~ *alpestre* tree-creeper, ⟨*am*⟩ brown creeper (*Certhia familiaris*).

rampicone *m.* ⟨*ant*⟩ (*arpione*) harpoon.

rampinata *f.* blow from a hook.

rampinello *m.* ⟨*Ornit*⟩ (*rampichino*) short-toed tree-creeper (*Certhia brachydactyla*).

rampino *m.* **1.** hook. – **2.** ⟨*fig*⟩ (*pretesto*) excuse, pretext; (*cavillo*) quibble, cavil. – **3.** ⟨*non com*⟩ (*rebbio*) prong, tine. – **4.** ⟨*Mecc*⟩ (*cambretta*) staple. – **5.** ⟨*Mar*⟩ (*grappino*) grapple, grapnel, creeper. – **6.** ⟨*Mar.ant*⟩ grappling-hook. □ *a* ~ hooked, hook-shaped: *becco a* ~ hooked beak; ⟨*pop*⟩ *giocare a* ~ (*rubare*) to steal, ⟨*fam*⟩ to pinch.

rampogna *f.* ⟨*lett*⟩ (*rimprovero*) rebuke, reprimand. – **rampognamento** *m.* ⟨*non com*⟩ rebuking, reprimanding, ⟨*lett*⟩ chiding. – **rampognare** *v.t.* (**rampogno**) ⟨*lett*⟩ (*rimproverare*) to rebuke, to reprimand, ⟨*lett*⟩ to chide.

rampollamento *m.* ⟨*rar*⟩ **1.** (*rif. ad acqua*) springing forth, gushing out. – **2.** (*rif. a piante*) budding, sprouting, germinating, shooting. – **rampollare** *v.i.* (**rampollo**; *aus.* **essere**) ⟨*lett*⟩ **1.** (*rif. ad acqua*) to spring forth, to gush out. – **2.** (*rif. a piante*) to bud, to sprout, to germinate, to shoot. – **3.** ⟨*fig*⟩ (*discendere*) to be descended; (*derivare*) to come, to derive; (*sorgere*) to arise, to spring. – **4.** ⟨*poet*⟩ (*rinascere*) to newly arise, to return to one's mind.

rampollo *m.* **1.** (*vena d'acqua*) spring. – **2.** (*germoglio*) bud, sprout, shoot. – **3.** ⟨*fig*⟩ (*discendente*) descendant, scion; ⟨*scherz*⟩ (*figlio*) child, ⟨*scherz*⟩ offspring, son and heir. – **4.** ⟨*Silv*⟩ (*rimessiticcio*) (root-)sucker.

rampone *m.* **1.** hook, hooked iron. – **2.** ⟨*Pesc*⟩ harpoon. – **3.** (*nel ferro di cavallo*) caulk(in). – **4.** ⟨*Alp*⟩ crampon. – **5.** ⟨*Tel*⟩ (*arnese per arrampicarsi sui pali*) climbing-iron.

ramponiere *m.* ⟨*Pesc*⟩ harpooner.

Ramses, Ramsete *N.pr.m.* ⟨*Stor*⟩ Ramses, Rameses.

ramuscello *m.* ⟨*lett*⟩ → **ramoscello.**

ramuto *a.* ⟨*rar*⟩ → **ramoso.**

rana *f.* **1.** ⟨*Zool*⟩ frog (*Rana*). – **2.** ⟨*Sport*⟩ (*nuoto a rana*) breast-stroke. □ **cantare** *come una* ~ to sing out of tune, to croak; ~ **comune** (o *esculenta*) edible frog (*Rana esculenta*; *Rana viridis*); ⟨*Sport*⟩ ~ *a* **farfalla** butterfly breast-stroke, butterfly; ~ **golia** goliath frog (*Rana goliath*); ~ **mangereccia** = *rana* **comune**; ⟨*Itt*⟩ ~ **pescatrice** (*lofio*) angler, frog-fish, fishing-frog, sea-toad (*Lophius piscatorius*); ~ **pipa** Surinam toad (*Pipa pipa*); ~ **rossa** (o *temporaria*) European frog (*Rana temporaria*); ~ **tigrina** tiger-frog (*Rana tigrina*); ~ **toro** bull-frog (*Rana catesbyana*); ⟨*Mil*⟩ **uomo** ~ frogman; ~ **verde** = *rana* **comune.**

rancare *v.i.* (**ranco, ranchi**; *aus.* **avere**) ⟨*non com*⟩ (*arrancare*) to hobble.

rancheggiare *v.* (**rancheggio, rancheggi**; *aus.* **avere**) → **rancare.**

rancho *sp.* [-tʃo] *m.* ranch.

rancia *f.* (*pl.* **-ce**) ⟨*Mar.mil*⟩ mess-list.

ranciato *a.* ⟨*non com*⟩ (*color arancione*) orange.

rancico *a./s.* (*pl.* **-chi**) ⟨*pop*⟩ **I** *a.* (*rancido*) rancid, rank. – **II** *s.m.* **1.** rancid taste: *la salsiccia ha preso di* ~ the sausage ⌜has a rancid taste⌝ (*o* tastes rancid). – **2.** (*cattivo sapore*) bad taste. – **rancidezza** *f.* **1.** rancidness, rancidity, rankness. – **2.** ⟨*fig*⟩ mustiness, outmodedness. – **rancidire** *v.i.* (**rancidisco, rancidisci**; *aus.* **essere**) to become (*o* grow) rancid. – **rancidità** *f.* → **rancidezza.**

rancido I *a.* **1.** rancid, rank: *lardo* ~ rancid bacon fat. – **2.** ⟨*fig*⟩ (*stantio, sorpassato*) old-fashioned, out-of-date, antiquated, musty: *teorie -e* out-of-date theories; (*rif. a persona*) fusty, musty, sour: *una zitella -a* a sour old maid. – **II** *s.m.* **1.** (*rif. a cibi*: *di sapore*) rancid taste, rancidity. – **2.** (*di odore*) rancid smell, rank odour. □ *sapere di* ~ to taste (*o* smell) rancid. – **rancidume** *m.* **1.** (*rif. a cibi*) rancid food; (*di gusto*) rancid taste, rancidity; (*di odore*) rancid smell, rank odour. – **2.** ⟨*fig,spreg*⟩ old-fashioned things *pl* (*o* rubbish), bilge.

ranciere *m.* ⟨*Mil*⟩ messman, messcook.

rancio[1] *m.* **1.** (*pasto dei militari*) mess, meal, rations *pl*, ⟨*fam*⟩ chow: *distribuire il* ~ to serve out mess (*o* rations). – **2.** ⟨*Mar*⟩ (*branda*) hammock. □ ⟨*Mil*⟩ *al* ~ *!* dinner-time!, ⟨*fam*⟩ chow-time!, ⟨*fam*⟩ soup's up!; ⟨*Mar*⟩ *capo* ~ head of a mess; ⟨*scherz*⟩ *fare* ~ *insieme* (*mangiare insieme*) to eat together.

rancio[2] *a.* ⟨*ant,poet*⟩ (*color arancione*) orange.

rancio[3] *a./s.* ⟨*ant*⟩ → **rancido.**

rancio[4] *m.* ⟨*Zool,region*⟩ (*granchio*) crab.

ranco *a.* (*pl.* **-chi**) ⟨*non com,tosc*⟩ **1.** (*zoppo*) lame, limping, hobbling. – **2.** (*paralizzato*) paralysed: *avere le gambe ranche* to have paralysed legs.

rancore *m.* rancour, grudge, ill feeling, ill-will, enmity, hatred. □ *nutrire* (o *covare*) ~ *contro qd.* to nurse (*o* bear) a grudge against s.o.; *senza* ~*?* no hard feelings?; *serbare* ~ *a qd.* to bear s.o. a grudge.

rancura *f.* ⟨*ant*⟩ **1.** (*angoscia, rammarico*) anguish, grief. – **2.** (*rancore*) rancour, grudge, enmity. – **rancurarsi** *v.r.* ⟨*ant*⟩ (*angosciarsi*) to grieve (over s.th.).

randa *f.* **1.** ⟨*Mar*⟩ spanker, gaffsail, trysail. – **2.** ⟨*Fal*⟩ rudimentary compass. – **3.** ⟨*ant*⟩ (*margine*) brim, rim, edge, border. □ ⟨*ant*⟩ *a* ~ *a* ~ (*sull'orlo estremo*) on the (very) edge.

randagio *a.* **1.** stray: *gatto* ~ stray (*o* alley) cat. – **2.** ⟨*non com*⟩ (*vagabondo*) wandering, vagrant.

randeggiare *v.i.* (**randeggio, randeggi**; *aus.* **avere**) ⟨*Mar*⟩ to coast, to sail along the coast.

randellare *v.t.* (**randello**) ⟨*non com*⟩ to club, to cudgel. – **randellata** *f.* blow with a club (*o* cudgel). □ *prendere qd. a -e* to give s.o.

a cudgelling. – **randellẹtto, randellịno** *m. dim. di* **randello.** – **randẹllo** *m.* **1.** club, cudgel, truncheon. – **2.** ⟨*fig,non com*⟩ (*persona lunga e secca*) tall thin person, ⟨*fam*⟩ beanpole. – **3.** ⟨*ant*⟩ (*bastone corto*) packing-stick.

randonnée *fr.* [rãdo'ne] *f.* ⟨*Sport*⟩ long-distance race, distance trial.

ranẹtta *f.* ⟨*Agr*⟩ (*renetta*) rennet, ⟨*ant*⟩ queen-apple.

ranfạstidi *m.pl.* ⟨*Ornit*⟩ toucans *pl* (*Ramphastidae*).

rạnfia *f.* ⟨*pop*⟩ (*granfia*) claw, talon.

rạnfio *m.* ⟨*pop*⟩ (*raffio*) hook.

ranfotẹca *f.* ⟨*Zool*⟩ rhamphoteca, horny sheath (of a bill).

ranghinatọre *m.* ⟨*Agr*⟩ (side-delivery) hay rake.

rangịfero *m.* ⟨*lett*⟩ (*renna*) reindeer.

rạngo *m.* (*pl.* **-ghi**) **1.** (*ceto sociale*) class, standing, rank, position, status: *d'alto* ~ of high rank (*o* standing). – **2.** (*grado*) grade, rank. – **3.** (*numero*) rank. – **4.** ⟨*Mil*⟩ (*riga*) rank, line, file. – **5.** ⟨*Lav. femm*⟩ row. ☐ *di* ~ (*d'alto rango*) of high rank (*o* standing); ⟨*fig*⟩ (*importante*) of the first rank, of the highest order; *restare nei ranghi*: 1. ⟨*Mil*⟩ to keep rank, to stay in the ranks; 2. ⟨*fig*⟩ (*rimanere al proprio posto*) to stay in line; *rientrare nei ranghi*: 1. ⟨*Mil*⟩ to fall in (line) again; 2. ⟨*fig*⟩ (*rinunciare a una carica*) to go back to a more lowly job, to return to the ranks; ⟨*Mil,fig*⟩ *serrare i ranghi* to close ranks; *essere nel* ~ *dei sonatori* to be a musician.

rạngola *f.* ⟨*ant*⟩ **1.** (*affanno*) breathlessness, panting. – **2.** ⟨*fig*⟩ (*preoccupazione*) worry, anxiety.

Rangụn *N.pr.m.* ⟨*Geog*⟩ Rangoon.

rangutạn(o) *m.* ⟨*pop*⟩ orang(o)tan, orang-outan(g), orang-utan.

rạnidi *m.pl.* ⟨*Zool*⟩ frogs *pl*, ranids *pl* (*Ranidae*).

Ranịeri, Ranịero *N.pr.m.* Ranier.

ranịsta *m./f.* ⟨*Sport*⟩ breast-stroke swimmer.

rannaịọla *f.* ⟨*non com*⟩ (*colatoio per il ranno*) lye strainer.

rannạta *f.* ⟨*non com*⟩ **1.** (*lavatura nel ranno*) washing with lye. – **2.** (*ranno dopo la lavatura*) lye dregs *pl.*

rannerạre *v.i.* (**rannẹro**; *aus.* **essere**), **rannerarsi** *v.r.* ⟨*non com*⟩ (*diventare nero*) to grow black; (*annuvolarsi*) to cloud over; (*oscurarsi*) to become dark (*o* lowering).

rannerịre *v.* (**rannerịsco, rannerịsci**) **I** *v.t.* ⟨*non com*⟩ (*annerire*) to blacken, to darken. – **II** *v.i.* (*aus.* **essere**), **rannerirsi** *v.r.* → **rannerare.**

rannicchiạre *v.t.* (**rannịcchio, rannịcchi**) to huddle, to squash. – **rannicchiarsi** *v.r.* to crouch, to squat, to huddle. ☐ ⟨*fig*⟩ *rannicchiarsi nel proprio guscio* to withdraw into one's shell.

rannidạre *v.t.* ⟨*non com*⟩ (*annidare*) **1.** to put in a nest. – **2.** ⟨*fig*⟩ to harbour, to cherish. – **rannidarsi** *v.r.* **1.** (*fare il nido*) to (build one's) nest. – **2.** ⟨*fig*⟩ (*nascondersi*) to hide (o.s.), to lie concealed, to lurk. – **rannidiạre** *v.* (**rannịdio, rannịdi**) ⟨*pop*⟩ → **rannidare.**

rạnno *m.* lye, buck. ☐ ⟨*fig*⟩ ⌜*buttare via*⌝ (o *perdere*) *il* ~ *e il sapone* to go to a lot of trouble for nothing, to waste one's time (and efforts); ~ *vergine* lye (made with water that is not boiling).

rannobilịre *v.t.* (**rannobilịsco, rannobilịsci**) ⟨*non com*⟩ **1.** (*abbellire*) to lend dignity to, to adorn. – **2.** ⟨*fig*⟩ (*rendere nobile*) to ennoble, to elevate.

rannodamẹnto *m.* ⟨*non com*⟩ **1.** (*atto*) knotting, tying; (*effetto*) knot, tie. – **2.** ⟨*fig*⟩ resuming, renewing, picking up. – **rannodạre** *v.t.* (**rannọdo**) **1.** (*annodare*) to knot (together), to tie in a knot, to tie (together); (*fare un nodo a qualcosa*) to tie a knot in. – **2.** (*riannodare*) to reknot (together), to retie in a knot, to retie (together). – **3.** ⟨*fig*⟩ (*riallacciare*) to resume, to renew, to pick up.

rannọso *a.* ⟨*non com*⟩ **1.** lye-, with lye. – **2.** (*simile al ranno*) like lye.

rannuvolamẹnto *m.* **1.** clouding over. – **2.** ⟨*fig*⟩ darkening.

rannuvolạre *v.t.* (**rannụvolo**) **1.** (*coprire di nuvole*) to cloud over, to make cloudy (*o* overcast). – **2.** ⟨*fig*⟩ (*annebbiare*) to cloud, to dim. – **rannuvolarsi** *v.r.* **1.** to cloud over, to become (*o* get) cloudy, to grow overcast: *il cielo s'è rannuvolato improvvisamente* the sky suddenly clouded over. – **2.** ⟨*fig*⟩ (*oscurarsi in volto*) to darken: *si rannuvolò alla notizia* his face darkened when he heard the news.

rannuvolạta *f.* ⟨*non com*⟩ (sudden) clouding over. – **rannuvolạto** (*p.p. di rannuvolare*) *a.* **1.** cloudy, overcast, clouded over: *cielo* ~ cloudy (*o* overcast) sky. – **2.** ⟨*fig*⟩ (*scuro*: *rif. al volto*) dark, gloomy, sad, troubled.

ranọcchia *f.* → **ranocchio.**

ranocchiạia *f.* **1.** ⟨*non com*⟩ froggery, frog-infested place. – **2.** ⟨*estens, non com*⟩ (*luogo pantanoso*) swamp, marsh. – **3.** ⟨*Ornit*⟩ (*airone rosso*) purple heron (*Ardea purpurea*).

ranocchiẹsco *a.* (*pl.* **-chi**) ⟨*spreg*⟩ (*da ranocchio*) froggy, frog-like, froggish, frog-. – **ranocchiẹtto, ranocchịno** (*dim. di ranocchio*) *m.* **1.** froglet, frogling. – **2.** ⟨*fig,scherz*⟩ (*rif. a bambini*) little boy (*f* girl), ⟨*fam*⟩ kid.

ranọcchio *m.* **1.** frog. – **2.** ⟨*Zool*⟩ edible frog (*Rana esculenta*; *Rana viridis*). – **3.** ⟨*fig*⟩ (*persona bassa e malformata*) stunted (*o* misshapen) person. – **4.** ⟨*fig,scherz*⟩ (*rif. a bambini*) little boy (*f* girl), ⟨*fam*⟩ kid.

rantolạnte (*p.pr. di rantolare*) *a.* gasping, wheezing. – **rantolạre** *v.i.* (**rạntolo**; *aus.* **avere**) **1.** to gasp, to wheeze. – **2.** (*agonizzare*) to have the death-rattle. – **rantolịo** *m.* gasping, wheezing. – **rạntolo** *m.* **1.** death-rattle, gasp, wheeze: *il* ~ *dell'agonia* the death -rattle, the last gasp. – **2.** ⟨*Med*⟩ rale; (*ronco*) rhoncus. ☐ ⟨*Med*⟩ ~ *secco* dry rale; ~ *umido* moist rale. – **rantolọso** *a.* ⟨*non com*⟩ gasping, wheezy, wheezing: *voce -a* wheezy voice; (*roco*) hoarse.

rạnula *f.* ⟨*Med,Veter*⟩ ranula, hypoglottis, hydroglossa.

ranuncolạcee *f.pl.* ⟨*Bot*⟩ buttercup (*o* crowfoot) family (*Ranunculaceae*). – **ranụncolo** *m.* buttercup, crowfoot (*Ranunculus*). ☐ ~ *dei campi* corn buttercup (*o* crowfoot) (*Ranunculus arvensis*); ~ *rampante* creeping buttercup (*o* crowfoot) (*Ranunculus repens*); ~ *selvatico* bulbous buttercup (*o* crowfoot) (*Ranunculus bulbosus*).

rạpa *f.* **1.** ⟨*Bot*⟩ turnip. – **2.** ⟨*fig*⟩ (*persona stupida*) blockhead, turnip, ⟨*fam*⟩ fat-head. – **3.** ⟨*fig,scherz*⟩ (*testa rasata o calva*) bald head, ⟨*fam*⟩ onion, ⟨*fam*⟩ billiard-ball.
☐ **broccoli** (o *cime*) *di* ~ turnip-tops; ⟨*pop*⟩ **far** *la* ~ *a qd.* (*raparlo*) to crop s.o.'s hair, to shave s.o. (*o* s.o.'s head); ~ *da* **foraggio**: 1. swede(-turnip); 2. mangel(-wurzel), mangold; ⟨*fig*⟩ **rimanere** *come una* ~ (*come uno sciocco*) to stand there like a fool; ~ **rossa** common (*o* red, garden) beet (*Beta vulgaris rapacea rubra*); ⟨*fig*⟩ *voler cavare* **sangue** *da una* ~ to try and get blood out of a stone; ~ **selvatica** → **ravizzone**; ~ *da* **seme** beet grown for seed; ⟨*pop*⟩ **valere** *una* ~ to be worthless.

rapacchiọtto *m.* ⟨*tosc*⟩ (*bamboccione*) big chubby baby.

rapaccịni *m.pl.* ⟨*Bot*⟩ (*senape selvatica*) charlock, field mustard (*Brassica arvensis*).

rapacciọne *m.* → **ravizzone.**

rapạce I *a.* **1.** predatory, rapacious; (*rif. a uccelli*) of prey. – **2.** ⟨*fig*⟩ (*avido*) rapacious, grasping, greedy. – **3.** ⟨*Arald*⟩ raping. – **II** *s.m.* (*uccello predatore*) bird of prey, raptor. ☐ ~ *diurno* diurnal bird of prey; ~ *notturno* nocturnal bird of prey. – **rapacemẹnte** *avv.* predatorily, rapaciously, greedily. – **rapacità** *f.* **1.** rapacity, rapaciousness, predatoriness. – **2.** ⟨*fig*⟩ rapacity, rapaciousness, graspingness; (*avidità*) greed(iness).

rapạio *m.* ⟨*Agr*⟩ turnip-field, turnip-patch.

rapaiọla *f.* ⟨*Entom*⟩ cabbage butterfly, small white butterfly (*Pieris rapae*).

rapakịvi *f.* ⟨*Min*⟩ rapakivi.

rapanẹllo *m.* → **ravanello.**

rapạre[1] *v.t.* (*rif. alla testa*) to crop, to shave (a head). – **raparsi** *v.r.* (*farsi rapare*) to have one's hair cropped, to have one's head shaved.

rapạre[2] *v.t.* ⟨*ant*⟩ (*ridurre il tabacco in polvere*) to grate.

rapastrẹlla *f.*, **rapastrẹllo** *m.* ⟨*Bot*⟩ **1.** (*rafanistro*) jointed charlock, wild radish (*Raphanus raphanistrum*). – **2.** (*baccherone*) sea-rocket (*Cakile maritima*).

rapạta *f.* **1.** cropping (of hair), shaving (of the head). – **2.** ⟨*non com*⟩ (*colpo di rapa*) blow with a turnip. – **rapạto** (*p.p. di rapare*[1]) *a.* shaved, shaven, ⟨*scherz*⟩ shorn. – **rapatụra** *f.* **1.** (*atto*) cropping, shaving. – **2.** (*effetto*) cropped (*o* shaved) head.

rapazzọla *f.* ⟨*region*⟩ **1.** (*giaciglio*) pallet; (*lettuccio misero*) poor bed. – **2.** ⟨*estens*⟩ (*letto improvvisato*) shakedown, pallet.

rapé *m.* → **râpé.** – **râpé** *fr.* [ra:'pe] *m.* (*anche tabacco râpé*) rappee, coarse snuff.

raperẹlla *f.* **1.** (*tassello di pietra*) stone plug. – **2.** (*guarnizione di metallo*) washer.

raperịno *m.* ⟨*Ornit*⟩ (*verzellino*) serin (*Serinus canarius*).

raperọnzolo *m.* ⟨*Bot*⟩ rampion (*Campanula rapunculus*).

raperụgiolo *m.* → **raperino.**

rạpico: ⟨*Chim*⟩ *acido* ~ oleic acid.

rạpida *f.* rapids *pl*, rapid.

rapidamẹnte *avv.* quickly, fast, rapidly. – **rapidẹzza** *f.* ⟨*non com*⟩ → **rapidità.** – **rapidità** *f.* **1.** quickness, swiftness, rapidity, rapidness; (*velocità*) speed, velocity. – **2.** (*prontezza*) quickness, readiness, rapidity. – **3.** ⟨*Fot*⟩ sensitivity, speed.

rạpido I *a.* **1.** fast, quick, rapid, swift, speedy. – **2.** (*pronto*) quick, ready, rapid. – **3.** (*rif. a fiumi e sim.*) rapid, swift(-flowing). – **4.** (*che agisce rapidamente*) rapid, fast, quick-acting. – **5.** (*breve*) short, quick, brief: *una -a visita* a short visit. – **6.** ⟨*ant*⟩ (*rapace*) predatory, rapacious. – **II** *s.m.* ⟨*Ferr*⟩ (*anche treno rapido*) express (train). ☐ ~ *come il lampo* (o *fulmine*) as quick as lightning; *a presa -a* quick -setting.

rapimẹnto *m.* **1.** kidnapping, abduction, seizure. – **2.** (*estasi*) rapture, ecstasy, transport.

rapịna *f.* **1.** robbery, plunder, pillage. – **2.** ⟨*concr*⟩ (*bottino*) loot, booty, plunder, spoils *pl.* – **3.** ⟨*Dir*⟩ robbery with violence. – **4.** ⟨*poet*⟩ (*violenza*) force, violence; (*furia*) violence, fury. ☐ ~ *in banca* bank robbery; *di* ~ of prey, predatory, rapacious: *uccelli di* ~ birds of prey; ⟨*Dir*⟩ ~ *a mano armata* armed robbery, hold-up.

rapinạre *v.t.* **1.** to rob, to plunder: *l'hanno rapinata di tutti i gioielli* they robbed her of all her jewels; (*svaligiare*) to ransack, to make a clean sweep of. – **2.** ⟨*estens*⟩ (*appropriarsi illecitamente*) to embezzle. – **3.** ⟨*lett*⟩ (*trascinare*) to carry (*o* sweep) away. – **rapinatọre** *m.* (*f.* **-trice**) robber, plunderer.

rapịnico: ⟨*Chim*⟩ *acido* ~ oleic acid.

rapinọso *a.* ⟨*lett*⟩ (*violento*) violent, turbulent: *fiume* ~ turbulent (*o* swift-flowing) river.

rapịre *v.t.* (**rapịsco, rapịsci**) **1.** to rob, to steal, to plunder; (*strappare*) to snatch, to seize: *il lupo ha rapito due agnelli* the wolf snatched two lambs. – **2.** (*rif. a persone*) to kidnap, to abduct, to carry off: *un bambino è stato rapito dagli zingari* a baby was kidnapped by the gypsies. – **3.** ⟨*fig*⟩ (*avvincere*) to enchant, to charm; (*estasiare*) to enrapture, to entrance, to send into ecstasy, to (en)ravish. – **4.** ⟨*lett*⟩ (*trascinare*) to carry away, to bear off. ☐ *essere rapito dalla morte* to be ⌜carried off⌝ (*o* snatched away) by death; *è una musica che rapisce* it is enchanting music.

rapịto (*p.p. di rapire*) *a.* **1.** robbed, stolen; (*rif. a persone*) kidnapped, abducted. – **2.** ⟨*fig*⟩ (*avvinto*) enchanted, charmed; (*estasiato*) enraptured, entranced, in ecstasy. – **rapitọre I** *s.m.* (*f.* **-trice**)

kidnapper, abductor. – II *a.* ⟨*lett*⟩ (*che compie rapine*) robbing, robber-, plundering.
rạpo *m.* ⟨*region*⟩ (*rapa*) turnip.
rapọnzolo *m.* → **raperonzolo.**
rạppa[1] *f.* ⟨*Bot,non com*⟩ **1.** (*cima*) cyme, inflorescence. – **2.** (*cima di finocchio*) tuft (*o* stalk) of fennel.
rạppa[2] *f.* ⟨*ant*⟩ (*ruga*) wrinkle.
rappaciạre *v.t.* (**rappạcio, rappạci**) **1.** to reconcile: ~ *due litiganti* to reconcile two quarrellers. – **2.** (*calmare*) to calm, to appease, to pacify. – **rappaciarsi** *v.r.* ⟨*recipr*⟩ to become reconciled, ⟨*fam*⟩ to make (it) up.
rappacificamẹnto *m.* ⟨*non com*⟩ → **rappacificazione.** – **rappacificạre** *v.t.* (**rappacịfico, rappacịfichi**) **1.** to reconcile, to make peace between. – **2.** (*calmare*) to calm, to appease, to pacify. – **rappacificarsi** *v.r.* to become reconciled, ⟨*fam*⟩ to make (it) up. – **rappacificaziọne** *f.* reconciliation.
rappallottolạre *v.t.* (**rappallọttolo**) ⟨*non com*⟩ to make into pellets. – **rappallottolarsi** *v.r.* to take the shape of pellets.
rappattumạre *v.t.* (*riconciliare provvisoriamente*) to reconcile (temporarily), to make (a temporary) peace between. – **rappattumarsi** *v.r.* to become reconciled, ⟨*fam*⟩ to make (it) up.
rappellạre *v.t.* (**rappẹllo**) ⟨*ant,lett*⟩ (*richiamare*) to recall.
rappezzamẹnto *m.* (*atto*) patching, mending; (*effetto*) patch, mend. – **rappezzạre** *v.t.* (**rappẹzzo**) **1.** to patch, to put a patch on, to mend: ~ *una giacca vecchia* to patch (*o* put a patch on) an old jacket. – **2.** ⟨*fig*⟩ (*comporre alla meglio*) to throw (*o* put) together, to botch. – **rappezzạto** (*p.p. di rappezzare*) *a.* **1.** patched. – **2.** (*rif. a persone*) with (*o* wearing) patched clothes. – **rappezzatọre** *m.* (*f.* **-trice**) **1.** patcher. – **2.** ⟨*fig*⟩ botcher. – **rappezzatụra** *f.* **1.** (*il rappezzare*) patching (up); (*parte rappezzata*) patch. – **2.** ⟨*spreg*⟩ (*cosa rappezzata*) botch, patchwork, something thrown together: *quest'opera è una* ~ this work has just been thrown together, this is a mere patchwork.
rappẹzzo *m.* **1.** (*atto*) patching (up). – **2.** (*effetto*) patch: *fare un* ~ *a un indumento* to patch (*o* put a patch on) a garment; (*parte rappezzata*) patch, mend. – **3.** ⟨*fig,rar*⟩ (*rimedio insufficiente*) makeshift, expedient. – **4.** ⟨*Tip*⟩ extra (*o* reserve) sorts *pl.*
rappiccạre *v.t.* (**rappịcco, rappịcchi**) ⟨*non com*⟩ **1.** (*attaccare di nuovo*) to reattach, to attach again. – **2.** ⟨*fig*⟩ to resume, to pick up, to begin again: ~ *il discorso* to resume the conversation.
rappiccicạre *v.t.* (**rappịccico, rappịccichi**) ⟨*non com*⟩ to stick, to glue.
rappiccicottạre *v.t.* (**rappiccicọtto**) ⟨*tosc*⟩ to make a messy job of, to botch up.
rappiccinịre *v.* (**rappiccinịsco, rappiccinịsci**) → **rappicc(i)olire.** – **rappicc(i)olịre** *v.t.* (**rappicc(i)olịsco, rappicc(i)olịsci**) ⟨*non com*⟩ to make smaller.
rappigliạre *v.t.* (**rappịglio, rappịgli**) ⟨*non com*⟩ (*coagulare*) to coagulate, to congeal. – **rappigliarsi** *v.r.* to coagulate, to congeal.
rappisolạrsi *v.r.* (**mi rappịsolo**) ⟨*non com*⟩ to nod (off), to doze off.
rapportạre *v.t.* (**rappọrto**) **1.** (*confrontare*) to compare: ~ *tra loro le produzioni di due paesi* to compare the production of two countries. – **2.** (*riprodurre*) to reproduce (on a different scale). – **3.** ⟨*tecn*⟩ (*collegare*) to connect, to link: ~ *due assi* to connect two axles. – **4.** (*riferire*) to report, to tell, to relate; (*riferire indiscretamente*) to divulge, to reveal, to blab: *quella donna gli ha rapportato tutto* that woman blabbed everything to him. – **rapportarsi** *v.r.* ⟨*tosc*⟩ (*riferirsi*) to refer, to make reference.
rapportatọre *m.* (*f.* **-trice**) **1.** ⟨*Geom*⟩ protractor. – **2.** ⟨*non com*⟩ (*chi riferisce*) tale-bearer, gossip; (*delatore*) informer, spy.
rappọrto *m.* **1.** report, account, statement: *stendere un* ~ to write up a report. – **2.** (*comunicazione*) information, news *pl*, report, advice. – **3.** (*legame, nesso*) connection, relation(ship), association, rapport: ~ *di casualità* relation of cause and effect; *non c'è alcun* ~ *fra le due cose* there's no connection between the two matters. – **4.** (*relazione*) relations *pl*, terms *pl*: *essere in buoni -i con qd.* to be on good terms with s.o., to have good relations with s.o. – **5.** *pl.* ⟨*Pol*⟩ relations *pl*: *-i internazionali* international relations. – **6.** (*rapporto sessuale*) (sexual) intercourse. – **7.** (*confronto*) comparison. – **8.** ⟨*Mat, Mecc*⟩ ratio. – **9.** ⟨*Mil*⟩ report. – **10.** ⟨*Tess*⟩ repeat. – **11.** ⟨*Lav.femm*⟩ appliqué.
□ ~ *d'***affari** business dealing (*o* relation); *essere in -i d'***amicizia** *con qd.* to be on friendly terms with s.o.; ⟨*Sport*⟩ ~ *dell'***arbitro** referee's (*o* umpire's) report; ⟨*Tess*⟩ ~ *d'***armatura** repeating of design, round of pattern; ⟨*El*⟩ ~ *d'***avvolgimento** ratio of the windings, winding (*o* turns) ratio; ⟨*Mil*⟩ **chiamare** *a* ~ to call for report, to summon; *-i* **commerciali** trade (*o* business) relations; ⟨*Mot*⟩ ~ *di* **compressione** compression ratio; ⟨*Mecc*⟩ ~ *di* **demoltiplicazione** reduction (*o* step-down) ratio; ~ *di* **dipendenza** subordinate relationship; *-i* **diplomatici** diplomatic relations; ~ *diplomatico* diplomatic report; **entrare** *in* ~ *con qd.* to enter into relations with s.o.; *-i* **epistolari** correspondence, contact by letter; **fare** ~ *di qc.* to report s.th.; ⟨*burocr*⟩ *fare* ~ *a qd.* to report (*o* make a report on) s.o.; ~ **giuridico** legal relationship; **in** ~ *a*: 1. (*in confronto*) in proportion to, compared with; 2. (*riguardo a*) with reference to, in relation to, regarding, as regards; ~ **informativo** report, information; ⟨*Mecc*⟩ ~ *d'***ingranaggi** gear ratio; *-i* **intimi** sexual relations; ⟨*Mat*⟩ ~ **inverso** inverse ratio; ~ **lavorativo** (*o di lavoro*) employer-employee relationship; **mettere** *in* ~ to connect (*o* link) up; ⟨*Mil*⟩ *mettersi a* ~ to demand a hearing; *mettersi in* ~ *con qd.* to contact (*o* get in touch with) s.o.; ⟨*Mot*⟩ ~ *di* **miscela** mixture ratio; ⟨*Mil*⟩ ~ **ordinario** regular (*o* daily) report; ⟨*Tess*⟩ ~ *di* **ordito** repeat of warp; ~ *di* **parentela** kinship, relationship; ⟨*non com*⟩ **per** ~ *a* = **in** *rapporto a*; ⟨*Mil*⟩ ~ **personale** personal report; ⟨*Mecc*⟩ ~ *di* **riduzione** = *rapporto di* **demoltiplicazione**; **rompere** *i -i* to ⌜break off⌝ (*o* sever) relations; ⟨*Mat*⟩ ~ **semplice** simple ratio; **senza** ~ incomparably, without compare, immeasurably; ~ *di* **somiglianza** resemblance, similarity; **sotto** *tutti i -i* in all respects, from all points of view; ~ *di* **subordinazione** = *rapporto di* **dipendenza**; ⟨*Tess*⟩ ~ *di* **trama** repeat of weave; ⟨*Mecc*⟩ ~ *di* **trasmissione** gear (*o* transmission) ratio; ~ *d'***ufficio** official report; *stabilire -i di buon* **vicinato** to get on good terms with neighbours.
rapprẹndere *v.t.* (**rapprẹsi, rapprẹso**) (*far coagulare*) to coagulate, to congeal; (*rif. al latte*) to curdle. – **rapprendersi** *v.r.* (*coagularsi*) to coagulate, to congeal; (*rif. al sangue*) to clot, to coagulate; (*rif. al latte*) to curdle; (*rif. a sostanze colloidali*) to gel.
rappresạglia *f.* **1.** retaliation, reprisal. – **2.** (*vendetta*) revenge, vengeance, vendetta.
rappreşentạbile *a.* representable, performable, that can be put on. – **rappreşentabilità** *f.* ⟨*non com*⟩ representability, suitability for (stage) performance.
rappreşentạnte *m./f.* **1.** representative, delegate, deputy. – **2.** ⟨*Dir*⟩ representative. – **3.** ⟨*fig*⟩ representative: *è un classico* ~ *del romanticismo* he is a classical representative of Romanticism. – **4.** ⟨*Comm*⟩ representative, agent, commercial traveller.
□ ~ **diplomatico** diplomatic representative (*o* delegate); ⟨*Comm*⟩ ~ **esclusivo** sole (*o* exclusive) agent; ⟨*Comm*⟩ ~ **estero** foreign agent; ~ *con potere* (*o procura*) *di* **firma** authorized representative; ~ *del* **governo** government representative; ⟨*Dir*⟩ ~ **legale**: 1. (*procuratore*) procurator, proxy, holder of a proxy (*o* power of attorney), legal representative, ⟨*am*⟩ attorney(-at-law); 2. (*in un processo*) solicitor, lawyer, ⟨*am*⟩ attorney(-at-law); ~ **locale** local agent (*o* representative), ⟨*fam*⟩ man-on-the-spot; ~ *della* **stampa** press representative.
rappreşentạnza *f.* **1.** (*il rappresentare*) representation. – **2.** (*delegazione*) delegation, deputation, representative body. – **3.** ⟨*Comm*⟩ agency: *ottenere la* ~ *di una ditta* to become the agency (*o* representative) of a company; (*ufficio*) agency, branch, office.
□ ~ *di* **banca** bank branch office; ~ **diplomatica** diplomatic mission; ~ **esclusiva** sole (*o* exclusive) agency; ~ *all'***estero** foreign branch (*o* office); ~ **generale** general agency; **in** ~ *di* representing, as the representative of; **spese** *di* ~ entertainment expenses.
rappreşentạre *v.t.* (**rappreşẹnto**) **1.** (*raffigurare*) to depict, to portray, to represent, to picture: *il quadro rappresenta una scena di caccia* the painting depicts a hunting scene; (*descrivere*) to describe, to portray, to represent: *nel romanzo è rappresentata la Roma del dopoguerra* the novel describes post-war Rome. – **2.** (*simboleggiare*) to symbolize, to be a symbol of, to stand for, to represent: *il leone rappresenta la violenza* the lion is a symbol of violence. – **3.** (*fare le veci*) to represent, to act for, to be (*o* act as) an agent for: ~ *qd. nella conclusione di un contratto* to act for s.o. in drawing up a contract. – **4.** (*costituire*) to be, to represent, to mean: *il suo rifiuto rappresenta per lui la sconfitta completa* her refusal represents total defeat for him. – **5.** ⟨*Teat*⟩ (*portare in scena*) to (produce on) stage, to play, to give, ⟨*fam*⟩ to put on; (*sostenere una parte*) to play, to act, to perform, to represent: *chi rappresenterà la parte di Iago?* who will play the part of Iago? – **6.** ⟨*Cin*⟩ to show, to play, to be on: *al cinema Ritz rappresentano «Via col vento»* "Gone with the Wind" is on at the Ritz. – **7.** ⟨*non com*⟩ (*far presente*) to represent, to emphasize, to point out. – **8.** ⟨*ant*⟩ (*mostrare*) to show, to display.
rappreşentatịva *f.* **1.** ⟨*Sport*⟩ selected team: *la* ~ *inglese di atletica leggera* the English selected team in track and field. – **2.** (*delegazione*) delegation.
rappreşentatività *f.* representativeness. – **rappreşentatịvo** *a.* **1.** representative. – **2.** (*che simboleggia*) representative, symbolical, typical: *un personaggio* ~ *della nostra epoca* a personality symbolical of our times. – **3.** ⟨*Sport*⟩ selected: *squadra -a* selected team. – **4.** ⟨*Pol*⟩ representative: *sistema* ~ representative system. – **rappreşentatọre** *m.* (*f.* **-trice**) **1.** representer. – **2.** ⟨*fig*⟩ (*descrittore*) describer, portrayer, painter. – **3.** ⟨*Teat*⟩ actor (*f* -tress).
rappreşentaziọne *f.* **1.** (*raffigurazione*) portrayal, depiction, representation: *la* ~ *di una scena di battaglia* the portrayal of a battle scene; ⟨*concr*⟩ portrayal, picture; (*descrizione*) description, portrayal, representation. – **2.** ⟨*Teat,Cin*⟩ performance, show. – **3.** ⟨*Filos,Mat*⟩ representation. – **4.** ⟨*Psic*⟩ image. – **5.** ⟨*Dir*⟩ representation.
□ ⟨*Psic*⟩ ~ **delirante** delusion; ⟨*Teat,Cin*⟩ ~ **diurna** matinée; ⟨*Teat,Cin*⟩ ~ *di* **gala** gala performance; ~ **geometrica** geometric representation; ~ **grafica** graphic representation; ~ **mentale** (mental) image; ⟨*Teat,Cin*⟩ **prima** ~ première, first-night, opening night; ⟨*Cin*⟩ *prima* ~ *assoluta* world première; ⟨*Lett*⟩ **sacra** ~: 1. mystery (*o* miracle) play; 2. (*dramma della passione di Cristo*) passion play; ~ **serale** evening performance; ⟨*Topogr*⟩ ~ *del* **terreno** contour representation; ⟨*Teat,Cin*⟩ **ultima** ~ last performance.
rapprẹso (*p.p. di rapprendere*) *a.* clotted, coagulated: *sangue* ~ clotted blood.
rapprossimạre *v.t.* (**rapprọssimo**) ⟨*non com*⟩ (*approssimare*) to approach.
rapsodịa *f.* **1.** ⟨*Stor.gr*⟩ (*arte*) recitation of epic poetry, rhapsody. – **2.** ⟨*estens*⟩ (*componimento epico*) rhapsody. – **3.** (*raccolta di opere*) medley, miscellany. – **4.** ⟨*Mus*⟩ rhapsody. – **rapsọdico** *a.* (*pl.* **-ci**) **1.** ⟨*Stor.gr,Lett,Mus*⟩ rhapsodic. – **2.** ⟨*fig*⟩ (*frammentario*) frag-

mentary, disconnected, disjointed. – **rapsodista** *m./f.* **1.** ⟨*Mus*⟩ composer of rhapsodies. – **2.** ⟨*non com,spreg*⟩ (*autore di poemi poco originali*) hack-poet, poetaster. – **rapsodo** *m.* **1.** ⟨*Stor.gr*⟩ rhapsodist, rhapsode. – **2.** ⟨*lett*⟩ (*cantastorie*) ballad singer.

raptatorio *a.* ⟨*Zool*⟩ raptorial.

raptus *lat. m.* raptus.

rapunzia *f.* ⟨*Bot*⟩ (*enagra*) evening primrose (*Oenothera biennis*).

rara avis *lat. f.* ⟨*scherz*⟩ rare bird, rarity, rara avis.

raramente *avv.* seldom, rarely, not very often.

rarefabile *a.* ⟨*rar*⟩ → **rarefattibile.** – **rarefacente** (*p.pr. di rarefare*) *a.* rarefying, rarefactive. – **rarefacimento** *m.* ⟨*rar*⟩ → **rarefazione.** – **rarefare** *v.t.* (**rarefaccio, rarefai; rarefeci, rarefatto;** → **fare**) **1.** to rarefy, to make less dense. – **2.** (*diradare*) to become scarse (*o* rare). – **rarefarsi** *v.r.* **1.** to rarefy, to become rarefied (*o* less dense): *la nebbia si è rarefatta* the fog became less dense. – **2.** ⟨*estens,non com*⟩ (*diradarsi*: *rif. a visite*) to become less frequent; (*rif. a traffico*) to thin out. – **rarefattibile** *a.* rarefiable. – **rarefattivo** *a.* rarefactive. – **rarefatto** (*p.p. di rarefare*) *a.* **1.** rarefied: *gas* ~ rarefied gas. – **2.** ⟨*fig,lett*⟩ subtle, refined. – **rarefazione** *f.* **1.** rarefaction. – **2.** ⟨*estens*⟩ (*diradamento*) reduction, growing infrequency.

rarezza *f.* ⟨*non com*⟩ **1.** scarcity, sparseness, rarity. – **2.** ⟨*rar*⟩ (*singolarità*) rareness, rarity.

rarificare *v.t.* (**rarifico, rarifichi**) ⟨*non com*⟩ → **rarefare.**

rarità *f.* **1.** rareness, infrequency. – **2.** ⟨*concr*⟩ (*cosa rara*) rarity, curiosity. – **3.** (*scarsezza*) scarsity, shortage. – **4.** ⟨*non com*⟩ (*radezza*) sparseness, thinness. ☐ *con molta* ~ very seldom (*o* rarely).

raro I *a.* **1.** rare, infrequent, unusual, uncommon: *è* ~ *che lo si veda* it's unusual to see him, one rarely sees him. – **2.** ⟨*estens*⟩ (*straordinario*) rare, exceptional: *un* ~ *esempio di virtù* a rare example of virtue; (*eccellente*) excellent, distinctive, rare. – **3.** ⟨*non com*⟩ (*rado*) thin, sparse, thinly scattered, rare. – **II** *s.m.* **1.** rarity. – **2.** ⟨*ant*⟩ (*radezza*) sparseness, thinness. – **III** *avv.* ⟨*ant*⟩ (*raramente*) seldom, rarely, not very often, infrequently. ☐ ⟨*ant*⟩ *di* ~ (*raramente*) seldom, rarely; ⟨*fam*⟩ ~ *come una mosca bianca* very rare; *-e volte* seldom, rarely.

ras *m.* **1.** ras. – **2.** ⟨*fig,spreg*⟩ petty despot.

rasamento *m.* **1.** ⟨*non com*⟩ (*atto*) shaving; (*effetto*) shave. – **2.** ⟨*Edil*⟩ shim adjustment to a given clearance; (*piano di mattoni*) row of bricks.

rasare *v.t.* **1.** (*radere*) to shave. – **2.** (*rif. a erba e sim.*: *tagliare*) to cut, to trim; (*potare*) to clip: ~ *una siepe* to clip a hedge. – **3.** (*rendere liscio*) to smooth. – **4.** (*livellare*) to level (off). – **rasarsi** *v.r.* to shave (o.s.).

rasatello *m.* ⟨*Tess*⟩ sateen.

rasato (*p.p. di rasare*) **I** *a.* **1.** shaved: *mal* ~ badly shaved. – **2.** (*liscio*) smooth. – **3.** (*livellato*) levelled (off), level. – **4.** ⟨*Tess*⟩ satiny, satin-, satin-like. – **II** *s.m.* ⟨*Tess*⟩ sateen.

rasatore *m.* (*f.* **-trice**) **1.** shaver. – **2.** ⟨*Tess*⟩ shearer. – **3.** ⟨*Conc*⟩ unhairer. – **rasatrice** *f.* ⟨*Tess*⟩ shearing-machine. – **rasatura** *f.* **1.** (*atto*) shaving; (*effetto*) shave. – **2.** (*rif. a erba e sim.*: *taglio*) cutting, trimming. – **3.** ⟨*concr*⟩ (*ciò che si asporta rasando*) shavings *pl*, clippings *pl.* – **4.** ⟨*Edil*⟩ floating, trowelling, smoothing. – **5.** ⟨*Conc*⟩ unhairing, depilation. – **6.** ⟨*Tess*⟩ shearing.

rasbora *f.* ⟨*Itt*⟩ harlequin fish, (red) rasbora (*Rasbora heteromorpha*).

raschiabile *a.* that can be scraped.

raschiamento *m.* **1.** scraping, rasping. – **2.** (*cancellazione*) erasing, scratching out. – **3.** ⟨*Med*⟩ curettage, curetting, scraping: ~ *dell'osso* bone scraping; ~ *dell'utero* scraping of the uterus.

raschiaolio *m.inv.* ⟨*Mot*⟩ (*anche anello raschiaolio*) scraper (*o* wiper) ring, oil control ring.

raschiare *v.t.* (**raschio, raschi**) **1.** to scrape, to rasp: ~ *un muro con il coltello* to scrape a wall with a knife; (*asportare raschiando*) to scrape off, to remove: ~ *la ruggine dal ferro* to remove rust from iron. – **2.** (*cancellare*) to erase, to scratch out. – **3.** ⟨*assol*⟩ (*far rumore con la gola*) to clear one's throat, to hawk. – **4.** ⟨*Conc*⟩ to scrape, to scud. – **5.** ⟨*Med*⟩ to curette, to scrape.

raschiata *f.* scraping, scrape. ☐ *dare una* ~ *al muro* to scrape the wall. – **raschiatina** (*dim. di raschiata*) *f.* light scraping, quick scrape: *dare una* ~ *a qc.* to give s.th. a quick scrape. – **raschiatoio** *m.* → **raschietto.** – **raschiatore** *m.* (*f.* **-trice**) ⟨*non com*⟩ **1.** (*chi raschia*) scraper, rasper. – **2.** (*strumento per raschiare*) scraper, rasper. – **3.** (*ruspa*) scraper. – **raschiatubi** *m.inv.* ⟨*Mecc*⟩ tube -scraper.

raschiatura *f.* **1.** scraping, rasping. – **2.** ⟨*concr*⟩ (*segno*) scratch, scrape-mark, score. – **3.** ⟨*concr*⟩ (*ciò che si asporta raschiando*) scrapings *pl*, shavings *pl*: ~ *di ferro* iron shavings. – **4.** ⟨*Conc*⟩ scraping, scudding.

raschietta *f.* ⟨*Mar*⟩ scraper. – **raschiettare** *v.t.* (**raschietto**) to scrape. – **raschiettatura** *f.* scraping.

raschietto, raschino *m.* **1.** scraper (*anche Mecc.*). – **2.** (*arnese da scrivania*) erasing-knife. – **3.** (*per le scarpe*) (shoe-)scraper. – **4.** (*per le pipe*) pipe-scraper. – **5.** (*per metalli*) rabble. ☐ ⟨*Mecc*⟩ ~ *a cucchiaio* spoon-edged scraper, half-round scraper; ~ *piatto* flat scraper; ~ *triangolare* triangular scraper.

raschio[1] *m.* **1.** (*il raschiarsi la gola*) clearing one's throat. – **2.** (*irritazione*) throat irritation, sore throat. ☐ *mi è venuto un* ~ *alla gola* my throat is irritated.

raschio[2] *m.* **1.** (*il raschiare ripetutamente*) (continuous) scraping, rasping. – **2.** (*rumore*) scraping (*o* rasping) noise.

raschione *m.* ⟨*Met*⟩ rabble, skimmer.

rascia *f.* ⟨*ant*⟩ **1.** ⟨*Tess*⟩ (kind of) coarse twill. – **2.** *pl.* (*drappo per funerali*) funeral hangings *pl.*

rasciugamento *m.* ⟨*non com*⟩ drying up. – **rasciugare** *v.t.* (**rasciugo, rasciughi; *p.p.* rasciugato/rasciutto**) ⟨*non com*⟩ **1.** (*asciugare*) to dry. – **2.** (*prosciugare*) to dry up. – **rasciugarsi** *v.r.* to dry up. – **rasciugatura** *f.* ⟨*non com*⟩ **1.** drying. – **2.** (*prosciugamento*) drying up. – **rasciutto** (*p.p. di rasciugare*) *a.* **1.** dry, dried. – **2.** (*prosciugato*) dried up.

rasentare *v.t.* (**rasento**) **1.** (*sfiorare*: *passando accanto*) to graze, to shave, to brush past, to pass close to: *l'automobile rasentò il marciapiede* the car shaved the pavement; (*passando sopra*) to skim (over, along): ~ *la terra* to skim over the ground. – **2.** ⟨*fig*⟩ (*avvicinarsi*) to come very close to, to be within a hair's breadth of, to approach, to border on, to be on the brink of: ~ *la vittoria* to come very close to victory; *il tuo comportamento rasenta il ridicolo* your behaviour borders on the ridiculous. ☐ ⟨*scherz*⟩ ~ *la cinquantina* to be pushing fifty; ~ *il codice penale* to be just inside the law, to sail close to the wind, to risk jail; ~ *la riva* to hug the shore.

rasente *avv.* close to, very near, grazing: ~ *al muro* very near the wall; (*sopra a una superficie*) skimming. ☐ *il proiettile gli passò* ~ *al viso* the bullet nearly grazed his face; *volare* ~ *il mare* to skim (*o* fly low) over the sea.

rasi *p.rem. di* **radere.**

rasiccia *f.* (*pl.* **-ce**) ⟨*Agr,tosc*⟩ denshired (*o* burn-beaten) land. – **rasicciare** *v.t.* (**rasiccio, rasicci**) ⟨*tosc*⟩ to denshire, to burn-beat.

rasiera *f.* **1.** strickle. – **2.** ⟨*Fal*⟩ scraper. – **rasierare** *v.t.* (**rasiero**) to smooth, to scrape.

rasile *a.* ⟨*ant*⟩ (*che si può radere*) easily smoothed (*o* scraped).

raso[1] (*p.p. di radere*) *a.* **1.** (*rasato*: *rif. a capelli*) clipped, cropped, cut, ⟨*scherz*⟩ shorn; (*rif. a barba*) shaved. – **2.** (*liscio*) smooth: *tessuto* ~ smooth cloth. – **3.** (*spianato*) flat, level: *campagna -a* flat countryside; (*spoglio*) bare, barren, sparsely vegetated. – **4.** (*pieno fino all'orlo*: *rif. a liquidi*) full to the brim, brimful, level: *un bicchiere* ~ a glass full to the brim; (*rif. a solidi*) level: *un cucchiaio* ~ *di farina* a level spoonful of flour. – **5.** ⟨*poet*⟩ (*privo*) devoid, bare, deprived. ☐ ~ *terra* → **rasoterra.**

raso[2] *m.* ⟨*Tess*⟩ **1.** satin. – **2.** (*armatura*) satin-weave. ☐ *di* ~ satin-, made of satin.

raso[3] *m.* ⟨*Stor*⟩ (*unità di misura*) old measure of length (o.60 m.).

rasoiata *f.* razor-cut, razor-slash. – **rasoietto** *m. dim. di* **rasoio.**

rasoio *m.* razor: *affilare un* ~ to sharpen a razor.
☐ ⟨*fig*⟩ **attaccarsi** *ai rasoi* (*a tutti i pretesti*) to try anything, to seize upon any pretext; ~ **elettrico** electric razor; ⟨*fig*⟩ *trovarsi* (o *camminare*) *sul* **filo** *del* ~ to walk on the razor's edge, to skate on thin ice; ~ *a* **lama** straight (*o* cut-throat) razor; ~ *di* **sicurezza** safety-razor, automatic razor; *dare la* **striscia** (*di cuoio*) *a un* ~ to strop a razor; **tagliare** *come un* ~ to be razor-sharp, to cut like a razor (*anche fig.*).

rasone (*accr. di raso*[2]) *m.* ⟨*Tess*⟩ satin for linings.

rasoterra (o *raso terra*) *avv.* **1.** close to the ground, grazing (*o* skimming over) the ground. – **2.** ⟨*Artigl*⟩ sweeping the ground. – **3.** ⟨*Sport*⟩ ground-, low. – **4.** ⟨*fig*⟩ (*dappoco*) insignificant, mediocre, pedestrian.

raspa[1] *f.* **1.** ⟨*Mecc*⟩ rasp. – **2.** ⟨*Sport*⟩ (*nello sci*) braking with ski-poles. – **3.** ⟨*region*⟩ → **raspio**[1]. ☐ ~ *conica* blunt-nose rasp, ⟨*am*⟩ rocket rasp; ~ *da ebanista* cabinet rasp; ~ *da legno* wood rasp; ~ *da maniscalco* horse rasp.

raspa[2] *f.* raspa.

raspa[3] *f.* ⟨*Stor*⟩ (*anche libro di raspa*) records *pl* of a trial, case protocol.

raspamento *m.* rasping, scraping.

raspare I *v.t.* **1.** to rasp, to scrape. – **2.** (*irritare*) to irritate, to rasp, to burn: *il cibo piccante raspa la gola* spicy food irritates the throat. – **3.** (*rif. ad animali*: *grattare con le unghie*) to scratch; (*con le zampe anteriori*) to paw. – **4.** ⟨*pop*⟩ (*rubare*) to steal, ⟨*fam*⟩ to pinch. – **5.** ⟨*pop*⟩ (*combinare*) to do, to get (*o* be) up to. – **6.** ⟨*ant*⟩ (*riscuotere tributi*) to collect. – **II** *v.i.* (*aus.* **avere**) **1.** to scratch, to be scratchy, to rasp: *questo pettine raspa troppo* this comb scratches too much. – **2.** (*rif. ad animali*: *grattare con le unghie*) to scratch; (*con le zampe anteriori*) to paw. – **3.** ⟨*spreg*⟩ (*frugare, armeggiare*) to rummage, to poke around (*in, tra* in).

rasparella *f.* ⟨*Bot*⟩ (*coda cavallina*) field horsetail, toad pipe, colt's tail, scouring rush (*Equisetum arvense*).

raspaticcio *m.* ⟨*non com*⟩ (*lavoro mal fatto*) bungle, botch.

raspatoio *m.* ⟨*Agr*⟩ harrow.

raspatura *f.* **1.** (*atto*) rasping, scraping; (*effetto*) rasp, scrape. – **2.** ⟨*concr*⟩ (*ciò che si asporta raspando*) scrapings *pl*, raspings *pl.* ☐ ⟨*fig*⟩ ~ *di gallina* scrawl, hen's tracks *pl*, ⟨*am*⟩ chicken scratch.

rasperella *f.* → **rasparella.**

raspetta (*dim. di raspa*[1]) *f.* ⟨*Minier*⟩ scraper. – **raspino** (*dim. di raspa*[1]) *m.* riffler file.

raspio[1] *m.* ⟨*Stor,region*⟩ (*agente delle imposte*) tax-collector.

raspio[2] *m.* **1.** (*il raspare continuo*) rasping, scratching. – **2.** (*rif. ad animali*: *grattare con le unghie*) scratching; (*con le zampe anteriori*) pawing.

raspo[1] *m.* **1.** grape-stalk. – **2.** ⟨*non com*⟩ (*grappolo*) bunch, cluster. – **3.** ⟨*region*⟩ (*tigna*) tinea, ringworm.

raspo[2] *m.* → **raspio**[1].

raspollamento *m.* ⟨*Agr*⟩ grape-gleaning. – **raspollare** *v.t.* (**raspollo**) to glean (grapes from). – **raspollatura** *f.* **1.** (*il raspollare*)

gleaning grapes. – **2.** (*raspolli colti*) gleanings *pl.* – **raspollo** *m.* small bunch of grapes.
rasposo *n.* ⟨*non com*⟩ (*ruvido*) scratchy, raspy, rough.
rassecurare *v.* ⟨*ant*⟩ → **rassicurare.**
rassegamento *m.* ⟨*tosc*⟩ thickening, setting, coagulation, solidification. – **rassegare** *v.i.* (**rassego, rasseghi**; *aus.* **essere**), **rassegarsi** *v.r.* ⟨*tosc*⟩ to thicken, to set, to coagulate, to solidify.
rassegna *f.* **1.** ⟨*Mil*⟩ (*rivista*) review, inspection, muster: ~ *delle truppe* inspection of the troops. – **2.** (*esame minuzioso*) survey, inspection, examination. – **3.** (*resoconto*) review, summary, survey: ~ *della stampa* press survey; (*rapporto*) report, survey. – **4.** (*mostra, esposizione*) fair, exhibition, show, ⟨*am*⟩ exposition. – **5.** (*enumerazione*) list. – **6.** (*visita di leva*) (recruits') medical examination: *andare sotto* ~ to undergo a medical examination. – **7.** ⟨*giorn*⟩ digest, review, journal, periodical, magazine: ~ *letteraria* literary review. □ *fare la* ~ *di* to review; ~ *del mercato* market report; ~ *della moda* (*sfilata*) fashion show; *passare in* ~: 1. ⟨*Mil*⟩ to review, to inspect, to muster; 2. ⟨*fig*⟩ (*esaminare*) to survey, to review, to examine; 3. ⟨*fig*⟩ (*enumerare*) to list; 4. ⟨*fig,scherz*⟩ (*guardare*) to look over, to inspect.
rassegnamento *m.* ⟨*rar*⟩ → **rassegnazione.**
rassegnare *v.t.* (**rassegno**) **1.** ⟨*burocr*⟩ to resign, to hand (*o* send) in, to give: ~ *un mandato* to resign a commission, to hand back one's mandate. – **2.** ⟨*Mil.ant*⟩ (*passare in rassegna*) to review, to inspect. – **3.** ⟨*ant*⟩ (*riconsegnare*) to reconsign, to redeliver, to hand back. – **4.** ⟨*ant*⟩ (*registrare*) to record, to register. – **rassegnarsi** *v.r.* **1.** to resign (*o* reconcile) o.s., to submit (*a* to), to accept (s.th.): *rassegnarsi al proprio destino* to ⌜resign o.s. to⌝ (*o* accept) one's fate. – **2.** (*rinunciare*) to relinquish, to give up. – **3.** ⟨*iron*⟩ (*cedere*) to give in, to surrender: *davanti al denaro è sempre pronto a rassegnarsi* he always surrenders to money. □ ~ *le dimissioni* to resign, to hand in one's resignation.
rassegnatamente *avv.* resignedly, with resignation. – **rassegnato** (*p.p. di rassegnare*) *a.* resigned. – **rassegnatore** *m.* (*f.* **-trice**) ⟨*non com*⟩ **1.** resigner, resignee. – **2.** ⟨*Mil,ant*⟩ reviewer. – **rassegnazione** *f.* **1.** resignation, submission. – **2.** ⟨*non com*⟩ (*rinuncia*) resignation. □ ~ *delle dimissioni* resignation.
rassembranza *f.* ⟨*ant*⟩ (*rassomiglianza*) resemblance, similarity. – **rassembrare** *v.t.* (**rassembro**) ⟨*ant*⟩ **1.** (*rassomigliare a*) to resemble, to be similar to. – **2.** (*sembrare*) to seem, to look. – **3.** (*riconoscere*) to recognize.
rasserenamento *m.* **1.** clearing up, brightening: ~ *del cielo* clearing up (of the sky). – **2.** ⟨*fig*⟩ cheering (*o* brightening) up. – **rasserenante** (*p.pr. di rasserenare*) *a.* **1.** ⟨*rar*⟩ clearing up, brightening. – **2.** ⟨*fig*⟩ cheering, heartening, comforting.
rasserenare *v.t.* (**rassereno**) **1.** to clear up, to brighten. – **2.** ⟨*fig*⟩ to cheer up, to brighten, to make (more) cheerful. – **rasserenarsi** *v.r.* **1.** to clear up, to become bright (*o* serene). – **2.** ⟨*fig*⟩ to cheer up, to brighten (up). – **3.** ⟨*ant*⟩ (*riconciliarsi*) to become reconciled, ⟨*fam*⟩ to make it up.
rasserenato (*p.p. di rasserenare*) *a.* **1.** ⟨*non com*⟩ clear, cleared up, serene, bright. – **2.** ⟨*fig*⟩ (*rif. al volto e sim.*) more cheerful, serene again, cheered; (*rif. alla persona*) in better spirits, more cheerful. – **rasserenatore** ⟨*non com*⟩ **I** *s.m.* (*f.* **-trice**) cheerful person, cheerer (up). – **II** *a.* → **rasserenante.**
rassestamento *m.* ⟨*non com*⟩ **1.** (*assestamento*) adjustment, arrangement. – **2.** (*riassestamento*) readjustment, rearrangement. – **rassestare** *v.t.* (**rassesto**) **1.** (*assestare*) to arrange, to put in order. – **2.** (*riassestare*) to rearrange, to readjust.
rassettamento *m.* **1.** (*assettamento: atto*) arranging, ordering; (*effetto*) arrangement, order. – **2.** (*accomodatura: atto*) repairing, mending; (*effetto*) repair work, mend. – **3.** ⟨*fig*⟩ polishing up, putting on the final touches.
rassettare *v.t.* (**rassetto**; *p.p.* **rassettato**/**rassetto**) **1.** (*mettere in ordine*) to (put in) order, to tidy up, to arrange, to straighten out: ~ *una camera* to tidy up a room. – **2.** (*accomodare*) to repair, to mend, ⟨*fam*⟩ to fix; (*rattoppare*) to patch (up); (*rammendare*) to mend, to darn. – **3.** ⟨*fig*⟩ (*aggiustare*) to settle, to put right, to patch up. – **rassettarsi** *v.r.* to tidy (o.s.) up, to arrange: *rassettarsi i capelli* to arrange one's hair.
rassettatore *m.* (*f.* **-trice**) ⟨*non com*⟩ **1.** mender, repairer. – **2.** ⟨*fig*⟩ settler. – **rassettatura** *f.* **1.** (*riordinamento*) putting in order, ordering, tidying up, arranging. – **2.** (*accomodatura*) repairing, mending; (*rammendo*) mending, darning; (*rattoppo*) patching.
rassetto *p.p. di* **rassettare.**
rassicurante (*p.pr. di rassicurare*) *a.* reassuring: *parole -i* reassuring words. □ *quell'uomo ha un aspetto poco* ~ that man looks rather suspicious.
rassicurare *v.t.* **1.** to reassure, to give confidence to: *lo rassicurai con un sorriso* I reassured him with a smile. – **2.** ⟨*rar*⟩ (*riassicurare*) to assure again. – **rassicurarsi** *v.r.* **1.** to be (*o* feel) reassured, to become (*o* feel more) confident: *alle sue parole si rassicurò* she was reassured by his words; (*riprendere animo*) to take heart (again). – **2.** ⟨*non com*⟩ (*riassicurarsi*) to make sure (*o* certain). – **rassicurato** (*p.p. di rassicurare*) *a.* reassured, confident: *sentirsi* ~ to feel reassured. – **rassicuratore** *m.* (*f.* **-trice**) ⟨*non com*⟩ reassurer. – **rassicurazione** *f.* reassurance, assurance.
rassimigliare *v.* ⟨*lett*⟩ → **rassomigliare.**
rassodamento *m.* **1.** hardening, stiffening. – **2.** (*rafforzamento*) strengthening, consolidation (*anche fig.*). – **rassodare** *v.* (**rassodo**) **I** *v.t.* **1.** to harden, to make hard, to stiffen: *la ginnastica rassoda i muscoli* exercise hardens the muscles. – **2.** ⟨*fig*⟩ (*rafforzare*) to strengthen, to consolidate: ~ *la propria autorità* to strengthen one's authority. – **3.** ⟨*non com*⟩ (*far diventare sodo di nuovo*) to harden again, to reconsolidate. – **II** *v.i.* (*aus.* **essere**), **rassodarsi** *v.r.* **1.** to harden, to become hard, to stiffen. – **2.** ⟨*fig*⟩ (*rafforzarsi*) to be strengthened, to become strong(er), to be consolidated. – **rassodatore** *m.* (*f.* **-trice**) ⟨*non com*⟩ hardener, stiffener.
rassomigliante (*p.pr. di rassomigliare*) *a.* similar, like. □ *un ritratto* ~ a good likeness. – **rassomiglianza** *f.* **1.** resemblance, likeness, similarity: *fra i due fratelli c'è poca* ~ there's very little resemblance between the two brothers. – **2.** ⟨*non com*⟩ (*cosa che assomiglia*) appearance, semblance.
rassomigliare *v.* (**rassomiglio, rassomigli**) **I** *v.i.* (*aus.* **avere**/**essere**) (*nell'aspetto*) to look (*o* be) like, to resemble (*a qd.* s.o.), to be similar (to); (*nel carattere e sim.*) to be like, to take after (*a qd.* s.o.), to be similar (to): *rassomiglia molto al padre nel carattere* his character is very like (*o* similar to) his father's, he takes after his father a lot in character. – **II** *v.t.* ⟨*non com*⟩ (*paragonare*) to compare, to liken. – **rassomigliarsi** *v.r.* **1.** ⟨*recipr*⟩ to resemble e.o., to be (*o* look) like e.o., to be alike, to be similar to e.o.: *rassomigliarsi come due gocce d'acqua* to be as alike as two peas in a pod, to look just like e.o. – **2.** (*assomigliare*) to resemble, to be (*o* look) like.
rassottigliamento *m.* ⟨*non com*⟩ thinning, tapering, whittling down, sharpening.
rassottigliare *v.t.* (**rassottiglio, rassottigli**) **1.** (*assottigliare*) to thin, to taper, to whittle down; (*aguzzare*) to sharpen. – **2.** (*far dimagrire*) to (make) thin. – **3.** (*ridurre*) to diminish, to reduce, to lessen, to decrease, to whittle away. – **4.** ⟨*fig*⟩ (*acuire*) to sharpen, to make keener: *l'esercizio rassottiglia la memoria* exercise makes the memory keener. – **rassottigliarsi** *v.r.* **1.** to become pointed, to thin, to grow thinner (*o* sharper), to taper. – **2.** (*dimagrire*) to thin (down), to grow thin(ner). – **3.** (*ridurre*) to diminish, to decrease, to thin.
rassumere *v.t.* (**rassunsi, rassunto**) ⟨*ant*⟩ (*riassumere*) to summarize, to sum up.
rassummare *v.t.* ⟨*ant*⟩ (*sommare*) to add (up).
rastello *m.* ⟨*ant,pop*⟩ → **rastrello.**
rastrellamento *m.* **1.** raking. – **2.** (*rif. alla polizia*) search, round-up, comb-out, ⟨*fam*⟩ drag-net. – **3.** ⟨*Mil*⟩ mopping up.
rastrellare *v.t.* (**rastrello**) **1.** to rake. – **2.** ⟨*fig*⟩ (*fare un'accurata ricerca*) to search, to comb. – **3.** (*rif. alla polizia*) to round up, to comb out. – **4.** ⟨*Mil*⟩ to clear, to mop up: ~ *le mine* to clear mines. – **5.** ⟨*Mar*⟩ to drag.
rastrellata *f.* **1.** raking, rake-over: *dare una* ~ *al terreno* to give the ground a raking (*o* rake-over). – **2.** ⟨*concr*⟩ (*quantità*) rakeful. – **3.** (*colpo dato col rastrello*) blow with a rake. – **rastrellatura** *f.* raking.
rastrelliera *f.* **1.** (*portafieno*) crib. – **2.** (*scolapiatti*) dish-rack, dish -drainer. – **3.** (*arnese a forma di rastrello*) rack. – **4.** ⟨*Tess*⟩ creel.
rastrello *m.* **1.** rake. – **2.** (*macchina agricola*) dump-rake. – **3.** (*nelle sale da gioco*) croupier's rake. – **4.** ⟨*Arald*⟩ file (with teeth instead of pendants). – **5.** ⟨*Mar.mil*⟩ gantline. – **6.** ⟨*region*⟩ (*cancello*) gate; (*steccato*) stockade. – **7.** ⟨*ant*⟩ (*saracinesca alle porte di un castello*) portcullis. □ ~ *di ferro* iron rake; ~ *per fieno* hay rake; ~ *di legno* wooden rake; ~ *da prato* lawn (*o* garden) rake.
rastremare *v.t.* (**rastremo**) ⟨*Arch*⟩ to taper: ~ *una colonna* to taper a column. – **rastremarsi** *v.r.* to taper. – **rastremato** (*p.p. di rastremare*) *a.* tapered, tapering. – **rastremazione** *f.* tapering.
rastro *m.* **1.** ⟨*Agr*⟩ cultivator, grubber. – **2.** ⟨*Mus*⟩ rastrum, music-pen. – **3.** ⟨*lett*⟩ (*rastrello*) rake.
rasura *f.* ⟨*non com*⟩ **1.** (*il raschiare*) scraping; (*materiale asportato raschiando*) scrapings *pl.* – **2.** (*rasatura*) shaving; (*materiale asportato mediante rasatura*) shavings *pl.* – **3.** (*taglio prodotto dal rasoio*) razor-cut. – **4.** ⟨*Paleogr*⟩ erasure.
rata *f.* instalment, payment.
□ **a -e** on hire-purchase, on the instalment plan, by (*o* in) instalments, on deferred (*o* easy) terms, ⟨*fam*⟩ on the never-never, ⟨*fam*⟩ on H.P., ⟨*am.fam*⟩ on time: *pagare a -e* to pay by instalments, to buy on hire-purchase; *vendita a -e* hire-purchase sale; ~ **annuale** yearly instalment (*o* payment); ⟨*Mar*⟩ ~ *di* **caricazione** minimum loading amount; ~ *di* **discarica** minimum unloading amount; ~ **mensile** monthly instalment.
ratafià *m.* (*liquore*) ratafia.
ratania *f.* ⟨*Bot*⟩ Peruvian rhatany (*Krameria triandria*). □ ⟨*Farm*⟩ *radice di* ~ rhatany.
rate *f.* ⟨*lett*⟩ (*zattera*) raft.
raté *fr.* **I** *s.m.* ⟨*Artigl*⟩ misfire, ⟨*fam*⟩ dud. – **II** *a.* (*fallito*) down and out, gone to pot (*o* the dogs).
rateale *a.* hire-purchase-, instalment-, in (*o* by) instalments, on easy (*o* deferred) terms, ⟨*fam*⟩ on the never-never, ⟨*am.fam*⟩ on time: *vendita* ~ hire-purchase (*o* instalment) sale. □ *sistema* ~ *di vendita* hire-purchase, instalment plan, ⟨*fam*⟩ H.P. – **ratealista** *m./f.* instalment plan salesman, tallyman. – **ratealmente** *avv.* in (*o* by) instalments: *pagare* ~ to pay by instalments. – **rateare** *v.t.* (**rateo**) **1.** → **rateizzare.** – **2.** ⟨*estens*⟩ (*suddividere nel tempo*) to divide up. – **rateazione** *f.* **1.** → **rateizzazione.** – **2.** (*scadenza*) date due. – **3.** (*importo*) instalment, payment. – **rateizzare** *v.t.* to divide into instalments. – **rateizzazione** *f.* division into instalments. – **rateizzo** *m.* ⟨*burocr*⟩ → **rateizzazione.**

ratẹle, ratẹlo *m.* ⟨*Zool*⟩ (*mellivora*) ratel (*Mellivora capensis*).

rạteo *m.* ⟨*Econ*⟩ **1.** calculation of interest (for a broken period). – **2.** (*dietimo*) day-to-day interest. □ ~ *attivo* accrued income; ~ *passivo* accrued expenses *pl* (*o* liabilities *pl*), anticipated liabilities *pl*.

ratiẹra *f.* ⟨*Tess*⟩ dobby.

ratịfica *f.* ⟨*Dir*⟩ ratification, confirmation, sanction, approval. – **ratificạnte** (*p.pr. di ratificare*) **I** *a.* ratifying, confirming, sanctioning, approving. – **II** *s.m./f.* **1.** ratifier, confirmer, sanctioner, approver. – **2.** ⟨*Dir,Pol*⟩ ratifier. – **ratificạre** *v.t.* (**ratịfico, ratịfichi**) **1.** (*confermare, convalidare*) to ratify, to confirm, to sanction, to approve. – **2.** ⟨*Dir,Pol*⟩ to ratify: ~ *una convenzione* to ratify a convention. – **ratificatọre** *m.* (*f.* **-trice**) ⟨*non com,Dir*⟩ ratifier. – **ratificaziọne** *f.* → **ratifica**.

ratịna *f.* ⟨*Tess*⟩ ratiné, sponge cloth. – **ratinạre** *v.t.* to frieze, to nap. – **ratinatrịce** *f.* friezing-machine, napping-machine. – **ratinatụra** *f.* friezing, napping. – **ratiné** *fr.* **I** *a.* ratiné. – **II** *s.m.* ratiné, sponge cloth.

ratịre *v.i.* (**ratịsco, ratịsci**; *aus.* **avere**) ⟨*ant*⟩ **1.** (*rantolare*) to wheeze. – **2.** (*emettere l'ultimo respiro*) to have the death-rattle.

Ratịsbọna *N.pr.f.* ⟨*Geog*⟩ Ratisbon, Rogensburg.

ratiẓẓạre *v.* ⟨*non com*⟩ → **rateizzare**. – **ratiẓẓaziọne** *f.* ⟨*non com*⟩ → **rateizzazione**.

rat-musqué *fr.* [ramy'ske] *m.* ⟨*Mod*⟩ musk-rat.

rạto *a.* **1.** ⟨*Dir*⟩ (*ratificato*) ratified. – **2.** ⟨*lett*⟩ (*confermato, sancito*) sanctioned, approved.

rạtta *f.* ⟨*Arch*⟩ either end of a column.

rattacconạre *v.t.* (**rattaccọno**) ⟨*non com,Calz*⟩ to put a patch on, to cobble.

rattemperamẹnto *m.* ⟨*lett,non com*⟩ control(ling), moderation, temper(ing). – **rattemperạre** *v.t.* (**rattẹmpero**) ⟨*lett*⟩ (*moderare*) to control, to moderate, to temper. – **rattemperarsi** *v.r.* (*moderarsi*) to control (*o* restrain) o.s., to exercise restraint (*o* control).

rattenẹre *v.t.* (**rattẹngo, rattiẹni; rattẹnni, rattenụto**; → **tenere**) ⟨*lett*⟩ **1.** (*trattenere*) to hold (*o* keep) back, to restrain, to check. – **2.** ⟨*fig*⟩ (*frenare*) to hold back, to curb, to check. – **rattenersi** *v.r.* **1.** (*trattenersi*) to stop, to stay. – **2.** ⟨*fig*⟩ to control (*o* stop) o.s. – **rattenimẹnto** *m.* ⟨*lett,non com*⟩ **1.** holding (*o* keeping) back, restraint, checking. – **2.** ⟨*fig*⟩ control(ling), checking, curbing, restraint.

rattenitịva *f.* ⟨*tosc*⟩ **1.** (*facoltà di trattenersi*) retention, retentiveness. – **2.** (*memoria*) memory, retention: *avere buona* ~ to have a good memory. □ *non aver* ~: 1. (*non poter trattenere l'orina*) to be incontinent, to have a weak bladder; 2. ⟨*fig*⟩ (*essere incapace di mantenere un segreto*) to be unable to keep a secret.

rattẹnto *m.* ⟨*ant,lett*⟩ (*ostacolo, impedimento*) impediment, obstacle.

rattenụta *f.* **1.** ⟨*non com*⟩ (*trattenuta*) deduction. – **2.** ⟨*ant*⟩ (*ritegno, freno*) restraint.

rattepidịre *v.* ⟨*non com*⟩ → **rattiepidire**.

rattẹzza *f.* ⟨*lett*⟩ **1.** (*rapidità*) swiftness, rapidity. – **2.** (*ripidezza*) steepness, precipitousness.

rattiepidịre *v.t.* (**rattiepidịsco, rattiepidịsci**) ⟨*lett*⟩ (*intiepidire*) to make (luke)warm (*o* tepid); (*aumentando il calore*) to warm; (*diminuendo il calore*) to cool.

rattịna *f.* ⟨*tosc*⟩ → **ratina**. – **rattinạre** *v.* ⟨*tosc*⟩ → **ratinare**. – **rattinatrịce** *f.* ⟨*tosc*⟩ → **ratinatrice**. – **rattinatụra** *f.* ⟨*tosc*⟩ → **ratinatura**.

rattizzạre *v.t.* **1.** (*attizzare*) to stir up, to poke: ~ *il fuoco* to stir up the fire; (*attizzare di nuovo*) to poke (*o* stir up) again. – **2.** ⟨*fig*⟩ (*rinfocolare*) to incite, to stir up (again), to instigate, to foment: ~ *la collera di qd.* to incite s.o. to anger.

rạtto[1] *m.* **1.** ⟨*Zool*⟩ rat (*Rattus, Epimys*). – **2.** ⟨*ant,region*⟩ (*grosso topo*) large mouse. □ ~ *canguro dal muso lungo* rat kangaroo, potoroo (*Potoreus tridactylus*); ~ *delle chiaviche* brown (*o* Norwegian) rat (*Rattus norvegicus*); ~ *comune* black rat (*Rattus rattus*).

rạtto[2] (*p.p. di rapire*) ⟨*lett*⟩ **I** *a.* **1.** robbed, stolen; (*rif. a persona*) abducted, carried off, kidnapped. – **2.** ⟨*fig*⟩ (*estasiato*) enraptured, entranced. – **II** *s.m.* **1.** (*rapimento*) abduction, kidnapping, ⟨*lett*⟩ rape: ~ *di un minorenne* abducting (*o* kidnapping) of a minor; *il* ~ *delle Sabine* the rape of the Sabines. – **2.** ⟨*ant*⟩ (*rapina*) robbery, plunder. – **3.** ⟨*ant*⟩ (*estasi*) rapture, ecstasy.

rạtto[3] ⟨*lett*⟩ **I** *a.* **1.** (*rapido*) swift, fast, rapid. – **2.** (*ripido*) steep, precipitous; (*scosceso*) craggy, rugged. – **II** *avv.* (*presto*) swiftly, fast, quickly. □ ⟨*ant*⟩ ~ *che* (*o come*) as soon as.

rattoppamẹnto *m.* ⟨*non com*⟩ **1.** patching, mending. – **2.** ⟨*fig*⟩ patching up. – **rattoppạre** *v.t.* (**rattọppo**) **1.** to patch, to put a patch on, to mend. – **2.** ⟨*estens*⟩ (*riparare*) to repair, to mend, to patch up (*anche fig.*): ~ *un muro* to patch up a wall. – **rattoppạto** (*p.p. di rattoppare*) *a.* patched, full of patches, mended. – **rattoppatọre** *m.* (*f.* **-trice**) patcher (up), mender. – **rattoppatụra** *f.* **1.** patching, mending. – **2.** (*parte rattoppata*) patch.

rattọppo *m.* **1.** (*il rattoppare*) patching, mending, repairing. – **2.** (*toppa*) patch. – **3.** ⟨*fig*⟩ (*rimedio insufficiente*) makeshift, expedient, patchwork. – **4.** ⟨*Bibliot*⟩ repair, mending. □ *fare un* ~ *a qc.* to patch (*o* put a patch on) s.th.

rattọrcere *v.t.* (**rattọrco, rattọrci; rattọrsi, rattọrto**) ⟨*lett*⟩ (*torcere*) to twist.

rattọre *m.* ⟨*ant*⟩ (*rapitore*) abductor, kidnapper.

rattọrto (*p.p. di rattorcere*) *a.* twisted.

rattralciạre *v.t.* (**rattrạlcio, rattrạlci**) ⟨*Agr*⟩ to tie up, to bind. – **rattralciatụra** *f.* tying up (the tendrils of young vine shoots).

rattrappạre *v.* ⟨*ant*⟩ → **rattrappire**. – **rattrappimẹnto** *m.* benumbing. – **rattrappịre** *v.t.* (**rattrappịsco, rattrappịsci**) to benumb, to make numb (*o* stiff); (*contrarre*) to contract. – **rattrappirsi** *v.r.* **1.** to be benumbed. – **2.** (*contrarsi*) to become contracted. – **rattrappịto** (*p.p. di rattrappire*) *a.* benumbed, numb, stiff; (*contratto*) contracted. – **rattrạrre** *v.* (**rattrạggo, rattrại; rattrạssi, rattrạtto**; → **trarre**) ⟨*lett*⟩ → **rattrappire**. – **rattrạtto** (*p.p. di rattrarre*) *a.* ⟨*lett*⟩ → **rattrappito**.

rattristamẹnto *m.* ⟨*non com*⟩ saddening. – **rattristạnte** (*p.pr. di rattristare*) *a.* saddening, distressing, sad. – **rattristạre** *v.t.* to sadden, to make sad, to afflict. – **rattristarsi** *v.r.* to become sad, to grieve. – **rattristạto** (*p.p. di rattristare*) *a.* saddened, sad. – **rattristịre** *v.* (**rattristịsco, rattristịsci**) → **rattristare**.

RAU = *Repubblica Araba Unita* United Arab Republic (*abbr.* U.A.R.).

raucamẹnte *avv.* hoarsely. – **raucẹdine** *f.* ⟨*Med*⟩ hoarseness, raucity. – **rạuco** *a.* (*pl.* **-chi**) **1.** hoarse. – **2.** (*basso, fioco*) raucous, hoarse, husky, thick.

raumiliạre *v.t.* (**raumịlio, raumịli**) ⟨*lett,rar*⟩ (*placare*) to appease, to placate, to soften.

raunạnza *f.* ⟨*ant*⟩ → **radunanza**. – **raunạre** *v.* ⟨*ant*⟩ → **radunare**. – **raunatọre** *m.* (*f.* **-trice**) ⟨*ant*⟩ → **radunatore**.

ravagliạre *v.t.* (**ravạglio, ravạgli**) ⟨*Agr*⟩ to plough deeply. – **ravagliatọre** *m.* (*tipo di aratro*) kind of plough. – **ravagliatụra** *f.* deep ploughing.

ravagliọne *m.* ⟨*Med,ant*⟩ (*varicella*) varicella, chicken-pox.

ravạgno: ⟨*Tess*⟩ *lino* ~ rough linen.

ravanẹlle *f.pl.* ⟨*pop,region*⟩ → **ravaglione**.

ravanẹllo *m.* ⟨*Bot*⟩ radish (*Raphanus*).

ravanẹto *m.* (*nelle cave*) heap of debris.

rạvano *m.* ⟨*Bot*⟩ **1.** radish (*Raphanus*). – **2.** wild radish, jointed charlock (*Raphanus raphanistrum*).

ravastịna *f.* ⟨*Pesc*⟩ kind of fishing-net.

ravastrẹllo *m.* ⟨*Bot*⟩ (*baccherone*) sea-rocket (*Cakile maritima*).

raveggiọlo *m.* ⟨*Gastr,tosc*⟩ kind of soft cheese.

ravegnạno *a./s.* ⟨*lett*⟩ → **ravennate**. – **Ravẹnna** *N.pr.f.* ⟨*Geog*⟩ Ravenna. – **ravennạte I** *a.* of Ravenna. – **II** *s.m./f.* native (*o* inhabitant) of Ravenna. – **Ravennate** *N.pr.m.* territory around Ravenna.

raviggiọlo *m.* → **raveggiolo**.

ravignạno *a./s.* ⟨*ant*⟩ → **ravennate**.

raviolatọre *m.* ⟨*Gastr*⟩ (*stampo*) ravioli-mould. – **raviolatrịce** *f.* (*macchina*) ravioli-machine. – **raviọlo** *m.* **1.** ⟨*Gastr*⟩ ravioli. – **2.** ⟨*Dolc*⟩ kind of pastry.

ravissant *fr.* [-'sã] *a.* (*incantevole*) enchanting, bewitching, ravishing.

ravizzọne *m.* ⟨*Bot*⟩ rape, colza, cole-seed (*Brassica napus oleifera*).

rạvo *a.* ⟨*ant*⟩ (*biondo scuro*) dark blond.

ravvalorạre *v.t.* (**ravvalọro**) **1.** (*convalidare*) to confirm, to corroborate, to bear out, to support. – **2.** (*rimettere in vigore*) to put back into effect.

ravvedẹrsi *v.r.* (**mi ravvẹdo**; *fut.* **mi ravved(e)rò**; *p.p.* **ravvedụto**/*ant.* **ravvịsto**) **1.** (*riconoscere i propri errori*) to acknowledge one's faults (*o* mistakes); (*correggersi*) to mend one's ways, to reform; (*rinsavire*) to come to one's senses. – **2.** (*cambiare idea*) to change one's mind. – **3.** (*accorgersi*) to realize, to become aware of.

ravvedimẹnto *m.* acknowledgement of one's faults (*o* mistakes). – **ravvedụto** (*p.p. di ravvedere*) *a.* ⟨*non com*⟩ (*pentito*) repentant.

ravvenamẹnto *m.* ⟨*Idr*⟩ (ground water) replenishment. – **ravvenạre** *v.i.* (**ravvẹno**; *aus.* **essere**) ⟨*poet*⟩ (*rampollare di nuovo*) to flow (forth) again.

ravviamẹnto *m.* ⟨*non com*⟩ arranging, putting (*o* setting) in order, tidying up. – **ravviạre** *v.t.* (**ravvịo, ravvịi**) **1.** to arrange, to put (*o* set) in order, to tidy up, to straighten out, ⟨*fam*⟩ to fix: ~ *i capelli* to arrange one's hair; ~ *una stanza* to tidy up a room. – **2.** ⟨*fig, lett*⟩ (*rimettere sulla giusta via*) to put (*o* set) on the right path again. – **3.** ⟨*tosc*⟩ (*raccogliere*) to gather, to collect. – **ravviarsi** *v.r.* **1.** to put o.s. in order, to tidy up. – **2.** ⟨*fig.lett*⟩ (*rimettersi sulla giusta via*) to put o.s. on the right path again, ⟨*fam*⟩ to get back on the straight and narrow. □ ⟨*fig,non com*⟩ ~ *una matassa* to untangle a matter, to sort a matter out.

ravviạta *f.* quick tidy up, straightening out. □ *darsi una* ~ to tidy (o.s.) up; *dare una* ~ *a qc.* to give s.th. a quick tidy up, to straighten s.th. up; *darsi una* ~ *ai capelli* to tidy (*o* comb) one's hair quickly. **ravviatịna** *f. dim. di* **ravviata**. – **ravviạto** (*p.p. di ravviare*) *a.* tidy, (put) in order, neat.

ravvicinamẹnto *m.* **1.** (*il ravvicinare*) approach(ing), bringing near; (*il ravvicinarsi*) approach(ing), drawing near. – **2.** ⟨*fig*⟩ (*riconciliazione*) reconciliation, ⟨*fam*⟩ making up. – **3.** ⟨*Pol*⟩ rapprochement, reconciliation.

ravvicinạre *v.t.* **1.** (*avvicinare*) to bring (near), to draw up. – **2.** ⟨*fig*⟩ (*riconciliare*) to reconcile, to bring together. – **3.** ⟨*fig*⟩ (*raffrontare, confrontare*) to compare, to contrast. – **ravvicinarsi** *v.r.* **1.** to approach, to (draw) near, to come up. – **2.** ⟨*fig*⟩ (*riconciliarsi*) to become reconciled, ⟨*fam*⟩ to make (it) up. – **3.** ⟨*Pol*⟩ (*riannodare buone relazioni*) to effect a rapprochement. – **ravvicinạto** (*p.p. di ravvicinare*) *a.* close, near. □ *a distanza -a* from close up; *tiro* ~ shot from close range.

ravvigorịre *v.t.* (**ravvigorịsco, ravvigorịsci**) ⟨*non com*⟩ (*rinvigorire*) to strengthen, to reinvigorate.

ravviluppamẹnto *m.* **1.** wrapping (up), enveloping. – **2.** (*insieme di cose ravviluppate*) tangle, entanglement. – **3.** ⟨*fig*⟩ (*insieme caotico* *e confuso*) mess, muddle, chaos, jumble, confusion: *un ~ d'idee bizzarre* a jumble of strange ideas.

ravviluppare *v.t.* **1.** (*avviluppare*) to wrap (up), to envelop: *ravviluppò il bambino in uno scialle* she wrapped the baby in a shawl. – **2.** (*avvolgere*) to wind, to roll up: *~ il filo* to roll up string. – **3.** ⟨*fig*⟩ (*raggirare*) to take in, to dupe, to get round. – **ravvilupparsi** *v.r.* **1.** to wrap o.s. (up), to envelop o.s.: *ravvilupparsi in una coperta* to wrap o.s. up in a blanket. – **2.** ⟨*recipr*⟩ to become locked together, to lock: *i due lottatori si ravvilupparono* the two fighters locked.

ravvio *m.* ⟨*rar*⟩ arranging, tidying up.

ravvisabile *a.* recognizable, discernible, that can be seen. – **ravvisare I** *v.t.* **1.** (*riconoscere*) to recognize, to make out. – **2.** (*percepire*) to recognize, to perceive, to see: *in quest'affresco si ravvisa lo stile di Giotto* one can see Giotto's style in this affresco. – **II** *v.i.* (*aus.* avere) ⟨*ant*⟩ (*pensare*) to think.

ravvivamento *m.* **1.** (*il ravvivare*) reviving, reanimation, bringing around; (*il ravvivarsi*) revival, reanimation, coming around. – **2.** (*effetto*) revival, reanimation. – **3.** ⟨*fig*⟩ (*il rianimare*) brightening up, enlivening.

ravvivare *v.t.* **1.** to revive, to restore to consciousness, to reanimate, to bring around: *~ il malato con un'iniezione* to revive the patient with an injection. – **2.** ⟨*fig*⟩ (*rianimare*) to brighten up, to enliven, to animate, to revive: *la pioggia ravviva i fiori* rain revives the flowers. – **ravvivarsi** *v.r.* **1.** (*riprendere forza*) to revive, to come round, to return to consciousness (*o* one's senses). – **2.** ⟨*fig*⟩ (*rinvigorirsi*) to revive, to become reinvigorated, to be revived, to take on new life. ☐ *~ un colore* to brighten up a colour; *~ il fuoco* to rekindle (*o* stir up) the fire. – **ravvivatore** *m.* (*f.* **-trice**) ⟨*non com*⟩ **1.** reviver, reanimator. – **2.** ⟨*fig*⟩ (*animatore*) enlivener, animator. – **3.** ⟨*fig*⟩ (*chi rafforza*) reviver, renewer.

ravvolgere *v.t.* (**ravvolgo, ravvolgi; ravvolsi, ravvolto**) **1.** (*avvolgere*) to wrap (up): *ravvolse i suoi indumenti in un giornale* he wrapped up his clothes in a newspaper; (*impacchettare*) to wrap (up), to make a parcel of. – **2.** (*circondare più volte*) to wind (*o* wrap) around. – **3.** ⟨*lett*⟩ (*far girare*) to turn around. – **ravvolgersi** *v.r.* **1.** to wrap o.s. up, to envelop o.s. – **2.** ⟨*lett*⟩ (*aggirarsi*) to wander, to roam, to go about.

ravvolgimento *m.* ⟨*non com*⟩ **1.** (*voluta, spira*) coil(ing), turn(ing), twist(ing): *i -i del serpente* the coils of a snake; (*rif. a fiumi, strade e sim.*) winding, bend(ing). – **2.** ⟨*fig*⟩ (*tortuosità*) tortuousness, deviousness, trickiness, treacherousness. – **ravvolgitore** ⟨*non com*⟩ **I** *s.m.* (*f.* **-trice**) wrapper, enveloper. – **II** *a.* wrapping, enveloping. – **ravvolgitura** *f.* ⟨*non com*⟩ wrapping, enveloping. – **ravvolto** (*p.p. di ravvolgere*) *a.* **1.** wrapped (*o* coiled) around, twisted, enveloped. – **2.** ⟨*fig,lett*⟩ (*involuto, contorto*) tortuous, involved, complex, intricate.

ravvoltolare *v.t.* (**ravvoltolo**) to wrap up. – **ravvoltolarsi** *v.r.* **1.** to wrap o.s. (up): *ravvoltolarsi in un mantello* to wrap o.s. up in a cape. – **2.** (*sguazzare*) to wallow: *il cane si ravvoltolava nel fango* the dog wallowed in the mud. – **ravvoltolato** (*p.p. di ravvoltolare*) *a.* wrapped (up), enveloped.

rayon *m.* → **raion.**

raziale *a.* ⟨*non com*⟩ → **razziale.**

raziocinante (*p.pr. di raziocinare*) *a.* reasoning (logically), endowed with reason, ⟨*lett*⟩ ratiocinative. – **raziocinare** *v.* (**raziocinio, raziocini**) **I** *v.i.* (*aus.* **avere**) ⟨*non com*⟩ to reason (logically), ⟨*lett*⟩ to ratiocinate. – **II** *v.t.* ⟨*tosc*⟩ (*ponderare*) to think over, to ponder. – **raziocinativo** *a.* reasoned (logically), ⟨*lett*⟩ ratiocinative. – **raziocinazione** *f.* ⟨*lett,rar*⟩ → **raziocinio.** – **raziocinio** *m.* **1.** (faculty of) reason; (*buon senso*) common sense. – **2.** (*argomentazione*) argumentation, formal reasoning. ☐ *agire con ~* to be guided by reason, to act reasonably, to use common sense.

razionabile *a.* **1.** (*che si può razionare*) rationable. – **2.** ⟨*ant*⟩ (*razionale*) rational, reasoning. – **razionabilità** *f.* ⟨*ant*⟩ (*razionalità*) reasonableness, rationality.

razionale[1] **I** *a.* **1.** rational, reasoning: *l'uomo è un essere ~* man is a rational being. – **2.** (*che procede da ragione*) rational, intelligent, sensible, reasonable; (*ordinato, sistematico*) rational, orderly, systematic. – **3.** (*funzionale*) rational, practical, functional, utilitarian: *arredamento ~* functional décor. – **4.** ⟨*Mat*⟩ rational. – **II** *s.m.inv.* rational: *distinguere il ~ dall'irrazionale* to distinguish the rational from the irrational.

razionale[2] *m.* ⟨*Lit,Bibl*⟩ rational, breastplate.

razionale[3] *m.* **1.** ⟨*Stor.rom*⟩ imperial administrator. – **2.** ⟨*Mediev*⟩ communal administrator.

razionalismo *m.* rationalism. – **razionalista I** *s.m./f.* rationalist. – **II** *a.* rationalistic, rationalist. – **razionalistico** *a.* (*pl.* **-ci**) rationalistic, rationalist.

razionalità *f.* **1.** rationality, reason: *la ~ distingue l'uomo dall'animale* reason distinguishes man from animals. – **2.** (*funzionalità*) practicalness, functionality: *la ~ di una costruzione* the functionality of a building.

razionalizzamento *m.* → **razionalizzazione.** – **razionalizzare** *v.t.* to rationalize. – **razionalizzazione** *f.* rationalization.

razionalmente *avv.* **1.** rationally, reasonably. – **2.** (*funzionalmente*) practically, functionally.

razionamento *m.* rationing: *~ dei viveri* food rationing. – **razionare** *v.t.* (**raziono**) to ration (out).

razione *f.* **1.** (*parte spettante*) ration, allowance (*anche fig.*); (*porzione*) ration, portion, share, serving: *una ~ di pastasciutta* a serving of pasta; *per oggi ha avuto la sua ~ di schiaffi* he's had his share of slaps for today. – **2.** (*quantità di viveri razionati*) ration. ☐ ⟨*Zootecn*⟩ *~ bilanciata* balanced feed; ⟨*Med*⟩ *~ calorica* (daily) caloric requirement, required caloric intake; *mettere a ~* to put on rations; ⟨*Med*⟩ *~ protidica* (daily) protein requirement.

razio-vitalismo *m.* ⟨*Filos*⟩ rational vitalism.

razza[1] *f.* **1.** breed, race: *questo cane appartiene a una ~ inglese* this dog belongs to an English breed; (*rif. a uomini*) race. – **2.** ⟨*estens*⟩ (*stirpe, famiglia*) stock, descent, family, race: *è uno scienziato come tutti quelli della sua ~* he's a scientist like everyone else in his family. – **3.** (*sorta, specie*) sort, kind, type (*anche spreg.*): *ma che ~ di persone frequenti?* what kind of people do you associate with? – **4.** ⟨*spreg*⟩ (*genia*) tribe, pack, gang, crew, brood. – **5.** ⟨*esclam*⟩ (*in espressioni d'insulto*) what a (*pl* what): *~ di stupido che non sei altro!* what a fool you are!, you're nothing but a fool!

☐ *~* **bianca** white race; *~* **biologica** = *razza* **fisiologica**; *~* **bovina** breed of cattle, cattle breed; **da** *~* breeding, breeder-, stud-: *bestia da ~* breeder (animal), stud; **di** *~*: 1. (*rif. ad animali*) pedigree, breed-, thoroughbred; 2. (*rif. a persone: distinto*) noble, of blue blood, of noble descent; 3. (*di grandi doti*) gifted, (highly) talented: *musicista di ~* gifted musician; **discriminazioni** *di ~* racial discrimination *sing*; *~* **equina** breed of horse; **far** *~* (*riprodursi*) to breed, to reproduce, to sire; ⟨*fig*⟩ *far ~ a* (*o da*) *sé* (*vivere solo*) to live alone (*o* by o.s.); ⟨*fig*⟩ *non far ~ con nessuno* (*essere poco socievole*) to be unsociable; *~* **fisiologica** physiologic race (*o* form); *~* **gialla** yellow race; *~* **imbastardita** mongrel race, mixed breed; *di ~* **incrociata** crossbred; *~* **mediterranea** Mediterranean race; *~* **nera** black race; *~* **nordica** Nordic race; *d'ogni ~* of all kinds (*o* sorts); *~* **pura** thoroughbred, purebred (*o* pedigree) animal; *~* **umana** human race, mankind; ⟨*Bibl*⟩ *~ di* **vipere** brood (*o* generation) of vipers.

razza[2] *f.* ⟨*Itt*⟩ **1.** skate, ray (*Raia*). – **2.** (*cefalottera*) devil-fish (*Cephaloptera edentula*; *Dicerobatis giorna*). ☐ *~ bavosa* flapper skate (*Raia macrorhynchus*); *~ chiodata* thornback (ray) (*Raia clavata*).

razza[3] *f.* **1.** ⟨*tecn*⟩ (*raggio*) spoke: *~ della ruota* spoke of a wheel. – **2.** ⟨*Arch*⟩ brace, strut. ☐ *~ del volante* steering-wheel spider.

razzaccia (*pegg. di razza*[1]) *f.* (*pl.* **-ce**) tribe, pack, gang, crew.

razzamaglia *f.* ⟨*non com*⟩ → **razzumaglia.**

razzare I *v.t.* ⟨*non com*⟩ (*raggiare*) to radiate; (*fare disegni a forma di raggi*) to ray, to draw ray designs on. – **II** *v.i.* (*aus.* **avere**) ⟨*ant, region*⟩ (*emettere raggi luminosi*) to radiate, to be radiant. – **razzarsi** *v.r.* (*rif. alla pelle*) to become streaked, to take on red streaks. – **razzato** (*p.p. di razzare*) *a.* ⟨*non com*⟩ marked with ray designs, rayed.

razzatore *m.* ⟨*Zootecn*⟩ breeder, stud.

razzatura *f.* ⟨*non com*⟩ **1.** ray-shaped designs *pl.* – **2.** (*rif. alla pelle*) red streaks *pl* (caused by inflammation); (*aspetto*) streakiness.

razzente *a.* ⟨*Enol,non com*⟩ (*frizzante, pungente*) sharp, pungent.

razzia *f.* **1.** raid, foray, inroad: *fare una ~* to make a raid. – **2.** ⟨*estens*⟩ (*ruberia*) robbery, stealing, theft. – **3.** (*retata della polizia*) round-up, comb-out, ⟨*am*⟩ drag-net.

razziale *a.* racial, race-. ☐ *caratteristiche -i* racial characteristics; *discriminazioni -i* racial discrimination *sing*; *integrazione ~* (racial) integration; *lotte -i* racial conflict *sing*; *segregazione ~* racial segregation.

razziare *v.t.* (**razzio, razzii**) **1.** to raid, to make a raid (*o* foray) on; (*rubare*) to steal, to carry off: *~ il bestiame* to steal livestock. – **2.** (*depredare*) to plunder, to sack. – **razziatore I** *s.m.* (*f.* **-trice**) **1.** raider, forayer. – **2.** ⟨*estens*⟩ (*ladro*) robber, thief, stealer: *-i di pollai* chicken thieves. – **II** *a.* raiding, foraying, plundering, robber-.

razzimare *v.t.* ⟨*ant*⟩ (*azzimare*) to dress up. – **razzimato** (*p.p. di razzimare*) *a.* ⟨*ant*⟩ (*azzimato*) dressed up, decked out.

razzismo *m.* **1.** racism. – **2.** ⟨*spreg*⟩ (*pregiudizio, discriminazione razziale*) racialism, racism, racial discrimination. – **razzista I** *s.m./f.* **1.** racist. – **2.** ⟨*spreg*⟩ racialist, racist. – **II** *a.* → **razzistico.** – **razzistico** *a.* (*pl.* **-ci**) **1.** racist, of racism. – **2.** ⟨*spreg*⟩ racialistic, of racialism (*o* racism).

razzo[1] *m.* **1.** rocket: *accendere un ~* to light a rocket. – **2.** (*propulsore a getto*) rocket. – **3.** (*missile*) missile, rocket.

☐ **a** *~* rocket-propelled, rocket-: *aeroplano a ~* rocket-plane; ⟨*Mil*⟩ *~* **antiaereo** anti-aircraft rocket; ⟨*Agr*⟩ *~* **antigrandine** anti-hail rocket; *~* **atomico** nuclear(-powered) rocket; ⟨*Astron*⟩ *~ a* **combustibile** *liquido* liquid-fuel rocket; ⟨*fig*⟩ **come** *un ~* like a shot, as quick as lightning: *correre via come un ~* to be off like a shot, to rush (*o* tear) off; ⟨*Astron*⟩ *~* **deceleratore** (o *di decelerazione*) retro-rocket; ⟨*Aer*⟩ *~ ausiliare di* **decollo** jato unit, take-off rocket; *~ a* **energia** *nucleare* = *razzo* **atomico**; *~ con* (*o senza*) **equipaggio** manned (*o* unmanned) rocket; *~* **frenante** = *razzo* **deceleratore**; *~* **grandinifugo** = *razzo* **antigrandine**; *~* **illuminante** flare; ⟨*Mil*⟩ *~* **intercontinentale** intercontinental missile; ⟨*fig*⟩ **partire** *a ~* to be off like ⌜greased lightning⌝ (*o* a shot); *~* **pluristadio** multi-stage (*o* multi-step) rocket; ⟨*Astron*⟩ *~* **portasatellite** satellite rocket; *~ a* **propellente** *solido* solid-propellant rocket; *~* **radioguidato** radio-guided rocket; *~ da* **segnalazione** signal rocket; *~* **spaziale** (o *stratosferico*) space rocket; *~ da* **spinta** booster rocket.

razzo[2] *m.* ⟨*ant*⟩ (*arazzo*) tapestry.

razzo[3] *m.* ⟨*pop,ant*⟩ (*raggio*) spoke.

razzolamento *m.* ⟨*non com*⟩ → **razzolata.** – **razzolare** *v.i.* (**razzolo**; *aus.* **avere**) **1.** to scratch about (*o* around): *le galline razzolavano nell'aia* the chickens were scratching around on the threshing-floor. – **2.** ⟨*estens,scherz*⟩ (*rovistare*) to rummage, to poke around.

– **razzolata, razzolatura** *f.* scratching. – **razzolio** *m.* ⟨*tosc*⟩ (continuous) scratching.
razzuffarsi *v.r.* ⟨*lett*⟩ (*riazzuffarsi*) to come to blows again.
razzumaglia *f.* ⟨*spreg*⟩ (*marmaglia*) rabble, mob, riff-raff.
Rb = ⟨*Chim*⟩ *rubidio* rubidium.
RC = ⟨*Aut*⟩ *Cina* China.
Rc. = ⟨*Mat*⟩ *radice cubica* cube root.
R.C. = *Rotary Club* Rotary Club.
RCH = ⟨*Aut*⟩ *Cile* Chile.
rd = ⟨*Mat*⟩ *radiante* radian.
Rd = ⟨*Chim*⟩ *rodio* rhodium.
RD = ⟨*Aut*⟩ *Repubblica Dominicana* Dominican Republic.
Rd. = ⟨*Med*⟩ *radice* root.
R.D. = *regio decreto* royal decree.
R.D.L. = *regio decreto legge* royal decree law.
R.D.T. = *Repubblica Democratica Tedesca* Federal Republic of Germany.
re[1] *m.* **1.** king (*anche fig.*): *un ~ costituzionale* a constitutional king; *il leone è il ~ degli animali* the lion is the king of the beasts. – **2.** ⟨*estens*⟩ (*chi primeggia*) king, tycoon, magnate: *il ~ dell'acciaio* the steel king; ⟨*iron*⟩ king: *il ~ dei furfanti* the king of rascals, an arch-rogue. – **3.** (*nei giochi*) king. – **4.** ⟨*Zool,Arald*⟩ king.
□ ⟨*Stor*⟩ ~ **apostolico** Apostolic King; ⟨*Itt*⟩ ~ *d'***aringhe** (*chimera*) rabbit-fish (*Chimaera monstrosa*); ⟨*Arald*⟩ ~ *d'***arme** King of (*o* at) Arms; ~ **assoluto** absolute king (*o* monarch); ⟨*Ornit*⟩ ~ *degli* **avvoltoi** king vulture (*Sarcoramphus papa*); ~ *da* **burla** = *re da* **commedia**; ⟨*Stor*⟩ ~ **cattolico** Catholic King; ⟨*Rel*⟩ *il ~ dei* **cieli** the King of Heaven, God; ⟨*iron*⟩ ~ *da* **commedia** ridiculous king, king who has no authority; ⟨*ant*⟩ ~ *di* **corona** (*re d'un grande stato*) powerful king; ⟨*Stor*⟩ ~ **cristianissimo** Most Christian King; *il ~ dei* **cuochi** the king of cooks; (*manuale di cucina*) cook-book; ⟨*Etnol*⟩ ~ **divino** divine king; ⟨*Ornit*⟩ ~ *degli* **edredoni** king eider (*o* duck) (*Somateria spectabilis*); ~ **elettivo** elective king; ~ **ereditario** hereditary king; ⟨*Stor*⟩ ~ **fedelissimo** Most Faithful King; ⟨*fig*⟩ **felice** *come un ~* as happy as a king; ⟨*Stor*⟩ *il ~* **galantuomo** (*Vittorio Emanuele II*) the Honest King; ⟨*Stor*⟩ **gran** ~ Emperor, Shah of Persia; ⟨*Zool*⟩ ~ *dei* **granchi** edible crab (*Cancer pagurus*); ⟨*Bibl*⟩ *il* **Libro** *dei* ≈ The Book of Kings; ⟨*Ornit*⟩ ~ *di* **lodole** (*calandro*) tawny pipit, titlark (*Anthus campestris*); ⟨*Ornit*⟩ ~ *di* **macchia** → **reattino**; *i* ≈ **Magi** the Magi, the Three Kings, the Three Wise Men; *il ~ è* **morto**, *viva il ~* the king is dead, long live the king; *il ~ del* **paradiso** = *il re dei* **cieli**; ⟨*Ornit*⟩ ~ *di* **quaglie** corncrake, landrail (*Crex crex*); ⟨*Ornit*⟩ ~ **quagliotto** (*forapaglie*) sedge warbler (*o* bird, wren) (*Acrocephalus schoenobaenus*); *il ~ dei* **re**: 1. (*Negus*) the negus; 2. = *il re dei* **cieli**; ⟨*Stor*⟩ *il* ≈ **Sole** Roi Soleil; ~ **spodestato** deposed (*o* dethroned) king; ⟨*Itt*⟩ ~ *di* **triglie** cardinal fish (*Apogon imberbis*); ⟨*region*⟩ ~ *d'***uccelli** → **reattino**. – *Prov.*: *non è buon ~ chi non regge sé* a good king must first rule himself.
re[2] *m.* ⟨*Mus*⟩ D, re. □ ~ *bemolle maggiore* D flat major; *chiave di ~* key of D; ~ *diesis minore* D sharp minor.
Re = ⟨*Chim*⟩ *renio* rhenium.
Rea *N.pr.f.* ⟨*Mitol*⟩ Rhea.
...rea *suff.* ⟨*Med*⟩ ...rrhoea, ...rrhea: *diarrea f.* diarrhoea.
reagente (*p.pr. di reagire*) **I** *a.* **1.** reacting. – **2.** ⟨*Chim,Fis*⟩ reacting; (*reattivo*) reactive. – **II** *s.m.* ⟨*Chim*⟩ (*reattivo*) reagent.
reagibile *a.* ⟨*Chim*⟩ reactive, responsive. – **reagibilità** *f.* reactivity, responsiveness. □ *di bassa ~* inert, slow to react, sluggish; *di elevata ~* very reactive, quick to react.
reagire *v.i.* (**reagisco, reagisci**; *aus.* **avere**) **1.** to react: *~ alle insolenze di qd.* to react to s.o.'s insolence; (*reagire picchiando*) to fight back. – **2.** ⟨*Chim*⟩ to react.
real *sp. m.* ⟨*Numism*⟩ real.
reale[1] **I** *a.* **1.** real, actual, true: *fatti -i* actual facts. – **2.** ⟨*Mat,Dir*⟩ real. – **3.** ⟨*tosc*⟩ (*schietto, sincero*) sincere, frank. – **4.** ⟨*ant*⟩ (*regolare*) regular. – **II** *s.m.* real, reality. □ ⟨*ant*⟩ *alla ~* (*schiettamente*) sincerely, frankly, openly.
reale[2] **I** *a.* **1.** (*regale*) royal: *stemma ~* royal coat of arms. – **2.** ⟨*fig, ant*⟩ regal, kingly, worthy of a king. – **II** *s.m.* **1.** ⟨*Cart*⟩ (*anche formato reale*) royal (paper): *doppio ~* double royal (paper). – **2.** *pl.* (*coppia reale*) King and Queen; (*famiglia reale*) Royal Family. – **3.** *pl.* ⟨*Entom*⟩ royal pair. □ ⟨*ant*⟩ *alla ~* (*regalmente*) regally.
reale[3] *m.* ⟨*Numism*⟩ real.
realgar *m.* ⟨*Min*⟩ realgar.
realino (*dim. di reale*[2]) *m.* ⟨*Cart*⟩ size of paper (40×54 cm.).
realismo *m.* **1.** realism. – **2.** ⟨*Pol*⟩ realpolitik, practical politics *pl.* □ *con ~* realistically; ⟨*Filos*⟩ ~ *critico* critical realism; ⟨*Lett*⟩ ~ *fotografico* photographic realism; ⟨*Lett*⟩ ~ *magico* magic realism.
realista[1] *m./f.* realist.
realista[2] **I** *s.m./f.* ⟨*Pol*⟩ royalist, monarchist. – **II** *a.* royalist(ic), monarchist. □ ⟨*scherz*⟩ *essere più ~ del re* to be holier than the Pope.
realistico *a.* (*pl.* **-ci**) **1.** realistic. – **2.** (*basato sulla realtà*) realistic, practical: *politica -a* practical politics, realpolitik. – **3.** (*veritiero*) realistic, true (to life); (*spassionato, obiettivo*) realistic, objective, impartial.
realità *f.* ⟨*non com*⟩ reality.
realizzabile *a.* **1.** realizable, capable of being realized; (*fattibile*) feasible, possible, practicable, workable. – **2.** ⟨*Comm*⟩ convertible, realizable. – **realizzabilità** *f.* capability of being realized, realizability; (*fattibilità*) feasibility, practicability, workability.
realizzare **I** *v.t.* **1.** (*tradurre in realtà*) to realize, to accomplish, to carry out, to put into effect (*o* practice): *~ le proprie speranze* to realize one's hopes; *~ un piano* to carry out a plan; (*creare*) to create, to produce. – **2.** (*capire, comprendere*) to realize, to understand: *~ l'importanza di un avvenimento* to realize the importance of an event. – **3.** (*ricavare*) to realize, to make, to gain: *~ un buon guadagno* to make (*o* realize) a large profit. – **4.** ⟨*Comm*⟩ (*convertire in denaro liquido*) to convert, to realize. – **5.** ⟨*Teat*⟩ to produce, to put on, to stage. – **6.** ⟨*Sport*⟩ to score: *~ un gol* to score a goal; ⟨*assol*⟩ (*fare un punto*) to score a point. – **II** *v.i.* (*aus.* **avere**) (*guadagnare*) to make. – **realizzarsi** *v.r.* to come true (*o* about), to be fulfilled (*o* realized): *il tuo sogno si è realizzato* your dream has come true. □ ⟨*Comm*⟩ *~ un credito* to convert a credit; *~ un film* to make (*o* produce) a film; ⟨*Sport*⟩ *~ un rigore* to score with a penalty kick.
realizzatore *m.* (*f.* **-trice**) realizer, accomplisher.
realizzazione *f.* **1.** realization, accomplishment, bringing about, carrying out, execution, putting into effect. – **2.** (*creazione*) creation, production, realization, making; (*opera*) work. – **3.** ⟨*Comm*⟩ conversion, realization. □ *di difficile ~* difficult to achieve (*o* carry out); *~ radiofonica* radio production; (*trasmissione*) radio broadcast (*o* program, show); ⟨*Teat*⟩ *~ scenica* staging, production, mise-en-scène; *~ televisiva* television production; (*spettacolo*) telecast, television programme (*o* show, broadcast).
realizzo *m.* ⟨*Comm*⟩ **1.** (*ricavo*) profit, return, proceeds *pl.* – **2.** (*realizzazione*) realization, conversion. □ *a prezzi di ~* at cost (price).
realmente[1] *avv.* **1.** really, actually, in actual fact, in reality: *un personaggio ~ esistito* a person who really existed. – **2.** (*veramente, davvero*) really, truly, indeed: *le cose stanno ~ così* that's really the way things are. – **3.** ⟨*ant,rar*⟩ (*in modo regolare*) regularly.
realmente[2] *avv.* ⟨*ant,rar*⟩ (*regalmente*) regally.
realone (*accr. di reale*[2]) *m.* ⟨*Cart*⟩ size of paper (50×70 cm.).
realtà *f.* **1.** reality, realness: *affermare l'esistenza di una ~ oggettiva* to affirm the existence of an objective reality. – **2.** (*cosa reale*) fact, reality: *fare i conti con la ~* to consider the facts.
□ **diventare** *~* to become a reality, to come true (*o* about), to happen, to be realized (*o* fulfilled); *~* **esterna** external reality; **in** *~* really, actually, in reality, in (*o* as a matter of) fact, ⟨*fam*⟩ in actual fact: *in ~ le cose andarono diversamente* actually things went differently; ⟨*Psic*⟩ *~* **interiore** inner world; **lontano** *dalla ~* unrealistic; ⟨*Psic*⟩ **principio** *della ~* reality principle; **privo** *di ~* with no bearing on reality; **senso** *della ~* realism, common sense, ⟨*fam*⟩ horse-sense.
reame *m.* **1.** ⟨*Zool,Geog*⟩ realm. – **2.** ⟨*ant,lett*⟩ (*regno*) kingdom, realm. – **3.** ⟨*ant,fig*⟩ (*regno di Dio*) Kingdom of Heaven. – **Reame** *N.pr.m.* ⟨*Stor*⟩ (*regno di Napoli*) Kingdom of Naples.
reanimazione *f.* ⟨*Med,non com*⟩ (*rianimazione*) reanimation.
reatino **I** *a.* (*di Rieti*) of (*o* from) Rieti. – **II** *s.m.* (*f.* **-a**) native (*o* inhabitant) of Rieti. – **Reatino** *N.pr.m.* Rieti area (*o* district), territory round Rieti.
reato *m.* **1.** ⟨*Dir*⟩ offence, malfeasance, misdemeanour; (*delitto*) crime. – **2.** ⟨*scherz*⟩ (*atto colpevole*) crime, sin: *non sarà mica un ~ arrivare con dieci minuti di ritardo* it's no crime to be ten minutes late.
□ *~* **abituale** habitual offence; *~* **commissivo** offence of commission; *~* **comune** common-law offence; *~* **consumato** committed crime; *~* **continuato** successive (*o* continuously committed) offence; *~ contro il buon* **costume** offence against public morality; *~ di* **diffamazione** slander; *~* **elettorale** election fraud; *~ per il quale è prevista l'***estradizione** extraditable offence; *~* **fiscale** tax offence; *~* **formale** formal offence; *~* **materiale** material offence; *~* **militare** military offence; *~ contro la* **moralità** *pubblica* indecent behaviour; *~ di* **pesca** fishing offence; *~* **politico** political crime (*o* offence); **quasi** *~* technical offence; *~ di* **sangue** wounding, assault; (*omicidio*) homicide; *~* **semplice** simple offence; *~* **speciale** statutory offence; *~ di* **stampa** libel; *~ commesso in stato di* **ubriachezza** offence committed under the influence of alcohol.
reattanza *f.* ⟨*El*⟩ reactance. □ *~ acustica* acoustical reactance; *~ capacitiva* capacitive reactance; *~ induttiva* inductive reactance; *~ meccanica* mechanical reactance.
reattino *m.* ⟨*Ornit*⟩ (*scricciolo*) wren (*Troglodytes troglodytes*).
reattività *f.* reactivity. – **reattivo** **I** *a.* reactive. – **II** *s.m.* **1.** ⟨*Chim*⟩ reagent. – **2.** ⟨*Psic*⟩ test. □ *~ attitudinale* aptitude test; ⟨*Psic*⟩ *~ mentale* intelligence test; *~ psicologico* psychological test; *sostanze -e* reagents.
reattore *m.* **1.** ⟨*Atom*⟩ reactor. – **2.** ⟨*Aer*⟩ (*aereo*) jet (aeroplane); (*motore*) jet engine. – **3.** ⟨*El*⟩ reactor, inductor, impedance coil.
□ *~* **atomico** atomic reactor; *~* **autofertilizzante** breeder (reactor); *-i* **chimici** chemical reactors; *~* **eterogeneo** heterogeneous reactor; *~ a* **fissione** fission reactor; *~* **industriale** industrial reactor; *~* **nucleare** nuclear reactor; *~* **omogeneo** homogeneous reactor; *~ di* **potenza** power reactor; *~ di* **ricerca** experimental reactor; *~* **termico** thermal reactor; *~* **termonucleare** thermonuclear reactor; *~ a* **uranio** uranium reactor; *~* **veloce** fast(-neutron) reactor.
reazionario **I** *a.* **1.** ⟨*Pol*⟩ reactionary. – **2.** ⟨*spreg*⟩ (*retrogrado*) reactionary, retrograde, backward-looking. – **II** *s.m.* (*f.* **-a**) **1.** reactionary. – **2.** ⟨*spreg*⟩ (*retrogrado*) reactionary, diehard. – **reazionarismo** *m.* ⟨*Pol*⟩ reactionar(y)ism, reactionism.
reazione *f.* **1.** reaction: *la ~ della folla fu violenta* the reaction of the crowd was violent. – **2.** ⟨*tecn*⟩ reaction. – **3.** ⟨*Stor*⟩ (*restaurazione*) Restoration. – **4.** ⟨*Rad*⟩ reaction, retroaction.

□ ⟨*Mecc*⟩ **a** ~ jet-: *motore a* ~ jet engine; ⟨*Chim,Fis*⟩ ~ *a* **catena** chain reaction (*anche fig.*); ~ **chimica** chemical reaction; ~ **esplosiva** explosive reaction; ⟨*Ling*⟩ ~ **etnica** linguistic transformation in the substratum theory; ⟨*Fis*⟩ ~ *di* **fissione** fission reaction; ⟨*Med*⟩ ~ **flogistica** inflammatory reaction; ⟨*Med*⟩ ~ **immunitaria** immunoreaction; ⟨*El*⟩ ~ *d'***indotto** armature reaction; ⟨*Chim*⟩ ~ **irreversibile** irreversible reaction; ⟨*Rad*⟩ ~ **negativa** negative feed-back; ~ **nucleare** nuclear reaction; ⟨*Chim*⟩ ~ **reversibile** reversible reaction; ⟨*Med*⟩ ~ *di* **rigetto** rejection reaction; ~ **termonucleare** thermonuclear reaction; ⟨*Agr*⟩ ~ *del* **terreno** soil reaction; ⟨*Med*⟩ ~ *di* **Wassermann** Wassermann reaction.

rebbiạre *v.t.* (**rẹbbio, rẹbbi**) ⟨*non com*⟩ **1.** to strike with prongs. – **2.** ⟨*estens*⟩ (*bastonare*) to beat, to thrash. – **rebbiạta** *f.* ⟨*non com*⟩ **1.** pronging, blow with a prong. – **2.** ⟨*estens*⟩ (*bastonata*) blow. – **rẹbbio** *m.* prong, tine.

Rebẹcca *N.pr.f.* Rebecca.

rebellạre *v.t.* (**rebẹllo**) ⟨*ant*⟩ (*ribellare*) to induce to rebellion. – **rebẹlle** ⟨*ant*⟩ **I** *a.* (*ribelle*) rebellious, rebel. – **II** *s.m./f.* rebel. – **rebelliọne** *f.* ⟨*ant*⟩ (*ribellione*) rebellion. – **rebẹllo** *a./s.* → **rebelle.**

reboạnte *a.* ⟨*lett*⟩ **1.** (*rimbombante*) reverberating, booming, resounding, ⟨*lett*⟩ reboant. – **2.** ⟨*fig,spreg*⟩ bombastic, pretentious, high-sounding. – **reboạto** *m.* ⟨*lett*⟩ reverberation, boom, ⟨*lett*⟩ reboation.

rebụffo *m.* ⟨*Mil.ant*⟩ short-range cannon. □ ⟨*Mar*⟩ *prendere* (*o mandare*) *un cavo di* ~ to moor with the help of a small boat.

rẹbus *m.* **1.** rebus, puzzle. – **2.** ⟨*fig*⟩ (*questione ingarbugliata*) puzzle, riddle, conundrum; (*persona difficile da capire*) enigma, mystery, puzzle. □ ~ *figurato* picture-puzzle; ~ *letterale* rebus made of letters; ~ *monoverbo* one-word puzzle.

Rec. = ⟨*Farm*⟩ *recipe* recipe (*abbr.* rec.).

recạcco *m.* (*pl.* **-chi**) → **reattino.**

recadịa *f.* → **ricadia.**

recalcificạre *v.t.* (**recalcịfico, recalcịfichi**) ⟨*Med*⟩ (*ricalcificare*) to recalcify. – **recalcificaziọne** *f.* (*ricalcificazione*) recalcification.

recalcitrạnte (*p.pr. di recalcitrare*) *a.* ⟨*non com*⟩ (*ricalcitrante*) recalcitrant, resisting, refractory. – **recalcitrạre** *v.i.* (**recạlcitro**; *aus.* **avere**) ⟨*non com*⟩ **1.** (*ricalcitrare*) to kick out (*o* back). – **2.** ⟨*fig*⟩ to kick out, to protest, to recalcitrate.

recalescẹnza *f.* ⟨*Met*⟩ (*ricalescenza*) recalescence.

recamẹnto *m.* ⟨*ant*⟩ (*il recare*) bringing, carrying.

recapitạre *v.t.* (**recạpito**) to deliver.

recạpito *m.* **1.** (*indirizzo*) address; (*indirizzo occasionale*) accommodation address. – **2.** (*il recapitare*) delivery. – **3.** ⟨*Econ*⟩ (*ufficio*) office; (*documento*) written authorization (*o* instruction). – **4.** ⟨*ant*⟩ (*ricevuta di pagamento*) receipt.

□ **far** ~ *in un luogo* to use a place as an accommodation address; **mancato** ~ non-delivery: *in caso di mancato* ~ *rispedire al mittente* ⌜if undelivered⌝ (*o* in case of non-delivery) please return to sender; ⟨*Comm*⟩ *-i* **marittimi** ship's papers; ~ **postale** post office; *lettera* **senza** ~ unaddressed letter; ~ *di* **viaggio** ticket.

recapitolạre *v.t.* (**recapịtolo**) ⟨*non com*⟩ (*ricapitolare*) to recapitulate, ⟨*fam*⟩ to recap; (*riassumere*) to summarize.

recạre *v.t.* (**rẹco, rẹchi**) **1.** to carry, to bring, to bear: ~ *un dono a qd.* to bring s.o. a gift; *recò la notizia all'amico* he carried the news to his friend. – **2.** (*avere su di sé*) to bear, to carry: *il documento reca la firma del ministro* the document bears the minister's signature. – **3.** (*arrecare, cagionare*) to cause, to bring, to give, *a volte si traduce col verbo relativo*: *l'alluvione ha recato gravissimi danni* the flood caused great damage; *spero di non recarvi disturbo* I hope I'm not ⌜causing you any trouble⌝ (*o* disturbing you); ~ *dolore* to bring sorrow, to sorrow, to grieve. – **4.** ⟨*lett*⟩ (*attribuire*) to attribute, to ascribe. – **5.** ⟨*lett*⟩ (*indurre*) to persuade, to induce. – **recarsi** *v.r.* **1.** (*andare*) to go: *domani dovrò recarmi a Roma* I shall have to go to Rome tomorrow. – **2.** ⟨*ant*⟩ (*persuadersi*) to be persuaded (*o* induced).

□ ⟨*non com*⟩ ~ *a* **effetto** (*effettuare*) to carry out, to do, to perform; ~ *a* **gloria** = *recare a* **onore**; ⟨*lett*⟩ ~ *qc. alla* **memoria** *di qd.* to remind s.o. of s.th.; ~ **noia** to bore, to make bored; ⟨*lett*⟩ ~ *a* **onore** to consider a compliment, to take as an honour; ⟨*non com*⟩ ~ *a* **perfezione** (*perfezionare*) to perfect; ⟨*lett*⟩ ~ *in* **servitù** to reduce to servility; ~ *a* **termine** to finish (off), to accomplish.

recạvo *m.* ⟨*Mar.ant*⟩ (*ricavo*) slip-line.

rẹcchia[1] *f.* ⟨*ant,region*⟩ (*orecchio*) ear.

rẹcchia[2] *f.* ⟨*tosc*⟩ (*pecora che non ha ancora figliato*) ewe that has not yet lambed.

recchiarẹlla *f. dim. di* **recchia**[1].

recedẹnte (*p.pr. di recedere*) **I** *a.* ⟨*Dir*⟩ withdrawing. – **II** *s.m./f.* one that withdraws.

recẹdere *v.i.* (**recedẹi/recedẹtti**/*ant.* **recẹssi, recedụto**/*ant.* **recẹsso**; *aus.* **avere**) ⟨*non com*⟩ **1.** (*indietreggiare*) to withdraw, to draw back, to retreat, to recede (*da* from), to go back (on). – **2.** ⟨*fig*⟩ (*rinunciare, desistere*) to give up, to abandon, to withdraw, to forego: ~ *dalle pretese* to give up one's demands. – **3.** ⟨*Med*⟩ (*rif. a febbre*) to abate, to go down. – **4.** ⟨*Dir*⟩ to withdraw (from): ~ *da una società* to withdraw from a company.

recedimẹnto *m.* ⟨*non com*⟩ withdrawal, receding, retreat.

recẹnsio *lat. f.* ⟨*Filol*⟩ (*recensione*) recension, critical revision.

recensiọne *f.* **1.** review, criticism, ⟨*fam*⟩ write-up: *il film ha avuto -i favorevoli* the film had ⌜good reviews⌝ (*o* a good press). – **2.** ⟨*Filol*⟩ recension, critical revision. □ *fare la* ~ *di* to review. – **recensịre** *v.t.* (**recensịsco, recensịsci**) **1.** to review, to write a review of, to criticize: ~ *un libro* to review a book. – **2.** ⟨*Filol*⟩ to recense, to make a recension of. – **recensọre** *m.* (*f.* **-a**) **1.** critic, reviewer. – **2.** ⟨*Filol*⟩ recensionist, writer of recensions.

recẹnte *a.* **1.** recent: *una scoperta* ~ a recent discovery. – **2.** ⟨*Archeol, Geol*⟩ (*tardo*) Recent. □ *di* ~ (*non molto tempo fa*) recently, not long ago: *l'ho visto di* ~ I saw him recently. – **recentemẹnte** *avv.* (*non molto tempo fa*) recently, not long ago, lately, ⟨*lett*⟩ of late.

recentịssime *f.pl.* ⟨*giorn*⟩ latest news *pl.*

recenziọre *a.* ⟨*non com*⟩ (more) recent. – **recenziorità** *f.* ⟨*non com*⟩ recentness.

recẹpere *v.t.* (*p.p.* **recẹtto**) ⟨*ant,lett*⟩ (*ricevere*) to receive.

recepịre *v.t.* (**recepịsco, recepịsci**) **1.** (*ricevere*) to receive. – **2.** ⟨*Dir*⟩ to absorb, to assimilate, to include, to take into.

rẹcere *v.i.* (used in inf., 3rd pers. sing. of pr. ind. **rẹce** and in p.p. **reciụto**; *aus.* **avere**) ⟨*ant*⟩ (*vomitare*) to vomit, to be sick.

recessiọne *f.* **1.** withdrawal, recession, retreat, receding. – **2.** (*rinuncia*) withdrawal, giving up, backing out (*da* of): ~ *da un impegno* withdrawal from a commitment. – **3.** ⟨*Econ,Biol*⟩ recession: ~ *economica* economic recession. – **recessịvo** *a.* ⟨*Biol*⟩ **1.** recessive: *carattere* ~ recessive character. – **2.** ⟨*Econ*⟩ of a recession, recessive. – **recẹsso** *m.* **1.** recess(ion), receding, withdrawal. – **2.** ⟨*lett*⟩ (*luogo nascosto*) recess, retreat, alcove, nook; (*luogo solitario*) lonely spot. – **3.** *pl.* ⟨*fig*⟩ recesses *pl*: *i -i della coscienza* the recesses of the conscience. – **4.** ⟨*Dir*⟩ withdrawal, desistance. – **5.** ⟨*Anat*⟩ recess(us). – **6.** ⟨*Mecc*⟩ recess. – **7.** ⟨*Med*⟩ decrease, fall(ing), subsidence, reduction: ~ *della febbre* fall in temperature.

recettạcolo *m.* ⟨*ant*⟩ (*ricettacolo*) receptacle.

recettạre *v.t.* (**recẹtto**) ⟨*ant*⟩ (*ricettare*) to harbour, to shelter.

recettività *f.* (*ricettività*) receptivity. – **recettịvo** *a.* (*ricettivo*) receptive.

recẹtto *p.p. di* **recepere.**

recettọre I *s.m.* (*f.* **-trice**) **1.** ⟨*non com*⟩ (*chi riceve*) receptor, receiver. – **2.** ⟨*Fisiol*⟩ receptor. – **3.** ⟨*ant*⟩ (*radioricevitore*) radio receiver. – **II** *a.* ⟨*non com*⟩ (*che riceve*) receiving, receptive.

receziọne *f.* **1.** (*ricevuta*) receipt. – **2.** ⟨*Rad,TV*⟩ reception. – **3.** ⟨*Dir*⟩ reception, acceptance.

reciạra *f.* ⟨*Pesc*⟩ kind of trawl-net.

recịdere *v.t.* (**recịsi, recịso**) **1.** (*tagliare netto, mozzare*) to cut (*o* chop) off: ~ *un ramo* to cut off a branch. – **2.** ⟨*fig,lett*⟩ to break (*o* cut) off: ~ *una relazione* to break off an affair. – **3.** ⟨*ant*⟩ (*attraversare*) to cut across, to cross. – **recidersi** *v.r.* ⟨*rar*⟩ to rip, to tear, to split; (*rif. alla pelle*) to chap, to crack. □ *recidersi le vene dei polsi* to slash one's wrists.

recidimẹnto *m.* ⟨*ant,non com*⟩ **1.** (*atto*) cutting (*o* chopping) off; (*effetto*) chop, cut. – **2.** ⟨*fig*⟩ breaking (*o* cutting) off.

recidịva *f.* **1.** ⟨*Dir*⟩ relapse, recurrence, repetition. – **2.** ⟨*Med*⟩ (*ricaduta*) relapse, recidivation, palindromia. □ *in caso di* ~ in case of relapse (*o* repetition); ~ *reiterata* repeated relapse, recidivism. – **recidivạnte** (*p.pr. di recidivare*) *a.* ⟨*Med*⟩ recurrent, relapsing, recidivous, palindromic. – **recidivạre** *v.i.* (*aus.* **avere**) ⟨*non com*⟩ **1.** ⟨*Med*⟩ to relapse. – **2.** ⟨*Dir*⟩ to relapse, to recidivate. – **recidività** *f.* **1.** ⟨*Dir*⟩ recidivism. – **2.** ⟨*Med*⟩ relapse. – **3.** ⟨*Teol*⟩ relapse (into sin), backsliding. – **recidịvo I** *a.* **1.** relapsed, recidivous. – **2.** ⟨*Dir*⟩ recidivous. – **3.** ⟨*Med*⟩ recurrent, relapsing, recidivous, palindromic. – **II** *s.m.* (*f.* **-a**) **1.** relapser, backslider. – **2.** ⟨*Dir*⟩ repeater, recidivist, habitual criminal. – **3.** ⟨*Med*⟩ relapser.

recịngere *v.t.* (**recịngo, recịngi; recịnsi, recịnto**) to enclose, to surround, to fence (*o* shut) in, to put round. – **recingimẹnto** *m.* ⟨*non com*⟩ **1.** enclosing, surrounding, fencing (*o* shutting) in. – **2.** ⟨*concr*⟩ enclosure.

recintạre *v.t.* to fence in, to enclose, to surround: ~ *un parco con un muro* to enclose a park with a wall, to wall in a park. □ ~ *il giardino con una siepe* to hedge the garden in.

recịnto *m.* **1.** (*spazio recintato*) enclosure. – **2.** (*ciò che recinge*) fence. – **3.** (*box per bambini*) playpen. – **4.** (*in borsa*) floor, ⟨*am*⟩ pit. – **5.** ⟨*Sport*⟩ ring.

□ ~ *per* **animali** pen; ~ *per* **cavalli** (*al galoppatoio*) paddock; (*per il pascolo*) pasture; ⟨*Geog*⟩ ~ **corallino** coral-reef; ~ *di* **filo** *spinato* barbed-wire enclosure; ~ *dei* **giochi** playground; ~ *di* **mura** surrounding (*o* enclosure) wall, (city) walls *pl*; ~ *delle* **pecore** sheepfold; ⟨*Sport*⟩ ~ *del* **peso** weighing-in room.

recinziọne *f.* ⟨*non com*⟩ **1.** (*atto*) fencing, enclosure, surrounding; (*effetto*) fencing, enclosure. – **2.** (*ciò che serve a recingere*) fencing, fence: ~ *elettrica* electric fencing. □ *fare la* ~ *di un terreno* to enclose (*o* fence in) a holding.

reciọto *m.* ⟨*Enol*⟩ kind of sparkling red wine.

rẹcipe *lat. m.inv.* ⟨*ant*⟩ **1.** ⟨*Farm*⟩ (*ricetta*) prescription; (*prendi*) recipe, take. – **2.** ⟨*fig*⟩ (*consiglio*) advice, prescription. □ *Prov.*: *guardati da* ~ *di speziali* beware of advice from the incompetent.

recipiẹnte I *s.m.* **1.** container, vessel, recipient, receptacle. – **2.** ⟨*Idr*⟩ (*ricevente*) catch-basin, reservoir. – **II** *a.* ⟨*ant*⟩ (*capace*) ample, large, capacious.

□ ~ *di* **coccio** earthenware vessel, pot; ~ *di* **decantazione** decanting vessel; ~ *per* **gas** gas holder; ⟨*Chim*⟩ ~ **graduato** graduate; ~ *a* **pressione** pressure vessel; ~ *di* **raccolta** receiver; ~ **tubolare** tubular vessel; ~ *di* **vetro** glass vessel (*o* container).

reciprocamẹnte *avv.* reciprocally, mutually. – **reciprocạnza** *f.* ⟨*non com*⟩ reciprocity. – **reciprocạre** *v.t.* (**recịproco, recịprochi**) ⟨*non com*⟩ (*alternare*) to reciprocate, to interchange, to exchange mutually. – **reciprocazione** *f.* ⟨*non com*⟩ reciprocation, alternation. – **reciprocità** *f.* reciprocity. – **reciproco** *a./s.* (*pl.* **-ci**/*ant.* **-chi**) **I** *a.* **1.** reciprocal, mutual: *stima -a* mutual esteem. – **2.** ⟨*Mat, Gramm,Dir*⟩ reciprocal. – **II** *s.m.* **1.** ⟨*Gramm*⟩ (*verbo reciproco*) reciprocal verb. – **2.** ⟨*Mat*⟩ (*numero reciproco*) reciprocal number.

recircolare *v.i.* (**recircolo**; *aus.* **avere**) ⟨*poet,ant*⟩ to turn around. – **recirculare** *v.* (**recirculo**) → **recircolare.**

recisamente *avv.* resolutely, decidedly, definitely.

recisi *p.rem. di* **recidere.**

recisione *f.* ⟨*non com*⟩ **1.** (*il mozzare*) cutting (*o* chopping) off; (*effetto*) cut, chop. – **2.** ⟨*fig*⟩ (*risolutezza*) frank firmness, decidedness. – **3.** ⟨*Med*⟩ amputation.

reciso (*p.p. di recidere*) *a.* **1.** (*mozzato*) cut (*o* chopped) off. – **2.** ⟨*fig*⟩ (*risoluto*) firm, resolute, decided, definite: *oppose un ~ rifiuto* he gave a firm refusal. – **3.** ⟨*Arald*⟩ couped.

recisura *f.* ⟨*Med*⟩ chap(ping), crack(ing).

recita *f.* **1.** (*il recitare*) acting, performing, playing; (*spettacolo*) performance, show: *~ di beneficenza* charity performance. – **2.** (*declamazione*) recitation, declamation. – **recitabile** *a.* **1.** actable, performable, playable. – **2.** (*declamabile*) suitable for recitation.

recital *ingl.* ['rɛtʃital] *m.* recital.

recitante (*p.pr. di recitare*) **I** *a.* reciting. – **II** *s.m./f.* **1.** reciter. – **2.** ⟨*ant*⟩ (*attore*) actor.

recitare *v.* (**recito**) **I** *v.t.* **1.** (*rif. a versi e sim.*) to recite, to declaim, to repeat aloud (from memory): *~ una poesia* to recite a poem. – – **2.** (*rappresentare*) to act, to perform, to play; (*recitare una parte*) to act (*o* perform, play) the part of, to play: *ha recitato la parte di Desdemona* she played Desdemona. – **3.** ⟨*fig*⟩ (*fingere*) to play, to act, to feign: *~ la parte della gran signora* to play the fine lady, to put on airs; *~ la parte dell'ingenuo* to feign ingenuity. – **4.** ⟨*ant*⟩ (*raccontare*) to relate, to tell. – **II** *v.i.* (*aus.* **avere**) **1.** (*essere attore*) to be an actor. – **2.** (*sostenere un ruolo*) to act, to perform, to play: *ieri ha recitato con più sentimento* yesterday he acted with more feeling. – **2.** ⟨*fig,spreg*⟩ (*fingere*) to put on an act, to play-act, to pretend; (*parlare affettatamente*) to declaim, to orate. □ ⟨*fig*⟩ *~ la commedia* (*fingere*) to pretend, to play-act, to put on an act; ⟨*iron*⟩ *~ la lezione* to parrot, to repeat parrot-fashion; *~ una preghiera* to say a prayer; ⟨*Teat*⟩ *~ a soggetto* (o *braccio*) to improvise, to extemporize, to ad-lib.

recitativo I *a.* ⟨*Mus*⟩ recitative. – **II** *s.m.* recitative. □ *~ accompagnato* accompanied recitative; *~ secco* dry (*o* plain) recitative. – **recitatore** *m.* (*f.* **-trice**) ⟨*non com*⟩ **1.** reciter; (*artista*) elocutionist. – **2.** ⟨*Teat*⟩ actor (*f* -tress), performer, player. – **recitazione** *f.* **1.** recitation, reciting; (*arte del recitare*) elocution. – **2.** ⟨*Teat*⟩ (*modo di recitare*) acting.

reciticcio *m.* **1.** vomit. – **2.** ⟨*fig,spreg*⟩ vomit, revolting thing. – **3.** ⟨*fam*⟩ (*persona brutta*) ugly (*o* misshapen) person.

reclamante *m./f.* complainant, claimant.

reclamare I *v.i.* (*aus.* **avere**) to complain (*contro* of), to protest (against): *~ contro un'ingiustizia* to protest against an injustice. – **II** *v.t.* **1.** (*richiedere*) to demand, to claim: *~ giustizia* to demand justice; *~ il pagamento di un debito* to demand payment of a debt; (*rivendicare*) to claim, to lay claim to. – **2.** ⟨*fig*⟩ (*abbisognare*) to need, to require, ⟨*fam*⟩ to cry out for: *il tuo giardino reclama una migliore manutenzione* your garden needs better care.

reclamazione *f.* ⟨*rar*⟩ → **reclamo.**

réclame *fr.* [re'klam] *f.* **1.** (*pubblicità*) advertising, publicity. – **2.** ⟨*concr*⟩ advertisement: *la ~ di un nuovo dentifricio* the advertisement for a new toothpaste; (*cartellone*) poster, billboard; (*opuscolo pubblicitario*) brochure, booklet, pamphlet. □ *fare ~ a qc.* to advertise (*o* publicize, boost) s.th.; *~ luminosa* (luminous) sign; (*al neon*) neon sign.

reclamismo *m.* **1.** advertising, publicity. – **2.** (*esibizionismo*) showmanship, self-advertisement. – **reclamista** *m./f.* **1.** (*agente di pubblicità*) advertising agent, ⟨*fam*⟩ adman. – **2.** ⟨*fig*⟩ (*esibizionista*) self-advertiser. – **reclamistico** *a.* (*pl.* **-ci**) advertising-, publicity-. – **reclamizzare** *v.t.* to advertise, to publicize.

reclamo *m.* **1.** complaint, protest, objection: *presentare un ~ a qd.* to make a complaint to s.o. – **2.** (*documento*) complaint: *un ~ in carta da bollo* a complaint on stamped paper. – **3.** (*richiesta*) demand, claim; (*rivendicazione*) claim. – **4.** ⟨*Dir*⟩ (*impugnazione*) impugnment, contestation (*di* of), appeal (against). – **5.** ⟨*Sport*⟩ complaint.

reclinare *v.t.* (*p.p.* **reclinato**/*lett.* **reclino**) ⟨*lett*⟩ (*chinare*) to bow, to lower, to bend: *~ il capo* to bow one's head; (*appoggiare*) to lean, to rest, to recline. – **reclinato** (*p.p. di reclinare*) *a.* **1.** bowed, lowered, bent; (*appoggiato*) leaning, resting, reclined, reclining. – **2.** ⟨*Bot*⟩ reclinate. – **reclino** (*p.p. di reclinare*) *a.* ⟨*lett*⟩ bowed, lowered, bended, bent: *capo ~* bowed head.

recludere *v.t.* (**reclusi, recluso**) ⟨*lett*⟩ (*rinchiudere*) to imprison, to confine, to shut (*o* lock) up. – **reclusi** *p.rem. di* **recludere.** – **reclusione** *f.* **1.** confinement, shutting up, reclusion. – **2.** (*carcerazione*) imprisonment (*anche Dir.*): *è stato condannato a un anno di ~* he was sentenced to a year's imprisonment. – **recluso** (*p.p. di recludere*) **I** *a.* (*rinchiuso*) confined, shut up; (*imprigionato*) imprisoned. – **II** *s.m.* (*f.* **-a**) prisoner, convict. – **reclusorio** *m.* **1.** (*prigione*) prison, gaol, jail, ⟨*am*⟩ penitentiary. – **2.** ⟨*ant*⟩ (*ricovero per mendicanti*) poorhouse, almshouse, workhouse.

recluta (*ant.* *recluta*) *f.* **1.** ⟨*Mil*⟩ recruit, conscript. – **2.** ⟨*fig*⟩ raw recruit, novice, beginner, greenhorn: *le -e del nuoto* beginners in swimming. – **3.** ⟨*ant*⟩ (*arruolamento*) enlistment; (*complesso di soldati arruolati*) recruits *pl*, enlistees *pl*. – **4.** ⟨*fig,ant*⟩ (*accrescimento*) increase. – **reclutamento** *m.* **1.** ⟨*Mil*⟩ recruitment, recruiting, enlistment. – **2.** ⟨*estens*⟩ (*assunzione*) employment, hiring, taking on, engagement, recruiting: *~ di manodopera* hiring of workers; *~ del personale* employment of personnel. – **reclutare** *v.t.* (**recluto**) **1.** ⟨*Mil*⟩ to recruit, to enlist, to call up, to conscript, ⟨*am*⟩ to draft. – **2.** ⟨*estens*⟩ (*assumere*) to employ, to hire, to take on, to recruit: *~ operai* to hire workers. – **reclutatore** *m.* ⟨*Mil.ant*⟩ recruiter.

recognizione *f.* ⟨*ant*⟩ (*ricognizione*) recognition.

recolendo *a.* ⟨*lett,rar*⟩ (*venerando*) venerable.

recondito I *a.* **1.** ⟨*lett*⟩ (*appartato*) secluded, isolated, out-of-the-way; (*nascosto*) hidden, concealed. – **2.** ⟨*fig*⟩ (*segreto, celato*) secret, hidden, innermost, deep: *mi ha confidato i suoi più -i desideri* he confided his ⌈most secret⌉ (*o* innermost) desires to me. – **II** *s.m.* ⟨*rar*⟩ innermost part, hidden depths *pl*.

reconditorio *m.* ⟨*Rel*⟩ sepulchre.

reconvenire *v.t.* (**reconvengo, reconvieni; reconvenni, reconvenuto**; → **venire**) ⟨*Dir,ant*⟩ (*riconvenire*) to make a counterclaim against. – **reconvenzione** *f.* ⟨*ant*⟩ counterclaim.

record *m.* ⟨*Sport*⟩ (*primato*) record: *stabilire un ~* to set a record. □ *battere un ~* to break a record; *~ mondiale* world(-wide) record; ⟨*fig*⟩ *a tempo di ~* in record time, very quickly.

recordella *f.* ⟨*Ornit*⟩ (*avocetta*) avocet (*Recurvirostra avocetta*).

recordista *m./f.* ⟨*Cin*⟩ sound engineer, sound recordist, ⟨*am.fam*⟩ monitor man.

recotto *m.* ⟨*Tess*⟩ waste-silk.

recreazione *f.* ⟨*ant*⟩ (*ricreazione*) recreation, diversion.

recrezione *f.* ⟨*Bot*⟩ disposal of recrements.

recriminante (*p.pr. di recriminare*) **I** *a.* recriminating. – **II** *s.m./f.* recriminator. – **recriminare** *v.* (**recrimino**) **I** *v.i.* (*aus.* **avere**) **1.** (*ritorcere l'accusa contro l'accusatore*) to recriminate, to make a counter -accusation. – **2.** (*considerare con rammarico*) to lament, to regret: *è inutile ~ su ciò che è stato* it's no use regretting what's past. – **II** *v.t.* to throw back: *~ un giudizio imprudente* to throw back an injudicious opinion. – **recriminatore** *m.* (*f.* **-trice**) ⟨*non com*⟩ recriminator. – **recriminazione** *f.* **1.** recrimination, counter-accusation. – **2.** ⟨*estens*⟩ recrimination; (*lagnanza*) complaint.

recrudescenza *f.* **1.** recrudescence: *~ di un male* recrudescence of a disease. – **2.** ⟨*fig*⟩ (*ripresa*) recrudescence, renewal, fresh outburst, return: *~ della criminalità* recrudescence of crime; (*intensificazione*) worsening, sharpening, intensification.

rectite *f.* ⟨*Med*⟩ (*rettite*) rectitis, proctitis.

recto *m.* **1.** ⟨*Bibliot*⟩ recto. – **2.** ⟨*Numism*⟩ obverse, head.

recupera *f.* → **ricupera.** – **recuperabile** *a.* → **ricuperabile.** – **recuperamento** *m.* → **ricuperamento.** – **recuperare** *v.* → **ricuperare.** – **recuperatore** *m.* → **ricuperatore.** – **recuperatorio** *a.* → **ricuperatorio.** – **recuperazione** *f.* → **ricuperazione.** – **recupero** *m.* → **ricupero.**

recursivo *a.* ⟨*Fon*⟩ glottalized.

recusa *f.* ⟨*ant*⟩ (*ricusa*) refusal. – **recusabile** *a.* ⟨*lett*⟩ (*ricusabile*) refusable. – **recusare** *v.t.* ⟨*lett*⟩ (*ricusare*) to refuse.

reda *f.* ⟨*ant*⟩ **1.** (*erede*) heir. – **2.** ⟨*estens*⟩ (*figlio*) son; (*discendente*) descendant.

redamare *v.t.* ⟨*lett,ant*⟩ (*riamare*) to love in return, to return the love of.

redan *fr.* [re'dã] *m.* ⟨*Mar*⟩ step. □ ⟨*Aer,Mar*⟩ *~ regolabile* hydrofoil.

redancia *f.* (*pl.* **-ce**) ⟨*tecn*⟩ thimble.

redare *v.t.* (**redo**) ⟨*ant*⟩ (*ereditare*) to inherit.

redarguibile *a.* ⟨*non com*⟩ rebukable, deserving reproach.

redarguire *v.t.* (**redarguisco, redarguisci**) **1.** to reprove, to rebuke, to reproach, to reprimand, to scold: *~ qd. per qc.* to reproach s.o. for s.th. – **2.** ⟨*ant*⟩ (*argomentare contro*) to disprove, to confute (by argument), ⟨*lett*⟩ to redargue.

redarre *v.* ⟨*non com*⟩ → **redigere.** – **redassi** *p.rem. di* **redigere.** – **redatto** *p.p. di* **redigere.**

redattore *m.* (*f.* **-trice**) **1.** (*chi redige*) writer, compiler. – **2.** ⟨*Giorn*⟩ member of the editorial staff, journalist, editor: *il ~ della pagina sportiva* the sports editor, the editor of the sports page. – **3.** ⟨*Rad, TV*⟩ editor. □ ⟨*Giorn*⟩ *~ capo* editor-in-chief; ⟨*Giorn*⟩ *~ responsabile* managing editor; *~ di testi pubblicitari* copywriter.

redazionale *a.* editorial. – **redazione** *f.* **1.** (*compilazione*) writing, compiling, drawing up. – **2.** (*opera del redattore*) editing, writing. – **3.** (*insieme dei redattori*) editorial staff; (*ufficio*) editorial office. – **4.** ⟨*Filol*⟩ (*stesura*) version, redaction, (new) edition. □ *~ d'inventario* drawing up of an inventory; *nuova ~* new version; *~ del testamento* making (*o* drafting) of a will; *~ di testi pubblicitari* copywriting; *~ del verbale* writing of the minutes.

redazza *f.* ⟨*Mar*⟩ swab. – **redazzare** *v.t.* to swab.

redde rationem *lat. m.* (*resa dei conti*) day of reckoning: *per tutti verrà il ~* the day of reckoning awaits us all.

reddire *v.* → **redire.** – **reddita** *f.* → **redita.**

redditiere *m.* (*f.* **-a**) ⟨*Econ,Statist*⟩ enjoyer of an income; (*rif. a rendita annua*) annuitant.

redditività *f.* ⟨*Econ*⟩ productivity. – **redditivo** *a.* ⟨*non com*⟩ → **redditizio.** – **redditizio** *a.* profitable, remunerative, paying: *un affare molto ~* a very profitable deal. □ *poco ~* unprofitable, that does not pay.

reddito *m.* ⟨*Econ*⟩ **1.** income, revenue, earnings *pl*, proceeds *pl*, takings *pl*. – **2.** (*provento, utile*) profit, return, yield.

□ *-i* **accessori** additional (*o* casual) income; *-i* **azionari** income from shares; ~ *del* **capitale** return on capital (*o* investment), unearned (*o* funded) income; ~ *pro* **capite** pro capita income; **classe** *di* ~ income range; **denuncia** *dei -i* incometax return; ~ **disponibile** disposable income; ~ **dominicale** income from an estate; ~ *d'esercizio* trading receipts *pl* (*o* result), operating income; ~ *acquisito all'***estero** foreign income; ~ **fisso** fixed income; (*nella Borsa*) *a* ~ *fisso* fixed -yield-, fixed-interest-; *mercato del* ~ *fisso* fixed-interest market; ~ **fondiario** income on land; ~ **globale** total income; ~ **immobiliare** income on real estate; ~ **imponibile** taxable income; **imposta** *sul* ~ income tax; *-i di* **lavoro** earned income; ~ **lordo** gross income; ~ **marginale** marginal profit; ~ **medio** average income; ~ **minimo** minimum income; ~ **mobiliare** personal income; ~ **nazionale** national income; ~ **netto** net income; *-i* **occasionali** perquisites; ~ **personale** private income; *-i* **professionali** professional earnings; ~ **pubblico** = *reddito* **nazionale**; ~ **reale** real income; ~ **tassato** taxed income.

redditụario *m.* ⟨*non com*⟩ → **redditiere.**

reddiziọne *f.* ⟨*ant*⟩ (*restituzione*) restitution, return.

redẹnsi *p.rem. di* **redimere.** – **redentịvo** *a.* ⟨*rar*⟩ (*atto a redimere*) redemptive. – **redẹnto** (*p.p. di redimere*) *a.* redeemed, liberated, delivered: *i popoli -i* the redeemed (peoples).

redentọre I *s.m.* (*f.* **-trice**) **1.** redeemer. – **2.** (*liberatore*) liberator, deliverer. – **II** *a.* **1.** redeeming. – **2.** (*liberatore*) of liberation, liberating. – **Redentore** *N.pr.m.* ⟨*Rel*⟩ Redeemer. – **redentorịsta** *m.* ⟨*Rel*⟩ Redemptorist.

redenziọne *f.* **1.** (*liberazione*) liberation, deliverance: *lottare per la* ~ *del proprio paese* to fight for the liberation of one's country. – **2.** ⟨*Rel*⟩ redemption, redeeming. □ ~ *del debito pubblico* paying off the public debt; *senza* ~ (*senza rimedio*) without escape, with no way out.

redibitọrio *a.* ⟨*Dir*⟩ redhibitory.

redigẹnte (*p.pr. di redigere*) *a.* ⟨*Parl*⟩ (law-)drafting.

redịgere *v.t.* (**redigo, redịgi; redassi**/*non com.* **redigẹi/redigẹtti, redạtto**) **1.** (*compilare*) to draw up, to draft: ~ *una domanda* to draft an application. – **2.** ⟨*Giorn*⟩ (*scrivere*) to write: ~ *un articolo sportivo* to write a sports article; (*curare*) to compile, to edit. □ ~ *un inventario* to draw up an inventory; ~ *un verbale* to write (*o* draw up) the minutes.

redịmere *v.t.* (**redẹnsi, redẹnto**) **1.** (*liberare*) to redeem, to deliver, to liberate, to ransom: ~ *un popolo dalla schiavitù* to deliver a people from slavery. – **2.** ⟨*Econ,non com*⟩ (*estinguere*) to settle, to discharge. – **redimersi** *v.r.* to redeem o.s., to make (*o* set) o.s. free, to free o.s.: *redimersi dal disonore* to free o.s. from shame.

redimịbile I *a.* **1.** ⟨*lett*⟩ redeemable. – **2.** ⟨*Econ*⟩ redeemable. – **II** *s.m.* ⟨*Econ*⟩ (*debito redimibile*) redeemable national (*o* public) debt. – **redimibilità** *f.* ⟨*non com*⟩ **1.** redeemableness, redeemability. – **2.** ⟨*Econ*⟩ redeemability.

redimịre *v.t.* ⟨*lett,rar*⟩ (*incoronare*) to crown, to wreathe. – **redimịto** (*p.p. di redimire*) *a.* ⟨*lett*⟩ (*incoronato*) crowned, wreathed.

rẹdine *f.* (generally in pl.) **1.** (*briglia*) reins *pl*: *tenere le -i* to hold the reins. – **2.** *pl.* ⟨*fig*⟩ (*comando, guida*) reins *pl*, controlling (*o* guiding) power: *lasciare le -i a qd.* to hand over the reins to s.o. – **3.** ⟨*Ornit,Entom*⟩ lore.

redingote *fr.* [rədẽ'gɔt] *f.* ⟨*Mod*⟩ **1.** (*finanziera*) frock-coat, redingote. – **2.** (*abito da donna*) coat-dress, redingote; (*cappotto*) redingote.

redintegrạre *v.t.* (**redịntegro**) ⟨*lett*⟩ (*reintegrare*) to restore, to reinstate.

redịre *v.i.* (**riẹdo**; *aus.* **essere**) ⟨*poet*⟩ (*tornare indietro*) to return, to go back.

redistribuịre *v.t.* (**redistribuịsco, redistribuịsci**) (*ridistribuire*) to redistribute. – **redistribuziọne** *f.* (*ridistribuzione*) redistribution.

redịta *f.* ⟨*poet,ant*⟩ (*ritorno*) return.

redità *f.* ⟨*ant*⟩ (*eredità*) inheritance.

redịto *p.p. di* **redire.** – **redituro** *a.* ⟨*poet,rar*⟩ (*che sta per tornare*) about to return.

redivịvo *a.* **1.** (*ritornato in vita*) returned to life, alive again, reborn. – **2.** ⟨*fig*⟩ (*secondo*) another, new, reborn: *è un Leonardo* ~ he's another Leonardo. □ ⟨*scherz*⟩ *finalmente eccoti* ~*!* so you're around again at last!, here you are at last!

rẹdo *m.* ⟨*tosc,lett*⟩ (*vitello*) calf; (*agnello*) lamb.

rẹdola *f.* ⟨*tosc*⟩ **1.** (*viottolo fra i campi*) path (across the fields). – **2.** (*sentiero coperto di ghiaia*) gravel path.

redolẹnte (*p.pr. di redolire*) *a.* ⟨*lett*⟩ (*profumato*) fragrant, sweet -smelling, ⟨*lett*⟩ redolent. – **redolịre** *v.i.* (**redolịsco, redolịsci**; *aus.* **avere**) ⟨*lett*⟩ (*profumare*) to give out a sweet smell, to smell sweet, to be fragrant.

rẹdova *f.* (*danza*) redowa.

rẹduce I *a.* returning, back, returned: *soldati -i* returning soldiers; *essere* ~ *da un viaggio* to be back from a journey. – **II** *s.m.* **1.** returnee. – **2.** ⟨*Mil*⟩ veteran, ex-serviceman, survivor. □ ⟨*scherz*⟩ ~ *dalle patrie galere* ex-convict; *i -i della guerra* those returning from the war; ⟨*scherz*⟩ *essere* ~ *da una malattia* to be just over an illness.

redụcere *v.t.* (**redụco, redụci; redụssi, redọtto**) ⟨*ant*⟩ (*ridurre*) to reduce.

redundạnza *f.* ⟨*ant*⟩ (*ridondanza*) redundance, redundancy. – **redundạre** *v.i.* (*aus.* **essere**) ⟨*ant*⟩ (*ridondare*) to be redundant.

reduplicạre *v.t.* (**redụplico, redụplichi**) ⟨*lett*⟩ **1.** (*raddoppiare*) to (re)double, to (re)duplicate. – **2.** (*ripetere*) to repeat. – **reduplicatịvo** *a.* reduplicative (*anche Ling.*). – **reduplicaziọne** *f.* **1.** doubling, (re)duplication. – **2.** ⟨*Ling*⟩ reduplication.

redụrre *v.* (**redụco, redụci; redụssi, redọtto**) → **reducere.**

reduttạsi *f.* ⟨*Biol*⟩ reductase.

reduttọne *m.* ⟨*Chim*⟩ reductone.

reduvịdi *m.pl.* ⟨*Entom*⟩ assassin bugs *pl*, reduviids *pl* (*Reduviidae*).

reduziọne *f.* ⟨*ant*⟩ (*riduzione*) reduction.

rẹfe *m.* string, yarn. □ ⟨*fig*⟩ *ci vuol altro che ago e* ~ it's going to take much more than that; ~ *di canapa* hemp thread; ⟨*tosc*⟩ *cucire a* ~ *doppio* (*impegnarsi a fondo*) to throw o.s. into s.th., to do s.th. with all one's might; ⟨*region*⟩ ~ *del diavolo* (*cuscuta*) dodder; ⟨*fam*⟩ *stare* (o *vivere*) ~ *refe* to make a bare living, to just scrape along.

referendạrio *m.* **1.** referendary. – **2.** ⟨*non com,scherz*⟩ (*spia*) spy, talebearer.

referẹndum *m.* **1.** referendum: *indire un* ~ to hold a referendum. – **2.** ⟨*Statist*⟩ (*inchiesta*) poll, survey. – **3.** (*indagine svolta presso associazioni e sim.*) poll, survey, referendum. □ ~ *facoltativo* optional (*o* facultative) referendum; ~ *legislativo* legislative referendum; ~ *obbligatorio* obligatory referendum; ~ *popolare* (popular) referendum.

referẹnte I *a.* reporting, referring. – **II** *s.m.* ⟨*Ling*⟩ referent.

referẹnza *f.* **1.** reference: *presentare ottime -e* to give (*o* show) excellent references; *-e bancarie* bank references. – **2.** (*persona che fornisce informazioni*) reference. – **referenziạre** *v.* (**referẹnzio, referẹnzi**) **I** *v.t.* to supply with references, to give a reference to, to reference. – **II** *v.i.* (*aus.* **avere**) to supply references. – **referenziạto** (*p.p. di referenziare*) *a.* (supplied) with references, having good references: *cercasi personale* ~ wanted personnel with references.

refẹrto *m.* (*rapporto*) report: ~ *radiologico* X-ray report.

refettoriạle *a.* refectory-, of a dining-hall. – **refettọrio** *m.* **1.** dining -hall, refectory; (*nei conventi*) refectory. – **2.** ⟨*ant*⟩ (*stanza da pranzo*) dining-room. – **refettọro** *m.* ⟨*ant*⟩ → **refettorio.** – **refeziọne** *f.* **1.** refreshment, nourishment, ⟨*non com*⟩ refection. – **2.** (*pasto*) meal: ~ *scolastica* school-meal.

reficiạre *v.t.* (**refịcio, refịci**) ⟨*ant*⟩ **1.** (*ristorare*) to refresh, to give refreshment to, to feed. – **2.** ⟨*fig*⟩ (*rinvigorire*) to strengthen, to refresh.

refilạre *v.t.* to trim. – **refịlo** *m.* trimming.

refiziạre *v.* → **reficiare.**

reflaziọne *f.* ⟨*Econ*⟩ reflation.

reflessiọne *f.* ⟨*ant*⟩ (*riflessione*) reflection. – **reflessịvo** *a.* ⟨*ant*⟩ (*riflessivo*) reflective. – **reflẹsso** *m.* ⟨*ant*⟩ (*riflesso*) reflection. – **reflẹttere** *v.i.* (**reflettẹi/reflẹssi, reflettụto/reflẹsso**; *aus.* **avere**) ⟨*ant*⟩ (*riflettere*) to reflect.

rẹflex *m.* **1.** ⟨*Fot*⟩ reflex camera. – **2.** ⟨*Rad*⟩ (*circuito reflex*) reflex circuit.

refluịre *v.i.* (**refluịsco, refluịsci**; *aus.* **avere/essere**) ⟨*non com*⟩ (*rifluire*) to flow back, to reflow. – **rẹfluo** *a.* **1.** ⟨*lett*⟩ flowing back, reflux, refluent. – **2.** ⟨*Fisiol*⟩ refluent. – **reflụsso** *m.* **1.** ⟨*lett,ant*⟩ (*riflusso*) flowing back, reflow, reflux, ebb. – **2.** ⟨*Med*⟩ reflux.

refocillạre *v.t.* ⟨*ant*⟩ (*rifocillare*) to refresh.

rẹfolo *m.* gust (*o* puff) of wind.

refọsco *m.* (*pl.* **-chi**) ⟨*Enol*⟩ kind of grapevine.

refọsso *m.* (*rifosso*) secondary moat.

refrain *fr.* [rə'frẽ] *m.* (*ritornello*) refrain, chorus.

refrạngere *v.t.* (**refrạngo, refrạngi; refrạnsi, refrạnto/refrạtto**) ⟨*ant*⟩ (*rifrangere*) to refract.

refrattarietà *f.* **1.** refractoriness. – **2.** ⟨*fig*⟩ (*insensibilità*) insensitivity.

refrattạrio I *a.* **1.** refractory; (*di materiale refrattario*) refractory, fire-: *mattoni refrattari* refractory bricks, firebricks. – **2.** ⟨*fig*⟩ (*insensibile*) insensitive, refractory, immune (*a* to), unaffected, unmoved (by): *essere* ~ *ai rimproveri* to be insensitive to reproof. – **3.** ⟨*Med*⟩ refractory, immune. – **4.** ⟨*Mil.ant*⟩ (*che si oppone al servizio militare*) unwilling to perform military service; (*che si sottrae al servizio militare*) evading (*o* dodging) military service. – **II** *s.m.* **1.** (*mattone*) refractory brick, firebrick; (*materiale*) refractory (material). – **2.** ⟨*fig*⟩ (*f.* **-a**) insensitive person. – **3.** ⟨*Mil.ant*⟩ (*chi si sottrae al servizio militare*) evader of military service; (*chi si oppone*) unwilling conscript.

refrattività *f.* ⟨*Ott*⟩ (*rifrattività*) refractivity. – **refrạtto** (*p.p. di refrangere*) *a.* ⟨*ant*⟩ (*rifratto*) refracted. – **refrattọmetro** *m.* ⟨*Ott*⟩ (*rifrattometro*) refractometer.

refrigeramẹnto *m.* **1.** ⟨*rar*⟩ refrigeration. – **2.** ⟨*ant*⟩ (*ristoro*) refreshment. – **refrigerạnte** (*p.pr. di refrigerare*) **I** *a.* **1.** cooling, refreshing: *bevanda* ~ refreshing drink. – **2.** ⟨*fig*⟩ soothing, refreshing: *parole -i* soothing words. – **3.** ⟨*tecn*⟩ cooling, refrigerating, refrigerant: *cella* ~ refrigerating room (*o* cell). – **II** *s.m.* **1.** (*apparecchio*) cooler, refrigerator. – **2.** (*sostanza refrigerante*) coolant, refrigerant. – **refrigerạre** *v.t.* (**refrịgero**) **1.** to cool, to refrigerate; (*rinfrescare*) to cool, to refresh. – **2.** ⟨*fig*⟩ (*alleviare*) to soothe. – **refrigeratịvo** *a.* ⟨*non com*⟩ (*refrigerante*) cooling, refreshing. – **refrigerạto** (*p.p. di refrigerare*) *a.* refrigerated, cooled, chilled.

refrigeratọre *m.* **1.** refrigerator, cooler; (*liquido*) coolant. – **2.** (*apparecchio*) refrigerator, cooler. □ ⟨*Mot*⟩ ~ *dell'olio* oil cooler; ~ *a pioggia* spray (*o* Baudelot) cooler, drip cooling plant; ~ *a serpentino* serpentine cooler, cooling coil.

refrigeraziọne *f.* refrigeration, cooling, chilling. □ ~ *ad acqua* water-cooling; ~ *ad aria* air-cooling; ~ *della carne* meat refrigeration; ~ *del latte* milk cooling.

refrigẹrio *m.* **1.** (*ristoro*) refreshment, coolness, cool feeling, relief: *un'arietta che reca* ~ a breeze that brings relief, a cooling breeze. – **2.** ⟨*fig*⟩ (*sollievo*) relief; (*conforto*) solace, comfort: *non c'è* ~ *per*

il mio dolore there is no comfort for my sorrow. □ ⟨*lett*⟩ *l'eterno* ~ (*paradiso*) Heaven, Paradise.
refugio *m.* ⟨*ant*⟩ → **rifugio.**
refulgere *v.* ⟨*ant*⟩ → **rifulgere.**
refurtiva *f.* stolen goods *pl*, ⟨*fam*⟩ loot: *la* ~ *è stata recuperata* the loot has been recovered.
refusare *v.t.* ⟨*Tip*⟩ to make an error in distributing type. – **refuso** *m.* **1.** typographical error due to wrongly distributed type. – **2.** (*errore di stampa*) misprint, literal, typographical error, ⟨*fam*⟩ typo.
refutazione *f.* ⟨*rar*⟩ (*confutazione*) confutation, refutation, rebuttal, disproof.
regaglia *f.* ⟨*region*⟩ → **rigaglia.**
regalabile *a.* **1.** ⟨*non com*⟩ suitable as a gift. – **2.** ⟨*rar*⟩ (*che si può corrompere*) bribable, corruptible.
regalare *v.t.* **1.** to give, to make a present of; (*dare via*) to give away: *ha regalato tutti i suoi libri* he gave all his books away. – **2.** ⟨*iron*⟩ (*dare*) to give: *gli ha regalato quattro schiaffi* he gave him a good hiding. – **3.** ⟨*iperb*⟩ (*vendere a buon prezzo*) to give away, to go for a song: *a questo prezzo il vestito è regalato* at that price the dress is going for a song. – **4.** ⟨*non com*⟩ (*concedere*) to bestow, to confer, to grant, to concede. – **5.** ⟨*region*⟩ (*dare una mancia*) to (give a) tip: ~ *il cameriere con una buona mancia* to give the waiter a good tip. – **regalarsi** *v.r.* (*concedersi*) to treat o.s. (*qc.* to s.th.), to allow o.s. (s.th.).
regale[1] *a.* **1.** (*reale*) royal: *corona* ~ royal crown. – **2.** (*da re*) regal, kingly. – **3.** ⟨*estens*⟩ (*magnifico, grandioso*) splendid, stately, regal, magnificent, majestic.
regale[2] *m.* ⟨*Mus*⟩ regal.
regaletto *m. dim. di* **regalo.**
regalia *f.* **1.** gratuity, tip. – **2.** ⟨*Dir. mediev*⟩ royal prerogative, regale; *pl.* regalia *pl.* – **3.** *pl.* ⟨*region*⟩ (*regali in natura*) gifts *pl* in kind.
regalino *m. dim. di* **regalo.**
regalismo *m.* ⟨*Stor*⟩ regalism. – **regalista I** *s.m./f.* regalist. – **II** *a.* → **regalistico.** – **regalistico** *a.* (*pl.* **-ci**) of regalism.
regalità *f.* **1.** (*l'essere reale*) royalty, kingship, sovereignty, regality. – **2.** (*l'essere regale*) regalness, kingliness. – **3.** ⟨*estens*⟩ (*maestosità*) stateliness, grandeur, majesty. – **4.** ⟨*fig*⟩ (*generosità*) nobility, magnaminity, generosity. □ ~ *d'aspetto* regal appearance.
regalmente *avv.* **1.** regally, royally. – **2.** ⟨*estens*⟩ (*maestosamente*) regally, majestically, in a stately way.
regalo *m.* **1.** gift, present: ~ *gradito* welcome gift. – **2.** ⟨*fig*⟩ (*piacere*) pleasure, treat: *se verrai a trovarmi mi farai un gran* ~ if you come to see me it will give me great pleasure; (*cortesia*) favour. □ *dare qc. in* ~ *a qd.* to give s.o. s.th., to make s.o. a present of s.th.; ~ *di fidanzamento* engagement gift; ~ *di nozze* wedding gift (*o* present); *ricevere qc. in* ~ to receive s.th. as a gift, to get a present, to be given (*o* presented with) s.th.
regaluccio (*dim. di regalo*) *m.* ⟨*spreg*⟩ mean (*o* paltry) gift.
regamo *m.* ⟨*Bot*⟩ (*origano*) wild marjoram, origanum, origan(e), oregano (*Origanum vulgare*).
regata *f.* regatta, boat-race: ~ *velica* sailing-race; (*di panfili*) yacht -race. – **regatante** *m.* (*rematore di regata*) rower in a boat-race. – **regatare** *v.i.* (*aus.* **avere**) ⟨*non com*⟩ (*partecipare a una regata*) to take part in a regatta.
rege *m.* ⟨*ant*⟩ (*re*) king.
regesto *m.* **1.** register of ancient documents. – **2.** ⟨*Mediev*⟩ (*registro*) register, ⟨*ant*⟩ regest.
regge *f.* ⟨*ant*⟩ (*porta*) door.
reggente (*p.pr. di reggere*) **I** *a.* **1.** (*che esercita il potere*) ruling, governing, ⟨*lett*⟩ regent; (*rif. al potere reale*) regent: *principe* ~ prince regent. – **2.** (*rappresentante*) acting, deputy-, regent: *il ministro* ~ the deputy minister. – **3.** ⟨*Gramm*⟩ governing, taking, followed by. – **4.** ⟨*Occult*⟩ predominating, predominant. – **5.** ⟨*Mar. ant*⟩ seaworthy. – **II** *s.m./f.* ruler, head of state; (*capo provvisorio dello stato*) regent; (*principe reggente*) prince regent. – **III** *s.f.* ⟨*Gramm*⟩ (*proposizione reggente*) main clause.
reggenza *f.* **1.** (*carica*) regency. – **2.** (*supplenza*) deputyship, representation, ⟨*lett*⟩ regency. – **3.** ⟨*collett*⟩ regency. – **4.** ⟨*Gramm*⟩ government, regimen. – **Reggenza** *f.* ⟨*Stor*⟩ Regency. □ ⟨*Arch, Arred*⟩ *stile* ~ Regence style.
reggere *v.* (**reggo, reggi; ressi, retto**) **I** *v.t.* **1.** (*sostenere*) to hold: *reggeva un bambino tra le braccia* she was holding a baby in her arms; *reggimi i libri un momento* hold ⌜my books⌝ (*o* the books for me) a moment; (*sorreggere*) to hold (up), to support: ~ *una persona* to hold a person up, to support a person; (*portare*) to carry, to bear: ~ *qc. sulle spalle* to carry s.th. on one's shoulders. – **2.** (*sopportare*) to support, to bear, to hold (up), to sustain, to take: *questo scaffale non può* ~ *tanti libri* this shelf can't hold (*o* take the weight of) so many books; (*servire di base*) to hold up, to support: *quattro colonne reggono il baldacchino* four columns support the canopy. – **3.** (*tenere fermo*) to steady, to hold: *qualcuno mi regga la scala* somebody steady the ladder for me; (*tenere in piedi*) to hold upright, to support. – **4.** (*resistere*) to stand (up against), to bear, to withstand, to take: *la diga non resse l'impeto delle acque* the dam did not withstand the force of the water; (*trattenere*) to hold (*o* keep) back. – **5.** (*dirigere*) to manage, to run, to direct: ~ *un'azienda* to manage a business; (*governare*) to govern, to rule: ~ *uno stato* to rule a country. – **6.** ⟨*Gramm*⟩ to take, to govern, to be followed by: *questa preposizione regge il genitivo* this preposition takes the genitive. – **7.** ⟨*non com*⟩ (*rif. a cavalli e sim.*: *guidare*) to guide, to lead. – **II** *v.i.* (*aus.* **avere**) **1.** (*resistere*) to hold out (*a* against), to stand up (to), to withstand, to resist, to take (s.th.): *il ponte non resse al peso del treno* the bridge did not withstand the weight of the train; *la fanteria non resse all'attacco* the infantry did not withstand the attack; (*sopportare*) to stand, to bear (*a qc.* s.th.): ~ *alla fame* to bear hunger; ~ *al freddo* to stand the cold. – **2.** ⟨*fig*⟩ to stand (up), to hold good, to bear, ⟨*fam*⟩ to hold water: *non* ~ *a un attento esame* not to bear going into; *le tue osservazioni alla prova dei fatti non reggono* in the light of the facts your comments don't hold water, the evidence does not bear out what you say; ~ *al confronto* to bear (*o* stand) comparison. – **3.** (*durare, rimanere immutato*) to keep, to last, to hold (out), to continue: *speriamo che questo bel tempo regga* let's hope this good weather lasts (*o* holds); *è un prodotto da consumare subito perché non regge* it's a product that has to be eaten right away because it doesn't keep. – **4.** (*trattenersi, dominarsi*) to control o.s., to hold o.s. back: *non riusciva a* ~ *dalla rabbia* he was so angry he couldn't ⌜control himself⌝ (*o* keep his anger back). – **5.** (*nei giochi di carte*) to stop, to hold a stopper. – **reggersi** *v.r.* **1.** (*sostenersi, stare in piedi*) to remain (*o* be still) standing, to hold up, to stand: *l'antico castello che si regge ancora* the old castle which is still standing; (*rif. a persone*) to support o.s., to keep o.s. up: *reggersi a una sedia* to support o.s. ⌜with a chair⌝ (*o* by holding on to a chair). – **2.** (*sussistere*) to keep going, to stand (on one's feet): *la ditta si regge a malapena* the firm can barely keep going. – **3.** ⟨*fig*⟩ (*controllarsi, dominarsi*) to control (*o* restrain) o.s., to hold o.s. in: *non mi reggo più quando sento certe sciocchezze* I ⌜can't control myself⌝ (*o* lose my patience) when I hear such nonsense. – **4.** (*governarsi*) to govern (*o* rule) o.s.: *ogni popolo deve reggersi con le proprie leggi* every nation must govern itself by its own laws. – **5.** ⟨*recipr*⟩ (*sostenersi, aiutarsi*) to help e.o. – **6.** ⟨*ant*⟩ (*comportarsi, regolarsi*) to behave, to act.

□ ~ **l'acqua** to be waterproof; ⟨*fig*⟩ ~ *l'***anima** *coi denti* to be fighting against death, to cling to life; ~ *al* **calore** to stand heat, to be heat-resistant; ~ *la* **celia** to take a joke, to stand teasing; ~ *alla* **concorrenza** to stand competition; *non mi regge il* **cuore** I haven't the heart, I don't feel up to it; *reggiti* **forte** hold on tight; ~ *al* **fuoco** to be fireproof; *reggersi a* **galla** to float, to keep afloat; ⟨*fig*⟩ to keep one's head above water; *reggersi sulle* **gambe** to keep on one's feet; ⟨*Mar*⟩ ~ *il* **mare** to ride the sea well, to be seaworthy; (*rif. a persona*) to be a good sailor, ⟨*fam*⟩ to have good sea-legs; *non mi regge la* **memoria** my memory fails me; *reggersi a* **monarchia** to be a monarchy; ⟨*fig*⟩ *reggersi la* **pancia** (*dalle risa*) to hold (*o* split) one's sides with laughter; *reggersi in* **piedi** = *reggersi sulle* **gambe**; ~ *una* **prova** to stand a test; *reggersi* **ritto** to stand upright (*o* erect), to stand (*o* keep) on one's feet; ⟨*fig*⟩ ~ *il* **sacco** *a qd.* to stand by s.o., to aid and abet s.o.; *non mi regge la* **testa** my head's in a whirl, I feel dizzy; ~ *il* **timone** to steer the rudder, to be at the helm; ~ *il* **vino** to (be able to) hold one's drink (*o* liquor). – *Prov.*: *non è buon re chi non regge sé* he that would govern others should first be master of himself.
reggetta *f.* ⟨*Mecc*⟩ hoop(-iron), band.
reggia *f.* (*pl.* **-ge**) **1.** (*palazzo reale*) royal palace. – **2.** ⟨*estens*⟩ (*corte*) court. – **3.** ⟨*iperb*⟩ (*casa grande e sontuosa*) palace. □ ⟨*lett*⟩ ~ *del cielo* Heaven.
reggianino *m.* ⟨*Zool*⟩ (*anche colombo reggianino*) kind of pigeon.
reggiano I *a.* (*di Reggio Emilia*) Reggio, Reggian, of (*o* from) Reggio Emilia. – **II** *s.m.* **1.** (*abitante*; *f.* **-a**) native (*o* inhabitant) of Reggio Emilia. – **2.** ⟨*Alim*⟩ (*parmigiano reggiano*) Reggiano (cheese).
reggibile *a.* ⟨*non com*⟩ governable, controllable.
reggi|calze *m.inv.* ⟨*Vest*⟩ suspender belt, ⟨*am*⟩ garter belt. – **~casse** *m.inv.* ⟨*Tip*⟩ chase. – **~festone** *m.* ⟨*Arch*⟩ festoon-holder. – **~libri, ~libro** *m.inv.* (*fermalibro*) book-end. – **~lume** *m.* (*a sospensione*) lamp fixture; (*a braccio*) wall-bracket.
reggimentale *a.* ⟨*Mil*⟩ regimental, of a regiment.
reggimento *m.* **1.** ⟨*Mil*⟩ regiment: ~ *di artiglieria* artillery regiment. – **2.** ⟨*fig*⟩ (*gran numero*) crowd, horde, swarm, ⟨*non com*⟩ regiment. – **3.** ⟨*ant*⟩ (*governo*) government, rule. – **4.** ⟨*ant*⟩ (*modo di comportarsi*) behaviour; (*atteggiamento*) attitude, bearing. – **5.** ⟨*Gramm, ant*⟩ (*reggenza*) government, regimen. – **6.** ⟨*ant*⟩ (*il reggere, il sostenere*) supporting, bearing, sustaining.
reggino I *a.* (*di Reggio Calabria*) Reggio, Reggian, of (*o* from) Reggio Calabria. – **II** *s.m.* (*f.* **-a**) inhabitant (*o* native) of Reggio Calabria.
reggiola *f.* ⟨*napol*⟩ (*piastrella maiolicata*) glazed tile.
reggi|palo *m.* pile socle. – **~pancia** *m.inv.* ⟨*rar*⟩ (*panciera*) body-belt. – **~penne** *m.inv.* pen-holder, pen-stand, pen-rack. – **~petto** *m.* brassière, ⟨*fam*⟩ bra. – **~piccozza** *m.inv.* ⟨*Alp*⟩ gliding ring. – **~posata** *m.inv.* knife-rest. – **~sella** *m.inv.* seat pin, saddle pillar. – **~seno** *m.* → **reggipetto.** – **~spinta** *a./s.inv.* **I** *a.* ⟨*tecn*⟩ of a thrust bearing (*o* block). – **II** *s.m.* ⟨*Mecc,Mar*⟩ thrust bearing (*o* block). – **~testa** *m.inv.* **1.** (*copripoltrona*) antimacassar, tidy. – **2.** (*poggiatesta*) headrest.
reggitoio *m.* ⟨*Mar*⟩ pendant, hanger.
reggitore *m.* (*f.* **-trice**) **1.** ⟨*lett*⟩ (*chi governa*) ruler, governor. – **2.** ⟨*non com*⟩ → **reggitoio.**
regia[1] *f.* **1.** ⟨*Teat*⟩ production, ⟨*am*⟩ direction. – **2.** ⟨*Cin*⟩ direction. – **3.** ⟨*Econ*⟩ (government) monopoly, régie: ~ *dei tabacchi* (government) tobacco monopoly. – **4.** ⟨*fig,non com*⟩ (*direzione*) direction.
regia[2] *lat. f.* ⟨*Archeol*⟩ Regia.

regia[3] *f.* ⟨*ant*⟩ → **reggia.**
regiamente *avv.* ⟨*non com*⟩ **1.** (*regalmente*) royally, regally. – **2.** (*per decreto reale*) by royal decree.
regicida *m./f.* regicide. – **regicidio** *m.* regicide.
regificare *v.t.* (**regifico, regifichi**) ⟨*non com*⟩ (*far diventare regio*) to make royal, to royalize, to place under royal administration. – **regificazione** *f.* ⟨*non com*⟩ placing under royal administration.
regime[1] *m.* **1.** ⟨*Pol*⟩ (*forma di governo*) regime, form of government, (governmental) system; (*governo*) regime, government. – **2.** ⟨*spreg*⟩ (*governo autoritario*) dictatorship. – **3.** ⟨*pop*⟩ (*fascismo*) Fascism. – **4.** (*dieta*) diet, regimen: *mettersi a* ~ to go on a diet. – **5.** (*regola di vita*) regimen, tenor, way of life: *seguire un buon* ~ *di vita* to follow a good tenor of life. – **6.** ⟨*Fis*⟩ state, conditions *pl*. – **7.** ⟨*Geog*⟩ regimen. – **8.** ⟨*Mot*⟩ (*funzionamento*) operation, running; (*numero di giri*) revolutions *pl* (per minute), speed, rating. – **9.** ⟨*Econ*⟩ system.

□ ~ **alimentare** diet; ⟨*Pol*⟩ ~ **assoluto** absolute rule (*o* government); ⟨*Econ*⟩ ~ **aureo** gold standard; ⟨*Mot*⟩ **basso** ~ slow running; ⟨*Econ*⟩ ~ *di libera* **concorrenza** free enterprise system; ⟨*Mot*⟩ ~ **continuo** continuous running; ~ **dietetico** = *regime* **alimentare**; ⟨*Pol*⟩ ~ **dittatoriale** dictatorship; ⟨*Geog*⟩ ~ *d'un* **fiume** regimen (*o* rate of flow) of a river; ⟨*Mot*⟩ ~ *di* **funzionamento** working rate; ⟨*Mot*⟩ ~ *di* **giri** revolutions *pl* (per minute); ⟨*Aer*⟩ ~ *d'***impatto** rate of catch; ⟨*Pol*⟩ ~ **monarchico** monarchy; ~ *del* **motore** range of revolutions, engine speed; ⟨*Mot*⟩ ~ **nominale** nominal rating; ⟨*Fis*⟩ ~ **oscillatorio** vibrational state; ⟨*Econ*⟩ ~ **particolare** special regulation; ⟨*Fis*⟩ ~ **permanente** steady state (*o* condition); ⟨*Geog*⟩ ~ *di* **piena** high-water, flood; ⟨*Pol*⟩ ~ **poliziesco** police state; ⟨*scherz*⟩ *essere a* ~ **secco** (*essere costretto all'astinenza*) to have to stay off drink (*o* the bottle), ⟨*fam*⟩ to be on the wagon; ⟨*Fis,El*⟩ ~ **transitorio** transient state (*o* condition); ⟨*Econ*⟩ ~ **valutario** exchange regulations *pl*; ⟨*Gastr*⟩ ~ **vegetariano** vegetarian diet; ⟨*Econ*⟩ ~ **vincolistico** restriction (*o* control) scheme.
regime[2] *m.* ⟨*Bot*⟩ (*casco*) bunch, cluster.
regina *f.* **1.** queen (*anche fig.*): *la rosa è la* ~ *dei fiori* the rose is the queen of flowers. – **2.** (*moglie del re*) queen (consort). – **3.** (*negli scacchi, nelle carte da gioco*) queen. – **4.** (*uva da tavola*) kind of table grape. – **5.** ⟨*Entom*⟩ queen. – **6.** ⟨*Itt*⟩ (*carpa*) carp (*Cyprinus carpio*). – **7.** ⟨*Ornit*⟩ (*regolo*) goldcrest, golden-crested kinglet (*o* wren) (*Regulus regulus*).

□ ⟨*Bot*⟩ ~ *delle* **Alpi** Alpine eryngo (*o* sea-holly) (*Eryngium alpinum*); **ape** ~ queen bee; ⟨*Bot*⟩ ~ *dei* **boschi** (*asperula*) sweet woodruff (*Asperula odorata*); ⟨*Rel*⟩ ~ *del* **cielo** Queen of Heaven; ⟨*Bot*⟩ ~ **Claudia** (*specie di susina*) greengage; **da** ~ queenly, fit for a queen; ~ *della* **festa** belle of the ball; ~ **madre** queen mother; ⟨*Bot*⟩ ~ *dei* **prati** meadow-sweet, queen of the meadow (*Filipendula ulmaria*); ~ **reggente** ruling queen; *essere una* ~ *di* **virtù** to be a paragon of virtue.
reginali: ⟨*Stor*⟩ *partito dei* ~ supporters *pl* of the Angevins.
reginetta (*dim. di regina*) *f.* beauty-queen; (*con un nome proprio*) Miss: ~ *di Viareggio* Miss Viareggio. □ ⟨*Ornit*⟩ ~ *azzurra* blue (*o* red-legged) honeycreeper (*Cyanerpes cyaneus*): ~ *del carnevale* queen of the carnival, carnival beauty-queen.
regino *m.* ⟨*Ornit*⟩ (*occhione*) stone curlew (*o* plover) (*Burhinus oedicnemus*). □ ~ *di mare* (*albastrello*) marsh sandpiper (*Tringa stagnatilis*).
reginotta (*dim. di regina*) *f.* (*nelle favole*) princess.
regio I *a.* **1.** (*del re*) royal, king's, regal: *truppe -e* royal troops. – **2.** ⟨*Stor*⟩ (*sotto il controllo dello stato*) royal: *-a università* royal university. – **3.** ⟨*fig,ant*⟩ (*grande*) grand, king's, great: *strada -a* king's highway; (*nobile*) noble. – **II** *s.m.* **1.** ⟨*tosc*⟩ (*nei giochi di carte*: *re*) king. – **2.** *pl.* ⟨*Stor*⟩ (*soldati del re*) king's men *pl* (*o* soldiers *pl*).
regionale *a.* **1.** (*della regione*) regional, district-, provincial: *autonomia* ~ regional autonomy. – **2.** (*con valore limitativo*) regional, local, sectional: *interessi -i* local interests.
regionalismo *m.* regionalism (*anche Pol.,Ling.,Lett.*). – **regionalista I** *s.m./f.* **1.** regionalist (*anche Pol.*). – **2.** ⟨*Lett*⟩ regional writer. – **II** *a.* → **regionalistico.** – **regionalistico** *a.* (*pl.* **-ci**) regionalistic, regionalist (*anche Pol.,Lett.*).
regionalmente *avv.* regionally.
regione *f.* **1.** (*territorio*) region, district, area, zone: *i vini di questa* ~ *sono ottimi* the wines from this district are excellent. – **2.** (*suddivisione amministrativa*) region: *il presidente della* ~ the president of the region. – **3.** ⟨*fig*⟩ (*campo*) realm, domain, province: *le meravigliose -i della scienza* the marvellous domains of science. – **4.** ⟨*Geog, Astr*⟩ region, zone, area. – **5.** ⟨*Anat*⟩ region, regio, area. – **6.** ⟨*Archeol*⟩ section (*o* part) of the catacombs. – **7.** ⟨*Stor.rom*⟩ region.

□ ⟨*Geog*⟩ *-i* **abissali** abyssal regions; ⟨*Geog*⟩ ~ **alpina** Alpine region; ⟨*Dir*⟩ ~ **autonoma** autonomous region; ⟨*Geog*⟩ ~ **balcanica** Balkan region; *-i* **climatiche** climatic regions; ⟨*Anat*⟩ ~ **crurale** crural area; ⟨*Geog*⟩ ~ **fisica** natural region; ⟨*Anat*⟩ ~ **glutea** gluteal region, buttock; ~ **industriale** industrial region; ⟨*Mecc*⟩ ~ **labile** unstable region; ⟨*Anat*⟩ ~ **lombare** lumbar region; ⟨*Anat*⟩ ~ **nasale** nasal region; ~ **naturale** = *regione* **fisica**; ⟨*Anat*⟩ ~ **orbitaria** orbital region; ⟨*Anat*⟩ ~ **pubica** pubic region; ~ **sinistrata** disaster area; ⟨*Dir*⟩ ~ *a* **statuto** *speciale* region with a special constitution; ⟨*Geog*⟩ ~ *delle* **steppe** steppes (region).
regista *m./f.* **1.** ⟨*Teat,TV*⟩ producer, ⟨*am*⟩ director. – **2.** ⟨*Cin*⟩ director. – **3.** ⟨*fig*⟩ (*organizzatore, coordinatore*) organizer, co-ordinator, director.

□ **aiuto** ~ assistant director; ~ **cinematografico** (*o di film*) (film) director; ~ *del* **doppiaggio** dubbing director; ~ *del* **suono** sound engineer, studio manager; ~ **teatrale** (theatre) producer, ⟨*am*⟩ (theater) director; ~ **televisivo** (television) producer, ⟨*am*⟩ (television) director.
registico *a.* (*pl.* **-ci**) ⟨*non com*⟩ (*della regia*) direction-, of direction, directing: *attività -a* direction work; (*del regista*) of a director (*o* producer), director's.
registrabile *a.* **1.** (*degno di nota*) noteworthy, notable, worthy of note: *notizia* ~ noteworthy news. – **2.** (*regolabile*) adjustable. – **3.** ⟨*Acu*⟩ recordable.
registrare *v.t.* **1.** to record: ~ *la merce uscita dal magazzino* to record the merchandise that has left the warehouse. – **2.** ⟨*burocr*⟩ to register: ~ *la nascita del figlio* to register the birth of a child; (*immatricolare*) to register: ~ *un contratto* to register a contract. – **3.** (*ricordare per iscritto*) to record, to write (*o* note) down: *nel diario registra gli avvenimenti della giornata* he records the day's events in his diary. – **4.** (*notare, constatare*) to note, to record, to register: *i giornali registrano un aumento della criminalità* the papers record an increase in crime; *la società ha registrato un incremento delle vendite* the company noted an increase in sales. – **5.** (*accogliere*) to give, to include, to contain: *questo dizionario registra solo termini scientifici* this dictionary gives only scientific terms. – **6.** ⟨*tecn*⟩ (*rif. a strumenti di misura*: *indicare*) to register, to indicate, to record, to show: *il sismografo ha registrato una scossa di terremoto* the seismograph recorded an earth tremor; *oggi il termometro registra 25 gradi centigradi* today the thermometer registers (*o* reads) 25 degrees centigrade. – **7.** ⟨*Acu*⟩ (*incidere*) to record, ⟨*am.fam*⟩ to can: ~ *una canzone* to record a song; (*col magnetofono*) to tape, to record: *hai registrato la nostra conversazione?* did you tape our conversation? – **8.** ⟨*Mecc*⟩ (*mettere a punto*) to adjust, to set, to regulate, to tune: ~ *le puntine di un motore* to set the points of a motor. – **9.** ⟨*Mus*⟩ to tune. – **10.** ⟨*Comm*⟩ to enter, to book: ~ *a debito* to enter on the debit side. – **11.** ⟨*rar*⟩ (*scrivere*) to write down.
registrato (*p.p. di registrare*) *a.* **1.** registered. – **2.** ⟨*Acu*⟩ (*inciso*) recorded, ⟨*am.fam*⟩ canned: *discorso* ~ recorded speech. – **3.** ⟨*Mecc*⟩ (*messo a punto*) adjusted, set, regulated. – **4.** ⟨*Comm*⟩ entered, booked.
registratore *m.* (*f.* **-trice**) **1.** recorder; (*ufficiale dello stato civile*) registrar. – **2.** (*strumento di misura*) recorder, register. – **3.** (*classificatore*: *mobile*) filing cabinet; (*cartella*) file. – **4.** ⟨*Acu*⟩ (*magnetofono*) recorder; (*magnetofono a nastro*) tape-recorder.

□ ⟨*Comm*⟩ ~ *di* **cassa** cash register, till; ⟨*Acu*⟩ ~ *a* **cassetta** (*o caricatore*) cassette-recorder; ⟨*El*⟩ ~ *di* **corrente** current recorder; ⟨*Fis*⟩ ~ *a* **depressione** suction pressure recorder; ⟨*Aer*⟩ ~ *di* **distanza** air log; ~ **grafico** chart recorder; ~ *di* **livello**: 1. ⟨*Idr*⟩ liquid level recorder; 2. ⟨*Met*⟩ depth recorder; 3. (*ipsografo*) transmission-measuring set, ⟨*am*⟩ level recorder; ~ **magnetico** magnetic recorder; ~ *magnetico a filo* magnetic wire recorder; ~ *magnetico a nastro* (magnetic) tape-recorder; ~ **manometrico** recording manometer, manograph; ~ **meccanico** mechanical (*o* message) register; ⟨*Mar*⟩ ~ *di* **rotta** course recorder, navigraph; ~ **scrivente** = *registratore* **grafico**; ⟨*Cin*⟩ ~ **sonoro** sound recorder; ⟨*Acu*⟩ ~ **stereofonico** stereo(phonic) recorder; **strumento** ~ recording instrument, recorder; ⟨*Acu*⟩ ~ *del* **suono** sound recorder.
registratura *f.* **1.** ⟨*non com*⟩ (*registrazione*) registration, registering. – **2.** ⟨*Mus*⟩ registers *pl*.
registrazione *f.* **1.** (*atto*) registration, registering: ~ *di una nascita* registration of a birth; ⟨*concr*⟩ registration, entry, record. – **2.** ⟨*Acu*⟩ (*incisione*) recording, ⟨*am.fam*⟩ canning; (*sala d'incisione*) recording studio (*o* room). – **3.** ⟨*Mecc*⟩ (*messa a punto*) adjustment, setting, regulation. – **4.** (*rappresentazione grafica*) graph. – **5.** ⟨*Comm*⟩ entry, booking; (*voce*) entry, item, record. – **6.** ⟨*Rad,TV*⟩ recording, recorded programme. – **7.** ⟨*Mus*⟩ registration.

□ ~ *presso l'***anagrafe** registration at the Register Office; ⟨*Mecc*⟩ *a* ~ **automatica** self-adjusting; ⟨*Comm*⟩ ~ *in* **avere** credit entry (*o* item); ⟨*Acu*⟩ ~ *su* **cera** wax recording; ⟨*Econ*⟩ ~ *di* **chiusura** equalizing entry; ~ **diretta** direct recording; ~ *di* **dischi** disk recording; ~ *su* **filo** wire recording; ~ **fotografica** film (*o* photographic) recording; ⟨*Aut*⟩ ~ *dei* **freni** brake adjustment; ~ **magnetica** magnetic recording; ⟨*Mot*⟩ ~ *del* **minimo** idle adjustment; ~ *su* **nastro** tape -recording; ~ **ottica** optical recording; ⟨*Mot*⟩ ~ *delle* **punterie** tappet adjustment; ~ **stereofonica** stereo recording; ~ *del* **suono** sound recording; ⟨*Mot*⟩ ~ *delle* **valvole** valve setting (*o* timing).
registro *m.* **1.** register, book: *annotare su un* ~ to record (*o* enter) in a register. – **2.** (*elenco*) roster, list, register, roll. – **3.** ⟨*Scol*⟩ class (*o* form) register. – **4.** ⟨*Comm*⟩ register, record, book. – **5.** ⟨*Dir*⟩ (*ente di diritto pubblico*) Registry (of Deeds). – **6.** ⟨*Mus*⟩ range, register, compass: ~ *di baritono* baritone range; (*estensione di una singola voce*) range, register, compass. – **7.** ⟨*Mus*⟩ (*serie di canne*) (organ) stop, register; (*leva*) stop. – **8.** ⟨*Tip*⟩ register. – **9.** ⟨*Mecc*⟩ regulator, control. – **10.** (*nelle calcolatrici elettroniche*) register, memory, store, storage. – **11.** ⟨*Tel*⟩ register, director. – **12.** ⟨*ant*⟩ (*raccolta ordinata di lettere e documenti*) register of documents. – **13.** ⟨*ant*⟩ (*rata mensile d'imposta*) monthly tax instalment (*o* payment).

□ ~ **aeronautico** Air Registration Board; ⟨*Mus*⟩ ~ **alto** high register (*o* range); ⟨*Mecc*⟩ ~ *dell'***aria** air flap; ~ **automobilistico** motor vehicle register; (*l'ufficio*) Motor Registration Office; ~ *delle* **azioni** share register; ⟨*Mus*⟩ ~ **basso** low register (*o* range); ⟨*Mus*⟩ ~ *del basso* bass stop (*o* register); ⟨*Mar*⟩ ~ *di* **bordo** ship's register, log(-book); ~ *dei* **brevetti** patent office; ⟨*fam*⟩ **cambiare** ~ to change one's tune: *o ti metti a studiare o cambieremo* ~ either you get down to studying or we're going to change our tune; ⟨*Mar*⟩ ~ *dei* **carichi** cargo book; ~ *di* **cassa** cash-book; ~ *del* **catasto** land (*o* cadastral) register; ⟨*Scol*⟩ ~ *di* **classe** class (*o* form) register; ⟨*Mus*⟩ ~ *di* **combinazione** divided stop; ~ *di* **commercio** trade (*o* commercial) register; ⟨*Dipl*⟩ *-i* **consolari** consular registers; ~ **contabile** account(ing) book; ~ *delle* **cooperative** (public) register of co-operatives; ~ **elettorale** electoral register; ⟨*Econ*⟩ ~ *delle* **firme** signature book; ⟨*Mus*⟩ ~ *di* **fondo** foundation stop (*o* register); ⟨*Comm*⟩ ~ **giornaliero** *degli acquisti* bought day book; ⟨*Econ*⟩ *-i* **immobiliari** land registers; **imposta** *di* ~ stamp duty; ⟨*Comm*⟩ ~ *a* **madre** *e figlia* counterfoil book, counterpart register; ⟨*Mus*⟩ ~ *di* **mantice** bellows stop; **mutare** ~ = **cambiare** *registro*; *il* ~ (*degli atti*) *di* **nascita** register of births; ~ **navale** *italiano* Italian Register of Shipping; ⟨*tecn*⟩ ~ *dell'***orologio** clock (*o* watch) regulator; *dare il* ~ *all'orologio* to set a watch; ~ *degli* **ospiti** guest (*o* visitors') book; ~ **parrocchiale** parish register; ⟨*Mus*⟩ ~ *di* **petto** chest-voice; ~ *della* **popolazione** population register; ~ *delle* **presenze** attendance register (*o* book); ⟨*Mus*⟩ *-i* **principali** diapason flue-stops; ~ *delle* **società** *commerciali* Register of Companies, ⟨*am*⟩ Register of Business Names; ~ *dello* **stato** *civile*: 1. (*libro*) register of births marriages and deaths; 2. (*anagrafe*) Registry (*o* Register) Office, Record Office; ⟨*Mus*⟩ ~ *di* **testa** head-voice; **ufficio** *del* ~ Registry of Deeds; ⟨*Mecc*⟩ **valvola** *di* ~ throttle-valve; ~ *dei* **versamenti** paying-in book, ⟨*am*⟩ bank-book, ⟨*am*⟩ pass-book.

regiudicạta *f.* ⟨*Dir*⟩ (*anche sentenza regiudicata*) res judicata, former adjudication.

rẹgma *m.* ⟨*Bot*⟩ regma.

regnạnte (*p.pr. di regnare*) **I** *a.* **1.** reigning, ruling, ⟨*lett*⟩ regnant: *casa* ~ reigning house. – **2.** ⟨*fig*⟩ (*prevalente*) prevalent, prevailing, dominant, ruling, regnant: *secondo l'opinione* ~ according to prevailing opinion. – **II** *s.m./f.* monarch, sovereign; (*re*) king; (*regina*) queen; (*chi regna*) ruler.

regnạre *v.* (rẹgno) **I** *v.i.* (*aus.* avere) **1.** (*governare*) to reign, to rule. – **2.** (*avere il predominio*) to rule (*su qc.* s.th.), to dominate, to hold sway (over): *i romani regnarono su tutto il Mediterraneo* the Romans dominated the entire Mediterranean. – **3.** ⟨*fig*⟩ (*dominare*) to reign, to rule, to be: *in questa casa regna la confusione* confusion reigns in this house; ~ *sul cuore di qd.* to rule s.o.'s heart; (*rif. a intemperie, malattie e sim.*) to prevail, to be prevalent, to reign. – **4.** ⟨*non com*⟩ (*allignare*) to take root, to flourish, to thrive. – **II** *v.t.* ⟨*rar, poet*⟩ to reign over, to rule.

regnatịvo *a.* ⟨*rar*⟩ ruler's, of a king. – **regnatọre** *m.* (*f.* **-trice**) ⟨*lett*⟩ ruler.

regnịcolo **I** *a.* **1.** (*nato in un regno*) born in a kingdom; (*abitante di un regno*) living in a kingdom. – **2.** ⟨*ant*⟩ (*nato nel regno di Napoli*) born in the Kingdom of Naples; (*nato nel regno d'Italia*) born in the Kingdom of Italy. – **II** *s.m.* (*f.* -a) ⟨*ant*⟩ **1.** subject, native of a kingdom. – **2.** (*abitante del regno di Napoli*) inhabitant of the Kingdom of Naples; (*abitante del regno d'Italia*) inhabitant of the Kingdom of Italy.

rẹgno *m.* **1.** kingdom: *il* ~ *di Svezia* the Kingdom of Sweden. – **2.** (*autorità, dignità di re*) throne, kingship: *aspirare al* ~ to aspire to the throne; (*periodo*) reign: *sotto il* ~ *di Elisabetta Prima* ⌜in the reign of⌝ (*o* under) Elizabeth the First. – **3.** ⟨*fig*⟩ (*potere*) reign, sovereignty; (*luogo*) kingdom, realm: ~ ⌜*dei cieli*⌝ (*o di Dio*) Kingdom of Heaven; (*dominio*) kingdom, realm, world, domain: *il* ~ *della fantasia* the realm of imagination. – **4.** ⟨*Biol*⟩ kingdom: ~ *animale* animal kingdom. – **5.** ⟨*Geog*⟩ kingdom, realm. – **6.** ⟨*ant*⟩ (*corona di re*) royal crown; (*rif. a pontefici*) papal tiara. – **Regno** *m.* ⟨*Stor*⟩ (*regno di Napoli*) Kingdom of Naples.

□ ⟨*Geog*⟩ ~ **antartico** Antarctic realm; ~ **celeste** (*o eterno*) (Kingdom of) Heaven, Heavenly Kingdom; ~ *dei* **fatti** world of facts; *il* ~ *del* **male** (*l'inferno*) Hell, Kingdom of Darkness; ~ **minerale** mineral kingdom; *il* ~ *della* **morte** (*l'aldilà*) next (*o* other) world, hereafter, life to come, ⟨*fam*⟩ kingdom come; ~ *della* **natura** (kingdom of) nature, natural realm; ~ *della* **ragione** realm of reason; ~ *della* **realtà** world of reality; ~ **santo** = *regno* **celeste**; ~ *di* **Satana** = *regno del* **male**; ⟨*fig*⟩ **sentirsi** *nel proprio* ~ to feel ⌜in one's element⌝ (*o* at home); ~ *delle* **tenebre** = *regno del* **male**; ⟨*Pol*⟩ *il* ≈ **Unito** the United Kingdom; ~ **vegetale** vegetable kingdom.

rẹgola *f.* **1.** rule: *osservare le -e della grammatica* to follow the rules of grammar. – **2.** (*precetto, norma*) rule, precept, principle: *attenersi a una* ~ to follow (*o* keep to) a rule. – **3.** (*moderazione, misura*) moderation, measure, temperateness: *bere fa bene, ma ci vuole sempre una certa* ~ drinking is good for you, but within measure. – **4.** (*ordine*) order: *voglio che tutto sia disposto con* ~ I want everything to be put in order. – **5.** ⟨*Rel*⟩ rule; (*ordine religioso*) order. – **6.** ⟨*Mat,Fis*⟩ rule, principle. – **7.** *pl.* ⟨*Fisiol*⟩ (*mestruazioni*) menstruation, ⟨*fam*⟩ period.

□ *a* ~ *d'***arte** workmanlike, expert, professional; ⟨*Dir.rom*⟩ ~ **catoniana** Catonian law, regula Catoniana; **di** ~ (*normalmente*) as a rule, ordinarily, usually, in most cases, normally; *servire di* ~ to serve as an example; *essere di* ~ to be usual (*o* normal), to be the rule, to be the custom (*o* customary procedure); ~ *di* **diritto** rule of law, legal rule; ⟨*El*⟩ ~ *delle tre* **dita** right-hand rule, Fleming's rule; **diventare** (*la*) ~ to become the rule; ~ **empirica** rule of thumb; **fare** ~ to be the norm; ⟨*Fis*⟩ ~ ⌜*delle* **fasi**⌝ (*o di Gibbs*) (Gibbs') phase rule; *senza una* ~ **fissa** without a set rule; ~ *di* **Fleming** = *regola delle tre* **dita**; ~ **grammaticale** (*o della grammatica*) rule of grammar; **in** ~ in order: *tenere i libri in* ~ to keep one's books in order; *essere in* ~ *con i pagamenti* to be up-to-date with one's payments; *essere in* ~ *con* (*o verso*) *qd.* to be even (*o* quits) with s.o.; *mettere in* ~ *le proprie cose* to put (*o* set) one's affairs in order; (*fare testamento*) to make a will; *mettersi in* ~ *con qc.* to settle s.th., to straighten s.th. out, to clear s.th. up, to set s.th. in order; *mettersi in* ~ *con qd.* (*dargli quanto gli è dovuto*) to settle (*o* square) with s.o., to come to an understanding (*o* arrangement) with s.o., to give s.o. his due; *mettersi in* ~ *con Dio* to make one's peace with God; ⟨*Dir*⟩ ~ *d'***interpretazione** rule of interpretation; ⟨*Rel*⟩ ~ *dell'***ordine** rule of the order; ~ *d'***oro** golden rule; *in* **piena** ~ correct, in good order; **secondo** *le -e* = *con* **tutte** *le regole*; **senza** ~ (*smodatamente*) exaggeratedly; ⟨*fig*⟩ **stare** *alle -e del gioco* to stick to the rules; **tenersi** *a una* ~ to follow (*o* keep) to a rule; ⟨*Mat*⟩ ~ *del* **tre** rule of three; *con* **tutte** *le -e* (*bene*) very well, properly, thoroughly; ⟨*pop*⟩ *per* **vostra** ~ for your information. – *Prov.*: *ogni* ~ *ha la sua eccezione* (*non c'è regola senza eccezione*) there is no general rule without some exception.

regolạbile *a.* **1.** adjustable, regula(ta)ble. – **2.** ⟨*tecn*⟩ adjustable.

regolạggio *m.* ⟨*tecn,non com*⟩ (*regolazione*) regulation.

regolamentạre[1] *a.* regulation-, prescribed: *divisa* ~ regulation uniform.

regolamentạre[2] *v.t.* (regolamẹnto) ⟨*burocr*⟩ to control by regulations. – **regolamentazịone** *f.* ⟨*burocr*⟩ **1.** regulation: ~ *dei prezzi* regulation of prices. – **2.** (*insieme di norme*) regulations *pl*. – **3.** ⟨*Mil*⟩ military regulations *pl.*

regolamẹnto *m.* **1.** (*il regolare*) regulation, ordering, control, adjustment: *il* ~ *del corso di un fiume* the control(ling) of a river. – **2.** (*complesso di norme*) regulations *pl*, rules *pl*: *attenersi al* ~ to abide by the rules. – **3.** (*pagamento di un debito*) settlement, payment.

□ ⟨*Mar*⟩ ~ *di* **avaria** average statement, (average) adjustment; ~ **aziendale** company regulations (*o* rules) *pl*; ~ *di* **bordo** ship's regulations *pl*; ⟨*Dir*⟩ ~ *di* **competenza** appeal against judgement on point of jurisdiction; *-i* **comunali** by-laws; ~ *sul* **concordato** rules *pl* of conciliation; ~ *di* **confini** fixing of boundaries; ~ *d(e)i* **conti** settlement of accounts (*anche fig.*); ⟨*Mil*⟩ *-i di* **disciplina** disciplinary regulations; ~ **edilizio** building code (*o* regulations *pl*); ~ ⌜*di* **esecuzione**⌝ (*o esecutivo*) executive order, statutory rule; ~ *di* **fabbrica** factory (*o* works) regulations *pl*; ~ **ferroviario** railway regulations *pl*; ~ **finanziario** financial regulation; ~ *d'***igiene** health (*o* sanitary) regulations *pl*; **infrangere** *il* ~ to break the rules, to go contrary to regulations; ~ **interno** internal regulations *pl*, rules *pl* of procedure; ~ *di* **lavoro** work regulations *pl*; *-i* **militari** military regulations; ~ *delle* **nascite** birth-control; ~ *di* **navigazione** shipping regulations *pl*; ~ *di* **pagamento** settlement, payment; ~ *del* **personale** personnel regulations *pl*; ~ *di* **polizia** police regulations *pl*; ~ **provvisorio** provisional regulations *pl*; **richiamare** *al* ~ to call to order; **secondo** *il* ~ according to regulations; ~ *del* **traffico** *aereo* air traffic regulations *pl.*

regolạre[1] *v.t.* (rẹgolo) **1.** to regulate, to order, to control, to direct: ~ *le acque di un fiume* to control the flow of a river; ~ *la circolazione stradale* to regulate road traffic. – **2.** (*guidare, dirigere*) to regulate, to direct, to govern: *le leggi fisiche regolano l'universo* physical laws regulate the universe. – **3.** (*ridurre, limitare*) to reduce, to limit, to cut back on: ~ *le spese domestiche* to reduce household expenses; (*controllare, tenere a freno*) to control, to check, to rein, to curb: ~ *i propri sentimenti* to control one's feelings. – **4.** (*sistemare*) to settle, to (put in) order, to arrange: ~ *una questione* to settle a matter. – **5.** (*pagare*) to settle, to pay: ~ *un conto* to pay a bill, to settle an account. – **6.** ⟨*tecn*⟩ (*mettere a punto*) to adjust, to regulate, to set, to tune: ~ *il carburatore* to adjust the carburettor; ~ *il tempo di esposizione* to set exposure time. – **7.** ⟨*Sport*⟩ (*battere*) to beat. – **regolarsi** *v.r.* **1.** (*comportarsi secondo le circostanze*) to act, to do, to behave, to go about s.th., to take a line: *non sapere come regolarsi con qd.* not to know how to behave with s.o.; *come devo regolarmi con tuo fratello?* what line should I take with your brother? – **2.** (*tenersi nel giusto limite*) to control (o.s.), to moderate (o.s.), to limit (o.s.), ⟨*fam*⟩ to watch (it): *regolarsi nel bere* to moderate one's drinking, to cut down on drinking. □ ⟨*fig*⟩ ~ *i conti con qd.* to settle up with s.o., to teach s.o. a lesson; *saper regolarsi da sé* to know how to behave (*o* act).

regolạre[2] *a.* **1.** regular, normal, standard, correct: *seguire un* ~ *corso di studi* to follow a normal course of studies; (*in regola*) in order: *ho trovato tutto* ~ I found everything in order. – **2.** (*proporzionato, simmetrico*) regular, symmetrical, harmonious: *lineamenti -i* regular features. – **3.** (*uniforme*) regular, uniform, even, constant: *una superficie* ~ an even surface; *funzionamento* ~ constant functioning. – **4.** (*puntuale*) punctual, regular: *essere* ~ *nei pagamenti* to be punctual with one's payments. – **5.** ⟨*Gramm,Mat,Geom*⟩ regular: *sostantivi -i* regular nouns. – **6.** ⟨*Sport*⟩ regulation-, fair, according to the rules: *colpo* ~ regulation blow. – **7.** ⟨*Mil*⟩ regular: *truppe -i* regular troops, regulars. – **8.** ⟨*Dir.can*⟩ regular: *clero* ~ regular clergy. – **9.** ⟨*Min*⟩ regular, isometric: *sistema* ~ isometric system. – **10.** ⟨*Bot*⟩ (*actinomorfo*) regular, actinomorphic.

regolarịsta *m./f.* ⟨*Sport*⟩ participant in a reliability trial.

regolarità *f.* **1.** regularity. – **2.** (*esattezza*) precision, exactness, accuracy. – **3.** (*proporzione*) regularity, symmetry, proportion, harmony: *la* ~ *di un profilo* the regularity of a profile; *la* ~ *di un edificio* the symmetry of a building. – **4.** (*uniformità*) uniformity, regularity, evenness: *la* ~ *del terreno* the evenness of the ground.

– **5.** (*puntualità*) punctuality, regularity. □ *per* ~ for (the sake of) good order, to be in order.

regolarizzare *v.t.* to regularize, to make regular: ~ *la propria posizione* to regularize one's position. – **regolarizzazione** *f.* regularization.

regolarmente *avv.* **1.** (*con regolarità, in modo regolare*) regularly: *la posta arriva* ~ *due volte al giorno* the mail arrives regularly twice a day. – **2.** (*secondo le prescrizioni*) normally, regularly. – **3.** (*di norma*) regularly, usually, generally: ~ *i negozi chiudono alle otto* the stores generally close at eight. – **4.** (*correttamente*) correctly, properly, regularly.

regolatamente *avv.* in an orderly way, moderately: *vivere* ~ to live moderately, to lead a well-ordered life. – **regolatezza** *f.* **1.** regularity, orderliness. – **2.** (*moderatezza*) moderation, restraint: ~ *nel bere* moderation in drinking.

regolativo *a.* regulative (*anche Filos.*).

regolato (*p.p. di regolare*[1]) *a.* **1.** regulated, fixed, governed; (*che segue una regola*) regular. – **2.** (*ordinato*) orderly, (well-)ordered, organized: *una ditta ben -a* a well-organized company. – **3.** (*moderato*) moderate, temperate, restrained, controlled: ~ *nel bere* temperate (in drinking). – **4.** (*pianificato*) planned: *economia -a* planned economy.

regolatore I *s.m.* (*f.* -trice) **1.** ⟨*non com*⟩ regulator; (*ordinatore*) orderer; (*organizzatore*) organizer. – **2.** ⟨*Mecc*⟩ governor, regulator. – **II** *a.* regulating: *azione regolatrice* regulating action. □ ⟨*Mot*⟩ ~ *d'***alimentazione** feed regulator; ~ **astatico** astatic governor; ~ **automatico** automatic governor; ~ **centrifugo** centrifugal governor; ~ *a* **contrappeso** flyball (*o* simple) governor; ⟨*TV*⟩ ~ *di* **contrasto** contrast control; ⟨*El*⟩ ~ *di* **corrente** current regulator; ⟨*Mecc*⟩ ~ *a* **depressione** vacuum adjustment, ⟨*am*⟩ depression adjustment; ⟨*Mot*⟩ ~ *della* **dinamo** dynamo governor, ⟨*am*⟩ generator regulator; ⟨*Fot*⟩ ~ *d'***esposizione** exposure regulator; ~ *a* **galleggiante** ball-cock; ~ *del* **gas** gas regulator (*o* governor); ⟨*Mot*⟩ ~ *di* **giri** revolution regulator; ~ **idraulico** hydraulic governor; ~ *a* **induzione** induction regulator; ⟨*TV*⟩ ~ *d'***intensità** brilliance control; ~ *a* **mano** manual regulator; ⟨*Orol*⟩ **meccanismo** ~ (watch) regulator; ~ *a* **molla** spring governor; ⟨*Topogr*⟩ **piano** ~ town-planning scheme; ~ *di* **portata** flow regulator; ~ *di* **pressione** pressure regulator (*o* governor); ⟨*Rad*⟩ ~ *di* **sintonia** tuner control; ~ **statico** static regulator; ~ *di* **temperatura** temperature regulator, temperature controller (*o* control unit); ~ *automatico di temperatura* thermostat, thermoregulator; ~ *a* **tempo** control timer; ⟨*El*⟩ ~ *di* **tensione** voltage regulator; ⟨*Rad,TV*⟩ ~ *del* **tono** tone control; ~ *d'***umidità** humidity controller; ~ *di* **velocità**: 1. speed governor (*o* regulator); 2. = *regolatore di* **giri**; ⟨*Rad,TV*⟩ ~ *del* **volume** volume control.

regolazione *f.* **1.** regulation: *la* ~ *dei traffici marittimi* the regulation of maritime traffic. – **2.** (*ordinamento*) ordering. – **3.** ⟨*tecn*⟩ (*messa a punto*) adjustment, governing, regulation; (*controllo*) control. – **4.** ⟨*Comm*⟩ (*pagamento*) settlement, payment. – **5.** ⟨*Biol*⟩ regulation. □ ~ **automatica** automatic regulation; *a* ~ *automatica* automatic regulation-, automatically regulated; ⟨*Comm*⟩ ~ *dei* **conti** settlement (*o* payment) of accounts; ~ **continua** continuous regulation (*o* control); ⟨*El*⟩ ~ *di* **corrente** current control; ~ **diretta** self-acting (*o* direct) control; ⟨*El*⟩ **elemento** *di* ~ regulator (*o* end) cell; ⟨*Comm*⟩ ~ *di* **fattura** settlement (*o* payment) of an invoice; ~ **fine** = *regolazione* **micrometrica**; ~ **grossolana** coarse control (*o* adjustment, setting); ~ **idraulica** hydraulic governing; ~ *a* **mano** manual regulation; ~ **micrometrica** micrometer (*o* fine) adjustment; ⟨*Mot*⟩ ~ *del* **minimo** idling adjustment; ~ *di* **precisione** = *regolazione* **micrometrica**; ~ *della* **pressione** pressure governing (*o* regulation); ~ *a* **programma** programmed control; ⟨*TV*⟩ ~ *del* **quadro** framing, frame adjustment; ~ *di* **sicurezza** safety regulation; ⟨*Mil*⟩ ~ *del* **tiro** fire control; ⟨*Strad*⟩ ~ *del* **traffico** traffic control; ~ *della* **velocità** speed governing (*o* regulation); ⟨*Rad,TV*⟩ ~ *del* **volume** volume control (*o* adjustment); ~ *a* **zero** zero adjustment.

regoletta *f. dim. di* **regola**.

regoletto (*dim. di regolo*[1]) *m.* ⟨*Arch*⟩ (*listello*) list, listel, fillet.

regolina *f. dim. di* **regola**.

regolistica *f.* ⟨*spreg*⟩ mechanical formulation of rules.

regolizia *f.* ⟨*pop*⟩ (*liquirizia*) liquorice, licorice.

regolo[1] *m.* **1.** (*righello*) ruler. – **2.** (*regolo calcolatore*) slide-rule. – **3.** (*negli scacchi e nella dama*: *filare orizzontale*) rank; (*filare verticale*) file. – **4.** ⟨*Mur*⟩ straight-edge. – **5.** ⟨*ant*⟩ → **regoletto** □ ~ *calcolatore* slide-rule: *calcolare con il* ~ (*calcolatore*) to use the slide -rule; ~ *graduato* measuring rod (*o* staff), graduated ruler; ⟨*Mur*⟩ ~ *misuratore* shape gauge.

regolo[2] *m.* **1.** ⟨*spreg*⟩ petty king, kinglet, kingling, regulus. – **2.** ⟨*Ornit*⟩ goldcrest, golden-crested kinglet (*o* wren) (*Regulus regulus*). – **3.** ⟨*Ornit*⟩ (*fiorrancino*) firecrest, fire-crested wren (*Regulus ignicapillus*).

regrediente (*p.pr. di regredire*) *a.* retrograde, regressive, retrogressive, backward: *moto* ~ retrograde movement.

regredire *v.i.* (**regredisco, regredisci; regredii, regresso;** *aus.* **essere**) **1.** ⟨*non com*⟩ (*tornare indietro*) to regress, to retrogress, to recede, to go back(wards). – **2.** ⟨*fig*⟩ to retrograde, to decline, to become worse, to regress: ~ *nello studio* to regress in one's studies; (*diminuire*) to diminish, to decrease, to go down. – **regressione** *f.* **1.** regression, retrogression, recession. – **2.** ⟨*fig*⟩ relapse, decline, regression: ~ *della cultura* regression of culture. – **3.** ⟨*Geol,Biol*⟩ regression. – **4.** ⟨*Ret*⟩ epanodos. – **regressista** *m./f.* ⟨*non com*⟩ retrograde person. – **regressivamente** *avv.* regressively. – **regressivo** *a.* **1.** regressive, retrogressive, backward: *movimento* ~ regressive movement. – **2.** ⟨*fig*⟩ retrograde, backward(-looking): *idee -e* backward ideas. – **3.** ⟨*Fon,Biol,Econ*⟩ regressive.

regresso[1] *m.* **1.** regression, reversion, retrogression, recession: *il* ~ *di una malattia* the regression of a disease. – **2.** ⟨*fig*⟩ (*decadimento*) decay, decline, decadence, relapse. – **3.** ⟨*Dir*⟩ recourse. – **4.** ⟨*Aer, Mar*⟩ slip. – **5.** ⟨*Filos*⟩ regression, regress. □ ⟨*Dir*⟩ *azione di* ~ action of recourse; *in* ~ in decline, declining.

regresso[2] *p.p. di* **regredire**.

regulidi *m.pl.* ⟨*Ornit*⟩ kinglets *pl* (*Regulidae*).

regurgitante (*p.pr. di regurgitare*) *a.* ⟨*ant*⟩ → **rigurgitante**. – **regurgitare** *v.* ⟨*ant*⟩ → **rigurgitare**. – **regurgito** *m.* ⟨*ant*⟩ → **rigurgito**.

reguzzolo *m.* ⟨*Ornit*⟩ (*pettirosso*) robin (redbreast) (*Erithacus rubecola*).

reidratazione *f.* ⟨*Med*⟩ rehydration.

reietto I *a.* rejected, cast out, forsaken. – **II** *s.m.* (*f.* -a) reject, outcast.

reiettore: ⟨*El*⟩ *circuito* ~ rejector circuit.

reiezione *f.* **1.** ⟨*non com*⟩ rejection, casting out. – **2.** ⟨*Dir*⟩ dismissal, rejection.

reificare *v.t.* (**reifico, reifichi**) ⟨*Filos*⟩ to reify. – **reificato** (*p.p. di reificare*) *a.* reified. – **reificazione** *f.* reification.

reimbarcare *v.t.* (**reimbarco, reimbarchi**) ⟨*Mar*⟩ to re-embark. – **reimbarcarsi** *v.r.* **1.** (*risalire a bordo*) to re-embark, to return on board ship. – **2.** (*riprendere servizio a bordo*) to be taken on again. – **reimbarco** *m.* (*pl.* -chi) **1.** (*il reimbarcare, il reimbarcarsi*) re-embarcation. – **2.** (*riassunzione a bordo*) taking on again.

reimpaginare *v.t.* (**reimpagino**) ⟨*Tip*⟩ to re-impose.

reimpiegare *v.t.* (**reimpiego, reimpieghi**) **1.** to re-employ, to rehire. – **2.** ⟨*Econ*⟩ (*reinvestire*) to reinvest. – **reimpiego** *m.* (*pl.* -ghi) **1.** re-employment, rehiring. – **2.** ⟨*Econ*⟩ reinvestment.

reimpressione *f.* **1.** ⟨*non com*⟩ (*ristampa*) reprint(ing), re-impression. – **2.** ⟨*Filat*⟩ reprint.

reina *f.* **1.** ⟨*ant*⟩ (*regina*) queen. – **2.** ⟨*Itt*⟩ (*carpa*) carp (*Cyprinus carpio*).

reincanto *m.* ⟨*Dir*⟩ (*nuovo incanto*) new auction.

reincarico *m.* (*pl.* -chi) **1.** (*nuovo incarico*) new appointment. – **2.** (*rinnovo dell'incarico*) reappointment.

reincarnare *v.t.* ⟨*non com*⟩ to reincarnate. – **reincarnarsi** *v.r.* ⟨*Rel*⟩ to be reincarnated. – **reincarnazione** *f.* ⟨*Rel*⟩ reincarnation (*anche fig.*).

reincorporare *v.t.* (**reincorporo**) to reincorporate.

reincrocio *m.* ⟨*Biol*⟩ backcross.

reinfettare *v.t.* (**reinfetto**) ⟨*Med*⟩ to reinfect, to infect again. – **reinfettarsi** *v.r.* to become reinfected, to be infected again. – **reinfezione** *f.* reinfection.

reingaggio *m.* renewal of contract.

reingresso *m.* **1.** re-entry. – **2.** (*ritorno*) return.

reinnestare *v.t.* (**reinnesto**) ⟨*Agr*⟩ to regraft, to graft again. – **reinnesto** *m.* regraft(ing).

reinoculazione *f.* ⟨*Med*⟩ reinoculation.

reinscrivere *v.t.* (**reinscrissi, reinscritto**) ⟨*burocr*⟩ to enter (*o* enrol) again.

reinserimento *m.* **1.** (*rif. a cose*) reinsertion. – **2.** (*rif. a persone*) reinstatement; (*ritorno*) return. – **reinserire** *v.t.* (**reinserisco, reinserisci**) **1.** (*rif. a persone*) to reinstate. – **2.** (*rif. a cose*) to reinsert, to put back (in).

reinstallare *v.t.* to reinstate.

reintegra *f.* ⟨*burocr*⟩ → **reintegrazione**. – **reintegramento** *m.* ⟨*non com*⟩ → **reintegrazione**.

reintegranda *f.* ⟨*Dir*⟩ recovery action.

reintegrare *v.t.* (**reintegro**) **1.** to restore, to reinstate: ~ *il proprio patrimonio* to restore one's fortune. – **2.** ⟨*fig*⟩ to recover, to renew: ~ *le proprie forze* to recover one's strength, to get one's strength back. – **3.** (*riportare nella pienezza di un diritto*) to reinstate: ~ *qd. in una carica* to reinstate s.o. in a post; (*riassumere*) to re-employ, to hire again. – **4.** ⟨*assol*⟩ (*risarcire*) to compensate, to indemnify. – **reintegrarsi** *v.r.* ⟨*ant,non com*⟩ **1.** (*ritornare intero*) to become whole again. – **2.** (*rif. a eserciti*: *riordinarsi*) to re-form, to get into order again. – **3.** (*riconciliarsi*) to become reconciled, to become friends again, ⟨*fam*⟩ to make it up.

reintegrativo *a.* reintegrative. – **reintegrato** (*p.p. di reintegrare*) *a.* reintegrated, restored.

reintegrazione *f.* **1.** restoration, re-establishment, re(d)integration; (*ritorno alla completezza*) becoming whole again. – **2.** (*restituzione di un diritto*) reinstatement; (*riassunzione*) re-employment. – **3.** ⟨*Dir*⟩ recovery, restitution, restoration: *azione di* ~ action for recovery of possession, action for restitution. – **reintegro** *m.* ⟨*burocr*⟩ → **reintegrazione**.

reinvestimento *m.* ⟨*Econ*⟩ reinvestment. – **reinvestire** *v.t.* (**reinvesto**) to reinvest.

reinvitare *v.t.* ⟨*non com*⟩ (*invitare di nuovo*) to invite again.

reistallare *v.* ⟨*non com*⟩ → **reinstallare**.

reit. = ⟨*Farm*⟩ *si ripeta* repet (*abbr.* rep.).

reità *f.* **1.** ⟨*Dir*⟩ guilt, guiltiness: *fu provata la sua* ~ his guilt was proved. – **2.** ⟨*ant*⟩ (*colpa*) fault. – **reitade** *f.* ⟨*ant*⟩ → **reità**.

reiterabile *a.* ⟨*rar*⟩ repeatable. – **reiteramento** *m.* ⟨*rar*⟩ → **reiterazione**. – **reiterare** *v.t.* (**reitero**) ⟨*lett*⟩ **1.** (*ripetere più volte*) to reiterate, to repeat many times, to do again and again: ~ *una promessa* to reiterate a promise. – **2.** (*fare di nuovo*) to repeat, to do

again: ~ *una minaccia* to repeat (*o* renew) a threat. – **reiteratamẹnte** *avv.* (*ripetutamente*) repeatedly, again and again, over and over. – **reiterạto** (*p.p. di reiterare*) *a.* (*ripetuto*) repeated; (*più volte*) repeated, reiterated. – **reiterazịone** *f.* reiteration, repetition (*anche Ret.*).
reiterẹtur *lat.* ⟨*Farm*⟩ *si ripeta* repet.
reiziạno [rai-] *m.* ⟨*Metr*⟩ reizianum.
relais *fr.* [rəˈlɛ] *m.* → **relè**.
relativamẹnte *avv.* **1.** comparatively, relatively: *l'esame era ~ facile* the examination was relatively easy. – **2.** (*abbastanza*) quite, fairly, tolerably, ⟨*fam*⟩ pretty: *sono ~ soddisfatto* I'm fairly satisfied. □ ~ *a*: 1. (*riguardo a*) as regards, with reference (*o* regard) to, regarding; 2. (*in proporzione*) in proportion to, compared with: *le richieste sono molte ~ al numero dei posti* there are many applications compared with the number of positions.
relativịsmo *m.* ⟨*Filos*⟩ relativism. – **relativịsta** *m./f.* relativist. – **relativịstico** *a.* (*pl.* -ci) ⟨*Filos,Fis*⟩ relativistic: *meccanica -a* relativistic mechanics.
relatività *f.* **1.** relativity, relativeness: *la ~ di un'opinione* the relativity of an opinion. – **2.** ⟨*Fis*⟩ relativity: *principio di ~* principle of relativity. – **relativizzạre** *v.t.* ⟨*rar*⟩ to relativize, to make relative; (*limitare*) to limit. – **relativizzazịone** *f.* ⟨*Filos*⟩ relativization.
relatịvo *a.* **1.** (*corrispondente, attinente*) relating, relative, relevant, pertaining, belonging (*a* to), concerning, for (s.th.): *i dati -i all'anno scorso* the data ⌜relating to⌝ (*o* for) last year. – **2.** (*concernente*) relative, relevant, pertinent: *la domanda deve essere accompagnata dai documenti -i* the application must be accompanied by the relative (*o* relevant) documents. – **3.** (*proporzionato*) proportional, relative. – **4.** (*limitato, condizionato*) relative, comparative: *le tue osservazioni hanno un valore ~* your comments are of relative value; *vivere con -a tranquillità* to live in comparative peace. – **5.** ⟨*Fis, Gramm*⟩ relative: *umidità -a* relative humidity; *pronome ~* relative pronoun.
relạto *a.* ⟨*non com*⟩ (*riferito*) reported, referred. – **relatọre I** *s.m.* (*f.* -trice) reporter; (*rif. a commissioni parlamentari*) rapporteur. – **II** *a.* reporting. □ ⟨*Parl*⟩ *deputato ~* rapporteur; ⟨*Dir*⟩ *giudice ~* rapporteur of the Bench; ⟨*Parl*⟩ *~ di maggioranza* majority spokesman.
relax *ingl.* [riˈlæks] *m.* relaxation.
relazionạle *a.* ⟨*Filos*⟩ relational. – **relazionalità** *f.* relational nature. – **relazionạre** *v.t.* (**relaziọno**) to make a report to; (*mettere al corrente*) to inform, to bring up-to-date: *~ qd. su qc.* to inform s.o. of s.th., to bring s.o. up-to-date on s.th.
relazịone *f.* **1.** relation, connection, relationship: *fra i due fenomeni non c'è alcuna ~* there's no connection between the two phenomena. – **2.** (*legame fra persone*) relation(ship), tie, bond, rapport, liaison, connection: *essere in ~ con qd.* to have a relationship with s.o.; (*rapporti*) relations *pl*: *ho troncato ogni ~ con lui* I broke off relations with him. – **3.** *pl.* (*conoscenze*) connections *pl*, contacts *pl*, acquaintances *pl*, friends *pl*: *ho molte -i in questo ambiente* I have a lot of connections in these circles. – **4.** (*rapporto amoroso*) affair, liaison, intrigue. – **5.** (*resoconto*) report, account, relation: *fare una ~* to make a report. – **6.** ⟨*Dir,Parl*⟩ report. – **7.** ⟨*Mat*⟩ relation. – **8.** *pl.* ⟨*Teol*⟩ relations *pl* (within the Trinity).
□ ⟨*Dir*⟩ ~ **adulterina** adulterous affair; ~ *d'***affari** business relationship (*o* connection, dealings *pl*): *entrare in -i d'affari* to establish a business relationship; ~ **amministrativa** administrative report; ~ **annuale** annual report; **avere** *una ~* (*rif. a rapporto sentimentale*) to have an affair; ~ **bancaria** bank statement; ~ *di* **bilancio** company report; *-i* **commerciali** business relations; ~ *sull'esercizio commerciale* (board of management's) annual report; *-i* **diplomatiche** diplomatic relations; *-i* **economiche** economic relations; **essere** *in ~ con*: 1. (*rif. a cose*) to be related to, to be connected with; 2. (*rif. a persone*) to be on good terms with: *essere in buone -i con qd.* to be on good terms with s.o.; *-i* **estere** foreign relations; ~ **extraconiugale** = *relazione* **adulterina**; ~ **finale** final report; ~ **finanziaria** financial (*o* treasurer's) report; ⟨*Econ*⟩ ~ *di* **gestione** management (*o* director's) report; **in** ~ *a* (*con riferimento a*) with reference (*o* respect) to, in relation to, concerning, regarding, as regards; ~ *d'***inchiesta** inquiry report; ~ **interinale** interim report; *-i* **internazionali** international relations; ~ *di* **maggioranza** majority report; **mettere** *in ~ con qc.* to put in relation with s.th., to connect (*o* link) up with s.th., to relate to s.th.; *mettersi in ~ con qd.* to get in touch with s.o., to contact s.o.; ~ *di* **minoranza** minority report; ~ **preliminare** preliminary report; *-i* **pubbliche** public relations, ⟨*fam*⟩ P.R.; *-i* **sindacali** labour relations; ~ *sullo* **stato** *dell'economia* economic survey; ⟨*Pol*⟩ ~ *di* **sudditanza** subjection; *-i* **umane** human relations.
relazionịsmo *m.* ⟨*Filos*⟩ relationism.
relè *m.* ⟨*El*⟩ relay.
□ ~ **ausiliario** auxilary relay; ~ *di* **comando** control relay; ~ *a* **corrente** *continua* direct-current relay; ~ *a corrente alternata* alternating-current relay; ~ **cronometrico** deferring (*o* timing, time-lag) relay, time-switch, timer; ~ **elettromagnetico** electromagnetic relay; ~ **elettronico** electronic relay; ~ **fotoelettrico** photoelectric (*o* light) relay, light valve; ~ *a* **induzione** induction relay; ~ *di* **inserzione** starting relay; ~ *a* **mercurio** mercury relay; ~ **metrico** measuring relay; ~ **polarizzato** polarized relay; ~ *non polarizzato* non-polarized relay; ~ *di* **potenza** power relay; ~ *di* **protezione** protection (*o* protective) relay; ~ **ritardatore** (o *di ritardo*) timing (*o* slow-acting) relay, time(-delay) relay (*o* element); ~ *di* **scatto** trip (*o* trigger) relay; ~ **soccorritore** auxiliary relay; ~ *di* **sovraccarico** overload relay; ~ **tachimetrico** centrifugal switch; ~ **telefonico** telephonic relay; ~ **telegrafico** telegraphic relay; ~ **termico** thermal cut-out, temperature relay.
relegamẹnto *m.* ⟨*non com*⟩ → **relegazione**. – **relegạre** *v.t.* (**rẹlego**/*ant.* **relẹgo**, **rẹleghi**/*ant.* **relẹghi**) **1.** to relegate, to exile, to banish, to confine. – **2.** ⟨*fig*⟩ (*allontanare*) to relegate, to consign, ⟨*fam*⟩ to pack off: *l'hanno relegato all'ultimo banco della classe* he was relegated to the back of the class. – **relegazịone** *f.* (*il relegare*) relegating, exiling, banishment; (*l'essere relegato*) relegation, exile, banishment, confinement (*anche fig.*).
religionạrio *a.* ⟨*rar*⟩ religious, religionary.
religịone *f.* **1.** religion, faith, church, cult, creed, persuasion: *abbracciare una ~* to embrace a faith. – **2.** ⟨*estens*⟩ (*sentimento religioso*) devoutness, piety. – **3.** ⟨*fig*⟩ (*sentimento di riverenza*) reverence, veneration, devotion; (*santità*) sanctity, sacredness: *la ~ del giuramento* the sanctity of the oath. – **4.** ⟨*Scol*⟩ religion: *insegnante di ~* religion teacher; (*lezione di religione*) religion (lesson). – **5.** ⟨*Dir. can*⟩ (*ordine religioso*) (religious) congregation: *entrare in ~* to enter a religious congregation. – **6.** ⟨*lett*⟩ (*rito religioso*) rite. – **7.** ⟨*ant*⟩ order; (*monastero*) monastery; (*per suore*) convent.
□ ~ **cattolica** Catholic religion, Catholicism; **con** ~ (*con venerazione*) devoutly, reverently: *visitare con ~ le rovine dell'antica Grecia* to visit the ruins of ancient Greece reverently; ~ **cristiana** Christian religion, Christianity; ⟨*scherz*⟩ *non c'è più ~!* I don't know what things are coming to!, everything is going to the dogs!; ⟨*Stor*⟩ *le* **guerre** *di ~* the Wars of Religion; ~ **maomettana** Mohammedan religion, Mohammedanism, Islam; ~ **monoteistica** monotheistic religion; ~ **naturale** natural religion; ~ **pagana** pagan religion, paganism; ~ **panteistica** pantheistic religion, pantheism; ~ **politeistica** polytheistic religion, polytheism; ~ **positiva** positive religion; ~ **rivelata** revealed religion; **senza** ~ irreligious, unbelieving; ~ *di* **stato** state religion.
religiọsa *f.* (*monaca, suora*) nun.
religiosamẹnte *avv.* **1.** devoutly, reverently, religiously, in a religious manner: *vivere ~* to live in a religious manner. – **2.** ⟨*fig*⟩ (*scrupolosamente*) religiously, faithfully, conscientiously, scrupulously. – **religiosità** *f.* **1.** religiousness, religiosity; (*sentimento religioso*) devoutness, piety, devotion. – **2.** ⟨*fig*⟩ (*cura scrupolosa*) conscientiousness, scrupulousness.
religiọso I *a.* **1.** religious: *dottrina -a* religious doctrine. – **2.** (*pio*) pious, holy, sacred, religious; (*devoto*) devout, pious, reverent, religious, godly, God-fearing: *atteggiamento ~* religious attitude, devoutness. – **3.** ⟨*fig*⟩ (*devoto, dedito*) devoted: *ha un ~ affetto per i genitori* he has a devoted affection for his parents; (*rispettoso*) reverent, respectful. – **4.** ⟨*fig*⟩ (*scrupoloso*) religious, scrupulous, conscientious, strict, faithful; (*diligente*) careful, painstaking, diligent. – **5.** (*conforme ai riti della religione*) church-, religious: *funerale ~* religious funeral. – **6.** ⟨*Dir.can*⟩ religious: *ordine ~* religious order. – **II** *s.m.* (*f.* -a) ⟨*Dir.can*⟩ religious.
relịnquere *v.t.dif.* (used only in the pres. ind., pres. cong. and p.p. **relịtto**) ⟨*poet*⟩ (*abbandonare*) to leave, to abandon, to relinquish.
reliquạrio *m.* → **reliquiario**.
reliquạto I *s.m.* **1.** (*avanzo*) surplus, remainder, rest, residue: *~ di cassa* cash surplus. – **2.** ⟨*Med*⟩ (*postumo*) after-effects *pl.* – **II** *a.* ⟨*rar*⟩ (*relitto*) relict, residual.
relịquia *f.* **1.** ⟨*Rel*⟩ relic. – **2.** ⟨*fig*⟩ memento, souvenir, relic. – **3.** *pl.* ⟨*lett*⟩ (*rimasugli*) remains *pl*, relics *pl*; (*rif. a persona defunta*) remains *pl*, relics *pl*, corpse. – **4.** ⟨*Biol,Geog*⟩ relict, relic.
reliquiạrio *m.* reliquary, ⟨*non com*⟩ relicary.
relịtto (*p.p. di relinquere*) **I** *s.m.* **1.** ⟨*Mar*⟩ (*carcassa*) wreck; (*avanzo di naufragio*) wreckage, flotsam and jetsam. – **2.** ⟨*fig*⟩ down-and -out, outcast, derelict. – **3.** ⟨*Agr*⟩ small piece of land between two large holdings. – **4.** ⟨*Biol,Geog*⟩ relict, relic. – **II** *a.* ⟨*Geog,Biol*⟩ relict, residual, relic: *lago ~* relict lake; *flora -a* relict flora.
reluttạnte (*p.pr. di reluttare*) *a.* ⟨*lett*⟩ → **riluttante**. – **reluttạre** *v.* ⟨*lett*⟩ → **riluttare**.
rẹm *m.* ⟨*Fis*⟩ rem.
rẹma *f.* ⟨*sicil*⟩ strong current (in the Straits of Messina).
remainder *ingl.* [riˈmeində] *m.* ⟨*Edit*⟩ remainder.
remạio *m.* oar-maker.
remạre *v.i.* (**rẹmo**; *aus.* **avere**) **1.** to row, to oar: *~ con forza* to row hard. – **2.** ⟨*fig,non com*⟩ to oar.
remarque *fr.* [rəˈmark] *m.* ⟨*Art*⟩ remarque.
remạta *f.* **1.** stroke, pull. – **2.** (*il remare*) row: *una buona ~ scioglie i muscoli* a good row loosens up the muscles. – **3.** (*colpo dato col remo*) blow with an oar. □ *farsi una ~* to (go for a) row. – **rematọre** *m.* (*f.* -trice) rower, oar, oarsman (*f* -woman). □ *~ di poppa* stroke, oarsman, rower; *~ di prua* (o *punta*) bow (oarsman), bow-oar, bowman.
remạtto *m.* ⟨*Pesc*⟩ kind of fishing-net.
rembạta *f.* ⟨*Mar.ant*⟩ bow (*o* covered) platform, forecastle (of a galley).
remeạbile *a.* ⟨*lett*⟩ (*che si può ripercorrere*) that can be retraced.
remẹdio *m.* ⟨*ant*⟩ → **rimedio**.
remeggiạre *v.i.* (**remẹggio**, **remẹggi**; *aus.* **avere**) **1.** (*remare*) to row, to oar. – **2.** ⟨*fig*⟩ (*rif. a uccelli*) to flap, to beat. – **remẹggio** *m.* **1.** (*remi*) oars and oar fittings *pl*, oarage, rowing equipment; (*rematori*) rowers *pl*, oarsmen *pl*; (*disposizione dei remi*) oar arrange-

ment. – **2.** ⟨*lett*⟩ (*il remeggiare*) rowing. – **3.** ⟨*fig*⟩ (*rif. a uccelli*) flapping, beating.
remẹngo *m.* ⟨*ven*⟩ → **ramengo.**
remettịno, remẹtto *m. dim. di* **remo.**
rẹmico *a.* (*pl.* **-ci**) ⟨*Mar*⟩ rowing, row-. – **remiẹra** *f.* ⟨*non com*⟩ (*ripostiglio per i remi*) oar repository. – **remiẹro** *a.* → **remico.**
remigamẹnto *m.* rowing; (*rif. a uccelli*) flapping, beating. – **remigante** (*p.pr. di remigare*) **I** *a.* ⟨*lett*⟩ rowing; (*rif. a uccelli*) flapping, beating. – **II** *s.m./f.* ⟨*poet*⟩ → **rematore.** – **III** *s.f.pl.* ⟨*Ornit*⟩ (*penne remiganti*) remiges *pl*, wing quills *pl*. – **remigạre** *v.i.* (**rẹmigo, rẹmighi**; *aus.* **avere**) **1.** ⟨*lett*⟩ (*remare*) to row, to oar. – **2.** ⟨*Sport*⟩ (*nel nuoto*) to strike with the feet. – **3.** ⟨*fig*⟩ (*rif. a uccelli*) to flap, to beat. – **remigạta** *f.* ⟨*non com*⟩ rowing, row. – **remigatọre** *m.* (*f.* **-trice**) ⟨*non com*⟩ → **rematore.**
rẹmige *m.* ⟨*poet*⟩ → **rematore.**
Remịgio *N.pr.m.* Remigius.
remineralizzạre *v.t.* ⟨*Med,non com*⟩ to restore mineral elements to. – **remineralizzaziọne** *f.* ⟨*non com*⟩ remineralization.
reminiscẹnza *f.* **1.** reminiscence, memory, recollection. – **2.** (*riecheggiamento*) echo, reminiscence: *-e petrarchesche* echoes of Petrarch. – **3.** ⟨*Filos*⟩ reminiscence.
remise *fr.* [rə'mi:z] *f.* ⟨*Econ*⟩ (*commissione*) commission. – **remisier** *fr.* [rəmiz'je] *m.* intermediate broker, half-commission man.
remissịbile *a.* forgivable, pardonable, remissible: *peccato* ~ remissible sin. – **remissibilmẹnte** *avv.* with remission, remissively.
remissiọne *f.* **1.** remission, release. – **2.** (*remissività*) submissiveness, meekness, docility, compliance: ~ *al volere dei genitori* compliance with the will of parents. – **3.** ⟨*Teol*⟩ remission, forgiveness, pardon: ~ *dei peccati* remission of sins. – **4.** ⟨*Dir*⟩ (*rif. a debiti*) remission, remittal (of debt); (*rif. a querele*) withdrawal; (*rinvio*) postponement, adjournment. – **5.** ⟨*Med*⟩ remission. – **6.** ⟨*non com*⟩ (*scampo*) escape, way out, solution: *senza* ~ with no way out, irremediable. – **7.** ⟨*non com,tosc*⟩ (*perdita*) loss. – **8.** ⟨*ant*⟩ (*versamento*) payment, settlement.
remissivamẹnte *avv.* submissively. – **remissività** *f.* submissiveness, meekness, compliancy. – **remissịvo** *a.* **1.** submissive, meek, docile, compliant: *carattere* ~ submissive character. – **2.** ⟨*Dir*⟩ remissive.
remịsso (*p.p. di rimettere*) *a.* ⟨*ant,poet*⟩ → **rimesso.**
remissọre *m.* ⟨*non com*⟩ → **remisier.**
remittẹnte: ⟨*Med*⟩ *febbre* ~ remittent fever. – **remittẹnza** *f.* remission, temporary abatement.
rẹmo *m.* **1.** ⟨*Mar*⟩ oar. – **2.** ⟨*fig,non com*⟩ (*il remare*) rowing, oaring. ▭ **a** *-i* rowing, row-: *barca a -i* rowing-boat, row-boat; **arma** *-i!* oars out!; **armare** *i -i* to ship (the) oars; ~ *alla* **battana** double paddle; ~ *da* (*o a*) **bratto** scull, sculling oar; ⟨*Stor*⟩ **condannare** *al* ~ to condemn to the galleys; **disarmare** *i -i* to boat (*o* lay in) oars, to (un)ship oars; ~ **doppio** = *remo alla* **battana**; ⟨*fig,non com*⟩ **fare** *un'ora di -i* to go for an hour's row; **fila** *-i!* oars!; **filare** *i -i* to let oars trail, to lay on oars; ~ *da* **gondola** gondola oar; ~ *a* **pagaia** paddle; ~ *a* **palelle** scull; ~ *di* **punta** = *remo* **sensile**; ~ *da* **regata** scull; **rientrare** *i -i* = **disarmare** *i remi*; ⟨*Mar.ant*⟩ ~ **scaloccio** heavy galley oar; ~ **sensile** one-man oar used standing; **spalare** *i -i* to feather; **tirare** *i -i in barca*: 1. = **disarmare** *i remi*; 2. ⟨*fig*⟩ to withdraw, to back out of s.th.
Rẹmo *N.pr.m.* ⟨*Stor*⟩ Remus.
remolịno *m.* **1.** → **remolo.** – **2.** (*rif. al cavallo*) whorl. – **rẹmolo** *m.* ⟨*non com*⟩ (*mulinello: d'acqua*) whirlpool, eddy; (*di vento*) whirlwind.
remontoir *fr.* [rəmɔ̃tw'a:r] *m.* ⟨*Orol*⟩ remontoir(e).
rẹmora[1] *f.* **1.** ⟨*lett*⟩ (*indugio*) delay; (*freno*) control, restraint, check, curb; (*ostacolo*) obstacle, impediment, hindrance. – **2.** ⟨*Mar*⟩ wake.
rẹmora[2] *f.* ⟨*Itt*⟩ remora, shark-sucker, sucking-fish (*Echeneis*).
remọrchio *m.* ⟨*ant*⟩ (*rimorchio*) trailer. – **remorchiạre** *v.t.* (**remọrchio, remọrchi**) ⟨*ant*⟩ (*rimorchiare*) to tow.
remọto *a.* **1.** remote, distant: *causa -a* remote cause; (*rif. a luogo*) far -off, far(away), distant: *abita in un* ~ *paese di montagna* he lives in a remote mountain village. – **2.** (*solitario*) out-of-the-way, secluded, remote.
removịbile *a.* ⟨*non com*⟩ (*rimovibile*) removable. – **remoziọne** *f.* ⟨*non com*⟩ (*rimozione*) removal.
remunerạre *v.t.* (**remụnero**) (*rimunerare*) to remunerate, to compensate. – **remuneratịvo** *a.* (*rimunerativo*) remunerative. – **remuneratọre** **I** *s.m.* (*f.* **-trice**) (*rimuneratore*) remunerator, rewarder. – **II** *a.* remunerative. – **remuneratọrio** *a.* (*rimuneratorio*) remunerative, remuneratory. – **remunerazịone** *f.* (*rimunerazione*) remuneration, recompense. ▭ ⟨*Econ*⟩ ~ *del capitale* return on capital (*o* investment); *tasso di* ~ rate of return.
rẹna *f.* **1.** (*sabbia*) sand. – **2.** ⟨*estens,lett*⟩ (*deserto*) desert. – **3.** ⟨*Ceram*⟩ sandy earth. ▭ ⟨*fig*⟩ *edificare sulla* ~ to build on sand.
renạccio *m.* sandy ground. – **renạio** *m.* **1.** (*secca arenosa*) sandbank. – **2.** (*cava di rena*) sand-pit. – **3.** → **renaccio.**
renaiọla *f.* ⟨*Bot*⟩ corn spurr(e)y (*Spergula arvensis*).
renaiọlo *m.* sand-digger.
renạle *a.* ⟨*Anat*⟩ renal, kidney-, of the kidney(s): *arteria* ~ renal artery.
renaleptịna, renalịna *f.* ⟨*Biol*⟩ (*adrenalina*) adrenalin.
Renạnia *N.pr.f.* ⟨*Geog*⟩ Rhineland.
renạno[1] **I** *a.* **1.** (*del Reno in Germania*) Rhine-, of the Rhine, Rhenish: *valle -a* Rhine valley. – **2.** (*della Renania*) Rhineland-, of the Rhineland. – **II** *s.m.* (*f.* **-a**) Rhinelander.
renạno[2] *a.* (*del Reno in Italia*) of the Reno, Reno-.
renard *fr.* [rə'na:r] *m.* ⟨*Mod*⟩ (*volpe*) fox.
renạre *v.t.* (**rẹno**) ⟨*non com*⟩ (*sabbiare*) to clean (*o* polish) with sand.
renạro *m.* ⟨*region*⟩ sandy soil.
renạta *f.* ⟨*non com*⟩ polishing with sand. ▭ *dare una* ~ *a qc.* to polish (*o* clean) s.th. with sand.
Renạta *N.pr.f.* Renée. – **Renạto** *N.pr.m.* René.
renatụra *f.* ⟨*non com*⟩ cleaning (*o* polishing) with sand.
rẹndere *v.* (**rẹsi** [*ant.* **rendẹi/rendẹtti**], **rẹso**/*ant.* **rendụto**) **I** *v.t.* **1.** (*restituire*) to give back, to return, ⟨*lett*⟩ to restore: *rendimi il libro che ti ho prestato* give me back the book I lent you; *chi mi renderà la pace?* who will restore my peace of mind? – **2.** (*rimborsare*) to pay (*o* give) back, to repay, to return, to reimburse. – **3.** (*contraccambiare*) to repay, to pay back, to return, to render: *all'occasione gli renderò il servizio* when the opportunity arises I'll repay him for his kindness; (*ricambiare*) to return, to repay: ~ *una visita* to return a visit. – **4.** (*fruttare*) to bring in, to yield, to give: *il podere gli rende parecchi soldi* the farm brings him in plenty of money; (*rif. a interessi e sim.*) to earn, to yield. – **5.** (*dare*) to give, to render, to pay, *spesso si traduce col verbo corrispondente*: ~ *omaggio a qd.* to pay homage to s.o.; ~ *grazie a qd.* to thank s.o.; ~ *lode a qd.* to praise s.o. – **6.** (*fare*) to do, to render: ~ *un servizio a qd.* to do s.o. a favour. – **7.** (*far diventare*) to make, to render, to cause to be: *il dolore lo ha reso forte* pain has ⌜made him strong⌝ (*o* strengthened him); ~ *immortale* to make immortal, to immortalize. – **8.** (*raffigurare, riprodurre*) to portray, to depict, to render, to catch, to represent: *il quadro rende la tristezza dell'ambiente* the painting depicts the gloominess of the setting; (*descrivere*) to describe, to portray, to render; (*esprimere*) to express, to convey, to render. – **9.** (*tradurre*) to translate, to render: ~ *un verso di Dante in inglese* to translate a line of Dante into English. – **10.** ⟨*non com*⟩ (*vomitare*) to vomit, to bring up. – **11.** ⟨*lett*⟩ (*riflettere l'immagine*) to reflect. – **12.** ⟨*lett*⟩ (*rif. a voci, suoni e sim.*: *emettere*) to emit, to utter, to give out. – **13.** ⟨*lett*⟩ (*rif. a luci, odori e sim.*: *diffondere*) to diffuse, to emit, to give forth, to send out, to emanate. – **14.** ⟨*ant*⟩ (*riportare*) to bring (*o* bear) back. – **15.** ⟨*ant*⟩ (*attribuire*) to attribute. – **II** *v.i.* (*aus.* **avere**) **1.** (*convenire*) to be profitable, to give a good yield; (*fruttare*) to pay: *questo lavoro rende poco* this job doesn't pay; (*produrre*) to produce, to be productive. – **2.** (*essere efficiente*: *rif. a motori e sim.*) to be efficient: *questo motore non rende abbastanza* this motor is not very efficient; (*rif. a persone*) to be efficient, to get a lot done. – **rendersi** *v.r.* **1.** to make (*o* render) o.s.: *fa di tutto per rendersi utile* he does all he can to make himself useful; *rendersi antipatico* to make o.s. disliked; (*diventare*) to become: *rendersi amico di qd.* to become s.o.'s friend. – **2.** ⟨*lett*⟩ (*recarsi*) to go, to proceed. – **3.** ⟨*lett*⟩ (*rivolgersi*) to turn. – **4.** ⟨*lett*⟩ (*arrendersi*) to surrender, to give up.
▭ *un* **affare** *che rende* a profitable deal; ~ *l'***anima** *a Dio* to die, to give up the ghost; ~ *le* **armi** to surrender, to lay down arms; *rendersi* **certo** to make sure; ⟨*ant*⟩ *rendersi in* **colpa** to confess o.s. in the wrong, to own one's fault; ⟨*ant*⟩ ~ (*un*) **consiglio** to give advice; ~ **conto** *di qc.* to give (*o* render) an account of s.th., to justify (*o* account for) s.th.; (*risponderne*) to answer for s.th., to be answerable (*o* accountable) for s.th.; *rendersi conto di qc.*: 1. (*darsene una spiegazione*) to account for s.th. (to o.s.), to make s.th. out, to explain s.th.: *non riesco a rendermi conto di questo fatto* I cannot account for this matter; 2. (*capirla*) to realize (*o* understand) s.th.: *mi rendo conto di aver sbagliato* I realize (that) I did wrong; 3. (*accorgersene*) to become aware of s.th., to perceive s.th., to get a clear idea of s.th.; ⟨*non com*⟩ *rendersi a* **Dio** to be converted; ~ **giustizia** *a qd.* to do s.o. justice; ⟨*fam*⟩ ~ *l'***idea** to make o.s. clear, ⟨*fam*⟩ to get s.th. across (*o* over); *non so se rendo l'idea* do you see what I mean (*o* am getting at)?; ~ **madre** *qd.* to make s.o. pregnant, ⟨*lett*⟩ to get s.o. with child; ~ **male** *per bene* to render evil for good; ~ **merito** *a qd. di qc.*: 1. (*riconoscere*) to grant s.o. his due, to admit: *gli rendo merito che ha cercato di aiutarci ma non c'è riuscito* I grant him his due for trying to help us, but he didn't succeed; 2. (*ricompensare*) to repay (*o* reward) s.o. for s.th.: *Dio te ne renda merito!* may God reward you (for this); *rendersi* **necessario**: 1. to be necessary (*o* needed): *qui si rende necessario un pronto intervento* emergency action is needed (*o* called for) here; 2. (*rif. a persone*) to be useful (*o* of use), to make o.s. useful: *fa di tutto per rendersi necessario in famiglia* he does everything possible to be useful to his family; ~ *gli estremi* **onori** *a qd.* to pay the last respects to s.o.; ~ **padre** *qd.* to bear s.o. a child, to make s.o. a father; *rendersi* **persuaso** (*persuadersi*) to convince o.s.; ~ **ragione** to account for; ~ *l'ultimo* **respiro** to breathe one's last, to give one's last gasp; ~ **schiavo** *qd.* to make s.o. a slave, to enslave s.o.; ~ **sospetto** *qd. di qc.* to make s.o. suspicious of (*o* about) s.th.; ~ *una* **testimonianza** to give evidence, to bear witness, to testify; ~ **triste** to sadden. – *Prov.*: *il buon* ~ *fa il buon prestare* it's easy to borrow if you pay back promptly.
rendẹvole *a.* ⟨*rar*⟩ (*arrendevole*) docile, compliant.
rendez-vous *fr.* [rɑ̃de'vu] *m.* **1.** (*appuntamento*) appointment, rendezvous. – **2.** (*ritrovo*) rendezvous, meeting-place.
rendịbile *a.* ⟨*non com*⟩ returnable.
rendicọnto *m.* **1.** report, account: *fare il* ~ *di un viaggio* to make a report on a trip. – **2.** ⟨*Comm*⟩ (*documento contabile*) statement (of accounts). – **3.** *pl.* (*atti*) records *pl*, proceedings *pl*, minutes *pl*. ▭ ~ *economico* economic report; ~ *finanziario* financial statement, treasurer's report; ~ *di gestione* annual report (*o* statement).

rendimẹnto *m.* **1.** rendering, giving. – **2.** (*utile*) yield, return, profit: *il ~ di questo terreno è ottimo* the yield from this land is excellent; (*rif. a prodotti*) productivity. – **3.** ⟨*Mecc*⟩ efficiency, output: *il ~ di un motore* the efficiency of an engine. – **4.** ⟨*Fis*⟩ efficiency. – **5.** ⟨*ant*⟩ (*il rendere*) return(ing), giving back. – **6.** ⟨*ant*⟩ (*resa*) surrender.
□ ⟨*ant*⟩ ~ *di* **conto** rendering of accounts, statement (of accounts); ⟨*fig*⟩ (day of) reckoning, settling (*o* squaring) of accounts; ⟨*El*⟩ ~ *di* **corrente** current efficiency; ⟨*Mecc*⟩ ~ **effettivo** effective output, actual efficiency, rating performance; ⟨*Fis*⟩ ~ **energetico** energy yield; ⟨*ant*⟩ ~ *di* **grazie** rendering (*o* giving) thanks; ~ **luminoso** luminous efficiency; ~ **massimo** peak efficiency; ~ **meccanico** (o *organico*) mechanical efficiency; ⟨*El*⟩ ~ *di* **potenza** power efficiency; ⟨*Aer*⟩ ~ **propulsivo** propulsive efficiency; ⟨*Fis*⟩ ~ **quantico** quantum efficiency (*o* yield); ~ **scolastico** progress in school; ~ **termico** thermal efficiency; ~ **totale** overall efficiency; ⟨*Mot*⟩ ~ **volumetrico** volumetric efficiency.
rẹndita *f.* **1.** private (*o* unearned) income, revenue from private property: *vivere di ~* to live on a private income, ⟨*fam*⟩ to live on one's interest. – **2.** ⟨*Econ*⟩ revenue, income; (*reddito di capitale*) yield, return (on capital); (*rendita annua*) annuity; (*profitto*) revenue, profit. – **3.** (*titoli*) stock; (*obbligazione perpetua*) irredeemable debenture. – **4.** ⟨*ant*⟩ (*entrata dello stato*) public revenue (*o* income).
□ ~ **ammortizzabile** redeemable stock; ~ **annua** annuity; ~ **catastale** income according to the cadastral register; ~ *del* **consumatore** consumer's (*o* buyer's) surplus; ~ **convertita** redemption annuity; ~ **differenziale** differential rent; ~ **differita** deferred annuity; ~ **fissa** fixed income; ~ **fondiaria** ground-rent, annuity secured by assignment of real property; ~ **immediata** immediate annuity; ~ **marginale** marginal return, rent; ~ **monopolistica** (o *di monopolio*) monopolist's profit; ~ *in* **natura** rent paid in kind; ~ **nominativa** registered stock; ~ **perpetua** perpetual annuity; (*rif. a titoli*) undated (*o* unredeemable) stock; ~ **semplice** annuity secured by charge on real property; ~ *dello* **stato** government annuity; ~ **temporanea** (o *a termine*) terminable annuity; ~ *della* **terra** = *rendita* **fondiaria**; ~ *di* **vecchiaia** old-age pension; ~ **vitalizia** life annuity.
renditọre *m.* (*f.* **-trice**) **1.** ⟨*non com*⟩ refunder, returner. – **2.** ⟨*ant*⟩ (*pagatore*) payer.
rẹne[1] *m.* ⟨*Anat*⟩ kidney. □ ~ *artificiale* artificial kidney; ~ *mobile* floating kidney; *trapianto del ~* kidney (*o* renal) transplant.
rẹne[2] *f.pl.* ⟨*ant*⟩ → **reni**.
renẹlla *f.* **1.** ⟨*Med*⟩ gravel. – **2.** ⟨*Bot*⟩ (*asaro*) asarabacca (*Asarum europaeum*). – **3.** ⟨*ant*⟩ (*sabbia minuta*) fine sand.
renẹllo *m.* ⟨*Ornit*⟩ (*smeriglio*) pigeon-hawk, merlin (*Falco columbarius*).
renẹtta *f.* (*anche mela renetta*) rennet, queen-apple.
rẹnga *f.* → **rengo**. – **rẹngo** *m.* (*pl.* **-ghi**) ⟨*Stor*⟩ assembly bell.
rẹni *f.pl.* **1.** ⟨*Anat*⟩ (*regione lombare*) loins *pl*, small of the back, ⟨*pop*⟩ back: *mi dolgono le ~* my back hurts, I have a pain in my back; (*rif. ad animali*) loins *pl*. – **2.** ⟨*Arch*⟩ reins *pl*. □ ⟨*ant*⟩ *dare le ~* (*fuggire*) to run away, to flee; *filo delle ~* (*spina dorsale*) spine, backbone; *mal di ~* backache, pain in one's back; *avere le ~ rotte dalla fatica* to be dead-tired; ⟨*fig*⟩ *rompere le ~ a qd.* to give s.o. a good thrashing (*o* hiding).
renịccio *m.* sand.
renifọrme *a.* reniform, kidney-shaped, nephroid.
renịna *f.* ⟨*Biol*⟩ renin.
rẹnio *m.* ⟨*Chim*⟩ rhenium.
renitẹnte I *a.* **1.** recalcitrant, loath, reluctant, unwilling: *è ~ a ogni consiglio* he is recalcitrant to any advice, he is loath (*o* unwilling) to take advice. – **2.** ⟨*rar*⟩ (*paralizzato*) paralysed. – **3.** ⟨*ant*⟩ (*moroso*) defaulting, tardy, in arrears. – **II** *s.m.* ⟨*Mil*⟩ (*renitente alla leva*) person failing to report for military service, ⟨*am*⟩ draft dodger. □ ⟨*Mil*⟩ *essere ~ alla leva* to fail to report for military service. – **renitẹnza** *f.* **1.** recalcitrance, loathness, reluctance, unwillingness. – **2.** ⟨*Mil*⟩ (*renitenza alla leva*) failure to register for military service, ⟨*am*⟩ draft dodging.
rẹnna *f.* **1.** ⟨*Zool*⟩ reindeer and caribou (*Rangifer*). – **2.** ⟨*Conc*⟩ reindeer leather. □ ⟨*Zool*⟩ ~ *polare* woodland caribou (*Rangifer caribou*); ~ *della tundra* (European) reindeer (*Rangifer tarandus*).
rennịna *f.* ⟨*Biol*⟩ rennin, chymosin.
Rẹno *N.pr.m.* ⟨*Geog*⟩ **1.** (*in Germania*) Rhine. – **2.** (*in Italia*) Reno.
renosità *f.* ⟨*non com*⟩ sandiness. – **renọso** *a.* **1.** sandy: *terreno ~* sandy ground. – **2.** (*simile a rena*) sandy, sand-like.
renovạre *v.* ⟨*ant*⟩ → **rinnovare**.
rẹnsa *f.* ⟨*Tess*⟩ (*anche tela di rensa*) Rheims linen.
rentier *fr.* [rãtj'e] *m.* ⟨*non com*⟩ rentier, person living on unearned income.
rentrée *fr.* [rã'tre] *f.* return, reappearance, come-back.
Rẹnzo (*dim. di Lorenzo*) *N.pr.m.* Laurence, ⟨*fam*⟩ Larry.
rẹo I *a.* **1.** guilty: *~ di alto tradimento* guilty of high treason; *~ di negligenza* guilty of negligence. – **2.** ⟨*lett*⟩ (*malvagio*) wicked, evil; (*crudele*) cruel, harsh, merciless. – **3.** ⟨*non com,lett*⟩ (*triste*) sad; (*infelice*) unhappy. – **II** *s.m.* (*f.* **-a**) **1.** (*colpevole*) guilty person; (*autore di un reato*) offender, culprit, delinquent, criminal; (*imputato*) accused, defendant. – **2.** ⟨*lett*⟩ (*persona malvagia*) evil (*o* wicked) person. – **3.** ⟨*ant,rar*⟩ (*colpa*) guilt; (*malizia*) malice. □ ⟨*Dir*⟩ ~ *confesso* confessed criminal; ~ *presunto* accused, defendant; *riconoscersi ~* to confess one's guilt; (*in un processo*) to plead guilty.

reo... *pref.* (*corrente* current) rheo...
reobạrbaro *m.* ⟨*pop*⟩ (*rabarbaro*) rhubarb.
reọforo *m.* ⟨*El*⟩ rheophore. – **reọgrafo** *m.* rheograph.
reologịa *f.* ⟨*Fis*⟩ rheology. – **reolọgico** *a.* (*pl.* **-ci**) rheologic(al).
reọ|metro *m.* **1.** ⟨*Idr*⟩ current meter, rheometer. – **2.** ⟨*El*⟩ rheometer. – **~plạncton** *m.* ⟨*Biol*⟩ rheoplankton. – **~stạtico**: ⟨*Ferr*⟩ *freno ~* rheostatic (*o* dynamic) brake.
reọstato *m.* ⟨*El*⟩ rheostat. □ ~ *automatico* automatic rheostat (*o* field regulator); ~ *d'avviamento* starting rheostat (*o* resistance); ~ *di campo* field rheostat; ~ *a carbone* carbon rheostat.
reọ|tomo *m.* ⟨*El*⟩ rheotome. – **~trọne** *m.* ⟨*Fis*⟩ rheotron. – **~tropịsmo** *m.* ⟨*Bot*⟩ rheotropism.
rep. = ⟨*Farm*⟩ *si ripeta* repet (*abbr.* rep.).
Rep. = *Repubblica* Republic (*abbr.* Rep.).
reparạre *v.* ⟨*ant*⟩ → **riparare**.
repạrto *m.* **1.** department, division, section; (*negli ospedali*) ward, department; (*nei negozi*) department. – **2.** ⟨*Mil*⟩ unit; (*contingente di truppe*) contingent; (*distaccamento*) detachment. – **3.** ⟨*Mar*⟩ department. – **4.** ⟨*Zootecn*⟩ mountain pasture strip. – **5.** ⟨*non com*⟩ (*ripartizione*) distribution, division, apportionment; (*porzione, quota*) division, share, allotment.
□ ~ **acquisti** buying department, acquisitions *pl*; ~ **antincendi** fire-brigade, ⟨*am*⟩ fire department; ⟨*Mil*⟩ ~ *d'***assalto** assault (*o* spearhead) troops *pl*, commando unit, shock (*o* storm) troops *pl*, raiding force; **capo** ~: 1. department foreman, chief foreman's assistant; 2. (*negli ospedali*) head (*o* chief) physician in a ward; 3. (*nei negozi*) department head (*o* supervisor); ~ **carrozzeria** body shop; **medico** *di* ~ ward physician; ~ *di* **montaggio** fitting shop; ~ **novità** novelties department, novelties *pl*; ~ *di* **produzione** production department; ~ **pubblicità** advertising department; ⟨*Med*⟩ ~ **radiologico** X-ray department; ⟨*Mil*⟩ ~ *da* **sbarco** landing party; ~ **sperimentale** experimental station (*o* department); ~ **vendite** sales division.
repatriaziọne *f.* ⟨*ant*⟩ (*rimpatrio*) repatriation.
repêchage *fr.* [rəpɛ'ʃaːʒ] *m.* ⟨*Sport*⟩ repechage.
repellẹnte (*p.pr. di repellere*) **I** *a.* **1.** repulsive, repellent. – **2.** ⟨*fig*⟩ (*ripugnante*) disgusting, repulsive, repugnant, repellent: *aspetto ~* repugnant appearance. – **II** *s.m.* ⟨*Idr*⟩ (*pennello*) groin. □ ⟨*Idr*⟩ *opere -i* diversion structures, training walls. – **repẹllere** *v.t.* (**repụlsi**, **repụlso/ripụlso**) ⟨*lett*⟩ **1.** (*respingere*) to repulse, to drive back, to repel. – **2.** ⟨*fig*⟩ to disgust, to repel.
repentạglio: *mettere a ~* to put in danger, to endanger, to jeopardize; ⟨*non com*⟩ *mettersi* (o *stare*) *a ~* to take a risk.
repẹnte[1] ⟨*lett*⟩ **I** *a.* **1.** (*improvviso*) sudden, unexpected. – **2.** ⟨*non com*⟩ (*rapido*) fast, quick, swift; (*violento*) violent, strong. – **3.** ⟨*non com*⟩ (*ripido*) steep, sheer. – **II** *avv.* suddenly, unexpectedly, all of a sudden. □ *di ~* → **repentinamente**.
repẹnte[2] (*p.pr. di repere*[2]) *a.* ⟨*Bot*⟩ (*strisciante*) creeping, repent.
repentinamẹnte *avv.* suddenly, all of a sudden, unexpectedly. – **repentinità** *f.* suddenness, unexpectedness. – **repentịno** *a.* sudden, unexpected, instantaneous. – **repẹnza** *f.* ⟨*lett,rar*⟩ → **repentinità**.
rẹpere[1]: ⟨*Med*⟩ *punto di ~* point of reference.
rẹpere[2] *v.i.* (past participle and compound tenses not used) ⟨*ant*⟩ **1.** (*serpeggiare*) to wind, to twist. – **2.** (*insinuarsi*) to creep, to steal, to insinuate o.s., to work one's way.
repère *fr.* [rə'pɛːr] *m.* **1.** (*contrassegno*) reference (*o* guide, adjusting) mark. – **2.** (*numero di controllo*) test number, code number.
reperịbile *a.* **1.** (*rif. a cose*) traceable, findable, to be found; (*disponibile*) available, that can be come by. – **2.** (*rif. a persone*) available, to be found: *essere ~* to be available (*o* around). □ *essere difficilmente ~* to be hard to find, to be unfindable. – **reperibilità** *f.* ⟨*non com*⟩ **1.** (*rif. a cose*) traceableness, findableness. – **2.** (*rif. a persone*) availability, availableness. – **reperimẹnto** *m.* ⟨*burocr*⟩ (*ritrovamento*) finding, tracing. – **reperịre** *v.t.* (**reperịsco**, **reperịsci**; *p.p.* **reperịto**/*ant.* **repẹrto**) (*trovare*) to find, to trace, to track down.
repertạre *v.t.* (**repẹrto**) **1.** ⟨*Dir*⟩ (*ritrovare*) to find, to discover, to search out: *~ prove* to find evidence; (*produrre*) to produce, to exhibit, to present. – **2.** ⟨*Med*⟩ (*riscontrare*) to find. – **repẹrto** *m.* **1.** ⟨*Archeol*⟩ find. – **2.** ⟨*Dir*⟩ exhibit, evidence. – **3.** ⟨*Med*⟩ report: *~ radiologico* X-ray report.
repertoriạre *v.t.* (**repertọrio**) ⟨*ant*⟩ (*mettere nel repertorio*) to put into the repertory (*o* repertoire).
repertọrio *m.* **1.** ⟨*Teat*⟩ repertoire, repertory. – **2.** (*elenco*) list, repertory, inventory: *~ dei verbi irregolari* list of irregular verbs. – **3.** ⟨*fig*⟩ (*raccolta*) collection. – **4.** ⟨*fig,scherz*⟩ bag of tricks, stock in trade, repertoire. – **5.** ⟨*Dir*⟩ (*degli ufficiali giudiziari*) law reports *pl*, summary of leading cases and decisions; (*dei notai*) notary's register. □ ~ *bibliografico* bibliography, bibliographical list (*o* index); ~ *doganale* customs register; ~ *di giurisprudenza* law reports *pl*, summary of leading cases and decisions.
repẹtere *v.* ⟨*ant*⟩ → **ripetere**.
repetịo, **repitịo** *m.* ⟨*ant*⟩ **1.** (*disputa*) dispute, disagreement. – **2.** ⟨*estens*⟩ (*rammarico*) regret.
replẹto *a.* ⟨*poet,rar*⟩ (*ripieno*) full, replete.
replezịone *f.* ⟨*Med*⟩ repletion.
rẹplica *f.* **1.** (*ripetizione*) repetition, repeating: *la ~ di un esperimento non riuscito* the repetition of an unsuccessful experiment. – **2.** (*risposta*) reply, response, answer. – **3.** (*obiezione*) contradiction, objection: *un motivo che non ammette repliche* a reason that allows for no objections. – **4.** ⟨*Teat,Cin*⟩ performance. – **5.** ⟨*Art*⟩

replica. – **6.** ⟨*Dir.rom*⟩ replication, replicatio. – **7.** ⟨*Bibliot*⟩ facsimile (re)print. □ ⟨*epist*⟩ *in* ~ *a* in reply (*o* answer) to; ⟨*Teat*⟩ ~ *a richiesta* request performance; *lettera senza* ~ letter that does not require an answer. – **replicạbile** *a.* ⟨*non com*⟩ repeatable. – **replicamẹnto** *m.* ⟨*rar*⟩ repetition, repeating.

replicạre *v.t.* (**rẹplico, rẹplichi**) **1.** (*ripetere*) to repeat, to do (*o* make) again: ~ *una richiesta* to repeat a request. – **2.** (*rispondere*) to answer, to say: *hai nulla da* ~*?* do you have anything to say (*o* answer)? – **3.** (*obiettare*) to object. – **4.** ⟨*Teat,Cin*⟩ to repeat, to perform (again): *la commedia fu replicata molte volte* the play was performed many times. – **5.** ⟨*Orol,non com*⟩ to strike again. – **6.** ⟨*lett,rar*⟩ (*richiamarsi*) to refer. □ *senza* ~ without (raising any) objection; ⟨*Teat*⟩ *stasera si replica* (there is a) performance tonight.

replicatamẹnte *avv.* ⟨*non com*⟩ repeatedly, over and over again. – **replicatịvo** *a.* ⟨*non com*⟩ repetitive. – **replicạto** (*p.p. di replicare*) *a.* (*ripetuto*) repeated. – **replicaziọne** *f.* **1.** ⟨*Ling*⟩ repetition. – **2.** ⟨*ant*⟩ (*il replicare*) repetition, repeating.

reportage *fr.* [rəpɔrˈtaːʒ] *m.* ⟨*Giorn*⟩ news story, report, reportage: ~ *di guerra* war report; ~ *illustrato* picture story, illustrated news report. – **reporter** *ingl.* [riˈpɔːter] *m./f.* reporter.

repoṣitọrio *m.* **1.** ⟨*non com*⟩ (*ripostiglio*) repository, depository, store; (*mobile*) repository. – **2.** ⟨*Lit*⟩ repository, altar of repose. – **repoṣiziọne** *f.* **1.** ⟨*Chir*⟩ reposition, replacement. – **2.** ⟨*Lit*⟩ replacing the Host (in the tabernacle).

reprensịbile *a.* ⟨*non com,lett*⟩ (*riprensibile*) reprehensible, blamable, reprovable. – **reprensiọne** *f.* ⟨*non com,lett*⟩ (*riprensione*) reproof, reprehension.

reprẹssi *p.rem. di* **reprimere**.

repressiọne *f.* **1.** repression, curb(ing), control(ling), check(ing): ~ *dell'ira* repression of anger. – **2.** (*rif. a rivolte e sim.*) repression, suppression. – **3.** ⟨*Psic*⟩ repression. – **repressịvo** *a.* **1.** repressive, suppressive. – **2.** ⟨*Dir*⟩ repressive: *leggi -e* repressive laws. – **reprẹsso** (*p.p. di reprimere*) **I** *a.* **1.** checked, curbed, controlled, repressed: *ira -a* repressed anger. – **2.** ⟨*Psic*⟩ repressed. – **II** *s.m.* (*f.* **-a**) ⟨*Psic*⟩ repressed person. – **repressọre I** *s.m.* (*f.* **-a**) repressor, suppressor. – **II** *a.* repressive, suppressive, of repression.

reprimẹnda *f.* ⟨*non com*⟩ reprimand, stern rebuke.

reprịmere *v.t.* (**reprẹssi, reprẹsso**) **1.** (*trattenere*) to hold back, to check, to curb, to repress, to restrain, to stifle, to control: ~ *le lacrime* to hold back one's tears; ~ *un grido* to stifle a cry; (*dominare*) to control, to get the better of, to keep back (*o* down). – **2.** (*domare, impedire con la forza*) to put down, to repress, to suppress, to subdue, to quell: ~ *un'insurrezione* to put down an uprising. – **reprimersi** *v.r.* (*dominarsi*) to control (*o* restrain, master) o.s., to get a hold on o.s.

reprimịbile *a.* repressible, controllable.

reprobạre *v.t.* (**reprọbo**) ⟨*lett,ant*⟩ (*disapprovare*) to reject, to disapprove of.

rẹprobo I *a.* **1.** (*malvagio*) wicked, evil, depraved, unprincipled. – **2.** (*condannato da Dio*) reprobate. – **II** *s.m.* (*f.* **-a**) **1.** scoundrel, blackguard, reprobate. – **2.** (*condannato da Dio*) reprobate.

rẹps *m.* ⟨*Tess*⟩ rep(p).

reptạnte *a.* ⟨*Zool*⟩ reptant. – **reptaziọne** *f.* reptation.

repụbblica *f.* **1.** ⟨*Pol*⟩ republic. – **2.** ⟨*iron*⟩ (*confusione*) confusion, disorder, anarchy, mess. – **3.** ⟨*ant*⟩ (*stato*) state; (*governo*) government, rule.

□ ⟨*Pol*⟩ ~ **aristocratica** aristocratic republic; ⟨*Stor*⟩ ≈ **cisalpina** Cisalpine Republic; ⟨*Stor*⟩ ≈ **cispadana** Cispadane Republic; ~ **democratica** democratic republic; ~ **federale** federal republic; ⟨*scherz*⟩ *la* ~ **letteraria** (o *delle lettere*) literary world; ⟨*Stor*⟩ *repubbliche* **marinare** maritime republics; ~ **parlamentare** parliamentary republic; ~ **popolare** people's republic; ⟨*Pol*⟩ *le repubbliche popolari* the Eastern block *sing*, the Communist countries; ~ **presidenziale** presidential republic; ≈ *dei* **ragazzi** Boys Town; *essere* **retto** *a* ~ to have a republican government, to be a republic; ⟨*Fasc*⟩ ≈ ⌜*di* **Salò**⌝ (o *sociale italiana*) Republic of Salò, Italian Social Republic; ≈ *dei* **soviet** Union of Soviet Socialist Republics; ≈ **stellata** United States of America; ~ **unitaria** unitary republic.

repubblicanamẹnte *avv.* in republican fashion. – **repubblicaneṣimo, repubblicanịṣmo** *m.* ⟨*Pol*⟩ republicanism. – **repubblicạno I** *a.* republican. – **II** *s.m.* (*f.* -a) Republican.

repubblichịno I *a.* ⟨*Fasc*⟩ of the Republic of Salò. – **II** *s.m.* (*f.* **-a**) supporter of the Republic of Salò.

repụblica *f.* ⟨*ant*⟩ → **repubblica**.

repudiạre *v.t.* (**repụdio, repụdi**) ⟨*non com*⟩ (*ripudiare*) to repudiate, to renounce.

repugnạnza *f.* ⟨*rar*⟩ (*ripugnanza*) repugnance. – **repugnạre** *v.i.* (*aus.* **avere**) ⟨*rar*⟩ (*ripugnare, opporsi*) to be contrary, to oppose.

repulịsti: ⟨*fam*⟩ *far* ~ to clean up (*o* out).

repụlsa *f.* ⟨*non com*⟩ → **ripulsa**. – **repụlsi** *p.rem. di* **repellere**. – **repulsiọne** *f.* **1.** ⟨*Fis*⟩ repulsion: ~ *elettrica* electrical repulsion. – **2.** ⟨*fig,non com*⟩ → **ripulsione**. – **repulsịvo** *a.* **1.** ⟨*Fis*⟩ repulsive. – **2.** ⟨*fig,non com*⟩ → **ripulsivo**. – **repụlso** *p.p. di* **repellere**. – **repulsọre** *m.* ⟨*Ferr*⟩ (*respingente*) buffer.

repuṣạggio *m.* ⟨*Mecc*⟩ spinning.

reputạre *v.t.* (**rẹputo**/*ant.* **repụto**) to think, to consider, to regard, ⟨*lett*⟩ to repute: *tutti lo reputano un bravo alunno* everyone thinks he's a good student. – **reputarsi** *v.r.* to think (o.s.), to believe (o.s.), to consider (o.s.): *reputarsi fortunato* to consider o.s. lucky. – **reputaziọne** *f.* **1.** reputation, name: *godere una buona* ~ to have a good reputation; *rovinare la* ~ *a qd.* to ruin s.o.'s good name. – **2.** ⟨*non com*⟩ (*il reputare*) thinking, consideration. □ *avere una cattiva* ~ to have a bad reputation, to be notorious; *avere* ~ *d'avaro* to be reputed a miser.

requiạre *v.i.* (**rẹquio, rẹqui**; *aus.* **avere**) ⟨*ant*⟩ (*avere requie*) to have peace. – **rẹquie I** *f.* ⟨*lett*⟩ rest, peace, calm, quiet: *non dar* ~ to give no peace; *non trovar* ~ to find no rest. – **II** *m./f.* ⟨*non com*⟩ (*requiem*) requiem. □ *senza* ~: 1. restlessly; 2. (*ininterrottamente*) uninterruptedly, non-stop, incessantly.

rẹquiem *lat. m./non com. f.* ⟨*Lit*⟩ requiem, prayer for the dead: *recitare un* ~ *per qd.* to say a requiem for s.o. □ *messa da* (o *di*) ~ Requiem Mass, Requiem.

requiṣịre *v.t.* (**requiṣịsco, requiṣịsci**) to requisition, to commandeer.

requiṣịto *m.* requisite, requirement, qualification: *-i d'età* age requirements.

requiṣitọria *f.* **1.** ⟨*Dir*⟩ public prosecutor's final speech. – **2.** ⟨*estens*⟩ (*severo rimprovero*) stern reproof, censure, reproach. □ ~ *scritta* public prosecutor's indictment.

requiṣiziọne *f.* **1.** requisition, commandeering. – **2.** ⟨*ant*⟩ (*richiesta, domanda*) request. □ ⟨*ant*⟩ *a* ~ *di qd.* at s.o.'s request.

rẹsa *f.* **1.** surrender: *intimare la* ~ *al nemico* to call on the enemy to surrender. – **2.** (*restituzione*) return, restitution, repayment, giving back: *chiedere la* ~ *di un prestito* to request repayment of a loan. – **3.** (*rendimento*) yield, return, profit. – **4.** ⟨*non com*⟩ (*riproduzione*) rendering, representation: ~ *pittorica* pictorial representation. – **5.** ⟨*Mecc*⟩ efficiency, output: *la* ~ *di un motore* the efficiency of an engine. – **6.** ⟨*Comm*⟩ return (of unsold goods).

□ ⟨*Mar*⟩ ~ *di* **bordo** outturn; ~ *a* **condizioni** conditional surrender; ~ *dei* **conti** rendering of accounts, statement (of accounts); ⟨*fig*⟩ day of reckoning, (grand) reckoning, settling (*o* squaring) of accounts; ⟨*fig*⟩ *chiamare qd. alla* ~ *dei conti* to call s.o. to account; ⟨*fig*⟩ *costringere qd. alla* ~ *dei conti* to bring s.o. to book; ~ **incondizionata** (o *a discrezione*) unconditional surrender; ~ *con gli* **onori** *militari* surrender with military honours.

reṣbaldịre *v.i.* (**reṣbaldịsco, reṣbaldịsci**; compound tenses not used) ⟨*ant,poet*⟩ (*rallegrarsi*) to rejoice, to be glad.

rescapé *fr. m.* ⟨*Minier*⟩ (*scampato*) survivor.

rescindẹnte (*p.pr. di rescindere*) *a.* ⟨*Dir*⟩ rescinding, cancelling, annulling, revoking. – **rescịndere** *v.t.* (**rescịssi, rescịsso**) **1.** ⟨*Dir*⟩ to rescind, to cancel, to annul: ~ *un contratto* to rescind a contract. – **2.** ⟨*lett,rar*⟩ (*strappare*) to tear, to rip. – **rescindịbile** *a.* ⟨*Dir*⟩ rescindable, cancellable, annullable. – **rescindibilità** *f.* capability of being rescinded. – **rescissiọne** *f.* rescission, cancellation, annulment: ~ *del contratto* rescission of contract. – **rescissọrio** *a.* rescissory.

rescrịtto *m.* rescript.

resecạre *v.t.* (**rẹseco, rẹsechi**) **1.** (*tagliare*) to cut off (*o* away). – **2.** ⟨*Chir*⟩ to resect. – **3.** ⟨*fig,non com*⟩ (*risecare*) to cut down, to reduce.

reṣẹda *f.* ⟨*Bot*⟩ **1.** reseda, mignonette (*Reseda*). – **2.** mignonette (*Reseda odorata*). □ ~ *gialla* dyer's rocket (*o* weed) (*Reseda luteola*). – **reṣedạcee** *f.pl.* mignonette family (*Resedaceae*).

resẹde, resẹdio *m.* ⟨*Dir*⟩ **1.** (*fabbricato accessorio*) annex, wing. – **2.** (*spazio di terreno erboso*) patch of grassy ground.

reserpịna *f.* ⟨*Chim*⟩ reserpine.

reseziọne *f.* ⟨*Chir*⟩ resection.

rẹsi[1] *f.* ⟨*Filol*⟩ rhesis, speech, discourse.

rẹsi[2] *p.rem. di* **rendere**.

reṣịa *f.* ⟨*ant,tosc*⟩ **1.** (*eresia*) heresy. – **2.** ⟨*fig*⟩ (*bestemmia, enormità*) curse, oath, swear-word.

Rẹsia *N.pr.f.* ⟨*Geog*⟩ Resia.

residẹnte I *a.* **1.** resident, residing, dwelling: *popolazione* ~ resident population; *italiano* ~ *all'estero* Italian resident abroad. – **2.** ⟨*ant*⟩ (*che siede*) sitting, seated. – **II** *s.m./f.* **1.** resident. – **2.** ⟨*Dipl*⟩ (*ministro residente*) (minister) resident. □ *accademico* ~ resident academician; ~ *nel luogo* resident, local.

residẹnza *f.* **1.** (*permanenza*) residence, stay: *durante la mia* ~ *a Roma* during my residence in Rome. – **2.** (*dimora abituale*) residence, dwelling, abode: *stabilire la propria* ~ *in un luogo* to take up residence in a place; (*edificio in cui si abita*) (place of) residence, building, dwelling-place: ~ *lussuosa* a luxury building. – **3.** (*rif. a sovrani e sim.*) (royal) residence; (*città*) capital, seat. – **4.** (*sede fissa*) residence, head office, headquarters *pl* (*costr. sing.*), seat: *la* ~ *del governo è a Roma* the seat of the government is in Rome. – **5.** ⟨*Arred*⟩ Renaissance box-seat. – **6.** ⟨*Lit,rar*⟩ baldachin for the exposition of a monstrance.

□ ~ **abituale** = *residenza* **fissa**; **essere** *di* ~ *a Parigi* to be a resident of Paris, to live in Paris; ~ **fissa** permanent residence; **indennità** *di* ~ residential (*o* local) allowance; **luogo** *di* ~ place of residence; **obbligo** *di* ~ enforced residence; ~ **permanente** = *residenza* **fissa**; ~ **sconosciuta** residence unknown.

residenziạle *a.* **1.** residential: *quartiere* ~ residential quarter. – **2.** ⟨*Dir.can*⟩ resident: *vescovo* ~ resident bishop.

residuạle *a.* remaining, left over, residual: *calore* ~ residual heat. – **residuạre** *v.i.* (**resịduo**; *aus.* **essere**) to remain, to be left over. – **residuạto** (*p.p. di residuare*) **I** *a.* (*residuo*) remaining, left over, residual. – **II** *s.m.* surplus: *-i bellici* (o *di guerra*) war surplus, surplus war-stores *pl* (*o* material).

resịduo I *a.* remaining, left over, residual: *debiti -i* residual debts. – **II** *s.m.* **1.** rest, remainder, residue; (*rif. a denaro*) remainder, balance. – **2.** ⟨*fig*⟩ spark, glimmer, vestige, bit, trace: *non ha neanch un ~ di onore?* hasn't he a vestige of honour? – **3.** ⟨*Chim*⟩ residue. – **4.** ⟨*Mat,ant*⟩ (*resto*) remainder.

□ ⟨*Econ*⟩ *-i* **attivi** surplus funds; ⟨*Econ*⟩ ~ *di* **bilancio** (budget) surplus; ⟨*Chim*⟩ ~ *di* **calcinazione** calcination residue, calx; ~ *di* **combustione** residual combustion product, residue of combustion; ~ *della* **distillazione** residuum, distillation residue; ~ *d'***evaporazione** evaporation residue, residue of evaporation, total solids *pl*; *-i di* **merce** *invenduta* left-over stock *sing*; *-i* **radioattivi** radioactive waste *sing*; ~ *di* **scarto** tailings *pl*; **senza** ~ residue-free; ⟨*Ind*⟩ ~ *di* **vagliatura** screening.

resilięnte *a.* ⟨*Met*⟩ resilient. – **resilięnza** *f.* resilience, resiliency.
□ *prova di* ~: 1. ⟨*Edil*⟩ impact test; 2. ⟨*Mecc*⟩ notched-bar test; ~ *all'urto* impact resistance (*o* strength); ~ *agli urti istantanei* resilience under instantaneous shocks; ~ *agli urti ripetuti* resilience under repeated shocks.

rẹsina *f.* resin.
□ ⟨*Chim*⟩ ~ **acrilica** acrylic resin; *-e* **artificiali** synthetic resins; ~ **fenolica** phenolic resin; *-e* **naturali** natural resins; *-e* **sintetiche** = *resine* **artificiali**; ~ **termoplastica** thermoplastic resin; *-e* **viniliche** vinyl resins.

resinạceo *a.* **1.** (*di resina*) resinous, resin-, resiny. – **2.** (*che contiene resina*) resinous, resin-, resiniferous, resinaceous, resiny. – **3.** (*simile a resina*) resinous, resiny. – **resinạre** *v.t.* (**rẹsino**) ⟨*Silv*⟩ to tap resin from.

resinạto[1] **I** *a.* resined, treated with resin. – **II** *s.m.* ⟨*Enol*⟩ retsina, resinated wine.

resinạto[2] *m.* ⟨*Chim*⟩ resinate.

resinatụra, resinaziọne *f.* ⟨*Silv*⟩ resin tapping. – **resịnico**: ⟨*Chim*⟩ *acido* ~ resinic acid. – **resinięre** *m.* ⟨*Silv*⟩ resin tapper. – **resinịfero** *a.* resiniferous, resin-, resinaceous; (*che contiene resina*) resinous, resin-, resiniferous, resiny. – **resinificạre** *v.* (**resinịfico, resinịfichi**) **I** *v.t.* ⟨*tecn*⟩ to make resinous. – **II** *v.i.* (*aus.* **essere**), **resinificarsi** *v.r.* to resinify. – **resinificaziọne** *f.* resinification.

resinịte *f.* ⟨*Min*⟩ resinite, retinasphalt.

resinọforo *a.* ⟨*Chim*⟩ resinifying.

resinọlico: ⟨*Chim*⟩ *acido* ~ resinic acid. – **resinọlo** *m.* resinol.

resinọsa *f.* ⟨*Silv*⟩ (*albero resinoso*) resiniferous tree. – **resinọsi** *f.* resinosis. – **resinọso** *a.* **1.** resinous, resin-, resiniferous, resinaceous, resiny. – **2.** (*simile alla resina*) resinous, resiny. – **3.** ⟨*El*⟩ resinous, electro-negative.

resipiscęnte *a.* ⟨*lett*⟩ reforming, ⟨*lett*⟩ resipiscent. – **resipiscęnza** *f.* ⟨*lett*⟩ reform, change of heart, ⟨*lett*⟩ resipiscence.

resịpola *f.* ⟨*pop*⟩ (*erisipela*) erysipelas, ⟨*pop*⟩ St. Anthony's fire.

resistęnte (*p.pr. di resistere*) **I** *a.* **1.** resistant (*a* to), proof (against): *essere ~ al tempo* to be proof against time. – **2.** ⟨*tecn*⟩ resistant, resisting, -proof, -fast: ~ *agli acidi* acid-proof, acid-resisting. – **3.** (*forte*) strong, resistant, stout. – **4.** (*che non si deteriora con l'uso*) durable, lasting; (*rif. a colori*) fast; (*rif. a stoffe e sim.*) durable, strong, hard-wearing, serviceable, that wears well. – **5.** ⟨*Bot*⟩ hardy. – **II** *s.m.* **1.** ⟨*Dir*⟩ one who opposes recourse. – **2.** ⟨*Stor*⟩ Resistance fighter, partisan.

□ ~ *all'***abrasione** abrasion-resistant; ~ *agli* **agenti** *atmosferici* weatherproof; ~ *al* **caldo** (o *calore*) heat-resisting, heatproof; ~ *alla* **corrosione** corrosion-resistant, non-corrosive; ~ *alla* **fatica**: 1. ⟨*Mecc*⟩ fatigue-resistant; 2. ⟨*fig*⟩ tough; ~ *al* **freddo** cold-resistant; ~ *al* **fuoco** fireproof, fire-resistant; ~ *al* **gelo** frost-proof; ~ *alle* **intemperie** weatherproof; ~ *all'***invecchiamento** resistant to ageing, non-ageing; ~ *alla* **lavatura** washable, wash-resistant, wash-fast, resistant to laundering; ~ *alla* **luce** light-fast; ~ *alle* **radiazioni** radio-resistant; ~ *alla* **rottura** unbreakable, break-resistant; ~ *agli* **urti** shock-proof; ~ *all'***usura** wear-proof, wear-resistant, abrasion-resistant.

resistęnza *f.* **1.** resistance, opposition: *vincere la ~ del nemico* to wear down the resistance of the enemy. – **2.** (*rif. a persona: capacità di resistere*) resistance, endurance: ~ *alla fatica* resistance to fatigue, fatigue resistance. – **3.** (*rif. a cose: capacità di resistere al logorio*) durability, wearability, serviceability: *è nota la ~ di questo tessuto* the durability of this fabric is well-known. – **4.** (*opposizione*) resistance, opposition: *hanno vinto la ~ dei genitori al loro matrimonio* they broke down their parent's opposition to their marriage. – **5.** ⟨*Stor*⟩ Resistance, underground movement. – **6.** ⟨*Dir*⟩ resistance: ~ *all'autorità* resistance to authority. – **7.** ⟨*Fis,Biol,Med*⟩ resistance. – **8.** ⟨*Edil*⟩ resistance, strength. – **9.** ⟨*Sport*⟩ endurance, resistance. – **10.** ⟨*El*⟩ (*resistore*) resistor, resistance.

□ ~ *all'***abrasione** abrasion resistance; ~ **acustica** acoustical resistance; ⟨*Fis*⟩ ~ **aerodinamica** drag; *ad* **alta** ~: 1. ⟨*Met*⟩ high-grade; 2. ⟨*El*⟩ high-resistance, high-impedance, high-ohmic; ⟨*Rad*⟩ ~ **anodica** plate resistance; ⟨*Rad*⟩ ~ *d'***antenna** aerial resistance; ⟨*El*⟩ ~ **apparente** apparent resistance; ~ *dell'***aria** air (*o* wind) resistance; ~ *d'***attrito** frictional (*o* skin) resistance, surface friction; ~ *all'***avanzamento** resistance to forward motion; ⟨*Mecc*⟩ ~ *d'***avviamento** starting resistor; ⟨*El*⟩ *a* **bassa** ~ low-resistance; ⟨*Bot*⟩ ~ **biochimica** biochemical resistance; ~ *al* **calore** heat resistance; ⟨*El*⟩ ~ **campione** standard resistor; ⟨*Tess*⟩ ~ *al* **candeggio** bleach fastness; ~ *di* **carica** = *resistenza di* **ricarica**; **coefficiente** *di* ~ drag coefficient; ~ *alla* **compressione** compression (*o* compressive) strength; ⟨*El*⟩ ~ *di* **contatto** contact resistance; ~ *alla* **corrosione** corrosion resistance (*o* strength); ~ **critica** critical resistance; ~ *alla* **deformazione** strain strength; ~ **dinamica** dynamic resistance; ~ **elettrica** electrical resistance; ⟨*El*⟩ ~ *d'***entrata** input resistance; ⟨*Stor*⟩ **fare** *la* ~ to be a partisan (*o* Resistance fighter); ~ *alla* **flessione** flexural (*o* bending) strength; ~ *al* **freddo** freeze (*o* low temperature) resistance; ⟨*El*⟩ ~ *di* **fuga** bleeder resistor; ~ *al* **gelo** frost resistance; ⟨*El*⟩ ~ **induttiva** inductive resistance; ~ *d'***ingresso** = *resistenza d'***entrata**; ~ **iniziale** initial resistance; ⟨*El*⟩ ~ **interna** internal resistance; ~ **inversa** back resistance; ⟨*El*⟩ ~ *d'***isolamento** insulation resistance; ~ *alla* **lacerazione** tearing resistance, resistance to tear; ⟨*Tess*⟩ ~ *alla* **lavatura** laundering fastness, fastness to washing; ~ *alla* **luce** light fastness, fastness to light; ~ **magnetica** magnetic resistance; ~ *dei* **materiali** resistance (*o* strength) of materials; ~ **meccanica** mechanical resistance; ~ *al* **moto** resistance to motion; ⟨*El*⟩ ~ **ohmica** ohmic resistance; ⟨*Mar*⟩ ~ *d'***onda** wave resistance; **opporre** *scarsa* ~ to make little resistance, to put up slight opposition; ⟨*Aer*⟩ ~ **parassita** parasite drag, structural resistance; ~ *alla* **perforazione** puncture (*o* dielectric, disruptive) strength; ~ *al* **piegamento** = *resistenza alla* **flessione**; ⟨*El*⟩ ~ *di* **polarizzazione** grid-bias resistance; ~ *di* **pressione** pressure drag; ⟨*El*⟩ ~ *di* **protezione** protective resistance; ⟨*Sport*⟩ **prova** *di* ~ endurance test (*o* trial); ⟨*Psic*⟩ ~ **psichica** psychic resistance; ⟨*El*⟩ ~ *di* **ricarica** charging resistance; ⟨*El*⟩ ~ *di* **riscaldamento** heating resistor (*o* resistance fire bar); ~ *al* **rotolamento** drag, roll(ing) resistance; (*rif. a pneumatici*) tractive resistance; ~ *alla* **rottura** tensile (*o* breaking) strength; ⟨*El*⟩ ~ *di* **scarica** discharge resistance (*o* resistor), bleeder resistance; ~ *allo* **scorrimento**: 1. ⟨*Mecc*⟩ sliding (*o* slippage) resistance; 2. ⟨*Met*⟩ creep resistance; ~ *allo* **strappo**: 1. tearing resistance, resistance to tear; 2. ⟨*Tess*⟩ tearing strength (*o* resistance); ~ *allo* **strofinamento** erasability; ~ *al* **taglio** cutting resistance; ~ **termica** thermal resistance; ⟨*El*⟩ ~ *di* **terra** earth resistance; ~ *alla* **torsione** torsional strength; ~ *alla* **trazione** tensile strength; ⟨*Dir*⟩ ~ *a pubblico* **ufficiale** use of force or threats against a public official; ~ *all'***urto** impact strength, shock resistance, impact resistance (*o* value); ~ *all'***usura** resistance to wear, wear resistance; ⟨*El*⟩ ~ **variabile** variable resistance; ⟨*Mecc*⟩ ~ *alle* **vibrazioni** vibration resistance.

resistenziạle *a.* ⟨*Stor*⟩ of the Resistance, Resistance-.

resịstere *v.i.* (**resistẹi/resistẹtti, resistịto**; *aus.* **avere**) **1.** to resist, to withstand (*a qc.* s.th.) (*anche fig.*): ~ *alla violenza del vento* to resist the violence of the wind; *la nave resistette alla tempesta* the ship resisted the storm; (*tenere duro*) to hold out (against): *non potrà ~ a lungo* he won't hold out long; ~ *all'invasione nemica* to hold out against the enemy invasion. – **2.** (*tollerare, sopportare*) to endure, to put up (with), to bear (*o* stand) up (to): ~ *agli strapazzi* to endure fatigue; *questa pianta resiste bene al freddo* this plant stands up well to cold weather. – **3.** (*rif. a cose*) to be resistant (to): *questa stoffa resiste all'acqua* this cloth is ⌜resistant to water⌝ (*o* waterproof); (*rif. a materiali refrattari*) to be resistant (*o* proof); (*rif. a colori*) to be (colour-)fast.

resistività *f.* ⟨*El*⟩ resistivity. – **resistịvo** *a.* resistive: *carico* ~ resistive load.

resistọre *m.* ⟨*El*⟩ resistor.
□ ~ **autoregolatore** barretter, ballast tube; ~ *a* **carbone** carbon resistor; ~ *di* **carico** load (*o* charging) resistor; ~ **fisso** fixed resistor; ~ *a* **liquido** water resistor; ~ **metallico** metallic resistor; ~ *per* **riscaldamento** heating resistor; ~ **variabile** variable resistor.

rẹsnatron *m.* ⟨*El*⟩ resnatron.

rẹso[1] *p.p. di* **rendere**.

rẹso[2] *m.* ⟨*Zool*⟩ rhesus, rhesus monkey (*o* macaque) (*Rhesus mulattus*; *Macaca mulatta*).

resocontịsta *m./f.* **1.** reporter, report-writer. – **2.** ⟨*Giorn*⟩ reporter. – **resocọnto** *m.* **1.** (*relazione*) report, account: *-i parlamentari* parliamentary reports. – **2.** (*rendiconto*) statement (of accounts).
□ ~ *sommario* short report, summary, précis; ~ *stenografico* verbatim record.

resolụbile *a.* ⟨*ant*⟩ → **risolubile**.

resolutęzza *f.* ⟨*ant*⟩ → **risolutezza**. – **resolutịvo** *a.* ⟨*ant*⟩ → **risolutivo**. – **resolụto** (*p.p. di resolvere*) *a.* ⟨*ant*⟩ → **risoluto**. – **resoluziọne** *f.* ⟨*ant*⟩ → **risoluzione**. – **resọlvere** *v.* ⟨*ant*⟩ → **risolvere**.

resọrgere *v.* ⟨*ant*⟩ → **risorgere**. – **resorgịva** *f.* ⟨*non com*⟩ → **risorgiva**.

respettịvo *a.* ⟨*ant*⟩ → **rispettivo**. – **respẹtto** *m.* ⟨*ant*⟩ → **rispetto**.

respịgnere *v.* (**respịngo, respịgni**) ⟨*ant*⟩ → **respingere**.

respingęnte *m.* **1.** ⟨*Ferr*⟩ buffer, bumper. – **2.** *pl.* ⟨*scherz*⟩ (*seni*) breasts *pl.* □ ⟨*Ferr*⟩ ~ *fisso* bumping post; ~ *a molla* spring buffer.

respịngere *v.t.* (**respịngo, respịngi; respịnsi, respịnto**) **1.** to drive (*o* beat, push) back, to repel, to repulse: *la polizia respinse la folla dei dimostranti* the police drove back the crowd of demonstrators; (*in combattimento*) to repulse, to drive (*o* push) back, to fight off. – **2.** ⟨*fig*⟩ to refuse, to reject, to turn down, to dismiss: ~ *un'accusa* to reject an accusation; ~ *un pensiero cattivo* to dismiss a wicked thought. – **3.** ⟨*burocr*⟩ (*non accettare*) to reject, to turn down: *l'ufficio ha respinto la domanda* the office rejected the application. – **4.** ⟨*scol*⟩ (*bocciare*) to fail, ⟨*fam*⟩ to flunk: *lo hanno respinto agli esami* ⌜they failed him⌝ (*o* he was failed) in the examinations, ⟨*fam*⟩ he flunked the exams. – **5.** ⟨*Post*⟩ to return, to send back: ~ *un pacco al mittente* to return a package to the sender. – **6.** ⟨*Fis*⟩ to repel. □ ~ *un assegno* to dishonour (*o* reject) a cheque, to refuse payment of a cheque; ⟨*scol*⟩ *essere respinto a un esame* to fail an examination; ~ *indietro* to drive (*o* push) back.

respingimẹnto *m.* ⟨*non com*⟩ driving back, repulsion. – **respingitọre** *m.* **1.** (*f.* **-trice**) ⟨*non com*⟩ repeller. – **2.** ⟨*rar*⟩ (*respingente*) buffer. – **respịnta** *f.* **1.** driving (*o* pushing) back, repulsion. – **2.** ⟨*Sport*⟩ (*nel calcio*) punching out. □ ⟨*Sport*⟩ ~ *di pugno* fisting the ball. – **respịnto** (*p.p. di respingere*) **I** *a.* **1.** (*rifiutato*) rejected, refused, turned down. – **2.** ⟨*scol*⟩ failed, ⟨*fam*⟩ ploughed, ⟨*fam*⟩ flunked. – **II** *s.m.* (*f.* -a) ⟨*scol*⟩ pupil who fails an exam, ⟨*fam*⟩ flunker. □ ⟨*Post*⟩ ~ *al mittente* returned to sender.

respirạbile *a.* **1.** breath(e)able, respirable. – **2.** ⟨*fig*⟩ (*favorevole*) favourable, ⟨*fam*⟩ healthy. – **respirabilità** *f.* ⟨*non com*⟩ breathableness, respirability. – **respiramẹnto** *m.* ⟨*ant*⟩ **1.** (*respirazione*) breathing, respiration. – **2.** ⟨*fig*⟩ (*sollievo*) relief.

respirạre **I** *v.i.* (*aus.* **avere**) **1.** to breathe, to respire: *all'arrivo del medico il ferito respirava ancora* when the doctor arrived the injured man was still breathing. – **2.** ⟨*fig*⟩ (*sentire sollievo*) to breath (again), to have a breathing-space, to be relieved (*o* at ease): *finalmente respiro!* at last I can breathe again! – **3.** ⟨*fig*⟩ (*prendere fiato*) to draw breath, to get one's ⌜breath back⌝ (*o* second wind). – **4.** ⟨*estens*⟩ (*vivere*) to live, to be alive, to breathe. – **5.** ⟨*ant*⟩ (*sfiatare*) to escape, to leak, to get out. – **II** *v.t.* to breathe (in), to inhale: *il malato respira l'ossigeno* the patient is inhaling oxygen.

□ ⟨*fig*⟩ ~ **l'aria** *di un luogo* to be (*o* stay) somewhere; ~ *con la* **bocca** to breathe through the mouth; ~ *a* **fatica** to breathe with difficulty; ~ **forte** to breathe heavily (*o* hard); ~ *in* **fretta** to breathe quickly, to pant; ~ *a pieni* **polmoni** to breathe deeply, to take a qeep breath.

respiratịvo *a.* ⟨*ant*⟩ (*della respirazione*) respiratory, of breathing.

respiratọre *m.* **1.** respirator. – **2.** ⟨*Sport*⟩ snorkel, schnorkel, breathing apparatus. – **3.** ⟨*Aer*⟩ oxygen respirator (*o* breathing set). □ ~ *per uso medico* oxygen set (*o* breathing apparatus), respirator; ~ *a ossigeno* oxygen respirator (*o* breathing apparatus).

respiratọrio *a.* respiratory, breathing-: *apparato* ~ respiratory system.

respiraziọne *f.* ⟨*Fisiol*⟩ breathing, respiration.

□ ~ **artificiale** artificial respiration; ~ **bocca-*a*-bocca** mouth-to -mouth method (of artificial respiration), rescue breathing; ~ *con la bocca* mouth breathing; ~ **costale** costal respiration; ~ **diaframmatica** diaphragmatic (*o* abdominal) respiration; **difficoltà** *di* ~ difficulty in breathing, shortness of breath; **disturbi** *di* ~ respiratory ailments.

respịro *m.* **1.** (*il respirare*) breathing, respiration. – **2.** (*movimento della respirazione*) breathing, breath: *avere il* ~ *regolare* to have regular breathing. – **3.** ⟨*fig*⟩ (*riposo*) respite, pause, let-up, relief: *lavorare senza* ~ to work without (a) respite. – **4.** ⟨*fig*⟩ (*dilazione*) extension, respite, delay, deferment: *ho ottenuto due mesi di* ~ *per il pagamento di questa fattura* I have got a respite (*o* breathing -space) of two months to pay this bill. – **5.** ⟨*Met*⟩ whistler, riser. – **6.** ⟨*Mus,non com*⟩ breathing sign.

□ *di* **ampio** ~ = *di* **vasto** *respiro*; ⟨*Comm*⟩ ~ *di* **cassa** respite in payment, delay of payment; *l'***estremo** ~ the last breath (*o* gasp); *avere il* ~ **frequente** to breathe quickly; *di* **largo** ~ = *di* **vasto** *respiro*; ⟨*iperb*⟩ *mi sento* **mancare** *il* ~ I feel breathless (*o* unable to breathe); ⟨*fig*⟩ *non avere un* **minuto** *di* ~ to have not a moment's peace, not to let up for a moment; *emettere un* **profondo** ~ to give (*o* heave) a deep sigh; *un* ~ *di* **sollievo** a sigh of relief; ⟨*fig*⟩ *col* ~ **sospeso** (o *trattenuto*) with bated breath; ⟨*fig*⟩ *da* **togliere** *il* ~ breathtaking; ⟨*iperb*⟩ *c'è un'afa che toglie il* ~ it's so sultry you can't breathe; *fino all'***ultimo** ~ (*fino alla morte*) to the last breath, to the last gasp; *mandare* (o *rendere*) *l'ultimo* ~ (*morire*) to breathe one's last, to die; ⟨*fig*⟩ *di* **vasto** ~ wide-ranging, far-reaching, on a vast (*o* grand) scale, extensive: *un'opera di vasto* ~ a far-reaching work.

respirọne (*accr. di respiro*) *m.* **1.** deep breath. – **2.** ⟨*fig*⟩ (*segno di sollievo*) sigh of relief. □ *tirare un* ~ to heave a sigh of relief.

rẹspo *m.* ⟨*ant*⟩ (*sterpo*) bush, shrub.

responsạbile **I** *a.* **1.** responsible, answerable, accountable (*di* for): *essere* ~ *delle proprie azioni* to be responsible for one's acts; (*che è a capo di*) in charge (of): *essere* ~ *di un reparto di una ditta* to be in charge of a department in a firm. – **2.** ⟨*Dir*⟩ liable, responsible, accountable, answerable. – **3.** (*colpevole*) responsible (*di* for), guilty (of): *si è reso* ~ *di gravi mancanze* he has been responsible for serious mistakes. – **4.** ⟨*Mar.mil*⟩ responsible (for a ship in care and maintenance). – **II** *s.m./f.* person responsible; (*capo, sovrintendente*) person in charge. □ *essere* ~ *di qc.*: 1. to be responsible for s.th., to answer for s.th.; 2. ⟨*Dir*⟩ to be liable (*o* answerable) for s.th.; 3. (*garantire*) to guarantee (*o* vouch for) s.th.

responsabilità *f.* **1.** responsibility: *si è preso una grave* ~ he assumed a great responsibility; (*l'essere responsabile*) responsibility, responsibleness. – **2.** (*colpa*) responsibility, blame, fault: *non ho nessuna* ~ *di quanto è accaduto* I have no responsibility for what happened. – **3.** ⟨*Dir*⟩ liability, responsibility, accountability.

□ ~ **amministrativa** administrative responsibility; ~ **civile** civil liability (*o* responsibility); ~ *civile per fatto illecito* legal liability for tort; ⟨*Aut*⟩ *assicurazione per* ~ *civile* liability insurance; ~ *civile verso terzi* public liability; ~ **collettiva** collective liability (*o* responsibility); **conscio** *della propria* ~ responsible, aware of one's responsibility; ~ **contrattuale** contractual liability; ~ **cumulativa** joint liability; **di** ~ responsible, of responsibility: *un posto di* ~ a responsible post; ~ **diretta** direct liability (*o* responsibility); ~ *per* **dolo** responsibility for criminal intent; ~ **illimitata** unlimited liability (*o* responsibility); ~ **indiretta** indirect liability (*o* responsibility); ~ **individuale** several liability; ~ *individuale e solidale* joint and several liability; ~ **legale** legal liability (*o* responsibility); ~ **limitata** limited liability (*o* responsibility); ~ **materiale** property damage liability; ~ **oggettiva** absolute liability (*o* responsibility); ⟨*fig*⟩ **palleggiarsi** *le* ~ ⟨*fam*⟩ to pass the buck; ~ **penale** criminal liability (*o* responsibility); ~ **personale** personal liability (*o* responsibility); **prendersi** *la* ~ *di qc.* to assume the responsibility for s.th.; (*riconoscersi colpevole*) to admit one is ⌜guilty of⌝ (*o* responsible for) s.th.; *su chi* **ricade** *la* ~? who is responsible (*o* answerable)?; **senso** *di* ~ sense of responsibility; **sotto** *la mia* ~ on my own responsibility.

responsabilmẹnte *avv.* responsibly.

responsiọne *f.* ⟨*ant*⟩ **1.** (*risposta*) answer, response. – **2.** (*pagamento*) payment; (*tributo*) tax, tribute.

responsịva *f.* ⟨*lett,non com*⟩ (*lettera responsiva*) letter of reply. – **responsịvo** *a.* ⟨*lett,non com*⟩ in answer, in (*o* of) reply.

respọnso *m.* **1.** answer, response: *il* ~ *della giuria* the jury's response (*o* verdict). – **2.** ⟨*lett*⟩ (*risposta di un oracolo*) response, oracle, oracular answer. – **3.** ⟨*Lit*⟩ (*responsorio*) responsory, response. □ ⟨*Fis*⟩ ~ *di frequenza* (*risposta di frequenza*) frequency response.

responsoriạle **I** *a.* ⟨*Lit*⟩ responsorial, antiphonal. – **II** *s.m.* responsorial. – **responsọrio** *m.* responsory, response.

responsụra *f.* ⟨*ant*⟩ (*responso*) answer, response.

rẹssa *f.* **1.** (*calca*) crowd, throng, press, crush: *c'era una gran* ~ *intorno al palco* there was a tremendous throng around the platform. – **2.** ⟨*ant*⟩ (*rissa, violenza*) brawl. – **3.** ⟨*ant*⟩ (*insistenza importuna*) pressure, insistence. □ *fare* ~ to throng, to swarm, to crowd.

...ressi(a) *suff.* (*lacerazione* rupture) ...rrhexis: *mioressi f.* myorrhexis.

ressigẹnẹsi *f.* ⟨*Bot*⟩ rhexigenesis. – **ressigẹnico** *a.* (*pl.* -**ci**) rhexigenetic, rhexigenous. – **ressịgeno** *a.* → **ressigenico**.

ressortissant *fr.* [rəsɔrti'sã] *m.* ⟨*Dipl*⟩ citizen (*o* national) living abroad.

rẹsta[1] *f.* **1.** ⟨*Bot*⟩ awn, beard, arista. – **2.** ⟨*region*⟩ (*lisca*) fish-bone. – **3.** ⟨*Dolc*⟩ fish-shaped Easter cake.

rẹsta[2] *f.* **1.** ⟨*Mil.ant*⟩ lance rest; (*estremità della lancia*) head of a lance. – **2.** ⟨*ant*⟩ (*fermata*) stop, rest. □ *mettere la lancia in* ~ to couch one's lance; ⟨*fig*⟩ to prepare for battle; *partire con la lancia in* ~ (*partire all'attacco*) to attack; ⟨*fig*⟩ to sally forth.

rẹsta[3] *f.* **1.** string of onions or garlic. – **2.** ⟨*non com*⟩ (*grosso cavo*) trawl rope (*o* line).

restabọve, restabụe *m./f.* ⟨*Bot*⟩ (*ononide*) (spiny) rest-harrow (*Ononis spinosa*).

restạnte (*p.pr. di restare*) **I** *a.* remaining, left over: *il denaro* ~ the money left over, the remaining (*o* rest of the) money. – **II** *s.m.* **1.** rest, remainder: *questi soldi devono bastare per il* ~ *del mese* this money has to last for the rest of the month. – **2.** ⟨*Econ*⟩ (*residuo*) remainder, balance. □ *la parte* ~ the rest.

restạre *v.i.* (rẹsto; *aus.* **essere**) **1.** (*trattenersi*) to stay, to remain: *quanto tempo potrai* ~ *con noi?* how long can you stay with us?; *io resto qui a riposarmi* I'm staying here to rest. – **2.** (*rimanere, stare ancora*) to stay (behind), to remain, to be left: *in questo paese restano solo i vecchi* only the old people are left in this village. – **3.** (*permanere*) to be, to remain, to continue to be: *il museo resterà chiuso per restauri* the museum will be closed for restoration; *siamo restati amici* we ⌜continued to be⌝ (*o* remained) friends. – **4.** (*avanzare*) to be left (over), to remain: *non è restato nulla per noi?* isn't there anything left for us? – **5.** (*esserci da percorrere, da passare*) to be left (*o* to go): *resta ormai solo un chilometro alla meta* there is only a kilometre left to our destination; *restano pochi giorni a Natale* there are only a few days left until Christmas. – **6.** (*rimanere da fare*) to (still) have (to do), to be left (*o* more), to remain: *non mi resta che preparare la valigia* all ⌜I have⌝ (*o* that is left for me) to do is pack my suitcase; *mi resta da finire questa pagina* I still have to finish this page; *non mi resta altro da dire* there is nothing more (*o* left) for me to say; *resta a vedere se è vero* it remains to be seen whether it's true or not. – **7.** (*nella sottrazione*) to leave, to be left: *se tolgo tre da sette resta quattro* three from seven leaves (*o* is) four. – **8.** (*essere situato*) to be (located, situated), to lie, to stand: *la casa resta a sinistra della strada* the house is to the left of the road. – **9.** (*diventare*) to become: ~ *orfano* to become (*o* be left) an orphan, to be orphaned; ~ *cieco* to become blind, to be blinded; (*trovarsi in uno stato*) to be: ~ *sorpreso* to be surprised. – **10.** ⟨*assol*⟩ (*essere d'accordo*) to leave it, to settle, to agree: *restiamo che mi telefoni tu* let's leave it that you'll call me. – **11.** (*sopravvivere*) to survive, to be left. – **12.** ⟨*assol*⟩ (*essere meravigliato*) to be surprised. – **13.** ⟨*lett*⟩ (*cessare*) to cease, to stop. – **14.** ⟨*ant,epist*⟩ to remain, to be.

□ ~ **d'accordo** to agree, to settle, to arrange; ~ **appeso** to hang; ~ *in* **argomento** (*non divagare*) to stick to the subject (*o* point); ~ *a* **bocca** *aperta* to gape; ⟨*fig*⟩ to be dumbfounded (*o* astonished); ⟨*lett, non com*⟩ *resta* **che** (*è logica conseguenza*) it follows that; **come** *c'è restato quando l'ha saputo?* how did he take it (*o* the news)?, what was his reaction when he heard?; *restiamo* **così** let's leave it at that, agreed; ~ *in* **dubbio** to be doubtful; ⟨*fig*⟩ ~ *senza* **fiato** to be flabbergasted (*o* speechless); *resti* **fra** *noi* (*resti segreto*) don't breathe a word, just between us; ~ **freddo**: 1. (*essere poco entusiasta*) to be cool (*o* unenthusiastic); 2. (*morire*) to die; ~ *a* **galla** to float, to stay afloat; ~ **indietro** to be (left) behind, to be outstripped (*anche fig.*): ~ *indietro negli studi* to be behind in one's school work; ~ **intesi** (o *inteso*) = *restare* **d'accordo**; *restarci* **male**: 1. (*offendersi*) to take amiss, to be hurt (*o* offended, upset); 2. (*dispiacersi*) to be sorry (*o* upset); 3. (*essere deluso*) to be disappointed; ~ *male di* *qc.* to be sorry about s.th.; ~ **morto** to die; (*essere ucciso*) to be killed; ~ **obbligato** *verso qd.* to be indebted (*o* obliged) to s.o.; ~ *del* **parere** *che* to be of the opinion that; ~ *a* **piedi** to have to go on foot; ~ *in piedi* to remain (*o* stay) standing; ⟨*lett,non com*⟩ ~ **poco** (*mancare poco*) to be nearly; ~ *di* **sale** (o *sasso*) = *restare di* **stucco**; ⟨*non com*⟩ ~ **servito** (*essere invitato a pranzo*) to be invited to dinner; ~ *di* **stucco** to be dumbstruck (*o* flabbergasted), to be very taken aback; ~ *in* **vigore** to remain in effect; ~ *in* **vita** to be alive.

restato *a.* **1.** ⟨*Bot*⟩ awned, bearded, aristate. – **2.** ⟨*Zool*⟩ bearded.

restaurabile *a.* restorable. – **restauramento** *m.* ⟨*non com*⟩ restoration.

restaurant *fr.* [rɛstɔ'rã] *m.* (*ristorante*) restaurant.

restaurare *v.t.* **1.** to restore: ~ *la facciata di una chiesa* to restore the façade of a church. – **2.** ⟨*fig*⟩ (*ristabilire*) to restore, to reinstate, to re-establish, to bring back: ~ *la monarchia* to restore the monarchy; ~ *l'ordine* to restore order. – **3.** ⟨*non com*⟩ (*ridare forza*) to strengthen, to fortify, to restore. – **restaurarsi** *v.r.* ⟨*scherz*⟩ (*truccarsi*) to make (*o* touch) up, to paint; (*fare una cura di bellezza*) to have a beauty treatment.

restaurativo *a.* ⟨*non com*⟩ restorative, of restoration. – **restauratore I** *s.m.* (*f.* **-trice**) restorer (*anche fig.*). – **II** *a.* restoring, restorative, that restores (*anche fig.*). – **restaurazione** *f.* **1.** restoration, reinstatement, re-establishment. – **2.** ⟨*Stor*⟩ Restoration. – **3.** ⟨*non com*⟩ (*restauro*) restoration. □ ⟨*Stor*⟩ ~ *cattolica* (*Controriforma*) Counter-Reformation.

restauro *m.* **1.** restoration: *il* ~ *di un quadro* the restoration of a painting. – **2.** ⟨*fig,lett*⟩ (*ristoro*) relief, comfort; (*ricompensa*) recompense, compensation.

restiforme: ⟨*Anat*⟩ *corpo* ~ restiform body.

restio I *a.* **1.** (*rif. ad animali*) restive, balky, balking, fractious, jibbing. – **2.** (*rif. a persone: riluttante*) reluctant, unwilling, loath: *è* ~ *ad obbedire* he is unwilling to obey; (*alieno*) averse, opposed, disinclined. – **II** *s.m.* balkiness, restiveness.

restituibile *a.* repayable, reimbursable, returnable.

restituire *v.t.* (**restituisco, restituisci**) **1.** to return, to give back: ~ *un libro* to return a book. – **2.** ⟨*fig*⟩ to give (*o* bring) back, to restore: *la cura gli ha restituito la salute* the treatment restored his health; ~ *la felicità a qd.* to give s.o. back his happiness, to make s.o. happy again; ~ *la pace in famiglia* to restore peace in the family. – **3.** (*contraccambiare*) to return, to repay, to pay back: ~ *una cortesia* to return (*o* pay back) a favour. – **4.** ⟨*lett*⟩ (*reintegrare*) to restore, to reinstate: ~ *qd. nei propri diritti* to restore s.o.'s rights. – **5.** ⟨*non com*⟩ (*vomitare*) to vomit, to throw up. – **6.** ⟨*Ind*⟩ (*rigenerare*) to regenerate. – **7.** ⟨*Fot*⟩ to correct for distortion. – **restituirsi** *v.r.* ⟨*lett*⟩ **1.** (*ritornare*) to return, to go back. – **2.** ⟨*fig*⟩ (*darsi di nuovo*) to return, to go back, to revert: *restituirsi agli studi* to go back to one's studies, to begin studying again.

restitutore *m.* (*f.* **-trice**) **1.** ⟨*non com*⟩ (*chi restituisce*) returner. – **2.** ⟨*lett*⟩ (*restauratore*) restorer. – **3.** ⟨*Fot*⟩ plotting instrument. □ ⟨*Fot*⟩ ~ *automatico* automatic plotting instrument, stereoautograph.

restitutorio *a.* ⟨*Dir*⟩ restitutory.

restituzione *f.* **1.** restitution, return(ing), giving back: ~ *immediata dei libri alla biblioteca* immediate return of the books to the library; (*rimborso*) repayment, reimbursement, paying back. – **2.** (*il contraccambiare*) return(ing), repaying: *la* ~ *di una visita* the returning of a visit. – **3.** ⟨*non com*⟩ (*ripristinamento*) restoration, restoring: *la* ~ *della tranquillità* the restoring of peace. – **4.** ⟨*lett*⟩ (*ristabilimento*) restoration, reinstatement, re-establishment, restitution: *la* ~ *sul trono di un re spodestato* the restoration of a deposed king to the throne. – **5.** ⟨*Dir*⟩ (*reintegrazione nel possesso*) restitution, return, restoration. – **6.** ⟨*Filol*⟩ restoration, critical editing (of a text). – **7.** ⟨*Biol*⟩ restoration. – **8.** ⟨*Bot*⟩ restitution, new growth (*o* formation).

□ ⟨*Econ*⟩ ~ *di* **dazio** drawback, duty refund; ~ **fotogrammetrica** plotting; ⟨*Dir*⟩ ~ *dell'***indebito** return (*o* refund) of an undue payment, restitution of an amount paid in error; ⟨*Comm*⟩ **ordine** *di* ~ return (shipping) order; ~ *in* **pristino** restoration to the original state.

resto *m.* **1.** rest, remainder: *nel* ~ *dell'Italia* in the rest of Italy; *ho passato il* ~ *della giornata a dormire* I spent the rest of the day sleeping. – **2.** (*spiccioli*) change: *tenga pure il* ~ keep the change. – **3.** ⟨*Comm*⟩ (*differenza a saldo*) balance: *pagherà il* ~ *in comode rate* he will pay the balance in easy instalments. – **4.** (*rif. a cibo*) remains *pl*, leftovers *pl*: *mangeremo i -i del pranzo* we'll eat the leftovers from dinner. – **5.** *pl.* (*ruderi*) remains *pl*, ruins *pl*: *i -i di un teatro romano* the ruins of a Roman theatre. – **6.** ⟨*Mat*⟩ remainder. – **7.** ⟨*ant*⟩ (*residuo*) residue, remainder, remnant.

□ ⟨*fig*⟩ **avere** *il proprio* ~ (*avere ciò che si merita*) to get ⌜what one deserves⌝ (*o* one's just deserts); ⟨*fam*⟩ *il* ~ *del* **carlino** the rest of what's coming (*o* due) to one, ⟨*fam*⟩ come-uppance; ⟨*Econ*⟩ ~ *di* **cassa** balance in hand; **del** ~ (*d'altronde*) however, on the other hand, after all: *del* ~ *è un buon figliolo* on the other hand he's a good boy; *avere cento* **di** ~ (*rif. a danaro*) to have a hundred lire change; (*nella divisione*) to have one hundred left over, to have a remainder of one hundred; ⟨*Mat*⟩ ~ *della* **divisione** remainder (of the division); *-i* **mortali** mortal remains; ⟨*Mat*⟩ ~ **parziale** partial remainder; ⌜**per** *il*⌝ (o *quanto al*) ~ = **del** *resto.*

restoso *a.* ⟨*Bot,non com*⟩ bearded, awned, aristate.

restringere *v.t.* (**restringo, restringi; restrinsi, ristretto**) **1.** to reduce, to make smaller, to contract: *il freddo restringe i corpi* cold contracts things; (*rif. a vestiti*) to take in; (*rif. a stoffe*) to shrink: *la lavatura non restringe questa stoffa* washing won't shrink this material, this material does not shrink in the wash. – **2.** ⟨*fig*⟩ (*limitare, ridurre*) to limit, to curtail, to restrict, to cut down on, to narrow: ~ *le spese* to limit (*o* cut down on) expenses. – **3.** ⟨*assol*⟩ (*rendere stitico*) to constipate, to bind. – **4.** ⟨*lett,rar*⟩ (*radunare*) to gather, to collect. – **5.** ⟨*lett,rar*⟩ (*costringere, obbligare*) to force, to oblige. – **restringersi** *v.r.* **1.** (*diventare più stretto*) to narrow, to grow (*o* get) narrower: *la strada si restringeva* the road narrowed; (*rif. a stoffe*) to shrink. – **2.** (*raccogliersi per occupare meno posto*) to draw up (*o* together), to close (*o* move) up, to squeeze together: *ci siamo ristretti per far posto ai nuovi arrivati* we squeezed together to make room for the newcomers. – **3.** (*contrarsi*) to contract, to shrink: *alla luce la pupilla si restringe* the pupil contracts in the light. – **4.** ⟨*fig*⟩ (*limitarsi*) to cut down, to put a limit (*in* on), to limit, to restrict (s.th.): *restringersi nelle spese* to cut down on expenses. – **5.** ⟨*lett*⟩ (*accostarsi*) to draw near. – **6.** ⟨*ant*⟩ (*confidarsi*) to talk in private, ⟨*lett*⟩ to closet (o.s.) (*con* with). □ ⟨*non com*⟩ ~ *il corpo* (*rendere stitico*) to constipate; *restringersi nelle spalle* to shrug (one's shoulders).

restringimento *m.* **1.** reduction, restriction; (*il diventare più stretto*) narrowing: *un* ~ *della strada* a narrowing in the road; (*rif. a stoffe*) shrinking, shrinkage. – **2.** (*contrazione*) contraction. – **3.** ⟨*fig*⟩ (*restrizione*) restriction, limitation. – **4.** ⟨*Med*⟩ stricture, stenosis: ~ *uretrale* stricture of the ureter. – **restringitivo** *a.* ⟨*non com*⟩ restrictive, restricting. – **restringitore** *m.* (*f.* **-trice**) ⟨*non com*⟩ restricter, narrower. – **restrittivamente** *avv.* restrictively, strictly, in the strict (*o* narrow) sense. – **restrittivo** *a.* **1.** restrictive. – **2.** ⟨*fig*⟩ restrictive, limiting, confining: *condizione -a* limiting condition. □ ⟨*Econ*⟩ *girata -a* restrictive endorsement; *interpretazione -a* restrictive (*o* strict) interpretation.

restrizione *f.* **1.** restriction, limitation, curtailing: ~ *dei consumi* restriction on consumption. – **2.** (*riserva*) reservation. – **3.** ⟨*Dir, Econ*⟩ restraint, restriction.

□ *-i* **creditizie** credit squeezes; ~ *d'***entrata** restriction on entry; *-i all'***esportazione** export restrictions; *-i all'***immigrazione** immigration restrictions; *-i alle* **importazioni** import restrictions, restriction on imports; ⟨*Dir*⟩ ~ **mentale** mental reservation (*o* restriction); ~ ⌜*di* **mercato**⌝ (o *alle vendite*) restriction of the market; **senza** *-i* unreservedly, unrestrictedly; *-i* **valutarie** exchange restrictions.

restrizionismo *m.* ⟨*Pol*⟩ restrictionism.

resultamento *m.* ⟨*rar*⟩ → **resultato**. – **resultante** (*p.pr. di resultare*) **I** *a.* ⟨*non com*⟩ (*risultante*) resulting, resultant. – **II** *s.m.* resultant (*anche Fis.*). – **resultanza** *f.* ⟨*non com*⟩ → **resultato**. – **resultare** *v.i.* (*aus.* **essere**) ⟨*non com*⟩ (*risultare*) to result, to follow (on). – **resultato** *m.* ⟨*non com*⟩ (*risultato*) result.

resultiva *f.* ⟨*Geog*⟩ (*anche sorgente resultiva*) karst spring.

résumé *fr.* [rezy'me] *m.* (*riassunto*) résumé, summary.

resupinato *a.* ⟨*Bot*⟩ resupinate. – **resupinazione** *f.* resupination.

resupino *a.* ⟨*lett,ant*⟩ (*supino*) supine.

resurgere *v.i.* (**resurgo, resurgi; resursi, resurto;** *aus.* **essere**) ⟨*ant*⟩ → **risorgere**. – **resurressi, resurresso**: ⟨*Rel,ant*⟩ *Pasqua di* ~ Easter; *lunedì di* ~ Easter Monday. – **resurrezione** *f.* ⟨*Rel*⟩ (*risurrezione*) Resurrection.

resuscitare *v.* → **risuscitare**.

retablo *sp. m.* ⟨*Art*⟩ retablo.

retacchio *m.* ⟨*Pesc*⟩ kind of fishing-net.

retaggio *m.* ⟨*lett*⟩ **1.** (*eredità*) inheritance, legacy. – **2.** ⟨*fig*⟩ heritage, legacy.

retare[1] *v.t.* (**reto**) ⟨*non com*⟩ to square (off).

retare[2] *v.t.* (**reto**) ⟨*ant*⟩ (*ereditare*) to inherit.

retata *f.* **1.** (*gettata di rete*) cast; (*quantità di pesce preso*) catch, haul, netful. – **2.** ⟨*fig*⟩ (*cattura*) round-up, ⟨*fam*⟩ drag-net.

retato (*p.p. di retare*[1]) *a.* **1.** squared off. – **2.** ⟨*Bot*⟩ reticulate, netted, net-.

retazza *f.* (*redazza*) swab.

rete *f.* **1.** net. – **2.** ⟨*fig*⟩ (*insidia, tranello*) trap, snare, web, toils *pl*: *tendere le -i* to set (*o* lay) a trap; *cadere nella* ~ to fall into the trap. – **3.** (*del letto*) bedspring. – **4.** (*borsa a rete*) string bag. – **5.** (*retina per capelli*) hairnet. – **6.** (*rete di recinzione*) wire fencing. – **7.** (*per bagagli e sim.*) luggage-rack. – **8.** (*struttura a rete*) network, system: ~ *di spionaggio* spy network; ~ *tranviaria* streetcar network. – **9.** ⟨*Pesc*⟩ (fishing-)net. – **10.** ⟨*Venat*⟩ net. – **11.** ⟨*Sport*⟩ net; (*nel tennis: punto di servizio*) net ball, let (ball); (*nel calcio: porta*) goal: *mancare la* ~ to miss the goal; *segnare due -i* to score two goals. – **12.** ⟨*Lav.femm*⟩ netting, network, filet. – **13.** ⟨*Anat,Macell*⟩ omentum. – **14.** ⟨*Geom*⟩ grid, net. – **15.** ⟨*El*⟩ network, system, mains *pl.* – **16.** ⟨*Biol*⟩ network, rete. – **17.** ⟨*Astr*⟩ rete. – **18.** ⟨*Art*⟩ (*reticolato regolare*) squared lines *pl.* – **19.** ⟨*lett*⟩ (*recinto per il bestiame*) roped-off pen.

□ ⟨*Tel,El*⟩ ~ **aerea** overhead system (*o* network); ~ *dell'***aerostato** balloon net; ⟨*Pesc*⟩ ~ *di* **aggiramento** seine (net); ⟨*Mar.mil*⟩ ~ **antisommergibili** submarine net; ⟨*El*⟩ ~ **aperta** open network; ⟨*Mar*⟩ ~ *del* **bompresso** bowsprit netting; ~ *da* **caccia** snare, net; ⟨*Mar*⟩ ~ *da* **carico** loading (*o* cargo) net; ~ *da* **circuizione** = *rete di* **aggiramento**; ⟨*El*⟩ ~ *in* **corrente** *alternata* alternating-current network; ⟨*Pesc*⟩ ~ *alla* **deriva** drift net; ⟨*El*⟩ ~ *di* **distribuzione** power mains *pl* (*o* supply system), grid, network; ~ **elettrica** electrical grid (*o* network); ⟨*Mar.mil*⟩ ~ **esplosiva** mined net; ~ **ferroviaria** railway network (*o* system); ⟨*Edil*⟩ ~ *di* **fognature** drainage (*o* sewage) system; ⟨*Pesc*⟩ ~ *da* **fondo** drag-net; ~ *da* **gamberi** crawfish net; ⟨*Topogr*⟩ ~ **geodetica** geodetic system; **gettare** *le -i* to cast the nets; ⟨*El*⟩ ~ *d'***illuminazione** lighting system (*o* mains *pl*, circuit); **incappare** *nella* ~ to run into a net; ⟨*fig*⟩ (*cadere nell'insidia*) to fall into the trap, to be ensnared; ⟨*Lav.femm*⟩ **lavoro** *a* ~ netting, network, filet; ~ *del* **letto** bedspring; ~ **locale** local (distributing) system, local mains *pl*; ~ *della* **luce** = *rete d'***illuminazione**; ⟨*El*⟩ ~ *a* **maglia** meshed system, bridge (*o* meshed) network; *maglia di* ~ mesh; ⟨*Geog*⟩ ~ *dei* **meridiani** *e paralleli* graticule, grid of parallels and meridians; ~ **metallica**: 1. wire net(ting), wire mesh; 2. (*di recinzione*) wire fencing; 3. (*del letto*) bedspring; ⟨*Mil*⟩ ~ **mimetica** camouflage net; ⟨*Mar.mil*⟩ ~ **parasiluri** torpedo-net; ⟨*Sport*⟩ ~ *di* **pareggio** equalizing goal, equalizer; ~ *da* **pesca** fishing-net; ⟨*Sport*⟩ ~ *della* **porta** net (of a goal); ~ **portabagagli** luggage rack; ⟨*Pesc*⟩ ~ *da* **posta** *fissa* setnet; ⟨*fig*⟩ **prendere** *qd. alla* ~ to trap s.o.; ⟨*fig*⟩ *esser preso nelle proprie -i* to be caught in one's own trap, to be hoist with one's own petard; ~ *di* **protezione** protective net (*o* screen); ⟨*El*⟩ cradle guard; ~ **quadra** kind of fishing-net; ⟨*Pesc*⟩ **raccogliere** *le -i* to haul in the nets; ~ **radiofonica** radio network; ~ *di* **recinzione** wire fencing, (wire) fence; ⟨*Sport*⟩ ~ *di* **salto** safety (*o* jumping) net; ⟨*Mar*⟩ ~ *da* **sbarco** landing net; ⟨*Mar.mil*⟩ ~ *di* **sbarramento** defence net; ⟨*Pesc*⟩ ~ *a* **sciabica** trawl net; ~ **stradale** road system (*o* network); ⟨*Pesc*⟩ ~ *a* **strascico** trawl (net), drag-net; ~ **telefonica** telephone system; ~ *di* **teleselezione** direct dialling system; ⟨*El*⟩ ~ *ad alta* **tensione** high-tension network; **tirare** *la* ~ to square off; ~ **tranviaria** tram system; ⟨*Topogr*⟩ ~ *di* **triangolazione** net(work) of triangulation; ⟨*El*⟩ ~ **trifase** three-phase system (*o* network); ~ *di* **tubazioni** pipe(line) network, pipe system; ⟨*Ferr*⟩ ~ **urbana** urban railway system (*o* network); ⟨*Comm*⟩ ~ *di* **vendita** commercial network.

retentịre *v.i.* (*aus.* avere) ⟨*poet,ant*⟩ (*risonare*) to resound, to ring (out).

retentịva *f.* ⟨*pop*⟩ (*ritentiva*) memory.

retentività *f.* ⟨*Fis*⟩ absorption potential.

retentịvo *a.* ⟨*rar*⟩ (*ritentivo*) retentive.

retentọre *m.* ⟨*Dir*⟩ retainer.

retenziọne *f.* ⟨*ant*⟩ (*ritenzione*) retention.

retịcchio *m.* → **retacchio**.

reticẹila (*dim. di rete*) *f.* **1.** (*retina per capelli*) hairnet; (*per ornamento*) snood. – **2.** ⟨*Chim*⟩ wire gauze. ☐ ⟨*Chim*⟩ ~ *Auer* (gas-)mantle.

reticẹllo *m.* ⟨*Lav.femm*⟩ reticella, reticello.

reticẹnte *a.* **1.** reticent, reserved: *è molto* ~ *sui suoi progetti* he is very reticent about his plans. – **2.** ⟨*Dir*⟩ reticent, non-disclosing, concealing: *testimone* ~ reticent witness. – **reticẹnza** *f.* **1.** reticence, reserve: *si è espresso con molta* ~ he expressed himself with great reticence. – **2.** ⟨*Dir*⟩ reticence, non-disclosure, concealment. – **3.** ⟨*Ret*⟩ aposiopesis. ☐ *senza -e* unreservedly, without reserve, freely.

reticịte *f.* ⟨*Min*⟩ rhaetizite.

rẹtico[1] *a./s.* (*pl.* **-ci**) **I** *a.* **1.** (*della Rezia*) Rhaetian. – **2.** (*dei Reti*) Rhaetian. – **3.** ⟨*Geol*⟩ Rhaetic. – **II** *s.m.* **1.** (*lingua*) Rhaetic. – **2.** ⟨*Geol*⟩ Rhaetic (formation), Rhaetic beds (*o* strata) *pl.* ☐ ⟨*Geog*⟩ *Alpi Retiche* Rhaetian Alps.

rẹtico[2] *a./s.* (*pl.* **-ci**) ⟨*ant,tosc*⟩ **I** *a.* (*eretico*) heretical. – **II** *s.m.* heretic.

retịcola (*dim. di rete*) *f.* ⟨*Topogr*⟩ grid.

reticolạre[1] *a.* **1.** reticulate(d), reticular, netted: *struttura* ~ reticulated structure; (*a graticola*) reticulated, webbed, gridiron-. – **2.** ⟨*Biol*⟩ reticular, reticulum-: *tessuto* ~ reticular tissue.

reticolạre[2] *v.t.* (**retịcolo**) ⟨*non com*⟩ to reticulate.

reticolạto (*p.p. di reticolare*[2]) **I** *a.* → **reticolare**[1]. – **II** *s.m.* **1.** grille, grating, grid; (*graticcio*) lattice, trellis. – **2.** (*disegno a forma di rete*) grid. – **3.** ⟨*Mil*⟩ barbed wire entanglement. – **4.** ⟨*Econ*⟩ table for calculating interest. ☐ ~ *geografico* graticule, grid of parallels and meridians. – **reticolatụra** *f.* ⟨*Fot*⟩ reticulation.

retịcolo *m.* **1.** (*struttura a rete*) network, grid; (*struttura a graticcio*) grillwork, lattice. – **2.** ⟨*Zool*⟩ reticulum, honeycomb stomach. – **3.** ⟨*Fot,Tip*⟩ screen. – **4.** ⟨*Biol*⟩ reticulum. – **5.** ⟨*Mat*⟩ lattice. – **Reticolo** *N.pr.m.* ⟨*Astr*⟩ Reticulum, Net.

☐ **a** ~ reticulate, netted; *stoffa a* ~ check(ed) cloth; ⟨*Fis*⟩ ~ **atomico** (space) lattice; ~ **attivo** active lattice; ⟨*Min*⟩ ~ **cristallino** crystal lattice; ⟨*Min*⟩ ~ **cubico** cubic lattice; ⟨*Ott*⟩ ~ *di* **diffrazione** diffraction grating; ~ **geografico** (o *dei gradi*) grid; ⟨*Atom*⟩ ~ **moderatore** moderator lattice; ~ **ottico** optical grating; ⟨*Ott*⟩ ~ *per* **riflessione** reflection grating; ⟨*Min*⟩ ~ **spaziale** space lattice.

reticolo|cịto *m.* reticulocyte. – **~endoteliạle**: *sistema* ~ reticuloendothelial system.

reticolọsi *f.* ⟨*Med*⟩ reticulosis. – **reticulọma** *m.* reticuloma.

retifọrme *a.* ⟨*non com*⟩ retiform, netlike, reticular.

retịna[1] (*dim. di rete*) *f.* (*per capelli*) hairnet.

rẹtina[2] *f.* ⟨*Anat*⟩ retina.

retinạre *v.t.* **1.** ⟨*tecn*⟩ to reinforce; (*rif. a vetro*) to wire. – **2.** ⟨*Fot, Tip*⟩ to (insert a) screen.

retinasfạlto *m.* → **retinite**[2].

retinạto *a.* ⟨*Fot,Tip*⟩ half-tone-, screened.

retinellịte *f.* → **retinite**[2].

retinẹnza *f.* ⟨*ant*⟩ (*capacità di ricordare*) retentiveness.

retinẹrvio *a.* ⟨*Bot*⟩ retinerved, net-veined.

retịnico *a.* (*pl.* **-ci**) ⟨*Anat*⟩ retinal, of the retina.

retinịte[1] *f.* ⟨*Med*⟩ retinitis: ~ *pigmentosa* retinitis pigmentosa.

retinịte[2] *f.* ⟨*Min*⟩ retinite.

retịno (*dim. di rete*) *m.* **1.** ⟨*Pesc*⟩ (*per plancton*) plankton net. – **2.** ⟨*Fot,Tip*⟩ screen. – **3.** ⟨*Entom*⟩ butterfly net.

☐ ⟨*Fot,Tip*⟩ ~ *a* **contatto** contact screen; ~ *in* **cristallo** crystal screen; ~ *da* **entomologo** (*per farfalle*) butterfly net; ~ **granulare** granular screen; **munire** *di* ~ to (insert a) screen; ~ **pellicolare** film screen; ~ *a* **tratto** line screen.

retino|patịa *f.* ⟨*Med*⟩ retinopathy. – **~scopịa** *f.* retinoscopy.

retịnula *f.* ⟨*Entom*⟩ retinula.

rętore *m.* **1.** ⟨*Stor*⟩ rhetor, rhetorician. – **2.** ⟨*spreg*⟩ rhetorician, bombastic writer. – **retǫrica** *f.* **1.** rhetoric, eloquence. – **2.** ⟨*Stor*⟩ rhetoric. – **3.** ⟨*spreg*⟩ rhetoric, bombast, empty (*o* inflated) words *pl*: *il suo discorso è tutta* ~ his speech is so much bombast. – **retoricamẹnte** *avv.* rhetorically. – **retoricạstro** *m.* ⟨*spreg*⟩ rhetorician, ranter. – **retǫrico** *a./s.* (*pl.* **-ci**) **I** *a.* **1.** rhetorical: *effetto* ~ rhetorical effect; (*della retorica*) rhetorical, of rhetoric: *l'arte -a* the art of rhetoric. – **2.** ⟨*spreg*⟩ rhetorical, bombastic, empty. – **II** *s.m.* ⟨*non com*⟩ → **retore**. ☐ *figura -a* figure of speech. – **retoricụme** *m.* ⟨*spreg*⟩ bombast, rhetoric.

retoromạnzo **I** *a.* ⟨*Ling*⟩ Rhaeto-Romanic, Rhaeto-Romance, Rhaeto-Romansh-. – **II** *s.m.* Rhaeto-Romanic, Rhaeto-Romance, Rhaeto-Romansh.

retǫrta *f.* ⟨*ant*⟩ **1.** ⟨*Chim*⟩ (*storta*) retort. – **2.** ⟨*non com*⟩ (*pappagallo*) urinal.

retrạngolo *m.* ⟨*ant*⟩ (*ritrangolo*) form of usury.

retrạrre *v.t.* (**retrạggo**, **retrại**; **retrạssi**, **retrạtto**; generally only past participle and compound tenses are used) ⟨*rar*⟩ (*ritrarre*) to retract, to draw back, to pull in.

retrattaziọne *f.* ⟨*ant*⟩ → **ritrattazione**.

retrạttile *a.* retractile, retractable: *unghie -i* retractile claws. – **retrattilità** *f.* retractility.

retrattiloterapịa *f.* ⟨*rar*⟩ (*collassoterapia*) collapsotherapy, collapse therapy.

retrạtto *m.* ⟨*Dir*⟩ right of redemption. ☐ ~ *successorio* right of coheirs to buy in.

retraziọne *f.* ⟨*non com*⟩ (*ritrazione*) retraction.

retribuịre *v.t.* (**retribuịsco**, **retribuịsci**) **1.** to recompense, to reward, to pay: ~ *qd. secondo i meriti* to reward s.o. according to his merits; *retribuirò la tua onestà* I shall reward your honesty. – **retribuịto** (*p.p. di retribuire*) *a.* rewarded, recompensed, paid: *un lavoro ben* ~ a well-paid job. – **retributịvo** *a.* retributive, retributory. – **retributọre** *m.* (*f.* **-trice**) ⟨*non com*⟩ rewarder, recompenser, retributor.

retribuziọne *f.* **1.** reward, recompense, retribution. – **2.** (*paga*) pay(ment), remuneration; (*stipendio*) salary: *gli statali chiedono un aumento della* ~ the civil servants are asking for an increase in salary; (*salario*) wage, wages *pl.*

☐ ~ *a* **cottimo** job (*o* piece) wage; ~ *in* **denaro** cash payment; ~ *annuale* **garantita** guaranteed annual wage; ~ *a* **incentivo** incentive wages *pl*; ~ *di* **lavoro** *straordinario* overtime (pay); ~ *in* **natura** payment in kind; ~ **totale** gross wage.

retrịvo **I** *a.* backward, unprogressive, behind the times, out-of -date: *essere d'idee -e* to have backward ideas; (*reazionario*) reactionary. – **II** *s.m.* (*f.* **-a**) reactionary.

rẹtro **I** *s.m.* **1.** (*parte posteriore*) back. – **2.** (*verso*: *di moneta*) reverse; (*di pagina*) verso. – **II** *avv.* ⟨*poet*⟩ (*dietro, indietro*) behind, back(wards). ☐ *vedi* ~ please turn over, see overleaf.

retro... *pref.* retro..., back, rear.

retro|agịre *v.i.* (**retroagịsco**, **retroagịsci**; *aus.* **avere**) ⟨*Dir*⟩ to be retroactive. – **~altạre** *m.* ⟨*Arch*⟩ retrochoir. – **~ammirạglio** *m.* ⟨*Stor*⟩ (*contrammiraglio*) rear-admiral. – **~attività** *f.* ⟨*Dir*⟩ retroactivity. – **~attịvo** *a.* retroactive. – **~aziọne** *f.* **1.** ⟨*non com*⟩ → **retroattività**. – **2.** ⟨*El*⟩ (*reazione*) reaction, feed-back. – **~bọcca** *m.inv.* ⟨*non com*⟩ (*faringe*) pharynx. – **~bottẹga** *m.inv.* back-shop, room at the back of a shop. – **~bulbạre** *a.* ⟨*Anat*⟩ retrobulbar, retro-ocular. – **~calcaneạre** *a.* behind the heel. – **~cạmera** *f.* back room. – **~cạrica**: ⟨*Artigl*⟩ *a* ~ breech-loading-: *arma a* ~ breech-loading weapon, breech-loader.

retrocẹdere *v.* (**retrocẹssi**/**retrocedẹi**/**retrocedẹtti**, **retrocẹsso**/**retrocedụto**) **I** *v.i.* (*aus.* **essere**) **1.** to recede, to go (*o* move) back; (*in veicolo*) to reverse, to back up, to go back. – **2.** (*ritirarsi*) to withdraw, to retreat. – **3.** ⟨*fig*⟩ (*rinunciare*) to draw back (*da* from), to go back (on), to give up, to abandon (s.th.): ~ *da una decisione presa* to go back on a decision. – **II** *v.t.* **1.** to demote, to degrade, to downgrade, to reduce. – **2.** ⟨*Mil*⟩ to degrade, to demote: *lo hanno retrocesso a sergente* he was demoted to sergeant. – **3.** ⟨*Sport*⟩ to move down, to relegate. – **4.** ⟨*Dir*⟩ to retrocede, to reassign, to reconvey. – **5.** ⟨*Comm*⟩ to reduce (by), to remit, to make a reduction of; (*rendere partecipe*) to give a share (*o* an interest) in.

retrocedimẹnto *m.* ⟨*non com*⟩ → **retrocessione**. – **retrocẹssi** *p.rem. di* **retrocedere**. – **retrocessiọne** *f.* **1.** receding, going (*o* moving) back; (*ritiro*) withdrawal, retreat. – **2.** ⟨*burocr*⟩ demotion. – **3.** ⟨*Mil*⟩ degrading, demotion, breaking. – **4.** ⟨*Sport*⟩ relegation. – **5.** ⟨*Dir*⟩ retrocession, reconveyance. – **6.** ⟨*Comm*⟩ rebate. – **retrocẹsso** *p.p. di* **retrocedere**.

retro|cucịna *f. inv.* scullery. – **~datạre** *v.t.* **1.** ⟨*burocr*⟩ to backdate, to predate. – **2.** (*attribuire una data anteriore*) to antedate, to predate – **~databziọne** *f.* **1.** ⟨*burocr*⟩ backdating, predating. – **2.** (*attribuzione di una data anteriore*) antedating, predating. – **~farịngeo** *a.* ⟨*Anat,Med*⟩ retropharyngeal. – **~flessiọne** *f.* ⟨*Med,Fon*⟩ retroflexion. – **~flẹsso** *a.* **1.** ⟨*Med*⟩ retroflex(ed). – **2.** ⟨*Fon*⟩ retroflex.

– 3. ⟨*Bot*⟩ retroflexed. – **~formaziọne** *f.* ⟨*Ling*⟩ back-formation. – **~frọnte** *m.* ⟨*Mil*⟩ rear, zone behind the front. – **~frontespịzio** *m.* verso of the title-page. – **~gradạre** *v.i.* (**retrọgrado**; *aus.* **avere**) ⟨*Astr*⟩ to retrograde. – **~gradaziọne** *f.* retrogradation.

retrọgrado I *a.* **1.** retrograde, backward, reverse. – **2.** ⟨*fig*⟩ (*retrivo*) backward, unprogressive, behind the times; (*reazionario*) reactionary. – **II** *s.m.* (*f.* **-a**) (*persona retriva*) reactionary.

retro|gressiọne *f.* ⟨*non com*⟩ regression, retrogression. – **~guạrdia** *f.* ⟨*Mil*⟩ rearguard. ☐ ⟨*fig*⟩ *stare* (o *essere*) *alla* ~: 1. (*rimanere indietro*) to keep in the rear, to hang back; 2. (*assumere un atteggiamento cauto*) to hang back, to keep in the background, to be wary. – **~guạrdo** *m.* ⟨*ant*⟩ → **retroguardia**.

retro|gụsto *m.* → **retrosapore**. – **~linguạle** *a.* ⟨*Fon,non com*⟩ (*posterolinguale*) velar. – **~mạrcia** *f.* (*pl.* -ce) ⟨*Aut*⟩ **1.** reverse (motion), reversing: *andare in* ~ to go into reverse. – **2.** (*dispositivo*) reverse (gear): *innestare la* ~ to put into reverse. – **~mezzadrịa** *f.* ⟨*Agr*⟩ kind of share-cropping. – **~molạre** *m.* ⟨*Veter*⟩ retromolar. – **~oculạre** *a.* ⟨*Anat*⟩ retro-ocular. – **~pạlco** *m.* (*pl.* -chi) ⟨*Teat*⟩ backstage. – **~pensiẹro** *m.* ⟨*non com*⟩ (*pensiero riposto*) secret thought, arrière-pensée. – **~peritoneạle** *a.* ⟨*Anat*⟩ retroperitoneal. – **~pulsiọne** *f.* ⟨*Med*⟩ retropulsion. – **~rạzzo** *m.* ⟨*tecn*⟩ retro-rocket. – **~reaziọne** *f.* ⟨*El*⟩ degeneration, negative feed-back (*o* retroaction).

retrọrso I *a.* ⟨*Bot*⟩ retrorse. – **II** *avv.* ⟨*ant*⟩ (*all'indietro*) backward(s), back.

retro|sapọre *m.* aftertaste. – **~scẹna I** *m.inv.* **1.** backstage activity. – **2.** ⟨*fig,spreg*⟩ (*maneggi occulti*) underhand dealings *pl*, behind-the-scenes action (*o* intrigue), what goes on behind the scenes: *in quest'affare c'è un* ~ *poco pulito* there's something fishy going on behind the scenes in this affair. – **II** *f.* ⟨*Teat*⟩ backstage. – **~scọpico**: ⟨*Aer,non com*⟩ *specchio* ~ rearview mirror. – **~scrịtto** *a.* ⟨*non com*⟩ written on the back.

retrọso *a.* ⟨*ant*⟩ → **ritroso**.

retrospettịva *f.* retrospective (exhibition): *una* ~ *del cinema francese* a retrospective of the French cinema. – **retrospettịvo** *a.* **1.** backward, ⟨*lett*⟩ retrospective: *sguardo* ~ backward glance. – **2.** ⟨*fig*⟩ retrospective. ☐ ⟨*Art*⟩ *mostra -a* retrospective (exhibition); ⟨*fig*⟩ *dare uno sguardo* ~ *a qc.* to see (*o* look at) s.th. in retrospect, to look back on s.th.

retro|stạnte *a.* **1.** (*rif. a luogo*) at (*o* in) the back, (lying) behind, back: *stanza* ~ room at the back, back room. – **2.** ⟨*non com*⟩ (*rif. a persona*) behind, at the back. – **~stạnza** *f.* → **retrocamera**. – **~sternạle** *a.* ⟨*Anat*⟩ retrosternal. – **~tẹrra** *m.inv.* ⟨*Geog,Econ*⟩ hinterland. – **~trẹno** *m.* **1.** ⟨*Aut*⟩ rear part of a vehicle, back-carriage; (*asse*) rear axle. – **2.** ⟨*Zootecn*⟩ hindquarters *pl.* – **~vẹndere** *v.t.* (**retrovendẹi/retrovendẹtti**, **retrovendụto**) ⟨*Dir*⟩ to resell to the (original) vendor. – **~vẹndita** *f.* resale to the (original) vendor. – **~versiọne** *f.* **1.** (*rivolgimento indietro*) turning back, retroversion. – **2.** (*ritraduzione*) retroversion, retranslation; (*passo da tradurre*) passage (*o* lines *pl*) for retroversion. – **3.** ⟨*Med*⟩ retroversion: ~ *uterina* retroversion of the uterus. – **~vịe** *f.pl.* ⟨*Mil*⟩ rear, zone behind the front, supply lines *pl*. – **~visịvo** *a.* rearview-, rear-vision-, driving: *specchio* ~ → **retrovisore**. – **~visọre** *m.* ⟨*Aut*⟩ (*specchio retrovisore*) rearview mirror.

rẹtta[1] *f.* ⟨*Geom*⟩ (straight) line. ☐ ~ *fondamentale* ground line, base (line); ~ *di fuga* vanishing line; ~ *immaginaria* imaginary line; *-e parallele* parallel lines.

rẹtta[2] *f.* room and board, board and lodging. ☐ *un mese di* ~ a month's room and board; *stare a mezza* ~ to pay half-price for room and board.

rẹtta[3]: *dare* ~ *a*: 1. (*dare ascolto*) to listen to, to pay attention to, to give heed to: *non vuole dare* ~ *a nessuno* he won't listen to anyone; *dai* ~ *a me* just ⌜listen to me⌝ (*o* mark my words); 2. ⟨*fig*⟩ (*lasciarsi dominare*) to give in to, to yield to, to let o.s. be ruled by: *non bisogna dare* ~ *ai cattivi impulsi* one mustn't give in to evil impulses.

rettạle *a.* ⟨*Anat*⟩ rectal. – **rettalgịa** *f.* ⟨*Med*⟩ proctalgia, rectalgia.

rettamẹnte *avv.* **1.** (*con rettitudine*) righteously, uprightly, with rectitude. – **2.** (*in modo giusto*) correctly, well, properly, exactly: *interpretare* ~ *un testo* to interpret a text correctly.

rettangolạre *a.* rectangular, rectangled, rectagonal: *finestra* ~ rectangular window.

rettạngolo I *s.m.* **1.** ⟨*Geom*⟩ rectangle; (*quadrangolo*) rectangle, quadrangle. – **2.** ⟨*Sport*⟩ football field. – **II** *a.* ⟨*Geom*⟩ right-angle(d), rectangular: *triangolo* ~ right-angle triangle. ☐ ⟨*Sport*⟩ ~ *di gioco* football field; ~ *magico* variant of the magic square.

rettịfica *f.* **1.** rectification, straightening (out); (*rif. a strade, fiumi e sim.*) rectification, straightening. – **2.** (*correzione*) rectification, correction; (*modifica*) rectification, amendment. – **3.** ⟨*Giorn*⟩ correction, amendment. – **4.** ⟨*Mecc*⟩ grinding, refacing. – **5.** ⟨*Topogr*⟩ adjustment, setting. – **6.** ⟨*Chim*⟩ (*rettificazione*) rectification.

☐ ⟨*Mot*⟩ ~ *dei* **cilindri** grinding of a cylinder, cylindrical grinding; ⟨*Mecc*⟩ ~ **concava** concave (*o* hollow) grinding; ~ *di* **confine** border correction; ~ *di una* **curva** rectification (of a curve); ⟨*Mecc*⟩ ~ *di* **filettatura** thread grinding; ~ *di* **finitura** finish grinding; ~ *in* **piano** flat surface grinding; ~ *di* **precisione** precision grinding, grinding to close tolerances; ~ *di* **profili** profile grinding; ~ *a* **secco** dry grinding.

rettificạbile *a.* **1.** ⟨*non com*⟩ rectifiable. – **2.** ⟨*non com*⟩ (*correggibile*) that may be corrected (*o* rectified), amendable. – **3.** ⟨*Mat,Chim*⟩ rectifiable. – **rettificamẹnto** *m.* ⟨*non com*⟩ **1.** rectifying, rectification. – **2.** (*correzione*) rectification, correction, amendment.

rettificạre *v.t.* (**rettịfico**, **rettịfichi**) **1.** to straighten (out), to rectify, to make straight: ~ *il corso d'un fiume* to rectify the course of a river. – **2.** (*spianare*) to (make) level, to smooth, to even off: ~ *un muro* to level a wall. – **3.** ⟨*fig*⟩ (*correggere*) to rectify, to correct: ~ *una data* to correct a date; (*modificare*) to rectify, to amend, to change, to adjust. – **4.** ⟨*Giorn*⟩ to correct, to amend. – **5.** ⟨*Mecc*⟩ to grind, to reface. – **6.** ⟨*Chim,Mat*⟩ to rectify. – **7.** ⟨*Topogr*⟩ to adjust, to set.

rettificạto (*p.p. di rettificare*) **I** *a.* **1.** rectified, straightened (out). – **2.** ⟨*Chim*⟩ rectified. – **II** *s.m.* ⟨*Chim*⟩ rectified product. – **rettificatọre I** *s.m.* **1.** (*operaio*) grinder. – **2.** ⟨*El*⟩ (*raddrizzatore*) rectifier. – **3.** ⟨*Rad*⟩ (*rivelatore*) detector. – **II** *a.* **1.** ⟨*El*⟩ rectifier-. – **2.** ⟨*Mecc*⟩ grinding, refacing. – **3.** ⟨*Chim*⟩ rectifying.

rettificatrịce *f.* **1.** (*operaia*) grinder. – **2.** (*macchina*) grinder, grinding-machine, refacing-machine.

☐ ~ **automatica** automatic grinder (*o* grinding-machine); ~ *per* **cilindri** cylinder grinder (*o* grinding-machine); ~ *per* **esterni** external grinder; ~ *per* **filettature** thread grinder; ~ *per* **ingranaggi** gear grinding-machine; ~ *per* **interni** internal grinder; ~ *in* **piano** surface grinding-machine; ~ *di* **profili** profile grinder; ~ **universale** universal grinder.

rettificaziọne *f.* **1.** (*il rendere diritto*) straightening (out), rectification; (*rif. a strade, fiumi e sim.*) rectification: ~ *di un canale* rectification of a canal. – **2.** (*correzione*) rectification, correction. – **3.** ⟨*Chim, Mat*⟩ rectification. – **4.** ⟨*El*⟩ (*raddrizzamento*) rectification. – **5.** ⟨*Rad, non com*⟩ (*rivelazione*) detection. – **6.** ⟨*Mecc,non com*⟩ (*rettifica*) grinding, refacing. ☐ ~ *di confine* boundary correction.

rettifịlo *m.* ⟨*Strad*⟩ (*tratto di strada*) straight stretch; (*strada*) straight road. ☐ *la strada corre in* ~ the road is straight.

rẹttile[1] *m.* **1.** ⟨*Zool*⟩ reptile, reptilian. – **2.** *pl.* ⟨*Zool*⟩ reptiles *pl*, reptilians *pl* (*Reptilia*). – **3.** ⟨*fig,spreg*⟩ snake, reptile, worm.

rẹttile[2] *a.* ⟨*Bot*⟩ repent, reptant.

rettilịneo I *a.* **1.** straight, rectilinear, rectilineal: *costa -a* straight coastline. – **2.** ⟨*fig*⟩ (*coerente*) consistent; (*lineare*) straightforward, unchanging, steadfast: *condotta -a* straightforward behaviour. – **3.** ⟨*Geom*⟩ rectilinear. – **II** *s.m.* **1.** → **rettifilo**. – **2.** ⟨*Ferr*⟩ straight line (*o* stretch). ☐ ⟨*Sport*⟩ ~ *d'arrivo* homestretch; ⟨*Equit*⟩ homestretch, straight(away); *in* ~ in a straight line.

rettinẹrvio *a.* ⟨*Bot*⟩ (*parallelinervio*) retinerved, net-veined, parallel-nerved.

rettịte *f.* ⟨*Med*⟩ (*proctite*) rectitis, proctitis.

rettitụdine *f.* **1.** (*dirittura morale*) rectitude, uprightness, righteousness. – **2.** ⟨*rar*⟩ (*l'essere retto*) straightness, ⟨*lett*⟩ rectitude. ☐ *con* ~ justly, in an upright manner.

rẹtto[1] **I** *a.* **1.** (*diritto*) straight: *procedere in linea -a* to go straight ahead (*o* on). – **2.** ⟨*fig*⟩ (*onesto, buono*) upright, straight(forward), righteous, honest: *è una persona* ~ *e sincera* she is a straightforward and sincere person. – **3.** ⟨*fig*⟩ (*corretto, esatto*) precise, exact, correct, right(ful), proper: *il* ~ *uso di una parola* the precise (*o* proper) use of a word. – **4.** ⟨*Geom*⟩ right: *angolo* ~ right angle. – **5.** ⟨*Anat*⟩ rectus: *muscolo* ~ musculus rectus. – **II** *s.m.inv.* right. ☐ ⟨*fig*⟩ *seguire la -a via* to follow (*o* stick to) the straight and narrow path.

rẹtto[2] *m.* ⟨*Anat*⟩ rectum.

rẹtto[3] *m.* → **recto**.

rẹtto[4] *p.p. di* **reggere**.

rettocẹle *m.* ⟨*Med*⟩ rectocele.

rettolineạre *a.* ⟨*Ott*⟩ orthoscopic: *immagine* ~ orthoscopic image.

rettorạle I *a.* ⟨*non com*⟩ rector(i)al, rector's, of a rector. – **II** *s.f.* (*anche lettera rettorale*) rector's letter. – **rettorạto** *m.* **1.** (*dignità, ufficio*) rectorate, rectorship: *gli hanno affidato il* ~ *di un collegio* he has been given the rectorship of a boarding-school. – **2.** (*periodo*) rectorate. ☐ ⟨*Fasc*⟩ ~ *provinciale* provincial administrative body.

rettọre *m.* (*f.* **-trice**/*non com.* **-a**) **1.** rector. – **2.** ⟨*lett*⟩ (*chi regge*) ruler, governor, ⟨*lett*⟩ rector. – **3.** ⟨*Fasc*⟩ provincial administrator. – **4.** ⟨*Mediev*⟩ (*governatore*) governor, ruler; (*amministratore*) administrator. ☐ ⟨*Univ*⟩ *magnifico* ~ (title of a) university rector.

rettorẹssa *f.* ⟨*scherz*⟩ (*moglie del rettore*) rector's wife. – **rettorịa** *f.* **1.** ⟨*Mediev*⟩ office of a ruler (*o* governor), ⟨*lett*⟩ rectorship. – **2.** ⟨*Rel*⟩ (*uffici*) provincial administrative offices *pl*; (*chiesa*) rectory.

rettọrica *f.* ⟨*non com*⟩ → **retorica**. – **rettọrico** *a./s.* ⟨*non com*⟩ → **retorico**. – **rettoricụme** *m.* ⟨*non com*⟩ → **retoricume**.

rettorragịa *f.* ⟨*Med*⟩ haemorrhagia proctica, proctorrhagia, haemorrhage from the rectum.

retto|scopịa *f.* ⟨*Med*⟩ proctoscopy, rectoscopy. – **~scọpio** *m.* proctoscope, rectoscope. – **~tomịa** *f.* ⟨*Chir*⟩ (*proctotomia*) proctotomy, rectotomy. – **~uterịno** *a.* ⟨*Anat*⟩ rectouterine. – **~vaginạle** *a.* rectovaginal.

retụso *a.* ⟨*Bot*⟩ retuse.

reubạrbaro *m.* ⟨*ant,pop*⟩ rhubarb.

reuc(h)liniạno [roi-] *a.* ⟨*Filol*⟩ Reuchlinian.

rẹuma *m.* ⟨*Med*⟩ (*reumatismo*) rheumatism. – **reumatalgịa** *f.* rheumatic pain. – **reumạtico** *a./s.* (*pl.* -ci) **I** *a.* **1.** rheumatic. – **2.** (*affetto da reumatismi*) rheumatic. – **II** *s.m.* (*f.* **-a**) rheumatic. ☐ *malattia* (o *febbre*) *-a* (*reumatismo articolare acuto*) rheumatic fever, acute articular rheumatism. – **reumatịsmo** *m.* rheumatism, ⟨*fam*⟩ rheumatics *pl*: ~ *muscolare* muscular rheumatism, fibrositis. – **reumatizzạre** *v.t.* to cause rheumatism in, to give rheumatism to. – **reumatizzarsi** *v.r.* to get (*o* contract) rheumatism. – **reumatizzạto** (*p.p. di reumatizzare*) *a.* suffering from rheumatism, rheumatic,

⟨*fam*⟩ rheumaticky; (*rif. a parti del corpo*) rheumatic, painful, sore. – **reumatọide** *a.* rheumatoid: *artrite* ~ rheumatoid arthritis. – **reumatologịa** *f.* rheumatology. – **reumatọlogo** *m.* (*pl.* **-gi**; *f.* **-a**) rheumatologist.
Rev. = ⟨*Rel*⟩ *Reverendo* Reverend (*abbr.* Rev., Revd.).
revanche *fr.* [rəˈvɑ̃:ʃ] *f.* (*rivincita*) revanche, revenge. – **revanchịsmo** *m.* ⟨*non com*⟩ → **revanscismo**. – **revanscịsmo** *m.* ⟨*Pol*⟩ (policy of) revanche, revanchism. – **revanscịsta** *m./f.* revanchist. – **revanscịstico** *a.* (*pl.* **-ci**) revanchist.
rev.do → **Rev.**
revelạre *v.* ⟨*ant*⟩ → **rivelare**.
revellẹnte *a./s.* ⟨*non com*⟩ → **revulsivo**.
revellịno *m.* ⟨*Mil.ant*⟩ (*rivellino*) ravelin.
reverẹndo I *a.* **1.** ⟨*Rel*⟩ Reverend: *la -a madre superiore* the Reverend Mother Superior. – **2.** ⟨*ant,lett*⟩ (*degno di riverenza*) revered, ⟨*lett*⟩ reverend. – **II** *s.m.* **1.** (*titolo*) Reverend. – **2.** ⟨*fam*⟩ (*prete*) reverend, priest. □ *reverendissimo* right reverend, most reverend; *reverendissimo* (o *molto reverendo*) *padre* Very Reverend Father.
reverẹnte *a.* ⟨*non com*⟩ (*riverente*) reverent. – **reverẹnza** *f.* **1.** ⟨*non com*⟩ reverence, veneration. – **2.** ⟨*ant*⟩ (*inchino*) reverence, bow; (*rif. a donna*) curtsey, reverence. □ *Vostra* ~ Your Reverence. – **reverenziạle** *a.* reverential.
rêverie *fr.* [rəvəˈri] *f.* **1.** (*il fantasticare*) reverie, musing. – **2.** ⟨*Lett*⟩ reverie, revery. – **3.** ⟨*Mus*⟩ reverie.
revers *fr.* [rəˈvɛ:r] *m.* **1.** ⟨*Mod*⟩ revers. – **2.** ⟨*Sport*⟩ backhand.
reversạle *f.* ⟨*Comm*⟩ (*reversale di cassa*) collection order (*o* voucher). □ ~ *ferroviaria* copy of a consignment note; ⟨*Dipl*⟩ *note -i* (exchange of) diplomatic notes.
reversịbile *a.* **1.** reversible: *processo* ~ reversible process; *reazione* ~ reversible reaction. – **2.** ⟨*Econ*⟩ negotiable; (*realizzabile*) convertible. – **3.** ⟨*Med*⟩ reversible, curable, remediable. – **reversibilità** *f.* **1.** reversibleness, reversibility. – **2.** ⟨*Econ*⟩ (*capacità di essere trasferito*) negotiability; (*capacità di essere realizzato*) convertibility, convertibleness. – **3.** ⟨*Dir*⟩ revertibility. – **4.** ⟨*Fis,Chim*⟩ reversibility, reversibleness. – **reversibilmẹnte** *avv.* reversibly.
reversịna *f.* ⟨*region*⟩ (*risvolto del lenzuolo*) turn-down.
reversịno *m.* ⟨*region*⟩ (*gioco di carte*) card game (in which low scores win).
reversiọne *f.* **1.** ⟨*Dir*⟩ reversion. – **2.** ⟨*Biol*⟩ (*atavismo*) reversion, atavism. – **3.** ⟨*El*⟩ reversal control.
revẹrso *a.* (*rivoltato*) reversed, turned back.
revertịgine *f.* ⟨*ant*⟩ (*vortice*) whirlpool.
revịndica *f.* ⟨*Dir*⟩ vindication, claim.
revirement *fr.* [rəvirˈmɑ̃] *m.* ⟨*Pol*⟩ (*voltafaccia*) volte-face, about-face.
revisionạle: ⟨*Comm*⟩ *società* ~ trust company.
revisionạre *v.t.* (**revisiọno**) **1.** ⟨*tecn*⟩ to overhaul, to recondition: *far* ~ *il motore* to have the motor overhauled. – **2.** ⟨*burocr*⟩ to review, to revise; (*nella contabilità*) to audit: ~ *un conto* to audit an account.
revisiọne *f.* **1.** re-examination, review, revision. – **2.** (*rif. a bozze di stampa*) proof-reading, (proof-)correction, revision. – **3.** (*modificazione*) revision, modification, change: *la* ~ *di un contratto* the revision of a contract. – **4.** ⟨*tecn*⟩ overhaul, reconditioning: *la mia macchina ha bisogno di una* ~ *accurata* my car needs a thorough overhaul. – **5.** ⟨*Dir*⟩ review, rehearing: ~ *di un processo* rehearing of a trial, retrial. – **6.** ⟨*Med*⟩ second-look operation. – **7.** ⟨*Econ*⟩ audit(ing): ~ *aziendale* company audit.
□ ~ *del* **bilancio** balance audit(ing); ~ *del bilancio di chiusura* closing account audit; ~ **contabile** (o *dei conti*) audit, auditing of accounts; ⟨*Mot*⟩ ~ **generale** general (*o* complete) overhaul; ~ *del* **motore** engine overhaul; ⟨*Mot*⟩ ~ **parziale** partial (*o* minor) overhaul.
revisionịsmo *m.* ⟨*Pol*⟩ revisionism. – **revisionịsta** *m./f.* revisionist. – **revisionịstico** *a.* (*pl.* **-ci**) ⟨*non com*⟩ revisionist.
revisọre *m.* (*f.* **-a**) **1.** reviser. – **2.** (*rif. a bozze di stampa*) proof-reader. – **3.** ⟨*Comm*⟩ auditor. □ ⟨*Econ*⟩ ~ *del bilancio* auditor; ~ *delle bozze* proof-reader; ~ *dei conti* auditor; ~ *ecclesiastico* (ecclesiastical) censor.
reviviscẹnte *a.* **1.** ⟨*Biol*⟩ reviviscent, revivifying. – **2.** ⟨*Bot*⟩ reviviscent. – **3.** ⟨*fig,rar*⟩ reviving, returning to life, reviviscent. – **reviviscẹnza** *f.* **1.** revivification, restoration to life. – **2.** ⟨*fig*⟩ revival, renewal, revivification: *la* ~ *di una tradizione* the revival of a tradition. – **3.** ⟨*Biol*⟩ reviviscence, revivification. – **4.** ⟨*Bot*⟩ reviviscence.
Rev.mo = ⟨*Rel.catt*⟩ *Reverendissimo* Very Reverend (*abbr.* V.Rev.), Most Reverend.
rẹvoca *f.* **1.** ⟨*Dir*⟩ revocation, annulment: ~ *di una nomina* annulment of an appointment; (*rif. a leggi e sim.*) repeal: *la* ~ *di un provvedimento* the repeal of a measure. – **2.** (*ritrattazione*) retraction, recantation: ~ *della confessione* retraction of one's confession. □ *fino a* ~ until revocation; ~ *di un'interdizione* lifting of a ban; ~ *di sequestro* lifting of a distress, release from sequestration; ~ *di testamento* revocation of a will.
revocạbile *a.* revocable, revokable. – **revocabilità** *f.* revocability, revocableness.
revocamẹnto *m.* ⟨*non com*⟩ → **revoca**.
revocạre *v.t.* (**rẹvoco**/*ant.* **revọco**, **rẹvochi**) **1.** ⟨*Dir*⟩ to revoke, to annul, to cancel: ~ *una procura* to revoke a power of attorney; (*rif. a leggi*) to repeal. – **2.** (*ritrattare*) to retract, to recant, to withdraw: ~ *la confessione* to retract a confession. – **3.** (*togliere un incarico*) to remove: *lo hanno revocato dalla carica* they removed him from the post. – **4.** ⟨*ant,lett*⟩ (*richiamare*) to recall. – **5.** ⟨*ant,fig*⟩ (*richiamare in vita*) to revive; (*richiamare alla memoria*) to recall.
□ ~ *un credito* to revoke (*o* withdraw) a credit; ⟨*lett*⟩ ~ *in dubbio* (o *forse*) to call in doubt (*o* question); ~ *un mandato* to revoke a mandate; ~ *una sentenza* to quash a sentence.
revocatịvo *a.* revocative, revoking, revocatory. – **revocatọre** ⟨*non com*⟩ **I** *s.m.* (*f.* **-trice**) revoker. – **II** *a.* → **revocativo**. – **revocatọrio**: ⟨*Dir*⟩ *azione -a* action for revocation. – **revocaziọne** *f.* (*revoca*) revocation, annulment, withdrawal: ~ *di un editto* revocation of an edict.
revolụto *a.* ⟨*Bot*⟩ revolute.
revọlver *m.* **1.** (*rivoltella*) revolver. – **2.** (*parte del microscopio*) turret (-head). □ *tornio a* ~ turret-lathe, capstan-lathe. – **revolverạta** *f.* (revolver) shot.
revulsiọne *f.* ⟨*Med*⟩ revulsion. – **revulsịvo I** *a.* revulsive. – **II** *s.m.* revulsive. – **revulsivoterapịa** *f.* treatment by revulsives.
rẹxis *f.* ⟨*Med*⟩ rhexis, rupture.
rexịsmo *m.* ⟨*Stor*⟩ Belgian fascist (*o* Rex) movement. – **rexịsta** *m./f.* Rexist.
Rẹzia *N.pr.f.* ⟨*Geog.stor*⟩ Rhaetia.
reziạrio *m.* ⟨*Stor.rom*⟩ retiarius.
rẹzza *f.* ⟨*region*⟩ **1.** canvas. – **2.** (*rete da pesca*) fishing-net.
rezzạglio *m.* ⟨*Pesc*⟩ sweep-net, casting-net.
rẹzzo *m.* ⟨*poet*⟩ **1.** (*ombra*) shade. – **2.** (*frescura*) cool(ness).
rezzọla *f.* ⟨*Pesc*⟩ beach seine.
rf. = ⟨*Mus*⟩ *rinforzando* rinforzando (*abbr.* rf., rfz.).
R.F. = *radiofrequenza* radio frequency (*abbr.* r.f.).
R.F.T. = *Repubblica Federale Tedesca* Federal Republic of Germany.
rfz. → **rf.**
rgt. = ⟨*Mil*⟩ *reggimento* regiment (*abbr.* rgt.).
Rh = **1.** ⟨*Chim*⟩ *rodio* rhodium. – **2.** ⟨*Med*⟩ *fattore Rhesus* RH factor, Rhesus factor.
RH = ⟨*Aut*⟩ *Haiti* Haiti.
rhọ *m./f.inv.* (*lettera dell'alfabeto greco*) rho.
Rhodẹsia *N.pr.f.* ⟨*Geog*⟩ Rhodesia. – **rhodesiạno I** *a.* Rhodesian. – **II** *s.m.* (*f.* **-a**) Rhodesian.
rhum *m.* (*rum*) rum.
R.I. = *Repubblica italiana* Italian Republic.
rịa *f.inv.* ⟨*Geog*⟩ ria.
riabbandonạre *v.t.* (**riabbandọno**) to abandon (*o* leave) again.
riabbassạre *v.t.* **1.** to lower again. – **2.** (*piegare di nuovo*) to bow (*o* lower, drop) again. – **3.** (*rif. a voce e sim.*) to lower again. – **4.** ⟨*non com*⟩ (*avvilire*) to lower (*o* humble) again. – **riabbassarsi** *v.r.* to lower o.s. again, to stoop again.
riabbạttere *v.t.* to pull (*o* knock) down again, to demolish again. – **riabbattersi** *v.r.* ⟨*fig,non com*⟩ (*ricadere in stato di depressione*) to become depressed again, to get disheartened again.
riabbellịre *v.t.* (**riabbellịsco**, **riabbellịsci**) to make beautiful again, to adorn again; (*abbellire di più*) to make more beautiful, to embellish. – **riabbellirsi** *v.r.* to grow beautiful again (*o* once more); (*abbellirsi di più*) to become more beautiful, to be embellished.
riabboccạre *v.* (**riabbọcco**, **riabbọcchi**) **I** *v.t.* to seize in one's jaws again, to bite (*o* snap at) again. – **II** *v.i.* (*aus.* **avere**) **1.** to bite again. – **2.** ⟨*fig*⟩ to rise to the bait again, to be taken in once more. – **riabboccarsi** *v.r.* to meet (*o* confer) again, to have another meeting.
riabbonạre *v.t.* (**riabbọno**) to renew a subscription for. – **riabbonarsi** *v.r.* to renew one's subscription: *riabbonarsi a un giornale* to renew one's subscription to a newspaper.
riabbottonạre *v.t.* (**riabbottọno**) to button (up) again. – **riabbottonarsi** *v.r.* to button (up) one's clothes again, to button (o.s.) up again.
riabbracciạre *v.t.* (**riabbrạccio**, **riabbrạcci**) **1.** to embrace (*o* hug) again. – **2.** ⟨*fig*⟩ to embrace (*o* take in) again: ~ *la fede* to embrace the faith again. – **3.** (*rivedere*) to see (*o* meet) again. – **riabbracciarsi** *v.r.* ⟨*recipr*⟩ **1.** to embrace (*o* hug) e.o. again. – **2.** (*rivedersi*) to meet again, to see e.o. again.
riabilitạre *v.t.* (**riabịlito**) **1.** to retrain. – **2.** ⟨*Dir*⟩ to rehabilitate, to reinstate. – **3.** ⟨*fig*⟩ (*rendere la stima*) to rehabilitate; (*redimere*) to redeem. – **4.** (*ricostruire*) to rebuild, to rehabilitate, to restore: ~ *un impianto* to rebuild a plant. – **riabilitarsi** *v.r.* (*riacquistare il buon nome*) to be rehabilitated, to restore one's good name: *il tuo gesto ti ha riabilitato agli occhi di tutti* your gesture has restored your good name in everyone's eyes. □ ⟨*Dir*⟩ *fallito riabilitato* relieved (*o* discharged) bankrupt, ⟨*am*⟩ rehabilitated debtor.
riabilitaziọne *f.* **1.** rehabilitation. – **2.** ⟨*Dir*⟩ rehabilitation, restoration (of a forfeited right). □ ⟨*Dir*⟩ ~ *civile del fallito* discharge of a bankrupt, ⟨*am*⟩ rehabilitation of a debtor; ~ *militare* rehabilitation.
riabituạre *v.t.* (**riabịtuo**) to reaccustom. – **riabituarsi** *v.r.* to reaccustom o.s., to get used again (*a* to).
riaccadẹre *v.i.* (**riaccạdde**, **riaccadụto**; → **cadere**; *aus.* **essere**) to happen (*o* take place) again, to reoccur.
riaccalappiạre *v.t.* (**riaccalạppio**, **riaccalạppi**) **1.** to catch (*o* trap) again. – **2.** ⟨*fig*⟩ to trick (*o* dupe) again.
riaccasạre *v.t.* to marry (off) again, to settle again. – **riaccasarsi** *v.r.* to marry (*o* get married) again, to remarry.
riaccẹndere *v.t.* (**riaccẹsi**, **riaccẹso**) **1.** to relight, to rekindle: ~ *il fuoco* to relight the fire. – **2.** (*girando l'interruttore*) to switch (*o* turn) on again: ~ *la radio* to turn on the radio again. – **3.** ⟨*fig*⟩ to rekindle, to fire (*o* inflame) again: ~ *l'odio* to rekindle hatred. – **4.** ⟨*Comm*⟩ to open (*o* raise) again: ~ *un'ipoteca* to raise a mortgage again. – **riaccendersi** *v.r.* **1.** to light up again, to be ignited again, to catch fire again. – **2.** ⟨*fig*⟩ (*rinfocolarsi*) to be rekindled (*o* revived), to be stirred up again.

riaccennạre *v.t.* (**riaccęnno**) **1.** to allude (*o* refer) to again, to mention again briefly. – **2.** (*rifare un cenno con la testa*) to nod again.
riaccensiọne *f.* **1.** relighting, rekindling. – **2.** (*girando l'interruttore*) switching (*o* turning) on again.
riaccettạre *v.t.* (**riaccętto**) to reaccept, to accept (*o* take) again.
riacchiappạre *v.t.* ⟨*fam*⟩ to catch (*o* get hold of) again, ⟨*fam*⟩ to nab again.
riacciuffạre *v.t.* to catch again, to recapture.
riaccǫgliere *v.t.* (**riaccǫlgo, riaccǫgli; riaccǫlsi, riaccǫlto;** → **cogliere**) to welcome (*o* take in) again; (*riammettere*) to readmit.
riaccomodạre *v.t.* (**riaccǫmodo**) to repair (*o* mend) again. – **riaccomodarsi** *v.r.* ⟨*recipr*⟩ (*riconciliarsi*) to make peace, to make it up, to be reconciled.
riaccompagnạre *v.t.* to accompany again, to go with again; (*accompagnare indietro*) to go back with, to take back.
riaccordạre *v.t.* (**riaccǫrdo**) to retune: ~ *un violino* to retune a violin. – **riaccordarsi** *v.r.* ⟨*recipr*⟩ to get back on good terms, to make up: ~ *con qd. dopo una lite* to make up after an argument.
riaccostamẹnto *m.* reapproaching, drawing close again (*anche fig.*). – **riaccostạre** *v.t.* (**riaccǫsto**) **1.** (*avvicinare di nuovo*) to bring near again, to put close (together) again: ~ *due oggetti* to put two objects close together again. – **2.** (*socchiudere di nuovo*) to set (*o* leave) ajar again, to put (*o* set) to again: ~ *la porta* to put the door to again. – **riaccostarsi** *v.r.* to draw near to again, to reapproach (*anche fig.*).
riaccreditamẹnto *m.* ⟨*Dipl*⟩ reaccreditation. – **riaccreditạre** *v.t.* (**riaccrẹdito**) **1.** ⟨*Dipl*⟩ to reaccredit. – **2.** ⟨*Comm*⟩ to credit again. – **riaccrẹdito** *m.* ⟨*Comm*⟩ entering as a credit item again.
riaccusạre *v.t.* **1.** to accuse again. – **2.** (*contraccusare*) to countercharge.
riacquistạbile *a.* recoverable; (*che si può ricomprare*) that can be repurchased (*o* bought back). – **riacquistạre** *v.t.* **1.** to obtain again; (*ricomprare*) to repurchase, to buy back. – **2.** (*acquistare ciò che era stato perduto*) to regain, to win (*o* get) back, to recover: ~ *le forze* to regain one's strength, to get one's strength back. – **3.** ⟨*non com*⟩ (*riconquistare*) to reconquer, to retake. – **riacquịsto** *m.* **1.** regaining, recovery, reacquisition, winning back: *il* ~ *della libertà* the regaining of liberty. – **2.** (*il ricomprare*) repurchase, buying back. – **3.** ⟨*non com*⟩ (*riconquista*) reconquest.
riacutizzạre *v.t.* to make acute again: ~ *una crisi* to make a crisis acute again. – **riacutizzarsi** *v.r.* to become (*o* grow) acute again: *il dolore si è riacutizzato* the pain has become acute again. – **riacutizzaziọne** *f.* **1.** becoming acute (*o* sharp) again. – **2.** ⟨*Med*⟩ (*atto*) becoming acute again; (*effetto*) new acute phase (*o* stage).
riadagiạre *v.t.* (**riadạgio, riadạgi**) to lay (*o* place) carefully again, to set down gently once more. – **riadagiarsi** *v.r.* to make o.s. comfortable again, to settle again; (*sdraiarsi*) to ⌜lie down⌝ (*o* stretch out) again.
riadattamẹnto *m.* readaptation, readjustment, reaccommodation; (*reinserimento*) readaptation, fitting back in. □ ~ *professionale* vocational retraining. – **riadattạre** *v.t.* to readapt, to readjust. – **riadattarsi** *v.r.* to readapt, to readjust.
riaddormentạre *v.t.* (**riaddormẹnto**) to send (*o* put) to sleep again. – **riaddormentarsi** *v.r.* to fall asleep again.
riadoperạre *v.t.* (**riadǫpero**) to re-use, to use again.
riadunạre *v.t.* to reassemble, to reconvene, to reconvoke. – **riadunarsi** *v.r.* to reassemble, to reconvene, to meet together again.
riaffacciạre *v.t.* (**riaffạccio, riaffạcci**) **1.** to show (*o* present) again. – **2.** ⟨*fig*⟩ to advance (*o* put forward) again. – **riaffacciarsi** *v.r.* **1.** to reappear, to show o.s. again (*a* at), to come again (to): *riaffacciarsi alla finestra* to come to the window again. – **2.** ⟨*fig*⟩ to return, to come (back), to occur again: *un'idea che si riaffaccia alla mente* an idea which ⌜comes to mind⌝ (*o* crosses one's mind) again, an idea which occurs to one again.
riaffermạre *v.t.* (**riaffęrmo**) to reassert, to reaffirm. – **riaffermarsi** *v.r.* to reassert o.s., to make a name for o.s. again (*come* as).
riafferrạre *v.t.* (**riaffęrro**) **1.** to seize (*o* clutch) again, to grab (*o* get hold of) again, to grasp again. – **2.** ⟨*fig*⟩ to seize (*o* grasp) again: ~ *il potere* to seize power again.
riaffezionạre *v.t.* (**riaffeziọno**) to make (*o* get to) like again, to make fond again. – **riaffezionarsi** *v.r.* to become fond again (*a* of), to take a liking once more (to), to get to like again (s.o.).
riaffiatạrsi *v.r.* to fit in again, to get along again (*con* with), to readjust (to).
riaffittạre *v.t.* **1.** (*dare di nuovo in affitto*) to relet, to rent (*o* lease) again. – **2.** (*prendere di nuovo in affitto*) to rent again.
riaffondạre *v.t.* (**riaffọndo**) to sink again. – **riaffondarsi** *v.r.* to sink (*o* founder) again.
riagganciạre *v.t.* (**riaggạncio, riaggạnci**) **1.** to refasten, to hook (up) again. – **2.** ⟨*Tel*⟩ to hang up. – **riagganciarsi** *v.r.* **1.** to hook (o.s.) up again, to refasten. – **2.** ⟨*fig*⟩ to draw (*a* on), to be indebted (to), to be connected, to have links (with): *riagganciarsi al realismo* to draw on realism.
riaggiogạre *v.t.* (**riaggiọgo, riaggiọghi**) **1.** to yoke again. – **2.** ⟨*fig*⟩ to subdue again, to resubject.
riaggiụngere *v.t.* (**riaggiụngo, riaggiụngi; riaggiụnsi, riaggiụnto**) (*aggiungere: di nuovo*) to add again; (*di più*) to add (more).
riaggiustạre *v.t.* **1.** to mend (*o* repair) again. – **2.** ⟨*fig*⟩ to settle (*o* arrange) again, to set right.
riaggravạre **I** *v.t.* to aggravate again, to make still worse. – **II** *v.i.* (*aus.* **essere**), **riaggravarsi** *v.r.* to worsen (again), to get worse (again), to grow more serious again.
riagguantạre *v.t.* **1.** to catch (*o* seize) again, to grasp (*o* lay hold of) again. – **2.** ⟨*fig*⟩ to seize again: ~ *l'occasione* to seize one's opportunity again.
riallacciạre *v.t.* (**riallạccio, riallạcci**) **1.** to tie (*o* fasten) again; (*con lacci*) to lace (up) again. – **2.** ⟨*fig*⟩ to renew, to resume: ~ *un'amicizia* to renew a friendship. – **riallacciarsi** *v.r.* to draw (*a* on), to be indebted (to), to be connected, to have links (with).
riallargạre *v.t.* (**riallạrgo, riallạrghi**) **1.** to widen (*o* make wide) again. – **2.** (*allargare maggiormente*) to widen, to make wider.
riallungạre *v.t.* (**riallụngo, riallụnghi**) **1.** to lengthen (*o* make longer) again. – **2.** (*rif. a vestiti*) to lengthen (*o* let down) again.
riạlto *m.* **1.** height, rise, eminence. – **2.** (*parte rialzata*) rise, protrusion, swelling: *la strada gira intorno a un* ~ the road runs round a rise. – **3.** ⟨*Lav.femm*⟩ raised gold embroidery. – **4.** ⟨*tosc*⟩ (*aggiunta al pranzo*) extra, treat. □ ⟨*roman*⟩ *fare* ~ (*fare bisboccia*) to go on a spree, ⟨*fam*⟩ to have a binge; ⟨*fam,tosc*⟩ *fare un po' di* ~ (*fare un desinare più abbondante o più raffinato*) to have a feast, to eat a special dinner; ⟨*Geog*⟩ ~ *oceanico* submarine mountain chain.
rialzamẹnto *m.* **1.** (*il rialzare*) raising; (*il rialzarsi*) rising, rise. – **2.** ⟨*concr*⟩ (*parte rialzata*) rise, elevation: *un* ~ *del terreno* a rise in the ground. – **3.** ⟨*fig*⟩ (*aumento*) rise, increase; (*rincaro*) increase, rise: ~ *dei prezzi* increase (*o* rise) in prices.
rialzạre **I** *v.t.* **1.** (*sollevare*) to raise, to lift; (*raccogliere*) to pick up: ~ *un bambino caduto* to pick up a fallen child. – **2.** (*rendere più alto*) to make higher, to raise: ~ *un edificio di un piano* to make a building one floor higher, to add a floor to a building. – **3.** ⟨*fig*⟩ (*aumentare*) to increase, to raise, to put up. – **II** *v.i.* (*aus.* **essere**) to rise, to increase, to go up: *i prezzi rialzano* prices are going up. – **rialzarsi** *v.r.* **1.** to pick o.s. up, to get up, to rise. – **2.** ⟨*fig*⟩ (*risollevarsi*) to rise, to rouse o.s., to pick o.s. up. □ ~ *lo sguardo* (o *gli occhi*) to look up, to lift one's gaze; ⟨*fig*⟩ ~ *la testa* to take heart again, to get one's courage back; (*ridiventare aggressivo*) to become aggressive again.
rialzạto (*p.p. di rialzare*) *a.* **1.** raised, elevated. – **2.** ⟨*fig*⟩ (*aumentato*) raised, increased: *prezzi -i* raised prices. – **rialzatụra** *f.* **1.** (*rialzo*) raising, lifting, elevating. – **2.** ⟨*Agr*⟩ tying up (of vine-shoots).
rialzịsta *m.* ⟨*Econ*⟩ bull.
riạlzo *m.* **1.** raising, lifting, elevating. – **2.** (*rif. a prezzi*) increase, rise. – **3.** (*parte rialzata*) rise, elevation, prominence: *un* ~ *del terreno* ⌜a rise in⌝ (*o* an elevation of) the ground. – **4.** ⟨*Legat*⟩ (*nervatura*) raised band. – **5.** ⟨*Econ*⟩ rise: ~ *delle quotazioni* rise in quotations; (*in borsa*) bull: *giocare al* ~ to buy (*o* sell) bull, to bull. □ ~ *dei* **corsi** rise in exchange; **essere** *in* ~: 1. to be on the rise (*o* up), to be booming; 2. ⟨*fig*⟩ (*acquistare stima*) to rise, to be on the up: *la sua reputazione è in* ~ his reputation is rising (*o* going up); ~ **massimo** (*delle quotazioni*) peak level, all-time high; **mercato** *al* ~ bull market; *il mercato è in forte* ~ the market is booming; ~ *dei* **prezzi** rise in prices, price increase; *uno* **speculatore** *al* ~ a bull; **speculazione** *al* ~ bull purchase; **tendenza** *al* ~ (*in borsa*) bullish tendency, upward trend.
riamạre *v.t.* **1.** to love again (*o* once more). – **2.** (*ricambiare l'amore*) to return the love of, to love in return.
riamicạre *v.t.* (**riamịco, riamịchi**) ⟨*non com*⟩ to reconcile (again). – **riamicarsi** *v.r.* ⟨*recipr*⟩ to become friends again, to be reconciled, to make it up.
riammalạre *v.i.* (*aus.* **essere**), **riammalarsi** *v.r.* to fall ill again; (*avere una ricaduta*) to have a relapse.
riammattonạre *v.t.* (**riammattọno**) to repave (*o* refloor) with bricks.
riammẹttere *v.t.* (**riammịsi, riammẹsso**) to readmit, to let in again: ~ *un alunno a scuola* to readmit a pupil into school. – **riammissịbile** *a.* readmissible. – **riammissiọne** *f.* readmittance, readmission.
riammobiliạre *v.t.* (**riammobịlio, riammobịli**) to refurnish.
riammogliạre *v.t.* (**riammọglio, riammọgli**) ⟨*non com*⟩ to marry (off) again. – **riammogliarsi** *v.r.* to remarry, to marry (*o* get married) again.
riammonịre *v.t.* (**riammonịsco, riammonịsci**) to reprimand (*o* admonish) again.
riamputạre *v.t.* (**riạmputo**) ⟨*Chir*⟩ to perform a second amputation on. – **riamputaziọne** *f.* reamputation.
riandạre *v.* (**rivạdo/rivò, rivại; riandại, riandạto;** → **andare**) **I** *v.i.* (*aus.* **essere**) **1.** to go again: ~ *a vedere un film* to go to see a film again. – **2.** (*andare via*) to go away, to leave; (*tornare indietro*) to go back, to return. – **II** *v.t.* ⟨*lett*⟩ **1.** (*ripercorrere*) to travel through (*o* across) again, to retrace. – **2.** ⟨*fig*⟩ (*ripercorrere con la memoria*) to go over, to run through, to think back to (*o* over): ~ *gli avvenimenti passati* to think back to past events.
rianimạre *v.t.* (**riạnimo**) **1.** to reanimate, to revive. – **2.** ⟨*fig*⟩ to cheer, to hearten, to rally. – **rianimarsi** *v.r.* **1.** (*riprendere i sensi*) to come around (*o* to), to recover consciousness. – **2.** ⟨*fig*⟩ (*riprendere vita e movimento*) to come (*o* spring) to life again: *verso sera le vie della città si rianimano* towards evening the city streets come to life again. – **3.** ⟨*fig*⟩ (*riprendere animo*) to take heart again, to cheer up, to be encouraged. – **rianimạto** (*p.p. di rianimare*) *a.* **1.** reanimated, revived. – **2.** ⟨*fig*⟩ cheered up, encouraged, heartened.
rianimatologịa *f.* ⟨*Med*⟩ study of reanimation. – **rianimatọlogo** *m.* (*pl.* **-gi**; *f.* **-a**) specialist in reanimation.
rianimaziọne *f.* **1.** (*il rianimare*) reanimation; (*il rianimarsi*) anima-

tion, new life. – **2.** ⟨*fig*⟩ encouragement, cheering up, heartening. – **3.** ⟨*Med*⟩ reanimation, resuscitation.
riannacquạre *v.t.* to dilute again, to water (down) again.
riannaffiạre *v.t.* (**riannạffio, riannạffi**) to water again.
riannaspạre *v.t.* to grope (blindly) again.
riannessiọne *f.* reannexation, reannexing. – **riannẹttere** (o *riannẹttere*) *v.t.* (**riannettẹi/riannẹssi/riannẹssi, riannẹsso/riannẹsso**) to reannex, to annex again.
riannodạre *v.t.* (**riannọdo**) **1.** to knot (*o* tie) again. – **2.** ⟨*fig*⟩ to renew, to make (*o* form) again: ~ *un'amicizia* to renew a friendship.
riannuvolạre *v.i.* (**riannụvolo**; *aus.* **essere**), **riannuvolarsi** *v.r.* to cloud (over) again, to grow cloudy (*o* overcast) again.
riapertụra *f.* **1.** reopening: *la* ~ *del cinematografo* the reopening of the cinema. – **2.** (*ripresa*) resumption, renewal, reopening: *la* ~ *delle ostilità* the resumption of hostilities; (*inizio*) beginning.
riappaciạre *v.* (**riappạcio, riappạci**) ⟨*rar*⟩ → **riappacificare**. – **riappacificạre** *v.t.* (**riappacịfico, riappacịfichi**) ⟨*non com*⟩ (*rappacificare*) to pacify (*o* appease) again.
riappaltạre *v.t.* **1.** to let out on contract again. – **2.** (*subappaltare*) to subcontract. – **riappạlto** *m.* (*subappalto*) subcontract.
riapparecchiạre *v.t.* (**riapparẹcchio, riapparẹcchi**) **1.** to lay (*o* set) again: ~ *la tavola* to lay the table again. – **2.** ⟨*assol*⟩ to lay the table again.
riapparịre *v.i.* (**riappạio/riapparịsco, riappạri/riapparịsci; riappạrvi** [*non com.* **riapparịi/riappạrsi**], **riappạrso**/*rar.* **riapparịto**; *aus.* **essere**) to reappear, to appear again. – **riapparizịone** *f.* reappearance, reappearing. ☐ *fare una* ~ to reappear, to make a new appearance.
riappassionạre *v.t.* (**riappassiọno**) to thrill (*o* arouse enthusiasm in) again. – **riappassionarsi** *v.r.* to become enthusiastic again (*a* about), to get keen again (on).
riappẹndere *v.t.* (**riappẹsi, riappẹso**) **1.** to hang (up) again, to rehang. – **2.** ⟨*Tel*⟩ to hang up.
riappiccicạre *v.t.* (**riappịccico, riappịccichi**) to stick (*o* glue) again, to reattach. – **riappiccicarsi** *v.r.* **1.** to stick (*o* cling) again. – **2.** ⟨*fig*⟩ to hang on again, to cling (*o* stick) again, ⟨*fam*⟩ to tack on again: *quel seccatore mi si è riappiccicato* that bore is hanging on to me again.
riappigionạre *v.t.* (**riappigiọno**) **1.** (*ridare in affitto*) to relet, to rent again. – **2.** (*riprendere in affitto*) to rent again. – **3.** (*subaffittare*) to sublet.
riappisọlarsi *v.r.* (**mi riappịsolo**) to nod (*o* doze) off again, to nap again, ⟨*fam*⟩ to have another forty winks.
riapplaudịre *v.t.* (**riapplạudo/riapplaudịsco, riapplạudi/riapplaudịsci**) to applaud again.
riappressạre *v.t.* (**riapprẹsso**) (*riavvicinare*) to bring near again, to draw close again. – **riappressarsi** *v.r.* to reapproach (*o* draw near) again.
riappuntellạre *v.t.* (**riappuntẹllo**) to support again, to prop (*o* shore) up again.
riaprimẹnto *m.* ⟨*rar*⟩ → **riapertura**.
riaprịre *v.t.* (**riaprịi/riapẹrsi, riapẹrto**) **1.** to open again, to reopen. – **2.** ⟨*fig*⟩ (*ridare inizio*) to reopen, to begin (*o* open) again: ~ *le iscrizioni* to open enrolments again. – **riaprirsi** *v.r.* **1.** to open again, to reopen. – **2.** ⟨*fig*⟩ (*riprendere*) to reopen, to begin again, to resume: *lunedì si riaprono le scuole* school begins again on Monday. ☐ ⟨*fig*⟩ ~ *bottega* to reopen shop, to open up again; ~ *gli occhi*: 1. (*riprendere i sensi*) to come round (*o* to); 2. (*svegliarsi*) to open one's eyes, to wake up (*anche fig.*); ⟨*fig*⟩ ~ *la piaga* (o *ferita*) to open up an old wound.
riạrdere *v.* (**riạrsi, riạrso**) **I** *v.t.* **1.** to burn (*o* sear) again. – **2.** (*ardere*) to burn. – **3.** (*disseccare*) to parch (*o* scorch), to dry up: *il sole ha riarso i campi* the sun has scorched the fields. – **II** *v.i.* (*aus.* **essere**) **1.** (*riaccendersi*) to burn (*o* blaze) again. – **2.** ⟨*fig*⟩ to burn, to be on fire, to blaze (*di* with).
riarginạre *v.t.* (**riạrgino**) to embank (*o* dike, dam) again.
riarmamẹnto *m.* **1.** rearming, rearmament. – **2.** ⟨*Edil*⟩ refurnishing with supports. – **3.** ⟨*Mar*⟩ recommissioning, re-equipping. – **riarmạre I** *v.t.* **1.** to rearm, to arm again. – **2.** (*attrezzare di nuovo*) to re-equip, to refit. – **3.** ⟨*Edil*⟩ to refurnish with supports (*o* centring); (*rif. a cemento*) to reinforce. – **4.** ⟨*Artigl*⟩ (*rif. a congegni di percussione*) to reset, to recock. – **5.** ⟨*Mar*⟩ to recommission, to equip (*o* fit out) again. – **II** *v.i.* (*aus.* **avere**), **riarmarsi** *v.r.* to rearm. – **riarmatụra** *f.* ⟨*Edil*⟩ refurnishing with supports (*o* centring), re-erection of the falsework; (*rif. a cemento*) reinforcement. – **riạrmo** *m.* **1.** rearming, rearmament. – **2.** ⟨*Artigl*⟩ (*rif. a congegni di percussione*) resetting, recocking.
riạrso (*p.p. di riardere*) *a.* **1.** burned up, burnt (again). – **2.** (*arido*) parched, dry (*anche fig.*): *avere la gola -a dalla sete* to have one's throat parched with thirst.
riascẹndere *v.i.* (**riascẹsi, riascẹso**; *aus.* **essere**) to reascend, to ascend (*o* go up) again.
riasciugạre *v.t.* (**riasciụgo, riasciụghi**) to dry again; (*asciugare*) to dry. – **riasciugarsi** *v.r.* to dry o.s. again; (*asciugarsi*) to dry o.s., to get dry.
riascoltạre *v.t.* (**riascọlto**) to listen to again.
riassaggiạre *v.t.* (**riassạggio, riassạggi**) to retaste, to try (*o* taste, sample) again.
riassalịre *v.t.* (**riassạlgo**/*non com.* **riassalịsco, riassạli**/*non com.* **riassalịsci; riassalịi**/*rar.* **riassạlsi**) to reattack, to attack (*o* assail) again.
riassaporạre *v.t.* (**riassapọro**) to savour (*o* relish) again, to enjoy again (*anche fig.*).
riassegnạre *v.t.* (**riassẹgno**) to award (*o* give) again.
riassestamẹnto *m.* rearrangement, resettlement, reordering. – **riassestạre** *v.t.* (**riassẹsto**) to rearrange, to reorder, to set in order again: ~ *le proprie faccende* to set one's affairs in order again; (*assestare*) to arrange, to adjust, to put right, to (put in) order, to settle.
riassettạre *v.t.* (**riassẹtto**) to put in order, to tidy up: ~ *la stanza* to tidy up the room. – **riassẹtto** *m.* **1.** tidying up, putting in order: *il* ~ *della casa* tidying up the house. – **2.** ⟨*fig*⟩ resettling, adjustment, straightening out, putting to rights: ~ *del bilancio* adjustment of the budget. – **3.** (*nuovo assetto*) new order.
riassicurạre *v.t.* **1.** ⟨*Assic*⟩ (*rinnovare l'assicurazione*) to reinsure, to reassure. – **2.** ⟨*Dir*⟩ to reinsure. – **riassicurạto** (*p.p. di riassicurare*) **I** *a.* ⟨*Dir*⟩ reinsured. – **II** *s.m.* (*f.* **-a**) reinsured party. – **riassicuratọre I** *s.m.* (*f.* **-trice**) reinsurer. – **II** *a.* reinsurance-. – **riassicurazịone** *f.* **1** reinsurance, reassurance. – **2.** ⟨*Dir*⟩ reinsurance; (*contratto*) reinsurance contract. ☐ ⟨*Stor*⟩ *trattato di* ~ (o *controassicurazione*) Reinsurance Treaty.
riassịdersi *v.r.* (**mi riassịsi, riassịso**) ⟨*lett*⟩ (*rimettersi a sedere*) to sit down again, to take one's seat again.
riassociạre *v.t.* (**riassọcio, riassọci**) to reassociate. – **riassociarsi** *v.r.* **1.** to become a member again, to rejoin. – **2.** ⟨*recipr*⟩ to reassociate, to join up (*o* forces) again.
riassoggettạre *v.t.* (**riassoggẹtto**) to resubject, to subdue (*o* subjugate) again. – **riassoggettarsi** *v.r.* to submit (*o* subject o.s.) again.
riassommạre *v.* (**riassọmmo**) ⟨*non com*⟩ **I** *v.t.* (*rimettere a galla*) to bring back up to the surface, to refloat. – **II** *v.i.* (*aus.* **essere**) to resurface, to come back up to the surface.
riassopimẹnto *m.* **1.** (*il riassopire*) causing to doze (*o* feel drowsy) again. – **2.** (*il riassopirsi*) drowsing (*o* dozing) again. – **riassopịre** *v.t.* (**riassopịsco, riassopịsci**) to make drowsy again, to cause to doze off again. – **riassopirsi** *v.r.* to drop (*o* nod) off again, to doze again.
riassorbimẹnto *m.* **1.** reabsorption. – **2.** ⟨*fig*⟩ (*reimpiego*) reabsorption, re-employment: ~ *di manodopera* reabsorption of labour. – **3.** ⟨*Med,Chim*⟩ resorption. – **riassorbịre** *v.t.* (**riassọrbo/riassorbịsco, riassọrbi/riassorbịsci**) **1.** to reabsorb; (*assorbire*) to absorb: *il terreno riassorbe l'acqua piovana* the soil absorbs rainwater. – **2.** ⟨*fig*⟩ to absorb, to use up: *i nuovi guadagni saranno riassorbiti dagli investimenti* the future profits will be absorbed by investments; (*impiegare di nuovo*) to reabsorb, to re-employ: ~ *i disoccupati* to reabsorb the unemployed.
riassottigliạre *v.t.* (**riassottịglio, riassottịgli**) to (make) thin again.
riassụmere *v.t.* (**riassụnsi, riassụnto**) **1.** to reassume, to take on again: ~ *una carica* to take on a position again. – **2.** (*impiegare di nuovo*) to re-employ, to take on again, to rehire: ~ *un operaio licenziato* to re-employ a dismissed worker. – **3.** (*compendiare*) to summarize, to recapitulate, to sum up; (*abbreviare*) to condense, to make a précis of; (*esporre succintamente*) to summarize, to outline: *cercherò di* ~ *il suo discorso* I shall try to summarize his talk. – **4.** ⟨*Dir*⟩ to resume. ☐ *per* ~ to sum up, in brief.
riassumịbile *a.* **1.** (*compendiabile*) summarizable, that may be outlined (*o* summed up). – **2.** (*reimpiegabile*) re-employable, that can be rehired. – **riassuntịvo** *a.* recapitulatory, summary, summarizing, resumptive: *rapporto* ~ summary report. – **riassụnto** *m.* recapitulation, summary, summing-up; (*sommario*) summary, epitome, synopsis; (*compendio*) abridgement, abstract, compendium, digest. ☐ *fare il* ~ *di un libro* to summarize a book.
riassunzịone *f.* **1.** reassumption, taking on again: ~ *di una carica* reassumption of an office. – **2.** (*reimpiego*) re-employment, rehiring, re-engagement: *la* ~ *del personale di una ditta* the rehiring of a company's personnel. – **3.** ⟨*Dir*⟩ resumption. ☐ ~ *in servizio* re-employment, re-engagement.
riattaccạre *v.* (**riattạcco, riattạcchi**) **I** *v.t.* **1.** to reattach, to attach again; (*ricucire*) to sew (*o* stitch) on again, to resew: ~ *un bottone* to sew a button on again; (*riappendere*) to hang (up) again, to rehang; (*incollare*) to restick, to stick on (*o* together) again. – **2.** (*rif. ad animali da tiro*) to harness (*o* yoke, hitch up) again. – **3.** ⟨*fig*⟩ (*riprendere*) to resume, to begin (*o* start) again: ~ *un discorso* to resume (*o* reopen) a speech. – **II** *v.i.* (*aus.* **avere**) **1.** ⟨*fam*⟩ (*ricominciare*) to begin (*o* start) again, to resume: ~ *a piovere* to begin raining again. – **2.** (*riappendere il ricevitore telefonico*) to hang up.
riattamẹnto *m.* **1.** refitting, renovating, reconditioning. – **2.** (*riparazione*) repairing, mending. – **riattạre** *v.t.* **1.** to refit, to renovate, to recondition. – **2.** (*riparare*) to repair, to mend.
riattẹndere *v.* (**riattẹsi, riattẹso**) **I** *v.i.* (*aus.* **avere**) to attend (*o* apply o.s.) again. – **II** *v.t.* ⟨*non com*⟩ to wait for again.
riattivạre *v.t.* **1.** to reopen, to put back in use (*o* service), to get working again, to reactivate: ~ *una strada* to reopen a road. – **2.** ⟨*Med*⟩ to stimulate: ~ *la respirazione* to stimulate respiration. – **3.** ⟨*Psic,Chim*⟩ to reactivate. ☐ *hanno riattivato le ferrovie* trains are running normally (*o* as usual) again. – **riattivazịone** *f.* **1.** reopening, putting back into use (*o* service), reactivation. – **2.** ⟨*Med*⟩ stimulation. – **3.** ⟨*Chim,Psic*⟩ reactivation.
riattizzạre *v.t.* **1.** to poke (*o* stir up) again: ~ *il fuoco* to stir (*o* rake) up the fire again. – **2.** ⟨*fig*⟩ to excite (*o* arouse) again, to rekindle: ~ *l'odio* to rekindle hatred.
riattraversạre *v.t.* (**riattravẹrso**) to recross, to cross (*o* traver) again.

riattuffạre *v.t.* to dive again, to plunge again.
riavẹre *v.t.* (**riò, riại, rià, riạnno; riębbi, riavụto;** → **avere**) **1.** to have again (*o* another time), to get again: *oggi ho riavuto un po' di febbre* today I had a bit of a temperature again. – **2.** (*avere in restituzione*) to have (*o* get) back: ~ *i soldi* to get one's money back. – **3.** (*ricuperare*) to recover, to regain: ~ *la vista* to recover one's sight; ~ *la libertà* to regain one's freedom. – **riaversi** *v.r.* **1.** to recover (*da* from), to get over (s.th.): *riaversi da uno spavento* to recover from a fright. – **2.** (*riprendere i sensi*) to come round (*o* to one's senses), to regain consciousness, to revive. – **3.** (*riprendersi economicamente*) to recover, to get on one's feet again. – **4.** ⟨*ant*⟩ (*rinsavire*) to come to one's senses again, to become sensible again. □ *far* ~ to bring round; *sentirsi* ~ to feel better (*o* more like o.s.); *ti sei riavuto da quel raffreddore?* have you got over that cold?
riavụta *f.* **1.** ⟨*tosc*⟩ (*rivincita al gioco*) return game (*o* match). – **2.** ⟨*ant*⟩ (*riacquisto*) recovery, regaining.
riavvampạre *v.i.* (*aus.* **essere**) **1.** to blaze up again, to burst into flames once more. – **2.** ⟨*fig*⟩ to blaze (*o* flare up) again.
riavventạre *v.t.* (**riavvęnto**) to hurl (*o* fling, throw) again. – **riavventarsi** *v.r.* to fling (*o* hurl, throw) o.s. again.
riavvertịre *v.t.* (**riavvęrto**) **1.** (*informare di nuovo*) to advise (*o* notify, inform) again. – **2.** (*ammonire, mettere in guardia di nuovo*) to warn again. – **3.** (*riavvertire i sintomi di una malattia*) to have (*o* feel) again.
riavvicinamẹnto *m.* **1.** (*il riavvicinare*) putting near again, drawing together (*o* up) again; (*il riavvicinarsi*) reapproaching, drawing near again (*a qd.* s.o.), coming up again (to). – **2.** ⟨*fig*⟩ reconciliation (with), drawing closer (*o* together) again: *dopo il diverbio ha tentato un* ~ after the quarrel he attempted a reconciliation. – **riavvicinạre** *v.t.* **1.** to put together (*o* closer) again, to draw together (*o* up) again, to put (*o* move) near again: ~ *la sedia al tavolo* to ⌜move the chair near⌝ (*o* draw the chair up) to the table. – **2.** ⟨*fig*⟩ to reconcile, to bring together (*o* closer) again, to draw together again: ~ *due amici* to bring two friends together again. – **riavvicinarsi** *v.r.* **1.** to approach again, to draw near again (*a qc.* s.th.), to come up again (to). – **2.** ⟨*fig*⟩ to draw close again (to), to be reconciled (with): *dopo tre anni si è riavvicinato alla famiglia* after three years he was reconciled with his family. – **3.** ⟨*recipr*⟩ to be reconciled, to be together again, to get close again.
riavvisạre *v.* → **riavvertire**.
riavvǫlgere *v.t.* (**riavvǫlgo, riavvǫlgi; riavvǫlsi, riavvǫlto**) **1.** to wrap (up) again; (*con spago e sim.*) to tie up again; (*arrotolare di nuovo*) to roll (up) again. – **2.** (*rif. a bobine e sim.*) to wind on again, to rewind. – **riavvolgitọre** *m.* ⟨*tecn*⟩ rewinder.
riaziọne *f.* ⟨*lett*⟩ (*reazione*) reaction.
riazzuffạrsi *v.r.* to brawl (*o* fight) again, to come to blows again.
ribaciạre *v.t.* (**ribạcio, ribạci**) **1.** (*baciare di nuovo*) to kiss again. – **2.** (*restituire il bacio*) to return the kiss of, to kiss back.
ribadimẹnto *m.* ⟨*non com*⟩ **1.** riveting, clinching. – **2.** ⟨*fig*⟩ (*conferma: atto*) confirmation, clinching; (*effetto*) confirmation, clincher. – **ribadịre** *v.t.* (**ribadịsco, ribadịsci**) **1.** to rivet, to clinch. – **2.** ⟨*fig*⟩ (*confermare*) to confirm, to clinch, to nail (down), to back up: ~ *un'accusa con nuove prove* to confirm an accusation with new proof. – **ribadirsi** *v.r.* ⟨*non com*⟩ (*rafforzarsi*) to be strengthened, to become impressed, to grow stronger: *l'idea si è ribadita nella sua mente* the idea became impressed upon his mind. □ ~ *le catene* to tighten the chains; ⟨*fig*⟩ to tighten the bonds of slavery; ⟨*fig*⟩ *è ribadito il chiodo* the matter is settled; ~ *un'idea nella testa a qd.* to get (*o* drive) s.th. into s.o.'s head; ⟨*Mecc*⟩ ~ *a freddo* to cold rivet.
ribaditọio *m.* ⟨*Mecc*⟩ riveting-hammer. – **ribaditrịce** *f.* riveting-machine, riveter. – **ribaditụra** *f.* **1.** riveting, clinching. – **2.** (*parte ribadita*) clench.
ribadocchịno *m.* ⟨*Mil.ant*⟩ kind of gun, small cannon; (*organo*) organ gun.
ribagnạre *v.t.* to wet again.
ribạlda *f.* ⟨*Mediev*⟩ casque, helmet.
ribaldạggine *f.* ⟨*ant*⟩ → **ribalderia**. – **ribaldạglia** *f.* ⟨*spreg,non com*⟩ pack of scoundrels. – **ribaldeggiạre** *v.i.* (**ribaldẹggio, ribaldẹggi**; *aus.* **avere**) to act like a scoundrel (*o* rascal), to be rascally. – **ribalderịa** *f.* **1.** roguery, rascality. – **2.** (*azione*) roguery, rascally behaviour, knavish trick. – **3.** ⟨*fig*⟩ (*lavoro di pessima fattura*) trash, junk, rubbish. – **ribạldo I** *s.m.* **1.** scoundrel, rogue, rascal. – **2.** ⟨*scherz*⟩ (*birbone*) rogue, rascal, scamp. – **3.** ⟨*Mil.ant*⟩ ribald. – **4.** ⟨*ant*⟩ (*uomo di bassa condizione*) low fellow, varlet. – **II** *a.* ⟨*rar*⟩ (*mal fatto*) dreadful, trashy, vile.
ribalenạre *v.i.* (**ribalẹno**; *aus.* **essere**) to flash again (*anche fig.*): *gli ribalenò il sospetto* the suspicion flashed into his mind again.
ribạlta *f.* **1.** ⟨*Teat*⟩ (*proscenio*) apron, forestage, proscenium; (*apparecchio per l'illuminazione*) footlights *pl.* – **2.** ⟨*fig*⟩ limelight, front, fore(front). – **3.** (*piano ribaltabile*) flap, fold, leaf: *la* ~ *della scrivania* the leaf of the desk; (*chiusura di una botola*) trap-door. – **4.** ⟨*Legat*⟩ flap. □ *a* ~ folding: *letto a* ~ folding bed, ⟨*am*⟩ Murphy (*o* hideaway) bed; *le luci della* ~ the footlights; *venire* (o *salire*) *alla* ~: 1. ⟨*Teat*⟩ to take a curtain-call; 2. ⟨*fig*⟩ to come to the forefront, to be in the limelight.
ribaltạbile I *a.* **1.** folding; (*rif. a sedili*) tip-up; (*rif. a tavoli*) drop-leaf-, folding: *tavolo* ~ drop-leaf table; (*rif. a scrivanie e sim.*) drop-front, fall-front. – **2.** ⟨*Aut*⟩ dump-, dumping, tipping, tip-up, tilting: *rimorchio a cassone* ~ dump trailer, dumper. – **II** *s.m.* ⟨*Aut*⟩ **1.** tipping device, dumping mechanism. – **2.** (*automezzo*) dump (*o* tipper) truck, tip-truck, dumper.
ribaltacạrri *m.inv.* ⟨*Ferr*⟩ tipping device.
ribaltamẹnto *m.* **1.** turning over, overturning, upsetting. – **2.** (*capotamento*) capsizing, overturning. – **ribaltạre I** *v.t.* (*rovesciare*) to turn over, to overturn, to upset; (*con forza*) to knock over: *scivolando ribaltò il secchio* he slipped and knocked the bucket over; (*rif. a barca o velivolo*) to capsize, to overturn. – **II** *v.i.* (*aus.* **essere**), **ribaltarsi** *v.r.* to overturn, to turn over: *l'automobile si è ribaltata* the car turned over; (*rif. a barca o velivolo*) to capsize, to overturn. – **ribaltatọre** *m.* **1.** flip-over mechanism, tipping gear (*o* device), dumping gear. – **2.** ⟨*Ferr*⟩ → **ribaltacarri**. – **3.** ⟨*Met*⟩ tilter, manipulator. – **ribaltatụra** *f.* overturning, capsizing, upsetting.
ribaltọne *m.* ⟨*fam*⟩ **1.** (*scossone*) jolt, jounce, jar. – **2.** ⟨*fig*⟩ (*rovescio*) setback, reverse, jolt. □ *dare* (o *fare*) *un* ~ to (give a) jolt.
ribalzamẹnto *m.* ⟨*non com*⟩ rebounding. – **ribalzạre** *v.i.* (*aus.* **essere**) **1.** ⟨*non com*⟩ to bound (*o* leap) again. – **2.** ⟨*ant*⟩ (*rimbalzare*) to rebound, to bounce back.
ribandịre *v.t.* (**ribandịsco, ribandịsci**) **1.** ⟨*non com*⟩ (*bandire di nuovo*) to proclaim (*o* publish) again, to announce publicly again. – **2.** ⟨*non com*⟩ (*indire nuovamente*) to call (*o* summon) again. – **3.** ⟨*ant*⟩ (*richiamare dall'esilio*) to recall from exile.
ribarattạre *v.t.* to barter again, to re-exchange, ⟨*fam*⟩ to swap again.
ribassamẹnto *m.* ⟨*non com*⟩ (*ribasso*) lowering, decrease. – **ribassạre I** *v.t.* **1.** to reduce, to diminish, to lessen, to lower. – **2.** (*rif. a prezzi, valori e sim.*) to lower, to reduce, to decrease, to put down: ~ *gli affitti* to lower rents. – **II** *v.i.* (*aus.* **essere**) to drop, to go down, to fall, to decline. – **ribassạto** (*p.p. di ribassare*) *a.* **1.** reduced. – **2.** (*rif. a prezzi e sim.*) reduced, lowered, cut. – **3.** ⟨*Edil*⟩ depressed: *arco* ~ depressed (*o* longitudinal) arch.
ribassịsta *m.* ⟨*Econ*⟩ bear.
ribạsso *m.* **1.** (*rif. a prezzi e sim.*) reduction, fall, decline, decrease, cut: *il* ~ *dei prezzi* the fall in prices. – **2.** (*sconto*) discount, reduction, rebate: *fare un* ~ to give a discount. – **3.** ⟨*Econ*⟩ (*rif. a titoli*) drop, fall, decline.
□ **essere** *in* ~ to be falling, to go down in value, to be worth less; ⟨*fig*⟩ (*perdere autorità, stima*) to be on the decline; ~ **improvviso** slump; ~ **massimo** (*delle quotazioni*) all-time low; **mercato** *al* ~ bear market; ~ *per* **quantità** trade (*o* wholesale) discount; ~ *al* **rivenditore** retailer's discount; **speculatore** *al* ~ bear; **speculare** *al* ~ to bear, to buy (*o* sell) bear; **tendenza** *al* ~ (*in borsa*) bearish tendency, sagging; **vendere** *al* ~ to sell off.
ribastonạre *v.t.* (**ribastọno**) to beat (*o* cudgel, thrash) again.
ribạttere I *v.t.* **1.** to strike (*o* hammer, beat, hit) again: ~ *un chiodo nella parete* to hammer a nail into the wall again. – **2.** (*battere di rimando*) to hit back, to return: ~ *la palla* to return the ball. – **3.** (*ribadire*) to clinch, to rivet. – **4.** ⟨*fig*⟩ (*respingere*) to rebut, to parry, to reply to: ~ *un'accusa* to rebut a charge; (*confutare*) to confute, to refute, to disprove, to rebut: ~ *le ragioni dell'avversario* to disprove the arguments of the adversary. – **5.** ⟨*Sart*⟩ to press (open), to iron (flat): ~ *una cucitura* to press a seam flat. – **II** *v.i.* (*aus.* **avere**) **1.** (*picchiare di nuovo all'uscio*) to knock again (*a* on). – **2.** ⟨*fig*⟩ (*insistere*) to insist, to harp (*su* on), to keep on (about), to hammer (s.th.): ~ *sullo stesso argomento* to keep on about s.th., to harp on a matter. – **3.** ⟨*fig*⟩ (*replicare*) to retort, to answer back, to reply: *tu sei sempre pronto a* ~ you're always ready to answer back. – **4.** ⟨*ant*⟩ (*rif. ad armi da fuoco: rinculare*) to recoil. □ *battere e* ~ to knock and knock again, to keep knocking; ⟨*fig*⟩ *batti e ribatti, hanno dovuto darmi ragione* after ⌜much insisting⌝ (*o* repeating it again and again) they had to admit I was right.
ribattezzạre *v.t.* (**ribattẹzzo**) **1.** ⟨*Rel*⟩ to rebaptize. – **2.** ⟨*fig*⟩ (*chiamare con un nome diverso*) to rename, to rechristen, to rebaptize.
ribattimẹnto *m.* ⟨*non com*⟩ **1.** striking (*o* beating) again. – **2.** ⟨*Mecc*⟩ riveting.
ribattịno *m.* ⟨*tecn*⟩ rivet. □ ~ *cieco* blind rivet; ~ *a testa cilindrica* conehead rivet; ~ *a testa piana* flathead rivet; ~ *a testa svasata* countersunk-head rivet; ~ *a testa tonda* roundhead (*o* buttonhead) rivet.
ribattitọre *m.* (*f.* **-trice**) **1.** beater, striker. – **2.** (*in una disputa*) refuter, confuter, rebutter. – **3.** ⟨*Sport*⟩ (*nel tennis*) receiver; (*nel cricket*) batsman. – **4.** ⟨*tecn*⟩ (*operaio*) riveter.
ribattitụra *f.* **1.** ⟨*Mecc*⟩ riveting, clinching. – **2.** ⟨*Lav.femm*⟩ felling.
ribattụta *f.* **1.** beating (*o* striking) again; (*di chiodi*) riveting. – **2.** ⟨*Sport*⟩ return. – **3.** ⟨*Mus*⟩ ribattuta, kind of trill. – **4.** ⟨*Venat*⟩ beating again, renewed beating. – **5.** ⟨*fig,non com*⟩ (*replica*) rebuttal, reply, answer; (*obiezione*) objection, retort. □ *dare una* ~ *ai tappeti* to beat the carpets again.
ribẹba, ribẹca *f.* ⟨*Mus*⟩ rebec(k). – **ribechịsta** *m./f.* ⟨*non com*⟩ rebeck-player.
ribellagiọne *f.*, **ribellamẹnto** *m.* ⟨*ant*⟩ → **ribellione**. – **ribellạnte** (*p.pr. di ribellare*) *a./s.* ⟨*ant,lett*⟩ → **ribelle**.
ribellạre *v.t.* (**ribẹllo**) ⟨*non com*⟩ to incite to revolt, to cause to rebel, to subvert: ~ *il popolo* to incite the people to revolt. – **ribellarsi** *v.r.* **1.** (*insorgere*) to rebel, to revolt, to rise up (*a* against). – **2.** (*rifiutare obbedienza*) to rebel (*a* against), to disobey (s.o.): *il ragazzo si è ribellato alla volontà del padre* the boy rebelled against his father's wishes. – **3.** (*esprimere il proprio dissenso*) to rebel, to revolt. □ *far* ~ to incite to revolt, to cause to rebel.
ribellaziọne *f.* ⟨*ant*⟩ → **ribellione**.
ribẹlle I *a.* **1.** (*insorto*) rebellious, rebel, insurgent: *le città -i* the rebel towns. – **2.** (*indocile*) rebellious, unruly, intractable, recalci-

trant: *carattere* ~ intractable character. – **3.** ⟨*fig*⟩ (*tenace*) rebellious, refractory, tenacious: *un male* ~ a tenacious illness. – **4.** ⟨*ant*⟩ (*ostile*) hostile. – **II** *s.m./f.* rebel.

ribelliọne *f.* **1.** rebellion, revolt, uprising, insurrection (*a, contro* against): *organizzare una* ~ *contro il governo* to organize a revolt against the government. – **2.** (*opposizione, resistenza*) rebellion (against), opposition, resistance (to). – **3.** ⟨*fig*⟩ rebellion, revolt: ~ *contro la sorte* rebellion against one's lot.

ribellịsmo *m.* ⟨*non com*⟩ (*tendenza alla ribellione*) rebellious tendency, tendency toward insurrection. – **ribellịstico** *a.* (*pl.* **-ci**) ⟨*rar*⟩ rebellious, rebel. – **ribẹllo** *a./s.* ⟨*ant*⟩ → **ribelle.**

ribenedịre *v.t.* (**ribenedịco, ribenedịci; ribenedịssi/ribenedịi, ribenedẹtto;** → **dire**) ⟨*Rel*⟩ **1.** to bless again. – **2.** (*riconsacrare*) to reconsecrate, to bless again; (*rimettere in grazia*) to reconcile. – **ribenedizịone** *f.* **1.** blessing again. – **2.** (*riconsacrazione*) reconsecration.

ribeneficạre *v.t.* (**ribenẹfico, ribenẹfichi**) **1.** to benefit again, to aid (*o* help) again, to do good to once more. – **2.** (*contraccambiare in beneficio*) to return.

ribeneficiamẹnto *m.* ⟨*Ind*⟩ further processing (*o* beneficiation).

ribẹre *v.t.* (**ribẹvo; ribẹvvi/ribevẹtti/***rar.* **ribevẹi, ribevụto;** → **bere**) to drink again.

rịbes *m.* **1.** ⟨*Bot*⟩ red currant (*Ribes rubrum*). – **2.** (*arbusto*) currant (bush); (*arbusto del ribes spinoso*) gooseberry (bush). – **3.** (*frutto*) currant; (*del ribes spinoso*) gooseberry. ▭ ~ *comune* (o *a grappoli*) red currant (*Ribes rubrum; Ribes silvestre*); ~ *nero* black currant (*Ribes nigrum*); ~ *rosso* = *ribes comune*; ~ *spinoso* gooseberry (*Ribes grossularia*).

riboboḷista *m./f.* ⟨*tosc*⟩ one who overdoes the use of witty popular expressions. – **ribọbolo** *m.* ⟨*tosc*⟩ earthy (popular) saying, slangy quip.

riboccạnte (*p.pr. di riboccare*) *a.* **1.** crowded, packed (*di* with), full (of). – **2.** ⟨*fig*⟩ (*rif. a sentimenti*) brimming over, overflowing, filled (with), full (of): *essere* ~ *di gioia* to be overflowing with joy. – **riboccạre** *v.i.* (**ribọcco, ribọcchi;** *aus.* **essere**) **1.** (*essere gremito*) to be crowded (*o* packed) (*di* with), to be full (of): *la strada ribocca di gente* the street is packed with people. – **2.** ⟨*fig*⟩ (*rif. a sentimenti*) to be overflowing (*o* brimming over) (with), to be full (of). – **3.** ⟨*ant*⟩ (*traboccare*) to brim over, to overflow. – **ribọcco** *m.* (*pl.* **-chi**) ⟨*ant*⟩ (*traboccamento*) overflow(ing), brimming over. ▭ ⟨*non com*⟩ *a* ~: 1. to overflowing: *riempire a* ~ to fill to overflowing; 2. ⟨*fig*⟩ in plenty, in abundance.

riboflavịna *f.* ⟨*Biol*⟩ riboflavin(e), lactoflavin.

ribọlla *f.* ⟨*Enol*⟩ kind of wine.

ribollẹnte (*p.pr. di ribollire*) *a.* **1.** boiling, seething, swirling: *acque -i* boiling waters. – **2.** ⟨*fig*⟩ seething, boiling. – **ribollimẹnto** *m.* **1.** boiling again, reboiling. – **2.** (*fermentazione*) fermentation, working: *il* ~ *del mosto* the fermentation of must. – **3.** ⟨*fig*⟩ (*fermento*) turmoil, whirl, ferment, agitation, unrest. – **4.** ⟨*Giard*⟩ plant death caused by watering at the wrong time. – **ribollịo** *m.* ⟨*non com*⟩ (continuous) boiling, seething.

ribollịre *v.* (**ribọllo**) **I** *v.i.* (*aus.* **avere**) **1.** to boil again, to reboil: *l'acqua ribolle* the water is boiling again. – **2.** (*fermentare*) to ferment, to work: *i tini ribollono* the vats are working. – **3.** (*fare bolle, agitarsi in superficie*) to bubble, to boil. – **4.** ⟨*fig*⟩ (*accendersi*) to seethe, to boil: ~ *d'ira* to seethe with anger. – **5.** ⟨*tosc*⟩ (*tornare alla mente*) to come (back) to mind. – **II** *v.t.* to boil again, to reboil. ▭ *ma che gli ribolle ora?* what's getting at him now?

ribolliticcio *m.* ⟨*spreg*⟩ **1.** warmed-up food. – **2.** ⟨*estens*⟩ (*cibo cattivo*) tasteless food. – **ribollịto** (*p.p. di ribollire*) *a.* **1.** reboiled. – **2.** ⟨*fig*⟩ (*rif. a idee vecchie e superate*) stale, rehashed. – **ribollitụra** *f.* **1.** boiling again, reboiling. – **2.** (*fermentazione*) fermenting, working.

ribombạre *v.i.* (**ribọmbo;** *aus.* **essere/avere**) ⟨*rar*⟩ (*rimbombare*) to boom, to rumble, to thunder.

ribonuclẹico, ribonucleịnico: ⟨*Biol*⟩ *acido* ~ ribonucleic acid. – **ribọsio** *m.* ribose.

ribọtta *f.* (*bisboccia*) party, feast, ⟨*fam*⟩ spree, ⟨*fam*⟩ binge. ▭ *far* ~ to go on a binge (*o* spree), to have a spree (*o* binge). – **ribottọne** *m.* (*f.* **-a**) (*bisboccione*) reveller, merrymaker, carouser.

ribrezzạre *v.i.* (**ribrẹzzo;** *aus.* **essere**), **ribrezzarsi** *v.r.* ⟨*lett*⟩ **1.** to shudder in horror (*o* disgust). – **2.** (*rabbrividire*) to shiver, to shake. – **ribrẹzzo** *m.* **1.** (*moto*) shudder (of horror or disgust); (*schifo*) disgust, loathing; (*orrore*) horror. – **2.** ⟨*ant*⟩ (*brivido*) shiver. ▭ *avere* (o *provare*) ~ *di qd.* to be revolted by s.o.; *avere* (o *provare*) ~ *di qc.* to have a loathing of s.th., to be disgusted (*o* revolted) by s.th.; (*rabbrividire*) to shudder at s.th.; *provò* ~ *a pensarci* he shuddered at the thought of it; *fare* ~ *a qd.* to fill s.o. with horror; (*fare schifo*) to disgust (*o* revolt) s.o.

ribruciạre *v.t.* (**ribrụcio, ribrụci**) to burn again.

ribruscolạre *v.t.* (**ribrụscolo**) ⟨*tosc*⟩ **1.** (*cogliere i frutti rimasti sull'albero*) to glean. – **2.** ⟨*fig*⟩ (*raggranellare*) to scrape together (*o* up), to get together, to glean.

ribucạre *v.t.* (**ribụco, ribụchi**) to bore (*o* make a hole in) again.

ribuscạre *v.t.* (**ribụsco, ribụschi**) ⟨*fam*⟩ to get (*o* catch) again. ▭ *ribuscarle* to get another hiding (*o* thrashing), to catch it again.

ribussạre **I** *v.t.* **1.** to knock again. – **2.** ⟨*rar*⟩ (*rendere le busse*) to hit back, to give a thrashing to in return. – **II** *v.i.* (*aus.* **avere**) **1.** to knock (*o* rap) again. – **2.** (*nel gioco del tressette*) to knock twice.

ributtạnte (*p.pr. di ributtare*) *a.* repugnant, repulsive, loathsome, disgusting, nauseating, revolting.

ributtạre **I** *v.t.* **1.** to throw (*o* fling) again. – **2.** (*buttare indietro*) to throw back (again). – **3.** (*vomitare*) to vomit, ⟨*fam*⟩ to throw up. – **4.** (*ricacciare*) to repel, to drive (*o* throw) back, to repulse: ~ *il nemico* to repel the enemy. – **5.** ⟨*fig*⟩ (*rifiutare*) to refuse, to reject, to turn down: ~ *una proposta* to reject a proposal; (*respingere*) to rebut: ~ *un'accusa* to rebut a charge. – **II** *v.i.* (*aus.* **avere**) **1.** (*germogliare di nuovo*) to sprout again, to put out new shoots. – **2.** (*secernere pus*) to secrete (more) pus, to suppurate (again). – **3.** ⟨*fig*⟩ (*suscitare ribrezzo*) to disgust, to revolt (*a qd.* s.o.); (*suscitare orrore*) to horrify (s.o.). – **ributtarsi** *v.r.* to throw o.s. back: *ributtarsi sul letto* to throw o.s. back on the bed. ▭ ⟨*fig*⟩ *ributtarsi giù* (*avvilirsi di nuovo*) to get depressed (*o* disheartened, low) again, to lose heart again.

ributtatịccio *m.* ⟨*Agr*⟩ (*rimessiticcio*) new (*o* young) shoot.

ribuzzạre *v.t.* ⟨*tecn*⟩ to strike with a flat chisel. – **ribụzzo** *m.* kind of flat chisel.

ric. = *ricevuta* receipt (*abbr.* rcpt., rect.).

rịca *f.* ⟨*Stor.rom*⟩ purple veil.

ricacciamẹnto *m.* ⟨*non com*⟩ **1.** (*atto*) driving away (*o* back) again. – **2.** (*effetto*) repulsion.

ricacciạre *v.t.* (**ricạccio, ricạcci**) **1.** (*cacciare via*) to drive (*o* throw) out again, to chase (*o* send) away again, to expel: *l'hanno ricacciato dal locale per il suo comportamento* they threw him out of the night-club again because of his behaviour. – **2.** ⟨*fig*⟩ (*respingere*) to drive (*o* push) back, to repel, to repulse: ~ *il nemico* to drive the enemy back; (*respingere di nuovo*) to repel (*o* drive back) again. – **3.** (*rimettere*) to put (*o* thrust) back, ⟨*fam*⟩ to shove (*o* stick) back: *ricacciò i documenti nella borsa* he shoved the papers back in his brief-case. – **4.** ⟨*pop*⟩ (*cavare, tirare fuori*) to come out with, ⟨*fam*⟩ to shell (*o* fork) out again, ⟨*fam*⟩ to cough up again: *dovrà* ~ *tutti i soldi* he'll have to shell out all the money again. – **ricacciarsi** *v.r.* (*entrare di nuovo*) to plunge (*o* get into) again. ▭ ⟨*fig*⟩ ~ *in gola* (*rif. a grida e sim.*) to smother, to stifle; ~ *le menzogne in gola a qd.* to make s.o. eat his words.

ricạccio *m.* → **ributtaticcio.**

ricadẹre *v.i.* (**ricạddi, ricadụto;** → **cadere;** *aus.* **essere**) **1.** to fall again, to fall down once more: *tentò di alzarsi ma ricadde a terra* he tried to get up but fell to the ground again. – **2.** ⟨*fig*⟩ to relapse, to fall (back): ~ *nel vizio* to relapse into evil ways; ~ *malato* (*o nella malattia*) to fall ill again. – **3.** (*scendere*) to fall, to drop: *l'acqua ricadeva in mille zampilli* the water fell in a thousand streams; (*rif. a vestiti, capelli e sim.*) to hang (*o* fall) down: *le chiome le ricadevano sulle spalle* her hair hung down on her shoulders; (*fluire*) to flow down. – **4.** (*riversarsi*) to fall, to rest: *il biasimo ricadrà su di lui* the blame will fall upon him, he will be blamed; (*rif. a colpe e sim.*) to be on the head of: *il loro sangue ricadrà su lui* their blood will be on his head. – **5.** ⟨*fig*⟩ (*toccare*) to fall, to go (*su* to): *l'eredità ricadde sul figlio maggiore* the inheritance fell to the eldest son. – **6.** (*ammalarsi di nuovo*) to fall ill again; (*avere una ricaduta*) to (have a) relapse. ▭ ~ *in colpa* to sin again; ~ *in miseria* to fall upon evil days again, to sink back into poverty; ~ *in un sonno profondo* to fall into a deep sleep again.

ricadimẹnto *m.* ⟨*rar*⟩ → **ricaduta.** – **ricadụta** *f.* **1.** (*atto*) falling again; (*effetto*) another (*o* second) fall. – **2.** ⟨*fig*⟩ (*atto*) relapsing, backsliding; (*effetto*) relapse. – **3.** ⟨*Med*⟩ relapse: *fare* (o *avere*) *una* ~ to have a relapse.

ricagnạto *a.* ⟨*ant*⟩ (*rincagnato*) snub.

ricalạre **I** *v.t.* **1.** to lower (*o* drop) again, to let down once more. – **2.** ⟨*Mar*⟩ to strike. – **II** *v.i.* (*aus.* **essere**) to descend again, to go (*o* let o.s.) down again.

ricalcạbile *a.* traceable: *disegno* ~ traceable drawing. – **ricalcamẹnto** *m.* ⟨*Mecc*⟩ upsetting, heading. ▭ *prova di* ~ upsetting test.

ricalcạre *v.t.* (**ricạlco, ricạlchi**) **1.** to press (*o* squeeze) again; (*con i piedi*) to tread (on) again. – **2.** (*premere di più*) to press (*o* push, squeeze) harder: *si ricalcò il cappello in capo* he pushed his hat down harder on his head. – **3.** (*ricopiare*) to trace: ~ *un disegno* to trace a drawing. – **4.** ⟨*fig*⟩ (*seguire fedelmente*) to follow faithfully (*o* closely), ⟨*fam*⟩ to stick to: ~ *l'esempio di qd.* to follow s.o.'s. example closely. – **5.** ⟨*Mecc*⟩ to upset, to head. ▭ ⟨*fig*⟩ ~ *le orme di qd.* to follow (*o* tread) in s.o.'s footsteps; ⟨*Mecc*⟩ ~ *a freddo* to cold head; ⟨*fig*⟩ ~ *le proprie orme* to retrace one's footsteps.

ricalcạta *f.* pressing, trampling, crushing. ▭ *dare una* ~ *al cappello* to put one's hat on firmly, to tug one's hat down hard. – **ricalcatọio** *m.* ⟨*Met*⟩ rammer. – **ricalcatọre** *m.* (*f.* **-trice**) person who traces (*o* copies) (*anche fig.*). – **ricalcatrịce** *f.* ⟨*Mecc*⟩ upsetter, header, upsetting-machine, heading-machine. – **ricalcatụra** *f.* **1.** tracing. – **2.** ⟨*fig*⟩ (*imitazione*) copy, imitation. – **3.** ⟨*Mecc*⟩ → **ricalcamento.**

ricalcificạre *v.t.* (**ricalcịfico, ricalcịfichi**) ⟨*Med*⟩ to calcify again. – **ricalcificarsi** *v.r.* to calcify again. – **ricalcificazịone** *f.* recalcification.

ricalcitramẹnto *m.* **1.** kicking (out). – **2.** ⟨*fig*⟩ (*ostinata resistenza*) recalcitrance, mulishness, stubbornness. – **ricalcitrạnte** (*p.pr. di ricalcitrare*) *a.* **1.** kicking: *asino* ~ kicking donkey. – **2.** ⟨*fig*⟩ (*contrario*) resistant, hesitant, doubtful (*a* to): *sono piuttosto* ~ *a darti questo permesso* I am rather doubtful about granting you permission. – **ricalcitrạre** *v.i.* (**ricạlcitro;** *aus.* **avere**) **1.** to kick back (*o* out), to recalcitrate. – **2.** ⟨*fig*⟩ (*opporsi ostinatamente*) to resist (*a, contro* s.th.), to protest, to kick out (against), to be recalcitrant (to): ~ *alla* (o *contro la*) *disciplina* to kick against discipline.

ricạlco *m.* (*pl.* **-chi**) tracing. □ *a* ~ tracing-: *copia a* ~ (*rif. a disegno*) tracing; (*rif. a scritto*) carbon-copy; *carta da* ~ (*carta carbone*) carbon-paper.

ricalescẹnza *f.* ⟨*Met*⟩ recalescence.

ricalpestạre *v.t.* (**ricalpẹsto**) to trample on again, to tread underfoot again.

ricalzạre *v.t.* **1.** to put on again. – **2.** ⟨*ant*⟩ (*rincalzare*) to earth up (a plant).

ricamạre I *v.t.* **1.** to embroider; ~ *un lenzuolo* to embroider a sheet; ~ *fiori* to embroider flowers. – **2.** ⟨*fig*⟩ to embellish, to ornament, to embroider: ~ *una frase* to embroider a phrase; (*aggiungere particolari fantasiosi*) to embroider, to elaborate on. – **II** *v.i.* (*aus.* **avere**) **1.** to embroider, to do embroidery: ~ *in oro* to embroider in gold. – **2.** ⟨*fig*⟩ to embroider, to elaborate (*su* on, upon). □ ~ *in bianco*: 1. (*con filo bianco*) to embroider with white thread; 2. (*eseguire ricami su biancheria*) to embroider linen; ~ *a macchina* to embroider by machine; ~ *a mano* to embroider by hand, to hand embroider.

ricamạto (*p.p. di ricamare*) *a.* embroidered: ~ *a mano* hand embroidered. – **ricamatọre** *m.* (*f.* **-trice**) **1.** embroiderer (*f* -ress). – **2.** ⟨*fig*⟩ embellisher, embroiderer. – **ricamatrịce** *f.* embroideress. – **ricamatụra** *f.* ⟨*non com*⟩ **1.** (*il ricamare*) embroidering. – **2.** (*ricamo*) embroidery.

ricambiạre *v.* (**ricạmbio, ricạmbi**) **I** *v.t.* **1.** (*cambiare di nuovo*) to change again: ~ *i vestiti al bambino* to change the baby's clothes again. – **2.** (*sostituire*) to change, to replace: ~ *i freni alla macchina* to replace the brakes on the car. – **3.** (*restituire, cambiare*) to exchange: *la merce acquistata non si ricambia* purchased goods cannot be exchanged. – **4.** (*contraccambiare*) to return, to repay: ~ *l'amore di qd.* to return s.o.'s love; ~ *una gentilezza* to repay a courtesy. – **II** *v.i.* (*aus.* **avere**) to change. – **ricambiarsi** *v.r.* **1.** (*cambiarsi d'abito*) to change (one's clothes). – **2.** ⟨*recipr*⟩ to exchange, to reciprocate: *ricambiarsi gli auguri di Natale* to exchange Christmas greetings.

ricạmbio *m.* **1.** (*cambio*) changing (again). – **2.** (*contraccambio*) return, repayment, exchange: *il* ~ *d'un favore* the repayment of a favour. – **3.** (*riserva*) replacement, substitute, spare (part); (*ricarica*) refill: ~ *per una penna a sfera* refill for a ballpoint pen. – **4.** *pl.* (*pezzo di ricambio*) spare parts *pl*, spares *pl*, replacements *pl*. – **5.** ⟨*Fisiol*⟩ metabolism: *malattie del* ~ metabolism disorders. – **6.** ⟨*Econ*⟩ re-exchange, redraft. □ ~ *d'aria* change of air; *di* ~ spare, extra, change of: *biancheria di* ~ change of linen; *colletto di* ~ spare collar; *polsini di* ~ extra cuffs; *ruota di* ~ spare tyre; *in* ~ *di* in exchange (*o* return) for; ~ *del lavoro* (labour) turnover; ~ *sociale* social mobility (*o* circulation).

ricamịno *m. dim. di* **ricamo**.

ricamminạre *v.i.* (*aus.* **avere**) **1.** to walk again. – **2.** (*riprendere il cammino*) to resume one's journey, to set off again.

ricạmo *m.* **1.** (*il ricamare*) embroidering. – **2.** (*lavoro ricamato*) embroidery. – **3.** ⟨*fig*⟩ (*lavoro artistico*) delicate ornamentation, light fine work; (*intaglio, disegno leggero*) tracery. – **4.** *pl.* ⟨*fig*⟩ (*particolari inventati*) frills *pl*, embroidery.

□ **ago** *da* ~ embroidery needle; ~ *ad* **arazzo** tapestry; ~ *in* **argento** silver (thread) embroidery; ~ *in* **bianco** white (thread) embroidery; ~ *a* **filigrana** filigree (embroidery); ~ *a* **giorno** open -work, à-jour work; ~ **inglese** opus anglicanum; ~ *a* **macchina** machine embroidery; ~ *a* **mano** hand embroidery; ~ *in* **oro** gold (thread) embroidery; ~ *in* **rilievo** heavy embroidery in raised thread; ~ *su* **seta** silk embroidery; ~ *su* **tela** embroidery on linen.

ricanalizzạre *v.t.* ⟨*Med*⟩ to open up a canal. – **ricanalizzaziọne** *f.* canalization, opening up of a canal.

ricancellạre *v.t.* (**ricancẹllo**) (*con la penna*) to delete again, to cross (*o* strike) out again; (*con la gomma*) to erase (*o* rub out) again.

ricantạre *v.t.* **1.** to sing again. – **2.** ⟨*fam*⟩ (*dire e ridire insistentemente*) to say over and over again, to keep on repeating; (*ripetere in modo noioso*) to harp on, to go on and on about. – **3.** ⟨*ant*⟩ (*ritrattare*) to retract, to recant. □ ⟨*fig*⟩ ~ *la vecchia canzone* to sing the same old song.

ricapitạre *v.* (**ricạpito**) **I** *v.i.* (*aus.* **essere**) **1.** (*presentarsi di nuovo*) to happen (*o* occur) again. – **2.** (*giungere di nuovo per caso*) to happen to come again, ⟨*fam*⟩ to turn up again. – **II** *v.t.* ⟨*rar*⟩ (*recapitare*) to deliver, to consign. – **ricạpito** *m.* ⟨*rar*⟩ (*recapito*) address.

ricapitolạre *v.t.* (**ricapịtolo**) to recapitulate, to summarize, to sum up: *ricapitoliamo quanto abbiamo detto fin'ora* let's summarize what we have said up to this point. – **ricapitolaziọne** *f.* recapitulation, summary, summing-up.

ricardiạno *a.* ⟨*Econ*⟩ Ricardian.

ricạrica *f.* **1.** (*rif. ad armi e sim.*) reloading. – **2.** (*riempimento*) refilling. – **3.** ⟨*Orol*⟩ rewinding. – **4.** ⟨*El*⟩ recharging. – **ricaricamẹnto** *m.* ⟨*non com*⟩ → **ricarica**. – **ricaricạre** *v.t.* (**ricạrico, ricạrichi**) **1.** (*rif. ad armi*) to reload. – **2.** (*riempire*) to refill, to fill (up) again: ~ *la pipa* to refill one's pipe. – **3.** ⟨*Orol*⟩ to rewind, to wind (up) again. – **4.** ⟨*El*⟩ to recharge.

ricartẹggio *m.* ⟨*Comm*⟩ re-registration, re-invoicing.

ricascạre *v.i.* (**ricạsco, ricạschi**; *aus.* **essere**) ⟨*fam*⟩ **1.** to fall (down) again: ~ *per terra* to fall to the ground again. – **2.** ⟨*fig*⟩ to make (*o* do) again (*in* s.th.), to fall again, to relapse (into): ~ *in un errore* to make the same mistake again. □ ⟨*pop*⟩ *ricascarci*: 1. (*fare lo stesso errore*) to make the same mistake again; 2. (*farsi ingannare di nuovo*) to fall into the trap again, to swallow the bait once more, ⟨*fam*⟩ to fall for it again.

ricascạta *f.* ⟨*non com*⟩ falling again. – **ricạsco** *m.* (*pl.* **-chi**) ⟨*non com*⟩ drape, flounce. □ ⟨*fig,roman*⟩ *stare a* ~ *di qd.* (*essere a suo carico*) to be supported by s.o.

ricạsso *m.* (part of the) grip.

ricattamẹnto *m.* ⟨*non com*⟩ blackmail(ing). – **ricattạre** *v.t.* **1.** to blackmail (*anche fig.*). – **2.** (*sequestrare a scopo di estorsione*) to kidnap. – **3.** ⟨*tosc*⟩ (*riprendere*) to recover, to take (*o* get) back. – **4.** ⟨*ant*⟩ (*riscattare*) to ransom. – **ricattarsi** *v.r.* ⟨*lett*⟩ (*vendicarsi*) to avenge o.s., to take one's revenge.

ricattatọre *m.* (*f.* **-trice**/*pop.* **-a**) blackmailer. – **ricattatọrio** *a.* blackmail-, of blackmail: *minacce -e* blackmail threat(s).

ricạtto *m.* **1.** blackmail: *cedere ai -i* to give in to blackmail. – **2.** (*sequestro a scopo di estorsione*) kidnapping. – **3.** ⟨*ant*⟩ (*riscatto*) ransom(ing).

ricavạbile *a.* obtainable, that can be got (*o* drawn).

ricavạre *v.t.* **1.** (*estrarre*) to obtain, to get, to take, to draw, to extract: ~ *il petrolio dal sottosuolo* to extract oil from the ground; (*trarre trasformando*) to make: ~ *una statua da un unico blocco di marmo* to make a statue out of a single block of marble. – **2.** ⟨*fig*⟩ (*trarre*) to draw, to get, to obtain, to take: ~ *un'idea da un libro* to take (*o* get) an idea from a book; *film ricavato da un romanzo* film taken from a novel; (*dedurre*) to deduce, to draw, to come to: ~ *una conclusione* to come to a conclusion. – **3.** (*avere un profitto*) to gain, to get; (*da una vendita*) to make, to get: ~ *poco dalla vendita di una casa* to ⌜make little on⌝ (*o* get little out of) the sale of a house. – **4.** ⟨*non com*⟩ (*cavare di nuovo*) to draw again. □ *non se ne ricava nulla* there is nothing to be got out of it; ~ *un insegnamento da un'esperienza* to learn from experience.

ricavạto *m.* **1.** proceeds *pl*. – **2.** ⟨*fig*⟩ (*vantaggio*) result: *ecco il* ~ *di tante fatiche!* that's the result of all my efforts!, that's all I get for my pains!

ricạvo[1] *m.* **1.** (*entrata*) income, proceeds *pl*, yield, returns *pl*; (*in contabilità*) revenue. – **2.** ⟨*non com*⟩ (*estrazione*) extraction, drawing out. □ ~ *lordo* gross proceeds *pl*; ~ *netto* net proceeds *pl*; ~ *totale* (total) proceeds *pl*.

ricạvo[2] *m.* ⟨*Mar*⟩ standing part, fixed end of a hawser.

riccamẹnte *avv.* **1.** (*lussuosamente*) richly, luxuriously, sumptuously. – **2.** (*con abbondanza*) richly, abundantly.

Riccạrdo *N.pr.m.* Richard. □ ⟨*Stor*⟩ ~ *Cuor di Leone* Richard the Lion-hearted, Richard Coeur de Lion.

rịcce *f.pl.* ⟨*Alim*⟩ kind of curly noodles.

ricchẹzza *f.* **1.** richness, wealth. – **2.** *pl.* ⟨*concr*⟩ (*beni*) wealth, riches *pl*: *ha ereditato grandi -e* he inherited great wealth. – **3.** ⟨*iperb*⟩ (*ciò che si possiede*) wealth, possessions *pl*, riches *pl*: *i figli sono tutta la sua* ~ his children are ⌜his only wealth⌝ (*o* all he has). – **4.** ⟨*fig*⟩ gold-mine, source of wealth: *questo negozio è una* ~ this shop is a gold-mine. – **5.** *pl.* (*patrimonio*) riches *pl*, wealth, treasure: *le -e del mare* the riches of the sea; (*risorse*) resources *pl*: *-e del sottosuolo* mineral resources. – **6.** ⟨*fig*⟩ (*abbondanza, copia*) plenty, wealth, abundance, copiousness: ~ *d'acqua* abundance of water; *lingua che ha* ~ *di vocaboli* language with a ⌜wealth of⌝ (*o* rich) vocabulary; *con* ~ *di particolari* with a wealth of detail. □ ⟨*fig*⟩ *le -e di Creso* the riches of Croesus, immense wealth; *avere* ~ *di fantasia* to have a wealth of imagination, to be very imaginative; ~ *d'ingegno* genius, brilliance; ⟨*Dir*⟩ ~ *mobile* personal (*o* movable) property; *imposta di* ~ *mobile* income tax; ⟨*Econ*⟩ ~ *nazionale* national wealth (*o* riches *pl*). – *Prov.*: ~ *non fa gentilezza* (o *nobiltà*) riches don't make the gentleman; ~ *poco vale a quel che l'usa male* wealth badly used is of no use.

rịccia *f.* (*pl.* **-ce**) ⟨*Folcl*⟩ kind of pleated collar.

ricciạia *f.* **1.** (*luogo*) place where chestnuts are heaped. – **2.** (*mucchio di castagne*) heap of chestnuts in the husk.

ricciarẹllo *m.* ⟨*Dolc*⟩ Sienese almond cake.

ricciatọio *m.* ⟨*ant*⟩ (*ferro per i ricci*) curling irons *pl*, curling tongs *pl*.

riccifọrmi *m.pl.* ⟨*Zool*⟩ hedgehogs *pl* (*Erinaceinae*).

rịccio[1] **I** *a.* **1.** (*ricciuto*) curly, curled; (*crespo*) kinky, frizzy. – **2.** ⟨*estens*⟩ curly, curled, wavy, crisped. – **II** *s.m.* **1.** (*ciocca di capelli*) curl, lock: *una testa piena di ricci* a head full of curls, a curly head of hair. – **2.** (*cosa a forma di riccio*) curl: *un* ~ *di burro* a butter-curl. – **3.** ⟨*Mus*⟩ (*chiocciola*) scroll. – **4.** ⟨*Arch*⟩ (*voluta*) volute, scroll. – **5.** ⟨*Tess*⟩ terry (cloth). – **6.** ⟨*Cart*⟩ deckle-edge. – **7.** *pl.* ⟨*Dolc*⟩ kind of sugared almonds. □ ⟨*Bot*⟩ ~ *di dama* (*martagone*) Turk's-cap (lily), martagon (*Lilium martagon*); *farsi i ricci con il ferro* to curl one's hair with curling irons; ~ *di legno* wood shaving; *ricci naturali* natural curls.

rịccio[2] *m.* **1.** ⟨*Zool*⟩ hedgehog (*Erinaceus europaeus*). – **2.** ⟨*Zool*⟩ (*riccio di mare*) sea-urchin (*Paracentrotus lividus*). – **3.** ⟨*Bot*⟩ (*involucro delle castagne*) chestnut husk. – **4.** ⟨*Mil.ant*⟩ (*schiera di picchieri*) formation of pikemen.

ricciọla *f.* ⟨*Itt*⟩ maigre, maiger (*Sciaena aquila*).

ricciolatụra *f.* ⟨*non com*⟩ (*arricciamento*) curling. □ ⟨*Agr*⟩ ~ *della vite* court-noué, roncet.

riccioḷina *f.* **1.** ⟨*Bot*⟩ much-curled (*o* narrow-leaved) endive (*Cichorium endivia crispa*). – **2.** ⟨*fam*⟩ (*bambina dai capelli ricci*) curly -headed little girl, curlylocks. – **riccioḷino** (*dim. di ricciolo*) **I** *s.m.* ⟨*fam*⟩ (*bambino dai capelli ricci*) curly-headed little boy. – **II** *a.* (*ricciuto*) curly(-headed). – **rịcciolo I** *s.m.* **1.** (*riccio*) curl. – **2.** ⟨*rar*⟩ (*cosa a forma di ricciolo*) curl, coil. – **II** *a.* ⟨*non com*⟩ → **ricciuto**.

– **ricciolọne** (*accr. di ricciolo*) **I** *s.m.* large curl. – **II** *a.* curly-headed. – **ricciolụto** *a.* → **ricciuto.**

ricciọtto I *a.* ⟨*non com*⟩ (*piuttosto riccio*) rather curly. – **II** *s.m.* ⟨*Zool*⟩ (*piccolo del riccio*) young hedgehog.

ricciutẹllo *a. dim. di* **ricciuto.** – **ricciụto** *a.* **1.** (*rif. a capelli: riccio*) curly: *testa -a* curly (head of) hair; (*crespo*) kinky, frizzy, crisped: *barba -a* kinky beard. – **2.** (*rif. a persona: riccio*) curly-headed, curly -haired; (*crespo*) with frizzy (*o* kinky) hair. – **3.** ⟨*non com*⟩ (*ondulato*) wavy, waved. □ *velluto* ~ terry velvet, velvet terry cloth.

rịcco *a./s.* (*pl.* **-chi**) **I** *a.* **1.** rich, wealthy: *un* ~ *industriale* a rich industrialist; *l'America è un paese* ~ America is a rich country. – **2.** ⟨*fig*⟩ (*che ha abbondanza*) rich, abounding (*di* in), full (of): *paese* ~ *di materie prime* country ⌜rich in⌝ (*o* with a wealth of) raw materials; ~ *di sentimenti* full of feeling; *scrittore* ~ *di fantasia* writer full of imagination, very imaginative writer. – **3.** (*abbondante*) rich, abundant, plentiful: *un* ~ *raccolto* a plentiful harvest; (*lussureggiante*) rich, luxuriant, lush: *vegetazione -a* lush vegetation. – **4.** ⟨*fig*⟩ (*di valore*) valuable, rich: *una -a collana* a valuable necklace. – **5.** (*alto, lucroso*) high, large: *un* ~ *stipendio* a high salary; (*che dà la ricchezza*) lucrative, profitable: *una professione -a* a lucrative profession. – **6.** ⟨*fig*⟩ (*magnifico*) rich, sumptuous, lavish, opulent: *vive in un* ~ *palazzo* he lives in a sumptuous palace; (*lussuoso*) luxurious, rich. – **7.** ⟨*fig*⟩ (*ampio*) full, abundant, deep, wide: *la gonna scendeva in ricche pieghe* the skirt hung in deep folds. – **8.** ⟨*fam,scherz*⟩ (*copioso, saporito*) good, copious, hearty, rich, plentiful: *voglio fare un* ~ *pranzo* I want to have a hearty (*o* really good) dinner. – **9.** ⟨*Chim*⟩ rich. – **II** *s.m.* (*f.* **-a**) rich (*o* wealthy) person; *pl.* the rich (*costr.pl.*), rich people *pl*: *i ricchi del paese* the rich (people) of the country.

□ ⟨*non com*⟩ **alla** *-a* like the rich: *vivere alla -a* to live like the rich; **diventare** (*o farsi*) ~ to become (*o* get) rich; *essere* ~ *a* **miliardi** to be a multimillionaire, ⟨*fam*⟩ to be ⌜made of⌝ (*o* rolling in) money; **nuovo** ~ nouveau-riche parvenu; ~ *a* **palate** = *ricco* **sfondato**; **rendere** ~ to make rich, to enrich; ~ **sfondato** as rich as Croesus, ⟨*fam*⟩ made of money, ⟨*am.fam*⟩ loaded.

rịccola *f.* ⟨*Bot*⟩ rue, herb of grace (*Ruta graveolens*).

riccọne (*accr. di ricco*) *m.* (*f.* **-a**) ⟨*fam*⟩ millionaire, croesus. □ *essere un* ~ to be extremely wealthy, to be ⌜rolling in⌝ (*o* loaded with) money.

ricẹdere *v.t.* (**ricedẹi/ricedẹtti**/*ant.* **ricẹssi, ricedụto**/*ant.* **ricẹsso**) **1.** to give up again, to yield (*o* surrender) again, to give (*o* hand) over again. – **2.** (*cedere a qd. ciò che ci è stato già ceduto da altri*) to hand over, to pass on; (*rivendere*) to resell.

ricẹnte *a.* ⟨*ant*⟩ (*recente*) recent.

ricentrạre *v.t.* (**ricẹntro**) ⟨*Sport*⟩ (*nel calcio*) to recentre.

riceppạre *v.t.* (**ricẹppo**) to top. – **riceppatụra** *f.* topping.

ricẹrca *f.* **1.** search, quest, seeking: *la* ~ *di una persona* the search for a person. – **2.** (*indagine*) inquiry, investigation, search: *dopo lunghe ricerche* after lengthy investigation. – **3.** (*ricerca scientifica*) research: *ricerche bibliografiche* bibliographical research. – **4.** (*rif. a delinquenti*) search.

□ **andare** *alla* ~ *di qc.* to go in search of s.th., to search for s.th., to seek s.th. out; ~ **atomica** atomic research; ⟨*Econ*⟩ ~ *di* **capitali** raising of capital; ~ *dell'***effetto** striving after an effect; **fare** *ricerche*: 1. to do (*o* carry out, conduct) research, to research; 2. (*indagare*) to make inquiries, to have (*o* hold) an investigation, to investigate; ⟨*Minier*⟩ ~ *di* **giacimenti** prospecting; **mandare** *qd. alla* ~ *di qc.* to send s.o. ⌜in search of⌝ (*o* to look for) s.th.; ⟨*Comm*⟩ *ricerche di* **mercato** market research; ~ **nucleare** nuclear research; ⟨*Ind*⟩ ~ **operativa** operational research, ⟨*am*⟩ operations research; ⟨*Dir*⟩ ~ *della* **paternità** affiliation proceedings *pl*, ascertainment of paternity; ⟨*Econ*⟩ ~ *del* **profitto** pursuit of profit; ~ **psichica** psychical research.

ricercamẹnto *m.* ⟨*rar*⟩ search(ing).

ricercạre[1] *v.t.* (**ricẹrco, ricẹrchi**) **1.** (*cercare di nuovo*) to look (*o* search) for again, to seek again. – **2.** (*cercare con impegno*) to look (*o* hunt, search) for: ~ *una lettera dappertutto* to hunt everywhere for a letter. – **3.** (*indagare*) to investigate, to inquire (*o* go) into. – **4.** ⟨*assol*⟩ (*compiere una ricerca scientifica*) to do (*o* carry out, conduct) research. – **5.** (*scegliere*) to choose (carefully), to pick: ~ *le parole* to choose one's words. – **6.** ⟨*lett*⟩ (*frugare*) to search, to rummage through; (*esaminare minutamente*) to search, to ransack. – **7.** ⟨*lett*⟩ (*rif. a corde di strumenti*) to run (*o* sweep) one's fingers over, to touch. – **8.** ⟨*ant*⟩ (*richiedere*) to ask.

ricercạre[2] *m.* ⟨*Mus*⟩ ricercar(e).

ricercạta *f.* ⟨*Mus*⟩ ricercar(e), ricercata.

ricercatamẹnte *avv.* **1.** (*con affettazione*) affectedly. – **2.** (*con raffinatezza*) refinedly. – **3.** (*a bella posta*) on purpose, deliberately. – **ricercatẹzza** *f.* affectation, preciosity. □ *senza* ~ (*avv.*) unaffectedly; (*agg.*) unaffected.

ricercạto (*p.p. di ricercare*[1]) **I** *a.* **1.** sought, wanted. – **2.** (*richiesto, apprezzato*) (much-)sought-after, in (great) demand, (much-)prized: *merce -a* merchandise in great demand; *un pittore molto* ~ a much -sought-after artist. – **3.** (*affettato*) affected, artificial, recherché, precious: *essere* ~ *nel parlare* to be affected in one's speech, to talk in a precious way. – **4.** (*raffinato*) refined: *un'eleganza -a* a refined elegance. – **II** *s.m.* (*f.* **-a**) fugitive (from justice), wanted person.

ricercatọre *m.* (*f.* **-trice**) **1.** (*chi ricerca*) seeker, searcher. – **2.** (*chi si dedica a ricerche scientifiche*) researcher. – **3.** ⟨*tecn*⟩ (*apparecchio*) detector, searcher: ~ *di mine* mine-detector.

ricerchiạre *v.t.* (**ricẹrchio, ricẹrchi**) to ring again; (*rif. a botte*) to rehoop, to hoop again; (*rif. a ruote*) to tyre (*o* rim, shoe) again.

ricẹrnere *v.t.* ⟨*lett*⟩ to explain again. – **ricẹrnita** *f.* ⟨*non com*⟩ new choice (*o* selection).

ricetrasmẹttere *v.t.* (**ricetrasmịsi, ricetrasmẹsso**) ⟨*Tel*⟩ to transmit and receive. – **ricetrasmettitọre** *m.* ⟨*Rad,Tel*⟩ transmitter-receiver, two-way radio, transceiver.

ricẹtta *f.* **1.** (*prescrizione medica*) prescription, recipe: ~ *medica* medical prescription. – **2.** ⟨*estens*⟩ (*rimedio*) cure, remedy, recipe (*anche fig.*): *ho una* ~ *infallibile contro la tosse* I have a sure cure for coughs; *una* ~ *contro la noia* a cure for boredom. – **3.** ⟨*Gastr*⟩ recipe.

ricettạcolo *m.* **1.** (*luogo di raccolta*) receptacle, repository, container. – **2.** (*covo*) haven, den, hideout, ⟨*fam*⟩ hangout: ~ *di ladri* den of thieves. – **3.** ⟨*Bot*⟩ receptacle, torus, thalamus. – **4.** ⟨*ant*⟩ (*raccoglitore*) collector. □ ⟨*Bot*⟩ ~ *del capolino* receptacle (of inflorescence); ~ *dei funghi* receptacle; ⟨*Zool*⟩ ~ *seminale* seminal receptacle, spermatheca; ⟨*fig*⟩ ~ *di vizi* den of vice.

ricettamẹnto *m.* ⟨*non com*⟩ → **ricettazione**[1].

ricettạre[1] *v.t.* (**ricẹtto**) **1.** ⟨*Dir*⟩ to receive: ~ *merce di contrabbando* to receive smuggled goods. – **2.** ⟨*ant*⟩ (*accogliere, ospitare*) to receive, to take , (*contenere*) to hold.

ricettạre[2] *v.t.* (**ricẹtto**) ⟨*Med,non com*⟩ **1.** to prescribe: ~ *un rimedio* to prescribe a remedy. – **2.** ⟨*assol*⟩ (*compilare una ricetta*) to write a prescription.

ricettạrio *m.* **1.** ⟨*Med,Farm*⟩ (*libro*) pharmacopoeia, book of prescriptions. – **2.** (*blocchetto per le ricette*) prescription pad. – **3.** (*raccolta di ricette*) book of recipes: ~ *di cosmesi* book of cosmetic recipes. – **4.** ⟨*Gastr*⟩ cook(ery)-book, recipe-book.

ricettatọre *m.* (*f.* **-trice**) **1.** ⟨*Dir*⟩ receiver (of stolen goods), ⟨*fam*⟩ fence. – **2.** ⟨*ant*⟩ (*chi ospita*) host (*f* -tess).

ricettaziọne[1] *f.* **1.** ⟨*Dir*⟩ receiving (of stolen goods), ⟨*fam*⟩ fencing. – **2.** ⟨*ant*⟩ (*ospitalità*) reception.

ricettaziọne[2] *f.* ⟨*non com*⟩ (*compilazione di ricette*) compilation of recipes (*o* prescriptions).

ricettịna *f. dim. di* **ricetta.**

ricettività *f.* **1.** receptivity, receptiveness. – **2.** ⟨*Med*⟩ susceptibility. – **3.** ⟨*Fis*⟩ receptivity. – **ricettịvo** *a.* **1.** receptive. – **2.** ⟨*Med*⟩ susceptible.

ricettịzio: ⟨*Dir*⟩ *dichiarazione -a* declaration of intention (requiring communication).

ricẹtto *m.* **1.** ⟨*lett*⟩ (*ricettacolo*) receptacle, repository. – **2.** ⟨*lett*⟩ (*ricovero, rifugio*) shelter, refuge, haven: *dar* ~ *a qd.* to give shelter to s.o., to harbour s.o. – **3.** ⟨*Stor*⟩ (*borgo*) (walled) village.

ricettọre ⟨*non com*⟩ **I** *a.* (*recettore*) receiving. – **II** *s.m.* **1.** receiver. – **2.** ⟨*Fisiol*⟩ receptor.

ricevẹnte (*p.pr. di ricevere*) **I** *a.* receiving (*anche Rad.*): *stazione* ~ receiving station. – **II** *s.m./f.* receiver.

ricẹvere *v.t.* **1.** to receive, to get: ~ *un regalo* to receive a gift; *non ho ancora ricevuto la tua lettera* I haven't got (*o* had) your letter yet. – **2.** (*accogliere*) to welcome, to receive: *ricevettero l'ospite con grandi onori* they welcomed the guest with full honours; (*accogliere andando incontro*) to meet, to welcome. – **3.** (*ammettere*) to admit: ~ *qd. in un circolo* to admit s.o. into a club; (*ammettere alla propria presenza*) to see, to receive: *il direttore non può* ~ *nessuno adesso* the director cannot see anyone now. – **4.** (*prendere, derivare*) to receive, to take, to get: *la stanza riceve luce da una vetrata* the room takes (*o* gets) its light from a window, the room is lit by a window. – **5.** (*trarre*) to draw, to get: *ho ricevuto un grande conforto dalle tue parole* I have drawn great comfort from your words, your words were a great comfort to me; ~ *una cattiva impressione* to get a bad impression. – **6.** (*accettare, gradire*) to accept: *riceva i miei più sinceri auguri* please accept my sincerest good wishes. – **7.** ⟨*assol*⟩ to be at home, to receive; (*rif. a medici*) to receive patients. – **8.** (*accogliere, contenere*) to hold, to contain, to take: *il salone non può* ~ *più di duecento persone* the hall does not hold more than two hundred people. – **9.** (*subire*) to be given, to get: ~ *un pugno sul naso* to get a punch on the nose. – **10.** (*riscuotere*) to get. – **11.** ⟨*tecn*⟩ (*subire un trattamento*) to undergo. – **12.** ⟨*Tel,Rad*⟩ to receive; (*captare*) to pick up. – **13.** ⟨*Dir*⟩ (*recepire*) to absorb, to assimilate, to include, to take into. – **14.** ⟨*non com*⟩ (*ospitare*) to entertain, to receive. – **15.** ⟨*fig,non com*⟩ (*ammettere approvando*) to accept.

□ ~ *qd. a* **braccia** *aperte* to welcome s.o. with open arms; ~ *in* **cambio** to receive (*o* get) in exchange; ~ *in* **consegna** *qc.* to take delivery of s.th.; ⟨*fig,non com*⟩ ~ *qd. nel* **cuore** (*innamorarsene*) to fall in love with s.o.; ~ *in* **dono** *qc.* = *ricevere in* **regalo** *qc.*; ~ *un'ottima* **educazione** to be well brought up; ~ *qd. con molte* **feste** to make a great fuss over s.o.; ~ *un* **giuramento** to take an oath; ~ *un* **insulto** to be insulted; ~ **istruzioni** to receive (*o* have) instructions, to be briefed; ~ **lodi** to be praised; ~ *un* **ordine** to receive (*o* be given) an order; ~ *in* **pagamento** to receive in payment, to be paid; ~ *in* **pegno** to receive as a pledge; ~ *in* **premio** *qc.* to be awarded s.th., to get s.th. as a prize; ~ *in* **prestito** to borrow, to be lent, to get on loan; ~ *una* **punizione** to be punished, to be given a punishment; ~ *in* **regalo** *qc.* to be given s.th.; ⟨*Rel*⟩ ~ *i* **sacramenti** to receive the sacraments; ~ *per* **testamento** to receive as a legacy, to inherit (under a will); *essere ricevuto in* **udienza** to be granted an audience; ⟨*non com*⟩ ~ **vita** (*essere ravvivato*) to be revived.

ricevịbile *a.* ⟨*non com*⟩ receivable, acceptable.

ricevimẹnto *m.* **1.** receipt, receiving, reception: *il conto sarà regolato al ~ della merce* the account will be settled upon receipt of the goods. – **2.** (*trattenimento*) reception; (*meno formale*) party: *offrire un ~* to hold a reception, to give a party. – **3.** (*accoglienza*) reception, welcome: *gli hanno preparato un solenne ~* they organized a formal welcome for him. □ *~ a corte* court reception; *~ diplomatico* diplomatic reception; *~ ufficiale* official welcome.

ricevitọre I *s.m.* (*f.* **-trice**) **1.** (*chi riceve*) receiver. – **2.** ⟨*Tel*⟩ receiver: *alzare il ~* to lift the receiver. – **3.** ⟨*Rad,TV*⟩ (*apparecchio ricevente*) receiver, receiving set. – **4.** ⟨*Sport*⟩ (*nel baseball*) catcher. – **5.** ⟨*Minier*⟩ (*ingabbiatore*) skipman. – **6.** ⟨*Chim*⟩ receiver. – **II** *a.* **1.** ⟨*non com*⟩ (*che riceve*) receiving, recipient; (*che accoglie*) welcoming. – **2.** ⟨*Rad,Tel*⟩ receiving: *apparecchio ~* receiving set, receiver.

□ ⟨*El*⟩ *~* **acustico** sounder; *~ a* **batteria** battery-driven receiver; *~* **comunale** rates collector; *~ per tutte le* **correnti** all-mains (*o* universal) receiver; *~ a* **cristallo** = *ricevitore a* **galena**; *~ d'***eco** echo receiver; *~ a* **eterodina** heterodyne receiver; *~ a* **galena** galena (*o* crystal) receiver; ⟨*Tel*⟩ **impianto** *~* receiving equipment; *~ delle* **imposte** tax-receiving agency; *~ del* **lotto** receiver for the State lotto; *~ a* **modulazione** *d'ampiezza* amplitude modulation receiver; *~ a modulazione di frequenza* frequency modulation receiver; ⟨*Tel*⟩ *~* **Morse** Morse receiver; *~* **multionda** multiwave receiver; *~ a* **onde** *corte* short-wave receiver; *~* **panoramico** panoramic receiver; *~* **portatile** portable receiver; *~* **radar** radar receiver; *~* **radio** radio receiver; *~ del* **registro** registrar; ⟨*Tel*⟩ **riattaccare** *il ~* to hang up; ⟨*Tel*⟩ **staccare** *il ~* to take the receiver off the hook; *~* **telefonico** (*o del telefono*) telephone receiver; *~* **telegrafico** telegraph receiver; *~* **televisivo** television receiver; *~ a* **transistor** transistor set; *~ a* **valvole** valve receiver.

ricevitorịa *f.* (receiving) office: *~ del totocalcio* football pools office. □ *~ delle imposte* tax office; *~ del lotto* lotto office; *~ postale* sub-post office; *~ del registro* Registry Office.

ricevụta *f.* **1.** receipt: *rilasciare una ~* to give (*o* issue) a receipt. – **2.** (*quietanza*) receipt, quittance. – **3.** ⟨*non com*⟩ (*il ricevere*) receipt, reception.

□ ⟨*Comm*⟩ **accusare** *~* to acknowledge receipt; ⟨*Mar*⟩ *~ di* **bordo** mate's receipt; ⟨*ant*⟩ *far* **buona** *~ a qd.* (*fargli buona accoglienza*) to welcome s.o., to give s.o. a good reception; *~ di* **cassa** cashier's receipt; *~ di* **deposito** deposit receipt; *~* **fiduciaria** trust receipt; ⟨*Comm*⟩ *~ a* **madre** *e figlia* counterfoil receipt; **pagare** *contro ~* to require a receipt for payment; ⟨*Post*⟩ *~ di* **ritorno** return receipt; *~ di* **spedizione**: 1. ⟨*Ferr*⟩ consignment note, forwarding receipt; 2. ⟨*Post*⟩ certificate of posting; ⟨*Post*⟩ *~ di spedizione raccomandata* registered mail receipt.

ricezịone *f.* **1.** receipt, reception: *~ di una merce* receipt of goods. – **2.** ⟨*Rad,Tel*⟩ reception. – **3.** ⟨*Dir*⟩ reception (of Roman Law). – **4.** ⟨*ant*⟩ (*accoglienza*) reception, welcome.

□ *~* **acustica** sound reception; ⟨*TV*⟩ *~* **audio** audio reception; ⟨*Rad*⟩ *~* **direttiva** beam reception; *~ della* **radiodiffusione** broadcast reception; ⟨*TV*⟩ *~* **ritrasmessa** ball reception; *~* **televisiva** television reception; ⟨*TV*⟩ *~* **video** video reception.

richẹrere *v.* ⟨*ant*⟩ → **richiedere.**

richẹtta *f.* → **riccola.**

richiamạbile *a.* ⟨*non com*⟩ recallable, liable to recall.

richiamạre *v.t.* **1.** (*chiamare di nuovo*) to call again; (*al telefono*) to call back: *ti richiamerò tra un'ora* I'll call you back in an hour. – **2.** (*chiamare indietro*) to call back: *stavo per uscire, ma mi hanno richiamato* I was just leaving but they called me back. – **3.** (*far tornare*) to recall: *~ un ambasciatore* to recall an ambassador. – **4.** ⟨*Mil*⟩ (*richiamare sotto le armi*) to recall, ⟨*am*⟩ to redraft. – **5.** ⟨*Mil*⟩ (*ritirare: rif. a truppe e sim.*) to withdraw. – **6.** ⟨*fig*⟩ (*far rivivere*) to revive, to bring back, to give new life to: *~ in vita un'usanza* to revive a custom. – **7.** (*attirare*) to attract, to draw: *i prezzi bassi richiamano i clienti* the low prices attract (*o* bring in) customers; *è un film che richiama molto pubblico* it's a film that draws big audiences. – **8.** ⟨*fig*⟩ (*rimproverare*) to rebuke, to reprimand: *~ qd. con parole brusche* to reprimand s.o. brusquely. – **9.** ⟨*fig*⟩ (*citare, riportare*) to refer to, to quote: *vorrei ~ un verso di Dante* I would like to quote a line from Dante. – **10.** ⟨*fig*⟩ (*far ricordare*) to remind of, to bring to mind: *le tue parole mi richiamano quello che diceva mio padre* your words remind me of what my father used to say. – **11.** ⟨*Post*⟩ (*far rispedire al mittente*) to return (to sender). – **12.** ⟨*Aer*⟩ to flatten out, to level off; (*dopo picchiata o vite*) to pull out. – **13.** ⟨*tosc*⟩ (*citare in giudizio*) to sue, to prosecute. – **richiamarsi** *v.r.* **1.** (*riferirsi*) to refer: *mi richiamo alle vigenti disposizioni di legge* I refer to the provisions of the law in force. – **2.** (*fare appello*) to appeal. – **3.** ⟨*lett*⟩ (*lamentarsi*) to complain. – **4.** ⟨*ant*⟩ (*citare in giudizio*) to sue, to go to court.

□ *~ l'***attenzione** *di qd. su qc.* to draw s.o.'s attention to s.th., to point s.th. out to s.o.; *~ una* **barca** (*avvicinarla alla riva*) to pull in a boat to the bank; *~ una* **cambiale** to withdraw a bill; *~ qd. al* **dovere** to remind s.o. of his duty; *~ qc. alla* **mente** to recall (*o* remember) s.th., to call s.th. to mind; *~ da* **morte** *a vita* to restore (*o* bring back) to life; *~ all'***ordine** to call to order; *~ qd. alla* **realtà** to bring s.o. back to reality; *~ in* **vita** *qd.* to bring s.o. back to life.

richiamạta *f.* **1.** ⟨*Aer*⟩ flattening out, levelling off; (*dopo picchiata o vite*) pull-out. – **2.** ⟨*rar*⟩ (*il richiamare*) recall(ing), calling back. –

richiamạto (*p.p. di richiamare*) **I** *a.* ⟨*Mil*⟩ recalled, ⟨*am*⟩ redrafted. – **II** *s.m.* recalled serviceman, ⟨*am*⟩ redraftee.

richiạmo *m.* **1.** call, cry: *nessuno ascoltava i suoi -i* nobody listened to his cries. – **2.** (*ordine di far ritorno*) recall, calling back: *il ~ di un ambasciatore* the recall of an ambassador; *~ in servizio* recall to duty. – **3.** ⟨*Mil*⟩ (*ritiro*) withdrawal: *il ~ delle truppe* the withdrawal of the troops. – **4.** ⟨*fig*⟩ (*rimprovero*) reprimand, rebuke, reproach. – **5.** (*attrazione, allettamento*) appeal, attraction, fascination: *un grande ~ turistico* a great tourist attraction. – **6.** (*segno di rinvio*) (cross-)reference mark, reference (to note); (*asterisco*) asterisk. – **7.** ⟨*Mil*⟩ recall, ⟨*am*⟩ redrafting: *~ alle armi* recall to arms. – **8.** ⟨*Venat*⟩ (*mezzo per attirare*) decoy: *servire* (*o fare*) *da ~* to act as a decoy. – **9.** ⟨*ant*⟩ (*lamentela*) complaint.

□ ⟨*Venat*⟩ *-i* **artificiali** artificial decoys; ⟨*Econ*⟩ *~ di* **decimi** call for subscribed capital; ⟨*ant*⟩ **fare** *~ a qd.* to appeal to s.o. (for justice); ⟨*non com*⟩ *fare ~ a qc.* to make reference to s.th.; ⟨*fig*⟩ *il ~ della* **foresta** the call of the wild; ⟨*fig*⟩ *il ~ della* **natura** the call of nature; *~ all'***ordine** call to order; *~ alla* **realtà** bringing back to reality; ⟨*Venat*⟩ *-i* **vivi** live decoys.

richiedẹnte *m./f.* ⟨*burocr*⟩ applicant, petitioner.

richiẹdere *v.t.* (**richiẹsi, richiẹsto**) **1.** (*chiedere di nuovo*) to ask (for) again: *devo richiederti il solito favore* I must ask you for the usual favour again. – **2.** (*esigere*) to demand, to request, to ask for: *ha richiesto al fratello la sua parte di eredità* he asked his brother for his share of the inheritance. – **3.** (*chiedere indietro*) to ask for back, to ask for the return of: *gli ho richiesto le lettere* I asked him for the letters back, I asked him to give me back the letters. – **4.** (*chiedere: per sapere*) to ask: *mi hanno richiesto nome e cognome* they asked me my name and surname; (*per avere*) to ask (for), to seek: *~ conforto a qd.* to seek comfort from s.o. – **5.** (*aver bisogno*) to need, to require: *le ortensie richiedono molta acqua* hydrangeas need a lot of water; (*necessitare*) to require, to call for, to necessitate: *un lavoro che richiede continuo esercizio* a job that requires constant practice; *le circostanze richiedono prudenza* the circumstances call for caution. – **6.** (*ricercare*) to look (*o* ask) for, to be after: *molti clienti richiedono questa merce* many customers ask for these goods, there is great demand for these goods. – **7.** ⟨*burocr*⟩ (*fare una richiesta*) to apply for, to request: *~ un certificato* to apply for a certificate. – **8.** ⟨*lett*⟩ (*pregare*) to ask, to request. – **9.** ⟨*ant*⟩ (*citare in giudizio*) to sue, to prosecute. □ *~ il consiglio di qd.* to ask for s.o.'s advice; ⟨*lett*⟩ *~ qd. di qc.* to ask s.o. for s.th.; *~ qd. in sposa* to ask for s.o.'s hand (in marriage), to propose to s.o.

richieditọre *m.* (*f.* **-trice**) ⟨*non com*⟩ → **richiedente.**

richiẹrere *v.* ⟨*ant*⟩ → **richiedere.**

richiẹsta *f.* **1.** (*domanda, preghiera*) request: *~ di asilo* request for asylum. – **2.** (*esigenza, pretesa*) demand: *le sue -e mi sembrano sproporzionate* his demands seem excessive to me. – **3.** (*domanda di matrimonio*) proposal. – **4.** ⟨*burocr*⟩ (*istanza*) application, request: *presentare una ~* to make (*o* put in) an application. – **5.** ⟨*Econ*⟩ (*domanda*) demand: *c'è una grande ~ di automobili* there is a great demand for cars, cars are in big demand.

□ **a** *~*: 1. by (*o* on) request: *canzoni a ~* songs by request; 2. (*secondo il bisogno*) request-, as required, optional, on request: *fermata a ~* request stop; *a ~ generale* by public demand; *a ~ di qd.* at (*o* on) s.o.'s request: *è stato trasferito a sua ~* he was transferred at his own request; **dietro** *~* (*in seguito a istanza*) on application; *~ di* **lavoro** application for employment; ⟨*Giorn*⟩ *-e di lavoro* Position Wanted; ⟨*Dir*⟩ *~ di* **procedimento** demand for prosecution; *-e* **salariali** salary demands, wage claims.

richiẹsto (*p.p. di richiedere*) *a.* **1.** (*apprezzato, ricercato*) in demand, much sought-after, popular: *questa merce è molto -a* these goods are very much in demand. – **2.** (*necessario*) necessary, required: *è -a la presenza dell'interessato* the presence of the person concerned is necessary, the person concerned must be present.

richinạre *v.t.* ⟨*non com*⟩ **1.** (*chinare di nuovo*) to bend (*o* bow) down again. – **2.** (*far chinare*) to bend down. – **richinarsi** *v.r.* to stoop (down) again, to bend down again. – **richịno** *a.* ⟨*lett*⟩ **1.** (*chinato*) bent, bowed. – **2.** (*incurvato*) curved, bowed.

richiụdere *v.t.* (**richiụsi, richiụso**) **1.** (*chiudere di nuovo*) to close (*o* shut) again, to reclose: *aprì gli occhi e subito li richiuse* he opened his eyes and closed them again immediately. – **2.** (*chiudere bene*) to close, to shut; (*spingendo*) to push to, to shut, to close: *~ il cancello* to shut the gate, to push the gate to. – **3.** ⟨*lett*⟩ (*racchiudere*) to contain, to hold, to include. – **richiudersi** *v.r.* **1.** to close, to shut; (*di nuovo*) to close (*o* shut) again. – **2.** (*rimarginarsi*) to heal (up).

richiudimẹnto *m.* ⟨*rar*⟩ (*il richiudere*) closing, shutting. – **richiusụra** *f.* ⟨*non com*⟩ closing, shutting; (*rimarginamento*) healing up.

riciclạre *v.t.* ⟨*Ind*⟩ to recycle. – **ricịclo** *m.* recycling.

ricịdere *v.t.* (**ricịsi, ricịso**) ⟨*ant*⟩ (*recidere*) to cut (off). – **ricidimẹnto** *m.* ⟨*ant*⟩ (*recidimento*) cutting off.

ricimatụra *f.* ⟨*Bot*⟩ polling.

ricịna *f.* ⟨*Biol*⟩ ricin.

ricịngere *v.t.* (**ricịngo, ricịngi; ricịnsi, ricịnto**) **1.** to enclose (*o* surround) again, to fence in again. – **2.** (*rif. a cinture e sim.*) to buckle (*o* gird) on again. – **3.** ⟨*lett*⟩ → **recingere.**

rịcino *m.* ⟨*Bot*⟩ castor-oil plant (*Ricinus communis*). □ ⟨*Farm*⟩ *olio di ~* castor-oil, ricinus-oil; *seme di ~* castor(-oil) bean.

ricịnto *m.* ⟨*lett*⟩ → **recinto.**

ricircondạre *v.t.* (**ricircọndo**) to surround (*o* encircle) again.

rickẹttsia *f.* ⟨*Biol*⟩ Rickettsia, rickettsia body. – **rickettsiọsi** *f.* ⟨*Med*⟩ rickettsiosis.
riclassificạre *v.t.* (**riclassịfico, riclassịfichi**) to reclassify.
ricọcere *v.* ⟨*pop*⟩ → **ricuocere.** – **ricocitụra** *f.* ⟨*non com*⟩ → **ricottura.**
ricọgliere *v.t.* (**ricọlgo, ricọgli; ricọlsi, ricọlto;** → **cogliere**) ⟨*non com*⟩ **1.** (*cogliere, sorprendere nuovamente*) to catch again. – **2.** ⟨*ant*⟩ (*raccogliere*) to gather. – **3.** ⟨*ant*⟩ (*prendere, tirare su*) to pick (*o* take) up. – **4.** ⟨*ant*⟩ (*accogliere*) to welcome, to receive. – **5.** ⟨*fig,ant*⟩ (*intendere*) to understand. – **6.** ⟨*ant*⟩ (*riscuotere*) to get back. – **ricogliersi** *v.r.* ⟨*ant*⟩ **1.** (*ritirarsi*) to retire, to withdraw; (*rifugiarsi*) to take shelter (*o* refuge). – **2.** (*riunirsi*) to come together.
ricoglimẹnto *m.* ⟨*ant*⟩ (*raccoglimento*) concentration, absorption. – **ricoglitọre** *m.* (*f.* **-trice**) ⟨*ant*⟩ **1.** (*raccoglitore*) gatherer, collector. – **2.** (*esattore*) collector. – **ricoglitrịce** *f.* ⟨*ant*⟩ (*levatrice*) midwife. – **ricoglitụra** *f.* ⟨*ant*⟩ (*raccolta*) harvest.
ricognitịvo *a.* ⟨*Dir*⟩ of acknowledgement, of recognition, confirmatory, recognitive: *atto* ~ deed of acknowledgement.
ricognitọre *m.* **1.** reconnoit(e)rer. – **2.** ⟨*Aer.mil*⟩ reconnaissance aircraft, spotter (plane): ~ *a lungo raggio* long-distance reconnaissance aircraft. – **3.** ⟨*Mar.mil*⟩ scout (ship).
ricognizịone *f.* **1.** ⟨*Mil*⟩ reconnaissance: *partire in* ~ to go on a reconnaissance, to reconnoitre. – **2.** ⟨*Dir*⟩ (*riconoscimento*) recognition, acknowledgement; (*identificazione*) identification. – **3.** ⟨*ant*⟩ (*riconoscimento*) recognition.
□ ~ **aerea** air reconnaissance; ⟨*Dir*⟩ **atto** *di* ~ deed of acknowledgement; ~ **fotografica** photo reconnaissance; ~ **marittima** (o *navale*) naval reconnaissance; ⟨*Dir*⟩ ~ *della* **salma** identification of the body; ~ **strategica** strategic reconnaissance; ~ **tattica** tactical reconnaissance; ~ **terrestre** land reconnaissance.
ricollegạre *v.t.* (**ricollẹgo, ricollẹghi**) **1.** (*collegare di nuovo*) to reconnect, to link (*o* join) up again. – **2.** ⟨*fig*⟩ (*mettere in relazione*) to connect, to associate, to link up: ~ *due fatti fra loro* to link up two facts. – **ricollegarsi** *v.r.* **1.** (*fare riferimento*) to refer (*a* to): *ricollegandomi al nostro colloquio del mese scorso* referring to our talk of last month. – **2.** (*collegarsi idealmente*: *rif. a fatti e sim.*) to be connected (*o* associated), to be linked together, to join up (with): *questo delitto si ricollega al precedente* this crime is connected with the previous one; *qui l'autore si ricollega al filone romantico* here the author joins up with the romantic tradition.
ricollocamẹnto *m.* ⟨*non com*⟩ replacement. – **ricollocạre** *v.t.* (**ricọlloco, ricọllochi**) **1.** (*collocare di nuovo*) to place again. – **2.** (*rimettere a posto*) to put back, to replace: ~ *un libro nello scaffale* to put a book back on the shelf.
ricolmạre *v.t.* (**ricọlmo**) **1.** (*colmare di nuovo*) to refill. – **2.** (*colmare fino all'orlo*) to fill up, to fill to the brim. – **3.** ⟨*fig*⟩ to overwhelm, to load, to shower (*di* with): ~ *qd. di complimenti* to shower s.o. with compliments. – **4.** ⟨*non com*⟩ (*rialzare, soprelevare*) to pile (*o* heap) up. – **ricolmatụra** *f.* ⟨*non com*⟩ filling up; (*rif. a terreni*) piling up. – **ricọlmo** *a.* **1.** full (*di* of), full up, piled high (with): ~ *d'acqua* full of water; (*fino all'orlo*) full (*o* filled) to the brim (with), brimful (of). – **2.** ⟨*fig*⟩ (*pieno*) brimming over, overflowing (with), full (of): *avere il cuore* ~ *di gioia* to be overflowing with happiness.
ricolorạre *v.t.* (**ricolọro**) to colour again; (*pitturare di nuovo*) to repaint, to paint again. – **ricolorarsi** *v.r.* to (take on a) colour again, to take on more colour. – **ricolorịre** *v.t.* (**ricolorịsco, ricolorịsci**) to colour again. – **ricolorirsi** *v.r.* to (take on a) colour again.
ricọlta *f.* ⟨*ant*⟩ **1.** (*raccolta*) harvest(ing). – **2.** (*malleveria*) bail; (*pegno*) pledge. – **ricọlto** *m.* ⟨*ant*⟩ (*raccolto*) harvest, crop.
ricombinạre *v.t.* to recombine, to put together again.
ricominciamẹnto *m.* recommencement, recommencing.
ricominciạre *v.* (**ricomịncio, ricomịnci**) **I** *v.t.* **1.** to begin (*o* start) again: ~ *il lavoro* to start work again. – **2.** ⟨*ant*⟩ (*rinnovare*) to renew. – **II** *v.i.* (*aus.* **avere/essere**) **1.** to begin (*o* start) again, to recommence: *ricomincia a piovere* it's started raining again. – **2.** (*presentarsi di nuovo*) to start again, to come (*o* be) back again: *il freddo ricomincia* the cold is back again. – **3.** (*riprendere a parlare*) to begin (talking) again, to resume what one was saying. □ ~ *daccapo* to begin all over again, to go back to the beginning, ⟨*fam*⟩ to start from scratch again; ⟨*pop*⟩ *si ricomincia* (*siamo alle solite*) here we go again.
ricommẹttere *v.t.* (**ricommịsi, ricommẹsso**) **1.** (*unire insieme parti disgiunte*) to put together again, to rejoin. – **2.** ⟨*non com*⟩ (*commettere di nuovo*) to commit (*o* do) again. – **ricommettitụra** *f.* **1.** putting together again, joining (up). – **2.** (*punto d'unione*) join.
ricompaginạre *v.t.* (**ricompạgino**) **1.** to rearrange, to put in order (again), to sort out. – **2.** ⟨*Tip*⟩ to make up (into pages) again.
ricomparịre *v.i.* (**ricomparịsco/ricompạio, ricomparịsci/ricompạri; ricompạrvi/ricomparịi/***non com.* **ricompạrsi, ricompạrso/***rar.* **ricomparịto**; *aus.* **essere**) **1.** to reappear, to come back. – **2.** (*rif. al sole, alla luna*) to come out again. – **ricompạrsa** *f.* reappearance, reappearing.
ricompẹnsa *f.* **1.** recompense; (*premio*) reward, recompense. – **2.** ⟨*non com*⟩ (*risarcimento*) compensation, recompense. □ ⟨*iron*⟩ *bella* ~ *per i miei sacrifici!* that's ⌜a fine reward⌝ (*o* all I get) for my pains!; *in* (o *per*) ~ as a reward, in return: *per* ~ *ti porterò al cinema* as a reward I shall take you to the cinema; *per tutta* ~ *mi ha chiuso la porta in faccia* all the thanks I got was a door slammed in my face; ~ *al valore* award for bravery.
ricompensạbile *a.* rewardable, deserving of reward.
ricompensạre *v.t.* (**ricompẹnso**) **1.** (*premiare*) to reward, to recompense. – **2.** (*contraccambiare*) to repay, to pay back, to recompense, to requite. – **3.** (*pagare*) to pay: ~ *qd. per un lavoro* to pay s.o. for a job; ~ *un lavoro* to pay for a job. □ ~ *a usura* to pay with interest, to recompense abundantly, to reward richly. – **ricompensatọre** *m.* (*f.* **-trice**) rewarder, recompenser. – **ricompensazịone** *f.*, **ricompẹnso** *m.* ⟨*ant*⟩ → **ricompensa.**
ricọmpera *f.* → **ricompra.** – **ricomperạbile** *a.* → **ricomprabile.** – **ricomperạre** *v.* → **ricomprare.**
ricọmpiere *v.t.* (**ricọmpio, ricọmpi; ricompịi/ricompiẹi, ricompiụto**) **1.** to perform (*o* accomplish) again. – **2.** ⟨*ant*⟩ (*ricompensare*) to compensate for.
ricompilạre *v.t.* to compile (*o* draw up) again, to recompile. – **ricompilazịone** *f.* recompilation, recompiling.
ricompịre *v.* ⟨*rar*⟩ → **ricompiere.**
ricomponimẹnto *m.* ⟨*non com*⟩ → **ricomposizione.**
ricompọrre *v.t.* (**ricompọngo, ricompọni; ricompọsi, ricompọsto;** → **porre**) **1.** to put together again, to reassemble: ~ *i pezzi di un congegno* to reassemble the parts of a mechanism. – **2.** (*ricostruire*) to reconstruct. – **3.** (*riorganizzare*) to reorganize. – **4.** (*rielaborare*) to rewrite, to write (*o* compose) again: ~ *l'articolo* to rewrite the article. – **5.** (*riordinare*) to put in order, to straighten out, to rearrange: ~ *una situazione caotica* to straighten out a confused situation. – **6.** ⟨*Tip*⟩ to reset. – **ricomporsi** *v.r.* to recompose o.s., to regain one's composure. □ ~ *il viso* to recompose one's features.
ricomposizịone *f.* **1.** putting together again, reassembly. – **2.** (*ricostruzione*) reconstruction. – **3.** (*rielaborazione*) rewriting, recomposing. – **4.** ⟨*Tip*⟩ reset(ting). – **5.** ⟨*Ling*⟩ recomposition. □ ~ *fondiaria* small farm holdings *pl*; ⟨*Pol*⟩ ~ *del ministero* Cabinet reshuffle.
ricọmpra *f.* ⟨*ant*⟩ **1.** repurchase, buying back. – **2.** (*riscatto*) ransom. – **3.** ⟨*ant*⟩ (*redenzione*) redemption. – **ricomprạbile** *a.* repurchas(e)able. – **ricompramẹnto** *m.* ⟨*rar*⟩ repurchase, buying back.
ricomprạre *v.t.* (**ricọmpro**) **1.** (*comprare di nuovo*: *la stessa cosa*) to buy back, to repurchase: ~ *la vecchia casa* to buy one's old house back; (*una cosa simile*) to buy again, to buy another (*o* more): *ho ricomprato i piatti che mi avevi rotto* I've bought some more of those plates you broke. – **2.** (*acquistare*) to buy (off): *cerco qd. che ricompri la macchina* I am looking for s.o. to buy my car. – **3.** ⟨*fig, non com*⟩ (*ricuperare*) to recover, to regain. – **4.** ⟨*ant*⟩ (*riscattare*) to ransom. – **5.** ⟨*ant*⟩ (*redimere*) to redeem.
ricompratọre *m.* (*f.* **-trice**) **1.** repurchaser. – **2.** ⟨*ant*⟩ (*chi riscatta*) ransomer. – **3.** ⟨*ant*⟩ (*redentore*) redeemer.
ricomprịmere *v.t.* (**ricomprẹssi, ricomprẹsso**) to compress (*o* constrict) again.
ricomụnica *f.* ⟨*ant*⟩ (*assoluzione dalla scomunica*) absolution from excommunication, reconciliation.
ricomunicạre *v.t.* (**ricomụnico, ricomụnichi**) **1.** (*comunicare di nuovo*) to inform (*o* notify) of again, to tell (of) again, to announce again: ~ *qc. a qd.* to inform s.o. of s.th. again, to tell s.o. (of) s.th. again, to announce s.th. to s.o. again. – **2.** ⟨*Rel*⟩ (*amministrare di nuovo la comunione*) to administer Communion to again. – **3.** ⟨*ant*⟩ (*assolvere dalla scomunica*) to absolve from excommunication, to reconcile, to readmit to the sacraments. – **ricomunicarsi** *v.r.* ⟨*Rel*⟩ (*ricevere di nuovo la comunione*) to go to Communion again.
riconcẹdere *v.t.* (**riconcẹssi/riconcedẹi/riconcedẹtti; riconcẹsso/***non com.* **riconcedụto**) to grant (*o* allow) again.
riconcentramẹnto *m.* **1.** (*il riconcentrare*) reconcentration, reconcentrating (*anche fig.*). – **2.** (*il riconcentrarsi*) concentrating again.
riconcentrạre *v.t.* (**riconcẹntro**) **1.** to reconcentrate, to concentrate again (*anche fig.*): ~ *la mente* to concentrate again. – **2.** (*concentrare*) to concentrate: ~ *le truppe presso il confine* to concentrate troops at the border. – **riconcentrarsi** *v.r.* to concentrate (again): *riconcentrarsi nello studio dopo una breve pausa* to concentrate on one's studies again after a short pause. – **riconcentrazịone** *f.* → **riconcentramento.**
riconcepịre *v.t.* (**riconcepịsco, riconcepịsci**) to conceive again.
riconciạre *v.t.* (**ricọncio, ricọnci**) **1.** (*conciare di nuovo*) to tan (*o* dress) again. – **2.** ⟨*fig*⟩ to ill-treat again. – **3.** ⟨*ant*⟩ (*cucinare*) to cook. – **4.** ⟨*ant*⟩ (*restaurare*) to restore. – **5.** ⟨*ant*⟩ (*racconciare*) to repair.
riconciliạbile *a.* reconcilable. – **riconciliamẹnto** *m.* ⟨*non com*⟩ → **riconciliazione.**
riconciliạre *v.t.* (**riconcịlio, riconcịli**) **1.** to reconcile, to make peace between, to conciliate (again): ~ *due persone* to reconcile two people. – **2.** (*far riacquistare*) to regain, to win back (*o* again): *la sua generosità gli ha riconciliato la benevolenza di tutti* his generosity won him back everybody's goodwill. – **3.** ⟨*Lit*⟩ (*restituire al culto*) to reconcile, to reconsecrate: ~ *un cimitero* to reconcile a cemetery. – **riconciliarsi** *v.r.* **1.** to be reconciled, to make peace, to make friends again, ⟨*fam*⟩ to make it up again: *il giovane si è riconciliato con i suoi genitori* the young man has made it up with his parents (again). – **2.** ⟨*Rel*⟩ (*confessarsi dei peccati veniali*) to confess venial sins. □ ⟨*Lit*⟩ ~ *un chierico sospeso* to reinstate a suspended cleric; ~ *con Dio* (*assolvere dal peccato*) to give absolution to; *riconciliarsi con Dio*: 1. (*riaccostarsi ai sacramenti*) to return to the sacraments; 2. (*tornare in stato di grazia*) to make one's peace with God.
riconciliatọre *m.* (*f.* **-trice**) reconciler, peacemaker. – **riconciliatọrio** *a.* ⟨*non com*⟩ (*che tende a conciliare*) reconciliatory, of reconciliation. – **riconciliazịone** *f.* **1.** reconciliation. – **2.** ⟨*Lit*⟩ (*restituzione*

al culto) reconciliation. □ ⟨*Lit*⟩ ~ *di un chierico sospeso* reinstatement of a suspended cleric; *fare opera di* ~ to attempt to reconciliate.
ricǫncio *a.* ⟨*ant*⟩ (*preparato*: *rif. a cibi*) prepared.
ricondannạre *v.t.* to condemn again.
ricondensạre *v.t.* (**ricondẹnso**) **1.** (*condensare di nuovo*) to recondense. – **2.** (*condensare*) to condense, to thicken. – **ricondensarsi** *v.r.* **1.** to condense again. – **2.** (*condensarsi*) to condense, to thicken.
ricondǫtta *f.* **1.** ⟨*rar*⟩ (*il ricondurre*) bringing (*o* taking) again. – **2.** ⟨*ant*⟩ (*riconferma, riassunzione*) (re)confirmation, reappointment. – **3.** ⟨*ant*⟩ (*riconferma nel servizio militare*) recall to the colours.
ricondụrre *v.t.* (**riconducо, riconduci; ricondussi, ricondǫtto**; → **condurre**) **1.** to lead again, to take again: *ti ricondurrò al cinema domenica* I'll take you to the cinema again on Sunday; (*verso chi parla*) to bring again. – **2.** (*riportare al luogo di partenza*) to bring (*o* take) back (*anche fig.*): *l'evaso fu ricondotto in galera* the escapee was taken back to prison; ~ *il bestiame alla stalla* to bring the livestock back to the cowshed. – **3.** (*ristabilire*) to restore, to re-establish: ~ *l'ordine* to restore order. – **4.** ⟨*ant*⟩ (*riconfermare in un incarico*) to reconfirm (in an appointment). – **ricondursi** *v.r.* ⟨*ant*⟩ **1.** (*tornare*) to return, to go back. – **2.** (*recarsi di nuovo*) to go again. □ ⟨*fig*⟩ ~ *la pecorella smarrita all'ovile* to bring the lost sheep back to the fold.
riconduziǫne *f.* ⟨*Dir*⟩ reconduction, relocation, renewal (of a lease).
riconfẹrma *f.* **1.** (re)confirmation: ~ *di un incarico* reconfirmation of an appointment. – **2.** (*assicurazione*) confirmation: *a* ~ *di quanto ho detto* in confirmation of what I have said. – **riconfermạbile** *a.* (re)confirmable.
riconfermạre *v.t.* (**riconfẹrmo**) **1.** to (re)confirm: ~ *qd. in un incarico* to confirm s.o. in a position. – **2.** (*assicurare della veridicità*) to confirm, to provide confirmation of: ~ *una notizia* to confirm a piece of news. – **3.** (*riaffermare*) to reaffirm. – **riconfermarsi** *v.r.* ⟨*epist*⟩ to remain: *mi riconfermo suo devotissimo Mario Rossi* I remain, Yours sincerely, Mario Rossi.
riconfermaziǫne *f.* ⟨*ant*⟩ → **riconferma**.
riconficcạre *v.t.* (**riconfịcco, riconfịcchi**) to drive in again.
riconfinaziǫne *f.* ⟨*Topogr*⟩ boundary survey.
riconfortạre *v.t.* (**riconfǫrto**) **1.** (*confortare di nuovo*) to comfort again, to put fresh heart into. – **2.** (*confortare*) to comfort, to console, to cheer (up).
riconfrontạre *v.t.* (**riconfrọnto**) to compare again, to recompare.
ricongedạre *v.t.* (**ricongẹdo**) to dismiss (*o* send away) again.
ricongiụngere *v.t.* (**ricongiụngo, ricongiụngi; ricongiụnsi, ricongiụnto**) (*congiungere di nuovo*: *rif. a cose*) to join (*o* put) together again, to rejoin, to reunite; (*rif. a persone*) to (re)join. – **ricongiungersi** *v.r.* to meet (up) again, to come together again; (*riunirsi*) to be reunited (*a* to), to (re)join (s.o.). – **ricongiungimẹnto** *m.* **1.** (*il ricongiungere*) rejoining, reuniting. – **2.** (*il ricongiungersi*) meeting (up), reunion. – **ricongiunziǫne** *f.* rejoining, joining (*o* putting) together again.
riconnẹttere (*o riconnẹttere*) *v.t.* (**riconnettẹi**/*non com.* **riconnẹssi/riconnẹssi, riconnẹsso/riconnẹsso**) **1.** to reconnect, to connect (*o* link) again. – **2.** (*connettere, collegare*) to connect, to link up. – **riconnettersi** *v.r.* to be connected.
riconoscẹnte (*p.pr. di riconoscere*) *a.* **1.** grateful, thankful: *ti sono* ~ *del* (*o per il*) *tuo aiuto* I am very grateful (to you) for your help. – **2.** ⟨*ant*⟩ (*che riconosce*) aware, conscious. – **riconoscẹnza** *f.* **1.** gratitude, gratefulness, thankfulness: *debito di* ~ debt of gratitude. – **2.** ⟨*ant*⟩ (*riconoscimento, consapevolezza*) awareness. □ *serbare eterna* ~ *a qd. per qc.* to be everlastingly grateful to s.o. for s.th.; *con profonda* ~ with heartfelt thanks (*o* gratitude).
riconọscere *v.* (**riconọsco, riconọsci; riconọbbi, riconosciụto**) **I** *v.t.* **1.** (*ravvisare cosa o persona nota*) to recognize, to know: *sei tanto dimagrito che non ti riconosco più* you have become so thin that I don't recognize (*o* know) you anymore; ~ *qd. al* (*o dal*) *passo* to recognize s.o. by his walk; (*identificare*) to identify: ~ *un'automobile rubata* to identify a stolen car. – **2.** (*conoscere, distinguere*) to tell, to know, to see, to recognize, to distinguish: *si riconosce subito in lui il vero galantuomo* you can see immediately that he is a true gentleman; *si assomigliano a tal punto che non li riconosco mai* they are so alike that I can never ⌜tell one from the other⌝ (*o* make them out). – **3.** (*ammettere*) to admit (to), to acknowledge, to own (up to): ~ *il proprio errore* to admit one's mistake. – **4.** (*considerare legittimo, accettare*) to acknowledge, to recognize: *i soldati lo riconobbero come loro imperatore* the soldiers acknowledged him as their emperor; ~ *un figlio* to acknowledge a child. – **5.** (*apprezzare*) to appreciate: ~ *il merito* to appreciate worth. – **6.** ⟨*Mil*⟩ (*ispezionare, perlustrare*) to reconnoitre: ~ *le posizioni nemiche* to reconnoitre the enemy position. – **7.** ⟨*Comm*⟩ (*accreditare*) to credit. – **8.** ⟨*ant*⟩ (*essere riconoscente*) to be grateful for: ~ *un favore* to be grateful for a favour; (*ricompensare*) to reward. – **9.** ⟨*ant*⟩ (*esaminare attentamente*) to examine carefully. – **II** *v.i.* (*aus.* **avere**) **1.** (*rif. a moribondi*) to recognize people. – **2.** (*ammettere*) to admit, to acknowledge: *riconosco di aver sbagliato* I admit I made a mistake. – **riconoscersi** *v.r.* ⟨*non com*⟩ **1.** (*avere coscienza*) to be aware of one's virtues and defects. – **2.** ⟨*recipr*⟩ to recognize e.o.

□ *riconoscersi* **colpevole** to admit one's guilt; ⟨*Comm*⟩ ~ *in* **conto** (*accreditare*) to credit; **farsi** ~ to identify o.s., to make o.s. known: *non ha documenti per farsi* ~ he has no credentials to identify himself, he does not have any identification; ~ *un* **figlio** *naturale* to acknowledge an illegitimate child; ⟨*Dipl*⟩ ~ *un nuovo* **governo** to recognize a new government; ⟨*iperb*⟩ ~ *qd. fra* **mille** to recognize s.o. anywhere (*o* in a crowd); ~ *qc. per* **propria** to acknowledge s.th. as one's own.
riconoscịbile *a.* recognizable. □ *non essere più* ~ to be unrecognizable.
riconoscimẹnto *m.* **1.** recognition; (*identificazione*) identification: *il* ~ *di una persona* the identification of a person. – **2.** (*accettazione*) acknowledgement, recognition: ~ *di un diritto* acknowledgement of a right; ~ *di uno stato* recognition of a state. – **3.** (*ammissione*) acknowledgement, admission, avowal: ~ *delle proprie colpe* admission of one's faults. – **4.** (*apprezzamento*) appreciation, recognition: *in* ~ *dei tuoi servizi* in recognition of your services; (*riconoscenza*) gratitude: *parole di* ~ words of gratitude (*o* appreciation). – **5.** (*compenso*) reward: *merita un* ~ *per i suoi meriti* he deserves a reward for his merits; (*gratifica*) gratuity, tip. – **6.** ⟨*Dir*⟩ recognition, acknowledgement. – **7.** ⟨*Teat*⟩ (*agnizione*) recognition.

□ ~ *di* **debito** acknowledgement of a debt; ⟨*Pol*⟩ ~ *di* **diritto** de jure recognition; ⟨*Pol*⟩ ~ *de* **facto** de facto recognition; ~ *di* **figlio** *naturale* acknowledgement of an illegitimate child; ~ **giudiziario** legal recognition; ~ *di un* **governo** recognition of a government; ~ *de* **jure** = *riconoscimento di* **diritto**; ~ **legale** *di una scuola privata* legal recognition of a private school; ~ *della* **maternità** acknowledgement of maternity; ~ *della* **paternità** acknowledgement of paternity; ~ *delle* **persone** *giuridiche* incorporation; ⟨*Dipl*⟩ ~ *di uno* **stato** recognition of a state; ~ **unilaterale** unilateral recognition.
riconoscitịvo *a.* ⟨*rar*⟩ identifying, identification-: *segno* ~ identification mark.
riconosciụto (*p.p. di riconoscere*) *a.* **1.** recognized. – **2.** (*ammesso, accettato*) acknowledged, admitted. – **3.** (*valido*) recognized, acknowledged: *legalmente* ~ legally recognized. □ *è* ~ *che* (*consta che*) it is known (*o* a fact) that.
riconquịsta *f.* **1.** recovery, regaining. – **2.** ⟨*Mil*⟩ reconquest, recapture. – **riconquistạre** *v.t.* **1.** to win back, to recover, to regain. – **2.** ⟨*Mil*⟩ to reconquer, to recapture: ~ *un territorio* to reconquer a territory.
riconsacrạre *v.t.* to reconsecrate. – **riconsacraziǫne** *f.* reconsecration.
riconsẹgna *f.* **1.** redelivery, reconsignment. – **2.** (*restituzione*) restitution, return. – **riconsegnạre** *v.t.* (**riconsẹgno**) **1.** (*consegnare di nuovo*) to reconsign, to deliver (*o* hand over) again. – **2.** (*restituire*) to return, to give (*o* hand) back.
riconsiderạre *v.t.* (**riconsịdero**) to reconsider.
riconsigliạre *v.t.* (**riconsịglio, riconsịgli**) to advise again. – **riconsigliarsi** *v.r.* ⟨*poet*⟩ (*riproporsi*) to resolve again.
riconsolạre *v.t.* (**riconsọlo**) **1.** (*consolare di nuovo*) to console (*o* comfort) again. – **2.** ⟨*lett*⟩ (*consolare*) to console, to comfort. – **riconsolarsi** *v.r.* to take comfort (*o* fresh heart), to cheer up.
ricontạre *v.t.* (**ricọnto**) **1.** (*contare di nuovo*) to recount. – **2.** ⟨*ant*⟩ (*raccontare*) to tell, to recount. – **ricọnto** *m.* ⟨*ant*⟩ (*riepilogo di un racconto*) summary, recapitulation.
riconvenịre *v.* (**riconvẹngo, riconviẹni; riconvẹnni, riconvenụto**; → **venire**) **I** *v.t.* **1.** ⟨*Dir*⟩ to bring a countercharge (*o* counterclaim) against, to sue by cross-action. – **2.** ⟨*ant*⟩ (*rimproverare*) to reprove, to rebuke. – **II** *v.i.* (*aus.* **essere**) to reaffirm.
riconvenzionạle *a.* ⟨*Dir*⟩ cross-, counter-. □ *azione* ~ → **riconvenzione**. – **riconvenziǫne** *f.* (*anche azione in riconvenzione*) countercharge, counterclaim, cross-action, reconvention. □ *chiedere qc. in via di* ~ to make a counterclaim for s.th.
riconversiǫne *f.* reconversion. □ ~ *professionale* change of profession. – **riconvertịre** *v.t.* (**riconvẹrto; riconvertịi**/*non com.* **riconvẹrsi**) **1.** (*convertire di nuovo*) to reconvert. – **2.** (*fare una riconversione*) to reconvert. – **riconvertirsi** *v.r.* to be reconverted, to reconvert.
riconvocạre *v.t.* (**ricọnvoco, ricọnvochi**) to convoke (*o* summon) again, to reconvene, to reconvoke: ~ *un'assemblea* to reconvoke a meeting. – **riconvocaziǫne** *f.* reconvocation, reconvening, recalling: *la* ~ *di un testimone* the recalling of a witness.
ricoperchiạre *v.t.* (**ricopẹrchio, ricopẹrchi**) ⟨*ant*⟩ **1.** (*ricoprire col coperchio*) to put a lid on again, to re-cover. – **2.** ⟨*fig*⟩ (*racchiudere*) to hold, to contain.
ricopẹrta *f.* ⟨*ant*⟩ **1.** (*il ricoprire*) covering again; (*il nascondere*) hiding, concealment. – **2.** (*luogo occulto*) secret (*o* hidden) place. – **3.** ⟨*fig*⟩ (*scusa, giustificazione*) excuse.
ricopẹrto (*p.p. di ricoprire*) *a.* **1.** (*coperto*) covered (up): *divano* ~ *di stoffa* sofa covered with material. – **2.** (*coperto di nuovo*) re-covered, covered again. – **3.** (*celato, occultato*) hidden, covered. – **4.** (*rivestito*) coated; (*placcato*) plated. – **ricopertụra** *f.* **1.** covering (again), re-covering; (*rivestitura*) coating. – **2.** ⟨*concr*⟩ (*copertura*) cover(ing). – **3.** ⟨*Econ*⟩ coverage, cover, security.
ricopiạre *v.t.* (**ricọpio, ricọpi**) **1.** (*copiare di nuovo*) to recopy. – **2.** (*trascrivere*) to copy (out): ~ *una lettera* to copy out a letter; (*trascrivere in bella copia*) to make a fair copy of. – **3.** ⟨*non com*⟩ (*imitare*) to copy, to imitate. – **4.** ⟨*non com*⟩ (*ritrarre, riprodurre*) to depict, to reproduce. □ ~ *a macchina* to type (out); ~ *a mano* to copy by hand. – **ricopiatǫre** *m.* (*f.* **-trice**) ⟨*non com*⟩ copyist, copier. – **ricopiatụra** *f.* **1.** (*il ricopiare*) (re)copying: *la* ~ *di documenti* the copying of documents. – **2.** (*copia*) copy.
ricoprẹnte (*p.pr. di ricoprire*) *a.* ⟨*tecn*⟩ covering, finishing. – **ricoprịbile** *a.* coverable. – **ricoprimẹnto** *m.* **1.** re-covering, covering (again). – **2.** (*il coprire completamente*) covering up. – **3.** (*rivesti-

mento) cover(ing). – **4.** ⟨*tecn*⟩ (*copertura, strato*) coat(ing): ~ *di vernice* coat of paint; (*placcatura*) plating. – **5.** ⟨*Mecc,Ferr*⟩ overlap. – **6.** ⟨*Geol*⟩ (*falda di ricoprimento*) nappe.

ricoprịre *v.t.* (**ricọpro; ricoprịi/ricopẹrsi, ricopẹrto**) **1.** to cover again, to re-cover: *le nuvole hanno ricoperto il cielo* the clouds have covered the sky again, the sky has clouded over again. – **2.** (*coprire*) to cover (up, over): *la neve ricopriva le cime dei monti* the mountain peaks were covered with snow; (*avvolgere, avviluppare*) to wrap (up): ~ *qd. con uno scialle* to wrap s.o. up in a shawl. – **3.** (*rivestire*) to cover, to coat (over): ~ *qc. di vernice* to coat s.th. with paint, to paint over s.th.; (*placcare*) to plate. – **4.** (*rif. a vegetazione*) to grow over, to cover, to overgrow. – **5.** ⟨*fig*⟩ (*colmare*) to smother, to load, to heap, to overwhelm, to lavish: ~ *qd. di baci* to smother s.o. with kisses; ~ *qd. di elogi* to lavish praise on s.o. – **6.** ⟨*fig*⟩ (*rif. a impieghi e sim.*) to hold, to have: *ricopre un'alta carica al ministero* he holds a top position in the ministry. – **7.** ⟨*fig*⟩ (*nascondere, celare*) to cover up, to cloak, to conceal, to hide: ~ *gli errori di qd.* to cover up s.o.'s mistakes. – **8.** ⟨*fig*⟩ (*difendere*) to defend, to shield, to protect. – **9.** ⟨*Tip*⟩ to cover, to mask. – **ricoprirsi** *v.r.* **1.** to cover o.s. (*anche fig.*): *ricoprirsi di gloria* to cover o.s. with glory. – **2.** ⟨*non com*⟩ (*rifarsi*) to cover (o.s.): *ricoprirsi delle spese* to cover one's expenses. □ ⟨*fig*⟩ ~ *d'oro qd.* to shower gifts on s.o., to heap s.o. with gifts; ~ *il muro con intonaco* to plaster the wall; ~ *la pentola* to put the lid back on the pot; ~ *con tavole* to cover with boards, to board over.

ricopritọre *m.* (*f.* **-trice**) ⟨*non com*⟩ **1.** coverer. – **2.** ⟨*tecn*⟩ coater; (*placcatore*) plater. – **ricopritụra** *f.* ⟨*rar*⟩ **1.** (*ricopertura*) covering (again), re-covering. – **2.** (*copertura*) cover(ing).

ricorcạre *v.* ⟨*ant,poet*⟩ → **ricoricare.**

ricordạbile *a.* **1.** (*che si può ricordare*) easy to remember. – [illegible]*gno d'essere ricordato*) worth mentioning, worthy of note. – [illegible] *morabile*) memorable. – **ricordamẹnto** *m.* ⟨*ant*⟩ (*il ricord*[illegible]mory, remembering, remembrance.

ricordạnza *f.* ⟨*ant,poet*⟩ **1.** (*il ricordare*) memory, remembering, remembrance. – **2.** (*ricordo*) memory, remembrance, recollection. – **3.** (*facoltà della memoria*) memory. – **4.** (*pegno*) pledge. – **5.** *pl.* ⟨*Lett*⟩ memoirs *pl.*

ricordạre *v.* (**ricọrdo**) **I** *v.t.* **1.** to remember, to recall, to recollect, to call to mind: *non ricordo il tuo indirizzo* I don't recall your address; *ricordo la mia promessa* I remember my promise. – **2.** (*richiamare alla memoria altrui*) to remind of (*o* about): ~ *a qd. una promessa* to remind s.o. of a promise. – **3.** (*serbare memoria*) to remember: *la storia ricorderà questo avvenimento* this event will ⌜be remembered⌝ (*o* go down) in history. – **4.** (*tener presente*) to remember, to be mindful of, to keep (*o* bear) in mind: *ricorda i tuoi doveri* remember (*o* don't forget) your duty; ~ *qd. nel testamento* to remember s.o. in one's will. – **5.** (*menzionare, nominare*) to remember, to recall, to mention, to refer to. – **6.** (*rassomigliare*) to resemble, to look (*o* be) like, to recall: *questo bambino ricorda molto il padre* this child looks very like his father; (*rif. a suoni*) to sound like. – **7.** (*salutare*) to remember: *ricordami agli amici* remember me to our friends. – **II** *v.i.* (*aus.* **avere**) **1.** to remember: *ricordo bene di averti promesso un regalo* I remember very well that I promised you a present. – **2.** (*richiamare*) to remind: *gli ricordo sempre di essere puntuale* I always remind him to be punctual. – **3.** (*far presente*) to remind: *gli ricordai che comandavo io* I reminded him that I was the boss; *ti ricordo che in questa casa il padrone non sei tu* ⌜I would remind you⌝ (*o* remember) that this is not your house. – **4.** ⟨*ant*⟩ (*usato impersonalmente*) to remember. – **ricordarsi** *v.r.* **1.** to remember, to recollect (*di qd. s.o.*): *ti ricordi ancora di me?* do you still remember me?; (*venire in mente*) to remember, to think of. – **2.** (*richiamare alla memoria*) to remember, to recall, to call to mind: *ricordati che devi fare ancora i compiti* remember that you still have to do your homework; *mi ricordo di aver imbucato quella lettera* I remember posting that letter. – **3.** (*tener presente*) to remember, to bear (*o* keep) in mind, to be mindful of: *ricordati che sei un padre di famiglia* remember that you have a family to look after.

□ **cerca** *di* ~ try to remember; ⟨*fam*⟩ **fammi** ~ let me think; *una* **lapide** *che ricorda i caduti* a stone commemorating the fallen; ⟨*fam*⟩ **non** *si ricorda dal naso alla bocca* (*è smemorato*) he has a very bad memory, ⟨*fam*⟩ he would forget his own name; ~ *qd. nelle* **preghiere** to remember s.o. in one's prayers; **se** *ben ricordo* if my memory serves me right, if I remember correctly. – *Prov.*: *il ricordarsi del male raddoppia il bene* when you have lived through hard times you can really appreciate the good ones.

ricordatịvo *a.* ⟨*non com*⟩ **1.** memory-, of memory. – **2.** (*commemorativo*) commemorative, commemoration-. – **ricordaziọne** *f.* ⟨*ant*⟩ → **ricordo.** – **ricordẹvole** *a.* ⟨*lett*⟩ **1.** (*memore*) mindful. – **2.** (*memorabile*) memorable, worth remembering. – **ricordevolmẹnte** *avv.* memorably.

ricordịno (*dim. di ricordo*) *m.* **1.** (*piccolo dono*) small gift. – **2.** (*ricordo di viaggio*) souvenir. – **3.** (*immaginetta sacra*) holy picture; (*per ricordare una persona defunta*) memoriam card.

ricọrdo *m.* **1.** memory, remembrance, recollection: *ha solo un lontano* ~ *della guerra* he has only a vague recollection of the war. – **2.** (*memoria*) memory: *morendo ha lasciato un buon* ~ *di sé* when he died he left a good memory. – **3.** (*oggetto*) souvenir; (*per ricordare una persona defunta*) memento; (*per ricordare una persona assente*) keepsake; (*dono*) small gift: *ti ho portato un piccolo* ~ I have brought you a small gift. – **4.** ⟨*fig*⟩ (*segno*) mark, ⟨*scherz*⟩ souvenir: *questa cicatrice è il* ~ *di un incidente d'auto* this scar is a souvenir of a car accident. – **5.** ⟨*fig*⟩ (*resto*) record, remain, relic; (*vestigia*) trace; (*monumento*) monument. – **6.** *pl.* (*memorie*) memoirs *pl*, reminiscences *pl*: *ha scritto un libro di -i* he wrote a book of memoirs. – **7.** (*appunto*) note, record: *prendere* ~ *di qc.* to make a note of s.th. – **8.** (*avvertimento*) warning.

□ **degno** *di* ~ memorable, worth remembering, to be remembered; *a* **eterno** ~ *di* = *a* **perenne** *ricordo di*; *un* ~ *di* **famiglia** an heirloom; *-i di* **gioventù** memories of one's youth; ~ *d'***infanzia** childhood memory; **lasciare** *qc. in* ~ *a qd.* to leave s.th. to s.o. as a memento; **negozio** *di -i* souvenir shop; **per** ~ in remembrance (*o* memory); *per tuo* ~ in memory of you; *a* **perenne** ~ *di* to the everlasting memory of; *-i* **religiosi** religious (*o* pious) objects; ~ **sbiadito** faint recollection; **serbare** *un buon* ~ *di qd.* to have a pleasant recollection of s.o.; ~ *di* **viaggio** souvenir.

ricoricạre *v.t.* (**ricọrico, ricọrichi**) **1.** to lay down again; (*mettere di nuovo a letto*) to put back to bed, to put to bed again. – **2.** ⟨*Silv*⟩ (*per propagginare*) to layer; (*per proteggere*) to cover with soil. – **ricoricarsi** *v.r.* to lie down again; (*nel letto*) to go back to bed, to go to bed again.

ricorrẹggere *v.t.* (**ricorrẹggo, ricorrẹggi; ricorrẹssi, ricorrẹtto**) **1.** to correct again, to revise, to recorrect. – **2.** (*correggere*) to correct.

ricorrẹnte (*p.pr. di ricorrere*) **I** *a.* **1.** recurrent, recurring: *fatti -i* recurring events. – **2.** ⟨*Med,Anat*⟩ recurrent: *nervo* ~ recurrent nerve; *febbre* ~ recurrent (*o* relapsing) fever. – **3.** ⟨*Arch*⟩ (*tutto intorno*) running (all the way) round; (*lungo*) running along; (*che si ripete*) repeated: *ornamento* ~ repeated ornament. – **4.** ⟨*Dir*⟩ petitioning, claiming. – **5.** ⟨*Mat*⟩ recurring. – **II** *s.m./f.* ⟨*Dir*⟩ petitioner, claimant, plaintiff, appellant.

ricorrẹnza *f.* **1.** recurrence: *la* ~ *di un fenomeno* the recurrence of a phenomenon. – **2.** (*festività ricorrente*) feast, festivity, holiday: ~ *del Natale* (feast of) Christmas; (*anniversario*) anniversary. – **3.** (*occasione*) occasion: *nella lieta* ~ *del tuo compleanno* on the happy occasion of your birthday. – **4.** ⟨*Med*⟩ recurrence. – **5.** *pl.* (*flussi mestruali*) menstruation, ⟨*fam*⟩ period.

ricọrrere *v.* (**ricọrsi, ricọrso**) **I** *v.i.* (*aus.* **essere**) **1.** (*correre indietro*) to run back; (*precipitarsi indietro*) to hurry (*o* rush) back: *sono dovuto* ~ *a casa* I had to rush back home. – **2.** (*correre di nuovo*) to run again. – **3.** ⟨*fig*⟩ (*ritornare*) to return, to go back: *il suo sguardo ricorreva spesso al ritratto* his glance kept returning to the portrait; (*con la mente, la memoria*) to look back, to remember. – **4.** (*rivolgersi*) to have recourse, to go (*a* to): ~ *al medico* to ⌜go to⌝ (*o* consult) the doctor; (*per consigli, aiuto e sim.*) to turn, to go, to appeal: ~ *a qd. per consiglio* to turn to s.o. for advice; (*rif. ad autorità e sim.*) to go, to speak (to). – **5.** (*valersi, servirsi*) to resort, to have recourse: *dovetti* ~ *alle maniere forti* I had to ⌜resort to force⌝ (*o* get tough); ~ *all'inganno* to resort to trickery; (*rif. a libri di consultazione*) to consult, to look s.th. up in: ~ *al dizionario* to consult the dictionary. – **6.** (*rif. ad anniversari e sim.*) to be: *oggi ricorre l'anniversario del mio matrimonio* today is my wedding anniversary; (*cadere*) to fall, to come: *quest'anno il primo dell'anno ricorre di lunedì* New Year's Day falls on a Monday this year. – **7.** (*ripetersi: di avvenimenti e sim.*) to recur, to occur (*o* happen) again: *vicende che ricorrono nel corso della storia* events which recur in the course of history; (*rif. a frasi, discorsi e sim.*) to be found (*o* met with), ⟨*fam*⟩ to crop up: *una frase che ricorre spesso in Omero* a phrase that is frequently met with in Homer; *questo nome ricorre spesso nei suoi discorsi* this name often crops up in his conversation. – **8.** ⟨*Arch*⟩ (*correre tutt'intorno*) to run (all the way) round; (*correre lungo*) to run along. – **9.** ⟨*Dir*⟩ (*fare appello*) to appeal: ~ *in cassazione* to appeal to the Court of Cassation. – **10.** ⟨*poet*⟩ (*ritirarsi*) to withdraw, to retreat. – **II** *v.t.* to run again, to rerun: *ha ricorso i cento metri in un tempo ottimo* he ran the hundred metres again in excellent time. – **ricorrersi** *v.r.* ⟨*ant*⟩ (*correre indietro*) to run back. □ ~ *a qd. per aiuto* to turn (*o* appeal) to s.o. for help; ~ *alla fonte* to go to the source; ~ ⌜*ai mezzi*⌝ (*o alle vie*) *legali* to have recourse to the law, to take legal action, ⟨*fam*⟩ to go to law.

ricorrimẹnto *m.* ⟨*rar*⟩ **1.** recourse, resort. – **2.** (*reclamo*) claim, complaint. – **3.** (*ritorno*) recurrence.

ricọrso *m.* **1.** recourse, resort: ~ *alla violenza* recourse to violence. – **2.** (*richiesta*) request, petition; (*invocazione*) appeal. – **3.** (*reclamo*) claim: *ascoltare un* ~ to hear a claim. – **4.** (*il ripetersi, ritorno*) recurrence. – **5.** ⟨*Dir*⟩ petition: *presentare un* ~ to file (*o* lodge) a petition; (*appello*) appeal. – **6.** ⟨*Arch,Tip*⟩ repeated ornament. – **7.** ⟨*Mur*⟩ layer of bricks. – **8.** ⟨*non com*⟩ (*riflusso della marea*) ebb of tide. – **9.** *pl.* ⟨*non com*⟩ (*mestruazioni*) menstruation, ⟨*fam*⟩ period. – **10.** ⟨*ant*⟩ (*rifugio*) refuge, shelter.

□ ⟨*Dir*⟩ **accogliere** *un* ~ to uphold an appeal; ~ *in* **appello** appeal; ~ *in* **cassazione** appeal to the Court of Cassation; **fare** ~ *a*: 1. (*rivolgersi a professionisti*) to go to; (*per aiuto, consigli e sim.*) to appeal (*o* turn) to; 2. (*servirsi, avvalersi*) to have recourse to, to resort to: *far* ~ *all'inganno* to resort to trickery; 3. (*appellarsi*) to appeal to (*anche Dir.*): *fare* ~ *alla comprensione di qd.* to appeal to s.o.'s understanding; *fare* ~ *contro una sentenza* to (make an) appeal against a sentence; ~ **gerarchico** complaint to a higher authority; ~ **incidentale** interlocutory appeal; **presentare** ~ *a* = **fare** *ricorso a*; **respingere** *un* ~ to reject an appeal.

ricostituẹnte (*p.pr. di ricostituire*) **I** *a.* ⟨*Med*⟩ reconstituent, tonic-: *cura* ~ tonic treatment. – **II** *s.m.* tonic, ⟨*fam*⟩ pick-me-up.

ricostituire *v.t.* (**ricostituisco, ricostituisci**) **1.** to reconstitute, to re-establish: ~ *una società* to reconstitute a partnership. – **2.** ⟨*fig*⟩ (*rinvigorire*) to restore, to build up. – **ricostituirsi** *v.r.* to be reconstituted, to re-form. – **ricostituito** (*p.p. di ricostituire*) *a.* ⟨*Chim,Ind*⟩ reconstituted: *latte* ~ reconstituted milk; (*sintetico*) synthetic. – **ricostituzione** *f.* **1.** reconstitution, re-establishment. – **2.** ⟨*Chim,Ind*⟩ reconstitution.
ricostringere *v.t.* (**ricostringo, ricostringi; ricostrinsi, ricostretto**) to force (*o* compel) again.
ricostruibile *a.* ⟨*non com*⟩ reconstructable.
ricostruire *v.t.* (**ricostruisco, ricostruisci**) **1.** to rebuild, to reconstruct: ~ *una città distrutta dall'incendio* to rebuild a city destroyed by fire. – **2.** ⟨*fig*⟩ (*ricreare*) to reconstruct: ~ *un delitto* to reconstruct a crime. – **3.** ⟨*fig*⟩ (*rifare migliorando*) to revise, to recast.
ricostruttore I *s.m.* (*f.* **-trice**) rebuilder, reconstructor. – **II** *a.* of reconstruction, reconstructive.
ricostruzione *f.* **1.** rebuilding, reconstruction: *progettare la* ~ *di un teatro* to plan the rebuilding of a theatre. – **2.** (*cosa ricostruita*) reconstruction. – **3.** ⟨*fig*⟩ reconstruction: *nel romanzo è molto pregevole l'accurata* ~ *della vita medievale* the novel gives an excellent reconstruction (*o* picture) of life in the middle ages. – **4.** (*opera intesa a riparare i danni di guerra*) reconstruction, rebuilding. □ ⟨*Aut*⟩ ~ *del battistrada* retreading (of a tyre); ~ *economica* economic reconstruction.
ricotta *f.* ⟨*Gastr*⟩ ricotta, kind of cottage cheese. □ *di* ~: 1. ricotta-, made of ricotta; 2. ⟨*fig*⟩ (*debole*) weak, spineless, soft: *essere di* ~ to be weak-kneed (*o* spineless); *avere le mani di* ~ to be butter -fingered. – **ricottaio** *m.* **1.** (*venditore*) ricotta seller. – **2.** ⟨*non com*⟩ (*chi mangia molta ricotta*) big eater of ricotta. – **ricottina** *f. dim. di* **ricotta**.
ricotto (*p.p. di ricuocere*) *a.* **1.** recooked, cooked again. – **2.** ⟨*Met*⟩ annealed. – **ricottura** *f.* **1.** recooking, cooking again. – **2.** ⟨*Met*⟩ annealing, reheating, tempering.
ricoverare *v.* (**ricovero**) **I** *v.t.* **1.** (*accogliere*) to take (*a, in* into, in), to admit (to): *è stato ricoverato in un ospizio* he has ⌜been taken⌝ (*o* gone) into a home. – **2.** (*ospitare*) to give hospitality to. – **3.** (*mettere al sicuro*) to give shelter to. – **4.** (*mandare, far entrare*) to send, to take, to place: ~ *qd. all'ospedale* to send s.o. to the hospital, to hospitalize s.o. – **II** *v.i.* (*aus.* **essere**) ⟨*ant*⟩ to take shelter. – **ricoverarsi** *v.r.* ⟨*non com*⟩ **1.** (*rifugiarsi*) to take shelter (*o* refuge). – **2.** (*mettersi al coperto*) to (take) shelter.
ricoverato (*p.p. di ricoverare*) **I** *a.* (*in un ospizio*) admitted, taken in; (*in un ospedale*) in hospital, hospitalized. – **II** *s.m.* (*f.* **-a**) **1.** (*in un ospizio*) inmate. – **2.** (*in un ospedale*) patient. – **ricoveratore** *m.* (*f.* **-trice**) **1.** ⟨*non com*⟩ shelterer. – **2.** ⟨*ant*⟩ (*ricuperatore*) recuperator.
ricovero *m.* **1.** admission (to hospital), hospitalization: *ordinare il* ~ *in una casa di cura* to order hospitalization in a clinic. – **2.** (*rifugio, riparo*) shelter, refuge: *cercarono* ~ *sotto un albero* they sought shelter under a tree. – **3.** (*ospizio*) home, asylum. – **4.** ⟨*Mil*⟩ shelter. – **5.** ⟨*Alp*⟩ refuge.
□ ~ *per* **aeromobili** (*aviorimessa*) hangar; ~ **antiaereo** air-raid shelter; ~ *per* **barche** boat-house; **casa** *di* ~ *per i poveri* almshouse, poorhouse, poor people's home; *casa di* ~ *per i vecchi* old folks' home; **dare** ~ *a qd.* to shelter s.o., to give s.o. shelter; ~ *di* **mendicità** workhouse; ~ *in* **ospedale** admission to hospital, hospitalization; ~ *d'***urgenza** emergency hospitalization (*o* admission to hospital).
ricovrare *v.* ⟨*ant*⟩ → **ricoverare**.
ricovrire *v.* ⟨*ant,poet*⟩ → **ricoprire**.
ricreamento *m.* ⟨*non com*⟩ **1.** (*il ricreare*) re-creation. – **2.** (*il ricrearsi*) recreation, amusement.
ricreare *v.t.* (**ricreo**) **1.** (*creare di nuovo*) to re-create, to create again (*o* anew). – **2.** (*ristorare, rinvigorire*) to restore, to revive, to refresh. – **3.** (*distrarre, rasserenare*) to amuse, to cheer: *questa musica ricrea l'anima* this music cheers one up. – **4.** ⟨*assol*⟩ to be refreshing (*o* cheering). – **5.** ⟨*lett*⟩ (*rianimare, riconfortare*) to comfort, to cheer. – **6.** ⟨*rar*⟩ (*rieleggere*) to re-elect. – **ricrearsi** *v.r.* **1.** to amuse (*o* enjoy) o.s., to take (*o* find) recreation, to relax. – **2.** ⟨*lett*⟩ (*rianimarsi*) to cheer up, ⟨*lett*⟩ to take heart.
ricreativo *a.* recreational, recreative. – **ricreatore** ⟨*lett*⟩ **I** *s.m.* (*f.* **-trice**) restorer, refresher, reviver. – **II** *a.* refreshing, reviving. – **ricreatorio I** *s.m.* recreation centre; (*per giovani*) youth club; (*per bambini*) play centre. – **II** *a.* ⟨*rar*⟩ → **ricreativo**.
ricreazioncella *f. dim. di* **ricreazione**.
ricreazione *f.* **1.** (*svago, riposo*) recreation: *concedersi una* ~ to take some recreation. – **2.** (*distrazione, passatempo*) diversion, recreation, pastime: *lo sport è una sana* ~ sport is a healthy recreation. – **3.** (*pausa nel lavoro*) break; (*a scuola*) recreation, recess, playtime: *è sonata la* ~ the bell has rung for playtime. – **4.** ⟨*non com*⟩ (*nuova creazione*) re-creation, creating anew. – **5.** ⟨*rar*⟩ (*banchetto*) feast, banquet.
ricredere *v.i.* (**ricredei/ricredetti**; *aus.* **avere**) ⟨*non com*⟩ (*credere di nuovo*) to believe again. – **ricredersi** *v.r.* **1.** to change one's mind. – **2.** ⟨*ant*⟩ (*disingannarsi*) to be undeceived. □ *far* ~ *qd.* to make s.o. change his mind; ⟨*ant*⟩ *non potersi* ~ (*non riuscire a convincersi*) to be unable to believe; *ricredersi sul conto di qd.* to change one's ⌜mind about⌝ (*o* opinion of) s.o.
ricrescere *v.* (**ricresco, ricresci; ricrebbi, ricresciuto**) **I** *v.i.* (*aus.* **essere**) **1.** to grow again, to regrow: *si è fatto* ~ *la barba* he let his beard grow again. – **2.** ⟨*region*⟩ (*aumentare di volume*) to swell, to increase in size; (*lievitare*) to rise. – **II** *v.t.* ⟨*non com*⟩ to (make) grow again, to cause to get bigger.
ricrescimento *m.* ⟨*non com*⟩ **1.** → **ricrescita**. – **2.** ⟨*Stor*⟩ surtax. – **ricrescita** *f.* **1.** regrowth, new growth. – **2.** ⟨*fig*⟩ (*rincaro*) increase, rise: *una* ~ *dei prezzi* a rise in prices. – **3.** ⟨*region*⟩ (*aumento di volume*) swelling, increase in size.
ricriare *v.* (**ricrio, ricrii**) ⟨*ant*⟩ → **ricreare**.
ricristallizzare *v.t./i.* (*aus.* **avere**) ⟨*Chim,Fis*⟩ to recrystallize.
ricrociato: ⟨*Arald*⟩ *croce -a* crosslet.
rics(ci)ò *m.* ⟨*non com*⟩ (*risciò*) rickshaw.
rictus *lat. m.* **1.** ⟨*Med*⟩ rictus. – **2.** ⟨*estens*⟩ (*smorfia*) grimace, grin; (*tic*) tic, twitch(ing).
ricucimento *m.* **1.** stitching (*o* sewing) again, restitching. – **2.** (*cucitura*) stitching (*anche Chir.*). – **ricucire** *v.t.* (**ricucio, ricuci**) **1.** to stitch (*o* sew) again, to restitch. – **2.** (*accomodare cucendo*) to mend. – **3.** ⟨*fig*⟩ (*mettere insieme alla meglio*) to put (*o* throw) together. – **4.** ⟨*Chir*⟩ to stitch, to suture, to sew up. – **ricucitore** *m.* (*f.* **-trice**/*pop.* **-a**) ⟨*rar*⟩ stitcher, sewer. – **ricucitura** *f.* **1.** restitching. – **2.** (*complesso di punti*) stitches *pl*, stitching. – **3.** (*parte, cosa ricucita*) mend. – **4.** ⟨*fig*⟩ stringing together, collection. □ *fare una* ~ to stitch (s.th.) again, to mend (s.th.).
ricuocere *v.t.* (**ricuocio, ricuoci, ricociamo; ricossi, ricotto**) **1.** ⟨*Gastr*⟩ to recook, to cook again. – **2.** ⟨*Met*⟩ to anneal.
ricupera *f.* ⟨*burocr*⟩ recovery, retrieval.
ricuperabile *a.* **1.** recoverable, retrievable: *beni -i* retrievable goods. – **2.** (*che si può riguadagnare*) recoverable, that can be regained (*o* made up for). – **3.** ⟨*Med*⟩ likely to recover, recoverable. – **ricuperabilità** *f.* **1.** recoverableness, retrievableness. – **2.** (*possibilità di riguadagnare*) likelihood (*o* possibility) of being regained. – **ricuperamento** *m.* ⟨*non com*⟩ **1.** recovery, retrieval. – **2.** (*il riguadagnare*) regaining, making up.
ricuperare *v.t.* **1.** to recover, to retrieve, to get back: ~ *la refurtiva* to recover the stolen goods. – **2.** ⟨*fig*⟩ (*riacquistare*) to recover, to get back, to regain: ~ *la libertà* to regain one's liberty. – **3.** (*riguadagnare*) to make up for, to regain, to recover: ~ *il tempo perduto* to make up for lost time. – **4.** (*salvare*) to save, to salvage: *l'incendio ha distrutto il deposito ma molta merce è stata ricuperata* fire destroyed the warehouse but much of the merchandise was salvaged. – **5.** (*rendere utilizzabile*) to reclaim, to recover. – **6.** ⟨*fig*⟩ (*restituire*) to restore, to bring back; (*riabilitare*) to rehabilitate: ~ *un delinquente alla società* to rehabilitate a criminal. – **7.** ⟨*Mar*⟩ to salvage; (*riportare alla superficie*) to bring up; (*raccogliere a bordo*) to take (*o* haul) on board, to hoist in; (*rif. a nave affondata*) to refloat. – **8.** ⟨*Chim,Ind*⟩ to recover, to reclaim; (*rigenerare*) to regenerate. – **9.** ⟨*ant*⟩ (*redimere*) to redeem. – **ricuperarsi** *v.r.* ⟨*ant*⟩ (*redimersi*) to redeem o.s., to be redeemed. □ ~ *le forze* to recuperate, to recover one's strength, to get one's strength back; ⟨*Sport*⟩ ~ *una partita* to play a match which had been postponed; ~ *la salute* to recover one's health.
ricuperatore *m.* (*f.* **-trice**) **1.** retriever. – **2.** ⟨*tecn*⟩ regenerator, recuperator. – **3.** ⟨*Artigl*⟩ recuperator. – **4.** ⟨*Mar*⟩ salvager, salvor. □ ~ *di calore* regenerator, recuperator. – **ricuperatorio** *a.* ⟨*non com*⟩ recuperative. – **ricuperazione** *f.* ⟨*ant*⟩ recovery.
ricupero *m.* **1.** recovery, retrieval; (*rif. a crediti e sim.*) collection. – **2.** (*il riacquistare*) recovery, regaining. – **3.** (*il riguadagnare*) regaining. – **4.** (*salvataggio*) salvage, salvaging, saving. – **5.** (*utilizzazione*) reclamation. – **6.** (*rieducazione*) rehabilitation. – **7.** ⟨*concr*⟩ (*oggetto ricuperato*) salvage, thing recovered; (*carcassa*) wreck. – **8.** ⟨*Mar*⟩ salvage; (*il riportare alla superficie*) bringing up; (*a bordo*) taking on board; (*rif. a nave affondata*) refloating. – **9.** ⟨*Sport*⟩ (*partita rinviata*) (playing of a) postponed match; (*prova supplementare*) repechage. – **10.** ⟨*tecn*⟩ recovery; (*rif. a energia*) regeneration. □ ⟨*Scol*⟩ *classe di* ~ catching-up class, make-up course; ~ *delle forze* recuperation, recovery of one's strength; ~ *marittimo* (maritime) salvage; ⟨*Ind*⟩ *materiale di* ~ salvage; ~ *termico* heat regeneration, recuperation.
ricurvare *v.t.* ⟨*non com*⟩ **1.** (*curvare*) to bend, to curve. – **2.** (*curvare di nuovo*) to bend (*o* curve) again. – **ricurvo** *a.* **1.** bent, curved, round: *schiena -a* round shoulders. – **2.** (*rif. a persone*) bent, stooping. – **3.** ⟨*non com*⟩ (*che ha due curvature*) double-curved.
ricusa *f.* (*rifiuto*) refusal. – **ricusabile** *a.* refusable. – **ricusabilità** *f.* possibility of refusing. – **ricusanti** *m.pl.* ⟨*Stor*⟩ recusants *pl.*
ricusare I *v.t.* to decline, to refuse, to turn down: ~ *un onore* to decline an honour; ~ *un invito* to refuse an invitation. – **II** *v.i.* (*aus.* **avere**) to decline, to refuse. – **ricusarsi** *v.r.* to decline, to refuse: *ricusarsi di* (*o a*) *fare qc.* to decline (*o* refuse) to do s.th. □ ⟨*Mar*⟩ *la nave ricusa* the ship is unable to tack; ⟨*Dir*⟩ ~ *per causa di legittima suspicione* to challenge (*o* object to) on the grounds of reasonable suspicion; ⟨*Mar*⟩ *il vento ricusa* the wind is slackening.
ricusazione *f.* **1.** ⟨*Dir*⟩ objection, challenge. – **2.** ⟨*ant*⟩ (*ricusa, rifiuto*) refusal.
rida *f.* ⟨*Mar*⟩ runner in a dead eye.
ridacchiare *v.i.* (**ridacchio, ridacchi**; *aus.* **avere**) to titter, to giggle; (*ridere malignamente*) to snigger, to snicker.
ridanciano *a.* **1.** (*rif. a persona*) jolly, merry, gay, mirthful. – **2.** (*rif. a cosa: che fa ridere*) comic(al), funny, amusing.
ridare[1] *v.* (**ridò, ridai, ridà, ridiedi/ridetti, ridato**; → **dare**) **I** *v.t.* **1.** to give again: *devo* ~ *la medicina al bambino* I must give the baby his medicine again. – **2.** (*restituire*) to give back, to return: *gli ho ridato*

i sọldi che gli dovevo I gave (*o* paid) him back the money I owed him. – **II** *v.i.* (*aus.* **essere/avere**) ⟨*non com*⟩ (*ricadere, incappare di nuovo*) to fall again: ~ *nella rete* to fall into the net again. □ *dagli e ridagli* by keeping on, by persisting, after much trying; ~ *fuori*: 1. (*vomitare*) to vomit, ⟨*fam*⟩ to throw up; 2. ⟨*tosc*⟩ (*tornare, manifestarsi di nuovo*) to break out again, to come back again, to return, to reappear: *gli ha ridato fuori la febbre* his temperature's come back again; *ridar giù* (*fare una ricaduta*) to (have a) relapse.

ridạre[2] *v.t.* ⟨*Mar*⟩ (*arridare*) to set up, to tighten.

ridarẹlla *f.* ⟨*fam*⟩ (*voglia di ridere*) giggles *pl*: *avere la* ~ to have the giggles. – **ridarẹllo** *a.* jolly, merry, gay.

rịdda *f.* **1.** (*antica danza*) round (dance). – **2.** ⟨*fig*⟩ turmoil, tumult, confusion, whirl, jumble: *una* ~ *di notizie contraddittorie* a jumble of contradictory information. □ ~ *infernale* great confusion, pandemonium, bedlam; ~ *delle streghe* witches' sabbath. – **riddạre** *v.i.* (*aus.* **avere**) ⟨*ant*⟩ **1.** (*fare una ridda*) to dance in a ring. – **2.** ⟨*estens*⟩ (*girare intorno*) to go round in a circle.

riddẹnna *f.* ⟨*Ornit*⟩ (*marzaiola*) garganey (teal) (*Anas querquedula*).

rideau *fr.* [ri'do] *m.* (*tenda*) curtain.

ridẹnna *f.* ⟨*Ornit*⟩ **1.** (*canapiglia*) gadwall, gadwale (*Anas strepera*). – **2.** → **riddenna.**

ridẹnte (*p.pr. di ridere*[1]) *a.* **1.** laughing, smiling, merry, bright (*anche fig.*): *occhi -i* smiling eyes. – **2.** ⟨*fig*⟩ (*sereno, ameno*) pleasant, delightful, charming, smiling: *una valle* ~ a pleasant valley; (*rigoglioso*) lush, luxuriant, flourishing: *messe* ~ luxuriant crop. – **3.** ⟨*fig*⟩ (*che arride*) bright, smiling, happy: *un avvenire* ~ a bright future.

rịdere[1] *v.* (**rịsi, rịso**) **I** *v.i.* (*aus.* **avere**) **1.** to laugh: *tu mi fai sempre* ~ you always make me laugh. – **2.** (*canzonare, deridere*) to laugh (at), to make fun (of): *tutti ridono di lui* everyone is making fun of him. – **3.** (*scherzare*) to joke, to be in fun: *non arrabbiarti, si faceva per* ~ don't be annoyed it was only ⌈in fun⌉ (*o* a joke); *guarda che non rido* I'm not joking (*o* kidding). – **4.** ⟨*fig,lett*⟩ (*risplendere*) to shine, to be bright, to sparkle: *le ridono gli occhi* her eyes sparkle; *ride il cielo* the sky is bright. – **5.** ⟨*fig,lett*⟩ (*arridere*) to smile (*a* on), to be kind (to): *la vita ride ai giovani* life smiles on the young. – **6.** ⟨*fam*⟩ (*rif. a scarpe rotte*) to be split; (*rif. a vestiti logori*) to have holes, to be worn out, to be tattered. – **II** *v.t.* ⟨*lett,poet*⟩ **1.** to laugh at. – **2.** (*deridere*) to laugh at, to make fun of, to mock. – **ridersi** *v.r.* **1.** (*burlarsi*) to laugh (*di* at): *ridersi della stoltezza di qd.* to laugh at s.o.'s stupidity. – **2.** (*non prendere in considerazione*) not to give a fig (*o* jot) (*di* for), not to care (about), ⟨*volg*⟩ not to give a damn (about): *mi rido delle tue opinioni* I don't care about your opinions. □ ~ *sotto i* **baffi** = *ridere* **fra** *sé e sé*; ~ *a* **crepapelle** (*o crepapancia*) to roar (*o* split one's sides) with laughter; ~ *di* **cuore** to laugh heartily; **da** ~ funny, comic(al), amusing: *un film da* ~ a comic film; ⟨*fam*⟩ *sono cose da* ~ (*senza importanza*) it's of no importance, they are mere trifles; *non è cosa da* ~ it's no laughing matter; *ci sarà da* ~ it will be fun; ~ **dentro** *di sé* = *ridere* **fra** *sé e sé*; ~ **dietro** *a qd.* to laugh at s.o.; *farsi* ~ *dietro* to make a laughing -stock of o.s., to look ridiculous; ~ *in* **faccia** *a qd.* to laugh in s.o.'s face; **far** ~ to be funny; (*essere ridicolo*) to be ridiculous (*o* absurd): *le sue scuse mi fanno* ~ his excuses are ridiculous; *non mi faccia* ~*!* don't be ridiculous!, don't make me laugh!; ~ **fra** *sé e sé* to laugh up one's sleeve; ~ *a fior di* **labbra** to force a laugh, to give a half -hearted laugh; ~ *come un* **matto** to roar with laughter; ~ *a* **più** *non posso* = *ridere a* **crepapelle**; *c'è* **poco** *da* ~ it's no laughing matter; *far* ~ *i* **polli** (*o* **sassi**) to be absurd (*o* ridiculous); ~ **sgangheratamente** to roar (*o* split one's sides) with laughter; ~ **sotto** *sotto* = *ridere* **fra** *sé e sé*; ~ *alle* **spalle** *di qd.* to laugh behind s.o.'s back; *mi* **vien** *da* (*o voglia di*) ~ it makes me want to laugh, I can't help laughing; ⟨*iron*⟩ *hai* **voglia** *di* ~*?* do you think it's funny?; *non ho voglia di* ~ I'm in no laughing mood. – *Prov.*: *chi ride in gioventù, piange in vecchiaia* reckless youth makes rueful age; *chi ride il venerdì, piange la domenica* he that sings on Friday will weep on Sunday; *ride bene chi ride ultimo* he who laughs last laughs best. || *ridersela*: 1. (*burlarsi*) to make fun (*di* of), to laugh (at); 2. (*infischiarsi*) not to care, ⟨*volg*⟩ not to give a damn (about): *me la rido dei tuoi sospetti* I ⌈don't care⌉ (*o* couldn't care less) about your suspicions; 3. (*non preoccuparsi di nulla*) to be carefree; *ridersene di qd.* to make fun of s.o.

rịdere[2] *m.* laughter, laughing. □ ⟨*pop*⟩ *c'è da crepare* (*o morire*) *dal* ~ it's howlingly funny, you would die laughing; *fare un gran* ~ to laugh heartily, to have a good laugh; *non poteva trattenersi dal* ~ he couldn't help laughing.

riderẹlla *f.* → **ridarella.** – **riderẹllo** *a.* → **ridarello.**

ridestamẹnto *m.* ⟨*non com*⟩ **1.** (*il ridestare, il ridestarsi*) (re)awakening. – **2.** ⟨*fig*⟩ reawakening, arousing: *il* ~ *della passione* the arousing of passion.

ridestạre *v.t.* (**ridẹsto**) **1.** to reawaken, to wake up again: *il rumore del treno ci ridestò* the noise of the train woke us up again. – **2.** ⟨*fig*⟩ (*rif. a sentimenti e sim.*) to reawaken, to bring back, to arouse again: *la notizia gli ridestò molti ricordi* the news brought back many memories. – **3.** ⟨*fig*⟩ (*ravvivare*) to revive, to reawaken: *la pioggia ridesta le piante assetate* rain revives the thirsty plants. – **4.** ⟨*lett*⟩ (*svegliare*) to awake, to stir up. – **ridestarsi** *v.r.* **1.** to reawaken, to wake up again. – **2.** ⟨*fig*⟩ (*rif. a sentimenti e sim.*) to be aroused (again), to come back (to life): *i suoi sospetti si erano ridestati* his suspicions were aroused again. – **3.** ⟨*fig*⟩ (*ravvivarsi, rinascere*) to revive, to reawaken. – **4.** ⟨*lett*⟩ (*svegliarsi*) to wake up, to awaken.

rideterminạre *v.t.* (**ridetẹrmino**) to determine (*o* fix) again, to redefine. – **rideterminarsi** *v.r.* to develop (*o* arise) again, to come about again.

ridettạre *v.t.* (**ridẹtto**) to dictate again, to redictate.

ridẹvole *a.* ⟨*non com*⟩ (*che fa ridere*) laughable, ludicrous. – **ridevolmẹnte** *avv.* ⟨*non com*⟩ laughably.

ridicchiạre *v.i.* (**ridịcchio, ridịcchi**; *aus.* **avere**) ⟨*non com*⟩ to titter, to giggle.

ridicịbile *a.* ⟨*non com*⟩ repeatable.

ridicolạggine *f.* **1.** ridiculousness, absurdity. – **2.** (*azione*) ridiculous action (*o* behaviour); (*cosa, detto*) absurdity, nonsense: *dire -i* to talk nonsense. □ *hai detto proprio una* ~ what a ridiculous thing to say. – **ridicolamẹnte** *avv.* ⟨*non com*⟩ → **ridicolmente.** – **ridicoleggiạre** *v.* (**ridicolẹggio, ridicolẹggi**) ⟨*rar*⟩ → **ridicolizzare.** – **ridicolẹzza** *f.* **1.** ridiculousness, absurdity. – **2.** (*azione*) ridiculous action (*o* behaviour); (*cosa*) absurdity, ridiculous thing, nonsense. – **3.** (*inezia*) trifle, mere nothing. – **ridicolizzạre** *v.t.* to ridicule; (*rendere ridicolo*) to make ridiculous. – **ridicolmẹnte** *avv.* ridiculously, absurdly.

ridịcolo I *a.* **1.** (*rif. a persona*) ridiculous, absurd: *rendersi* ~ to make o.s. ridiculous, to make a fool (*o* laughing-stock) of o.s.; (*rif. a cosa*) ridiculous, absurd, ludicrous, laughable. – **2.** (*meschino, insignificante*) paltry, insignificant, ridiculous, meagre: *compenso* ~ meagre pay. – **II** *s.m.inv.* **1.** ridiculousness, ridiculous side, absurdity: *il* ~ *di una situazione* the ridiculous side of a situation. – **2.** (*derisione, scherno*) ridicule. □ *cadere nel* ~ to become ridiculous; *esporsi al* ~ to leave o.s. open to ridicule; *gettare il* ~ *su qd.* to ridicule s.o.; *mettere in* ~ *qd.* to hold s.o. up to ridicule, to ridicule (*o* make fun of) s.o. – *Prov.*: *il* ~ *uccide* ridicule is deadly.

ridicolosạggine *f.* ⟨*ant,pop*⟩ → **ridicolaggine.** – **ridicolọso** *a.* ⟨*ant*⟩ (*ridicolo*) ridiculous.

ridicule *fr.* [ridi'kyl] *f.* ⟨*Mod*⟩ (*borsetta da signora*) handbag.

ridimandạre *v.* ⟨*ant,region*⟩ → **ridomandare.**

ridimensionamẹnto *m.* **1.** reorganization. – **2.** (*riduzione*) reduction, retrenchment: ~ *dell'organico* reduction of staff. – **3.** ⟨*fig*⟩ reappraisal.

ridimensionạre *v.t.* (**ridimensiọno**) **1.** (*riorganizzare, ristrutturare*) to reorganize, to put on a new footing, to reshape: ~ *un'industria* to reorganize an industry. – **2.** (*ridurre*) to reduce, to retrench, to cut down (on): ~ *il personale* to reduce (*o* cut down on) personnel. – **3.** ⟨*fig*⟩ (*ridurre alle giuste proporzioni*) to re-evaluate, to reappraise, to put back into perspective, to see ⌈in the true light⌉ (*o* for what it is worth), to reconsider: ~ *uno scrittore* to reappraise a writer; ~ *un fatto storico* to put a historical event back into perspective; (*ridurre a proporzioni minori*) ⟨*fam*⟩ to cut down to size: ~ *qd.* to cut s.o. down to size.

ridipịngere *v.t.* (**ridipịngo, ridipịngi; ridipịnsi, ridipịnto**) **1.** to repaint: *ho fatto* ~ *lo steccato* I had the fence repainted. – **2.** (*dipingere su una pittura precedente*) to paint over: ~ *una tela* to paint over a canvas. – **3.** (*ritoccare*) to touch up. – **4.** (*dipingere un soggetto già dipinto*) to paint again.

ridipintụra *f.* **1.** (*il ridipingere*) repainting. – **2.** (*pittura che copre il dipinto originale*) new painting.

ridịre *v.t.* (**ridịco, ridịci**; *imperat.* **ridì/ridi'**; **ridịssi, ridẹtto**; → **dire**) **1.** to repeat, to tell (*o* say) again: *non* ~ *più una cosa simile* never say a thing like that again. – **2.** (*riferire*) to tell, to repeat: *ridice tutto alla mamma* he repeats everything to his mother. – **3.** (*criticare*) to object to, to find fault with, to complain about: *trova sempre qualcosa da* ~ he always finds fault. – **4.** (*raccontare, esprimere*) to tell, to express: *non so ridirti la gioia che ho provato* I can't tell you how delighted I was. – **5.** (*recitare*) to recite; (*riassumere*) to say (*o* tell) in one's own words, to summarize. – **6.** ⟨*non com*⟩ (*rispondere*) to reply. – **ridirsi** *v.r.* ⟨*rar*⟩ (*ricredersi*) to change one's mind. □ *avete qualcosa da* ~*?* have you any objection?; *quante volte te lo devo* ~*?* how many times must I tell you?

ridirizzạre *v.* → **ridrizzare.**

ridiscẹndere *v.t./i.* (**ridiscẹsi, ridiscẹso**; *aus.* **essere**) (*allontanandosi*) to go (*o* come) down again, to go (*o* come) back down, to descend again: ~ *le scale* to go down the stairs again.

ridisciọgliere *v.t.* (**ridisciọlgo, ridisciọgli; ridisciọlsi, ridisciọlto**) to redissolve, to remelt. – **ridisciogliersi** *v.r.* to redissolve, to remelt.

ridiscọrrere *v.i.* (**ridiscọrsi, ridiscọrso**; *aus.* **avere**) to talk (*o* speak) again.

ridispọrre *v.t.* (**ridispọngo, ridispọni; ridispọsi, ridispọsto**; → **porre**) to rearrange, to arrange (*o* set out) again.

ridistẹndere *v.t.* (**ridistẹsi, ridistẹso**) to spread out again. – **ridistendersi** *v.r.* to lie down again.

ridistillạre *v.t.* ⟨*Chim*⟩ to redistill.

ridistribuịre *v.t.* (**ridistribuịsco, ridistribuịsci**) **1.** to redistribute. – **2.** (*modificare la distribuzione precedente*) to redistribute, to reallocate. – **ridistribuziọne** *f.* **1.** new (*o* fresh) distribution, redistribution. – **2.** (*distribuzione diversa dalla precedente*) redistribution, reallocation: ~ *della popolazione* redistribution of the population. □ ~ *degli oneri fiscali* equalization of taxes.

ridivenịre *v.* (**ridivẹngo, ridiviẹni; ridivẹnni, ridivenụto**; → **venire**) → **ridiventare.** – **ridiventạre** *v.i.* (**ridivẹnto**; *aus.* **essere**) to become again, to grow (*o* turn) again: *ridiventò serio* he grew serious again.

ridivịdere *v.t.* (**ridivịsi, ridivịso**) **1.** to divide (up) again. – **2.** (*dividere ulteriormente*) to subdivide, to split up. – **ridividersi** *v.r.* ⟨*recipr*⟩ to separate again.

ridolẹre *v.i.* (**ridọlgo, riduọli; ridọlsi, ridolụto**; → **dolere**; *aus.* **avere/essere**) to ache (*o* hurt) again: *mi riduole la testa* my head is aching again. – **ridolersi** *v.r.* to grieve.
ridomandạre *v.t.* **1.** (*domandare di nuovo*) to ask again: *gli ho ridomandato che cosa volesse* I asked him again what he wanted; (*domandare con insistenza*) to keep on asking, to ask over and over: *non faceva che ~ dove volessimo portarlo* all he did was keep on asking where we wanted to take him. – **2.** (*chiedere in restituzione*) to ask for the return of, to ask to give back, to ask for back: *~ un libro dato in prestito* to ask for the return of a book; *gli ridomandai il danaro* I asked him ⌜to give me back the money⌝ (*o* for the money back). – **3.** ⟨*non com*⟩ (*rispondere a una domanda con un'altra*) to answer with a question.
ridonạre *v.t.* (**ridọno**) **1.** to give back (*o* again), to restore (*anche fig.*). – **2.** (*donare ad altri*) to give away. – **ridonatọre** *m.* (*f.* **-trice**) ⟨*non com*⟩ restorer.
ridondạnte (*p.pr. di ridondare*) *a.* **1.** (*sovrabbondante*) abounding (*di* in), bristling (with), crammed full (of). – **2.** (*gonfio*) pompous, bombastic: *stile ~* pompous style. – **ridondạnza** *f.* (*sovrabbondanza*) redundance, redundancy, superabundance, excess: *~ di metafore* excess of metaphors.
ridondạre *v.* (**ridọndo**) **I** *v.i.* (*aus.* **essere**) ⟨*lett*⟩ **1.** to (super)abound, to overflow, to be loaded (*di* with): *la tavola ridondava di cristalli e argenti* the table was loaded with glass and silverware. – **2.** (*risultare, tornare a*) to redound, to be: *~ in danno di qd.* to be to s.o.'s disadvantage; *~ in favore di qd.* to redound to s.o.'s favour. – **3.** ⟨*Mar*⟩ to veer aft. – **II** *v.t.* ⟨*ant*⟩ (*soverchiare*) to surpass, to exceed.
ridọppio: ⟨*tosc*⟩ *a ~* (*abbondantemente*) abundantly, more than doubly, four (*o* many) times over. □ *l'ho pagato a ~* I paid four times its value, ⟨*fam*⟩ I paid through the nose for it.
ridormịre *v.i.* (**ridọrmo**; *aus.* **avere**) ⟨*non com*⟩ to sleep again.
ridossạre *v.t.* (**ridọsso**) ⟨*Mar*⟩ to bring into shelter. – **ridossarsi** *v.r.* to (take) shelter. – **ridossạto** (*p.p. di ridossare*) *a.* sheltered: *porto ~* sheltered port.
ridọsso *m.* **1.** (*riparo*) shelter, protection, defence, lee: *la montagna fa ~ al paese* the town ⌜lies in the shelter of⌝ (*o* is sheltered by) the mountain. – **2.** ⟨*concr*⟩ shelter, screen, protective barrier (*o* line): *la casa è stata costruita dietro un ~ di alberi* the house has been built behind a screen of trees. – **3.** ⟨*Mar*⟩ lee, shelter. – **4.** ⟨*Mar*⟩ (*insenatura*) cove, creek, inlet, small bay. □ *a ~ di*: 1. (*riparato da*) sheltered (*o* protected) by, in the lee (*o* shelter) of: *a ~ del vento* in the lee of the wind; 2. (*vicino a*) close to (*o* by): *la casa era a ~ del monte* the house was ⌜close to⌝ (*o* sheltered by) the mountain; 3. (*dietro*) behind, at the back of: *le montagne stanno a ~ del paese* the mountains lie behind the town; *avere qc. a ~* to have s.th. ⌜behind one⌝ (*o* at one's back); ⟨*tosc*⟩ *avere qd. a ~* (*a carico*) to have s.o. to support; *porsi* (o *portarsi*) *a ~ dal vento* to take shelter from the wind.
ridọtta *f.* ⟨*Mil*⟩ redoubt.
ridottạre *v.t.* (**ridọtto**) ⟨*ant*⟩ (*temere*) to fear.
ridọtto (*p.p. di ridurre*) **I** *a.* **1.** converted, made, reduced: *vetro ~ in polvere* glass reduced to dust. – **2.** (*rimpicciolito*) reduced, small(er): *proporzioni -e* reduced proportions; *su scala -a* on a smaller scale. – **3.** (*diminuito*) reduced: *vendita a prezzi -i* sale at reduced (*o* cut) prices. – **4.** ⟨*Mat,Chim*⟩ reduced. – **II** *s.m.* **1.** ⟨*Teat*⟩ foyer; (*sala minore di un teatro*) small theatre (adjacent to a larger one). – **2.** (*luogo di riunione*) meeting-place; (*circolo*) club; (*riunione*) meeting. – **3.** ⟨*Mar.mil*⟩ enclosure, enclosed zone. – **4.** ⟨*Mil,non com*⟩ → **ridotta**. – **5.** ⟨*rar*⟩ (*luogo di raccolta*) collecting-point. – **6.** ⟨*ant*⟩ (*rifugio*) refuge. □ ⟨*iron*⟩ *siamo -i proprio bene!* we're in a fix (*o* nice mess)!; *guarda come sei ~!* just look at the state you're in!; *essere ~ agli estremi* to be in dire straits; *mal ~* (*rif. a persone*) in a bad way, in a sorry plight; (*rif. a cose*) in a bad state; ⟨*fig*⟩ *~ ai minimi termini* in bad shape (*o* condition), in a sorry state.
ridoventạre *v.* (**ridovẹnto**) ⟨*ant*⟩ → **ridiventare**.
ridrizzạre *v.t.* ⟨*ant*⟩ **1.** to straighten (out) again. – **2.** (*drizzare*) to straighten (out).
riducẹnte (*p.pr. di ridurre*) **I** *a.* **1.** reducing: *fiamma ~* reducing flame. – **2.** ⟨*Cosmet*⟩ slimming, reducing: *crema ~* reducing cream. – **II** *s.m.* ⟨*Chim*⟩ reducer, reductant, reducing agent.
ridụcere *v.* ⟨*ant*⟩ → **ridurre**.
riducịbile *a.* **1.** (*riportabile*) that can be brought back. – **2.** (*diminuibile*) reducible, that can be reduced (*o* lowered): *prezzi -i* reducible prices. – **3.** ⟨*tecn*⟩ reducible. □ *effetto ~ a una causa* effect which can be traced back to a cause. – **riducibilità** *f.* reducibility.
riducimẹnto *m.* ⟨*rar*⟩ (*il ricondurre*) bringing back.
ridụrre *v.t.* (**ridụco, ridụci; ridụssi, ridọtto**; → **condurre**) **1.** (*diminuire*) to reduce, to decrease, to lower, to cut, to curtail: *gli hanno ridotto lo stipendio* they cut his salary; *~ del dieci per cento* to reduce by ten per cent; *~ le esportazioni* to curtail exports. – **2.** (*far diventare più corto*) to shorten, to make shorter: *~ la lunghezza di un vestito* to shorten (*o* take up the hem of) a dress; (*rif. a opere letterarie*) to abridge; (*far diventare più stretto*) to take in: *~ un vestito* to take in a dress. – **3.** (*adattare*) to adapt: *~ una commedia per la televisione* to adapt a play for television; *~ un testo per le scuole* to adapt a text for the schools. – **4.** (*tradurre*) to translate: *~ un testo inglese in italiano* to translate a text from English into Italian. – **5.** (*trasformare, convertire*) to convert, to transform, to turn, to change: *~ un convento in ospedale* to convert a convent into a hospital; (*far diventare*) to turn into: *mi hanno ridotto la casa un porcile* they have turned my house into a pigsty. – **6.** (*mettere in condizioni peggiori*) to reduce, to bring: *i debiti lo hanno ridotto alla miseria* his debts reduced him to poverty; *~ un popolo in schiavitù* to reduce a people to slavery, to enslave a people. – **7.** (*costringere*) to force, to drive, to reduce: *~ i propri figli a mendicare* to drive one's children to begging. – **8.** ⟨*Mat,Chim*⟩ to reduce: *~ due frazioni al minimo comune denominatore* to reduce two fractions to the lowest common denominator. – **9.** ⟨*Mus*⟩ to arrange, to adapt. – **10.** ⟨*Chir*⟩ to reduce: *~ un'ernia* to reduce a hernia; (*rif. ad articolazioni*) to reduce, to set. – **11.** ⟨*non com*⟩ (*ricondurre*) to bring (*o* lead) back: *~ le pecore all'ovile* to bring the sheep back to the fold. – **12.** ⟨*Mil,non com*⟩ to concentrate. – **13.** ⟨*non com*⟩ (*rendere obbediente*) to discipline, to make obedient. – **14.** ⟨*rar*⟩ (*distogliere*) to deter, to dissuade. – **ridursi** *v.r.* **1.** (*diventare*) to be reduced, to become: *ridursi un cencio* to be reduced to a shadow of one's former self; *ridursi pelle e ossa* to be reduced to skin and bone, to become a mere skeleton. – **2.** (*indursi, giungere*) to be reduced, to lower o.s., to come (down), to reduce o.s.: *non mi ridurrò mai ad accettare compromessi* I shall never lower myself to accepting compromises. – **3.** (*diminuire*) to be reduced, to go down, to shrink, to dwindle away: *il mio gruzzolo si è ridotto a poche migliaia di lire* my savings have dwindled away to a few thousand lire. – **4.** (*limitarsi*) to be confined (*o* limited), to come (*a* to), to consist merely (of): *il suo aiuto si riduce a qualche promessa* his help merely consists of a few promises. – **5.** ⟨*lett*⟩ (*ritirarsi*) to retire, to withdraw: *si è ridotto in un'isoletta* he withdrew to a little island. – **6.** ⟨*lett*⟩ (*recarsi*) to go.
□ ⟨*non com*⟩ *~ ad* **atto** (*effettuare*) to put into effect, to carry out; *hai visto* **come** *si è ridotto dopo la malattia?* have you seen how bad he looks since his illness?; *si è ridotto che non si* **conosce** *più* he looks so bad you'd hardly know him; *~ all'***esasperazione** to exasperate, ⟨*fam*⟩ to drive mad; *~ sul* **lastrico** to reduce to poverty; *ridursi sul lastrico* to be reduced to poverty, ⟨*fam*⟩ to be down and out; *ridursi* **male** = *ridursi a mal* **partito**; ⟨*non com*⟩ *~ a* **memoria** (o *mente*) to call to mind, to recall; *~ la circolazione* **monetaria** to restrict the circulation of money; *ridursi a* **niente** (o *nulla*): 1. to leave almost nothing; 2. ⟨*fig*⟩ to come to nothing; *~ a mal* **partito** to reduce to a sorry plight (*o* state), to bring low; *ridursi a mal partito* to be in a ⌜bad way⌝ (*o* sorry plight), to have come low, ⟨*fam*⟩ to be ⌜done for⌝ (*o* washed out); *~ il* **personale** to cut down on personnel; *~ in* **pezzi** to break into pieces; (*stracciare*) to tear up (*o* to pieces); *~ in* **polvere** to reduce to dust, to pulverize; *~ qd. in proprio* **potere** to get s.o. into one's power; *~ in* **prosa** to turn (*o* put) into prose; *~ qd. alla* **ragione** to make s.o. see reason; *~ per lo* **schermo** to adapt for the screen; *~ qd. al* **silenzio** to silence s.o.; *~ le* **spese** to cut down on expenses; ⟨*fig*⟩ *~ qd. uno* **straccio** to wear s.o. out (*o* to a frazzle); ⟨*El*⟩ *~ la* **tensione** to step down the voltage; ⟨*fig*⟩ *~ ai minimi* **termini** to bring low, to reduce to a sorry state; ⟨*Mar*⟩ *~ la* **velatura** to shorten (*o* take in) sail; *~ qd. al* **verde** ⟨*fam*⟩ to make s.o. go broke; *essere ridotto al verde* to be broke (*o* on the rocks); *ridursi a* **vita** *privata* to retire to private life; *~ qd. in fin di vita* to bring s.o. to the brink of death, to almost kill s.o.; *~ qd. ai propri* **voleri** to impose one's will on s.o.
ridụtto *a./s.* ⟨*ant*⟩ → **ridotto**.
riduttọre *m.* (*f.* **-trice**) **1.** reducer; (*di romanzi e sim.*) adapter. – **2.** ⟨*Mecc*⟩ reducer, reduction gear (*o* unit). – **3.** ⟨*El*⟩ reducer. – **4.** ⟨*Chim*⟩ (*riducente*) reducer, reductant, reducing agent. □ ⟨*El*⟩ *~ di corrente* current reducer (*o* transformer); ⟨*Mecc*⟩ *~ a ingranaggi* gear reduction unit, reduction gear; ⟨*tecn*⟩ *~ di pressione* pressure reducer (*o* reducing valve); ⟨*El*⟩ *~ di tensione* potential divider, step-down transformer.
riduzionạle *a.* ⟨*Biol*⟩ reduction-: *divisione ~* reduction division.
riduziọne *f.* **1.** (*diminuzione*) reduction, decrease, lowering, cutting (down): *~ del personale* ⌜reduction of⌝ (*o* cutting down on) staff; *~ dei costi* reduction (*o* cutting down) of costs; *si è registrata una ~ delle entrate* there has been a decrease in income. – **2.** (*rimpicciolimento*) reduction; (*raccorciamento*) shortening: *~ dell'orario* shortening of the timetable (*o* hours); (*rif. a opere letterarie*) abridgement. – **3.** (*sconto*) reduction, discount, (price) cut: *concedere una ~ del dieci per cento* to give a ten per-cent discount. – **4.** (*adattamento, opera adattata*) adaptation: *~ cinematografica di un romanzo* screen adaptation of a novel. – **5.** ⟨*Mus*⟩ arrangement, adaptation. – **6.** ⟨*tecn*⟩ reduction. – **7.** ⟨*Mecc*⟩ (*raccordo di riduzione*) reducing socket (*o* pipe-joint), reducer. – **8.** ⟨*Med*⟩ reduction; (*rif. ad articolazioni*) setting, reduction. – **9.** ⟨*Filos*⟩ reductio. – **10.** ⟨*non com*⟩ (*traduzione*) translation. – **11.** ⟨*Stor*⟩ (*nel Paraguay*) reduction.
□ ⟨*Ling*⟩ *~* **apofonica** apophonic reduction; ⟨*Filos*⟩ *~ all'***assurdo** reductio ad absurdum; ⟨*Econ*⟩ *~ dei* **dazi** reduction of taxes; *~ al* **dovere** forcing (s.o.) to do his duty; ⟨*Mot*⟩ *~ del* **gas** choking, strangling of gases; *~ della* **moneta** debasement of coinage; *~ dell'***orario** *di lavoro* shortening of working hours; *~ dei* **prezzi** reduction of prices, price cut(ting), slashing of prices; *~ di* (o *sul*) *prezzo* reduction, discount; ⟨*Lav.femm*⟩ *~ dei* **punti** decreasing, casting off; ⟨*Edit*⟩ *~ per* **ragazzi** children's edition; ⟨*Mecc*⟩ **rapporto** *di ~* reduction ratio; *~ del* **salario** wage cut; *~ in* **schiavitù** reduction to slavery, enslaving; *~ di* **sezione**: 1. ⟨*Mecc*⟩ reduction of cross -sectional area, diminution of section; 2. ⟨*Edil*⟩ (*rif. a muro e sim.*:

risega) scarcement; ⟨*Dir.can*⟩ ~ *allo* **stato** *laicale* reduction to the lay state; ~ *di* **tariffa** price reduction, lowering of rates; (*rif. a viaggi*) reduced (*o* cheap) fare; ~ *di* **tassa** tax reduction; ~ *del* **tasso** *d'interesse* reduction of interest; ~ **televisiva** television version, adaptation for television.

rieccitạre *v.t.* (**rięccito**) to stimulate (*o* stir) again.

rięcco *avv.* **1.** (*ecco di nuovo*) here is again, here are again, here comes again, here come again: ~ *il sole* here comes the sun again, the sun's coming out again. – **2.** (*nel restituire*) here is (back), here are back: *rieccoti la penna* here is your pen back. □ *rieccoci qua* here we are again; *rieccolo con le sue lamentele* there he goes complaining again, he's off with his complaints again.

riecheggiamẹnto *m.* ⟨*lett*⟩ **1.** re-echoing, resounding, echo. – **2.** ⟨*fig*⟩ (*reminiscenza*) echo. – **riecheggiạre** *v.* (**riechęggio, riechęggi**) **I** *v.i.* (*aus.* essere/avere) **1.** to re-echo, to resound. – **2.** ⟨*fig*⟩ to echo. – **II** *v.t.* **1.** (*rendere l'eco*) to echo (back), to re-echo. – **2.** ⟨*fig*⟩ to echo.

rięderé *v.i.* (*aus.* **essere**) ⟨*poet*⟩ (*redire*) to turn (*o* come) back.

riedificamẹnto *m.* ⟨*rar*⟩ → **riedificazione**. – **riedificạre** *v.t.* (**riedịfico, riedịfichi**) **1.** to rebuild, to reconstruct, to build again. – **2.** ⟨*fig,rar*⟩ to edify (*o* enlighten) again. – **riedificaziọne** *f.* rebuilding, reconstruction.

riẹdito *a.* republished, published (*o* printed) again, reprinted, reissued. – **riediziọne** *f.* **1.** new edition, reissue: ~ *di un libro* new edition of a book. – **2.** ⟨*Cin*⟩ (*rilancio*) re-release; (*film basato sullo stesso soggetto di uno vecchio*) remake. – **3.** ⟨*Teat*⟩ revival.

rieducạbile *a.* re-educable; (*correggibile*) reformable. – **rieducamẹnto** *m.* ⟨*non com*⟩ → **rieducazione**. – **rieducạre** *v.t.* (**riẹduco, riẹduchi**) **1.** to re-educate, to rehabilitate: ~ *i minorenni traviati* to rehabilitate juvenile delinquents; (*correggere*) to reform. – **2.** (*rif. al mestiere*) to retrain, to rehabilitate. – **3.** ⟨*Med*⟩ to rehabilitate, to re-educate. – **rieducarsi** *v.r.* to reform. – **rieducaziọne** *f.* **1.** re-education, rehabilitation. – **2.** (*rif. al mestiere*) rehabilitation, retraining: ~ *professionale* professional rehabilitation, occupational retraining. – **3.** (*correzione*) reforming, reformation, training. – **4.** ⟨*Med*⟩ (*trattamento*) rehabilitation, re-education. □ *casa di* ~ (*per delinquenti minorenni*) approved (*o* reform) school, reformatory.

rielaborạre *v.t.* (**rielạboro**) **1.** to elaborate again; (*modificare*) to revise, to modify. – **2.** (*rifare con nuovi criteri*) to work out again, to draw up again. – **rielaboraziọne** *f.* **1.** new elaboration, working -out again; (*cambiamento*) revision, modification. – **2.** (*rifacimento*) working-out again, drawing up again.

rielęggere *v.t.* (**rielęggo, rielęggi; rielęssi, rielętto**) to re-elect. – **rieleggịbile** *a.* eligible for re-election, re-eligible. – **rieleggibilità** *f.* eligibility for re-election, re-eligibility. – **rieleziọne** *f.* **1.** re-election: *votare* (*per*) *la* ~ *del sindaco* to vote for the re-election of the mayor. – **2.** (*nuova elezione*) new election.

riemanniạno [rim-] *a.* ⟨*Mat*⟩ Riemannian: *geometria -a* Riemannian geometry.

riemęrgere *v.i.* (**riemęrgo, riemęrgi; riemęrsi, riemęrso**; *aus.* **essere**) **1.** to re-emerge, to emerge again. – **2.** ⟨*fig*⟩ to come out again. – **riemersiọne** *f.* re-emergence.

riempịbile *a.* (re)fillable. – **rięmpiere** *v.* ⟨*non com*⟩ → **riempire**. – **riempimẹnto** *m.* **1.** filling (up); (*il riempire di nuovo*) refilling. – **2.** (*ciò che serve a riempire*) filling. – **3.** (*compilazione*) filling in, writing (*o* making) out: ~ *di un assegno* making out of a cheque. – **4.** ⟨*Gastr*⟩ (*il farcire*) stuffing. – **5.** (*imbottitura*) stuffing, padding, filling. – **6.** ⟨*Mar*⟩ (*imbono*) making good.

riempịre *v.t.* (**rięmpio, rięmpi; riempịi**/*non com.* **riempiẹi, riempịto/riempiụto**) **1.** to fill (up): ~ *un bicchiere d'acqua* to fill a glass with water. – **2.** (*empire di nuovo*) to refill, to fill (up) again. – **3.** (*mettere dentro*) to fill, to cram, to stuff: ~ *una valigia* to fill a suitcase. – **4.** (*compilare*) to fill in: ~ *un formulario* to fill in a form; (*rif. ad assegni e sim.*) to make (*o* write) out. – **5.** ⟨*fig*⟩ (*colmare*) to fill: *le tue parole mi riempiono di speranza* your words fill me with hope. – **6.** ⟨*Gastr*⟩ (*farcire*) to stuff. – **7.** (*imbottire*) to stuff, to pad. – **riempirsi** *v.r.* ⟨*fam*⟩ (*saziarsi*) to stuff (*o* cram) o.s. (with), to fill up (on): *si è riempito di pasticcini* he stuffed himself with pastry. □ ~ *una lacuna* to fill a gap; *riempirsi lo stomaco* to eat one's fill, ⟨*volg*⟩ to fill (*o* stuff) one's belly; *il cielo si è riempito di nuvole* the sky has clouded over.

riempịta *f.* ⟨*fam*⟩ filling (up). □ *dare una* ~ *a qc.* to fill s.th. up. – **riempitịvo** **I** *a.* filling. – **II** *s.m.* **1.** filler, filling: ~ *di plastica* plastic filler. – **2.** ⟨*fig*⟩ filler, stopgap, fill-in. □ *fare da* ~ to make up numbers; ⟨*Ling*⟩ *parola -a* superfluous word, pleonasm.

riempitọre *m.* (*f.* **-trice**) ⟨*non com*⟩ filler. – **riempitrịce** *f.* ⟨*Ind*⟩ filler. – **riempitụra** *f.* **1.** filling (up, in). – **2.** (*ciò che serve a riempire*) filling, filler. – **3.** (*imbottitura*) stuffing. – **riempiụta** *f.* ⟨*ant*⟩ → **riempita**.

rientrạbile *a.* (*retrattile*) retractable, folding. – **rientramẹnto** *m.* **1.** (*rientranza*) indentation, recess. – **2.** ⟨*non com*⟩ (*rientro*) re-entry, return. – **rientrạnte** (*p.pr. di rientrare*) **I** *a.* **1.** receding, indented, re-entrant, re-entering: *superficie* ~ indented surface. – **2.** (*incavato*) hollow, sunken: *guance -i* hollow cheeks. – **II** *s.m.* ⟨*Mil*⟩ re-entering angle, re-entrant. – **rientrạnza** *f.* **1.** (*parte rientrante*) indentation, recess. – **2.** (*l'essere rientrante*) indentation.

rientrạre *v.* (**riẹntro**) **I** *v.i.* (*aus.* **essere**) **1.** to re-enter, to enter again, to go back in: *rientrai nel negozio per avere il resto* I went back in(to) the store to get my change. – **2.** (*tornare*) to come (*o* go) back, to return: ~ *in famiglia* to go back to one's family; ~ *in patria* to return to one's native land. – **3.** ⟨*assol*⟩ (*rincasare*) to come (*o* go) home: *la sera rientra sempre molto tardi* he always comes home very late at night. – **4.** (*presentare concavità*) to recede, to curve inwards, to be indented: *la strada rientra dopo l'abitato* the road curves inwards after the built-up area. – **5.** (*essere contenuto, compreso*) to form (*o* be) part (*in* of), to be included (among), to come, to fall (within), to be covered (by): *il caso non rientra in quelli previsti dalla legge* the case is not covered by the law; *il caso non rientra nelle mie competenze* the case does not fall within my province. – **6.** (*restringersi*) to shrink: *questa stoffa nell'acqua rientra* this fabric shrinks in water. – **7.** ⟨*pop*⟩ (*riassorbirsi*) to go away, to dry (*o* clear) up: *il foruncolo è rientrato* the spot has cleared up. – **8.** ⟨*scherz*⟩ (*rif. a desideri non soddisfatti*) to vanish, to fade (away). – **II** *v.t.* **1.** ⟨*rar*⟩ (*far rientrare*) to bring in, to pull (back) in. – **2.** ⟨*Mar*⟩ to ship: ~ *i remi* to ship (*o* lay in, boat) oars.
□ ⟨*Sport*⟩ ~ *in* **campo** to return to the field (*o* game); ~ *in* **casa** to come (*o* go) home; ~ *in* **gioco**: 1. to get back into play (*o* the game); 2. = *rientrare in* **campo**; ~ *nelle* **grazie** *di qd.* to get back into s.o.'s good graces, to win s.o. over again; *far* ~ *una* **linea** to indent a line; ~ *nell'***ordine** (*tornare alla normalità*) to return to normal; ⟨*fam*⟩ ~ *nel* **proprio** (*ricuperare il proprio denaro*) to get one's money back; ~ *nei* **ranghi** to fall back into line (*anche fig.*); ~ *nelle* **spese** to cover one's expenses; ~ *nell'***ubbidienza** to be obedient again. || *rientrarci* to cover one's expenses.

rientrạta *f.* ⟨*non com*⟩ re-entry, re-entrance, return. – **rientrạto** (*p.p. di rientrare*) *a.* **1.** (*represso*) stifled, suppressed, repressed: *uno starnuto* ~ a stifled sneeze. – **2.** ⟨*fig*⟩ unfulfilled, that has come to nothing: *un'ambizione -a* an unfulfilled ambition.

riẹntro *m.* **1.** (*ritorno*) return: *aspettiamo il* ~ *del direttore* we are awaiting the manager's return; (*ritorno a casa, in patria*) coming (*o* going) home, homecoming. – **2.** (*rientranza*) recess, indentation: *i -i del muro* the recesses in the wall. – **3.** (*restringimento*) shrinkage. – **4.** (*nei giochi di carte*) getting back in play. – **5.** ⟨*Stor,Teat*⟩ transfer of royalties. – **6.** ⟨*tosc*⟩ (*ripresa di denaro speso*) getting back one's outlay. – **7.** ⟨*tosc*⟩ (*entrata, risorsa*) income. □ ⟨*Astron*⟩ ~ *nell'atmosfera* re-entry into the atmosphere; ⟨*Aer*⟩ ~ *del carrello* retracting of the landing-gear.

riepilogamẹnto *m.* ⟨*non com*⟩ → **riepilogo**. – **riepilogạre** *v.t.* (**riepịlogo, riepịloghi**) to sum up, to summarize, to recapitulate, ⟨*fam*⟩ to recap. – **riepilogatịvo** *a.* ⟨*non com*⟩ summary, recapitulatory. □ *capitolo* ~ summary. – **riepilogaziọne** *f.* ⟨*rar*⟩ → **riepilogo**. – **riepịlogo** *m.* (*pl.* **-ghi**) summary, summing-up, recapitulation, ⟨*fam*⟩ recap: *un breve* ~ *dei fatti* a brief summary of the facts.

riesạme *m.* re-examination; (*revisione*) review. – **riesaminạre** *v.t.* (**riesạmino**) **1.** to re-examine; (*rivedere*) to review, to reconsider. – **2.** ⟨*Scol*⟩ to re-examine, to retest.

riescịre *v.i.* (**rięsco, rięsci**; *aus.* **essere**) ⟨*pop*⟩ **1.** (*uscire di nuovo*) to go out again. – **2.** (*essere in grado*) to succeed, to manage, to be able.

riesercitạre *v.t.* (**riesẹrcito**) **1.** to exercise (*o* exert) again, to re -exercise, to use again: ~ *le forze* to exert one's strength again. – **2.** (*rif. a professioni e sim.*) to practise again. – **riesercitarsi** *v.r.* to practise again.

riesiliạre *v.t.* (**riesịlio, riesịli**) to exile again.

riesling *ted.* ['ri:s-] *m.* ⟨*Enol*⟩ Riesling.

riespęllere *v.t.* (**riespụlsi, riespụlso**) **1.** to expel again: *lo hanno riespulso dalla scuola* he has been expelled from school again. – **2.** (*espellere*) to expel: ~ *l'aria dai polmoni* to expel (*o* exhale) air from the lungs.

riespọrre *v.t.* (**riespọngo, riespọni; riespọsi, riespọsto**; → **porre**) **1.** to show (*o* exhibit, display) again, to re-exhibit. – **2.** (*rispiegare*) to explain (*o* set forth) again, to expound again. – **riesporsi** *v.r.* to expose o.s. again.

riesportạre *v.t.* (**riespọrto**) ⟨*Comm*⟩ to re-export, to export again. – **riesportaziọne** *f.* re-exportation.

riesposiziọne *f.* **1.** showing (*o* displaying) again, re-exhibition. – **2.** (*nuova spiegazione*) re-explanation: *la* ~ *dei fatti* the re-explanation of the facts. – **3.** ⟨*Mus*⟩ recapitulation.

riespugnạre *v.t.* to recapture.

rięssere *v.i.* (**risono, risẹi; rifụi, ristạto**; → **essere**) **1.** to be again: ~ *eliminato* to be eliminated again. – **2.** (*tornare*) to be back again. □ *ci risiamo!* here we go again!, we're off again!

riestẹndere *v.t.* (**riestẹsi, riestẹso**) to extend again.

riesumạbile *a.* unearthable, disinterrable. – **riesumạre** *v.t.* **1.** to disinter, to exhume. – **2.** ⟨*fig*⟩ (*riportare alla luce*) to unearth, to bring to light, to revive: ~ *vecchi ricordi* to revive old memories; (*rimettere in uso*) to revive, to bring back. – **riesumaziọne** *f.* **1.** exhumation, disinterment. – **2.** ⟨*fig*⟩ unearthing, bringing to light; (*il rimettere in uso*) revival.

rievocạre *v.t.* (**rięvoco, rięvochi**) **1.** to evoke (*o* call up) again, to re-evoke. – **2.** (*richiamare alla memoria*) to recall, to remember, to call to mind: ~ *il passato* to recall the past. – **3.** (*commemorare*) to commemorate. – **rievocatịvo** *a.* evocative: *scritti -i* evocative writings. – **rievocaziọne** *f.* **1.** (*il rievocare*) evoking, recalling. – **2.** (*cosa rievocata*) memory, remembrance. – **3.** (*commemorazione*) commemoration.

rifabbricạre *v.t.* (**rifạbbrico, rifạbbrichi**) to rebuild, to reconstruct.

rifacịbile *a.* ⟨*non com*⟩ that can be done (*o* made) again. – **rifacimẹnto** *m.* **1.** remaking. – **2.** (*ricostruzione*) rebuilding, reconstruction. – **3.** (*rielaborazione*) revision, rewriting, adaptation: ~ *di* *un'opera letteraria* revision of a literary work. – **4.** ⟨*Cin*⟩ remake. – **5.** ⟨*ant*⟩ (*risarcimento*) compensation. – **rifacitọre** *m.* (*f.* **-trice**) **1.** remaker. – **2.** (*rielaboratore*) reviser, adapter, rewriter. – **rifacitụra** *f.* ⟨*rar*⟩ → **rifacimento.**

rifalciạre *v.t.* (**rifạlcio, rifạlci**) to mow again.

rifallịre *v.t.* (**rifallịsco, rifallịsci**) to miss again.

rifạre *v.t.* (**rifạccio, rifạl; rifẹci, rifạtto;** → **fare**) **1.** to remake, to redo, to make again, to do (over) again: *devi ~ l'esercizio* you have to do the exercise (over) again. – **2.** (*riparare*) to repair, to mend: *~ il tetto alla casa* to repair the roof on the house; (*sostituire, cambiare*) to change, to substitute, to replace: *~ i polsini della camicia* to change the cuffs on the shirt. – **3.** (*ricostruire*) to rebuild, to reconstruct: *la chiesa fu rifatta nel diciottesimo secolo* the church was reconstructed in the eighteenth century. – **4.** (*ripetere*) to repeat, to make (*o* do) again: *~ un tentativo* to repeat an attempt, to make another attempt; (*ripercorrere*) to retrace, to go back over: *rifece il cammino già percorso* he retraced the path already followed. – **5.** (*imitare*) to imitate, ⟨*fam*⟩ to do a take-off, ⟨*spreg*⟩ to ape: *sa ~ il modo di camminare del maestro* he knows how to imitate the teacher's gait; (*contraffare*) to forge: *~ la firma di qd.* to forge s.o.'s signature. – **6.** (*compensare, risarcire*) to compensate, to make good, to reimburse, to indemnify: *~ qd. delle spese* to reimburse s.o. for expenses; *mi ha rifatto dei* (*o i*) *danni* he compensated me for the damage. – **7.** (*restituire allo stato primitivo*) to make again, to renew: *le mie parole lo rifecero fiducioso* my words made him confident again. – **8.** (*rieleggere*) to re-elect. – **9.** (*sostituire comprando*) to buy new, to replace, to change: *dovrei rifarmi la macchina* I ought to buy a new car. – **10.** (*con valore causativo*) to make (*o* have) again: *lo rifeci tornare a letto* I made him go to bed again, I made him go back to bed. – **rifarsi** *v.r.* **1.** (*diventare di nuovo*) to become (*o* grow, get, go) again: *rifarsi socialista* to become a socialist again. – **2.** (*ricominciare*) to begin (*o* start) again: *rifarsi a lavorare* to begin working again. – **3.** (*rimettersi in salute*) to recuperate, to recover: *era deperito, ma in montagna si è rifatto* he was run-down, but he recuperated in the mountains. – **4.** (*rif. al tempo*: *ristabilirsi*) to clear up, to settle, to turn fine again: *se il tempo si rifarà, faremo una gita* if the weather clears up we'll go on an outing. – **5.** (*prendersi la rivincita*) to make up for, to make good, to recover: *rifarsi di una perdita* to make up for a loss; (*vendicarsi*) to revenge o.s., to get even, to get one's own back: *vuole rifarsi del torto subito* he wants to revenge himself for the wrong done him. – **6.** ⟨*fig*⟩ (*riacquistare*) to regain, to get back: *rifarsi un buon nome* to regain a good name, to get one's reputation back; (*riguadagnare*) to make up: *rifarsi del tempo perduto* to make up for lost time. – **7.** (*risalire nel tempo*) to go back, to begin, to start: *per spiegare i fatti bisogna rifarsi a cinque anni fa* to explain what has happened one must go back five years.

□ *~ l'***abitudine** *a qc.* to get used to s.th. again, to get into the habit of doing s.th. again; *rifarsi la* **bocca** to take s.th. to take away an (unpleasant) taste (*anche fig.*); *~ qc. da* **capo** *a fondo* to do s.th. over again from top to bottom; ⟨*ant*⟩ *~ la* **casa** (*provvedere alla continuazione della stirpe*) to perpetuate the dynasty; ⟨*fam*⟩ *rifarsela* **con** *qd.* to take it out on s.o.; *rifarsi una* **famiglia** to set up a household again; *~ il* **filo** *al coltello* to sharpen a knife; *~ il lesso al* **forno** to reheat boiled meat in the oven; *~ il* **letto** to make the bed; *rifarsi da* **lontano** (*prendere le cose alla larga*) to be roundabout; ⟨*fig*⟩ *rifarsi l'***occhio** *con qc.* to feast one's eyes on s.th.; *~* (*la*) **pace** to make peace again; *~* (*la*) *pace con qd.* to make it up with s.o.; *~ la verdura in* **padella** to fry (cooked) vegetables; *rifarsi un* **patrimonio** to make another fortune; *~ qc. di sana* **pianta** = *rifare qc. da* **capo** *a fondo*; *~ un* **processo** to retry a case; *~ la* **punta** *alla matita* to sharpen a pencil; *~ le* **scale** (*in giù*) to go downstairs again; (*in su*) to go upstairs again; *rifarsi lo* **stomaco** = *rifarsi la* **bocca**; ⟨*fig*⟩ *rifarsi una* **verginità** to try to clear one's name, to make o.s. out to be innocent; *rifarsi una* **vita** to start ⌜a new life⌝ (*o* all over again).

rifaṣamẹnto *m.* ⟨*El*⟩ power-factor improvement (*o* correction). – **rifaṣạre** *v.t.* to correct (*o* improve) the power factor of.

rifasciạre *v.t.* (**rifạscio, rifạsci**) **1.** to bandage (*o* bind up) again. – **2.** (*rif. a bambini*: *fasciare*) to wrap, to swathe, to swaddle.

rifạscio: *a ~*: 1. (*in grande quantità*) pouring, in profusion, pell-mell, galore: *venivano giù calcinacci a ~* rubble came pouring down, masses of rubble hurtled down; *piove a ~* it's pouring (*o* pelting); 2. (*rovinosamente, a rotoli*) to rack and ruin: *tutto va a ~* everything is going to rack and ruin.

rifattịbile *a.* ⟨*non com*⟩ → **rifacibile.**

rifạtto (*p.p. di rifare*) *a.* **1.** remade, redone. – **2.** ⟨*spreg*⟩ (*arricchito*) enriched, grown rich. – **3.** (*rielaborato*) revised: *edizione -a* revised edition. – **4.** (*riscaldato*) reheated, heated up; (*ricucinato*) cooked in a different way, served up differently. □ *pane ~* stale bread heated up; *vestito ~* made-over suit; *villan* (o *pidocchio*) *~* upstart, nouveau-riche, parvenu.

rifattụra *f.* **1.** (*rifacimento*) remaking, renovation; (*riparazione*) repair. – **2.** (*ricostruzione*) rebuilding, reconstruction.

rifaziọne: ⟨*rar*⟩ *~ dei danni* compensation, indemnity for damages.

rifedịre *v.t.* (**rifedịsco, rifedịsci; rifedịi, rifedịto**) ⟨*ant*⟩ (*ferire di nuovo*) to wound again.

rifenditụra *f.* ⟨*Agr*⟩ first ploughing.

riferịbile *a.* **1.** repeatable, fit to be told. – **2.** (*attribuibile*) attributable, imputable, referable, ascribable: *questa frase non è ~ a me* those words are not imputable to me, I never said that. – **3.** (*che concerne*) related. □ *essere ~ a* (*riguardare*) to concern, to refer (*o* be related) to.

riferimẹnto *m.* **1.** (*rimando, accenno*) reference (*a* to), mention (of). – **2.** (*relazione, rapporto*) reference, relation, connexion, respect: *in ~ alla Vostra lettera* with (*o* in) reference to your letter. – **3.** ⟨*fig*⟩ (*punto di riferimento*) reference point. – **4.** ⟨*Aer*⟩ checkpoint. – **5.** ⟨*Topogr*⟩ datum point. – **6.** ⟨*Ling*⟩ reference. – **7.** ⟨*tecn*⟩ (*sistema di riferimento*) frame of reference. □ ⟨*Aer*⟩ *-i aereonautici* ground location signs; *fare ~ a qc.* to refer to s.th., to mention s.th.; ⟨*Topogr*⟩ *punto di ~* datum point.

riferịre[1] *v.t.* (**riferịsco, riferịsci**) **1.** (*raccontare*) to tell of (*o* about), to relate: *~ qc. a qd.* to tell s.o. about s.th.; *~ l'accaduto* to tell what happened. – **2.** (*riportare*) to report, to give an account of: *riferisce ogni cosa ai suoi superiori* he reports everything to his superiors; (*fare la spia*) to tell, to report, ⟨*fam*⟩ to sneak. – **3.** (*mettere in relazione*) to relate, to connect: *~ un effetto a una causa* to relate cause and effect; (*attribuire*) to attribute, to ascribe, to impute: *~ qc. a qc.* to attribute s.th. to s.th. – **4.** ⟨*assol*⟩ (*fare una relazione*) to make a report, to submit (*o* send in) a report. – **riferirsi** *v.r.* **1.** to refer (*a* to), ⟨*fam*⟩ to talk (about): *mi riferisco alla tua lettera* I'm referring to your letter. – **2.** (*concernere*) to refer, to relate, to be related, to apply (*a* to), to concern (s.o., s.th.): *le mie parole si riferiscono a tuo fratello* what I am saying concerns your brother. □ ⟨*Comm*⟩ *riferendoci agli accordi* ⌜with reference to⌝ (*o* on the basis of) our agreement, as agreed; ⟨*ant,lett*⟩ *~ grazie* (*ringraziare*) to thank, to give thanks.

riferịre[2] *v.t.* (**riferịsco, riferịsci**) ⟨*non com*⟩ (*ferire di nuovo*) to wound again.

riferitọre *m.* (*f.* **-trice**) ⟨*non com*⟩ reporter, teller.

rifermạre *v.t.* (**rifẹrmo**) **1.** to stop again. – **2.** (*fissare di nuovo*) to refasten, to fasten again. – **3.** (*arrestare di nuovo*) to arrest again, to rearrest: *fu rilasciato e subito rifermato* he was released but immediately arrested again. – **4.** ⟨*ant*⟩ (*confermare*) to confirm, to keep on. – **rifermarsi** *v.r.* to stop again: *dopo alcuni passi si rifermò* after a few steps he stopped again.

rifermentạre *v.i.* (**rifermẹnto**; *aus.* **avere**) to re-ferment. – **rifermentaziọne** *f.* refermentation.

riferrạre *v.t.* (**rifẹrro**) to reshoe.

riff *ingl. m.* ⟨*Mus*⟩ riff.

rịffa[1] *f.* (*lotteria*) raffle.

rịffa[2] *f.* ⟨*tosc*⟩ (*sopruso, violenza*) violence, bullying. □ *di ~* (*a tutti i costi*) at all costs: *ha voluto entrarci di ~* he wanted to get mixed up in it at all costs; *di ~ o di raffa* by hook or by crook, by fair means or foul, come what may: *otterrò quanto voglio di ~ o di raffa* I'll get what I want by hook or by crook.

riffọso *a.* ⟨*tosc*⟩ (*rissoso*) violent, rough, bullying.

riflancạre *v.t.* (**riflạnco, riflạnchi**) ⟨*non com*⟩ (*rinfiancare*) to support.

rifiatạre *v.i.* (*aus.* **avere**) **1.** (*respirare*) to breathe. – **2.** ⟨*fig*⟩ to get one's breath back, ⟨*fam*⟩ to have a breather. – **3.** (*pronunciare una parola*) to breathe (*o* utter) a word: *mi ascoltò senza ~* he listened to me without uttering a word.

rificcạre *v.t.* (**rifịcco, rifịcchi**) **1.** to thrust (*o* drive) in again, to rethrust. – **2.** ⟨*tosc*⟩ (*riferire, fare la spia*) to report, to tell, to repeat. – **3.** ⟨*fig,ant*⟩ (*fissare*) to fix again. – **rificcarsi** *v.r.* to go, to get. □ *rificcarsi a letto* to get back into bed, to snuggle down again.

rificolọna *f.* ⟨*tosc*⟩ Chinese (*o* Japanese) lantern. – **rificolonạta** *f.* ⟨*tosc*⟩ feast of the lanterns.

rifidạre ⟨*ant*⟩ **I** *v.t.* (*affidare*) to entrust. – **II** *v.i.* (*aus.* **avere**), **rifidarsi** *v.r.* (*fidarsi*) to trust (*in qd.* s.o., in s.o.).

rifịggere *v.t.* (**rifịggo, rifịggi; rifịssi, rifịtto**) to drive (*o* stick) again.

rifigliạre *v.i.* (**rifịglio, rifịgli**; *aus.* **avere**) ⟨*non com*⟩ (*generare altri figli*) to have more children; (*rif. ad animali*) to have more young.

rifilạre *v.t.* **1.** (*tagliare a filo*) to trim, to edge. – **2.** ⟨*Legat*⟩ to cut, to trim (down), to shave. – **3.** (*filare di nuovo*) to respin. – **4.** ⟨*fam*⟩ (*affibbiare*) to palm off, ⟨*fam*⟩ to stick: *mi hanno rifilato un biglietto da mille lire falso* they palmed off a counterfeit thousand-lire note on me, they stuck me with a counterfeit thousand-lire note. – **5.** ⟨*fam*⟩ (*dare, allungare*) to deal, to give, to deliver: *~ un calcio a qd.* to give s.o. a kick, to kick s.o. – **6.** ⟨*fam*⟩ (*dire*) to tell, to reel off: *mi ha rifilato un sacco di bugie* he told me a pack of lies.

rifilatọre **I** *s.m.* (*f.* **-trice**) trimmer. – **II** *a.* trimming, edging. – **rifilatrịce** *f.* **1.** (*operaia*) trimmer. – **2.** (*macchina*) trimmer, trimming -machine. – **rifilatụra** *f.* **1.** trimming, edging. – **2.** ⟨*Legat*⟩ cutting, trimming (down), shaving.

rifiltrạre *v.t.* to refilter.

rifinạre *v.i.* (*aus.* **avere**) ⟨*ant*⟩ (*cessare*) to stop, to end.

rifinịre *v.* (**rifinịsco, rifinịsci**) **I** *v.t.* **1.** to finish (*o* bring to an end) again. – **2.** (*condurre a termine*) to finish (off), to complete. – **3.** (*dare l'ultima mano*) to finish (off), to put the finishing (*o* last) touch to; (*ritoccare*) to touch up, to polish. – **4.** ⟨*tosc*⟩ (*ridurre in miseria*) to ruin, to be the ruin of; (*ridurre in cattivo stato*) to finish off, to ruin, to bring low. – **5.** ⟨*tosc*⟩ (*consumare*) to finish, to use up, ⟨*fam*⟩ to go right through. – **6.** ⟨*tosc*⟩ (*smettere*) to stop, to cease, to finish, to leave off. – **II** *v.i.* (*aus.* **avere**) ⟨*tosc*⟩ (*contentare interamente*) to please (*a qd.* s.o.), to be to the liking (of): *c'è qc. in lui che non mi rifinisce* there's s.th. about him ⌜that's not to my liking⌝ (*o* that I don't like). – **rifinirsi** *v.r.* ⟨*tosc*⟩ **1.** (*sfinirsi*) to exhaust o.s., to wear o.s. out. – **2.** (*rovinarsi*) to ruin o.s. (financially). □ ⟨*Met*⟩ *~ gli orli* to edge.

rifinitẹzza *f.* **1.** finish. – **2.** ⟨*tosc*⟩ (*spossatezza*) weariness, exhaustion, fatigue. – **rifinito** (*p.p. di rifinire*) *a.* **1.** finished (off), polished: *vestito ben* ~ well (*o* beautifully) finished suit. – **2.** ⟨*tosc*⟩ (*esaurito: di forze*) exhausted, worn-out, run-down; (*di denari*) badly off, hard up, ⟨*fam*⟩ broke. – **rifinitore** *m.* (*f.* **-trice**/*pop.* **-a**) ⟨*Artig*⟩ finisher. – **rifinitrice** *f.* ⟨*Strad*⟩ finishing-machine. – **rifinitura** *f.* **1.** (*il rifinire un lavoro*) finishing-off, touching-up. – **2.** (*guarnizione*) trimming. – **3.** *pl.* finishings *pl*, fittings *pl*: *-e interne di un'automobile* interior finishings of a car. – **rifinizione** *f.* ⟨*rar*⟩ (*rifinitura*) finish, finishing-off. ☐ ⟨*tosc*⟩ *andare in* ~ (*consumarsi del tutto*) to waste away; (*morire di consunzione*) to (go into a) decline, to die of consumption; ⟨*tosc*⟩ *mandare in* ~ (*mandare in rovina*) to (bring to) ruin.

rifiorente (*p.pr. di rifiorire*) *a.* **1.** reflowering, flowering (*o* blooming) again. – **2.** ⟨*fig*⟩ flourishing (*o* thriving) again. – **rifiorenza** *f.* ⟨*Bot*⟩ (*rifioritura*) reflowering, reblooming; (*rif. ad alberi da frutto*) reblossoming. – **rifiorimento** *m.* **1.** reflowering, flowering (*o* blooming) again. – **2.** ⟨*fig*⟩ revival, reflourishing.

rifiorire *v.* (**rifiorisco, rifiorisci**) **I** *v.i.* (*aus.* **essere/avere**) **1.** to reflower, to flower (*o* bloom) again; (*rif. ad alberi da frutto*) to blossom again: *in primavera gli alberi rifioriscono* the trees blossom again in spring. – **2.** ⟨*fig*⟩ to flourish (*o* thrive) again, to be revived, to reflourish: *gli affari rifioriscono* business is flourishing again. – **3.** (*riapparire: rif. a macchie*) to reappear, to come back again. – **II** *v.t.* ⟨*lett*⟩ **1.** (*far rifiorire*) to make flower (*o* bloom) again: *la primavera rifiorisce i prati* spring makes the meadows bloom again. – **2.** (*ravvivare*) to finish off, to touch up, to polish. – **3.** (*cospargere di nuova ghiaia*) to regravel, to lay with fresh gravel. ☐ *vaghi ricordi rifiorivano in lui* faint memories came back to him; *rifioriscono le nostre speranze* our hopes are renewed.

rifiorita *f.* **1.** ⟨*Bot*⟩ new blooming, second flowering. – **2.** ⟨*Mus*⟩ refrain. ☐ *fare una bella* ~ to bloom well (*o* abundantly).

rifioritura *f.* **1.** ⟨*Bot*⟩ reflowering, reblooming, reflorescence; (*rif. ad alberi da frutto*) reblossoming; (*seconda fioritura*) second flowering (*o* blooming). – **2.** ⟨*fig*⟩ revival, reflourishing: ~ *delle arti* revival of the arts. – **3.** ⟨*estens*⟩ (*abbellimento*) embellishment, frill. – **4.** (*insieme di macchie*) mould (*o* mildew) stains *pl*, damp patches *pl*; (*il riapparire di macchie*) reappearance of stains, coming through of stains. – **5.** ⟨*Mus*⟩ fioritura, ornament, flourish. – **6.** ⟨*non com*⟩ (*ghiaia sulla strada*) freshly-laid gravel.

rifischiare *v.t.* (**rifischio, rifischi**) **1.** to whistle again; (*rispondere fischiando*) to whistle back (*o* in reply). – **2.** (*fischiettare un'aria fischiata da altri*) to take up. – **3.** ⟨*fam*⟩ (*riferire, fare la spia*) to tattle, to repeat, ⟨*fam*⟩ to sneak. – **rifischione** *m.* (*f.* **-a**) ⟨*pop*⟩ (*spia*) telltale, talebearer, ⟨*fam*⟩ sneak.

rifiutabile *a.* refusable, declinable, rejectable. – **rifiutanza** *f.* ⟨*ant*⟩ (*rifiuto*) refusal.

rifiutare[1] **I** *v.t.* **1.** (*non accettare*) to refuse, to decline, to reject, to turn down: *ha rifiutato qualsiasi compenso* he refused any kind of payment; ~ *l'amicizia di qd.* to reject s.o.'s friendship. – **2.** (*non voler dare*) to refuse, to deny, to withhold, not to (want to) give: *rifiuta il suo consenso* he won't (*o* refuses to) give his consent, he withholds his consent. – **3.** (*rinunciare*) to give up, to renounce, to quit: ~ *una carica* to ⌜give up⌝ (*o* leave) a post. – **4.** (*non tollerare*) to be unable to take (*o* stand): *il mio stomaco rifiuta i cibi grassi* my stomach can't take fatty foods. – **5.** ⟨*lett*⟩ (*rinnegare*) to refuse to recognize, to disown, to disclaim. – **II** *v.i.* (*aus.* **avere**) **1.** to refuse, to decline: *rifiuta di prestare giuramento* he ⌜refuses to⌝ (*o* will not) take the oath. – **2.** (*nei giochi di carte*) to renounce, to renege, to revoke. – **3.** ⟨*Mar*⟩ (*rif. al vento*) to head; (*rif. alla nave*) to be unable to tack. – **4.** ⟨*Equit*⟩ to refuse. – **rifiutarsi** *v.r.* to refuse: *mi rifiuto di parlargli* I refuse to speak to him.

rifiutare[2] *v.t.* ⟨*non com*⟩ (*fiutare di nuovo*) to smell (*o* sniff) again.

rifiutatore ⟨*non com*⟩ **I** *s.m.* (*f.* **-trice**) refuser, decliner, rejecter. – **II** *a.* of refusal.

rifiuto *m.* **1.** (*non accettazione*) refusal, rejection: *il tuo* ~ *ci ha sorpreso* your refusal surprised us. – **2.** (*risposta negativa*) refusal: *mi rispose con un netto* ~ I got a flat refusal from him. – **3.** (*scarto*) waste, refuse, rubbish. – **4.** *pl.* (*immondizie*) rubbish, refuse, garbage, trash. – **5.** (*nei giochi di carte*) renounce, revoke, renege. – **6.** ⟨*Equit*⟩ refusal. – **7.** ⟨*Post*⟩ (*lettera*) dead letter; (*pacco*) dead parcel. – **8.** ⟨*Dir*⟩ refusal; (*ricusazione*) challenge: *il* ~ *di un giudice* the challenge of a judge.
☐ ~ *d'***accettazione** non-acceptance, refusal of acceptance; ~ *d'***assistenza** refusal of help, withholding of aid; ~ *di* **deporre** = *rifiuto di* **testimoniare**; **di** ~ (*di scarto*) waste-, reject(ed): *merce di* ~ rejects *pl*; *-i* **domestici** household rubbish (*o* garbage); ⟨*spreg*⟩ ~ *di* **galera** gaol-bird; ⟨*iron*⟩ *il* **gran** ~ the refusal to accept a responsibility; ~ *d'***obbedienza** refusal to obey an order, insubordination; **opporre** *un* ~ *a qc.* to refuse s. th.; ~ *di* **pagamento** refusal of payment; *-i* **radioattivi** radioactive waste; ⟨*fig*⟩ *-i della* **società** dregs of society; ⟨*Dir*⟩ ~ *di* **testimoniare** refusal to testify (*o* give evidence).

rifl. = ⟨*Gramm*⟩ *riflessivo* reflexive (*abbr.* refl.).

riflessibile *a.* ⟨*rar*⟩ reflexible, reflectible. – **riflessibilità** *f.* ⟨*rar*⟩ reflexibility, reflectibility.

riflessione *f.* **1.** (*il riflettere, il riflettersi*) reflection, reflexion (*anche Fis.*). – **2.** (*riflesso*) reflection. – **3.** ⟨*fig*⟩ reflection, meditation, thought. – **4.** ⟨*fig,concr*⟩ (*osservazione*) reflection, remark, comment.
☐ ⟨*Ott*⟩ ~ **complessiva** total reflection; **con** ~ thoughtfully, sensibly, upon due consideration; ⟨*Ott*⟩ ~ **diffusa** diffuse reflection; ⟨*Ott*⟩ ~ **diretta** direct reflection; *dopo* **matura** ~ after mature reflection; ⟨*Ott*⟩ ~ **regolare** regular reflection; **senza** ~ without thinking, thoughtlessly; ⟨*Acu*⟩ ~ *del* **suono** reflection of sound; ⟨*Ott*⟩ ~ **totale** total reflection.

riflessivamente *avv.* reflectively, thoughtfully. – **riflessività** *f.* ⟨*non com*⟩ reflectiveness, thoughtfulness.

riflessivo *a.* **1.** reflective, thoughtful. – **2.** ⟨*Gramm*⟩ reflexive: *verbo* ~ reflexive verb; *pronome* ~ reflexive pronoun. – **3.** ⟨*non com*⟩ (*che concerne la riflessione mentale*) of reflection, reflective: *facoltà -a* powers of reflection.

riflesso[1] *m.* **1.** reflection, glare, dazzle: *il* ~ *della neve feriva gli occhi* the glare from the snow hurt the eyes. – **2.** ⟨*fig*⟩ (*ripercussione*) repercussion, effect: *il provvedimento ha avuto -i negativi* the measures had negative repercussions. – **3.** ⟨*Fisiol*⟩ reflex: *avere i -i pronti* to have quick reflexes. – **4.** ⟨*Ling*⟩ (*esito*) derivative. – **5.** ⟨*ant*⟩ (*riflessione, considerazione*) reflection, consideration. ☐ ⟨*burocr*⟩ *con* ~ *di* (*in considerazione di*) in consideration (*o* view) of; ⟨*Fisiol*⟩ *-i condizionati* conditioned reflexes (*o* responses); *di* (*o per*) ~ (*indirettamente*) indirectly.

riflesso[2] (*p.p. di riflettere*) *a.* **1.** reflected, reflex: *brillare di luce -a* to glitter with reflected light. – **2.** (*rispecchiato*) reflected, mirrored: *immagine -a* reflected image. – **3.** ⟨*fig*⟩ (*che torna su chi agisce*) reflex: *azione -a* reflex action. – **4.** ⟨*Art,lett*⟩ reflective: *poesia -a* reflective poetry. – **5.** ⟨*Fisiol*⟩ reflex: *moto* ~ reflex movement. – **6.** ⟨*Bot*⟩ reflexed, reflex. – **7.** ⟨*ant*⟩ (*ripiegato all'indietro*) bent (*o* turned) backward, reflex.

riflessogeno *a.* ⟨*Med*⟩ reflexogenic. reflexogenous. – **riflessologia** *f.* ⟨*Psic*⟩ reflexology. – **riflessologo** *m.* (*pl.* **-gi**) reflexologist.

riflessore *a./s.* ⟨*ant*⟩ → **riflettore**. – **riflettente** (*p.pr. di riflettere*) *a.* ⟨*Fis*⟩ reflecting. – **riflettenza** *f.* ⟨*Fis*⟩ (*fattore di riflessione*) reflectance, reflection factor (*o* coefficient).

riflettere *v.* (**riflettei/riflessi, riflettuto/riflesso**) **I** *v.t.* **1.** (*rif. a luce, suoni e sim.*) to reflect, to mirror: *lo specchio riflette i raggi del sole* the mirror reflects the rays of the sun; *l'acqua del lago riflette gli alberi della sponda* the water in the lake reflects the trees along the shore. – **2.** ⟨*fig*⟩ (*manifestare*) to reflect, to attest to, to be witness to: *i suoi modi gentili riflettono una buona educazione* his courteous ways attest to a good upbringing. – **II** *v.i.* (*aus.* **avere**) to reflect (*su* on), to think (over, about): ~ *sulle conseguenze di un'azione* to think about the consequences of an act; *ci hai riflettuto bene?* have you really thought ⌜about it⌝ (*o* it over)? – **riflettersi** *v.r.* **1.** (*rispecchiarsi*) to be reflected (*o* mirrored): *la luna si rifletteva sul mare* the moon was reflected in the sea. – **2.** ⟨*fig*⟩ (*ripercuotersi*) to be reflected (*su* in), to have repercussions (on), to affect (s.th.): *l'aumento della produzione si riflette sui prezzi* the production increase is reflected in the prices. – **3.** ⟨*fig*⟩ (*manifestarsi*) to show, to shine: *nei suoi occhi si riflette la passione* passion shines in his eyes. ☐ *riflettendoci bene* thinking it over carefully, on reflection, on second thought; *dopo avere ben riflettuto* after careful consideration; *far* ~ to give food for thought; *senza* ~ without thinking, thoughtlessly, inconsiderately; *lasciare il tempo di* ~ to give time for reflection.

riflettore I *s.m.* **1.** reflector. – **2.** (*proiettore*) floodlight, searchlight; (*di suono*) projector. – **3.** ⟨*Astr*⟩ reflector, reflecting telescope. – **4.** ⟨*Rad*⟩ (*antenna parassita*) reflector. – **5.** ⟨*Atom*⟩ reflector. – **II** *a.* ⟨*Fot*⟩ reflecting: *schermo* ~ reflecting screen, reflector.
☐ ⟨*TV*⟩ ~ *ad* **angolo** corner (*o* angle) reflector; ⟨*Cin*⟩ ~ *ad* **arco** kleig (*o* klieg) light; ⟨*Cin*⟩ ~ **diffusore** broad, broadside, floodlight, reflector pan light; ~ **elettronico** electron reflector; ⟨*Cin,Teat*⟩ ~ **lenticolare** spot(light); ⟨*Atom*⟩ ~ *di* **neutroni** neutron reflector; ⟨*Teat*⟩ ~ *per* **palcoscenico** stage floodlight; ~ **parabolico** parabolic reflector, dish; ⟨*Teat*⟩ ~ *di* **proscenio** proscenium spotlight; ~ *diretto di* **scena** spot bar lamp.

riflettoscopio *m.* reflectoscope.

rifloir *fr.* [riflw'a:r] *m.* ⟨*Mecc*⟩ riffler, paring chisel.

rifluire *v.i.* (**rifluisco, rifluisci**; *aus.* **essere/avere**) **1.** to flow again. – **2.** (*scorrere indietro*) to flow back, to ebb, to reflow. – **3.** ⟨*fig*⟩ (*tornare ad affluire*) to pour (*o* flow) back. – **4.** (*ritornare: rif. a persone*) to pour back.

riflusso *m.* **1.** reflux, flowing back: *il* ~ *del sangue al cuore* the reflux of blood to the heart. – **2.** ⟨*fig*⟩ (*ritorno*) surge (*o* stream) back, return. – **3.** ⟨*Geog*⟩ (*bassa marea*) ebb-tide, low tide; (*corrente*) ebb, reflux. – **4.** ⟨*Chim*⟩ reflux. – **5.** ⟨*non com*⟩ (*lo scorrere di nuovo*) fresh flow.

rifocillamento *m.* refreshment. – **rifocillare** *v.t.* to refresh, to feed, to give (to eat and drink): ~ *i poveri* to feed the poor; ~ *qd. con un buon pranzo* to give s.o. a good meal. – **rifocillarsi** *v.r.* to refresh o.s., to have s.th. to eat and drink, to take some refreshment.

rifoderare *v.t.* (**rifodero**) to reline, to put a new lining in: ~ *un vestito* to reline a suit. – **rifoderatura** *f.* **1.** relining. – **2.** (*nella tecnica del restauro: foderatura*) reinforcing, backing.

rifoggiare *v.t.* (**rifoggio, rifoggi**) ⟨*non com*⟩ to reshape, to refashion, to form anew.

rifolgorare *v.i.* (**rifolgoro**; *aus.* **avere**) to flash again.

rifollare *v.t.* (**rifollo**) ⟨*Met*⟩ (*ricalcare*) to upset, to head; (*a mano*) to jump, to upset. – **rifollatura** *f.* upsetting, heading; (*a mano*) jumping, upsetting.

rifolo *m.* ⟨*non com*⟩ (*refolo*) squall, gust.

rifomentare *v.t.* (**rifomento**) **1.** ⟨*non com*⟩ to foment again. – **2.** ⟨*fig*⟩ (*eccitare di nuovo*) to stir up again, to rouse (*o* incite) again.

rifondare *v.t.* (**rifondo**) to refound, to found again.

rifondere *v.t.* (**rifusi, rifuso**) **1.** to remelt, to re-fuse, to recast. –

2. ⟨*fig*⟩ to recast, to rewrite, to reshape: *ha completamente rifuso il suo articolo* he has completely rewritten his article. – **3.** ⟨*fig*⟩ (*rimborsare, risarcire*) to refund, to pay back, to repay, to reimburse: ~ *le spese* to refund expenses; (*rif. a danni e sim.*) to make good, to recompense: ~ *qd. dei danni subiti* to compensate (*o* indemnify) s.o. for damages (suffered). – **4.** ⟨*non com*⟩ (*versare di nuovo*) to pour again. – **5.** ⟨*lett*⟩ (*versare*) to pour (forth). – **6.** ⟨*fig,poet*⟩ (*riflettere*) to reflect. – **rifondersi** *v.r.* ⟨*ant,poet*⟩ (*riflettersi*) to be reflected.

rifondịbile *a.* ⟨*non com*⟩ **1.** remeltable. – **2.** ⟨*fig*⟩ (*rimborsabile*) reimbursable, repayable; (*risarcibile*) indemnifiable, that may be compensated for: *danni -i* indemnifiable damages. – **rifọndita** *f.* **1.** remelting. – **2.** ⟨*Tip*⟩ fount to be recast. – **rifonditọre** *m.* (*f.* **-trice**) ⟨*non com*⟩ **1.** remelter, melter down, recaster. – **2.** ⟨*fig*⟩ (*chi rimborsa*) refunder, reimburser; (*chi risarcisce*) compensator, recompenser.

riforạre *v.t.* (**rifọro**) to make a new hole in, to pierce (*o* perforate) again.

riforbịre *v.t.* (**riforbịsco, riforbịsci**) **1.** to reclean, to repolish. – **2.** (*forbire*) to clean, to polish.

rifọrma *f.* **1.** reform, reformation: *introdurre una* ~ to bring in a reform. – **2.** ⟨*Mil*⟩ (*rif. a soldati*) exoneration from military service, rejection (as being unfit or disabled); (*rif. ad animali*) casting. – **3.** ⟨*Dir*⟩ partial reversal of judgement (by an Appeal Court). – **4.** ⟨*Mediev*⟩ (*riformazione*) modification (of a law), amendment. – **Riforma** *N.pr.f.* ⟨*Stor*⟩ Reformation.

□ ~ **agraria** land (*o* agrarian) reform; ~ **amministrativa** administrative reform; ~ *del* **calendario** calendar reform, reformation (*o* reform) of the calendar; ⟨*Stor*⟩ ≈ **cattolica** (*Controriforma*) Counter-Reformation; ~ **fondiaria** = *riforma* **agraria**; ~ **giuliana** (*del calendario*) Julian reformation (of the calendar); ~ **gregoriana** (*del calendario*) Gregorian reformation (of the calendar); ~ *delle* **leggi** law reform; ~ **monetaria** currency reform; ~ **ortografica** spelling reform; ~ **politica** political reform; ~ **religiosa** religious reform; ~ **scolastica** educational reform; ⟨*Dir*⟩ ~ *della* **sentenza** amendment, rectification of judgement; ~ **sociale** social reform.

riformạbile *a.* **1.** reformable. – **2.** (*che si deve riformare*) that should be reformed. – **3.** ⟨*Mil*⟩ rejectable.

riformagiọne *f.* ⟨*ant*⟩ **1.** modification (of a law), amendment. – **2.** (*riforma*) reform, reformation.

riformạre *v.t.* (**rifọrmo**) **1.** (*sottoporre a riforma*) to reform: ~ *una società* to reform a society; (*migliorare*) to improve, to amend. – **2.** ⟨*Mil*⟩ to reject (for military service). – **3.** (*formare di nuovo*) to re-form, to form again: *hanno riformato la squadra di calcio* they have re-formed the football team. – **riformarsi** *v.r.* to form again, to re-form: *si è riformato il ghiaccio sulle strade* ice has formed again on the roads. □ ⟨*scherz*⟩ ~ *i connotati a qd.* (*bastonarlo ben bene*) to give s.o. a good hiding; ⟨*Mil*⟩ *farsi* ~ to dodge ⌜military service⌝ (*o* the draft); ⟨*Dir*⟩ ~ *una sentenza* to rectify a judgement, to amend a sentence.

riformatịvo *a.* ⟨*non com*⟩ reformatory, reformative: *provvedimento* ~ reformatory measure.

riformạto (*p.p. di riformare*) **I** *a.* **1.** reformed. – **2.** ⟨*Mil*⟩ rejected. – **II** *s.m.* (*f.* **-a**) **1.** ⟨*Mil*⟩ reject. – **2.** ⟨*Rel*⟩ (*protestante*) Protestant. – **riformatọre I** *s.m.* (*f.* **-trice**) **1.** reformer, reformist. – **2.** ⟨*Rel*⟩ (Protestant) Reformer. – **II** *a.* reforming. – **riformatọrio** *m.* reformatory, reform school, approved school.

riformaziọne *f.* **1.** re-formation, forming again. – **2.** ⟨*non com*⟩ (*trasformazione*) transformation, reform. – **3.** ⟨*Mediev*⟩ modification (of a law), amendment. – **4.** ⟨*ant*⟩ (*riforma*) reform, reformation.

riformịsmo *m.* ⟨*Pol*⟩ reformism. – **riformịsta I** *s.m./f.* reformist (*anche Pol.*). – **II** *a.* → **riformistico**. – **riformịstico** *a.* (*pl.* **-ci**) reformist(ic): *politica -a* reformist policy.

rifornimẹnto *m.* **1.** (*il rifornire*) (re)provisioning, (re)supplying: *ostacolare il* ~ *della città* to prevent the provisioning of the city; (*il rifornirsi*) laying in of stock, stocking up. – **2.** *pl.* (*provviste*) supplies *pl*, provisions *pl*, stocks *pl* (*anche Mil.*). – **3.** ⟨*scherz*⟩ (*buona provvista*) supply, provision: *penso io al* ~ *di sigarette* I'll take care of the cigarette supply.

□ ~ *d'***acqua** water-supply; *fare* ~ *d'acqua* to water; ~ *di* **carbone**: 1. ⟨*Ferr*⟩ coaling, coal supplying; ⟨*concr*⟩ coal supply; 2. ⟨*Mar*⟩ bunkering, coaling, coal supplying; ⟨*concr*⟩ coal supply; *fare* ~ *di carbone*: 1. ⟨*Ferr*⟩ to coal, to take in coal; 2. ⟨*Mar*⟩ to coal, to bunker, to take on coal; ⟨*Aut*⟩ ~ *di* **combustibile** refuelling, filling up (with petrol); **fare** ~ *di qc.*: 1. to stock up on s.th., to lay in supplies (*o* stocks) of s.th., to provide o.s. with s.th.; 2. ⟨*Aut*⟩ to fill up with s.th.; 3. ⟨*Mar*⟩ to bunker s.th., to take s.th. on; ⟨*Mil*⟩ ~ *di* **munizioni** ammunitions supply; **posto** *di* ~: 1. (*di viveri*) supply post (*o* station); 2. = **stazione** *di rifornimento*; 3. (*nelle gare ciclistiche*) refreshment station; ⟨*Aut*⟩ **stazione** *di* ~ petrol station (*o* pump), ⟨*am*⟩ filling (*o* gas) station; ~ *di* **viveri** food supplies (*o* provisions) *pl*; ⟨*Aer*⟩ ~ *in* **volo** refuelling in flight.

riforniṛe *v.t.* (**rifornịsco, rifornịsci**) **1.** (*provvedere*) to supply, to provide, to furnish: ~ *qd. di denaro* to supply s.o. with money, to give money to s.o. – **2.** (*completare*) to replenish, to restock: ~ *il proprio guardaroba* to replenish one's wardrobe. – **3.** ⟨*non com*⟩ (*fornire di nuovo*) to resupply, to provide again. – **rifornirsi** *v.r.* to provide (*o* supply) o.s. (*di* with), to get supplies (of), to lay in stocks, to stock up (on). □ *rifornirsi di carbone*: 1. ⟨*Ferr*⟩ to coal, to take in a supply of coal; 2. ⟨*Mar*⟩ to bunker coal, to (take on) coal; ⟨*Aut*⟩ ~ *di combustibile* to refuel, to fill up with fuel.

rifornitọre *m.* (*f.* **-trice**) **1.** ⟨*scherz*⟩ provider, supplier. – **2.** ⟨*Mil*⟩ machine-gunner (who handles the ammunition). – **3.** ⟨*Aer*⟩ (*anche velivolo rifornitore*) air tanker. – **rifornitụra** *f.* ⟨*non com*⟩ → **rifornimento**.

rifọsso *m.* ⟨*Mil.ant*⟩ secondary moat.

rifrangẹnte (*p.pr. di rifrangere*) *a.* ⟨*Fis*⟩ refractive, refracting: *potere* ~ refractive power. – **rifrangẹnza** *f.* refractiveness, refractivity, refractive power.

rifrạngere *v.t.* (**rifrạngo, rifrạngi; rifrạnsi, rifrạnto/rifrạtto**) **1.** to break, to smash, to shatter. – **2.** ⟨*Fis*⟩ to refract. – **rifrangersi** *v.r.* **1.** to break, to smash: *le onde si rifrangevano sugli scogli* the waves broke (*o* dashed) on the rocks. – **2.** ⟨*Fis*⟩ to be refracted.

rifrangịbile *a.* ⟨*Fis*⟩ refrangible. – **rifrangibilità** *f.* refrangibility. – **rifrangimẹnto** *m.* ⟨*non com*⟩ breaking. – **rifrattività** *f.* **1.** → **rifrangibilità**. – **2.** ⟨*Fis*⟩ specific refractivity. – **rifrạtto** (*p.p. di rifrangere*) *a.* **1.** ⟨*Fis*⟩ refracted: *raggio* ~ refracted ray. – **2.** ⟨*non com*⟩ (*rotto*) broken, smashed.

rifrattometrịa *f.* ⟨*Ott*⟩ refractometry. – **rifrattọmetro** *m.* refractometer. □ ~ *a dispersione* spectrometer; ~ *a immersione* dipping (*o* immersion) refractometer; ~ *interferenziale* interference refractometer.

rifrattọre I *s.m.* **1.** ⟨*Fis*⟩ refractor: ~ *acustico* sound refractor. – **2.** ⟨*Astr*⟩ refracting telescope, refractor. – **II** *a.* refracting.

rifraziọne *f.* ⟨*Fis*⟩ refraction.

□ **angolo** *di* ~ angle of refraction; ~ **atmosferica** atmospheric refraction; **doppia** ~ (*birifrangenza*) double refraction, birefringence; **indice** *di* ~ index of refraction, refractive index; ~ *della* **luce** refraction of light, optical (*o* light) refraction; ~ **molecolare** molecular refraction; ~ **totale** total refraction.

rifreddạre *v.* (**rifrẹddo**) **I** *v.t.* **1.** to (let) cool again, to allow to become cold again. – **2.** (*raffreddare*) to cool, to make cool (*o* cold). – **II** *v.i.* (*aus.* **essere**), **rifreddarsi** *v.r.* to become (*o* get) cold again, to cool down again.

rifrẹddo I *s.m.* ⟨*Gastr*⟩ **1.** cold dish. – **2.** *pl.* (*vivande che si servono fredde*) cold dishes *pl*. – **II** *a.* cold: *carne -a* cold meat.

rifrequentạre *v.t.* (**rifrequẹnto**) **1.** (*rif. a persone*) to associate (*o* go round) with again; (*rif. a luoghi*) to frequent (*o* patronize) again. – **2.** ⟨*Scol,Univ*⟩ to attend (*o* go to) again.

rifrigerạre *v.t.* (**rifrịgero**) ⟨*ant*⟩ (*refrigerare*) to cool (down, off). – **rifrigẹrio** *m.* ⟨*ant*⟩ → **refrigerio**.

rifrịggere *v.* (**rifrịggo, rifrịggi; rifrịssi, rifrịtto**) **I** *v.t.* **1.** to fry (up) again. – **2.** ⟨*fig*⟩ to repeat (over and over), to bring up (again and again), to harp on, to drag up (*o* out): *nei suoi articoli rifriggeva sempre le stesse cose* he always harped on the same things in his articles. – **II** *v.i.* (*aus.* **avere**) (*friggere a lungo*) to fry for a long time, to overfry; (*con troppo olio*) to fry in too much oil. – **rifrịtto** (*p.p. di rifriggere*) **I** *a.* **1.** fried (up) again, refried: *pesce* ~ fish fried up again. – **2.** ⟨*fig*⟩ (*risaputo*) repeated over and over again, well-worn, hackneyed. – **II** *s.m.* ⟨*ant*⟩ (*soffritto*) onions lightly fried with vegetables. □ ⟨*fig*⟩ *cose fritte e -e* things repeated ⌜over and over⌝ (*o* a thousand times), ⟨*fam*⟩ old hat, ⟨*fam*⟩ the same old stuff; *sapere di* ~: 1. (*rif. a odore*) to smell rancid (*o* of stale fat); 2. (*rif. a sapore*) to taste rancid (*o* of stale fat); 3. ⟨*fig*⟩ to be stale (*o* unoriginal, rehashed): *notizie che sanno di* ~ stale news, ⟨*fam*⟩ old hat.

rifrittụme *m.*, **rifrittụra** *f.* **1.** (*cibo rifritto*) food fried up again, hash. – **2.** ⟨*fig*⟩ (re)hash.

rifronzịre *v.i.* (**rifronzịsco, rifronzịsci**; *aus.* **avere**) ⟨*ant*⟩ (*mettere nuove fronde*) to bear (*o* put forth) leaves again.

rifrugạre *v.t.* (**rifrụgo, rifrụghi**) **1.** to search, to go through, to ransack, to rummage. – **2.** (*frugare di nuovo*) to search again.

rifrustạre *v.t.* **1.** to whip (*o* lash, flog) again. – **2.** ⟨*estens*⟩ (*percuotere di nuovo*) to strike (*o* hit) again. – **3.** ⟨*tosc*⟩ (*scartabellare*) to go through, to look over; (*rovistare*) to search thoroughly, to rummage, to ransack. – **4.** ⟨*fig*⟩ to rake (*o* dig) up, to bring up again.

rifrụsto *m.* ⟨*ant*⟩ **1.** (*colpo di frusta*) stroke of a whip. – **2.** (*percossa*) blow. – **3.** ⟨*fig*⟩ (*danno*) blow, harm, injury; (*sconfitta*) defeat.

rifrụtto *m.* ⟨*Econ,non com*⟩ compound interest.

rifuggịre *v.* (**rifụggo, rifụggi**) **I** *v.i.* (*aus.* **essere**) **1.** (*fuggire di nuovo*) to flee (*o* run away) again, to escape (*o* get away) again (*da* from). – **2.** (*fuggire*) to flee, to escape, to run (*o* get) away. – **3.** ⟨*non com*⟩ (*rifugiarsi*) to take refuge, to seek shelter. – **4.** ⟨*fig*⟩ (*respingere*) to recoil, to draw back, to shrink, to shun (s.th.): ~ *da ogni compromesso* to shun all half-measures. – **II** *v.t.* ⟨*non com*⟩ (*evitare*) to avoid, to shun, to turn from: ~ *il pericolo* to avoid danger.

rifugiạrsi *v.r.* (**mi rifụgio, ti rifụgi**) **1.** to take shelter (*o* cover), to seek (*o* take) refuge. – **2.** ⟨*fig*⟩ (*cercare conforto*) to take refuge, to seek consolation (*in* in), to turn (to). – **rifugiạto** *m.* (*f.* **-a**) refugee: ~ *politico* political refugee.

rifụgio *m.* **1.** (*riparo, difesa*) refuge, shelter: *dare* ~ *a qd.* to give s.o. shelter, to shelter s.o. – **2.** (*luogo*) (place of) refuge, retreat, shelter; (*nascondiglio*) hideout. – **3.** ⟨*fig*⟩ (*conforto*) refuge, solace, consolation: *trovare* ~ *nella preghiera* to find refuge in prayer, to turn (*o* have recourse) to prayer. – **4.** ⟨*fig*⟩ (*rif. a persona*) refuge. – **5.** ⟨*Biol*⟩ refugium. □ ~ *alpino* mountain (*o* alpine) hut, refuge; ⟨*Mil*⟩ ~ *antiaereo* air-raid shelter, anti-aircraft shelter; ~ *fiscale* tax haven; ⟨*fig*⟩ ~ *dei peccatori* refuge of sinners.

rifulgẹnte (*p.pr. di rifulgere*) *a.* shining, bright, radiant, ⟨*lett*⟩ refulgent (*anche fig.*): *stella* ~ shining (*o* bright) star. – **rifulgẹnza** *f.* ⟨*lett*⟩ brilliance, brightness, radiance. – **rifụlgere** *v.i.* (**rifụlgo, rifụlgi; rifụlsi**; no past participle and compound tenses) **1.** to shine, to be bright, to glow: *le stelle rifulgevano nel cielo* the stars were shining in the sky. – **2.** ⟨*fig*⟩ to shine, to be bright (*o* radiant), to glow (*di* with).

rifumare I *v.t.* to smoke again. – **II** *v.i.* (*aus.* **avere**) **1.** to smoke again, to have another smoke. – **2.** (*emettere fumo di nuovo*) to (give off) smoke again.

rifundere *v.* ⟨*ant*⟩ → **rifondere**.

rifusibile *a.* ⟨*non com*⟩ remeltable. – **rifusione** *f.* **1.** remelting, recasting, refounding. – **2.** ⟨*fig*⟩ (*nuova elaborazione*) recast(ing), revision. – **3.** ⟨*fig*⟩ (*rimborso*) reimbursement, refund(ing), repayment; (*risarcimento*) compensation, indemnification, recompense: ~ *dei danni* compensation for damages. – **rifuso** (*p.p. di rifondere*) *a.* **1.** remelted. – **2.** ⟨*fig*⟩ revised, rewritten. – **3.** ⟨*fig*⟩ (*rimborsato*) reimbursed, refunded; (*risarcito*) compensated, made good, indemnified. □ ⟨*rar*⟩ *a* ~ (*in abbondanza*) in plenty; *avere qc. a* ~ to have plenty of s.th.

riga *f.* **1.** line: *tracciare una* ~ to draw a line. – **2.** (*linea di scrittura*) line: *gli ho scritto qualche* ~ *per ringraziarlo* I have written him a few lines to thank him. – **3.** (*serie, fila*) line, row: *stare seduti in* ~ to be sitting in a row. – **4.** (*righello*) ruler, rule. – **5.** (*scriminatura*) part(ing): *farsi la* ~ to make a parting, to part one's hair. – **6.** ⟨*non com*⟩ (*striscia*) strip(e), streak; (*rif. a bande di colore*) stripe. – **7.** (*nella scacchiera*) rank. – **8.** ⟨*Tip*⟩ (*insieme di lettere*) line; (*lingotto da interlinea*) point slug; (*unità*) pica. – **9.** ⟨*Mil*⟩ rank, line. □ **a** *righe*: 1. (*a strisce*) striped, with stripes: *cravatta a righe* striped tie; *vestito a righe bianche* white-striped dress; 2. (*a linee*) ruled, lined, with lines: *quaderno a righe* ruled exercise-book; ~ *di* **acciaio** steel rule; ⟨*Tip*⟩ ~ **bianca** white (*o* blank) line; ⟨*Fis*⟩ *righe* **brillanti** bright lines; ⟨*Tip*⟩ ~ *di macchine da* **comporre** slug; ⟨*Tip*⟩ ~ *del* **compositoio** composing (*o* setting) rule; ⟨*Tip*⟩ ~ *di* **corpo** *otto* brevier; ⟨*Mil,Ginn*⟩ **destr'** ~ *!* right dress!; ⟨*iperb*⟩ **due** *righe* (*poche parole*) a line, a few lines: *scrivere due righe a qd.* to drop (*o* write) s.o. a line; ⟨*fig*⟩ **essere** *in* ~ *con qd.* (*essere al suo stesso livello*) to be equal to s.o.; ~ **graduata** graduated rule, ruler; **in** ~ *per dieci* in ranks of ten; ⟨*Tip*⟩ ~ **intera** slug; ⟨*Ott*⟩ ~ *d'***interferenza** interference line; ~ **ladra** = *riga* **rotta**; ⟨*fig*⟩ **leggere** *fra le righe* to read between the lines; **mettersi** *in* ~ to line up, to get into line; ⟨*fig*⟩ *mettersi in* ~ *con qd.* (*volerlo emulare*) to vie (*o* compete) with s.o.; (*mettersi alla pari*) to come up to s.o.'s standard; ~ *da* **modellista** contraction (*o* shrink) rule; ⟨*Fis*⟩ *righe* **nere** dark (*o* Fraunhofer) lines; **pettinarsi** *con la* ~ *in mezzo* to wear one's hair parted in the middle; ⟨*fig*⟩ *di* **prima** ~: 1. (*di prim'ordine*) first-class, first-rate, excellent, top-; 2. ⟨*iron*⟩ utter, thorough, out and out: *furfante di prima* ~ out and out scoundrel, thorough rascal; ⟨*Giorn*⟩ ~ **principale** headline; ⟨*fig*⟩ **rimettere** *qd. in* ~ to bring s.o. back in line, to make s.o. toe the line again; ⟨*fig*⟩ *rimettersi in* ~ to get back into line; ~ *di* **riscontro** standard, yardstick; ⟨*Mil*⟩ **rompere** *le righe* to dismiss, to fall out, to break ranks, to disperse; ⟨*Tip*⟩ ~ **rotta** short line; ⟨*Ott*⟩ ~ **secondaria** satellite; ⟨*Mil*⟩ **serrare** *le righe !* close the ranks!; ⟨*Mil,Ginn*⟩ **sinistr'** ~ *!* left dress!; ⟨*Fis*⟩ *righe* **spettrali** (o *dello spettro*) spectrum lines; ⟨*fig*⟩ **stare** *in* ~ (*al proprio posto*) to toe the line, to stay in line; *stare in* ~ *con qd.* = **essere** *in riga con qd.*; ~ *a* **T** T-square; ⟨*Tip*⟩ **ultima** ~ break(-line); ⟨*fig*⟩ **uscire** *di* ~ (*uscire dall'ordinario*) to step out of line; ~ **zoppa** = *riga* **rotta**.

Riga *N.pr.f.* ⟨*Geog*⟩ Riga. □ *golfo di* ~ Gulf of Riga.

rigabello *m.* ⟨*Mus,Mediev*⟩ regal.

rigaggio *m.* **1.** ruling. – **2.** ⟨*concr*⟩ ruling, (ruled) lines *pl*; (*linee stampate*) (printed) lines *pl*.

rigaglia *f.* **1.** (*cascame*) cloth scraps *pl.* – **2.** *pl.* ⟨*Macell*⟩ giblets *pl*: ~ *di pollo* chicken giblets. – **3.** ⟨*ant*⟩ (*guadagno incerto*) occasional earnings *pl.* – **4.** ⟨*ant*⟩ (*regalia*) gratuity, present.

rigagno *m.* ⟨*ant*⟩ (*piccolo ruscello*) rivulet, brooklet, streamlet. – **rigagnoletto, rigagnolino** *m. dim. di* **rigagnolo**. – **rigagnolo** *m.* **1.** (small) stream. – **2.** (*ruscelletto*) rivulet, streamlet, brooklet, rill.

rigalleggiare *v.i.* (**rigalleggio, rigalleggi**; *aus.* **avere**) **1.** to float again. – **2.** ⟨*Mar*⟩ to be refloated.

rigame *m.* (*scanalatura*) flute, groove.

rigametro *m.* ⟨*Tip*⟩ typometer, type (*o* line) gauge, pica rule.

rigamo *m.* ⟨*pop*⟩ (*origano*) origan, oregano.

rigano *m.* ⟨*Mar.ant*⟩ (*legamento*) binding; (*nodo*) knot.

rigare[1] *v.t.* (**rigo, righi**) **1.** (*scalfire*) to score, to scratch, to furrow: ~ *il tavolo* to score the table. – **2.** (*tracciare linee*) to rule, to line, to score (*o* rule, draw) lines on; (*tracciare strisce*) to stripe. – **3.** ⟨*fig*⟩ (*solcare*) to furrow; (*scorrere*) to stream (*o* run) down: *le lacrime le rigavano il viso* tears streamed down her face, her face was streaked with tears. – **4.** ⟨*Mil*⟩ (*rif. ad armi da fuoco*) to rifle. □ ~ *diritto* (o *come si deve*) to toe the line, to stay in line; ~ *il terreno* to furrow the ground.

rigare[2] *v.t.* (**rigo, righi**) ⟨*ant*⟩ **1.** (*solcare bagnando*) to bathe, to flow through (*o* across). – **2.** (*irrigare*) to irrigate.

rigata *f.* **1.** (*colpo dato con la riga*) stroke with a ruler. – **2.** ⟨*ant*⟩ (*rigo musicale*) staff, stave.

rigatino (*dim. di rigato*) *m.* **1.** ⟨*Tess*⟩ (*bordatino*) ticking. – **2.** ⟨*tosc*⟩ (*pancetta*) streaky bacon. – **3.** *pl.* ⟨*Alim*⟩ kind of pasta for soup; (*biscotti*) kind of biscuits.

rigato (*p.p. di rigare*[1]) *a.* **1.** (*a linee*) lined, ruled, scored: *carta -a* ruled paper; (*a strisce*) striped. – **2.** (*scalfito*) scratched, scored. – **3.** ⟨*fig*⟩ (*solcato*) furrowed (*di* with); (*bagnato*) bathed (*di* in), wet, streaked (with): *aveva il volto* ~ *di lacrime* her face was bathed in tears. – **4.** (*rif. ad armi da fuoco*) rifled.

rigatoni *m.pl.* ⟨*Alim*⟩ short fluted pasta, rigatoni.

rigatrice *f.* ⟨*Cart*⟩ ruling-machine.

rigatteria *f.* ⟨*non com*⟩ **1.** (*bottega di rigattiere*) junk (*o* second-hand) shop. – **2.** (*merce da rigattiere*) junk, second-hand goods *pl*; (*vestiti vecchi*) old clothes *pl.* – **3.** ⟨*spreg*⟩ (*roba vecchia*) junk, rubbish. – **rigattiere** *m.* rag-and-bone man, junk (*o* second-hand) dealer, junkman.

rigatura *f.* **1.** ruling, lining: ~ *di un foglio* ruling of a sheet of paper. – **2.** (*linee*) lines *pl.* – **3.** (*nelle armi da fuoco*) rifling. – **4.** ⟨*Mecc*⟩ scoring.

rigaudon *fr.* [rigo'dɔ̃] *m.* (*danza*) rigadoon, rigaudon.

rigelare *v.* (**rigelo**) **I** *v.t.* to (make) freeze again: *il freddo ha rigelato la fontana* the cold has frozen the fountain again. – **II** *v.i.* (*aus.* **essere**) **1.** to freeze (*o* become frozen) again, to refreeze: *il lago è rigelato* the lake has frozen over again. – **2.** (*usato impersonalmente*) to freeze again. – **rigelo** *m.* regelation.

rigeneramento *m.* ⟨*non com*⟩ → **rigenerazione**.

rigenerare *v.* (**rigenero**) **I** *v.t.* **1.** ⟨*Biol*⟩ to regenerate. – **2.** ⟨*fig*⟩ (*ricondurre all'antica grandezza*) to raise up, to instil new spirit in: ~ *una nazione decaduta* to raise up a fallen nation. – **3.** (*rendere di nuovo efficiente*) to revive, to restore, to strengthen, to give new strength to. – **4.** ⟨*Rel*⟩ to be reborn, to regenerate. – **5.** ⟨*Ind*⟩ to regenerate; (*rif. alla gomma*) to reclaim; (*rif. a pneumatici*) to retread, to regenerate; (*rif. a metalli*) to restore. – **II** *v.i.* (*aus.* **essere**) ⟨*Biol*⟩ to be regenerated, to regenerate. – **rigenerarsi** *v.r.* **1.** ⟨*Biol*⟩ to be regenerated, to regenerate. – **2.** ⟨*fig*⟩ (*nascere a nuova vita*) to be reborn (*o* born anew), to be regenerated. – **3.** ⟨*fig*⟩ (*ritornare all'antica dignità*) to regain one's honour, to win back one's former dignity.

rigenerativo *a.* ⟨*Biol*⟩ regenerative.

rigenerato (*p.p. di rigenerare*) **I** *a.* **1.** ⟨*Biol*⟩ regenerated, restored: *organi -i* regenerated organs. – **2.** ⟨*fig*⟩ regenerate(d), reborn. – **3.** ⟨*Ind*⟩ regenerated: *olio* ~ regenerated oil; (*rif. alla gomma*) reclaimed; (*rif. a pneumatici*) retreaded; (*rif. a metalli*) restored. – **II** *s.m.* ⟨*Ind*⟩ reclaim, reclaimed rubber.

rigeneratore I *s.m.* (*f.* -**trice**) **1.** regenerator. – **2.** (*rimedio, ricostituente*) strengthener, restorer. – **3.** ⟨*tecn*⟩ heat exchanger. – **II** *a.* **1.** regenerator-, regenerative: *opera rigeneratrice* regenerative work, work of regeneration. – **2.** (*rif. a rimedi e sim.*) strengthening, restoring. □ *lozione rigeneratrice dei capelli* hair-restorer.

rigenerazione *f.* **1.** ⟨*Biol,Chim,Atom*⟩ regeneration. – **2.** ⟨*fig*⟩ (*rinascita*) regeneration, rebirth, revival: ~ *politica di un popolo* political rebirth of a nation. – **3.** ⟨*Rel*⟩ (*liberazione dalla colpa*) regeneration, spiritual rebirth. – **4.** ⟨*Ind*⟩ regeneration; (*rif. alla gomma*) reclaiming; (*rif. a pneumatici*) retreading; (*rif. a metalli*) restoring. – **5.** ⟨*El*⟩ regeneration, positive feed-back. □ ~ *del* **combustibile** *atomico* (atomic) fuel regeneration; ⟨*Biol*⟩ ~ **fisiologica** physiological regeneration (*o* regrowth); ⟨*Ind*⟩ ~ *della* **gomma** reclaiming of rubber; ⟨*Biol*⟩ ~ **patologica** (o *recuperativa*) pathological (*o* recuperative) regeneration; ⟨*Ind*⟩ ~ *dei* **pneumatici** retreading of tyres.

rigente *a.* ⟨*poet*⟩ **1.** (*freddo*) cold; (*intirizzito dal freddo*) frozen, stiff, numb. – **2.** (*che intirizzisce*) freezing (cold).

rigerminare *v.* (**rigermino**) ⟨*lett*⟩ → **rigermogliare**. – **rigermogliare** *v.i.* (**rigermoglio, rigermogli**; *aus.* **essere**) ⟨*non com*⟩ **1.** to regerminate, to sprout (*o* bud) again. – **2.** ⟨*poet*⟩ (*rinascere*) to grow (*o* spring up) again, to be reborn.

rigettabile *a.* rejectable.

rigettare *v.t.* (**rigetto**) **1.** (*gettare di nuovo*) to throw again; (*gettare indietro*) to throw (*o* hurl) back; (*gettare fuori*) to throw out. – **2.** ⟨*fig*⟩ (*respingere*) to drive (*o* push) back, to repel: ~ *un assalto* to repel an attack; (*rif. all'acqua*: *gettare sulla riva*) to wash (*o* cast) up. – **3.** ⟨*fig*⟩ (*non accettare*) to reject, to turn down: ~ *una proposta* to reject a proposal. – **4.** (*vomitare*) to vomit, to bring (*o* throw) up. – **5.** ⟨*Biol,Med*⟩ to reject. – **6.** ⟨*non com*⟩ (*rifondere*) to recast. – **7.** ⟨*non com*⟩ (*rigermogliare*) to sprout (*o* bud) again, to put out fresh shoots. – **rigettarsi** *v.r.* to throw (*o* fling) o.s. again. □ *mi viene da* ~ I feel sick (*o* nauseous).

rigetto *m.* **1.** (*il gettare di nuovo*) throwing again; (*il gettare indietro*) throwing (*o* flinging) back; (*il gettare fuori*) throwing out. – **2.** *pl.* (*rifiuti*) waste, refuse, rejects *pl*, rubbish. – **3.** ⟨*fig*⟩ (*non accettazione*) rejection, turning down, refusal. – **4.** ⟨*Agr*⟩ (*rimessiticcio*) new (*o* young) shoot. – **5.** ⟨*Biol,Med*⟩ rejection: *azione di* ~ process of rejection. – **6.** ⟨*Geol*⟩ displacement. □ ⟨*Geol*⟩ ~ *orizzontale* heave; ⟨*Geol*⟩ ~ *stratigrafico* slip; ⟨*Geol*⟩ ~ *verticale* throw.

righello *m.* rule, ruler.

righermire *v.t.* (**righermisco, righermisci**) to seize (*o* grab) again.

righetta *f. dim. di* **riga**. – **righettare** *v.t.* (**righetto**) **1.** to rule with narrow lines. – **2.** (*fare a strisce*) to stripe. – **righettato** (*p.p. di righettare*) *a.* **1.** narrow-ruled, narrow-lined. – **2.** (*a strisce sottili*) finely-striped. – **righettina, righina** *f. dim. di* **riga**.

righino (*dim. di riga e di rigo*) *m.* **1.** → **righello**. – **2.** ⟨*Tip*⟩ break(-line). – **3.** ⟨*Mar*⟩ rubbing strake.

rigidamente *avv.* **1.** rigidly, stiffly. – **2.** ⟨*fig*⟩ (*con severità*) rigidly, strictly, severely: *educare* ~ to bring up strictly. – **rigidetto** (*dim. di rigido*) *a.* **1.** (*rif. al tempo*) pretty cold (*o* rigorous). – **2.** ⟨*scherz*⟩ (*severo*) rather severe, strictish.

rigidezza *f.* **1.** rigidity, rigidness, stiffness, hardness, inflexibility.

– **2.** (*rif. a condizioni atmosferiche*) severity, rigours *pl*, harshness: *la ~ del clima* the rigours of the climate. – **3.** ⟨*fig*⟩ (*severità*) rigidity, strictness, sternness, harshness, rigour: *la ~ di un giudice* the sternness of a judge. – **4.** ⟨*Edil*⟩ strength, rigidity. □ ⟨*Edil*⟩ ~ *flessionale* bending strength (*o* rigidity), flexural strength; ⟨*Edil*⟩ ~ *torsionale* torsional strength (*o* rigidity).

rigidismo *m.* ⟨*non com*⟩ **1.** rigo(u)rism, (extreme) strictness, austerity. – **2.** ⟨*Teol*⟩ (*rigorismo*) rigo(u)rism.

rigidità *f.* **1.** rigidity, stiffness, hardness. – **2.** (*rif. al corpo umano o animale*) stiffness, rigidity: ~ *muscolare* muscle rigidity. – **3.** ⟨*Econ*⟩ inelasticity. – **4.** ⟨*Fis*⟩ (electrical) strength. – **5.** ⟨*non com*⟩ (*rif. al clima*) severity, rigours *pl*, harshness, coldness. – **6.** ⟨*fig,non com*⟩ (*severità*) strictness, harshness.

□ ⟨*Fis*⟩ ~ **acustica** acoustic stiffness; ~ **cadaverica** rigor mortis, cadaveric (*o* post-mortem) rigidity; ⟨*El*⟩ ~ **dielettrica** dielectric rigidity (*o* strength), disruptive strength; ⟨*Edil*⟩ ~ **flessionale** (o *a flessione*) bending strength (*o* rigidity), flexural rigidity; ⟨*Fis*⟩ ~ **magnetica** magnetic rigidity; ⟨*Fis*⟩ **modulo** *di* ~ rigidity (*o* shear) modulus; ⟨*Med*⟩ ~ **nucale** nuchal rigidity; ⟨*Med*⟩ ~ **pupillare** stiff pupil; ⟨*Edil*⟩ ~ **torsionale** torsional strength (*o* rigidity).

rigido *a.* **1.** rigid, hard, stiff, inflexible. – **2.** (*molto freddo*: *rif. a condizioni atmosferiche*) hard, harsh, severe, very (*o* bitterly) cold: *abbiamo avuto un inverno ~* we have had a hard winter. – **3.** ⟨*fig*⟩ (*aspro, severo*) rigorous, stern, strict, austere, hard, harsh, severe: *una -a disciplina* a rigorous discipline. – **4.** ⟨*fig*⟩ (*non elastico*) rigid, inflexible, unbending, unyielding: *a corte vige una -a etichetta* rigid etiquette is observed at court. – **5.** ⟨*Econ*⟩ inelastic. – **6.** ⟨*Fis*⟩ rigid.

rigiocare *v.* (**rigioco/rigiuoco, rigiochi/rigiuochi**) **I** *v.t.* to replay, to play again. – **II** *v.i.* (*aus.* **avere**) to play again.

rigirare I *v.t.* **1.** to turn (round) again, to give another turn to: ~ *la manovella* to give the crank another turn. – **2.** (*girare*) to turn (round), to twist: *rigirava gli occhi da tutte le parti* she turned her eyes in all directions. – **3.** (*ripercorrere*) to go (a)round: *girarono e rigirarono tutto il paese* they went all around the entire town. – **4.** (*cingere*) to surround, to run all round: *un alto muro rigira tutto il parco* a high wall surrounds the whole park. – **5.** ⟨*fig*⟩ (*raggirare*) to do what one likes with, to twist round one's little finger, to get round. – **6.** ⟨*fig*⟩ (*volgere a proprio vantaggio*: *rif. a problemi, discorsi e sim.*) to turn (*o* twist) to one's own ends. – **7.** ⟨*fig,tosc*⟩ (*maneggiare*) to handle, to deal with, to take care of. – **8.** (*rif. ad assegni*) to re-endorse. – **II** *v.i.* (*aus.* **avere**) **1.** (*andare in giro*) to go (a)round. – **2.** ⟨*ant*⟩ (*circolare*: *rif. al denaro*) to circulate, to be current. – **rigirarsi** *v.r.* (*girare su se stesso*) to turn over; (*di continuo*) to toss and turn; (*completamente*) to turn around. □ *girarsi e rigirarsi nel letto* to toss and turn in bed; *comunque la si rigiri* whichever way you look at it; *gira e rigira* whichever way one looks at it; *saperla ~* to be smart, to know how to turn things to account; ~ *qc. tra le mani* to turn s.th. over in one's hands, to fiddle with s.th.

rigirata *f.* ⟨*non com*⟩ turn(ing); (*il rigirarsi*) turning over. – **rigiratina** *f.* ⟨*non com*⟩ *dim. di* **rigirata**. – **rigiratore** *m.* (*f.* **-trice**) ⟨*non com*⟩ **1.** turner. – **2.** ⟨*fig*⟩ (*raggiratore*) trickster, hoodwinker, ⟨*fam*⟩ twister. – **rigirio** *m.* stir, bustle, coming and going.

rigiro *m.* **1.** turn(ing). – **2.** (*giro*) turn, twist; (*rotazione*) rotation. – **3.** *pl.* (*intrigo*) tricks *pl*, manoeuvering, ⟨*fam*⟩ crafty dealings *pl*, ⟨*fam*⟩ dodges *pl*. – **4.** *pl.* ⟨*fig*⟩ (*discorso tortuoso*) beating about the bush, circumlocutions *pl*. – **5.** ⟨*non com*⟩ (*amorazzo segreto*) secret love affair.

rigirone *m.* (*f.* **-a**) ⟨*tosc*⟩ (*maneggione*) trickster, schemer, ⟨*fam*⟩ crafty customer, ⟨*fam*⟩ twister.

rigiugnere *v.* (**rigiungo, rigiugni**) → **rigiungere**. – **rigiungere** *v.* (**rigiungo, rigiungi; rigiunsi, rigiunto**) ⟨*ant*⟩ **I** *v.i.* (*aus.* **essere**) (*giungere di nuovo*) to reach again (*a qc.* s.th.), to return, to come back (to). – **II** *v.t.* (*raggiungere*) to reach again, to get back to (again).

rigiuocare *v.* → **rigiocare**.

rigiurare I *v.i.* (*aus.* **avere**) to swear (*o* vow) again, to take another oath. – **II** *v.t.* to swear again.

rignare *v.i.* (*aus.* **avere**) ⟨*tosc*⟩ (*ringhiare*) to snarl, to growl; (*nitrire*) to neigh, to whinny. – **rigno** *m.* ⟨*tosc*⟩ (*ringhio*) snarl, growl; (*nitrito*) neigh, whinny.

rigo *m.* (*pl.* **-ghi**) line. □ ~ *musicale* staff, stave.

rigodon *fr.* [rigɔ'dɔ̃], **rigodone** *m.* → **rigaudon.**

rigoglio *m.* **1.** luxuriance, lushness, luxuriant growth, exuberance. – **2.** ⟨*fig*⟩ prime, bloom, flower: *essere nel ~ della giovinezza* to be in the prime of youth. – **3.** ⟨*non com*⟩ (*gorgoglio*) gurgling, bubbling. – **4.** ⟨*ant,tosc*⟩ (*orgoglio*) pride. □ *andare in ~* to run to leaf; *bollire con ~* to bubble, to boil rapidly.

rigogliosamente *avv.* luxuriantly, lushly. – **rigogliosità** *f.* **1.** luxuriance, lushness. – **2.** ⟨*fig*⟩ bloom, exuberance, richness. – **rigoglioso** *a.* **1.** luxuriant, lush, exuberant. – **2.** ⟨*fig*⟩ blooming, exuberant: *salute -a* exuberant health. – **3.** ⟨*ant*⟩ (*orgoglioso*) proud.

rigogolo *m.* ⟨*Ornit*⟩ (*oriolo*) golden oriole (*Oriolus oriolus*).

rigoletto *m.* ⟨*ant*⟩ **1.** (*danza*) roundelay, round dance. – **2.** ⟨*estens*⟩ (*cerchio di persone*) ring, circle.

rigolo[1] *m.* (*nelle bocce*) dislodging.

rigolo[2] *fr.* [-'lo] *a.* (*divertente*) amusing, funny.

rigolone *m.* → **rigaudon.**

rigone *m. accr. di* **riga** *e di* **rigo**.

rigonfiamento *m.* **1.** (*il rigonfiare*: *atto*) reinflating; (*effetto*) reinflation. – **2.** (*il rigonfiarsi*) swelling. – **3.** (*parte rigonfia*) bulge, swelling, intumescence. – **4.** ⟨*Met*⟩ swell. □ ⟨*Anat*⟩ ~ *cervico-dorsale* intumescentia cervicalis; ⟨*Anat*⟩ ~ *lombare* intumescentia lumbalis, lumbar intumescence; ~ *per umidità* moisture expansion, bulking.

rigonfiare *v.* (**rigonfio, rigonfi**) **I** *v.t.* to reinflate, to blow up again: ~ *un pallone* to blow up a balloon again. – **II** *v.i.* (*aus.* **essere**), **rigonfiarsi** *v.r.* to swell (up, out) again; (*rif. alla pasta*) to rise.

rigonfio I *a.* **1.** swollen, inflated, expanded. – **2.** ⟨*fig*⟩ swollen (*o* puffed) up, bursting, filled (*di* with): ~ *d'orgoglio* filled with pride, puffed up; ~ *d'ira* bursting with anger. – **II** *s.m.* (*rigonfiamento*) bulge, swelling.

rigore *m.* **1.** rigours *pl*, severity, harshness: *i -i del clima* the harshness of the climate; (*rif. a luogo*) harshness, coldness. – **2.** ⟨*fig*⟩ (*severità, asprezza*) rigour, severity, harshness, strictness, stringency, sternness: *il ~ di una pena* the severity of a punishment. – **3.** ⟨*fig*⟩ (*precisione, esattezza*) rigour, exactness, great precision. – **4.** ⟨*Sport*⟩ (*calcio di rigore*) penalty (kick). – **5.** ⟨*lett*⟩ (*rigidità*) stiffness, rigidity, hardness.

□ **a** (*stretto*) ~ strictly speaking, in point of fact; **con** ~ (*severamente*) rigorously, severely, strictly; **di** ~ (*d'obbligo*) de rigueur, compulsory, ⟨*fam*⟩ the (done) thing: *l'abito da sera è di ~* evening dress ⌜is de rigueur⌝ (*o* must be worn); ⟨*ant*⟩ *-i della* **febbre** (*brividi*) shivers of fever, rigours; *a rigor di* **logica** logically, strictly speaking; *a rigor di* **termini** in the strict sense of the term; ⟨*non com*⟩ *a* **tutto** ~ = **a** (*stretto*) *rigore*.

rigorismo *m.* **1.** rigo(u)rism, severity, strictness, austerity: ~ *morale* moral strictness. – **2.** ⟨*Filos,Teol*⟩ rigo(u)rism. – **rigorista** *m./f.* **1.** rigo(u)rist. – **2.** ⟨*Sport*⟩ penalty kicker. – **rigoristico** *a.* (*pl.* **-ci**) rigo(u)ristic.

rigorosamente *avv.* **1.** rigorously, severely, strictly. – **2.** (*strettamente*) strictly: ~ *parlando* strictly speaking. □ *mantenere ~ la disciplina* to keep strict discipline.

rigorosità *f.* **1.** (*severità*) rigorousness, rigour, severity, strictness, harshness: ~ *di un provvedimento* harshness of a measure; (*durezza*) hardness, harshness. – **2.** (*precisione*) accuracy, precision, rigorousness, rigour: ~ *di un metodo* accuracy of a method. – **3.** ⟨*non com*⟩ (*atto compiuto con rigore*) rigour.

rigoroso *a.* **1.** (*severo*) rigorous, severe, harsh, strict, stern; (*duro, aspro*) rigorous, harsh, hard: *essere ~ con qd.* to be rigorous (*o* strict) with s.o., to be hard on s.o. – **2.** (*preciso, esatto*) rigorous, precise, extremely accurate (*o* exact): *definizione -a* precise definition. – **3.** ⟨*Mus*⟩ strict: *contrappunto ~* strict counterpoint.

rigoso *a.* ⟨*poet,ant*⟩ (*irriguo*) irriguous.

rigovernare *v.t.* (**rigoverno**) **1.** to wash (up): ~ *i piatti* to wash the dishes, to wash up. – **2.** (*rif. ad animali*) to take care of, to look after. – **rigovernata** *f.* ⟨*non com*⟩ washing-up. □ *dare una ~ alle stoviglie* to wash (up) the dishes, to do the washing-up. – **rigovernatina** *f. dim. di* **rigovernata**. – **rigovernatura** *f.* **1.** washing-up. – **2.** (*rif. ad acqua*) dishwater. – **3.** ⟨*spreg*⟩ (*rif. a minestra e sim.*) dishwater, swill, bilge.

rigraffiare *v.t.* (**rigraffio, rigraffi**) to scratch again.

rigridare I *v.i.* (*aus.* **avere**) **1.** to shout (*o* yell) again. – **2.** (*gridare*) to shout, to yell. – **II** *v.t.* to shout (*o* yell, cry) again.

riguadagnare *v.t.* **1.** to recover, to win (*o* get) back, to regain: *ha riguadagnato il denaro perduto al gioco* he has won back the money he lost gambling. – **2.** (*riacquistare*) to win (*o* get) back, to regain, to recover: ~ *la stima di qd.* to regain s.o.'s esteem. – **3.** (*ricuperare*) to recover, to make up for, to retrieve: ~ *il tempo perduto* to make up for lost time. – **4.** (*ritornare*) to reach again, to get back on to: ~ *la strada maestra* to get back on to the main road. – **5.** ⟨*non com*⟩ (*guadagnare di nuovo*) to earn again.

riguardamento *m.* ⟨*ant*⟩ **1.** looking (at again); (*sguardo*) look. – **2.** (*considerazione*) consideration. – **3.** (*rispetto, riguardo*) respect, regard, esteem.

riguardante (*p.pr. di riguardare*) **I** *a.* **1.** (*concernente*) regarding, concerning, about, with regard (*o* respect) to, relating to: *notizie -i la famiglia* news concerning (*o* about) the family. – **2.** ⟨*Arald*⟩ reg(u)ardant. – **II** *s.m./f.* ⟨*lett*⟩ (*spettatore*) spectator, onlooker, watcher.

riguardare I *v.t.* **1.** to look at again: ~ *vecchie fotografie* to look at old photos again. – **2.** (*considerare*) to regard, to consider, to look on: ~ *qd. come un figlio* to regard s.o. as a son. – **3.** (*esaminare, riscontrare*) to examine, to look over, to check: ~ *i conti* to check the accounts. – **4.** (*concernere*) to concern, to regard, to relate to, to be of interest (*o* concern) to: *non occuparti di cose che non ti riguardano* don't get involved in things that don't concern you. – **5.** (*spettare*) to be the concern of, to concern, to be for, to be up to: *questo caso riguarda la polizia italiana* this is a case for the Italian police. – **6.** (*aver riguardo*) to have regard (*o* concern) for, to show consideration for; (*custodire con attenzione*) to take good care of, to look after well, to keep carefully. – **7.** ⟨*non com*⟩ (*guardare indietro*) to look back at (*o* on). – **8.** ⟨*ant*⟩ (*guardare*) to look at. – **9.** ⟨*fig,ant*⟩ (*considerare attentamente*) to consider carefully, to think carefully about. – **II** *v.i.* (*aus.* **avere**) ⟨*non com*⟩ (*essere rivolto*) to look out, to give (*su* onto): *la porta riguarda sul giardino* the door gives onto the garden. – **riguardarsi** *v.r.* **1.** (*guardarsi, evitare*) to be careful, to beware (*da* of), to keep away (from), to watch out (for), to be on one's guard (against): *riguardarsi dalle correnti d'aria* to keep ⌜away from⌝ (*o* out of) draughts. – **2.** ⟨*assol*⟩ (*avere cura di sé*) to take care of o.s., to look after o.s. □ *chi ben riguardi* (*considerando attentamente*) on closer consideration; *per* ⌜*quel che*⌝ (*o quanto*) *mi riguarda* as far as I'm concerned, as for me, for my part. – *Prov.*: *riguardati dai matti, dai briachi, dagli ipocriti e dai minchioni* beware of madmen, drunkards, hypocrites and fools.

riguardạta *f.* **1.** (*sguardo*) (quick) look, glance. – **2.** (*esame*) look-over, look-through. □ *dare una ~ a qc.* to take (*o* have) a look at s.th.; (*esaminare*) to look s.th. over (*o* through). – **riguardatịna** *f. dim. di* **riguardata.** – **riguardạto** (*p.p. di riguardare*) *a.* careful, taking care (of o.s.). □ *stare* (*o tenersi*) *~* to take care (of o.s.), to look after o.s.; ⟨*non com*⟩ *tenersi ~ nel mangiare* to be careful of one's diet.

riguardatọre *m.* (*f.* **-trice**) **1.** ⟨*non com*⟩ onlooker, spectator, watcher. – **2.** ⟨*ant*⟩ (*conoscitore*) judge, knower. – **3.** ⟨*ant*⟩ (*custode*) guardian.

riguardẹvole *a.* ⟨*ant*⟩ (*ragguardevole*) worthy (of respect), important, notable. – **riguardevolẹzza** *f.* ⟨*ant*⟩ (*ragguardevolezza*) notableness, importance.

riguạrdo *m.* **1.** (*cautela*) care: *trattare qc. con ~* to handle s.th. ⌜with care⌝ (*o* carefully); *avere ~ di sé* to take care of o.s., to look after o.s. – **2.** (*considerazione*) consideration, respect, regard, attention: *trattare le persone anziane con ogni ~* to treat old people with all respect; (*stima*) respect, regard, esteem: *essere degno di ~* to be worthy of respect. – **3.** (*relazione, rapporto*) connexion, relation, regard: *le tue osservazioni non hanno alcun ~ con questo caso* your remarks have no connexion with this case. – **4.** ⟨*Legat*⟩ (*risguardo*) (inner) endpaper, flyleaf, end-leaf; (*risvolto*) flap. – **5.** ⟨*ant*⟩ (*sguardo*) look, ⟨*lett*⟩ regard. – **6.** ⟨*ant*⟩ (*posizione*) position.

□ *~* **a** (*in relazione a*) with regard (*o* respect) to, regarding, concerning, in relation to: *~ alla Vostra proposta* with regard to your offer; *a questo* (*o tale*) *~* in this connexion, on this matter; *~ a me* as far as I'm concerned, as for me, for my part; ⟨*non com*⟩ *a(l) ~ di* (*rispetto a*) with respect to, as against, (as) compared with; **aver** *~ nel fare qc.* to do s.th. carefully; *avere ~ a qc.* (*tenerla presente*) to consider s.th., to take s.th. into account (*o* consideration), to have regard to s.th., to bear s.th. in mind; *avere ~ verso qd.* (*usargli rispetto*) to have respect (*o* regard) for s.o.; *non aver -i per nessuno* to have no regard for anyone; *aversi ~* to take care (of o.s.), to look after o.s.; **di** *~* of consequence, important, distinguished: *ospiti di ~* distinguished guests; *vestito di ~* best dress; *di gran* (*o molto*) *~* highly distinguished (*o* esteemed), very important; *col* **dovuto** *~* with due respect; **in** *~ di*: 1. = *riguardo* **a**; 2. (*in considerazione di*) in consideration (*o* view) of; **mancare** *di ~ verso qd.* to have no respect for s.o., to be disrespectful to s.o.; **nei** *-i di*: 1. (*di fronte a*) in the face of, as regards, vis-à-vis, with regard to: *nei -i di questo problema* with regard to this problem; 2. (*contro, a carico*) against: *prendere provvedimenti nei -i di qd.* to take steps against s.o.; 3. (*nei confronti di*) in s.o.'s regard: *hai mancato nei suoi -i* you were lacking in his regard; **per** *~ a qd.* out of consideration (*o* respect) for s.o., for s.o.'s sake; *per questo ~* in this respect; **pieno** *di ~* considerate, thoughtful; (*rispettoso*) respectful; **senza** *~*: 1. (*irriguardoso*) inconsiderate, thoughtless; 2. (*non rispettoso*) disrespectful, rude; *trattare qc. senza ~* to treat s.th. carelessly; *senza -i*: 1. (*senza far complimenti*) without standing on ceremony; 2. (*con franchezza*) bluntly, frankly, openly, unceremoniously, straight off: *io le cose gliele dico in faccia, senza* (*tanti*) *-i* I tell him everything to his face bluntly; *senza ~ a* (*senza badare a*) without considering, regardless of, irrespective of: *senza ~ a spese* without considering the expense, irrespective of expense; **stare** *in ~*: 1. (*starsene a casa*) to stay at home; 2. (*starsene a letto*) to stay in bed, to keep to one's bed; 3. ⟨*ant*⟩ (*stare in guardia*) to be on one's guard, to watch out, to take care; **tenere** *in ~ un ammalato* (*tenerlo a casa*) to keep a sick person at home; (*tenerlo a letto*) to keep a sick person in bed.

riguardosamẹnte *avv.* considerately, thoughtfully; (*rispettosamente*) respectfully. – **riguardọso** *a.* **1.** considerate (*con* to), thoughtful (towards); (*rispettoso*) respectful (to). – **2.** ⟨*ant*⟩ (*cauto, prudente*) careful, cautious. □ *essere poco ~* to be inconsiderate (*o* thoughtless); (*mancare di rispetto*) to be disrespectful.

riguastạre *v.t.* **1.** (*guastare di nuovo*) to spoil (*o* ruin, damage) again. – **2.** (*disfare*) to undo, to take to pieces; (*scucire*) to unsew, to unpick. – **riguastarsi** *v.r.* **1.** to be spoiled (*o* ruined) again; (*rif. a meccanismi*) to break (down) again. – **2.** (*rif. al tempo*) to change for the worse again.

rigurgitamẹnto *m.* ⟨*rar*⟩ → **rigurgito.** – **rigurgitạnte** (*p.pr. di rigurgitare*) *a.* (*pieno zeppo*) packed, full, swarming, teeming, crowded, ⟨*fam*⟩ chock-a-block (*di* with).

rigurgitạre *v.* (**rigụrgito**) **I** *v.i.* (*aus.* **essere/avere**) **1.** to pour (*o* gush, flow) out; (*scorrere indietro*) to flow (*o* pour, gush) back, to regurgitate. – **2.** ⟨*fig*⟩ (*traboccare*) to overflow, to swarm, to teem (*di* with): *le strade rigurgitavano di gente* the streets were swarming with people. – **II** *v.t.* ⟨*non com*⟩ to bring up.

rigụrgito *m.* **1.** regurgitation, flowing (*o* pouring, gushing) back; (*il traboccare*) overflowing. – **2.** (*sostanza rigurgitata*) overflowing liquid (*o* fluid). – **3.** ⟨*fig*⟩ outburst, fit, attack: *un ~ di rabbia* a fit of rage. – **4.** ⟨*fig*⟩ (*ritorno*) (short) revival. – **5.** ⟨*Med*⟩ regurgitation. – **6.** ⟨*Idr*⟩ hydraulic jump.

rigustạre *v.t.* to taste again.

rilamentạre *v.t.* (**rilamẹnto**) to lament (*o* mourn over) again. – **rilamentarsi** *v.r.* to complain again.

rilanciạre *v.t.* (**rilạncio, rilạnci**) **1.** (*lanciare di nuovo*) to throw (*o* fling, hurl) again. – **2.** (*lanciare di ritorno*) to throw (*o* fling, hurl) back: *~ la palla* to throw the ball back. – **3.** ⟨*estens*⟩ (*riaccelerare*) to speed up again, to accelerate again, ⟨*am*⟩ to gun again. – **4.** ⟨*fig*⟩ (*dare nuovo impulso*) to relaunch, to present again, to reintroduce: *~ un partito politico* to relaunch a political party. – **5.** ⟨*Comm*⟩ to put on the market again, to relaunch: *~ una moda* to relaunch a fashion. – **6.** (*nelle aste*: *fare un'offerta maggiore*) to raise, to make a higher bid. – **7.** (*nel poker*) to raise.

rilạncio *m.* **1.** throwing again, flinging (*o* hurling) again; (*il lanciare di ritorno*) throwing (*o* flinging) back. – **2.** ⟨*fig*⟩ relaunching, reintroduction: *il ~ di un prodotto* the relaunching of a product. – **3.** (*nelle aste*) raise, higher bid. – **4.** (*nel poker*) raise.

rilasciamẹnto *m.* ⟨*non com*⟩ → **rilassamento.**

rilasciạre *v.* (**rilạscio, rilạsci**) **I** *v.t.* **1.** (*lasciare di nuovo*) to leave again. – **2.** (*rimettere in libertà*) to release, to set free (*o* at liberty), to let go: *~ un prigioniero* to release (*o* free) a prisoner. – **3.** ⟨*burocr*⟩ (*consegnare*) to issue, to give: *~ una ricevuta* to issue a receipt; (*concedere*) to grant, to give: *~ un permesso a qd.* to give s.o. a permit. – **4.** ⟨*fig*⟩ (*allentare*) to relax, to loosen, to slacken: *~ i muscoli* to relax the muscles; *~ la disciplina* to relax discipline. – **5.** ⟨*non com*⟩ (*mollare*) to loosen, to slacken, to release. – **6.** ⟨*non com*⟩ (*cedere*) to give up. – **7.** ⟨*ant*⟩ (*condonare*) to remit; (*perdonare*) to forgive, to pardon. – **II** *v.i.* (*aus.* **avere**) ⟨*Mar,non com*⟩ to shelter, to put in at a port of distress. – **rilasciarsi** *v.r.* **1.** ⟨*recipr*⟩ (*separarsi di nuovo*) to part again, to separate again, to leave e.o. again. – **2.** ⟨*fig*⟩ (*rilassarsi*) to relax, to take it easy, to unwind.

rilạscio *m.* **1.** (*liberazione, scarcerazione*) release, setting free. – **2.** ⟨*burocr*⟩ (*consegna*) issue: *~ di un certificato* issue of a certificate; (*concessione*) grant(ing), giving: *~ di un permesso* granting of a permit. – **3.** (*cessione*) giving up, surrender. – **4.** ⟨*Mil.ant*⟩ earthwork, embankment. □ ⟨*Dir*⟩ *~ su cauzione* release on bail; ⟨*Mar*⟩ *porto di ~* port of distress.

rilassamẹnto *m.* **1.** (*allentamento*) relaxing, loosening, slackening (*anche fig.*): *~ dei costumi* loosening of morals. – **2.** ⟨*Met,Fis,El*⟩ relaxation. – **3.** ⟨*Med*⟩ relaxation, atony.

rilassạre *v.t.* **1.** (*allentare*) to loosen, to slacken: *~ le corde del violino* to loosen the strings on a violin. – **2.** (*distendere*) to relax: *~ i muscoli* to relax one's muscles. – **3.** ⟨*fig*⟩ (*rendere meno duro*) to loosen, to slacken, to relax: *~ la sorveglianza* to relax supervision. – **rilassarsi** *v.r.* **1.** (*allentarsi*) to loosen, to become loose (*o* slack). – **2.** (*distendersi*) to relax, to unwind: *per rilassarmi faccio un po' di sport* I do a little sport to relax. – **3.** (*scadere, infiacchirsi*) to become loose (*o* slack, relaxed): *i costumi si erano molto rilassati* morals had become very loose.

rilassatamẹnte *avv.* in a relaxed manner. – **rilassatẹzza** *f.* **1.** relaxation, loosening, slackening: *~ dei muscoli* relaxation of the muscles. – **2.** ⟨*fig*⟩ laxity, looseness, slackening: *~ dei costumi* moral laxity. – **rilassatịvo** *a.* ⟨*non com*⟩ relaxant, relaxing. – **rilassạto** (*p.p. di rilassare*) *a.* **1.** relaxed. – **2.** ⟨*fig*⟩ lax, loose.

rilastricạre *v.t.* (**rilạstrico, rilạstrichi**) to repave, to reflag.

rilavạre *v.t.* **1.** to wash again, to rewash. – **2.** (*lavare*) to wash; (*pulire*) to clean. – **rilavatụra** *f.* **1.** (*il rilavare*) washing again, rewashing. – **2.** (*acqua di rilavatura*) washing water; (*acqua di rigovernatura*) dishwater.

rileccạre *v.t.* (**rilẹcco, rilẹcchi**) **1.** (*leccare di nuovo*) to lick again; (*leccare ripetutamente*) to lick repeatedly, to keep licking. – **2.** ⟨*fig*⟩ (*rifinire con eccessiva minuzia*) to polish excessively, to overrefine.

rilegạre[1] *v.t.* (**rilẹgo, rilẹghi**) **1.** (*legare di nuovo*) to tie (up) again, to bind (*o* do up) again. – **2.** ⟨*Legat*⟩ to bind: *~ un libro in pelle* to bind a book in leather; (*legare di nuovo*) to rebind. – **3.** (*incastonare*) to set, to mount.

rilegạre[2] *v.t.* (**rilẹgo, rilẹghi**) ⟨*ant*⟩ (*relegare*) to relegate, to banish.

rilegạto (*p.p. di rilegare*[1]) *a.* ⟨*Legat*⟩ bound: *~ in pelle* leather-bound. – **rilegatọre** *m.* (*f.* **-trice**) (book)binder.

rilegatụra *f.* ⟨*Legat*⟩ **1.** (*il rilegare*) (book)binding: *era intento alla ~ di un libro* he was engrossed in binding a book. – **2.** ⟨*concr*⟩ binding.

□ *~* **flessibile** flexible (*o* limp) binding; *~* **incollata** adhesive (*o* thermoplastic) binding; *~ in* **pelle** leather binding; *~ in mezza pelle* half-binding; *~ in tutta pelle* (full) leather binding; *~ in* **pergamena** parchment (*o* vellum) binding; *~ in* **tela** cloth binding; *~ in mezza tela* half cloth binding; *~ in tutta tela* (full) cloth binding.

rilegaturạccia *f.* (*pl.* **-ce**) *pegg. di* **rilegatura.** – **rilegaturịna** *f. dim. di* **rilegatura.**

rilẹggere *v.t.* (**rilẹggo, rilẹggi; rilẹssi, rilẹtto**) **1.** to read again, to reread: *questo romanzo l'ho riletto tre volte* I have reread this novel three times. – **2.** (*rivedere*) to read over, to revise.

rilẹnte *a.* ⟨*tosc*⟩ (*lento*) slow. □ ⟨*non com*⟩ *a ~* slowly. – **rilẹnto**: *a ~*: 1. slowly: *i lavori vanno a ~* the work is going slowly; 2. ⟨*fig*⟩ (*cautamente*) carefully, warily: *andare a ~ nel giudicare* to go carefully in making judgements.

rilẹtta *f.* (*rilettura sommaria*) quick rereading (*o* second look). – **rilettụra** *f.* second reading, rereading: *una ~ attenta di un articolo* a careful rereading of an article.

rilevạbile *a.* noticeable, detectable: *difetti appena -i* barely noticeable defects.

rilevamẹnto *m.* **1.** (*raccolta sistematica*) survey, inquiry: *~ statistico* statistical survey. – **2.** (*assunzione di una gestione*) taking over: *il ~ di un negozio* the taking over of a shop. – **3.** (*sostituzione*) relief, relieving, changing: *il ~ delle sentinelle* the changing of the guard. – **4.** ⟨*Topogr*⟩ survey. – **5.** ⟨*Mar,Aer*⟩ bearing.

□ *~* **aereo** aerial survey(ing); *~* **aerofotogrammetrico** aerial survey(ing); ~ **altimetrico** survey of heights; ⟨*Topogr*⟩ ~ **catastale** cadastral survey; ~ **fotografico** photographic survey; ~ **fotogrammetrico** photogrammetrical survey; ~ **geofisico** geophysical prospecting; ~ **idrografico** hydrographic survey(ing), marine surveying; ~ **ottico** visual bearing; ⟨*Mar*⟩ ~ *al* **radar** radar bearing; ~ **radiogoniometrico** radiogoniometric bearing; ~ **tempi** timing, time taking; ~ *del* **terreno** land survey; ~ **topografico** topographical survey.

rilevante (*p.pr. di rilevare*) *a.* **1.** (*notevole*) considerable, notable, large, great: *un numero ~ di spettatori* a considerable (*o* large) number of spectators. – **2.** (*importante*) important: *una notizia ~* important news. – **rilevanza** *f.* **1.** size, largeness, greatness. – **2.** (*importanza*) importance, consequence. – **3.** ⟨*non com*⟩ (*rilievo*) elevation, rise, eminence.

rilevare *v.* (**rilevo**) **I** *v.t.* **1.** (*notare, mettere in evidenza*) to point out, to draw attention to: *far ~ qc. a qd.* to point s.th. out to s.o.; *~ le contraddizioni di un avversario* to draw attention to the contradictions of an adversary. – **2.** (*venire a conoscere*) to perceive, to find, to see, to learn: *dalla tua lettera rilevo che non hai ricevuto il pacco* from your letter I see you haven't received the parcel; *~ qc. da un giornale* to learn s.th. from a newspaper. – **3.** (*raccogliere dati*) to gather, to collect, to put together: *~ le cifre sull'andamento del commercio con l'estero* to gather figures on the trend in foreign trade. – **4.** (*levare di nuovo*) to take off (*o* away) again, to remove again: *~ la pentola dal fuoco* to take the pot off the stove again; (*rif. a indumenti e sim.*) to take off again: *rilevarsi il soprabito* to take off one's coat again. – **5.** (*dare il cambio*) to relieve: *~ una sentinella* to relieve a guard. – **6.** (*andare a prendere*) to collect, to pick up, to get, to call for: *andrò a rilevarlo in ufficio* I'll pick him up at the office. – **7.** ⟨*Comm*⟩ (*subentrare in un contratto*) to take over: *~ una bottega* to take over a shop. – **8.** ⟨*Comm*⟩ (*ricomprare*) to buy back: *~ una partita di merce* to buy back a parcel of goods. – **9.** (*formare in rilievo*) to form, to model, to shape: *~ una figura a sbalzo* to form a figure in relief; (*ricavare da un modello*) to take, to draw: *~ un disegno da uno schizzo* to take a design from a sketch. – **10.** ⟨*Topogr*⟩ to survey, to plot. – **11.** ⟨*Mar*⟩ to take a bearing of: *~ la rotta* to take a bearing of the route. – **12.** ⟨*lett*⟩ (*alzare, rialzare*) to lift (up), to raise. – **13.** ⟨*fig,lett*⟩ (*risollevare spiritualmente*) to cheer, to comfort. – **II** *v.i.* (*aus.* **avere**) **1.** (*aggettare, risaltare*) to stand out, to show up. – **2.** ⟨*fig,non com*⟩ (*avere importanza*) to be important, to count, to matter: *tutto questo non rileva molto* none of this matters much. – **3.** ⟨*fig,lett*⟩ (*giovare*) to be of use, to get one somewhere. – **4.** ⟨*tosc*⟩ (*rigonfiarsi lievitando*) to rise. – **rilevarsi** *v.r.* **1.** (*stagliarsi*) to stand out, to show up, to be in relief. – **2.** ⟨*fig*⟩ (*liberarsi*) to free o.s. (*da* from): *rilevarsi dal vizio* to free o.s. from vice; (*risollevarsi*) to rise (out of).

rilevatario *m.* (*f.* **-a**) ⟨*Dir*⟩ successor.

rilevato (*p.p. di rilevare*) **I** *a.* **1.** (*sporgente*) prominent, standing out, protruding, projecting. – **2.** (*rialzato*) raised. – **3.** (*che si staglia*) prominent, in relief. – **4.** ⟨*fig,ant*⟩ (*notevole*) remarkable, notable, outstanding. – **II** *s.m.* **1.** (*rialzo, rilievo*) rise, height, prominence. – **2.** ⟨*Strad*⟩ embankment; (*attraverso paludi e sim.*) causeway.

rilevatura *f.* ⟨*non com*⟩ **1.** (*protuberanza*) protuberance, swelling. – **2.** ⟨*tosc*⟩ (*l'allevare*) raising, bringing up.

rilevazione *f.* **1.** (*raccolta di dati*) survey(ing), taking. – **2.** ⟨*Topogr*⟩ survey. – **3.** ⟨*fig,ant*⟩ (*risollevazione spirituale*) spiritual comfort; (*redenzione*) redemption.

rilievo *m.* **1.** relief: *una forte luce dava ~ ai contorni della statua* a strong light put the outlines of the statue into relief; (*ciò che è in rilievo*) rise, height, elevation: *un ~ del terreno* a rise in the ground; (*protuberanza*) protuberance, bulge, swell. – **2.** ⟨*fig*⟩ (*evidenza, risalto*) prominence, importance, emphasis: *dare maggior ~ all'aspetto sociale di una questione* to place greater emphasis on the social aspect of a matter. – **3.** ⟨*fig*⟩ (*importanza*) importance, significance, weight, consequence: *il fenomeno non ha alcun ~ scientifico* the phenomenon is of no scientific importance. – **4.** (*osservazione*) remark, comment, criticism: *dar luogo a -i* to give rise to criticism. – **5.** ⟨*Geog,Scult*⟩ relief. – **6.** ⟨*Topogr*⟩ survey: *prendere un ~* to make a survey. – **7.** ⟨*Mar*⟩ position (*o* direction) finding, taking of a bearing. – **8.** ⟨*Dir*⟩ discharge, release. – **9.** ⟨*Dir*⟩ (*il subentrare ad altri*: *atto*) taking over; (*effetto*) take-over: *il ~ di un'azienda* the take-over of a firm. – **10.** *pl.* ⟨*fam,tosc*⟩ (*avanzi*) scraps *pl*, leftovers *pl*.

□ ⟨*Topogr*⟩ ~ **aerofotografico** aerial survey; ⟨*Geog*⟩ *-i* **alpini** Alpine chain *sing*, Alps; **alto** ~: 1. ⟨*Scult*⟩ (*altorilievo*) high relief; 2. ⟨*Geog*⟩ high mountain range; ⟨*Geog*⟩ ~ **appenninico** Apennine chain, Apennines *pl*; ⟨*Art*⟩ ~ **architettonico** tracing; **aver** ~ to stand out, to be prominent (*anche fig.*); ⟨*Scult*⟩ **basso** ~ (*bassorilievo*) bas-relief, low relief; ⟨*Geog*⟩ *-i* **continentali** continental mountain chains (*o* ranges); **dar** ~ *a qc.* to make s.th. stand out, to throw s.th. into relief; ⟨*fig*⟩ (*mettere in evidenza*) to give importance (*o* prominence) to s.th., to emphasize (*o* stress) s.th.; ⟨*fig*⟩ **di** ~: 1. (*importante*: *rif. a cosa*) important, significant; 2. (*rif. a persona*) prominent, leading, outstanding: *persona di grande ~* very prominent (*o* important) person; **film** *in ~* three-dimensional film; ~ **fotografico** photographic relief; **in** ~: 1. raised: *ricamo in ~* raised embroidery; 2. ⟨*Geog,Art,Tip*⟩ in relief, relief: *carta geografica in ~* relief map; ⟨*Tip*⟩ *stampa in ~* relief printing; 3. (*a sbalzo, stampato in rilievo*) embossed: *lavoro in ~* embossed (*o* raised) work; *indirizzo stampato in ~* embossed address; **mettere** *in ~* to emphasize, to bring out, to throw into relief, to show up, to set off: *il vestito aderente metteva in ~ la sua figura svelta* her close-fitting dress set off her trim figure; ⟨*Scult*⟩ **mezzo** ~ middle relief; ⟨*fig*⟩ *di* **molto** ~ of great importance (*o* weight), highly important; ⟨*fig*⟩ *di* **nessun** ~ of no importance, unimportant, insignificant; ⟨*fig*⟩ *di* **poco** ~ of little importance (*o* account); **senza** ~: 1. (*piatto*) flat; 2. ⟨*fig*⟩ (*insignificante*) insignificant, unimportant; *-i* **statistici**: 1. (*raccolta di dati*) collecting of statistics; 2. (*dati*) statistics; ⟨*Geog*⟩ *-i* **subacquei** (o *submarini, suboceanici*) underwater mountains; ⟨*Scult*⟩ *figura di* **tutto** ~ figure in full relief.

rilievografia *f.* ⟨*Tip*⟩ relief (*o* letterpress) printing. – **rilievografico** *a.* (*pl.* **-ci**) of (*o* for) relief printing, letterpress-.

rilimare *v.t.* **1.** to file again. – **2.** ⟨*fig*⟩ (*rifinire*) to polish, to perfect, to touch up.

rilisciare *v.t.* (**riliscio, rilisci**) ⟨*non com*⟩ to smooth again, to resmooth. – **rilisciarsi** *v.r.* (*curare la propria bellezza*) to primp, to spruce o.s. up.

riluccicare *v.i.* (**riluccico, riluccichi**; *aus.* **avere**) **1.** to sparkle (*o* glitter) again. – **2.** ⟨*pop*⟩ (*luccicare*) to sparkle, to glitter, to twinkle, to shine, to glisten.

rilucente (*p.pr. di rilucere*) *a.* bright, shining, brilliant; (*luccicante*) glittering, twinkling, sparkling, glistening: *stelle -i* shining (*o* twinkling) stars. – **rilucentezza** *f.* brightness, shine, brilliance. – **rilucenza** *f.* ⟨*non com*⟩ (*aspetto rilucente*) brightness, brilliance, sparkle, glitter. – **rilucere** *v.i.* (**riluce, rilucono**; → **lucere**) **1.** to shine, to gleam, to be bright (*o* resplendent): *i suoi occhi rilucevano* her eyes shone; (*luccicare*) to glitter, to twinkle: *le stelle rilucevano nel cielo* the stars twinkled in the sky. – **2.** ⟨*fig,non com*⟩ (*distinguersi*) to shine (*di* with). □ ⟨*fam*⟩ *gli riluce il pelo*: 1. (*rif. a cavalli*) its coat shines, it has a glossy coat; 2. ⟨*scherz*⟩ (*sta bene in salute*) he looks very well.

rilusingare *v.t.* (**rilusingo, rilusinghi**) to flatter again.

riluttante (*p.pr. di riluttare*) *a.* reluctant, unwilling, disinclined, loath, averse. □ *essere ~ a una proposta* to be averse to a suggestion, to dislike a suggestion; *essere ~ a fare qc.* to be reluctant to do s.th. – **riluttanza** *f.* **1.** reluctance, unwillingness, disinclination, aversion: *obbedire con ~* to obey ⌜with reluctance⌝ (*o* reluctantly). – **2.** ⟨*Fis*⟩ reluctance. □ ~ *specifica* → **riluttività**. – **riluttare** *v.i.* (*aus.* **avere**) to be reluctant (*o* disinclined, unwilling): *~ a fare qc.* to be reluctant to do s.th., to be averse to doing s.th. – **riluttività** *f.* ⟨*Fis*⟩ reluctivity.

rima[1] *f.* **1.** ⟨*Metr*⟩ rhyme: *~ perfetta* perfect rhyme; *parlare in ~* to talk in rhyme. – **2.** *pl.* ⟨*estens*⟩ (*versi*) rhymes *pl*, rhymed verses *pl* (*o* poetry). – **3.** ⟨*estens*⟩ (*poesia*) verse, poetry; (*poesia non rimata*) blank verse. – **4.** (*preceduto da un ordinale*: *strofa*) stanza: *poesia in nona ~* poem in nine-line stanzas. – **5.** *pl.* ⟨*fig,poet*⟩ (*canto degli uccelli*) birdsong.

□ ~ **accoppiata** (o *baciata*) rhyming (*o* rhymed) couplet; ~ **alternata** alternate rhyme; ⟨*fam*⟩ **cantare** *qc. in ~* (*dire chiaro e tondo*) to say s.th. point-blank (*o* straight out), to speak plainly; ~ **chiusa** = *rima* **incrociata**; ~ **composta** compound rhyme; ~ *di* **consonanza** perfect rhyme; **dire** *qc. in ~*: 1. (*in poesia*) to ⌜say in⌝ (*o* put into) verse; 2. ⟨*fam*⟩ = **cantare** *qc. in rima*; 3. ⟨*ant*⟩ (*poetare in volgare*) to write poetry in the vernacular; **far** ~ *con qc.* to rhyme with s.th.; ~ **finale** end rhyme; ~ **imperfetta** imperfect rhyme; ~ **incatenata** = **terza** *rima*; ~ **incrociata** cross-rhyme; ~ **interna** (o *al mezzo*) → **rimalmezzo**; ~ **leonina** leonine rhyme; **mettere** *parole in ~* to rhyme words, to make words rhyme; (*metterle in versi*) to put words into rhyme (*o* verse); **nona** ~ nine-line stanza; ~ **obbligata** set rhyme; **ottava** ~ ottava rima, octave, eight-line stanza; **parole** ~ rhyming words; ~ **piana** feminine rhyme; *-e* **replicate** repeated rhymes; ⟨*fig*⟩ **rispondere** *per le -e a qd.* to give s.o. a sharp answer, ⟨*fam*⟩ to tell s.o. where to get off, ⟨*fam*⟩ to give s.o. tit for tat; **sesta** ~ sestina; **terza** ~ terza rima, tercet, three -line stanza; ~ **tronca** masculine rhyme.

rima[2] *f.* **1.** (*fessura*) fissure, crack, crevice (*anche Alp.*). – **2.** ⟨*Anat*⟩ rima, cleft, slit, fissure. □ ⟨*Anat*⟩ ~ *glottidea* (o *della glottide*) rima (glottidis).

rimacina *f.* regrinding. – **rimacinare** *v.t.* (**rimacino**) to regrind.

rimalmezzo *f.* ⟨*Metr*⟩ internal (*o* middle) rhyme.

rimandare *v.t.* **1.** to send again: *ho rimandato mio figlio al mare* I have sent my son to the sea again. – **2.** (*mandare indietro*) to send back, to return: *gli rimandò i regali* she sent him back his gifts. – **3.** (*spostare, differire*) to postpone, to put off, to defer: *~ un appuntamento* to postpone an appointment; (*rif. a sedute e sim.*) to adjourn, to suspend; (*tirare per le lunghe*) to delay, to protract. – **4.** (*fare riferimento*) to refer: *~ il lettore a un altro capitolo* to refer the reader to another chapter. – **5.** (*mandare da un luogo all'altro*) to send (round). – **6.** ⟨*Scol*⟩ to make repeat an exam(ination) (*o* a subject): *lo hanno rimandato in due materie* they made him repeat two subjects. – **7.** ⟨*non com*⟩ (*lasciare libero*) to set free, to let go; (*licenziare*) to dismiss. – **8.** ⟨*Mil*⟩ to defer. □ *fare a rimandarsela* to shift the blame (*o* responsibility) onto e.o., ⟨*fam*⟩ to pass the buck; ⟨*fam*⟩ ~ *giù* to swallow, to hold (*o* choke) back, to stop o.s. (from saying): *stavo per dirgliene quattro, ma le ho rimandate giù* I was about to give him a piece of my mind, but I stopped myself; *~ giù le lacrime* to choke back one's tears; ⟨*Scol*⟩ *essere rimandato a ottobre* to have to repeat the exams.

rimandato (*p.p. di rimandare*) **I** *a.* ⟨*Scol*⟩ having to repeat an exam-

(ination): *alunni -i* pupils who have to repeat exams. – **II** *s.m.* (*f.* **-a**) pupil who has to repeat the exams.

rimạndo *m.* **1.** return: *il ~ del pallone* the return of the ball. – **2.** (*dilazione*) extension, deferment, postponement: *ha ottenuto un breve ~* he has been allowed a short extension. – **3.** (*riferimento, accenno*) reference. – **4.** ⟨*concr*⟩ (*segno*) cross-reference; (*numero*) reference number. □ *di ~*: 1. in retort, pat; *e lui di ~* and he retorted, and his answer came pat; 2. ⟨*non com*⟩ (*per ripicca*) out of spite, to get one's own back; *fare ~ da una voce a un'altra* to cross-refer from one entry to another; ⟨*Sport*⟩ *~ al volo* volley kick.

rimaneggiamẹnto *m.* **1.** (*rifacimento scritto*) revision, recast(ing), rewriting: *~ di un libro* revision of a book. – **2.** (*riordinamento*) reorganization, rearrangement, reshuffle: *~ ministeriale* cabinet reshuffle. – **3.** ⟨*Geol*⟩ dislocation.

rimaneggiạre *v.t.* (**rimanẹggio, rimanẹggi**) **1.** (*rifare scrivendo*) to revise, to work (*o* go) over, to recast, to rewrite: *~ un articolo* to revise an article. – **2.** (*riordinare*) to reorganize, to reshuffle, to re-form, to rearrange: *~ il governo* to reshuffle the government. – **3.** ⟨*Tip*⟩ to overrun. – **4.** ⟨*non com*⟩ (*maneggiare di nuovo*) to handle again, to rework.

rimaneggiạto (*p.p. di rimaneggiare*) *a.* **1.** revised, rearranged, remodelled. – **2.** (*riordinato*) reorganized. – **3.** ⟨*Geol*⟩ dislocated.

rimanẹnte (*p.pr. di rimanere*) **I** *a.* remaining, leftover: *col denaro ~* with the remaining (*o* rest of the) money. – **II** *s.m.* **1.** rest, remainder, residue; (*rif. a stoffe*) remnant; (*rif. a cibi*) leftover. – **2.** *pl.* (*rif. a persone: tutti gli altri*) (all) the others, the rest. □ ⟨*ant*⟩ *essere del ~* (*restare*) to remain, to be left (over); ⟨*non com*⟩ *del* (*o nel*) *~* for the rest, in other respects.

rimanẹnza *f.* **1.** rest, remainder, leftover, remnant. – **2.** *pl.* ⟨*Comm*⟩ (*giacenze*) unsold (*o* leftover) stock. – **3.** ⟨*Fis*⟩ remanence. □ *~ di cassa* cash on hand; *~ iniziale e finale* opening and closing stock; *-e di magazzino* unsold (*o* leftover) stock *sing.*

rimanẹre *v.i.* (**rimạngo, rimạni; rimarrò; rimạsi/rimạṣi, rimạsto** [*ant.* **rimạso/rimạṣo**]; *aus.* **essere**) **1.** (*restare*) to stay, to remain: *~ a letto* to stay in bed; *durante le vacanze rimarremo in città* we'll stay in town during the vacation. – **2.** (*fermarsi*) to stay, to remain, ⟨*fam*⟩ to stop: *non andartene, rimani qua* don't go away, stay here; (*rif. a letture, lezioni e sim.*) to leave off, to stop: *dove siamo rimasti con l'esercizio?* where did we ⌈leave off⌉ (*o* get to) in the exercise?; *riprendiamo la lettura da dove siamo rimasti l'ultima volta* we'll begin reading from where we left off last time. – **3.** (*avanzare*) to have left (*costr.pers.*), to be left (over), to remain: *mi rimangono solo cento lire* I have only a hundred lire left; (*rif. a spazio*) to be further (*o* more) (*costr.impers.*): *quanta strada rimane fino in città?* how much further is it to town?; (*rif. a tempo*) to be more (*o* longer) (*costr.impers.*), to be left: *rimangono pochi giorni a Pasqua* it is only a few more days to Easter, there are only a few days left (*o* to go) to Easter. – **4.** (*rif. ad azioni ancora da compiere*) to remain (*costr.impers.*), to be left: *non ci rimane che accettare* there's nothing left for us to do but accept, it only remains for us to accept. – **5.** (*permanere*) to continue, to last, to go on, to remain, to persist: *lo stato d'allarme rimane* the state of alarm continues. – **6.** (*permanere in uno stato*) to remain, to stay, to keep, to be: *questo cinema rimarrà chiuso nel periodo estivo* this cinema will be closed during the summer; *siamo rimasti amici* we have remained friends. – **7.** (*essere*) to be: *rimasi molto sorpreso dalle sue parole* I was very surprised by her words; *rimase fulminato* he was struck by lightning. – **8.** (*restare d'accordo*) to agree, to be agreed (*per* on), ⟨*fam*⟩ to leave it: *rimaniamo così: sarai tu a telefonarmi* let's leave it like this: you will ring me; *come siete rimasti per la gita di domani?* what did you agree about tomorrow's trip? – **9.** (*essere situato*) to be, to lie, to be situated (*o* located): *il mio ufficio rimane al centro della città* my office is in the centre of town; *dove rimane la chiesa?* where is the church? – **10.** (*restare meravigliato, stupito*) to be (left) astounded, to be amazed (*o* astonished, surprised): *a quella vista tutti rimasero* everyone was astounded at the sight. – **11.** ⟨*non com*⟩ (*dipendere*) to depend (*a* on), to be up (to): *se la decisione rimanesse a lui, sarebbe tutto più facile* if the decision were up to him, it would be a lot easier. – **12.** ⟨*non com*⟩ (*spettare*) to rest (*a* with), to be up (to): *rimane a te decidere* it is up to you to decide. – **rimanersi** *v.r.* ⟨*ant,lett*⟩ **1.** (*trattenersi*) to stay, to remain. – **2.** (*restare in disparte*) to remain apart (*o* on one side), to be left. – **3.** (*essere, mantenersi*) to keep, to stay, to remain, to be. – **4.** (*avanzare*) to remain, to be left (over). – **5.** (*astenersi*) to refrain; (*cessare, smettere*) to stop, to cease, to leave off.

□ *~* **d'accordo** to agree, to be agreed, to leave it: *siamo rimasti d'accordo di partire presto* we agreed to leave early; *~ in* **carica** to stay (*o* remain) in office; ⟨*ant*⟩ *rimani con* **Dio**! God be with you!; *~ in* (*o nel*) **dubbio** to be left wondering, to continue to doubt; **far** *~* (*stupire*) to astound, to astonish, to amaze, to surprise; *~* **ferito** to be wounded; *lui è rimasto a* **guardare** he just watched; *siamo rimasti soltanto* **in** *otto* there are only eight of us left; *~* **indietro** to be left behind, to fall (*o* get) behind; *~* (*o rimanerci*) **male**: 1. (*offendersi*) to take (it) amiss, to be hurt (*o* offended); 2. (*dispiacersi*) to be upset (*o* sorry); 3. (*essere deluso*) to be disappointed; ⟨*fam*⟩ *~ come un* **merlo** to be disgruntled at missing an opportunity; *rimani in* **pace**! = *rimani con* **Dio**!; *~ in* **piedi** to stay (*o* remain) standing; *~ a* **pranzo** to stay to lunch; *~ di* **sasso** = *rimanere di* **stucco**; *non mi rimane altra* **scelta** I have no other choice; *siamo rimasti* **senza** *pane* we've run out of bread, we've (*o* there's) no bread left; *~* **solo** to be left alone; *~ di* **stucco** to be stunned (*o* dumbfounded), to be very taken aback; *~* **ucciso** to be killed; *rimane da* **vedere** *se* it remains to be seen whether; *~* **vedova** to be left a widow, to be widowed; ⟨*fam*⟩ *~ al* **verde** (*senza soldi*) to have no money left, ⟨*fam*⟩ to be broke; *~ in* **vigore** to continue to be in force. || ⟨*pop*⟩ *rimanerci*: 1. (*essere imbrogliato*) to be tricked (*o* taken in); 2. (*morire*) to be killed, to die, to loose one's life.

rimangiạre *v.t.* (**rimạngio, rimạngi**) to eat again. – **rimangiarsi** *v.r.* ⟨*pop*⟩ (*non mantenere*) to take back, to retract, ⟨*fam*⟩ to go back on: *rimangiarsi una promessa* to ⌈go back on⌉ (*o* break) a promise.

rimạngo *pr.ind. di* **rimanere**.

rimarcạbile *a.* ⟨*non com*⟩ → **rimarchevole**.

rimarcạre[1] *v.t.* (**rimạrco, rimạrchi**) ⟨*non com*⟩ (*marcare di nuovo*) to mark again.

rimarcạre[2] *v.t.* (**rimạrco, rimạrchi**) ⟨*burocr*⟩ (*notare*) to note, to remark, to observe; (*mettere in evidenza*) to point out, to draw attention to. – **rimarchẹvole** *a.* remarkable, noteworthy, outstanding. – **rimạrco** *m.* (*pl.* **-chi**) ⟨*burocr*⟩ note, comment, criticism.

rimạre **I** *v.t.* to (make) rhyme. – **II** *v.i.* (*aus.* **avere**) **1.** (*fare rima*) to rhyme. – **2.** ⟨*non com*⟩ (*poetare*) to write verse (*o* poetry).

rimarginạre *v.* (**rimạrgino**) **I** *v.t.* (*cicatrizzare*) to heal, to cicatrize, to scar. – **II** *v.i.* (*aus.* **essere**), **rimarginarsi** *v.r.* **1.** to heal (up), to form a scab: *la ferita non* (*si*) *è ancora rimarginata* the wound has not healed up yet. – **2.** ⟨*fig*⟩ to heal.

rimạrio *m.* rhyming dictionary.

rimaritạre *v.t.* **1.** to remarry, to marry (off) again, to give in marriage again. – **2.** ⟨*fig,poet*⟩ (*riconciliarsi*) to reconcile, to reunite. – **rimaritarsi** *v.r.* to remarry, to marry (*o* get married) again.

rimarrò *fut. di* **rimanere**. – **rimạsi** (*o rimạṣi*) *p.rem. di* **rimanere**. – **rimạso** (*o rimạṣo*) *p.p. ant. di* **rimanere**.

rimasticạre *v.t.* (**rimạstico, rimạstichi**) **1.** to chew (*o* masticate) again, to rechew. – **2.** ⟨*fig*⟩ (*ripensare*) to chew (*o* brood) over, to think about. – **3.** ⟨*fig*⟩ (*ripetere*) to repeat mechanically, to churn out. – **rimasticaticcio** *m.* ⟨*spreg,non com*⟩ **1.** something chewed again, ⟨*fam*⟩ chewed-up mess. – **2.** ⟨*fig*⟩ (*cosa poco originale*) rehash. – **rimasticatụra** *f.* **1.** (*il rimasticare*) chewing (*o* masticating) again. – **2.** → **rimasticaticcio**. – **rimasticaziọne** *f.* **1.** (*il rimasticare*) chewing (*o* masticating) again, rechewing. – **2.** ⟨*Med*⟩ (*mericismo*) merycism, rumination. – **rimạstico** *m.* (*pl.* **-chi**) ⟨*non com*⟩ → **rimasticatura**.

rimạsto (*p.p. di rimanere*) **I** *a.* **1.** left: *essere ~ fuori* to be left outside. – **2.** (*avanzato*) remaining, leftover. – **3.** (*non ancora andato via*) remaining, left. – **II** *s.m.* ⟨*ant*⟩ (*rimanente*) rest.

rimasụglio (*o rimaṣụglio*) *m.* **1.** remains *pl*, leftovers *pl*, leavings *pl*, scraps *pl*, residue, remainder, remnant: *i rimasugli della cena* the leftovers from dinner. – **2.** ⟨*fig*⟩ vestige, ⟨*fam*⟩ last ounce. – **rimasụgliolo** (*o rimaṣụgliolo*) *m.* ⟨*tosc*⟩ → **rimasuglio**.

rimạto (*p.p. di rimare*) *a.* rhymed, rhyming, in rhyme: *versi -i* rhymed verses. – **rimatọre** *m.* (*f.* **-trice**) **1.** poet, rhymer. – **2.** (*verseggiatore*) versifier, rhymer, rhymester. – **3.** ⟨*Folcl*⟩ folksinger. – **4.** ⟨*ant*⟩ (*poeta in volgare*) vernacular poet.

rimbacuccạre *v.t.* (**rimbacụcco, rimbacụcchi**) **1.** to wrap (*o* muffle) up again. – **2.** (*imbacuccare*) to wrap up (tightly), to muffle up. – **rimbacuccarsi** *v.r.* to wrap o.s. up again. – **rimbacuccạto** (*p.p. di rimbacuccare*) *a.* wrapped (*o* muffled) up.

rimbaldanzịre *v.* (**rimbaldanzịsco, rimbaldanzịsci**) ⟨*lett*⟩ **I** *v.t.* to embolden again, to make bold (*o* daring) again. – **II** *v.i.* (*aus.* **essere**), **rimbaldanzirsi** *v.r.* **1.** to become bold (*o* self-confident) again, to regain one's self-assurance. – **2.** (*imbaldanzire*) to become bold (*o* self-confident).

rimbalzạre *v.i.* (*aus.* **essere/avere**) **1.** to rebound, to bounce (off); (*balzare indietro*) to rebound, to bounce (*o* bound, spring) back; (*rif. a proiettile di arma da fuoco*) to ricochet; (*rif. a ciottolo sull'acqua*) to skim over. – **2.** ⟨*estens*⟩ (*riflettersi: rif. a raggi luminosi*) to reflect, to be reflected; (*rif. a onde sonore*) to reverberate, to be reflected, to re-echo. – **3.** ⟨*fig*⟩ (*passare, essere trasmesso*) to spread, to be passed on: *la notizia rimbalzò di bocca in bocca* the news spread quickly by word of mouth.

rimbalzẹllo *m.* ducks and drakes *pl*: *giocare a ~* to play ducks and drakes. – **rimbalzịno** *m.* game of bouncing coins against a wall.

rimbạlzo *m.* **1.** rebound(ing), bounce, bouncing; (*balzo indietro*) rebound(ing), recoil, bounce (*o* bouncing, springing) back. – **2.** ⟨*Fis*⟩ bounce. – **3.** ⟨*Sport*⟩ (*nel rugby*) rebound. □ ⟨*ant*⟩ *a ~* = *di rimbalzo*; *di ~*: 1. on the rebound: *colpire la palla di ~* to hit the ball on the rebound; 2. ⟨*fig*⟩ (*indirettamente*) indirectly; *il sasso colpì di ~ un passante* the stone rebounded and hit a passer-by; ⟨*Artigl*⟩ *~ di un proietto* ricochet of a projectile.

rimbambimẹnto *m.* **1.** (*il rimbambire*) becoming childish. – **2.** (*l'essere rimbambito*) dotage, second childhood. – **rimbambinịre** *v.i.* (**rimbambinịsco, rimbambinịsci**; *aus.* **essere**) to grow (*o* become) childish again. – **rimbambịre** *v.i.* (**rimbambịsco, rimbambịsci**; *aus.* **essere**), **rimbambirsi** *v.r.* ⟨*spreg*⟩ **1.** to grow (*o* become) childish, to reach one's dotage (*o* second childhood). – **2.** (*rincretinire*) to become stupid (*o* a fool), to go silly. – **rimbambịto** (*p.p. di rimbambire*) **I** *a.* **1.** in one's dotage (*o* second childhood). – **2.** (*rincretinito*) foolish, imbecile, stupid, weak-minded. – **II** *s.m.* (*f.* **-a**) dotard. – **rimbambolịre** *v.* (**rimbambolịsco, rimbambolịsci**) ⟨*tosc*⟩ → **rimbambire**.

rimbarbarịre *v.* (**rimbarbarịsco, rimbarbarịsci**) **I** *v.i.* (*aus.* **essere**) ⟨*non com*⟩ to become barbarous again. – **II** *v.t.* ⟨*rar*⟩ (*rendere di nuovo barbaro*) to make barbarous again.
rimbarcạre *v.t.* (**rimbạrco, rimbạrchi**) ⟨*Mar*⟩ (*reimbarcare*) to re-embark, to take on board again; (*rif. a merce*) to reship, to re-embark, to take on board again, to reload. – **rimbarcarsi** *v.r.* to re-embark, to go on board again. – **rimbạrco** *m.* (*pl.* **-chi**) (*reimbarco*) re-embarkation, re-embarking; (*rif. a merce*) re-embarkation, reshipment, reloading.
rimbastịre *v.t.* (**rimbastịsco, rimbastịsci**) **1.** to tack (*o* baste) again. – **2.** ⟨*fig*⟩ (*abbozzare di nuovo*) to outline (*o* draft) again; (*rif. a piani, imprese e sim.*) to work out again, to plan (*o* devise) again.
rimbạtto, rimbattọne *m.* ⟨*Mar.ant*⟩ squall putting the sails aback, sudden gust of wind.
rimbeccạre *v.t.* (**rimbẹcco, rimbẹcchi**) **1.** ⟨*non com*⟩ to peck back (at). – **2.** ⟨*fig*⟩ (*ribattere*) to answer back pat (*o* sharply), to give a quick retort to, to return: ~ *un'ingiuria* to return an insult; ~ *qd.* to snap (*o* bite) back at s.o., to answer s.o. back sharply. – **3.** ⟨*fig, rar*⟩ (*opporsi*) to oppose. – **rimbeccarsi** *v.r.* ⟨*recipr*⟩ **1.** to peck (at) e.o. – **2.** ⟨*fig*⟩ (*discutere vivacemente*) to bicker, to squabble, ⟨*fam*⟩ to have a row.
rimbẹcco *m.* (*pl.* **-chi**) **1.** pecking back. – **2.** ⟨*fig*⟩ retort, answering back, sharp (*o* smart) reply. ☐ *di* ~ sharply, curtly, in retort.
rimbecillịre *v.* (**rimbecillịsco, rimbecillịsci**) **I** *v.t.* **1.** to make stupid (*o* imbecile). – **2.** ⟨*estens*⟩ (*confondere*) to confuse, to muddle, to bewilder; (*stordire*) to stun, to stupefy, to make dizzy (*o* one's head go round): *le tue chiacchiere mi rimbecilliscono* your chattering makes me dizzy. – **II** *v.i.* (*aus.* **essere**), **rimbecillirsi** *v.r.* **1.** (*imbecillire*) to become (*o* grow) stupid. – **2.** ⟨*non com*⟩ (*imbecillire di nuovo*) to become stupid again. – **rimbecillịto** (*p.p. di rimbecillire*) *a.* stupid, imbecile.
rimbellịre *v.* (**rimbellịsco, rimbellịsci**) **I** *v.i.* (*aus.* **essere**) **1.** (*ridiventare bello*) to become beautiful again, to grow lovely (*o* pretty) again. – **2.** (*diventare più bello*) to become more beautiful, to grow lovelier (*o* prettier). – **II** *v.t.* (*rendere più bello*) to make more beautiful, to make lovelier (*o* prettier): *la maternità l'ha rimbellita* motherhood has made her more beautiful. – **rimbellịto** (*p.p. di rimbellire*) *a.* more beautiful, lovelier, prettier.
rimbiancạre *v.* (**rimbiạnco, rimbiạnchi**) **I** *v.t.* (*imbiancare di nuovo*) to whiten again; (*rif. a muri*) to whitewash again; (*rif. a tessuti*) to rebleach. – **II** *v.i.* (*aus.* **essere**) ⟨*tosc*⟩ to whiten, to turn (*o* go) white; (*rif. a capelli*) to turn white, to go grey.
rimbiondịre *v.* (**rimbiondịsco, rimbiondịsci**) **I** *v.i.* (*aus.* **essere**) to ⌜become golden⌝ (*o* turn yellow) again; (*rif. a capelli*) to turn fair again, to go blond again, to be lightened again. – **II** *v.t.* (*far ridiventare biondo*) to ⌜make golden⌝ (*o* turn yellow) again; (*rif. a capelli*) to turn (*o* dye) blond again, to make fair again.
rimbọcca *f.* ⟨*tosc*⟩ → **rimboccatura**. – **rimboccamẹnto** *m.* ⟨*non com*⟩ (*il rimboccare*) turning over (*o* back).
rimboccạre *v.t.* (**rimbọcco, rimbọcchi**) **1.** (*ripiegare*) to fold in (*o* over): ~ *un sacco* to fold in the top of a sack; (*rif. a coperte e sim.*) to tuck in; (*rif. a lenzuola*) to turn back (*o* down); (*rif. a maniche*) to roll up, to turn back (*o* up); (*rif. a pantaloni*) to roll (*o* turn) up; (*rif. a gonne e sim.*) to tuck up. – **2.** ⟨*Lav.femm*⟩ to turn up (*o* back). – **3.** ⟨*Legat*⟩ to fold over. – **4.** ⟨*ant*⟩ (*rif. a siepi, virgulti e sim.*) to bend down; (*rif. alla terra*) to throw (*o* heap) back, to turn up. – **5.** ⟨*ant*⟩ (*rif. a recipienti*) to turn upside-down. – **6.** ⟨*ant*⟩ (*rabboccare*) to fill up. ☐ ⟨*fig*⟩ *rimboccarsi le maniche* to roll up one's sleeves, to get down to work. – **rimboccạto** (*p.p. di rimboccare*) *a.* (*rif. a maniche*) rolled up, turned back; (*rif. a pantaloni*) rolled (*o* turned) up; (*rif. a gonne e sim.*) tucked up.
rimboccatụra *f.* **1.** (*atto*) turning over (*o* back), rolling up; (*effetto*) turn-up, turn-over, turn-back. – **2.** (*parte rimboccata*) part ⌜turned back⌝ (*o* folded over); (*rif. a lenzuola*) turn-down; (*rif. a pantaloni*) turn-up, ⟨*am*⟩ cuff. – **3.** ⟨*Lav.femm*⟩ (wide) hem. – **4.** ⟨*Legat*⟩ folding over. – **rimbọcco** *m.* (*pl.* **-chi**) → **rimboccatura**.
rimbombạnte (*p.pr. di rimbombare*) *a.* **1.** resounding, rumbling, thundering, booming, roaring. – **2.** ⟨*fig*⟩ bombastic, high-sounding, highflown. – **rimbombạre** *v.* (**rimbọmbo**) **I** *v.i.* (*aus.* **essere/avere**) to resound, to rumble, to thunder (out), to boom, to roar: *la voce rimbombava nel salone vuoto* the voice resounded in the empty room; (*rif. ad acqua e sim.*) to roar, to thunder. – **II** *v.t.* ⟨*lett*⟩ (*far risonare*) to make resound, to spread abroad, to ring out. – **rimbombẹvole** *a.* ⟨*rar*⟩ resounding, thundering, roaring. – **rimbombịo** *m.* rumbling, thundering. – **rimbọmbo** *m.* **1.** rumbling, thunder(ing), boom(ing), roar(ing). – **2.** ⟨*Acu*⟩ reverberation.
rimborsạbile *a.* repayable, refundable, reimbursable. ☐ ~ *per estrazione* redeemable; *obbligazioni non -i* unredeemable bonds. – **rimborsamẹnto** *m.* ⟨*non com*⟩ → **rimborso**.
rimborsạre *v.t.* (**rimbọrso**) **1.** to reimburse, to refund, to repay, to pay back: ~ *qd. delle spese* to refund s.o. his expenses, to reimburse ⌜s.o.'s expenses⌝ (*o* s.o. for his expenses); ~ *puntualmente qd.* to pay s.o. back promptly. – **2.** ⟨*rar*⟩ (*rimettere nella borsa*) to put back into the bag.
rimbọrso *m.* refund, reimbursement, repayment: ~ *spese* reimbursement (*o* refund) of expenses; ~ *degli interessi* repayment of interest; (*rif. a debiti*) repayment: ~ *di un prestito* repayment of a loan. ☐ *consegna contro* ~ cash on delivery, C.O.D.; ⟨*Econ*⟩ ~ *di dazio* drawback; ~ *a vista* withdrawal on demand.
rimboscamẹnto *m.* ⟨*non com*⟩ → **rimboschimento**. – **rimboscạre** *v.t.* (**rimbọsco, rimbọschi**) ⟨*Silv*⟩ to re(af)forest, to replant with trees. – **rimboscarsi** *v.r.* ⟨*lett*⟩ (*addentrarsi di nuovo in un bosco*) to take to the woods again, to hide (*o* take refuge) in the woods again. – **rimboschimẹnto** *m.* re(af)forestation, replanting with trees. – **rimboschịre** *v.* (**rimboschịsco, rimboschịsci**) **I** *v.t.* ⟨*non com*⟩ → **rimboscare**. – **II** *v.i.* (*aus.* **essere**) ⟨*lett*⟩ (*ridiventare boscoso*) to become wooded again.
rimbottạre *v.t.* (**rimbọtto**) to put into casks again, to recask, to rebarrel.
rimbrẹncio(lo) *m.* ⟨*ant*⟩ (*brandello*) rag, tatter, shred; (*pezzetto*) scrap, piece.
rimbricconịre *v.i.* (**rimbricconịsco, rimbricconịsci**; *aus.* **essere**) ⟨*non com*⟩ to become a rogue.
rimbrodolạre *v.t.* (**rimbrọdolo**) **1.** to spill soup on (*o* over) again. – **2.** ⟨*fig*⟩ to cover up clumsily.
rimbrottạre *v.t.* (**rimbrọtto**) to rebuke, to upbraid, to scold, ⟨*lett*⟩ to chide. – **rimbrottarsi** *v.r.* ⟨*recipr*⟩ to rebuke e.o. – **rimbrọtto** *m.* (harsh) rebuke, upbraiding, ⟨*lett*⟩ chiding.
rimbrunịre *v.i.* (**rimbrunịsco, rimbrunịsci**; *aus.* **essere**) ⟨*fam,tosc*⟩ (*imbrunire*) to grow (*o* get) dark, to darken.
rimbruttịre *v.* (**rimbruttịsco, rimbruttịsci**) **I** *v.t.* (*imbruttire*) to make ugly; (*imbruttire di nuovo*) to make ugly again. – **II** *v.i.* (*aus.* **essere**) (*diventare più brutto*) to grow (*o* become) uglier; (*diventare di nuovo brutto*) to grow ugly again.
rimbucạre *v.t.* (**rimbụco, rimbụchi**) to put (*o* hide) in a hole again. – **rimbucarsi** *v.r.* (*rintanarsi*) to ⌜go into⌝ (*o* hide in) a hole again.
rimbussolạre *v.t.* (**rimbụssolo**) **1.** to put into the box again. – **2.** ⟨*assol,tosc*⟩ (*scuotere il bossolo*) to shake the box.
rimbuzzạre *v.t.* ⟨*fam,tosc*⟩ (*rimpinzare*) to stuff, to cram. – **rimbuzzarsi** *v.r.* to stuff (*o* gorge, cram) o.s.: ~ *di dolci* to stuff o.s. with sweets.
rimediạbile *a.* remediable, that can be remedied (*o* put right).
rimediạre *v.* (**rimẹdio**) **I** *v.t.* **1.** to remedy, to put right. – **2.** ⟨*fam*⟩ (*procurarsi*) to scrape (*o* get) together: *ha rimediato qualche migliaio di lire* he has scraped together a few thousand lire. – **3.** ⟨*fam, iron*⟩ (*buscare*) to get, to catch: ~ *un sacco di botte* to get a beating; ~ *un raffreddore* to catch a cold. – **4.** ⟨*fam*⟩ (*accomodare alla meglio*) to patch up, to mend: ~ *uno strappo nei pantaloni* to mend a tear in a pair of trousers. – **II** *v.i.* (*aus.* **avere**) **1.** to remedy, to put right, to make good (*a qc.* s.th.), to make up (for): ~ *a una faccenda* to put a matter right, to patch a matter up; ~ *al tempo perduto* to make up for lost time. – **2.** (*provvedere*) to attend, to see (to), to take care (of): *penserò io a* ~ I'll take care of that, I'll see to it. – **3.** ⟨*non com*⟩ (*trovare un rimedio*) to remedy (*a qc.* s.th.), to find a remedy (for); (*guarire*) to cure, to heal (s.th.).
rimẹdio *m.* **1.** (*farmaco*) remedy, cure: *un buon* ~ *contro la tosse* a good remedy for a cough; (*medicina*) medicine. – **2.** ⟨*estens*⟩ (*riparo, ripiego*) remedy, way out, cure, redress, remedial measure: *trovare un* ~ *a una situazione* to find a way out of a situation. – **3.** (*nella tecnica monetaria*) remedy, tolerance. – **4.** ⟨*Dir*⟩ remedy; (*impugnazione*) impugnment, appeal.
☐ ~ *per* **bocca** oral medicine; ~ **empirico** empirical remedy; ⟨*fig*⟩ ~ **eroico** heroic remedy; ~ **generale** general cure; ~ **locale** local remedy; **mettere** ~ *a qc.* to put s.th. right, to remedy s.th.; ⟨*Dir. can*⟩ ~ **penale** penal remedy; **senza** ~: 1. (*agg.*) irremediable, incurable; 2. (*avv.*) irremediably, incurably, irreparably. – *Prov.*: *dove non c'è* ~ *il pianto è vano* it's no use crying over spilt milk; *a tutto c'è* ~ *fuorché alla morte* there is a remedy for everything but death; *spesso il* ~ *è peggiore del male* the remedy is often worse than the disease.
rimedịre *v.t.* (**rimedịsco, rimedịsci**) ⟨*ant*⟩ (*mettere insieme*: *rif. a denari*) to scrape (*o* get, put) together.
rimeditạre *v.t.* (**rimẹdito**) to think over again, to reconsider.
rimembrạnza *f.* ⟨*lett*⟩ **1.** (*l'aver presente nella memoria*) memory, remembrance; (*il rievocare alla propria memoria*) recollection, recalling. – **2.** (*cosa ricordata*) memory, recollection: *dolci -e* sweet memories. ☐ *parco delle -e* memorial park. – **rimembrạre** *v.t.* (**rimẹmbro**) ⟨*lett*⟩ **1.** (*ricordare*) to remember. – **2.** ⟨*rar*⟩ (*richiamare alla memoria*) to recollect, to recall. – **rimembrarsi** *v.r.* to remember (*di qc.* s.th.).
rimenạre *v.t.* (**rimẹno**) **1.** (*ricondurre*) to lead (*o* bring) back. – **2.** (*rimescolare*) to mix, to stir (up); (*rif. a pasta*) to knead. – **3.** ⟨*fig*⟩ (*maltrattare*) to ill-treat, to ill-use. – **rimenạta** *f.* **1.** (quick) mix, stir (up); (*rif. a pasta*) knead(ing): *dare una* ~ *alla pasta* to give the dough a kneading. – **2.** ⟨*fig,region*⟩ (*strapazzata*) scolding, ⟨*fam*⟩ telling-off.
rimendạre *v.t.* (**rimẹndo**) ⟨*tosc*⟩ (*rammendare*) to darn, to mend, to repair. – **rimẹndo** *m.* ⟨*tosc*⟩ (*rammendo*) darn(ing), mend(ing).
rimenịo *m.* ⟨*non com*⟩ (*rimescolio*) stir(ring).
rimeritạbile *a.* ⟨*non com*⟩ repayable, rewardable. – **rimeritạre** *v.t.* (**rimẹrito**) ⟨*lett*⟩ (*ricompensare*) to repay, to reward: ~ *qd. di qc.* to repay (*o* reward) s.o. for s.th. – **rimẹrito** *m.* ⟨*non com*⟩ **1.** reward. – **2.** (*meritata ricompensa*) due reward.
rimescolamẹnto *m.* **1.** (*il mescolare di nuovo*) mixing (up) again. – **2.** (*il mescolare bene*) mixing up, stirring up; (*rif. a carte*) shuffling. – **3.** ⟨*fig*⟩ (*turbamento*) confusion, bewilderment; (*spavento*) fright, shock. – **4.** ⟨*rar*⟩ (*tumulto*) confusion, turmoil. – **rimescolạnza** *f.* ⟨*rar*⟩ **1.** mixture, blend. – **2.** (*mescolanza*) mixture, combination, medley, jumble.
rimescolạre *v.t.* (**rimẹscolo**) **1.** (*mescolare di nuovo*) to mix (*o* blend)

again. – **2.** (*mescolare*) to mix (*o* blend) well; (*rimestare*) to stir well; (*rif. a carte da gioco*) to shuffle. – **3.** (*rovistare*) to ransack, to rummage through. – **4.** ⟨*assol*⟩ to seethe, to boil, to be aroused: *mi sento ~ dallo sdegno* I'm seething with outrage, my blood is up. – **5.** ⟨*fig*⟩ (*rivangare*) to rake (*o* bring) up, to revive. – **rimescolarsi** *v.r.* **1.** (*confondersi tra la folla*) to mingle (*o* mix) with the crowd. – **2.** (*turbarsi*) to be upset (*o* shocked), to become upset (*o* troubled): *si rimescolò tutta per lo spavento* she was upset by the shock. – **3.** (*agitarsi*: *rif. a cose*) to become agitated. □ *sentirsi ~ il* **sangue** (*per paura*) to feel one's blood ⌜run cold⌝ (*o* curdle); (*per sdegno*) to feel one's blood boil.

rimescolạta *f.* (quick) stir, mix: *dare una ~ alla minestra* to give the soup a stir; (*rif. a carte da gioco*) shuffle. – **rimescolatịna** *f. dim. di* **rimescolata.** – **rimescolịo** *m.* **1.** stir(ring), mixing. – **2.** ⟨*fig*⟩ (*turbamento*) confusion, bewilderment; (*eccitazione*) excitement; (*spavento*) fright, shock. – **rimęscolo** *m.* ⟨*tosc*⟩ → **rimescolamento.**

rimęssa *f.* **1.** replacing, putting back. – **2.** (*deposito*: *per tram e sim.*) depot, garage: *~ degli autobus* bus depot (*o* garage); (*per carrozze*) coach-house, carriage-house; (*per automobili*) garage: *portare la macchina in ~* to put the car in the garage; (*per aeroplani*) hangar. – **3.** ⟨*Comm*⟩ (*invio*: *rif. a merce*) consignment, shipment; (*rif. a denaro*) remittance. – **4.** ⟨*Comm*⟩ (*perdita*) loss. – **5.** ⟨*Comm*⟩ (*immagazzinamento*) storage, storing (up); (*magazzino*) store(house), warehouse; (*derrate immagazzinate*) stores *pl*, goods *pl* in a warehouse. – **6.** ⟨*Sport*⟩ (*rilancio, rinvio*) return; (*nel calcio*: *rimessa in gioco*) throw-in; (*nella scherma*) remise. – **7.** ⟨*Bot*⟩ shooting, budding; (*rimessiticcio*) new (*o* young) shoot. – **8.** ⟨*Tess*⟩ mounting. – **9.** ⟨*fig, ant*⟩ (*risposta*) reply, answer. – **10.** ⟨*ant*⟩ (*reimportazione di merci*) reimportation.

□ ⟨*Sport*⟩ *~ dell'***arbitro** bounce up; *~ per* **attrezzi** tool-shed, tool-house; ⟨*Ferr*⟩ *~ sul* **binario** rerailing; ⟨*Sport*⟩ *~ a* **due** jump ball; ⟨*Econ*⟩ *-e degli* **emigrati** immigrant remittances; *~* **finanziaria** money transfer; ⟨*Sport*⟩ *~ dal* **fondo** goal kick; *~ in* **funzione** restarting, reoperating; ⟨*Econ*⟩ *~* **internazionale** foreign transfer; ⟨*Sport*⟩ *~* **laterale** (*nel calcio*) throw-in; (*nel rugby*) line-out; *~ per* **locomotive** engine shed; *~ per* **macchinari** machine shed (*o* house); *~ in* **marcia** restarting; *~ di* **merci** shipment of goods; ⟨*Teat*⟩ *~ in* **scena** restaging; ⟨*Econ*⟩ *~* **telegrafica** telegraphic transfer; ⟨*Sport*⟩ **tirare** *di ~* (*nella boxe*) to counter-attack, to deliver a counter-punch; *~ per* **veicoli** vehicle shed; **vendere** *a ~* (*sottocosto*) to sell ⌜at a loss⌝ (*o* below cost); **vettura** *di ~* (*a nolo*) hired (*o* rented) car; ⟨*Aer*⟩ *~ in* **volo** return to normal flight; ⟨*tecn*⟩ *~ a* **zero** resetting at zero.

rimessịna (*dim. di rimessa*) *f.* **1.** (*piccolo magazzino*) storehouse. – **2.** (*riparo per le bestie*) (small) cattle shed. – **rimessịno** (*dim. di rimessa*) *m.* → **rimessina.**

rimessiọne *f.* **1.** ⟨*Dir*⟩ removal of a suit. – **2.** ⟨*non com*⟩ remission.

rimessitịccio I *a.* **1.** ⟨*Bot*⟩ shooting. – **2.** ⟨*spreg*⟩ (*posticcio*) artificial, sham, false. – **II** *s.m.* ⟨*Bot*⟩ new (*o* young) shoot.

rimęsso (*p.p. di rimettere*) **I** *a.* **1.** replaced, put back. – **2.** (*condonato*) remitted, forgiven, pardoned: *peccato ~* remitted sin. – **3.** ⟨*ant*⟩ (*remissivo*) meek, unassuming, submissive. – **4.** ⟨*ant*⟩ (*umile*) plain, simple. – **5.** ⟨*ant*⟩ (*rif. a suono*: *debole*) faint, feeble, weak. – **6.** ⟨*Fon, ant*⟩ (*dolce*) lenis, soft. – **II** *s.m.* **1.** ⟨*Sart*⟩ edge. – **2.** ⟨*ant*⟩ (*ritocco*) touch-up, another stroke (of the brush). – **3.** ⟨*ant*⟩ (*intarsio*) inlaid work, (in)tarsia.

rimestamẹnto *m.* **1.** (*atto*) stirring well; (*effetto*) good stir. – **2.** ⟨*fig*⟩ searching, probing, stirring (*o* raking) up.

rimestạre *v.t.* (**rimęsto**) **1.** to stir again. – **2.** (*mestare*) to stir well. – **3.** ⟨*fig*⟩ (*frugare*) to rake (*o* bring, stir) up, to search (*o* delve) into, to probe. – **4.** ⟨*fig*⟩ (*riesaminare*) to look into again. – **5.** ⟨*assol*⟩ to search, to stir up, ⟨*fam*⟩ to dig up: *~ nel passato di qd.* to dig up s.o.'s past.

rimestatọre *m.* (*f.* **-trice**) **1.** stirrer. – **2.** ⟨*fig*⟩ troublemaker. – **rimestịo** *m.* (constant) stirring.

rimettạggio *m.* ⟨*Tess*⟩ drawing-in.

rimęttere *v.* (**rimịsi, rimęsso**) **I** *v.t.* **1.** (*mettere, collocare di nuovo*) to replace, to put back: *~ un vestito nell'armadio* to put a dress back in the wardrobe; *rimetti il giornale sulla scrivania* put the newspaper back on the desk. – **2.** (*infilare di nuovo*) to put back (*o* again): *~ le mani in tasca* to put one's hands back in one's pockets. – **3.** (*indossare di nuovo*) to put ⌜on again⌝ (*o* back on): *~ il cappotto* to put one's coat on again. – **4.** (*affidare*) to refer, to remit, to submit, to leave: *~ una decisione a qd.* to refer a decision to s.o. – **5.** (*condonare*) to remit, to forgive, to pardon: *~ i peccati* to forgive sins. – **6.** ⟨*Comm*⟩ (*spedire*: *rif. a merci*) to ship, to send, to dispatch; (*rif. a denaro*) to remit. – **7.** (*rimandare, differire*) to postpone, to put off, to defer, to hold over: *la discussione è stata rimessa alla prossima settimana* the discussion has been postponed to next week. – **8.** (*vomitare*) to bring up, to vomit, ⟨*fam*⟩ to throw up: *~ il cibo* to bring up one's food. – **9.** (*ricuperare*) to recover, to make up for, to catch up on, to get back: *~ il sonno perduto* to catch up on one's sleep; *~ il tempo perduto* to make up for lost time. – **10.** (*rimettere a posto*: *rif. ad articolazioni e sim.*) to set. – **11.** (*regolare*) to put right, to reset: *hai rimesso l'orologio?* have you put the clock right? – **12.** (*consegnare*) to deliver, to consign, to give (in); (*nelle mani di qd.*) to hand over (*o* in); (*recapitare*) to deliver. – **13.** ⟨*Sport*⟩ to return, to hit back; (*rimettere in gioco*) to throw in. – **14.** ⟨*non com*⟩ (*mettere al riparo*: *rif. ad animali, veicoli e sim.*) to bring in, to drive home; (*rif. ad arnesi*) to put away. – **15.** ⟨*ant*⟩ (*restituire*) to return, to give back. – **II** *v.i.* (*aus.* **avere**) **1.** (*spuntare*: *rif. a piante*) to sprout (again), to shoot; (*rif. a unghie e sim.*) to grow again. – **2.** ⟨*fig*⟩ (*vomitare*) to vomit, to be sick, ⟨*fam*⟩ to throw up. – **3.** ⟨*Sport*⟩ to return the ball, to hit back. – **4.** ⟨*non com*⟩ (*scemare*) to go down, to drop, to lower. – **rimettersi** *v.r.* **1.** (*accingersi di nuovo*) to set to (*o* about) again, to start again: *rimettersi a piangere* to start crying again; *rimettersi al lavoro* to set to work again. – **2.** (*riaversi, ristabilirsi*) to recover (*da* from), to get (over), to get on one's feet again: *rimettersi dallo spavento* to recover from the fright. – **3.** ⟨*assol*⟩ (*rif. alla salute*) to recover, to get better, to pull through. – **4.** (*rif. al tempo*) to clear up, to get better (*o* brighter), to improve. – **5.** (*affidarsi*) to trust (*a* in), to put o.s. in the hands (of); (*contare*) to rely, to count, to depend (on). – **6.** ⟨*Venat*⟩ to run to cover; (*posarsi*) to alight (*o* settle) again.

□ *rimettersi al* **bello** to clear up; ⟨*Venat*⟩ *~ in* **caccia** to raise (*o* nose out) again; *rimettersi in* **cammino** to start off again, to set out again; *rimettersi in* **carne** to put on weight again; *rimettersi alle* **decisioni** *di qd.* to leave it to s.o. decide; *~ in* **discussione** to bring up (for discussion) again, to call in question again; *rimettersi in* **forze** to get back one's strength, to gain strength; ⟨*Sport*⟩ *~ in* **gioco** to throw in; *~* **insieme** (*rif. a persone*) to bring together again, to reunite; (*rif. a cose*) to put together again; *rimettersi insieme* to be back together again; *~ in* **libertà** to release, to set free (again); ⟨*fig*⟩ *~* **mano** *a qc.* to touch up s.th.; *~ in* **moto** (o *marcia*) to restart; *~ in* **ordine** to set (*o* put) in order again, to rearrange, to tidy (up); ⟨*fig*⟩ to ⌜straighten out⌝ (*o* set right) again; *~* (o *rimettersi*) *in* **pari** to catch up; ⟨*fig*⟩ *rimetterci la* **pelle** to lose one's life, to die; ⟨*fig*⟩ *rimetterci le* **penne** to suffer a serious setback; ⟨*fig*⟩ *~ in* **piedi** *qd.* to set s.o. on his feet again; ⟨*fig*⟩ *~ in piedi qc.* to get s.th. back in order; *~ a* **posto**: 1. to put back in its place: *~ a posto un libro* to put a book back in its place; 2. = *rimettere in* **ordine**; 3. (*ristabilire*) to restore; 4. ⟨*Chir*⟩ (*rif. ad arti e sim.*) to set; 5. ⟨*pop*⟩ (*far rigare dritto*) to make ⌜behave properly⌝ (*o* toe the line), to take in hand; *rimettersi in* **salute** to recover one's health, to get better; *rimettersi a* **sedere** to sit down again; *~ in* **sesto** to settle (*o* put right) again, to put in order again; ⟨*non com*⟩ *~ lo* **stomaco** to settle the stomach. || ⟨*fam*⟩ *rimetterci* (*perdere*) to lose (by s.th.): *ci rimetterò molto* I'll lose a lot by it; *a farmi questo favore, cosa ci rimetti?* what have you got to lose by doing me this favour?

rimettịna, rimettitọra *f.* ⟨*Tess*⟩ drawer-in. – **rimettitọre** *m.* **1.** (*f.* **-trice**) replacer. – **2.** ⟨*Tess*⟩ (*f.* **-a**) drawer-in. – **rimettitụra** *f.* **1.** replacing, replacement, putting back. – **2.** ⟨*Tess*⟩ → **rimettaggio.**

rimirạre I *v.t.* **1.** to gaze (*o* look, stare) at again. – **2.** (*mirare*) to gaze (*o* look, stare) at, to contemplate; (*guardare*) to look at. – **II** *v.i.* (*aus.* **avere**) ⟨*non com*⟩ (*prendere di nuovo la mira*) to take aim again. – **rimirarsi** *v.r.* to gaze (*o* look, stare) at o.s., to contemplate o.s.; (*ammirarsi*) to admire o.s.: *rimirarsi allo specchio* to admire o.s. in the mirror.

rimịsurạre *v.t.* to measure again, to remeasure.

rịmmel *m.* ⟨*Cosmet*⟩ mascara.

rimmelensịre *v.i.* (**rimmelensịsco, rimmelensịsci**; *aus.* **essere**) **1.** to become more stupid (*o* slow-witted). – **2.** (*ridiventare melenso*) to become slow-witted again, to grow stupid again. – **rimmelensịto** (*p.p. di rimmelensire*) *a.* stupid, slow-witted, dull, doltish.

rimminchionịre *v.i.* (**rimminchionịsco, rimminchionịsci**; *aus.* **essere**) ⟨*volg*⟩ to become stupid (*o* senseless, foolish). □ *far ~* to astound, to dumbfound. – **rimminchionịto** (*p.p. di rimminchionire*) *a.* ⟨*volg*⟩ stupid, senseless, foolish.

rimodellạre *v.t.* (**rimodẹllo**) to remodel, to reshape, to refashion.

rimodernamẹnto *m.* modernizing, modernization. – **rimodernạre** *v.t.* (**rimodęrno**) to modernize, to bring up-to-date, to renovate, to give a new look to: *~ un appartamento* to renovate a flat; (*rif. a vestiti*) to remodel, to alter: *~ un vestito* to remodel a dress. – **rimodernarsi** *v.r.* to become modernized, to bring up-to-date, to undergo modernization, to move with the times: *la città si è molto rimodernata* the town has become very modernized. – **rimodernatọre** ⟨*non com*⟩ **I** *s.m.* (*f.* **-trice**) modernizer, remodeller. – **II** *a.* modernizing. – **rimodernatụra** *f.* modernization; (*rif. a vestiti*) remodelling, alteration.

rimọnda *f.* ⟨*Agr*⟩ pruning, lopping. – **rimondạre** *v.t.* (**rimọndo**) **1.** (*mondare*) to clean, to clear; (*da erbacce*) to weed; (*dalla loppa*) to winnow; (*rif. ad alberi*) to prune, to trim, to lop. – **2.** (*mondare di nuovo*) to clean again. – **3.** ⟨*fig*⟩ (*purificare*) to cleanse, to purify, to purge. □ *~ un campo dalle erbacce* to clear a field of weeds. – **rimondatụra** *f.* **1.** (*il rimondare*) cleaning; (*da erbacce*) weeding; (*dalla loppa*) winnowing; (*rif. a piante*) pruning, lopping off (of shoots). – **2.** (*ciò che si porta via rimondando*) refuse, rubbish, clippings *pl*; (*erbacce*) weeds *pl*; (*loppa*) chaff; (*rif. a piante*) prunings *pl*, loppings *pl*. – **3.** ⟨*Agr*⟩ → **rimonda.** – **rimọndo** (*p.p. di rimondare*) *a.* ⟨*rar*⟩ **1.** (*ripulito*) cleaned. – **2.** (*rif. a piante*) pruned, lopped.

rimọnta *f.* **1.** (*il rimontare*) remounting, getting (*o* climbing) on again. – **2.** ⟨*Sport*⟩ recovery, catching (*o* picking) up. – **3.** ⟨*Mil*⟩ remounting, supplying of fresh horses. – **4.** ⟨*Calz*⟩ vamping. – **5.** ⟨*Minier*⟩ slant. □ ⟨*Sport*⟩ *avere una ~* to catch (*o* pick) up, to recover; ⟨*Mil*⟩ *cavallo di ~* remount, fresh horse; ⟨*Calz*⟩ *fare la ~ a* to vamp.

rimontạggio *m.* ⟨*Enol*⟩ repassing of must over the grape dregs.

rimontạnte *a.* ⟨*Bot*⟩ remontant, flowering again.

rimontạre *v.* (**rimọnto**) **I** *v.t.* **1.** (*rimettere insieme*) to reassemble, to set up again: ~ *un meccanismo* to reassemble a mechanism; (*reinstallare*) to reinstall, to refit. – **2.** (*andare contro corrente*) to go up; (*navigando*) to sail up: ~ *un fiume* to sail up a river. – **3.** ⟨*Sport*⟩ (*annullare uno svantaggio*) to recover; (*rif. a concorrenti*) to catch up on. – **4.** ⟨*Mil*⟩ to remount, to supply with fresh horses. – **5.** ⟨*Calz*⟩ to vamp. – **II** *v.i.* (*aus.* **essere**) **1.** (*risalire*) to climb up again, to get up (*su* on, onto) again, to remount (s.th.); (*in un veicolo chiuso*) to get in again (*in qc.* s.th.), to get back in: ~ *in macchina* to get in (*o* into) the car again; (*in un veicolo scoperto*) to get on again, to get back on. – **2.** ⟨*fig*⟩ to go back (*a* to), to trace back (s.th.); (*aver origine*) to date (from), to go (*o* date) back (to). ☐ ⟨*Mar*⟩ ~ *un capo* (*doppiarlo*) to round a cape; ~ *la corrente* to go upstream, to stem the current; ⟨*Mar*⟩ ~ *il vento* to go upwind (*o* against the wind).

rimontatụra *f.* **1.** reassemblage. – **2.** ⟨*Calz*⟩ (*rimonta*) vamping.

rimorchiạre[1] *v.t.* (**rimọrchio, rimọrchi**) **1.** to tow, to trail, to drag, to haul. – **2.** (*rif. a navi*) to tug, to tow. – **3.** ⟨*fig*⟩ (*trascinare*) to drag (along), to (have in) tow. – **4.** ⟨*fam*⟩ to pick up: ~ *una ragazza* to pick a girl up. ☐ ~ *in entrata* (o *porto*) to tow into port; ⟨*fig*⟩ *farsi* ~ to let o.s. be led; ~ ⌜*fuori dal porto*⌝ (o *in uscita*) to tow out (of port); ⟨*fam*⟩ ~ *via* to tow away.

rimorchiạre[2] *v.t.* (**rimọrchio, rimọrchi**) ⟨*ant*⟩ (*sgridare*) to scold.

rimorchiatọre *m.* **1.** ⟨*Mar*⟩ tug(boat), towboat. – **2.** ⟨*Aer*⟩ towplane, tug. ☐ ~ *fluviale* river tug; ~ *d'alto mare* ocean-going tug; ~ *di porto* harbour tug; ~ *per ricuperi* salvage tug; ~ *a vapore* steam tug. – **rimorchiẹtto** (*dim. di rimorchio*) *m.* trailer: ~ *portabagagli* luggage trailer.

rimọrchio *m.* **1.** tow, towing, towage, haulage; (*rif. a navi*) tow, towing, towage. – **2.** ⟨*concr*⟩ trailer: *staccare il* ~ to unhook the trailer. – **3.** ⟨*Mar*⟩ (*canapo*) tow, tow-rope, towline; (*nave*) (vessel taken in) tow.

☐ ⟨*Aut*⟩ ~ **abitabile** caravan, ⟨*am*⟩ trailer; ~ *dell'***autobus** bus trailer; ~ *per* **autocarro** truck trailer; ~ *di* **autoveicoli** trailer; ~ *per* **campeggio** caravan; ⟨*Aut*⟩ ~ *da* **carico** loading trailer; ~ *a* **cassone** *ribaltabile* dump (*o* tipping) trailer; ~ **cisterna** tank trailer; **da** ~ tow-: *cavo da* ~ tow-rope, towline; *gancio da* ~ tow (*o* pintle) hook; **effettuare** *il* ~ *di una nave* to take a ship in tow, to tow a ship; ~ *per* **mobili** furniture trailer; ⟨*Mar*⟩ **mollare** *il* ~ to cast off tow (*o* the towline); ~ **navale** ship's towage; ⟨*Aut*⟩ ~ *per* **passeggeri** passenger trailer; ~ *a* **pianale** flat-bed trailer; **prendere** *a* ~ to take in tow; **resistenza** *al* ~ tow(-rope) resistance; ⟨*Aut*⟩ ~ **ribaltabile** = *rimorchio a* **cassone** *ribaltabile*; ⟨*Aut*⟩ ~ **ribassato** low-bed trailer; ~ *a due* **ruote** two-wheel(ed) trailer; ⟨*fig*⟩ **tirarsi** *dietro a* ~ *qd.* to drag s.o. along, to have s.o. in tow.

rimọrdere *v.t.* (**rimọrsi, rimọrso**) **1.** to bite again. – **2.** (*mordere chi abbia morso*) to bite back. – **3.** ⟨*fig*⟩ to prick, to trouble: *gli rimorde la coscienza* his conscience is pricking him. – **4.** (*dispiacere*) to regret (*costr.pers.*), to be sorry (*costr.pers.*), to feel remorse (*costr.pers.*): *mi rimorde di non essere arrivato in tempo* I am sorry for not arriving in time.

rimordimẹnto *m.* ⟨*lett*⟩ (*rimorso*) remorse, pangs *pl* of conscience.

rimorịre *v.i.* (**rimuọio, rimuọri; rimorịi, rimọrto**; → **morire**; *aus.* **essere**) ⟨*lett*⟩ **1.** to die again. – **2.** ⟨*fig*⟩ (*scomparire di nuovo*) to die out again, to disappear again.

rimormorạre *v.i.* (**rimọrmoro**; *aus.* **avere**) ⟨*non com*⟩ to murmur again.

rimọrso *m.* **1.** remorse, compunction. – **2.** (*pentimento*) repentance, contrition; (*dispiacere*) sorrow, regret. ☐ *avere* ~ *di aver fatto qc.* to feel remorseful (*o* remorse) for having done s.th.; (*provare pentimento, dispiacere*) to regret (*o* be sorry for) having done s.th.; ~ *di coscienza* pangs *pl* of conscience; *avere* ~ *dei peccati* to ⌜repent of⌝ (*o* feel repentance for) one's sins; *essere preso dai -i* to be conscience-stricken.

rimọrto (*p.p. di rimorire*) *a.* ⟨*lett*⟩ **1.** that has died again, dead a second time. – **2.** ⟨*fig,enfat*⟩ (*passato, dimenticato*) dead, long past (*o* forgotten). – **3.** ⟨*fig*⟩ (*abbattuto*) downcast, dejected.

rimọsso (*p.p. di rimuovere*) *a.* **1.** removed, cleared away. – **2.** ⟨*ant*⟩ (*lontano*) remote, distant, far.

rimostrạnti *m.pl.* ⟨*Rel*⟩ Remonstrants *pl.*

rimostrạnza *f.* **1.** remonstrance, expostulation, protest, complaint: *segno di* ~ gesture of protest. – **2.** ⟨*Dir*⟩ objection, protest, exception. – **3.** ⟨*Stor,Rel*⟩ Remonstrance. ☐ *fare le proprie -e a qd.* to protest (*o* complain) to s.o., to remonstrate (*o* expostulate) with s.o. – **rimostrạre** *v.t.* (**rimọstro**) **1.** to show again. – **2.** ⟨*assol*⟩ (*fare rimostranze*) to remonstrate, to protest, to complain, to expostulate.

rimọto[1] *a.* ⟨*ant*⟩ (*remoto*) remote, distant, far.

rimọto[2] (*p.p. di rimuovere*) *a.* ⟨*ant*⟩ (*rimosso*) removed, cleared (*o* taken) away. – **rimọvere** *v.* ⟨*lett,pop*⟩ → **rimuovere**. – **rimovịbile** *a.* **1.** removable. – **2.** ⟨*fig*⟩ shakable. ☐ *non* ~ irremovable; ⟨*fig*⟩ unshakable, immovable. – **rimovimẹnto** *m.* ⟨*non com*⟩ → **rimozione**. – **rimovitọre** *m.* (*f.* **-trice**) ⟨*rar*⟩ remover.

rimoziọne *f.* **1.** (*il rimuovere*) removal, removing: *la* ~ *di una lapide* the removal of a plaque. – **2.** (*destituzione da una carica*) dismissal, discharge, removal: ~ *da un impiego* discharge from a job. – **3.** ⟨*Dir*⟩ removal: ~ *dei sigilli* removal (*o* breaking) of seals; ~ *di un cadavere* removal of a body. – **4.** ⟨*Psic*⟩ repression.

rimpacchettạre *v.t.* (**rimpacchẹtto**) to repackage.

rimpaciạre *v.t.* (**rimpạcio, rimpạci**) ⟨*non com, tosc*⟩ (*rappacificare*) to reconcile.

rimpadronịrsi *v.r.* (**mi rimpadronịsco, ti rimpadronịsci**) to take possession again (*di* of), to seize again (s.th.).

rimpaginạre *v.t.* (**rimpạgino**) ⟨*Tip*⟩ to make up again. – **rimpaginatụra** *f.* paging (*o* making up) again.

rimpagliạre *v.t.* (**rimpạglio, rimpạgli**) to recover with straw. – **rimpagliatọre** *m.* (*f.* **-trice**) ⟨*Artig*⟩ (*rimpagliatore di sedie*) chair-seat mender.

rimpallạre *v.i.* (*aus.* **avere**) (*nel biliardo*) to cannon, to kiss, ⟨*am*⟩ to carom. – **rimpạllo** *m.* **1.** (*nel biliardo*) cannon, kiss, ⟨*am*⟩ carom. – **2.** ⟨*Sport*⟩ bounce back, rebound. ☐ *di* ~ on the rebound.

rimpalmạre *v.t.* ⟨*Mar.ant*⟩ to recaulk.

rimpanạre *v.t.* **1.** ⟨*Gastr*⟩ to bread again, to ⌜cover with⌝ (*o* dip in) breadcrumbs again. – **2.** ⟨*Mecc*⟩ to rethread.

rimpannucciạre *v.t.* (**rimpannụccio, rimpannụcci**) **1.** ⟨*non com*⟩ (*rivestire di panni nuovi*) to reclothe, to fit out with new clothes. – **2.** ⟨*fig*⟩ (*migliorare le condizioni economiche*) to improve the financial conditions of. – **rimpannucciarsi** *v.r.* to improve one's financial position, to be better off, to come up in the world.

rimpantanạrsi *v.r.* **1.** (*impantanarsi di nuovo*) to become swampy (*o* muddy) again. – **2.** ⟨*fig*⟩ (*ingolfarsi di nuovo*) to get involved (*o* mixed up) again. – **3.** ⟨*fig*⟩ (*rif. a pratiche e sim.*) to get ⌜bogged down⌝ (*o* held up) again.

rimpastạre *v.t.* **1.** to knead again, to reknead: ~ *il pane* to knead dough again. – **2.** ⟨*fig*⟩ (*rimaneggiare*) to reshuffle, to reorganize, to reshape: *vorrebbe* ~ *tutto a modo suo* he'd like to reorganize everything his way; ~ *il ministero* to reshuffle the cabinet; (*rif. a opere letterarie e sim.*) to revise, to recast. – **3.** ⟨*Met*⟩ (*rif. a rottami*) to bushel.

rimpasticciạre *v.t.* (**rimpastịccio, rimpastịcci**) **1.** (*impasticciare*) to mix, to stir; (*impasticciare di nuovo*) to remix, to stir again. – **2.** ⟨*fig*⟩ (*abborracciare*) to botch, to bungle, to make a mess of; (*ingarbugliare*) to confuse, to muddle (*o* mix) up.

rimpạsto *m.* **1.** (*il rimpastare*) rekneading. – **2.** (*cosa rimpastata*) mixture. – **3.** ⟨*fig*⟩ (*rimaneggiamento*) rearrangement, reorganization, recomposition, reshuffle: ~ *ministeriale* cabinet reshuffle (*o* shake -up). – **4.** ⟨*Met*⟩ (*di rottami*) busheling.

rimpatriamẹnto *m.* ⟨*non com*⟩ → **rimpatrio**. – **rimpatriạndo** *m.* (*f.* **-a**) repatriate.

rimpatriạre *v.* (**rimpạtrio, rimpạtri**) **I** *v.i.* (*aus.* **essere**) **1.** (*tornare in patria*) to return to one's homeland, ⟨*lett*⟩ to repatriate. – **2.** (*tornare alla propria residenza*) to return home (*o* to one's native town). – **II** *v.t.* to send back home, to repatriate. ☐ *far* ~ to repatriate.

rimpatriạta *f.* ⟨*region*⟩ reunion, get-together: *faremo una bella* ~ we'll have a good get-together. – **rimpatriạto** *m.* (*f.* **-a**) repatriate; (*rif. a emigranti*) returning emigrant. – **rimpạtrio** *m.* (*ritorno in patria*) return to one's country, repatriation. ☐ ~ *dei capitali* repatriation of capital; ⟨*Dir*⟩ ~ *consolare* repatriation; ⟨*Dir*⟩ ~ *obbligatorio* compulsory repatriation to one's hometown.

rimpazzịre *v.i.* (**rimpazzịsco, rimpazzịsci**; *aus.* **essere**) to go mad (*o* crazy) again.

rimpellicciạre *v.t.* (**rimpellịccio, rimpellịcci**) (*impellicciare*) to cover with fur.

rimpennạre *v.t.* (**rimpẹnno**) ⟨*non com*⟩ to feather again, to put new feathers on. – **rimpennarsi** *v.r.* **1.** to grow feathers again. – **2.** ⟨*fig, non com*⟩ (*rimpannucciarsi*) to improve one's financial position, to become better off. – **3.** ⟨*poet*⟩ (*rimettere le foglie*) to put forth leaves again.

rimpettịrsi *v.r.* (**mi rimpettịsco, ti rimpettịsci**) **1.** to strut, to throw out one's chest. – **2.** ⟨*fig*⟩ to swell (*o* puff up) with pride. – **rimpettịto** (*p.p. di rimpettirsi*) *a.* **1.** (*impettito*) erect, straight, with one's chest thrown out. – **2.** ⟨*fig*⟩ (*vanitoso*) conceited, swollen (*o* puffed up) with pride. ☐ *camminava tutto* ~ he strutted along.

rimpẹtto: ⟨*non com*⟩ ~ *a*: 1. (*di fronte*) opposite (to), facing: *sedeva* ~ *al padre* he was sitting facing his father; 2. ⟨*fig*⟩ (*in confronto*) in comparison with. ☐ *di* ~ (*dirimpetto*) opposite: *abitare di* ~ to live opposite; *la camera di* ~ the room opposite; ⌜*di* ~ *a*⌝ (o *a rimpetto di*) opposite (to), facing.

rimpiaccicạre *v.t.* (**rimpịaccico, rimpịaccichi**) ⟨*tosc*⟩ to cobble, to patch up.

rimpiaccicottạre *v.t.* (**rimpiaccicọtto**) ⟨*tosc*⟩ **1.** to cobble, to patch up. – **2.** (*rif. a rammendi*) to darn roughly.

rimpiạgnere *v.* (**rimpiạngo, rimpiạgni**) ⟨*ant*⟩ → **rimpiangere**.

rimpiallacciạre *v.t.* (**rimpiallạccio, rimpiallạcci**) to veneer again.

rimpiạngere *v.t.* (**rimpiạngo, rimpiạngi; rimpiạnsi, rimpiạnto**) **1.** (*ricordare con rammarico*) to mourn, to lament, to regret: ~ *la giovinezza sprecata* to regret one's wasted youth. – **2.** ⟨*non com*⟩ (*ricordare piangendo*) to remember weeping. – **3.** ⟨*ant,rar*⟩ (*compiangere*) to pity, to be sorry for. – **rimpiạnto** (*p.p. di rimpiangere*) **I** *a.* (*rif. a persone*) mourned, lamented; (*rif. a cose*) regretted. – **II** *s.m.* regret: *il* ~ *dei bei giorni passati* regret (*o* nostalgia) for the good old days.

rimpiattạre *v.t.* to hide, to conceal. – **rimpiattarsi** *v.r.* **1.** (*rif. a persone*) to hide (o.s.), to conceal o.s. – **2.** ⟨*scherz*⟩ (*rif. a cose*) to get to, to be (hidden): *dove si sarà rimpiattata la mia penna?* where has my pen got to?, where can my pen be? ☐ *giocare* (o *fare*) *a rimpiattarsi* to play hide-and-seek. – **rimpiatterẹllo** *m.* ⟨*tosc*⟩ → **rimpiattino**. – **rimpiattịno** *m.* hide-and-seek: *giocare* (o *fare*) *a* ~ to play hide-and-seek.

rimpiazzạre *v.t.* **1.** (*sostituire*) to replace, to substitute: ~ *qd. con qd.* to replace s.o. with s.o. – **2.** (*fare le veci*) to take the place of, to replace, to stand in for, to substitute (for): ~ *qd.* to replace s.o., to substitute for s.o. – **rimpiạzzo** *m.* **1.** (*il sostituire*) replacement, substitution. – **2.** (*persona che sostituisce*) replacement, substitute. □ *provvedere al* ~ *di qd.* to replace (*o* substitute) s.o.

rimpiccinịre *v.* (**rimpiccinịsco, rimpiccinịsci**) ⟨*non com*⟩ → **rimpiccolire.** – **rimpicciolimẹnto** *m.* → **rimpiccolimento.** – **rimpicciolịre** *v.t.* (**rimpicciolịsco, rimpicciolịsci**) ⟨*non com*⟩ (*rimpiccolire*) to make smaller, to decrease, to diminish. – **rimpiccolimẹnto** *m.* decrease, diminishing, reducing. – **rimpiccolịre** *v.* (**rimpiccolịsco, rimpiccolịsci**) **I** *v.t.* **1.** to make smaller, to decrease, to diminish. – **2.** ⟨*fig*⟩ to belittle, to disparage. – **II** *v.i.* (*aus.* **essere**) to become (*o* get) smaller, to decrease, to diminish, to shrink.

rimpiegạre *v.t.* (**rimpiẹgo, rimpiẹghi**) ⟨*non com*⟩ → **reimpiegare.** – **rimpiẹgo** *m.* (*pl.* **-ghi**) ⟨*non com*⟩ → **reimpiego.**

rimpinguạre *v.t.* **1.** (*impinguare di nuovo*) to fatten (up) again, to make fat again; (*impinguare*) to fatten (up), to make fat. – **2.** ⟨*fig*⟩ (*accrescere*) to supplement, to improve, to increase: ~ *le finanze* to improve one's economic position; (*riempire*) to fill. □ ⟨*fig*⟩ ~ *il proprio portafoglio* to line one's purse, to feather one's nest.

rimpinzạre *v.t.* **1.** to stuff, to cram, to fill (up). – **2.** ⟨*fig*⟩ to fill, to stuff, to load (*di* with): ~ *qd. di raccomandazioni* to load s.o. down with advice. – **rimpinzarsi** *v.r.* to stuff (*o* cram) o.s., to fill o.s. (*o* up), to gorge (*anche fig.*): *rimpinzarsi di dolci* to gorge on sweets. – **rimpịnzo** *a.* ⟨*tosc*⟩ (*pieno zeppo*) stuffed, crammed, chock-full.

rimpiolạre *v.t.* (**rimpiọlo**) ⟨*Agr*⟩ to plant. – **rimpiolatụra** *f.* planting.

rimpolpạre *v.t.* (**rimpǫlpo**) **1.** to fatten (up), to make fat (*o* put on flesh). – **2.** ⟨*fig*⟩ (*arricchire*) to enrich, to make rich; (*ampliare*) to pad (out), to fill out (*di* with): ~ *un articolo* to pad out an article. – **rimpolparsi** *v.r.* (*ingrassare*) to get plumper, to gain (*o* put on) weight.

rimpolpettạre *v.t.* (**rimpolpẹtto**) **1.** ⟨*Gastr,rar*⟩ to make rissoles (*o* meat-balls) of. – **2.** ⟨*fig*⟩ (*rimaneggiare*) to rehash.

rimpoltronịre *v.* (**rimpoltronịsco, rimpoltronịsci**) **I** *v.t.* to make lazy (*o* indolent, slack). – **II** *v.i.* (*aus.* **essere**), **rimpoltronirsi** *v.r.* **1.** to become lazy (*o* indolent), to grow (*o* get) sluggish. – **2.** (*diventare più poltrone*) to become lazier, to grow more indolent (*o* sluggish).

rimpoverịre *v.* (**rimpoverịsco, rimpoverịsci**) **I** *v.t.* (*far diventare povero*) to impoverish, to make poor; (*di nuovo*) to make poor again. – **II** *v.i.* (*aus.* **essere**), **rimpoverirsi** *v.r.* (*diventare povero*) to be reduced to poverty, to become poor; (*di nuovo*) to grow (*o* become) poor again, to become impoverished again.

rimpresciuttịre *v.* ⟨*tosc*⟩ → **rimprosciuttire.**

rimprocciạre *v.t.* (**rimprǫccio, rimprǫcci**) ⟨*ant*⟩ (*rimproverare*) to reproach. – **rimprǫccio** *m.* ⟨*ant*⟩ (*rimprovero*) reproach.

rimprosciuttịre *v.i.* (**rimprosciuttịsco, rimprosciuttịsci**; *aus.* **essere**) ⟨*pop*⟩ (*improsciuttire*) to become thin, to grow lean.

rimproverạbile *a.* **1.** reproachable, reprovable. – **2.** (*riprovevole*) censurable, reprehensible, blamable.

rimproverạre *v.t.* (**rimprǫvero**) **1.** to reproach, to scold, to rebuke, to reprimand, to reprove, ⟨*lett*⟩ to chide, ⟨*fam*⟩ to tell off: ~ *qd. di* (*o per*) *qc.* to reproach s.o. for s.th.; *il maestro rimproverava lo scolaro per la sua negligenza* the teacher scolded the pupil for his carelessness. – **2.** ⟨*rar*⟩ (*rinfacciare*) to grudge: *mi rimprovera anche quell'ora di libertà che mi concede* he grudges me even the free hour he gives me. – **rimproverarsi** *v.r.* **1.** to reproach o.s. with: *non aver nulla da rimproverarsi* to have nothing to reproach o.s. with. – **2.** (*pentirsi*) to regret: *mi rimprovero di non averlo fatto prima* I regret not having done it sooner. – **rimprovẹrio** *m.* ⟨*ant*⟩ → **rimprovero.**

rimprǫvero *m.* **1.** reproach, scolding, rebuke, reprimand, ⟨*lett*⟩ chiding, ⟨*fam*⟩ telling-off: *fare* (*o muovere*) *-i a qd.* to give s.o. a scolding (*o* telling-off), to reproach s.o. – **2.** (*parole di rimprovero*) reproach, rebuke, reproof. – **3.** (*biasimo*) blame, censure. – **4.** ⟨*Mil*⟩ reprimand.

rimpulizzịre *v.t.* (**rimpulizzịsco, rimpulizzịsci**) ⟨*scherz*⟩ (*ripulire*) to clean (up), to tidy. – **rimpulizzirsi** *v.r.* (*agghindarsi*) to titivate o.s., to get dressed up, to get o.s. up. – **rimpulizzịto** (*p.p. di rimpulizzire*) *a.* ⟨*scherz*⟩ dressed up (to the nines), ⟨*fam*⟩ all got up.

rimugghiạre *v.* (**rimụgghio, rimụgghi**) ⟨*lett*⟩ → **rimuggire.** – **rimuggịre** *v.i.* (**rimuggịsco, rimuggịsci**; *aus.* **avere**) **1.** (*muggire di nuovo*) to moo (*o* low) again. – **2.** (*rispondere con muggiti*) to moo (*o* low) back. – **3.** ⟨*fig*⟩ to rumble, to boom, to bellow, to roar.

rimuginạre *v.* (**rimụgino**) **I** *v.t.* **1.** (*ripensare*) to brood (over), to turn over in one's mind, to meditate, to ruminate over (*o* about, on), to ponder (over). – **2.** ⟨*non com*⟩ (*rovistare*) to rummage, to ransack. – **II** *v.i.* (*aus.* **avere**) to ponder, to ruminate (*su* over): ~ *su una frase* to ponder over a phrase.

rimuneramẹnto *m.* ⟨*rar*⟩ → **rimunerazione.** – **rimunerạnza** *f.* ⟨*ant*⟩ → **rimunerazione.** – **rimunerạre** *v.t.* (**rimụnero**) **1.** (*ricompensare*) to reward, to recompense, to remunerate, to repay: ~ *il sacrificio di qd.* to reward s.o.'s sacrifice; (*con denaro*) to remunerate, to pay. – **2.** (*rendere*) to pay, to be profitable (*o* remunerative, worth-while). – **rimunerativo** *a.* **1.** (*atto a rimunerare*) remunerative, rewarding. – **2.** (*che rimunera bene*) paying, that pays well, well-paid, profitable, remunerative, gainful: *lavoro* ~ well-paid job. – **rimuneratọre** ⟨*non com*⟩ **I** *s.m.* (*f.* **-trice**) rewarder, remunerator. – **II** *a.* remunerative, rewarding. – **rimuneratọrio** *a.* **1.** ⟨*non com*⟩ remunerative, rewarding. – **2.** ⟨*Dir*⟩ remunerative. – **rimunerazịone** *f.* (*ricompensa*) reward, recompense, remuneration: *ricevere una* ~ to receive a recompense, to be rewarded; (*in denaro*) remuneration, pay(ment): ~ *in natura* payment in kind.

rimuǫvere *v.t.* (**rimǫssi, rimǫsso**/*ant.* **rimọto**) **1.** (*sgomberare*) to remove, to clear (away), to shift: *i soldati rimuovono le macerie* the soldiers are clearing away the rubble. – **2.** (*allontanare*: *rif. a persone*) to send (*o* take) away, to remove; (*rif. a feriti o morti*) to evacuate, to remove. – **3.** (*distogliere*) to dissuade, to deter, to turn (away, aside), to persuade not to: ~ *qd. dal suo proposito* to dissuade s.o. from his purpose, to make s.o. change his mind. – **4.** (*destituire*) to dismiss, to discharge, to remove (from office), ⟨*fam*⟩ to fire, ⟨*fam*⟩ to sack: ~ *qd. dal suo impiego* to dismiss s.o. from his position. – **5.** ⟨*non com*⟩ (*muovere di nuovo*) to move again. – **6.** ⟨*Psic*⟩ to repress. – **rimuoversi** *v.r.* to change one's mind.

rimurạre *v.t.* **1.** (*murare di nuovo*) to wall again. – **2.** (*richiudere costruendo un muro*) to wall (*o* brick) up again.

rimurchiạre *v.* ⟨*ant*⟩ → **rimorchiare**[1]. – **rimụrchio** *m.* ⟨*ant*⟩ → **rimorchio.**

rimutạre **I** *v.t.* **1.** (*mutare di nuovo*) to change again. – **2.** (*trasformare*) to change, to transform. – **3.** (*far cambiare idea*) to make change one's mind. – **II** *v.i.* (*aus.* **essere**) to change again; (*rif. al vento*) to shift, to change again. – **rimutarsi** *v.r.* **1.** ⟨*non com*⟩ (*cambiare parere*) to change one's mind. – **2.** ⟨*rar*⟩ (*mutare sede*) to move, to transfer.

Rịna *N.pr.f.* Rina, Rena.

R.I.Na. = *Registro navale italiano* Italian Register of Shipping.

Rinạldo *N.pr.m.* Reginald, Ronald.

rinalgịa *f.* ⟨*Med*⟩ rhinalgia, rhinodynia.

rinanimịre *v.* (**rinanimịsco, rinanimịsci**) ⟨*non com*⟩ **I** *v.i.* (*aus.* **essere**) (*riprendere animo*) to take heart again. – **II** *v.t.* (*rianimare*) to give new courage to, to put fresh heart into.

rinạnto *m.* ⟨*Bot*⟩ rattle (*Rhinanthus*).

rinarrạre *v.t.* to narrate (*o* tell, recount) again.

rinascẹnte (*p.pr. di rinascere*) *a.* ⟨*lett*⟩ **1.** reviving, renascent: *fiducia* ~ reviving confidence. – **2.** (*rifiorente*) newly flourishing, flourishing again, renascent: *studi -i* newly flourishing studies. – **rinascẹnza** *f.* ⟨*lett*⟩ **1.** (*il rinascere*) rebirth, revival. – **2.** ⟨*fig*⟩ rebirth, revival, renaissance: *la* ~ *delle arti* the revival of the arts. – **Rinascenza** *N.pr.f.* Renaissance, Renascence.

rinạscere *v.i.* (**rinạsco, rinạsci; rinạcqui, rinạto**; *aus.* **essere**) **1.** to be reborn, to come back to life, to revive. – **2.** (*ricrescere*) to grow (*o* spring up) again; (*rifiorire*) to bloom (*o* blossom, flower) again. – **3.** ⟨*fig*⟩ to flourish again, to reflourish, to come alive again, to be revived: *sentì* ~ *la speranza* he felt his hope come alive again. – **4.** ⟨*fig*⟩ (*riprendere vigore*) to revive, to arise (*o* spring up) again, to regain fresh force; (*rif. a guerre, tumulti e sim.*) to flare up again. – **5.** ⟨*fam*⟩ (*sentirsi sollevato*) to breathe again, to feel relieved, to feel like a ⌜new man⌝ (*o* different person): *mi sentii* ~ I felt like a new man. – **6.** ⟨*iperb*⟩ (*tornare a godere*) to enjoy again: ~ *alla vita sociale* to enjoy social life again. – **7.** ⟨*Astr,Meteor*⟩ to return, to spring up again; (*rif. al sole e sim.*) to rise (*o* come up) again, to return. □ ~ *a nuova vita* to be reborn; *mi rinascono le forze* my strength is coming back.

rinascimentạle *a.* Renaissance, of the Renaissance. – **rinascimẹnto** *m.* rebirth, revival, renaissance. – **Rinascimento** **I** *N.pr.m.* Renaissance. – **II** *a.* Renaissance, of the Renaissance: *stile* ~ Renaissance style; *merletto* ~ Renaissance lace. □ *pieno* ≈ high Renaissance, Cinquecento; *primo* ≈ early Renaissance; *tardo* ≈ late Renaissance.

rinạscita *f.* **1.** rebirth; (*ricrescita*) regrowth. – **2.** ⟨*fig*⟩ rebirth, revival, return: *la* ~ *di un dubbio* the return of a doubt. – **3.** ⟨*fig*⟩ (*il rifiorire*) revival, renaissance, renascence, renewal: *la* ~ *degli studi classici* the revival of classical studies. – **Rinascita** *N.pr.f.* Renaissance, Renascence: ~ *carolingia* Carolingian revival.

rinạto (*p.p. di rinascere*) *a.* **1.** reborn, born again. – **2.** ⟨*fig*⟩ reborn, revived: *sentirsi* ~ to feel reborn, to feel like a ⌜new man⌝ (*o* different person).

rinavigạre *v.* (**rinạvigo, rinạvighi**) **I** *v.i.* (*aus.* **avere**) to sail (*o* navigate) again. – **II** *v.t.* ⟨*non com*⟩ to sail (*o* navigate) again.

rincagnạrsi *v.r.* ⟨*rar*⟩ to scowl, to frown. – **rincagnạto** (*p.p. di rincagnarsi*) *a.* pug-, snub: *viso* ~ pug face. □ *naso* ~ snub nose, pug-nose; *avere il naso* ~ to be snub-nosed.

rincalcagnạre *v.t.* ⟨*tosc*⟩ (*stipare*) to cram, to stuff, to pack. – **rincalcagnạto** (*p.p. di rincalcagnare*) *a.* → **rincagnato.**

rincalcạre *v.t.* (**rincạlco, rincạlchi**) to ram (*o* pull, push) down. – **rincalcarsi** *v.r.* to ram (*o* pull, push) down: *rincalcarsi il cappello in testa* to push one's hat down on one's head.

rincalciạre *v.* (**rincạlcio, rincạlci**) ⟨*ant*⟩ → **rincalzare.** – **rincalzamẹnto** *m.* ⟨*non com*⟩ → **rincalzatura.**

rincalzạre **I** *v.t.* **1.** (*sorreggere, sostenere*) to prop up, to support. – **2.** ⟨*non com*⟩ (*interporre materiali per fermare oggetti*) to pack; (*avvoltolare*) to wrap; (*foderare*) to line. – **3.** ⟨*Agr*⟩ to earth up. – **4.** ⟨*fig,lett*⟩ (*rinforzare*) to strengthen, to prop (*o* back) up, to support. – **5.** ⟨*fig,lett*⟩ (*dare aiuto, sostegno*) to help, to aid, to assist. – **6.** ⟨*lett*⟩ (*inseguire con accanimento*) to chase, to pursue, to run after. – **II** *v.i.* (*aus.* **avere**) (*insistere*) to press, to follow hard on. □ ⟨*fam*⟩ *andare a* ~ *i cavoli* (*morire*) to die; ~ *le coperte* to tuck in the blankets.

rincalzạta *f.* **1.** packing. – **2.** ⟨*Agr*⟩ earthing up. □ *dare una* ~ *alle coperte* to tuck in the blankets. – **rincalzatọre** *m.* (*f.* **-trice**) **1.** packer. – **2.** ⟨*Agr*⟩ ridger, ridging-plough, lister. – **rincalza-**

trịce *f.* ⟨*Ferr*⟩ tamper, tamping-machine, packing-machine. – **rincalzatụra** *f.* **1.** ⟨*Agr*⟩ earthing up. – **2.** ⟨*Ferr*⟩ packing of sleepers, ⟨*am*⟩ tamping ties.

rincạlzo *m.* **1.** (*appoggio*) support, prop; (*rinforzo*) reinforcement; (*bietta*) wedge. – **2.** ⟨*non com*⟩ (*materiali da rincalzo*) packing. – **3.** ⟨*fig*⟩ (*sostegno*) support, backing; (*conferma*) confirmation; (*aiuto*) help, aid, assistance. – **4.** ⟨*Agr*⟩ earthing up. – **5.** ⟨*Sport*⟩ (*riserva*) reserve. – **6.** *pl.* ⟨*Mil*⟩ (*truppe di rincalzo*) reinforcements *pl*, support troops *pl*, auxiliaries *pl*, reserves *pl*. □ *di* (o *per*) ~ (*in aggiunta*) in confirmation (*o* support).

rincamminạrsi *v.r.* to set out (*o* off) again, to make (*verso* for).

rincantucciạre *v.t.* (**rincantụccio, rincantụcci**) to put (*o* drive) into a corner. – **rincantucciarsi** *v.r.* to hide (in a corner), to creep (into a corner). □ *dove si sarà rincantucciato?* where has he got to?, where is he hiding? – **rincantucciạto** (*p.p. di rincantucciare*) *a.* hidden, concealed. □ *starsene ~ nella propria stanza* to be ⌜holed up⌝ (*o* hiding) in one's room.

rincarạre I *v.t.* to raise (*o* increase) the price of, to put up: *il fornaio ha rincarato il pane* the baker has raised the price of bread; *~ l'affitto* to put up the rent. – **II** *v.i.* (*aus.* **essere**) to become more expensive, to get dearer, to go up, to rise: *l'olio è rincarato* oil has become more expensive. □ ⟨*fig*⟩ *~ la dose* to make things worse, to lay it on thick, to aggravate the situation.

rincarịre *v.i.* (*aus.* **essere**) ⟨*rar*⟩ to become more expensive, to go up; (*ridiventare caro*) to become more expensive again.

rincarnạre I *v.t.* **1.** (*far tornare in carne*) to fatten, to make plumper. – **2.** ⟨*non com*⟩ (*reincarnare*) to reincarnate. – **II** *v.i.* (*aus.* **essere**), **rincarnarsi** *v.r.* to put back weight. – **rincarnaziọne** *f.* ⟨*non com*⟩ (*reincarnazione*) reincarnation.

rincạro *m.* (*il rincarare*) increasing, rising, getting dearer; (*aumento di prezzo*) increase, rise.

rincarognịre *v.i.* (**rincarognịsco, rincarognịsci**; *aus.* **essere**) to become even more of a scoundrel (*o* good-for-nothing).

rincartạre *v.t.* **1.** (*incartare*) to wrap (up), to wrap in paper; (*di nuovo*) to rewrap. – **2.** ⟨*non com*⟩ (*mettere nuova carta*) to wrap (up) in new paper.

rincasạre *v.i.* (*aus.* **essere**) to return home, to go (*o* come) back home. – **rincasarsi** *v.r.* ⟨*lett*⟩ to return home, to go (*o* come) back home.

rincatenạre *v.t.* (**rincatẹno**) to chain (*o* tie) up again.

rincattivịre *v.i.* (**rincattivịsco, rincattivịsci**; *aus.* **essere**) **1.** (*diventare più cattivo*) to become more wicked, to turn nastier. – **2.** (*ridiventare cattivo*) to become wicked again, to turn nasty again.

rincentrạre *v.t.* (**rincẹntro**) to recentre.

rinchinạre *v.t.* **1.** (*inchinare di nuovo*) to bow again, to bend (down) again. – **2.** ⟨*intens*⟩ (*inchinare*) to bow, to bend (down). – **rinchinarsi** *v.r.* **1.** to bow again, to bend (down) again. – **2.** (*chinarsi*) to stoop (*o* bend) down. – **3.** (*ossequiare*) to bow (down); (*rif. a donna*) to curtsy. – **4.** ⟨*fig*⟩ to yield, to give in, to bow.

rinchịte *m.* ⟨*Entom*⟩ cutting weevil, apple twig cutter, bud curculio (*Rhynchites coeruleus*).

rinchiụdere *v.t.* (**rinchiụsi, rinchiụso**) **1.** (*chiudere dentro*: *rif. a persone*) to shut (*o* lock) up, to confine: *~ un delinquente in prigione* to lock up a criminal in jail; (*rif. ad animali*) to cage, to confine, to lock (*o* shut) up: *~ una belva in gabbia* to lock an animal up in a cage; (*rif. a cose*) to shut (*o* lock) up: *~ le lettere in un cassetto* to lock up letters in a drawer. – **2.** (*chiudere a chiave*) to lock (up). – **3.** (*ricoverare*: *rif. ad ammalati*) to put away. – **rinchiudersi** *v.r.* to withdraw (*in* into), to lock (*o* shut) o.s. (in, into). □ *rinchiudersi in convento* to withdraw into a monastery, to enter monastic life.

rinchiụsa *f.* ⟨*Rel,ant*⟩ cloistered nun.

rinchiụso (*p.p. di rinchiudere*) **I** *a.* **1.** (*chiuso dentro*) shut up, closed; (*a chiave*) locked (up). – **2.** (*rif. ad aria*) close, stuffy, stale, musty. – **II** *s.m.* (*recinto, spazio chiuso*) enclosure; (*per animali*) pen, enclosure. □ *puzzo di ~* musty odour; *sapere di ~* to smell fusty, to have a musty smell.

rinciampạre *v.i.* (*aus.* **avere/essere**) to trip (up), to stumble (*in* over, against).

rincitrullịre *v.* (**rincitrullịsco, rincitrullịsci**) **I** *v.t.* (*incitrullire*) to make foolish (*o* stupid). – **II** *v.i.* (*aus.* **essere**), **rincitrullirsi** *v.r.* to become foolish (*o* silly). – **rincitrullịto** (*p.p. di rincitrullire*) *a.* foolish, silly, ⟨*fam*⟩ daft.

rincivilịre *v.* (**rincivilịsco, rincivilịsci**) **I** *v.t.* **1.** (*incivilire*) to civilize. – **2.** (*rendere di nuovo civile*) to civilize again. – **II** *v.i.* (*aus.* **essere**), **rincivilirsi** *v.r.* to become refined, to acquire polish. – **rincivilịto** (*p.p. di rincivilire*) *a.* refined, polished.

rinco... *pref.* **1.** (*becco* beak) rhynch(o)... – **2.** (*proboscide* snout) rhynch(o)..., snout-.

rincocciatụra *f.* ⟨*Edil*⟩ covering with tile fragments.

rincọfori *m.pl.* ⟨*Entom*⟩ snout beetles *pl*, rhynchophores *pl* (*Rhynchophori*).

rincollạre *v.t.* (**rincọllo**) to glue (*o* paste) again.

rincollerịre *v.i.* (**rincollerịsco, rincollerịsci**; *aus.* **essere**) to get (*o* become) angry again, to lose one's temper again.

rincọllo *m.* (*ingorgo*) backing up of water.

rincominciạre *v.t.* (**rincomịncio, rincomịnci**) to begin (*o* start) again.

rincontrạre *v.t.* (**rincọntro**) **1.** (*incontrare di nuovo*) to meet again. – **2.** ⟨*pop,ant*⟩ (*incontrare*) to meet. – **rincontrarsi** *v.r.* ⟨*recipr*⟩ to meet e.o. again.

rincọntro *m.* ⟨*ant*⟩ **1.** (*incontro*) meeting, encounter. – **2.** ⟨*fig*⟩ (*paragone*) comparison. □ *di* (o *a*) *~ a*: 1. (*di fronte, dirimpetto*) opposite (to), facing; 2. ⟨*fig*⟩ (*in confronto*) in comparison with.

rincọpidi *m.pl.* ⟨*Ornit*⟩ skimmers *pl*, scissor-bills *pl* (*Rynchopidae*).

rincoraggiạre *v.t.* (**rincoraggio, rincoraggi**) **1.** (*incoraggiare di nuovo*) to encourage (*o* hearten) again. – **2.** ⟨*fam*⟩ (*incoraggiare*) to encourage, to hearten. – **rincoraggiạto** (*p.p. di rincoraggiare*) *a.* encouraged (*o* heartened) again, cheered up. – **rincoraggịre** *v.* ⟨*tosc*⟩ (**rincoraggịsco, rincoraggịsci**) → **rincoraggiare**. – **rincoraggịto** (*p.p. di rincoraggire*) *a.* ⟨*tosc*⟩ → **rincoraggiato**.

rincoramẹnto *m.* ⟨*non com*⟩ encouragement, cheering up. – **rincorạre** *v.t.* (**rincọro**) to encourage, to cheer up, to hearten, to put fresh courage (*o* heart) into; (*confortare*) to comfort, to solace. – **rincorarsi** *v.r.* to take heart, to feel (*o* be) encouraged, to cheer up. – **rincorạto** (*p.p. di rincorare*) *a.* encouraged, heartened, cheered up.

rincorbellịre *v.i.* (**rincorbellịsco, rincorbellịsci**; *aus.* **essere**) ⟨*volg*⟩ (*rimminchionire*) to become stupid (*o* a fool, an idiot). – **rincorbellịto** (*p.p. di rincorbellire*) *a.* ⟨*volg*⟩ stupid, idiotic.

rincorniciạre *v.t.* (**rincornịcio, rincornịci**) to reframe.

rincorporạre *v.t.* (**rincọrporo**) to reincorporate, to incorporate again, to reannex.

rincọrrere *v.t.* (**rincọrsi, rincọrso**) to run after, to chase, to pursue (*anche fig.*): *~ un ladro* to run after a thief; *~ la gloria* to pursue glory. – **rincorrersi** *v.r.* ⟨*recipr*⟩ to run after e.o., to chase e.o. □ *giocare a rincorrersi* to play tag (*o* tig). – **rincọrsa** *f.* run-up, run: *prendere la ~ per fare un salto* to take a run before making a jump.

rincọti *m.pl.* ⟨*Entom*⟩ (*emitteri*) (true) bugs *pl*, hemiptera *pl* (*Hemiptera, Rhynchota*).

rincrẹscere *v.* (**rincrẹsco, rincrẹsci; rincrẹbbi, rincresciụto**) **I** *v.i. impers.* (*aus.* **essere**) to be sorry (*costr.pers.*), to regret (*costr.pers.*): *mi rincresce di non poterti aiutare* I'm sorry I can't help you; (*in formule di cortesia*) to mind (*costr.pers.*), to bother (*costr.impers.*): *se non ti rincresce* if you don't mind; *ti rincresce se leggo il giornale?* ⌜will it bother you⌝ (*o* do you mind) if I read the paper? – **II** *v.i.* (*aus.* **essere**) **1.** (*essere causa di dispiacere*) to displease, to dislike: *cose che rincrescono a tutti* things that ⌜displease everybody⌝ (*o* everybody dislikes). – **2.** ⟨*ant*⟩ (*venire a noia*) to bore, to weary. □ *spero che non ti rincresca* I hope you don't mind.

rincrescẹvole *a.* ⟨*lett*⟩ **1.** (*rif. a cose*) regrettable, unfortunate. – **2.** (*rif. a persone*: *noioso*) boring, wearisome, tiresome; (*fastidioso*) bothersome, annoying, troublesome. – **rincrescimẹnto** *m.* regret, sorrow: *con mio grande* (o *sommo*) *~* much to my regret. – **rincresciọso** *a.* **1.** ⟨*non com*⟩ (*increscioso*) regrettable, unfortunate. – **2.** ⟨*ant*⟩ (*che prova rincrescimento*) regretful, sorry.

rincrespamẹnto *m.* ⟨*non com*⟩ **1.** (*il rincrespare*: *rif. a capelli*) curling again; (*rif. ad acqua*) rippling again. – **2.** (*il rincresparsi*: *rif. a capelli*) growing curly again; (*rif. ad acqua*) rippling again. – **rincrespạre** *v.t.* (**rincrẹspo**) **1.** (*increspare di nuovo*: *rif. a capelli*) to curl (*o* frizz) again; (*rif. ad acqua*) to ripple again. – **2.** (*increspare*: *rif. a capelli*) to curl, to frizz; (*rif. ad acqua*) to ripple, to ruffle. – **rincresparsi** *v.r.* **1.** (*incresparsi di nuovo*: *rif. a capelli*) to curl (*o* get curly) again; (*rif. ad acqua*) to ripple again. – **2.** (*incresparsi*: *rif. a capelli*) to curl, to get curly (*o* frizzy); (*rif. ad acqua*) to ripple.

rincretinịre *v.i.* (**rincretinịsco, rincretinịsci**; *aus.* **essere**) to become (*o* grow) stupid. – **rincretinịto** (*p.p. di rincretinire*) *a.* stupid, silly, ⟨*am.fam*⟩ dumb.

rincrudelịre *v.i.* (**rincrudelịsco, rincrudelịsci**; *aus.* **essere**) to become cruel (*o* pitiless) again.

rincrudimẹnto *m.* becoming harsher (*o* more severe); (*peggioramento*) worsening, aggravation, heightening. – **rincrudịre** *v.* (**rincrudịsco, rincrudịsci**) **I** *v.t.* ⟨*non com*⟩ to make harsher; (*peggiorare*) to worsen, to aggravate, to heighten, to sharpen. – **II** *v.i.* (*aus.* **essere**) to become rawer (*o* harsher), to grow more severe, to grow (*o* get) worse, to worsen: *il freddo è rincrudito* the cold has become more severe.

rinculạre I *v.i.* (*aus.* **essere**) **1.** (*indietreggiare*) to draw back, to withdraw; (*per lo spavento*) to recoil, to shrink. – **2.** ⟨*Equit*⟩ to back. – **3.** ⟨*Artigl*⟩ to recoil, to kick (back). – **II** *v.t.* ⟨*ant*⟩ (*far indietreggiare*) to drive back, to repel. – **rinculạta** *f.* drawing back, withdrawal, recoiling. – **rinculạto** (*p.p. di rinculare*) *a.* ⟨*Arald*⟩ forcené. – **rincụlo** *m.* **1.** recoil, kick(-back). – **2.** ⟨*Equit*⟩ backing. □ *senza ~* recoilless.

rincuorạre *v.* ⟨*lett*⟩ → **rincorare**.

rincupịre *v.* (**rincupịsco, rincupịsci**) **I** *v.t.* to darken, to make dark; (*rif. a tinte*) to deepen, to darken. – **II** *v.i.* (*aus.* **essere**), **rincupirsi** *v.r.* **1.** to darken, to grow (*o* become, get) dark; (*annuvolarsi*) to cloud over. – **2.** ⟨*fig*⟩ (*rabbuiarsi*) to become gloomy (*o* surly); (*oscurarsi in volto*) to scowl, to glower, to look black.

rincurvạre ⟨*non com*⟩ **I** *v.t.* (*incurvare*) to bend (over), to curve, to arch. – **II** *v.i.* (*aus.* **essere**), **rincurvarsi** *v.r.* to bend, to curve, to bow. – **rincurvạto** (*p.p. di rincurvare*) *a.* bent, curved, bowed. – **rincurvịre** *v.* (**rincurvịsco, rincurvịsci**) → **rincurvare**. – **rincurvịto** (*p.p. di rincurvire*) *a.* → **rincurvato**.

rindebitạre *v.t.* (**rindẹbito**) to get (*o* plunge) into debt again.

rindolcịre *v.t.* (**rindolcịsco, rindolcịsci**) ⟨*non com*⟩ **1.** (*addolcire di nuovo*) to sweeten again; (*addolcire di più*) to make sweeter. – **2.** (*addolcire*) to sweeten.

rindossạre *v.t.* (**rindọsso**) to put on again.

rindurịre *v.* (**rindurịsco, rindurịsci**) **I** *v.t.* **1.** (*indurire di nuovo*) to harden (*o* make hard) again. – **2.** (*indurire*) to harden, to make hard. – **II** *v.i.* (*aus.* **essere**), **rindurirsi** *v.r.* **1.** (*ridiventare duro*) to harden (*o* grow hard) again. – **2.** (*diventare più duro*) to become (*o* get) harder; (*indurire*) to harden, to grow (*o* get) hard.

rinettạre *v.t.* (**rinẹtto**) **1.** (*nettare di nuovo*) to clean again, to reclean. – **2.** (*nettare*) to clean. – **rinettatụra** *f.* cleaning again, thorough recleaning.

rinevicạre *v.i.impers.* (**rinẹvica**; *aus.* **essere/avere**) to snow again.

rinf. = ⟨*Mus*⟩ *rinforzando* rinforzando (*abbr.* rf., rfz.).

rinfacciamẹnto *m.* reproach. – **rinfacciạre** *v.t.* (**rinfạccio, rinfạcci**) **1.** (*ricordare con risentimento*) to throw (*o* cast, fling) in s.o.'s teeth (*o* face), to remind of, to bring up: *mi rinfaccia sempre i quattro soldi che mi ha prestato* he's always bringing up that measly loan he gave me. – **2.** (*rimproverare*) to reproach, to rebuke: ~ *a qd. la sua alterigia* to reproach s.o. for his haughtiness. – **rinfạccio** *m.* → **rinfacciamento.**

rinfagottạre *v.t.* (**rinfagǫtto**) **1.** (*infagottare di nuovo*) to bundle up again, to rewrap: *rinfagottò la sua roba e partì* he bundled up his things again and left. – **2.** (*infagottare*) to make into a bundle, to wrap around; (*fare un fagotto*) to make a bundle of, to bundle up. – **3.** (*coprire per difendere dal freddo*) to wrap up (well, warmly), to bundle up. – **rinfagottarsi** *v.r.* to bundle (o.s.) up, to wrap (o.s.) up: *si era rinfagottato in una vecchia coperta* he had wrapped himself up in an old blanket. – **rinfagottạto** (*p.p. di rinfagottare*) *a.* bundled up, wrapped up.

rinfamạre *v.t.* ⟨*lett*⟩ (*ridare fama*) to restore the good name of.

rinfantocciạre *v.* (**rinfantǫccio, rinfantǫcci**) ⟨*tosc*⟩ **I** *v.t.* **1.** (*rivestire come un fantoccio*) to dress like a puppet. – **2.** ⟨*fig*⟩ to disguise. – **II** *v.i.* (*aus.* **essere**) (*ritornare bambino*) to grow childish (*o* foolish), to be in one's dotage (*o* second childhood).

rinfarciạre *v.* (**rinfạrcio, rinfạrci**) ⟨*non com*⟩ → **rinfarcire.** – **rinfarcịre** *v.t.* (**rinfarcịsco, rinfarcịsci**) **1.** to stuff (*o* fill) again. – **2.** ⟨*intens*⟩ to stuff, to fill. – **3.** ⟨*fig*⟩ (*inzeppare*) to cram, to stuff, to fill, to pad.

rinferrạre *v.t.* (**rinfęrro**) ⟨*tecn*⟩ to put new iron fittings on, to refit (*o* rebind) with iron. – **rinferrarsi** *v.r.* ⟨*non com*⟩ **1.** (*rimettersi in salute*) to recover one's health, to get well again. – **2.** (*rimettersi economicamente*) to recover financially, to get back on one's feet again.

rinfiammạre *v.t.* **1.** to rekindle, to reignite, to set on fire again. – **2.** ⟨*fig*⟩ to rekindle, to stir up again.

rinfiancamẹnto *m.* ⟨*non com*⟩ **1.** prop(ping), support(ing). – **2.** ⟨*fig*⟩ (*rafforzamento*) backing, support, prop. – **rinfiancạre** *v.t.* (**rinfiạnco, rinfiạnchi**) **1.** to support (at the sides), to strengthen the sides of. – **2.** ⟨*fig*⟩ (*rafforzare*) to back (up), to support, to prop. – **rinfiạnco** *m.* (*pl.* **-chi**) **1.** supporting (at the sides). – **2.** ⟨*concr*⟩ support, prop, reinforcement; (*muro*) retaining wall, support. – **3.** ⟨*fig*⟩ backing, support.

rinfichịre *v.* (**rinfichịsco, rinfichịsci**) ⟨*tosc,non com*⟩ → **rinficosecchire.** – **rinficosecchịre** *v.i.* (**rinficosecchịsco, rinficosecchịsci**; *aus.* **essere**) ⟨*tosc*⟩ (*raggrinzire*) to shrivel, to wither. – **rinficosecchịto** (*p.p. di rinficosecchire*) *a.* ⟨*tosc*⟩ (*grinzoso*) shrivelled, withered, wrinkled.

rinfilạre *v.t.* **1.** to thread again, to rethread: ~ *l'ago* to rethread a needle; (*rif. a perle e sim.*) to restring. – **2.** (*rimettere: rif. a indumenti*) to put (*o* slip) on again. – **3.** ⟨*fig*⟩ (*percorrere: rif. a strade e sim.*) to take (*o* go down) again: ~ *la stessa via* to go down the same street again. – **4.** ⟨*fig*⟩ (*ripetere per filo e per segno*) to repeat in detail, to reel off without a mistake. – **rinfilarsi** *v.r.* (*indossare di nuovo*) to put (*o* slip) on again.

rinfiorạre *v.t.* (**rinfiọro**) to decorate (*o* deck) with flowers. – **rinfiorarsi** *v.r.* ⟨*poet*⟩ (*rifiorire*) to flower (*o* bloom) again (*anche fig.*). – **rinfiorạto** (*p.p. di rinfiorare*) *a.* ⟨*poet*⟩ decorated (*o* strewn) with flowers.

rinfittịre *v.* (**rinfittịsco, rinfittịsci**) **I** *v.t.* **1.** to thicken again, to rethicken; (*rendere di nuovo frequente*) to make more frequent again. – **2.** ⟨*fam*⟩ (*infittire*) to thicken, to make thick (*o* dense); (*rendere frequente*) to make frequent. – **II** *v.i.* (*aus.* **essere**), **rinfittirsi** *v.r.* to thicken, to become thicker (*o* denser); (*diventare frequente*) to become frequent.

rinfocạre *v.t.* (**rinfǫco/rinfuǫco, rinfǫchi/rinfuǫchi**) **1.** (*infocare di nuovo*) to make red hot again. – **2.** ⟨*fig*⟩ to enflame, to excite, to kindle. – **rinfocarsi** *v.r.* **1.** to become red hot again. – **2.** ⟨*fig*⟩ to become excited (again), to get heated (*o* worked up) again, to be carried away (again). – **rinfocolamẹnto** *m.* rekindling, reviving. – **rinfocolạre** *v.t.* (**rinfǫcolo**) to rekindle, to kindle (*o* excite) again, to stir up, to revive. – **rinfocolarsi** *v.r.* to be rekindled (*o* kindled again), to be aroused (*o* stirred up) again, to revive.

rinfoderạre *v.t.* (**rinfǫdero**) **1.** (*rimettere nel fodero*) to sheathe: ~ *la spada* to sheathe one's sword. – **2.** ⟨*estens*⟩ (*ritirare*) to withdraw, to sheathe: ~ *le unghie* to sheathe one's claws. – **3.** ⟨*fig*⟩ (*rinunciare*) to refrain from saying (*o* putting forward), to renounce, to give up.

rinforzamẹnto *m.* **1.** strengthening, invigorating, bracing: ~ *dei muscoli* strengthening (*o* building up) of the muscles. – **2.** (*rif. a suoni*) strengthening, increasing, intensification: ~ *della voce* strengthening of the voice. – **3.** (*rif. a costruzioni e sim.*) strengthening, bracing, reinforcement. – **4.** ⟨*fig,non com*⟩ (*rafforzamento*) strengthening, reinforcement.

rinforzạndo *avv./s.m.* ⟨*Mus*⟩ rinforzando.

rinforzạre *v.* (**rinfǫrzo**) **I** *v.t.* **1.** (*rendere più forte*) to strengthen, to make stronger, to build up: *la ginnastica rinforza i muscoli* gymnastics builds up the muscles. – **2.** (*rif. a suoni*) to strengthen, to emphasize. – **3.** (*rif. a costruzioni e sim.*) to strengthen, to brace, to reinforce, to support: ~ *un muro* to brace a wall; (*puntellare*) to prop (up). – **4.** ⟨*fig*⟩ (*rafforzare*) to strengthen, to support: ~ *la fiducia di qd.* to strengthen s.o.'s faith; ~ *una tesi* to support a thesis. – **5.** ⟨*Mil*⟩ to reinforce, to strengthen: ~ *il presidio* to reinforce the garrison. – **6.** ⟨*Fot*⟩ to intensify. – **7.** ⟨*Art*⟩ to intensify, to bring out; (*aumentare l'intensità di una tinta*) to deepen. – **II** *v.i.* (*aus.* **essere**) to become (*o* get) stronger. – **rinforzarsi** *v.r.* **1.** to become (*o* grow) stronger. – **2.** (*rimettersi in forze*) to build o.s. up, to strengthen o.s., to regain one's strength. □ *la pioggia rinforza* it is raining harder; *il vento rinforza* the wind is ⌜getting stronger⌝ (*o* blowing up), the wind is freshening.

rinforzạto (*p.p. di rinforzare*) *a.* **1.** strengthened, reinforced. – **2.** (*più rapido*) faster, quicker: *passo* ~ faster pace. – **3.** ⟨*tecn*⟩ reinforced. – **rinforzatụra** *f.* **1.** strengthening, reinforcing. – **2.** (*ciò che serve a rinforzare*) reinforcement. – **3.** ⟨*Fot*⟩ intensification.

rinfǫrzo *m.* **1.** strengthening, reinforcement. – **2.** (*ciò che serve a rinforzare*) reinforcement; (*appoggio*) support, brace. – **3.** ⟨*fig*⟩ support, aid, backing: *venire in* ~ *di qd.* to come to s.o.'s aid, to back s.o. up. – **4.** *pl.* ⟨*Mil*⟩ reinforcements *pl.* – **5.** ⟨*Sart*⟩ reinforcement. – **6.** ⟨*Fot*⟩ intensification: ~ *al cromo* chromium intensification. – **7.** ⟨*Mus*⟩ double. □ ~ *di un'asola* reinforcement of an eyelet, grommet; ⟨*Fal*⟩ ~ *d'angolo* angle brace.

rinfrancamẹnto *m.* encouragement, reassurance.

rinfrancạre *v.t.* (**rinfrạnco, rinfrạnchi**) **1.** to hearten, to encourage, to reassure, to cheer up. – **2.** (*rafforzare*) to strengthen, to build up: ~ *il coraggio di qd.* to build up s.o.'s courage. – **3.** ⟨*lett*⟩ (*rif. al corpo*) to strengthen, to build up, to make stronger. – **4.** ⟨*ant*⟩ (*risarcire*) to repay, to make good. – **rinfrancarsi** *v.r.* **1.** to take heart, to feel encouraged, to be reassured. – **2.** ⟨*fig,poet*⟩ (*rigermogliare*) to bud (*o* sprout) again. – **rinfrancạto** (*p.p. di rinfrancare*) *a.* **1.** reassured, stronger. – **2.** (*sicuro, fermo*) steady, sure, firm: *voce -a* steady voice.

rinfranchịrsi *v.r.* (**mi rinfranchịsco, ti rinfranchịsci**) ⟨*non com*⟩ (*rinfrancarsi*) to take heart, to feel encouraged, to be reassured.

rinfrạnco *m.* (*pl.* **-chi**) ⟨*non com*⟩ **1.** encouragement. – **2.** (*aiuto*) support, backing.

rinfrạngere *v.t.* (**rinfrạngo, rinfrạngi; rinfrạnsi, rinfrạnto**) ⟨*non com*⟩ **1.** (*infrangere*) to break, to dash. – **2.** (*rifrangere*) to refract. – **rinfrangersi** *v.r.* to break (*su* on, against), to dash (against): *i flutti si rinfrangevano sugli scogli* the waves dashed against the rocks.

rinfrescamẹnto *m.* cooling, refreshing, refreshment, freshening. – **rinfrescạnte** (*p.pr. di rinfrescare*) **I** *a.* refreshing, cooling: *bibita* ~ refreshing drink. – **II** *s.m.* ⟨*Farm*⟩ mild laxative.

rinfrescạre *v.* (**rinfrẹsco, rinfrẹschi**) **I** *v.t.* **1.** to cool (off), to make cooler (*o* fresher): *il temporale ha rinfrescato l'aria* the storm has cooled the air; *mettere a* ~ to put to cool. – **2.** (*rinnovare, pulire*) to freshen up, to clean: ~ *un abito* to freshen up a suit. – **3.** ⟨*fig*⟩ (*ravvivare*) to brush up: *bisogna che rinfreschi il mio tedesco* I need to brush up my German. – **4.** ⟨*Art*⟩ (*restaurare*) to restore. – **5.** ⟨*Med*⟩ to cool, to get a temperature down, to reduce a fever. – **6.** ⟨*ant*⟩ (*rifornire*) to supply, to furnish. – **II** *v.i.* (*aus.* **essere/avere**) **1.** to become (*o* get) cooler, to cool (off, down): *l'aria è rinfrescata* the air has become cooler. – **2.** (*usato impersonalmente*) to become (*o* get) cooler, to cool down: *da qualche giorno è rinfrescato* it has become cooler in the last few days. – **3.** ⟨*Mar*⟩ to freshen. – **rinfrescarsi** *v.r.* **1.** (*perdere calore*) to cool down. – **2.** (*lavarsi, mettersi in ordine*) to refresh o.s., to freshen up; (*ristorarsi*) to refresh o.s., to eat and drink s.th., to take refreshment. – **3.** ⟨*ant*⟩ (*rifornirsi*) to supply (*o* furnish) o.s. (*di* with), to stock up (on). – **4.** ⟨*fig, ant*⟩ (*ravvivarsi*) to revive. □ ⟨*Mil.ant*⟩ ~ *la battaglia* to renew hostilities, to begin fighting again; ~ *la memoria* to refresh one's memory.

rinfrescạta *f.* **1.** cooling, cooler weather. – **2.** (*il rinfrescarsi*) freshening up. – **3.** (*il rinnovare, il rimodernare*) freshening up, renovation. □ *darsi una* ~ to freshen up; *dare una* ~ *alle pareti* to give a light coat of paint to the walls; *dopo la pioggia ci fu una* ~ it was cooler after the rain, the rain brought the temperature down.

rinfrescatịna *f. dim. di* **rinfrescata.** – **rinfrescatịvo** *a.* ⟨*non com*⟩ (*rinfrescante*) refreshing, cooling. – **rinfrescatọio** *m.* ⟨*ant*⟩ cooler.

rinfrẹsco *m.* (*pl.* **-chi**) **1.** cooling, refreshment; (*il rinfrescarsi*) freshening up. – **2.** (*ricevimento*) reception: ~ *di nozze* wedding reception; (*meno formale*) party: *dare un* ~ to give a party. – **3.** *pl.* (*cibi e bevande*) refreshments *pl.* – **4.** ⟨*ant*⟩ (*ristoro*) rest. – **5.** ⟨*ant*⟩ (*rifornimento*) supply, furnishing, provisioning.

rinfrigidạrsi *v.r.* (**mi rinfrịgido**) ⟨*poet*⟩ (*raffreddarsi*) to grow (*o* get) cold.

rinfrinzellạre *v.t.* (**rinfrinzęllo**) ⟨*tosc*⟩ (*ricucire grossolanamente*) to sew clumsily, to cobble; (*rammendare grossolanamente*) to cobble, to mend clumsily (*o* coarsely), to patch up. – **rinfrinzellạto** (*p.p. di rinfrinzellare*) *a.* ⟨*tosc*⟩ **1.** (*ricucito*) sewn clumsily; (*rammendato*) coarsely mended. – **2.** ⟨*fig*⟩ (*deturpato*) scarred, disfigured.

rinfronzịre *v.* (**rinfronzịsco, rinfronzịsci**) ⟨*ant*⟩ → **rifronzire.**

rinfronzolạre *v.* (**rinfrọnzolo**) ⟨*non com*⟩ → **rinfronzolire.** – **rinfronzolịre** *v.t.* (**rinfronzolịsco, rinfronzolịsci**) ⟨*scherz*⟩ (*adornare con fronzoli*) to dress up, to spruce up, to titivate. – **rinfronzolirsi** *v.r.* (*azzimarsi*) to dress (*o* spruce, get) o.s. up, to titivate o.s.,

to deck o.s. out. – **rinfronzolịto** (*p.p. di rinfronzolire*) *a.* (*azzimato*) dressed (*o* got) up, decked out.
rinfurbịre *v.i.* (**rinfurbịsco, rinfurbịsci**; *aus.* **essere**) ⟨*tosc*⟩ (*infurbire*) to grow cunning (*o* crafty).
rinfụsa: *alla* ~: 1. helter-skelter, higgledy-piggledy, in confusion; 2. ⟨*Comm*⟩ loose, in bulk: *merci alla* ~ loose merchandise, merchandise in bulk.
rinfụse *f.pl.* ⟨*Mar*⟩ bulk goods *pl.*
rinfụso *m.* ⟨*Min*⟩ (crude) ore.
ring *ingl. m.* **1.** ⟨*Sport*⟩ (*quadrato*) ring. – **2.** ⟨*Tess*⟩ (*filatoio ad anello*) ring spinning-machine (*o* spinning-frame). – **3.** ⟨*Econ*⟩ ring, combine, pool.
ringagliardimẹnto *m.* invigoration, strengthening. – **ringagliardịre** *v.* (**ringagliardịsco, ringagliardịsci**) **I** *v.t.* (*ingagliardire*) to invigorate, to strengthen, to harden, to fortify, ⟨*fam*⟩ to toughen up. – **II** *v.i.* (*aus.* **essere**), **ringagliardirsi** *v.r.* to become vigorous (*o* strong), to be strengthened.
ringalluzzạre *v.* ⟨*non com*⟩ → **ringalluzzire**. – **ringalluzzịre** *v.* (**ringalluzzịsco, ringalluzzịsci**) **I** *v.t.* to make cocky (*o* jaunty), to perk up. – **II** *v.i.* (*aus.* **essere**), **ringalluzzirsi** *v.r.* to get cocky, to grow jaunty, to perk up. – **ringalluzzịto** (*p.p. di ringalluzzire*) *a.* cocky, jaunty, perked up.
ringarbugliạre *v.t.* (**ringarbụglio, ringarbụgli**) **1.** to (en)tangle again. – **2.** (*ingarbugliare*) to (en)tangle.
ringavagnạre *v.t.* ⟨*ant*⟩ **1.** (*rimettere nel paniere*) to (put in a) basket again. – **2.** ⟨*fig*⟩ (*riacquistare, riprendere*) to regain, to recover.
ringentilịre *v.t.* (**ringentilịsco, ringentilịsci**) **1.** (*ingentilire di nuovo*) to refine again, to repolish, to recivilize. – **2.** (*ingentilire*) to refine, to polish, to civilize. – **ringentilirsi** *v.r.* to become (more) refined, to acquire polish.
ringhiạre *v.i.* (**rịnghio, rịnghi**; *aus.* **avere**) to growl, to snarl.
ringhiẹra *f.* **1.** ⟨*Edil*⟩ railing, balustrade; (*delle scale*) banister, handrail. – **2.** ⟨*Mar,non com*⟩ (*battagliola*) rail, stanchion. – **3.** ⟨*ant*⟩ (*tribuna*) tribune, platform, dais.
rịnghio *m.* growl, snarl. – **ringhiọso** *a.* **1.** growling, snarling. – **2.** ⟨*fig*⟩ (*rif. a persona*) snarling, snappish, irritable, testy, bad -tempered.
ringhiottịre *v.* (**ringhiọtto/ringhiottịsco, ringhiọtti/ringhiottịsci**) → **ringoiare**.
ringiallịre *v.* (**ringiallịsco, ringiallịsci**) **I** *v.t.* **1.** (*ingiallire di nuovo*) to turn (*o* make) yellow again, to yellow again. – **2.** (*ingiallire*) to turn (*o* make) yellow, to yellow. – **II** *v.i.* (*aus.* **essere**), **ringiallirsi** *v.r.* **1.** (*ingiallire di nuovo*) to turn (*o* become) yellow again, to yellow again. – **2.** (*ingiallire*) to turn (*o* become) yellow, to yellow.
ringiovanimẹnto *m.* **1.** rejuvenation. – **2.** ⟨*Giard,Silv*⟩ trimming, pruning. – **ringiovanịre** *v.* (**ringiovanịsco, ringiovanịsci**) **I** *v.t.* **1.** to make look (*o* feel) younger, to make young again, to rejuvenate: *questa pettinatura ti ringiovanisce* this hair-style makes you look younger. – **2.** ⟨*fig*⟩ to renew, to revive, to rejuvenate. – **3.** ⟨*Giard, Silv*⟩ to trim, to prune. – **II** *v.i.* (*aus.* **essere**), **ringiovanirsi** *v.r.* to feel younger, to look younger. – **ringiovanịto** (*p.p. di ringiovanire*) *a.* younger-looking, rejuvenated. – **ringiovenịre** *v.* ⟨*ant*⟩ → **ringiovanire**.
ringiucchịre *v.i.* (**ringiucchịsco, ringiucchịsci**; *aus.* **essere**) ⟨*tosc*⟩ (*rincitrullire*) to become stupid, to go silly.
ringoiạre *v.t.* (**ringọio, ringọi**) **1.** (*ingoiare di nuovo*) to swallow again. – **2.** ⟨*fig*⟩ (*ritrattare*) to swallow, to retract, to recant, to take back, ⟨*fam*⟩ to eat. – **3.** ⟨*fig*⟩ (*mandare giù*) to swallow, to repress, ⟨*fam*⟩ to choke back. – **ringollạre** *v.* (**ringọllo**) ⟨*pop*⟩ → **ringoiare**.
ringorgamẹnto *m.* → **ringorgo**. – **ringorgạre** *v.t.* (**ringọrgo, ringọrghi**) to fill (*o* stop) up again. – **ringorgarsi** *v.r.* **1.** (*ingorgarsi di nuovo*) to fill up again, to become stopped up again. – **2.** (*ingorgarsi*) to fill up, to become stopped up. – **ringọrgo** *m.* (*pl.* **-ghi**) ⟨*non com*⟩ (*ingorgo*) blockage, obstruction.
ringranạre[1] *v.t.* ⟨*Agr*⟩ to replant with grain.
ringranạre[2] **I** *v.i.* (*aus.* **essere**) **1.** ⟨*tecn*⟩ to remesh, to mesh again. – **2.** ⟨*fig*⟩ to get going again, to get back in gear. – **II** *v.t.* **1.** to plug and rebore. – **2.** ⟨*Mecc*⟩ to re-engage.
ringrandịre *v.* (**ringrandịsco, ringrandịsci**) **I** *v.t.* **1.** (*ingrandire di nuovo*) to enlarge (*o* make larger) again; (*ingrandire ancora*) to enlarge further, to make still larger. – **2.** (*rif. a indumenti*) to let out. – **II** *v.i.* (*aus.* **essere**), **ringrandirsi** *v.r.* **1.** (*diventare di nuovo grande*) to become (*o* get) larger again, to get bigger again; (*diventare ancora più grande*) to become (*o* grow) still larger, to get even bigger. – **2.** ⟨*fig*⟩ (*inorgoglirsi*) to boast (*di* of).
ringrạno *m.* ⟨*Agr*⟩ replanting with grain.
ringravidạre *v.* (**ringrạvido**) **I** *v.t.* to make pregnant again. – **II** *v.i.* (*aus.* **essere**) (*ridiventare gravida*) to become pregnant again.
ringraziamẹnto *m.* **1.** thanks *pl*, thanking: *scrivere qualche riga di* ~ to write a few words of thanks. – **2.** *pl.* thanks *pl*, gratitude: *gradisca i miei più vivi -i* please accept my sincere thanks; (*parole di ringraziamento*) thanks *pl*, thank-you: *colmare qd. di -i* to shower s.o. with thanks. – **3.** ⟨*Lit*⟩ thanksgiving. □ *di* ~ of thanks, thank -you-: *lettera di* ~ letter of thanks, thank-you letter; *lettera di* ~ *per l'ospitalità ricevuta* ⟨*fam*⟩ bread-and-butter letter; *parole di* ~ (words of) thanks.
ringraziạre *v.t.* (**ringrạzio, ringrạzi**) **1.** to thank, to express gratitude to: ~ *qd. di qc.* to thank s.o. for s.th.; *ti ringrazio per la telefonata* thank you for your phone call. – **2.** (*declinare*) to decline, to thank. □ ~ *di cuore* to thank sincerely (*o* with all one's heart); *ringraziando* (*o sia ringraziato*) *Dio* (*o il cielo*)*!* thank heavens!, thank God!; *ti ringrazio infinitamente per essere venuto* thank you so much for coming; ~ *per iscritto* to thank in writing, to write a ⌜letter of thanks⌝ (*o* thank-you letter).
ringrinzạre *v.* → **ringrinzire**. – **ringrinzịre** *v.t.* (**ringrinzịsco, ringrinzịsci**) ⟨*non com*⟩ (*raggrinzare*) to wrinkle.
ringrossạre *v.* (**ringrọsso**) **I** *v.t.* **1.** (*ingrossare di nuovo*) to swell (*o* thicken) again, to augment (*o* increase) again. – **2.** (*ingrossare*) to swell, to thicken, to augment, to increase. – **3.** ⟨*Mil*⟩ to strengthen, to reinforce. – **II** *v.i.* (*aus.* **essere**), **ringrossarsi** *v.r.* to swell (*o* thicken) again, to become (*o* get) bigger, to increase again.
ringrossatụra *f.* ⟨*non com*⟩ → **ringrosso**. – **ringrọsso** *m.* **1.** swelling, thickening, increase, enlargement. – **2.** (*parte ingrossata*) swelling, thickening, bulge. – **3.** (*imbottitura*) padding, stuffing, filling.
ringrugnịre *v.i.* (**ringrugnịsco, ringrugnịsci**; *aus.* **essere**) ⟨*tosc*⟩ (*ingrugnire*) to sulk, to pout. – **ringrugnịto** (*p.p. di ringrugnire*) *a.* ⟨*tosc*⟩ (*ingrugnito*) sulky, pouting.
ringrullịre *v.* (**ringrullịsco, ringrullịsci**) ⟨*tosc*⟩ **I** *v.i.* (*aus.* **essere**) **1.** (*ingrullire*) to become (*o* grow) silly. – **2.** (*ingrullire di nuovo*) to become (*o* grow) silly again. – **II** *v.t.* to make silly.
ringuainạre *v.t.* (**ringuạino/ringuaịno**) to sheathe: ~ *la spada* to sheathe one's sword.
rịnico *a.* (*pl.* **-ci**) ⟨*Med,non com*⟩ (*del naso*) of the nose, nose-, rhino... – **rinịte** *f.* ⟨*Med*⟩ rhinitis. □ ~ *catarrale acuta* acute catarrhal rhinitis; ~ *catarrale cronica* chronic catarrhal rhinitis.
rinnalzạre *v.t.* **1.** (*innalzare di nuovo*) to raise again, to lift (up) again. – **2.** (*rialzare*) to raise, to lift. – **rinnalzarsi** *v.r.* **1.** to rise again. – **2.** ⟨*fig*⟩ to rise.
rinnamoramẹnto *m.* **1.** (*il rinnamorarsi*) falling in love again. – **2.** (*nuovo innamoramento*) being in love again. – **rinnamorạre** *v.t.* (**rinnamọro**) to cause to fall in love again, ⟨*lett*⟩ to enamour again. – **rinnamorarsi** *v.r.* to fall in love again (*di* with).
rinnegamẹnto *m.* repudiation, denial, disavowal. – **rinnegạre** *v.t.* (**rinnẹgo/rinnẹgo, rinnẹghi/rinnẹghi**) **1.** to repudiate, to deny, to disown, to disavow, to renounce: ~ *i propri genitori* to deny one's own parents. – **2.** (*rif. a idee o istituzioni*) to renounce, to repudiate, to disown, to deny: ~ *i propri principi* to repudiate one's own principles. – **3.** ⟨*rar*⟩ (*lasciare, abbandonare*) to give up, to abandon, to renounce. – **rinnegạto** (*p.p. di rinnegare*) **I** *a.* renegade-, that has repudiated. – **II** *s.m.* (*f.* **-a**) **1.** renegade, turncoat. – **2.** ⟨*Rel*⟩ renegade, apostate. – **rinnegatọre** *m.* (*f.* **-trice**) ⟨*non com*⟩ repudiator, denier, renouncer. – **rinnegaziọne** *f.* ⟨*ant,lett*⟩ → **rinnegamento**.
rinnervạrsi *v.r.* (**mi rinnẹrvo**) **1.** (*innervarsi di nuovo*) to regain strength, to become strong(er) again, to be strengthened (*o* fortified) again. – **2.** ⟨*fig*⟩ (*riprendere vigore*) to be reinvigorated, to gain new strength.
rinnestạre *v.t.* (**rinnẹsto**) **1.** ⟨*Giard*⟩ (*reinnestare*) to regraft. – **2.** ⟨*Mecc*⟩ to re-engage: ~ *una marcia* to re-engage a gear. – **rinnẹsto** *m.* ⟨*Giard*⟩ (*reinnesto*) regrafting.
rinnovạbile *a.* renewable.
rinnovamẹnto *m.* **1.** (*riordinamento*) renewal. – **2.** ⟨*fig*⟩ revival, renewal: ~ *morale* moral revival. – **3.** (*rimodernamento*) renewal, renovation: ~ *del guardaroba* renewal of one's wardrobe. – **4.** ⟨*non com*⟩ (*ripetizione*) repetition, renewal: ~ *di una proposta* renewal of a proposal. □ ⟨*Dir*⟩ ~ *del giudizio* retrial, new trial.
rinnovạnza *f.* ⟨*ant,poet*⟩ → **rinnovazione**.
rinnovạre *v.t.* (**rinnọvo**) **1.** (*rendere nuovo*) to renew, to restore (*anche fig.*): ~ *la facciata di un palazzo* to restore the façade of a building; ~ *il dolore* to renew the anguish. – **2.** (*ripetere, fare di nuovo*) to renew, to repeat: ~ *una promessa* to renew a promise; ~ *l'abbonamento a un giornale* to renew a newspaper subscription. – **3.** (*sostituire il vecchio col nuovo*) to change, ⟨*fam*⟩ to redo: ~ *l'aria di una stanza* to change the air in a room, to air a room; ~ *la tappezzeria di una poltrona* to redo (the upholstery of) an armchair. – **4.** ⟨*fig*⟩ (*migliorare, riformare*) to reform, to improve: ~ *la società* to reform society. – **5.** ⟨*tosc*⟩ (*usare per la prima volta*) to wear (*o* put on) for the first time, ⟨*fam*⟩ to christen: ~ *un vestito* to christen a dress. – **6.** (*rif. a piante*) to make bud (*o* sprout) again. – **rinnovarsi** *v.r.* **1.** (*diventare nuovo*) to be renewed (*o* made new again, restored). – **2.** (*ripetersi*) to happen again, to be repeated, to reoccur: *spero che l'inconveniente non si rinnovi* I hope the trouble doesn't happen again. – **3.** ⟨*lett*⟩ (*continuare a vivere*) to live on. □ ~ *il fuoco* (*ravvivarlo*) to stir up the fire; ⟨*epist*⟩ *Le rinnovo i miei ringraziamenti* my sincere thanks once again; *il riposo mi ha rinnovato le forze* the rest has ⌜given me new strength⌝ (*o* reinvigorated me); *uscì da quella prova come rinnovato* once out of that difficulty he was a new man.
rinnovatịvo *a.* renewing, renovating, making new. – **rinnovatọre** **I** *s.m.* (*f.* **-trice**) renewer. – **II** *a.* renewing.
rinnovaziọne *f.* **1.** renewal, renewing. – **2.** (*ripetizione*) renewal, repetition. – **3.** (*prolungamento*) renewal: ~ *di un contratto* renewal of a contract. – **4.** ⟨*non com*⟩ (*rimodernamento*) renovation, renewal: ~ *di un appartamento* renovation of a flat.
rinnovellamẹnto *m.* ⟨*lett*⟩ renewal; (*ripetizione*) repetition, renewal.
rinnovellạre *v.t.* (**rinnovẹllo**) ⟨*poet*⟩ **1.** to renew, to make new again. – **2.** (*ripetere*) to repeat, to renew. – **3.** (*ravvivare*) to revive. – **rinnovellatọre** *m.* (*f.* **-trice**) ⟨*lett*⟩ renewer.
rinnọvo *m.* **1.** renewal, renewing. – **2.** (*prolungamento*) renewal: ~ *di una cambiale* renewal of a bill. – **3.** (*rimodernamento*) renovation. – **4.** ⟨*Agr*⟩ deep ploughing. – **rinnuọvo** *m.* ⟨*rar*⟩ → **rinnovo**.

rino... *pref.* (*naso* nose) rhin(o)..., naso..., nose-.
...rino *suff.* (*naso* nose, *relativo al naso* of the nose) ...(r)rhine.
rinobạtidi *m.pl.* ⟨*Itt*⟩ rhinobatids *pl* (*Rhinobatidae*).
rinocerǫnte *m.* **1.** ⟨*Zool*⟩ rhinoceros (*Rhinoceros*). – **2.** ⟨*fig,non com*⟩ (*persona insensibile*) thick-skinned person. □ ~ *africano* (*o comune*) black rhinoceros (*Diceros bicornis*); ~ *bianco* (*o camuso*) white rhinoceros (*Ceratotherium simum*); ~ *indiano* Indian rhinoceros (*Rhinoceros unicornis*).
rino|farịnge *f./m.* ⟨*Anat*⟩ nasopharynx, rhinopharynx. – **~faringịte** *f.* ⟨*Med*⟩ rhinopharyngitis. – **~fịma** *m.* rhinophyma. – **~fonịa** *f.* ⟨*non com*⟩ → **rinolalia.** – **~iatrịa** *f.* → **rinologia.** – **~lalịa** *f.* rhinolalia. – **~laringịte** *f.* rhinolaryngitis.
rinọlito *m.* ⟨*Med*⟩ rhinolith.
rinolǫfidi *m.pl.* ⟨*Zool*⟩ rhinolophids *pl* (*Rhinolophidae*).
rinologịa *f.* ⟨*Med*⟩ rhinology. – **rinọlogo** *m.* (*pl.* **-gi**; *f.* **-a**) rhinologist.
rinomạnza *f.* renown, reputation, fame: *un medico di ~ internazionale* a doctor ⌜of international renown⌝ (*o* with an international reputation). □ *avere ~* to be renowned (*o* well-known). – **rinomạre** *v.t.* (**rinọmo**) ⟨*ant*⟩ (*nominare con lode*) to speak highly of, to praise. – **rinomạto** (*p.p. di rinomare*) *a.* renowned, famous, celebrated, well-known. – **rinomẹa** *f.* ⟨*ant*⟩ → **rinomanza.**
rinominạre *v.t.* (**rinọmino**) **1.** (*nominare di nuovo*) to name again. – **2.** (*designare di nuovo*) to reappoint. – **3.** (*rieleggere*) to re-elect, to elect again: *fu rinominato sindaco* he was re-elected mayor.
rinoplạstica *f.* ⟨*Chir*⟩ rhinoplasty, plastic surgery of the nose. – **rinorrafịa** *f.* rhinorrhaphy. – **rinorragịa** *f.* ⟨*Med*⟩ rhinorrhagia, epistaxis, nosebleed. – **rinorrạgico** *a.* (*pl.* **-ci**) of rhinorrhagia. – **rinorrẹa** *f.* ⟨*Med*⟩ rhinorrh(o)ea.
rino|sclerǫma *m.* ⟨*Med*⟩ rhinoscleroma. – **~scopịa** *f.* rhinoscopy. – **~scǫpio** *m.* rhinoscope.
rinovạre *v.* ⟨*ant*⟩ → **rinnovare.**
rinovellạre *v.* ⟨*ant*⟩ → **rinnovellare.**
rinquadrạre *v.t.* **1.** to reframe. – **2.** ⟨*fig*⟩ (*reinserire nella giusta dimensione*) to get back to the point of, to put (*o* get) back into perspective. – **3.** ⟨*Fot,Cin*⟩ to frame (in the view-finder) again.
rinquartạre I *v.t.* **1.** ⟨*non com*⟩ (*quadruplicare*) to quadruple, to multiply by four. – **2.** ⟨*non com*⟩ (*ripetere per la quarta volta*) to do for the fourth time. – **3.** ⟨*rar*⟩ (*dividere per quattro*) to quarter, to divide ⌜into quarters⌝ (*o* by four). – **4.** ⟨*ant*⟩ (*accrescere di un quarto*) to increase by a fourth. – **5.** ⟨*Agr*⟩ to sow four years running with the same crop. – **II** *v.i.* (*aus.* **avere**) (*nel biliardo*) to cause the opponent's ball to strike three cushions.
rinquạrto *m.* (*nel biliardo*) stroke causing the opponent's ball to strike three cushions.
rinsaccamẹnto *m.* ⟨*non com*⟩ **1.** sacking (*o* bagging) again. – **2.** (*rif. a chi cavalca*) jolting. – **rinsaccạre** *v.* (**rinsạcco, rinsạcchi**) **I** *v.t.* (*insaccare di nuovo*) to put into a sack (*o* bag) again, to sack (*o* bag) again, to repack; (*battere a terra un sacco per pigiarne il contenuto*) to shake down a sack. – **II** *v.i.* (*aus.* **essere**), **rinsaccarsi** *v.r.* **1.** (*affondare la testa nelle spalle*: *come andatura abituale*) to draw one's head in, to be hunched up; (*per indicare indifferenza*) to shrug one's shoulders. – **2.** (*rif. a chi cavalca*) to be jolted (*o* shaken up). – **rinsaccạto** (*p.p. di rinsaccare*) *a.* (*infagottato*) wrapped (*o* bundled) up.
rinsaldamẹnto *m.* strengthening, consolidation, confirmation, fortification. – **rinsaldạre** *v.t.* **1.** to strengthen, to consolidate, to confirm, to make firm, to fortify: *~ un'alleanza* to consolidate an alliance. – **2.** (*inamidare nuovamente*) to starch again, to restarch. – **rinsaldarsi** *v.r.* to become (*o* grow, get) stronger, to be strengthened (*o* consolidated, fortified); (*confermarsi*) to be confirmed: *rinsaldarsi nelle proprie convinzioni* to be confirmed in one's convictions.
rinsalvatichịre *v.* ⟨*tosc*⟩ → **rinselvatichire.**
rinsanguamẹnto *m.* **1.** giving (*o* transfusion) of new blood. – **2.** ⟨*fig*⟩ infusion of new life (*o* energy), boost: *un ~ delle finanze* a boost to finances. – **rinsanguạre** *v.t.* **1.** to give new blood to, to transfuse new blood. – **2.** ⟨*estens*⟩ (*rinvigorire*) to reinvigorate, to give new strength to. – **3.** ⟨*fig*⟩ (*rifornire di denaro*) to supply (*o* furnish) with money. – **rinsanguarsi** *v.r.* **1.** to get new blood. – **2.** ⟨*estens*⟩ (*riprendere vigore*) to recover one's strength, to become stronger. – **3.** ⟨*fig*⟩ (*riprendersi economicamente*) to recover financially, ⟨*fam*⟩ to get back on one's feet, ⟨*fam*⟩ to pick up.
rinsanicạre *v.* (**rinsạnico, rinsạnichi**) → **rinsanichire.** – **rinsanichịre** *v.* (**rinsanichịsco, rinsanichịsci**) **I** *v.t.* ⟨*tosc*⟩ **1.** (*risanare*) to make healthy again, to restore to health. – **2.** (*bonificare*) to reclaim. – **II** *v.i.* (*aus.* **essere**), **rinsanichirsi** *v.r.* → **rinsanire.** – **rinsanịre** *v.i.* (**rinsanịsco, rinsanịsci**; *aus.* **essere**) **1.** to recover (one's health), to become healthy again. – **2.** (*ricuperare il senno*) to become sane again, to recover one's wits (*o* mental health).
rinsavịre *v.* (**rinsavịsco, rinsavịsci**) **I** *v.i.* (*aus.* **essere**) **1.** (*ricuperare il senno*) to become sane again, to recover one's wits. – **2.** (*ridiventare giudizioso*) to come to one's senses, to become sensible again, ⟨*fam*⟩ to see sense. – **II** *v.t.* ⟨*non com*⟩ (*far tornare giudizioso*) to bring to one's senses, ⟨*fam*⟩ to make see sense.
rinsecchịre *v.* (**rinsecchịsco, rinsecchịsci**) **I** *v.t.* (*insecchire*) to dry (up), to make dry. – **II** *v.i.* (*aus.* **essere**) **1.** (*diventare secco*) to dry up, to go (*o* get) dry: *il pane rinsecchisce* bread goes dry (*o* stale). – **2.** (*diventare magro*) to grow (*o* get) thin, to become gaunt. – **rinsecchịto** (*p.p. di rinsecchire*) *a.* **1.** dry, dried up: *pane ~* dry (*o* stale) bread. – **2.** (*magro*) thin, gaunt.
rinseccolịre *v.t.* (**rinseccolịsco, rinseccolịsci**) ⟨*rar*⟩ to dry (up), to make dry. – **rinseccolịto** (*p.p. di rinseccolire*) *a.* dry, dried up.
rinsegnạre *v.* (**rinsẹgno**) **I** *v.t.* **1.** (*insegnare di nuovo*) to teach again. – **2.** ⟨*ant*⟩ (*indicare*) to show, to point out. – **II** *v.i.* (*aus.* **avere**) to teach again.
rinselvạre *v.t.* (**rinsẹlvo**) ⟨*non com*⟩ **1.** (*rimboscare*) to reafforest. – **2.** (*respingere nella selva*) to drive into the woods. – **rinselvarsi** *v.r.* ⟨*lett*⟩ **1.** (*rifugiarsi nella selva*) to take to the woods, to hide in a wood. – **2.** (*rimboschire*) to become wooded again.
rinselvatichịre *v.* (**rinselvatichịsco, rinselvatichịsci**) **I** *v.t.* (*rif. ad animali e persone*) to make (become) wild; (*rif. a piante*) to let run (*o* grow) wild. – **II** *v.i.* (*aus.* **essere**) **1.** (*rif. ad animali e piante*) to revert to a wild state, to become (*o* run) wild. – **2.** (*rif. a persone*) to grow (*o* run) wild, to become intractable (*o* unruly). – **rinselvatichịto** (*p.p. di rinselvatichire*) *a.* **1.** (*rif. ad animali e piante*) wild. – **2.** (*rif. a persone*) wild, intractable, unruly.
rinserramẹnto *m.* ⟨*rar*⟩ **1.** (*il rinserrare*) shutting up; (*a chiave*) locking up. – **2.** (*il rinserrarsi*) shutting o.s. up, confining o.s.; (*a chiave*) locking o.s. up.
rinserrạre *v.t.* (**rinsẹrro**) **1.** (*serrare*) to shut up; (*a chiave*) to lock up. – **2.** (*serrare di nuovo*) to shut up again; (*a chiave*) to lock up again, to relock: *rinserrò l'uscio* he locked the door (up) again, he relocked the door. – **3.** (*stringere, abbracciare*) to clasp, to clutch: *la donna rinserrò il bimbo tra le braccia* the woman clasped the child in her arms. – **4.** ⟨*rar*⟩ (*sbarrare, turare*) to block (up), to dam. – **rinserrarsi** *v.r.* to shut o.s. up; (*a chiave*) to lock o.s.: *rinserrarsi in camera* to lock o.s. in one's room. – **rinserrạto** (*p.p. di rinserrare*) *a.* shut up; (*a chiave*) locked up.
rinsudiciạre *v.t.* (**rinsụdicio, rinsụdici**) **1.** (*insudiciare di nuovo*) to dirty (*o* soil) again; (*insudiciare di più*) to make dirtier. – **2.** (*insudiciare*) to dirty, to soil. – **rinsudiciarsi** *v.r.* **1.** to dirty o.s. again, to get dirty again; (*di più*) to get (even) dirtier. – **2.** (*insudiciarsi*) to dirty o.s., to get dirty.
rintanamẹnto *m.* ⟨*non com*⟩ hiding, concealment. – **rintanạre** *v.t.* ⟨*non com*⟩ (*far rientrare nella tana*) to drive into one's den (*o* hole, burrow). – **rintanarsi** *v.r.* **1.** (*rientrare nella tana*) to go to earth again. – **2.** (*intanarsi*) to hide in one's den (*o* hole, burrow), to go to earth, to lair. – **3.** ⟨*estens*⟩ (*rifugiarsi*) to hide, to conceal o.s., to hole up. – **rintanạto** (*p.p. di rintanare*) *a.* **1.** ⟨*non com*⟩ hidden (in a den), gone to earth. – **2.** ⟨*fig*⟩ (*rif. a persone*) hidden, hiding away, concealed, holed (*o* shut) up: *se ne sta sempre ~ in casa* he's always holed (*o* shut) up in the house.
rintasạre I *v.t.* (*intasare di nuovo*) to stop up again, to block (*o* clog, obstruct) again, to choke (up) again. – **II** *v.i.* (*aus.* **essere**), **rintasarsi** *v.r.* **1.** to become obstructed (*o* stopped, clogged) again, to be blocked (*o* choked) again. – **2.** (*intasarsi*) to become obstructed (*o* stopped, clogged), to be blocked (*o* choked).
rintascạre *v.t.* (**rintạsco, rintạschi**) to (put in one's) pocket again.
rintavolạre *v.t.* (**rintạvolo**) to start (*o* begin, open) again, to initiate (*o* broach) again.
rintegrạre *v.t.* (**rintẹgro/rintẹgro/***non com.* **rịntegro**) ⟨*lett*⟩ (*reintegrare*) to reintegrate, to restore. – **rintegratọre** *m.* (*f.* **-trice**) ⟨*lett*⟩ reintegrator, restorer. – **rintegraziọne** *f.* ⟨*lett*⟩ (*reintegrazione*) reintegration, restoration.
rintelạre *v.t.* (**rintẹlo**) to reline. – **rintelatụra** *f.* relining.
rintenerịre *v.t.* (**rintenerịsco, rintenerịsci**) to move (*o* touch) again, to arouse tenderness in again, to make tender again. – **rintenerirsi** *v.r.* to be moved (*o* touched) (*di* by).
rinterrạre *v.t.* (**rintẹrro**) **1.** (*interrare*) to fill up (with earth), to fill in: *~ un pozzo* to fill in a well. – **2.** (*interrare di nuovo*) to fill up (with earth) again, to fill in again. – **3.** ⟨*Giard*⟩ (*rinnovare la terra*) to change a layer of soil. – **rinterrarsi** *v.r.* (*riempirsi di terra*) to fill up (with earth); (*rif. a porti e sim.*) to silt up, to become (*o* get) silted up. – **rinterratụra** *f.* changing a layer of soil. – **rintẹrro** *m.* **1.** (*atto*) embanking, filling up (with earth), filling in; (*effetto*) bank, embankment. – **2.** (*materiale*) backfill, filler.
rinterzạre *v.* (**rintẹrzo**) **I** *v.t.* **1.** ⟨*lett*⟩ (*triplicare*) to triple, to treble, to multiply by three. – **2.** ⟨*lett*⟩ (*disporre in triplice strato*) to arrange in three layers. – **3.** ⟨*lett*⟩ (*ripetere per la terza volta*) to do for the third time. – **4.** ⟨*Agr*⟩ (*seminare per tre anni di seguito*) to sow with the same crop three years running; (*piantare su tre file*) to plant in three rows; (*interzare*) to plough for the third time. – **5.** ⟨*ant*⟩ (*accrescere di un terzo*) to increase by a third. – **II** *v.i.* (*aus.* **avere**) (*nel biliardo*) to cause the opponent's ball to strike two cushions and return to strike the player's ball.
rinterzạto (*p.p. di rinterzare*) *a.* ⟨*non com*⟩ **1.** (*disposto su tre strati*) arranged in three layers. – **2.** (*disposto su tre file*) arranged in three rows.
rintẹrzo *m.* (*nel biliardo*) stroke causing the opponent's ball to strike two cushions and return to strike the player's ball.
rintiepidịre *v.* (**rintiepidịsco, rintiepidịsci**) **I** *v.t.* to make lukewarm (*o* tepid) again; (*aumentando il calore*) to warm up (*o* over), to warm again; (*diminuendo il calore*) to cool off (*o* down) again. – **II** *v.i.* (*aus.* **essere**), **rintiepidirsi** *v.r.* to become lukewarm again, to grow tepid again; (*scaldarsi*) to warm (up) again, to get warmer again; (*freddarsi*) to cool (down) again, to grow cooler again.
rintoccạre[1] *v.i.* (**rintọcco, rintọcchi**; *aus.* **avere**) **1.** (*rif. a campane*) to toll. – **2.** (*rif. a orologi*) to strike. – **3.** ⟨*fig,non com*⟩ (*rif. a parole, pensieri e sim.*) to ring, to echo, to sound.
rintoccare[2] *m.* **1.** (*rif. a campane*) toll(ing). – **2.** (*rif. a orologi*)

striking, stroke. – **rintọcco** *m.* (*pl.* **-chi**) **1.** (*rif. a campane*) toll. – **2.** (*rif. a orologi*) stroke. ☐ *le campane suonano a -i* the bells are tolling.

rintombạre *v.i.impers.* (**rintọmba**; *aus.* **essere**) ⟨*tosc*⟩ (*rif. al tempo: rincupire*) to darken, to become overcast, to cloud over.

rintonacạre *v.t.* (**rintọnaco, rintọnachi**) to replaster, to plaster again. – **rintonacatụra** *f.* **1.** (*il rintonacare*) replastering. – **2.** (*nuovo intonaco*) new coat of plaster.

rintonạre[1] *v.t.* (**rintọno**/*ant.* **rintuọno**) (*intonare di nuovo*) to strike up again, to lead into again.

rintonạre[2] *v.* (**rintọno/rintuọno**) **I** *v.t.* ⟨*ant*⟩ (*rintronare*) to deafen (*o* stun). – **II** *v.i.* (*aus.* **avere**) to resound.

rintontịre *v.* (**rintontịsco, rintontịsci**) **I** *v.t.* **1.** (*stordire*) to stun, to daze, to bewilder, to stupefy: ~ *qd. di chiacchiere* to stun s.o. with chatter; (*incretinire*) to dull, to make stupid, ⟨*fam*⟩ to drive crazy. – **2.** ⟨*non com*⟩ (*intontire di nuovo*) to stun (*o* daze) again. – **II** *v.i.* (*aus.* **essere**), **rintontirsi** *v.r.* **1.** (*diventare di nuovo tonto*) to become stupid again. – **2.** (*diventare tonto*) to become stupid. – **rintontịto** (*p.p. di rintontire*) *a.* (*stordito*) stunned, dazed, bewildered, stupefied; (*incretinito*) stupid, dull.

rintoppạre *v.* (**rintọppo**) **I** *v.t.* **1.** (*incontrare di nuovo*) to run into again, to come across again. – **2.** (*incontrare*) to run into, to come across. – **3.** ⟨*ant*⟩ (*rattoppare*) to patch (up), to mend. – **II** *v.i.* (*aus.* **essere**), **rintopparsi** *v.r.* **1.** (*imbattersi*) to meet up (*in* with), to run (into, across), to come (across). – **2.** (*inciampare*) to run up (against), to stumble (against, over). – **3.** ⟨*fig*⟩ to run (into), to come up (against), to meet (with), to happen (upon): ~ *in nuove difficoltà* to run into new problems.

rintọppo *m.* ⟨*non com*⟩ **1.** running into, coming across; (*l'inciampare*) stumbling. – **2.** (*ostacolo, intoppo*) obstacle, hindrance, stumbling-block, impediment. ☐ *di* ~ (*di rimando*) in return; (*all'opposto*) on the contrary.

rintorbidạre *v.t.* (**rintọrbido**) **1.** to make cloudy (*o* muddy, turbid) again. – **2.** ⟨*fig*⟩ (*turbare*) to trouble, to disturb. – **rintorbidarsi** *v.r.* to become cloudy (*o* muddy, turbid) again. – **rintorbidịre** *v.* (**rintorbidịsco, rintorbidịsci**) → **rintorbidare.**

rintorpidịre *v.t.* (**rintorpidịsco, rintorpidịsci**) **1.** to numb again, to make torpid (*o* sluggish) again. – **2.** ⟨*fig*⟩ to dull again, to make sluggish (*o* lethargic) again, to enervate again. – **rintorpidirsi** *v.r.* **1.** to become torpid (*o* sluggish) again, to grow numb again. – **2.** ⟨*fig*⟩ to become sluggish (*o* lethargic) again.

rintracciạbile *a.* traceable, findable. – **rintracciamẹnto** *m.* ⟨*non com*⟩ **1.** tracing, tracking, trailing. – **2.** ⟨*fig*⟩ finding, discovery.

rintracciạre *v.t.* (**rintrạccio, rintrạcci**) **1.** (*trovare seguendo una traccia*) to track down, to catch, to find: *la polizia riuscì a* ~ *i ladri* the police succeeded in tracking down the thieves. – **2.** ⟨*estens*⟩ (*ritrovare cercando*) to find, to track down, to get hold of, to trace, to ferret out: *non ho potuto rintracciarlo perché era già uscito* I couldn't find him because he had already gone out; ~ *un documento fra le vecchie carte* to ferret out a document from among (one's) old papers; ~ *l'origine di qc.* to trace s.th. to its source. – **3.** (*seguire la traccia*) to track, to trail.

rintrạccio *m.* ⟨*burocr*⟩ → **rintracciamento.**

rintristịre *v.i.* (**rintristịsco, rintristịsci**; *aus.* **essere**) **1.** (*intristire di nuovo*) to languish again, to mope again. – **2.** (*intristire di più*) to become more melancholy, to mope: *dopo la malattia è rintristito* after his illness he became more melancholy.

rintrodụrre *v.t.* (**rintrodụco, rintrodụci**; **rintrodụssi, rintrodọtto**; → **condurre**) to put in again, to reinsert, to reintroduce.

rintronamẹnto *m.* resounding, thundering, booming, roaring. – **rintronạre** *v.* (**rintrọno**/*ant.* **rintruọno**) **I** *v.i.* (*aus.* **avere/essere**) to resound, to thunder, to boom, to roar: *i cannoni rintronavano in lontananza* the cannons roared in the distance. – **II** *v.t.* **1.** (*assordare*) to deafen, to stun: *gli altoparlanti ci hanno rintronato* the loudspeakers deafened us. – **2.** (*scuotere*) to shake. – **3.** (*stordire*) to stun, to daze, to bewilder. – **rintronạto** (*p.p. di rintronare*) *a.* (*stordito*) stunned, dazed, bewildered.

rintuzzamẹnto *m.* ⟨*non com*⟩ blunting, dulling. – **rintuzzạre** *v.t.* **1.** (*spuntare*) to blunt, to dull. – **2.** ⟨*fig*⟩ (*respingere*) to drive back, to repel: ~ *un assalto* to repel an attack. – **3.** ⟨*fig*⟩ (*reprimere, frenare*) to check, to curb, to hold back, to repress, to restrain: ~ *l'ira* to hold back one's anger. – **4.** ⟨*fig*⟩ (*ribattere*) to rebut, to refute, to throw (*o* fling) back: ~ *un'accusa* to refute an accusation. – **rintuzzarsi** *v.r.* (*affievolirsi*) to weaken, to grow weaker, to subside. – **rintuzzạto** (*p.p. di rintuzzare*) *a.* **1.** ⟨*non com*⟩ (*spuntato*) blunted, dulled. – **2.** ⟨*fig,non com*⟩ (*ottuso*) dull, obtuse, slow.

rinụncia *f.* (*pl.* **-ce**) **1.** giving up, abandonment, relinquishment, renunciation: *la* ~ *a un impiego* the giving up of a position; (*rif. a diritti*) rejection, renunciation: ~ *al trono* renunciation of the throne; ~ *all'eredità* rejection of an inheritance. – **2.** (*atto, documento di rinuncia*) renunciation, waiver. – **3.** *pl.* (*privazioni, sacrifici*) hardships *pl*, want, sacrifice, privation: *una vita piena di rinunce* a life full of hardship(s). – **4.** ⟨*Dir*⟩ waiving, waiver, renunciation, disclaimer. – **5.** ⟨*Teol*⟩ (*distacco dal mondo*) renunciation. ☐ *fare atto di* ~ to renounce.

rinunciạbile *a.* ⟨*Dir*⟩ renounceable, that can be renounced (*o* waived). – **rinunciabilità** *f.* renounceable nature.

rinunciạre *v.* (**rinụncio, rinụnci**) **I** *v.i.* (*aus.* **avere**) **1.** to give up, to abandon, to forgo, to relinquish, to renounce, to resign (*a qc.* s.th.): ~ *alle proprie ricchezze* to give up one's riches; (*rif. a diritti*) to renounce, to decline: ~ *a un'eredità* to renounce an inheritance. – **2.** (*non voler fare o accettare*) to refrain, to abstain, to hold back (*o* from): ~ *a compiere una vendetta* to refrain from taking revenge; (*astenersi*) to forgo (*a qc.* s.th.), to abstain, to hold back (from), not to do (s.th.): ~ *a un'impresa* to abstain from an undertaking; ~ *a seguire un piano* not to follow a plan. – **3.** (*fare a meno*) to do (*o* go) without, to forgo, to give up: *se questo gioco è tanto complicato rinuncio a impararlo* if this game is so complicated I give up trying to learn it. – **II** *v.t.* **1.** ⟨*rar*⟩ (*cedere*) to give up, to renounce. – **2.** ⟨*ant*⟩ (*rifiutare*) to refuse. – **3.** ⟨*ant*⟩ (*riferire*) to proclaim, to announce, ⟨*ant*⟩ to renounce. ☐ *io ci rinuncio*: 1. (*è troppo difficile per me*) I give up; 2. ⟨*iron*⟩ (*ne faccio volentieri a meno*) I can do without it, I won't feel the loss.

rinunciatạrio **I** *a.* **1.** renunciatory, renunciative. – **2.** (*debole, che rinuncia ai propri diritti*) weak, remissive: *politica -a* weak policy. – **II** *s.m.* (*f.* **-a**) renouncer.

rinụnzia *f.* → **rinuncia.** – **rinunziạbile** *a.* → **rinunciabile.** – **rinunziabilità** *f.* → **rinunciabilità.** – **rinunziạre** *v.* → **rinunciare.** – **rinunziatạrio** *a./s.* → **rinunciatario.** – **rinunziaziọne** *f.* ⟨*ant*⟩ → **rinuncia.**

rinvangạre *v.t.* (**rinvạngo, rinvạnghi**) ⟨*non com*⟩ **1.** (*rivangare*) to dig up again. – **2.** ⟨*fig*⟩ to rake (*o* drag) up.

rinvaṣạre *v.t.* ⟨*Giard*⟩ to repot. – **rinvaṣatụra** *f.* repotting.

rinvenịbile *a.* recoverable, that can be found.

rinvenimẹnto[1] *m.* **1.** (*ritrovamento*) finding, recovery; (*oggetto ritrovato*) find, object found: ~ *archeologico* archeological find. – **2.** (*scoperta*) discovery, finding out.

rinvenimẹnto[2] *m.* **1.** (*il riprendere i sensi*) recovery, coming to. – **2.** ⟨*Ind,Chim*⟩ soaking. – **3.** ⟨*Met*⟩ tempering, drawing.

rinvenịre[1] *v.t.* (**rinvẹngo, rinviẹni; rinvẹnni, rinvenụto**; → **venire**) **1.** to find, to recover: ~ *una lettera smarrita* to find a lost letter. – **2.** (*scoprire*) to discover, to find out. – **rinvenirsi** *v.r.* ⟨*rar*⟩ (*raccapezzarsi*) to see one's way, to make out.

rinvenịre[2] *v.i.* (**rinvẹngo, rinviẹni; rinvẹnni, rinvenụto**; → **venire**; *aus.* **essere**) **1.** (*riprendere i sensi*) to recover consciousness, to come round (*o* to). – **2.** (*riprendere l'aspetto naturale*) to revive, to become fresh again: *i fiori rinvengono nell'acqua fresca* flowers revive in cool water. – **3.** ⟨*Ind,Alim*⟩ to soften, to become soft again. – **4.** ⟨*Met*⟩ to temper, to draw.

rinvenitọre *m.* ⟨*Met*⟩ temperer.

rinverdịre *v.* (**rinverdịsco**/*poet.* **rinvẹrdo, rinverdịsci**/*poet.* **rinvẹrdi**) **I** *v.t.* **1.** (*far tornare verde*) to make green again. – **2.** ⟨*fig,lett*⟩ (*far tornare giovane*) to make young again, to rejuvenate. – **3.** ⟨*fig,lett*⟩ (*rinnovare, ravvivare*) to renew, to brighten (*o* freshen) up, to revive, ⟨*am*⟩ to up-date. – **II** *v.i.* (*aus.* **essere**) **1.** to turn (*o* become) green again. – **2.** ⟨*fig*⟩ (*riprendere vigore*) to revive, to be renewed (*o* restored, strengthened): *le speranze rinverdiscono* hope is revived. – **rinverdirsi** *v.r.* **1.** to turn (*o* become) green again. – **2.** ⟨*fig,non com*⟩ (*ritornare giovane*) to become young again, to be rejuvenated. – **3.** ⟨*fig,non com*⟩ (*rinnovarsi*) to revive, to be renewed.

rinverginạre *v.t.* (**rinvẹrgino**) ⟨*non com*⟩ **1.** (*far ritornare vergine*) to make virginal again. – **2.** ⟨*fig*⟩ (*ridare la purezza morale*) to make pure again. – **rinverginarsi** *v.r.* (*riacquistare purezza morale*) to become pure again.

rinvermigliạre *v.t.* (**rinvermịglio, rinvermịgli**) ⟨*lett,non com*⟩ (*far ritornare vermiglio*) to (make) vermilion again. – **rinvermigliarsi** *v.r.* to become (*o* turn) vermilion again.

rinvẹrtere *v.t.* ⟨*ant*⟩ (*rivertere*) to turn.

rinverẓạre *v.t.* (**rinvẹrẓo**) ⟨*Fal,non com*⟩ to plug, to stop (with splinters).

rinvescạre *v.t.* (**rinvẹsco, rinvẹschi**) ⟨*lett*⟩ **1.** (*invescare di nuovo*) to lime again, to smear (*o* spread) with lime again. – **2.** ⟨*fig*⟩ to entice (*o* lure) again, to lead on again.

rinvesciạre *v.t.* (**rinvẹscio, rinvẹsci**) ⟨*ant*⟩ (*riferire*) to tell, to reveal.

rinvestimẹnto *m.* ⟨*Econ,non com*⟩ (*reinvestimento*) reinvestment.

rinvestịre *v.t.* (**rinvẹsto**) ⟨*non com*⟩ **1.** to invest again (*di* with): *fu rinvestito della carica* he was invested with the office again; (*rif. a feudi*) to invest (*o* enfeoff) again. – **2.** ⟨*Econ*⟩ (*reinvestire*) to reinvest, to invest again.

rinvestitụra *f.* ⟨*non com*⟩ (*nuova investitura*) reinvestiture.

rinviạre *v.t.* (**rinvịo, rinvịi**) **1.** to send again, to redispatch. – **2.** (*mandare indietro*) to send back, to return: ~ *una lettera al mittente* to return a letter to the sender. – **3.** (*spostare, differire*) to postpone, to put off, to delay, to defer: ~ *un appuntamento ad altra data* to postpone an appointment to a later date; (*rif. a sedute e sim.*) to adjourn. – **4.** (*inviare ad altri o ad altro luogo*) to refer, to send, to direct. – **5.** (*fare un rimando*) to refer: *per una trattazione più ampia dell'argomento vi rinviamo ai capitoli successivi* for a fuller treatment of the subject we refer the reader to the following chapters. – **6.** ⟨*Sport*⟩ to return. – **7.** ⟨*Dir*⟩ to adjourn, to postpone, to defer: ~ *una causa* to adjourn a case; (*rimettere ad altro tribunale*) to remit. – **rinviarsi** *v.r.* ⟨*ant*⟩ (*rimettersi sulla giusta via*) to return to the right path. ☐ ⟨*Dir*⟩ ~ *qd. a giudizio* to ⌜commit s.o.⌝ (*o* send s.o. up) for trial; ⟨*Dir*⟩ ~ *una causa a nuovo ruolo* to adjourn a case.

rinvigorimẹnto *m.* invigoration, strengthening, bracing, fortification.

rinvigorịre *v.* (**rinvigorịsco, rinvigorịsci**) **I** *v.t.* **1.** (*invigorire*) to invigorate, to make strong(er), to strengthen, to brace, to fortify: *la ginnastica rinvigorisce i muscoli* gymnastics strengthens the muscles. – **2.** (*invigorire di nuovo*) to reinvigorate, to make strong(er) again, to strengthen (*o* brace) again. – **II** *v.i.* (*aus.* **essere**), **rinvigorirsi** *v.r.* **1.** (*diventare vigoroso*) to become strong, to gain strength, to be strengthened (*o* fortified, invigorated). – **2.** (*ritornare vigoroso*) to become strong again, to regain strength, to be strengthened (*o* invigorated) again. – **3.** ⟨*fig*⟩ (*rafforzarsi*) to grow stronger, to revive, to be strengthened (*o* boosted): *le nostre speranze si rinvigorirono* our hopes (were) revived. – **rinvigorito** (*p.p. di rinvigorire*) *a.* invigorated, strengthened.

rinviliare *v.* (**rinvilio, rinvili**) ⟨*tosc*⟩ → **rinvilire.** – **rinvilio** *m.* ⟨*tosc*⟩ (*ribasso di prezzo*) fall, decrease, reduction, decline. – **rinvilire** *v.* (**rinvilisco, rinvilisci**) **I** *v.t.* (*abbassare considerevolmente il prezzo*) to lower, to reduce, to cut, to slash: ~ *il prezzo del frumento* to slash the price of wheat. – **II** *v.i.* (*aus.* **essere**) (*diminuire*) to go down, to fall, to drop. – **rinvilirsi** *v.r.* ⟨*rar*⟩ (*diminuire*) to diminish, to decrease.

rinviluppare *v.t.* to wrap (up) again, to envelop again.

rinvio *m.* **1.** (*l'inviare di nuovo*) sending again. – **2.** (*il mandare indietro*) return, sending back. – **3.** (*differimento*) postponement, delay, deferment, putting off: *chiedere un* ~ to ask for a postponement; (*rif. a sedute e sim.*) adjournment. – **4.** (*rimando*) (cross-)reference: *un articolo con molti rinvii* an article with many cross -references. – **5.** ⟨*Tip*⟩ (*segno di rimando*) cross-reference mark (*o* symbol). – **6.** ⟨*Sport*⟩ return. – **7.** ⟨*Dir*⟩ adjournment, postponement; (*il rimettere ad altro tribunale*) remittal. – **8.** ⟨*Parl*⟩ (*rif. a leggi*) sending (of a law to the other Chamber).

rinvitare *v.t.* to invite again, to reinvite; (*ricambiare l'invito*) to invite back (*o* in return).

rinvivire *v.i.* (**rinvivisco, rinvivisci**; *aus.* **essere**) ⟨*tosc*⟩ (*rivivere*) to revive, to come back to life. □ ⟨*iperb*⟩ *un vino che farebbe* ~ *i morti* a wine that would bring the dead back to life.

rinvolgere *v.t.* (**rinvolgo, rinvolgi; rinvolsi, rinvolto**) **1.** to wrap (up), to envelop. – **2.** (*involgere di nuovo*) to rewrap, to re-envelop; (*più volte*) to wrap round and round; (*più strettamente*) to wrap tighter.

rinvoltare *v.t.* (**rinvolto**) **1.** to wrap (up), to envelop. – **2.** (*involtare di nuovo*) to rewrap, to envelop again. – **rinvoltarsi** *v.r.* to wrap o.s. (up) again. – **rinvoltato** (*p.p. di rinvoltare*) *a.* wrapped (up), bundled (up).

rinvolto (*p.p. di rinvolgere*) *a.* ⟨*non com*⟩ (*involto*) wrapped (up), enveloped. □ ⟨*pop*⟩ ~ *come un fegatello* wrapped up warmly (*o* tight), all muffled up, snug as a bug in a rug.

rinvoltolare *v.t.* (**rinvoltolo**) to wrap (*o* roll) up, to wrap round (and round). – **rinvoltolarsi** *v.r.* to roll, to wallow.

rinvoltura *f.* **1.** (*il rinvolgere*) wrapping, rolling. – **2.** (*materiale che serve per rinvolgere*) wrapping. – **3.** (*tela da imballaggio*) canvas, sacking, burlap.

rinzaffare *v.t.* ⟨*Mur*⟩ to rough in, to render. – **rinzaffatura** *f.*, **rinzaffo** *m.* **1.** (*il rinzaffare*) roughing in, rendering. – **2.** (*strato di malta*) roughing-in coat, rendering, scratch (*o* rough) coat.

rinzeppare *v.t.* (**rinzeppo**) ⟨*fam*⟩ **1.** (*inzeppare di nuovo*) to stuff (*o* cram, pack) again. – **2.** (*inzeppare*) to stuff, to cram, to fill to bursting, to pack. – **3.** ⟨*fig*⟩ (*colmare*) to cram, to fill, to pack, to stuff. – **rinzeppato** (*p.p. di rinzeppare*) *a.* ⟨*fam*⟩ **1.** stuffed, crammed, packed. – **2.** ⟨*fig*⟩ crammed, filled, packed, stuffed. – **rinzeppatura** *f.* ⟨*rar*⟩ **1.** stuffing, cramming, packing. – **2.** (*ciò che serve a rinzeppare*) stuffing, padding.

rio[1] *m.* **1.** ⟨*poet*⟩ (*ruscello*) brook, stream. – **2.** ⟨*region*⟩ (*corso d'acqua di secondaria importanza*) stream. – **3.** (*a Venezia*) canal.

rio[2] **I** *a.* ⟨*poet*⟩ **1.** (*reo*) guilty. – **2.** ⟨*fig*⟩ (*malvagio*) wicked, evil; (*avverso*) hostile. – **II** *s.m.* ⟨*ant*⟩ (*colpa*) guilt; (*peccato*) sin.

riocare *v.i.* (**rioco**; *aus.* **avere**) ⟨*tosc*⟩ **1.** (*nel gioco dell'oca*) to gain another point. – **2.** ⟨*fig,scherz*⟩ (*ripetere*) to keep on, to harp on.

rioccupare *v.t.* (**rioccupo**) to reoccupy, to occupy (*o* take) again. – **rioccuparsi** *v.r.* to occupy o.s. again, to deal (*o* have to do) again (*di* with). – **rioccupazione** *f.* reoccupation.

Rio de Janeiro *port.* ['riudeʒa'neiru] *N.pr.f.* ⟨*Geog*⟩ Rio de Janeiro.

rioffendere *v.t.* (**rioffesi, rioffeso**) to offend again.

rioffrire *v.t.* (**rioffro; rioffrii/rioffersi, rioffserto**) to offer again.

riolite *f.* ⟨*Min*⟩ rhyolite, liparite.

rionale *a.* **1.** local, in a neighbourhood, neighbourhood-, of a quarter, district-, ward-: *mercato* ~ local market; *festa* ~ neighbourhood festival. – **2.** (*periferico*) suburban: *un piccolo cinematografo* ~ a small suburban cinema.

rione *m.* **1.** (*quartiere*) quarter, district, ward, neighbourhood. – **2.** (*a Roma*: *distretto di città*) district.

rioperare *v.t.* (**riopero**) **1.** to operate (*o* work, do) again. – **2.** ⟨*Chir*⟩ to operate (on) again, to perform an operation on again

rioptante (*p.pr. di rioptare*) **I** *a.* choosing to reassume one's former nationality. – **II** *s.m./f.* person choosing to reassume a former nationality. – **rioptare** *v.i.* (**riopto**; *aus.* **avere**) to choose to reassume one's former nationality. – **riopzione** *f.* decision to reassume one's former nationality.

riordinamento *m.* **1.** ordering again, tidying up, rearrangement. – **2.** (*riforma*) reform; (*riassetto*) reorganization, rearrangement.

riordinare *v.t.* (**riordino**) **1.** to put back in order; (*rif. a stanze e sim.*) to tidy up. – **2.** (*dare un nuovo assetto*) to reorganize, to rearrange, to reorder: ~ *l'archivio* to reorganize the files. – **3.** (*riformare*) to reform: ~ *la scuola* to reform the school system. – **4.** ⟨*Comm*⟩ (*fare una nuova ordinazione*) to reorder, to order again. – **5.** ⟨*non com*⟩ (*impartire nuovamente un ordine*) to order (*o* command) again.

riordinatore **I** *s.m.* (*f.* **-trice**) reorganizer, reformer. – **II** *a.* reorganizing, reform-, reorganization-. – **riordinazione** *f.* **1.** ⟨*Comm*⟩ reorder, new order. – **2.** ⟨*Rel.catt*⟩ reordination. – **3.** ⟨*non com*⟩ (*riordinamento*) tidying up again, rearrangement, reordering. – **riordino** *m.* ⟨*burocr*⟩ reorganization.

riorganizzare *v.t.* to reorganize, to organize again. – **riorganizzatore** *m.* (*f.* **-trice**) reorganizer. – **riorganizzazione** *f.* reorganization.

riosservare *v.t.* (**riosservo**) to observe again.

riotta *f.* ⟨*ant*⟩ (*contesa*) quarrel, fight. – **riottare** *v.i.* (**riotto**; *aus.* **avere**) ⟨*ant*⟩ (*litigare*) to quarrel, to fight. – **riottosamente** *avv.* ⟨*lett*⟩ quarrelsomely, contentiously. – **riottosità** *f.* ⟨*lett*⟩ **1.** (*indocilità*) unruliness, intractability. – **2.** (*litigiosità*) quarrelsomeness, contentiousness. – **riottoso** *a.* ⟨*lett*⟩ **1.** (*indocile*) unruly, intractable; (*disobbediente*) disobedient. – **2.** (*litigioso*) quarrelsome, contentious.

riotturare *v.t.* to fill (*o* stop) again.

R.I.P. = *riposi in pace* rest in peace (*abbr.* R.I.P.).

ripa *f.* **1.** ⟨*lett*⟩ (*riva*: *di un fiume*) bank; (*di un lago*) shore. – **2.** ⟨*lett*⟩ (*dirupo*) steep rocky place. – **3.** ⟨*Geog*⟩ cliff.

ripagare *v.t.* (**ripago, ripaghi**) **1.** to pay again, to repay. – **2.** (*indennizzare*) to pay for: ~ *un libro danneggiato* to pay for a damaged book. – **3.** (*ricompensare*) to pay back, to repay, to reward, to requite: ~ *qd. con l'ingratitudine* to pay s.o. back with ingratitude. □ ⟨*fig*⟩ ~ *con la stessa moneta* to pay s.o. back in his own coin, to give tit for tat.

ripaggio *m.* → **ripatico.**

ripaiola *f.* ⟨*Pesc*⟩ kind of fishing-net.

riparabile *a.* **1.** repairable: *guasto* ~ repairable breakdown. – **2.** (*rif. a mali, errori e sim.*) reparable, that can be remedied (*o* made good): *male* ~ reparable wrong; *errore* ~ error that can be made good. – **riparabilità** *f.* ⟨*non com*⟩ reparability.

riparare[1] **I** *v.t.* **1.** (*proteggere*) to protect, to shelter, to shield, to defend: *un pesante mantello lo riparava dal freddo* he was protected from the cold by a heavy cloak; ~ *qd. con il proprio corpo* to shield s.o. with one's body. – **2.** (*porre rimedio, risarcire*) to make good, to make up (*o* amends) for, to put (*o* set) right, to remedy, to rectify, to redress, to repair: ~ *un torto* to make up for a wrong; ~ *un'ingiustizia* to rectify an injustice. – **3.** (*accomodare, aggiustare*) to repair, to mend, to put right, ⟨*fam*⟩ to fix: ~ *un guasto* to repair a breakdown. – **4.** ⟨*tosc*⟩ (*provvedere*) to take care of, to see to: *devo* ~ *molte faccende* I have a lot of things to take care of. – **5.** ⟨*non com*⟩ (*parare*) to keep off (*o* out), to protect against: ~ *il sole* to keep the sun out. – **6.** ⟨*Scol*⟩ to repeat, to make up, to take again: ~ *un esame* to repeat (*o* make up) an examination, to take an exam again. – **II** *v.i.* (*aus.* **avere**) to remedy, to rectify, to make good, to set (*o* put) right (*a qc.* s.th.): ~ *a un inconveniente* to remedy a difficulty; *tocca sempre a me* ~ I'm always the one who has to put things right. – **ripararsi** *v.r.* **1.** to protect (*o* shelter, shield) o.s., to take shelter: *ripararsi dalla pioggia* to take shelter from the rain; *ripararsi dalle percosse* to protect o.s. against blows. – **2.** (*mettersi al riparo*) to take cover (*o* refuge), to (take) shelter. □ *dare qc. a* ~ to take s.th. in to be repaired; ⟨*fig*⟩ ~ *le spalle a qd.* to defend s.o., to back s.o. up; ~ *il tempo perduto* (*ricuperarlo*) to make up for lost time.

riparare[2] *v.i.* (*aus.* **essere**) **1.** (*rifugiarsi*) to take refuge (*o* shelter): ~ *all'estero* to take refuge abroad; (*fuggire*) to flee, to escape. – **2.** ⟨*non com*⟩ (*prendere dimora*) to lodge, to stay. – **ripararsi** *v.r.* **1.** to (take) shelter, to take cover (*o* refuge): *durante il temporale ci riparammo in un portone* during the storm we took shelter in a doorway. – **2.** ⟨*non com*⟩ (*albergare, dimorare*) to lodge, to stay.

riparata *f.* ⟨*non com*⟩ (quick) repair. □ *dare una* ~ *a qc.* to repair s.th. quickly, ⟨*fam*⟩ to fix s.th. – **riparatina** *f. dim. di* **riparata.** – **riparato** (*p.p. di riparare*[1]) *a.* **1.** protected, sheltered, shielded, defended; (*protetto dai venti*) sheltered. – **2.** (*aggiustato*) repaired, mended, ⟨*fam*⟩ fixed. – **riparatore** **I** *s.m.* (*f.* **-trice**) **1.** repairer, mender. – **2.** ⟨*fig*⟩ redresser, rectifier. – **II** *a.* reparative, reparatory.

riparazione *f.* **1.** reparation, amends *pl*, redress, remedy, satisfaction: *esigere* ~ *di un torto subito* to demand reparation for a wrong. – **2.** (*risarcimento*) compensation, indemnification: ~ *dei danni* compensation for damages. – **3.** (*accomodatura*) repair(ing), mending, ⟨*fam*⟩ fixing: *la* ~ *di un paio di scarpe* the repairing of a pair of shoes. – **4.** (*restauro*) restoration, repair: *la* ~ *di un edificio* restoration of a building. – **5.** ⟨*Biol*⟩ regeneration. – **6.** *pl.* ⟨*Pol,Mil*⟩ reparations *pl.*

□ ~ *di* **emergenza** (*o fortuna*) emergency repair; *-i di* **guerra** war reparations; *essere* **in** ~ to be under repair; ~ **legale** legal redress; ~ **pecuniaria** *di un danno morale* punitive damages *pl*, smart money; ~ **provvisoria** temporary (*o* makeshift) repair; **spese** *di* ~ repair charges, cost of repair; *-i* **stradali** road repairs.

riparella[1] *f.* ⟨*Bot*⟩ (*salcerella*) purple loosestrife (*Lythrum salicaria*).

riparella[2] *f.* **1.** stone plug. – **2.** ⟨*tecn*⟩ washer.

riparia *f.* ⟨*Agr*⟩ kind of vine.

ripario **I** *a.* ⟨*lett*⟩ riparian, riparious: *erbe -e* riparian grasses. – **II** *s.m.* ⟨*Zool*⟩ (common) shore crab, green crab (*Carcinus maenas*).

riparlare *v.i.* (*aus.* **avere**) to speak (*o* talk) again. – **riparlarsi** *v.r.* ⟨*recipr*⟩ **1.** to talk (*o* speak) to e.o. again, to be on speaking terms again. – **2.** ⟨*estens*⟩ (*rappacificarsi*) to become reconciled, to be friends again, to make peace, ⟨*fam*⟩ to make (it) up again. □ *ne riparleremo*: 1. we'll go into it later (*o* another time); 2. (*con tono*

minaccioso) you haven't heard the last of this, I'll deal with you later.
ripạro *m.* **1.** (*protezione*) shelter, protection, cover: *cercare* ~ *dal sole* to seek shelter from the sun. – **2.** (*ciò che serve a riparare*) shelter, barrier: *un* ~ *di terra* an earthwork barrier. – **3.** (*dimora di emergenza*) shelter, refuge. – **4.** (*rimedio*) remedy, cure, redress: *trovare un* ~ *a qc.* to find a remedy for s.th. – **5.** ⟨*Mil*⟩ glacis, rampart; (*sterro*) bulwark, mound. – **6.** ⟨*Etnol*⟩ hut. – **7.** ⟨*Mecc*⟩ guard: ~ *per cinghia* belt safety-guard. ☐ *correre ai -i* to take measures; *farsi* ~ ⌜*con la*⌝ (o *della*) *mano* to protect (*o* shield) o.s. with one's hand; *mettere qc. al* ~ to put s.th. in a safe place; ⟨*Mil*⟩ *mettersi al* ~ to take cover; *al* ~ *dal vento* sheltered from the wind; *senza* ~: 1. (*agg.*) irreparable, irretrievable; 2. (*avv.*) irreparably, irretrievably.
ripartịbile *a.* divisible, distributable.
ripartimentạle *a.* ⟨*burocr*⟩ departmental, of a division (*o* section). – **ripartimẹnto** *m.* **1.** ⟨*burocr*⟩ (*sezione*) division, department, section. – **2.** ⟨*non com*⟩ (*scomparto*) compartment.
ripartịre[1] *v.i.* (*aus.* **essere**) **1.** to leave (*o* depart) again, to continue on one's way, to start (*o* set out) again: *ripartirò dopo pranzo* I'll be leaving again after lunch. – **2.** (*rif. a motori e sim.*: *rimettersi in moto*) to start (up) again.
ripartịre[2] *v.t.* (**ripartịsco, ripartịsci**) **1.** (*dividere*) to divide (up), to split (up), to share (out): ~ *le spese* to share expenses. – **2.** (*ordinare in gruppo*) to arrange, to distribute, to divide: ~ *i libri secondo il formato* to arrange the books according to size. – **3.** (*distribuire*) to distribute, to split (up), to share out, to allot. – **ripartirsi** *v.r.* ⟨*recipr*⟩ to divide (up), to split (up): *i ladri si ripartirono la refurtiva* the thieves split up the loot; *ripartirsi un'eredità* to divide up an inheritance.
ripartịto (*p.p. di ripartire*[2]) *a.* **1.** divided, split, shared: *patrimonio equamente* ~ estate shared fairly. – **2.** (*distribuito*) distributed, allotted, shared out. – **3.** ⟨*Mecc*⟩ distributed. – **ripartitọre** *m.* (*f.* **-trice**) **1.** ⟨*non com*⟩ divider. – **2.** ⟨*Post*⟩ (mail) sorter. – **3.** ⟨*Tel*⟩ distribution frame. – **4.** ⟨*El*⟩ dispatcher: ~ *di carico* load dispatcher.
ripartiziọne *f.* **1.** division, splitting up: ~ *di una somma* splitting up of a sum. – **2.** (*distribuzione*) distribution, allotment, sharing out, division: ~ *delle spese* sharing of expenses; ~ *degli utili* profit -sharing. – **3.** (*parte*) part, share, portion: *le -i di un'eredità* the shares of an inheritance. – **4.** (*reparto*) department, division, section; (*complesso d'uffici*) office, branch, division. – **5.** ⟨*Mat,Fis*⟩ division.
☐ ~ *del* **carico** load distribution; ~ *dei* **dividendi** distribution of dividends; ~ **professionale** (o *per professioni*) breakdown by profession; ~ *dei* **rischi** distribution (*o* spreading) of risks; ~ *di una* **sottoscrizione** *azionaria* (o *obbligazionaria*) allotment; ~ **straordinaria** *di utili* bonus.
ripạrto *m.* ⟨*non com*⟩ **1.** (*ripartizione*) division, splitting; (*distribuzione*) distribution, sharing out. – **2.** (*reparto*) department, section.
ripassạre I *v.t.* **1.** (*riattraversare*) to cross (*o* go over) again, to recross: ~ *la frontiera* to cross the border again. – **2.** (*porgere di nuovo*) to pass (*o* hand) again: *ripassami il vino, per favore* pass me the wine again, please. – **3.** (*rileggere, ripetere*) to review, to read (*o* go, look) over again, to look (*o* run) through again: ~ *la lezione* to look over the lesson again, to review the lesson; (*ripensare*) to review, to think (*o* go) over: ~ *con la mente gli avvenimenti trascorsi* to think over what has happened. – **4.** (*rivedere, riscontrare*) to go (*o* look) over again, to review, to check: ~ *i conti* to check the accounts. – **5.** (*ricalcare*) to trace over. – **6.** (*ritoccare un lavoro*) to touch up, to retouch. – **7.** ⟨*fam*⟩ (*sgridare aspramente*) to scold, ⟨*fam*⟩ to tell off, ⟨*am.fam*⟩ to bawl out. – **8.** ⟨*Mecc*⟩ to overhaul. – **II** *v.i.* (*aus.* **essere**) **1.** to pass again, to go again: ~ *davanti a una casa* to pass (*o* go) by a house again. – **2.** (*ritornare*) to come back, to return, to pass by again, to call again: *ripassi nel pomeriggio* come back this afternoon.
☐ ⟨*scherz*⟩ ~ *le* **costole** *a qd.* to give s.o. a thrashing (*o* good hiding); ~ *un* **disegno** *con l'inchiostro* to ink in a drawing; ~ *qc. col* **ferro** *da stiro* to press s.th. quickly, to give s.th. a quick ironing; ⟨*fig*⟩ ~ *per la* **mente** to reoccur to one; ⟨*Gastr*⟩ ~ *in* **padella** to heat up in the frying-pan; ~ *col* **pennello** to touch up.
ripassạta *f.* **1.** (*rif. a pittura e sim.*) new (*o* fresh) coat of paint, touch-up. – **2.** (*stiratura*) iron-over. – **3.** (*letta*) another look, rereading, revision. – **4.** (*il filtrare*) straining; (*il setacciare*) sifting. – **5.** ⟨*Mot*⟩ (*revisione*) overhaul. – **6.** ⟨*fam*⟩ (*severa sgridata*) scolding, ⟨*fam*⟩ telling-off, ⟨*am.fam*⟩ bawling-out. ☐ *dare una* ~ *alla lezione* to go over the lesson again quickly.
ripassatọre *m.* (*f.* **-trice**) ⟨*Tess*⟩ checker.
ripạsso *m.* **1.** passing again; (*rif. a uccelli*) return. – **2.** (*rif. a lezioni*) review. – **3.** ⟨*Mot*⟩ overhaul. ☐ *fare il* ~ *di una materia* to review (*o* go over) a subject.
ripạtico *m.* (*pl.* **-ci**) ⟨*Mediev*⟩ riparian rights *pl.*
ripatriamẹnto *m.* ⟨*ant*⟩ → **rimpatrio.** – **ripatriạre** *v.* ⟨*ant*⟩ → **rimpatriare.** – **ripatriaziọne** *f.* ⟨*ant*⟩ → **rimpatrio.**
ripeccạre *v.i.* (**ripẹcco, ripẹcchi**; *aus.* **avere**) to (commit) sin again.
ripeggiorạre *v.* (**ripeggiọro**) **I** *v.t.* (*peggiorare di nuovo*) to worsen (*o* make worse) again. – **II** *v.i.* (*aus.* **essere/avere**) to worsen again, to become (*o* get) worse again.
ripensamẹnto *m.* **1.** reflection, thinking things over. – **2.** (*mutamento d'opinione*) change of mind, second thoughts *pl*: *avere un* ~ to have second thoughts, to change one's mind.
ripensạre *v.* (**ripẹnso**) **I** *v.i.* (*aus.* **avere**) **1.** to think again (*o* over), to consider (s.th.) again, to ponder (s.th., over s.th.). – **2.** (*riflettere*) to think (over), to reflect (upon): *prima di decidere, ripensaci* think it over before deciding. – **3.** (*mutare pensiero*) to change one's mind, to reconsider, to have second thoughts. – **4.** (*ritornare col pensiero*) to think (of), to think back (to), to remember, to recall, to recollect (s.th.), to reflect (on): ~ *agli anni della giovinezza* to recall the days of one's youth; ~ *a una persona morta* to think of s.o. who is dead. – **II** *v.t.* **1.** ⟨*non com*⟩ to think over, to reflect upon. – **2.** ⟨*lett*⟩ (*rievocare*) to recollect, to recall, to think back to.
ripẹnse *a.* ⟨*non com*⟩ (*rivierasco*) riparian.
ripentimẹnto *m.* **1.** (*il ripentirsi*) repentance, regret. – **2.** (*cambiamento d'opinione*) change of mind, second thoughts *pl.* – **ripentịrsi** *v.r.* (**mi ripẹnto**) **1.** (*pentirsi*) to repent (*di* of), to regret (s. th.); (*pentirsi di nuovo*) to repent (*o* regret) again. – **2.** (*mutare opinione*) to have second thoughts (about), to go back (on): ~ *di ciò che si era promesso* to go back on a promise.
ripercọrrere *v.t.* (**ripercọrsi, ripercọrso**) **1.** to run through (*o* across) again, to pass (*o* go) through again, to travel over again. – **2.** ⟨*fig*⟩ to ⌜go over⌝ (*o* run through) again.
ripercọssa *f.* **1.** recoil, repercussion. – **2.** ⟨*fig,non com*⟩ (*ripercussione*) repercussions *pl*, effect. – **ripercọtere** *v.* ⟨*pop,poet*⟩ → **ripercuotere.** – **ripercotimẹnto** *m.* ⟨*non com*⟩ → **ripercossa.**
ripercuọtere *v.t.* (**ripercọssi, ripercọsso**) **1.** to strike (*o* hit, beat) again. – **2.** (*rispondere alle percosse*) to strike (*o* hit) back. – **3.** (*riflettere, respingere*: *rif. alla luce*) to reflect: *lo specchio ripercuoteva la luce del sole* the mirror reflected the sunlight; (*rif. a suoni*) to reverberate, to echo. – **ripercuotersi** *v.r.* **1.** (*riflettersi*: *rif. alla luce*) to be reflected; (*rif. a suoni*) to reverberate, to re-echo, to be echoed. – **2.** (*causare un contraccolpo*) to rebound, to be felt. – **3.** ⟨*fig*⟩ (*riflettersi*) to influence, to affect (*su qc.* s.th.), to have repercussions (on), to be reflected (in): *la scarsità del raccolto si ripercuoterà sui prezzi* the poor harvest will affect prices.
ripercussiọne *f.* **1.** (*rif. alla luce*) reflection; (*rif. a suoni*) reverberation, re-echo. – **2.** (*contraccolpo*) rebound, repercussion. – **3.** ⟨*fig*⟩ (*effetto indiretto*) repercussions *pl*, effect, consequence, influence, result. – **4.** ⟨*Mus*⟩ repercussion.
ripercussịvo *a.* ⟨*non com*⟩ repercussive.
ripẹrdere *v.t.* (**ripẹrsi/riperdẹi/riperdẹtti, ripẹrso/riperdụto**) to lose again.
riperdonạre *v.t.* (**riperdọno**) to forgive (*o* pardon) again.
ripesạre *v.t.* (**ripẹso**) to reweigh.
ripescạre *v.t.* (**ripẹsco, ripẹschi**) **1.** to catch again: *ho ripescato una trota* I caught ⌜a trout again⌝ (*o* another trout). – **2.** ⟨*estens*⟩ (*ricuperare*) to fish out, to pull (*o* draw) out of the water: ~ *un cadavere dall'acqua* to fish a body out of the water. – **3.** ⟨*fam*⟩ (*ritrovare*) to find (again), to fish out, to get hold of, to drag up (*o* out): ~ *una citazione in un libro* to find a quotation in a book.
ripẹsco *m.* (*pl.* **-chi**) ⟨*fam,tosc*⟩ (*relazione amorosa*) clandestine (love-)affair, intrigue.
ripestạre *v.t.* (**ripẹsto**) (*pestare di nuovo*) to crush (*o* pound) again; (*calpestare di nuovo*) to trample (*o* tread) on again.
ripetẹnte (*p.pr. di ripetere*) **I** *a.* ⟨*Scol*⟩ repeating (the school year). – **II** *s.m./f.* repeater.
ripẹtere *v.t.* **1.** (*rifare*) to repeat, to do over (*o* again), to make again: ~ *una prova* to repeat a test. – **2.** (*ripercorrere*) to run through (*o* across) again, to pass (*o* go) through again, to travel over again: ~ *un percorso* to travel over a route again, to take the same route again. – **3.** (*proferire di nuovo*) to repeat, to say again (*o* over), to tell again, to reiterate: *ripeto la domanda* I'm repeating the question; *ripeti quelle parole se hai coraggio* say that again if you dare; (*dire a memoria*) to recite, to say by heart. – **4.** (*riferire*) to repeat, to tell, to relate: *ripetimi ciò che hanno detto* tell me what they said. – **5.** (*emettere di nuovo dei suoni*) to utter again: ~ *un grido* to utter a cry again, to cry out again. – **6.** (*ripassare*) to review, to go over: ~ *la lezione* to go over the lesson. – **7.** (*ottenere di nuovo*) to have (*o* gain) again, to repeat: ~ *un successo* to have another success, to be successful again. – **8.** (*arieggiare*) to resemble, to echo, to be reminiscent of. – **9.** (*replicare*) to repeat, to perform again: ~ *una commedia* to perform a play again. – **10.** ⟨*Scol*⟩ to repeat: ~ *una classe* to repeat a class. – **11.** ⟨*Dir*⟩ to claim back, to reclaim, to demand repayment (*o* return) of. – **12.** ⟨*lett*⟩ (*richiamare alla mente*) to recall, to recollect. – **ripetersi** *v.r.* **1.** to repeat o.s.: *questo scrittore si ripete troppo* this writer ⌜repeats himself too much⌝ (*o* is too repetitive). – **2.** (*accadere più volte*) to be repeated, to happen again (*o* over), to reoccur: *questo fatto non deve ripetersi* this must not happen again, there must be no repetition of what has happened; (*rif. ad avvenimenti fissi*) to come, to fall: *la Pentecoste si ripete sempre la settima domenica dopo Pasqua* Whitsun always falls on the seventh Sunday after Easter.
☐ ⟨*Scol*⟩ ~ *l'***anno** to repeat a year; *questo* **cantante** *non ripete* this singer does not give encores; *quante volte lo* **devo** ~? how many times must I say it?; ~ *un* **esame** to take an exam(ination) again; ⟨*lett*⟩ ~ *le proprie* **origini** *da* (*avere origine*) to spring (*o* be derived) from, to go back to; **tornare** *a* ~ to repeat again.
ripetịbile *a.* **1.** repeatable. – **2.** ⟨*Dir*⟩ reclaimable. – **ripetibilità** *f.* ⟨*Dir*⟩ reclaimableness.
ripetịo *m.* ⟨*ant*⟩ (*repetio*) dispute, argument, disagreement.
ripetitọre I *s.m.* (*f.* **-trice**) **1.** repeater. – **2.** ⟨*Scol*⟩ coach, tutor (*f*-ess). – **3.** ⟨*Teat*⟩ (*suggeritore*) prompter. – **4.** ⟨*Tel,Ferr*⟩ repeater.

– **5.** ⟨*Rad,TV*⟩ repeater, relay station. – **II** *a.* **1.** ⟨*tecn*⟩ repeating. – **2.** ⟨*Rad,TV*⟩ relay.
□ ⟨*Mar*⟩ **bussola** *ripetitrice* repeater; ⟨*El*⟩ ~ **d'impulsi** impulse repeater; ⟨*Tel*⟩ ~ *di* **linea** line repeater; ⟨*Fot*⟩ **macchina** *fotografica ripetitrice* step-and-repeat camera; ⟨*Mar*⟩ **nave** *ripetitrice* repeating ship; ⟨*Ferr*⟩ ~ *di* **segnale** signal repeater; **stazione** *ripetitrice* relay station; ~ **telefonico** (telephone) repeater; ~ *per* **televisione** television relay station.

ripetitrịce *f.* ⟨*Rad,TV*⟩ relay station.

ripetiziọne *f.* **1.** repetition, doing (*o* making) again: *la* ~ *di un tentativo* the repetition of an attempt. – **2.** (*il ridire*) repetition, repeating, saying (*o* telling) again, reiteration: ~ *di un discorso* repetition of a speech. – **3.** ⟨*concr*⟩ (*cosa già detta o scritta*) repetition. – **4.** (*il ripetersi*) repetition, reoccurrence. – **5.** ⟨*Scol*⟩ (*ripasso*) review. – **6.** ⟨*Scol*⟩ (*lezione privata*) private lesson, tutoring, coaching: *dare -i a qd.* to give s.o. private lessons. – **7.** ⟨*Ret*⟩ reduplication; (*anafora*) anaphora. – **8.** ⟨*Dir*⟩ reclaiming, claiming back. – **9.** ⟨*Ling*⟩ iteration; (*raddoppiamento*) reduplication. – **10.** ⟨*Psic*⟩ repetition-compulsion. – **11.** ⟨*Alp*⟩ reascent. – **12.** ⟨*Sport*⟩ (*nella scherma*) repetition of an attack. – **13.** ⟨*non com*⟩ (*orologio a ripetizione*) repeater, repeating watch. □ *a* ~ repeating: *fucile a* ~ repeating rifle, repeater; ⟨*Cin*⟩ ~ ⌜*di quadro*⌝ (o *d'inquadratura*) retake.

ripetutamẹnte *avv.* repeatedly, over and over again, again and again. – **ripetụto** (*p.p. di ripetere*) *a.* **1.** repeated. – **2.** (*frequente*) repeated, frequent, numerous. □ *-e volte* (*spesso*) often, many times, frequently.

ripezzạre *v.t.* (**ripẹzzo**) ⟨*ant,lett*⟩ (*rappezzare*) to patch (up) again, to mend again.

ripiạgnere *v.* (**ripiạngo, ripiạgni**) ⟨*ant*⟩ → **ripiangere.**

ripianạre *v.t.* ⟨*non com*⟩ (*rendere piano*) to (make) level.

ripiạngere *v.* (**ripiạngo, ripiạngi; ripiạnsi, ripiạnto**) **I** *v.t.* to cry (*o* weep) over again. – **II** *v.i.* (*aus.* **avere**) to cry (*o* weep) again.

ripiạno *m.* **1.** terrace. – **2.** (*scomparto*) shelf. – **3.** ⟨*non com*⟩ (*pianerottolo*) landing. – **4.** ⟨*Atom*⟩ plateau. □ *a -i* terraced: *collina coltivata a -i* terraced hillside.

ripiantạre *v.t.* to plant again, to replant.

ripịcca *f.* spite. □ *per* ~ out of spite: *l'ha fatto solo per* ~ he just did it out of spite.

ripicchiạre *v.* (**ripịcchio, ripịcchi**) **I** *v.t.* **1.** to thrash (*o* beat, hit) again. – **2.** (*ribussare*) to knock on again. – **II** *v.i.* (*aus.* **avere**) to knock again. – **ripicchiarsi** *v.r.* ⟨*fam*⟩ (*imbellettarsi*) to make (o.s.) up; (*curarsi eccessivamente*) to titivate o.s., to get all spruced up. – **ripicchiạta** *f.* **1.** knocking again, renewed knocking. – **2.** ⟨*fam*⟩ (*il truccarsi*) making (o.s.) up; (*il curarsi*) titivation, getting o.s. up. □ *dare una* ~ *alla porta* to knock at the door again.

ripịcco *m.* (*pl.* **-chi**) → **ripicca.**

ripịcolo *a.* ⟨*Biol*⟩ **1.** riparian, ripicolous. – **2.** (*che vive sommerso*) aquatic, water-.

ripidẹzza *f.* steepness, precipitousness.

ripịdio *m.* ⟨*Bot*⟩ rhipidium.

rịpido *a.* steep, precipitous: *sentiero* ~ steep path.

ripiẹga *f.* ⟨*Geol*⟩ secondary fold(ing).

ripiegamẹnto *m.* **1.** (*il piegare di nuovo*) refolding, folding again. – **2.** (*il piegare*) folding. – **3.** (*incurvamento*) curve, bend. – **4.** (*piega*) fold. – **5.** ⟨*fig*⟩ (*cedimento*) giving in, surrender, yielding. – **6.** ⟨*fig*⟩ (*riflessione*) reflection, contemplation. – **7.** ⟨*Mil*⟩ (*ritirata*) retreat, withdrawal, falling back. – **8.** ⟨*Geol*⟩ secondary fold(ing).

ripiegạre *v.* (**ripiẹgo, ripiẹghi**) **I** *v.t.* **1.** (*piegare di nuovo*) to refold: ~ *un tovagliolo* to refold a napkin. – **2.** (*piegare*) to fold: ~ *un foglio di carta* to fold a sheet of paper. – **3.** (*incurvare*) to bend, to curve. – **4.** (*flettere*) to bend: ~ *le gambe* to bend one's legs. – **5.** (*ammainare*) to furl: ~ *le vele* to furl the sails. – **II** *v.i.* (*aus.* **avere**) **1.** (*indietreggiare*) to retreat, to withdraw, to fall back: *gli insorti ripiegarono sui monti* the rebels fell back into the hills. – **2.** ⟨*fig*⟩ (*trovare ripiego*) to fall back (on), to have to make do with: *quest'anno ripiegheremo su vacanze poco costose* this year we'll have to make do with a cheap holiday. – **ripiegarsi** *v.r.* **1.** (*piegarsi su se stesso*) to fold, to bend. – **2.** ⟨*fig,non com*⟩ (*meditare*) to retire (*o* withdraw) into o.s. – **3.** ⟨*lett*⟩ (*indietreggiare*) to withdraw, to retreat, to fall back. □ ⟨*fig*⟩ ~ *le ali* to fold one's wings.

ripiegạta *f.* quick fold: *dare una* ~ *a qc.* to give s.th. a quick fold, to fold s.th. up quickly. – **ripiegatụra** *f.* **1.** (*il ripiegare*) folding; (*il ripiegarsi*) folding, bending. – **2.** (*incurvamento*) bending, curving, turning, winding: *la* ~ *di un fiume* the winding of a river.

ripiẹgo *m.* (*pl.* **-ghi**) makeshift, expedient. □ *di* ~ makeshift: *soluzione di* ~ makeshift solution; *vivere di ripieghi* to live by one's wits.

ripiẹna *f.* ⟨*Minier*⟩ gob, goaf, waste filling. □ ~ *idraulica* hydraulic stowage; *materiale di* ~ gob, waste filling; ~ *pneumatica* (o *soffiata*) pneumatic stowage.

ripienẹzza *f.* ⟨*non com*⟩ **1.** (*l'essere ripieno*) fullness, repletion. – – **2.** (*senso di pesantezza*) heaviness, overfullness. – **3.** (*sovrabbondanza*) overabundance, surfeit.

ripiẹno **I** *a.* **1.** full (*di* of), filled (with): *cuore* ~ *d'ira* heart filled with anger; *bicchiere* ~ *di vino* glass full of wine. – **2.** ⟨*Gastr*⟩ filled (with): *paste -e di crema* cream-filled pastries; (*farcito*) stuffed (with): *tacchino* ~ stuffed turkey. – **II** *s.m.* **1.** stuffing, padding, filling: *il* ~ *del materasso è di lana* the mattress stuffing is wool. – **2.** ⟨*Gastr*⟩ filling, stuffing: ~ *di carne* meat filling. – **3.** ⟨*fig*⟩ (*riempitivo*) makeweight; (*parola superflua*) filler, padding. – **4.** ⟨*Mus*⟩ ripieno.

ripigliạre *v.* (**ripịglio, ripịgli**) ⟨*fam*⟩ **I** *v.t.* **1.** to take (*o* get, catch) again: ~ *un raffreddore* to catch a cold again. – **2.** (*prendere indietro*) to take back: *andare a* ~ *un libro da qd.* to go and take back a book from s.o. – **3.** (*riafferrare*) to recapture: ~ *un fuggitivo* to recapture a fugitive. – **4.** (*ricominciare*) to begin (*o* start) again: ~ *a scrivere la lettera* to start writing the letter again. – **5.** (*recuperare*) to regain: *l'ammalato comincia a* ~ *forza* the patient is beginning to regain strength. – **6.** (*riaccettare*) to take back: ~ *qd. al proprio servizio* to take back an employee. – **II** *v.i.* (*aus.* **avere**) to revive, to flourish, to thrive. – **ripigliarsi** *v.r.* (*riprendersi*) to recover: *ripigliarsi da una malattia* to recover from an illness.

ripigliạta *f.* ⟨*non com*⟩ taking (*o* getting, catching) again; (*il prendere indietro*) taking back.

ripiglịno *m.* cat's-cradle.

ripịglio *m.* ⟨*lett,non com*⟩ (*rimprovero*) reproof, reproach.

ripịgnere *v.* (**ripịngo, ripịgni**) → **ripingere.** – **ripịngere** *v.t.* (**ripịngo, ripịngi; ripịnsi, ripịnto**) ⟨*ant*⟩ (*respingere*) to repel, to drive back.

ripiombạre *v.* (**ripiọmbo**) **I** *v.t.* **1.** to reseal with lead, to plumb again. – **2.** ⟨*fig*⟩ to plunge back. – **II** *v.i.* (*aus.* **essere**) **1.** to assail again, to fall (*o* pounce) upon again: *gli ripiombò addosso* he fell upon him again, he assailed (*o* was on) him again. – **2.** ⟨*fig*⟩ to plunge (*o* fall) back: *ripiombò nella più nera disperazione* he plunged back into darkest despair. □ ~ *nel sonno* to fall asleep again, to go back to sleep.

ripịre *v.i.* (**ripịsco, ripịsci**; compound tenses are not used) ⟨*ant*⟩ (*arrampicarsi*) to climb.

ripitịo *m.* → **ripetio.**

ripla̦smạre *v.t.* **1.** (*plasmare di nuovo*) to mould again, to remould. – **2.** ⟨*fig*⟩ to remould, to recast, to transform, to refashion, to reshape. – **ripla̦smaziọne** *f.* ⟨*non com*⟩ **1.** remoulding. – **2.** ⟨*fig*⟩ remoulding, reshaping, transformation.

ripofobịa *f.* ⟨*Psic*⟩ (*rupofobia*) rhypophobia, mysophobia, morbid fear of dirt. – **ripọfobo** *m.* (*f.* **-a**) (*rupofobo*) sufferer from rhypophobia.

ripọnere *v.* ⟨*ant*⟩ → **riporre.**

ripopolamẹnto *m.* **1.** repopulation, repeopling, repopulating: *il* ~ *delle campagne* the repopulating of the countryside. – **2.** ⟨*Venat*⟩ repopulation, restocking. – **ripopolạre** *v.t.* (**ripọpolo**) **1.** to repopulate, to repeople: ~ *le campagne* to repopulate the countryside. – **2.** ⟨*Venat*⟩ to repopulate, to restock: ~ *una riserva di caccia* to restock a hunting reserve. – **ripopolarsi** *v.r.* **1.** to be repopulated (*o* repeopled). – **2.** (*animarsi*) to come (back) to life, to wake up, to grow lively.

ripọrgere *v.t.* (**ripọrgo, ripọrgi; ripọrsi, ripọrto**) to hand (*o* pass) again.

ripọrre *v.t.* (**ripọngo, ripọni; ripọsi, ripọsto;** → **porre**) **1.** to put back, to replace: ~ *la biancheria nell'armadio* to put the linen back in the closet; ~ *ogni cosa al proprio posto* to put everything back in its right place. – **2.** (*mettere via*) to put (away): ~ *gli occhiali nell'astuccio* to put one's glasses in their case; (*nascondere*) to hide, to conceal: *ripose la lettera sotto una pila di carte* he hid the letter under a pile of papers. – **3.** ⟨*fig*⟩ (*rif. a sentimenti*) to put, to place, to set, ⟨*lett*⟩ to repose: ~ *tutte le speranze in qd.* to place all one's hopes in s.o. – **4.** (*rivolgere di nuovo*) to put again: *mi ha riposto il medesimo quesito* he put the same question to me again, he asked me the same question again. □ ⟨*fam*⟩ *andarsi a* ~: 1. to hide (o.s.); 2. ⟨*fig*⟩ to be ashamed of o.s.; ~ *mano a qc.* to take up s.th. again.

riportạbile *a.* ⟨*non com*⟩ returnable. – **riportamẹnto** *m.* ⟨*non com*⟩ report(ing), telling.

riportạnte *m.* ⟨*Econ*⟩ receiver of contango, taker of stock.

riportạre *v.t.* (**ripọrto**) **1.** (*portare indietro*) to bring (*o* take) back: *ci hanno riportato il cane fuggito* they brought us back the dog that ran away. – **2.** (*ricondurre*) to take again: *mi riporterai al circo?* will you take me to the circus again? – **3.** (*riferire*) to tell, to report, to relate: ~ *a qd. le parole di qd.* to tell s.o. what s.o. said; (*fare la spia*) to tell: *riporta tutto al direttore* he tells the boss everything. – **4.** (*citare*) to quote: ~ *una terzina di Dante* to quote a tercet from Dante. – **5.** ⟨*Giorn*⟩ (*pubblicare*) to report, to carry, to publish: *il giornale riporta la notizia in prima pagina* the paper carries this news item on the front page. – **6.** ⟨*fig*⟩ (*ricevere*) to receive, to get, to have: ~ *una buona impressione* to get (*o* have) a good impression; (*conseguire*) to gain, to obtain, to win, to get, to carry off, to have: ~ *una vittoria* to gain (*o* win) a victory. – **7.** ⟨*fig*⟩ (*subire*) to suffer, to meet with: ~ *un danno* to suffer damage; *nell'incidente ha riportato solo leggere ferite* in the accident he only suffered slight injury, he was only slightly hurt in the accident. – **8.** ⟨*non com*⟩ (*attribuire*) to attribute, to ascribe, to put down: *riporta alla fortuna tutto il suo successo* he puts all his success down to luck. – **9.** (*riprodurre*) to reproduce: ~ *un disegno sulla stoffa* to reproduce a design on cloth; (*copiare*) to copy: ~ *in bella copia* to copy in final form. – **10.** ⟨*Mat*⟩ to carry: *sette più otto fa quindici, scrivo cinque e riporto uno* seven and eight are fifteen, I put down five and carry one. – **11.** ⟨*Comm*⟩ (*conteggiare su altro conto*) to carry forward. – **12.** ⟨*tecn*⟩ (*rif. a terra*) to embank. – **13.** ⟨*Venat*⟩ to retrieve. – **14.** ⟨*Mecc*⟩ (*inserire*) to insert. – **riportarsi** *v.r.* **1.** (*ricondursi*) to go back; (*col pensiero*) to think (*o* look, go) back: *riportarsi al clima politico del medioevo* to go back to the political climate of the Middle Ages. – **2.** (*riferirsi, richiamarsi*) to refer: *l'autore si riporta al suo precedente articolo* the author is referring to his previous article.

– 3. ⟨*non com*⟩ (*ritornare*) to return, to go back. – 4. ⟨*non com*⟩ (*rimettersi*) to rely (*a* on), to submit (to).

riportato (*p.p. di riportare*) **I** *a.* ⟨*Sart*⟩ patch-: *tasche -e* patch pockets. – **II** *s.m.* ⟨*Econ*⟩ payer of contango, giver of stock. – **riportatore** *m.* (*f.* **-trice**) **1.** bringer (*o* taker) back. – **2.** (*chi riporta notizie e sim.*) informer, reporter, relator. – **3.** (*strumento*) copying -instrument. – **4.** ⟨*Econ*⟩ → **riportante**. – **riportino** (*dim. di riporto*) *m.* ⟨*Econ*⟩ contango contract (stipulated by the stockbroker).

riporto *m.* **1.** bringing (*o* taking) back. – **2.** (*materiale di riporto*) backfill, filling material. – **3.** ⟨*non com*⟩ (*ornamento applicato*) appliqué (work). – **4.** ⟨*Mat*⟩ (*operazione*) carrying; (*cifra da riportare*) number (*o* amount) carried. – **5.** ⟨*Comm*⟩ (*operazione*) carrying over (*o* forward); (*cifra*) carry-over, amount carried forward. – **6.** ⟨*Econ*⟩ contango, continuation (business); (*contratto di riporto*) contango contract. – **7.** ⟨*Tip*⟩ copying, transferring. – **8.** ⟨*Venat*⟩ retrieving, retrieval. – **9.** ⟨*Mecc*⟩ (*inserimento*) insertion. – **10.** ⟨*Sport*⟩ (*nella scherma*) envelopment. – **11.** ⟨*ant*⟩ (*rapporto*) report, relation. □ ⟨*tecn*⟩ ~ **duro** hard-facing; ⟨*Econ*⟩ **giorno** *del* ~ continuation (*o* contango, making-up) day; ⟨*Econ*⟩ **interesse** (*o premio*) *di* ~ contango; ⟨*tecn*⟩ ~ *di* **metallizzazione** *a spruzzo* metal-spray coating; ⟨*Comm*⟩ ~ *a* **nuovo** balance carried forward; ⟨*Econ*⟩ ~ **proroga** contango business, continuation (*o* carrying over) of a bargain; ⟨*Econ*⟩ ~ **staccato** hedging.

riposante (*p.pr. di riposare*[2]) *a.* **1.** relaxing, restful: *una vacanza* ~ a relaxing holiday. – **2.** (*calmo, quieto*) soothing, restful, calm, peaceful, relaxing: *una persona* ~ a relaxing person. – **riposanza** *f.* ⟨*ant*⟩ → **riposo**.

riposare[1] *v.t.* (**riposo**) (*rimettere a posto*) to put (*o* place) back, to replace; (*rimettere giù*) to put (*o* lay, set) down again. – **riposarsi** *v.r.* **1.** to stop, to rest, to lay; (*rif. a uccelli e sim.*) to alight (*o* perch) again. – **2.** ⟨*fig*⟩ (*appoggiarsi*) to rely, to depend (*in* on), to place one's trust (in); (*affidarsi*) to trust (in, to).

riposare[2] *v.* (**riposo**) **I** *v.i.* (*aus.* **avere**/*ant.* **essere**) **1.** to rest, to have (*o* take) a rest, ⟨*fam*⟩ to let up: *desidero* ~ *una mezz'oretta* I want to rest for a half an hour. – **2.** (*dormire*) to sleep. – **3.** (*rif. a defunti*) to rest, to lie: *riposa in pace* rest in peace; *qui riposa* here lies. – **4.** (*poggiare*) to rest, to stand, to be built (*su* on, upon), to be supported (by): *l'edificio riposa su solide fondamenta* the building stands on solid foundations. – **5.** ⟨*fig*⟩ (*basarsi*) to be based, to rest (on), to be supported (*o* backed up) (by): *l'accusa riposa su prove concrete* the charge is based on actual proof. – **6.** ⟨*Agr*⟩ to lie fallow, to rest. – **7.** ⟨*non com*⟩ (*rif. a liquidi*: *posare*) to settle, to stand. – **8.** ⟨*non com*⟩ (*godere pace*) to enjoy (*o* live in) peace. – **9.** ⟨*ant*⟩ (*stare, giacere*) to lie, to rest. – **II** *v.t.* **1.** to rest, to give a rest to, to let rest: ~ *le gambe* to rest one's legs, to give one's legs a rest. – **2.** (*essere riposante*) to rest, to be restful (*o* relaxing) to: *colori che riposano la vista* colours that are restful to the eyes. – **riposarsi** *v.r.* **1.** to rest, to take (*o* have) a rest, ⟨*fam*⟩ to let up: *riposarsi da un lavoro* to take a rest from work. – **2.** (*distendersi*) to relax. – **3.** ⟨*non com*⟩ (*godere pace*) to enjoy (*o* live in) peace. □ ⟨*fig*⟩ ~ *sugli allori* to rest on one's laurels; *Dio lo riposi!* God rest his soul!; *riposarsi la vista* to rest one's eyes.

riposata *f.* ⟨*non com*⟩ **1.** resting. – **2.** (*riposo*) (short) rest. – **riposatamente** *avv.* ⟨*non com*⟩ (*a mente riposata*) calmly, peacefully, quietly. – **riposatina** *f. dim. di* **riposata**. – **riposato** (*p.p. di riposare*[2]) *a.* **1.** rested, refreshed, fresh: *mente -a* fresh mind. – **2.** ⟨*lett*⟩ (*calmo*) quiet, calm, peaceful, placid. – **riposino** (*dim. di riposo*) *m.* **1.** (*breve riposo*) short rest. – **2.** (*sonnellino*) short sleep, nap, ⟨*fam*⟩ forty winks *pl.*

ripositorio *m.* ⟨*ant*⟩ (*ripostiglio*) store-room.

riposizione *f.* ⟨*non com*⟩ **1.** (*il riporre*) replacement, putting back. – **2.** ⟨*Chir*⟩ (*reposizione*) reposition, replacement, reduction. – **3.** ⟨*Lit*⟩ (*reposizione*) replacing the Host (in the tabernacle).

riposo **I** *s.m.* **1.** rest, repose: *concedersi un po' di* ~ to take a little rest, to allow o.s. some rest; *un po' di* ~ *te lo meriti* you deserve a little rest. – **2.** (*sonno*) sleep, rest: *buon* ~*!* sleep well! – **3.** (*rif. a liquidi*) settling. – **4.** (*periodo di riposo*) (period of) rest; (*luogo*) place to rest (*o* relax), resting-place: *la campagna è il miglior* ~ the country is the best place to relax. – **5.** ⟨*lett*⟩ (*sollievo*) solace, consolation. – **6.** ⟨*burocr*⟩ retirement. – **7.** ⟨*Ginn,Mil*⟩ ease. – **8.** ⟨*Sport*⟩ pause, rest; (*nel calcio*) interval. – **9.** ⟨*Agr*⟩ (lying) fallow. – **10.** ⟨*Bot*⟩ (*quiescenza*) dormant state, dormancy. – **11.** ⟨*Zootecn,region*⟩ (*luogo di sosta per gli ovini*) pasture. – **12.** ⟨*Arch,ant*⟩ capital of a pilaster supporting an arch; (*pianerottolo*) landing. – **II** *intz.* ⟨*Ginn,Mil*⟩ (stand) at ease.
□ ⟨*burocr*⟩ **a** ~ retired, into retirement, pensioned off, superannuated: *andare a* ~ to go into retirement, to retire; *collocare* (*o mettere*) *a* ~: 1. to pension off, to superannuate, to retire; 2. ⟨*scherz*⟩ to discard, to throw away (*o* out), to scrap: *mettere a* ~ *un paio di scarpe* to throw away a pair of shoes; ⟨*burocr*⟩ *mettersi a* ~ to retire, to go into retirement, to be pensioned off; **casa** *di* ~ rest -home; *l'***eterno** ~ eternal repose, death; ~ **festivo** holiday; *essere* **in** ~ to be at rest (*anche Fis.*); *lasciare in* ~ to (let) rest; ~ **notturno** sleep; ⟨*Teat*⟩ **oggi** ~ no performance today; ~ **pomeridiano** afternoon nap; **prendere** ~ to rest; **senza** ~ uninterruptedly, ceaselessly, incessantly, without stopping (*o* rest): *lavorare senza* ~ to work without stopping; ~ **settimanale** weekly day off; *non* **trovar** ~ to find no rest.

riposta *f.* ⟨*rar*⟩ (*provvista*) provision, supply.

ripostamente *avv.* (*nascostamente*) secretly.

ripostiglio *m.* **1.** store-room, lumber-room, box-room. – **2.** (*armadio*) cupboard, closet. – **3.** ⟨*Archeol*⟩ hiding-place. – **4.** ⟨*Mar,non com*⟩ (*riposto*) pantry.

riposto (*p.p. di riporre*) **I** *a.* **1.** (*appartato*) secluded, remote. – **2.** ⟨*fig*⟩ (*recondito*) innermost, hidden, secret: *i più -i pensieri* the most secret thoughts. – **II** *s.m.* **1.** ⟨*Mar*⟩ pantry. – **2.** ⟨*region*⟩ (*dispensa*) pantry, larder.

ripreda *f.* ⟨*Mar*⟩ recovery (of booty).

ripregare *v.t.* (**riprego, ripreghi**) **1.** (*pregare di nuovo*) to beg (*o* ask) again. – **2.** (*pregare*) to beg, to ask, to request.

riprendere *v.* (**ripresi, ripreso**) **I** *v.t.* **1.** to take up (again), to pick up (again): *riprese il cappello e se ne andò* he picked up his hat and left. – **2.** (*prendere ancora*) to have some more of, to have another: *ne riprendi di questo dolce?* will you have ⌜some more⌝ (*o* another helping) of this pudding? – **3.** (*prendere indietro*) to take back, to retake: *se il regalo non ti piace me lo riprendo* if you don't like the gift, I'll take it back. – **4.** (*andare a prendere*) to collect, to pick up, to fetch, to get: *devo andare a* ~ *mio figlio a scuola* I must go and collect my son from school. – **5.** (*acchiappare*) to catch: ~ *la palla* to catch the ball. – **6.** (*assumere di nuovo*) to take back (*o* on again), to re-engage, to rehire, to re-employ: *l'azienda riprese gli operai licenziati* the company rehired the dismissed employees. – **7.** (*raggiungere di nuovo*) to catch up (with), to reach: *il corridore è riuscito a* ~ *il gruppo* the racer was able to catch ⌜up with the group⌝ (*o* the group up). – **8.** (*catturare nuovamente*) to recapture, to capture (*o* catch) again: *la polizia ha ripreso l'evaso* the police have recaptured the escaped prisoner. – **9.** (*riconquistare*) to reconquer, to retake: ~ *una città* to reconquer (*o* retake) a city. – **10.** ⟨*fig*⟩ (*riacquistare*) to regain, to recover: ~ *vigore* to recover one's strength. – **11.** ⟨*fig*⟩ (*contrarre di nuovo*: *rif. ad affezioni fisiche*) to catch (*o* get, contract) again: ~ *l'influenza* to catch flu again; ~ *un raffreddore* to catch another cold, to catch cold again. – **12.** (*ricominciare*) to begin (*o* start) again, to resume, to take up again: ~ *un lavoro* to begin work(ing) again; ~ *le trattative* to resume negotiations. – **13.** (*derivare*) to take, to derive, to get: *l'italiano ha ripreso molti vocaboli dal francese* Italian has taken (*o* derived) many words from French; (*rif. a qualità fisiche e morali*) to take, to inherit, to get. – **14.** (*rimproverare*) to reprove, to reprimand, to scold: *l'ha ripreso per la sua negligenza* he reprimanded him for his negligence. – **15.** ⟨*Fot*⟩ (*fotografare*) to take, to photograph: ~ *una persona* to take s.o.'s photograph. – **16.** ⟨*Cin*⟩ to shoot, to film, to take: ~ *una scena* to shoot a scene. – **17.** ⟨*Sart*⟩ (*ritoccare*) to alter, to adjust; (*restringere*) to take in. – **18.** ⟨*Mar*⟩ to haul taut. – **II** *v.i.* (*aus.* **avere**) **1.** (*attecchire*) to thrive (*o* flourish) again, to do well again, to revive: *il geranio ha ripreso* the geranium has revived. – **2.** (*rimettersi in forze*) to recover, to get well again. – **3.** (*ricominciare*) to begin (*o* start) again, to resume: *lo spettacolo riprenderà fra dieci minuti* the show will begin again in ten minutes. – **4.** (*ricominciare a parlare*) to resume (speaking), to begin (to speak) again. – **riprendersi** *v.r.* **1.** (*riaversi*) to recover (*da* from), to get over (s.th.), to pick up, to rally (*anche fig.*): *riprendersi da una crisi* to recover from a crisis; *dopo la morte della moglie non si è più ripreso* he has never got over his wife's death; *il mercato si è ripreso* the market has rallied. – **2.** (*correggersi*) to correct o.s., to pull o.s. up. – **3.** ⟨*non com*⟩ (*afferrarsi*) to catch hold (*a* of), to cling (to); (*rimettersi in equilibrio*) to regain one's balance. – **4.** ⟨*non com*⟩ (*riprendere il filo del discorso*) to ⌜go back to⌝ (*o* pick up the thread of) what one was saying.
□ ~ *le* **armi** to take up arms again; ⟨*Fot*⟩ *essere ripreso* **bene** to come out well (in a photo); ~ *il* **cammino** to set out again; *riprendersela* **con** *qd.* (*prendersela con qd.*) to blame (*o* put the blame on) s.o.; ~ **coscienza** to regain consciousness, to come to (*o* round); ~ *in* **esame** to re-examine; ~ **fiato** to catch one's breath; ⟨*Lav.femm*⟩ ~ *una* **maglia** to pick up a stitch; ⟨*fig*⟩ ~ *in* **mano** (*ricominciare*) to begin (*o* start) again: ~ *in mano i pennelli* (*ricominciare a dipingere*) to begin painting again; ~ **marito** to get married again, to remarry; ~ **quota**: 1. ⟨*Aer*⟩ to regain altitude; 2. ⟨*fig*⟩ to pick up speed; ~ *i* **sensi** = *riprendere* **coscienza**.

riprendimento *m.* ⟨*non com*⟩ **1.** taking back. – **2.** ⟨*ant*⟩ (*rimprovero*) reproof, ⟨*lett*⟩ reprehension. – **riprenditore** *m.* (*f.* **-trice**) ⟨*non com*⟩ **1.** (*chi riprende*) one that takes back. – **2.** ⟨*ant*⟩ (*riprensore*) reprover. – **riprensibile** *a.* ⟨*lett*⟩ (*riprovevole*) reprehensible, reprovable, blameworthy. – **riprensione** *f.* ⟨*lett*⟩ **1.** (*rimprovero*) reproof, rebuke, ⟨*lett*⟩ reprehension. – **2.** ⟨*ant*⟩ (*azione meritevole di rimprovero*) reprehensible act. – **riprensivo** *a.* ⟨*lett*⟩ of reproof, ⟨*lett*⟩ reprehensive: *intonazione -a* tone of reproof. – **riprensore** *m.* (*f.* **riprenditrice**) ⟨*lett*⟩ reprover, rebuker, ⟨*lett*⟩ reprehender.

ripresa *f.* **1.** (*il riprendere*) taking again; (*il prendere indietro*) taking back. – **2.** (*il ricominciare*) resumption, recommencement, renewal, restarting: *la* ~ *dei lavori* the resumption of work; *la* ~ *dei negoziati* the resumption of negotiations. – **3.** ⟨*Teat,Cin*⟩ (*ripetizione*) revival: *la* ~ *di quel soggetto ha determinato nuovi successi per la compagnia* the revival of that show brought the company fresh success. – **4.** ⟨*Mot*⟩ pick-up, acceleration. – **5.** ⟨*Sport*⟩ (*tempo di gara*) second half; (*nel pugilato*) round; (*nel pattinaggio*) change of leg; (*nella scherma*) reprise. – **6.** ⟨*Cin*⟩ (*atto*) shooting, filming; (*effetto*) shot, take. – **7.** ⟨*Fot*⟩ (*atto*) photographing; (*effetto*) shot, exposure. – **8.** ⟨*Lett*⟩ refrain, chorus, burden. – **9.** ⟨*Mus*⟩ (*ritornello*) refrain, chorus, burden, ritornello; (*nella sonata*) recapitulation. – **10.** ⟨*Econ*⟩ (*incremento*) recovery, revival; (*in borsa*: *rialzo*) rise,

rally(ing); (*rif. a titoli*) rise, bull. – **11.** ⟨*Sart*⟩ dart, tuck. – **12.** ⟨*Mar, Sport*⟩ (*nella voga*) recovery. – **13.** ⟨*Mar*⟩ (*ripreda*) recovery (of booty). – **14.** ⟨*Bot*⟩ regrowth. – **15.** ⟨*Aer*⟩ pull-out.
□ ⟨*non com*⟩ **a** *-e* = *a* **più** *riprese*; ~ ⟨*Cin*⟩ ~ **angolata** angle shot; **capacità** *di* ~ capacity for recovery; ⟨*Cin*⟩ ~ *a* **carrellata** dolly (*o* follow) shot, track(ing) shot, travel(ling) shot; ~ **cinematografica** filming; ⟨*Econ*⟩ ~ *della* **congiuntura** improvement in the economic situation, pick-up of the economy; ⟨*Cin*⟩ ~ *di* **dettaglio** close-up; ⟨*Rad,TV*⟩ ~ **diretta** live broadcast; ⟨*Rad,TV*⟩ *in* ~ *diretta* live: *trasmettere in* ~ *diretta* to broadcast live; ⟨*Cin*⟩ ~ **distante** long shot, ⟨*am*⟩ vista shot; ~ **economica** economic recovery; ⟨*Cin*⟩ ~ **esterna** outdoor shot; ~ **generale** = *ripresa* **distante**; ⟨*Econ*⟩ ~ **improvvisa** upswing; ⟨*fig*⟩ *essere* **in** ~ to be on the upswing (*o* rise), to be looking (*o* picking) up again; ⟨*Cin*⟩ ~ **inclinata** angle shot; ⟨*Cin*⟩ ~ **interna** studio (*o* indoor) shot; ⟨*Cin*⟩ ~ **media** medium shot; ~ **mobile** (o *in movimento*) = *ripresa a* **carrellata**; ⟨*Cin*⟩ ~ **muta** mute shot; ⟨*Cin*⟩ ~ **obliqua** canted shot; ⟨*Cin*⟩ ~ **panoramica** panning; *a* **più** *-e* (*in più volte*) in (successive) stages; (*ripetutamente*) several (*o* many) times, on several occasions, often, over and over; ⟨*Econ*⟩ ~ *delle* **quotazioni** rise (*o* increase) in quotations; ⟨*Cin*⟩ ~ *col* **rallentatore** slow-motion shot; ~ **televisiva** televising.

ripresentare *v.t.* (**ripresento**) **1.** (*presentare di nuovo*) to present again, to re-present; (*rif. a domande e sim.*) to resubmit, to put in again. – **2.** ⟨*ant*⟩ (*rappresentare*) to represent. – **ripresentarsi** *v.r.* to re-present o.s., to present o.s. again. □ *se se ne ripresenterà l'occasione* if the opportunity occurs (*o* arises) again.

ripresi *p.rem. di* **riprendere**. – **ripreso** (*p.p. di riprendere*) *a.* **1.** (*preso di nuovo*) taken again, retaken; (*preso indietro*) taken back. – **2.** ⟨*Sart*⟩ (*ritoccato*) altered, adjusted; (*ristretto*) taken in.

riprestare *v.t.* (**ripresto**) **1.** to lend again. – **2.** ⟨*fig*⟩ to give (*o* lend, pay) again. – **3.** ⟨*lett*⟩ (*dare di nuovo*) to give again.

riprezzo *m.* ⟨*ant*⟩ (*ribrezzo*) disgust, horror.

riprincipiare *v.* (**riprincipio, riprincipi**) **I** *v.t.* (*ricominciare*) to begin (*o* start) again, to recommence; (*cominciare da capo*) to begin (all) over again, to go back to the beginning, ⟨*fam*⟩ to start from scratch. – **II** *v.i.* (*aus.* **avere**) to start (*o* begin) again, to be off again.

ripristinamento *m.* → **ripristino**. – **ripristinare** *v.t.* (**ripristino**) **1.** to restore, to renew, to renovate: ~ *una facciata* to restore a façade. – **2.** (*rimettere in funzione*) to repair, to put back in operation: *le comunicazioni telefoniche non sono state ancora ripristinate* the telephones have not yet been put back in operation. – **3.** ⟨*fig*⟩ (*rimettere in uso*) to revive, to bring back, to restore, to reinstate: ~ *una tradizione* to revive a tradition. – **ripristinatore** *m.* (*f.* **-trice**) ⟨*non com*⟩ restorer, reviver. – **ripristinazione** *f.* ⟨*non com*⟩ → **ripristino**. – **ripristino** *m.* **1.** restoration, renewal, renovation. – **2.** (*il rimettere in funzione*) putting back in operation, repair. – **3.** ⟨*fig*⟩ (*il rimettere in uso*) revival, restoration, bringing back, reinstatement.

riprivatizzare *v.t.* ⟨*Dir*⟩ to privatize again, to denationalize, to restore to private ownership. – **riprivatizzazione** *f.* denationalization, restoring to private ownership.

riprodotto (*p.p. di riprodurre*) *a.* **1.** reproduced. – **2.** (*a stampa*) reprinted, republished. – **3.** (*copiato*) copied, reproduced. – **4.** ⟨*Acu*⟩ reproduced.

riproducibile *a.* reproducible: *disegno* ~ reproducible drawing; ⟨*Econ*⟩ *beni -i* reproducible goods. – **riproducibilità** *f.* reproducibility. – **riproducimento** *m.* ⟨*rar*⟩ → **riproduzione**.

riprodurre *v.t.* (**riproduco, riproduci; riprodussi, riprodotto**; → **condurre**) **1.** (*produrre di nuovo*) to produce again, to reproduce. – **2.** (*ripresentare*) to produce (*o* show, present) again, to exhibit (*o* bring forward) again, to reproduce: ~ *i documenti* to show one's papers again. – **3.** (*eseguire la copia*) to reproduce, to copy, to make a copy (*o* reproduction) of: ~ *in gesso un bassorilievo* to make a copy of a bas-relief in plaster of Paris; (*copiare, moltiplicare*) to reproduce, to copy: ~ *col sistema fototipico* to copy by phototype. – **4.** (*stampare, pubblicare*) to print, to publish: *la pubblicazione sarà riprodotta in cinque lingue* the publication will be printed in five languages. – **5.** (*rappresentare, ritrarre*) to portray, to depict, to picture, to reproduce, to represent, to show: *il quadro riproduce la scena di una battaglia* the painting depicts a battle scene; (*esprimere*) to express, to reproduce, to render. – **6.** ⟨*Biol,Acu*⟩ to reproduce. – **riprodursi** *v.r.* **1.** ⟨*Biol*⟩ to reproduce, to propagate, to multiply. – **2.** (*formarsi di nuovo*) to form (*o* make, arise) again: *in cantina si è riprodotta la muffa* mould has formed in the cellar again. – **3.** (*rinnovarsi, ripetersi*) to happen again, to reoccur: *questo fatto non dovrebbe più riprodursi* this must not happen again. □ ~ *integralmente* to republish an unabridged edition.

riproduttivo *a.* **1.** ⟨*Biol*⟩ reproductive. – **2.** (*atto a ritrarre, a rappresentare*) reproductive, descriptive, of representation.

riproduttore **I** *s.m.* (*f.* **-trice**) **1.** portrayer, describer. – **2.** ⟨*Zootecn*⟩ breeder, breeding animal; (*rif. a cavalli*) stud. – **3.** ⟨*tecn*⟩ reproducer. – **II** *a.* ⟨*Biol*⟩ reproductive, of reproduction: *apparato* ~ reproductive organs. □ ~ *fonografico* pick-up.

riproduzione *f.* **1.** (*il ritrarre*) portrayal, depiction, representation: ~ *di un paesaggio campestre* representation of a rural landscape. – **2.** (*esecuzione di una copia*) copying, reproduction, reproducing; (*copia*) copy, reproduction: *la* ~ *di un quadro di Picasso* a Picasso reproduction. – **3.** (*copiatura, moltiplicazione*) reproducing, copying: ~ *al ciclostile* copying by mimeograph. – **4.** (*il ristampare*) reprinting; (*ristampa*) reprint: ~ *non autorizzata* unauthorized reprint. – **5.** ⟨*Biol*⟩ reproduction, propagation. – **6.** ⟨*Acu,Econ*⟩ reproduction.
□ ⟨*Biol*⟩ ~ **agamica** (o *asessuale*) agamic (*o* asexual) reproduction; **costo** *di* ~ reproduction cost, physical value; ⟨*Dir*⟩ **diritti** *di* ~ copyright *sing*; *diritti di* ~ *cinematografica* film rights; ⟨*Biol*⟩ ~ *per* **divisione** *multipla* reproduction by multiple fission; ⟨*Tip*⟩ ~ **eliografica** heliographic copying (*o* reproduction); ⟨*concr*⟩ heliographic print; ⟨*Econ*⟩ ~ **fisica** direct reproduction; ~ **fotografica** photographic reproduction, photoreproduction; ⟨*Tip*⟩ ~ **litografica** lithographic reproduction; ⟨*concr*⟩ lithograph, lithographic print; ~ **magnetica** magnetic recording; ~ **monogonica** = *riproduzione* **agamica**; ⟨*Biol*⟩ ~ *per* **scissione** reproduction by fission; ~ **sessuale** sexual reproduction; ~ *a* **stampa** print; ~ **sonora** (o *dei suoni*) sound reproduction; ⟨*Tip,Fot*⟩ ~ *a* **tratto** black-line reproduction, line copying; ~ **vietata** all rights reserved, copyright.

riprofondare *v.* (**riprofondo**) ⟨*lett*⟩ **I** *v.t.* to sink again. – **II** *v.i.* (*aus.* **essere**), **riprofondarsi** *v.r.* to sink again.

ripromettere *v.t.* (**ripromisi, ripromesso**) to promise again. – **ripromettersi** *v.r.* **1.** (*proporsi*) to intend, to resolve, to propose: *ripromettersi di fare qc.* to intend to do s.th. – **2.** (*aspettarsi*) to expect, to hope (*da* of, from): *si ripromette molto da suo figlio* he expects a lot of his son.

riproporre *v.t.* (**ripropongo, riproponi; riproposi, riproposto**; → **porre**) to propose again, to repropose. – **riproporsi** *v.r.* to come up again, to arise again: *un problema che si ripropone spesso* a problem which comes up often.

riprova *f.* **1.** double-check, control (*o* check) test, proof: *fare la* ~ *di un esperimento* to ⌜make a double-check on⌝ (*o* double-check) an experiment; (*prova nuova e diversa*) new test (*o* check). – **2.** ⟨*Mat*⟩ proof. – **3.** (*conferma*) confirmation; (*dimostrazione*) demonstration, proof. – **4.** ⟨*Dir*⟩ new evidence (*o* proof). □ *a* ~ *di* as proof of, in confirmation of, confirming, to prove: *a* ~ *della tua osservazione* confirming your remark.

riprovamento *m.* ⟨*rar*⟩ → **riprovazione**.

riprovare[1] *v.* (**riprovo**) **I** *v.t.* to try (*o* attempt) again. – **II** *v.i.* (*aus.* **avere**), **riprovarsi** *v.r.* to try again, to make another attempt.

riprovare[2] *v.t.* (**riprovo**) **1.** (*disapprovare*) to condemn, to censure, to disapprove of, ⟨*lett*⟩ to reprove. – **2.** (*biasimare*) to reprove, to blame, to reprehend, to rebuke. – **3.** (*respingere*) to reject, to refuse. – **4.** ⟨*Scol*⟩ to fail, ⟨*fam*⟩ to plough, ⟨*fam*⟩ to flunk. – **5.** ⟨*ant*⟩ (*confutare*) to confute, to disprove, to refute.

riprovato (*p.p. di riprovare*[2]) **I** *a.* ⟨*Scol*⟩ failed, ⟨*fam*⟩ ploughed, ⟨*fam*⟩ flunked. – **II** *s.m.* (*f.* **-a**) failed candidate. – **riprovatore** *m.* (*f.* **-trice**) ⟨*non com*⟩ reprover, condemner, reprehender. – **riprovazione** *f.* **1.** (*disapprovazione*) censure, disapproval, reproof, reprobation. – **2.** (*biasimo*) blame, reproof, reprehension. – **3.** ⟨*Scol*⟩ (*bocciatura*) failure, failing. □ ⟨*Dir.can*⟩ ~ *delle testimonianze* reprobation of testimony. – **riprovevole** *a.* **1.** censurable, reprehensible. – **2.** (*biasimevole*) reprovable, blameworthy, blam(e)able.

ripuario *a.* ⟨*non com*⟩ riparian, riverine.

ripubblicare *v.t.* (**ripubblico, ripubblichi**) to republish, to reissue; (*ristampare*) to reprint.

ripudiabile *a.* that may be repudiated, ⟨*non com*⟩ repudiable. – **ripudiare** *v.t.* (**ripudio, ripudi**) **1.** to repudiate, to cast off, to reject, to disown: ~ *la moglie* to repudiate one's wife. – **2.** ⟨*estens*⟩ (*rinnegare*) to repudiate, to reject, to deny, to disown: ~ *la propria fede* to deny one's faith; (*rinunciare*) to renounce, to give up, to abandon: ~ *la nazionalità* to give up one's nationality. – **3.** (*respingere, rifiutare*) to reject, to repudiate, to refuse: ~ *ogni compromesso* to refuse all compromises. – **ripudiatore** *m.* (*f.* **-trice**) ⟨*non com*⟩ repudiator, disavower. – **ripudio** *m.* **1.** repudiation, disavowal. – **2.** (*rinnegamento*) denial, repudiation, disavowal, disowning: ~ *della fede* denial of faith. – **3.** (*rifiuto*) rejection, refusal, renouncing, giving up, repudiation.

ripugnante (*p.pr. di ripugnare*) *a.* **1.** repugnant, disgusting, revolting, offensive: *spettacolo* ~ disgusting sight. – **2.** ⟨*non com*⟩ (*discordante*) incompatible, opposed: *affermazioni -i fra di loro* incompatible statements.

ripugnanza *f.* **1.** (*disgusto*) repugnance, disgust, repulsion. – **2.** (*avversione*) repugnance (*per* for), aversion (to), strong dislike (of), antipathy (against, to). – **3.** ⟨*lett*⟩ (*opposizione*) repugnance, opposition; (*contraddizione*) contradiction, inconsistency. □ *con* ~ (*malvolentieri*) unwillingly, reluctantly.

ripugnare *v.i.* (*aus.* **avere**) **1.** to disgust, to repulse, to revolt (*a qd.* s.o.), to be repugnant (to), ⟨*fam*⟩ to turn s.o.'s stomach: *le lumache mi ripugnano* snails revolt me. – **2.** (*suscitare avversione*) to be repugnant (to), to cause a strong aversion (*o* dislike), to dislike (*costr. pers.*): *mi ripugna mentire* I dislike lying, lying is repugnant to me. – **3.** ⟨*non com*⟩ (*contrastare*) to be contradictory (*o* opposed) (*a, con* to): *ciò che dici ripugna col senso comune* what you say is contrary to common sense. – **4.** ⟨*lett*⟩ (*resistere*) to resist, to make opposition (*o* resistance), ⟨*lett*⟩ to repugn. – **5.** ⟨*lett*⟩ (*combattere di nuovo*) to fight again.

ripulimento *m.* ⟨*non com*⟩ → **ripulitura**.

ripulire *v.t.* (**ripulisco, ripulisci**) **1.** to clean (up), to make clean. – **2.** (*pulire di nuovo*) to clean again, to reclean. – **3.** ⟨*fig,scherz*⟩ (*portare via tutto*) to clean out: *i ladri hanno ripulito la cassaforte* the thieves cleaned out the safe; *mi hanno ripulito al poker ieri sera* ⌜they cleaned me out⌝ (I got cleaned out) at poker last night. – **4.** ⟨*fam*⟩ (*mangiare tutto*) to clean (off): *i miei ragazzi hanno ripulito i piatti* the boys cleaned off their plates. – **5.** ⟨*fig*⟩ (*vuotare*) to clean, to clear, to rid: ~ *la città dagli speculatori* to rid the city of speculators. – **6.** ⟨*fig*⟩ (*limare, perfezionare*) to put the finishing touches to, to touch up, to perfect; (*dirozzare*) to polish, to refine. – **7.** (*pulire togliendo le parti inutili o dannose*) to clean out, to clear: ~ *il campo dai sassi* to clear the field of rocks; (*da erbacce*) to weed: ~ *il giardino dalle erbacce* to weed the garden. – **8.** ⟨*Lav.femm*⟩ to finish off; (*fare le rifiniture*) to trim. – **ripulirsi** *v.r.* **1.** to clean (o.s.) up, to make o.s. tidy. – **2.** (*rif. a vestiti*) to clean (*o* tidy, spruce) up, to freshen. – **3.** ⟨*fam*⟩ (*indossare vestiti più eleganti*) to dress up, to change into better clothes. – **4.** ⟨*fig*⟩ (*dirozzarsi*) to become more polished (*o* refined), to polish up one's manners. □ ⟨*fig*⟩ ~ *le tasche a qd.* to clean s.o. out, ⟨*am.fam*⟩ to take s.o. to the cleaner's.

ripulịsti: ⟨*pop*⟩ *far* ~ to make a clean sweep, to clean out.

ripulịta *f.* **1.** (*il ripulire, il ripulirsi*) clean(ing) up, tidying up. – **2.** ⟨*fig*⟩ clean sweep, mop up, cleaning out. □ *fare una* ~ *di malviventi* to mop up the underworld; ⟨*fam*⟩ *darsi una* ~ to tidy (o.s.) up, to spruce up. – **ripulitịna** *f. dim. di* **ripulita**. – **ripulịto** (*p.p. di ripulire*) *a.* **1.** clean, cleaned (up), tidy, in order. – **2.** (*rif. a persone*) dressed up, elegant, smart, ⟨*fam,scherz*⟩ posh, ⟨*fam*⟩ slicked up. – **ripulitọre** *m.* (*f.* **-trice**) ⟨*non com*⟩ **1.** cleaner. – **2.** ⟨*fig*⟩ polisher, refiner. – **ripulitụra** *f.* **1.** cleaning (up). – **2.** (*ciò che si toglie ripulendo*) cleanings *pl*, refuse, dirt. – **3.** ⟨*fig*⟩ (*rifinitura, correzione*) final (*o* finishing) touch, polishing. – **4.** ⟨*Lav.femm*⟩ finishing off; (*rifinitura*) trimming. – **5.** ⟨*Silv*⟩ clearing, thinning out.

ripullulạre *v.i.* (**ripụllulo**; *aus.* **essere**) **1.** to bud (*o* sprout) again, to pullulate again. – **2.** ⟨*fig*⟩ to swarm (*o* teem) again.

ripụlsa *f.* ⟨*lett*⟩ (*rifiuto*) refusal, rejection.

ripulsiọne *f.* **1.** repulsion, repugnance, aversion: *provare* ~ *per qd.* to feel repugnance for s.o. – **2.** ⟨*Fis*⟩ repulsion. – **ripulsịvo** *a.* **1.** repulsive, disgusting, repellent, repugnant, revolting: *aspetto* ~ disgusting appearance. – **2.** (*che rivela ripulsione*) hostile, of dislike: *mossa -a* gesture of dislike. – **3.** ⟨*Fis*⟩ repulsive.

ripụngere *v.t.* (**ripụngo, ripụngi; ripụnsi, ripụnto**) **1.** to pierce again. – **2.** (*pungere*) to pierce.

ripuntạre *v.t.* **1.** (*puntare di nuovo*) to plant (*o* thrust, push) again. – **2.** (*mirare di nuovo*) to aim again. – **3.** (*puntare al gioco*) to bet (*o* wager) again.

ripurgạre *v.t.* (**ripụrgo, ripụrghi**) **1.** to purge (*o* give a laxative to) again. – **2.** ⟨*non com*⟩ (*purificare*) to purify, to cleanse, to purge.

riputạre *v.t.* ⟨*ant,non com*⟩ (*reputare*) to consider, to think, to repute. – **riputaziọne** *f.* ⟨*non com*⟩ (*reputazione*) reputation.

riquadramẹnto *m.* ⟨*non com*⟩ → **riquadratura**.

riquadrạre I *v.t.* **1.** to (make) square: ~ *un blocco di pietra* to square a stone block. – **2.** ⟨*Mat*⟩ to square, to raise to the second power. – **II** *v.i.* (*aus.* **avere/essere**) ⟨*non com*⟩ **1.** (*misurare*) to measure. – **2.** ⟨*fig*⟩ (*quadrare, tornare*) to fit, to be right (*o* correct), to tally: *non mi riquadra* it doesn't seem right to me. □ *il tuo ragionamento non riquadra* your reasoning is wrong; ⟨*fig*⟩ ~ *il cervello* (o *la testa*) *a qd.* to teach s.o. to think straight, ⟨*fam*⟩ to get some sense into s.o.'s head; ~ *una stanza* to paint the friezes and baseboards of a room. – **riquadrạto** *m.* ⟨*Giorn*⟩ boxed matter, framed news item. – **riquadratọre** *m.* (*f.* **-trice**) **1.** squarer. – **2.** (*sbozzatore*) squarer, rough-hewer. – **3.** ⟨*Edil*⟩ specialized painter. – **riquadratụra** *f.* **1.** squaring. – **2.** ⟨*Mat*⟩ squaring. – **3.** ⟨*Edil*⟩ specialized painting. – **4.** ⟨*non com*⟩ (*riquadro*) square.

riquạdro *m.* **1.** section, area; (*quadrato*) square, quadrangle. – **2.** ⟨*Arch*⟩ bay, compartment. – **3.** (*pannello*) panel; (*cornice*) frame, border. – **4.** ⟨*non com*⟩ (*riquadratura*) squaring.

riqualificạre *v.t.* (**riqualịfico, riqualịfichi**) to place in a higher category; (*rif. a professioni*) to retrain. – **riqualificaziọne** *f.* placing in a higher category; (*rif. a professioni*) retraining: ~ *professionale* professional retraining.

riregistraziọne *f.* ⟨*Acu*⟩ rerecording.

rịsa *f.pl. di* **riso**[2].

risạcca *f.* ⟨*Mar*⟩ undertow.

risạia *f.* ⟨*Agr*⟩ (rice-)paddy, rice-field, paddy-field. – **risaiọlo** *m.* (*f.* **-a**) **1.** (*mondariso*) rice-weeder. – **2.** ⟨*region*⟩ (*addetto alla sorveglianza*) (rice-)paddy overseer.

risaldamẹnto *m.* ⟨*non com*⟩ **1.** resoldering, rewelding. – **2.** ⟨*fig*⟩ (*rif. a ferite*) healing. – **risaldạre** *v.t.* **1.** to resolder, to reweld. – **2.** (*saldare*) to solder, to weld. – **3.** ⟨*fig,non com*⟩ (*rif. a ferite*) to (cause to) heal. – **risaldatụra** *f.* **1.** resoldering, rewelding. – **2.** (*saldatura*) soldering, welding. – **3.** (*parte risaldata*) soldering, weld.

risalimẹnto *m.* ⟨*non com*⟩ reascent.

risalịre *v.* (**risạlgo, risạli; risalịi, risalịto**; → **salire**) **I** *v.i.* (*aus.* **avere**) **1.** to go (*o* climb) up again, to reascend: *risalì a cavallo e partì* he climbed up on his horse again and left. – **2.** (*salire*) to go (*o* climb) up, to ascend. – **3.** ⟨*fig*⟩ (*ritornare con la mente*) to go back, to return: ~ *all'origine di una tradizione* to go back to the origin of a tradition. – **4.** ⟨*fig*⟩ (*rincarare*) to rise (*o* go up) again: *il prezzo dell'olio tende a* ~ the price of oil is tending to rise again. – **5.** (*essere avvenuto in un tempo anteriore*) to date (*o* go) back (*a* to): *la sua ultima visita risale a tre mesi fa* his last visit goes back to three months ago; *la chiesa risale al Trecento* the church dates back to the fourteenth century. – **II** *v.t.* **1.** to go up again, to reascend: ~ *le scale* to go up the stairs again. – **2.** (*salire*) to climb, to go up, to ascend: ~ *il pendio* to climb the slope. □ ~ *il corso d'un fiume* to go upstream; ⟨*fig*⟩ ~ *in fama* to become famous again; ~ *in grado* to rise to a better position again; ⟨*fig*⟩ ~ *in potenza* to ⌜gain power⌝ (*o* become powerful) again; ~ *alla sorgente di un fiume* to trace a river back to its source; (*navigando*) to sail up a river to its source.

risalịta *f.* reascending, going up again.

risaltạre I *v.i.* (*aus.* **avere/essere**) **1.** (*sporgere*) to project, to jut (*o* stick) out, to protrude: *il bassorilievo risalta sulla colonna* the bas-relief sticks out on the column. – **2.** (*fare spicco*) to stand out (*su* against), to show up (against, on), to catch the eye: *quel nero risalta sul bianco* that black shows up against the white. – **3.** (*rif. a suoni*) to come (*o* stand) out, to emerge: *in questo coro i soprani risaltano troppo* in this chorus the sopranos stand out too much. – **4.** ⟨*fig*⟩ (*distinguersi, emergere*) to be outstanding, to stand out (*fra* among), to rise (above), to be conspicuous (among): *risalta tra i compagni per la sua intelligenza* he stands out among his companions for his intelligence; (*rif. a cose*) to stand out, to be clear (*o* self-evident). – **5.** (*saltare di nuovo*) to jump again, to take another jump (*o* leap). – **II** *v.t.* to jump (*o* leap) over again. □ *far* ~: 1. (*mettere in evidenza*) to bring out, to emphasize, to show up; 2. (*conferire maggiore bellezza*) to enhance; ~ *fuori* to turn up again.

risạlto[1] *m.* **1.** (*spicco*) relief, prominence, emphasis, stress. – **2.** (*sporgenza*) projection, shoulder, overhang. – **3.** ⟨*Arch*⟩ (*avancorpo*) avant-corps, projecting part. □ *dare* ~ *a qc.* to bring s.th. out, to make s.th. stand out, to emphasize (*o* stress, accentuate) s.th., to show s.th. up, to give prominence to s.th.; (*conferendo maggiore bellezza*) to enhance s.th.; *far* ~ to stand out, to be thrown into relief; *mettere* (o *porre*) *in* ~ *qc.* = *dare risalto a qc.*; ⟨*Alp*⟩ ~ *di roccia* (rock) ledge.

risạlto[2] *m.* ⟨*Idr*⟩ (*salto di Bidone*) hydraulic jump, return wave, backwave.

risalutạre *v.t.* **1.** to greet again. – **2.** (*restituire il saluto*) to return a greeting, to greet in return.

risanạbile *a.* **1.** curable. – **2.** (*rif. a luoghi malsani*) reclaimable.

risanamẹnto *m.* **1.** (*guarigione*) cure, recovery. – **2.** ⟨*fig*⟩ (*miglioramento*) improvement. – **3.** (*bonifica*) reclamation. – **4.** ⟨*Edil*⟩ (*rif. a quartieri urbani*) slum clearance. – **5.** ⟨*Econ*⟩ reorganization, reconstruction: ~ *finanziario* financial reconstruction. – **6.** ⟨*Ind*⟩ improvement. □ ⟨*Enol*⟩ ~ *di una botte* fumigation of a cask.

risanạre I *v.t.* **1.** to cure, to heal, to restore to health: ~ *gli infermi* to heal the sick. – **2.** (*rendere sano di mente*) to bring back to one's senses, to make see reason. – **3.** ⟨*fig*⟩ (*liberare da afflizioni*) to free, to deliver, to release. – **4.** ⟨*fig*⟩ (*riordinare, riorganizzare*) to reorganize, to improve, to re-establish on a sound footing: ~ *un'amministrazione* to reorganize an administration. – **5.** (*bonificare*) to improve; (*rif. a terreni acquitrinosi*) to reclaim. – **II** *v.i.* (*aus.* **essere**) **1.** to recover, to get better, to be cured (*o* healed); (*rif. a ferite*) to heal (up). – **2.** ⟨*fig*⟩ to be free (*da* of), to be delivered (from).

risanatọre I *s.m.* (*f.* **-trice**) ⟨*lett*⟩ healer, restorer. – **II** *a.* **1.** healing, restoring, curative: *rimedio* ~ curative remedy. – **2.** ⟨*fig*⟩ healing, curative: *parole risanatrici* healing words. – **3.** (*riformatore*) reforming. □ ⟨*Agr*⟩ *bonifica risanatrice* reclamation.

risapẹre *v.t.* (**risò, risại, risà; risẹppi, risapụto**; → **sapere**) to hear about, to come to know, to find out. □ *venire a* ~ *qc.* to hear about s.th. – **risapụto** (*p.p. di risapere*) *a.* (*noto*) well-known, (of) common knowledge: *è* ~ *che è una persona onesta* it's ⌜well-known⌝ (*o* common knowledge) that he's an honest person.

risarcịbile *a.* indemnifiable. – **risarcimẹnto** *m.* **1.** (*rif. a persone*: *indennizzo*) indemnification, indemnity, compensation; (*rif. a cose*: *rimborso*) compensation, making good: ~ *dei danni* compensation for damages. – **2.** (*somma data per risarcire*) damages *pl*, indemnity, compensation: ~ *dei danni morali* damages (*o* compensation) for moral injuries. – **3.** (*riparazione*) reparation.

risarcịre *v.t.* (**risarcịsco, risarcịsci**) **1.** (*rif. a persone*: *indennizzare*) to compensate, to indemnify, to recoup: ~ *qd. di qc.* to indemnify s.o. for s.th.; (*rif. a cose*: *rimborsare*) to make good, to pay (*o* make) compensation for: *lo stato risarcisce i danni di guerra* the government pays compensation for war damage. – **2.** (*riparare*) to make amends (up) for, to redress: ~ *un'offesa* to make amends for a wrong. – **3.** ⟨*rar*⟩ (*aggiustare*) to repair, to put right; (*restaurare*) to restore. – **4.** ⟨*rar*⟩ (*cicatrizzare*) to heal (up).

risarẹlla *f.* ⟨*fam*⟩ uncontrollable laughter, giggles *pl.* □ *mi viene* (*o prende*) *la* ~ I can't help laughing; *ti è venuta la* ~? have you got the giggles? – **risarẹllo** *a.* ⟨*roman*⟩ (*atteggiato a riso*) laughing, merry: *occhi -i* laughing eyes.

risạta *f.* laugh, laughing, burst of laughter: *trattenere una* ~ to hold back a laugh.

□ ~ **beffarda** sneer; **fare** (*o* **farsi**) *una* ~ to laugh, to have (*o* give) a laugh: *fare una* ~ *in faccia a qd.* to laugh in s.o.'s face; ~ **grassa** hearty laugh; *farsi delle grasse* (o *grandi*) *-e* to have a good laugh, to guffaw; ~ **omerica** homeric laughter; **scoppiare** *in una* ~ to burst out laughing, ⟨*fam*⟩ to hoot, ⟨*fam*⟩ to guffaw.

risatạccia (*pegg. di risata*) *f.* (*pl.* **-ce**) coarse laugh; (*sprezzante*) sneer. – **risatịna** (*dim. di risata*) *f.* snicker, snigger, (sly) laugh. □ *farsi una* ~ to snicker, to snigger; *fare una* ~ *fra sé* to laugh to o.s.

risạzio *a.* ⟨*fam*⟩ (*sazio*) full up (to bursting), bursting, sated, ⟨*fam*⟩ stuffed.

rịsbaldịre *v.i.* (**rịsbaldịsco, rịsbaldịsci**; compound tenses are not used) ⟨*ant,poet*⟩ (*rallegrarsi*) to rejoice, to be glad.

rịsbucạre *v.i.* (**rịsbụco, rịsbụchi**; *aus.* **essere**) **1.** (*sbucare di nuovo*) to spring up (*o* out) again. – **2.** (*comparire di nuovo*) to turn up again, to reappear.

riscaldạbile *a.* heatable.

riscaldamẹnto *m.* **1.** heating, warming: *appartamento con* ~ flat with (central) heating. – **2.** (*impianto*) heating plant (*o* system). – **3.** (*aumento di temperatura*) rise in temperature, heating (*o* warming) up. – **4.** ⟨*pop*⟩ (*riscaldo*) slight fever. – **5.** ⟨*fig,ant*⟩ (*eccitazione*) excitement, agitation; (*ira*) anger.

□ ~ *ad* **acqua** *calda* hot-water heating; ~ *ad* **aria** air-heating; ~ **autonomo** independent central heating (serving one flat); ~ *a* **carbone** coal heating, heating by coal; ~ **centrale** (*per un edificio*) central heating; (*per più edifici o quartieri*) district heating; ~ *per* **contatto** contact heating; ⟨*Mot*⟩ ~ **eccessivo** overheating; ~ **elettrico** electric heating; ~ *a* **energia** *solare* solar heating; ~ *a* **gas** gas heating; **impianto** *di* ~ heating system (*o* plant); ⟨*Mot*⟩ ~ **iniziale** warming up, preheating; ~ **locale** local heating; ~ *a* **nafta** fuel oil heating; ~ *a* **pannelli** *radianti* panel (*o* radiant) heating; ~ *ad alta* **pressione** high-pressure heating; ~ *a* **radiazione** radiation (*o* radiant) heating; ~ *a* **resistenza** resistance heating; **spese** *di* ~ fuel expenses; (*in un albergo*) charge for heating; ~ *a* **termosifone** hot-water heating; ~ *a raggi* **ultrarossi** infra-red (radiation) heating, heating by infra-red radiation; ~ *a* **vapore** steam heating.

riscaldạre I *v.t.* **1.** (*scaldare*) to warm (up), to heat: *i raggi del sole riscaldano l'aria* the sun's rays warm the air; (*scaldare artificialmente*) to heat: ~ *una casa* to heat a house. – **2.** (*scaldare di nuovo*) to warm (*o* heat) again; (*rif. a cibi*) to warm up. – **3.** ⟨*pop*⟩ (*provocare riscaldo*) to cause a slight fever. – **4.** ⟨*fig*⟩ (*eccitare, infiammare*) to fire, to heat, to stir up, to excite, to arouse. – **5.** ⟨*fig,ant*⟩ (*cercare di persuadere*) to try to convince. – **II** *v.i.impers.* (*aus.* **essere**) to get warm(er), to become hot(ter), to grow milder: *da ieri è riscaldato molto* it's got very warm since yesterday. – **riscaldarsi** *v.r.* **1.** to warm up, to get warm, to warm o.s.: *mi misi a correre per riscaldarmi* I started to run to warm up. – **2.** (*divenire caldo*) to become (*o* get) hot, to get warm: *l'aria si sta riscaldando* the air is getting warm. – **3.** ⟨*fig*⟩ (*infervorarsi, accalorarsi*) to get excited, to become heated; (*adirarsi*) to become angry (*o* heated), to get worked up. – **4.** ⟨*pop*⟩ (*prendere un riscaldo*) to get a slight fever. – **5.** ⟨*Mot*⟩ to become warm; (*eccessivamente*) to get overheated. □ ⟨*Mot*⟩ *far* ~ to warm up; ⟨*fig*⟩ *riscaldarsi a freddo* to feign anger; ⟨*fig,ant*⟩ ~ *gli orecchi a qd.* (*farlo incollerire*) to make s.o. angry; ⟨*fig*⟩ ~ *le reni a qd.* (*bastonarlo*) to beat s.o.

riscaldạta *f.* **1.** (*il riscaldare*) warming up. – **2.** (*lo scaldare di nuovo*) reheating, heating (*o* warming) again; (*rif. a cibi*) warming up. – **3.** (*il riscaldarsi*) warming up, getting warm. □ *dare una* ~ *a qc.* to warm s.th. up. – **riscaldatịna** *f. dim. di* **riscaldata**.

riscaldạto (*p.p. di riscaldare*) *a.* **1.** warmed, heated: *una stanza ben -a* a well-heated room. – **2.** (*rif. a cibi*) warmed. – **3.** (*rif. a persone*) hot, heated, warmed: *arrivò a casa* ~ *dalla lunga corsa* he reached home hot from the long run. – **4.** ⟨*fig*⟩ (*infervorato*) fired, heated, excited, aroused, worked up. – **5.** ⟨*Bot*⟩ do(a)ty, fusty, partially decayed.

riscaldatọre *m.* heater. □ ~*-aeratore* fresh-air heater; ⟨*Aut*⟩ ~ *d'ambiente* (auto) heater, interior heater; ~ *d'aria* air heater; ~ *a immersione* immersion heater; ⟨*Aut*⟩ ~ *del parabrezza* defroster, windscreen heater. – **riscaldatụra** *f.* ⟨*non com*⟩ → **riscaldamento**.

riscạldo *m.* **1.** ⟨*pop*⟩ (*leggera infiammazione*) slight fever. – **2.** ⟨*non com*⟩ (*riscaldamento*) heating. – **3.** ⟨*Sart*⟩ lining (for extra warmth). – **4.** ⟨*Agr*⟩ scald.

riscalducciạre *v.t.* (**riscaldụccio, riscaldụcci**) to heat (*o* warm) slightly.

riscappạre *v.i.* (*aus.* **essere**) to run away again, to escape again.

riscattạbile *a.* redeemable.

riscattạre *v.t.* **1.** to ransom, to redeem: ~ *un prigioniero* to ransom a prisoner. – **2.** ⟨*fig*⟩ (*liberare*) to (set) free, to deliver: ~ *un popolo dalla servitù* to deliver a people from slavery; (*redimere*) to redeem, to ransom. – **3.** ⟨*fig*⟩ (*compensare*) to make up for, to compensate, to counterbalance, to redeem, to offset. – **4.** ⟨*Econ*⟩ to redeem, to recover: ~ *una rendita* to redeem an annuity. – **riscattarsi** *v.r.* **1.** to vindicate o.s. (*da* from), to make up (for). – **2.** ⟨*fig*⟩ (*liberarsi*) to free o.s. (*da* from); (*redimersi*) to redeem o.s. □ ~ *un appartamento* to pay off the mortgage on an apartment; ~ *un pegno* to redeem a pledge, ⟨*fam*⟩ to get s.th. out of hock.

riscattatọre *m.* (*f.* **-trice**) ⟨*non com*⟩ **1.** ransomer, redeemer. – **2.** ⟨*fig*⟩ (*liberatore*) liberator, deliverer.

riscạtto *m.* **1.** ransom, ransoming, redeeming. – **2.** (*prezzo*) ransom: *pagare il* ~ to pay the ransom. – **3.** ⟨*fig*⟩ (*liberazione*) deliverance, freeing, release, liberation; (*redenzione*) redemption. – **4.** ⟨*Econ*⟩ redemption, recovery, paying off.

□ **a** ~ with right of redemption, on mortgage; ~ *di* **assicurazioni** surrender of an insurance policy; ~ **d'imposte** settlement of taxation due by block payment; ⟨*Dir*⟩ **patto** *di* ~ right (*o* option) of repurchase, right of redemption; ~ *di* **prestiti** discharge (*o* paying off) of a debt; **valore** *di* ~ surrender value of a insurance policy.

riscẹgliere *v.t.* (**riscẹlgo, riscẹgli; riscẹlsi, riscẹlto**) **1.** to select again, to choose (*o* pick out) again. – **2.** (*scegliere fra cose scelte precedentemente*) to make another choice among.

rischiaramẹnto *m.* **1.** lighting, illumination. – **2.** (*rif. a liquidi*) clarification, clearing.

rischiarạre I *v.t.* **1.** to light up, to give light to, to illuminate: *la luna rischiara la notte* the moon illuminates the night. – **2.** (*rendere meno cupo*) to lighten, to make lighter; (*rif. a colori*) to make lighter (*o* paler), to tone down; (*rif. a suoni*) to make clearer. – **3.** ⟨*fig*⟩ (*rendere più chiaro*) to clarify, to clear up, to explain: ~ *un'affermazione* to clarify a statement. – **4.** (*sfoltire*: *rif. ad alberi e sim.*) to thin out. – **5.** (*rendere trasparente*) to make transparent. – **II** *v.i.impers.* (*aus.* **essere**) (*rif. al tempo*) to clear up, to brighten up. – **rischiararsi** *v.r.* **1.** (*rif. al cielo*) to brighten, to become clear (*o* serene); (*rif. al tempo*) to clear (*o* brighten) up. – **2.** ⟨*fig*⟩ (*assumere un'espressione più lieta*) to light up, to brighten (up): *il volto gli si rischiarò* his face brightened (*o* lit up). – **3.** ⟨*fig*⟩ (*diventare più nitido, più preciso*) to become clearer (*o* sharper). – **4.** (*rif. a liquidi*) to become clear. □ *rischiararsi la voce* to clear one's throat.

rischiaratọre *m.* (*f.* **-trice**) ⟨*non com*⟩ **1.** illuminator, brightener. – **2.** ⟨*fig*⟩ (*chi spiega*) enlightener, explainer.

rischiạre *v.* (**rịschio, rịschi**) **I** *v.t.* to risk, to venture, to hazard: *ha rischiato la vita per salvare l'amico* he risked his life to save his friend. – **II** *v.i.* (*aus.* **avere**) to risk, to run (*o* take) the risk: ~ *di fare qc.* to run the risk of doing s.th.; *rischia di perdere la vista* he risks losing his sight. – **III** *v.i.impers.* (*aus.* **essere**) (*esserci pericolo*) to threaten, to be a danger (*o* threat, risk): *rischia di nevicare* it is threatening to snow.

rischiarịre *v.* (**rischiarịsco, rischiarịsci**) ⟨*non com*⟩ → **rischiarare**.

rịschio *m.* **1.** (*pericolo*) risk, hazard, threat, peril: *affrontare il* ~ *di qc.* to run the risk of s.th., to risk s.th. – **2.** (*eventualità di perdere*) risk (*anche Comm.*).

□ **a** ~ *di* at the risk of (*anche fig.*): *la merce viaggia a* ~ *del committente* merchandise shipped at buyer's risk; *l'ha voluto fare a* ~ *di rompersi il collo* he insisted on doing it at the risk of breaking his neck; ~ **assicurabile** insurable risk; ⟨*Assic*⟩ *rischi* **assunti** (o *assicurati*) insured risks; *politica del* ~ **calcolato** brinkmanship; ~ *a* **carico** *del mittente* consigner's risk; ~ *a carico del vettore* carrier's (*o* company's) risk; ~ **catastrofico** disaster risk; **col** ~ *di* = **a** *rischio di*; *rischi* **commerciali** business risks; ⟨*Assic*⟩ ~ **coperto** covered risk; **coprire** *un* ~ to cover a risk; **correre** *un* ~ to run (*o* take) a risk, to risk; ⟨*Comm*⟩ *rischi in* **corso** current risks; *c'è il* ~ *che* there's the danger (*o* risk) that; **esporsi** *al* ~ to run a risk; ⟨*Econ*⟩ **fondo** *rischi* risk (*o* venture) capital; ~ *di* **guerra** war risk; ⟨*Assic*⟩ ~ **marittimo** perils *pl* of the sea, sea-risks *pl*; **mettere** *a* ~ to risk; ~ *di* **morte** danger of death; *a* ~ *e* **pericolo** *di* at risk of: *a* ~ *e pericolo del destinatario* at consignee's risk; *a proprio* ~ *e pericolo* at one's own risk, at one's peril; ~ **personale** personal (*o* one's own) risk; ~ **politico** political risk; ~ **professionale** professional (*o* trade) risk, occupational hazard; ~ *in* **proprio** one's own risk; ⟨*Assic*⟩ ~ **scoperto** uncovered risk; ~ **straordinario** special risk; *a* ~ *della propria* **vita** at the risk of one's life; *mettere* (o *porre*) *a* ~ *la propria vita* to risk one's life.

rischiọso *a.* risky, dangerous, hazardous: *impresa -a* risky undertaking.

risciacquamẹnto *m.* ⟨*non com*⟩ → **risciacquatura**. – **risciacquạre** *v.t.* to rinse (out): ~ *un piatto* to rinse a plate. – **risciacquarsi** *v.r.* to rinse. – **risciacquạta** *f.* **1.** rinse, rinsing. – **2.** ⟨*fam*⟩ (*rimprovero*) scolding, ⟨*fam*⟩ telling-off, ⟨*fam*⟩ talking-to. □ *dare una* ~ *al bucato* to rinse out the washing; ⟨*fam*⟩ *dare* (o *fare*) *una* ~ *a qd.* to scold s.o., ⟨*fam*⟩ to give s.o. a talking-to. – **risciacquatịna** *f. dim. di* **risciacquata**. – **risciacquatọio** *m.* ⟨*ant*⟩ (*nei mulini ad acqua*) sluice, flume. – **risciacquatụra** *f.* **1.** rinse, rinsing: ~ *delle stoviglie* rinsing the dishes. – **2.** (*rif. ad acqua*) dishwater, rinsewater. – **3.** ⟨*spreg*⟩ (*bevanda allungata*) dishwater. – **4.** ⟨*spreg*⟩ (*rif. a scritti o discorsi*) bilge. – **risciạcquo** *m.* **1.** (*sciacquo*) rinsing, rinse. – **2.** ⟨*Med*⟩ (*colluttorio*) mouthwash.

riscintillạre *v.i.* (*aus.* **avere**) **1.** (*scintillare di nuovo*) to sparkle again. – **2.** ⟨*lett*⟩ (*scintillare*) to sparkle, ⟨*lett*⟩ to scintillate.

risciò *m.* ricksha(w), jinrik(i)sha.

risciọgliere *v.t.* (**risciọlgo, risciọgli; risciọlsi, risciọlto**; → **sciogliere**) to redissolve, to dissolve again.

rịsco *m.* (*pl.* **-chi**) ⟨*ant*⟩ → **rischio**.

rịscolo *m.* ⟨*Bot*⟩ **1.** barilla, saltwort, salsola (*Salsola soda*). – **2.** (*erba cali*) barilla, saltwort (*Salsola kali*).

riscontạre *v.t.* (**riscọnto**) ⟨*Econ*⟩ to rediscount. – **riscọnto** *m.* ⟨*Econ*⟩ **1.** rediscount. – **2.** (*onere*) charge, expense; (*reddito*) income.

riscontrạbile *a.* (*verificabile*) checkable, verifiable; (*confrontabile*) comparable; (*trovabile*) findable.

riscontrạre *v.* (**riscọntro**) **I** *v.t.* **1.** (*confrontare*) to compare, to set off: ~ *le testimonianze* to compare testimony; ~ *la copia con l'originale* to set the copy off against the original. – **2.** (*esaminare attentamente*) to check, to verify, to examine, to inspect: ~ *i conti* to check the accounts. – **3.** (*rilevare*) to find, to discover, to notice: ~ *qc. di anormale* to find s.th. wrong. – **4.** ⟨*tosc*⟩ (*incontrare*) to meet, to come (*o* run) across; (*andare incontro*) to go to meet, to go towards. – **5.** ⟨*non com*⟩ (*scontrare di nuovo*) to encounter (*o* clash) again. – **II** *v.i.* (*aus.* **avere**) (*corrispondere*) to agree, to tally, to be in harmony (*con* with), to match (s.th.), to correspond (to): *la copia non riscontra con l'originale* the copy does not match the original.

riscontrạta *f.* (quick) check, control, look-over. □ *dare una* ~ *a qc.* to check s.th., to look s.th. over. – **riscontratịna** *f. dim. di* **riscontrata**. – **riscontratọre** *m.* (*f.* **-trice**) ⟨*non com*⟩ checker, examiner.

riscọntro *m.* **1.** (*confronto*) comparison. – **2.** (*verifica, controllo*) check, control, examination, inspection: ~ *del peso* weight inspection. – **3.** (*conferma*) confirmation. – **4.** (*pendant*) counterpart, match, pendant, companion (piece); (*corrispondenza*) correspondence, agreement. – **5.** (*corrente d'aria*) draught: *c'è molto* ~ there's a strong draught. – **6.** ⟨*burocr*⟩ (*lettera di risposta*) reply: *in attesa di un cortese* ~ looking forward to your reply. – **7.** ⟨*Econ*⟩ audit(ing), check(ing). – **8.** ⟨*Med*⟩ examination. – **9.** ⟨*tecn*⟩ (*scontro*) tappet, catch projection. – **10.** ⟨*tosc*⟩ (*incontro*) encounter, meeting; (*scontro*) encounter, engagement, clash, brush.

□ **a** ~ = **di** *riscontro*; ⟨*fig*⟩ **avere** ~ to correspond, to tally, to accord; *non avere* ~ to be unmatched, to stand alone; *far* **degno** ~ *a* to be a match for; **di** ~ opposite (*a qc.* s.th.), directly in front (of), facing (s.th.): *di* ~ *alla chiesa c'è il battistero* the baptistry is opposite the church; **fare** ~ *a qc.* to be the counterpart of s.th.; *fare il* ~ *di* (*controllare*) to check; *fare il* ~ *di qc. con qc.* to compare s.th. with s.th., to set s.th. (off) against s.th.; *fare il* ~ *di due testimonianze* to compare ⌜two testimonies⌝ (*o* one testimony with another); ⟨*Aut*⟩ ~ *della* **porta** striker; **trovare** ~ = **avere** *riscontro*; ⟨*Med*⟩ ~ **vaginale** vaginal palpation.

riscopẹrta *f.* rediscovery.

riscoppiạre *v.i.* (**riscọppio, riscọppi**; *aus.* **essere**) **1.** (*scoppiare di nuovo*) to explode (*o* burst) again. – **2.** ⟨*fig*⟩ to break out again. – **3.** ⟨*Bot*⟩ (*formare nuovi germogli*) to bud (*o* sprout) again.

riscoprịre *v.t.* (**riscọpro; riscoprịi/riscopẹrsi, riscopẹrto**) to rediscover.

riscọrrere *v.t.* (**riscọrsi, riscọrso**) **1.** to ⌜go through⌝ (*o* run over) again. – **2.** ⟨*fig*⟩ (*ripercorrere con la mente*) to go over (in one's mind).

riscọssa *f.* **1.** reconquest, recovery. – **2.** (*insurrezione*) revolt, uprising, rebellion, insurrection. – **3.** (*rivincita*) revenge. – **4.** ⟨*non com*⟩ (*riscatto, liberazione*) ransom, redemption. □ *alla* ~ ! revenge !

riscossiọne *f.* **1.** collection, collecting, drawing; (*incasso*) encashment, cashing. – **2.** (*rif. a pegni*) redemption. – **3.** ⟨*non com*⟩ (*incasso di una giornata*) (day's) takings *pl.* □ ~ *di un'entrata* collection of an outstanding debt; ~ *delle imposte* collection of taxes, tax collection.

riscọsso *m.* amount collected.

riscossọne *m.* **1.** (*scossone*) shake. – **2.** (*il riscuotersi in modo brusco*) start, jump. – **riscọtere** *v.* ⟨*pop,poet*⟩ → **riscuotere**.

riscotịbile *a.* collectable, receivable: *credito* ~ collectable credit; (*che si può incassare*) (en)cashable; (*rif. a pegni*) redeemable. – **riscotimẹnto** *m.* **1.** (*il riscuotere*) shaking, rousing; (*il riscuotersi*) starting, jumping. – **2.** ⟨*fig*⟩ shaking, rousing, waking up: ~ *dall'inerzia* shaking off inertia. – **3.** ⟨*rar*⟩ (*riscossione*) collection. – **riscotitọre** *m.* (*f.* **-trice**) ⟨*non com*⟩ **1.** (*di denari*) collector. – **2.** (*chi riscuote dal sonno*) rouser, awakener.

riscrịtto (*p.p. di riscrivere*) *a.* ⟨*Filol*⟩ containing additions (*o* addenda). – **riscrịvere** *v.t.* (**riscrịssi, riscrịtto**) **1.** to write again, to rewrite. – **2.** (*scrivere in forma migliore*) to rewrite, to write out again; (*copiare*) to copy (out). – **3.** (*rispondere per iscritto*) to write back, to reply to, to answer.

riscuọtere *v.t.* (**riscọssi, riscọsso**) **1.** (*ritirare una somma dovuta*) to collect, to receive payment of, to draw: ~ *un credito da un debitore* to collect a credit from a debtor; ~ *lo stipendio* to draw one's salary, to get paid. – **2.** ⟨*fig*⟩ (*riportare, ottenere*) to win, to earn, to get, to gain, to have: ~ *onori* to win honour; ~ *un enorme successo* to have great success. – **3.** ⟨*non com*⟩ (*riavere, ritirare*) to redeem, to recover: ~ *un pegno* to redeem a pledge. – **4.** ⟨*non com,scherz*⟩ (*prenderle*) ⟨*fam*⟩ to get (*o* catch) it: *se non stai buono, stasera riscuoti da tuo padre* if you're naughty, you'll catch it from your father tonight. – **5.** (*scuotere di nuovo*) to shake again. – **6.** ⟨*fig*⟩ (*scuotere energicamente*) to shake, to rouse, to stir: *uno strano rumore lo riscosse dai suoi pensieri* a strange noise stirred him from his thoughts; *bisogna riscuoterlo dalla sua inerzia* we must rouse him from his inertia. – **7.** ⟨*ant*⟩ (*liberare*) to (set) free, to liberate; (*redimere*) to redeem, to ransom. – **riscuotersi** *v.r.* **1.** (*trasalire*) to shake o.s. (*da* out of, from), to rouse o.s. (from), to shake (out of), to come round (*o* to). – **2.** ⟨*fig*⟩ (*risvegliarsi dal torpore*) to shake off (s.th.), to rouse (*o* stir) o.s. (from), ⟨*fam*⟩ to shake (out of): *riscuotersi dalla pigrizia* to shake off one's laziness. – **3.** ⟨*ant*⟩ (*riscattarsi*) to vindicate o.s., to make up for.

riscuotịbile *a.* → **riscotibile**. – **riscuotimẹnto** *m.* → **riscotimento**. – **riscuotitọre** *m.* → **riscotitore**.

risecạre *v.t.* (**risẹco, risẹchi**) **1.** (*tagliar via*) to cut off (*o* away), to remove. – **2.** ⟨*fig*⟩ (*togliere ciò che è superfluo*) to cut down on, to prune. – **3.** ⟨*Chir*⟩ (*resecare*) to resect. – **risecaziọne** *f.* ⟨*Chir*⟩ resection.

riseccạre *v.* (**risẹcco, risẹcchi**) **I** *v.t.* **1.** (*seccare di nuovo*) to dry up again. – **2.** (*seccare*) to dry up. – **3.** (*prosciugare*) to dry up, to drain. – **II** *v.i.* (*aus.* **essere**), **riseccarsi** *v.r.* to dry up; (*rif. a piante*) to wither.

risecchịre *v.i.* (**risecchịsco, risecchịsci**; *aus.* **essere**), **risecchirsi** *v.r.* to dry up, to become dry; (*rif. a piante*) to wither. – **risecchịto** (*p.p. di risecchire*) *a.* **1.** dried up; (*rif. a piante*) withered. – **2.** (*secco*) dry. □ *pane* ~ stale bread. – **risẹcco** *a.* (*pl.* **-chi**) ⟨*tosc*⟩ → **risecchito**.

risedẹre *v.i.* (**risiẹdo; risedẹi/risedẹtti, risedụto**; → **sedere**; *aus.* **essere**), **risedersi** *v.r.* **1.** to sit again. – **2.** (*rimettersi a sedere*) to sit down again.

risẹdio *m.* ⟨*ant*⟩ **1.** (*residenza*) residence. – **2.** (*sedile*) seat.

risẹga *f.* **1.** ⟨*Mur*⟩ offset, set-off, setback, scarcement. – **2.** (*rientranza di una roccia*) notch. – **3.** ⟨*non com*⟩ (*segno sulla pelle*) weal, wale. – **risegạre** *v.t.* (**risẹgo, risẹghi**) to saw again. – **risegarsi** *v.r.* ⟨*non com*⟩ **1.** (*formare una risega*: *rif. a muri e sim.*) to (form an) offset. – **2.** (*rif. a rocce a sim.*) to be notched.

risẹggio *m.* ⟨*ant*⟩ → **risedio**.

riseguitạre *v.i.* (**risẹguito**; *aus.* **avere**) to continue again.

risembrạre *v.i.* (**risẹmbro**; *aus.* **essere**) ⟨*ant*⟩ (*assomigliare*) to resemble.

risẹmina *f.* ⟨*Agr*⟩ resowing, reseeding. – **riseminạre** *v.t.* (**risẹmino**) **1.** (*seminare di nuovo*) to resow, to reseed. – **2.** ⟨*fig*⟩ to sow, to spread.

risensạre *v.i.* (**risẹnso**; *aus.* **essere**), **risensarsi** *v.r.* ⟨*lett*⟩ (*rinvenire, riaversi*) to recover consciousness, to come to (*o* round).

risentimẹnto *m.* **1.** resentment, grudge, umbrage: *serbare* ~ *contro qd.* to bear s.o. a grudge, to resent s.o. – **2.** (*il risentire gli effetti*) after-effects *pl*, consequence: *il* ~ *di una caduta* the after-effects of a fall. – **3.** ⟨*Med*⟩ sensitivity. □ *avere* (o *nutrire*) ~ to be resentful.

risentịre *v.* (**risẹnto**) **I** *v.t.* **1.** (*provare di nuovo*) to feel again: ~ *al piede il dolore della distorsione* to feel the pain of the sprain in one's foot again. – **2.** (*udire di nuovo*) to hear again: *non voglio più* ~ *questi discorsi* I don't want to hear this kind of talk again. – **3.** (*sentire, provare*) to feel, to experience, to suffer: ~ *la perdita di qd.* to feel s.o.'s loss; (*sentire di nuovo*) to feel again, to experience (*o* suffer) again. – **II** *v.i.* (*aus.* **avere**) **1.** (*soffrire*) to feel the effects (*di* of), to suffer (from): *risente ancora dell'incidente dello scorso anno* he is still feeling the effects of last year's accident. – **2.** (*sentire l'influenza*) to show traces (of), to be influenced (by). – **3.** (*avere sapore*) to taste (of, like), to have a taste (of); (*avere odore*) to smell (of, like), to have a smell (of). – **risentirsi** *v.r.* **1.** ⟨*recipr*⟩ to talk to e.o. again: *ci risentiamo domani alla stessa ora* we'll talk (to e.o.) again at the same time tomorrow, good-bye till the same time tomorrow. – **2.** (*offendersi*) to take offence (*o* umbrage) (*per* at), to be offended (by), to resent (s.th.), to be resentful (of): *si risente per ogni minima osservazione* he takes offence at the slightest remark. – **3.** ⟨*lett*⟩ (*riprendere i sensi*) to regain consciousness, to come to (*o* round); (*risvegliarsi*) to wake up, to awake. – **4.** ⟨*lett*⟩ (*avvertire una sensazione fisica*) to feel the after-effects; (*soffrire*) to suffer. □ *a risentirci !* good-bye for now ! until next time !; *risentirsi con* (o *contro*) *qd.* to show one's resentment of s.o.; *risentirsi male* to feel ill again.

risentitamẹnte *avv.* resentfully, in resentment. – **risentitẹzza** *f.* resentfulness.

risentịto (*p.p. di risentire*) *a.* **1.** heard again: *discorsi sentiti e -i* the same old words heard over and over again. – **2.** (*irritato*) irritated, angry, annoyed: *tono* ~ irritated tone; *sei troppo* ~ you are too angry (*o* put out); (*suscettibile*) sensitive, touchy, susceptible. – **3.** (*offeso*) resentful, offended, hurt. – **4.** ⟨*non com*⟩ (*accentuato, forte*) strongly-marked, strong: *polso* ~ strong pulse.

riseppellịre *v.t.* (**riseppellịsco, riseppellịsci**) to bury again.

risequestrạre *v.t.* (**risequẹstro**) to reconfiscate, to confiscate again.

riserbạre *v.t.* (**risẹrbo**) **1.** (*serbare di nuovo*) to reserve (*o* set aside) again. – **2.** (*tenere in serbo*) to keep, to save (up), to put by (*o* aside), to hold (*o* keep) in reserve, to reserve: *ha riserbato per questa festa i vini migliori* he saved the best wines for this party.

riserbatẹzza *f.* ⟨*rar*⟩ → **riservatezza**. – **riserbạto** (*p.p. di riserbare*) *a.* ⟨*rar*⟩ → **riservato**.

risẹrbo *m.* **1.** reserve, restraint, reticence: *mantenere un assoluto* ~ to maintain an absolute reserve. – **2.** (*carattere riservato*) reserve. – **3.** ⟨*ant*⟩ (*guardia*) guard, watch; (*protezione, difesa*) protection, defence. □ *senza* ~: 1. (*agg.*) unreserved; 2. (*avv.*) unreservedly: *uscire dal* ~ to drop one's reserve.

riserịa *f.* rice-mill, rice-factory.

riserrạre *v.t.* (**risẹrro**) ⟨*lett*⟩ **1.** (*serrare di nuovo*) to close (*o* shut) again. – **2.** (*serrare*) to close, to shut. – **riserrạto** (*p.p. di riserrare*) *a.* ⟨*lett*⟩ (*cupo*) hollow, low.

risẹrva *f.* **1.** reservation, reserving, setting aside. – **2.** ⟨*concr*⟩ (*provvista*) supply, stock, provision: *le -e di viveri stanno per finire* food supplies have almost run out; (*scorta*) reserve, stock, store: *terrò questa penna per* ~ I'll keep this pen in reserve. – **3.** (*rif. a persone*) substitute, stand-in, replacement. – **4.** (*condizione, limitazione*) reservation, reserve, condition, limitation: *ha promesso di aiutarlo ma con qualche* ~ he promised to help him, but with some reservations; (*dubbio*) reservation, doubt. – **5.** (*privilegio, esclusività*) privilege, reservation. – **6.** (*riserva di caccia*) hunting preserve (*o* reserve). – **7.** ⟨*Etnol*⟩ reservation, reserve: *le -e indiane* the Indian reservations. – **8.** ⟨*Mil*⟩ reserves *pl*, reserve: *ufficiale della* ~ officer ⌜in the reserves⌝ (*o* on the reserve list), reserve officer; (*insieme di forze*) reserves *pl*, reserve forces *pl*. – **9.** ⟨*Sport*⟩ reserve; (*giocatore*) reserve (player); (*squadra*) reserve team. – **10.** ⟨*Mot*⟩ emergency (*o* reserve) tank. – **11.** ⟨*Econ*⟩ reserve, reserves *pl*. – **12.** ⟨*Dir*⟩ reserve, reservation, proviso; (*quota di riserva*) legal share, compulsory portion, portion secured by law. – **13.** ⟨*Enol*⟩ (*annata*) vintage: ~ *1959* 1959 vintage; (*cantina*) wine co-operative, caves *pl*. – **14.** ⟨*Silv*⟩ (forest) reserve. – **15.** ⟨*Tess*⟩ resist, reserve. – **16.** ⟨*non com*⟩ (*riserbo*) reserve, reticence.

□ ⟨*Biol*⟩ ~ **alcalina** alkali (*o* alkaline) reserve; ⟨*Econ*⟩ ~ **argentea** silver reserve(s); ~ **aurea** gold reserve(s), gold stock; ~ **bancaria** bank reserve(s); ~ *di* **caccia** hunting (*o* game) preserve; ⟨*Econ*⟩ ~ *di* **capitale** capital reserve(s); **con** ~ with reservation;

⟨*burocr*⟩ *con* ~ *di approvazione* subject to approval; **di** ~ reserve-, extra, spare-, stand-by-: *motore di* ~ spare engine; *-e* **disponibili** free reserves; ~ *di* (o *per*) **dividendi** dividend reserve fund; ⟨*Econ*⟩ *-e in* (o *di*) **divise** (*estere*) foreign currency (*o* exchange) reserves; ⟨*Dir*⟩ ~ *di* **dominio** retention of title, reservation of property (*o* proprietary rights); ~ *di* **energia** reserves *pl* of strength, store of energy; ⟨*Mil*⟩ ~ *dell'***esercito** army reserve(s); **fare** ~ *di qc.* to stock up on s.th., to lay in a stock (*o* supply) of s.th.; *fare delle -e su qc.* to have (*o* express) doubts as to s.th.; ⟨*Comm*⟩ **fondo** *di* ~ reserve fund; ⟨*Mar*⟩ ~ *di* **galleggiamento** reserve buoyancy; *avere qc.* **in** ~ to have s.th. in reserve; ⟨*fig*⟩ to have s.th. in store (*o* reserve); ⟨*Mot*⟩ *essere in* ~ to be very low on petrol; ⟨*Dir*⟩ ~ **latente** = *riserva* **tacita**; ⟨*Econ*⟩ ~ **legale** (o *dovuta per legge*) legal (*o* statutory) reserve; ⟨*Econ*⟩ *-e di* **liquidità** stock of cash; ⟨*Assic*⟩ ~ **matematica** valuation liability, reserve; ⟨*Dir,Teol*⟩ ~ **mentale** mental reservation; *senza -e mentali* (*schietto*) without mental reservations, sincere, open, frank; (*senza timori*) fearless, unwavering; ⟨*Econ*⟩ ~ **metallica** metallic (*o* bullion) reserve(s), gold and silver reserve(s); *-e* **minime** minimum reserves; *-e* **monetarie** monetary reserve(s); ⟨*Econ*⟩ ~ **nascosta** hidden (*o* secret) reserve; ⟨*Mar,Mil*⟩ ~ **navale** naval reserve(s); ⟨*Econ*⟩ ~ **netta** *disponibile* net free reserve; ⟨*Dir*⟩ ~ **occulta** = *riserva* **tacita**; ~ **ordinaria** = *riserva* **legale**; ⟨*Econ*⟩ **passivo** *di* ~ reserve liability; ~ *di* **potenza** excess (*o* reserve) power; ⟨*Econ*⟩ ~ **premi** premium reserve; ⟨*Dir*⟩ ~ *di* **proprietà** = *riserva di* **dominio**; **sciogliere** *la* ~ to have no further doubts, to put aside all reservations; ⟨*Econ*⟩ ~ **scoperta** uncovered reserve; **senza** *-e* without reservation(s), without reserve; ⟨*estens*⟩ (*illimitato*) unlimited, without limitation; ⟨*Econ*⟩ ~ **statutaria** statutory (*o* general) reserve; ⟨*Econ*⟩ ~ **straordinaria** extraordinary (*o* surplus) reserve, free capital reserve; ⟨*Dir*⟩ ~ **tacita** secret (*o* hidden, inner) reserve; ⟨*Econ*⟩ ~ **tecnica** warranty (*o* actuarial) reserve; *con le -e d'***uso** with the usual provisos (*o* reservations); ⟨*Dir*⟩ ~ **d'usufrutto** reservation of usufruct.

riservạre *v.t.* (**risẹrvo**) **1.** to keep, to save (up), to put by, to put (*o* set) aside, to reserve: *ho riservato questa bottiglia per Natale* I have put this bottle by for Christmas; *riserva il tuo spirito per un altro momento* keep your wit for another time. – **2.** (*prenotare*) to book, to reserve: ~ *un tavolo al ristorante* to reserve a table at a restaurant. – **3.** (*dimostrare*) to show, to give: ~ *particolari attenzioni a qd.* to give (*o* show) s.o. special attention; ~ *a qd. un trattamento di favore* to give s.o. special treatment. – **riservarsi** *v.r.* **1.** to reserve: *riservarsi il diritto di fare qc.* to reserve the right to do s.th. – **2.** (*ripromettersi*) to intend, to propose: *mi riservo di decidere in seguito* I intend to make my decision later. – **3.** ⟨*ant*⟩ (*mostrarsi riservato*) to restrain o.s., to hold o.s. back.

riservatamẹnte *avv.* **1.** (*con riservatezza*) with discretion, reservedly, with reserve, in a reserved manner. – **2.** (*in modo confidenziale*) confidentially, in confidence, privately, secretly. – **riservatạrio** *m.* ⟨*Dir*⟩ legal heir, heir at law.

riservatẹzza *f.* **1.** (*segretezza*) confidential (*o* secret, private) nature: ~ *di una notizia* confidential nature of a piece of news. – **2.** (*carattere riservato*) reservedness, reserve, caution: *la sua* ~ *è proverbiale* his reserve is proverbial; (*carattere chiuso*) reserve, closeness. – **3.** (*discrezione*) discretion, secrecy, reserve: *agire con* ~ to act with discretion. – **4.** (*vita privata*) privacy. ☐ *notizia di grande* ~ highly confidential information.

riservạto (*p.p. di riservare*) *a.* **1.** (*rif. a persona*) reserved; (*chiuso*) reserved, close. – **2.** (*rif. a cosa*: *occupato*) reserved, set aside (*o* for): *posti -i* reserved seats; (*prenotato*) booked, reserved. – **3.** (*esclusivo*) reserved: *tutti i diritti -i* all rights reserved. – **4.** (*discreto*) discreet. – **5.** (*confidenziale*) confidential, private, personal: *lettera -a* confidential letter. ☐ ⟨*non com*⟩ *andare* (o *stare*) ~ to act discreetly; *essere* ~ *in qc.* to be reserved about s.th., ⟨*fam*⟩ to keep s.th. to o.s.

riservịsta *m.* ⟨*Mil*⟩ reservist, member of the reserves.

risẹrvo *m.* ⟨*ant*⟩ → **riserbo**.

risfavillạre *v.i.* (*aus.* **avere**) **1.** (*sfavillare di nuovo*) to sparkle (*o* gleam) again. – **2.** ⟨*lett*⟩ (*sfavillare*) to sparkle, to gleam.

risforzạre *v.t.* (**risfọrzo**) ⟨*ant*⟩ (*rinnovare gli sforzi*) to attempt again. – **risforzarsi** *v.r.* to make another effort, to do one's utmost again. – **risfọrzo** *m.* ⟨*ant*⟩ (*nuovo sforzo*) new effort.

risguardạre *v.t.* **1.** ⟨*rar*⟩ (*concernere*) to concern, to regard. – **2.** ⟨*ant*⟩ (*considerare di nuovo*) to consider, to take into consideration. – **risguardẹvole** *a.* ⟨*ant*⟩ (*riguardevole*) considerable, noteworthy.

risguạrdia *f.* ⟨*Legat*⟩ (*risguardo*) endpaper.

risguạrdo *m.* **1.** ⟨*Legat*⟩ (inner) endpaper, endleaf, flyleaf; (*risvolto*) flap. – **2.** ⟨*ant*⟩ (*sguardo*) look. – **3.** ⟨*ant*⟩ (*riguardo, considerazione*) regard, consideration. ☐ ⟨*rar*⟩ ~ *a* (*rispetto a*) regarding, with regard to.

risịbile *a.* **1.** laughable, ridiculous, ludicrous: *proposta* ~ ludicrous proposal. – **2.** ⟨*ant*⟩ (*disposto al riso*) disposed to laugh, ⟨*lett*⟩ risible. – **risibilità** *f.* laughableness, ridiculousness, ludicrousness.

risicạre *v.t.* (**rịsico, rịsichi**) ⟨*tosc*⟩ (*rischiare*) to risk. ☐ *Prov.*: *chi non risica, non rosica* nothing ventured, nothing gained.

risicạto[1] (*p.p. di risicare*) *a.* ⟨*tosc*⟩ (*ardito*) daring, fearless, bold.

risicạto[2] *a.* ⟨*roman*⟩ **1.** (*limitato, striminzito*) skimpy, meagre, scanty. – **2.** ⟨*fig*⟩ slight, slim.

rịsico *m.* (*pl.* **-chi**) ⟨*tosc*⟩ → **rischio**.

risịcolo *a.* ⟨*Agr*⟩ of rice-growing, rice-growing-, rice-. – **risicoltọre** *m.* (*f.* **-trice**) rice grower, rice cultivator. – **risicoltụra** *f.* rice growing, rice cultivation. – **risicultọre** *m.* → **risicoltore**. – **risicultụra** *f.* → **risicoltura**.

risiẹdere *v.i.* (*aus.* **avere**) **1.** to reside, to dwell, to live. – **2.** (*rif. a sovrani e sim.*) to reside: *il papa risiede a Roma* the Pope resides in Rome. – **3.** (*rif. a istituti e sim.*) to be located (*o* situated), to have its seat. – **4.** ⟨*fig*⟩ (*stare, consistere*) to lie (*in* in), to reside, to be made up, to consist (of): *tutta la sua bravura risiede in un'eccezionale prontezza di riflessi* all his skill lies in his exceptional reflexes.

risiẹre *m.* ⟨*Agr*⟩ rice worker. – **risiẹro** *a.* rice-, rice-growing, of the rice industry: *industria -a* rice(-growing) industry. – **risifịcio** *m.* → **riseria**.

risifọrme *a.* ⟨*Med*⟩ rice-, rice-shaped: *granulo* ~ rice-body.

risigạllo *m.* ⟨*Min,ant*⟩ (*realgar*) realgar.

risigillạre *v.t.* to reseal, to seal again.

risimigliạre *v.* ⟨*non com*⟩ → **risomigliare**.

risịna[1] *f.* ⟨*Alim*⟩ broken rice.

risịna[2] *f.* ⟨*Silv*⟩ timber chute (*o* slide).

risịpola *f.* ⟨*Med,pop*⟩ (*erisipela*) erysipelas, ⟨*pop*⟩ St. Anthony's fire. – **risipolọso** *a.* ⟨*ant*⟩ (*affetto da erisipela*) erysipelatous.

rịsma *f.* **1.** ⟨*Cart*⟩ ream. – **2.** ⟨*fig,spreg*⟩ (*razza*) kind, sort: *gente d'ogni* ~ all kinds of people. ☐ ⟨*fig*⟩ *essere tutti della stessa* ~ to be all of a kind, to be birds of a feather.

rịso[1] *m.* **1.** ⟨*Bot*⟩ rice (*Oryza sativa*). – **2.** (*frutto*) grain of rice; ⟨*collett*⟩ rice.

☐ ⟨*Bot*⟩ ~ **d'acqua** wild (*o* water) rice (*Zizania aquatica*); ⟨*Gastr*⟩ ~ *in* **bianco** rice with butter; ⟨*Gastr*⟩ *-i e* **bisi** rice with peas; ~ **brillato** polished (*o* glazed) rice; ~ **greggio** paddy (*o* unhusked, unhulled) rice; ~ **macinato** ground rice; ⟨*Bot*⟩ ~ *dei* **muri** stonecrop (*Sedum acre*); ~ **spezzato** broken rice.

rịso[2] *m.* (*pl. le* **rịsa**) **1.** laughter, laughing: *il* ~ *è proprio degli uomini* laughter is proper to man. – **2.** (*risata*) laugh: *un* ~ *soffocato* a stifled laugh. – **3.** ⟨*fig*⟩ (*allegria, gioia*) mirth, glee, gaiety, merriment, laughter: *il* ~ *le brillava negli occhi* her eyes were sparkling with mirth. – **4.** (*derisione*) mockery, scoffing, derision, contempt. – **5.** (*ridicolo*) ridicule, mockery, banter, poking fun: *volgere tutto in* ~ to turn everything into ridicule; (*burla*) jest, joke, fun. – **6.** ⟨*non com*⟩ (*aspetto allegro*) smile, gay appearance. – **7.** ⟨*poet*⟩ (*sorriso*) smile. – **8.** ⟨*ant*⟩ (*bocca*) mouth.

☐ ~ **amaro** bitter laugh(ter); ~ **beffardo** sneer; ~ **canzonatorio** teasing (*o* mocking) laugh; ~ **convulso** convulsive laughter; *un convulso di -a* a laughing fit; **crepare** *dalle -a* = **morire** *dalle risa*; ~ *a* **denti** *stretti* forced laugh; ~ **forzato** forced laugh; *non poter* **frenare** *il* ~ to be unable to hold back one's laughter; *fare* (o *farsi*) *delle -a* **grasse** (o *da matti*) to have a good laugh; ~ **ironico** ironic (*o* sarcastic) laughter; ~ **isterico** hysterical laughter; **morire** *dalle -a* to split one's sides (with laughter), to die laughing; **muovere** *qd. a* ~ to make s.o. laugh; *il* ~ *della* **natura** smiling nature; *essere* **oggetto** *di* ~ to be a laughing-stock; ⟨*non com*⟩ **prendere** *in* ~ to take lightly (*o* as a joke, in jest), to make light of; ~ **sardonico** sardonic (*o* cynical) laugh, sneer; **sbellicarsi** (o *sganasciarsi*) *dalle -a* to split one's sides with laughter, to guffaw, ⟨*fam*⟩ to roar; ⟨*fam*⟩ **scoppiare** *dalle -a* to burst with laughter, ⟨*fam*⟩ to go into fits of laughter; ⟨*fam*⟩ *è da scoppiare dalle -a* it's a scream (*o* hoot); ~ **sgangherato** (o *sguaiato*) boisterous laughter, guffaw; ~ **soffocato** stifled laughter. – *Prov.*: *il* ~ *abbonda sulla bocca degli stolti* laughter abounds in the mouths of fools; *il* ~ *fa buon sangue* laughter is the best medicine.

rịso[3] *p.p. di* **ridere**[1].

risoffiạre *v.t.* (**risọffio, risọffi**) **1.** to blow again (*anche assol.*). – **2.** ⟨*fam*⟩ (*fare la spia*) to tell(tale), to repeat.

risolạre *v.t.* (**risuọlo**/*pop.* **risọlo**) ⟨*Calz*⟩ to resole, to put new soles on. – **risolatụra** *f.* (*atto*) resoling; (*effetto*) (new) sole. ☐ ~ *doppia* double sole; ~ *intera* whole sole; *mezza* ~ halfsole.

risolịno (*dim. di riso*[2]) *m.* mocking (*o* ironic) laughter, sneer.

risollevạre *v.t.* (**risollẹvo**) **1.** to raise (*o* lift up) again: ~ *un peso* to lift up a weight again. – **2.** ⟨*fig*⟩ (*rialzare*) to lift (*o* pull) up, to set on one's feet again; (*liberare*) to (set) free, to liberate: ~ *un popolo dalla miseria* to free a people from misery. – **3.** (*riproporre*) to raise again, to bring up again: ~ *una questione* to raise a question again, to bring a matter up again. – **4.** (*rallegrare, ricreare*) to cheer up, to gladden; (*confortare*) to comfort. – **5.** ⟨*fig,non com*⟩ (*incitare alla ribellione*) to raise, to rouse, to incite. – **risollevarsi** *v.r.* **1.** to lift (*o* raise) o.s. up again. – **2.** ⟨*fig*⟩ to recover, to pick up again, ⟨*fam*⟩ to pull out of it.

risọlto (*p.p. di risolvere*) *a.* (re)solved, worked out: *problema* ~ solved problem; (*chiarito*) cleared up.

risolụbile *a.* **1.** (re)solvable, that can be (re)solved. – **2.** ⟨*Dir*⟩ cancellable, annullable, terminable, dissoluble. – **risolubilità** *f.* **1.** resolvability: ~ *di un enigma* resolvability of a puzzle. – **2.** ⟨*Dir*⟩ dissolubility, terminableness.

risolutamẹnte *avv.* resolutely, decidedly, decisively, firmly, determinedly, resolvedly, with resolution: *agire* ~ to act decisively. – **risolutẹzza** *f.* resoluteness, resolution, decisiveness, decidedness, firmness.

risolutịvo *a.* **1.** resolutive. – **2.** (*determinante*) decisive, conclusive, determinative: *il momento* ~ the decisive (*o* crucial) moment. – **3.** ⟨*Dir*⟩ resolutory, resolutive: *condizione -a* resolutory condition. – **4.** ⟨*Med*⟩ resolutive, resolvent. – **5.** ⟨*Fis*⟩ resolving: *potere* ~ resolving power.

risolụto (*p.p. di risolvere*) *a.* **1.** resolved, determined, resolute, decided: *essere ~ a fare qc.* to be resolved to do s.th. – **2.** (*saldo, fermo*) resolute, decisive, firm: *un uomo ~* a decisive man. – **3.** ⟨*Mus*⟩ risoluto, resolutely. – **4.** ⟨*ant*⟩ (*sciolto*) loose, relaxed.

risolutọre *m.* (*f.* **-trice**) (re)solver.

risoluziọne *f.* **1.** (*soluzione*) (re)solution, (re)solving: *la ~ di una questione complicata* the solution of a complicated matter. – **2.** (*decisione*) decision, resolution: *prendere una ~ decisiva* to make a crucial decision; *le -i dell'assemblea* the resolutions of the assembly. – **3.** (*scomposizione*) resolution, breaking down (*o* up). – **4.** ⟨*Mat*⟩ (re)solution, solving: *~ di un'equazione* solution of an equation. – **5.** ⟨*Med*⟩ resolution; (*distensione*) relaxation. – **6.** ⟨*Dir*⟩ cancellation, annulment: *~ di un contratto* cancellation of a contract. – **7.** ⟨*Mus*⟩ resolution. – **8.** ⟨*Fot,TV*⟩ resolution, definition. – **9.** ⟨*non com*⟩ (*risolutezza*) resoluteness, resolution. – **10.** ⟨*non com*⟩ (*distruzione*) destruction, annihilation.

risolvẹnte (*p.pr. di risolvere*) **I** *a.* (re)solving, resolvent. – **II** *s.m.* ⟨*Farm*⟩ resolvent. – **III** *s.f.* ⟨*Mat*⟩ resolvent.

risọlvere *v.* (**risolvẹi/risolvẹtti/risọlsi, risọlto**/*rar.* **risolụto**) **I** *v.t.* **1.** to (re)solve, to work out, to unravel, to settle: *~ un indovinello* to solve (*o* work out) a riddle. – **2.** (*decidere*) to resolve, to decide: *abbiamo risolto di firmare il contratto* we've decided to sign the contract. – **3.** (*scomporre*) to resolve, to break down (*o* up): *~ un composto nei suoi elementi* to break a compound down into its elements. – **4.** ⟨*Mat*⟩ to solve, to work out: *~ un'equazione* to solve an equation. – **5.** ⟨*Mus*⟩ to resolve. – **6.** ⟨*Dir*⟩ to cancel, to annul, to terminate. – **7.** ⟨*ant*⟩ (*sciogliere in un liquido*) to dissolve. – **II** *v.i.* (*aus.* **avere**) **1.** to work out, to be (re)solved, to be settled. – **2.** (*combinare, concludere*) to get done, to conclude, to settle: *è uno che risolve poco* he gets little done. – **3.** (*decidere*) to decide, to resolve: *risolvemmo di rimanere a casa* we decided to stay at home. – **4.** ⟨*Mus*⟩ to resolve. – **5.** ⟨*Med,non com*⟩ to clear up, to resolve, to undergo resolution. – **risolversi** *v.r.* **1.** (*dissolversi*) to dissolve, to melt: *le nuvole si risolsero in pioggia* the clouds dissolved in rain. – **2.** ⟨*fig*⟩ (*concludersi*) to end (up), to turn out, to wind up: *tutto si è risolto in bene* everything turned out well. – **3.** (*decidersi*) to decide, to resolve, to make up one's mind: *mi sono risolto di farlo* I have decided to do it. – **4.** ⟨*Med*⟩ to clear up, to resolve: *il raffreddore si risolverà presto* the cold will soon clear up. – **5.** ⟨*ant,lett*⟩ (*convincersi*) to be(come) convinced, to be persuaded. □ *~ una controversia* to settle a dispute; ⟨*fig*⟩ *risolversi in nulla* (o *una bolla di sapone*) to come to nothing.

risolvịbile *a.* (*risolubile*) (re)solvable. – **risolvibilità** *f.* (*risolubilità*) (re)solvability. – **risolvimẹnto** *m.* ⟨*rar*⟩ → **risoluzione**.

risomiglịare *v.* (**risomịglio, risomịgli**) ⟨*ant*⟩ **I** *v.t.* **1.** (*rassomigliare*) to look like, to resemble. – **2.** (*riconoscere*) to recognize. – **II** *v.i.* (*aus.* **avere/essere**) (*essere simile*) to be like, to resemble (*a qd.* s.o.).

risommạre[1] *v.t.* (**risọmmo**) (*sommare di nuovo*) to add (up) again, to total again.

risommạre[2] *v.i.* (**risọmmo**; *aus.* **essere**) (*tornare a galla*) to emerge again, to (come to the) surface again.

risommẹrgere *v.t.* (**risommẹrgo, risommẹrgi**; **risommẹrsi, risommẹrso**) to submerge again.

risonamẹnto *m.* ⟨*rar*⟩ → **risonanza**. – **risonạnte** (*p.pr. di risonare*) *a.* **1.** (*sonoro*) resonant, resounding, sonorous, ringing: *voce ~* sonorous voice. – **2.** ⟨*Fis*⟩ (*di risonanza*) resonant. – **risonạnza** *f.* **1.** ⟨*Fis*⟩ resonance. – **2.** ⟨*fig*⟩ (*eco, interesse*) interest, comment: *il libro ha avuto vasta ~* the book aroused a great deal of interest. – **3.** ⟨*lett*⟩ (*armonia*) harmony.

risonạre *v.* (**risuọno**/*pop.* **risọno**) **I** *v.i.* (*aus.* **avere**) **1.** (*sonare di nuovo*: *rif. a strumenti musicali*) to play again; (*rif. a campanelli e sim.*) to ring again. – **2.** (*rimandare il suono*) to (re)sound, to ring out: *il muro in quel punto risuona come se fosse cavo* at that point the wall sounds as though it were hollow. – **3.** (*riecheggiare*) to re-echo, to resound, to reverberate: *la sua voce risonava nella stanza* her voice re-echoed through the room; *la sala risonò di applausi* the hall reverberated with applause; (*essere riempito di suoni*) to resound, to ring, to echo: *il giardino risuona delle grida dei fanciulli* the garden resounds with the children's cries. – **4.** ⟨*fig*⟩ (*rif. a ricordi, pensieri e sim.*) to ring, to resound, to re-echo: *mi risonavano nella mente le sue parole* his words rang in my memory. – **5.** ⟨*Fis*⟩ to resonate, to be resonant. – **II** *v.t.* **1.** (*sonare di nuovo*: *rif. a strumenti musicali*) to play again; (*rif. a campanelli e sim.*) to ring again. – **2.** ⟨*rar*⟩ (*ripetere un suono*) to re-echo, to resound. – **3.** ⟨*fig,lett*⟩ (*ripetere cantando*) to resound, to sing.

risonatọre *m.* ⟨*Fis*⟩ resonator: *~ a cavità* cavity resonator.

risọne *m.* paddy (*o* unhulled, unhusked) rice.

risonoscọpio *m.* ⟨*Acu*⟩ resonoscope.

risorgẹnte *f.* → **risorgiva**.

risọrgere *v.i.* (**risọrgo, risọrgi**; **risọrsi, risọrto**; *aus.* **essere**) **1.** to rise again, to come up again: *il sole risorgerà presto* the sun will soon rise again. – **2.** ⟨*Rel*⟩ (*risuscitare*) to rise again (*o* from the dead), to be resurrected, to resurrect. – **3.** ⟨*fig*⟩ (*rifiorire*) to flourish (*o* arise) again, to revive; (*rinascere*) to be born again, to arise again, to revive, to be renewed: *risorse in lui tutto il coraggio che lo aveva abbandonato* the courage which had deserted him was renewed. – **4.** ⟨*fig*⟩ (*essere riedificato*) to arise again, to be rebuilt: *la città risorse dalle sue rovine* the city arose again from its ruins. – **5.** ⟨*fig*⟩ (*ripresentarsi*) to arise again, to come back: *una difficoltà che risorge* a difficulty that arises (*o* crops up) again. – **6.** ⟨*lett*⟩ (*riapparire*) to reappear. – **7.** ⟨*poet*⟩ (*alzarsi, levarsi in piedi*) to rise, to get (*o* stand) up. □ *far ~* to revive; ⟨*fig*⟩ *~ da morte a vita* to have a new lease on life, to be (*o* feel) a new man.

risorgimentạle *a.* ⟨*Stor*⟩ of the Risorgimento, Risorgimento-. – **risorgimentịsta** **I** *s.m./f.* Risorgimento scholar. – **II** *a.* of the Risorgimento, Risorgimento-. – **risorgimẹnto** *m.* **1.** ⟨*fig*⟩ (*il rifiorire*) revival, rising (*o* flourishing) again; (*rinascita*) revival, renewal, renaissance, rebirth, risorgimento: *il ~ delle arti* the revival of the arts. – **2.** ⟨*rar*⟩ (*risurrezione*) resurrection. – **Risorgimento** *m.* ⟨*Stor*⟩ **1.** Risorgimento. – **2.** ⟨*rar*⟩ (*Rinascimento*) Renaissance.

risorgịva *f.* ⟨*Geol*⟩ karst spring. – **risorgịvo** *a.* of a karst spring.

risọrio: ⟨*Anat*⟩ *muscolo ~* (musculus) risorius, Santorini's muscle.

risọrsa *f.* **1.** resource: *aver esaurito le proprie -e* to be at the end of one's resources. – **2.** *pl.* (*ricchezze o fonte di ricchezza*) resources *pl*, reserves *pl*: *le -e dell'Africa sono immense* Africa's resources are immense.

□ *-e* **economiche** economic resources; *-e* **energetiche** energy resources; *-e di* **materie** *prime* resources of raw material; *-e* **minerarie** mineral resources (*o* wealth); ⟨*Econ*⟩ *-e* **naturali** natural resources; *persona* **piena** *di -e* resourceful person; *uomo* **privo** *di -e* unresourceful man.

risọrto (*p.p. di risorgere*) **I** *a.* **1.** ⟨*Rel*⟩ (*risuscitato*) resurrected, risen again (*o* from the dead). – **2.** ⟨*fig*⟩ (*rifiorito*) flourishing again, revived; (*rinato*) born (*o* risen) again. – **3.** ⟨*fig*⟩ (*riedificato*) rebuilt, risen again. – **II** *s.m.* ⟨*Rel*⟩ (*Cristo risorto*) Christ Resurrected.

risospịngere *v.t.* (**risospịngo, risospịngi**; **risospịnsi, risospịnto**) **1.** to push (*o* drive) again. – **2.** (*sospingere indietro*) to push (*o* drive) back. – **3.** ⟨*fig*⟩ to reject, to refuse.

risospirạre **I** *v.i.* (*aus.* **avere**) to sigh again. – **II** *v.t.* (*desiderare ardentemente*) to long (*o* yearn, sigh) for.

risọtto *m.* ⟨*Gastr*⟩ risotto, kind of rice dish.

risottomẹttere *v.t.* (**risottomịsi, risottomẹsso**) to subdue (*o* subject) again.

risovvenimẹnto *m.* ⟨*rar*⟩ **1.** (*il tornare alla memoria*) remembering, recollecting, recalling. – **2.** (*effetto*) remembrance, recollection, memory. – **risovvenịre** *v.* (**risovvẹngo, risovvịeni**; **risovvẹnni, risovvenụto**; → **venire**) **I** *v.i.* (*aus.* **essere**) to remember, to recollect, to recall: *non mi risovviene il suo nome* I don't remember his name; *mi risovviene di quel giorno* I remember that day, that day comes to mind again. – **II** *v.t.* ⟨*lett*⟩ (*soccorrere di nuovo*) to help again. – **risovvenirsi** *v.r.* (*ricordarsi*) to remember, to recollect, to recall (*di qc.* s.th.).

risparmiạre *v.t.* (**rispạrmio, rispạrmi**) **1.** (*economizzare*) to save, to economize: *~ le forze* to save one's strength; (*amministrare con parsimonia*) to economize (*o* save) on, to be thrifty (*o* careful) with: *~ il gas* to economize on gas. – **2.** (*mettere da parte*) to save, to put aside, to set by: *~ diecimila lire ogni settimana* to save ten thousand lire a week; (*per un determinato scopo*) to save up: *~ denaro per comprare una motocicletta* to save up money to buy a motorcycle. – **3.** (*non consumare*) to save, to spare, to take care of: *~ la biancheria nuova* to take care of new linen. – **4.** (*astenersi da, evitare*) to spare: *risparmiaci le tue lamentele* spare us your complaints; *non ha risparmiato fatiche* he spared no effort (*o* pains). – **5.** (*aver riguardo, salvare*) to spare: *la morte non risparmia nessuno* death spares no one. – **risparmiarsi** *v.r.* (*aver riguardo di sé*) to spare o.s., to take care of o.s. □ *risparmia il fiato!* save your breath!; *~ gli occhi* to save (*o* spare, take care of) one's eyes, not to tire one's eyes; *~ (la vita a) qd.* to spare s.o.'s life; *risparmiarsi di fare qc.* to save o.s. (the trouble of) doing s.th.

risparmiạto (*p.p. di risparmiare*) *a.* saved: *soldi -i* money saved. – **risparmiatọre** *m.* (*f.* **-trice**) **1.** saver, economizer, thrifty person. – **2.** ⟨*Econ*⟩ (*chi deposita in banca*) depositor, saver: *piccolo ~* small depositor.

rispạrmio *m.* **1.** (*il risparmiare*) saving (*di* of), economizing (on): *~ di munizioni* saving of ammunition. – **2.** ⟨*concr*⟩ (*denaro risparmiato*) savings *pl*, money saved up, ⟨*fam*⟩ nest-egg: *con i suoi risparmi si è comprato una macchina* he bought a car with his savings. – **3.** ⟨*Econ*⟩ saving; ⟨*concr*⟩ savings *pl*; (*deposito*) savings *pl*, deposit.

□ ⟨*Econ*⟩ *~* **amorfo** uninvested savings *pl*; *~* **attivo** = *risparmio* **investito**; *~* **coattivo** = *risparmio* **forzato**; **di** *~* savings-: *cassa di ~* savings-bank; *~ di* **energia** saving of energy; **fare** *~* to be economical, to save; *fare ~ di qc.* to be sparing (*o* frugal) with s.th., to stint on s.th. (*anche fig.*): *non fa mai ~ di complimenti* he never stints on compliments, he is lavish with compliments; *~* **forzato** (o *forzoso*) forced savings *pl*; *~* **fresco** new savings *pl*; **giornata** *mondiale del ~* World Savings Day; *~* **immobiliare** saving for building purposes; *~* **inattivo** = *risparmio* **tesoreggiato**; *~* **investito** invested savings *pl*; *~ di* **lavoro** saving of work (*o* labour); *~* **libero** free savings *pl*; *~ di* **manodopera** saving of labour; *macchina per il ~ della manodopera* labour-saving machine; **mobilitare** *il ~* to mobilize savings; *~* **monetario** saving (of money); **piccolo** *~* small saving; ⟨*fig*⟩ **senza** *~* lavishly, profusely, unstintingly, freely: *spendere senza ~* to spend lavishly; *prodigarsi senza ~* to spare no pains, to do all one can; *senza ~ di forze* sparing no effort, with the utmost effort, with all one's might; *~* **tesoreggiato** hoarded savings *pl*; *~* **vecchio** savings *pl* withdrawn from investment.

rispecchịare *v.t.* (**rispẹcchio, rispẹcchi**) **1.** (*specchiare di nuovo*) to reflect again. – **2.** (*riflettere l'immagine*) to reflect, to mirror: *il lago rispecchiava il paese* the lake mirrored the town, the town was reflected in the lake. – **3.** ⟨*fig*⟩ (*esprimere*) to reflect, to mirror, to show: *le tue azioni rispecchiano il tuo carattere* your behaviour reflects your character. – **rispecchiarsi** *v.r.* **1.** (*specchiarsi*) to be reflected (*o* mirrored): *gli alberi si rispecchiavano nel fiume* the trees were reflected in the river. – **2.** (*specchiarsi di nuovo*) to look at o.s. in the mirror again.

rispedire *v.t.* (**rispedisco, rispedisci**) **1.** to send (*o* ship, dispatch) again. – **2.** (*spedire indietro*) to return, to send (*o* ship) back: *la lettera è stata rispedita al mittente* the letter was returned to sender. – **rispedizione** *f.* **1.** (*lo spedire indietro*) sending back, return. – **2.** (*nuova spedizione*) new shipment.

rispettabile *a.* **1.** respectable, worthy of respect, estimable. – **2.** (*perbene, onesto*) respectable, honest, proper. – **3.** (*considerevole*) considerable, notable, respectable, large: *una fortuna* ~ a considerable fortune. – **4.** ⟨*scherz*⟩ (*rif. a parti del corpo*) prominent, big. – **rispettabilità** *f.* **1.** respectability, respectableness. – **2.** (*onestà*) respectability, honesty. – **3.** (*ragguardevolezza*) importance, size.

rispettare *v.t.* (**rispetto**) **1.** (*onorare*) to respect, to honour: ~ *i vecchi* to respect the elderly. – **2.** (*riconoscere i diritti altrui*) to respect, to have regard for: ~ *le opinioni degli altri* to respect other people's opinions. – **3.** (*osservare*) to respect, to observe, to comply with: *tutti i cittadini sono tenuti a* ~ *le leggi* all citizens must respect the laws. – **4.** (*mantenere*) to keep: ~ *la promessa* to keep a promise. – **5.** (*non rovinare*) to take care of, to treat with care, not to damage (*o* ruin), to look after: ~ *i libri* to take care of books. – **6.** (*non travisare*) to keep (*o* stick) to, to abide by, to follow: *i traduttori hanno rispettato il testo originale* the translators kept to the original text. – **rispettarsi** *v.r.* to have self-respect, to respect o.s.

□ ~ *le* **aiole** to keep off the flowerbeds; ~ *gli* **animali** (*non molestarli*) to refrain from annoying the animals; ⟨*pop*⟩ **che** *si rispetta* (*buono*) good, respectable, decent, square: *una cena che si rispetta* a good (*o* square) dinner; *ognuno che si rispetti* anyone worthy of respect; ~ *il* **dolore** *di qd.* to respect s.o.'s suffering; **farsi** ~ to command respect; ~ *la propria* **firma** to honour one's signature; ~ **se** *stesso* to have self-respect. – *Prov.*: *chi non rispetta non è rispettato* he that respects not is not respected.

rispettato (*p.p. di rispettare*) *a.* **1.** respected. – **2.** (*osservato*) respected, observed, complied with: *un regolamento poco* ~ a little-observed regulation.

rispettivamente *avv.* respectively: *la città e la diocesi erano rappresentate* ~ *dal sindaco e dall'arcivescovo* the city and diocese were represented by the mayor and archbishop respectively.

rispettivo *a.* **1.** (*relativo*) respective, own, particular: *le squadre erano precedute dai -i capitani* the teams were preceded by their respective captains; *erano presenti tutti i membri con le -e mogli* all the members were present with their (respective) wives. – **2.** ⟨*ant*⟩ (*che ha rispetto*) respectful, ⟨*ant*⟩ respective.

rispetto *m.* **1.** respect: *incutere* ~ to command respect; *per* ~ *verso una donna anziana* out of respect for an old woman. – **2.** (*considerazione*) consideration, regard, respect, concern, esteem: *essere tenuto in gran* ~ to be held in great esteem; (*ritegno, riguardo*) reserve. – **3.** (*osservanza scrupolosa*) observance (*di* of), respect (for), compliance (with): *il* ~ *delle leggi* observance of the laws. – **4.** (*mantenimento*) keeping, fulfilling: ~ *della parola data* keeping (*o* being true to) one's word. – **5.** *pl.* (*saluti*) regards *pl*, ⟨*lett*⟩ respects *pl*. – **6.** ⟨*Lett*⟩ rispetto. – **7.** ⟨*Mar*⟩ (*riserva*) spare (part). – **8.** ⟨*non com*⟩ (*cura*) care, regard, ⟨*ant*⟩ respect. – **9.** ⟨*non com*⟩ (*cautela*) precaution. – **10.** ⟨*ant*⟩ (*indugio*) delay, respite.

□ ~ **a**: 1. (*in relazione a*) with respect (*o* regard, reference) to, concerning, as regards, as to: ~ *alla Vostra richiesta* as regards your request; 2. (*in confronto*) in comparison with, compared to; ⟨*non com*⟩ *a* ~ **di** = *rispetto* **a**; **avere** ~ *per qd.* to respect s.o., to hold s.o. in respect; ⟨*non com*⟩ *avere* ~ *a qc.* (*considerarla*) to consider s.th.; ⟨*non com*⟩ *per* **buon** ~ (*per precauzione*) as a precaution; ~ *a* **ciò** in this regard (*o* respect); **di** ~ = **per** *rispetto*; *per* **diversi** *-i* (*per diversi motivi*) for various reasons; *col* **dovuto** ~ with due respect; *con tutto il* ~ *dovuto a qd.* with all due respect to s.o., with all the respect due s.o.; ~ *della propria* **firma** honouring of one's signature; ⟨*non com*⟩ **in** ~ *a* = *rispetto* **a**; **mancante** *di* ~ = **senza** *rispetto*; **mancanza** *di* ~ disrespectfulness; **mancare** *di* ~ *a qd.* to be disrespectful to s.o.; ⟨*non com*⟩ **mettere** *in* ~ = **tenere** *in rispetto*; *i* **miei** *-i!* my (best) regards!; *porga i miei -i alla Sua signora* ⌜give my regards⌝ (*o* please remember me) to your wife; *con* ~ **parlando** if you'll excuse my saying so; ⟨*ant*⟩ **per** ~ (*per riserva*) reserve, spare; ⟨*non com*⟩ *per* ~ *a* (o *di*) = *rispetto* **a**; **pieno** *di* ~ respectful; **portare** ~ *a qd.* = **avere** *rispetto per qd.*; *la morte non porta* ~ *a nessuno* death is no respecter of persons; ⟨*epist*⟩ *col più* **profondo** ~ respectfully yours, yours faithfully, ⟨*lett*⟩ your obedient servant; ~ *a* **questo** = *rispetto a* **ciò**; ~ *per* **se** *stesso* self-respect; **senza** ~ disrespectful; *senza troppi -i* plainly, frankly, unreservedly; **sotto** *ogni* ~ from every point of view, in all respects; *sotto questo* ~ from this point of view; **tenere** *in* ~ (*farsi rispettare*) to command respect, to keep down (*o* in hand); ~ **umano** fear of what other people might say. – *Prov.*: *-i, dispetti, sospetti guastano il mondo* respect, pettiness and suspicion ruin the world.

rispettosamente *avv.* respectfully.

rispettoso *a.* **1.** respectful: *essere* ~ *verso i genitori* to ⌜be respectful to⌝ (*o* show respect for) one's parents. – **2.** (*rif. a sentimenti, atteggiamenti*) respectful, deferential, reverent: *tono* ~ respectful tone. – **3.** ⟨*non com*⟩ (*cauto*) careful, circumspect. □ *essere* ~ *di qc.* to respect (*o* observe) s.th.: *essere* ~ *delle opinioni altrui* to respect (*o* have regard for) other people's opinions; ~ *della legge* law-abiding, respectful (*o* observant) of the law.

rispianare *v.t.* **1.** to (make) level again, to smooth again. – **2.** (*spianare*) to (make) level, to smooth.

rispiegare *v.t.* (**rispiego, rispieghi**) **1.** to unfold again. – **2.** ⟨*fig*⟩ (*chiarire meglio*) to explain again (*o* more thoroughly).

rispifferare *v.t.* (**rispiffero**) **1.** to blurt out again, to tell (*o* blab) again. – **2.** (*spifferare, riferire*) to tell.

rispingere *v.t.* (**rispingo, rispingi; rispinsi, rispinto**) **1.** to push (*o* shove) again. – **2.** ⟨*rar*⟩ (*respingere*) to reject, to refuse.

rispitto *m.* ⟨*ant*⟩ **1.** (*rispetto*) respect. – **2.** (*indugio*) delay, respite.

risplendente (*p.pr. di risplendere*) *a.* **1.** shining, glowing, bright, brilliant, resplendent, sparkling: *gemme -i* sparkling gems. – **2.** ⟨*fig*⟩ shining, sparkling, bright, gleaming, glowing (*di* with): *occhi -i di felicità* eyes shining with happiness. – **risplendenza** *f.* ⟨*rar*⟩ (*splendore*) brightness, splendour, ⟨*lett*⟩ resplendence.

risplendere *v.i.* (past participle and compound tenses not used) **1.** to shine, to glow, to be bright: *le stelle risplendevano nel cielo* the stars shone in the sky; (*luccicare*) to glitter. – **2.** ⟨*fig*⟩ (*rif. a occhi e sim.*) to shine, to sparkle, to be bright, to gleam, to ⌜be glowing⌝ (*o* glow) (*di* with): *gli occhi le risplendevano di felicità* her eyes shone with happiness; ~ *di salute* to be glowing with health. – **3.** ⟨*fig*⟩ (*rifulgere, distinguersi*) to shine (*di* with), to be outstanding, to be conspicuous (for): ~ *di* (o *per*) *bellezza* to be conspicuous for one's beauty.

risplendimento *m.* ⟨*non com*⟩ (*atto*) shining, glowing; (*effetto*) shine, glow.

rispogliare *v.t.* (**rispoglio, rispogli**) to undress again.

rispolatrice *f.* ⟨*Tess*⟩ winder. – **rispolatura** *f.* winding.

rispolverare *v.t.* (**rispolvero**) **1.** to dust again. – **2.** (*spolverare*) to dust. – **3.** ⟨*fig*⟩ to brush up. – **rispolverata** *f.* (quick) dusting. □ *dare una* ~ *a qc.* to dust s.th., to give s.th. a quick dusting; ⟨*fig*⟩ *dare una* ~ *al proprio inglese* to brush up one's English. – **rispolveratina** *f. dim. di* **rispolverata**. – **rispolveratura** *f.* dusting.

rispondente (*p.pr. di rispondere*[1]) *a.* **1.** (*corrispondente*) corresponding; (*adatto*) suitable, right, fit (*a* for), suited, ⟨*fam*⟩ up (to); (*conforme*) consistent, in conformity, in keeping, in accordance (with), answering (s.th.): ~ *alle prescrizioni* in accordance with the regulations. – **2.** ⟨*Comm*⟩ able to meet (*o* fulfil) one's commitments. – **3.** (*che risponde*) answering (s.th.). □ *questo non è* ~ *al vero* this is not true.

rispondenza *f.* **1.** (*corrispondenza*) correspondence, agreement, harmony: ~ *delle parole alle azioni* correspondence between words and deeds; (*l'essere adatto*) suitability, fitness; (*conformità*) conformity, accordance, compliance. – **2.** ⟨*Comm*⟩ ability to meet (*o* fulfil) one's commitments. □ ⟨*non com*⟩ *in* ~ *a ciò* correspondingly, accordingly.

rispondere[1] *v.* (**risposi**/*ant.* **rispuosi, risposto**) **I** *v.i.* (*aus.* **avere**) **1.** to answer (*a qd.* s.o.), to reply (to): ~ *a una lettera* to reply to a letter; *mi rispose con un sorriso* he answered me with a smile; *chiamai, ma nessuno rispose* I called out, but no one answered. – **2.** (*ricambiare*) to answer (*a qd.* s.o.), to respond (to): *ha risposto con sgarbo al mio invito* he answered my invitation rudely. – **3.** (*rimbeccare*) to retort (s.th.); (*con arroganza*) to answer back (to s.o.): *non si risponde al professore* one must not answer back to one's teacher; (*reagire*) to react, to respond (to), to answer (s.th.): *alla provocazione rispose con uno schiaffo* he answered the provocation with a slap. – **4.** (*rendere conto, essere responsabile*) to answer, to be responsible, to be answerable (*di* for): ~ *di ciò che si fa* to be responsible for what one does; *la direzione non risponde degli oggetti non depositati* the management ⌜cannot be (held) responsible⌝ (*o* accepts no responsibility) for unchecked articles; (*rif. a persone*) to vouch, to be responsible, to guarantee (for): *rispondo io di questa persona* I'll vouch for this person. – **5.** (*obbedire a uno stimolo, a un comando*) to respond (to): *il fisico non risponde alle terapie* the body doesn't respond to the treatment. – **6.** (*dar seguito*) to answer (s.th.), to respond (to), to comply (with): ~ *a una preghiera* to answer a prayer. – **7.** (*corrispondere*) to correspond (to, with); (*essere corrispondente, conforme*) to answer (s.th.), to meet, to come up (to), to fulfil (s.th.): *l'esito dell'impresa non risponde alle nostre speranze* the outcome of the undertaking does not come up to our expectations; *non* ~ *ai requisiti* not to meet (*o* be up to) requirements; (*essere adatto*) to be suitable (for), to be right (for). – **8.** ⟨*fig*⟩ (*ripercuotersi*) to affect (s.th.), to have an effect (on): *il mal di testa mi risponde allo stomaco* this headache affects my stomach. – **9.** (*seguire*) to follow, to come after (s.th.): *i tuoni rispondevano ai lampi* the lightning was followed by thunder. – **10.** (*andare a finire, sboccare*) to lead (*su, in, a* into), to give (onto), to open (onto, upon): *questo vicolo risponde nella piazza* this alley leads into the square. – **11.** (*aprirsi, dare*) to look out (on), to give, to open (onto): *questa finestra risponde sul giardino* this window opens onto the garden. – **12.** (*nei giochi di carte*) to follow suit: ~ *a fiori* to follow suit in clubs. – **13.** (*nella recitazione, nel canto alternato*) to respond (to), to answer (s.th.). – **14.** ⟨*Sport*⟩ to react (to), to answer, to return (s.th.); (*nella scherma*) to riposte, to repost, to counterthrust. – **15.** ⟨*tecn*⟩ to respond, to answer: *l'apparecchio non risponde più ai comandi* the plane no longer responds to the controls. – **16.** ⟨*Comm*⟩ (*far fronte agli impegni*) to meet, to fulfil. – **17.** ⟨*ant*⟩ (*fruttare*) to yield, to bring in. – **II** *v.t.* to answer, to reply; (*scri-*

vere) to write in reply: ~ *poche righe* to write a few lines in reply, to answer briefly.

□ ⟨*Scol*⟩ ~ **bene** to give ⌜the right⌝ (*o* a good) answer; ~ *a* **colore** (*nei giochi di carte*) to follow suit; ~ *con* **criterio** to give a sensible answer; ~ *di un* **danno** to be liable for damage; (*risarcirlo*) to pay damages, to make good damage; ⟨*Mil*⟩ ~ *al* **fuoco** to reply to the enemy's fire; *le* **gambe** *non mi rispondono più per la stanchezza* I'm so tired my legs ⌜are failing me⌝ (*o* won't hold me up anymore); ~ *per* **iscritto** to answer in writing, to give a written answer; ~ *per* **lettera** to answer by letter; ~ **male** (*sbagliando*) to give a wrong answer; (*sgarbatamente*) to answer rudely, to answer back; ~ *di* **no** to say no; ⟨*non com*⟩ ~ *che no* = *rispondere di* **no**; ~ *al* **nome** *di* to be called, to answer to the name of; ⟨*fig*⟩ ~ **picche** to refuse flatly, to give a flat refusal; ~ *per* **posta** = *rispondere per* **lettera**; ⟨*Equit*⟩ ~ *alle* **redini** to answer (*o* respond to) the reins; ~ *in due* **righe** to write a brief reply (*o* answer); ⟨*fig*⟩ ~ *per le* **rime** to give a sharp answer (*o* retort), ⟨*fam*⟩ to give tit for tat; ~ *al* **saluto** *di qd.* to return (*o* answer) s.o.'s greeting; ~ **secco** *secco* to give a terse (*o* curt) answer; ~ *di* **sì** to say yes; ⟨*non com*⟩ ~ *che sì* = *rispondere di* **sì**; ~ *a* **sproposito** to give a reply that is off the point; ~ *al* **telefono** to answer the telephone; ⟨*fig*⟩ ~ **telegraficamente** to answer briefly; *non* ~ **verbo** not to say a word; *le tue parole non rispondono a* **verità** what you say is not true; ~ *a* **voce** to answer verbally, to give a verbal reply.

rispọndere[2] *m.* answering, answer: *essere breve nel* ~ to give a brief answer, to answer briefly.

risponsạbile *a.* ⟨*ant*⟩ (*responsabile*) responsible. – **risponsabilità** *f.* ⟨*ant*⟩ (*responsabilità*) responsibility.

risponsiọne *f.* ⟨*rar*⟩ (*responsione*) answer, response, reply. – **risponsịvo** *a.* ⟨*ant*⟩ (*responsivo*) of (*o* in) reply.

rispoṣạre *v.t.* (**rispọṣo**) to marry again, to remarry. – **risposarsi** *v.r.* to get married again, to remarry.

rispọsta *f.* **1.** (*il rispondere*) answering, replying, responding: *la* ~ *è facile* answering is easy. – **2.** (*ciò che si risponde*: *parole*) answer, reply, response: *ascoltò in silenzio la mia* ~ he listened to my answer in silence; (*scritti*) reply: *ho letto la tua* ~ I read your reply. – **3.** (*reazione*) response, reaction. – **4.** ⟨*Mus*⟩ answer, risposta. – **5.** ⟨*Sport*⟩ (*nella scherma*) riposte, repost, counterthrust. – **6.** ⟨*tecn*⟩ response. – **7.** ⟨*ant*⟩ (*pagamento*) payment; (*gettito dei tributi*) tax revenue.

□ **botta** *e* ~ thrust and counterthrust; ⟨*fig*⟩ tit for tat, quick repartee; **dare** ~ *a qc.* to answer (*o* reply to) s.th.; **di** ~ in answer, answering, of reply: *lettera di* ~ letter of reply; ⟨*Rad*⟩ ~ *di* **frequenza** frequency response (characteristic); **in** ~ *a qc.* in answer (*o* reply) to s.th.; ⟨*Comm*⟩ *in* ~ *alla Vostra lettera* in reply (*o* answer) to your letter; ⟨*Post*⟩ ~ **pagata** prepaid (*o* post-paid, reply-paid) answer; **per** ~ *a qc.* = **in** *risposta a qc.*; *avere sempre la* ~ **pronta** to have an answer always ready (*o* pat), to be never at a loss for an answer, ⟨*fam*⟩ to be quick-witted; ⟨*Mus*⟩ ~ **reale** real answer; ⟨*fig*⟩ ~ *per le* **rime** sharp answer, retort; **senza** ~ unanswered, without an answer (*o* a reply); ⟨*Mus*⟩ ~ **tonale** tonal answer; *per* **tutta** ~ only answer, as an answer, merely, just: *per tutta* ~ *si alzò e uscì* her only answer was to get up and go out; *per tutta* ~ *mi sbatté la porta in faccia* he just slammed the door in my face.

rispostạccia *f.* (*pl.* **-ce**) *pegg. di* **risposta**. – **rispostụccia** *f.* (*pl.* **-ce**) *dim. di* **risposta**.

risprangạre *v.t.* (**risprạngo, risprạnghi**) **1.** to bolt (*o* bar) again. – **2.** ⟨*tosc*⟩ (*accomodare recipienti di terracotta*) to rivet.

rispuntạre *v.i.* (*aus.* **essere**) **1.** to rise again, to come up (*o* out) again, to reappear, to sprout (*o* grow) again: *tra le nubi rispuntò il sole* the sun reappeared through the clouds. – **2.** (*rif. a persona*: *ricomparire*) to reappear, to appear again, ⟨*fam*⟩ to turn (*o* show) up again.

rispụtạre *v.t.* **1.** to spit again. – **2.** (*sputare via*) to spit out.

risquadrạre *v.t.* **1.** to square again. – **2.** ⟨*fig*⟩ to look up and down.

riss *m.* ⟨*Geol*⟩ Riss.

rịssa *f.* **1.** brawl, fight, melée: *si è cacciato in una* ~ he got into a brawl. – **2.** ⟨*fig,lett*⟩ dispute, discussion, controversy, argument, polemic. □ ⌜*venire a*⌝ (*o attaccare, fare*) ~ *con qd.* to get into a fight with s.o. – **rissaiọlo** *a.* ⟨*non com*⟩ quarrelsome, brawling. – **rissạre** *v.i.* (*aus.* **avere**) to brawl, to fight, to quarrel. – **rissarsi** *v.r.* to brawl, to fight, to quarrel, to come to blows. – **rissatọre** ⟨*non com*⟩ **I** *s.m.* brawler, quarrelsome person. – **II** *a.* → **rissoso**.

rissiạno I *a.* ⟨*Geol*⟩ Riss, Rissian. – **II** *s.m.* Riss.

rissosità *f.* quarrelsomeness. – **rissọso** *a.* quarrelsome.

ristabilimẹnto *m.* **1.** restoration, re-establishment, reinstatement: ~ *della monarchia* restoration of the monarchy. – **2.** (*il ristabilirsi in salute*) recovery: *i migliori auguri di pronto* ~ my best wishes for a speedy recovery.

ristabilịre *v.t.* (**ristabilịsco, ristabilịsci**) **1.** to restore, to re-establish, to reinstate: ~ *l'ordine* to re-establish order; ~ *il potere temporale dei papi* to restore the temporal power of the popes. – **2.** (*rif. alla salute*) to restore, to bring back. – **ristabilirsi** *v.r.* to recover, to get well again: *ristabilirsi da una lunga malattia* to recover from a long illness. □ ~ *le forze* to restore to health; ~ *le relazioni diplomatiche* to re-establish (*o* resume) diplomatic relations. – **ristabilịto** (*p.p. di ristabilire*) *a.* **1.** restored, re-established. – **2.** (*rif. alla salute*) recovered, well (*o* fit) again.

ristagnamẹnto *m.* ⟨*non com*⟩ → **ristagno**. – **ristagnạnte** (*p.pr. di ristagnare*[2]) *a.* (*rif. ad aria*) stale, stagnant; (*rif. ad acqua*) stagnant, motionless.

ristagnạre[1] *v.t.* **1.** (*ricoprire di stagno*) to tin-plate (*o* coat with tin) again, to retin: ~ *una pentola* to tin-plate a pot again. – **2.** (*rendere di nuovo stagno*) to make watertight again. – **3.** (*rif. al legno*) to swell, to soak.

ristagnạre[2] **I** *v.i.* (*aus.* **avere**) **1.** to cease to flow, to stop flowing, to stagnate. – **2.** (*impaludarsi*) to become swampy, to turn into a swamp. – **3.** ⟨*fig*⟩ to stagnate, to become stagnant (*o* slack, sluggish). – **4.** ⟨*Econ*⟩ to stagnate, to be stagnant, to come to a standstill, to be slack: *gli affari ristagnano* business is slack. – **II** *v.t.* ⟨*non com*⟩ (*far ristagnare*) to stagnate, to make stagnant, to stop the flow of. – **ristagnarsi** *v.r.* to cease to flow, to stop flowing, to stagnate. □ *far* ~ *il sangue* to make the bleeding stop, to stop the bleeding.

ristagnatịvo *a.* ⟨*non com*⟩ stopping a flow. □ ~ *del sangue* haemostatic, styptic.

ristagnatụra *f.* new tin-plating, retinning.

ristạgno *m.* **1.** stagnation, ceasing to flow. – **2.** ⟨*fig*⟩ (*riduzione d'attività*) stagnation, torpor, sluggishness, slackness. – **3.** ⟨*Econ*⟩ stagnation, slackness, slump: ~ *economico* economic stagnation. □ ⟨*Idr*⟩ ~ *d'acqua* backwater; ⟨*Econ*⟩ *fase di* ~ stagnation; ~ *del sangue* stasis, stagnation; ⟨*Comm*⟩ ~ *nelle vendite* slump in sales.

ristạmpa *f.* **1.** reprint(ing), new impression. – **2.** ⟨*concr*⟩ (*opera ristampata*) reprint, (new) impression. □ *essere in* ~ to be reprinting. – **ristampạbile** *a.* reprintable. – **ristampạre** *v.t.* to reprint, to make a new impression of. – **ristampatọre** *m.* (*f.* **-trice**) ⟨*non com*⟩ reprinter.

ristạre *v.i.* (**ristò, ristại, ristà; ristẹtti, ristạto**; → **stare**; *aus.* **essere**) ⟨*lett*⟩ **1.** (*cessare di muoversi*) to stop, to cease. – **2.** ⟨*fig*⟩ (*cessare*) to stop, to desist, to leave off. – **ristarsi** *v.r.* **1.** (*fermarsi*) to stop, to halt, to leave off. – **2.** ⟨*fig,non com*⟩ (*cessare*) to stop, to desist.

ristaurạbile *a.* ⟨*ant*⟩ (*restaurabile*) restorable. – **ristauramẹnto** *m.* ⟨*ant*⟩ (*restauramento*) restoration. – **ristaurạre** *v.t.* ⟨*ant*⟩ (*restaurare*) to restore. – **ristauratọre** ⟨*ant*⟩ **I** *s.m.* (*f.* **-trice**) (*restauratore*) restorer. – **II** *a.* restoring, of restoration. – **ristaurazịone** *f.* ⟨*ant*⟩ (*restaurazione*) restoration. – **ristạuro** *m.* ⟨*ant*⟩ (*restauro*) restoration.

ristecchịre *v.* (**ristecchịsco, ristecchịsci**) ⟨*rar*⟩ **I** *v.t.* (*stecchire*) to kill on the spot, to fell. – **II** *v.i.* (*aus.* **essere**) to become (*o* get) very thin. – **ristecchịto** (*p.p. di ristecchire*) *a.* (*magro stecchito*) very thin, ⟨*fam*⟩ skinny, ⟨*fam*⟩ as thin as a rake.

ristẹndere *v.t.* (**ristẹsi, ristẹso**) **1.** to spread out again, to lay (*o* stretch) out again. – **2.** (*stendere*) to spread (*o* lay) out, to stretch out. – **ristendersi** *v.r.* to spread (out), to stretch (out).

ristillạre *v.t.* to drip again.

ristirạre *v.t.* to iron again (*o* over).

ristoppạre *v.t.* (**ristọppo**) **1.** to stop (*o* plug) again with tow. – **2.** (*stoppare*) to stop (*o* plug) with tow.

ristoppiạre *v.t.* (**ristọppio, ristọppi**) ⟨*Agr*⟩ to sow a stubble field: ~ *a grano* to sow a stubble field with wheat. – **ristọppio** *m.* resowing a corn crop on the same ground.

ristorạbile *a.* ⟨*non com*⟩ **1.** restorable. – **2.** (*riparabile*) reparable, recompensable, that can be made up for. – **ristoramẹnto** *m.* ⟨*non com*⟩ **1.** restoration, restoring. – **2.** (*rifocillamento*) refreshment. – **3.** ⟨*ant*⟩ (*compenso, risarcimento*) compensation, indemnification.

ristorạnte I *s.m.* restaurant. – **II** *a.inv.* **1.** (*con servizio di ristorante*) with a restaurant: *albergo* ~ hotel with a restaurant. – **2.** ⟨*non com*⟩ (*che ristora*) refreshing, restorative, restoring. □ ~ *automatico* automat; *caffè* ~ café, luncheonette, coffee shop; ~ *della stazione* refreshment room, buffet; ⟨*Ferr*⟩ *vagone* ~ dining-car.

ristorạre *v.t.* (**ristọro**) **1.** to restore: ~ *le forze* to restore one's strength. – **2.** (*rifocillare*) to refresh, to feed, to give s.th. to eat and drink to; (*rinvigorire*) to strengthen, to reinvigorate, to revive. – **3.** ⟨*fig*⟩ to refresh, to revive, to restore: ~ *lo spirito* to restore the spirit. – **4.** ⟨*lett*⟩ (*risarcire*) to make amends (*o* up) for; (*compensare*: *rif. a persone*) to compensate, to indemnify; (*rif. a perdite e sim.*) to make good. – **5.** ⟨*lett,non com*⟩ (*rimeritare*) to recompense, to reward. – **6.** ⟨*ant*⟩ (*restaurare*) to restore. – **7.** ⟨*fig,ant*⟩ (*rimettere in vigore*) to restore, to bring back. – **ristorarsi** *v.r.* **1.** (*rifocillarsi*) to refresh o.s.: *ristorarsi con un buon pranzo* to refresh o.s. with a good meal; (*rinvigorirsi*) to gain new strength, to revive. – **2.** (*riprendersi, rimettersi*) to recover (one's strength), to get better, ⟨*fam*⟩ to pick up; (*riposarsi*) to (have a good) rest. – **3.** (*rinfrescarsi*) to refresh o.s.

ristoratịvo ⟨*non com*⟩ **I** *a.* refreshing, restorative; (*che rinvigorisce*) refreshing, strengthening, reinvigorating. – **II** *s.m.* **1.** refreshment, refresher, restorative; (*bevanda*) refreshing drink, ⟨*fam*⟩ pick-me-up: *prendere un* ~ to have a refreshing drink. – **2.** ⟨*fig*⟩ tonic, ⟨*fam*⟩ pick-me-up.

ristorạto (*p.p. di ristorare*) *a.* **1.** (*rimesso*) refreshed, restored. – **2.** (*rinvigorito*) strengthened, braced, fortified; (*rifocillato*) refreshed, fed.

ristoratọre I *s.m.* (*f.* **-trice**) **1.** ⟨*non com*⟩ (*ristorante*) restaurant; (*in una stazione ferroviaria*) refreshment room. – **2.** ⟨*fig,ant*⟩ (*restauratore*) restorer. – **II** *a.* **1.** refreshing: *sonno* ~ refreshing sleep; (*che rinvigorisce*) strengthening, bracing. – **2.** ⟨*fig,non com*⟩ comforting, of comfort, strengthening, heartening: *parole ristoratrici* heartening words, words of comfort.

ristorazịone *f.* ⟨*rar*⟩ **1.** → **ristoro**. – **2.** → **ristaurazione**.

ristornạre *v.i.* (**ristọrno**; *aus.* **essere**) **1.** ⟨*tosc*⟩ (*rimbalzare indietro*) to rebound, to bounce back. – **2.** ⟨*Comm*⟩ (*cancellare di nuovo*) to cancel again; (*trasferire di nuovo*) to transfer again.

ristornịno (*dim. di ristorno*) *m.* (kind of) pitch-and-toss.
ristọrno *m.* ⟨*tosc*⟩ **1.** (*atto*) rebounding, bouncing back. – **2.** (*effetto*) rebound. □ *di* ~ (*di rimbalzo*) on the rebound.
ristọro *m.* **1.** refreshment, relief. – **2.** (*rifocillamento*) refreshment, feeding; (*rinvigorimento*) strengthening. – **3.** (*il rinfrescarsi*) refreshing o.s., taking refreshment. – **4.** ⟨*concr*⟩ refreshment. – **5.** ⟨*fig, non com*⟩ (*conforto*) solace, comfort: *cercare* ~ *nella religione* to seek solace in religion. – **6.** ⟨*ant*⟩ (*compenso, risarcimento*) compensation, indemnification. □ ⟨*Ferr,Mil*⟩ *carro* ~ refreshment car; *dare* ~: 1. to bring relief, to refresh; 2. (*rinvigorire*) to strengthen, to brace, to give new life to, ⟨*fam*⟩ to pick up; *posto di* ~ refreshment room.
ristrettẹzza *f.* **1.** (*strettezza*) narrowness. – **2.** ⟨*fig*⟩ (*scarsezza*) scarcity, lack, shortage, want: ~ *di tempo* lack of time. – **3.** ⟨*fig*⟩ (*meschinità*) meanness, poorness. – **4.** *pl.* (*condizioni economiche disagiate*) straitened circumstances *pl*, poverty, (financial) straits *pl*: *vivere in -e* to live in poverty. □ ~ *di idee* narrow-mindedness.
ristrettịvo *a.* ⟨*non com*⟩ (*restrittivo*) restrictive.
ristrẹtto (*p.p. di restringere e di ristringere*) **I** *a.* **1.** (*racchiuso*) shut (*o* hemmed) in, enclosed: *un paese* ~ *tra i monti* a village hemmed in by the mountains. – **2.** (*stretto*) tight, fast: *nodo* ~ tight knot. – **3.** (*angusto*) narrow, tight: *siamo in troppi in uno spazio così* ~ there are too many of us for such a tight space. – **4.** (*limitato*) restricted, confined, limited: *l'uso di questa parola è* ~ *al linguaggio tecnico* the use of this word is restricted to technical terminology. – **5.** (*scarso*) small, little, slight, scanty: *mezzi -i* slight means; *un* ~ *numero di amici* a small number of friends; *tempo* ~ little time. – **6.** ⟨*fig*⟩ (*meschino, gretto*) mean, petty, narrow-minded: *essere* ~ *di mente* to be narrow-minded. – **7.** (*stipato*) crowded, crammed, packed: *in questo cassetto gli indumenti sono troppo -i* in this drawer the clothes are too crowded. – **8.** (*concentrato*) concentrated, condensed, thick: *una salsa -a* a thick sauce; (*rif. al caffè*) extra strong: *caffè* ~ extra strong coffee. – **9.** ⟨*fig*⟩ (*riassunto*) condensed, summarized, summed up, ⟨*fam*⟩ boiled-down: *romanzo* ~ *in poche pagine* novel condensed into a few pages. – **10.** (*rif. a prezzi*) lowest, ⟨*fam*⟩ rock-bottom. – **11.** ⟨*ant,lett*⟩ (*assorto*) absorbed, withdrawn. – **II** *s.m.* **1.** (*prezzo ridotto*) reduced (*o* cut down, lowest) price. – **2.** (*compendio, riassunto*) summary. □ ⟨*lett,non com*⟩ *a* ~ (*in segreto*) secretly, in secret; ⟨*lett,non com*⟩ *alla -a* = *in ristretto*; *animo* ~ narrow mind; *brodo* ~ consommé, clear broth; *essere* ~ *in sé* to be withdrawn; *in* ~ (*riassumendo*) to sum up, briefly; ⟨*ant*⟩ ~ *di persone* (*crocchio*) close knot of people.
ristrịngere *v.t.* (**ristrịngo, ristrịngi; ristrịnsi, ristrẹtto**) **1.** to clasp (*o* grasp) again, to retighten; (*rif. alla mano*) to shake again: *mi ristrinse la mano* he shook my hand again. – **2.** ⟨*ant,tosc*⟩ (*restringere*) to condense, to shrink. – **3.** ⟨*ant,tosc*⟩ (*stringere di più*) to tighten (up). – **ristringersi** *v.r.* to (get) narrow.
ristringimẹnto *m.* **1.** (*atto*) clasping again; (*effetto*) second clasp, reshake. – **2.** (*restringimento*) condensing, shrinking.
ristrisciạre *v.i.* (**ristrịscio, ristrịsci**; *aus.* **avere**) to creep (*o* crawl) again.
ristuccamẹnto *m.* ⟨*non com*⟩ **1.** replastering. – **2.** ⟨*fig*⟩ (*fastidio*) bore; (*nausea*) nausea, surfeit. – **ristuccạre** *v.t.* (**ristụcco, ristụcchi**) **1.** to replaster. – **2.** ⟨*fig*⟩ (*saziare fino alla nausea*) to sicken, to cloy, to nauseate, to surfeit. – **3.** ⟨*fig*⟩ (*annoiare, infastidire*) to bore (to death), to weary. – **ristuccatụra** *f.* replastering. – **ristucchẹvole** *a.* ⟨*non com*⟩ (*stucchevole*) sickening, nauseating; (*noioso*) (deadly) boring, tedious.
ristudiạre *v.t.* (**ristụdio, ristụdi**) **1.** (*imparare di nuovo*) to study again. – **2.** (*riesaminare*) to restudy, to reconsider, to re-examine, to go over (*o* into) again.
risucchiạre *v.t.* (**risụcchio, risụcchi**) **1.** to suck again. – **2.** (*assorbire nel risucchio*) to swallow up, to engulf: *la barca fu risucchiata dai gorghi* the boat was swallowed up by the whirlpools. – **risụcchio** *m.* **1.** suction, undertow. – **2.** ⟨*Met*⟩ pipe, piping.
risuggellạre *v.t.* (**risuggẹllo**) to reseal.
risụlta: ⟨*tecn*⟩ *materiali di* ~ debris, wreckage, demolition material.
risultạbile *a.* that may be the result (*o* outcome). – **risultamẹnto** *m.* ⟨*lett,non com*⟩ → **risultato**. – **risultạnte** (*p.pr. di risultare*) **I** *a.* resulting, resultant: *l'effetto* ~ the resulting effect. – **II** *s.f./m.* ⟨*Fis,Mat*⟩ resultant. – **III** *s.f.* (*risultato*) result, outcome. – **risultạnza** *f.* ⟨*burocr*⟩ (*risultato*) result, outcome.
risultạre *v.i.* (*aus.* **essere**) **1.** to (be the) result, to be the outcome, to ensue, to come: *dalle guerre risultano danni per tutta l'umanità* great harm to all mankind comes of (*o* from) war; (*sorgere*) to spring. – **2.** (*essere noto*) to be known, to appear: *sul suo conto non risulta nulla di male* nothing is known against him; (*con costruzione impersonale*) to understand (*costr.pers.*), to hear (*costr.pers.*), to believe (*costr.pers.*), to gather (*costr.pers.*): *mi risulta che vi siete visti ieri* I understand you saw e.o. yesterday. – **3.** (*essere accertato*) to show, to prove, to be clear, to emerge: *dall'esame risultò che si trattava di una malattia infettiva* from the examination it was clear that it was an infectious disease. – **4.** (*dimostrarsi, rivelarsi*) to be, to prove (to be), to turn out (to be): *i nostri tentativi sono risultati inutili* our attempts were vain; ~ *falso* to turn out to be false. – **5.** (*riuscire*) to be, to come out: *è risultato vincitore* he was the winner. – **6.** ⟨*lett,rar*⟩ (*rimbalzare, ripercuotersi*) to resound.
risultạto *m.* **1.** result (*anche Mat.*): *avere un* ~ to have (*o* gain) a result; *produrre ottimi -i* to produce excellent results. – **2.** (*esito*) result, outcome, issue: *il* ~ *di un'indagine* the result of an inquiry; (*esito favorevole, successo*) (good) results *pl*, success: *otterrò di sicuro un* ~ *dalle mie fatiche* I'm sure to get some good results for my efforts. – **3.** ⟨*Sport*⟩ (*punteggio*) score.
□ **avere** *per* (*o come*) ~ *qc.* to result in s.th.: *la sua pigrizia ebbe per* ~ *il suo licenziamento* his idleness resulted in his being dismissed; **dare** *come* ~ = **avere** *per risultato*; *-i* **elettorali** (*o delle elezioni*) election returns (*o* results); ~ **finale**: 1. final result; 2. ⟨*Sport*⟩ final score; 3. ⟨*Ind*⟩ end product; **senza** ~ without any result; (*senza successo; agg.*) unsuccessful, fruitless; (*avv.*) unsuccessfully, fruitlessly, to no end (*o* avail).
risultịva *f.* ⟨*Geol*⟩ (*resultiva*) karst spring.
risuolạre *v.* → **risolare**. – **risuolatụra** *f.* → **risolatura**.
risuonạre *v.* → **risonare**. – **risuonatọre** *m.* → **risonatore**.
risụrgere *v.* ⟨*ant*⟩ → **risorgere**.
risurrẹsso: ⟨*Rel,ant*⟩ *Pasqua di* ~ Easter Sunday (*o* Day), Resurrection Day; *lunedì* (*della Pasqua*) *di* ~ Easter Monday.
risurreziọne *f.* **1.** ⟨*Rel*⟩ resurrection; (*risurrezione di Cristo*) Resurrection (of Christ). – **2.** ⟨*estens*⟩ (*riapparizione*) resurrection, revival. □ ⟨*Bibl*⟩ *la* ~ *della carne* the resurrection of the body (*o* flesh); *la* ~ *dei morti* the resurrection (*o* raising) of the dead.
risuscitamẹnto *m.* ⟨*non com*⟩ **1.** (*il risuscitare*) resurrection, raising. – **2.** (*risurrezione*) resurrection. – **3.** ⟨*fig*⟩ awakening, revival.
risuscitạre *v.* (**risụscito**) **I** *v.t.* **1.** ⟨*Rel*⟩ to raise, to resurrect: ~ *un morto* to raise a dead person; ~ *qd. da morte* to ⌜raise s.o.⌝ (*o* bring s.o. back) from the dead. – **2.** ⟨*iperb*⟩ (*rinvigorire*) to revive, to hearten, to put ⌜new life⌝ (*o* fresh heart) into: *questa notizia lo risuscitò* this news put fresh heart into him. – **3.** ⟨*fig*⟩ (*suscitare di nuovo*) to revive, to bring back, to rouse (*o* drag up) again, to rekindle: ~ *antichi odi* to revive old hatreds. – **4.** ⟨*fig*⟩ (*rimettere in uso*) to restore, to bring back (into use), to resuscitate, to revive: ~ *un uso* to revive a custom. – **II** *v.i.* (*aus.* **essere**) **1.** ⟨*Rel*⟩ to be resurrected, to be raised from the dead. – **2.** ⟨*fam*⟩ (*riaversi*) to revive, ⟨*fam*⟩ to pick up. – **3.** ⟨*non com*⟩ (*redimersi*) to redeem o.s., to be redeemed. □ ⟨*iperb*⟩ *risusciterebbe un morto* it would raise the dead; *un vino che risuscita i morti* a wine that would revive the dead.
risuscitạto (*p.p. di risuscitare*) *a.* resurrected, raised from the dead: *Cristo* ~ Christ Resurrected. □ *morto* ~ one who makes a miraculous recovery; ⟨*scherz*⟩ *sembrare un morto* ~ to look like death warmed over. – **risuscitatọre** *m.* (*f.* **-trice**) ⟨*non com*⟩ **1.** ⟨*Rel*⟩ resurrector, raiser. – **2.** ⟨*fig*⟩ (*rinnovatore, chi suscita di nuovo*) reviver, rekindler: ~ *d'inimicizie* reviver of enmity. – **3.** ⟨*fig*⟩ (*restauratore*) restorer, reviver, resuscitator: ~ *di un'antica tradizione* reviver of an old tradition. – **risuscitaziọne** *f.* ⟨*rar*⟩ resuscitation.
risvegliamẹnto *m.* ⟨*non com*⟩ **1.** (*il risvegliare*) waking up, rousing, awak(en)ing; (*il risvegliarsi*) waking up, awak(en)ing. – **2.** (*effetto*) awakening. – **3.** ⟨*fig*⟩ (*risveglio*) revival, awakening.
risvegliạre *v.t.* (**risvẹglio, risvẹgli**) **1.** (*svegliare di nuovo*) to wake (up) again. – **2.** (*svegliare*) to wake (up), to awake, to rouse. – **3.** ⟨*fig*⟩ (*scuotere dal torpore*) to awaken, to (a)rouse: ~ *la coscienza sopita* to arouse a dormant conscience. – **4.** ⟨*fig*⟩ (*rieccitare, stimolare di nuovo*) to rouse (*o* stir up) again, to stimulate, to whet: ~ *l'appetito* to whet the appetite; (*rif. a sentimenti e sim.*) to (re-)awaken, to rekindle, to arouse, to revive: ~ *vecchi ricordi* to revive (*o* bring back) old memories. – **risvegliarsi** *v.r.* **1.** (*svegliarsi di nuovo*) to wake up again, to reawake. – **2.** (*svegliarsi*) to wake up, to awake: *ci siamo risvegliati di buon'ora* we woke up early. – **3.** ⟨*fig*⟩ (*scuotersi dall'inerzia*) to wake up, to rouse o.s. (*da* from), to come to one's senses. – **4.** ⟨*fig*⟩ (*riprendere forza*) to come back, to return in full force, to be rekindled, to be aroused again: *la sua gelosia si risvegliò* her jealousy was aroused again. – **5.** ⟨*fig,non com*⟩ (*rifiorire*) to flourish (*o* pick up) again, to revive: *si è risvegliato il commercio* trade has picked up again.
risvegliatịvo *a.* ⟨*non com*⟩ stirring, rousing. – **risvegliatọre** **I** *s.m.* (*f.* **-trice**) ⟨*non com*⟩ **1.** waker, awakener, rouser. – **2.** ⟨*fig*⟩ reminder, evoker. – **II** *a.* **1.** waking, rousing. – **2.** ⟨*fig*⟩ reviving, evoking, calling up.
risvẹglio *m.* **1.** waking up, rousing; (*lo svegliarsi*) waking up, awak(en)ing: *al suo* ~ *trovò che tutto era già pronto* upon waking up he found everything ready. – **2.** ⟨*fig*⟩ (*il riprendere forza, vigore*) revival, rekindling: *il* ~ *della gelosia* the rekindling of jealousy. – **3.** ⟨*fig*⟩ (*rifioritura*) revival: ~ *delle arti* revival of the arts. – **4.** ⟨*fig*⟩ (*ritorno alla realtà*) return to reality, sobering up, disenchantment, disillusionment. – **5.** ⟨*Rel*⟩ revival.
risvọlta *f.* ⟨*non com*⟩ **1.** turning, bend. – **2.** ⟨*Sart*⟩ (*risvolto del colletto*) lapel; (*della manica*) cuff.
risvoltạre *v.* (**risvọlto**) **I** *v.t.* to unroll again: ~ *un rotolo di stoffa* to unroll a bolt of material again. – **II** *v.i.* (*aus.* **avere/essere**) to turn again.
risvọlto *m.* **1.** ⟨*Sart*⟩ (*di colletto*) lapel: *i -i della giacca* jacket lapels; (*di manica*) cuff; (*dei pantaloni*) turn-up, ⟨*am*⟩ cuff; (*di una tasca*) flap. – **2.** ⟨*fig*⟩ (*aspetto secondario*) (secondary) aspect, implication: *i -i politici di una situazione* the political implications of a situation. – **3.** (*linguetta delle buste*) flap. – **4.** ⟨*Legat*⟩ jacket flap; (*aletta*) flap.
rit. = ⟨*Mus*⟩ *ritardando* ritardando (*abbr.* rit.).
Rịta (*accorc. di Margherita*) *N.pr.f.* Rita.
ritagliạre *v.t.* (**ritạglio, ritạgli**) **1.** to cut (*o* clip) again: *mi son fatta* ~ *i capelli* I had my hair cut again. – **2.** (*tagliare tutt'intorno*) to cut (*o* clip) out: ~ *un articolo* to clip out an article. – **3.** ⟨*ant*⟩ (*rif.*

a monete: *alterare*) to counterfeit. – **4.** ⟨*ant*⟩ (*vendere al minuto*) to (sell) retail.

ritagliatọre *m.* (*f.* **-trice**) **1.** ⟨*non com*⟩ cutter. – **2.** ⟨*ant*⟩ (*commerciante al minuto*) retailer; (*commerciante di stoffe*) (retail) cloth merchant.

ritạglio *m.* **1.** cutting, clipping, piece cut off: ~ *di giornale* (o *stampa*) newspaper cutting, press-clipping. – **2.** *pl.* (*avanzi*) scraps *pl*, bits and pieces *pl*, ⟨*fam*⟩ leftovers *pl*; (*rif. a stoffe*) remnants *pl*.

□ ⟨*ant*⟩ **a** ~ (*al minuto*) retail; ~ *di* **carne** scrap (*o* bit) of meat; ~ *di* **carta** scrap of paper; *servizio* ~ **giornali** news (*o* press) clipping service; ~ *di* **stoffa** remnant; ⟨*fig*⟩ ~ *di* **tempo** (*tempo libero*) spare time, odd moment.

ritardạbile *a.* that can be delayed (*o* deferred), postponable. – **ritardamẹnto** *m.* ⟨*lett*⟩ **1.** delaying, deferment, postponement. – **2.** (*rallentamento*) slowing (down). – **3.** ⟨*non com*⟩ (*ritardo*) delay. – **ritardạndo** *avv./s.m.* ⟨*Mus*⟩ ritardando. – **ritardạnza** *f.* ⟨*ant*⟩ → **ritardamento**.

ritardạre I *v.i.* (*aus.* **avere**) **1.** (*tardare*) to take a long time, to be late: ~ *a rispondere* to be late in answering, to take a long time (over) answering. – **2.** (*tardare ad arrivare*) to be late: *il treno ritarda di un'ora* the train is an hour late (*o* overdue). – **3.** ⟨*Orol*⟩ to be slow: *il tuo orologio ritarda di cinque minuti* your watch is five minutes slow. – **II** *v.t.* **1.** to delay, to hold up, to retard: *lo sciopero ha ritardato il lavoro* the strike delayed the work. – **2.** (*rallentare*) to slow (down), to slacken, to reduce the speed of: ~ *il passo* to slow down the pace. – **3.** (*differire*) to postpone, to delay, to put off, to defer: *abbiamo ritardato la partenza* we have postponed our departure. – **4.** (*far ritardare*) to delay, to hold back (*o* up); (*far giungere in ritardo*) to keep, to make late. – **5.** ⟨*Mus*⟩ to retard, to slacken.

ritardatạrio *m.* (*f.* **-a**) **1.** (*chi arriva in ritardo*) latecomer. – **2.** (*chi indugia*) tardy (*o* late) person, defaulter.

ritardatịvo *a.* ⟨*non com*⟩ retardative, retardatory, delaying.

ritardạto (*p.p. di ritardare*) **I** *a.* **1.** delayed; (*rallentato*) slowed (down). – **2.** (*in ritardo*) late; (*trattenuto*) held back. – **3.** ⟨*Psic, Med*⟩ retarded. – **II** *s.m.* (*f.* **-a**) ⟨*Psic*⟩ (*anche ritardato mentale*) retardate, retarded (*o* backward) person. □ *dispositivo ad azione -a* delayed-action device; *avere i riflessi -i* to have slow reflexes.

ritardatọre *m.* (*f.* **-trice**) **1.** ⟨*non com*⟩ (*chi ritarda*) latecomer. **2.** ⟨*non com*⟩ (*chi fa ritardare*) delayer. – **3.** ⟨*tecn*⟩ (*sostanza*) retarder, retardant; (*dispositivo*) time-lag device. – **ritardaziọne** *f.* **1.** ⟨*non com*⟩ slowing (down), slackening: ~ *del moto* slowing of motion, deceleration. – **2.** ⟨*tecn*⟩ retardation, negative acceleration, deceleration, lag. – **3.** ⟨*rar*⟩ (*ritardo*) delay, lateness.

ritạrdo *m.* **1.** lateness, delay: *pagare con una settimana di* ~ to pay ⌜after a week's delay⌝ (*o* a week late); *il* ~ *della posta* the mail delay, lateness in mail delivery. – **2.** (*tempo trascorso ritardando*) delay, lateness. – **3.** (*indugio*) delay: *senza* ~ without delay, at once. – **4.** (*rallentamento*) slowing (down), slackening, retardation. – **5.** ⟨*Fis*⟩ lag, ⟨*am*⟩ lagging. – **6.** ⟨*Mus*⟩ retardation, suspension; (*rallentamento*) retardation.

□ ⟨*Mot*⟩ ~ *d'***accensione** hangfire; **arrivare** *in* ~ to come late; ⟨*Mot*⟩ ~ *di* **combustione** afterburning (of charge); ~ *di* **consegna** delay in delivery; **essere** *in* ~ to be late: *il treno è in* ~ *di tre ore* the train is three hours late (*o* overdue, behind time); ⟨*El*⟩ ~ *di* **fase** phase lag; ~ *nel* **pagamento** delay in payment, overdue payment; **scusami** *il* ~ sorry I'm late.

ritassạre *v.t.* to tax again, to retax.

ritẹgno *m.* **1.** (*freno*) restraint: *la sua passione non conosce alcun* ~ his passion knows no restraint; (*moderazione*) moderation, control: *spendere con* ~ to spend with moderation; (*riserbo*) reserve. – **2.** ⟨*Mar,non com*⟩ (*ritenuta*) back rope, guy (rope). – **3.** ⟨*ant*⟩ (*ciò che serve a trattenere*) check, hold, restraint. – **4.** ⟨*fig,ant*⟩ (*impedimento*) impediment, hindrance, obstacle. – **5.** ⟨*fig, ant*⟩ (*appoggio, aiuto*) mainstay, support, prop. – **6.** ⟨*ant*⟩ (*pezzo di un dispositivo*) block. □ *aver* ~ to be reserved; ~ *nel comportarsi* reserved behaviour, reserve; *senza* ~: 1. (*agg.*) without restraint, unrestrained; 2. (*avv.*) unrestrainedly: *piangere senza* ~ to cry unrestrainedly.

ritemẹre *v.t.* (**ritẹmo/ritẹmo**) **1.** to fear (*o* be afraid of) again. – **2.** ⟨*ant*⟩ (*temere*) to fear, to be afraid of. – **ritemersi** *v.r.* ⟨*ant*⟩ to be reserved (*o* restrained).

ritemprạre *v.t.* (**ritẹmpro**) **1.** to retemper. – **2.** ⟨*fig*⟩ (*rinforzare, rinfrancare*) to strengthen, to fortify, to restore. – **ritemprarsi** *v.r.* to fortify o.s., to gain new strength, to be restored.

ritẹndere *v.t.* (**ritẹsi, ritẹso**) **1.** to stretch (*o* hold) out again. – **2.** ⟨*fig*⟩ to set (*o* lay) again: ~ *un'insidia* to set a trap again.

ritenẹre *v.t.* (**ritẹngo, ritiẹni; ritẹnni, ritenụto**; → **tenere**) **1.** (*trattenere, fermare*) to stop, to hold (*o* keep) back, to restrain, to check: ~ *le acque di un fiume* to check the waters of a river; *voleva andarsene, ma lo ritenni* he wanted to go, but I stopped him. – **2.** (*non consegnare*) to keep back, to withhold: *hanno ritenuto trecento lire* they withheld three hundred lire. – **3.** ⟨*fig*⟩ (*ricordare*) to remember: *non riesco a* ~ *le date* I can't remember dates. – **4.** ⟨*fig*⟩ (*giudicare, stimare*) to think, to consider, to believe, to hold: *lo ritengono una persona onesta* they think he is honest, they consider him an honest person; *ritengo di avere sbagliato* I believe I was wrong. – **5.** (*frenare, controllare*: *rif. a impulsi e sim.*) to (keep in) check, to restrain, to curb, to hold back. – **6.** ⟨*non com*⟩ (*tenere lontano*) to keep off (*o* away). – **7.** ⟨*ant*⟩ (*mantenere, conservare*) to preserve, to keep. – **8.** ⟨*ant*⟩ (*non pagare*) to withhold payment of. – **9.** ⟨*ant*⟩ (*tenere in prigione*) to keep in prison, to detain. – **ritenersi** *v.r.* **1.** (*considerarsi*) to think (o.s.), to believe (o.s.), to consider (o.s.): *si ritiene un genio* he thinks he's a genius. – **2.** ⟨*non com*⟩ (*astenersi, frenarsi*) to check o.s., to hold (o.s.) back, to restrain o.s. □ ⟨*ant*⟩ *ritenersi con qd.* (*essere in familiarità con qd.*) to be s.o.'s faithful friend, to be very close to s.o.; *l'ammalato non ritiene nulla* the patient can't keep anything down; ⟨*Med*⟩ ~ *l'urina* to retain urine.

ritenimẹnto *m.* ⟨*non com*⟩ → **ritenzione**. – **ritenitịvo** *a./s.* ⟨*non com*⟩ → **ritentivo**. – **ritenitọre** ⟨*non com*⟩ **I** *s.m.* (*f.* **-trice**) **1.** retainer, keeper, withholder. – **2.** ⟨*ant*⟩ (*manutengolo*) accomplice; (*ricettatore*) receiver of stolen goods, ⟨*fam*⟩ fence. – **II** *a.* retaining.

ritenitụra *f.* ⟨*Conc*⟩ smoothing.

ritentamẹnto *m.* ⟨*non com*⟩ second attempt. – **ritentạre** *v.t.* (**ritẹnto**) to try again, to reattempt, ⟨*fam*⟩ to have another go at.

ritentịva, ritentività *f.* ⟨*ant*⟩ memory, (power of) retention. – **ritentịvo I** *a.* ⟨*non com*⟩ retentive. – **II** *s.m.* ⟨*Med*⟩ retentive bandage.

ritenụta *f.* **1.** retaining, retention. – **2.** (*il trattenere*) withholding, deduction, stoppage; (*trattenuta*) deduction, stoppage, amount withheld: *fare una* ~ *sul salario* to make a deduction from wages. – **3.** ⟨*Idr*⟩ retention, retaining. – **4.** ⟨*Mar*⟩ (*cavo*) back rope, guy (rope). □ ⟨*Idr*⟩ *diga di* ~ (retaining) dam; ~ *fiscale* (o *d'acconto*) withholding tax.

ritenutẹzza *f.* ⟨*rar*⟩ **1.** (*riservatezza*) reserve, reservedness. – **2.** (*ritegno*) restraint. – **3.** (*circospezione*) cautiousness, circumspection.

ritenụto (*p.p. di ritenere*) *a.* **1.** (*che ha ritegno*) reserved, restrained. – **2.** (*cauto*) cautious, circumspect. – **3.** ⟨*Mus*⟩ ritenuto, held back in tempo.

ritenziọne *f.* **1.** retention, retaining. – **2.** (*rif. a denaro*) withholding, deduction, stoppage. – **3.** ⟨*Med,Dir*⟩ retention. – **4.** ⟨*ant*⟩ (*arresto*) detention, imprisonment. □ ⟨*Dir*⟩ *diritto di* ~ right of retention; ⟨*Med*⟩ ~ *della placenta* retention of the placenta; ~ *dei testicoli* retention of the testicles, cryptorchidism; ~ *delle urine* retention of urine. – **ritenzionịsta** *m./f.* ⟨*Med*⟩ person suffering from urine retention.

ritẹssere *v.t.* (**ritessẹi, ritessụto**) to reweave (*anche fig.*).

ritịngere *v.t.* (**ritịngo, ritịngi; ritịnsi, ritịnto**) **1.** to colour (*o* tinge) again; (*dipingere di nuovo*) to repaint, to paint again (*o* over). – **2.** (*tingere con un altro colore*) to dye (again), to redye: ~ *un vestito in* (o *di*) *rosso* to dye a dress red. – **ritịnto** (*p.p. di ritingere*) *a.* **1.** coloured (*o* tinged) again; (*dipinto di nuovo*) repainted. – **2.** (*tinto con un altro colore*) dyed (again), redyed. – **3.** ⟨*fig,spreg*⟩ (*malamente truccato*) painted (up): *una vecchia tinta e -a* a painted up old woman. – **ritintụra** *f.* **1.** colouring (*o* tinging) again; (*il dipingere di nuovo*) repainting. – **2.** (*il tingere con un altro colore*) dyeing (again).

ritiramẹnto *m.* ⟨*ant*⟩ **1.** withdrawal, drawing back. – **2.** (*ritiro, isolamento*) seclusion, withdrawal.

ritirạre *v.t.* **1.** (*tirare indietro, ritrarre*) to withdraw, to pull (*o* draw) back: *mi dette la mano ma la ritirò subito* he gave me his hand but drew it back at once; *la lumaca ritira le corna* the snail withdraws its horns. – **2.** (*far tornare indietro*) to withdraw, to recall: ~ *le truppe* to withdraw the troops; (*richiamare*) to recall, to call back: *lo stato ritirò i suoi rappresentanti* the country recalled its representatives. – **3.** (*togliere*) to take away, to confiscate, to revoke: ~ *la patente a qd.* to confiscate s.o.'s driving-licence. – **4.** (*togliere dalla circolazione*) to withdraw (from circulation), to call in: *la banca ha ritirato tutte le banconote da cento lire* the bank has called in all the hundred lire notes; ~ *un prodotto dal mercato* to withdraw a product. – **5.** (*farsi consegnare*) to collect, to claim, ⟨*fam*⟩ to pick up: *il pacco potrà essere ritirato alla posta* the parcel may be collected at the post office. – **6.** (*rif. a denaro*: *prelevare*) to draw (out), to take out, to withdraw: ~ *una somma in banca* to draw a sum from the bank; (*riscuotere*) to collect, to (en)cash. – **7.** ⟨*fig*⟩ (*ritrattare*) to withdraw, to retract, to take back: ~ *le dimissioni* to withdraw (*o* retract) one's resignation. – **8.** (*rimuovere tirando*) to draw (*o* pull) in: ~ *le reti* to draw in (*o* up) the nets. – **9.** (*tirare di nuovo*) to throw again: ~ *un sasso* to throw a stone again. – **ritirarsi** *v.r.* **1.** to draw (*o* move) back, to retreat: *si ritirò prontamente per non essere investito* he drew (*o* stepped) back quickly to avoid being hit. – **2.** (*ripiegare*: *rif. a truppe e sim.*) to retreat, to fall back, to withdraw, to retire: *i soldati si ritirarono sulla collina* the soldiers retreated to the hill; (*sgombrare*) to move out, to evacuate, to go away. – **3.** (*rientrare in casa*) to go home; (*andare a letto*) to go to bed, ⟨*lett*⟩ to retire. – **4.** (*appartarsi*) to retire, to withdraw, to retreat: *ritirarsi a vita privata* to retire to private life; *ritirarsi in camera propria* to withdraw (*o* retire) to one's room. – **5.** (*dimettersi*) to withdraw, to retire (*da* from), to give up (s.th.), to move out (of): *ritirarsi dal commercio* to retire from business; (*dando le dimissioni*) to resign (from). – **6.** (*rinunciare a una gara*) to withdraw (from): *ritirarsi da un concorso* to withdraw from a contest. – **7.** (*disdire la propria parola*) to retract (*da qc.* s.th.), to go back (on); (*disdire il proprio impegno*) to back out (of), to withdraw (from). – **8.** (*accorciarsi, restringersi*) to shrink: *la stoffa non si è ritirata* the material didn't shrink. – **9.** (*defluire*) to subside, to recede, to ebb away: *le acque si ritirano lentamente dalle campagne* the water is slowly receding from the fields; (*rif. alla marea*) to ebb. □ *la corte si ritira* the Court withdraws; ~ *da qd.*: 1. (*somigliare*) to resemble (*o* look like) s.o.: *questo ragazzo ha ritirato tutto da sua madre* this boy looks just like his mother; 2. (*avere le stesse qualità*) to take after s.o.; *ritirarsi dal mondo* to retreat (*o* withdraw) from the world; ~ *la parola data* to go back on one's word, to break one's promise.

ritirạta *f.* **1.** retreat, withdrawal (*anche Mil.*): *proteggere la* ~ to cover the retreat; (*percorso di ritirata*) retreat: *tagliare la* ~ *al nemico* to cut off the enemy's retreat. – **2.** ⟨*Mil*⟩ (*rientro in caserma: segnale*) tattoo: *sonare la* ~ to sound (*o* beat) the tattoo. – **3.** (*latrina*) lavatory, toilet. – **4.** ⟨*fig,non com*⟩ (*rinuncia*) renouncing, abandonment, giving up. – **5.** ⟨*non com*⟩ (*il ritirarsi in luogo appartato*) retreat, withdrawal; (*luogo*) retreat, place of seclusion. □ *battere in* ~: 1. ⟨*Mil*⟩ to retreat; 2. ⟨*fig*⟩ (*scappare*) to beat a retreat; 3. ⟨*fig*⟩ (*recedere da una pretesa*) to back down, to retreat, to give in; *essere in* ~ to be in retreat; ⟨*Mar.mil*⟩ *in* ~ aft, astern, abaft; ⟨*Mil*⟩ ~ *strategica* strategic withdrawal (*o* retreat); ⟨*fig*⟩ *fare una* ~ *strategica* to beat a strategic retreat.

ritiratẹzza *f.* ⟨*non com*⟩ **1.** (*l'essere ritirato*) reserve, reservedness, remoteness, aloofness. – **2.** (*il vivere ritirato*) retirement, (living in) seclusion. – **ritirạto** (*p.p. di ritirare*) **I** *a.* **1.** (*appartato*) retired, secluded: *far vita -a* to lead a ⌜secluded life⌝ (*o* life of seclusion). – **2.** (*rif. a persona: solitario*) withdrawn, solitary, living in seclusion. – **II** *s.m.* (*f.* **-a**) ⟨*Sport*⟩ competitor who has withdrawn from a contest.

ritịro *m.* **1.** (*il ritirare*) withdrawal; (*il ritirarsi*) retreat, withdrawal, retirement, falling back. – **2.** (*richiamo*) recall, calling back, withdrawal: *il* ~ *dell'ambasciatore* the ambassador's recall. – **3.** (*il togliere*) taking away, revocation, confiscation: ~ *di permesso* revocation of a permit; ~ *del passaporto* taking away of a passport. – **4.** (*il togliere dalla circolazione*) withdrawal (from circulation), calling in: ~ *di carta moneta* withdrawal (from circulation) of paper money; ~ *di merci* withdrawal of goods, taking of goods off the market. – **5.** (*il prendere, il farsi consegnare*) collection, collecting: *il* ~ *dei biglietti* the collection of tickets. – **6.** (*il ritirarsi da un'attività*) withdrawal, retirement, giving up: *andare in* ~ to go into retirement. – **7.** (*rinuncia*) withdrawal: ~ *da un concorso* withdrawal from a competition. – **8.** (*il ritirarsi in luogo appartato*) withdrawal, retiring, retreat. – **9.** (*luogo appartato*) retreat, secluded spot, nook, place of seclusion. – **10.** ⟨*Rel*⟩ (*ritiro spirituale*) retreat. – **11.** (*condizione di chi vive ritirato*) seclusion, retirement: *vivere in* ~ to live in seclusion, to live a secluded (*o* retired) life. – **12.** (*il restringersi*) shrinkage, shrinking. – **13.** ⟨*Met*⟩ shrink(age), contraction. □ ⟨*Post*⟩ ~ *del corriere* collection, ⟨*am*⟩ mail pick-up; ⟨*Econ*⟩ ~ *di fondi* withdrawal of funds; ~ *della patente di guida* suspension (*o* revocation) of a driving-licence.

ritmạre *v.t.* **1.** (*scandire secondo un ritmo*) to ⌜beat out⌝ (*o* mark, measure) the rhythm of: ~ *una canzone* to beat out the rhythm of a song. – **2.** (*adattare a un ritmo*) to adapt to a rhythm. – **ritmạto** (*p.p. di ritmare*) *a.* rhythmic, cadenced, measured: *movimento* ~ measured movement. – **rịtmica** *f.* **1.** ⟨*Mus*⟩ rhythmics *pl* (*costr. sing.*). – **2.** ⟨*Metr*⟩ metrics *pl* (*costr.sing. o pl.*). – **ritmicamẹnte** *avv.* rhythmically. – **ritmicità** *f.* rhythmicity: ~ *di un'oscillazione* rhythmicity of an oscillation. – **rịtmico** *a.* (*pl.* **-ci**) **1.** ⟨*Mus,Metr*⟩ rhythmic(al), cadenced: *cadenza -a* rhythmic cadence. – **2.** ⟨*fig*⟩ rhythmical; (*ordinato, regolare*) rhythmic, regular, orderly.

rịtmo *m.* **1.** rhythm: *il* ~ *del cuore* the rhythm of the heart, the cardiac rhythm; *il valzer ha un* ~ *ternario* the waltz has a ternary rhythm. – **2.** ⟨*fig*⟩ (*il succedersi di fasi*) rhythm, pace, tempo: *il* ~ *dello sviluppo industriale* the rhythm of industrial development; *il* ~ *di un racconto* the pace of a story. – **3.** ⟨*fig*⟩ (*il ripetersi di motivi ornamentali*) rhythm: *il* ~ *di un porticato* the rhythm of an arcade. □ ⟨*Metr*⟩ ~ **anapestico** anapaestic rhythm; ⟨*Metr*⟩ ~ **ascendente** rising (*o* ascending) rhythm; ⟨*Mus*⟩ ~ **binario** duple rhythm (*o* time); *muoversi a* ~ *di* **danza** to move in dance rhythm; ⟨*Metr*⟩ ~ **discendente** falling (*o* descending) rhythm; ⟨*Med*⟩ **disturbi** *del* ~ arrhythmia *sing*; ⟨*Metr*⟩ ~ **giambico** iambic rhythm; ~ *di* **gioco** pace of the game; ~ *di* **lavoro** work tempo (*o* pace); ⟨*Mus,Metr*⟩ ~ **sostenuto** swing; ⟨*Metr*⟩ ~ **trocaico** trochaic rhythm.

ritmo-melọdico *a.* (*pl.* **-ci**) ⟨*Mus*⟩ rhythmic and melodic.

rịto *m.* **1.** (*norma da seguire*) rite: *i complessi -i di presentazione dei giapponesi* the complex introduction rites of the Japanese. – **2.** (*cerimonia religiosa*) rite, ceremony: ~ *nuziale* nuptial rite, wedding ceremony; ~ *funebre* funeral rite. – **3.** ⟨*fig*⟩ (*usanza*) custom, usage, rite: *secondo il* ~ according to custom; *in Inghilterra il tè del pomeriggio è un* ~ in England, afternoon tea is a rite. – **4.** ⟨*Rel*⟩ (*liturgia*) Rite, liturgy: ~ *romano* Roman Rite. – **5.** ⟨*Dir*⟩ (*procedura*) procedure, proceedings *pl*, practice. – **6.** ⟨*non com*⟩ (*religione, culto*) religion.
□ ⟨*Rel*⟩ ~ *del* **battesimo** rite of baptism; *celebrare le nozze col* ~ **civile** to be married at a registry-office, to have a civil wedding; **di** ~ usual, customary, prescribed by custom: *i documenti di* ~ the usual documents; *essere di* ~ to be usual (*o* the custom); ⟨*Rel*⟩ ~ *della* **messa** rite of the Mass; *celebrare un* ~ **religioso** to celebrate a religious rite (*o* ceremony).

ritoccamẹnto *m.* ⟨*non com*⟩ **1.** touching again. – **2.** (*ritocco*) retouching, touch-up.

ritoccạre *v.t.* (**ritọcco, ritọcchi**) **1.** to touch again. – **2.** (*apportare variazioni, correggere*) to touch up, to retouch, to revise, to rework, to correct: ~ *una poesia* to revise a poem. – **3.** (*riparare*) to retouch, to touch up, to repair. – **4.** ⟨*Art*⟩ to retouch, to touch up. – **5.** ⟨*Fot, Cosmet*⟩ to touch up, to retouch: ~ *il trucco* to touch (*o* freshen) up one's make-up. – **6.** ⟨*ant,fig*⟩ (*importunare*) to ask insistently. – **ritoccarsi** *v.r.* ⟨*non com*⟩ **1.** (*camminare battendo le ginocchia*) to be knock-kneed. – **2.** (*rif. ad animali*) to overreach, to grab. □ ~ *i prezzi* to revise (*o* raise) prices.

ritoccạta *f.* **1.** quick touch-up, revision, correction. – **2.** ⟨*Art,Fot, Cosmet*⟩ (*atto*) retouching, touching up; (*effetto*) touch-up, retouch. □ *dare una* ~ *a qc.*: 1. to touch s.th. up, to give s.th. a quick touch-up; 2. ⟨*Fot*⟩ to retouch s.th. quickly. – **ritoccatịna** *f. dim. di* **ritoccata**. – **ritoccatọre** *m.* (*f.* **-trice**) retoucher. – **ritoccatụra** *f.* ⟨*non com*⟩ → **ritocco**.

ritocchịno (*dim. di ritocco*) *m.* ⟨*fam*⟩ (*spuntino*) snack.

ritọcco *m.* (*pl.* **-chi**) **1.** retouching, touching up, correcting, revising, reworking. – **2.** (*correzione, mutamento*) touch-up, finishing touch, retouch, correction, revision, change: *il libro fu pubblicato con qualche piccolo* ~ the book was published with some slight revisions (*o* changes). – **3.** (*riparazione*) touch-up, retouch. – **4.** ⟨*Art*⟩ touch-up, retouch, final (*o* finishing) touch. – **5.** ⟨*Fot*⟩ retouching. □ *fare dei ritocchi a qc.*: 1. to touch up s.th., to correct (*o* revise) s.th.; 2. ⟨*Art*⟩ to touch up s.th., to put the final (*o* finishing) touch to s.th.; 3. ⟨*Fot*⟩ to touch up s.th., to give s.th. a touch-up, to retouch s.th.

ritọgliere *v.t.* (**ritọlgo, ritọgli; ritọlsi, ritọlto**) **1.** to take away again; (*rif. a vestiti e sim.*) to take off again: *si ritolse i guanti* he took his gloves off again. – **2.** (*riprendere ciò che si era dato*) to take back. – **3.** (*detrarre di nuovo*) to detract (*o* deduct) again. – **ritogliersi** *v.r.* ⟨*lett*⟩ (*liberarsi*) to free o.s. (*da* from), to make o.s. free, to get free (of). □ *Prov.*: *chi dà e ritoglie il diavolo lo raccoglie* to give a thing and take a thing is to wear the devil's gold ring, give a thing and take again and you shall ride in hell's wain.

ritoglimẹnto *m.* ⟨*non com*⟩ taking back. – **ritoglitọre** *m.* (*f.* **-trice**) ⟨*non com*⟩ one that takes back. – **ritọlto** *p.p. di* **ritogliere**.

ritondạre *v.t.* (**ritọndo**) ⟨*ant,rar*⟩ (*arrotondare*) to round (off), to make round. – **ritondạto** (*p.p. di ritondare*) *a.* ⟨*lett*⟩ rounded (off). – **ritondeggiạnte** (*p.pr. di ritondeggiare*) *a.* ⟨*ant*⟩ (*rotondeggiante*) roundish. – **ritondeggiạre** *v.i.* (**ritondẹggio, ritondẹggi**; *aus.* **avere**) ⟨*ant*⟩ (*rotondeggiare*) to become roundish. – **ritondità** *f.* ⟨*ant*⟩ (*rotondità*) roundness, rotundity. – **ritọndo** *a.* ⟨*ant*⟩ (*rotondo*) round.

ritọrcere *v.t.* (**ritọrco, ritọrci; ritọrsi, ritọrto**) **1.** to twist (*o* wring) again, to retwist; (*rif. a panni lavati*) to wring out again. – **2.** (*torcere*) to twist, to wring; (*rif. a panni lavati*) to wring out. – **3.** (*rif. al filo*) to twist, to double, to twine. – **4.** (*volgere in senso opposto*) to turn around (*o* away): ~ *gli occhi* to turn one's eyes away. – **5.** ⟨*fig*⟩ (*rivolgere contro*) to turn against, to throw back, to retort: ~ *un argomento* to turn an argument against s.o.; ~ *un'insinuazione* to throw back an insinuation. – **ritorcersi** *v.r.* **1.** to be (*o* become, get) twisted. – **2.** ⟨*fig*⟩ (*rivolgersi contro*) to retort, to be turned, to rebound: *tutte le tue accuse si ritorcono contro di te* all your accusations are turned against you.

ritorcịbile *a.* ⟨*non com*⟩ that can be retorted, rebuttable, ⟨*lett*⟩ retortable: *argomento* ~ rebuttable argument. – **ritorcimẹnto** *m.* **1.** (*atto*) twisting; (*effetto*) twist. – **2.** ⟨*fig,rar*⟩ (*ritorsione*) retort(ing).

ritorcitọio *m.* ⟨*Tess*⟩ twister, doubling-frame, twisting-frame. – **ritorcitọre** *m.* (*f.* **-trice**) (*operaio*) twister, doubler. – **ritorcitrịce** *f.* **1.** (*operaia*) twister, doubler. – **2.** (*macchina*) twister, doubling -machine, twisting-machine. – **ritorcitụra** *f.* twisting, doubling, twining.

ritormentạre *v.t.* (**ritormẹnto**) to torment again.

ritornạre *v.* (**ritọrno**) **I** *v.i.* (*aus.* **essere**) **1.** (*tornare*) to return, to go (*o* come) back: ~ *in patria* to return to one's country; ~ *a casa* to return (*o* go) home. – **2.** ⟨*fig*⟩ (*riprendere*) to return, to go back (*su* to): ~ *su un argomento* to go back to a subject. – **3.** (*ripresentarsi, ripetersi*) to recur, to be repeated: *un motivo che ritorna spesso nell'arte bizantina* a motif that frequently recurs in Byzantine art. – **4.** (*ridiventare*) to become (*o* be) again, to return: *il cielo ritorna sereno* the sky is (*o* has become) clear again; *queste scarpe sono ritornate nuove* these shoes are like new again. – **II** *v.t.* **1.** (*restituire*) to give back, to return: *ti ritorno il libro che mi hai prestato* I am giving you back the book you loaned me; (*ricambiare*) to pay back, to return: ~ *una cortesia* to return a favour. – **2.** ⟨*fig,non com*⟩ (*far ridiventare*) to restore, to bring back: ~ *in vita qd.* to bring s.o. back to life. – **3.** ⟨*ant*⟩ (*riaccompagnare, ricondurre*) to take (*o* lead) back. – **4.** ⟨*ant*⟩ (*volgere indietro*) to turn back. – **ritornarsi** *v.r.* ⟨*ant,lett*⟩ (*ritornarsene*) to return. □ ~ *a lavorare* to go back to work, to start work again; ~ *in mente* to come to mind again; ~ *di moda* to come back into fashion; ~ *in sé* to come to, to regain consciousness; ⟨*fig*⟩ ~ *sulla retta via* to get back on the straight and narrow; *ritornarsene*: 1. to return: *se ne ritornava a casa pian piano* he returned (*o* went) home slowly; 2. (*tornare indietro*) to go back again.

ritornạta *f.* ⟨*ant*⟩ → **ritorno**.

ritornẹllo *m.* **1.** ⟨*Mus*⟩ refrain, chorus, burden; (*segno*) repeat (sign); (*intermezzo strumentale*) ritornello. – **2.** ⟨*Metr*⟩ refrain, chorus, burden. – **3.** ⟨*Lett*⟩ refrain. – **4.** ⟨*fig*⟩ story, song: *e dagli con il solito* ~ it's always the same old story.

ritọrno *m.* **1.** return, coming (*o* going) back: *il* ~ *della primavera* the return of spring; ~ *in città* return to town. – **2.** (*rientro in patria, a casa*) homecoming, return. – **3.** (*viaggio di ritorno*) return trip (*o* journey), trip (*o* way) back: *al* ~ on the return trip. – **4.** ⟨*Mecc*⟩ (*di molla*) recovery; (*di pistone*) reversal. – **5.** ⟨*Acu*⟩ feed-back.
□ **al** *mio* ~ on my return: *al mio* ~ *trovai la casa svaligiata* on my return I found the house had been robbed; **automobile** *di* ~ hired car returning to the garage empty; ⟨*Ferr*⟩ ~ *in* **curva** (*tor-*

nante) wide curve; **di** ~ back: *avere di* ~ to get back; *dare di* ~ to give back; *prendere di* ~ to take back; *gli domandai: «quando possiamo rivederci?» ed egli di* ~: *«domenica sera»* I asked him: "when can we get together again?" and he replied: "Sunday evening"; *essere di* ~: 1. *(stare tornando)* to be about to return, to be on the way back; 2. *(essere ritornato)* to be back: *non sarò di* ~ *prima di lunedì* I won't be back before Monday; ⟨*Filos*⟩ *l'***eterno** ~ the eternal recurrence; **fare** ~: 1. *(ritornare)* to return, to come (*o* go) back; 2. *(ripresentarsi)* to show up again, to reappear; ~ *di* **fiamma**: 1. ⟨*Mot*⟩ back-fire, flashback; 2. ⟨*fig*⟩ sudden outbreak of an old passion, rekindling of an old flame; ⟨*El*⟩ ~ *a* **massa** earth -return (circuit), ⟨*am*⟩ ground-return (circuit); ⟨*Sport*⟩ **partita** *di* ~ return match; ~ *in* **patria** homecoming, return (to one's country); ⟨*Teat*⟩ ~ *alle* **scene** (stage) come-back, return to the footlights; *sulla* **via** *del* ~ on the way back; *mettersi sulla via del* ~ to start back; ⟨*fig*⟩ ~ *sulla retta via* return to the straight and narrow; **viaggio** *di andata e* ~ round trip; **vuoti** *di* ~ deposit bottles, ⟨*fam*⟩ empties.

ritọrre *v.* ⟨*poet*⟩ → **ritogliere**.

ritorsiọne *f.* **1.** retorting, throwing back. – **2.** *(rappresaglia)* retaliation, reprisal. □ *fare una* ~ to make a retort, to retort; *per* ~ in retaliation.

ritọrta *f.* **1.** withe, withy. – **2.** ⟨*Pesc*⟩ kind of fishing-net. – **3.** ⟨*ant*⟩ *(fune)* rope, cord. – **4.** ⟨*ant,rar*⟩ *(sartia)* shroud. □ ⟨*fig*⟩ *spezzare le -e* to break one's bonds.

ritọrto *(p.p. di ritorcere)* **I** *a.* **1.** twisted, twined: *corda -a* twisted rope. – **2.** *(storto, contorto)* twisted, crooked; *(rif. ad alberi e sim.)* twisted, gnarled, crooked: *rami -i* gnarled branches. – **3.** ⟨*Tess*⟩ twisted, doubled: *cotone* ~ twisted cotton. – **II** *s.m.* ⟨*Tess*⟩ twisted (*o* doubled) yarn. □ ⟨*Tess*⟩ ~ *a più capi* cabled yarn; ~ *fantasia* fancy twist; ~ *semplice* twisted yarn.

ritọrtola *f.* ⟨*tosc*⟩ *(ritorta)* withe, withy. □ *aver più -e che fastelli* to always have some answer up one's sleeve.

ritoṣạre *v.t.* (**ritọṣo**) to clip (*o* shear) again.

ritossịre *v.i.* (**ritossịsco, ritossịsci**; *aus.* **avere**) to cough again.

ritradịre *v.t.* (**ritradịsco, ritradịsci**) to betray again.

ritradụrre *v.t.* (**ritradụco, ritradụci; ritradụssi, ritradọtto**; → **condurre**) **1.** to translate again, to retranslate. – **2.** *(tradurre un testo che è già una traduzione)* to translate a translation. – **3.** *(ritradurre nella lingua originale)* to translate back, to make a retroversion of. – **ritraduziọne** *f.* **1.** retranslation, new translation. – **2.** *(traduzione di una traduzione)* translation of a translation. – **3.** *(il ritradurre nella lingua originale)* retroversion.

ritrạngolo *m.* ⟨*ant*⟩ *(tipo di usura)* form of usury.

ritrạrre *v.* (**ritrạggo, ritrại; ritrạssi, ritrạtto**; → **trarre**) **I** *v.t.* **1.** *(tirare indietro)* to retract, to withdraw, to draw back: *ritrasse con orrore la mano* he drew back his hand in horror. – **2.** *(distogliere)* to dissuade, to deter, to turn away from: ~ *qd. da un'impresa* to dissuade s.o. from an undertaking; ~ *qd. dal vizio* to turn s.o. away from vice. – **3.** *(ricavare, ottenere)* to get, to obtain, to make, to draw: *ha ritratto dall'affare un ottimo guadagno* he made an excellent profit on the deal. – **4.** *(rappresentare)* to portray, to depict, to represent, to reproduce: ~ *una scena* to portray a scene. – **5.** *(descrivere)* to portray, to depict, to describe, to picture: ~ *un ambiente* to describe a milieu; *(esprimere)* to express, to set out; *(raccontare)* to tell, to narrate, to paint: ~ *una situazione a forti tinte* to paint a highly coloured picture of a situation. – **6.** ⟨*Pitt*⟩ to depict, to portray, to paint; *(disegnare)* to draw. – **7.** ⟨*Scult*⟩ to sculpt(ure), to portray. – **8.** ⟨*Fot*⟩ to photograph, to take a photo of. – **9.** ⟨*lett,non com*⟩ *(venire a sapere)* to learn, to discover. – **10.** ⟨*rar*⟩ *(estrarre)* to extract, to take (*o* draw) out. – **11.** ⟨*ant*⟩ *(trarre copia o immagine fedele)* to copy. – **12.** ⟨*ant*⟩ *(riesportare)* to re-export. – **13.** ⟨*ant,rar*⟩ *(indurre)* to induce, to lead. – **II** *v.i.* (*aus.* **avere**) ⟨*non com*⟩ *(somigliare)* to take after: ~ *da qd.* to take after s.o. – **ritrarsi** *v.r.* **1.** *(farsi indietro)* to step (*o* move, draw) back: *mi ritrassi appena in tempo per non essere investito* I stepped back just in time to avoid being hit. – **2.** ⟨*fig*⟩ *(ritirarsi)* to withdraw (*da* from), to back out of: *ritrarsi da un impegno* to back out of a commitment. – **3.** ⟨*non com*⟩ *(ritirarsi in un luogo)* to retire, to withdraw. – **4.** ⟨*rar*⟩ *(ridursi, limitarsi)* to limit (*o* confine) o.s.

ritrasformạre *v.t.* (**ritrasfọrmo**) **1.** to transform again, to retransform. – **2.** *(far tornare nella forma precedente)* to change (*o* turn) back. – **ritrasformarsi** *v.r.* **1.** to transform o.s. again, to be transformed again (*in* into). – **2.** *(tornare allo stato precedente)* to turn (*o* change) o.s. back (into).

ritraṣmẹttere *v.t.* (**ritraṣmịsi, ritraṣmẹsso**) ⟨*Rad,TV*⟩ to transmit (*o* broadcast) again, to retransmit, to rebroadcast. – **ritraṣmissiọne** *f.* retransmission, rebroadcast(ing).

ritrạtta *f.* ⟨*ant*⟩ **1.** *(riesportazione)* re-exportation. – **2.** *(ritirata)* retreat.

ritrattạbile *a.* retractable. – **ritrattabilità** *f.* retractability.

ritrattạre[1] *v.t.* **1.** to deal with again, to treat (*o* cover) again: *ritratterò questo argomento nella prossima lezione* I shall deal with this topic again in the next lesson. – **2.** *(rinnegare)* to recant: ~ *una dottrina eretica* to recant a heretical doctrine. – **3.** *(ritirare)* to retract, to take back, to withdraw: ~ *un'accusa* to retract an accusation. – **4.** *(sottoporre a un altro trattamento)* to re-treat, to treat again. – **ritrattarsi** *v.r.* to retract, to recant, to disavow (*o* take back) what one has said.

ritrattạre[2] *v.t.* ⟨*non com*⟩ **1.** *(fare il ritratto)* to make a portrait of, to portray. – **2.** ⟨*Fot*⟩ to take a photo of, to photograph.

ritrattatọre *m.* (*f.* **-trice**) recanter, disavower, retractor. – **ritrattaziọne** *f.* **1.** *(il ritrattare)* retraction, recantation, disavowal, withdrawal: ~ *di un'affermazione* retraction of a statement. – **2.** ⟨*Dir*⟩ retraction, withdrawal: ~ *di una confessione* retraction of a confession. – **3.** ⟨*Comm,ant*⟩ cancellation.

ritrattịno *m. dim. di* **ritratto**.

ritrattịsta **I** *s.m./f.* **1.** ⟨*Pitt*⟩ portrait-painter, portraitist. – **2.** ⟨*Scult*⟩ portraitist. – **3.** ⟨*estens*⟩ *(rif. a scrittori e sim.)* portrayer, describer. – **II** *a.* portrait-: *pittore* ~ portrait-painter, portraitist. – **ritrattịstica** *f.* **1.** ⟨*Pitt*⟩ portraiture, portrait-painting. – **2.** ⟨*Scult*⟩ portraiture. – **ritrattịstico** *a.* (*pl.* **-ci**) ⟨*Pitt*⟩ of portrait-painting.

ritrạtto **I** *s.m.* **1.** ⟨*Pitt*⟩ portrait, picture, painting. – **2.** ⟨*Fot*⟩ portrait, photograph, picture. – **3.** ⟨*Scult*⟩ bust, portrait. – **4.** ⟨*fig*⟩ *(rappresentazione, descrizione)* portrait, portrayal, description, picture: *fare il* ~ *di qd.* to paint s.o.'s portrait. – **5.** ⟨*fig*⟩ *(descrizione, esposizione)* description, picture: *un chiaro* ~ *della situazione* a clear picture of the situation. – **6.** ⟨*fig*⟩ *(persona che assomiglia)* image, picture, portrait, ⟨*fam*⟩ spit and image: *sembra il* ~ *del nonno* he is the (spit and) image of his grandfather; *essere il* ~ *della salute* to be a picture of health. – **7.** ⟨*ant*⟩ *(ricavato)* proceeds *pl*, return. – **8.** ⟨*ant*⟩ *(risultato)* result. – **9.** ⟨*ant,non com*⟩ *(copia)* copy. – **II** *a.* *(rappresentato, raffigurato)* portrayed, depicted, pictured, represented.

□ ⟨*Fot*⟩ ~ *a* **colori** colour portrait (*o* photograph); **essere** *il* ~ *di qd.* to be the (spit and) image of s.o.; *essere il* ~ *della bontà* to be the soul of goodness; ~ *di* **faccia** full-face portrait; ~ *di* **famiglia** family portrait; ⟨*ant*⟩ **fare** ~ *da qd.* *(serbarne i caratteri)* to take after s.o.; ~ *a* **matita** pencil portrait; ~ *in* **miniatura** miniature (portrait); ~ *al* **naturale** *(a grandezza naturale)* life-size (*o* actual size) portrait; *(conforme all'originale)* natural (*o* lifelike) portrait; ~ *a* **olio** portrait in oils, oil portrait; ~ **parlante** lifelike portrait; ~ *a* **pastello** pastel portrait; ~ *in* **piedi** full-length portrait; ~ *di* **profilo** profile (portrait); ~ *in* **rilievo** relief portrait; ⟨*Fot*⟩ ~ *per* **tessera** passport photograph; ~ *di* **tre** *quarti* three-quarter (portrait).

ritraziọne *f.* **1.** retraction. – **2.** *(restringimento)* shrinking. – **3.** ⟨*Med, non com*⟩ retraction.

ritrẹcine *m.* **1.** ⟨*Pesc*⟩ sweep-net, casting-net. – **2.** ⟨*ant*⟩ *(ruota idraulica)* mill-wheel. □ ⟨*tosc*⟩ *andare in* ~ *(in rovina)* to go to rack and ruin, ⟨*fam*⟩ to go to the dogs; ⟨*tosc*⟩ *correre a* ~ *(a precipizio)* to run headlong.

ritrịto *a.* ⟨*non com*⟩ finely minced. □ ⟨*fig*⟩ *trito e* ~ hackneyed, well-worn, rehashed.

ritroncạre *v.t.* (**ritrọnco, ritrọnchi**) **1.** *(tagliare di nuovo)* to cut off again. – **2.** *(spezzare di nuovo)* to break off again.

ritrọsa *f.* ⟨*tosc*⟩ **1.** *(nassa)* fish-trap. – **2.** *(ciuffo di capelli o peli)* unruly lock, cowlick.

ritrosạggine *f.* contrariness, wilfulness. – **ritrosamẹnte** *avv.* reluctantly, unwillingly. – **ritrosẹtto** *(dim. di ritroso) a.* ⟨*scherz*⟩ a little shy (*o* contrary). – **ritrosịa** *f.* **1.** reluctance, uinwillingness; *(scontrosità)* contrariness; *(riservatezza)* shyness, bashfulness. – **2.** ⟨*non com*⟩ *(atto scontroso)* contrary behaviour, stubborn action. – **ritrosità** *f.* ⟨*non com*⟩ → **ritrosia**.

ritrọso **I** *a.* **1.** *(scontroso)* contrary, difficult: *una fanciulla -a* a contrary little girl. – **2.** *(restio)* reluctant, unwilling, averse, loath: *essere* ~ *a fare qc.* to be reluctant to do s.th.; *fu* ~ *ad accettare* he was reluctant to accept. – **3.** *(riservato)* shy, bashful, modest, coy. – **4.** *(che va all'indietro)* (moving) backward, retrograde: *passi -i* backward steps. – **II** *s.m.* **1.** ⟨*Venat,Pesc*⟩ turn-back. – **2.** ⟨*lett*⟩ *(mulinello, vortice)* whirlpool; *(di vento)* whirlwind. □ *a* ~: 1. backwards: *camminare a* ~ to walk backwards; 2. ⟨*fig*⟩ *(controcorrente)* against the tide (*o* stream): *andare a* ~ *dell'opinione pubblica* to go against the tide of public opinion.

ritrovạbile *a.* findable, that may be found. – **ritrovamẹnto** *m.* **1.** finding. – **2.** *(invenzione)* invention; *(scoperta)* discovery, find. – **3.** ⟨*concr,non com*⟩ *(ritrovato)* find, expedient, device.

ritrovạre *v.t.* (**ritrọvo**) **1.** to find: ~ *gli occhiali* to find one's glasses. – **2.** *(incontrare di nuovo)* to meet (*o* find) again, ⟨*fam*⟩ to run into: *ho ritrovato a Napoli un vecchio compagno di scuola* I ran into an old school friend in Naples. – **3.** ⟨*fig*⟩ *(riacquistare, ricuperare)* to find again, to recover, to regain, to get back: ~ *le forze* to recover one's strength; ~ *la serenità* to find serenity again. – **4.** *(riuscire a scoprire)* to discover, to find: ~ *la spiegazione di un fenomeno* to discover the explanation of a phenomenon. – **5.** ⟨*fig*⟩ *(riconoscere)* to see (a likeness): ~ *le sembianze di qd. in una fotografia* to see a likeness to s.o. in a photograph. – **6.** ⟨*ant*⟩ *(venire a sapere)* to find out, to learn. – **ritrovarsi** *v.r.* **1.** *(incontrarsi di nuovo)* to meet again (*con qd.* s.o.); *(incontrarsi)* to meet (s.o.). – **2.** *(riunirsi)* to meet, to get together: *ci ritroviamo stasera* we'll meet tonight. – **3.** *(essere, capitare)* to be, to find o.s.: *ritrovarsi nei guai* to be in trouble. – **4.** *(orientarsi, raccapezzarsi)* to make out, to see (*o* find) one's way around, to get one's bearings: *non riesco a ritrovarmi in una città così grande* I can't get my bearings in such a big city. – **5.** *(trovarsi a proprio agio)* to feel at ease, to be at home, to get on well: *fra questa gente non mi ci ritrovo* I don't feel at ease with these people. – **6.** ⟨*fam*⟩ *(avere)* to have, *spesso si traduce a senso*: *con la stanchezza che mi ritrovavo* tired as I was; *con quella faccia che ti ritrovi, chi ti crederà mai?* with that look on your face, who will ever believe you? – **7.** *(tornare di nuovo in una determinata situazione)* to be again, to go back: *vorrei ritrovarmi sereno come ero una volta* I would like to be as serene as I used to be.

ritrovạto *m.* **1.** (*invenzione*) invention; (*scoperta*) discovery, find. – **2.** (*espediente, trovata*) expedient, device, contrivance, find. – **ritrovatọre** *m.* (*f.* **-trice**) **1.** finder. – **2.** (*inventore*) inventor; (*scopritore*) discoverer.

ritrọvo *m.* **1.** (*riunione*) meeting, gathering, reunion: *luogo di ~* meeting-place. – **2.** (*luogo*) meeting-place, rendezvous, haunt; (*di ladri e sim.*) den, haunt. – **3.** (*locale pubblico*) meeting-place, rendezvous: *~ di lusso* high-class rendezvous; *~ pubblico* public meeting -place. □ *questo è il ~ dei fannulloni* this is where all the good-for -nothings hang out; *~ notturno* night-club.

rịtta *f.* ⟨*lett,tosc*⟩ **1.** (*destra*) right. – **2.** (*mano destra*) right hand.

rịtto I *a.* **1.** (*dritto in piedi*) upright, erect, on one's feet: *si piazzò ~ in mezzo alla stanza* he stood upright in the middle of the room; *è così stanco che non riesce a star ~* he's so tired he can't stand on his feet; *sostenere qd. ~* to hold s.o. upright (*o* up). – **2.** (*levato in alto, alzato*) raised, erect, straight up: *il gatto passò con la coda -a* the cat walked by with its tail erect; (*rif. a capelli*) (standing) on end. – **3.** (*posto verticalmente*) upright, (standing) up, vertical: *mise i libri -i sullo scaffale* he ⌜stood the books up⌝ (*o* arranged the books vertically) on the shelf. – **4.** ⟨*tosc*⟩ (*diritto*) straight. – **5.** ⟨*tosc*⟩ (*destro*) right. – **6.** ⟨*tosc*⟩ (*diretto*) direct. – **II** *s.m.* **1.** ⟨*non com*⟩ right side, face: *il ~ della stoffa* the right side of the cloth; (*rif. a medaglie*) obverse. – **2.** (*nelle armi da fuoco*) leaf. – **3.** ⟨*Sport*⟩ upright. – **4.** ⟨*Edil*⟩ (*piedritto*) pier. – **5.** (*sostegno verticale*) upright, prop. □ ⟨*non com*⟩ **andare** ~ (*cominciare a camminare*) to start to walk; *avere i* **capelli** *-i* (*per lo spavento*) to have one's hair standing on end; ⟨*pop*⟩ *stare ~ coi* **fili** to be barely able to stand (*o* keep on one's feet); **per** ~ (*in posizione verticale*) upright, in a vertical position, up straight; **reggersi** (o *stare*) ~ to be (*o* stand) on one's feet, to stand upright; *non avere né ~ né* **rovescio** to be neither fish nor fowl; ⟨*fig*⟩ *non entrarci né per ~ né per rovescio* to have absolutely nothing to do with the matter, to be right off the point; **stare** *su ~* to stand up straight. – *Prov.*: *ogni ~ ha il suo rovescio* no rose without a thorn.

rituạle I *a.* **1.** ritual: *preghiere -i* ritual prayers. – **2.** ⟨*estens*⟩ (*prescritto dalla legge o dalle consuetudini*) required, prescribed: *presentare una domanda con i -i documenti* to submit an application with the required papers. – **3.** ⟨*estens*⟩ (*consueto, abituale*) customary, usual, ritual. – **II** *s.m.* **1.** ritual (*anche Rel.*). – **2.** (*libro*) ritual. □ ⟨*Rel.catt*⟩ ≈ *romano* (Roman) Ritual.

ritualịsmo *m.* **1.** ritualism. – **2.** ⟨*Rel*⟩ Ritualism. – **ritualịsta** *m./f.* **1.** (*seguace del ritualismo*) ritualist; (*chi conosce le norme rituali*) ritualist. – **2.** ⟨*Rel*⟩ Ritualist, supporter of the Oxford Movement. – **ritualiẓẓạre** *v.t.* to ritualize, to make a ritual of. – **ritualmẹnte** *avv.* ritually.

ritubạre *v.t.* **1.** ⟨*Artigl*⟩ to retube. – **2.** ⟨*scherz,mil*⟩ to reassign, to reappoint. – **ritubaziọne** *f.* retubing.

rituffạre *v.t.* to dive (*o* plunge) again. – **rituffarsi** *v.r.* **1.** to dive (*o* plunge) again; (*immergersi di nuovo*) to submerge again. – **2.** ⟨*fig*⟩ to plunge again, to immerse o.s. again (*in* in), to give o.s. up again (to).

riturạre *v.t.* **1.** to stop again, to replug. – **2.** ⟨*non com*⟩ (*turare*) to stop, to plug.

riudịre *v.t.* (**riọdo; riudịi, riudịto**; → **udire**) to hear again.

riụngere *v.t.* (**riụngo, riụngi; riụnsi, riụnto**) **1.** to oil (*o* grease) again. – **2.** ⟨*tosc,fam*⟩ (*rimpannucciare*) to improve the financial situation of. – **riungersi** *v.r.* **1.** to grease o.s. again. – **2.** ⟨*tosc,fam*⟩ (*rifarsi economicamente*) to improve one's financial position, to be better off, to come up in the world.

riunificạre *v.t.* (**riunịfico, riunịfichi**) to reunify. – **riunificaziọne** *f.* reunification.

riuniọne *f.* **1.** (*il riunire*) gathering, putting (*o* joining) together, reuniting. – **2.** (*il riunirsi*) meeting, gathering: *~ dei soci* meeting of the members. – **3.** (*insieme di persone riunite*) meeting, gathering, reunion; (*di carattere familiare*) get-together; (*adunanza*) assembly, meeting. – **4.** ⟨*concr*⟩ (*insieme di cose riunite*) combination, union. – **5.** (*riconciliazione*) reconciliation, reunion: *la ~ dei due fratelli è fallita* the reconciliation between the two brothers failed. – **6.** ⟨*Sport*⟩ meet(ing).

□ ~ *all'***aperto** open-air gathering; ~ *d'***apertura** opening meeting; ~ **conviviale** informal dinner party; **fare** *una ~* to hold a meeting; ⟨*Dir*⟩ **libertà** *di ~* freedom of reunion; ~ *del consiglio dei* **ministri** Cabinet meeting; ~ *a* **porte** *chiuse* meeting behind closed doors.

riunịre *v.t.* (**riunịsco, riunịsci**) **1.** (*ricongiungere*) to reunite, to put (*o* join) together again: *~ i pezzi di una pagina strappata* to put the pieces of a torn page together again. – **2.** (*mettere insieme*) to gather (together), to collect (up): *riunì le sue poche cose e se ne andò* he gathered his few things together and left. – **3.** (*rif. a persone: radunare*) to assemble, to get together, to gather, to collect: *~ gli amici per una festa* to get one's friends together for a party; (*convocare*) to convoke, to call, to summon: *~ il consiglio dei professori* to call a teachers' meeting. – **4.** ⟨*fig*⟩ (*riconciliare*) to reconcile, to bring together again: *la disgrazia li ha riuniti* misfortune brought them together again. – **riunirsi** *v.r.* **1.** (*radunarsi*) to meet, to gather, to assemble, to come (*o* get) together. – **2.** (*tornare a unirsi*) to be reunited, to come together again.

riunịto (*p.p. di riunire*) *a.* **1.** reunited: *una famiglia -a* a reunited family. – **2.** (*unito*) united: *le forze -e* the united forces. – **3.** (*associato*) united, associated. – **4.** (*radunato*) assembled, gathered (together): *eccoci tutti -i* here we are all gathered together.

riunitọre *m.* (*f.* **-trice**) **1.** reuniter, bringer together, gatherer. – **2.** ⟨*Tess*⟩ winder, lapper. – **riunitrịce** *f.* ⟨*Tess*⟩ **1.** (*operaia*) winder, lapper. – **2.** (*macchina*) (card sliver) lapping-machine, winding -machine.

riụnto (*p.p. di riungere*) *a.* **1.** reoiled, regreased. – **2.** ⟨*spreg*⟩ upstart, parvenu, nouveau-riche-. □ *villano ~* upstart, parvenu, nouveau -riche.

riuscịbile *a.* ⟨*rar*⟩ feasible, that may succeed. – **riuscibilità** *f.* ⟨*rar*⟩ feasibility, likelihood of success.

riuscịre *v.i.* (**riẹsco, riẹsci**; → **uscire**; *aus.* **essere**) **1.** to succeed, to manage, to be able: *~ a fare qc.* to succeed in doing s.th.; *non è riuscito a superare gli esami* he wasn't able to pass the exams; *riusciremo a finire il lavoro entro la settimana?* will we manage to finish the work within the week?; *non mi è riuscito di convincerlo* I wasn't able to convince him. – **2.** (*avere esito, andare a finire*) to turn (*o* come) out, to end up, to be: *tutto riuscì secondo i desideri* everything turned out as desired; *i nostri sforzi riuscirono vani* our efforts were in vain; (*avere esito positivo*) to be successful, to come (*o* turn) out well, to succeed: *l'operazione è riuscita* the operation was successful; *l'esperimento non è riuscito* the experiment did not turn out well. – **3.** (*diventare*) to become, to turn out to be: *è riuscito un avvocato di grido* he became a famous lawyer; (*avere fortuna*) to succeed, to be successful, to get ahead, to do well: *è riuscito nella carriera* he did well in his career; *è un giovane che riuscirà nella vita* he is a young man who will get ahead in life. – **4.** (*avere attitudine, capacità*) to be good (*o* clever) (*in* at), to do well (in): *~ in disegno* to do well in drawing; *tuo figlio non riesce in matematica* your son is not good at mathematics. – **5.** (*apparire, dimostrarsi*) to be, to prove: *riesce simpatico a tutti* he is liked by everyone, everyone likes him; *ciò che mi racconti mi riesce nuovo* what you say is news to me. – **6.** (*uscire di nuovo*) to go out again. – **7.** ⟨*non com*⟩ (*sboccare*) to lead (*su* into), to come out, to give (into): *la strada riesce sulla valle* the road leads into the valley.

□ *mi riesce* **antipatico** I don't like him; ~ **bene** to come (*o* turn) out well, to be a success; ~ **difficile** to be difficult; ~ **facile** to be easy; ⟨*lett*⟩ ~ **fatto** to achieve, to attain; ~ *a buon* **fine** to end well, to be successful; ~ *nell'***intento** to achieve one's goal; ~ **male** to turn (*o* come) out badly, to be unsuccessful (*o* a fiasco), ⟨*fam*⟩ to (be a) flop; *non ~ mai a* **nulla** never to achieve anything, to fail in all one does, to always be unsuccessful; *il* **segreto** *per ~* the secret of success.

riuscịta *f.* **1.** (*esito*) result, outcome, issue; (*buon esito*) success, successful result (*o* outcome): *la ~ di un esperimento* the success of an experiment. – **2.** (*rif. a persona: successo*) success. – **3.** ⟨*non com*⟩ (*uscita, sbocco*) way out, exit. □ *avere* (o *fare*) *una buona ~*: 1. to be a success, to be successful, to turn (*o* come) out well; 2. (*rif. a prodotti commerciali*) to be (*o* prove) good; 3. (*durare*) to last; 4. (*rif. a indumenti*) to wear well; *cattiva ~* failure; *avere* (o *fare*) *una cattiva ~*: 1. to fail, not to come (*o* turn) out well, to be unsuccessful (*o* a failure); 2. (*rif. a prodotti commerciali*) to prove very poor, not to be good; 3. (*rif. a indumenti*) to wear badly: *questa gonna ha fatto una cattiva ~* this skirt ⌜has worn badly⌝ (*o* hasn't worn well); 4. (*durare poco*) not to last long; *avere* (o *fare*) *una mediocre ~* to not turn out too well; (*rif. a prodotti commerciali*) to give rather poor results.

riuscịto (*p.p. di riuscire*) *a.* **1.** well-done, good: *un lavoro ~* a well -done job. – **2.** (*che ha avuto buon esito*) successful: *un'impresa -a* a successful undertaking.

riutiliẓẓạre *v.t.* to use (*o* utilize, employ) again, to reutilize, to reuse. – **riutiliẓẓaziọne** *f.* reutilization, reuse.

rịva *f.* **1.** (*rif. al mare*) shore, coast: *navigare lungo la ~* to sail along the coast; (*rif. a fiume*) bank; (*rif. a lago*) shore. – **2.** (*orlo, estremità*) edge, border, end, tip. – **3.** ⟨*non com*⟩ (*terreno in pendio*) bank, slope. – **4.** ⟨*poet*⟩ (*luogo*) place, spot. □ ⟨*fig,poet*⟩ *essere* (*o giungere*) *a ~* (*al termine*) to be at the end, to have ended; *in ~ al mare* by the sea, at the seaside, on the sea-shore; *~ riva* near the shore: *nuotare ~ riva* to swim close to the shore.

rivaccinạre *v.t.* to revaccinate. – **rivaccinaziọne** *f.* revaccination.

rivạggio *m.* ⟨*ant*⟩ **1.** (*riva*) bank, shore. – **2.** (*distesa d'acqua*) water (near the bank or shore).

rivạle[1] **I** *a.* **1.** rival. – **2.** (*emulo, competitore*) rival, competing: *squadra ~* competing team. – **II** *s.m./f.* **1.** rival. – **2.** (*competitore, concorrente*) rival, competitor. □ ⟨*fig*⟩ ⌜*non avere*⌝ (*o essere senza*) *-i* to be unrivalled (*o* matchless).

rivạle[2] *m.* ⟨*Pesc*⟩ kind of fishing-net.

rivaleggiạre *v.i.* (**rivalẹggio, rivalẹggi**; *aus.* **avere**) **1.** to vie, to be a rival: *~ con qd. per l'amore di una donna* to vie with s.o. for a woman's love. – **2.** (*competere*) to compete, to be a rival, to vie. – **3.** ⟨*fig*⟩ (*essere alla pari*) to rival, to equal, to match: *~ con qd.* to rival s.o., to be s.o.'s rival (*o* match); *nessuno può ~ con lui nel tennis* no one can match him at tennis.

rivalẹrsi *v.r.* (**mi rivạlgo, ti rivạli; mi rivạlsi, rivạlso**; → **valere**) **1.** to avail o.s. again, to make use again (*di* of): *devo rivalermi del suo aiuto* I must avail myself of his help again; (*ricorrere*) to have recourse (to). – **2.** (*rifarsi*) to make up (*o* good): *~ delle perdite alle corse* to make good one's losses at the races. – **3.** ⟨*ant*⟩ (*rimettersi, riaversi*) to recover. □ *~ di qc. su qd.* to take s.th. out on s.o.: *si rivale sui deboli delle umiliazioni subite* he takes out the humiliations he has suffered on the weak.

rivalicạre *v.t.* (**rivạlico, rivạlichi**) to cross (over) again.

rivalità *f.* rivalry: ~ *politiche* political rivalries; ~ *artistica* artistic rivalry.

rivạlsa *f.* **1.** (*risarcimento*) compensation, reimbursement, recoupment. – **2.** (*rivincita*) revenge: *prendersi una* ~ *su qd.* to take revenge (*o* s.th. out) on s.o. – **3.** ⟨*Econ*⟩ (*cambiale di rivalsa*) redraft, re-exchange, cross-bill. ▭ ⟨*Comm*⟩ *spedizione con* ~ cash on delivery shipment, ⟨*fam*⟩ C.O.D. shipment.

rivalutạre *v.t.* (**rivalụto/rivạluto**) **1.** to revalue, to reappraise, to re-evaluate (*anche fig.*). – **2.** ⟨*Econ*⟩ to revalue, to re-evaluate, to revalorize. – **rivalutatịvo** *a.* ⟨*Econ*⟩ revaluation-. – **rivalutaziọne** *f.* **1.** revaluation, reappraisal, re-evaluation (*anche fig.*). – **2.** ⟨*Econ*⟩ revaluation, re-evaluation, revalorization: ~ *della moneta* re-evaluation of currency.

rivangạre *v.* (**rivạngo, rivạnghi**) **I** *v.t.* **1.** to dig again. – **2.** ⟨*fig*⟩ to dig (*o* rake, stir) up again, to drag out again: ~ *il passato* to dig up the past again. – **II** *v.i.* (*aus.* **avere**) to dig (up) again, to drag out again (*in qc.* s.th.). – **rivangatụra** *f.* ⟨*Agr,non com*⟩ digging up.

rivanọlo *m.* ⟨*Chim*⟩ rivanol.

rivarcạre *v.t.* (**rivạrco, rivạrchi**) **1.** to cross again. – **2.** (*varcare ritornando*) to cross (on the way) back.

rivedẹre *v.t.* (**rivẹdo; rivịdi, rivịsto;** → **vedere**) **1.** to see again: *se la rivedi, salutala da parte mia* if you see her again, say hello for me; (*scorgere di nuovo*) to catch sight of again, to sight (*o* set eyes upon) again. – **2.** (*incontrare di nuovo*) to meet again: *lo rivedrò domani alla stazione* I'm meeting him again tomorrow at the station. – **3.** (*rileggere*) to read again (*o* over), to reread; (*ripassare*) to review, to look (*o* go) over: ~ *la lezione* to look over the lesson. – **4.** (*esaminare*) to examine, to look over (*o* through): ~ *una relazione* to look over a report; (*controllare*) to check: ~ *i conti* to check (*o* audit) the accounts. – **5.** (*correggere*) to correct, to revise; (*rif. a bozze*) to proof-read; (*rif. a compiti scolastici*) to mark, to correct. – **6.** ⟨*Mecc*⟩ (*revisionare*) to overhaul. – **7.** ⟨*Mil,rar*⟩ to review, to inspect: ~ *le truppe* to review the troops. – **rivedersi** *v.r.* ⟨*recipr*⟩ **1.** (*vedersi di nuovo*) to see e.o. again. – **2.** (*incontrarsi di nuovo*) to meet e.o. again. ▭ *a rivederci* (*o rivederla*) good-bye, ⟨*fam*⟩ be seeing you, ⟨*fam*⟩ so long; *a rivederci* (*o rivederla*) *presto* see you soon; ⟨*fig*⟩ ~ *le bucce a qd.* to pull s.o.'s work to pieces, to pick holes in s.o.'s work; ⟨*fig*⟩ ~ *le costole a qd.* to give s.o. a good hiding; *farsi* ~ to show up, to come round: *fatti* ~ *ogni tanto* come round (*o* and see us) once in a while; ⟨*Dir*⟩ ~ *un processo* to review a case.

rivedịbile I *a.* **1.** that can be seen again, worth seeing again. – **2.** ⟨*Mil*⟩ temporarily unfit: *dichiarare* ~ to declare temporarily unfit. – **II** *s.m.* ⟨*Mil*⟩ temporarily unfit draftee. – **rivedibilità** *f.* ⟨*Mil*⟩ temporary unfitness.

riveditọre *m.* (*f.* **-trice**) ⟨*non com*⟩ (*revisore*) reviser. – **rivedụta** *f.* revision, check, look-over. ▭ *dare una* ~ *alle bozze* to check the proofs. – **rivedụto** (*p.p. di rivedere*) *a.* revised, looked (*o* gone) over, corrected: ~ *e corretto* revised and corrected.

rivegetạre *v.i.* (**rivẹgeto;** *aus.* **avere**) ⟨*Bot*⟩ to bloom again, to rebloom.

rivelạbile *a.* revealable.

rivelạre *v.t.* (**rivẹlo**) **1.** to reveal, to disclose, to divulge, to tell, to make known, to give away. – **2.** (*manifestare, dimostrare*) to reveal, to show, to display, to demonstrate: ~ *gioia* to show happiness; *l'articolo rivela un'eccezionale conoscenza dell'ambiente* the article displays thorough familiarity with the milieu; (*tradire*) to betray. – **rivelarsi** *v.r.* **1.** (*manifestarsi, mostrarsi*) to be revealed (*o* disclosed, divulged): *le capacità dell'autore si rivelano nell'ultimo romanzo* the author's qualities are revealed in his last novel. – **2.** (*dimostrare*) to prove, to turn out, to reveal (*o* show): *rivelarsi un mascalzone* to prove to be a scoundrel; *si è rivelato una persona coscienziosa* he ⌜turned out⌝ (*o* showed himself) to be a conscientious person.

rivelạto (*p.p. di rivelare*) *a.* revealed (*anche Rel.*): *verità -a* revealed truth.

rivelatọre I *s.m.* (*f.* **-trice**) **1.** revealer, discloser. – **2.** (*Dio*) God. – **3.** ⟨*tecn*⟩ detector: ~ *di mine* mine detector. – **4.** ⟨*Rad*⟩ detector; (*radioricevitore*) radio (receiver). – **5.** ⟨*Fot*⟩ developer. – **II** *a.* revealing, disclosing.

▭ ~ *di* **calore** heat detector; ~ *a* **cristallo** crystal detector; ~ *a* **diodo** diode detector; ~ **elettrolitico** electrolytic detector; ~ *di* **fase** phase detector; ~ *di* **fuga** leak detector; ~ *a* **galena** galena detector; ~ *d'***incendio** fire detector; ~ *d'***incrinature** crack detector; ~ **radioattivo** radioactive tracer.

rivelaziọne *f.* **1.** (*il rivelare*) revelation, revealing, disclosure, divulging: ~ *di segreti* revealing of secrets. – **2.** (*notizia rivelata*) revelation: *l'articolo contiene -i molto interessanti* the article contains many interesting revelations. – **3.** ⟨*Rel*⟩ revelation: *la* ~ *di Dio* the revelation of God. – **4.** ⟨*Dir*⟩ revelation, disclosure. – **5.** ⟨*Fis*⟩ detection: ~ *lineare* linear detection. – **6.** ⟨*Fot*⟩ development: ~ *dell'immagine* development of the image. ▭ ⟨*Dir*⟩ ~ *di segreto* breach of secrecy.

rivellịno *m.* ⟨*Mil.ant*⟩ demilune, lunette.

rivęndere *v.t.* (**rivendẹi/rivendẹtti, rivendụto**) **1.** (*vendere di nuovo*) to sell again, to resell. – **2.** (*vendere*) to sell; (*vendere al dettaglio*) to retail. – **3.** ⟨*fig*⟩ (*superare di molto*) to surpass, to outdo: *ci rivende tutti in astuzia* he outdoes us all in cunning. ▭ ~ *all'ingrosso* to (sell) wholesale; ~ *al minuto* (*o dettaglio*) to (sell) retail.

rivendịbile *a.* resaleable.

rivęndica *f.* → **rivendicazione.**

rivendicạre *v.t.* (**rivęndico, rivęndichi**) **1.** to avenge (*o* vindicate) again: ~ *il proprio onore calunniato* to avenge a slight to one's honour again. – **2.** (*riaffermare un diritto*) to claim, to lay claim to, to vindicate: ~ *il diritto alla libertà di stampa* to claim the right to freedom of the press; ~ *a uno scienziato la paternità di una scoperta* to vindicate a scientist's credit for a discovery. – **3.** (*esigere*) to demand, to claim: ~ *un aumento di stipendio* to demand an increase in salary; (*chiedere indietro*) to reclaim, to claim back, to demand the return of: ~ *i territori ceduti dopo una sconfitta* to reclaim territory ceded after a defeat. – **4.** ⟨*lett*⟩ (*far riacquistare*) to return, to restore: ~ *la libertà di un popolo* to restore a people to freedom. – **rivendicarsi** *v.r.* **1.** to avenge (*o* vindicate) o.s. again. – **2.** (*opporre vendetta a vendetta*) to take revenge in turn.

rivendicatọre *m.* (*f.* **-trice**) vindicator. – **rivendicaziọne** *f.* **1.** claim, demand, vindication. – **2.** ⟨*Dir*⟩ claim, revendication. ▭ ⟨*Dir*⟩ ~ *di brevetto* patent claim; *-i salariali* wage demands; *-i sindacali* union demands; *-i territoriali* territorial claims.

rivęndita *f.* **1.** resale, reselling; (*il vendere ad altri*) resale. – **2.** (*bottega*) (retail) shop, ⟨*am*⟩ store: ~ *di generi alimentari* food shop, grocery store. ▭ ~ *di generi di monopolio* monopoly goods store; ~ *di pane* bakery, bread shop; ~ *di stato* government shop; ~ *di tabacchi* tobacconist's (shop).

rivenditọre *m.* (*f.* **-trice**/*pop.* **-a**) **1.** reseller; (*venditore al minuto*) retailer. – **2.** (*rigattiere*) second-hand dealer. ▭ ~ *ambulante* pedlar, hawker; ~ *di frutta* fruit retailer (*o* seller); ~ *di libri usati* second-hand book dealer; ~ *di mobili* furniture retailer.

rivendụgliolo *m.* (*f.* **-a**) small retailer; (*ambulante*) pedlar, hawker.

rivenịre *v.i.* (**rivęngo, riviẹni; rivẹnni, rinvenụto;** → **venire;** *aus.* **essere**) **1.** to come again. – **2.** (*ritornare*) to return, to come back. – **3.** ⟨*ant*⟩ (*provenire, derivare*) to come, to derive. ▭ ⟨*ant*⟩ ~ *in sé* (*rinvenire*) to regain consciousness, to come to.

rivęra *f.* ⟨*ant*⟩ → **riviera.**

riverberamẹnto *m.* ⟨*non com*⟩ → **riverberazione.** – **riverberạnte** (*p.pr. di riverberare*) *a.* ⟨*Acu*⟩ reverberating, echoing, echo-, reverberation-: *camera* ~ echo (*o* reverberation) chamber.

riverberạre *v.t.* (**rivęrbero**) **1.** (*rif. a luce o calore*) to reflect, to reverberate: *lo specchio riverberava la luce della lampada* the mirror reflected the light from the lamp. – **2.** ⟨*Acu*⟩ to echo, to reverberate. – **riverberarsi** *v.r.* **1.** to be(come) reflected, to reverberate: *i raggi del sole si riverberano sull'acqua* the sun's rays are reflected on the water. – **2.** ⟨*Acu*⟩ to echo, to reverberate. – **3.** ⟨*fig*⟩ (*ripercuotersi*) to be reflected, to reverberate.

riverberatọio *m.* ⟨*tecn*⟩ reverberating screen. – **riverberaziọne** *f.* **1.** reverberation, reflection. – **2.** ⟨*Acu*⟩ reverberation, echo. ▭ ⟨*Acu*⟩ *senza* ~ echoless, anechoic. – **rivęrbero** *m.* **1.** (*rif. a luce o calore*) reflection, reverberation. – **2.** ⟨*Acu*⟩ echo, reverberation. – **3.** ⟨*fig*⟩ (*riflesso*) reflection. ▭ *a* ~ reverberatory; ⟨*fig*⟩ *di* ~ indirectly, by reflection.

riverẹnte *a.* reverent, respectful: *parole -i* reverent words. – **riverentemẹnte** *avv.* reverently, respectfully, with reverence (*o* respect).

riverẹnza *f.* **1.** reverence, veneration, respect: *ispirare* ~ to inspire respect (*o* reverence); (*rispetto*) respect, honour. – **2.** (*inchino*) bow, ⟨*lett*⟩ reverence: *fare una profonda* ~ to make a deep bow; (*rif. a donne*) curts(e)y. – **3.** *pl.* ⟨*ant*⟩ (*saluti rispettosi, ossequi*) respects *pl*, regards *pl.* – **4.** ⟨*ant*⟩ (*titolo d'onore*) Reverence. ▭ *con* ~ reverently, respectfully; (*con rispetto parlando*) with (all) due respect; *di* ~ of reverence, reverent, respectful: *atto di* ~ act of reverence.

riverenziạle *a.* ⟨*non com*⟩ (*reverenziale*) reverential, reverent.

riverenzịna (*dim. di riverenza*) *f.* ⟨*pop*⟩ quick (*o* slight) bow; (*rif. a donne*) curts(e)y, bob.

riverịre *v.t.* (**riverịsco, riverịsci**) **1.** (*avere o mostrare profondo rispetto*) to revere, to respect, to venerate: ~ *i superiori* to respect one's superiors; (*onorare*) to honour, to respect. – **2.** (*salutare deferentemente*) to pay one's respects to. ▭ (*La*) *riverisco* my respects (*o* regards); (*salutando*) good-bye.

riverịto (*p.p. di riverire*) *a.* **1.** revered, respected, venerated; (*onorato*) honoured, respected. – **2.** ⟨*epist,ant*⟩ dear, ⟨*ant*⟩ esteemed. – **3.** ⟨*ant*⟩ (*nei saluti*) esteemed. ▭ ⟨*scherz*⟩ *se permetti ho i miei -i dubbi* if you don't mind I have my doubts.

riverniciạre *v.t.* (**rivernịcio, rivernịci**) to repaint, to paint again.

riversamẹnto *m.* **1.** (*il riversare*) pouring. – **2.** (*il riversarsi*) pouring, flowing, streaming, gushing: *il* ~ *delle acque nella vallata* the gushing of the water in the valley. – **3.** ⟨*fig*⟩ (*rif. ad affetti*) pouring, lavishing, showering, heaping: *il* ~ *del proprio affetto su di un figlio* the lavishing of affection on a child. – **4.** ⟨*fig*⟩ (*l'attribuire*) laying, shifting, putting, throwing: ~ *della colpa su un innocente* laying the blame on an innocent person. – **5.** ⟨*Acu*⟩ re-recording.

riversạre *v.* (**rivęrso**) **I** *v.t.* **1.** (*versare di nuovo*) to pour again; (*per bere*) to pour (out) again: *riversami ancora il vino* pour me some more wine. – **2.** (*versare, rovesciare*) to pour, to flow: *il fiume riversò le sue acque sulle campagne circostanti* the water from the river flowed over the surrounding countryside. – **3.** ⟨*fig*⟩ (*rif. ad affetti*) to pour, to shower, to heap: ~ *il proprio amore su qd.* to shower one's love on s.o. – **4.** ⟨*fig*⟩ (*attribuire*) to lay, to shift, to put, to throw, to cast: ~ *la colpa addosso a qd.* to put the blame on s.o. – **5.** ⟨*Acu*⟩ to re-record. – **6.** ⟨*ant*⟩ (*volgere sottosopra, ribaltare*) to overturn, to turn upside-down. – **7.** ⟨*ant*⟩ (*sbaragliare*) to rout. – **II** *v.i.* (*aus.* **essere**) ⟨*ant*⟩ (*versarsi fuori, traboccare*) to overflow, to pour (*o* flow, brim) over. – **riversarsi** *v.r.* **1.** to flow, to pour (out, down), to gush (out), to spout: *dal rubinetto l'acqua si riversava nel lavandino* the water gushed out from the tap into the sink; (*rif. a fiumi*) to flow. – **2.** (*traboccare*) to overflow, to flow (*o* pour, brim, spill) over: *il liquido si riversò sulla tavola* the liquid overflowed onto the table. – **3.** ⟨*fig*⟩ (*spargersi in massa*) to pour, to stream, to swarm: *la folla si riversò nelle strade* the crowd poured into the streets; (*invadere*) to swarm (*su, in* into), to invade (s.th.). – **4.** ⟨*fig*⟩ (*ricadere, concentrarsi*) to concentrate (*o* centre) (on): *tutta l'attenzione si riversò su di lui* all attention centred on him. – **5.** ⟨*non com*⟩ (*gettarsi addosso*) to throw o.s. – **6.** ⟨*ant*⟩ (*rovesciarsi*) to overturn. – **7.** ⟨*fig,ant*⟩ (*effondersi*) to pour, to spread.

riversạto (*p.p. di riversare*) *a.* **1.** (*rovesciato*) overturned, upside -down, upset. – **2.** ⟨*ant*⟩ (*supino*) on one's back, supine.

riversịbile *a.* ⟨*rar*⟩ **1.** (*reversibile*) reversible. – **2.** ⟨*Dir*⟩ reversionary. – **riversibilità** *f.* ⟨*rar*⟩ **1.** (*reversibilità*) reversibility. – **2.** ⟨*Dir*⟩ reversionary nature. – **riversiọne** *f.* ⟨*Dir*⟩ (*reversione*) reversion.

rivẹrso I *a.* **1.** (*rovesciato all'indietro*) backwards, reversed. – **2.** (*supino*) on one's back, supine. – **3.** ⟨*ant*⟩ (*rovesciato*) upside-down. – **II** *s.m.* ⟨*ant*⟩ **1.** (*il riversarsi*) overflowing. – **2.** (*franamento*) sliding, slipping. – **3.** (*colpo dato col rovescio della mano*) backhander. □ ⟨*ant*⟩ *di* ~ (*col rovescio della mano*) with the back of the hand.

rivẹrtere *v.t.* ⟨*ant*⟩ (*rivoltare*) to turn (over).

rivesciạre *v.* ⟨*rar*⟩ → **rovesciare**. – **rivẹscio** ⟨*pop,ant*⟩ **I** *a.* (*rovescio*) reverse. – **II** *s.m.* reverse (side), back.

rivestimentịsta *m.* ⟨*Edil*⟩ decorator.

rivestimẹnto *m.* **1.** (*il rivestire*) covering, coating. – **2.** ⟨*concr*⟩ covering. – **3.** (*materiale usato per rivestire*) covering, coating: ~ *di ceramica* ceramic coating. – **4.** (*fodero, involucro*) covering; (*rivestimento interno*) lining. – **5.** ⟨*Mar*⟩ sheathing. – **6.** ⟨*Aer*⟩ covering, skin. – **7.** ⟨*Bot*⟩ coating. – **8.** ⟨*Biol*⟩ coat, tunic(a), integument(um). – **9.** ⟨*El*⟩ coating; (*di un cavo*) sheath(ing), covering.

□ ⟨*Bot*⟩ ~ **ceroso** waxy coating; ~ **decorativo** decorative coating; ~ **esterno** outer covering; ~ **galvanico** electroplating; ~ *in* **gomma** rubber coating; ~ **interno**: 1. lining, inner coating; 2. ⟨*Edil*⟩ interior work (*o* finishings *pl*); 3. ⟨*Aut*⟩ (*della carrozzeria*) upholstery: ~ *interno in pelle* leather upholstery; 4. ⟨*Sart*⟩ lining; ~ **isolante**: 1. (*per tubi e sim.*) lagging, quilt; 2. ⟨*El*⟩ insulating covering; ~ *in* **legno** wood panelling, wainscot(ing); ~ *con* **mattoni** brick veneer; ~ **metallico** plating; ⟨*Edil*⟩ ~ *a* **piastrelle** tiling; ~ *in* **pietra** stone facing (*o* revetment); ~ *in* **piombo** lead lining; ~ **protettivo** protective coating; ~ **refrattario** refractory lining; ~ *con* **tavole** planking, boarding.

rivestịre *v.t.* (**rivẹsto**) **1.** (*vestire di nuovo*) to dress again; (*rindossare*) to put on again, ⟨*lett*⟩ to don again: ~ *la divisa* to put on a uniform again. – **2.** (*provvedere di vestiti nuovi*) to fit out, to provide with a new set of clothes: ~ *qd. da capo a piedi* to fit s.o. out from head to toe; (*provvedere di vestiti*) to dress, to clothe, to fit out, to outfit. – **3.** (*vestire, indossare*) to wear, to have on. – **4.** (*ricoprire*) to cover, to coat: ~ *la cucina di piastrelle* to cover the kitchen with tiles, to tile the kitchen. – **5.** (*rif. a piante*) to cover, ⟨*lett*⟩ to clad: *l'edera rivestiva il muro di cinta* the ivy covered the garden wall. – **6.** (*foderare esternamente*) to cover, to put a cover on; (*con uno strato aderente*) to sheathe, to case, to cover; (*foderare internamente*) to line. – **7.** (*rimboscare*) to reafforest. – **8.** ⟨*fig*⟩ (*coprire, mascherare*) to hide, to cloak, to mask, to veil: ~ *un inganno di attendibilità* to cloak a deception with plausibility. – **9.** ⟨*fig*⟩ (*rif. a dignità e sim.*: *assumere*) to hold: *riveste la carica di sindaco* he holds the office of mayor; (*conferire*) to confer, to bestow: ~ *qd. di una carica* to bestow an office on s.o. – **10.** ⟨*fig*⟩ (*assumere, avere*) to have, to take on, to be: *la questione riveste una grande importanza* the matter has (*o* is of) great importance. – **11.** ⟨*tosc,assol*⟩ (*vestire bene*) to suit, to look well. – **rivestirsi** *v.r.* **1.** to dress (o.s.) again, to get dressed (again), to put one's clothes on again: *rivestirsi in fretta* to get dressed again in a hurry; (*cambiarsi d'abito*) to put on fresh clothes, to change. – **2.** (*procurarsi nuovi vestiti*) to outfit o.s., to get o.s. a new set of clothes. – **3.** (*indossare*) to dress o.s. (*di* in), to put on (s.th.). – **4.** (*ricoprirsi*) to be covered (*o* bedecked) (*di* with), to clothe o.s. (in, with): *i prati si rivestono di margherite* the fields are covered with daisies. □ ~ *in legno* to panel, to wainscot, to cover (*o* line) with wood; ~ *con mattoni* to line (*o* cover) with bricks; ~ *di paglia* to cover with straw; ~ *con pannelli* to panel, to cover with panels.

rivestịto (*p.p. di rivestire*) *a.* **1.** dressed (*o* clothed) again, redressed. – **2.** (*ricoperto*) covered (*di* with, in), lined (with): *pareti -e di stoffa* walls covered with fabric; (*ricoperto di vegetazione*) covered, clad: *muro* ~ *di edera* ivy-clad wall. – **3.** (*vestito a nuovo*) outfitted, provided with new clothes. – **4.** (*foderato esternamente*) covered; (*internamente*) lined.

rivestitọre *m.* (*f.* **-trice**) ⟨*Ind*⟩ liner.

rivestitụra *f.* **1.** (*il rivestire*) covering, facing; (*internamente*) lining. – **2.** (*materiale usato per rivestire*) covering, coating, facing; (*interno*) lining. □ ~ *in legno* wood panelling, wainscot(ing).

rivettạre *v.t.* (**rivẹtto**) ⟨*Mecc*⟩ to rivet. – **rivettatrịce** *f.* riveter.

rivettịno *m.* ⟨*Mil.ant*⟩ guard on the basket of a sword.

rivẹtto *m.* ⟨*Mecc*⟩ rivet. □ ~ *esplosivo* explosive rivet; ~ *a maschio* screw (*o* stud) rivet; ~ *a testa piana* flathead rivet; ~ *tubolare* tubular rivet.

rivịera *f.* **1.** (*litorale*) coast, coastal region, littoral. – **2.** ⟨*pop*⟩ (*riva di fiume*) bank; (*di lago*) shore. – **3.** ⟨*Equit*⟩ water-jump. – **4.** ⟨*ant*⟩ (*corso d'acqua*) river, stream; (*ruscello*) brook. – **5.** ⟨*ant*⟩ (*contrada, luogo*) place, locality. – **Riviera** *N.pr.f.* (*anche Riviera Ligure*) Ligurian (*o* Italian) Riviera. □ ⟨*ant*⟩ *prendere* ~: 1. (*approdare*) to berth; 2. (*fermarsi*) to stay, to settle.

rivierạsco *a./s.* (*pl.* **-chi**) **I** *a.* coastal, coast-, littoral, of (*o* on) the coast: *paesi rivieraschi* towns on the coast, coastal towns. – **II** *s.m.* coast-dweller.

rivịncere *v.t.* (**rivịnco, rivịnci; rivịnsi, rivịnto**) **1.** (*vincere di nuovo*) to win again. – **2.** (*ricuperare ciò che si era perduto*) to win back.

rivịncita *f.* **1.** (*seconda partita*) return match (*o* game) (*anche Sport.*). – **2.** (*vittoria riportata in seconda prova*) winning of a return match. – **3.** ⟨*fig*⟩ (*rivalsa*) revenge: *prendersi la* ~ to take (*o* get) one's revenge.

rivịndica *f.* → **rivendicazione**.

rivirạre *v.t.* ⟨*Mar*⟩ to tack (*o* go about) again; (*di bordo*) to veer (*o* come about) again.

rivisitạre *v.t.* (**rivịsito**) to visit again, to revisit.

rivịsta *f.* **1.** (*revisione*) examination, revision, look-over. – **2.** (*periodico*) magazine, review, journal, gazette, periodical: *una* ~ *di moda* a fashion magazine; ~ *letteraria* literary review. – **3.** ⟨*Teat*⟩ revue, variety show. – **4.** ⟨*Mil,Mar*⟩ review, inspection. □ *dare una* ~ *a qc.* to revise s.th., to look s.th. over; *passare in* ~: 1. ⟨*Mil*⟩ to review (*o* inspect) the troops; 2. ⟨*fig*⟩ to review, to examine, to go over.

rivistaiọlo *a.* **1.** ⟨*teat*⟩ of a revue, music-hall-, variety-. – **2.** ⟨*spreg*⟩ (*superficiale*) superficial, shallow, showy.

rivistịna (*dim. di rivista*) *f.* **1.** magazine. – **2.** ⟨*Teat*⟩ (short) revue, variety show.

rivịsto (*p.p. di rivedere*) *a.* **1.** (*visto di nuovo*) seen again. – **2.** (*riveduto*) revised, gone over, reviewed.

rivistụcola (*dim. di rivista*) *f.* ⟨*spreg*⟩ insignificant magazine.

rivitalizzạre *v.t.* ⟨*non com*⟩ to revitalize, to reactivate.

rivivẹnza *f.* ⟨*rar*⟩ **1.** (*il rivivere*) reliving, living again. – **2.** ⟨*fig*⟩ reliving. – **3.** (*reviviscenza*) reviviscence.

rivịvere *v.* (**rivịssi** [*ant.* **rivivẹi/rivivẹtti**], **rivissụto** [*ant.* **rivịsso/rivivụto**]) **I** *v.i.* (*aus.* **essere/avere**) **1.** to live again; (*tornare in vita*) to come to life again. – **2.** ⟨*fig*⟩ (*riaversi*) to recover, to revive, ⟨*fam*⟩ to pick up. – **3.** ⟨*fig*⟩ (*perpetuarsi, continuare*) to live on, to be perpetuated: *nella figlia rivive la bellezza della madre* the mother's beauty lives on in her daughter. – **4.** ⟨*fig*⟩ (*rifiorire*) to flourish (*o* live) again, to revive. – **II** *v.t.* to live over again. □ *far* ~ to bring ⌜to life again⌝ (*o* back to life); *sentirsi* ~ to feel o.s. again, to feel like a new man.

rivivificạre *v.t.* (**rivivịfico, rivivịfichi**) **1.** to revivify, to give life to again. – **2.** ⟨*fig*⟩ to give new life to, to reinvigorate.

rivivịre *v.i.* (*aus.* **essere**) ⟨*tosc,rar*⟩ → **rivivere**.

riviviscẹnza *f.* ⟨*rar*⟩ (*reviviscenza*) reviviscence.

rịvo *m.* ⟨*lett*⟩ **1.** (*ruscello, torrente*) stream, brook, rill, ⟨*lett*⟩ rivulet. – **2.** (*rif. a liquidi*) stream, flow (*anche fig.*).

rivocạbile *a.* ⟨*rar*⟩ (*revocabile*) revocable. – **rivocạre** *v.t.* (**rivọco, rivọchi**) ⟨*ant,rar*⟩ (*revocare*) to revoke. – **rivocatọre** ⟨*rar*⟩ **I** *s.m.* (*f.* **-trice**) (*revocatore*) revoker. – **II** *a.* revoking. – **rivocatọrio** *a.* ⟨*rar*⟩ (*revocatorio*) revocatory. – **rivocaziọne** *f.* ⟨*rar*⟩ (*revocazione*) revocation, revoking.

rivolạre *v.i.* (**rivọlo**; *aus.* **avere/essere**) **1.** (*volare di nuovo*) to fly again. – **2.** (*tornare volando*) to fly back.

rivolẹre *v.t.* (**rivọglio, rivuọi; rivọlli, rivolụto**; → **volere**) **1.** to want again. – **2.** (*volere la restituzione*) to want back: *rivoglio il mio libro* I want my book back.

rivọlgere *v.t.* (**rivọlgo, rivọlgi; rivọlsi, rivọlto**) **1.** (*voltare di nuovo*) to turn again; (*girare di nuovo*) to turn again. – **2.** (*volgere più volte*) to turn over, to twist round and round: *volgeva e rivolgeva il cappello tra le mani* he turned his hat over in his hands. – **3.** (*volgere, indirizzare*) to direct, to turn, to head, to bend: ~ *il passo verso casa* to direct one's steps homewards, to head for home; ~ *gli occhi verso qd.* to turn one's eyes on s.o. – **4.** (*indirizzare la parola*) to address. – **5.** ⟨*fig*⟩ (*rif. a sentimenti*) to turn, to direct: ~ *la propria attenzione a qc.* to turn one's attention to s.th. – **6.** ⟨*fig*⟩ (*agitare, macchinare*) to turn (*o* think, brood) over, to consider carefully, to weigh up the pros and cons of: ~ *nella mente un piano* to turn a plan over in one's mind. – **7.** (*distogliere*) to turn away: *rivolse lo sguardo dalla terribile scena* he turned his eyes away from the horrible sight. – **8.** ⟨*non com*⟩ (*rovesciare*) to capsize, to overturn, to upset, to turn upside-down. – **9.** ⟨*non com*⟩ (*allontanare, dissuadere*) to deter, to dissuade. – **10.** ⟨*rar*⟩ (*far ribellare*) to incite to revolt, to turn. – **rivolgersi** *v.r.* **1.** to turn: *si rivolse verso di me* he turned towards (*o* to face) me; (*completamente*) to turn round. – **2.** (*indirizzare la parola*) to address (*a qd.* s.o.), to speak, to talk (to): *non mi rivolgo a te* I'm not talking to you. – **3.** ⟨*fig*⟩ (*ricorrere*) to turn (*a* to): *mi rivolsi a lui per un prestito* I turned to him for a loan; (*con senso più formale e burocratico*) to apply (to): *a chi bisogna rivolgersi?* to whom must one apply? – **4.** ⟨*rar*⟩ (*girare*: *rif. ad astri*) to revolve, to turn. – **5.** ⟨*ant*⟩ (*trascorrere*) to pass, to go by. – **6.** ⟨*ant*⟩ (*cambiare parere*) to change one's mind.

□ ~ *in* **bene** to cause to turn out well; ~ *una* **critica** *a qd.* to criticize s.o.; ~ *una* **domanda** *a qd.* to ask s.o. a question, to put a question to s.o.; ~ *in* **male** to cause to turn out badly; ~ *la* **parola** *a qd.* to speak to s.o.; ~ *il* **saluto** *a qd.* to say hello to s.o.

rivolgimẹnto *m.* **1.** (*sconvolgimento*) upheaval, radical change; (*ri-*

voluzione) revolution. – **2.** ⟨*Med*⟩ version. – **3.** ⟨*Astr*⟩ revolution □ ~ *di stomaco* stomach upset, nausea.

rivolgitọre *m.* (*f.* **-trice**) ⟨*non com*⟩ turner.

rịvolo *m.* **1.** stream(let), brook(let), rivulet. – **2.** ⟨*fig*⟩ (*rif. a liquidi*) trickle, rivulet, stream(let): *un ~ di sangue* a trickle of blood. □ ⟨*fig*⟩ *a -i* trickling.

rivọlta *f.* **1.** (*ribellione*) revolt, rebellion, uprising, insurrection: *domare una ~* to put down a revolt. – **2.** ⟨*Mil,Mar*⟩ mutiny. – **3.** ⟨*non com*⟩ (*il rivoltarsi*) turn(ing). – **4.** ⟨*non com*⟩ (*risvolto: di manica*) cuff; (*di pantaloni, stivali e sim.*) turn-up, ⟨*am*⟩ cuff. – **5.** ⟨*lett*⟩ (*avvolgimento, giro*) coil, convolution. – **6.** ⟨*ant*⟩ (*curva*) bend, curve, turn.

□ **aperta** ~ open revolt; **in** ~ in revolt, revolting, rebellious, insurgent: *popolo in ~* insurgent populace; ⟨*non com*⟩ **mettere** (*o porre*) *in ~* to incite to revolt (*o* rebellion); ~ **militare** mutiny; ~ **popolare** popular uprising (*o* revolt).

rivoltamẹnto *m.* **1.** turn(ing). – **2.** ⟨*fig*⟩ turn, change.

rivoltạnte (*p.pr. di rivoltare*) *a.* (*ripugnante*) revolting, disgusting, nauseating, sickening: *spettacolo ~* disgusting sight.

rivoltạre *v.t.* (**rivọlto**) **1.** (*voltare di nuovo*) to turn (over) again. – **2.** (*voltare dalla parte opposta*) to turn (round): *~ la testa* to turn (round) one's head; (*rif. a cose piatte*) to turn (over): *~ una lettera* to turn over a letter; *~ la bistecca sulla brace* to turn the steak (over) on the charcoal; *~ i materassi* to turn the mattresses. – **3.** (*rovesciare*) to turn upside-down; *~ una bottiglia* to turn a bottle upside-down; (*rif. a vestiti*) to turn (inside out). – **4.** (*voltare più volte*) to turn over; (*mescolare*) to mix, to toss: *~ l'insalata* to toss the salad; (*con la pala*) to turn up (*o* over): *~ la terra* to turn up the earth; (*con l'aratro*) to plough up. – **5.** (*sconvolgere*) to turn, to upset: *questo odore mi rivolta lo stomaco* this smell turns my stomach. – **6.** ⟨*fig*⟩ (*ripugnare*) to disgust, to revolt, to nauseate, to make feel sick: *la tua ipocrisia mi rivolta* your hypocrisy revolts me. – **7.** ⟨*non com*⟩ (*incitare alla ribellione*) to turn, to stir up, to incite to revolt: *~ un figlio contro il padre* to turn a son against his father. – **8.** ⟨*fig,non com*⟩ (*mutare*) to change. – **9.** ⟨*Mus*⟩ to invert. – **rivoltarsi** *v.r.* **1.** to turn (round): *uscì senza neppure rivoltarsi* he went out without even turning round. – **2.** (*rivoltolarsi*) to turn over, to turn (*o* roll) about, to toss and turn: *rivoltarsi nel letto* to toss and turn in bed. – **3.** (*ribellarsi*) to revolt, to rebel, to rise, to turn: *la guarnigione si rivoltò al suo comandante* the garrison revolted against the commander; (*ammutinarsi*) to mutiny; (*opporsi*) to resist, to oppose (*a qc.* s.th.), to struggle (against). – **4.** ⟨*fig*⟩ (*rif. alla coscienza*) to revolt, to disgust, to nauseate: *mi si rivolta l'animo al sentire certe cose* it revolts me to hear certain things. – **5.** ⟨*fig,non com*⟩ (*mutarsi*) to change. □ ⟨*fig*⟩ *~ la frittata* to change one's position in an argument.

rivoltạta *f.* turn, turning over. □ *dare una ~ a qc.* to turn s.th. over.

rivoltạto (*p.p. di rivoltare*) *a.* **1.** turned (inside out): *cappotto ~* overcoat which has been turned. – **2.** ⟨*fig,non com*⟩ (*rif. a persona*) turncoat-, renegade. – **3.** ⟨*Arald*⟩ contourné.

rivoltatụra *f.* **1.** turning. – **2.** ⟨*Sart*⟩ turning (inside out).

rivoltẹlla *f.* revolver; (*piccola pistola*) small pistol (*o* gun). – **rivoltellạta** *f.* revolver shot.

rivọlto (*p.p. di rivolgere*) **I** *a.* turned: *~ all'indietro* turned back -(wards); (*girato*) turned (round). – **II** *s.m.* ⟨*Mus*⟩ inversion.

rivoltolamẹnto *m.* ⟨*non com*⟩ (*il rivoltolare*) turning over, rolling about; (*il rivoltolarsi*) turning over, tossing and turning, wallowing.

rivoltolạre *v.t.* (**rivọltolo**) **1.** (*avvolgere di nuovo*) to turn (*o* roll) over again. – **2.** (*avvolgere più volte*) to turn over, to roll (*o* toss) about. – **3.** ⟨*non com*⟩ (*rimescolare*) to mix up. – **rivoltolarsi** *v.r.* **1.** to turn over, to toss around (*o* about), to toss and turn: *rivoltolarsi nel letto* to toss and turn in bed; (*nella polvere, nel fango e sim.*) to wallow, to roll about. – **2.** ⟨*fig,spreg*⟩ to wallow.

rivoltolịo *m.* continual turning (over), rolling about. – **rivoltolọne** *m.* **1.** somersault: *fare dei -i* to do (*o* turn) somersaults. – **2.** ⟨*fig*⟩ (*sobbalzo*) jump, somersault, leap: *il cuore mi fece* (o *diede*) *un ~* my heart gave a jump. □ *a -i* (*rotoloni*) tumbling, rolling (*o* turning) over.

rivoltọso **I** *a.* **1.** (*che si rivolta*) rebellious, revolting, insurgent. – **2.** (*che costituisce rivolta*) rebellious, of revolt. – **II** *s.m.* (*f.* **-a**) rebel.

rivoltụra *f.* ⟨*ant*⟩ **1.** (*rivolgimento*) turning. – **2.** ⟨*fig*⟩ (*sconvolgimento*) upheaval, radical change. – **3.** ⟨*Econ*⟩ exchange transactions *pl.*

rivoluzionạre *v.t.* (**rivoluziọno**) **1.** (*mettere in rivoluzione*) to revolutionize. – **2.** ⟨*fig*⟩ (*sconvolgere*) to upset, to unsettle, to throw into disorder (*o* confusion), to turn upside-down: *la notizia gli rivoluzionò il cervello* the news unsettled (*o* deranged) his mind. – **3.** ⟨*fig*⟩ (*rinnovare radicalmente*) to revolutionize, to change completely: *scoperta che rivoluzionerà il mondo* discovery that will revolutionize the world.

rivoluzionạrio **I** *a.* **1.** revolutionary: *moti rivoluzionari* revolutionary uprisings. – **2.** (*che fa la rivoluzione*) revolutionary: *partito ~* revolutionary party. – **3.** ⟨*fig*⟩ (*sovvertitore*) revolutionary, radical, subversive: *età -a* revolutionary age. – **4.** ⟨*fig*⟩ (*che cambia radicalmente*) revolutionary: *scoperta -a* revolutionary discovery. – **II** *s.m.* (*f.* **-a**) revolutionary, revolutionist.

rivoluzionarịsmo *m.* ⟨*Pol*⟩ revolutionism, revolutionary tendencies (*o* ideas) *pl.* – **rivoluzionarịsta** *m./f.* **1.** revolutionary, revolutionist. – **2.** ⟨*scherz*⟩ (*chi è smanioso di fare rivoluzioni*) revolutionary.

rivoluziọne *f.* **1.** revolution, revolt, rebellion, uprising: *reprimere una ~* to put down a revolution. – **2.** ⟨*fig*⟩ (*mutamento profondo*) revolution, upheaval, radical change. – **3.** ⟨*Astr*⟩ (*moto di rivoluzione*) revolution: *~ della luna* revolution of the moon. – **4.** ⟨*Mot*⟩ (*giro*) revolution. – **5.** ⟨*Fis*⟩ (*giro completo*) revolution, rotation; (*moto di rivoluzione*) revolution. – **Rivoluzione** *f.* ⟨*Stor*⟩ (*anche Rivoluzione francese*) French Revolution.

□ ⟨*Stor*⟩ ≈ **francese** French Revolution; ⟨*Stor*⟩ ~ **industriale** Industrial Revolution; ⟨*Stor*⟩ ≈ *di* **luglio** July Revolution; ⟨*Stor*⟩ ≈ *d'***ottobre** October Revolution; ⟨*Astr*⟩ **periodo** *di ~* (period of) revolution; ~ **popolare** popular revolution (*o* uprising); ⟨*Stor*⟩ ≈ **russa** Russian Revolution; ⟨*Astr*⟩ ~ **terrestre** revolution of the earth.

rivọlvere *v.t.* ⟨*ant*⟩ (*rivolgere*) to turn (*o* think) over.

rivulsiọne *f.* ⟨*Med*⟩ (*revulsione*) revulsion. – **rivulsịvo** **I** *a.* (*revulsivo*) revulsive, revellent. – **II** *s.m.* revulsive, revulsant, revellent. – **rivulsivoterapịa** *f.* (*revulsivoterapia*) treatment by revulsives.

rizạtono *a.* → **rizoatono**.

rịzina *f.* → **rizoide**.

rizo... *pref.* (*radice* root) rhiz(o)..., root-.

rizo|ạtono *a.* ⟨*Ling*⟩ not having the accent on the radical syllable. – **~cạrpee** *f.pl.* ⟨*Bot*⟩ (*idropteridi*) water ferns *pl* (*Rhizocarpeae*). – **~cạrpico** *a.* (*pl.* **-ci**) rhizocarpous. – **~cạrpo** *a.* → **rizocarpico**. – **~cẹfalo** **I** *a.* ⟨*Bot*⟩ rhizocephalous. – **II** *s.m.* ⟨*Zool*⟩**1.** rhizocephalan, rhizocephalid. – **2.** *pl.* rhizocephalans *pl*, rhizocephalids *pl* (*Rhizocephala*). – **~dẹrma** *m.*, **~dẹrmide** *f.* ⟨*Bot*⟩ epiblem, rhizodermis.

rizọfago *a.* (*pl.* **-gi**) ⟨*Zool*⟩ rhizophagous.

rizọfora *f.* ⟨*Bot*⟩ mangrove (*Rhizophora*). – **rizoforạcee** *f.pl.* mangrove family (*Rhizophoraceae*).

rizogẹnesi *f.* ⟨*Bot*⟩ rhizogenesis. – **rizọgeno** *a.* rhizogen(et)ic, rhizogenous, rhizogen.

rizoidạle *a.* ⟨*Bot*⟩ rhizoid(al). – **rizọide** *m.* rhizoid; (*nelle alghe*) rhizoid, rhizina.

rizọma *m.* ⟨*Bot*⟩ rhizome. – **rizomạtico** *a.* (*pl.* **-ci**) rhizomatic, rhizomatose. – **rizomatọso** *a.* rhizomatous.

rizọmolo *m.* ⟨*Bot*⟩ (common) bishop-weed (*Ammi majus*).

rizomọrfa *f.* ⟨*Bot*⟩ rhizomorph.

rizọ|podi *m.pl.* ⟨*Zool*⟩ rhizopods *pl*, rhizopodans *pl* (*Rhizopoda*). – **~pọdio** *m.* ⟨*Zool*⟩ rhizopodium. – **~sfẹra** *f.* ⟨*Agr*⟩ rhizosphere. – **~stọmee** *f.pl.* ⟨*Zool*⟩ rhizostomes *pl* (*Rhizostomeae*). – **~tạssi** *f.* ⟨*Bot*⟩ rhizotaxis, rhizotaxy. – **~tomịa** *f.* ⟨*Chir*⟩ rhizotomy, Dana's operation.

rizọ|tomo *m.* ⟨*Stor.gr*⟩ herbalist, rhizotomist. – **~tọnico** *a.* (*pl.* **-ci**) ⟨*Ling*⟩ having the accent on the radical syllable.

rizọtrogo *m.* (*pl.* **-ghi**) ⟨*Entom*⟩ June-bug, June-beetle, summer chafer (*Rhizotrogus solstitialis*).

rizottọnia *f.* ⟨*Bot*⟩ rhizoctonia (*Rhizoctonia*).

rịzza *f.* ⟨*Mar*⟩ lashing.

rizzạglio *m.* ⟨*Pesc*⟩ (*rezzaglio*) sweep-net, casting-net.

rizzạre[1] *v.t.* **1.** to lift (*o* pick) up: *~ il vecchio caduto* to pick up the old man who has fallen. – **2.** (*montare*) to set up, to erect: *~ una tenda* to ⸢set up⸣ (*o* pitch) a tent. – **3.** (*costruire*) to build, to set up, to erect, to raise: *~ un muro* to erect a wall. – **rizzarsi** *v.r.* **1.** (*rif. a persone: in piedi*) to stand up, to rise (to one's feet), to get up; (*a sedere*) to sit up: *si rizzò sul letto* he sat up in bed. – **2.** (*rif. ad animali*) to rear, to rise on one's hind legs.

□ ⟨*tosc*⟩ ~ **baracca** (*fare una lite*) to pick a quarrel, to start an argument; ⟨*tosc*⟩ ~ **bottega** (*aprirla*) to open shop; ⟨*fig*⟩ *mi si rizzano i* **capelli** *dallo spavento* my hair is standing on end with fear; ⟨*fig*⟩ *da far ~ i capelli* hair-raising, terrifying; ⟨*fig*⟩ *~ la* **coda** to grow bold, to perk up; ⟨*fig*⟩ *~ la* **cresta** to get on one's high horse; ⟨*fig*⟩ *~ le* **orecchie** to prick up one's ears; *rizzarsi sulla* **punta** *dei piedi* to stand on tiptoe.

rizzạre[2] *v.t.* ⟨*Mar*⟩ to lash, to seize.

rizzạta *f.* ⟨*non com*⟩ raising, lift(ing). □ *dare una ~ a qc.* to lift s.th.

rizzatụra *f.* ⟨*Mar*⟩ lashing, seizing.

RL = ⟨*Aut*⟩ *Libano* Lebanon.

R.M. = *ricchezza mobile* income tax.

Rn = ⟨*Chim*⟩ *rado* radon.

rọ *m./f.* (*lettera dell'alfabeto greco*) rho.

roạno **I** *a.* ⟨*Zootecn*⟩ roan. – **II** *s.m.* roan.

rọba[1] *f.* **1.** stuff, things *pl*, ⟨*am.fam*⟩ junk: *questa è ~ mia* these are my things; *è ~ da buttar via* it's worthless stuff (*o* junk). – **2.** (*ciò che si possiede*) things *pl*, stuff, belongings *pl*; (*beni*) goods *pl*, property, possessions *pl*, wealth, estate: *morendo ha lasciato la sua ~ ai poveri* when he died he left all his possessions to the poor. – – **3.** (*suppellettili di casa*) household goods (*o* articles) *pl*, furniture, stuff, things *pl*: *ha la casa piena di ~* his house is full of stuff. – **4.** ⟨*collett*⟩ (*indumenti*) clothes *pl*, clothing, things *pl*: *ho messo via tutta la ~ d'estate* I have put all the summer clothes (*o* things) away; *indossare ~ nuova* to put on new clothes. – **5.** (*materiale*) stuff, material. – **6.** (*tessuto*) cloth, material, fabric. – **7.** (*merce, mercanzia*) merchandise, goods *pl*: *vetrina piena di ~* shop-window full of goods; *~ rubata* stolen goods. – **8.** (*commestibili*) food, things *pl* to eat: *una tavola carica di ~ buona* a table laden with good things to eat. – **9.** (*affare, faccenda*) matter, affair, business, thing: *non immischiarti in questa ~* don't get mixed up in this affair. – **10.** ⟨*fig,spreg*⟩ (*faccenda*) things *pl*, *a volte non si traduce*: *ma come puoi pensare certa ~?* how can you think certain things?; *non è*

~ *per me* it's not for me, ⟨*fam*⟩ it's not my cup of tea; *che* ~ *è questa?* what's this? – **11.** ⟨*pop*⟩ (*opera, lavoro*) work: *è* ~ *copiata* the work is a copy; *l'articolo è proprio* ~ *sua* the article is all his own work. □ ⟨*iron*⟩ **bella** ~*!* that's a nice state of affairs!, a fine thing indeed!, a fine piece of work!; ⟨*iron*⟩ *il tuo amico è proprio una bella* ~ your friend is a fine one; *questa è* ~ *da* **cani** this is rubbish (*o* trash, junk); **che** ~*!* my goodness!, how about that!, well I never!; ⟨*pop*⟩ ~ *da* **chiodi** = *roba da* **matti**; ⟨*tosc*⟩ *avere* ~ *in* **corpo** (*avere da dire qc.*) to have s.th. to say, to be bottling s.th. up; *è* ~ *da non* **credere** it's unbelievable; ⟨*Bibl*⟩ *non* **desiderare** *la* ~ *d'altri* thou shalt not covet thy neighbour's goods; **far** ~ (*arricchirsi*) to get rich, to make money; *essere* ~ *da* **forca** to be a gallows bird; ~ *da* **lavare** washing; ~ *da* **mangiare** things *pl* to eat, food; ⟨*pop*⟩ ~ *da* **matti!** it's just incredible!, it's sheer madness (*o* lunacy), it's crazy!; **molta** ~ a lot (of things); *c'è* (*molta*) ~ there's something (*o* a lot) in this, this is important; **poca** ~ not much (stuff); *c'è poca* ~ there's little (*o* not much) in it, it hasn't much to offer; *è* ~ *da* **poco** it's unimportant, it's nothing; ~ *da* **rammendare** mending; ~ *di* **scarto** rubbish, shoddy goods *pl*; *non ho mai visto* ~ **simile** I've never seen such a thing; ~ **usata** second-hand goods (*o* articles) *pl*; ~ *di* **valore** valuables *pl*; ~ **vecchia** old things *pl*, rubbish, ⟨*fam*⟩ junk. – *Prov.*: *chi perde la* ~ *perde molto, ma chi perde il cuore perde tutto* losing one's goods is losing something, losing one's heart is losing everything.

rọba[2] *f.* ⟨*Stor*⟩ robe.

robạccia (*pegg. di roba*[1]) *f.* (*pl.* **-ce**) rubbish, trash, ⟨*fam*⟩ junk.

rọbbia *f.* ⟨*Bot*⟩ madder (*Rubia tinctorum*).

robbiạna *f.* ⟨*Art*⟩ (*anche terracotta robbiana*) Della Robbia (ware). – **robbiạno** *a.* **1.** (*dei Della Robbia*) of the Della Robbias, Della Robbia-. – **2.** (*secondo lo stile dei Della Robbia*) in the style of the Della Robbias.

rọbbio[1] *a.* ⟨*ant*⟩ (*rosso*) red.

rọbbio[2] *m.* ⟨*Bot*⟩ (*marrubio*) (white) horehound (*Marrubium vulgare*).

robe-manteau *fr.* [rɔbmã'to] *f.* ⟨*Mod*⟩ coat-dress.

Robẹrta *N.pr.f.* Roberta.

Robẹrto *N.pr.m.* Robert. □ ⟨*Stor*⟩ ~ *il Guiscardo* Robert Guiscard.

robẹtta (*dim. di roba*[1]) *f.* ⟨*spreg*⟩ things *pl* of little value, worthless stuff, shoddy (*o* inferior) goods *pl.*

robịglia *f.* ⟨*Bot*⟩ (*rubiglio*) field (*o* grey) pea (*Pisum arvense*).

robinetterịa *f.* ⟨*non com*⟩ (*rubinetteria*) taps and fittings *pl.* – **robinẹtto** *m.* ⟨*non com*⟩ (*rubinetto*) tap, faucet.

robịnia *f.* ⟨*Bot*⟩ locust (tree), black (*o* honey) locust, false acacia (*Robinia pseudo-acacia*). □ ~ *del Giappone* (*sofora*) Japanese pagoda -tree, Chinese scholar-tree (*Sophora japonica*).

robiọla *f.* ⟨*Alim*⟩ kind of soft cheese. – **robiolịna** *f.*, **robiolịno** *m. dim. di* **robiola.**

robivẹcchi *m.inv.* **1.** (*chi raccoglie oggetti vecchi*) junk-man, rag -and-bone man, old-clothes man. – **2.** (*rigattiere*) second-hand dealer.

roboạnte *a.* **1.** (*rimbombante*) reverberating, booming, resounding, ⟨*lett*⟩ reboant. – **2.** ⟨*fig,spreg*⟩ bombastic, pretentious, high-sounding.

robọne (*accr. di roba*[2]) *m.* ⟨*Stor*⟩ ceremonial robe.

roborạnte (*p.pr. di roborare*) *a.* ⟨*Med,ant*⟩ tonic, strengthening, ⟨*lett*⟩ roborant. – **roborạre** *v.t.* (**rọboro**) ⟨*lett*⟩ (*corroborare*) to strengthen, to fortify.

robọt (o *rọbot*) *m.* robot.

roburịte *f.* ⟨*Chim*⟩ roburite.

robustamẹnto *m.* ⟨*Edil*⟩ reinforcement, strengthening.

robustẹzza *f.* **1.** robustness, sturdiness, strength, hardiness: ~ *di braccia* sturdiness of arm. – **2.** (*solidità*) soundness, solidity, firmness, stability, stoutness, strength. – **3.** ⟨*fig*⟩ (*saldezza*) staunchness, steadfastness, firmness. – **4.** ⟨*fig*⟩ (*forza espressiva*) expressiveness, pithiness, vigour.

robụsto *a.* **1.** robust, sturdy, strong, hardy: *un ragazzo* ~ a sturdy boy; (*rif. a piante*) hardy. – **2.** ⟨*eufem*⟩ (*grasso*) fat, stout, portly. – **3.** (*solido*) sound, solid, firm, stable, stout, strong: *un bastone* ~ a strong stick. – **4.** ⟨*fig*⟩ (*saldo*) staunch, steadfast, firm, unswerving: *fede -a* steadfast faith. – **5.** ⟨*fig*⟩ (*espressivo*) expressive, pithy, telling, vigorous, powerful: *stile* ~ expressive (*o* pithy) style. – **robustọso** *a.* ⟨*ant*⟩ → **robusto.**

rocạggine *f.* ⟨*non com*⟩ (*l'essere roco*) hoarseness.

rocaille *fr.* [rɔ'ka:j] *f.* ⟨*Art*⟩ rocaille.

rocạmbola *f.* ⟨*Bot*⟩ (*aglio romano*) rocambole, sand-leek, Spanish garlic (*Allium scorodoprasum*).

rocambolẹsco *a.* (*pl.* **-chi**) **1.** ⟨*lett*⟩ of Rocambole. – **2.** ⟨*estens*⟩ (*audace*) daring, bold, adventuresome; (*strabiliante*) amazing, astonishing, marvellous.

rọcca[1] *f.* **1.** fort(ress), stronghold; (*castello*) castle. – **2.** ⟨*Alp*⟩ (jutting) rock. – **3.** ⟨*Anat*⟩ pyramid, (pars) petrosa, petrous (*o* petrosal) bone. – **4.** ⟨*Zool*⟩ (*osso petroso*) petrous (*o* petrosal) bone. – **5.** ⟨*ant*⟩ (*roccia*) rock. □ ⟨*ant*⟩ ~ *del camino* chimney-pot; ⟨*ant*⟩ *far* ~ *del cuore* (*armarsi di coraggio*) to summon up all one's courage, to brace o.s.; ~ *forte* → **roccaforte**; ⟨*Anat*⟩ ~ *petrosa* petrous bone; ⟨*fig*⟩ *saldo come una* ~ as firm as a rock.

rọcca[2] *f.* **1.** distaff. – **2.** ⟨*Tess*⟩ twisting bobbin. □ ⟨*fig*⟩ ~ *e fuso* spindle and distaff.

Roccacannụccia *N.pr.f.* ⟨*scherz*⟩ (*paesuccio immaginario*) hick town, ⟨*fam*⟩ one-horse town. □ *a* ~ in the backwoods, back of nowhere, out in the sticks: *siamo a Roma e non a* ~ we're in Rome not out in the backwoods.

roccadịno *m.* ⟨*Tess*⟩ silk waste (*o* noil), waste silk, bourette.

roccaffuọco *f.* → **rocca-fuoco.**

roccafọrte *f.* (*pl.* **roccheforti**/*non com.* **roccafọrti**) **1.** fort(ress), stronghold, citadel. – **2.** ⟨*fig*⟩ stronghold: *Roma è la* ~ *del cattolicesimo* Rome is the stronghold of Catholicism.

rocca-fuọco *f.inv.* ⟨*Mil*⟩ incendiary charge.

roccạglia *f.* ⟨*rar*⟩ → **rocaille.**

roccạta *f.* **1.** rock. – **2.** (*colpo*) blow with a distaff.

roccatrịce *f.* ⟨*Tess*⟩ spooler, winder, copping-machine.

roccẹtta *f. dim. di* **roccia.**

roccẹtto *m.* ⟨*Lit,non com*⟩ (*rocchetto*) rochet.

rocchẹlla *f.* ⟨*Tess*⟩ (*rocchetto*) spool; (*di filo*) reel. – **rocchellatụra** *f.* winding, spooling, copping. – **rocchẹllo** *m.* **1.** ⟨*Arch*⟩ (*piumaccio*) bolster. – **2.** ⟨*non com*⟩ → **rocchella.**

rocchẹtta[1] *f. dim. di* **rocca**[1].

rocchẹtta[2] *f.* ⟨*Mil.ant*⟩ (*racchetta*) flare.

rocchettiẹra *f.* ⟨*Tess*⟩ (*incannatoio*) winder, spooler, copping -machine.

rocchẹtto[1] *m.* **1.** ⟨*Tess*⟩ spool; (*di filo*) reel. – **2.** ⟨*Cin*⟩ film-transporting sprocket, take-off and take-up spool. – **3.** ⟨*Teat*⟩ pulley. – **4.** ⟨*Mecc*⟩ sprocket (wheel). – **5.** ⟨*El*⟩ coil. – **6.** ⟨*Fot*⟩ roll. □ ⟨*Mot*⟩ ~ *d'***accensione** ignition coil; ⟨*Cin*⟩ ~ *d'***alimentazione** feed sprocket; ⟨*Cin*⟩ ~ **avvolgitore** take-up spool; ~ *a* **denti**: 1. ⟨*Mecc*⟩ sprocket wheel; 2. ⟨*Cin*⟩ claw; ⟨*Tess*⟩ ~ *di* **filo** (o *filato*) reel; ⟨*El*⟩ ~ ⌜*d'***induzione**⌝ (o *di Ruhmkorff*) induction coil, Ruhmkorff spark coil; ⟨*Cin*⟩ ~ **svolgitore** feed (*o* delivery) spool.

rocchẹtto[2] *m.* **1.** ⟨*Lit*⟩ rochet. – **2.** ⟨*Mil.ant*⟩ chain-mail mantle.

rocchẹtto[3] *m.* ⟨*Ornit*⟩ (*marzaiola*) garganey (teal) (*Anas querquedula*).

rọcchio *m.* **1.** ⟨*Arch*⟩ drum, tambour. – **2.** (*oggetto cilindrico massiccio*) drum; (*pezzo*) (thick) piece, section. – **3.** ⟨*Mod,tosc*⟩ rat. □ *un* ~ *di manzo* a piece of lean beef with no bone; ~ *di salsiccia* (single) sausage.

rọccia *f.* (*pl.* **-ce**) **1.** ⟨*Geol*⟩ rock. – **2.** (*masso di pietra*) rock: *una* ~ *aguzza* a jagged rock. – **3.** ⟨*Alp*⟩ rock-climbing. – **4.** ⟨*tosc*⟩ (*sudiciume indurito*) encrusted dirt; (*tartaro*) tartar. □ ~ **abissale** = *roccia* **intrusiva**; ~ **calcarea** calcareous rock; *rocce* **clastiche** clastic rocks; *rocce* **dure** hard rocks; ~ **effusiva** effusive (*o* extrusive) rock, volcanic rock; ~ **eruttiva** eruptive (*o* igneous) rock; ~ **franata** rock debris; ~ **incassante** country (rock), wall rock; ~ **intrusiva** intrusive rock; ~ *di* **letto** bed-rock; ~ **magmatica** = *roccia* **eruttiva**; ~ **metamorfica** metamorphic rock; ~ **naturale** natural rock; *rocce* **permeabili** porous rocks; ~ **plutonica** plutonic rock; ~ **primaria** primary rock; *rocce* **scistose** shale (rocks); ⟨*Alp*⟩ **scuola** *di* ~ rock-climbing school; ~ **sedimentaria** sedimentary rock; *rocce* **semplici** monomineralic rocks; ~ **stratificata** shale; *rocce* **tenere** soft rocks; ~ **viva** solid (*o* living) rock; ~ **vulcanica** = *roccia* **effusiva.**

rocciatọre *m.* (*f.* **-trice**) ⟨*Alp*⟩ rock-climber.

rocciọso *a.* **1.** rocky, of rock: *monte* ~ rocky mountain. – **2.** (*pietroso*) rocky, stony: *terreno* ~ rocky soil. – **3.** ⟨*tosc*⟩ (*incrostato di sudiciume*) dirt-encrusted, grimed. □ ⟨*Geog*⟩ *le Montagne -e* the Rocky Mountains.

rọcco *m.* (*pl.* **-chi**) **1.** ⟨*Lit*⟩ crosier, pastoral staff. – **2.** ⟨*ant*⟩ (*torre degli scacchi*) rook, castle.

Rọcco *N.pr.m.* **1.** Rocco. – **2.** ⟨*Stor*⟩ Roch(us).

roccocò *a./s.* ⟨*non com*⟩ → **rococò.**

rọccolo *m.* ⟨*region*⟩ **1.** ⟨*Venat*⟩ kind of bird-snare. – **2.** ⟨*fig,pop*⟩ (*inganno, tranello*) snare, trap, trick.

roccẹlla *f.* ⟨*Bot*⟩ archil, orchil, orchilla-weed (*Roccella tinctoria*).

rọco *a.* (*pl.* **-chi**) (*rauco*) hoarse.

rococò I *s.m.* ⟨*Art*⟩ rococo. – **II** *a.* **1.** rococo: *stile* ~ rococo style. – **2.** ⟨*estens,scherz*⟩ (*goffo, fuori moda*) rococo, old-fashioned, outmoded; (*bizzarro*) strange, bizarre, quaint.

rodạggio *m.* **1.** ⟨*Mecc,Mot*⟩ running-in, ⟨*am*⟩ break(ing)-in; (*periodo*) running-in period, ⟨*am*⟩ break(ing)-in period. – **2.** ⟨*fig*⟩ (*periodo d'adattamento*) period of adjustment (*o* adaptation, settling-in). – **3.** (*allenamento sportivo*) training. □ ⟨*Aut*⟩ *in* ~ running-in, ⟨*am*⟩ break(ing)-in; *essere in* ~ to be running in; **periodo** *di* ~ running-in period.

rodamịna *f.* ⟨*Chim*⟩ rhodamine.

rodanạto *m.* ⟨*Chim*⟩ rhodanate.

Rọdano *N.pr.m.* ⟨*Geog*⟩ Rhone.

rodanụro *m.* → **rodanato.**

rodạre *v.t.* (**rọdo**) **1.** ⟨*Mecc,Mot*⟩ to run in, ⟨*am*⟩ to break in. – **2.** ⟨*fig*⟩ (*mettere alla prova*) to try out; (*adattare*) to adjust, to adapt. – **rodạto** (*p.p. di rodare*) *a.* **1.** ⟨*Mecc,Mot*⟩ run-in, ⟨*am*⟩ broken-in: *motore ben* ~ well run-in engine. – **2.** ⟨*fig*⟩ (*adattato*) adjusted, adapted. – **rodatụra** *f.* ⟨*Mecc*⟩ (*rodaggio*) running-in, ⟨*am*⟩ break(ing)-in.

rodẹnte (*p.pr. di rodere*) *a.* ⟨*rar*⟩ gnawing.

rodẹo *m.* **1.** (*spettacolo*) rodeo. – **2.** ⟨*Zootecn*⟩ round-up, rodeo; (*recinto*) rodeo.

rọdere *v.t.* (**rọsi, rọso**) **1.** (*rosicchiare*) to gnaw (at), to nibble (at): ~ *un osso* to gnaw a bone; (*intaccare coi denti*) to gnaw away, to nibble away, to eat into. – **2.** (*staccare rodendo*) to gnaw off (o away). – **3.** (*erodere*) to erode, to eat away (*o* into), to wear away: *il mare rode la costa* the sea is eroding the coast; (*rif. ad acidi e sim.*) to corrode. – **4.** ⟨*fig*⟩ to eat up (*o* into), to consume, to gnaw (into): *l'invidia gli rode il fegato* envy is eating into him. – **5.** (*rif. a malattie*) to eat into, to waste away. – **6.** ⟨*scherz*⟩ (*mangiare*) to eat, to get one's teeth into. – **rodersi** *v.r.* (*consumarsi*) to be eaten up, to be consumed (*di* with): *rodersi di gelosia* to be eaten up with jealousy. □ ⟨*fig*⟩ *rodersi il cuore* (o *fegato*) to eat one's heart out; ⟨*fig*⟩ ~ *il freno* to chafe at the bit; *rodersi le unghie* to bite one's nails.

Rodęṣia *N.pr.f.* ⟨*Geog*⟩ (*Rhodesia*) Rhodesia. – **rodeṣiạno** *a.* (*rhodesiano*) Rhodesian.

Rǫdi *N.pr.f.* ⟨*Geog*⟩ Rhodes.

rodiatụra *f.* ⟨*tecn*⟩ rhodium plating.

rodịbile *a.* ⟨*non com*⟩ gnawable.

rǫdico *a.* (*pl.* **-ci**) ⟨*Chim*⟩ rhodic, rhodous: *composto* ~ rhodic compound.

rodiẹse *a./s.* → **rodiota.**

rodiggio *m.* ⟨*Ferr*⟩ wheel arrangement.

rodigịno ⟨*lett*⟩ **I** *a.* (*di Rovigo*) of (*o* from) Rovigo. – **II** *s.m.* (*f.* **-a**) native (*o* inhabitant) of Rovigo.

rodilęgno *m.* ⟨*Entom*⟩ goat-moth (*Cossus cossus*).

rodimẹnto *m.* **1.** gnawing, nibbling. – **2.** (*corrosione*) corrosion, eating away. – **3.** (*erosione*) erosion, eating (*o* wearing) away. – **4.** ⟨*fig*⟩ eating up (*o* into), gnawing, consumption. – **5.** ⟨*fig*⟩ (*cosa o persona per cui ci si rode*) torment, affliction.

rodịna *f.* ⟨*Chim*⟩ rodine.

rodinạl *m.* ⟨*Chim,Fot*⟩ rodinal.

rǫdio[1] *m.* ⟨*Chim*⟩ rhodium.

rǫdio[2] *a.* (*rodiota*) of Rhodes, Rhodian.

rǫdio[3] *a.* ⟨*rar*⟩ (*di rosa, della rosa*) rose: *legno* ~ rosewood.

rodịo[4] *m.* **1.** gnawing. – **2.** ⟨*fig*⟩ gnawing, torment.

rodiọta I *s.m./f.* native (*o* inhabitant) of Rhodes, Rhodian. – **II** *a.* (*di Rodi*) of (*o* from) Rhodes, Rhodian. – **rodiọto** *m.* (*f.* **-a**) → **rodiota.**

roditọre I *s.m.* (*f.* **-trice**) **1.** rodent. – **2.** *pl.* ⟨*Zool*⟩ rodents *pl* (*Rodentia, Glires*). – **II** *a.* **1.** gnawing: *tarlo* ~ gnawing woodworm. – **2.** ⟨*fig*⟩ gnawing, consuming: *il tarlo* ~ *della gelosia* the gnawing pangs of jealousy. □ *il dente* ~ *del tempo* the ravages *pl* of time.

roditụra *f.* ⟨*non com*⟩ → **rodimento.**

rodo... *pref.* (*rosa* rose) rhod(o)...

rodocroṣịte *f.* ⟨*Min*⟩ rhodochrosite.

rododęndro *m.* ⟨*Bot*⟩ rhododendron (*Rhododendron*).

rodoficẹe, rodǫfite *f.pl.* ⟨*Bot*⟩ red algae *pl* (*Rhodophyceae, Rhodophyta*).

Rodǫlfo *N.pr.m.* Rudolph.

rodologịa *f.* ⟨*Bot*⟩ study of roses. – **rodǫlogo** *m.* (*pl.* **-gi**; *f.* **-a**) rose expert.

rodomontạta *f.* r(h)odomontade, rodomontado, bragging, ranting. – **rodomǫnte** *m.* rodomont, braggart, vain boaster, blusterer. – **Rodomonte** *N.pr.m.* ⟨*Lett*⟩ Rodomont. □ *fare il* ~ to rodomontade, to brag, to boast, to swagger, to rant. – **rodomontẹsco** *a.* (*pl.* **-chi**) ⟨*non com*⟩ r(h)odomontade, boastful, ranting.

rodonịte *f.* ⟨*Min*⟩ rhodonite.

Rodrịgo *N.pr.m.* Roderick.

roentgen *ted.* ['røntgen] *m.* → **röntgen.** – **roentgenterapịa** *f.* → **röntgenterapia.**

rǫffia *f.* ⟨*ant*⟩ **1.** ⟨*tosc*⟩ (*ripulitura di pelli conciate*) skiving. – **2.** ⟨*estens*⟩ (*scoria*) refuse, waste. – **3.** ⟨*fig,poet*⟩ (*nebbia, caligine*) mist, haze.

rogadịa *f.* ⟨*Mar.ant*⟩ maritime contract of agency.

rogạnte (*p.pr. di rogare*) **I** *a.* ⟨*Dir*⟩ drafting. – **II** *s.m./f.* drafter. – **rogạre** *v.t.* (**rǫgo, rǫghi**) **1.** ⟨*Dir*⟩ to draw up (before a notary), to notarize. – **2.** ⟨*Dir.rom*⟩ to propose. – **rogatạrio** *m.* ⟨*Dir*⟩ drafter and certifier.

rogạti *m.pl.* ⟨*Stor*⟩ Venetian senators *pl.*

rogatọre *m.* **1.** ⟨*Dir*⟩ (*rogante*) drafter. – **2.** ⟨*Dir.mediev*⟩ signer, signatory, subscriber. – **rogatọria** *f.* ⟨*Dir*⟩ (*anche commissione rogatoria*) letters *pl* rogatory, rogatory commission. – **rogatọrio** *a.* rogatory. – **rogaziọne** *f.* **1.** ⟨*Lit*⟩ Rogation. – **2.** ⟨*Dipl*⟩ notarization. – **3.** ⟨*Stor.rom*⟩ rogation.

rǫggia *f.* (*pl.* **-ge**) ⟨*region*⟩ artificial canal.

rǫggio *a.* ⟨*ant,lett*⟩ (*rosso*) rust(-coloured), russet, reddish.

rǫgito *m.* ⟨*Dir*⟩ notarial document (*o* deed).

rǫgna *f.* **1.** ⟨*Med*⟩ scabies, itch. – **2.** ⟨*Veter*⟩ mange, scabies, scab, itch. – **3.** ⟨*Agr*⟩ scab. – **4.** ⟨*pop*⟩ (*noia, fastidio*) nuisance, trouble, bother, ⟨*fam*⟩ bore; (*persona noiosa*) nuisance, ⟨*fam*⟩ bore, ⟨*fam*⟩ pain in the neck. – **5.** ⟨*spreg*⟩ (*male, vizio morale*) evil, vice, wickedness. – **6.** ⟨*Bot*⟩ (*erba rogna*) spurge (*Euphorbia*). □ ⟨*pop*⟩ *cercare* ~ to be looking for trouble; ⟨*pop*⟩ *cerca chi gli gratti la* ~ he's asking for a hiding; ⟨*pop*⟩ *se ti pizzica la* ~, *troverai chi te la gratta* if you're looking for trouble you'll find it.

rognonạta *f.* ⟨*Gastr*⟩ kidneys *pl* en casserole. – **rognǫne** *m.* **1.** ⟨*Macell*⟩ kidney: ~ *di vitello* veal kidney. – **2.** ⟨*Alp*⟩ rock rising out from a glacier.

rognọso *a.* **1.** (*rif. a persone*) scabby; (*rif. ad animali*) mangy, scabby. – **2.** ⟨*fig*⟩ (*noioso*) boring, bothersome. – **3.** ⟨*spreg*⟩ (*vizioso*) depraved, vicious, evil.

rǫgo[1] (o *rọgo*) *m.* (*pl.* **-ghi**) **1.** stake: *morire sul* ~ to die at the stake; *essere condannato al* ~ to be sent to the stake. – **2.** (*catasta per bruciare cadaveri*) (funeral) pyre. – **3.** ⟨*fig*⟩ (*incendio*) fire. – **4.** ⟨*lett*⟩ (*morte*) death. □ *la casa diventò subito un* ~ the house was soon blazing; *fare un* ~ *di qc.* to burn s.th.; *ho fatto un* ~ *dei miei libri* I made a bonfire of my books.

rǫgo[2] *m.* (*pl.* **-ghi**) ⟨*pop,tosc*⟩ → **rovo.**

Rolạndo *N.pr.m.* Roland.

role *fr.* [ro:l] *m.* (*ruolo*) role, part.

rolettatrịce *f.* ⟨*Tess*⟩ fulling-mill, fulling-machine.

rolịno *m.* ⟨*rar*⟩ (*ruolino*) roll, register.

rollạre[1] *v.t.* (**rǫllo**) to roll up (*anche Mar.*).

rollạre[2] *v.i.* (**rǫllo**; *aus.* **avere**) **1.** ⟨*Mar,Aer*⟩ (*rullare*) to roll. – **2.** ⟨*Sport*⟩ (*nel nuoto*) to roll. – **rollạta** *f.* ⟨*Mar,Aer*⟩ rolling.

rollatịna *f.*, **rollạto** *m.* ⟨*non com*⟩ → **rollè.**

rollatrịce *f.* → **rullatrice.** – **rollatụra** *f.* → **rullatura.**

rollè *m.* ⟨*Gastr*⟩ collar, roll: ~ *di vitella* collar of veal.

rollẹtta *f.* → **rulletta.**

rollịno *m.* ⟨*Fot*⟩ roll.

rollịo *m.* ⟨*Mar,Aer*⟩ roll(ing).

rǫllo *m.* ⟨*non com*⟩ → **rullo.**

rollǫmetro *m.* ⟨*Mar*⟩ oscillometer.

Rọma *N.pr.f.* ⟨*Geog*⟩ Rome. □ *non importa andare a* ~ *per la penitenza* good deeds can be done anywhere; ~ *eterna* the Eternal City; ⟨*pop*⟩ *promettere* (o *dire*) ~ *e toma* to promise heaven and earth. – *Prov.*: ~ *non fu fatta in un giorno* Rome was not built in a day; *tutte le strade conducono* (o *portano*) *a* ~ all roads lead to Rome.

romadụr *m.* ⟨*Alim*⟩ romadur.

Romạgna *N.pr.f.* ⟨*Geog*⟩ Romagna. – **romagnǫlo I** *a.* Romagnese, of (*o* from) the Romagna. – **II** *s.m.* **1.** (*dialetto*) dialect of the Romagna, Romagnese dialect. – **2.** (*abitante*; *f.* **-a**) native (*o* inhabitant) of the Romagna, Romagnese, Romagnol(e). – **3.** ⟨*ant*⟩ (*panno di lana*) Romagnese woollen cloth.

romạico *a.* (*pl.* **-ci**) ⟨*Stor.gr*⟩ Romaic.

romaiolạta *f.* (*ramaiolata*) ladle(ful). – **romaiǫlo** *m.* (*ramaiolo*) ladle.

romạna *f.* ⟨*Tess*⟩ differential balance.

Romạna *N.pr.f.* Romana.

romanamẹnte *avv.* in the Roman way, after the Roman fashion, like a Roman.

romạnce *sp.* [-ϑ-] *m.* ⟨*Lett*⟩ romance. – **romancẹro** *sp. m.* → **romanzero.**

romạncio I *a.* ⟨*Ling*⟩ Romans(c)h-. – **II** *s.m.* Romans(c)h, Romanche.

Romandịa *N.pr.f.* ⟨*Geog,non com*⟩ (*Svizzera francese*) French Switzerland. – **romạndo I** *a.* French(-speaking), of French Switzerland: *Svizzera -a* French(-speaking) Switzerland. – **II** *s.m.* (*lingua*) Swiss-French.

romanęlla *f.* ⟨*Lett*⟩ (kind of) popular rispetto, Romagnese love-poem.

romanẹsca *f.* ⟨*Mus,Stor*⟩ romanesca, galliard.

romanẹsco *a./s.* (*pl.* **-chi**) **I** *a.* (modern) Roman, of Rome. – **II** *s.m.* (*dialetto*) Roman dialect.

romanẹṣimo *m.* ⟨*lett*⟩ → **romanità.**

Romanịa *N.pr.f.* ⟨*Geog*⟩ Rumania, Romania, Roumania (*denom.uff.*: *Repubblica Popolare Romena* People's Republic of Rumania). □ ⟨*Stor*⟩ *Impero di* ~ Byzantine Empire, Eastern (Roman) Empire.

romaniạno *a.* → **romanico**[2].

romạnico[1] *a./s.* (*pl.* **-ci**) **I** *a.* ⟨*Art*⟩ Romanesque: *stile* ~ Romanesque style. – **II** *s.m.* Romanesque.

romạnico[2] *a.* (*pl.* **-ci**) ⟨*Mus*⟩ Romanian: *lettere romaniche* Romanian letters.

romanịṣmo *m.* **1.** ⟨*Ling*⟩ Roman expression, idiom of the Roman dialect. – **2.** ⟨*Rel*⟩ Romanism, Roman Catholicism. – **3.** ⟨*Art*⟩ Romanistic trend. – **romanịsta** *m./f.* **1.** ⟨*Ling,Dir,Art*⟩ Romanist. – **2.** (*cultore degli studi su Roma*) scholar of (medieval and modern) Rome. – **3.** ⟨*Sport*⟩ (*tifoso della squadra di calcio Roma*) Rome football team fan.

romanịstica *f.* **1.** ⟨*Ling*⟩ Romance philology. – **2.** ⟨*Dir*⟩ study of Roman law. – **romanịstico** *a.* (*pl.* **-ci**) **1.** ⟨*Ling*⟩ of Romance philology. – **2.** ⟨*Dir*⟩ Romanist(ic).

romanità *f.* **1.** Romanism, Roman spirit (*o* influence), Roman traditions *pl*, Romanity. – **2.** ⟨*Stor*⟩ (*insieme di popoli che riconoscevano l'autorità di Roma*) Roman world. – **romanizzạre** *v.t.* to Romanize. – **romanizzarsi** *v.r.* to become Roman, to acquire Roman traits.

romạno[1] **I** *a.* **1.** Roman, of (*o* from) Rome: *impero* ~ Roman Empire. – **2.** ⟨*Rel*⟩ Roman (Catholic): *rito* ~ Roman rite; *Chiesa -a* Roman Catholic Church, Church of Rome. – **3.** ⟨*Tip*⟩ roman (type): *carattere* ~ *antico* old roman letter. – **II** *s.m.* **1.** (*dialetto*) Roman (dialect). – **2.** (*abitante di Roma*; *f.* **-a**) Roman, native (*o* inhabitant) of Rome. □ *alla -a* Roman style, in the Roman way; *pagare alla -a* to go Dutch; ⟨*scherz*⟩ *un* ~ *di Roma* a real (*o* true) Roman.

romạno[2] *m.* (*piombino*) counterpoise weight (of a steelyard).

Romạno *N.pr.m.* **1.** Romano. – **2.** ⟨*Stor*⟩ Romanus.

romanticamẹnte *avv.* (*sentimentalmente*) romantically, sentimentally. – **romanticherịa** *f.* (*sentimentalismo*) sentimentality, mawkishness, romanticism. – **romantichiẹre** *m.* ⟨*spreg,non com*⟩ over-sentimental writer, mawkish (*o* sloppy) writer.

romanticịṣmo *m.* **1.** ⟨*Stor*⟩ Romanticism, Romantic Movement. – **2.** (*atteggiamento culturale*) romanticism: *il* ~ *del Manzoni* the romanticism of Manzoni. – **3.** (*sentimentalismo*) sentimentalism, romantic attitudes *pl*, sentimentality, mawkishness. □ ⟨*Stor*⟩ *primo* ~ early Romanticism; *secondo* (o *tardo*) ~ late Romanticism.

romạntico *a./s.* (*pl.* **-ci**) **I** *a.* **1.** ⟨*Stor*⟩ Romantic: *poeta* ~ Romantic poet. – **2.** ⟨*estens*⟩ (*con caratteristiche romantiche*) romantic: *letteratura -a* romantic writing. – **3.** (*sentimentale*) sentimental, romantic: *passeggiata -a* romantic walk. – **4.** (*sognante*) dreaming, fanciful. – **II** *s.m.* (*f.* **-a**) **1.** Romantic, Romanticist. – **2.** (*persona incline al sentimentalismo*) romantic, sentimentalist; (*sognatore*) dreamer.

romanticụme *m.* ⟨*spreg*⟩ romantic nonsense, romantics *pl.* – **romantizzạre** *v.t.* ⟨*non com*⟩ (*rendere romantico*) to romanticize, to make romantic.

romạnza *f.* **1.** ⟨*Mus*⟩ romance, romanza. – **2.** ⟨*Lett*⟩ romance. □ ⟨*Mus*⟩ ~ *senza parole* Song Without Words.
romanzạccio *m. pegg. di* **romanzo**[2]. – **romanzạre** *v.t.* **1.** to romance, to romanticize, to embroider upon. – **2.** ⟨*ant*⟩ (*scrivere romanzi*) to write novels. – **romanzạto** (*p.p. di romanzare*) *a.* romanticized, fictionalized, embroidered upon. □ *biografia -a* biographical novel. – **romanzatọre** *m.* (*f.* **-trice**) ⟨*lett*⟩ **1.** romancer. – **2.** ⟨*ant*⟩ → **romanziere.**
romanzeggiạre *v.* (**romanzẹggio, romanzẹggi**) **I** *v.i.* (*aus.* **avere**) ⟨*lett*⟩ to romance. – **II** *v.t.* ⟨*rar*⟩ (*romanzare*) to romance, to romanticize, to embroider upon.
romanzẹro *m.* ⟨*Lett*⟩ **1.** (*scrittore*) romancer, writer of romances. – **2.** (*raccolta*) collection of romances.
romanzẹsco I *a.* (*pl.* **-chi**) **1.** of a novel, novel-: *letteratura -a* novels, novel writing. – **2.** ⟨*estens*⟩ (*non storico*) fictional, fictitious: *un racconto con elementi romanzeschi* a tale with fictional elements. – **3.** ⟨*fig*⟩ (*straordinario*) fantastic, extraordinary, fabulous, extravagant, out of this world: *impresa -a* fantastic feat; (*avventuroso*) adventurous. – **4.** ⟨*Lett*⟩ (*cavalleresco*) romantic, heroic: *poema* ~ romantic epic, heroic poem. – **II** *s.m.inv.* fantastic, incredible: *avere del* ~ to partake of the fantastic (*o* far-fetched). □ *romanzo* ~ (*cavalleresco*) romance.
romanzẹtto (*dim. di romanzo*[2]) *m.* **1.** novelette, light novel. – **2.** ⟨*fig*⟩ (*relazione amorosa*) love affair, romance. – **romanziẹre** *m.* (*f.* **-a**) novelist. – **romanziẹro** *m.* → **romanzero.**
romanzịna *f.* ⟨*ant,pop*⟩ (*ramanzina*) scolding, dressing-down.
romạnzo[1] *a.* **1.** ⟨*Ling*⟩ Romance, Romanic: *filologia -a* Romance philology. – **2.** (*che riguarda la romanistica*) Romanist(ic): *studi -i* Romanistic studies.
romạnzo[2] *m.* **1.** ⟨*Lett*⟩ novel; (*nel medioevo*) romance. – **2.** ⟨*fig*⟩ (*vicenda complessa*) novel, story: *la sua vita sembra un* ~ his life is like a novel. – **3.** ⟨*fig*⟩ (*storia inventata, fantasticheria*) fiction, invention, story, fabrication, fantasy, romance: *questa è storia o* ~? is this fact or fiction?; *la storia della rapina era tutta un* ~ the story of the hold-up was ⌜a mere fabrication⌝ (*o* all made up).
□ ~ **d'appendice** serial story; ~ **autobiografico** autobiographical novel; ~ **d'avventure** adventure story; ~ **breve** novelette, short novel; ~ **cavalleresco** romance; ~ **ciclico** cyclic novel; ~ **epistolare** epistolary novel; ~ **fantascientifico** (*o di fantascienza*) science fiction novel; ~ **fiume** saga, very long novel, roman-fleuve; ~ *a* **fumetti** comic-strip story; ~ **giallo** detective (*o* murder, crime) story, mystery, thriller, ⟨*fam*⟩ whodunit; ~ **nero** Gothic novel; ~ *in prima* **persona** novel written in the first person; ~ **poliziesco** = *romanzo* **giallo**; ~ **psicologico** psychological novel; ~ **rosa** love (*o* romantic) novel; ⟨*Teat,TV*⟩ ~ **sceneggiato** novel adapted for the stage or television; ~ **storico** historical novel.
romanzọne *m. accr. di* **romanzo**[2].
romatịsmo *m.* ⟨*pop*⟩ (*reumatismo*) rheumatism.
rọmba[1] *f.* ⟨*rar*⟩ (*rumore lungo e prolungato*) rumbling, roar(ing), boom(ing), thunder(ing), roll(ing); (*rif. a motori*) roar; (*rif. ad acqua, vento e sim.*) roar(ing). □ *sento una* ~ *nel capo* my head is in a whirl, I feel dazed.
rọmba[2] *f.* ⟨*ant*⟩ (*fionda*) sling.
rombạre *v.i.* (**rọmbo**; *aus.* **avere**) **1.** to rumble, to roar, to boom, to thunder, to roll: *il cannone rombava* the cannon thundered (*o* roared); (*rif. a motore*) to roar; (*rif. a tuono*) to rumble, to roll. – **2.** ⟨*rar*⟩ (*rif. ad ali*) to beat, to flutter; (*rif. ad acqua e sim.*) to roar, to rush; (*rif. al vento*) to roar, to howl. □ *mi romba un orecchio* my ear is buzzing.
rombạzzo *m.* ⟨*ant,lett*⟩ (*frastuono, fragore*) uproar, din, noise. □ *far* ~ (*far chiasso*) to make a noise (*o* racket).
rọmbica *f.* ⟨*Rad*⟩ (*anche antenna rombica*) rhombic (aerial), diamond aerial.
rọmbice *m./f.* ⟨*tosc*⟩ → **romice.**
rọmbico *a.* (*pl.* **-ci**) **1.** (*del rombo*) rhomb-, of the rhombus. – **2.** (*a forma di rombo*) rhombic, rhombiform; (*a losanga*) lozenge-shaped, lozenged. – **3.** ⟨*Min*⟩ (ortho)rhombic.
rọmbo[1] *m.* **1.** roar, rumble; (*del cannone*) roar, thunder, roll; (*del motore*) roar; (*del tuono*) roar, roll. – **2.** ⟨*ant*⟩ (*ronzio*) buzz(ing), droning.
rọmbo[2] *m.* **1.** ⟨*Geom*⟩ rhomb(us). – **2.** (*losanga*) lozenge, rhomb(us). – **3.** ⟨*Arald*⟩ lozenge. – **4.** (*in enigmistica*) puzzle. – **5.** ⟨*Mar*⟩ point, rhumb; (*direzione*) point.
rọmbo[3] *m.* ⟨*Itt*⟩ (*rombo chiodato*) turbot (*Psetta maxima*). □ ~ *liscio* brill (*Scophthalmus rhombus*).
rombo|dodecaẹdro *m.* ⟨*Geom*⟩ rhombododecahedron. – **~ẹdrico** *a.* (*pl.* **-ci**) ⟨*Geom,Min*⟩ rhombohedric, rhombohedral. – **~ẹdro** *m.* rhombohedron.
romboidạle *a.* ⟨*Geom*⟩ **1.** rhomboid(al). – **2.** (*a losanga*) lozenge-shaped, lozenged. – **rombọide** *m.* **1.** ⟨*Geom*⟩ rhomboid. – **2.** ⟨*Anat*⟩ (*anche muscolo romboide*) rhomboid (muscle), rhomboideus. – **romboidẹo** *a.* **1.** ⟨*Geom*⟩ (*che ha forma di rombo*) rhombic, rhombiform; (*che ha forma di romboide*) rhomboid(al). – **2.** ⟨*Anat*⟩ (*romboide*) rhomboid: *muscolo* ~ rhomboid (muscle).
rọmbola *f.* → **romba**[2].
romeạggio *m.* ⟨*ant*⟩ **1.** (*pellegrinaggio a Roma*) pilgrimage to Rome. – **2.** (*pellegrinaggio*) pilgrimage.
romẹico *a.* → **romaico.**
Romenịa (*ant. Romẹnia*) *N.pr.f.* ⟨*non com*⟩ → **Romania.** – **romẹno I** *a.* Rumanian, Romanian, Roumanian. – **II** *s.m.* **1.** (*lingua*) Rumanian, Romanian, Roumanian. – **2.** (*abitante*; *f.* **-a**) Rumanian, Romanian, Roumanian.
romẹo ⟨*ant*⟩ **I** *s.m.* (*f.* **-a**) **1.** (*pellegrino che va in Terrasanta*) pilgrim (going) to the Holy Land; (*pellegrino che va a Roma*) pilgrim (going) to Rome. – **2.** (*pellegrino*) pilgrim. – **II** *a.* pilgrim-.
rọmice *f.* ⟨*Bot*⟩ **1.** dock (*Rumex*). – **2.** (*erba pazienza*) patience dock (*Rumex patientia*). – **3.** (*lapazio*) curled (*o* yellow) dock (*Rumex crispus*). – **4.** (*acetosa*) garden sorrel, sorrel dock (*Rumex acetosa*). □ ~ *crespa* (*lapazio*) curled (*o* yellow) dock (*Rumex crispus*); ~ *dei tetti* bitter (*o* yellow, broad-leaved) dock (*Rumex obtusifolius*).
romitạggio *m.* **1.** (*eremitaggio*) hermitage. – **2.** (*luogo solitario*) retreat, lonely place, hideaway, hermitage. – **romitạno I** *a.* **1.** (*di, da romito*) hermit's, eremitical, of an eremitical monk. – **2.** ⟨*fig*⟩ (*solitario*) lonely, solitary; (*misero*) poor, wretched. – **II** *s.m.* ⟨*Rel*⟩ eremitical monk (*o* friar). – **romịtico** *a.* (*pl.* **-ci**) ⟨*rar*⟩ (*eremitico*) hermit's, hermitic, eremitic. – **romịto I** *a.* ⟨*lett*⟩ **1.** (*solitario*) solitary, lonely. – **2.** (*rif. a luoghi*) lonely, remote. – **II** *s.m.* ⟨*ant, pop*⟩ (*eremita*) hermit, recluse, anchorite. – **romitọrio** *m.* → **romitaggio.**
Rọmolo *N.pr.m.* Romulus.
romọre *m.* ⟨*ant,lett*⟩ (*rumore*) noise. – **romoreggiamẹnto** *m.* ⟨*ant*⟩ → **rumoreggiamento.** – **romoreggiạre** *v.* ⟨*ant*⟩ → **rumoreggiare.** – **romoreggiatọre** *m.* ⟨*ant*⟩ → **rumoreggiatore.** – **romorịo** *m.* ⟨*ant*⟩ → **rumorio.** – **romorọso** *a.* ⟨*ant*⟩ → **rumoroso.**
rọmpere *v.* (**rụppi, rọtto**) **I** *v.t.* **1.** to break: ~ *un bastone in due* to break a stick in two; (*fracassare, spaccare*) to break (in pieces), to shatter, to smash: ~ *un bicchiere* to smash a glass. – **2.** (*staccare, spezzare*) to break off: *ruppe un ramo dall'albero* he broke (*o* snapped) a branch off the tree. – **3.** (*lacerare, stracciare*) to tear, to rip, to break: ~ *i calzoni* to tear one's trousers. – **4.** (*far saltare, spezzare*) to break, to burst: ~ *le catene* to break one's chains. – **5.** (*sfondare*) to break (down, through): *il fiume ruppe gli argini* the river broke its banks. – **6.** (*fendere, aprirsi un varco*) to force (*o* elbow) one's way through, to go (*o* pass) through, to break (through), to clear a way through: ~ *la calca* to force one's way through the crowd; ~ *l'onda* to break (*o* cleave) the waves; (*ostacolare un movimento interrompendolo*) to divide, to separate. – **7.** (*guastare*) to break, ⟨*fam*⟩ to bust: ~ *un giocattolo* to break a toy. – **8.** ⟨*fig*⟩ (*interrompere*) to break (up), to relieve, to interrupt: ~ *il silenzio* to relieve the silence; ~ *le relazioni diplomatiche* to ⌜break off⌝ (*o* sever) diplomatic relations; (*sospendere*) to break (off), to stop, to suspend: ~ *il digiuno* to break one's fast. – **9.** ⟨*fig*⟩ (*violare*) to break, to violate, to fail to keep: ~ *un patto* to violate a pact. – **10.** ⟨*lett*⟩ (*sconfiggere*) to defeat, to break. – **11.** ⟨*ant*⟩ (*pestare di botte*) to beat, to thrash. – **II** *v.i.* (*aus.* **avere**) **1.** to break off: *ha rotto già da tempo con la famiglia* he broke off with his family some time ago. – **2.** (*prorompere*) to burst, to break (*in* into): ~ *in lacrime* to burst into tears. – **3.** (*rif. a fiume: straripare*) to overflow, to break its banks, to flood. – **4.** (*naufragare*) to be (ship)wrecked: *il battello ruppe sugli scogli* the boat was wrecked on the rocks. – **5.** ⟨*Equit*⟩ to break. – **rompersi** *v.r.* **1.** to break: *il bastone si è rotto* the stick broke; (*andare in pezzi*) to break (into pieces), to shatter. – **2.** (*spezzarsi*) to break (*o* snap) off. – **3.** (*strapparsi*) to tear, to rip, to break, to split. – **4.** (*guastarsi*) to break (down), ⟨*fam*⟩ to bust: *l'orologio si è rotto* the clock has (*o* is) broken. – **5.** ⟨*recipr,non com*⟩ (*troncare i rapporti*) to break off with e.o.
□ ⟨*fam*⟩ ~ *l'***anima** *a qd.* to be a great nuisance to s.o., to pester s.o., ⟨*fam*⟩ to drive s.o. mad; ⟨*fig*⟩ *rompersi il* **capo** to rack (*o* cudgel) one's brains; ⟨*Mar*⟩ ~ *in* **chiglia** (*naufragare*) to be (ship)wrecked; *romperla* **con** *qd.* (*troncare i rapporti*) to break off with s.o.; ~ *le* **dighe** to burst the dikes; ⟨*fig*⟩ to break all bounds, to burst all barriers; ~ *il* **fidanzamento** *con qd.* to break off an engagement with s.o.; ⟨*Mil,Ginn*⟩ *rompete le* **file**! break ranks!; *rompersi una* **gamba** to break (*o* fracture) one's leg; ⟨*ant*⟩ ~ *in* **mare** = *rompere in* **chiglia**; ~ *in* **pianto** to burst into tears; ⟨*Mil*⟩ ~ *le* **righe**! dismiss!, fall out!; ~ *il* **sonno** *di qd.* to interrupt (*o* break in upon) s.o.'s sleep; ~ *la* **terra** to plough (*o* break up) the earth. – *Prov.*: *chi rompe paga* (*e i cocci sono suoi*) he who is guilty must pay for it.
rompicạpo *m.* **1.** (*indovinello*) riddle, puzzle; (*in enigmistica*) brain-twister, brain-teaser. – **2.** (*preoccupazione, fastidio*) worry, trouble, problem, ⟨*fam*⟩ headache. – **3.** (*problema, difficoltà*) problem, difficulty, ⟨*fam*⟩ headache; (*pensiero molesto*) nagging problem.
rompicoglịọni *m./f.inv.* ⟨*volg*⟩ nuisance, ⟨*volg*⟩ pain in the ass.
rompicọllo *m.* **1.** (*persona sconsiderata*) daredevil, madcap. – **2.** ⟨*non com*⟩ (*luogo pericoloso*) dangerous place. – **3.** ⟨*fig,non com*⟩ (*faccenda rischiosa*) risky business (*o* affair). □ *a* ~ headlong, at breakneck speed: *correre a* ~ to run at breakneck speed, to rush headlong.
rompi|fiạmma *m.inv.* ⟨*Mot*⟩ flame trap. – **~ghiạccio** *m.inv.* **1.** ⟨*Mar*⟩ ice-breaker. – **2.** (*arnese per rompere il ghiaccio*) ice-pick. – **~ghịsa** *m.inv.* ⟨*Met*⟩ pig-breaker. – **~grịnza** *m.inv.* ⟨*Mecc*⟩ bead.
rompimẹnto *m.* **1.** (*atto*) breaking; (*effetto*) break. – **2.** ⟨*pop*⟩ (*seccatura*) nuisance, bore, bother; (*rif. a persona*) nuisance, bore, ⟨*fam*⟩ pain in the neck. □ ⟨*fam*⟩ ~ *di scatole* (*o tasche*) nuisance, bore, bother, ⟨*fam*⟩ pain in the neck.
rompi|mụro *m.inv.* ⟨*Mil.ant*⟩ (*ariete*) battering-ram. – **~pạlle** *m./f.inv.* ⟨*volg*⟩ → **rompicoglioni.** – **~rẹste** *f.inv.* rice-mill. – **~scạtole** *m./f. inv.* ⟨*fam*⟩ (*seccatore*) nuisance, bore, bother, ⟨*fam*⟩ pest, ⟨*fam*⟩ pain in the neck. – **~stivạli, ~tạsche** *m./f.inv.* ⟨*non com*⟩ → **rompiscatole.**
rompitọre *m.* (*f.* **-trice**) ⟨*non com*⟩ **1.** breaker. – **2.** ⟨*fig*⟩ violator,

breaker. – **3.** ⟨*tecn*⟩ mill, crusher. ☐ ⟨*fam*⟩ ~ *di scatole* → **rompiscatole**; ⟨*ant*⟩ ~ *della pace* breaker of the peace.
rompitrụciolo *m.* ⟨*Fal*⟩ chip-breaker.
rompitụra *f.* ⟨*non com*⟩ **1.** breaking (up). – **2.** (*rottura*) break.
Romuạldo *N.pr.m.* Romuald.
romụleo *a.* ⟨*lett*⟩ **1.** (*di Romolo*) of Romulus, Romulian. – **2.** (*di Roma*) Roman, of (*o* from) Rome. – **romụlide** *m.* ⟨*lett*⟩ Roman.
rọnca *f.* ⟨*non com*⟩ → **roncola**. – **roncạre** *v.t.* (**rọnco**, **rọnchi**) ⟨*Agr*, *rar*⟩ to prune.
roncạso *m.* ⟨*Ornit*⟩ **1.** (*pernice bianca*) rock ptarmigan (*Lagopus mutus*). – **2.** (*francolino di monte*) hazel hen (*o* grouse) (*Tetrastes bonasia*).
roncạto *m.* ⟨*Mediev*⟩ recently tilled land.
roncatụra *f.* ⟨*Agr*⟩ pruning.
roncet *fr.* [rɔ̃'se:] *m.* ⟨*Agr*⟩ roncet, court-noué.
roncheggiạre *v.i.* (**ronchẹggio**, **ronchẹggi**; *aus.* **avere**) ⟨*ant*⟩ (*russare*) to snore.
ronchẹtto *m.* ⟨*non com*⟩ → **roncolo**.
rọnchio *m.* ⟨*ant*⟩ **1.** (*sporgenza*) projection, protuberance. – **2.** (*bernoccolo*) bump, lump. – **ronchiọne** (*accr. di ronchio*) *m.* ⟨*ant*⟩ (*sporgenza rocciosa*) rocky spur (*o* projection), crag. – **ronchiọso** *a.* ⟨*ant*⟩ **1.** (*pieno di sporgenze*) uneven. – **2.** (*pieno di bernoccoli*) bumpy, lumpy. – **3.** (*ruvido*) rough; (*rif. a rocce e sim.*) rugged, craggy.
ronciglịare *v.t.* (**roncịglio**, **roncịgli**) ⟨*ant*⟩ (*prendere con i roncigli*) to hook. – **roncịglio** *m.* ⟨*ant*⟩ (*ferro piegato a uncino*) hook.
roncinạto *a.* ⟨*Bot*⟩ runcinate.
runciọne *m.* → **ronzone**².
Roncisvạlle *N.pr.f.* ⟨*Geog*⟩ Roncesvalles.
rọnco¹ *m.* (*pl.* **-chi**) ⟨*Med*⟩ rhoncus, rale.
rọnco² *m.* (*pl.* **-chi**) ⟨*tosc*⟩ (*via senza uscita*) blind-alley, cul-de-sac, impasse. ☐ ⟨*fig*⟩ *essere nel* ~ to be at an impasse, to have no way out, to be at a dead-end.
rọncola *f.* **1.** ⟨*Agr*⟩ bill-hook, brush-hook. – **2.** ⟨*Mil.ant*⟩ bill. – **roncolạre** *v.t.* (**rọncolo**) ⟨*Agr*⟩ to prune. – **roncolạta** *f.* blow with a bill-hook. – **rọncolo** *m.* pruning-knife, gardening-knife. ☐ *gambe a* ~ (*gambe ercoline*) bow-legs.
roncọne *m.* ⟨*Mil.ant*⟩ kind of bill.
rọnda¹ *f.* ⟨*Mil*⟩ **1.** rounds *pl*, watch: *essere di* ~ to be on watch. – **2.** (*pattuglia*) patrol, round, watch. ☐ *cammino di* ~ beat, round; *fare la* ~ to go the rounds, to make one's rounds; ⟨*fig*⟩ *fare la* ~ *a una ragazza* to court a girl; ~ *d'ordine militare* military patrol (*o* rounds *pl*); ~ *d'ordine pubblico* police patrol (*o* beat).
rọnda² *f.* (*tipo di scrittura*) ronde, round hand.
rondạre *v.i.* (**rọndo**; *aus.* **avere**) ⟨*rar*⟩ (*fare la ronda*) to go the rounds, to make one's rounds.
ronde *fr.* [rɔ̃:d] *f.* → **ronda**².
rondeau *fr.* [rɔ̃'do] *m.* → **rondò**¹.
rondẹlla *f.* ⟨*Mecc*⟩ **1.** washer. – **2.** (*rosetta elastica*) spring (*o* lock) washer. ☐ ~ *in feltro* felt washer; ~ *di spessore* spacing washer; ~ *di spinta* thrust washer.
rondẹllo¹ *m.* ⟨*Mus*⟩ rondel, rondelle, rondeau.
rondẹllo² *m.* ⟨*Mil.ant*⟩ (*cammino di ronda*) beat, round.
rondịcchio *m.* ⟨*Ornit*⟩ (*balestruccio*) (house-)martin (*Delichon urbica*).
rọndina *f.* ⟨*Itt*⟩ flying-fish (*Exocoetus volitans*).
rondinạccio *m.* ⟨*region*⟩ → **rondone**.
rọndine *f.* ⟨*Ornit*⟩ **1.** swallow (*Hirundo*). – **2.** (common European) swallow (*Hirundo rustica*). – **3.** ⟨*pop*⟩ (*rondone*) (common) swift. ☐ ~ *dei* **camini** = *rondine* **comune**; ~ **cittadina** → **rondicchio**; ~ **comune** (common European) swallow (*Hirundo rustica*); ~ **maggiore** → **rondone**; ~ *di* **mare**: 1. ⟨*Ornit*⟩ (common) tern, sea-swallow (*Sterna hirundo*); 2. ⟨*Itt*⟩ (*pesce rondine*) flying gurnard (*o* robin) (*Dactylopterus volitans*); ~ *di mare dalla coda lunga* arctic tern (*Sterna paradisaea*); ~ *di mare fuligginosa* (o *scura*) sooty tern (*Sterna fuscata*); ~ **montana** (o *riparia*) sand-martin, bank swallow (*Riparia riparia*); ~ **rossiccia** red-rumped swallow (*Hirundo daurica*); ~ **rustica** = *rondine* **comune**; ~ *di* **Siberia** = *rondine* **rossiccia**. – *Prov.*: *una* ~ *non fa primavera* one swallow does not make a summer.
rondinẹlla (*dim. di rondine*) *f.* **1.** swallow. – **2.** (*razza di colombi*) breed of pigeon. – **3.** ⟨*Itt*⟩ → **rondina**. – **4.** *pl.* ⟨*Sport*⟩ (*giocatori del Brescia*) Brescian football team. ☐ ⟨*Ornit*⟩ ~ *di mare* (*beccapesci*) sandwich tern (*Thalasseus sandvicensis*).
rondinẹllo *m.* → **rondicchio**. – **rondinịno**, **rondinọtto** (*dim. di rondine*) *m.* baby swallow.
rondịsmo *m.* ⟨*Lett*⟩ literary movement centring round the journal "La Ronda". – **rondịsta I** *a.* of "La Ronda". – **II** *s.m./f.* writer for "La Ronda".
rondò¹ *m.* ⟨*Mus*⟩ rondo, rondeau.
rondò² *m.* ⟨*Strad*⟩ roundabout, traffic circle, ⟨*am*⟩ rotary (intersection).
rondọne *m.* ⟨*Ornit*⟩ (common) swift (*Apus apus*).
☐ ~ **alpino** (o *bianco*) Alpine swift (*Apus melba*); ~ **comune** (common) swift (*Apus apus*); ~ **indiano** white-rumped swift (*Apus affinis*); ~ *di* **mare** = *rondone* **alpino**; ~ **marino** (*pernice di mare*) pratincole (*Glareola pratincola*); ~ **pallido** pallid swift (*Apus pallidus*).
rọnfa *f.* ⟨*ant*⟩ (*picchetto*) piquet.
ronfamẹnto *m.* ⟨*non com*⟩ **1.** (*il ronfare*) snoring. – **2.** (*rif. a gatti*) purring. – **ronfạre** *v.i.* (**rọnfo**; *aus.* **avere**) **1.** ⟨*fam*⟩ (*russare*) to snore. – **2.** (*rif. a gatti*: *fare le fusa*) to purr. – **ronfiạre** *v.* (**rọnfio**, **rọnfi**) ⟨*non com*⟩ → **ronfare**.
röntgen *ted.* ['røntgen] *m.* ⟨*Fis*⟩ roentgen, röntgen.
röntgen|chimografịa *f.* ⟨*Radiol*⟩ (*radiochimografia*) roentgenkymography, roentgen kymography. – **~chimọgrafo** *m.* roentgenkymograph. – **~chimogrạmma** *m.* roentgenkymogram. – **~cinematografịa** *f.* (*radiocinematografia*) roentgenocinematography. – **~dermatịte** *f.* (*radiodermatite*) roentgen-ray dermatitis, radiodermatitis. – **~diagnọstica** *f.* (*radiodiagnostica*) roentgen diagnosis, radiodiagnosis. – **~diagnọstico** *a.* (*pl.* **-ci**) radiodiagnostic.
röntgenologịa *f.* roentgenology. – **röntgenolọgico** *a.* (*pl.* **-ci**) roentgenologic(al). – **röntgenọlogo** *m.* (*pl.* **-gi**; *f.* **-a**) roentgenologist.
röntgen|scopịa *f.* (*radioscopia*) roentgenoscopy. – **~tẹcnica** *f.* roentgen technology. – **~terapịa** *f.* roentgenotherapy.
ronzamẹnto *m.* ⟨*non com*⟩ → **ronzio**.
ronzạre *v.* (**rọnzo**) **I** *v.i.* (*aus.* **avere**) **1.** (*rif. a insetti*) to buzz, to hum, to drone. – **2.** ⟨*estens*⟩ to hum, to drone: *si sentiva* ~ *un motore* an engine could be heard humming; (*rif. a proiettili e sim.*) to whizz, to whistle, to whine; (*rif. a frecce e sim.*) to whirr, to whistle. – **3.** ⟨*fig*⟩ (*girare intorno*) to go about (*o* around); (*fare la corte*) to swarm (*intorno a* around), to hang (about), to court (s.o.). – **4.** ⟨*fig*⟩ (*rif. a idee e sim.*: *mulinare*) to seethe. – **5.** ⟨*fig,non com*⟩ (*andare in giro*) to loaf (*o* wander) about, to saunter, to loiter. – **II** *v.t.* ⟨*tosc*⟩ (*far ronzare*) to make hum (*o* buzz), to buzz. ☐ *mi ronzano gli orecchi* my ears are ringing.
ronzatọre *m.* (*f.* **-trice**) **1.** ⟨*non com*⟩ buzzer. – **2.** ⟨*fig,non com*⟩ (*chi gira intorno*) loiterer, loafer. – **3.** ⟨*El*⟩ (*cicalino*) buzzer.
Ronzinạnte *m.* ⟨*Lett*⟩ Rosinante. – **ronzinante** *m.* (*cavallo*) nag, jade, hack. – **ronzịno** *m.* **1.** ⟨*spreg,scherz*⟩ nag, hack, jade. – **2.** ⟨*Mediev*⟩ (*cavallo degli scudieri*) nag, inferior horse.
ronzịo *m.* **1.** (*rif. a insetti*) buzz(ing), hum(ming), drone. – **2.** ⟨*estens*⟩ hum, drone, buzz: *il* ~ *del motore* the drone of the engine; (*rif. a proiettili e sim.*) whizz, whistle, whine. – **3.** ⟨*Med*⟩ tinnitus. – **4.** ⟨*Rad*⟩ hum. ☐ ~ *d'alimentazione* = *ronzio residuo*; *sento un* ~ *negli orecchi* I hear a buzzing (*o* ringing) in my ears, my ears are buzzing; ⟨*Rad*⟩ ~ *di modulazione d'ampiezza* amplitude-modulation noise; ⟨*Rad*⟩ ~ *residuo* hum, ⟨*am*⟩ battery supply circuit noise.
rọnzo *m.* ⟨*ant,lett*⟩ → **ronzio**.
ronzọne¹ *m.* ⟨*pop*⟩ (*insetto che ronza*) buzzing insect.
ronzọne² *m.* ⟨*ant*⟩ (*cavallo grande*) war horse, charger.
ropạlico *a./s.* (*pl.* **-ci**) ⟨*Metr*⟩ **I** *a.* r(h)opalic. – **II** *s.m.* r(h)opalic verse.
ropalọceri *m.pl.* ⟨*Entom,ant*⟩ butterflies *pl* (*Rhopalocera*).
ropịglia *f.* ⟨*Mod,Stor*⟩ short loose-sleeved coat.
roquefort *fr.* [rɔk'fɔ:r] *m.* ⟨*Alim*⟩ roquefort.
rorạnte (*p.pr. di rorare*) *a.* ⟨*poet,rar*⟩ **1.** (*rugiadoso*) dewy. – **2.** ⟨*fig*⟩ (*lacrimoso*) tearful, dewy. – **rorạre** *v.t.* (**rọro**) ⟨*poet,rar*⟩ **1.** (*bagnare di rugiada*) to wet with dew, to bedew. – **2.** ⟨*fig*⟩ (*ristorare*) to revive, to refresh. – **rọrido** *a.* ⟨*poet*⟩ **1.** (*rugiadoso*) dewy. – **2.** (*bagnato*) wet, moist.
rọsa¹ **I** *s.f.* **1.** ⟨*Bot*⟩ rose (*Rosa*). – **2.** (*fiore*) rose: *un mazzo di -e* a bouquet of roses. – **3.** ⟨*fig*⟩ (*cerchia, gruppo*) group, set: *una* ~ *di candidati* a group of candidates. – **4.** ⟨*Sport*⟩ (*formazione*) (regular) team: *scendere in campo con mezza* ~ to play with only half the regular team. – **5.** ⟨*Arch*⟩ (*rosone*) rose-window, wheel-window, rose. – **6.** ⟨*Mus*⟩ (*rif. a violini e sim.*) sound hole. – **7.** ⟨*Oref*⟩ (*taglio*) rose (cut); (*pietra preziosa*) rose, rose(-cut) diamond. – **8.** ⟨*Zool*⟩ burr, coronet. – **9.** ⟨*Macell,region*⟩ thick flank, round, topside. – **10.** ⟨*non com*⟩ (*coccarda*) cockade, rosette, rose. – **11.** ⟨*poet*⟩ (*colore*) pink, rose. – **12.** ⟨*poet,rar*⟩ (*rossore*) blush. – **13.** ⟨*ant*⟩ (*macchia rossa sulla pelle*) spot, red mark. – **II** *s.m.inv.* (*colore*) pink, rose. – **III** *a.inv.* **1.** pink, rose: *vestito* ~ pink dress. – **2.** ⟨*Lett,Cin*⟩ romantic, love-: *un film* ~ a love film.
☐ ~ *ad* **alberello** standard (*o* tree) rose; ~ *delle* **Alpi** rhododendron (*Rhododendron*); ~ **austriaca** French (*o* red) rose (*Rosa gallica*); ~ *del* **Bengala** Bengal rose (*Rosa bengalensis*); ⟨*Stor*⟩ ~ **bianca** white rose; ⟨*Mar*⟩ ~ *della* **bussola** compass rose; ~ **canina** dog-rose (*Rosa canina*); ~ **cannella** cinnamon rose (*Rosa cinnamomea*); ~ **centifoglia** cabbage (*o* pale) rose (*Rosa centifolia*); ~ *a* **cespuglio** bush rose; ~ **damascena** (o *di Damasco*) damask rose (*Rosa damascena*); ~ **doppia** double rose; *non sono tutte -e e* **fiori** things are not as rosy as they seem, it's not all ⌜smooth sailing⌝ (*o* a bed of roses); *se son -e* **fioriranno** (*se son spine pungeranno*) time will tell, the proof of the pudding is in the eating; **fresco** *come una* ~ as fresh as a daisy; ~ **gallica** = *rosa* **austriaca**; ~ *di* **Gerico** rose of Jericho, resurrection plant (*Anastatica hierochuntica*); ~ *da* **giardino** cultivated rose; ⟨*Stor*⟩ **guerra** *delle due -e* Wars *pl* of the Roses; ~ **ibrida** *bifera* = *rosa* **rifiorente**; ~ *ibrida di tè* hybrid tea-rose; ~ **indica** tea-rose, monthly rose (*Rosa indica*); ~ *di* **macchia** = *rosa* **canina**; ⟨*Zool*⟩ ~ *di* **mare** sea anemone (*Actinia*); ~ **multiflora** (o *a mazzi*) multiflora (rose), Japanese rose (*Rosa multiflora*); ~ *di* **Natale** Christmas rose (*Helleborus niger*); ~ *dei* **nomi** list of names; ⟨*Chim*⟩ **olio** *essenziale di* ~ rose-oil, oil of rose; ⟨*Stor*⟩ ~ *d'***oro** golden rose; ~ **rampicante** rambler, rambling rose; ~ **rifiorente** (o *rimontante*) remontant (rose); ~ **rossa**: 1. = *rosa* **austriaca**; 2. ⟨*Stor*⟩ red rose; ~ **rubiginosa** eglantine, sweetbrier (*Rosa rubiginosa*); ~ **selvatica** (o *delle siepi*) = *rosa* **canina**; ~ **tea** (o *tè*) tea-rose (*Rosa odorata*; *Rosa thea*); ⟨*Mil*⟩ ~ *di* **tiro** field of fire, dispersion pattern; ⟨*fig*⟩ **veder** *tutto* ~ to see things through rose-coloured glasses; ⟨*Meteor*⟩ ~ *dei* **venti** wind rose. – *Prov.*: *non c'è* ~ *senza spine* there's no rose without a thorn.

rosa² *f.* **1.** ⟨*tosc*⟩ (*prurito*) itch. – **2.** ⟨*ant*⟩ (*erosione*) erosion.
Rosa *N.pr.f.* Rose.
rosacea *f.* ⟨*Med*⟩ (*anche acne rosacea*) (acne) rosacea.
rosacee *f.pl.* ⟨*Bot*⟩ rose family, rosaceans *pl* (*Rosaceae*).
rosaceo *a.* ⟨*non com*⟩ **1.** (*di rosa*) rose, rosaceous. – **2.** (*simile alla rosa*) rose-like, rosaceous. – **3.** (*color rosa*) pink, rose, rosaceous. – **4.** ⟨*Bot*⟩ rosaceous.
rosacroce *m.pl.* → **rosacrociani.** – **Rosacroce**: *cavalieri di* ~ → **rosacrociani.** – **rosacrociani** *m.pl.* Rosicrucians *pl.*
rosaio *m.* **1.** (*aiola*) rose-bed. – **2.** (*giardino*) rose-garden; (*roseto*) rosary. – **3.** (*pianta*) rose(-bush).
rosalba *f.* ⟨*Ornit*⟩ rose-breasted cockatoo, galah (*Cacatua roseicapilla*).
rosalia *f.* ⟨*pop*⟩ → **rosolia.**
Rosalia *N.pr.f.* Rosalie, Rosalia.
Rosalinda *N.pr.f.* Rosalind.
Rosamunda *N.pr.f.* Rosamund, Rosamond.
rosanilina *f.* ⟨*Chim*⟩ rosaniline.
Rosanna *N.pr.f.* Rosanna.
Rosaria *N.pr.f.* Rosaria.
rosario *m.* **1.** ⟨*Rel*⟩ rosary: *recitare il* ~ to say the rosary. – **2.** ⟨*fig*⟩ series, succession. □ ⟨*Rel*⟩ *confraternita del santo* ≈ Confraternity of the Rosary; ⟨*Med*⟩ ~ *rachitico* rachitic beads *pl*, rachitic rosary.
rosatello (*dim. di rosato*) *m.* ⟨*Enol*⟩ rosé.
rosato I *a.* **1.** (*di color rosa*) rosy, pink, rose-coloured, ⟨*lett*⟩ roseate: *guance -e* rosy cheeks. – **2.** (*che contiene essenza di rose*) rose: *aceto* ~ rose-vinegar; *acqua -a* rosewater. – **II** *s.m.* **1.** ⟨*Enol*⟩ rosé. – **2.** ⟨*ant*⟩ (*panno di color rosato*) pink cloth. □ *miele* ~ honey of rose, mel rosae.
rosazza *f.* ⟨*Pesc*⟩ stone (for keeping fishing-nets spread out).
rosbif(fe) *m.* ⟨*Gastr*⟩ roast-beef.
roscano *m.* ⟨*Bot*⟩ (*riscolo*) saltwort (*Salsola kali*).
roscido *a.* ⟨*ant*⟩ → **rugiadoso.**
roscino *m.* ⟨*Ornit*⟩ (*piovanello*) curlew sandpiper (*Calidris ferrugineus*).
rosciolo *m.* ⟨*Itt*⟩ **1.** (*triglia di scoglio*) striped surmullet (*Mullus surmuletus*). – **2.** (*triglia di fango*) red mullet, plain surmullet (*Mullus barbatus*).
rosé *fr. a.* **1.** (*roseo, rosato*) rosy, pink. – **2.** ⟨*Enol*⟩ rosé-.
roselite *f.* ⟨*Min*⟩ roselite.
rosella *f.* **1.** ⟨*Bot*⟩ roselle (*Hibiscus sabdariffa*). – **2.** (*canapa rosella*) roselle.
rosellina (*dim. di rosa*¹) *f.* ⟨*Bot*⟩ **1.** celery-leaved buttercup, cursed crowfoot (*Ranunculus sceleratus*). – **2.** meadow buttercup, tall (field) buttercup (*Ranunculus acris*). – **3.** turban (*o* Persian) buttercup (*Ranunculus asiaticus*).
roseo I *a.* **1.** rosy, rose-coloured, pink, ⟨*lett*⟩ roseate: *gote rosee* rosy cheeks; (*unito ad altri aggettivi*) pinkish: *bianco* ~ pinkish white. – **2.** ⟨*fig*⟩ rosy, bright: *speranze rosee* bright hopes; *avvenire* ~ rosy future. – **II** *s.m.inv.* (*colore*) pink, rose. □ ⟨*fig*⟩ *vedere tutto come attraverso un velo* ~ to see everything through rose-coloured glasses.
roseola *f.* ⟨*Med*⟩ roseola, rose rash.
roseto *m.* **1.** rosary; (*giardino*) rose-garden. – **2.** (*pianta*) rose(-bush).
rosetta (*dim. di rosa*¹) *f.* **1.** ⟨*rar*⟩ little rose. – **2.** ⟨*Oref*⟩ (*taglio*) rose (cut); (*pietra*) rose(-cut) diamond, rose. – **3.** ⟨*Alim*⟩ rose-shaped roll. – **4.** (*coccarda*) rosette, rose, cockade. – **5.** (*rotella dello sperone*) rowel. – **6.** ⟨*Arch*⟩ rosette, rosace. – **7.** ⟨*Zootecn*⟩ (*stella*) star. – **8.** ⟨*Agr,Bot*⟩ rosette. – **9.** ⟨*Mecc*⟩ washer.
□ ~ **d'Amsterdam** = *rosetta* **d'Olanda**; ⟨*Mecc*⟩ ~ **aperta** open washer; ⟨*Oref*⟩ ~ **brabantina** Brabant rose; ⟨*Mecc*⟩ ~ **dentata** toothed lock washer; ~ *a* **denti** tab washer; ~ **elastica** spring (*o* split, lock) washer; ⟨*Bot*⟩ ~ **fogliare** leaf rosette; ⟨*Oref*⟩ ~ **d'Olanda** Dutch rose; ⟨*Mecc*⟩ ~ **quadra** square washer; ⟨*Oref*⟩ ~ **recoupée** rose recoupée; ⟨*Mecc*⟩ ~ *di* **sicurezza** lock washer; ~ **tonda** round washer.
Rosetta (*dim. di Rosa*) *N.pr.f.* Rosette, Rosie.
rosi *p.rem. di* **rodere.**
rosicanti *m.pl.* ⟨*Zool*⟩ → **roditori.**
rosicare *v.t.* (**rosico, rosichi**) (*rosicchiare*) to nibble; (*rodere*) to gnaw (at): ~ *un osso* to gnaw a bone.
rosicatura *f.* ⟨*non com*⟩ **1.** nibbling, gnawing. – **2.** (*segni*) teeth-marks *pl.* □ *il tavolo era pieno di -e di tarli* the table was eaten away by woodworm.
rosicchiamento *m.* ⟨*non com*⟩ **1.** nibbling, gnawing. – **2.** (*rumore*) nibbling (sound). – **rosicchiare** *v.t.* (**rosicchio, rosicchi**) to nibble; (*rodere*) to gnaw (at). – **rosicchiato** (*p.p. di rosicchiare*) *a.* **1.** nibbled, gnawed. – **2.** ⟨*Bot*⟩ (*eroso*) erose, eroded.
rosicchio *m.* ⟨*rar*⟩ → **rosicchiolo.** – **rosicchiolo** *m.* ⟨*non com*⟩ (*tozzo di pane secco*) piece of dry bread.
rosichio *m.* nibbling, gnawing.
rosicoltore *m.* (*f.* -**trice**) ⟨*Giard*⟩ rose-grower. – **rosicoltura** *f.* rose-growing. – **rosicultore** *m.* → **rosicoltore.** – **rosicultura** *f.* → **rosicoltura.**
rosign(u)olo *m.* ⟨*Lett*⟩ (*usignolo*) nightingale. □ ⟨*Ornit*⟩ ~ *marino* (*cannareccione*) great reed warbler (*Acrocephalus arundinaceus*); ~ *di muraglia* (*codirosso*) redstart (*Phoenicurus phoenicurus*).
Rosina (*dim. di Rosa*) *N.pr.f.* → **Rosetta.**
rosmarino *m.* ⟨*Bot*⟩ rosemary (*Rosmarinus officinalis*). □ *olio essenziale di* ~ rosemary-oil; ~ *di palude* wild rosemary, marsh tea (*Ledum palustre*).
rosmaro *m.* ⟨*Zool*⟩ **1.** manatee (*Trichechus*). – **2.** (Atlantic) walrus (*Trichechus rosmarus*).
rosminiano I *a.* ⟨*Filos*⟩ Rosminian. – **II** *s.m.* ⟨*Rel,Filos*⟩ Rosminian.
Rosmunda *N.pr.f.* ⟨*Stor*⟩ Rosamund. □ ⟨*scherz*⟩ *bevi,* ~*!* drink up now!, ⟨*fam*⟩ bottoms up!
roso (*p.p. di rodere*) **I** *a.* **1.** gnawed, eaten. – **2.** ⟨*estens*⟩ eaten (*o* worn) away, corroded, -worn: *una pietra -a dal tempo* a stone worn away by time, a timeworn stone. – **II** *s.m.* (*piccola insenatura*) cove, bay, inlet.
rosolaccio *m.* ⟨*Bot*⟩ (*papavero*) corn (*o* field) poppy (*Papaver rhoeas*).
rosolare *v.t.* (**rosolo**) **1.** ⟨*Gastr*⟩ to brown. – **2.** ⟨*fig,tosc*⟩ (*canzonare*) to ridicule, to make fun of; (*conciare male*) to ill-treat, to knock about. – **rosolato** (*p.p. di rosolare*) *a.* brown(ed). – **rosolatura** *f.* ⟨*Gastr*⟩ browning.
rosolia *f.* ⟨*Med*⟩ German measles *pl* (*costr.sing. o pl.*), rubella.
rosolico: *acido* ~ rosolic acid.
rosolida *f.* ⟨*Bot*⟩ (*drosera*) (common, round-leaved) sundew, drosera (*Drosera rotundifolia*).
rosoliera *f.* decanter (for rosolio), liqueur set. – **rosolio** *m.* **1.** rosolio. – **2.** ⟨*fig*⟩ (*vino dolce e prelibato*) choice sweet wine, nectar. □ ~ *di ciliege* cherry cordial.
rosolo *m.* ⟨*non com*⟩ **1.** ⟨*Gastr*⟩ browning, brown(ness). – **2.** ⟨*scherz, tosc*⟩ (*sgridata*) scolding. □ ⟨*Gastr*⟩ *dare* (*o far prendere*) *il* ~ *a qc.* to brown s.th.
rosone *m.* **1.** ⟨*Arch*⟩ rosette; (*a riquadro*) rosace; (*finestra circolare*) rose-window, wheel-window, rose. – **2.** ⟨*Bot*⟩ (*malvone*) hollyhock, rose mallow (*Althaea rosea*). – **3.** ⟨*Tip*⟩ ornament resembling a rose. □ ~ *da soffitto* ceiling rose.
rospano *m.* → **roscano.**
rospetto (*dim. di rospo*) *m.* ⟨*fig*⟩ unpleasant child, ⟨*fam*⟩ little brat.
rospo *m.* **1.** ⟨*Zool*⟩ toad (*Bufo*). – **2.** ⟨*Zool*⟩ (common) toad (*Bufo bufo*; *Bufo vulgaris*). – **3.** ⟨*fig,spreg*⟩ (*persona ripugnante*) hideous (*o* loathsome) person, ⟨*fam*⟩ creep; (*persona scontrosa*) unsociable person, ⟨*am.fam*⟩ drip.
□ ~ **comune** (common) toad (*Bufo bufo*; *Bufo vulgaris*); ~ **cornuto** horned frog (*Ceratophrys dorsata*); ⟨*fig*⟩ **ingoiare** *il* (*o un*) ~ to swallow a bitter pill; ~ **marino** (poisonous) sea toad, toadfish (*Thalassophryne maculosa*); ~ **ostetrico** obstetrical toad (*Alytes obstetricans*); ~ **smeraldino** green toad (*Bufo viridis*); ~ *del* **Surinam** Surinam toad (*Pipa*).
Rossana *N.pr.f.* Roxana.
rossania *f.* ⟨*Med,ant*⟩ (*scarlattina*) scarlatina, scarlet fever.
rossastro *a.* reddish, ruddy. – **rosseggiante** (*p.pr. di rosseggiare*) *a.* reddening: *cielo* ~ reddening sky. – **rosseggiare** *v.i.* (**rosseggio, rosseggi**; *aus.* **avere**) to redden, to turn red, to become reddish (*o* ruddy).
rossello *m.* ⟨*non com*⟩ **1.** (*chiazza rossa*) red mark (*o* patch). – **2.** *pl.* ⟨*tosc*⟩ (*pomelli arrossati*) red (*o* flushed) cheeks *pl*, red patches *pl* on one's cheeks. – **3.** ⟨*Bot*⟩ (*corbezzolo*) strawberry-tree, cane apple, Irish strawberry, madrona (*Arbutus unedo*). □ ⟨*Bot*⟩ ~ *alpino* Alpine bearberry (*Arctostaphylos alpina*).
rossetta *f.* **1.** ⟨*Zool*⟩ flying-fox, fruit bat (*Pteropus*). – **2.** ⟨*Agr*⟩ kind of pear. – **3.** ⟨*Bot*⟩ (*colombina rossa*) pungent russula, the sickener (*Russula emetica*).
rossetto *m.* **1.** ⟨*Cosmet*⟩ lipstick; (*belletto*) rouge. – **2.** ⟨*Mecc*⟩ (*abrasivo*) rouge. – **3.** ⟨*Bot*⟩ (*colombina rossa*) pungent russula, the sickener (*Russula emetica*). – **4.** ⟨*Itt*⟩ pandora, red (Spanish) sea-bream (*Pagellus erythrinus*). □ ⟨*Cosmet*⟩ ~ *indelebile* indelible lipstick, ⟨*fam*⟩ kiss-proof lipstick; ~ *per labbra* lipstick; ~ *liquido* liquid rouge.
rossezza *f.* ⟨*non com*⟩ redness.
rossicare *v.* (**rossico, rossichi**) ⟨*lett*⟩ → **rosseggiare.**
rossiccio I *a.* reddish, pale red. – **II** *s.m.inv.* reddish colour, pale red. – **rossigno** *a./s.* ⟨*non com*⟩ → **rossiccio.**
rossiniano *a.* **1.** (*di Rossini*) of (*o* by) Rossini, Rossini's. – **2.** (*tipico dello stile di Rossini*) in the manner of Rossini, typical (*o* reminiscent) of Rossini.
rossino¹: ⟨*Veter*⟩ *mal* ~ (*dei suini*) swine erysipelas, red fever of swine.
rossino² **I** *a.* light red. – **II** *s.m.* (*f.* **-a**) red-head.
rosso I *a.* **1.** red: *una cravatta -a* a red tie. – **2.** ⟨*Pol*⟩ (*comunista*) Red, Communist; (*della sinistra*) red, left-wing. – **3.** ⟨*Comm*⟩ (*che si riferisce ai debiti*) debit-. – **4.** ⟨*rar*⟩ (*incandescente*) incandescent, glowing, red hot. – **II** *s.m.* **1.** (*il colore*) red; (*l'essere rosso*) redness: *il* ~ *delle labbra* the redness of lips. – **2.** (*persona dai capelli rossi*; *f.* **-a**) red-head, ⟨*fam*⟩ carrot-top. – **3.** (*sostanza rossa*) red (substance). – **4.** (*nella roulette*) rouge, red: *puntare sul* ~ to play the rouge. – **5.** ⟨*Pol*⟩ (*comunista*) Red, Communist, ⟨*fam*⟩ Commie; (*persona di sinistra*) red, left-winger. – **6.** ⟨*Gastr*⟩ (*tuorlo d'uovo*) (egg) yolk. – **7.** ⟨*Comm*⟩ debit side, ⟨*fam*⟩ red. – **8.** ⟨*Arald*⟩ gules.
□ ~ **acceso** bright red; ⟨*Chim*⟩ ~ **d'antracene** anthracene red; ~ **bandiera** bright red, pillar-box red; ~ *come la* **brace** fiery (*o* glowing) red; ⟨*Chim*⟩ ~ **cocciniglia** cochineal red; ~ **Congo** Congo red; ~ **cresolo** cresol red; ~ *di* **cromo** chrome red; **di** ~ (in) red: *vestire di* ~ to dress in red, to wear red; **diventare** ~ *per la vergogna* to blush, to flush, to go red; ~ **fiammante** (*o fuoco*) flaming (*o* bright) red; ⟨*Chim*⟩ ~ **d'Inghilterra** colcothar, English red; ~ **lacca** lac dye; ~ **magenta** magenta; ~ **mattone** brick red; ⟨*rar*⟩ **mettere** *i -i* (*rimettersi in salute*) to get one's colour back, to pick up; ~ *di* **Napoli** = *rosso* **d'Inghilterra**; ~ **pallido** pale red; ~ **papavero** poppy

red; ~ *di* pelo red-headed, red-haired; ~ *come un* peperone (o *pomodoro*) as red as a beetroot (*o* lobster); ~ *di* Persia = *rosso di* cromo; ⟨*Pitt*⟩ ~ pompeiano Pompeian red; ⟨*Chim*⟩ ~ *di* Saturno saturn(ine) red, red lead; ~ scuro dark red; ~ turco Turkey (*o* alizarine) red; ⟨*Gastr*⟩ ~ d'uovo (egg) yolk; ⟨*pop*⟩ vedere *tutto* ~ to see red. – *Prov.*: ~ *di sera, bel tempo si spera,* ~ *di mattina, la pioggia s'avvicina* red sky at night, shepherd's delight, red sky in the morning, shepherd's warning.

rossocrociạto *a.* Red Cross-, with the Red Cross: *scudo* ~ Red Cross shield.

rọssola *f.* **1.** ⟨*Bot*⟩ (*colombina*) russula (*Russula*). – **2.** ⟨*Agr*⟩ (*vitigno*) kind of vine.

rọssolo *m.* → rosciolo.

rossọre *m.* **1.** (*colore rosso del viso*) red, colour; (*rosso del pudore*) blush, flush, (bright) red, colour: *le sue gote si tinsero di* ~ she went bright red. – **2.** ⟨*fig*⟩ (*sentimento di vergogna o pudore*) shame. – **3.** ⟨*ant*⟩ (*l'essere rosso*) redness. ☐ *coprirsi di* ~ to blush, to flush, to go red; ⟨*Agr*⟩ ~ *della vite* roter brenner of grape.

rọsta *f.* **1.** (*inferriata*) fanlight, fan window. – **2.** ⟨*poet*⟩ (*mazzo di frasche*) bundle of branches, tangle of boughs. – **3.** ⟨*ant*⟩ (*specie di ventaglio*) kind of fan; (*per cacciare le mosche*) fly-whisk.

rostẹllo *m.* ⟨*Bot*⟩ rostellum.

rosticcẹre *m.* ⟨*non com*⟩ → rosticciere. – **rosticcerịa** *f.* rotisserie. – **rosticciạna** *f.* ⟨*Gastr*⟩ (grilled) pork chop. – **rosticciẹre** *m.* (*f.* -a) operator of a rotisserie.

rostịccio *m.* **1.** ⟨*Met*⟩ (*scoria*) dross, waste. – **2.** ⟨*fig,non com*⟩ (*persona secca e deforme*) skinny misshapen person.

rostịre *v.t.* (rostịsco, rostịsci) ⟨*ant*⟩ (*arrostire*) to roast. – **rọsto** *m.* ⟨*ant*⟩ (*arrosto*) roast.

rostrạle I *a.* **1.** ⟨*lett,rar*⟩ (*rostrato*) rostral: *colonna* ~ rostral column. – **2.** ⟨*Anat*⟩ rostral, rostrate. – **II** *s.m.* ⟨*Stor.rom*⟩ rostral (*o* naval) crown. – **rostrạto** *a.* **1.** ⟨*Mar.ant*⟩ rostrate(d), beaked. – **2.** ⟨*Bot*⟩ rostrate(d).

rostratụlidi *m.pl.* ⟨*Ornit*⟩ painted snipes *pl* (*Rostratulidae*).

rọstro *m.* **1.** ⟨*Ornit*⟩ rostrum, beak. – **2.** ⟨*Stor.rom*⟩ rostrum. – **3.** *pl.* ⟨*Stor.rom*⟩ rostra *pl.* – **4.** ⟨*Edil*⟩ cutwater, starling, apron. – **5.** ⟨*Zool*⟩ rostrum. – **6.** ⟨*ant*⟩ (*muso, grifo di animali*) muzzle, snout. ☐ ⟨*Aut*⟩ ~ *del paraurti* overrider, ⟨*am*⟩ bumper guard.

rosulạto *a.* ⟨*Bot*⟩ rosulate.

rosụra *f.* ⟨*non com*⟩ **1.** (*rodimento*) gnawing, nibbling. – **2.** (*erosione*) erosion.

rot. = ⟨*Fis*⟩ *rotore* rotor.

rọta *f.* ⟨*pop,lett*⟩ (*ruota*) wheel. ☐ ⟨*Itt*⟩ ~ *marina* (*pesce mola*) (ocean) sun-fish, head-fish (*Mola mola*).

Rọta *f.* ⟨*Dir.can*⟩ (*anche Sacra Rota*) Rota.

rotạbile I *a.* **1.** (*rif. a strade*) carriage-, suitable for wheeled vehicles, that may be driven on. – **2.** (*rif. a veicoli e sim.*) wheeled. – **3.** (*rif. a materiali e sim.*) rolling-. – **4.** ⟨*Mil*⟩ field-: *cucina* ~ field kitchen. – **II** *s.f.* ⟨*Strad*⟩ roadway, carriageway. – **III** *s.m.pl.* ⟨*Ferr*⟩ rolling -stock.

rotacịsmo *m.* **1.** ⟨*Ling*⟩ rhotacism(us), rotacism. – **2.** ⟨*Fisiol*⟩ r(h)otacism. – **rotacizzạre** *v.t.* ⟨*Ling*⟩ to change by rhotacism. – **rotacizzarsi** *v.r.* to rhotacize. – **rotacizzazịone** *f.* rhotacism.

rotạia *f.* **1.** rail. – **2.** (*solco della ruota*) (wheel) rut, wheel track. – **3.** ⟨*estens*⟩ (*ferrovia*) railway, railroad.
☐ ~ *ad ago* switch (*o* shunt) rail; ⟨*Mecc*⟩ ~ *a* canale grooved (*o* girder) rail; ~ conduttrice = terza *rotaia*; ⟨*Ferr*⟩ ~ corta make-up rail, closure rail; ~ curva curved rail; ~ dentata (o *a dentiera*) rack rail; ~ ferroviaria (railway) rail; ~ *a fungo semplice* single-headed rail; ~ *a doppio fungo* double-headed (*o* bull-headed) rail; ~ ⌜*a* gola⌝ (o *scanalata*) = *rotaia a* canale; ~ *di* risvolto wing rail; ~ *di* scorrimento haulage (*o* crane) track rail; ~ *di* smistamento shunt (*o* switch) rail; ~ *a* suola foot (*o* flanged, flat-bottomed) rail, ⟨*am*⟩ T rail; ⟨*El*⟩ terza ~ contact (*o* conductor) rail, third (*o* live) rail; ~ tranviaria tram rail; uscire *dalle -e* to run (*o* go) off the rails, to jump the track (*o* rails), to derail; ⟨*fig*⟩ (*non stare alle regole*) to go off the rails.

rotaiẹtta *f. dim. di* rotaia.

rotạle *a.* ⟨*Dir.can*⟩ rotal.

rotamẹnto *m.* ⟨*non com*⟩ → rotazione.

rọtan(g) *m.* ⟨*Bot*⟩ rattan, rotan (*Calamus rotang*).

rotạnte (*p.pr. di rotare*) *a.* **1.** rotating, revolving: *campo* ~ rotating field. – **2.** ⟨*Arald*⟩ in his pride: *pavone* ~ peacock in his pride.

rotạre *v.* (ruọto/*lett,pop.* rọto) **I** *v.i.* (*aus.* avere) **1.** to rotate, to revolve, to turn round, to pivot: *la terra ruota intorno al suo asse* the earth rotates on its axis. – **2.** (*volare in circolo*) to circle (round), to wheel (about). – **II** *v.t.* **1.** to rotate, to roll, to revolve, to circle, to whirl (around): ~ *gli occhi* to roll one's eyes. – **2.** ⟨*Mecc*⟩ (*molare, levigare*) to polish, to hone. – **3.** ⟨*ant,rar*⟩ (*sottoporre al supplizio della ruota*) to break on the wheel. – **rotarsi** *v.r.* ⟨*non com*⟩ **1.** to rotate, to revolve, to turn round. – **2.** (*volare in circolo*) to circle, to wheel.

rotariạno I *a.* (*del Rotary Club*) Rotarian, of the Rotary Club. – **II** *s.m.* (*f.* -a) Rotarian, member of the Rotary Club.

rọtary *ingl. f.* ⟨*Minier*⟩ rotary (drill).

rotatịva *f.* ⟨*Tip*⟩ rotary press. ☐ ~ *offset* offset rotary press; ~ *rotocalco* photogravure rotary press; ~ *a stampa piana* flatbed rotary press. – **rotativịsta** *m.* ⟨*Tip*⟩ rotary minder (*o* printer).

rotatịvo *a.* **1.** rotating, rotative, rotatory: *griglia -a* rotating grill, rotisserie. – **2.** (*che avviene per avvicendamento*) rotating, rotation-. ☐ ⟨*Econ*⟩ *credito* ~ renewable credit; ⟨*Agr*⟩ *sistema* ~ (crop) rotation.

rotạto *a.* ⟨*Bot*⟩ rotate.

rotatọre ⟨*non com*⟩ **I** *s.m.* (*f.* -trice) rotator. – **II** *a.* rotating. – **rotatọria** *f.* ⟨*Strad*⟩ traffic circle, roundabout, ⟨*am*⟩ rotary (junction). – **rotatọrio** *a.* rotatory, rotating, rotative, rotary: *circolazione -a* rotary traffic.

rotatụra *f.* ⟨*Mecc*⟩ (*levigatura*) polishing, grinding, smoothing, honing.

rotazionạle I *a.* ⟨*Fis*⟩ rotational: *campo* ~ rotational field. – **II** *s.m.* (*rotore*) rotor.

rotazịone *f.* **1.** rotation. – **2.** ⟨*fig*⟩ (*avvicendamento*) rotation, alternation: *la* ~ *dei turni* shift rotation, alternation of shifts. – **3.** ⟨*Astr*⟩ rotation. – **4.** ⟨*Fis*⟩ (*rotore*) rotor. – **5.** ⟨*Sport*⟩ (*nella pallavolo e sim.*) rotation; (*nel salto con l'asta*) turn; (*nel tennis*) spin. – **6.** ⟨*Ginn*⟩ rotation; (*alla sbarra fissa*) circle, swing. – **7.** ⟨*Agr*⟩ (crop) rotation.
☐ ~ agraria (o *delle colture*) (crop) rotation; ⟨*tecn*⟩ ~ antioraria anti-clockwise (*o* counter-clockwise) rotation; ~ atomica atom spin; ⟨*Ling*⟩ ~ consonantica consonant shift(ing); ~ destrorsa = *rotazione* oraria; ~ diurna = *rotazione* terrestre; ⟨*tecn*⟩ ~ oraria clockwise rotation; ~ *del* personale staff rotation; ⟨*Fis*⟩ ~ propria autorotation, auto gyration, proper rotation; ~ sinistrorsa = *rotazione* antioraria; ⟨*Astr*⟩ ~ solare rotation of the sun, solar rotation (*o* movement); ~ terrestre rotation of the earth; ⟨*Agr*⟩ ~ triennale three-field (*o* three-course) system, three-crop rotation system.

roteamẹnto *m.* ⟨*non com*⟩ → roteazione. – **roteạre** *v.* (rọteo) **I** *v.t.* to whirl, to roll, to rotate, to turn: ~ *gli occhi* to roll one's eyes; ~ *la spada* to whirl one's sword. – **II** *v.i.* (*aus.* avere) to wheel, to rotate, to turn (round), to whirl, to roll. – **roteazịone** *f.* rotation, whirling, rolling, wheeling.

rotẹlla *f.* **1.** (*piccola ruota*) small wheel; (*dei pattini*) roller; (*di mobili e sim.*) castor. – **2.** (*figura, oggetto a forma di ruota*) small ring, spot, whirl. – **3.** (*dello sperone*) rowel. – **4.** ⟨*Mecc*⟩ roller: ~ *d'arresto* grip roller. – **5.** ⟨*Gastr*⟩ (*rotella tagliapasta*) pastry cutter. – **6.** ⟨*Sport*⟩ (*tacchetto*) stud. – **7.** ⟨*Anat*⟩ (*rotula*) rotula, knee-cap, patella. – **8.** ⟨*Mil.ant*⟩ buckler, round shield. – **9.** ⟨*Arald*⟩ mullet.
☐ a *-e* (*rif. a mobili*) on castors (*o* wheels): *poltrona a -e* chair on castors; ⟨*Mecc*⟩ ~ *di* carborundum carborundum wheel; ⟨*El*⟩ ~ *di* contatto trolley (wheel); ⟨*fam*⟩ *gli* manca *una* ~ he has a screw loose, he's not all there; ~ metrica tape-measure, measuring tape; ~ orientabile castor; pattino *a -e* roller-skate; ⟨*El*⟩ ~ *per* presa *di corrente* trolley wheel.

rotellịna (*dim. di rotella*) *f.* small wheel. ☐ ⟨*Mil.ant*⟩ ~ *da pugno* (small) round shield.

rotellịsta *m./f.* ⟨*Sport*⟩ roller-skater.

rotẹllo *m.* ⟨*non com*⟩ (*rotolo di tela*) roll (of cloth).

rotịferi *m.pl.* ⟨*Zool*⟩ rotifers *pl*, rotiferans *pl* (*Rotifera*).

rotịno (*dim. di ruota*) *m.* ⟨*tecn*⟩ grinding. ☐ ⟨*Aer*⟩ ~ *di coda* tail wheel.

rotịsmo *m.* ⟨*Mecc*⟩ wheelwork, gears *pl*, gearing. ☐ ⟨*Mecc*⟩ ~ *differenziale* differential gear; ~ *epicicloidale* (o *planetario*) epicyclic train, sun-and-planet motion; ~ *a ingranaggi cilindrici* spur gearing; *-i moltiplicatori* step-up wheels; ~ *a satellite* planetary (*o* sun) gear, ⟨*am*⟩ cryptogear.

rotocạlco I *s.m.* (*pl.* -chi) **1.** ⟨*Tip*⟩ rotogravure. – **2.** ⟨*Giorn*⟩ (illustrated) magazine, rotogravure. – **II** *a.inv.* ⟨*Tip*⟩ rotogravure-. ☐ *stampare a* ~ to print by the rotogravure process. – **rotocalcografịa** *f.* rotogravure. – **rotocalcogrạfico** *a.* (*pl.* -ci) rotogravure-: *procedimento* ~ rotogravure process.

rotolamẹnto *m.* **1.** rolling. – **2.** ⟨*Sport*⟩ rolling (in ground wrestling).

rotolạre *v.* (rọtolo/*ant.* ruọtolo) **I** *v.t.* to roll, to turn over and over: ~ *una botte* to roll a barrel. – **II** *v.i.* (*aus.* essere) to roll, to turn over and over: *il masso rotolò giù per la scarpata* the boulder rolled down the slope. – **rotolarsi** *v.r.* to roll (about): *il cane si rotolava nell'erba* the dog was rolling in the grass.

rotolạta *f.* ⟨*non com*⟩ **1.** roll(ing). – **2.** ⟨*Sport*⟩ roll-over. – **rotolatọre** *m.* (*f.* -trice) ⟨*non com*⟩ roller. – **rotolẹtto, rotolịno** *m. dim. di* rotolo[1]. – **rotolịo** *m.* rolling.

rọtolo[1] *m.* **1.** roll: *un* ~ *di carta igienica* a roll of toilet-paper. – **2.** ⟨*Paleogr*⟩ scroll. – **3.** ⟨*Mediev*⟩ (*stemmario*) roll of arms, armorial. – **4.** ⟨*ant*⟩ (*ruolo dei contribuenti*) (tax-)roll, tax-list. ☐ ⟨*fig*⟩ *a -i* (*in rovina*) to rack and ruin, ⟨*fam*⟩ to the dogs: *andare a -i* to go to rack and ruin; *mandare a -i* to ruin; ⟨*Agr*⟩ *mal del* ~ ring (*o* cup) shake.

rọtolo[2] *m.* ⟨*Stor*⟩ (*unità di misura*) old measure of weight.

rotolọne[1] *m. accr. di* rotolo[1].

rotolọne[2] *m.* **1.** (*caduta*) fall, tumble. – **2.** (*il rotolarsi*) roll, rolling (over, about). ☐ *fare un* ~ *per le scale* to tumble (*o* fall) down the stairs.

rotoloni *avv.* (*rotolando*) rolling (over and over): *cadde giù* ~ he fell down rolling over and over. ☐ *a* ~: 1. rolling over and over; 2. ⟨*fig*⟩ to rack and ruin, ⟨*fam*⟩ to the dogs: *andare a* ~ to go to rack and ruin, to be ruined.

rotonạve *f.* ⟨*Mar*⟩ rotor ship.

rotọnda *f.* **1.** ⟨*Arch*⟩ rotunda. – **2.** (*piattaforma*) (round) terrace. – **3.** (*piazzale*) square, circus. – **4.** ⟨*Stor,Mod*⟩ fur cape. – **Rotonda** *N.pr.f.* (*a Roma: Pantheon*) Pantheon.

rotondạre *v.t.* (rotọndo) ⟨*non com*⟩ **1.** (*arrotondare*) to make round, to round (off). – **2.** ⟨*fig*⟩ to round off. – **rotondeggiạnte** (*p.pr. di rotondeggiare*) *a.* roundish. – **rotondeggiạre** *v.i.* (rotondẹggio,

rotondẹggi; *aus.* **avere**) ⟨*non com*⟩ to become (*o* get) round, to fill out. – **rotondẹtto** (*dim. di rotondo*) *a.* roundish. – **rotondẹzza** *f.* ⟨*non com*⟩ (*rotondità*) roundness, rotundity.

rotondità *f.* **1.** roundness, rotundity. – **2.** (*cosa rotonda*) round thing, rotundity. – **3.** *pl.* ⟨*scherz*⟩ (*rif. al corpo*) rotundity, plump part. – **4.** ⟨*fig*⟩ (*armonia*) rotundity. □ ⟨*Art*⟩ *di tutta* ~ in full relief, in the round.

rotọndo I *a.* **1.** round, circular: *la terra è -a* the earth is round. – **2.** (*rotondeggiante*) round, plump, roundish: *mento* ~ round chin; (*arrotondato*) rounded. – **3.** ⟨*fig*⟩ (*armonico*) rotund, sonorous, round, full-toned. – **4.** ⟨*non com*⟩ (*rif. a numeri*: *tondo*) round. – **II** *s.m.* round part, rotundity. □ *un periodo* ~ a well-turned sentence; *scrittura -a* round hand, ronde.

rotọre *m.* ⟨*tecn*⟩ rotor. □ ⟨*El*⟩ ~ *ad anelli* slip-ring rotor; ⟨*El*⟩ ~ *bipolare* two-pole rotor; ⟨*Aer*⟩ ~ *dell'elicottero* helicopter rotor. – **rotọrico** *a.* (*pl.* **-ci**) rotor-.

rotovettọre *m.* ⟨*Fis*⟩ rotational vector.

rọtta[1] *f.* ⟨*Mar,Aer*⟩ course, route.

□ ~ **aerea** air route; ~ **d'atterraggio** landing course (*o* route); ⟨*Aer*⟩ ~ **d'avvicinamento** approach route; ~ (*di*) **bussola** compass route; **cambiare** ~ to change course (*o* route) (*anche fig.*); **deviare** *dalla* ~: 1. ⟨*Mar*⟩ to bear away; 2. ⟨*Aer*⟩ to yaw; ~ **effettiva** true course; ⟨*Mar*⟩ **fare** ~ *per* to head (*o* stand) for, to sail (*o* steer) to; **in** ~ *per l'America* ⌜sailing to⌝ (*o* heading for) America; **invertire** *la* ~ to reverse course; ~ **lossodromica** loxodromic course, rhumb line; ~ **magnetica** magnetic course; ~ **marittima** maritime (*o* sea) route, sea lane; **mutare** ~ = **cambiare** *rotta*; ~ **obbligata** prescribed route; ⟨*Aer*⟩ ~ **organizzata** airway; ~ **prestabilita** fixed (*o* planned) course; ~ **stimata** course by dead reckoning; **ufficiale** *di* ~ navigator, navigating officer; ~ **vera** = *rotta* **effettiva.**

rọtta[2] *f.* **1.** (*disfatta*) rout, defeat, disorderly retreat: *la* ~ *di Roncisvalle* the defeat at Roncesvalles. – **2.** (*breccia, spaccatura*) breach, break: *la* ~ *del Po* the breach of the Po. – **3.** (*rottura di buone relazioni*) bad terms: *essere in* ~ *con la famiglia* to be on bad terms with one's family. – **4.** ⟨*ant*⟩ (*naufragio*) shipwreck.

□ *a* ~ *di* **collo**: 1. headlong, at breakneck speed: *correre a* ~ *di collo* to run at breakneck speed; 2. ⟨*fig*⟩ (*in rovina*) to rack and ruin, ⟨*fam*⟩ to the dogs: *va tutto a* ~ *di collo* everything is going ⌜to ruin⌝ (*o* badly); *il* **fiume** *minaccia una* ~ the river threatens to break its banks; *essere* **messo** *in* ~ to be routed; **mettere** *in* ~ to (put to) rout.

rọtta[3] *f.* ⟨*Mus*⟩ (*crotta*) rot(t)e, crowd, crwth.

rottạme *m.* **1.** scrap, fragment, broken bit: *un ammasso di -i* a pile of scraps; (*rif. a vetro e sim.*) splinter, fragment, (broken) piece. – **2.** *pl.* ⟨*Met*⟩ scrap: *-i d'acciaio* steel scrap. – **3.** ⟨*fig*⟩ (*rif. a persone*) wreck: *dopo la morte del figlio è diventato un* ~ after his son's death he became a wreck. – **4.** ⟨*Mar*⟩ (*relitto*) wreck, wreckage.

rọtto (*p.p. di rompere*) **I** *a.* **1.** broken: *un piatto* ~ a broken dish. – **2.** (*lacerato, stracciato*) torn, ripped, rent, split: *calzoni -i* torn trousers. – **3.** (*guasto*) broken (down), out of order: *il nostro televisore è* ~ our television is broken. – **4.** (*fratturato*) broken, fractured: *una gamba -a* a broken leg. – **5.** ⟨*fig*⟩ (*interrotto*) broken, interrupted: *parole -e dal pianto* words interrupted by sobs. – **6.** ⟨*fig*⟩ (*rif. a persona*: *assuefatto, abituato*) inured, hardened, accustomed, used: *essere* ~ *alle fatiche* to be accustomed to hard work; (*dedito, incline*) addicted, given: ~ *al bere* given to drinking. – **7.** ⟨*fam*⟩ (*indolenzito*) aching, tired: *avere le gambe -e* to have aching legs. – **8.** ⟨*non com*⟩ (*sconfitto*) defeated, broken. – **9.** ⟨*ant*⟩ (*irruente*) vehement. – **II** *s.m.* **1.** ⟨*rar*⟩ (*strappo*) tear, rip, split, rent. – **2.** ⟨*ant*⟩ (*chi ha fatto bancarotta*) bankrupt. □ ⟨*fig*⟩ *per il* ~ *della cuffia* (*a malapena*) by the skin of one's teeth: *se l'è cavata per il* ~ *della cuffia* he made it by the skin of his teeth, he had a narrow escape; *e -i* odd: *questo oggetto costa diecimila lire e -i* this object costs ten thousand lire odd; *sentirsi tutto* ~ to ache all over.

rottọrio *m.* **1.** ⟨*volg,non com*⟩ (*rottura di scatole*) nuisance, bore, drag. – **2.** ⟨*Chir,ant*⟩ (*cauterio*) cautery.

rottụra *f.* **1.** (*atto*) breaking; (*effetto, parte rotta*) break, breach, breakage: *la* ~ *di un tubo* the break in a pipe; *riparare una* ~ to repair a break. – **2.** (*strappo*) tear, rip, rent, split. – **3.** ⟨*Chir*⟩ (*frattura*) fracture, break. – **4.** ⟨*fig*⟩ (*violazione*) breach, violation, breaking: *la* ~ *di un trattato* the violation of a treaty; ~ *di un contratto* breach of contract. – **5.** ⟨*fig*⟩ (*interruzione*) breaking off, breakdown: ~ *dei negoziati* breakdown in negotiations; (*rif. a rapporti d'amicizia e sim.*) breaking off, break, rupture: *la* ~ *di un fidanzamento* the breaking off of an engagement; *una* ~ *tra due amici* a break between two friends. – **6.** ⟨*Alim*⟩ broken rice. – **7.** ⟨*Equit*⟩ break. – **8.** ⟨*Mil*⟩ (*breccia*) breach. – **9.** ⟨*fam*⟩ (*seccatura*) nuisance, bore, bother, ⟨*fam*⟩ drag.

□ ~ *di un* **argine** breach in a dam, bursting of a dike; ⟨*Fis*⟩ **carico** *di* ~ breaking load; ⟨*volg*⟩ ~ *di* **corbelli** pain in the ass; ⟨*Fis*⟩ ~ *per* **fatica** fatigue failure; ~ *della* **parola** *data* breach of promise, failure to keep one's word; ~ *delle* **relazioni** *diplomatiche* ⌜breaking off⌝ (*o* severing) of diplomatic relations; ⟨*fam*⟩ ~ *di* **scatole** (*o* *stivali*) nuisance, bore, ⟨*fam*⟩ drag; ⟨*Agr*⟩ ~ *delle* **stoppie** stubble-ploughing, breaking up of stubble; ⟨*Meteor*⟩ ~ ⌜*del* **tempo**⌝ (*o* *dei tempi*) ⌜break in⌝ (*o* change of) the weather.

rọtula *f.* ⟨*Anat*⟩ rotula, knee-cap, patella. – **rotụleo** *a.* rotular, patellar, of the knee-cap: *riflesso* ~ patellar reflex. □ *legamento* ~ ligamentum patellae.

rouge *fr.* [ruːʒ] **I** *a.* (*rosso*) red; (*nella roulette*) rouge. – **II** *s.m.* **1.** (*rossetto*) lipstick; (*belletto*) rouge. – **2.** (*nella roulette*) rouge, red.

roulette *fr.* [ruˈlɛt] *f.* **1.** roulette wheel: *far girare la* ~ to spin the roulette wheel. – **2.** (*gioco*) roulette: *giocare alla* ~ to play roulette.

roulotte *fr.* [ruˈlɔt] *f.* ⟨*Aut*⟩ caravan, ⟨*am*⟩ trailer.

round *ingl.* [ˈraund] *m.* ⟨*Sport*⟩ **1.** (*nel pugilato*) round. – **2.** (*partita*) round, game.

routier *fr.* [rutˈje] *m.* ⟨*Sport*⟩ (road-)racing cyclist.

routine *fr.* [ruˈtin] *f.* **1.** routine. – **2.** (*pratica*) experience, practice.

rovạio *m.* ⟨*lett*⟩ (*vento di tramontana*) north wind. □ ⟨*fig,ant*⟩ *dar de'calci a(l)* ~ (*essere impiccato*) to be hanged.

rovạno *a.* ⟨*ant*⟩ (*roano*) roan.

rovẹllo *m.* ⟨*tosc*⟩ (*rabbia*) anger, rage.

roventạre *v.t.* (**rovẹnto**) ⟨*rar*⟩ (*arroventare*) to make red-hot, to bake. – **rovẹnte** *a.* **1.** red-hot, burning, scorching: *ferro* ~ red-hot iron. – **2.** ⟨*fig*⟩ burning: *lacrime -i* burning tears. – **3.** ⟨*non com*⟩ (*rosseggiante*) glowing, red.

roventịno *m.* ⟨*Gastr,tosc*⟩ (*sanguinaccio*) blood sausage, black pudding.

rọvere I *m./f.* ⟨*Bot*⟩ **1.** English (*o* common) oak (*Quercus robur*). – **2.** durmast (*Quercus sessilis*). – **II** *m.* ⟨*Fal*⟩ oak. □ *di* ~ oak-, oaken: *una trave di* ~ an oak beam. – **roverẹlla** (*dim. di rovere*) *f.* ⟨*Bot*⟩ pubescent oak (*Quercus pubescens*). – **roverẹto** *m.* oak wood.

rovẹrso *a.* ⟨*ant,region*⟩ (*riverso*) reversed; (*supino*) on one's back, supine; (*rovesciato*) overturned, turned upside-down (*o* inside out).

rovẹscia *f.* ⟨*non com*⟩ **1.** ⟨*Sart*⟩ (*risvolto*: *di colletto*) lapel; (*di manica*) cuff; (*di pantaloni*) turn-up, ⟨*am*⟩ cuff. – **2.** ⟨*Mar*⟩ reversed angle bar, reversed frame. □ *alla* ~: 1. (*capovolto*) upside-down, overturned; 2. (*col davanti dietro*) backwards, back to front, the wrong way round; 3. (*con l'interno all'esterno*) inside out: *ti sei messo il golf alla* ~ you have put your pullover on inside out; 4. ⟨*fig*⟩ (*al contrario*) wrong, the opposite: *capire tutto alla* ~ to misunderstand everything, to get everything wrong; *fare qc. alla* ~ *di quel che viene ordinato* to do the opposite of what one is told; 5. (*male*) badly, wrong, the wrong way: *oggi mi va tutto alla* ~ everything is going wrong (for me) today; *conto alla* ~ count-down.

rovesciamẹnto *m.* **1.** (*il rovesciare*) overturning, upsetting, reversal; (*rif. a natanti*) capsizing. – **2.** (*il rovesciarsi*) overturning, upsetting. – **3.** ⟨*fig*⟩ (*caduta*) overthrow, (down)fall: *il* ~ *del governo* the overthrow of the government. – **4.** ⟨*Aer*⟩ inverted loop, horizontal spin.

rovesciạre *v.t.* (**rovẹscio, rovẹsci**) **1.** (*capovolgere*) to turn upside-down, to overturn: ~ *un bicchiere* to turn a glass upside-down; (*rif. a cose piatte*) to turn over: ~ *una carta da gioco* to turn over a card; (*rif. a natanti*) to capsize, to upset: *un colpo di vento rovesciò la barca* a gust of wind capsized the boat. – **2.** (*rivoltare*) to turn inside out: ~ *un golfino* to turn a jumper inside out. – **3.** (*rif. a liquidi*: *versare*) to spill: ~ *l'inchiostro per terra* to spill the ink on the floor; (*versare intenzionalmente*) to pour: ~ *olio bollente sugli assedianti* to pour boiling oil on the besiegers. – **4.** (*far cadere*) to knock (over, down), to topple, to upset: *chi ha rovesciato il vaso?* who has knocked the vase over? – **5.** (*piegare all'indietro*) to throw back: ~ *la testa* to throw back one's head. – **6.** (*gettare, buttare addosso*) to throw, to shower (*anche fig.*): ~ *insulti su qd.* to shower insults on s.o. – **7.** ⟨*fig*⟩ (*abbattere*) to overthrow: ~ *il governo* to overthrow the government. – **8.** ⟨*eufem*⟩ (*vomitare*) to vomit, to throw up. – **9.** ⟨*fig*⟩ (*mutare radicalmente*) to reverse: ~ *la situazione* to reverse the situation. – **rovesciarsi** *v.r.* **1.** (*capovolgersi*) to upset, to overturn, to turn over; (*rif. a natanti*) to capsize, to overturn. – **2.** (*rif. a liquidi*) to spill, to upset: *il vino si rovesciò sulla tovaglia* the wine spilt onto the cloth. – **3.** (*cadere giù*: *rif. a pioggia e sim.*) to pour (down), to beat down. – **4.** (*cadere*) to fall (down): *si rovesciò sul divano svenuta* she fell down onto the divan in a faint; (*buttarsi*) to throw o.s. down. – **5.** ⟨*fig*⟩ (*rif. a colpi, insulti e sim.*) to rain (*o* pour) down. **6.** ⟨*fig*⟩ (*affluire*) to pour, to spill, to stream, to swarm: *la folla si rovesciò nella piazza* the crowd poured into the square. □ ~ *qc. addosso a qd.* to hurl (*o* throw) s.th. on (*o* at) s.o. (*anche fig.*): *mi rovesciò addosso un diluvio di improperi* he hurled a torrent of abuse at me; ~ *la colpa su* (o *addosso a*) *qd.* to throw (*o* put) the blame on s.o.; ⟨*fig*⟩ ~ *il sacco* (*sfogarsi*) to make a clean breast of it, ⟨*fam*⟩ to come clean; *la situazione si è rovesciata a mio vantaggio* the situation has taken a favourable turn for me; ~ *a terra qd.* to throw s.o. to the ground.

rovesciạta *f.* ⟨*Sport*⟩ overhead kick.

rovesciạto (*p.p. di rovesciare*) **I** *a.* **1.** (*capovolto*) upside-down, overturned; (*rif. a cosa piatta*) turned over; (*rif. a natanti*) overturned, upset, capsized. – **2.** (*disteso*) on one's back, flat, supine. – **3.** ⟨*Sport*⟩ overhead: *tiro* ~ overhead kick. – **4.** (*rif. a vestiti*: *rivoltato*) (turned) inside out. – **5.** ⟨*Bot*⟩ (*anatropo*) anatropous. – **II** *s.m.* ⟨*Sport*⟩ → **rovesciata.**

rovesciatọre *m.* ⟨*tecn*⟩ (*ribaltatore*) tipper, dumper.

rovẹscio I *a.* **1.** (*nel senso contrario*) backwards, the wrong way round, reversed; (*capovolto*) upside-down. – **2.** (*riverso, supino*) on one's back, flat, supine: *giaceva* ~ *sul letto* he lay on his back on the bed. – **3.** ⟨*Lav.femm*⟩ purl-: *maglia -a* purl stitch. – **II** *s.m.* **1.** wrong (*o* other) side, back(side), reverse (side): *il* ~ *della stoffa* the wrong side of the material. – **2.** (*dorso, retro*) back, reverse: *il* ~ *della mano* the back of the hand. – **3.** (*scroscio violento di pioggia*) heavy shower, cloudburst, downpour. – **4.** ⟨*fig*⟩ (*grande quantità, profluvio*) hail, volley, shower, rain: *un* ~ *d'insulti* a volley of insults. – **5.** ⟨*fig*⟩ (*danno*) setback, reverse: *subire un* ~ to meet with a setback; ~ *finanziario* financial reverse. – **6.** (*manrovescio*) backhander. – **7.** ⟨*Sart*⟩ (*risvolto: di colletto*) lapel; (*di manica*) cuff; (*di pantaloni*) turn-up, ⟨*am*⟩ cuff. – **8.** ⟨*Lav.femm*⟩ purl: *lavorare un dritto e un* ~ to do (*o* knit) one plain and one purl. – **9.** ⟨*Numism*⟩ reverse. – **10.** ⟨*Sport*⟩ backhand (stroke). – **11.** ⟨*Tip*⟩ turned sort.

□ **a** ~: 1. (*nel senso contrario*) backwards, the wrong way round, reversed; 2. (*capovolto*) upside-down; 3. (*col davanti dietro*) backwards, back to front, the wrong way round; (*con l'interno all'esterno*) inside out; 4. ⟨*fig*⟩ wrong, the opposite: *capire qc. a* ~ to get s.th. wrong, to misunderstand s.th.; 5. ⟨*fig*⟩ (*male*) wrong, badly, the wrong way: *oggi mi va tutto a* ~ everything is going wrong for me today; ~ **d'acqua** shower, cloudburst, downpour; ⟨*Mil*⟩ **colpire** *di* ~ (*con un'arma*) to hit with the butt of a weapon; **da** ~: 1. the wrong way round; 2. (*da destra a sinistra*) from right to left: *leggere da* ~ to read from right to left; **di** ~ the wrong way round; ⟨*fig*⟩ *il* ~ *della* **medaglia** the other side of the matter, the reverse of the medal.

rovescione[1] *m.* **1.** (*manrovescio*) backhander. – **2.** (*rovescio di pioggia, di grandine, ecc.*) downpour, heavy shower, cloudburst.

rovescione[2], **rovescioni** *avv.* (flat) on one's back, flat, supine: *cadere* ~ to fall flat on one's back.

roveto *m.* briar, bramble-bush, thorn-bush. □ ⟨*Bibl*⟩ *il* ~ *ardente* the burning bush.

rovigliamento *m.* ⟨*ant*⟩ → **rovistio.** – **rovigliare** *v.* (**roviglio, rovigli**) ⟨*ant*⟩ → **rovistare.**

roviglione *m.* ⟨*Itt*⟩ (*leucisco*) dace (*Leuciscus*).

rovigotto *a./s.* ⟨*pop*⟩ → **rodigino.**

rovina *f.* **1.** ruin: *l'edificio cadde in* ~ the building fell to ruin. – **2.** (*crollo*) collapse, fall: *la* ~ *di un ponte* the collapse of a bridge. – **3.** *pl.* (*macerie*) ruins *pl*, rubble, debris, wreckage: *rimase sepolto tra le -e* he was buried in the ruins. – **4.** *pl.* (*ruderi*) ruins *pl*, remains *pl*: *le -e del Foro romano* the ruins of the Roman Forum. – **5.** ⟨*fig*⟩ (*decadenza, disfacimento*) ruin, collapse, decline: *provocare la* ~ *di un'azienda* to cause the ruin of a firm. – **6.** ⟨*fig*⟩ (*causa di danno*) ruin, undoing, downfall: *il gioco è stato la sua* ~ gambling was his downfall, ⟨*fam*⟩ gambling was the ruin of him. – **7.** ⟨*lett*⟩(*furia, violenza*) fury, violence. – **8.** ⟨*ant*⟩(*frana*) landslide.

□ **andare** *in* ~: 1. (*crollare*) to collapse, to fall (down); 2. (*decadere*) to decline, to decay, to go to rack and ruin, ⟨*fam*⟩ to go to the dogs; 3. (*andare a pezzi*) to fall (*o* crumble) to pieces, to fall into ruin; 4. ⟨*fig*⟩ to be ruined: *non andrai in* ~ *per questa spesa* you won't be ruined by this expense, this outlay won't ruin you; ⟨*lett*⟩ **fare** ~ *di qc.* (*rovinarla*) to ruin s.th.; **in** ~ in ruins, ruined; **mandare** *in* ~ to (bring to) ruin; **minacciare** ~ to threaten to collapse (*o* fall down); **portare** *qd. alla* ~ to bring s.o. to ruin, to ruin s.o.; ⟨*fig*⟩ **risorgere** *dalle -e* to rise from the ruins.

rovinaccio *m.* rubble, debris.

rovinamento *m.* ⟨*ant,rar*⟩ → **rovina.**

rovinare I *v.t.* **1.** (*danneggiare gravemente*) to ruin, to destroy, to spoil: *la grandine ha rovinato il raccolto* the hail ruined the harvest; *hai rovinato il vestito con quella macchia* you have ruined your suit with that spot. – **2.** ⟨*fig*⟩ (*guastare*) to spoil, to ruin, to wreck: *questa notizia mi ha rovinato la giornata* that news spoiled my whole day; (*danneggiare*) to ruin, to injure, to impair: ~ *la reputazione di qd.* to ruin s.o.'s reputation; *il clima umido mi ha rovinato la salute* the damp climate has ruined my health. – **3.** ⟨*fig*⟩ (*causare la rovina*) to (be the) ruin: *una speculazione sbagliata lo ha rovinato* he was ruined by an unsuccessful speculation; *le cattive amicizie lo rovineranno* bad company will ⌜ruin him⌝ (*o* be his ruin). – **4.** ⟨*non com*⟩ (*far cadere giù*) to bring down. – **II** *v.i.* (*aus.* **essere**) **1.** (*crollare*) to collapse, to fall down, to crash: *il ponte minaccia di* ~ the bridge is threatening to collapse. – **2.** (*precipitare*) to crash (*o* rush, fall) down: *un masso rovinò sugli alpinisti* a boulder crashed down on the mountain-climbers. – **rovinarsi** *v.r.* to be ruined, to ruin o.s.: *si è rovinato col gioco* he ruined himself by gambling.

rovinato (*p.p. di rovinare*) *a.* **1.** (*diroccato*) ruined, in ruins: *edifici -i* ruined buildings. – **2.** (*guasto, danneggiato*) ruined, spoilt, damaged, injured: *un paio di scarpe -e dalla pioggia* a pair of shoes ruined by the rain. – **3.** ⟨*fig*⟩ ruined, ⟨*fam*⟩ done for: *se non ci concedono il prestito, siamo tutti -i* if they don't give us the loan we're all done for. – **rovinatore** *m.* (*f.* **-trice**) ⟨*non com*⟩ ruiner, spoiler. – **rovinio** *m.* **1.** crash(ing). – **2.** (*fragore*) crash, noise of falling. – **rovinista** *m./f.* ⟨*Pitt*⟩ painter of ruins. – **rovinosamente** *avv.* **1.** ruinously. – **2.** (*con violenza*) violently: *cadere* ~ to fall violently, to crash down. – **rovinoso** *a.* **1.** ruinous, disastrous: *una speculazione -a* a ruinous speculation. – **2.** (*furioso, impetuoso*) violent, destructive, heavy: *un uragano* ~ a violent hurricane. – **3.** ⟨*lett*⟩ (*cadente*) dilapidated, tumbledown.

rovistare *v.t.* to ransack, to rummage, to search thoroughly: *ho rovistato tutta la stanza senza trovare nulla* I've ⌜searched the room thoroughly⌝ (*o* turned the room upside-down) without finding anything. – **rovistatore** *m.* (*f.* **-trice**) ⟨*non com*⟩ ransacker, rummager. – **rovistio** *m.* **1.** ransacking, rummaging, (thorough) searching. – **2.** (*rumore*) sound of rummaging.

rovo *m.* ⟨*Bot*⟩ **1.** bramble, blackberry bush (*Rubus*). – **2.** blackberry (bramble) (*Rubus fruticosus*).

rozza *f.* ⟨*ant*⟩ (*cavallo malandato*) jade, nag, hack. – **rozzaccia** *f.* (*pl.* **-ce**) *pegg. di* **rozza.**

rozzaccio (*pegg. di rozzo*) **I** *a.* boorish. – **II** *s.m.* (*f.* **-a**) coarse person, boor. – **rozzezza** *f.* **1.** roughness. – **2.** ⟨*fig*⟩ (*grossolanità*) roughness, coarseness, clumsiness. – **3.** ⟨*fig*⟩ (*cattiva educazione, zoticità*) boorishness, roughness, rudeness.

rozzo *a.* **1.** (*ruvido, scabro*) rough, unpolished: *pietra -a* rough stone; (*non rifinito*) rough, unfinished, untrimmed: *muro* ~ rough wall. – **2.** ⟨*fig*⟩ (*rif. a persona: non raffinato*) rough, coarse, uncouth, unrefined, unpolished; (*ingenuo, inesperto*) clumsy, raw, inexperienced, artless. – **3.** ⟨*spreg*⟩ (*zotico, maleducato*) boorish, rough, rude, unmannerly, ill-bred.

rozzonaccio, rozzone (*accr. di rozzo*) *m.* boor. – **rozzore** *m.* ⟨*ant*⟩ → **rozzume.** – **rozzume** *m.* ⟨*non com*⟩ (*rozzezza*) boorishness.

Rp = ⟨*Farm*⟩ *recipe* recipe (*abbr.* rp.).

RP = ⟨*Post*⟩ *risposta pagata* reply paid (*abbr.* RP.).

R.P. = **1.** ⟨*Rel*⟩ *reverendo padre* reverend father (*abbr.* R.P.). – **2.** *riservato* (o *riservata*) *personale* private and confidential.

Rq. = *radice quadrata* square root.

R.S.I. = ⟨*Stor*⟩ *Repubblica sociale italiana* Italian Social Republic.

RSM = ⟨*Aut*⟩ *Repubblica di San Marino* Republic of San Marino.

R.S.V.P. = *si prega* (*di*) *rispondere* please reply (*abbr.* R.S.V.P.).

R.T. = ⟨*Mar*⟩ *radiotelegrafia* radio telegraphy (*abbr.* R.T.), wireless telegraphy (*abbr.* W.T.).

Ru = ⟨*Chim*⟩ *rutenio* ruthenium.

R.U. = *Regno Unito* United Kingdom (*abbr.* U.K.).

rua *f.* ⟨*rar*⟩ (*strada*) street.

Ruanda *N.pr.m.* Rwanda (*denom.uff.*: *Repubblica del Ruanda* Rwandese Republic).

Ruanda-Urundi *N.pr.m.* ⟨*Geog*⟩ Ruanda-Urundi.

ruba *f.* ⟨*ant*⟩(*furto*) theft. □ ⟨*fig*⟩ *andare a* ~ to be in great demand, ⟨*fam*⟩ to sell (*o* go) like hotcakes: *il libro va a* ~ *tra gli studenti* the book is selling like hotcakes among the students; *mettere a* ~ (*saccheggiare*) to plunder, to sack, to pillage; ⟨*non com*⟩ *vendere a* ~ to sell off fast.

rubacchiamento *m.* ⟨*non com*⟩ pilfering, pilferage. – **rubacchiare** *v.t.* (**rubacchio, rubacchi**) to pilfer, to filch, to lift. – **rubacchiatore** *m.* (*f.* **-trice**) pilferer.

rubacori *a./s.* ⟨*pop*⟩ → **rubacuori.** – **rubacuori I** *s.m./f.inv.* **1.** (*rif. a uomo*) lady-killer, ladies' man, charmer; (*rif. a donna*) charmer, heart-breaker. – **2.** ⟨*scherz*⟩ (*ricciolo*) kiss-curl. – **II** *a.* (be)witching, captivating, ravishing.

rubalda *f.* ⟨*Mediev*⟩ kind of helmet.

rubaldo *m.* ⟨*ant*⟩ (*ribaldo*) rascal, rogue, scoundrel.

rubamazzetto *m. dim. di* **rubamazzo.** – **rubamazzo** *m.* (*gioco di carte*) snap.

rubamento *m.* ⟨*non com*⟩ **1.** stealing. – **2.** (*furto*) theft.

rubamonte *m.* → **rubamazzo.**

rubanatura *f.* ⟨*Legat,non com*⟩ (*listatura*) reinforcing.

rubapaghe *m./f.inv.* goldbricker, loafer.

rubare *v.t.* **1.** to steal: ~ *qc. a qd.* to steal s.th. from s.o.; (*con violenza*) to rob, to steal: *le hanno rubato la borsetta* they stole her purse, they robbed her of her purse. – **2.** (*rubacchiare*) to pilfer, to filch, to lift: *ha rubato qualche pacchetto di sigarette* he filched a few packages of cigarettes. – **3.** (*togliere con l'inganno*) to embezzle. – **4.** ⟨*fig*⟩ to steal, to rob: ~ *a qd. l'affetto di una persona* to steal a person's affection from s.o., to rob s.o. of a person's affection. – **5.** ⟨*fig*⟩ (*plagiare*) to plagiarize, ⟨*fam*⟩ to crib. – **6.** ⟨*fig*⟩ (*togliere, rapire*) to steal, to take (away): *un male inesorabile l'ha rubato alla famiglia* a dread disease took him from his family. – **7.** ⟨*non com*⟩ (*rapire*) to kidnap, to carry off, to abduct: ~ *un bambino* to kidnap a child. – **8.** ⟨*assol*⟩ to steal, to be a thief: *il ragazzo ruba* the boy steals (*o* is a thief). – **9.** ⟨*ant*⟩ (*rapinare, saccheggiare*) to plunder, to sack. – **rubarsi** *v.r.* (*contendersi*) to compete (*qd.* for s.o.), to argue (over), to fight: *le ragazze se lo rubano* all the girls ⌜fight over⌝ (*o* are after) him.

□ ⟨*fig*⟩ ~ *il* **cuore** *a qd.* to steal s.o.'s heart; ⟨*iperb*⟩ *ruberebbe il* **fumo** *alle candele* he'd rob his own mother, he'd steal the pennies off a dead man's eyes; ~ *a* **man** *salva* to help o.s. without fear of being caught, to steal with impunity; ~ *il* **mestiere** *a qd.* to put s.o. out of business, to do s.o. out of a job; ~ *qd. con gli* **occhi** to devour s.o. with one's eyes, to gaze longingly at s.o.; ~ *le* **ore** *al* **sonno** to burn the midnight oil; ⟨*fig*⟩ ~ *il* **pane** (*non meritarselo*) to be a goldbricker; ~ *sul* **peso** to give short weight, to cheat on weight; ~ *sulla* **spesa** to keep s.th. back (for o.s.) from the housekeeping money; ~ *lo* **stipendio** = *rubare il* **pane**; ~ *il* **tempo** *a qd.* to waste s.o.'s time. – *Prov.*: ~ *ai poveri è come* ~ *a Dio* stealing from the poor is like stealing from God; *a* ~ *poco si va in galera, a* ~ *tanto si fa carriera* he who steals a little gets caught, he who steals a lot goes scotfree.

rubasca *f.* ⟨*Mod*⟩ Russian tunic.

rubato (*p.p. di rubare*) **I** *a.* **1.** stolen: *roba -a* stolen goods. – **2.** (*dovuto al caso*) chance, fluke: *gol* ~ chance goal. – **3.** ⟨*Mus*⟩ rubato. – **II** *s.m.* ⟨*Mus*⟩ rubato.

rubatore *m.* (*f.* **-trice**) ⟨*ant*⟩ **1.** thief, stealer. – **2.** (*rapinatore*) robber.

rubbiatella *f.* ⟨*ant*⟩ (*unità di misura*) old measure of dry weight (147.23 l).

rubbio *m.* (*pl. i* **rubbi**/*le* **rubbia**) ⟨*ant*⟩ **1.** (*unità di misura di capacità*) old measure of area (18,480 m²). – **2.** (*unità di misura di superficie*) old measure of capacity 280,336 l).

rubbiolo *m.* ⟨*Ornit*⟩ (*rigogolo*) golden oriole (*Oriolus oriolus*).

rubbo *m.* ⟨*ant*⟩ (*unità di misura*) old measure of weight (7.9-9.2 kg.).
rubeca *f.* ⟨*Mus*⟩ (*ribeca*) rebec(k).
rubecchio *a.* ⟨*ant*⟩ (*rosseggiante*) glowing, reddish.
rubefacente *a./s.m.* ⟨*Farm,ant*⟩ rubefacient.
rubellare *v.t.* (**rubello**) ⟨*ant*⟩ (*ribellare*) to cause to rebel. – **rubellazione** *f.* ⟨*ant*⟩ (*ribellione*) rebellion, revolt. – **rubello** ⟨*ant*⟩ (*ribelle*) **I** *a.* rebel, rebellious. – **II** *s.m.* (*f.* **-a**) rebel.
rubente *a.* ⟨*poet,rar*⟩ → **rubecchio.**
rubeola *f.* ⟨*Med,rar*⟩ (*rosolia*) rubella, German measles *pl* (*costr. sing. o pl.*), rubeola. □ ~ *scarlattinosa* (*quarta malattia*) fourth disease. – **rubeolico** *a.* (*pl.* **-ci**) ⟨*rar*⟩ of rubella, measly.
ruberia *f.* **1.** theft, stealing; (*con frode*) swindle. – **2.** ⟨*ant*⟩ (*rapina*) robbery. □ ⟨*fig*⟩ *è una* ~ (*è una frode*) it's sheer (*o* daylight) robbery.
rubescente *a.* ⟨*lett*⟩ **1.** (*che diventa rosso*) reddening, (e)rubescent. – **2.** (*che arrossisce*) blushing, flushing, reddening. – **rubescenza** *f.* ⟨*lett*⟩ (*rossore*) redness, blush, flush, rubescence.
rubesto *a.* ⟨*ant*⟩ **1.** (*robusto*) robust, strong, sturdy. – **2.** (*violento*) violent, strong.
rubia *f.* ⟨*Bot*⟩ madder (*Rubia*). – **rubiacee** *f.pl.* madder family (*Rubiaceae*).
rubicello *m.* ⟨*Min*⟩ rubicelle.
rubicondo I *a.* red, ruddy, rosy, ⟨*lett*⟩ rubicund: *gote -e* red cheeks. – **II** *s.m.inv.* (*colore*) (bright) red.
Rubicone *N.pr.m.* ⟨*Geog*⟩ Rubicon. □ ⟨*fig*⟩ *passare il* ~ to cross the Rubicon.
rubicundo *a./s.* ⟨*ant*⟩ → **rubicondo.**
rubidio *m.* ⟨*Chim*⟩ rubidium.
rubigine *f.* ⟨*ant*⟩ (*ruggine delle piante*) rust (disease).
rubiglia *f.*, **rubiglio** *m.* ⟨*Bot*⟩ field (*o* grey) pea (*Pisum arvense*).
rubiglione *m.* ⟨*Bot*⟩ (*cicerchione*) flat pea (*Lathyrus silvester*).
rubina *f.* (*fucsina*) fuchsin(e).
rubinetteria *f.* ⟨*tecn*⟩ taps and fittings *pl.*
rubinetto[1] *m.* **1.** tap, cock, faucet: *aprire il* ~ to turn on the tap; *lasciare aperto il* ~ to leave the tap running (*o* on). – **2.** (*valvola*) valve.
□ ~ *dell'***acqua** water tap; ~ *d'***alimentazione** feed cock (*o* tap); ~ ⌜*d'***arresto**⌝ (*o di chiusura*) cut-off cock, stopcock; ~ *del* **gas** gas cock (*o* tap); ~ **girevole** swivelling tap; ~ *a* **maschio** plug cock; ~ *di* **scarico** drain (*o* discharge) cock, draw-off tap; ~ *a due* **vie** two-way cock, return tap.
rubinetto[2] *m.* ⟨*ant*⟩ *dim. di* **rubino.**
rubino *m.* ⟨*Min*⟩ ruby.
□ ⟨*ant*⟩ ~ *d'arsenico* (*realgar*) realgar; *-i* **artificiali** = *rubini* **sintetici**; ~ *di* **Boemia** Bohemian ruby, rose quartz; ~ *del* **Brasile** Brazilian ruby, rose (*o* pink) topaz; **brillare** *come un* ~ to glow ruby-red; ~ **siberiano** rubellite, siberite, red tourmaline; *-i* **sintetici** (*o ricostituiti*) synthetic rubies; ~ **spinello** spinel ruby.
rubizzo (*o rubizzo*) *a.* sprightly, vigorous, hale (and hearty): *un vecchietto* ~ a sprightly old man.
rublo[1] *m.* (*unità monetaria*) rouble, ruble.
rublo[2] *m.* ⟨*ant*⟩ → **rubbo.**
rubo *m.* ⟨*ant,rar*⟩ **1.** (*rovo*) bramble, blackberry bush. – **2.** (*roveto*) briar, bramble-bush.
rubrica (*o rubrica*) *f.* **1.** (*quaderno con margini a scaletta*) index book, record book; (*per indirizzi*) address book; (*per numeri telefonici*) telephone book. – **2.** (*in contabilità*) ledger, account book. – **3.** ⟨*Giorn*⟩ column, feature, page: ~ *sportiva* sports page; ~ *letteraria* book column, books. – **4.** ⟨*Rad,TV*⟩ time, hour, programme. – **5.** ⟨*Lit,Paleogr*⟩ rubric. □ ⟨*Giorn*⟩ *direttore di una* ~ columnist; ~ *telefonica* telephone book.
rubricare *v.t.* (**rubrico/rubrico, rubrichi/rubrichi**) **1.** (*annotare in una rubrica*) to note (*o* write, put) down, to enter (in a book), to index. – **2.** (*suddividere*) to paragraph. – **3.** ⟨*Paleogr*⟩ to rubricate. – **rubricario** *m.* ⟨*Paleogr,non com*⟩ rubric. – **rubricatore** *m.* ⟨*Paleogr*⟩ rubricator. – **rubricazione** *f.* ⟨*rar*⟩ rubrication. – **rubricista** *m./f.* **1.** ⟨*Giorn*⟩ columnist. – **2.** ⟨*Lit*⟩ rubrician, rubricist.
rubro *a./s.* ⟨*ant,poet*⟩ → **rosso.**
ruca *f.* **1.** ⟨*Bot*⟩ → **ruchetta.** – **2.** ⟨*Zool*⟩ (*bruco*) caterpillar, grub, larva.
rucervo *m.* ⟨*Zool*⟩ Rucervus (*Rucervus*).
ruche *fr.* [ryʃ] *f.* ⟨*Mod*⟩ ruche.
ruchetta *f.* ⟨*Bot*⟩ **1.** rocket salad, garden-rocket (*Eruca sativa*). – **2.** wall-rocket (*Diplotaxis muralis*). – **3.** (*baccherone*) sea-rocket (*Cakile maritima*). □ ~ *selvatica* perennial wall-rocket (*Diplotaxis tenuifolia*).
rucola *f.* ⟨*region*⟩ → **ruchetta.**
rude *a.* **1.** (*rozzo*) rough, coarse. – **2.** (*duro e risoluto*) rough, tough. – **rudemente** *avv.* roughly.
rudentato: ⟨*Arch*⟩ *colonna -a* cabled column. – **rudente** *f./m.* **1.** ⟨*Arch*⟩ cabling, rudenture, reed. – **2.** ⟨*poet,rar*⟩ (*fune*) rope.
ruderale *a.* ⟨*Biol*⟩ ruderal: *piante -i* ruderal plants.
rudere *m.* (generally in pl.) **1.** ruin, remains *pl*: *i -i del castello* the castle ruins. – **2.** *pl.* ⟨*fig*⟩ (*memorie, testimonianze*) memories *pl*, souvenirs *pl.* – **3.** ⟨*fig*⟩ (*persona mal ridotta*) wreck, ruin, derelict: *un* ~ *d'uomo* a human wreck. – **rudero** *m.* ⟨*non com*⟩ → **rudere.**
rudezza *f.* **1.** roughness, coarseness. – **2.** (*risolutezza*) roughness, toughness.
rudimentale *a.* **1.** (*elementare*) rudimentary, elementary: *conoscenza* ~ *di una lingua* rudimentary knowledge of a language. – **2.** (*appena abbozzato*) rudimentary. – **3.** ⟨*Biol*⟩ (*non sviluppato*) rudimentary, rudimental. – **rudimentazione** *f.* ⟨*Biol*⟩ rudimentation. – **rudimento** *m.* **1.** rudiment, first principle (*o* element): *possedere i primi -i di una lingua* to know the rudiments of a language, to have a rudimentary knowledge of a language. – **2.** (*cosa appena abbozzata*) rudiment. – **3.** ⟨*Biol*⟩ rudiment.
rudiste *f.pl.* ⟨*Paleont*⟩ rudistans *pl*, rudistids *pl* (*Rudistae*).
ruditа *f.* ⟨*rar*⟩ → **rudezza.**
ruere *v.i.* (*aus.* **avere**) ⟨*ant*⟩ **1.** (*precipitare*) to fall. – **2.** (*correre impetuosamente*) to rush headlong.
ruffa *f.* ⟨*non com*⟩ (*calca*) scramble, crush. □ ⟨*non com*⟩ *fare a* ~ *e raffa*: 1. (*lottare per impadronirsi*) to fight (*o* scramble) for s.th., to catch as catch can; 2. (*fare a chi ruba di più*) to compete with e.o. in stealing, to vie in dishonesty; *di* (*o a*) ~ *raffa* dishonestly, by hook or by crook. – *Prov.*: *quel che vien di* ~ *raffa, se ne va di buffa in baffa* ill-gotten goods never prosper, ill-gotten ill spent.
ruffello *m.* ⟨*tosc*⟩ **1.** (*filo aggrovigliato*) tangle. – **2.** (*ciuffo di capelli arruffati*) tangle (of hair), tousled hair.
ruffiana *f.* procuress, ⟨*lett*⟩ bawd. – **ruffianare** *v.t.* ⟨*non com,spreg*⟩ (*arruffianare*) to procure (for immoral purposes). – **ruffianata** *f.* ⟨*spreg*⟩ (*azione da ruffiano*) pimping, pandering. – **ruffianeggiare** *v.i.* (**ruffianeggio, ruffianeggi**; *aus.* **avere**) ⟨*spreg*⟩ **1.** to pimp, to pander, to procure. – **2.** ⟨*fig*⟩ (*accattivarsi il favore altrui*) to pander, to toady, ⟨*fam*⟩ to suck up (*con* to). – **ruffianeria** *f.* ⟨*spreg*⟩ **1.** (*comportamento*) panderism. – **2.** (*atto*) pimping, pandering, procuring. – **ruffianesco** *a.* (*pl.* **-chi**) ⟨*spreg*⟩ **1.** pandering. – **2.** ⟨*fig*⟩ toadying. – **ruffianesimo** *m.* ⟨*non com*⟩ → **ruffianeria.** – **ruffiano** ⟨*spreg*⟩ **I** *s.m.* (*f.* **-a**) **1.** pimp, pander, procurer. – **2.** ⟨*fig*⟩ (*persona subdola*) toady, ⟨*fam*⟩ bootlicker. – **II** *a.* ⟨*non com*⟩ → **ruffianesco.**
Rufo *N.pr.m.* Rufus.
rufola *f.* ⟨*Entom*⟩ (*grillotalpa*) mole cricket (*Gryllotalpa gryllotalpa*).
ruga[1] *f.* **1.** wrinkle, furrow, line, pucker: *sul suo viso sono apparse le prime rughe* the first wrinkles have appeared on her face. – **2.** ⟨*fig, lett*⟩ (*pensiero risposto*) deepest (*o* innermost, secret) thought. – **3.** ⟨*Geol*⟩ (*corrugamento*) fold. – **4.** ⟨*Bot*⟩ ruga. – **5.** ⟨*ant*⟩ (*strada, vicolo*) street.
ruga[2] *f.* ⟨*Entom*⟩ (*bruco*) caterpillar, grub, larva. □ ~ *del melo* ermine moth (*Hyponomeuta malinellus*).
ruga[3] *f.* ⟨*region*⟩ (*anche erba ruga*) → **ruchetta.**
Rugantino *N.pr.m.* ⟨*Teat*⟩ Rugantino, Roman mask-character. – **rugantino** *m.* ⟨*fig*⟩ arrogant person.
rugato *a.* ⟨*rar*⟩ (*pieno di rughe*) wrinkled, lined.
rugbista [rʌg-] *m.* ⟨*Sport*⟩ rugby player. – **rugby** *ingl.* [ˈrʌgbi] *m.* rugby.
ruggente (*p.pr. di ruggire*) *a.* roaring: *gli anni -i* the roaring twenties.
Ruggero *N.pr.m.* Roger.
rugghiamento *m.* ⟨*lett,rar*⟩ roar. – **rugghiare** *v.i.* (**rugghio, rugghi**; *aus.* **avere**) ⟨*lett*⟩ **1.** (*ruggire*) to roar; (*rif. a cinghiali*) to snort. – **2.** (*rif. al fuoco, al mare*) to roar. – **rugghio** *m.* ⟨*lett*⟩ **1.** (*ruggito*) roar(ing); (*rif. a cinghiali*) snort(ing). – **2.** (*rumore lacerante*) roar(ing), din: *il* ~ *delle onde* the roaring of the waves.
Ruggiero *N.pr.m.* → **Ruggero.**
ruggine I *s.f.* **1.** rust. – **2.** ⟨*fig*⟩ (*astio, rancore*) grudge, ill-feeling, bad blood, ill-will: *c'è della* ~ *tra i due fratelli* there is bad blood between the two brothers; *avere della* ~ *con qd.* to have a grudge against s.o. – **3.** ⟨*Agr*⟩ rust (disease). – **4.** ⟨*Bot*⟩ (*erba ruggine*) ceterach, finger (*o* scale) fern, rusty-back fern (*Ceterach officinarum*). – **5.** ⟨*rar*⟩ (*sporcizia*) dirt, filth. – **II** *a.inv.* rust-, rusty, russet: *color* ~ rust (colour), russet.
□ ⟨*Agr*⟩ ~ **bianca** white blister (*o* rust); ⟨*Agr*⟩ ~ **bruna** *del grano* brown (*o* orange leaf) rust of wheat; ⟨*Agr*⟩ ~ **nera** *del frumento* black (*o* stem) rust; **prendere** *la* ~ (*arrugginirsi*) to rust, to get rusty; ⟨*Agr*⟩ ~ **striata** *della segala* brown leaf rust of rye.
rugginente *a.* ⟨*ant*⟩ → **rugginoso.**
rugginina *f.* **1.** ⟨*Bot*⟩ (*anche erba rugginina*) maidenhair spleenwort (*Asplenium trichomanes*). – **2.** ⟨*Sart*⟩ kind of cord, silk and cotton twist.
rugginire *v.i.* (**rugginisco, rugginisci**; *aus.* **essere**) ⟨*ant,region*⟩ (*arrugginirsi*) to rust, to go (*o* become) rusty. – **rugginosità** *f.* ⟨*non com*⟩ **1.** rustiness. – **2.** ⟨*Agr*⟩ rust. – **rugginoso** *a.* **1.** rusty, rust-covered: *ferro* ~ rusty iron. – **2.** (*color ruggine*) rust-coloured, rust-, russet, rusty: *foglie -e* russet leaves. – **3.** ⟨*poet*⟩ (*non esercitato*) neglected, rusty.
ruggiolo *m.* ⟨*Bot*⟩ (*ginestra dei carbonai*) broom (*Sarothamnus scoparius*; *Cytisus scoparius*).
ruggire *v.* (**ruggisco, ruggisci, ruggisce**/*lett.* **rugge, ruggiscono**/*lett.* **ruggono**) **I** *v.i.* (*aus.* **avere**) **1.** to roar: *il leone ruggisce* the lion roars. – **2.** ⟨*fig*⟩ (*urlare*) to roar, to howl, to yell: ~ *per l'ira* to roar with anger. – **3.** ⟨*fig*⟩ (*rif. al fuoco, al mare*) to roar; (*rif. al vento*) to roar, to howl. – **4.** ⟨*poet*⟩ (*rif. a passioni*: *divampare*) to flame. – **II** *v.t.* (*dire rabbiosamente*) to roar (out), to yell: *ruggì un comando* he yelled out a command.
ruggito *m.* **1.** roar(ing). – **2.** ⟨*fig*⟩ (*grido*) roar, howl, yell: *un* ~ *di furore* a howl of rage. – **3.** ⟨*fig*⟩ (*frastuono, fragore*) roaring, noise, din: *il* ~ *del mare in tempesta* the roaring of a stormy sea.
rughetta *f.* → **ruchetta.**
rugiada *f.* **1.** dew. – **2.** ⟨*lett*⟩ (*conforto*) balm, comfort, ⟨*lett*⟩ dew. □ *goccia di* ~ dewdrop; ⟨*Fis*⟩ *punto di* ~ dew-point; ⟨*Bot*⟩ ~ *del sole* (*rosolida*) (common, round-leaved) sundew, drosera (*Drosera rotundifolia*). – **rugiadoso** *a.* ⟨*lett*⟩ **1.** (*della rugiada*) dew-, of dew, dewy. – **2.** (*bagnato di rugiada*) dewy, wet with dew, ⟨*lett*⟩ bedewed:

prato ~ field wet with dew. – **3.** ⟨*fig*⟩ (*fresco di gioventù*) fresh, youthful, dewy. – **4.** ⟨*fig,spreg*⟩ (*affettatamente tenero*) unctuous, oily, ⟨*fam*⟩ smarmy: *modo tutto* ~ *di parlare* smarmy way of speaking. □ *occhi -i* tear-filled (*o* dewy) eyes.
ruginịre *v.* → **rugginire.**
rugliạre *v.i.* (**rụglio, rụgli**; *aus.* **avere**) ⟨*pop,tosc*⟩ **1.** (*rif. ad animali*) to growl. – **2.** ⟨*estens*⟩ (*rumoreggiare*) to roar, to rumble: *la cascata rugliava in lontananza* the waterfall roared in the distance. – **rụglio** *m.* ⟨*pop,tosc*⟩ **1.** (*rif. ad animali*) growl(ing). – **2.** ⟨*estens*⟩ (*rumore*) roar(ing), rumble, rumbling.
rugnạre *v.i.* (*aus.* **avere**) ⟨*region*⟩ **1.** (*grugnire*) to grunt, to snort. – **2.** (*brontolare*) to grunt, to mutter.
rugosità *f.* **1.** wrinkledness: *la* ~ *della pelle* the wrinkledness of the skin; (*scabrosità*) roughness. – **2.** ⟨*Bot*⟩ rugosity. – **3.** ⟨*tecn*⟩ roughness, texture: ~ *superficiale* surface roughness. – **rugọso** *a.* **1.** wrinkled, wrinkly, lined, furrowed: *volto* ~ wrinkled face. – **2.** (*scabro*) rough. – **3.** ⟨*Bot*⟩ rugose: *foglie -e* rugose leaves. □ *rendere* ~ to wrinkle, to line.
rugumạre *v.* (**rụgumo**; *aus.* **avere**) ⟨*ant,tosc*⟩ → **ruminare.**
Ruhr *N.pr.f.* ⟨*Geog*⟩ (*fiume e regione*) Ruhr.
rụina *f.* ⟨*lett*⟩ → **rovina.** – **ruinạre** *v.* ⟨*lett*⟩ → **rovinare.** – **ruinạto** (*p.p. di ruinare*) *a.* ⟨*lett*⟩ → **rovinato.**
rullạggio *m.* ⟨*Aer*⟩ taxiing, taxying. □ *pista di* ~ taxiway, taxi strip. – **rullamẹnto** *m.* ⟨*rar*⟩ roll(ing). – **rullạre I** *v.i.* (*aus.* **avere**) **1.** to roll: *i tamburi rullarono* the drums rolled. – **2.** ⟨*Aer*⟩ to taxi. – **3.** ⟨*Mar*⟩ (*rollare*) to roll. – **4.** ⟨*ant*⟩ (*rotolare*) to roll. – **II** *v.t.* **1.** (*spianare con il rullo*) to roll: ~ *una strada* to roll a road. – **2.** ⟨*Met*⟩ to roll: ~ *a freddo* to cold-roll. – **rullạta** *f.* → **rullaggio.** – **rullạto** (*p.p. di rullare*) *a.* **1.** (*spianato*) rolled, levelled: *terreno* ~ levelled ground. – **2.** ⟨*Met*⟩ rolled: ~ *a caldo* hot-rolled. – **rullatrịce** *f.* ⟨*Met*⟩ burnishing-machine, rolling-machine. – **rullatụra** *f.* ⟨*tecn*⟩ rolling: ~ *a freddo* cold-rolling.
rulleggiạre *v.i.* (**rullẹggio, rullẹggi**; *aus.* **avere**) to sway, to rock.
rullẹtta *f.* ⟨*Mat*⟩ trochoid, roulette.
rullẹtto *m.* ⟨*Art*⟩ roulette.
rullịno (*dim. di rullo*) *m.* ⟨*Fot*⟩ (*rollino*) roll.
rullịo *m.* **1.** roll(ing). – **2.** ⟨*Aer,Mar,non com*⟩ (*rollio*) roll(ing).
rụllo *m.* **1.** roll: *il* ~ *dei tamburi* the roll of the drums. – **2.** (*arnese di forma cilindrica*) roll(er). – **3.** (*cilindro della macchina da scrivere*) platen; (*della macchina da stampare*) roller. – **4.** (*birillo per giocare*) (kind of) skittle. – **5.** *pl.* ⟨*Sport*⟩ rollers *pl.* – **6.** ⟨*Cin*⟩ reel, roll. – **7.** ⟨*Strad*⟩ (*compressore*) road roller; (*a vapore*) steam roller. – **8.** ⟨*Agr*⟩ (field) roller.
□ ⟨*tecn*⟩ **a -i** roller-: *cuscinetto a -i* roller bearings *pl*; ~ **alimentare** (o *d'alimentazione*) feed roller; ⟨*Tess*⟩ ~ **avvolgitore** take-up roller; ⟨*Tip*⟩ ~ *del* **calamaio** duct (*o* ink fountain) roller; ~ *per la* **carta** paper roll; ~ *in* **caucciù**: 1. rubber roller; 2. ⟨*Tip*⟩ brayer, gelatine roller; ⟨*Mecc*⟩ ~ **cilindrico** straight roller; ⟨*Strad*⟩ ~ **compressore** road roller; ~ *compressore a vapore* steam-roller; ~ **conico** conical (*o* tapered) roller; ⟨*Cin*⟩ ~ **dentato** sprocket; ⟨*Mecc*⟩ ~ **filettatore** thread roller, roller die; ⟨*Cart*⟩ ~ *per* **filigranare** dandy roller; ~ *di* **guida** guide roller; ⟨*Tip*⟩ ~ **guidacarta** delivery and register roller, guide roll for paper; ~ *da* **imbianchino** distemper (*o* whitewash) roller; ⟨*Tip*⟩ ~ **inchiostratore** ink roller, inker; ~ *a* **mano** hand roller, brayer; ~ **premicarta** paper-guide roll; ⟨*Tip*⟩ ~ **prenditore** ductor (*o* drop) roller; ⟨*Cin*⟩ ~ **pressore** pressure roller; ⟨*Mecc*⟩ ~ **tenditore** (o *tensore*) tension (*o* stretching) roller; ~ **trasportatore** tension roller.
rullọmetro *m.* (*rollometro*) oscillometer.
rum *m.* rum.
Rumanịa *N.pr.f.* → **Romania.**
rumạre *v.t.* **1.** ⟨*tosc, pop*⟩ (*rimescolare*) to stir, to mix. – **2.** ⟨*ant*⟩ (*ruminare*) to ruminate. – **rumạta** *f.* ⟨*tosc,pop*⟩ (*rimescolata*) stir: *dare una* ~ *a qc.* to give s.th. a stir, to stir s.th.
rụmba *f.* rumba, rhumba.
Rumenịa (o *Rumẹnia*) *f.* ⟨*ant*⟩ → **Romania.** – **rumẹno** *a./s.* → **romeno.**
rumentiẹra *f.* ⟨*Mar*⟩ refuse bin, dustbin.
ruminạnte *m.* ⟨*Zool*⟩ **1.** ruminant. – **2.** *pl.* ruminants *pl* (*Ruminantia*). – **ruminạre** *v.t.* (**rụmino**) **1.** to ruminate, to chew the cud. – **2.** ⟨*fig*⟩ (*meditare a lungo*) to ponder (over), to ruminate. – **3.** ⟨*fig, non com*⟩ (*masticare lentamente e svogliatamente*) to chew slowly.
ruminạto *a.* ⟨*Bot*⟩ ruminate.
ruminaziọne *f.* **1.** rumination, chewing the cud. – **2.** ⟨*Med*⟩ rumination, merycism. – **rụmine** *m.* ⟨*Zool*⟩ rumen.
rụmme *m.* ⟨*pop,tosc*⟩ → **rum.**
rumorạccio *m. pegg. di* **rumore.**
rumọre *m.* **1.** (*suono*) sound, noise: *il* ~ *della pioggia* the sound of the rain; *si sentivano dei -i nella casa* noises could be heard in the house. – **2.** (*chiasso*) noise, din, uproar, racket, ⟨*fam*⟩ row: *zitti, non fate* ~ quiet, don't make noise. – **3.** (*grida*) shouting, shouts *pl*, cries *pl.* – **4.** ⟨*fig*⟩ (*sensazione*) sensation, stir: *la notizia ha destato gran* ~ the news has caused a great sensation. – **5.** ⟨*fig,lett*⟩ (*diceria*) rumour, talk; (*fama, gloria*) fame. – **6.** ⟨*fig,ant*⟩ (*tumulto, rivolta*) tumult, rioting, (up)rising. – **7.** ⟨*Med*⟩ bruit, sound. – **8.** ⟨*Fon*⟩ sound, surd, hard consonant, voiceless sound. – **9.** ⟨*Acu*⟩ noise.
□ ⟨*Med*⟩ *-i* **bronchiali** bronchial (*o* rhonchal) fremites; ⟨*Med*⟩ *-i* **cardiaci** cardiac (*o* heart) sounds; **fare** ~: 1. to make noise; 2. ⟨*fig*⟩ to make a sensation, to cause a stir: *il film fece molto* ~ the film caused a great sensation; ⟨*Rad*⟩ ~ *di* **fondo** background noise; ⟨*non com*⟩ **levarsi** *a* ~ (*ribellarsi*) to rebel; ⟨*fig,ant*⟩ **menare** ~ *di qc.* (*menarne gran vanto*) to boast of s.th.; ~ **metallico** clang, metallic noise; **mettere** *a* ~: 1. ⟨*fig*⟩ to make the talk of the town; 2. ⟨*lett*⟩ (*sollevare a tumulto*) to stir up to revolt; ⟨*fig,non com*⟩ *mettersi a* ~ (*ribellarsi*) to rebel; ~ **microfonico** microphone noise; ⟨*Rad*⟩ ~ *di* **modulazione** modulation noise; *-i* **molesti** irritating noises; ⟨*Med*⟩ ~ *di* **mulino** bruit de moulin, water-wheel sound; ⟨*Med*⟩ ~ *di* **sega** bruit de scie, sawing sound; ⟨*Med*⟩ ~ *di* **va** *e vieni* see-saw (*o* to-and-fro) murmur, to-and-fro sound.
rumoreggiamẹnto *m.* (*atto*) rumbling; (*effetto*) rumble, noise. – **rumoreggiạnte** (*p.pr. di rumoreggiare*) *a.* noisy, turbulent, clamorous: *scolaresca* ~ noisy schoolchildren. – **rumoreggiạre** *v.i.* (**rumorẹggio, rumorẹggi**; *aus.* **avere**) **1.** to rumble, to make a noise. – **2.** (*tumultuare*) to be in an uproar, to clamour, to make a noise. – **3.** ⟨*ant*⟩ (*spargere dicerie*) to spread rumours. – **rumoreggiatọre** *m.* (*f.* **-trice**) ⟨*non com*⟩ **1.** noisy person. – **2.** (*chi sparge dicerie*) spreader of rumours, rumour-monger.
rumorẹtto, rumorịno (*dim. di rumore*) *m.* ⟨*eufem,fam*⟩ (*peto*) rude noise, ⟨*volg*⟩ fart.
rumorịo *m.* (faint) noise, (dull) sound, (low) rumbling.
rumorịsta *m./f.* **1.** ⟨*Cin,Teat*⟩ sound-effects man. – **2.** (*motociclista che disturba con rumori*) noisy motorcyclist.
rumorosamẹnte *avv.* noisily. – **rumorosità** *f.* noisiness, noise.
rumorọso *a.* **1.** (*che fa molto rumore*) noisy, loud, clamorous: *una folla -a* a noisy crowd. – **2.** (*che è pieno di rumore*) noisy, full of noise: *strade molto -e* very noisy streets. – **3.** (*sonoro*) loud, noisy: *una risata -a* a loud laugh. – **4.** ⟨*fig,non com*⟩ (*che desta scalpore*) sensational.
rụna *f.* ⟨*Paleogr*⟩ rune.
runcịglio *m.* → **ronciglio.**
runcinạto *a.* → **roncinato.**
rụnica *f.* ⟨*Paleogr*⟩ runic stone. – **rụnico** *a.* (*pl.* **-ci**) runic: *caratteri -i* runic characters. – **runologịa** *f.* runology. – **runọlogo** *m.* (*pl.* **-gi**; *f.* **-a**) runologist.
ruolịno (*dim. di ruolo*) *m.* ⟨*Mil*⟩ roster. □ ~ *di marcia*: 1. ⟨*Mil*⟩ marching order (*o* list); 2. ⟨*Sport*⟩ time schedule; 3. ⟨*fig*⟩ timetable, schedule.
ruọlo *m.* **1.** (*elenco, registro*) roll, list, register. – **2.** ⟨*burocr*⟩ (*organico*) roll, employees *pl*, staff; (*personale*) staff, personnel. – **3.** ⟨*Teat*⟩ role, part. – **4.** ⟨*fig*⟩ (*funzione*) role, part: *ha avuto un* ~ *importante nella mia vita* he has played an important part in my life. – **5.** ⟨*Mil*⟩ (muster) roll, muster (*o* nominal) list, roster. – **6.** ⟨*Dir*⟩ case-list, calendar, roll, docket.
□ **assumere** *in* ~ to ⌜appoint to⌝ (*o* put on) the permanent staff; **assunzione** *in* ~ appointment to the permanent staff; ~ *dei* **contribuenti** tax-list, tax-roll; **di** ~ permanent, on the permanent staff: *insegnante di* ~ teacher on the permanent staff; *personale di* ~ permanent staff; *non di* ~ = **fuori** *ruolo*; **entrare** *in* ~ to be put on the permanent staff; ⟨*Mar*⟩ ~ *dell'***equipaggio** muster list (*o* roll), (ship's) articles *pl*; **fuori** ~ temporary: *personale fuori* ~ temporary staff; *collocare fuori* ~ to appoint to a temporary post; ~ **generale** register; ⟨*Mar*⟩ ~ *della* **gente** *di mare* seamen's register; ⟨*Mar*⟩ ~ *di* **guardia** watch bill; ~ *delle* **imposte** = *ruolo dei* **contribuenti**; ⟨*Dir*⟩ **mettere** *a* ~ *una causa* to enter a case (for trial); ⟨*burocr*⟩ ~ **organico** *di un'impresa* permanent staff (*o* personnel) of a company; ⟨*fig*⟩ *avere un* ~ *di* **primo** *piano* to play a leading role; ⟨*Dir*⟩ **rimandare** *una causa a nuovo* ~ to adjourn a case; ⟨*Dir*⟩ ~ *d'***udienza** case-list, calendar.
ruọta *f.* **1.** wheel: *la* ~ *gira* the wheel turns. – **2.** (*oggetto a forma di ruota*) disk, wheel, circular object; (*traiettoria circolare*) circle, wheel. – **3.** (*nel lotto*) drum. – **4.** (*nei monasteri di clausura*) kind of revolving door. – **5.** ⟨*fig*⟩ (*succedersi vorticoso di avvenimenti*) whirl. – **6.** (*antico supplizio*) wheel: *essere condannato alla* ~ to be condemned to the wheel. – **7.** ⟨*Agr*⟩ (*rotazione*) rotation. – **8.** ⟨*Mediev*⟩ (*cielo*) sky.
□ **a** ~ circular: *mantello a* ~ (circular) cape; *gonna a* ~ flared skirt; *piroscafo a* ~ paddle steamer; *a due -e* two-wheeled; *veicolo a due -e* two-wheeler; *-e* **accoppiate** coupled wheels; ⟨*Idr*⟩ ~ *d'***acqua** water-wheel; ~ **anteriore** front wheel; ⟨*Aut*⟩ *-e anteriori motrici* front-wheel drive *sing*; ~ *d'***arresto** ratchet-wheel; **arrivare** *a* ~ *di qd.*: 1. ⟨*Sport*⟩ to arrive a wheel's length behind s.o.; 2. ⟨*fig*⟩ to arrive hot on s.o.'s heels, to be close behind s.o.; ~ *dell'***arrotino** grindstone; ~ *del* **carro** cart-wheel; ⟨*fig*⟩ *essere l'ultima* ~ *del carro* to be the smallest cog on the wheel; ~ **cingolata** caterpillar wheel; ⟨*Aer*⟩ ~ *di* **coda** tail wheel; ⟨*ant*⟩ *essere al* **colmo** *della* ~ (*della prosperità*) to be at the apex of one's fortunes, to be at one's peak of prosperity; *dar la* ~ *a un* **coltello** (*affilarlo*) to sharpen a knife; ~ **condotta** driven gear; ~ **conica** bevel gear; ~ **coniugata** mating gear; ~ **dentata** toothed (*o* cogged) wheel, cog-wheel; (*ingranaggio*) gear(-wheel), toothed gear; ~ *dentata cilindrica* spur-wheel, spur-gear; ~ *dentata conica* bevel gear (*o* wheel); *-e* **direttrici** guide (*o* leading) wheels; ~ *a* **disco**: 1. ⟨*Aut*⟩ disk wheel; 2. ⟨*Ferr*⟩ plate wheel; ~ **elicoidale** worm (*o* tangent) wheel; ⟨*Aut*⟩ ~ *d'***equilibramento** balance wheel; ⟨*ant*⟩ ~ *degli* **esposti** revolving box for taking foundlings into convents; **fare** *la* ~: 1. (*rif. al pavone*) to spread one's tail; 2. ⟨*fig*⟩ (*pavoneggiarsi*) to strut, ⟨*fam*⟩ to show off; *fare la* ~ (*attorno*) *a una ragazza* (*farle la corte*) to court a girl; ~ **folle** loose wheel; ⟨*fig*⟩ ~ *della* **fortuna** wheel of fortune, fortune's wheel, fate, chance; ⟨*Mecc*⟩ ~ *a* **freccia** herring-bone gear; ⟨*Mecc*⟩ ~ *di* **frizione** friction

wheel; ~ *di* **fune** coil of rope; *-e* **gemelle** = *ruote* **accoppiate**; ~ **gommata** tyred wheel, tyre; ⟨Cin⟩ ~ *di* **guida** guide wheel; ~ **idraulica** = *ruota d'acqua*; ⟨Aut⟩ ~ **indipendente** independent wheel; ~ **libera** free wheel; *andare a* ~ *libera* to free-wheel, to coast; ~ *del* **lotto**: 1. lotto mixing drum, lottery urn; 2. (*sede*) town where the lottery is drawn; ~ *a* **mano** hand(-operated) wheel; ⟨Aut⟩ ~ *di* **moltiplicazione** overdrive gear; ~ **motrice**: 1. driving (*o* working) wheel, driving sprocket; 2. ⟨Orol⟩ power wheel; ~ *del* **mulino** mill-wheel; ~ *a* **pale** paddle-wheel; ⟨Idr⟩ ~ *a* **palette** flash wheel; ~ **panoramica** big (*o* Ferris) wheel; ~ **piena** solid wheel; ⟨Mar⟩ ~ *di* **poppa** sternpost; ⟨Ferr⟩ ~ **portante** bearing (*o* trailing) wheel; ~ **posteriore** back (*o* rear) wheel; ⟨Aut⟩ *-e posteriori motrici* rear -wheel drive; ⟨Rel⟩ ~ *da* **preghiere** prayer wheel; ⟨Mecc⟩ ~ **principale** leader, hob; ~ *di* **prua**: 1. ⟨Mar⟩ stem(post); 2. ⟨Aer⟩ nose wheel; ~ *a* **raggi** (*o razze*) spoked wheel; ~ *di* **ricambio** = *ruota di* **scorta**; ~ *della* **roulette** roulette wheel; ⟨Mecc⟩ ~ **satellite** planet(ary) wheel; ~ *di* **scorta** spare tyre (*o* wheel), spare; ⟨Sport⟩ **scuotere** *qd. dalla* ~ to outstrip s.o.; **seguire** *qd. a* ~ to follow close behind s.o.; *essere nel* **sommo** *della* ~ = *essere al* **colmo** *della ruota*; ⟨TV⟩ ~ *a* **specchi** mirror drum; **supplizio** *della* ~ (torture of) the wheel: *mettere qd. al supplizio della* ~ to break s.o. on the wheel; ⟨Sport⟩ **tenere** *la* ~ *di qd.* to keep up with (*o* follow hot on the heels of) s.o.; ⟨Mar⟩ ~ *del* **timone** helm; **ungere** *le -e* to oil the wheels; ⟨fig⟩ to grease s.o.'s palm (*o* hand), to bribe; ~ *da* **vasaio** potter's wheel; ~ *a* **vento** windmill, wind engine; ⟨fig⟩ *la* **vita** *è una* ~ life is all ups and downs; ⟨Mecc⟩ ~ *a* **vite** worm gear (*o* wheel). – *Prov.*: *la peggio* (o *peggior*) ~ *del carro è quella che stride* the worst wheel of a cart creaks most.

ruotạre *v.* → **rotare**.

ruotịno (*dim. di ruota*) *m.* (small) wheel. ◻ ⟨Aer⟩ ~ *di coda* tail wheel; ~ *orientabile* castor.

ruotịsmo *m.* → **rotismo**.

ruọtolo *m.* ⟨ant⟩ → **rotolo**[1].

rụpe *f.* cliff, rock, crag. ◻ ⟨fig⟩ *trarre lacrime da una* ~ (*impietosire il cuore più duro*) to melt a heart of stone; ⟨Stor.rom⟩ ~ *Tarpea* Tarpeian rock.

rupeliạno **I** *a.* ⟨Geol⟩ Rupelian. – **II** *s.m.* Rupelian (epoch), Middle Oligocene.

rupẹstre *a.* **1.** rocky, craggy: *paesaggio* ~ rocky countryside. – **2.** ⟨Art⟩ rock-, rupestrian, rupestral: *pittura* ~ rock-painting, rock-drawing. – **3.** ⟨Bot⟩ rock-, rupestral, rupestrine, rupicolous.

rupịa[1] *f.* (*unità monetaria*) rupee.

rupịa[2] *f.* ⟨Med⟩ rupia.

rupịcola *f.* ⟨Ornit⟩ cock of the rock (*Rupicola rupicola*).

rupịcolo *a.* ⟨Biol⟩ rupicolous, rupicoline.

rupofobịa *f.* ⟨Psic⟩ rupophobia, rhypophobia, mysophobia. – **rupọfobo** **I** *a.* mysophobic. – **II** *s.m.* (*f.* **-a**) mysophobe, sufferer from rupophobia.

rụptile *a.* ⟨Bot⟩ (*dirompente*) ruptile. ◻ *frutto* ~ cremocarp, split (*o* ruptile) fruit.

rurạle **I** *a.* **1.** (*della campagna*) rural, rustic, country: *popolazione* ~ rural population, country folk. – **2.** (*contadino*) country, farm-, peasant-, rural, agrarian. – **II** *s.m.* countryman (*f* -woman), country dweller; *pl.* country folk, country dwellers.

rụsca *f.* ⟨region⟩ **1.** (*corteccia*) bark. – **2.** (*cascame*) waste.

ruscellamẹnto *m.* flowing. – **ruscellạre** *v.i.* (**ruscẹllo**; *aus.* **avere**) ⟨ant⟩ (*scorrere come un ruscello*) to flow, to stream.

ruscellẹtto (*dim. di ruscello*) *m.* brooklet, streamlet, rivulet, rill. ◻ ⟨fig⟩ ~ *orgoglioso* upstart, beggar on horseback. – **ruscẹllo** *m.* **1.** brook, stream. – **2.** ⟨fig⟩ stream, flood, river: *un* ~ *di sangue* a stream of blood. – **3.** ⟨rar⟩ (*fiume*) river.

rụsco *m.* (*pl.* **-chi**) ⟨Bot⟩ **1.** (*pungitopo*) butcher's broom (*Ruscus aculeatus*). – **2.** (*rovo*) bramble (*Rubus*). – **3.** (*asparago*) (wild) asparagus (*Asparagus*, *Asparagus officinalis*).

rusịgnọlo *m.* ⟨lett⟩ (*usignolo*) nightingale. ◻ ⟨Ornit⟩ ~ *d'Africa* rufous warbler (*Agrobates galactotes*); ~ *di fiume* (*o palude*) Cetti's warbler (*Cettia cetti*). – **rusịgnuọlo** *m.* ⟨ant⟩ → **rusignolo**.

rụspa[1] *f.* **1.** scraper: ~ *a trazione meccanica* motor scraper. – **2.** ⟨non com⟩ (*il cercare le castagne*) raking for chestnuts.

rụspa[2] *f.* (*moneta nuova di zecca*) newly-minted coin.

ruspạnte *m.* (*anche pollo ruspante*) free-range (*o* farmyard) chicken.

ruspạre **I** *v.i.* (*aus.* **avere**) **1.** (*cercare le castagne dopo la raccolta*) to rake (for chestnuts), to gather chestnuts. – **2.** (*rif. a polli*: *razzolare*) to scratch about. – **II** *v.t.* (*lavorare con la ruspa*) to scrape. – **ruspatọre** *m.* (*f.* **-trice**) ⟨non com⟩ raker, gatherer. – **ruspịsta** *m.* (*operaio*) scraper operator.

rụspo **I** *a.* ⟨ant,region⟩ (*ruvido, scabro*) rough, rugged, coarse; (*rif. a monete*) new, newly-minted. – **II** *s.m.* **1.** (*soldo*) coin. – **2.** *pl.* (*denaro*) money.

ruspolịna (*dim. di ruspa*[1]) *f.* rake.

rụspolo (*dim. di ruspo*) *m.* → **ruspone**. – **ruspọne** (*accr. di ruspo*) *m.* **1.** (generally in pl.; *denaro*) money, riches *pl.* – **2.** ⟨region⟩ coin worth three sequins.

russamẹnto *m.* ⟨rar⟩ **1.** snoring. – **2.** (*rumore*) snoring, snores *pl.* – **russạnte** (*p.pr. di russare*) *a.* ⟨Med⟩ sonorous: *rantoli -i* sonorous rales.

russạre *v.i.* (*aus.* **avere**) **1.** to snore. – **2.** ⟨scherz⟩ (*dormire*) to sleep, ⟨scherz⟩ to snore: *sono già tre ore che russa* he has already been sleeping for three hours. – **3.** ⟨fig,non com⟩ (*mandare suoni bassi e profondi*) to boom, to groan.

Rụssia *N.pr.f.* ⟨Geog⟩ Russia.

russificaziọne *f.* Russianization.

rụsso **I** *a.* Russian. – **II** *s.m.* **1.** (*lingua*) Russian. – **2.** (*abitante*; *f.* **-a**) Russian. ◻ *alla -a* Russian-style; *camicia alla -a* Cossack shirt; ⟨Gastr⟩ *uova alla -a* hard-boiled eggs with mayonnaise and Russian salad; ~ *bianco* White Russian, B(y)elorussian; ⟨Gastr⟩ *insalata -a* Russian salad.

russọfilo *a.* Russophil(e).

rụssola *f.* → **rossola**.

rusticạggine *f.* ⟨non com⟩ → **rustichezza**.

rusticạle *a.* **1.** ⟨ant⟩ (*della campagna*) rural, country; (*contadino*) country, rural, farm-. – **2.** ⟨Lett⟩ bucolic. – **rusticamẹnte** *avv.* rustically, (in) country-style. – **rusticạno** *a.* country, rural, rustic: *duello* ~ rustic duel. – **rustichẹzza** *f.* roughness, rudeness. – **rusticità** *f.* **1.** → **rustichezza**. – **2.** ⟨Edil⟩ rusticity, rustic style.

rụstico *a./s.* (*pl.* **-ci**) **I** *a.* **1.** (*di campagna*) country, rustic, rural: *casetta -a* country cottage. – **2.** (*contadino*) country, rural. – **3.** ⟨fig⟩ (*rozzo*) rough, coarse, unrefined, rude; (*non rifinito, grezzo*) rustic, unpolished, plain. – **4.** ⟨fig⟩ (*scontroso*) rough, uncouth, coarse, rude: *è* ~, *ma d'animo gentile* he's coarse but kind-hearted. – **5.** ⟨fig⟩ (*schivo, timido*) unsociable, shy. – **6.** (*rif. ad animali*: *ombroso*) skittish, shy. – **7.** ⟨Arch⟩ rustic. – **8.** ⟨Giard⟩ hardy. – **II** *s.m.* **1.** (*alloggio per contadini*) lodge, servants' quarters *pl*; (*magazzino per attrezzi*) outhouse, shed. – **2.** *pl.* ⟨Gastr⟩ savoury pies *pl*, pasties *pl.* – **3.** ⟨lett⟩ (*contadino*) peasant, countryman (*f* -woman), ⟨lett⟩ rustic; *pl.* country folk. ◻ ⟨Legat⟩ *alla -a* paper-bound, paper -covered; *legatura alla -a* paper binding; ⟨Edil⟩ ~ *di un edificio* carcass, shell (of a building); ⟨Arch⟩ *ordine* ~ rustic order.

rusticọne (*accr. di rustico*) **I** *s.m.* bear, misanthrope. – **II** *a.* ⟨non com⟩ rough, uncouth, coarse, rude.

Rut *N.pr.f.* ⟨Bibl⟩ Ruth.

rụta *f.* ⟨Bot⟩ **1.** rue (*Ruta*). – **2.** rue, herb of grace (*Ruta graveolens*). ◻ ~ *di muro* wall rue (*Asplenium ruta-muraria*); *olio essenziale di* ~ rue-oil. – **rutạcee** *f.pl.* rue family (*Rutaceae*).

rutenạto *m.* ⟨Chim⟩ ruthenate.

rutẹni *m.pl.* Ruthenians *pl.* – **Rutẹnia** *N.pr.f.* **1.** ⟨Geog⟩ Ruthenia. – **2.** ⟨ant⟩ (*Russia*) Russia.

rutẹnico *a.* (*pl.* **-ci**) ⟨Chim⟩ ruthenic. – **rutẹnio** *m.* ruthenium.

rutẹno **I** *a.* **1.** Ruthenian, Ruthene. – **2.** ⟨non com⟩ (*ucraino*) Ruthenian, Ukrainian. – **3.** ⟨lett⟩ (*russo*) Russian. – **II** *s.m.* (*f.* **-a**) **1.** Ruthenian, Ruthene. – **2.** ⟨non com⟩ (*ucraino*) Ruthenian, Ukrainian. – **3.** ⟨lett⟩ (*russo*) Russian. – **4.** (*lingua ucraina*) Ukrainian, Ruthenian.

rutilạnte (*p.pr. di rutilare*) *a.* ⟨lett,non com⟩ **1.** glowing, ⟨lett⟩ rutilant. – **2.** (*risplendente*) shining, glowing, gleaming. – **rutilạre** *v.i.* (**rụtilo**; *aus.* **avere**) ⟨lett,non com⟩ **1.** to glow red, to shine with a ruddy light. – **2.** (*risplendere*) to shine, to glow, to gleam.

rutilịsmo *m.* ⟨Med⟩ rutilism, red-headedness.

rutilịte *f.* ⟨rar⟩ → **rutilo**[2].

rụtilo[1] *a.* ⟨lett⟩ **1.** (*rosso acceso*) bright red. – **2.** (*fulvo*) tawny.

rụtilo[2] *m.* ⟨Min⟩ rutile.

rutịna *f.* ⟨Chim⟩ rutin. – **rutịnico**: *acido* ~ → **rutina**.

ruttạre **I** *v.i.* (*aus.* **avere**) ⟨volg⟩ to belch, to burp. – **II** *v.t.* **1.** ⟨lett⟩ (*eruttare*) to spew out. – **2.** ⟨spreg⟩ to spew (*o* spit) out, to pour forth: ~ *insulti* to spew out insults.

ruttẹggiạre *v.i.* (**ruttẹggio**, **ruttẹggi**; *aus.* **avere**) ⟨non com⟩ (*ruttare frequentemente*) to keep belching.

rụttile *a.* → **ruptile**.

ruttịno (*dim. di rutto*) *m.* ⟨infant⟩ burp. – **rụtto** *m.* ⟨volg⟩ belch, burp.

ruttọre *m.* ⟨El⟩ contact-breaker, trembler. ◻ ⟨Aut⟩ ~ *d'accensione* trembler, ⟨am⟩ timer.

Rụtuli *N.pr.m.pl.* ⟨Stor⟩ Rutuli *pl.*

ruvidamẹnte *avv.* **1.** roughly, coarsely. – **2.** ⟨fig⟩ roughly, rudely. – **ruvidẹzza** *f.* **1.** roughness, coarseness: *la* ~ *di un tronco d'albero* the roughness of a tree-trunk. – **2.** ⟨fig⟩ roughness, rudeness. – **ruvidità** *f.* ⟨lett⟩ → **ruvidezza**. – **rụvido** *a.* **1.** rough, coarse: *pelle -a* rough skin. – **2.** ⟨fig⟩ (*aspro, brusco*) rough, rude, brusque: *una risposta -a* a brusque answer. – **3.** ⟨fig,lett⟩ (*rozzo, non rifinito*) coarse, crude, unrefined, unpolished. – **4.** ⟨Enol⟩ (*aspro*) sharp, harsh, rough.

rụzza *f.* ⟨non com⟩ → **ruzzo**. – **ruzzạre** *v.i.* (*aus.* **avere**) to romp, to play: *i cuccioli ruzzavano sull'erba* the pups were romping on the grass. – **rụzzo** *m.* **1.** playfulness, rompishness, frolicsomeness; (*il ruzzare*) romping. – **2.** (*voglia, capriccio*) whim, fancy, notion. – **3.** ⟨non com⟩ (*puntiglio*) obstinacy. ◻ *cavare il* ~ (*dal capo*) *a qd.* (*levargli i capricci*) to knock the nonsense out of s.o.; *essere in* ~ to be in a playful mood.

rụzzola *f.* top: *giocare alla* ~ to spin (*o* play with) a top. – **ruzzolạnte** *m.* ⟨non com⟩ (*chi gioca alla ruzzola*) person playing with a top.

ruzzolạre *v.* (**rụzzolo**) **I** *v.i.* (*aus.* **essere**) to tumble, to roll, to fall: *è ruzzolato per le scale* he tumbled down the stairs. – **II** *v.t.* to roll: ~ *un barile* to roll a barrel. – **ruzzolạta** *f.* **1.** (*atto*) tumbling, falling; (*effetto*) tumble, fall. – **2.** ⟨non com⟩ (*colpo di ruzzola*) blow with a top. – **ruzzolịo** *m.* ⟨tosc⟩ rolling.

ruzzolọne **I** *s.m.* **1.** tumble, heavy fall. – **2.** ⟨fig⟩ fall. – **II** *avv.* → **ruzzoloni**. ◻ *fare un* ~ to fall, ⟨fam⟩ to come a cropper; ⟨fig⟩ (*perdere autorità, grado*) to come down in the world. – **ruzzolọni** *avv.* tumbling, rolling. ◻ *andare* (o *scendere*) ~ to go tumbling down.

R.W. = ⟨Med⟩ *reazione di Wassermann* Wassermann reaction.

S

s, S ['ɛsse] *f./m.* (*lettera dell'alfabeto*) s, S: *due s* two s's; *doppia s* double s; *un's maiuscola* a capital S; ⟨*Tel*⟩ *s come Salerno* s for Sugar.

s = **1.** ⟨*Fis*⟩ *secondo* second (*abbr.* sec., s.). – **2.** *shilling* shilling (*abbr.* s.).

S = **1.** ⟨*Aut*⟩ *Svezia* Sweden. – **2.** ⟨*Fis*⟩ *siemens* siemens (*abbr.* S). – **3.** ⟨*Chim*⟩ *zolfo* sulphur.

s. = **1.** *sabato* Saturday (*abbr.* Sat., S.). – **2.** ⟨*Gramm*⟩ *sostantivo* substantive (*abbr.* subst.).

S. = **1.** ⟨*Rel*⟩ *santo* saint (*abbr.* St.). – **2.** ⟨*Geog*⟩ *Sud* South (*abbr.* S., s.).

Sa = ⟨*Chim*⟩ *samario* samarium.

s.a. = **1.** ⟨*Bibliot*⟩ *senza anno* sine anno (*abbr.* s.a.). – **2.** ⟨*Med*⟩ *a regola d'arte* secundum artem (*abbr.* s.a.).

S.A. = **1.** ⟨*Econ*⟩ *società anonima* société anonyme (*abbr.* S.A.). – **2.** *Sua Altezza* His (*f* Her) Highness (*abbr.* H.H.). – **3.** *servizio attivo* active duty (*abbr.* A.D.). – **4.** *esercito della salvezza* Salvation Army (*abbr.* S.A.).

sa' (*accorc. di santo*) *a.* ⟨*ant,tosc*⟩ saint, St.

saạle *m.* ⟨*Geol*⟩ Saale glacial stage. – **saaliạno I** *a.* Saale-, Saalian. – **II** *s.m.* → **saale.**

Sạar *N.pr.f.* ⟨*Geog*⟩ (*fiume*) Saar. ◻ *Territorio della* ~ Saar(land), Saar Basin (*o* Territory).

sab. = *sabato* Saturday (*abbr.* Sat., S.).

Sạba: ⟨*Bibl*⟩ *regina di* ~ Queen of Sheba.

sabadịglia *f.* ⟨*Bot*⟩ sabadilla, cevadilla (*Schoenocaulon officinale*).

sabatạri *m.pl.* → **sabbatari.**

sabạtico *a.* → **sabbatico.**

sabatịna *f.* ⟨*ant*⟩ supper with meat (after midnight on Saturday). – **sabatịno** *a.* ⟨*non com*⟩ (*di, del sabato*) Saturday-, Saturday's.

sạbato *m.* **1.** Saturday. – **2.** ⟨*Rel.ebr*⟩ Sabbath (Day).
◻ **di** ~ on Saturday(s); ~ **fascista** half-day Saturday; ~ **grasso** Saturday before Ash Wednesday; **il** ~ = **di** *sabato*; ~ **inglese** half-day Saturday; ⟨*Rel*⟩ ~ *di* **passione** Saturday preceding Palm Sunday; ⟨*Rel*⟩ ~ **santo** Holy Saturday, Saturday of Passion Week; ⟨*scherz*⟩ ~ *che* **viene** never, when the moon turns blue.

sabạudico *a.* (*pl.* **-ci**) ⟨*non com*⟩ → **sabaudo.** – **sabạudo** *a.* ⟨*Stor*⟩ of (the House of) Savoy.

sạbba *m.* (*pl. inv.*/**sạbbati**) ⟨*Mediev*⟩ sabbat, (witches') sabbath.

sabbatạri, sabbatẹi *m.pl.* ⟨*Rel*⟩ Sabbatarians *pl.*

sabbạtico: *anno* ~: 1. ⟨*Rel.ebr*⟩ Sabbatical year; 2. ⟨*Univ*⟩ sabbatical, sabbatical year (*o* leave).

sabbatịsti *m. pl.* → **sabbatari.**

sạbbato *m.* ⟨*ant,region*⟩ → **sabato.**

sạbbia *f.* **1.** sand. – **2.** *pl.* ⟨*Med*⟩ sand, gravel.
◻ **a** ~ sand-: *orologio a* ~ sandglass, sand-clock; ⟨*Geol*⟩ ~ **alluvionale** alluvial sand; ⟨*Met*⟩ ~ *per* **anime** core sand; ~ **argillosa** clay (*o* argillaceous) sand; ~ **aurifera** auriferous sand, placer; ⟨*Med*⟩ ~ **biliare** biliary sand (*o* gravel); ~ *di* **cava** pit (*o* dug) sand; ⟨*Med*⟩ ~ **cerebrale** brain sand; **color** ~ sand (colour); *di color* ~ sandy, sand-coloured; ⟨*fig*⟩ **costruire** *sulla* ~ to build on sand; ⟨*Geol*⟩ ~ **eolica** (a)eolian sand; ~ **ferrifera** iron sand; ~ **fine** fine (-grained) sand; ~ **finissima** very fine sand; ~ **fluviale** (o *di fiume*) river sand; ~ **ghiaiosa** gravelly (*o* coarse) sand, gravel, shingle; ⟨*Geol*⟩ ~ **gialla** yellow sand; ⟨*Met*⟩ ~ **grigia** burned (*o* dead) sand; ⟨*Met*⟩ ~ **isolante** parting (sand); *-e* **lacustri** lacustrine sands; ~ **marina** (o *di mare*) sea (*o* marine) sand; ⟨*Geol*⟩ *-e* **mobili** quicksand *sing*; ~ **modello** facing sand; ⟨*Geol*⟩ *-e* **moreniche** glacial sand *sing*; ~ **petrolifera** oil sand; ~ **quarzosa** quartz sand; ⟨*Met*⟩ ~ **refrattaria** fire sand; ⟨*fig*⟩ **scrivere** *sulla* ~ to write in water; ⟨*fig*⟩ **seminare** *nella* ~ to plough the sand, to work to no end; ~ *a* **spigoli** *vivi* sharp sand; ⟨*Meteor*⟩ **tempesta** *di* ~ sandstorm; ~ **trasportata** *dal vento* sand-drift, sand-dune; ⟨*Meteor*⟩ **tromba** *di* ~ sand pillar; ⟨*Geol*⟩ *-e* **verdi** green-sand *sing*.

sabbiạre *v.t.* (**sạbbio, sạbbi**) **1.** ⟨*non com*⟩ (*insabbiare*) to sand. – **2.** ⟨*Mecc*⟩ to sand-blast. – **sabbiạto** (*p.p. di sabbiare*) *a.* **1.** covered with sand, sand-strewn. – **2.** ⟨*Mecc*⟩ sand-blasted. – **3.** ⟨*Met,Oref*⟩ dull. – **sabbiatọre** *m.* ⟨*Mecc*⟩ sand-blaster, sander. – **sabbiatrịce** *f.* ⟨*Mecc*⟩ sand-blasting machine, sander, sand-blaster.

sabbiatụra *f.* **1.** ⟨*Med*⟩ sand bath: *fare le -e* to take sand baths. – **2.** ⟨*Mecc*⟩ sand-blasting. ◻ ~ *con abrasivo* sand-bobbing; ~ *a proiezione centrifuga* turbine sand-blasting; ~ *metallica* shot-blasting; ~ *umida* vapour-blasting.

sabbiẹra *f.* **1.** ⟨*Ferr*⟩ sandbox, sand dome. – **2.** ⟨*Cart*⟩ sand trap.

sabbiẹtta, sabbiolịna (*dim. di sabbia*) *f.* fine sand.

sabbionạio *m.* sand-digger. – **sabbionạra** *f.* ⟨*non com*⟩ sand-pit.

sabbiọne *m.* **1.** (*terreno sabbioso*) sandy land (*o* soil). – **2.** (*sabbia grossolana*) coarse sand, sharp-graded sand. – **3.** ⟨*Geol*⟩ (*ghiaione*) scree. – **4.** *pl.* ⟨*Geol*⟩ (*in Val Padana*) (sand-)dunes *pl.*

sabbionịccio *m.* sandy (*o* marlaceous) soil. – **sabbionọso** *a.* ⟨*ant*⟩ → **sabbioso.**

sabbiọsa *f.* ⟨*Mod*⟩ machine for shaping hat brims.

sabbiọso *a.* **1.** (*ricco di sabbia*) sandy: *riva -a* sandy shore. – **2.** (*che ha consistenza di sabbia*) sandy, sabulous: *pietra -a* sandy rock.

sabẹi *m.pl.* ⟨*Stor*⟩ Sab(a)eans *pl.* – **sabeịsmo** *m.* ⟨*Rel*⟩ sabaism, sabeism, star-worship.

sabellạria *f.* ⟨*Zool*⟩ sand worm (*Sabellaria*).

sabẹlli *m.pl.* ⟨*Stor*⟩ Sabellians *pl.*

sabellianịsmo *m.* ⟨*Rel*⟩ Sabellianism, Modalistic Monarchianism. – **sabelliạno I** *a.* Sabellian. – **II** *s.m.* (*f.* **-a**) Sabellian.

sabẹllico *a.* (*pl.* **-ci**) ⟨*Stor*⟩ Sabellian.

Sabẹllio *N.pr.m.* ⟨*Stor*⟩ Sabellius.

sabẹo I *a.* ⟨*Stor*⟩ Sab(a)ean, of Saba. – **II** *s.m.* **1.** (*f.* **-a**) ⟨*Stor*⟩ Sab(a)ean. – **2.** ⟨*Ling*⟩ Sab(a)ean.

Sạbin: ⟨*Med*⟩ *vaccino* ~ Sabin vaccine.

sabịna *f.* ⟨*Bot*⟩ savin, sabina, cover-shame (*Iuniperus sabina*). ◻ *olio di* ~ savin-oil.

Sabịna[1] *N.pr.f.* Sabina.

Sabịna[2] *N.pr.f.* ⟨*Geog*⟩ territory around the Sabina mountains.

sabinịsmo *m.* ⟨*Med*⟩ sabinism, savin poisoning.

sabịno I *a.* Sabine. – **II** *s.m.* (*f.* **-a**) Sabine.

sabotạggio *m.* sabotage. ◻ *atti di* ~ (acts of) sabotage; ~ *impiegatizio* white-collar sabotage; ~ *parlamentare* obstructionism, filibustering. – **sabotạre** *v.t.* (**sabọto**) to sabotage, to wreck. – **sabotọre** *m.* (*f.* **-trice**) saboteur.

sabulịcolo *a.* ⟨*Bot*⟩ sabulose.

sabụrra *f.* ⟨*Med,ant*⟩ saburra. – **saburrạle**: *lingua* ~ coated tongue.

sac. = *sacerdote* priest (*abbr.* pr., P.).

sạcca[1] *f.* **1.** bag: ~ *da viaggio* travelling bag; (*bisaccia*) knapsack, haversack. – **2.** ⟨*fig*⟩ (*rientranza*) indentation, recess. – **3.** ⟨*Mil*⟩ pocket. – **4.** ⟨*Geog*⟩ (*insenatura*) inlet, cove, pocket, small bay. – **5.** ⟨*Med,Anat*⟩ sac, pocket. – **6.** ⟨*Bot*⟩ (*lacuna*) lacuna. – **7.** ⟨*Aer*⟩ (*vuoto d'aria*) (air-)pocket. – **8.** ⟨*Met*⟩ bosh. – **9.** ⟨*region*⟩ (*tasca*) pocket. ◻ ~ *d'aria* (air-)pocket; *far* ~ to go in, to be indented, to have a recess; ~ *da piedi* footmuff; ⟨*Bot,non com*⟩ ~ *pollinica* pollen sac.

sạcca[2] *f.pl. ant. di* **sacco.**

saccạia *f.* **1.** (*nelle fattorie: locale*) sack storage room; (*bastone*) batten for hanging sacks on. – **2.** ⟨*tosc*⟩ (*rif. ad ascessi o ferite*) festering.

saccapạne *m.* ⟨*ant*⟩ (*tascapane*) haversack.

saccarạsi *f.* ⟨*Biol*⟩ invertase, saccharase.

saccarạto *m.* ⟨*Chim*⟩ saccharate.

saccạrdo *m.* **1.** ⟨*Mediev*⟩ baggage-master. – **2.** ⟨*lett*⟩ (*saccheggiatore*) looter, pillager, sacker, plunderer.

saccạrico: ⟨*Chim*⟩ *acido* ~ saccharic acid. – **saccạride** *m.* saccharide, carbohydrate.

saccarịfero *a.* **1.** (*contenente zucchero*) sacchariferous, sugar-: *bietola -a* sugar-beet. – **2.** (*che riguarda lo zucchero*) sugar-: *industria -a* sugar industry. – **saccarificạre** *v.t.* (**saccarịfico, saccarịfichi**) ⟨*Chim*⟩ to saccharify. – **saccarificatọre I** *s.m.* saccharifier. – **II** *a.* saccharifying. – **saccarificaziọne** *f.* saccharification.

saccarifịcio *m.* ⟨*ant*⟩ (*zuccherificio*) sugar refinery.

saccarimetrịa *f.* ⟨*Chim*⟩ saccharimetry. – **saccarịmetro** *m.* saccharimeter.

saccarịna *f.* ⟨*Chim*⟩ saccharin(e).

saccarinạto[1] *a.* ⟨*Chim*⟩ saccharated, saccharinated.

saccarinạto[2] *m.* ⟨*Chim*⟩ saccharate.

saccạrio *m.* ⟨*Stor.rom*⟩ (*fabbricante*) sack-maker; (*venditore*) sack -seller; (*facchino*) docker, loader.

saccaro... *pref.* (*zucchero* sugar) sacchar(o)..., sacchari..., sugar-.

saccarọmetro *m.* → **saccarimetro.**

saccaromicẹte *m.* ⟨*Bot*⟩ yeast (fungus), saccharomycete (*Saccharomyces*).

saccarọsio *m.* ⟨*Chim*⟩ saccharose. – **saccarosụria, saccarụria** *f.* ⟨*Med*⟩ saccharosuria, saccharuria.

saccạta *f.* **1.** sack(ful): *una* ~ *di fieno* a sackful of hay. – **2.** ⟨*ant*⟩ (*unità di misura*) old unit of surface measure (6,300 m^2). ◻ ⟨*fam*⟩ *avere una* ~ *di soldi* to have a load of money.

saccẹllo *m.* ⟨*Bot*⟩ sacellus.

saccẹnte I *a.* **1.** presumptuous, bumptious, ⟨*fam*⟩ know-all, ⟨*fam*⟩ smart-aleck: *ragazzo* ~ presumptuous boy; (*pedante*) pedant(ic). – **2.** ⟨*ant*⟩ (*sapiente*) wise; (*istruito*) learned, erudite. – **3.** ⟨*ant*⟩ (*scaltro*) shrewd, sharp. – **II** *s.m./f.* presumptuous person, wiseacre, ⟨*fam*⟩ know-all, ⟨*fam*⟩ smart-aleck: *fare il* ~ to be a know-all, to parade one's knowledge; (*pedante*) pedant.

saccentẹllo *a./s. dim. di* **saccente.** – **saccentemẹnte** *avv.* presumptuously, bumptiously; (*pedantescamente*) pedantically. – **saccenterịa** *f.* (*presunzione*) presumptuousness, bumptiousness; (*pedanteria*) pedantry. – **saccentịno** *a./s. dim. di* **saccente**. – **saccentọne** *a./s. accr. di* **saccente**.

saccheggiamẹnto *m.* ⟨*non com*⟩ **1.** (*il saccheggiare*) sacking, plundering, looting, pillaging. – **2.** (*distruzione, rovina*) destruction, devastation, ruin.

saccheggiạre *v.t.* (**sacchẹggio, sacchẹggi**) **1.** to sack, to plunder, to loot, to pillage: ~ *una città espugnata* to sack a conquered city. – **2.** ⟨*estens*⟩ (*derubare*) to rob, to loot: ~ *una banca* to rob a bank. – **3.** ⟨*fig*⟩ (*plagiare*) to plunder, to plagiarize, to pillage. – **4.** ⟨*ant*⟩ (*rovinare, danneggiare*) to destroy, to devastate, to ruin.

saccheggiatọre *m.* (*f.* **-trice**) **1.** plunderer, looter, pillager, sacker. – **2.** (*ladro*) looter, thief, robber. – **3.** ⟨*fig*⟩ (*plagiatore*) plunderer, plagiarizer. – **sacchẹggio** *m.* **1.** sack(ing), plundering, looting, pillaging: *il ~ d'una città* the sack of a city. – **2.** ⟨*estens*⟩ (*rapina*) looting, robbery: *il ~ delle case abbandonate dopo il terremoto* the looting of the houses abandoned after the earthquake. – **3.** ⟨*fig*⟩ (*plagio*) plunder(ing), plagiarism.

saccherịa *f.* ⟨*non com*⟩ **1.** (*fabbrica*) sack factory. – **2.** (*reparto*) sack-manufacturing division (of a jute mill).

sacchẹtta (*dim. di sacca*[1]) *f.* **1.** (small) bag, pouch. – **2.** (*per il foraggio dei cavalli*) nosebag, feedbag.

sacchettịno (*dim. di sacchetto*) *m.* (small) bag; (*di carta*) paper bag (*o* sack).

sacchẹtto (*dim. di sacco*) *m.* **1.** (small) sack, (small) bag, pouch: *un ~ di plastica* a plastic bag; *un ~ di caramelle* a bag of sweets; (*contenuto*) sack(ful), bag(ful). – **2.** ⟨*Mar*⟩ (small) sandbag on a heaving line. – **3.** ⟨*Med*⟩ somite.
□ ⟨*Mod*⟩ **a ~** sack-; ~ *di* **carta** paper bag; ~ *di* **iuta** gunny sack, burlap bag; ⟨*Mil.ant*⟩ ~ *per* **polvere** powder bag; ~ *di* **sabbia** sandbag; ⟨*Met*⟩ ~ *di* **spolvero** cloth bag; ⟨*Mil*⟩ ~ *a* **terra** sandbag.

saccifọrme *a.* ⟨*Anat*⟩ sacciform, sac-like.

sạcco *m.* (*pl. i* **sạcchi**/*tosc., ant. le* **sạcca**; the latter form is used only for sacks which have been filled) **1.** sack, bag: *riempire un ~ di grano* to fill a sack with corn. – **2.** (*quantità*) sack(ful), bag(ful): *un ~ di carbone* a sack of coal. – **3.** ⟨*fam*⟩ (*gran quantità*) great deal, lot, pack, ⟨*fam*⟩ pile, ⟨*fam*⟩ heap: *avere un ~ di soldi* to have ⌜a lot⌝ (*o* heaps) of money; *mi ha detto un ~ di bugie* he told me a pack of lies. – **4.** (*tela grossolana*) sackcloth, sacking: *essere vestito di ~* to be dressed in sackcloth; (*saio*) habit: *vestire il ~ di san Francesco* to wear the Franciscan habit. – **5.** ⟨*fig,scherz*⟩ (*stomaco*) stomach; (*ventre*) belly: *riempirsi il ~* to fill one's belly. – **6.** (*saccheggio*) sack(ing), plunder, pillage. – **7.** ⟨*gerg*⟩ (*biglietto da mille lire*) thousand -lire note. – **8.** ⟨*Pesc*⟩ pocket, cod (of a drag-net). – **9.** ⟨*Sport*⟩ (*nel pugilato*) punching bag. – **10.** ⟨*Biol,Anat*⟩ sac. – **11.** ⟨*Mar.mil*⟩ seabag. – **12.** ⟨*ant*⟩ (*unità di misura del grano*) old dry measure, sack (73.08-134.40 l).
□ ⟨*Mod*⟩ **a ~** sack-: *giacca a ~* sack coat; *a sacchi* by the sack(ful); ⟨*fig*⟩ (*in gran quantità*) in great quantities; ~ **alpino** = *sacco da* **montagna**; ~ *da* **bivacco** = *sacco a* **pelo**; ~ *di* **cenci** = *sacco di* **stracci**; ⟨*fig*⟩ **colmare** *il ~* (*superare i limiti*) to go too far; *ti sta* **come** *un ~* (*rif. a vestito che stia male*) it hangs on you, it fits you like a sack; ⟨*Post*⟩ ~ *per la* **corrispondenza** mailbag; **corsa** *nei sacchi* sack race; ~ *di* **cuoio** leather bag; ⟨*Biol*⟩ ~ **embrionale** embryonic (*o* embryo) sac; ~ *d'***equipaggiamento** knapsack, kit-bag; ⟨*scherz*⟩ **fare** *il ~ a qd.* to make s.o. ⌜an apple-pie⌝ (*o* a French) bed, to short-sheet s.o.'s bed; ⟨*Post*⟩ **fuori** ~ by hand: *corrispondenza fuori ~* correspondence delivered (*o* for delivery) by hand; ⟨*Anat*⟩ ~ **lacrimale** lachrymal (*o* lacrimal) sac; ⟨*fig*⟩ *cogliere qd. con le* **mani** *nel ~* (*coglierlo in flagrante*) to catch s.o. red-handed; **mettere** *a ~* (*saccheggiare*) to sack, to loot; ⟨*fig*⟩ *mettere qd. nel* (o *in*) ~ (*raggirarlo*) to take s.o. in; ~ *da* **montagna** rucksack; ⟨*ant*⟩ ~ **nero** (*cronaca nera*) crime (*o* police) news; ⟨*pop*⟩ *essere un ~ d'***ossa** to be a bag of bones; ⟨*fig*⟩ ~ *di* **patate** (*persona goffa*) clumsy (*o* awkward) person, ⟨*fam*⟩ clumsy oaf; ~ *a* **pelo** (o *piuma*) sleeping-bag; ⟨*fig*⟩ *tornarsene con le* **pive** *nel ~* to return empty-handed; ⟨*Bot*⟩ ~ **pollinico** pollen sac; ~ **postale** (o *della posta*) mailbag; ⟨*fig*⟩ **reggere** *il ~ a qd.* to aid and abet s.o., to be s.o.'s accomplice; ⟨*Stor*⟩ *il ~ di* **Roma** the sack of Rome; **rovesciare** *il ~* = **vuotare** *il sacco*; ⟨*fam*⟩ *un ~ e una* **sporta** (*moltissimo*) a great deal, a lot, very much, ⟨*fam*⟩ loads; *se ne dissero un ~ e una sporta* they insulted each other, they called each other all sorts of names; ⟨*spreg*⟩ ~ *di* **stracci** (*persona malvestita*) bundle of rags; **tenere** *il ~ a qd.* = **reggere** *il sacco a qd.*; ⟨*fig*⟩ *con la* **testa** *nel ~* (*sventatamente*) recklessly, thoughtlessly, heedlessly: *fare qc. con la testa nel ~* to do s.th. thoughtlessly; ⟨*Biol*⟩ ~ **vitellino** (o *del torlo*) yolk sac; ⟨*fig*⟩ **vuotare** *il ~* to speak out (*o* one's mind). – *Prov.*: ~ *vuoto non sta ritto* you can't work on an empty stomach.

saccọccia *f.* (*pl.* **-ce**) **1.** ⟨*region*⟩ (*tasca*) pocket. – **2.** ⟨*Anat*⟩ sac, pouch, sinus, pocket. □ ⟨*pop*⟩ *avere le saccocce piene di qc.* (o *qd.*) to be fed up with s.th. (*o* s.o.); *mettere qc. in ~* (*intascarla*) to put s.th. in one's pocket; ⟨*pop*⟩ *rompere le saccocce a qd.* to annoy s.o., to be a nuisance to s.o. – **saccocciạta** *f.* pocketful.

saccolẹva *m.inv.* ⟨*Mar*⟩ **1.** (*piccolo veliero*) (kind of) sponge-fishing boat. – **2.** ⟨*ant*⟩ (*vela a tarchia*) spritsail.

sạccolo (*dim. di sacco*) *m.* **1.** ⟨*lett*⟩ bag, small sack. – **2.** ⟨*Stor*⟩ (*borsetta*) pouch, bag.

saccomannạre *v.* ⟨*ant*⟩ → **saccheggiare**.

saccomạnno *m.* ⟨*ant*⟩ **1.** (*saccardo*) baggage-master. – **2.** (*servitore di un cavaliere*) knight's servant. – **3.** (*saccheggio*) sack, pillage, plunder. □ ⟨*ant*⟩ *fare ~* to sack, to pillage, to plunder; ⟨*ant*⟩ *mettere* (*o porre*) *a ~* to (put to the) sack.

saccomazzọne *m.* ⟨*ant*⟩ (*gioco*) country game.

saccọne (*accr. di sacco*) *m.* (*paglericcio*) straw mattress, palliasse.

saccopẹlo *m.inv.* (*sacco a pelo*) sleeping-bag.

sacculazịone *f.* ⟨*Anat*⟩ sacculation. – **sạcculo** *m.* saccule.

sacellạrio *m.* ⟨*Mediev*⟩ sacellarius, private purse-keeper.

sacẹllo *m.* **1.** ⟨*lett*⟩ (*piccola cappella votiva*) sacellum, votive chapel. – **2.** ⟨*Stor.rom*⟩ sacellum. □ ~ *mortuario* mortuary chapel.

sacerdotạle *a.* priestly, priest's, sacerdotal.

sacerdọte *m.* (*f.* **-essa**/*lett.* **sacerdọte**) **1.** priest (*f* -ess): *i -i pagani* the pagan priests. – **2.** ⟨*Rel.catt*⟩ priest. – **3.** ⟨*fig*⟩ (*cultore*) devotee, lover, cultivator. □ ⟨*scherz*⟩ ~ *di Esculapio* (*medico*) doctor; ⟨*Rel.catt*⟩ ~ *novello* newly-ordained priest; ⟨*Rel.catt*⟩ *il* ≈ *perfetto* (*Cristo*) Christ; *sommo* ~: 1. ⟨*Rel.catt*⟩ (*papa*) Pope; 2. ⟨*Bibl*⟩ High Priest.

sacerdọzio *m.* **1.** priesthood, ministry, sacerdocy. – **2.** ⟨*Rel.catt*⟩ (*ordine*) priesthood; (*ufficio, dignità*) priesthood, sacerdocy. – **3.** ⟨*fig*⟩ (*missione*) mission, vocation, lifework. □ ⟨*Rel.catt*⟩ ~ *del Cristo* Priesthood of Christ; ~ *dei fedeli* priesthood of ⌜the faithful⌝ (*o* all believers).

sacertà *f.* ⟨*lett*⟩ → **sacralità**.

sạcra *f.* ⟨*ant,lett*⟩ → **sagra**.

sacrạle[1] *a.* holy, sacred, sacral.

sacrạle[2] *a.* ⟨*Anat*⟩ sacral: *nervo ~* sacral nerve. – **sacralgịa** *f.* ⟨*Med*⟩ sacralgia.

sacralità *f.* holiness, sacredness: ~ *di un luogo* sacredness of a place. – **sacralizzạre** *v.t.* ⟨*non com*⟩ (*rendere sacro o sacrale*) to sacralize, to sanctify.

sacralizzazịone[1] *f.* ⟨*non com*⟩ sanctification.

sacralizzazịone[2] *f.* ⟨*Med*⟩ sacralization.

sacramentạle I *a.* **1.** ⟨*Rel.catt*⟩ sacramental. – **2.** ⟨*scherz*⟩ (*abituale*) ritual, conventional. – **II** *s.m.pl.* ⟨*Rel.catt*⟩ sacramentals *pl*, sacramentalia *pl.* – **III** *s.m.* ⟨*Dir.mediev*⟩ conspirator. – **sacramentalmẹnte** *avv.* sacramentally.

sacramentạre *v.* (**sacramẹnto**) **I** *v.t.* ⟨*Lit*⟩ to administer the sacraments to, to sacramentize. – **II** *v.i.* (*aus.* **avere**) **1.** (*giurare solennemente*) to swear, to take an oath, to vow; (*affermare, asserire*) to swear, to vow. – **2.** ⟨*assol*⟩ (*bestemmiare*) to swear, to curse. – **sacramentarsi** *v.r.* ⟨*Lit*⟩ to receive (*o* take) the sacraments.

sacramentạrio I *a.* sacramental, Sacramentarian: *teoria -a* sacramental theory. – **II** *s.m.* **1.** ⟨*Lit*⟩ Sacramentary. – **2.** ⟨*Rel*⟩ Sacramentarian.

sacramentạto (*p.p. di sacramentare*): *Gesù ~* Jesus present in the consecrated Host.

sacramẹnto *m.* **1.** ⟨*Rel*⟩ sacrament: *amministrare un ~* to administer a sacrament. – **2.** ⟨*Rel*⟩ (*eucarestia*) Eucharist, (Holy) Communion; (*ostia consacrata*) consecrated Host, Blessed Sacrament. – **3.** ⟨*ant, lett*⟩ (*solenne giuramento*) oath, vow. □ *accostarsi ai -i* to go to confession and receive Holy Communion; *fare un ~* (*giurare solennemente*) to take an oath, to swear solemnly; ⟨*Rel.catt*⟩ *Santissimo* ≈ Blessed (*o* Holy) Sacrament; ⟨*fam*⟩ *con tutti i -i* scrupulously, thoroughly, conscientiously, properly; ⟨*esclam*⟩ *per tutti i -i* Christ!, damn it.

sacrạre I *v.t.* ⟨*lett*⟩ **1.** ⟨*Rel*⟩ (*consacrare*) to consecrate. – **2.** (*dedicare solennemente*) to consecrate, to dedicate: ~ *alla memoria di qd.* to dedicate to s.o.'s memory. – **II** *v.i.* (*aus.* **avere**) ⟨*pop*⟩ (*bestemmiare*) to swear, to curse. – **sacrarsi** *v.r.* (*votarsi*) to offer (*o* sacrifice) o.s.

sacrạrio *m.* **1.** ⟨*Stor.rom*⟩ sacrarium. – **2.** ⟨*Rel.catt*⟩ piscina, sacrarium. – **3.** (*monumento alla memoria*) memorial chapel. – **4.** ⟨*fig*⟩ (*intimità*) privacy, sanctuary, intimacy, bosom. – **5.** ⟨*non com*⟩ (*sagrestia*) sacristy.

sacratịssimo (*sup. di sacrato*[1]) *a.* **1.** ⟨*Rel*⟩ most holy (*o* blessed). – **2.** ⟨*ant,lett*⟩ (*rif. a sovrani*) most sacred; (*rif. ad arti o studi più elevati*) highest.

sacrạto[1] (*p.p. di sacrare*) *a.* ⟨*lett*⟩ **1.** (*consacrato*) consecrated. – **2.** (*sacro*) holy, sacred.

sacrạto[2] *m.* ⟨*ant,lett*⟩ → **sagrato**[1].

sacrestạna *f.* ⟨*non com*⟩ → **sagrestana**. – **sacrestạno** *m.* ⟨*non com*⟩ → **sagrestano**. – **sacrestịa** *f.* ⟨*non com*⟩ → **sagrestia**.

sacrificạle *a.* sacrificial: *rito ~* sacrificial rite. – **sacrificạnte** (*p.pr. di sacrificare*) **I** *s.m./f.* ⟨*Rel*⟩ sacrificing priest, sacrificer. – **II** *a.* sacrificing: *sacerdote ~* sacrificing priest.

sacrificạre *v.* (**sacrịfico, sacrịfichi**) **I** *v.t.* **1.** to sacrifice, to offer (up): ~ *vittime umane agli dei* to sacrifice human victims to the gods. – **2.** ⟨*fig*⟩ (*immolare*) to sacrifice, to give: ~ *la vita per il bene dell'umanità* to give one's life for the good of mankind. – **3.** (*rinunciare*) to give up, to sacrifice, to forgo, to do (*o* go) without: *ho sacrificato la mia vacanza per finire il lavoro* I've given up my vacation in order to finish the work. – **4.** (*non valorizzare*) to waste, to spoil: ~ *un quadro in un angolo buio* to waste a painting by putting it in a dark corner. – **II** *v.i.* (*aus.* **avere**) **1.** to sacrifice. – **2.** ⟨*estens*⟩ (*dimostrare ammirazione, dedizione*) to pay homage: ~ *alla bellezza* to pay homage to beauty; (*rif. a una causa*) to embrace, to support. – **3.** ⟨*non com*⟩ (*celebrare la Messa*) to say (*o* celebrate) Mass. – **sacrificarsi** *v.r.* **1.** (*immolarsi*) to sacrifice o.s., to offer o.s. up. – **2.** (*fare sacrifici, rinunce*) to make sacrifices, to sacrifice o.s.: *sacrificarsi per i figli* to make sacrifices for one's children's sakes. – **3.** (*accontentarsi*) to be satisfied (*o* content), to make do, to put up (*in* with): *ci siamo sacrificati in un appartamentino molto piccolo* we've had to make do with a very small flat.

sacrificạti *m.pl.* ⟨*Stor*⟩ sacrificati *pl.*

sacrificạto (*p.p. di sacrificare*) **I** *a.* **1.** (*offerto in sacrificio*) sacrificed, offered up. – **2.** (*pieno di sacrifici*) of sacrifice(s), of privation(s), of abnegation: *vita -a* life of sacrifice. – **3.** (*non valorizzato*) wasted: *questa ragazza è -a in questo lavoro* this girl is wasted in this job. – **II** *s.m.* (*f.* **-a**) martyr, victim.

sacrificatọre *m.* (*f.* **-trice**) ⟨*lett*⟩ sacrificer. – **sacrificaziọne** *f.* ⟨*lett,rar*⟩ sacrificing.

sacrifịcio *m.* **1.** ⟨*Rel*⟩ sacrifice: *offrire un ~ a una divinità* to offer up a sacrifice to a deity. – **2.** ⟨*Rel.catt*⟩ (Holy Sacrifice of the) Mass, Sacrifice. – **3.** (*offerta della propria vita*) (self-)sacrifice: *il ~ supremo* the supreme sacrifice. – **4.** ⟨*fig*⟩ (*privazione, rinuncia*) sacrifice, privation, abnegation. – **5.** (*negli scacchi*) diversionary sacrifice.

□ ~ *dell'***altare** = *sacrificio della* **Messa**; **compiere** *un ~* = **fare** *un sacrificio*; ~ **cruento** bloody sacrifice; ~ **espiatorio** expiatory sacrifice; **estremo** ~ the supreme sacrifice; ~ **eucaristico** = *sacrificio della* **Messa**; **fare** *un ~* to make a sacrifice (*anche fig.*); *fare sacrifici per qd.* to ⌜make sacrifices⌝ (*o* sacrifice o.s.) for s.o.; ~ **incruento**: 1. bloodless sacrifice; 2. = *sacrificio della* **Messa**; ~ *della* **Messa** (Holy) Sacrifice of the Mass; **offrire** *qc. in ~ a qd.* to sacrifice s.th. to s.o., to offer s.th. up to s.o.; **pronto** *a fare sacrifici* self-sacrificing, ready to make sacrifices; ~ **propiziatorio** propitiatory sacrifice; ~ *di* **qualità** (*negli scacchi*) eliminatory sacrifice; ~ *di* **sé** self-sacrifice; *fare ~ di se stesso* to sacrifice o.s., to be self-sacrificing; **spirito** *di ~* spirit of (self-)sacrifice; ~ **umano** human sacrifice.

sacrịfico *a.* (*pl.* **-ci**) ⟨*Stor.rom*⟩ sacrificing. – **sacrifịcolo** *a.* → **sacrifico.**

sacrifịzio *m.* ⟨*tosc,lett*⟩ → **sacrificio.**

sacrilegamẹnte *avv.* sacrilegiously.

sacrilẹgio *m.* **1.** sacrilege: *commettere un ~* to commit sacrilege; (*rif. a chiese*) sacrilege, profanation. – **2.** ⟨*fig*⟩ (*mancanza di rispetto*) crime, outrage, sin, sacrilege: *sarebbe un ~ abbattere una costruzione così antica* it would be a crime to knock down such an old building.

sacrịlego *a.* (*pl.* **-ghi**) **1.** sacrilegious, impious. – **2.** (*offensivo, irriverente*) criminal, shameless, outrageous, sacrilegious; (*empio*) wicked, evil: *lingua -a* wicked tongue.

sacripạnte *m.* **1.** (*uomo grande e grosso*) hulk, giant. – **2.** ⟨*scherz*⟩ (*persona vivace*) lively person, scamp, rogue. – **3.** (*smargiasso*) braggart, boaster. □ *fare il ~* to brag, to boast.

sacrịsta *m.* ⟨*Rel*⟩ sacristan, sexton. □ ~ *del papa* Pope's Sacristan; *prete ~* sacrist. – **sacristịa** *f.* ⟨*non com*⟩ → **sagrestia.**

sạcro[1] **I** *a.* **1.** holy, sacred: *luogo ~* holy place. – **2.** (*religioso*) sacred, religious: *arte -a* sacred art; (*di chiesa*) church-, sacred: *musica -a* church music. – **3.** (*dedicato*) sacred, dedicated, consecrated: *il mirto è ~ a Venere* the myrtle is sacred to Venus. – **4.** ⟨*fig*⟩ (*degno di venerazione e rispetto*) sacred, venerable: *i -i ideali del Risorgimento* the sacred ideals of the Risorgimento; *l'ospite è ~* a guest is sacred; (*rif. a sovrani*) Sacred: *-a maestà* (His) Sacred Majesty. – **5.** ⟨*fig*⟩ (*inviolabile*) sacred, inviolable, sacrosanct. – **6.** ⟨*non com*⟩ (*caro, gradito*) precious, dear. – **7.** ⟨*rar*⟩ (*consacrato*) consecrated, sacred. – **II** *s.m.inv.* sacred: *il ~ e il profano* the sacred and the profane. □ ⟨*Stor*⟩ ≈ *Romano Impero* Holy Roman Empire.

sạcro[2] *m.* ⟨*Anat*⟩ (*anche osso sacro*) sacrum.

sạcro[3] *m.* ⟨*Ornit*⟩ saker (falcon) (*Falco cherrug*).

sacro|coxalgịa *f.* ⟨*Med*⟩ sacrocoxalgia. – **~dinịa** *f.* → **sacralgia.**

sacrosantamẹnte *avv.* (*in modo sacrosanto*) rightly, most justly, properly; (*meritatamente*) deservedly, rightly: *castigo ~ meritato* rightly-deserved punishment. – **sacrosạnto** *a.* **1.** sacrosanct. – **2.** ⟨*estens*⟩ (*inviolabile*) sacrosanct, sacred, inviolable. – **3.** ⟨*iperb*⟩ (*giusto*) right, just, proper; (*meritato*) well-deserved.

sactosalpịnge *f.* ⟨*Med*⟩ hydrosalpinx, sactosalpinx.

sadducẹo *m.* ⟨*Stor*⟩ Sadducee.

sạdico *a./s.* (*pl.* **-ci**) **I** *a.* **1.** ⟨*Psic*⟩ sadistic. – **2.** ⟨*estens*⟩ (*crudele*) cruel, sadistic. – **II** *s.m.* (*f.* **-a**) sadist. – **sadịsmo** *m.* **1.** ⟨*Psic*⟩ sadism. – **2.** ⟨*estens*⟩ (*crudeltà*) sadism, cruelty. – **sadịstico** *a.* (*pl.* **-ci**) ⟨*Psic,non com*⟩ sadistic. – **sadomasochịsmo** *m.* sadomasochism. – **sadomasochịsta I** *s.m./f.* sadomasochist. – **II** *a.* sadomasochistic.

saducẹo *m.* ⟨*non com*⟩ → **sadduceo.**

saẹppola *f.* ⟨*tosc*⟩ **1.** (*fulmine*) thunderbolt, flash of lightning. – **2.** (*ragazzo irrequieto*) imp, urchin. – **3.** ⟨*Bot*⟩ (*sagittaria*) arrow-head (*Sagittaria sagittifolia*).

saeppolạre *v.t.* (**saẹppolo**) ⟨*ant*⟩ **1.** ⟨*Agr*⟩ to prune, to clip. – **2.** (*tirare con il saeppolo*) to shoot (*anche fig.*). – **saẹppolo** *m.* ⟨*ant*⟩ **1.** ⟨*Agr*⟩ shoot, sucker. – **2.** (*arco*) (small) bow.

saẹtta *f.* **1.** (*fulmine*) thunderbolt, flash of lightning. – **2.** ⟨*fam*⟩ (*ragazzo irrequieto*) imp, urchin. – **3.** ⟨*Mecc*⟩ (*utensile da trapano*) bit. – **4.** ⟨*Geom*⟩ (*freccia*) camber. – **5.** ⟨*Scult*⟩ graver, graving-tool. – **6.** ⟨*Edil*⟩ (*saettone*) strut, brace. – **7.** ⟨*lett*⟩ (*freccia*) arrow. – **8.** ⟨*fig, lett*⟩ (*raggio di sole*) ray of sun(light). – **9.** ⟨*non com*⟩ (*in frasi negative: niente*) nothing: *non sapere una ~* to know nothing, not to know anything. – **10.** ⟨*ant*⟩ (*lancetta dell'orologio*) hand (of a clock). – **11.** ⟨*ant*⟩ (*strumento chirurgico*) needle. – **Saetta** *N.pr.f.* ⟨*Astr*⟩ Sagitta, Arrow.

□ ⟨*ant,non com*⟩ *non* **casca** *una ~* (*non si riesce a concludere nulla*) there's nothing doing: ⟨*rar*⟩ *ti* **colga** *una ~ !* = *ti* **venga** *una saetta !*; ⟨*Bot*⟩ **erba** ~ arrow-head (*Sagittaria sagittifolia*); ⟨*fam*⟩ **essere** (o *sembrare*) *una ~* to be ⌜as fast as⌝ (*o* like a streak of) lightning, to go like the wind; ⟨*Mecc*⟩ ~ *a tre* **punte** centre-bit; ⟨*Mecc*⟩ ~ *a* **tortiglione** twist (*o* spiral, auger) bit; **veloce** *come una ~* as fast as lightning; *ti* **venga** *una ~ !* go to the devil!, damn (*o* blow) you!

saettạme *m.* ⟨*ant*⟩ (*quantità di saette*) arrows *pl.* – **saettamẹnto** *m.* ⟨*lett*⟩ **1.** (*lancio continuo di frecce*) hail (*o* rain) of arrows. – **2.** (*uccisione per mezzo di frecce*) killing with arrows. – **3.** ⟨*fig,rar*⟩ (*grande quantità*) volley, shower, hail, flood: *un ~ di domande* a hail of questions. – **4.** ⟨*ant*⟩ → **saettame.**

saettạre *v.* (**saẹtto**) **I** *v.t.* **1.** ⟨*lett*⟩ (*colpire con frecce*) to shoot with arrows; (*ferire*) to strike (*o* wound) with an arrow; (*colpire con fulmini*) to strike with thunderbolts. – **2.** ⟨*estens*⟩ (*scagliare, lanciare*) to shoot, to launch, to fling. – **3.** ⟨*fig*⟩ to dart, to shoot, to fling: ~ *occhiate furibonde* to dart furious looks. – **4.** ⟨*Sport*⟩ to shoot: ~ (*il pallone*) *in rete* to shoot a goal. – **5.** ⟨*fig,lett*⟩ (*rif. al sole*) to radiate, to shine (on, forth). – **II** *v.i.* (*aus.* **avere**) **1.** (*scagliare frecce*) to shoot arrows. – **2.** (*usato impersonalmente: cadere saette*) to lighten.

saettạta *f.* ⟨*ant*⟩ (*tiro di freccia*) arrow-shot. – **saettạto** *a.* ⟨*Bot*⟩ sagittate. – **saettatọre** *m.* (*f.* **-trice**) **1.** ⟨*lett*⟩ archer. – **2.** ⟨*Mil.ant*⟩ (*arciere*) archer, bowman; (*balestiere*) crossbowman. – **saettẹlla** *f.* ⟨*ant*⟩ **1.** (*lancetta*) hand (of a clock). – **2.** (*punta di trapano*) bit.

saettịa *f.* **1.** ⟨*Lit*⟩ (*candelabro*) hearse. – **2.** ⟨*Mar.ant*⟩ lateener, fast sailing-ship.

saettiẹra *f.* ⟨*Mil.ant*⟩ loophole, embrasure. – **saettiẹre** *m.* ⟨*lett*⟩ (*arciere*) archer, bowman; (*balestriere*) crossbowman. – **saettịo** *m.* ⟨*rar*⟩ darting, flashing, whizzing, shooting.

saettọne *m.* **1.** ⟨*Zool*⟩ (*colubro d'Esculapio*) Aesculapian snake (*Coluber aesculapii; Elaphe longissima*). – **2.** ⟨*Edil*⟩ strut, brace.

saettụzza *f.* ⟨*ant*⟩ → **saettella.**

safạri *m.* safari.

safẹna *f.* ⟨*Anat*⟩ (*anche vena safena*) saphena, saphenous vein. – **safẹno** *a.* saphenous.

sạffica *f.* **1.** ⟨*Metr*⟩ Sapphic (ode). – **2.** ⟨*Psic*⟩ lesbian, sapphist. – – **sạffico** *a.* (*pl.* **-ci**) **1.** ⟨*Lett,Metr*⟩ Sapphic: *lirica -a* Sapphic lyric. – **2.** ⟨*Psic*⟩ (*lesbico*) lesbian, sapphic.

saffịro *m.* ⟨*ant*⟩ (*zaffiro*) sapphire.

saffịsmo *m.* ⟨*Psic*⟩ lesbianism, sapphism.

Sạffo *N.pr.f.* ⟨*Stor.gr*⟩ Sappho.

safranịna *f.* ⟨*Chim*⟩ safranin(e), saffranine.

sạga[1] *f.* **1.** ⟨*Lett*⟩ saga: *la ~ dei Nibelunghi* the Nibelung Saga. – **2.** ⟨*estens*⟩ (*racconto epico*) saga, epic: *la ~ dei Forsyte* the Forsyte Saga.

sạga[2] *f.* ⟨*ant,lett*⟩ (*maga*) sorceress, enchantress; (*strega*) witch.

sagạce *a.* **1.** (*accorto, perspicace*) sagacious, shrewd, perspicacious, discerning. – **2.** ⟨*non com*⟩ (*preparato con maestria*) skilfully prepared. – **3.** ⟨*lett*⟩ (*che ha buon fiuto*) with a good nose, having a keen sense of smell; (*acuto*) keen, sharp, acute. – **sagacemẹnte** *avv.* sagaciously. – **sagạcia** *f.* (*pl.* **-cie**) **1.** (*avvedutezza, perspicacia*) sagacity, shrewdness, perspicacity. – **2.** ⟨*lett,rar*⟩ (*l'avere buon fiuto*) good nose, keen sense of smell; (*acutezza*) keenness, sharpness. – **sagacità** *f.* ⟨*non com*⟩ → **sagacia.**

sagapẹno *m.* (*gommoresina*) sagapenum.

sạgari *f.* ⟨*lett*⟩ (*ascia da guerra*) war axe.

sagẹna[1] *f.* **1.** ⟨*Pesc*⟩ (*nassa*) fish-trap; (*rete da pesca*) sagene, bow-net. – **2.** ⟨*Mar.ant*⟩ coastal sailing-ship.

sagẹna[2] *f.* ⟨*ant*⟩ (*unità di misura di lunghezza*) sagene.

saggẹzza *f.* wisdom, sound judg(e)ment: *la ~ dei vecchi* the wisdom of the old. – **saggiamẹnte** *avv.* wisely.

saggiạre *v.t.* (**sạggio, sạggi**) **1.** to test; (*rif. a metalli preziosi*) to assay: ~ *l'oro* to assay gold. – **2.** ⟨*fig*⟩ (*mettere alla prova*) to test, to try, to prove: ~ *le proprie forze* to test one's strength; (*misurare*) to measure. – **3.** ⟨*ant,dial*⟩ (*assaggiare*) to taste.

saggiatọre *m.* (*f.* **-trice**) **1.** (*chi saggia*) tester, trier, assayer. – **2.** (*chi saggia metalli*) assayer, tester. – **3.** (*bilanciere*) (assay-)balance. – **4.** ⟨*Stor*⟩ (public) tester of goods.

saggiatụra *f.* **1.** assay(ing), test(ing). – **2.** (*segno*) hallmark.

saggiavịno *m.inv.* ⟨*Enol*⟩ pipette (for wine-tasting).

saggịna *f.* ⟨*Bot*⟩ (*sorgo*) sorghum, common (*o* Indian) millet (*Sorghum vulgare*). □ ~ *da scope* (o *granate*) common millet, ⟨*am*⟩ broomcorn (*Sorghum saccharatum technicum*). – **sagginạle** *m.* **1.** (*fusto secco della saggina*) (dry sorghum) stalk. – **2.** (*zufolo di saggina*) pipe (made from the sorghum stalk). □ ⟨*Ornit*⟩ ~ *grande*: 1. (*piovanello*) curlew sandpiper (*Calidris ferruginea*); 2. (*piro-piro boschereccio*) wood sandpiper (*Tringa glareola*).

sagginạre *v.t.* (*ingrassare*) to fatten.

sagginạto[1] (*p.p. di sagginare*) *a.* (*ingrassato*) fattened: *maiale ~* fattened hog.

sagginạto[2] *a.* ⟨*ant,lett*⟩ (*rif. a cavalli: roano*) roan.

sagginẹlla (*dim. di saggina*) *f.* **1.** ⟨*Bot*⟩ (*cannarecchia*) Aleppo grass, ⟨*am*⟩ Johnson grass (*Sorghum halepense*). – **2.** ⟨*Bot*⟩ (*erba bozzolina*) velvet (*o* meadow soft) grass, Yorkshire fog (*Holcus lanatus*). – **3.** ⟨*Ornit*⟩ (*piovanello pancianera*) dunlin, red-backed sandpiper (*Calidris alpina*). □ ⟨*Ornit*⟩ ~ *grande* (*piovanello*) curlew sandpiper (*Calidris ferruginea*).

sạggio[1] **I** *a.* **1.** wise, sage: *un vecchio ~* a wise old man; (*sapiente*) wise, learned. – **2.** ⟨*ant*⟩ (*esperto*) expert, skilled; (*pratico del luogo*) knowing (*o* familiar with) the place. – **3.** ⟨*ant*⟩ (*consapevole*) aware, conscious. – **II** *s.m.* (*f.* **-a**) wise person, sage; (*sapiente*) sage, learned person.

sạggio[2] *m.* **1.** trial, test; (*rif. a metalli preziosi*) assay. – **2.** (*prova*) proof: *dare un ~ della propria bravura* to ⌜give proof of⌝ (*o* prove) one's skill. – **3.** (*campione*) sample, specimen: ~ *gratuito* free sample. – **4.** (*pubblica dimostrazione*) display, exhibition: ~ *ginnico* (*o di ginnastica*) gym display. – **5.** ⟨*Scol*⟩ (written) test: ~ *di dettato* dictation test. – **6.** ⟨*Lett*⟩ essay, treatise, study: ~ *sull'arte moderna* essay on modern art; (*contributo*) article, contribution. – **7.** ⟨*Chim*⟩ test, assay: *tubo da* ~ test-tube. – **8.** ⟨*Econ*⟩ (*tasso*) rate: ~ *d'interesse* rate of interest.

□ ~ *di* **composizione** essay, composition, ⟨*am*⟩ theme; ⟨*Lett*⟩ ~ **critico** critical essay; ~ *di* **danza** (dance) recital; ~ *di* **declamazione** elocution recital; **di** ~ sample-, specimen-: *esemplare* (*o copia*) *di* ~ specimen copy; **fare** *il* ~ *di qc.* to test s.th., to try s.th. out; ⟨*Econ*⟩ ~ *dell'***imposta** tax rate; *chiedere* **in** ~ *qc.* to ask for a free sample of s.th., to request s.th. for inspection; **mandare** *in* ~ *qc.* to send s.th. for inspection, to send a specimen of s.th.; **marca** *di* ~ hallmark; ~ **musicale** musical performance, end-of-term concert (*o* recital); ⟨*Psic*⟩ ~ **reattivo** test; ⟨*Econ*⟩ ~ *di* **rivalutazione** rate of revaluation; ⟨*Econ*⟩ ~ *di* **sconto** discount rate; **scrittore** *di saggi* essayist; *dare buon* ~ *di* **sé** to make a good showing; ~ **sportivo** sports exhibition; **ufficio** *del* ~ *dei metalli preziosi* assay office.

saggiọlo (*dim. di saggio*[2]) *m.* **1.** ⟨*non com*⟩ sample, taste. – **2.** ⟨*ant*⟩ (*recipiente*) container for a sample, sampler. – **3.** ⟨*ant*⟩ (*bilanciere*) balance, scales *pl* (for weighing coins).

saggịsta *m./f.* ⟨*Lett*⟩ essayist. – **saggịstica** *f.* **1.** (*arte*) essay-writing. – **2.** (*produzione, saggi*) essays *pl*. – **saggịstico** *a.* (*pl.* **-ci**) essay-, essayistic(al).

saginạre *v.* ⟨*lett*⟩ → **sagginare.**

sagịtta[1] *f.* ⟨*lett,ant*⟩ → **saetta.**

sagịtta[2] *f.* ⟨*Mar.ant*⟩ lateener, fast sailing-ship.

sagittạle *a.* **1.** ⟨*rar*⟩ (*di saetta*) arrow-, ⟨*lett*⟩ sagittal. – **2.** ⟨*Anat*⟩ sagittal.

sagittạria *f.* ⟨*Bot*⟩ arrow-head (*Sagittaria sagittifolia*).

sagittạrio *m.* **1.** ⟨*ant*⟩ (*arciere*) archer, bowman. – **2.** ⟨*Ornit*⟩ (*serpentario*) secretary bird, serpent eater (*Sagittarius serpentarius*). – **Sagittario** *N.pr.m.* ⟨*Astr*⟩ Sagittarius, Archer.

sagittạto *a.* ⟨*Bot*⟩ (*saettato*) sagittate.

sạglia *f.* ⟨*region*⟩ → **saia.**

saglịre *v.* (**sạglio, sạgli**) ⟨*ant*⟩ → **salire.**

sạgo[1] *m.* (*pl.* **-ghi**) **1.** ⟨*Stor.rom*⟩ sagum. – **2.** ⟨*lett*⟩ (*saio*) cowl, habit.

sạgo[2] *a.* (*pl.* **-ghi**) ⟨*lett,ant*⟩ (*presago*) presaging, prophetic, foreboding.

sạgo[3] *m.* (*pl.* **-ghi**) → **sagù.**

sạgola *f.* ⟨*Mar,Pesc*⟩ line, halyard. □ ~ *della bandiera* flag halyard; ~ *da getto* heaving line; ~ *per scandaglio* sounding (*o* lead) line.

sạgoma *f.* **1.** (*profilo, linea*) line, profile, outline, contour, silhouette: *una* ~ *elegante* an elegant line; (*forma*) shape, form. – **2.** (*forma di legno, cartone e sim.*) template, pattern, model, outline; (*in sartoria*) pattern. – **3.** (*nel tiro a segno: bersaglio*) silhouette, target: *colpire la* ~ to hit the silhouette. – **4.** ⟨*fam,scherz*⟩ (*persona stravagante, curiosa*) (odd) character, sketch, card: *lo sai che sei proprio una* ~*?* you know you're really a character. – **5.** ⟨*Mar*⟩ silhouette. – **6.** ⟨*tecn*⟩ (*pezzo campione*) (master, copying) template, pattern. – **7.** ⟨*Met,Edil*⟩ strickle. – **8.** ⟨*ant*⟩ (*romano della bilancia*) (steelyard) counterweight. – **9.** ⟨*Artigl,ant*⟩ gauge.

□ ~ **aerodinamica** aerodynamic line; ⟨*Strad*⟩ ~ **deformata** bad road surface; ~ ⌜*per* **forare**⌝ (*o di foratura*) drilling template; ⟨*Ferr*⟩ ~ **limite** clearance (*o* structure) gauge; ~ *limite di carico* loading gauge; ⟨*Mecc*⟩ ~ *per* **rettificare** core jig.

sagomạre *v.t.* (**sạgomo**) **1.** to mould, to shape, to form, to model: ~ *la carrozzeria di un'automobile* to shape the body of a car. – **2.** ⟨*ant*⟩ (*verificare la capacità di recipienti*) to gauge, to measure the capacity of. □ ~ *alla fresa* to form mill; ~ *al tornio* to form turn. – **sagomạto** (*p.p. di sagomare*) **I** *a.* shaped, formed, modelled: *mobili ben -i* well-shaped furniture; (*profilato*) section-, profile(d), drawn in profile (*o* section), outlined: *ferro* ~ profile (*o* section, shaped) iron. – **II** *s.m.* ⟨*Comm*⟩ three-dimensional advertising. – **sagomatọre** *m.* **1.** profiler; (*fresatore*) miller. – **2.** ⟨*ant*⟩ (*chi verifica la capacità di recipienti*) gauger, measurer of capacity. – **sagomatrịce** *f.* ⟨*Mecc*⟩ **1.** (*fresatrice*) milling-machine, miller. – **2.** (*molatrice*) grinder. – **sagomatụra** *f.* ⟨*tecn*⟩ **1.** shaping, forming, profiling. – **2.** (*sagoma*) profile, line, outline. □ ~ *al tornio* profile turning.

sạgora *f.* ⟨*ant*⟩ → **sagola.**

sạgra *f.* **1.** festival, fiesta, feast, celebration: *la* ~ *del vino* the wine festival. – **2.** (*festa nell'anniversario della consacrazione di una chiesa*) feast of the consecration of a church; (*festa del santo patrono*) festa, patron saint's day. – **3.** (*solenne commemorazione*) commemoration. – **4.** ⟨*ant*⟩ (*festa di consacrazione*) consecration feast; (*consacrazione*) consecration. □ ⟨*Mus*⟩ *la* ~ *della primavera* the Rite of Spring.

sagramentạle *a./s.* ⟨*ant*⟩ → **sacramentale.** – **sagramentạre** *v.* ⟨*ant*⟩ → **sacramentare.** – **sagramentạto** (*p.p. di sagramentare*) *a.* ⟨*ant*⟩ → **sacramentato.** – **sagramẹnto** *m.* ⟨*ant*⟩ → **sacramento.**

sagrạre I *v.i.* (*aus.* **avere**) (*bestemmiare*) to curse, to swear. – **II** *v.t.* ⟨*ant*⟩ (*sacrare*) to consecrate, to dedicate.

sagrạto[1] *m.* **1.** parvis, church courtyard. – **2.** ⟨*ant*⟩ (*cimitero*) churchyard, cemetery.

sagrạto[2] (*p.p. di sagrare*) ⟨*pop*⟩ **I** *a.* (*maledetto*) damned. – **II** *s.m.* (*bestemmia*) curse, oath.

sagrestạna *f.* **1.** (woman) sacristan, sextoness. – **2.** (*monaca*) nun in charge of the sacristy. – **3.** ⟨*pop*⟩ (*moglie del sagrestano*) sacristan's (*o* sexton's) wife. – **sagrestạno** *m.* sacristan, sexton.

sagrestịa *f.* **1.** sacristy, vestry. – **2.** (*nelle banche: camera corazzata*) vault. – **3.** ⟨*ant*⟩ (*archivio segreto*) archives *pl*, secret records *pl*. □ ⟨*fig*⟩ *entrare in* ~ to talk about religion; ⟨*scherz*⟩ *c'è odor di* ~ it smacks of the church.

sagrẹtto (*dim. di sagro*[2]) *m.* ⟨*Mil.ant*⟩ falconet.

sagrì *m.* ⟨*Itt*⟩ latern shark, spiny (*o* picked) dogfish (*Etmopterus spinax*).

sagrificạre *v.* ⟨*ant,region*⟩ → **sacrificare.** – **sagrifịcio, sagrifịzio** *m.* ⟨*ant,region*⟩ → **sacrificio.**

sagrinạto *a.* ⟨*non com*⟩ (*zigrinato*) shagreened, knurled.

sagrịno *m.* → **sagrì.**

sagrịsta *m.* ⟨*non com*⟩ → **sacrista.**

sạgro[1] *a./s.* ⟨*ant*⟩ → **sacro**[1].

sạgro[2] *m.* **1.** ⟨*Anat*⟩ → **sacro**[2]. – **2.** ⟨*Mil.ant*⟩ falcon.

sagù *m.* (*fecola di palme*) sago.

Sahạra *N.pr.m.* ⟨*Geog*⟩ Sahara. – **sahariạna** *f.* ⟨*Mod*⟩ bush-jacket. – **sahariạno** *a.* Sahara-, Sahar(i)an: *regione -a* Sahara region. – **saharịde**: ⟨*Etnol*⟩ *razza* ~ mixed Negroid-Caucasoid race.

sạhib (*o* **sahịb**) *m.* (*padrone, signore*) sahib.

sạia *f.* ⟨*Tess*⟩ twill.

sạica *f.* ⟨*Mar.ant*⟩ saic.

sạiga[1] *f.* ⟨*Numism*⟩ saiga.

sạiga[2] *f.* ⟨*Zool*⟩ saiga (*Saiga tartarica*).

saịme *m.* ⟨*ant*⟩ (*grasso*) fat; (*lardo*) lard.

saịna *f.* ⟨*tosc,pop*⟩ → **saggina.**

sainẹte *sp. m.* ⟨*Teat*⟩ entremés, sainete.

saint-honoré *fr.* [sɛ̃tɔnɔ're] *m.* ⟨*Dolc*⟩ kind of cream-cake.

sạio *m.* **1.** (*tonaca*) habit, frock. – **2.** ⟨*Stor.rom*⟩ sagum. – **3.** ⟨*Mediev*⟩ (*cotta d'arme*) hauberk, coat of mail; (*veste maschile lunga*) (man's) gown, long sleeved tunic. □ ⟨*fig*⟩ *gettare il* ~ *alle ortiche* to throw off the cowl, to quit the monastic life; ⟨*fig*⟩ *vestire il* ~ (*rif. a frati*) to take the cowl; (*rif. a suore*) to take the veil.

saiọne (*accr. di saio*) *m.* **1.** (*panno pesante*) heavy cloth. – **2.** ⟨*Stor*⟩ (*veste maschile*) kind of surcoat.

saisine *fr.* [sɛ'zin] *f.* ⟨*Dir.mediev*⟩ seisin.

saịtico *a.* (*pl.* **-ci**) **1.** Saite, Saitic. – **2.** ⟨*Stor.rom*⟩ papyrus.

sakè *m.* sake, saké, saki.

sạkkos *m.* **1.** ⟨*Lit*⟩ sakkos, soccos. – **2.** ⟨*Stor.gr*⟩ coif(fe).

sạla[1] *f.* **1.** room, hall: ~ *da pranzo* dining-room. – **2.** (*salotto*) drawing-room, parlour, living-room, lounge. – **3.** ⟨*ant*⟩ (*mensa*) dining-hall, refectory. – **4.** ⟨*ant*⟩ (*casa campestre*) country house.

□ ~ *degli* **arazzi** tapestry-room; ~ *d'***armi** salle d'armes; ~ *d'***aspetto** waiting-room; ~ *da* **ballo** (*pubblica*) dance-hall; (*privata*) ballroom; ~ *da* **biliardo** billiard room (*o* hall), ⟨*am*⟩ poolroom, ⟨*am*⟩ billiard parlor (*o* saloon); ⟨*Mar,Ind*⟩ ~ **caldaie** boiler-room, stokehold; ~ **capitolare** chapter-house; ~ *dei* **cataloghi** catalogue -room; ~ **cinematografica** cinema, ⟨*am*⟩ movie (house), ⟨*am*⟩ motion-picture theatre; ~ (*dei*) **comandi** control-room; ⟨*Tip*⟩ ~ *di* (*o della*) **composizione** composing-room; ~ *dei* **concerti** concert-hall; ~ *per* **conferenze** conference-room; ⟨*Univ*⟩ lecture-hall, lecture -room; ~ *del* **consiglio** board-room, council-room; ~ *di* **controllo** control-room; ⟨*Mil*⟩ ~ (*di*) **convegno** *degli ufficiali* officers' mess; ⟨*Sport*⟩ ~ (*delle*) **corse** bookmaker's, betting office; ⟨*Mil*⟩ ~ *di* **disciplina** (*ambiente*) guardroom, correction establishment; (*punizione*) arrest; ⟨*Cin*⟩ ~ *di* **doppiaggio** dubbing-theatre, ⟨*am*⟩ dubbing studio; ~ *per* **esposizioni** showroom, salon; ~ *dei* **garbi** = *sala a tracciare*; ~ *da* **ginnastica** gymnasium, ⟨*fam*⟩ gym; ~ *da* **gioco** gaming-room; ~ *di* **lettura** reading-room; ~ **macchine**: 1. ⟨*Mar, Ind*⟩ engine-room; 2. ⟨*Tip*⟩ press-room; ⟨*Cin*⟩ ~ *di* **miscela** (*o missaggio*) mixing room (*o* booth), rerecording room; ~ (*di*) **montaggio**: 1. ⟨*Cin*⟩ cutting (*o* editing) room; 2. ⟨*Ind*⟩ assemblyroom; ~ **mortuaria** mortuary; ~ *da* **musica** music-room; ~ **nautica** chart-house, chart room; ~ **operatoria** operating theatre (*o* room); ~ **pompe** pump house, pump-room; ⟨*Cin*⟩ ~ *di* **proiezione** cinema, theatre, auditorium; (*per visioni private*) viewing-room; ~ **prove** test(ing) room; ⟨*El*⟩ ~ **quadri** switch control room; ⟨*ant*⟩ ~ *della* **ragione** (*tribunale*) court(room); ~ *di* **rappresentanza** reception room, parlour, salon; ⟨*Rad,TV*⟩ ~ *di* **regia** control cubicle; ⟨*Cin*⟩ ~ *di* **registrazione** *sorda* dead stage; ~ *per* **ricevimenti** banqueting hall (*o* room); ~ *per* **riunioni** meeting-room; ~ *di* **scrittura** writing-room; ~ *delle* **sedute** meeting-room, assembly room (*o* hall); ~ *di* **soggiorno** living-room, sitting-room; ~ *degli* **specchi** hall of mirrors; ⟨*Tip*⟩ ~ **stampa** press-room; ~ *da* **tè** tea-room; ⟨*Mar*⟩ ~ *a* **tracciare** mould loft; ~ *del* **trono** throne-room; ~ **turbine** turbine house; ~ *delle* **udienze**: 1. audience chamber (*o* room); 2. ⟨*Dir*⟩ Court, courtroom.

sạla[2] *f.* ⟨*Mecc*⟩ axle(-tree).

□ ⟨*Ferr*⟩ ~ **direttrice** steering axle; ~ *a* **gomito** crank axle; ⟨*Ferr*⟩ ~ **montata** wheel set, pair of wheels and axle; ~ **motrice** driving axle; ~ **portante** carrying axle, ⟨*am*⟩ idler; ⟨*Ferr*⟩ ~ **sciolta** axle(-tree).

sạla[3] *f.* ⟨*Bot*⟩ **1.** cattail, reed mace (*Typha*). – **2.** bur reed (*Sparganium ramosum*). – **3.** carex, pendulous sedge (*Carex pendula*).

sạla[4] *f.* ⟨*Dir.mediev*⟩ transfer (of property).

salạcca *f.* **1.** ⟨*Itt*⟩ (*sardina*) sardine, pilchard (*Clupea pilchardus*). – **2.** ⟨*Itt*⟩ (*alosa*) allice (shad), allis (*Alosa alosa*). – **3.** ⟨*estens*⟩ (*cibo da poveri*) poor man's food, ⟨*am*⟩ soul food. – **4.** ⟨*fig*⟩ (*persona secca*) skinny person, ⟨*fam*⟩ beanpole, ⟨*fam*⟩ rake. – **5.** ⟨*scherz*⟩ (*sciabola*) sword, sabre. – **6.** ⟨*scherz*⟩ (*libro vecchio e di poco conto*) tattered old book. – **7.** (*percossa*) slap, ⟨*fam*⟩ crack. – **salaccạio** *m.*

(*f.* -a) seller of sardines. – **salacchino** (*dim. di salacca*) *m.* **1.** small sardine. – **2.** (*leggero colpo dato con due o tre dita tese*) tap.
salaccio (*pegg. di sale*) *m.* ⟨*Ind*⟩ unrefined marine salt.
salace *a.* **1.** (*lascivo*) salacious, lewd, risqué: *battuta* ~ risqué remark. – **2.** (*mordace, pungente*) biting. – **3.** (*afrodisiaco*) aphrodisiac. – **salacità** *f.* salaciousness, lewdness.
Saladino *N.pr.m.* ⟨*Stor*⟩ Saladin.
salagione *f.* ⟨*Alim,rar*⟩ salting.
salaia *f.* ⟨*ant*⟩ **1.** (*magazzino*) salt storehouse; (*bottega*) salt shop. – **2.** (*privativa del sale*) salt monopoly; (*gettito*) revenue from salt sales.
salam *ar. intz.* **1.** salaam. – **2.** ⟨*scherz*⟩ (*saluto*) hello, ⟨*scherz*⟩ greetings and salutations, salaam.
salama *f.* ⟨*Gastr*⟩ kind of pork sausage.
salamandra *f.* ⟨*Zool*⟩ salamander (*Salamandra*).
□ ~ **acquaiola** (water) newt, triton, aquatic salamander (*Triturus cristatus*); ~ **alligatore** hellbender (*Cryptobranchus alleganiensis*); ~ **alpina** = *salamandra* **nera**; ~ **gigante** *del Giappone* Japanese giant salamander (*Cryptobranchus iaponicus*); ~ **nera** Alpine (*o* black) salamander (*Salamandra atra*); ~ **pezzata** spotted (*o* fire) salamander (*Salamandra maculosa*).
salamandridi *m.pl.* ⟨*Zool*⟩ salamandrids *pl* (*Salamandridae*).
salamanna *f.* (*uva da tavola*) kind of muscatel grapes.
salame *m.* **1.** ⟨*Alim*⟩ salami. – **2.** ⟨*fig*⟩ (*persona goffa*) lump, clumsy person; (*persona sciocca*) dolt, blockhead.
salamelecche *m.* ⟨*ant*⟩ → **salamelecco.** – **salamelecco** *m.* (*pl.* **-chi**) ⟨*pop*⟩ bowing and scraping, obsequious salutation, salaam. □ *fare salamelecchi* to bow and scrape, to be over-ceremonious.
Salamina *N.pr.f.* ⟨*Geog*⟩ Salamis.
salamino (*dim. di salame*) *m.* **1.** ⟨*Alim*⟩ small salami. – **2.** ⟨*Tip*⟩ (*colonnino*) half-stick.
salamoia *f.* **1.** pickle, brine. – **2.** (*nei frigoriferi*) brine. – **3.** ⟨*fig*⟩ (*cibo troppo salato*) salty food. □ *fare* (*o mettere*) *in* ~ to pickle; *cipolline in* ~ pickled onions, onion pickles. – **salamoiare** *v.t.* (**salamoio, salamoi**) to pickle, to brine.
salamone *a./s.* ⟨*ant,region*⟩ → **salmone**[1].
salangana *f.* ⟨*Ornit*⟩ salangane, esculent swallow (*Collocalia esculenta*).
salante (*p.pr. di salare*) *a.* salt-: *caselle -i* salt-pans.
salapuzio *m.* ⟨*lett,rar*⟩ (*uomo piccolo e saccente*) little pedant (*o* know-all).
salare *v.t.* **1.** to salt, to put salt in, to add salt to: ~ *il brodo* to add salt to the broth. – **2.** (*mettere sotto sale*) to salt (down), to corn; (*in salamoia*) to salt (down), to pickle, to brine. – **3.** ⟨*Conc*⟩ to salt. – **4.** ⟨*Ind*⟩ to salt out. □ ⟨*region,fig*⟩ ~ *la scuola* to play truant, ⟨*am*⟩ to play hooky.
salaria *f.* → **salaia.**
Salaria *N.pr.f.* (*anche via Salaria*) Via Salaria.
salariale *a.* wage-, pay-, of wages: *aumento* ~ wage increase, pay rise; *tregua* ~ wage-freeze, wage pause.
salariare *v.t.* (**salario, salari**) **1.** to pay, to give a wage to. – **2.** (*assumere*) to hire, to take on. – **3.** ⟨*ant*⟩ (*retribuire*) to reward, to pay. – **salariato** (*p.p. di salariare*) **I** *a.* **1.** (*rif. a persone*) wage-earning, paid, hired: *operaio* ~ hired worker; (*rif. ad attività*) paid. – **2.** ⟨*fig, non com*⟩ paid, hired, hack-: *giornalista* ~ hired (*o* hack) journalist. – **II** *s.m.* (*f.* **-a**) **1.** wage-earner. – **2.** ⟨*ant*⟩ (*chi riceve una retribuzione*) paid person. □ ~ *a cottimo* piece (*o* job) worker; ~ *fisso* permanent worker.
salario *m.* **1.** wage, wages *pl*, pay, rate (of pay): *percepire un* ~ to receive a wage; (*mensile*) wages *pl*, pay, salary. – **2.** ⟨*ant*⟩ (*retribuzione*) retribution, payment.
□ ~ **annuo** annual pay; ~ **base** basic wage, base pay; ~ **contrattuale** contract (*o* union) rate; ~ *a* **cottimo** piece (*o* job) wages *pl*; ~ *a cottimo collettivo* collective piece-work wage, group piece-work rate; ~ *a cottimo individuale* individual piece-work wage; ~ *in* **denaro** money wages *pl*; ~ **diretto** direct (*o* productive) wages *pl*; ~ *a* **economia** = *salario a* **tempo**; ~ **economico** = *salario* **libero**; ~ *da* **fame** starvation wage; ~ **familiare** total wages *pl*, wages plus family allowance; ~ *a* **fattura** (*o forfait*) = *salario a* **cottimo**; ~ **fisso** fixed (*o* steady) wage; ~ **garantito** = *salario* **minimo**; ~ **giornaliero** (*o a giornata*) daily wage, day's pay; **giusto** ~: 1. (*concetto medievale e canonico*) just wage; 2. (*concetto moderno*) fair wage; ~ *a* **incentivo** = *salario* **progressivo**; ~ *a* **incremento** *automatico* automatic wage adjustment, automatic pay increase; ~ *riferito agl'***indici** wage tied to cost-of-living index; ~ **indiretto** indirect (*o* subsidiary production) wage; ~ **iniziale** beginning (*o* starting) wage; ~ **libero** wage set by market conditions; ~ **limite** minimum wage; ~ **lordo** gross wage; ~ **massimo** maximum wage, ⟨*am*⟩ wage ceiling; ~ **medio** average wage; ~ **mensile** monthly wages *pl* (*o* salary, pay); ~ **minimo** (*o di mercato*) living (*o* minimum) wage; ~ *a* **misura** = *salario a* **cottimo**; ~ (*a scala*) **mobile** sliding-scale wage; ~ **monetario** = *salario in* **denaro**; ~ **naturale** (*o in natura*) payment in kind, truck system wages *pl*; ~ **necessario** = *salario* **minimo**; ~ **netto** net salary, take-home pay; ~ **nominale** nominal (*o* money) wages *pl*; ~ **orario** (*o a ore*) hourly wage; ~ *a* **premio** bonus (*o* premium) system wage; ~ **previdenziale** wage including social benefits; ~ **progressivo** bonus-system wage; ~ **protetto** = *salario* **minimo**; ~ **reale** real wages *pl*; ~ **a rendimento** efficiency wages *pl*, payment by results; ~ **settimanale** weekly wages *pl*; ~ *a* **tempo** time wages *pl*, time-work rate; ~ **teorico** = *salario* **nominale**; ~ **totale** wages *pl*; ~ *a* **unità** = *salario a* **cottimo**.
salassare *v.t.* **1.** to bleed, to let the blood of: ~ *un ammalato* to bleed a patient. – **2.** ⟨*fig*⟩ (*spillare denaro*) to bleed, to fleece. – **salassarsi** *v.r.* **1.** to bleed o.s. – **2.** ⟨*fig*⟩ (*fare grandi spese*) to make a great drain on one's resources, to let o.s. in for great outlay, to squeeze o.s. dry. – **salassatore** *m.* (*f.* **-trice**) ⟨*non com*⟩ **1.** bleeder, blood-letter. – **2.** ⟨*fig*⟩ bleeder, fleecer. – **salassatura** *f.* ⟨*non com*⟩ blood-letting, bleeding.
salasso *m.* **1.** bleeding, blood-letting; (*flebotomia*) phlebotomy. – **2.** ⟨*fig*⟩ (*spesa onerosa*) drain, big outlay, great expense, ⟨*fam*⟩ soaking: *la villeggiatura è stata un bel* ~ the holiday was a drain. – **3.** ⟨*Agr*⟩ light second pruning. □ *fare un* ~ *a qd.* to bleed s.o. (*anche fig.*).
salata *f.* **1.** salting. – **2.** (*salatura per conservare*) salting (down), corning; (*in salamoia*) salting (down), pickling, brining. □ *dare una* ~ *a qc.* to put some salt in s.th., to salt s.th. – **salatamente** *avv.* ⟨*fig*⟩ dearly, ⟨*fam*⟩ through the nose: *pagare qc.* ~ to pay dearly (*o* a high price) for s.th., to pay through the nose for s.th. – **salatina** (*dim. di salata*) *f.* pinch of salt: *dare una* ~ *a qc.* to add a pinch of salt to s.th. – **salatino** (*dim. di salato*) **I** *a.* ⟨*fam*⟩ **1.** salty: *questa minestra è alquanto -a* this soup is rather salty. – **2.** ⟨*fig*⟩ (*costoso*) rather dear, expensive. – **II** *s.m.* ⟨*Alim*⟩ saltine, salty cracker, salt biscuit.
salato (*p.p. di salare*) **I** *a.* **1.** (*salino*) salt-, saline, salty: *acqua -a* salt-water. – **2.** (*insaporito col sale*) salty, salted, (made) with salt: *pane* ~ bread made with salt; (*troppo salato*) (too) salty. – **3.** (*conservato sotto sale*) salted, salt, corned: *aringhe -e* salted herrings; (*in salamoia*) salt, pickled, brined: *carne -a* salt meat. – **4.** ⟨*fig*⟩ (*caro, costoso*) expensive, dear, costly; (*rif. a conti, prezzi e sim.*) high, stiff: *il conto era* ~ the bill was high. – **5.** ⟨*fig*⟩ (*pungente*) sharp, pungent, biting, salty: *risposta -a* sharp answer; (*arguto*) sharp, witty. – **6.** ⟨*fig,non com*⟩ (*piccante, salace*) risqué, earthy, racy, salty. – **7.** ⟨*fig,rar*⟩ (*gravoso, umiliante*) humiliating, burdensome. – **II** *avv.* → **salatamente.** – **III** *s.m.* ⟨*collett*⟩ (*salumi*) cold cuts *pl*. □ *ti costerà -a* (*la pagherai*) you'll pay dearly for it.
salatoio *m.* ⟨*Alim*⟩ salting-room. – **salatore** *m.* (*f.* **-trice**) **1.** ⟨*Alim*⟩ salter. – **2.** ⟨*Conc*⟩ salter, curer. – **salatura** *f.* **1.** (*il salare*) salting (*anche Conc.*). – **2.** (*quantità di sale*) salt. – **3.** ⟨*Chim*⟩ salting out.
salbanda *f.* ⟨*Minier*⟩ salband.
salbastrella *f.* ⟨*ant,region*⟩ → **salvastrella.**
salce *m.* ⟨*lett*⟩ → **salice.**
salcerella *f.* ⟨*Bot*⟩ **1.** purple loosestrife (*Lythrum salicaria*). – **2.** (*persicaria*) lady's thumb (*Polygonum persicaria*).
salceto *m.* ⟨*pop*⟩ → **saliceto.**
salciaia *f.* **1.** ⟨*non com*⟩ (*siepe*) hedge. – **2.** ⟨*rar*⟩ (*saliceto*) willow grove (*o* thicket).
salciaiola *f.* ⟨*Ornit*⟩ Savi's warbler (*Locustella luscinioides*).
salciccia *f.* ⟨*pop*⟩ → **salsiccia.**
salcigno *a.* **1.** (*di salice*) willow-; (*simile al salice*) willowy, willow-like. – **2.** ⟨*estens*⟩ (*rif. a legname*) tough, knotty. – **3.** (*rif. a carne*) tough, stringy; (*rif. a pane*) lumpy, doughy. – **4.** ⟨*fig,tosc*⟩ (*rif. a persona*: *segaligno*) lean, wiry, lank, thin; (*di carattere difficile*) difficult, cantankerous, intractable, ⟨*fam*⟩ tough.
salcio *m.* ⟨*lett,pop*⟩ → **salice.**
salciolo *m.* **1.** ⟨*Agr*⟩ withe, withy. – **2.** (*vimine*) osier, wicker.
salcrauti *m.pl.* ⟨*Gastr,ant*⟩ sauerkraut.
salda[1] *f.* **1.** starch. – **2.** ⟨*Tess*⟩ sizing, dressing. □ *dare la* ~ *a un colletto* to starch a collar; ⟨*Tess*⟩ *dare la* ~ *alla stoffa* to size (*o* put sizing in) material.
salda[2] *f.* ⟨*Agr,tosc*⟩ land left fallow for pasture.
saldabile *a.* **1.** solderable, weldable; (*brasabile*) that can be brazed. – **2.** ⟨*Comm*⟩ payable, that may be settled. – **saldabilità** *f.* **1.** solderability, weldability; (*brasabilità*) capacity of being brazed. – **2.** ⟨*Comm*⟩ payability.
saldaconti *m.inv.* ⟨*Comm*⟩ **1.** (*ufficio*) accounts office. – **2.** (*registro*) account book, ledger. – **saldacontista** *m./f.* book-keeper. – **saldaconto** *m.inv.* → **saldaconti.**
saldamente *avv.* **1.** firm(ly), solidly, steadily: *reggersi* ~ to stand firm, to hold on tightly. – **2.** (*profondamente*) firmly, deeply: *principi* ~ *radicati* deeply-rooted principles.
saldamento *m.* ⟨*non com*⟩ **1.** soldering, welding; (*brasatura*) brazing. – **2.** (*chiusura dei conti*) settling, balancing, closing (out); (*pagamento*) paying (up), settlement.
saldare *v.t.* **1.** (*congiungere*) to join, to bind, to unite. – **2.** ⟨*Met*⟩ to solder, to weld: ~ *una pentola che perde* to solder a leaky pot; (*saldare insieme*) to solder (*o* weld) together: ~ *due pezzi di tubo* to solder two pieces of pipe together; (*applicare saldando*) to solder (*o* weld) on. – **3.** ⟨*Comm*⟩ (*pagare*) to pay (up), to settle, to square: ~ *un conto* to pay a bill; (*rif. a debiti*) to pay (off), to settle up. – **4.** ⟨*Econ*⟩ (*chiudere i conti*) to settle, to balance, to close (out). – **5.** ⟨*ant*⟩ (*rif. a ferite*: *far rimarginare*) to close, to heal. – **saldarsi** *v.r.* **1.** (*congiungersi*) to join up, to unite, to come together. – **2.** (*crescere insieme, chiudersi*) to close up. – **3.** (*cicatrizzarsi*) to heal (up).
□ ⟨*Mecc*⟩ ~ *ad* **arco** to arc-weld; ~ *in* **continuo** to seam-weld; ~ *a* **cordone** to fill-weld, to bead-weld; ~ *a* **dolce** to soft-solder; ~ **elettricamente** to electric-weld; ~ *a* **forte** to hard-solder, to braze; ~ *a* **freddo** to cold-solder; ~ *a* **punti** to spot-weld; ~ *a* **scintilla** to flash-weld; ~ *a* **sovrapposizione** to lap-weld; ~ *di* **testa** to butt -weld.
saldato (*p.p. di saldare*) *a.* **1.** (*unito, congiunto*) joined, bound,

united. – **2.** ⟨*Met*⟩ soldered, welded. – **3.** ⟨*Comm*⟩ (*pagato*) paid (up), settled. – **4.** ⟨*Econ*⟩ (*chiuso, pareggiato*) settled, balanced, closed (out).

saldatọio *m.* ⟨*Mecc*⟩ soldering-iron, soldering copper.

saldatọre *m.* **1.** (*operaio*) solderer, welder; (*chi provvede al taglio dei metalli*) metal cutter. – **2.** (*utensile*) soldering-iron.

□ ~ **autogeno** gas welder; ~ *a* **benzina** blow-lamp-heated soldering-iron, spirit-heated soldering-iron, hatchet bit; ~ **elettrico**: 1. (*operaio*) electric welder; 2. (*utensile*) electric soldering-iron; ~ *a* **gas** gas-heated soldering-iron; ~ *a* **martello** soldering hammer; ~ *a* **punta** spot welder.

saldatrịce *f.* welder, welding-machine.

□ ~ *ad* **arco** arc welder, arc-welding set; ~ **automatica** automatic welder; ~ **continua** seam welder; ~ *a* **corrente** *continua* D.C. welder; ~ *a corrente alternata* A.C. welder; ~ **elettrica** electric welder; ~ *a* **punti** spot welder; ~ *a* **resistenza** resistance welder; ~ *a* **rilievo** projection welder; ~ *di* **testa** butt welding-machine.

saldatụra *f.* **1.** (*giunzione, unione*) joining, union, junction. – **2.** ⟨*Mecc*⟩ welding, soldering; (*tecnica*) welding (process); (*punto di saldatura*) weld, welded joint, soldering. – **3.** ⟨*fig*⟩ welding together, fusing, linking up: *la ~ delle varie parti di un romanzo* the welding together of the various parts of a novel; (*passaggio, collegamento*) link, connection. – **4.** ⟨*Med*⟩ coalescence; (*rif. a fratture*) setting; (*processo di cicatrizzazione*) cicatrization, healing (up). – **5.** ⟨*Mil*⟩ link-up. – **6.** ⟨*Econ*⟩ (*periodo*) carry-over period; (*ciò che serve ad assicurare la continuità del periodo*) carry-over; (*continuità*) continuity. – **7.** ⟨*Anat*⟩ (*sinfisi*) symphysis.

□ ~ *ad* **accumulatore** stored-energy welding; ~ *ad* **alluminio** aluminium weld; ~ *ad* **angolo** corner seam; ~ (*elettrica*) *ad* **arco** (electric) arc welding; ~ *ad* **argento** silver soldering (*o* brazing); ~ *ad* **attrito** friction welding; ~ **autogena** autogenous welding; ~ **automatica** automatic welding; ~ *al* **cannello** blow-pipe welding; ~ *a* **colata** flow welding; ~ **continua** seam welding; ~ **dolce** soft soldering; ~ **elettrica** electric welding; ~ **forte** hard soldering; ~ *a* **freddo** cold soldering; ~ *a* **fuoco** forge welding; ~ *per* **fusione** gas brazing (*o* welding); ~ *a* **impulso** impulse welding; ~ *a* **martello** hammer welding; ~ **ossiacetilenica** oxyacetylene (gas) welding; ~ **ossidrica** oxyhydrogen welding; ~ *a* **ottone** brazing; ~ *a* **percussione** percussion welding; ~ *per* **pressione** pressure welding; ~ *per* **punti** spot (*o* point, ridge) welding; ~ (*elettrica*) *a* **resistenza** (electric) resistance welding; ~ *a* **rilievo** projection welding; ~ *di* **riporto** building-up welding, hard surfacing, resurfacing weld; ~ **subacquea** underwater welding; ~ *di* **testa** butt welding; ~ *a* **ultrasuoni** ultrasonic welding; ~ **verticale** vertical welding.

saldẹzza *f.* **1.** solidness, solidity, firmness, strength; (*stabilità*) steadiness, firmness. – **2.** ⟨*fig*⟩ (*fermezza*) firmness, strength, steadfastness, staunchness, resolution: ~ *d'animo* strength of character. – **3.** ⟨*ant*⟩ (*massa compatta*) block, mass.

sạldo[1] *a.* **1.** solid, firm, strong, sturdy: *una trave -a* a solid beam. – **2.** (*stabile, fermo*) steady, firm, stable: *una sedia ~* a steady chair. – **3.** ⟨*fig*⟩ (*fermo, irremovibile*) firm, staunch, steadfast, resolute, unswerving: ~ *proposito* firm intention (*o* purpose); *un uomo ~ nella propria fede* a man of unswerving faith. – **4.** ⟨*fig*⟩ (*ben fondato*) sound, good, weighty, valid, solid: *-e ragioni* sound reasons. – **5.** ⟨*rar*⟩ (*senza paura*) staunch, fearless, unflinching: *animo ~* staunch heart. – **6.** ⟨*poet*⟩ (*solido, consistente*) solid, strong. – **7.** ⟨*ant*⟩ (*sicuro, certo*) sure, certain. – **8.** ⟨*ant*⟩ (*compatto*) compact, solid; (*massiccio*) solid, heavy, massive. □ *reggersi ~ sulle gambe* to stand steady; *stare ~* to stand firm, to hold one's ground.

sạldo[2] *m.* **1.** settlement, payment: ~ *d'un conto* settlement of a bill. – **2.** (*somma da pagare*) balance, amount due: *pagherò il ~ in sei rate* I'll pay the balance in six instalments. – **3.** ⟨*Comm*⟩ (clearance) sale: *-i di fine stagione* end-of-season sales. – **4.** ⟨*Econ*⟩ balance.

□ **a** ~ in full, in settlement: *pagamento a ~* payment in full, full settlement, settling up; *contanti a ~* cash in settlement; *ricevere una somma a ~* to receive a sum in settlement; ~ **attivo credit** balance, balance in (*o* on) hand; ~ *in* **banca** bank balance; ~ *di* **cassa** cash balance, balance in (*o* on) hand; ~ *di* **conto** balance due, balance of account; ~ **creditore** = *saldo* **attivo**; ~ **debitore** = *saldo* **passivo**; ~ *di* **dividendo** final dividend; **fare** *il ~* to settle up; *fare il ~ di qc.* to settle (*o* pay) s.th.; ~ *a nostro* **favore** balance in our favour, balance to your debit; ~ **finale** final balance; **merce** *di ~* sale goods *pl*, merchandise on sale; ~ **morto** dormant balance; ⟨*Mar*⟩ ~ **nolo** balance of freight; ~ *a* **nuovo** balance to be carried forward (*o* over) to next account; ~ *riportato a nuovo* balance brought (*o* carried) forward; ~ **pareggio** balance; ~ **passivo** debit balance; **presentare** *un ~* to show a balance; **stabilire** *il ~* to establish the balance; **tirare** *il ~* to draw a balance; ~ **totale** full balance; **vendere** *a ~* to sell off, to reduce.

saldobraṣatụra *f.* ⟨*Met*⟩ braze welding.

sạle *m.* **1.** (*sale da cucina*) salt: *in questa minestra manca il ~* there's no salt in this soup. – **2.** ⟨*Chim*⟩ salt. – **3.** *pl.* ⟨*Cosmet*⟩ bath salts *pl*. – **4.** *pl.* ⟨*Farm*⟩ smelling-salts *pl*, sal volatile. – **5.** ⟨*fig*⟩ (*arguzia*) salt, wit, sharpness (of wit). – **6.** ⟨*poet*⟩ (*mare*) sea.

□ ~ **acido** acid salt; ~ **amaro** = *sale di* **Epsom**; ~ **ammoniaco** sal ammoniac; ⟨*lett*⟩ *-i* **attici** Attic salt (*o* wit) *sing*; ⟨*Cosmet*⟩ *-i da* **bagno** baths alts; ⟨*Chim*⟩ ~ **basico** basic salt; *non avere ~ nel* **cervello** = *non avere sale in* **zucca**; ~ **comune** (*o da cucina*) (common) salt, (kitchen-)salt; ⟨*non com*⟩ *essere* **dolce** *di ~* (*essere insipido*) to taste insipid (*o* flavourless), to have too little salt; ⟨*Chim*⟩ ~ **doppio** double salt; ~ *di* **Epsom** Epsom salts *pl*; ~ **fino** fine salt; *essere* **giusto** *di ~* to have enough salt, to be salted just enough; ~ *di* **Glauber** Glauber's salt; ⟨*fig*⟩ *con un* **grano** *di ~* with a grain of salt; ~ **grosso** coarse salt; ~ **inglese** = *sale di* **Epsom**; ~ **macinato** ground salt; ~ **marino** sea salt, bay salt; (*evaporato al sole*) solar salt; ⟨*Chim*⟩ ~ **metallico** metal(lic) salt; ~ **minerale** mineral salt; ~ *di* **miniera** (*salgemma*) rock-salt, halite; ~ **misto** mixed salt; ~ **neutro** neutral salt; ~ **normale** normal (*o* regular) salt; ⟨*fig*⟩ *non metterci né ~ né* **olio**: 1. (*dire le cose come sono*) to give ⌜the facts only⌝ (*o* a plain account), ⟨*fam*⟩ to tell it like it is; 2. (*non volere immischiarsi*) not to want to get involved; ~ **ossigenato** oxysalt; ~ **pastorizzato** salt-lick; ⟨*fig*⟩ *rispondere col ~ e col* **pepe** (*con spirito mordace*) to answer caustically, to give a sharp answer; ⟨*fig*⟩ *non sapere né di ~ né di pepe* (*essere insignificante*) to be insipid; ⟨*Min*⟩ ~ **potassico** *grezzo* abraum salts *pl*; ~ **raffinato** pan (*o* evaporated) salt; ⟨*fig*⟩ **restare** *di ~* to be dumbfounded (*o* astonished); **sapere** *di ~* to taste salty; ⟨*fig*⟩ to taste bitter; ⟨*Chim*⟩ ~ *di* **Saturno** salt of Saturn; ~ **scelto** fine salt; ~ **sedativo** native boric acid, sassolite; ~ *di* **Seignette** Seignette (*o* Rochelle) salt; ~ *di* **sorgente** spring salt; *mettere* **sotto** ~ (*per conservare*) to salt (down); (*in salamoia*) to salt (down), to pickle, to brine; (*rivendita di*) *-i e* **tabacchi** (government monopoly) salt and tobacco shop; ~ *da* **tavola** table-salt; ~ **vegetale** vegetable salt; ~ *di* **Vichy** (*bicarbonato di sodio*) sodium bicarbonate, baking soda; ~ **volatile** sal volatile, ammonium carbonate; ⟨*pop*⟩ *non avere ~ in* **zucca** to be a blockhead.

saleggiạta, salẹggiola *f.* ⟨*Bot*⟩ (*acetosella*) sheep's sorrel (*Rumex acetosella*).

sạlep *m.* salep, saleb.

salernitạno I *a.* of (*o* from) Salerno, Salerno-. – **II** *s.m.* **1.** (*dialetto*) Salerno dialect. – **2.** (*abitante*; *f.* **-a**) native (*o* inhabitant) of Salerno. – **Salernitano** *N.pr.m.* (*territorio*) Salerno area (*o* region), territory around Salerno. – **Salẹrno** *N.pr.f.* ⟨*Geog*⟩ Salerno.

saleṣiạno I *a.* ⟨*Rel*⟩ Salesian. – **II** *s.m.* (*f.* **-a**) Salesian.

salẹtta (*dim. di sala*[1]) *f.* **1.** (*nei locali pubblici*) private room. – **2.** ⟨*Mar*⟩ warrant officer's mess.

salgẹmma *m.* ⟨*Min*⟩ rock-salt, halite.

saliạre *a.* ⟨*Stor.rom*⟩ Salian, Saliar.

salịbile *a.* ⟨*rar*⟩ climbable, that may be gone up.

salicạcee *f.pl.* ⟨*Bot*⟩ willow family (*Salicaceae*).

salicạria *f.* → **salcerella**.

salicạstro *m.* ⟨*Bot*⟩ white (*o* Huntingdon) willow (*Salix alba*).

sạlice *m.* **1.** ⟨*Bot*⟩ willow (*Salix*). – **2.** (*ramo di salice*) withy, withe, osier.

□ ~ **alpino** dwarf willow (*Salix herbacea*); ~ **bianco** → **salicastro**; ~ **piangente** weeping willow (*Salix babylonica*); ⟨*scherz*⟩ *sembrare un ~ piangente* to be tearful (*o* weepy); ~ **rosso** → **salicella**; ~ *da* **vimini** osier (*Salix viminalis*).

salicẹlla *f.* ⟨*Bot*⟩ purple willow (*o* osier) (*Salix purpurea*).

salicẹto *m.* **1.** (*terreno*) willow grove, salicetum. – **2.** ⟨*fig,ant*⟩ (*intrigo, ginepraio*) labyrinth, maze, tangle, ⟨*fam*⟩ fix.

salicil|acetạto *m.* ⟨*Chim*⟩ salicylacetate. – **~ammịde** *f.* salicylamide. – **~anilịde** *f.* salicylanilide.

salicilạto *m.* ⟨*Chim*⟩ salicylate: ~ *di sodio* sodium salicylate. – **salicịle** *m.* ⟨*Chim*⟩ salicyl. – **salicịlico** *a.* (*pl.* **-ci**) salicylic: *acido ~* salicylic acid. – **salicilịṣmo** *m.* ⟨*Med*⟩ salicylism. – **salicịna** *f.* ⟨*Farm*⟩ salicin.

sạlico[1] *a.* (*pl.* **-ci**) ⟨*Stor*⟩ Salic, Salique, Salian: *legge -a* Salic law.

sạlico[2] *a.* (*pl.* **-ci**) ⟨*non com*⟩ (*sialico*) sialic.

salicọne *m.* ⟨*region*⟩ (*salice*) willow.

saliẹnte (*p.pr. di salire*) **I** *a.* **1.** (*che sale*) rising, mounting. – **2.** ⟨*fig*⟩ (*notevole*) main, chief, prominent, conspicuous, salient, striking: *i punti -i di un discorso* the main points in a speech. – **3.** (*sporgente*) protuberant, projecting, salient, prominent. – **4.** ⟨*Arald*⟩ salient. – **II** *s.m.* **1.** (*sporgenza*) protuberance, projection, prominence, salience, protrusion: ~ *roccioso* rocky protuberance. – **2.** ⟨*Arch*⟩ salient. – **3.** ⟨*Mil*⟩ salient (angle). □ ⟨*Arch*⟩ *arco a sesto acuto ~* pointed arch; ⟨*Idr*⟩ *opera ~* groin, groyne.

saliẹnza *f.* **1.** ⟨*non com*⟩ (*sporgenza*) projection, protrusion, salience. – **2.** ⟨*fig,rar*⟩ (*importanza*) strikingness, salience, emphasis.

saliẹra *f.* **1.** salt-cellar, salt-shaker; (*servizio per sale e pepe*) salt and pepper holder. – **2.** ⟨*ant*⟩ (*salina*) salt-works *pl* (*costr. sing. o pl.*). – **3.** ⟨*ant*⟩ (*miniera di salgemma*) (rock-)salt-mine.

salịfero *a.* **1.** saliferous, salt. – **2.** (*che riguarda l'estrazione del sale*) salt, salt-extracting.

salificạbile *a.* ⟨*Chim*⟩ salifiable. – **salificạre** *v.t.* (**salịfico, salịfichi**) to salify. – **salificaziọne** *f.* salification.

saligạstro *m.* → **salicastro**.

saligenịna *f.* ⟨*Chim*⟩ (*alcool salicilico*) saligenin, salicyl alcohol.

salịgno *a.* ⟨*rar*⟩ **1.** (*di sale*) saline, salt. – **2.** (*simile al sale*) salty, saline. – **3.** (*che trasuda salsedine*) brackish, salty. – **4.** ⟨*ant*⟩ (*salso*) salty, salt-. – **5.** ⟨*ant*⟩ (*rif. a marmi*) coarse-grained.

salimbạcca *f.* ⟨*ant*⟩ **1.** salt seal. – **2.** ⟨*estens*⟩ (*teca*) salt-seal holder. □ ⟨*fig*⟩ *portare l'acqua con le salimbacche* (*fare opera vana*) to scrub the floor with a toothbrush.

salimẹnto *m.* ⟨*ant,non com*⟩ (*il salire*) rising, climbing; (*salita*) ascent, climb.

salịna[1] *f.* **1.** salt-works *pl* (*costr. sing. o pl.*). – **2.** (*deposito naturale*) saline. – **3.** ⟨*rar*⟩ (*miniera di salgemma*) (rock-)salt-mine. – **4.** ⟨*Geol, region*⟩ (*salsa*) salse, mud volcano.

salịna[2] (*dim. di sale*) *f.* ⟨*region*⟩ (*sale fino da cucina*) (table-)salt.

salinạio *m.* **1.** (*operaio*) salt-worker. – **2.** ⟨*Stor*⟩ salt tax officer. – **salinạre** *v.i.* (*aus.* **avere**) to extract salt. – **salinạro** *m.* → **salinaio.** – **salinatọre** *m.* ⟨*Stor*⟩ **1.** (*appaltatore della gabella del sale*) contractor for the salt tax. – **2.** (*chi presiede una salina*) overseer of a salt-works. – **3.** (*operaio*) salt-worker. – **salinatụra, salinaziọne** *f.* salt extraction (*o* mining).
salinẹlla *f.* ⟨*Geol*⟩ salinelle.
saliniẹre *m.* **1.** (*operaio*) salt-worker. – **2.** ⟨*Stor*⟩ (Venetian) salt tax officer.
salinità *f.* salinity, saltiness.
salịno I *a.* **1.** (*di sale*) salt-, saline: *depositi -i* salt deposits. – **2.** (*che contiene sale*) saline, salt-, salty: *soluzione -a* saline solution. – **3.** (*simile al sale*) saline, salty. – **II** *s.m.* ⟨*region*⟩ salt-cellar, salt-shaker.
salinọmetro *m.* sali(no)meter, salinimeter.
sạlio *m.* ⟨*Stor.rom*⟩ Salian (priest).
salịre *v.* (*pres.ind.* **sạlgo**/*pop.* **salịsco**/*ant.* **sạglio, sạli**/*pop.* **salịsci**/*ant.* **sạgli**; *p.rem.* **salịi**/*ant.* **sạlsi**; *p.pr.* **salẹnte**/**saliẹnte**/*ant.* **sagliẹnte**; *ger.* **salẹndo**/*ant.* **sagliẹndo**; *p.p.* **salịto**) **I** *v.i.* (*aus.* **essere**) **1.** (*andare verso l'alto*) to climb (*su, in qc.* s.th.), to go (up), to come (up): ~ *su un albero* to climb a tree; ~ *su per le scale* to go up the stairs; ~ *in ascensore* to go up in the lift; *vieni, saliamo in terrazza* come, let's go up on the terrace; *perché non sali un momento?* why don't you come up for a minute? – **2.** (*montare*) to get up (on), to climb (onto), to mount (s.th.): ~ *sulla sedia* to get up on the chair; ~ *a cavallo* to mount a horse; (*rif. a mezzi di trasporto*) to get (on, into), to board (s.th.), to climb (into): ~ *sull'autobus* to board the bus; ~ *in macchina* to get into the car. – **3.** (*scalare*) to climb (up), to go up (*su qc.* s.th.), to ascend: ~ *su una montagna* to climb up a mountain; (*rif. ad automobili e sim.*) to climb: *l'automobile sale lentamente verso il passo* the car is climbing slowly towards the pass. – **4.** (*alzarsi, levarsi*) to rise, to go (*o* come) up: *il fumo sale* smoke rises; *la nebbia saliva dalla valle* the fog was coming up from the valley; *il sole sale sull'orizzonte* the sun is rising on the horizon; (*rif. ad aerei e sim.*) to climb, to gain altitude: *l'aeroplano continuava a* ~ the plane kept climbing. – **5.** (*ergersi*) to rise: *il monte sale a più di duemila metri* the mountain rises over two thousand metres, the mountain is over two thousand metres high. – **6.** (*essere in salita*) to go up(hill), to climb, to rise: *la strada sale dolcemente* the road goes uphill gradually. – **7.** ⟨*fig*⟩ (*aumentare, crescere*) to rise, to increase, to go up, to climb: *il numero degli abitanti continua a* ~ the number of inhabitants keeps rising; *la temperatura è salita* the temperature has gone up; *il livello del fiume sta salendo* the river is rising; (*rif. a prezzi*) to rise, to increase, to go up, to climb, to become dearer (*o* more expensive): *la benzina sale ancora* petrol is getting more expensive; *il prezzo dell'olio è salito di venti lire* the price of oil has gone up twenty lire. – **8.** (*rif. ad apparecchi di misura*) to rise: *il barometro sale* the barometer is rising. – **9.** ⟨*fig*⟩ (*raggiungere una condizione migliore*) to rise, to go up: ~ *nella considerazione di qd.* to rise in s.o.'s estimation; ~ *di grado* to rise in rank, to be promoted. – **10.** ⟨*non com*⟩ (*ammontare*) to amount, to come (*a* to). – **11.** ⟨*Mus*⟩ to go up, to rise, to swell: ~ *di un tono* to go up a tone. – **12.** ⟨*non com*⟩ (*crescere di potenza*) to become more powerful, to rise (to power). – **13.** ⟨*ant*⟩ (*saltare*) to jump. – **II** *v.t.* to climb, to go (*o* come) up, to ascend, to mount: ~ *le scale* to go up the stairs.
□ ~ *a* **bordo** to come aboard; ~ *in* **cattedra** = *salire sul* **pulpito**; ~ *al* **cielo**: 1. ⟨*Rel*⟩ to ascend (into Heaven); 2. ⟨*eufem*⟩ (*morire*) to die, to go to Heaven; 3. (*rif. a grida e sim.*) to go up to high heaven; ~ **da** *qd.* (*visitarlo*) to ⌈go to see⌉ (*o* drop in on) s.o.; ~ *in gran* **fama** to become very famous; ⟨*Rel*⟩ ~ *agli* **onori** *degli altari* to be canonized; ~ *al* **potere** to rise (*o* come) to power; *fare* ~ *i* **prezzi** to make prices rise (*o* go up), to send prices up; ⟨*fig*⟩ ~ *sul* **pulpito** to pontificate, to speak ex cathedra; ⟨*Sport*⟩ ~ *sul* **quadrato** to climb into the ring; *il* **sangue** *le salì al viso* she blushed (*o* flushed, went red), the blood rushed to her cheeks; ~ *in* **sella** to mount (one's horse), to get into the saddle; ⟨*fig*⟩ ~ *alle* **stelle** (*rif. a prezzi*) to soar, to rise steeply, to rocket, to become sky-high; ~ *in* **superbia** to grow proud (*o* high and mighty); ⟨*fig*⟩ ~ *alla* **testa** to go to one's head: *il vino gli sale alla testa* wine goes to his head; ~ *al* **trono** to ascend (*o* come to) the throne. – *Prov.*: *chi troppo sale dà maggior percossa* the higher you go the harder you fall.
Salisbụrgo *N.pr.f.* ⟨*Geog*⟩ Salzburg.
saliscẹndi *m.inv.* **1.** (*chiusura di porte e sim.*) latch. – **2.** (*continuo salire e scendere*) going up and down, ups and downs *pl*; (*strada*) road that is all ups and downs. – **3.** ⟨*fig*⟩ ups and downs *pl*, vicissitudes *pl*: *il* ~ *della sorte* the ups and downs of fortune. – **saliscẹndo** *m.* ⟨*ant*⟩ → **saliscendi.**
salịstio *m.* ⟨*Bot*⟩ carex, pendulous sedge (*Carex pendula*).
salịta *f.* **1.** (*il salire*) climb(ing), going (*o* coming) up, ascent: *la* ~ *è più difficile della discesa* going up is harder than coming down. – **2.** (*il montare su un veicolo*) getting on, boarding, climbing on. – **3.** (*entrata*) entrance, entry, way up: *la* ~ *dell'autobus di solito è di dietro* the bus entrance is usually in the back; (*accesso*) approach: *la* ~ *alla torre* the approach to the tower; (*cartello indicatore*) entrance, way up, up. – **4.** (*strada in salita*) hill, slope: *a metà della* ~ *c'è una cappella* halfway up the hill there is a chapel. – **5.** ⟨*Ginn*⟩ (*arrampicata*) climb(ing). – **6.** ⟨*Alp*⟩ (*ascesa*) ascent, climb, scaling. – **7.** ⟨*Ferr*⟩ gradient, upgrade.
□ ⟨*Arch*⟩ ~ *dell'***arco** rise of an arch; ⟨*Aut*⟩ **attitudine** *alla* ~ hill-climbing capacity; ⟨*Aer*⟩ ~ *in* **candela** zooming; ⟨*Alp*⟩ ~ *in* **cordata** rope climb (*o* ascent); **fare** *la* ~ *di un monte* to climb a mountain; ⟨*Ferr*⟩ ~ **forte** heavy (*o* steep) gradient; ⟨*Ginn*⟩ ~ *alle* **funi** rope climbing; **in** ~: 1. (*che sale*) uphill: *sentiero in* ~ uphill path; *camminare in* ~ to walk uphill, to climb; 2. (*che aumenta*) rising, going up: *la febbre è in* ~ the temperature is rising; ⟨*Ginn*⟩ ~ *alle* **pertiche** pole-climbing, shinning poles; ⟨*Arch*⟩ ~ *di una* **volta** springing of a vault.
salitạccia *f.* (*pl.* **-ce**) *pegg. di* **salita.** – **salitẹlla, salitịna** (*dim. di salita*) *f.* (*lieve pendio*) gentle slope, slight rise; (*salita breve*) short rise (*o* slope).
salitọio *m.* ⟨*rar*⟩ **1.** (*passaggio*) sloping (*o* uphill) passageway, way up. – **2.** (*scala*) ladder.
salitọre *m.* (*f.* **-trice**) **1.** ⟨*rar*⟩ climber. – **2.** ⟨*Mil.ant*⟩ scaler.
salịva *f.* saliva, spittle, spit. □ ⟨*fig*⟩ *attaccato con la* ~ badly stuck together, stuck together with spit. – **salivạle** *a.* salivary, salival: *secrezione* ~ salivary secretion.
salivạre[1] *v.i.* (*aus.* **avere**) to secrete (*o* have a flow of) saliva, to salivate.
salivạre[2] *a.* → **salivale.**
salivatọrio *a.* salivatory. – **salivaziọne** *f.* secretion (*o* flow) of saliva, salivation.
salizzạda *f.* ⟨*ven*⟩ (*strada selciata*) paved road.
sallustiạno *a.* ⟨*Lett*⟩ Sallustian, of Sallust, Sallust's. – **Sallụstio** *N.pr.m.* ⟨*Stor*⟩ Sallust.
sạlma *f.* **1.** corpse, body, cadaver. – **2.** ⟨*poet*⟩ (*corpo umano*) body, human frame. – **3.** ⟨*ant*⟩ (*peso, carico*) burden, load. – **4.** ⟨*ant*⟩ (*armatura pesante*) heavy armour. – **5.** ⟨*fig,ant*⟩ (*preoccupazione*) worry, heavy thought. – **6.** ⟨*ant*⟩ (*unità di misura di capacità*) unit of dry measure (213-275 l).
salmanticẹnse I *a.* (*di Salamanca*) of Salamanca. – **II** *s.m./f.* (*abitante*) native (*o* inhabitant) of Salamanca.
salmarịno[1] (o *sal marịno*) *m.* sea (*o* marine) salt.
salmarịno[2] *m.* → **salmerino.**
salmạstra *f.* ⟨*Mar*⟩ cable, rope.
salmastrạia *f.* ⟨*non com*⟩ (*terreno*) brackish ground.
salmastrạre *v.t.* ⟨*Mar*⟩ to fasten with a cable (*o* rope).
salmạstro I *a.* **1.** (*che contiene sale*) brackish, saltish, salty: *acqua -a* brackish water; (*ricco di sale*) saline, salty, salt, saliferous: *terreno* ~ saline soil. – **2.** (*che sa di sale*) salty: *vento* ~ salty wind. – **II** *s.m.* (*sapore*) salt(y) taste; (*odore*) salt(y) smell. – **salmastrọso** *a./s.* ⟨*non com*⟩ → **salmastro.**
salmeggiamẹnto *m.* ⟨*non com*⟩ **1.** (*il salmeggiare*) psalm-singing, psalmody, psalmodizing. – **2.** (*salmodia*) psalmody. – **salmeggiạnte** (*p.pr. di salmeggiare*) *a.* **1.** psalmodizing, psalm-singing. – **2.** ⟨*fig*⟩ (*che ha il tono dei salmi*) psalmic, psalm-like, wailing: *canto* ~ psalmic song; (*monotono*) monotonous. – **salmeggiạre** *v.* (**salmẹggio, salmẹggi**) **I** *v.t.* ⟨*non com*⟩ to psalm, to sing, to chant. – **II** *v.i.* (*aus.* **avere**) to psalmodize, to sing psalms (*o* hymns). – **salmeggiatọre** *m.* (*f.* **-trice**) ⟨*non com*⟩ psalm-singer.
salmerịa *f.* **1.** *pl.* ⟨*Mil*⟩ (*rif. a muli*) mule train, pack-animals *pl*; (*rif. a carri*) wag(g)on (*o* baggage) train. – **2.** ⟨*ant*⟩ (*carico*) burden, load. – **3.** ⟨*ant,collett*⟩ (*bagagli*) baggage.
salmerịno *m.* ⟨*Itt*⟩ (red) char, saibling (*Salvelinus salmarius*).
salmerịsta *m.* ⟨*Mil*⟩ baggage-master, baggage-man.
salmì *m.* ⟨*Gastr*⟩ salmi(s): *lepre in* ~ salmi of hare.
salmisịa (o *sal mi sịa*) *intz.* ⟨*ant*⟩ God save us, God forbid.
salmịsta *m.* ⟨*Bibl*⟩ **1.** psalmist. – **2.** (*re David*) King David, the Psalmist.
salmistrạre *v.t.* ⟨*Gastr*⟩ to corn. – **salmistrạto** (*p.p. di salmistrare*) *a.* corned: *lingua -a* corned tongue.
sạlmo *m.* ⟨*Bibl,Mus*⟩ psalm. □ *-i graduali* Gradual Psalms, Songs of Ascents; *libro dei -i* Book of Psalms; ⟨*pop*⟩ *masticare -i* (*bestemmiare fra sé*) to mumble curses, to swear ⌈to o.s.⌉ (*o* under one's breath); *-i penitenziali* penitential psalms. – *Prov.*: *tutti i -i finiscono in gloria* these things always end up the same way.
salmodịa *f.* ⟨*Rel*⟩ psalmody. – **salmodiạnte** (*p.pr. di salmodiare*) *a.* psalmodizing, psalm-singing. – **salmodiạre** *v.i.* (**salmọdio, salmọdi**; *aus.* **avere**) to psalmody, to psalmodize, to hymn. – **salmọdico** *a.* (*pl.* **-ci**) **1.** psalmodic(al). – **2.** (*che ha carattere dei salmi*) psalmic. – **salmọgrafo** *m.* (*salmista*) psalmist, psalmodist, psalm-writer.
salmọne[1] **I** *s.m.* **1.** ⟨*Itt*⟩ salmon (*Salmo salar*). – **2.** *inv.* (*colore*) salmon (colour). – **II** *a.inv.* salmon.
□ ⟨*Gastr*⟩ ~ **affumicato** smoked salmon; ⟨*Itt*⟩ ~ *del* **Danubio** huch(en) (*Hucho hucho*); ⟨*Itt*⟩ ~ *di* **fontana** brook trout (*Salvelinus fontinalis*); **olio** *di* ~ salmon-oil; ⟨*Itt*⟩ ~ **rosso** red (*o* sockeye) salmon (*Oncorhynchus nerka*); ⟨*Gastr*⟩ ~ *in* **scatola** tinned salmon.
salmọne[2] *m.* ⟨*Mar*⟩ kentledge, ballast.
salmonẹlla *f.* ⟨*Biol*⟩ **1.** salmonella (*Salmonella*). – **2.** salmonella paratyphi (*Salmonella paratyphi*). – **salmonellọsi** *f.* ⟨*Med,Veter*⟩ salmonellosis.
salmonicoltụra *f.* salmon-breeding. – **salmọnidi** *m.pl.* ⟨*Itt*⟩ salmonids *pl* (*Salmonidae*).
salnịtro *m.* ⟨*Chim*⟩ (*nitrato di potassio*) saltpetre, potassium nitrate. – **salnitrọso** *a.* saltpetre-, saltpetrous.
Salò: ⟨*Fasc*⟩ *Repubblica di* ~ Republic of Salò.
salọlo *m.* ⟨*Chim*⟩ salol.
Salomè *N.pr.f.* ⟨*Bibl*⟩ Salome.
Salomọne[1] *N.pr.m.* ⟨*Bibl*⟩ Solomon. – **salomone** *m.* (*persona saggia*) Solomon, wise man.

Salomone[2]: ⟨*Geog*⟩ *isole* ~ Solomon Islands.
salomonico *a.* (*pl.* **-ci**) Solomonic, Solomonian, of Solomon, Solomon's: *giudizio* ~ Solomonic judgement, judgement of Solomon.
salon *fr.* [sa'lɔ̃] *m.* **1.** (*bottega di barbiere e sim.*) salon. – **2.** (*esposizione*) art exhibition; (*a Parigi*) Salon. – **3.** ⟨*Fot*⟩ format of photographic paper.
salone (*accr. di sala*[1]) **I** *s.m.* **1.** (*sala di soggiorno*) living-room, sitting -room; (*sala da ricevimento*) reception room, drawing-room, salon, parlour; (*nei grandi piroscafi*) saloon, lounge: *il* ~ *di prima classe* the first-class saloon. – **2.** (*mostra, esposizione*) exhibition, show: ~ *dell'automobile* Motor (*o* Car) Show; (*mostra di quadri*) art show (*o* exhibition), salon; (*sala*) (exhibition) hall, showroom; (*edificio*) exhibition building. – **3.** (*negozio di barbiere*) barber's shop; (*negozio di parrucchiere*) hairdresser's salon. – **4.** ⟨*non com*⟩ (*sala da pranzo*) dining-room. – **II** *a.* saloon-, ⟨*am*⟩ parlor-: *vettura* ~ Pullman (car), saloon car (*o* carriage), ⟨*am*⟩ parlor-cari □ ~ *da ballo* ballroom; ~ *di bellezza* beauty salon (*o* shop); ~ *di* (o *della*) *moda* fashion show; ~ *di parrucchiere* hairdresser's (shop), hairdressing salon.
Salonicco *N.pr.f.* ⟨*Geog*⟩ Salonika.
salopette *fr.* [salɔ'pɛt] *f.* (*tuta*) overalls *pl.*
salottiero *a.* **1.** drawing-room-. – **2.** ⟨*estens*⟩ (*frivolo, superficiale*) frivolous, superficial. – **salottino** (*dim. di salotto*) *m.* small drawing -room, parlour.
salotto *m.* **1.** drawing-room, living-room, lounge, parlour. – **2.** (*mobilio*) drawing-room suite, living-room furniture. – **3.** (*riunione*) salon: ~ *letterario* literary salon. □ *da* (o *di*) ~ drawing-room-, society-, frivolous: *chiacchiere da* ~ drawing-room gossip, society talk; *fare* ~ to gossip; *tenere* ~ to hold a salon.
salpa *f.* ⟨*Zool*⟩ salpa (*Salpa*).
salpamento *m.* ⟨*Mar*⟩ weighing anchor.
salpare I *v.t.* ⟨*Mar*⟩ **1.** (*tirare in superficie*) to draw (*o* bring) up, to hoist, to raise: ~ *le reti* to draw up the nets; (*rif. all'ancora*) to weigh. – **2.** ⟨*mar,scherz*⟩ (*appropriarsi di un oggetto altrui*) to filch, ⟨*fam*⟩ to pinch. – **II** *v.i.* (*aus.* **essere**) **1.** ⟨*Mar*⟩ (*levare le ancore*) to weigh anchor. – **2.** ⟨*Mar*⟩ (*partire*) to set sail, to leave; (*rif. a piroscafi*) to steam off. – **3.** ⟨*scherz*⟩ (*prendere il largo*) to make off, to leave.
salpareti: ⟨*Mar*⟩ *verricello* ~ trawl winch.
salpinge *f.* **1.** ⟨*Anat*⟩ salpinx. – **2.** ⟨*Stor*⟩ salpinx. □ ⟨*Anat*⟩ ~ *uditiva* Eustachian tube, tuba auditiva, salpinx; ~ *uterina* Fallopian tube, tuba uterina, salpinx, oviduct. – **salpingectomia** *f.* ⟨*Chir*⟩ salpingectomy. – **salpingiano** *a.* salpingian. – **salpingite** *f.* ⟨*Med*⟩ salpingitis. – **salpingitico** *a.* (*pl.* **-ci**) salpingitic.
salpingo|scopio *m.* ⟨*Med*⟩ salpingoscope. – **~stomia** *f.* ⟨*Chir*⟩ salpingostomy. – **~tomia** *f.* salpingotomy.
salsa[1] *f.* ⟨*Gastr*⟩ **1.** sauce. – **2.** (*salsa di pomodoro*) tomato sauce. – **3.** (*intingolo a base di sugo di carne*) gravy.

□ ~ *d'***acciughe** anchovy sauce; ⟨*scherz*⟩ ~ *di san* **Bernardo** (*fame*) hunger; ~ **besciamella** Bechamel (sauce); ~ *di* **capperi** caper sauce; ⟨*fig*⟩ **cucinare** *qc. in tutte le -e* to present (the same old thing) in all kinds of ways; ~ **maionese** mayonnaise; ~ *di* **panna** cream sauce; ~ **piccante** piquant sauce; ~ *di* **pomodoro** tomato sauce; ~ *di* **prezzemolo** parsley sauce; ~ **tartara** tartar sauce; ~ **verde** piquant sauce with herbs and garlic.
salsa[2] *f.* (generally in pl.) ⟨*Geol*⟩ salse, mud volcano.
salsamentario *m.* ⟨*region*⟩ (*salumiere*) grocer. – **salsamenteria** *f.* ⟨*region*⟩ (*salumeria*) grocer's shop, grocery (store), delicatessen (shop).
salsapariglia *f.* (*droga*) sarsaparilla. □ ⟨*Bot*⟩ ~ *nostrana* smilax (*Smilax aspera*).
salsarella *f.* ⟨*Bot*⟩ garden sorrel (*Rumex acetosa*).
salsedine *f.* **1.** salt(i)ness: ~ *del vento di mare* saltiness of the sea air; (*incrostazione salina*) salt (deposit): *anfora incrostata di* ~ amphora encrusted with salt. – **2.** (*salinità*) salinity. – **3.** ⟨*pop*⟩ (*malattia della pelle*) eczema, salt rheum. – **salsedinoso** *a.* salt-; salty, saline.
salsef(r)ica *f.* ⟨*Bot*⟩ **1.** yellow goatsbeard, meadow salsify (*Tragopogon pratensis*). – **2.** salsify, purple goatsbeard, oyster plant, vegetable oyster (*Tragopogon porrifolius*).
salsetta *f. dim. di* **salsa**[1].
salsezza *f.* ⟨*rar*⟩ **1.** salt(i)ness. – **2.** (*sapore di salso*) salty taste, saltiness.
salsiccia *f.* (*pl.* **-ce**) **1.** ⟨*Gastr*⟩ sausage. – **2.** ⟨*Mil.ant*⟩ canvas powder train.

□ ⟨*pop*⟩ **fare** ~ (o *salsicce*) *di qd.* to make mincemeat of s.o., to cut s.o. into tiny pieces; ~ *di* **fegato** liver sausage; ~ *ai* **ferri** grilled sausage; *salsicce di* **Francoforte** frankfurters, wieners, ⟨*am.fam*⟩ hot dogs; ~ **fresca** fresh (*o* uncured) sausage; *salsicce di* **Vienna** Vienna sausages.
salsicciaio *m.* (*f.* **-a**) **1.** (*fabbricante*) sausage-maker. – **2.** (*venditore*) sausage-seller, pork-butcher. – **salsicciolo** (*dim. di salsiccia*) *m.* ⟨*Gastr*⟩ sausage. – **salsiccione** (*accr. di salsiccia*) *m.* **1.** → **salsicciotto**. – **2.** ⟨*fig,ant*⟩ (*fascina*) fascine. – **salsicciotto** (*accr. di salsiccia*) *m.* ⟨*Gastr*⟩ **1.** large sausage. – **2.** ⟨*region*⟩ (*salsiccia di Francoforte*) frankfurter, wiener, ⟨*am*⟩ hot dog.
salsiera *f.* sauce-boat, gravy-boat. – **salsina** *f. dim. di* **salsa**[1].
salso I *a.* **1.** (*che sa di sale*) salty. – **2.** (*che contiene sale*) salty, salt-, saline. – **II** *s.m.* **1.** (*sapore salso*) saltiness, salty taste. – **2.** (*salsedine*) salt(i)ness; (*salinità*) salinity. □ *sapere di* ~ to taste salty.
salsoiodico *a.* (*pl.* **-ci**) containing sodium chloride and sodium iodide.
salsuggine *f.* ⟨*lett*⟩ → **salsedine**. – **salsugginoso** *a.* ⟨*lett*⟩ → **salsedinoso**.
salsume *m.* ⟨*rar*⟩ **1.** (*sapore di sale*) saltiness, (unpleasant) salty taste. – **2.** ⟨*ant*⟩ (*salume*) salted meat.
saltabecca *f.* ⟨*pop*⟩ (*cavalletta*) grasshopper.
saltabeccare *v.i.* (**saltabecco, saltabecchi**; *aus.* **avere**) **1.** (*saltellare*) to hop, to skip, to jump. – **2.** (*saltare*) to jump; (*rif. a uccelli*) to hop.
saltabellare *v.i.* (**saltabello**; *aus.* **avere**) ⟨*ant,lett*⟩ (*saltellare*) to hop, to skip, to jump.
saltafossi *m.inv.* **1.** ⟨*Pesc*⟩ light rowing-boat. – **2.** ⟨*ant,tosc*⟩ (*calesse*) two-wheeled gig (*o* chaise).
saltainselce: ~ *moro* → **saltimpalo**.
saltaleone *m.* ⟨*Mecc*⟩ spring wire.
saltamartino *m.* **1.** ⟨*pop*⟩ (*insetto*) jumping insect; (*cavalletta*) grasshopper, locust. – **2.** ⟨*fig*⟩ (*bambino vivace*) imp, scamp, lively child. – **3.** (*balocco*) jumping toy; (*gioco*) game played with a weighted doll. – **4.** ⟨*Artigl,ant*⟩ saltamartino, four-pounder (falcon).
saltambanco *m.* ⟨*non com*⟩ → **saltimbanco**.
saltamindosso *m.* ⟨*ant,tosc*⟩ (*indumento misero*) short ragged garment.
saltare I *v.i.* (*aus.* **essere/avere**) **1.** to jump, to spring, to leap: ~ *a piè pari* to jump with both feet together; ~ *nell'acqua* to jump into the water; (*balzare*) to bound, to jump, to vault: ~ *a cavallo* to jump onto one's horse, to leap into the saddle; (*col paracadute*) to jump, to bale out. – **2.** (*cadere*) to come (*o* pop) off, to come away: *mi è saltato un bottone* one of my buttons has popped off; (*rompersi*) to break: *è saltata la molla* the spring has broken. – **3.** (*esplodere*) to blow up, to explode, to go up: *è saltato il deposito delle munizioni* the ammunition dump has exploded. – **4.** ⟨*fig*⟩ (*passare ad altro*) to go on: *saltiamo a pagina dieci* let's go on to page ten; (*omettendo i passaggi logici*) to skip, to jump: ~ *da un'idea all'altra* to jump from one idea to another. – **5.** ⟨*fig*⟩ (*perdere un posto e sim.*) to lose one's job (*o* position), to be fired; (*rif. al governo*) to fall. – **6.** ⟨*El*⟩ (*rif. a valvole e sim.*) to blow, to go. – **7.** ⟨*ant*⟩ (*ballare*) to dance. – **II** *v.t.* **1.** to jump (over), to leap (over), to clear: *con un balzo saltò il muretto* he cleared the wall with a bound. – **2.** ⟨*fig*⟩ (*omettere, tralasciare*) to leave out (*o* off), to omit, to skip: *nell'elenco hanno saltato il mio nome* my name was left off the list; ~ *un passo difficile* to leave out a difficult passage. – **3.** ⟨*Scol*⟩ to jump, to skip: ~ *una classe* to skip a year. – **4.** ⟨*Gastr*⟩ to sauté. – **5.** ⟨*Zootecn*⟩ (*montare*) to mount, to cover.

□ ~ **addosso** *a qd.*: 1. to jump (*o* fall, leap) on s.o., to assail s.o.; 2. (*rif. a cani*: *far festa*) to jump up at s.o., to leap on s.o.; ⟨*fig*⟩ ~ *in* **aria** (*esplodere*) to blow up, to explode; *far* ~ *in aria* to blow up, to (cause to) explode; ⟨*fig*⟩ to debunk; ⟨*non com*⟩ ~ *in* **bestia** (*arrabbiarsi*) to fly into a rage, to get furious (*o* mad); *farsi* ~ *le* **cervella** to blow one's brains out; ~ *al* **collo** *di qd.* (*per abbracciarlo*) to ⌜fall on⌝ (*o* throw one's arms round) s.o.'s neck; ~ *la* **corda** to jump over a rope; (*facendola girare*) to skip (*o* jump) rope; **far** ~: 1. (*obbligare all'attività*) to get moving (*o* on one's toes), to make jump to it, to keep on the trot: *vedrai come il nuovo direttore li farà* ~ *tutti* you'll see how the new director will ⌜get them all moving⌝ (*o* make them jump to it); 2. (*cacciare da un posto*) to make lose one's job (*o* position), ⟨*fam*⟩ to have (*o* get) fired; 3. (*far esplodere*: *rif. a munizioni*) to blow up, to explode; 4. (*distruggere con un'esplosione*) to blow up: *i ribelli fecero* ~ *la ferrovia* the rebels blew up the railroad; 5. (*forzare*) to break (open), to force; (*con un colpo d'arma da fuoco*) to shoot off: *far* ~ *la serratura* to break (*o* shoot off) the lock; *far* ~ *il governo* to bring down the Government, to produce a Government crisis; *far* ~ *una palla* to bounce a ball; *far* ~ *i denti a qd. con un pugno* to knock s.o.'s teeth out with a punch; *far* ~ *il banco* to break the bank; ~ **fuori**: 1. to jump out; 2. (*sbucare d'un tratto*) to jump (*o* pop) out, to spring: *da dove salti fuori?* where have you sprung from?; 3. ⟨*fig*⟩ (*farsi avanti*) to come forward, to show (*o* turn) up, to appear; 4. ⟨*fig*⟩ (*intromettersi improvvisamente in un discorso*) to come out (*con* with), to blurt out (s.th.): *perché salti fuori con simili sciocchezze?* why do you come out with such nonsense?; 5. (*ritrovarsi*) to turn up, to show up (again): *prima o poi il libro salterà fuori* the book will turn up sooner or later; *bisogna far* ~ *fuori quei soldi* we must find (*o* get hold of) that money somewhere; ~ *su una* **gamba** to hop; ~ **giù** to jump down; ~ *giù da un muro* to jump off a wall; ~ *giù dal letto* to jump out of bed; *gli è saltato il* **grillo** = *gli è saltato il* **ticchio**; ~ *in* **mente** to come to mind, to cross one's mind, to get (*o* pop) into one's head: *che cosa ti salta in mente?* what has got into your head?, what can you be thinking of?; ⟨*fig*⟩ ~ *agli* **occhi** to be obvious (*o* glaring, evident); ⟨*fig*⟩ ~ *di* **palo** *in frasca* to jump (*o* switch) from one subject to another; ~ *in* **piedi** to jump (*o* leap) to one's feet; ~ *su un piede solo* = *saltare su una* **gamba**; ~ **su**: 1. to jump, to leap, to spring, to bound: *saltò su in bicicletta* he sprang onto his bicycle; 2. (*in alto*) to jump (*o* leap) up; 3. (*fare un balzo*) to jump (up and down), to leap; ⟨*fam*⟩ *gli è saltato il* **ticchio** he's taken a fancy, he has a whim.
saltarellare *v.* ⟨*non com*⟩ → **salterellare**. – **saltarello** *m.* (*danza*) saltarello.
saltaria *f.* ⟨*region,ant*⟩ **1.** (*ufficio di saltaro*) office of land warden. – **2.** (*circoscrizione*) land warden's territory. – **saltaro** *m.* ⟨*region,ant*⟩ (*campaio*) land warden, watchman.
saltarupe *m.inv.* ⟨*Zool*⟩ (*oreotrago*) klipspringer, klipbok (*Oreotragus oreotragus*).

saltạto (*p.p. di saltare*) **I** *a.* **1.** skipping, skipped, hopping, jumping: *danza -a* skipping dance. – **2.** ⟨*fig*⟩ (*omesso*) skipped, left out, jumped, passed over, omitted. – **3.** ⟨*Gastr*⟩ sautéed, sauté, quick fried: *patate -e* sautéed potatoes. – **4.** ⟨*Mus*⟩ saltato, sautillé. – **II** *s.m.* ⟨*Mus*⟩ sautillé.

saltatọia *f.* **1.** ⟨*Pesc*⟩ secondary net. – **2.** ⟨*rar,ant*⟩ → **saltatoio**. – **saltatọio** *m.* **1.** jump. – **2.** (*nelle gabbie per uccelli*) perch.

saltatọre I *s.m.* (*f.* **-trice**) **1.** jumper, leaper. – **2.** ⟨*Sport*⟩ jumper. – **3.** ⟨*Equit*⟩ jumper; (*rif. a cavalli*) steeplechaser, jumper. – **4.** *pl.* ⟨*Entom*⟩ orthoptera *pl*, orthopterans *pl* (*Orthoptera*). – **5.** *pl.* ⟨*Zool*⟩ (*anuri*) anurans *pl* (*Anura*). – **6.** ⟨*ant*⟩ (*saltimbanco*) acrobat, tumbler. – **7.** ⟨*ant*⟩ (*danzatore*) dancer. – **II** *a.* **1.** jumping, leaping, hopping: *animale* ~ jumping animal, jumper. – **2.** (*bravo nel saltare*) jumping. ▭ ⟨*Sport*⟩ ~ *in alto* high-jumper; ~ *con l'asta* pole-vaulter, pole -jumper; ~ *in lungo* broad jumper; ~ *d'ostacoli* obstacle jumper, steeplechaser.

saltaziọne *f.* ⟨*rar*⟩ **1.** (*il saltare*) jumping, leaping. – **2.** (*ballo*) dancing, ⟨*lett*⟩ saltation. – **3.** ⟨*Stor*⟩ (*esercizio ginnico*) gymnastic exercise.

saltellamẹnto *m.* **1.** hopping, skipping, jumping (about). – **2.** ⟨*Aer*⟩ porpoising. – **3.** ⟨*TV*⟩ jumping. – **saltellạnte** (*p.pr. di saltellare*) *a.* skipping, tripping, hopping: *andatura* ~ skipping (*o* tripping) step.

saltellạre *v.i.* (**saltẹllo**; *aus.* **avere**) **1.** to hop, to skip, to jump; (*sgambettare, ruzzare*) to dance, to caper, to frisk, to prance, to frolic: *i bambini le saltellarono intorno* the children danced around her. – **2.** (*procedere a balzi qua e là*) to skip, to hop around, to jump about. – **3.** ⟨*fig,lett*⟩ (*palpitare*) to beat, to bound, to palpitate, to throb, to pound; (*guizzare*) to flash (out).

saltellịo *m.* hopping, jumping. – **saltẹllo** (*dim. di salto*^{1}) *m.* **1.** hop, skip; (*rif. a palla e sim.*) bounce. – **2.** ⟨*Ginn*⟩ hopping. ▭ *a -i* by hops (*o* skips). – **saltellọne** *avv.* ⟨*non com*⟩ → **saltelloni**. – **saltellọni** *avv.* by jumps (*o* bounds), jumping(ly), skipping(ly). ▭ *camminare* ~ to skip (*o* hop, jump) along; *a* ~ by jumps (*o* bounds), leaping.

salterellạre *v.i.* (**salterẹllo**; *aus.* **avere**) to hop, to jump (about), to skip.

salterẹllo (*dim. di salto*^{1}) *m.* **1.** hop, skip, jump. – **2.** (*fuoco d'artificio*) jumping cracker, squib. – **3.** ⟨*Mecc*⟩ catch. – **4.** ⟨*Mus*⟩ saltarello, jack (of a harpsichord). – **5.** ⟨*Pesc*⟩ (kind of) fixed net. – **6.** ⟨*non com*⟩ → **saltarello**.

saltẹrio *m.* **1.** ⟨*Bibl*⟩ Psalter, Book of Psalms. – **2.** ⟨*Lit*⟩ psalter, psalm book. – **3.** ⟨*Mus*⟩ psaltery. – **4.** ⟨*Zool*⟩ (*omaso*) omasum, manyplies *pl* (*costr. sing.*), psalterium. – **5.** ⟨*ant*⟩ (*libro usato per insegnare a leggere*) primer, reading-book. – **6.** ⟨*ant*⟩ (*velo monacale*) nun's veil. – **saltẹro** *m.* ⟨*ant*⟩ → **salterio**.

salticchiạre *v.i.* (**saltịcchio**, **saltịcchi**; *aus.* **avere**) ⟨*non com*⟩ (*saltellare*) to hop, to skip, to caper, to jump about.

saltịcidi *m.pl.* ⟨*Entom*⟩ jumping spiders *pl* (*Salticidae*).

saltimbạnco *m.* (*pl.* **-chi**) **1.** acrobat, tumbler. – **2.** ⟨*fig,spreg*⟩ (*ciarlatano*) quack, charlatan, mountebank, saltimbanco.

saltimbọcca *m.inv.* ⟨*Gastr*⟩ rolled veal with prosciutto and sage.

saltimpạlo *m.* ⟨*Ornit*⟩ stone-chat (*Saxicola torquata*).

saltịno *m. dim. di* **salto**^{1}.

sạlto^{1} *m.* **1.** jump, leap, hop, skip, spring: *spiccare un* ~ to take a jump, to jump; (*balzo*) bound, jump, start; (*rimbalzo*) bounce. – **2.** (*brusco dislivello*) difference in height, drop, fall: *l'acqua precipita con un* ~ *di cento metri* the water hurls down a hundred-metre drop; (*rif. a impianti idroelettrici*) head. – **3.** ⟨*fig*⟩ (*rapido e improvviso mutamento*) jump, leap, sudden change (*o* transition): *abbiamo avuto un bel* ~ *di temperatura* we have had quite a sudden change in temperature; (*rincaro*) jump, leap, increase: *il prezzo dell'olio ha fatto un salto* the price of oil has ⌜taken a jump⌝ (*o* jumped). – **4.** ⟨*fig*⟩ (*omissione*) gap, omission, hiatus: *nel libro c'è un* ~ *di quattro pagine* there is a four-page gap in the book; (*lacuna*) gap, lacuna. – **5.** ⟨*Sport,Equit,Scol*⟩ jump. – **6.** ⟨*Tip*⟩ omission. – **7.** ⟨*Geol*⟩ step fault. – **8.** ⟨*Zootecn*⟩ (*monta*) covering, mounting, leap. – **9.** ⟨*Mus*⟩ leap; (*intervallo*) interval: ~ *di quinta* (interval of a) fifth. – **10.** ⟨*ant*⟩ (*ballo*) dance.

▭ **a** *-i* (*in modo saltuario*) by fits and starts, every now and then, irregularly, on and off: *studiare a -i* to study every now and then; *camminare a -i* to jump, to skip, to hop; ~ *d'***acqua** waterfall; ⟨*Gastr*⟩ **al** ~ sautéed, sauté; ⟨*Sport*⟩ ~ *in* **alto** high-jump; **andare** *in* ~ = **essere** *in salto*; ⟨*Sport*⟩ ~ *con l'***asta** pole-vault; ⟨*Meteor*⟩ ~ **barometrico** barometric kick; ⟨*fig*⟩ ~ *nel* **buio** leap in the dark; ~ *del* **cavallo** (*negli scacchi*) knight's move; ⟨*Sport*⟩ ~ *della* **corda** jumping rope, skipping-rope; ⟨*Aut*⟩ *fare un* ~ *di* **corsia** to skid into the oncoming lane; ⟨*non com*⟩ **dare** *un* ~ to give a jump; **di** (o *d'*) *un* ~ with a bound; ⟨*fig*⟩ (*velocemente*) in no time, quickly; ⟨*Zootecn, non com*⟩ **essere** *in* ~ (*essere in calore*) to be on (*o* in) heat; ⟨*Scol*⟩ **fare** *il* ~ to skip a year, to jump a class; *fare un* ~ to (make a) jump, to (take a) leap; ⟨*fam*⟩ *farò un* ~ *in centro* I'll dash downtown; ⟨*fam*⟩ *se ho tempo faccio un* ~ *da te* if I've time, I'll drop by your place; ⟨*fam*⟩ *fare quattro -i* (*ballare*) to dance; ⟨*Sport*⟩ ~ *da* **fermo** standing jump; ~ *su una* **gamba** hop; **gara** *di* ~ jumping match (*o* competition); **gioco** *del* ~ (*alma*) halma; ⟨*fig*⟩ **in** *un* ~ in an instant, in a jiffy, in the twinkling of an eye, ⟨*fam*⟩ before you can say Jack Robinson: *sono da te in un* ~ I'll be with you in a jiffy; ⟨*Sport*⟩ ~ *in* **lungo** long-jump, ⟨*fam*⟩ broad -jump; ⟨*Equit*⟩ ~ *del* **montone** buckjump, bucking; ⟨*Sport*⟩ ~ **mortale** somersault; ⟨*fig*⟩ *fare i -i mortali* (*fare l'impossibile*) to do somersaults, ⟨*fam*⟩ to bend over backwards; ⟨*fig*⟩ *fare i -i mortali dalla gioia* to jump for joy; ⟨*Mus*⟩ **per** ~ by leap; ⟨*Sport*⟩ ~ *in* **piedi** jump from a standing position; ~ *a piè pari* standing jump, jump with both feet together; ⟨*ant*⟩ **prendere** (o *pigliare*) *un* ~ to (give a) jump, to leap; ⟨*Mecc*⟩ ~ *di* **pressione** pressure stage; ⟨*Fis*⟩ ~ **quantico** quantum jump; ⟨*Sport*⟩ ~ *con* **rincorsa** running-jump, jump with a run-up; ⟨*Sport*⟩ ~ **triplo** hop step and jump; ⟨*Idr*⟩ ~ **utile** available head; ⟨*Meteor*⟩ ~ *del* **vento** shift (*o* change) in the wind; ⟨*fig*⟩ *un* ~ *nel* **vuoto** a leap in the dark.

sạlto^{2} *m.* ⟨*lett*⟩ **1.** (*bosco*) wood. – **2.** (*monte*) mountain. – **3.** (*pascolo montano*) mountain pasture.

saltọmetro *m.* ⟨*Sport*⟩ graduated measuring-rod.

saltrạto *m.* (generally in pl.) ⟨*Chim*⟩ salt; (*per bagno*) bath salts *pl.*

saltuariamẹnte *avv.* at intervals, irregularly, on and off, intermittently. – **saltuarietà** *f.* discontinuity, irregularity. – **saltuạrio** *a.* desultory, intermittent, occasional, discontinuous: *visite -e* occasional visits.

salubẹrrimo *sup. di* **salubre**. – **salụbre** (o *sạlubre*) *a.* **1.** healthy, wholesome, health-giving, ⟨*lett*⟩ salubrious: *clima* ~ healthy climate. – **2.** ⟨*fig,rar*⟩ (*salutare*) salutary. – **salubrità** *f.* healthiness, wholesomeness, ⟨*lett*⟩ salubrity.

salumạio *m.* **1.** → **salumiere**. – **2.** ⟨*non com*⟩ (*fabbricante*) pork -butcher. – **salụme** *m.* (generally in pl.) ⟨*Gastr*⟩ dressed pork product, charcuterie. – **salumerịa** *f.* grocer's (shop), pork-butcher's (shop), charcuterie, delicatessen. – **salumiẹre** *m.* (*f.* **-a**) pork -butcher, grocer. – **salumifịcio** *m.* dressed pork factory.

salụta *f.* ⟨*ant*⟩ **1.** (*salute*) health. – **2.** (*saluto*) greeting.

salutạre^{1} *v.t.* **1.** (*nell'incontrare*) to greet, to say hello to, ⟨*lett*⟩ to hail, ⟨*lett*⟩ to salute: ~ *qd. con un «buongiorno»* to greet s.o. by saying "Good morning", to say "Good morning" to s.o.; (*nell'accomiatarsi*) to say good-bye to: *ti saluto perché devo andare* I'll say good-bye as I've got to go. – **2.** (*far trasmettere i saluti*) to send (*o* give) one's regards to, to ask to be remembered to: *tuo cugino ti saluta* your cousin sends his regards (to you); *salutami tuo padre* remember me to your father. – **3.** ⟨*estens*⟩ (*ossequiare, accogliere*) to greet, to welcome: *al suo arrivo fu salutato da calorosi applausi* on his arrival he was greeted with warm applause. – **4.** ⟨*estens*⟩ (*vedere con gioia*) to welcome, to greet, to hail: *dopo tanta pioggia, salutammo il sole* after all that rain we welcomed the sun. – **5.** (*separarsi da un luogo caro*) to take one's farewell of, to say good-bye to, ⟨*lett*⟩ to bid farewell to. – **6.** ⟨*lett*⟩ (*proclamare, acclamare*) to hail, to proclaim: *fu salutato eroe nazionale* he was ⌜hailed as⌝ (*o* proclaimed) a national hero. – **7.** ⟨*Mil*⟩ to salute: ~ *la bandiera* to salute the flag. – **8.** ⟨*fam,scherz*⟩ (*non poter contare su*) to say good-bye to, to forget (about): *la speranza di vincere la puoi pure* ~ you can say good-bye to any hope of winning. – **salutarsi** *v.r.* ⟨*recipr*⟩ **1.** (*incontrandosi*) to greet e.o., to say hello; (*accomiatandosi*) to say good-bye. – **2.** (*parlarsi*) to be on speaking (*o* friendly) terms: *ora si salutano* now they're on speaking terms; *non si salutano più* they are no longer on speaking terms, they have nothing to do with e.o. anymore.

▭ **andare** *a* ~ *qd.* to go to see s.o., to call (*o* drop in) on s.o.; ~ *qd. con un cenno del* **capo** to nod to s.o.; ~ *qd. togliendosi il* **cappello** to lift (*o* raise) one's hat to s.o. one meets, to greet s.o. by raising one's hat; ⟨*epist,comm*⟩ **distintamente** *Vi salutiamo* Yours faithfully, Yours truly; ~ *qd. con il* **fazzoletto** to wave good-bye to s.o. with one's handkerchief; ~ *qd. con un* **inchino** to bow to s.o.; ~ *con la* **mano** to wave to; (*nel separarsi*) to wave good-bye to; ~ *qd. da* **parte** *di qd.* to remember s.o. to s.o., to give s.o. s.o.'s best regards (*o* wishes); ~ *qd. con un* **sorriso** to smile at s.o., to greet s.o. with a smile; **ti** *saluto*: 1. (*ciao*) good-bye, ⟨*fam*⟩ bye-bye, ⟨*fam*⟩ so long, ⟨*fam*⟩ cheerio; 2. ⟨*fig*⟩ (*rif. a cose perdute e sim.*) you can say good-bye to that, that's that. – *Prov.*: ~ *è cortesia, rendere il saluto è obbligo* it is a courtesy to greet s.o. but a duty to return a greeting.

salutạre^{2} *a.* **1.** healthy, wholesome, health-giving, salutary. – **2.** ⟨*fig*⟩ (*utile, giovevole*) timely, beneficial, salutary: *una lezione* ~ a timely lesson.

salutạre^{3} *m.* ⟨*non com*⟩ (*saluto*) greeting.

salutarmẹnte *avv.* **1.** in a salutary way, healthily. – **2.** ⟨*fig*⟩ in a salutary way, with a salutary effect, salutarily, beneficially.

salutatọre *m.* (*f.* **-trice**) ⟨*non com*⟩ **1.** greeter. – **2.** ⟨*Mil*⟩ saluter.

salutatọrio I *a.* ⟨*non com*⟩ **1.** (*che riguarda il salutare*) greeting-, of greeting, salutatory. – **2.** ⟨*Mil*⟩ saluting. – **II** *s.m.* ⟨*ant*⟩ **1.** (*cappella*) chapel (where the parish priest welcomes the visiting bishop). – **2.** (*parlatorio*) parlatory, convent parlour. – **3.** (*sala per udienze e ricevimenti*) audience chamber. – **4.** (*sagrestia*) sacristy. – **5.** (*salotto*) parlour.

salutaziọne *f.* ⟨*rar*⟩ **1.** (*il salutare*) salutation, greeting. – **2.** (*parole*) salutation, greeting(s). ▭ ⟨*Rel*⟩ ~ *angelica* Angelical Salutation, Ave Maria; (*preghiera*) Ave Maria, Hail Mary.

salụte I *s.f.* **1.** health: *essere il ritratto della* ~ to be the picture of health; *chiedere notizie della* ~ *di qd.* to ask about s.o.'s health. – **2.** ⟨*lett*⟩ (*benessere*) well-being, welfare, safety: ~ *pubblica* public welfare. – **3.** ⟨*Teol*⟩ bliss: *la* ~ *eterna* eternal bliss. – **4.** ⟨*non com*⟩ (*rifugio, scampo*) refuge, safety: *porto di* ~ port of refuge. – **5.** ⟨*ant*⟩ (*saluto*) greeting. – **6.** ⟨*ant*⟩ (*redenzione*) redemption. – **II** *intz.* **1.** (*a chi starnutisce*) (God) bless you, ⟨*am.fam*⟩ gesundheit. – **2.** (*nei brindisi*) your health, cheers. – **3.** (*salutando*) hello, ⟨*am. fam*⟩ hi. – **4.** ⟨*scherz*⟩ good luck to you, lots of luck.

□ **alla** ~ ! cheers !, good health !, ⟨*fam*⟩ bottoms up !; *alla tua* ~ ! (here's) to your health !; ~ *dell'anima* salvation of the soul, spiritual salvation; ⟨*non com*⟩ ~ *e* **benedizione**! health and blessings upon you !; **bere** (*o brindare*) *alla* ~ *di qd.* to drink to s.o.'s health; *avere una* ~ **cagionevole** to have delicate health, to be sickly; *se hai* (*o ti è*) **cara** *la* ~, *obbedisci* do what I tell you, if you know what's good for you; ⟨*Stor*⟩ **Comitato** *di* ~ *pubblica* Committee of Public Safety; ~ *del* **corpo** = *salute* **fisica**; **crepare** *di* ~ = **sprizzare** *salute da tutti i pori*; ⟨*ant*⟩ **dare** ~ *a* (*salutare*) to greet; **Dio** *ti dia la* ~ ! God grant you health !, God keep (*o* preserve) you !; **fare** *bene* (*o male*) *alla* ~ to be good (*o* bad) for one's (*o* the) health, to do one good (*o* bad); ⟨*iron*⟩ *ti fa male alla* ~ *aiutarmi un poco ?* will it hurt you to give me a bit of help?; *avere una* ~ *di* **ferro** to have an iron constitution, to be as healthy as a horse, ⟨*fam*⟩ to be as ⌜sound as a bell⌝ (*o* fit as a fiddle); ⟨*scherz*⟩ ~ *e* **figli** *maschi !* (*a chi starnutisce*) (God) bless you !; ~ **fisica** bodily (*o* physical) health; *essere* **in** *buona* (*o cattiva*) ~ to be in good (*o* poor) health, to be well (*o* poorly); *per* **motivi** *di* ~ for reasons of health, on medical grounds; **nocivo** *alla* ~ unhealthy, bad for the health; *godere* **ottima** ~ to enjoy the best of health, to be flourishing (*o* very well), ⟨*fam*⟩ to be in ⌜fine fettle⌝ (*o* the pink); ⟨*pop*⟩ **pensare** *alla* ~: 1. (*non preoccuparsi*) not to worry about things; 2. (*non immischiarsi*) to mind one's own business; *avere* **poca** ~ to be in poor health, to be poorly (*o* ailing); ⟨*pop*⟩ *ti* **puzza** *la* ~ *?* (*vuoi finir male ?*) are you looking for trouble?; ⟨*fam*⟩ **rimetterci** *la* ~ to risk (*o* ruin) one's health; *rimettersi in* ~ to recover (one's health), ⟨*fam*⟩ to pick up again; **sprizzare** ~ *da tutti i pori* to be bursting with health; **stato** *di* ~ state of health, physical condition, shape; *essere* **tanta** ~ to be a great benefit (*per* to), to be very good (for); *quando c'è la* ~ *c'è* **tutto** good health is everything (*o* all-important); **utile** *alla* ~ wholesome, healthy, healthful; *come* **va** *la* ~ ? how are you?, how are you feeling (*o* keeping)?

salutẹvole *a.* ⟨*lett*⟩ **1.** (*salutare*) healthy, health-giving, salutary. – **2.** (*che porta salvezza*) of salvation, saving. – **3.** (*che esprime saluto*) of greeting, salutatory. – **salutevolmẹnte** *avv.* ⟨*ant*⟩ (*utilmente*) in a salutary way, usefully. – **salutịfero** *a.* ⟨*ant*⟩ **1.** (*che giova alla salute*) health-giving, salutary. – **2.** (*che è portatore di salvezza*) salutary, wholesome, beneficial; (*che salva*) saving.

salutịno *m. dim. di* **saluto**.

salutịsta *m./f.* **1.** health fanatic (*o* addict). – **2.** (*appartenente all'esercito della salvezza*) member of the Salvation Army, Salvationist. – **salutịstico** *a.* (*pl.* **-ci**) ⟨*lett,non com*⟩ health-, for (*o* of, about) the health.

salụto *m.* **1.** greeting, salutation: *scambio di* **-i** exchange of greetings; *rispondere al* ~ *di qd.* to return s.o.'s greeting; (*con un gesto della mano*) wave; (*con un cenno del capo*) nod; (*addio*) good-bye, ⟨*lett*⟩ farewell. – **2.** (*parole di saluto*) greeting, salutation: *rivolgere un* ~ *ai congressisti* to extend a greeting to the congress participants. – **3.** (*ossequio, accoglienza*) greeting, welcome. – **4.** *pl.* (*nelle formule di cortesia*) regards *pl*: *porgi i miei* **-i** *a tua madre* give your mother my regards, remember me to your mother. – **5.** *pl.* ⟨*epist*⟩ regards *pl*, good wishes *pl*: *i nostri migliori* **-i** kindest regards, all good wishes; ⟨*comm*⟩ yours faithfully, yours truly, yours sincerely. – **6.** ⟨*Mil,Sport*⟩ salute.

□ ⟨*Lett*⟩ ~ *d'amore* epistolary love lyric; ⟨*epist*⟩ **distinti** **-i** yours faithfully (*o* truly, sincerely); ⟨*Mil*⟩ **fare** *il* ~ to (give the) salute; ~ **fascista** Fascist salute; **levare** *il* ~ *a qd.* not to speak to s.o. anymore, to cut s.o. (dead); **mandare** *i* **-i** *a qd.* to send one's regards to s.o., to ask to be remembered to s.o.; ~ **militare** (military) salute; **portare** *a qd. i* **-i** *di qd.* to give (*o* convey) s.o.'s regards to s.o.; **rivolgere** *un* ~ *a qd.* to greet s.o.; ~ **romano** Roman salute; **tanti** **-i** best (*o* kindest) regards, ⟨*fam*⟩ all the best; ⟨*epist*⟩ affectionately, with love from; **togliere** *il* ~ *a qd.* = **levare** *il saluto a qd.*; ⟨*Mar*⟩ ~ *alla* **voce** cheering.

salutọne *m. accr. di* **saluto**.

sạlva¹ *f.* **1.** salvo, volley, salute: *una* ~ *in onore del presidente* a salvo in honour of the president. – **2.** ⟨*fig*⟩ (*scroscio*) outburst, volley, hail: ~ *di fischi* outburst of boos; (*rif. ad applausi*) salvo, burst, round. □ *a* ~ blank: *caricare a* ~ to load blanks; *sparare a* ~ to fire a salvo (*o* volley); *cartucce da* ~ blank (cartridge); *colpo a* ~ blank shot (*o* round), blank.

sạlva² *f.* ⟨*Silv*⟩ (*matricina*) sapling, young tree.

salvạbile I *a.* savable. – **II** *s.m.inv.* ⟨*fam*⟩ savable. □ ⟨*fam*⟩ *salvare il* ~ to save whatever possible.

salvacondọtto *m.* **1.** (*permesso*) safe-conduct, pass. – **2.** ⟨*Dir*⟩ safe-conduct, immunity from arrest (*o* prosecution). – **3.** ⟨*Mar*⟩ navicert.

salvadanạio, salvadanạro *m.* moneybox, (piggy) bank.

Salvadọr *N.pr.m.* ⟨*Geog*⟩ **1.** (*stato*) El Salvador, Salvador (*denom. uff.*: *Repubblica di El Salvador* Republic of El Salvador). – **2.** (*città*) Salvador, São Salvador. – **salvadorẹgno I** *a.* Salvador(i)an, of El Salvador. – **II** *s.m.* (*f.* **-a**) Salvador(i)an, native (*o* inhabitant) of El Salvador.

salvafiạschi *m.inv.* flask basket.

salvagẹnte *m.* (*pl. inv./***salvagẹnti**) **1.** life-preserver; (*ciambella*) life-ring, lifebuoy; (*giacca*) life-jacket, ⟨*am*⟩ life-vest; (*cintura di salvataggio*) Mae West. – **2.** ⟨*Strad*⟩ traffic-island, safety-island.

salvaggịna *f.* ⟨*ant*⟩ (*selvaggina*) game.

salvạggio ⟨*ant*⟩ **I** *a.* (*selvaggio*) wild, savage. – **II** *s.m.* (*f.* **-a**) savage.

salvaggiụme *m.* ⟨*ant*⟩ (*selvaggina*) game.

salvagọcce *m.inv.* (*paragocce*) drip-catcher.

salvaguardạre *v.t.* to safeguard, to protect, to keep safe; (*rif. a interessi*) to safeguard, to look after, to protect. – **salvaguạrdia** *f.* safeguard, protection. □ *a* ~ *di qc.* in protection of s.th., to safeguard s.th.

salvamạno *m.* ⟨*non com*⟩ (*guardamano*) (protective) glove.

salvamẹnto *m.* **1.** (*atto: il salvare*) saving, rescuing; (*il salvarsi*) saving o.s., escape. – **2.** (*effetto*) rescue, safety, deliverance: *giungere a* ~ to reach safety. – **3.** ⟨*Rel*⟩ salvation. □ *trarre* (*o portare*) *a* ~ (*salvare*) to save, to rescue, to bring to safety.

salvamotọre *m.* ⟨*Mot*⟩ motor protector, overload cut-out.

sạlva nọs *lat. m.* ⟨*Mar.ant*⟩ lifebelt.

salvapụnta *m.* ⟨*Calz*⟩ toe-plate, tap. – **salvapụnte** *m.inv.* **1.** (*rif. a matite, penne*) cap. – **2.** → **salvapunta**.

salvạre *v.t.* **1.** to save: *i medici sperano di salvarlo* the doctors are hoping to save him; (*rif. a naufragi, incendi e sim.*) to rescue: *i minatori sepolti sono stati tutti salvati* all the buried miners were rescued. – **2.** (*conservare, mantenere*) to keep, to save, to preserve, to hold on to: *è riuscito a* ~ *una parte del suo patrimonio* he has managed to keep part of his property. – **3.** (*salvaguardare, proteggere*) to safeguard, to protect, to preserve, to keep: ~ *qc. da qc.* to protect s.th. against (*o* from) s.th.; ~ *la propria reputazione* to protect one's reputation. – **4.** (*in frasi d'augurio, d'invocazione*) to save, to keep, to preserve, to deliver: *Dio ci salvi dalla guerra* (may) God keep us from war; *Dio salvi la regina* God save the Queen. – **5.** ⟨*region*⟩ (*mettere in serbo, serbare*) to save (up), to put aside, to set by: ~ *la frutta per l'inverno* to put fruit aside for the winter. – **salvarsi** *v.r.* **1.** to save o.s.: *salvarsi a nuoto* to save o.s. (by) swimming. – **2.** (*sfuggire*) to save o.s., to escape (*da* from), to get out (of), to avoid (s.th.): *salvarsi da un insuccesso* to save o.s. from failure. – **3.** ⟨*iperb*⟩ (*evitare*) to be safe (from), to escape, to avoid (s.th.): *nessuno si salva dalle sue critiche* nobody is safe from his criticism. – **4.** (*cercare scampo, riparo*) to take shelter (*o* refuge). – **5.** (*resistere, evitare un danno*) to survive, to be spared: *neppure una casa si è salvata dal terremoto* not one house survived the earthquake. – **6.** ⟨*Rel*⟩ to be saved.

□ ⟨*Rel*⟩ ~ (*o salvarsi*) *l'anima* to save one's soul; ~ *le* **apparenze** to keep up appearances; ⟨*fig*⟩ ~ **capra** *e cavoli* to strike a happy medium, to have the best of both worlds; *salvarsi in* **extremis** to escape at the ⌜eleventh hour⌝ (*o* last moment); ~ *la* **faccia** to save face; *salvarsi per* **miracolo** to escape by a miracle; ~ *la* **pelle** *a qd.* = *salvare la* **vita** *a qd.*; *si salvi chi* **può**! every man for himself !; *salvarsi per il* **rotto** *della cuffia* to have a ⌜narrow escape⌝ (*o* close shave), to escape by ⌜a hair's breadth⌝ (*o* the skin of one's teeth); *salvarsi a* **stento** to escape with great difficulty; ~ *la* **vita** *a qd.* to save s.o.'s life.

salvastrẹlla *f.* ⟨*Bot*⟩ salad burnet, burnet blood-wort (*Sanguisorba minor*). □ ~ *maggiore* great burnet (*Sanguisorba officinalis*).

salvatạcco *m.* (*pl.* **-chi**) ⟨*Calz*⟩ heel-tap, stud.

salvatạggio *m.* **1.** rescue: *compiere un* ~ to carry out a rescue; *operazioni di* ~ rescue operations. – **2.** ⟨*fig*⟩ saving, rescue.

salvatichẹzza *f.* ⟨*non com*⟩ (*selvatichezza*) wildness, savagery. – **salvạtico** *a.* (*pl.* **-ci**) ⟨*tosc*⟩ (*selvatico*) wild, savage.

salvatọre I *s.m.* (*f.* **-trice**) rescuer, saviour, saver, deliverer. – **II** *a.* ⟨*lett*⟩ redeeming, saving. – **Salvatore** *m.* ⟨*Rel*⟩ Saviour, Redeemer.

Salvatọre *N.pr.m.* Salvatore.

salvaziọne *f.* salvation, redemption: ~ *eterna* eternal salvation. □ *luogo di* ~ (*purgatorio*) Purgatory; (*paradiso*) Heaven.

salve¹ *intz.* **1.** ⟨*fam*⟩ hello, ⟨*am.fam*⟩ hi. – **2.** ⟨*poet*⟩ hail. – **3.** ⟨*fam*⟩ (*a chi starnutisce*) (God) bless you, ⟨*am.fam*⟩ gesundheit.

sạlve² *f.inv.* → **salva**¹.

salveregịna (o *Sạlve Regịna*) *f./rar. m.* (*pl. inv./***-e**) Salve Regina, Salve.

salvẹzza *f.* **1.** safety, salvation, security, deliverance: *pensare alla propria* ~ to think of one's own safety (*o* skin); (*scampo*) escape. – **2.** (*persona, mezzo che salva*) salvation, means of escape: *il tuo intervento è stato la mia* ~ ⌜your intervention was⌝ (*o* you were) my salvation. – **3.** ⟨*lett*⟩ (*salvazione*) salvation: ~ *dell'anima* spiritual salvation, redemption.

sạlvia *f.* ⟨*Bot*⟩ **1.** sage (*Salvia*). – **2.** (common) sage (*Salvia officinalis*). – **3.** scarlet sage (*Salvia splendens*). □ *olio essenziale di* ~ sage-oil.

salviẹtta *f.* ⟨*region*⟩ **1.** (*tovagliolo*) (table-)napkin, serviette; (*tovagliolo di carta*) paper napkin. – **2.** ⟨*ant*⟩ (*asciugamano*) (hand-)towel. – **salviettịna** *f. dim. di* **salvietta**. – **salviettịno** (*dim. di salvietta*) *m.* (*tovagliolo di carta*) paper napkin.

salvịfico *a.* (*pl.* **-ci**) ⟨*lett*⟩ **1.** (*che rende salvo*) saving, redeeming, leading to salvation. – **2.** (*rif. alla salvezza*) of (*o* to, for) salvation.

salvịnia *f.* ⟨*Bot*⟩ salvinia (*Salvinia*).

sạlvo I *a.* **1.** (*rif. a persone*) safe, unhurt, unscathed: *uscire* ~ *da un incidente* to come out of an accident unhurt; (*rif. a cose*) safe, intact, unharmed. – **2.** (*fuori pericolo*) safe, out of danger: *il malato è* ~ the patient is out of danger. – **3.** (*che ha raggiunto la salvazione*) saved, redeemed. – **II** *prep.* **1.** (*eccetto*) except (for), apart from, but (for), save, bar: *ho letto tutto il libro* ~ *le ultime pagine* I have read the whole book except for the last few pages; *tutti* ~ *tre* all but three. – **2.** (*senza pregiudizio per*) without prejudice (*o* detriment) to.

□ ⟨*Comm*⟩ ~ **arrivo** subject to safe arrival; *pagamento* ~ *arrivo* payable after safe arrival; ⟨*Econ*⟩ ~ **avviso** subject to notice, on notice, subject to prior notice; ~ *avviso contrario* unless advised to the contrary; ~ **che**: 1. (*a meno che*) unless, provided (that) ... not, providing (that) ... no, bar, barring, if ... not: *uscirò nel pomeriggio ~ che non piova* I shall go out in the afternoon provided (*o* if) it doesn't rain; *verrò alle cinque ~ che non ti telefoni prima* I'll come at five unless I phone first; 2. (*eccetto che*) except (that), excepting (that), but for the fact that: *assomiglia molto al padre, ~ che ha il carattere della madre* he is very like his father except that he has his mother's character; 3. (*fuorché*) except, apart from, but for, bar(ring): *siamo d'accordo, ~ che sulla data* we agree except on the date; ⟨*burocr,Comm*⟩ ~ **errori** *e omissioni* errors and omissions excepted; ⟨*Comm*⟩ ~ *buon* **fine** under reserve, under the usual reserves; *pagamento ~ buon fine* reserving due payment, upon collection; ~ *casi di* **forza** *maggiore* acts of God excepted; ~ **imprevisti** barring accidents; **in** ~ safe, secure, in safekeeping: *siamo in ~* we are safe; ⟨*Econ*⟩ ~ **meglio** or better; **mettere** *in ~*: 1. to save, to rescue, to carry to safety; 2. = **tenere** *in salvo*; *mettersi* (o *porsi*) *in ~* to reach safety, to save o.s.; **sano** *e ~* safe and sound: *il pacco è arrivato sano e ~* the parcel arrived safe and sound; ~ **se** (*a meno che*) unless: *arriverò domani ~ se capitasse un contrattempo* I'll arrive tomorrow unless something unforseen should happen; ⟨*region*⟩ **tenere** *in ~* (*tenere in serbo*) to put by (*o* aside), to save (up); ⟨*Comm*⟩ ~ **venduto** (o *vendita*) subject to being unsold, if still unsold; ~ *il* **vero** without detriment to the truth; (*se non mi sbaglio*) if I'm not mistaken (*o* misled); *aver -a la* **vita** to be spared, to escape with one's life; *lasciare -a la vita a qd.* to spare s.o. (*o* s.o.'s life).

salvocondọtto *m.* ⟨*ant*⟩ → **salvacondotto.**

Sam: ⟨*scherz*⟩ *lo zio ~* Uncle Sam.

sạmara *f.* ⟨*Bot*⟩ samara, key (fruit).

samarcạnda *m.inv.* (*tappeto*) Samarkand.

samạrico *a.* (*pl.* **-ci**) ⟨*Chim*⟩ samarium-.

samarịdio *m.* → **samara.**

samạrio *m.* ⟨*Chim*⟩ samarium.

samaritạna *f.* (*infermiera*) unpaid (*o* volunteer) nurse.

samaritạno I *a.* Samaritan. – **II** *s.m.* (*f.* **-a**) **1.** Samaritan. – **2.** ⟨*fig*⟩ (*persona caritatevole*) Good Samaritan. ☐ ⟨*fig*⟩ *confondere* (o *mescolare*) *gli ebrei con i -i* to confound the like and the unlike; ⟨*Bibl*⟩ *il buon ~* the Good Samaritan.

samarskịte *f.* ⟨*Min*⟩ samarskite.

sạmba *f.* (*danza*) samba.

sạmbar *m.* ⟨*Zool*⟩ sambar, elk (*Cervus unicolor*).

sambernạrdo *m.* → **sanbernardo.**

sạmbra *m.* → **sambar.**

sambụca[1] *f.* **1.** ⟨*Mus*⟩ (*arpa*) sambuca, trigon, sabbeka. – **2.** ⟨*Mus*⟩ (*strumento a fiato*) sackbut, (medieval) trombone. – **3.** ⟨*Mus*⟩ (*zampogna, cornamusa*) bagpipes *pl*, bagpipe. – **4.** ⟨*Mil.ant*⟩ sambuca, scaling-ladder, siege-tower.

sambụca[2] *f.* (*liquore*) sambuca, kind of anisette.

sambuchẹlla *f.* ⟨*region*⟩ (*frutto del sambuco*) elderberry.

sambuchẹllo *m.* ⟨*Bot*⟩ (*ebbio*) dwarf elder, danewort (*Sambucus ebulus*).

sambụco[1] *m.* (*pl.* **-chi**) ⟨*Bot*⟩ (common) elder, black-berried elder, bourtree (*Sambucus nigra*). ☐ ~ *di montagna* red-berried elder (*Sambucus racemosa*).

sambụco[2] *m.* (*pl.* **-chi**) ⟨*Mar*⟩ samb(o)uk, sambuq, dhow.

samhịta *f.* ⟨*Lett*⟩ Samhita.

sạmisen *m.* ⟨*Mus*⟩ samisen.

sammarinẹse I *a.* San Marinese, Sammarinese, of San Marino. – **II** *s.m./f.* (*abitante*) San Marinese, Sammarinese, native (*o* inhabitant) of San Marino.

Sạmo *N.pr.f.* ⟨*Geog*⟩ Samos. ☐ ⟨*fig*⟩ *portar vasi a ~* to carry coals to Newcastle.

Samọa *N.pr.f.pl.* ⟨*Geog*⟩ Samoa. ☐ ~ *Occidentali* Western Samoa; ~ *Orientali* American Samoa. – **samoạno I** *a.* Samoan, of Samoa. – **II** *s.m.* **1.** (*lingua*) Samoan. – **2.** (*abitante*; *f.* **-a**) Samoan, native (*o* inhabitant) of Samoa.

samoiẹdo I *s.m.* ⟨*Etnol*⟩ **1.** (*abitante*) Samoyed(e). – **2.** (*lingua*) Samoyed(e), Samoyedic. – **II** *a.* Samoyed(e), Samoyedic.

sạmolo *m.* ⟨*Bot*⟩ brookweed (*Samolus valerandi*).

Samotrạcia *N.pr.f.* ⟨*Geog*⟩ Samothrace.

samovạr *russ. m.* samovar.

sampạn(g) *m.* ⟨*Mar*⟩ sampan, sanpan.

sạmpi *m.* ⟨*Paleogr*⟩ san, sampi.

sampiẹro *m.* → **sampietro.**

sampiẹtra *f.* ⟨*Mar*⟩ fore-and-aft storm sail.

sampietrịno *m.* **1.** ⟨*Strad*⟩ cobblestone. – **2.** (*operaio*) maintenance man at the Basilica of St. Peter.

sampiẹtro *m.* ⟨*Itt*⟩ John Dory, St. Peter's fish (*Zeus faber*).

sampọgna *f.* ⟨*ant,poet*⟩ (*zampogna*) bagpipes *pl*, bagpipe.

samsạra *m.* ⟨*Rel*⟩ samsara, sansara.

Samuẹle *N.pr.m.* ⟨*Bibl*⟩ Samuel.

samụm *m.* ⟨*Geog*⟩ samum.

samurại *m.* ⟨*Stor*⟩ samurai.

san *apoc. di* **santo.**

S.A.N. = *Società anonima di navigazione.*

sanạbile *a.* **1.** curable, healable: *ferita ~* curable wound. – **2.** ⟨*estens*⟩ reparable, remediable, healable: *male ~* reparable ill. – **3.** ⟨*Dir*⟩ indemnifiable. ☐ ⟨*Econ*⟩ *bilancio ~* budget that can be balanced; ⟨*Econ*⟩ *gestione ~* administration that can be ⌜made sound⌝ (*o* set on its feet) again. – **sanabilità** *f.* **1.** curability. – **2.** ⟨*estens*⟩ reparability, remediableness, ability to heal. – **3.** ⟨*Dir*⟩ indemnifiability.

sanạle *m.* ⟨*tosc,pop*⟩ → **sagginale.**

sanamẹnte *avv.* **1.** healthily, wholesomely: *vivere ~* to live healthily (*o* a healthy life). – **2.** ⟨*fig*⟩ (*rettamente*) soundly, honestly, virtuously, decently.

sanamẹnto *m.* ⟨*lett*⟩ healing.

sanạre I *v.t.* **1.** to heal, to cure: ~ *una piaga* to heal a wound. – **2.** ⟨*fig*⟩ (*rif. a mali morali*) to heal: *il tempo sana tutti i mali* time heals all ills. – **3.** ⟨*fig*⟩ (*porre rimedio*) to remedy, to rectify, to set (*o* put) right, to repair: ~ *la piaga della disoccupazione* to remedy (*o* wipe out) the scourge of unemployment. – **4.** ⟨*Econ*⟩ (*risanare*) to restore, to re-establish; (*rif. ad aziende e sim.*) to set on its feet again. – **5.** (*bonificare*) to reclaim: ~ *una zona malarica* to reclaim a malarial region. – **6.** ⟨*Dir*⟩ to indemnify, to make good, to rectify: ~ *l'irregolarità di un procedimento* to rectify an irregularity in the procedure. – **7.** ⟨*ant,region*⟩ (*castrare*) to castrate. – **II** *v.i.* (*aus.* **essere**) ⟨*ant*⟩ (*guarire*) to heal (up), to be healed. – **sanarsi** *v.r.* to heal (up), to be healed. ☐ ~ *un bilancio* to balance a budget; ~ *un passivo* to make up a deficit.

sanatịvo *a.* ⟨*non com*⟩ healing, curative.

sanạto *m.* ⟨*ant*⟩ (*senato*) senate.

sanatọre ⟨*non com*⟩ **I** *s.m.* (*f.* **-trice**) healer (*anche fig.*). – **II** *a.* (*che redime dal peccato*) saving, healing, redeeming.

sanatọria *f.* ⟨*Dir*⟩ deed of indemnity; (*convalida*) confirmation, ratification, validation.

sanatoriạle *a.* (*di sanatorio*) sanatorium-. ☐ *cura ~* sanatorium treatment; *ospedale ~* (urban) sanatorium. – **sanatọrio I** *s.m.* sanatorium. – **II** *a.* ⟨*Dir*⟩ amending, indemnifying, rectifying: *sentenza -a* amending order, order of indemnity (*o* rectification). – **sanaziọne** *f.* ⟨*ant,lett*⟩ (*guarigione*) healing.

sanbernạrdo (o *san bernạrdo*) *m.* (*cane di san Bernardo*) St. Bernard (dog).

sancarlịno *m.* ⟨*lomb*⟩ (*crisantemo*) chrysanthemum.

sancinẹlla *f.* (*uva*) kind of grape.

sancịre *v.t.* (**sancịsco, sancịsci**) to confirm, to sanction: *la legge sancisce il diritto al lavoro* the law confirms the right to work; (*ratificare*) to ratify: ~ *un'alleanza* to ratify an alliance.

sancolombạna *f.* (*uva*) kind of grape. – **sancolombạno** *m.* (*vitigno*) kind of grapevine.

sạncta sanctọrum *lat. m.* **1.** ⟨*Rel*⟩ (*a Gerusalemme*) Sanctum Sanctorum, Holy of Holies; (*parte della chiesa cristiana*) sanctuary; (*tabernacolo del Sacramento*) tabernacle. – **2.** ⟨*Archeol*⟩ (*cappella del Sancta Sanctorum*) Sancta Sanctorum. – **3.** ⟨*fig,scherz*⟩ holy of holies, sanctum (sanctorum), shrine.

sanctificẹtur *lat. m./rar.f.* ⟨*iron*⟩ (*bigotto*) bigot, sanctimonious humbug.

sạnctus *lat. m.* ⟨*Lit,Bibl*⟩ Sanctus.

sanculọtto I *s.m.* **1.** ⟨*Stor*⟩ sansculotte. – **2.** ⟨*spreg*⟩ (*rivoluzionario*) sansculotte, revolutionary; (*estremista*) sansculotte, extremist. – **II** *a.* ⟨*rar*⟩ sansculottic.

sandalẹtto *m. dim. di* **sandalo**[1]. – **sandalifịcio** *m.* sandal factory.

sandalịno *m.* ⟨*non com*⟩ → **sandolino.**

sạndalo[1] *m.* ⟨*Calz*⟩ sandal. ☐ ~ *in gomma piuma* rubber-soled sandal; ~ *da spiaggia* beach sandal.

sạndalo[2] *m.* sandalwood, sandal. ☐ ~ *bianco* white sandalwood; *olio essenziale di ~* sandalwood-oil; ~ *rosso*: 1. red sandalwood, ruby wood; 2. ⟨*Bot*⟩ red sandalwood, red sanders (*Pterocarpus santalinus*).

sạndalo[3] *m.* ⟨*Mar*⟩ (flat-bottomed) row-boat.

sandarạca *f.* ⟨*ant*⟩ → **sandracca.**

sạndhi *m.* ⟨*Ling*⟩ sandhi.

sandolịno (*dim. di sandolo*) *m.* ⟨*Mar*⟩ **1.** (small flat-bottomed) row-boat. – **2.** (*imbarcazione da diporto*) kayak, canoe. – **sạndolo** *m.* → **sandalo**[3].

sandọne *m.* pontoon supporting a floating mill.

sạndra *f.* ⟨*Itt*⟩ zander, sandra (*Lucioperca lucioperca*).

Sạndra (*accorc. di Alessandra*) *N.pr.f.* Sandra.

sandrạca *f.* ⟨*ant*⟩ → **sandracca.** – **sandrạcca** *f.* sandarac.

sandwich *ingl.* ['sɛndvitʃ/'sænwitʃ] *m.* (*tramezzino*) sandwich; (*panino imbottito*) filled roll. ☐ ~ *al formaggio* cheese sandwich; ⟨*Geog,ant*⟩ *isole* ~ (*Hawaii*) Sandwich Islands; ~ *al prosciutto* ham sandwich; *uomo ~* sandwichman.

sanẹse ⟨*ant*⟩ **I** *a.* (*senese*) Sienese, of Siena. – **II** *s.m./f.* Sienese. – **III** *s.m.* (*moneta*) (gold) ducat.

sanfedịsmo *m.* **1.** ⟨*Stor*⟩ Sanfedismo. – **2.** ⟨*estens*⟩ (*tendenza reazionaria*) reactionism. – **sanfedịsta** *m./f.* **1.** ⟨*Stor*⟩ Sanfedista. – **2.** ⟨*estens*⟩ (*reazionario*) reactionary.

sanforizzạre *v.t.* ⟨*Tess*⟩ to sanforize. – **sanforizzaziọne** *f.* sanforization.

sangạllo *m.* ⟨*Lav.femm*⟩ **1.** (*ricamo*) (kind of) broderie anglaise, eyelet embroidery. – **2.** (*tessuto ricamato*) broderie anglaise material.

San Gạllo *N.pr.f.* ⟨*Geog*⟩ St. Gall.

sangiaccạto *m.* ⟨*Stor*⟩ sanjak. – **sangiạcco** *m.* (*pl.* **-chi**) **1.** (*governatore*) sanjakbey, sanjakbeg. – **2.** ⟨*ant*⟩ → **sangiaccato.**

sanginẹlla *f.* → **sancinella.**

sangiochẹto, sangiovẹse, sangiovẹto *m.* **1.** (*vitigno*) kind of grapevine. – **2.** (*vino*) kind of red wine.

sạngue *m.* **1.** blood: *dalla ferita usciva abbondante ~* blood poured from the wound. – **2.** ⟨*estens*⟩ (*origine, discendenza*) blood, descent, origin, birth: *di ~ nobile* of noble blood; (*stirpe, razza*) race, blood, stock. – **3.** (*parente stretto*) blood, flesh and blood: *avere lo stesso* ~ to be of the same blood; *l'amava come se fosse del suo stesso* ~ he loved him as if he were his own flesh and blood. – **4.** ⟨*fig*⟩ (*vita*) life, life-blood, blood: *dare il proprio* ~ *per la patria* to give one's blood for one's country; *la vittoria è costata molto* ~ the victory took a heavy toll of lives. – **5.** *pl.* ⟨*ant*⟩ (*mestrui*) menses *pl*, menstruation.

□ **a** ~ to the point of drawing blood, severely, black and blue: *picchiare qd. a* ~ to beat s.o. black and blue; *sentirsi* **agghiacciare** *il* ~ (*nelle vene*) = *sentirsi* **gelare** *il sangue* (*nelle vene*); ⟨*Gastr*⟩ **al** ~ rare, underdone: *bistecca al* ~ rare steak; ⟨*ant*⟩ **andare** *al* ~ (*andare a genio*) to suit, to like; ~ **arterioso** arterial blood; **assetato** *di* ~ bloodthirsty; ⟨*pop*⟩ ~ *di* **Bacco**! hell!, by Jove!; ~ **blu** venous blood; ⟨*scherz,fig*⟩ blue blood; *avere il* ~ **bollente** = *avere il sangue* **caldo**; ⟨*fig*⟩ *sentirsi* **bollire** *il* ~ to feel one's blood boil; ⟨*non com*⟩ *avere* **buon** ~ *per qd.* (*averlo in simpatia*) to have a liking for s.o.; *il riso fa buon* ~ laughter does one good; ⟨*non com*⟩ *farsi buon* ~ to enjoy life; *tra i due non corre buon* ~ there is bad blood between them; ⟨*fig*⟩ *a* ~ **caldo** in hot blood, in the heat of passion; *animali a* (o *di*) ~ *caldo* warm-blooded animals; ⟨*fig*⟩ *avere il* ~ *caldo* to be hot-blooded; ~ *d'un* **cane**! = *sangue di* **Bacco**!; ⟨*fig*⟩ *farsi* **cattivo** ~ to fret, to be vexed, to get angry (*o* worked up); **cavare** ~ to let (*o* draw) blood, to bleed; ⟨*scherz*⟩ *cavare* ~ *da una rapa* to squeeze blood out of a stone; **dare** *il proprio* ~ = **donare** *il sangue*; ⟨*enfat*⟩ *darei* ⌜*metà del*⌝ (o *tutto il*) *mio* ~ *pur di vederla guarita* I'd give ⌜my right arm⌝ (*o* anything) to see her well again; ⟨*ant*⟩ **del** ~ (*nobile*) of the blood: *principe del* ~ prince of the blood; **di** ~ bloody, of blood, of bloodshed: *fatto di* ~ bloody deed, act of violence; (*omicidio*) murder; *notte di* ~ night of bloodshed; **donare** *il* ~: 1. to give (*o* donate) blood, to be a blood-donor; 2. ⟨*fig*⟩ to give one's life (*o* blood); ⟨*Ind*⟩ ~ *di* **drago** dragon's blood; **fare** ~ to bleed (*anche fig.*): *la ferita fa* ~ the wound is bleeding; *fa* ~ *dal naso* = *gli esce il sangue dal* **naso**; ⟨*fig*⟩ ~ **freddo** (*padronanza di sé*) sangfroid, self-control, composure, ⟨*fam*⟩ cool; *conservare il* ~ *freddo* to keep one's composure (*o* temper), to keep a cool head; *a* ~ *freddo* in cold blood, deliberately: *lo uccise a* ~ *freddo* he killed him in cold blood; *calma e* ~ *freddo!* keep calm!, steady there!, ⟨*am.fam*⟩ play it cool!; *animali a* (o *di*) ~ *freddo* cold-blooded animals; ⟨*fig*⟩ *sentirsi* **gelare** *il* ~ (*nelle vene*) to feel one's blood ⌜run cold⌝ (*o* curdle); ~ *di* **Giuda**! = *sangue di* **Bacco**!; ⟨*fig*⟩ *non avere più una* **goccia** *di* ~ *nelle vene* (*non avere più forze*) not to have an ounce of strength left, ⟨*fam*⟩ to be washed out; **grondare** ~ to pour (with) blood, to be streaming with blood; ⟨*pop*⟩ ~ **grosso** (*pressione alta*) high blood pressure; **guastarsi** *il* ~ = *farsi* **cattivo** *sangue*; ⟨*fig*⟩ *avere il* ~ **guasto** *con qd.* to bear s.o. ⌜a deep grudge⌝ (*o* ill-will), ⟨*fam*⟩ to have it in for s.o.; **imbrattato** *di* ~ bloodstained; *occhi* **iniettati** *di* ~ bloodshot eyes; **latte** *e* ~: 1. (*rif. al colorito*) pink and white: *gote latte e* ~ pink and white cheeks; 2. (*rif. a una donna*) peaches and cream: *volto tutto latte e* ~ peaches-and-cream complexion; **lavare** *un'offesa nel* ~ to wipe out an offence with blood; **levare** ~ = **cavare** *sangue*; *levare* ~ *da una rapa* = **cavare** *sangue da una rapa*; ~ **mestruale** menstrual blood; ⌜**mezzo** ~⌝ (o *sangue misto*) → **sanguemisto**; *gli esce il* ~ *dal* **naso** he has a nosebleed, his nose is bleeding; *ce l'ha* **nel** ~ it's in his blood; *si vede che ha la musica nel* ~ you can see he has music in his blood (*o* bones); *di* ~ **patrizio** of noble blood; *di* ~ **popolano** of low stock (*o* birth), of the people; ⟨*Rel*⟩ *il* **preziosissimo** ~ (*di Gesù Cristo*) the Most Precious Blood; **prezzo** *del* ~ blood-money; *a prezzo del* ~ at the cost of bloodshed; (*a prezzo della vita*) at the cost of one's life; *al* **primo** ~ until blood is drawn; ~ *del* **proprio** ~ one's own flesh and blood; ⟨*Zootecn*⟩ **puro** ~ thoroughbred, purebred; *animale* (*di*) *puro* ~ thoroughbred (animal); *di* ~ **reale** of royal blood; ⟨*fig*⟩ *fare* **ribollire** *il* ~ to make one's blood boil; *mi sento ribollire il* ~ my blood is up; ⟨*fig*⟩ *sentirsi* **rimescolare** *il* ~: 1. (*per sdegno*) to feel one's blood boil; 2. (*per paura*) = *sentirsi* **gelare** *il sangue*; ~ **rosso** = *sangue* **arterioso**; *rosso* (*come il*) ~ blood-red; ⟨*fig*⟩ **scritto** *a caratteri di* ~ written in blood; ⟨*fig*⟩ *me lo* **sento** *nel* ~ I feel it in my bones (*o* blood); **senza** (*spargimento di*) ~ bloodless; **soffocare** *una rivolta nel* ~ to put down an uprising with great bloodshed; ⟨*pop*⟩ ~ **sottile** (*pressione bassa*) low blood pressure; ⟨*fig*⟩ **spargere** (o *spandere*) ~ to shed (*o* spill) blood; *spargere il proprio* ~ to give (*o* shed) one's blood; **spargimento** *di* ~ bloodshed; **sputare** ~ to spit blood; ⟨*fig*⟩ to sweat blood, to work very hard; ⟨*fig*⟩ *far sputare* ~ *a qd.*: 1. (*rif. a persone*) to make s.o. sweat blood, to drive s.o. hard; 2. (*rif. a cose*) to cost s.o. a great effort; ⟨*fig*⟩ **succhiare** *il* ~ *a qd.* to squeeze s.o. dry, to bleed s.o. white, to be a blood-sucker; ⟨*fig*⟩ **sudare** ~ to sweat blood; ⟨*fig*⟩ *il* ~ *gli montò* (o *andò*) *alla* **testa** (*fu invaso dalla collera*) his blood rose (*o* was up), he saw red; ⟨*fig*⟩ *il* ~ *gli fece un* **tuffo** his heart missed a beat, he had a shock; ~ *di* **turco**! = *sangue di* **Bacco**!; **all'ultimo** ~ to the death: *duello all'ultimo* ~ duel to the death; **uomo** *di* ~ (*sanguinario*) bloodthirsty man; ⟨*fig*⟩ *non avere* ~ *nelle* **vene** to be cold-blooded, to be unfeeling (*o* cold-hearted); ~ **venoso** venous blood; **versare** ~ = **spargere** *sangue*; *il* ~ *gli salì al* **viso** the blood rushed to his face, he blushed (*o* went red); *la* **voce** *del* ~ the call of blood. – *Prov.*: *il* ~ *non è acqua* blood is thicker than water; *buon* ~ *non mente* breeding will out.

sanguemịsto (o *sạngue mịsto*) *m.* **1.** (*rif. a persone*) half-breed, half-caste. – **2.** (*rif. a cavalli*) cross.

sanguẹtta *f.* ⟨*pop,ant*⟩ **1.** → **sanguisuga**. – **2.** (*coppetta per salasso*) cupping glass.

sanguịfero *a.* ⟨*Anat*⟩ blood-, blood-carrying, sanguiferous: *vasi -i* blood-vessels.

sanguificạre *v.* (**sanguifico, sanguịfichi**) **I** *v.t.* ⟨*ant*⟩ to supply with blood, to produce blood in. – **II** *v.i.* (*aus.* **avere**) to stimulate blood production. – **sanguificarsi** *v.r.* to be converted into blood. – **sanguificatọre** ⟨*ant*⟩ **I** *s.m.* (*emopoietico*) haemopoietic tissue. – **II** *a.* haemopoietic, haemopoiesic, blood-forming. – **sanguificaziọne** *f.* **1.** (*irrorazione sanguigna*) vascularization. – **2.** ⟨*ant*⟩ (*emopoiesi*) heamopoiesis, sanguification, formation of blood.

sanguịgna *f.* ⟨*Pitt*⟩ red-ochre; (*matita*) sanguine; (*disegno*) (drawing in) sanguine.

sanguịgno I *a.* **1.** blood-, of the blood: *gruppo* ~ blood-group. – **2.** (*ricco di sangue*) sanguine, rich in blood. – **3.** (*misto a sangue*) bloody, mixed with blood: *bava -a* saliva mixed with blood. – **4.** ⟨*lett*⟩ (*del colore del sangue*) blood-red, blood-, sanguine: *un tramonto* ~ a blood-red sunset; *arancia -a* blood-orange. – **5.** ⟨*lett*⟩ (*macchiato di sangue*) bloodstained; (*bagnato di sangue*) blood -drenched. – **6.** ⟨*lett*⟩ (*sanguinoso*) bloody. – **II** *s.m.* **1.** (*f.* **-a**) sanguine person (*o* type). – **2.** ⟨*ant*⟩ (*color sangue*) sanguine, blood-red.

sanguịna *f.* ⟨*rar*⟩ → **sanguigna**.

sanguinạccio *m.* **1.** ⟨*Alim*⟩ (*insaccato*) blood-sausage, blood-pudding, black-pudding. – **2.** ⟨*Gastr*⟩ (*frittella*) blood-fritter. – **3.** ⟨*Dolc*⟩ kind of sweet.

sanguinạnte (*p.pr. di sanguinare*) *a.* **1.** bleeding: *mani -i* bleeding hands. – **2.** ⟨*Gastr*⟩ (*al sangue*) rare, undercooked, underdone: *rosbif* ~ rare roastbeef. – **sanguinạre** *v.* (**sạnguino**) **I** *v.i.* (*aus.* **avere**) **1.** to bleed: *la ferita sanguina ancora* the wound is still bleeding. – **2.** ⟨*fig*⟩ to bleed, to ache: *mi sanguina il cuore* my heart bleeds. – **II** *v.t.* ⟨*rar,lett*⟩ (*insanguinare*) to make bloody.

sanguinạria *f.* ⟨*Bot*⟩ **1.** Sanguinaria (*Sanguinaria*). – **2.** blood-root, blood-wort (*Sanguinaria canadensis*). – **3.** (*sanguinella*) crab-grass (*Digitaria sanguinalis*). – **4.** (*malvaccini*) crimson crane's-bill (*Geranium sanguineum*).

sanguinạrio I *a.* sanguinary, bloodthirsty. – **II** *s.m.* (*f.* **-a**) bloodthirsty person.

sạnguine *m.* ⟨*Bot*⟩ (*sanguinella*) (common) dogwood, wild cornel (*Cornus sanguinea*). – **sanguinẹlla** *f.* **1.** ⟨*Bot*⟩ → **sanguine**. – **2.** ⟨*Bot*⟩ crab-grass (*Digitaria sanguinalis*). – **3.** ⟨*Min*⟩ bloodstone.

sanguinẹllo *m.* ⟨*Bot*⟩ (Sicilian) blood-orange (*Citrus aurantium melitense*).

sanguinẹnte *a.* ⟨*ant,lett*⟩ **1.** (*sanguinante*) bleeding. – **2.** (*sanguinario*) bloodthirsty, bloody.

sanguịneo *a.* ⟨*poet*⟩ (*sanguigno*) blood(-red), sanguine; (*insanguinato*) bloody, bloodstained.

sanguinerọla *f.* ⟨*Itt*⟩ minnow (*Phoxinus laevis*).

sanguinità *f.* ⟨*ant*⟩ (*consanguineità*) consanguinity.

sanguinolẹnte *a.* ⟨*ant*⟩ → **sanguinolento**. – **sanguinolẹnto** *a.* **1.** (*sanguinante*) bleeding. – **2.** ⟨*fig*⟩ bloody, full of violence (*o* bloodshed). – **3.** (*misto a sangue*) sanguinolent, containing blood. – **4.** ⟨*Gastr*⟩ rare, underdone. – **5.** ⟨*ant*⟩ (*sanguinario, feroce*) bloodthirsty, murderous, cruel.

sanguinosamẹnte *avv.* bloodily. – **sanguinọso** *a.* **1.** (*pieno di sangue*) bloody, gory, covered in blood: *spada -a* bloody sword. – **2.** (*che ha fatto spargere sangue*) bloody, sanguinary: *una vittoria -a* a bloody victory. – **3.** ⟨*fig*⟩ (*che ferisce, che offende*) bitter, mortal: *ingiuria -a* bitter insult. – **4.** ⟨*lett*⟩ (*sanguinario*) bloodthirsty, sanguinary.

sanguisọrba *f.* ⟨*Bot*⟩ burnet (*Sanguisorba*).

sanguisụga *f.* **1.** ⟨*Zool*⟩ leech, blood-sucker. – **2.** ⟨*Zool*⟩ (*anche sanguisuga comune*) leech (*Hirudo medicinalis*). – **3.** ⟨*fig*⟩ (*persona avida di denaro*) blood-sucker, leech. – **4.** ⟨*fig*⟩ (*persona noiosa, indiscreta*) bore, button-holer. – **5.** ⟨*Sport*⟩ racing cyclist who slipstreams another cyclist.

sanguisụgio *m.* ⟨*Med*⟩ leeching, blood-letting, bleeding.

sanguịvoro *a.* ⟨*non com*⟩ sanguivorous, feeding on blood.

sanịcola *f.* ⟨*Bot*⟩ wood sanicle (*Sanicula europaea*).

sạnie *f.* ⟨*lett*⟩ (*materia purulenta*) sanies.

sanificạre *v.t.* (**sanịfico, sanịfichi**) ⟨*ant*⟩ **1.** (*rendere sano*) to heal, to make healthy (*o* sound). – **2.** ⟨*Agr*⟩ (*bonificare*) to reclaim.

saniọso *a.* ⟨*Med*⟩ sanious: *secrezione -a* sanious secretion.

sanità *f.* **1.** health, soundness: *recuperare la* ~ to regain one's health. – **2.** (*salubrità*) healthiness, wholesomeness, soundness: *la* ~ *del clima* the healthiness of the climate. – **3.** ⟨*fig*⟩ (*sanità morale*) healthiness, wholesomeness, soundness. – **4.** (*ente*) health service (*o* office); (*complesso di persone e uffici*) health service. – **5.** ⟨*Mil*⟩ Medical Corps.

□ **consiglio** *superiore della* ~ Board of the Ministry of Health; ~ **marittima** Port Medical Office; ~ **mentale** sanity; **ministero** *della* ~ Ministry of Health; **Organizzazione** *mondiale della* ~ World Health Organization; **soldato** *della* ~ soldier in the Medical Corps, ⟨*am*⟩ medic. – *Prov.*: *chi ha la* ~ *è ricco e non lo sa* health is wealth.

sanitạrio I *a.* **1.** sanitary, medical, hygienic, health-: *condizioni -e* sanitary conditions. – **2.** (*della sanità pubblica*) public health-, of health, sanitary: *controllo* ~ sanitary inspection; *cordone* ~ sanitary cordon, cordon sanitaire. – **3.** (*di medicina*) medical: *materiale* ~ medical supplies. – **4.** (*igienico*) hygienic, sanitary: *impianti sanitari* sanitary facilities (*o* fixtures), plumbing. – **II** *s.m.* ⟨*burocr*⟩ (*medico*) doctor, physician.

San Marịno *N.pr.m.* ⟨*Geog*⟩ San Marino (*denom.uff.*: *Repubblica di San Marino* Republic of San Marino).

sạnna *f.* ⟨*ant*⟩ (*zanna*) tusk, fang.

Sạnnio *N.pr.m.* ⟨*Geog,Stor*⟩ Samnium. – **sannịta I** *s.m./f.* Samnite. – **II** *a.* → **sannitico.** – **sannịte** *a./s.* ⟨*lett*⟩ → **sannita.** – **sannịtico** *a.* (*pl.* **-ci**) Samnite, of the Samnites.

sannụto *a.* ⟨*ant*⟩ (*zannuto*) tusked, fanged.

sạno I *a.* **1.** (*in buona salute fisica*) healthy, sound, fit, ⟨*lett*⟩ whole: *mantenersi* ~ to keep healthy; (*in buona salute psichica*) sane, sound: ~ *di mente* sane, of sound mind. – **2.** (*che rivela buona salute*) healthy, wholesome: *colorito* ~ healthy complexion. – **3.** (*salubre, salutare*) healthy, wholesome, sound, salubrious: *clima* ~ healthy climate; *alimenti -i* wholesome food. – **4.** (*non viziato, non guasto*) sound, firm, unblemished: *frutta -a* sound fruit; *denti bianchi e -i* white sound teeth. – **5.** (*intatto*) whole, sound, undamaged, unbroken, intact: *non è rimasto un solo bicchiere* ~ there isn't a single unbroken glass left; (*incolume*) whole. – **6.** ⟨*fig*⟩ (*onesto*) sound, healthy, wholesome, honest, decent: *-i principi* sound principles. – **7.** ⟨*fig*⟩ (*saggio*) wise. – **8.** ⟨*fam*⟩ (*tutto intero, completo*) whole, full, entire: *si è mangiato un pollo* ~ he has eaten a whole chicken; *un'ora -a* a full hour. – **II** *s.m.* healthy person; *pl.* the healthy (*costr.pl.*).
□ ⟨*non com*⟩ **far** ~ (*risanare*) to restore to health, to cure, to heal; ⟨*non com*⟩ *Dio ti* **mantenga** ~ ! God keep you (well)!; ~ *come un* **pesce** as sound as a bell, as fit as a fiddle; **rendere** ~ = **far** *sano*; ~ *e* **salvo** (*agg.*) safe and sound; (*avv.*) safely, safe and sound; **stia** ~ ! keep well!; ~ *e* **vegeto** well and flourishing; **vivo** *e* ~ alive and kicking, hale and hearty. – *Prov.*: *chi vuol vivere* ~ *e lesto, mangi poco e ceni presto* to live a healthy and active life, eat little and dine early.

sanofiẹno *m.* ⟨*Bot*⟩ (*lupinella*) sainfoin (*Onobrychis sativa*; *Onobrychis viciaefolia*).

San Pạolo *N.pr.f.* ⟨*Geog*⟩ São Paulo.

sanpietrịno *m.* → **sampietrino.**

sanrocchịno *m.* ⟨*Stor*⟩ (pilgrim's) cape.

sạnsa *f.* ⟨*Ind*⟩ olive residues *pl.* – **sansạio** *m.* (*negli oleifici*) store for olive residues.

sanscritịsta *m./f.* Sanskritist. – **sạnscrito I** *s.m.* ⟨*Ling*⟩ Sanskrit. – **II** *a.* Sanskrit, Sanskritic.

sansevịẹria *f.* ⟨*Bot*⟩ **1.** sansevieria, bowstring-hemp (*Sansevieria*). – **2.** striped bowstring-hemp (*Sansevieria trifasciata*).

sans-façon *fr.* [sãfa'sɔ̃] *avv.* informally, unceremoniously. □ *alla* ~ (*alla buona*) informally, unceremoniously, unpretentiously; (*sciattamente*) carelessly, in a slovenly manner.

sans-gêne *fr.* [sã'ʒɛ:n] **I** *avv.* (*disinvoltamente*) nonchalantly in a free-and-easy way. – **II** *s.m.* **1.** off-handedness, ease, nonchalance; (*franchezza*) candour. – **2.** (*persona libera, sfacciata*) uninhibited person, brazen-face.

sansifịcio *m.* ⟨*Ind*⟩ plant for the processing of olive residues.

sansimoniạno *a./s.* → **sansimonista.** – **sansimonịṣmo** *m.* ⟨*Filos, Pol*⟩ Saint-Simon(ian)ism. – **sansimonịsta I** *s.m./f.* Saint-Simonian. – **II** *a.* Saint-Simonian.

sansịno (*dim. di sansa*) *m.* ⟨*Ind*⟩ olive residues *pl* (from the first pressing).

Sansọne *N.pr.m.* ⟨*Bibl*⟩ Samson. – **sansone** *m.* ⟨*fam*⟩ (*uomo forte*) Samson, strong man, ⟨*fam*⟩ superman.

sant' *elis. di* **santo.**

santabạrbara *f.* (*pl.* **santebạrbare**) ⟨*Mar*⟩ (powder) magazine.

santacrọce *f.inv.* ⟨*ant*⟩ (*abbecedario*) primer, ABC.

santalạcee *f.pl.* ⟨*Bot*⟩ sandalwood family (*Santalaceae*).

santamẹnte *avv.* devoutly, holily, in a saintly way.

santarellịno, santarẹllo *m.* → **santerellino.** – **santerellịno, santerẹllo** (*dim. di santo*) *m.* (*f.* **-a**) ⟨*iron*⟩ little saint, innocent(-looking) little thing, goody-goody.

santẹse *m.* ⟨*ant*⟩ **1.** (*sagrestano*) sacristan. – **2.** (*amministratore dei beni d'una chiesa*) administrator of a church's property. – **3.** (*bacchettone*) bigot, pious humbug.

santificamẹnto *m.* ⟨*rar*⟩ (*il santificare*) sanctification, consecration, hallowing. – **santificạnte** (*p.pr. di santificare*) *a.* sanctifying: *grazia* ~ sanctifying grace. – **santificạre** *v.t.* (**santịfico, santịfichi**) **1.** to sanctify, to consecrate, to bless, to hallow, to make holy. – **2.** (*canonizzare*) to canonize. – **3.** (*onorare, venerare*) to hallow, to venerate, to revere: *sia santificato il Tuo nome* hallowed be Thy name. – **4.** (*celebrare religiosamente*) to consecrate, to hallow, to keep. – **santificarsi** *v.r.* to become saintly (*o* holy).

santificatịvo *a.* ⟨*rar*⟩ sanctifying. – **santificatọre** ⟨*non com*⟩ **I** *s.m.* (*f.* **-trice**) sanctifier. – **II** *a.* sanctifying. – **santificaziọne** *f.* **1.** (*il santificare*) sanctification, consecration, hallowing. – **2.** (*il santificarsi*) regeneration. – **3.** (*canonizzazione*) canonization. – **4.** (*celebrazione religiosa*) sanctification, consecration, hallowing.

santificẹtur *m.* → **sanctificetur.**

santimọnia *f.* **1.** ⟨*spreg*⟩ (*bigotteria*) sanctimony, sanctimoniousness. – **2.** ⟨*ant*⟩ (*santità*) sanctity, holiness. – **santimoniạle** ⟨*ant*⟩ **I** *a.* holy. – **II** *s.f.* (*monaca*) nun.

santịno (*dim. di santo*) *m.* **1.** (*piccola immagine sacra*) holy picture. – **2.** ⟨*iron*⟩ → **santerellino.**

Santịppe *N.pr.f.* ⟨*Stor*⟩ Xanthippe. – **santippe** *f.* (*moglie brontolona*) nagging wife, shrew, Xanthippe.

santịssimo (*sup. di santo*) *a.* **1.** ⟨*rar*⟩ holiest, most holy (*o* sacred). – **2.** ⟨*Rel*⟩ Most Holy (*o* Sacred). – **3.** ⟨*esclam,fam*⟩ blessed, great: *fammi il* ~ *piacere di stare zitto* do me the great favour of shutting up. – **Santissimo** *m.* ⟨*Rel*⟩ Most Holy Sacrament. □ ⟨*pop*⟩ ~ *Dio!* holy God!, good God!

santità *f.* **1.** sanctity, holiness, sacredness. – **2.** ⟨*fig*⟩ (*inviolabilità*) sanctity, sacredness, inviolability: *la* ~ *della famiglia* the sanctity of the family. – **3.** ⟨*fig,non com*⟩ (*probità, onestà*) rectitude, honesty. – **Santità** *f.* ⟨*Rel.catt*⟩ (*rif. al papa*) Holiness: *Sua Santità* His Holiness; *Vostra Santità* Your Holiness. □ *essere in fama* (*o odore*) *di* ~ to be in the odour of sanctity.

sạnto I *a.* (becomes *san* before most masculine proper nouns and *sant'* before all nouns beginning with a vowel) **1.** holy, blessed, sacred: *la -a messa* the Holy Mass; *l'anno* ~ the holy year. – **2.** (*seguito dal nome proprio*) Saint (*abbr.* St.): ~ *Stefano* St. Stephen; *san Giuseppe* St. Joseph; *sant'Anna* St. Anne; (*rif. a chiesa*) Saint: (*la chiesa di*) *san Pietro* St. Peter's (church); (*rif. al giorno del santo*) Saint: *san Giuseppe* St. Joseph's (Day). – **3.** ⟨*fig*⟩ (*pio*) holy, pious. – **4.** ⟨*fig*⟩ (*inviolabile*) sacred, inviolable: *i -i diritti dei popoli* the sacred rights of nations. – **5.** ⟨*fam*⟩ (*buono*) good, upright, virtuous: *è una -a donna* she is a good woman. – **6.** (*rafforzativo*) blessed, great, *a volte non si traduce*: *ho lavorato tutto il* ~ *giorno* I've worked all the (blessed) day; *fammi il* ~ *piacere di andartene* do me the favour of clearing off; *picchiare qd. di -a ragione* to give s.o. a sound beating. – **7.** ⟨*fam*⟩ (*utile, efficace*) good, helpful, useful, beneficial: *è stato un* ~ *consiglio il tuo* your advice was most helpful; *sarebbe un'opera -a* it would be a useful thing to do. – **8.** ⟨*esclam*⟩ good, holy: ~ *cielo!* good heavens! – **II** *s.m.* (*f.* **-a**) **1.** ⟨*Rel.catt*⟩ saint: *il culto dei -i* the cult of the saints. – **2.** ⟨*fig*⟩ (*persona molto buona*) saint: *tua madre è una -a* your mother is a saint. – **3.** ⟨*fam*⟩ (*onomastico*) name day, feast-day, saint's day: *per il mio* ~ *ho avuto molti regali* I got a lot of presents for my name day. – **4.** (*patrono*) patron saint. – **5.** (*immagine sacra*) holy (*o* religious) picture. – **6.** *pl.* (*festa d'Ognissanti*) All Saints' (*o* Hallows') Day. – **7.** ⟨*ant*⟩ (*luogo santo*) holy place; (*chiesa*) church.
□ *qualche* ~ **aiuterà** trust to luck, something will turn up; **andare** *in* ~ = **rientrare** *in santo*; ⟨*fam*⟩ **avere** *un* (*qualche*) ~ *dalla sua* (*avere fortuna*) to have a guardian angel, to have luck on one's side; **dichiarare** ~ *qd.* = **fare** *santo qd.*; *a* **dispetto** *dei -i* in spite of everything; **entrare** *in* ~ = **rientrare** *in santo*; ⟨*Rel.catt*⟩ **fare** ~ *qd.* to canonize s.o., to make s.o. a saint; *fare il* ~ (*l'ipocrita*) to play the hypocrite, to dissemble; *-a* **fretta**! what a hurry you're in!; *la -a degli* **impossibili** (*santa Rita*) St. Rita; *essere tutto -i e* **madonne** to be a bigot; *il* ~ *dei* **miracoli** (*sant'Antonio*) St. Anthony, the patron saint of miracles; ~ **patrono** patron saint; *il* ~ *dei* **poverelli** (*san Francesco*) St. Francis, the patron saint of the poor; ⟨*fam*⟩ **raccomandarsi** *a tutti i -i del paradiso* to beg help from all and sundry; *non sapere a che* ~ *raccomandarsi* = *non sapere a che santo* **votarsi**; ⟨*tosc*⟩ **rientrare** *in* ~ (*rif. a donna*: *essere purificata dopo il parto*) to be churched; *il* ~ *dei* **Santi**: 1. (*Dio*) the Holiest; 2. (*sancta sanctorum*) the Holy of Holies, Sanctum Sanctorum; *non essere uno* **stinco** *di* ~ to be no angel; *non c'è* ~ *che* **tenga** there's no help for it; *il* ~ *degli* **umili** = *il santo dei* **poverelli**; *non sapere a che* ~ **votarsi** not to know which way to turn. – *Prov.*: *a ogni* ~ *la sua preghiera* suit actions to circumstances; *nella chiesa coi -i, nell'osteria coi ghiottoni* pray with the saints and eat with the gluttons.

santocchierịa *f.* ⟨*spreg*⟩ **1.** bigotry. – **2.** (*atto*) bigotry, bigotted action. – **santọcchio** ⟨*spreg*⟩ **I** *s.m.* (*f.* **-a**) (*bigotto*) bigot, pious hypocrite. – **II** *a.* bigotted.

sạntola *f.* ⟨*ven*⟩ (*madrina*) godmother.

santolịna *f.* ⟨*Bot*⟩ lavender cotton (*Santolina chamaecyparissus*).

sạntolo *m.* ⟨*ven*⟩ (*padrino*) godfather.

santọne (*accr. di santo*) *m.* **1.** ascetic, holy man, hermit; (*derviscio*) santon, dervish; (*stregone*) witch-doctor, wizard. – **2.** ⟨*spreg*⟩ (*bigotto*) bigot, sanctimonious hypocrite.

santọnico *m.* (*pl.* **-ci**) **1.** ⟨*Bot*⟩ Levant wormseed (*Artemisia cina*). – **2.** ⟨*Bot*⟩ sea (*o* Russian) wormwood (*Artemisia maritima*). – **3.** ⟨*Farm*⟩ santonica.

santonịna *f.* ⟨*Chim*⟩ santonin. – **santonịṣmo** *m.* ⟨*Med*⟩ santonin poisoning.

santorạle I *s.m.* ⟨*Lit*⟩ sanctorale, proper of the Saints. – **II** *a.* sanctoral.

santorẹggia *f.* (*pl.* **-ge**) ⟨*Bot*⟩ **1.** summer savory (*Satureia hortensis*). – **2.** (*anche santoreggia selvatica*) winter savory (*Satureia montana*).

santọro *m.* (*varietà di mandorlo*) kind of almond-tree.

santuạrio *m.* **1.** ⟨*Rel*⟩ sanctuary, shrine. – **2.** (*luogo sacro*) sanctuary, shrine, holy place. – **3.** ⟨*fig*⟩ sanctuary, shrine, sanctum, heart: *il* ~ *della famiglia* the sanctuary of the family. – **4.** (*chiesa*) sanctuary, church. – **5.** ⟨*Rel.ebr*⟩ (*sancta sanctorum*) Holy of Holies, Sanctum Sanctorum.

sạnza *prep.* ⟨*ant*⟩ (*senza*) without.

sanzionạre *v.t.* (**sanziọno**) **1.** to sanction, to ratify, to confirm: ~ *una legge* to sanction a law. – **2.** ⟨*fig*⟩ (*rendere legittimo*) to sanction, to endorse, to countenance: *un'antica tradizione sanziona quest'uso* this custom is sanctioned by an ancient tradition. – **3.** ⟨*non com*⟩ (*colpire con sanzioni*) to apply sanctions against. – **sanziọne** *f.* **1.** (*ratificazione*) sanction, ratification, confirmation. – **2.** ⟨*fig*⟩ (*approvazione, conferma*) sanction, approval, endorsement. – **3.** ⟨*Dir*⟩ (*minaccia di pena*) sanction; (*pena*) penalty. – **4.** ⟨*Pol,Econ*⟩ sanction. □ *-i amministrative* administrative sanctions; *-i collettive* collective sanctions; ~ *disciplinare* disciplinary sanction; ~ *economica* economic sanction.

sanzionịṣmo *m.* ⟨*Pol*⟩ policy of sanctions. – **sanzionịsta I** *s.m./f.* applier of sanctions. – **II** *a.* applying sanctions, sanctionative.

sanzionịstico *a.* (*pl.* **-ci**) of (*o* relating to) sanctions, sanctionary.
Sạona *N.pr.f.* ⟨*Geog*⟩ Saône.
sahọrna, sahọrra *f.* ⟨*ant*⟩ (*zavorra*) ballast.
Sap. = **1.** ⟨*Stor*⟩ *Squadra d'azione patriottica.* – **2.** ⟨*Edil*⟩ *senza armatura provvisoria* without provisional reinforcement.
sạpa *f.* (*mosto*) boiled (*o* concentrated) must, ⟨*ant*⟩ sapa.
sapẹrda *f.* ⟨*Entom*⟩ **1.** saperda (*Saperda*). – **2.** poplar borer (*Saperda carcharis*).
sapẹre[1] *v.* (*pr.ind.* **sọ**/*ant.* **sạccio, sại**/*ant.* **sạpi, sa**/*ant.* **sạpe, sappiạmo, sapẹte, sạnno**/*ant.* **sạcciono**; *fut.* **saprò**/*ant.* **saperò**; *p.rem.* **sẹppi**; *pr.cong.* **sạppia**/*ant.* **sạccia**; *condiz.* **saprẹi**/*ant.* **saperẹi**; *imperat.* **sạppi**/*ant.* **sạcci, sappiạte**; *ger.* **sapẹndo**/*ant.* **sapiẹndo**; *p.pr.* **sapiẹnte**; *p.p.* **sapụto**) **I** *v.t.* **1.** to know: *sai il mio indirizzo?* do you know my address?; ~ *il proprio mestiere* to know one's job; *non so che cosa dire* I don't know what to say, I am at a loss; ~ *un mucchio di cose* to know a great deal; *sapevo che saresti venuto* I knew you would come; *e che ne sai tu?* what do you know about it?; *lo so* (yes) I know. – **2.** (*avere imparato*) to know how, can: *sa parlare tre lingue* he can speak three languages; *sai andare in bicicletta?* ⌜do you know how to⌝ (*o* can you) ride a bike?; *il bambino non sa ancora scrivere* the little boy ⌜doesn't know how to⌝ (*o* can't) write yet; *sua moglie sa ricamare* his wife knows how to embroider. – **3.** (*essere in grado, essere capace*) can, to be able, to know how: *ha saputo rispondere a tutte le nostre domande* he was able to answer all our questions; *sapresti riconoscere quella persona?* ⌜would you be able to⌝ (*o* could you) recognize that person?; *non sai distinguere il bene dal male* you can't (*o* don't know how to) tell good from evil; *non so fare a meno delle sigarette* I can't do without cigarettes; *non so credere che sia avaro* I can't believe that he's stingy. – **4.** (*avere conoscenza, notizia*) to know, to be aware, to realize, to be acquainted with: *so la ragione della tua assenza* I am aware of the reason for your absence; *sappiamo tutto sul suo conto* we know everything about him; *sai che sono arrivati i tuoi amici?* do you know your friends have arrived?; *sono contento di saperti felice* I'm glad to know you are happy. – **5.** (*venire a conoscenza, apprendere*) to learn, to hear, to get to know, to understand, to gather: *ho saputo tutto da tuo fratello* I heard all about it from your brother; *vorrei* ~ *chi te l'ha detto* I'd like to know who told you; *ho saputo la notizia dai giornali* I learned the news from the papers; ~ *qc. da buona fonte* to hear s.th. from a reliable source. – **6.** (*presagire, prevedere*) to know, to feel, to think, to have a feeling: *sapevo che sarebbe andata a finire così* I had a feeling it would end up like this. – **II** *v.i.* (*aus.* **avere**) **1.** (*essere informato*) to know: *rivolgiti a qd. che sappia* go to s.o. who knows; *sa più di quel che tu pensi* he knows more than you think. – **2.** (*avere sapore*) to taste, to have a taste: *il vino sa d'aceto* the wine tastes ⌜of vinegar⌝ (*o* vinegary). – **3.** (*avere odore*) to smell: *questa stanza sa di muffa* this room smells musty. – **4.** ⟨*fig*⟩ (*dare l'idea, l'impressione*) to smell, to smack: *la sua richiesta sapeva di ricatto* his demand smacked of blackmail. – **5.** (*parere*) to think, to have a feeling, to bet: *mi sa che stavolta ce la farai* I think you're going to make it this time; *mi sa che sta per piovere* I bet it's going to rain, it looks like rain to me.

□ **a** *saperlo!* (*o ad averlo saputo!*) if only I had known!; ⟨*non com*⟩ *mi sa mill'***anni** *che* (*non vedo l'ora*) I can't wait; (*ne*) *so* **assai** *io!* how (the hell) should I know!; ~ *qc. come l'***avemmaria** = *sapere qc. a* **menadito**; *ti* **basti** ~ I need only tell you; **buono** *a sapersi* that's ⌜good to know⌝ (*o* worth knowing); ~ *di buono* (*odorare*) to smell good; (*avere gusto*) to taste good; ~ *di* **bruciato** to taste burnt; **che** *ne so io?* how should I know?; **chi** *sa*: 1. (*interrogativo*) who knows?, who can tell?: *chi sa quante persone verranno?* who knows how many people will come?; 2. (*dubitativo*) I wonder: *chi sa come andrà a finire tutto ciò* I wonder how it will all end up, I wonder if it's all for the best; *è tornato chi sa perché* I wonder why he came back; 3. (*forse*) perhaps, maybe: *chi sa che non si decida a scrivermi* maybe he'll decide to write to me; 4. (*come inciso*) who knows: *forse, chi sa, non mi aspetta neppure* who knows, maybe he's not even expecting me; ~ *di* **chiuso** to smell fusty (*o* stuffy), to have a musty smell; ⟨*pop*⟩ ~ *dove il diavolo tiene la* **coda** to be as smart as the devil; *non so* **come** I don't know how; *bisogna sapersi* **contentare** one must (learn to) make do; ~ *per* **esperienza** (*diretta*) to know from (personal) experience; **fare** ~ *qc. a qd.*: 1. to let s.o. know s.th.; 2. (*per iscritto*) to let s.o. know s.th., to drop s.o. a line about s.th.: *te lo farò* ~ *al più presto possibile* I'll drop you a line about it as soon as possible; *saper fare* to know how to handle (*o* treat): *sa fare con i clienti* he knows how to handle the customers; *il saper fare* savoir faire; *saperci fare* to be good (*o* clever, skilful) at s.th., to know how to do s.th.; ~ *il* **fatto** *proprio* to know one's job; ~ *qc. per* **filo** *e per segno* to know s.th. thoroughly (*o* inside out); ~ *qc. da* **fonte** *sicura* to have s.th. on good authority, to know s.th. for sure, ⟨*fam*⟩ to get s.th. from the horse's mouth; ⟨*ant*⟩ ~ **grado** *a qd. di qc.* (*essergliene grato*) to be grateful to s.o. for s.th.; ⟨*iperb*⟩ *non sa né* **leggere** *né scrivere* (*non sa niente*) he doesn't know the time of day; *saperla* **lunga** to know a thing or two, to be smart (*o* a sly one); *la sa lunga* there are no flies on him, he's a smart (*o* clever, sly) one; *la sai lunga, ma non la sai raccontare* you may be smart, but you can't fool me; *non si sa* **mai** you never can tell, you never know: *sii prudente, non si sa mai quello che può accadere* be careful, you never know what can happen; *prendi l'ombrello, non si sa mai* take your umbrella, you never can tell; ⟨*non com*⟩ *mi sa* **male** (*mi sembra cosa mal fatta*) it seems wrong to me; ⟨*ant*⟩ *mi sa* **meglio** (*preferisco*) I prefer, it is more to my taste; ~ *qc. a* **memoria** to know s.th. by heart; ~ *qc. a* **menadito** to know s.th. like the back of one's hand, to have s.th. at one's fingertips; *so di* **molto**! a fat lot I know!; ~ (*delle cose*) *del* **mondo** to know the ways of the world, to be worldly-wise; *non* ~ *di* **niente** (*o nulla*): 1. (*non avere sapore*) to have no taste, to be tasteless: *questa minestra non sa di niente* this soup is tasteless; 2. (*non odorare*) to have no smell; 3. ⟨*fig*⟩ to be insipid (*o* dull, flat, colourless): *questo libro non sa di nulla* this book is dull (*o* uninteresting); ~ *per* **prova** = *sapere per* **esperienza** (*diretta*); *saperne* **qualcosa** to know something about s.th.: *lui ne sa qualcosa* he knows something about it; *ne so* **quanto** *te* I'm as wise as you are; *ne so quanto prima* I'm as wise as before, I'm none the wiser; *per quanto io ne sappia* as far as I know, for all I know; **se** *tu sapessi!* if you only knew!; **si** *sa*: 1. (as) one knows, it is well-known, as is known, as everybody knows, it is common knowledge: *i prezzi, si sa, aumentano continuamente* as everyone knows, prices are always rising; 2. ⟨*iron*⟩ naturally, it's a foregone conclusion: *si sa, la colpa è sempre mia* naturally, it's always my fault; **venire** *a* ~ to learn, to hear, to gather; *saper* **vivere** to know how to live elegantly, to have savoir vivre; *non* **volerne** ~ *di qd.* not to want to have anything to do with s.o.: *non voglio più saperne di lui* I don't want to have anything more to do with him; *non ne vuol* ~ *di lavorare* he doesn't want to have anything to do with work. – *Prov.*: *ne sa più un matto in casa propria che un savio in casa altrui* a madman in his own house knows more than a sage in someone else's house; ~ *è potere* knowledge is power. || *che io* (*mi*) *sappia* as far as I know, to the best of my knowledge; *un certo non so che* a certain something; *lo so e non lo so* I'm not quite sure; *sappi* I want you to know, take note: *sappi che questa è l'ultima volta che ti perdono* I want you to know this is the last time I'm going to forgive you; ⟨*scherz*⟩ *sassi* (*si sa*) as everybody knows, it is known; ⟨*scherz*⟩ *sapevamcelo* (*lo sapevamo*) as if I (*o* we) didn't know, I (*o* we) knew that already, that's nothing new.
sapẹre[2] *m.* **1.** knowledge. – **2.** (*dottrina*) learning. □ *una persona di molto* ~ a person of great learning, a very learned person.
sapidità *f.* ⟨*lett*⟩ **1.** tastiness, flavour. – **2.** ⟨*fig*⟩ relish, flavour. – **sạpido** *a.* **1.** tasty, savoury. – **2.** ⟨*fig*⟩ (*arguto, spiritoso*) keen, pungent.
sapiẹnte (*p.pr. di sapere*[1]) **I** *a.* **1.** (*dotto*) learned, scholarly: *un uomo* ~ a learned man. – **2.** (*saggio*) wise, sage; (*abile*) skilful, knowledgeable, able. – **3.** (*ammaestrato*: *rif. ad animali*) trained, performing. – **4.** (*che rivela abilità*) expert, sure, masterly, knowledgeable: *con mano* ~ with a sure touch. – **5.** ⟨*tosc*⟩ (*troppo saporito*) over-seasoned, too rich (*o* spicy). – **II** *s.m.* **1.** wise man, sage: *i sette -i della Grecia* the seven sages of Greece. – **2.** (*dotto*) scholar, learned man. – **3.** *pl.* ⟨*Stor*⟩ the wise (*costr. pl.*): *il consiglio dei -i* the council of the wise. – **sapientemẹnte** *avv.* **1.** wisely, sagely; (*prudentemente*) prudently, sagely; (*dottamente*) learnedly. – **2.** (*con capacità*) ably, surely, skilfully. – **sapientọne** (*accr. di sapiente*) ⟨*spreg,iron*⟩ **I** *a.* know-it-all. – **II** *s.m.* (*f.* **-a**) know-it-all, wiseacre.
sapiẹnza *f.* **1.** (*saggezza*) wisdom, sagacity, understanding; (*prudenza*) wisdom, prudence, judgement. – **2.** (*dottrina*) learning, knowledge. – **3.** ⟨*Teol*⟩ understanding, wisdom; (*attributo di Dio*) wisdom. – **Sapienza** *f.* ⟨*ant*⟩ **1.** (*università*) university. – **2.** ⟨*Bibl*⟩ Book of Wisdom. – **sapienziạle** *a.* **1.** of (*o* characterized by) wisdom, wisdom-, sapiential. – **2.** ⟨*Bibl*⟩ sapiential: *libri -i* sapiential books.
sapindạcee *f.pl.* ⟨*Bot*⟩ soapberry family, soapworts *pl* (*Sapindaceae*). – **sapịndo** *m.* soapberry(-tree) (*Sapindus*).
sapịno *m.* ⟨*Bot*⟩ (*abete rosso*) Norway spruce (*Picea excelsa*).
sapodịlla *f.* → **sapota.**
saponạceo *a.* saponaceous, soapy. – **saponạio** *m.* ⟨*ant*⟩ → **saponiere.**
saponạria *f.* **1.** ⟨*Bot*⟩ soapwort (*Saponaria*; *Saponaria officinalis*). – **2.** ⟨*Entom*⟩ spittle bug (*o* insect), frog-hopper (*Philaenus spumarius*). □ ~ *bianca* (*radice*) soaproot; ⟨*Bot*⟩ ~ *d'Egitto* Egyptian soaproot (*Gypsophila struthium*); ⟨*Bot*⟩ ~ *indiana* → **sapindo**; ⟨*Bot*⟩ ~ *di Levante* scarlet lychnis, Maltese cross (*Lychnis chalcedonica*).
saponạrio *a.* → **saponiero.** – **saponạro** *m.* ⟨*region*⟩ → **saponiere.** – **saponạta** *f.* **1.** (*acqua*) soapy water. – **2.** (*schiuma*) (soap)suds *pl.* – **3.** ⟨*fig*⟩ (*adulazione*) flattery.
sapọne *m.* **1.** soap: *lavarsi col* ~ to wash with soap; (*saponetta*) (bar of) soap, cake of soap: *comprare un* ~ to buy a bar of soap. – **2.** ⟨*Chim*⟩ soap.

□ ~ *da* **barba** shaving soap; ~ *da* **bucato** laundry soap; ⟨*fig, non com*⟩ **dare** *del* ~ *a qd.* (*adularlo*) to flatter s.o., ⟨*fam*⟩ to soft-soap s.o.; ~ **duro** hard-soap; ~ *alla* **glicerina** glycerine soap; ~ **grasso** fatty soap; ~ *alla* **lanolina** lanoline soap; ~ *alla* **lavanda** lavender soap; ~ **liquido** liquid soap; ~ *di* **Marsiglia** Marseilles soap; ~ **medicinale** medicinal (*o* medicated) soap; ~ **metallico** metallic soap; ~ **molle** soft-soap; ~ *per* **neonati** baby soap; ~ **neutro** mild soap; ~ *in* **pasta** = *sapone* **molle**; ~ *in* **polvere** soap-powder; ~ **potassico** potash soap; ~ *a* **scaglie** soap-flakes *pl*; ~ **sodico** soda-soap; ~ *da* **toletta** toilet-soap.
saponẹlla *f.* ⟨*Bot*⟩ (*saponaria*) soapwort (*Saponaria officinalis*).
saponerịa *f.* → **saponificio.** – **saponẹtta** (*dim. di sapone*) *f.* **1.** bar (*o* cake) of soap. – **2.** ⟨*ant*⟩ (*orologio*) kind of pocket-watch, hunter. – **saponẹtto** (*dim. di sapone*) *m.* ⟨*ant*⟩ perfumed toilet-soap. – **saponiẹra** *f.* soap-dish. – **saponiẹre** *m.* **1.** (*fabbricante*) soap manufacturer. – **2.** (*venditore*) soap dealer, soap seller. – **3.** (*operaio*) soap-boiler. – **saponiẹro** *a.* soap-: *industria -a* soap industry.

saponificabile *a.* ⟨*Chim*⟩ saponifiable. – **saponificare** *v.t.* (saponifico, saponifichi) to saponify. – **saponificatore** *m.* (*f.* -trice) soap-boiler. – **saponificazione** *f.* saponification.

saponificio *m.* soap-works *pl* (*costr.sing. o pl.*).

saponina *f.* **1.** ⟨*Chim*⟩ saponin. – **2.** ⟨*Min*⟩ (*pietra cannella*) kind of sandstone.

saponite *f.* ⟨*Min*⟩ saponite.

saponoso *a.* soapy (*anche Min.*).

saporaccio (*pegg. di sapore*) *m.* bad (*o* vile) taste.

saporare *v.t.* (saporo) ⟨*ant*⟩ (*assaporare*) to taste.

sapore *m.* **1.** taste, flavour, relish, savour; (*sapore leggero*) slight taste, smack; (*sapore caratteristico o piccante*) tang: ~ *salino* salty tang (*o* taste); (*sapore che rimane in bocca*) (after-)taste: *l'aglio lascia un cattivo* ~ *in bocca* garlic leaves a bad taste in the mouth. – **2.** ⟨*fig*⟩ (*tono*) ring, tone, feel, note: *c'era un* ~ *amaro nelle sue parole* there was a bitter ring to his words; (*carattere*) flavour, nature: *prosa di* ~ *arcaico* prose with an archaic flavour. – **3.** ⟨*fig*⟩ (*vivacità, colorito*) spice, zest, vim, zing: *una commedia priva di* ~ a play with no zest; *è questo che dà* ~ *alla vita* this is what gives spice to life. – **4.** *pl.* ⟨*region*⟩ (*odori*) (aromatic) herbs *pl.* – **5.** ⟨*Gastr,ant*⟩ (*salsa*) sauce, relish.

□ **aver** ~ *di qc.* to taste of s.th.; ⟨*fig*⟩ to smack (*o* savour) of s.th.; **che** ~ *ha?* what does it taste like?; **dare** ~ *a* to give taste to, to flavour, to season, to make tasty; ⟨*fig*⟩ to spice, to give zest to; *di* **mezzo** ~ without a definite taste; **prendere** *il* ~ *di qc.* to take on a certain taste; ⟨*fig*⟩ **sentire** ~ to taste; ⟨*scherz*⟩ *far sentire a qd. il* ~ *del bastone* (*bastonarlo*) to give s.o. a taste of the stick; **senza** ~ (*insipido*) tasteless; ⟨*fig*⟩ flat, dull, uninteresting, insipid.

saporetto, saporino (*dim. di sapore*) *m.* good taste. – **saporire** *v.t.* (saporisco, saporisci) ⟨*non com*⟩ **1.** (*insaporire*) to flavour, to season. – **2.** (*assaporare*) to relish. – **saporitamente** *avv.* with relish, with gusto, with zest. □ *dormire* ~ to sleep soundly (*o* like a log); *ridere* ~ to laugh heartily.

saporito (*p.p. di saporire*) *a.* **1.** tasty, seasoned. – **2.** (*salato*) pleasantly (*o* a little) salty; (*troppo salato*) (too) salty: *un po'* ~ rather salty. – **3.** ⟨*fig*⟩ (*fatto con gusto*) hearty; (*rif. al sonno*) sound, deep. – **4.** ⟨*fig*⟩ (*vivace, arguto*) lively, witty, racy, piquant: *una risposta -a* a witty reply. – **5.** ⟨*fam*⟩ (*caro*) stiff, steep, high: *conto* ~ stiff bill. – **6.** ⟨*fam*⟩ (*forte, duro*) sharp, strong: *rimprovero* ~ sharp reproof. □ *poco* ~ insipid, tasteless, lacking in flavour; (*poco salato*) not salty enough, under-salted.

saporosamente *avv.* **1.** tastily. – **2.** ⟨*fig*⟩ racily, wittily. – **saporosità** *f.* tastiness. – **saporoso** *a.* **1.** tasty, savoury. – **2.** ⟨*fig*⟩ (*vivace, saporito*) piquant, racy, lively, witty: *un aneddoto* ~ a racy anecdote.

sapota *f.* **1.** ⟨*Bot*⟩ sapota, achras (*Sapota*). – **2.** ⟨*Bot*⟩ sapodilla, naseberry, sapota, achras (*Achras sapota*). – **3.** (*frutto*) sapodilla (-plum), naseberry, chico. – **sapotacee** *f.pl.* ⟨*Bot*⟩ sapodilla family (*Sapotaceae*). – **sapotiglia** *f.* sapodilla(-plum), naseberry, chico.

sapotossina *f.* ⟨*Chim*⟩ sapotoxin.

sapristi *fr. intz.* (*perbacco*) good Lord, great Scott, by Jove.

sapro... *pref.* (*putrefazione* putrefaction) sapr(o)...

saprobio I *a.* ⟨*Biol*⟩ saprobic, saprobiontic. – **II** *s.m.* saprobe, saprobiont.

sapro|colla *f.* ⟨*Geol*⟩ saprocoll. – **~emia** *f.* ⟨*Med*⟩ sapr(a)emia.

saprofagia *f.* saprophagous condition. – **saprofago** *a.* (*pl.* -gi) saprophagous. – **saprofilo** *a.* saprophilous. – **saprofita, saprofito I** *a.* saprophytic: *piante -e* saprophytic plants. – **II** *s.m.* saprophyte. – **saprogeno** *a.* ⟨*Biol*⟩ saprogenic.

saprolegniacee *f.pl.* ⟨*Bot*⟩ Saprolegniaceae *pl* (*Saprolegniaceae*). – **saprolegniali** *f.pl.* water moulds *pl* (*Saprolegniales*).

sapro|pelico *a.* (*pl.* -ci) ⟨*Biol*⟩ sapropelic. – **~pelite** *f.* ⟨*Geol*⟩ sapropelite. – **~plancton** *m.* ⟨*Biol*⟩ saproplankton. – **~zoo** *m.* ⟨*Zool*⟩ saprozoon.

sapucaia *f.* ⟨*Bot*⟩ sapucaia (*Lecythis*).

saputa: ⟨*ant,lett*⟩ *a mia* ~ to (the best of) my knowledge, as far as I know; *senza mia* ~ without my knowledge; ⟨*rar*⟩ *per* ~ (*per sentito dire*) by hearsay.

saputamente *avv.* **1.** ⟨*spreg,scherz*⟩ (*da saputo*) knowledgeably, in a learned tone, with a knowing air. – **2.** ⟨*ant,lett*⟩ (*deliberatamente*) deliberately, knowingly, wilfully. – **saputello** (*dim. di saputo*) **I** *a.* know-it-all. – **II** *s.m.* (*f.* -a) little know-it-all, little prig.

saputo (*p.p. di sapere*[1]) **I** *a.* **1.** (*noto*) known. – **2.** ⟨*spreg*⟩ pretentious, pedantic, know-it-all. – **3.** ⟨*lett*⟩ (*informato*) well-informed, knowledgeable. – **4.** ⟨*lett*⟩ (*saggio*) wise, judicious. – **II** *s.m.* (*f.* -a) ⟨*spreg*⟩ know-it-all, wiseacre. □ *fare il* ~ to be a know-it-all; ⟨*ant*⟩ *fare* ~ *qd.* (*informarlo*) to inform (*o* tell) s.o.; ~ *e risaputo* hackneyed, trite, banal.

S.A.R. = *Sua Altezza Reale* His (*f* Her) Royal Highness (*abbr.* H.R.H.).

Sara *N.pr.f.* ⟨*Bibl*⟩ Sara(h).

sarabanda *f.* **1.** ⟨*Mus*⟩ saraband. – **2.** ⟨*fig*⟩ (*sonata rumorosa*) loud (*o* noisy) playing, racket; (*danza frenetica*) frenzied dance. – **3.** ⟨*fig*⟩ (*confusione, chiasso*) uproar, hullaballoo, bedlam, bear-garden, pandemonium.

saracca *f.* ⟨*region*⟩ → **salacca.**

saracchino (*dim. di saracco*) *m.* ⟨*Mecc*⟩ turning-saw, keyhole-saw, compass-saw. – **saracco** *m.* (*pl.* -chi) rip-saw, split-saw. □ ~ *a costola* (*o dorso*) back-saw, tenon-saw.

saracenico *a.* (*pl.* -ci) ⟨*Stor,non com*⟩ Saracen, Saracenic. – **saraceno I** *a.* Saracen, Saracenic. – **II** *s.m.* (*f.* -a) Saracen.

saracinesca *f.* **1.** (*serranda*) shutter. – **2.** (*avvolgibile*) (rolling) shutter. – **3.** ⟨*Idr*⟩ (*di chiusa*) floodgate, sluice-gate; (*valvola per tubazioni*) gate valve. – **4.** ⟨*Stor*⟩ (*cateratta*) portcullis.

saracinesco *a./s.* (*pl.* -chi) **I** *a.* (*dei Saraceni*) Saracen, Saracenic. – **II** *s.m.* (*lingua*) Saracen language, Arabic.

saracino I *a.* ⟨*ant,pop*⟩ (*saraceno*) Saracen, Saracenic. – **II** *s.m.* **1.** ⟨*ant,pop*⟩ Saracen. – **2.** (*fantoccio della quintana*) quintain, moor's (*o* Saracen's) head.

sarago *m.* (*pl.* -ghi/*non com.* -gi) ⟨*Itt*⟩ white bream (*Diplodus sargus*). □ ~ *anellato* annular bream (*Diplodus annularis*); ~ *fasciato* two -banded bream (*Diplodus vulgaris*); ~ *pizzuto* sheepshead bream (*Charax puntazzo*).

Saragozza *N.pr.f.* ⟨*Geog*⟩ Saragozza.

Saraievo *N.pr.f.* ⟨*Geog*⟩ Sarajevo.

saramento *m.* ⟨*ant*⟩ **1.** (*sacramento*) sacrament. – **2.** (*giuramento*) oath, vow.

saran *m.* ⟨*Chim*⟩ saran.

sarcasmo *m.* **1.** sarcasm. – **2.** (*frase sarcastica*) sarcastic remark, sarcasm: *fare del* ~ to make sarcastic remarks, to be sarcastic. – **sarcasticamente** *avv.* sarcastically. – **sarcastico** *a.* (*pl.* -ci) sarcastic: *risata -a* sarcastic laugh.

sarchiamento *m.* ⟨*non com*⟩ → **sarchiatura.** – **sarchiare** *v.t.* (sarchio, sarchi) ⟨*Agr*⟩ to hoe, to scarify, to cultivate; (*per estirpare le erbacce*) to weed. – **sarchiata** *f.* hoeing. □ *dare una* ~ *al terreno* to hoe the ground. – **sarchiatore** *m.* (*f.* -trice) hoer. – **sarchiatrice** *f.* (*macchina*) mechanical hoe, hoeing-machine, weeding -machine. – **sarchiatura** *f.* hoeing, scarification. – **sarchiella** *f.* ⟨*ant*⟩ → **sarchiello.** – **sarchiellare** *v.t.* (sarchiello) ⟨*Agr*⟩ to hoe lightly, to weed with a hoe. – **sarchiello** (*dim. di sarchio*) *m.* garden hoe, grubber.

sarchina *f.* → **sarcina**[2].

sarchio *m.* ⟨*Agr*⟩ hoe.

sarcina[1] *f.* ⟨*lett*⟩ (*peso, carico*) weight, burden, load.

sarcina[2] *f.* ⟨*Chim*⟩ hypoxanthine, sarcin.

sarco... *pref.* (*carne* flesh, *muscolo* muscle) sarc(o)...

sarco|carpio *m.* ⟨*Bot*⟩ **1.** (*frutto carnoso*) sarcocarp. – **2.** (*parte carnosa di una drupa*) sarcocarp. – **~caule** *a.* of a sarcocaul, fleshy -stemmed. – **~cele** *m.* ⟨*Med,ant*⟩ sarcocele.

sarcode *m.* ⟨*Biol,ant*⟩ sarcode, protoplasm.

sarcofaga *f.* ⟨*Entom*⟩ flesh-fly (*Sarcophaga*).

sarcofago *m.* (*pl.* -gi/-ghi) ⟨*Archeol*⟩ sarcophagus.

sarcofillo *m.* ⟨*Bot*⟩ fleshy leaf.

sarcofilo *m.* ⟨*Zool*⟩ (*diavolo orsino*) Tasmanian devil (*Sarcophilus harrisii*).

sarcoide *m.* ⟨*Med*⟩ sarcoid.

sarcolemma *m.* ⟨*Anat*⟩ sarcolemma.

sarcoma *m.* ⟨*Med*⟩ sarcoma. – **sarcomatosi** *f.* sarcomatosis. – **sarcomatoso I** *a.* **1.** sarcomatous. – **2.** ⟨*non com*⟩ (*affetto da sarcoma*) suffering from a sarcoma. – **II** *s.m.* (*f.* -a) ⟨*non com*⟩ sufferer from a sarcoma.

sarcoplasma *m.* ⟨*Anat*⟩ sarcoplasm.

sarcoptico *a.* (*pl.* -ci) ⟨*Zool*⟩ sarcoptic. – **sarcoptidi** *m.pl.* sarcoptids *pl* (*Sarcoptidae*). – **sarcoptiformi** *m.pl.* Sarcoptoidea *pl* (*Sarcoptoidea, Sarcoptiformia*).

sarcosoma *m.* ⟨*Anat*⟩ sarcosoma.

sarcrauti *m.pl.* ⟨*ant*⟩ (*salcrauti*) sauerkraut.

sarda[1] *f.* **1.** → **sardina.** – **2.** ⟨*Itt*⟩ (*spratto*) sprat (*Clupea sprattus*).

sarda[2] *f.* ⟨*Min*⟩ sard.

sardagnolo *a.* ⟨*non com*⟩ → **sardegnolo.**

sardanapalesco *a.* (*pl.* -chi) ⟨*lett*⟩ (*effeminato*) effeminate, Sardanapalian; (*dissipato*) dissipated. – **Sardanapalo** *N.pr.m.* ⟨*Stor*⟩ Sardanapalus. – **sardanapalo** *m.* ⟨*fig*⟩ voluptuary, debauchee.

sardara *f.* ⟨*Pesc*⟩ kind of fishing-net.

Sardegna *N.pr.f.* ⟨*Geog*⟩ Sardinia. – **sardegnolo** *a.* ⟨*pop*⟩ (*sardo*) Sardinian.

sardella *f.* → **sardina.** – **sardellara** *f.* ⟨*Pesc*⟩ **1.** → **sardelliera.** – **2.** (*barca*) sardinier. – **sardelliera** *f.* ⟨*Pesc*⟩ kind of fishing-net.

sardena *f.* ⟨*Itt*⟩ twaite (shad) (*Alosa finta lacustris*).

sardenaro *m.* ⟨*Pesc*⟩ kind of trawl-net.

sardesco *a.* (*pl.* -chi) ⟨*ant*⟩ (*sardo*) Sardinian.

Sardi *N.pr.f.* ⟨*Geog.stor*⟩ Sardis, Sardes.

sardigna *f.* dump for carcasses and putrefying meat.

Sardigna *N.pr.f.* ⟨*ant,region*⟩ → **Sardegna.** – **sardignolo** *a.* ⟨*non com*⟩ → **sardegnolo.**

sardina *f.* **1.** ⟨*Itt*⟩ sardine, pilchard (*Clupea pilchardus*). – **2.** ⟨*Gastr*⟩ (*pesci più piccoli conservati sott'olio*) sardine: *una scatola di -e* a tin of sardines. □ *essere pigiati come le -e* to be packed like sardines.

sardismo *m.* **1.** ⟨*Pol*⟩ movement for Sardinian autonomy. – **2.** ⟨*Ling*⟩ (*espressione*) Sardinian idiom (*o* expression); (*parola*) Sardinian word. – **sardista** *m./f.* Sardinian separatist, supporter of Sardinian autonomy.

sardo I *a.* Sardinian. – **II** *s.m.* **1.** (*dialetto*) Sardinian. – **2.** (*abitante*; *f.* -a) Sardinian.

sardone *m.* ⟨*Itt*⟩ (*acciuga*) anchovy (*Engraulis encrasicholus*).

sardonia *f.* ⟨*Bot*⟩ **1.** (*anche erba sardonia*) celery-leaved buttercup, cursed crowfoot (*Ranunculus sceleratus*). – **2.** meadow buttercup (*Ranunculus acer*).

sardonica *f.* ⟨*Min*⟩ sardonyx.

sardonicamente *avv.* sardonically. – **sardonico** *a./s.* (*pl.* -ci) **I** *a.* sardonic: *ghigno* ~ sardonic sneer (*o* grin). – **II** *s.m.* **1.** sardonic. –

2. ⟨*Min,ant*⟩ → **sardonica.** ☐ ⟨*Med*⟩ *riso* ~ risus sardonicus, sardonic grin (*o* laugh).
sargasso *m.* ⟨*Bot*⟩ **1.** sargasso, sargassum, gulf-weed (*Sargassum*). – **2.** gulf-weed (*Sargassum bacciferum*). ☐ ⟨*Geog*⟩ *mar dei Sargassi* Sargasso Sea.
sargente *m.* ⟨*ant,pop*⟩ (*sergente*) sergeant.
sargia *f.* (*pl.* **-ge**) **1.** ⟨*Tess*⟩ (*serge*) serge. – **2.** ⟨*Stor*⟩ (*stoffa*) light cloth for hangings. – **3.** ⟨*ant*⟩ (*coperta*) kind of bed-cover.
sargo *m.* → **sarago.**
sari *m.inv.* ⟨*Vest*⟩ sari.
sariga *f.* ⟨*Zool*⟩ opossum (*Didelphys*). ☐ ~ *della Virginia* (Virginia) opossum (*Didelphys virginiana*).
sarissa *f.* ⟨*Stor.gr*⟩ sarissa.
S.a.r.l. = ⟨*Comm*⟩ *società a responsabilità limitata* limited liability company (*abbr.* Ltd.).
sarmati *m.pl.* ⟨*Stor*⟩ Sarmatians *pl.* – **sarmatiano I** *a.* ⟨*Geol*⟩ (*sarmatico*) Sarmatic, Sarmatian. – **II** *s.m.* Sarmatian. – **sarmatico** *a./s.* (*pl.* **-ci**) **I** *a.* **1.** Sarmatian. – **2.** ⟨*Geol*⟩ Sarmatic, Sarmatian. – **II** *s.m.* **1.** (*lingua*) Sarmatian. – **2.** ⟨*Geol*⟩ Sarmatian.
sarmatismo *m.* ⟨*Stor*⟩ theory of the descent of the Slavs from the Sarmatians.
Sarmazia *N.pr.f.* ⟨*Geog.stor*⟩ Sarmatia.
sarmentaceo *a.* ⟨*Bot,non com*⟩ sarmentose, sarmentaceous. – **sarmento** *m.* **1.** (*tralcio di vite*) vine sarment (*o* runner). – **2.** (*ramo*) sarment, runner. – **sarmentoso** *a.* sarmentose.
sarò *fut. di* **essere**[1].
sarong *m.* ⟨*Vest*⟩ sarong.
saros *m.* ⟨*Astr*⟩ saros.
sarpa *f.* ⟨*Itt*⟩ (*salpa*) salema (*Boga salpa*).
sarpare ⟨*ant*⟩ **I** *v.i.* (*aus.* **essere**) (*salpare*) to weigh anchor, to set sail. – **II** *v.t.* to weigh.
sarracenia *f.* ⟨*Bot*⟩ sarracenia (*Sarracenia*). – **sarraceniacee** *f.pl.* pitcher-plant family (*Sarraceniaceae*).
sarrocchino *m.* → **sanrocchino.**
sarrusofono, sarrussofono *m.* ⟨*Mus*⟩ sarrusophone.
sarta *f.* **1.** dressmaker, seamstress. – **2.** (*dirigente di sartoria*) couturiere, dressmaker.
sarte *f.pl. ant. di* **sartia.**
sartella *f.* ⟨*Ornit*⟩ **1.** (*alzavola*) teal (*Anas crecca*). – **2.** (*marzaiola*) garganey (*Anas querquedula*).
sartia *f.* (*pl.* **sartie**/*ant.* **sarte**) **1.** ⟨*Mar*⟩ shroud, stay. – **2.** *pl.* ⟨*ant*⟩ (*corde, cavi*) rigging, ropes *pl.*
☐ *-e di* **belvedere** mizzen-topgallant shrouds; ~ *di* **contromezzana** mizzen-topsail shroud; **imbrigliare** *le -e* to clew up sails; ~ *di* **maestra** main shroud; *-e* **maggiori** lower rigging; ~ *di* **mezzana** mizzen shroud; *-e* **minori** upper rigging; **mollare** *le -e* to heave out sails; ~ *di* **parrocchetto** fore-topsail shroud; ⟨*lett*⟩ **sciogliere** *le -e* to unfurl sails; ~ *di* **trinchetto** fore-shroud; *-e di* **velaccino** fore-topgallant shrouds.
sartiame *m.* **1.** ⟨*Mar*⟩ stays *pl*, shrouds *pl*, rigging. – **2.** ⟨*ant*⟩ (*insieme di corde e cavi*) rigging, cordage.
sartina (*dim. di sarta*) *f.* **1.** (*apprendista lavorante*) apprentice dressmaker. – **2.** (*sarta di modeste pretese*) dressmaker, seamstress.
sartiola (*dim. di sartia*) *f.* ⟨*Mar*⟩ shroud. ☐ *-e di* (*alberetto di*) *belvedere* jigger-topgallant rigging; *-e di* (*alberetto di*) *gran velaccio* topgallant rigging.
sarto *m.* (*f.* **-a**) **1.** tailor. – **2.** (*dirigente di sartoria*) couturier. ☐ ~ *da donna* ladies' tailor. – *Prov.*: *il* ~ *fa il mantello secondo il panno* cut your coat according to your cloth. – **sartore** *m.* (*f.* **-a**/**-essa**) ⟨*ant*⟩ → **sarto.** – **sartorello** *m.* (*f.* **-a**) ⟨*region*⟩ *dim. di* **sartore.**
sartoria *f.* **1.** (*laboratorio*: *di sarto*) tailor's (workshop); (*di sarta*) dressmaker's (workshop): *aprire una* ~ to open a tailor's (*o* dressmaker's). – **2.** (*arte, tecnica*: *per uomo*) tailoring; (*per donna*) dressmaking, tailoring; (*per alta moda*) couture. – **3.** (*complesso di sarti*) tailors *pl*; (*complesso di sarte*) dressmakers *pl.* – **sartoriale** *a.* (*da sarto*) sartorial, tailor's, tailoring-; (*da sarta*) dressmaking-.
sartorio *m.* ⟨*Anat*⟩ sartorius.
sartorite *f.* ⟨*Min*⟩ sartorite.
sartotecnica *f.* (*da uomo*) tailoring, tailor's art (*o* craft); (*da donna*) dressmaking, tailoring. – **sartucolo** *m.* (*f.* **-a**) ⟨*spreg*⟩ *dim. di* **sarto.**
sasanide *a.* ⟨*Archeol,Stor*⟩ Sas(s)anian, Sassanid(e). – **sasanidi** *m.pl.* ⟨*Stor*⟩ Sassanids *pl*, Sas(s)anians *pl.*
sassà *m.* ⟨*Zool*⟩ (*oreotrago*) klipspringer (*Oreotragus*).
sassafrasso *m.* → **sassofrasso.**
sassaia *f.* **1.** heap of stones; (*luogo sassoso*) stony place. – **2.** (*riparo*) barrier of stones, stone shoring.
sassaiola *f.* hail (*o* volley) of stones; (*battaglia*) fight with stones.
sassaiolo: *colombo* ~ → **sassetto**[2].
sassanide *a.* → **sasanide.** – **sassanidi** *m.pl.* → **sasanidi.**
sassata *f.* blow from a stone. ☐ *fare a -e* to throw stones; *prendere qd. a -e* to throw stones at s.o., to pelt s.o. with stones; *tirare una* ~ *a qd.* to throw stones (*o* a stone) at s.o.; *uccidere qd. a -e* to stone s.o. to death.
sassefrica *f.* ⟨*Bot*⟩ **1.** goat's-beard (*Tragopogon pratensis*). – **2.** salsify, oyster-plant (*Tragopogon porrifolius*).
sassella *m.inv.* ⟨*Enol*⟩ kind of wine.
sassello *m.* ⟨*Ornit*⟩ redwing, red-winged thrush (*Turdus musicus*).
sasseo *a.* ⟨*lett*⟩ **1.** (*di sasso*) stone-, rock-. – **2.** (*simile a sasso*) stone-like. – **sasseto** *m.* ⟨*non com*⟩ → **sassaia.**
sassetto[1] (*dim. di sasso*) *m.* small stone, pebble.
sassetto[2] *m.* ⟨*Ornit*⟩ (*colombo torraiolo*) rock-pigeon (*Columba livia*).
sassicola: ~ *mora* → **saltimpalo.**
sassicolo *a.* saxicolous, saxicoline.
sassifraga *f.* ⟨*Bot*⟩ saxifrage, breakstone (*Saxifraga*). ☐ ~ *sempreviva* saxifrage (*Saxifraga aizoon*). – **sassifragacee** *f.pl.* saxifrage family (*Saxifragaceae*). – **sassifragia** *f.* (*pl.* **-gie**) ⟨*ant*⟩ → **sassifraga.**
sasso *m.* **1.** stone: *tirare un* ~ to throw a stone; (*ciottolo*) pebble; (*roccia*) rock. – **2.** (*macigno, masso*) (block of) rock, boulder. – **3.** ⟨*lett*⟩ (*rupe, parete rocciosa*) rock-face, rock-wall; (*monte scosceso*) (bare) mountain, crag, rock; (*vetta*) rocky peak. – **4.** ⟨*fig*⟩ (*persona insensibile*) stony-hearted person. – **5.** ⟨*poet*⟩ (*pietra tombale*) tombstone, gravestone; (*pietra incisa, lavorata*) carved stone.
☐ *gettar -i in* **colombaia** = *gettar sassi in* **piccionaia**; *far* **compassione** *ai -i* = *far* **piangere** *i sassi*; **di** ~ stone-, of stone; ⟨*fig*⟩ *essere di* ~ (*insensibile*) to be made of stone (*o* flint), to be stony-hearted (*o* hard-hearted); **duro** *come un* ~ as hard as rock; ⟨*fig*⟩ **gettare** *il* ~ *e nascondere la mano* to attack ⌜from hiding⌝ (*o* under cover); ⟨*fig*⟩ *far* **piangere** *i -i*: 1. (*rif. a cose compassionevoli*) to melt a heart of stone; 2. (*rif. a situazioni penose*) to make one weep; ⟨*fig*⟩ *gettar -i in* **piccionaia** to foul one's own nest; **pieno** *di -i* stony; *far* **pietà** *ai -i* = *far* **piangere** *i sassi*; ⟨*fig*⟩ **restare** *di* ~ to be astounded (*o* dumbfounded).
sassofonista *m./f.* ⟨*Mus*⟩ saxophonist. – **sassofono** *m.* ⟨*Mus*⟩ **1.** (*strumento*) saxophone, ⟨*fam*⟩ sax. – **2.** (*sonatore*) → **sassofonista.**
☐ ~ *baritono* baritone saxophone; ~ *basso* bass saxophone; ~ *contralto* alto saxophone; ~ *soprano* soprano saxophone; ~ *tenore* tenor saxophone.
sassofrasso *m.* ⟨*Bot*⟩ sassafras (*Sassafras albidum*; *Sassafras officinale*). ☐ *olio essenziale di* ~ sassafrasoil.
sassola *f.* ⟨*Mar*⟩ bailer, bailing-scoop.
sassolino[1] (*dim. di sasso*) *m.* pebble, small stone.
sassolino[2] *m.* **1.** ⟨*Min*⟩ → **sassolite.** – **2.** (*liquore*) kind of anisette.
sassolite *f.* ⟨*Min*⟩ sassolite, sassolin.
sassone I *a.* Saxon. – **II** *s.m.* **1.** (*dialetto*) Saxon. – **2.** ⟨*Stor*⟩ (*lingua*) Old Saxon. – **3.** *m./f.* (*abitante*) Saxon. – **Sassonia** *N.pr.f.* ⟨*Geog*⟩ Saxony. ☐ *alta* ~ Upper Saxony; ~ *inferiore* (*bassa Sassonia*) Lower Saxony.
sassoniano I *a.* ⟨*Geol*⟩ Saxonian. – **II** *s.m.* Saxonian.
sassoso *a.* stony: *strada -a* stony road.
Satan *N.pr.m.* ⟨*ant*⟩ → **Satana.** – **Satana** *N.pr.m.* ⟨*Bibl*⟩ Satan. – **Satanasso** *N.pr.m.* ⟨*pop*⟩ → **Satana.** – **satanasso** *m.* **1.** (*persona violenta*) fiend, ⟨*pop*⟩ hell-raiser; (*persona prepotente*) bully, overbearing person. – **2.** (*persona dinamica*) dynamic person. – **3.** (*ragazzo sfrenato*) ⟨*fam*⟩ live wire, little devil (*o* imp). – **4.** ⟨*Zool*⟩ satan monkey (*Pithecia satanas*). ☐ *gridare come un* ~ to shout (*o* yell) like a madman.
sataneggiare *v.i.* (**sataneggio, sataneggi**; *aus.* **avere**) ⟨*rar*⟩ to write in the spirit of the Satanic school.
satanico *a.* (*pl.* **-ci**) **1.** satanic. – **2.** ⟨*estens*⟩ (*perfido, diabolico*) satanic, diabolic(al), devilish, fiendish: *ghigno* ~ devilish grin. – **3.** ⟨*Lett*⟩ Satanic: *scuola -a* Satanic school. – **satanismo** *m.* **1.** (*culto*) satanism. – **2.** ⟨*estens*⟩ (*malvagità*) devilry. – **3.** ⟨*Lett*⟩ Satanism.
Satanno *N.pr.m.* ⟨*ant*⟩ → **Satana.**
satellite I *s.m.* **1.** ⟨*Astr*⟩ satellite, moon. – **2.** ⟨*Astron*⟩ satellite: ~ *artificiale* artificial satellite. – **3.** ⟨*Pol*⟩ (*stato satellite*) satellite, satellite country (*o* state). – **4.** (*centro urbano*) satellite (town). – **5.** ⟨*estens*⟩ (*seguace*) follower, satellite, henchman. – **6.** ⟨*Biol*⟩ satellite, trabant. – **7.** ⟨*Aut*⟩ planetary gear, planet wheel. – **8.** ⟨*non com*⟩ (*sbirro, sgherro*) policeman. – **9.** ⟨*ant*⟩ (*guardia del corpo*) bodyguard. – **II** *a.* satellite-, satellitic.
☐ ~ **abitato** inhabited satellite; ~ **lunare** moon (*o* lunar) satellite; ~ **meteorologico** meteorological satellite; **pallone** ~ satellite balloon; ~ *di* **ricognizione** reconnaissance satellite; ~ **scientifico** scientific satellite; ~ **solare** solar satellite; ~ **sonda** (satellite) probe; ~ *per* **telecomunicazioni** telecommunications satellite; ~ **terrestre** earth satellite; ⟨*Rad,TV*⟩ *collegamento* **via** ~ link-up via satellite.
satellizio *m.* ⟨*ant*⟩ **1.** (*seguaci*) followers *pl*, satellites *pl*, henchmen *pl.* – **2.** (*sbirri*) police(men) *pl.* – **3.** (*guardie del corpo*) bodyguards *pl.*
satellizzare *v.t.* ⟨*Pol*⟩ to make a satellite of, to make into a satellite.
satelloide *m.* ⟨*Astron*⟩ satelloid.
satem: ⟨*Ling*⟩ *lingue* ~ satem languages.
satin *fr.* [sa'tɛ̃] *m.* ⟨*Tess*⟩ satin. ☐ *di* ~ satin-: *fodera di* ~ satin lining; ⟨*Bot*⟩ *legno* ~ satinwood.
satina *f.* ⟨*tecn*⟩ glazing-machine, calender. – **satinare** *v.t.* to glaze, to gloss, to calender, to satin. – **satinato** (*p.p. di satinare*) *a.* glazed, glossed. – **satinatore** *m.* (*f.* **-trice**) calenderer, calender operator (*o* man). – **satinatrice** *f.* **1.** (*operaia*) (woman) calender operator. – **2.** (*macchina*) calender. – **satinatura** *f.* **1.** (*atto*) glazing. – **2.** (*effetto*) glaze.
satinella *f.* ⟨*Tess*⟩ silk (for linings).
satira *f.* **1.** ⟨*Lett*⟩ satire; (*complesso di componimenti satirici*) satire, satirical writing(s): ~ *classica* classical satire. – **2.** (*il satireggiare*) satire. – **3.** (*carattere satirico*) satirical nature. – **4.** (*scritto, discorso satirico*) satire. ☐ *fare la* ~ *di qd.* to make a satire on s.o.; *mettere in* ~ *qd.* to satirize s.o.; *fare qd. oggetto di* ~ to make s.o. an object of satire. – **satireggiare** *v.* (**satireggio, satireggi**) **I** *v.t.* to satirize, to lampoon: ~ *un vizio* to satirize a vice. – **II** *v.i.* (*aus.* **avere**) **1.** ⟨*Lett*⟩ to write satires. – **2.** (*fare della satira*) to be satirical.
satiresco[1] *a.* (*pl.* **-chi**) ⟨*lett*⟩ → **satirico**[2].

satiresco[2]: *dramma* ~ satyr play.

satiretto *m. dim. di* **satiro**[1].

satiriasi *f.* **1.** ⟨*Psic*⟩ satyriasis. – **2.** ⟨*ant*⟩ (*lebbra*) leprosy.

satirica *f.* ⟨*Lett*⟩ satire. – **satiricamente** *avv.* satirically.

satirico[1] *a./s.* (*pl.* **-ci**) **I** *a.* **1.** ⟨*Lett*⟩ satiric, satirical: *poesia -a* satiric poetry; (*che ha carattere di satira*) satirical, satiric: *opera -a* satirical work. – **2.** (*di scherno*) satirical: *tono* ~ satirical tone. – **II** *s.m.* satirist.

satirico[2] *a.* (*pl.* **-ci**) ⟨*ant,rar*⟩ (*di, da satiro*) satyr-like, of a satyr.

satiridi *m.pl.* ⟨*Entom*⟩ satyrids *pl*, satyrs *pl* (*Satyridae*).

satirione *m.* ⟨*Bot*⟩ stinkhorn, carrion fungus (*Phallus impudicus*).

satirisco *m.* (*pl.* **-chi**) ⟨*ant*⟩ (*piccolo satiro*) small satyr.

satirizzare *v.* ⟨*non com*⟩ → **satireggiare**.

satiro[1] *m.* **1.** ⟨*Mitol*⟩ satyr. – **2.** ⟨*fig*⟩ (*persona lasciva*) satyr, goat, lecher. – **3.** ⟨*fig,non com*⟩ (*dongiovanni*) libertine, rake, Don Juan. – **4.** ⟨*fig,ant*⟩ (*uomo rozzo*) lout, boor.

satiro[2] *m.* ⟨*ant*⟩ → **satirografo**. – **satirografo** *m.* ⟨*Lett*⟩ satirist.

satisfare *v.t.* (**satisfaccio, satisfai; satisfeci, satisfatto**; → **fare**) ⟨*ant*⟩ (*soddisfare*) to satisfy. – **satisfattorio** *a.* **1.** ⟨*ant*⟩ (*soddisfattorio*) satisfactory. – **2.** ⟨*Dir*⟩ (*liberatorio*) redeeming, releasing. – **satisfazione** *f.* ⟨*ant*⟩ (*soddisfazione*) satisfaction.

sativo *a.* ⟨*lett*⟩ **1.** (*seminabile*) sowable. – **2.** (*coltivato*) cultivated, sown.

satolla *f.* ⟨*tosc*⟩ (*scorpacciata*) feed, ⟨*fam*⟩ blow-out, ⟨*fam*⟩ bellyful. – **satollamento** *m.* ⟨*lett*⟩ (*il satollare*) satisfying, filling up; (*il satollarsi*) stuffing o.s., gorging. – **satollare** *v.t.* (**satollo**) to satisfy, to fill (up), to surfeit. – **satollarsi** *v.r.* to stuff (*o* cram, glut, gorge) o.s. (*di* with), to fill up (on), to eat one's fill (of). – **satollato** (*p.p. di satollare*) *a.* ⟨*non com*⟩ → **satollo**. – **satollezza** *f.* ⟨*ant*⟩ (*sazietà*) satiety, repletion, satisfaction. – **satollo** *a.* **1.** (*sazio*) full (up), sated, satiated, replete, glutted, satisfied. – **2.** ⟨*fig,ant*⟩ (*soddisfatto*) satisfied, content (*di* with).

satrapa, satrape *m.* ⟨*poet*⟩ → **satrapo**. – **satrapessa** *f.* **1.** ⟨*Stor*⟩ satrapess; (*moglie di un satrapo*) wife of a satrap. – **2.** ⟨*fig*⟩ (*donna autoritaria*) authoritative woman. – **satrapia** *f.* ⟨*Stor*⟩ **1.** (*circoscrizione*) satrapy. – **2.** (*carica*) satrapy. – **satrapico** *a.* (*pl.* **-ci**) of a satrap, satrapal. – **satrapo** *m.* **1.** ⟨*Stor*⟩ satrap. – **2.** ⟨*fig*⟩ (*persona autoritaria*) authoritarian, petty despot. □ ⟨*fig*⟩ *fare il* ~ to lord it.

saturabile *a.* saturable. – **saturabilità** *f.* saturability, capacity for saturation. – **saturare** *v.t.* (**saturo**) **1.** ⟨*Fis,Chim*⟩ to saturate. – **2.** ⟨*fig*⟩ (*riempire*) to saturate, to fill, to stuff, to cram: ~ *la mente di nozioni* to cram one's head with notions. – **3.** ⟨*ant*⟩ (*saziare*) to satisfy, to satiate. – **saturarsi** *v.r.* **1.** ⟨*Fis,Chim*⟩ to be saturated. – **2.** ⟨*fig*⟩ (*riempirsi*) to be filled (*o* saturated). – **3.** ⟨*ant*⟩ (*saziarsi*) to be satiated (*o* sated). – **saturato** (*p.p. di saturare*) *a.* → **saturo**. – **saturatore** *m.* (*f.* **-trice**) ⟨*Fis,Chim*⟩ saturator.

saturazione *f.* ⟨*Chim,Fis,Econ*⟩ saturation.
□ ⟨*El*⟩ **corrente** *di* ~ saturation current; ⟨*Chim,Fis*⟩ **giungere** *a* ~ to reach saturation point; ⟨*fig*⟩ *essere giunto a* ~ to have reached the point of saturation; ⟨*Chim*⟩ **grado** *di* ~ degree of saturation; ⟨*Fis*⟩ ~ **magnetica** magnetic saturation; ⟨*Econ*⟩ ~ *del* **mercato** saturation of the market; ⟨*Chim,Fis*⟩ **portare** *a* ~ to bring to saturation point; ⟨*Econ*⟩ ~ *della* **potenzialità** *produttiva* saturation of productivity potential; ⟨*Chim,Fis*⟩ **punto** *di* ~ saturation point (*anche fig.*).

satureia *f.* ⟨*Bot*⟩ summer savory (*Satureia hortensis*).

saturnale *a.* ⟨*Mitol*⟩ of Saturn, Saturnian. – **saturnali** *m.pl.* **1.** ⟨*Stor. rom*⟩ Saturnalia *pl* (*costr. sing. o pl.*). – **2.** ⟨*fig*⟩ (*festa sfrenata*) saturnalia *pl* (*costr. sing. o pl.*), orgy.

saturniano I *a.* ⟨*Astr*⟩ Saturnian. – **II** *s.m.* (*abitante di Saturno*; *f.* **-a**) Saturnian.

saturnidi *m.pl.* ⟨*Entom*⟩ saturniids *pl* (*Saturniidae*).

saturnino *a.* **1.** ⟨*Astr*⟩ Saturnian, of Saturn. – **2.** ⟨*Med*⟩ lead, saturnine. – **3.** ⟨*ant*⟩ (*triste*) gloomy, saturnine.

saturnio I *a.* **1.** ⟨*Mitol*⟩ of Saturn, Saturn's, Saturnian; (*sacro a Saturno*) Saturnian. – **2.** ⟨*Metr*⟩ Saturnian. – **II** *s.m.* **1.** ⟨*Metr*⟩ Saturnian (verse). – **2.** (*poesia*) poem in Saturnian verse.

saturnismo *m.* ⟨*Med*⟩ saturnismus, lead poisoning.

saturnità *f.* ⟨*lett*⟩ (*tristezza*) gloom, saturnity. – **saturno** *m.* **1.** ⟨*Alchim*⟩ (*piombo*) lead, ⟨*ant*⟩ saturn. – **2.** ⟨*ant*⟩ (*persona triste*) saturnine (*o* gloomy) person.

Saturno *N.pr.m.* ⟨*Mitol,Astr*⟩ Saturn.

saturo *a.* **1.** ⟨*Fis,Chim*⟩ saturated. – **2.** ⟨*fig*⟩ full (*di* of), saturated, charged, crammed (with): ~ *d'odio* full of hatred, hate-filled. – **3.** ⟨*fig*⟩ (*sazio*) satiated, sated. □ ⟨*fig*⟩ ~ *di elettricità* charged with electricity.

saudiano *a./s.* → **saudita**. – **saudita I** *a.* Saudi. – **II** *s.m./f.* (*abitante*) Saudi.

Saul, Saulle *N.pr.m.* ⟨*Bibl*⟩ Saul.

sauna *f.* **1.** sauna (bath). – **2.** (*locale*) sauna (bathhouse). □ *fare la* ~ to take a sauna (bath).

sauriasi *f.* ⟨*Med*⟩ sauriasis, ichthyosis.

sauro[1] **I** *a.* **1.** (*rif. a cavalli*) sorrel. – **2.** (*rif. a bovini*) yellowish brown, reddish, sorrel. – **II** *s.m.* **1.** (*cavallo*) sorrel. – **2.** *pl.* ⟨*Zool*⟩ saurians *pl* (*Sauria*). – **3.** *pl.* ⟨*Paleont*⟩ saurians *pl.* □ ~ *bruciato* burnt sorrel; ~ *chiaro* light sorrel; ~ *dorato* golden sorrel; ~ *isabella* isabella sorrel.

sauro[2] *m.* ⟨*Itt*⟩ (*sugherello*) horse-mackerel, scad (*Trachurus trachurus*).

sauroctono: ⟨*Mitol*⟩ *Apollo* ~ Apollo the lizard-killer.

saurodermia *f.* → **sauriasi**.

sauropodi *m.pl.* ⟨*Paleont*⟩ sauropods *pl* (*Sauropoda*).

sauropsidi *m.pl.* ⟨*Zool*⟩ sauropsids *pl*, sauropsid(i)ans *pl* (*Sauropsida*).

sauté *fr.* [so'te] *a.* ⟨*Gastr*⟩ sauté, sautéed: *patate sautées* sautéed potatoes.

Sava *N.pr.f.* ⟨*Geog*⟩ Sava.

savana *f.* savannah.

savarin *fr.* [sava'rɛ̃] *m.* ⟨*Dolc*⟩ savarin. – **savarino** *m.* → **savarin**.

savenella *f.* ⟨*Idr*⟩ drainage canal (*o* ditch).

savere *v./s.* ⟨*ant,region*⟩ → **sapere**.

Saverio *N.pr.m.* Xavier.

saviamente *avv.* wisely, prudently. – **savięzza** *f.* ⟨*non com*⟩ wisdom, prudence.

savio I *a.* **1.** (*assennato*) wise, prudent, sage, sensible, judicious: *una persona -a* a wise person. – **2.** (*giudizioso*) sensible, judicious: *è una ragazza -a per la sua età* she's a sensible girl for her age. – **3.** (*ponderato*) wise, sensible, judicious: *una -a decisione* a wise decision. – **4.** (*buono*) good, obedient: *fai il bambino* ~ be a good boy. – **5.** ⟨*ant*⟩ (*sapiente*) wise, sage; (*dotto*) learned, skilled, expert. – **II** *s.m.* (*f.* **-a**) **1.** (*uomo saggio*) wise (*o* judicious) man; (*uomo sapiente*) wise (*o* learned) man, sage. – **2.** (*bambino giudizioso*) sensible child; (*bambino buono*) good child. – **3.** *pl.* ⟨*Stor*⟩ the wise (*costr. pl.*): *il consiglio dei Savi* the council of the Wise. □ ⟨*Teol*⟩ ~ *in decretali* theological adviser; *fare il* ~ to be good, to behave sensibly.

Savoia I *N.pr.f.* ⟨*Geog*⟩ Savoy. – **II** *a.* of Savoy, Savoy-. – **savoiardo I** *a.* of Savoy, Savoyard. – **II** *s.m.* **1.** (*dialetto*) Savoyard dialect. – **2.** (*abitante*; *f.* **-a**) Savoyard. – **3.** ⟨*Dolc*⟩ savoy biscuit (*o* cake, finger).

savonarola *f.* ⟨*Arred*⟩ Savonarola chair.

savonetta *f.* ⟨*region*⟩ → **saponetta**.

savonina *f.* ⟨*Bot*⟩ **1.** (*valeriana rossa*) red valerian (*Centranthus ruber*). – **2.** (*saponaria*) soapwort (*Saponaria officinalis*).

savore *m.* ⟨*region*⟩ **1.** ⟨*Gastr*⟩ spicy walnut sauce. – **2.** ⟨*ant*⟩ (*sapore*) taste, flavour. □ ⟨*Gastr*⟩ *pesce in* ~ marinated fish.

savoreggia *f.* → **santoreggia**.

savoroso *a.* ⟨*ant*⟩ → **saporoso**.

savorra *f.* ⟨*ant*⟩ (*zavorra*) ballast.

sax (*accorc. di saxofono*) *m.* ⟨*Mus*⟩ saxophone, ⟨*fam*⟩ sax. – **saxhorn** *ingl.* ['sækshɔ:n] *m.* ⟨*Mus*⟩ saxhorn.

saxicolo *a.* ⟨*Biol*⟩ saxicolous.

saxideserto *m.* stony desert.

saxofonista *m./f.* → **sassofonista**. – **saxofono** *m.* → **sassofono**.

saziabile *a.* ⟨*non com*⟩ satiable, that may be satisfied (*anche fig.*). – **saziabilità** *f.* ⟨*non com*⟩ satiability. – **saziamento** *m.* ⟨*ant*⟩ sating.

saziare *v.* (**sazio, sazi**) **I** *v.t.* **1.** (*soddisfare il desiderio di cibo e sim.*) to satisfy, to satiate, to sate: ~ *la fame* to satisfy hunger. – **2.** (*rendere sazio*) to satiate, to sate, to satisfy: ~ *un affamato* to satiate a hungry man. – **3.** (*soddisfare fino alla nausea*) to satiate, to surfeit, to glut, to cloy. – **4.** ⟨*fig*⟩ (*appagare*) to appease, to sate, to satisfy: ~ *il desiderio di vendetta* to sate the desire for vengeance. – **5.** ⟨*fig*⟩ (*annoiare*) to weary, to bore, to cloy. – **II** *v.i.* (*aus.* **avere**) **1.** to satisfy: *un cibo che sazia* food that satisfies; (*riempire presto*) to be filling, to fill up: *questo piatto sazia subito* this dish is very filling. – **2.** ⟨*fig*⟩ (*annoiare*) to be boring (*o* wearisome), to cloy. – **saziarsi** *v.r.* **1.** to fill (o.s.) up, to be satisfied, to have (*o* eat) one's fill. – **2.** ⟨*fig*⟩ to have ⌜one's fill⌝ (*o* too much), to be satisfied; (*stancarsi*) to tire, to be (*o* grow) tired, to weary (*di* of), to get fed up (with): *non mi sazierò mai di sentire questa musica* I shall never tire (*o* get tired) of listening to this music.

sazietà *f.* **1.** satiety, enough, one's fill (*anche fig.*): ~ *di cibo* one's fill of food; ~ *degli onori* enough of honour. – **2.** (*disgusto*) satiety, surfeit, weariness: ~ *di piaceri* surfeit of pleasures. □ *a* ~: 1. all one wants, to overflowing, to repletion, to bursting, ⟨*fam*⟩ fit to burst: *mangiare a* ~ to eat ⌜to repletion⌝ (*o* one's fill), to eat till one is fit to burst; 2. ⟨*fig*⟩ all one wants, more than enough, to repletion (*o* overflowing), to the point of nausea: *qui di sole ce n'è a* ~ there's all the sun one wants here; *avere soldi a* ~ to have all the money one wants, ⟨*fam*⟩ to be rolling in money.

sazievole *a.* ⟨*lett*⟩ **1.** (*stucchevole*) cloying. – **2.** (*saziabile*) satiable, easily satisfied. – **3.** ⟨*fig*⟩ (*noioso*) wearisome, tiring. – **sazievolezza** *f.* ⟨*lett*⟩ **1.** cloyingness. – **2.** (*senso di sazietà*) satiety, surfeit. – **sazievolmente** *avv.* ⟨*lett*⟩ **1.** cloyingly. – **2.** ⟨*fig*⟩ wearisomely.

sazio *a.* **1.** satisfied, full up, satiated, sated: *sentirsi* ~ to feel satisfied, to have had enough (to eat). – **2.** ⟨*fig*⟩ sated, satiated; (*stufo*) tired, weary, ⟨*fam*⟩ fed up, ⟨*fam*⟩ sick: *sono* ~ *di questa musica* I'm sick of this music. – **3.** ⟨*ant*⟩ (*pago, soddisfatto*) satisfied.

Sb = ⟨*Chim*⟩ *antimonio* antimony.

sbaccanare *v.i.* (*aus.* **avere**) ⟨*pop*⟩ to make a row, ⟨*fam*⟩ to kick up a shindy.

sbaccellare *v.t.* (**sbaccello**) to shell: ~ *i fagioli* to shell the beans. – **sbaccellatura** *f.* shelling.

sbacchettare *v.t.* (**sbacchetto**) ⟨*non com*⟩ to beat: ~ *i tappeti* to beat the carpets. – **sbacchettata, sbacchettatura** *f.* ⟨*non com*⟩ beating: *dare una buona* ~ *a qc.* to give s.th. a good beating.

sbacchiare *v.t.* (**sbacchio, sbacchi**) ⟨*tosc*⟩ (*sbattere violentemente*) to throw, to sling, to hurl; (*rif. a una porta*) to bang, to slam.

sbaciucchiamento *m.* (*lo sbaciucchiare*) repeated kissing; (*lo sbaciucchiarsi*) repeated kissing, ⟨*fam*⟩ smooching, ⟨*fam*⟩ necking. –

ṣbaciucchiạre *v.t.* (**ṣbaciụcchio, ṣbaciụcchi**) to kiss repeatedly. – **sbaciucchiarsi** *v.r.* ⟨*recipr*⟩ to kiss e.o. repeatedly, ⟨*fam*⟩ to smooch, ⟨*fam*⟩ to neck. – **ṣbaciucchịo** *m.* ⟨*non com*⟩ repeated kissing. – **ṣbaciucchiọne** *m.* (*f.* **-a**) ⟨*non com*⟩ kisser, ⟨*fam*⟩ smoocher.

ṣbadacchiạre *v.t.* (**ṣbadạcchio, ṣbadạcchi**) ⟨*Edil,Minier*⟩ to prop, to shore up. – **ṣbadacchiatụra** *f.* propping, shoring (up). – **ṣbadạcchio** *m.* stull, prop, shore.

ṣbadatạggine *f.* **1.** (*l'essere sbadato*) carelessness, heedlessness, thoughtlessness. – **2.** ⟨*concr*⟩ carelessness, inadvertent blunder. – **ṣbadatamẹnte** *avv.* carelessly, heedlessly, without thinking. – **ṣbadạto I** *a.* careless, heedless, thoughtless. – **II** *s.m.* (*f.* **-a**) careless (*o* thoughtless) person, scatter-brain. – **ṣbadatọne** *m.* (*f.* **-a**) *accr. di* **sbadato**.

ṣbadigliamẹnto *m.* ⟨*non com*⟩ **1.** (*lo sbadigliare*) yawning. – **2.** (*serie di sbadigli*) (continual) yawning, the yawns *pl.* – **ṣbadigliạnte** (*p.pr. di sbadigliare*) *a.* ⟨*non com*⟩ yawning. – **ṣbadigliạre** *v.* (**ṣbadịglio, ṣbadịgli**) **I** *v.i.* (*aus.* **avere**) to yawn: ~ *in faccia a qd.* to yawn in s.o.'s face. – **II** *v.t.* ⟨*lett*⟩ to do in a bored way, to yawn one's way through. – **ṣbadigliarẹlla** *f.* ⟨*fam*⟩ (*serie di sbadigli*) yawning, fit of yawning, the yawns *pl.* – **ṣbadigliạto** (*p.p. di sbadigliare*) *a.* ⟨*non com*⟩ bored, done without interest. – **ṣbadịglio** *m.* yawn. □ ⟨*fam*⟩ *una compagnia che è tutto uno* ~ a boring (*o* tedious) group of people; *fare uno* ~ to (give a) yawn.

ṣbadịre *v.t.* (**ṣbadịsco, ṣbadịsci**) ⟨*tecn*⟩ to unrivet, to remove rivets from.

ṣbafạre *v.t.* ⟨*fam*⟩ **1.** (*mangiare avidamente*) to gobble up, to devour, to gulp down, to wolf: *si è sbafato in un attimo tutta la torta* he gobbled up the whole cake in no time. – **2.** (*mangiare a ufo*) to sponge, to cadge, ⟨*fam*⟩ to scrounge, ⟨*fam*⟩ to freeload: *noi spendiamo e lui sbafa* we pay and he sponges. – **ṣbafạta** *f.* **1.** (*scorpacciata*) feed, feast, ⟨*fam*⟩ blow-out, ⟨*fam*⟩ bellyful. – **2.** (*mangiata a spese altrui*) free meal. – **ṣbafatọre** *m.* (*f.* **-trice**) **1.** (*mangione*) glutton, ⟨*fam*⟩ hog, ⟨*fam*⟩ pig. – **2.** (*scroccone*) sponge(r), ⟨*fam*⟩ scrounge(r), ⟨*fam*⟩ freeloader.

ṣbạffo *m.* smear, smudge, mark: *una lettera piena di -i* a letter full of smudges.

ṣbạfo *m.* ⟨*non com*⟩ sponging, cadging, ⟨*fam*⟩ scrounging. □ *a* ~ without paying, by scrounging (*o* cadging), ⟨*fam*⟩ (for) free; *mangiare a* ~ to have a free feed, to scrounge a meal; *entrare a* ~ *in un cinema* to get into a cinema without paying, to see a film for free; *vivere a* ~ to scrounge a living, to live by scrounging.

ṣbagliạre *v.* (**ṣbạglio, ṣbạgli**) **I** *v.i.* (*aus.* **avere**) **1.** to make ⌜a mistake⌝ (*o* mistakes), to commit an error, to be wrong (*o* mistaken), to err: ~ *nel copiare* to make a mistake in copying; *tutti possono* ~ everybody can make mistakes; *potrei* ~ I may be wrong. – **2.** (*cadere in un equivoco*) to make a mistake, to be wrong, to get things wrong, to misunderstand. – **3.** (*comportarsi in modo non opportuno*) to be (*o* do) wrong, to act wrongly: *hai sbagliato ad agire così* you were wrong to do that. – **4.** (*commettere una colpa morale, errare*) to do wrong, to err. – **II** *v.t.* **1.** (*mancare, fallire*) to miss, to do (*o* make) ... wrong: *il giocatore ha sbagliato il tiro* the player missed his shot; ~ *la mira* to miss one's aim. – **2.** (*fare un errore*) to make ⌜a mistake⌝ (*o* mistakes), to mistake, to miss, *spesso si traduce con un verbo specifico e* wrong(ly) *o* incorrectly: ~ *l'ortografia* to spell a word incorrectly; ~ *l'accento di una parola* to put the wrong stress on a word. – **3.** (*scambiare*) to mistake, to get wrong: *ho sbagliato numero* I've got the wrong number; ~ *una persona con un'altra* to mistake (*o* take) s.o. for s.o. else. – **4.** (*non scegliere bene*) to choose ... wrong: ~ *mestiere* to choose the wrong job. – **sbagliarsi** *v.r.* to be mistaken (*o* wrong): *se non mi sbaglio, ci siamo già incontrati* if I'm not mistaken we have met before. □ ~ *i calcoli*: 1. to miscalculate; 2. ⟨*fig*⟩ to make a big mistake, to be very much mistaken, to miscalculate: *se conti sul mio aiuto, hai sbagliato i calcoli* if you're counting on my help you're making a big mistake; *sbagliarsi sul conto di qd.* to be wrong about s.o.; ~ *di molto* (*o grosso*) to be very wrong; ~ *momento* to choose (*o* do s.th. at) the wrong time; ~ *il passo*: 1. to put a foot wrong, to trip, to stumble, to miss a step; 2. ⟨*Mil*⟩ to be (*o* get) out of step. – *Prov.*: *sbagliando s'impara* we learn from our mistakes; *sbaglia anche il prete all'altare* nobody is infallible, anybody can make a mistake. || ⟨*fam*⟩ *sbagliarla* (*ingannarsi*) to be mistaken, to have (*o* get) it wrong; *sbagliarla di grosso* to be quite wrong, to be making a big mistake.

ṣbagliạto (*p.p. di sbagliare*) *a.* **1.** badly done, full of mistakes: *un lavoro* ~ a badly done job. – **2.** (*non conforme alle regole*) wrong, incorrect, erroneous: *pronuncia -a* wrong pronunciation, mispronunciation. – **3.** (*erroneo*) wrong, mistaken, erroneous, incorrect: *opinione -a* wrong (*o* mistaken) opinion. – **4.** (*inopportuno*) wrong: *hai scelto il momento* ~ you have chosen the wrong time.

ṣbạglio *m.* **1.** mistake, error: *commettere uno* ~ to make a mistake, to commit an error; ~ *d'ortografia* spelling mistake; (*sbaglio grossolano, grave*) blunder. – **2.** (*equivoco, svista*) mistake: *deve esserci uno* ~ there must be some mistake; *per* ~ by mistake. – **3.** (*colpa, mancanza morale*) mistake, error; (*passo falso*) slip, lapse, wrong step.

ṣbaionettạre *v.t.* (**ṣbaionẹtto**) ⟨*rar*⟩ **1.** to (stab with a) bayonet. – **2.** ⟨*assol*⟩ (*tirare colpi di baionetta*) to thrust wildly with a bayonet.

ṣbaldanzịre *v.* (**ṣbaldanzịsco, ṣbaldanzịsci**) ⟨*ant*⟩ **I** *v.i.* (*aus.* **essere**) (*scoraggiarsi*) to lose heart, to be disheartened. – **II** *v.t.* (*scoraggiare*) to dishearten, to demoralize. – **ṣbaldanzịto** (*p.p. di sbaldanzire*) *a.* ⟨*ant*⟩ (*scoraggiato*) disheartened, demoralized.

ṣbaldịre *v.i.* (**ṣbaldịsco ṣbaldịsci**; *aus.* **essere**) ⟨*ant*⟩ (*provare grande gioia*) to rejoice.

ṣbalestramẹnto *m.* upset, lack of balance, tension, strain: ~ *dovuto a una giornata agitata* strain of a busy day.

ṣbalestrạre *v.* (**ṣbalẹstro**) **I** *v.t.* **1.** (*turbare*) to upset, to unsettle: *la notizia lo ha sbalestrato* the news has upset him. – **2.** (*porre in difficoltà economiche*) to upset, to put into financial difficulties. – **3.** (*trasferire bruscamente*) to send (off), to transfer: ~ *un impiegato in una cittadina di provincia* to transfer an employee to a small town in the provinces. – **4.** (*scagliare*) to hurl, to fling: *il vento sbalestrò la barca contro gli scogli* the wind hurled the boat against the rocks. – **5.** ⟨*rar*⟩ (*tirare con la balestra*) to shoot with a crossbow. – **6.** ⟨*rar*⟩ (*spostare*) to move, to shift. – **II** *v.i.* (*aus.* **avere**) **1.** ⟨*ant*⟩ (*sbagliare tirando con la balestra*) to miss. – **2.** ⟨*fig*⟩ (*dire cose inesatte*) to blather, ⟨*fam*⟩ to waffle; (*divagare*) to miss (*o* go off) the point; (*sbagliare*) to make a mistake, to go wrong. – **3.** (*rif. ad animali*: *sbalestrare le gambe*) to dish. – **sbalestrarsi** *v.r.* **1.** (*sbilanciarsi*) to be unwary (*o* imprudent). – **2.** (*rovinarsi economicamente*) to go bankrupt, to be ruined financially.

ṣbalestrạto (*p.p. di sbalestrare*) **I** *a.* **1.** (*non equilibrato*) unsettled, unbalanced; (*sfrenato*) reckless, wild. – **2.** ⟨*fig*⟩ (*spaesato*) bewildered, lost, upset, ill at ease. – **3.** (*dissestato*) ruined, in financial difficulties. – **II** *s.m.* (*f.* **-a**) **1.** (*squilibrato*) unsettled person, drifter. – **2.** (*persona in difficoltà finanziarie*) person in financial difficulties.

ṣballamẹnto *m.* ⟨*non com*⟩ unpacking.

ṣballạre I *v.t.* **1.** to unpack, to unbale: ~ *la merce* to unpack the goods. – **2.** ⟨*fam*⟩ (*dire cose incredibili*) to tell, to talk: ~*fandonie* to tell stories (*o* fibs), to talk nonsense. – **II** *v.i.* (*aus.* **essere**) **1.** (*nei giochi*) to go over, ⟨*fam*⟩ to bust. – **2.** ⟨*fig*⟩ (*uscire dai limiti*) to go too far. – **3.** ⟨*pop*⟩ (*morire*) to die, ⟨*fam*⟩ to kick the bucket. □ ⟨*fam*⟩ *sballarle grosse* to tell tall (*o* cock-and-bull) stories, ⟨*fam*⟩ to talk big, ⟨*fam*⟩ to shoot a line; ⟨*pop*⟩ *in questo negozio sballano* ⌜*certi prezzi*⌝ (*o certe cifre*) this shop certainly charges fancy prices.

ṣballạto (*p.p. di sballare*) *a.* **1.** unpacked, unbaled: *merci -e* unpacked goods. – **2.** ⟨*fig*⟩ (*avventato, campato in aria*) wild, unfounded, groundless, exaggerated, fanciful: *un'idea -a* a wild idea. – **3.** ⟨*non com*⟩ (*confuso*) unsettled, unbalanced, deranged, disordered: *mente -a* deranged mind.

ṣballatụra *f.*, **ṣbạllo** *m.* unpacking, unbaling.

ṣballonạta *f.* ⟨*non com*⟩ (*fanfaronata*) tall (*o* cock-and-bull) story. – **ṣballọne** *m.* (*f.* **-a**) ⟨*non com*⟩ (*fanfarone*) teller of tall stories, fibber, romancer.

ṣballottamẹnto *m.* tossing, jerking, jolting. – **ṣballottạre** *v.t.* (**ṣballọtto**) to toss (about, up and down), to jerk, to jolt: *il mare agitato sballottava la nave* the rough sea tossed the ship about. – **sballottarsi** *v.r.* ⟨*recipr*⟩ to toss to e.o. – **ṣballottịo** *m.* (continual) tossing, jolting. – **ṣballottolạre** *v.* (**ṣballọttolo**) ⟨*non com*⟩ → **sballottare**.

ṣbalordimẹnto *m.* astonishment, wonder, amazement, bewilderment. – **ṣbalordịre** *v.* (**ṣbalordịsco, ṣbalordịsci**) **I** *v.t.* **1.** (*impressionare, turbare*) to shock, to stagger, to startle, to disconcert: *quel delitto ci sbalordì tutti* that crime shocked us all. – **2.** (*meravigliare*) to astonish, to amaze, to astound: *il giovane tenore ha sbalordito il pubblico* the young tenor astounded the audience. – **3.** ⟨*non com*⟩ (*stordire con il rumore*) to stun, to bewilder, to daze. – **4.** ⟨*non com*⟩ (*far perdere i sensi*) to stun, to knock unconscious. – **II** *v.i.* (*aus.* **avere**) **1.** (*turbarsi*) to be bewildered (*o* shocked), to be staggered (*a* by). – **2.** (*meravigliarsi*) to wonder, to marvel (*a* at), to be astounded (by). – **3.** (*restare stordito*) to be stunned (*o* bewildered, dazed). – **4.** ⟨*non com*⟩ (*restare tramortito*) to be unconscious. □ *da* ~ (*sbalorditivo*) astonishing, staggering, amazing.

ṣbalorditạggine *f.* **1.** (*sventatezza*) thoughtlessness, carelessness. – **2.** (*atto sventato*) carelessness, careless (*o* thoughtless) act, blunder.

ṣbalorditịvo *a.* **1.** amazing, astonishing, astounding, ⟨*fam*⟩ stunning: *una memoria -a* an amazing memory. – **2.** ⟨*enfat*⟩ (*incredibile, esagerato*) staggering, incredible: *prezzi -i* staggering (*o* exorbitant) prices.

ṣbalordịto (*p.p. di sbalordire*) **I** *a.* **1.** (*sbigottito*) staggered, disconcerted, dismayed; (*confuso*) stunned, bewildered, dazed: ~ *dal fracasso* stunned by the noise; (*sgomento*) (over)awed. – **2.** (*stupefatto*) astonished, amazed, astounded, dumbfounded, wondering: *espressione -a* amazed look. – **3.** (*sventato*) thoughtless, heedless, rash. – **II** *s.m.* (*f.* **-a**) heedless (*o* rash) person, madcap.

ṣbalorditọio *a.* ⟨*non com*⟩ → **sbalorditivo**.

ṣbaluginạre *v.i.* (**ṣbalụgino**; *aus.* **essere**) **1.** ⟨*non com*⟩ (*mandare bagliori*) to flash; (*luccicare*) to glitter, to sparkle. – **2.** ⟨*pop*⟩ (*capire*) to understand, to grasp, ⟨*fam*⟩ to get, ⟨*fam*⟩ to catch.

ṣbalzamẹnto *m.* ⟨*non com*⟩ **1.** (*atto*) throwing, hurling. – **2.** (*effetto*) throw.

ṣbalzạre[1] **I** *v.t.* **1.** to throw, to fling, to hurl: *il cavallo lo sbalzò di sella* the horse threw him (out of the saddle). – **2.** ⟨*fig*⟩ (*rimuovere*) to throw, to dismiss, to remove, ⟨*fam*⟩ to boot, ⟨*fam*⟩ to sack: ~ *qd. da un posto* to throw (*o* boot) s.o. out of a job, to remove s.o. from a post; (*trasferire*) to transfer, to send. – **II** *v.i.* (*aus.* **essere**) **1.** (*balzare, saltar via*) to jump, to leap, to bound, to spring: ~ *dal letto* to jump out of bed. – **2.** (*cadere giù di colpo*) to crash, to plunge, to fall, to be thrown: ~ *a terra* to be thrown to the ground. – **3.** (*fare un balzo improvviso*) to jump, to jerk, to (give a) start. – **4.** ⟨*fig*⟩ to jump, to plunge, to leap: *la temperatura è sbalzata a tre gradi sotto zero* the temperature plunged to three degrees below zero. □ ~ *dal trono* to dethrone.

ṣbalzạre[2] *v.t.* **1.** (*lavorare a sbalzo*) to emboss. – **2.** ⟨*Edil*⟩ to cantilever. – **ṣbalzạto** (*p.p. di sbalzare*[2]) *a.* embossed: *oro* ~ embossed gold. – **ṣbalzatọre** *m.* (*f.* **-trice**) embosser.

ṣbalzellạre *v.* (**ṣbalzẹllo**) ⟨*non com*⟩ **I** *v.i.* (*aus.* **avere**) to jolt, to jerk, to bump, to bounce, to jounce. – **II** *v.t.* to jolt, to jerk, to bounce. ☐ *avanzare sbalzellando* to jolt (*o* jerk) along. – **ṣbalzellịo** *m.* ⟨*non com*⟩ jolting, bouncing. – **ṣbalzellọni** *avv.* ⟨*non com*⟩ (*balzelloni*) jerkily, jolting (along), bouncing along (*o* up and down).

ṣbạlzo[1] *m.* **1.** jerk, jolt, bounce: *la carrozza fece uno* ~ the carriage gave a jolt. – **2.** (*salto*) leap, jump; (*balzo*) bound, spring; (*rimbalzo*) bounce, rebound; (*rif. a cavalli*) buck. – **3.** ⟨*fig*⟩ (*cambiamento improvviso*) sudden change, jump: *uno* ~ *di temperatura* a sudden change in temperature. – **4.** ⟨*fig*⟩ (*rapido progresso nella carriera*) jump. ☐ *a -i*: 1. jerkily, joltingly, bouncing; 2. ⟨*fig*⟩ (*senza continuità*) by (*o* in) fits and starts, irregularly; *avanzare a -i* to jolt (*o* jerk, bounce) along; ⟨*fig*⟩ to progress by fits and starts; *dare uno* ~ to jerk; *di* ~ in one jump, suddenly, all at once.

ṣbạlzo[2] *m.* **1.** ⟨*Met*⟩ embossment. – **2.** ⟨*Edil*⟩ projection, overhang, cantilever, jetty, jutty. ☐ *a* ~: 1. ⟨*Edil*⟩ overhanging, cantilevered; 2. ⟨*Met*⟩ embossed: *lavoro a* ~ embossed work; *lavorare a* ~ to emboss; ⟨*Aer*⟩ *ala a* ~ cantilever wing; ⟨*Edil*⟩ *trave a* ~ cantilever, semigirder, semibeam.

ṣbambagiạre *v.i.* (**ṣbambạgio, ṣbambạgi**; *aus.* **essere**), **sbambagiarsi** *v.r.* (*rif. a tessuti*) to fray.

ṣbancamẹnto *m.* ⟨*Edil,Strad*⟩ excavation, earth-moving: ~ *della roccia* excavation of rock. ☐ ~ *con mine* blasting; ~ *a trincee* trenching.

ṣbancạre[1] *v.* (**ṣbạnco, ṣbạnchi**) **I** *v.t.* **1.** (*rif. a casinò e sim.*) to break the bank at (*o* of); (*rif. al banco*) to break, to win: ~ *il banco* to break the bank; (*rif. a persone*) to win the bank from. – **2.** ⟨*fig*⟩ (*mandare in rovina*) to bankrupt, to ruin. – **3.** ⟨*Mar.ant*⟩ to unship thwarts from. – **II** *v.i.* (*aus.* **essere**) ⟨*non com*⟩ (*rif. al banco*) to be broken; (*rif. a persone*) to lose all one's money.

ṣbancạre[2] *v.t.* (**ṣbạnco, ṣbạnchi**) ⟨*Edil,Strad*⟩ to excavate, to move earth (from).

ṣbandamẹnto *m.* **1.** (*rif. a veicoli*) skid, skidding. – **2.** ⟨*Mil*⟩ disbandment, scattering, dispersal. – **3.** ⟨*fig*⟩ (*dispersione*) breaking up, dispersal; (*confusione, scompiglio*) confusion, disorder. – **4.** ⟨*fig*⟩ (*deviazione*) tendency, leaning. – **5.** ⟨*Mar*⟩ list(ing), heel(ing), careening. – **6.** ⟨*Aer*⟩ banking. ☐ *la vettura è uscita di strada per uno* ~ the vehicle skidded off the road.

ṣbandạre I *v.i.* (*aus.* **avere**) **1.** (*rif. a veicoli*) to skid: *la macchina ha sbandato per la strada sdrucciolevole* the car skidded on the slippery road. – **2.** ⟨*fig*⟩ (*deviare*) to lean, to tend. – **3.** ⟨*Mar*⟩ to list, to heel, to careen. – **4.** ⟨*Aer*⟩ to bank. – **II** *v.t.* **1.** ⟨*non com*⟩ (*disperdere*) to disband, to disperse: *la polizia sbandò i dimostranti* the police dispersed the demonstrators. – **2.** ⟨*ant*⟩ (*sciogliere*: *rif. a bande, eserciti*) to disband, to break up, to demobilize. – **sbandarsi** *v.r.* **1.** to scatter, to disband, to break ranks, to disperse: *l'esercito si sbandò al primo scontro* the army scattered at the first clash. – **2.** ⟨*fig*⟩ (*dividersi, disgregarsi*) to break up, to fall apart: *dopo la morte del padre la famiglia si sbandò* after the father's death the family broke up.

ṣbandạta *f.* **1.** skid. – **2.** ⟨*Mar*⟩ list, heel. – **3.** ⟨*Aer*⟩ banking. ☐ *fare* (*o avere*) *una pericolosa* ~ to skid dangerously; ⟨*scherz*⟩ *prendere una* ~ *per qd.* (*innamorarsene*) to fall for s.o., to fall head over heels in love with s.o.

ṣbandạto (*p.p. di sbandare*) **I** *a.* **1.** (*rif. a veicoli*) that has skidded. – **2.** ⟨*fig*⟩ (*disperso*) scattered, dispersed, disbanded: *soldati -i* scattered soldiers. – **3.** ⟨*fig*⟩ (*disorientato*) confused, bewildered: *la gioventù -a del dopoguerra* the bewildered youth of the post-war period. – **4.** ⟨*Mar*⟩ listing. – **5.** ⟨*Aer*⟩ banking. – **II** *s.m.* (*f.* **-a**) **1.** straggler. – **2.** ⟨*fig*⟩ aimless (*o* disaffected) person, derelict. ☐ ⟨*ant*⟩ *alla -a* (*alla rinfusa*) in disorder, chaotically.

ṣbandeggiamẹnto *m.* ⟨*ant*⟩ (*esilio*) exile, banishment. – **ṣbandeggiạre** *v.t.* (**ṣbandẹggio, ṣbandẹggi**) ⟨*ant*⟩ **1.** (*bandire*) to banish. – **2.** (*esiliare*) to exile.

ṣbandellạre *v.t.* (**ṣbandẹllo**) ⟨*tecn*⟩ to take (*o* lift) off the hinges.

ṣbandieramẹnto *m.* **1.** flag-waving, waving (of flags). – **2.** ⟨*fig*⟩ (*ostentazione*) display, show. – **ṣbandierạre** *v.t.* (**ṣbandiẹro**) **1.** to wave: ~ *i vessilli* to wave the standards. – **2.** ⟨*fig*⟩ (*ostentare*) to display, to flaunt, to parade, ⟨*fam*⟩ to show off: ~ *i propri meriti* to flaunt one's good points. – **3.** ⟨*assol*⟩ to wave flags. – **ṣbandierạta** *f.* waving of flags. ☐ *fare la* ~ to give a flag display.

ṣbandimẹnto *m.* ⟨*ant*⟩ **1.** (*l'esiliare*) exiling; (*il bandire*) banishment. – **2.** (*esilio*) exile; (*bando*) banishment. – **3.** (*luogo d'esilio*) place of exile. – **ṣbandịre** *v.t.* (**ṣbandịsco, ṣbandịsci**) **1.** (*bandire*) to banish, to outlaw; (*esiliare*) to exile. – **2.** ⟨*lett*⟩ (*allontanare*) to banish, to cast out.

ṣbandọmetro *m.* ⟨*Aer*⟩ bank(ing) indicator, relative inclinometer, cross level.

ṣbaraccạre *v.* (**ṣbarạcco, ṣbarạcchi**) ⟨*fam*⟩ **I** *v.t.* to sweep away, to get rid of. – **II** *v.i.* (*aus.* **avẹre**) to pack up (and leave), ⟨*fam*⟩ to clear (*o* get) out: *ormai fa freddo, sarà meglio* ~ it's getting cold now, we'd better pack up.

ṣbaragliamẹnto *m.* ⟨*non com*⟩ rout. – **ṣbaragliạre** *v.t.* (**ṣbarạglio, ṣbarạgli**) **1.** ⟨*Mil*⟩ to (put to) rout: ~ *il nemico* to rout the enemy. – **2.** (*disperdere*) to disperse, to scatter: *la polizia sbaragliò i dimostranti* the police scattered the demonstrators. – **3.** (*infliggere una sconfitta*) to beat, to overcome: ~ *la squadra di calcio avversaria* to beat the rival football team.

ṣbaraglịno *m.* ⟨*non com*⟩ (*gioco*) backgammon.

ṣbarạglio *m.* **1.** ⟨*non com*⟩ rout, defeat. – **2.** ⟨*ant*⟩ (*gioco*) three-dice backgammon. ☐ *andare* (*o gettarsi*) *allo* ~ to risk everything; *mettere* (*o porre*) *allo* ~ to jeopardize, to risk, to imperil.

ṣbarattạre *v.t.* ⟨*ant*⟩ (*disperdere*) to scatter; (*mettere in rotta*) to rout.

ṣbarazzạre *v.t.* **1.** (*sgombrare*) to free, to clear, to rid: ~ *la strada dai sassi* to clear the road of stones; ~ *una stanza dai mobili* to clear the furniture out of a room. – **2.** (*mettere in ordine*) to clear (out), to clean out: ~ *la tavola* to clear the table. – **3.** ⟨*fig*⟩ (*liberare*) to rid, to free, to clear: ~ *la mente dal sospetto* to clear one's mind of suspicion; ~ *qd. da una responsabilità* to free s.o. of a responsibility. – **sbarazzarsi** *v.r.* to get rid (*di* of), to rid o.s. (of), to get out (of), to free o.s. (from): *sbarazzarsi di una responsabilità* to get out of a responsibility; *sbarazzarsi di una persona molesta* to get rid of a bothersome person.

ṣbarazzịna *f.* **1.** tomboy, romp. – **2.** (*gioco*) kind of card game. – **ṣbarazzinạta** *f.* ⟨*non com*⟩ prank, (mischievous) trick, lark. – **ṣbarazzịno I** *a.* free-and-easy, devil-may-care, unruly, cheeky. – **II** *s.m.* (*f.* **-a**) scamp, little rascal. ☐ *alla -a* jauntily, rakishly; *portare il cappello alla -a* to wear one's hat at a rakish angle.

ṣbarbạre *v.t.* **1.** (*radere*) to shave. – **2.** (*sradicare*) to uproot. – **3.** ⟨*fig*⟩ (*estirpare*) to root out, to eradicate. – **4.** ⟨*Mod,Mecc*⟩ to shave. – **sbarbarsi** *v.r.* to (have a) shave.

ṣbarbarịre *v.t.* (**ṣbarbarịsco, ṣbarbarịsci**) ⟨*rar*⟩ (*incivilire*) to civilize.

ṣbarbatẹllo (*dim. di sbarbato*) *m.* ⟨*scherz,spreg*⟩ novice, green (*o* raw) youth, greenhorn. – **ṣbarbạto** (*p.p. di sbarbare*) *a.* **1.** (*rasato*) shaved, (clean-)shaven. – **2.** (*ripulito dalle radici*) uprooted. – **3.** ⟨*non com*⟩ (*imberbe*) beardless. – **ṣbarbatọre** *m.* (*f.* **-trice**) ⟨*Agr*⟩ shaver. – **ṣbarbatụra** *f.* ⟨*Agr*⟩ shaving.

ṣbarbettạre *v.t.* (**ṣbarbẹtto**) ⟨*Agr*⟩ to prune the roots of. – **ṣbarbettatụra** *f.* pruning of roots.

ṣbarbicamẹnto *m.* ⟨*non com*⟩ uprooting, eradication. – **ṣbarbicạre** *v.t.* (**ṣbạrbico, ṣbạrbichi**) **1.** to uproot, to pull up. – **2.** ⟨*fig*⟩ (*estirpare*) to root out.

ṣbarbificạre *v.t.* (**ṣbarbịfico, ṣbarbịfichi**) ⟨*scherz*⟩ (*radere*) to shave. – **sbarbificarsi** *v.r.* to (have a) shave.

ṣbarcạre[1] *v.* (**ṣbạrco, ṣbạrchi**) **I** *v.t.* **1.** to unload, to unship. – **2.** (*far scendere a terra*: *da una nave*) to land, to put ashore, to disembark: ~ *truppe* to land troops; (*da un aereo*) to land. – **3.** ⟨*scherz*⟩ (*far scendere da un mezzo di trasporto*) to leave, to put off: *l'autobus ti sbarca proprio davanti alla scuola* the bus will leave you right outside the school. – **4.** ⟨*fig*⟩ (*trascorrere alla meno peggio*) to get through. – **II** *v.i.* (*aus.* **essere**) **1.** to land, to disembark. – **2.** ⟨*estens*⟩ (*scendere da un mezzo di trasporto*) to get off. – **3.** (*cessare di far parte dell'equipaggio*) to be discharged (*o* paid off). ☐ ⟨*pop*⟩ ~ *il lunario* to scrape through (*o* a living), to get by, to manage to make both ends meet; *sbarcar(se)la* to get by, to manage.

ṣbarcạre[2] *v.t.* (**ṣbạrco, ṣbạrchi**) ⟨*non com*⟩ **1.** (*disfare le barche di biada*) to unbale, to unsheave. – **2.** (*stendere le biade*) to set out, to spread.

ṣbarcatọio *m.* ⟨*Mar*⟩ (*pontile di sbarco*) landing-stage, landing-place; (*passerella mobile*) gangplank, gangway.

ṣbạrco *m.* (*pl.* **-chi**) **1.** unloading, unshipping, discharge: *lo* ~ *del carbone* the unloading of coal. – **2.** (*lo scendere a terra*: *da una nave*) landing, disembarkation (*anche Mil.*); (*da un aereo*) landing. – **3.** (*il cessare di far parte dell'equipaggio*) discharge. ☐ *di* (*o da*) ~ landing-, assault-: *truppe di* ~ landing parties, assault troops.

ṣbardellạre *v.t.* (**ṣbardẹllo**) ⟨*Equit*⟩ to break (in). – **ṣbardellatamẹnte** *avv.* ⟨*rar*⟩ (*smisuratamente*) excessively, unduly. – **ṣbardellạto** (*p.p. di sbardellare*) *a.* ⟨*ant*⟩ **1.** (*sfrenato*) reckless, wild. – **2.** (*esagerato*) excessive.

ṣbarẹllo *m.* ⟨*non com*⟩ tipping-waggon.

ṣbạrra *f.* **1.** bar, barrier: *l'accesso era impedito da una* ~ the way was blocked by a barrier; (*nei passaggi a livello*) barrier. – **2.** (*bastone, spranga*) bar: *il ladro lo colpì con una* ~ *di ferro* the thief struck him with an iron bar. – **3.** (*stanghetta*) bolt, bar; (*asticella di gabbia e sim.*) bar. – **4.** (*nei tribunali*) bar. – **5.** ⟨*fig*⟩ (*tribunale*) court, dock, bar: *presentarsi alla* ~ to appear before the court, to be ⌜in the dock⌝ (*o* before the bar). – **6.** ⟨*Ginn*⟩ (horizontal) bar; (*bilanciere*) bar-bell. – **7.** ⟨*Tip*⟩ (*lineetta obliqua*) (oblique) stroke; (*lineetta verticale*) (vertical) stroke. – **8.** ⟨*Mus*⟩ (double) bar-line. – **9.** ⟨*Mar*⟩ (*barra del timone*) (rudder) tiller, helm. – **10.** ⟨*El*⟩ bar. – **11.** ⟨*Arald*⟩ bend sinister. – **12.** ⟨*non com*⟩ (*barriera naturale*) barrier. – **13.** ⟨*non com*⟩ (*cancelletto*) wicket gate.

☐ ⟨*Mus*⟩ ~ *d'appoggio* resting rail; ~ *a* **bilico** bascule barrier; ⟨*El*⟩ ~ **collettrice** bus-bar; ⟨*fig*⟩ *passare la vita* **dietro** *le -e* to spend one's life behind bars; ~ *di* **ferro** iron bar; ⟨*Ginn*⟩ ~ **fissa** horizontal bar; ~ *della* **gabbia** cage bar; ~ **girevole** splinter (bar); ~ **levatoia** = *sbarra a* **bilico**; ⟨*fig*⟩ **mettere** *alla* ~ to put on trial; ~ **orizzontale** crossbar; *-e del* **passaggio** *a livello* level-crossing barriers (*o* arms); ~ **spaziatrice** space-bar.

ṣbarramẹnto *m.* **1.** (*atto*) blocking, barring. – **2.** (*effetto*) block, blockage, blockade, barricade. – **3.** ⟨*concr*⟩ (*ostacolo*) barrier, blockage, barrage, barricade. – **4.** ⟨*Idr*⟩ (*diga di ritenuta*) (retaining) dam, barrage, weir. – **5.** ⟨*Econ*⟩ (*incrociatura*) crossing.

☐ ⟨*Mil*⟩ ~ **aereo** air barrage; ~ **contraereo** anti-aircraft barrage; ~ **difensivo** barricade, defence barrage; ⟨*Idr*⟩ **impianto** *di* ~ barrage,

weir; ⟨*Mil*⟩ ~ *di* **mine** minefield, mine barrage; ~ **offensivo** offensive barrage; ~ *di* **palloni** balloon barrage; ~ **radar** radar defence; ⟨*Mar. mil*⟩ ~ *di* **reti** net defence.
şbarrąre *v.t.* **1.** to bar, to bolt: ~ *la porta* to bolt the door; (*chiudere*) to block, to bar; (*barricare*) to barricade: *le vie della città erano sbarrate* the city streets were barricaded. – **2.** (*impedire, bloccare*) to block, to bar: *un uomo armato gli sbarrò il passo* an armed man blocked his way. – **3.** (*segnare con sbarre*) to cross: ~ *un assegno* to cross a cheque. – **4.** (*rif. agli occhi: spalancare*) to open wide. – **5.** ⟨*ant*⟩ (*rif. alle braccia: spalancare*) to open wide, to hold open; (*stendere*) to stretch out. – **şbarrąto** (*p.p. di sbarrare*) **I** *a.* **1.** barred, bolted: *finestra -a* barred window. – **2.** (*bloccato*) blocked, barred: *strada -a* blocked road. – **3.** (*segnato con sbarre*) crossed: *assegno* ~ crossed cheque. – **4.** (*rif. agli occhi: spalancato*) wide-open, staring. – **II** *s.m.* ⟨*Arald*⟩ shield bend sinister.
şbarrętta (*dim. di sbarra*) *f.* ⟨*Mus*⟩ bar-line, double bar.
şbarrịsta *m./f.* ⟨*Ginn*⟩ horizontal-bar expert.
şbąrro *m.* ⟨*ant*⟩ → **sbarramento.**
şbaşịre *v.i.* (**şbaşịsco, şbaşịsci;** *aus.* **essere**) ⟨*ant*⟩ (*svenire*) to faint, ⟨*lett*⟩ to swoon.
şbassamęnto *m.* ⟨*non com*⟩ lowering, diminishing, decrease.
şbassąre *v.t.* **1.** to (make) lower: ~ *il piano del tavolo* to lower the top of the table. – **2.** (*spostare più in basso*) to lower. – **3.** ⟨*fig*⟩ to diminish, to decrease. – **4.** ⟨*ant*⟩ (*ribassare*) to lower, to decrease, to reduce, to bring down: ~ *i prezzi* to lower prices. – **5.** ⟨*ant*⟩ (*diminuire la forza, il prestigio*) to diminish, to demean, to humble. – **şbassąta** *f.* lowering. □ *dare una* ~ *a qc.* to lower (*o* sink) s.th. – **şbąsso** *m.* **1.** lowering, dropping. – **2.** ⟨*ant*⟩ (*ribasso*) reduction, discount.
şbastịre *v.t.* (**şbastịsco, şbastịsci**) ⟨*Lav.femm*⟩ to take the basting (*o* tacking) out of.
şbatacchiamęnto *m.* banging, slamming: *lo* ~ *delle imposte* the banging of the shutters.
şbatacchiąre[1] *v.* (**şbatącchio, şbatącchi**) **I** *v.t.* **1.** to bang, to slam: ~ *la porta in faccia a qd.* to slam the door in s.o.'s face. – **2.** (*agitare*) to flap, to beat: ~ *le ali* to flap one's wings. – **II** *v.i.* (*aus.* **avere**) to bang, to slam, to rattle. □ ~ *le campane* to clang the bells.
şbatacchiąre[2] *v.t.* (**şbatącchio, şbatącchi**) ⟨*Minier*⟩ to prop, to shore up.
şbatacchiąta *f.* bang, slam, crash.
şbatacchiatụra *f.* ⟨*Minier*⟩ shoring, propping.
şbatącchio[1] *m.* ⟨*Minier*⟩ prop, stull.
şbatacchịo[2] *m.* (continual) banging. – **şbatacchiǫne** *m.* violent slam (*o* bang). □ *dare uno* ~ *alla porta* to bang (*o* slam) the door.
şbattagliąre *v.i.* (**şbattąglio, şbattągli;** *aus.* **avere**) ⟨*non com*⟩ **1.** to clang, to bang. – **2.** (*sonare a distesa*) to peal, to ring a full peal.
şbąttere I *v.t.* **1.** (*battere*) to beat: ~ *i tappeti* to beat the carpets. – **2.** (*urtare*) to bang, to hit, to bump, ⟨*fam*⟩ to bash: ~ *il naso contro la porta* to bump one's nose against the door. – **3.** (*scaraventare*) to hurl, to fling, to dash, to throw: *la tempesta sbatté la nave contro gli scogli* the storm hurled the ship against the rocks. – **4.** (*chiudere violentemente*) to slam, to bang: ~ *l'uscio in faccia a qd.* to slam the door in s.o.'s face. – **5.** ⟨*Gastr*⟩ to beat: ~ *le uova* to beat eggs; (*far montare*) to beat up, to whip, to whisk: ~ *la panna* to whip cream. – **6.** ⟨*pop*⟩ (*trasferire*) to send, to shunt: *lo hanno sbattuto in una città di provincia* he has been shunted to a provincial town. – **7.** ⟨*fam*⟩ (*rendere smorto*) to make s.o. (*o* s.th.) look wan (*o* lifeless, pale): *questa tinta ti sbatte* this shade ⌜makes you look pale⌝ (*o* takes the colour out of your cheeks). – **8.** ⟨*ant*⟩ (*sminuire*) to lower, to humble. – **9.** ⟨*ant*⟩ (*ribattere, confutare*) to refute, to confute, to rebut. – **10.** ⟨*ant*⟩ (*defalcare*) to deduct, to subtract. – **II** *v.i.* (*aus.* **avere**) **1.** to bang, to slam: *la porta sbatte perché c'è corrente* the door is banging because there is a draught. – **2.** (*andare a urtare*) to bang (*contro* into, against), to hit (s.th.): *ha sbattuto con la macchina contro un muro* he banged his car into a wall. – **3.** ⟨*Mar*⟩ to flap.
□ ~ *le* **ali** to flap (*o* beat) one's wings; ⟨*pop*⟩ ~ **dentro** to throw in the clink; ⟨*pop*⟩ ~ **fuori** to throw out, ⟨*fam*⟩ to chuck out; ~ *qd. fuori della porta* to throw s.o. out the door; ~ *le* **mani** to clap (one's hands); ~ *le* **palpebre** to flutter one's eyelids; ~ *i* **piedi** to stamp (one's feet); ~ *i* **tacchi** to click one's heels; ⟨*fig*⟩ *non sapere dove* ~ *la* **testa** not to know which way to turn. || ⟨*volg*⟩ *sbattersene* (*o sbattersela*) (*infischiarsene*) not to give a damn, not to care tuppence.
şbattezząre *v.t.* (**şbattęzzo**) to force to abjure Christianity. – **sbattezzarsi** *v.r.* **1.** (*abiurare*) to abjure (Christianity), to apostatize. – **2.** (*cambiar nome*) to change one's name. – **3.** ⟨*scherz,fam*⟩ (*farsi in quattro*) to do everything possible, to move heaven and earth. – **4.** ⟨*scherz,fam*⟩ (*arrabbiarsi*) to get angry (*o* worked up), to get hot under the collar.
şbattighiąccio *m.inv.* ⟨*non com*⟩ (*shaker*) shaker.
şbattimęnto *m.* **1.** (*lo sbattere*) beating; (*lo scaraventare*) hurling, dashing. – **2.** (*il chiudere violentemente*) slamming, banging. – **3.** ⟨*Gastr*⟩ beating, whipping. – **4.** (*l'essere sbattuto*) beating; (*l'essere chiuso violentemente*) slam, bang. – **5.** ⟨*Pitt*⟩ shadow, shade -projection. – **6.** ⟨*Aer*⟩ flutter.
şbattiǫva *m.inv.* → **sbattiuova.**
şbąttito *m.* **1.** ⟨*non com*⟩ (*lo sbattere*) beating, banging, slamming. – **2.** ⟨*ant*⟩ (*detrazione*) deduction, subtraction; (*sconto*) reduction, discount. – **şbattitǫia** *f.*, **şbattitǫio** *m.* beater. – **şbattitǫre** *m.* (*f.* **-trice**) ⟨*non com*⟩ **1.** beater, whipper. – **2.** (*utensile*) beater. □ ~ *a frusta* whisk. – **şbattitrịce** *f.* ⟨*Dolc*⟩ mixer, beating-machine, mixing-machine. – **şbattitụra** *f.* **1.** (*il battere*) beating. – **2.** (*lo scaraventare*) hurling, flinging. – **3.** (*il chiudere violentemente*) slamming, banging. – **4.** ⟨*Gastr*⟩ beating; (*il far montare*) beating up, whipping, whisking.
şbattiuǫva *m.inv.* (egg-)whisk, egg-beater.
şbattụta *f.* **1.** (*il battere*) beating: *dare una* ~ *ai tappeti* to give the carpets a beating, to beat the carpets. – **2.** ⟨*Gastr*⟩ whipping, beating. – **şbattụto** (*p.p. di sbattere*) *a.* **1.** ⟨*Gastr*⟩ whipped, whisked, beaten up: *uova -e* whisked eggs. – **2.** ⟨*fig*⟩ (*stanco, sciupato*) tired (out), worn(-out), ⟨*fam*⟩ (dead-)beat: *viso* ~ tired face; (*abbattuto*) depressed, low, run-down, downcast.
şbavagliąre *v.t.* (**şbavąglio, şbavągli**) ⟨*non com*⟩ (*liberare dal bavaglio*) to ungag.
şbavamęnto *m.* ⟨*non com*⟩ dribbling, slavering.
şbavąre I *v.i.* (*aus.* **avere**) **1.** (*emettere bava*) to dribble, to drool, to slobber, to slaver. – **2.** ⟨*Pitt*⟩ to blur, to smear. – **3.** ⟨*Tip*⟩ to smudge, to blur. – **II** *v.t.* **1.** (*sporcare di bava*) to dribble (*o* slaver), to drool over, to beslobber. – **2.** ⟨*Mecc*⟩ to burr, to deburr. – **3.** ⟨*Met*⟩ to fettle, to clean, to trim, to snag: ~ *a caldo* to hot-trim. – **sbavarsi** *v.r.* (*sporcarsi di bava*) to dribble (*o* slaver, drool) over o.s., to beslobber o.s.
şbavąto (*p.p. di sbavare*) *a.* **1.** (*sporco di bava*) beslobbered, dribbled (*o* slavered) over. – **2.** ⟨*Pitt*⟩ blurred, smeared. – **3.** ⟨*Tip*⟩ smudged, blurred. – **şbavatǫre** *m.* (*f.* **-trice**) **1.** ⟨*Mecc*⟩ trimmer. – **2.** ⟨*Met*⟩ cleaner, trimmer, fettler. – **şbavatrịce** *f.* ⟨*Mecc*⟩ **1.** (*operaia*) trimmer. – **2.** (*macchina*) burring-machine, snagging-machine.
şbavatụra *f.* **1.** (*lo sbavare*) dribbling, drooling, slobbering, slavering. – **2.** (*bava*) dribble, slobber, slaver; (*delle lumache e sim.*) slime. – **3.** ⟨*fig*⟩ (*divagazione*) wandering from the point, frill, padding. – **4.** ⟨*Pitt*⟩ blur, smear, drop, dribble, smudge. – **5.** ⟨*Mecc*⟩ (*operazione*) (de)burring; (*bava*) burr. – **6.** ⟨*Met*⟩ (*operazione*) fettling, cleaning, trimming, snagging, dressing-off; (*bava*) flash. – **7.** ⟨*Tess*⟩ silk filament. – **8.** ⟨*Tip*⟩ blur, blotch, smudge.
şbavazząre *v.i.* (*aus.* **avere**) to slobber.
şbaveggiatụra *f.*, **şbavęggio** *m.* ⟨*Tip*⟩ blur, blotch, smudge.
şbavicchiąre *v.i.* (**şbavịcchio, şbavịcchi;** *aus.* **avere**) to slobber continually. – **şbavǫne** *m.* (*f.* **-a**) slobberer, drooler.
şbeccąre *v.t.* (**şbęcco, şbęcchi**) to break (*o* chip) the spout of, to chip. – **sbeccarsi** *v.r.* to chip at the spout (*o* rim). – **şbeccąto** (*p.p. di sbeccare*) *a.* chipped, with a chipped spout (*o* rim). – **şbęcco** *m.* (*pl.* **-chi**) **1.** (*sporgenza*) spout, flange. – **2.** (*rientranza*) dent, dip, hollow. – **şbeccucciąre** *v.* (**şbeccụccio, şbeccụcci**) → **sbeccare.**
şbęffa *f.* ⟨*non com*⟩ **1.** (*beffa maligna*) cruel joke. – **2.** (*atto di scherno*) mockery, derisive (*o* scornful) gesture. – **şbeffamęnto** *m.* ⟨*non com*⟩ → **sbeffeggiamento.** – **şbeffąre** *v.* (**şbęffo**) → **sbeffeggiare.** – **sbeffatǫre** *m.* → **sbeffeggiatore.** – **şbeffeggiamęnto** *m.* ⟨*non com*⟩ **1.** mocking, jeering, taunting. – **2.** (*scherno*) scorn, mockery. – **şbeffeggiąre** *v.t.* (**şbeffęggio, şbeffęggi**) (*beffeggiare*) to mock cruelly, to jeer at, to deride. – **şbeffeggiatǫre** *m.* (*f.* **-trice**) ⟨*non com*⟩ mocker, jeerer, derider.
şbellicąre *v.t.* (**şbellịco, şbellịchi**) ⟨*ant,rar*⟩ (*rompere l'ombelico*) to rupture the navel of. □ ⟨*fig*⟩ *sbellicarsi dalle risa* to split (*o* burst) one's sides with laughing.
şbendąre *v.t.* (**şbęndo**) **1.** (*levare le bende da una ferita*) to unbandage, to take the bandages off. – **2.** (*levare la benda dagli occhi*) to remove the blindfold.
şbęrcia *f.* (*pl.* **-ce**) ⟨*tosc*⟩ (*persona di poco valore*) blunderer, bungler, duffer. □ *essere una* ~ *a qc.* to be hopeless (*o* no good) at s.th.
şberciąre[1] *v.i.* (**şbęrcio, şbęrci;** *aus.* **avere**) ⟨*tosc*⟩ **1.** (*fare atti di scherno*) to act scornfully, to behave mockingly, to be derisive. – **2.** (*parlare sguaiatamente*) to talk loudly (*o* at the top of one's voice), to bawl, to yell, ⟨*am*⟩ to holler.
şberciąre[2] *v.i.* (**şbęrcio, şbęrci;** *aus.* **avere**) ⟨*tosc*⟩ (*sbagliare il tiro*) to miss (one's aim).
şbęrcio *m.* ⟨*tosc*⟩ (*grido sguaiato*) bawl, yell, ⟨*am*⟩ holler.
şbęrgo *m.* (*pl.* **-ghi**) ⟨*ant*⟩ (*usbergo*) hauberk.
şbęrla *f.* ⟨*region*⟩ (*schiaffo*) slap, cuff. □ *prendere a -e qd.* to give s.o. a slapping.
şberlęffe *m.* ⟨*ant*⟩ → **sberleffo.** – **şberlęffo** *m.* **1.** (*smorfia, boccaccia*) sneer, disdainful (*o* mocking) look; (*gesto di scherno*) scornful gesture. – **2.** ⟨*non com*⟩ (*cicatrice*) scar.
şberrettąrsi *v.r.* (**mi şberrętto**) ⟨*non com*⟩ to lift (*o* raise) one's cap, to tip one's hat. – **şberrettąta** *f.* ⟨*non com*⟩ lifting (*o* raising, tipping) one's hat.
şbertąre *v.t.* (**şbęrto**) ⟨*non com*⟩ (*canzonare*) to make fun of, to mock.
şbertucciąre *v.t.* (**şbertụccio, şbertụcci**) ⟨*non com*⟩ **1.** (*schernire, canzonare*) to mock, to make fun of, to jeer at. – **2.** (*conciare male*) to spoil, to knock about, to maul; (*sgualcire, deformare*) to crush, to crumple, to batter. – **şbertucciąto** (*p.p. di sbertucciare*) *a.* ⟨*non com*⟩ (*sgualcito*) crushed, crumpled, battered: *cappello* ~ crumpled hat.
şbevacchiąre *v.* (**şbevącchio, şbevącchi**) → **sbevazzare.** – **şbevazzamęnto** *m.* ⟨*non com*⟩ tippling, ⟨*fam*⟩ boozing, ⟨*fam*⟩ soaking. – **şbevazząre** *v.i.* (*aus.* **avere**) ⟨*spreg*⟩ to tipple, ⟨*fam*⟩ to booze, ⟨*fam*⟩ to soak. – **şbevazzatǫre** *m.* (*f.* **-trice**) ⟨*non com*⟩ tippler, ⟨*fam*⟩ boozer, ⟨*fam*⟩ soak.
şbevicchiąre *v.* → **sbevucchiare.** – **şbevucchiąre** *v.i.* (**şbevụcchio, şbevụcchi;** *aus.* **avere**) to like a drink, to take a drop.

s.b.f. = ⟨*Comm*⟩ *salvo buon fine* under reserve, under the usual reserves.
ṣbiadạto ⟨*ant*⟩ **I** *a.* (*rif. a colori*: *pallido*) pale, light. – **II** *s.m.* (*stoffa*) light blue cloth.
ṣbiadịre *v.* (**ṣbiadịsco, ṣbiadịsci**) **I** *v.i.* (*aus.* **avere/essere**), **sbiadirsi** *v.r.* **1.** (*scolorire*) to fade, to grow pale, to lose one's colour: *col sole il rosso sbiadisce* red fades in the sun. – **2.** ⟨*fig*⟩ (*affievolirsi*) to fade, to grow faint: *il ricordo di quell'uomo è ormai sbiadito* all memory of that man has now faded. – **II** *v.t.* **1.** (*far scolorire*) to fade, to take the colour out of. – **2.** ⟨*fig*⟩ to fade, to make look pale. – **ṣbiadịto** (*p.p. di sbiadire*) *a.* **1.** faded, washed-out: *colore* ~ faded colour. – **2.** ⟨*fig*⟩ (*scialbo*) dull, flat, colourless: *uno stile* ~ a dull style.
ṣbiạnca *f.* **1.** ⟨*Ind*⟩ bleaching. – **2.** ⟨*Tess*⟩ (*candeggio*) bleaching. – **ṣbiancạnte** (*p.pr. di sbiancare*) **I** *a.* bleaching: *azione* ~ bleaching action. – **II** *s.m.* ⟨*Chim*⟩ bleach. – **ṣbiancạre** *v.* (**ṣbiạnco, ṣbiạnchi**) **I** *v.t.* to turn white, to whiten, to bleach. – **II** *v.i.* (*aus.* **essere**), **sbiancarsi** *v.r.* **1.** to go white, to whiten, to pale. – **2.** ⟨*fig*⟩ (*impallidire*) to blanch, to go white, to (turn) pale: ~ *in viso* to blanch, to go white. – **ṣbiancạto** (*p.p. di sbiancare*) *a.* whitened, white, bleached; (*pallido*) white, pale: *viso* ~ pale face. – **ṣbiancatọre** *m.* (*f.* **-trice**) ⟨*Ind*⟩ polisher. – **ṣbiancatrịce** *f.* **1.** (*operaia*) polisher. – **2.** (*macchina*) polisher.
ṣbianchimẹnto *m.* **1.** (*atto*) bleaching, whitening; (*effetto*) bleaching, bleach. – **2.** ⟨*Gastr*⟩ (*imbianchimento*) blanching, parboiling. – **ṣbianchịre** *v.* (**ṣbianchịsco, ṣbianchịsci**) **I** *v.t.* **1.** to whiten, to make white. – **2.** ⟨*Gastr*⟩ (*imbianchire*) to blanch, to parboil. – **II** *v.i.* (*aus.* **essere**) **1.** to whiten, to become white. – **2.** ⟨*fig*⟩ (*schiarirsi*) to clear, to grow clearer, to lighten.
ṣbiavạto *a./s.* → **sbiadato.**
ṣbicchierạre *v.i.* (**ṣbicchiẹro;** *aus.* **avere**) **1.** (*bere allegramente in compagnia*) to have a drink (*o* glass) together, to drink (in cheerful company), to carouse. – **2.** ⟨*ant*⟩ (*vendere il vino a bicchieri*) to sell wine by the glass. – **ṣbicchierạta** *f.* drink (in company). ◻ *fare una* ~ to have a drink together.
ṣbiecạre *v.* (**ṣbiẹco, ṣbiẹchi**) **I** *v.t.* (*mettere di sbieco*) to distort, to set aslant (*o* askew, awry), to make crooked. – **II** *v.i.* (*aus.* **avere**) ⟨*non com*⟩ **1.** (*andare di sbieco*) to slant, to be crooked (*o* aslant, askew). – **2.** (*non essere perfettamente diritto*) to slant, to be askew (*o* crooked). ◻ *la tua gonna sbieca* your skirt is not hanging straight. – **ṣbiẹco** *a./s.* (*pl.* **-chi**) **I** *a.* (*storto*) slanting, ⟨*pred*⟩ aslant, crooked, ⟨*pred*⟩ awry, ⟨*pred*⟩ askew. – **II** *s.m.* ⟨*Sart*⟩ cross(cutting), bias. ◻ *di* ~ sidelong, askance: *guardare qd. di* ~ to look sidelong at s.o., to look at s.o. out of the corner of one's eye; ⟨*fig*⟩ (*guardarlo con malanimo*) to look askance at s.o.
ṣbietolạre *v.i.* (**ṣbiẹtolo;** *aus.* **avere**) ⟨*ant*⟩ (*intenerirsi*) to weep copiously, to cry foolishly.
ṣbiettạre *v.* (**ṣbiẹtto**) **I** *v.t.* ⟨*tecn*⟩ to unwedge, to remove wedges from. – **II** *v.i.* (*aus.* **essere**) ⟨*non com*⟩ (*sgusciare via*) to slip away, to take French leave. – **ṣbiettatụra** *f.* ⟨*tecn*⟩ unwedging, removal of wedges.
ṣbigliettamẹnto *m.* checking of tickets.
ṣbigonciạre *v.i.* (**ṣbigọncio, ṣbigọnci;** *aus.* **avere**) ⟨*non com*⟩ **1.** (*traboccare dalla bigoncia*) to overflow, to brim over. – **2.** ⟨*tosc*⟩ (*sovrabbondare*) to abound, to teem; (*rif. a indumenti*: *essere troppo largo*) to be too big, to hang: *la giacca ti sbigoncia* your jacket ⌜is too big for⌝ (*o* hangs on) you.
ṣbigottimẹnto *m.* **1.** dismay, consternation; (*sgomento*) awe. – **2.** (*paura*) fright, terror.
ṣbigottịre *v.* (**ṣbigottịsco, ṣbigottịsci**) **I** *v.t.* **1.** (*turbare profondamente*) to dismay, to appal: *le sue parole sbigottirono gli amici* his words appalled his friends. – **2.** (*stupire*) to dumbfound, to stun; (*sbalordire*) to amaze, to astonish, to astound. – **3.** (*spaventare*) to terrify; (*sgomentare*) to awe. – **4.** ⟨*non com*⟩ (*stordire*) to stun. – **II** *v.i.* (*aus.* **essere**), **sbigottirsi** *v.r.* **1.** to be dismayed (*o* appalled); (*per paura*) to be afraid (*o* terrified); (*per stupore*) to be astounded (*o* dumbfounded). – **2.** (*perdersi d'animo*) to lose heart, to be discouraged. – **ṣbigottịto** (*p.p. di sbigottire*) *a.* **1.** dismayed, appalled, aghast; (*sgomento*) awe-stricken. – **2.** (*sbalordito*) amazed, astonished, stunned, dumbfounded; (*spaventato*) terrified.
ṣbilanciamẹnto *m.* ⟨*non com*⟩ loss of balance (*o* equilibrium), unbalance.
ṣbilanciạre *v.* (**ṣbilạncio, ṣbilạnci**) **I** *v.t.* **1.** to throw off balance, to unbalance. – **2.** ⟨*fig*⟩ to throw off balance, to upset (the plans of), to put into difficulty: *questo viaggio sbilancia tutti i miei progetti* this trip upsets all my plans; (*dissestare economicamente*) to cause financial problems. – **II** *v.i.* (*aus.* **avere**) (*non essere bene in equilibrio*) to be unbalanced (*o* off balance); (*perdere l'equilibrio*) to overbalance. – **sbilanciarsi** *v.r.* **1.** to be off balance. – **2.** ⟨*fig*⟩ to go too far, to say more than one should. – **3.** ⟨*fig*⟩ (*spendere troppo*) to overspend, to spend beyond one's means; (*rovinarsi*) to ruin o.s. ◻ *sbilanciarsi troppo in* (o *con*) *promesse* to promise too much, to be over-free with one's promises.
ṣbilanciạto (*p.p. di sbilanciare*) *a.* **1.** off balance, out of equilibrium. – **2.** ⟨*fig*⟩ thrown off balance. – **3.** ⟨*Mecc*⟩ unbalanced, out of balance. – **ṣbilạncio** *m.* **1.** (*squilibrio*) loss of balance, lack of equilibrium, unbalance. – **2.** ⟨*Econ*⟩ balance; (*deficit*) deficit, deficiency. – **ṣbilanciọne** *m.* ⟨*rar*⟩ (*scossone*) (violent) jolt, (sudden) jerk. ◻ ⟨*fig*⟩ *a -i* (*a balzi*) in fits and starts, jerkily, irregularly, erratically.
ṣbilẹnco (o *ṣbilẹnco*) *a.* (*pl.* **-chi**) **1.** (*rif. a persone*) crooked, twisted, misshapen, warped: *un vecchio* ~ a misshapen old man. – **2.** (*rif. a cose*) crooked. – **3.** ⟨*fig*⟩ (*mal fatto*) bad, badly done (*o* made).
ṣbirbạre *v.t.* ⟨*tosc*⟩ to obtain by dishonest means. ◻ ⟨*fam*⟩ *sbirbarsela* (*spassarsela*) to have a gay (*o* good) time, to enjoy o.s.
ṣbirbonạre *v.* (**ṣbirbọno**) ⟨*tosc*⟩ **I** *v.t.* (*trattare come un birbone*) to abuse, to treat vilely (*o* like a scoundrel). – **II** *v.i.* (*aus.* **avere**) (*fare il birbone*) to be a rogue, to behave like a rascal.
ṣbirciạre *v.t.* (**ṣbịrcio, ṣbịrci**) **1.** (*guardare di sfuggita*) to eye, to look at sidelong (*o* out of the corner of one's eye), ⟨*fam*⟩ to squint at. – **2.** (*squadrare*) to look closely at, to take a good look at, to fix one's eyes on. – **3.** ⟨*rar*⟩ (*guardare attentamente*) to stare (*o* peer) at. – **ṣbirciạta** *f.* (sidelong) glance, squint. ◻ *dare una* ~ *a qd.* to glance (*o* have a squint) at s.o. – **ṣbirciatịna** *f. dim. di* **sbirciata.**
ṣbirrạglia *f.* **1.** ⟨*spreg*⟩ police (*costr. pl.*), ⟨*fam,spreg*⟩ cops *pl*, ⟨*spreg*⟩ fuzz. – **2.** ⟨*ant*⟩ (*insieme di armati*) armed retainers *pl* (*o* bullies), hirelings *pl*. – **ṣbirreggiạre** *v.i.* (**ṣbirrẹggio, ṣbirrẹggi;** *aus.* **avere**) ⟨*rar*⟩ (*comportarsi da sbirro*) to act the bully (*o* strong-arm man), to throw one's weight around. – **ṣbirrerịa** *f.* ⟨*ant,non com*⟩ → **sbirraglia.** – **ṣbirrẹsco** *a.* (*pl.* **-chi**) bullying, strong-arm, rough: *metodi sbirreschi* strong-arm methods.
ṣbịrro[1] **I** *s.m.* **1.** ⟨*spreg*⟩ (*poliziotto*) policeman, ⟨*fam*⟩ cop, ⟨*spreg*⟩ fuzz, ⟨*spreg*⟩ pig. – **2.** ⟨*Stor*⟩ (*agente di polizia*) sbirro, police officer (*o* agent), policeman. – **II** *a.* **1.** ⟨*region*⟩ (*furbo, vivace*) crafty, artful, quick. – **2.** ⟨*ant*⟩ → **sbirresco.**
ṣbịrro[2] *m.* ⟨*Mar*⟩ selvagee.
ṣbiṣacciạre *v.t.* (**ṣbiṣạccio, ṣbiṣạcci**) ⟨*ant*⟩ (*togliere dalla bisaccia*) to unpack from a saddlebag (*o* knapsack).
ṣbittạre *v.t.* ⟨*Mar*⟩ to unbitt, to remove from a bitt.
ṣbiẓẓarrịre *v.t.* (**ṣbiẓẓarrịsco, ṣbiẓẓarrịsci**) to calm down, to cool off, to sober (up). – **sbizzarrirsi** *v.r.* **1.** to indulge one's whims (*o* caprices), to do as one likes: *lascia che si sbizzarrisca, avrà tutto il tempo per mettere giudizio* let him do what he likes (now), he'll have lots of time to be wise later. – **2.** (*dedicarsi*) to amuse o.s., to spend one's time: *nei momenti di ozio si sbizzarrisce a dipingere* in his leisure moments he spends his time painting.
ṣbiẓẓịre *v.i.* (**ṣbiẓẓịsco, ṣbiẓẓịsci;** *aus.* **essere**) ⟨*rar*⟩ (*smettere di fare le bizze*) to calm down, to sober up, to become responsible. – **sbizzirsi** *v.r.* (*sfogare le proprie bizze*) to indulge ones whims (*o* caprices), to do as one pleases.
ṣbloccamẹnto *m.* ⟨*non com*⟩ unblocking, releasing, freeing.
ṣbloccạre *v.* (**ṣblọcco, ṣblọcchi**) **I** *v.t.* **1.** to unblock, to open up: ~ *una strada* to unblock (*o* open up) a road; (*liberare*) to free. – **2.** (*allentare*) to release, to let go, to slacken, to loosen: ~ *il freno* to release the brake. – **3.** ⟨*fig*⟩ to free, to decontrol: ~ *i prezzi* to decontrol prices. – **4.** ⟨*Mil*⟩ to lift the blockade of; (*liberare dall'assedio*) to lift the siege of. – **5.** ⟨*Econ*⟩ to release, to defreeze, to unblock. – **II** *v.i.* (*aus.* **avere**) (*nel biliardo*) to bounce out of a pocket.
ṣblọcco *m.* (*pl.* **-chi**) **1.** release, unblocking, freeing. – **2.** (*allentamento*) release, loosening, slackening. – **3.** ⟨*fig*⟩ unfreezing, decontrolling: ~ *dei fitti* decontrolling of rents. – **4.** ⟨*Mil*⟩ lifting of a blockade; (*liberazione dall'assedio*) lifting of a siege.
ṣbọba, sbọbb(i)a *f.* ⟨*fam*⟩ (*brodaglia*) slop, goo, mess.
ṣboccamẹnto *m.* **1.** ⟨*non com*⟩ outlet, outflow, mouth. – **2.** ⟨*Enol*⟩ disgorgement.
ṣboccạre *v.* (**ṣbọcco, ṣbọcchi**) **I** *v.i.* (*aus.* **avere**) **1.** (*rif. a fiumi*) to flow, to open (*in* into), to have its outlet (in): *il Tevere sbocca nel Tirreno* the Tiber flows into the Tyrrhenian Sea. – **2.** (*rif. a strade e sim.*) to open, to lead (into), to come out, to emerge (in): *questa via sbocca nella piazza principale* this street leads into the main square. – **3.** (*arrivare*) to come (out), to emerge, to finish (*o* wind) up: *il corteo sboccò in piazza* the procession emerged in the square. – **4.** ⟨*fig*⟩ (*andare a finire*) to end (up): *la discussione sboccò in una lite* the discussion ended in a quarrel. – **5.** ⟨*fig,non com*⟩ (*prorompere*) to burst (out): ~ *in maledizioni* to burst out in curses. – **6.** ⟨*Mil*⟩ to make a sally. – **7.** ⟨*Mar*⟩ to come into open water. – **8.** ⟨*ant*⟩ (*straripare*) to overflow. – **II** *v.t.* **1.** (*versare*) to pour (out). – **2.** (*rompere, sbeccare*) to chip (*o* break) the lip of. – **3.** ⟨*non com*⟩ (*far sfociare*) to cause to flow into; (*riversare acqua*) to pour, to spill. – **4.** (*rif. a bottiglie*) to pour a few drops.
ṣboccatạggine *f.* scurrility, coarseness, foul language. – **sboccatamẹnte** *avv.* coarsely, vulgarly.
ṣboccạto (*p.p. di sboccare*) **I** *a.* **1.** (*senza ritegno*) uncontrolled, unbridled, over-free; (*sconveniente*) coarse, vulgar, improper, unseemly, foul-mouthed. – **2.** (*rif. a cavalli*: *indocile*) hard-mouthed, indocile. – **3.** (*rif. a bottiglie*) with a few drops from the top having been poured out; (*aperto*) open, started: *versami il vino, se la bottiglia è già -a* pour me some wine if the bottle is already open. – **4.** (*rotto all'orlo, sbeccato*) chipped, with a broken rim (*o* spout). – **5.** ⟨*ant*⟩ (*più largo verso la bocca*) widening towards the mouth (*o* opening); (*rif. a cannoni*) tuliped. – **6.** ⟨*fig,ant*⟩ (*che parla troppo*) loud-mouthed, obstreperous. – **II** *s.m.* (*f.* **-a**) loud-mouth.
ṣboccatọio *m.* ⟨*non com*⟩ (*sbocco*) outfall, outlet, opening. – **ṣboccatụra** *f.* **1.** (*lo sboccare una bottiglia*) pouring out a few drops from the top, opening, broaching. – **2.** (*vino, liquido sboccato*) wine poured away. – **3.** ⟨*ant*⟩ → **sboccatoio.**
ṣbocciamẹnto *m.* ⟨*non com*⟩ **1.** blooming, budding, flowering; (*rif. a fiori di alberi da frutto*) blossoming. – **2.** ⟨*fig*⟩ blossoming, birth, flowering, development.
ṣbocciạre[1] *v.i.* (**ṣbọccio, ṣbọcci;** *aus.* **essere**) **1.** to bloom, to flower, to bud: *cominciano a* ~ *le rose* the roses are beginning to bloom; (*rif. a fiori di alberi da frutto*) to blossom. – **2.** ⟨*fig*⟩ to blossom,

to flower, to spring up, to be born, to develop: *sbocciano nuove speranze* new hope blossoms (*o* is born).

ṣbocciạre[2] *v.t.* (**ṣbọccio, ṣbọcci**) ⟨*non com*⟩ (*nel gioco delle bocce*) to bowl out, to hit (the opponent's bowl).

ṣbọccio *m.* budding, blooming, flowering.

ṣbocciolạre *v.t.* (**ṣbocciọlo**) ⟨*Giard*⟩ to disbud. – **ṣbocciolatụra** *f.* disbudding.

ṣbọcco *m.* (*pl.* **-chi**) **1.** (*lo sboccare*) mouth, outflow, outlet, emerging, coming out, leading into; (*rif. a fiumi*) flowing into, outlet, opening. – **2.** (*luogo di sbocco*) outlet, exit, mouth: *allo* ~ *del tunnel c'è una piazzola di sosta* at the exit to the tunnel there's a layby; (*rif. a fiumi*) mouth. – **3.** (*apertura*) access, opening: *regione senza* ~ *sul mare* region without access to the sea; (*uscita*) exit, outlet, way out: *la grotta ha due sbocchi* the grotto has two exits. – **4.** ⟨*fig*⟩ (*via d'uscita*) way out: *non vedo lo* ~ *di questa situazione* I see no way out of this situation. – **5.** ⟨*fig*⟩ (*sfogo*) outlet: *cercare uno* ~ *per le le proprie energie* to seek an outlet for one's energy. – **6.** ⟨*Econ*⟩ outlet, channel; (*territorio, mercato*) market: *aprire nuovi sbocchi* to open up new markets. □ ~ *commerciale* commercial outlet; (*mercato*) market; ⟨*pop*⟩ ~ *di sangue* (*emottisi*) haemoptysis.

ṣbocconcellạre *v.t.* (**ṣbocconcẹllo**) **1.** to nibble (at): ~ *una mela* to nibble an apple. – **2.** ⟨*estens*⟩ (*sbeccare*) to chip. – **3.** ⟨*fig*⟩ (*dividere, frazionare*) to split up, to dismember, to parcel out. – **ṣbocconcellạto** (*p.p. di sbocconcellare*) *a.* **1.** nibbled. – **2.** ⟨*estens*⟩ (*sbeccato*) chipped. – **ṣbocconcellatụra** *f.* **1.** nibbling. – **2.** ⟨*concr*⟩ chip.

ṣbọffo *m.* ⟨*Mod*⟩ (*sbuffo*) puff.

ṣbofonchiạre *v.i.* (**ṣbofọnchio, ṣbofọnchi**; *aus.* **avere**) ⟨*pop*⟩ (*bofonchiare*) to grumble, to moan.

ṣboglientạre *v.* (**ṣbogliẹnto**) ⟨*ant*⟩ → **sbollentare.**

ṣbollentạre *v.* (**ṣbollẹnto**) **I** *v.t.* **1.** ⟨*Gastr,region*⟩ to parboil. – **2.** ⟨*ant*⟩ (*accendere, infiammare*) to excite, to inflame. – **II** *v.i.* (*aus.* **avere**) ⟨*ant*⟩ (*ardere*) to burn. – **sbollentarsi** *v.r.* ⟨*region*⟩ (*scottarsi*) to scald o.s.

ṣbollịre *v.i.* (**ṣbollịsco/ṣbọllo, ṣbollịsci/ṣbọlli**; *aus.* **avere/essere**) **1.** (*cessare di bollire*) to stop boiling, to go off the boil. – **2.** ⟨*fig*⟩ (*placarsi, calmarsi*) to cool (*o* simmer, die) down: *la collera gli è sbollita* his anger has simmered down.

ṣbollitụra *f.* ⟨*Met*⟩ (*soffiatura*) blow-hole.

ṣbolognạre *v.t.* (**ṣbolọgno**) ⟨*fam*⟩ **1.** (*liberarsi da monete false*) to pass (*o* palm) off: *mi hanno appioppato diecimila lire false e cercherò di sbolognarle* they stuck me with a counterfeit ten-thousand lira note and I'm going to try to palm it off. – **2.** (*dare via oggetti difettosi*) to get rid off, to foist off: ~ *un vecchio armadio* to get rid of an old wardrobe. – **3.** ⟨*fig*⟩ (*liberarsi*) to get rid of. □ *sbolognarsela* (*svignarsela*) to slip (*o* make) off, to sneak away.

ṣbolzonạre *v.t.* (**ṣbolzọno**) ⟨*ant*⟩ **1.** (*colpire a colpi di bolzone*) to ram. – **2.** (*rif. a monete*) to deface.

ṣbombọne *m.* ⟨*fam*⟩ (*chi racconta frottole*) teller of tall stories.

ṣborbottạre *v.t.* (**ṣborbọtto**) ⟨*ant*⟩ (*rimproverare*) to reprimand, to rebuke, ⟨*lett*⟩ to chide.

ṣbordạre *v.t.* (**ṣbọrdo**) to take the edge off. – **ṣbordatụra** *f.* **1.** skirting, edging, border. – **2.** ⟨*Calz*⟩ welt.

ṣbọrnia *f.* ⟨*pop*⟩ drunkenness. □ *prendere una* ~ to get drunk, ⟨*fam*⟩ to get high (*o* plastered), ⟨*fam*⟩ to go on a bender; *smaltire la* ~ to sober up, to sleep off a drunk. – **ṣborniạre** *v.t.* (**ṣbọrnio, ṣbọrni**) ⟨*pop*⟩ (*ubriacare*) to make drunk, to intoxicate. – **sborniarsi** *v.r.* to get drunk, ⟨*fam*⟩ to get plastered (*o* pickled, tight, high). – **ṣborniạto** (*p.p. di sborniare*) *a.* (*ubriaco*) drunk, tipsy, ⟨*fam*⟩ high, ⟨*fam*⟩ loaded, ⟨*fam*⟩ plastered. – **ṣborniẹtta** *f. dim. di* **sbornia.** – **ṣborniọne** *m.* (*f.* **-a**) ⟨*pop*⟩ (*ubriacone*) drunk(ard), tippler, ⟨*fam*⟩ boozer, ⟨*fam*⟩ soak.

ṣborsamẹnto *m.* → **sborso.** – **ṣborsạre** *v.t.* (**ṣbọrso**) **1.** to disburse. – **2.** ⟨*estens*⟩ (*pagare*) to pay (out), ⟨*fam*⟩ to fork (*o* shell) out, ⟨*fam*⟩ to cough up: ~ *molto denaro* to pay out lots of money. – **ṣbọrso** *m.* disbursement, outlay, payment.

ṣboscamẹnto *m.* ⟨*non com*⟩ (*diboscamento*) deforesting, deforestation. – **ṣboscạre** *v.t.* (**ṣbọsco, ṣbọschi**) ⟨*pop*⟩ (*diboscare*) to deforest.

ṣbottạre *v.i.* (**ṣbọtto**; *aus.* **essere**) **1.** to burst (out): ~ *in pianto* to burst ⌜out crying⌝ (*o* into tears). – **2.** ⟨*assol*⟩ (*non riuscire a contenersi*) to burst (out), to explode, to pop, to come out with everything inside one, to let it all out. – **ṣbottạta** *f.* **1.** burst, outburst: *una* ~ *di risate* an outburst of laughter. – **2.** ⟨*concr*⟩ (*parole*) outburst, explosion. – **ṣbọtto** *m.* (*lo sbottare*) burst, outburst.

ṣbottonạre *v.t.* (**ṣbottọno**) **1.** to unbutton: ~ *il colletto* to unbutton one's collar. – **2.** ⟨*Giard*⟩ to disbud. – **sbottonarsi** *v.r.* **1.** to unbutton. – **2.** ⟨*fig,fam*⟩ (*parlare apertamente*) to open up, to unbutton, to unbosom (*o* unburden) o.s. – **ṣbottonạto** (*p.p. di sbottonare*) *a.* unbuttoned. – **ṣbottonatụra** *f.* **1.** (*lo sbottonare*) unbuttoning. – **2.** ⟨*Giard*⟩ disbudding.

ṣbọvo *m.* ⟨*Mar*⟩ windlass; (*di catena*) swivel.

ṣbozzacchịre *v.* (**ṣbozzacchịsco, ṣbozzacchịsci**) ⟨*non com*⟩ **I** *v.i.* (*aus.* **essere**) **1.** (*riprendere vigore*) to gain new strength, to pick up, to take on new life; (*rif. a piante*) to pick up. – **2.** ⟨*fig*⟩ (*dirozzarsi*) to become less rough (*o* coarse). – **II** *v.t.* **1.** (*far riprendere vigore*) to strengthen, to freshen, to revive. – **2.** ⟨*fig*⟩ (*dirozzare*) to refine, to polish.

ṣbozzạre *v.t.* (**ṣbọzzo**) **1.** (*digrossare*) to rough-hew, to rough(-shape): ~ *il legno* to rough-hew wood. – **2.** ⟨*Scult*⟩ to rough-hew, to boast. – **3.** ⟨*Pitt*⟩ to sketch in, to outline. – **4.** ⟨*fig*⟩ (*abbozzare, delineare*) to outline, to sketch out: ~ *la trama di un romanzo* to outline the plot of a novel; (*fare l'abbozzo di*) to make a rough draft of, to draft. □ ⟨*fig*⟩ ~ *un gesto* to make a vague gesture; ⟨*fig*⟩ ~ *un sorriso* to smile faintly, to give a ghost of a smile.

ṣbozzatọre I *s.m.* (*f.* **-trice**) **1.** (*marmorario*) rough-hewer, mason who does boasting. – **2.** ⟨*fig*⟩ person who outlines (*o* sketches out). – **II** *a.* ⟨*Mecc*⟩ taper-, rough(ing): *maschio* ~ taper tap. – **ṣbozzatụra** *f.* **1.** roughing, rough-hewing. – **2.** ⟨*Scult*⟩ rough-hewing, boasting. – **3.** ⟨*Mecc*⟩ intermediate forging, blocking. – **4.** ⟨*Pitt, fig*⟩ outline, outlining, sketch, sketching in (*o* out).

ṣbozzimạre *v.t.* (**ṣbọzzimo**) ⟨*Tess*⟩ to desize. – **ṣbozzimatụra** *f.* desizing.

ṣbọzzo *m.* **1.** (*lo sbozzare*) rough-hewing, roughing. – **2.** ⟨*Scult*⟩ rough-hewing, boasting. – **3.** ⟨*Pitt,fig*⟩ sketching in (*o* out), outlining. – **4.** ⟨*concr*⟩ (*abbozzo*) sketch, outline, draft.

ṣbozzolạre *v.* (**ṣbọzzolo**) **I** *v.i.* (*aus.* **avere**) (*uscire dal bozzolo*) to emerge from the cocoon. – **II** *v.t.* (*raccogliere i bozzoli*) to gather cocoons from. – **ṣbozzolạto** (*p.p. di sbozzolare*) *a.* ⟨*non com*⟩ **1.** (*uscito dal bozzolo*) emerged from the cocoon. – **2.** ⟨*fig*⟩ (*uscito dall'infanzia*) grown-up, fledged, standing on one's own feet. – **sbozzolatọre** *m.* (*f.* **-trice**) gatherer of cocoons. – **ṣbozzolatụra** *f.* **1.** (*raccolta dei bozzoli*) gathering of cocoons. – **2.** (*tempo della sbozzolatura*) period when cocoons are gathered.

ṣbracalạto *a.* ⟨*fam,scherz*⟩ **1.** with one's trousers falling down. – **2.** ⟨*estens*⟩ (*sciatto, disordinato*) slovenly, untidy, sloppy.

ṣbracạre *v.t.* (**ṣbrạco, ṣbrạchi**) **1.** (*togliere le brache*) to take the trousers off. – **2.** ⟨*tecn*⟩ to unsling, to release. – **sbracarsi** *v.r.* **1.** (*togliersi le brache*) to take one's trousers off. – **2.** ⟨*estens*⟩ (*mettersi in libertà*) to loosen one's clothing. □ ⟨*pop*⟩ *sbracarsi dalle risa* to laugh fit to burst, to roar with laughter. – **ṣbracatamẹnte** *avv.* carelessly. □ *ridere* ~ to laugh uproariously (*o* boisterously). – **ṣbracạto** (*p.p. di sbracare*) *a.* **1.** (*senza brache*) trouserless. – **2.** (*coi vestiti slacciati*) with one's clothing loosened; (*sbottonato*) unbuttoned. – **3.** ⟨*estens*⟩ (*disordinato*) sloppy, slovenly, untidy, in disarray. – **4.** ⟨*fig*⟩ (*sguaiato*) coarse, vulgar.

ṣbraccettạre *v.t.* (**ṣbraccẹtto**) ⟨*scherz,non com*⟩ (*portare a braccetto*) to go (*o* walk) arm in arm with, to have on one's arm.

ṣbracciạre *v.* (**ṣbrạccio, ṣbrạcci**) **I** *v.i.* (*aus.* **avere**) (*gesticolare eccessivamente*) to gesticulate, to wave one's arms about, to saw the air. – **II** *v.t.* ⟨*ant*⟩ (*togliersi dal braccio*) to take off one's arm. – **sbracciarsi** *v.r.* **1.** to bare one's arms; (*indossare abiti senza maniche*) to wear sleeveless clothing; (*tirare su le maniche*) to roll (*o* tuck) up one's sleeves. – **2.** (*agitare le braccia*) to wave one's arms about, to gesticulate frantically. – **3.** ⟨*fig*⟩ (*adoperarsi*) to do one's utmost, to spare no effort. – **4.** ⟨*non com*⟩ (*stendere, muovere liberamente le braccia*) to stretch one's arms.

ṣbracciạta *f.* ⟨*non com*⟩ sudden movement of the arm. – **ṣbracciạto** (*p.p. di sbracciare*) *a.* **1.** (*senza maniche*) sleeveless: *un vestito* ~ a sleeveless dress; (*con maniche corte*) short-sleeved, with short sleeves. – **2.** (*con le braccia scoperte*) bare-armed, with bare arms.

ṣbrạccio *m.* **1.** ⟨*tecn*⟩ straddle, range: *lo* ~ *di una gru* the straddle of a crane. – **2.** ⟨*Sport*⟩ arm movement, throwing action. – **3.** ⟨*tosc*⟩ (*spazio*) elbow-room.

ṣbraciạre *v.* (**ṣbrạcio, ṣbrạci**) **I** *v.t.* **1.** to poke, to stir. – **2.** ⟨*fig,tosc*⟩ (*dare con generosità*) to give lavishly. – **II** *v.i.* (*aus.* **avere**) **1.** (*sprigionarsi dalla brace*) to fly, to leap (from the live coals). – **2.** ⟨*tosc, non com*⟩ (*comportarsi in modo esagerato*) to exaggerate, to overdo things; (*fare il grande*) to lord it, to swagger, to strut; (*vantarsi*) to brag, to boast. – **sbraciarsi** *v.r.* (*sprigionarsi dalla brace*) to fly, to leap (from the live coals).

ṣbraciạta *f.* ⟨*non com*⟩ **1.** (*lo sbraciare*) poke, stir. – **2.** ⟨*fig,tosc*⟩ (*spacconata*) swaggering. – **ṣbraciatọio** *m.* poker. – **ṣbraciọne** *m.* (*f.* **-a**) ⟨*tosc*⟩ (*spaccone*) swaggerer, boaster, bragger.

ṣbraitamẹnto *m.* ⟨*non com*⟩ → **sbraitio.** – **ṣbraitạre** *v.i.* (**ṣbrạito**; *aus.* **avere**) **1.** (*parlare a voce alta*) to shout, to yell, ⟨*am*⟩ to holler. – **2.** (*protestare*) to shout (angrily), to protest. – **ṣbraitịo** *m.* shouting, yelling. – **ṣbraitọne** *m.* (*f.* **-a**) ⟨*fam*⟩ shouter, bawler.

ṣbramạre[1] *v.t.* ⟨*lett*⟩ (*soddisfare*) to satisfy, to have one's fill of.

ṣbramạre[2] *v.t.* ⟨*Agr*⟩ to pearl. – **ṣbramatụra** *f.* pearling (of rice). – **ṣbramịno** *m.* rice-pearling machine.

ṣbranamẹnto *m.* ⟨*non com*⟩ tearing to pieces, rending. – **ṣbranạre** *v.t.* to tear to pieces, to rend, to lacerate (*anche fig.*): *il leone sbranò la pecora* the lion tore the sheep to pieces. – **sbranarsi** *v.r.* ⟨*recipr*⟩ to rend e.o., to tear e.o. to pieces (*anche fig.*).

ṣbrancamẹnto *m.* **1.** (*lo sbrancare*) detaching, cutting out (from the flock or herd); (*lo sbrancarsi*) straying (from the flock or herd), scattering. – **2.** (*dispersione*) scattering, straying.

ṣbrancạre[1] *v.t.* (**ṣbrạnco, ṣbrạnchi**) **1.** (*far uscire dal branco*) to detach (from the herd), to take from the flock, to cut out: ~ *gli agnelli dal gregge* to cut the lambs out from the flock. – **2.** (*disperdere il branco*) to scatter, to break up. – **3.** ⟨*fig*⟩ (*disperdere*) to scatter, to disperse, to break up: *la polizia sbrancò i curiosi* the police dispersed the curious onlookers. – **sbrancarsi** *v.r.* **1.** (*uscire dal branco*) to leave the flock (*o* herd). – **2.** (*disperdersi*) to stray, to break up, to scatter, to straggle.

ṣbrancạre[2] *v.t.* (**ṣbrạnco, ṣbrạnchi**) ⟨*ant,lett*⟩ (*troncare i rami*) to cut (*o* lop) off. – **sbrancarsi** *v.r.* to appear split.

ṣbrancạto (*p.p. di sbrancare*[1]) *a.* **1.** (*uscito dal branco*) stray, detached from the flock, separated: *pecora* **-a** stray sheep. – **2.** (*disperso, disgregato*) scattered: *gregge* ~ scattered flock.

ṣbrancicạre *v.t.* (**ṣbrạncico, ṣbrạncichi**) ⟨*fam*⟩ to maul, to paw, to keep squeezing.
ṣbrandellạre *v.t.* (**ṣbrandẹllo**) ⟨*non com*⟩ (*fare a brandelli*) to tear to pieces, to rend (*o* pull) to shreds.
ṣbrạno *m.* ⟨*non com*⟩ **1.** rending, tearing to pieces. – **2.** (*parte sbranata*) rent (*o* torn) part. – **3.** (*strappo*) tear, rent; (*lacerazione, ferita*) wound, injury.
ṣbrattạre[1] **I** *v.t.* **1.** (*liberare da ciò che ingombra*) to clear: ~ *il tavolo* to clear the table; (*riordinare*) to tidy (up), to straighten; (*pulire*) to clean. – **2.** ⟨*fig*⟩ to free, to rid, to clear, to clean up. – **II** *v.i.* (*aus.* **avere**) to clear (*o* tidy, straighten) up.
ṣbrattạre[2] *v.i.* (*aus.* avere) ⟨*Mar*⟩ to scull.
ṣbrattạta *f.* quick clear-up, tidy-up; (*ripulita*) (quick) clean. □ *dare una ~ a una stanza* to give a room a quick tidy-up (*o* once-over).
ṣbrạtto[1] *m.* clearing (up), clean(ing), tidying (up). □ *stanza di ~* lumber-room, store-room.
ṣbrạtto[2] *m.* ⟨*Mar*⟩ sculling. □ *remo da* (o *a*) ~ scull.
ṣbravazzạre *v.i.* (*aus.* **avere**) to brag, to boast, to bluster. – **ṣbravazzạta** *f.* **1.** (*azione da bravaccio*) swaggering (*o* bullying) action. – **2.** (*smargiassata*) bragging, boast, bluster.
ṣbreccạre *v.t.* (**ṣbrẹcco, ṣbrẹcchi**) to chip the edge of. – **ṣbreccạto** (*p.p. di sbreccare*) *a.* chipped.
ṣbrecciạre *v.t.* (**ṣbrẹccio, ṣbrẹcci**) **1.** ⟨*Mil*⟩ (*aprire una breccia*) to breach, to make a breach in. – **2.** → **sbreccare**. – **ṣbrecciatụra** *f.* ⟨*Archeol*⟩ flaking.
ṣbrendolạre *v.i.* (**ṣbrẹndolo/ṣbrẹndolo**; *aus.* **avere**) ⟨*tosc*⟩ (*essere ridotto a brandelli*) to be reduced to rags, to be (*o* hang) in tatters. – **ṣbrẹndolo** (o *ṣbrẹndolo*) *m.* ⟨*tosc*⟩ (*brandello*) shred, tatter, rag. – **ṣbrendolọne** ⟨*tosc*⟩ **I** *a.* tattered, ragged, in rags. – **II** *s.m.* (*f.* **-a**) tatterdemalion, ragamuffin.
ṣbrịcco *m.* (*pl.* **-chi**) ⟨*ant*⟩ **1.** (*furfante*) rogue, scoundrel. – **2.** (*sgherro*) sbirro, police officer.
ṣbriciạre *v.* (**ṣbrịcio, ṣbrịci**) → **sbriciolare**.
ṣbrịcio *a.* ⟨*tosc*⟩ (*povero*) wretched, shabby, poor.
ṣbriciolamẹnto *m.* crumbling. – **ṣbriciolạre** *v.t.* (**ṣbrịciolo**) **1.** to crumble: ~ *il pane* to crumble bread. – **2.** (*ridurre in pezzetti*) to shatter, to crumble, to break to pieces. – **3.** (*ricoprire di briciole*) to cover with crumbs (*o* fragments): *hai sbriciolato la tovaglia* you've covered the tablecloth with crumbs. – **4.** ⟨*iperb*⟩ (*annientare*) to destroy, to finish off, to wipe out, to put paid to. – **sbriciolarsi** *v.r.* to crumble. – **ṣbriciolatụra** *f.* **1.** crumbling. – **2.** ⟨*concr*⟩ fragments *pl*, scraps *pl*, bits *pl*; (*briciole*) crumbs *pl*.
ṣbrigamẹnto *m.* ⟨*non com*⟩ dispatch, getting through (*o* done).
ṣbrigạre *v.t.* (**ṣbrịgo, ṣbrịghi**) **1.** (*fare sollecitamente*) to hurry (*o* get) through, to get done (*o* over), to finish (*o* polish) off, to expedite, to dispatch: ~ *le faccende domestiche* to get the housework done. – **2.** (*risolvere*) to settle, to take care of, to arrange: ~ *una pratica* to settle a matter. – **3.** (*rif. a persone*) to see to, to handle, to finish with, to get through (*o* rid of): *quel cliente lo sbrigherò in un attimo* I'll handle that customer quickly. – **sbrigarsi** *v.r.* **1.** (*fare presto*) to hurry (up), to be quick, to make haste: *sbrighiamoci, altrimenti faremo tardi* let's hurry or we'll be late. – **2.** (*liberarsi*) to rid (*o* free) o.s., to get rid, to get free (*da* of): *sbrigarsi da un seccatore* to get rid of a bore. □ *sbrigarsela* (*disimpegnarsi*) to see (*con* to), to get rid (of), to do, to get through (s.th.); *me la sbrigo subito* I'll be through in a minute; *sbrigati!* (be) quick!, hurry up!, ⟨*fam*⟩ get a move on!; ~ *la corrispondenza* to handle (*o* take care of) the correspondence.
ṣbrigativamẹnte *avv.* quickly, hastily, in a hurry. – **ṣbrigatività** *f.* speed, dispatch, hastiness. – **ṣbrigatịvo** *a.* **1.** (*rapido*) quick, swift, rapid, fast. – **2.** (*che si può sbrigare in fretta*) quick, quickly (*o* rapidly) done, brief: *un lavoro ~* a quick (*o* quickly done) job. – **3.** (*energico, brusco*) brusque, abrupt, rough, forceful: *modi -i* brusque ways. – **4.** (*superficiale*) hurried, hasty: *un giudizio troppo ~* an over-hasty decision. – **ṣbrigạto** (*p.p. di sbrigare*) *a.* finished, done with, dispatched.
ṣbrigliamẹnto *m.* **1.** unbridling. – **2.** ⟨*Chir*⟩ debridement. – **ṣbrigliạre** *v.t.* (**ṣbrịglio, ṣbrịgli**) **1.** to unbridle. – **2.** ⟨*fig*⟩ to unbridle, to give free rein (*o* play) to: ~ *la fantasia* to give free play to one's imagination. – **3.** ⟨*Chir*⟩ to debride. – **sbrigliarsi** *v.r.* to have free rein, to be unbridled, to run free (*o* wild), to let o.s. go. – **ṣbrigliạta** *f.* ⟨*non com*⟩ **1.** (*tirata di briglie*) pull on the reins. – **2.** ⟨*fig*⟩ (*rimprovero, rabbuffo*) scolding, rebuke, pull-up. – **ṣbrigliatamẹnte** *avv.* freely, unrestrainedly, wildly. – **ṣbrigliatẹzza** *f.* unruliness, unbridled behaviour, wildness, lack of control (*o* restraint). – **ṣbrigliạto** (*p.p. di sbrigliare*) *a.* **1.** unbridled. – **2.** ⟨*fig*⟩ unbridled, free, wild, unchecked, with free play: *fantasia -a* unbridled imagination; (*rif. a persone*) wild, unruly. – **3.** ⟨*Chir*⟩ debrided.
ṣbrịglio *m.* ⟨*Itt*⟩ (*smeriglio*) mackerel shark, porbeagle (*Isurus oxyrhynchus*; *Lamna nasus*).
ṣbrinamẹnto *m.* ⟨*tecn*⟩ defrosting. – **ṣbrinạre** *v.t.* to defrost. – **ṣbrinatọre** *m.* defroster. □ ⟨*Aut*⟩ ~ *del parabrezza* windshield defroster.
ṣbrindellạre *v.* (**ṣbrindẹllo**) **I** *v.t.* to tear (*o* rip) to shreds. – **II** *v.i.* (*aus.* **avere**), **sbrindellarsi** *v.r.* to be tattered. – **ṣbrindellạto** (*p.p. di sbrindellare*) *a.* **1.** (*rif. a stoffe, vestiti e sim.*) tattered, ragged, shabby: *un maglione ~* a tattered sweater. – **2.** (*rif. a persone*) tattered, ragged, shabby, in rags: *va in giro tutto ~* he goes around in rags. – **ṣbrindẹllo** *m.* ⟨*pop*⟩ (*brindello*) tatter, rag. – **ṣbrindellọne** *a./s.* → **sbrendolone**.
ṣbrinz *m.* ⟨*Alim*⟩ Brienz cheese.
ṣbroccạre *v.t.* (**ṣbrọcco, ṣbrọcchi**) ⟨*Silv*⟩ to reprune. – **ṣbroccatụra** *f.* repruning. – **ṣbrọcco** *m.* (*pl.* **-chi**) **1.** (*brocco*) stump. – **2.** ⟨*Calz*⟩ awl.
ṣbrodạre *v.t.* (**ṣbrọdo**) to stain with soup (*o* sauce, food). – **ṣbrodolamẹnto** *m.* (*lo sbrodolare*) staining with soup (*o* sauce, food); (*lo sbrodolarsi*) dirtying (*o* staining) o.s. with soup (*o* sauce, food). – **ṣbrodolạre** *v.t.* (**ṣbrọdolo**) **1.** to stain with soup (*o* sauce, food). – **2.** ⟨*fig*⟩ (*tirare in lungo*: *rif. a discorsi e sim.*) to spin (*o* draw, pad) out: ~ *una conferenza* to spin out a lecture. – **sbrodolarsi** *v.r.* to dirty (*o* stain) o.s. (with soup, sauce, food). – **ṣbrodolạto** (*p.p. di sbrodolare*) *a.* **1.** soup-stained. – **2.** ⟨*fig*⟩ (*prolisso*) wordy, long-drawn-out, rambling. – **ṣbrodolọne** *m.* (*f.* **-a**) **1.** messy eater. – **2.** ⟨*fig*⟩ (*chi parla o scrive prolissamente*) windbag, maunderer, ⟨*fam*⟩ waffler.
ṣbrọglia *f.* ⟨*Tess*⟩ shoddy.
ṣbrogliamẹnto *m.* ⟨*non com*⟩ disentangling, disentanglement, unravelling (*anche fig.*). – **ṣbrogliạre** *v.t.* (**ṣbrọglio, ṣbrọgli**) **1.** to unravel, to disentangle: ~ *una matassa* to unravel a skein. – **2.** ⟨*fig*⟩ to sort out, to disentangle, to unravel: ~ *una pratica noiosa* to sort out a boring matter. – **3.** (*sgombrare*) to clean out, to clear, to free: ~ *un armadio* to clean out a wardrobe. – **sbrogliarsi** *v.r.* to extricate o.s. (*da* from), to get (o.s.) out, to wriggle out (of). □ *sbrogliarsela* (*togliersi da un impiccio*) to get out of s.th.
ṣbrọglio *m.* ⟨*non com*⟩ (*sgombro*) clearing (up), tidying (up), cleaning. □ *stanza di ~* lumber-room, store-room.
ṣbrọnza *f.* ⟨*scherz*⟩ drunkenness. – **ṣbronzạrsi** *v.r.* (**mi ṣbrọnzo**) ⟨*fam,scherz*⟩ (*ubriacarsi*) to get drunk (*o* tipsy), ⟨*fam*⟩ to get high (*o* plastered). – **ṣbronzạto** (*p.p. di sbronzarsi*) *a.* → **sbronzo**. – **ṣbrọnzo** *a.* ⟨*fam,scherz*⟩ (*ubriaco*) drunk, tipsy, ⟨*fam*⟩ plastered, ⟨*fam*⟩ tight, ⟨*fam*⟩ loaded.
ṣbrọscia *f.* (*pl.* **-sce**) ⟨*tosc*⟩ **1.** (*brodaglia*) watery soup, thin broth, ⟨*fam*⟩ slop; (*bevanda o minestra insipida*) tasteless soup (*o* drink), ⟨*fam*⟩ dishwater. – **2.** ⟨*fig*⟩ (*discorso prolisso e vuoto*) maundering, rambling speech, idle talk, ⟨*fam*⟩ waffle.
ṣbrotamẹnto *m.* ⟨*tosc*⟩ (*erosione*) (swift) erosion.
ṣbrucạre *v.t.* (**ṣbrụco, ṣbrụchi**) **1.** ⟨*non com*⟩ (*strappare le foglie*) to strip (off). – **2.** ⟨*ant*⟩ (*strappare*) to rip (*o* tear) off.
ṣbruffạre *v.t.* **1.** to spurt, to squirt: ~ *acqua* to spurt water. – **2.** ⟨*fig, region*⟩ (*raccontare spacconate*) to brag, ⟨*fam*⟩ to talk big. – **3.** ⟨*fig*⟩ (*corrompere con doni*) to bribe, ⟨*fam*⟩ to pay off. – **4.** ⟨*non com*⟩ (*aspergere*) to sprinkle, to bespatter.
ṣbruffarịso *m.* ⟨*teat*⟩ poor part.
ṣbruffạta *f.* **1.** spurt, squirt. – **2.** ⟨*fig*⟩ boast, bragging. – **ṣbruffatịna** *f. dim. di* **sbruffata**. – **ṣbrụffo** *m.* **1.** (*lo sbruffare*) spurting, squirting. – **2.** (*spruzzo*) spurt, gush, squirt. – **3.** ⟨*fig,non com*⟩ (*mancia data per corrompere*) bribe, ⟨*fam*⟩ pay-off. – **4.** (*fuoco d'artificio*) kind of firework. – **ṣbruffonạta** *f.* ⟨*region*⟩ bragging, boasting. – **ṣbruffọne** ⟨*region*⟩ **I** *s.m.* (*f.* **-a**) (*spaccone*) boaster, braggart, swaggerer. – **II** *a.* boastful, bragging. □ *fare lo ~* to boast, to brag, ⟨*fam*⟩ to talk (*o* act) big.
ṣbrụfolo *m.* ⟨*pop*⟩ (*brufolo*) pimple, small boil.
ṣbucạre *v.* (**ṣbụco, ṣbụchi**) **I** *v.i.* (*aus.* **essere**) **1.** (*uscire fuori*) to come out (*da* of), to emerge (from): *la lepre sbucò dalla tana* the hare came out of its hole; *sbucammo dalla galleria* we emerged from the tunnel. – **2.** ⟨*estens*⟩ (*apparire d'un tratto*) to spring (up), to pop up, to leap out. – **3.** (*sboccare*) to emerge, to lead, to come out: *il vicolo sbuca nella piazza* the alley comes out in the square. – **II** *v.t.* ⟨*ant*⟩ (*far uscire*) to draw (out), to start.
ṣbucciafrụtte *m.inv.* ⟨*Ornit*⟩ wren (*Troglodytes troglodytes*).
ṣbucciamẹnto *m.* ⟨*non com*⟩ **1.** (*lo sbucciare*) peeling, paring, scraping. – **2.** (*il ferire leggermente*) scraping, skinning, grazing.
ṣbucciapatạte *m.inv.* ⟨*Gastr*⟩ potato-peeler.
ṣbucciạre *v.t.* (**ṣbụccio, ṣbụcci**) **1.** to peel, to pare, to scrape: ~ *una mela* to peel an apple. – **2.** (*provocare un'escoriazione*) to take the skin off, to skin, to scrape. – **sbucciarsi** *v.r.* **1.** (*escoriarsi*) to scrape, to skin, to graze: *mi sono sbucciato un ginocchio* I've grazed my knee. – **2.** (*rif. a serpenti*: *cambiare la pelle*) to slough (*o* shed, cast) its skin, to moult, to exuviate. □ ⟨*pop*⟩ *sbucciarsela* (*riuscire a evitare qc. di spiacevole*) to get (*o* wriggle) out of s.th.
ṣbucciatọre *m.* (*f.* **-trice**) **1.** (*chi sbuccia*) peeler. – **2.** (*coltellino da cucina*) scraper, peeler: ~ *per carote* carrot-scraper. – **ṣbucciatụra** *f.* **1.** (*lo sbucciare*) peeling, paring, scraping. – **2.** (*abrasione*) scrape, graze. – **3.** (*rif a serpenti*) sloughing, moulting, exuviation.
ṣbucciọne *m.* (*f.* **-a**) ⟨*tosc*⟩ (*scansafatiche*) shirker, idler, loafer.
ṣbudellamẹnto *m.* gutting. – **ṣbudellạre** *v.t.* (**ṣbudẹllo**) **1.** to gut, to draw, to disembowel: ~ *un animale* to gut an animal. – **2.** ⟨*estens*⟩ (*ferire gravemente*) to stab in the stomach. – **3.** ⟨*iperb*⟩ (*uccidere*) to stab to death, to run through, to butcher. – **sbudellarsi** *v.r.* ⟨*recipr*⟩ to stab (*o* knife) e.o. □ *sbudellarsi dalle risa* to laugh fit to burst, to split one's sides with laughter.
ṣbuffạnte (*p.pr. di sbuffare*) *a.* **1.** (*rif. a cavalli*) snorting. – **2.** (*rif. a persone*) snorting, puffing: ~ *di rabbia* snorting with anger, fuming. – **3.** (*che manda fumo*) puffing. – **ṣbuffạre I** *v.i.* (*aus.* **avere**) **1.** (*rif. a cavalli*) to snort. – **2.** (*rif. a persone*) to snort, to fret, to fume; (*in seguito a uno sforzo fisico*) to puff, to pant. – **3.** (*emettere fumo a tratti*) to puff. – **II** *v.t.* ⟨*non com*⟩ (*mandare fuori fumo a tratti*) to puff. □ ⟨*scherz*⟩ ~ *come una locomotiva* to puff and pant.
ṣbuffạta *f.* snort. – **ṣbuffatịna** *f. dim. di* **sbuffata**. – **ṣbụffo** *m.* **1.** (*lo sbuffare*) puffing. – **2.** (*aria, fumo, vapore emesso*) puff. – **3.** ⟨*estens*⟩ (*folata*) puff, gust: *uno ~ di vento* a gust of wind. –

4. ⟨*Sart*⟩ (*sboffo*) puff: ~ *della manica* puff of a sleeve. – 5. (*ciocca di capelli*) tuft.

ṣbugiardạre *v.t.* to give the lie to, to show up, to catch out in a lie. – **ṣbugiardạto** (*p.p. di sbugiardare*) *a.* shown up, discredited.

ṣbullettạre *v.* (**ṣbullẹtto**) **I** *v.t.* to untack, to take the tacks out of. – **II** *v.i.* (*aus.* **avere**) ⟨*Mur*⟩ to blister. – **sbullettarsi** *v.r.* to come untacked (*o* loose). – **ṣbullettatụra** *f.* ⟨*Mur,non com*⟩ **1.** blistering. – **2.** ⟨*concr*⟩ blister.

ṣbullonạre *v.t.* (**ṣbullọno**) to unbolt. – **sbullonarsi** *v.r.* to come unbolted (*o* loose).

ṣburocratiẓẓạre *v.t.* ⟨*non com*⟩ to make less bureaucratic, to cut down on the red tape of.

ṣburrạre *v.t.* to skim. – **ṣburrạto** (*p.p. di sburrare*) *a.* skimmed: *latte* ~ skimmed milk.

ṣbuẓẓạre *v.t.* ⟨*fam,tosc*⟩ **1.** (*sventrare*) to gut, to draw: ~ *un pollo* to draw a chicken. – **2.** ⟨*estens*⟩ (*sbudellare*) to disembowel. – **3.** ⟨*estens*⟩ (*aprire rompendo l'involucro*) to break (*o* tear) open. – **sbuzzarsi** *v.r.* (*mangiare a crepapelle*) to cram (*o* stuff) o.s., to eat fit to burst, to gorge.

sc = ⟨*Mat*⟩ *secante* secant (*abbr.* sec.).

Sc = ⟨*Chim*⟩ *scandio* scandium.

s.c. = **1.** *salvo complicazioni* bar complications. – **2.** *secondo consumo* according to consumption. – **3.** *sopra citato* above mentioned.

S.C. = **1.** *sede centrale* head office. – **2.** *suprema corte* Supreme Court (*abb.* S.C.). – **3.** *sacra congregazione* Sacred Congregation. – **4.** *sacro collegio* Sacred College. – **5.** *stato civile* marital status.

scạbbia *f.* **1.** ⟨*Med,Veter*⟩ scabies. – **2.** ⟨*Agr*⟩ scab. – **3.** ⟨*non com*⟩ (*squamosità*) scaliness. – **4.** ⟨*fig,rar*⟩ (*male, difetto*) evil, sore, blot.

scabbiatụra *f.* ⟨*Met*⟩ scab.

scabbiọsa *f.* ⟨*Bot*⟩ scabious (*Scabiosa*).

scabbiọso I *a.* **1.** ⟨*Med,Veter*⟩ scabious, scabby. – **2.** ⟨*Agr*⟩ scabbed, scabby. – **II** *s.m.* (*f.* **-a**) sufferer from scabies.

scabinạto *m.* ⟨*Mediev*⟩ **1.** (*carica*) office of an echevin. – **2.** (*durata*) term of office of an echevin. – **scabịno** *m.* echevin, ⟨*ant*⟩ scabine.

scabiọsa *f.* → **scabbiosa.**

scabrẹzza *f.* **1.** roughness, harshness. – **2.** ⟨*Idr*⟩ roughness. – **scạbro** *a.* **1.** rough, harsh: *superficie -a* rough surface. – **2.** ⟨*fig*⟩ (*conciso, asciutto*) terse, concise: *stile* ~ terse style; (*senza ornamenti*) unvarnished. – **3.** ⟨*fig,rar*⟩ (*scabroso*) difficult, thorny, knotty. – **4.** ⟨*fig,poet*⟩ (*brullo*) barren, bleak.

scabrosamẹnte *avv.* **1.** roughly, unevenly, ruggedly. – **2.** ⟨*fig*⟩ knottily, thornily, with difficulty. – **scabrosẹtto** (*dim. di scabroso*) *a.* rather difficult (*o* thorny).

scabrosịmetro *m.* ⟨*Mecc*⟩ profilometer.

scabrosità *f.* **1.** (*ruvidezza*) roughness, ruggedness, harshness; (*non uniformità*) unevenness. – **2.** ⟨*concr*⟩ (*parte ruvida*) rough part, roughness; (*sporgenza*) lump, bump, snag: *le* ~ *di un tronco* the bumps on a trunk. – **3.** ⟨*fig*⟩ (*difficoltà*) knottiness, thorniness, difficulty, snag: ~ *di un problema* ⌜knottiness of⌝ (*o* snags in) a problem. – **4.** ⟨*fig*⟩ (*delicatezza*) delicacy, ticklishness, scabrousness. – **5.** *pl.* ⟨*fig*⟩ (*punti scabrosi*) knotty points *pl*, difficult parts *pl*. – **6.** ⟨*Mecc*⟩ roughness.

scabrọso *a.* **1.** (*ruvido*) rough, rugged, harsh: *superficie -a* rough surface; (*non uniforme*) uneven; (*rif. a strade e sim.*) rough, uneven, bumpy, bad. – **2.** ⟨*fig*⟩ (*difficile*) knotty, difficult, thorny, troublesome: *problema* ~ knotty problem. – **3.** ⟨*fig*⟩ (*delicato*) delicate, ticklish, thorny: *una vicenda -a* a ticklish business. – **4.** ⟨*non com*⟩ (*malagevole*) difficult, hard, awkward.

scacazzamẹnto *m.* ⟨*volg*⟩ crapping, ⟨*triv*⟩ shitting. – **scacazzạre** *v.i.* (*aus.* **avere**) ⟨*volg*⟩ to crap, ⟨*triv*⟩ to shit.

scaccạto *a.* chequered, checkered, check(ed). – **scaccheggiạto** *a.* ⟨*non com*⟩ → **scaccato.**

scacchiạre *v.t.* (**scạcchio, scạcchi**) ⟨*Agr*⟩ to prune, to pollard. – **scacchiatụra** *f.* pruning, pollarding.

scacchiẹra *f.* **1.** (*per gli scacchi*) chessboard; (*per la dama*) draught-board, ⟨*am*⟩ checkerboard. – **2.** ⟨*Pesc*⟩ kind of fishing-net. □ *a* ~ chequered.

scacchiẹre *m.* **1.** ⟨*Mil*⟩ theatre, sector, zone. – **2.** ⟨*GB*⟩ (*erario*) Exchequer: *Cancelliere dello* ~ Chancellor of the Exchequer. – **3.** ⟨*ant*⟩ (*scacchiera: per gli scacchi*) chessboard; (*per la dama*) draught-board, ⟨*am*⟩ checkerboard. □ *a* ~ in echelon formation, stepped.

scacchịsta *m./f.* chess player. – **scacchịstico** *a.* (*pl.* **-ci**) chess-, of chess: *torneo* ~ chess tournament.

scạccia *m.inv.* ⟨*Venat*⟩ beater.

scaccia|cạni *m./f.inv.* (*anche pistola scacciacani*) blank pistol. – **~diạvoli** *m.inv.* **1.** ⟨*Artigl*⟩ long-range gun. – **2.** ⟨*Pesc*⟩ conical drag-net. – **~fụmo** *m.inv.* ⟨*Artigl*⟩ air-blast.

scacciamẹnto *m.* ⟨*non com*⟩ expulsion, driving out.

scaccia|mọsche *m.inv.* fly-whisk. – **~nẹve** *m.inv.* ⟨*Meteor,non com*⟩ blizzard, snowstorm. – **~pensiẹri** *m.inv.* **1.** ⟨*Mus*⟩ Jew's harp. – **2.** ⟨*fig,non com*⟩ (*svago*) pastime, distraction.

scacciạre *v.t.* (**scạccio, scạcci**) **1.** to drive out (*o* away, off), to expel, to chase off, to send packing: ~ *le mosche* to drive off the flies. – **2.** (*disperdere: rif. a nubi e sim.*) to drive (*o* blow) away, to dispel, to disperse, to scatter: *il vento ha scacciato le nuvole* the wind has blown the clouds away. – **3.** (*rif. a spiriti maligni, capricci e sim.*) to drive out. – **4.** ⟨*fig*⟩ (*far passare*) to drive away, to dispel, to banish, to get rid of: ~ *la tristezza* to banish unhappiness. – **5.** ⟨*Venat*⟩ to beat. □ ~ *qd. da casa* to turn s.o. out of the house, to send s.o. packing.

scacciạta *f.* ⟨*non com*⟩ expulsion, driving out. – **scacciạto** (*p.p. di scacciare*) **I** *a.* driven out, expelled, banished, dispelled. – **II** *s.m.* (*f.* **-a**) ⟨*ant*⟩ (*esule*) exile. – **scacciatọre** ⟨*non com*⟩ **I** *s.m.* (*f.* **-trice**) driver out (*o* away, off), dispeller. – **II** *a.* expelling, dispelling, banishing.

scaccịno *m.* (*sacrestano*) verger, sacristan, sexton. □ ⟨*tosc*⟩ *andare a* ~ (*andare a caccia di lepri di notte*) to hunt hares by night.

scạcco *m.* (*pl.* **-chi**) **1.** *pl.* (*gioco*) chess: *giocare a scacchi* to play chess. – **2.** (*quadretto della scacchiera*) square; (*figurina*) chessman, chesspiece. – **3.** ⟨*estens*⟩ (*quadretto, piccolo riquadro*) check, square. – **4.** ⟨*fig*⟩ (*sconfitta*) checkmate, loss, defeat, setback: *subire uno* ~ to suffer a setback, to be checkmated (*o* checked, mated); (*mortificazione*) blow, come-down, mortification.

□ **a** *scacchi* check(ed), squared: *stoffa a scacchi* check material; ⟨*fig*⟩ *vedere il sole a scacchi* to see the sun from behind bars, to be in jail; **dare** ~ to check: *dare* ~ *al re* to check the king, to put the king in check; ~ **doppio** double check; ~ **matto** → **scaccomatto**; ~ **perpetuo** perpetual check; ~ *di* **scoperta** discovered check; ⟨*fig*⟩ **tenere** *qd. in* ~ to hold s.o. in check; *scacchi* **viventi** live (*o* living) chess.

scaccografịa *f.* chess notation. – **scaccogrạmma** *m.* chess diagram.

scaccolạre *v.t.* (**scạccolo**) ⟨*volg*⟩ to pick the nose of. – **scaccolarsi** *v.r.* to pick one's nose.

scạccolo *m.* ⟨*tecn*⟩ concrete pole (*o* pylon).

scaccomạtto (*o* *scạcco mạtto*) *m.* checkmate (*anche fig.*). □ ~ *affogato* smothered mate; *dare* ~ *a qd.* to (check)mate s.o. (*anche fig.*).

scaciạto *a.* ⟨*dial*⟩ (*trasandato*) slovenly. □ ⟨*tosc*⟩ *bianco* ~ (*bianchissimo*) snow (*o* pure) white.

scadẹnte (*p.pr. di scadere*) *a.* **1.** (*di cattiva qualità*) poor (*o* low) quality-, below standard-, inferior, shoddy: *merce* ~ poor quality goods. – **2.** (*insufficiente*) low, poor, bad, inferior: *voto* ~ low mark; (*non bravo, mediocre*) poor, second-rate: *essere* ~ *in una materia* to be poor at a subject. – **3.** (*che scade*) expiring, maturing, (falling) due: *effetti -i* bills falling due. – **4.** (*che declina*) falling (off), declining.

scadẹnza *f.* **1.** expiry, expiration, term: ~ *del termine fissato per un trattato* expiry of the term fixed for a treaty; (*rif. a effetti e sim.*) maturity: ~ *di una cambiale* maturity of a bill of exchange. – **2.** (*giorno*) date of expiry, due date, term (day); (*periodo*) term, run. – **3.** ⟨*Dir.rom*⟩ escheat (for defect of heirs), lapsing of property to the state.

□ **a** ~ *di sei mesi* falling due in six months; *acquisto a* ~ purchase on term; ~ **adeguata** = *scadenza* **media**; **alla** ~ on expiry, when due; (*rif. a effetti*) on maturity, when due: *pagare alla* ~ to pay on maturity; *a* **breve** ~: 1. short-term, short(-dated): *mutuo a breve* ~ short(-dated) loan; 2. ⟨*fig*⟩ in a short while, before long, in the near future: *fissare un appuntamento a breve* ~ to make an appointment in the near future; *ci rivedremo a breve* ~ we'll meet again soon; **con** ~ *al 31 dicembre* falling due on December 31st; *a* ~ **fissa** fixed-term, having a ⌜fixed term⌝ (*o* due date); **giorno** *della* ~ due date, date of payment, expiry date, term (day); **in** ~ (falling) due, expiring; (*rif. a effetti*) maturing, (falling) due; *a* **lunga** ~: 1. long-term, long(-dated); 2. ⟨*fig*⟩ long-term: *un progetto a lunga* ~ a long-term plan; ~ **media** average due date; *a media* ~ with (an) average due date; ⟨*Comm*⟩ *in* **ordine** *di* ~ as they fall due; ~ *di* **pagamento** date of payment; *la cambiale è* **prossima** *alla* ~ the bill is almost due; ~ **rateale** expiry date for an instalment payment; ~ *a* (*certo*) **tempo** *vista* falling due a certain time after presentation; ~ *a* (*certo*) *tempo data* falling due a certain time after the date of issue; ~ *a* **vista** maturity at sight.

scadenzạre *v.t.* (**scadẹnzo**) ⟨*burocr*⟩ to fix an expiry date for, to set a term for. – **scadenzạrio** *m.* bill-book, ⟨*am*⟩ tickler. – **scadenzạto** (*p.p. di scadenzare*) *a.* regular, periodic. – **scadenziẹre** *m.* ⟨*ant*⟩ → **scadenzario.**

scadẹre *v.i.* (**scạddi, scadụto**; → **cadere**; *aus.* **essere**) **1.** (*giungere a scadenza*) to expire, to run out: *il contratto scade tra due mesi* the contract expires in two months. – **2.** (*perdere validità*) to expire, to lapse: *il suo permesso scade domani* his leave expires tomorrow. – **3.** (*perdere valore, decadere*) to decline, to fall off, to go down, to be on the wane, to sink: ~ *nell'opinione pubblica* to go down in public opinion; (*rif. a usanze e sim.*) to be dying (*o* on the way) out, to fall into decay (*o* disuse). – **4.** ⟨*Comm,Econ*⟩ (*rif. a effetti e sim.*) to mature, to fall (*o* be, become) due: *la cambiale scade oggi* the bill falls due today. – **5.** ⟨*Mar*⟩ to drift (to leeway), to make (*o* fall off to) leeway, to drop astern. – **6.** ⟨*ant*⟩ (*accadere, succedere*) to happen, to come about. – **7.** ⟨*ant*⟩ (*pervenire in eredità*) to fall (*a* to), to devolve (on). □ ~ *di peso* to lose weight.

scadimẹnto *m.* **1.** (*decadenza, declino*) decline, falling off, decadence. – **2.** ⟨*Ling*⟩ assimilation, combinative change. – **3.** ⟨*Mar*⟩ lee lurch, drift.

scadụto (*p.p. di scadere*) *a.* **1.** expired. – **2.** (*non più valido*) expired, lapsed. – **3.** (*decaduto*) in decline, on the wane, declined, decadent, sinking; (*rif. a usanze e sim.*) fallen into disuse; (*rif. a bellezza*) faded, worn. – **4.** (*rif. a effetti e sim.*) due, owing: *cambiale -a* bill due.

scạfa *f.* ⟨*Mar.ant*⟩ boat, pinnace; (*presso i romani*) ship's boat, pinnace, tender. – **scafaiuọlo** *m.* ⟨*ant*⟩ (*battelliere*) boatman.

scafạndro *m.* **1.** ⟨*Mar*⟩ diving-suit. – **2.** ⟨*Aer*⟩ pressure-suit. – **3.** ⟨*Astron*⟩ space-suit. □ ~ *astronautico* astronaut's pressure-suit, space-suit.

scafạre *v.t.* ⟨*region*⟩ **1.** (*sgranare*) to shell, to hull: ~ *piselli* to shell peas. – **2.** ⟨*fig*⟩ (*dirozzare*) to polish, to refine. – **scafarsi** *v.r.* (*acquistare spigliatezza*) to come out of one's shell, to open up, to become a better mixer.

scafẹtta *f.*, **scafẹtto** *m.* ⟨*Mar,region*⟩ peak: ~ *di prua* forepeak; ~ ~ *di poppa* afterpeak.

scạffa *f.* **1.** ⟨*dial*⟩ (*ripiano*) shelf. – **2.** ⟨*Alp*⟩ shelf.

scaffalạre *v.t.* **1.** to furnish (*o* fit up) with shelves, to shelve: ~ *una stanza* to furnish a room with shelves. – **2.** (*disporre negli scaffali*) to place (*o* arrange) on shelves, to shelve. – **scaffalạta** *f.* shelf(ful). – **scaffalatụra** *f.* **1.** (*disposizione*) shelving. – **2.** ⟨*concr*⟩ (*insieme di scaffali*) shelving, shelves *pl*.

scaffạle *m.* (*mensola, piano*) shelf; (*mobile*) set of shelves; (*libreria*) bookcase, set of bookshelves.

□ ~ *per* **bottiglie** bottle rack (*o* shelf); ~ *d'***esposizione** display (*o* show) shelf; ⟨*Tip*⟩ ~ **essiccatoio** drying frame; ~ *dei* **giornali** newspaper rack; ⟨*Tip*⟩ ~ *per* **interlinee** lead rack; ~ *a* **muro** wall shelf; ~ *a* **rastrelliera** rack.

scaffalẹtto *m. dim. di* **scaffale**.

scaffạre *v.i.* (*aus.* **avere**) **1.** ⟨*tosc*⟩ (*giocare a pari e caffo*) to play at odd and even. – **2.** (*traboccare*) to brim over, to overflow.

scaffẹtta[1] *f.* → **scafetta**.

scaffẹtta[2] (*dim. di scaffa*) *f.* ⟨*Alp*⟩ small shelf, narrow ledge.

scafịsta *m.* ⟨*Mar,Aer*⟩ hull maintenance-man. – **scạfo** *m.* **1.** ⟨*Mar*⟩ hull, body. – **2.** ⟨*Aer*⟩ hull. – **3.** ⟨*Mil*⟩ (*del carro armato*) hull. □ ~ *ad ala portante* (*aliscafo*) hydrofoil.

scafo|cefalịa *f.* ⟨*Anat*⟩ scaphocephaly. – **~cefạlico** *a.* (*pl.* **-ci**) scaphocephalic, scaphocephalous. – **~cẹfalo** *m.* (*f.* **-a**) scaphocephalic individual.

scafọide *m.* ⟨*Anat*⟩ (*anche osso scafoide*) scaphoid (bone), navicular. – **scafoidịte** *f.* ⟨*Med*⟩ scaphoiditis.

scafọpodi *m.pl.* ⟨*Zool*⟩ scaphopods *pl*, tooth shells *pl* (*Scaphopoda, Solenoconchae*).

scạggia *f.* (*pl.* **-ge**) ⟨*ant*⟩ (*infermità*) illness, malady.

scaggiạle *m.* ⟨*ant*⟩ baldric, girdle, richly ornamented belt.

scagionạre *v.t.* (**scagiọno**) (*scolpare*) to free from blame, to exonerate, to exculpate; (*giustificare*) to excuse, to justify, to exonerate. – **scagionarsi** *v.r.* to justify o.s., to free o.s. from blame.

scạglia *f.* **1.** ⟨*Zool*⟩ scale. – **2.** ⟨*estens*⟩ (*scheggia*) splinter, chip, scale, flake, sliver: ~ *di roccia* chip of rock; ~ *di sapone* soap-flake. – **3.** (*lamina di metallo*) hammer scale. – **4.** ⟨*Med*⟩ flake, scale. – **5.** *pl.* (*forfora*) dandruff, scurf. – **6.** *pl.* ⟨*Mil.ant*⟩ (*nelle corazze*) scales *pl*, plates *pl*. – **7.** ⟨*Ind*⟩ (*nella lavorazione del riso*) flake from a grain of rice. – **8.** ⟨*Tess*⟩ (*tessuto spinato*) twill. – **9.** ⟨*Mil.ant*⟩ (*carica di ferro*) grapeshot. □ *tetto a -e* roof with overlapping tiles, scaled roof; ⟨*Itt*⟩ *-e cicloidi* cycloid scales; ⟨*Itt*⟩ *-e ctenoidi* ctenoid scales; *pulire un pesce dalle -e* to scale a fish; ⟨*Met*⟩ *togliere la* ~ *a* to scale off, to descale.

scagliạbile *a.* ⟨*non com*⟩ throwable, that can be hurled (*o* flung). – **scagliamẹnto** *m.* ⟨*non com*⟩ **1.** (*atto*) throwing, flinging, hurling. – **2.** (*effetto*) throw, fling, cast.

scagliạre[1] *v.t.* (**scạglio, scạgli**) **1.** to throw, to fling, to hurl, to cast: ~ *sassi* to throw stones. – **2.** ⟨*fig*⟩ to hurl, to fling: ~ *ingiurie contro qd.* to hurl insults at s.o. – **scagliarsi** *v.r.* **1.** to hurl (*o* fling, throw) o.s. (*contro* on, at): *si scagliò contro l'avversario* he flung himself on his adversary. – **2.** ⟨*fig*⟩ (*invertire*) to let fly, to rail (*su, contro* at), to abuse (s.o.).

scagliạre[2] *v.t.* (**scạglio, scạgli**) **1.** (*ridurre in scaglie*) to splinter, to flake. – **2.** ⟨*non com*⟩ (*pulire dalle scaglie*) to scale. – **scagliarsi** *v.r.* **1.** (*rompersi in scaglie*) to splinter, to flake. – **2.** ⟨*non com*⟩ (*rif. a pesci: squamarsi*) to scale, to shed one's scales.

scagliatọre *m.* (*f.* **-trice**) ⟨*non com*⟩ (*lanciatore*) thrower, flinger, hurler.

scagliatụra *f.* ⟨*Met*⟩ **1.** (*disincrostazione*) scaling. – **2.** (*sfogliatura*) flaking, exfoliation, spalling.

scagliẹtta (*dim. di scaglia*) *f.* **1.** ⟨*Mur*⟩ (*scheggetta*) (stone) splinter, gallet. – **2.** (*tipo di tabacco*) kind of snuff.

scagliọla *f.* **1.** (*tipo di gesso*) kind of plaster; (*tipo di stucco*) scagliola. – **2.** ⟨*Bot*⟩ canary-grass (*Phalaris canariensis*).

scaglionamẹnto *m.* **1.** spacing (*o* spreading) out, staggering. – **2.** ⟨*Mil*⟩ (*lo scaglionare*) drawing-up in echelon formation; (*disposizione*) echelon formation. – **scaglionạre** *v.t.* (**scagliọno**) **1.** to space (out), to stagger, to spread out: ~ *i pagamenti* to stagger payments. – **2.** ⟨*Mil*⟩ to range, to arrange, to rank, to array: ~ *in profondità* to range in depth.

scagliọne[1] *m.* **1.** (*gruppo*) group: *gli alunni furono divisi in -i* the pupils were divided into groups. – **2.** (*ripiano, balza*) shelf, terrace. – **3.** ⟨*Mil*⟩ echelon, group. – **4.** ⟨*Zool*⟩ (*dente canino del cavallo*) canine tooth of a horse. – **5.** ⟨*Arald*⟩ chevron. – **6.** ⟨*ant*⟩ (*gradino*) step, stair, tread. □ *a -i*: 1. in groups (*o* waves); 2. ⟨*Mil*⟩ in echelon (formation); 3. ⟨*Econ*⟩ graded, sliding: *imposta a -i* graded (*o* sliding) tax; 4. (*a ripiani*) terraced, stepped, in tiers.

scagliọne[2] *m.* ⟨*ant*⟩ (*pesce con grosse scaglie*) fish with large scales.

scagliọso *a.* **1.** scaly, covered with scales, scaled: *superficie -a* scaly surface. – **2.** (*a forma di scaglia*) scale-like. – **3.** (*che si scaglia facilmente*) scaly, flaky. – **4.** ⟨*Min*⟩ scaly.

scagnạre *v.i.* (*aus.* **avere**) ⟨*Venat*⟩ to bay, to give tongue. – **scagnịo** *m.* ⟨*non com*⟩ baying.

scạgno *m.* ⟨*dial*⟩ **1.** (*ufficio*) office. – **2.** ⟨*ant*⟩ (*panca*) bench.

scagnọzzo *m.* ⟨*spreg*⟩ **1.** (*tirapiedi*) henchman, lackey, hanger-on. – **2.** (*prete poco decoroso*) down-at-heel priest. – **3.** ⟨*fig*⟩ (*professionista da strapazzo*) bungler, botcher.

scạla *f.* **1.** stairs *pl*, steps *pl*, staircase, stairway, flight of steps (*o* stairs): *scendere le -e* to come down the steps; *cadere giù per le -e* to fall down the stairs; (*a pioli*) (rung-)ladder. – **2.** *pl.* (*vano delle scale*) stairwell; (*scalinata*) stairs *pl*, staircase, stairway. – **3.** ⟨*fig*⟩ (*graduatoria*) scale, range. – **4.** ⟨*fig*⟩ (*piano, livello*) scale, level: *su* ~ *internazionale* on an international scale, at international level. – **5.** ⟨*fig*⟩ (*mezzo per elevarsi*) ladder, stepping-stone, steps *pl*, means of progress. – **6.** (*negli strumenti di misura*) scale: ~ *di un amperometro* scale of an ammeter. – **7.** (*nel disegno, nella cartografia*) scale: ~ *di uno a cinquemila* scale of one to five thousand. – **8.** (*nei giochi di carte*) run, straight. – **9.** ⟨*Mus*⟩ scale: ~ *di do maggiore* scale of C major. – **10.** ⟨*tecn*⟩ (*ordine, serie*) scale: ~ *delle durezze* scale of hardness, Mohs' scale. – **11.** ⟨*Ginn*⟩ (*orizzontale*) (wall-)bars *pl*, horizontal bars *pl*; (*verticale*) (wall-)ladder. – **12.** ⟨*Alp*⟩ terraced rock. – **13.** ⟨*ant*⟩ (*porto, scalo*) port (of call). – **Scala** *N.pr.f.* (*a Milano*) (La) Scala.

□ **a** ~: 1. in ascending (*o* descending) order: *disporre a* ~ to arrange in ascending (*o* descending) order; 2. (*graduato*) stepped, graded; *capelli tagliati a* ~ hair cut (*o* cropped) badly; ~ *in* **acciaio** steel ladder; ~ **aerea** = *scala* **retrattile**; ~ **allungabile** extension ladder; ⟨*Mus*⟩ ~ **ascendente** ascending scale; ~ **automatica** automatic extension ladder; ⟨*Mar*⟩ ~ *dei* **barcarizzi** gangway; ⟨*Fis*⟩ ~ *di* **Beaufort** Beaufort scale; ⟨*Econ*⟩ ~ *dei* **bisogni** scale (*o* index) of needs; ⟨*Fis*⟩ ~ **centigrada** centrigrade scale; ~ *a* **chiocciola** spiral (*o* winding) staircase; ⟨*Arch*⟩ ~ *a* **collo** dog-legged staircase; ⟨*Mar*⟩ ~ *di* **comando** accommodation ladder; ⟨*Mar*⟩ ~ **comune** port gangway; ~ *di* **corda** rope ladder; ⟨*Mus*⟩ ~ **cromatica** chromatic scale; ~ **decimale** (o *decadica*) decimal scale; ~ *dei* **diagrammi** stop scale; ⟨*Mus*⟩ ~ **diatonica** diatonic scale; ⟨*Alp*⟩ ~ *delle* **difficoltà** scale of difficulty; ⟨*Ginn*⟩ ~ **diritta** wall-bars *pl*; **disegnare** *in* ~ to draw in scale, to make scale drawings; ~ *d'***emergenza**: 1. emergency stairs *pl*; 2. (*per incendio*) fire-escape; 3. ⟨*Minier*⟩ emergency ladder; ~ **estensibile** = *scala* **allungabile**; ~ **esterna** outdoor staircase, perron; **fare** *le -e*: 1. to climb (*o* go up) the stairs; 2. ⟨*Mus*⟩ to practise one's scales; ⟨*ant*⟩ *fare* ~ (*fare scalo*) to call; ~ *a* **forbice** staircase that divides in two after the first flight; ⟨*fig,non com*⟩ *dar* ~ **franca** *a qd.* to give s.o. ⌜a free hand⌝ (*o* carte blanche); ~ *di* **fuori** **banda** = *scala di* **comando**; ~ *a* **gancio** hook ladder, pompier (ladder); ⟨*Bibl*⟩ ~ *di* **Giobbe** Jacob's ladder; ~ **girevole** turntable ladder; ⟨*tecn*⟩ ~ **graduata** graduated scale; ⟨*Rad*⟩ ~ **illuminata** luminous dial; ⟨*Aer*⟩ ~ *d'***imbarco** ramp; ⟨*Mar*⟩ ~ *delle* **immersioni** draught marks *pl*, ⟨*am*⟩ immersion scale; **in** ~ scale-: *disegno in* ~ scale drawing; ~ **interna** inside staircase; ⟨*Fis*⟩ ~ **Kelvin** Kelvin's scale; ⟨*fig*⟩ *su* **larga** ~ on a large (*o* broad) scale; ~ *a* **libretto** step-ladder, steps *pl*; ⟨*tecn*⟩ ~ **lineare** linear scale; ~ *non lineare* non-linear scale; ⟨*Mat*⟩ ~ **logaritmica** logarithmic (*o* log) scale; ⟨*Mar*⟩ ~ **maestra** gangway ladder; ⟨*Mus*⟩ ~ **maggiore** major scale; ~ *alla* **marinara** foot (*o* step) irons *pl*; ~ **millimetrica** millimetric scale; ⟨*Mus*⟩ ~ **minore** minor scale; ~ **mobile**: 1. escalator; 2. ⟨*Econ*⟩ sliding scale; ⟨*Pesc*⟩ ~ *di* **monta** fish-ladder; ~ **musicale** (musical) scale; ⟨*Mar*⟩ ~ *dei* **noli** scale of (freight) charges; ⟨*tecn*⟩ ~ *del* **nonio** vernier scale; ⟨*Mus*⟩ ~ **normale** major scale of just intonation (*o* temperature), ⟨*am*⟩ just scale; ~ *d'***onore** state staircase; ⟨*Rad*⟩ ~ **parlante** tuning-dial; ~ *a* **pioli** (rung-)ladder; ~ **porta** extension (*o* aerial) ladder; ~ **portatile** step-ladder, steps *pl*; ~ *della* **pressione** pressure scale; ~ **principale** main staircase; *strumento a* ~ **proiettata** projected-scale instrument; ~ **quaranta** (*gioco di carte*) kind of rummy; ⟨*Mus*⟩ ~ *a* **quarti** *di tono* quarter-tone scale; ~ *a* **rampe** dog-legged staircase; ~ **reale**: 1. (*nel poker*) straight (*o* running) flush; (*all'asso*) royal flush; 2. = *scala di* **comando**; ~ **regia** grand staircase; ~ **retrattile** aerial (*o* retractable) ladder; ~ **ridotta** reduced scale; ~ *di* **riduzione** scale of reduction; ~ **romana** extension ladder; ~ *dei* **salari** wage scale; ⟨*Rel.catt*⟩ *≈* **santa** Holy Stairs *pl*; ~ *a* **sbalzo** (over)hanging steps *pl*, open -string stairs *pl*; ~ **secondaria** backstairs *pl*, back staircase; ~ *di* **servizio** backstairs *pl*, service stairs *pl*; ⟨*Rad*⟩ ~ *di* **sintonia** tuning dial; ⟨*Geol*⟩ ~ **sismica** seismic scale; ⟨*Ginn*⟩ ~ **svedese** ladder; ~ *a* **tarozzi** = *scala di* **corda**; ⟨*Fot*⟩ ~ *dei* **tempi** *di posa* exposure scale; ~ *a* **tenaglia** = *scala a* **forbice**; ~ **termometrica** thermometric (*o* temperature) scale, scale of temperature; ~ *dei* **valori** scale of values; *su* **vasta** ~ = *su* **larga** *scala*; ⟨*Meteor*⟩ ~ *dei* **venti** wind (*o* Beaufort) scale; ⟨*Ginn*⟩ ~ **verticale** (wall-)ladder; ⟨*Meteor*⟩ ~ *della* **visibilità** scale of visibility; ~ **volante** = *scala di* **corda**.

scalabrịno *m.* ⟨*ant*⟩ (*uomo scaltro*) cunning fellow.

scalamẹnto *m.* ⟨*non com*⟩ **1.** (*lo scalare*) scaling, climbing; (*scalata*) climb. – **2.** (*il defalcare*) deduction, deducting. – **3.** ⟨*Mil*⟩ escalade, scaling. – **4.** ⟨*tecn*⟩ stagger.

scalandrọne *m.* ⟨*Mar*⟩ gangplank, gangway.

scalapọrta *f.inv.* extension (*o* aerial) ladder.

scalappiạre *v.t.* (**scalạppio, scalạppi**) ⟨*non com*⟩ (*liberare dal calappio*) to free from a slip-knot. – **scalappiarsi** *v.r.* to free o.s. from a slip-knot.

scalạre[1] **I** *a.* **1.** (*disposto a scala*) stepped. – **2.** ⟨*fig*⟩ (*graduato*) graduated, stepped, graded. – **3.** ⟨*Fis,Mat*⟩ scalar: *grandezza* ~ scalar (magnitude). – **II** *s.m.* ⟨*Mat*⟩ scalar.

scalạre[2] *v.t.* **1.** to scale, to climb: ~ *un muro* to scale a wall. – **2.** (*togliere, detrarre*) to take off (*o* away), to deduct: *mi ha scalato mille lire sul prezzo* he took a thousand lira off the price for me. – **3.** (*di-*

sporre in ordine decrescente) to arrange in diminishing order. – **4.** ⟨*Alp*⟩ to scale, to climb, to ascend. – **5.** ⟨*Aer*⟩ to stagger. – **6.** ⟨*Mil. ant*⟩ to scale, to escalade. □ ⟨*Mot*⟩ ~ *la marcia* to change (*o* shift) down.

scalạre[2] *v.i.* (*aus.* **essere**) ⟨*non com*⟩ **1.** ⟨*Mar*⟩ to call. – **2.** ⟨*Aer*⟩ to stop, to land.

scalarifọrme *a.* ⟨*Bot*⟩ scalariform: *copulazione* ~ scalariform conjugation.

scalạta *f.* **1.** scaling, climb. – **2.** ⟨*Alp*⟩ climb, ascent. – **3.** ⟨*Mil. ant*⟩ escalade, scaling. □ ⟨*fig*⟩ *dare la* ~ *al cielo* to aspire to the impossible, to reach for the moon; *dare la* ~ *a una fortezza* to scale (the walls of) a fortress; ⟨*fig*⟩ *dare la* ~ *al potere* to make a bid for power; ⟨*Alp*⟩ ~ *di* (o *in*) *roccia* ascent of a rock face; ⟨*fig*⟩ *dare la* ~ *a una società* to attempt to gain majority control of a company.

scalạtico *m.* (*pl.* **-ci**) ⟨*Mediev*⟩ unloading dues *pl.*

scalạto (*p.p. di scalare*[2]) *a.* **1.** graduated, graded; (*rif. a colori*) graded: *tinte ben -e* well-graded colours. – **2.** ⟨*ant*⟩ (*progressivo*) having graduated increases, progressive.

scalatọre *m.* (*f.* **-trice**) **1.** ⟨*Mil*⟩ escalader, scaler. – **2.** ⟨*Alp*⟩ expert mountain (*o* rock) climber. – **3.** ⟨*Sport*⟩ (*ciclista*) specialist in hill -climbing cycle races.

scalcagnạre I *v.t.* **1.** (*calpestare con il calcagno*) to crush with the heel. – **2.** (*rif. a scarpe*) to wear down (at the heel). – **II** *v.i.* (*aus.* **avere**) (*battere con il calcagno*) to thump with one's heel; (*urtare i calcagni l'uno contro l'altro*) to bang one's heels together. – **scalcagnạto** (*p.p. di scalcagnare*) *a.* **1.** (*rif. a scarpe*: *con i calcagni consumati*) down at heel. – **2.** ⟨*estens*⟩ (*rif. a persone*: *logoro, mal vestito*) down at heel, shabby.

scalcạre *v.t.* (**scạlco, scạlchi**) ⟨*Gastr*⟩ to carve, to cut. – **scalcherịa** *f.* ⟨*ant*⟩ office of carver, stewardship.

scalciạre *v.i.* (**scạlcio, scạlci**; *aus.* **avere**) **1.** (*rif. ad animali*) to kick, to be a kicker. – **2.** (*rif. a persone*) to kick. – **scalciạta** *f.* **1.** (*atto*) kicking. – **2.** (*effetto*) kick.

scalcinạre *v.t.* (*togliere la calcina*) to remove plaster from, to knock the plaster off. – **scalcinarsi** *v.r.* to fall off, to come away. – **scalcinạto** (*p.p. di scalcinare*) *a.* **1.** unplastered, peeling. – **2.** ⟨*fig*⟩ (*mal ridotto*: *rif. a persone*) down at heel, seedy, shabby; (*rif. a cose*) shabby, worn. – **scalcinatụra** *f.* **1.** (*lo scalcinare*) removal of plaster. – **2.** (*parte scalcinata*) patch bare of plaster, unplastered patch. – **3.** ⟨*Conc*⟩ (*purga*) bating.

scạlco *m.* (*pl.* **-chi**) ⟨*Stor*⟩ carver, steward.

scalda|ạcqua *m.inv.* → **scaldacqua.** – **~bạgno** *m.inv.* (water-)heater, geyser: ~ *elettrico* electric (water-)heater; ~ *a gas* gas heater. – **~bạnchi** *m./f.inv.* ⟨*scherz,spreg*⟩ (*scolaro fannullone*) lazy schoolboy, idler.

scaldạcqua *m.inv.* (water-)heater, geyser. □ ~ *elettrico* electric (water-)heater; ~ *fluente* (o *istantaneo*) instant (*o* instantaneous) water-heater.

scalda|lẹtto *m.inv.* warming-pan, bed-warmer. – **~mạne** *m.* ⟨*ant*⟩ → **scaldamani.** – **~mạni, ~mạno** *m.inv.* **1.** hand-warmer. – **2.** (*gioco*) kind of game (putting hand upon hand).

scaldamẹnto *m.* ⟨*non com*⟩ (*atto*) heating, warming.

scalda|pạnche *m./f.inv.* → **scaldabanchi.** – **~piạtti** *m.inv.* plate -warmer. – **~pịedi** *m.inv.* foot-warmer. – **~rạncio** *m.inv.* ⟨*Mil*⟩ mess-heater, fuel for heating mess-tins.

scaldạre I *v.t.* **1.** (*rendere caldo*) to warm (up): ~ *il letto dell'infermo* to warm up the patient's bed; (*portare a una temperatura piuttosto elevata*) to heat (up): ~ *l'acqua* to heat the water. – **2.** ⟨*fig*⟩ (*infervorare*) to excite, to inflame, to fire, to kindle. – **II** *v.i.* (*aus.* **avere**) **1.** (*dare calore*) to give out heat, to be warm: *il sole comincia a* ~ the sun is beginning to be (*o* get) warm. – **2.** (*surriscaldarsi*) to get too hot, to overheat; (*rif. a motori e sim.*) to overheat. – **scaldarsi** *v.r.* **1.** to warm o.s., to get warm, to warm up: *scaldarsi al fuoco* to warm o.s. at the fire. – **2.** (*intiepidirsi*) to warm up, to get warm(er): *l'acqua non si è ancora scaldata* the water hasn't warmed up yet; (*diventare caldo*) to heat up, to get hot(ter). – **3.** ⟨*fig*⟩ (*appassionarsi*) to get excited, to warm up, to be roused, to become enthusiastic: *il pubblico cominciò a scaldarsi al secondo atto* the audience began to warm up during the second act. – **4.** ⟨*fig*⟩ (*accalorarsi*) to get ⌜worked up⌝ (*o* carried away), to get heated (*o* excited); (*irritarsi*) to get angry: *si scalda per un nonnulla* he gets angry over nothing. □ *scaldarsi le* **mani** to warm one's hands; ~ *il* **motore** to warm up the engine; *scaldarsi i* **muscoli** to warm up; ⟨*fig*⟩ ~ *le* **panche** to be a lazy-bones; ⟨*fig*⟩ *scaldarsi una* **serpe** *in* **seno** to nurse a viper in one's bosom; *scaldarsi al* **sole** to sun o.s., to bask in the sun; ⟨*fig*⟩ *scaldarsi la* **testa** to lose one's head, to get carried away; ⟨*fig*⟩ ~ *la testa a qd.* to inflame (*o* fire) s.o.

scaldasẹggiole *m./f.inv.* ⟨*scherz,spreg*⟩ **1.** cipher, nonentity, ⟨*fam*⟩ hole in the air. – **2.** (*poltrone*) lazy person, idler, sluggard, ⟨*fam*⟩ lazy -bones.

scaldạta *f.* (quick) warm, warming-up. □ *dare una* ~ *a qc.* to give s.th. a warming-up (*o* quick warm); (*rif. a cibi*) to warm s.th. up; *darsi una* ~ to warm o.s. – **scaldatọre** ⟨*rar*⟩ **I** *s.m.* (*f.* **-trice**) warmer, heater. – **II** *a.* warming, heating.

scalda|vịno *m.inv.* ⟨*Enol*⟩ pre-heater. – **~vivạnde** *m.inv.* food -warmer.

scạldico *a.* (*pl.* **-ci**) ⟨*Lett*⟩ skaldic, scaldic: *poesia -a* skaldic poetry.

scaldịglia *f.* warmer, heater.

scaldịno *m.* (hand-)warmer. □ ~ *a carbone* coal hand-warmer; ~ *elettrico* electric warmer.

scạldo *m.* ⟨*lett*⟩ skald, scald.

scalducciạrsi *v.r.* (**mi scaldụccio, ti scaldụcci**) ⟨*fam*⟩ **1.** (*riscaldarsi*) to give o.s. a warm, to warm up a little. – **2.** (*starsene al calduccio*) to stay (*o* be) in the warm.

scalẹa *f.* ⟨*Arch*⟩ staircase, flight of steps.

scalẹno I *a.* ⟨*Geom*⟩ scalene: *triangolo* ~ scalene triangle. – **II** *s.m.* ⟨*Anat*⟩ (*anche muscolo scaleno*) scalenus. – **scalenoẹdro** *m.* ⟨*Geom*⟩ scalenohedron.

scalenotomịa *f.* ⟨*Chir*⟩ scalen(i)otomy.

scalẹo *m.* **1.** (*scala a libro*) step-ladder. – **2.** (*tipo di panchetto*) step stool, library steps *pl.* – **3.** ⟨*ant*⟩ → **scalea.**

scaler *ingl.* ['skeilər] *m.* ⟨*El*⟩ (*scala di demoltiplica*) scaler.

scalẹra *f.* ⟨*non com*⟩ two-winged staircase.

scalẹtta (*dim. di scala*) *f.* **1.** short flight of steps. – **2.** (*scala portatile*) (small) step-ladder. – **3.** (*nelle scaffalature*) bracket, support. – **4.** (*pezzo di carta ritagliato*) piece of paper cut in the shape of steps. – **5.** ⟨*fam*⟩ (*taglio irregolare di capelli*) bad hair-cut. – **6.** ⟨*Cin*⟩ treatment. – **7.** ⟨*Econ*⟩ table of interest. – **8.** ⟨*ant*⟩ (*tariffa graduata*) graduated charge. □ ⟨*Mar*⟩ ~ *di boccaporto* companion way, hatch-ladder; ⟨*Aer*⟩ ~ *d'imbarco* ramp.

scalettạre *v.t.* (**scalẹtto**) to cut steps in, to terrace; (*rif. a rubrica e sim.*) to step index. – **scalettạto** (*p.p. di scalettare*) *a.* stepped, terraced; (*rif. a rubrica e sim.*) (step) indexed: *margine* ~ (step) indexed margin.

scalfạre *v.t.* ⟨*Sart*⟩ to enlarge, to widen, to cut out.

scalfarọtto, scalferọtto *m.* ⟨*region*⟩ **1.** (*soprascarpa*) woollen overshoe. – **2.** (*pantofola*) (fur) slipper. – **3.** (*calzatura di lana per la notte*) bed-sock. – **4.** ⟨*fam*⟩ (*calzatura grossolana*) coarse (*o* heavy, clumsy) footwear.

scalfịre *v.t.* (**scalfịsco, scalfịsci**) **1.** to scratch: *il chiodo ha scalfito il cristallo* the nail scratched the crystal. – **2.** (*ferire superficialmente*) to scratch, to graze: *la pallottola gli scalfì il braccio* the bullet grazed his arm. – **3.** ⟨*fig*⟩ (*toccare, colpire*) to touch, to affect: *le tue allusioni non mi scalfiscono* your insinuations ⌜don't touch me⌝ (*o* have no effect on me). – **scalfittụra** *f.* **1.** (*leggera incisione*) scratch, – **2.** (*ferita leggera*) scratch, graze.

scạlfo *m.* ⟨*Sart*⟩ sleeve hole.

scalịgero I *a.* **1.** ⟨*Stor*⟩ (*relativo ai Della Scala*) Della Scala-, of the ⌜Della Scalas⌝ (*o* Della Scala family), Scaliger. – **2.** ⟨*estens*⟩ (*di Verona*) of Verona, Veronese. – **3.** (*rif. al teatro della Scala di Milano*) of (*o* at) La Scala, La Scala-: *la stagione -a* the season at La Scala. – **II** *s.m.* ⟨*Stor*⟩ member of the Della Scala family, Scaliger.

scalinạre *v.t.* ⟨*Alp*⟩ to cut steps (*o* footholds) in.

scalinạta *f.* **1.** ⟨*Arch*⟩ staircase, stairway, flight of steps, stairs *pl.* – **2.** ⟨*fig,non com*⟩ (*cose disposte a scala*) tier, stepped (*o* echelon) formation.

scalinạto (*p.p. di scalinare*) *a.* ⟨*Arald*⟩ degraded: *croce -a* cross degraded.

scalịno *m.* **1.** step, stair; (*di scala a pioli*) rung. – **2.** ⟨*Alp*⟩ foothold, step. – **3.** ⟨*fig*⟩ (*grado*) step: *il primo* ~ *della carriera* the first step in one's career.

scalmạna *f.* **1.** chill, cold: *prendersi una* ~ to catch a chill. – **2.** (*vampa di calore al viso*) flush. – **3.** ⟨*fig*⟩ (*eccessivo entusiasmo*) craze, mania, fad, fancy: *prendersi una* ~ *per qc.* to get a craze for s.th. – **scalmanạrsi** *v.r.* **1.** to exert o.s., to work up a sweat, to get all hot and sticky. – **2.** (*affrettarsi*) to rush, to hurry, to bustle. – **3.** ⟨*fig*⟩ (*darsi da fare*) to do ⌜all one can⌝ (*o* one's best), to strive. – **4.** ⟨*fig*⟩ (*perdere la calma*) to fuss, to get flustered; (*alterarsi*) to get heated (*o* excited, worked up), ⟨*fam*⟩ to get into a lather. – **scalmanạta** *f.* fuss, fluster, sweat, hurry, to-do. – **scalmanạto** (*p.p. di scalmanarsi*) **I** *a.* **1.** sweating, in a sweat. – **2.** ⟨*fig*⟩ (*violento, sfrenato*) hot-headed, fiery, violent. – **II** *s.m.* (*f.* **-a**) (*persona turbolenta*) hot-head, firebrand. – **scalmanatụra** *f.* chill, cold.

scalmiẹra *f.* ⟨*Mar*⟩ rowlock, oar-lock. – **scạlmo** *m.* ⟨*Mar*⟩ **1.** (*piolo*) thole, thole-pin; (*scalmiera*) rowlock, oar-lock. – **2.** (*scalmotto*) futtock, frame timber. □ ~ *doppio* rowlock, oar-lock; ~ *a forcella* stirrup rowlock. – **scalmọtto** *m.* ⟨*Mar*⟩ futtock, frame timber.

scạlo *m.* **1.** ⟨*Mar*⟩ (*porto d'approdo*) port (of call); (*luogo d'approdo*) landing-place, landing-stage; (*banchina*) quay, wharf, pier. – **2.** ⟨*Mar*⟩ (*opera in muratura*) stocks *pl*, slips *pl*, slipway. – **3.** ⟨*Ferr*⟩ station, halt, ⟨*am*⟩ yard, ⟨*am*⟩ depot. – **4.** ⟨*Aer*⟩ stop-over, intermediate landing (*o* call, stop).
□ ~ **aereo** airport; ⟨*Mar*⟩ ~ *di* **alaggio** slips *pl*, slipway; ~ *di* **costruzione** stocks *pl*, building-slips *pl*; **fare** ~: 1. ⟨*Mar*⟩ to call, to put in: *fare* ~ *in un porto* to call at a port; 2. ⟨*Aer*⟩ to land, to make a stop, to stop; ~ **intermedio**: 1. ⟨*Mar*⟩ intermediate port of call; 2. ⟨*Aer*⟩ stop-over, intermediate stop (*o* landing); ~ **merci**: 1. ⟨*Mar*⟩ wharf, commercial quay, dock; 2. ⟨*Ferr*⟩ goods yard, freight yard (*o* depot); ~ **passeggeri**: 1. ⟨*Mar*⟩ passenger quay; 2. ⟨*Aer*⟩ passenger airport; **senza** ~ (*intermedio*) non-stop: *volo senza* ~ non-stop flight; ⟨*Ferr*⟩ ~ *di* **smistamento** shunting (*o* sorting) yard, ⟨*am*⟩ marshalling yard.

scalọccio *m.* ⟨*Mar.ant*⟩ stepped tiers *pl.* □ *remo a* ~ long galley-oar.

scalọgna[1] *f.* ⟨*fam*⟩ (*sfortuna*) bad luck, misfortune. □ *portare* ~ to bring bad luck, to be unlucky (*o* a jinx).

scalọgna[2] *f.* → **scalogno.**

scalognạto ⟨*fam*⟩ **I** *a.* **1.** (*sfortunato*) unlucky, unfortunate, luckless. – **2.** (*che porta sfortuna*) unlucky. – **II** *s.m.* (*f.* **-a**) **1.** (*persona sfortunata*) unlucky person. – **2.** (*chi porta sfortuna*) bringer of bad

luck, jinx, Jonah. □ *essere* ~ to be unlucky (*o* down on one's luck), to have bad luck.
scalọgno *m.* ⟨*Bot*⟩ shallot, scallio (*Allium ascalonicum*).
scalọne (*accr. di scala*) *m.* grand staircase.
scalọppa *f.* ⟨*Gastr*⟩ escalope, cutlet: ~ *di vitello* veal cutlet. – **scaloppịna** *f. dim. di* **scaloppa.**
scalp *ingl. m.* → **scalpo.** – **scalpạre** *v.t.* (*scotennare*) to scalp.
scalpellạre *v.t.* (**scalpẹllo**) **1.** (*lavorare con lo scalpello*) to chisel. – **2.** ⟨*Chir*⟩ to cut away, to use a bone-chisel on. – **scalpellatọre I** *s.m.* (*f.* **-trice**) **1.** chiseller, stone-cutter, stone-dresser. – **2.** ⟨*Met*⟩ (*sbavatore*) cleaner, trimmer, fettler. – **II** *a.* **1.** chiselling, stone-dressing. – **2.** ⟨*Met*⟩ cleaning, trimming, fettling. – **scalpellatụra** *f.* **1.** chiselling, stone-dressing. – **2.** ⟨*Chir*⟩ bone-chiselling. – **scalpellinạre** *v.* ⟨*tosc*⟩ → **scalpellare.** – **scalpellịno** *m.* **1.** stone-dresser, stone-cutter. – **2.** ⟨*spreg*⟩ (*scultore*) untalented sculptor.
scalpẹllo *m.* **1.** chisel. – **2.** ⟨*fig*⟩ (*scultore*) sculptor. – **3.** ⟨*tecn*⟩ (*nella perforazione dei pozzi*) (boring-)bit, drill. – **4.** ⟨*ant*⟩ (*bisturi*) scalpel, bistoury, lancet.
□ ⟨*Minier*⟩ ~ *ad* **alette** wing bit; ~ *ad* **aria** *compressa* = *scalpello* **pneumatico**; **arte** *dello* ~ (*scultura*) sculpture; ~ *a* **caldo** hot chisel; ⟨*Minier*⟩ ~ *a* **coni** cone bit; ~ *a* **croce** cross-chopping bit; ~ *a* **disco** disk bit; ~ *da* **falegname** = *scalpello da* **legno**; ~ *a* **freddo** cold chisel; ⟨*Fal*⟩ ~ *da* **legno** wood(working) chisel; ~ *da* **muratore** stone chisel; **opera** *di* ~ (piece of) sculpture; ⟨*Minier*⟩ ~ *a* **percussione** percussion (*o* churn) drill; ~ *da* **perforazione** bit, drill; ⟨*Mecc,Fal*⟩ ~ **piano** corner (*o* ripping) chisel; ~ **piatto** flat chisel; ~ **pneumatico** pneumatic chisel; ⟨*Minier*⟩ pneumatic rock drill; ~ *a* **punta** point chisel; ~ *a punta di diamante* diamond(-point) chisel; ⟨*Minier*⟩ ~ *da* **roccia** rock drill; ~ *a* **rulli** roller bit; ~ *da* **sbozzo** boaster; ~ **tondo** gouge; ~ *da* **tornitore** turning chisel; ~ **ugnato** mortise axe; ~ *a* **unghia** crosscut chisel.
scalpicciamẹnto *m.* ⟨*non com*⟩ → **scalpiccio.** – **scalpicciạre** *v.* (**scalpịccio, scalpịcci**) **I** *v.i.* (*aus.* **avere**) ⟨*non com*⟩ **1.** (*calpestare*) to tread, to tramp. – **2.** (*far rumore coi piedi*) to scuttle (about), to shuffle quickly. – **II** *v.t.* ⟨*ant*⟩ to tread (on), to tramp (on). – **scalpiccịo** *m.* scuttling, shuffling.
scalpitamẹnto *m.* ⟨*non com*⟩ stamping; (*con la punta degli zoccoli*) pawing (the ground). – **scalpitạnte** (*p.pr. di scalpitare*) *a.* stamping, pounding; (*con la punta degli zoccoli*) pawing (the ground): *cavallo* ~ pawing horse, horse that is pawing the ground. – **scalpitạre** *v.* (**scạlpito**) **I** *v.i.* (*aus.* **avere**) to stamp, to pound; (*con gli zoccoli*) to paw (the ground). – **II** *v.t.* ⟨*ant*⟩ **1.** (*calpestare*) to trample (on), to tread (down). – **2.** ⟨*fig*⟩ (*disprezzare*) to trample on, to ride roughshod over. – **scalpitịo** *m.* **1.** stamping; (*con gli zoccoli*) pawing. – **2.** (*passi, rumore*) stamping, pounding, thud; (*battendo gli zoccoli*) pawing (the ground). – **scạlpito** *m.* ⟨*non com*⟩ stamping, pounding; (*con gli zoccoli*) pawing.
scạlpo *m.* scalp.
scalpọre *m.* **1.** (*risonanza*) sensation, stir. – **2.** (*risentimento, indignazione*) fuss, outburst, stir, to-do. □ ⟨*fig*⟩ *destare* ~ to cause a sensation, to make a stir, to get talked about, ⟨*fam*⟩ to be the talk of the town.
scalterịre *v.* ⟨*ant*⟩ → **scaltrire.**
scaltramẹnte *avv.* cleverly, shrewdly, astutely. – **scaltrẹzza** *f.* shrewdness, astuteness, cunning, sharpness. – **scaltrimẹnto** *m.* ⟨*ant*⟩ **1.** → **scaltrezza.** – **2.** (*azione scaltra*) shrewd (*o* cunning) action, clever trick (*o* ruse).
scaltrịre *v.t.* (**scaltrịsco, scaltrịsci**) **1.** to make cleverer (*o* more astute), to wake up, to sharpen the wits of. – **2.** (*raffinare*) to refine, to improve, to polish. – **3.** (*rendere più esperto*) to make more skilled. – **scaltrirsi** *v.r.* **1.** (*diventare scaltro*) to sharpen (*o* wake) up, to get cleverer. – **2.** (*raffinarsi*) to become more skilled, to refine, to improve. – **scaltrịto** (*p.p. di scaltrire*) *a.* **1.** clever, knowing, cunning; (*esperto*) expert, skilled, skilful. – **2.** (*avveduto*) shrewd, aware, (wide-)awake, discerning.
scạltro *a.* **1.** (*furbo*) clever, cunning, crafty, wily, artful, sly, shrewd, sharp: ~ *come una volpe* as cunning as a fox. – **2.** (*fatto, detto con scaltrezza*) clever, shrewd, astute, subtle, artful: *una mossa -a* a clever move. – **3.** (*accorto*) shrewd, discerning, circumspect, aware.
scalvạre *v.t.* ⟨*Silv*⟩ to pollard, to lop. – **scalvatụra** *f.*, **scạlvo** *m.* pollarding, lopping.
scalzacạne *m./f.* ⟨*spreg*⟩ **1.** (*individuo mal vestito*) ragamuffin, down-and-out, tramp. – **2.** (*persona incompetente*) botcher, bungler; (*persona di nessun conto*) mediocrity. – **scalzacạni** *m./f.inv.* → **scalzacane.**
scalzamẹnto *m.* → **scalzatura.**
scalzapẹlli *m.inv.* ⟨*Cosmet*⟩ orange-stick.
scalzạre *v.t.* **1.** to bare the feet of, to remove the shoes and stockings (*o* socks) of. – **2.** (*rif. ad alberi*) to bare the roots of; (*rif. a muri e sim.*) to undermine, to sap; (*rif. all'azione dell'acqua*) to underwash. – **3.** ⟨*fig*⟩ (*indebolire*) to undermine, to sap: ~ *l'autorità di qd.* to undermine s.o.'s authority. – **4.** ⟨*fig*⟩ (*far perdere posti, uffici, gradi e sim.*) to manoeuvre (*o* edge) out, to oust (by intrigue). – **5.** ⟨*fam*⟩ (*indurre con scaltrezza a rivelare*) to draw out, to worm (*o* get) information out of: *i giornalisti cercavano di* ~ *il commissario di polizia* the newspapermen tried to worm information out of the police chief. – **6.** ⟨*Dent*⟩ to expose the roots of. – **scalzarsi** *v.r.* to take off one's shoes and stockings (*o* socks), to bare one's feet: *mi scalzai per camminare sulla sabbia* I took off my shoes and stockings to walk in the sand.
scalzatọre *m.* (*f.* **-trice**) ⟨*non com*⟩ **1.** remover of shoes, barer of feet. – **2.** ⟨*fig*⟩ underminer, sapper. – **scalzatụra** *f.* **1.** (*lo scalzare*) removing of shoes and stockings (*o* socks). – **2.** (*rif. a muri e sim.*) undermining, sapping; (*rif. all'azione dell'acqua*) underwashing. – **3.** ⟨*fig*⟩ (*indebolimento*) undermining, sapping. – **4.** ⟨*Agr*⟩ baring of roots. – **5.** ⟨*Dent*⟩ exposing the roots.
scạlzo *a.* **1.** barefoot(ed), with bare feet. – **2.** ⟨*Rel*⟩ barefooted, discalced. – **3.** ⟨*non com,iperb*⟩ (*di bassa condizione*) penniless, poverty-stricken. □ *a piedi -i* barefoot(ed), with bare feet.
Scamạndro *N.pr.m.* ⟨*Geog.stor*⟩ Scamander.
scamatạre *v.t.* ⟨*non com*⟩ to beat. – **scamạto** *m.* beater.
scambiạbile *a.* exchangeable. – **scambiamẹnto** *m.* ⟨*rar*⟩ exchange, trading, ⟨*fam*⟩ swapping.
scambiạre *v.t.* (**scạmbio, scạmbi**) **1.** (*confondere*) to mistake, to take, to mix up: *l'ho scambiato per suo fratello* I mistook him for his brother, I got him mixed up with his brother. – **2.** (*prendere una cosa per un'altra*) to take by mistake, to take ... instead of, to take the wrong ..., to mix up: ~ *il sale per il pepe* to take salt instead of the pepper; *mi hanno scambiato l'ombrello al ristorante* someone in the restaurant took my umbrella by mistake. – **3.** (*dare in cambio, fare uno scambio*) to exchange, to change, to trade, ⟨*fam*⟩ to swap: *vorrei* ~ *il mio anello con il tuo* I'd like to ⌜exchange rings with you⌝ (*o* swap my ring for yours). – **4.** (*cambiare una banconota*) to change, to get change for. – **scambiarsi** *v.r.* ⟨*recipr*⟩ (*darsi, farsi a vicenda*) to exchange: *scambiarsi doni* to exchange gifts. □ *scambiarsi gli anelli* (*rif. a fidanzati*) to exchange rings; ~ *merci* to exchange (*o* swap, trade, barter) goods; ~ *due parole con qd.* to exchange a few words with s.o.
scambiạto (*p.p. di scambiare*) *a.* exchanged, traded, ⟨*fam*⟩ swapped; (*confuso*) mistaken, wrong, confused. – **scambiatọre** *m.* (*f.* **-trice**) **1.** ⟨*non com*⟩ exchanger; (*chi confonde*) muddler, bungler. – **2.** ⟨*tecn*⟩ exchanger. □ ~ *di calore* heat exchanger; ⟨*Fis*⟩ ~ *di ioni* ion exchanger.
scambiettạre *v.i.* (**scambiẹtto;** *aus.* **avere**) ⟨*ant*⟩ to caper. – **scambiẹtto** *m.* **1.** caper. – **2.** ⟨*fig*⟩ (*gioco di parole*) play on words.
scambiẹvole *a.* mutual, reciprocal: *amore* ~ mutual love. – **scambievolẹzza** *f.* ⟨*non com*⟩ mutuality, reciprocity. – **scambievolmẹnte** *avv.* mutually, reciprocally.
scạmbio *m.* **1.** exchange: ~ *di cortesie* exchange of courtesies; ~ *d'idee* exchange of ideas. – **2.** (*errore, equivoco*) mistake, confusion, mix-up: *c'è stato uno* ~ *di posti* there was a mix-up over the seats. – **3.** (*cambio*) exchange, trade, ⟨*fam*⟩ swap; (*baratto*) barter. – **4.** (*gioco enigmistico*) kind of anagram. – **5.** ⟨*Ferr*⟩ points *pl*, ⟨*am*⟩ switch. – **6.** ⟨*Econ*⟩ trade, exchange. – **7.** *pl.* ⟨*Econ*⟩ trade, trading. – **8.** ⟨*Biol*⟩ crossing-over. – **9.** ⟨*Chim,Fis*⟩ exchange, transfer.
□ ⟨*Ferr*⟩ ~ **aereo** aerial-frog, trolly-frog; ⟨*Fis*⟩ ~ *di* **calore** heat exchange (*o* transfer); ⟨*Ferr*⟩ ~ **centralizzato** interlocked points *pl*; ⟨*Ferr*⟩ ~ *non centralizzato* non-interlocked points *pl*; ~ **chimico** chemical exchange; *scambi* **commerciali** trade *sing*; *scambi* **culturali** cultural exchange *sing*; ⟨*Ferr*⟩ ~ **doppio** double points *pl*, double turn-out; ⟨*Econ*⟩ **equilibrio** *dello* ~ terms *pl* of trade; *scambi con l'estero* foreign trade *sing*; **in** ~ *di* in exchange for; ~ *d'***informazioni** exchange of information; ⟨*Chim*⟩ ~ **isotopico** isotope exchange; ~ *di* **lettere** exchange of letters (*o* correspondence); ⟨*Econ*⟩ **libero** ~ free trade; ⟨*Ferr*⟩ ~ *a* **mano** hand-operated points *pl*; ~ *di* **merci** exchange of goods, trade, trading; (*baratto*) barter; ⟨*Pol*⟩ ~ *delle* **minoranze** exchange of minorities; ⟨*Econ*⟩ ~ *in* **natura** trading in kind; ⟨*Ferr*⟩ ~ **normale** standard points *pl*; ⟨*Dipl*⟩ ~ *di* **note** exchange of notes; ~ *d'***opinioni** exchange of views; ~ *di* **parole** exchange (of words); ~ *di* **persona** case of mistaken identity; ~ *di* **popolazione** exchange of populations; **prendere** *in* ~ to take (*o* accept) in exchange; (*confondere*) to take by mistake; ~ *di* **prigionieri** exchange of prisoners; ⟨*Ferr*⟩ ~ ⌜*a* **terra**⌝ (*o di salvamento*) derailing points *pl*, derailer; ~ **triplo** = *scambio* **doppio.**
scambịsta *m.* **1.** ⟨*Ferr*⟩ pointsman, switchman. – **2.** ⟨*Post*⟩ postman who collects and dispatches mail at stations. – **3.** ⟨*Econ*⟩ trader, exchanger: *libero* ~ free trader.
scamerạre *v.t.* (**scạmero**) ⟨*Econ,ant*⟩ to release from expropriation.
scamiciạrsi *v.r.* (**mi scamịcio, ti scamịci**) to take one's jacket off, to be in one's shirt sleeves. – **scamiciạto** (*p.p. di scamiciarsi*) **I** *a.* **1.** in one's shirt sleeves, jacketless. – **2.** (*estens*) (*scomposto*) slovenly, in disarray. – **II** *s.m.* **1.** ⟨*Mod*⟩ pinafore dress, ⟨*am*⟩ jumper. – **2.** ⟨*spreg*⟩ (*rivoluzionario*) radical, extremist, revolutionary, descamisado. – **3.** ⟨*spreg*⟩ (*vagabondo*) tramp, down and out.
scammonẹa *f./m.* → **scamonea.**
scamọne *m.* ⟨*Macell,lomb*⟩ rump.
scamonẹa I *f.* ⟨*Bot*⟩ scammony (*Convolvulus scammonia*). – **II** *m.* ⟨*non com*⟩ (*uomo da nulla*) nobody, nonentity. – **scamọnio** *m.* ⟨*ant, rar*⟩ → **scamonea.**
scamọrza *f.* **1.** ⟨*Alim*⟩ kind of cheese. – **2.** ⟨*fig,scherz*⟩ (*persona da nulla*) duffer, bungler, ⟨*fam*⟩ wash-out; (*persona fisicamente debole*) weakling, ⟨*fam*⟩ runt.
scamoscerịa *f.* ⟨*Conc*⟩ oil-tanning. – **scamosciạre** *v.t.* (**scamọscio/scamọscio, scamọsci/scamọsci**) to chamois, to oil-tan. – **scamosciạto** (*p.p. di scamosciare*) **I** *a.* **1.** oil-tanned, chamois-. – **2.** (*di camoscio*) suede-: *guanti -i* suede gloves. – **3.** ⟨*Fot*⟩ cream(-tinted): *carta -a* cream(-tinted) paper. – **II** *s.m.* (*panno*) chamois leather, ⟨*fam*⟩ shammy. – **scamosciatọre** *m.* (*f.* **-trice**) **1.** (*fabbricante*) chamois-leather manufacturer. – **2.** (*operaio: che scamoscia*) oil-tanner; (*chi prepara le pelli scamosciate*) chamois-leather worker.

– **scamosciatụra** *f.* → **scamoscerla.** – **scamọscio** *a.* ⟨*non com*⟩ (*scamosciato*) chamois-.
scamọzza *f.* ⟨*non com*⟩ → **scamorza.**
scamozzạre *v.t.* (**scamọzzo**) ⟨*Agr*⟩ to prune, to lop; (*svettare*) to pollard, to poll. – **scamozzatụra** *f.* **1.** (*atto*) pruning, lopping; (*lo svettare*) pollarding, polling. – **2.** (*parte scamozzata*) lop, lopping.
scampafọrca *m.inv.* ⟨*non com*⟩ gaol-bird, gallows bird, scoundrel.
scampagnạre *v.i.* (*aus.* **avere**) ⟨*rar*⟩ **1.** to go and enjoy life in the country. – **2.** (*fare scampagnate*) to ⌜make trips into⌝ (*o* go for outings in) the country. – **scampagnạta** *f.* trip (*o* outing) in the country; (*merenda all'aperto*) picnic. ▭ *fare una* ~ to go for a trip (*o* outing) in the country; (*fare merenda*) to have a picnic.
scampanacciạta *f.* ⟨*Folcl*⟩ noisy mocking serenade.
scampanamẹnto *m.* ⟨*non com*⟩ **1.** (*atto*) pealing, ringing out. – **2.** (*effetto*) peal, ringing.
scampanạre[1] *v.i.* (*aus.* **avere**) **1.** (*sonare a distesa*) to peal, to ring out. – **2.** ⟨*fig*⟩ (*rif. a vestiti*) to flare (in the shape of a bell). – **3.** ⟨*Folcl*⟩ (*fare la scampanacciata*) to serenade noisily and mockingly.
scampanạre[2] *m.* pealing, ringing out. – **scampanạta** *f.* **1.** (merry) pealing, ringing out. – **2.** → **scampanacciata.**
scampanạto (*p.p. di scampanare*[1]) *a.* ⟨*Mod*⟩ bell-shaped, belling, flared: *gonna -a* flared skirt.
scampanellạre *v.i.* (**scampanẹllo**; *aus.* **avere**) to ring loudly (*o* vigorously). – **scampanellạta** *f.* loud ringing. – **scampanellịo** *m.* ringing. – **scampanịo** *m.* (prolonged) pealing, ringing.
scampạre I *v.i.* (*aus.* **essere**) **1.** to survive, to escape (*a qc.* s.th.), to come through, to live (through): ~ *al massacro* to escape massacre. – **2.** (*salvarsi*) to escape, to come through, to save o.s. – **3.** (*rifugiarsi, fuggire*) to shelter, to take refuge, to flee, to escape. – **II** *v.t.* **1.** to save, to rescue: *gli amici lo scamparono dal fallimento* his friends saved him from bankruptcy. – **2.** (*sfuggire, evitare*) to escape, to avoid: *è riuscito a* ~ *la prigione* he has managed to avoid prison; ~ *la morte* to escape death. – **3.** (*nelle espressioni deprecative*) to save, to keep: *Dio ce ne scampi!* God save us!, God keep us from it! ▭ *scamparla* to have a ⌜narrow escape⌝ (*o* close shave): *l'ha scampata bella* he had a narrow escape.
scampạto (*p.p. di scampare*) **I** *a.* **1.** (*evitato*) escaped, avoided: *pericolo* ~ danger which has been avoided. – **2.** (*salvato*) saved, rescued; (*superstite*) surviving, rescued. – **II** *s.m.* (*f.* **-a**) survivor: *gli -i al* (*o dal*) *naufragio* the survivors of the shipwreck.
scạmpo[1] *m.* **1.** rescue, saving, liberation. – **2.** (*via d'uscita*) way out, loophole, escape; (*salvezza*) safety, survival, rescue: *cercare* ~ *nella fuga* to seek safety in flight. ▭ *non c'è* ~ there is no ⌜way out⌝ (*o* help for it), there's nothing to be done; *senza* ~ hopeless, with no way out; *trovare una via di* ~ to find a way out.
scạmpo[2] *m.* ⟨*Zool*⟩ Dublin Bay prawn, Norway lobster (*Nephrops norvegicus*).
scạmpolo[1] *m.* **1.** remnant, oddment: *liquidazione degli -i* sale of remnants. – **2.** ⟨*fig*⟩ (*residuo*) remnant, leftover; (*piccola quantità*) scrap, vestige, trace. ▭ *uno* ~ *di erudizione* a smattering of knowledge; *negli -i di tempo* in one's ⌜spare time⌝ (*o* time left over); ⟨*spreg*⟩ ~ *d'uomo* shrimp (*o* runt) of a man.
scạmpolo[2] *m.* ⟨*tosc*⟩ → **scampo**[2].
scamụzzolo *m.* ⟨*tosc,ant*⟩ (*quantità minima*) scrap, bit, jot, trifle.
scạna *f.* ⟨*ant*⟩ (*zanna*) fang, tusk.
scanagliạre *v.* (**scanạglio, scanạgli**) ⟨*non com*⟩ **I** *v.i.* (*aus.* **avere**) **1.** (*comportarsi da canaglia*) to behave like riff-raff. – **2.** (*gridare come una canaglia*) to make an uproar. – **II** *v.t.* (*far perdere le abitudini da canaglia*) to make stop behaving like riff-raff. – **scanagliarsi** *v.r.* **1.** ⟨*recipr*⟩ (*insultarsi*) to hurl insults at e.o. – **2.** (*perdere le abitudini da canaglia*) to lose one's low (*o* rowdy) habits.
scanalạre I *v.t.* **1.** to flute, to channel: ~ *una colonna* to flute a column. – **2.** ⟨*Mecc*⟩ to groove, to spline, to slot. – **II** *v.i.* (*aus.* **avere**) ⟨*non com*⟩ **1.** (*rif. ad acqua: uscire dal canale*) to overflow, to flow off course. – **2.** ⟨*fig*⟩ (*deviare*) to deviate, to turn aside, to go off course. – **scanalạto** (*p.p. di scanalare*) *a.* **1.** fluted, channelled: *colonna -a* fluted column; *profilo* ~ fluted profile. – **2.** ⟨*Mecc*⟩ grooved, splined. – **3.** ⟨*Bot*⟩ channelled. – **scanalatrịce** *f.* ⟨*Mecc*⟩ (*anche macchina scanalatrice*) slot (*o* grooving) cutter, grooving -machine, groover. – **scanalatụra** *f.* **1.** (*lo scanalare*) fluting, channelling. – **2.** (*incavo*) groove, channel. – **3.** ⟨*Arch*⟩ flute, fluting: *le -e di una colonna* the fluting of a column. – **4.** ⟨*Mecc*⟩ groove, spline. ▭ ⟨*Mecc*⟩ ~ *elicoidale* helical groove; ~ *di guida* (guide) groove, slot; ⟨*Fal*⟩ ~ *a linguetta* tongue and groove; ⟨*Mot*⟩ ~ *per lubrificazione* oil groove.
scancellạbile *a.* ⟨*pop*⟩ deletable, erasable, cancellable. – **scancellạre** *v.t.* (**scancẹllo**) ⟨*pop*⟩ **1.** (*cancellare*) to cancel, to delete; (*con un frego*) to cross (*o* strike, stroke) out, to put a line through; (*con la gomma*) to rub out, to erase; (*con lo straccio*) to wipe off (*o* out), to sponge out. – **2.** (*togliere, annullare*) to cancel, to wipe out, to write off: ~ *un debito* to cancel a debt. – **3.** ⟨*fig*⟩ (*far dimenticare*) to wipe (*o* blot) out, to obliterate, to remove: ~ *un triste ricordo* to obliterate a sad memory.
scancellatụra *f.* crossing out, erasure. – **scancellaziọne** *f.* ⟨*non com*⟩ **1.** (*lo scancellare*) cancelling, deleting, erasure. – **2.** ⟨*estens*⟩ (*abolizione*) abolition; (*remissione*) remission, discharge.
scạncio: ⟨*tosc*⟩ *a* (*o di*) ~ (*di sghembo*) askew, aslant, crooked.
scandagliamẹnto *m.* **1.** ⟨*Mar*⟩ cast, sounding. – **2.** ⟨*fig*⟩ (*indagine*) sounding, probe. – **scandagliạre** *v.t.* (**scandạglio, scandạgli**) **1.** ⟨*Mar*⟩ to sound, to take soundings of, to plumb, to fathom. – **2.** ⟨*fig*⟩ (*saggiare*) to sound (out), to probe, to fathom, to plumb: ~ *le idee di qd.* to sound out ⌜s.o.'s ideas⌝ (*o* s.o. as to his views). – **3.** ⟨*ant*⟩ (*verificare*) to check, to verify. – **scandagliạta** *f.* ⟨*rar*⟩ → **scandagliamento.** – **scandagliatọre** *m.* ⟨*Mar*⟩ leadsman.
scandạglio *m.* **1.** ⟨*Mar*⟩ (*strumento*) sounding-line, sounding-lead, lead-line. – **2.** ⟨*Mar*⟩ (*lo scandagliare*) sounding, fathoming: *fare uno* ~ to take a sounding, to plumb. – **3.** ⟨*fig*⟩ (*esame, indagine*) probe, test, sounding. – **4.** ⟨*ant*⟩ (*verifica*) check, verification.
▭ ⟨*Mar*⟩ ~ **acustico** echo sounder (*o* sounding gear), echo-meter, sonic depth-finder; ~ **comune** = *scandaglio a sagola*; ~ **elettronico** electronic sounding gear; **gettare** *lo* ~ to heave the lead-line, to take a cast; ~ *a* **mano** hand lead, plummet; ~ **meccanico** sounding -machine; ~ **ottico** optical plummet; ~ *a* **pressione** pressure sounding -machine; ~ *di* **profondità** bathometer; ~ *di* **prova** practice lead; ~ *a* **sagola** lead-line; ~ **ultrasonoro** (*o ultracustico*) supersonic (*o* ultrasonic) sounding set, echo sounding gear.
scandalezzạre *v.* (**scandalẹzzo**) ⟨*ant,region*⟩ → **scandalizzare.** – **scandalịsmo** *m.* scandal-mongering. – **scandalịsta** *m./f.* scandal-monger. – **scandalịstico** *a.* (*pl.* **-ci**) **1.** (*che ricerca gli scandali*) scandal-mongering: *giornale* ~ scandal-mongering newspaper. – **2.** (*di scandalo*) scandal-.
scandalizzạre *v.t.* **1.** (*dare scandalo*) to scandalize: *la commedia del giovane autore ha scandalizzato il pubblico* the young author's play has scandalized the public; (*suscitare l'indignazione*) to scandalize, to offend, to shock, to outrage: *scandalizzò tutti con il suo comportamento* he shocked everyone with his behaviour. – **2.** (*turbare col cattivo esempio*) to shock, to upset: *non* ~ *i bambini* don't upset the children. – **scandalizzarsi** *v.r.* **1.** to be scandalized (*o* outraged), to be shocked (*di, per* by). – **2.** ⟨*ant*⟩ (*spazientirsi*) to become exasperated, to lose one's patience. – **scandalizzạto** (*p.p. di scandalizzare*) *a.* scandalized, shocked, outraged: *rimanere* ~ *di* (*o per*) *qc.* to be scandalized by s.th. – **scandalizzatọre** *m.* (*f.* **-trice**) ⟨*ant*⟩ scandalous person, scandalizer.
scạndalo *m.* **1.** scandal, outrage: *essere causa di* ~ to cause (*o* create) scandal; *questo libro è un vero* ~ this book is a real outrage. – **2.** (*fatto clamoroso*) scandal, sensation: *lo* ~ *delle obbligazioni contraffatte* the scandal of the forged bonds. – **3.** (*chiasso, clamore intorno a un avvenimento*) scandal, gossip, talk: *il matrimonio della vecchia signora ha suscitato grande* ~ the old lady's marriage caused a lot of talk. – **4.** ⟨*ant*⟩ (*discordia*) discord, strife, dissension; (*causa di discordia*) cause of strife, seed of discord. ▭ *dare* ~ to give scandal, to scandalize; *fare uno* ~ to cause (*o* stir up) scandal; ⟨*fig*⟩ *gridare allo* ~ to cry shame, to make an outcry; ~ *pubblico* public scandal; *soffocare uno* ~ to hush up a scandal.
scandalosamẹnte *avv.* **1.** scandalously, outrageously, shockingly. – **2.** ⟨*iperb*⟩ (*esageratamente*) outrageously, inordinately, monstrously: *un uomo* ~ *fortunato* an outrageously lucky man. – **scandalọso** *a.* **1.** scandalous, outrageous, shocking: *condotta -a* scandalous behaviour. – **2.** ⟨*iperb*⟩ (*esagerato*) outrageous, inordinate, monstrous, disgusting.
scandẹlla *f.* ⟨*Bot*⟩ (*orzo distico*) two-rowed barley (*Hordeum distichum*).
scandẹnte (*p.pr. di scandere*) *a.* ⟨*Bot*⟩ climbing. – **scạndere** *v.t.* **1.** ⟨*non com*⟩ (*scandire*) to scan. – **2.** ⟨*ant,poet*⟩ (*salire*) to climb, to ascend.
scanderọna *f.* ⟨*Bot*⟩ (*sclarea*) clary (*Salvia sclarea*).
Scandinạvia *N.pr.f.* ⟨*Geog*⟩ Scandinavia. – **scandinạvo** (*o scandịnavo*) **I** *a.* Scandinavian. – **II** *s.m.* (*f.* **-a**) Scandinavian.
scạndio *m.* ⟨*Chim*⟩ scandium.
scandịre *v.t.* (**scandịsco, scandịsci**) **1.** to scan: ~ *versi* to scan verse. – **2.** (*pronunciare distintamente*) to articulate, to pronounce distinctly (*o* clearly): ~ *bene le parole* to articulate words clearly. – **3.** ⟨*TV*⟩ to scan. ▭ ~ *il tempo* to beat out the rhythm, to beat time.
scạndola *f.* ⟨*Edil,region*⟩ shingle, wooden roofing-tile.
scandolạro *m.* ⟨*Mar.ant*⟩ stern cabin (on a galley).
scandolezzạre *v.* (**scandolẹzzo**) ⟨*ant,region*⟩ → **scandalizzare.** – **scạndolo** *m.* ⟨*pop*⟩ → **scandalo.**
Scạnia *N.pr.f.* ⟨*Geog*⟩ Scania.
scannafọsso *m.* **1.** (drainage) ditch. – **2.** ⟨*Mil.ant*⟩ culvert.
scannamẹnto *m.* ⟨*non com*⟩ **1.** throat-cutting. – **2.** ⟨*estens*⟩ (*massacro*) slaughter, butchering, massacre.
scannapagnọtte, scannapạne *m./f.inv.* ⟨*ant*⟩ (*persona buona a nulla*) good-for-nothing.
scannạre[1] *v.t.* **1.** (*rif. ad animali*) to cut the throat of, to butcher, to slaughter: ~ *un maiale* to butcher a pig; (*rif. a persone: tagliare la gola*) to cut (*o* slit) the throat of. – **2.** ⟨*estens*⟩ (*trucidare selvaggiamente*) to butcher, to slaughter, to massacre. – **3.** ⟨*fig*⟩ (*rovinare economicamente*) to bleed dry (*o* white); (*far pagare molto*) to fleece, ⟨*fam*⟩ to skin. – **4.** ⟨*ant*⟩ (*aprire uno sbocco*) to tap, to breach. ▭ ⟨*iperb*⟩ *non fa un favore neppure se lo scannano* he wouldn't do a favour to save his own life.
scannạre[2] *v.t.* ⟨*Tess*⟩ to unwind, to unreel.
scannạto (*p.p. di scannare*[1]) **I** *a.* **1.** butchered, slaughtered. – **2.** ⟨*pop*⟩ (*privo di mezzi*) penniless, ⟨*fam*⟩ (stony-)broke. – **II** *s.m.* (*f.* **-a**) (*persona priva di mezzi*) beggar, down and out, penniless fellow. – **scannatọio** *m.* **1.** slaughter-house, shambles *pl* (*costr.sing.*), abattoir. – **2.** ⟨*estens*⟩ (*ambiente equivoco*) clip-joint; (*bettola*) low tavern, ⟨*fam*⟩ dive, ⟨*fam*⟩ boozer. – **3.** ⟨*estens*⟩ (*negozio caro*) expensive (*o* pricey) shop. – **scannatọre** ⟨*non com*⟩ **I** *s.m.* (*f.* **-trice**) **1.** butcher. – **2.** ⟨*estens*⟩ (*uccisore*) cut-throat, butcher, slaughterer.

– **II** *a.* butchering, slaughtering, slaughter-. – **scannatụra** *f.* ⟨*non com*⟩ → **scannamento.**

scannellamẹnto *m.* ⟨*non com*⟩ **1.** (*lo scanalare*) grooving, channelling, fluting. – **2.** ⟨*Mecc*⟩ grooving, splining. – **3.** ⟨*Tess*⟩ unwinding, unreeling. – **scannellạre** *v.t.* (**scannẹllo**) **1.** → **scanalare.** – **2.** ⟨*Tess*⟩ to unwind, to unreel. – **scannellạto** (*p.p. di scannellare*) *a.* **1.** → **scanalato.** – **2.** ⟨*Mod*⟩ fluted, with long loose pleats. – **scannellatụra** *f.* → **scanalatura.**

scannẹllo[1] *m.* ⟨*Macell*⟩ sirloin.

scannẹllo[2] *m.* (*banchetto*) writing-desk.

scạnno *m.* **1.** (*sedile*) seat; (*panca*) bench; (*stallo*) stall; (*strapuntino*) folding seat. – **2.** ⟨*fig,poet*⟩ (*grado*) step, order. – **3.** ⟨*Geol*⟩ (*barra di foce*) bar, shoal, bank. – **4.** ⟨*Mar.ant*⟩ (*panca*) captain's bench. ▭ ~ *del coro* choir-stall.

scanonicạre *v.t.* (**scanọnico, scanọnichi**) ⟨*Rel,non com*⟩ to dismiss from a canonry.

scansa|brịghe *m./f.inv.* ⟨*non com*⟩ avoider of trouble, easy-going person. – **~fatịche** *m./f.inv.* loafer, idler, shirker, dodger, slacker.

scansamẹnto *m.* ⟨*non com*⟩ avoidance, withdrawing.

scansạre *v.t.* **1.** to move (aside), to shift: *ho scansato i miei libri per farti posto* I've shifted my books to make room for you. – **2.** (*schivare*) to dodge, to side-step: ~ *un colpo* to dodge a blow; (*abbassandosi*) to duck. – **3.** (*sottrarsi*) to shirk, to dodge, to get round, to fight shy of: ~ *una responsabilità* to shirk a responsibility; (*sfuggire*) to get out of, to avoid, to dodge: ~ *una punizione* to avoid a punishment. – **4.** (*rif. a persone: evitare*) to shun, to avoid, to give a wide berth to, to steer clear of. – **scansarsi** *v.r.* to step (*o* draw) aside, to move away (*o* to one side), to get out of the way.

scansịa *f.* ⟨*Arred*⟩ shelves *pl*; (*per libri*) bookcase.

scansiọne *f.* **1.** ⟨*Metr*⟩ scansion. – **2.** ⟨*TV*⟩ (*analisi*) scanning. ▭ ⟨*TV*⟩ ~ *circolare* circular scanning; ~ *elettronica* electronic scanning; ~ *interlineata* interlaced scanning; ~ *sincrona* synchronous scanning.

scạnso *m.* ⟨*rar*⟩ avoidance, shunning. ▭ *a* ~ *di* (*per evitare*) to avoid, as a precaution against: *a* ~ *di equivoci* to avoid misunderstandings.

scansọri *m.pl.* ⟨*Ornit*⟩ climbers *pl* (*Scansores*). – **scansọrio** *a.* scansorial: *piede* ~ scansorial foot.

scantinạre *v.i.* (*aus.* **avere**) ⟨*non com*⟩ **1.** ⟨*Mus*⟩ to go out of tune. – **2.** ⟨*fig*⟩ (*dire cose inopportune*) to say the wrong thing; (*fare cose inopportune*) to blunder.

scantinạto *m.* ⟨*Edil*⟩ basement, cellar.

scantonamẹnto *m.* ⟨*non com*⟩ trimming (*o* rounding off) of corners.

scantonạre *v.* (**scantọno**) **I** *v.i.* (*aus.* **avere**) **1.** to turn (*o* slip round) a corner: *non appena mi vide, scantonò* as soon as he saw me he slipped round a corner. – **2.** (*svignarsela*) to slip off, to slink away. – **II** *v.t.* ⟨*non com*⟩ **1.** (*smussare*) to trim (*o* round off) the corners of. – **2.** ⟨*Legat*⟩ to round (*o* trim) the corners of. – **scantonarsi** *v.r.* ⟨*ant*⟩ (*allontanarsi*) to become aloof (*o* estranged).

scantonatrịce *f.* ⟨*Legat*⟩ corner-trimming machine. – **scantonatụra** *f.* **1.** ⟨*non com*⟩ (*lo scantonare*) trimming (*o* rounding off) of corners. – **2.** ⟨*Arch*⟩ rounding (*o* cutting) of a corner. – **3.** ⟨*Legat*⟩ rounding (*o* trimming) of corners.

scantucciạre *v.t.* (**scantụccio, scantụcci**) ⟨*tosc*⟩ **1.** to crumble: ~ *il pane* to crumble bread. – **2.** (*levare i cantucci*) to cut the crusts off.

scanzonạto *a.* free-and-easy, informal, light-hearted, easy-going.

scapaccionạre *v.t.* (**scapacciọno**) ⟨*fam*⟩ to clout (on the head), to slap. – **scapacciọne** *m.* clout (on the head), slap: *dare uno* ~ *a qd.* to give s.o. a clout. ▭ *passare a -i*: 1. ⟨*scol*⟩ to scrape through an exam (owing to the indulgence of the examiners); 2. (*entrare gratis*) to get in free; *prendere qd. a -i* to give s.o. a clouting (*o* slapping).

scapạrsi *v.r.* ⟨*fam,tosc*⟩ (*scervellarsi*) to rack (*o* cudgel) one's brains, to puzzle.

scapatạggine *f.* thoughtlessness, heedlessness. – **scapatamẹnte** *avv.* ⟨*non com*⟩ thoughtlessly, heedlessly. – **scapạto I** *a.* (*sventato*) thoughtless, heedless, scatter-brained, reckless, irresponsible. – **II** *s.m.* (*f.* **-a**) scatter-brain, hare-brain. ▭ *alla -a* → **scapatamente.**

scapecchiạre *v.t.* (**scapẹcchio, scapẹcchi**) ⟨*Tess*⟩ to hackle. – **scapecchiatọio** *m.* hackle. – **scapecchiatụra** *f.* hackling.

scapestrạre *v.* (**scapẹstro**) ⟨*ant*⟩ **I** *v.t.* (*sciogliere dal capestro*) to free from the halter, to take the halter off. – **II** *v.i.* (*aus.* **avere**) (*sfrenarsi*) to throw off all restraint, to run wild, to let o.s. go. – **scapestrarsi** *v.r.* **1.** to slip the halter. – **2.** ⟨*fig*⟩ (*liberarsi*) to free o.s. – **3.** ⟨*fig*⟩ (*sfrenarsi*) to throw off all restraint, to run wild, to let o.s. go.

scapestratạggine *f.* dissoluteness, profligacy; (*sfrenatezza*) wildness, recklessness; (*azione da scapestrato*) reckless act. – **scapestrạto** (*p.p. di scapestrare*) **I** *a.* **1.** loose(-living), dissolute, profligate; (*sfrenato*) wild, reckless, daredevil, madcap. – **2.** ⟨*ant*⟩ (*libero dal capestro*) unhaltered, loose. – **3.** ⟨*ant*⟩ (*in disordine*) disordered, untidy, in disarray. – **II** *s.m.* (*f.* **-a**) loose-liver, rake, profligate; (*scavezzacollo*) daredevil, madcap.

scapezzamẹnto *m.* ⟨*Silv,non com*⟩ polling, pollarding, topping. – **scapezzạre** *v.t.* (**scapẹzzo**) ⟨*non com*⟩ **1.** ⟨*Silv*⟩ to poll, to pollard, to top. – **2.** ⟨*estens*⟩ (*rif. a torri e sim.*) to knock down the top of. – **3.** ⟨*estens*⟩ (*decapitare*) to decapitate, to behead. – **scapezzạto** (*p.p. di scapezzare*) *a.* ⟨*Silv,non com*⟩ polled, pollarded, topped. – **scapezzatụra** *f.* ⟨*Silv,non com*⟩ polling, pollarding, topping.

scapicollạrsi *v.r.* (**mi scapicọllo**) ⟨*region*⟩ **1.** to rush headlong down, to plunge (*o* dash) down: ~ *per una discesa* to plunge down a slope. – **2.** ⟨*estens*⟩ (*accorrere in fretta*) to rush, to dash. – **3.** ⟨*fig*⟩ (*affannarsi*) to do one's utmost, to struggle, to strive, to make every effort, to toil. – **scapicọllo** *m.* ⟨*region*⟩ (*luogo scosceso*) steep slope, precipice, drop. ▭ *a* ~ (*a precipizio*): 1. steeply, precipitously, sheer; 2. (*rif. a caduta*) headlong; 3. ⟨*fig*⟩ (*precipitosamente*) hurriedly, headlong, precipitately, hastily.

scapigliạre *v.t.* (**scapịglio, scapịgli**) to tousle (*o* ruffle, mess, dishevel) the hair of: *il vento mi ha scapigliata* the wind has messed my hair. – **scapigliarsi** *v.r.* **1.** (*spettinarsi*) to tousle (*o* ruffle, mess) one's hair, to get dishevelled. – **2.** ⟨*fig*⟩ (*sfrenarsi*) to run wild, to throw off all restraint, to let o.s. go.

scapigliạta *f.* ⟨*Bot*⟩ (*fanciullaccia*) love-in-a-mist (*Nigella damascena*).

scapigliạto (*p.p. di scapigliare*) **I** *a.* **1.** (*spettinato*) tousled, ruffled, dishevelled, with ruffled hair. – **2.** ⟨*fig*⟩ (*scapestrato*) loose-living, dissolute, profligate. – **3.** ⟨*Lett,Art*⟩ the Scapigliatura movement. – **II** *s.m.* **1.** (*persona scapestrata*) loose-liver, rake, profligate. – **2.** ⟨*Lett,Art*⟩ member of the Scapigliatura movement. – **scapigliatụra** *f.* **1.** loose-living, dissoluteness, profligacy. – **2.** ⟨*Lett, Art*⟩ Scapigliatura movement.

Scapịno *N.pr.m.* ⟨*Teat*⟩ Scapino.

scapitamẹnto *m.* ⟨*ant*⟩ → **scapito.** – **scapitạre** *v.i.* (**scạpito**; *aus.* **avere**) (*rimetterci*) to lose, to suffer loss (*o* damage): *vendendo a prezzi così bassi ci scapito* selling at such low prices I lose (money). – **scạpito** *m.* **1.** (*perdita di guadagno*) loss. – **2.** (*danno*) damage, harm, injury: *con grave* ~ *della sua reputazione* ⌜with great harm to⌝ (*o* to the serious detriment of) his reputation. ▭ *a* ~ *di* (*con grave pregiudizio*) to the detriment of; *senza* ~ *di* without loss of, with no detriment to, without affecting (*o* harming); *vendere a* ~ to sell at a loss.

scapitozzạre *v.t.* (**scapitọzzo**) ⟨*Silv*⟩ to poll, to pollard, to top.

scạpo *m.* **1.** ⟨*Arch*⟩ scape, shaft. – **2.** ⟨*Bot,Ornit*⟩ scape. – **3.** ⟨*Zool*⟩ shaft. ▭ ⟨*Arch*⟩ *imo* ~ (*imoscapo*) lower shaft (*o* scape); *sommo* ~ (*sommoscapo*) upper shaft.

scapocchiạre *v.t.* (**scapọcchio, scapọcchi**) to remove (*o* break off) the head of.

scạpola *f.* ⟨*Anat*⟩ scapula, shoulder-bone, shoulder-blade.

scapolạggine *f.* ⟨*scherz*⟩ confirmed bachelorhood.

scapolạre[1] *a.* ⟨*Anat,Ornit*⟩ scapular, shoulder-: *penne -i* scapular feathers.

scapolạre[2] *m.* **1.** ⟨*Rel*⟩ scapular; (*velo monacale*) wimple. – **2.** (*cappuccio*) cowl, hood. – **3.** ⟨*Stor*⟩ (*sorta di sopravveste*) sleeveless outer garment.

scapolạre[3] *v.* (**scạpolo**) **I** *v.i.* (*aus.* **avere**) ⟨*fam*⟩ (*sfuggire*) to escape (*da qc.* s.th., from s.th.), to flee (from), to avoid (s.th.): ~ *da un pericolo* to escape a danger. – **II** *v.t.* **1.** ⟨*fam*⟩ (*scampare*) to escape, to survive, to come through. – **2.** ⟨*Mar*⟩ (*evitare*) to avoid; (*sorpassare*) to double; (*liberare*) to loose, to free, to slip. ▭ *scapolarsela* to get away with it, to have a narrow escape, to get off lightly.

scapolịte *f.* ⟨*Min*⟩ scapolite.

scạpolo I *s.m.* **1.** (*celibe*) bachelor. – **2.** ⟨*Edil*⟩ rough (*o* uncut) stone, stone used as hard core. – **3.** ⟨*Mar.ant*⟩ unchained rower (on a galley). – **II** *a.* **1.** single, unmarried, bachelor-. – **2.** ⟨*ant*⟩ (*libero*) free, unattached. ▭ *appartamento da* ~ bachelor flat. – **scapolọna** *f.* ⟨*scherz*⟩ bachelor-girl. – **scapolọne** (*accr. di scapolo*) *m.* ⟨*scherz*⟩ confirmed (*o* old) bachelor.

scạpolo-omerạle *a.* ⟨*Anat*⟩ scapulo-humeral.

scaponịre *v.t.* (**scaponịsco, scaponịsci**) ⟨*tosc*⟩ **1.** (*rendere meno caparbio*) to soften, to coax, to make less stubborn. – **2.** (*domare, piegare*) to bend, to tame, to break, to gentle.

scapotạre *v.* → **scappottare**[2].

scappamẹnto *m.* **1.** ⟨*Mot*⟩ exhaust; (*tubo*) exhaust-pipe. – **2.** ⟨*Orol*⟩ escapement. – **3.** ⟨*Mus*⟩ (*nel pianoforte*) escapement. – **4.** ⟨*Ferr*⟩ blast-pipe. ▭ ⟨*Orol*⟩ ~ *ad ancora* anchor escapement; ⟨*Orol*⟩ *a cilindro* cylinder escapement; ⟨*Aut*⟩ ~ *libero* open cut-out, straight-through exhaust.

scappạnte (*p.pr. di scappare*) *a.* ⟨*Mod*⟩ loose, not close-fitting. ▭ *maniche -i* sleeves above the elbow.

scappạre *v.i.* (*aus.* **essere**) **1.** to run away (*o* off), to take to one's heels, to flee: *il ladro è scappato* the thief has run away. – **2.** (*fuggire dal luogo in cui si è rinchiusi*) to escape (*di* from), to break (*o* get) out (of, from), to run away (from): ~ *di prigione* to escape from prison; ~ *di collegio* to run away from boarding-school; (*rif. a uccelli*) to fly away, to escape (*di* from), to get out (of); (*svignarsela*) to slip off, to sneak (*o* steal) away. – **3.** (*correre, affrettarsi*) to rush (off), to dash (off), to hurry, to run: *scappo a vestirmi e sono subito pronto* I'll run and get dressed and be ready in a minute; ~ *a casa* to rush home. – **4.** ⟨*fig*⟩ (*sfuggire*) to miss, to let slip, to slip (*o* go, pass) by: *mi sono lasciato* ~ *una magnifica occasione* I let a great chance slip by; *mi è scappato il treno* I missed the train; (*rif. a parole e sim.*) to slip out, to escape: *mi è scappato di bocca* it just slipped out; (*rif. a errori*) to slip by, to slip (*o* escape) attention: *ti è scappato questo errore* this mistake slipped your attention. – **5.** (*non potersi contenere*) not to be able to help, to have to, to be bursting (*o* dying): *mi scappò da ridere* I couldn't ⌜help laughing⌝ (*o* keep myself from laughing), I just had to laugh; *mi scappa la pipì* I'm dying (*o* have) to go. – **6.** (*uscire, sbucare*) to come out, to straggle, to slip (*o* hang, fall) out: *i capelli gli scappavano di sotto il cappello* his hair was straggling out from under his hat; *la camicia gli scappava dai pantaloni* his shirt was coming out of his trousers. – **7.** ⟨*fig*⟩ (*prorompere*) to come (*o* burst) out: ~ *in una battuta divertente* to come out with an amusing remark. – **8.** (*sottrarsi*) to escape, to get out (*o* away).

□ *lasciarsi* ~ *qc. di* **bocca** to let s.th. slip, to blurt s.th. out; *scappar* **detto** to come out with, to let slip (*o* come out): *mi scappò detto* I ⌜let slip⌝ (*o* blurted) out; ⟨*iperb*⟩ *da* **far** ~ enough to scare one to death, awful, terrible: *è brutto da far* ~ he's ugly enough to scare one to death, he's a real fright, he's as ugly as sin; ⟨*tosc*⟩ *a scappa e* **fuggi** (*in gran fretta*) in a great hurry, pell-mell; ~ *dalla* **mente** to slip one's mind; ⟨*pop*⟩ *per poco non ci scappava il* **morto** somebody was nearly killed; *far* ~ *la* **pazienza** *a qd.* to make s.o. lose his patience (*o* temper); *di* **qui** *non si scappa* there's no alternative (*o* help for it), there's no getting out of it; ~ **via** to run off (*o* away), to take to one's heels. || *scappa scappa!* run for it!

scappạta *f.* **1.** dash: *devo fare una* ~ *in ufficio* I must make a dash to the office, I must dash (*o* run, pop) over to the office. – **2.** (*breve visita*) call, (quick) visit, look-in. – **3.** (*breve gita*) (short) trip, excursion, outing. – **4.** ⟨*fig*⟩ (*battuta*) sally, witty remark, ⟨*fam*⟩ crack. – **5.** ⟨*fig*⟩ (*errore, leggerezza*) escapade, folly, prank: *-e di gioventù* youthful escapades; (*rif. ad avventure amorose*) escapade, flirtation, short love affair. – **6.** (*partenza veloce di cavalli*) flying start; (*corsa breve e veloce*) dash. – **7.** (*in pirotecnica*) (grand) finale, climax. □ *fare una* ~ *da qd.* to run (*o* pop) over to s.o.'s; (*fargli visita*) to call in at (*o* on) s.o., to drop in at s.o.'s house, to pay s.o. a flying visit.

scappatẹlla (*dim. di scappata*) *f.* escapade; (*rif. ad avventure amorose*) escapade, flirtation, short love affair. – **scappatịna** (*dim. di scappata*) *f.* quick visit (*o* call), look-in. □ *farò una* ~ *a casa tua* I'll look in on you, I'll pop in to see you.

scappạto (*p.p. di scappare*) *a.* **1.** runaway, escaped, escaping. – **2.** ⟨*fig*⟩ (*rif. a parole*) blurted out, inadvertent; (*rif. a errori*) overlooked, missed. – **scappatọia** *f.* (*espediente*) way out, loophole, expedient, shift: *cercare una* ~ to try and find a way out; (*scusa*) pretext, excuse.

scappatọre *a.* ⟨*tosc*⟩ fast(-running), fast-moving, fleet. □ *cavallo* ~ fast horse, fast-goer.

scappavịa *f.* ⟨*non com*⟩ **1.** (*uscita segreta*) secret exit. – **2.** ⟨*fig*⟩ (*scappatoia*) way out, loophole. – **3.** ⟨*Mar*⟩ (*iole*) jolly-boat; (*baleniera*) whaleboat. – **4.** ⟨*Mar.ant*⟩ barge. □ *a* ~ (*alla svelta*) rushed, done in a rush (*o* hurry).

scappellạre *v.t.* (**scappẹllo**) **1.** (*salutare con una scappellata*) to raise (*o* lift, tip) one's hat to, to take one's hat off to. – **2.** (*rif. a falchi*) to unhood. – **3.** ⟨*Mar*⟩ to unrig. – **scappellarsi** *v.r.* to raise (*o* lift, tip) one's hat. □ ~ *un fungo* to top a mushroom. – **scappellạta** *f.* raising (*o* tipping, lifting, taking off) of one's hat. □ *fare una* ~ to raise (*o* sweep off) one's hat. – **scappellatụra** *f.* ⟨*rar*⟩ → **scappellata.**

scappellottạre *v.t.* (**scappellọtto**) ⟨*fam,non com*⟩ to cuff, to slap (*o* clap) on the head. – **scappellọtto** *m.* cuff, slap (*o* clap) on the head: *dare uno* ~ *a qd.* to cuff s.o., to give s.o. a slap (*o* clap) on the head. □ ⟨*fam*⟩ *entrare* (*o passare*) ⌜*con lo* ~⌝ (*o a -i*): 1. ⟨*scol*⟩ (*essere promosso a malapena*) to pass (an exam) owing to the indulgence of the examiners, to scrape through; 2. (*entrare gratis*) to get in free.

scappiạre *v.t.* (**scạppio, scạppi**) ⟨*rar*⟩ **1.** (*liberare dal cappio*) to free from a slip-knot. – **2.** (*sciogliere un cappio*) to untie a slip-knot in.

scappịno *m.* ⟨*ant*⟩ (*piede della calza*) sole (*o* foot) of a stocking.

scapponạta *f.* ⟨*tosc*⟩ (*mangiata di capponi*) feast of capons.

scappottạre[1] *v.i.* (**scappọtto**; *aus.* **avere**) (*nei giochi di carte*) to avoid a capot.

scappottạre[2] *v.t.* (**scappọtto**) to fold back the hood of, to let down the top of.

scappucciạre[1] *v.t.* (**scappụccio, scappụcci**) to remove the hood from, to lift the hood off.

scappucciạre[2] *v.i.* (**scappụccio, scappụcci**; *aus.* **avere**) ⟨*non com*⟩ **1.** (*inciampare*) to stumble, to trip. – **2.** ⟨*fig*⟩ (*commettere un errore*) to trip up, to make a mistake. □ *Prov.*: *ogni buon cavallo scappuccia* anybody can make a mistake. – **scappụccio** *m.* ⟨*non com*⟩ **1.** (*inciampo*) stumble, tripping up. – **2.** ⟨*fig*⟩ (*errore*) mistake, blunder.

scapricciạre *v.t.* (**scaprịccio, scaprịcci**) to indulge (the whim of), to satisfy (the desire of). – **scapricciarsi** *v.r.* **1.** (*togliersi un capriccio*) to indulge o.s., to indulge one's whim (*o* fancy), to satisfy one's desire. – **2.** (*sbizzarrirsi*) to have one's fling, to give vent. – **scapriccịre** *v.* (**scapriccịsco, scapriccịsci**) → **scapricciare.**

scapsulamẹnto *m.* **1.** removal of a capsule. – **2.** ⟨*Chir*⟩ decapsulation. – **scapsulạre** *v.t.* (**scạpsulo**) **1.** to remove a capsule from. – **2.** ⟨*Chir*⟩ to decapsulate.

scạpula *f.* ⟨*ant*⟩ → **scapola.**

scapulalgịa *f.* ⟨*Med*⟩ scapulalgia.

scapulạre *m.* ⟨*ant*⟩ → **scapolare**[2].

scạra *f.* ⟨*Mediev*⟩ **1.** (*proprietà rustica*) land, estate. – **2.** (*guardia del corpo*) bodyguard.

scarabạttola[1] *f.* ⟨*Arred*⟩ **1.** (*stipetto*) cabinet, show-case. – **2.** (*edicola a vetri*) shrine, glass case.

scarabạttola[2] *f.* ⟨*pop*⟩ (*carabattola*) thing, trinket; (*bazzecola*) trifle.

scarabạttolo *m.* → **scarabattola**[1].

scarabẹidi *m.pl.* ⟨*Entom*⟩ scarabae(o)ids *pl*, scarab beetles *pl* (*Scarabaeidae*). – **scarabẹo** *m.* **1.** ⟨*Entom*⟩ scarabaeus (*Scarabaeus*). – **2.** ⟨*Oref*⟩ scarab. □ ⟨*Entom*⟩ ~ *ercole* Goliath (beetle) (*Goliathus*); ~ *del Giappone* Japanese beetle (*Popillia japonica*); ~ *rinoceronte* rhinoceros beetle (*Oryctes nasicornis*); ~ *sacro* scarabaeus, scarab (beetle) (*Scarabaeus sacer*); ~ *stercorario* dor-beetle, dung-beetle (*Geotrupes*).

scarabillạre *v.t.* ⟨*rar*⟩ (*arpeggiare*) to pluck, to strum, to thrum.

scarabocchiạre *v.t.* (**scarabọcchio, scarabọcchi**) **1.** (*fare scarabocchi*) to scribble (*o* scrawl, doodle) on; (*riempire di scarabocchi*) to scribble all over, to fill with scrawls. – **2.** (*macchiare*) to blot. – **3.** ⟨*fig*⟩ (*scrivere disordinatamente*) to scribble (off), to scrawl, to dash off. – **scarabocchiạto** (*p.p. di scarabocchiare*) *a.* **1.** full of scrawls, scribbled all over. – **2.** ⟨*fig*⟩ (*scritto male*) scrawled, scribbled, dashed (off). – **scarabocchiatụra** *f.* ⟨*non com*⟩ **1.** (*lo scarabocchiare*) scribbling, scrawling, doodling. – **2.** (*scarabocchio*) scribble, scrawl, doodle. – **3.** (*macchia d'inchiostro*) blot. – **4.** (*scritto, foglio scarabocchiato*) scribble, scrawl.

scarabọcchio *m.* **1.** (*macchia*) blot. – **2.** (*sgorbio*) scribble, scrawl. – **3.** (*disegno mal fatto*) daub, doodle; (*scritto mal fatto*) scribble, scrawl. – **4.** ⟨*fig*⟩ (*persona piccola e mal fatta*) runt, shrimp, wart. – **scarabocchiọne** (*accr. di scarabocchio*) *m.* (*f.* **-a**) **1.** scribbler, scrawler, doodler. – **2.** (*chi disegna male*) dauber; (*chi scrive male*) scribbler, scrawler.

scarabọne *m.* ⟨*region,ant*⟩ **1.** ⟨*Entom*⟩ → **scarafaggio.** – **2.** ⟨*Entom*⟩ (*calabrone*) hornet. – **3.** (*soldato irregolare*) irregular, soldier of fortune.

scaracchiạre *v.i.* (**scarạcchio, scarạcchi**; *aus.* **avere**) ⟨*volg*⟩ to hawk and spit phlegm. – **scarạcchio** *m.* ⟨*volg*⟩ phlegm.

scarafạggio *m.* ⟨*Entom*⟩ **1.** cockroach, ⟨*pop*⟩ beetle (*Blatta*). – **2.** oriental (*o* common) cockroach, black-beetle, ⟨*am*⟩ croton bug, ⟨*am*⟩ water bug (*Blatta orientalis*). □ ~ *delle cucine* croton bug, German cockroach (*Phyllodromia germanica*).

scarafọne *m.* ⟨*region*⟩ **1.** ⟨*Entom*⟩ → **scarafaggio.** – **2.** ⟨*mar*⟩ (*nave antiquata*) old ship, tub, hulk.

scaramanzịa *f.* (*scongiuro*) counter-spell, counter-charm. □ *fare la* ~ to perform a counter-spell, to recite a counter-charm; *per* ~ for (good) luck, against bad luck; *toccare ferro per* ~ to touch wood for luck.

scaramạzza *f.* (*anche perla scaramazza*) blister (*o* gibbous, irregular) pearl.

scaramụccia *f.* (*pl.* **-ce**) **1.** (*breve scontro*) skirmish, clash, brush. – **2.** ⟨*fig*⟩ (*piccola polemica*) brush, clash, skirmish, dispute.

Scaramụccia *N.pr.m.* ⟨*Teat*⟩ Scaramouche.

scaramucciạre *v.i.* (**scaramụccio, scaramụcci**; *aus.* **avere**) ⟨*rar*⟩ **1.** (*fare una scaramuccia*) to skirmish, to clash. – **2.** ⟨*fig*⟩ (*litigare*) to skirmish, to clash, to cross swords.

scaratterizzạre *v.t.* to take away the character of.

scaraventạre *v.t.* (**scaravẹnto**) **1.** to fling, to hurl, to dash, to throw: ~ *qc. fuori dalla finestra* to fling s.th. out of the window. – **2.** ⟨*fig*⟩ (*trasferire*) to shift, to shunt, to transfer: *l'hanno scaraventato in un paesino di montagna* he has been transferred to a village in the mountains. – **scaraventarsi** *v.r.* **1.** to hurl (*o* fling) o.s., to dash (o.s.): *scaraventarsi addosso a qd.* to hurl o.s. on s.o. – **2.** (*precipitarsi*) to dash, to tear, to hurl (*o* fling) o.s., to rush: *si scaraventò giù per le scale* he dashed down the stairs.

scarbonạre *v.t.* (**scarbọno**) ⟨*non com*⟩ to remove charcoal from.

scarcạre *v.* (**scạrco, scạrchi**) ⟨*poet*⟩ → **scaricare.**

scarcassạto *a.* ⟨*fam*⟩ (*sconquassato*) smashed, shattered.

scarceramẹnto *m.* release (*o* setting free) from prison. – **scarcerạre** *v.t.* (**scạrcero**) to release from prison, to (set) free from prison, to let out, ⟨*fam*⟩ to spring. – **scarcerazịone** *f.* release (from prison).

scạrco *a./s.* ⟨*poet*⟩ → **scarico.**

scạrda *f.* ⟨*Itt*⟩ **1.** → **scardola.** – **2.** (*cavedano*) chub (*Squalius cephalus*).

scardạccio, scardaccịone *m.* ⟨*Bot*⟩ **1.** creeping (*o* Canada) thistle (*Cirsium arvense*). – **2.** Spanish oyster-plant, golden thistle (*Scolymus hispanicus*). – **3.** saffron thistle (*Carthamus lanatus*). – **4.** wild teasel (*Dipsacus silvester*).

scardạre *v.t.* to husk: ~ *le castagne* to husk chestnuts.

scardassạre *v.t.* **1.** ⟨*Tess*⟩ to tease; (*cardare*) to card. – **2.** ⟨*fig*⟩ (*maltrattare*) to mistreat, to maltreat, to handle roughly. – **scardassatọre** *m.* (*f.* **-trice/-a**) teaser; (*cardatore*) carder. – **scardassatụra** *f.* teasing; (*cardatura*) carding. – **scardassiẹre** *m.* → **scardassatore.** – **scardạsso** *m.* **1.** (*strumento*) card. – **2.** (*guarnitura*) belt on a carding-machine.

scardicciọne *m.* → **scardaccio.**

scardinạre *v.t.* (**scạrdino**) to unhinge, to take off its hinges: ~ *la porta* to unhinge the door.

scạrdola *f.* ⟨*Itt*⟩ rudd (*Scardinius erythrophthalmus*). – **scạrdova** *f.* ⟨*non com*⟩ → **scardola.**

scarẹggio *m.* ⟨*tosc*⟩ (*ribrezzo, schifo*) disgust, repulsion.

scạrgia *f.* (*pl.* **-ge**) ⟨*Bot*⟩ (*stiletti d'acqua*) water-soldier (*Stratiotes aloides*).

scạrica *f.* **1.** (*lo scaricare*) discharge, firing, letting off; (*lo scaricarsi*) discharge. – **2.** (*raffica*) salvo, volley, fusillade, burst. – **3.** ⟨*fig*⟩ (*gran quantità*) hail, volley, shower, flood, storm: *una* ~ *di pugni* a hail of blows; *una* ~ *d'insulti* a storm of abuse. – **4.** (*violenta evacuazione intestinale*) faecal discharge. – **5.** ⟨*El,Fis*⟩ discharge. □ ~ **atmosferica** atmospheric discharge, flash (*o* stroke) of lightning; ⟨*El*⟩ ~ *a* **bagliore** glow discharge; ~ **continua** continuous discharge; ~ **disruptiva** disruptive (*o* spark) discharge; ~ **elettronica** electron discharge; ~ *a* **fiocco** brush discharge; ~ **fredda** dark discharge; ~ **luminescente** = *scarica a* **bagliore**; ~ **oscura** = *scarica* **fredda**; ~ *delle* **punte** point discharge; ~ **rapida** rapid discharge; ~ **spontanea** self-discharge, spontaneous discharge.

scaricabarịli *m.inv.* (*gioco*) children's game (of lifting each other back to back). □ ⟨*fig*⟩ *fare a* ~ to shift blame (*o* responsibility), ⟨*fam*⟩ to pass the buck.

scaricalạsino *m.inv.* (*gioco*) pick-a-back, ⟨*fam*⟩ piggyback: *giocare a* ~ to play piggyback.
scaricamẹnto *m.* ⟨*non com*⟩ **1.** discharge, unloading. – **2.** ⟨*fig*⟩ unburdening, relieving, release.
scaricạre *v.* (**scạrico, scạrichi**) **I** *v.t.* **1.** to unload, to discharge: ~ *una nave* to unload a ship. – **2.** (*deporre un carico*) to unload, to discharge: ~ *il carbone* to unload coal. – **3.** (*far scendere le persone: da veicoli*) to set down, to put (*o* let) off: *il pullman ci scaricò davanti all'albergo* the coach set us down in front of the hotel; (*da navi*) to land, to disembark. – **4.** (*svuotare: rif. a liquidi*) to drain, to empty: ~ *un bacino* to drain a basin; (*rif. a gas*) to exhaust, to let off (*o* out), to vent. – **5.** ⟨*Fisiol*⟩ (*evacuare*) to empty, to discharge, to evacuate: ~ *l'intestino* to evacuate the bowels. – **6.** (*lanciare*) to drop, to throw out: ~ *pacchi da un aereo* to drop packages from a plane. – **7.** (*rif. ad armi: sparare*) to empty, to fire, to shoot, to discharge; (*togliere la carica*) to unload. – **8.** (*vibrare, scagliare*) to rain, to shower, to hail: *gli scaricò addosso un sacco di pugni* he rained blows on him. – **9.** (*rif. a meccanismi a molla*) to allow to run down. – **10.** (*riversare*) to pour, to empty, to discharge: *il Po scarica le sue acque nell'Adriatico* the Po empties its waters into the Adriatic. – **11.** ⟨*fig*⟩ (*liberare, alleggerire*) to unburden, to lighten, to relieve, to free, to clear: ~ *la coscienza dai rimorsi* to clear one's conscience of remorse. – **12.** ⟨*fig*⟩ (*sfogare*) to vent, to give vent to, to let out: ~ *la propria ira su qd.* to vent one's anger on s.o. – **13.** ⟨*fig*⟩ (*addossare*) to shift, to put, to pass: ~ *la colpa addosso a qd.* to shift the blame onto s.o. – **14.** ⟨*gerg*⟩ (*liberarsi di una persona fastidiosa*) to free (*o* rid) o.s. of, to get rid of. – **15.** ⟨*fam*⟩ (*far crollare, rovinare*) to bring down, to cause to collapse (*o* crash). – **16.** ⟨*El*⟩ to discharge; (*rif. a batterie*) to run down: *l'accensione prolungata scarica la batteria* leaving the ignition on runs down the battery. – **II** *v.i.* (*aus.* **avere**) **1.** (*liberare l'intestino*) to relieve o.s., to have a bowel movement. – **2.** ⟨*El*⟩ to discharge. – **scaricarsi** *v.r.* **1.** (*liberarsi*) to unburden (*o* relieve, rid) o.s. (*di* of), to free o.s. (from) (*anche fig.*): *scaricarsi di una responsabilità* to relieve o.s. of a responsibility. – **2.** ⟨*fig*⟩ (*sfogarsi*) to vent (*o* give vent) to one's feelings, to pour out (one's heart), to unburden o.s. – **3.** (*riversarsi*) to empty, to flow; (*scorrere*) to flow, to run. – **4.** (*rif. a meccanismi a molla*) to run (*o* wind) down. – **5.** (*rif. ad accumulatori e sim.*) to run down, to go dead (*o* flat). – **6.** (*rif. a gas e sim.*) to leak, to run out, to escape. – **7.** ⟨*fam*⟩ (*crollare, rovinare*) to collapse, to fall (*o* come) down.
scaricạto (*p.p. di scaricare*) *a.* **1.** (*liberato del carico*) unloaded, emptied: *vagone* ~ unloaded waggon. – **2.** ⟨*fam*⟩ (*in rovina*) tumbledown, toppled, collapsed. – **3.** ⟨*tecn*⟩ discharged. – **scaricatọio** *m.* **1.** unloading place, depot; (*per rifiuti*) dump. – **2.** ⟨*Idr*⟩ drain, sewer.
scaricatọre I *s.m.* (*f.* **-trice**) **1.** (*chi scarica merci*) unloader; (*nei porti*) docker, stevedore, lighterman, ⟨*am*⟩ longshoreman. – **2.** (*dispositivo di scarico di merci*) unloader. – **3.** ⟨*Idr*⟩ water-trap, spillway. – **4.** ⟨*El*⟩ discharger, arrester. – **II** *a.* ⟨*Idr*⟩ drainage-: *fossato* ~ drainage ditch.
☐ ⟨*Idr*⟩ ~ *d'***acqua** water-trap; ~ *d'***aria** air escape; ⟨*El*⟩ ~ *a* **corna** horn gap arrester; ⟨*Idr*⟩ ~ *di* **fondo** bottom discharge tunnel, outlet tunnel; ⟨*El*⟩ ~ *a* **intervallo** surge gap; ~ *di* **porto** docker, stevedore, ⟨*am*⟩ longshoreman; ~ **rovesciatore** tipper, dumper; ⟨*Met*⟩ ~ *di* **scorie** ash (*o* clinker) pit; ⟨*Idr*⟩ ~ *di* **sicurezza** floodgate, overflow; ⟨*El*⟩ ~ *di* **sovratensione** *atmosferica* lightning arrester (*o* discharger, protector); ⟨*Idr*⟩ ~ *di* **superficie** spillway.
scaricatụra *f.* ⟨*non com*⟩ **1.** unloading, discharging. – **2.** (*costo*) cost of unloading. – **scaricaziọne** *f.* ⟨*rar*⟩ unloading.
scạrico *a./s.* (*pl.* **-chi**) **I** *a.* **1.** unloaded, empty: *carro* ~ unloaded truck. – **2.** (*privo di carica: rif. ad armi*) unloaded, empty; (*rif. a molle*) run-down, not wound up: *l'orologio è* ~ the clock has run-down, the clock is not wound up. – **3.** ⟨*fig*⟩ (*privo, libero*) unburdened, untroubled (*di* by), free (of, from): *mente -a di preoccupazioni* mind free of worries, untroubled mind. – **4.** ⟨*El*⟩ discharged, flat, dead, without charge: *batteria -a* dead (*o* flat) battery. – **5.** ⟨*rar*⟩ (*vuoto*) free, empty, clear: *cielo* ~ *di nubi* sky free of clouds, cloudless sky. – **II** *s.m.* **1.** unloading, discharging: *lo* ~ *del carbone* the unloading of the coal; *lo* ~ *di un camion* the unloading of a truck; (*da navi*) discharging, unloading, disembarking, unshipping. – **2.** (*rif. a rifiuti*) dumping, tipping; (*materiale di rifiuto*) refuse, rubbish, waste; (*luogo*) (rubbish) dump, (refuse-)tip. – **3.** (*svuotamento*) emptying, clearing. – **4.** (*rif. a liquidi*) draining, drainage; (*condotto*) drain; (*fogna*) sewer. – **5.** ⟨*fig*⟩ (*discarico, giustificazione*) defence, justification, excuse, extenuation. – **6.** ⟨*Mot*⟩ exhaust. – **7.** ⟨*Comm*⟩ (*uscita di merce*) release of stock. – **8.** ⟨*non com*⟩ (*spurgo*) discharge, voiding. – **9.** ⟨*ant*⟩ (*frana*) landslip, landslide.
☐ **a** ~ in defence, in extenuation: *a mio* ~ in my defence, to justify myself; *testimoni a* ~ witnesses for the defence; *a* ~ *di ogni responsabilità* to avoid all responsibility; *a* ~ *di coscienza* to clear one's conscience; ~ *dell'***acqua** (water-)drain; **di** ~ exhaust-, waste, drain-: *gas di* ~ exhaust gas; ⟨*Mot*⟩ ~ *dei* **gas** *combusti* exhaust; *scarichi* **industriali** industrial waste; **lavori** *di* ~ unloading, discharging; ⟨*Mar*⟩ ~ *in* **mare** jettison, dumping in the sea; *veicolo a* ~ **posteriore** end tipper, rear dumper, rear-dump truck; *scarichi* **radioattivi** radioactive waste; ⟨*Aer*⟩ ~ **rapido** jettison of fuel; ⟨*Met*⟩ ~ *delle* **scorie** *fuse* slag and dross outlet; ~ *del* **vapore** steam exhaust; **vietato** *lo* ~ tipping (*o* dumping) prohibited, no tipping (*o* dumping); ⟨*Mar,Aer*⟩ ~ *della* **zavorra** jettisoning of ballast.

scarificạre *v.t.* (**scarịfico, scarịfichi**) **1.** ⟨*Med*⟩ to scarify. – **2.** ⟨*Silv*⟩ to scarify, to tap. – **3.** ⟨*Agr*⟩ to scarify, to break up, to rip, to loosen. – **4.** ⟨*Strad*⟩ to scarify, to rip. – **scarificatọre** *m.* ⟨*Agr*⟩ scarifier, ripper, scrub (*o* land) clearing machine. – **scarificatụra** *f.* **1.** ⟨*Silv*⟩ scarifying, tapping. – **2.** ⟨*Agr*⟩ scarification, ripping, rooting, breaking up. – **3.** ⟨*Strad*⟩ scarification, ripping. – **scarificaziọne** *f.* **1.** ⟨*Med*⟩ (*atto*) scarification, scarifying; (*effetto*) scarification. – **2.** ⟨*Etnol*⟩ scarification.
scariọla *f.* → **scarola.**
scariolạre *v.* ⟨*pop*⟩ → **scarriolare.**
scariọso *a.* ⟨*Biol*⟩ scarious.
Scariọtto *N.pr.m.* ⟨*Bibl,ant*⟩ (*Iscariota*) Iscariot.
scarlattịna *f.* ⟨*Med*⟩ scarlet fever, scarlatina. – **scarlattinẹtta** (*dim. di scarlattina*) *f.* (*quarta malattia*) fourth disease, exanthema subitum, parascarlatina. – **scarlattinifọrme** *a.* scarlatiniform, scarlatinoid.
scarlattịno I *a.* scarlet. – **II** *s.m.* ⟨*ant*⟩ (*panno*) scarlet.
scarlattinọso I *a.* ⟨*Med*⟩ **1.** scarlatinal, of scarlet fever. – **2.** (*affetto da scarlattina*) scarlatinous. – **II** *s.m.* (*f.* **-a**) person suffering from scarlet fever, scarlatinous person.
scarlạtto I *a.* scarlet. – **II** *s.m.* **1.** (*colore*) scarlet. – **2.** ⟨*Chim*⟩ scarlet. – **3.** ⟨*ant*⟩ (*panno*) scarlet; (*panno tinto a colori vivaci*) bright cloth. ☐ ⟨*Gastr*⟩ *lingua alla -a* corned tongue.
scarlẹa *f.* ⟨*Bot*⟩ (*sclarea*) clary (*Salvia sclarea*).
scarlịna *f.* ⟨*Bot*⟩ (*carlina*) carline thistle (*Carlina*).
scarmigliạre *v.t.* (**scarmịglio, scarmịgli**) to tousle, to ruffle, to dishevel. – **scarmigliarsi** *v.r.* **1.** to become tousled, to get ruffled (*o* dishevelled). – **2.** ⟨*ant*⟩ (*azzuffarsi*) to tangle, to grapple. – **scarmigliạto** (*p.p. di scarmigliare*) *a.* (*rif. a capelli*) tousled, ruffled, dishevelled; (*rif. a persone*) dishevelled, unkempt, untidy, with ruffled hair. – **scarmigliọne** *m.* (*f.* **-a**) ⟨*non com*⟩ dishevelled person.
scarnamẹnto *m.* ⟨*non com*⟩ **1.** stripping of flesh. – **2.** ⟨*Conc*⟩ fleshing. – **scarnạre** *v.t.* **1.** to strip the flesh from. – **2.** ⟨*fig,lett*⟩ (*graffiare*) to scratch, to scrape. – **3.** ⟨*Conc*⟩ to flesh. – **scarnarsi** *v.r.* ⟨*ant*⟩ (*dimagrire*) to lose flesh, to become emaciated. – **scarnatọio** *m.* ⟨*Conc*⟩ fleshing-knife. – **scarnatọre I** *s.m.* (*f.* **-trice**) flesher. – **II** *a.* fleshing-: *macchina scarnatrice* fleshing-machine. – **scarnatụra** *f.* fleshing.
scarnificạre *v.t.* (**scarnịfico, scarnịfichi**) to strip (*o* rip) the flesh from: ~ *un osso* to strip the flesh from a bone. – **scarnificạto** (*p.p. di scarnificare*) *a.* **1.** stripped of flesh. – **2.** ⟨*fig,lett*⟩ (*essenziale, nudo*) bare, terse, spare. – **scarnificaziọne** *f.* stripping of flesh.
scarnịre *v.t.* (**scarnịsco, scarnịsci**) **1.** to strip the flesh from. – **2.** ⟨*fig*⟩ (*ridurre all'essenziale*) to bare, to strip, to pare down. – **scarnịto** (*p.p. di scarnire*) *a.* **1.** stripped of flesh. – **2.** ⟨*fig*⟩ (*magro, secco*) lean, thin, fleshless, skinny. – **3.** ⟨*fig*⟩ (*nudo, essenziale*) bare, terse, spare. – **scarnitụra** *f.* stripping of flesh.
scạrno *a.* **1.** fleshless, lean, thin, skinny: *viso* ~ lean face. – **2.** ⟨*fig*⟩ (*povero*) meagre, inferior, scanty, inadequate, lightweight: *un articolo troppo* ~ too meagre an article. – **3.** ⟨*fig*⟩ (*sobrio, essenziale*) bare, terse, spare, plain, unadorned: *stile* ~ spare style.
scạro *m.* ⟨*Itt*⟩ parrot-fish (*Scarus cretensis*).
scarọgna *f.* ⟨*pop*⟩ → **scalogna**[1].
scarognạre *v.i.* (**scarọgno**; *aus.* **avere**) ⟨*non com,volg*⟩ **1.** (*fare la carogna*) to be a swine (*o* rat). – **2.** (*adempiere svogliatamente al proprio ufficio*) to slack, to shirk, to work half-heartedly.
scarognạto *a./s.* ⟨*pop*⟩ → **scalognato.**
scarognịre *v.t.* (**scarognịsco, scarognịsci**) ⟨*fam,non com*⟩ to cure of laziness, to wake up. – **scarognirsi** *v.r.* to wake up, to buckle down (*o* to), to stop slacking, ⟨*fam*⟩ to pull up one's socks.
scarọla *f.* ⟨*Bot*⟩ **1.** (*indivia*) endive (*Cichorium endivia*). – **2.** (*lattuga*) prickly lettuce (*Lactuca scariola*). – **3.** (*cicoria*) chicory, wild endive, succory (*Cichorium intybus*).
scạrpa *f.* **1.** shoe: *mettersi le -e* to put on one's shoes; *un paio di -e* a pair of shoes; (*scarpa alta*) boot. – **2.** (*cuneo*) chock, shoe. – **3.** (*scarpata*) (e)scarp, slope. – **4.** ⟨*Mecc*⟩ (*nelle funivie*) support shoe, bearing shoe. – **5.** ⟨*El*⟩ (*espansione polare*) pole shoe. – **6.** ⟨*Mar*⟩ (*piattaforma*) billboard, anchor-bed; (*guaina mobile*) shoe, anchor fluke chock. – **7.** ⟨*Mil.ant*⟩ sabaton.
☐ **a** ~ inclined, sloping, with projected footings; ~ *da* **allacciare** lace-up shoe; ~ **alta** boot; ⟨*Ferr*⟩ ~ *d'***arresto** slipper; ⟨*fig*⟩ *non* **avere** *-e ai piedi* (*essere poverissimo*) not to have a shirt (*o* rag) to one's name, to be penniless; *-e da* **ballo** dancing-shoes; ~ *da* **bambino** baby shoe; ~ *da* **calciatore** football-boot; *-e di* **camoscio** suede shoes; *-e di* **canapa** canvas (*o* rope-soled) shoes; *-e da* **cerimonia** dress shoes; ~ **chiodata** hobnailed shoe (*o* boot); **da** *-e* shoe-: *lucido da -e* shoepolish; *-e* **décolleté** = *scarpe* **scollate**; ⟨*fam*⟩ **fare** *le -e a qd.* (*fargli nascostamente del male*) to double-cross s.o., to stab s.o. in the back; ~ *con* **fibbia** buckle-shoe; ⟨*Aut*⟩ ~ *del* **freno** brake-shoe; *-e da* **ginnastica** gym-shoes; *-e da* **golf** golf(ing) -shoes; *-e di* **gomma** rubber shoes; ⟨*fam*⟩ *non essere degno di* **legare** (o *lustrare*) *le -e a qd.* not to be worthy to tie (*o* lace) s.o.'s shoes; ⟨*fam*⟩ *non* **levarsi** *le -e da vari giorni* not to have gone to bed for days; *-e da* **montagna** climbing boots; ⟨*Edil*⟩ **muro** *di* ~ scarp wall; *-e da* **neve** snow-shoes; ~ **ortopedica**: 1. orthopaedic shoe; 2. ⟨*Mod*⟩ wedge-heeled shoe, ⟨*fam*⟩ wedgie; *-e da* **passeggio** walking shoes; *-e* **piatte** = *scarpe con* **tacco** *basso*; ⟨*El*⟩ ~ **polare** pole shoe; *-e a* **punta** *quadra* square-toed shoes; *-e di* **rafia** bast (*o* rope-soled) shoes; ~ *da* **riposo**: 1. (*pantofola*) slipper; 2. (*scarpa da ginnastica*) gym-shoe; 3. (*scarpa per doposci*) after-ski boot; *-e da* **roccia** rock

-climbing boots; *-e da* **sci** ski-boots; *-e* **scollate** court shoes, pumps; *-e da* **sera** evening (*o* dress) shoes, pumps; *-e da* **signora** lady's shoes; ⟨*fam*⟩ *mettere* (o *morire con*) *le -e al* **sole** (*morire ammazzato*) to die with one's boots on; (*morire*) to die; *-e* **sportive** sports shoes; *-e di* **stoffa** fabric shoes; *ho le -e* **strette** my shoes pinch; *-e con* **tacco** *alto* high-heeled shoes, ⟨*fam*⟩ high-heels; *-e con tacco basso* low -heeled shoes; *-e senza tacco* flat shoes, ⟨*fam*⟩ flats; *-e da* **tennis** tennis-shoes; ⟨*fam*⟩ *essere una ~* **vecchia**: 1. (*essere incompetente*) to be a wash-out (*o* loser, flop, dud, dead-loss); 2. (*rif. a donna vecchia*) to be an old boot (*o* bag). – *Prov.*: *è meglio consumare le -e che le lenzuola* it is better to be active than sick in bed; *dove strịnge la ~ non lo sa altro che chi l'ha in piede* only the wearer knows where the shoe pinches; *-e grosse e cervello fino* uneducated men may be very intelligent.

scarpạccia (*pegg. di scarpa*) *f.* (*pl.* **-ce**) ⟨*fam*⟩ (*persona incapace*) wash-out, loser, flop, dud, dead-loss; (*donna vecchia*) old boot (*o* bag). – **scarpạio** *m.* **1.** (*venditore*) shoe-pedlar. – **2.** ⟨*non com*⟩ (*artigiano*) shoemaker. – **3.** ⟨*spreg,non com*⟩ (*calzolaio non fine*) (clumsy) cobbler.

scarpạre *v.t.* to (e)scarp, to build in escarpments.

scarpạro *m.* ⟨*region*⟩ → **scarpaio**.

scarpạta[1] *f.* (*colpo*) boot, kick with a shoe.

scarpạta[2] *f.* **1.** (e)scarp, escarpment; (*pendio*) (steep) slope: *scendere giù per la ~* to go down the slope. – **2.** ⟨*Mil.ant*⟩ escarpment. ☐ *~ dell'argine* dike batter (*o* slope); *~ del binario* railway embankment; ⟨*Geol*⟩ *~ continentale* continental slope.

scarpęlla *f.* ⟨*Alp*⟩ creeper.

scarpellạre *v.* ⟨*pop*⟩ → **scalpellare**. – **scarpellatọre** *a./s.* ⟨*pop*⟩ → **scalpellatore**. – **scarpellatụra** *f.* ⟨*pop*⟩ → **scalpellatura**. – **scarpellinạre** *v.* ⟨*pop*⟩ → **scalpellare**. – **scarpellịno** *m.* ⟨*pop*⟩ → **scalpellino**. – **scarpęllo** *m.* ⟨*pop*⟩ → **scalpello**.

scarpẹna *f.* ⟨*Itt*⟩ (*scorpena*) scorpion-fish (*Scorpaena*).

scarpẹtta (*dim. di scarpa*) *f.* **1.** low light shoe. – **2.** (*per bambini*) child's (*o* baby) shoe; (*di lana*) bootee. – **3.** (*scarpa da donna*) lady's evening shoe. ☐ *fare la ~* (*raccogliere il sugo con il pane*) to mop up sauce with bread, to wipe one's plate clean; ⟨*Bot*⟩ *~ di Venere* (*pianella della Madonna*) Venus's (*o* lady's) slipper (*Cypripedilum calceolus*).

scarpettạccia (*pegg. di scarpetta*) *f.* (*pl.* **-ce**) ⟨*tosc*⟩ → **scardola**. – **scarpettịna** *f. dim. di* **scarpetta**. – **scarpiẹra** *f.* **1.** (*borsa da viaggio*) shoe-bag. – **2.** (*armadietto*) shoe-rack. – **scarpịna** *f. dim. di* **scarpa**.

scarpinạre *v.i.* (*aus.* **avere**) ⟨*fam,scherz*⟩ (*camminare a lungo*) to tramp, to trek, ⟨*fam*⟩ to hoof it. – **scarpinạta** *f.* ⟨*fam,scherz*⟩ (*lunga camminata*) long walk, tramp, trek.

scarpịno (*dim. di scarpa*) *m.* (elegant woman's) shoe, ⟨*lett*⟩ slipper. – **scarponcịno** (*dim. di scarpone*) *m.* **1.** (*per bambini*) child's boot. – **2.** (*scarpa alta*) boot.

scarpọne (*accr. di scarpa*) *m.* **1.** boot. – **2.** ⟨*scherz*⟩ (*alpino*) Alpino, member of the Italian Alpine troops. ☐ *~ da caccia* hunting-boot, top-boot; *~ chiodato* hobnailed boot; *~ da montagna* mountaineering (*o* climbing) boot; *~ da sci* ski-boot; *~ da soldato* army boot.

scarriolạnte *m.* wheelbarrower, user of a wheelbarrow. – **scarriolạre** *v.t.* (**scarriọlo**) to (carry in a) wheelbarrow.

scarrocciạre *v.i.* (**scarrọccio, scarrọcci**; *aus.* **avere**) ⟨*Mar,Aer*⟩ to make (*o* drift to) leeway. – **scarrọccio** *m.* leeway, leeward drift. ☐ *angolo di ~* drift angle.

scarrozzạre *v.* (**scarrọzzo**) **I** *v.t.* (*portare in giro*: *in carrozza*) to drive (*o* take) around in a carriage; (*con altro veicolo*) to drive (*o* take) around. – **II** *v.i.* (*aus.* **avere**) (*girare*: *in carrozza*) to drive (*o* go) around in a carriage; (*con altro veicolo*) to drive (*o* go) around, to go for a drive. – **scarrozzạta** *f.* (*gita*: *in carrozza*) carriage ride, drive in a carriage; (*con altro veicolo*) drive, trip (in a car). – **scarrozzịo** *m.* ⟨*non com*⟩ **1.** coming and going of carriages, carriage traffic. – **2.** (*rumore*) rumble (*o* rattle) of carriages.

scarrucolamẹnto *m.* ⟨*non com*⟩ running of a rope (*o* chain) over a pulley; (*sviamento*) slipping of a rope (*o* chain) off a pulley. – **scarrucolạre** *v.* (**scarrụcolo**) **I** *v.i.* (*aus.* **avere**) to run freely over a pulley; (*sviare*) to slip off a pulley. – **II** *v.t.* to slip off a pulley. – **scarrucolịo** *m.* **1.** running of a pulley-block. – **2.** (*rumore*) noise of a pulley-block running.

scarrucolọne *m.* ⟨*tosc*⟩ **1.** (*sdrucciolone*) slide, sliding, slip(ping). – **2.** ⟨*fig*⟩ (*sbaglio*) slip, blunder.

scarruffạre *v.t.* ⟨*tosc*⟩ (*spettinare*) to ruffle, to tousle, to dishevel. – **scarruffạto** (*p.p. di scarruffare*) *a.* (*rif. a capelli*) ruffled, tousled, dishevelled; (*rif. a persone*) untidy, dishevelled.

scarsamẹnte *avv.* scantily, poorly, meagrely, sparely.

scarseggiạre *v.i.* (**scarsẹggio, scarsẹggi**; *aus.* **avere**) **1.** (*essere scarso*) to be in short supply, to run short, to be running out, to get scarce: *i viveri scarseggiano* provisions are running out. – **2.** (*avere scarsezza*) to be short (*di* of), to lack, to need (s.th.), to be down (*o* low) (on): *~ di denaro* to be short of money. – **3.** ⟨*fig*⟩ to lack (*di qc.* s.th.), to be lacking (in), not to have much (s.th.), ⟨*fam*⟩ to be short (on): *scarseggia d'intelligenza* he lacks (*o* hasn't much) intelligence. – **4.** ⟨*Mar*⟩ (*rif. al vento*) to head, to haul (in an unfavourable direction). ☐ *~ di lodi* to grudge (*o* stint) praise.

scarsęlla *f.* **1.** purse, money-bag. – **2.** ⟨*Arch*⟩ rectangular apse. – **3.** ⟨*region,scherz*⟩ (*tasca*) pocket. ☐ ⟨*fig*⟩ *avere un granchio alla ~* to be stingy (*o* tight), ⟨*scherz*⟩ to have moths in one's purse; *mettere mano alla ~* to put one's hand in one's purse, to dip into one's pocket.

scarsẹzza *f.* **1.** shortage, scarcity, scarceness: *~ d'acqua* water shortage. – **2.** (*mancanza*) lack, dearth, want. – **scarsità** *f.* **1.** shortage, scarcity, scarceness: *~ di viveri* shortage of provisions. – **2.** (*mancanza*) lack, dearth, want: *~ di personale* lack of personnel. – **3.** ⟨*Econ*⟩ lack. ☐ ⟨*Econ*⟩ *~ di dollari* dollar gap.

scạrso *a.* **1.** scarce, scanty, poor, meagre, lean, spare: *vitto ~* meagre fare; *raccolto ~* poor harvest. – **2.** (*manchevole, povero*) lacking, poor (*di* in), short (of, on): *~ d'intelligenza* lacking in intelligence, having little intelligence; *essere ~ di quattrini* to be short of money. – **3.** (*debole*) feeble, weak, poor: *luce -a* feeble light. – **4.** (*che non raggiunge la misura precisa*) just under, short: *un chilo ~* just under one kilo; *misura -a* short measure. – **5.** ⟨*Mar*⟩ light, insufficient: *vento ~* light airs. – **6.** ⟨*lett*⟩ (*rado*) infrequent, rare. – **7.** ⟨*lett*⟩ (*avaro*) mean, miserly; (*parsimonioso*) sparing, thrifty. – **8.** ⟨*fig,ant*⟩ (*cauto*) careful, cautious. ☐ *tre chilometri -i* a bare three kilometres, almost (*o* just under) three kilometres; *essere ~ in una materia scolastica* to be weak in a (school) subject.

scartabellạre *v.t.* (**scartabẹllo**) to leaf (*o* skim, flip) through. – **scartabẹllo** *m.* **1.** (*scartafaccio*) scribbling block (*o* pad), notebook, notepad, scratch paper. – **2.** ⟨*rar,spreg*⟩ (*scritto scarso*) scribble, scrawl.

scartafạccio *m.* **1.** scribbling block (*o* pad), notebook, notepad, scratch paper. – **2.** (*libro mal ridotto*) tattered book. – **3.** ⟨*Comm*⟩ waste-book, daybook.

scartamẹnto *m.* **1.** ⟨*Ferr,Mecc*⟩ gauge. – **2.** ⟨*Aut*⟩ track. ☐ *~* **allargato** (*o largo*) broad (*o* wide) gauge; *~ del* **binario** track gauge; *~* **normale** standard gauge: *linea a ~ normale* standard -gauge line; *~* **ridotto** narrow gauge; *a ~ ridotto*: 1. ⟨*Ferr*⟩ narrow gauge: *binario a ~ ridotto* narrow-gauge track; *linea a ~ ridotto* narrow-gauge line; 2. ⟨*scherz*⟩ miniature, ⟨*fam*⟩ pint-sized: *una casa a ~ ridotto* a pint-sized house.

scartạre[1] *v.t.* to unwrap, to remove the paper from: *~ un pacco* to unwrap a package.

scartạre[2] *v.t.* **1.** (*respingere, rifiutare*) to discard, to reject, to turn down: *~ un'ipotesi* to discard a theory. – **2.** (*eliminare*) to discard, to reject, to throw (*o* weed) out, to scrap: *~ la frutta guasta* to throw out the rotten fruit. – **3.** (*nei giochi di carte*) to discard, to throw away. – **4.** ⟨*Mil*⟩ (*riformare*) to reject. ☐ *~ alto* (*nei giochi di carte*) to discard a high card, to make a high discard; *~ basso* (*nei giochi di carte*) to discard a low card, to make a low discard.

scartạre[3] **I** *v.i.* (*aus.* **avere**) **1.** (*rif. ad animali*) to shy, to swerve, to side-step. – **2.** (*rif. a veicoli*) to swerve, to skid. – **3.** ⟨*Sport*⟩ to swerve, to side-step, to dodge. – **II** *v.t.* ⟨*Sport*⟩ to swerve round, to side-step, to dodge.

scartạta[1] *f.* (*lo scartare*) unwrapping.

scartạta[2] *f.* **1.** (*rif. ad animali*) shy, swerve, side-step. – **2.** (*rif. a veicoli*) swerve, skid. – **3.** ⟨*fam*⟩ (*rimprovero*) (sharp) rebuke, scolding, ⟨*fam*⟩ telling-off. ☐ *fare una ~ a qd.* to give s.o. a sharp rebuke, ⟨*fam*⟩ to bawl s.o. out.

scartavetrạre *v.t.* (**scartavẹtro**) to sand(paper), to (smooth with) glass-paper. – **scartavetrạta** *f.* sandpapering, glass-papering, sanding, smoothing with glass-paper. ☐ *dare una ~ a* to sand(paper), to glass-paper.

scartellamẹnto *m.* ⟨*Comm*⟩ disregard of the norms of a banking cartel. – **scartellạre** *v.i.* (**scartẹllo**; *aus.* **avere**) to disregard the norms of a banking cartel.

scartịna *f.* **1.** (*nei giochi di carte*) low card. – **2.** ⟨*estens*⟩ (*persona di scarso valore*) nonentity, reject, throw-out. – **3.** ⟨*Sport*⟩ (*atleta scadente*) poor athlete.

scartinạre *v.t.* ⟨*Tip*⟩ to slip-sheet, to insert slip sheets between. – **scartịno** *m.* **1.** ⟨*Tip*⟩ slip sheet. – **2.** → **scartina**.

scạrto[1] *m.* **1.** discarding, rejection; (*esclusione*) throwing out, rejection, scrapping. – **2.** ⟨*concr*⟩ (*cosa scartata*) discard, reject, throw-out. – **3.** ⟨*fig*⟩ (*insieme di cose di scarso valore*) refuse, waste, scrap, rubbish; (*rif. a persone*) reject, throw-out. – **4.** (*nei giochi di carte*) discard(ing); (*carta scartata*) discard. – **5.** (*gioco enigmistico*) kind of puzzle. – **6.** ⟨*Met*⟩ scrap, rejects *pl.* ☐ *fare lo ~* (*nei giochi*) to discard; ⟨*Tip*⟩ *fogli di ~* spoilage, misprints *pl*, discards *pl*, waste (sheets *pl*); ⟨*Mecc*⟩ *~ di lavorazione* machine-shop rejection; ⟨*spreg*⟩ *~ di leva* reject; *merce di ~* (*scarti di magazzino*) rejects *pl*, spoilt (*o* damaged) goods *pl.*

scạrto[2] *m.* **1.** (*rif. ad animali*) shy, swerve, side-step. – **2.** (*rif. a veicoli*) swerve, skid. – **3.** ⟨*estens*⟩ (*deviazione*) deviation, diversion, deflection. – **4.** ⟨*estens*⟩ (*differenza, distacco*) difference, gap, interval. – **5.** ⟨*Artigl*⟩ deviation. – **6.** ⟨*Mar*⟩ distance between observed and charted position. – **7.** ⟨*Econ*⟩ spread; (*deposito a garanzia*) margin. – **8.** ⟨*Statist*⟩ deviation, error.

scạrto[3] *a.* ⟨*region*⟩ (*scadente*) trashy, rubbishy, spoilt, scrap-.

scartocciamẹnto *m.* → **scartocciatura**. – **scartocciạre** *v.t.* (**scartọccio, scartọcci**) **1.** (*levare dal cartoccio*) to unwrap, to take the wrappings off. – **2.** ⟨*Agr*⟩ (*rif. a pannocchie di granoturco*) to strip, to husk, ⟨*am*⟩ to shuck. – **scartocciatụra** *f.* ⟨*Agr*⟩ stripping, husking, ⟨*am*⟩ shucking. – **scartọccio** *m.* **1.** ⟨*region*⟩ (*cartoccio*) (powder) charge. – **2.** (*rif. a lumi a petrolio*) lamp-chimney. – **3.** ⟨*Arch*⟩ scroll(-ornament), volute, cartouche.

scartọffia *f.* ⟨*spreg*⟩ **1.** paper, file. – **2.** *pl.* (*fogli, carte*) papers *pl*, documents *pl*, heaps *pl* of paper.

scạrzo *a.* ⟨*ant*⟩ (*magro, snello*) thin, lean, spare; (*smilzo*) slim, slender.

scasạre ⟨*region*⟩ **I** *v.t.* (*sfrattare*) to evict, to dispossess, to turn out. – **II** *v.i.* (*aus.* **avere**) (*cambiare casa*) to move, to change house (*o* address). – **scasạto** (*p.p. di scasare*) ⟨*region*⟩ **I** *a.* (*sfrattato*) evicted, dispossessed; (*senzatetto*) homeless. – **II** *s.m.* (*f.* **-a**) evictee; (*senzatetto*) homeless person.

scạssa *f.* ⟨*Mar*⟩ step, housing.

scassaquịndici *m.inv.* (*gioco*) kind of mor(r)a.

scassạre[1] *v.t.* to unbale, to unpack: ~ *la merce* to unbale the goods.

scassạre[2] *v.t.* **1.** ⟨*Agr*⟩ to break (*o* plough) up, to loosen. – **2.** (*forzare*) to force, to break: ~ *la serratura* to force the lock. – **3.** ⟨*fam*⟩ (*rompere*) to break, to wreck, to smash, ⟨*fam*⟩ to bust: *ha già scassato la bicicletta nuova* he has already broken his new bicycle. – **4.** (*stancare*) to tire (*o* wear) out, ⟨*fam*⟩ to wreck, ⟨*fam*⟩ to do in: *quel viaggio mi ha tutto scassato* that trip wore me out completely. – **scassarsi** *v.r.* ⟨*pop*⟩ (*rompersi*) to break. – **scassạto** (*p.p. di scassare*[2]) *a.* **1.** ⟨*Agr*⟩ broken (*o* ploughed) up. – **2.** ⟨*fam*⟩ (*guasto*) broken, wrecked, smashed. – **3.** (*sfinito*) tired out, worn-out, wrecked, ⟨*fam*⟩ done in: *sentirsi* ~ to feel wrecked (*o* done in), to feel a wreck.

scassatụra *f.* unbaling, unpacking.

scassettạre *v.t.* (**scassẹtto**) to take out of a box, to unpack. – **scassettatụra** *f.* **1.** unpacking. – **2.** ⟨*Met*⟩ shake-out, knocking out, stripping.

scassinamẹnto *m.* forcing, breaking. – **scassinạre** *v.t.* **1.** to force, to break: ~ *una serratura* to force a lock; (*con un grimaldello*) to pick a lock. – **2.** (*aprire*) to force (open), to break open (*o* down): ~ *l'uscio* to force the door open, to break down the door. – **scassinatọre** *m.* (*f.* **-trice**) **1.** forcer, breaker. – **2.** (*chi compie furti con scasso*) housebreaker; (*agendo di notte*) burglar; □ ~ *di banche* bank-robber; ~ *di casseforti* safe-cracker. – **scassinatụra** *f.* **1.** forcing, breaking. – **2.** (*apertura*) forcing open, breaking open (*o* down).

scạsso *m.* **1.** forcing open, breaking open (*o* down). – **2.** ⟨*Agr*⟩ breaking up. – **3.** ⟨*Mar*⟩ unsuccessful manoeuvre. □ *furto con* ~ housebreaking; (*di notte*) burglary.

scatafạscio: *a* ~ (*a catafascio*) topsy-turvy, upside-down, higgledy-piggledy, pell-mell. □ *andare a* ~ to go to rack and ruin, ⟨*fam*⟩ to go to the dogs.

scatapụzia *f.* ⟨*Bot*⟩ (*catapuzia*) caper spurge (*Euphorbia lathyris*).

scatarọscio *m.* ⟨*tosc,pop*⟩ (*scroscio*) shower, (sudden) downpour.

scatarrạre *v.i.* (*aus.* **avere**) to expectorate, to cough up phlegm. – **scatarrạta** *f.* expectoration, coughing up of phlegm.

scatạrzo *m.* ⟨*Tess*⟩ (*catarzo*) floss (*o* coarse) silk.

scatenacciạre *v.i.* (**scatenạccio, scatenạcci**; *aus.* **avere**) **1.** (*togliere il catenaccio*) to unbolt, to draw the bolt. – **2.** (*trascinare catene*) to drag chains. – **scatenạccio** *m.* **1.** (*rumore di catenacci*) rattling (of a bolt), clanking. – **2.** (*rumore di catene*) rattling (of chains), clanging, clanking.

scatenamẹnto *m.* **1.** unchaining, loosing, freeing. – **2.** ⟨*fig*⟩ unleashing; (*lo sfrenarsi*) going wild, running riot.

scatenạre *v.t.* (**scatẹno**) **1.** ⟨*non com*⟩ to unchain, to free from chains, to (let) loose. – **2.** ⟨*fig*⟩ (*eccitare, aizzare*) to unleash, to give free rein to, to unbridle, to work (*o* whip) up: ~ *l'odio della folla contro qd.* to unleash the anger of the crowd against s.o., to whip the crowd up against s.o. – **3.** ⟨*fig*⟩ (*far scoppiare*) to set off, to cause: ~ *una guerra* to cause a war. – **scatenarsi** *v.r.* **1.** (*sfrenarsi*) to break out, to go wild, to shake off all restraint, to run riot (*o* amok); (*scoppiare*) to break out. – **2.** (*insorgere violentemente*: *rif. a intemperie*) to rise: *si sta scatenando il vento* the wind is rising (*o* blowing up). – **scatenạto** (*p.p. di scatenare*) *a.* unbridled, wild, unchecked, unrestrained. □ *è un diavolo* ~ he's a holy terror; *vento* ~ raging wind.

scatenịo *m.* clanking, rattling, clanging.

scatinạre *v.i.* (**scạtino**; *aus.* **avere**) ⟨*rar*⟩ (*schettinare*) to roller-skate.

scato|fagịa *f.* **1.** ⟨*Psic*⟩ (*coprofagia*) coprophagy, scatophagy. – **2.** ⟨*Zool*⟩ coprophagy. – **~fạgidi** *m.pl.* ⟨*Entom*⟩ dung-flies *pl* (*Scatophagidae*). – **~filịa** *f.* ⟨*Psic*⟩ coprophilia.

scạtola *f.* **1.** box, case: *una* ~ *di sigari* a box of cigars; (*di cartone*) (cardboard) box, carton, case: *la* ~ *delle scarpe* the shoe-box. – **2.** (*confezione, pacchetto*) box: *una* ~ *di cioccolatini* a box of chocolates. – **3.** (*barattolo di latta*) tin, ⟨*am*⟩ can: *una* ~ *di fagioli* a tin of beans. – **4.** ⟨*tecn*⟩ (*cassetta, cofano*) box, case, housing. – **5.** ⟨*El*⟩ box. – **6.** ⟨*Tess*⟩ shuttle box.

□ ⟨*El*⟩ ~ *d'***accoppiamento** junction box; ~ **armonica** (*carillon*) music(al) box; ⟨*Aut*⟩ ~ *del* **cambio** gear-box; ~ *di* **cartone** carton, cardboard box; ⟨*fig*⟩ *a* ~ **chiusa** (*senza controllare*) blindly, without checking, sight unseen: *ho accettato la sua proposta a* ~ *chiusa* I accepted his offer blindly; *comprare a* ~ *chiusa* to buy sight unseen, to buy a pig in a poke; ⟨*Cin*⟩ *noleggio a* ~ *chiusa* blind booking; ~ *di* **cipria** box of face-powder; ~ *di* **colori** paintbox; ~ *di* **compassi** compass-case; ⟨*Anat*⟩ ~ **cranica** cranium, brain box, brain case; ⟨*El*⟩ ~ *di* **derivazione** connector block; ⟨*Aut*⟩ ~ *del* **differenziale** differential (gear-)box (*o* housing); *una* ~ *da* **fiammiferi** a matchbox; *una* ~ *di fiammiferi* a box of matches; ~ *per* **film** film case; ⟨*Aut*⟩ ~ *della* **frizione** clutch box (*o* housing); ⟨*volg*⟩ *far* **girare** *le -e a qd.* (*fargli perdere la pazienza*) to irritate s.o., ⟨*fam*⟩ to get s.o.'s goat (*o* back up); ⟨*El*⟩ ~ *di* **giunzione** junction box; ⟨*Aut*⟩ ~ *di* **guida** steering-box; **in** ~ tinned, ⟨*am*⟩ canned: *carne in* ~ tinned meat; ⟨*Aut*⟩ ~ *degli* **ingranaggi** gear-box, gear housing; ⟨*volg*⟩ **levarsi** *dalle -e* (*andarsene*) to clear off, ⟨*fam*⟩ to get out of s.o.'s hair; ~ **magica** = *scatola a* **sorpresa**; ~ **musicale** = *scatola* **armonica**; ⟨*fam*⟩ *averne* **piene** *le -e* (*non poterne più*) to be fed up to one's back teeth; ⟨*fam*⟩ **rompere** *le -e a qd.* (*dargli fastidio*) ⟨*fam*⟩ to be a (damned) nuisance to s.o.; ~ *a* **sorpresa** jack-in-the-box; ⟨*Aut*⟩ ~ *dello* **sterzo** steering-box.

scatolạio *m.* (*f.* **-a**) **1.** (*fabbricante*) box-maker. – **2.** (*venditore*) box-seller. – **scatolạme** *m.* ⟨*collett*⟩ **1.** boxes *pl.* – **2.** ⟨*Alim*⟩ tins *pl*, ⟨*am*⟩ cans *pl*; (*cibi conservati in scatola*) tinned (*o* canned) food. – – **scatolạre** *a.* box-, box-shaped. – **scatolạta** *f.* box(ful). – **scatolạto** **I** *a.* tinned, ⟨*am*⟩ canned: *prodotti alimentari -i* tinned food. – **II** *s.m.* tinned food. – **scatolẹtta** *f. dim. di* **scatola**. – **scatolifịcio** *m.* box-factory; (*rif. a barattoli*) tin-factory. – **scatolịna** *f. dim. di* **scatola**. – **scatolịno** (*dim. di scatola*) *m.* small box, case. □ ⟨*fig*⟩ *tenersi* (*o stare*) *nello* ~ (*starsene riguardato*) to look after o.s.

scatọlo *m.* ⟨*Chim*⟩ skatol(e).

scatologịa *f.* scatology, skatology. – **scatolọgico** *a.* (*pl.* **-ci**) scatologic(al).

scatolọna *f.*, **scatolọne** *m. accr. di* **scatola**.

scatọrcio *m.* ⟨*fam*⟩ **1.** (*oggetto vecchio*) ramshackle (*o* broken-down) object, ⟨*fam*⟩ wreck, ⟨*fam*⟩ crock. – **2.** (*persona malaticcia*) sickly person, ⟨*fam*⟩ crock, ⟨*fam*⟩ wreck.

scattạnte (*p.pr. di scattare*) *a.* **1.** (*che scatta*) sprung, spring-loaded, spring-. – **2.** ⟨*fig*⟩ (*svelto*) quick (off the mark), wide-awake.

scattạre **I** *v.i.* (*aus.* **essere/avere**) **1.** to go (*o* fly) off, to be released; (*rif. a molle e sim.*) to spring up, to go off, to fly off (*o* up), to be released. – **2.** (*chiudersi di scatto*) to snap shut; (*aprirsi di scatto*) to spring (*o* fly) open. – **3.** (*estens*) (*assumere di scatto una posizione*) to spring, to leap, to jump: ~ *in piedi* to spring (*o* jump) to one's feet; ~ *sull'attenti* to leap to attention; (*balzare, slanciarsi*) to spring, to leap, to fling o.s., to shoot (*o* rush) off: ~ *all'assalto* to spring to the attack. – **4.** ⟨*fig*⟩ (*adirarsi*) to lose one's temper, to fly into a rage, ⟨*fam*⟩ to fly off the handle; (*avere una brusca reazione*) to start, to jump. – **5.** (*rif. a misure*) to jump, to leap: *la contingenza è scattata di tre punti* the cost of living index jumped three points. – **6.** ⟨*Sport*⟩ to sprint, to spurt, to make a burst. – **7.** ⟨*ant*⟩ (*esserci differenza*) to be a difference. – **II** *v.t.* to take, to snap, to shoot: ~ *una fotografia* to snap a photo. □ *far* ~ to let off, to spring, to release, to trip; (*rif. a grilletto*) to pull, to squeeze, to release, to click; ~ *a vuoto* to misfire.

scatterẹllo *m.* ⟨*Ornit*⟩ (*bigiarella*) lesser whitethroat (*Sylvia curruca*).

scattịno (*dim. di scatto*) *m.* ⟨*Orol*⟩ stop.

scattịsta *m./f.* ⟨*Sport*⟩ sprinter.

scattivạre *v.t.* ⟨*tosc*⟩ to cut away the bad part from.

scạtto *m.* **1.** release, flying off; (*rif. a molle e sim.*) springing up, release, flying off: *lo* ~ *di un congegno* the release of a spring mechanism. – **2.** (*rumore*) click, snap: *sentire uno* ~ to hear a click. – **3.** (*congegno che scatta*) release, trigger, trip, snap, catch. – **4.** (*movimento brusco*) jump, leap, start. – **5.** ⟨*fig*⟩ (*risposta, atto concitato*) burst, outburst, fit. – **6.** ⟨*fig*⟩ (*avanzamento*) automatic promotion; (*rif. a retribuzioni*) automatic rise (*o* raise). – **7.** (*nelle armi da fuoco*) trigger mechanism. – **8.** ⟨*Sport*⟩ sprint, spurt; (*nello sci*) take-off. – **9.** ⟨*Fot*⟩ release.

□ **a -i** by fits and starts, in jerks, jerkily, brusquely: *parlare a -i* to speak jerkily; *a* ~ spring-, snap-: *serratura a* ~ spring lock; *aprirsi a* ~ to spring (*o* fly) open; *chiudersi a* ~ to snap to (*o* shut); *chiusura a* ~ snapping shut; (*dispositivo*) spring catch (*o* lock), trip; ~ **automatico**: 1. ⟨*Fot*⟩ self-timer; 2. ⟨*Mecc,Cin*⟩ automatic release; **di** ~ suddenly, without warning, all of a sudden: *alzarsi di* ~ to get up without warning, to spring (*o* jump) to one's feet; ⟨*Sport*⟩ ~ **finale** final sprint (*o* spurt); *avere uno* ~ *d'ira* to have an outburst of anger (*o* temper), ⟨*fam*⟩ to fly off the handle; ~ **libero** free-wheel; ⟨*Fot*⟩ ~ *dell'otturatore* shutter release; ~ *a* **pulsante** push-button release; ~ *a* **vuoto** misfire.

scaturịgine *f.* ⟨*lett*⟩ **1.** (*sorgente*) spring, source, fount. – **2.** ⟨*fig*⟩ (*origine*) source, origin, springs *pl.*

scaturịre *v.i.* (**scaturịsco, scaturịsci**; *aus.* **essere**) **1.** to gush, to spring, to pour: *l'acqua scaturiva dalla roccia* the water gushed from the rock. – **2.** ⟨*fig*⟩ (*prorompere*: *rif. a lacrime*) to well up, to gush, to pour. – **3.** ⟨*fig*⟩ (*avere origine, derivare*) to come, to arise, to ensue, to spring: *il male può* ~ *dal bene* ill may come of good.

scautịsmo *m.* (*scoutismo*) scouting, scout movement. – **scautịsta** *m./f.* (*scoutista*) (boy) scout.

scavafọssi *m.inv.* ditcher, trencher, trench excavator (*o* digger).

scavalcamẹnto *m.* ⟨*non com*⟩ **1.** (*lo scavalcare*) climbing over; (*con un passo*) striding over; (*con un salto*) leaping over. – **2.** (*lo sbalzare di sella*) unhorsing, throwing. – **3.** ⟨*Lav.femm*⟩ slipping (of a stitch). – **4.** ⟨*fig*⟩ (*superamento*) overtaking, passing, supplanting. – **5.** ⟨*Artigl*⟩ dismounting of a gun from its trunnions.

scavalcạre *v.* (**scavạlco, scavạlchi**) **I** *v.t.* **1.** to climb (*o* clamber) over: ~ *un muro* to climb over a wall; (*con un passo*) to stride (*o* pass) over; (*con un salto*) to jump (over), to leap (over), to hurdle. – **2.** ⟨*Equit*⟩ (*sbalzare di sella*) to unhorse, to throw, to unseat. – **3.** ⟨*Lav.femm*⟩ to slip. – **4.** ⟨*fig*⟩ (*oltrepassare, superare in graduatoria*) to get ahead of, to overtake, to pass, to supplant: ~ *un concorrente* to get ahead of a competitor. – **5.** (*non rispettare la linea gerarchica*) to go over s.o.'s head. – **6.** ⟨*Artigl*⟩ to dismount from trunnions. – **II** *v.i.* (*aus.* **essere**) ⟨*ant*⟩ **1.** (*scendere da cavallo*) to dismount. – **2.** ⟨*estens*⟩ (*fare una sosta*) to stop.

scavallạre **I** *v.i.* (*aus.* **avere**) **1.** (*correre, sfrenarsi*) to run free (*o* wild), to frolic, to gambol, to frisk. – **2.** ⟨*fig*⟩ (*vivere sregolatamente*) to run riot (*o* wild), to have a (rip-roaring) good time, to sow one's wild oats. – **II** *v.t.* **1.** ⟨*Equit*⟩ (*sbalzare di sella*) to unhorse, to unseat.

– **2.** ⟨*fig*⟩ (*superare*) to overtake, to pass, to get ahead of, to supplant.

scavamẹnto *m.* ⟨*non com*⟩ **1.** (*lo scavare*) digging, excavation. – **2.** (*scavo*) excavation.

scavạre I *v.t.* **1.** to dig, to excavate: ~ *un buco* to dig a hole; (*con scavatrici*) to excavate. – **2.** (*fare un incavo*) to hollow (out), to scoop out: ~ *un tronco* to hollow out a trunk; (*con la sgorbia*) to gouge out. – **3.** (*trovare dissotterrando*) to dig up, to unearth, to uncover: ~ *un tesoro* to dig up a treasure. – **4.** ⟨*fig*⟩ (*escogitare*) to dig (*o* rake) up, to come by, to get hold of, to find: ~ *pretesti* to dig up excuses. – **5.** ⟨*fig,non com*⟩ (*approfondire*) to go (deep down) into, to dig (*o* delve) into. – **6.** ⟨*Sart*⟩ (*incavare*) to enlarge, to scoop out, to widen: ~ *le maniche* to widen the sleeves. – **7.** ⟨*Minier*⟩ (*asportare*) to mine, to extract: ~ *carbone* to mine coal; (*forare*) to sink, to bore: ~ *un pozzo* to sink a well; (*rif. a gallerie e sim.*) to dig, to bore. – **II** *v.i.* (*aus.* **avere**) (*approfondire*) to go (*o* look) into s.th., to probe, to investigate: *scava scava e trovi che mente* if you go into it enough you'll find he's lying. □ ⟨*fig*⟩ *scavarsi la fossa con le proprie mani* to dig one's own grave.

scavạto (*p.p. di scavare*) *a.* **1.** dug out, excavated. – **2.** (*eroso*) hollowed out, worn away, sapped: *sponde -e dalle acque* banks hollowed out by the current. – **3.** (*incavato*) hollow, sunken, hollowed out: *guance -e* hollow cheeks. – **4.** (*dissotterrato*) dug up, unearthed, uncovered. – **5.** ⟨*Sart*⟩ enlarged, scooped out, widened: *maniche troppo -e* sleeves that have been widened too much; (*rif. al giro collo*) low(-cut), scoop-.

scavatọre *m.* (*f.* **-trice**) **1.** digger, excavator; (*chi dissotterra*) unearther, digger-up, uncoverer. – **2.** (*operaio*) digger; (*di canali, gallerie e strade*) navvy. – **3.** → **scavatrice**. – **4.** ⟨*Zool*⟩ burrower. – **scavatrịce** *f.* (*anche macchina scavatrice*) digger, excavator, shovel. □ ~ *a cucchiaia* power-shovel. – **scavatụra** *f.* **1.** digging, excavation. – **2.** (*tratto scavato*) hole, excavation, cavity. – **3.** (*terra scavata*) earth dug up. – **4.** ⟨*Sart*⟩ enlarging, scooping out, widening; (*parte scavata*) scoop. – **scavaziọne** *f.* ⟨*non com*⟩ (*escavazione*) excavation, excavating, digging.

scavezzacọllo *m.* **1.** ⟨*non com*⟩ (*discesa ripida*) steep (*o* breakneck) slope; (*precipizio*) precipice, sheer drop. – **2.** ⟨*non com*⟩ (*caduta, ruzzolone*) headlong fall. – **3.** ⟨*fig*⟩ (*persona sregolata*) daredevil, reckless fellow, madcap; (*persona scapestrata*) rascal, scoundrel, scapegrace. □ *a* ~ (*precipitosamente*) headlong, at breakneck speed, precipitously; (*in gran fretta*) at top (*o* full) speed.

scavezzạre[1] *v.t.* (**scavẹzzo**) **1.** (*spezzare la cima degli alberi*) to break the top off: *la tempesta ha scavezzato i pioppi* the storm has broken the tops off the poplars. – **2.** (*rompere*) to break. – **3.** ⟨*Tess*⟩ to break (up). □ *scavezzarsi il collo* (*rompersi il collo*) to break one's neck; (*fare un ruzzolone*) to fall headlong, ⟨*fam*⟩ to take a header (*o* tumble).

scavezzạre[2] *v.t.* (**scavẹzzo**) (*togliere la cavezza*) to unhalter, to take the halter off.

scavezzatrịce *f.* ⟨*Tess*⟩ (*anche macchina scavezzatrice*) breaker. – **scavezzatụra** *f.* **1.** breaking the tops off plants. – **2.** ⟨*Tess*⟩ breaking.

scavẹzzo (*p.p. di scavezzare*[1]) **I** *a.* ⟨*ant*⟩ folding, collapsible. – **II** *s.m.* **1.** ⟨*Pesc*⟩ warp. – **2.** ⟨*Mil.ant*⟩ folding hand-gun. – **3.** ⟨*ant*⟩ (*scampolo*) remnant.

scaviglịare *v.t.* (**scavịglio, scavịgli**) ⟨*tecn*⟩ **1.** (*togliere da una caviglia*) to free from a pin. – **2.** (*privare di una caviglia*) to take a pin out of.

scavịna *f.* ⟨*Mar*⟩ carpenter's crayon.

scavịno *m.* ⟨*Gastr*⟩ corer.

scavizzolạre *v.t.* (**scavịzzolo**) ⟨*non com*⟩ **1.** (*cercare qua e là*) to hunt about for. – **2.** (*trovare dopo minuziosa ricerca*) to dig up, to turn up.

scạvo *m.* **1.** excavation, excavating, digging. – **2.** (*luogo*) excavation. – **3.** ⟨*Edil*⟩ excavation. – **4.** ⟨*Archeol*⟩ excavation, dig; (*luogo*) excavation site; (*rovine*) ruins *pl*: *visitare gli -i di Cnosso* to visit the ruins of Knossos. – **5.** ⟨*Sart*⟩ hole: ~ *della manica* arm-hole. – **6.** ⟨*Minier*⟩ mine, pit, workings *pl*.

□ ~ **archeologico** archaeological excavation; ⟨*Edil*⟩ ~ *d'assaggio* trial excavation; ~ *a* **cielo** *aperto* = *scavo a* **giorno**; ⟨*Minier*⟩ ~ *di* **estrazione** stope; **fare** *uno* ~ to excavate, to dig; ⟨*Edil*⟩ ~ *di* **fondazione** foundation pit; ⟨*Minier*⟩ ~ *a* **giorno** open-cast mining; **lavori** *di* ~ mining; **materiale** *di* ~ excavated material; ⟨*Minier*⟩ ~ *di un* **pozzo** well-boring, well-sinking; ⟨*Minier*⟩ ~ **preliminare** sink; ⟨*Minier*⟩ ~ **profondo** deep mine, deep-level workings *pl*; **sezione** *di* ~ working face; ~ **sotterraneo** underground mining; *-i* **subacquei** underwater boring; ⟨*Edil*⟩ ~ *a* **trincea** trench.

scazọnte I *a.* → **scazontico**. – **II** *s.m.* scazon, choliamb. – **scazọntico** *a.* (*pl.* **-ci**) ⟨*Metr*⟩ scazontic, choliambic.

scazzọne *m.* ⟨*Itt*⟩ miller's thumb (*Cottus gobio*).

scazzọnte *a./s.* ⟨*ant*⟩ → **scazonte**. – **scazzọntico** *a.* ⟨*ant*⟩ → **scazontico**.

scazzottạre *v.t.* (**scazzọtto**) **1.** to punch, to thump; (*picchiare*) to beat, to thrash, to hit. – **2.** ⟨*Mar*⟩ to break out. – **scazzottarsi** *v.r.* ⟨*recipr*⟩ to fight, to come to blows, to brawl; (*picchiarsi*) to punch (*o* thump) e.o. – **scazzottạta, scazzottatụra** *f.* **1.** punching, fighting. – **2.** (*rissa*) fist-fight, brawl, ⟨*fam*⟩ punch-up. – **3.** (*serie di cazzotti*) hail of punches.

scecc̣ario *m.* cheque-book, ⟨*am*⟩ check-book.

scẹda *f.* ⟨*ant*⟩ (*beffa*) mockery.

scẹgliere *v.* (*pr.ind.* **scẹlgo**/*ant.,pop.* **scẹglio, scẹgli**; *fut.* **sceglierò**/*poet.* **scerrò**; *p.rem.* **scẹlsi**; *condiz.* **sceglierẹi**/*poet.* **scerrẹi**; *p.p.* **scẹlto**) **I** *v.t.* **1.** to choose, to pick: *ha scelto una carriera difficile* he has chosen a difficult career; (*prescegliere*) to select, to choose, to pick out: ~ *alcune rime per comporre una raccolta* to select some poems for an anthology. – **2.** (*prendere la parte migliore*) to pick out, to select, to choose, to take: *il capitano ha scelto i più abili* the captain has chosen the most able men; (*separare, vagliare*) to sort out: ~ *la frutta* to sort out the fruit. – **3.** (*preferire*) to choose, to prefer: *fra i due mali scelgo il minore* I prefer the lesser of the two evils. – **II** *v.i.* (*aus.* **avere**) to choose, to take one's pick: *hai da* ~ you can take your pick; *scelse di partire al più presto* he chose (*o* decided) to leave as early as possible. – **sceglięrsi** *v.r.* to choose, to pick (out), to select.

□ *c'è* **da** ~ there's plenty ⌜to choose from⌝ (*o* of choice); *non c'è da* ~ there's no choice; *c'è poco da* ~ there's not much choice; **far** (*o* *lasciar*) ~ *qd.* to let s.o. choose, to give s.o. a choice; ~ **meticolosamente** to pick and choose; ~ **per** *amico* to choose (*o* single out) as one's friend; *sceglierei* **piuttosto** *la frutta* I would rather have the fruit; *li ho scelti* **a uno** *a uno* I picked them (out) one by one.

scegliмẹnto *m.* ⟨*non com*⟩ **1.** (*lo scegliere*) choosing, picking; (*il prescegliere*) selection, selecting, choosing, picking out. – **2.** (*scelta*) choice, pick, selection. – **scegliticcio** *m.* ⟨*non com*⟩ (*scarto*) discard, reject; (*avanzo*) remains *pl*, leftovers *pl*, leavings *pl*. – **sceglitọre** *m.* (*f.* **-trice**) **1.** ⟨*non com*⟩ chooser, picker, selector. – **2.** (*operaio addetto alla cernita*) sorter.

sceiccạto *m.* **1.** (*carica*) office of sheik(h). – **2.** (*territorio*) sheik(h)dom. – **scẹicco** *m.* (*pl.* **-chi**) sheik(h).

scelerạto *a./s.* ⟨*poet*⟩ → **scellerato**.

scẹlgo *pr.ind. di* **scegliere**.

scelleraggine *f.* ⟨*lett*⟩ → **scelleratezza**. – **scelleranza** *f.* ⟨*ant,lett*⟩ → **scelleratezza**. – **scelleratạggine** *f.* → **scelleratezza**. – **scelleratamẹnte** *avv.* wickedly, evilly, cruelly. – **scelleratẹzza** *f.* **1.** wickedness, evil, infamy, iniquity, villainy. – **2.** (*azione scellerata*) wicked deed, misdeed, crime, infamy, iniquity. – **scellerạto** **I** *a.* **1.** (*rif. a persona*: *malvagio, infido*) wicked, evil, monstrous, villainous. – **2.** (*rif. a cosa*: *nefando*) wicked, evil, iniquitous, infamous, foul. – **II** *s.m.* (*f.* **-a**) wicked (*o* evil) person, villain.

scellịno *m.* **1.** ⟨*GB*⟩ (*moneta*) shilling. – **2.** (*unità monetaria austriaca*) schilling.

scẹlo *m.* ⟨*ant,rar*⟩ (*misfatto*) wicked deed, misdeed, infamy.

scẹlsi *p.rem. di* **scegliere**.

scẹlta *f.* **1.** choice, selection, picking (out): *fare una* ~ to make a choice, to take one's pick; *cattiva* ~ bad choice. – **2.** (*possibilità di scegliere*) choice, selection: *in questo negozio c'è molta* ~ there's plenty of choice in this shop; *un'ampia* ~ *di merce* a wide choice of goods; (*cernita*) selection, sorting. – **3.** (*ciò che è stato scelto*) choice, selection: *una* ~ *di poesie francesi* a selection of French poetry. – **4.** (*qualità*) quality, grade: *di seconda* ~ second grade, lower quality; *carne di prima* ~ prime (quality) meat, choice meat; *merce di prima* ~ top quality goods, top grade goods. – **5.** ⟨*Filos*⟩ choice. – **6.** ⟨*Biol*⟩ (*selezione*) selection.

□ **a** ~ as preferred, according to choice (*o* preference), to taste: *il primo premio è una lavatrice o un televisore a* ~ first prize is a washing-machine or television set according to preference; *prendine uno a* ~ take the one you prefer, take ⌜your pick⌝ (*o* whichever you please); *frutta o dolce a* ~ choice of fruit or sweet; *non ho* **altra** ~ I have no choice; ⟨*Sport*⟩ ~ *del* **campo** choice of ends; **lasciare** *la* ~ *a qd.* to let s.o. choose (*o* take his pick); ~ *della* **professione** choice of profession.

sceltamẹnte *avv.* ⟨*non com*⟩ (*in modo scelto*) selectively; (*in modo elegante, raffinato*) tastefully, choicely, with refinement. – **sceltẹzza** *f.* ⟨*lett*⟩ **1.** choiceness, distinction. – **2.** (*eleganza, squisitezza*) elegance, refinement, polish.

scẹlto (*p.p. di scegliere*) **I** *a.* **1.** chosen, picked, selected; (*prescelto*) select, selected: *passi -i di Omero* selected passages from Homer. – **2.** (*eccellente, pregevole*) choice, first-rate, prime, fine: *merce -a* choice goods. – **3.** (*fine, elegante*) refined, tasteful. – **4.** ⟨*Mil*⟩ crack-, picked, highly-skilled, specially trained, élite: *truppe -e* crack troops. – **II** *avv.* in a refined (*o* polished) way, elegantly, with polish: *parlare* ~ to speak in a refined way.

sceltụme *m.* ⟨*non com*⟩ (*scarto*) discard, reject; (*avanzi*) remains *pl*, leftovers *pl*, leavings *pl*.

scemạbile *a.* ⟨*non com*⟩ reducible, abatable, diminishable. – **scemamẹnto** *m.* ⟨*rar*⟩ **1.** reducing, diminishing, lessening. – **2.** (*diminuzione*) reduction, diminution, decrease. – **3.** ⟨*Astr*⟩ waning.

scemạre *v.* (**scẹmo**) **I** *v.i.* (*aus.* **essere**) **1.** (*diminuire d'intensità*) to lessen, to abate, to go (*o* die) down, to diminish, to moderate, to drop: *il vento va scemando* the wind is abating (*o* dropping); (*rif. a dolore*) to decrease, to lessen, to abate; (*rif. a forze*) to wane, to decline. – **2.** ⟨*Astr*⟩ to go down, to set; (*rif. alla luna*) to wane. – **II** *v.t.* **1.** (*diminuire*) to reduce, to diminish, to lessen, to put down, to decrease: ~ *un prezzo* to reduce a price; (*rif. a dolore*) to lessen, to ease, to abate; (*rif. a forze*) to sap, to drain, to take away, to decrease. – **2.** ⟨*non com*⟩ (*sboccare*) to ⌜draw off⌝ (*o* pour out) a little from: ~ *il fiasco* to draw off a little wine from the flask. – **scemarsi** *v.r.* (*diminuire*) to diminish, to lessen, to go down. □ ~ *d'autorità* to lose authority.

scemẹnza *f.* **1.** stupidity, imbecility, foolishness. – **2.** (*azione*) stupid act, half-witted behaviour, idiocy; (*frasi, parole*) rubbish, nonsense, ⟨*fam*⟩ twaddle: *non dire -e* don't talk nonsense, don't say such stupid things. – **scemerẹllo, scemẹtto** (*dim. di scemo*) **I** *a.* stupid, idiotic. – **II** *s.m.* (*f.* **-a**) fool, idiot.

scẹmo I *a.* **1.** (*rif. a persone*: *stupido*) stupid, idiotic, imbecilic, ⟨*fam*⟩ dumb, ⟨*fam*⟩ dim-witted; (*sciocco*) foolish, silly; (*deficiente*) half-witted, feeble-minded. – **2.** (*insulso, stupido*) stupid, silly, inane, fatuous, ⟨*fam*⟩ dumb: *un film* ~ a stupid film. – **3.** ⟨*non com*⟩ (*scemato*) reduced, diminished; (*rif. alla luna*) waning, on the wane. – **4.** ⟨*non com*⟩ (*rif. a recipienti*: *non pieno*) not full. – **5.** ⟨*ant.lett*⟩ (*mancante, privo*) lacking (*di* in), without (s.th.): ~ *di forze* without (*o* lacking in) strength, weak. – **II** *s.m.* **1.** (*f.* **-a**) (*stupido*) fool, idiot, imbecile, ⟨*fam*⟩ dumb-bell, ⟨*fam*⟩ jerk, ⟨*fam*⟩ nitwit; (*deficiente*) half-wit, mental deficient. – **2.** ⟨*ant*⟩ (*diminuzione*) reduction, diminution. – **3.** ⟨*ant*⟩ (*difetto, mancanza*) lack, deficiency. – **4.** ⟨*ant*⟩ (*parte mancante*) missing part. ☐ ⟨*Edil*⟩ *arco* ~ flat (*o* segmental) arch.

scempiạggine *f.* **1.** ⟨*non com*⟩ stupidity, half-wittedness; (*stoltezza*) foolishness. – **2.** (*detto, parole*) rubbish, nonsense: *non dire -i* don't talk rubbish; (*azione stolta*) foolish (*o* stupid) act, idiocy.

scempiamẹnto *m.* splitting, simplification, becoming single.

scempiạre[1] *v.t.* (**scẹmpio, scẹmpi**) (*sdoppiare*) to make single, to undouble.

scempiạre[2] *v.t.* (**scẹmpio, scẹmpi**) ⟨*non com,ant*⟩ **1.** (*fare scempio*) to slaughter. – **2.** ⟨*fig*⟩ to make havoc of, to ruin.

scempiatạggine *f.* ⟨*non com*⟩ → **scempiaggine**. – **scempiatamẹnte** *avv.* ⟨*non com*⟩ stupidly, foolishly. – **scempiatẹzza** *f.* ⟨*ant*⟩ → **scempiaggine**. – **scempiạto** (*p.p. di scempiare*[1]) ⟨*non com*⟩ **I** *a.* (*scemo*) stupid, foolish. – **II** *s.m.* (*f.* **-a**) fool, idiot, imbecile. – **scempietà** *f.* ⟨*non com*⟩ → **scempiaggine**. – **scempiẹzza** *f.* ⟨*ant*⟩ → **scempiaggine**.

scẹmpio[1] **I** *a.* **1.** ⟨*non com*⟩ (*semplice*) single, simple. – **2.** ⟨*region*⟩ (*sciocco*) stupid, foolish. – **II** *s.m.* (*f.* **-a**) ⟨*region*⟩ (*persona sciocca*) fool, idiot.

scẹmpio[2] *m.* ⟨*lett*⟩ **1.** (*strage*) slaughter, massacre. – **2.** (*tormento*) torment, suffering. – **3.** ⟨*fig*⟩ (*contaminazione*) havoc, destruction, ruin(ing), ⟨*fam*⟩ murder: ~ *del paesaggio* ruining of the landscape. ☐ *fare* ~ *di*: 1. (*infierire su*) to slaughter, to massacre, to tear to pieces: *fare* ~ *dei nemici* to slaughter one's enemies; 2. ⟨*fig*⟩ (*rovinare*) to play (*o* wreak) havoc with, to ruin, to destroy, ⟨*fam*⟩ to slaughter, ⟨*fam*⟩ to murder: *fare* ~ *di una musica* to ruin (*o* murder) a piece of music; *far* ~ *del proprio onore* to drag one's honour in the mud.

scemunịto *a./s.* ⟨*ant,region*⟩ → **scimunito**.

scẹna *f.* **1.** stage: *comparire in* ~ to come on stage. – **2.** *pl.* (*teatro*) stage, theatre: *la commedia appare per la prima volta sulle -e* the play is appearing on the stage for the first time. – **3.** (*scenario*) scene, set: *la* ~ *rappresenta una sala del castello* the scene shows a hall of the castle. – **4.** (*azione scenica*) scene, action. – **5.** (*parte dell'atto*) scene. – **6.** ⟨*estens*⟩ (*breve composizione*) sketch; (*prima della commedia*) curtain-raiser; (*dopo la commedia*) afterpiece. – **7.** ⟨*fig*⟩ (*vista, spettacolo*) scene: *tra i due si svolse una* ~ *commovente* there was a moving scene between them. – **8.** ⟨*fig*⟩ (*manifestazione esagerata*) act(ing), put-on, faking: *sono sicuro che è tutta una* ~, *non sta affatto male* I'm sure it's all an act, he's not really sick at all. – **9.** ⟨*fig*⟩ (*scenata*) scene, quarrel, row: *non fare -e!* don't make a scene!; ~ *di gelosia* scene of jealousy. – **10.** ⟨*Pitt*⟩ scene: ~ *agreste* country scene. – **11.** ⟨*Cin*⟩ scene: *girare una* ~ to shoot a scene. – **12.** ⟨*Archeol*⟩ (*nel teatro antico*) scene.

☐ **andare** *in* ~ to be staged (*o* put on, performed); *a* ~ **aperta** with the curtain up, in the middle of the scene; *applausi a* ~ *aperta* spontaneous applause; **avere** ~ to have stage-presence; **darsi** *alle -e* to become an actor, to take up acting; **dietro** *le -e* behind the scenes, backstage (*anche fig.*); **direttore** *di* ~ stage-manager; ⟨*Cin*⟩ ~ **disegnata** cartoon set; **entrare** *in* ~ to come on (stage), to appear; ⟨*fig*⟩ to come on the scene; **essere** *di* ~ to be due on stage; ⟨*fig*⟩ to be in the limelight; **far** ~ to be an impressive actor, to hold an audience; ⟨*fig*⟩ to make an impression (*o* a sensation); *fare una* ~ *a qd.* to quarrel with s.o., to create (*o* make) a scene; ~ **madre** principal scene, main action; ⟨*fig*⟩ violent (*o* hysterical) scene, savage row; ~ *di* **massa** crowd scene; **mettere** *in* ~ to stage, to produce, to put on; ~ **muta** mime, dumb show; ⟨*fig*⟩ *fare* ~ *muta* to be tongue-tied, to say not a word; (*non saper rispondere*) to be unable to reply; ~ **politica** political scene; ⟨*Psic*⟩ ~ **primitiva** primal scene; ⟨*Cin*⟩ ~ *di* **raccordo** cut-in scene; **ridurre** *per le -e* to adapt for the stage, to dramatize; ⟨*fig*⟩ **scomparire** (*o* **uscire**) *dalla* ~ *del mondo* (*morire*) to die, to make one's exit from the world; ⟨*fig*⟩ *scomparire dalla* ~ *politica* to quit (*o* disappear from) the political scene; **uscire** *di* ~ to (make one's) exit; ⟨*fig*⟩ to disappear from the scene; ~ **vuota** empty stage.

scenạrio *m.* **1.** ⟨*Teat*⟩ scenery, set, décor; (*scena dipinta*) back-cloth, back-drop. – **2.** ⟨*fig*⟩ (*sfondo, paesaggio*) setting, scenery, back-drop: *la gara si svolge nel grandioso* ~ *delle Alpi* the race takes place against the grand setting of the Alps. – **3.** (*nella commedia dell'arte*: *canovaccio*) scenario, plot outline. – **4.** ⟨*Cin*⟩ (film) script, screenplay, scenario. – **scenarịsta** *m./f.* → **sceneggiatore**.

scenạta *f.* scene, quarrel, row: *fare una* ~ *a qd.* to have a scene with s.o., to make a scene.

scẹndere *v.* (**scẹsi, scẹso**) **I** *v.i.* (*aus.* **essere**) **1.** (*andare verso il basso*) to come (*o* go) down, to descend: *scendeva dal terzo piano* he was coming down from the third floor; *scendi, ti aspetto* come down, I'll wait for you. – **2.** (*smontare*) to get off (s.th.), to climb down: ~ *da un albero* to climb down from a tree; ~ *da una scala* to get off a ladder; ~ *da cavallo* to get off a horse, to dismount; (*rif. a mezzi di trasporto*) to get out (of), to get off (s.th.), to alight (from): ~ *dal treno* to get off a train, to detrain; ~ *dalla macchina* to get out of the car; (*rif. a navi*: *sbarcare*) to go ashore, to disembark: *la maggior parte dei turisti scende a Napoli* most of the tourists disembark at Naples. – **3.** (*essere in pendenza*) to slope (down), to descend: *il sentiero scendeva ripido verso la valle* the path sloped steeply toward the valley; (*scorrere verso il basso*) to flow (*o* run, go) down, to descend: *i fiumi scendono al mare* the rivers flow down to the sea. – **4.** (*provenire da un luogo più a nord*) to descend, to sweep down: *i normanni scesero dalla Normandia nell'Italia meridionale* the Normans swept down from Normandy to southern Italy. – **5.** (*atterrare*: *rif. ad aeroplani*) to land, to come down: *l'aereo scese in un campo* the plane landed in a field. – **6.** (*scaturire*) to spring (*da* from), to rise (in): *il Tevere scende dagli Appennini* the Tiber rises in the Appennines. – **7.** (*sostare*) to stop (at): *scenderemo al prossimo motel per pranzare* we'll stop at the next motel for lunch; (*prendere alloggio*) to stay, to put up: *i miei amici sono scesi all'albergo Bristol* my friends are staying at the Bristol Hotel. – **8.** (*diminuire, decrescere*) to go (*o* come) down, to decrease, to drop, to fall: *il livello del fiume continua a* ~ the level of the river is still falling; *la temperatura è scesa sotto lo zero* the temperature dropped (*o* fell) below zero; *il prezzo del burro è sceso di poco* the price of butter has fallen slightly. – **9.** (*digradare*) to slope down, to roll down: *le colline scendono dolcemente verso il lago* the hills roll gently down towards the lake. – **10.** (*ricadere*) to hang (*o* fall, come) down: *i capelli le scendevano sulle spalle* her hair hung (*o* flowed) down over her shoulders; *il mantello le scendeva fino ai piedi* the cloak came down to her feet. – **11.** (*pendere*) to hang, to be suspended: *dal soffitto scende un ricco lampadario* a sumptuous chandelier hangs from the ceiling. – **12.** (*calare*) to sink, to go down: *il sole scende all'orizzonte* the sun is sinking below the horizon; (*perdere quota*) to descend: *l'aereo è sceso a venticinquemila piedi* the plane descended to twenty-five thousand feet. – **13.** (*rif. ad apparecchi di misura*) to fall, to drop: *il termometro è sceso di cinque gradi* the thermometer fell five degrees. – **14.** ⟨*fig*⟩ (*abbassarsi, umiliarsi*) to stoop, to sink, to lower o.s.: ~ *a supplicare* to lower o.s. to begging; *non credevo che sarebbe sceso così in basso* I didn't think he would stoop so low. – **15.** ⟨*Minier*⟩ to go down (underground), to descend (a mine). – **16.** ⟨*ant*⟩ (*provenire*) to descend: ~ *da una nobile stirpe* to descend from noble stock. – **II** *v.t.* **1.** to come (*o* go) down, to descend: ~ *una montagna* to go down a mountain. – **2.** ⟨*region*⟩ (*calare*) to lower, to bring (*o* take, carry) down: ~ *un cestello* to lower a basket; ~ *il bagaglio* to bring down the luggage.

☐ ~ *a un* **accordo** to reach an agreement; ~ *in* **basso**: 1. = *scendere* **giù**; 2. ⟨*fig*⟩ to stoop, to sink, to lower (*o* demean) o.s.; ⟨*fig*⟩ ~ *in* **campo** to enter the field, to take up a challenge; ⟨*fig*⟩ ~ *di* **cattedra** to speak informally (*o* off the record); ~ *a più miti* **consigli** to listen to reason, to take a milder attitude; ⟨*fig*⟩ ~ *al* **cuore** (*commuovere*) to touch the heart of, to move; ~ **giù** to come (*o* go) down; ~ *dal* **letto** (*levarsi*) to get up, to get out of bed; ⟨*fig*⟩ ~ *in* **lizza** to enter the lists (*o* arena); ~ **lungo** *il fiume* to go downstream; (*navigando*) to sail downstream; *scende la* **notte** night is falling; ⟨*fig*⟩ ~ *a* **patti** *con qd.* to come to terms with s.o.; ⟨*fig*⟩ ~ *in* **piazza** to take part in a demonstration; ~ *dal* **pulpito** = *scendere di* **cattedra**; ⟨*Sport*⟩ ~ *a* **rete** to attack the opposing goal; ~ *le* **scale** to go (*o* come) downstairs; ⟨*Mar*⟩ ~ *a* **terra** to go ashore; ~ *a* **valle** to go downhill; (*navigando*) to go downstream; (*rif. a fiumi*) to flow down.

scendibạgno *m.inv.* ⟨*non com*⟩ bath-mat.

scendịbile *a.* ⟨*rar*⟩ practical for descent, easy of descent, that may be descended.

scendilẹtto *m.inv.* **1.** (*tappetino*) bedside-rug, scatter-rug. – **2.** (*vestaglia*) dressing-gown.

sceneggiạre *v.t.* (**scenẹggio, scenẹggi**) **1.** ⟨*Teat*⟩ to arrange in acts and scenes; (*ridurre per le scene*) to adapt for the stage, to dramatize. – **2.** ⟨*Rad*⟩ to adapt (*o* dramatize) for radio; (*rif. a soggetti originali*) to write for radio. – **3.** ⟨*TV*⟩ to adapt (*o* dramatize) for television; (*rif. a soggetti originali*) to write for television. – **4.** ⟨*Cin*⟩ to write a film version of; (*rif. a soggetti originali*) to write the script of.

sceneggiatọre *m.* (*f.* **-trice**) **1.** ⟨*Teat*⟩ dramatist, playwright. – **2.** ⟨*Rad, TV,Cin*⟩ scriptwriter. – **sceneggiatụra** *f.* **1.** ⟨*Teat,TV*⟩ play, script. – **2.** ⟨*Cin*⟩ (film-)script, screenplay, scenario.

scenẹtta (*dim. di scena*) *f.* **1.** short comic scene. – **2.** ⟨*estens*⟩ (*fatto piacevole*) pleasant (*o* amusing) little scene.

scenicamẹnte *avv.* scenically, visually. – **scẹnico** *a./s.* (*pl.* **-ci**) **I** *a.* stage-, scenic: *apparato* ~ stage set. – **II** *s.m.* ⟨*ant*⟩ (*attore*) actor.

scenografịa *f.* **1.** (*arte, tecnica*) stage-designing, set-designing; (*nell'antica Grecia*) scenography. – **2.** (*il dipingere scene*) scene-painting. – **3.** ⟨*concr*⟩ (*bozzetto, disegno*) design. – **4.** (*scenario*) scenery, set, scene; (*complesso delle costruzioni*) set, décor. – **5.** ⟨*Cin*⟩ set-designing, setting, architecture. – **6.** ⟨*ant*⟩ (*prospettiva*) perspective drawing, ⟨*lett*⟩ scenography.

scenograficamẹnte *avv.* scenically, from the point of view of the settings. – **scenogrạfico** *a.* (*pl.* **-ci**) **1.** stage-, scene-, set-, scenery-, scenic: *tecnica -a* stage-designing, set-construction. – **2.** ⟨*fig,spreg*⟩ (*artificioso, spettacolare*) spectacular, artificial, showy, stagy. – **scenọgrafo** *m.* (*f.* **-a**) **1.** ⟨*Teat*⟩ (*ideatore*) (stage-)designer, (set-)de-

signer; (*disegnatore*) scene-painter, scenographer. – 2. ⟨*Cin,TV*⟩ art-director, set-designer, (studio-)architect.
scenopinidi *m.pl.* ⟨*Entom*⟩ window-flies *pl* (*Scenopinidae*).
scenotecnica *f.* **1.** ⟨*Teat*⟩ staging, stagecraft. – **2.** ⟨*Cin*⟩ art-direction. – **scenotecnico** *a./s.* (*pl.* **-ci**) **I** *a.* **1.** ⟨*Teat*⟩ staging-. – **2.** ⟨*Cin,TV*⟩ relating to art-direction. – **II** *s.m.* ⟨*Teat*⟩ stage-manager.
scepsi *f.* ⟨*Filos*⟩ scepsis, skepsis.
sceratrice *f.* (*in apicoltura*) wax extractor.
scerbare *v.t.* (**scerbo**) ⟨*Agr*⟩ to weed, to hoe. – **scerbatura** *f.* weeding, hoeing.
scerebrazione *f.* ⟨*Fisiol*⟩ decerebration.
sceriffale, sceriffiano *a.* ⟨*non com*⟩ (*nel mondo mussulmano*) sharifian, sherifian, shereefian.
sceriffo[1] *m.* ⟨*GB,SU*⟩ sheriff.
sceriffo[2] *m.* (*nel mondo mussulmano*) sharif, sherif, shereef.
scernere *v.t.* (*p.rem. rar.* **scersi/scernei/scernetti**; *p.p. rar.* **scernito**) ⟨*ant,lett*⟩ **1.** (*distinguere*) to distinguish, to discern. – **2.** ⟨*estens*⟩ (*capire, intendere*) to understand, to see. – **3.** (*individuare*) to single (*o* pick) out, to recognize. – **4.** (*scegliere*) to pick, to choose. – **scernimento** *m.* ⟨*ant*⟩ **1.** (*discernimento*) discernment. – **2.** (*distinzione*) distinction. – **scernire** *v.* ⟨*ant*⟩ → **scernere**.
scerpare *v.t.* (**scerpo**) ⟨*lett*⟩ (*svellere*) to tear, to uproot.
scerpellato *a.* ⟨*ant*⟩ → **scerpellino**. – **scerpellino** *a.* ⟨*tosc*⟩ with the eyelids inflamed and everted.
scerpellone *m.* ⟨*non com*⟩ (*strafalcione*) (gross) blunder.
scerpere *v.* ⟨*ant*⟩ → **scerpare**.
scervellarsi *v.r.* (**mi scervello**) to rack (*o* cudgel) one's brains, to puzzle: ~ *su un problema di fisica* to rack one's brains over a physics problem. – **scervellato** (*p.p. di scervellarsi*) **I** *a.* (*dissennato, sbadato*) brainless, empty-headed, hare-brained, giddy. – **II** *s.m.* (*f.* **-a**) brainless idiot, hare-brain, crack-brain.
scesa *f.* **1.** (*lo scendere*) descent, coming (*o* going) down. – **2.** (*strada, sentiero in pendio*) way (*o* path, road) down, downhill (*o* downward) path; (*terreno in pendio*) slope, declivity, descent, incline. – **3.** ⟨*tosc*⟩ (*flussione*) fluxion; (*catarro*) catarrh. ☐ ⟨*fam*⟩ *aiutare qd. per la* ~ (*aiutarlo a far peggio*) to help s.o. to make things worse; ⟨*tosc*⟩ ~ *di testa* (*capriccio*) whim; ⟨*ant,tosc*⟩ *a* ~ *di testa* (*con ogni impegno*) in a bullheaded way, doggedly. – *Prov.*: *alla* ~ *tutti i santi aiutano* there's never any lack of help to make things worse.
scesi *p.rem. di* **scendere**. – **sceso** *p.p. di* **scendere**.
scespiriano *a.* ⟨*Lett*⟩ Shakespearian, of Shakespeare, Shakespeare's: *teatro* ~ Shakespearian drama.
scetticamente *avv.* sceptically. – **scetticismo** *m.* **1.** scepticism, disbelief. – **2.** ⟨*Filos*⟩ scepticism. – **scettico** *a./s.* (*pl.* **-ci**) **I** *a.* **1.** sceptical; (*incredulo*) sceptical, incredulous, doubtful: *sono* ~ *sull'effetto di questa cura* I am sceptical about the effects of this treatment. – **2.** ⟨*Filos*⟩ sceptical. – **II** *s.m.* **1.** sceptic. – **2.** ⟨*Filos*⟩ Sceptic. ☐ ⟨*scherz*⟩ ~ *blu* pessimist, cheerful Charley.
scettrato ⟨*lett*⟩ **I** *a.* **1.** (*che ha lo scettro*) sceptred. – **2.** ⟨*estens*⟩ (*insignito del potere regale*) sceptred. – **II** *s.m.* (*re*) king; (*sovrano*) sovereign.
scettro *m.* **1.** sceptre: ~ *imperiale* imperial sceptre. – **2.** ⟨*estens*⟩ (*potere monarchico*) sceptre, throne, crown, sovereignty, kingly power; (*dignità*) sceptre, throne, crown, royal dignity. – **3.** ⟨*fig*⟩ (*potere assoluto*) sway, crown, supremacy: *detenere lo* ~ to hold sway, to be supreme. – **4.** ⟨*Sport*⟩ (*titolo*) title: *detenere lo* ~ *di campione del mondo* to hold the title of world champion.
scevà *m.* ⟨*Ling*⟩ schwa, shwa.
sceveramento *m.* ⟨*rar*⟩ (*separazione*) separation; (*distinzione*) distinction. – **sceverare** *v.t.* (**scevero**) ⟨*lett*⟩ (*separare*) to separate, to set apart; (*distinguere*) to distinguish, to tell: ~ *il bene dal male* to distinguish good from evil, to tell good from bad. – **scevero** *a.* ⟨*ant*⟩ → **scevro**. – **scevrare** *v.* ⟨*ant*⟩ → **sceverare**.
scevro *a.* **1.** ⟨*lett*⟩ (*privo*) free (*di* from), lacking (in), without (s.th.): ~ *di colpe* without blame, blameless. – **2.** ⟨*ant*⟩ (*separato*) separate; (*lontano*) distant; (*distinto*) distinct.
scheda *f.* **1.** (*di cartone*) card; (*di carta*) paper, slip; (*di schedario*) (index-)card: *ordinare le -e* to arrange the index-cards. – **2.** (*scheda elettorale*) ballot, ballot-paper, voting-paper, vote: *deporre una* ~ *nell'urna* to place a vote in the ballot-box.
☐ ~ *di* **associazione** membership card; ~ **bianca** blank ballot: *votare* ~ *bianca* to cast a blank ballot; *-e della* **biblioteca** library catalogue; ~ **contabile** account sheet; ⟨*Econ*⟩ ~ *di* **domanda** order form; ~ **elettorale** ballot, ballot-paper, voting-paper; ~ *di* **macchina** machine load card; ~ **nulla** void ballot (*o* vote); ⟨*Econ*⟩ ~ *d'***offerta** catalogue of goods on offer; ~ **perforata** punched (*o* punch) card; ⟨*Statist*⟩ *metodo delle -e perforate* punch(ed) card method; ~ **personale** staff card, employee rating chart; ~ *di* **posizione** allocation card; ~ *di* **segnalazione** notification form; ~ **segnaletica** fingerprint card; ~ **valida** valid ballot (*o* vote).
schedare *v.t.* (**schedo**) **1.** to catalogue, to card-index. – **2.** (*trascrivere su schede*) to make notes (*o* index-cards). – **3.** (*registrare*) to put on one's files (*o* records), to make a file on. – **4.** (*registrare negli schedari della polizia*) to put down in the (police) records; (*per motivi politici*) to keep a dossier on.
schedario *m.* **1.** card-index, files *pl*, card file; (*catalogo*) (card-)catalogue; (*registro*) (card-)register; (*elenco*) list, roll. – **2.** (*mobile*) filing-cabinet, file; (*ufficio*) records (*o* filing) office, archive.
☐ **cartellino** *di* ~ (index-)card; ~ **elettorale** poll-book; ~ **generale** master file; ~ *di* **magazzino** stock-book; ~ **rotante** rotary file; ~ *dei* **soci** membership list, list of members; ~ *degli* **stranieri** aliens' register; ~ **tributario** tax-register, list of tax-payers.
schedarista *m./f.* filing clerk, file-clerk. – **schedaristico** *a.* (*pl.* **-ci**) filing, (card-)index-, indexing.
schedato (*p.p. di schedare*) **I** *a.* **1.** indexed, filed, annotated (on cards), catalogued: *libri -i* catalogued books. – **2.** (*registrato*) put on record, registered, listed. – **3.** (*schedato dalla polizia*) having a (police) record; (*per motivi politici*) being on the police (political) file. – **II** *s.m.* (*f.* **-a**) person having a police record.
schedatore *m.* (*f.* **-trice**) cataloguer, indexer. – **schedatura** *f.* filing, annotation; (*il catalogare*) cataloguing, (card-)indexing.
schedina (*dim. di scheda*) *f.* **1.** slip. – **2.** (*del totocalcio e sim.*) coupon: ~ *del totocalcio* (football) pools coupon. – **schedone** *m. accr. di* **scheda**.
scheggetta *f. dim. di* **scheggia**. – **scheggia** *f.* (*pl.* **-ge**) **1.** splinter, sliver: *una* ~ *di osso* a bone-splinter; (*di legno*) splinter, chip, sliver: *mi è entrata una* ~ *nel dito* I've got a splinter in my finger. – **2.** ⟨*Archeol*⟩ (*attrezzo*) flint; (*pezzo staccato durante la lavorazione*) flake. – **3.** ⟨*ant*⟩ (*macigno*) boulder. ☐ *Prov.*: *la* ~ *ritrae dal ceppo* a chip off the old block.
scheggiale *m.* → **scaggiale**.
scheggiamento *m.* ⟨*non com*⟩ splintering, chipping. – **scheggiare** *v.t.* (**scheggio, scheggi**) (*staccare*) to break splinters off, to chip; (*ridurre in schegge*) to splinter, to shiver. – **scheggiarsi** *v.r.* to splinter, to shiver, to chip: *il marmo si scheggia facilmente* marble chips easily; (*staccarsi*) to splinter off. – **scheggiato** (*p.p. di scheggiare*) *a.* **1.** chipped, splintered. – **2.** ⟨*lett*⟩ (*irto di detriti rocciosi*) strewn with boulders. – **scheggiatura** *f.* **1.** chipping, splintering. – **2.** ⟨*Etnol,Archeol*⟩ flaking.
scheggio *m.* ⟨*ant,region*⟩ (*macigno*) (irregular) boulder. – **scheggione** (*accr. di scheggio*) *m.* ⟨*ant,region*⟩ large jagged rock.
scheggioso *a.* ⟨*non com*⟩ **1.** (*pieno di schegge*) chipped, splintery. – **2.** (*facile a scheggiarsi*) splintery, that splinters (*o* chips) easily.
schei *m.pl.* ⟨*ven,scherz*⟩ (*denaro*) money, ⟨*fam*⟩ cash.
Schelda *N.pr.f.* ⟨*Geog*⟩ Scheldt.
scheletogeno *a.* ⟨*Biol*⟩ skeletogenous, skeleton-forming.
scheletrico *a.* (*pl.* **-ci**) **1.** skeletal. – **2.** ⟨*fig*⟩ (*magrissimo*) skeletal, skeleton-like, emaciated, ⟨*fam*⟩ all skin and bones. – **3.** ⟨*fig*⟩ (*ridotto all'essenziale*) skeleton-, skeletal, terse, bare: *schema* ~ skeleton plan; *stile* ~ terse style.
scheletrire *v.t.* (**scheletrisco, scheletrisci**) to skeletonize, to reduce to a skeleton. – **scheletrirsi** *v.r.* to become skeletal (*o* skeleton-like). – **scheletrito** (*p.p. di scheletrire*) *a.* **1.** (*rif. a persona*) skeletal, skeleton-like, emaciated, gaunt, ⟨*fam*⟩ skin and bones: *un vecchio* ~ a skeletal old man. – **2.** (*rif. a cosa*) bare, skeletal: *albero* ~ bare tree. – **3.** ⟨*fig*⟩ (*ridotto all'essenziale*) skeleton-, terse, bare.
scheletro *m.* **1.** skeleton. – **2.** ⟨*estens*⟩ (*struttura di sostegno*) skeleton, frame, framework. – **3.** ⟨*fig*⟩ (*intelaiatura*) (skeleton) outline, skeleton, frame(work), bones *pl*: *lo* ~ *di un romanzo* the outline of a novel. – **4.** ⟨*Edil*⟩ carcass, skeleton, (building-)frame. – **5.** ⟨*Mar, Aer*⟩ frame(work), structure, skeleton. – **6.** ⟨*Bot*⟩ skeleton.
☐ ⟨*Edil*⟩ ~ *in* **cemento** *armato* reinforced concrete (building-) frame; *-i* **cristallini** skeleton crystals; ~ **cutaneo** exoskeleton; ~ **interno** internal skeleton, endoskeleton; **magro** *come uno* ~ like a skeleton, bony, skinny, as thin as a rake; **sembrare** *uno* ~ (*essere magrissimo*) to look like a skeleton, ⟨*fam*⟩ to be all skin and bones, ⟨*fam*⟩ to be a bag of bones.
scheletrogeno *a.* → **scheletogeno**.
schelmo *m.* **1.** (*palischermo*) small row-boat, skiff. – **2.** (*scalmo*) broadside.
scheltro *m.* ⟨*poet*⟩ → **scheletro**.
schema *m.* **1.** diagram, sketch, plan, scheme, design: *lo* ~ *di un aereo* the plan of an airplane. – **2.** (*abbozzo*) outline, draft, scheme: *buttare giù lo* ~ *di una novella* to jot down the outline for a short story. – **3.** (*modello normativo*) pattern, schema, mould, model: *liberarsi dagli -i del classicismo* to free o.s. from the mould of classicism. – **4.** ⟨*Filos*⟩ schema.
☐ ~ *di* **bilancio** draft budget; ~ *dei* **collegamenti** connection diagram; ~ *di* **contratto** draft contract; ~ **costruttivo** structural arrangement; ~ **elettrico** wiring diagram; ⟨*Bot*⟩ ~ **florale** floral diagram; ~ *di* **flusso** flow chart (*o* sheet, diagram); ~ **grafico** plan, diagram, blueprint; ~ *d'***ingombro** floor plan; ~ *di* **lavorazione** work diagram, flow process chart, layout of work; ⟨*Parl*⟩ ~ *di* **legge** bill; ~ **metrico** rhyme scheme; ~ *di* **montaggio** hookup; ~ **planimetrico** layout.
schematicità *f.* schematism. – **schematico** *a.* (*pl.* **-ci**) **1.** schematic, diagrammatic: *disegno* ~ schematic drawing. – **2.** ⟨*fig,spreg*⟩ schematic(al). – **schematismo** *m.* **1.** (*l'essere schematico*) schematism. – **2.** ⟨*Filos*⟩ schematism, schematic method. – **schematizzare** *v.t.* **1.** (*ridurre a schema*) to schematize. – **2.** (*tradurre in termini matematici*) to model, to represent. – **schematizzazione** *f.* schematization.
schepsi *f.* ⟨*rar*⟩ → **scepsi**.
scherano **I** *s.m.* **1.** ⟨*lett*⟩ (*sbirro*) armed retainer. – **2.** ⟨*ant*⟩ (*bandito*) bandit; (*assassino*) cut-throat. – **II** *a.* ⟨*ant*⟩ murderous.
scherma *f.* **1.** (*tecnica*) fencing, swordcraft; (*arte*) fencing, sword-play, swordsmanship. – **2.** ⟨*fig,non com*⟩ (*schermaglia*) skirmish.
☐ ~ *di* **baionetta** bayonet-fencing, bayonet-fighting; ~ *di* **fioretto** foil-fencing; **giocare** *di* ~ = **tirare** *di scherma*; **maestro** *di* ~ fencing -master; **sala** *di* ~ fencing-room; ~ *di* **sciabola** sabre-fencing; ~ *di* **spada** épée-fencing; **tirare** *di* ~ to fence.

schermạggio *m.* ⟨*tecn*⟩ **1.** (*lo schermare*) screening, shielding. – **2.** ⟨*concr*⟩ (*schermo*) shield, screen. □ ~ *in piombo* lead shield; ~ *delle radiazioni* radiation shield (*o* barrier); ~ *termico* thermal (*o* heat) shield.
schermạglia *f.* **1.** sword-fight, skirmish (*o* combat) with swords. – **2.** ⟨*fig*⟩ (*polemica, contrasto*) skirmish, brush, controversy, cut-and -thrust. – **3.** ⟨*Stor*⟩ (*parata di cavalieri*) tournament, joust; (*bagordo*) lance (for jousting). – **4.** ⟨*ant*⟩ (*duello*) duel.
schermạre *v.t.* (**schẹrmo**) **1.** (*rif. alla luce*) to screen, to shield, to hood: ~ *un riflettore* to screen a reflector. – **2.** ⟨*Fis,Rad*⟩ to screen, to shield. – **3.** ⟨*ant*⟩ (*difendere, riparare*) to shield. – **schermạto** (*p.p. di schermare*) *a.* **1.** screened, shielded, hooded: *fari -i* hooded headlights. – **2.** ⟨*Rad*⟩ screened, shielded, baffled. – **3.** ⟨*Atom, El,tecn*⟩ shielded, screened: *cavo* ~ screened cable. – **schermatụra** *f.* → **schermaggio.**
schermidọre *m.* ⟨*non com*⟩ → **schermitore.**
schermịre *v.* (**schermịsco, schermịsci**) **I** *v.t.* (*proteggere, riparare*) to shield, to protect, to defend. – **II** *v.i.* (*aus.* **avere**) ⟨*ant*⟩ (*tirare di scherma*) to fence. – **schermirsi** *v.r.* **1.** (*ripararsi*) to shield (*o* defend) o.s. (*da* from), to protect o.s. (against, from): *schermirsi il viso dal sole* to protect one's face against the sun. – **2.** ⟨*estens*⟩ (*destreggiarsi*) to be adroit (*o* skilful), to fend (for o.s.); (*eludere*) to avoid, to ward off, to parry (*da qc.* s.th.): *schermirsi da domande indiscrete* to ward off indiscreet questions.
schermịstico *a.* (*pl.* **-ci**) ⟨*non com*⟩ fencing-, of fencing, sword-: *arte -a* art of fencing. – **schermitọre** *m.* (*f.* **-trice**/**-a**) **1.** fencer, swordsman, ⟨*lett*⟩ blade. – **2.** (*chi si batte all'arma bianca*) sword -fighter. □ ~ *di fioretto* foilsman, (foil-)fencer; ~ *di sciabola* sabre-fencer, sabreur, swordsman; ~ *di spada* épée-fencer, épéeist.
schẹrmo *m.* **1.** (*riparo*) shelter; (*protezione*) screen, protection; (*difesa*) shield. – **2.** ⟨*fig*⟩ screen, veil. – **3.** ⟨*Fis*⟩ shield, screen. – **4.** ⟨*Cin*⟩ screen; (*film, cinema*) screen, cinema, films *pl*, film: *un divo dello* ~ a star of the screen, a film star; (*sala di proiezione*) cinema, ⟨*am*⟩ movie theater: *il film non è ancora uscito sui nostri -i* the film has not yet been shown ⌜in our cinemas⌝ (*o* on our screens). – **5.** ⟨*Fot*⟩ (*diaframma*) diaphragm; (*filtro*) filter. – **6.** ⟨*Rad*⟩ screen. – **7.** ⟨*Radiol*⟩ (*schermo antiradiazione*) radiation shield. – **8.** ⟨*ant*⟩ (*ostacolo, impedimento*) obstacle.
□ ~ *d'***acqua** water-wall; ~ **acustico** baffle; ~ **antiabbagliante** anti-dazzle screen, glare shield; ~ **antiradiazioni** radiation shield; ~ **antivento** wind-gag, windscreen; ~ **biologico** biological shield; ⟨*Ott*⟩ ~ **diffusore** diffuser, diffusion screen; ⟨*fig*⟩ **farsi** ~ *con qc.* to shield (*o* hide) behind s.th., to shelter o.s. with s.th.; ~ **fluorescente** fluorescent screen; ⟨*Cin*⟩ ~ **gigante** wide (*o* big) screen; ~ **luminescente** = *schermo* **fluorescente**; ~ **magnetico** magnetic shielding (*o* screen); ⟨*Atom*⟩ ~ *per* **neutroni** neutron shield; ⟨*Cin*⟩ ~ **panoramico** panoramic screen; ~ **parafuoco** fire-screen; ⟨*Cin,TV*⟩ ~ **paraluce** dowser; ~ *di* **piombo** lead shield; ⟨*Cin*⟩ ~ *di* **proiezione** (projection) screen; ~ **protettivo** (*o di protezione*): 1. protective screen; 2. ⟨*Met*⟩ glow screen; 3. ⟨*Cin*⟩ cooling-plate; ~ **radar** radar screen, radarscope; ⟨*Atom*⟩ ~ *del* **reattore** reactor shield; ⟨*Acu*⟩ ~ **riflettente** reflex baffle; ⟨*Cin*⟩ ~ *a* **stucco** plaster screen; ~ **televisivo** television screen; ~ **termico**: 1. heat baffle; 2. ⟨*Atom*⟩ thermal shield.
schermografịa *f.* ⟨*Radiol*⟩ X-rays *pl*, radiography, skiagraphy, roentgenography. □ *fare la* ~ *a qd.* to X-ray s.o. – **schermogrạfico** *a.* (*pl.* **-ci**) X-ray-, radiographic, skiagraphic: *esame* ~ X-ray examination. □ *unità mobile di accertamento* ~ mobile chest X-ray unit.
schernẹvole *a.* ⟨*lett*⟩ **1.** scornful, sneering, mocking. – **2.** (*degno di scherno*) contemptible, beneath contempt, to be scorned; (*ridicolo*) ridiculous, derisory. – **schernevolmẹnte** *avv.* ⟨*lett*⟩ scornfully, sneeringly. – **schernidọre** *a./s.* ⟨*ant*⟩ → **schernitore.** – **schernịre** *v.t.* (**schernịsco, schernịsci**) **1.** (*deridere, beffare*) to scorn, to sneer (*o* scoff, jeer) at, to mock, to deride. – **2.** ⟨*rar*⟩ (*ingannare*) to trick, to lead on. – **schernitọre** **I** *s.m.* (*f.* **-trice**) scorner, sneerer, mocker, jeerer, scoffer. – **II** *a.* scornful, mocking, derisory.
schẹrno *m.* **1.** (*lo schernire*) scorn(ing), sneering, mockery, derision. – **2.** (*dileggio*) mockery, jeering. – **3.** (*persona oggetto di scherno*) laughing-stock, butt, scorn, mock: *essere lo* ~ *di tutti* to be a general laughing-stock. □ *avere a* ~ *qd.* to hold s.o. in scorn (*o* contempt); *di* ~ of scorn, scornful, sneering, mocking: *parole di* ~ mocking words; *farsi* ~ *di qd.* to scorn (*o* mock) s.o., to sneer at s.o.; *per* ~ in scorn, in mockery: *fare una cosa per* ~ to do s.th. in mockery.
scherz. = ⟨*Mus*⟩ *scherzando* scherzando.
scherzạndo **I** *avv.* ⟨*Mus*⟩ scherzando, playfully. – **II** *s.m.inv.* scherzando.
scherzạre *v.i.* (**schẹrzo**; *aus.* **avere**) **1.** (*trastullarsi*) to play, to lark (about): *i bambini scherzavano tra loro* the children were playing among themselves; *il gattino scherza con il gomitolo* the kitten is playing with the ball of yarn. – **2.** (*agire, parlare alla leggera*) to joke, to jest, to play, to trifle, to make light (*o* fun) of, ⟨*fam*⟩ to kid: *è un tipo che scherza su tutto* he makes light (*o* fun) of everything; *non* ~, *è una cosa seria* don't joke, it's serious; *bada che non scherzo* look I'm not joking (*o* kidding); (*agire in modo imprudente*) to play, to trifle: *non* ~ *col fuoco* don't play with fire; *con l'amore non si scherza* one must not trifle with love. – **3.** ⟨*lett*⟩ (*muovere dolcemente*) to play, to toy: *il venticello scherza con le foglie* the breeze is toying with the leaves. □ *c'è poco da* ~ it's no joke (*o* laughing matter); ⟨*fig*⟩ ~ *con la morte* to gamble with death. – *Prov.*: *scherza coi fanti e lascia stare i santi* religion is no laughing matter.
scherzatọre ⟨*ant*⟩ **I** *s.m.* (*f.* **-trice**) joker, jester. – **II** *a.* joking, jesting. – **scherzeggịare** *v.i.* (**scherzẹggio, scherzẹggi**; *aus.* **avere**) to be a great joker, to be playful. – **scherzẹtto** (*dim. di scherzo*) *m.* **1.** joke, jest. – **2.** (*tiro mancino*) joke, trick. – **3.** ⟨*fig*⟩ (*impresa facile*) joke, child's-play, laughing matter, ⟨*fam*⟩ snap. – **scherzẹvole** *a.* ⟨*lett*⟩ → **scherzoso.** – **scherzevolmẹnte** *avv.* ⟨*lett*⟩ → **scherzosamente.**
schẹrzo *m.* **1.** (*lo scherzare*) joking, jesting, joke, jest. – **2.** (*burla*) (practical) joke, prank, trick: *il tuo è stato uno* ~ *veramente gustoso* your joke was really good. – **3.** ⟨*fig*⟩ (*impresa facile*) child's-play, laughing matter, ⟨*fam*⟩ snap. – **4.** ⟨*Lett*⟩ light (*o* humorous) poem, jeu d'esprit. – **5.** ⟨*Mus*⟩ scherzo.
□ *-i d'***acqua** ornamental fountains, jeux d'eau; **bando** *agli -i* joking apart, seriously; **brutto** ~: 1. nasty joke; 2. (*colpo mancino*) dirty trick; 3. (*cosa sgradita*) dirty trick, nasty surprise, let-down: *questa stoffa mi ha fatto il brutto* ~ *di restringersi* this material gave me a nasty surprise by shrinking; *non* **fare** *-i* let's have no fooling (*o* messing) around, no tricks please, don't try anything; *-i di* **luce** lighting effect; ⟨*iperb*⟩ ~ *di* **natura** freak; *a* **parte** *gli -i* = **bando** *agli scherzi*; **per** ~ as (*o* for) a joke, for sport (*o* a laugh), in fun; *neppure per* ~ (*in nessun modo*) by no means, absolutely not, ⟨*fam*⟩ not on your life; **prendere** *tutto in* ~ to ⌜make a joke of⌝ (*o* laugh at) everything, to take everything lightly; ⟨*fam*⟩ ~ *da* **prete** nasty (*o* bad, flat) joke; (*tiro mancino*) dirty trick; **senza** *-i* (*sul serio*) without (*o* I'm not) joking, really, truly, seriously, ⟨*fam*⟩ no joke; **stare** ⌜*allo* ~⌝ (*o agli scherzi*) to take a joke; *gli -i del* **vino** the strange effects of wine, the tricks that drinking can play on one; **volgere** (*o voltare*) *tutto in* ~ to ⌜make light of⌝ (*o* laugh off) everything, to joke about everything. – *Prov.*: *lo* ~ *è bello quando* ⌜*dura poco*⌝ (*o è corto*) the best joke is briefest; ~ *di mano* ~ *di villano* rough play is poor breeding's way.
scherzosamẹnte *avv.* jokingly, jestingly, laughingly. – **scherzọso** *a.* **1.** (*che scherza volentieri*) playful, frolicsome: *un gattino* ~ a playful kitten; (*allegro*) merry, gay, light-hearted, jocular. – **2.** (*detto, fatto per scherzo*) joking, jesting, playful: *frase -a* joking words; (*di scherzo*) joking, laughing, jesting: *tono* ~ laughing tone.
schẹtta *f.* ⟨*Pesc*⟩ kind of fishing-net.
schettinạggio *m.* (*pattinaggio*) roller-skating. – **schettinạre** *v.i.* (**schẹttino**; *aus.* **avere**) to roller-skate. – **schettinatọre** *m.* (*f.* **-trice**) roller-skater. – **schẹttino** *m.* roller-skate.
schi *m.* ⟨*ant*⟩ → **sci.**
schiạccia *f.* (*pl.* **-ce**) **1.** ⟨*Venat*⟩ dead-fall. – **2.** ⟨*Gastr*⟩ kind of toasting tongs. □ ⟨*fig*⟩ *rimanere alla* ~ to be caught in a trap, to be entrapped.
schiacciabiạde *m.inv.* ⟨*Agr*⟩ (*frangibiade*) grinder.
schiacciamẹnto *m.* **1.** (*atto*) crushing, squashing, flattening; (*effetto*) flattening. – **2.** (*pressione*) pressing: *lo* ~ *di un pulsante* the pressing of a button. – **3.** ⟨*fig*⟩ (*sconfitta*) crushing, overwhelming. – **4.** (*appiattimento*) flattening: ~ *dei poli terrestri* flattening of the earth's poles. – **5.** ⟨*Mecc*⟩ squashing, crushing; (*rif. a pneumatici*) deflection. □ ⟨*Med*⟩ *sindrome da* ~ crush syndrome.
schiaccianocciọle *m.inv.* ⟨*Zool*⟩ dormouse (*Muscardinus avellanarius*).
schiaccianọci *m.inv.* nutcracker, nutcrackers *pl.* □ ⟨*Mus*⟩ *lo Schiaccianoci* The Nutcracker Suite.
schiacciạnte (*p.pr. di schiacciare*) *a.* **1.** crushing, squashing, flattening. – **2.** ⟨*fig*⟩ (*irrefutabile*) crushing, overwhelming, incontestable: *prove -i* crushing proof.
schiacciapatạte *m.inv.* potato-masher, ⟨*am*⟩ ricer.
schiacciạre *v.t.* (**schiạccio, schiạcci**) **1.** (*pigiare, comprimere*) to crush, to squash, to squeeze: *ha chiuso il cassetto e mi ha schiacciato un dito* he closed the drawer and squashed my finger. – **2.** (*calpestare*) to crush (underfoot), to squash, to flatten, to tread on: ~ *una lumaca col piede* to crush a snail underfoot. – **3.** (*rompere*) to crack: ~ *le mandorle* to crack almonds. – **4.** (*uccidere schiacciando*) to crush, to squash, to flatten: *schiacciò l'insetto contro la parete* he flattened the insect against the wall; (*investire*) to run over. – **5.** (*premere*) to press, to push (down), to depress: ~ *il bottone* to press the button; (*premere fino in fondo*) to push down hard, to push (*o* press) right down, to drive (*o* slam, ram) down: ~ *il pedale del freno* to slam down on the brake-pedal. – **6.** ⟨*iperb*⟩ (*pigiare, comprimere fortemente*) to crush, to squash, to flatten, to squeeze: *c'era una tale folla che mi ha quasi schiacciato* there was such a crowd I was almost crushed. – **7.** ⟨*fig*⟩ (*superare, vincere*) to crush, to overwhelm, ⟨*fam*⟩ to smash: ~ *gli avversari* to crush the enemy; (*sopraffare, umiliare*) to crush, ⟨*fam*⟩ to squash. – **8.** ⟨*fig*⟩ (*opprimere*) to crush, to weigh (*o* bear) down on: *il rimorso lo schiaccia* remorse is weighing down on him. – **9.** ⟨*fig,tosc*⟩ (*bocciare*) to fail, ⟨*fam*⟩ to flunk, ⟨*fam*⟩ to plough. – **10.** ⟨*Mecc*⟩ to squash, to crush, to compress. – **schiacciarsi** *v.r.* **1.** (*perdere la forma originaria*) to get squashed (*o* crushed): *le paste si sono schiacciate* the pastries got crushed. – **2.** (*urtare deformandosi*) to crush: *mi sono schiacciato un dito nella porta* I crushed my finger in the door. □ ⟨*pop*⟩ ~ *moccoli* to curse, to swear; ⟨*Sport*⟩ ~ *la palla* to smash (the ball); ⟨*pop*⟩ ~ *un sonnellino* (*o pisolino*) to doze, to take a nap, ⟨*fam*⟩ to take forty winks.
schiacciasạssi *m.inv.* ⟨*Strad*⟩ road-roller.
schiacciạta *f.* **1.** squeeze, crush(ing), squash(ing); (*stirando*) press (-ing), iron-over. – **2.** (*pestata, contusione*) bruise, crush(ing); (*rif. a cose: deformazione*) dent(ing), flattening. – **3.** ⟨*region*⟩ (*bocciatura*) failing, ⟨*fam*⟩ flunk(ing). – **4.** ⟨*Gastr*⟩ kind of flat loaf. – **5.** ⟨*Sport*⟩

(*nel tennis*) smash. ▭ *dare una ~ a qc.*: 1. to squeeze s.th., to give s.th. a squeeze; 2. (*deformando*) to dent (*o* flatten) s.th.; *dare una ~ al piede* to tread on s.o.'s foot.
schiacciaticcio *a.* ⟨*Bot*⟩ (*premice*) easy to crack (*o* crush), soft(-shelled).
schiacciato (*p.p. di schiacciare*) *a.* **1.** (*ammaccato*) bruised: *frutta -a* bruised fruit; (*deformato*) dented, battered: *un cappello ~* a battered hat; (*compresso, spiaccicato*) crushed, squashed. – **2.** (*appiattito*) flattened, squashed: *naso ~* flattened nose. – **3.** ⟨*Fon*⟩ palato-alveolar. – **4.** ⟨*Arch*⟩ flattened. ▭ ⟨*Sport*⟩ *tiro* (o *colpo*) ~ (*nel tennis*) smash.
schiacciatore *m.* (*f.* **-trice**) **1.** crusher, squasher, squeezer, flattener. – **2.** ⟨*Sport*⟩ (*nel tennis*) smasher. – **schiacciatura** *f.* **1.** crushing, squashing, squeezing, flattening. – **2.** (*parte schiacciata*) flattened (*o* crushed) part; (*ammaccatura*) dent, bruise.
schiaffare *v.t.* ⟨*fam*⟩ to throw, to fling, ⟨*fam*⟩ to chuck, ⟨*fam*⟩ to sling: *schiaffò i suoi vestiti nella valigia* he flung his clothes into the suitcase. – **schiaffarsi** *v.r.* to throw (*o* fling) o.s. ▭ *~ dentro qd.* (*metterlo in prigione*) to throw s.o. in the clink; *schiaffarsi a letto* to jump (*o* hop, leap) into bed.
schiaffeggiare *v.t.* (**schiaffeggio, schiaffeggi**) **1.** to slap, to smack, to hit, to cuff. – **2.** ⟨*fig*⟩ (*colpire con forza*) to slap (*o* smack) against. – **schiaffeggiatore** *m.* (*f.* **-trice**) ⟨*non com*⟩ slapper.
schiaffetto *m. dim. di* **schiaffo**.
schiaffo *m.* **1.** slap, smack, cuff. – **2.** ⟨*fig*⟩ (*offesa, umiliazione*) humiliation, slap in the face, come-down, insult. ▭ ⟨*pop*⟩ *avere una faccia da -i* to have an irritating (*o* a nasty) character; *misurare uno ~* to give a slap; ⟨*fig*⟩ *~ morale* humiliation, insult; *prendere a -i qd.* to slap s.o. (*o* s.o.'s face).
schiaffone *m. accr. di* **schiaffo**.
schiafita *a./s.* → **sciafita**.
schiamazzare *v.i.* (*aus.* **avere**) **1.** (*rif. a oche e sim.*) to cackle, to gaggle, to squawk; (*rif. a galline*) to cackle. – **2.** ⟨*estens*⟩ (*gridare*) to shout, to make a noise (*o* din, racket). – **schiamazzatore** *m.* (*f.* **-trice**) **1.** (*rif. a volatili*) cackler, squawker. – **2.** ⟨*estens*⟩ rowdy, boisterous person. – **schiamazzio** *m.* ⟨*non com*⟩ **1.** (*rif. a volatili*) (continuous) cackling, gaggling, squawking. – **2.** ⟨*estens*⟩ uproar, din, racket.
schiamazzo *m.* **1.** (*rif. a oche e sim.*) cackling, gaggling, squawking; (*rif. a galline*) cackle, cackling. – **2.** ⟨*estens*⟩ (*chiasso*) noise, din, uproar, racket, ⟨*fam*⟩ row. – **3.** ⟨*venat,ant*⟩ (*allettamento*) lure, bait, decoy. ▭ *far ~* to make a noise (*o* din, racket), to make a great uproar (*o* fuss), ⟨*fam*⟩ to create.
schiancia *f.* (*pl.* **-ce**) ⟨*Bot*⟩ **1.** cattail, reed mace (*Typha*). – **2.** bur reed (*Sparganium ramosum*). – **3.** pendulous sedge, carex (*Carex pendula*).
schiancio: ⟨*tosc*⟩ *a* (o *di*) ~ (*di sghembo*) ⟨*pred*⟩ askew, aslant, crooked.
schiancire *v.i.* (**schiancisco, schiancisci**; *aus.* **avere**) ⟨*tosc,ant*⟩ (*colpire di striscio*) to graze, to brush, to skim (by).
schiantamento *m.* ⟨*non com*⟩ **1.** (*lo schiantare*) breaking (off), splitting. – **2.** (*lo schiantarsi*) breaking, shattering; (*lo scoppiare*) bursting.
schiantare I *v.t.* **1.** to break (*o* snap) off, to tear (off): *il temporale ha schiantato le cime degli alberi* the storm snapped off the tree-tops; (*sradicare*) to uproot, to tear up (by the roots). – **2.** (*rompere*) to break, to smash, to split: *l'urto ha schiantato l'automobile* the collision smashed the car. – **3.** (*staccare*) to break (*o* tear) off. – **II** *v.i.* (*aus.* **essere**) **1.** to break, to split, to burst (*anche fig.*): *~ d'invidia* to burst with envy. – **2.** ⟨*fam*⟩ (*morire*) to die: *~ dalla fatica* to die of overwork. – **schiantarsi** *v.r.* **1.** to break (up), to break (*o* smash) into pieces, to shatter, to be smashed up: *l'aereo si schiantò contro la montagna* the aeroplane smashed into pieces against the mountainside. – **2.** ⟨*fam*⟩ (*scoppiare, crepare*) to burst, to split. – **3.** (*dividersi*) to split, to divide. ▭ ⟨*fig*⟩ *~ il cuore* to break one's heart; *mi si schianta il cuore* it breaks my heart; *~ dalle risa* to split one's sides with laughter, ⟨*fam*⟩ to burst; *~ una serratura* to break a lock open; *~ l'uscio* to break down the door.
schiantato (*p.p. di schiantare*) *a.* **1.** broken off, snapped off, torn; (*spezzato*) broken, split, snapped: *un ramo ~* a snapped branch. – **2.** ⟨*fig*⟩ broken, torn. – **3.** ⟨*Arald*⟩ broken. ▭ *~ dalla fatica* dropping (with fatigue), dead tired, ⟨*fam*⟩ all-in. – **schiantatura** *f.* **1.** tearing, breaking, splitting. – **2.** ⟨*Agr*⟩ breaking (*o* snapping) off.
schianto[1] *m.* **1.** breaking, tearing, snapping, splitting; (*lo scoppiare*) burst(ing). – **2.** ⟨*fig*⟩ (*pena, dolore acuto*) great blow, pain, pang, wrench, affliction. – **3.** (*rumore*) crash, crack, snap, tearing sound: *lo ~ del tuono* the crash of thunder. ▭ ⟨*fam*⟩ *uno ~ di ragazza* a smashing girl, a gorgeous creature; *di ~* abruptly, suddenly: *crollare di ~* to collapse suddenly.
schianto[2] *m.* ⟨*Itt*⟩ kind of sea bream (*Spondyliosoma cantharus*).
schianza *f.* ⟨*ant*⟩ (*cicatrice*) scab.
schiappa[1] *f.* **1.** ⟨*non com*⟩ (*scheggia di legno*) splinter. – **2.** ⟨*fam*⟩ (*persona incapace*) bungler, ⟨*fam*⟩ duffer, ⟨*fam*⟩ wash-out, ⟨*fam*⟩ dud: *è una ~ alle carte* he's a wash-out at cards. – **3.** ⟨*Conc*⟩ (tanning) side. ▭ *essere una ~ in qc.* to be hopeless (*o* no good) at s.th.
schiappa[2] *f.* ⟨*ant*⟩ (*veste*) tight-waisted garment.
schiapparo *m.* ⟨*venat*⟩ kind of bird-net.
schiappetta *f.*, **schiappino** *m. dim. di* **schiappa**[1].
schiarare *v.* ⟨*non com*⟩ → **schiarire**. – **schiarato** (*p.p. di schiarare*) *a.* ⟨*non com*⟩ lightened, bright.
schiarimento *m.* **1.** (*lo schiarire*) lightening. – **2.** (*lo schiarirsi*) growing lighter, brightening up. – **3.** ⟨*fig*⟩ (*chiarimento*) explanation, clarification.
schiarire *v.* (**schiarisco, schiarisci**) **I** *v.t.* **1.** to lighten, to make lighter: *~ un colore* to lighten a colour. – **2.** (*diradare*) to thin out, to clear. – **II** *v.i.* (*aus.* **essere**), **schiarirsi** *v.r.* **1.** (*diventare chiaro*) to become lighter, to lighten; (*sbiadire*) to fade. – **2.** (*farsi chiaro, rasserenarsi*) to brighten (up), to clear (up), to grow lighter: *il cielo comincia a ~* the sky is beginning to clear up. ▭ *schiarirsi i capelli* to lighten one's hair, to dye one's hair a lighter shade; *schiarirsi la voce* to clear one's throat.
schiarita *f.* **1.** clearing up, improvement, bright interval. – **2.** ⟨*fig*⟩ (*miglioramento*) improvement, turn for the better: *una ~ della situazione politica* an improvement in the political situation. ▭ ⟨*Meteor*⟩ *~ generale* general turn for the better, general brightening (*o* improvement); *~ parziale* partial improvement, bright patches *pl.* – **schiaritoio** *m.* clarifying-tank. – **schiaritura** *f.* lightening, brightening.
schiascopia *f.* ⟨*Med*⟩ sciascopy, skiascopy.
schiatta *f.* ⟨*lett*⟩ **1.** (*stirpe*) stock, race, family. – **2.** (*discendenza*) lineage, descent, issue.
schiattare *v.i.* (*aus.* **essere**) **1.** to burst (*anche fig.*): *~ d'invidia* to burst with envy. – **2.** ⟨*pop*⟩ (*morire improvvisamente*) to die suddenly, to drop dead.
schiattire *v.i.* (**schiattisco, schiattisci**; *aus.* **avere**) ⟨*rar*⟩ to yelp.
schiava *f.* ⟨*Agr*⟩ (*vitigno*) kind of vine.
schiavacciare *v.* (**schiavaccio, schiavacci**) ⟨*non com*⟩ **I** *v.t.* to unbolt, to draw the bolt of. – **II** *v.i.* (*aus.* **avere**) to rattle keys, to jingle a bunch of keys.
schiavardare *v.t.* to unbolt, to remove the bolts from.
schiavare *v.t.* ⟨*ant*⟩ **1.** (*togliere i chiodi*) to unnail, to remove the nails from. – **2.** ⟨*estens*⟩ (*scardinare*) to unhinge.
schiaveria *f.* ⟨*lett,rar*⟩ slaves *pl.* – **schiavesco** *a.* (*pl.* **-chi**) ⟨*non com,spreg*⟩ slavish, slave-like, slave-.
schiavettare *v.t.* (**schiavetto**) ⟨*Met*⟩ to unclamp.
schiavetto (*dim. di schiavo*) *m.* (*f.* **-a**) ⟨*scherz*⟩ (*tirapiedi*) slavey, drudge, flunkey.
schiavina *f.* ⟨*Mediev*⟩ **1.** (*veste*) hooded gown, wide-sleeved robe; (*mantello*) hooded cloak. – **2.** (*coperta*) coarse blanket.
schiavismo *m.* **1.** (*dottrina*) support of slavery, ⟨*SU*⟩ anti-abolitionism; (*sistema*) slavery, slave-system. – **2.** ⟨*estens*⟩ (*tendenza a privare altri della libertà*) repressionism. – **3.** ⟨*Zool*⟩ slave-making. – **schiavista I** *s.m./f.* **1.** slave-merchant, slave-trader, slaver. – **2.** (*fautore dello schiavismo*) advocate (*o* supporter) of slavery, ⟨*SU*⟩ anti-abolitionist. – **II** *a.* slave-: *stato ~* slave-state. – **schiavistico** *a.* (*pl.* **-ci**) **1.** (*dello schiavismo*) of slavery, slave-. – **2.** (*da schiavista*) of a supporter of slavery, ⟨*SU*⟩ anti-abolitionist-.
schiavitù *f.* **1.** slavery: *abolizione della ~* abolition of slavery. – **2.** (*condizione di schiavo*) slavery, slavedom, bondage, servitude, ⟨*lett*⟩ thrall: *liberarsi dalla ~* to free o.s. from bondage. – **3.** (*mancanza di libertà politica*) subjugation, subjection. – **4.** ⟨*fig*⟩ slavery, subjection, bondage, ⟨*lett*⟩ thrall: *la ~ dell'orario* the bondage of the timetable.
schiavo I *s.m.* (*f.* **-a**) **1.** slave, ⟨*lett*⟩ thrall, ⟨*lett*⟩ bondman: *la tratta degli -i* the slave-trade. – **2.** ⟨*fig*⟩ (*persona asservita*) slave, servant. – **3.** ⟨*ant*⟩ (*abitante della Schiavonia*) Slavonian, Slovene. – **II** *a.* **1.** enslaved, captive. – **2.** (*asservito*) subject: *popolo ~* subject people. – **3.** ⟨*fig*⟩ slave: *essere ~ delle passioni* to be slave to passion. – **4.** ⟨*Comm*⟩ liable, subject. – **5.** ⟨*ant*⟩ (*della Schiavonia*) Slavonian, Slovene. ▭ ⟨*Comm*⟩ *~ di dazio* (o *dogana*) dutiable, liable to duty; *~ d'imposta* taxable, subject to tax; *~ negro* Negro slave; ⟨*ant*⟩ *Vi sono ~* (*formula di saluto*) I am your obedient servant.
schiavona *f.* **1.** (*anche uva schiavona*) Slavonian grape. – **2.** ⟨*Stor*⟩ (*spada*) kind of sword.
schiavone[1] **I** *a.* ⟨*Stor*⟩ Slavonian. – **II** *s.m.* ⟨*Stor*⟩ **1.** (*abitante; f.* **-a**) Slavonian. – **2.** *pl.* guard of the Venetian Republic.
schiavone[2] *m.* ⟨*Agr*⟩ (*vitigno*) kind of vine.
schiccheracarte, schiccherafogli *m./f.inv.* ⟨*non com*⟩ (*scrittore da strapazzo*) hack(-writer), scribbler.
schiccherare[1] *v.t.* (**schicchero**) ⟨*non com*⟩ **1.** (*scrivere alla peggio*) to scribble, to scrawl, to dash off; (*disegnare alla peggio*) to sketch; (*dipingere malamente*) to daub. – **2.** (*imbrattare*) to scribble (*o* scrawl) over.
schiccherare[2] *v.t.* (**schicchero**) ⟨*non com*⟩ (*bere abbondantemente*) to drink up, to tipple.
schiccheratura *f.* ⟨*non com*⟩ **1.** (*lo schiccherare*) scribbling, scrawling. – **2.** (*scritto mal fatto*) scribble, scrawl; (*disegno mal fatto*) sketch; (*dipinto mal fatto*) daub.
schiccherone *m.* (*f.* **-a**) great drinker, tippler.
schidionare *v.t.* (**schidiono**) ⟨*non com*⟩ (*infilare allo spiedo*) to (put on the) spit. – **schidione** *m.* (*spiedo*) spit. – **schidone** *m.* ⟨*ant*⟩ → **schidione**.
schiena *f.* **1.** back. – **2.** ⟨*non com*⟩ (*groppa*) back. – **3.** (*nella corazza: schienale*) back-piece, back-plate. – **4.** ⟨*Geog*⟩ (*dorsale*) ridge, crest. – **5.** ⟨*Macell*⟩ (*costa*) rib.
▭ ⟨*Arch*⟩ *~ d'asino* ogee (*o* four-centred) arch; *a ~ d'asino* by donkey, on donkey-back: *trasportare qc. a ~ d'asino* to carry s.th. on donkey-back; ⟨*Strad*⟩ *ponte a ~ d'asino* hog-backed (*o* humpbacked) bridge; *strada a ~ d'asino* cambered road; ⟨*fig*⟩ **colpire** *qd. alla ~* (*a tradimento*) to stab s.o. in the back; ⟨*fig*⟩ **curvare** *la ~* (*umiliarsi*) to stoop, to bow one's neck, to bend the knee; **di** *~* from the back, from behind; ⟨*fig*⟩ (*di gran lena*) with a will;

un lavoro di ~ a back-breaking job; ⟨*Equit*⟩ **giocare** *di* ~ to buck; **girare** *la* ~ *a qd.* to turn one's back on s.o. (*anche fig.*); **mal** *di* ~ backache; ⟨*non com*⟩ *a* ~ *di* **mulo** (*a dorso di mulo*) by mule, on mule-back; **rompersi** *la* ~ to break one's back; ⟨*fig*⟩ (*lavorare troppo*) to break one's back, to work too hard, to exhaust o.s.; **voltare** *la* ~ (*andarsene*) to go off; (*fuggire*) to turn tail, to flee; *voltare la* ~ *a qd.* = **girare** *la schiena a qd.*

schienale *m.* **1.** (*spalliera*) back: *lo* ~ *del sedile* the back of a seat. – **2.** (*nell'armatura*) back-piece, backplate. – **3.** (*schiena di animale*) back. – **4.** ⟨*Macell*⟩ saddle. – **5.** *pl.* ⟨*Macell*⟩ (*midollo*) spinal marrow. – **6.** ⟨*Mar*⟩ backboard. – **7.** ⟨*ant*⟩ (*schiena*) back. ☐ ~ *ribaltabile* tip-up back.

schienata *f.* **1.** (*colpo*) knock of the back, blow with the back. – **2.** (*nella lotta*) fall.

schienuto *a.* ⟨*non com*⟩ **1.** (*che ha la schiena larga*) broad-backed. – **2.** (*che ha forma di schiena*) back-shaped.

schiera *f.* **1.** formation, array, rank: *ordinare le -e* to order the ranks; (*esercito, forze schierate*) army, troops *pl*, forces *pl*, ⟨*lett*⟩ host. – **2.** (*gruppo*) group, band, team: *una* ~ *di collaboratori* a team of collaborators; (*fila*) line, row. – **3.** (*folla, massa*) crowd, mass, swarm, host. ☐ *a* ~ (*in gruppo*) in a crowd (*o* group); *a* ~ *a* ~ rank upon rank; *a -e* (*in più schiere*) in hosts, in swarms; *mettere in* ~ *i soldati* to marshal (*o* line up) the soldiers; *uscire di* ~ to get out of formation (*o* line).

schieramento *m.* **1.** marshalling, drawing (*o* lining) up; (*manovra*) deployment; (*disposizione delle truppe*) array, formation, disposition. – **2.** ⟨*concr*⟩ (*forze schierate*) formation, line; (*fronte*) front, forward lines *pl*: *il nemico ha rotto lo* ~ the enemy has broken the front. – **3.** ⟨*fig*⟩ body, movement, front, line-up: ~ *politico* political line-up. – **4.** ⟨*Sport*⟩ formation, line-up, team. ☐ ⟨*Rad*⟩ ~ *d'antenna* arrangement (*o* set-up) of aerial.

schierare *v.t.* (**schiero**) **1.** to array, to line up, to draw up (in line), to marshal: ~ *l'esercito* to draw up the army; ~ *in battaglia* to draw up in battle order; (*mettere al posto di combattimento*) to deploy. – **2.** ⟨*fig*⟩ (*mettere in fila*) to line up, to put in line, to place (*o* set out) in a row, to range: ~ *i libri negli scaffali* to place the books in a row in the bookshelves. – **schierarsi** *v.r.* **1.** to draw (*o* line) up: *la fanteria si schierò per l'attacco* the infantry drew up for the attack. – **2.** ⟨*fig*⟩ to side, to take sides (*con, dalla parte di* with), to take the part (of), to go over (to): *schierarsi dalla parte del più debole* to side with the weakest.

schierato (*p.p. di schierare*) *a.* **1.** drawn (*o* lined) up, ranged. – **2.** ⟨*Mil*⟩ lined up, drawn up in line, marshalled, arrayed: *truppe -e* troops drawn up in line.

schiericare *v.t.* (**schierico, schierichi**) ⟨*non com*⟩ **1.** to unfrock. – **2.** ⟨*ant*⟩ (*rif. a diamanti*) to remove the point of. – **schiericarsi** *v.r.* to leave the Church.

schiettamente *avv.* **1.** (*puramente*) purely; (*genuinamente*) genuinely. – **2.** ⟨*fig*⟩ (*sinceramente*) sincerely, truly; (*francamente*) frankly, straightforwardly, openly, candidly. – **schiettezza** *f.* **1.** (*purezza*) purity; (*autenticità*) genuineness, authenticity; (*semplicità*) plainness. – **2.** ⟨*fig*⟩ (*sincerità, lealtà*) sincerity; (*franchezza*) frankness, straightforwardness, candour. ☐ ~ *d'animo* open-heartedness; *parlare con* ~ to speak frankly (*o* openly).

schietto (o *schietto*) **I** *a.* **1.** (*puro*) pure; (*rif. a vino e sim.*) pure, undiluted, unadulterated; (*genuino, autentico*) pure, genuine: *oro* ~ pure gold; (*semplice*) plain, unadorned. – **2.** ⟨*fig*⟩ (*franco*) frank, straightforward, plain, open, candid: *parole -e* frank words; (*sincero*) sincere, true: *amicizia -a* true friendship. – **3.** ⟨*pop*⟩ (*rif. a bevande: liscio*) straight, neat: *prendere un brandy* ~ to take a brandy neat. – **4.** (*sano, senza imperfezioni*) sound: *frutta -a* sound fruit. – **5.** ⟨*lett*⟩ (*liscio, privo di nodosità*) smooth. – **6.** ⟨*lett*⟩ (*asciutto, snello*) slim, lean; (*agile*) agile. – **II** *avv.* frankly, plainly, openly, sincerely. ☐ *parlare* ~ to speak plainly; *a dirla -a* (*francamente*) to be frank (*o* candid), frankly.

schifare I *v.t.* **1.** (*disdegnare*) to spurn, to look down on, to disdain, ⟨*fam*⟩ to turn up one's nose at: ~ *un cibo* to spurn a food. – **2.** (*disgustare*) to disgust: *la sua vista mi schifa* the sight of him disgusts me. – **3.** ⟨*lett*⟩ (*ricusare*) to refuse, to reject. – **4.** ⟨*ant*⟩ (*schivare*) to avoid, to shun. – **II** *v.i.* (*aus.* **avere**) ⟨*lett*⟩ (*non degnarsi*) to be loath (*o* reluctant, averse). – **schifarsi** *v.r.* to be disgusted (*di* by), to feel repugnance (for).

schifato (*p.p. di schifare*) *a.* **1.** (*disgustato*) disgusted, nauseated, sickened (*di* by). – **2.** ⟨*rar*⟩ (*evitato*) avoided, shunned; (*disprezzato*) despised. – **schifenza** *f.* ⟨*dial*⟩ → **schifezza**. – **schifevole** *a.* ⟨*rar*⟩ → **schifoso**.

schifezza *f.* **1.** nastiness, filthiness, foulness, repulsiveness. – **2.** ⟨*concr*⟩ (*cosa schifosa*) disgusting (*o* repulsive) thing; (*azione schifosa*) disgusting action, ⟨*fam*⟩ lousy (*o* rotten) thing to do. – **3.** (*cosa mal riuscita*) terrible job, mess: *questo film è una vera* ~ this film is a real mess. – **4.** ⟨*fam*⟩ (*rif. a cibi*) muck, garbage, ⟨*volg*⟩ crap: *questo cibo è una* ~ this food is muck; (*rif. a bevande*) slop, swill, dishwater. – **5.** ⟨*fam*⟩ (*rif. a persone*) disgusting (*o* repulsive) person, ⟨*fam*⟩ creep: *una* ~ *d'uomo* a disgusting man.

schifiltà *f.* ⟨*non com*⟩ **1.** (*l'essere schifiltoso*) fastidiousness, fussiness, squeamishness, queasiness. – **2.** (*ritrosia eccessiva*) shyness, aversion, reluctance. – **schifiltosamente** *avv.* fastidiously, fussily. – **schifiltosità** *f.* ⟨*non com*⟩ fastidiousness, fussiness. – **schifiltoso** *a.* **1.** (*schizzinoso*) fastidious, fussy, squeamish, finicky, persnickety. – **2.** (*difficile a contentarsi*) hard to please, difficult, particular, fussy. ☐ *fare lo* ~ to be fastidious; (*essere delicato*) to be squeamish.

schifo[1] **I** *s.m.* **1.** (*ripugnanza*) disgust, repugnance, nausea: *provare* ~ *per qc.* to feel disgust for s.th.. to be disgusted by s.th. – **2.** (*cosa schifosa*) disgusting (*o* repulsive) thing; (*azione schifosa*) disgusting action, ⟨*fam*⟩ lousy (*o* rotten) thing to do. – **3.** ⟨*fam*⟩ (*rif. a cibi*) muck, garbage, ⟨*volg*⟩ crap; (*rif. a bevande*) slop, swill, dishwater. – **4.** ⟨*fam*⟩ (*rif. a stanze e sim.*) pigsty: *questa casa è uno* ~ this house is a pigsty. – **5.** ⟨*fam*⟩ (*rif. a persone*) disgusting (*o* loathsome) person, ⟨*fam*⟩ creep. – **II** *a.* **1.** ⟨*tosc*⟩ (*disgustoso, nauseante*) disgusting, nauseating, revolting, loathsome. – **2.** ⟨*rar*⟩ (*schifiltoso*) fussy, fastidious. – **3.** ⟨*ant*⟩ (*schivo, ritroso*) shy, reluctant, unwilling. ☐ ⟨*lett*⟩ **avere** *a* ~ *qd.* (*sdegnarlo*) to disdain s.o.; **che** ~*!* how disgusting!, ugh!; **fare** ~: 1. to (fill with) disgust, to nauseate: *le lumache mi fanno* ~ snails ⌜disgust me⌝ (*o* make me feel sick); 2. ⟨*fam*⟩ (*essere brutto o malfatto*) to be bad (*o* shocking), ⟨*fam*⟩ to be awful: *questo film fa* ~ this film is awful; ⟨*pop*⟩ ~ *d'uomo* loathsome fellow, disgusting man, ⟨*fam*⟩ creep; ⟨*lett*⟩ **venire** *a* ~ to become disgusting (*o* loathsome); *questo lavoro mi è venuto a* ~ I have got sick of this work, I can't stand this work any more.

schifo[2] *m.* **1.** ⟨*Mar*⟩ ship's boat, longboat. – **2.** ⟨*Sport*⟩ (*imbarcazione da corsa*) skiff. ☐ ⟨*Arch*⟩ *volta a* ~ cavetto vault.

schifosaggine *f.* **1.** (*l'essere schifoso*) nastiness, foulness, repulsiveness. – **2.** (*cosa schifosa*) disgusting (*o* repulsive) thing; (*atto schifoso*) disgusting action, ⟨*fam*⟩ lousy (*o* rotten) thing to do. – **schifosamente** *avv.* **1.** nastily, repulsively, disgustingly; (*in modo pessimo*) shockingly, terribly (badly), dreadfully. – **2.** ⟨*pop*⟩ (*esageratamente*) disgustingly, nauseatingly, extraordinarily: *è una persona* ~ *fortunata* he is a disgustingly lucky person. – **schifosità** *f.* → **schifosaggine**. – **schifoso** *a.* **1.** disgusting, repulsive, repellent, nauseating, sickening, loathsome: *un insetto* ~ a repulsive insect; (*pessimo*) very bad, disgusting, shocking, terrible, dreadful, ⟨*fam*⟩ lousy: *hai fatto una prova -a* your test was shocking. – **2.** ⟨*fig*⟩ dirty, foul, repulsive, disgusting: *è di un egoismo* ~ his selfishness is disgusting. – **3.** ⟨*pop*⟩ (*esagerato*) disgusting, nauseating.

schiniera *f.* ⟨*ant*⟩ → **schiniere**. – **schiniere** *m.* ⟨*Mil.ant*⟩ shin-guard, greave.

schioccare *v.* (**schiocco, schiocchi**) **I** *v.i.* (*aus.* **avere**) (*fare uno schiocco*) to crack, to smack; (*con le dita*) to snap; (*con la lingua*) to click. – **II** *v.t.* (*produrre uno schiocco*) to crack, to smack: ~ *le labbra* to smack one's lips; ~ *la frusta* to crack the whip; (*rif. alle dita*) to snap; (*rif. alla lingua*) to click. ☐ ~ *un bacio a qd.* to give s.o. a smacking kiss. – **schioccata** *f.* **1.** (*lo schioccare*) cracking, smacking; (*con le dita*) snapping; (*con la lingua*) clicking. – **2.** → **schiocco**. – **schiocco** *m.* (*pl.* **-chi**) crack, smack: *uno* ~ *di frusta* the crack of a whip; (*con le dita*) snap; (*con la lingua*) click.

schiodare *v.t.* (**schiodo**) **1.** (*togliere i chiodi*) to take the nails out of. – **2.** (*aprire togliendo i chiodi*) to unnail, to unrivet: ~ *una cassa* to unnail a case. – **schiodatura** *f.* unnailing, unriveting.

schiofita *a./s.* → **sciafita**.

schiomare *v.t.* (**schiomo**) ⟨*lett*⟩ (*scompigliare la chioma*) to dishevel, to ruffle the tresses of.

schioppare *v.i.* (**schioppo**; *aus.* **essere**) ⟨*ant*⟩ (*scoppiare*) to burst, to explode.

schioppetta *f.* ⟨*Mil.ant*⟩ flintlock. – **schioppettare** *v.i.* (**schioppetto**; *aus.* **avere**) ⟨*pop*⟩ (*scoppiettare*) to crackle. – **schioppettata** *f.* (*colpo*) gunshot, rifle-shot; (*ferita*) gunshot wound. ☐ *a una* ~ *da qui* a stone's throw from here, nearby. – **schioppettiere** *m.* ⟨*Mil.ant*⟩ armed soldier; (*archibugiere*) (h)arquebusier. – **schioppetto** *m. dim. di* **schioppo**. – **schioppo** *m.* **1.** ⟨*Stor*⟩ flintlock, musket. – **2.** (*fucile*) rifle, gun. – **3.** (*arma da caccia*) shotgun. ☐ *a un tiro di* ~ *da* at a stone's throw from, a short distance from.

schipetaro ⟨*lett*⟩ **I** *a.* (*albanese*) Albanian. – **II** *s.m.* (*abitante*; *f.* **-a**) Albanian.

schirazzo *m.* ⟨*Mar.ant*⟩ small cargo vessel.

schiribilla *f.* ⟨*Ornit*⟩ little crake (*Porzana parva*). ☐ ~ *della Carolina* sora rail, ⟨*am*⟩ sora (*Porzana carolina*); ~ *grigiata* (o *grigia*) Baillon's crake (*Porzana pusilla*).

schiribilloso *a.* ⟨*tosc,scherz*⟩ **1.** (*arzillo, vispo*) lively, sprightly. – **2.** (*bizzarro*) odd, capricious, freakish. – **schiribizzo** *m.* (*ghiribizzo*) whim, caprice. – **schiribizzoso** *a.* ⟨*rar,pop*⟩ (*ghiribizzoso*) whimsical, capricious.

schisa: ⟨*ant*⟩ *a* (o *alla*) ~ (*obliquamente*) on the slant, aslant, ⟨*pred*⟩ askew, obliquely; *per* ~ obliquely, askew.

schisare *v.t.* **1.** (*nel gioco del biliardo: colpire la palla sfiorandola*) to give the bias (*o* spin) to. – **2.** ⟨*estens*⟩ (*sfiorare*) to skim, to graze.

...schisi *suff.* (*divisione* cleavage, *fessura* fissure) ...schisis: *palatoschisi f.* palatoschisis.

schisma *m.* ⟨*Mus*⟩ schisma.

schiso I *a.* ⟨*tosc*⟩ (*obliquo*) oblique, ⟨*pred*⟩ askew. – **II** *s.m.* ⟨*ant*⟩ (*numero diviso*) residual fraction, remainder. ☐ ⟨*tosc*⟩ *di* ~ sideways on, obliquely, askew; ⟨*fig,tosc*⟩ *non c'è* ~ (*non c'è dubbio*) without doubt.

schisto *m.* ⟨*non com*⟩ → **scisto**.

schisto... *pref.* (*scissura* cleft) schist(o)...

schistosità *f.* ⟨*non com*⟩ → **scistosità**. – **schistoso** *a.* ⟨*non com*⟩ → **scistoso**.

schistosoma *m.* ⟨*Zool*⟩ schistosome, blood fluke (*Schistosoma, Schistosomum*). – **schistosomiasi** *f.* ⟨*Med*⟩ schistosomiasis.

schitarramento *m.* ⟨*non com,spreg*⟩ (insistent) strumming. – **schi-**

tarrare *v.i.* (*aus.* avere) ⟨*spreg*⟩ to strum (*o* twang) a guitar. – **schitarrata** *f.* ⟨*spreg*⟩ strum(ming), twang(ing).

schiudere *v.t.* (**schiusi, schiuso**) **1.** to open, to part: ~ *le labbra* to part one's lips; (*aprire parzialmente*) to half-open, to open (partially), to open a little (*o* fraction): ~ *la porta* to open the door (a little), to set the door ajar. – **2.** ⟨*fig*⟩ to open: ~ *il cuore alla speranza* to open one's heart to hope. – **3.** ⟨*ant*⟩ (*escludere*) to exclude, to shut out. – **4.** ⟨*fig,ant*⟩ (*far vedere*) to show, to reveal; (*far capire*) to make understand, to teach. – **schiudersi** *v.r.* **1.** (*aprirsi*) to open, to part. – **2.** (*uscire dall'involucro*) to come out, to appear, to open: *si schiudono le prime viole* the first violets are coming out. – **3.** ⟨*fig*⟩ (*manifestarsi*) to open up: *mi si schiude un nuovo avvenire* a new future is opening up for me.

schiudimento *m.* opening.

schiuma *f.* **1.** froth, foam: *la* ~ *della birra* the froth (*o* head) of beer. – **2.** (*rif. al mare agitato*) foam. – **3.** ⟨*fig*⟩ (*feccia*) dregs *pl*, scum: *la* ~ *della società* the dregs of society. – **4.** (*bava*) foam, froth. – **5.** ⟨*Chim*⟩ foam. – **6.** ⟨*Gastr*⟩ mousse. – **7.** ⟨*ant*⟩ (*scoria, impurità*) dross, impurity.

□ ~ **antincendio** (fire-fighting) foam; **bagno** *di* ~ bubble bath; *avere la* ~ *alla* **bocca** to foam (*o* froth) at the mouth (*anche fig.*); **fare** ~ (*rif. al sapone*) to lather; ⟨*Min*⟩ ~ *di* **mare** sepiolite, meerschaum, sea-foam: *una pipa di* ~ *di mare* a meerschaum pipe; ~ *di* **sapone** lather, soapsuds *pl*; ~ **solida** solid foam.

schiumaiola *f.* skimmer, strainer. – **schiumare I** *v.t.* **1.** (*togliere la schiuma*) to skim: ~ *il brodo* to skim the broth. – **2.** ⟨*Met*⟩ to skim. – **II** *v.i.* (*aus.* **avere**) **1.** (*fare schiuma*) to foam, to froth; (*rif. al sapone*) to lather. – **2.** (*emettere bava*) to foam, to froth. □ ⟨*ant*⟩ ~ *il mare* (*esercitare la pirateria*) to rove the seas; ⟨*fig*⟩ ~ *dalla* (o *di*) *rabbia* to seethe with anger. – **schiumarola** *f.* → **schiumaiola**. – **schiumatoio** *m.* ⟨*ant*⟩ → **schiumaiola**. – **schiumatura** *f.* ⟨*Met*⟩ skimming. – **schiumogeno I** *a.* foaming, foam-. – **II** *s.m.* (*anche estintore schiumogeno*) foam extinguisher. – **schiumometria** *f.* foam-measurement. – **schiumometro** *m.* foam-measurer. – **schiumosità** *f.* foaminess, frothiness. – **schiumoso** *a.* **1.** foamy, frothy: *liquido* ~ foamy liquid; (*rif. al sapone*) lathery. – **2.** (*simile a schiuma*) frothy.

schiusa *f.* **1.** opening. – **2.** (*rif. a pulcini e sim.*) hatching.

schiusi *p.rem. di* **schiudere**. – **schiuso** (*p.p. di schiudere*) *a.* ⟨*lett*⟩ **1.** (*dischiuso*) (half-)open; (*rif. a porte*) ⟨*pred*⟩ ajar, (slightly) open; (*aperto*) open. – **2.** (*rif. a pulcini e sim.*) hatched.

schivabile *a.* avoidable, shunnable. – **schivafatiche** *m./f.inv.* ⟨*non com*⟩ (*scansafatiche*) shirker, ⟨*fam*⟩ lazy-bones. – **schivamento** *m.* ⟨*non com*⟩ **1.** dodging, avoidance. – **2.** (*l'evitare*) avoiding, shunning. – **schivare** *v.t.* **1.** to dodge, to avoid: ~ *un colpo* to dodge a blow. – **2.** (*evitare*) to avoid, to shun, to dodge: ~ *una persona* to avoid a person. – **3.** ⟨*ant*⟩ (*disprezzare*) to despise. – **4.** ⟨*ant*⟩ (*rifuggire*) to avoid, to shun. – **schivata** *f.* **1.** avoidance, dodging. – **2.** ⟨*Sport*⟩ dodge, evasive movement; (*nel pugilato*) duck(ing). – **schivezza** *f.* ⟨*ant*⟩ **1.** aversion, reluctance. – **2.** (*schifiltà*) fastidiousness, fussiness. – **schivo** *a.* ⟨*lett*⟩ **1.** lo(a)th, averse, unwilling, reluctant: *essere* ~ *di lodi* to be averse to praise. – **2.** (*ritroso: per orgoglio*) reserved, stand-offish; (*per timidezza*) bashful, shy. □ ⟨*lett*⟩ *avere a* ~ (*sdegnare*) to disdain, to scorn; ⟨*lett*⟩ *prendere a* ~ (*avere a noia*) to grow tired of, to be weary of; *essere* ~ *di* (o *della*) *compagnia* to shun company, to be a loner.

schizeacee *f.pl.* ⟨*Bot*⟩ Schizaeaceae *pl* (*Schizaeaceae*).

schizo... *pref.* (*scissione* scplit) schiz(o)...

schizo|carpio *m.* ⟨*Bot*⟩ schizocarp. – **~cloree** *f.pl.* → **schizoficee**. – **~dattilia** *f.* ⟨*Med*⟩ cleft finger. – **~fasia** *f.* ⟨*Psic*⟩ schizophasia. – **~ficee** *f.pl.* ⟨*Bot*⟩ blue-green algae *pl*, myxophyceans *pl* (*Schizophyceae*).

schizofite *f.pl.* ⟨*Bot*⟩ schizophytes *pl* (*Schizophytes*). – **schizofito** *a.* schizophytic.

schizofori *m.pl.* ⟨*Entom*⟩ Schizophora *pl* (*Schizophora*).

schizo|frenia *f.* ⟨*Psic*⟩ schizophrenia. – **~frenico** *a./s.* (*pl.* **-ci**) **I** *a.* schizophrenic: *stato* ~ schizophrenic state. – **II** *s.m.* (*f.* **-a**) schizophrenic, schizophrene. – **~freniforme** *a.* schizophreniform. – **~genesi** *f.* ⟨*Biol*⟩ schizogenesis. – **~genico** *a.* (*pl.* **-ci**) schizogen(et)ic, schizogenous. – **~gonia** *f.* ⟨*Biol*⟩ schizogony.

schizoide I *a.* ⟨*Psic*⟩ schizoid. – **II** *s.m./f.* schizoid. – **schizoidia** *f.*, **schizoidismo** *m.* schizoidism.

schizo|lalia *f.* → **schizofasia**. – **~lite** *f.* ⟨*Min*⟩ schizolite. – **~miceti** *m.pl.* ⟨*Biol*⟩ fission fungi *pl*, schizomycetes *pl*, bacteria *pl* (*Schizomycetes*). – **~nichia** *f.* ⟨*Med*⟩ schizonychia.

schizonte *m.* ⟨*Biol*⟩ schizont.

schizo|podi *m.pl.* ⟨*Zool*⟩ schizopods *pl* (*Schizopoda*). – **~stele** *f.* ⟨*Bot*⟩ schizostele. – **~stelia** *f.* schizostely. – **~timia** *f.* ⟨*Psic*⟩ schizothymia.

schizzare I *v.t.* **1.** to squirt, to spurt: ~ *l'acqua addosso a qd.* to squirt water on s.o.; (*lanciare*) to shoot. – **2.** (*sporcare*) to splash, to (be)spatter, to stain: *mi hanno schizzato il cappotto di fango* my coat got ⌜mud splashed on it⌝ (*o* spattered with mud). – **3.** ⟨*fig*⟩ (*lasciar trasparire chiaramente*) to dart, to shoot, to flash: *occhi che schizzano odio* eyes that flash with hate. – **4.** ⟨*fig*⟩ (*disegnare rapidamente*) to sketch: ~ *una caricatura* to sketch a caricature. – **5.** ⟨*fig*⟩ (*descrivere brevemente*) to sketch (out), to map out, to outline: ~ *una scenetta* to outline a scene. – **II** *v.i.* (*aus.* **essere**) **1.** (*zampillare*) to squirt, to spurt, to gush: *l'acqua schizzava da tutte le parti* water spurted all over. – **2.** (*saltare, balzare via*) to shoot, to jump, to dart, to spring, to leap: *una lepre schizzò dal cespuglio* a hare darted out of the bush; *schizzar fuori dal letto* to jump out of bed. □ ⟨*fig*⟩ ~ **fuoco** to flash fire; *schizzava fuoco dagli occhi* his eyes flashed fire; ⟨*fig*⟩ *gli* **occhi** *gli schizzavano dalle orbite* his eyes were popping out of his head; ⟨*fig*⟩ ~ **salute** to be bursting with health; ~ **scintille** (o *faville*) to send out sparks; ⟨*fig*⟩ ~ **veleno** to vent one's spleen (*o* wrath); ~ **via** to dash off.

schizzata *f.* **1.** (*lo schizzare*) splashing, spurting, squirting. – **2.** ⟨*concr*⟩ (*schizzo*) splash, spurt, spatter. □ *dare una* ~ *a qd.* to splash s.o. – **schizzato** (*p.p. di schizzare*) *a.* **1.** splashed, spattered (*di* with): *scarpe -e di fango* shoes spattered with mud, mud-splashed shoes. – **2.** ⟨*fig*⟩ (*abbozzato*) sketched. – **3.** ⟨*fig*⟩ (*descritto*) sketched (out), outlined. – **schizzatoio** *m.* squirt, syringe.

schizzettare *v.t.* (**schizzetto**) **1.** (*spruzzare con lo schizzetto*) to spray, to sprinkle. – **2.** ⟨*fam*⟩ (*sporcare con piccoli schizzi*) to (be)spatter, to spot. – **schizzettata** *f.* ⟨*non com*⟩ **1.** (*lo schizzettare*) spray(ing). – **2.** (*liquido*) liquid sprayed. – **schizzettatura** *f.* ⟨*non com*⟩ spraying, spray.

schizzetto (*dim. di schizzo*) *m.* **1.** (*strumento*) spray, syringe: ~ *uretrale* urethral syringe. – **2.** (*giocattolo*) water-pistol. – **3.** ⟨*fam*⟩ (*automobile di scarsa potenza*) old crate, ⟨*fam*⟩ heap, ⟨*fam*⟩ jalopy; (*bicicletta*) old bicycle. – **4.** ⟨*spreg*⟩ (*fucile piccolo e di scarso valore*) popgun. – **5.** ⟨*Bot*⟩ (*cocomero asinino*) squirting cucumber, touch-me-not (*Ecballium elaterium*). – **6.** ⟨*Stor*⟩ (*tipo di archibugio*) kind of harquebus. – **schizzettone** (*accr. di schizzetto*) *m.* ⟨*teat*⟩ poor part.

schizzignoso *a.* ⟨*pop*⟩ → **schizzinoso**. – **schizzinoso** *a.* (*schifiltoso*) fussy, fastidious, hard to please, particular, finicky, squeamish.

schizzo *m.* **1.** (*lo schizzare*) squirt, spurt. – **2.** (*liquido schizzato*) splash: *uno* ~ *d'acqua* a splash of water. – **3.** (*macchia*) splash, stain, spot. – **4.** (*salto, balzo*) leap, bound, jump, dart. – **5.** (*piccola quantità di liquore*) dash (*o* drop) of liquor: *caffè con lo* ~ coffee with a dash of liquor in it. – **6.** (*abbozzo*) sketch.

□ ~ **architettonico** architect's view; ~ **assonometrico** axonometric plan (*o* sketch); **fece** *uno* ~ *dalla sedia* he shot out of his chair; ~ *a* **mano** *libera* free-hand sketch; ~ *in* **rilievo** relief plan (*o* sketch); ~ **topografico** topographical sketch.

schnauzer *ted.* [ˈʃnautser] *m.* ⟨*Zool*⟩ Schnauzer.

schnorchel *ted.* [ˈʃnɔrçəl] *m.* ⟨*Sport,Mar*⟩ schnorkel, snorkel.

schwester *ted.* [ʃ-] *f.* (*bambinaia tedesca*) German nanny.

sci *m.* **1.** (*attrezzo*) ski: *un paio di* ~ a pair of skis; (*sci d'acqua*) water-ski. – **2.** (*attività*) skiing: *appassionato dello* ~ skiing enthusiast.

□ ~ ⌜*d'acqua*⌝ (o *acquatico*) water-ski; (*attività*) water-skiing; ~ **caricato** gliding ski; ~ *da* **corsa** racing ski; **da** ~ ski-; **di** ~ skiing, ski-: *gara di* ~ skiing competition (*o* contest); ~ *da* **diporto** touring ski; ~ *da* **discesa** downhill ski; **fare** *dello* ~ to ski, to go skiing; ~ *da* **fondo** cross-country racing ski; ~ *a* **monte** upper ski; ~ **nautico** = *sci d'acqua*; ~ *da* **neve** ski; ~ *da* **salto** jumping ski; ~ *da* **slalom** slalom ski; ~ *a* **valle** lower ski.

scia *f.* **1.** wake: *la* ~ *di una nave* the wake of a ship. – **2.** (*rotta, percorso*) course, route. – **3.** (*traccia*) trail, wake: *la* ~ *di un razzo* the trail of a rocket; *lasciava dietro di sé una* ~ *di profumo* she left a trail of perfume ⌜behind her⌝ (*o* in her wake). – **4.** ⟨*fig*⟩ wake, track, (foot)steps *pl*, trail: ⌜*mettersi sulla*⌝ (o *seguire la*) ~ *di qd.* to follow ⌜s.o.'s trail⌝ (*o* in s.o.'s steps). □ ⟨*Aer*⟩ ~ *di condensazione* condensation (*o* vapour, visible) trail; ⟨*Astr*⟩ ~ *luminosa* luminous trail; ⟨*fig*⟩ *sulla* ~ *di* imitating, following (the example of), after.

scià *m.* shah.

sciabecco *m.* (*pl.* **-chi**) **1.** ⟨*Mar.ant*⟩ xebec. – **2.** ⟨*spreg*⟩ small ill-equipped ship, ⟨*fam*⟩ tub.

sciabica *f.* **1.** ⟨*Pesc*⟩ kind of trawl-net. – **2.** ⟨*Mar*⟩ trawler. – **3.** ⟨*Ornit*⟩ (*gallinella d'acqua*) water (*o* moor) hen (*Gallinula chloropus*). – **sciabicare** *v.* (**sciabico, sciabichi**) **I** *v.i.* (*aus.* **avere**) ⟨*Pesc*⟩ to trawl. – **II** *v.t.* (*strascinare sul fondo*) to drag (the bottom of). – **sciabichello** (*dim. di sciabica*) *m.* ⟨*Pesc*⟩ (small) trawl-net.

sciabile *a.* fit (*o* suitable) for skiing on, that can be skied on: *neve* ~ snow that can be skied on. – **sciabilità** *f.* suitability for skiing on.

sciabla *f.* ⟨*ant*⟩ → **sciabola**.

sciabola *f.* **1.** sabre. – **2.** ⟨*Zool*⟩ razor-clam (*Solen*).

□ ~ *di* **cavalleria** cavalry sabre; ⟨*scherz*⟩ **gambe** *a* ~ (*arcuate*) bow-legs; ~ **leggera** light sabre; ~ **pesante** heavy sabre; ~ **sportiva** sabre; **tirare** *di* ~ to fence with a sabre.

sciabolare *v.* (**sciabolo**) **I** *v.t.* to (strike with a) sabre, to slash. – **II** *v.i.* (*aus.* **avere**) to cut (*o* slash) with a sabre, to hit out. □ ⟨*fig*⟩ ~ *giudizi* to be over-hasty (*o* impulsive) in one's judgements. – **sciabolata** *f.* **1.** (*colpo*) sabre-cut, slash. – **2.** ⟨*fig*⟩ (*giudizio avventato*) impulsive judgement, reckless criticism. – **sciabolatore** *m.* (*f.* **-trice**) sabreur, sabre-fencer. – **sciabolatura** *f.* ⟨*Tess*⟩ braking. – **sciabolino** (*dim. di sciabola*) *m.* ⟨*scherz*⟩ (*persona mingherlina*) twisted thin person.

sciabordare *v.* (**sciabordo**) **I** *v.t.* **1.** (*rimescolare*) to shake (up), to swash, to stir (up). – **2.** (*agitare*) to swash. – **II** *v.i.* (*aus.* **avere**) to swash; (*rif. a onde e sim.*) to lap. – **sciabordio** *m.* **1.** swash(ing), shaking, stir(ring); (*rif. a onde e sim.*) lapping. – **2.** (*rumore*) swash, splash(ing).

sciacallo *m.* **1.** ⟨*Zool*⟩ jackal (*Canis aureus*). – **2.** ⟨*fig*⟩ (*vile profittatore*) shark, profiteer, vulture, exploiter. – **3.** ⟨*fig*⟩ (*chi ruba in luoghi abbandonati*) looter. □ ⟨*Zool*⟩ ~ *dorato* (common) jackal

(*Canis aureus*); ~ *dalla gualdrappa* black-backed jackal (*Canis mesomelas*); ~ *striato* side-striped jackal (*Canis adustus*).
sciacchetrà *m.* (*vino liquoroso*) kind of sweet wine.
sciaccò *m.* ⟨*Mil.ant*⟩ shako.
sciacma *m.inv.* ⟨*Zool*⟩ (*paviano nero*) chacma (baboon) (*Papio porcarius*).
sciacqua|budella *m.inv.* ⟨*scherz*⟩ **1.** (*vino leggero*) weak wine. – **2.** (*brodaglia*) watery soup, ⟨*fam*⟩ dishwater. □ *bere a* ~ (*bere vino a digiuno*) to drink wine on an empty stomach. – **~dita** *m.inv.* fingerbowl, finger-glass.
sciacquamento *m.* ⟨*non com*⟩ rinsing.
sciacquapiatti *m./f.inv.* (*sguattero*) dishwasher, scullery-boy (-maid).
sciacquare I *v.t.* **1.** to rinse: ~ *i piatti* to rinse the dishes. – **2.** (*lavare internamente*) to rinse (*o* wash) out: ~ *un fiasco* to rinse out a flask. – **II** *v.i.* (*aus.* **avere**) (*rif. a onde*: *frangersi*) to break, to swash; (*lambire*) to lap. □ *sciacquarsi la bocca* to rinse (out) one's mouth; ⟨*fig,non com*⟩ *sciacquarsi la bocca sul conto di qd.* (*sparlarne*) to speak ill of s.o., to backbite about s.o.; ⟨*fig*⟩ *sciacquarsi lo stomaco* (*bere a digiuno*) to drink on an empty stomach.
sciacquata *f.* rinse, rinsing; (*lavando internamente*) rinse-out. □ *dare una* ~ *a qc.* to rinse s.th., to give s.th. a rinse. – **sciacquatura** *f.* **1.** (*azione*) rinsing. – **2.** ⟨*concr*⟩ (*acqua*) rinse-water; (*dei piatti*) dishwater. □ ⟨*spreg*⟩ ~ *di bicchieri* (*vinello leggero*) weak wine; (*bevanda cattiva*) watery drink, watered-down drink; ⟨*spreg*⟩ ~ *di piatti* (*brodaglia*) watery soup, ⟨*fam*⟩ dishwater.
sciacquio *m.* **1.** (continuous) rinsing. – **2.** (*rumore*) splashing, noise of rinsing. – **3.** (*sciabordio*) swash(ing).
sciacquo *m.* **1.** rinsing, rinse; (*lo sciacquarsi la bocca*) (mouth-)rinsing, gargling. – **2.** (*liquido*) (mouth-)wash, gargle.
sciacquone *m.* (toilet) flushing system. □ *tirare lo* ~ to flush the toilet, to pull the chain.
sciadocco *m.* (*pl.* **-chi**) ⟨*Bot*⟩ (*pompelmo*) shaddock.
sciadofilia *f.* → **sciafilia**. – **sciadofilo** *a.* → **sciafilo**.
sciafilia *f.* ⟨*Biol*⟩ heliophobia, love of shade. – **sciafilo** *a.* sciophilous, sciaphilous, shade-loving. – **sciafita I** *a.* shade-. – **II** *s.f.* sciophyte, shade plant.
sciaguaro *m.* ⟨*Zool,rar*⟩ (*giaguaro*) jaguar (*Felis onca*; *Panthera onca*).
sciaguattamento *m.* ⟨*non com*⟩ splashing around. – **sciaguattare** ⟨*tosc*⟩ **I** *v.i.* (*aus.* **avere**) **1.** (*agitarsi in un recipiente*) to swash, to splash, to slop around. – **2.** ⟨*estens*⟩ (*essere troppo largo*) to be too large (*o* big), to hang. – **II** *v.t.* ⟨*rar*⟩ (*sciacquare*) to rinse (several times).
sciagura *f.* **1.** disaster, calamity: *rimanere vittima di una* ~ to be a disaster victim; (*incidente*) (terrible) accident, crash: ~ *aerea* plane crash. – **2.** ⟨*non com*⟩ (*sfortuna*) misfortune, bad luck: *essere perseguitato dalla* ~ to be dogged by misfortune. – **sciagurataggine** *f.* ⟨*non com*⟩ **1.** wickedness. – **2.** (*azione*) wicked action. – **sciaguratamente** *avv.* **1.** (*sfortunatamente*) unfortunately, unluckily. – **2.** (*scelleratamente*) wickedly.
sciagurato I *a.* **1.** (*colpito da sciagura*) wretched, unfortunate, unlucky, ⟨*lett*⟩ ill-starred: *una famiglia -a* an unlucky family. – **2.** (*che è causa di sciagura*) disastrous, unlucky, calamitous: *uno* ~ *incontro* a disastrous meeting. – **3.** (*malvagio, scellerato*) wicked, iniquitous, evil: *una madre -a* a wicked mother. – **4.** ⟨*fam*⟩ (*disordinato, trascurato*) wretched, negligent, careless. – **5.** ⟨*fam*⟩ (*malaugurato, inopportuno*) unlucky, unfortunate, bad: *una -a idea* a bad idea. – **II** *s.m.* (*f.* **-a**) **1.** (*persona sventurata*) wretch, unlucky person. – **2.** ⟨*scherz*⟩ wretch. – **3.** (*persona malvagia*) wicked person. □ ~ *me!* poor me!, woe is me!
scialacquamento *m.* squandering, wasting. – **scialacquare** *v.t.* **1.** to squander, to dissipate: *ha scialacquato tutto il patrimonio* he has squandered all he had. – **2.** ⟨*assol*⟩ to squander one's money, to be wasteful (with one's money), to spend freely (*o* recklessly). – **3.** ⟨*fig*⟩ (*sprecare*) to waste, to lavish, to be (over-)free with. □ ~ *allegramente i propri soldi* to squander (*o* run through) one's money, ⟨*fam*⟩ to spend money like water; *scialacquarsela* (*spassarsela allegramente*) to have a good time. – **scialacquatore** *m.* (*f.* **-trice**) squanderer, spendthrift. – **scialacquio** *m.* squandering, dissipation, constant waste. – **scialacquo** *m.* **1.** squandering, dissipation, wasteful spending. – **2.** ⟨*fig*⟩ waste, lavishness: ~ *di parole* waste of words. □ *a* ~ (*con abbondanza*) wastefully, over-freely, too lavishly. – **scialacquone** *m.* (*f.* **-a**) ⟨*pop*⟩ squanderer, spendthrift.
scialagogo *a./s.* (*pl.* **-ghi**) **I** *a.* ⟨*Med*⟩ sialogogue, sialagogic, sialogenous. – **II** *s.m.* sialogogue.
scialamento *m.* ⟨*non com*⟩ **1.** luxurious (*o* extravagant) living. – **2.** (*sperpero*) squandering, wasting (of) money.
scialappa *f.* ⟨*Bot,pop*⟩ (*gialappa*) jalap plant (*Exogonium purga*).
scialare I *v.i.* (*aus.* **avere**) **1.** to lead a ⌜life of luxury⌝ (*o* gay life), to spend money extravagantly. – **2.** ⟨*estens*⟩ (*spassarsela*) to have a good time. – **II** *v.t.* ⟨*non com*⟩ (*dissipare*) to squander, to waste, to dissipate. □ *c'è poco da* ~ we must watch every penny; ⟨*fig*⟩ *non ha certo da* ~ *quanto a intelligenza* he's none too bright. – **scialatore** *m.* (*f.* **-trice**) ⟨*non com*⟩ squanderer, spendthrift.
scialbare *v.t.* ⟨*non com*⟩ **1.** (*intonacare*) to plaster. – **2.** (*imbiancare*) to whitewash. – **scialbato** (*p.p. di scialbare*) *a.* ⟨*non com*⟩ **1.** (*intonacato*) plastered. – **2.** (*imbiancato*) whitewashed. – **scialbatura** *f.* ⟨*non com*⟩ **1.** (*l'intonacare*) plastering; (*intonaco*) plaster. – **2.** (*l'imbiancare*) whitewashing; (*effetto*) whitewash. – **3.** ⟨*fig*⟩ (*apparenza superficiale*) outward appearance.
scialbo I *a.* **1.** (*pallido, smorto*) pale, wan, dull: *colore* ~ pale colour; (*sbiadito*) faded. – **2.** ⟨*fig*⟩ colourless, flat, dull: *racconto* ~ flat story; (*privo di personalità*) insignificant, colourless, expressionless, lifeless, dull: *volto* ~ expressionless face. – **II** *s.m.* ⟨*ant*⟩ (*intonaco*) daub, plaster. – **scialbore** *m.* **1.** ⟨*non com*⟩ paleness, dullness; (*l'essere sbiadito*) fadedness. – **2.** ⟨*fig*⟩ colourlessness, flatness, dullness; (*inespressività*) lifelessness, dullness, insignificance, inexpressiveness, blankness.
scialino *m.* ⟨*Bot*⟩ pendulous sedge, carex (*Carex pendula*).
scialitico: ⟨*Chir*⟩ *lampada -a* scialytic lamp.
scialiva *f.* ⟨*ant*⟩ (*saliva*) saliva.
sciallato *a.* ⟨*Sart*⟩ shawl-: *collo* ~ shawl collar.
scialle *m.* shawl. □ ⟨*Sart*⟩ *bavero a* ~ shawl collar. – **sciallетto** *m. dim. di* **scialle**. – **sciallo** *m.* ⟨*region*⟩ → **scialle**.
scialo *m.* **1.** (*lo scialare*) luxurious (*o* extravagant) living, lavishness. – **2.** (*spreco*) waste, dissipation, squandering. – **3.** (*sfarzo, lusso*) luxury, opulence. □ *a* ~ (*in grande abbondanza*) with no expense spared, lavishly, in profusion; *fare* ~ *di qc.* (*consumarne abbondantemente*) to be lavish with s.th. (*anche fig.*): *fare* ~ *di citazioni* to be lavish with quotations.
scialo... *pref.* (*saliva* saliva) sial(o)...
scialo|adenite *f.* ⟨*Med*⟩ sial(o)adenitis. – **~dochite** *f.* sialodochitis. – **~grafia** *f.* sialography.
scialolito *m.* ⟨*Med*⟩ sialolith, salivary calculus.
scialone *m.* (*f.* **-a**) lavish spender, ⟨*fam*⟩ big spender; (*sprecone*) spendthrift, squanderer, waster. – **scialoneria** *f.* ⟨*non com*⟩ lavish (*o* extravagant) spending; (*spreco*) wastefulness.
scialorrea *f.* ⟨*Med*⟩ sialorrh(o)ea.
scialoso *a.* ⟨*non com*⟩ spending freely; (*sprecone*) wasteful, extravagant.
scialuppa *f.* **1.** shallop, sloop. – **2.** (*imbarcazione di salvataggio*) lifeboat.
sciamanico *a.* (*pl.* **-ci**) ⟨*Rel*⟩ shamanist(ic). – **sciamanismo** *m.* shamanism.
sciamannare *v.t.* ⟨*tosc*⟩ **1.** (*mettere in disordine*) to untidy, ⟨*fam*⟩ to mess up. – **2.** (*sciupare, sgualcire*) to spoil, to crease, to crumple. – **sciamannato** (*p.p. di sciamannare*) *a.* ⟨*tosc*⟩ (*sciatto, disordinato*) untidy, ⟨*fam*⟩ in a mess.
sciamanno *m.* **1.** ⟨*Stor*⟩ distinguishing mark worn by Jews. – **2.** ⟨*roman*⟩ (*mantello sciupato*) ragged cloak.
sciamannone *m.* (*f.* **-a**) untidily dressed person, slovenly (*o* sloppy) person.
sciamano *m.* ⟨*Rel*⟩ shaman.
sciamanzia *f.* ⟨*Occult*⟩ sciomancy.
sciamare *v.i.* (*aus.* **avere/essere**) **1.** to swarm. – **2.** ⟨*fig*⟩ (*rif. a persone*) to swarm, to teem, to throng, to crowd. – **sciamatura** *f.* swarming. – **sciame** *m.* **1.** swarm: *uno* ~ *di mosche* a swarm of flies. – **2.** ⟨*fig*⟩ (*folto gruppo*) swarm, throng, host, crowd. – **3.** ⟨*Fis*⟩ shower. □ ⟨*Astr*⟩ ~ *cosmico* cosmic-ray shower; ⟨*Atom*⟩ ~ *di ioni* ion cluster; ⟨*Atom*⟩ ~ *di particelle* swarm of particles.
sciamito *m.* ⟨*Tess*⟩ samite.
sciammica *f.* ⟨*Bot*⟩ rough meadow-grass, bird-grass (*Poa trivialis*).
sciamo *m.* ⟨*ant*⟩ → **sciame**.
sciampagna *m.inv./rar. f.* ⟨*ant*⟩ (*champagne*) champagne. – **sciampagnino** *m.* (*bibita*) carbonated soft drink. – **sciampagnotta** *f.* (*bottiglia*) bottle for sparkling wines.
sciampiare *v.t.* (**sciampo, sciampi**) ⟨*ant*⟩ (*stendere, allungare*) to extend, to widen.
sciampo *m.* (*shampoo*) shampoo. □ *farsi lo* ~ to shampoo (*o* wash) one's hair.
sciancare *v.t.* (**scianco, scianchi**) ⟨*non com*⟩ (*rendere storpio*) to cripple, to lame. – **sciancarsi** *v.r.* (*diventare storpio*) to become crippled (*o* lame). – **sciancato** (*p.p. di sciancare*) **I** *a.* **1.** crippled, lame, limping. – **2.** (*rif. a oggetti traballanti*) rickety, lop-sided, shaky, tottering: *sedia -a* lop-sided chair. – **II** *s.m.* (*f.* **-a**) cripple.
sciancrato *a.* ⟨*Sart,region*⟩ fitted at the waist. – **sciancratura** *f.* ⟨*region*⟩ fitting at the waist.
sciangai *m.* (*gioco*) pick-up-sticks.
Sciangai *N.pr.f.* **1.** ⟨*Geog*⟩ Shanghai. – **2.** ⟨*fig*⟩ (*quartiere popolare malfamato*) slum.
scianto *m.* ⟨*tosc*⟩ (*riposo, svago*) relaxation, rest.
sciantosa *f.* ⟨*region*⟩ (*canzonettista*) chanteuse, cabaret (*o* music-hall) singer.
sciantun(g) *m.* ⟨*Tess*⟩ shantung.
sciapido, sciapito *a.* → **sciapo**. – **sciapo** *a.* ⟨*region*⟩ (*insipido*) tasteless, insipid.
sciara *f.* ⟨*Geol,region*⟩ mound of volcano scoria.
sciarada *f.* **1.** (*gioco*) charade. – **2.** ⟨*fig*⟩ (*problema difficile*) puzzle. – **sciaradista** *m./f.* person who is good at charades.
sciarappa *f.* → **scialappa**.
sciarbo *m.* ⟨*tosc*⟩ **1.** (*vasca*) vat for the processing of oil husks. – **2.** ⟨*Pesc*⟩ splashing.
sciarbottare *v.i.* (**sciarbotto**; *aus.* **avere**) ⟨*tosc*⟩ (*sciabordare*) to shake, to swash. – **sciarbottatoio** *m.* ⟨*tosc*⟩ (*sciarbo*) vat for the processing of oil husks.
sciare[1] *v.i.* (**scio, scii**; *aus.* **avere**) to ski.
sciare[2] *v.* (**scio, scii**) **I** *v.i.* (*aus.* **avere**) ⟨*Mar*⟩ (*remare all'indietro*) to hold (*o* back) water; (*con un remo solo*) to hold (*o* back) water with one oar. – **II** *v.t.* ⟨*rar*⟩ to back. □ ~ *a dritta* to back starboard; ~ *a sinistra* to back port.

sciarmutta *f.* (*in Africa*) (native) prostitute.
sciarpa *f.* **1.** scarf; (*per le spalle*) stole, scarf; (*per la vita*) sash, scarf. – **2.** (*distintivo di carica*) sash, scarf. – **3.** ⟨*Itt*⟩ (*salpa*) salpa (*Box salpa*). – **sciarpetta, sciarpettina** *f. dim. di* **sciarpa**. – **sciarpona** *f.*, **sciarpone** *m. accr. di* **sciarpa**.
sciarra *f.* ⟨*ant*⟩ (*rissa*) brawl. ☐ *fare* ~ (*far fracasso*) to make a racket (*o* great noise), ⟨*fam*⟩ to kick up a rumpus.
sciarrano *m.* ⟨*Itt*⟩ **1.** serran, sea perch (*Serranus*). – **2.** learned rock -fish, painted comber (*Serranus scriba*). – **3.** gaper, comber (*Serranus cabrilla*).
sciarrare *v.t.* ⟨*ant*⟩ (*sbaragliare*) to put to rout, to disperse.
sciassetto *m.* ⟨*Ind*⟩ rice-sieve.
sciata *f.* ski, skiing. ☐ *fare una* ~ to go skiing.
sciatalgia *f.* → **sciatica**.
sciatica *f.* ⟨*Med*⟩ (*anche nevralgia sciatica*) sciatica. – **sciatico** *a.* (*pl.* **-ci**) sciatic: *nervo* ~ sciatic nerve.
sciatina *f. dim. di* **sciata**.
sciatore *m.* (*f.* **-trice**) skier. ☐ ~ *acquatico* water-skier. – **sciatorio** *a.* ski-, skiing.
sciattaggine *f.* ⟨*non com*⟩ → **sciatteria**. – **sciattamente** *avv.* untidily, carelessly, in a slovenly way, ⟨*fam*⟩ sloppily. – **sciattare** *v.t.* ⟨*non com*⟩ (*sgualcire*) to crease, to (c)rumple; (*sciupare*) to spoil, ⟨*fam*⟩ to mess up. – **sciatteria** *f.* **1.** (*l'essere sciatto*) slovenliness, untidiness, ⟨*fam*⟩ sloppiness. – **2.** (*azione fatta con trascuratezza*) carelessness, slovenly action (*o* behaviour). – **3.** (*cosa sciatta*) bungle, careless thing. – **sciattezza** *f.* slovenliness, untidiness. – **sciatto** *a.* **1.** (*rif. a persona*: *trascurato, negligente*) slovenly, untidy, slatternly, ⟨*fam*⟩ sloppy. – **2.** (*rif. a cosa*: *fatto senza cura*) careless, slipshod, ⟨*fam*⟩ sloppy. – **sciattone** *m.* (*f.* **-a**) ⟨*spreg*⟩ slovenly (*o* untidy) person, ⟨*am.fam*⟩ slob.
sciaura *f.* ⟨*ant*⟩ → **sciagura**. – **sciaurato** *a./s.* ⟨*ant*⟩ → **sciagurato**.
sciavero *m.* **1.** ⟨*Fal*⟩ slab; (*avanzo*) waste wood, wood waste. – **2.** (*ritaglio*) scrap, piece; (*scampolo*) remnant.
scibala *f.*, **scibale** *m.* ⟨*Fisiol*⟩ scybalum.
scibile I *s.m.* knowledge. – **II** *a.* ⟨*ant*⟩ (*conoscibile*) knowable.
sciccheria ... **scicche** *a./s.inv.* ⟨*pop*⟩ **I** *a.* (*elegante*) elegant, smart, chic, stylish. – **II** *s.m.* elegant person. – **sciccheria** *f.* ⟨*pop*⟩ **1.** (*eleganza*) elegance, smartness, chic. – **2.** (*cosa elegante*) elegant thing. ☐ *questo vestito è una* ~ this dress is very elegant (*o* chic). – **scicchoso** *a.* ⟨*pop*⟩ (*elegante*) elegant, smart, chic.
scienidi *m.pl.* ⟨*Itt*⟩ croakers *pl*, sciaenids *pl* (*Sciaenidae*).
sciente *a.* **1.** ⟨*lett*⟩ (*consapevole*) knowing, conscious, aware. – **2.** ⟨*ant*⟩ (*dotto*) learned, erudite. – **scientemente** *avv.* knowingly, consciously, deliberately: *dire* ~ *una bugia* to tell a lie knowingly, to tell a deliberate lie.
scientifica *f.* (*polizia scientifica*) criminal laboratory department. – **scientificamente** *avv.* **1.** scientifically, in a scientific way. – **2.** (*con rigore scientifico*) scientifically. – **scientificità** *f.* scientific nature, scientificalness. – **scientifico** *a.* (*pl.* **-ci**) **1.** scientific. – **2.** (*che ha per oggetto la scienza*) scientific, of science, science-: *studi -i* scientific studies; (*che concerne le scienze naturali*) natural science-, scientific. – **3.** ⟨*ant*⟩ (*rif. a persona*) learned, erudite.
scientifismo *m.* ⟨*non com*⟩ → **scientismo**. – **scientismo** *m.* ⟨*Filos*⟩ scientism. – **scientista** *m./f.* follower of scientism.
scienza *f.* **1.** science: ~ *pura* pure science. – **2.** *pl.* (*complesso di discipline scientifiche*) science, sciences *pl*: *-e morali* moral science(s). – **3.** *pl.* (*scienze naturali*) natural science(s), science. – **4.** *pl.* ⟨*Scol*⟩ science: *lezione di -e* science lesson. – **5.** ⟨*Teol*⟩ science. – **6.** ⟨*non com*⟩ (*il sapere*) knowledge, ⟨*lett*⟩ science; (*dottrina, insieme di cognizioni*) knowledge, learning.
☐ ~ *dell'***alimentazione** dietetics *pl* (*costr. sing. o pl.*); ~ **applicata** applied science; ⟨*fig*⟩ *un'***arca** *di* ~ a very learned person, ⟨*fam*⟩ a walking encyclopaedia, ⟨*fam*⟩ a mine of information; ~ **ausiliaria** ancillary science; ⟨*non com*⟩ *sapere di* **certa** ~ (*per notizia sicura*) to know for certain; *-e* **commerciali** (science of) business management; **con** ~ expertly, knowledgeably; *secondo* ~ *e* **coscienza** according to one's science and conscience, practically and morally; ~ **descrittiva** descriptive science; *-e* **economiche** economics *pl* (*costr. sing.*); *-e* **esatte** exact sciences; ~ **esplicativa** = *scienza* **descrittiva**; ⟨*Univ*⟩ **facoltà** *di -e* Faculty of Natural Sciences; ~ **finanziaria** (o *delle finanze*) finance; *-e* **fisiche** physical sciences; ⟨*Filos,lett*⟩ *la* **gaia** ~ the gay science; *-e* **matematiche** mathematics *pl* (*costr.sing.*), mathematical sciences; ~ **medica** medical science, medicine; *-e* **naturali** natural science(s), science; ~ **nucleare** nuclear science; *-e* **occulte** occultism *sing*, occult sciences; ⟨*ant*⟩ ~ **operativa** = *scienza* **applicata**; *-e* **politiche** political science; *-e* **positive**: 1. positive sciences; 2. = *scienze* **esatte**; *un* **pozzo** *di* ~ = *un'***arca** *di scienza*; *di* **propria** ~ from one's own knowledge; ⟨*non com*⟩ *sapere di propria* ~ (*per esperienza personale*) to know from one's own experience; *-e* **sociali** social science; *-e* **sperimentali** experimental sciences; *-e* **umane** behavioural sciences; **uomo** *di* ~ (*scienziato*) scientist, man of science.
scienziato I *s.m.* (*f.* **-a**) **1.** scientist, man of science: ~ *atomico* nuclear scientist. – **2.** (*persona dotta, studioso*) scholar, man of learning. – **II** *a.* ⟨*rar*⟩ (*che ha scienza*) learned.
sciffoniera *f.* ⟨*Arred*⟩ chiffonier, sideboard.
scifistoma *m.* ⟨*Zool*⟩ scyphistoma, scyphula.
scifo *m.* **1.** ⟨*Archeol*⟩ scyphus, skyphos. – **2.** ⟨*Bot*⟩ scyphus, scypha.
scifo... *pref.* (*coppa* cup) scyph(o)..., scyphi...
scifo|medusa *f.* ⟨*Zool*⟩ scyphozoan. – **~polipo** *m.* → **scifistoma**. – **~zoi** *m.pl.* scyphozoans *pl* (*Scyphozoa*).
sciftà *m.* (*in Etiopia*) bandit, robber.
scignere *v.* (**scingo scigni**) ⟨*poet*⟩ → **scingere**.
sciismo *m.* ⟨*non com*⟩ skiing. – **sciistico** *a.* (*pl.* **-ci**) ski-, skiing: *gara -a* ski-race, ski-competition.
sciita *m./f.* ⟨*Rel*⟩ Shiite, Shiah.
scilacca *f.* ⟨*non com*⟩ (*piattonata*) blow with the flat of a sword; (*con la mano*) blow with the flat of the hand.
scilinguagnolo *m.* **1.** ⟨*Anat*⟩ fr(a)enum, fr(a)enulum. – **2.** ⟨*fig*⟩ (*parlantina*) loquacity, glibness, talkativeness. ☐ ⟨*fig*⟩ *sciogliere* (o *rompere*) *lo* ~ to find one's tongue, to begin talking; ⟨*fig*⟩ *avere lo* ~ *sciolto* to be glib (*o* loquacious, talkative), ⟨*fam*⟩ to have the gift of the gab.
scilinguare *v.i.* (*aus.* **avere**) ⟨*ant*⟩ **1.** (*balbettare*) to stutter, to stammer. – **2.** (*farfugliare*) to mumble, to mutter. – **scilinguato** (*p.p. di scilinguare*) ⟨*non com*⟩ **I** *a.* (*balbuziente*) stuttering, stammering. – **II** *s.m.* (*f.* **-a**) (*balbuziente*) stutterer, stammerer. – **scilinguatura** *f.* ⟨*non com*⟩ **1.** (*balbettamento*) stuttering, stammering. – **2.** (*parole pronuciate male*) slurred (*o* mumbled) words.
sciliva *f.* ⟨*ant*⟩ (*saliva*) saliva.
scilla *f.* ⟨*Bot*⟩ squill (*Scilla*). ☐ ~ *marittima* (*cipolla marina*) sea -onion (*Urginea maritima*).
Scilla *N.pr.f.* ⟨*Mitol*⟩ Scylla. ☐ ⟨*fig*⟩ *essere tra* ~ *e Cariddi* to be between Scylla and Charybdis, to be between the devil and the deep blue sea.
scillaridi *m.pl.* ⟨*Zool*⟩ scyllarians *pl* (*Scyllaridae*). – **scillaro** *m.* kind of hermit crab (*Scyllarus*).
scillio *m.* ⟨*Itt*⟩ cat shark, scyliorhinid (*Scyllum*). ☐ ~ *gattuccio* small (*o* lesser) spotted dogfish, rough hound (*Scyllium canicula*).
scilocco *m.* ⟨*ant,region*⟩ → **scirocco**.
sciloppo *m.* ⟨*ant*⟩ → **sciroppo**.
scimia[1] *f.* ⟨*ant*⟩ → **scimmia**.
scimia[2] *f.* ⟨*Artigl*⟩ instrument for measuring the bore of a gun.
scimiatico *a.* ⟨*ant*⟩ → **scimmiatico**. – **scimiottare** *v.* ⟨*non com*⟩ → **scimmiottare**.
scimitarra *f.* scimitar.
scimmia *f.* **1.** ⟨*Zool*⟩ monkey, ape, simian. – **2.** *pl.* ⟨*Zool*⟩ simians *pl*, apes and monkeys *pl* (*Simiae*). – **3.** ⟨*fig*⟩ (*persona brutta*) ugly person, monster, ⟨*fam*⟩ fright; (*persona maligna*) nasty person; (*persona che imita gli altri*) mimic, ape, monkey. – **4.** ⟨*fig,region*⟩ (*sbornia*) drunkenness.
☐ *-e* **antropomorfe** anthropoid apes, anthropoids (*Anthropoidea*); **arrampicarsi** *come una* ~ to climb like a monkey; **brutta** ~ ! ugly brute (*o* thing)!; *brutto come una* ~ as ugly as sin, ⟨*fam*⟩ a real fright; ~ *dalla* **coda** *di porco* pig-tailed ape (*o* macaque, monkey) (*Macaca nemestrinus*); ~ *a coda rossa* pinché, silky marmoset (*Midas oedipus*); ⟨*fig*⟩ **fare** *la* ~ *a qd.* (*imitarlo*) to ape (*o* monkey, mimic) s.o., to do a take-off on s.o.; ~ **lanosa** woolly monkey (*Lagothrix lagothrica*); ~ **leonina** silky tamarin, golden (*o* lion) marmoset (*Midas rosalia*; *Leontocebus rosalia*); ⟨*pop,scherz*⟩ *dire l'***orazione** *della* ~ (*brontolare tra di sé*) to grumble to o.s., to mutter angrily; ⟨*fig,region*⟩ **prendersi** *una* ~ (*ubriacarsi*) to get drunk; ~ **rossa patas**, hussar (*o* red) monkey (*Erythrocebus patas*); **sembrare** *una* ~ to look like an ape; **uomo** ~ ape-man; ~ **urlatrice** howler (monkey), howling monkey (*Alouatta*).
scimmiaggine *f.* **1.** (*l'essere brutto*) ugliness; (*l'essere maligno*) nastiness. – **2.** (*l'imitare gli altri*) apishness, mimicry. – **scimmiata** *f.* ⟨*non com*⟩ (*smorfia*) grimace. – **scimmiatico** *a.* (*pl.* **-ci**) ⟨*non com*⟩ (*da scimmia*) monkey-like, ape-like, simian. – **scimmieggiare** *v.* (**scimmieggio, scimmieggi**) ⟨*non com*⟩ → **scimmiottare**. – **scimmieggiatura** *f.* ⟨*rar*⟩ (*scimmiottatura*) aping, mimicry. – **scimmiesco** *a.* (*pl.* **-chi**) **1.** monkey's, monkey-, of an ape. – **2.** (*simile a scimmia*) monkey-like, monkeyish, ape-like, apish. – **scimmietta, scimmiettina** *f. dim. di* **scimmia**. – **scimmione** (*accr. di scimmia*): ⟨*pop*⟩ *male dello* ~ (*atrepsia*) at(h)repsia.
scimmiottare *v.t.* (**scimmiotto**) ⟨*spreg*⟩ to ape, to mimic, to take off. – **scimmiottata** *f.* → **scimmiottatura**. – **scimmiottatore** *m.* (*f.* **-trice**) **1.** aper, mimic, imitator. – **2.** (*chi imita goffamente*) clumsy imitator. – **scimmiottatura** *f.* **1.** aping, mimicry, taking off, imitation. – **2.** (*goffa imitazione*) clumsy imitation. – **scimmiottino** *m. dim. di* **scimmiotto**. – **scimmiotto** (*dim. di scimmia*) *m.* **1.** (*giovane scimmia*) young monkey. – **2.** ⟨*scherz*⟩ (*rif. a bambino*) little boy (*f* girl), ⟨*fam*⟩ kid(dy), ⟨*scherz*⟩ little monkey. – **3.** ⟨*spreg*⟩ (*persona piccola e brutta*) little ape. ☐ *fare lo* ~ → **scimmiottare**.
scimpanzè *m.* ⟨*Zool*⟩ chimpanzee (*Pan troglodytes*).
scimunitaggine *f.* **1.** (*qualità*) foolishness, silliness. – **2.** (*atto*) foolish (*o* silly) act, silly thing to do. – **scimunito I** *a.* foolish, silly, idiotic, ⟨*fam*⟩ daft. – **II** *s.m.* (*f.* **-a**) fool, foolish (*o* silly) person, idiot, ⟨*fam*⟩ blockhead, ⟨*fam*⟩ nitwit.
scincidi *m.pl.* ⟨*Zool*⟩ skinks *pl*, scincids *pl* (*Scincidae*). – **scinco** *m.* (*pl.* **-chi**) skink (*Scincus*). ☐ ~ *officinale* (o *delle sabbie*) (common) skink (*Scincus scincus*).
scindere *v.t.* (**scissi, scisso**) ⟨*lett*⟩ **1.** to separate, to sever, to cleave, to sunder. – **2.** ⟨*fig*⟩ (*dividere*) to split (up), to break up, to divide; (*distinguere nettamente*) to keep apart (*o* separate). – **3.** ⟨*poet*⟩ (*solcare il mare*) to plough, to cleave, to part. – **4.** ⟨*poet*⟩ (*lacerare, strappare*) to rend, to tear. – **scindersi** *v.r.* to split, to break up.
scingere *v.t.* (**scingo, scingi, scinsi, scinto**) ⟨*ant*⟩ **1.** to untie, to undo. – **2.** (*sciogliere*) to loose(n), to free. – **3.** (*togliere la spada*)

to ungirth. – **scingersi** *v.r.* **1.** to untie, to undo. – **2.** (*sciogliersi dai vestiti*) to loosen one's clothing.

scintịlla *f.* **1.** spark, flash, scintilla. – **2.** ⟨*fig*⟩ (*sprazzo*) spark: ~ *del genio* spark of genius. – **3.** ⟨*fig*⟩ (*causa*) spark: *la ~ che determinò lo scoppio della guerra* the spark that set off the war. – **4.** ⟨*fig*⟩ (*luce vivissima*) bright light. – **5.** ⟨*Fis*⟩ spark. □ ⟨*Mot*⟩ ~ *d'accensione* ignition spark; ~ *d'apertura* spark at break; ⟨*El*⟩ *dare -e* to spark, to produce (*o* emit) sparks. – *Prov.*: *piccola ~ può bruciare una villa* little sparks kindle great fires.

scintillamẹnto *m.* ⟨*non com*⟩ (*scintillazione*) sparkling, scintillation. □ ⟨*Cin*⟩ ~ *delle immagini* flicker; ⟨*El*⟩ ~ *alle spazzole* brush sparking, flashing.

scintillạnte (*p.pr. di scintillare*) *a.* **1.** (*risplendente*) sparkling, bright, shining: *occhi -i* sparkling eyes; (*luccicante*) glittering, sparkling, shining, twinkling; (*lampeggiante*) flashing. – **2.** ⟨*Fis*⟩ scintillating. – **scintillạre I** *v.i.* (*aus.* **avere**) **1.** ⟨*non com*⟩ (*mandare scintille*) to emit (*o* give out) sparks, to spark. – **2.** ⟨*fig*⟩ to glitter, to sparkle, to shine, to gleam: *gli occhi le scintillavano di gioia* her eyes sparkled with joy; (*lampeggiare*) to flash: *le armi scintillavano al sole* the weapons flashed (*o* glinted) in the sunlight. – **II** *v.t.* ⟨*rar,poet*⟩ to sparkle with, to give out sparks of.

scintillatọre *m.* ⟨*Fis*⟩ scintillator. – **scintillaziọne** *f.* **1.** ⟨*Astr*⟩ scintillation, twinkling. – **2.** ⟨*Fis*⟩ scintillation. – **3.** ⟨*ant*⟩ (*lo scintillare*) sparkling, shining, glittering, scintillation. – **scintillịo** *m.* sparkling, glittering, flashing. □ ⟨*Cin*⟩ ~ *delle immagini* flicker. – **scintillọmetro** *m.* **1.** ⟨*Astr*⟩ scintillometer. – **2.** ⟨*Fis*⟩ (*contatore a scintillazione*) scintillation counter, scintillometer. – **scintilụzza** (*dim. di scintilla*) *f.* ⟨*fig,non com*⟩ (*piccola quantità*) tiny amount, scrap.

scịnto (*p.p. di scingere*) *a.* ⟨*lett*⟩ **1.** (*deposto, non più cinto*) taken off, laid aside. – **2.** (*slacciato*) untied, unloosened. – **3.** (*discinto*) in disarray, half-undressed.

scintoịsmo *m.* ⟨*Rel*⟩ Shinto, Shintoism. – **scintoịsta I** *s.m./f.* Shintoist. – **II** *a.* → **scintoistico.** – **scintoịstico** *a.* (*pl.* **-ci**) Shintoistic.

sciò *intz.* shoo.

scioccạggine *f.* ⟨*ant,rar*⟩ → **sciocchezza.** – **scioccamẹnte** *avv.* foolishly, in a silly way.

scioccạnte (*p.pr. di scioccare*) *a.* shocking, upsetting: *una notizia ~* an upsetting piece of news. – **scioccạre** *v.t.* (**sciọcco, sciọcchi**) ⟨*fig*⟩ to shock: *hai scioccato tutti col tuo comportamento* your behaviour shocked everyone.

sciocchegggiạre *v.i.* (**sciocchẹggio, sciocchẹggi**; *aus.* **avere**) ⟨*ant*⟩ (*fare, dire sciocchezze*) to behave childishly (*o* foolishly), to be silly, to play the fool. – **sciocchẹrello** (*dim. di sciocco*) *a./s.* → **sciocchino.** – **scioccherịa** *f.* ⟨*non com*⟩ → **sciocchezza.**

sciocchẹzza *f.* **1.** (*l'essere sciocco*) silliness, foolishness. – **2.** (*azione da sciocco*) foolish action, folly, silly thing (to do): *finiranno col fargli ammettere qualche ~* they'll end up making him admit some silly thing; (*parole da sciocco*) silly (*o* foolish) talk, nonsense, rubbish: *dire -e* to talk nonsense. – **3.** ⟨*fig*⟩ (*cosa di poco valore*) trifle, little something, mere nothing: *è una ~ ma spero vorrai gradirla ugualmente* it's a trifle but I hope you'll like it anyway; (*prezzo basso*) trifle, song: *acquistare qc. per una ~* to buy s.th. for a song; (*impresa facile*) child's-play. – **4.** ⟨*ant,rar*⟩ (*scipitezza*) insipidness, tastelessness. □ *fare una ~* to do s.th. silly, to act foolishly. – **sciocchezzạio** *m.* ⟨*non com*⟩ (*repertorio di sciocchezze*) book of howlers. – **sciocchezzuọla** (*dim. di sciocchezza*) *f.* (*cosa da nulla*) little something, trifle. – **sciocchịno** (*dim. di sciocco*) **I** *a.* silly. – **II** *s.m.* (*f.* **-a**) silly little thing, ⟨*fam*⟩ silly, ⟨*fam*⟩ silly-billy.

sciọcco *a./s.* (*pl.* **-chi**) **I** *a.* **1.** silly, foolish: *un ragazzo ~* a silly boy; (*insulso, stolto*) inane, fatuous, ⟨*fam*⟩ daft: *un sorriso ~* an inane smile. – **2.** (*banale, poco importante*) stupid, foolish, trifling: *una -a coincidenza* a stupid coincidence. – **3.** ⟨*tosc*⟩ (*insipido*) insipid, tasteless. – **4.** ⟨*ant*⟩ (*inesperto*) inexperienced, callow; (*ignaro*) unknowing. – **5.** ⟨*ant*⟩ (*vano*) vain, ineffectual. – **II** *s.m.* (*f.* **-a**) fool, silly (*o* foolish) person, simpleton, sap, dolt. □ ⟨*pop*⟩ ~ *come un'oca* as silly as a goose.

scioccọne (*accr. di sciocco*) **I** *a.* foolish, silly, stupid. – **II** *s.m.* (*f.* **-a**) fool, dolt, blockhead, ⟨*fam*⟩ nitwit.

sciofilịa *f.* → **sciafilia.** – **sciọfilo** *a.* → **sciafilo.** – **sciọfita** *a./s.* → **sciafita.**

scioglịbile *a.* ⟨*rar*⟩ **1.** (*che si può sciogliere*: *rif. a nodi e sim.*) that can be untied. – **2.** (*solubile*) soluble.

sciọgliere *v.t.* (*pr.* **sciọlgo, sciọgli**; *fut.* **scioglierò**/*poet.* **sciorrò**; *p.rem* **sciọlsi**; *p.p.* **sciọlto**) **1.** (*disfare un legame*) to undo, to untie, to loose(n), to unfasten: ~ *i capelli* to loosen (*o* let down) one's hair; ~ *un nodo* to untie a knot. – **2.** (*aprire disfacendo i legami*) to undo, to untie, to open, to unbind: ~ *un sacco* to open a sack. – **3.** (*liberare dai legami*) to (set) free, to release: ~ *un prigioniero dalle catene* to free a prisoner of his chains; ~ *un cane* to let a dog loose. – **4.** ⟨*fig*⟩ (*liberare da un obbligo*) to release, to free, to absolve: ~ *qd. da un giuramento* to release s.o. from an oath. – **5.** ⟨*fig*⟩ (*adempiere, soddisfare*) to keep, to fulfil: ~ *una promessa* to keep a promise. – **6.** ⟨*Dir*⟩ (*rescindere*) to cancel, to annul, to dissolve, to break off: ~ *un contratto* to cancel a contract. – **7.** (*rif. a riunioni*) to break up, to bring to an end: ~ *la seduta* to break up the meeting; (*rif. ad associazioni e sim.*) to wind up, to dissolve, to liquidate: ~ *una società* to wind up a company. – **8.** ⟨*fig*⟩ (*spiegare, risolvere*) to solve: ~ *un enigma* to solve a puzzle. – **9.** (*fondere, liquefare*) to melt; (*rif. alla neve*) to melt, to thaw: *il sole ha sciolto la neve* the sun has thawed the snow. – **10.** (*dissolvere*) to dissolve (*anche Chim.*): ~ *lo zucchero nel caffè* to dissolve sugar in coffee; *l'acqua scioglie lo zucchero* water dissolves sugar. – **11.** ⟨*fig*⟩ (*rendere più agile, meno impacciato*) to loosen (up), to limber (up): *la ginnastica scioglie i muscoli* exercise limbers up one's muscles. – **12.** ⟨*fig*⟩ (*rif. a canti*: *intonare*) to intone; (*innalzare*) to utter, to raise: ~ *un canto* to raise a song. – **13.** ⟨*ant*⟩ (*aprire*) to open. – **sciogliersi** *v.r.* **1.** (*slegarsi*) to undo (*o* untie); (*rif. a nodi e sim.*) to come (*o* get) undone, to come loose. – **2.** (*liberarsi*) to free o.s. (*da* from), to get out (of), to throw off (s.th.) (*anche fig.*): *sciogliersi dai lacci* to free o.s. from one's bonds; *sciogliersi da un impegno* to get out of an obligation. – **3.** ⟨*fig*⟩ (*avviarsi a soluzione*) to end, to come to a conclusion, to have an ending: *la commedia si scioglie felicemente* the play has a happy ending. – **4.** ⟨*fig*⟩ (*rif. a stati d'animo*) to turn: *l'ira si sciolse in riso* his anger turned to laughter. – **5.** ⟨*fig*⟩ (*diventare più disinvolto*) to relax, ⟨*fam*⟩ to unwind. – **6.** (*fondersi, liquefarsi*) to melt; (*rif. alla neve*) to melt, to thaw.

□ ~ *un* **assembramento** to ⌜break up⌝ (*o* disperse) a crowd; ⟨*non com*⟩ ~ *i* **buoi** *dal giogo* to unhitch the oxen from the yoke, to unyoke the oxen; ⟨*Parl*⟩ ~ *le* **camere** to dissolve the Houses; ~ *i* **cavalli** *dal carro* to unharness the horses from the cart; ⟨*fam*⟩ ~ *il* **corpo** (*provocare frequenti evacuazioni*) to make the bowels move frequently; ~ *le* **labbra** (*per parlare*) to open one's lips; *sciogliersi in* **lacrime** to dissolve into tears; ~ *la* **lingua** to loosen one's tongue; *far ~ la lingua a qd.* to make s.o. speak, to loosen s.o.'s tongue; ~ *una* **riserva** to have no further doubts, to put aside reservations; ~ *una* **società** *per azioni* to ⌜wind up⌝ (*o* dissolve) a corporation; ~ *le* **vele** to unfurl the sails; ~ *il* **ventre** = *sciogliere il* **corpo.**

scioglilịngua *m.inv.* tongue-twister.

scioglimẹnto *m.* **1.** undoing, loosening, unfastening. – **2.** (*il fondersi*) melting; (*rif. alla neve*) melting, thawing. – **3.** ⟨*Dir*⟩ (*rescissione*) cancellation, annulment, dissolution: *lo ~ di un contratto* the cancellation of a contract; (*rif. a matrimoni*) dissolution. – **4.** ⟨*fig*⟩ dissolution; (*rif. a riunioni*) dissolution, breaking up: *lo ~ di un'assemblea* the breaking up of a meeting; (*rif. ad associazioni e sim.*) winding up, dissolution, liquidation: ~ *di una società* dissolution of a company; ~ *di un ordine religioso* dissolution of a religious order. – **5.** ⟨*lett*⟩ (*conclusione, epilogo*) dénouement, unravelling, ending: ~ *di un dramma* dénouement (of a play). □ ⟨*Parl*⟩ ~ *delle camere* dissolution of the Houses; ⟨*Econ*⟩ ~ *di un cartello* dissolution of a cartel; ⟨*non com*⟩ ~ *di corpo* frequent bowel movement.

scioglitọre I *s.m.* (*f.* **-trice**) **1.** untier, loos(en)er, unfastener. – **2.** ⟨*fig*⟩ (*liberatore*) liberator, freer, releaser. – **3.** (*chi risolve*) solver. – **II** *a.* **1.** loos(en)ing. – **2.** (*che libera*) freeing, releasing. – **3.** (*risolutivo*) solving.

sciografịa *f.* **1.** telling time by the shadow of the sun or moon, sciagraphy. – **2.** ⟨*Edil*⟩ section drawing, part elevation, sciagraphy. – **sciogrạfico** *a.* (*pl.* **-ci**) sciagraphic.

sciogunạto *m.* → **shogunato.**

sciolịna *f.* ski wax. – **sciolinạre** *v.t.* ⟨*non com*⟩ to apply ski wax to, to spread with ski wax. – **sciolinatụra** *f.* application of ski wax.

sciọlsi *p.rem. di* **sciogliere.**

sciọlta *f.* ⟨*pop*⟩ (*diarrea*) diarrh(o)ea, ⟨*pop*⟩ the runs.

scioltamẹnte *avv.* freely, easily.

scioltẹzza *f.* **1.** (*agilità*) agility, nimbleness; (*rif. alle membra*) suppleness, flexibility. – **2.** (*destrezza*) readiness, fluency, smoothness: ~ *di lingua* fluency of speech, glibness. – **3.** ⟨*fig*⟩ (*facilità*) ease, smoothness: *scrivere con ~* to write with ease; (*disinvoltura*) smoothness, ease. – **4.** ⟨*Agr*⟩ looseness. □ ~ *di modi* easy manner.

sciọlti *m.pl.* ⟨*Metr*⟩ (*anche versi sciolti*) blank verse.

sciọlto (*p.p. di sciogliere*) *a.* **1.** (*non legato*) loose, untied, unfastened: *portare i capelli -i* to wear one's hair loose. – **2.** (*libero*) (set) loose, (set) free: *lasciare un cane ~* to leave a dog loose. – **3.** ⟨*fig*⟩ (*agile*) agile, nimble: *movimenti -i* nimble movements; (*rif. alle membra*) supple, flexible, limber. – **4.** ⟨*fig*⟩ (*libero, non vincolato*) free (from), released (from): *essere ~ da impegni* to be free of obligations. – **5.** ⟨*fig*⟩ (*pronto, spedito*) ready, easy: *parola -a* ready (*o* glib) tongue; (*disinvolto*) free-and-easy, uninhibited, smooth: *stile ~* smooth style. – **6.** (*disciolto*) dissolved: *il sale ~ nel mare* the salt dissolved in the sea. – **7.** (*fuso, liquefatto*) melted: *burro ~* melted butter; (*rif. alla neve*) thawed, melted. – **8.** ⟨*Comm*⟩ (*sfuso*) loose, bulk: *zucchero ~* loose sugar. □ *avere un fare ~* to have a free-and-easy manner; *avere la lingua -a* to be glib, ⟨*fam*⟩ to have the gift of the gab; *terreno ~* loose soil.

sciomịzidi *m.pl.* ⟨*Entom*⟩ kind of diptera (*Sciomyzidae*).

scioperạggine *f.* ⟨*non com*⟩ → **scioperatezza.** – **scioperạnte** (*p.pr. di scioperare*) **I** *s.m./f.* striker. – **II** *a.* striking, on strike. – **scioperạre** *v.* (**sciọpero**) **I** *v.i.* (*aus.* **avere**) to strike; (*entrare in sciopero*) to (go on) strike. – **II** *v.t.* ⟨*ant*⟩ (*distogliere dal lavoro*) to distract from one's work. – **scioperarsi** *v.r.* ⟨*ant*⟩ (*interrompere il lavoro*) to stop work, to interrupt one's work. – **scioperatạggine** *f.* **1.** (*qualità*) idleness, laziness, sloth. – **2.** (*atto*) idle action. – **scioperatamẹnte** *avv.* idly, slothfully. – **scioperatẹzza** *f.* **1.** idleness, laziness, sloth. – **2.** (*dissolutezza*) looseness, dissipation. – **scioperạto I** *a.* **1.** idle, lazy, slothful: *studente ~* lazy student. – **2.** (*dissoluto*) loose, dissolute. – **3.** ⟨*ant*⟩ (*disoccupato*) unemployed, out of work. – **II** *s.m.* (*f.* **-a**) **1.** idler, loafer, lazy person, ⟨*fam*⟩ lazy-bones. – **2.** (*dissoluto*) dissolute person, loose liver.

sciopẹrio *m.* ⟨*non com*⟩ (*sciupio*) waste.
scioperịstico *a.* (*pl.* **-ci**) strike-, of a strike.
sciọpero *m.* strike, walk-out.
□ ~ **articolato** set of co-ordinated strikes; ~ *d'***avvertimento** warning strike; ~ **bianco** working to rule; ~ *a* **catena** series of strikes; **dichiarare** *lo* ~ to call a strike; **diritto** *di* ~ right to strike; **entrare** *in* ~ to (go on) strike; **essere** *in* ~ to be on strike; ~ *della* **fame** hunger strike; **fare** ~ to (go on) strike (*anche fig.*); ~ **generale** general strike; ⟨*scherz*⟩ **giorno** *di* ~ (*vacanza*) holiday, day off; ~ *in* **massa** mass strike; **mettersi** *in* ~ = **entrare** *in sciopero*; ~ *a* **oltranza** = *sciopero a* **tempo** *indeterminato*; ~ *non* **organizzato** unofficial strike; ~ **pignolo** = *sciopero* **bianco**; ~ **politico** political strike; ~ *di* **protesta** protest strike; ~ *a* **scacchiera** staggered strike; **scendere** *in* ~ = **entrare** *in sciopero*; ~ **selvaggio** wildcat strike; ~ *a* **settori** strike by sectors; ~ **simbolico** token strike; ~ *a* **singhiozzo** on-off strike, hiccup strike; ~ *di* **solidarietà** sympathetic (*o* sympathy) strike; ~ *a* **sorpresa** lightning strike, strike without warning; ~ **spontaneo** spontaneous strike; ~ *a* **tempo** *indeterminato* extended strike.
scioprạre *v.* ⟨*ant*⟩ → **scioperare**.
sciorạre *v.i.* (**sciọro**; *aus.* **avere**) **1.** ⟨*ant,dial*⟩ (*trovare sfogo*) to find an outlet, to vent. – **2.** ⟨*Venat*⟩ to run free.
sciorịna *f.* ⟨*Itt*⟩ thick-lipped grey mullet (*Mugil chelo*).
sciorinamẹnto *m.* ⟨*non com*⟩ hanging out (to dry). – **sciorinạre** *v.t.* **1.** (*stendere: ad asciugare*) to hang out (to dry): ~ *il bucato* to hang out the washing; (*a prendere aria*) to air. – **2.** ⟨*fig*⟩ (*dire con disinvoltura*) to throw (*o* pour) out, to rattle off: ~ *complimenti* to pour out compliments; ~ *citazioni* to rattle off quotations. – **3.** (*ostentare*) to show off, to flaunt, to make a display of: ~ *la propria erudizione* to show off one's knowledge. – **4.** ⟨*spreg*⟩ (*scrivere, comporre frettolosamente*) to dash off, to scrawl. – **sciorinarsi** *v.r.* ⟨*ant*⟩ (*slacciarsi le vesti*) to loosen one's clothing. □ ~ *bugie* to tell one lie after another, to be a glib liar. – **sciorịno** *m.* → **sciorinamento**.
sciọrre *v.* ⟨*poet*⟩ → **sciogliere**.
sciovịa *f.* ski-lift. – **sciovịario** *a.* of a ski-lift.
sciovinịsmo *m.* ⟨*Pol*⟩ chauvinism. – **sciovinịsta** *m./f.* chauvinist. – **sciovinịstico** *a.* (*pl.* **-ci**) chauvinistic.
scipạre *v.t.* ⟨*ant*⟩ (*sciupare*) to spoil. – **sciparsi** *v.r.* ⟨*ant*⟩ (*abortire*) to have a miscarriage, to miscarry.
Scipiọne *N.pr.m.* ⟨*Stor*⟩ Scipio. – **Scipiọni** *N.pr.m.pl.* Scipio family, Scipiones *pl.*
scipitạggine *f.* **1.** (*l'essere insulso*) dullness, insipidness. – **2.** ⟨*fig*⟩ (*insulsaggine*) dullness, flatness. – **3.** (*atto insulso*) silly behaviour; (*parole insulse*) foolish talk. – **scipitamẹnte** *avv.* in a dull way, insipidly. – **scipitẹzza** *f.* → **scipitaggine**. – **scipịto** *a.* **1.** tasteless, insipid: *minestra -a* tasteless soup. – **2.** ⟨*fig*⟩ (*insulso*) dull, flat, insipid; (*sciocco*) silly: *barzelletta -a* silly joke, joke that falls flat.
scippạre *v.t.* to (bag-)snatch. – **scippatọre** *m.* (*f.* **-trice**) handbag -snatcher. – **scịppo** *m.* bag-snatching.
scịre *v.t.* ⟨*ant*⟩ (*sapere*) to know.
Scịri *N.pr.m.pl.* ⟨*Stor*⟩ Scyrians *pl.*
Scịro *N.pr.m.* ⟨*Geog*⟩ Skyros, Scyros.
sciroccạccio (*pegg. di scirocco*) *m.* sultry oppressive wind. – **scirocc ạle** *a.* ⟨*Meteor*⟩ sirocco-. – **sciroccạta** *f.* **1.** sirocco gale, south-east gale. – **2.** (*burrasca di mare*) storm, tempest (caused by a sirocco). – **scirọcco** *m.* (*pl.* **-chi**) **1.** ⟨*Meteor*⟩ (*vento*) sirocco, scirocco. – **2.** (*sud-est*) south-east.
sciroppạre *v.t.* (**scirọppo**) to syrup: ~ *le pesche* to syrup peaches. – **sciropparsi** *v.r.* ⟨*fam*⟩ (*sorbirsi*) to put up with, to bear, ⟨*fam*⟩ to stick: *mi sono dovuto* ~ *una conferenza di due ore* I had to ⌜put up with⌝ (*o* sit through) a two-hour lecture. – **sciroppạto** (*p.p. di sciroppare*) *a.* syruped, in syrup: *frutta -a* syruped fruit; *ciliegie -e* cherries in syrup.
sciroppẹtto, sciroppịno *m. dim. di* **sciroppo**. – **sciroppịsta** *m./f.* (*operaio*) syruper. – **scirọppo** *m.* **1.** syrup. – **2.** ⟨*Farm*⟩ syrup: ~ *per la tosse* cough syrup (*o* mixture), linctus. – **sciropposità** *f.* ⟨*non com*⟩ **1.** syrupy nature. – **2.** ⟨*fig*⟩ (*sentimentalismo eccessivo*) sentimentalism, gushiness. – **sciroppọso** *a.* **1.** syrupy: *bibita -a* syrupy drink. – **2.** ⟨*fig*⟩ (*stucchevole*) (over-)sentimental, syrupy, gushy, sugary, ⟨*fam*⟩ sloppy: *romanzetto* ~ sloppy story.
scirpẹto *m.* ⟨*Geog*⟩ border zone of underwater plants. – **scịrpo** *m.* ⟨*lett*⟩ (*giunco*) rush.
scịrro *m.* **1.** ⟨*Med*⟩ scirrhus. – **2.** ⟨*rar*⟩ (*cancro*) cancer, scirrhus. – **3.** ⟨*fig*⟩ (*male*) cancer. – **scirrọso** *a.* ⟨*ant*⟩ scirrhous.
scịsma *m.* **1.** ⟨*Rel*⟩ schism. – **2.** ⟨*Pol*⟩ schism, split. □ ~ *d'Occidente* (*Grande scisma*) Great (*o* Western) Schism; ~ *d'Oriente* Byzantine (*o* Greek) Schism. – **scịsmate** *m.* ⟨*ant*⟩ → **scisma**. – **scịsmạtico** *a./s.* (*pl.* **-ci**) **I** *a.* schismatic(al). – **II** *s.m.* schismatic.
scịssi *p.rem. di* **scindere**
scịssile *a.* ⟨*non com*⟩ **1.** ⟨*Min*⟩ scissile. – **2.** ⟨*Bot*⟩ fissile, scissile.
scissiọne *f.* **1.** splitting (*o* breaking) up, split, division, cleavage: *la* ~ *di un partito* a party split. – **2.** ⟨*Biol,Fis*⟩ fission.
scissionịsmo *m.* secessionism, tendency to split up. – **scissionịsta** *m./f.* secessionist. – **scissionịstico** *a.* (*pl.* **-ci**) secessional, breaking up (*o* off).
scissiparità *f.* ⟨*Biol*⟩ scissiparity, schizogenesis, reproduction by fission. – **scissịparo** *a.* fissiparous, scissiparous.
scịsso (*p.p. di scindere*) *a.* (*diviso*) split, divided. – **scissụra** *f.* **1.** ⟨*non com*⟩ (*fessura*) cleft, fissure, rent. – **2.** ⟨*fig*⟩ (*divisione*) division, split, schism; (*stacco*) separation. – **3.** ⟨*Anat*⟩ scissura, scissure, fissure: ~ *cerebrale* cerebral fissure; ~ *epatica* fissure of the liver.
scịsto *m.* ⟨*Geol*⟩ (*anche scisto cristallino*) schist. □ *olio* (*o catrame*) *di* ~ schist-oil. – **scistosità** *f.* schistosity. – **scistọso** *a.* schistose: *roccia -a* schistose rock.
scịtala, scitạle *f.* ⟨*Stor.gr*⟩ scytale.
Scịti *N.pr.m.pl.* ⟨*Stor*⟩ Scythians *pl.* – **scịtico** *a.* (*pl.* **-ci**) **1.** (*della Scizia*) Scythian. – **2.** (*degli Sciti*) Scythian. – **3.** ⟨*Geol*⟩ Skythian, Werfenian.
sciucchịna *f.* ⟨*Ornit,region*⟩ (*fringuello*) chaffinch (*Fringilla coelebs*).
sciugạre *v.t.* (**sciụgo, sciụghi**) ⟨*ant,region*⟩ (*asciugare*) to dry.
sciuntạre *v.t.* ⟨*El*⟩ (*shuntare*) to shunt.
sciupacchiạre *v.t.* (**sciupạcchio, sciupạcchi**) ⟨*fam*⟩ to spoil (a little). – **sciupacchiạto** (*p.p. di sciupacchiare*) *a.* (slightly) spoiled; (*sgualcito*) rather creased.
sciupạre *v.t.* **1.** (*maltrattare*) to spoil, to ruin, to mar: ~ *un vestito nuovo* to ruin a new suit; ~ *un libro* to spoil a book; (*danneggiare*) to damage, to harm. – **2.** (*guastare*) to ruin, to impair, to harm, to spoil, to injure: *la luce debole sciupa gli occhi* poor light ruins the eyes. – **3.** (*perdere*) to lose, to waste, to miss, to let slip (*o* go by): *hai sciupato una bella occasione* you've missed a good opportunity; ~ *denaro* to waste money; ~ *il fiato* to waste one's breath. – **4.** (*far dimagrire*) to waste, to make thinner, to wear away: *la malattia lo ha sciupato* his illness has made him get thinner. – **sciuparsi** *v.r.* **1.** (*deteriorarsi*) to be ruined, to get spoilt; (*danneggiarsi*) to be (*o* get) damaged. – **2.** (*rovinarsi la salute*) to ruin (*o* impair) one's health, to wear o.s. out; (*dimagrire*) to waste away, to get thinner. – **3.** (*sgualcirsi*) to crease (up), to wrinkle, to get creased (*o* wrinkled). – **4.** ⟨*fam*⟩ (*affannarsi, sprecarsi*) to wear o.s. out, to overdo things. □ ~ *le proprie forze* to wear o.s. out; ~ *un pezzo di musica* to ruin (*o* murder, mangle) a piece of music.
sciupạto (*p.p. di sciupare*) *a.* **1.** (*ridotto in cattivo stato*) spoilt, damaged, ruined, impaired; (*sgualcito*) creased, wrinkled. – **2.** (*sprecato*) wasted: *fatica -a* wasted effort. – **3.** (*affaticato, esaurito*) worn-out, run-down; (*dimagrito*) thin, wasting away. □ *è tempo* ~ it's a waste of time.
sciupatọre ⟨*non com*⟩ **I** *s.m.* (*f.* **-trice**/*pop.* **-a**) **1.** spoiler. – **2.** (*chi spreca*) waster. – **II** *a.* **1.** spoiling, ruining. – **2.** (*che spreca*) wasting.
sciupịnio *m.* ⟨*tosc*⟩ → **sciupio**. – **sciupịo** *m.* waste: ~ *di energie* waste of energy. – **sciụpo** *m.* ⟨*non com*⟩ → **sciupio**. – **sciupọne** *m.* (*f.* **-a**) ⟨*fam*⟩ wasteful person, waster, wastrel; (*chi spreca denaro*) spendthrift, squanderer.
sciụridi *m.pl.* ⟨*Zool*⟩ sciurids *pl* (*Sciuridae*).
sciụro *m.* ⟨*Itt*⟩ (*sugherello*) horse mackerel (*Trachurus trachurus*).
sciuscià *m.* shoeshine boy.
sciusciuliạre *v.i.* (**sciusciụlio, sciusciụli**; *aus.* **avere**) ⟨*ant*⟩ (*sciabordare*) to swash.
scivaịta *m.* ⟨*Rel*⟩ Saiva, S(h)ivaite, S(h)aivite. – **scivaịtico** *a.* (*pl.* **-ci**) S(h)ivaistic.
scivolamẹnto *m.* sliding, slipping.
scivolạre *v.i.* (**scịvolo**; *aus.* **essere**/**avere**) **1.** to slide, to glide, to slip (*anche fig.*): ~ *lungo il pendio* to slide down the slope; *la barca scivolava sulle onde* the boat glided over the waves. – **2.** (*sdrucciolare*) to slip: ~ *sul ghiaccio* to slip on the ice. – **3.** (*cadere lentamente*) to slip, to fall; (*sfuggire alla presa*) to slip, to drop: *mi è scivolato il vaso dalle mani* the vase slipped (*o* dropped) out of my hands. – **4.** ⟨*fig*⟩ (*allontanarsi alla chetichella*) to slip off (*o* away, out). – **5.** (*introdursi inosservato*) to slide, to slip: *il ladro scivolò nell'appartamento sottostante* the thief slipped into the apartment below. – **6.** ⟨*fig*⟩ (*sorvolare*) to pass (*su* over). – **7.** ⟨*Sport*⟩ to glide. □ ⟨*Aer*⟩ ~ *d'ala* to side-slip, to slip; ⟨*Aer*⟩ ~ *di coda* to tail-slide, to whip-stall.
scivolarẹlla *f.* ⟨*pop*⟩ sliding, slide.
scivolạta *f.* **1.** (*lo scivolare*) slide, sliding, slip(ping). – **2.** (*scivolone*) slip. – **3.** ⟨*Sport*⟩ glide, gliding. – **4.** ⟨*Aer*⟩ slip, side-slip. – **5.** ⟨*Alp*⟩ slide. □ ⟨*Aer*⟩ ~ *d'ala* (side-)slip; ⟨*Aer*⟩ ~ *di coda* whip-stall, tail-slide; *fare una* ~ to have a slide; (*involontariamente*) to slip.
scivolạto (*p.p. di scivolare*) *a.* **1.** ⟨*Mod*⟩ flowing, loose(-fitting): *abito* ~ flowing dress. – **2.** ⟨*Mus*⟩ glided: *nota -a* glided note.
scivolẹvole *a.* ⟨*non com*⟩ → **scivoloso**.
scịvolo *m.* **1.** (*piano inclinato*) chute. – **2.** (*gioco per bambini*) slide, sliding-board. – **3.** ⟨*Edil*⟩ (tip-)chute. – **4.** ⟨*Mar*⟩ slipway, slip. – **5.** ⟨*Aer*⟩ slipway, runway. – **6.** ⟨*Minier*⟩ chute. – **7.** ⟨*Mus,ant*⟩ (*glissando*) glissando. □ ~ *d'alaggio* (hauling) slipway; ⟨*Minier*⟩ ~ *del carbone* coal-chute; ⟨*Ind*⟩ ~ *a chiocciola* spiral chute; ~ *per legname* timber chute (*o* slide). – **scivolọne** (*accr. di scivolo*) *m.* **1.** slip. – **2.** (*ruzzolone*) tumble, bad fall. – **3.** (*teleferica*) single cableway. □ *fare uno* ~ to slip, to take a tumble.
scivolosamẹnte *avv.* (*untuosamente*) in a slippery way, unctuously. – **scivolosità** *f.* slipperiness. – **scivolọso** *a.* **1.** slippery: *strada -a* slippery road. – **2.** (*che sfugge facilmente*) slippery. – **3.** ⟨*fig*⟩ (*untuoso, affettato*) oily, unctuous, slippery, smooth: *persona -a* slippery person.
Scịzia *N.pr.f.* ⟨*Geog.stor*⟩ Scythia.
sclamạre *v.t.* ⟨*ant*⟩ (*esclamare*) to exclaim, to cry (out).
sclarẹa *f.* ⟨*Bot*⟩ clary (*Salvia sclarea*).
sclassificạre *v.t.* (**sclassịfico, sclassịfichi**) **1.** to ⌜remove from⌝ (*o* strike off) a classification. – **2.** ⟨*Dir*⟩ to annex, to incorporate.
sclẹra *f.* ⟨*Anat*⟩ sclera.
scleradenịte *f.* → **scleroadenite**. – **sclerạle** *a.* ⟨*Anat*⟩ scleral. – **sclerectasịa** *f.* ⟨*Med*⟩ sclerectasia.
sclerẹide *f.* ⟨*Bot*⟩ sclereid.
sclerẹma *m.* ⟨*Med*⟩ sclerema.

sclerẹnchima *m.* ⟨*Bot*⟩ sclerenchyma. – **sclerenchimạtico** *a.* (*pl.* **-ci**) sclerenchymatous.
sclerịte[1] *f.* ⟨*Med*⟩ sclerotitis.
sclerịte[2] *m.* ⟨*Zool*⟩ sclerite.
sclero... *pref.* **1.** (*durezza* hardness) scler(o)..., sclera..., hard-. – **2.** (*ispessimento* thickening) scler(o)..., sclera...
sclero|adenịte *f.* ⟨*Med*⟩ scleradenitis. – **~blastẹma** *m.* ⟨*Biol*⟩ scleroblastema. – **~blạsto** *m.* ⟨*Biol*⟩ scleroblast. – **~dattilịa** *f.* ⟨*Med*⟩ sclerodactylia. – **~dermịa** *f.* ⟨*Med*⟩ scleroderm(i)a. – **~dẹrmico** *a.* (*pl.* **-ci**) sclerodermic, sclerodermatous. – **~fịlle** *f.pl.* ⟨*Bot*⟩ sclerophylls *pl.* – **~fịllo** *a.* sclerophyll, sclerophyllous.
sclerọma *m.* ⟨*Bot*⟩ (*stereoma*) stereome.
sclero|malacịa *f.* ⟨*Med*⟩ scleromalacia. – **~metrịa** *f.* ⟨*Min*⟩ measurement of the hardness of minerals.
sclerọmetro *m.* ⟨*Min*⟩ sclerometer.
scleroscọpio *m.* ⟨*tecn*⟩ scleroscope.
sclerọsi (o *sclẹrọsi*) *f.* ⟨*Med*⟩ sclerosis. ▭ ~ *cerebrale* cerebral sclerosis; ~ *multipla* multiple sclerosis.
sclerọso *a.* ⟨*Bot*⟩ sclerenchymatous. ▭ *tessuto* ~ sclerenchyme; *cellula -a* sclereid.
sclerọstoma *m.* ⟨*Zool*⟩ hookworm, ancylostome (*Ancylostoma duodenale*).
sclerọtica *f.* → **sclera**. – **sclerọtico** *a.* (*pl.* **-ci**) ⟨*Med*⟩ sclerotic.
sclerotomịa *f.* ⟨*Chir*⟩ sclerotomy. – **sclerọtomo** *m.* sclerotome.
sclerozịale *a.* ⟨*Bot*⟩ sclerotical. – **sclerọzio** *m.* sclerotium.
scọcca *f.* ⟨*Aut*⟩ body: ~ *in acciaio* steel body.
scoccamẹnto *m.* ⟨*non com*⟩ (*lo scoccare*) shooting.
scoccạre *v.* (**scọcco, scọcchi**) **I** *v.t.* **1.** to shoot, to let fly: ~ *una freccia* to shoot an arrow. – **2.** ⟨*fig*⟩ (*rivolgere con impeto, con rapidità*) to shoot, to dart, to fling, to hurl, to cast: ~ *un'occhiata minacciosa* to cast a threatening look. – **3.** (*battere le ore*) to strike; (*rif. a campane*) to chime. – **II** *v.i.* (*aus.* **essere**) **1.** (*scattare*: *rif. a congegni a molla e sim.*) to be released, to go off, to spring up. – **2.** (*guizzare, balenare*) to dart, to shoot (out); (*rif. a scintilla*) to flash, to shoot (out). – **3.** (*battere*: *rif. alle ore*) to strike; (*rif. a campane*) to chime. ▭ ~ *un bacio* to give a (smacking) kiss.
scocciạnte (*p.pr. di scocciare*[1]) *a.* bothersome, annoying.
scocciạre[1] *v.t.* (**scọccio, scọcci**) **1.** ⟨*region*⟩ (*rompere*) to break, to smash: ~ *un piatto* to break a plate. – **2.** ⟨*fam*⟩ (*seccare, importunare*) to bother, to annoy, to trouble, to be a nuisance (*o* pest) to. – **scocciarsi** *v.r.* **1.** ⟨*region*⟩ (*rompersi*) to break. – **2.** ⟨*fam*⟩ (*seccarsi*) to be bothered (*o* annoyed, put out), to dislike; (*annoiarsi*) to be (*o* get) bored.
scocciạre[2] *v.t.* (**scọccio, scọcci**) ⟨*Mar*⟩ to unhook. – **scocciarsi** *v.r.* ⟨*Pesc*⟩ to get off a hook.
scocciạto (*p.p. di scocciare*[1]) *a.* ⟨*fam*⟩ (*seccato*) annoyed, bothered, put out, ⟨*fam*⟩ fed up; (*annoiato*) bored. – **scocciatọre** *m.* (*f.* **-trice**) ⟨*fam*⟩ nuisance, bother, bore, ⟨*fam*⟩ pest. ▭ *che* ~ *quello!* what a nuisance (*o* bore) he is! – **scocciatụra** *f.* ⟨*fam*⟩ **1.** (*noia*) boredom, tediousness; (*cosa noiosa*) boring thing. – **2.** (*seccatura*) nuisance, bore, bother, trouble.
scọcco *m.* (*pl.* **-chi**) **1.** (*lo scoccare*) shooting off, letting fly, twang(ing); (*rif. a un bacio*) smack. – **2.** (*il sonare*) striking, stroke; (*rif. a campane*) chime: *lo* ~ *delle campane* the chime of the bells. ▭ ⟨*Mar*⟩ *gancio a* ~ slip hook.
scoccolatụra *f.* ⟨*Agr*⟩ removal of the flowers of prickly pears.
scocuzzolạre *v.t.* (**scocụzzolo**) ⟨*non com*⟩ (*portar via il cocuzzolo*) to remove the top from, to cut off the top of.
scodạre *v.t.* (**scọdo**) to dock: ~ *un cavallo* to dock a horse. – **scodạto** (*p.p. di scodare*) *a.* docked, tailless.
scodẹlla *f.* **1.** (*piatto fondo*) soup-plate; (*ciotola*) bowl. – **2.** (*quantità di cibo contenuta*) (soup-)plateful; (*ciotolata*) bowlful. – **3.** ⟨*Bot*⟩ scyphus, scypha. – **4.** ⟨*Geol*⟩ hollow, (bowl-shaped) depression. ▭ ⟨*fam*⟩ *fare le -e* (*versare la minestra*) to serve (*o* ladle out) the soup. – **scodellạio** *m.* (*f.* **-a**) **1.** (*fabbricante*) maker of soup-plates and bowls, crockery-maker. – **2.** (*venditore*) seller of soup-plates and bowls, crockery-seller.
scodellạre *v.t.* (**scodẹllo**) **1.** (*versare nei piatti*) to serve, to dish up, to ladle out: ~ *il brodo* to dish up the soup; (*rif. a cibi solidi*) to turn (out). – **2.** ⟨*fam*⟩ (*presentare*) to come out with, to think up, to tell, to dish up, to drag up: ~ *storielle* to think up stories. – **3.** ⟨*fam*⟩ (*dare alla luce*) to give birth to, to produce.
scodellạta *f.* (soup-)plateful, helping; (*ciotolata*) bowlful. – **scodellẹtta, scodellịna** *f. dim. di* **scodella**. – **scodellịno** (*dim. di scodella*) *m.* **1.** small bowl. – **2.** ⟨*Mecc*⟩ cup, cap. – **3.** ⟨*Mil.ant*⟩ touch-pan. – **4.** ⟨*ant*⟩ (*piattino delle bilance di precisione*) scale (*o* pan) of a balance.
scodinzolạre *v.i.* (**scodịnzolo**; *aus.* **avere**) to wag one's tail. – **scodinzolịo** *m.* wagging (of the tail).
scoffịna *f.* ⟨*Fal*⟩ (*scuffina*) rasp. – **scoffinạre** *v.t.* (*scuffinare*) to rasp, to grate, to file.
scọglia *f.* **1.** ⟨*Zool*⟩ skin, slough. – **2.** ⟨*fig*⟩ (*impedimento, viluppo*) tangle, entanglement. – **3.** (*involucro esteriore*) outer covering.
scoglịera *f.* **1.** rocks *pl*, reef (of rocks): *la nave urtò contro la* ~ the ship hit the reef; (*rupe, dirupo*) cliff: *le bianche -e di Dover* the white cliffs of Dover. – **2.** ⟨*Geol*⟩ reef: ~ *corallina* coral-reef. – **3.** ⟨*Arch*⟩ rock-work, rocaille. ▭ ~ *artificiale* (*diga di scogliera*) rock-fill dam.
scoglịetto *m. dim. di* **scoglio**[1].
scọglio[1] *m.* **1.** rock; (*rupe, dirupo*) cliff, crag. – **2.** (*roccia*) rock. – **3.** ⟨*fig*⟩ (*grave ostacolo*) obstacle, difficulty, stumbling-block: *aggirare uno* ~ to get round a difficulty.
scọglio[2] *m.* ⟨*ant*⟩ → **scoglia**.
scoglionạto *a.* ⟨*volg*⟩ (*scorbellato*) bad-tempered.
scogliọso *a.* **1.** (*pieno di scogli*) rocky, full of rocks. – **2.** (*formato da scogli*) rocky, craggy.
scoiamẹnto *m.* ⟨*non com*⟩ skinning, flaying. – **scoiạre** *v.t.* (**scuọio**/*pop.* **scọio, scuọi**/*pop.* **scọi**) **1.** to skin, to flay. – **2.** ⟨*Venat*⟩ to skin. – **scoiạto** (*p.p. di scoiare*) *a.* **1.** skinned, flayed. – **2.** ⟨*Venat*⟩ skinned. – **scoiatọre** *m.* (*f.* **-trice**) **1.** skinner, flayer (*anche Macell.*). – **2.** ⟨*Conc*⟩ skinner.
scoiạttolo *m.* ⟨*Zool*⟩ squirrel (*Sciurus vulgaris*). ▭ *agile* (o *svelto*) *come uno* ~ as agile as a monkey; *arrampicarsi come uno* ~ to climb like a monkey; ⟨*Zool*⟩ ~ *volante*: 1. petaurist, ⟨*pop*⟩ flying-squirrel, flying-phalanger (*Petaurista*); 2. North American flying-squirrel (*Glaucomys*).
scoiatụra *f.* **1.** → **scoiamento**. – **2.** ⟨*Conc*⟩ skinning.
scọla *f.* ⟨*pop,poet*⟩ (*scuola*) school.
scola|brọdo *m.inv.* ⟨*region*⟩ (*colabrodo*) colander, strainer. – **~frịtto** *m.inv.* fat-strainer.
scolamẹnto *m.* ⟨*non com*⟩ dripping, draining.
scola|pạsta *m.inv.* ⟨*region*⟩ (*colapasta*) colander for pasta. – **~piạtti** *m.inv.* draining-board; (*rastrelliera*) plate-rack.
scolạrca *m.* ⟨*Stor.gr*⟩ scholarch. – **scolarcạto** *m.* scholarchate. – **scolạrco** *m.* (*pl.* **-chi**) → **scolarca**.
scolạre[1] *v.* (**scọlo**) **I** *v.t.* **1.** (*far sgocciolare*) to drain, to leave to drip (*o* dry). – **2.** ⟨*Gastr*⟩ to drain, to colander: ~ *la pasta* to drain the pasta. – **II** *v.i.* (*aus.* **essere**) **1.** (*defluire*) to drip, to drop, to trickle, to seep, to ooze. – **2.** (*sgocciolare*) to drain (off), to drip: *mettere i piatti a* ~ to put the dishes to drain; (*filtrare*) to strain. – **scolarsi** *v.r.* ⟨*fam*⟩ to drain, to down, to drink (to the last drop), ⟨*fam*⟩ to knock back: *scolarsi una bottiglia di vino* to knock back a bottle of wine.
scolạre[2] *a.* ⟨*non com*⟩ school-: *età* ~ school age.
scolạre[3] *m.* ⟨*ant*⟩ → **scolaro**.
scolarẹsca *f.* schoolchildren *pl*, pupils *pl*; (*classe*) class. – **scolarescamẹnte** *avv.* like a schoolchild. – **scolarẹsco** *a.* (*pl.* **-chi**) schoolboy- (*f* schoolgirl-), school- (*anche spreg.*). – **scolarẹtto** (*dim. di scolaro*) *m.* (*f.* **-a**) **1.** schoolchild (in elementary school). – **2.** ⟨*fig*⟩ (*persona ingenua*) schoolboy (*f* -girl), gawky (*o* shy) person. – **scolạro** *m.* (*f.* **-a**) **1.** schoolboy (*f* -girl), pupil, student: *un bravo* ~ a good pupil. – **2.** (*discepolo*) pupil, disciple, follower: *Giotto fu* ~ *di Cimabue* Giotto was a disciple of Cimabue. – **3.** ⟨*ant*⟩ (*studente universitario*) university student.
scolạstica *f.* ⟨*Filos*⟩ Scholasticism.
Scolạstica *N.pr.f.* ⟨*Stor*⟩ Scholastica.
scolasticamẹnte *avv.* **1.** scholastically. – **2.** ⟨*non com*⟩ (*conformemente ai principi della scolastica*) in accordance with Scholasticism.
scolasticạto *m.* ⟨*Rel*⟩ scholasticate.
scolasticherịa *f.* ⟨*non com*⟩ **1.** (*pedanteria*) pedantry; (*astruseria*) (scholastic) abstruseness. – **2.** (*ragionamento cavilloso*) quibbling reasoning. – **scolasticịsmo** *m.* **1.** (*carattere*) scholastic nature. – **2.** ⟨*Filos*⟩ Scholasticism. – **scolasticità** *f.* → **scolasticheria**.
scolạstico *a./s.* (*pl.* **-ci**) **I** *a.* **1.** school-, scholastic, academic: *anno* ~ school year; *tasse scolastiche* school fees. – **2.** ⟨*spreg*⟩ scholastic, formal. – **3.** ⟨*Filos*⟩ Scholastic. – **4.** ⟨*spreg*⟩ (*dogmatico, categorico*) dogmatic. – **II** *s.m.* **1.** ⟨*Filos*⟩ Schoolman, Scholastic philosopher. – **2.** ⟨*spreg*⟩ scholastic (*o* pedantic) person. – **3.** ⟨*ant*⟩ (*maestro*) teacher.
scolasticụme *m.* ⟨*spreg*⟩ (over-dogmatic) scholasticism, over-abstruseness, pedantic minutiae *pl.*
scolatịccio *m.* (*colaticcio*) drippings *pl.* – **scolatọio** *m.* **1.** (*scolapiatti*) draining-board. – **2.** ⟨*Ind*⟩ dripping-pan. – **scolatụra** *f.* **1.** (*lo scolare*) draining; (*lo sgocciolare*) dripping. – **2.** (*liquido, sostanza scolata*) drippings *pl*, drainings *pl.*
scolecịte *f.* ⟨*Min*⟩ scolecite.
scoliạsta, scoliạste *m.* ⟨*Filol*⟩ scholiast, annotator.
scọlice *m.* ⟨*Zool*⟩ scolex.
scọlidi *m.pl.* ⟨*Entom*⟩ scoliids *pl* (*Scoliidae*).
scọlimo *m.* ⟨*Bot*⟩ (*anche cardo scolimo*) Spanish oyster-plant, golden thistle (*Scolymus hispanicus*).
scolịna *f.* ⟨*Idr*⟩ drainage canal.
scọlio[1] *m.* ⟨*Filol*⟩ scholium, explanatory (*o* marginal) note.
scọlio[2] *m.* ⟨*Lett*⟩ scolion, skolion.
scolịo[3] *m.* ⟨*lett*⟩ dripping, draining.
scoliọsi *f.* ⟨*Med*⟩ scoliosis. – **scoliọtico** *a.* (*pl.* **-ci**) scoliotic.
scolịtidi *m.pl.* ⟨*Entom*⟩ bark beetles *pl*, scolytids *pl* (*Scolytidae*). – **scolịto** *m.* scolytid, bark beetle, engraver-beetle (*Scolytus*).
scollacciạrsi *v.r.* (**mi scollạccio, ti scollạcci**) (*indossare abiti eccessivamente scollati*) to wear dresses ⌜that are too décolleté⌝ (*o* with plunging necklines); (*scoprirsi il collo*) to bare one's neck and shoulders. – **scollacciạto** (*p.p. di scollacciarsi*) *a.* **1.** (*rif. ad abiti*) low-necked, décolleté, low-cut, with a low (*o* plunging) neckline: *vestito* ~ low-necked dress; (*rif. a persone*) wearing a (very) low-necked dress, bare-necked, décolleté. – **2.** ⟨*fig*⟩ (*licenzioso, salace*) risqué, licentious, lewd, ⟨*fam*⟩ dirty: *commedia -a* risqué play. – **scollacciatụra** *f.* **1.** (very) low-cut (*o* plunging) neckline, décolletage. – **2.** ⟨*fig*⟩ (*licenziosità*) licentiousness, lewdness.
scollamẹnto *m.* **1.** → **scollatura**[2]. – **2.** ⟨*Med*⟩ décollement.
scollạre[1] *v.t.* (**scọllo**) to cut low in the neck, to cut the neck-hole in: ~ *un vestito* to cut a dress low in the neck. – **scollarsi** *v.r.* (*por-*

tare abiti scollati) to wear low-necked dresses. ☐ ⟨*tosc*⟩ ~ *un fiasco* to break the neck of a flask.

scollạre[2] *v.t.* (**scọllo**) **1.** (*staccare*) to unstick: ~ *una busta* to unstick an envelope. – **2.** (*togliere la colla*) to unglue, to take the glue off, to unpaste. – **scollarsi** *v.r.* to come (*o* get) unstuck, to come off: *il francobollo si è scollato* the stamp has come off.

scollạto[1] (*p.p. di scollare*[1]) *a.* (*rif. ad abiti*) low-necked, low-cut, décolleté, with a low neckline: *un vestito* ~ a low-cut dress; (*rif. a persone*) wearing a low neckline, bare-necked, décolleté.

scollạto[2] (*p.p. di scollare*[2]) *a.* **1.** unglued, unstuck. – **2.** ⟨*non com,fig*⟩ (*confusionario*) muddling, bungling, scatter-brained.

scollatụra[1] *f.* **1.** ⟨*Sart*⟩ cutting (out) of the neckline; (*apertura*) neckline, neck, décolletage. – **2.** (*parte del collo lasciata scoperta*) neck and shoulders.

scollatụra[2] *f.* (*lo scollare*) ungluing, unpasting; (*lo scollarsi*) coming off, becoming unstuck.

scollegạre *v.t.* (**scollẹgo, scollẹghi**) ⟨*non com*⟩ **1.** to disconnect, to detach, to separate, to disjoin. – **2.** ⟨*fig*⟩ to make disconnected. – **scollegạto** (*p.p. di scollegare*) *a.* (*senza nesso*) disconnected.

scollettatrịce *f.* ⟨*Agr*⟩ beet-topper. – **scollettatụra** *f.* beet-topping.

scọllo *m.* → **scollatura**[1].

scolmạre *v.t.* (**scọlmo**) ⟨*non com*⟩ (*rendere meno colmo*) to level.

scolmatọre *m.* ⟨*Idr*⟩ (*canale scolmatore*) spillway.

scọlo *m.* **1.** draining, drainage; (*sbocco*) drain, outlet, run-off, outflow. – **2.** (*liquido*) waste water, backwater. – **3.** ⟨*Med*⟩ discharge; (*rif. a pus*) purulent discharge, pyorrh(o)ea. – **4.** ⟨*pop*⟩ (*blenorragia*) gonorrh(o)ea, blenorrhagia. – **5.** ⟨*Ind*⟩ mother liquor (of sugar). ☐ *di* ~ drainage-, drain-: *canale di* ~ drain, drainage canal; *rubinetto di* ~ drain-cock; *tubo di* ~ drainpipe.

scolopạcidi *m.pl.* ⟨*Ornit*⟩ scolopacines *pl* (*Scolopacidae*).

scolopạle *a.* ⟨*Entom*⟩ of a scolopale. ☐ *organo* ~ scolopale.

scolopẹndra *f.* ⟨*Zool*⟩ Scolopendra (*Scolopendra*).

scolopẹndrio *m.* ⟨*Bot*⟩ (*lingua cervina*) hart's tongue fern (*Scolopendrium vulgare*; *Phyllitis scolopendrium*).

scolọpio I *s.m.* ⟨*Rel*⟩ Piarist. – **II** *a.* Piarist-.

scoloramẹnto *m.* discolouration. – **scolorạre** *v.t.* (**scolọro**) **1.** to discolour, to fade, to take the colour out of: *il sole ha scolorato i panni* the sun has faded the clothes. – **2.** (*far impallidire*) to make pale. – **scolorarsi** *v.r.* **1.** (*perdere il colore*) to fade, to lose colour, to become discoloured. – **2.** (*impallidire*) to grow (*o* turn) pale, to lose one's colour. – **scolorimẹnto** *m.* discolouring, fading.

scolorịna *f.* ink-remover, ink-eradicator.

scolorịre *v.* (**scolorịsco, scolorịsci**) **I** *v.t.* **1.** to discolour, to take the colour out of, to (cause to) fade: *il sole ha scolorito le tende* the sun has faded the curtains. – **2.** ⟨*fig*⟩ to (cause to) fade, to dim: *il tempo scolorisce i ricordi* time fades memories. – **II** *v.i.* (*aus.* **essere**), **scolorirsi** *v.r.* **1.** to fade, to lose colour, to become discoloured: *queste tinte non* (*si*) *scoloriscono* these colours do not fade. – **2.** (*impallidire*) to grow (*o* turn) pale, to lose one's colour: *scolorirsi in volto* to (turn) pale. – **3.** ⟨*fig*⟩ to fade, to grow faint (*o* dim). ☐ *un colore che non* (*si*) *scolorisce* a non-fade colour. – **scolorịto** (*p.p. di scolorire*) *a.* **1.** (*sbiadito*) discoloured, faded: *un vestito tutto* ~ a very faded dress. – **2.** (*pallido, esangue*) pale, wan, colourless. – **3.** ⟨*fig*⟩ (*tenue, non vivace*) faint, faded, dim: *ricordo* ~ faint (*o* dim) memory.

scolpạre *v.t.* (**scọlpo**) to free from blame, to exculpate. – **scolparsi** *v.r.* to free o.s. from blame.

scolpịbile *a.* ⟨*rar*⟩ that can be sculptured (*o* carved), suitable for sculpturing. – **scolpibilità** *f.* ⟨*rar*⟩ suitability for sculpturing (*o* carving). – **scolpimẹnto** *m.* ⟨*non com*⟩ sculpting, carving.

scolpịre *v.t.* (**scolpịsco, scolpịsci**) **1.** (*lavorare pietra, legno e sim.*) to sculpture, to sculpt, to carve, to work: ~ *un blocco di marmo* to work a block of marble. – **2.** (*formare figure*) to sculpture, to sculpt, to carve, to model: ~ *una statua* to sculpt a statue. – **3.** (*incidere*) to carve: *scolpirono i loro nomi su un tronco d'albero* they carved their names on the trunk of the tree. – **4.** ⟨*fig*⟩ (*imprimere, fissare*) to engrave, to impress, to stamp: *mi sono scolpito nella mente le tue parole* your words are engraved in my mind. – **5.** (*pronunciare scandendo*) to stress, to emphasize, to enunciate (very) distinctly: *scolpirei meglio le parole finali del verso* I would enunciate the final words of the verse more distinctly.

scolpitamẹnte *avv.* ⟨*ant,rar*⟩ (*chiaramente*) clearly, distinctly. – **scolpitẹzza** *f.* **1.** distinctness. – **2.** ⟨*fig*⟩ (*evidenza*) marked (*o* pronounced) nature; (*rilievo*) prominence, relief.

scolpịto (*p.p. di scolpire*) *a.* **1.** sculptured, carved, engraved. – **2.** (*inciso*) engraved, carved, cut. – **3.** (*ornato di sculture*) sculptured: *una colonna -a* a sculptured column. – **4.** ⟨*fig*⟩ (*impresso*) engraved, impressed, stamped (*in* upon, in), fixed (in): *principi -i nella memoria* principles stamped in one's memory. – **5.** ⟨*fig*⟩ (*distinto, netto*) marked, formed: *un carattere ben* ~ a well-formed character.

scolpitụra *f.* **1.** ⟨*ant*⟩ (*scultura*) sculpting, carving. – **2.** ⟨*ant*⟩ (*impronta*) engraving, impressing, stamping, fixing. – **3.** ⟨*Aut*⟩ (*rif. a pneumatici*) tread design.

scọlta *f.* **1.** (*guardia*) guard, sentry, watch: *fare la* ~ to be on sentry-duty. – **2.** (*sentinella*) sentinel, sentry. – **3.** ⟨*collett*⟩ sentries *pl*, watch, guard. ☐ *essere di* ~ to be on sentry-duty, to stand guard.

scoltụra *f.* ⟨*ant*⟩ (*scultura*) sculpture.

scombaciạre *v.t.* (**scombạcio, scombạci**) to unfix, to disunite, to disjoin, to separate.

scomberọidi *m.pl.* → **scombridi**.

scombiccherạre *v.t.* (**scombịcchero**) ⟨*fam*⟩ to scribble, to scrawl, ⟨*fam*⟩ to doodle. – **scombiccheratọre** *m.* (*f.* **-trice**) ⟨*non com*⟩ scribbler, scrawler, ⟨*fam*⟩ doodler: ~ *di versi* scribbler of verse, poetaster.

scombinamẹnto *m.* ⟨*non com*⟩ **1.** disarranging, upsetting, throwing into disorder. – **2.** (*pasticcio*) mess, muddle, jumble, botch. – **scombinạre** *v.t.* **1.** (*mettere in disordine*) to disarrange, to throw into disorder, to upset. – **2.** (*mandare a monte*) to upset, to spoil, ⟨*fam*⟩ to mess up; (*disdire*) to cancel, to break off. – **scombinạto** (*p.p. di scombinare*) **I** *a.* **1.** badly arranged: *affare* ~ badly arranged business. – **2.** (*disordinato, confuso*) disordered, confused, muddled: *un cervello* ~ a muddled brain. – **II** *s.m.* (*f.* **-a**) (*persona sconclusionata*) confused (*o* inconsequent) person, muddle-head, scatter-brain.

scombresọcidi *m.pl.* ⟨*Itt*⟩ sauries *pl* (*Scombresocidae*).

scọmbridi *m.pl.* ⟨*Itt*⟩ scombrids *pl* (*Scombridae*). – **scọmbro** *m.* mackerel (*Scomber scomber*). ☐ ~ *macchiato* (o *occhi grossi*) Spanish mackerel (*Scomber colias*).

scombugliạre *v.* (**scombụglio, scombụgli**) ⟨*ant,region*⟩ → **scombussolare**. – **scombụglio** *m.* ⟨*ant,region*⟩ (*scompiglio*) confusion, disorder, muddle.

scombuiạre *v.* (**scombụio, scombụi**) ⟨*non com*⟩ → **scombussolare**. – **scombussolamẹnto** *m.* **1.** (*lo scombussolare*) upsetting, derangement, muddling; (*l'essere scombussolato*) upset, topsy-turvy state. – **2.** (*confusione*) confusion, disorder, muddle, jumble. – **scombussolạre** *v.t.* (**scombụssolo**) **1.** (*mettere in disordine*) to throw into disorder, to turn upside-down (*o* topsy-turvy). – **2.** (*sconvolgere*) to upset, to disturb, to derange: *la notizia l'ha scombussolata* the news has upset her; (*causare malessere*) to upset, to turn topsy-turvy: *il viaggio mi ha scombussolato lo stomaco* the trip upset my stomach. – **3.** ⟨*fig*⟩ (*mandare all'aria*) to upset, to throw out, to mess up: ~ *i piani di qd.* to upset s.o.'s plans. – **4.** ⟨*fig*⟩ (*frastornare*) to confuse, to muddle, to put into disorder: ~ *le idee a qd.* to muddle s.o. (*o* s.o.'s ideas). – **scombussolạto** (*p.p. di scombussolare*) *a.* **1.** (*stordito*) confused, stunned: *sono completamente* ~ *per quello che mi hai detto* I'm completely stunned by what you said. – **2.** (*disordinato*) confused, untidy, in disorder. – **scombussolịo** *m.* great confusion, muddle.

scommẹssa *f.* **1.** bet, wager: *vincere una* ~ to win a bet; (*il puntare*) bet, wager. – **2.** (*somma puntata*) bet, stake, stakes *pl*: *una* ~ *di un milione* a million-lire stake. ☐ *fare una* ~ to (make a) bet, to (lay a) wager, to stake.

scommẹsso[1] (*p.p. di scommettere*[1]) *a.* bet, betted, wagered, staked: *la somma -a* the sum staked.

scommẹsso[2] (*p.p. di scommettere*[2]) *a.* (*disunito, disgregato*) broken up, disjoined, detached, taken to pieces.

scommettẹnte (*p.pr. di scommettere*[1]) **I** *a.* betting. – **II** *s.m./f.* → **scommettitore**[1].

scommẹttere[1] *v.* (**scommịsi, scommẹsso**) **I** *v.t.* **1.** to bet, to wager: *abbiamo scommesso una cena* we bet a dinner. – **2.** (*puntare*) to bet, to place a bet of, to gamble, to stake, to put, to lay, to wager: ~ *diecimila lire su un cavallo* to bet ten thousand lire on a horse. – **II** *v.i.* (*aus.* **avere**) **1.** to bet: *scommetto che non ce la farai* I bet that you won't succeed. – **2.** (*puntare*) to (make a) bet; (*rif. all'oggetto della scommessa*) to bet (*su* on), to back (s.th.): ~ *su un cavallo* to bet on a horse.

scommẹttere[2] *v.t.* (**scommịsi, scommẹsso**) **1.** to break up, to disjoin, to disunite, to take (*o* pull) to pieces. – **2.** ⟨*fig,ant*⟩ (*creare scissioni*) to make mischief between, to break (*o* split) up.

scommettitọre[1] *m.* (*f.* **-trice**) bettor, better, wagerer.

scommettitọre[2] *m.* (*f.* **-trice**) ⟨*ant*⟩ (*chi provoca discordie*) mischief-maker, breaker-up.

scommettitụra *f.* ⟨*non com*⟩ **1.** (*lo scommettere*) disjunction, disunion, detachment. – **2.** (*parte scommessa*) detached part.

scommiatạre *v.t.* ⟨*ant*⟩ (*accomiatare*) to dismiss. – **scommiatarsi** *v.r.* (*congedarsi*) to take one's leave (*da* of, from).

scommọvere *v.* ⟨*poet,lett*⟩ → **scommuovere**. – **scommovimẹnto** *m.* ⟨*non com*⟩ upset, violent shaking.

scommụnica *f.* ⟨*ant*⟩ → **scomunica**. – **scommunicạre** *v.* ⟨*ant*⟩ → **scomunicare**. – **scommunicaziọne** *f.* ⟨*ant*⟩ → **scomunica**.

scommuọvere *v.t.* (**scommọssi, scommọsso**) ⟨*non com*⟩ (*sconvolgere*) to upset, to disturb, to shake violently.

scomodamẹnte *avv.* (*disagevolmente*) uncomfortably, in discomfort; (*inopportunamente*) inconveniently.

scomodạre *v.* (**scọmodo**) **I** *v.t.* **1.** (*arrecare disturbo*) to disturb, to bother: *per trovare posto ho dovuto* ~ *diversi passeggeri* to find room I had to disturb several passengers. – **2.** (*far intervenire persone importanti per questioni banali*) to disturb, to bother, to trouble, to worry: *perché* ~ *il medico per un raffreddore?* why trouble the doctor for a cold? – **3.** (*servirsi di citazioni autorevoli senza necessità*) to drag in: *per questa dimostrazione non c'era bisogno di* ~ *Aristotele* there was no need to drag in Aristotle just to prove that. – **II** *v.i.* (*aus.* **avere**) to be inconvenient (*o* awkward): *una spesa del genere in questo momento mi scomoda* an expense like that would be very inconvenient for me right now. – **scomodarsi** *v.r.* (*prendersi il disturbo*) to bother (o.s.), to go out of one's way, to put o.s. out, to go to (the) trouble: *scomodarsi a fare qc.* to go to the trouble of doing s.th.; *non si scomodi ad accompagnarmi, conosco la strada* don't bother to come with me, I know the way. ☐ *grazie del regalo, ma non dovevi scomodarti* thanks for the present, but you really shouldn't have (done it); *non è tipo da scomodarsi* he's not

the type who's likely to go out of his way; *mi dispiace che si sia dovuto* ~ I'm sorry you had to bother; *far* ~ *qd.* to disturb s.o.; *mi ha fatto* ~ *per nulla* he made me go to all that trouble for nothing.
scomodezza *f.* ⟨*ant*⟩ → **scomodità**. – **scomodità** *f.* **1.** discomfort, uncomfortableness. – **2.** (*disagio, situazione o posizione scomoda*) inconvenience, trouble, nuisance, bother: *la lontananza dalla città presenta qualche* ~ the distance from the town causes some inconvenience.
scomodo I *a.* **1.** uncomfortable: *una sedia -a* an uncomfortable chair. – **2.** (*inopportuno, non gradito*) inconvenient, awkward: *un'ora -a per le visite* an awkward time for visits; *orario d'ufficio* ~ inconvenient office hours; (*disagevole*) tiresome: *una salita -a* a tiresome climb. – **3.** (*fastidioso*: *rif. a persona*) tedious, irritating: *un compagno di viaggio* ~ a tedious travelling-companion. – **II** *s.m.* **1.** (*disagio*) inconvenience, discomfort. – **2.** (*fastidio*) inconvenience, nuisance, bother, annoyance. – **3.** (*disturbo*) trouble, bother. □ *è* ~ *per me venire qui tutti i giorni* it's inconvenient for me to come here every day.
scompaginamento *m.* **1.** (*lo scompaginare*) upsetting, disarranging, throwing into disorder; (*lo scompaginarsi*) being upset. – **2.** ⟨*fig*⟩ upsetting, breaking up.
scompaginare *v.t.* (**scompagino**) **1.** to upset, to disarrange, to throw into disorder (*o* disarray). – **2.** ⟨*fig*⟩ to upset, to break up, to throw into disarray (*o* disorder): ~ *l'unità di un partito* to break up the unity of a party. – **3.** ⟨*fig*⟩ (*disperdere*) to scatter. – **4.** (*rif. a libri*) to break (*o* tear) the binding of. – **5.** ⟨*Tip*⟩ to break up. – **scompaginarsi** *v.r.* **1.** to be upset, to be broken up. – **2.** (*rif. a libri*) to go to pieces. – **scompaginato** (*p.p. di scompaginare*) *a.* **1.** upset, disarranged, thrown into disorder, in disarray. – **2.** (*rif. a libri e sim.*) with a torn binding, with loose pages, unbound. – **scompaginatore** *m.* → **scompositore**. – **scompaginatura, scompaginazione** *f.* → **scomposizione**.
scompagnamento *m.* breaking up, splitting. – **scompagnare** *v.t.* **1.** (*spaiare, dividere*) to break up, to split. – **2.** ⟨*ant*⟩ (*separare*) to separate, to divide, to part. – **scompagnarsi** *v.r.* **1.** to part, to separate (*da* from), to leave (s.o.). – **2.** (*staccarsi, separarsi*) to be separated (*o* parted). – **scompagnato** (*p.p. di scompagnare*) *a.* **1.** odd, broken up, unmatching, split: *una calza -a* an odd stocking. – **2.** ⟨*lett*⟩ (*separato*) split, separated, divided. – **scompagnatura** *f.* ⟨*non com*⟩ being odd (*o* broken up). – **scompagno** *a.* ⟨*non com*⟩ → **scompagnato**.
scompannare *v.t.* ⟨*tosc*⟩ **1.** (*togliere i panni*) to remove the clothes of. – **2.** (*scoprire chi è a letto*) to uncover, to remove the bed-clothes from. – **scompannarsi** *v.r.* to uncover o.s., to throw off the bed-clothes.
scomparire *v.i.* (**scompaio/scomparisco, scompari/scomparisci; scomparvi/scomparii, scomparso/scomparito**; *aus.* **essere**) **1.** (*sparire*) to disappear, to vanish: *la luna scomparve dietro le nuvole* the moon vanished behind the clouds; (*non essere più visibile*) to be out of sight, to fade away. – **2.** (*non farsi più vivo*) to disappear, to vanish: *è scomparso da un mese* he disappeared a month ago. – **3.** ⟨*fig*⟩ (*fare una brutta figura*: *rif. a persone*) to cut a poor figure, to look bad, to be insignificant; (*rif. a cose*) to seem (*o* be) nothing: *il mio regalo scompare di fronte al tuo* my gift is nothing compared with yours. – **scomparizione** *f.* disappearance, vanishing.
scomparsa *f.* **1.** disappearance, vanishing: *la* ~ *dei sintomi* the disappearance of the symptoms. – **2.** ⟨*eufem*⟩ (*morte*) death.
scomparso (*p.p. di scomparire*) **I** *a.* **1.** lost, vanished, that has disappeared: *continente* ~ lost continent; (*estinto*) extinct. – **2.** ⟨*eufem*⟩ (*morto*) dead, deceased. – **II** *s.m.* (*f.* **-a**) ⟨*eufem*⟩ (*defunto*) dead person, deceased.
scompartimento *m.* **1.** division, compartment, section: *gli -i di un armadio* the sections of a cupboard. – **2.** ⟨*Ferr*⟩ compartment: ~ *di prima classe* first-class compartment. □ ⟨*Ferr*⟩ ~ *per fumatori* smoking compartment, ⟨*fam*⟩ smoker; ~ *per non fumatori* non-smoking compartment, ⟨*fam*⟩ non-smoker; ~ *postale* postal compartment; ~ *ristorante* dining (*o* restaurant) compartment; ⟨*Mar*⟩ ~ *stagno* watertight compartment.
scompartire *v.t.* (**scompartisco/scomparto, scompartisci/scomparti**) ⟨*non com*⟩ **1.** (*dividere in parti*) to divide up, to (sub)divide; (*separare*) to divide, to separate. – **2.** (*distribuire*) to share (out), to distribute. – **3.** ⟨*ant*⟩ (*rif. a tributi*: *ripartire*) to divide.
scomparto *m.* **1.** division, compartment, section. – **2.** ⟨*Arch*⟩ compartment. – **3.** ⟨*Tip*⟩ panel, section.
scompensare *v.t.* (**scompenso**) **1.** to unbalance, to put out of balance, to upset the balance of. – **2.** ⟨*Med*⟩ to cause decompensation in. – **scompensato** (*p.p. di scompensare*) **I** *a.* **1.** unbalanced. – **2.** ⟨*Med*⟩ decompensating. – **II** *s.m.* ⟨*Med*⟩ person suffering from decompensation. – **scompenso** *m.* **1.** lack of balance: ~ *tra la domanda e l'offerta* lack of balance between supply and demand. – **2.** ⟨*Med*⟩ decompensation: ~ *cardiaco* (cardiac) decompensation.
scompiacente (*p.pr. di scompiacere*) *a.* disobliging, unaccommodating; (*scortese*) discourteous: *mostrarsi* ~ *verso qd.* to be discourteous to s.o. – **scompiacenza** *f.* disobligingness; (*scortesia*) discourtesy, impoliteness. – **scompiacere** *v.i.* (**scompiaccio, scompiaci; scompiacqui, scompiaciuto**; → **piacere**; *aus.* **avere**) to be disobliging (*o* unaccommodating); (*essere scortese*) to be discourteous.
scompigliamento *m.* **1.** disarranging, muddling, untidying. – **2.** ⟨*fig*⟩ (*sconvolgimento*) perturbation, upsetting. – **scompigliare** *v.t.* (**scompiglio, scompigli**) **1.** to disarrange, to untidy, to throw into disorder, to mess (up): ~ *un cassetto* to mess up a drawer. – **2.** (*rif. a capelli*) to ruffle, to dishevel, to rumple. – **3.** ⟨*fig*⟩ (*sconvolgere*) to upset, to perturb, to disturb, to agitate: ~ *i piani di qd.* to upset s.o.'s plans; (*confondere*) to confuse. – **scompigliato** (*p.p. di scompigliare*) *a.* **1.** disarranged, untidy, messy, topsy-turvy. – **2.** (*rif. a capelli*) ruffled, dishevelled. – **3.** ⟨*fig*⟩ (*disordinato*) confused: *idee -e* confused ideas.
scompiglio[1] *m.* **1.** (*lo scompigliare*) upsetting, throwing into disorder. – **2.** (*confusione*) disorder, confusion, chaos (*anche fig.*): *portare lo* ~ *in qc.* to cause confusion in s.th. – **3.** ⟨*fig*⟩ (*turbamento*) perturbation, (state of) agitation.
scompiglio[2] *m.* ⟨*non com*⟩ great disorder, utter confusion.
scompisciare *v.t.* (**scompiscio, scompisci**) ⟨*volg*⟩ to wet, ⟨*volg*⟩ to piss (*o* pee) on. – **scompisciarsi** *v.r.* to wet o.s. (*o* one's pants), ⟨*volg*⟩ to pee o.s. □ ⟨*fig*⟩ *scompisciarsi dalle risa* to laugh so hard one wets one's pants.
scompletamento *m.* ⟨*non com*⟩ making incomplete. – **scompletare** *v.t.* (**scompleto**) ⟨*non com*⟩ to make incomplete. – **scompleto** *a.* ⟨*non com*⟩ (*incompleto*) incomplete.
scomponibile *a.* **1.** dismountable, that can be disassembled (*o* taken apart). – **2.** ⟨*Mat*⟩ reducible. – **scomponibilità** *f.* **1.** possibility of being dismounted (*o* disassembled). – **2.** ⟨*Mat*⟩ reducibility. – **scomponimento** *m.* ⟨*ant*⟩ dismounting, disassembly.
scomporre *v.t.* (**scompongo, scomponi; scomposi, scomposto**; → **porre**) **1.** to disassemble, to take apart, to break up: ~ *un armadio* to take a wardrobe apart; (*separare le parti di un tutto*) to break down, to decompose. – **2.** (*scompigliare*) to disarrange, to dishevel, to untidy. – **3.** (*decomporre*) to decompose (*anche Chim.*). – **4.** (*alterare*) to change, to upset, to distort: *il dolore le scomponeva il volto* pain distorted her face. – **5.** ⟨*fig*⟩ (*turbare profondamente*) to perturb, to disturb, to upset. – **6.** ⟨*Mat*⟩ to factorize, to break up into factors. – **7.** ⟨*Tip*⟩ to distribute, to kill, to break up. – **scomporsi** *v.r.* (*turbarsi*) to get upset, to lose one's composure. □ ⟨*Mat*⟩ ~ *in fattori* to factorize; *senza scomporsi* unperturbed, without losing one's composure, without turning a hair.
scompositore *m.* (*f.* **-trice**) ⟨*Tip*⟩ distributor.
scomposizione *f.* **1.** (*lo scomporre*) disassembling, taking apart, breaking up; (*rif. alle parti di un tutto*) breakdown. – **2.** (*separazione, smembramento*) decomposition, breaking down. – **3.** (*decomposizione*) decomposition (*anche Chim.*). – **4.** ⟨*Mat*⟩ factorization. – **5.** ⟨*Tip*⟩ distribution, killing, breaking up. □ ⟨*TV*⟩ ~ *dei colori* colour break-up; ⟨*Fis*⟩ ~ *delle forze* resolution of forces; ⟨*TV*⟩ ~ *dell'immagine* image scanning; ⟨*Ferr*⟩ ~ *dei treni* splitting up of trains.
scompostamente *avv.* in an unseemly way, unbecomingly, indecorously. – **scompostezza** *f.* **1.** (*sguaiatezza*) unmannerliness, unseemliness. – **2.** ⟨*fig*⟩ (*mancanza d'equilibrio*) extravagance, lack of balance, unevenness; (*sconnessione*) incoherence.
scomposto (*p.p. di scomporre*) *a.* **1.** disassembled, in (*o* taken to) pieces, broken up (*o* down). – **2.** (*in disordine*) untidy, dishevelled: *vestiti -i* untidy clothes; (*rif. a capelli*) ruffled, dishevelled. – **3.** (*sguaiato, privo di compostezza*) unseemly, indecorous, unbecoming: *atteggiamento* ~ unseemly position; (*rif. a ragazza o donna*) in an unladylike way. – **4.** ⟨*fig*⟩ (*privo di equilibrio*) lacking in balance, unbalanced, uneven: *stile* ~ uneven style; (*sconnesso*) incoherent, disjointed. – **5.** ⟨*Mat*⟩ factorized. □ *non stare* ~ sit properly.
scomputabile *a.* deductible. – **scomputare** *v.t.* (**scomputo**) to deduct, to take. – **scomputo** *m.* deduction.
scomunare *v.t.* ⟨*ant*⟩ (*disunire*) to divide, to disunite.
scomunica *f.* ⟨*Rel*⟩ excommunication. □ ⟨*fig*⟩ *avere la* ~ *addosso* (*essere sfortunato*) to have (*o* be dogged by) bad luck, to be unlucky; *dare* (*o lanciare*) *la* ~ *a qd.* to excommunicate s.o.; *pronunciare la* ~ to pronounce an excommunication. – **scomunicabile** *a.* excommunicable. – **scomunicagione** *f.*, **scomunicamento** *m.* ⟨*rar*⟩ → **scomunica**. – **scomunicare** *v.t.* (**scomunico, scomunichi**) **1.** ⟨*Rel*⟩ to excommunicate. – **2.** ⟨*fig,scherz*⟩ (*mettere al bando*) to disown, to repudiate, to outlaw. – **scomunicato** (*p.p. di scomunicare*) **I** *a.* **1.** excommunicated. – **2.** (*sacrilego*) irreverent, sacrilegious. – **3.** ⟨*fig*⟩ (*disumano*) sinister, evil. – **II** *s.m.* (*f.* **-a**) excommunicated person, excommunicate. – **scomunicatore** *m.* (*f.* **-trice**) ⟨*non com*⟩ excommunicator. – **scomunicazione** *f.* ⟨*ant*⟩ → **scomunica**.
sconcare *v.t.* (**sconco, sconchi**) ⟨*Agr*⟩ to dig a trench around.
sconcatenamento *m.* ⟨*non com*⟩ disconnection, disjoining. – **sconcatenare** *v.t.* (**sconcateno**) ⟨*non com*⟩ to disconnect, to disjoin. – **sconcatenato** (*p.p. di sconcatenare*) *a.* ⟨*fig*⟩ disjointed, incoherent: *discorsi -i* incoherent talk.
sconcatura *f.* ⟨*Agr*⟩ digging of a trench (around a tree).
sconcertamento *m.* ⟨*non com*⟩ **1.** upsetting, disruption. – **2.** ⟨*fig*⟩ disconcertedness, discomposure, perturbation. □ ~ *di stomaco* stomach upset. – **sconcertante** (*p.pr. di sconcertare*) *a.* disconcerting: *un atteggiamento* ~ a disconcerting attitude. – **sconcertare** *v.t.* (**sconcerto**) **1.** to upset, to disrupt: ~ *i piani di qd.* to upset s.o.'s plans. – **2.** ⟨*fig*⟩ (*turbare*) to disconcert, to bewilder: *le sue parole mi sconcertarono* his words disconcerted me. – **sconcertarsi** *v.r.* (*turbarsi*) to be disconcerted (*o* bewildered). □ *non lasciarsi* ~ to remain unperturbed, to keep one's self-possession; ~ *lo stomaco* to upset one's stomach. – **sconcertato** (*p.p. di sconcertare*) *a.* disconcerted, bewildered: *avere un'aria -a* to look bewildered; *rimanere un po'* ~ to be rather disconcerted. – **sconcerto** *m.* **1.** upset, disorder, disturbance. – **2.** ⟨*fig*⟩ (*turbamento*) disconcertedness, discomposure, perturbation, bewilderment.

sconcezza *f.* **1.** indecency, obscenity, lewdness. – **2.** (*cosa sconcia*) indecency, obscenity; (*espressione sconcia*) obscenity, foul language, dirty talk, smut: *non dire altro che -e* to talk smut, to use foul language. – **sconciamente** *avv.* indecently, obscenely.

sconciamento *m.* ⟨*non com*⟩ **1.** (*il deformare*) deforming. – **2.** (*il guastare*) spoiling, ruining. – **sconciare** *v.t.* (**sconcio, sconci**) ⟨*non com*⟩ **1.** (*deformare*) to deform. – **2.** (*guastare, rovinare*) to spoil, to ruin, to mar. – **sconciarsi** *v.r.* ⟨*ant*⟩ (*abortire*) to abort, to miscarry. – **sconciatore** ⟨*ant*⟩ **I** *s.m.* (*f.* **-trice**) **1.** spoiler. – **2.** (*chi scompiglia*) disheveller. – **II** *a.* **1.** spoiling. – **2.** (*che scompiglia*) dishevelling, ruffling. – **sconciatura** *f.* **1.** (*cosa mal fatta*) scandal, disgrace, monstrosity, botch; (*asserzione madornale*) outrage. – **2.** ⟨*ant*⟩ (*aborto*) miscarriage.

sconciglio *m.* ⟨*Zool*⟩ murex (*Murex*).

sconcio I *a.* **1.** (*turpe, osceno*) indecent, obscene, lewd, smutty, bawdy, dirty: *parole sconce* dirty words. – **2.** (*repellente*) disgusting, horrid; (*deforme*) deformed. – **3.** ⟨*ant*⟩ (*disordinato nel vestire*) untidy; (*scomposto*) untidy, dishevelled; (*mal ridotto*) in a bad state. – **4.** ⟨*ant*⟩ (*non opportuno*) unsuitable, unseemly, improper. – **5.** ⟨*ant*⟩ (*smodato*) excessive, immoderate. – **II** *s.m.* **1.** (*cosa indecente*) shame, scandal, disgrace: *è uno ~ che siano ammessi spettacoli del genere* it's a disgrace that they allow shows like that. – **2.** (*cosa mal fatta*) disgrace, ⟨*fam*⟩ mess: *questo libro è uno ~* this book is a disgrace. – **3.** ⟨*ant*⟩ (*danno*) harm; (*disagio*) inconvenience.

sconcludere *v.t.* (**sconclusi, sconcluso**) ⟨*non com*⟩ to break off, to cause to come to nothing. – **sconclusionatezza** *f.* **1.** (*rif. a persone*) inconsequence, vagueness, ineffectiveness. – **2.** (*rif. a cose*) inconclusiveness, incoherence. – **sconclusionato I** *a.* **1.** inconclusive, rambling; (*incoerente*) incoherent, disconnected, disjointed. – **2.** (*rif. a persone*) inconsequent, vague, ineffective, ineffectual: *che ragazzo ~ !* what an inconsequent fellow! – **II** *s.m.* (*f.* **-a**) vague (*o* ineffectual) person, person who gets nothing done.

sconcordante (*p.pr. di sconcordare*) *a.* **1.** conflicting, clashing, disagreeing. – **2.** (*rif. a suoni*) discordant, jarring; (*rif. a colori*) clashing. – **sconcordanza** *f.* **1.** conflict, clash, disagreement, discordance. – **2.** (*rif. a suoni*) discordance, jarring; (*rif. a colori*) clash. – **3.** ⟨*Gramm*⟩ lack of agreement, breach of a rule of concord. – **sconcordare** *v.i.* (**sconcordo**; *aus.* **avere**) **1.** to conflict, to clash, to disagree. – **2.** (*rif. a suoni*) to jar, to be discordant; (*rif. a colori*) to clash. – **sconcorde** *a.* ⟨*lett*⟩ disagreeing, discordant, conflicting. – **sconcordia** *f.* **1.** ⟨*non com*⟩ discord, disagreement. – **2.** ⟨*Bot*⟩ marsh orchis (*Orchis latifolia*).

scondito I *a.* **1.** ⟨*Gastr*⟩ (*non condito*) unseasoned, without seasoning (*o* flavouring); (*rif. all'insalata*) without dressing; (*poco condito*) lightly seasoned, plain. – **2.** ⟨*fig,ant*⟩ (*sciocco*) silly. – **II** *avv.* without seasoning. □ *mangiare ~* to eat unseasoned (*o* plain) food.

scondizionato *a.* ⟨*Post*⟩ damaged.

sconfacente *a.* ⟨*non com*⟩ unsuitable, inappropriate; (*disdicevole*) unbecoming.

sconferma *f.* ⟨*rar*⟩ (*smentita*) denial.

sconfessare *v.t.* (**sconfesso**) **1.** (*ritrattare*) to renounce, to retract, to disavow: *~ le proprie idee politiche* to renounce one's political ideas. – **2.** (*disconoscere, disapprovare*) to repudiate, to disclaim (responsibility for), to disavow, to disown: *il partito ha sconfessato l'attività del suo sottosegretario* the party disclaimed responsibility for the actions of its under-secretary.

sconfessionalizzare *v.t.* to secularize, to laicize. – **sconfessionalizzazione** *f.* secularization, laicization.

sconfessione *f.* renouncing, retraction, disavowal.

sconficcamento *m.* ⟨*non com*⟩ removal, extraction, pulling (*o* drawing) out. – **sconficcare** *v.t.* (**sconficco, sconficchi**) **1.** to remove, to extract, to pull (*o* draw) out: *~ i chiodi da una parete* to pull the nails out of a wall. – **2.** (*liberare*) to free, to release, to open (up): *~ un coperchio* to free (*o* unnail) a lid.

sconfidarsi *v.r.* ⟨*ant*⟩ **1.** to lose confidence (*o* faith), to have no more confidence (*o* faith), to be disillusioned. – **2.** (*disperare*) to despair, to lose heart, to be discouraged (*o* disheartened). – **sconfidato** (*p.p. di sconfidarsi*) ⟨*ant*⟩ **I** *a.* (*sfiduciato*) discouraged, disheartened, disillusioned. – **II** *s.m.* (*f.* **-a**) disheartened person.

sconfiggere[1] *v.t.* (**sconfiggo, sconfiggi; sconfissi, sconfitto**) to defeat, to beat, to overcome, ⟨*lett*⟩ to vanquish (*anche fig.*): *~ il nemico* to defeat the enemy; *~ il male* to vanquish evil.

sconfiggere[2] *v.* (**sconfiggo, sconfiggi; sconfissi, sconfitto**) ⟨*non com*⟩ → **sconficcare**.

sconfinamento *m.* **1.** border violation, crossing a frontier. – **2.** (*rif. a proprietà privata*) trespass(ing).

sconfinare *v.i.* (*aus.* **avere**/*rar.* **essere**) **1.** to cross the frontier (*o* border): *sconfinarono in Francia* they crossed the ⌜frontier into France⌝ (*o* French border). – **2.** (*rif. a proprietà privata*) to trespass. – **3.** (*invadere*) to invade. – **4.** ⟨*fig*⟩ (*uscire dai limiti fissati*) to stray, to get away, to digress (*da* from), to go off (s.th.), to exceed (*o* go beyond) the limits (of): *~ dall'oggetto della discussione* to stray from the matter under discussion. – **5.** ⟨*fig*⟩ (*trascendere*) to go too far.

sconfinatamente *avv.* **1.** boundlessly, unlimitedly, infinitely. – **2.** ⟨*fig*⟩ (*immensamente*) immensely, tremendously. – **sconfinatezza** *f.* **1.** boundlessness, infiniteness. – **2.** ⟨*fig*⟩ immensity. – **sconfinato** *a.* **1.** boundless, unlimited, infinite: *il mare ~* the boundless ocean. – **2.** ⟨*fig*⟩ (*immenso*) immense, tremendous: *potere ~* tremendous power.

sconfitta *f.* defeat (*anche fig.*): *~ alle elezioni* defeat at the elections. □ *subire una ~* to be defeated. – **sconfitto** (*p.p. di sconfiggere*[1]) **I** *a.* (*vinto*) defeated, beaten, ⟨*lett*⟩ vanquished. – **II** *s.m.* (*f.* **-a**) defeated person; *pl.* the defeated (*costr.pl.*), ⟨*lett*⟩ the vanquished (*costr.pl.*).

sconfondere *v.t.* (**sconfusi, sconfuso**) ⟨*ant,intens*⟩ (*confondere*) to confound.

sconfortamento *m.* ⟨*rar*⟩ (*atto*) disheartening, discouraging, depressing; (*effetto*) disheartenment, discouragement, dejection, depression. – **sconfortante** (*p.pr. di sconfortare*) *a.* disheartening, discouraging, depressing: *notizie -i* depressing news. – **sconfortare** *v.t.* (**sconforto**) **1.** to dishearten, to discourage, to deject, to depress, to dispirit: *l'indifferenza di tutti lo sconfortava* he was disheartened by everyone's indifference. – **2.** ⟨*ant*⟩ (*dissuadere*) to dissuade, to deter. – **sconfortarsi** *v.r.* (*avvilirsi*) to lose heart, to become (*o* get) disheartened, to become discouraged (*o* depressed). – **sconfortato** (*p.p. di sconfortare*) *a.* **1.** disheartened, discouraged, dejected, depressed: *animo ~* dejected person. – **2.** (*che esprime sconforto*) disconsolate, dejected, miserable: *pianto ~* disconsolate weeping. – **sconfortevole** *a.* ⟨*rar*⟩ → **sconfortante**. – **sconforto** *m.* **1.** dejection, discouragement, depression, distress. – **2.** (*causa di sconforto*) depressing situation (*o* thing). □ *che ~ la casa vuota!* how depressing an empty house is!

scongiuramento *m.* ⟨*rar*⟩ imploring, entreaty. – **scongiurare** *v.t.* **1.** (*supplicare*) to beg, to implore, to entreat, to beseech: *vi scongiuro di tacere* I beg you to be silent, please don't say anything. – **2.** (*evitare, scansare*) to avert, to avoid, to ward off: *~ una disgrazia* to avert an accident. – **3.** ⟨*Rel*⟩ to exorcize, to cast out. – **scongiurato** (*p.p. di scongiurare*) *a.* **1.** exorcized: *demoni -i* exorcized demons. – **2.** (*evitato*) averted, avoided: *pericolo ~* averted danger. – **scongiuratore** ⟨*non com*⟩ **I** *s.m.* (*f.* **-trice**) **1.** entreater, beseecher. – **2.** ⟨*Rel*⟩ exorcist. – **II** *a.* **1.** begging, entreating. – **2.** ⟨*Rel*⟩ exorcizing. – **scongiurazione** *f.* ⟨*non com*⟩ exorcism, exorcization. – **scongiuro** *m.* **1.** exorcism. – **2.** *pl.* (*formula magica*) exorcism, charm, spell, conjuration. – **3.** ⟨*lett,rar*⟩ (*supplica*) entreaty, plea. – **4.** ⟨*ant*⟩ (*giuramento*) oath. □ ⟨*fam*⟩ *fare gli -i* to touch (*o* knock on) wood.

sconnessamente *avv.* incoherently, disjointedly. – **sconnessione** *f.* incoherence, disjointedness. – **sconnesso** (o *sconnesso*) (*p.p. di sconnettere*) *a.* **1.** disconnected, unconnected, separated. – **2.** ⟨*fig*⟩ (*incoerente*) incoherent, disjointed, rambling. – **sconnessura** *f.* **1.** disconnection, disconnectedness. – **2.** (*punto di sconnessura*) opening, separation. – **sconnettere** (o *sconnettere*) *v.t.* (**sconnettei/sconnessi/sconnessi, sconnesso/sconnesso**) **1.** to disconnect, to separate, to divide, to break off (*o* up). – **2.** ⟨*fig,assol*⟩ (*sragionare*) to wander, to talk nonsense (*o* wildly).

sconocchiare *v.t.* (**sconocchio, sconocchi**) ⟨*non com*⟩ **1.** (*filare*) to spin. – **2.** ⟨*fig,roman*⟩ (*ridurre in cattive condizioni*) to weaken, to wear down (*o* out): *la febbre lo ha sconocchiato* the fever weakened him. – **3.** ⟨*fig,tosc*⟩ (*mangiare avidamente*) to gobble (up), to wolf down: *si è sconocchiato un pollo* he gobbled up a chicken. – **sconocchiato** (*p.p. di sconocchiare*) *a.* ⟨*roman*⟩ (*fiacco*) weak, listless, limp. – **sconocchiatura** *f.* ⟨*non com*⟩ wool (*o* flax) remaining on the distaff.

sconoscente (*p.pr. di sconoscere*) *a.* **1.** ⟨*non com*⟩ (*ingrato*) ungrateful (*di* for). – **2.** ⟨*ant*⟩ (*privo di discernimento*) undiscerning, lacking in discernment. – **sconoscenza** *f.* **1.** ⟨*non com*⟩ (*ingratitudine*) ungratefulness, ingratitude. – **2.** ⟨*ant*⟩ (*mancanza di discernimento*) lack of discernment. – **sconoscere** *v.t.* (**sconosco, sconosci; sconobbi, sconosciuto**) ⟨*non com*⟩ to ignore, to refuse to recognize (*o* allow). – **sconoscimento** *m.* ⟨*non com*⟩ ignoring. – **sconosciutamente** *avv.* ⟨*ant,rar*⟩ secretly, incognito.

sconosciuto (*p.p. di sconoscere*) **I** *a.* **1.** unknown, unfamiliar; (*inesplorato*) unexplored: *paesi -i* unexplored countries; (*rif. a persona: privo di fama*) unknown, obscure, little known: *un attore ~* an unknown actor. – **2.** (*mai provato prima*) unknown, new, untried: *una sensazione -a* a new sensation. – **3.** (*non identificato*) unknown, unidentified: *l'assassino è ancora ~* the murderer is still unknown. – **4.** ⟨*lett*⟩ (*non apprezzato*) unappreciated, disregarded, overlooked. – **II** *s.m.* (*f.* **-a**) unknown person, stranger.

sconquassamento *m.* **1.** shaking. – **2.** (*sfasciamento*) shattering, smashing. – **sconquassare** *v.t.* **1.** to shake. – **2.** (*sfasciare*) to shatter, to smash (in), to break up (*o* down). – **3.** ⟨*fig*⟩ (*scombussolare*) to upset, to shake up: *il viaggio mi ha sconquassato* the journey has shaken me up. – **sconquassarsi** *v.r.* to break, to be ruined. – **sconquassato** (*p.p. di sconquassare*) *a.* **1.** shaken. – **2.** (*sfasciato*) broken(-down), ramshackle, rickety, smashed, shattered. – **3.** ⟨*fig*⟩ (*scombussolato*) upset, shaken (up). – **sconquassatore** *m.* (*f.* **-trice**) ⟨*non com*⟩ shaker.

sconquasso *m.* **1.** shaking. – **2.** (*sfasciamento*) shattering, smashing, breaking (up). – **3.** (*fragore*) crash(ing), smash; (*danno*) damage. – **4.** ⟨*fig*⟩ (*confusione*) confusion; (*disordine*) disorder, mess.

sconsacrare *v.t.* ⟨*Rel*⟩ to deconsecrate. – **sconsacrato** (*p.p. di sconsacrare*) *a.* deconsecrated: *chiesa -a* deconsecrated church. – **sconsacrazione** *f.* **1.** deconsecration. – **2.** (*cerimonia*) deconsecration.

sconsentire *v.* (**sconsento**) ⟨*rar*⟩ **I** *v.t.* (*non consentire*) to disagree with. – **II** *v.i.* (*aus.* **avere**) (*dissentire*) to disagree, to dissent.

sconsideratamente *avv.* **1.** (*senza riflettere*) thoughtlessly, heedlessly, without thinking. – **2.** (*avventatamente*) rashly, imprudently, inconsiderately. – **sconsideratęzza** *f.* **1.** thoughtlessness, heedlessness; (*imprudenza*) rashness, imprudence. – **2.** (*sbadataggine*) thoughtlessness, carelessness. – **sconsiderạto I** *a.* **1.** thoughtless, heedless, rash, inconsiderate, imprudent. – **2.** (*sbadato*) thoughtless, careless, inattentive. – **II** *s.m.* (*f.* **-a**) thoughtless (*o* heedless) person.

sconsigliạre *v.t.* (**sconsịglio, sconsịgli**) **1.** (*non consigliare*) not to advise, not to recommend, to advise against: *questa stoffa te la sconsiglio* I don't recommend this material. – **2.** (*raccomandare di non fare*) to advise (*da* against), to dissuade (from), not to advise (s.th.): *ti sconsiglio dal tentare l'affare* I don't advise you to try it. – **sconsigliatamęnte** *avv.* heedlessly, thoughtlessly. – **sconsigliatęzza** *f.* heedlessness, inconsiderateness, rashness. – **sconsigliạto** (*p.p. di sconsigliare*) **I** *a.* **1.** heedless, thoughtless; (*avventato*) rash. – **2.** ⟨*ant*⟩ (*privo di consiglio*) unadvised. – **II** *s.m.* (*f.* **-a**) heedless person. – **sconsigliatọre** *m.* (*f.* **-trice**) ⟨*lett,rar*⟩ dissuader.

sconsolạnte (*p.pr. di sconsolare*) *a.* discouraging, disheartening, depressing. – **sconsolạre** *v.t.* (**sconsǫlo**) to discourage, to dishearten, to depress. – **sconsolarsi** *v.r.* to be(come) discouraged (*o* disheartened), to lose heart, to be(come) depressed. – **sconsolatamęnte** *avv.* disconsolately, dejectedly. – **sconsolatęzza** *f.* disconsolateness, dejection, depression. – **sconsolạto** (*p.p. di sconsolare*) *a.* **1.** disconsolate, dejected, downcast, depressed: *avere un'aria -a* to look disconsolate. – **2.** ⟨*lett*⟩ (*senza speranza di consolazione*) inconsolable, heartbroken. – **3.** ⟨*ant*⟩ (*che infonde sconforto*) disconsolate, cheerless. – **sconsolaziọne** *f.* ⟨*ant,rar*⟩ → **sconsolatezza.**

scontạbile *a.* **1.** deductible. – **2.** ⟨*Econ*⟩ discountable. – **scontabilità** *f.* ⟨*Econ*⟩ possibility of being discounted. – **scontamęnto** *m.* ⟨*ant, non com*⟩ (*lo scontare una pena*) serving; (*espiazione*) atonement, expiation. – **scontạnte** (*p.pr. di scontare*) **I** *a.* discounting, discount-. – **II** *s.m./f.* discounter.

scontạre *v.t.* (**scǫnto**) **1.** (*detrarre da un conto*) to deduct; (*pagare, estinguere*) to pay off, to settle: ~ *un debito* to pay off a debt. – **2.** (*espiare*) to pay (the penalty) for, to expiate, to atone for: ~ *un delitto* to pay for a crime. – **3.** (*rif. a pene*) to serve: ~ *due anni di carcere* to serve a two-year prison sentence. – **4.** (*subire le conseguenze di uno sbaglio*) to pay (*o* suffer) for: ~ *gli errori di gioventù* to pay for the errors of one's youth. – **5.** ⟨*fig*⟩ (*superare*) to surpass. – **6.** ⟨*Econ*⟩ to discount: ~ *una cambiale* to discount a bill. ☐ *la sconterai!* you'll pay for it!

scontatạrio *m.* (*f.* **-a**) ⟨*Econ*⟩ presenter of a bill for discount.

scontạto (*p.p. di scontare*) *a.* **1.** deducted. – **2.** (*pagato*) paid (off, up), settled: *debito* ~ paid-up debt. – **3.** (*espiato*) paid for, expiated, atoned for: *delitto* ~ expiated crime; (*rif. a pena*) served. – **4.** (*previsto*) foreseen, expected, taken for granted: *successo* ~ success taken for granted; *la tua bocciatura era* ~ your failure was foreseen. – **5.** ⟨*Econ*⟩ discounted. ☐ *dare per* ~ to take for granted, to be a foregone conclusion; *il suo licenziamento era già* ~ his dismissal was a foregone conclusion. – **scontatọre** *a./s.m.* (*f.* **-trice**) → **scontante.**

scontentạre *v.t.* (**scontęnto**) **1.** (*rendere scontento*) to displease, to dissatisfy, to discontent. – **2.** (*lasciare scontento*) not to please (*o* satisfy), to leave dissatisfied (*o* discontented), to disappoint. – **scontentęzza** *f.* **1.** discontent, displeasure, dissatisfaction. – **2.** (*cattivo umore*) discontentedness, ill temper, hardness to please. – **scontęnto I** *a.* **1.** discontented, dissatisfied, displeased: *essere* ~ *di qc.* to be dissatisfied with s.th. – **2.** (*difficile a contentarsi*) difficult, hard to please. – **II** *s.m.* **1.** (*f.* **-a**) discontented person. – **2.** (*insoddisfazione*) discontent, dissatisfaction, displeasure, disappointment: *c'è uno* ~ *generale tra la cittadinanza* there is widespread discontent among the people.

scontịnuo *a.* ⟨*non com*⟩ discontinuous.

scontịsta *m./f.* → **scontatario.**

scǫnto *m.* **1.** (*riduzione del prezzo*) reduction, discount, rebate, allowance: *fare* (*o concedere*) *uno* ~ to give a discount (*o* reduction); (*sconto percentuale*) discount: *uno* ~ *del dieci per cento* a ten per cent discount; (*deduzione*) deduction, discount. – **2.** ⟨*Econ*⟩ (*contratto*) discount; (*interesse dedotto*) discount; (*tasso di sconto*) discount rate, rate of discount; (*operazione*) discount(ing). – **3.** ⟨*rar*⟩ (*estinzione di un debito*) payment, settlement.

☐ **a** ~: 1. in payment, in settlement: *a* ~ *del mio debito* in payment of my debt; 2. ⟨*fig*⟩ in atonement, in expiation, as penance: *a* ~ *dei miei peccati* as penance for my sins; ~ **bancario** bank discount; ~ **cambiario** discounting of bills of exchange; ~ *del* **capitale** direct discount; ~ **cartolare** discounting of securities; ~ *di* **cassa** cash discount; ~ **commerciale** trade discount; **presentare** *una cambiale allo* ~ to offer a bill for discount; ~ *di* **quantità** discount; ~ **razionale** true discount; ⟨*Giorn*⟩ ~ **scalare** space discount.

scontǫrcere *v.t.* (**scontǫrco, scontǫrci; scontǫrsi, scontǫrto**) **1.** to contort, to twist. – **2.** ⟨*fig*⟩ (*travisare*) to distort, to twist. – **scontorcersi** *v.r.* to writhe, to twist, to contort o.s., to roll about. – **scontorcimęnto** *m.* **1.** (*lo scontorcere*) twisting, contortion. – **2.** (*lo scontorcersi*) writhing, twisting, contortion.

scontornạre *v.t.* (**scontọrno**) ⟨*Tip*⟩ to block out, to silhouette, to outline.

scontǫrto (*p.p. di scontorcere*) *a.* **1.** contorted, twisted. – **2.** (*deformato*) deformed, distorted, twisted. – **3.** ⟨*fig*⟩ (*confuso*) confused, muddled.

scontrạre *v.t.* (**scọntro**) **1.** (*incontrare*) to meet; (*imbattersi*) to run into, to encounter. – **2.** ⟨*Mar*⟩ to meet. – **3.** ⟨*ant*⟩ (*attaccare*) to attack. – **scontrarsi** *v.r.* **1.** to meet in battle, to engage: *i due eserciti si scontrarono nella pianura* the two armies met in battle on the plain. – **2.** (*incontrarsi*) to meet (*in, con qd.* s.o., with s.o.); (*imbattersi*) to run into, to encounter (s.o.). – **3.** (*rif. a veicoli*) to collide (*con* with), to crash, to run (into): *il rapido si è scontrato con un treno merci* the express crashed into a goods train. – **4.** ⟨*fig*⟩ (*divergere*) to clash, to conflict, to differ: *le loro opinioni si scontrano* their opinions conflict.

scontrạzzo *m.* ⟨*ant*⟩ **1.** (*scontro d'armi*) clash. – **2.** ⟨*rar*⟩ (*incontro*) meeting.

scontrịno *m.* ticket, coupon, docket, ⟨*am*⟩ check; (*ricevuta*) receipt. ☐ ⟨*Econ*⟩ ~ *di* **assegno** cheque stub; ~ **bagagli** luggage ticket (*o* check); ~ *del deposito bagagli* left luggage ticket (*o* check), ⟨*am*⟩ baggage room check; ~ *di* **cassa** cash slip; ~ *del* **guardaroba** cloakroom ticket (*o* check); ⟨*Comm*⟩ ~ *d'***introduzione** warrant, ⟨*am*⟩ warehouse receipt.

scọntro *m.* **1.** (*rif. a veicoli*) crash, collision: ~ *ferroviario* rail crash. – **2.** (*rif. a forze ostili*) battle, encounter, engagement, action; (*duello*) duel; (*combattimento*) fight, combat, skirmish; (*nella scherma*) bout. – **3.** ⟨*fig*⟩ (*discussione violenta, contrasto*) clash, dispute, argument, quarrel: *avere uno* ~ *con qd.* to have an argument with s.o. – **4.** ⟨*ant*⟩ (*bolletta di riscontro*) receipt. ☐ ⟨*Mar*⟩ ~ *dell'argano* capstan pawl; ~ *a fuoco* gunfight, shooting, ⟨*fam*⟩ shoot-out.

scontrosạggine *f.* surliness, sullenness, bad temper, peevishness, cantankerousness. – **scontrosętto** (*dim. di scontroso*) *a.* rather sullen. – **scontrosità** *f.* **1.** (*l'essere scontroso*) surliness, sullenness, bad temper, peevishness, cantankerousness. – **2.** (*atto scontroso*) surly behaviour, rudeness. – **scontrọso** *a.* surly, sullen, bad-tempered, peevish, cantankerous; (*poco socievole*) unsociable; (*permaloso*) touchy, huffy.

sconvenęvole *a.* ⟨*lett*⟩ improper, unseemly. – **sconvenevolęzza** *f.* ⟨*lett*⟩ impropriety, unseemliness.

sconveniẹnte (*p.pr. di sconvenire*) *a.* **1.** improper, unseemly, unbecoming, indecorous: *parole -i* improper language. – **2.** (*che non conviene*) unprofitable, disadvantageous, unfavourable: *prezzo* ~ unfavourable price. – **sconvenientemęnte** *avv.* improperly, unbecomingly, indecorously. – **sconveniẹnza** *f.* **1.** (*mancanza di buone maniere*) impropriety, unseemliness, unbecomingness. – **2.** (*atto*) improper (*o* unseemly) behaviour. – **3.** ⟨*non com*⟩ (*il non essere vantaggioso*) unprofitableness, unfavourableness. – **4.** ⟨*ant*⟩ (*disparità, sproporzione*) disparity, lack of proportion. – **sconvenịre** *v.i.* (**sconvęngo, sconviẹni; sconvęnni, sconvenụto;** → **venire;** *aus.* **essere**), **sconvenirsi** *v.r.* **1.** not to become (*o* befit) (*a qd.* s.o.), to be unbecoming (in, to); (*non essere adatto*) to be unsuitable (to). – **2.** (*essere in contrasto*) to conflict, to be in contradiction.

sconvolgęnte (*p.pr. di sconvolgere*) *a.* upsetting, disturbing, perturbing; (*trascinante*) overwhelming: *passione* ~ overwhelming passion.

sconvǫlgere *v.t.* (**sconvǫlgo, sconvǫlgi; sconvǫlsi, sconvǫlto**) **1.** to upset, to throw into confusion: *la guerra ha sconvolto il paese* the war threw the country into confusion. – **2.** (*mettere in disordine*) to upset, to disarrange, to muddle, to mix (*o* mess) up: *un colpo di vento ha sconvolto le carte* a gust of wind mixed up the papers. – **3.** ⟨*fig*⟩ (*turbare gravemente*) to upset, to perturb, to disturb, to unsettle, to agitate: *la notizia mi ha sconvolto* the news upset me; *la sua mente era sconvolta dalla passione* his mind was unsettled (*o* deranged) by passion. – **4.** (*rivoluzionare*) to upset: ~ *i progetti di qd.* to upset s.o.'s plans. – **5.** (*devastare*) to devastate, to ravage: *il paesaggio fu sconvolto dall'alluvione* the countryside was ravaged by the flood. ☐ ⟨*estens*⟩ ~ *lo stomaco* to upset one's stomach.

sconvolgimęnto *m.* **1.** upset(ting): *lo* ~ *prodotto dalla rivoluzione* the upset caused by the revolution. – **2.** (*disordine*) disorder, confusion, muddle. – **3.** (*devastazione*) devastation. – **4.** ⟨*fig*⟩ (*grave perturbazione*) upset, perturbation, agitation. ☐ ~ *di stomaco* stomach upset. – **sconvolgitọre** ⟨*non com*⟩ **I** *s.m.* (*f.* **-trice**) upsetter, disturber. – **II** *a.* upsetting, disturbing. – **sconvǫlto** (*p.p. di sconvolgere*) *a.* **1.** ravaged, devastated: *paese* ~ *dal terremoto* land devastated by the earthquake. – **2.** ⟨*fig*⟩ (*turbato*) upset, perturbed, deranged, disturbed: *mente -a* deranged mind; (*fuori di sé*) upset, beside oneself: ~ *dal dolore* beside oneself with grief. ☐ *avere l'aspetto* ~ to look very upset.

scoordinaziọne *f.* lack of co-ordination.

scooter *ingl.* ['sku:tər] *m.* **1.** (*motoretta*) (motor)scooter. – **2.** ⟨*Mar*⟩ scooter. ☐ ~ *con motocarrozzetta* (heavy) scooter with sidecar. – **scooterịsta** *m./f.* (*scuterista*) (motor)scooter-rider, scooterist.

scọpa[1] *f.* ⟨*Bot*⟩ tree-heath (*Erica arborea*). ☐ ~ *dei cortili* summer cypress (*Kochia scoparia*); ~ *marina* tamarisk (*Tamarix gallica*); ~ *meschina* (*brugo*) heather, ling, heath (*Calluna vulgaris*).

scọpa[2] *f.* **1.** broom; (*di saggina e sim.*) besom, broom. – **2.** ⟨*Sport*⟩ (curling-)broom. ☐ ⟨*fig*⟩ *benedire qd. col manico della* ~ to give s.o. a thrashing (*o* hiding); *magro come una* ~ as thin as a lath (*o* rake); *manico di* ~ broomstick; ⟨*fig*⟩ (*persona molto magra*) beanpole; ⟨*fig*⟩ *ha mangiato il manico della* ~ he is as stiff as a poker; ~ *di setola* soft broom.

scọpa[3] *f.* (*gioco di carte*) scopa, kind of card game.

Scọpa *N.pr.m.* ⟨*Stor*⟩ Scopas.

scopacciọla *f.* ⟨*Ornit*⟩ **1.** (*sterpazzola*) greater (*o* common) whitethroat (*Sylvia communis*). – **2.** (*magnanina*) Dartford warbler (*Sylvia undata*).

scopạio *m.* **1.** (*fabbricante*) broom-maker. – **2.** (*venditore*) broom -vendor. – **3.** (*terreno*) land covered with tree-heath.
scopaiọla *f.* ⟨*Ornit*⟩ **1.** (*re di quaglie*) corncrake (*Crex crex*). – **2.** (*beccaccia*) woodcock (*Scolopax rusticola*).
scopamạre *m.* ⟨*Mar*⟩ lower studding-sail.
scopạre *v.t.* (**scǫpo**) **1.** to sweep (out): ~ *una stanza* to sweep out a room. – **2.** ⟨*fig*⟩ (*portar via, far sparire*) to sweep away, to remove. – **3.** ⟨*triv*⟩ to have sexual intercourse with, ⟨*triv*⟩ to fuck. – **4.** ⟨*ant*⟩ (*frustare per supplizio*) to birch; (*fustigare*) to flog, to whip.
scopạria *f.* ⟨*Bot*⟩ **1.** tree-heath (*Erica arborea*). – **2.** summer cypress (*Kochia scoparia*).
scopạta *f.* **1.** sweep(ing). – **2.** (*colpo di scopa*) blow with a broom. – **3.** ⟨*triv*⟩ sexual intercourse, ⟨*triv*⟩ fuck. □ *dare una* ~ *alla cucina* to sweep the kitchen (out). – **scopatọre** *m.* (*f.* **-trice**) **1.** sweeper. – **2.** ⟨*Mediev*⟩ flagellant. – **scopatrịce** *f.* ⟨*Mecc*⟩ (*spazzatrice*) street-sweeper, road-sweeper. – **scopatụra** *f.* **1.** sweeping. – **2.** (*spazzatura*) sweepings *pl*, rubbish, ⟨*am*⟩ garbage. – **3.** ⟨*Tess*⟩ (poor -quality) waste.
scopẹlidi *m.pl.* ⟨*Itt*⟩ lantern fishes *pl* (*Scopelidae*).
scopelịsmo *m.* ⟨*Dir.ant*⟩ anonymous threat.
scoperạgnola *f.* ⟨*Ornit*⟩ (*sterpazzola*) greater (*o* common) whitethroat (*Sylvia communis*). □ ~ *minore* lesser whitethroat (*Sylvia curruca*).
scoperchiạre *v.t.* (**scopęrchio, scopęrchi**) **1.** to take the lid (*o* top, cover) off: ~ *la pentola* to take the lid off the pot. – **2.** (*togliere la copertura*) to uncover, to take the covering off, to remove the cover from; (*rif. al tetto*) to take (*o* blow) the roof off, to unroof: *il vento ha scoperchiato la casa* the wind has blown the roof off the house. – **scoperchiạto** (*p.p. di scoperchiare*) *a.* uncovered, having the lid (*o* top) off; (*privo del tetto*) unroofed, roofless. – **scoperchiatụra** *f.* uncovering.
scopẹrta *f.* **1.** discovery: *la* ~ *dell'America* the discovery of America. – **2.** (*ritrovamento*) discovery, finding: *la* ~ *di una tomba etrusca* the discovery of an Etruscan tomb. – **3.** (*riconoscimento artistico*) discovery. – **4.** ⟨*iron*⟩ discovery, find: *bella* ~ *!* what a discovery (*o* find)!, ⟨*fam*⟩ tell me another! – **5.** ⟨*Mil*⟩ reconnaissance, reconnoitring. – **6.** ⟨*Minier*⟩ removal of the top stratum.
scopertamẹnte *avv.* openly.
scopẹrto (*p.p. di scoprire*) **I** *a.* **1.** (*senza coperchio*) uncovered, with the lid off, without a lid. – **2.** (*senza copertura*) open, uncovered: *terrazzo* ~ open terrace. – **3.** (*non riparato da indumenti*) bare: *andare a capo* ~ to go bare-headed. – **4.** (*senza coperte*) without bed-clothes: *dormire* ~ to sleep without bed-clothes. – **5.** (*visibile*) visible. – **6.** (*privo di riparo, indifeso*) exposed. – **7.** ⟨*fig*⟩ (*sincero, franco*) sincere, open, frank. – **8.** ⟨*Econ*⟩ (*senza copertura*) uncovered, not covered, unsecured: *un assegno* ~ an uncovered cheque; (*non saldato*) unpaid, outstanding; (*rif. a conto: con un saldo passivo*) overdrawn. – **9.** ⟨*Mil*⟩ (*privo di difesa*) undefended; (*esposto*) without cover, exposed. – **10.** (*vacante*) vacant, free: *posto* ~ free seat. – **II** *avv.* → **scopertamente**. – **III** *s.m.* **1.** (*luogo scoperto*) open (place), open air, out of doors *pl* (*costr.sing.*), outdoors *pl* (*costr.sing.*). – **2.** ⟨*Econ*⟩ overdraft; (*saldo passivo*) deficit, debit balance. □ *allo* ~: 1. in the open air, out-of-doors, outdoors: *dormire allo* ~ to sleep outdoors; 2. ⟨*Econ*⟩ uncovered, unsecured: *credito allo* ~ unsecured credit; (*rif. a conti*) overdrawn; 3. ⟨*Mil*⟩ (*privo di difesa*) undefended; (*esposto*) exposed; *vendere allo* ~ to sell short; *vendita allo* ~ short (*o* bear) sale; ~ *in bianco* blank (*o* open) credit; *avere un conto* ~ to be overdrawn, to have an overdraft, ⟨*fam*⟩ to be in the red; ~ *di conto* overdraft, loan account; *macchina -a* convertible; *massimo* ~ maximum overdraft; *passivo* ~ deficit.
scopertụra *f.* ⟨*non com*⟩ **1.** uncovering. – **2.** ⟨*Econ*⟩ (*scoperto*) overdraft; (*saldo passivo*) deficit, debit balance.
scopẹto *m.* heath.
scopẹtta (*dim. di scopa*[2]) *f.* **1.** brush, small brush. – **2.** ⟨*region*⟩ (*spazzola*) brush. – **scopettạre** *v.t.* (**scopętto**) **1.** to sweep (out), to brush. – **2.** ⟨*region*⟩ (*spazzolare*) to brush. – **scopettịna** *f. dim. di* **scopetta**. – **scopettọne** (*accr. di scopetta*) *m.* (*spazzolone*) long -handled (scrubbing-)brush. – **scopettọni** *m.pl.* ⟨*scherz*⟩ (*basette lunghe*) long side-whiskers *pl.*
scopịa *f.* ⟨*Med*⟩ (*radioscopia*) radioscopy.
...scopia *suff.* (*vista* viewing) ...scopy: *laringoscopia f.* laryngoscopy.
scopiazzạre *v.t.* ⟨*spreg*⟩ to copy (badly). – **scopiazzạto** (*p.p. di scopiazzare*) *a.* (badly) copied. – **scopiazzatọre** *m.* (*f.* **-trice**) ⟨*spreg*⟩ copier. – **scopiazzatụra** *f.* ⟨*spreg*⟩ **1.** (bad) copying. – **2.** (*opera scopiazzata*) copied work.
...scopico *suff.* (*vista* viewing) ...scopic(al): *microscopico a.* microscopic.
scopịglio *m.*, **scopịlla** *f.* ⟨*Bot*⟩ **1.** (*erica*) heath(er), erica (*Erica*). – **2.** (*brugo*) heather, ling, heath (*Calluna vulgaris*).
scopịna *f.* **1.** ⟨*Bot*⟩ Mediterranean heath (*Erica carnea*). – **2.** ⟨*Ornit*⟩ (*beccaccia*) woodcock (*Scolopax rusticola*).
scopinạre *v.t.* ⟨*Ind*⟩ to brush. – **scopinatrịce** *f.* brushing-machine. – **scopinatụra** *f.* brushing.
scopịno[1] *m.* ⟨*region*⟩ (*spazzino*) street-sweeper, street-cleaner.
scopịno[2] *m.* ⟨*Sport*⟩ (curling-)broom.
scǫpo *m.* **1.** purpose, reason: *il lavoro è lo* ~ *della sua vita* work is his (only) reason for living. – **2.** ⟨*Topogr*⟩ target. – **3.** ⟨*ant*⟩ (*bersaglio*) target. □ *a che* (*o quale*) ~*?* for what purpose?, why?, what for?, to what end?; *a* ~ *di* in order to, for the purpose (*o* sake) of, for: *a* ~ *di lucro* for (the sake of) money; *a* ~ *di studio* in order to study, for (the sake of) studying; *a questo* ~ to this end, for this purpose; *allo* ~ *di* (in order) to, so as to, for the purpose of, for: *allo* ~ *di controllare* (in order) to check; *non c'è* ~ there is no reason; (*è inutile*) there is no point, it is pointless (*o* useless); ⟨*Artigl*⟩ *falso* ~ (*falsoscopo*) auxiliary aiming point; *senza* ~: 1. (*agg.*) aimless, purposeless; 2. (*avv.*) aimlessly, purposelessly.
scopofilịa *f.* ⟨*Psic*⟩ scopophilia. – **scopǫfilo** *m.* scopophiliac.
scǫpola *f.* → **scoppola**.
scopolamịna *f.* ⟨*Chim*⟩ scopolamine.
scǫpolo *m.* → **scopulo**.
scopọne[1] (*accr. di scopa*[1]) *m.* ⟨*Bot*⟩ tree-heath (*Erica arborea*).
scopọne[2] (*accr. di scopa*[3]) *m.* kind of card game.
scoppiamẹnto *m.* separation, uncoupling.
scoppiạre[1] *v.* (**scǫppio, scǫppi**) **I** *v.i.* (*aus.* **essere**) **1.** to burst: *è scoppiato un pneumatico* a tyre has burst. – **2.** (*esplodere*) to explode, to blow up: *è scoppiata una mina* a mine has exploded; (*detonare*) to detonate. – **3.** (*aprirsi*) to burst, to split: *l'ascesso è scoppiato* the abscess has burst. – **4.** ⟨*fig*⟩ (*manifestarsi, insorgere*) to break out: *scoppiarono disordini nelle fabbriche* trouble broke out in the factories. – **5.** (*rif. a temporali*) to break. – **6.** ⟨*fig*⟩ (*prorompere*) to burst: ~ *in lacrime* to burst into tears; ~ *a ridere* to burst out laughing. – **7.** ⟨*iperb*⟩ (*non poter contenersi*) to burst: *se non parlo scoppio* I'll burst if I don't speak; ~ *dall'invidia* to burst with envy. – **8.** ⟨*Sport*⟩ (*cedere, non farcela*) to collapse, to crack (up). – **9.** ⟨*non com*⟩ (*schioccare*) to crack; (*scoppiettare*) to crackle. – **10.** ⟨*rar, ant*⟩ (*scaturire, erompere*) to erupt, to burst out (*o* forth). – **II** *v.t.* ⟨*ant,rar*⟩ (*far scoppiare*) to burst. – **scoppiarsi** *v.r.* ⟨*fam*⟩ (*screpolarsi, aprirsi*) to crack, to chap. □ *mi scoppia il cuore* my heart is breaking; ⟨*fig*⟩ *mangiare fino a* ~ to eat fit to burst; ~ *in un grido* to give (*o* let out) a yell; ~ *dalle risa* to split one's sides with laughter, ⟨*fam*⟩ to be bursting with laughter.
scoppiạre[2] *v.t.* (**scǫppio, scǫppi**) ⟨*rar*⟩ (*dividere una coppia*) to separate, to uncouple.
scoppiạto (*p.p. di scoppiare*[1]) *a.* ⟨*rar*⟩ burst, exploded; (*screpolato*) cracked, chapped. – **scoppiatụra** *f.* ⟨*region*⟩ (*screpolatura della labbra*) crack, chap.
scoppiettamẹnto *m.* ⟨*non com*⟩ crackling. – **scoppiettạnte** (*p.pr. di scoppiettare*) *a.* **1.** crackling: *il fuoco* ~ *nel caminetto* the fire crackling in the hearth. – **2** ⟨*fig*⟩ ringing, echoing: *una risata* ~ a ringing laugh. – **scoppiettạre** *v.i.* (**scoppiętto**; *aus.* **avere**) **1.** to crackle: *la legna scoppiettava nel caminetto* the wood crackled in the fireplace. – **2.** ⟨*fig*⟩ (*risonare*) to ring (out), to (re-)echo. – **3.** ⟨*fig*⟩ (*susseguirsi*) to occur in quick succession. □ *uno* ~ *di frizzi* a running fire of witticisms.
scoppiettiẹre *m.* ⟨*Mil.ant*⟩ fusilier.
scoppiettịo *m.* crackling. – **scoppiẹtto** (*dim. di scoppio*) *m.* **1.** crash, crack. – **2.** ⟨*Mil.ant*⟩ (*balestra*) kind of crossbow; (*arma da fuoco*) fusil.
scǫppio *m.* **1.** burst(ing): *lo* ~ *di una caldaia* the bursting of a boiler. – **2.** (*esplosione*) explosion: *lo* ~ *di una bomba* the explosion of a bomb; (*detonazione*) detonation. – **3.** (*rumore*) crash, bang: *lo* ~ *si udì a grande distanza* the bang could be heard a great way off; *lo* ~ *del tuono* the crash of thunder. – **4.** ⟨*fig*⟩ (*accesso*) fit, (out)burst: ~ *d'ira* fit of anger. – **5.** ⟨*fig*⟩ (*l'insorgere improvviso*) outbreak: *lo* ~ *della guerra* the outbreak of war. – **6.** ⟨*rar*⟩ (*schiocco*) crack. – **7.** ⟨*ant,dial*⟩ (*schioppo*) gun. □ *motore a* ~ internal -combustion engine; *a* ~ *ritardato* delayed action- (*anche fig.*); ~ *di un pneumatico* blow-out, tyre-burst; ⟨*Aer*⟩ ~ *sonico* sonic boom.
scoppiọne *m.* ⟨*Giard*⟩ (*anche garofano scoppione*) burster (carnation).
scǫppola *f.* **1.** ⟨*dial*⟩ (*scappellotto*) rabbit punch, smack (on the back of the neck). – **2.** ⟨*fig*⟩ (*perdita*) loss. – **3.** ⟨*roman*⟩ (*berretto*) cap. – **4.** ⟨*Aer*⟩ jolt, jounce. □ ⟨*fig*⟩ *prendere una bella* ~ to lose quite a bit. – **scoppolẹtta** (*dim. di scoppola*) *f.* ⟨*roman*⟩ cap.
scoprịbile *a.* (*rif. a cose coperte*) uncoverable; (*rif. a cose o nozioni sconosciute*) discoverable. – **scoprimẹnto** *m.* **1.** uncovering, unveiling: *lo* ~ *di una lapide* the unveiling of a plaque. – **2.** ⟨*non com*⟩ (*scoperta*) discovery.
scoprịre *v.t.* (**scǫpro**; **scoprịi/scopęrsi, scopęrto**) **1.** (*togliere la coperta*) to uncover; (*scoperchiare: rif. a pentole e sim.*) to take the lid off; (*rif. a tetti*) to take (*o* blow) the roof off, to unroof. – **2.** (*denudare*) to bare, to uncover, to take the clothes off: *il vento le scopriva le gambe* the wind bared her legs. – **3.** (*rendere visibile*) to reveal, to show, to make visible: ~ *i denti nel sorridere* to show one's teeth when smiling. – **4.** ⟨*estens*⟩ (*inaugurare*) to unveil, to uncover: ~ *una lapide* to unveil a plaque. – **5.** (*trovare, acquisire alla conoscenza*) to discover: ~ *una legge fisica* to discover a law of physics. – **6.** (*identificare, trovare*) to discover, to find (out): *hanno scoperto il ladro* they have discovered the thief. – **7.** ⟨*Mil. Sport*⟩ (*lasciare indifeso*) to expose, to leave unprotected (*o* without cover). – **8.** ⟨*fig*⟩ (*manifestare*) to reveal, to disclose, to show: ~ *i propri sentimenti* to show one's feelings. – **9.** ⟨*lett*⟩ (*scorgere*) to discern, to descry, to distinguish. – **10.** ⟨*Mar*⟩ to sight. – **11.** ⟨*ant*⟩ (*avvistare*) to catch sight of, to sight. – **scoprirsi** *v.r.* **1.** to bare (o.s.), to uncover (o.s.): *scoprirsi le braccia* to bare one's arms; (*nel letto*) to throw off the bed-clothes; (*vestirsi leggero*) to put on light(er) clothes: *non è ancora tempo di scoprirsi* it's too early yet to put on light clothes. – **2.** (*togliersi il cappello*) to take off one's hat, to bare (*o* uncover) one's head. – **3.** (*manifestare il pro-

prio pensiero) to give o.s. away, to show one's hand: *rispose evasivamente per non scoprirsi* he replied evasively so as not to give himself away. – **4.** (*rivelarsi*) to show o.s. (to be): *si scoprì un vero amico* he showed himself to be a true friend. – **5.** (*venire in luogo aperto*) to come out into the open, to expose o.s.: *per attaccare aspettarono che il nemico si fosse scoperto* they held off the attack until the enemy came out into the open. – **6.** ⟨*Sport*⟩ (*nel pugilato*) to drop one's guard, to leave o.s. open. ☐ ⟨*iron*⟩ *hai scoperto l'America* aren't you clever, tell me something new; ⟨*fig*⟩ ~ *gli altarini a qd.* to discover ⌜s.o.'s secrets⌝ (*o* the skeletons in s.o.'s closet); ⟨*fig*⟩ ~ *un altare per ricoprirne un altro* to rob Peter to pay Paul; ⟨*fig*⟩ ~ *le carte* (o *il gioco*) to lay one's cards on the table; ⟨*Mar.mil*⟩ ~ *paese* (o *terreno*) to sight land.

scopritọre *m.* (*f.* **-trice**) discoverer. – **scopritụra** *f.* ⟨*non com*⟩ uncovering.

scọpulo *m.* ⟨*ant*⟩ (*scoglio*) rock.

scoraggiạbile *a.* ⟨*non com*⟩ easily discouraged, quick to lose heart. – **scoraggiamẹnto** *m.* discouragement, disheartenment: *essere preso dallo* ~ to be overcome by discouragement. – **scoraggiạnte** (*p.pr. di scoraggiare*) *a.* discouraging, disheartening. – **scoraggiạre** *v.t.* (**scorạggio, scorạggi**) to discourage, to dishearten. – **scoraggiarsi** *v.r.* to be (*o* get) discouraged, to get disheartened, to lose heart. – **scoraggiạto** (*p.p. di scoraggiare*) *a.* discouraged, disheartened, downhearted, dejected.

scoraggịre *v.* (**scoraggịsco, scoraggịsci**) ⟨*tosc*⟩ → **scoraggiare**. – **scoraggịto** (*p.p. di scoraggire*) *a.* ⟨*tosc*⟩ → **scoraggiato**.

scoramẹnto *m.* ⟨*lett*⟩ disheartenment, downheartedness, dejection. – **scorạre** *v.* (**scuọro/scọro**) ⟨*lett*⟩ → **scoraggiare**. – **scorạto** (*p.p. di scorare*) *a.* ⟨*lett*⟩ → **scoraggiato**.

scorbacchiamẹnto *m.* ⟨*rar*⟩ → **scorbacchiatura**. – **scorbacchiạre** *v.t.* (**scorbạcchio, scorbạcchi**) ⟨*non com*⟩ **1.** (*svergognare*) to (put to) shame. – **2.** (*schernire*) to mock (*o* jeer, scoff) at, to ridicule. – **scorbacchiạto** (*p.p. di scorbacchiare*) *a.* put to shame, shamed. – **scorbacchiatụra** *f.* ⟨*non com*⟩ **1.** putting to shame, shaming. – **2.** (*scherzo*) mockery, derision.

scorbellạto ⟨*rar*⟩ **I** *a.* **1.** eccentric, odd. – **2.** (*scanzonato*) unconventional, free-and-easy. – **II** *s.m.* (odd) character, eccentric, ⟨*fam*⟩ crank.

scọrbio *m.* ⟨*ant*⟩ → **sgorbio**.

scorbutamịna *f.* ⟨*Chim*⟩ ascorbic acid.

scorbụtico *a./s.* (*pl.* **-ci**) **I** *a.* **1.** (*malato*) scorbutic, suffering from scurvy. – **2.** ⟨*fig*⟩ (*scontroso*) cross, cantankerous, querulous, ill-tempered, peevish, grumpy, surly. – **II** *s.m.* **1.** sufferer from scurvy. – **2.** ⟨*fig*⟩ cross (*o* cantankerous) person, ⟨*fam*⟩ grump. – **scorbụto** (o *scọrbuto*) *m.* ⟨*Med*⟩ scurvy, scorbutus.

scorciamẹnto *m.* ⟨*non com*⟩ shortening.

scorciạre[1] *v.t.* (**scọrcio, scọrci**) to shorten, to make shorter: ~ *un vestito* to shorten (*o* take up) a dress; *i dispiaceri scorciano la vita* troubles shorten (*o* take years off) one's life. – **scorciarsi** *v.r.* to shorten, to grow (*o* get) shorter; (*rif. a giornate*) to become shorter, to draw in: *le giornate si sono scorciate* the days have ⌜become shorter⌝ (*o* drawn in).

scorciạre[2] *v.* (**scọrcio, scọrci**) **I** *v.t.* **1.** (*rappresentare in scorcio*) to foreshorten. – **2.** ⟨*fig*⟩ (*rappresentare incisivamente*) to draw a lively picture of. – **II.** *v.i* (*aus.* **essere**), **scorciarsi** *v.r.* (*apparire di scorcio*) to be (*o* appear) foreshortened.

scorciạto (*p.p. di scorciare*[1]) *a.* **1.** shortened. – **2.** ⟨*fig*⟩ (*rappresentato incisivamente*) vividly described (*o* sketched out). – **scorciatọia** *f.* short cut (*anche fig.*): *prendere una* ~ to take a short cut. – **scorciatụra** *f.* ⟨*non com*⟩ shortening.

scọrcio[1] *m.* **1.** foreshortening. – **2.** (*figura, cosa rappresentata di scorcio*) foreshortened figure (*o* image). – **3.** (*rif. a possibilità espressive*) vivid description. – **4.** (*breve spazio di tempo*) brief period, short space (of time), short lapse (of time): ~ *di tempo* brief period of time; (*fine*) end, close: ~ *di secolo* end of the century. ☐ *di* ~ foreshortened; ~ *di veduta* partial view.

scọrcio[2] (*p.p. di scorciare*[1]) *a.* ⟨*tosc*⟩ (*scorciato*) shortened. – **scorciọne** *m.* ⟨*tosc*⟩ → **scorciatoia**. – **scorcịre** *v.* (**scorcịsco, scorcịsci**) ⟨*tosc*⟩ → **scorciare**[1].

scordamẹnto[1] *m.* ⟨*ant*⟩ (*dimenticanza*) forgetting.

scordamẹnto[2] *m.* ⟨*Mus,non com*⟩ (*l'essere scordato*) being out of tune; (*il perdere l'accordatura*) getting out of tune.

scordạre[1] *v.* (**scọrdo**) **I** *v.t.* to forget: *scordo sempre il tuo indirizzo* I always forget your address; ~ *un'offesa* to forget (*o* think no more of) an insult. – **II** *v.i.* (*aus.* **avere**) ⟨*rar*⟩ to forget. – **scordarsi** *v.r.* to forget (*di qc.* s.th., about s.th.): *non scordarti dell'invito* don't forget (about) the invitation.

scordạre[2] *v.t.* (**scọrdo**) ⟨*Mus*⟩ to untune, to put out of tune. – **scordarsi** *v.r.* to go (*o* get) out of tune.

scordạrsi *v.r.* (**mi scọrdo**) ⟨*ant*⟩ (*discordare*) to disagree, not to be in agreement (*con* with); (*dissentire*) to dissent (from), to disagree (with).

scordạto[1] (*p.p. di scordare*[1]) **I** *a.* **1.** (*dimenticato*) forgotten. – **2.** (*trascurato*) forgotten, neglected, overlooked. – **II** *s.m.* (*f.* **-a**) forgotten person.

scordạto[2] (*p.p. di scordare*[2]) *a.* **1.** ⟨*Mus*⟩ out of tune, untuned. – **2.** ⟨*estens*⟩ (*rif. a suoni*) discordant. – **scordatụra** *f.* **1.** (*lo scordare*) untuning; (*l'essere scordato*) being out of tune; (*il perdere l'accordatura*) getting out of tune. – **2.** (*intonazione ad altezza diversa*) scordatura.

scordẹvole *a.* ⟨*ant*⟩ **1.** (*che si scorda facilmente*) easily forgotten. – **2.** (*rif. a persone*) forgetful, absent-minded.

scọrdeo, scọrdio *m.* ⟨*Bot*⟩ water germander (*Teucrium scordium*).

scordonạre *v.t.* (**scordọno**) ⟨*rar*⟩ to untwist.

scordọne *m.* (*f.* **-a**) ⟨*tosc*⟩ (*dimenticone*) forgetful (*o* absent-minded) person.

scorẹggia *f.* (*pl.* **-ge**) ⟨*volg*⟩ (*flatulenza*) breaking of wind, ⟨*volg*⟩ fart.

scoreggiạre[1] *v.i.* (**scorẹggio, scorẹggi**; *aus.* **avere**) ⟨*volg*⟩ to break wind, ⟨*volg*⟩ to fart.

scoreggiạre[2] *v.* → **scorreggiare**[2]. – **scoreggiạta** *f.* → **scorreggiata**.

scọrfano *m.* **1.** ⟨*Itt*⟩ scorpion fish (*Scorpaena*). – **2.** ⟨*fig*⟩ (*persona brutta e malfatta*; *f.* **-a**) ugly person, ⟨*fam*⟩ fright. ☐ ⟨*Itt*⟩ ~ *nero* small-scaled scorpion fish (*Scorpaena porcus*); ~ *rosso* large-scaled scorpion fish (*Scorpaena scrofa*).

scọrgere *v.t.* (**scọrgo, scọrgi; scọrsi, scọrto**) **1.** to distinguish, to make out, to perceive, to descry, to sight: ~ *una luce* to perceive a light; (*vedere*) to see. – **2.** ⟨*fig*⟩ (*discernere*) to discern, to make out, to perceive, to realize, to see: ~ *un pericolo* to see a danger. – **3.** ⟨*lett*⟩ (*accompagnare, guidare*) to escort, to guide. – **4.** ⟨*ant*⟩ (*riuscire a sentire, percepire*) to hear. ☐ *farsi* ~: 1. to let o.s. be noticed (*o* seen); 2. ⟨*rar*⟩ (*fare brutta figura*) to cut a poor figure; 3. ⟨*tosc*⟩ (*darsi a conoscere*) to show (*o* reveal) o.s.

scorgimẹnto *m.* ⟨*ant*⟩ (*discernimento*) discernment, perception. – **scorgitọre** *m.* (*f.* **-trice**) ⟨*ant*⟩ **1.** discerner, perceiver. – **2.** (*guida*) guide, escort.

scọria *f.* (generally in pl.) **1.** ⟨*Met*⟩ slag, dross, cinder, scoria. – **2.** ⟨*fig*⟩ (*parte inutile*) dross. – **3.** ⟨*Geol*⟩ scoria. – **4.** ⟨*Tip*⟩ dross, skimmings *pl.*

☐ ⟨*Met*⟩ ~ *d'***altoforno** blast-furnace slag; ~ *di* **battitura** hammer scale; ~ *di* **fucinatura** forge scale, clinker; ~ *di* **laminazione** mill scale; ⟨*Geol*⟩ *-e di* **lava** scoriae; ~ **liquida** liquid clinker; ~ **ossidante** refining cinder, oxidizing (*o* first) slag; ⟨*Atom*⟩ *-e* **radioattive** radioactive wastes; ~ **riducente** white (*o* final) slag; ⟨*Agr*⟩ *-e* **Thomas** Thomas slag *sing*, basic slag *sing*.

scoriạceo *a.* ⟨*Min*⟩ (*bolloso*) scoriaceous, cellular.

scorificạnte (*p.pr. di scorificare*) *a.* ⟨*Met*⟩ scorifying. – **scorificạre** *v.t.* (**scorịfico, scorịfichi**) to scorify, to slag. – **scorificaziọne** *f.* scorification.

scornabẹcco *m.* (*pl.* **-chi**) ⟨*Bot*⟩ **1.** (*brentine*) rockrose (*Cistus salviifolius*). – **2.** (*ginestra dei carbonai*) broom (*Sarothamnus scoparius*; *Cytisus scoparius*).

scornacchiamẹnto *m.* ⟨*non com*⟩ → **scorbacchiatura**. – **scornacchiạre** *v.* ⟨*tosc*⟩ → **scorbacchiare**.

scornạra *f.* ⟨*Pesc*⟩ mackerel-net.

scornạre *v.t.* (**scọrno**) **1.** to break the horns of, to dishorn. – **2.** ⟨*fig*⟩ (*mettere in ridicolo*) to ridicule, to mock. – **3.** ⟨*assol*⟩ (*dare cornate*) to butt. – **scornarsi** *v.r.* **1.** to break one's horns. – **2.** ⟨*fig*⟩ to make a fool of o.s. – **scornạto** (*p.p. di scornare*) *a.* **1.** (*con le corna rotte*) with broken horns. – **2.** ⟨*fig*⟩ (*svergognato*) humiliated, ridiculed, put to shame, crestfallen.

scorneggiạre *v.t.* (**scornẹggio, scornẹggi**) ⟨*ant*⟩ (*dare cornate*) to butt.

scorniciamẹnto *m.* ⟨*rar*⟩ unframing, removal from a frame. – **scorniciạre** *v.t.* (**scornịcio, scornịci**) **1.** to unframe, to take out of the frame, to remove the frame from: ~ *un quadro* to remove the frame from a picture. – **2.** (*lavorare a forma di cornice*) to make into a frame. – **scorniciạto** *m.* ⟨*Arch*⟩ moulding. – **scorniciatrịce** *f.* ⟨*Fal*⟩ matching-machine, planing and moulding machine. – **scorniciatụra** *f.* **1.** frame-making. – **2.** → **scorniciato**.

scọrno *m.* humiliation, ignominy: *subire uno* ~ to suffer a humiliation, to be put to ignominy; (*scherno*) ridicule, mockery. ☐ *a* ~ *di qd.* to humiliate s.o.

scoronamẹnto *m.* **1.** ⟨*Dent*⟩ (*il togliere la corona*) removal of the crown; (*il rompere la corona*) breaking of the crown. – **2.** ⟨*Minier*⟩ blasting at the back (of the tunnel). – **scoronạre** *v.t.* (**scorọno**) **1.** ⟨*Dent*⟩ (*togliere la corona*) to remove the crown from; (*rompere la corona*) to break the crown of. – **2.** ⟨*Agr*⟩ to poll(ard).

scorpacciạta *f.* **1.** feed, ⟨*volg*⟩ bellyful. – **2.** ⟨*fig*⟩ surfeit. ☐ *fare una* ~ to stuff o.s., to eat one's fill; *farsi una* ~ *di qc.* to stuff o.s. with s.th., to have a big feed of s.th.

scorpẹna (o *scọrpena*) *f.* → **scorfano**. – **scorpẹnidi** *m.pl.* ⟨*Itt*⟩ scorpaenids *pl*, scorpion fish *pl* (*Scorpaenidae*).

Scọrpio *N.pr.m.* ⟨*Astr,rar*⟩ (*Scorpione*) Scorpio(n), Scorpius.

scorpiọne *m.* **1.** ⟨*Zool*⟩ scorpion. – **2.** ⟨*fig*⟩ (*persona brutta e maligna*) nasty ugly person, venomous individual, snake. – **3.** ⟨*Mil. ant*⟩ scorpion. – **Scorpione** *N.pr.m.* ⟨*Astr*⟩ Scorpio(n). ☐ ~ *d'acqua* water-scorpion, water-bug (*Nepa cinerea*); *falsi -i* book-scorpions (*Pseudoscorpiones*).

scorpiọnidi *m.pl.* ⟨*Zool*⟩ scorpions *pl* (*Scorpionidae*).

scorporạre *v.t.* (**scọrporo**) ⟨*Dir*⟩ to separate from capital. – **scorporaziọne** *f.*, **scọrporo** *m.* **1.** removal from capital, drawing from the estate. – **2.** ⟨*concr*⟩ (*beni scorporati*) part of an estate set aside.

scorrazzamẹnto *m.* ⟨*non com*⟩ running about.

scorrazzạre **I** *v.i.* (*aus.* **avere**) **1.** (*correre*) to run about: *i bambini scorrazzavano sul prato* the children were running about on the meadow. – **2.** (*vagare*) to roam, to rove. – **3.** ⟨*fig*⟩ (*passare da un argomento all'altro*) to dabble (*per* in), to touch (upon). – **4.** ⟨*ant*⟩ (*fare scorrerie*) to make raids, to plunder. – **II** *v.t.* to rove, to travel all over, to cover. – **scorrazzạta** *f.* **1.** running about. – **2.** (*breve gita*) trip, excursion.

scorrẹggere *v.t.* (**scorrẹggo, scorrẹggi; scorrẹssi, scorrẹtto**) ⟨*non com*⟩ **1.** (*rendere scorretto*) to make incorrect. – **2.** (*fare correzioni sbagliate*) to correct wrongly.

scorrẹggia *f.* → **scoreggia.**

scorreggiạre[1] *v.* → **scoreggiare**[1].

scorreggiạre[2] *v.t.* (**scorrẹggio, scorrẹggi**) ⟨*ant*⟩ (*frustare*) to beat (with a strap or belt). – **scorreggiạta** *f.* ⟨*ant*⟩ **1.** (*colpo*) blow (with a strap). – **2.** (*striscia, frusta*) strap.

scorrẹnte (*p.pr. di scorrere*) *a.* **1.** flowing. – **2.** ⟨*fig*⟩ flowing, smooth, easy. – **3.** ⟨*Bot*⟩ decurrent.

scọrrere *v.* (**scọrsi, scọrso**) **I** *v.i.* (*aus.* **essere**) **1.** (*scivolare*) to slide, to glide, to slip: *la barca scorreva sull'acqua* the boat glided over the water. – **2.** (*fluire*) to flow, to run: *i fiumi scorrono a valle* rivers flow (*o* run) down to the valley; *il sangue scorre nelle vene* blood flows in the veins. – **3.** (*colare*) to run, to flow, to stream, to pour: *le lacrime le scorrevano sul viso* tears ran down her cheeks. – **4.** (*procedere senza difficoltà*) to run, to flow, to fly: *la penna scorreva rapida sulla carta* the pen flew across the paper. – **5.** ⟨*fig*⟩ (*procedere, filare*) to run on, to flow, to follow on (logically), to proceed rationally; (*quadrare*) to make sense, to hang together, to tally, to fit: *il ragionamento scorre bene* the argument makes sense; (*rif. a scritti*) to read well. – **6.** (*passare, trascorrere*) to pass (by), to roll (*o* go) by, to elapse: *le ore scorrevano velocemente* the hours ⌜passed quickly⌝ (*o* flew by). – **7.** (*correre qua e là*) to run about. – **8.** ⟨*lett*⟩ (*venire a mancare*) to finish, to come to an end. – **9.** ⟨*Mar*⟩ to slip. – **10.** ⟨*ant*⟩ (*fare scorrerie*) to make raids, to foray. – **11.** ⟨*ant*⟩ (*andare troppo oltre*) to go too far. – **II** *v.t.* **1.** (*leggere in fretta*) to run (*o* skim) through, to glance (*o* look) over, to have a quick look at: ~ *un articolo* to skim through an article. – **2.** (*percorrere con il pensiero*) to think (quickly) over. – **3.** ⟨*ant*⟩ (*fare scorrerie*) to raid, to ravage. – **4.** ⟨*ant*⟩ (*bagnare*) to flow (*o* run) over, to wet.

scorrerịa *f.* raid, foray, incursion.

scorrettamẹnte *avv.* incorrectly, wrongly; (*sgarbatamente*) impolitely, rudely, uncivilly; (*in modo sconveniente*) incorrectly; (*slealmente*) dishonestly, unfairly.

scorrettẹzza *f.* **1.** incorrectness, inaccuracy: *la* ~ *di un compito* the inaccuracy of an exercise. – **2.** ⟨*concr*⟩ (*errore, inesattezza*) mistake, error. – **3.** (*l'essere poco educato*) impoliteness, rudeness, incivility; (*l'essere sconveniente*) impropriety; (*l'essere sleale*) dishonesty, unfairness. – **4.** ⟨*concr*⟩ (*azione scorretta*) rude (*o* impolite) act, impropriety. – **5.** ⟨*Sport*⟩ unfairness, roughness; (*fallo*) foul.

scorrẹtto I *a.* **1.** incorrect, wrong, not correct; (*pieno di errori*) inaccurate, full of mistakes. – **2.** (*sgarbato*) impolite, rude, uncivil: *comportamento* ~ uncivil behaviour; (*sleale*) dishonest, crooked, unfair. – **3.** (*sconveniente, licenzioso*) indecorous, improper, loose, lewd, indecent: *assumere una posa -a* to take up an undecorous pose. – **4.** ⟨*Sport*⟩ unfair, rough, dirty; (*contrario alle regole*) foul. – **II** *avv.* ⟨*rar*⟩ → **scorrettamente.**

scorrẹvole I *a.* **1.** (*che scorre*) flowing, smooth-running. – **2.** (*fluido*) smooth-flowing, fluid, thin: *inchiostro* ~ smooth-flowing ink. – **3.** ⟨*fig*⟩ (*agile, svelto*) flowing, smooth, fluent, easy: *stile* ~ flowing style. – **II** *s.m.* slide, sliding part (*o* piece). □ *porta* ~ sliding door. – **scorrevolẹzza** *f.* **1.** flow, fluidity, smoothness. – **2.** ⟨*tecn*⟩ flowability. – **3.** ⟨*fig*⟩ (*agilità, sveltezza*) fluency, flowingness, smoothness, easiness. – **scorrevolmẹnte** *avv.* flowingly, smoothly.

scorreziọne *f.* ⟨*non com*⟩ **1.** incorrectness, inaccuracy, wrongness. – **2.** ⟨*concr*⟩ (*errore, inesattezza*) mistake, error.

scorribạnda *f.* **1.** ⟨*Mil*⟩ raid, foray, incursion, inroad. – **2.** (*breve escursione*) excursion, trip, visit. – **3.** ⟨*fig*⟩ (*scorsa fugace*) digression. – **4.** ⟨*Mediev*⟩ (*nei tornei*) swift movement. – **scorribandạre** *v.i.* (*aus.* **avere**) to make raids.

scorridọra *f.* ⟨*Mar*⟩ duty boat, harbour launch. – **scorridọre** *m.* **1.** ⟨*Mediev*⟩ scout. – **2.** → **scorridora.**

scorrimạno *m.inv.* handrail, bannister.

scorrimẹnto *m.* **1.** (*lo scivolare*) sliding, gliding, slipping. – **2.** (*lo scorrere*) flowing, running. – **3.** (*il correre*) running. – **4.** ⟨*Geol*⟩ (*slittamento*) slip, creep; (*carreggiamento*) horizontal translation. – **5.** ⟨*El*⟩ slip. □ ~ *a caldo* creep; ⟨*TV*⟩ ~ *dell'immagine* hunting; ⟨*Met*⟩ ~ *plastico* plastic flow; ⟨*Ferr*⟩ ~ *delle rotaie* creeping of rails.

scorrucciạrsi *v.r.* (**mi scorrụccio, ti scorrụcci**) ⟨*non com*⟩ to get angry. – **scorrucciạto** (*p.p. di scorrucciarsi*) *a.* ⟨*non com*⟩ angry, in a rage. – **scorrụccio** *m.* ⟨*non com*⟩ anger.

scọrsa *f.* **1.** glance, quick look, ⟨*fam*⟩ once-over. – **2.** ⟨*non com*⟩ (*breve visita*) brief visit, hurried trip. □ *dare una* ~ *al giornale* to glance through the newspaper.

scọrso (*p.p. di scorrere*) **I** *a.* **1.** last, past: *lo* ~ *anno* last year. – **2.** ⟨*non com*⟩ (*trascorso, passato*) past, bygone. – **II** *s.m.* **1.** (*errore*) slip, lapse: ~ *di lingua* slip of the tongue, lapsus linguae. – **2.** ⟨*ant*⟩ (*licenza, sregolatezza*) looseness, immorality.

scorsọio *a.* (*atto a scorrere*) running. □ *nodo* ~ running knot, slip-knot.

scọrta *f.* **1.** escort. – **2.** ⟨*concr*⟩ escort; (*guida*) guide; (*squadra*) escort, guard: ~ *d'onore* guard of honour. – **3.** ⟨*Mil*⟩ escort, convoy (*anche concr.*). – **4.** (*provvista*) stock, supply; (*riserva*) reserve, store, stock. – **5.** *pl.* ⟨*Dir,Econ,Ind*⟩ stock: *-e morte* dead stock. □ **avere** ⌜*qc. in* ~⌝ (o *una scorta di qc.*) to have a stock of s.th.; ⟨*Ferr*⟩ **carro** (*di*) ~ tender; **con** *la* ~ *di qd.* = **sotto** *la scorta di qd.*; *-e* **cuscinetto** buffer stocks; **di** ~ spare: *pneumatico* (o *ruota*) *di* ~ spare (tyre); ⟨*Econ*⟩ ~ *di* **divise** currency reserve; ~ **effettiva** real stock, stock actually held; **fare** *una* ~ *di qc.* to stock up on s.th., to take (*o* lay) in supplies of s.th.; *fare la* ~ *a qd.* to act as escort to s.o., to escort s.o.; *-e in* **magazzino** stock *sing*, ⟨*am*⟩ inventory *sing*; ⟨*Econ*⟩ ~ **metallica** metal reserve, stock of bullion; ⟨*Econ*⟩ ~ **minima** minimum stock; **per** ~ as a guide; *-e di* **sicurezza** protective (*o* buffer) stock *sing*, cushion *sing*; **sotto** *la* ~ *di qd.* under s.o.'s guidance; **sulla** ~ *di qc.* on the basis of s.th., as a result of s.th.: *sulla* ~ *dei dati raccolti* on the basis of the data collected; ⟨*Econ*⟩ ~ **titoli** reserves *pl* of securities; ~ (*dei*) **treni** train manning; ⟨*Dir*⟩ *-e* **vive** livestock *sing*.

scortapiẹghi *m.inv.* ⟨*Post,Ferr*⟩ mail-guard (in charge of securities).

scortạre[1] *v.t.* (**scọrto**) **1.** to escort. – **2.** ⟨*Mil*⟩ to escort, to convoy.

scortạre[2] *v.t.* (**scọrto**) **1.** ⟨*ant,lett*⟩ (*rappresentare di scorcio*) to foreshorten. – **2.** ⟨*region*⟩ (*accorciare*) to shorten.

scortecciamẹnto *m.* ⟨*non com*⟩ barking, peeling, stripping. – **scortecciạre** *v.t.* (**scortẹccio, scortẹcci**) **1.** to bark, to decorticate, to peel (the bark off): ~ *un albero* to bark a tree. – **2.** (*rif. a intonaco, vernice e sim.*: *rovinare*) to chip; (*asportare*) to strip, to scrape. – **scortecciarsi** *v.r.* **1.** to lose bark. – **2.** (*scrostarsi*) to peel, to chip. □ ~ *il pane* to take the crust off the bread. – **scortecciạto** (*p.p. di scortecciare*) *a.* **1.** barked. – **2.** ⟨*estens*⟩ (*scrostato*) peeled, chipped. – **scortecciatọio** *m.* ⟨*Agr*⟩ barking-iron. – **scortecciatọre** *m.* (*f.* **-trice**) barker. – **scortecciatrịce** *f.* barker, barking (*o* bark-stripping, debarking) machine. – **scortecciatụra** *f.* **1.** barking, peeling. – **2.** ⟨*concr*⟩ bark (stripped off). – **3.** ⟨*Ind*⟩ barking.

scortẹse *a.* rude, impolite, discourteous, uncivil. – **scortesemẹnte** *avv.* rudely, impolitely, discourteously, uncivilly. – **scortesịa** *f.* **1.** (*qualità*) rudeness, impoliteness, discourteousness. – **2.** (*azione*) discourtesy, rude behaviour, uncivil act.

scorticamẹnto *m.* skinning.

scorticạre *v.t.* (**scọrtico, scọrtichi**) **1.** to skin, to flay. – **2.** (*produrre un'escoriazione*) to graze, to rub the skin off, to skin, to scratch. – **3.** ⟨*fig*⟩ (*estorcere denaro*) to fleece, ⟨*fam*⟩ to skin. – **4.** (*sottoporre a prove severe*) to examine very strictly, ⟨*fam*⟩ to grill. – **scorticarsi** *v.r.* to graze, to skin, to scratch: *mi sono scorticato un ginocchio* I grazed my knee.

scorticạto (*p.p. di scorticare*) *a.* **1.** skinned, flayed. – **2.** (*escoriato*) grazed, scratched, skinned. – **scorticatọio** *m.* **1.** (*luogo*) knacker's yard. – **2.** (*coltello*) skinning-knife. – **scorticatọre** *m.* (*f.* **-trice**) **1.** skinner. – **2.** ⟨*fig*⟩ (*strozzino*) usurer, fleecer, ⟨*fam*⟩ skinner. – **scorticatụra** *f.* **1.** skinning, flaying. – **2.** (*escoriazione*) graze, cut, sore, abrasion. – **scortichịno** *m.* **1.** (*coltello*) skinning-knife. – **2.** → **scorticatore.** – **scọrtico** *m.* (*pl.* **-chi**) ⟨*region*⟩ skinning, flaying.

scọrto[1] (*p.p. di scorgere*) ⟨*lett*⟩ **I** *a.* **1.** (*avveduto*) shrewd, astute. – **2.** (*chiaro*) clear. – **II** *avv.* **1.** (*avvedutamente*) shrewdly. – **2.** (*chiaramente*) clearly.

scọrto[2] *m.* ⟨*ant,lett*⟩ → **scorcio**[1].

scọrza *f.* **1.** (*corteccia*) bark: *la* ~ *di un albero* the bark of a tree. – **2.** (*buccia*) skin, rind, peel: ~ *d'arancio* orange peel; (*guscio*) shell. – **3.** (*pelle*) skin. – **4.** ⟨*fig*⟩ (*aspetto esteriore*) (outer) appearance, surface, outside: *sotto una ruvida* ~ *cela un cuore generoso* he looks rough on the outside but he has a kind heart. – **5.** ⟨*fig,poet*⟩ (*corpo*) body. – **6.** ⟨*Min,rar*⟩ (*epidoto*) epidote. □ ⟨*fig*⟩ ⌜*avere la*⌝ (o *essere di*) ~ *dura* to have a thick skin, to be tough.

scorzaiọla *f.* ⟨*Ornit*⟩ (*picchio muratore*) nuthatch (*Sitta europaea*).

scorzạre *v.t.* (**scọrzo**) **1.** (*scortecciare*) to bark. – **2.** (*sbucciare*) to peel. – **scorzatọre** *m.* (*f.* **-trice**) ⟨*Silv*⟩ barker. – **scorzatrịce** *f.* (*macchina*) barker, barking (*o* bark-stripping) machine. – **scorzatụra** *f.* ⟨*Silv*⟩ **1.** barking. – **2.** (*scorza tolta*) bark (removed). – **scorzẹtta** (*dim. di scorza*) *f.* **1.** thin bark. – **2.** (*pezzetto di buccia*) piece of rind (*o* peel). – **3.** ⟨*Conc*⟩ tan bark. □ ⟨*Dolc*⟩ *-e d'arancio* chocolate-covered orange peels.

scọrzo *m.* ⟨*region*⟩ **1.** (*unità di misura di superficie*) unit of area (1155.27 m^2). – **2.** (*unità di misura di volume*) unit of volume (13.38 l).

scorzọne[1] (o *scorzọne*) *m.* **1.** ⟨*ant,region*⟩ (*vipera*) viper. – **2.** ⟨*Zool*⟩ Aesculapius' (*o* Aesculapian) snake (*Coluber longissimus*).

scorzọne[2] (o *scorzọne*) *m.* **1.** ⟨*non com*⟩ (*persona rozza*) boor, rough character. – **2.** ⟨*Itt*⟩ black sea-bream (*Cantharus orbicularis*).

scorzonẹra *f.* ⟨*Bot*⟩ **1.** scorzonera (*Scorzonera*). – **2.** black salsify (*Scorzonera hispanica*).

scorzonerịa *f.* ⟨*non com*⟩ **1.** roughness, boorishness, rudeness. – **2.** (*atto scortese*) rough (*o* boorish) behaviour.

scorzọso *a.* ⟨*non com*⟩ having a thick bark.

scoscẹndere *v.* (**scoscẹsi, scoscẹso**) **I** *v.t.* ⟨*lett*⟩ (*rompere*) to split, to cleave. – **II** *v.i.* (*aus.* **essere**), **scoscendersi** *v.r.* **1.** (*cadere rovinando*) to slip (*o* come crashing) down, to hurl down. – **2.** ⟨*lett*⟩ (*fendersi*) to split, to cleave. – **3.** ⟨*lett*⟩ (*scendere a picco*) to slope (*o* fall) steeply. – **scoscendimẹnto** *m.* **1.** splitting, cleavage. – **2.** (*luogo scosceso*) precipice, (steep) cliff, crag. – **3.** (*crollo, frana*) fall, landslide. – **scoscẹso** (*p.p. di scoscendere*) *a.* **1.** (*ripido*) steep. – **2.** (*dirupato*) precipitous, rugged; (*roccioso*) rocky.

scosciạre *v.t.* (**scọscio, scọsci**) **1.** to dislocate the hip of. – **2.** (*staccare una coscia di animale cucinato*) to cut the leg off. – **3.** (*rif. a rami*) to break off. – **scosciarsi** *v.r* **1.** to dislocate one's hip. – **2.** (*fare la spaccata*) to do the split. – **3.** (*rif. a rami*) to break off

scosciạta *f.* **1.** dislocation of the hip. – **2.** ⟨*non com*⟩ (*spaccata*) split. – **scosciatụra** *f.* ⟨*Agr*⟩ breaking off. – **scọscio** *m.* **1.** → **scosciata.** – **2.** ⟨*Sart*⟩ crotch. – **3.** ⟨*ant*⟩ → **scoscendimento.**

scọssa *f.* **1.** jolt, jerk, shake, bump: *ricevere una* ~ to get a jolt, to be shaken (*o* jolted); (*sussulto*) start, jump. – **2.** (*scossa elettrica*) shock. – **3.** ⟨*fig*⟩ (*turbamento, trauma*) shock: *la morte della moglie è stata per lui una terribile* ~ the death of his wife was a great shock for him. – **4.** ⟨*fig*⟩ (*danno finanziario*) blow. – **5.** ⟨*Geol*⟩ shock, tremor; (*terremoto*) (earth)quake.

☐ **a** *-e* jerkily, in jerks; ⟨*non com*⟩ ~ **d'acqua** = *scossa di* **pioggia**; **dare** *una* ~ *a qc.* to jolt (*o* shake) s.th.; *dare una* ~ *a qd.* to shake s.o., to give s.o. a shake; ~ **elettrica** (electric) shock; ⟨*Geol*⟩ ~ **ondulatoria** undulatory shock; ~ *di* **pioggia** heavy shower, downpour; **prendere** *la* ~ to get a shock; ⟨*fam*⟩ (*nell'urtare il gomito*) to hit one's funnybone; ⟨*Geol*⟩ ~ **principale** main shock; **senza** *-e* smoothly, without jerks; ⟨*Geol*⟩ ~ **sismica** (earthquake) shock; ⟨*Geol*⟩ *-e* **susseguenti** aftershocks *pl*; ⟨*Geol*⟩ ~ **sussultoria** tremor; ~ **tellurica** (o *di terra*) = *scossa* **sismica**.

scossạle *m.* ⟨*region*⟩ (*grembiule*) apron.

scossạre *v.t.* (**scọsso**) ⟨*ant,region*⟩ (*scuotere*) to shake.

scossẹtta, scossettịna *f. dim. di* **scossa**.

scọsso (*p.p. di scuotere*) *a.* **1.** shaken. – **2.** ⟨*fig*⟩ (*turbato*) shaken, upset, shattered: *rimanere* ~ *per una notizia* to be upset by some news. – **3.** ⟨*fig*⟩ (*danneggiato*) damaged; (*rovinato*) ruined, wrecked. – **4.** ⟨*rar*⟩ (*privo*) free (*di* of), without (s.th.); (*rif. a cavalli*) riderless; (*rif. ad animali da soma*) unloaded. – **5.** ⟨*fig,lett*⟩ (*libero*) free.

scossọne (*accr. di scossa*) *m.* **1.** (*forte urto, sobbalzo*) jolt, jerk, lurch. – **2.** (*rovescio di pioggia*) heavy shower, downpour.

scostamẹnto *m.* **1.** moving, shifting, removal. – **2.** (*distanza*) distance. – **3.** ⟨*tecn*⟩ deviation. – **4.** (*cursore*) cursor. – **5.** ⟨*Statist*⟩ (*scarto*) difference.

scostạnte (*p.pr. di scostare*) *a.* **1.** unpleasant, disagreeable, ⟨*fam*⟩ off-putting; (*scortese*) rude. – **2.** (*poco socievole*) unfriendly, unsociable.

scostạre *v.* (**scọsto**) **I** *v.t.* **1.** to move away, to shift, to remove: ~ *una sedia dalla parete* to move a chair away from the wall. – **2.** ⟨*fig*⟩ (*evitare, sfuggire*) to avoid, to keep away from: *ora che è malato tutti lo scostano* now that he's sick everyone avoids him. – **3.** ⟨*Mar*⟩ (*largare*) to put out. – **II** *v.i.* (*aus.* **avere**) ⟨*non com*⟩ (*stare discosto*) to be away. – **scostarsi** *v.r.* **1.** (*allontanarsi*) to move (away), to leave. – **2.** (*farsi più in là*) to move (*o* step, stand) aside, to move (*o* get) out of the way: *scostati un po', per favore!* would you move aside please! – **3.** ⟨*fig*⟩ (*deviare*) to stray (*da* from), to leave (s.th.). – **4.** ⟨*Mar*⟩ to put out, to get under way, to push off.

scostạto (*p.p. di scostare*) *a.* **1.** aside, moved (away, aside). – **2.** (*distante, lontano*) far away.

scostolạre *v.t.* (**scọstolo**) to remove the rib(s) from. – **scostolatrịce** *f.* (*operaia*) worker who removes the ribs from tobacco leaves. – **scostolatụra** *f.* removal of the ribs.

scostumatạggine *f.* ⟨*ant*⟩ → **scostumatezza**. – **scostumatamẹnte** *avv.* **1.** immorally, dissolutely, licentiously. – **2.** (*maleducatamente*) rudely, impolitely. – **scostumatẹzza** *f.* **1.** (*dissolutezza*) immorality, dissoluteness, licentiousness. – **2.** (*cattiva educazione*) rudeness, bad manners *pl*, ill-breeding. – **scostumạto I** *a.* **1.** (*rif. a persone o cose: dissoluto*) immoral, dissolute, licentious: *fare una vita -a* to lead a dissolute life. – **2.** (*maleducato*) rude, unmannerly, ill-bred. – **II** *s.m.* (*f.* -a) dissolute (*o* immoral) person; (*rif. a donne*) shameless (*o* brazen) hussy.

scosturạto *a.* ⟨*rar*⟩ (*privato della costura*) seamless.

scọtano *m.* ⟨*Bot*⟩ smoke-tree, Venetian sumac, fustet (*Rhus cotinus; Cotinus coggygria*).

scotennạre *v.t.* (**scotẹnno**) **1.** (*levare la cotenna*) to skin, to flay: ~ *un maiale* to skin a pig. – **2.** (*togliere il cuoio capelluto*) to scalp. – **scotennatọio** *m.* skinning-knife. – **scotennatọre I** *s.m.* (*f.* -trice) **1.** skinner. – **2.** ⟨*Etnol*⟩ scalper. – **II** *a.* **1.** skinning. – **2.** ⟨*Etnol*⟩ scalping. – **scotennatụra** *f.* **1.** skinning, flaying. – **2.** ⟨*Etnol*⟩ scalping.

scọtere *v.* ⟨*pop,poet*⟩ → **scuotere**.

scoticamẹnto *m.* ⟨*rar*⟩ **1.** (*il togliere la cotenna*) skinning. – **2.** ⟨*Agr*⟩ removal of the turf. – **scoticạre** *v.t.* (**scọtico, scọtichi**) **1.** ⟨*non com*⟩ (*ripulire*) to pick. – **2.** ⟨*rar*⟩ (*togliere la cotenna*) to skin. – **3.** ⟨*Agr*⟩ to remove the turf from. – **scoticatọre** *m.* (*f.* -trice) **1.** ⟨*non com*⟩ skinner. – **2.** ⟨*Agr*⟩ skin coulter, jointer.

scọtico *a./s.* → **scoto**.

scotimẹnto *m.* **1.** (*lo scuotere*) shaking. – **2.** (*l'essere scosso*) being shaken. – **3.** ⟨*Aer*⟩ fluctuation. – **scotịo** *m.* ⟨*non com*⟩ shaking, jolting, bumping.

scotipạglia *m.inv.* → **scuotipaglia**.

scotịsmo *m.* ⟨*Filos*⟩ Scotism. – **scotịsta I** *s.m./f.* Scotist. – **II** *a.* → **scotistico**. – **scotịstico** *a.* (*pl.* **-ci**) Scotist, Scotistic.

scotitọio *m.* ⟨*Mecc*⟩ shaker. – **scotitọre** *m.* (*f.* **-trice**) ⟨*lett*⟩ **1.** shaker. – **2.** ⟨*Mitol*⟩ (*epiteto di Nettuno*) Earthshaking. – **scotitụra** *f.* **1.** shaking. – **2.** ⟨*Agr*⟩ knocking down of olives.

scọto I *a.* **1.** ⟨*Stor*⟩ Scotic, of the Scots. – **2.** ⟨*lett,ant*⟩ (*scozzese*) Scottish, Scots, Scotch; (*irlandese*) Irish. – **II** *s.m.* **1.** ⟨*Stor*⟩ Scot. – **2.** ⟨*lett,ant*⟩ (*abitante della Scozia*) Scot; (*abitante dell'Irlanda*) Irishman (*f* -woman).

scotoeritrịa *f.* ⟨*Med*⟩ protanopia, red blindness.

scotọfilo *a.* ⟨*Biol*⟩ loving darkness.

scotofobịa *f.* ⟨*Psic*⟩ scotophobia, fear of the dark. – **scotọfobo** *a.* **1.** ⟨*Psic*⟩ suffering from scotophobia. – **2.** ⟨*Biol*⟩ shunning the dark.

scọtola *f.* ⟨*Tess*⟩ scutch(er), brake. – **scotolạre** *v.t.* (**scọtolo**) to scutch, to brake. – **scotolatụra** *f.* scutching, braking.

scotọma *m.* ⟨*Med*⟩ scotoma. – **scotomạtico** *a.* (*pl.* **-ci**) **1.** (*relativo allo scotoma*) scotomatous. – **2.** (*affetto da scotoma*) scotomatous, affected with scotoma. – **scotomatọso** *a.* → **scotomatico**.

scoto|plạncton *m.* ⟨*Biol*⟩ deep (*o* bottom-dwelling) plankton. – **~tropịsmo** *m.* scototropism, skototropism.

scọtta[1] *f.* ⟨*Mar*⟩ sheet.

scọtta[2] *f.* ⟨*Alim*⟩ whey.

scottadịto: ⟨*Gastr*⟩ *a* ~ grilled.

scottamẹnto *m.* burning; (*con liquido bollente*) scalding. – **scottạnte** (*p.pr. di scottare*) *a.* **1.** burning, scorching; (*rif. a liquido bollente*) scalding. – **2.** ⟨*fig*⟩ galling, stinging, that rankles: *offesa* ~ galling insult. – **3.** ⟨*fig*⟩ (*urgente, attuale*) burning, pressing: *problema* ~ pressing problem.

scottạre *v.* (**scọtto**) **I** *v.t.* **1.** to burn, to scorch; (*con liquido bollente*) to scald. – **2.** (*far cuocere brevemente*) to half-cook; (*rif. ad arrosti*) to roast (*o* bake) slightly, to begin roasting (*o* baking); (*in acqua calda*) to parboil, to scald. – **3.** ⟨*fig*⟩ (*offendere*) to sting, to gall, to nettle, to hurt, to scorch; (*irritare*) to irritate, to annoy, ⟨*fam*⟩ to get. – **II** *v.i.* (*aus.* **avere**) **1.** to be hot, to be burning (*o* scorching): *il sole scotta* the sun is burning (*o* very hot); (*essere troppo caldo*) to be too hot: *la minestra scotta* the soup is too hot. – **2.** ⟨*estens*⟩ to burn, to be burning (*o* very hot): *la fronte gli scotta per la febbre* his forehead is burning from the fever. – **3.** ⟨*fig*⟩ (*causare profondo interesse*) to be burning (*o* pressing): *un problema che scotta* a burning problem; (*causare viva preoccupazione*) to be dangerous (*o* hot): *il bottino scotta* the goods are hot. – **scottarsi** *v.r.* **1.** to burn (o.s.): *mi sono scottato la lingua* I burnt my tongue; (*con un liquido bollente*) to scald (o.s.). – **2.** ⟨*fig*⟩ (*offendersi, aversene a male*) to be offended, to take offence, to be hurt (*o* galled). – **3.** ⟨*fig*⟩ (*fare un'esperienza spiacevole*) to get one's fingers burnt. ☐ ⟨*fig*⟩ *gli scotta la terra sotto i piedi* he is itching to leave; ⟨*fig*⟩ *merce che scotta* hot goods *pl*; (*rubata*) stolen goods *pl*.

scottạta *f.* ⟨*Gastr*⟩ half-cooking, light cooking; (*con liquido bollente*) parboiling, scalding; (*rif. ad arrosti*) slight roasting (*o* baking). ☐ *dare una* ~ *a qc.*: 1. to half-cook s.th.; 2. (*con liquido bollente*) to parboil (*o* scald) s.th.; 3. (*rif. ad arrosti*) to roast (*o* bake) s.th. slightly. – **scottạto** (*p.p. di scottare*) *a.* **1.** burnt, scorched; (*con un liquido bollente*) scalded. – **2.** ⟨*fig*⟩ (*deluso, amareggiato*) hurt, disappointed, bitter. – **3.** ⟨*fig*⟩ (*danneggiato*) harmed. – **4.** ⟨*Gastr*⟩ half-cooked, lightly cooked; (*con liquido bollente*) parboiled, scalded; (*rif. ad arrosti*) slightly roasted (*o* baked). – **scottatụra** *f.* **1.** (*lo scottarsi*) burning, scorching; (*con liquido bollente*) scalding. – **2.** (*ustione*) burn; (*provocata da un liquido bollente*) scald. – **3.** ⟨*fig*⟩ (*delusione*) disappointment; (*esperienza spiacevole*) unpleasant experience.

scọttico *a./s.* (*pl.* **-ci**) ⟨*lett*⟩ → **scoto**.

scọtto[1] (*p.p. di scuocere*) *a.* ⟨*Gastr*⟩ overdone, overcooked: *pasta -a* overcooked pasta.

scọtto[2] *m.* ⟨*ant*⟩ **1.** score, reckoning. – **2.** ⟨*fig*⟩ (*contropartita, compenso*) reward, return. – **3.** (*il mangiare*) food; (*vitto*) board. ☐ ⟨*rar*⟩ *stare a* ~ *da* (o *presso*) *qd.* (*riceverne il vitto*) to board with s.o.; ⟨*rar*⟩ *tenere a* ~ *qd.* (*dargli da mangiare*) to have s.o. as a boarder; ⟨*fig*⟩ *pagare lo* ~ *di qc.* to pay for s.th., to suffer the consequences of s.th., ⟨*lett*⟩ to pay one's scot.

scọtto[3] *a./s.* → **scoto**.

scout *ingl.* ['skaut] *m.* (boy) scout. – **scoutịsmo** *m.* scouting. – **scoutịstico** *a.* (*pl.* **-ci**) (boy) scout-, scouting.

scovamẹnto *m.* ⟨*non com*⟩ **1.** starting. – **2.** ⟨*fig*⟩ flushing. – **scovạre** *v.t.* (**scọvo**) **1.** to start, to rouse, to flush: ~ *la selvaggina* to start game. – **2.** ⟨*fig*⟩ (*rintracciare*) to find, to discover, to track down, to flush: ~ *un ladro* to track down a thief; (*trovare*) to find, to discover: *ho scovato un posticino dove si mangia proprio bene* I've found a place where you can really eat well; (*rif. a informazioni e sim.*) to find out.

scovẹrta *f.* ⟨*ant,pop*⟩ → **scoperta**. – **scovẹrto** *a./s.* ⟨*ant,poet*⟩ → **scoperto**.

scọvo: *cane da* ~ pointer.

scọvolo *m.* **1.** ⟨*Artigl*⟩ swab, cleaning-rod. – **2.** ⟨*Mecc*⟩ tube-brush, swab.

scovrịre *v.* ⟨*ant,poet*⟩ → **scoprire**.

scọzia *f.* ⟨*Arch*⟩ scotia.

Scọzia *N.pr.f.* ⟨*Geog*⟩ Scotland.

scozzạre *v.t.* (**scọzzo**) to shuffle. – **scozzạta** *f.* shuffle. ☐ *dare una* ~ *alle carte* to shuffle the cards.

scozzẹse I *a.* Scottish, Scots, Scotch. – **II** *s.m.* **1.** (*lingua*) Scottish (*o* Scots) Gaelic; (*dialetto inglese-scozzese*) Scottish, Scotch, Scots. – **2.** *m./f.* (*abitante*) Scot, Scotsman (*f* -woman), Scotchman (*f* -woman); *pl.* the Scottish (*costr.pl.*), the Scotch (*costr.pl.*), the Scots *pl.* – **3.** ⟨*Tess*⟩ tartan, ⟨*fam*⟩ plaid: *tessuto* (*di lana*) ~ tartan (cloth). – **III** *s.f.* (*danza*) schottische.

scozzịsmo *m.* ⟨*Filos*⟩ Scottish philosophy; (*scuola scozzese*) Scottish school.

scọzzo *m.* shuffling.

scozzonạre *v.t.* (**scozzọno**) **1.** to break in, to train: ~ *un puledro* to break in a colt. – **2.** ⟨*fig*⟩ (*insegnare i primi elementi*) to give basic training to, to teach the first elements to; (*rendere meno rozzo*) to refine, to improve, to polish. – **3.** ⟨*mil*⟩ to drill: ~ *le reclute* to drill recruits. – **scozzonạta** *f.* **1.** breaking in, training. – **2.** ⟨*fig*⟩ basic (*o* initial) training. ☐ *dare una* ~ *a qd.* to train s.o. – **scozzonatọre** *m.* (*f.* **-trice**) → **scozzone**. – **scozzonatụra** *f.* → **scozzonata**. – **scozzọne** *m.* horse-breaker, trainer.

scrạnna *f.* **1.** high-backed chair. – **2.** ⟨*region*⟩ (*sedia*) chair. ☐ ⟨*fig*⟩ *sedere a* ~ (*ergersi a giudice*) to set o.s. up as judge.
scrạnno *m.* (*scanno*) seat.
screanzatamẹnte *avv.* rudely, impolitely. – **screanzạto I** *a.* rude, impolite, unmannerly, ill-bred. – **II** *s.m.* (*f.* -a) rude (*o* unmannerly) person, boor.
scredẹnte (*p.pr. di scredere*) *a.* ⟨*ant*⟩ (*incredulo*) incredulous, disbelieving; (*diffidente*) doubting, distrustful. – **scrẹdere** *v.t.* (scredẹi/ scredẹtti, scredụto) ⟨*ant*⟩ **1.** (*non credere*) to disbelieve, not to believe. – **2.** (*non credere più*) to believe no longer.
screditạre *v.t.* (scrẹdito) to discredit, to throw discredit on, to bring into disrepute: ~ *un negozio* to discredit a shop. – **screditarsi** *v.r.* to bring discredit on o.s., to lose one's reputation. – **scrediṭato** (*p.p. di screditare*) *a.* discredited, having a bad reputation, having fallen into disrepute: *ditta -a* discredited firm. – **scrẹdito** *m.* ⟨*non com*⟩ (*discredito*) discredit, disrepute.
scremạre *v.t.* (scrẹmo) to skim (*anche Met.*). ☐ *latte scremato* skim-milk, skimmed milk, non-fat milk. – **scrematrịce** *f.* ⟨*Alim*⟩ skimmer, skimming-machine, cream-separator. – **scrematụra** *f.* skimming (*anche Met.*).
screpolạbile *a.* easily cracked. – **screpolabilità** *f.* tendency to crack. – **screpolạre** *v.* (screpolo) **I** *v.t.* to crack; (*rif. alla pelle*) to chap. – **II** *v.i.* (*aus.* essere) ⟨*non com*⟩, **screpolarsi** *v.r.* to crack; (*rif. alla pelle*) to chap. – **screpolạto** (*p.p. di screpolare*) *a.* **1.** cracked; (*rif. alla pelle*) chapped: *mani -e* chapped hands. – **2.** (*crepato*) cracked.
screpolatụra *f.* **1.** (*lo screpolare, lo screpolarsi*) cracking; (*rif. alla pelle*) chapping. – **2.** (*l'essere screpolato*) crackedness. – **3.** ⟨*concr*⟩ crack; (*rif. alla pelle*) chap. – **4.** ⟨*Pitt*⟩ cracking. ☐ ⟨*Met*⟩ ~ *capillare* hair cracking; ~ *centrale* central shake; ~ *raggiata* star shake.
scrẹpolo *m.* crack.
screscere *v.i.* (scrẹsco, scrẹsci; scrẹbbi, scresciụto; *aus.* essere) ⟨*ant*⟩ **1.** (*diventare più piccolo*) to grow smaller. – **2.** (*diminuire*) to diminish, to decrease.
screziạre *v.t.* (scrẹzio, scrẹzi) to variegate, to speckle. – **screziạto** (*p.p. di screziare*) *a.* **1.** (*variopinto*) variegated, multicoloured, many-coloured. – **2.** (*che presenta macchie, chiazze*) speckled, flecked; (*striato*) streaked. – **3.** ⟨*fig,lett*⟩ (*che presenta caratteri diversi*) variegated, varied. – **4.** ⟨*Bot*⟩ variegated. – **screziatụra** *f.* **1.** (*chiazza*) mark, speckle, fleck; (*striatura*) streak. – **2.** ⟨*non com*⟩ (*l'essere screziato*) variegation, speckling. – **3.** ⟨*Bot*⟩ variegation.
scrẹzio *m.* **1.** disagreement, dissension, friction, difference: *c'è qualche* ~ *tra i due fratelli* there is some friction between the two brothers. – **2.** ⟨*ant*⟩ (*varietà di colori*) variegation.
scrịa *m.* ⟨*rar*⟩ smallest bird.
scrịba *m.* **1.** ⟨*Stor,Bibl*⟩ scribe. – **2.** ⟨*spreg*⟩ (*scrittorucolo*) scribbler, hack(-writer). – **3.** ⟨*ant*⟩ (*scrivano, amanuense*) amanuensis, copyist, scribe.
scribacchiạre *v.t.* (scribạcchio, scribạcchi) **1.** (*scrivere svogliatamente*) to scribble, to write carelessly, to dash (*o* get) off. – **2.** (*scrivere male*) to scribble. – **scribacchiatọre** *m.* (*f.* -trice) ⟨*non com*⟩ scribbler, hack(-writer). – **scribacchịno** *m.* ⟨*spreg*⟩ **1.** scribbler, hack(-writer). – **2.** (*impiegato che svolge mansioni modeste*) clerk, ⟨*fam*⟩ pen-pusher. – **scribaccịno** *m.* ⟨*ant*⟩ → **scribacchino**.
scribasenạto *m.* ⟨*Mediev*⟩ senatorial scribe.
scriccạre *v.t.* (scrịcco, scrịcchi) ⟨*Met*⟩ to deseam, to dress, to remove flaws from. – **scriccatọre** *m.* ⟨*Met*⟩ chipper. – **scriccatụra** *f.* removal of flaws.
scricchiạre *v.* (scrịcchio, scrịcchi) ⟨*non com*⟩ → **scricchiolare**. – **scrịcchio** *m.* ⟨*non com*⟩ crackling. – **scricchiolamẹnto** *m.* → **scricchiolio**. – **scricchiolạre** *v.i.* (scrịcchiolo; *aus.* avere) **1.** to crunch: *la neve ghiacciata scricchiolava sotto le ruote dell'automobile* the frozen snow crunched under the wheels of the car. – **2.** (*cigolare*) to creak, to squeak: *la sedia scricchiolava sotto il suo peso* the chair creaked under his weight. – **scricchiolịo** *m.* **1.** crunching. – **2.** (*cigolio*) creaking, squeaking. – **scrịcchiolo** *m.* ⟨*non com*⟩ (*rumore*) crunch(ing): *lo* ~ *della ghiaia* the crunch of the gravel underfoot; (*cigolio*) creak(ing), squeak(ing).
scrịcciolo *m.* **1.** ⟨*Ornit*⟩ wren (*Troglodytes troglodytes*). – **2.** ⟨*fig*⟩ (*persona piccola*) mite, tiny (*o* little) person.
scrịgno *m.* **1.** casket, case: ~ *di gioielli* jewel casket. – **2.** ⟨*ant*⟩ (*gobba*) hump, hunch. – **scrignụto** *a.* ⟨*ant*⟩ **1.** (*gobbo*) hunchbacked, hump-backed. – **2.** (*arcuato*) curved. ☐ *naso* ~ hook(ed) nose. – **scrignutụzzo** (*dim. di scrignuto*) *m.* (*f.* -a) ⟨*ant*⟩ (*gobbetto*) little hunch-back.
scrịma *f.* ⟨*ant*⟩ (*scherma*) fencing. – **scrimạglia** *f.* ⟨*ant*⟩ (*schermaglia*) duel.
scriminạnte (*p.pr. di scriminare*) *a.* ⟨*Dir*⟩ extenuating. – **scriminạre** *v.t.* (scrịmino) ⟨*non com*⟩ **1.** (*discriminare*) to discriminate, to distinguish, to differentiate. – **2.** ⟨*Dir*⟩ to extenuate, to exonerate from criminal liability.
scriminatụra *f.* **1.** (*riga dei capelli*) part(ing). – **2.** ⟨*non com*⟩ (*il dividere i capelli*) parting (of the hair). ☐ ~ *al centro* centre part(ing); ~ *laterale* side part(ing).
scrịmolo *m.* **1.** ⟨*non com*⟩ (*orlo, bordo*) edge. – **2.** ⟨*Geog*⟩ ridge.
scrinạre *v.t.* **1.** ⟨*non com*⟩ (*togliere i crini*) to clip the mane and tail of. – **2.** ⟨*ant*⟩ (*acconciare i capelli*) to dress the hair of.
scriniạrio *m.* **1.** ⟨*Stor.rom*⟩ archivist, scriniarius. – **2.** (*scrivano pontificio*) archivist (of the Papal chancery).

scrịo *a.* ⟨*tosc*⟩ **1.** (*puro*) pure. – **2.** ⟨*fig*⟩ (*schietto*) pure (and simple), outright: *bugia -a* outright lie.
scrịptio *lat. f.* ⟨*Ling,Paleogr*⟩ scriptio, writing.
scrịssi *p.rem. di* scrivere.
scristianamẹnto *m.* ⟨*rar*⟩ → **scristianizzazione**. – **scristianạre** *v.* ⟨*non com*⟩ → **scristianizzare**. – **scristianizzạre** *v.t.* to unchristianize, to dechristianize. – **scristianizzarsi** *v.r.* to give up Christianity. – **scristianizzạto** (*p.p. di scristianizzare*) *a.* unchristianized. – **scristianizzaziọne** *f.* ⟨*non com*⟩ unchristianizing.
scriteriatamẹnte *avv.* senselessly, without judgement. – **scriteriạto I** *a.* **1.** (*rif. a persone*) silly, scatter-brained, senseless, brainless, lacking in judgement. – **2.** ⟨*non com*⟩ (*rif. a cose*) rash. – **II** *s.m.* (*f.* -a) scatter-brain, senseless person.
scrịtta *f.* **1.** writing: ~ *indecifrabile* illegible writing; (*su cartelli*) notice, sign, poster; (*iscrizione*) inscription: *una lapide con una* ~ *in latino* a plaque with a Latin inscription. – **2.** (*contratto*) contract; (*documento*) document, deed. – **3.** ⟨*ant*⟩ (*nota, lista*) list. ☐ ⟨*ant*⟩ *far la* ~ (*obbligarsi per iscritto*) to undertake in writing, ⟨*lett*⟩ to put one's hand to s.th.; ⟨*fig*⟩ *ci farei la* ~ *a mangiar sempre così* I'd be only too glad to eat like this all the time.
scrịtto (*p.p. di scrivere*) **I** *a.* **1.** written, in writing: *ordine* ~ written order, order in writing. – **2.** (*destinato*) bound, destined, doomed, fated: *era* ~ *che dovesse finire così* it was bound to finish like this; *era* ~ *che non sarei potuto partire* it was fated that I wouldn't be able to leave. – **3.** ⟨*fig*⟩ (*impresso*) written, inscribed, impressed: *il suo nome è* ~ *nel mio cuore* his name is written on my heart; *la colpa l'aveva -a in fronte* guilt was written all over his face. – **4.** ⟨*ant*⟩ (*nominale*) nominal. – **II** *s.m.* **1.** writing: *questo* ~ *non si legge più* you can't read this writing any more. – **2.** (*opera*) writing, work: *gli -i minori di Byron* Byron's minor works. – **3.** (*lettera*) letter: *ho ricevuto il tuo* ~ I received your letter. – **4.** ⟨*Scol*⟩ (*esame scritto*) written exam(ination): *domani abbiamo lo* ~ *di latino* tomorrow we have our written Latin examination. ☐ ~ *diffamante* libellous writing; ⟨*non com*⟩ *in* (*o per*) ~ in writing: *mettere qc. in* (*o per*) ~ to put s.th. in writing, to write s.th. down; *rispondere per* ~ to reply in writing, to send a written reply; ~ *d'occasione* occasional writing.
scrittọio *m.* **1.** (*mobile*) (writing-)desk, secretary, (writing)bureau. – **2.** ⟨*rar*⟩ (*stanza*) study; (*ufficio*) office.
scrittọre *m.* (*f.* -trice) **1.** writer, author: *gli -i italiani del Novecento* twentieth century Italian writers; ~ *impegnato* committed writer. – **2.** ⟨*non com*⟩ (*autore*) author, writer: *è ignoto lo* ~ *di questa lettera* the author of this letter is unknown. – **3.** ⟨*ant*⟩ (*scrivano*) scribe, copyist. ☐ ~ *apostolico* scriptor; ~ *drammatico* dramatist, playwright; ⟨*Med*⟩ *il crampo dello* ~ writer's cramp.
scrittorẹllo (*dim. di scrittore*) *m.* ⟨*spreg*⟩ scribbler, hack(-writer). – **scrittorịa** *f.* office of a scriptor. – **scrittọrio I** *a.* ⟨*lett*⟩ **1.** writing: *materiale* ~ writing material. – **2.** (*di scrittura*) of writing. – **II** *s.m.* ⟨*Mediev*⟩ scriptorium. – **scrittorụccio, scrittorụcolo** (*dim. di scrittore*) *m.* → **scrittorello**. – **scrittrịce** *f.* woman writer, author(ess).
scrittụra *f.* **1.** (*lo scrivere*) writing. – **2.** (*uso, tecnica*) writing: *apprendere la* ~ to learn writing (*o* how to write). – **3.** (*sistema*) script, writing: ~ *araba* Arabic writing. – **4.** (*espressione scritta*) words *pl*, writing: *affidare qc. alla* ~ to put s.th. down in writing, to write s.th. down. – **5.** (*modo di scrivere*) writing; (*calligrafia*) writing, hand(writing), penmanship, calligraphy: ~ *illeggibile* illegible writing. – **6.** (*atto, documento*) deed, document; (*contratto*) contract. – **7.** ⟨*Teat,Cin*⟩ (*contratto di lavoro*) engagement, contract: *ottenere una* ~ to get a contract; (*compenso*) fee. – **8.** ⟨*Comm*⟩ (book) entry, booking; (*documento*) book-keeping voucher, accountable receipt. – **9.** *pl.* ⟨*Comm*⟩ (account) books *pl*, accounts *pl*. – **10.** ⟨*Tip*⟩ (*caratteri*) type. – **11.** ⟨*ant,rar*⟩ (*scritto, opera*) writing, work. – **Scrittura** *N.pr.f.* (*Bibbia*) Scripture, Bible.
☐ ⟨*Comm*⟩ ~ *di* **accreditamento** credit entry; ~ *di* **addebitamento** debit entry; ~ **aerea** skywriting; ~ **alfabetica** alphabetical writing; ~ **artistica** engagement (of an actor); **bella** ~ good handwriting (*o* penmanship): *avere una bella* ~ to have good handwriting, to write a good hand; ⟨*Tip*⟩ ~ **capitale** capital letters *pl*; ~ **carolina** Carolingian script, Caroline minuscule; ~ **cinematografica** film contract; ~ **cirillica** Cyrillic script; ⟨*Econ*⟩ *-e di* **conformità** reciprocated entry *sing*; *-e* **contabili** (account) books, accounts; ~ **cuneiforme** cuneiform script; **di** ~ writing: *esercizio di* ~ writing exercise; ⟨*Econ*⟩ ~ **doppia** double-entry book-keeping; ~ **ebraica** Hebraic script; ~ **fonetica** phonetic writing; ~ **geroglifica** hieroglyphic writing, hieroglyphics *pl*; ⟨*Tip*⟩ ~ **gotica**: 1. Gothic script; 2. = *scrittura* **tedesca**; ~ **greca** Greek writing; ~ **ideografica** ideographic writing, ideography; ⟨*Tip*⟩ ~ **inglese** English script; ~ **latina** Latin writing; ⟨*Paleogr*⟩ ~ **lineare** linear writing; ~ *a* **macchina** typing, typewriting; ~ **maiuscola** majuscule script; ~ *a* **mano** handwriting; **metodo** *di* ~: 1. = **sistema** *di scrittura*; 2. ⟨*Comm*⟩ book-keeping system; ~ **minuscola** minuscule (script); ~ **monumentale** monumental script; ~ **onciale** uncial script, uncial(s); ~ **ornamentale** ornamental script; ⟨*Dir*⟩ ~ **privata** simple (*o* parol) contract; ⟨*Dir*⟩ ~ **pubblica** contract (*o* deed) under seal; ~ **runica** runic script; ~ **russa** = *scrittura* **cirillica**; **Sacra** ~ Holy Scripture (*o* Bible); *-e sacre* sacred writings; ⟨*Econ*⟩ ~ **semplice** single-entry book-keeping; ~ **sillabica** syllabic writing; **sistema** *di* ~ type of script; ~ *a* **specchio** mirror writing; ~ **teatrale** theatrical engagement; ~ **tedesca** German type, Fraktur; ~ **telegrafica** Morse code, sign

of the Morse alphabet; ⟨*Comm*⟩ **tenere** *le -e* to keep the accounts (*o* books). – *Prov.*: *chi non conosce* (o *sa leggere*) *la sua* ~ *è un asino di natura* a person who cannot read his own writing is a fool.
scritturạbile *a.* **1.** ⟨*Teat,Cin*⟩ suitable for engagement, that can be signed on. – **2.** ⟨*Comm*⟩ enterable.
scritturạccia (*pegg. di scrittura*) *f.* (*pl.* **-ce**) scrawl, scribble.
scritturạle¹ I *s.m.* **1.** (*scrivano*) scribe; (*copista*) copyist. – **2.** ⟨*Mil*⟩ clerk. – **II** *a.* ⟨*Comm*⟩ book-keeping-, account-, of accounts. ☐ *moneta* ~ representative (*o* bank) money.
scritturạle² I *a.* ⟨*Teol*⟩ Scriptural: *tradizione* ~ Scriptural tradition. – **II** *s.m./f.* scripturalist. – **scritturalịsmo** *m.* ⟨*Teol*⟩ scripturalism.
scritturạre *v.t.* **1.** ⟨*Teat,Cin*⟩ to engage, to sign up (*o* on). – **2.** ⟨*Comm*⟩ to enter. – **scritturạto** (*p.p. di scritturare*) *a.* ⟨*Teat,Cin*⟩ engaged, under contract, signed up. – **scritturaziọne** *f.* **1.** ⟨*Teat,Cin*⟩ engagement, signing up. – **2.** (*lo scrivere per conto d'altri*) writing, copying; (*l'usare strumenti per scrivere*) use of writing materials. – **3.** ⟨*Comm*⟩ entry.
Scrittụre *N.pr.f.pl.* (*Bibbia*) (Holy) Scriptures *pl*, Bible. – **scritturịsta** *m./f.* scripturalist. – **scritturịstico** *a.* (*pl.* **-ci**) scriptural, Biblical, Bible-.
scrivacchiạre *v.* ⟨*non com*⟩ → **scribacchiare**.
scrivanịa *f.* **1.** (writing-)desk, secretary, (writing-)bureau. – **2.** ⟨*ant*⟩ (*ufficio, carica*) office. – **scrivạno** *m.* **1.** scribe; (*copista*) copyist. – **2.** ⟨*Dir,burocr*⟩ clerk, scribe, scrivener. – **3.** ⟨*Entom*⟩ (*anche scrivano della vite*) western grape rootworm (*Bromius obscurus*).
scrivasenạto *m.* → **scribasenato**.
scrivẹnte (*p.pr. di scrivere*) **I** *s.m./f.* **1.** writer. – **2.** ⟨*burocr*⟩ undersigned, writer. – **II** *a.* ⟨*non com*⟩ writing.
scrịvere *v.* (**scrịssi, scrịtto**) **I** *v.t.* **1.** to write: ~ *una lettera* to write a letter. – **2.** (*fissare per mezzo della scrittura*) to write (*o* set) down; (*annotare*) to note, to make (*o* take) a note of, to take down: ~ *la nota delle spese* to make a note of the expenses. – **3.** (*redigere*) to draft, to draw up, to write: ~ *un documento* to draw up a document. – **4.** (*copiare, trascrivere*) to write, to transcribe. – **5.** (*scrivere compitando*) to spell: *come si scrive questa parola?* how do you spell this word?; *ho scritto giusto il suo nome?* have I spelled your name right? – **6.** ⟨*fig*⟩ (*fissare, imprimere*) to write, to impress, to engrave, to imprint: ~ *qc. nel cuore* to engrave s.th. in one's heart. – **7.** ⟨*Comm, non com*⟩ (*registrare*) to enter, to record, to post: ~ *il dare e l'avere* to enter the debit and the credit. – **8.** ⟨*lett*⟩ (*ascrivere, attribuire*) to ascribe, to attribute: ~ *qc. a lode di qd.* to ascribe s.th. to s.o.'s credit, to give s.o. credit for s.th. – **II** *v.i.* (*aus.* **avere**) **1.** to write: *non ci scrive da parecchio tempo* he hasn't written to us for a long time. – **2.** (*fare lo scrittore, il giornalista*) to write, to be a writer: *scrive per un giornale sportivo* he writes for a sports paper. – **3.** (*affermare, sostenere per iscritto*) to write, to say: *come scrive Dante* as Dante says.
☐ ~ *un* **appunto** to make (*o* take) a note; ~ *qc. in* **bella** (*copia*) to write the fair copy of s.th.; ~ **bene**: 1. (*avere una bella scrittura*) to have good (hand)writing; 2. (*rif. allo stile*) to write well, to be a good writer; 3. (*rif. all'ortografia*) to spell correctly; ~ *in* **brutta** (*copia*) to write out roughly, to draft; **da** ~ writing: *carta da* ~ writing-paper; ~ *sotto* **dettatura** to take dictation; ⟨*pop*⟩ *questa me la scrivo al* **dito** I'll bear that in mind, I won't forget that; ~ ⌜*per* **esteso**⌝ (o *in tutte lettere*) to write out in full; ~ *a* **macchina** to type; ~ **male**: 1. (*avere una brutta scrittura*) to have bad (hand-)writing; 2. (*rif. allo stile*) to write badly; 3. (*rif. all'ortografia*) to misspell; ~ *a* **mano** to write ⌜by hand⌝ (*o* in longhand); ~ *a* **matita** to write in pencil, to pencil; ~ *a* **penna** to write in pen (*o* ink), to pen; ~ *in* **prosa** to write (in) prose, to be a prose-writer; ~ *qc. di proprio* **pugno** to write s.th. o.s. (*o* in one's own hand); ~ *per le* **scene** to write plays (*o* for the stage), to be a playwright; ~ *in* **stampatello** to write in block letters, to print; ~ *in* **versi** to write in verse.
scrivịbile *a.* ⟨*non com*⟩ writable, that can be written (down).
scrivicchiạre *v.* → **scribacchiare**.
scrivimpiẹdi *m.inv.* ⟨*non com*⟩ → **scriviritto**. – **scrivirịtto** *m.inv.* (*mobile*) high writing-desk.
scrivisenạto *m.* → **scribasenato**.
scrịvo *a.* ⟨*rar*⟩ → **scrio**.
scrivucchiạre *v.* → **scribacchiare**.
scrobicolạto *a.* ⟨*Bot*⟩ scrobiculate(d), pitted, foveolate. – **scrobịcolo** *m.* fovea, pit.
scroccạre¹ *v.t.* (**scrọcco, scrọcchi**) ⟨*fam*⟩ **1.** to scrounge, to cadge, to get: ~ *una cena* to cadge a dinner. – **2.** (*ottenere senza merito*) to obtain by guile, ⟨*fam*⟩ to finagle, ⟨*fam*⟩ to wangle: ~ *uno stipendio* to finagle a salary. – **3.** ⟨*assol*⟩ to scrounge, to cadge, to sponge, to be a scrounger: *campa scroccando qua e là* he gets along by scrounging around.
scroccạre² *v.i.* (**scrọcco, scrọcchi**; *aus.* **essere**) ⟨*ant*⟩ (*scattare, scoccare*) to go off.
scroccạto (*p.p. di scroccare¹*) *a.* ⟨*fam*⟩ **1.** scrounged, cadged, sponged. – **2.** (*immeritato*) finagled. – **scroccatọre** *m.* (*f.* **-trice**) ⟨*fam*⟩ scrounger, cadger, sponger. – **scroccherịa** *f.* ⟨*non com*⟩ scrounging, cadging, sponging.
scrocchẹtto *m.* ⟨*Ornit*⟩ (*alzavola*) teal (*Anas crecca*).
scrocchiạre *v.i.* (**scrọcchio, scrọcchi**; *aus.* **avere**) ⟨*non com*⟩ (*crocchiare*) to creak, to squeak.
scrocchịno *m.* ⟨*Ornit*⟩ (*stiaccino*) whinchat (*Saxicola rubetra*).
scrọcchio¹ *m.* creaking.
scrọcchio² *m.* ⟨*Stor*⟩ type of usury.
scrọcchio³ *m.* → **scroccone**.
scrọcco¹ *m.* (*pl.* **-chi**) **1.** ⟨*rar*⟩ (*lo scroccare*) scrounging, cadging, sponging. – **2.** ⟨*Dir*⟩ eating or drinking without paying. ☐ *a* ~ by scrounging, by cadging, by sponging: *vivere a* ~ to live by scrounging, to scrounge a living, to be a professional scrounger.
scrọcco² *m.* (*pl.* **-chi**) (*scatto*) click. ☐ *coltello a* ~ jackknife, clasp-knife; *serratura a* ~ spring-lock.
scrọcco³ *m.* (*pl.* **-chi**) → **scrocchio¹**.
scroccọne *m.* (*f.* **-a**) scrounger, cadger, sponger.
scrọfa¹ *f.* **1.** sow. – **2.** ⟨*volg,spreg*⟩ slut, ⟨*volg*⟩ bitch.
scrọfa² *f.* ⟨*ant*⟩ → **scrofolosi**.
scrọfano *m.* ⟨*Itt*⟩ (*scorfano*) scorpion fish (*Scorpaena*).
scrọfola *f.* ⟨*pop*⟩ → **scrofolosi**.
scrofolạria *f.* → **scrofularia**.
scrofolọsi *f.* ⟨*Med*⟩ scrofula. – **scrofolọso I** *a.* scrofulous. – **II** *s.m.* (*f.* **-a**) scrofulous person, sufferer from scrofula. – **scrọfula** *f.* ⟨*lett*⟩ → **scrofolosi**.
scrofulạria *f.* ⟨*Bot*⟩ figwort (*Scrophularia*). – **scrofulariạcee** *f.pl.* figwort family (*Scrophulariaceae*).
scrofulọsi *f.* → **scrofolosi**. – **scrofulọso** *a./s.* → **scrofoloso**.
scrollamẹnto *m.* ⟨*non com*⟩ shaking. – **scrollạre** *v.t.* (**scrọllo**) to shake: ~ *un ramo* to shake a branch. – **scrollarsi** *v.r.* **1.** (*scuotersi*) to shake o.s. – **2.** ⟨*fig*⟩ (*scuotersi da uno stato di apatia*) to get excited (*o* flustered), to bother, to stir, to rouse o.s. ☐ *scrollarsi di dosso qc.* to shake s.th. off; ~ *le spalle* to shrug one's shoulders; ~ *la testa* to shake one's head. – **scrollạta** *f.* (*atto*) shaking; (*effetto*) shake. ☐ *dare una* ~ *a qc.* to shake s.th., to give s.th. a shake; ~ *di spalle* shrug (of the shoulders); ~ *di testa* shake of the head. – **scrollatịna** *f. dim. di* **scrollata**. – **scrollatụra** *f.* → **scrollata**. – **scrollịo** *m.* ⟨*non com*⟩ shaking. – **scrọllo** *m.* shake, shaking. – **scrollọne** (*accr. di scrollo*) *m.* violent shake.
scrosciạnte (*p.pr. di scrosciare*) *a.* **1.** (*rif. a pioggia*) pelting, pouring: *pioggia* ~ pelting rain; (*rif. a torrenti e sim.*) roaring, thunderous, crashing. – **2.** ⟨*fig*⟩ (*fragoroso*) thunderous, loud, crashing: *applausi -i* thunderous applause; (*rif. a risa*) roaring. – **scrosciạre** *v.i.* (**scrọscio, scrọsci**; *aus.* **avere/essere**) **1.** (*rif. a pioggia*) to pelt, to beat (*o* pour) down; (*rif. a torrenti e sim.*) to roar, to thunder, to crash, to pour down. – **2.** (*produrre un fragore*) to roar, to crash, to thunder: *gli applausi scrosciarono nel teatro* the applause thundered in the theatre. – **3.** ⟨*tosc*⟩ (*bollire molto forte*) to boil, to seethe. – **4.** ⟨*tosc*⟩ (*scricchiolare*) to crunch, to be crunchy, to be squeaky (*o* creaky): *il pane fresco scroscia* fresh bread is crunchy.
scrọscio *m.* **1.** pelting, downpour. – **2.** (*rumore*) roar(ing), crash(ing), thunder(ing): *lo* ~ *della cascata* the roaring of the waterfall. – **3.** ⟨*fig*⟩ burst, thunder, roar: *uno* ~ *di risa* a roar of laughter. – **4.** ⟨*Med*⟩ crepitation. ☐ *a* ~ violently, hard: *piove a* ~ it's raining hard, it's pelting, it's pouring (with rain), ⟨*fam*⟩ it's raining cats and dogs; *uno* ~ *di applausi* burst of applause, thunderous applause; ~ *di pioggia* heavy shower, downpour.
scrostamẹnto *m.* **1.** (*lo scrostare*) removal of the scab; (*rif. a muri e sim.*) chipping. – **2.** (*lo scrostarsi*) falling off of the scab; (*rif. a muri e sim.*) peeling. – **scrostạre** *v.t.* (**scrọsto**) **1.** to remove the scab from, to pick (off). – **2.** (*asportare lo strato superficiale*) to chip, to scratch: ~ *l'intonaco* to chip the plaster; (*grattare via*) to scrape (off), to strip. – **scrostarsi** *v.r.* **1.** to lose the scab. – **2.** (*perdere lo strato superficiale*) to peel (*o* chip) off, to flake (off). – **scrostạto** (*p.p. di scrostare*) *a.* chipped: *parete -a* chipped wall. – **scrostatụra** *f.* **1.** chipping, scraping off. – **2.** (*parte scrostata*) chipped place, peeling patch.
scrotạle *a.* ⟨*Anat*⟩ scrotal. – **scrọto** *m.* scrotum.
scrudịre *v.t.* (**scrudịsco, scrudịsci**) **1.** (*stiepidire*) to warm, to take the chill off. – **2.** ⟨*region*⟩ (*riscaldare il letto*) to warm up. – **3.** ⟨*Tess*⟩ to soften.
scrupoleggiạre *v.i.* (**scrupolẹggio, scrupolẹggi**; *aus.* **avere**) ⟨*non com*⟩ to have scruples (*o* qualms), to become scrupulous.
scrụpolo *m.* **1.** scruple, qualm: ~ *di coscienza* scruple (of conscience). – **2.** (*esitazione, timore*) hesitation, qualm, scruple; (*dubbio*) doubt. – **3.** (*cura, diligenza*) care, conscientiousness. – **4.** ⟨*ant*⟩ (*unità di peso*) scruple. – **5.** ⟨*ant*⟩ (*piccolissima quantità*) jot, scrap, ⟨*lett*⟩ scruple.
☐ *non avere* ~ *a fare qc.* to have no qualms about doing s.th.; **con** ~ (*coscienziosamente*) conscientiously; **farsi** ~ *di qc.* to hesitate to do s.th.; *esatto* (o *preciso*) **fino** *allo* ~ scrupulously exact, right to a T; **pieno** *di -i* very scrupulous; **senza** *-i* unscrupulous.
scrupolosamẹnte *avv.* **1.** scrupulously. – **2.** (*coscienziosamente*) conscientiously; (*diligentemente*) carefully. – **scrupolosità** *f.* scrupulousness, scrupulosity. – **scrupolọso** *a.* **1.** (*timoroso*) scrupulous. – **2.** (*coscienzioso*) conscientious, scrupulous; (*preciso, diligente*) careful, meticulous, painstaking, precise, thorough: *una visita -a* a thorough (medical) examination. – **3.** ⟨*spreg*⟩ (*pedante*) fussy; (*minuzioso*) meticulous. – **scrụpulo** *m.* ⟨*ant*⟩ → **scrupolo**.
scrutạbile *a.* scrutable. – **scrutamẹnto** *m.* ⟨*non com*⟩ scrutiny, scrutinizing. – **scrutạre** *v.t.* **1.** (*osservare*) to scrutinize, to scan. – **2.** (*indagare*) to investigate, to delve (*o* look) into: ~ *i misteri della natura* to delve into the mysteries of nature. – **scrutạta** *f.* ⟨*non com*⟩ searching look: *dare una* ~ *a qd.* to give s.o. a searching look. – **scrutatịna** *f. dim. di* **scrutata**. – **scrutatọre I** *s.m.* (*f.* **-trice**)

1. teller, scrutineer. – 2. ⟨*lett*⟩ (*chi scruta*) scrutinizer, searcher. – II *a.* searching, inquiring: *occhio* ~ searching eye.

scrutinare *v.t.* **1.** to scrutinize: ~ *i voti* to scrutinize the votes. – **2.** ⟨*Scol*⟩ to assign marks to. – **3.** ⟨*ant*⟩ (*indagare, esaminare*) to investigate, to scrutinize. – **scrutinatore** *m.* (*f.* **-trice**) ⟨*lett*⟩ → **scrutatore.**

scrutinio *m.* **1.** scrutiny; (*votazione*) election, voting, poll; (*operazione di voto*) ballot, vote. – **2.** (*spoglio dei voti*) scrutiny. – **3.** ⟨*Scol*⟩ assignment of marks; (*conferenza*) meeting to assign marks. – **4.** ⟨*Dir*⟩ promotion. – **5.** ⟨*Dir.can*⟩ scrutiny. – **6.** ⟨*ant*⟩ (*esame*) examination.

□ ~ *di* **ballottaggio** additional ballot; **fare** *lo* ~ *dei voti* to count the votes; ⟨*Scol*⟩ ~ **finale** assignment of marks at the end of the school year; (*conferenza*) meeting to assign the final marks; ~ *di* **lista** election (*o* voting) for a list, list-voting, (party-)list system; ⟨*Dir*⟩ ~ *per* **merito** promotion by merit; **primo** ~ first count; ~ **pubblico** public ballot; **secondo** ~ second (*o* additional) count; ~ **segreto** secret ballot; ⟨*Scol*⟩ ~ **trimestrale** assignment of term's marks; ~ **uninominale** uninominal voting.

scucchia *f.* ⟨*region*⟩ (*bazza*) protruding chin.

scucchiaiare *v.i.* (**scucchiaio, scucchiai**; *aus.* **avere**) to clatter one's cutlery. – **scucchiarare** *v.* → **scucchiaiare.**

scucire *v.t.* (**scucio, scuci**) **1.** to unpick, to undo, to unstitch, to rip: ~ *un orlo* to unpick a hem; (*staccare*) to rip off. – **2.** ⟨*gerg*⟩ (*tirare fuori*) to get out, to come out with, ⟨*fam*⟩ to fork (*o* shell) out: ~ *i soldi* to get out one's money. – **scucirsi** *v.r.* to come undone (*o* loose, unstitched): *si è scucita una tasca* a pocket came unstitched. – **scucito** (*p.p. di scucire*) *a.* **1.** unpicked, unstitched, undone, ripped: *orlo* ~ ripped hem. – **2.** ⟨*fig*⟩ (*sconnesso, incoerente*) incoherent, disjointed, rambling: *stile* ~ incoherent style. – **3.** ⟨*fig,non com*⟩ (*rado*) thin, sparse. – **scucitura** *f.* **1.** (*lo scucire*) unpicking, undoing, unstitching, ripping; (*lo scucirsi*) coming undone. – **2.** (*punto, tratto scucito*) rip, part that has come undone.

scudaio *m.* ⟨*Stor*⟩ (*fabbricante*) shield-maker; (*venditore*) shield-seller. – **scudato** *a.* **1.** (*armato di scudo*) bearing (*o* armed with) a shield. – **2.** ⟨*Artigl*⟩ shielded, ⌜protected by⌝ (*o* fitted with) a gunshield.

scuderia *f.* **1.** (*stalla*) stable. – **2.** (*allevamento di cavalli*) stud-farm. – **3.** ⟨*Equit*⟩ stable, stables *pl.* – **4.** ⟨*Sport*⟩ (*di macchine da corsa*) stable.

scudetto (*dim. di scudo*) *m.* **1.** ⟨*Sport*⟩ shield, championship: *vincere lo* ~ to win the shield. – **2.** ⟨*Bot*⟩ scutellum; (*nell'innesto*) bud. – **3.** ⟨*Ornit*⟩ scutellum. □ *innesto a* ~ budding.

scudiera: *alla* ~ riding: *calzoni alla* ~ riding-breeches; *guanti alla* ~ gauntlet gloves (with contrasting cuffs). – **scudiere** *m.* ⟨*ant*⟩ → **scudiero.** – **scudiero** *m.* **1.** ⟨*Mediev*⟩ (e)squire; (*accompagnatore di cavaliere*) groom. – **2.** (*dignitario di corte*) equerry.

scudiforme *a.* → **scutiforme.**

scudisciare *v.t.* (**scudiscio, scudisci**) to whip, to lash. – **scudisciata** *f.* lash. □ *dare una* ~ *a qd.* to lash s.o. – **scudiscio** *m.* **1.** (riding-)whip, riding-crop. – **2.** (*frusta*) whip, lash.

scudo *m.* **1.** shield, buckler. – **2.** (*stemma*) escutcheon, shield, coat of arms; (*emblema*) emblem, device, charge. – **3.** ⟨*Arald*⟩ escutcheon, shield. – **4.** ⟨*Bot*⟩ shield. – **5.** ⟨*fig*⟩ (*riparo*) shield, screen. – **6.** ⟨*fig,poet*⟩ (*difensore*) champion, defender. – **7.** ⟨*Geol,Minier*⟩ shield. – **8.** ⟨*Zool*⟩ shield, scutum, scute. – **9.** ⟨*Mil.ant*⟩ (gun)shield. – **10.** ⟨*Mar.ant*⟩ escutcheon. – **11.** ⟨*Numism*⟩ scudo. – **Scudo** *N.pr.m.* ⟨*Astr*⟩ Scutum.

□ ⟨*fig*⟩ *fare un'***alzata** *di -i* to rebel, to rise, to revolt; ⟨*Strad*⟩ ~ *d'***avanzamento** tunnelling shield; ~ **crociato** shield with a cross; **fare** (*o farsi*) ~ *di* (*o con*) *qc.* to shield o.s. with s.th., to shield (*o* hide) behind s.th. (*anche fig.*): *si fa* ~ *con le sue potenti amicizie* he hides behind his powerful friends; ⟨*Arald*⟩ ~ *a* **losanga** lozenge, lozenge-shaped shield; ⟨*Mar*⟩ ~ *di* **poppa** escutcheon; ⟨*fig*⟩ **portare** *qd. sugli -i* to exalt (*o* make much of) s.o.; ⟨*Aer*⟩ ~ *di* **prua** bow (*o* nose) cap; ⟨*Astron*⟩ ~ **termico** thermal shield.

scuffia *f.* **1.** ⟨*pop*⟩ (*cuffia*) bonnet, cap. – **2.** ⟨*pop*⟩ (*cotta*) infatuation, ⟨*fam*⟩ crush. – **3.** ⟨*pop*⟩ (*sbornia*) drunkenness. – **4.** ⟨*Mar*⟩ capsizing. □ ⟨*pop*⟩ *avere una* ~ *per qd.* to be head over heels in love with s.o., to ⌜be keen⌝ (*o* have a crush) on s.o.; *fare* ~ to overturn; (*rif. a navi*) to capsize; ⟨*pop*⟩ *prendere* (*o prendersi*) *una* ~ (*ubriacarsi*) to get drunk (*o* tight); ⟨*pop*⟩ *prendere una* ~ *per qd.* (*innamorarsene*) to fall for s.o.

scuffiare *v.i.* (**scuffio, scuffi**; *aus.* **avere**) ⟨*non com*⟩ **1.** to snort. – **2.** (*mangiare avidamente*) to gobble, to eat greedily. – **scuffiarsi** *v.r.* to gobble (up), to wolf (down).

scuffietta (*dim. di scuffia*) *f.* **1.** ⟨*pop*⟩ (small) bonnet, cap. – **2.** ⟨*Mil.ant*⟩ sack of missiles.

scuffina *f.* ⟨*Fal*⟩ wood (*o* flat) rasp. – **scuffinare** *v.t.* to rasp, to file.

scuffiotto *m.* ⟨*pop*⟩ *dim. di* **scuffia.**

scugnizzo *m.* (*f.* **-a**) **1.** (*monello napoletano*) Neapolitan street urchin. – **2.** ⟨*estens*⟩ (*monello*) urchin, imp, scamp.

sculacciare *v.t.* (**sculaccio, sculacci**) to spank. – **sculacciata** *f.* spank(ing). – **sculaccione** *m.* spank, smack. □ *prendere qd. a -i* to spank s.o., to give s.o. a spanking.

sculdascia *f.* (*pl.* **-sce**) ⟨*Mediev*⟩ **1.** (*carica*) office of a Longobard chief. – **2.** (*giurisdizione territoriale*) territory under a Longobard chief. – **3.** (*censo*) tax, tribute. – **sculdascio** *m.* ⟨*Mediev*⟩ chief of a Longobard territorial division.

sculettare *v.i.* (**sculetto**; *aus.* **avere**) **1.** to sway (one's hips), ⟨*fam*⟩ to wiggle. – **2.** ⟨*rar*⟩ (*sbandare*) to skid, to side-slip.

sculpere, scultare *v.t.* ⟨*ant*⟩ (*scolpire*) to sculpt(ure), to carve. – **sculto** (*p.p. di sculpere*) *a.* ⟨*poet*⟩ (*scolpito*) sculpt(ur)ed, carved.

scultore *m.* (*f.* **-trice**) sculptor *m* (*f* -tress); (*in legno*) (wood-)carver. – **scultoreo** *a.* → **scultorio.** – **scultoresco** *a.* (*pl.* **-chi**) ⟨*rar*⟩ of sculpture, sculptural, sculpturesque. – **scultorio** *a.* **1.** of sculpture, sculptural: *arte -a* (art of) sculpture. – **2.** (*simile a scultura*) sculptural, sculpturesque. – **3.** ⟨*fig*⟩ (*incisivo*) incisive, clear-cut, vivid. – **scultura** *f.* **1.** sculpture, carving; (*in legno*) (wood-)carving. – **2.** (*opera scolpita*) sculpture; (*in legno*) (wood-)carving. – **3.** (*complesso di opere*) sculpture; (*in legno*) carvings *pl.* – **4.** ⟨*Biol*⟩ sculpture. – **sculturale** *a.* sculptural, of sculpture.

scuna *f.* ⟨*mar*⟩ (*schooner*) schooner. – **scuner** *m.* ⟨*rar*⟩ → **scuna.**

scuocere *v.i.* (**scuocio, scuoci; scossi, scotto**; → **cuocere**; *aus.* **avere**) ⟨*Gastr*⟩ to overcook, to cook too long. – **scuocersi** *v.r.* to become overcooked (*o* overdone).

scuoiamento *m.* → **scoiamento.** – **scuoiare** *v.* → **scoiare.** – **scuoiatore** *m.* → **scoiatore.**

scuola *f.* **1.** school: *andare a* ~ to go to school. – **2.** (*edificio*) school (building), schoolhouse: *la* ~ *è a due passi da casa mia* the school is very near my house. – **3.** ⟨*collett*⟩ school: *tutta la* ~ *è in festa* the whole school is on holiday. – **4.** (*periodo*) school(time): *dopo la* ~ *torna subito a casa* come right home after school; *dopo la* ~ *andremo al cinema* after school we're going to the cinema. – **5.** (*attività*) school, teaching: *dedicare la vita alla* ~ to dedicate one's life to teaching. – **6.** (*indirizzo seguito da poeti, scienziati e sim.*) school: ~ *filosofica* philosophical school; *un dipinto della* ~ *di Raffaello* a painting from the school of Raphael. – **7.** (*metodo pedagogico*) (teaching) method: *la* ~ *Montessori* the Montessori method. – **8.** ⟨*fig*⟩ (*pratica, esercizio*) school: *essere allevato alla* ~ *della vita* to be brought up in the school of life; (*lezione, ammaestramento*) lesson: *spero che questa esperienza ti serva di* ~ I hope this experience will be a lesson for you; (*esempio*) example: *sotto la* ~ *della madre* following the example of one's mother. – **9.** ⟨*Mediev*⟩ (*corporazione*) guild.

□ ⟨*Equit*⟩ **alta** ~ haute école, high school; ⟨*fig*⟩ *di alta* ~ very skilled (*o* able), top(-ranking); **andare** *a* ~ *da qd.* to take lessons from s.o.; ⟨*fig*⟩ to learn from s.o.; *l'***apertura** *delle -e* the beginning of school (*o* the school year); ~ *di belle* **arti** school of fine arts, art school; ~ *d'arte drammatica* = *scuola di* **recitazione**; ⟨*Ped*⟩ ~ **attiva** progressive school; ~ **autorizzata** authorized school; ~ *d'***avviamento** training school; ~ **aziendale** company school; ~ *di* **ballo** = *scuola di* **danza**; ~ **carceraria** prison school; ⟨*Stor*⟩ ~ **cenobiale** (o *claustrale*) convent school; *quando* **chiudono** *le -e?* when does school end?, when do we break up?; *la* **chiusura** *delle -e* the end of the school year; ~ **commerciale** business (*o* commercial) school; **compagno** *di* ~ schoolmate, schoolfellow, schoolfriend: *siamo vecchi compagni di* ~ we are old schoolfriends, we went to school together; ~ **comunale** municipal school; ~ **confessionale** denominational (*o* sectarian) school; ~ *per* **corrispondenza** correspondence school; ~ *di* **cucito** sewing school; ~ *di* **danza** dancing school; (*rif. alla danza classica*) ballet school; **di** ~ school: *maestro di* ~ schoolmaster, (school)teacher; ~ **elementare** primary (*o* elementary) school, ⟨*am*⟩ grammar school, ⟨*am.fam*⟩ grade school; ~ *di* **equitazione** riding school, school of equitation; **fare** ~: 1. (*insegnare*) to teach; 2. (*trovare seguaci*) to found a school: *un filosofo che ha fatto* ~ a philosopher who founded a school; 3. (*diffondersi, propagarsi*) to spread, to become widespread: *è un metodo che farà* ~ it is a method that will become widespread; ~ **femminile** girls' school; **frequentare** *la* ~ to attend (*o* go to) school; *quale* ~ *hai frequentato?* which school did you go to?, where did you go to school?; ~ **governativa** = *scuola* **statale**; ⟨*Mil*⟩ ~ *di* **guerra** war school; ~ (*di*) **guida** driving school; ~ **industriale** industrial (*o* trade) school, ⟨*am*⟩ vocational (training) school; ~ **interpreti** interpreters' school; ~ **laica** non-sectarian school; **libri** *di* ~ schoolbooks, text-books; ~ *di* **lingue** *straniere* language school, school of foreign languages; ~ **maschile** boys' school; ~ **materna** nursery school; ~ **media** secondary school, ⟨*am*⟩ high school; ~ *media inferiore* secondary school, intermediate (*o* middle) school, ⟨*am*⟩ junior high school; ~ *media superiore* secondary school, ⟨*am*⟩ high school; ~ *del* **metodo** teachers' (training) college; **mettere** *qd. a* ~ *da qd.* to send s.o. to s.o. for lessons (*o* coaching), to have s.o. tutored by s.o.; ~ **militare** military school (*o* academy); ~ *per* **minorati** school for subnormal children, special school; ~ **mista** co-educational school; ~ **modello** model school; ⟨*ant*⟩ ~ **normale** teachers' training college, ⟨*non com*⟩ normal school; ~ *di* **nuoto** swimming school; ~ *dell'***obbligo** compulsory education (*o* schooling); ~ **parificata** (*o pareggiata*) officially-recognized school; ⟨*Stor*⟩ ~ **parrocchiale** parish (*o* parochial) school; ~ *di* **perfezionamento** school (*o* institute) for further education, institute offering specialization (*o* refresher, post-graduate) courses; ~ **preparatoria** preparatory school, ⟨*fam*⟩ prep school; ~ **primaria** = *scuola* **elementare**; ~ **privata** private school; ~ **professionale** vocational school; ~ **pubblica** state school, ⟨*am*⟩ public school; ~ *di* **recitazione** drama (*o* acting) school; *la* **riapertura** *delle -e* the beginning of term; *alla riapertura delle -e* when school begins again; ~ *di* **ricamo** embroidery school; ~ **rurale** country school; **sapere** *di* ~ (*essere privo di originalità*) to be academic (*o* conventional, unoriginal): *una scultura che sa troppo di* ~ an academic piece of sculpture; ~ **secondaria** = *scuola* **media**; ~ **serale** evening school (*o* classes *pl*), evening continuation school; ⟨*Mil*⟩: ~ *allievi*

sottufficiali school for non-commissioned officers; ⟨*Mil*⟩ ~ *di* **specializzazione** special service school; ~ **statale** state school, ⟨*am*⟩ public school; ~ **superiore** university; ~ **sussidiata** subsidized school; ~ *di* **taglio** dressmaking school; ~ **tecnica** *commerciale* school of commerce, ⟨*am*⟩ commercial high school; ~ *tecnica industriale* industrial (*o* trade) school, ⟨*am*⟩ vocational (training) school; **tenere** ~ to hold classes, to teach; ~ *di* **tiro** gunnery school; ⟨*Mil*⟩ ~ *allievi* **ufficiali** officer's candidate school, officer-training school, cadet academy; ~ *di* **volo** flying school.

scuọtere *v.* (**scuọto**/*pop.,poet.* **scọto**; **scọssi, scọsso**) **I** *v.t.* **1.** to shake: ~ *i rami di un albero* to shake the branches of a tree; *il terremoto scosse tutta la regione* the earthquake shook the whole area; (*agitare*) to shake (up): ~ *il liquido in una bottiglia* to shake up the liquid in a bottle. – **2.** (*far cadere scrollando*) to shake (down): ~ *le mele dall'albero* to shake apples down from the tree; (*rimuovere scrollando*) to shake (out): ~ *la polvere dai tappeti* to shake the dust out of the carpets. – **3.** (*scrollare*) to shake: ~ *qd. dal sonno* to shake s.o. awake, to wake s.o. up. – **4.** (*sollecitare all'azione*) to shake (up), to rouse, to stir. – **5.** ⟨*fig*⟩ (*commuovere fortemente*) to shake, to upset: *la scena mi ha scosso* the sight shook me; (*far perdere la calma*) to shake (up), to make lose one's self-control. – **6.** ⟨*ant,lett*⟩ (*privare*) to deprive. – **II** *v.i.* (*aus.* **avere**) **1.** to shake, to vibrate, to jolt: *questa carrozza scuote troppo* this carriage shakes too much. – **2.** (*muoversi in qua e in là*) to shake, to jiggle. – **scuotersi** *v.r.* **1.** to jump, to (give a) start, to be startled: *a quel rumore si scosse* at that sound he gave a start. – **2.** (*uscire dallo stato d'inerzia*) to rouse o.s., to stir o.s.: *scuotersi dal torpore* to rouse o.s., ⟨*fam*⟩ to snap out of it. – **3.** (*commuoversi*) to be shaken (*o* upset, moved); (*perdere la calma*) to be shaken, to lose one's self-control, to be ⌜put out⌝ (*o* thrown off balance).
□ *il cane scuoteva la* **coda** the dog was wagging its tail; ~ *il* **dito** to wag (*o* shake) one's finger; *scuotersi di* **dosso** *qc.* to shake (*o* shrug) s.th. off; ⟨*fig*⟩ to shake (*o* throw) s.th. off, to get rid of s.th.; ⟨*fig*⟩ ~ *il* **giogo** to throw off the yoke; ~ *le* **spalle** to shrug one's shoulders, to give a shrug; ~ *la* **testa** to shake one's head.

scuotimẹnto *m.* → **scotimento**. – **scuotipạglia** *m.inv.* ⟨*Agr*⟩ shaker. – **scuotitọio** *m.* → **scotitoio**. – **scuotitọre** *m.* → **scotitore**. – **scuotitụra** *f.* → **scotitura**.

scuponạto *a.* ⟨*Econ*⟩ ex-coupon; (*rif. alla cedola di dividendo*) ex-dividend. – **scuponatụra** *f.* detachment of a coupon, cutting off of a coupon.

scurạre *v.t.* ⟨*ant*⟩ (*oscurare*) to darken, to shadow.

scụre *f.* axe, ax. □ ⟨*Mil.ant*⟩ ~ *d'arme* battle-axe; ⟨*fig*⟩ *darsi la* ~ *sui piedi* (*danneggiarsi*) to cut one's own throat; (*contraddirsi*) to contradict o.s.; *tagliato con la* ~: 1. (*rif. a lavoro*: *fatto grossolanamente*) rough-hewn, badly finished; 2. (*rif. a persona*: *rozzo*) rough-hewn, coarse, unpolished.

scurẹggia *f.* (*pl.* **-ge**) ⟨*volg*⟩ (*scoreggia*) breaking of wind, ⟨*volg*⟩ fart. – **scureggiạre** *v.i.* (**scurẹggio, scurẹggi**; *aus.* **avere**) ⟨*volg*⟩ (*scoreggiare*) to break wind, ⟨*volg*⟩ to fart.

scurẹtto[1] (*dim. di scuro*[1]) *a.* darkish.

scurẹtto[2] *m.* (window-)shutter.

scurẹzza *f.* ⟨*non com*⟩ **1.** darkness. – **2.** (*oscurità*) obscurity, dark(ness).

scuriạda, scuriạta *f.* ⟨*ant*⟩ **1.** (*sferza*) whip, switch, lash. – **2.** (*frustata*) lash, stroke with a whip.

scurịccio *a.* ⟨*non com*⟩ darkish.

scuriosạre *v.i.* (**scuriọso**; *aus.* **avere**) ⟨*tosc*⟩ (*curiosare*) to look about curiously, to be inquisitive. – **scuriosịre** *v.t.* (**scuriosịsco, scuriosịsci**) ⟨*tosc*⟩ (*levare la curiosità*) to satisfy the curiosity of. – **scuriosirsi** *v.r.* to satisfy one's curiosity, to have one's curiosity satisfied.

scurịre *v.* (**scurịsco, scurịsci**) **I** *v.t.* to darken, to make darker. – **II** *v.i.* (*aus.* **essere**), **scurirsi** *v.r.* **1.** to become dark. – **2.** (*imbrunire*) to grow (*o* get) dark.

scurità *f.* ⟨*ant,lett*⟩ **1.** (*oscurità*) dark(ness), gloom, obscurity. – **2.** ⟨*fig*⟩ (*mancanza di chiarezza*) obscurity. – **3.** ⟨*fig*⟩ (*sventura*) misfortune.

scụro[1] **I** *a.* **1.** (*oscuro*) dark, dim: *un vicolo* ~ a dark alley. – **2.** (*rif. al colore*) dark: *rosso* ~ dark red; (*non chiaro*) dark: *capelli e occhi -i* dark eyes and hair; (*rif. a carnagione*) swarthy, dark. - **3.** ⟨*fig*⟩ (*fosco*) sullen, grim, dark: *essere* ~ *in volto* to have a grim expression. – **4.** ⟨*fig,non com*⟩ (*non chiaro*) obscure. – **5.** ⟨*fig,rar*⟩ (*sconosciuto, ignoto*) unknown, obscure. – **6.** ⟨*fig,rar*⟩ (*triste, funesto*) sad, unhappy, gloomy. – **7.** ⟨*Mus*⟩ low(-pitched), grave, deep. – **II** *s.m.* **1.** dark(ness), obscurity, gloom: *lo* ~ *di una stanza* the darkness of a room. – **2.** (*colore scuro*) dark colour: *vestire di* ~ to wear dark colours. – **3.** ⟨*Pitt*⟩ shadow. □ *essere allo* ~ *di qc.* to be in the dark about s.th.

scụro[2] *m.* inside (window-)shutter.

scụrra *m.* ⟨*lett,ant*⟩ (*buffone*) clown, buffoon; (*giullare*) jester.

scurrịle *a.* scurrilous: *espressione* ~ scurrilous expression; (*triviale*) obscene, bawdy, vulgar, coarse, lewd. – **scurrilità** *f.* scurrility; (*trivialità*) obscenity, bawdiness, vulgarity, coarseness, lewdness. – **scurrilmẹnte** *avv.* scurrilously; (*trivialmente*) obscenely, vulgarly, coarsely.

scụşa *f.* **1.** apology: *fare* (o *presentare*) *le proprie -e a qd.* to make one's apologies to s.o. – **2.** (*perdono*) pardon, forgiveness: *chiedere* ~ *a qd.* to beg (*o* ask) s.o.'s pardon, to ask to be forgiven. – **3.** (*attenuante*) excuse: *il tuo comportamento non ammette -e* there is no excuse for your behaviour. – **4.** (*giustificazione*) excuse: *ha sempre una* ~ *pronta* he's always got some excuse. – **5.** (*pretesto*) excuse, pretext: *cercare -e per non fare qc.* to find an excuse non to do s.th. □ *bella* ~*!* what an excuse!, that's a lame excuse!; *chiedo* ~: 1. (*disturbando o interrompendo*) excuse me, I beg your pardon; 2. (*chiedendo perdono di una mancanza*) (I am) sorry, I apologize, I beg your pardon: *ti chiedo* ~ *per* (o *di*) *quanto ho detto* I am sorry for what I said; *con la* ~ *che* on (*o* under) the pretext that; *avere sempre mille -e* to always have an excuse ready, to be always full of excuses; *non ci sono -e che tengano* there can be no excuse for this, it is inexcusable. – *Prov.*: ~ *non richiesta, accusa manifesta* he who excuses himself, accuses himself; *ogni* ~ *è buona purché valga* any excuse is good as long as it holds water.

scuşạbile *a.* excusable, pardonable, forgivable. – **scuşabilità** *f.* ⟨*non com*⟩ excusableness, pardonableness. – **scuşamẹnto** *m.* ⟨*ant*⟩ **1.** (*lo scusarsi*) excusing o.s.; (*il chiedere perdono*) apologizing. – **2.** (*scusa*) apology; (*giustificazione, pretesto*) excuse. – **scuşạnte** (*p.pr. di scusare*) **I** *s.f.* excuse, justification: *non avere -i* to have no excuse. – **II** *a.* excusing, justifying.

scuşạre **I** *v.t.* **1.** to excuse. – **2.** (*in forme di cortesia*: *perdonare*) to forgive, to pardon, to excuse; (*disturbando o interrompendo*) to excuse: *mi scusi, sa dirmi dov'è la stazione?* excuse me please, can you tell me the way to the station? – **3.** ⟨*ant*⟩ (*evitare*) to avoid; (*dissimulare*) to disguise. – **4.** ⟨*ant*⟩ (*esentare*) to exempt, to free. – **II** *v.i.* (*aus.* **avere**) to be sorry, to apologize, to beg pardon: *scusi per il disturbo* I'm sorry to trouble you. – **scusarsi** *v.r.* **1.** (*scagionarsi*) to excuse o.s., to make excuses. – **2.** (*in formule di cortesia*) to apologize, to be sorry, to excuse o.s., to beg pardon: *mi scuso per il ritardo* I apologize for being late, I am sorry I am late. □ ⟨*iron*⟩ *scusa se è poco* and that's really something. – *Prov.*: *chi si scusa s'accusa* he who excuses himself, accuses himself.

scuşạto (*p.p. di scusare*) *a.* **1.** excused. – **2.** (*perdonato*) forgiven, excused, pardoned; (*giustificato*) excused, justified. □ *avere per* ~ (*perdonare*) to pardon; (*giustificare*) to excuse. – **scuşatọre** *m.* (*f.* **-trice**) ⟨*rar*⟩ excuser. – **scuşaziọne** *f.* ⟨*ant*⟩ excuse, justification, reason.

scụsso *a.* ⟨*rar*⟩ **1.** (*privo, spogliato*) bare, devoid, stripped. – **2.** (*semplice, solo*) plain, alone.

Scụtari *N.pr.f.* ⟨*Geog*⟩ Scutari.

scutạto *a.* → **scudato**.

scutẹllo *m.* ⟨*Biol*⟩ scutellum.

scụter *m.* (*scooter*) (motor)scooter. – **scuterịsta** *m./f.* (motor)-scooter-rider, scooterist.

scụtica *f.* ⟨*rar,lett*⟩ (*scudiscio*) whip, lash.

scutifọrme *a.* scutiform, scutate, shield-shaped.

scụto *m.* ⟨*Zool*⟩ (*scudo*) shield, scute, scutum.

scụtolo *m.* ⟨*Med*⟩ scutulum.

scutrettolạre *v.i.* (**scutrẹttolo**; *aus.* **avere**) ⟨*fam*⟩ **1.** (*rif. a uccelli*) to wag (*o* waggle) one's tail. – **2.** ⟨*estens*⟩ (*camminare ancheggiando*) to sway (one's hips), ⟨*fam*⟩ to wiggle.

SCV = ⟨*Aut*⟩ *Stato della Città del Vaticano* Vatican City.

s.d. = *senza data* no date (*abbr.* n.d.).

şdamạre *v.i.* (*aus.* **avere**) (*nel gioco della dama*) to move a man from the last row.

şdạrsi *v.r.* (**mi şdọ, ti şdại; mi şdiẹdi/mi şdẹtti, şdạto**; → **dare**) ⟨*tosc*⟩ **1.** (*disamorarsi*) to lose interest (*a* in), to turn away (from), to lose inclination (for), to give up (s.th.). – **2.** (*abbattersi, avvilirsi*) to lose heart, to give up, to get disheartened.

şdaziạbile *a.* ⟨*Comm*⟩ that can be cleared through Customs; (*rif. a imposte di consumo*) that can be cleared through the excise office. – **şdaziamẹnto** *m.* clearing through Customs; (*rif. a imposte di consumo*) clearing through the excise office. – **şdaziạre** *v.t.* (**şdạzio, şdạzi**) to clear (through) Customs, to pay duty on; (*rif. a imposte di consumo*) to clear (through the excise office), to pay excise (*o* toll) on. – **şdaziạto** (*p.p. di sdaziare*) *a.* that has been cleared through Customs; (*che ha pagato la dogana*) duty paid, ex bond; (*rif. a imposte di consumo*) that has paid excise (*o* toll).

şdebitạre *v.t.* (**şdẹbito**) to free (*o* clear) from debt. – **sdebitarsi** *v.r.* **1.** to pay (off) one's debts, to settle up, to get out of debt; (*rif. a obblighi*) to discharge, to fulfil. – **2.** ⟨*fig*⟩ (*disobbligarsi*) to return (*o* pay back) a favour, to repay a kindness. – **şdẹbito** *m.* ⟨*ant*⟩ settlement, discharge (*o* paying back) of a debt.

şdegnamẹnto *m.* ⟨*non com*⟩ irritation, indignation. – **şdegnạre** *v.* (**şdẹgno**) **I** *v.t.* **1.** to disdain, to scorn: ~ *l'adulazione* to scorn flattery. – **2.** (*irritare*) to provoke, to irritate, to anger: *il suo comportamento ci ha sdegnato* his behaviour irritated us; (*indignare*) to make indignant. – **II** *v.i.* (*aus.* **avere**) **1.** to disdain: ~ *di rispondere* to disdain to reply. – **2.** ⟨*ant*⟩ (*risentirsi, offendersi*) to be offended, to feel resentment. – **sdegnarsi** *v.r.* to get angry, to be annoyed (*o* irritated); (*offendersi*) to be offended; (*indignarsi*) to be (*o* get) indignant. – **şdegnạto** (*p.p. di sdegnare*) *a.* irritated, annoyed, provoked, angry; (*offeso*) offended; (*indignato*) indignant. – **şdegnatọre** *m.* (*f.* **-trice**) ⟨*lett,rar*⟩ disdainer, scorner.

şdẹgno *m.* **1.** indignation, resentment; (*collera*) anger, wrath. – **2.** ⟨*lett*⟩ (*disprezzo*) scorn, contempt, disdain. – **3.** ⟨*non com*⟩ (*risentimento, disapprovazione*) resentment, disapproval. – **4.** ⟨*ant*⟩ (*inimicizia*) enmity. □ ⟨*lett*⟩ *avere* (o *tenere*) ~ *a qd.* to scorn (*o* disdain) s.o., to look down on s.o.; *muovere a* ~ to make indignant, to arouse the indignation (*o* anger) of. – *Prov.*: ~ *d'amante dura poco* a lover's resentment is short-lived.

şdegnosạggine *f.* ⟨*non com*⟩ → **sdegnosità**. – **şdegnosamẹnte** *avv.*

disdainfully, scornfully. – **sdegnosetto** (*dim. di sdegnoso*) *a.* ⟨*scherz*⟩ haughty, ⟨*fam*⟩ uppity. – **sdegnosità** *f.* **1.** disdainfulness, scornfulness, contempt. – **2.** (*alterigia*) haughtiness, superciliousness. – **sdegnoso** *a.* **1.** contemptuous, scornful, disdainful. – **2.** ⟨*lett*⟩ (*altero*) haughty, supercilious, disdainful, scornful; (*scontroso*) irritable, peevish, refractory.

sdemanializzare *v.t.* ⟨*Dir*⟩ to remove from State ownership. – **sdemanializzazione** *f.* removal from State ownership, cessation of demanial nature.

sdentare *v.t.* (**sdento**) to break the teeth of. – **sdentarsi** *v.r.* to lose one's teeth.

sdentati *m.pl.* ⟨*Zool*⟩ edentates *pl* (*Edentata*).

sdentato (*p.p. di sdentare*) *a.* (*privo di tutti i denti*) toothless, without teeth; (*privo di qualche dente*) with teeth missing; (*rif. a persone*) toothless.

sdiacciare *v.* (**sdiaccio, sdiacci**) ⟨*tosc*⟩ **I** *v.t.* (*rendere meno ghiacciato*) to take the chill off, to heat (*o* warm) up. – **II** *v.i.* (*aus.* **avere/essere**) to become (*o* get) warmer.

sdigiunarsi *v.r.* to break one's fast.

sdilinquimento *m.* **1.** faint, swoon. – **2.** (*smanceria*) mawkishness. – **sdilinquire** *v.* (**sdilinquisco, sdilinquisci**) **I** *v.t.* ⟨*rar*⟩ **1.** (*indebolire*) to weaken. – **2.** ⟨*fig*⟩ (*commuovere*) to move, to touch. – **II** *v.i.* (*aus.* **essere**) ⟨*ant,tosc*⟩, **sdilinquirsi** *v.r.* **1.** (*svenire*) to faint, to pass out. – **2.** ⟨*fig*⟩ (*perdersi in smancerie*) to be over-sentimental, to be mawkish.

sdimenticare *v.t.* (**sdimentico, sdimentichi**) ⟨*ant,pop*⟩ (*dimenticare*) to forget (completely).

sdimezzare *v.t.* (**sdimezzo**) ⟨*intens*⟩ (*dimezzare*) to halve.

sdipanare *v.t.* to unwind, to undo.

sdire *v.t.* (**sdico, sdici; sdissi, sdetto;** → **dire**) ⟨*ant*⟩ (*disdire*) to deny, to take back, to retract.

sdirenare *v.t.* (**sdireno**) ⟨*non com*⟩ to wear (*o* tire) out, to exhaust. – **sdirenarsi** *v.r.* **1.** to tire o.s. out, to exhaust o.s., ⟨*fam*⟩ to knock o.s. out. – **2.** ⟨*fig*⟩ (*sottomettersi*) to stoop, to bow (the knee). – **sdirenato** (*p.p. di sdirenare*) *a.* (*fiacco, indolente*) weak, exhausted, worn out.

sdiricciare *v.t.* (**sdiriccio, sdiricci**) to husk: ~ *le castagne* to husk chestnuts. – **sdiricciatura** *f.* husking.

s.d.l. = *senza data e luogo* no place or date (*abbr.* n.p. or d.).

sdm = ⟨*Med*⟩ *sordomutismo* deaf-mutism, deafness and dumbness.

S.d.N. = ⟨*Stor*⟩ *Società delle Nazioni* League of Nations.

sdoganamento *m.* ⟨*Comm*⟩ clearance (through Customs): ~ *all'entrata* clearance inwards. – **sdoganare** *v.t.* to clear (through Customs). – **sdoganato** (*p.p. di sdoganare*) *a.* cleared (through Customs); (*che ha pagato la dogana*) duty paid, ex bond: *merci -e* duty-paid goods; *merci vendute -e* goods sold ex bold. □ *merci non -e* uncleared goods.

sdogare *v.t.* (**sdogo, sdoghi**) to remove staves from. – **sdogarsi** *v.r.* to come apart, to stave.

sdolcinatezza *f.* **1.** ⟨*rar*⟩ sickliness, (over-)sweetness. – **2.** ⟨*fig*⟩ mawkishness, sugariness, sickliness. – **3.** ⟨*non com*⟩ (*smanceria*) mawkish (*o* sugary) behaviour. – **sdolcinato** *a.* **1.** ⟨*non com*⟩ sickly, too sweet. – **2.** ⟨*fig*⟩ (*lezioso, stucchevole*) mawkish, sentimental, maudlin, sickly, sugary, cloying, ⟨*fam*⟩ s(l)oppy. □ *fare lo* ~ to be maudlin. – **sdolcinatura** *f.* mawkish (*o* sentimental, maudlin) behaviour.

sdolenzire *v.t.* (**sdolenzisco, sdolenzisci**) ⟨*non com*⟩ to make less painful, to take the pain (*o* ache) away from. – **sdolenzirsi** *v.r.* to become less painful, to get better, to stop aching.

sdolere *v.t.* (**sdolgo, sduoli; sdolsi, sdoluto;** → **dolere**; *aus.* **essere**) ⟨*ant*⟩ (*non far più male*) to stop hurting, to be better.

sdonneare *v.t.* (**sdonneo**; *aus.* **avere**) ⟨*ant*⟩ (*cessare di corteggiare*) to stop courting.

sdoppiamento *m.* **1.** splitting (*o* dividing) in two; (*divisione*) division, split(ting). – **2.** ⟨*Cin*⟩ doubling of an image. – **3.** ⟨*Ferr*⟩ duplication. □ ⟨*Psic*⟩ ~ *della personalità* split personality.

sdoppiare[1] *v.t.* (**sdoppio, sdoppi**) (*rendere semplice*) to (make) single, to undouble: ~ *un filo* to make a thread single.

sdoppiare[2] *v.t.* (**sdoppio, sdoppi**) to split (*o* divide) in two; (*dividere*) to divide, to split. – **sdoppiarsi** *v.r.* to split (*o* divide) in two; (*dividersi*) to be divided, to split.

sdoppio *a.* (*semplice*) single.

sdorare *v.t.* (**sdoro**) to ungild. – **sdorarsi** *v.r.* to become ungilded, to lose one's gilding. – **sdorato** (*p.p. di sdorare*) *a.* ungilded, ungilt, that has lost its gilt.

sdormentare *v.t.* (**sdormento**) ⟨*ant*⟩ (*svegliare*) to awake(n), to wake up, to rouse. – **sdormentarsi** *v.r.* to wake up, to awake, to rouse o.s.

sdossare *v.t.* (**sdosso**) ⟨*non com*⟩ (*togliere di dosso*) to take off. – **sdossarsi** *v.r.* to take (*o* cast) off, to remove.

sdottoramento *m.* ⟨*non com*⟩ depriving of the title of doctor. – **sdottorare** *v.* (**sdottoro**) **I** *v.i.* (*aus.* **avere**) ⟨*non com*⟩ → **sdottoreggiare**. – **II** *v.t.* ⟨*ant*⟩ (*privare del titolo di dottore*) to deprive of the title of doctor, to strip of a doctor's title and privileges. – **sdottoreggiare** *v.i.* (**sdottoreggio, sdottoreggi**; *aus.* **avere**) to show off (one's learning), to put on learned airs, to talk pompously.

sdraia *f.* deck-chair.

sdraiare *v.t.* (**sdraio, sdrai**) **1.** (*coricare*) to lay (*o* put, set) down, to place: ~ *l'ammalato sul letto* to lay the invalid down on the bed. – **2.** ⟨*rar,region*⟩ (*abbattere*) to flatten, to knock (*o* beat) down. – **sdraiarsi** *v.r.* to lie down; (*stendersi*) to stretch (out): *sdraiarsi per terra* to stretch out on the ground. – **sdraiata** *f.* ⟨*non com*⟩ (*lo sdraiarsi*) lying down, stretching out. – **sdraiato** (*p.p. di sdraiare*) *a.* **1.** lying (down), prone, supine; (*steso*) stretched out. – **2.** ⟨*Bot*⟩ (*prostrato*) prostrate, procumbent. □ *starsene* ~ *al sole* to lie in the sun.

sdraio *m.* (*lo sdraiarsi*) lying down; (*lo stendersi*) stretching out; (*l'essere sdraiato*) lying down. □ *sedia* (*o poltrona*) *a* ~ deck-chair, chair with a leg rest; *mettersi a* ~ to lie down, to stretch out; (*in posizione semiinclinata*) to lie back; *stare a* ~ to be lying down; (*in posizione semiinclinata*) to be lying back; (*starsene steso*) to be stretched out; *fare un'ora di* ~ to rest (*o* lie down) for an hour.

sdraione *avv.* ⟨*ant*⟩ → **sdraioni**. – **sdraioni** *avv.* ⟨*non com*⟩ (*sdraiato*) lying down; (*disteso*) stretched out; (*in posizione semiinclinata*) lying back. □ *mettersi* ~ to lie down, to stretch out; *stare* ~ to be lying down.

sdrammatizzare *v.t.* to play down, to make less dramatic.

sdrucciolamento *m.* ⟨*non com*⟩ **1.** (*lo sdrucciolare*) slipping, sliding. – **2.** (*sdrucciolone*) slip, slide, skid.

sdrucciolare *v.i.* (**sdrucciolo**; *aus.* **essere/avere**) **1.** (*cadere scivolando*) to slip, to slide, to skid: *sono sdrucciolato su una buccia di banana* I slipped on a banana peel. – **2.** (*pattinare*) to skate: ~ *sul ghiaccio* to skate on the ice. – **3.** ⟨*fig,non com*⟩ (*cadere in fallo*) to lapse, to fall. – **4.** ⟨*fig,non com*⟩ (*sorvolare*) to skip, to pass quickly (*su* over).

sdrucciolevole *a.* **1.** slippery. – **2.** ⟨*fig*⟩ delicate, scabrous, tricky. – **sdrucciolevolezza** *f.* ⟨*non com*⟩ slipperiness. – **sdrucciolio** *m.* (continual) slipping.

sdrucciolo[1] **I** *a.* ⟨*Gramm*⟩ having the accent on the antepenult, proparoxytone: *parola -a* proparoxytone (word). – **II** *s.m.* ⟨*Metr*⟩ (*anche verso sdrucciolo*) trisyllabic (rhyme) verse.

sdrucciolo[2] *m.* **1.** ⟨*non com*⟩ → **sdrucciolone**. – **2.** (*forte discesa*) steep slope (*o* incline). – **3.** (*sentiero ripido*) steep path. – **sdrucciolone** (*accr. di sdrucciolo*[2]) *m.* slip(ping), slide. □ *fare uno* ~ to slip, to slide. – **sdruccioloni** *avv.* slipping, sliding, skidding. □ *scendere* ~ *per un pendio* to slip down a slope; (*intenzionalmente*) to slide down a slope. – **sdrucciolsoso** *a.* ⟨*non com*⟩ → **sdrucciolevole**.

sdrucio *m.* ⟨*tosc*⟩ **1.** (*lo sdrucire*) unpicking, unstitching. – **2.** (*parte sdrucita*) part unstitched. – **3.** (*spacco, strappo*) rip, tear, rent. – **4.** (*ferita*) cut. – **sdrucire** *v.* (**sdrucisco/sdrucio, sdrucisci/sdruci**) **I** *v.t.* **1.** ⟨*non com*⟩ (*scucire*) to unpick, to undo, to unstitch, to unsew: ~ *una camicia* to unstitch a shirt. – **2.** (*strappare*) to rip, to tear; (*staccare*) to tear (*o* rip) off. – **3.** ⟨*fig*⟩ (*produrre ferite*) to cut. – **II** *v.i.* (*aus.* **avere**) ⟨*ant*⟩ (*fendersi*) to split, to cleave. – **sdrucito** (*p.p. di sdrucire*) *a.* ripped, torn: *vestito* ~ torn dress; (*lacero*) ragged, threadbare. – **sdrucitura** *f.* **1.** unpicking, unsewing. – **2.** (*strappo*) tear, rip, rent.

sdrumare *v.t.* ⟨*mil*⟩ to smash, to wreck, to deal a heavy blow to. – **sdrumata** *f.* smashing, wrecking. □ *dare una* ~ *a qd.* to smash s.o.

sdruscire *v.* ⟨*ant*⟩ → **sdrucire**.

sdurire *v.t.* (**sdurisco, sdurisci**) ⟨*rar*⟩ to soften, to make tender. – **sdurirsi** *v.r.* ⟨*non com*⟩ to become tender, to grow soft(er), to be softened.

sdutto *a.* ⟨*lett*⟩ **1.** (*magro*) thin, skinny. – **2.** (*esile*) slender, slight.

se[1] **I** *congz.* **1.** (*condizionale*) if: ~ *avrò tempo verrò volentieri* if I have time, I shall be glad to come; *che mi venga un accidente* ~ *non è vero* I'll be damned if it isn't true; (*con l'apodosi sottintesa*) if, just, *spesso non si traduce*: ~ *t'acchiappo!* if I catch you!, just wait till I catch you!; *dice che non è vero, ma* ~ *l'ho visto io* he says that it isn't true, but I saw it myself; ~ *vedessi come è cresciuto* you should just see how he's grown, if you could only see how he's grown; *ma* ~ *lo sapevi già!* but you already knew! – **2.** (*negli incisi*) if: *oggi,* ~ *non sbaglio, è martedì* today is Tuesday, if I'm not mistaken. – **3.** (*causale*) if: *perché dovrei uscire* ~ *non ho voglia?* why should I go out if I don't feel like it? – **4.** (*interrogativo, dubitativo*) whether, if: *gli ho chiesto* ~ *sarebbe tornato* I asked him whether he would be coming back; *non so* ~ *devo crederti* I don't know ⌈whether to believe you⌉ (*o* if I should believe you); *guarda* ~ *è arrivato* see whether he has arrived. – **5.** ⟨*esclam*⟩ (*desiderativo*) if only, ⟨*lett*⟩ would that: ~ *solo mi avesse dato retta!* if only he had listened to me!; ~ *potesse essere vero!* if only it were true!, would that it were true! – **6.** ⟨*pop,enfat*⟩ certainly, ⟨*fam*⟩ and how, ⟨*fam*⟩ rather, ⟨*am.fam*⟩ sure: ~ *lo conosco!* certainly I know him!, do I know him! – **7.** ⟨*rar*⟩ (*temporale*) when. – **II** *s.m.* if: *potrei terminare il lavoro in giornata, ma c'è un* ~ I could finish the job today, but there's one if.

□ ~ **almeno** if at least, if only; **anche** ~ even if: *uscirò anche* ~ *piove* I am going out even if it rains; ⟨*ant,lett*⟩ ~ **bene** → **sebbene**; **come** ~ as if, as though; ~ **Dio** *vuole*: 1. if all goes well, God willing; 2. (*finalmente*) at least, finally; **e** ~ what if, what about, suppose: *e* ~ *facessimo una partita a bridge?* what about a game of bridge?; *e* ~ *viene a saperlo?* and what if she hears of it?; *e* ~ *venisse?* suppose he should come?; ~ **mai**: 1. if, if ... ever: ~ *mai sapessi qualcosa, avvertimi per favore* if you (should) hear s.th., please let me know; 2. (*eventualmente*) if necessary, in (that) case: *cercherò di prepararmi,* ~ *mai prenderò lezioni private* I'll try to study, if necessary I'll take private lessons; 3. (*tutt'al più*) if anything, at the most: *siamo noi,* ~ *mai, che abbiamo bisogno di te* if anything, we're the ones who need you; 4. (*nella peggiore delle ipotesi*) if the worst comes to the worst, at worst: *tenterò ugualmente l'esame,* ~ *mai mi bocceranno*

I shall try the exam just the same, at worst they'll flunk me; 5. (*in caso contrario*) if not: *il portone è aperto, ~ mai c'è il citofono* the front door will be open but if it isn't there is an intercom; ~ **no** otherwise, if not: *sono andato a scuola, ~ no mio padre mi avrebbe sgridato* I went to school, otherwise my father would have scolded me; ~ **non** but, except: *non può essere stato ~ non lui* it couldn't have been anyone but him; *non devi far altro ~ non tacere* ⌜you don't have to do anything except⌝ (*o* all you have to do is) keep quiet; ~ *non altro* at least, if nothing else: ~ *non altro è un ragazzo studioso* if nothing else, he's a studious boy; ~ *non che* but, except (that), only: *volevo uscire, ~ non che si mise a piovere* I wanted to go out, but it began to rain; ~ **poi** if: ~ *poi vi stancate, potete riposarvi* if you get tired you can rest; ~ **pure**: 1. (*anche se*) even if: ~ *pure si sbaglia, è intelligente* even if he does make mistakes, he's intelligent; 2. (*ammesso che*) if of course, supposing (*o* granted) that: *ha una piccola automobile, ~ pure è la sua* he has a small car, if of course it's his; ~ **solamente** if only.

sẹ[2] ⟨*ant*⟩ **I** *avv.* (*deprecativo*) as, so. – **II** *congz.* (*correlativa con valore ipotetico*) if.

sẹ[3] *pron.* → **si**[2].

sẹ[4] *pron.* ⟨*ant*⟩ → **sé**.

Se = ⟨*Chim*⟩ *selenio* selenium.

sé *pron.rifl.* (followed by *stesso* is written without the accent) **1.** (*rif. a persone: se stesso*) himself: *vuole tutto per ~* he wants everything for himself; *cerca di scusare ~ e incolpare gli altri* he's trying to excuse himself and blame the others; (*se stessa*) herself: *le piace parlare di ~* she likes to talk about herself; (*se stessi, se stesse*) themselves: *i bambini erano fuori di ~ dallo spavento* the children were beside themselves with fear; (*indefinito*) oneself: *studiare da ~* to study by oneself. – **2.** (*rif. a soggetto neutro*) itself: *il problema si risolverà da ~* the problem will take care of itself.

□ **a** ~: 1. (*a parte, separatamente*) separately, independently: *stare* (o *vivere*) *a ~* to live independently (*o* by oneself); 2. (*separato*) separate, independent: *formano un gruppo a ~* they make up a separate group; 3. (*singolare*) unique, special, singular: *un caso a ~* a special case; *a ~ stante* separate, special; **da** ~ (*senza aiuto*) by oneself, alone, without help: *il bambino cammina da ~* the baby can walk by itself; *sa fare da ~ i compiti* she can do her homework by herself; *l'impresa ormai cammina da ~* by now the business runs (by) itself; *si è fatto da ~* (*da solo*) he is a self-made man; *lo sa da ~* he knows that without anyone having to tell him; *farsi giustizia da ~* to take the law into one's own hands; *va da ~ che* it's natural (*o* obvious) that; *questo va da ~* this goes without saying, this may be taken for granted; *fare da ~* to do s.th. alone (*o* by oneself); (*di propria iniziativa*) to do s.th. ⌜of one's own initiative⌝ (*o* off one's own bat); **dentro** *di ~* inside (*o* within) oneself; **di** *per ~* in itself: *la cosa di per ~ ha poca importanza* the matter is not important in itself; **fiducia** *in ~* self-confidence; **fra** ~ (*e sé*) to oneself: *dire fra ~ e ~* to say to oneself; *essere* **fuori** *di ~* to be beside oneself; **in** ~ in itself: *la cosa in ~* the thing in itself; *chiuso in ~* withdrawn, wrapped up in oneself; *non essere in ~* not to be oneself; *tornare in ~* (*riprendere i sensi*) to come round, to regain consciousness; (*rientrare nel possesso delle facoltà mentali*) to regain one's sanity; *in ~ e per ~* in (and of) itself; *tenere qc.* **per** ~ to keep s.th. for oneself; (*di*) *per ~ stesso* in itself. – *Prov.*: *chi fa da ~ fa per tre* if you want s.th. done, do it yourself.

S.E. = **1.** *Sua Eccellenza* His (*o* Her) Excellency (*abbr.* HE). – **2.** *Sua Eminenza* His Eminence (*abbr.* HE). – **3.** *Sud-Est* south-east (*abbr.* SE).

SEATO = *Organizzazione del trattato relativo al Sud-Est asiatico* South East Asia Treaty Organization (*abbr.* SEATO).

sebạceo *a.* sebaceous: *ghiandola -a* sebaceous gland; *secrezione -a* sebaceous secretion.

Sebastiạno *N.pr.m.* Sebastian.

Sebastọpoli *N.pr.f.* ⟨*Geog*⟩ Sebastopoli, Sevastopol.

sebbẹne *congz.* (al)though, even though: ~ *mi conoscesse non mi salutò* although he knew me, he didn't greet me.

sẹbo *m.* **1.** ⟨*Fisiol*⟩ sebum, sebaceous (*o* fatty) matter. – **2.** ⟨*lett*⟩ (*sego*) tallow.

seborrẹa *f.* ⟨*Med*⟩ seborrh(o)ea. □ ~ *adiposa* (o *grassa, oleosa*) seborrhoea oleosa (*o* adiposa); ~ *secca* seborrhoea (sicca), seborrheic dermatitis. – **seborrẹico, seborrọico** *a.* (*pl.* **-ci**) seborrh(o)eic.

sec = **1.** ⟨*Mat*⟩ *secante* secant (*abbr.* sec.). – **2.** ⟨*Fis*⟩ *secondo* second (*abbr.* sec., s.).

sec. = *secolo* century (*abbr.* c., cent.).

secạnte (*p.pr. di secare*) **I** *s.f.* ⟨*Geom,Mat*⟩ (*anche retta secante*) secant. – **II** *a.* secant. – **secạre** *v.t.* (**sẹco, sẹchi**) ⟨*lett,ant*⟩ **1.** (*tagliare*) to cut; (*segare*) to saw, to cut. – **2.** ⟨*fig*⟩ to cut, to cleave.

secc. = *secoli* centuries (*abbr.* cents.).

sẹcca[1] *f.* **1.** shallow, shoal, bank: *la nave s'incagliò in una ~* the ship ran aground on a bank. – **2.** ⟨*region*⟩ (*periodo di siccità*) drought. – **3.** → **seccume**.

□ **andare** *in ~* to run aground; ~ *di* **corallo** coral-reef; **dare** *in una ~* = **andare** *in secca*; **essere** *in ~*: 1. to be aground (*o* on the rocks); 2. = **rimanere** *in secca*; ⟨*fig*⟩ **lasciare** *qd. in ~* (*senza mezzi*) to leave s.o. without a penny; (*in difficoltà*) to leave s.o. stranded (*o* in the lurch, in a nasty fix), to walk out on s.o.; ⟨*fig*⟩ **rimanere** (*o restare*) *in ~* to have no money, ⟨*fam*⟩ to be broke; ~ *di* **sabbia** sandbank; ⟨*fig*⟩ **trovarsi** (o *rimanere*) *nelle* (o *sulle*) *secche* to be stranded, to be in trouble (*o* a bad fix).

sẹcca[2] *f.* ⟨*eufem*⟩ (*morte*) death.

seccạbile *a.* ⟨*non com*⟩ that can be dried. – **seccạggine** *f.* ⟨*non com*⟩ **1.** (*siccità*) drought. – **2.** → **seccagione**. – **3.** ⟨*fig,ant*⟩ (*seccatura*) nuisance, trouble, bother. – **seccagiọne** *f.* ⟨*non com*⟩ drying up, withering.

seccạgna *f.* ⟨*Mar*⟩ **1.** (*secca molto estesa*) broad shoal, extensive bank. – **2.** (*complesso di secche*) (series of) shoals *pl.* – **seccạgno** *a.* ⟨*ant,dial*⟩ (*arido, secco*) arid, dry, parched.

seccạia *f.* ⟨*tosc,non com*⟩ **1.** drying up, withering. – **2.** → **seccume**.

seccaiọne *m.* ⟨*tosc*⟩ (*ramo secco*) dry branch.

seccamẹnte *avv.* **1.** (*bruscamente*) brusquely, curtly, sharply. – **2.** (*aridamente*) coldly, drily, plainly, without frills.

seccamẹnto *m.* ⟨*non com*⟩ drying (up).

secca-mọlle *f.* ⟨*Agr*⟩ (*arrabbiaticcio*) blight.

seccạnte (*p.pr. di seccare*) **I** *a.* **1.** ⟨*non com*⟩ (*essiccante*) drying, desiccative, desiccant. – **2.** ⟨*fig*⟩ (*importuno*) tiresome, bothersome, annoying, irksome, tedious; (*spiacevole*) unpleasant, disagreeable: *una situazione ~* an unpleasant situation. – **II** *s.m./f.* ⟨*non com*⟩ (*seccatore*) nuisance, bother.

seccạre *v.* (**sẹcco, sẹcchi**) **I** *v.t.* **1.** to dry (up): *il sole ha seccato i campi* the sun has dried up the fields; (*far appassire*) to wither. – **2.** (*essiccare*) to dry, to desiccate; (*rif. a prodotti alimentari*) to desiccate, to dry, to dehydrate: ~ *i pomodori al sole* to dry tomatoes in the sun. – **3.** (*prosciugare*) to drain, to dry up: ~ *una palude* to drain a swamp. – **4.** ⟨*fig*⟩ (*inaridire*) to dry (up): ~ *la vena poetica di qd.* to dry up s.o.'s poetic vein. – **5.** ⟨*fam*⟩ (*importunare*) to bother, to trouble, to disturb: *mi secca con continue telefonate* he keeps bothering me with phone calls; *le tue chiacchiere mi hanno seccato* you've bored me with your chattering. – **II** *v.i.* (*aus.* **essere**) to dry (up); (*rif. a fiori e sim.*) to wither. – **seccarsi** *v.r.* **1.** to (become) dry, to dry up; (*rif. a fonti e sim.*) to run (*o* go) dry: *il pozzo si è seccato* the well has gone dry. – **2.** (*appassire*) to wither, to dry up. – **3.** (*essiccarsi*) to dry up (*o* out), to be desiccated. – **4.** ⟨*fig*⟩ (*infastidirsi*) to be annoyed (*o* irritated), to be put out.

seccarẹllo *m.* → **seccherello**.

seccạta *f.* ⟨*non com*⟩ **1.** drying (out, up). – **2.** ⟨*fig*⟩ (*seccatura*) bother, annoyance, nuisance, ⟨*fam*⟩ bore.

seccatịccio ⟨*non com*⟩ **I** *a.* (*alquanto secco*) dry, dried (up), shrivelled. – **II** *s.m.* (*insieme di cose secche*) dried (*o* shrivelled) up things *pl.*

seccatịvo *a.* ⟨*non com*⟩ → **siccativo**.

seccạto (*p.p. di seccare*) *a.* **1.** (*secco*) dry, dried (up, out): *fichi -i* dried figs. – **2.** ⟨*fam*⟩ (*infastidito*) annoyed (*di* at, by), irritated, bothered, put out (by); (*stufo*) fed up. – **seccatọio** *m.* **1.** ⟨*Ind*⟩ drying-room. – **2.** ⟨*Mar*⟩ squeegee. – **seccatọre I** *s.m.* (*f.* **-trice**) nuisance, bother, ⟨*fam*⟩ bore. – **II** *a.* ⟨*rar,lett*⟩ annoying, tiresome. – **seccatụra** *f.* **1.** ⟨*non com*⟩ drying (out), desiccation. – **2.** ⟨*fam*⟩ (*che reca disturbo*) nuisance, bother, ⟨*fam*⟩ bore, ⟨*fam*⟩ pain in the neck: *che ~ quel tipo!* what a nuisance that fellow is!; *che ~ questa visita!* what a bore this visit is! – **3.** ⟨*fam*⟩ (*noia*) trouble: *non voglio -e* I don't want any trouble.

seccherẹllo *m.* ⟨*tosc*⟩ piece of dry bread.

seccherịa *f.* ⟨*Cart*⟩ dry end.

secchẹzza *f.* **1.** dryness: *la ~ dell'aria* the dryness of the air; (*aridità*) aridity, dryness. – **2.** ⟨*non com*⟩ (*magrezza*) thinness, gauntness. – **3.** ⟨*fig*⟩ (*modi bruschi*) brusqueness, curtness, sharpness. – **4.** ⟨*fig*⟩ (*scarna linearità*) spareness, plainness: ~ *di stile* spareness of style.

sẹcchia *f.* **1.** bucket, pail: ~ *per mungere* milk-pail. – **2.** (*quantità*) bucket(ful), pail(ful). – **3.** ⟨*scol*⟩ (*studente sgobbone*) swot, ⟨*am*⟩ grind. – **4.** ⟨*Stor*⟩ (*unità di misura*) old measure of capacity. □ *piovere a -e* (*a dirotto*) to pour, to teem, ⟨*fam*⟩ to rain buckets (*o* cats and dogs); ⟨*Met*⟩ ~ *di colata* ladle; *fare come la ~* (*andar su e giù*) to go up and down; ~ *per le scorie* slag-ladle. – **secchiạta** *f.* **1.** bucket(ful), pail(ful). – **2.** ⟨*non com*⟩ (*colpo dato col secchio*) blow with a bucket. – **3.** ⟨*scol*⟩ (*studio faticoso*) intensive study, ⟨*fam*⟩ grind.

secchịccio *a.* rather dry, dryish.

secchiẹllo (*dim. di secchio*) *m.* **1.** (*dei bambini*) pail, bucket. – **2.** (*per il ghiaccio*) ice-bucket. – **3.** ⟨*Lit*⟩ holy-water bucket. – **secchiẹtto** *m. dim. di* **secchio**. – **sẹcchio** *m.* **1.** (*secchia*) bucket, pail. – **2.** (*quantità*) bucket(ful), pail(ful). □ ~ *per il carbone* coal-scuttle, coal-bucket, coal-hod; ~ *della draga* bucket scoop; ~ *da sabbia* (sand-)pail; ~ ⌜*della spazzatura*⌝ (o *delle immondizie*) dustbin, ⟨*am*⟩ garbage can (*o* pail). – **secchiọne** (*accr. di secchio*) *m.* **1.** ⟨*Met*⟩ (*secchione di colata*) (bull-)ladle. – **2.** ⟨*Edil*⟩ concrete bucket. – **3.** ⟨*Minier*⟩ tub. – **4.** ⟨*scol*⟩ (*f.* **-a**) swot, ⟨*am*⟩ grind.

sẹccia *f.* (*pl.* **-ce**) ⟨*tosc,lett*⟩ **1.** (*stoppia*) stubble. – **2.** (*terreno*) stubble(-field). – **secciạio** *m.* (*campo*) stubble(-field).

sẹcco *a./s.* (*pl.* **-chi**) **I** *a.* **1.** (*asciutto*) dry: *aria -a* dry air; *clima ~* dry climate. – **2.** (*arido*) arid, dry, parched: *terreno ~* parched land. – **3.** (*non fresco*) stale, dry: *pane ~* stale bread. – **4.** (*essiccato*) dried, desiccated, dehydrated: *pesce ~* dried fish. – **5.** (*disseccato*) dry, withered, dried up: *ramo ~* dry branch. – **6.** (*esaurito*) dry, dried up: *sorgente -a* dried-up spring. – **7.** (*magro*) thin, skinny, gaunt, lean, spare. – **8.** ⟨*Enol*⟩ dry, sec. – **9.** ⟨*fig*⟩ (*brusco, reciso*) brusque, curt, sharp, blunt, point-blank, downright: *una risposta -a* a sharp reply; *un ~ rifiuto* a downright refusal, a flat no; (*freddo*) cold. – **10.** ⟨*fig*⟩ (*disadorno*) plain, dry, spare, bare, unadorned: *stile ~* spare style. – **11.** ⟨*fig*⟩ (*netto*) clean, sharp, single: *colpo ~* clean blow. – **12.** ⟨*fig*⟩ (*rif. a sensazioni uditive*) sharp, clear:

rumore ~ sharp noise. – **13.** ⟨*Bot,Med*⟩ dry. – **14.** ⟨*Mar*⟩ sailless, bare. – **15.** ⟨*Mus*⟩ secco, dry. – **II** *s.m.* **1.** dryness; (*mancanza d'acqua*) drought; (*siccità, aridità*) dryness, aridity, aridness. – **2.** (*luogo asciutto, senz'acqua*) dry land, dry place. – **3.** (*parte secca*: *rif. a fiori o piante*) dry (*o* withered) part. – **4.** (*persona magra*; *f.* **-a**) thin (*o* lean) person.

□ **a** ~: 1. dry: *lavaggio a* ~ dry-cleaning; *murare a* ~ to dry-wall; 2. ⟨*non com*⟩ (*improvvisamente*) suddenly, unexpectedly, all of a sudden; 3. ⟨*Pitt*⟩ secco: *pittura a* ~ secco; ⟨*pop*⟩ ~ *come* **un'acciuga** as lean as a rake, skinny; ⟨*rar*⟩ **di** ~ *in* ~ (*improvvisamente*) suddenly, unexpectedly, all of a sudden; ⟨*fig*⟩ **essere** *a* ~ (*di quattrini*) to be broke; ⟨*Mar*⟩ **mettere** *in* ~ to beach; **restare** (o *rimanere*) *in* ~: 1. ⟨*Mar*⟩ to run aground, to be stranded; 2. ⟨*fig*⟩ (*restare privo di mezzi, di risorse*) to be left stranded (*o* high and dry), to be on the rocks; ⟨*Enol*⟩ **sapere** *di* ~ to taste of the cask; **tirare** *in* ~ = **mettere** *in secco*; ⟨*Mar*⟩ *a* ~ *di* **vele** sailless, having lost its sails; ⟨*Chim*⟩ *analisi per* **via** *-a* dry-way analysis.

seccọre *m.* ⟨*rar*⟩ **1.** (*secchezza*) dryness. – **2.** (*siccità*) drought, dryness. – **seccụme** *m.* **1.** dried (*o* shrivelled) things *pl.* – **2.** ⟨*Agr, Giard*⟩ dry (*o* withered) branches and leaves *pl.* – **3.** ⟨*Agr*⟩ (*malattia*) dieback, leaf spot.

secentẹsco *a.* (*pl.* **-chi**) **1.** seventeenth-century-, of the seventeenth century; (*rif. all'arte e alla letteratura italiana*) of the Seicento, Seicento-. – **2.** (*in stile secentesco*) in seventeenth century style. – **secentẹsimo** *a.* → **seicentesimo**. – **secentịsmo** *m.* ⟨*Lett*⟩ concettism, highflown style of the seventeenth century, eupheism. – **secentịsta I** *s.m./f.* **1.** (*artista*) seventeenth-century artist; (*scrittore*) seventeenth-century writer. – **2.** (*in Italia*: *artista*) artist of the Seicento; (*scrittore*) Seicento writer. – **II** *a.* ⟨*non com*⟩ → **secentistico**. – **secentịstico** *a.* (*pl.* **-ci**) **1.** (*del seicento*) seventeenth -century-, of the seventeenth century; (*rif. all'arte e alla letteratura italiana*) of the Seicento, Seicento-. – **2.** (*del secentismo*) of seventeenth-century concettism. – **secẹnto** *a./s.* ⟨*tosc,lett*⟩ → **seicento**.

secẹrnere *v.t.* (*p.p.* **secrẹto**) ⟨*Biol*⟩ to secrete, to secern(ate).

secẹspita *f.* ⟨*Stor.rom*⟩ sacrifical knife.

secessiọne *f.* ⟨*Pol,Art*⟩ secession. □ ⟨*Stor*⟩ *guerra di* ~ War of Secession, Civil War, War between the States. – **secessionịsmo** *m.* secessionism. – **secessionịsta I** *s.m./f.* secessionist. – **II** *a.* → **secessionistico**. – **secessionịstico** *a.* (*pl.* **-ci**) **1.** (*dei secessionisti*) of the secessionists. – **2.** (*del secessionismo*) of secessionism, secessionist.

secẹsso *m.* ⟨*ant*⟩ **1.** (*il ritirarsi*) withdrawal, retirement. – **2.** (*luogo appartato*) place of seclusion, solitary place. – **3.** (*gabinetto di decenza*) lavatory, water-closet. – **4.** (*evacuazione*) defecation, evacuation.

sẹco *pron.* **1.** ⟨*lett*⟩ (*con sé*) with one(self); (*tra sé*) to oneself. – **2.** ⟨*ant*⟩ (*con lui*) with him(self); (*con lei*) with her(self); (*con esso*) with it(self); (*con loro*) with them(selves). □ ⟨*ant*⟩ *con* ~ with one(self); ⟨*ant*⟩ ~ *lei* with her(self); ⟨*ant*⟩ ~ *loro* with them(selves); ⟨*ant*⟩ ~ *lui* with him(self); ⟨*ant*⟩ ~ *medesimo* (o *stesso*) with one(self).

secọhm *m.* ⟨*Fis,non com*⟩ henry.

secolạre I *a.* **1.** (*che ha più secoli di vita*) centuries-old, age-old, hundreds of years old: *mura -i* centuries-old walls; (*che ha un secolo di vita*) century-old. – **2.** (*che dura da un secolo*) century-old, centennial. – **3.** (*che dura secoli*) age-long, centuried. – **4.** (*che si ripete ogni secolo*) secular, centennial. – **5.** (*laico*) secular, lay, non-ecclesiastical; (*rif. al clero*) secular. – **6.** ⟨*lett*⟩ (*terreno, mondano*) secular, mundane, profane, worldly. – **7.** ⟨*Astr,Geol*⟩ secular: *variazione* (o *perturbazione*) ~ secular variation. – **II** *s.m.* (generally in pl.) **1.** (*laico*) layman (*f* -woman); *pl.* the laity (*costr.pl.*). – **2.** (*prete secolare*) secular (priest).

secolareggiạre *v.i.* (**secolarẹggio, secolarẹggi**; *aus.* **avere**) ⟨*lett,non com*⟩ to take worldly attitudes. – **secolarẹsco** *a.* (*pl.* **-chi**) ⟨*lett*⟩ (*laico, mondano*) secular, profane, worldly.

secolarità *f.* ⟨*non com*⟩ secularity, centuries-old nature.

secolariẓẓạre *v.t.* ⟨*Rel*⟩ **1.** (*rif. a religiosi*) to secularize, to reduce to the lay state; (*rif. a beni*) to secularize. – **2.** (*laicizzare*) to secularize, to laicize: ~ *la scuola* to laicize schools. – **secolarizzarsi** *v.r.* to return to secular life. – **secolariẓẓaziọne** *f.* ⟨*Rel*⟩ **1.** (*laicizzazione*) secularization, laicization; (*rif. a beni*) secularization. – **2.** (*rif. a religiosi*: *passaggio al clero secolare*) secularization.

secolarmẹnte *avv.* ⟨*non com*⟩ secularly.

sẹcolo *m.* **1.** century: *nel quinto* ~ *avanti Cristo* in the fifth century before Christ. – **2.** (*periodo*) age, century, epoch, era, time: *il* ~ *di Dante* the age of Dante. – **3.** ⟨*iperb,fam*⟩ ages *pl*, age: *è un* ~ *che non ricevo tue notizie* it's ages since I've heard from you. – **4.** (*vita terrena, mondana*) world, (worldly) life. – **5.** ⟨*lett*⟩ (*generazione*) (present) generation; (*umanità*) man(kind). – **6.** ⟨*ant*⟩ (*vita, mondo*) world, life; (*vita eterna*) eternal life, hereafter.

□ **abbandonare** *il* ~ (*farsi frate*) to enter a monastery, to renounce the world; (*farsi monaca*) to take the veil; **al** ~: 1. (*rif. a religiosi*) in the world: *frate Antonio, al* ~ *Luigi Rossi* Brother Anthony, in the world Luigi Rossi; 2. ⟨*scherz*⟩ (*rif. a persona nota con uno pseudonimo*) whose real name is, alias; *dell'***altro** ~ from (*o* of) the last century; ⟨*fig*⟩ (*antiquato*) old-fashioned, outdated; *il* ~ *dell'***argento** the silver age; ⟨*Stor.rom*⟩ ~ **civile** civil century; ~ **immortale** (*vita eterna*) eternal life, eternity; ⟨*fig*⟩ *il* ~ *dei* **lumi** (*dell'illuminismo*) the Age of Enlightenment; ⟨*Stor.rom*⟩ ~ **naturale** natural century; **nei** *-i dei -i* forever (and ever), until the end of time; *perdersi nella* **notte** *dei -i* to go back to the beginning of time, to be lost in antiquity (*o* the dim past); *il* ~ *dell'***oro** the golden age; ⟨*ant*⟩ **passare** *di questo* ~ (*morire*) to die, to leave this life; **per** *tutti i -i* forever (and ever), time without end; *al* **principio** *dei -i* at the beginning of time; ⟨*Stor.rom*⟩ ~ **religioso** religious century; ⌈**rinunciare** *al*⌉ (o *ritirarsi dal*) ~ = **abbandonare** *il secolo*; **tornare** *nel* ~ (*lasciare il convento*) to abandon monastic life.

secọnda *f.* **1.** ⟨*Mot*⟩ second (gear): *innestare la* ~ to shift into second, to engage the second gear; *partire in* ~ to start in second. – **2.** ⟨*Scol*⟩ (*seconda classe*) second year (*o* form), ⟨*am*⟩ second grade. – **3.** ⟨*Mat*⟩ (*seconda potenza*) second power (*o* degree): *elevare alla* ~ to raise to the second power, to square. – **4.** ⟨*Sport*⟩ (*nella scherma*) second(e). – **5.** ⟨*Mus*⟩ second. – **6.** ⟨*Ferr*⟩ (*seconda classe*) second class: *viaggiare in* ~ to travel second class. – **7.** ⟨*pop*⟩ (*secondina*) afterbirth, placenta.

□ ⟨*non com*⟩ **a** ~: 1. (*seguendo la corrente*) with the stream: *navigare a* ~ to sail with the stream; 2. (*col vento in poppa*) before the wind; 3. (*in modo favorevole*) well, favourably: *andare a* ~ to go well (*o* smoothly); ⟨*non com*⟩ *a* ~ *che* (*secondo che*) according to whether, depending on whether; *a* ~ *di* according to, depending on, in accordance with: *decideremo a* ~ *delle circostanze* we'll decide according to the circumstances; ⟨*ant*⟩ *seguire* (o *seguitare*) **alla** ~ (*secondare*) to second; ⟨*Econ*⟩ ~ *di* **cambio** second (copy of a bill) of exchange; ⟨*Mus*⟩ ~ **eccedente** augmented second; ⟨*Mil*⟩ **in** ~ second: *comandante in* ~ second-in-command; ⟨*scol*⟩ *braccia in* ~ (*incrociate sul petto*) crossed arms; ⟨*Mus*⟩ ~ **maggiore** major second; ⟨*Mus*⟩ ~ **minore** minor second.

secondamẹnte *avv.* ⟨*ant*⟩ **1.** (*in secondo luogo*) secondly, in the second place. – **2.** (*per la seconda volta*) for the second time.

secondamẹnto *m.* ⟨*non com*⟩ **1.** supporting, indulging, favouring. – **2.** ⟨*Fisiol*⟩ expulsion of the placenta, discharge of the afterbirth.

secondạre *v.* (**secọndo**) **I** *v.t.* **1.** ⟨*lett*⟩ (*assecondare, favorire*) to support, to favour, to assist, to back up, to second: ~ *le inclinazioni di qd.* to favour s.o.'s wishes. – **2.** (*esaudire*) to comply with: ~ *i desideri di qd.* to comply with s.o.'s wishes; (*indulgere*) to indulge: ~ *i capricci di qd.* to indulge s.o.'s whims. – **3.** ⟨*poet*⟩ (*seguire un contorno*) to follow. – **4.** ⟨*fig*⟩ (*seguire con la mente*) to follow. – **II** *v.i.* (*aus.* **avere**) **1.** ⟨*Fisiol*⟩ to expel the placenta, to discharge the afterbirth. – **2.** ⟨*ant*⟩ (*venire come secondo*) to follow, to come after. – **3.** ⟨*ant*⟩ (*piegarsi, cedere*) to yield, to succumb.

secondariamẹnte *avv.* **1.** (*in secondo luogo*) secondly, in the second place. – **2.** (*in un secondo tempo*) later, subsequently. – **secondarietà** *f.* secondariness.

secondạrio I *a.* **1.** (*secondo in una successione*) secondary, second. – **2.** (*di minore importanza*) secondary, minor: *di -a importanza* of minor importance. – **3.** ⟨*tecn*⟩ secondary: *avvolgimento* ~ secondary winding. – **4.** ⟨*Geol*⟩ (*mesozoico*) Mesozoic, Secondary. – **II** *s.m.* ⟨*Geol*⟩ (*era mesozoica*) Mesozoic (era), Secondary (era).

secondatọre ⟨*lett*⟩ **I** *s.m.* (*f.* **-trice**) seconder, supporter. – **II** *a.* seconding, assisting, indulging.

secondịna *f.* **1.** ⟨*Fisiol*⟩ afterbirth, placenta. – **2.** ⟨*Bot*⟩ integument.

secondịno *m.* warder, prison guard, gaoler; (*aiutante*) assistant warder.

secọndo[1] **I** *a.* **1.** second: *il* ~ *mese dell'anno* the second month of the year; (*rif. a grandezza*) second largest: *questa è la -a città d'Italia* this is the second largest city in Italy; (*rif. a qualità*) second best; (*rif. a importanza*) second most important. – **2.** (*rif. a regnanti e sim.*) second, II: *Federico* ~ Frederick the Second, Frederick II. – **3.** (*rif. a tempo*) second half: *il* ~ *ottocento* the second half of the nineteenth century. – **4.** ⟨*estens*⟩ (*nuovo, differente rispetto al primo*) second, other, new: *è stato per noi un* ~ *padre* he was a second father to us; (*altro*) other: *ci sarebbe una -a possibilità* there is another possibility. – **5.** ⟨*fig*⟩ (*minore, inferiore*) second, inferior (*a* to): *non essere* ~ *a nessuno* to be second to none. – **6.** (*superiore*) second, higher, upper: *diploma di* ~ *grado* upper-class diploma. – **7.** ⟨*lett*⟩ (*favorevole*) favourable, propitious. – **II** *avv.* (*in secondo luogo*) secondly, in the second place. – **III** *s.m.* (*f.* **-a**) **1.** second: *è il* ~ *della lista* he is the second on the list. – **2.** (*altro*) second, other: *dei due fratelli il primo è già laureato, il* ~ *studia ancora* the first of the two brothers already has his degree, the second is still studying. – **3.** (*minuto secondo*) second: *mancano pochi -i alle otto* it's a few seconds to eight. – **4.** ⟨*Geom,Fis*⟩ (*rif. ad angoli*) second. – **5.** (*nei duelli*: *padrino*) second. – **6.** ⟨*Sport*⟩ (*nel pugilato*) second: *fuori i -i!* seconds out of the ring! – **7.** (*seconda portata*) second course; (*portata principale*) main dish (*o* course). – **8.** ⟨*Mar*⟩ second mate. – **9.** ⟨*Mar.mil*⟩ second-in-command.

□ ⟨*Geom*⟩ ~ *di* **arco** second of an arc; ⟨*pop*⟩ **cantare** (o *fare*) *da* ~ *a qd.* (*accompagnarlo*) to accompany s.o.; ⟨*Geom*⟩ ~ **centesimale** 1/10,000 grad(e); ⟨*iperb*⟩ **in** *un* ~ in a second, ⟨*fam*⟩ in a sec (*o* jiffy); ⟨*Geom*⟩ ~ **sessagesimale** second; *per la -a* **volta** for the second time.

secọndo[2] *prep.* **1.** according to, in accordance (*o* conformity) with: ~ *la verità* in conformity with the truth; *vivere* ~ *natura* to live according to nature; ~ *l'insegnamento di Socrate* according to the Socratic method; (*secondo l'opinione di*) according to, in s.o.'s opinion (*o* view): ~ *me, il lavoro dovrebbe essere già finito* in my opinion, the job should already be finished. – **2.** (*in rapporto a, in proporzione a*) according to, in proportion to, in accordance with: *premiare* ~ *il merito* to reward according to merit. – **3.** (*a seconda di, in base a*) according to, depending on: ~ *le circostanze* depending on the circumstances. – **4.** ⟨*assol*⟩ (*dipende*) it depends:

verrai? – ~ will you come? – it depends. – **5.** ⟨*ant*⟩ (*tenuto conto di*) in as much as, considering (*o* bearing in mind) that.

□ ~ *il* **caso** according to (the) circumstances, as the case may be; ~ (*ciò*) **che**: 1. according to what, depending on what: ~ *che dice suo padre* depending on what his father says; ~ *che tempo fa* depending on ⌜the weather⌝ (*o* what the weather is like); 2. (*a seconda se*) depending on whether: *le cose sono differenti,* ~ *che sia stato lui o no* the situation varies depending on whether it was him or not; ~ **ciò** *che si dice* as they say, according to what people say; ~ **dove** depending on where (*o* the place); ~ **quando** it depends when; ~ **quanto** *scrive il tuo amico* according to what your friend writes.

secondoché (o *sęcondo chę*) *congz.* **1.** (*come, nel modo che* [*ind*]) as: *agisce* ~ *gli piace* he does as he likes. – **2.** (*nel caso che* [*cong*]) according to whether: ~ *tu sia promosso o bocciato* according to whether you pass or fail.

secondogẹnito I *a.* second, second-born: *figlio* ~ second son. – **II** *s.m.* (*f.* **-a**) second-born. – **secondogenitụra** *f.* **1.** status of a second-born son. – **2.** (*diritto*) secundogeniture.

secondonạto *a./s.* → **secondogenito.**

secrẹta[1] *f.* ⟨*rar*⟩ (*segreta*) secret.

secrẹta[2] *f.* ⟨*Lit*⟩ secret.

secretagọgo *a.* (*pl.* **-ghi**) ⟨*Farm*⟩ secretagogue.

secrétaire *fr.* [skre'tɛ:r] *m.* ⟨*Arred*⟩ secretaire, secretary, (writing-) desk.

secretạrio *m.* ⟨*ant,pop*⟩ → **segretario.**

secretịvo *a.* ⟨*Biol*⟩ **1.** (*atto a secernere*) secreting, secretory, secernent. – **2.** (*relativo alla secrezione*) secretory, secretionary.

secrẹto[1] *m.* ⟨*Biol*⟩ secretion.

secrẹto[2] *a./s.* ⟨*lett*⟩ → **segreto**[1].

secrẹto[3] *p.p. di* **secernere.**

secretọre I *s.m.* ⟨*Biol*⟩ secretor. – **II** *a.* secretory, secernent. – **secretọrio** *a.* secretory, secretionary. – **secreziọne** *f.* **1.** ⟨*Fisiol, Geol*⟩ secretion. – **2.** (*sostanza secreta*) secretion. □ ⟨*Fisiol*⟩ ~ *esterna* external secretion; ~ *interna* internal secretion; ⟨*Bot*⟩ ~ *mellea* (o *nettarea*) nectar.

securạnza *f.* ⟨*ant*⟩ (*sicurezza*) (self-)assurance, (self-)confidence.

secụre *f.* ⟨*ant,lett*⟩ (*scure*) axe.

securità *f.* ⟨*ant*⟩ (*sicurezza*) security.

securịte *f.* ⟨*Ind*⟩ securite.

secụro ⟨*poet*⟩ **I** *a.* **1.** (*sicuro*) safe, secure. – **2.** (*fuori pericolo*) safe, out of danger; (*senza paura*) fearless, confident, assured, secure. – **II** *avv.* fearlessly, confidently. – **securtà** *f.* ⟨*ant*⟩ → **securità.**

sęd *lat. congz.* ⟨*ant,lett*⟩ (*se*) if.

sedanịna: ⟨*Bot*⟩ ~ *d'acqua*: 1. fool's (water)cress, marshwort (*Apium nodiflorum*); 2. water parsnip (*Sium latifolium*).

sędano *m.* ⟨*Bot*⟩ celery (*Apium graveolens*). □ ~ *di monte* lovage, sea parsley (*Levisticum officinale*); ~ *rapa* celeriac, turnip(-rooted) celery, celery root, knob (*o* root) celery (*Apium graveolens rapaceum*).

sedạre *v.t.* (sędo) **1.** (*calmare, lenire*) to calm, to soothe, to allay, to assuage (*anche fig.*): ~ *il dolore* to soothe pain. – **2.** (*reprimere, far cessare*) to put down, to suppress, to repress, to quell: ~ *un tumulto* to suppress a riot. – **sedatịvo I** *a.* sedative. – **II** *s.m.* ⟨*Farm*⟩ sedative. – **sedatọre** ⟨*non com*⟩ **I** *s.m.* (*f.* **-trice**) repressor. – **II** *a.* suppressing, repressing.

sęde *f.* **1.** seat: *il ministero ha* ~ *a Roma* the ministry has its seat in Rome. – **2.** ⟨*Rel*⟩ see: ~ *vescovile* bishop's see. – **3.** (*dimora stabile*) residence, abode: *stabilire la propria* ~ *in un luogo* to establish one's residence in a place. – **4.** (*edificio*) seat, building: *la* ~ *del governo* the government building; (*ufficio*) office, centre, seat: *la* ~ *del partito* the party office. – **5.** (*luogo, località*) place, locality; (*città*) town, city. – **6.** ⟨*fig*⟩ seat, centre: *il cuore è considerato la* ~ *degli affetti* the heart is thought to be the seat of the feelings. – **7.** ⟨*fig*⟩ (*seduta*) session, sitting: *in separata* ~ in a special session. – **8.** ⟨*Ling*⟩ position, syllable: ~ *dell'accento principale* syllable bearing the main stress, position of the main stress. – **9.** ⟨*Med*⟩ seat; (*organo*) organ. – **10.** ⟨*Comm*⟩ office; (*sede centrale*) head (*o* main) office, headquarters *pl* (*costr.sing. o pl.*); (*filiale*) branch (office). – **11.** ⟨*tecn*⟩ seat, seating. – **12.** ⟨*poet*⟩ (*territorio, regione*) region, territory. – **13.** ⟨*ant,rar*⟩ (*seggio*) chair, bench, seat.

□ *-i* **agglomerate** = *sedi* **unite**; ⟨*Mot*⟩ ~ *dell'***ago** needle valve seat; *in* **altra** ~: 1. (*in altro luogo*) elsewhere, in another place; 2. (*in un altro momento*) some other time, on another occasion; ~ **amministrativa** administrative office; ~ **apostolica** Apostolic See; **aver** ~ (*trovarsi*) to be (situated), to lie, to have one's seat; ~ **centrale** head (*o* main) office, headquarters *pl*; ⟨*Mecc*⟩ ~ **conica** conical seat; ⟨*Mecc*⟩ ~ *di* **cuscinetto** bearing housing; ⟨*Dipl*⟩ ~ **disagiata** hardship post; ~ **elettorale** polling station (*o* place), poll; **essere** ~ *di qc.* to be the place where s.th. ⌜takes place⌝ (*o* is held), to be a ... centre: *la nostra scuola è* ~ *d'esami* our school is an examination centre, the examinations are held in our school; *Bologna è* ~ *d'università* Bologna is a university town; **in** ~: 1. (*a livello di*) on the level: *in* ~ *regionale* on the regional level; 2. (*dal punto di vista*) from a ... point of view: *in* ~ *letteraria* from a literary point of view; ⟨*fig*⟩ *in* ~ *di* (*in occasione di*) during: *in* ~ *d'esame* during the examination; *-i* **isolate** = *sedi* **sparse**; ⟨*Dir*⟩ ~ **legale** registered office; ~ **nazionale** national office; ~ **periferica** branch (office); ~ **permanente** permanent seat; ~ **principale** = *sede* **centrale**; ~ **produttiva** place of production; ~ **provinciale** provincial (*o* district) office; *in* **questa** ~: 1. (*rif. a tempo*) at this time; 2. (*rif. a luogo*) here, in this place; ⟨*Rel*⟩ **Santa** ~ Holy See; *in* **separata** ~ in a separate session (*o* meeting); ⟨*fig*⟩ (*privatamente*) privately, in private; ⟨*Comm*⟩ ~ **sociale** registered office (*o* place of business); ⟨*Geog*⟩ *-i* **sparse** scattered (*o* isolated) settlements; ~ **staccata** branch (office), agency; ~ **statutaria** statutory domicile; ~ **stradale** road(way), roadbed; ⟨*Geog*⟩ *-i* **umane** human settlements; ⟨*Geog*⟩ *-i* **unite** group settlements; ~ **vacante**: 1. vacancy; 2. ⟨*Rel.catt*⟩ sede vacante, vacancy (of a see); ⟨*Mecc*⟩ ~ *di* **valvola** valve seat(ing).

sedentarietà *f.* ⟨*non com*⟩ sedentariness. – **sedentạrio I** *a.* **1.** sedentary: *lavoro* ~ sedentary work. – **2.** (*fisso*) sedentary, stationary, settled. – **II** *s.m.* (*f.* **-a**) sedentary person. – **sedentarịsmo** *m.* sedentariness.

sedęnte (*p.pr. di sedere*[1]) *a.* **1.** sitting, seated: ~ *in trono* sitting on a throne, enthroned. – **2.** ⟨*fig,ant*⟩ (*regnante*) reigning, ruling; (*in costruzioni assolute*) in the reign of, under: ~ *papa Pio decimo* under Pope Pius X. – **3.** ⟨*fig,ant*⟩ (*che sta sopra*) hanging, lying. – **4.** ⟨*Arald*⟩ sejant, segeant, sitting.

sedęre[1] *v.i.* (*pr.ind.* **siędo**/*lett.* **sęggo**/*ant.* **sęggio, siędi, sięde, sediạmo**/*ant.* **seggiạmo, sedęte, siędono**/*lett.* **sęggono**/*ant.* **sęggiono**; *p.rem.* **sedẹi**/**sedẹtti**; *fut.* **sederò**; *pr. cong.* **sięda**/*lett.* **sęgga**; *p.p.* **sedụto**; *aus.* **essere**) **1.** to sit (*su, in* in, on): ~ *su una poltrona* to sit in an armchair; ~ *in terra* to sit on the ground. – **2.** (*mettersi a sedere*) to sit down: *siedi un momento* sit down a minute; (*in formule di cortesia*) to take a seat, to sit down. – **3.** ⟨*fig*⟩ (*aver seggio, fare parte*) to sit, to have a seat (*in* in), to be a member (of): ~ *in parlamento* to sit in Parliament; (*svolgere le proprie funzioni*) to sit, to act, to be: ~ *giudice in tribunale* to sit in court (as a judge). – **4.** (*essere in funzione, in attività*) to sit, to meet, to be in session: *il comitato sedette a lungo* the committee sat for a long time. – **5.** ⟨*lett*⟩ (*essere situato*) to lie, to be (situated, located): *la villa siede tra il piano e il monte* the villa is located between the plain and the mountain. – **6.** ⟨*lett*⟩ (*stendersi sopra*) to hang, to loom, to lie. – **7.** ⟨*poet*⟩ (*stare, trovarsi*) to be. – **8.** ⟨*ant*⟩ (*regnare*) to rule, to reign, to sit. – **9.** ⟨*ant,poet*⟩ (*avere dimora*) to reside, to live. – **sedersi** *v.r.* **1.** to sit down, to take a seat: *mi siedo perché sono stanco* I'm going to sit down because I'm tired. – **2.** (*posarsi*) to settle, to alight.

□ **a** ~ for sitting (down); (*seduto*) sitting; *posti a* ~ seats *pl*; ~ *in* **alto** *loco* (o *luogo*) (*coprire un'alta carica*) to hold a high office; ~ *a* **cassetta** to sit ⌜in the coachman's seat⌝ (*o* on the box); ⟨*fig*⟩ ~ *in* **cattedra**: 1. (*insegnare*) to teach; 2. (*arrogarsi il diritto di dare insegnamenti*) to pontificate; *dare* **da** ~ *a qd.* to offer s.o. a seat; *c'è da* ~? is there anywhere to sit?, are there any seats left?; ~ *in* **giudizio** to sit in judgement; **levarsi** *a* ~ to get up; ⟨*lett*⟩ ~ *a* (o *alla*) **mensa** = *sedere a* **tavola**; **mettere** *a* ~ *qd.* to seat s.o.; ⟨*fig*⟩ (*privarlo del suo grado*) to oust (*o* remove) s.o. from office; *mettersi a* ~ to sit down; ⟨*poet*⟩ ~ *in* **piuma** (*vivere nell'ozio*) to lead a life of ease, to live like a king; ⟨*fig*⟩ ~ *su due* **poltrone** (*avere contemporaneamente più incarichi*) to hold two offices; **rimanere** (o *restare*) *a* ~ to remain seated, to keep one's seat; **rizzarsi** *a* ~ = **levarsi** *a sedere*; ~ *in* **sella** to sit in the saddle; **stare** *a* ~ to be sitting, to sit; (*starsene in ozio*) to sit around (doing nothing), ⟨*fam*⟩ to sit on one's fanny; *non sta mai a* ~ she never stops (*o* sits down), she is always on the go; ~ *a* **tavola** to be (*o* sit) at table, to be eating; **tenere** *qd. a* ~ (*lasciarlo in ozio*) to keep s.o. idle; *tenere a* ~ *in braccio* to hold in one's arms; **tirarsi** *su a* ~ to sit up; ⟨*ant*⟩ ~ *pro* **tribunali** = *sedere in* **giudizio**; ⟨*fig*⟩ ~ *in* **trono** to rule, to reign, to be on the throne; ~ *alla* **turca** to sit cross-legged (*o* tailor-fashion).

sedęre[2] *m.* **1.** (*il sedere*) sitting (down): *il* ~ *a tavola* sitting down at the table; (*posizione*) sitting position. – **2.** (*deretano*) bottom, seat, ⟨*fam*⟩ behind, ⟨*fam*⟩ fanny. – **3.** ⟨*ant*⟩ (*sedia*) chair; (*piano della sedia*) seat, bottom. □ *prendere qd. a calci nel* ~ to kick s.o. in the bottom, ⟨*fam*⟩ to give s.o. a kick in the pants; ⟨*fig*⟩ (*trattare malamente*) to treat s.o. badly. – **sederịno** (*dim. di sedere*[2]) *m.* ⟨*fam*⟩ **1.** bottom, seat. – **2.** ⟨*ant*⟩ (*piano della sedia*) seat, bottom; (*strapuntino*) jump seat. – **sederọne** *m. accr. di* **sedere**[2].

sędia *f.* **1.** chair. – **2.** ⟨*ant*⟩ (*trono*) throne. – **3.** ⟨*ant*⟩ (*sede*) seat; (*residenza*) residence, seat. – **4.** ⟨*fig,ant*⟩ (*posto*) place, seat.

□ ~ **apostolica** Holy See, St. Peter's See, Apostolic Seat; ~ *a* **braccioli** armchair, easy-chair; ⟨*Stor.rom*⟩ ~ **curule** curule chair; ~ *da* **dentista** dentist's chair; ~ **elettrica** electric chair: *condannare alla* ~ *elettrica* to condemn (*o* send) to the electric chair; ⟨*Rel*⟩ ~ **gestatoria** gestatorial chair; ~ *da* **giardino** garden chair; ~ **girevole** swivel chair; ⟨*fig*⟩ **levare** *di* ~ (*privare di una dignità*) to remove from office; ~ **metallica** tubular-steel chair; ⟨*ant*⟩ **mettere** *in* ~ (*insediare*) to install in office; ~ *di* **paglia** wicker chair; ⟨*tecn*⟩ ~ **pendente** (shaft) hanger, hanger bracket; ~ *a* **rotelle** wheel-chair; ~ *a* **sdraio** deck-chair; ⟨*Rel.catt*⟩ ~ **vacante** (*sede vacante*) sede vacante, vacancy (of a see).

sediạio *m.* ⟨*Artig*⟩ chair-maker.

sediạrio *m.* ⟨*Rel*⟩ bearer of the gestatorial chair.

sedicęnne I *a.* sixteen-year-old, of sixteen, ⟨*pred*⟩ sixteen (years old). – **II** *s.m./f.* sixteen-year-old, person of sixteen.

sedicęnte *a.* so-called, self-styled; (*preteso, mancato*) ⟨*attr*⟩ would-be.

sedicęsima *f.* ⟨*Mus*⟩ sixteenth.

sedicęsimo I *a.* sixteenth. – **II** *s.m.* **1.** (*ordinale*; *f.* **-a**) sixteenth. – **2.** (*frazionario*) sixteenth (part). – **3.** ⟨*Tip*⟩ sixteenmo, sextodecimo. □ *in* ~: 1. ⟨*Tip*⟩ in sixteenmo; 2. ⟨*fig,spreg*⟩ third-rate, petty, small: *principe in* ~ petty prince.

sędici *a./s.inv.* **I** *a.* sixteen: *sono passati* ~ *anni* sixteen years have gone by. – **II** *s.m.* **1.** (*numero*) sixteen. – **2.** (*nelle date*) sixteenth:

il ~ di agosto the sixteenth of August, August (the) sixteenth. – **III** *s.f.pl.* four (o'clock), four p.m.: *sono le ~* it's four o'clock; (*negli orari di trasporto internazionali*) sixteen hundred hours *pl.*

sedicina *f.* (*circa sedici*) about sixteen: *ho letto una ~ di pagine* I read about sixteen pages.

sedile *m.* **1.** seat; (*panchina*) bench; (*nei giardini*) bench, seat; (*negli automezzi*) seat. – **2.** (*piano della sedia*) seat, bottom. – **3.** (*nella sella*) seat. – **4.** (*nel ferro di cavallo*) upper face (of a horseshoe), face applied to the hoof. – **5.** ⟨*Aer*⟩ (*sediolino*) (pilot's) seat. – **6.** ⟨*Stor*⟩ (*a Napoli*) district.
□ ⟨*Aut*⟩ ~ **anteriore** front seat; ~ *per* **bar** bar stool; ~ *del* **conducente** driver's seat; ⟨*Aut*⟩ ~ *da* **corsa** bucket seat; ⟨*Aer*⟩ ~ **eiettabile** (o *a espulsione*) ejection seat; ~ **elastico** sprung seat; ~ **estensibile** extendible seat; ~ *di* **fortuna** occasional seat; ~ *per* **gabinetto** toilet (*o* lavatory) seat; ~ **imbottito** upholstered seat; ~ **inclinabile** tip-up seat, reclining seat; ~ **mobile** moveable seat; ~ **pieghevole** = *sedile* **ribaltabile**; ⟨*Aut*⟩ ~ **posteriore** rear (*o* back) seat; (*nelle motociclette*) pillion; ~ *del* **rematore** thwart, rower's seat; ~ **ribaltabile** folding seat; ~ *a schienale ribaltabile* seat with folding back; ~ **scorrevole**: 1. ⟨*Sport*⟩ sliding seat; 2. ⟨*Aut*⟩ adjustable seat.

sedime *m.* **1.** ⟨*rar*⟩ → **sedimento**. – **2.** ⟨*Mediev*⟩ (*manso*) manse.

sedimentare *v.i.* (**sedimento**; *aus.* **avere/essere**) ⟨*Fis,Chim*⟩ to sediment. – **sedimentario** *a.* sedimentary (*anche Geol.*): *rocce -e* sedimentary rocks. – **sedimentato** (*p.p. di sedimentare*) *a.* **1.** settled, deposited (*anche fig.*). – **2.** ⟨*Fis,Chim*⟩ sedimented, deposited, precipitated. – **sedimentatore** *m.* **1.** ⟨*Ind*⟩ sedimentation (*o* clarification, settling) tank, decanter. – **2.** ⟨*Idr*⟩ clarification bed. – **sedimentazione** *f.* **1.** ⟨*Fis,Chim,Geol*⟩ sedimentation. – **2.** ⟨*Idr*⟩ clarification, decantation, sedimentation. □ ⟨*Med*⟩ ~ ⌜*del sangue*⌝ (o *degli eritrociti*) erythrocyte sedimentation; *velocità di ~* sedimentation rate.

sedimento *m.* **1.** ⟨*non com*⟩ (*il depositarsi*) sedimentation, deposit(ing), settlement. – **2.** (*materiale depositato*) sediment, deposit. – **3.** ⟨*fig*⟩ result(s), issue. – **4.** ⟨*Geol*⟩ sediment.

sedimentologia *f.* ⟨*Geol,Paleont*⟩ sedimentology. – **sedimentologico** *a.* (*pl.* **-ci**) sedimentological. – **sedimentoso** *a.* ⟨*non com*⟩ sediment-producing; (*che abbonda di sedimenti*) sedimentous, full of sediment.

sedimetria *f.* ⟨*Med*⟩ measurement of the sedimentation rate.

sedio *m.* ⟨*ant*⟩ **1.** (*seggio*) seat; (*trono*) throne. – **2.** (*sede*) seat; (*residenza*) residence. – **sediolino** (*dim. di sedia*) *m.* ⟨*Aer*⟩ (pilot's) seat. □ ~ *eiettabile* (o *a espulsione*) ejection seat.

sediolo *m.* ⟨*Sport*⟩ light two-wheeled cart; (*sulky*) sulky.

sedizione *f.* **1.** sedition. – **2.** (*tumulto*) tumult, sedition; (*ribellione*) revolt, rebellion, insurrection, uprising. □ ~ *militare* mutiny. – **sediziosamente** *avv.* seditiously. – **sedizioso I** *a.* **1.** seditious, insurrectionary: *moto ~* insurrectionary movement. – **2.** (*che spinge alla sedizione*) seditious, rebellious. – **3.** ⟨*estens*⟩ (*turbolento, rissoso*) turbulent, riotous. – **II** *s.m.* (*f.* **-a**) seditionary, insurrectionist, insurgent, rebel.

sedotto (*p.p. di sedurre*) *a.* **1.** seduced. – **2.** ⟨*fig*⟩ enticed, seduced, tempted. – **seducente** (*p.pr. di sedurre*) *a.* **1.** seductive, seducing. – **2.** ⟨*fig*⟩ (*allettante*) enticing, alluring, tempting, seductive: *una proposta ~* a tempting proposal. – **seducere** *v.* ⟨*ant*⟩ → **sedurre**. – **seducibile** *a.* ⟨*non com*⟩ seducible. – **seducimento** *m.* ⟨*ant*⟩ seduction.

sedulità *f.* ⟨*lett*⟩ (*diligenza premurosa*) diligence, ⟨*lett*⟩ sedulity. – **sedulo** *a.* ⟨*lett*⟩ (*diligente, premuroso*) diligent, ⟨*lett*⟩ sedulous.

sedurre *v.t.* (**seduco, seduci; sedussi, sedotto**; → **condurre**) **1.** to seduce: *~ una ragazza* to seduce a girl. – **2.** ⟨*fig*⟩ (*allettare, attrarre*) to entice, to allure, to tempt, to seduce: *lasciarsi ~ da una promessa* to be enticed by a promise. – **3.** (*trascinare al male*) to lead (*o* entice) astray, to seduce.

seduta *f.* **1.** session, sitting: *aprire una ~* to open a session; (*riunione*) meeting. – **2.** (*consultazione, visita*) visit, appointment. – **3.** (*posa di modello*) sitting: *ha terminato il ritratto in poche -e* he finished the portrait in a few sittings. – **4.** ⟨*non com*⟩ (*lo stare seduti*) sitting.
□ ~ **d'apertura** opening session; ~ *di* **chiusura** closing session; ~ **elettorale** election meeting; **essere** *in ~* to be sitting (*o* in session); **levare** *la ~* = **togliere** *la seduta*; ⟨*Chir*⟩ ~ **operatoria** operation; ~ **ordinaria** ordinary session; ~ **plenaria** plenary session; ~ **pubblica** public session; **rinviare** *la ~* to adjourn the session; **riprendere** *la ~* to resume the session; **sospendere** *la ~* to suspend the session; ~ **spiritica** séance; ~ **stante** during the session; (*immediatamente*) directly, immediately, forthwith, there and then: *c'è andato ~ stante* he went immediately; **tenere** ~: 1. to hold a meeting; 2. = **essere** *in seduta*; **togliere** *la ~* to close the session.

seduto (*p.p. di sedere*[1]) *a.* sitting, seated. □ *essere* (o *stare*) ~ to be seated (*o* sitting), to sit; *mettersi ~* to sit down, to be seated; *rimanere* (o *restare*) ~ to stay seated, to keep one's seat.

seduttore I *s.m.* (*f.* **-trice**) seducer (*f* seductress). – **II** *a.* **1.** seductive, seducing. – **2.** ⟨*fig*⟩ enticing, alluring, seductive, tempting: *promesse seduttrici* tempting promises. – **seduzione** *f.* **1.** seduction. – **2.** ⟨*fig*⟩ (*fascino*) seductiveness, charm, allure, appeal; (*cosa che affascina*) enticement, lure, seduction, temptation, allurement.

seennale *a.* **1.** ⟨*rar*⟩ (*che dura sei anni*) six-year, of six years, six years long, lasting six years, sexennial. – **2.** (*che ricorre ogni sei anni*) six-yearly, sexennial. – **seenne** *a.* ⟨*rar*⟩ of six, six-year-old, ⟨*pred*⟩ six (years old). – **seennio** *m.* ⟨*rar*⟩ six-year period.

S.E.e.O. = ⟨*burocr*⟩ *salvo errori e omissioni* errors and omissions excepted (*abbr.* E. and O.E., e. and o.e.).

sefardita I *s.m./f.* Sephardi; *pl.* the Sephardim *pl.* – **II** *a.* Sephardi(c).

seg. = *seguente* following (*abbr.* foll.).

sega *f.* **1.** saw. – **2.** ⟨*region*⟩ (*mietitura*) harvesting, reaping. – **3.** ⟨*volg*⟩ (*niente*) nothing, ⟨*fam*⟩ damn: *non valere una ~* to be worth nothing; *non m'importa una ~* I don't give a damn. – **4.** ⟨*triv*⟩ (*masturbazione maschile*) act of masturbation, ⟨*volg*⟩ jerk-off. – **5.** ⟨*Mus*⟩ musical saw. – **6.** ⟨*Stor*⟩ kind of poll-tax.
□ **a** ~ serrated, with a serrated edge, saw(-edged), saw-toothed: *coltello a ~* knife with a serrated edge, steak knife; ~ **alternativa** frame-saw; ⟨*Mecc*⟩ ~ *ad* **archetto** hacksaw; ~ *ad* **arco** span (*o* bow) saw; ~ *a* **caldo** hot-saw; ~ *a* **catena** chain-saw; ~ **circolare** (o *a disco*) circular (*o* buzz, disk) saw; (*segatrice circolare*) circular saw (*o* sawing-machine); ⟨*roman*⟩ **far** ~ (*a scuola*) (*marinare la scuola*) to play truant, to cut school, ⟨*am*⟩ to play hooky; ~ *a* **freddo** cold-saw; ~ *da* **giardinaggio** (o *giardiniere*) pruning-saw; ~ *a* **lame** *multiple* gang mill; ~ *da* **macellaio** butcher's saw; ~ *a* **mano** hand saw; ~ **meccanica** → **segatrice**; ~ *per* **metalli** metal (cutting) saw, hacksaw; ~ *a* **nastro** belt (*o* endless, band) saw; (*segatrice a nastro*) band-saw, ribbon saw; ~ *da* **ossa** bone-saw; ~ *da* **pietre** stone-cutting saw; ~ *a* **telaio** frame-saw, web-saw; ~ *da* **traforo** fret-saw; ~ *da* **tronchi** pit-saw, whip-saw.

segabile *a.* ⟨*non com*⟩ that can be sawn. – **segabilità** *f.* ability to be sawn.

segaccio *m.* ⟨*Mecc*⟩ (*saracco*) tip-saw, ripper.

segala *f.* → **segale**. – **segalata** *f.* ⟨*Agr*⟩ maslin. – **segalato**: ⟨*Agr*⟩ *grano ~* maslin (grain). – **segale** *f.* ⟨*Bot*⟩ rye (*Secale cereale*). □ ~ *cornuta* ergot, spurred rye; ~ *da foraggi* fodder rye; ~ *lanaiola* cheat(s), chess (*Bromus secalinus*). – **segaligno** *a.* **1.** (*di segale*) rye-; (*simile a segale*) ryelike. – **2.** ⟨*fig*⟩ (*magro, asciutto*) lean, wiry, sinewy. – **segalino** *a.* (*di segale*) rye-.

segamento *m.* **1.** ⟨*non com*⟩ (*il segare*) sawing. – **2.** ⟨*ant*⟩ (*intersezione, intersecazione*) intersection.

segante (*p.pr. di segare*) ⟨*ant*⟩ **I** *a.* (*secante*) secant. – **II** *s.f.* secant.

segantino *m.* sawyer.

segare *v.t.* (**sego, seghi**) **1.** to saw: *~ un albero* to saw a tree; (*da parte a parte*) to saw through; (*in più parti*) to saw up; (*staccare segando*) to saw off. – **2.** (*tagliare, recidere*) to cut, to slash; (*da parte a parte*) to cut through; (*in pezzi*) to cut up. – **3.** ⟨*iperb*⟩ (*stringere lasciando il segno*) to cut (into): *le corde gli segavano i polsi* the ropes cut (into) his wrists. – **4.** ⟨*region*⟩ (*falciare, mietere*) to reap, to cut, to harvest, to mow. – **5.** ⟨*ant*⟩ (*intersecare*) to intersect. □ *segarsi le vene* to slash (*o* cut) one's wrists; ⟨*scherz*⟩ ~ *il violino* to saw (*o* scrape) the violin.

segata *f.* ⟨*non com*⟩ sawing. □ *dare una ~ a qc.* to saw s.th.

segato *m.* ⟨*Agr*⟩ chaff.

segatore *m.* **1.** sawyer. – **2.** ⟨*region*⟩ (*falciatore*) reaper, mower. – **segatrice** *f.* ⟨*Mecc*⟩ saw, sawing-machine. □ ~ *alternativa* hack (*o* frame) sawing-machine; ~ *a catena* chain-saw, buzz-saw; ~ *circolare* (o *a disco*) circular saw; ~ *a nastro* band-saw, ribbon-saw.

segatura *f.* **1.** (*il segare*) sawing. – **2.** (*frammenti minuti di materiale segato*) sawdust. – **3.** ⟨*region*⟩ (*falciatura*) reaping, mowing, harvesting; (*periodo*) harvest(-time).

segavecchia *f.* ⟨*pop*⟩ (*mezza quaresima*) mid-Lent.

segetale *a.* ⟨*Bot*⟩ segetal.

segg. = *seguenti* following (*abbr.* foll.).

seggetta *f.* **1.** close-stool. – **2.** ⟨*ant*⟩ (*portantina*) litter, sedan(-chair).

seggia *f.* (*pl.* **-ge**) **1.** (*seggio*) seat. – **2.** (*sedia*) chair, seat.

seggio *m.* **1.** seat, chair: *il ~ presidenziale* the President's chair; (*stallo*) stall. – **2.** ⟨*Parl*⟩ seat: *il partito ha ottenuto dieci seggi* the party won ten seats; (*mandato*) (Parliamentary) mandate. – **3.** (*seggio elettorale*) polls *pl*, polling place (*o* station); (*commissione*) election committee. – **4.** ⟨*estens*⟩ (*carica*) office, seat, chair. – **5.** ⟨*lett*⟩ (*sedile*) seat; (*trono*) throne. – **6.** ⟨*poet*⟩ (*posizione elevata, gloriosa*) throne, seat. □ ⟨*non com*⟩ *balzare di ~ qd.* (*spodestarlo*) to remove (*o* oust) s.o. from office; ⟨*Parl*⟩ ~ *alla camera* seat in the House; ~ *al parlamento* seat in Parliament; ~ *della sella* (saddle-)seat.

seggiola *f.* chair, seat. – **seggiolaio** *m.* (*f* **-a**) **1.** (*fabbricante*) chair-maker. – **2.** (*venditore*) chair-seller. – **seggiolata** *f.* blow with (*o* from) a chair. – **seggioletta**, **seggiolina** (*dim. di seggiola*) *f.* (*per bambini*) child's chair.

seggiolino (*dim. di seggiola*) *m.* **1.** (*per bambini*) child's chair. – **2.** ⟨*Aut,Ferr*⟩ seat: ~ *del bigliettaio* conductor's seat. – **3.** ⟨*Aer*⟩ (*sediolino*) (pilot's) seat.
□ ⟨*Aer*⟩ ~ **eiettabile** (o *a espulsione*) ejection seat; ~ **pieghevole** folding (*o* camp) chair; ⟨*Aer*⟩ ~ *del* **pilota** (pilot's) seat; ⟨*Aut*⟩ ~ **posteriore** rear seat; ~ **ribaltabile** tip-up seat; ⟨*Sport*⟩ ~ **scorrevole** sliding seat.

seggiolone (*accr. di seggiola*) *m.* **1.** armchair. – **2.** (*per bambini*) highchair.

seggiovia *f.* chair-lift.

segheria *f.* saw-mill, timber-mill.

seghetta (*dim. di sega*) *f.* **1.** (*per le fiale*) small file (for phials). – **2.** (*per gli animali da tiro*) cavesson.

seghettare *v.t.* (**seghetto**) to serrate. – **seghettato** (*p.p. di seghettare*) *a.* **1.** serrate(d), with a serrated edge, saw(-edged), saw-toothed: *coltello ~* knife with a serrated edge. – **2.** ⟨*Bot*⟩ serrate(d). – **3.** ⟨*Tess*⟩ corkscrew-.

seghẹtto (*dim. di sega*) *m.* ⟨*Mecc*⟩ hacksaw. ▭ ~ *alternativo* (o *meccanico*) hack sawing-machine; ~ *ad arco* bow-saw.
seghettọne *m.* ⟨*Ornit*⟩ (*smergo maggiore*) goosander, (common) merganser (*Mergus merganser*).
segmentạle *a.* ⟨*Geom,Biol,Ling*⟩ segmental. – **segmentạre** *v.t.* (**segmẹnto**) **1.** to segment(alize), to divide into segments. – **2.** ⟨*fig*⟩ (*suddividere, frazionare*) to (sub)divide, to split up. – **segmentạrio** *a.* segmental, segmentary. – **segmentaziọne** *f.* **1.** ⟨*Geom,Biol*⟩ segmentation. – **2.** ⟨*fig*⟩ (*frazionamento*) breaking (*o* splitting) up.
segmẹnto *m.* **1.** ⟨*Geom,Biol,Anat,Med*⟩ segment. – **2.** (*parte*) segment, piece, part, portion, section. – **3.** ⟨*Mot*⟩ piston-ring. ▭ ⟨*Geom*⟩ ~ *circolare* (o *di cerchio*) segment (of a circle); ⟨*Aut*⟩ ~ *per freni* brake-lining; ⟨*Mot*⟩ ~ *del pistone* piston-ring; ⟨*Geom*⟩ ~ *sferico* spherical segment.
segna|cạrte *m.inv.* (*segnalibro*) bookmark(er). – **~cạso** *m.* ⟨*Gramm*⟩ preposition (as case-sign).
segnaccẹnto *m.* ⟨*Ling*⟩ accent, stress mark.
segnạcolo *m.* **1.** ⟨*lett*⟩ (*segno*) sign, mark; (*simbolo*) symbol, sign; (*insegna, emblema*) emblem, badge. – **2.** ⟨*ant*⟩ (*segnalibro*) bookmark(er).
segnalamẹnto *m.* **1.** signalling. – **2.** (*nella disciplina del traffico*) signalling, signalization. – **3.** (*segnale*) signal, mark; (*sulle strade*) (traffic) sign, road sign. ▭ ~ *aereo* route marking; ~ *ferroviario* railway signalling; ~ *marittimo* signalling.
segnalạre *v.t.* **1.** to signal, to indicate, to announce: ~ *la posizione di una nave* to signal the position of a ship. – **2.** (*annunciare, rendere noto*) to announce, to report, to make known: *si segnalano piogge su tutta la regione* rain is reported for the whole region. – **3.** (*far conoscere, far presente*) to point (*o* single, mark) out, to inform, to make known, to show: *mi hanno segnalato un caso veramente pietoso* they informed me of a really pitiful case. – **4.** (*contraddistinguere*) to mark, to distinguish. – **5.** ⟨*fig*⟩ (*raccomandare*) to recommend, to bring to the attention of. – **segnalarsi** *v.r.* (*distinguersi*) to distinguish o.s., to stand out, to draw attention to o.s.
segnalạto (*p.p. di segnalare*) *a.* **1.** (*comunicato per mezzo di segnalazioni*) signalled. – **2.** (*annunciato*) announced, reported. – **3.** (*contraddistinto*) marked, distinguished. – **4.** ⟨*fig*⟩ (*raccomandato*) recommended. – **5.** ⟨*fig*⟩ (*straordinario*) outstanding, remarkable, signal: *un ~ esempio di eroismo* a signal act of heroism. – **6.** ⟨*iperb*⟩ (*notevole, grande*) great, notable, considerable.
segnalatọre I *s.m.* (*f.* **-trice**) **1.** ⟨*non com*⟩ reporter, announcer. – **2.** (*persona addetta alle segnalazioni*) signaller, signalman. – **3.** (*strumento*) signaller, signalling apparatus. – **4.** ⟨*Mar.mil*⟩ signalman; (*con bandiere*) flagman. – **5.** (*nel tiro a segno*) marker. – **6.** ⟨*Aut, Sport*⟩ flagman. – **7.** ⟨*El*⟩ alarm device. – **8.** ⟨*Tel*⟩ signalling (*o* ringing) equipment. – **II** *a.* signalling: *strumento* ~ signalling instrument.
▭ ~ **acustico**: 1. audible alarm device; 2. ⟨*Aut*⟩ horn, hooter; ~ **automatico** *d'incendio* (automatic) fire-alarm; ~ **luminoso** light, lamp; ⟨*Mot*⟩ ~ *di* **pressione** *dell'olio* oil pressure indicator; ⟨*Aut*⟩ ~ *di* **retromarcia** reverse (*o* back up) light.
segnalaziọne *f.* **1.** signalling: ~ *con bandiere* flag signalling. – **2.** ⟨*concr*⟩ (*segnale*) signal; (*complesso di segnali*) signals *pl*, signalling. – **3.** (*comunicazione, trasmissione di notizie*) communication; (*annuncio*) announcement, report; (*notifica*) notification. – **4.** (*il contraddistinguere*) marking, distinguishing. – **5.** ⟨*fig*⟩ (*il mettere in evidenza*) pointing (*o* singling, marking) out. – **6.** (*raccomandazione*) recommendation. – **7.** ⟨*fig*⟩ (*nota informativa*) notice, note; (*indicazione*) indication.
▭ ~ **acustica** sound signal(ling); ⟨*Strad*⟩ *divieto di -i acustiche* no horns; ~ *d'***allarme** alarm (*o* warning) signal; *-i* **ferroviarie** railway signals; ~ **luminosa** light beacon, signal light; *-i* **meteorologiche** weather report *sing*; ⟨*Strad*⟩ ~ **orizzontale** traffic signs *pl* painted on the road surface; ~ **stradale** signalization; (*segnali*) road signs *pl*; ⟨*Strad*⟩ ~ **verticale** traffic signs *pl*, signposts *pl*.
segnạle *m.* **1.** signal, sign: *ricevere un* ~ to receive a signal; (*segnale d'avvertimento*) warning sign(al). – **2.** ⟨*concr*⟩ signal; (*cartello*) sign. – **3.** (*segnacarte*) bookmark(er). – **4.** ⟨*ant*⟩ (*segno*) sign; (*insegna*) sign(board). – **5.** ⟨*ant*⟩ (*prodigio*) wonder, marvel; (*indizio*) sign, indication. – **6.** ⟨*ant*⟩ (*lasciapassare*) pass. – **7.** ⟨*ant*⟩ (*urina da analizzare*) urine (for analysis).
▭ ~ **acustico** audible (*o* acoustic, sound) signal; (*clacson e sim.*) (signal) horn; ~ *d'***allarme**: 1. alarm (signal), warning signal; 2. ⟨*Ferr*⟩ emergency brake; ~ *d'***arresto** stop sign; ⟨*Aer*⟩ ~ *unidirezionale per* **atterraggio** landing beam; ~ *d'***attesa** wait sign; ⟨*TV*⟩ ~ **audio** sound (*o* audio) signal; ~ *d'***avvertimento** warning (signal); ⟨*Ferr*⟩ ~ *d'***avviso** warning signal; ⟨*El*⟩ ~ *d'***azione** action signal; ⟨*Mar*⟩ ~ *con* **bandiere** flag signal; ⟨*Ferr*⟩ ~ **basso** dwarf (*o* ground) signal; ⟨*Ferr*⟩ ~ *di* **blocco** block signal; ⟨*Tel*⟩ ~ *di* **centrale** dial tone; ⟨*Tel*⟩ ~ *di* **chiamata** call (*o* ring-forward) signal; ~ *di* **comando** pilot signal; **dare** *il* ~ *di qc.* to give the signal for s.th.: *dare il* ~ *della partenza* to give the signal for departure; ⟨*Ferr*⟩ ~ *di* **deviatoio** signal point indicator, points signal; ~ *a* **distanza**: 1. ⟨*Ferr*⟩ = *segnale d'***avviso**; 2. ⟨*Mar*⟩ distance signal; ⟨*Strad*⟩ ~ *di* **divieto** *di parcheggio* no-parking sign; ~ **ferroviario** rail signal; ~ **fumogeno** smoke signal; ⟨*TV*⟩ ~ *d'***immagine** picture (*o* video) signal; ⟨*Strad*⟩ ~ *d'***indicazione** guide-sign, guide-post; (*di direzione*) fingerpost; ⟨*Rad*⟩ ~ *d'***ingresso** input signal; ⟨*Rad,TV*⟩ ~ *d'***intervallo** interval signal; ⟨*Tel*⟩ ~ *di* **libero** audible ringing signal, ringing tone, line signal; ⟨*Strad*⟩ ~ *di* **limitazione** *della velocità* speed-limit sign; ⟨*Aer*⟩ *-i di* **limite** boundary markers; ~ *di* **linea** *libera* = *segnale di* **libero**; ~ *di linea occupata* = *segnale di* **occupato**; ~ *a* **luce** *intermittente* flashing beacon; ~ **luminoso** signal light, light beacon (*o* signal); (*di negozi e sim.*) illuminated (*o* neon) sign; ⟨*Strad*⟩ ~ *d'***obbligo** obligatory direction sign; ⟨*Tel*⟩ ~ *di* **occupato** busy signal (*o* tone); ~ **orario** time signal; ⟨*Aer*⟩ ~ *d'***ostacolo** obstruction marker; ~ **ottico** visible (*o* visual) signal; ~ *di* **partenza**: 1. starting (*o* departure) signal; 2. ⟨*Mar*⟩ blue peter; ~ *di* **pericolo**: 1. danger sign(al), warning sign(al); 2. ⟨*Strad*⟩ warning sign; 3. ⟨*SOS*⟩ distress signal, S.O.S.; 4. ⟨*Ferr*⟩ telltale; ⟨*Strad*⟩ ~ *di* **precedenza** right-of-way sign; ⟨*Strad*⟩ ~ *di* **prescrizione** regulatory traffic sign; ~ **radio** radio signal; ~ *di* **riconoscimento**: 1. ⟨*Mar*⟩ recognition signal; 2. ⟨*Mil*⟩ distinguishing signal; ⟨*Rad*⟩ ~ *di* **ritorno** blip, pip; ⟨*Tel*⟩ ~ *a* **ronzatore** buzzer (*o* pip-pip-pip) signal; ⟨*Rad,TV*⟩ ~ **sincronizzante** (*o di sincronismo*) synchronizing signal; ~ *di* **soccorso** distress signal; ~ **sonoro** = *segnale* **acustico**; ~ *di* **stop**: 1. stop signal; 2. ⟨*Strad*⟩ stop sign; *-i* **stradali** road (*o* traffic) signs; ⟨*Rad*⟩ ~ *di* **uscita** output signal; ⟨*Ferr*⟩ ~ *di* **via** *libera* line-clear signal; ⟨*TV*⟩ ~ **video** video signal.
segnalẹtica *f.* **1.** system of sign(al)s; (*complesso di segnali*) signals *pl*. – **2.** ⟨*Strad*⟩ (road) signs *pl*, traffic signs *pl*. ▭ ⟨*Strad*⟩ ~ *orizzontale* traffic signs *pl* painted on the road surface; ~ *in rifacimento* (pavement) signs *pl* being repainted; ~ *verticale* traffic signs *pl*, signposts *pl*.
segnalẹtico *a.* (*pl.* **-ci**) characteristic, identification-, identifying, distinctive: *servizio* ~ identification service. ▭ *album* ~ rogue's gallery, ⟨*am.fam*⟩ mug shots *pl*; *dati -i* identification (*o* distinguishing) marks, distinctive features.
segna|lịbro *m.* bookmark(er). – **~lịnee** *m.inv.* ⟨*Sport,non com*⟩ (*guardalinee*) linesman. – **~prẹzzo** *m.* price-tag, price-label, price -card. – **~pụnti** *m.inv.* ⟨*Sport*⟩ **1.** (*persona*) scorekeeper. – **2.** (*tabellone*) scoreboard; (*cartoncino, agendina*) scorecard.
segnạre *v.t.* (**sẹgno**) **1.** (*fissare con segni*) to mark: ~ *le frasi da tradurre* to mark the sentences to be translated; (*contrassegnare*) to countermark. – **2.** (*sottolineare*) to underline. – **3.** (*prendere nota*) to note (*o* write) down, to make a note of: ~ *le spese* to write down one's expenses; ⟨*estens*⟩ (*scrivere*) to write, to put: *ho segnato il tuo nome sulla lista* I've put your name on the list. – **4.** (*incidere, rigare*) to mark, to score, to cut into: ~ *il banco col temperino* to score the desk with a penknife; (*graffiare*) to scratch; (*marchiare*) to brand. – **5.** (*rif. a punteggi e sim.*) to mark, to keep, to write (down, up), to score (up): ~ *i punti al gioco* to keep the score; (*con il gesso*) to chalk (up). – **6.** (*indicare*) to indicate, to mark, to show; (*con il dito*) to point to (*o* at), to indicate; (*rif. a strumenti*) to show, to indicate, to register, to read, to say: *l'orologio segna le quattro e dieci* the clock says ten past four. – **7.** (*annunciare*) to mark, to announce: *il campanello segna la fine della lezione* the bell marks the end of the lesson. – **8.** ⟨*fig*⟩ (*rappresentare, costituire*) to mark, to announce, to constitute, to mean: *questa battaglia segnò la fine della guerra* this battle marked the end of the war; *questa scoperta segna un passo (in) avanti nella via del progresso* this discovery constitutes a step forward on the path of progress. – **9.** (*addebitare*) to charge (up), to put down. – **10.** ⟨*Sport*⟩ to score: ~ *un punto* to score a point; (*rif. a tiri in rete e sim.*) to score, to shoot: ~ *un gol* to score a goal. – **11.** ⟨*Sport,assol*⟩ to score (a goal). – **12.** ⟨*non com*⟩ (*fare il segno della croce*) to (make the sign of the) cross. – **13.** ⟨*non com*⟩ (*solcare, attraversare*) to cross. – **14.** ⟨*ant*⟩ (*firmare*) to sign. – **15.** ⟨*ant*⟩ (*prendere la mira*) to aim; (*cogliere nel segno*) to hit the target (*o* bull's-eye). – **segnarsi** *v.r.* (*farsi il segno della croce*) to cross o.s., to make the sign of the cross.
▭ ⟨*Tip*⟩ ~ *con* **asterisco** to asterisk, to star; ⟨*Comm*⟩ ~ *all'***attivo** *di qd.* to enter to s.o.'s credit; ~ *con un* **cartellino** to label, to tag, to ticket; ~ *a* **credito** *di qd.* = *segnare all'***attivo** *di qd.*; ~ *con* **crocetta** to (mark with a) cross; ⟨*Comm*⟩ ~ *a* **debito** *di qd.* to enter to s.o.'s debit; ~ *a* **dito** *qd.* to point (a finger) at s.o., to point s.o. out; ~ *con un* **frego** to cancel, to cross (*o* score) out, to put a line through; ⟨*fig*⟩ ~ *qc. nella* **memoria** to impress s.th. on one's memory; ~ *al* **passivo** *di qd.* = *segnare a* **debito** *di qd.*; ~ *con* **prezzi** to price.
segnatamẹnte *avv.* ⟨*lett*⟩ (*principalmente, particolarmente*) mainly, principally, especially.
segnatạrio I *s.m.* (*f.* **-a**) ⟨*ant*⟩ (*firmatario*) signer, signatory. – **II** *a.* signatory, signing.
segna|tạsse *m.inv.* ⟨*Post*⟩ unpaid-postage stamp. – **~tẹmpo** *m.inv.* (*marcatempo*) **1.** ⟨*Ind*⟩ (*persona*) timekeeper. – **2.** ⟨*Mecc*⟩ time stamp.
segnạto (*p.p. di segnare*) *a.* **1.** marked, lined: *volto* ~ *dagli stenti* face marked by hardship. – **2.** ⟨*fig*⟩ (*deciso, stabilito*) decided, settled: *la mia vita è già -a* my life is already settled; (*rif. a destino e sim.*) sealed. – **3.** (*deforme, deturpato*) deformed; (*storpio*) crippled. ▭ ~ *da Dio* ill-favoured, deformed; *pecora -a* branded sheep.
segnatọio *m.* ⟨*Mecc*⟩ scribe(r), scribing-point; (*truschino*) surface gauge.
segnatọre ⟨*non com*⟩ **I** *s.m.* (*f.* **-trice**) marker. – **II** *a.* marking.
segnatụra *f.* **1.** marking. – **2.** ⟨*concr*⟩ mark. – **3.** ⟨*Bibliot*⟩ pressmark, ⟨*am*⟩ call number (*o* mark). – **4.** ⟨*Tip*⟩ signature. – **5.** ⟨*Sport*⟩ score. – **6.** ⟨*Med,Mus*⟩ signature. – **7.** ⟨*ant*⟩ (*firma*) signature; (*nella curia romana*) Signatura: ≈ *apostolica* Apostolic Signatura. ▭ ⟨*Tip*⟩ ~ *ragionata* signature title; ⟨*Tip*⟩ ~ *semplice* sheet, signature.
segna|vẹnto I *s.m.inv.* (weather-)vane, weathercock. – **II** *a.* weather-: *gallo* ~ weathercock. – **~vịa** *m.inv.* ⟨*Alp*⟩ (painted) trail sign.
sẹgnico *a.* (*pl.* **-ci**) ⟨*Filos,Ling*⟩ sign-.

sęgno *m.* **1.** mark, sign: *fare un ~ sulla carta* to make a mark on the paper; *il banco era pieno di -i fatti col temperino* the desk was full of marks made with a penknife. – **2.** (*impronta*) mark, print: *i -i di mani sporche* the marks of dirty hands; (*orma*) footprint, footstep: *sulla neve si vedevano i -i dei suoi passi* his footsteps were visible in the snow. – **3.** (*traccia*) trace, sign, mark: *quel monello lascia sempre qualche ~ dove passa* that little rascal always leaves traces wherever he goes. – **4.** (*indizio*) sign, mark, indication: *la sua condotta è ~ di animo sensibile* his behaviour is a sign (*o* mark) of his sensitivity. – **5.** (*avvertimento*) sign, warning: *questo vento è ~ di temporale imminente* this wind is a sign that there is a storm rising; (*segno premonitore*) portent, (warning) sign. – **6.** (*sintomo*) sign, symptom. – **7.** (*prova*) sign, proof, token, mark: *se tace è ~ che non ha nulla da obiettare* if he says nothing it's a sign that he has no objections. – **8.** (*cenno, gesto*) sign, gesture: *gli feci ~ di tacere* I made a sign to him to keep quiet; (*cenno fatto con la mano*) wave, gesture, sign. – **9.** (*contrassegno*) sign, mark: *-i di riconoscimento* identifying marks. – **10.** (*bersaglio*) mark, target (*anche fig.*): *sbagliare il ~* to miss the mark; *colpire nel ~* to hit the mark. – **11.** (*limite*) bounds *pl*, limit, mark: *la tua sfrontatezza ha passato il ~* your impudence has gone beyond all bounds; (*punto, grado*) degree, point, extent: *sapevo che era sciocco, ma non credevo fino a questo ~* I knew he was silly but not to this extent. – **12.** (*tacca, incisione*) mark; (*linea*) line. – **13.** ⟨*Astr,Astrol*⟩ sign: *il ~ dell'Acquario* the sign of Aquarius. – **14.** (*espressione grafica*) sign: *~ dell'accento* accent (sign); *il ~ della sottrazione* the minus sign. – **15.** (*simbolo, figura*) figure, emblem, symbol: *la colomba è ~ di pace* the dove is a symbol of peace. – **16.** (*vestigia*) trace, remains *pl*, vestige: *i -i dell'antica Roma* the traces of ancient Rome. – **17.** ⟨*Tip*⟩ typographical mark. – **18.** ⟨*non com*⟩ (*prodigio, miracolo*) sign, miracle. – **19.** ⟨*non com*⟩ (*scopo*) end, aim, goal. – **20.** ⟨*rar*⟩ (*sigillo, stemma*) seal, mark. – **21.** ⟨*ant*⟩ (*insegna, bandiera*) flag. – **22.** ⟨*ant*⟩ (*statua*) statue; (*immagine*) image. – **23.** ⟨*ant*⟩ (*urina da analizzare*) urine specimen.

□ **a ~**: 1. right, correctly, in the right place, to the right degree: *mettere a ~ l'orologio* to put the clock right; *mettere a ~ un motore* to tune up an engine; ⟨*fig*⟩ *mettere a ~ qc.* to put (*o* set) s.th. right; 2. ⟨*Mar*⟩ at home, in the correct position; *avere la testa a ~* (*a posto*) to be level-headed, to have a clear head; *non avere la testa a ~* not to be in full possession of one's wits; *a* (*tal*) *~ che* (*talmente*) to such an extent (*o* a degree) that; *comunicare a -i* to communicate by gestures (*o* signs); (*con il linguaggio dei segni*) to use sign language; ⟨*Mat*⟩ *~ di* **addizione** plus (*o* addition) sign; ⟨*Mus*⟩ **al ~** al segno, to the sign; **andare** *a ~* to hit the target (*o* mark, bull's-eye); *il colpo è andato a ~* it's a hit; *-i* **caratteristici** distinguishing marks, characteristics *pl*; ⟨*ant*⟩ *~ del* **caso** → **segnacaso**; ⟨*Astr,Astrol*⟩ *~* **celeste** celestial sign; ⟨*non com*⟩ **come** *~ di* = **in** *segno di*; ⟨*ant*⟩ **condurre** *a ~* (*mandare a effetto*) to carry out, to bring about, to accomplish; *~* **convenzionale**: 1. (*segno prestabilito*) pre-arranged sign; 2. (*in cartografia*) conventional sign; ⟨*Rel*⟩ *~ di* **Cristo** Sign of Christ; *~ di* **croce** cross; *fare un ~ di croce su qc.* to put a cross on s.th., to mark s.th. with a cross; ⟨*fig*⟩ (*non pensarci più*) to stop thinking about s.th., to give s.th. up; ⟨*Rel*⟩ *~ della croce* sign of the cross: *fare* (*o farsi*) *il ~ della croce* to make the sign of the cross, to cross o.s.; ⟨*Mus*⟩ **dal** *~* dal segno, repeat from the sign; **dare** *-i* (*o segno*) to give (*o* show) signs: *dare -i d'impazienza* to give signs of impatience; *non dava ~ di smetterla* he showed no sign of stopping; *non dare -i di vita* to show no signs of life; ⟨*fig*⟩ *è un anno che non dà più -i di vita* we haven't heard from him for a year; ⟨*Ling*⟩ *~* **diacritico** diacritic; *~* **distintivo**: 1. distinguishing mark; 2. ⟨*Comm*⟩ brand, trade-mark; ⟨*Mat*⟩ *~ di* **disuguaglianza** sign of inequality; *~ di* **divisione** division sign; **essere** *~ che* to mean, to be a sign that: *se non mangia è ~ che non ha appetito* if he doesn't eat that means he's not hungry; ⟨*ant*⟩ *essere al ~ di qd.* (*essere al suo comando*) to be under s.o. (*o* s.o.'s orders); **fare** (*un*) *~ con la mano* to signal, to make a sign (*o* gesture), to wave; *fare ~ di no* to signify one's disapproval, to give a sign of disapproval; (*con il capo*) to shake one's head; *fare ~ di sì* to nod (assent); *essere fatto ~ di* (*o a*) (*essere oggetto di*) to be the object of: *essere fatto ~ di beffe* to be the object of hoaxes, to be the butt, to be made fun of; *essere fatto ~ al lancio di pietre* to have stones thrown at one; *mi fece ~ di avvicinarmi* he ⌜made a sign⌝ (*o* gestured, signalled) to me to approach, he beckoned to me; ⟨*fig*⟩ **fino** *a quale ~* to what point (*o* extent), how far; ⟨*Mat*⟩ *~ di* **frazione** division line (of a fraction); ⟨*Strad*⟩ *~ della* **frenata** skid mark; **in** *~ di* as a sign of, in sign of, in token of: *in ~ di riconciliazione gli dette la mano* as a sign of reconciliation he gave him his hand; *~ d'***interpunzione** punctuation mark; *~* **linguistico** linguistic sign; ⟨*Mat*⟩ *~ di* **logaritmo** logarithm sign; *~ di* **lutto** sign of mourning; ⟨*ant*⟩ *al* **massimo** *~* to the highest degree; *~* **matematico** mathematical sign; ⟨*pop*⟩ **mettere** *a ~ un pugno* to land a punch; *~ di* **moltiplicazione** multiplication sign; ⟨*Mat*⟩ *~* **negativo** minus (*o* negative) sign; ⟨*ant*⟩ **oltre** *ogni ~* (*straordinariamente*) to the utmost (*o* highest degree); *andare oltre il ~* = **passare** *il segno*; ⟨*Mat*⟩ *-i* **opposti** opposite signs; *~* **ortografico** = *segno d'***interpunzione**; ⟨*fig*⟩ **passare** *il ~* to go beyond all bounds, to go too far, to overshoot the mark; ⟨*ant*⟩ *~* **per** *~* (*per filo e per segno*) in (great) detail, minutely; *~ di* **percentuale** percentage sign (*o* symbol); ⟨*Mat*⟩ *~* **positivo** plus (*o* positive) sign; *~* **premonitore** (warning) sign, warning; ⟨*Ling*⟩ *~ di* **pronuncia** pronunciation mark; ⟨*Tip*⟩ *~ di* **punteggiatura** punctuation mark; ⟨*Mat*⟩ *~ di* **radice** radical, root sign; *~ di* **richiamo**: 1. ⟨*Tip*⟩ cross-reference (mark), reader's mark; 2. ⟨*Topogr*⟩ bench-mark; ⟨*Mus*⟩ *-i di* **ripetizione** repeat marks; *nato* **sotto il** *~ del Toro* born under the sign of Taurus; ⟨*Mat*⟩ *~ di* **sottrazione** minus (*o* subtraction) sign; ⟨*fig*⟩ **tenere** (*o mettere*) *qd. a ~* (*frenarlo*) to make s.o. ⌜toe the line⌝ (*o* behave properly), to keep s.o. in check; *~ di* **uguaglianza** equal sign; ⟨*fig*⟩ *all'***ultimo** *~* to the utmost; ⟨*Mecc*⟩ *~ di* **utensile** tool mark; ⟨*Numism*⟩ *~ di* **zecca** mint-mark; *~ dello* **zero** (*di uno strumento*) zero mark (of a scale); *~* **zodiacale** zodiacal sign.

segnọre *m.* ⟨*ant*⟩ (*signore*) gentleman; (*padrone*) master, lord. – **segnorịa** *f.* ⟨*ant*⟩ (*signoria*) dominion, lordship. – **segnọrso** *m.* ⟨*ant*⟩ (*signorso*) his master.

sẹgo *m.* (*pl.* **-ghi**) tallow: *candela di ~* tallow candle.

sẹgolo *m.* ⟨*Agr*⟩ bill-hook, pruning-hook.

segọne (*accr. di sega*) *m.* ⟨*Fal*⟩ crosscut saw. – **segoncịno** *m. dim. di* **segone**.

segọso *a.* **1.** (*che contiene sego*) tallow-; (*che contiene grasso simile al sego*) tallowy. – **2.** (*simile al sego*) tallowy, sebaceous: *grasso ~* tallowy fat. – **3.** (*che ha sapore di sego*) tasting like tallow.

segregamẹnto *m.* ⟨*non com*⟩ segregation. – **segregạre** *v.t.* (**sẹgrego, sẹgreghi**) **1.** (*isolare*) to segregate, to isolate, to set apart; (*separare*) to segregate, to separate. – **2.** ⟨*Biol,Med*⟩ to secrete. – **segregarsi** *v.r.* to isolate (*o* seclude) o.s., to withdraw. – **segregạto** (*p.p. di segregare*) *a.* segregated, isolated, set apart; (*separato*) separated, segregated. – **segregaziọne** *f.* **1.** (*il segregare*) segregation, isolation, setting apart; (*separazione*) segregation, separation. – **2.** (*l'essere segregato*) segregation, isolation, seclusion. – **3.** ⟨*Met*⟩ (*liquazione*) segregation, liquation. □ *~ cellulare* solitary (confinement); ⟨*Biol*⟩ *legge della ~* Mendel's law, law of segregation; *~ razziale* (racial) segregation. – **segregazionịsmo** *m.* segregation. – **segregazionịsta** *m./f.* segregationist.

segrẹta[1] *f.* **1.** (*cella*) dungeon. – **2.** ⟨*Mil.ant*⟩ close-fitting steel cap.

segrẹta[2] *f.* ⟨*pop*⟩ → **secreta**[2].

segretamẹnte *avv.* secretly, in secret.

segretạria *f.* secretary. □ *~ d'azienda* (commercial) secretary; *~ di direzione* executive secretary; ⟨*Cin*⟩ *~ di edizione* script girl, continuity girl (*o* clerk); ⟨*Cin,TV*⟩ *~ di produzione* production secretary; ⟨*Giorn*⟩ *~ di redazione* editorial secretary.

segretariạle *a.* **1.** (*di segretario*) secretarial. – **2.** (*di segreteria*) secretarial. – **segretariạto** *m.* **1.** (*carica*) secretariat(e), secretaryship, office of a secretary. – **2.** (*ufficio*) secretariat(e). – **3.** (*personale*) secretarial staff, secretariat(e). □ *scuola di ~* secretarial school. – **segretariẹsco** *a.* (*pl.* **-chi**) ⟨*spreg*⟩ clerk-like, bureaucratic.

segretạrio *m.* (*f.* **-a**) **1.** secretary, clerk; (*segretario privato*) private secretary. – **2.** (*chi redige verbali, resoconti e sim.*) clerk: *il ~ della giuria* the court clerk. – **3.** ⟨*Pol,Scol,Mar.mil*⟩ secretary. – **4.** ⟨*Ornit*⟩ (*serpentario*) secretary bird (*Sagittarius serpentarius*). – **5.** ⟨*ant*⟩ (*persona fidata*) trusted person; (*confidente*) confidant.

□ *~ d'***ambasciata** Embassy Secretary; *~* **apostolico** Apostolic Secretary; *~ d'***azienda** company secretary, ⟨*am*⟩ corporation secretary; *~* **comunale** town clerk; **fare** *da ~ a qd.* to be (*o* act as) s.o.'s secretary, to be secretary to s.o.; *~* **galante** collection of model love-letters; *~* **generale** secretary-general; *~ di* **legazione** Legation Secretary; *~* **particolare** private secretary, confidential clerk (*o* secretary); *~ del* **partito** party secretary; *~* **politico** head of a party's political secretariat; *~* **privato** = *segretario* **particolare**; ⟨*Giorn*⟩ *~ di* **redazione** editorial secretary; *~ di* **stato** Secretary of State; **vice** *~* assistant secretary.

segretạro *m.* ⟨*ant*⟩ → **segretario**.

segreterịa *f.* **1.** (*ufficio*) secretary's office; (*negli enti pubblici e sim.*) secretariat(e). – **2.** ⟨*collett*⟩ (*personale*) secretarial staff, secretariat(e). – **3.** (*carica*) secretariat(e), secretaryship; (*periodo*) secretary's term of office. – **4.** (*nella curia romana*) secretariat. – **5.** (*mobile*) secretary, writing-desk, escritoire. □ *~ generale* secretariat general; *~ politica* party's political secretariat; *~ di stato* secretariat of state; ⟨*Rel.catt*⟩ *~ di stato di Sua Santità* Secretary of State of the Holy See; *~ telefonica* answering service.

segretẹzza *f.* **1.** secrecy, secretiveness; (*riservatezza*) reserve(dness). – **2.** (*discrezione*) discretion, secrecy. □ *con ~* secretly, in secrecy; *con la massima ~* in the greatest secrecy, in strict confidence; *in tutta ~* in all secrecy.

segretịssimo (*sup. di segreto*[1]) *a.* strictly secret, top-secret.

segrẹto[1] **I** *a.* **1.** secret: *archivio ~* secret archive; *convegno ~* secret meeting. – **2.** (*riservato*) confidential, secret: *notizia -a* secret news. – **3.** (*nascosto*) secret, concealed, hidden, ⟨*fam*⟩ dark: *tenere ~ qc.* to keep s.th. secret, ⟨*fam*⟩ to keep s.th. dark (*o* under one's hat); *passaggio ~* secret passage. – **4.** (*rif. a persone*) secret, private. – **5.** (*discreto*) discreet, reserved, close(-mouthed), reticent. – **6.** (*riposto, intimo*) hidden, secret, deep; (*silenzioso, interiore*) inmost, secret, deep (down): *aspirazioni -e* secret aspirations. – **7.** (*privato*) private, privey. – **8.** ⟨*non com*⟩ (*racchiuso dentro*) enclosed. – **9.** ⟨*lett*⟩ (*appartato*) remote, secluded. – **II** *avv.* ⟨*rar*⟩ (*di nascosto*) secretly, in secret. – **III** *s.m.* ⟨*ant*⟩ (*confidente*) confidant. □ *agente ~*: 1. undercover (*o* secret) agent; 2. ⟨*Stor*⟩ privy; *consigliere ~* Privy Councillor.

segrẹto[2] *m.* **1.** secret: *non avere -i per qd.* to hold no secrets for s.o.; *mantenere un ~* to keep a secret. – **2.** (*mistero*) secret, mystery: *i -i della natura* the secrets of nature. – **3.** ⟨*fig*⟩ (*intimità, riservatezza*) depth, depths *pl*, recesses *pl*: *nel ~ dell'animo* in the depths of one's soul, in one's in(ner)most heart; *nel suo ~* in the depth of his heart, in his heart of hearts, deep down. – **4.** (*mezzo, sistema particolare*) secret, key, way: *il ~ del successo* the key to success; (*trucco*) trick, knack: *conosco un ~ per aprire questa cassaforte* I know a trick for opening this safe. – **5.** (*rif. a serrature*) trick lock; (*cassetto*) secret drawer. – **6.** ⟨*Mus*⟩ wind-chest (of an organ).

□ *nel ~ più* **assoluto** in the greatest (*o* utmost) secrecy; ~ **bancario** bank secret; ~ **confessionale** seal (*o* secret) of the confessional, seal of confession; *essere a* **conoscenza** *di un ~* to know a secret; ~ *di* **fabbricazione** (*o fabbrica*) manufacturer's (*o* industrial) secret; **in** ~: 1. in secret, in secrecy, secretly: *s'incontrarono in ~* they met in secret; 2. (*riservatamente*) confidentially, in confidence: *me l'hanno confidato in ~* they told me confidentially; ⟨*Dir*⟩ ~ **istruttorio** secrecy that must be maintained during a preliminary investigation; *i -i del* **mestiere** the tricks of the trade; *mettere qd. a* **parte** *di un ~* to let s.o. in on a secret; ~ **postale** secrecy of the mail, privacy (*o* secrecy) of letters; ~ **professionale** professional secrecy; (*obbligo*) obligation to secrecy; ⟨*fig*⟩ ~ *di* **Pulcinella** open secret; ~ **sacramentale** = *segreto* **confessionale**; ~ *d'***ufficio** official secret.

segretụme *m.* ⟨*non com,spreg*⟩ **1.** (*insieme di cose segrete*) secrets *pl*, secret things *pl*. – **2.** (*il fare, dire cose in segreto*) great (*o* furtive) secrecy, mystery.

seguạce I *s.m./f.* **1.** follower, supporter, adherent. – **2.** (*discepolo*) follower, disciple. – **3.** ⟨*Rel*⟩ disciple: *i -i di Cristo* the disciples of Christ. – **4.** (*scolaro*) pupil. – **5.** (*imitatore*) imitator, aper, ⟨*fam*⟩ copy-cat. – **II** *a.* ⟨*ant*⟩ **1.** (*che segue*) following. – **2.** ⟨*fig*⟩ (*attento*) attentive.

seguẹnte (*p.pr. di seguire*) **I** *a.* **1.** following, next: *il capitolo ~* the next chapter. – **2.** (*successivo*) following, next, after, subsequent, ensuing: *l'anno ~* the following (*o* next) year, the year after. – **3.** (*attiguo*) next, following, adjoining: *le sale -i* the adjoining rooms; (*rif. a case*) next-door. – **4.** (*questo*) this, the following: *nel modo ~* this way, in the following way, as follows. – **II** *s.m./f.* next one, next (person).

seguentemẹnte *avv.* ⟨*ant*⟩ (*successivamente*) subsequently, then.

seguẹnza *f.* ⟨*ant,pop*⟩ → **sequenza.**

segụgio *m.* **1.** ⟨*Zool*⟩ hound, hunting-dog. – **2.** ⟨*fig*⟩ (*investigatore*) detective, bloodhound, sleuth, ⟨*fam*⟩ private eye; (*poliziotto*) policeman, ⟨*fam*⟩ cop. □ ⟨*Zool*⟩ ~ *italiano* bloodhound.

seguịbile *a.* ⟨*non com*⟩ that may be followed.

seguimẹnto *m.* ⟨*rar*⟩ (*il seguire*) following.

seguịre *v.* (**sẹguo**/*ant.* **seguịsco, sẹgui**/*ant.* **seguịsci; seguịi**/*ant.* **seguẹtti, seguịto**) **I** *v.t.* **1.** to follow, to keep behind: *seguimi a una certa distanza* follow me at a distance. – **2.** (*venir dietro*) to follow, to go (*o* come) after, to go (*o* come on) behind: *andate avanti, io vi seguirò* go on ahead, I'll follow you. – **3.** (*accompagnare*) to follow, to go with, to accompany: *il cane mi seguì fino alla porta di casa* the dog followed me to the front door; (*rif. a massa di gente*) to follow, to surge behind; (*rif. a truppe*) to march after, to follow. – **4.** (*pedinare*) to shadow, to follow: *due poliziotti furono incaricati di seguirlo* two policemen were ordered to shadow him. – **5.** (*procedere in una direzione*) to follow, to keep to, to proceed along (*anche fig.*): *seguite questa strada fino alla piazza* follow this road as far as the square; *la polizia segue una nuova pista* the police are following a new lead. – **6.** (*venir dopo, susseguire*) to follow (on), to come after: *la calma che segue la tempesta* the calm that follows the storm; *abbondanti nevicate seguirono l'ondata di freddo* the cold spell was followed by heavy snowfalls. – **7.** (*tenere dietro: con lo sguardo*) to follow, to look after; (*con stupore, a bocca aperta*) to gape after, to stare after open-mouthed. – **8.** ⟨*fig*⟩ (*tenere dietro: con la mente*) to follow, to pursue: *~ un ragionamento* to follow a line of reasoning. – **9.** (*fare la stessa cosa*) to follow, to do the same (as): *se io mi buttassi in mare, mi seguiresti?* if I jumped into the sea, would you do the same? – **10.** (*attenersi*) to follow, to keep (*o* stick) to, to abide by: *~ le istruzioni* to follow instructions; *~ le prescrizioni del medico* to follow the doctor's orders; (*farsi guidare*) to follow, to pursue: *~ i propri impulsi* to follow one's impulses; (*conformarsi*) to follow: *~ la moda* to follow the latest fashion, to keep in fashion. – **11.** (*farsi seguace: rif. a maestri e sim.*) to follow, to be a follower of; (*rif. a dottrine e sim.*) to follow, to accept, to agree with: *molti studiosi seguono questa teoria* many scholars accept this theory. – **12.** (*adottare*) to follow, to adopt, to take: *~ una determinata linea di condotta* to adopt a certain policy, to take a certain line; (*mantenere*) to follow, to keep to, to hold: *~ la rotta* to follow (*o* hold) one's course. – **13.** (*praticare*) to practise: *~ la virtù* to practise virtue, to be virtuous. – **14.** ⟨*fig*⟩ (*interessarsi*) to follow, to keep up (*o* up-to-date) with: *~ gli sviluppi di una situazione* to keep up with the developments of a situation. – **15.** (*sorvegliare, soprintendere*) to supervise, to oversee: *ho seguito personalmente lo svolgimento dei lavori* I supervised the execution of the work personally; (*aiutare, istruire*) to help, to assist: *una signorina che segue i bambini nei compiti* a young lady who helps the children with their homework. – **16.** ⟨*fig*⟩ (*frequentare*) to attend, to follow: *~ un ciclo di conferenze* to attend a series of lectures. – **17.** ⟨*fig,rar*⟩ (*cercare di raggiungere*) to try to attain, to strive after. – **18.** ⟨*poet*⟩ (*inseguire*) to pursue, to chase, to run after. – **19.** ⟨*lett,ant*⟩ (*eseguire, osservare*) to observe, to obey, to follow. – **20.** ⟨*lett,ant*⟩ (*proseguire, continuare*) to continue, to go on with. – **II** *v.i.* (*aus.* **essere**) **1.** (*rif. a persone*) to follow, to succeed (*a qd.* s.o.), to come (after): *a Romolo seguì Numa Pompilio* after Romulus came Numa Pompilius, Romulus was succeeded by Numa Pompilius; (*rif. a cose*) to follow (s.th), to come (after): *al testo segue una lunga bibliografia* the text is followed by a long bibliography. – **2.** (*accadere dopo*) to follow, to ensue: *seguì un momento di silenzio* there followed a moment of silence. – **3.** (*avvenire dopo come effetto*) to result, to ensue: *ne seguì una baraonda* chaos resulted; *ne seguì una furiosa lite* a furious quarrel ensued. – **4.** (*conseguire*) to follow: *ne segue che* it follows that. – **5.** (*continuare*) to continue, to follow (on). – **6.** ⟨*pop,ant*⟩ (*accadere, avvenire*) to happen, to occur. – **7.** (*capire*) to follow, to understand: *non riesce a ~* he cannot follow.

□ **come** *segue* as follows; ~ *un* **consiglio** to take (*o* listen to) advice; ~ *la* **corrente**: 1. (*navigando*) to sail (*o* go) with the current, to follow the stream; 2. (*nuotando*) to swim with the current, to swim downstream; 3. ⟨*fig*⟩ to go with the stream, to follow the general trend, to swim with the tide; ~ *l'***esempio** *di qd.* to follow ⌜s.o.'s example⌝ (*o* in s.o.'s tracks); ~ **immediatamente**: 1. (*rif. a distanza*) to follow close behind, to be hard on the heels; 2. (*rif. a tempo*) to follow on at once; ~ *qd. come un'***ombra** to follow (*o* stick to) s.o. like a shadow; ~ *qd.* **passo** *per passo* to dog s.o.'s footsteps; **quanto** *segue* the following, what follows; *con* **quel** *che segue* and so on; ~ *la propria* **sorte** to follow (*o* pursue) one's destiny; ~ *la sorte di qd.* to share s.o.'s fate; *segue a* **tergo** please turn over, continued overleaf; ⟨*fig*⟩ ~ *la* **via** *giusta* to take (*o* pursue) the right course, to go the right way; ⟨*fam*⟩ *segua* (*quel*) *che* **vuole** (*accada ciò che deve accadere*) come what may, whatever ⌜the consequences⌝ (*o* may happen). || *segue* continued: *segue a pagina venticinque* continued on page twenty-five.

seguitạbile *a.* ⟨*rar*⟩ that may be continued, pursuable. – **seguitamẹnto** *m.* ⟨*ant*⟩ continuation.

seguitạre *v.* (**sẹguito**) **I** *v.t.* **1.** to continue, to pursue, to carry (*o* go, keep) on with: *~ il lavoro* to continue one's work, to go on working (*o* with one's work). – **2.** ⟨*ant*⟩ (*seguire, tener dietro*) to follow, to keep behind; (*inseguire, perseguitare*) to pursue, to chase. – **II** *v.i.* (*aus.* **essere**/**avere**) **1.** (*continuare*; *aus.* **avere**) to continue, to go on, to keep on (*o* up): *~ a ridere* to go on laughing. – **2.** (*andare avanti, proseguire*) to continue, to go on. – **3.** ⟨*non com*⟩ (*durare*) to last, to persist. – **4.** ⟨*non com*⟩ (*venire dopo*) to happen (*o* come) afterwards, to ensue, to follow (on).

seguitatọre *m.* (*f.* **-trice**) ⟨*ant*⟩ **1.** (*chi segue*) follower. – **2.** (*seguace*) follower, supporter.

sẹguito[1] *m.* **1.** following, retinue, suite, train: *il principe e il suo ~* the prince and his retinue. – **2.** (*complesso di seguaci, di sostenitori*) following, followers *pl*, supporters *pl*. – **3.** ⟨*fig*⟩ (*consenso, favore*) following, favour, support: *un'idea che non ha trovato ~* an idea that found no favour. – **4.** (*serie di cose che si susseguono*) series, succession, sequence, train: *un ~ di disgrazie* a series of misfortunes. – **5.** (*continuazione*) continuation, rest: *il ~ del racconto* the continuation of the story. – **6.** ⟨*fig*⟩ (*conseguenza*) consequence, sequel, result: *l'incidente non ha avuto ~* the incident had no sequel. – **7.** ⟨*rar*⟩ (*il seguire*) following; (*l'inseguire*) pursuit, chasing.

□ ⟨*non com*⟩ **a** *~ di*: 1. = **in** *seguito a*; 2. ⟨*burocr*⟩ (*in riferimento a*) further to, following, in (*o* with) reference to; **al** *~ di* in the retinue (*o* suite) of; **avere** (*un*) ~ to have a sequel (*o* consequence); *non avere* (*un*) ~ to go no further; **cane** *da ~* tracker dog; **dar** ~ *a qc.* to ⌜carry out⌝ (*o* execute) s.th.; **di** ~ (*senza interruzione*) at a stretch, non-stop, on end, straight: *è piovuto per due settimane di ~* it rained for two weeks on end; *ho studiato sei ore di ~* I have studied for six hours straight; ⟨*Dir*⟩ **diritto** *di ~* right of stoppage in transit; **fare** ~ *a qc.* to follow up (*o* on) s.th.; ⟨*burocr*⟩ (*riferirsi*) to ⌜refer to⌝ (*o* follow) s.th.; ⟨*burocr*⟩ *facendo ~ a* further to; (*con riferimento a*) with reference to; **in** ~ later on, afterwards: *ne riparleremo in ~* we'll talk about it again later on; *in ~ a*: 1. as a result of, following on: *s'è rotto una gamba in ~ a una caduta* he broke his leg as a result of a fall; 2. (*a causa di*) owing to, because of, through; *in ~ a ciò* as a result of this, owing to this, consequently; *il ~ al prossimo* **numero** to be continued in the next issue.

segụito[2] *m.* ⟨*ant*⟩ (*accaduto*) occurrence, event.

seguitọre *m.* → **seguitatore.**

sẹi[1] *a./s.inv.* **I** *a.* six. – **II** *s.m.* **1.** (*numero*) six. – **2.** (*nelle date*) sixth: *il ~ ottobre* the sixth of October, October 6th. – **3.** ⟨*Scol*⟩ six (out of ten). – **4.** (*nelle carte da gioco*) six. – **5.** (*rif. a autobus, tram*) (number) six. – **III** *s.f.pl.* six o'clock, six a.m. □ *a ~ a ~* in sixes, six by six; *di ~ anni* six-year-old, of six, ⟨*pred*⟩ six years old: *un bambino di ~ anni* a six-year-old, a child of six; *tiro a ~* (*cavalli*) six-in-hand, coach and six.

sẹi[2] *pr.ind. di* **essere**[1].

Seicẹlle *N.pr.f.pl.* ⟨*Geog*⟩ Seychelles *pl*.

seicentẹsco *a.* ⟨*non com*⟩ → **secentesco.** – **seicentẹsimo** *a.* six -hundredth. – **seicentịsmo** *m.* ⟨*non com*⟩ → **secentismo.** – **seicentịsta** *m./f.* ⟨*non com*⟩ → **secentista.** – **seicentịstico** *a.* ⟨*non com*⟩ → **secentistico.**

seicẹnto *a./s.inv.* **I** *a.* six hundred: *~ lire* six hundred lire. – **II** *s.m.* (*numero*) six hundred. – **III** *s.f.* ⟨*Aut*⟩ six hundred. – **Seicento** *m.* seventeenth century; (*rif. all'arte e alla letteratura italiana*) Seicento.

seiẹnne *a.* → **seenne.**

seigiọrni (o *sẹi giọrni*) *f.* ⟨*Sport*⟩ six-day bicycle race. – **seigiornịsta** *m.* competitor in a six-day bicycle race.

seimịla *a./s.inv.* six thousand.

seịno (*dim. di sei*[1]) *m.* ⟨*Scol,spreg*⟩ six minus.

seismo... *pref.* → **sismo...**
selaci *m.pl.* ⟨*Itt*⟩ selachians *pl* (*Selachii*).
seladonite *f.* ⟨*Min*⟩ (*celadonite*) celadonite.
selaginella *f.* ⟨*Bot*⟩ club-moss, selaginella (*Selaginella*). – **selaginellacee** *f.pl.* selaginellas *pl* (*Selaginellaceae*).
selce *f.* ⟨*poet,region*⟩ **1.** ⟨*Min*⟩ flint, flintstone. – **2.** ⟨*Strad*⟩ paving-stone. – **3.** ⟨*lett*⟩ (*pietra*) stone. – **selciaia** *f.* ⟨*lett*⟩ flinty ground, ground covered with flint; (*pietraia*) stony ground.
selciaio, selciaiolo *m.* → **selciatore.**
selciare *v.t.* (**selcio, selci**) ⟨*Strad*⟩ to pave, to flag; (*con ciottoli*) to cobble, to pave with cobbles. – **selciato** (*p.p. di selciare*) **I** *a.* (*lastricato*) paved, flagged; (*acciottolato*) cobbled. – **II** *s.m.* **1.** (*pavimentazione stradale, lastricatura*) paving, flagging. – **2.** (*pavimento stradale, lastricato*) (stone) paving, pavement; (*acciottolatura*) cobbles *pl*, (cobbled) paving. – **selciatore** *m.* paver, paviour, flagger. – **selciatura** *f.* **1.** paving, flagging. – **2.** (*selciato*) paving, pavement.
selcifero *a.* ⟨*Min,non com*⟩ flint-.
selcino *m.* ⟨*region*⟩ → **selciatore.**
selcioso *a.* ⟨*non com*⟩ **1.** (*di selce*) flint-, flinty. – **2.** (*simile a selce*) flinty, flint-like.
selenato *m.* → **seleniato**[2].
Selene *N.pr.f.* ⟨*Mitol*⟩ Selene, Selena.
seleniato[1] *a.* ⟨*Chim*⟩ selenium-: *idrogeno* ~ selenium hydrogen.
seleniato[2] *m.* ⟨*Chim*⟩ selenate.
selenico[1] *a.* (*pl.* **-ci**) (*lunare*) lunar, ⟨*lett*⟩ selenic.
selenico[2] *a.* (*pl.* **-ci**) ⟨*Chim*⟩ selenic. – **selenio** *m.* selenium. – **selenioso** *a.* selenious.
selenita *m./f.* selenite, imaginary inhabitant of the moon.
selenite[1] *f.* ⟨*Min*⟩ selenite.
selenite[2] *m./f.* → **selenita.** – **selenitico** *a.* (*pl.* **-ci**) ⟨*lett*⟩ (*lunare*) lunar, of the moon, ⟨*lett*⟩ selenic.
selenito *m.* ⟨*Chim*⟩ selenite.
seleniuro *m.* ⟨*Chim*⟩ selenide.
seleno... *pref.* **1.** ⟨*Astr*⟩ (*luna* moon) selen(o)..., seleni..., moon-, lunar-. – **2.** ⟨*Biol*⟩ (*a forma di luna* moon-shaped) selen(o)..., seleni...; (*a forma di mezzaluna* crescent-shaped) selen(o)..., seleni...
seleno|centrico *a.* (*pl.* **-ci**) ⟨*Astr*⟩ selenocentric. – **~donte** *a.* ⟨*Zool*⟩ selenodont. – **~donti** *m.pl.* ⟨*Zool*⟩ **1.** selenodonts *pl* (*Selenodonta*). – **2.** (*ruminanti*) ruminants *pl* (*Ruminantia*).
selenografia *f.* ⟨*Astr*⟩ selenography, physical geography of the moon. – **selenografico** *a.* (*pl.* **-ci**) selenographic(al). – **selenografo** *m.* (*f.* **-a**) selenographer, selenographist.
selenologia *f.* ⟨*Astr*⟩ selenology. – **selenologico** *a.* (*pl.* **-ci**) selenological. – **selenologo** *m.* (*pl.* **-gi**; *f.* **-a**) selenologist.
selenosi *f.* ⟨*Med*⟩ selenosis.
selenotopografia *f.* ⟨*Astr*⟩ topography of the moon.
selettanza *f.* ⟨*Rad*⟩ (*selettività*) selectance, selectivity.
selettivamente *avv.* **1.** selectively, by selection. – **2.** ⟨*Chim*⟩ selectively. – **selettività** *f.* ⟨*Rad,Fis*⟩ selectivity. – **selettivo** *a.* **1.** ⟨*lett*⟩ selective; (*atto a selezionare*) selective, capable of selecting. – **2.** ⟨*Rad,Fis*⟩ (*rif. a fenomeni*) selective; (*rif. ad apparecchi*) selective. – **3.** ⟨*Chim*⟩ selective.
selettocoltura *f.* ⟨*Biol*⟩ breeding.
selettore I *s.m.* (*f.* **-trice**) **1.** ⟨*lett*⟩ selector, chooser. – **2.** ⟨*El*⟩ (*commutatore*) commutator. – **3.** ⟨*Tel*⟩ selector. – **II** *a.* selecting, selective. □ ⟨*Tel*⟩ ~ *automatico* automatic selector; ⟨*TV*⟩ ~ *di canale* channel selector; ⟨*Tel*⟩ ~ *di linea* line (*o* final) selector; ⟨*Tel*⟩ ~ *di prefisso* area code selector.
Seleucidi *N.pr.m.pl.* ⟨*Stor*⟩ Seleucids *pl*, Seleucidae *pl.* – **Seleuco** *N.pr.m.* Seleucus.
selezionamento *m.* selection, selecting, choosing, picking out. – **selezionare** *v.t.* (**seleziono**) **1.** to select, to choose, to pick out. – **2.** (*cernere*) to sort (out); (*graduare, classificare*) to grade. – **3.** ⟨*Zootecn,Bot*⟩ to select. – **selezionato** (*p.p. di selezionare*) *a.* (*scelto*) select(ed), chosen.
selezionatore I *s.m.* (*f.* **-trice**) **1.** selector, chooser. – **2.** (*cernitore*) sorter. – **3.** ⟨*Zootecn,Bot*⟩ selector. – **II** *a.* selective, selecting: *criterio* ~ selective criterion. – **selezionatrice** *f.* ⟨*Mecc*⟩ **1.** card sorter, electronic punched-card sorting-machine. – **2.** ⟨*Agr*⟩ grader, sorting-machine.
selezione *f.* **1.** (*scelta*) selection, choice. – **2.** ⟨*concr*⟩ (*insieme di cose scelte*) selection: *una* ~ *di canzoni* a selection of songs. – **3.** (*cernita*) sorting (out); (*graduazione, classificazione*) grading. – **4.** ⟨*Tel*⟩ selection; (*con disco combinatore*) dialling; (*con tastiera*) keying. – **5.** ⟨*Biol*⟩ selection: ~ *sessuale* sexual selection. – **6.** ⟨*tecn*⟩ separation.
□ ⟨*Biol*⟩ ~ **artificiale** artificial selection; ⟨*Tel*⟩ ~ **automatica** automatic hunting, hunting action; (*con disco combinatore*) automatic dialling; ⟨*Tel*⟩ ~ *automatica interurbana* dialling in (*o* out), toll line dialling; ⟨*Biol*⟩ ~ **naturale** natural selection; **operare** *una* ~ to make a selection (*o* choice); ~ *del* **personale** personnel selection; ~ **preliminare** (*del personale*) screening; ~ **professionale** choice of profession; ⟨*Giorn*⟩ ≈ *dal* **Reader's Digest** Reader's Digest.
selezionistico *a.* (*pl.* **-ci**) ⟨*non com*⟩ selective, selection-.
self-acting *ingl.* [-æktiŋ] *m.* ⟨*Tess*⟩ self-acting mule, self-actor.
self-service *ingl.* [-sərvis] *m.* **1.** (*tecnica*) self-service. – **2.** (*negozio*) self-service shop. – **3.** (*ristorante*) self-service restaurant (*o* café), cafeteria.
Selgiuchi *N.pr.m.pl.* ⟨*Stor*⟩ Seljuks *pl*, Seljuk dynasty. – **selgiuchide I** *a.* Seljuk, Seljukian. – **II** *s.m.* Seljuk, Seljukian.
selice *f.* ⟨*ant*⟩ → **selce.**
sella *f.* **1.** saddle: *cadere di* ~ to fall out of the saddle. – **2.** (*rif. a biciclette e motociclette*) saddle. – **3.** ⟨*Geog*⟩ saddle. – **4.** ⟨*Archeol*⟩ (*sedile, sedia*) chair: ~ *curule* curule chair. – **5.** ⟨*fig*⟩ (*incavallatura, concavità*) hollow, saddle. – **6.** ⟨*Macell,tosc*⟩ saddle (of lamb). – **7.** ⟨*tecn*⟩ (*sostegno, supporto*) bearing, seating, support (saddle). – **8.** ⟨*Meteor*⟩ col.
□ **a** ~ saddle-shaped, saddle-; ~ *da* **amazzone** = *sella da* **donna**; ⟨*Idr*⟩ ~ *d'***appoggio** support saddle; ⟨*fig*⟩ **battere** *la* ~ *per non battere il cavallo* to take it out on the wrong person; ~ *della* **bicicletta** bicycle saddle; ~ *da* **buttero** stock saddle; ~ *per* **cavalcare** riding saddle; ~ *da* **cavaliere** = *sella da* **uomo**; **cavare** *di* ~ to unsaddle, to throw out of the saddle; **da** ~ saddle-: *cavallo da* ~ saddle (*o* riding) horse; ⟨*Equit*⟩ ~ *da* **donna** side-saddle, lady's saddle; ⟨*Mar*⟩ ~ *d'***imbarcazione** boat chock; ⟨*Equit*⟩ ~ **inglese** English (*o* pad) saddle; ⟨*Ferr*⟩ ~ *di* **lancio** hump; **levare** *la* ~ *al cavallo* to unsaddle the horse; *levare di* ~ = **cavare** *di sella*; **mettere** *la* ~ *al cavallo* to saddle the horse; **montare** *in* ~ to mount (one's horse); ⟨*Anat*⟩ **naso** *a* ~ saddle-nose; ~ *del naso* depression of the bridge of the nose; **reggersi** *in* ~ to stay in the saddle; **rimanere** *in* ~ to stay in the saddle; ⟨*fig*⟩ to stay on top, to remain in power (*o* the saddle); **rimettere** *qd. in* ~ to put (*o* help) s.o. back in the saddle; *rimettersi in* ~ to get back into the saddle; ⟨*fig*⟩ to climb back on top; **sbalzare** *di* ~ *qd.* to unsaddle (*o* unhorse) s.o., to throw s.o. out of the saddle; ⟨*fig*⟩ to oust s.o. from office; **senza** ~ saddleless; *cavalcare senza* ~ to ride bareback; ~ *da* **soma** pack-saddle; **stare** *in* ~ to be ⌜in the saddle⌝ (*o* on horseback); *non saper stare in* ~ to be a poor horseman, to ride badly; ⟨*tosc*⟩ *cavallo* **tra** *le due* **-e** (*di media statura*) medium-sized horse; ⟨*Anat*⟩ ~ **turcica** sella turcica, pituitary fossa; ⟨*Equit*⟩ ~ *da* **uomo** man's saddle; **vuotare** *la* ~ to be thrown, to fall out of the saddle. – *Prov.*: *meglio perder la* ~ *che il cavallo* better lose the saddle than the horse.
sellaio *m.* saddler. – **sellare** *v.t.* (**sello**) **1.** to saddle, to put a saddle on: ~ *i cavalli* to saddle the horses. – **2.** ⟨*assol*⟩ to saddle (a horse). – **sellato** (*p.p. di sellare*) *a.* saddled: *cavallo* ~ saddled horse. – **sellatura** *f.* **1.** saddling. – **2.** ⟨*Aut*⟩ upholstery. – **selleria** *f.* **1.** (*bottega*) saddlery, saddler's shop. – **2.** (*tecnica di fabbricazione*) saddlery. – **3.** ⟨*Mil*⟩ harness-room, saddle-room, saddlery.
sellerina *f.* ⟨*Arred*⟩ (*chiodino*) upholstery nail (*o* tack).
sellero *m.* ⟨*region*⟩ (*sedano*) celery.
selletta *f. dim. di* **sella.** – **sellificio** *m.* saddle factory. – **selliforme** *a.* selliform, saddle-shaped.
sellino (*dim. di sella*) *m.* **1.** (*finimento da tiro*) back pad, (harness) pad, small saddle (of a draught-horse's harness). – **2.** (*nelle biciclette e motociclette*) saddle. – **3.** ⟨*Mod*⟩ bustle. □ ~ *da corsa* racing saddle; ~ *posteriore* pillion.
sellisternio *m.* ⟨*Stor.rom*⟩ sellisternium.
seltz *m.* → **selz.**
selva *f.* **1.** wood, woodland; (*bosco*) wood; (*foresta*) forest. – **2.** ⟨*fig*⟩ (*moltitudine*) mass, forest, sea, crowd, host. – **3.** ⟨*Lett*⟩ (*raccolta di appunti*) collection of notes; (*raccolta di poesie*) anthology, treasury. – **4.** ⟨*tosc*⟩ (*bosco di castagni*) chestnut wood. – **5.** ⟨*poet,lett*⟩ (*albero*) tree; (*legno*) wood. □ ⟨*Geog*⟩ ≈ *nera* Black Forest.
selvaggiamente *avv.* **1.** (*da selvaggio*) like a savage (*o* wild man). – **2.** ⟨*fig*⟩ (*furiosamente*) wildly, furiously, savagely. – **3.** ⟨*fig*⟩ (*violentemente*) wildly, violently.
selvaggina *f.* game. □ ~ *migratoria* migratory game; ~ *da pelo* furred game; ~ *da penna* (*o pinna*) feathered game; ~ *stanziale* non-migratory game.
selvaggio I *a.* **1.** (*non coltivato*) wild, uncultivated: *fiore* ~ wild flower. – **2.** (*non domestico*) wild, untamed: *una bestia -a* a wild beast. – **3.** (*rif. a persone*) wild. – **4.** ⟨*fig*⟩ (*rozzo, zotico*) rough, uncouth; (*scontroso*) boorish, surly, rude. – **5.** (*primitivo, incivile*) savage, primitive, uncivilized: *tribù -a* primitive tribe. – **6.** ⟨*fig*⟩ (*crudele, disumano*) savage, inhuman, cruel, fierce. – **7.** ⟨*fig*⟩ (*violento*) wild, savage, violent, fierce. – **8.** (*disabitato*) wild, waste, desert. – **9.** (*orrido*) dreadful, fearful, awesome, grim: *dirupo* ~ awesome precipice. – **10.** ⟨*poet*⟩ (*inesperto*) inexperienced, foreign. – **II** *s.m.* (*f.* **-a**) **1.** savage, uncivilized (*o* primitive) person. – **2.** ⟨*fig*⟩ (*persona sfrenata, ribelle*) wild (*o* unruly, rebellious) person. – **3.** ⟨*fig*⟩ (*persona scontrosa*) boor, surly (*o* unsociable) person, bear.
selvaggiume *m.* ⟨*ant*⟩ → **selvaggina.**
selvaticamente *avv.* wildly. – **selvatichetto** (*dim. di selvatico*) *a.* rather uncouth (*o* unsociable). – **selvatichezza** *f.* **1.** ⟨*rar*⟩ (*l'essere selvatico*) wildness. – **2.** ⟨*fig*⟩ (*scontrosità*) unsociableness; (*rustichezza*) roughness, coarseness, rudeness, ruggedness. – **3.** ⟨*fig,lett*⟩ (*rozzezza*) boorishness, uncouthness, coarseness, lack of finesse.
selvatico *a./s.* (*pl.* **-ci**) **I** *a.* **1.** (*rif. a piante*) wild, uncultivated: *erbe selvatiche* wild herbs; (*rif. ad animali*) wild, untamed: *la volpe è un animale* ~ the fox is a wild animal. – **2.** ⟨*fig*⟩ (*poco docile*) wild, untamed. – **3.** ⟨*fig*⟩ (*rif. a persone*: *scontroso*) unsociable; (*rif. a donna*: *ritrosa*) shy, coy, reserved; (*zotico*) boorish, rough, uncouth; (*rozzo, rude*) rough, coarse, rude. – **4.** (*rif. a luoghi*: *ricoperto di piante selvatiche*) wild; (*solitario, abbandonato*) wild, waste, desert. – **II** *s.m.* **1.** (*odore*) gamy smell (*o* odour), smell of game: *puzzare di* ~ to have a gamy smell; (*sapore*) gamy flavour, taste of game. – **2.** ⟨*Agr,Silv*⟩ wild stock, wildling. – **3.** (*terreno non coltivato*) wild land, wilderness. – **4.** ⟨*fig,rar*⟩ (*persona poco socievole*; *f.* **-a**) unsociable person.
selvaticume *m.* ⟨*spreg*⟩ wild things *pl.*

selvicoltore *m.* (*f.* **-trice**) sylviculturist, silviculturist. – **selvicoltura** *f.* sylviculture, silviculture. – **selvoso** *a.* **1.** wooded, woody: *luoghi -i* wooded places. – **2.** ⟨*fig*⟩ (*molto fitto*) bristling, thick; (*rif. a barba o capelli*: *folto, arruffato*) bristly, bushy.
selz *m.* (*anche acqua di selz*) soda, soda-water: *al* ~ and soda.
S.Em. = *Sua Eminenza* His Eminence (*abbr.* H.E.).
sema *m.* ⟨*non com*⟩ → **semantema.**
semaforico *a.* (*pl.* **-ci**) **1.** ⟨*Mar*⟩ semaphoric, semaphore-. – **2.** ⟨*Strad*⟩ traffic-light, light-: *impianto* ~ traffic-light system.
semaforista *m./f.* **1.** semaphorist. – **2.** ⟨*Mar.mil*⟩ semaphorist, signaller. – **3.** ⟨*Ferr*⟩ signalman.
semaforo *m.* **1.** ⟨*Strad*⟩ traffic-lights *pl*, lights *pl*, light, traffic-signal: *il* ~ *è verde* the light is green. – **2.** ⟨*Mar*⟩ signal-station, semaphore -station. – **3.** ⟨*Ferr*⟩ semaphore (signal).
□ ~ *a* **braccia** semaphore signal; ~ **ferroviario** semaphore (signal); ~ **marittimo** signal-station, semaphore-station; *passare col* ~ (*al*) **rosso** (*rif. a pedoni*) to cross ⌜when the light is red⌝ (*o* against the light); (*rif. ad automezzi*) to drive through a red light; ⟨*Strad*⟩ *-i* **sincronizzati** progressive traffic-lights; ~ **stradale** traffic-light.
semaio *m.* **1.** ⟨*non com*⟩ (*chi vende semi di zucca*) seller of roasted pumpkin seeds. – **2.** ⟨*rar*⟩ (*chi vende semi di piante*) seedsman; (*chi vende uova di bachi da seta*) seller of silkworm eggs.
semalo *m.* ⟨*Mar*⟩ kind of sailing-ship.
semantema *m.* ⟨*Ling*⟩ semanteme.
semantica *f.* **1.** ⟨*Ling*⟩ semantics *pl* (*costr.sing.*), semasiology. – **2.** ⟨*Filos*⟩ semantics *pl* (*costr.sing.*). – **semanticità** *f.* ⟨*Filos*⟩ semantic nature. – **semantico** *a.* (*pl.* **-ci**) **1.** (*della semantica*) semantic, of semantics. – **2.** (*significativo, di significato*) semantic: *il valore* ~ *di una parola* the semantic value of a word; *mutamento* ~ semantic change. – **3.** ⟨*Filos*⟩ semantical. – **semantizzare** *v.t.* ⟨*Filos*⟩ to semanticize.
semasiologia *f.* ⟨*Ling*⟩ (*semantica*) semantics *pl* (*costr.sing.*), semasiology. – **semasiologico** *a.* (*pl.* **-ci**) (*semantico*) semantic, semasiological. – **semasiologo** *m.* (*pl.* **-gi**; *f.* **-a**) semanticist, semasiologist.
semata *f.* (*bibita*) drink made from seeds, barley-water.
sematologia *f.* → **semasiologia.** – **sematologico** *a.* → **semasiologico.**
sembiante I *s.m.* ⟨*lett,poet*⟩ **1.** (*apparenza*) look, appearance, aspect. – **2.** (*viso, volto*) face, ⟨*lett*⟩ countenance; (*espressione*) expression, look. – **II** *a.* ⟨*ant*⟩ (*somigliante*) like (*a qc.* s.th.), similar (to). □ *far* ~ (*mostrare*) to show, to look; (*fingere*) to pretend, to put on the appearance; *in* ~ (o *sembianti*): 1. (*nel viso, nell'espressione*) in looks, in appearance; 2. (*per quanto traspare dal volto*) in expression; 3. (*esteriormente, in apparenza*) in (outward) appearance; ⟨*ant*⟩ *mostrare* ~ (*manifestare esternamente*) to show.
sembianza *f.* ⟨*lett*⟩ **1.** (*aspetto*) look, appearance. – **2.** *pl.* (*lineamenti, fattezze*) features *pl*, looks *pl*: *una giovane di belle -e* a young woman with good features, a good-looking young woman. – **3.** (*falsa apparenza*) semblance. – **4.** ⟨*ant*⟩ (*somiglianza*) similarity, resemblance, ⟨*lett*⟩ semblance. □ ⟨*ant*⟩ *a* ~ *di* (*a somiglianza di*) similar to, resembling, like; ⟨*ant*⟩ *far* ~ (*manifestare*) to show; ⟨*ant*⟩ *in -e* (*in apparenza*) in appearance, apparently.
sembiare *v.* (**sembio, sembi**) ⟨*poet,ant*⟩ → **sembrare.** – **semblante** *a./s.* ⟨*ant*⟩ → **sembiante.** – **semblare** *v.* (**semblo**) ⟨*poet,ant*⟩ → **sembrare.**
sembraglia *s.* ⟨*ant*⟩ **1.** (*adunata di cavalieri*) troop of horsemen. – **2.** (*combattimento, mischia*) fight, fray.
sembrare *v.i.* (**sembro**; *aus.* **essere**) **1.** (*avere l'apparenza*) to seem (like), to look (like), to appear: *sembrava un galantuomo* he seemed to be a gentleman; *con questo macchinone sembri un milionario* with this big car you look like a millionaire; *è meglio essere che* ~ *onesti* it's better to be (honest) than seem honest; (*rif. a cose viste*) to look, to seem: *sembri molto abbattuto* you look very depressed; *quel giardino sembrava bello* that garden looked beautiful; (*rif. a cose udite*) to sound (like): *queste campane mi sembrano d'argento* these bells sound ⌜like silver⌝ (*o* silvery) to me; *ci sembra incredibile ciò che ci racconti* what you say sounds incredible to us; (*rif. al gusto*) to taste like: *uno sciroppo che sembrava miele* a syrup that tasted like honey; (*rif. al tatto*) to feel (like): *il coltello mi sembra molto tagliente* the knife feels very sharp to me; (*rif. all'olfatto*) to smell like: *sembra gomma bruciata* it smells like burnt rubber. – **2.** (*ritenere, credere*) to think (*costr.pers.*): *che ti sembra?* what do you think?; *che ve ne sembra?* what do you think of it?; *mi sembra che voglia nevicare* I think it's going to snow; *il prezzo mi sembra eccessivo* I think the price is too high. – **3.** (*avere l'impressione*) to think (*costr.pers.*), to seem (*costr.impers.*), to look (like): *mi è sembrato di averlo già visto* I thought I had seen him before; *ci sembrava di sognare* we thought we were dreaming; *sembrava che tutto andasse bene* it looked like everything was going well. □ *non mi sembra che* [*cong*] I don't think that: *non mi sembra che tu possa finire in tempo il lavoro* I don't think that you can finish the work in time; *sembra di no* it seems not, apparently not; *sembra di sì* so it seems, it seems so, apparently; *non mi sembra vero* I can't believe it.
seme *m.* **1.** (*di mele, pere e sim.*) pip, seed; (*di leguminose*) bean. – **2.** (*granello*) grain, seed; (*semente*) seed. – **3.** (*nocciolo*) stone, pit, kernel: *ha ingoiato il* ~ *della ciliegia* he swallowed the cherry-stone. – **4.** ⟨*fig*⟩ (*fonte, principio*) seed: *gettare il* ~ *della discordia* to sow the seed of discord. – **5.** ⟨*lett*⟩ (*antenati, progenitori*) ancestors *pl*, forefathers *pl*; (*stirpe, origine*) race, stock, breed; (*discendenza*) seed, descendants *pl*, offspring, progeny. – **6.** (*nelle carte da gioco*) suit. – **7.** (*sperma*) sperm, semen. – **8.** ⟨*poet*⟩ (*frutto*) fruit. – **9.** *pl.* ⟨*pop*⟩ (*semi di zucca*) pumpkin seeds *pl.*
□ *il mal* ~ *di* **Adamo** (*gli uomini*) mankind, the evil seed of Adam; (*le anime dannate*) the souls of the damned; ~ **alato** winged seed; ⟨*Zootecn*⟩ ~ (*da*) **bachi** silkworm eggs *pl*; ~ *di* **cacao** cocoa bean; *-i* **commestibili** edible seeds; ~ *di* **cotone** cotton-seed; ~ **duro** hard seed; ~ *di* **frutta** fruit stone (*o* kernel); (*rif. a mele, pere e sim.*) fruit pip (*o* seed); ~ **oleifero** oil-seed; ⟨*fig*⟩ *non ne è* **rimasto** *neanche il* ~ there's not a trace (*o* scrap) of it left; ~ **santo** (*droga*) santonin, wormseed; **senza** *-i* seedless; ⟨*scherz*⟩ **tenere** *qc. per* ~ to hoard s.th. for future use, to hang on to the remains of s.th.; **togliere** *i -i a qc.* to seed s.th.
semeiografia *f.* ⟨*non com*⟩ → **semiografia.** – **semeiologia** *f.* ⟨*non com*⟩ → **semiologia.** – **semeiologico** *a.* ⟨*non com*⟩ → **semiologico.** – **semeiologo** *m.* ⟨*non com*⟩ → **semiologo.**
semeiotica *f.* **1.** ⟨*Med*⟩ semeiotics *pl* (*costr.sing. o pl.*), symptomatology. – **2.** ⟨*Ling*⟩ → **semiotica.** – **semeiotico** *a.* (*pl.* **-ci**) **1.** ⟨*Med*⟩ semeiotic. – **2.** ⟨*Ling*⟩ → **semiotico.**
semel *m.* ⟨*Gastr*⟩ light flour roll, ⟨*ant*⟩ semel.
Semele *N.pr.f.* ⟨*Mitol*⟩ Semele.
semelina *f.* ⟨*Min*⟩ sphene, titanite.
semelino *m.* (*seme di lino*) flax-seed, linseed.
semelle *m.* ⟨*tosc*⟩ → **semel.**
semema *m.* ⟨*Ling*⟩ **1.** sememe. – **2.** → **semantema.**
sementa *f.* **1.** (*il seminare*) sowing, seeding. – **2.** (*periodo*) sowing time, seed-time. – **3.** (*semente*) seed. – **4.** ⟨*fig*⟩ (*origine, principio*) source, origin, seed, germ. – **sementabile** *a.* ⟨*non com*⟩ sowable, suitable (*o* fit) for sowing. – **sementare** *v.t.* (**semento**) ⟨*lett,region*⟩ (*seminare*) to sow. – **sementativo** *a.* ⟨*non com*⟩ (*seminativo*) sowable, fit for sowing. – **sementatore** *m.* ⟨*ant*⟩ (*seminatore*) sower. – **semente** *f.* seed. – **sementino** *a.* ⟨*non com*⟩ (*adatto per seminare*) suitable for sowing, sowing-.
semenza *f.* **1.** ⟨*Agr*⟩ (*semente*) seed. – **2.** ⟨*region*⟩ (*seme*) seed. – **3.** ⟨*fig, lett*⟩ (*causa*) seed, source, cause; (*origine*) origin. – **4.** ⟨*fig,lett*⟩ (*stirpe*) race, stock, breed; (*discendenza*) seed, descendants *pl*, offspring, progeny. – **5.** *pl.* ⟨*pop*⟩ (*semi di zucca salati e abbrustoliti*) roasted pumpkin seeds *pl.* – **6.** ⟨*collett*⟩ (*perle molto piccole*) seed -pearls *pl.* – **7.** ⟨*Calz*⟩ tack. – **semenzaio** *m.* **1.** ⟨*Agr*⟩ seedbed, nursery. – **2.** ⟨*fig*⟩ seedbed, seminary. – **semenzale** *m.* ⟨*Agr*⟩ seedling. – **semenziero** *a.* ⟨*non com*⟩ seed-.
semenzina *f.* **1.** ⟨*Agr*⟩ fine-grained seeds *pl.* – **2.** (*seme santo*) santonin. – **3.** ⟨*Calz*⟩ (*chiodino*) tack.
semestrale I *a.* **1.** (*che dura un semestre*) six-month-, ⟨*lett*⟩ semestral: *corso* ~ six-month course. – **2.** (*che avviene ogni semestre*) biannual, six-monthly, half-yearly, semi-annual, ⟨*lett*⟩ semestral. – **II** *s.m.* ⟨*Giorn*⟩ (*pubblicazione semestrale*) biannual (*o* six-monthly) publication. – **semestralità** *f.* **1.** (*rata semestrale*) six-monthly instalment, biannual payment. – **2.** (*importo semestrale*) six-monthly payment. – **semestralmente** *avv.* every six months, biannually. – **semestre** *m.* **1.** half-year, (period of) six months, ⟨*lett*⟩ semester. – **2.** (*rata*) six-monthly instalment (*o* payment): *pagare un* ~ *anticipato* to pay a six-monthly instalment in advance. – **3.** ⟨*Scol,Univ*⟩ semester.
semetipsismo *m.* ⟨*Filos*⟩ (*solipsismo*) solipsism.
semi... *pref.* **1.** (*mezzo* half) semi..., half-, demi..., hemi... – **2.** (*parzialmente* partially) semi...
...semia *suff.* (*significato* meaning) ...semy: *polisemia f.* polysemy.
semi|abbracciante *a.* ⟨*Bot*⟩ semi-amplexicaul, embracing. – **~acerbo** *a.* half-ripe. – **~ala** *f.* ⟨*Aer*⟩ wing, main plane. – **~albero** *m.* ⟨*Aut*⟩ axle-shaft, drive-shaft. – **~amplessicaule** *a.* → **semiabbracciante.** – **~aperto** *a.* **1.** half-open; (*rif. a porte*) ⟨*pred*⟩ ajar. – **2.** ⟨*Fon*⟩ half-open, mid. – **~apertura** *f.* ⟨*non com*⟩ half-opening, partial opening. – **~arianesimo** *m.* ⟨*Rel*⟩ Semi-Arianism. – **~ariano** *m.* ⟨*Rel*⟩ Semi-Arian. – **~articolazione** *f.* ⟨*Med*⟩ amphiarthrosis. – **~asse** *m.* **1.** ⟨*Aut*⟩ axle-shaft, drive-shaft, differential shaft. – **2.** ⟨*Geom*⟩ semi-axis. □ ⟨*Aut*⟩ ~ *motore* drive axle, differential shaft; ~ *oscillante* swinging half-axle; ~ *portante* supporting axle; ~ *non portante* floating axle. – **~automatico** *a.* (*pl.* **-ci**) semi -automatic. – **~barbaro** *a.* semi-barbarian, half-barbarian; (*quasi selvaggio*) semi-savage, almost wild. – **~bergamotta** *f.* (*anche pera semibergamotta*) kind of bergamot (pear). – **~biscroma** *f.* ⟨*Mus*⟩ hemidemisemiquaver. – **~brado** *a.* half-wild. – **~branchia** *f.* ⟨*Itt*⟩ half-branchia. – **~breve** *f.* ⟨*Mus*⟩ semibreve, whole note. – **~butirra** *f.* (*anche pera semibutirra*) kind of ⌜butter pear⌝ (*o* beurré). – **~cadenza** *f.* ⟨*Mus*⟩ semi-cadence, half-cadence, half-close, imperfect cadence. – **~capro** *m.* ⟨*lett*⟩ (*fauno*) faun; (*satiro*) satyr. – **~catino** *m.* ⟨*Arch*⟩ semi-dome. – **~cavallo** *m.* ⟨*lett*⟩ (*centauro*) centaur. – **~cerchio** *m.* semicircle, half-circle (*anche Geom.*): *disposti a* ~ arranged in a semicircle. – **~chiuso** *a.* **1.** (*mezzo chiuso*) half-closed. – **2.** (*semiaperto*) half-open. – **3.** ⟨*Fon*⟩ half-open, mid. – **~ciclo** *m.* ⟨*Fis*⟩ **1.** half-cycle. – **2.** (*semionda*) half-wave. – **3.** (*semiperiodo*) half-period, half-cycle. – **~cingolato I** *a.* ⟨*Aut*⟩ half -track(ed). – **II** *s.m.* half-track. – **~circolare** *a.* **1.** semicircular. – **2.** (*che ha forma di semicerchio*) semicircular: *piazza* ~ semicircular square. □ ⟨*Anat*⟩ *canali -i* semicircular canals. – **~circolo** *m.* → **semicerchio.** – **~circonferenza** *f.* ⟨*Geom*⟩ semicircumference. – **~circulo** *m.* ⟨*ant*⟩ → **semicerchio.** – **~conduttore** *m.* ⟨*El*⟩ semiconductor. – **~consonante** *f.* ⟨*Ling*⟩ semiconsonant, semivowel. – **~consonantico** *a.* (*pl.* **-ci**) semiconsonantal, semivocalic. – **~con-**

vittọre *m.* (*f.* -trice) day-boy (*f* -girl), day-boarder. – **~copẹrto** *a.* **1.** (*coperto per metà*) half-covered. – **2.** (*coperto in parte*) partially covered. – **3.** (*rif. al cielo*) cloudy, rather overcast. – **~corniọla** *f.* ⟨*Min*⟩ kind of cornelian. – **~cọro** *m.* semi-chorus. – **~corsịva**: ⟨*Paleogr*⟩ *scrittura* ~ semicursive, old Italian book hand. – **~cọtto** **I** *a.* half-cooked. – **II** *s.m.* ⟨*Alim*⟩ half (*o* partially) cooked cheese. – **~crọma** *f.* ⟨*Mus*⟩ semiquaver. – **~crụdo** *a.* half-raw, almost raw.
semicụpio *m.* hip-bath, sitz-bath: *fare un* ~ to take a hip-bath.
semi|cuscinẹtto *m.* ⟨*Mecc*⟩ half-bearing. – **~decorrẹnte** *a.* ⟨*Bot*⟩ semi-decurrent. – **~dẹnso** *a.* ⟨*tecn*⟩ semifluid, of medium density. – **~dẹo** *m.* → **semidio.** – **~deponẹnte** *m.* ⟨*Gramm*⟩ (*anche verbo semideponente*) semi-deponent (verb). – **~diạfano** *a.* semi-diaphanous. – **~diạmetro** *m.* ⟨*Geom*⟩ semidiameter. – **~-Dịesel** *m.* ⟨*Mot*⟩ (*anche motore semi-Diesel*) semidiesel engine. – **~dịo** *m.* (*pl.* **semidẹi**/*non com.* **semidịi**) ⟨*Mitol*⟩ demigod (*anche fig.*). – **~distẹso** *a.* half-lying, reclining. – **~distrụtto** *a.* half-destroyed, partly destroyed. – **~diụrno** *a.* semidiurnal: *arco* ~ semidiurnal arc. – **~dọppio** *a.* ⟨*Bot*⟩ semidouble. □ ⟨*Lit*⟩ *rito* ~ semi-double. – **~dọtto** *a.* (*superficiale*) superficial, not learned. – **~dụro** *a.* ⟨*tecn*⟩ medium hard: *acciaio* ~ medium hard steel. – **~ellịsse** *f.* ⟨*Geom*⟩ semiellipse. – **~esọnero** *m.* partial exemption.
semi|finạle *f.* ⟨*Sport*⟩ semi-final. – **~finalịsta** **I** *s.m./f.* ⟨*Sport*⟩ semi-finalist. – **II** *a.* semi-final. – **~finịto** *a.* ⟨*Ind*⟩ semifinished: *prodotto* ~ semifinished product. – **~flụido** *a.* semifluid. – **~frạse** *f.* **1.** half of a sentence; (*parte di frase*) part of a sentence. – **2.** ⟨*Mus*⟩ half of a phrase; (*parte di frase*) part of a phrase. – **~frẹddo** *m.* **1.** ⟨*Dolc*⟩ ice-cream cake. – **2.** ⟨*fig*⟩ (*matusa*) old fogey. – **~fụsa**, **~fusẹa** *f.* ⟨*ant*⟩ → **semicroma.** – **~grạsso**: *formaggio* ~ single -cream cheese, cheese made from partially skimmed milk. – **~gratụito** *a.* (*mezzo gratuito*) half-price; (*gratuito in parte*) partly free. – **~grụppo** *m.* **1.** half-group. – **2.** ⟨*Mat*⟩ semi-group.
semi|infermità *f.* → **seminfermità.** – **~infẹrmo** *a./s.* → **seminfermo.** – **~interrạto** *m.* ⟨*rar*⟩ → **seminterrato.** – **~lavorạto** **I** *a.* ⟨*Ind*⟩ semifinished, semimanufactured, unfinished. – **II** *s.m.* (*prodotto semilavorato*) unfinished (*o* semimanufactured) product. – **~lịbero** **I** *a.* half-free, partially free: *paese* ~ half-free country. – **II** *s.m.* (*f.* -a) ⟨*Stor*⟩ half-free man. – **~libertà** *f.* ⟨*non com*⟩ half-freedom. – **~lụna** *f.* ⟨*rar*⟩ **1.** ⟨*Astr*⟩ (*mezzaluna*) half-moon. – **2.** ⟨*Mus*⟩ nail violin (*o* fiddle). – **~lunạre** *a.* **1.** crescent-shaped, semilunar. – **2.** ⟨*Anat*⟩ semilunar: *valvola* ~ semilunar valve. – **~manufạtto** *m.* semifinished product, semimanufactured article, semimanufacture. – **~membranọso**: ⟨*Anat*⟩ *muscolo* ~ semimembranosus. – **~metạllo** *m.* ⟨*Min,ant*⟩ semimetal, non-malleable metal. – **~mịnima** *f.* ⟨*Mus*⟩ crotchet. – **~mọbile**: ⟨*Med*⟩ *articolazione* ~ (*anfiartrosi*) amphiarthrosis. – **~morfẹma** *m.* ⟨*Ling*⟩ thematic morpheme, stem formative morpheme. – **~mọrto** *a.* ⟨*lett,rar*⟩ **1.** (*mezzo morto*) half-dead. – **2.** (*ferito a morte*) mortally wounded.
semimpermeạbile *a.* partially impermeable. – **semimpermeabilità** *f.* partial impermeability.
sẹmina *f.* **1.** sowing, seeding, planting: *la* ~ *del grano* the sowing of corn. – **2.** (*periodo*) seed-time, sowing-season. □ ⟨*Agr*⟩ ~ *a righe* drilling, row-seeding; ~ ⌜*a spaglio*⌝ (*o alla volata*) broadcast -sowing. – **seminạbile** *a.* sowable, that may be sown. – **seminagiọne** *f.* ⟨*lett*⟩ → **semina.**
seminạle *a.* **1.** ⟨*Agr*⟩ seminal, seed-, of seed. – **2.** ⟨*Fisiol*⟩ seminal, of semen, sperm-.
seminạre *v.t.* (**sẹmino**) **1.** to sow, to seed, to plant: ~ *il grano* to sow corn; ~ *un campo a frumento* to sow a field with wheat. – **2.** ⟨*fig*⟩ (*spargere qua e là*) to scatter, to strew, to spread: *semina da per tutto i suoi libri* he scatters his books all over. – **3.** ⟨*fig*⟩ (*provocare, suscitare*) to sow, to spread, to disseminate: ~ *discordie* to sow (the seeds of) discord. – **4.** ⟨*fam*⟩ (*lasciare indietro*) to leave behind, ⟨*fam*⟩ to shake (off): *il ladro ha seminato gli inseguitori* the thief shook off his pursuers. □ ⟨*fig*⟩ ~ *nella* (*o sulla*) *sabbia* to sow in the sand; ⟨*fig*⟩ ~ *soldi* to be a spendthrift; ⟨*scherz*⟩ *chi ne ha ne semina* (*rif. a chi fa cadere a terra denari*) some people can afford to throw money around. – *Prov.*: *chi non semina non miete* he that does not sow, does not reap; *chi semina vento, raccoglie tempesta* they have sown the wind and they shall reap the whirlwind.
seminarịle *a.* seminary-, of (*o* in) a seminary. – **seminạrio** *m.* **1.** ⟨*Rel*⟩ seminary. – **2.** ⟨*Univ*⟩ seminar; (*aula*) seminar room. – **3.** ⟨*fig*⟩ (*luogo originario*) seedbed, seminary. – **4.** ⟨*ant*⟩ (*semenzaio*) seedbed, nursery. – **5.** ⟨*fig,ant*⟩ (*vivaio*) nest, bed.
seminarịsta *m.* ⟨*Rel*⟩ seminarian, seminarist. □ ⟨*iron,spreg*⟩ *come un* ~ green, raw, like a young innocent. – **seminarịstico** *a./s.* (*pl.* -ci) **I** *a.* **1.** (*di seminarista*) of a seminarist; (*di seminario*) seminary-, of a seminary. – **2.** ⟨*iron,spreg*⟩ of a schoolboy, of a seminarist. – **II** *s.m.* ⟨*Dir.can*⟩ seminary tax.
seminạta *f.* ⟨*non com*⟩ **1.** (*il seminare*) sowing. – **2.** ⟨*fig*⟩ (*lo spargere qua e là*) strewing, scattering, spreading; (*grande quantità di oggetti sparsi*) heaps *pl*, masses *pl*. – **seminatịvo** **I** *a.* ⟨*Agr*⟩ sowable, fit to be sown. – **II** *s.m.* sowable land, land that may be sown. □ ~ *alberato* tree-covered sowable land; ~ *semplice* treeless sowable land.
seminạto (*p.p. di seminare*) **I** *a.* **1.** sown, seeded: *terreno* ~ *ad avena* land sown with oats. – **2.** ⟨*fig*⟩ (*cosparso*) strewn, scattered, spread, covered, filled (*di* with): *cielo* ~ *di stelle* sky strewn with stars, starry (*o* star-spangled) sky. – **3.** ⟨*Arald*⟩ semé(e), powdered, semy. – **II** *s.m.* (*terreno seminato*) sown ground (*o* land). □ ⟨*fig*⟩ *uscire dal* (*o fuori del*) ~ (*divagare*) to digress, to wander from the point; ⟨*ant*⟩ (*impazzire*) to wander, to take leave of one's senses; ⟨*fig*⟩ *la strada è -a di difficoltà* the way is strewn with difficulties.
seminatọre *m.* (*f.* -trice) **1.** sower. – **2.** ⟨*fig*⟩ sower, spreader. – **seminatrịce** *f.* ⟨*Agr*⟩ (*anche macchina seminatrice*) seeder, seed-drill, drilling-machine. □ ~ *a righe* dibbling-machine, spacing drill; ~ *a spaglio* broadcast seeder, seed broadcaster.
seminatụra, **seminaziọne** *f.* ⟨*non com*⟩ → **semina.**
seminfermità *f.* partial infirmity. □ ⟨*Dir*⟩ ~ *mentale* partial insanity (*o* unsoundness of mind), condition of diminished responsibility. – **seminfẹrmo** **I** *a.* partially infirm. – **II** *s.m.* (*f.* -a) partially infirm person.
seminịfero *a.* ⟨*Bot*⟩ seminiferous.
seminịo *m.* **1.** sowing. – **2.** ⟨*fig*⟩ (*lo spargere qua e là*) scattering, spreading, disseminating; (*grande quantità di cose sparse*) heaps *pl*, masses *pl*. – **3.** ⟨*fig*⟩ (*sperpero*) squandering, throwing about, lavishing, extravagance.
seminọma *m.* ⟨*Med*⟩ seminoma.
semi|nọmade *a.* ⟨*Etnol*⟩ seminomadic. – **~nomadịsmo** *m.* semi -nomadism. – **~nọtte** *f.* ⟨*non com*⟩ **1.** (*lavoro*) job beginning halfway through the night. – **2.** (*turno*) shift beginning halfway through the night.
seminterrạto *m.* ⟨*Edil*⟩ (*anche piano seminterrato*) basement.
semi|nụdo *a.* **1.** (*quasi nudo*) half-naked, almost nude, with very little on. – **2.** (*lacero*) ragged, in rags. – **~occlusịva** *f.* ⟨*Fon*⟩ semiplosive, affricate. – **~occlusịvo** *a.* semi-plosive.
semiografịa *f.* **1.** symbolic notation, ⟨*ant*⟩ semeiography. – **2.** ⟨*Med*⟩ semeiography. – **semiologịa** *f.* **1.** ⟨*Ling*⟩ semeiology. – **2.** ⟨*Med, non com*⟩ (*semeiotica*) semeiology, semeiotics *pl* (*costr.sing. o pl.*), symptomatology. – **semiolọgico** *a.* (*pl.* -ci) ⟨*Ling,Med*⟩ semeiologic(al). – **semiọlogo** *m.* (*pl.* -ghi; *f.* -a) semeiologist.
semi|ọncia *f.* (*pl.* -ce) ⟨*Stor*⟩ half-ounce. – **~onciạle** *f.* ⟨*Paleogr*⟩ (*anche scrittura semionciale*) semiuncial, half uncial. – **~ọnda** *f.* ⟨*Fis*⟩ half-wave. □ *rettificatore a* ~ half-wave (*o* one-way) rectifier. – **~opạco** *a.* (*pl.* -chi) semiopaque. – **~opạle** *m.* ⟨*Min*⟩ semiopal. – **~oscurità** *f.* (half-)darkness, dimness, half-light. – **~oscụro** *a.* dim, (half-)dark.
semiọtica *f.* ⟨*Ling*⟩ semeiology. – **semiọtico** *a.* (*pl.* -ci) semeiotic.
semi|ovạle *m.* ⟨*Geom*⟩ semioval. – **~pagạno** *a.* half-pagan, semipagan. – **~parassịta** **I** *a.* ⟨*Biol*⟩ hemiparasitic, semiparasitic. – **II** *s.m.* hemiparasite, semiparasite. – **~pelagianẹsimo**, **~pelagianịsmo** *m.* ⟨*Rel*⟩ Semi-Pelagianism. – **~periferịa** *f.* inlying (*o* near) suburbs *pl*. – **~perịmetro** *m.* ⟨*Geom*⟩ semiperimeter. – **~perịodo** *m.* ⟨*Fis,Mus*⟩ half-cycle. – **~permeạbile** *a.* ⟨*Chim,Fis*⟩ semi-permeable: *membrana* ~ semi-permeable membrane. – **~permeabilità** *f.* semi-permeability. – **~piẹno** **I** *a.* **1.** (*mezzo pieno*) half-full; (*quasi pieno*) almost full. – **2.** ⟨*Bot*⟩ semidouble. – **II** *s.m.* ⟨*Mur*⟩ (*anche mattone semipieno*) brick with small holes. – **~piụma** *f.* ⟨*Ornit*⟩ semiplume. – **~plantịgrado** *a.* ⟨*Zool*⟩ semiplantigrade. – **~poẹtico** *a.* (*pl.* -ci) ⟨*lett,non com*⟩ **1.** (*di poesia e prosa*) semipoetic. – **2.** ⟨*spreg*⟩ (*di scarso valore poetico*) of little poetic worth. – **~prodọtto** *m.* ⟨*Mat*⟩ half-product. – **~pụbblico** *a.* (*pl.* -ci) ⟨*non com*⟩ **1.** semipublic. – **2.** ⟨*iron*⟩ (*pubblico solo in apparenza*) apparently public. – **~quinạrio**: ⟨*Metr*⟩ *cesura -a* penthemimeral caesura. – **~raffinạto** *a.* ⟨*Comm*⟩ semirefined.
Semirạmide *N.pr.f.* ⟨*Stor*⟩ Semiramis.
semi|rẹtta *f.* ⟨*Geom*⟩ half-line. – **~rịgido** **I** *a.* **1.** semirigid, semiflexible. – **2.** ⟨*tecn*⟩ semirigid. – **II** *s.m.* ⟨*Tess*⟩ buckram, stiffening. – **~rimọrchio** *m.* ⟨*Aut*⟩ semitrailer: ~ *monoasse* single-axle semi-trailer. – **~sạla** *f.* ⟨*Aut*⟩ half-axle: ~ *oscillante* swinging half -axle. – **~secolạre** *a.* **1.** half-century old, fifty-year old, fifty-year-. – **2.** ⟨*non com*⟩ (*che avviene ogni mezzo secolo*) semi-centennial, recurring every half-century. – **~selvạggio** **I** *a.* half-savage, half -wild. – **II** *s.m.* (*f.* -a) half-savage (*o* half-wild) person. – **~sẹrio** *a.* half-serious, serio-comic: *in tono* ~ in a half-serious tone. – **~settenạrio**: ⟨*Metr*⟩ *cesura -a* hephthemimeral caesura. – **~sfẹra** *f.* ⟨*Geom*⟩ hemisphere, half-sphere, semisphere. – **~sfẹrico** *a.* (*pl.* -ci) hemispherical. – **~sọmma** *f.* ⟨*Mat*⟩ half-sum. – **~sovranità** *f.* ⟨*Pol*⟩ partial sovereignty. – **~sovrạno** *a.* partly sovereign. – **~spẹnto** *a.* **1.** almost out, dying, half-extinguished, half-dead: *fuoco* ~ dying fire, fire that is almost out. – **2.** ⟨*fig*⟩ half-extinguished, almost stifled; (*rif. alla voce*) very hlow, alf-audible, faint; (*rif. a colori e sim.*) very dull, lifeless.
semịsse *m.* **1.** ⟨*Stor.rom*⟩ half a pound. – **2.** ⟨*Numism*⟩ semis.
semịta[1] **I** *s.m./f.* Semite. – **II** *a.* Semitic.
sẹmita[2] *f.* ⟨*ant*⟩ (*sentiero*) path.
semi|tạppa *f.* ⟨*Sport*⟩ half-lap. – **~tendinọso**: ⟨*Anat*⟩ *muscolo* ~ semitendinosus (muscle). – **~teriomọrfo** *a.* ⟨*Rel*⟩ therianthropic. – **~ternạrio**: ⟨*Metr*⟩ *cesura -a* trithemimeral caesura.
semịtico *a./s.* (*pl.* -ci) **I** *a.* Semitic. – **II** *s.m.* ⟨*Ling*⟩ Semitic languages *pl*. – **semitịsta** *m./f.* Semitist. – **semitịstica** *f.* Semitics *pl* (*costr.sing.*). – **semitizzạre** *v.t.* ⟨*non com*⟩ to semit(ic)ize.
semi|tonạto *a.* ⟨*Mus,non com*⟩ semitonic, semitonal: *scala -a* semitonic (*o* chromatic) scale. – **~tọnico** *a.* (*pl.* -ci) ⟨*Ling*⟩ bearing a secondary accent (*o* stress). – **~tọno** *m.* ⟨*Mus*⟩ semitone: ~ *cromatico* chromatic semitone. – **~trasparẹnte** *a.* semitransparent. – **~trasparẹnza** *f.* semitransparency. – **~ufficiạle** *a.* semi-official: *notizia* ~ semi-official news. – **~unciạle** *f.* ⟨*non com*⟩ → **semionciale.** – **~vestịto** *a.* **1.** half-dressed. – **2.** (*seminudo*) half-naked. – **~vịvo** *a.* ⟨*lett*⟩ **1.** half-dead, only half-alive. – **2.** ⟨*fig*⟩ half-dead, languishing, weak. – **~vocạle** *f.* ⟨*Ling*⟩ **1.** semivowel, semicon-

sonant. – **2.** ⟨*ant*⟩ (*consonante continna*) continuant. – **~vocạlico** *a.* (*pl.* -ci) semivocalic, semiconsonantal. – **~volạta** *f.* ⟨*Sport*⟩ (*nel tennis*) half-volley.

semmại I *congz.* ⟨*non com*⟩ (*se mai*) if, if ... ever. – **II** *avv.* **1.** (*caso mai*) in any case: *sarò io, ~ a rimetterci* in any case I'll be the one to lose out; (*eventualmente*) if necessary, if need be: *~ verrò a piedi* I'll come, if necessary I'll walk. – **2.** (*tutt'al più*) if anything, at the most; (*nella peggiore delle ipotesi*) if worse comes to worst, at worst; (*in caso contrario*) at worst.

sẹmola *f.* **1.** (*crusca*) bran. – **2.** ⟨*pop*⟩ (*lentiggini*) freckles *pl.* – **3.** ⟨*dial*⟩ (*semolino*) semolina. – **semolạta** *f.* bran-water. – **semolạto**: ⟨*Ind*⟩ *zucchero ~* castor sugar. – **semolatrịce** *f.* ⟨*Ind*⟩ purifier. – **semolịno** *m.* **1.** middlings *pl.* – **2.** ⟨*Gastr*⟩ semolina. – **semolọso** *a.* **1.** bran-: *farina -a* bran flour. – **2.** (*simile a semola*) bran-like. – **3.** ⟨*fig,non com*⟩ (*pieno di lentiggini*) freckled, freckly.

Semọnide *N.pr.m.* ⟨*Stor*⟩ Semonides, Simonides.

semostomẹe *f.pl.* ⟨*Zool*⟩ semaeostomes *pl* (*Semaeostomeae*).

semovẹnte I *a.* self-moving, self-propelled: *bersaglio ~* self-propelled target. – **II** *s.m.* **1.** ⟨*Artigl*⟩ self-propelled gun. – **2.** ⟨*ant*⟩ (*automa*) robot, automaton. – **semovẹnza** *f.* self-motion, self-movement, self-propulsion.

Sempiọne *N.pr.m.* ⟨*Geog*⟩ Simplon. □ *galleria del ~* Simplon Tunnel; *valico del ~* Simplon Pass.

sempiternạle *a./s.* ⟨*ant*⟩ → **sempiterno**. – **sempiternạre** *v.t.* (**sempitẹrno**) ⟨*lett,ant*⟩ (*rendere sempiterno*) to make eternal (*o* everlasting). – **sempiternità** *f.* ⟨*lett,rar*⟩ eternity, everlastingness. – **sempitẹrno I** *a.* ⟨*lett*⟩ **1.** eternal, everlasting, ⟨*lett*⟩ sempiternal. – **2.** ⟨*enfat*⟩ (*perpetuo*) everlasting, perpetual, continual. – **II** *s.m.* ⟨*Bot*⟩ (*perpetuino*) everlasting flower (*Sempervivum*). □ *in ~* (*per sempre*) forever, eternally, everlastingly.

sẹmplice¹ I *a.* **1.** (*costituito di un solo elemento*) simple, single: *filo ~* single thread. – **2.** (*schietto*) pure, plain: *acqua ~* plain water; *oro ~* pure gold. – **3.** (*non complicato*) simple: *metodo ~* simple method. – **4.** (*facile, elementare*) simple, easy: *incominciamo dagli argomenti -i* let's start with the simple subjects. – **5.** (*privo di ornamenti eccessivi*) simple, plain, straightforward: *arredamento ~* simple furnishing(s). – **6.** (*privo di ricercatezza*) natural, simple, unsophisticated, unaffected: *parlare in modo ~* to talk in an unaffected way. – **7.** (*rif. a persone: alla buona*) simple(-hearted), plain: *è gente ~* they're simple folk; (*privo di malizia*) simple, naive: *è un ragazzo ~ e buono* he is a simple good boy. – **8.** (*solo*) mere, simply, just, only: *era una ~ idea* it was a mere idea, it was just (*o* simply) an idea. – **9.** ⟨*enfat*⟩ (*preposto a un sost.: nient'altro che, solamente*) simple, common, plain, mere(ly): *non è che un ~ manovale* he's only a simple labourer. – **10.** (*rif. a gradi, gerarchie*) ordinary, common: *soldato ~* common soldier; *marinaio ~* ordinary seaman. – **11.** ⟨*estens*⟩ (*sciocco*) dull, slow. – **12.** ⟨*Ling,Gramm,Mus*⟩ simple: *tempo ~* simple tense. – **II** *s.m./f.* **1.** simpleton, ⟨*fam*⟩ boob. – **2.** ⟨*Ling*⟩ simplex. □ ⟨*rar*⟩ *alla ~* (*alla buona*) unceremoniously, simply; *puro e ~* (pure and) simple, mere, plain: *voglio la pura e ~ verità* I want the ⌜truth pure and simple⌝ (*o* plain truth).

sẹmplice² *m.* **1.** (*erba medicinale*) simple, medicinal (*o* officinal) plant. – **2.** (*medicamento a base di erbe*) drug (*o* medicine) made from officinal herbs.

semplicemẹnte *avv.* **1.** simply. – **2.** (*alla buona*) simply, unceremoniously, without fuss. – **3.** (*naturalmente*) naturally, simply, unaffectedly. – **4.** (*modestamente*) simply, plainly, modestly: *vivere ~* to live simply. – **5.** (*solamente*) simply, merely, only, just: *volevo ~ aiutarti* I only wanted to help you. – **6.** (*veramente*) simply, truly, really: *ciò che dici è ~ assurdo* what you say is simply absurd. – **7.** (*sinceramente*) sincerely, frankly. – **8.** (*ingenuamente*) simply, naively, artlessly.

semplicẹtto (*dim. di semplice¹*) *a.* ⟨*non com*⟩ (*ingenuo*) simple, naive, artless.

sempliciạrio *m.* ⟨*ant*⟩ (*erbario*) herbal.

semplicịone (*accr. di semplice¹*) **I** *s.m.* (*f.* -a) simpleton, ⟨*fam*⟩ sucker. – **II** *a.* simple, naive. – **semplicioneria** *f.* simplicity, ingenuousness, naiveté. – **sempliciọtto** (*accr. di semplice¹*) *a./s.* → **semplicione**. – **semplicịsmo** *m.* superficiality, (over)simplification, simplism.

semplicịsta¹ I *s.m./f.* superficial person, person who oversimplifies, simplicist. – **II** *a.* → **semplicistico**.

semplicịsta² *m.* **1.** (*erborista*) herbalist, herborist. – **2.** ⟨*ant*⟩ (*raccoglitore, studioso dei semplici*) collector of simples.

semplicịstico *a.* (*pl.* -ci) **1.** (*da, di semplicista*) simplistic, superficial. – **2.** (*fatto con semplicismo*) oversimplified.

semplicità *f.* **1.** simplicity. – **2.** (*facilità*) simplicity, easiness. – **3.** (*schiettezza, naturalezza*) simplicity, plainness, naturalness, lack of affectation. – **4.** (*modestia, sobrietà*) simplicity, plainness, modesty. – **5.** (*ingenuità*) simplicity, naiveté, artlessness: *~ d'animo* simplicity (of mind). – **6.** (*dabbenaggine*) simple-mindedness, foolishness.

semplificạre *v.t.* (**semplịfico, semplịfichi**) **1.** to simplify: *~ un procedimento* to simplify a process. – **2.** (*facilitare*) to facilitate, to make easier, to ease: *il denaro gli ha semplificato la vita* money has made life easier for him. – **3.** (*rendere più funzionale*) to simplify, to make simpler, to streamline: *~ la contabilità* to simplify book-keeping. – **4.** ⟨*Mat*⟩ to reduce (to its lowest terms), to cancel down: *~ una frazione* to reduce a fraction to its lowest terms. – **semplificarsi** *v.r.* to become simpler (*o* clearer).

semplificaziọne *f.* simplification, simplifying, streamlining.

sẹmpre *avv.* **1.** always: *ha cercato ~ di aiutarlo* he has always tried to help him. – **2.** (*eternamente*) always, eternally, forever. – **3.** (*ininterrottamente*) always, uninterruptedly; (*continuamente*) always, continually, perpetually, all the time, the whole time: *non pensarci ~* don't think about it all the time, stop thinking about it the whole time. – **4.** (*normalmente, ordinariamente*) always: *arriva ~ in ritardo* he always arrives late. – **5.** (*ogni volta*) always, every time. – **6.** (*ancora*) still: *sei ~ in collera con me?* are you still angry with me?; *abiti ~ a Roma?* do you still live in Rome? – **7.** (*concessivo*) still, nevertheless, nonetheless, just the same: *è un poco di buono, ma è ~ tuo figlio* he is a good-for-nothing, but he's still your son. – **8.** ⟨*intens*⟩ (*con comparativi*) increasingly, ever, *di solito si traduce con la forma comparata: le giornate si fanno ~ più corte* the days are becoming shorter and shorter; *sei ~ più bella* you get more and more beautiful; *quell'uomo mi piace ~ meno* I like that man less and less.

□ ~ **che**: 1. (*purché*) provided that, if, as long as: *verrò ~ che vi faccia piacere* I shall come if (*o* provided that) you want me to; 2. (*ammesso che*) supposing (*o* granted) that: *~ che la notizia sia vera* granted that the news is true; (*con verbo negativo*) unless; 3. (*ogni volta che*) every time that, whenever; 4. ⟨*ant*⟩ (*finché*) as long as; **da** ~ always, from time immemorial; **di** ~ usual, same (old): *è la storia di ~* it is the same old story; *lui è quello di ~* he is just the same; ⟨*lett*⟩ ~ **mai** never; ~ **meno** (*rif. a quantità: sing.*) less and less; (*pl.*) fewer and fewer; (*rif. al tempo*) less and less (frequently); **ora** *e* ~ now and forever; **per** ~ forever, for good; *una volta per ~* once and for all; ~ **più** more and more; ~ *e* **poi** ~ always, for ever and ever; **pur** ~ still, nevertheless, nonetheless; ⟨*epist*⟩ ~ **tuo** *affezionatissimo Mario* your ever affectionate Mario.

sempreché *congz.* ⟨*rar*⟩ (*sempre che*) providing that, as long as, if.

sempreverde I *a.* ⟨*Bot*⟩ evergreen. – **II** *s.m./f.* evergreen. – **sempreverdịsmo** *m.* ⟨*Bot*⟩ evergreenness.

sempreviva *f.* ⟨*ant*⟩ → **semprevivo**. – **semprevịvo** *m.* ⟨*Bot*⟩ houseleek (*Sempervivum tectorum*). □ *~ giallo* pearly everlasting (*Anaphalis margaritacea*).

Semprọnio *N.pr.m.* **1.** ⟨*Stor*⟩ Sempronius. – **2.** ⟨*scherz*⟩ (*un tale*) so and so. □ *Tizio. Caio e ~* Tom, Dick and Harry.

semụncia *f.* ⟨*roman*⟩ → **semioncia**.

sen = ⟨*Mat*⟩ *seno* sine (*abbr.* sin.).

sen. = **1.** ⟨*Pol*⟩ *senatore* senatore (*abbr.* sen., Sen.). – **2.** *senior* senior (*abbr.* sen., Sen., sr.).

sẹna¹ *f.* **1.** ⟨*Bot*⟩ senna, cassia (*Cassia*). – **2.** ⟨*Bot*⟩ cassia yielding the Alexandria senna (*Cassia acutifolia*). – **3.** (*droga*) senna, senna leaves *pl.*

sẹna²: ⟨*tosc*⟩ *fare* (o *aver*) *~* (*fare un doppio sei ai dadi, a domino*) to throw a double six.

senạcolo *m.* ⟨*Stor.rom*⟩ assembly-chamber of the Senate.

senạle *m.* ⟨*Mar*⟩ **1.** (*asta*) trysail mast, snowmast. – **2.** ⟨*ant*⟩ (*bastimento*) snow, (kind of) three-masted ship.

sẹnapa *a./s.* → **senape**. – **senapạto** *a.* **1.** mustard-, containing mustard. – **2.** ⟨*Farm,Cart*⟩ mustard-: *impiastro ~* mustard plaster (*o* poultice).

sẹnape I *s.f.* **1.** (*farina*) flour of mustard, mustard. – **2.** ⟨*Gastr*⟩ (*salsa*) mustard. – **II** *s.m.inv.* (*colore*) mustard. – **III** *a.inv.* mustard -coloured. □ ⟨*Bot*⟩ *~ bianca* white mustard (*Sinapis alba*); *~ nera* black mustard (*Brassica nigra*); *olio di ~* mustard-oil; *~ selvatica* wild mustard, charlock (*Brassica arvensis*).

senapịsmo *m.* **1.** (*cataplasma*) mustard plaster, sinapism. – **2.** ⟨*fig*⟩ (*persona, cosa noiosa*) (intolerable) nuisance, ⟨*fam*⟩ drag. – **senapịzzare** *v.t.* ⟨*Farm*⟩ to prepare with mustard flour.

senạrio I *a.* **1.** ⟨*Metr*⟩ (*nella metrica latina*) having six feet; (*nella metrica italiana*) six-syllable. – **2.** ⟨*Min*⟩ senary. – **II** *s.m.* ⟨*Metr*⟩ (*nella metrica latina*) senarius, ⟨*lett*⟩ senary; (*nella metrica italiana*) line of six syllables. □ *~ doppio* (o *accoppiato*) dodecasyllable, twelve-syllable line; *~ giambico* iambic senarius.

senạto *m.* **1.** senate. – **2.** (*adunanza*) meeting of the senate. – **3.** (*sede, palazzo*) senate, senate-house. – **4.** (*assemblea, consiglio*) senate, council. – **5.** ⟨*estens*⟩ (*consiglio di anziani*) assembly of elders. – **6.** ⟨*scherz*⟩ (*adunanza, insieme di persone anziane*) gathering of old people. – **7.** ⟨*fam,scherz*⟩ (*seno voluminoso*) large bosom, ⟨*fam*⟩ big bust. □ ⟨*Univ*⟩ *~ accademico* senatus accademicus, senate, governing body of a university.

senatoconsụlto *m.* ⟨*Stor.rom*⟩ senatus consultum. – **senatorạto** *m.* ⟨*non com*⟩ senatorship, senator's office. – **senatọre** *m.* (*f.* -trice) senator: *~ a vita* senator for life. – **senatoriạle** *a.* **1.** (*del senato*) senatorial, of the senate, senate-. – **2.** (*di senatore*) senatorial, of a senator. – **senatọrio** *a.* ⟨*lett*⟩ → **senatoriale**.

sẹne *m.* ⟨*poet,ant*⟩ (*vegliardo*) old man.

Sẹneca *N.pr.m.* ⟨*Stor*⟩ Seneca.

senẹcio *m.* ⟨*Bot*⟩ groundsel, simson, senecio (*Senecio*). – **seneciọne** *m.* ⟨*Bot*⟩ **1.** → **senecio**. – **2.** bird-seed, (common) groundsel (*Senecio vulgaris*).

sẹnega *f.* ⟨*Bot*⟩ (*poligala virginiana*) senega (root) (*Polygala senega*).

Sẹnegal *N.pr.m.* ⟨*Geog*⟩ **1.** (*stato*) Senegal (*denom. uff.*: *Repubblica del Senegal* Republic of Senegal). – **2.** (*fiume*) Senegal (River). – **senegalẹse I** *a.* Senegalese. – **II** *s.m./f.* Senegalese.

senẹppia *f.* ⟨*Ornit*⟩ (*beccaccino*) (common) snipe (*Gallinago gallinago*).

seneppịno *m.* ⟨*Ornit*⟩ (*frullino*) jack snipe (*Lymnocryptes minimus*).

senescạlco *m.* (*pl.* -chi) ⟨*ant*⟩ (*siniscalco*) seneschal.

senescẹnte *a.* ⟨*lett*⟩ (*che sta invecchiando*) senescent, growing old, aging. – **senescẹnza** *f.* senescence.

senẹse I *a.* Sienese, of Siena. – **II** *s.m.* **1.** (*dialetto*) Sienese. – **2.** *m./f.* (*abitante*) Sienese, native (*o* inhabitant) of Siena. – **Senese** *N.pr.m.* (*territorio*) territory around Siena. – **senesịsmo** *m.* ⟨*Ling*⟩ Sienese expression.

senẹtta *f.* ⟨*ant,poet*⟩ (*vecchiaia*) old age. – **senettù, senettụde, senettụte** *f.* ⟨*lett,ant*⟩ (*vecchiaia*) old age.

senhạl *m.* ⟨*Lett*⟩ beloved.

senịle *a.* **1.** (*di, da vecchio*) of old age, ⟨*lett*⟩ senile. – **2.** ⟨*Med*⟩ senile. □ *l'età* ~ old age. – **senilịsmo** *m.* ⟨*Med*⟩ senilism, premature old age. – **senilità** *f.* **1.** ⟨*lett*⟩ (*vecchiaia*) old age, ⟨*lett*⟩ senility. – **2.** ⟨*Med*⟩ senility.

sẹnio *m.* ⟨*lett,ant*⟩ (*tarda vecchiaia*) advanced old age, dotage. – **sẹnior** *lat.* **I** *a.* senior, elder. – **II** *s.m.* (*pl.* **seniọres**) **1.** ⟨*Stor.rom*⟩ senior (citizen). – **2.** *pl.* ⟨*Sport*⟩ seniors *pl*, senior class. – **3.** ⟨*Mediev*⟩ (feudal) lord, seignior; (*in Francia*) seigneur.

seniọre (o *seniọre*) *m.* **1.** ⟨*lett,ant*⟩ (*persona molto anziana*) old man, elder. – **2.** ⟨*non com*⟩ (*senior*) senior.

seniscạlco *m.* (*pl.* **-chi**) ⟨*ant*⟩ (*siniscalco*) seneschal.

sẹnna[1] *f.* → **sena**[1].

sẹnna[2] *f.* ⟨*Pesc*⟩ **1.** drift-net. – **2.** (*rete da circuizione*) seine (net).

Sẹnna *N.pr.f.* ⟨*Geog*⟩ Seine.

sennạto *a.* ⟨*ant,region*⟩ (*assennato*) wise, sensible, judicious.

sẹnno *m.* **1.** judgement, sense, mind, wits *pl*, discernment: *perdere il* ~ to lose one's mind. – **2.** (*sensatezza*) (common, good) sense: *agire con* ~ to use one's common sense. – **3.** ⟨*non com*⟩ (*ingegno*) ability, cleverness, wit.

□ **a** ~ *di qd.* (*a piacere*) as s.o. wishes (*o* pleases); (*a parere*) in s.o.'s view; **con** ~ sensibly; ⟨*ant*⟩ **da** ~ (*davvero*) in earnest; *uomo* **di** ~ sensible man, man of sense (*o* good judgement); ⟨*ant*⟩ *di* ~ *suo* in his opinion; **far** ~ (*mettere giudizio*) to become wise; *il* ~ *di* **poi** hindsight, afterwit, being wise after the event; **senza** ~ unthinking, giddy; **tornare** *in* ~ to regain one's wits, to come to one's senses; **uscir** *di* ~ to go out of one's mind, to lose one's wits. – *Prov.*: *del* ~ *di poi son piene le fosse* it's easy to be wise after the event.

sennò *avv.* ⟨*non com*⟩ (*se no*) if not, otherwise.

sennonché *congz.* ⟨*non com*⟩ (*se non che*) **1.** (*avversativo*) but, except that, but for the fact that. – **2.** (*eccettuativo*) but, except. – **3.** (*altrimenti*) otherwise.

sẹno[1] *m.* **1.** bosom, breast, chest: *stringere qd. al* ~ to press (*o* hug) s.o. to one's bosom. – **2.** (*mammelle*) breasts *pl*, breast, ⟨*fam*⟩ bust. – **3.** (*grembo*) womb: *portare un bimbo in* ~ to carry a child in one's womb. – **4.** (*spazio tra la veste e il petto*) bosom: *nascondere qc. in* ~ to hide s.th. in one's bosom. – **5.** ⟨*Geog*⟩ inlet, bay, cove. – **6.** (*cavità, concavità*) cavity; (*spazio, superficie interna*) bowels *pl*, womb, heart, bosom: *nel* ~ *della terra* in the bowels of the earth. – **7.** ⟨*lett*⟩ (*piega della veste*) fold. – **8.** ⟨*lett*⟩ (*capacità di comprendere*) understanding. – **9.** ⟨*fig,lett*⟩ (*animo, cuore*) breast, bosom, heart, soul. – **10.** ⟨*Anat,Zool*⟩ sinus. – **11.** ⟨*lett*⟩ (*zona, parte*) region.

□ ⟨*Bibl*⟩ *in* ~ *d'***Abramo** in Abraham's bosom; **dare** *il* ~ *a* to put to the breast; ⟨*Anat*⟩ ~ **frontale** frontal sinus; **in** ~ *a*: 1. (*tra le braccia*: *stato*) in the arms of; (*moto*) into the arms of; 2. (*nell'ambito di*: *stato*) in the bosom of, within, in: *in* ~ *alla famiglia* in the bosom of the family; (*moto*) (in)to, (in)to the bosom of, within: *tornare in* ~ *alla società* to return to society, to take one's place in society again; 3. (*davanti, tra*) among the members of, before, in: *in* ~ *all'assemblea* among the members of the assembly; ⟨*Anat*⟩ *-i* **paranasali** paranasal sinuses; ⟨*fig*⟩ **scaldarsi** *una serpe in* ~ to nurture a viper in one's bosom; ⟨*Anat*⟩ ~ **sfenoidale** sphenoid sinus; **tenere** *al* ~ (*allattare*) to breast-feed, to nurse, ⟨*lett*⟩ to suckle.

sẹno[2] *m.* ⟨*Mat*⟩ sine: ~ *iperbolico* hyperbolic sine.

seno... *pref.* (*straniero* strange, foreign) xen(o)...

Senọcrate *N.pr.m.* ⟨*Stor*⟩ Xenocrates.

senodọchio *m.* ⟨*Mediev*⟩ xenodochium.

Senọfane *N.pr.m.* ⟨*Stor*⟩ Xenophanes.

senofobịa *f.* ⟨*non com*⟩ (*xenofobia*) xenophobia. – **senọfobo** ⟨*non com*⟩ **I** *a.* (*xenofobo*) xenophobic. – **II** *s.m.* (*f.* **-a**) xenophobe, xenophobic person.

Senofọnte *N.pr.m.* ⟨*Stor*⟩ Xenophon.

senoglossịa *f.* ⟨*non com*⟩ xenoglossy.

senonché *congz.* → **sennonché**.

sẹnoni *m.pl.* ⟨*Stor*⟩ Senones *pl*.

senoniạno I *a.* ⟨*Geol*⟩ Senonian. – **II** *s.m.* Senonian.

sensạle *m.* broker, middleman, agent: ~ *in vini* wine broker; (*intermediario*) go-between.

□ ~ *di* **assicurazione** insurance broker; ~ *di* **cambiali** bill broker; ~ *di* **cambio** (*agente di cambio*) stockbroker; ~ *di* **commercio** (mercantile) broker, commercial broker (*o* agent); ~ **giurato** sworn broker; ~ **immobiliare** real-estate broker (*o* agent); ~ **marittimo** shipping agent, ship broker; ~ *di* **matrimoni** marriage broker, marriage agent, (professional) matchmaker.

sensalerịa *f.* ⟨*ant*⟩ → **senseria**.

sensatamẹnte *avv.* **1.** sensibly, judiciously, with good (*o* common) sense. – **2.** ⟨*ant*⟩ (*mediante la percezione sensibile*) sensibly. – **sensatẹzza** *f.* common (*o* good) sense, sense, judgement, sensibleness. – **sensạto I** *a.* **1.** sensible, judicious: *fu molto* ~ *da parte tua* that was very sensible of you. – **2.** ⟨*ant,rar*⟩ (*sensibile*) sensible, ⟨*lett*⟩ sensate; (*dotato di sensi*) sensible, sensitive. – **II** *s.m.* ⟨*ant,rar*⟩ (*cosa, oggetto sensibile*) sensible object (*o* thing).

sensazionạle *a.* **1.** sensational, exciting, thrilling: *una scoperta* ~ an exciting discovery. – **2.** ⟨*iperb*⟩ sensational, fantastic.

sensazionalịsmo *m.* **1.** ⟨*non com*⟩ sensationalism. – **2.** → **sensazionismo**. – **sensazionalịsta** *m./f.* → **sensazionista**. – **sensazionalizzạre** *v.t.* ⟨*non com*⟩ to sensationalize, to present in a sensational way.

sensaziọne *f.* **1.** sensation: ~ *auditiva* auditory sensation. – **2.** (*senso, sentimento*) sensation, feeling: *una piacevole* ~ a pleasant sensation. – **3.** (*causa di sensazioni*) sensation, thrill: *gente perennemente in cerca di nuove -i* people always looking for new thrills. – **4.** (*impressione*) feeling, impression, sensation: *avere la* ~ *di cadere* to have a sensation of falling; (*presentimento*) feeling: *ho la* ~ *che tutto finirà male* I have a feeling that everything will end up badly. – **5.** (*scalpore*) sensation, stir: *fare* ~ to create a sensation, to cause (*o* make) a stir. – **6.** ⟨*Filos*⟩ sensory perception, sensation.

□ **a** ~ sensational, thrilling: *romanzo a* ~ sensational novel; ~ *di* **benessere** feeling (*o* sense) of well-being; ~ **consecutiva** after-sensation, after-image; ~ *di* **dolore** feeling of pain; ~ *di* **freddo** feeling of cold; ~ **gustativa** (sensation of) taste; ~ **olfattiva** olfactory sensation, (sensation of) smell; *che* ~ **provi**? what do you feel?; ⟨*Acu*⟩ ~ **sonora** loudness; *ho una* **strana** ~ I have a strange feeling (*o* sensation); ~ **tattile** tactile sensation, (sensation of) touch; ~ **termica** sensation of warmth (*o* heat); ~ **visiva** visual sensation.

sensazionịsmo *m.* ⟨*Filos*⟩ sensationism, sensationalism. – **sensazionịsta** *m./f.* sensationist, sensationalist.

senserịa *f.* **1.** (*attività*) broking, brokerage. – **2.** (*compenso*) brokerage, broker's commission.

sensịbile I *a.* **1.** (*che si percepisce*) sensible, perceptible: *mondo* ~ sensible world; *fenomeni -i* perceptible phenomena. – **2.** (*che si manifesta ai sensi*) perceptible: *un rumore appena* ~ a barely perceptible noise. – **3.** (*che sente*) sensitive, feeling: *l'uomo è un essere* ~ man is a feeling being; (*che risponde a uno stimolo*) sensitive: *l'occhio è* ~ *alla luce* the eye is sensitive to light. – **4.** (*che sente intensamente situazioni emotive*) sensitive, impressionable: *una ragazza* ~ a sensitive girl; *i bambini sono spesso molto -i ai rimproveri* children are often very sensitive to scoldings; (*eccessivamente sensibile*) touchy, thin-skinned, hypersensitive; (*facile a commuoversi*) tender-hearted, soft-hearted. – **5.** (*che si dimostra accessibile*) susceptible: ~ *al fascino femminile* susceptible to feminine charm. – **6.** (*notevole, rilevante*) notable, considerable, appreciable: *una differenza* ~ an appreciable difference; *un miglioramento* ~ *dell'infermo* a considerable improvement in the patient. – **7.** (*non resistente*) sensitive, susceptible. – **8.** ⟨*tecn*⟩ (*rif. a strumenti*) sensitive: *un barometro molto* ~ a very sensitive barometer. – **9.** ⟨*Fot*⟩ sensitive: *pellicola* ~ sensitive film. – **II** *s.m.inv.* ⟨*Filos*⟩ sensible. – **III** *s.f.* ⟨*Mus*⟩ (*anche nota sensibile*) sensible (*o* leading) note.

sensibilità *f.* **1.** (*facoltà di percepire stimoli esterni*) sensitivity: *perdere la* ~ to lose sensitivity; *la* ~ *ai dolori fisici* the sensitivity to physical pain. – **2.** (*disposizione a sentire vivamente*) sensitivity, sensitiveness: *persona di grande* ~ person with great sensitivity (*o* sensibility), very sensitive person; (*eccessiva sensibilità*) hypersensitivity, touchiness. – **3.** (*finezza, delicatezza*) sensitivity, feeling: *sonare con grande* ~ to play with great sensitivity; *non avere* ~ *per la musica* to have no feeling for music. – **4.** ⟨*tecn*⟩ sensitivity, sensibility, sensibleness. – **5.** ⟨*Fot*⟩ sensitivity, speed: *la* ~ *di un'emulsione* the sensitivity of an emulsion.

□ ~ *d'***animo** sensitivity; **avere** ~ *per le disgrazie altrui* to be sensitive to other people's misfortunes; ⟨*Fot*⟩ ~ **cromatica** colour -sensitiveness, chromatic sensitivity; ~ *al* **dolore** sensitivity to pain; ⟨*Fis*⟩ **grado** *di* ~ degree of sensitivity; **offendere** *la* ~ *di qd.* to hurt s.o.'s feelings; ~ *alle* **radiazioni** radiosensitivity.

sensibilizzạnte (*p.pr. di sensibilizzare*) *a.* **1.** making sensitive, sensitizing. – **2.** ⟨*Med*⟩ sensitizing. □ ⟨*Fot*⟩ *sostanza* ~ sensitizer, sensitizing substance. – **sensibilizzạre** *v.t.* **1.** ⟨*Med,Fot*⟩ to sensitize, to make sensitive. – **2.** ⟨*fig*⟩ (*suscitare notevole interesse*) to awake(n), to make sensitive (*o* aware), to sensitize, to arouse: ~ *l'opinione pubblica ai problemi economici* to awaken public opinion to economic problems. – **sensibilizzatọre I** *s.m.* ⟨*Fot*⟩ sensitizer. – **II** *a.* ⟨*non com*⟩ (*sensibilizzante*) sensitizing. – **sensibilizzaziọne** *f.* ⟨*Fot,Med*⟩ sensitization, making sensitive.

sensibilmẹnte *avv.* **1.** with (*o* by means of) one's senses: *percepire* ~ to perceive with one's senses. – **2.** (*per quanto è possibile giudicare con i sensi*) sensibly. – **3.** (*abbastanza, notevolmente*) notably, appreciably, considerably, sensibly: *il malato è* ~ *migliorato* the patient has improved considerably. – **4.** ⟨*ant*⟩ (*fisicamente*) physically.

sensịsmo *m.* ⟨*Filos*⟩ sensation(al)ism, sensism. – **sensịsta I** *s.m./f.* sensationalist, sensist. – **II** *a.* → **sensistico**. – **sensịstico** *a.* (*pl.* **-ci**) sensationalistic, sensistic.

sensitịva[1] *f.* ⟨*Bot*⟩ sensitive plant (*Mimosa pudica*).

sensitịva[2] *f.* (*anche facoltà sensitiva*) sensitive faculty (*o* virtue).

sensitività *f.* **1.** sensitivity, sensitiveness. – **2.** ⟨*fig*⟩ (*sensibilità, emotività*) sensitivity, sensibility, susceptibility, emotionality.

sensitịvo I *a.* **1.** sensitive: *anima -a* sensitive soul. – **2.** (*dei sensi*) sensitive, sensory, sensorial: *funzione -a* sensory function. – **3.** ⟨*fig*⟩ (*sensibile, emotivo*) sensitive, susceptible, easily affected (*o* moved), emotional, impressionable: *una donna molto -a* a very sensitive woman. – **II** *s.m.* (*f.* **-a**) **1.** (*persona sensibile, emotiva*) sensitive (*o* emotional) person. – **2.** ⟨*Occult*⟩ sensitive.

sensitometrịa *f.* ⟨*Fot,Acu*⟩ sensitometry. – **sensitomẹtrico** *a.* (*pl.* **-ci**) sensitometric. – **sensitọmetro** *m.* sensitometer.

sẹnso *m.* **1.** (*facoltà di sentire*) sensibility, sensitivity: *gli esseri viventi sono dotati di* ~ living things are endowed with sensibility. – **2.** (*funzione sensoria*) sense, sensory function: *i cinque -i* the five senses; *il* ~ *della vista* the sense of sight. – **3.** *pl.* (*attività degli organi di senso*) consciousness, senses *pl*: *perdere i -i* to lose one's senses, to lose consciousness. – **4.** *pl.* (*sensualità*) senses *pl*, flesh: *i piaceri dei -i* the pleasures of the senses; *mortificare i -i* to mortify the flesh. – **5.** (*percezione di sensazioni fisiche*) sense, sensation, feeling: *avere un* ~ *di vuoto nello stomaco* to have an empty feeling in one's stomach; (*rif. a sensazioni psichiche*) sense, feeling: *un* ~ *di pudore* a sense of modesty; *un* ~ *di gratitudine* a feeling of gratitude. – **6.** (*capacità di discernere*) sense: *non avere il* ~ *della proporzione* to have no sense of proportion. – **7.** (*significato, concetto*) meaning, sense: *intendere il* ~ *di una frase* to understand the meaning of a sentence; *una frase a doppio* ~ a sentence with a double meaning; (*succo, essenza*) gist. – **8.** (*direzione*) direction, way: *io vado nel* ~ *opposto* I'm going ⌜in the opposite direction⌝ (*o* the opposite way). – **9.** (*modo*) way, manner: *scrivigli in questo* ~ write to him in this way. – **10.** *pl.* ⟨*epist*⟩ (*in frasi di ossequio*) expression, *di solito non si traduce*: *gradisca i -i della mia devozione* Yours truly (*o* faithfully), ⟨*lett*⟩ accept these expressions of my devotion. – **11.** *pl.* ⟨*lett*⟩ (*sentimenti elevati*) lofty sentiments *pl*. – **12.** ⟨*Filos*⟩ sense: ~ *morale* moral sense. – **13.** ⟨*ant*⟩ (*vita fisica*) earthly (*o* terrestrial) life.

□ **a** ~ in one's own words, giving the (general) sense: *ripetere a* ~ *qc.* to repeat s.th. in one's own words; *leggere a* ~ to read bringing out the meaning; *tradurre a* ~ to translate freely, to render the general sense of a translation; ⟨*Ling*⟩ ~ **accessorio** secondary meaning; **ai** *-i di* (*conformemente*) in conformity (*o* accordance) with, according to: *ai -i della legge* according to the law, by law; *in* ~ **ampio** in a broad sense; *in* ~ **antiorario** in a counter-clockwise direction, anti-clockwise: *rotazione in* ~ *antiorario* anti-clockwise rotation; **avere** *un* ~ *di fame* to feel hungry, to have a hungry feeling; *non aver* ~: 1. not to have (*o* make) sense, to be senseless (*o* meaningless): *questa frase non ha* ~ this sentence does not make sense; 2. (*essere inutile*) to be useless (*o* pointless), to be no point (*costr. impers.*): *muoversi a questo punto non avrebbe* ~ there would be no point in doing anything now, action would be useless at this stage; **buon** ~ (*buonsenso*) common (*o* good) sense, sense: *persona piena di buon* ~ person full of common sense, sensible person; *ciò che* **cade** *sotto i -i* perceptible things *pl*, that which is concrete (*o* visible); **che** ~ *c'è a farlo?* what's the sense (*o* point) of doing it?, what sense is there in doing it?; ⟨*Strad*⟩ ~ **circolatorio** (o *di circolazione*) (traffic) direction, way; ~ **comune**: 1. usual meaning, common sense: ~ *comune di una parola* usual meaning of a word; 2. (*buonsenso*) common sense, (good) sense; *discorsi che sono privi di* ~ *comune* nonsensical talk, talk lacking in (common) sense; 3. ⟨*Filos*⟩ common sense, common consciousness; ⟨*Gramm*⟩ **costruzione** *a* ~ construction according to sense, synesis; ⟨*Strad*⟩ *a* **doppio** ~ (*di circolazione*) two-way; ⟨*Fisiol*⟩ ~ *dell'***equilibrio** sense of balance (*o* equilibrium); ⟨*Ling*⟩ ~ **estensivo** extended sense; ⟨*Filos,Psic*⟩ ~ **esterno** external sense; ~ **estetico** aesthetic sense, sense of beauty; **fare** ~ *a*: 1. (*ripugnare*) to disgust, to repel; 2. (*nauseare*) to make feel sick, to turn the stomach of, to nauseate; ⟨*Ling*⟩ ~ **figurato** figurative sense: *in* ~ *figurato* in a figurative sense, figuratively; ⟨*Ling*⟩ ~ **fondamentale** basic meaning; **in** *un certo* ~ in a (*o* one) sense, in one way; *in* ~ *affermativo* in the affirmative, affirmatively; *rispondere in* ~ *affermativo* to say yes; *in* ~ *negativo* negatively, in the negative; *rispondere in* ~ *negativo* to say no; *in questo* (o *tal*) ~ in this way, like this; (*in questi termini*) in these terms: *si è espresso in questo* ~ he expressed himself in these terms; *in* ~ **lato** in a broad sense; ~ **letterale** literal sense; ~ *della* **lingua** linguistic feeling, feeling for the language; ~ *di* **marcia** = *senso* **circolatorio**; ~ **metaforico** metaphorical meaning; *in* ~ *metaforico* metaphorically; ~ *della* **misura** sense of proportion (*o* measure), moderation; **nel** ~ *della larghezza* breadthwise, widthways (on); *nel* ~ *della lunghezza* lengthwise, lengthways (on); *nel* ~ *della diagonale* diagonally; *nel* ~ *migliore* in the best sense; (*nel modo migliore*) in the best way; ⟨*Strad*⟩ ~ **obbligatorio** compulsory thoroughfare; ~ *dell'***onore** sense of honour; *in* ~ **orario** clockwise, in a clockwise direction: *rotazione in* ~ *orario* clockwise rotation; ~ *dell'***orientamento** sense of direction; *perdere il* ~ *dell'orientamento* to lose one's bearings; *nel* **pieno** ~ *della parola* = *nel* **vero** *senso della parola*; ~ **pratico** practical sense; *persona piena di* ~ *pratico* practical person, down-to-earth person; **privo** *di* ~ senseless, without sense; *affermazione priva di* ~ nonsensical statement; *privo di -i* unconscious, senseless: *cadde privo di -i* he fell down unconscious; ~ **proibito** = *senso* **vietato**; ⟨*Ling*⟩ ~ **proprio** proper sense; **provare** *un* ~ *di gratitudine* to feel grateful; ~ *di* **responsabilità** sense of responsibility; **riacquistare** (o *riprendere*) *i -i* to recover (*o* regain) consciousness, to come round (*o* to); *in* ~ **ristretto** in a narrow sense; ~ *di* **rotazione** direction of rotation; **sesto** ~ sixth sense; **tornare** *in -i* = **riacquistare** *i sensi*; ~ **traslato** = *senso* **figurato**; ⟨*Strad*⟩ *a* ~ **unico** one-way: *strada a* ~ *unico* one-way street; *nel* **vero** ~ *della parola* in the true sense of the word; ⟨*Strad*⟩ ~ **vietato** no entry, no thoroughfare; **vuoto** *di* ~ meaningless, senseless.

sensoriạle *a.* **1.** (*dei sensi*) sensory, sensorial, sense-: *centri -i* sensory centres; *epitelio* ~ sense (*o* sensory) epithelium. – **2.** (*delle sensazioni*) sense-, of sensation, sensorial: *facoltà -i* sense faculties; (*della percezione*) sensory, sense-, perceptive. – **sensorialmẹnte** *avv.* with the senses, sensorially. – **sensọrio I** *a.* (*dei sensi*) sensory, sense-sensorial: *apparato* ~ sensory apparatus, sense organs. – **II** *s.m.* **1.** (*sensorio comune*) (common) sensorium, ⟨*ant*⟩ sensory. – **2.** ⟨*Fisiol*⟩ sense organ, organ of sense.

sensuạle *a.* **1.** (*che si riferisce al piacere dei sensi*) sensual: *appetito* ~ sensual appetite; *godimento* ~ sensual enjoyment. – **2.** (*dedito ai piaceri dei sensi*) sensual, voluptuous: *un uomo* ~ a sensual man. – **3.** (*che rivela voluttà*) sensuous, voluptuous: *voce* ~ sensuous voice. – **4.** ⟨*ant*⟩ (*relativo alle sensazioni fisiche*) sensory, sensual.

sensualịsmo *m.* **1.** ⟨*Filos*⟩ sensualism, sensationalism; (*sensismo*) sensualism, sensism. – **2.** ⟨*Art,Lett*⟩ sensualism. – **sensualịsta** *m./f.* **1.** ⟨*Filos*⟩ sensualist, sensationalist. – **2.** ⟨*Art,Lett*⟩ sensualist. – **sensualịstico** *a.* (*pl.* **-ci**) ⟨*non com*⟩ **1.** ⟨*Filos*⟩ sensualistic, sensationalistic. – **2.** ⟨*Art,Lett*⟩ sensualistic.

sensualità *f.* **1.** sensuality, sensuousness: ~ *di un quadro* sensuousness of a painting. – **2.** ⟨*ant*⟩ (*sensibilità*) sensitivity. – **sensualiẓẓạre** *v.t.* ⟨*non com*⟩ to make sensual, to sensualize. – **sensualmẹnte** *avv.* sensually, sensuously, voluptuously.

sẹnsu lạto *lat.* sensu lato, in a broad sense.

sensuọso *a.* ⟨*lett*⟩ sensuous.

sẹnsu strịcto *lat.* sensu stricto, in a narrow sense, strictly speaking.

sentẹnza *f.* **1.** (*giudizio*) judgement, opinion: *la* ~ *dell'arbitro* the arbiter's opinion; (*decisione*) decision. – **2.** ⟨*Dir*⟩ judgement, sentence, decision: *leggere la* ~ to read the sentence. – **3.** (*massima*) maxim, (pithy) saying, saw, ⟨*lett*⟩ sentence. – **4.** ⟨*non com*⟩ (*parere*) opinion, mind, view: *mutar* ~ to change one's mind. – **5.** ⟨*rar*⟩ (*dottrina*) doctrine, teaching; (*affermazione*) assertion, affirmation. – **6.** ⟨*lett, ant*⟩ (*senso, significato*) meaning, sense.

□ ~ *d'***accertamento** declaratory judgement; ~ *d'***annullamento** sentence of annulment; ~ **arbitrale** arbitrator's award, arbitrament; ~ **assolutoria** (o *d'assoluzione*) acquittal, absolutory sentence; ~ *di* **condanna** verdict of guilty, conviction; ~ **condizionale** suspended sentence; ~ **contumaciale** judgement by default, sentence in absence; ~ **definitiva** final judgement; **emettere** *la* ~ = **pronunciare** *la sentenza*; ~ **esecutiva** (o *esecutoria*) enforceable (*o* executive) judgement; ~ *dichiarativa di* **filiazione** affiliation order; ~ **finale** final judgement; ~ *passata in* **giudicato**: 1. (*cosa giudicata*) res judicata, final judgement; 2. (*sentenza definitiva*) decision; 3. (*nelle cause civili*) judgement; 4. (*nelle cause penali*) sentence; ~ **giudiziaria** court order, decision (*o* finding) of the court, judge's decision; ~ **impugnabile** appealable (*o* contestable) sentence; ~ **internazionale** international sentence; ~ **irrevocabile** irrevocable sentence; ~ *di prima* **istanza** judgement in the first instance; ~ *di* **morte** death sentence; ~ **parziale** partial sentence (*o* verdict); **pronunciare** *la* ~ to pass sentence, to pronounce judgement; ~ *di* **proscioglimento** = *sentenza* **assolutoria**; **sputare** *-e* to be a wiseacre, to be a know-it-all (*o* smart-aleck), to be sententious.

sentenziạle *m.* ⟨*non com*⟩ (*anche libro sentenziale*) book of maxims.

sentenziạre *v.* (**sentẹnzio, sentẹnzi**) **I** *v.i.* (*aus.* **avere**) **1.** ⟨*Dir*⟩ (*pronunziare una sentenza*) to judge, to deliver a judgement, to hold, to pass sentence (*o* judgement), to rule, to decree: *la corte sentenziò che era colpevole* the court ruled that he was guilty. – **2.** (*dare giudizi categorici*) to be sententious, to speak sententiously. – **3.** (*esprimere un'opinione*) to pass judgement (*su* on). – **4.** (*decidere*) to decide. – **II** *v.t.* **1.** ⟨*non com*⟩ (*pronunziare una sentenza*) to (pronounce) sentence: ~ *la pena di morte* to pronounce the death sentence, to sentence to death. – **2.** ⟨*rar*⟩ (*decidere*) to decide.

sentenziatọre *m.* (*f.* **-trice**) ⟨*ant*⟩ judge.

sentenziosamẹnte *avv.* **1.** sententiously. – **2.** ⟨*ant*⟩ (*saggiamente*) wisely, judiciously. – **sentenziosità** *f.* ⟨*non com*⟩ sententiousness. – **sentenziọso** *a.* **1.** sententious: *discorso* ~ sententious speech. – **2.** (*che abbonda in sentenze*) abounding in maxims. – **3.** (*conciso*) pithy, terse, sententious.

sentiẹre *m.* ⟨*ant*⟩ → **sentiero**. – **sentierịno** *m. dim. di* **sentiero**. – **sentiẹro** *m.* **1.** (foot)path, track: ~ *del giardino* garden path. – **2.** ⟨*fig*⟩ path, way: *il* ~ *della virtù* the path of virtue.

sentimentạle I *a.* **1.** romantic, sentimental: *commedia* ~ sentimental play. – **2.** ⟨*spreg*⟩ sentimental, mawkish, ⟨*fam*⟩ sloppy. – **3.** (*che riguarda i sentimenti amorosi*) love-, romantic: *vita* ~ love-life. – **II** *s.m./f.* **1.** romantic, sentimental person: *fare il* ~ to play the romantic. – **2.** ⟨*spreg*⟩ sentimentalist. □ *poesia* ~ sentimental (*o* romantic) poem; (*ispirata all'amore*) love-poem.

sentimentalịsmo *m.* **1.** sentimentalism (*anche Filos.*). – **2.** ⟨*spreg*⟩ sentimentality, (sloppy) sentimentalism, mawkishness. – **3.** *pl.* ⟨*concr*⟩ sentimentalities *pl*, sentimentalisms *pl*, sentimental behaviour. – **sentimentalịsta** *m./f.* ⟨*spreg*⟩ sentimentalist. – **sentimentalịstico** *a.* (*pl.* **-ci**) sentimental, romantic. – **sentimentalità** *f.* **1.** sentimentalism, sentimentality. – **2.** ⟨*spreg*⟩ sentimentality, mawkishness. – **sentimentalmẹnte** *avv.* **1.** romantically, sentimentally. – **2.** ⟨*spreg*⟩ sentimentally, mawkishly, ⟨*fam*⟩ sloppily. – **3.** (*per mezzo di sentimenti*) emotionally, romantically. □ *essere* ~ *legato a qd.* to have a romantic attachment for s.o.; (*avere una relazione amorosa*) to be having an affair with s.o. – **sentimentalọne** (*accr. di sentimentale*) *m.* (*f.* **-a**) ⟨*scherz*⟩ romantic, sentimental person.

sentimẹnto *m.* **1.** (*stato d'animo*) feeling, sentiment: *nascondere un* ~ *di odio* to conceal a feeling of hate; *provare un* ~ *di gratitudine* *verso qd.* to have a feeling of gratitude towards s.o. – **2.** (*modo di pensare, di sentire*; generally in pl.) sentiments *pl*, feelings *pl*: *una persona di -i nobili* a person of noble sentiments; (*parere, opinione*) feeling, opinion, way of thinking, mind: *siamo tutti del tuo stesso* ~ we are all of your opinion; *esprimere i propri -i su un argomento* to express one's feelings on a topic. – **3.** (*sfera affettiva, contrapposto a ragione*) feeling, emotion, sentiment, heart: *ascoltare il* ~ *e non la ragione* to follow one's emotions rather than reason; (*sensibilità*) feeling, sentiment, sensitivity, sensibility: *educare il* ~ to develop sensitivity; *scrive bene ma senza* ~ he writes well but without sensitivity. – **4.** (*concetto, consapevolezza*) sense: *il* ~ *del dovere* the sense of duty; *ha perso il* ~ *del pudore* she has lost her sense of modesty. – **5.** *pl.* (*coscienza, sensi*) consciousness, senses *pl*: *perdere i -i* to lose consciousness; *essere fuori dei -i* to be out of one's senses. – **6.** ⟨*fam*⟩ (*senno, giudizio*) sense, wisdom, judgement: *per la sua età ha molto* ~ he has a lot of sense for his age. – **7.** ⟨*rar*⟩ (*senso*) sense: *i cinque -i* the five senses. – **8.** ⟨*ant*⟩ (*indole, natura*) nature, disposition. – **9.** ⟨*ant*⟩ (*significato*) sense, meaning. – **10.** ⟨*ant*⟩ (*cura, attenzione*) attention, care.

□ ⟨*fam*⟩ **con** *tutti i -i* (*per bene*) well, properly: *ha fatto il lavoro con tutti i -i* he did the work well; **ispirare** *-i* (o *un sentimento*) *d'invidia* to arouse a feeling of envy, to make envious; **levare** *qd. di* ~ to send s.o. out of his mind, to drive s.o. mad; ⟨*iperb*⟩ (*stordire*) to deafen s.o.; **nutrire** *-i* (o *un sentimento*) *di pietà per qd.* to feel pity for s.o.; **parlare** (o *rivolgersi*) *al* ~ *di qd.* to play on s.o.'s feelings; *avere* ~ *di* **sé** to be self-conscious; **toccare** *la corda del* ~ to play on sentiment; **tornare** *in -i* (*rinvenire*) to regain consciousness, to come round; ⟨*fam*⟩ **uscire** *di* ~ (*perdere il controllo di sé*) to lose one's self-control, to be beside o.s.; (*impazzire*) to go out of one's mind.

sentina *f.* **1.** ⟨*Mar*⟩ bilge, well. – **2.** ⟨*fig*⟩ sink, den: ~ *di vizi* den of vice.

sentinella *f.* **1.** ⟨*Mil*⟩ sentry, sentinel, guard. – **2.** (*servizio*) sentry -duty, sentry-go: *mettere di* ~ *qd.* to put s.o. on sentry-duty. – **3.** ⟨*fig*⟩ guard, watch.

□ ~ **avanzata** advance guard; *dare il* **cambio** *alle -e* to change (*o* relieve) the guard; ⌜**essere** *di*⌝ (o *fare la*) ~ to be on sentry-duty; ⟨*fig*⟩ **fare** *la* ~ *a qd.* (*sorvegliarlo*) to watch (*o* stand guard) over s.o.; (*aspettarlo*) to wait for s.o.; **montare** *la* ~ to mount guard, to go on sentry-duty; ~ **perduta** outlying sentry; **smontare** *di* ~ to go off sentry-duty; ⟨*Mar*⟩ ~ **sottomarina** kite, sentry.

sentire[1] *v.* (sento) **I** *v.t.* **1.** to feel: ~ *freddo* to feel cold; ~ *nostalgia per qc.* to feel nostalgia for s.th.; ~ *pietà per qd.* to feel pity for s.o., to feel (*o* be) sorry for s.o. – **2.** (*risentire, soffrire*) to feel, to be affected by: ~ *la fatica* to feel the strain; *sente il minimo cambiamento di temperatura* he is affected by the slightest change in temperature. – **3.** (*percepire con l'olfatto*) to smell. – **4.** (*percepire con il gusto*) to taste. – **5.** (*percepire con il tatto*) to feel. – **6.** (*udire*) to hear: *hai sentito il campanello?* did you hear the bell?; *non ti ho sentito arrivare* I didn't hear you come in; (*ascoltare*) to listen to: ~ *un concerto* to listen to a concert. – **7.** (*dare ascolto, ubbidire*) to listen to, to obey: *senti il consiglio di tuo padre* listen to your father's advice. – **8.** (*sapere, conoscere*) to hear, to know: *vorrei* ~ *il tuo parere al riguardo* I'd like to know what you think about it; (*venire a sapere*) to hear: *hai sentito l'ultima (notizia)?* have you heard the latest? – **9.** (*interpellare*) to consult: *voglio* ~ *il medico* I want to consult the doctor. – **10.** (*essere in grado di apprezzare*) to feel, to appreciate: *non senti la bellezza di questo quadro?* don't you feel the beauty of this painting?; ~ *la musica* to appreciate music. – **11.** (*intuire, avvertire*) to feel, to sense: *nelle sue parole si sente l'entusiasmo della gioventù* you can sense the youthful enthusiasm in what he says; ~ *il pericolo* to sense danger. – **12.** (*aver coscienza*) to feel, to be aware of: ~ *addosso lo sguardo di qd.* to feel s.o. looking at one; ~ *la propria inferiorità* to feel one's inferiority. – **13.** (*giudicare, stimare*) to feel, to think: *io la sento diversamente* I feel differently about it. – **II** *v.i.* (*aus.* **avere**) **1.** (*avere sensazioni*) to feel: *i morti non sentono* the dead do not feel. – **2.** (*avere odore*) to smell, to have a ... smell: ~ *di muffa* to smell musty, to have a musty smell. – **3.** (*avere sapore*) to taste, to have a ... taste: ~ *d'acido* to taste sour, to have a sour taste. – **4.** (*udire*) to hear: *parla più forte, non sento* speak louder, I can't hear (very well). – **5.** (*avere sentimenti morali*) to have feelings: ~ *rettamente* to have worthy feelings. – **6.** (*pensare*) to think, to see: *secondo il mio modo di* ~ according to my way of thinking, as I see it. – **7.** (*provare*) to see: *senti come è morbido* see (*o* feel) how soft it is; *senti se ti piace* see if you like it. – **8.** (*avere notizia*) to gather, to learn, to hear, to see: *sento dalla tua lettera che tornerai presto* I see from your letter that you'll be coming back soon. – **9.** (*informarsi, chiedere*) to find out, to ask, to see: *senti chi è* find out who it is. – **10.** (*accorgersi*) to feel, to sense, to tell: *sento che mi ama* I can tell that he loves me. – **11.** (*presentire, presagire*) to have a feeling, to feel, to have a premonition: *sentivo che qualcosa sarebbe successo* I could feel that something was going to happen; *sento che è successa una disgrazia* I have a feeling that there's been an accident. – **12.** ⟨*ant*⟩ (*avere somiglianza*) to resemble. – **sentirsi** *v.r.* **1.** (*provare una sensazione fisica o psichica*) to feel: *come ti senti oggi?* how do you feel today?; *mi sento peggio di ieri* I feel worse than yesterday; *sentirsi a proprio agio* to feel at ease, to feel at home. – **2.** (*essere disposto*) to feel like (*o* up to), to want: *non mi sento di aiutarlo* I don't feel like helping him; *ti senti di correre?* do you feel like (*o* up to) running? – **3.** (*riprendere i sensi*) to regain consciousness, to come to.

□ **a** *sentir lui* from what he says, to listen to him, from his account; *a quel che si sente dire* from what one hears; *sentirsi* **affamato** to feel hungry; *sentirsi un* **altro** to feel like a new man; *sentirci* **bene** to hear well; ⟨*fig*⟩ ~ *tutt'e due le* **campane** to listen to both sides; ⟨*fam*⟩ *non* ~ *nemmeno le* **cannonate** not to hear a thing; (*essere sordo*) to be stone-deaf; *non sente* **consigli** he won't take advice; *sentirsi la* **coscienza** *a posto* to have a clear conscience; *sentir* **dire** *qc.* to hear s.th.: *ho sentito dire che eri partito* I heard that you'd left; **farsi** ~: 1. to make itself (be) felt: *il caldo comincia a farsi* ~ the heat is beginning to make itself felt, it's getting quite hot; 2. (*farsi valere, alzare la voce*) to assert o.s., to get what one wants, to speak up, to make one's weight felt: *alla prossima seduta mi farò* ~ I'll speak up at the next meeting; *sento molto la tua* **lontananza** I miss you very much; *sentirsi* **male** to feel ill; ~ *la* **mancanza** *di qd.* to miss s.o.; *secondo il mio* **modo** *di* ~ according to my way of thinking, in my view; ⟨*iperb*⟩ *sentirsi* **morire** *dal caldo* to feel very hot, to be dying of the heat, ⟨*fam*⟩ to be boiling (*o* baking); ~ **odio** *per qd.* to hate s.o.; *non sentirci da un* **orecchio** to be deaf in one ear; *sentirsi* **perduto** to feel at a loss, not to know ⌜what to do⌝ (*o* where to turn); ~ **piacere** *per qc.* to enjoy s.th., to get pleasure from s.th.; *sentirci* **poco** not to hear well; *non sente* **ragioni** he won't listen to reason; ⟨*lett*⟩ ~ *altamente di* **sé** (*avere un alto concetto di sé*) to ⌜think highly⌝ (*o* have a high opinion) of o.s.; ⟨*lett*⟩ ~ *modestamente di sé* (*avere un modesto concetto di sé*) to have a modest opinion of o.s.; ~ *troppo di sé* to think too much of o.s.; ~ *il* **solletico** to be ticklish; **stare** *a* ~ *qd.* to listen to s.o.; *stammi a* ~ just listen to me. || ⟨*pop*⟩ *in quella casa ci si sente* (*ci sono gli spiriti*) that house is haunted; *si sente che è francese* you can hear (*o* tell) that he is French; ⟨*fam*⟩ *sentirsela*: 1. (*sentirsi in grado*) to feel like (*o* up to), to feel (able to); 2. (*sentirsi disposto*) to feel like, to want: *non me la sento d'ingannarlo* I don't feel like deceiving him, I don't want to deceive him; *non me la sento* I don't feel like it. – *Prov.*: ~ *e non ridire è buon servire* a good friend knows how to keep his mouth shut.

sentire[2] *m.* ⟨*lett*⟩ **1.** (*sentimento morale*) sentiment, feeling. – **2.** ⟨*non com*⟩ (*capacità d'intendere*) understanding. □ *di alto* ~ of lofty sentiments.

sentita: ⟨*tosc*⟩ *andare a* ~ (*operare con cautela*) to act cautiously; *camminare a* ~ to feel one's way; (*avanzare cautamente, mettendo avanti le mani*) to grope.

sentitamente *avv.* sincerely, heartily, warmly, deeply: *ringraziare qd.* ~ to thank s.o. heartily (*o* from the bottom of one's heart).

sentito (*p.p. di sentire*[1]) *a.* **1.** (*udito*) heard: *cose -e e risentite* things heard over and over again. – **2.** (*sincero*) sincere, hearty, warm: *Le porgo le mie più -e scuse* I wish to offer my sincerest apologies; (*profondo*) deep. – **3.** (*influente*) influential: *è un funzionario molto* ~ *al ministero* he is a very influential functionary at the ministry. – **4.** ⟨*ant*⟩ (*accorto, giudizioso*) wise. □ ~ *il parere del comitato* after having heard the committee's opinion; *per* ~ *dire* from hearsay.

sentore *m.* **1.** (*indizio, informazione vaga*) information: *la banca era sorvegliata perché la polizia aveva avuto* ~ *della rapina* the bank was guarded because the police had ⌜received information about⌝ (*o* got wind of) the robbery. – **2.** (*sentimento indistinto*) inkling, feeling: *ho* ~ *che ci saranno dei trasferimenti nel mio ufficio* I have a feeling that there are going to be some transfers in the office. – **3.** ⟨*lett*⟩ (*odore*) smell; (*profumo*) scent, perfume. – **4.** ⟨*ant*⟩ (*sensibilità*) sensitivity; (*facoltà di sentire*) capability of feeling; (*sensazione*) feeling. – **5.** ⟨*ant*⟩ (*rumore*) noise, din.

senussia *f.* ⟨*Rel*⟩ Senus(s)i *pl*, Senussites *pl*, Senusiya *pl*, Sanusi *pl.* – **senussita I** *a.* **1.** (*dei senussi*) Senussi, Senussian. – **2.** (*della senussia*) Senussi. – **II** *s.m./f.* Senus(s)i, Senussite, Sanusi. – **senusso** *m.* **1.** (*discendente*) descendent of Mohammed ben Ali ben as-Sanussi. – **2.** (*seguace*) Senussi, Sanusi. □ *il Gran Senusso* the Grand Senussi.

senza I *prep.* (before personal pronouns it is usually used together with *di*; before words beginning with a vowel it may become *senz'*) **1.** without: ~ *il permesso della mamma* without mother's permission; *andrò* ~ *di te* I shall go without you. – **2.** (*privo di*) without, -less, -lessly, *oppure si traduce coll'agg. o coll'avv. negativo corrispondente*: ~ *speranza* without hope, hopeless; ~ *intenzione* without intention, unintentional(ly); *un bambino* ~ *madre* a motherless child; ~ *cerimonie* without standing on ceremony, without a fuss. – **3.** (*oltre, senza contare*) apart from, on top of, without counting (*o* considering), over and above, not to mention: *ho speso diecimila lire,* ~ *il conto dell'albergo* I have spent ten thousand lire without counting the hotel bill. – **4.** ⟨*Sport*⟩ (*nel canottaggio*) coxswainless, coxless, without coxswain: *quattro* ~ coxswainless four. – **II** *congz.* without [*ger*]: *parlare* ~ *riflettere* to speak without thinking.

□ *senz'***altro**: 1. certainly, definitely, without doubt (*o* fail): *verrò senz'altro* I'll definitely come; 2. ⟨*ant*⟩ (*senza nient'altro*) without anything else, only; ~ **che** [*cong*] without [*ger*]: *è uscito* ~ *che me ne accorgessi* he went out without my noticing it; *giungemmo a casa* ~ *che nulla accadesse* we got home without anything happening; ~ *tanti* **complimenti** without ceremony (*o* any fuss), unceremoniously; ~ **contare** (quite) apart from, over and above, without considering (*o* counting), on top of: *ho un debito di seimila lire,* ~ *contare le tremila lire che devo a te* I have a debt of six thousand lire, over and above the three thousand lire I owe you; ~ *contare che* = *senza* **dire che**; ~ **di** *che* without which; ~ **dire** not to mention, apart from; ~ *dire che* (*tanto più che*) all the more so as, particularly (*o* especially) since, apart from the fact that: *l'avrei aiutato volentieri,* ~ *dire che se lo sarebbe meritato* I would have been glad to help him, particularly since he deserved it; ~ *dir nulla* (*o motto*) without (saying) a word; ~ *tanti* **discorsi** without beating about the bush; ~ **dubbio** without (any) doubt, doubtless; **essere** ~ *qc.* not to have s.th., to be without s.th.; (*rimanere sprovvisto*) to run out of s.th.: *siamo rimasti* ~ *pane* we have run out of bread, we have no bread left; ~ **fallo** certainly, surely; **fare** ~ (*di*) *qc.* to manage without s.th., to (make) do without s.th.; *restare* ~ **fiato** to be breathless; ~ **fine** endless: *un'attesa* ~ *fine* an endless wait; ~ **forse** = *senza* **dubbio**; ~ *frapporre* **indugi** without delay; ~ **meno** certainly, definitely, without fail; ⟨*lett*⟩ **non** ~ (*con*) not without, with (some): *non* ~ *rimpianti* not without regret, with some regret; ~ **numero** (*innumerevole*) numberless; ⟨*lett,rar*⟩ ~ **più** certainly; ~ *por* **tempo** *in mezzo* = *senza frapporre* **indugi**.

senza|cọda *m.inv.* ⟨*Aer*⟩ (*anche aereo senzacoda*) tailless (aero)plane. – **~dịo** (o *sẹnza Dịo*) *m./f.inv.* **1.** (*ateo*) atheist. – **2.** (*persona senza scrupoli o morale*) unscrupulous (*o* godless) person. – **~pạtria** *m./f.inv.* **1.** ⟨*rar*⟩ (*apolide*) displaced (*o* stateless) person. – **2.** ⟨*spreg*⟩ unpatriotic person. – **~tẹtto** *m./f.inv.* homeless person; *pl.* the homeless: *asilo per i* ~ refuge for the homeless.

senzịẹnte (*p.pr. di sentire*[1]) *a.* ⟨*lett*⟩ sentient.

S.E.O. = ⟨*burocr*⟩ *salvo errori e omissioni* errors and omissions excepted (*abbr.* e. and o.e., E. and O.E., E. & O.E.).

sepaiuọla *f.* ⟨*Ornit*⟩ **1.** (*bigia grossa*) Orphean warbler (*Sylvia hortensis*). – **2.** (*capinera*) black cap (*Sylvia atricapilla*). – **3.** (*sterpazzola*) whitethroat (*Sylvia communis*). – **4.** (*sterpazzolina*) subalpine warbler (*Sylvia subalpina*). – **5.** (*scricciolo*) wren (*Troglodytes troglodytes*).

sẹpalo *m.* ⟨*Bot*⟩ sepal.

separạbile *a.* **1.** separable, dissociable; (*staccabile*) detachable, severable, separable. – **2.** (*isolabile*) that may be isolated. – **separabilità** *f.* separability, separableness, dissociableness. – **separamẹnto** *m.* separation, separating.

separanọdi *m.inv.* **1.** ⟨*Tip*⟩ filtering part. – **2.** ⟨*Tess*⟩ knotter.

separạre *v.t.* (**sepạro**/*lett.* **sẹparo**) **1.** to separate, to divide: *un fiume separa le due città* a river separates the two cities. – **2.** (*segregare, isolare*) to separate, to segregate, to isolate. – **3.** (*tenere distante, sceverare*) to keep separate, to separate, to set apart, to sort out: ~ *il buono dal cattivo* to separate the good from the bad. – **4.** ⟨*Sport*⟩ (*nel pugilato*) to break. – **5.** ⟨*Minier*⟩ to win. – **6.** ⟨*ant*⟩ (*interrompere*) to break (off). – **separarsi** *v.r.* **1.** (*allontanarsi*) to leave, to go away, to be separated (*da* from): *il viaggio mi attira, ma l'idea di separarmi dai bambini mi trattiene* the trip is attractive but the idea of leaving my children holds me back. – **2.** (*dividersi*) to separate (from), to break up (with); (*rif. a coniugi*) to separate, to split up. – **3.** (*staccarsi*) to leave (*da qd.* s.o.), to part (from), to part company (with): *si sono separati dal gruppo e sono tornati prima* they left the group and came back early; *separarsi da un partito politico* to leave a political party. □ ⟨*Dir*⟩ *separarsi di fatto* to separate (in fact); ⟨*Dir*⟩ *separarsi legalmente* to separate legally, to obtain a legal separation; ~ *i litiganti* to separate the quarrelers; ⟨*Chim*⟩ ~ *mediante filtrazione* to filter off.

separatamẹnte *avv.* **1.** (*a parte*) separately, apart. – **2.** (*da sé*) separately, individually, by oneself, independently. – **3.** (*uno alla volta*) one by one, one at a time, severally.

separatịsmo *m.* ⟨*Pol*⟩ separatism. – **separatịsta I** *s.m./f.* **1.** ⟨*Pol*⟩ separatist, separationist. – **2.** ⟨*Dir*⟩ (*anche creditore separatista*) preferential (*o* secured) creditor. – **II** *a.* → **separatistico**. – **separatịstico** *a.* (*pl.* **-ci**) separatist(ic).

separatịvo *a.* ⟨*non com*⟩ separative, separating. – **separạto** (*p.p. di separare*) *a.* **1.** separate: *stanze -e* separate rooms; *pace -a* separate peace. – **2.** (*rif. a coniugi*) separated: *sono -i legalmente* they are legally separated. – **3.** (*diverso*) separate, different, another.

separatọre I *s.m.* (*f.* **-trice**) **1.** separator. – **2.** ⟨*Ind*⟩ separator, trap. – **3.** ⟨*Rad*⟩ (*anche stadio separatore*) buffer stage, separator. – **II** *a.* separating, separatory.

□ ~ *d'***acqua** water separator; ~ **centrifugo** centrifugal separator; ~ *di* **gas** gas separator; ~ *di* **grasso** grease trap; ~ *d'***isotopi** isotope separator; ~ **magnetico** magnetic separator; ~ *del* **minerale** ore separator; ~ *a* **nastro** belt separator; ~ *di* **olio** oil separator; ~ *di* **polveri** dust trap; ~ *di* **sabbia** sand separator (*o* trap).

separaziọne *f.* **1.** (*divisione*) separation, division; (*stacco*) severance, separation. – **2.** (*allontanamento*) separation. – **3.** (*isolamento*) separation, isolation, segregation. – **4.** ⟨*Dir*⟩ separation. – **5.** ⟨*Ind*⟩ cutting, graining. – **6.** ⟨*Minier*⟩ winning.

□ ⟨*Ind*⟩ ~ *d'***acqua** water separation; ⟨*Dir*⟩ ~ *dei* **beni** separation of property (*o* estates); (*nel fallimento*) preferential treatment (of a creditor's claim), separate (*o* special) settlement; ⟨*Ind*⟩ ~ *per* **centrifugazione** centrifugal separation; ~ *della* **chiesa** *dallo stato* separation of church and state; ⟨*Dir*⟩ ~ **coniugale** (o *fra coniugi*) separation (of husband and wife); ⟨*Dir*⟩ ~ **consensuale** separation by mutual consent, voluntary separation; ⟨*Chim*⟩ ~ **elettrolitica** electrolytic separation; ~ **elettrostatica** electrostatic separation; ⟨*Dir*⟩ ~ **giudiziale** judicial separation; ⟨*Chim*⟩ ~ *degli* **isotopi** isotope separation; ⟨*Dir*⟩ ~ **legale** legal separation; ⟨*Dir*⟩ ~ *di* **letto** *e di mensa* separation from bed and board, separation a mensa et thoro; ⟨*Ind*⟩ ~ **magnetica** magnetic separation; ~ **mineraria** ore segregation; ~ **personale** = *separazione* **coniugale**; ⟨*Pol*⟩ ~ *dei* **poteri** separation of powers; ⟨*Chim*⟩ ~ *mediante* **precipitazione** precipitation.

séparé *fr. m.* dining alcove, ⟨*am*⟩ booth; (*stanza privata*) private room.

sepẹra *f.* ⟨*Pesc*⟩ kind of fishing-net.

sepiạrio *a.* ⟨*Giard,Bot*⟩ **1.** (*adatto a fare siepi*) hedge-. – **2.** → **sepincolo**. – **sepịncolo** *a.* growing in hedges, hedge-.

sepiolịte *f.* ⟨*Min*⟩ sepiolite, meerschaum, sea-foam.

sẹpion, sepiostạrio *m.* (*osso di seppia*) cuttlebone, sepiostaire. sepium.

sepolcrạle *a.* **1.** sepulchral: *pietra* ~ sepulchral stone, tombstone, gravestone. – **2.** ⟨*fig*⟩ (*cupo, pauroso*) sepulchral, dismal, gloomy, funereal: *silenzio* ~ dismal silence; *buio* ~ gloomy darkness. – **3.** ⟨*lett*⟩ graveyard-: *poesia* ~ graveyard poetry. – **sepolcrẹto** *m.* **1.** cemetery, graveyard, burial-ground. – **2.** (*nell'altare cristiano*: *confessione*) confession, confessio.

sepọlcro *m.* **1.** sepulchre; (*tomba*) tomb. – **2.** ⟨*Lit*⟩ (*repositorio*) repository, Easter sepulchre, altar of repose. – **3.** ⟨*fig*⟩ (*morte*) grave: *condurre qd. al* ~ to drive s.o. to the (*o* an early) grave. – **4.** ⟨*rar*⟩ (*sepoltura*) burial. – **Sepolcro** *m.* (*Santo Sepolcro a Gerusalemme*) (Holy) Sepulchre.

□ ~ *di* **famiglia** family vault; ⟨*pop*⟩ **fare** *i -i* = **visitare** *i sepolcri*; ⟨*Bibl*⟩ *-i* **imbiancati** whited sepulchres; ⟨*fig*⟩ (*ipocriti*) whited sepulchres, hypocrites *pl*; *essere con un* **piede** *nel* ~ to have one foot in the grave; ⟨*Rel*⟩ **Santo** ~ Holy Sepulcre; **scendere** *nel* ~ (*morire*) to die, to go to one's last resting-place; ⟨*Lit*⟩ **visitare** *i -i* to visit the Easter Sepulchres.

sepọlto (*p.p. di seppellire*) **I** *a.* **1.** buried: *essere* ~ *vivo* to be buried alive; (*inumato*) inhumed, interred. – **2.** (*ricoperto di terra e sim.*) buried: *rimanere* ~ *sotto una valanga* to be buried by an avalanche. – **3.** ⟨*fig*⟩ (*immerso, sprofondato*) buried, immersed, steeped, plunged. – **4.** ⟨*fig*⟩ (*nascosto*) buried, hidden away. – **II** *s.m.* (*f.* **-a**) **1.** person who is dead and buried; *pl.* the dead. – **2.** ⟨*fig*⟩ has-been, long-forgotten person. □ ~ *nel sonno* deep in sleep, fast asleep; ⟨*Rel*⟩ *-e vive* cloistered nuns.

sepoltuạrio *m.* (*registro*) burial register.

sepoltụra *f.* **1.** (*il seppellire*) burial, ⟨*lett*⟩ sepulture; (*inumazione*) inhumation, interment. – **2.** (*cerimonia funebre*) funeral, burial. – **3.** (*luogo*) burial-place; (*tomba*) sepulchre, tomb, grave. – **4.** ⟨*non com*⟩ (*corteo*) funeral procession. □ *dare* ~ *a qd.* to bury s.o.; ⟨*Dir.can*⟩ ~ *ecclesiastica* Christian burial; ⟨*Etnol*⟩ ~ *per esposizione* laying out.

sepoy *ingl.* ['sipɔi] *m.* ⟨*Stor*⟩ sepoy.

seppellimẹnto *m.* burial, ⟨*lett*⟩ sepulture; (*inumazione*) inhumation, interment. □ ~ *in terra* interment.

seppellịre *v.t.* (**seppellịsco, seppellịsci**; *p.p.* **sepọlto**/*non com.* **seppellịto**/*ant.* **sepụlto**) **1.** to bury; (*inumare*) to inhume, to inter. – **2.** (*sotterrare*) to bury: ~ *la refurtiva* to bury stolen goods. – **3.** (*ricoprire di terra e sim.*) to bury, to cover: *la valanga ha sepolto l'intero paese* the avalanche has buried the whole village; (*sommergere*) to submerge, to bury. – **4.** ⟨*fig*⟩ (*dimenticare*) to bury, to forget: ~ *il passato* to forget the past; ~ *i vecchi rancori* to bury the hatchet. – **5.** ⟨*fam*⟩ (*sopravvivere*) to bury, to survive, to outlive: *ha già sepolto due mariti* she has already survived two husbands. – **seppellirsi** *v.r.* **1.** (*isolarsi*) to bury (*o* isolate) o.s., to shut o.s. up, to cut o.s. off. – **2.** (*sprofondarsi, immergersi*) to bury (*o* immerse) o.s.: *seppellirsi nello studio* to bury o.s. in one's studies.

seppellitọre *m.* (*f.* **-trice**) burier; (*becchino*) grave-digger.

sẹppia I *s.f.* **1.** ⟨*Zool*⟩ cuttlefish (*Sepia*). – **2.** ⟨*Gastr*⟩ cuttlefish. – **II** *s.m.inv.* (*colore*) sepia. – **III** *a.inv.* sepia. □ ⟨*Fot*⟩ *carta* ~ sepia paper; ⟨*Mar.mil*⟩ *fare la* ~ to make a smokescreen.

seppiạre *v.t.* (**sẹppio, sẹppi**) to pounce (*o* polish) with cuttlebone.

seppiarọla *f.* ⟨*Pesc*⟩ cuttlefish-trap. – **seppiẹtta** (*dim. di seppia*) *f.* ⟨*Mar.mil*⟩ small motorboat. – **seppiolịna** *f. dim. di* **seppia**.

seppụre *congz.* **1.** (*anche se*) even if, even though: *lo aiuterò* ~ *dovesse costarmi caro* I'll help him even if it should cost me dearly. – **2.** (*ammesso che*) even if, if, granted (*o* supposing) that: *la lettera,* ~ *arriverà, sarà inutile* even if the letter arrives it will be of no use.

sẹpsi *f.* ⟨*Med*⟩ sepsis, septic poisoning; (*setticemia*) septicemia, septic infection. □ ~ *puerperale* puerperal sepsis (*o* fever).

sepsịna *f.* ⟨*Biol*⟩ sepsine.

septạria *f.* ⟨*Geol*⟩ septarium.

septẹmviri *m.pl.* ⟨*Stor.rom*⟩ septemviri *pl*, septemvirs *pl*.

septidị *fr. m.* ⟨*Stor*⟩ seventh day of the decade (of the French Republican calendar).

septoriọsi *f.* ⟨*Agr*⟩ leaf spot, hard rot: ~ *delle foglie del sedano* celery leaf spot.

sepulcrạle *a.* ⟨*ant*⟩ → **sepolcrale**. – **sepụlcro** *m.* ⟨*ant*⟩ → **sepolcro**. – **sepụlto** (*p.p. di seppellire*) *a./s.* ⟨*ant*⟩ → **sepolto**. – **sepultuạrio** *a./s.* ⟨*ant*⟩ → **sepoltuario**. – **sepultụra** *f.* ⟨*ant*⟩ → **sepoltura**.

sequạni *m.pl.* ⟨*Stor*⟩ Sequani *pl*.

sequẹla *f.* **1.** series, succession, sequence, chain: *una* ~ *di lamenti* a series of complaints. – **2.** ⟨*rar*⟩ (*rif. a persone*) series, succession. – **3.** ⟨*ant*⟩ (*conseguenza*) consequence, sequela. □ *diritto di* ~ right of pursuit.

sequẹnza *f.* **1.** (*serie*) series, succession, sequence, train, chain, string: *una* ~ *di tamponamenti* a succession of crashes. – **2.** ⟨*Lit, Mus*⟩ sequence, prose. – **3.** ⟨*Cin,TV*⟩ sequence. – **4.** ⟨*Lett*⟩ passage. – **5.** (*composizione poetica di argomento religioso*) cantilena. – **6.** (*nei giochi di carte*) sequence, run, straight. – **7.** ⟨*tecn*⟩ sequence: ~ *di* *lavorazione di un pezzo* work sequence of a piece. □ ⟨*TV*⟩ ~ *di analisi* (o *esplorazione*) scanning sequence; ⟨*Cin*⟩ ~ *di collegamento* montage sequence. – **sequenziạle I** *a.* ⟨*El*⟩ sequential. – **II** *s.m.* ⟨*Lit*⟩ (*anche libro sequenziale*) sequencer, book of liturgical sequences.

sequestrạbile *a.* ⟨*Dir*⟩ attachable, distrainable, seizable, ⟨*lett*⟩ sequestrable. – **sequestrabilità** *f.* liability to attachment (*o* distraint). – **sequestramẹnto** *m.* ⟨*non com*⟩ → **sequestro.** – **sequestrạnte** (*p.pr. di sequestrare*) **I** *a.* **1.** ⟨*Dir*⟩ seizing, sequestering. – **2.** ⟨*Chim*⟩ sequestering. – **II** *s.m./f.* **1.** ⟨*Dir*⟩ sequestrator. – **2.** ⟨*Chim*⟩ sequestrant.

sequestrạre *v.t.* (**sequẹstro**) **1.** ⟨*Dir*⟩ (*porre sotto sequestro*) to attach, to distrain (upon), to seize, to sequester, to sequestrate: ~ *i mobili a un debitore* to seize a debtor's furniture. – **2.** ⟨*estens*⟩ (*togliere dalla circolazione*) to seize, to confiscate, to sequester, to sequestrate: ~ *un giornale* to confiscate a newspaper; *il maestro gli ha sequestrato una rivista* the teacher confiscated one of his magazines. – **3.** (*rapire*) to kidnap: *i banditi hanno sequestrato un noto industriale* the outlaws kidnapped a famous industrialist. – **4.** (*costringere in un luogo*) to keep, to confine: *il cattivo tempo ci ha sequestrati in casa* the bad weather kept us indoors. – **5.** ⟨*ant*⟩ (*allontanare*) to keep away, to separate.

sequestratạrio *m.* ⟨*Dir*⟩ sequestrator. – **sequestrạto** (*p.p. di sequestrare*) **I** *a.* ⟨*Dir*⟩ distrained, seized, sequestered. – **II** *s.m.* (*f.* **-a**) distrainee. – **sequestratọre** *m.* (*f.* **-trice**) distrainer. – **sequestraziọne** *f.* **1.** ⟨*Med*⟩ sequestration. – **2.** ⟨*ant*⟩ (*sequestro*) sequestration, distraint.

sequestrectomịa *f.* ⟨*Chir*⟩ sequestrectomy.

sequẹstro *m.* **1.** ⟨*Dir*⟩ attachment, distraint, distress, seizure, sequestration: *ordinare un* ~ to order an attachment; ~ *dei beni di un fallito* distress on a bankrupt's estate. – **2.** (*rapimento*) kidnapping. – **3.** ⟨*Med*⟩ sequestrum.

□ ⟨*Dir*⟩ ~ **conservativo** protective sequestration, receivership; ~ **convenzionale** voluntary sequestration; ~ **giudiziario** judicial attachment, seizure ⌜by order of the court⌝ (*o* under legal process); *disporre il* ~ *giudiziario* to order appointment of receiver; ~ **mobiliare** distraint on chattels (*o* furniture), seizure of personal property; ~ *di* **persona**: 1. (unlawful) restraint, restriction of liberty, illegal confinement; 2. (*detenzione illegale*) false imprisonment; 3. (*rapimento*) kidnapping; **sotto** ~ under sequestration, under attachment (*o* distraint): *mettere* (o *porre*) *sotto* ~ to place under distraint, to attach, to sequester.

sequestrotomịa *f.* ⟨*non com*⟩ → **sequestrectomịa.**

sequọia *f.* ⟨*Bot*⟩ **1.** sequoia (*Sequoia*). – **2.** giant sequoia, big tree (*Sequoia gigantea*). – **3.** redwood (*Sequoia sempervirens*).

sẹr *m. accorc. di* **sere.**

sẹra *f.* **1.** evening: *giornali della* ~ evening papers. – **2.** (*spazio di tempo*) evening: *domani passo la* ~ *a teatro* tomorrow I'm going to spend the evening at the theatre. – **3.** (*notte*) night. – **4.** ⟨*fig,poet*⟩ (*vecchiaia*) old age, ⟨*poet*⟩ evening of life; (*morte*) death.

□ **a** ~ = **la** *sera*; **buona** ~!: 1. (*arrivando*: *di sera*) good evening!; (*di pomeriggio*) good afternoon!; 2. (*congedandosi*) good-bye!; *dare la buona* ~ *a qd.* to say good evening to s.o.; **da** ~: 1. evening-: *abito da* ~ evening dress; 2. ⟨*lett*⟩ = **di** *sera*; **di** ~: 1. in the evening: *fare una passeggiata di* ~ to take ⌜a walk in the evening⌝ (*o* an evening walk); 2. (*della sera*) in the evening: *le otto di* ~ eight o'clock in the evening, eight p.m., eight at night; 3. (*quando è buio*) when it is dark, in the dark; **domani** ~ tomorrow evening; *la* ~ **dopo** the evening after, the following evening; **far** ~ to become (*o* get) dark; *si è fatta* ~ evening has come, it has got dark, night has fallen; *sul far della* ~ at nightfall, at dusk; **ieri** ~ yesterday evening, last night; *la* ~ **innanzi** = *la sera* **prima**; **la** ~ in the evening; **lunedì** ~ (on) Monday evening; (*la sera di tutti i lunedì*) on Monday evenings; *dalla* **mattina** *alla* ~ from morning till night, from dawn to dusk; (*in breve tempo*) overnight; *di* **prima** ~ early in the evening; (*all'imbrunire*) at dusk; *la* ~ *prima* the evening before, the previous evening; **quella** ~ that evening; **questa** ~ this evening, tonight; **scende** *la* ~ it's getting dark, night is falling; *la* ~ **seguente** = *la sera* **dopo**; *la* (o *di*) ~ **tardi** late in the evening; (*molto tardi*) late at night; **tutta** *la* ~ all (the) evening; *tutte le* **-e** every evening; ⟨*fig,poet*⟩ **ultima** ~ (*la morte*) death; **una** ~ one evening; **verso** ~ towards evening. – *Prov.*: *di* ~ *tutti i gatti sono bigi* at night all cats are grey.

serabẹnd *m.* (*tappeto*) serabend, saraband.

seraccạta *f.* ⟨*Geol*⟩ seracs *pl.* – **serạcco** *m.* (*pl.* **-chi**) serac.

serạfico *a.* (*pl.* **-ci**) **1.** seraphic. – **2.** ⟨*fig*⟩ (*pacifico, tranquillo*) calm, peaceful, serene, tranquil. – **3.** ⟨*Rel*⟩ (*francescano*) Franciscan, seraphic. □ *il* ~ *d'Assisi* (*san Francesco*) St. Francis of Assisi, Seraphic Father; *dottore* ~ (*san Bonaventura da Bagnorea*) St. Bonaventure, Seraphic Doctor; *famiglia* **-a** (*ordine francescano*) Franciscan (*o* Seraphic) Order, Franciscans *pl*; *padre* ~: 1. (*religioso francescano*) seraphic friar, Franciscan; 2. = *il serafico d'Assisi*.

serafịno *m.* ⟨*Teol*⟩ seraph. □ ⟨*Rel*⟩ *Ordine dei* **-i** Order of the Seraphim. – **serạfo** *m.* ⟨*poet*⟩ → **serafino.**

Seraiẹvo *N.pr.f.* ⟨*Geog*⟩ Sarajevo, Serajevo.

seralamạnna *f.* (*salamanna*) kind of muscatel grape.

serạle *a.* evening-, night-: *pasto* ~ evening meal; *scuola* ~ night -school. □ *ore* **-i** evening. – **seralmẹnte** *avv.* **1.** (*di sera*) in the evening. – **2.** (*ogni sera*) every evening.

serapẹo *m.* ⟨*Archeol*⟩ Serapeum.

serạpica *f.* ⟨*Entom*⟩ (*pappataci*) sand-fly (*Phlebotomus papatasii*).

Serạpide *N.pr.m.* ⟨*Mitol*⟩ Serapis.

Serapiọne *N.pr.m.* ⟨*Stor*⟩ Serapion, Sarapion.

serạta *f.* **1.** evening, night: *una bella* ~ *di primavera* a beautiful spring night; (*tardo pomeriggio*) late afternoon. – **2.** (*rappresentazione serale*) performance. – **3.** (*ricevimento serale*) soirée, evening party (*o* reception), evening. □ ⟨*Teat*⟩ ~ *d'addio* farewell performance; ~ *di beneficenza* charity performance; ~ *danzante* dance, ball; ~ *di gala* gala performance; ~ *d'onore* benefit performance (for the leading actor or actress).

seratạccia *f.* (*pl.* **-ce**) *pegg. di* **serata.** – **seratạnte** *m./f.* ⟨*Teat*⟩ leading actor (*o* actress) for whom a benefit performance is given. – **seratịna** *f. dim. di* **serata.**

serbạre *v.t.* (**sẹrbo**) **1.** (*mettere da parte*) to put (*o* lay) aside, to save, to keep: *ti ho serbato una fetta di torta* I saved a piece of cake for you. – **2.** (*riservare*) to reserve, to keep: ~ *le proprie attenzioni a qd.* to keep one's attentions for s.o. – **3.** (*mantenere, conservare*) to keep, to maintain, to stick to: ~ *la parola data* to keep one's word; ~ *fede ai propri ideali* to stick to one's ideals; (*rif. a sentimenti*) to bear, to nourish, to cherish, to harbour: ~ *rancore* to bear a grudge, to harbour resentment. – **4.** ⟨*assol*⟩ (*risparmiare*) to save. – **serbarsi** *v.r.* (*conservarsi*) to keep (o.s.), to remain, to stay. □ ~ *gratitudine verso qd.* to be grateful to s.o.; ~ *odio verso qd.* to (continue to) hate s.o., to bear s.o. hatred; ~ *un ricordo di qc.* to remember s.th.; ~ *un dolce ricordo di qc.* to cherish a fond memory of s.th. – *Prov.*: *chi serba serba al gatto* if you save too much you'll be saving for s.o. else.

serbastrẹlla *f.* ⟨*Bot*⟩ (*salvastrella*) salad burnet, burnet blood-wort, pimpernel (*Sanguisorba minor*).

serbatọio *m.* **1.** tank, reservoir. – **2.** ⟨*Artigl*⟩ magazine. – **3.** ⟨*Aut*⟩ (petrol) tank. – **4.** (*nelle penne stilografiche*) (ink) reservoir. – **5.** ⟨*Idr*⟩ reservoir; (*cisterna*) cistern.

□ ~ *d'***acqua** water reservoir (*o* tank, cistern); ~ *d'acqua piovana* rainwater tank (*o* cistern); ~ *d'acqua sopraelevato* overhead (*o* elevated) tank; ⟨*Aer*⟩ ~ **alare** wing tank; ~ *d'***alimentazione** feed tank; ⟨*Mecc*⟩ ~ *dell'***aria** *compressa* air receiver; ~ **ausiliario** auxiliary tank; ~ *della* **benzina** petrol tank, ⟨*am*⟩ gas(oline) tank; ~ *del* **carburante** fuel tank; ⟨*Idr*⟩ ~ *di* **carico** header tank; ⟨*Anat*⟩ ~ *del* **chilo** cisterna (*o* receptaculum) chyli, chyle-cistern, chylocyst; ~ **cisterna** cistern; ~ *del* **combustibile** = *serbatoio del* **carburante**; ⟨*Idr*⟩ ~ *di* **compensazione** surge tank (*o* chamber); ⟨*Ind*⟩ ~ *di* **deposito** storage tank; ~ *di* (o *per*) **gas** gas tank, receiver; ~ *a* **gravità** gravity tank; ~ *di* **livello** gauge tank; ⟨*Mot*⟩ ~ *del* **lubrificante** oil tank; ⟨*Geol*⟩ ~ **magmatico** magma chamber; ⟨*Mot*⟩ ~ *dell'***olio** oil tank; ~ *di* **ossigeno** oxygen tank; ~ *a* **pressione** pressure vessel (*o* tank); ⟨*Idr*⟩ ~ *di* **raccolta** sump tank; ⟨*Aut*⟩ ~ *di* **riserva** reserve (petrol) tank; ~ *a* **sella** saddle tank; ~ *di* **servizio** service reservoir, water tower; ~ **sferico** spherical tank; ⟨*Aer*⟩ ~ **sganciabile** drop (*o* slip) tank; ⟨*Fot*⟩ ~ *di* **sviluppo** developing tank; ⟨*Mar.mil*⟩ ~ *di* **zavorra** ballast tank.

serbatọre *m.* (*f.* **-trice**) ⟨*rar*⟩ keeper. – **serbẹvole** *a.* ⟨*ant,rar*⟩ (*rif. a prodotti agricoli*) preservable, that will keep. – **serbevolẹzza** *f.* ⟨*ant,rar*⟩ (*rif. a prodotti agricoli*) preservability.

Sẹrbia *N.pr.f.* ⟨*Geog*⟩ Serbia.

sẹrbo[1]: *avere* (o *tenere*) *in* ~ to keep aside (*o* by), to keep in store (*o* reserve); *dare in* ~ to put in safekeeping, to give into custody; *mettere* (o *porre*) *in* ~ to put (*o* lay, set) aside, to put by; (*riservare*) to keep, to save (up), to store (up).

sẹrbo[2] **I** *a.* Serbian, Serb. – **II** *s.m.* **1.** (*lingua*) Serbian, Serbo -Croat(ian). – **2.** (*abitante*; *f.* **-a**) Serb, Serbian.

serbocroạto I *a.* Serbo-Croat(ian). – **II** *s.m.* (*lingua*) Serbo-Croat(ian), Serbian.

sẹre *m.* ⟨*ant*⟩ **1.** (*signore*) lord, master, ⟨*ant*⟩ sire. – **2.** (*prete*) Reverend Father.

serẹna *f.* ⟨*ant*⟩ (*sirena*) mermaid, siren.

serenamẹnte *avv.* **1.** (*tranquillamente*) calmly, serenely, peacefully, tranquilly. – **2.** (*obiettivamente*) objectively, impartially.

serenạre *v.* (**serẹno**) ⟨*lett*⟩ **I** *v.t.* **1.** (*rasserenare*) to clear (*o* brighten) up. – **2.** ⟨*fig*⟩ to calm, to tranquillize, to cheer up. – **II** *v.i.* (*aus.* **avere**) ⟨*ant*⟩ **1.** (*accamparsi di notte all'aperto*) to camp out, to bivouac. – **2.** (*passare la notte all'aperto*) to spend the night in the open. – **serenarsi** *v.r.* ⟨*lett*⟩ (*rasserenarsi*) to grow calm again, to cheer (*o* brighten) up; (*rif. al viso*) to clear, to brighten; (*rif. al tempo*) to clear (*o* brighten) up.

serenạta *f.* **1.** serenade: *fare la* ~ *a qd.* to sing s.o. a serenade, to serenade s.o. – **2.** ⟨*iron*⟩ (*schiamazzi notturni*) mock-serenade. – **3.** ⟨*Mus*⟩ serenata.

serenatọre ⟨*lett*⟩ **I** *s.m.* (*f.* **-trice**) **1.** clearer, brightener. – **2.** ⟨*fig*⟩ cheerer (up). – **II** *a.* **1.** clearing (*o* brightening) up. – **2.** ⟨*fig*⟩ tranquillizing, cheering, brightening.

serenẹlla *f.* ⟨*Bot*⟩ (*lillà*) lilac (*Syringa vulgaris*).

Serenịssima *f.* **1.** ⟨*Stor*⟩ (*repubblica di Venezia*) Venetian Republic; (*Venezia*) Venice. – **2.** (*repubblica di San Marino*) (Republic of) San Marino.

serenịssimo (*sup. di sereno*) *a.* (*rif. a principi*) (Most) Serene. □ *Sua Altezza* **-a** Your Serene Highness; ~ *principe* (Most) Serene Prince.

serenità *f.* **1.** ⟨*non com*⟩ serenity, calm, clearness: *la* ~ *del cielo* the serenity of the sky. – **2.** ⟨*fig*⟩ (*tranquillità*) serenity, calm, peace (-fulness), tranquillity: ~ *d'animo* peace of mind. – **3.** ⟨*fig*⟩ (*obiettività*) objectiveness, impartiality. – **Serenità** *f.* ⟨*Stor*⟩ (*titolo dei dogi*) Serenity.

serẹno I *a.* **1.** serene, calm, fair: *cielo* ~ serene sky; (*senza nuvole*) clear, cloudless. – **2.** (*limpido*) clear, serene, fine, limpid: *notte -a* clear night. – **3.** ⟨*fig*⟩ (*tranquillo*) calm, serene, peaceful, tranquil, untroubled, quiet, clear: *animo* ~ serene (*o* quiet) mind; *coscienza -a* clear (*o* untroubled) conscience; (*che esprime tranquillità*) calm, peaceful, serene, unruffled: *un volto* ~ a calm expression. – **4.** ⟨*fig*⟩ (*libero da preoccupazioni*) happy, carefree, quiet, calm, trouble-free: *vita -a* happy life. – **5.** ⟨*fig*⟩ (*obiettivo, imparziale*) objective, unbiased, impartial: *giudizio* ~ objective judgement. – **II** *s.m.* **1.** (*tempo sereno*) clear skies *pl*, fair weather. – **2.** ⟨*lett*⟩ (*freddo della notte*) cool of the night, ⟨*lett*⟩ serene. – **3.** ⟨*poet*⟩ (*limpidezza*) clearness, clarity, limpidity. – **4.** ⟨*fig,poet*⟩ (*luminosa serenità*: *rif. allo sguardo*) calm brightness. □ *al* ~ (*all'aria aperta*) in the open air: *dormire al* ~ to sleep in the open air; *è tornato il* ~: 1. (*rif. al tempo*) it has cleared up again; 2. ⟨*fig*⟩ (*è tornata la calma*) things have calmed down again.

serg. = ⟨*Mil*⟩ *sergente* sergeant (*abbr.* Sgt.).

serge *fr.* [sɛrʒ] *f.* ⟨*Tess*⟩ **1.** (*tessuto di lana*) (woollen) serge. – **2.** (*tessuto di cotone*) (cotton) serge.

sergẹnte *m.* **1.** ⟨*Mil*⟩ sergeant. – **2.** ⟨*Mar*⟩ quartermaster. – **3.** ⟨*fig*⟩ (*persona autoritaria*) sergeant-major. – **4.** ⟨*ant*⟩ (*servitore*) servant, ⟨*ant*⟩ sergeant. – **5.** ⟨*ant*⟩ (*soldato a piedi*) foot-soldier, infantryman; (*gendarme*) gendarme. – **6.** ⟨*Fal*⟩ (*morsetto*) carpenter's clamp. □ ⟨*Stor*⟩ ~ *generale* sergeant-general; ~ *d'ispezione* duty (*o* orderly) sergeant; ~ *maggiore* sergeant-major.

sergentịna *f.* ⟨*Mil.ant*⟩ kind of halberd.

Sẹrgio *N.pr.m.* Sergius.

sergozzọne *m.* ⟨*ant,tosc*⟩ punch on the neck, punch in the throat.

serial *ingl.* ['siəriəl] *m.* ⟨*Giorn*⟩ **1.** (*pubblicazione di uno scritto a puntate*) serialization. – **2.** (*scritto*) serial.

seriạle *a.* **1.** (*disposto in serie*) serial, arranged in a series (*o* rank, row). – **2.** ⟨*Biol*⟩ (*seriato*) seriate(d). – **3.** ⟨*Mus*⟩ serial, twelve-tone-.

serịamente *avv.* **1.** (*con serietà*) seriously, in a serious manner, earnestly, in earnest. – **2.** (*gravemente*) seriously, gravely: *essere* ~ *ammalato* to be seriously ill.

seriạre *v.t.* (sẹrio, sẹri) **1.** (*disporre secondo una serie*) to arrange in ⌜a row⌝ (*o* series), to line up. – **2.** ⟨*Statist*⟩ to seriate. – **seriạto** *a.* ⟨*Biol*⟩ seriate(d), serial. – **seriaziọne** *f.* ⟨*Statist*⟩ (*anche seriazione statistica*) seriation.

serịcẹo *a.* **1.** ⟨*lett*⟩ (*di seta*) silk-, silken, silky, sericeous. – **2.** ⟨*lett*⟩ (*simile a seta*) silky, silk-like, silken; (*lucente come seta*) silky. – **3.** ⟨*Bot*⟩ pubescent, sericeous, silky.

sericịgeno *a.* ⟨*Biol*⟩ silk-, silk-producing, ⟨*non com*⟩ sericipary: *ghiandola -a* silk gland. – **sericịna** *f.* sericin, silk gum (*o* glue). – **sericịparo** *a.* → **sericigeno.**

sericịte *f.* ⟨*Min*⟩ sericite. – **sericịtico** *a.* (*pl.* **-ci**) sericitic. – **sericitizzaziọne** *f.* sericitization.

sẹrico *a.* (*pl.* **-ci**) **1.** ⟨*lett*⟩ (*di seta*) silk-, (made) of silk, silken, silky, ⟨*lett*⟩ sericeous: *veste -a* silk dress. – **2.** (*della seta*) silk-: *industria -a* silk industry. – **3.** (*simile a seta*) silky, silk-like: *capelli -i* silky hair. – **serịcolo** *a.* sericultural. – **sericoltọre** *m.* (*f.* **-trice**) sericulturist. – **sericoltụra** *f.* sericulture. – **sericultọre** *m.* → **sericoltore.** – **sericultụra** *f.* → **sericoltura.**

sẹrie *f.* **1.** series, succession, sequence: *una* ~ *di avvenimenti* a series of events. – **2.** (*fila, riga*) line, row, rank. – **3.** (*gruppo compatto, numero definito*) series, set. – **4.** ⟨*Filat*⟩ series. – **5.** (*assortimento*) set: *una* ~ *di chiavi* a set of wrenches. – **6.** (*rif. a biglietti, titoli e sim.*) series. – **7.** ⟨*Edit,tecn*⟩ series. – **8.** ⟨*Sport*⟩ division, league: ~ *A* 1st division (*o* league). – **9.** ⟨*Mar.mil*⟩ squad. □ ⟨*Chim*⟩ ~ **alifatica** fat(ty) series; ⟨*Mat*⟩ ~ **aperta** infinite series; ⟨*Mat*⟩ ~ **aritmetica** arithmetical progression (*o* series); ⟨*Chim*⟩ ~ **aromatica** aromatic series; ⟨*Tip*⟩ ~ *di* **caratteri** *tipografici* font; ~ **chiusa** closed series; **di** ~ mass-produced: *vettura di* ~ mass-produced car; ⟨*Mat*⟩ ~ **esponenziale** exponential series; **fuori** ~ custom-built, special: *macchina fuori* ~ custom-built car; ⟨*Mat*⟩ ~ **geometrica** geometric series (*o* progression); ~ **grassa** = *serie alifatica*; **in** ~: 1. mass-, mass-produced: *produzione in* ~ mass -production; 2. ⟨*El*⟩ in series: *collegare in* ~ to connect in series; *collegamento in* ~ series connection; ⟨*Mat*⟩ ~ **integrale** integral series; ⟨*Chim*⟩ ~ **isologa** isologous series; ⟨*Mat*⟩ ~ **logaritmica** logarithmic series; ⟨*Mat*⟩ ~ **numerica** numerical series, number sequence; ⟨*Chim*⟩ ~ **omologa** homologous series; ⟨*Mat*⟩ ~ **preferenziale** preferred series, series of preferred tolerances; ~ **statistica** statistical series.

serietà *f.* **1.** seriousness, earnestness, thoughtfulness. – **2.** (*rettitudine, onestà*) honesty, respectability, uprightness; (*fidatezza*) reliability, trustworthiness; (*moralità*) morality, virtuousness, respectability. – **3.** (*gravità*) seriousness, gravity. □ *con* ~ seriously, in a serious manner, gravely; (*in modo degno di fiducia*) reliably; *con tutta* ~ in all seriousness; *uomo di assoluta* ~ completely reliable (*o* trustworthy) man.

serịgeno *a.* → **sericigeno.**

serigrafịa *f.* ⟨*Tip*⟩ serigraphy, silk-screen process (*o* printing).

serịmetro *m.* ⟨*Tess*⟩ serimeter.

serịna *f.* ⟨*Chim*⟩ serine.

serịno *m.*: ⟨*Ornit*⟩ ~ *d'Italia* (*verzellino*) serin (*Serinus canarius serinus*).

sẹrio I *a.* **1.** serious, earnest, thoughtful: *una faccia -a* a serious face. – **2.** (*retto, onesto*) honest, respectable, upright: *un cittadino* ~ *e leale* an honest and loyal citizen; (*rif. alla moralità*) good, respectable, reputable: *ragazza -a* good girl. – **3.** (*di cui ci si può fidare*) reliable, trustworthy, reputable: *ditta -a* reputable company. – **4.** (*impegnativo, importante*) serious, important, weighty: *studi seri* serious studies; (*arduo, grave*) serious, grave: *la situazione è molto -a* the situation is very serious; (*difficile*) weighty, serious, difficult: *problema* ~ serious (*o* weighty) problem; (*rif. a malattie*) serious, grave. – **5.** (*severo, accigliato*) strict, severe, stern. – **6.** ⟨*Lett,Mus*⟩ (*non comico*) serious: *musica -a* serious music. – **II** *s.m.inv.* seriousness. □ *parlare tra il* ~ *e il faceto* to speak ⌜half in jest⌝ (*o* half-jokingly); *una donna poco -a* (*leggera*) a loose (*o* fast) woman; *un giovane poco* ~ an unrealiable young man; *sul* ~: 1. (*davvero, veramente*) really, truly; 2. (*seriamente*) seriously, in earnest: *parlo sul* ~ I'm talking seriously, I mean it, I'm in earnest; *prendere qc. sul* ~ to take s.th. seriously; *fare qc. sul* ~ to really do s.th.; *dico sul* ~ I mean it, I'm not joking (*o* kidding); *dici sul* ~? really?, are you serious?, do you really mean it?

serịola *m./f.* ⟨*Itt*⟩ amberjack, amberfish (*Seriola dumerili*).

seriọre (o *seriọre*) *a.* ⟨*lett*⟩ (*più tardo*) later, subsequent. □ *essere* ~ *a* to come after (*o* later than), to be subsequent to. – **seriorità** *f.* ⟨*lett*⟩ subsequence.

seriọso *a.* ⟨*ant*⟩ serious, grave.

serịr *m.* ⟨*Geog*⟩ serir, pebble-strewn desert.

seritteṛio *m.* ⟨*Zool*⟩ silk gland.

serliạna *f.* ⟨*Arch*⟩ serliana.

sermẹnto *m.* **1.** (*tralcio di vite*) vine sarment (*o* runner). – **2.** (*ramo*) sarment, runner. – **sermentọso** *a.* (*sarmentoso*) sarmentose, sarmentous.

sermocinạre *v.* ⟨*lett*⟩ → **sermonare.**

sermollịno *m.* → **serpollino.**

sermonạre *v.i.* (sermọno; *aus.* avere) ⟨*lett*⟩ **1.** (*fare sermoni*) to preach to sermonize. – **2.** (*parlare, discorrere*) to speak, to talk. – **sermonatọre** *m.* (*f.* **-trice**) ⟨*ant,lett*⟩ preacher, sermonizer. – **sermoncịno** (*dim. di sermone*[1]) *m.* **1.** short sermon, sermonette. – **2.** (*predicozzo*) lecture, scolding, ⟨*fam*⟩ talking-to, ⟨*fam*⟩ telling-off: *fare un* ~ *a qd.* to give s.o. a talking-to, to tell s.o. off. – **3.** (*breve poesia natalizia*) short Christmas poem.

sermọne[1] *m.* **1.** ⟨*lett*⟩ (*predica*) sermon. – **2.** ⟨*scherz*⟩ (*paternale*) lecture, scolding, ⟨*fam*⟩ talking-to, ⟨*fam*⟩ telling-off. – **3.** ⟨*spreg*⟩ (*discorso prolisso, noioso*) harangue, lecture, sermon. – **4.** ⟨*Lett*⟩ didactic poem, ⟨*ant*⟩ sermon. – **5.** ⟨*ant*⟩ (*il parlare*) talk, discourse; (*parole proferite*) talk, words *pl.* – **6.** ⟨*ant*⟩ (*lingua, linguaggio*) language, idiom. □ ~ *domenicale* (o *della domenica*) Sunday sermon; ⟨*Bibl*⟩ ~ *della montagna* Sermon on the Mount.

sermọne[2] *m.* ⟨*region*⟩ (*salmone*) salmon.

sermoneggiạre *v.i.* (sermonẹggio, sermonẹggi; *aus.* avere) ⟨*non com*⟩ (*predicare*) to preach, to sermonize (*anche iron.*).

sermonịsmo *m.* ⟨*Filos*⟩ sermonism.

sermontạna *f.* ⟨*Bot*⟩ hartwort, ⟨*non com*⟩ sermountain (*Laserpitium siler*; *Siler montanum*).

sero... *pref.* → **siero...**

serọcchia *f.* ⟨*ant*⟩ (*sorella*) sister.

serọtino *a.* **1.** (*che matura tardi*) late, serotine: *mele -e* late apples; (*rif. a fiori*) late-flowering, serotinous. – **2.** ⟨*lett*⟩ (*di sera, della sera*) evening-, in the evening.

sẹrpa *f.* **1.** (*nelle carrozze*) (coach-)box: *montare in* ~ to get up on the box; (*nelle diligenze*) (stage-coach) seat. – **2.** ⟨*Mar*⟩ cutwater.

serpạio *m.* **1.** (*luogo pieno di serpi*) snake-infested place. – **2.** (*chi cattura serpenti*) snake-catcher, snake-hunter; (*incantatore di serpenti*) snake-charmer. – **3.** (*luogo umido, squallido*) damp place; (*terreno brullo*) barren (*o* bleak) land.

serpạnte *m.* ⟨*Mar*⟩ heads-sweeper.

serpạro *m.* ⟨*region*⟩ → **serpaio.**

sẹrpe[1] *f.* ⟨*region*⟩ *m.* **1.** (*serpente*) snake, serpent. – **2.** ⟨*fig*⟩ (*persona infida*) snake (in the grass), serpent. □ *fatto a* ~ coiled, winding, serpentine, snaky; ~ *d'acqua* water snake; ⟨*fig*⟩ *scaldare* (o *scaldarsi*) *una* ~ *in seno* to nurture a viper in one's bosom; *infido come una* ~ as treacherous as a snake; ⟨*Zool*⟩ ~ *pilota* pilot (*o* mountain) black snake (*Elaphe obsoleta*). – *Prov.*: *le cose lunghe diventan -i* delays are dangerous (*o* unwise).

sẹrpe[2] *f.* ⟨*tosc*⟩ → **serpa.**

serpeggiamẹnto *m.* **1.** winding, twisting, snaking, meandering, zigzagging (*anche fig.*). – **2.** ⟨*Ferr*⟩ rocking (*o* side) motion. – **3.** ⟨*Sport*⟩ zigzagging, weaving. – **4.** ⟨*Mar*⟩ sailing a zigzag course. – **serpeggiante** (*p.pr. di serpeggiare*) *a.* **1.** winding, meandering, twisting: *strada* ~ winding road. – **2.** ⟨*fig*⟩ spreading. – **serpeggiạre** *v.i.* (serpẹggio, serpẹggi; *aus.* avere) **1.** to wind, to meander, to twist, to snake: *il fiume serpeggia nella valle* the river meanders through the valley. – **2.** ⟨*fig*⟩ (*diffondersi*) to spread, to be rife: *il malcontento già serpeggiava tra il popolo* discontent was already rife among the people. – **3.** ⟨*lett*⟩ (*rif. a piante*) to creep, to wind. – **4.** ⟨*fig,non com*⟩ (*rif. a persone*) to be slippery (*o* a dodger). – **5.** ⟨*Mar*⟩ to sail a zigzag course. – **serpẹggio** *m.* **1.** winding, twisting, snaking, meandering, zigzagging. – **2.** ⟨*Aer*⟩ snaking.

serpentạria *f.* ⟨*Bot*⟩ birthwort (*Aristolochia serpentaria*).

serpentạrio[1] *m.* ⟨*Ornit*⟩ secretary-bird, serpent-eater, snake-killer (*Sagittarius serpentarius*).

serpentario[2] *m.* ⟨*Astr*⟩ Serpentarius, Ophiuchus.

serpẹnte *m.* **1.** snake, serpent. – **2.** *pl.* ⟨*Zool*⟩ snakes *pl* (*Ophidia*).

– **3.** ⟨*fig*⟩ (*persona infida*) snake, serpent, treacherous person; (*persona furba*) fox, ⟨*fam*⟩ wily devil, ⟨*fam*⟩ twister. – **4.** ⟨*lett*⟩ (*demonio*) devil, serpent, Satan. – **5.** ⟨*Conc*⟩ snakeskin. – **6.** ⟨*Mus*⟩ serpent. – **Serpente** *N.pr.m.* ⟨*Astr*⟩ Serpens, Serpent.

□ ~ **boa** boa(-constrictor) (*Boa constrictor*); ~ *delle* **case** milk (*o* king) snake (*Lampropeltis triangulum*); ~ **corridore** black snake (*Coluber constrictor*); **di** ~ snakeskin-: *una borsa di* ~ a snakeskin bag; ⟨*Chim*⟩ ~ *di* **faraone** Pharaoh's serpent(s), Pharaoh's serpents' eggs *pl*; ~ *di* **fuoco** Guinea worm (*Dracunculus medinensis*); ~ *del* **latte**: 1. milk snake; 2. = *serpente delle* **case**; ⟨*Fal*⟩ **legno** ~ snakewood, letterwood; ~ *di* **mare**: 1. (*mostro leggendario*) sea-monster (*o* serpent, snake); 2. ⟨*fig*⟩ (*notizia priva di fondamento*) canard, false (*o* fabricated) report; *-i* **marini** (o *di mare*) sea-snakes (*Hydrophinae*); ~ *dagli* **occhiali** cobra de capello, Indian (*o* spectacled, hooded) cobra (*Naja tripudians*; *Naja naja*); ~ *delle* **pinete** bull (*o* pine, gopher) snake (*Pituophis melanoleucus*); ~ *a* **sonagli** rattlesnake (*Crotalus*); ~ **tigre** tiger snake (*Notechis scutatus*); **uomo** ~ contortionist.

serpentẹllo (*dim. di serpente*) *m.* **1.** ⟨*fig*⟩ (*persona infida*) snake, serpent. – **2.** (*fuoco d'artificio*) serpent.

serpentẹsco *a.* (*pl.* **-chi**) **1.** serpentine, snake-like, serpent-like. – **2.** ⟨*fig*⟩ snake-like, treacherous, wily. – **serpentịfero** *a.* **1.** ⟨*lett*⟩ snake-bearing, abounding in serpents, ⟨*non com*⟩ serpentiferous. – **2.** ⟨*Arald*⟩ gringolée. – **serpentifọrme** *a.* serpentiform, snake -shaped.

serpentịna *f.* **1.** (*linea serpeggiante*) serpentine, winding line. – **2.** ⟨*Strad,Ferr*⟩ (*tornante*) winding, bends *pl*; (*strada serpentina*) winding road, serpentine. – **3.** ⟨*tecn*⟩ (*tubo a spirale*) (pipe) coil. – **4.** ⟨*Geol*⟩ serpentine. – **5.** ⟨*Orol*⟩ balance (*o* third) wheel. – **6.** ⟨*Bot*⟩ (*gigaro*) cuckoo-pint, lords and ladies *pl* (*Arum maculatum*). – **7.** ⟨*Bot*⟩ (*bistorta*) snake root, bistort, adderwort (*Polygonum bistorta*). □ *a* ~ winding, twisting; (*a zigzag*) zigzag(ging); ⟨*Mot*⟩ ~ *di raffreddamento* cooling (*o* refrigerating) coil.

serpentinịcolo *a.* ⟨*Bot*⟩ living on serpentinous ground.

serpentịno[1] *a.* **1.** (*di serpente*) serpentine, of a serpent (*o* snake). – **2.** (*simile al serpente*) serpentine, serpent-like, snake-like, snaky, sinuous: *movimenti -i* serpentine movements. – **3.** ⟨*Arald*⟩ gringolée. □ *lingua -a* venomous tongue; *pietra -a* serpentine.

serpentịno[2] *m.* **1.** (*tubo*) (pipe) coil. – **2.** ⟨*Min*⟩ serpentine. – **3.** ⟨*Mil. ant*⟩ serpentine; (*braccio*) cock (of a gun). □ ⟨*Min*⟩ ~ *nobile* noble (*o* precious) serpentine; ⟨*Mot*⟩ ~ *di raffreddamento* cooling (*o* refrigerating) coil; ~ *di riscaldamento* heating coil; ~ *per vapore* steam coil.

serpentinọfita *f.* ⟨*Bot*⟩ plant living only on serpentinous ground. – **serpentinọso** *a.* serpentinous, serpentinoid: *roccia -a* serpentinous rock, serpentine.

serpentọne (*accr. di serpente*) *m.* **1.** large serpent (*o* snake). – **2.** ⟨*Mus*⟩ (*serpente*) serpent.

sẹrpere *v.dif.* ⟨*lett*⟩ → **serpeggiare.**

serpicịna *f. dim. di* **serpe**[1].

serpịgine *f.* ⟨*Med*⟩ serpigo. – **serpiginọso** *a.* serpiginous, creeping, spreading. – **serpịgno** *a.* ⟨*lett*⟩ **1.** (*di serpe*) serpentine, of a serpent (*o* snake). – **2.** (*simile a serpe*) serpent-like, snake-like, serpentine, snaky. – **serpịgo** *f.* → **serpigine.**

serpịllo *m.* ⟨*Bot*⟩ wild (*o* creeping) thyme, penny-mountain (*Thymus serpyllum*).

serpollịno *m.* ⟨*Bot*⟩ (*timo*) thyme (*Thymus vulgaris*).

serpọllo *m.* ⟨*ant*⟩ → **serpillo.**

serpọne *m.* (*f.* **-a**) *accr. di* **serpe**[1]. – **serpọso** *a.* ⟨*non com*⟩ (*pieno di serpi*) snake-infested.

sẹrpula *f.* ⟨*Zool*⟩ serpula (*Serpula*). – **serpụlidi** *m.pl.* serpul(id)ans *pl*, serpulids *pl* (*Serpulidae*).

sẹrqua *f.* ⟨*non com*⟩ **1.** (*dozzina*) dozen: *una* ~ *d'uova* a dozen eggs. – **2.** (*grande quantità*) dozens *pl*, many *pl*, lots *pl*, a lot, a great number.

sẹrra[1] *f.* **1.** greenhouse, glasshouse, conservatory. – **2.** (*briglia*) dike, embankment. – **3.** ⟨*tosc*⟩ (*cintura*) waistband, belt. – **4.** ⟨*ant*⟩ (*calca, mischia*) crowd, throng, press, crush. – **5.** ⟨*ant*⟩ (*chiusa*) enclosure, enclosed place.

□ ⟨*fig*⟩ *essere* **allevato** *in una* ~ to be raised in a hot-house; ~ **calda** hot-house; **fiore** *di* ~ hot-house flower; ⟨*fig*⟩ hot-house plant, delicate creature; ~ *di* **forzatura** forcing (*o* propagating) house; ~ **fredda** cold-house, pit-house, cool-house; ~ *per* **palme** palm-house; *ci fu un gran* ~ **serra** was as enormous crowd; ~ **temperata** temperate glasshouse; ~ *per* **viti** vinery.

sẹrra[2] *f.* ⟨*Geog*⟩ (*catena montuosa*) sierra, serra.

sẹrra[3] *f.* ⟨*ant*⟩ (*sega*) saw.

sẹrra[4] *f.* ⟨*Venat*⟩ bird-call.

serra|bọzze *m.inv.* ⟨*Mar*⟩ shank painter; (*in catena*) shank painter chain. – **~dạdi** *m.inv.* ⟨*Mecc*⟩ spanner, wrench (for nuts).

serradẹlla *f.* ⟨*Bot*⟩ serradella, bird's-foot (*Ornithopus sativus*).

serra|fịla I *s.m./f.* **1.** last in a line. – **2.** ⟨*Mil*⟩ file-closer, serrefile. – **II** *s.f.* ⟨*Mar*⟩ rear ship, tail of the line. – **~fịlo** *m.* ⟨*El*⟩ terminal. □ ~ *a vite* clamping (*o* terminal) screw, screw clamp. – **~fọrme** *m.inv.* ⟨*Tip*⟩ quoin.

serrạggio *m.* ⟨*tecn*⟩ tightening, gripping, clamping.

serrạglia *f.* **1.** ⟨*Arch*⟩ keystone. – **2.** ⟨*Ferr*⟩ make-up (*o* closure) rail. – **3.** ⟨*Pesc*⟩ kind of fishing-nets.

serrạglio[1] *m.* **1.** (*insieme di animali esotici*) menagerie. – **2.** ⟨*fig*⟩ menagerie, zoo: *quella classe è un vero* ~ that class is a real menagerie. – 3. ⟨*ant*⟩ (*chiusura*) enclosure; (*sbarramento*) barricade.

serrạglio[2] *m.* **1.** (*residenza dei sultani*) seraglio, sultan's palace (*o* residence). – **2.** (*harem*) seraglio, harem.

serramạnico: *coltello a* ~ jackknife, clasp-knife.

serrạme *m.* lock, fastening. – **serramẹnto** *m.* (*pl. i* **serramẹnti**/*coll. lett. le* **serramẹnta**) (*rif. a porte*) door-frame; (*rif. a finestre*) window-frame.

serramọlle *m.inv.* ⟨*Ornit*⟩ (*zigolo giallo*) yellow-hammer (*Emberiza citrinella*).

serrạnda *f.* **1.** (*saracinesca*) (rolling) shutter, rolling gate. – **2.** (*del forno*) oven-door. – **3.** → **serrame.** □ ~ *avvolgibile* rolling shutter (*o* gate).

serrạnidi *m.pl.* ⟨*Itt*⟩ sea basses *pl*, sea perches *pl*, serranids *pl* (*Serranidae*). – **serrạno** *m.* ⟨*Itt*⟩ **1.** sea bass, serran, serranoid (fish) (*Serranus*). – **2.** painted comber (*Serranus scriba*). – **3.** comber, gaper (*Serranus cabrilla*).

serra|nọdo *m.* **1.** knot-tightener. – **2.** ⟨*Chir*⟩ serre-noeud. – **~pennọne** *m.* ⟨*Mar*⟩ leech-line. – **~pẹzzi** *m.inv.* ⟨*Mecc*⟩ chuck. – **~piẹdi** *m.inv.* toe-clip. – **~pọllici** *m.inv.* thumbscrew.

serrạre *v.* (**sẹrro**) ⟨*lett,region*⟩ **I** *v.t.* **1.** (*chiudere*) to close, to shut; (*a chiave*) to lock; (*con il chiavistello*) to bolt. – **2.** (*chiudere stringendo*) to shut (*o* close) tightly, to clench: ~ *gli occhi* to shut one's eyes tightly. – **3.** (*sbarrare, ostruire*) to block (up), to obstruct, to close (*o* shut) off: *una catena di colline serra la valle* the valley is shut off by a chain of hills. – **4.** (*intensificare, accelerare*) to speed up, to quicken, to accelerate: ~ *il ritmo* to speed up the pace. – **5.** (*premere, incalzare*) to close in on, to press, to follow (*o* chase, pursue) closely, to be hard on the heels of: ~ *il nemico* to close in on the enemy. – **6.** ⟨*non com*⟩ (*rinchiudere, tener chiuso*) to close, to shut up. – **7.** ⟨*Mecc*⟩ (*stringere*) to tighten: ~ *un dado* to tighten a nut. – **8.** ⟨*Fal*⟩ to clamp. – **9.** ⟨*Mar*⟩ to furl, to take in. – **10.** ⟨*ant*⟩ (*celare, nascondere*) to hide, to conceal. – **11.** ⟨*ant*⟩ (*vietare i traffici*) to prohibit traffic with. – **12.** ⟨*ant*⟩ (*chiudere i conti*) to close the books of. – **II** *v.i.* (*aus.* **avere**) **1.** (*combaciare*) to close, to shut: *questa porta non serra* (*bene*) this door doesn't close properly. – **2.** ⟨*Mil,Sport*⟩ to close (the ranks): ~ *a destra* to close right. – **serrarsi** *v.r.* (*chiudersi*) to close (itself).

□ ⟨*fig*⟩ *sentirsi* ~ *il* **cuore** to feel one's heart sink; ~ *al cuore qd.* to hold s.o. in one's arms, to embrace s.o.; ~ *i* **denti** to clench one's teeth; ⟨*Mil,Sport*⟩ ~ *le* **file** to close the ranks; ⟨*fig*⟩ to unite, to join forces; ~ *le* **labbra** to tighten one's lips; *serrò la mia* **mano** *fra le sue* he pressed my hand in his; ~ *i* **pugni** to clench one's fists; ⟨*Mar*⟩ ~ *le* **vele** to furl the sails, to shorten sail; ⟨*Mar*⟩ ~ *il* **vento** to haul the wind; ~ *a* **vite** to screw shut; ⟨*Mar*⟩ ~ *la* **voga** to quicken the stroke.

serraschierạto *m.* ⟨*Stor*⟩ seraskierate. – **serraschiẹre** *m.inv.* seraskier.

serrạta *f.* **1.** lock-out: *allo sciopero gli industriali risposero con una* ~ the industrialists reacted to the strike with a lock-out. – **2.** ⟨*ant*⟩ (*il serrare*) shutting, closing. – **3.** ⟨*ant*⟩ (*riparo, sbarramento*) barrier; (*argine*) dam; (*steccato*) hoarding.

serratamẹnte *avv.* ⟨*non com*⟩ (*in modo conciso*) concisely tersely, to the point. – **serrạto** (*p.p. di serrare*) *a.* **1.** (*chiuso*) closed, shut. – **2.** (*fitto*) close, tight. – **3.** (*compatto*) compact, tight, firm. – **4.** (*rapido, concitato*) quick, fast. – **5.** ⟨*fig*⟩ (*stringato, coerente*) consistent, logical, coherent: *discorso* ~ logical argument; (*conciso, efficace*) concise, succinct, to the point, terse: *stile* ~ terse style. – **6.** ⟨*Zootecn*⟩ compact, close-coupled, cobby, stocky.

serrạtula *f.* ⟨*Bot*⟩ sawwort (*Serratula tinctoria*).

serratụra *f.* **1.** lock. – **2.** ⟨*rar*⟩ (*il serrare*) shutting, closing; (*a chiave*) locking. – **3.** ⟨*Tip*⟩ quoin.

□ ~ *a* **blocchetto** = *serratura a* **cilindro**; **buco** *della* ~ keyhole; ~ *a* **cassetta** rim lock; ~ *a* **catenaccio** lock with a bolt; ~ *a* **cilindro** cylinder lock, Yale lock; ~ *a* **combinazione** combination lock; ~ **elettrica** electric lock; **forzare** *la* ~ to force the lock; ~ **incassata** mortise lock; ~ *a* **lucchetto** padlock; ~ *a doppia* **mandata** double lock; ~ *a* **molla** clasp lock, spring-lock; *far* **saltare** *la* ~ to break the lock; **scassinare** *la* ~ to pick (*o* force open) the lock; ~ *a* **scatola** box-lock, (en)cased lock; ~ *a* **scatto** = *serratura a* **molla**; ~ *a* **segreto** = *serratura a* **combinazione**; ~ *di* **sicurezza** safety lock.

serrẹtta[1] *f.* ⟨*Mar*⟩ **1.** ceiling, inner frame. – **2.** (*nei boccaporti*) grating.

serrẹtta[2] *f.* ⟨*region*⟩ → **serratula.**

Sẹrse *N.pr.m.* ⟨*Stor*⟩ Xerxes.

sẹrto *m.* ⟨*poet*⟩ (*corona, ghirlanda*) wreath, garland, crown, chaplet, coronet: ~ *d'alloro* laurel wreath. □ ~ *nuziale* bridal wreath; ⟨*fig*⟩ (*raccolta di versi per le nozze*) wedding garland; ~ *regale* royal crown.

sertulạridi *m.pl.* ⟨*Zool*⟩ sertularians *pl* (*Sertulariidae*).

sẹrva *f.* **1.** (*donna di servizio*) (woman-)servant; (*cameriera*) (house-) maid. – **2.** ⟨*fig,spreg*⟩ (*persona volgare*) washer-woman, low woman. – **3.** ⟨*Rel*⟩ servant, sister, nun. □ *da* ~ vulgar, common, coarse, petty; ⟨*pop*⟩ *dormire con la* ~ (*ignorare cose risapute*) to be in the dark; ⟨*fig*⟩ *essere figlio della* ~ (*essere maltrattato*) to be neglected; ~ *padrona* bossy maid. – *Prov.*: ~ *ripresa e cavolo riscaldato non fu mai buono* take heed of servants rehired and meat twice boiled.

servạccia *f.* (*pl.* **-ce**) *pegg. di* **serva.**

servạggio *m.* ⟨*lett*⟩ (*servitù*) slavery, bondage, serfdom, servitude.

servạlo *m.* ⟨*Zool*⟩ serval (*Felis serval*).

servạre *v.t.* (**sẹrvo**) ⟨*lett*⟩ **1.** (*conservare*) to keep, to preserve. –

2. (*mantenere*: *rif. a promesse e sim.*) to keep. – **3.** ⟨*ant*⟩ (*osservare*) to observe. – **4.** ⟨*ant*⟩ (*seguire*) to follow, to keep to.

servente (*p.pr. di servire*) **I** *a.* **1.** ⟨*ant*⟩ (*servizievole*) obliging, amiable. – **2.** ⟨*Dir*⟩ servient. – **II** *s.m./f.* **1.** ⟨*ant*⟩ (*servitore*) servant. – **2.** ⟨*Mil*⟩ gunner, member of a gun crew. – **3.** ⟨*rar*⟩ (*nel tennis*: *battitore*) server.

serventese *m.* ⟨*Lett*⟩ (*sirventese*) sirvente.

servetta, servettina (*dim. di serva*) *f.* **1.** young (house)maid, servant -girl. – **2.** ⟨*spreg*⟩ washer-woman. – **3.** ⟨*Teat*⟩ soubrette, abigail, waiting-maid, maidservant.

serviano *a.* ⟨*Stor*⟩ Servian: *mura -e* Servian walls.

servibile *a.* **1.** that may be served, ⟨*lett*⟩ servable. – **2.** (*utilizzabile*) serviceable, usable, of use.

servidorame *m.* ⟨*lett*⟩ → **servitorame**. – **servidore** *m.* ⟨*lett*⟩ → **servitore**.

serviente *m.* server, acolyte, altar boy. – **servigiale** *m./f.* ⟨*ant*⟩ (*servitore*) servant.

servigio *m.* **1.** service, favour: *rendere un ~ a qd.* to do s.o. a favour. – **2.** ⟨*ant*⟩ (*beneficio*) kindness, good deed. – **3.** ⟨*ant*⟩ (*rapporto di vassallaggio*) vassalage. – **4.** ⟨*ant*⟩ (*faccenda*) affair, business.

servile *a.* **1.** servile, slave, of a slave (*o* servant): *lavoro ~* servile work. – **2.** ⟨*fig*⟩ (*basso, vile*) servile, obsequious, subservient, low, slavish: *animo ~* servile mind. – **3.** ⟨*fig*⟩ (*privo di originalità*) servile, slavish: *imitazione ~* slavish imitation. – **4.** (*degli schiavi*) servile, slave. – **5.** ⟨*Eccl*⟩ servile. – **6.** ⟨*Gramm*⟩ auxiliary, servile: *verbi -i* auxiliary verbs. – **servilismo** *m.* servilism, servility, obsequiousness. – **servilità** *f.* **1.** servilism, servility, obsequiousness. – **2.** ⟨*concr, rar*⟩ (*atto servile*) servile act. – **servilmente** *avv.* servilely, obsequiously, slavishly. – **servimento** *m.* ⟨*ant*⟩ slavery, servitude.

Servio *N.pr.m.* ⟨*Stor*⟩ Servius. □ *~ Tullio* Servius Tullius.

servire *v.* (**servo**) **I** *v.t.* **1.** (*essere servo*) to serve: *ci sarà sempre chi serve e chi comanda* there will always be someone who serves and someone who gives the orders. – **2.** (*essere al servizio*) to serve, to be a servant to, to be in the service of, to work for: *ha servito per lunghi anni la mia famiglia* she has served my family for many years. – **3.** (*nei negozi*) to serve, to attend (*o* see) to, to help, to take care of, ⟨*am*⟩ to wait on: *la commessa La servirà subito* the saleswoman will serve you right away; *posso servirLa?* may I help you? – **4.** (*avere come cliente*) to serve, to have as one's customer: *lo servo da due anni* ⌜I've been serving him⌝ (*o* he has been my customer) for two years. – **5.** (*presentare vivande in tavola*) to serve (up): *~ la frutta* to serve the fruit; (*nei ristoranti e sim.*) to serve, to wait on. – **6.** (*compiacere*: *in forme di cortesia*) to help, to serve, to be at the service of: *in che cosa posso servirLa?* may I help you?, what can I do for you? – **7.** ⟨*iron*⟩ (*trattare male*) to take care of, ⟨*fam*⟩ to fix, ⟨*fam*⟩ to do for: *ora lo servo io* I'll take care of him, I'll fix him. – **8.** ⟨*fig*⟩ (*giovare*) to help, to aid. – **9.** ⟨*fig*⟩ (*rif. a mezzi di trasporto*) to run (*o* go) to, to cover, to serve: *questo autobus serve parecchi quartieri* this bus serves several neighbourhoods; (*rif. a servizi pubblici*) to serve. – **10.** ⟨*tecn,Artigl*⟩ to serve, to fire: *~ un pezzo* to serve a gun. – **11.** ⟨*ant*⟩ (*essere dedito*) to be dedicated to. – **12.** ⟨*ant*⟩ (*prestare*) to lend; (*corrispondere un pagamento*) to pay (*o* settle) up. – **II** *v.i.* (*aus.* **avere/essere**) **1.** to serve, to do one's military service: *~ in marina* to serve in the navy. – **2.** ⟨*fig*⟩ (*essere utile, giovare*) to serve, to be ⌜of use⌝ (*o* useful for): *le note servono alla chiarezza del testo* the notes serve to clarify the text; *a che serve questo arnese?* what use is this tool?, what's this tool for?; (*fungere da*) to serve for, to be used as: *questa scatola servirà da sedia* this box will be used as a seat. – **3.** ⟨*fam*⟩ (*occorrere*) to need, to require, to be necessary: *mi servirebbe un foglio pulito* I need a clean sheet of paper. – **4.** ⟨*Stor*⟩ (*essere in servitù*) to serve. – **5.** ⟨*fig,non com*⟩ (*adempiere alla propria funzione*) to serve, to work, to be good: *la vista non mi serve bene* my eyesight isn't very good. – **6.** ⟨*tosc*⟩ (*bastare*) to be enough, to suffice, ⟨*fam*⟩ to do: *tanto serve* that's enough. – **7.** ⟨*Sport*⟩ (*nel tennis*) to serve. – **8.** (*nei giochi di carte*) to deal. – **servirsi** *v.r.* **1.** (*prendere da sé*) to serve o.s., to help o.s. (to): *serviti pure* help yourself. – **2.** (*essere cliente*) to be a (steady) customer, to buy, to get, to go: *mi servo da tempo nello stesso negozio* I've been a steady customer at the same shop for some time; *mi servo da questo barbiere* I go to this barber's. – **3.** (*adoperare*) to use (*di qc.* s.th.), to make use (of): *non sa servirsi del registratore* he doesn't know how to use the tape-recorder; (*ricorrere*) to make use (*di* of), to resort (to), to use (s.th.): *mi servirò di un esempio* I'll use an example.

□ *~ qd. di* **barba** *e capelli*: 1. to give s.o. a shave and hair-cut; 2. ⟨*fig*⟩ to do everything possible for s.o.; 3. ⟨*fig*⟩ (*bastonarlo*) to beat s.o., to treat s.o. roughly; *~ da* **bere** *a qd.* to serve s.o. a drink; ⟨*iron*⟩ *l'ho servito a* **dovere** I gave him what he deserved; *servirsi delle proprie* **gambe** (*andare a piedi*) to walk, to go on foot; *servir* **messa** to serve Mass; **non** *~ più* to be no longer necessary, not to be needed any more, to be of no further use; *ciò non serve che a mandarlo in collera* all that does is make him angry; **per** *servirLa* (I am) at your service; *~ lo* **stato** to serve the state, to be a civil servant; *~ a* **tavola** to wait at table, to serve. – *Prov.*: *non si può servir due padroni* no man can serve two masters.

servita *m.* ⟨*Rel*⟩ Servite, Servant of Mary.

servito (*p.p. di servire*) **I** *a.* **1.** served. – **2.** (*rif. a cibi*) served: *il pranzo è ~* dinner is served. – **II** *s.m.* **1.** ⟨*tosc*⟩ (*servizio da tavola*) set, service. – **2.** ⟨*ant*⟩ (*portata di vivande*) course. □ *resti ~* (*si serva*) help (*o* serve) yourself.

servitoraccio *m. pegg. di* **servitore**. – **servitorame** *m.* ⟨*non com*⟩ **1.** servants *pl.* – **2.** ⟨*spreg*⟩ lackeys *pl*, flunkies *pl.*

servitore *m.* (*f.* **-trice**/*lett.* **-a**) **1.** servant. – **2.** (*lavoratore domestico*) servant, manservant (*f* maidservant). – **3.** ⟨*spreg*⟩ slave, servant. – **4.** (*chi assolve un compito con dedizione*) servant, one who serves: *un fedele ~ della patria* a faithful servant to one's country. – **5.** ⟨*epist,non com*⟩ servant: *Suo devotissimo ~* Your most obedient servant. – **6.** ⟨*tosc*⟩ (*attaccapanni*) valet, clothes-stand. – **7.** ⟨*ant*⟩ (*suddito*) subject. – **8.** ⟨*ant*⟩ (*tavolinetto*) dumb-waiter. – **9.** ⟨*Mil.ant*⟩ (*mascolo*) kind of cartridge case. □ ⟨*Arred*⟩ *~ muto* dumb-waiter.

servitorello *m.* ⟨*spreg*⟩ *dim. di* **servitore**. – **servitoresco** *a.* (*pl.* **-chi**) **1.** of a servant, servile. – **2.** ⟨*spreg*⟩ servile, obsequious, toadying.

servitù *f.* **1.** (*schiavitù*) slavery, bondage, servitude: *liberare qd. dalla ~* to free s.o. from slavery. – **2.** ⟨*concr,collett*⟩ servants *pl*, domestic staff: *licenziare la ~* to dismiss the servants. – **3.** (*rif. ad animali*: *cattività*) captivity. – **4.** ⟨*fig*⟩ (*obbligo*) chain(s), shackle(s), restraint, stone around one's neck. – **5.** ⟨*Dir*⟩ easement, servitude, charge.

□ ⟨*Dir*⟩ *~* **d'affaccio** ancient lights *pl*; *~* **apparente** apparent easement; *~ non apparente* non-apparent easement; *~* **d'appoggio** right of support; *~* **attiva** profit-à-prendre; *~* **coattiva** = *servitù* **legale**; *~* **continua** continuous easement; *~* **discontinua** discontinuous easement; *~* **fondiaria** = *servitù* **prediale**; ⟨*Stor*⟩ *~ della* **gleba** serfdom; *~* **legale** easement created by operation of law, statutory easement, servitude by law; *~* **negativa** negative easement; *~ di* **passaggio** right of way; *~* **personale** personal servitude; *~* **positiva** positive easement; *~* **prediale** (*o reale*) praedial (*o* real) servitude, easement appurtenant; **ridurre** *in ~* to enslave; *~* **volontaria** easement created by grant.

servitude, servitute *f.* ⟨*ant*⟩ → **servitù**.

serviziale I *m.* ⟨*ant*⟩ (*clistere*) enema, clyster. – **II** *m./f.* → **servigiale**.

serviziętto (*dim. di servizio*) *m.* set, service: *un ~ da caffè* a coffee set. – **servizievole** *a.* obliging, helpful, amiable.

servizio *m.* **1.** (*servizio domestico*) service: *essere a ~ presso una famiglia* to be in a family's service, to work for a family. – **2.** ⟨*burocr*⟩ service: *trasferimento per ~* service transfer; *~ pubblico* public service. – **3.** ⟨*Mil*⟩ service, duty: *essere in ~ attivo* to be on active service; *fare il ~ militare* to do one's military service. – **4.** (*nei pubblici esercizi*) service: *~ in camera* room service; (*compenso per il servizio*) service (charge): *nel conto è compreso il ~* service is included in the bill. – **5.** (*rif. a servizi pubblici*) service: *~ di autobus* bus service; *~ postale* postal (*o* mail) service. – **6.** *pl.* (*faccende domestiche*) housework, (household) chores *pl.* – **7.** ⟨*fig*⟩ (*favore, cortesia*) favour, service, turn (*anche iron.*): *puoi farmi un ~?* could you do me a favour?; *mi hai fatto un bel ~!* you did me a good turn!, you really did me some favour! – **8.** (*insieme di oggetti destinati a un uso determinato*) set, service: *un ~ da tè* a tea-service; *~ da toletta* dresser (*o* toilet) set. – **9.** *pl.* ⟨*Edil*⟩ (*bagno*) bathroom: *l'appartamento ha quattro camere e doppi servizi* the flat has four rooms and two bathrooms; (*cucina e bagno*) kitchen and bathroom. – **10.** (*serie di prestazioni*) service: *~ diplomatico* diplomatic service; (*sezione*) department: *il ~ del personale* the personnel department. – **11.** ⟨*Giorn, Rad,TV*⟩ report: *~ speciale* special report. – **12.** ⟨*Sport*⟩ (*nel tennis*) serve, service. – **13.** ⟨*fam,pop*⟩ (*faccenda, negozio*) business, affair, matter, job. – **14.** ⟨*Comm*⟩ (*assistenza*) service. – **15.** ⟨*Mediev*⟩ feudal allegiance, fealty, ⟨*ant*⟩ service. – **16.** ⟨*Mar*⟩ installation, plant. – **17.** ⟨*tecn*⟩ (*funzionamento*) duty, operation: *l'impianto è in ~ dal 1952* the plant has been in operation since 1952. – **18.** ⟨*non com*⟩ (*rapporto di soggezione*) subjection, subjugation. – **19.** ⟨*non com*⟩ (*clistere*) enema, clyster. – **20.** ⟨*ant*⟩ (*amministrazione*) administration, management.

□ *andare* **a** *~* to go ⌜out to⌝ (*o* into) service; ⟨*Comm*⟩ *~* **acquisti** purchasing department; *~* **aereo** air service; *essere* **al** *~ di qd.* to be in s.o.'s service (*o* employ), to work for s.o.; *al ~ della patria* serving (*o* in the service of) one's country; *sono al Vostro ~* I am at your service; *~* **all'americana** place mats *pl*; *~* **amministrativo** administration; *avere molti* **anni** *di ~* to have served for a long time; (*rif. a impiegati*) to have ⌜been with⌝ (*o* worked for) a firm for many years; ⟨*Strad*⟩ **area** *di ~* service (*o* servicing) area; **assumere** *~* = **prendere** *servizio*; *~ di* **bicchieri** set of glasses; *servizi di* **bordo**: 1. ⟨*Mar.mil*⟩ installations (*o* plant) on board; 2. ⟨*Aer*⟩ in-flight service; *trovare un* **buon** *~*: 1. (*rif. a padrone*) to find a good employer (*o* master); 2. (*rif. a posto conveniente*) to find a good situation; 3. (*rif. a servitore*) to find a good servant; *~* **compreso** service included, including service; *~* **continuativo**: 1. ⟨*tecn*⟩ continuous (*o* uninterrupted) service; 2. ⟨*Mot*⟩ continuous duty; ⟨*Giorn*⟩ *~ di* **cronaca** news(paper) report; **di** *~*: 1. (*di turno*) on duty: *il medico di ~* the doctor on duty (*o* call); 2. (*proprio del personale di servizio*) service, servants': *scala di ~* service stairs *pl*; *essere di ~* to be on duty; *persona di ~* person in service, domestic servant; *persone di ~* servants *pl*, domestic staff *sing*; ⟨*Rel,non com*⟩ *~* **divino** divine service; *~ a* **domicilio** home delivery; *~* **d'emergenza** emergency service; **entrare** *in ~* to go into service (*o* operation); **esente** *da ~*: 1. ⟨*Mil*⟩ exempt from military service; 2. (*non di turno*) off duty; *~* **estero** foreign service; **fare** *~*: 1. to be in service, to work, to cover, to serve: *questo metronotte fa ~ nel mio quartiere* this nightwatchman covers my neighbourhood; 2. (*essere di turno*) to be on duty; 3. (*essere aperto*) to be open; 4. (*rif. a mezzi di traspor-*

to) to run, to operate; *non fare* ~: 1. to be out of service; 2. (*non essere di turno*) to be off (duty); 3. (*essere chiuso*) to be closed; ~ **fitosanitario** plant-protection service; ⟨*Cin*⟩ *servizi* **fonici** sound department *sing*; **fuori** ~ (*non di turno*) off duty, ⟨*fam*⟩ off; (*non funzionante*) not working, out of order (*o* commission), ⟨*fam*⟩ on the blink; ~ *di* **guardia** guard (*o* watch) duty; ~ **impianti** plant layout department; **in** ~ in service; (*funzionante*) working, operating, functioning; ⟨*tecn*⟩ *mettere in* ~ to start; ⟨*Mil*⟩ ~ **informazioni** secret service, intelligence; ~ **internazionale** international service; ~ **interno** domestic (*o* home) department; (*rif. a mezzi di trasporto*) domestic (*o* inland) service; **lasciare** *il* ~: 1. (*sospendere il lavoro*) to come off duty, to stop work; 2. (*dimettersi*) to resign (from one's post); 3. (*andare in pensione*) to retire; 4. ⟨*Mil*⟩ to leave the service; ⟨*Mar, Aer*⟩ ~ *di* **linea** regular (*o* scheduled) service, regular line; ⟨*Ferr*⟩ ~ *di* **manovra** shunting work; ~ **merci** goods (*o* freight) service; ~ **meteorologico** weather service; ~ *meteorologico dell'aeronautica* Air Force weather service; **mettersi** *al* ~ *di qd.* to enter s.o.'s service, to begin working for s.o.; (*a disposizione*) to place o.s. at s.o.'s disposal (*o* service); **mezzo** ~ part-time: *donna a mezzo* ~ part-time maid (*o* help); *lavorare a mezzo* ~ to work part-time; ~ **militare** military (*o* national) service; ~ *militare attivo* active military duty (*o* service); ~ *militare di leva* conscription, call-up, military (*o* national) service; ~ *militare obbligatorio* compulsory military service; ~ *di* **navetta** = *servizio di* **spola**; ⟨*Giorn*⟩ **nostro** ~ our report; ~ *d'***ordine** maintenance of law and order; ~ **passeggeri** passenger service; **per** (*motivi di*) ~ on official business; ⟨*Mecc*⟩ ~ **pesante** heavy duty; ~ *di* **posate** set of silverware (*o* flatware), canteen of cutlery; **prendere** ~ to begin work; ⟨*Mil*⟩ to go into the service; *prendere qd. al proprio* ~ to engage (*o* hire) s.o., to take s.o. on; **prestare** ~ to work; ⟨*Econ*⟩ ~ *di un* **prestito** payment of interest on a loan, service of a loan; *servizi* **pubblici** utilities *pl*; ~ **pubblicità** advertising department; ~ **radiofonico** (*o radio*) radio service; ~ **radiometeorologico** radio meteorological service; *servizi* **regolari** regular (*o* scheduled) services; **riprendere** *il* ~ to go on duty again; (*riprendere il lavoro*) to begin work again; ~ *di* **salvataggio** (*o soccorso*): 1. rescue service, life-saving service; 2. ⟨*Mar*⟩ salvage service; ~ **sanitario** public health service; ~ *da* **scrittoio** desk set; ~ *di* **sicurezza**: 1. security service; 2. (*dispositivo*) safety installation; ~ *di* **soccorso** *stradale* breakdown service; ~ **sociale** social (*o* welfare) work; ~ **sperimentale** experimental service; (*sezione, uffici*) research department; ⟨*Ferr*⟩ ~ *di* **spola** shuttle service; ~ *di* **stato** State administration (*o* business); (*burocrazia statale*) Civil Service; ~ **suburbano** suburban service; ~ *da* **tavola** set of table linen, tablecloth and napkin set; (*rif. a piatti e sim.*) dinner-set, set of dishes; ⟨*Ind*⟩ ~ **tecnico** engineering department; ~ **telefonico** telephone service, ~ *telefonico notturno* night telephone service; ⟨*Econ*⟩ ~ **titoli** securities department (of a bank): **traffico** *di* ~ official traffic; ⟨*Comm*⟩ ~ **trasporti** transport department; ~ **turistico** tourist service; ⟨*Comm*⟩ ~ **vendite** sales department; ⟨*Ferr*⟩ ~ **viaggiatori** passenger service; ~ *di* **vigilanza** warning service; (*di guardia*) watchman (*o* guard) service.

sęrvo I *s.m.* (*f.* **-a**) **1.** (domestic) servant, manservant (*f* maidservant). – **2.** (*schiavo*) slave. – **3.** (*in formule di cortesia*) servant: *sono il suo umilissimo* ~ I am your most humble servant. – **4.** ⟨*fig*⟩ servant; (*schiavo*) slave: *essere il* ~ *delle passioni* to be a slave to passion. – **II** *a.* ⟨*lett*⟩ **1.** (*schiavo*) slave-. – **2.** (*servile*) servile, of a servant, slavish. □ ⟨*Rel*⟩ ~ *di Dio* servant of God; ⟨*Mediev*⟩ ~ *della gleba* serf; ⟨*Rel*⟩ **-i** *di Maria* Servites; ~ *di scena* scenery shifter, stage-hand.

servo... *pref.* servo...

servo|comạndo *m.* ⟨*tecn*⟩ **1.** servocontrol. – **2.** → **servosistema**. – **3.** → **servomeccanismo**. □ ⟨*El*⟩ ~ *di ritorno* feed-back control. – **~fręno** (*o servofręno*) *m.* ⟨*Aut*⟩ booster brake, brake booster; (*funzionante per mezzo di un servocomando*) servobrake, power brake: ~ *a depressione* (*o vuoto*) vacuum servobrake. – **~meccạnica** *f.* servomechanics *pl* (*costr.sing. o pl.*). – **~meccanịsmo** *m.* servomechanism. – **~motọre** *m.* servomotor. □ ⟨*Mar*⟩ ~ *manovra timone* power steering gear. – **~sistẹma** *m.* servosystem. – **~stęrzo** *m.* ⟨*Aut*⟩ power steering.

servọtta *f. dim. di* **serva**.

seşamatụra *f.* ⟨*Alim*⟩ addition of sesame-oil. – **sẹşamo** *m.* **1.** ⟨*Bot*⟩ sesame (*Sesamum*). – **2.** ⟨*Bot*⟩ sesame (*Sesamum indicum*). – **3.** ⟨*Lett*⟩ Sesame: *apriti*, ~*!* open Sesame!

seşamọide *m.* ⟨*ant*⟩ (*anche osso sesamoide*) sesamoid (bone). – **seşamoidẹo** *a.* sesamoid. – **seşamoidịte** *f.* ⟨*Med*⟩ sesamoiditis.

sescụncia *f.* (*pl.* **-ce/-cie**) ⟨*Stor.rom*⟩ sescuncia, one and a half ounces *pl.*

sẹşia *f.* ⟨*Entom*⟩ aegeriid, clearwing moth. – **sẹşidi** *m.pl.* aegeriids *pl*, clearwing moths *pl* (*Sesiidae*).

sesqui|ạltero I *a.* ⟨*lett,rar*⟩ (*in rapporto di due a tre*) sesquialter(al). – **II** *s.m.* ⟨*Mus*⟩ sesquialtera. – **~ọssido** *m.* ⟨*Chim*⟩ sesquioxide. – **~pedạle** *a.* **1.** ⟨*Metr*⟩ sesquipedalian. – **2.** ⟨*fig*⟩ (*enorme*) long: *un naso* ~ a long nose. – **~pląno** *m.* ⟨*Aer*⟩ sesquiplane. – **~plębe** *f.* ⟨*lett,spreg*⟩ middle class.

sẹssa *f.* ⟨*Geog*⟩ seiche.

sessaǧenạrio *a./s.* ⟨*lett*⟩ → **sessantenne**.

sessaǧẹsima *f.* ⟨*Lit*⟩ (*anche domenica di sessagesima*) Sexagesima (Sunday). – **sessaǧeşimạle** *a.* ⟨*Mat*⟩ sexagenary, sexagesimal: *sistema* ~ sexagesimal system. – **sessaǧẹsimo** *a.* ⟨*lett*⟩ (*sessantesimo*) sixtieth.

sessạnta *a./s.inv.* **I** *a.* sixty. – **II** *s.m.* **1.** sixty. – **2.** (*anno*) nineteen hundred and sixty, nineteen-sixty. – **3.** (*rif. a tram, autobus*) (number) sixty. □ *gli anni* ~ the sixties *pl.* – **sessantenạrio I** *s.m.* **1.** (*anniversario*) sixtieth anniversary. – **2.** (*celebrazione*) sixtieth anniversary celebration. – **II** *a.* ⟨*non com*⟩ **1.** (*che dura sessant'anni*) sixty-year-long. – **2.** (*che ricorre ogni sessant'anni*) that occurs every sixty years. – **sessantẹnne I** *a.* sixty-year-old, ⟨*pred*⟩ sixty years old, of sixty, sexagenarian. – **II** *s.m./f.* sixty-year-old man (*f* woman), man (*f* woman) of sixty, sexagenarian. – **sessantẹnnio** *m.* (period of) sixty years. – **sessantẹşimo I** *a.* sixtieth. – **II** *s.m.* **1.** (*ordinale*; *f.* **-a**) sixtieth. – **2.** (*frazionario*) sixtieth. – **sessantịna** *f.* **1.** sixty. – **2.** (*circa sessanta*) about (*o* some) sixty, sixty or so: *una* ~ *di persone* about sixty people. – **3.** (*rif. ad anni*) (about) sixty, (almost) sixty years old (*o* of age): *essere vicino alla* ~ to be almost sixty years of age, to be nearly sixty, ⟨*fam*⟩ to be pushing sixty.

sessennạle *a.* ⟨*lett*⟩ **1.** (*di un sessennio*) of a period of six years. – **2.** (*che dura sei anni*) six-year(-long), lasting six years, sexennial. – **3.** (*che avviene ogni sei anni*) that occurs every six years, sexennial. – **sessẹnne** *a.* ⟨*non com*⟩ six-year-old, ⟨*pred*⟩ six years old, of six. – **sessẹnnio** *m.* ⟨*lett*⟩ (period of) six years.

sẹssile *a.* ⟨*Biol*⟩ sessile.

sessionạrio *m.* ⟨*non com,tosc*⟩ lawyer's record book.

sessiọne *f.* **1.** (*seduta*) session, meeting, sitting; (*serie di sedute*) session. – **2.** ⟨*Scol*⟩ examination session, exams *pl*: ~ *autunnale d'esami* autumn exams. – **3.** ⟨*rar*⟩ (*modo di sedere*) way of sitting. – **4.** ⟨*tosc*⟩ (*colloquio tra avvocato e cliente*) session (*o* meeting) between lawyer and client. □ ⟨*Scol*⟩ ~ *d'esame* examination session, exams *pl*; ~ *ordinaria* ordinary session; ~ *parlamentare* parliamentary sitting (*o* session); ~ *plenaria* plenary session; ~ *straordinaria* special session.

sessitụra *f.* ⟨*non com*⟩ (*piega*) tuck; (*orlo*) wide hem.

sẹsso *m.* **1.** sex: *determinazione del* ~ sex determination; ~ *femminile* female sex. – **2.** (*organi genitali*) sex, sexual organs *pl.* – **3.** (*sessualità*) sex, sexuality; (*erotismo*) sex, eroticism.

□ *il* ~ *degli* **angeli** fantastic (*o* insoluble) problem; **bel** ~ = **gentil** *sesso*; ~ **debole** weak(er) sex; ~ **forte** strong(er) sex; **gentil** ~ fair sex; **problemi** *del* ~ sexual problems.

sẹssola *f.* ⟨*Mar*⟩ (*sassola*) bailer, bailing-scoop.

sessoloǧịa *f.* → **sessuologia**. – **sessolọǧico** *a.* → **sessuologico**.

sessuạle *a.* **1.** sexual, sex-, of sex: *caratteri* **-i** sexual characteristics. – **2.** (*erotico*) erotic, sexual, sex-. – **sessualità** *f.* sexuality, sex. – **sessualiẓẓạre** *v.t.* ⟨*Biol,Psic*⟩ to sexualize. – **sessualiẓẓaziọne** *f.* sexualization. – **sessuạto** *a.* **1.** ⟨*Biol*⟩ sexual. – **2.** ⟨*Entom*⟩ sexual, sexuate(d). – **3.** ⟨*Ling*⟩ having masculine and feminine genders, sexual. – **sessuofobịa** *f.* ⟨*Psic*⟩ sex phobia. – **sessuoloǧịa** *f.* ⟨*Med*⟩ sexology. – **sessuolọǧico** *a.* (*pl.* **-ci**) sexological. – **sessụologo** *m.* (*pl.* **-gi**; *f.* **-a**) sexologist.

sẹsta[1] *f.* (*ora sesta*) noon, midday, sext. – **2.** ⟨*Mus*⟩ (*intervallo*) sixth (interval), sext; (*opera sesta*) sixth. – **3.** ⟨*Lit*⟩ sext. □ ⟨*Mus*⟩ *accordo di* ~ sixth chord; ~ *diminuita* diminished sixth; ~ *eccedente* augmented sixth; ~ *maggiore* major sixth; ~ *minore* minor sixth.

sẹsta[2] *f.* **1.** ⟨*ant*⟩ (*compasso*) (pair of) compasses *pl*, compass. – **2.** *pl.* ⟨*fig,scherz*⟩ (*gambe lunghe e magre*) long skinny legs *pl*, ⟨*fam*⟩ toothpicks *pl*, ⟨*fam*⟩ matchsticks *pl.* – **3.** ⟨*Mar*⟩ garboard, line of ship. □ ⟨*fig*⟩ *parlare colle* **-e** (*misurando le parole*) to weigh one's words; ⟨*ant*⟩ ~ *proporzionale* (*compasso di riduzione*) proportional compass.

sestạnte *m.* ⟨*Astr*⟩ sextant.

sestạrio *m.* ⟨*Stor.rom*⟩ sextarius, sextary.

sesterniọne, **sestẹrno** *m.* ⟨*Paleogr*⟩ sextern.

sestẹrzio *m.* ⟨*Stor.rom*⟩ **1.** sestertius, sesterce. – **2.** (*mille sesterzi*) sestertium, one thousand sesterces.

sestẹtto *m.* **1.** (*insieme di sei persone*) sextet(te), six. – **2.** ⟨*Mus*⟩ sextet(te).

sestiẹre *m.* quarter, district, section, ward. – **sestiẹro** *m.* ⟨*ant*⟩ → **sestiere**.

sestịga *f.* coach-and-six.

sestịle *m.* **1.** ⟨*Stor.rom*⟩ Sextilis. – **2.** ⟨*Astr*⟩ sextile.

sestịna *f.* **1.** ⟨*Metr*⟩ (*strofa di sei versi*) six-line stanza, sextet(te), sestet; (*forma della canzone*) sestina. – **2.** ⟨*Mus*⟩ sextuplet, sextole(t). – **3.** ⟨*Cart*⟩ small-format notepaper.

sestịno *m.* ⟨*ant*⟩ **1.** (*mattone*) small brick. – **2.** (*clarinetto*) clarinet in A flat.

sẹsto[1] **I** *a.* **1.** sixth: *il* ~ *giorno della settimana* the sixth day of the week. – **2.** (*rif. a regnanti*) the Sixth: *Giorgio* ~ George the Sixth, George VI. – **3.** ⟨*rar*⟩ (*formato da sei unità*) having six parts. – **II** *avv.* sixth, in the sixth place: *arrivare* ~ to come (in) sixth. – **III** *s.m.* **1.** (*ordinale*; *f.* **-a**) sixth. – **2.** (*frazionario*) sixth: *un* ~ *della somma* a sixth of the amount. – **3.** ⟨*ant*⟩ → **sestiere**.

sẹsto[2] *m.* **1.** (*ordine, assetto*) order: *rimettere in* ~ *qc.* to put s.th. back in order, to reorder s.th. – **2.** ⟨*Arch*⟩ curve (of an arch). – **3.** ⟨*Tip*⟩ size, format. – **4.** ⟨*ant*⟩ (*compasso*) (pair of) compasses *pl*, compass.

□ ⟨*Arch*⟩ *arco a* ~ **acuto** pointed (*o* ogival) arch; **fuori** (*di*) ~ out of order; ⟨*fig*⟩ *essere* (*o sentirsi*) *fuori* (*di*) ~ not to be in form, to feel out of sorts; **mettere** *in* (*o a*) ~ *una stanza* to tidy up a room; **porre** *in* ~ *i propri affari* to put one's affairs in order, to settle one's affairs; ⟨*Arch*⟩ *arco a* ~ **rialzato** raised arch; ⟨*Arch*⟩ *arco a* ~ **ribassato** flat (*o* segmental) arch; ⟨*fig*⟩ **rimettere** *il capo a* ~ to settle down, to grow sensible (*o* judicious); ⟨*fig*⟩ *rimettersi in* ~ to recover financially, ⟨*fam*⟩ to get back on one's feet again; ⟨*pop*⟩ *non avere la* **testa** *a* ~ to be unable to think straight; ⟨*Arch*⟩ *arco a* **tutto** ~ round arch.

Sẹsto I *N.pr.m.* ⟨*Stor*⟩ Sextus. – **II** *N.pr.f.* ⟨*Geog.stor*⟩ Sestos.

sestodẹcimo *a./s.* ⟨*lett,rar*⟩ → **sedicesimo.**

sestogẹnito I *a.* sixthborn. – **II** *s.m.* (*f.* **-a**) sixthborn (child).

sestogradịsta *m./f.* ⟨*Alp*⟩ sixth-degree climber.

sestụltimo (o *sẹst'ụltimo*) *a.* last but five, sixth-last, sixth to last.

sestuplicạre *v.t.* (**sestụplico, sestụplichi**) to sextuple, to multiply by six. – **sestuplicarsi** *v.r.* to sextuple, to become six times greater. – **sestụplice** *a.* sextuple, sixfold, consisting of six. – **sẹstuplo I** *a.* six times (as great), sixfold, sextuple. – **II** *s.m.* sextuple, sixfold amount.

sẹt *ingl. m.* **1.** (*nel tennis*) set. – **2.** ⟨*Cin*⟩ set.

sẹta[1] **1.** *f.* silk (*anche fig.*). – **2.** (*fibra tessile*) silk (fibre). – **3.** (*tessuto*) silk (fabric). – **4.** ⟨*Bot*⟩ seta.

□ ~ **artificiale** artificial silk; (*raion*) rayon; ~ **cotta** scoured silk; ~ **cruda** unscoured (*o* unbleached) silk; **di** ~: 1. silk-, (made) of silk, ⟨*lett*⟩ silken: *una camicia di* ~ a silk shirt; 2. ⟨*fig*⟩ silky, silken, like silk: *capelli di* ~ silky hair; ~ **floscia** slack silk; ~ **gloria** gloria silk; ~ **greggia**: 1. raw silk; 2. = *seta* **cruda**; ~ **lavabile** washable silk; ~ **marezzata** watered (*o* moiré) silk; ~ **pura** pure silk; ~ *da* **ricamo** embroidery silk; ~ **ritorta** net silk; ~ **selvaggia** (o *selvatica*) wild silk; ~ **vegetale** vegetable silk.

sẹta[2] *f.* ⟨*ant,dial*⟩ → **sete.**

setacciamẹnto *m.* **1.** sifting, sieving. – **2.** ⟨*fig*⟩ (*perlustrazione*) combing, searching. – **setacciạre** *v.t.* (**setạccio, setạcci**) **1.** to sift, to sieve: ~ *la farina* to sift flour. – **2.** ⟨*fig*⟩ (*esaminare con cura minuziosa*) to examine (*o* study) carefully, to go through with a fine toothcomb, to sift, to sieve, to screen: ~ *le risposte a un'inserzione pubblicitaria* to go through the answers to an advertisement with a fine toothcomb. – **3.** ⟨*fig*⟩ (*perlustrare*) to search, to comb: *la polizia ha setacciato la campagna alla ricerca dei banditi* the police combed the countryside in search of the bandits.

setacciạta *f.* sifting. □ *dare una* ~ *a qc.* to sift s.th. – **setacciatịna** (*dim. di setacciata*) *f.* quick sifting. – **setacciatọre** *m.* (*f.* **-trice**) ⟨*non com*⟩ **1.** sifter. – **2.** (*crivellatore*) sifter, screener. – **setacciatụra** *f.* **1.** sifting, sieving. – **2.** ⟨*concr,non com*⟩ siftings *pl*, sievings *pl*; (*cruschello*) fine bran. – **3.** (*crivellatura*) sifting, sieving, screening.

setạccio *m.* **1.** sifter, sieve. – **2.** ⟨*region*⟩ (*passaverdura*) vegetable mill, purée-maker. – **3.** ⟨*tecn*⟩ (*crivello*) sieve, screen. □ ⟨*Met*⟩ ~ *oscillante* oscillating sieve; *passare qc. al* ~ to sift (*o* sieve) s.th. (*anche fig.*); ⟨*Met*⟩ ~ *rotante* gyratory sieve (*o* screen); ~ *a tamburo rotante* rotary screen; ~ *vibrante* vibrating sieve.

setạceo[1] *a.* ⟨*non com*⟩ → **sericeo.**

setạceo[2] *a.* ⟨*Bot*⟩ setaceous, bristle-like.

setaiọla *f.* **1.** ⟨*Ornit*⟩ → **serramolle.** – **2.** ⟨*Bot*⟩ (*gramigna setaiola*) sheep fescue (*Festuca ovina*).

setaiọlo *m.* (*f.* **-a**) **1.** (*tessitore*) silk-weaver. – **2.** (*filatore*) silk-spinner. – **3.** (*venditore*) silk-merchant, dealer in silks.

setạle *m.* ⟨*Pesc*⟩ thinnest part of a fishing-line.

sẹte *f.* **1.** thirst. – **2.** ⟨*fig*⟩ (*desiderio*) thirst, longing, yearning, craving, ardent desire (*di* for): ~ *di vendetta* thirst for vengeance.

□ ~ **ardente** burning thirst; **avere** ~ to be thirsty; ⟨*fig*⟩ *avere* ~ *di qc.* to thirst (*o* long) for s.th.; *avere* ~ *di sangue* to be bloodthirsty; **cavarsi** *la* ~ = **saziare** *la sete*; **mettere** (o *far venire*) ~ *a qd.* to make s.o. thirsty; **morire** *di* ~ to die of thirst; **prendere** *per* ~ to thirst out; **saziare** (o *spegnere*) *la* ~ to quench (*o* satisfy, slake) one's thirst; **soffrire** *la* ~ to be thirsty, to suffer thirst.

seterịa *f.* **1.** silk-factory, silk-mill. – **2.** *pl.* (*filati, tessuti di seta*) silk goods *pl*, silks *pl*.

Sẹti *N.pr.m.* ⟨*Stor*⟩ Seti.

seticoltụra *f.* ⟨*non com*⟩ → **sericoltura.** – **setịfero** *a.* ⟨*non com*⟩ silk-producing. – **setifịcio** *m.* **1.** (*stabilimento*) silk-factory, silk-mill. – **2.** ⟨*non com*⟩ (*industria serica*) silk industry.

setifọrme *a.* → **setaceo**[2].

setịno (*dim. di seta*[1]) *m.* **1.** ⟨*Tess*⟩ silk thread, fine sewing-silk. – **2.** ⟨*non com*⟩ (*drappo*) silk hanging.

sẹtola[1] *f.* **1.** bristle; (*dei cavalli*) horsehair. – **2.** ⟨*scherz*⟩ (*pelo, capello ispido*) bristle, coarse (*o* tough) hair. – **3.** ⟨*Tip*⟩ (*spazzola*) brush. – **4.** ⟨*Bot*⟩ setula, setule.

sẹtola[2] *f.* **1.** ⟨*Med*⟩ chap, crack. – **2.** ⟨*Veter*⟩ sandcrack.

setolạre *v.t.* (**sẹtolo**) **1.** ⟨*ant*⟩ (*spazzolare i panni*) to brush. – **2.** ⟨*Tip*⟩ to brush. – **setolatụra** *f.* ⟨*Tip*⟩ brushing. – **setolifọrme** *a.* setiform, setaceous, bristle-shaped. □ ⟨*Ornit*⟩ *penna* ~ filoplume. – **setolinạio** *m.* (*f.* **-a**) **1.** (*fabbricante*) brush-manufacturer. brush -maker. – **2.** (*venditore*) brush-seller. – **setolinạre** *v.t.* ⟨*non com*⟩ to brush. – **setolịno** *m.* ⟨*non com*⟩ (bristle-)brush.

setolọso *a.* **1.** bristly, ⟨*lett*⟩ setose. – **2.** ⟨*estens*⟩ (*ispido, duro*) bristly, stiff, hard. – **3.** ⟨*Bot*⟩ setose, bristly. – **setolụto** *a.* **1.** bristly, ⟨*lett*⟩ setose. – **2.** ⟨*estens*⟩ (*coperto di peli ispidi e duri*) hairy, bristly.

setọso[1] *a.* ⟨*ant,lett*⟩ → **setoloso.**

setọso[2] *a.* ⟨*ant*⟩ (*assetato*) thirsty.

sett. = **1.** *settembre* September (*abbr.* Sept.). – **2.** ⟨*Mat*⟩ *settore* sector (*abbr.* sec.).

sẹtta *f.* **1.** sect: *una* ~ *protestante* a Protestant sect. – **2.** (*società segreta*) secret society. – **3.** ⟨*ant*⟩ (*compagnia*) following, body of followers, ⟨*ant*⟩ sect. – **4.** ⟨*ant*⟩ (*ordine religioso*) religious order, ⟨*ant*⟩ sect. – **5.** ⟨*ant*⟩ (*fazione, parte politica*) faction, sect; (*congiura*) plot, conspiracy. □ *far* ~ to plot, to conspire.

settagẹnario *a./s.* ⟨*rar*⟩ → **settuagenario.**

settạnta *a./s.inv.* **I** *a.* seventy. – **II** *s.m.* **1.** seventy. – **2.** (*anno*) nineteen hundred and seventy, nineteen-seventy. – **3.** (*rif. a tram, autobus*) (number) seventy. □ *gli anni* ~ the seventies *pl.* – **Settanta** *N.pr.m.pl.* ⟨*Bibl*⟩ Septuagint. – **settantenạrio I** *a.* ⟨*non com*⟩ → **settantennale.** – **II** *s.m.* **1.** (*anniversario*) seventieth anniversary. – **2.** (*celebrazione*) seventieth anniversary celebration. – **settantennạle** *a.* ⟨*non com*⟩ **1.** (*che dura settant'anni*) seventy-year (-long). – **2.** (*che ricorre ogni settant'anni*) that occurs every seventy years. – **settantẹnne I** *a.* seventy-year-old, ⟨*pred*⟩ seventy years old, of seventy, septuagenarian. – **II** *s.m./f.* seventy-year-old man (*f* woman) man (*f* woman) of seventy, septuagenarian. – **settantẹnnio** *m.* (period of) seventy years *pl.* – **settantẹsimo I** *a.* seventieth. – **II** *s.m.* **1.** (*ordinale*; *f.* **-a**) seventieth. – **2.** (*frazionario*) seventieth. – **settantịna** *f.* **1.** seventy. – **2.** (*circa settanta*) about (*o* some) seventy, seventy or so. – **3.** (*rif. ad anni*) about seventy years old (*o* of age), (almost) seventy: *essere sulla* ~ to be about seventy.

settạrio I *a.* **1.** sectarian, of a sect. – **2.** ⟨*fig*⟩ (*fazioso*) factious, party-, sectarian. – **II** *s.m.* **1.** ⟨*non com*⟩ sectarian, adherent of a sect. – **2.** ⟨*fig*⟩ (*persona faziosa*) sectarian, partisan. – **settarịsmo** *m.* **1.** sectarianism. – **2.** (*particolarismo*) particularism, sectionalism. – **settarịstico** *a.* (*pl.* **-ci**) sectarian.

settạto *a.* ⟨*Biol*⟩ septate.

settatọre *m.* (*f.* **-trice**) ⟨*lett*⟩ **1.** (*seguace di una setta*) sectarian, follower of a sect. – **2.** (*persona faziosa*) sectarian, partisan.

sẹtte *a./s.inv.* **I** *a.* seven. – **II** *s.m.* **1.** (*numero*) seven. – **2.** (*nelle date*) seventh: *il* ~ *giugno* the seventh of June, June (the) seventh. – **3.** ⟨*Scol*⟩ seven (out of ten). – **4.** (*nelle carte da gioco*) seven: ~ *di quadri* seven of diamonds. – **5.** (*rif. a tram, autobus*) (number) seven. – **6.** ⟨*Sport*⟩ water-polo team. – **7.** ⟨*fam*⟩ (*taglio, strappo*) tear, rip, rent: *farsi un* ~ *nei calzoni* to make a tear in one's trousers. – **III** *s. f.pl.* seven (o' clock), seven a.m.: *sono appena le* ~ it's only seven.

□ *di* ~ **anni** seven-year-old, of seven: *un ragazzo di* ~ *anni* a seven-year-old, a child of seven; ~ **bello** → **settebello**; *la città dei* ~ **colli** (*Roma*) Rome, the city of seven hills; *le* ~ *e* **mezzo** seven-thirty, half past seven; ~ *e mezzo* (*gioco di carte*) seven and a half; ⟨*Lett*⟩ *i* ~ **pilastri** *della saggezza* the Seven Pillars of Wisdom; ⟨*Lett*⟩ *i* ~ *a* **Tebe** Seven *sing* against Thebes.

settebẹllo (o *sẹtte bẹllo*) *m.* **1.** (*sette di quadri*) seven of diamonds; (*sette di denari*) seven of money. – **2.** ⟨*Ferr*⟩ Milan-Rome deluxe express (train).

settecentẹsco *a.* (*pl.* **-chi**) eighteenth-century-, of the eighteenth century. – **settecentẹsimo** *a.* seven-hundredth. – **settecentịsta I** *a.* eighteenth-century, of the eighteenth century. – **II** *s.m./f.* **1.** (*artista*) eighteenth-century artist; (*poeta*) eighteenth-century poet (*o* writer); (*rif. all'arte e alla letteratura italiana*) settecentist. – **2.** (*studioso*) scholar (*o* student) of the eighteenth century, settecentist. – **settecẹnto** *a./s.inv.* seven hundred. – **Settecento** *m.* eighteenth century; (*rif. all'arte e alla letteratura italiana*) Settecento.

settẹmbre *m.* September: *il quattro* (*di*) ~ the fourth of September, September (the) fourth. □ *di* ~ September-, in September: *una giornata di* ~ a September day; *in* ~ in September; *a metà* (*di*) ~ in mid-September.

settembrịno I *a.* September-, of September. – **II** *s.m.* ⟨*Bot*⟩ Michaelmas daisy, wild aster (*Aster*). – **settembrizzatọre** *m.* **1.** ⟨*Stor*⟩ Septembrist, Septembrizer. – **2.** (*chi compie delitti politici*) terrorist, bloodthirsty revolutionary.

settemịla *a./s.inv.* seven thousand.

settẹmplice *a.* ⟨*lett*⟩ sevenfold, septuple.

settemvirạle *a.* ⟨*Stor.rom*⟩ of a septemvir, ⟨*lett*⟩ septemviral. – **settemvirạto** *m.* septemvirate. – **settẹmviro** *m.* septemvir.

settenạrio I *a.* ⟨*Metr*⟩ seven-syllable; (*nella metrica latina*) of seven and a half feet. – **II** *s.m.* **1.** ⟨*Metr*⟩ seven-syllable line; (*nella metrica latina*) septenar(y), septenarius. – **2.** ⟨*Med*⟩ week, seven days *pl.*

settennạle *a.* **1.** (*che dura sette anni*) seven-year(-long), lasting seven years, septennial: *piano* ~ seven-year plan. – **2.** (*che avviene ogni sette anni*) septennial, that occurs every seven years. – **settennạto** *m.* ⟨*rar*⟩ → **settennio.** – **settẹnne I** *a.* seven-year-old, of seven. – **II** *s.m./f.* seven-year-old, child of seven. – **settẹnnio** *m.* (period of) seven years, ⟨*lett*⟩ septennium.

settentrionạle I *a.* **1.** northern, north, ⟨*lett*⟩ septentrional: *paesi -i* northern countries; *Italia* ~ North(ern) Italy; *vento* ~ north (*o* northerly) wind. – **2.** (*che abita le regioni del nord*) northern, ⟨*lett*⟩ septentrional. – **3.** (*dell'Italia del nord*) North Italian, of (*o* from) North Italy. – **II** *s.m./f.* **1.** northerner. – **2.** (*italiano settentrionale*) North(ern) Italian. – **settentrionalịsmo** *m.* Northern Italian expression (*o* idiom).

settentriọne *m.* **1.** (*punto cardinale*) north, ⟨*ant*⟩ septentrion. – **2.** (*parte settentrionale*) north, northern part; (*paesi situati a nord*) north, northern countries *pl*: *nel* ~ *dell'Europa* in the north of Europe, in northern Europe. – **3.** (*rif. all'Italia*) North(ern) Italy. □ *essere a* ~ *di* to be north of, to lie to the north of. – **Settentrione** *m.* ⟨*Astr*⟩ (*Orsa Maggiore*) Septentrion, Great Bear; (*Orsa Minore*) Septentrion, Little Bear.

settenvirạle *a.* → **settemvirale.** – **settenvirạto** *m.* → **settemvirato.** – **settẹnviro** *m.* → **settemviro.**

sẹtter *m.* ⟨*Zool*⟩ setter. □ ~ *inglese* English setter; ~ *irlandese* Irish setter; ~ *scozzese* Gordon setter.

setterẹme *f.* ⟨*Mar.ant*⟩ galley with seven oarbanks.
settẹtto *m.* ⟨*Mus*⟩ septet(te).
setticemịa *f.* ⟨*Med*⟩ septic(a)emia, blood-poisoning. – **setticẹmico** *a./s.* (*pl.* **-ci**) **I** *a.* **1.** septic(a)emic. – **2.** (*che soffre di setticemia*) septic(a)emic, affected by septic(a)emia. – **II** *s.m.* septic(a)emic sufferer.
setticịda *a.* ⟨*Bot*⟩ septicidal.
setticlạvio *m.* ⟨*Mus*⟩ system of seven clefs.
sẹttico *a.* (*pl.* **-ci**) ⟨*Med*⟩ (*della sepsi*) septic. □ *fossa -a* septic tank.
setticopi(o)emịa *f.* ⟨*Med*⟩ septicopy(a)emia.
settifọrme *a.* ⟨*lett*⟩ sevenfold, ⟨*lett*⟩ septiform.
sẹttile *a.* **1.** (*tagliato in lamine sottili*) sectile. – **2.** (*che si può tagliare*) sectile. – **settilità** *f.* ⟨*tecn*⟩ sectility.
settilụstre *a.* ⟨*lett*⟩ of seven lustres, of thirty-five years.
sẹttima *f.* ⟨*Mus*⟩ **1.** (*intervallo*) seventh (interval). – **2.** (*settima opera*) seventh. – **3.** (*raggruppamento*) septuplet, septimole, septolet. □ *accordo di* ~ seventh chord; ~ *diminuita* diminished seventh; ~ *dominante* dominant seventh.
settimạna *f.* **1.** week: *lavorare tutta la* ~ to work all week. – **2.** (*salario*) week's pay (*o* wages *pl*): *riscuotere la* ~ to collect a week's pay. – **3.** (*manifestazione*) week: *la* ~ *del risparmio* Savings Week. – **4.** (*gioco per ragazzi*) kind of children's game. – **5.** ⟨*Giorn*⟩ (*nei titoli*) week.
□ **a** *-e* some weeks; (*una settimana sì e una no*) alternate weeks, every other week; *lavorare a* ~ to work by the week; ~ **corta** five -day week; **essere** *di* ~ (*svolgere un turno di servizio settimanale*) to be on duty for the week; **fine** ~ week-end; ~ **lavorativa** (*o di lavoro*) working week, work-week; *a* **metà** ~ ⌜halfway through⌝ (*o* in the middle of) the week, at midweek; *un* **paio** *di -e* a fortnight; ~ *di* **quaranta** *ore* forty-hour week; ⟨*Rel*⟩ ~ **santa** Holy Week; *due* **volte** *la* ~ twice a week.
settimanạle **I** *a.* weekly (*anche Giorn.*). – **II** *s.m.* **1.** ⟨*Giorn*⟩ weekly (publication). – **2.** (*paga settimanale*) week's pay (*o* wages *pl*). □ *incasso* ~ weekly takings *pl.* – **settimanalmẹnte** *avv.* weekly, every week; (*a settimana*) by the week: *mi pagano* ~ I am paid by the week.
settimanịle *m.* ⟨*Arred,region*⟩ chest of drawers, commode.
settimịno **I** *a.* **1.** (*nato di sette mesi*) seven-month, of seven months: *neonato* ~ seven-month baby. – **2.** ⟨*rar*⟩ (*ultimo di sette figli*) last of seven children. – **II** *s.m.* (*f.* **-a**) **1.** seven-month baby, seven months' child. – **2.** ⟨*non com*⟩ (*l'ultimo di sette figli*) last of seven children. – **3.** ⟨*Arred*⟩ → **settimanile**. – **4.** ⟨*Mus*⟩ septet, septette.
Settịmio *N.pr.m.* ⟨*Stor*⟩ Septimius. □ ~ *Severo* Septimius Severus.
sẹttimo **I** *a.* **1.** seventh. – **2.** (*rif. a regnanti*) the Seventh: *Enrico* ~ Henry the Seventh, Henry VII. – **II** *avv.* seventh, in the seventh place. – **III** *s.m.* **1.** (*ordinale*; *f.* **-a**) seventh. – **2.** (*frazionario*) seventh.
sẹtto[1] *m.* **1.** ⟨*Biol*⟩ septum, dissepiment. – **2.** ⟨*tecn*⟩ baffle. □ ⟨*Anat*⟩ ~ *nasale* nasal (*o* nose) septum, septum nasi.
sẹtto[2] *a.* **1.** ⟨*ant*⟩ (*separato, diviso*) separate, distinct. – **2.** ⟨*Bot*⟩ divided.
settọre[1] *m.* **1.** (*zona*) area, zone, sector (*anche Mil.*): ~ *d'azione* zone of action. – **2.** ⟨*fig*⟩ (*ambito, campo d'azione*) sector, field: ~ *economico* economic sector. – **3.** ⟨*Geom*⟩ sector. – **4.** ⟨*Mar*⟩ sector gear, toothed sector (*o* segment).
□ ~ **bancario** banking; ⟨*Geom*⟩ ~ **circolare** sector of a circle; ⟨*tecn*⟩ ~ **dentato** sector gear, toothed sector; ⟨*Artigl*⟩ ~ *di* **falciamento** traversing dial; ~ **industriale** industrial sector, branch of industry; ~ **produttivo** (*o di produzione*) production sector, sphere of production; ⟨*Geom*⟩ ~ **sferico** sector of a sphere, spherical sector; ⟨*Mar*⟩ ~ *del* **timone** rudder quadrant.
settọre[2] *m.* ⟨*Chir*⟩ prosector. □ ~ *anatomico* prosector; *perito* ~ medical examiner.
settoriạle *a.* **1.** (*di settore*) sectorial. – **2.** (*diviso in settori*) divided into sectors.
settrịce *f.* ⟨*Geom*⟩ (*anche curva settrice*) arc (of a circle), circular arc.
settuagenạrio ⟨*lett*⟩ **I** *a.* septuagenary, seventy-year-old, of seventy. – **II** *s.m.* (*f.* **-a**) septuagenarian, man (*f* woman) of seventy.
settuagẹsima *f.* ⟨*Lit*⟩ Septuagesima (Sunday). – **settuagẹsimo** *a.* ⟨*lett*⟩ (*settantesimo*) seventieth.
settuplicạre *v.i.* (**settụplico, settụplichi**) ⟨*non com*⟩ to multiply by seven, to increase sevenfold, to septuple. – **settuplicarsi** *v.r.* to increase seven times, to septuple. – **sẹttuplo** ⟨*non com*⟩ **I** *a.* sevenfold, seven times as great (*o* much, many), septule. – **II** *s.m.* seven times as much, sevenfold amount, septuple: *pagare il* ~ to pay seven times ⌜as much⌝ (*o* the amount).
seụccio (*dim. di sei*[1]) *m.* → **seino**.
severamẹnte *avv.* severely, strictly, sternly.
severiạni *m.pl.* ⟨*Rel*⟩ Severians *pl*, Encratites *pl.*
Severịno *N.pr.m.* Severinus.
severità *f.* **1.** (*rif. a persone*) severity, strictness, sternness: *trattare qd. con* ~ to treat s.o. with severity; (*rif. a cose*) severity, sternness: *la* ~ *di una condanna* the severity of a sentence. – **2.** ⟨*fig*⟩ (*austerità*) severity, strictness, austerity: ~ *di costumi* severity (of morals). – **3.** ⟨*fig*⟩ (*serietà rigorosa e critica*) severity, rigour, seriousness: ~ *di metodo* rigour of method. – **4.** ⟨*fig*⟩ (*gravità*) severity, seriousness, gravity. – **5.** ⟨*fig*⟩ (*semplicità*) severity, plainness, simplicity, austerity.
Sevẹrna *N.pr.f.* ⟨*Geog*⟩ Severn.
sevẹro *a.* **1.** severe, strict, stern, rigorous: *essere* ~ *nel giudicare* to be a severe judge; *insegnante* ~ strict teacher; *critica -a* stern criticism. – **2.** ⟨*fig*⟩ (*austero, grave*) severe, strict, austere: *vita -a* austere life. – **3.** (*difficile, rigoroso*) difficult, hard, arduous, severe, rigorous; (*serio*) serious: *studi -i* serious study. – **4.** ⟨*fig*⟩ (*semplice*) severe, plain, simple, austere, unadorned: *stile* ~ severe style. – **5.** ⟨*fig*⟩ (*grave, rilevante*) severe, serious, marked, great, grave: *una -a sconfitta* a serious (*o* bad) defeat. – **6.** ⟨*fig,poet*⟩ (*oscuro, minaccioso*) dark, threatening.
Sevẹro *N.pr.m.* Severus.
sevesịno *m.* ⟨*Pesc*⟩ kind of fishing-net.
sevịzia *f.* **1.** *pl.* torture: *subire terribili -e* to suffer terrible torture; (*violenza carnale*) carnal violence, rape. – **2.** *pl.* ⟨*fig*⟩ (*maltrattamenti*) abuse, ill-treatment, torment. – **3.** ⟨*ant*⟩ (*crudeltà*) cruelty. □ *usare -e contro qd.* to torture s.o.; (*maltrattarlo*) to ill-treat s.o. – **seviziạre** *v.t.* (**sevịzio, sevịzi**) **1.** to torture. – **2.** ⟨*fig*⟩ (*maltrattare*) to ill-treat, to torment, to torture, to abuse. – **3.** (*violentare*) to rape. – **seviziatọre** *m.* (*f.* **-trice**) **1.** torturer. – **2.** ⟨*fig*⟩ tormentor, abuser. – **3.** (*chi violenta*) rapist.
sẹvo[1] *m.* ⟨*non com*⟩ (*sebo*) tallow.
sẹvo[2] *a.* ⟨*ant,lett*⟩ (*crudele*) cruel, harsh; (*spietato*) pitiless, ruthless.
sexdigitịsmo *m.* ⟨*non com*⟩ (*esadattilia*) sexdigitism.
sezionạle *a.* sectional.
sezionamẹnto *m.* **1.** division, separation. – **2.** ⟨*fig*⟩ (*distribuzione, spartizione*) division, separation, section(ing). – **3.** ⟨*Med*⟩ dissection.
sezionạre *v.t.* (**seziọno**) **1.** to divide (*o* cut) up, to break up, to separate, to split, to dissect. – **2.** ⟨*fig*⟩ (*spartire, dividere in classi*) to divide (up), to separate (into sections), to section, to grade, to classify. – **3.** ⟨*Biol*⟩ to section: ~ *lo stelo* to section the stem. – **4.** ⟨*Med*⟩ to dissect: ~ *un cadavere* to dissect a cadaver. – **5.** ⟨*El*⟩ to isolate, to disconnect. – **sezionạto** (*p.p. di sezionare*) *a.* → **setto**[2]. – **sezionatọre** *m.* (*f.* **-trice**) **1.** ⟨*non com*⟩ divider. – **2.** ⟨*El*⟩ isolator, isolating (*o* disconnecting) switch, cut-out: ~ *di potenza* power isolator. – **sezionatụra** *f.* **1.** ⟨*non com*⟩ → **sezionamento**. – **2.** ⟨*Ferr*⟩ division of a railway ticket.
sezioncịna *f. dim. di* **sezione**.
seziọne *f.* **1.** ⟨*non com*⟩ (*sezionamento*) division, cutting up. – **2.** ⟨*Geom*⟩ (*atto*) section(ing); (*effetto*) section: ~ *conica* conic section; ~ *piana* plane section. – **3.** (*spaccato*) (cross-)section, profile, cutaway view: ~ *di una galleria* cutaway view of a tunnel. – **4.** (*suddivisione*) section, subdivision, part. – **5.** (*nei partiti*) section, local branch; (*sede*) local party branch office. – **6.** ⟨*Med*⟩ section; (*sezionamento*) dissection. – **7.** ⟨*tecn*⟩ section. – **8.** ⟨*Dir*⟩ (*di tribunale*) division (of a court), court. – **9.** ⟨*non com*⟩ (*settore*) sector, zone.
□ ⟨*Dir*⟩ ~ **d'accusa** section of a Court of Appeal (which decides whether certain indictments should be proceeded with); ⟨*Mat*⟩ ~ **aurea** golden section; ~ **circolare** circular cross-section; *a* ~ *circolare* round, circular; ⟨*Dir*⟩ ~ **civile** (*nei tribunali*) civil court (*o* division); ⟨*Dir*⟩ ~ **commerciale** commercial court; ~ **elettorale** electoral division; **in** ~ (cross-)sectional, in section (*o* profile), cutaway view-; ~ **intera** full section; ⟨*Dir*⟩ ~ **istruttoria** court of inquiry; ~ **longitudinale** longitudinal section; ~ **obliqua** oblique section; ~ **parziale** part section; ⟨*Dir*⟩ ~ **penale** (*nei tribunali*) criminal court (*o* division); ~ *di* **polizia** police station; ⟨*Ferr*⟩ ~ *di* **rotaia** rail section; ~ **trasversale** cross-section; ⟨*Dir*⟩ ~ *di* **tribunale** *per i minorenni* juvenile court; ⟨*Fis*⟩ ~ *d'urto* cross-section: ~ *d'urto d'assorbimento* absorption cross-section; ~ *d'urto di cattura* capture cross-section; ~ *d'urto di fissione* fission cross-section; ⟨*Min*⟩ ~ **verticale** vertical section.
sezzạio ⟨*ant*⟩ **I** *a.* (*ultimo*) last. – **II** *s.m.* last. – **sẹzzo** *a.* ⟨*ant*⟩ (*ultimo*) last. □ *da* ~ (*da ultimo, alla fine*) at the end; (*per ultimo*) last of all.
SF = ⟨*Aut*⟩ *Finlandia* Finland.
sf. = ⟨*Mus*⟩ *sforzando* sforzando (*abbr.* sf., sfz.).
sfaccendạre *v.i.* (**sfaccẹndo**; *aus.* **avere**) to be busy, to bustle about, ⟨*fam*⟩ to be on the go. – **sfaccendạto** **I** *a.* **1.** idle, having nothing to do, unoccupied. – **2.** (*ozioso*) lazy. – **II** *s.m.* (*f.* **-a**) (*fannullone*) idler, loafer, ⟨*fam*⟩ lazy-bones.
sfaccettạre *v.t.* (**sfaccẹtto**) **1.** (*rif. a pietre preziose*) to facet, to cut facets upon. – **2.** ⟨*fig*⟩ (*considerare sotto i diversi aspetti*) to treat exhaustively (*o* from every angle), to consider from all points of view. – **sfaccettạto** (*p.p. di sfaccettare*) *a.* **1.** faceted: *cristallo* ~ faceted crystal. – **2.** ⟨*fig*⟩ faceted, diverse, many-sided. – **sfaccettatụra** *f.* **1.** (*atto*) faceting; (*effetto*) facets *pl.* – **2.** ⟨*fig*⟩ facet, aspect, angle. – **sfaccettịo** *m.* ⟨*rar*⟩ **1.** faceting. – **2.** ⟨*fig*⟩ treating exhaustively.
sfacchinạre *v.i.* (*aus.* **avere**) ⟨*fam*⟩ **1.** (*fare un lavoro duro e pesante*) to work hard, to toil, to drudge, to slave, ⟨*fam*⟩ to work like a slave, ⟨*fam*⟩ to work o.s. to death. – **2.** (*lavorare intensamente*) to work hard, to slave, to plod. – **sfacchinạta** *f.* ⟨*fam*⟩ **1.** (*lavoro pesante*) heavy work, drudgery, toil. – **2.** (*grande sforzo*) great effort.
sfacciạre *v.* (**sfạccio, sfạcci**) ⟨*ant,rar*⟩ → **sfaccettare**.
sfacciatạggine *f.* impudence, insolence, cheek, nerve, cockiness, gall: *che* ~ *!* what (a) nerve! – **sfacciatamẹnte** *avv.* impudently, insolently. – **sfacciatẹllo** (*dim. di sfacciato*[1]) **I** *a.* impudent, insolent, cheeky, ⟨*fam*⟩ cocky. – **II** *s.m.* (*f.* **-a**) cheeky fellow. – **sfacciatẹzza** *f.* ⟨*non com*⟩ → **sfacciataggine**.
sfacciạto[1] **I** *a.* **1.** (*impudente*) impudent, insolent, cheeky, ⟨*fam*⟩ cocky, ⟨*fam*⟩ saucy. – **2.** (*spudorato, svergognato*) shameless, brazen, bare-faced. – **3.** ⟨*fig*⟩ (*vivace, vistoso*) gaudy, flashy, garish, showy: *colori -i* gaudy colours. – **4.** (*rif. a cavalli*) blazed. – **II** *s.m.* (*f.*

-a) **1.** (*persona impudente*) impudent fellow. – **2.** (*persona spudorata, svergognata*) shameless fellow, brazen-face. □ *una luce -a* a dazzling light.

sfacciạto[2] (*p.p. di sfacciare*) *a.* **1.** ⟨*non com*⟩ (*squadrato*) squared. – **2.** ⟨*ant*⟩ (*sfaccettato*) faceted.

sfacciatọne (*accr. di sfacciato*[1]) **I** *a.* very impudent (*o* insolent), extremely cocky (*o* cheeky). – **II** *s.m.* (*f.* -a) very impudent fellow.

sfacciatụra *f.* ⟨*Mecc*⟩ facing.

sfacẹlo *m.* **1.** (*decomposizione*) decomposition: *lo* ~ *di un corpo* the decomposition of a body; (*disfacimento*) decay, decomposition. – **2.** ⟨*fig*⟩ (*decadimento*) decay, decline, degeneration, break-up, undoing: ~ *morale* moral decay. – **3.** (*rovina, disastro*) ruin, disaster. – **4.** ⟨*ant*⟩ (*cancrena*) gangrene.

sfacimẹnto *m.* ⟨*non com*⟩ (*disfacimento*) decomposition, decay.

sfagiolạre *v.i.* (**sfagiọlo**; *aus.* **essere**) ⟨*fam*⟩ (*andare a genio*) to be to one's liking (*o* taste), to please, to like: *quell'uomo non mi sfagiola* I don't like that fellow; *il lavoro non mi sfagiola* the job's not to my liking.

sfagliạre[1] *v.* (**sfạglio, sfạgli**) **I** *v.t.* (*nei giochi di carte*: *scartare*) to discard. – **II** *v.i.* (*aus.* **avere**) **1.** (*nei giochi di carte*) to discard. – **2.** (*rif. ad animali*: *fare uno scarto brusco*) to shy.

sfagliạre[2] *v.i.* (**sfạglio, sfạgli**; *aus.* **avere**), **sfagliarsi** *v.r.* ⟨*Geol,non com*⟩ (*fagliare*) to fault.

sfạglio *m.* **1.** (*nei giochi di carte*: *scarto*) discarding; (*carta scartata*) discard. – **2.** (*brusco scarto di animale*) shy. – **3.** ⟨*Venat*⟩ leap, jump.

sfagnẹto *m.* ⟨*Bot*⟩ sphagnetum, sphagnum swamp (*o* bog). – **sfagnịcolo** *a.* ⟨*Biol*⟩ sphagnophilic, sphagnicolous, sphagnophilous. – **sfạgno** *m.* ⟨*Bot*⟩ sphagnum(-moss), bog-moss, peat-moss (*Sphagnum*). – **sfagnọfilo** *a.* → **sfagnicolo**.

sfạlcio *m.* ⟨*non com*⟩ **1.** (*falciatura*) mowing, cutting. – **2.** ⟨*concr*⟩ (*quantità di erba falciata*) grass cut (*o* mowed).

sfạlda *f.* ⟨*non com*⟩ (*falda*) flake, scale. – **sfaldạbile** *a.* **1.** flaky, scaly; (*che cade in lamine*) flaking, scaling. – **2.** (*che si può sfaldare*) that may be flaked (*o* scaled). – **3.** ⟨*Min*⟩ spathic. – **sfaldabilità** *f.* **1.** flakiness, scaliness. – **2.** (*il potersi sfaldare*) capacity to be flaked (*o* scaled). – **sfaldamẹnto** *m.* **1.** flaking, scaling; (*il cadere in lamine*) flaking, scaling. – **2.** (*disgregamento*) disintegration, crumbling (*anche fig.*).

sfaldạre *v.t.* **1.** to flake, to scale. – **2.** (*disgregare*) to disintegrate, to crumble. – **sfaldarsi** *v.r.* **1.** to flake, to scale. – **2.** ⟨*Min*⟩ to cleave, to undergo cleavage. – **3.** (*sbriciolarsi, disgregarsi*) to disintegrate, to crumble (*anche fig.*). – **sfaldatụra** *f.* **1.** flaking, scaling. – **2.** ⟨*Min*⟩ cleavage: *piano di* ~ cleavage plane. – **3.** (*disgregamento*) disintegration, crumbling.

sfaldellạre *v.t.* (**sfaldẹllo**) ⟨*non com*⟩ to flake, to scale.

sfalerịte *f.* ⟨*Min*⟩ sphalerite.

sfalsamẹnto *m.* staggering, arranging irregularly. – **sfalsạre** *v.t.* **1.** to stagger, to arrange irregularly: ~ *i piani di una libreria* to stagger the shelves in a bookcase. – **2.** ⟨*Sport*⟩ (*nella scherma*) to parry. – **3.** (*deviare*) to deflect, to turn aside. – **sfalsạto** (*p.p. di sfalsare*) *a.* **1.** staggered, arranged irregularly. – **2.** (*deviato*) deviated, swerved, deflected.

sfamạre *v.t.* to appease (*o* satisfy) the hunger of; (*nutrire*) to feed: *basta per* ~ *un esercito* that's enough to feed an army. – **sfamarsi** *v.r.* to appease (*o* satisfy) one's hunger, to have one's fill.

sfangamẹnto *m.* **1.** cleaning mud off. – **2.** ⟨*Minier*⟩ desilting, desliming. – **sfangạre** *v.* (**sfạngo, sfạnghi**) **I** *v.i.* (*aus.* **avere**) to come (*o* get) out of the mud. – **II** *v.t.* **1.** ⟨*ant*⟩ (*pulire dal fango*) to clean mud off. – **2.** ⟨*Minier*⟩ to desilt, to deslime. □ ⟨*fam*⟩ *sfangar(se)la*: 1. (*evitare un lavoro*) to shirk a job, to get out of s.th.; 2. (*cavarsela*) to make it, to get over s.th., to manage, to scrape through. – **sfangatọre** *m.* ⟨*Minier*⟩ desilter, deslimer.

sfạre *v.t.* (**sfạccio/sfò, sfại; sfẹci, sfạtto**; → **fare**) **1.** ⟨*non com*⟩ (*disfare*) to undo. – **2.** ⟨*non com*⟩ (*sciogliere*) to dissolve; (*rif. a neve*) to thaw, to melt. – **3.** ⟨*fig,lett*⟩ (*consumare*) to destroy, to consume, to eat away. – **sfarsi** *v.r.* **1.** to dissolve; (*sciogliersi*) to thaw, to melt: *la neve si è completamente sfatta* the snow has all melted. – **2.** (*sfiorire*) to fade, to droop, to wither, to sag: *il suo viso comincia a sfarsi* her face is starting to sag. – **3.** (*perdere la compattezza*) to get (*o* go) soft, to fall apart: *il budino s'è tutto sfatto* the pudding has gone all soft.

sfarfallamẹnto *m.* **1.** ⟨*Entom*⟩ emergence from the cocoon. – **2.** (*lo svolazzare*) fluttering. – **3.** ⟨*fig*⟩ (*incostanza, volubilità*) fluttering, flitting, fickleness, changeableness, flightiness. – **4.** ⟨*Ott,Cin,TV*⟩ flicker. – **5.** ⟨*Mecc,Aut*⟩ wobble. □ ⟨*TV*⟩ ~ *di linea* interline flicker; ⟨*Aut*⟩ ~ *delle ruote* wheel wobble; ~ *della valvola* valve floating (*o* dancing, surging).

sfarfallạre *v.i.* (*aus.* **avere**) **1.** ⟨*Entom*⟩ to emerge from the cocoon. – **2.** (*svolazzare*) to flutter. – **3.** ⟨*fig*⟩ (*cambiare volubilmente*) to flutter, to flit, to be fickle (*o* changeable): *sfarfalla da un ragazzo all'altro* she flits from one boy to another. – **4.** ⟨*fam*⟩ (*commettere errori grossolani*) to blunder. – **5.** ⟨*tecn*⟩ (*tremolare*) to flicker. – **6.** ⟨*Mecc,Aut*⟩ to wobble.

sfarfallatụra *f.* ⟨*Entom*⟩ emergence from the cocoon; (*periodo*) time of emergence from the cocoon. – **sfarfallịo** *m.* **1.** flutter(ing). – **2.** (*il volare qua e là*) fluttering, flitting. – **3.** ⟨*tecn*⟩ flickering. – **sfarfallọne** *m.* ⟨*fam*⟩ (*errore grossolano*) blunder, ⟨*fam*⟩ howler, ⟨*am.fam*⟩ blooper.

sfạrgide *f.* ⟨*Zool*⟩ (*dermochelide*) leatherback (*Dermochelys coriacea*). – **sfạrgidi** *m.pl.* leatherbacks *pl* (*Sphargidae*).

sfarinạbile *a.* grindable; (*che si sfarina facilmente*) easily ground. – **sfarinamẹnto** *m.* (*lo sfarinare*) grinding to flour; (*lo sfarinarsi*) becoming floury (*o* mealy). – **sfarinạre** **I** *v.t.* **1.** to grind to flour. – **2.** (*polverizzare*) to pulverize. – **II** *v.i.* (*aus.* **avere**), **sfarinarsi** *v.r.* **1.** to become floury (*o* mealy). – **2.** (*ridursi in polvere*) to pulverize, to become pulverized. – **sfarinạto** (*p.p. di sfarinare*) **I** *a.* floury, mealy: *patate -e* mealy potatoes. – **II** *s.m.* ⟨*Alim*⟩ flour.

sfạrzo *m.* magnificence, pomp, luxuriousness, splendour, opulence. □ *con* ~ magnificently, luxuriously, splendidly; *senza* ~ simply, plainly, unostentatiously. – **sfarzosamẹnte** *avv.* magnificently, luxuriously, splendidly, opulently, sumptuously. – **sfarzosità** *f.* **1.** magnificence, luxuriousness, splendour, opulence, sumptuousness. – **2.** (*ostentazione di sfarzo*) lavish display, ostentation. – **3.** (*apparato sfarzoso*) pomp (and circumstance). – **sfarzọso** *a.* magnificent, luxurious, splendid, sumptuous, opulent.

sfasamẹnto *m.* **1.** (*disorientamento*) bewilderment, confusion. – **2.** ⟨*tecn*⟩ phase displacement (*o* difference). – **sfasạre** *v.t.* **1.** (*disorientare*) to confuse, to bewilder. – **2.** ⟨*tecn*⟩ to dephase, to displace the phase of. – **sfasạto** (*p.p. di sfasare*) *a.* **1.** confused, bewildered. – **2.** ⟨*tecn*⟩ out of phase. – **3.** ⟨*Mot*⟩ with faulty timing. – **sfasatọre** *m.* phase changer (*o* shifter): ~ *direzionale* directional phase changer (*o* shifter). – **sfasatụra** *f.* **1.** → **sfasamento**. – **2.** ⟨*fig,concr*⟩ (*difetto di incoerenza*) confusion, bewilderment.

sfasciacarrọzze *m.inv.* car-wrecker.

sfasciamẹnto[1] *m.* unbandaging, unbinding.

sfasciamẹnto[2] *m.* **1.** breaking, smashing, shattering. – **2.** (*crollo*) collapse, break-up, ruin.

sfasciạre[1] *v.t.* (**sfạscio, sfạsci**) **1.** (*disfare la fasciatura*) to unbandage, to remove the bandage(s) from: ~ *una ferita* to unbandage a wound. – **2.** (*togliere le fasce*) to unbind, to unwrap; (*rif. a neonati*) to unswaddle, to unswathe.

sfasciạre[2] *v.t.* (**sfạscio, sfạsci**) **1.** (*rompere*) to break, to smash. – **2.** (*sconquassare*) to smash, to wreck, to shatter, to break (*o* tear) up, to demolish: ~ *una sedia* to smash a chair. – **sfasciarsi** *v.r.* **1.** (*fracassarsi*) to break up (*o* in pieces), to be wrecked: *la nave si sfasciò sugli scogli* the ship ⌜was wrecked⌝ (*o* broke up) on the rocks; (*rif. a veicoli*) to crash. – **2.** (*rompersi*) to break, to shatter, to be smashed. – **3.** ⟨*fig*⟩ (*crollare, scompaginarsi*) to collapse, to break up, to crumble (away), to fall down (*o* into ruin). – **4.** ⟨*fam*⟩ (*perdere la snellezza*) to get flabby, to lose one's figure, ⟨*fam*⟩ to go to pot.

sfasciạto[1] (*p.p. di sfasciare*[1]) *a.* **1.** (*senza fasciatura*) unbandaged. – **2.** (*senza fasce*) unbound, unwrapped; (*rif. a neonati*) unswaddled, unswathed.

sfasciạto[2] (*p.p. di sfasciare*[2]) *a.* **1.** (*sconquassato*) smashed, wrecked, broken (*o* torn) up, shattered; (*fracassato*) broken up, in pieces (*o* smithereens), wrecked. – **2.** (*rotto*) broken, smashed. – **3.** ⟨*fam*⟩ (*rif. a persone*: *flaccido, cascante*) flabby, ⟨*fam*⟩ gone to pot.

sfasciatụra *f.* ⟨*non com*⟩ **1.** (*il togliere la fasciatura*) unbandaging. – **2.** (*il togliere le fasce*) unbinding, unwrapping; (*rif. a neonati*) unswaddling, unswathing.

sfascicolạre *v.t.* (**sfascịcolo**) to take apart: ~ *un libro* to take a book apart. – **sfascicolạto** (*p.p. di sfascicolare*) *a.* taken apart.

sfạscio *m.* ⟨*non com*⟩ **1.** breaking up, smashing, wrecking. – **2.** (*sfacelo*) collapse, ruin, breakdown. □ ⟨*region*⟩ *a* ~ (*in grande quantità*) in plenty; *avere qc. a* ~ to have a lot (*o* large amount) of s.th., to have plenty of s.th.

sfasciụme *m.* ⟨*spreg*⟩ **1.** (*insieme di cose sfasciate*) debris, rubble, junk. – **2.** ⟨*fig*⟩ (*persona sfiorita, cascante*) wreck.

sfatamẹnto *m.* ⟨*non com*⟩ **1.** disproving, refuting, exploding. – **2.** (*distruzione dell'incantesimo*) breaking the spell. – **sfatạre** *v.t.* **1.** to disprove, to refute, to explode, ⟨*fam*⟩ to debunk: ~ *una leggenda* to explode a myth. – **2.** ⟨*ant*⟩ (*distruggere l'incantesimo*) to break (the spell of).

sfaticạre *v.i.* (**sfatịco, sfatịchi**; *aus.* **avere**), **sfaticarsi** *v.r.* ⟨*tosc*⟩ (*sfacchinare*) to work hard, to toil, to drudge, to slave.

sfaticạto[1] (*p.p. di sfaticare*) *a.* ⟨*tosc*⟩ (*affaticato*) tired, weary, fatigued, ⟨*fam*⟩ done in, all-in.

sfaticạto[2] ⟨*region*⟩ **I** *a.* (*scansafatiche*) idle, lazy. – **II** *s.m.* (*f.* -a) idler, loafer, ⟨*fam*⟩ lazy-bones.

sfạtto (*p.p. di sfare*) *a.* **1.** undone. – **2.** (*sciolto*) dissolved; (*fuso*) melted; (*rif. alla neve*) thawed, melted. – **3.** ⟨*fig*⟩ (*rif. a persone*: *sfiorito*) faded, drooping, withered, sagging. – **4.** ⟨*fig*⟩ (*degenerato*) degenerate, corrupted: *una nazione -a* a degenerate nation. □ *letto* ~ unmade bed.

sfavillamẹnto *m.* ⟨*non com*⟩ **1.** spark(l)ing. – **2.** (*splendore*) sparkling, glitter(ing), gleam(ing). – **sfavillạnte** (*p.pr. di sfavillare*) *a.* **1.** spark(l)ing. – **2.** (*splendente*) sparkling, glittering, shining; (*raggiante*) shining, bright, radiant. – **3.** ⟨*fig*⟩ sparkling, glittering, shining, lit up, radiant: *occhi -i di gioia* eyes sparkling with joy.

sfavillạre **I** *v.i.* (*aus.* **avere**) **1.** to sparkle, to give off sparks, to spark. – **2.** (*risplendere*) to sparkle, to glitter; (*raggiare*) to shine. – **3.** ⟨*fig*⟩ to sparkle, to glitter, to shine, to be radiant, to light up: *le sfavillano gli occhi di gioia* her eyes are shining with joy. – **II** *v.t.* ⟨*lett,rar*⟩ **1.** to sparkle, to flash. – **2.** (*far risplendere*) to make sparkle. – **sfavillịo** *m.* **1.** spark(l)ing. – **2.** (*splendore*) sparkling, glittering, shining. – **3.** ⟨*fig*⟩ sparkling, glittering.

sfavọre *m.* disfavour, disapproval; (*svantaggio*) disadvantage; (*danno*) damage, harm, detriment. □ *andare a* ~ *di qd.* to be to s.o.'s disadvantage, to go against s.o. – **sfavorẹvole** *a.* **1.** unfavourable,

negative: *opinione* ~ unfavourable opinion; (*inopportuno*) unfavourable, bad: *è un momento* ~ it's a bad time. – **2.** (*contrario*) unfavourable, contrary, adverse, opposed: *vento* ~ contrary wind. – **3.** (*mal disposto*) against (*a qc.* s.th.), ill-disposed (towards), adverse (to): *essere* ~ *a un progetto* to be against a plan. – **sfavorevolmẹnte** *avv.* unfavourably.
sfavorịre *v.t.* (sfavorịsco, sfavorịsci) ⟨*non com*⟩ (*non favorire*) to be unfavourable to, to be against.
sfebbrạre *v.i.* (sfẹbbro; *aus.* essere) to get rid of a fever. – **sfebbrạto** (*p.p. di sfebbrare*) *a.* no longer having a fever.
sfẹcidi *m.pl.* ⟨*Entom*⟩ sphecids *pl* (*Sphecidae*).
sfegatạrsi *v.r.* (mi sfẹgato) ⟨*fam*⟩ **1.** to work hard, to slave, to wear o.s. out, ⟨*fam*⟩ to break one's back. – **2.** (*gridare*) to shout one's lungs out, to yell o.s. hoarse. – **sfegatạto** (*p.p. di sfegatarsi*) ⟨*fam*⟩ **I** *a.* passionate, ardent, keen. – **II** *s.m.* (*f.* -a) daredevil.
sfẹgidi *m.pl.* → sfecidi.
sfeltrạre *v.t.* (sfẹltro) ⟨*Tess*⟩ to pluck. – **sfeltratọre** *m.* (*f.* -trice) plucker. – **sfeltratrịce** *f.* plucking-machine, plucker. – **sfeltratụra** *f.* plucking.
sfemminellạre *v.t.* (sfemminẹllo) ⟨*Agr*⟩ to trim. – **sfemminellatọre** *m.* (*f.* -trice) trimmer of suckers. – **sfemminellatụra** *f.* trimming of suckers.
sfẹnda *f.* ⟨*Stor,Mod*⟩ jabot.
sfẹndere *v.t.* (sfendẹi/sfendẹtti, sfẹsso) ⟨*ant*⟩ (*fendere*) to split, to cleave.
sfendọne (o *sfendọne*) *m.* **1.** (*fionda*) sling. – **2.** ⟨*Stor.gr*⟩ sphendone, headband.
sfenetmọide *m.* ⟨*Zool*⟩ sphenethmoid (bone).
sfenịscidi, sfenisciformi *m.pl.* ⟨*Ornit*⟩ penguins *pl* (*Sphenisciformes*).
sfenocefalịa *f.* ⟨*Med*⟩ sphenocefaly.
sfenodọnte *m.* ⟨*Zool*⟩ **1.** tuatara (*Sphenodon punctatum*). – **2.** *pl.* → sfenodontidi. – **sfenodọntidi** *m.pl.* tuataras *pl*, sphenodonts *pl* (*Sphenodontidae*).
sfenoidạle *a.* **1.** ⟨*Anat*⟩ sphenoid(al). – **2.** ⟨*Min*⟩ sphenoidal. – **sfenọide** *m.* **1.** ⟨*Anat*⟩ sphenoid (bone). – **2.** ⟨*Min*⟩ sphenoid. – **sfenopalatịno** *a.* ⟨*Anat*⟩ sphenopalatine.
sfenorịnco *m.* (*pl.* -chi) ⟨*Ornit*⟩ Abdim's (*o* white-bellied) stork (*Sphenorhynchus abdimii*).
sfẹra *f.* **1.** ⟨*Geom*⟩ sphere. – **2.** (*oggetto sferico, palla*) sphere, ball, orb: ~ *di ferro* iron ball. – **3.** ⟨*fig*⟩ (*ambiente*) circle, set, sphere, class. – **4.** ⟨*fig*⟩ (*campo, settore*) sphere, field, province, compass: ~ *d'azione* sphere of influence. – **5.** ⟨*Biol*⟩ sphere. – **6.** ⟨*Astr*⟩ sphere; (*volta*) vault. – **7.** ⟨*region*⟩ (*lancetta dell'orologio*) hand: ~ *delle ore* hour-hand.
□ **a** ~ ball-: *valvola a* ~ ball valve; *cuscinetto a* ~ ball-bearing; *penna a* ~ ball(point) pen, ballpoint, biro; ⟨*fig*⟩ **alte** *-e* high places, exalted circles; ⟨*Filos*⟩ ~ *dell'***aria** sphere of air; ⟨*Astr*⟩ ~ **armillare** armillary sphere; ⟨*Biol*⟩ ~ **attrattiva** (*centrosfera*) centrosphere; ⟨*Astr*⟩ ~ **celeste** celestial sphere; ⟨*Sport*⟩ ~ *di* **cuoio** (*pallone*) leather ball; ⟨*Filos*⟩ ~ *del* **fuoco** sphere of fire; ~ **planetaria** = *sfera* **armillare**; ~ **solare** solar sphere; ~ **terrestre** terrestrial sphere (*o* globe); ⟨*Geol*⟩ ~ **tettonica** (*crosta terrestre*) earth's crust.
sfẹrica *f.* ⟨*Geom*⟩ spherical geometry, spherics *pl* (*costr.sing.*).
sfericamẹnte *avv.* ⟨*rar*⟩ spherically. – **sfericità** *f.* sphericity, roundness. – **sfẹrico** *a./s.* (*pl.* -ci) **I** *a.* **1.** spherical: *superficie -a* spherical surface. – **2.** (*a forma di sfera*) spherical, spheriform. – **II** *s.m.* ⟨*Aer*⟩ (*pallone sferico*) spherical balloon.
sferịre *v.t.* (sferịsco, sferịsci) ⟨*Mar*⟩ (*rif. alle vele*) to unbend, to heave out; (*rif. a paranchi*) to unreeve.
sferistẹrio *m.* (pallone-)court, ⟨*lett*⟩ spheristerion.
sfero|cịta, ~cịto *m.* ⟨*Biol*⟩ spherocyte. – **~citọsi** *f.* spherocytosis.
sferoidạle *a.* spheroidal; (*tondeggiante*) roundish. □ ⟨*Fis*⟩ *stato* ~ spheroidal state (*o* condition). – **sferọide** *m.* ⟨*Astr,Geom*⟩ spheroid. – **sferọidico** (o *sferoịdico*) *a.* (*pl.* -ci) ⟨*non com*⟩ → sferoidale.
sferolịte *f.* ⟨*Min*⟩ spherulite. – **sferolịtico** *a.* (*pl.* -ci) spherulitic.
sferọmetro *m.* ⟨*tecn*⟩ spherometer.
sfero|plạncton *m.* ⟨*Biol*⟩ spheroidal plancton. – **~siderịte** *f.* ⟨*Min*⟩ sphaerosiderite. – **~sọmi** *m.pl.* ⟨*Biol*⟩ (*microsomi*) microsomes *pl.*
sfẹrra *f.* old (*o* cast-off, broken) horseshoe.
sferracavạllo *m.* ⟨*Bot*⟩ honesty, satinpod, lunaria (*Lunaria*).
sferragliamẹnto *m.* **1.** (*lo sferragliare*) rattling, clattering, clanging. – **2.** (*rumore*) rattle, clatter(ing), clang(ing). – **sferragliạre** *v.i.* (sferrạglio, sferrạgli; *aus.* avere) to rattle, to clatter, to clang; (*rif. a treni e sim.*) to clang.
sferrạre *v.t.* (sfẹrro) **1.** to unshoe. – **2.** ⟨*fig*⟩ (*dare, tirare con forza*) to give, to deal, to throw, ⟨*fam*⟩ to land: ~ *un pugno* to land a punch; ~ *un calcio* to give a kick. – **3.** ⟨*fig*⟩ (*fare improvvisamente*) to launch, to deliver: ~ *un attacco* to launch an attack. – **4.** ⟨*non com*⟩ (*liberare dalle catene*) to unchain, to free from irons. – **5.** ⟨*assol, mar*⟩ to be adrift, to drag the anchor. – **sferrarsi** *v.r.* **1.** (*perdere i ferri*) to cast (*o* lose) a shoe, to be(come) unshod. – **2.** ⟨*fig*⟩ (*avventarsi*) to fling (*o* hurl) o.s. – **3.** ⟨*non com*⟩ (*liberarsi dalle catene*) to get free of chains (*o* irons), to break loose. – **sferrạto** (*p.p. di sferrare*) *a.* unshod. – **sferratụra** *f.* **1.** (*lo sferrare*) unshoeing. – **2.** (*lo sferrarsi*) casting (*o* losing) of a shoe.
sferruzzạre *v.i.* (*aus.* avere) to knit away.
sferulịte *f.* → sferolite. – **sferulịtico** *a.* → sferolitico.
sfervorạto *a.* ⟨*non com*⟩ **1.** (*senza entusiasmo*) unenthusiastic, with no enthusiasm (*o* fervour) left, jaded. – **2.** (*scoraggiato, avvilito*) discouraged, disheartened.
sfẹrza *f.* **1.** (*frusta*) whip, lash; (*scudiscio*) switch, whip. – **2.** ⟨*fig*⟩ lash: *la* ~ *della critica* the lash of criticism. □ *la* ~ *del caldo* the scorching heat; *sotto la* ~ *del sole* under the burning (*o* merciless) rays of the sun; ⟨*fig*⟩ *usare la* ~ to act harshly, to be very forceful (*o* hard).
sferzạre *v.t.* (sfẹrzo) **1.** to whip, to lash, to flog: ~ *i cavalli* to whip the horses. – **2.** (*punire con la frusta*) to flog, to lash, to whip, ⟨*lett*⟩ to scourge. – **3.** ⟨*fig*⟩ (*battere violentemente*) to lash, to beat (on), to whip. – **4.** ⟨*fig*⟩ (*biasimare*) to lash out at, to criticize harshly, ⟨*lett*⟩ to scourge: ~ *i vizi* to lash out at immorality. – **5.** ⟨*fig*⟩ (*incitare*) to spur on, to drive (on). – **6.** ⟨*fig*⟩ (*tormentare*) to torment.
sferzạta *f.* **1.** cut (*o* blow) with a whip, lash. – **2.** ⟨*fig*⟩ (*critica*) lashing, sharp criticism (*o* rebuke). □ *dare una* ~ *a qd.* to whip (*o* lash) s.o., to give s.o. a cut with a whip.
sferzịna *f.* ⟨*Pesc,Mar*⟩ drawline, towing-line.
sferzịno *m.* houseline, marline.
sfẹrzo *m.* ⟨*Mar*⟩ **1.** cloth; (*per volta*) sailcloth. – **2.** (*coperta di tela*) sailcloth covering.
sfessạre *v.t.* (sfẹsso) ⟨*region*⟩ (*stancare*) to tire (*o* wear) out, to exhaust. – **sfessạto** (*p.p. di sfessare*) *a.* ⟨*region*⟩ tired out, worn-out, exhausted, ⟨*fam*⟩ done in, all-in.
SFI = *Società finanziaria internazionale* International Finance Corporation (*abbr.* I.F.C.).
sfiaccolạre *v.i.* (sfiạccolo; *aus.* avere) ⟨*non com*⟩ to flare. – **sfiaccolạto** (*p.p. di sfiaccolare*) *a.* ⟨*tosc,non com*⟩ (*stanco*) tired, worn-out; (*cascante*) drooping.
sfiammạre I *v.t.* (*calmare un'infiammazione*) to reduce, to make go down; (*mitigare*) to soothe. – **II** *v.i.* (*aus.* avere) ⟨*non com*⟩ to blaze up. – **sfiammarsi** *v.r.* (*rif. a infiammazioni: calmarsi*) to go down.
sfiancamẹnto *m.* **1.** breaking (through the sides of), bursting. – **2.** ⟨*iperb*⟩ exhaustion, overwork. – **sfiancạre** *v.t.* (sfiạnco, sfiạnchi) **1.** to break (through) the sides of, to burst (open). – **2.** ⟨*iperb*⟩ (*logorare*) to wear out, to exhaust, ⟨*fam*⟩ to do in. – **3.** (*rif. a cavalli*) to wear out, to exhaust, to work to death. – **4.** ⟨*Sart*⟩ to pinch in the waist of. – **sfiancarsi** *v.r.* **1.** to break open, to burst, to cave in. – **2.** ⟨*iperb*⟩ to be exhausted (*o* worn-out), to be overworked, ⟨*fam*⟩ to be done in. – **sfiancạto** (*p.p. di sfiancare*) *a.* **1.** (*stanco, spossato*) worn-out, exhausted, ⟨*fam*⟩ done in, all-in. – **2.** (*rif. ad animali: smagrito*) hollow-flanked. – **3.** ⟨*Sart*⟩ pinched in at the waist.
sfiatamẹnto *m.* leaking, leakage, escape. – **sfiatạre I** *v.i.* (*aus.* avere) **1.** (*uscire fuori*) to leak, to escape. – **2.** (*emettere vapore e sim.*) to let off gas, to give off steam, to leak; (*con forza*) to blow. – **II** *v.t.* ⟨*rar*⟩ (*far uscire, emettere*) to give off (*o* out), to let off; (*con forza*) to blow (out). – **sfiatarsi** *v.r.* **1.** (*rif. a strumenti a fiato*) to lose tone, to crack. – **2.** ⟨*fam*⟩ (*perdere il fiato*) to talk o.s. breathless; (*sgolarsi*) to go (*o* talk o.s.) hoarse; (*sprecare il fiato*) to waste one's breath. – **sfiatạto** (*p.p. di sfiatare*) *a.* **1.** that has leaked (*o* escaped). – **2.** (*rif. a strumenti musicali*) cracked. – **3.** ⟨*fam*⟩ (*senza più voce*) hoarse; (*senza più fiato*) breathless, out of breath.
sfiatatọio *m.* **1.** breather (pipe); (*rif. a impianti di ventilazione*) (air) vent. – **2.** ⟨*Zool*⟩ spiracle, blow-hole. – **sfiatatụra** *f.* **1.** escape, leakage. – **2.** (*apertura*) hole. – **sfiạto** *m.* **1.** (*sfiatatoio*) breather (pipe). – **2.** ⟨*Idr*⟩ bleed.
sfibbiạre *v.t.* (sfịbbio, sfịbbi) (*sciogliere la fibbia*) to unbuckle, to unfasten: *sfibbiarsi la cintura* to unbuckle one's belt; (*slacciare*) to unclasp, to undo. – **sfibbiatụra** *f.* ⟨*non com*⟩ unbuckling, unfastening.
sfibramẹnto *m.* ⟨*non com*⟩ **1.** defibration. – **2.** ⟨*fig*⟩ (*logorio*) weakening, enfeeblement, enervation. – **sfibrạnte** (*p.pr. di sfibrare*) *a.* weakening, enfeebling, unnerving, enervating, exhausting, wearing: *caldo* ~ exhausting heat. – **sfibrạre** *v.t.* **1.** to defiber(ize), to defibrate. – **2.** ⟨*fig*⟩ (*logorare*) to weaken, to enfeeble, to unnerve, to enervate, to tell on, to wear. – **sfibrạto** (*p.p. di sfibrare*) *a.* **1.** defiberized, defibrated. – **2.** ⟨*fig*⟩ weakened, enfeebled, unnerved, enervated.
sfibratọre *m.* (*f.* -trice) **1.** (*operaio*) crusher; (*macchina*) crusher. – **2.** ⟨*Cart*⟩ grinder. – **sfibratrịce** *f.* **1.** (*sfibratore*) crusher. – **2.** ⟨*Agr*⟩ fodder shredder. – **sfibratụra** *f.* ⟨*Ind*⟩ grinding.
sfịda[1] *f.* **1.** challenge, dare. – **2.** ⟨*Sport*⟩ challenge. – **3.** ⟨*fig*⟩ (*provocazione*) challenge, defiance. □ *con aria di* ~ defiantly, challengingly; *lanciare la* ~ *a qd.* to challenge s.o.; *presentare una* ~ to make a challenge.
sfịda[2] *f.* ⟨*Dir.ant*⟩ fine (for unauthorized grazing).
sfidamẹnto *m.* ⟨*ant*⟩ challenging. – **sfidạnte** (*p.pr. di sfidare*) **I** *a.* challenging. – **II** *s.m./f.* challenger.
sfidạnza *f.* ⟨*ant*⟩ (*diffidenza*) distrust, suspicion.
sfidạre *v.t.* **1.** to challenge: ~ *a duello* to challenge to a duel. – **2.** (*invitare*) to challenge, to dare, to defy: *ti sfido a dimostrarmi il contrario* I defy you to prove the contrary. – **3.** ⟨*fig*⟩ (*affrontare*) to dare, to brave, to defy, to face: ~ *il pericolo* to brave danger. – **4.** ⟨*ant*⟩ (*scoraggiare*) to discourage, to dishearten. – **sfidarsi** *v.r.* **1.** ⟨*recipr*⟩ to challenge e.o. – **2.** ⟨*ant*⟩ (*perdere la fiducia*) to become discouraged, to lose heart. □ ⟨*fig*⟩ ~ *i secoli* to defy the passing of time; *sfido* (*io*) ! naturally !, of course !, that's hardly surprising !, I should say so !
sfidạto (*p.p. di sfidare*) **I** *a.* **1.** challenged. – **2.** ⟨*tosc*⟩ (*diffidente*) distrustful, suspicious. – **3.** ⟨*ant,lett*⟩ (*avvilito*) discouraged, disheartened. – **II** *s.m.* challengee, person challenged. – **sfidatọre** ⟨*lett*⟩ **I** *s.m.* (*f.* -trice) **1.** challenger. – **2.** ⟨*fig*⟩ defier, braver. – **II** *a.* challenging, defiant, daring.

sfiducia *f.* distrust, mistrust, lack of confidence. □ *avere ~ in qd.* to distrust s.o., to have no trust (*o* confidence) in s.o.; *~ in se stesso* lack of self-confidence, insecurity; *voto di ~* vote of no-confidence. – **sfiduciare** *v.t.* (**sfiducio, sfiduci**) to discourage, to dishearten. – **sfiduciarsi** *v.r.* to become discouraged, to lose heart. – **sfiduciato** (*p.p. di sfiduciare*) *a.* **1.** (*scoraggiato*) discouraged, disheartened. – **2.** (*avvilito*) depressed, downcast, ⟨*fam*⟩ (down) in the dumps. – **3.** (*diffidente*) distrustful, mistrustful, suspicious.

sfigmico *a.* (*pl.* **-ci**) ⟨*Med*⟩ sphygmic.

sfigmo|cardiografia *f.* ⟨*Med*⟩ sphygmocardiography. – **~cardiografo** *m.* sphygmocardiograph. – **~grafia** *f.* sphygmography.

sfigmo|grafo *m.* sphygmograph. – **~gramma** *m.* sphygmogram. – **~manometro** *m.* ⟨*Med*⟩ sphygmomanometer. – **~scopio** *m.* sphygmoscope.

sfigurare I *v.t.* **1.** to mar, to ruin, to spoil: *le costruzioni hanno sfigurato il paesaggio* the buildings have ruined the landscape; (*rif. al viso*) to disfigure: *la cicatrice gli ha sfigurato il viso* the scar disfigured his face. – **2.** ⟨*iperb*⟩ to disfigure, to distort: *la rabbia gli sfigurava il volto* anger distorted his features. – **II** *v.i.* (*aus.* **avere**) **1.** (*rif. a persone*) to cut a poor (*o* sorry) figure, to make a bad impression, to look bad; (*in una prova*) to do badly. – **2.** (*rif. a cose*) not to look well (*o* good), to look wrong (*o* out of place), to make a bad impression; (*rif. a capi di vestiario*) not to go (*o* match). □ *far ~ qd.* to show s.o. up. – **sfigurato** (*p.p. di sfigurare*) *a.* **1.** with spoilt looks, marred; (*deformato, deturpato*) disfigured: *volto ~ dalle cicatrici* face disfigured by scars. – **2.** ⟨*iperb*⟩ (*stravolto*) disfigured, distorted.

sfigurire *v.t.* (**sfigurisco, sfigurisci**) ⟨*non com*⟩ → **sfigurare**.

sfilaccia *f.* (*pl.* **-ce**) rope yarn, bast.

sfilacciare *v.* (**sfilaccio, sfilacci**) **I** *v.t.* to unravel. – **II** *v.i.* (*aus.* **essere**), **sfilacciarsi** *v.r.* **1.** (*rif. a tessuti e sim.*) to fray: *un tessuto che* (*si*) *sfilaccia facilmente* a material that frays easily. – **2.** (*rif. a cavi vegetali*) to unravel, to fray. – **3.** ⟨*fig*⟩ to scatter, to break up. – **sfilacciato** (*p. p. di sfilacciare*) **I** *a.* **1.** (*rif. a corde e sim.*) unravelled, frayed. – **2.** ⟨*fig,rar*⟩ ragged. – **II** *s.m.* ⟨*Tess*⟩ bast, rags *pl.*

sfilacciatore *m.* (*f.* **-trice**) **1.** ⟨*Cart*⟩ (*operaio*) (rag-)grinder; (*macchina*) rag-grinding machine. – **2.** ⟨*Tess*⟩ grinder. – **sfilacciatrice** *f.* **1.** ⟨*Cart*⟩ rag-grinding machine, rag-grinder. – **2.** ⟨*Tess*⟩ grinding (*o* tearing) machine, (rag-)picker. – **sfilacciatura** *f.* **1.** fraying, unravelling. – **2.** (*parte sfilacciata*) ravel, fray, frayed (*o* worn) part. – **3.** *pl.* (*fili*) frayed (*o* ravelled) threads *pl.* – **4.** ⟨*Tess,Cart*⟩ (rag-)grinding.

sfilaccicare *v.* (**sfilaccico, sfilaccichi**) ⟨*non com*⟩ → **sfilacciare**.

sfilamento[1] *m.* ⟨*non com*⟩ unthreading.

sfilamento[2] *m.* ⟨*non com*⟩ → **sfilata**.

sfilare[1] *v.t.* **1.** to unthread: *~ l'ago* (o *il filo dalla cruna dell'ago*) to unthread a needle; (*rif. a perle e sim.*) to unstring, to unthread. – **2.** (*togliere i fili*) to draw threads from, to pull threads out of: *~ un tessuto* to draw threads from a piece of cloth. – **3.** (*togliere di dosso*) to take (*o* pull slip) off, to remove: *~ l'anello dal dito* to slip off one's ring; *~ le scarpe* to take off one's shoes. – **4.** (*togliere i filamenti*) to remove the filaments (*o* threads, fibres) from; (*rif. alla carne*) to remove the sinews from. – **5.** ⟨*non com*⟩ (*far perdere il filo a una lama*) to blunt. – **sfilarsi** *v.r.* **1.** to become unthreaded; (*rif. a perle e sim.*) to become unstrung. – **2.** (*perdere i fili*) to rip, to unravel; (*smagliarsi*) to ladder, ⟨*am*⟩ to run: *mi si è sfilata una calza* my stocking has laddered. – **3.** (*sfilacciarsi*) to fray: *questo tessuto si sfila facilmente* this material frays easily. – **4.** (*togliersi di dosso*) to take (*o* slip, pull) off, to remove: *sfilarsi il vestito* to take off one's dress. – **5.** ⟨*non com*⟩ (*rif. a lame*: *perdere il filo*) to (get) blunt. □ *~ il rosario* to say the rosary, to tell one's beads; ⟨*fig*⟩ (*malignare*) to tear s.o. to pieces; *~ qc. da uno spiedo* to take s.th. off a spit.

sfilare[2] *v.i.* (*aus.* **avere/essere**) **1.** to go, to wind (one's way), to pass, to parade, to file: *il corteo sfilava per le strade* the procession wound through the streets; (*rif. a vetture*) to drive, to pass. – **2.** ⟨*fig*⟩ (*susseguirsi, succedersi*) to succeed e.o., to follow on. – **3.** ⟨*Mil,Sport*⟩ to march (in parade) (*davanti a* past), to parade (before).

sfilata *f.* **1.** parade, march past. – **2.** (*serie, fila*) line, string: *una ~ di nomi* a string of names; *una ~ di case* a line of houses. – **3.** ⟨*Mil*⟩ march past; (*rivista*) review, parade. – **4.** (*sfilata di moda*) fashion show.

sfilatino *m.* ⟨*Alim*⟩ small French loaf.

sfilato (*p.p. di sfilare*[1]) **I** *a.* **1.** (that has come) unthreaded: *ago ~* unthreaded needle; (*rif. a perle e sim.*) unstrung, unthreaded: *perle -e* unstrung pearls. – **2.** (*tolto*) removed, (taken) off: *avere una manica infilata e una -a* to have one sleeve on and one off. – **3.** (*rif. a calze*: *smagliato*) laddered, ⟨*am*⟩ run. – **4.** (*rif. a lame*: *senza più filo*) blunt(ed). – **5.** (*senza filamenti*) without filaments; (*rif. alla carne*) sinewless. – **II** *s.m.* ⟨*Lav.femm*⟩ drawn-thread work.

sfilatura *f.* **1.** (*lo sfilare*) unthreading; (*rif. a perle e sim.*) unstringing, unthreading. – **2.** (*l'essere sfilato*) being unthreaded. – **3.** (*parte sfilata*) rip, ravel; (*smagliatura*) ladder, ⟨*am*⟩ run: *una ~ nella calza* a ladder in one's stocking.

sfileggiare *v.i.* (**sfileggio, sfileggi**; *aus.* **avere**) ⟨*Mar*⟩ to shiver.

sfilza *f.* string, series, succession, long train (*anche fig.*): *una ~ di errori* a series of errors.

sfilzare *v.t.* to unstring, to unthread; (*togliere*) to take off, to remove.

sfinestratura *f.* **1.** ⟨*Cin*⟩ misframing. – **2.** ⟨*Aut*⟩ louver. – **3.** ⟨*Met*⟩ slot.

sfinge *f.* **1.** ⟨*Mitol,Archeol,Arald*⟩ sphinx. – **2.** ⟨*fig*⟩ (*persona enigmatica*) sphinx, mystery, enigma. – **3.** ⟨*Entom*⟩ hawkmoth, sphinx-moth. □ ⟨*Entom*⟩ *~ del ligustro* privet hawk (*Sphinx ligustri*); *~ lineata* white-lined sphynx (*Celerio lineata*); *~ dell'oleandro* kind of hawkmoth (*Deilephila nerii*); *~ testa di morto* death's head hawk-moth (*Acherontia atropos*).

sfingeo *a.* ⟨*lett*⟩ **1.** sphinx-like. – **2.** ⟨*fig*⟩ (*misterioso*) mysterious, inscrutable; (*enigmatico*) enigmatic(al).

sfingidi *m.pl.* ⟨*Entom*⟩ hawkmoths *pl*, sphinx-moths *pl* (*Sphingidae*).

sfinimento *m.* **1.** (*lo sfinirsi*) wearing o.s. out. – **2.** (*l'essere sfinito*) exhaustion, weakness, prostration. – **3.** ⟨*fam,iperb*⟩ (*fatica*) trouble, effort, exertion: *che ~ ripetere sempre le stesse cose!* what an effort to always repeat the same things! □ *quest'attesa è un vero ~* this waiting is ⌈a real ordeal⌉ (*o* really exhausting).

sfinire *v.t.* (**sfinisco, sfinisci**) **1.** to exhaust, to wear out, to weaken. – **2.** ⟨*iperb*⟩ to be wearing (*o* trying); (*essere snervante*) to be irritating. – **sfinirsi** *v.r.* to wear o.s. out, to lose one's strength. – **sfinitezza** *f.* exhaustion, extreme weakness, lassitude, prostration. – **sfinito** (*p.p. di sfinire*) *a.* worn-out, tired out, exhausted, ⟨*fam*⟩ all-in, done in.

sfintere *m.* ⟨*Anat*⟩ sphincter: *~ anale* (o *dell'ano*) anal sphincter.

sfioccamento *m.* ⟨*non com*⟩ fraying, unravelling. – **sfioccare** *v.t.* (**sfiocco, sfiocchi**) **1.** to fray, to unravel. – **2.** ⟨*fig*⟩ to break up, to scatter. – **sfioccarsi** *v.r.* ⟨*fig*⟩ to break up, to scatter.

sfiondare *v.t.* (**sfiondo**) ⟨*non com*⟩ (*tirare con la fionda*) to sling.

sfioramento *m.* **1.** touching, brushing, skimming, grazing. – **2.** ⟨*Med*⟩ effleurage.

sfiorare *v.t.* (**sfioro**) **1.** to touch (lightly), to brush (against, past), to skim (along, over), to graze, to shave: *l'aereo sfiorava la superficie dell'acqua* the plane skimmed over the water; *una pallottola gli sfiorò la guancia* a bullet grazed his cheek; (*mancare di poco*) to just miss: *l'automobile sfiorò il pedone* the car just missed the pedestrian. – **2.** ⟨*fig*⟩ (*essere sul punto di conseguire*) to be very close (*o* near) to, to almost touch, to be on the verge of: *~ il successo* to be very close to success. – **3.** ⟨*fig*⟩ (*accennare*) to (barely) touch on, to skim over, to (barely) mention: *~ un argomento* to skim over a subject. – **4.** ⟨*non com*⟩ (*scremare*) to skim. – **5.** ⟨*lett*⟩ (*raggiungere*) to reach. – **6.** ⟨*non com,ant*⟩ (*portar via i fiori*) to strip of flowers. □ *le sfiorò la fronte con un bacio* he brushed her forehead with his lips. – **sfiorato** (*p.p. di sfiorare*) *a.* **1.** touched, brushed, skimmed. – **2.** ⟨*fig*⟩ (*accennato*) touched on, skimmed over, mentioned: *un tema appena ~* a barely mentioned topic.

sfioratore *m.* ⟨*Idr*⟩ spillway.

sfioratura *f.* ⟨*non com*⟩ (*scrematura*) skimming.

sfiorettare *v.i.* (**sfioretto**; *aus.* **avere**) ⟨*non com*⟩ to use flowery language, to over-embellish; (*rif. a compositore*) to use embellishments (*o* flourishes), to over-embellish. – **sfiorettatura** *f.* **1.** flowery language, embellishment, flourishes *pl.* – **2.** ⟨*Mus*⟩ (over-)embellishment, ornaments *pl.*

sfiorire *v.i.* (**sfiorisco, sfiorisci**; *aus.* **essere**) **1.** to lose petals, to go out of bloom; (*appassire*) to wither, to fade. – **2.** ⟨*fig*⟩ to fade, to wither. – **sfiorito** (*p.p. di sfiorire*) *a.* faded, withered (*anche fig.*): *bellezza -a* faded beauty. – **sfioritura** *f.* fading, withering.

sfiossare *v.t.* (**sfiosso**) ⟨*Calz*⟩ to shank. – **sfiossatura** *f.* shanking.

sfirena *f.* ⟨*Itt*⟩ (*anche sfirena comune*) barracuda, sphyraena (*Sphyraena sphyraena*).

sfirnidi *m.pl.* ⟨*Itt*⟩ Sphyrnidae *pl* (*Sphyrnidae*).

sfittare *v.t.* to vacate, to leave vacant (*o* untenanted). – **sfittarsi** *v.r.* to become vacant.

sfittimento *m.* **1.** thinning out. – **2.** ⟨*Silv*⟩ (*sfollamento*) thinning (out). – **sfittire** *v.t.* (**sfittisco, sfittisci**) (*sfoltire*) to thin (out).

sfitto *a.* vacant, unlet, empty: *appartamento ~* vacant flat.

sfizio *m.* ⟨*region*⟩ (*capriccio*) whim, caprice, fancy: *togliersi uno ~* to satisfy a whim.

sfocamento *m.* → **sfocatura**. – **sfocare** *v.t.* (**sfuoco/sfoco, sfuochi/sfochi**) ⟨*Fot*⟩ to photograph out of focus. – **sfocato** (*p.p. di sfocare*) *a.* **1.** ⟨*Fot*⟩ out of focus, blurred, fuzzy. – **2.** ⟨*fig*⟩ hazy, indefinite; (*indeterminato*) vague. – **sfocatura** *f.* ⟨*Fot*⟩ blur(ring), fuzziness.

sfociamento *m.* ⟨*non com*⟩ debouchment. – **sfociare** *v.* (**sfocio, sfoci**) **I** *v.i.* (*aus.* **essere/avere**) **1.** to flow, to debouch: *il Tevere sfocia nel mar Tirreno* the Tiber flows into the Tyrrhenian Sea. – **2.** ⟨*fig*⟩ (*causare*) to result (*in* in), to lead (to), to be the cause (of): *i disordini sfociarono in una rivolta* the riots led to a revolution. – **II** *v.t.* ⟨*non com*⟩ (*allargare la foce d'un fiume*) to widen (the mouth of). – **sfociatura** *f.* widening of a river mouth. – **sfocio** *m.* **1.** mouth, outlet. – **2.** ⟨*fig*⟩ (*sbocco*) outlet; (*via d'uscita*) solution, way out. □ *situazione senza ~* hopeless situation.

sfoconare *v.t.* (**sfocono**) ⟨*region*⟩ to stir up, to poke.

sfoderamento *m.* **1.** unsheathing. – **2.** ⟨*fig*⟩ display, ostentation, showing off. – **sfoderare** *v.t.* (**sfodero**) **1.** to unsheathe, to draw: *~ la spada* to draw one's sword. – **2.** (*togliere la fodera*) to take the cover(s) off; (*rif. a vestiti*) to take out the lining of. – **3.** ⟨*fig*⟩ (*presentare inaspettatamente*) to reveal, to produce unexpectedly, to turn out to have, ⟨*fam*⟩ to come out with: *ha sfoderato una bellissima voce di tenore* he turned out to have a beautiful tenor voice. – **4.** ⟨*fig*⟩ (*ostentare*) to display, to show off, to parade: *~ tutta la propria cultura* to display all one's learning. □ *~ un sorriso* to smile brightly, to flash a smile. – **sfoderato** (*p.p. di sfoderare*) *a.* **1.** drawn, unsheathed: *con la spada -a* with drawn sword. – **2.** (*senza fodera*) unlined: *abito ~* unlined dress.

sfogamẹnto *m.* ⟨*non com*⟩ **1.** discharge, emission. – **2.** ⟨*fig*⟩ vent, outburst.
sfogạre *v.* (**sfǫgo, sfǫghi**) **I** *v.t.* **1.** to let out, to discharge. – **2.** ⟨*fig*⟩ to vent, to give vent to, to let (*o* take, pour) out, to wreak: ~ *la propria rabbia su qd.* to take out one's anger on s.o. – **II** *v.i.* (*aus.* **essere**) **1.** (*uscire fuori*: *rif. a gas, vapori e sim.*) to come (*o* go) out, to escape; (*rif. a liquidi*) to flow out, to come (*o* go) out. – **2.** (*rif. a tempeste e sim.*) to die out. – **3.** ⟨*fig*⟩ (*prorompere*) to find relief (*o* an outlet): *il suo dolore sfogò in un gran pianto* his sorrow found relief in tears. – **4.** ⟨*fig*⟩ (*rif. a passioni, sentimenti*) to let o.s. go; (*rif. a bambini*) to run wild. – **5.** ⟨*region,non com*⟩ (*manifestarsi*) to show o.s., to break out. – **sfogarsi** *v.r.* **1.** (*confidarsi*) to confide (*con* in), to unburden o.s., to open one's heart, ⟨*fam*⟩ to get s.th. off one's chest: *sfogarsi con qd. di qc.* to confide in s.o. about s.th. – **2.** (*sfogare la propria rabbia*) to give vent to one's feelings (*o* anger), ⟨*fam*⟩ to get it out of one's system. – **3.** (*rif. a passioni, sentimenti*) to let o.s. go; (*rif. a bambini*) to run wild. □ *sfogarsi a correre* to run wild; *sfogarsi contro qd.* to say just what one thinks of s.o.; *sfogarsi su qd.* to vent one's feelings on s.o., to take it out on s.o.; *sfogarsi in lacrime* to have a good cry; *sfogarsi mangiando* (*o a mangiare*) to eat one's fill.
sfogạto (*p.p. di sfogare*) *a.* **1.** vented. – **2.** ⟨*non com*⟩ (*ampio*) spacious.
sfogatọio *m.* **1.** (*rif. a gas e sim.*) outlet, vent. – **2.** (*rif. a liquidi*) outlet.
sfoggiamẹnto *m.* ⟨*rar*⟩ ostentation, display, showing off.
sfoggiạre *v.* (**sfǫggio, sfǫggi**) **I** *v.t.* to show off, to display, to flaunt, to parade: ~ *un vestito nuovo* to show off a new suit; ~ *la propria cultura* to flaunt one's learning. – **II** *v.i.* (*aus.* **avere**) **1.** (*fare sfoggio*) to be ostentatious, to show off. – **2.** (*vivere con sfarzo*) to live luxuriously (*o* high); (*vestire con sfarzo*) to dress smartly. – **sfǫggio** *m.* **1.** (*sfarzo*) show, pomp; (*sontuosità, ricchezza*) luxury. – **2.** ⟨*fig*⟩ (*ostentazione*) ostentation, display, show, showing off, parade: ~ *d'erudizione* show of learning. □ *fare* ~ *di qc.* to show s.th. off, to make a display of s.th., to parade s.th.
sfǫglia *f.* **1.** thin layer (*o* sheet, plate), foil. – **2.** ⟨*Gastr*⟩ rolled pasta dough; (*pasta sfoglia*) puff-pastry. – **3.** ⟨*region*⟩ (*cartoccio del granturco*) husk (of maize). – **4.** ⟨*Itt*⟩ (*sogliola*) sole (*Solea*).
sfogliạra *f.* ⟨*Pesc*⟩ conical drag-net.
sfogliạre[1] *v.t.* (**sfǫglio, sfǫgli**) **1.** to strip off leaves, to strip (*o* pull) the leaves off: ~ *un ramo* to strip the leaves off a branch. – **2.** (*togliere i petali*) to pluck the petals off. – **sfogliarsi** *v.r.* **1.** to shed (*o* lose) leaves. – **2.** (*perdere i petali*) to shed petals.
sfogliạre[2] *v.t.* (**sfǫglio, sfǫgli**) **1.** to glance (*o* skim) through, to have a quick look through: ~ *un libro* to glance through a book. – **2.** ⟨*non com*⟩ (*tagliare le pagine*) to cut the pages of. – **3.** ⟨*non com*⟩ (*distribuire le carte da gioco*) to deal. – **sfogliarsi** *v.r.* (*sfaldarsi*) to flake.
sfogliaṣgranatrịce *f.* ⟨*Agr*⟩ maize husker and sheller.
sfogliạta[1] *f.* (partial) stripping of leaves. □ *dare una* ~ *alle viti* to strip (some of) the leaves from the vines.
sfogliạta[2] *f.* **1.** (*scorsa*) glance, look-through. – **2.** ⟨*non com*⟩ (*distribuzione delle carte da gioco*) deal. □ *dare una* ~ *a un libro* to glance (*o* skim, look) through a book.
sfogliạta[3] *f.* ⟨*Dolc*⟩ pastry, tart. – **sfogliatẹlla** (*dim. di sfogliata*[3]) *f.* puff.
sfogliatịna[1] (*dim. di sfogliata*[2]) *f.* quick glance, look-through. □ *dare una* ~ *a qc.* to look quickly through s.th.
sfogliatịna[2] (*dim. di sfogliata*[3]) *f.* → **sfogliatella.**
sfogliạto[1] (*p.p. di sfogliare*[1]) *a.* stripped of leaves.
sfogliạto[2] (*p.p. di sfogliare*[2]) *a.* **1.** (*tagliato*) with cut pages: *libro* ~ book with cut pages. – **2.** (*letto*) read.
sfogliatrịce *f.* ⟨*Fal*⟩ peeling-machine, rotary veneer cutting-machine, lathe for veneer cutting. □ ~ *a sega* veneer saw.
sfogliatụra *f.* stripping (of leaves).
sfogliạzzo *m.* ⟨*Comm*⟩ (*prima nota*) daybook.
sfogliẹtta (*dim. di sfoglia*) *f.* **1.** thin layer (*o* sheet). – **2.** ⟨*Gastr*⟩ fine pastry.
sfognạre *v.i.* (**sfọgno**; *aus.* **essere**) ⟨*non com*⟩ to flow out, to discharge.
sfǫgo *m.* (*pl.* **-ghi**) **1.** (*rif. a gas e sim.*) vent, outlet: ~ *d'aria* air vent. – **2.** (*rif. a liquidi*) outlet, duct: ~ *d'acqua* water outlet. – **3.** (*sfiatatoio*) air-hole, ventilation opening. – **4.** ⟨*fig*⟩ vent, outburst: *dare* ~ *all'ira* to give vent to one's wrath; (*sollievo*) relief. – **5.** (*sbocco*) access, outlet: *paese senza* ~ *sul mare* country that has no access to the sea; (*sbocco economico*) outlet, channel; (*mercato, territorio*) market. – **6.** ⟨*fam*⟩ (*eruzione cutanea*) eruption, rash. – **7.** (*ampiezza*) space, spaciousness. – **8.** ⟨*Arch*⟩ rise, sagitta, maximum height.
□ **avere** ~ (*essere ampio*) to be spacious; ~ *del* **cuore** opening of one's heart, outpouring of one's feelings; **dare** (o *aprire*) *uno* ~ *a qc.* to provide an outlet for s.th.; ⟨*fig*⟩ *dare* ~ *a qc.* to give vent to s.th; **fare** *uno* ~ *con qd.* to pour out one's heart to s.o.; ⟨*fig*⟩ **libero** ~ free play: *dare libero* ~ *alla fantasia* to give free play to one's imagination; *stanza* **senza** ~ poky (*o* cramped) room.
sfolgoramẹnto *m.* ⟨*non com*⟩ blazing, shining. – **sfolgorạnte** (*p.pr. di sfolgorare*) *a.* **1.** blazing, shining, radiant: *luce* ~ blazing light. – **2.** ⟨*fig*⟩ radiant, shining: ~ *di gioia* radiant with joy. – **sfolgorạre** *v.i.* (**sfǫlgoro**; *aus.* **avere**) **1.** to blaze, to shine (brightly). – **2.** ⟨*fig*⟩ to shine: *gli occhi le sfolgoravano di gioia* her eyes shone with joy. – **sfolgorạto** (*p.p. di sfolgorare*) *a.* ⟨*ant*⟩ (*straordinario*) extraordinary. – **sfolgoreggiạre** *v.* (**sfolgorẹggio, sfolgorẹggi**; *aus.* **avere**) ⟨*lett*⟩ → **sfolgorare.** – **sfolgorịo** *m.* blaze, shining.
sfollagẹnte *m.inv.* truncheon, baton, ⟨*am*⟩ nightstick, ⟨*am*⟩ billy (club).
sfollamẹnto *m.* **1.** dispersal, dispersion; (*come misura di sicurezza*) evacuation. – **2.** (*riduzione del personale*) staff reduction, personnel cut. – **3.** ⟨*Silv*⟩ thinning (out).
sfollạre *v.* (**sfǫllo/sfọllo**) **I** *v.t.* **1.** to disperse from; (*vuotare*) to empty; (*abbandonare*) to leave: *gli spettatori cominciarono a* ~ *il teatro* the audience began to leave the theatre. – **2.** (*far sgomberare*) to clear, to disperse people from; (*come misura di sicurezza*) to evacuate. – **3.** (*ridurre il personale*) to reduce, to cut down on. – **4.** ⟨*Silv*⟩ to thin (out). – **II** *v.i.* (*aus.* **essere**/*rar.* **avere**) **1.** to disperse, to thin out, to go out (*o* away): *la gente cominciò a* ~ the people began to disperse. – **2.** (*allontanarsi da luoghi abitati*) to evacuate, to be evacuated: *durante la guerra sfollammo in campagna* during the war we (were) evacuated to the country. – **sfollarsi** *v.r.* to (become) empty.
sfollạto (*p.p. di sfollare*) **I** *a.* evacuated. – **II** *s.m.* (*f.* **-a**) evacuee.
sfoltimẹnto *m.* **1.** thinning. – **2.** ⟨*Silv*⟩ (*sfollamento*) thinning (out). – **sfoltịre** *v.t.* (**sfoltịsco, sfoltịsci**) **1.** to thin (out): ~ *un bosco* to thin out a wood. – **2.** (*diradare*) to thin (out): ~ *i capelli* to thin hair. – **sfoltirsi** *v.r.* to thin. – **sfoltịta** *f.* thinning. □ *dare una* ~ *alla siepe* to thin the hedge.
sfondagiạco *m.* (*pl.* **-chi**) ⟨*Mil*⟩ dagger.
sfondamẹnto *m.* **1.** breaking. – **2.** ⟨*Mil*⟩ break-through.
sfondạre *v.* (**sfọndo**) **I** *v.t.* **1.** (*rompere il fondo*) to break the bottom of, to knock the bottom out of: ~ *un cestino* to knock the bottom out of a basket. – **2.** (*schiantare*) to break (*o* smash, go, crash) through: *l'automobile ha sfondato il parapetto* the car crashed through the parapet; (*forzare*) to break (*o* smash) open, to burst open (*o* in): ~ *una porta* to break open a door. – **3.** (*logorare consumando*: *rif. a scarpe, tasche e sim.*) to wear out (*o* down, through), to go through, to make (*o* wear) holes in: ~ *le scarpe* to wear one's shoes out; ~ *le tasche* to make holes in one's pockets; (*rif. a sedie*) to wear the bottom out of. – **4.** ⟨*Mil*⟩ to break through. – **II** *v.i.* (*aus.* **avere**) **1.** (*affermarsi*) to be successful, ⟨*fam*⟩ to make it: *ha sfondato nel cinema* he was successful in the movies. – **2.** ⟨*non com*⟩ (*sboccare, mettere capo*) to come out: *dove va a* ~ *questo sentiero?* where does this path come out? – **3.** ⟨*non com*⟩ (*sprofondare*) to sink, to give way. – **sfondarsi** *v.r.* **1.** (*perdere il fondo*) to burst (*o* break) at the bottom; (*sfasciarsi*) to burst (*o* break) open. – **2.** (*rif. a scarpe e sim.*) to wear out, to be worn through, to get holes in the soles. □ ⟨*fig*⟩ ~ *una porta aperta*: 1. to force an open door, to do s.th. unnecessary; 2. (*dire cose inutili*) to state the obvious; *la scatola si è sfondata* the bottom has fallen out of the box; ⟨*fig*⟩ ~ *lo stomaco* to be heavy (*o* indigestible), to lie heavy on the stomach.
sfondastọmaco *m.* (*pl.* **-chi/-ci**) ⟨*non com*⟩ **1.** (*cibo pesante*) heavy (*o* indigestible) food. – **2.** ⟨*fig*⟩ (*persona o cosa noiosa*) bore.
sfondạto (*p.p. di sfondare*) **I** *a.* **1.** (*senza fondo*) bottomless, with no bottom, with the bottom staved in: *botte -a* barrel with no bottom; (*rotto*) broken. – **2.** (*consumato, logoro*) worn down (*o* through), worn-out, with holes in it, holey: *scarpe -e* shoes with holes in them, worn-out shoes. – **3.** ⟨*fam*⟩ (*insaziabile*) insatiable, voracious. – **II** *s.m.* **1.** ⟨*fam*⟩ (*persona insaziabile*) glutton, ⟨*fam*⟩ pig. – **2.** ⟨*Pitt*⟩ trompe l'oeil perspective. – **3.** ⟨*non com*⟩ (*sfondo*) background; (*incassatura*) recess. □ ⟨*fam*⟩ *ricco* ~ fabulously rich, ⟨*fam*⟩ rolling in money, ⟨*fam*⟩ loaded.
sfondatọio *m.* ⟨*Mil.ant*⟩ spike.
sfondatọre ⟨*non com*⟩ **I** *s.m.* (*f.* **-trice**) breaker. – **II** *a.* breaking. □ ⟨*scherz*⟩ ~ *di porte aperte* forcer of open doors, one who explains the obvious. – **sfondatụra** *f.* ⟨*non com*⟩ **1.** → **sfondamento.** – **2.** ⟨*ant*⟩ (*sfondo*) background.
sfọndo *m.* **1.** background, setting (*anche fig.*): *sullo* ~ *delle montagne* against (*o* in) a mountain setting, with the mountains in the background; *un romanzo a* ~ *sociale* a novel with a social setting. – **2.** ⟨*Pitt,Fot*⟩ background. – **3.** ⟨*Teat*⟩ (*fondale*) back-drop, back-cloth. – **4.** ⟨*Arch*⟩ (*spazio incassato e dipinto*) recess, niche; (*dipinto*) recess painting. – **5.** ⟨*non com*⟩ (*sbocco, uscita*) way out. □ *di* ~ background-: *figure di* ~ background figures; ~ *musicale* background music; ⟨*Sart*⟩ ~ *piega* inverted pleat; ⟨*Teat*⟩ ~ *della scena* back-drop, back-cloth.
sfondolạre *v.t.* (**sfọndolo**) ⟨*ant*⟩ → **sfondare.**
sfondọne *m.* ⟨*fam*⟩ (*sbaglio grossolano*) blunder, ⟨*fam*⟩ bloomer, ⟨*fam*⟩ howler.
sforacchiạre *v.t.* (**sforạcchio, sforạcchi**) to riddle (with holes), to make many holes in, to pierce, to perforate. – **sforacchiạto** (*p.p. di sforacchiare*) *a.* full of holes, riddled (with holes), holey, perforated, pierced. – **sforacchiatụra** *f.* **1.** (*atto*) piercing, perforating, riddling with holes. – **2.** (*effetto*) holes *pl*, perforations *pl.*
sforbiciạre *v.* (**sfǫrbicio, sfǫrbici**) **I** *v.t.* to cut (with scissors), to snip, to scissor. – **II** *v.i.* (*aus.* **avere**) to cut, to snip. – **sforbiciạta** *f.* **1.** (*taglio*) cut, snip; (*colpo*) jab with a pair of scissors. – **2.** ⟨*Sport*⟩ scissors *pl* (*costr.sing.*); (*nel nuoto*) scissors kick. □ *dare una* ~ *ai capelli* to cut (*o* trim) one's hair. – **sforbiciatụra** *f.* **1.** (*atto*) cutting, scissoring. – **2.** (*effetto*) cut.
sformạre *v.t.* (**sfọrmo**) **1.** (*deformare*) to put (*o* pull, knock) out of shape, to spoil the shape of, to deform. – **2.** (*estrarre dalla forma*) to turn out, to remove from the mould: ~ *il budino* to turn out the pudding. – **3.** ⟨*Met*⟩ to strip. – **4.** ⟨*Ceram*⟩ to remove from

the mould, to deliver. – **sformarsi** *v.r.* (*rif. a persone*: *perdere la linea*) to lose one's shape, to go (*o* get) out of shape.

sformạto (*p.p. di sformare*) **I** *a.* **1.** (*deformato*) deformed, disfigured; (*che ha perduto la forma*) shapeless, battered. – **2.** ⟨*ant*⟩ (*deforme*) deformed. – **3.** ⟨*ant*⟩ (*smisurato*) inordinate, boundless; (*straordinario*) extraordinary. – **II** *s.m.* ⟨*Gastr*⟩ timbale, pudding (cooked in a mould). – **sformatọre** *m.* (*f.* **-trice**) ⟨*Met*⟩ stripper. – **sformatụra** *f.* **1.** ⟨*non com*⟩ (*deformazione*) deformation. – **2.** ⟨*Met*⟩ shake-out, stripping. – **3.** ⟨*Ceram*⟩ delivery. – **sfọrmo** *m.* ⟨*Met*⟩ draft.

sfornaciạre *v.t.* (**sfornạcio, sfornạci**) to take out of the furnace. – **sfornạre** *v.t.* (**sfọrno**) **1.** to take out of the oven: ~ *il pane* to take the bread out of the oven. – **2.** ⟨*fig*⟩ (*produrre in grande quantità*) to turn (*o* churn, bring) out, to produce, to dish up: ~ *un romanzo all'anno* to bring out a novel every year. – **sfornatụra** *f.* ⟨*non com*⟩ taking out of the oven.

sfornellạre *v.i.* (**sfornẹllo**; *aus.* **avere**) ⟨*fam*⟩ (*cucinare*) to cook.

sfornịre *v.t.* (**sfornịsco, sfornịsci**) ⟨*non com*⟩ to deprive, to leave without: ~ *di truppe una fortezza* to deprive a fortress of troops. – **sfornirsi** *v.r.* to deprive o.s. (*di* of), to leave o.s. without (s.th.). – **sfornịto** (*p.p. di sfornire*) *a.* **1.** (*privo, sprovvisto*) without (*di qc.* s.th.), deprived (of), lacking (in): ~ *di denaro* without any money, having no money. – **2.** (*malfornito*) badly (*o* poorly) stocked: *negozio* ~ poorly stocked shop. ☐ ~ *di mezzi* destitute, penniless.

sfọro *m.* ⟨*Teat*⟩ gap, slit (through which the backstage can be seen).

sfortụna *f.* **1.** (*sorte avversa*) bad (*o* ill) luck: *essere perseguitato dalla* ~ to be dogged by bad luck, to be very unlucky. – **2.** (*infortunio, contrattempo*) misfortune, (piece of) bad luck. ☐ *avere* ~ to be unlucky; *che* ~*!* what bad luck!, how unlucky!; ~ *volle che arrivassimo in ritardo* unfortunately (*o* as luck would have it) we arrived late. – *Prov.*: ~ *al gioco, fortuna in amore* unlucky at cards, lucky in love. – **sfortunatamẹnte** *avv.* unfortunately, unluckily.

sfortunạto I *a.* **1.** unlucky, unfortunate, luckless: *essere* ~ *in amore* to be unlucky in love. – **2.** (*senza successo*) unfortunate, unsuccessful: *un film* ~ an unsuccessful film. – **3.** (*che non porta fortuna*) unlucky, unfortunate, untoward, unpromising: *anno* ~ unlucky year. – **II** *s.m.* (*f.* **-a**) unlucky person ☐ *essere* ~: 1. to be unlucky, to have no luck: *essere* ~ *negli affari* to be unlucky in business; 2. (*essere in cattive acque*) to be down on one's luck; ~ *me!* poor me!, ⟨*lett*⟩ woe is me!

sforzamẹnto *m.* ⟨*non com*⟩ **1.** (*il forzare*) forcing. – **2.** (*sollecitazione*) straining, forcing. – **3.** (*costrizione*) forcing, compulsion.

sforzạna *f.* ⟨*Ornit*⟩ (*voltolino*) spotted crake (*Porzana porzana*).

sforzạndo I *avv.* ⟨*Mus*⟩ sforzando, with force, accented. – **II** *s.m.* sforzando.

sforzạre[1] *v.* (**sfọrzo**) **I** *v.t.* **1.** (*sottoporre a sforzo*) to force, to strain: ~ *gli occhi* to strain one's eyes; ~ *la voce* to strain (*o* force) one's voice; (*rif. a congegni*) to force, to strain, to put under stress: ~ *il motore dell'auto* to force the engine of the car, to run the car engine at full throttle. – **2.** (*costringere*) to force, to compel, to make, to oblige: ~ *qd. a mangiare* to force s.o. to eat, to make s.o. eat. – **3.** (*forzare*) to force (open): ~ *un cassetto* to force open a drawer; (*scassinare*) to break open: ~ *una serratura* to break (*o* force) open a lock. – **4.** ⟨*fig,lett*⟩ (*dare un'interpretazione esagerata*) to strain, to stretch: ~ *il senso di un testo* to stretch the meaning of a text. – **5.** ⟨*Giard*⟩ to force: ~ *una pianta* to force a plant. – **6.** ⟨*ant*⟩ (*violentare*) to rape. – **7.** ⟨*ant*⟩ (*premere*) to press; (*occupare*) to force, to occupy. – **II** *v.i.* (*aus.* **avere**) to be forced (*o* strained). – **sforzarsi** *v.r.* **1.** to force (*o* make) o.s.: *sforzarsi di fare qc.* to force o.s. to do s.th., to make o.s. do s.th. – **2.** (*adoperarsi in un intento*) to strive, to try (hard), to endeavour, to make every effort, to do one's best (*o* utmost): *sforzarsi di non ridere* to try not to laugh. – **3.** ⟨*iron,fam*⟩ to strain (*o* kill) o.s., to overdo things: *hai lavorato un'ora? attento a non sforzarti troppo* you've worked for an hour? mind you don't kill yourself. – **4.** ⟨*rar,lett*⟩ (*tendere*) to aim (*a* at), to strive (towards). ☐ *sforzarsi eccessivamente* to overstrain (*o* overexert) o.s., to overdo things, to overtax one's strength; ~ *il passaggio* to force a way; ⟨*lett*⟩ ~ *qd. al pianto* to make s.o. cry; ⟨*Mar*⟩ ~ *di vele* to crowd sail.

sforzạre[2] *v.t.* (**sfọrzo**) ⟨*ant*⟩ (*togliere le forze*) to weaken.

sforzạta *f.* ⟨*Sart*⟩ kind of silk cord.

sforzatamẹnte *avv.* **1.** (*controvoglia*) against one's will, unwillingly, reluctantly. – **2.** (*in modo forzato*) forcedly. ☐ *ridere* ~ to give a forced laugh. – **sforzạto** (*p.p. di sforzare*[1]) *a.* **1.** forced, strained: *sorriso* ~ forced smile. – **2.** (*affettato*) forced, false, affected. – **3.** ⟨*fig,lett*⟩ (*arbitrario*) arbitrary, strained: *interpretazione -a* arbitrary interpretation. – **4.** ⟨*Mus*⟩ sforzato. – **sforzatọre** *m.* (*f.* **-trice**) ⟨*ant*⟩ person who uses force, forcer. – **sforzatụra** *f.* ⟨*non com*⟩ **1.** strain(ing), forcing, force. – **2.** ⟨*fig,lett*⟩ (*arbitrarietà*) straining, forcing; (*travisamento*) misrepresentation, distortion, twisting.

sforzẹsco *a.* (*pl.* **-chi**) ⟨*Stor*⟩ Sforza-, of the Sforza family.

sforzịno *m.* → **sferzino.**

sfọrzo[1] *m.* **1.** (*fatica*) effort, strain, exertion: *con uno* ~ *si sollevò* he got up with an effort. – **2.** (*impegno*) effort: *costare poco* ~ to require little effort. – **3.** (*sollecitazione*) stress, strain(ing). – **4.** ⟨*Mecc,Fis*⟩ stress, strain; (*forza*) force.
☐ ⟨*iron*⟩ **bello** (o *che*) ~*!* that didn't take much effort!; ⟨*Mecc*⟩ ~ *di* **compressione** compressive stress; **con** ~: 1. with an effort; 2. (*con fatica*) with an effort, laboriously; 3. (*controvoglia*) reluctantly, unwillingly; **costare** *molto* ~ to be difficult (*o* a strain), to be an effort; **fare** *uno* ~: 1. to make an effort; 2. (*impegnarsi*) to make an effort, to try hard, to do one's best: *fare uno* ~ *per non ridere* to do one's best not to laugh; *fare ogni* ~ to make every effort; *fare tutti gli -i possibili* to do everything possible; ⟨*Mecc*⟩ ~ *di* **flessione** bending stress; *fare uno* ~ *di* **memoria** *per ricordare qc.* to ⌜make an effort⌝ (*o* strain one's memory) to recall s.th.; ⟨*Mecc*⟩ ~ **normale** normal stress; **senza** ~ effortlessly, without (any) effort, easily; ⟨*Mecc*⟩ ~ *di* **taglio** shearing stress; ~ *di* **torsione** torsional stress; ~ *di* **traino** (o *trazione*) tractive effort.

sfọrzo[2] *m.* ⟨*ant*⟩ (*esercito*) army, troops *pl.* ☐ ⟨*ant*⟩ *fare* ~ (*radunare un esercito*) to gather an army together.

sfossạre *v.t.* (**sfọsso**) ⟨*non com*⟩ **1.** to take out of a pit. – **2.** ⟨*assol*⟩ (*scavare fosse*) to dig trenches (*o* ditches, pits). – **sfossatọre** *m.* (*f.* **-trice**) ⟨*non com*⟩ (ditch-)digger. – **sfossatụra** *f.* ⟨*non com*⟩ **1.** taking out of a pit. – **2.** (*fossa*) trench, ditch, pit.

sfọttere *v.t.* ⟨*pop*⟩ **1.** (*prendere in giro*) to tease, to make fun of, ⟨*fam*⟩ to take the mickey out of. – **2.** (*perseguitare*) to victimize, ⟨*fam*⟩ to pick on. – **3.** ⟨*non com*⟩ (*rovinare*) to ruin. – **sfottersi** *v.r.* **1.** ⟨*recipr*⟩ to make fun of e.o. – **2.** ⟨*non com*⟩ (*rovinarsi*) to be ruined. – **sfottimẹnto** *m.* ⟨*pop*⟩ **1.** teasing, ridiculing. – **2.** (*il perseguitare*) victimization. – **sfottitọre** *m.* (*f.* **-trice**) ⟨*pop*⟩ tease. – **sfottitụra** *f.* ⟨*pop*⟩ teasing, ridiculing. – **sfottò** *m.* ⟨*pop,giorn*⟩ hoax, joke, leg-pull, take-off; (*articolo*) (article written as a) hoax.

sfracassamẹnto *m.* ⟨*non com*⟩ smashing, shattering. – **sfracassạre** *v.t.* ⟨*non com*⟩ (*fracassare*) to smash, to shatter, to break into pieces. – **sfracassarsi** *v.r.* to break up (*o* in pieces).

sfracellạre *v.t.* (**sfracẹllo**) (*schiacciare*: *rif. a cose*) to smash, to shatter, to crush: *lo scoppio della bomba gli ha sfracellato la mano* the exploding bomb shattered his hand. – **sfracellarsi** *v.r.* **1.** (*schiantarsi*: *rif. a cose*) to smash (to pieces), to be smashed, to crash: *la macchina si sfracellò contro un muro* the car smashed to pieces against a wall. – **2.** ⟨*ant*⟩ (*struggersi*) to torment o.s. – **sfracellạto** (*p.p. di sfracellare*) *a.* smashed, shattered; (*schiacciato*) crushed.

sfragellạre *v.* ⟨*ant,pop*⟩ → **sfracellare.**

sfragịstica *f.* sphragistics *pl* (*costr.sing.*), sigillography. – **sfragịstico** *a.* (*pl.* **-ci**) sphragistic.

sfrancesạre *v.* (**sfrancẹso**) ⟨*non com*⟩ **I** *v.t.* to free from French influence; (*rif. a lingua*) to rid of Gallicisms. – **II** *v.i.* (*aus.* **avere**) to speak bad French.

sfranchịre *v.t.* (**sfranchịsco, sfranchịsci**) ⟨*non com*⟩ (*rendere più disinvolto*) to give more confidence to, to make more free-and-easy. – **sfranchirsi** *v.r.* (*diventare più disinvolto*) to gain more self-confidence, to become less inhibited.

sfrangiạre *v.t.* (**sfrạngio, sfrạngi**) to fringe, to fray (into a fringe), to make a fringe on. – **sfrangiạto** (*p.p. di sfrangiare*) *a.* **1.** fringed: *scialle* ~ fringed shawl. – **2.** ⟨*Bot*⟩ laciniate(d), fringed. – **sfrangiatụra** *f.* **1.** fringing, fraying. – **2.** (*parte sfrangiata*) fringe.

sfrascạre *v.* (**sfrạsco, sfrạschi**) **I** *v.t.* to clip, to trim, to cut the boughs from. – **II** *v.i.* (*aus.* **avere**) to rustle.

sfratạrsi *v.r.* to leave a monastic order. – **sfratạto** (*p.p. di sfratarsi*) ⟨*spreg*⟩ **I** *a.* having left a monastic order, ⟨*fam,spreg*⟩ spoiled. – **II** *s.m.* ex-monk, ⟨*fam,spreg*⟩ spoiled monk.

sfrattạre I *v.t.* **1.** (*dare lo sfratto*) to evict, to turn out. – **2.** (*cacciare*) to send away; (*espellere*) to expel. – **II** *v.i.* (*aus.* **avere**/*non com.* **essere**) **1.** (*andar via di casa*) to move. – **2.** (*abbandonare precipitosamente*) to leave, to go, ⟨*fam*⟩ to get out. – **sfrattạto** (*p.p. di sfrattare*) **I** *a.* evicted. – **II** *s.m.* (*f.* **-a**) evicted person, evict.

sfrạtto *m.* **1.** ⟨*Dir*⟩ eviction order, notice to quit. – **2.** (*espulsione*) expulsion. ☐ *dare lo* ~ *a qd.*: 1. to give s.o. an eviction notice; 2. ⟨*non com*⟩ (*licenziare*) to dismiss s.o.; 3. (*espellere*) to expel s.o.; ⟨*Sport*⟩ *gioco dello* ~ boundary ball game; *ricevere lo* ~: 1. (*ricevere l'intimazione di sfratto*) to receive an eviction notice; 2. ⟨*non com*⟩ (*essere licenziato*) to be dismissed, to be given notice.

sfrecciạre *v.i.* (**sfrẹccio, sfrẹcci**; *aus.* **essere**) to dart, to flash, to shoot; (*rif. a veicoli*) to speed, to shoot, ⟨*fam*⟩ to whizz: *le auto sfrecciavano lungo l'autostrada* the cars sped along the motorway. ☐ ~ *via* to dart off. – **sfrecciạta** *f.* ⟨*non com,sport*⟩ (*volata*) final sprint.

sfreddạre *v.t.* (**sfrẹddo**) ⟨*non com*⟩ (*freddare*) to (let) cool.

sfregamẹnto *m.* **1.** rubbing, friction. – **2.** (*massaggio*) massage; (*frizione*) rubbing.

sfregạre *v.t.* (**sfrẹgo, sfrẹghi**) **1.** to rub, to scratch: ~ *il muro con la sedia* to scratch the wall with the chair. – **2.** (*per pulire*) to rub; (*per lucidare*) to polish, to shine: ~ *l'argenteria* to polish the silver; (*per lavare*) to scrub: ~ *il pavimento* to scrub the floor. – **3.** (*massaggiare*) to massage; (*frizionare*) to rub. – **4.** (*strisciare*) to scrape. – **sfregarsi** *v.r.* to rub (o.s.): *sfregarsi gli occhi* to rub one's eyes. ☐ ~ *un fiammifero* to strike a match.

sfregạta *f.* ⟨*non com*⟩ rub. ☐ *dare una* ~ *a qc.* to give s.th. a rub, to rub s.th. – **sfregatịna** (*dim. di sfregata*) *f.* quick rub. – **sfregatụra** *f.* **1.** (*lo sfregare*) rubbing, friction. – **2.** (*segno*) scratch, mark.

sfregiạre *v.t.* (**sfrẹgio/sfrẹgio, sfrẹgi/sfrẹgi**) **1.** (*deturpare*) to disfigure: ~ *il viso a qd.* to disfigure s.o.'s face; (*fare tagli*) to slash, to gash. – **2.** (*rif. a quadri e sim.*) to deface: ~ *una tela* to deface a painting. – **3.** ⟨*ant*⟩ (*disonorare*) to disgrace, to dishonour. – **sfregiạto** (*p.p. di sfregiare*) **I** *a.* disfigured. – **II** *s.m.* (*come soprannome*) Scarface. – **sfregiatọre** *m.* (*f.* **-trice**) disfigurer; (*con oggetto tagliente*) slasher.

sfrẹgio (o *sfrẹgio*) *m.* **1.** disfigurement; (*fatto con oggetto tagliente*) slash, cut; (*cicatrice*) scar: *avere uno ~ sulla guancia* to have a scar on one's cheek. – **2.** (*taglio, graffio*) slash, gash, cut, scratch: *la scrivania è piena di sfregi* the desk is full of scratches. – **3.** ⟨*fig*⟩ (*affronto*) insult, offence. □ *fare uno ~ a qd.*: 1. to disfigure s.o.; 2. (*con arma tagliente*) to slash s.o.; 3. (*lasciando una cicatrice*) to scar s.o.; 4. ⟨*fig*⟩ to insult s.o.

sfrenamẹnto *m.* ⟨*non com*⟩ unbridling, unleashing.

sfrenạre *v.t.* (**sfrẹno/sfrẹno**) **1.** ⟨*non com*⟩ (*levare il freno*) to take the brake off, to release the brake of; (*rif. a cavalli*) to give rein to, to unbridle, to unleash. – **2.** ⟨*fig*⟩ to unbridle, to unleash, to give free play to, to let loose, to allow to run wild: ~ *la fantasia* to give free play to one's imagination. – **sfrenarsi** *v.r.* **1.** ⟨*non com*⟩ (*liberarsi dal freno*) to get (*o* break) loose. – **2.** ⟨*fig*⟩ (*scatenarsi*) to let o.s. go, to break loose, to throw off all restraint. □ ~ *la folla* to stir up the crowd; ⟨*fig*⟩ ~ *la lingua* to unbridle one's tongue, to speak out.

sfrenatamẹnte *avv.* unrestrainedly, immoderately, unchecked. – **sfrenatẹzza** *f.* **1.** wildness, unbridledness, lack of restraint. – **2.** ⟨*concr*⟩ wild behaviour. – **sfrenạto** (*p.p. di sfrenare*) *a.* **1.** (*rif. a cavalli*) unbridled; (*rif. a veicoli*) with the brake off. – **2.** ⟨*fig*⟩ (*smodato*) unbridled, unrestrained: *ambizione -a* unbridled ambition. – **3.** ⟨*fig*⟩ (*senza ritegno*) immoderate, intemperate: *essere ~ nel bere* to be an immoderate drinker. □ *essere ~ nello spendere* to spend one's money recklessly (*o* freely); *un ragazzo ~* a reckless (*o* wild) youth.

sfrịdo *m.* ⟨*Ind*⟩ **1.** loss, waste. – **2.** (*cascami*) waste.

sfrịggere *v.i.* (**sfrịggo, sfrịggi; sfrịssi, sfrịtto;** *aus.* **avere**) **1.** to sizzle, to hiss, to sputter: *il pesce sfrigge nell'olio bollente* the fish is sizzling in hot oil. – **2.** (*crepitare, cigolare*) to crackle.

sfrigolạre *v.* (**sfrịgolo**) → **sfriggere**. – **sfrigolịo** *m.* sizzling, hissing, sputter(ing).

sfringuellạre *v.* (**sfringuẹllo**) ⟨*non com*⟩ **I** *v.i.* (*aus.* **avere**) **1.** (*cinguettare*) to twitter. – **2.** ⟨*fig*⟩ (*cianciare*) to chatter, to prattle. – **II** *v.t.* (*riferire, ridire*) to tell, ⟨*fam*⟩ to blab.

sfrisạre *v.t.* **1.** (*frisare*) to graze; (*nel biliardo*) to kiss. – **2.** ⟨*region*⟩ (*rovinare*) to scratch, to scrape. – **sfrisatụra** *f.* ⟨*region*⟩ scratch, scrape. – **sfrịso** *m.* **1.** (*lo sfiorare*) grazing. – **2.** ⟨*region*⟩ → **sfrisatura**. □ *toccare qc. di ~* to scratch (*o* scrape) s.th.

sfrittellạre *v.t.* (**sfrittẹllo**) ⟨*fam*⟩ (*macchiare*) to stain (with grease), to spot (with grease). – **sfrittellarsi** *v.r.* to stain (with grease), to spot (with grease): *ti sei sfrittellato la giacca* you have stained your jacket (with grease), you have got a grease spot on your jacket.

sfrombolạre *v.t.* (**sfrọmbolo**) to sling. – **sfrombolạta** *f.* ⟨*non com*⟩ (*colpo*) sling-shot.

sfrondamẹnto *m.* ⟨*non com*⟩ **1.** stripping of leaves. – **2.** ⟨*fig*⟩ pruning. – **sfrondạnte** (*p.pr. di sfrondare*) *a.* ⟨*Bot*⟩ deciduous. – **sfrondạre** *v.t.* (**sfrọndo**) **1.** to strip of leaves, to trim, to prune, to remove leafy branches from: ~ *un albero* to prune a tree. – **2.** ⟨*fig*⟩ (*eliminare il superfluo*) to prune, to cut down: ~ *un articolo* to prune an article. – **sfrondarsi** *v.r.* (*perdere le fronde*) to shed (*o* lose) leaves. – **sfrondạto** (*p.p. di sfrondare*) *a.* **1.** bare, stripped of leaves: *ramo ~* bare branch. – **2.** ⟨*fig*⟩ (*ridotto all'essenziale*) pruned. – **sfrondatọre** *m.* (*f.* **-trice**) ⟨*non com*⟩ pruner, trimmer. – **sfrondatụra** *f.* **1.** stripping, pruning, trimming. – **2.** ⟨*fig*⟩ pruning.

sfrontatạggine *f.* ⟨*non com*⟩ → **sfrontatezza**. – **sfrontatamẹnte** *avv.* impudently, brazenly. – **sfrontatẹllo** (*dim. di sfrontato*) *m.* (*f.* **-a**) impudent child, brat. – **sfrontatẹzza** *f.* **1.** (*qualità*) impudence, effrontery, shamelessness, forwardness, ⟨*fam*⟩ cheek. – **2.** ⟨*rar*⟩ (*atto*) impudent (*o* forward, cheeky) behaviour. – **sfrontạto I** *a.* impudent, forward, brazen, shameless, ⟨*fam*⟩ cheeky. – **II** *s.m.* (*f.* **-a**) impudent (*o* cheeky) person, brazen-face.

sfruconạre *v.t.* (**sfrucọno**) ⟨*non com*⟩ **1.** to poke, to prod. – **2.** (*percuotere con la frusta*) to whip, to goad. – **sfruconạta** *f.* ⟨*non com*⟩ poke.

sfrusciạre *v.i.* (**sfrụscio, sfrụsci;** *aus.* **avere**) ⟨*non com*⟩ (*frusciare*) to rustle. – **sfruscịo** *m.* ⟨*non com*⟩ (*fruscio*) rustle, rustling.

sfruttạbile *a.* exploitable (*anche Minier.*). – **sfruttabilità** *f.* capacity for exploitation.

sfruttamẹnto *m.* **1.** (*utilizzazione*) utilization, exploitation: ~ *delle risorse di un paese* utilization of a country's resources. – **2.** (*l'approfittare degli altri*) exploitation, taking advantage: ~ *dei lavoratori* exploitation of the workers. – **3.** ⟨*Agr*⟩ (*esaurimento di terreni*) impoverishment, overworking, exhaustion. □ ~ *abusivo* predatory exploitation; ⟨*Dir*⟩ ~ *della prostituzione* living off immoral earnings.

sfruttạnte (*p.pr. di sfruttare*) *a.* ⟨*Agr*⟩ impoverishing.

sfruttạre *v.t.* **1.** (*utilizzare*) to make use of, to utilize, to exploit: ~ *un giacimento petrolifero* to exploit an oil-field; ~ *bene lo spazio disponibile* to make good use of available space. – **2.** ⟨*fig*⟩ (*trarre vantaggio dal lavoro altrui*) to exploit, to take advantage of, to abuse: ~ *gli operai* to exploit the workers. – **3.** (*mettere a profitto*) to make the most of, to exploit: ~ *il proprio talento* to make the most of one's talent; (*abusare*) to take advantage of, to abuse: ~ *l'ingenuità altrui* to take advantage of s.o. else's ingenuousness. – **4.** ⟨*Agr*⟩ (*esaurire*) to impoverish, to overwork, to exhaust. □ ~ *una donna* to live on the immoral earnings of a woman.

sfruttạto (*p.p. di sfruttare*) **I** *a.* **1.** (*utilizzato*) exploited, utilized, used. – **2.** ⟨*fig*⟩ exploited, made use of, taken advantage of; (*rif. a lavoratori*) exploited, sweated. – **3.** ⟨*Agr*⟩ impoverished, overworked, exhausted: *terreno ~* impoverished land. – **II** *s.m.* exploited person. □ *eccessivamente ~* over-exploited; (*rif. a miniere e sim.*) worked out.

sfruttatọre I *s.m.* (*f.* **-trice**) exploiter, profiteer. – **II** *a.* **1.** exploiting. – **2.** ⟨*Agr*⟩ impoverishing. □ ~ *di donne* pimp, souteneur, ⟨*pop*⟩ ponce.

sfucatrịce *f.* queen excluder.

sfuggẹnte (*p.pr. di sfuggire*) *a.* **1.** fleeing. – **2.** ⟨*fig*⟩ slippery, evasive, shifty: *sguardo ~* evasive look; *è un essere ~* he's a shifty customer. □ *fronte ~* receding forehead; *mento ~* receding chin. – **sfuggẹvole** *a.* **1.** fleeting: *immagine ~* fleeting image; (*passeggero*) transient, transitory. – **2.** (*breve*) brief, fleeting; (*rapido*) fleeting, swift. – **sfuggevolẹzza** *f.* ⟨*non com*⟩ fleetingness; (*l'essere passeggero*) transitoriness. – **sfuggevolmẹnte** *avv.* **1.** fleetingly. – **2.** (*brevemente*) fleetingly, briefly; (*rapidamente*) fleetingly, swiftly. – **sfuggimẹnto** *m.* ⟨*ant*⟩ flight.

sfuggịre *v.* (**sfụggo, sfụggi**) **I** *v.t.* to avoid, to shun, to keep away from: ~ *la pubblicità* to shun publicity. – **II** *v.i.* (*aus.* **essere**) **1.** (*scappare*) to run away, ⟨*lett*⟩ to flee; (*sottrarsi*) to escape, to elude (*a qc.* s.th.), to get away (from): ~ *alla cattura* to escape capture; (*evitare*) to avoid, to shirk (s.th.), to get out (of). – **2.** (*scampare*) to escape: ~ *alla morte* to escape (from) death. – **3.** (*scappare inavvertitamente*) to slip: *gli è sfuggito il coltello* the knife slipped from his hand; (*rif. a parole, sbagli e sim.*) to escape, to slip out: *mi è sfuggita un'imprecazione* a curse slipped out (*o* from my lips). – **4.** (*far passare senza notare*) to escape attention, to pass unnoticed, to slip by: *nel leggere le bozze mi sono sfuggiti alcuni errori* in reading the proofs a few errors escaped my attention; *nel copiare la lettera sono sfuggiti molti errori* in copying the letter a lot of mistakes slipped by; (*uscire di mente*) to escape: *mi sfugge il suo nome* his name escapes me. – **5.** ⟨*ant*⟩ (*nella pittura, nel disegno*) to recede, to diminish in perspective. □ ~ *di mano* to slip from one's hands, to drop; *mi è sfuggito di mente* it slipped my mind; *lasciarsi ~ un'occasione* to miss (*o* let slip) an opportunity; *lasciarsi ~ un segreto* to let out a secret; *senza lasciarsi ~ un lamento* without uttering a word of complaint.

sfuggịta *f.* **1.** (*fuga*) leak(age), escape: ~ *di gas* gas leak. – **2.** (*scappata*) short visit: *fare una ~ da qd.* to pay a short visit to s.o. □ ⟨*non com*⟩ *alla ~ = di sfuggita*; *di ~* quickly, hastily, fleetingly, hurriedly; *ci siamo visti di ~ ieri* we saw e.o. for a minute yesterday; *fare una ~ in banca* to rush round to the bank, to dash (*o* pop) over to the bank.

sfuggịto (*p.p. di sfuggire*) *a.* **1.** escaped. – **2.** (*detto inavvertitamente*) slipped out, said unintentionally: *parole -e in un momento di rabbia* words said unintentionally in a moment of anger; (*rif. a errori*) inadvertent, accidental.

sfumạnte (*p.pr. di sfumare*) *a.* ⟨*rar*⟩ shading off, graduated.

sfumạre I *v.t.* **1.** (*attenuare l'intensità*) to tone down, to soften. – **2.** (*rif. a colori*) to tone down, to shade off, to soften, to gradate: ~ *i colori* to tone down the colours; (*rif. a disegni*: *mediante lo sfumo*) to stump, to shade off (with a stump), to soften. – **3.** (*rif. a suoni*) to fade (out), to diminish gradually. – **4.** ⟨*fig*⟩ to nuance. – **II** *v.i.* (*aus.* **essere**) **1.** (*dileguarsi*) to dissolve, to disappear: *la nebbia sfuma lentamente* the fog is disappearing slowly. – **2.** ⟨*fig*⟩ (*andare in fumo*) to vanish, to fade away, to disappear, ⟨*fam*⟩ to go up in smoke: *sono sfumate tutte le nostre speranze* all our hopes have vanished; (*andare a monte*) to fail, to come to nothing, ⟨*fam*⟩ to fall through: *la gita è sfumata* the trip has fallen through. – **3.** (*digradare d'intensità*: *rif. a colori*) to shade (off), to fade; (*rif. a suoni*) to diminish, to die (*o* fade) away. – **4.** (*perdere la precisione dei contorni*) to fade, to become hazy (*o* blurred), to blur, to grow indistinct: *i profili dei monti sfumavano nella nebbia* the outline of the mountains faded into the mist. – **5.** ⟨*ant*⟩ (*dissolversi*: *in fumo*) to go up in smoke; (*in vapore*) to evaporate. – **6.** ⟨*ant*⟩ (*esalare, evaporare*) to evaporate. □ ~ *i capelli* to shape (*o* trim, taper) the hair.

sfumạto (*p.p. di sfumare*) **I** *a.* **1.** (*svanito, perduto*) vanished, faded (away), lost: *occasione -a* lost opportunity. – **2.** ⟨*Pitt*⟩ (*rif. a colori*) soft, (delicately) shaded, mellow. – **3.** ⟨*fig*⟩ (*vago*) vague, hazy, indistinct, blurred. – **II** *s.m.* **1.** ⟨*Pitt*⟩ sfumato. – **2.** ⟨*Tess*⟩ shot material. – **3.** ⟨*Fot*⟩ soft focus.

sfumatụra *f.* **1.** (*lo sfumare*) toning down, softening, nuancing. – **2.** (*rif. a colori*) toning down, shading off, softening, gradation; (*tonalità*) shade, tone, nuance. – **3.** (*rif. a suoni*) fading (out). – **4.** (*rif. al tono della voce*) tone, note, trace, hint, touch: *una ~ d'ironia* a hint of irony. – **5.** ⟨*fig*⟩ nuance, (shade of) meaning: *prosa ricca di -e* prose rich in nuances. – **6.** (*nel taglio dei capelli*) tapering. – **7.** ⟨*Tess*⟩ shading.

sfumịno *m.* stump. – **sfụmo** *m.* **1.** (*nel disegno*) stumping. – **2.** ⟨*non com*⟩ (*lo svanire in fumo*) going up in smoke, disappearance. – **3.** ⟨*Minier*⟩ time needed for dust to settle and smoke to clear.

sfuocạre *v.* → **sfocare**. – **sfuocạto** (*p.p. di sfuocare*) *a.* → **sfocato**. – **sfuocatụra** *f.* → **sfocatura**.

sfuriạre *v.* (**sfụrio, sfụri**) ⟨*non com*⟩ **I** *v.i.* (*aus.* **avere**) (*sfogarsi*) to vent (one's rage), to rage, ⟨*fam*⟩ to let off steam. – **II** *v.t.* to vent. – **sfuriạta** *f.* **1.** (*sfogo violento*) outburst (of anger), fit of rage (*o* temper, passion), temper tantrum: *sopportare le -e di qd.* to put up with s.o.'s temper tantrums. – **2.** (*rimprovero aspro*) tirade, sharp reproof, ⟨*fam*⟩ telling off. – **3.** (*tempesta breve e violenta*) storm, burst: ~ *di pioggia* rainstorm, cloudburst; (*rif. a vento*) gust: ~ *di vento* gust of wind. □ *fare una ~ a qd.* to ⌜fly into a⌝ (*o* lose one's) temper with s.o.; (*fare un rabbuffo*) to scold s.o., to give s.o. the edge of one's tongue, ⟨*fam*⟩ to blow s.o. up.

sfụso *a.* **1.** (*liquefatto*) melted: *burro ~* melted butter. – **2.** (*che si*

vende sciolto) loose, in bulk: *sigarette -e* loose cigarettes; *olio* ~ loose oil, oil sold by measure.
sfz. = ⟨*Mus*⟩ *sforzando* sforzando (*abbr.* sf., sfz.).
sg. = *seguente* following (*abbr.* foll.).
s.g. = *secondo grandezza* according to size.
S.G. = **1.** → s.g. – **2.** *Sua Grazia* His (*f* Her) Grace (*abbr.* H.G.); (*vocativo*) Your Grace.
sgabellare *v.t.* (sgabello) ⟨*ant*⟩ (*sdaziare*) to clear (through Customs). – **sgabellarsi** *v.r.* ⟨*non com*⟩ (*liberarsi*) to get rid, to rid o.s. (*di* of). ☐ *sgabellarsela* to get off, to get out of s.th.
sgabellata *f.* (*colpo di sgabello*) blow with a stool. – **sgabelletto, sgabellino** *m. dim. di* sgabello. – **sgabello** *m.* **1.** stool. – **2.** (*panchetto per i piedi*) footstool. ☐ ~ *da bagno* bathroom stool; ~ *del bar* barstool; ⟨*fig*⟩ *farsi* ~ *di qd.* (*servirsene senza scrupolo*) to make use of s.o.; ~ *del pianoforte* piano-stool. – **sgabelluccio** *m. dim. di* sgabello.
sgabuzzino *m.* **1.** cubby-hole, closet. – **2.** (*stanzino*) store-room, box-room, lumber-room, ⟨*am*⟩ broom closet.
sgagliardare *v.* ⟨*ant*⟩ → sgagliardire. – **sgagliardire** *v.t.* (sgagliardisco, sgagliardisci) ⟨*non com*⟩ to weaken, to enfeeble.
sgallare *v.t.* ⟨*non com*⟩ (*produrre galle*) to blister.
sgallettare *v.i.* (sgalletto; *aus.* avere) **1.** (*fare il galletto*) to flirt, to strut. – **2.** (*essere vispo, vivace*) to be cocky, to show off.
sgambare[1] *v.t.* ⟨*non com*⟩ to remove the stem from.
sgambare[2] *v.i.* (*aus.* avere) ⟨*non com*⟩ (*muoversi a grandi passi*) to stride (along), to walk fast. – **sgambarsi** *v.r.* **1.** (*fare passi troppo lunghi*) to stride (along), to take over-long steps. – **2.** (*camminare in fretta*) to walk fast, to step out; (*camminare molto*) to walk one's legs off, to get footsore.
sgambata *f.* **1.** (*camminata*) long tiring walk, ⟨*scherz*⟩ march. – **2.** ⟨*Equit*⟩ warm-up.
sgambettamento *m.* ⟨*non com*⟩ kicking. – **sgambettare** *v.* (sgambetto) **I** *v.i.* (*aus.* avere) **1.** (*muovere le gambe*) to kick (one's legs). – **2.** (*camminare a piccoli passi*) to toddle, to trip (along). – **II** *v.t.* (*fare lo sgambetto*) to trip (up). – **sgambettata** *f.* ⟨*non com*⟩ toddle. – **sgambetto** *m.* **1.** trip. – **2.** ⟨*Sport*⟩ trip(ping). ☐ *fare lo* ~ *a qd.* to trip s.o. (up); ⟨*fig*⟩ to oust (*o* supplant) s.o.
sganasciamento *m.* ⟨*non com*⟩ dislocation of the jaw(s). – **sganasciare** *v.* (sganascio, sganasci) **I** *v.t.* **1.** to dislocate the jaw(s) of. – **2.** ⟨*fig,tosc*⟩ (*sgangherare*) to break, to smash. – **II** *v.i.* (*aus.* avere) (*mangiare avidamente*) to eat greedily, to stuff o.s. – **sganasciarsi** *v.r.* to dislocate one's jaw(s). ☐ *sganasciarsi dalle* (o *per le*) *risa* to split one's sides with laughter. – **sganasciata** *f.* ⟨*non com*⟩ **1.** dislocation of the jaw(s). – **2.** (*riso smodato*) guffaw, roar of laughter. – **sganasciato** (*p.p. di sganasciare*) *a.* **1.** ⟨*non com*⟩ (*sgangherato*) broken, rickety. – **2.** (*rif. a persone*: *sfatto*) flabby, drooping. – **sganascione, sganassone** *m.* ⟨*region*⟩ **1.** (*ceffone*) slap in the face. – **2.** (*pugno sul viso*) punch on the jaw.
sganciabile *a.* **1.** unhookable, releasable. – **2.** ⟨*Aer*⟩ releasable.
sganciabombe *m.inv.* ⟨*Aer*⟩ bomb release (gear).
sganciamento *m.* **1.** (*lo sganciare*) release, unhooking. – **2.** ⟨*Ferr*⟩ uncoupling. – **3.** (*rif. a bombe*) releasing, dropping. – **4.** ⟨*Mil*⟩ disengagement.
sganciare *v.t.* (sgancio, sganci) **1.** to unhook, to release; (*aprire i ganci*) to unhook, to unfasten. – **2.** ⟨*Ferr*⟩ (*staccare*) to uncouple: ~ *un vagone* to uncouple a wagon. – **3.** (*rif. a bombe*) to release, to drop. – **4.** ⟨*fam*⟩ (*sborsare denaro*) to dig into one's pocket for, ⟨*fam*⟩ to fork out: *mi è toccato* ~ *mille lire* I had to fork out a thousand lire. – **sganciarsi** *v.r.* **1.** (*sciogliersi dal gancio*) to come unhooked. – **2.** (*staccarsi*) to come uncoupled. – **3.** ⟨*fam*⟩ (*riuscire a liberarsi*) to manage to get away (*da* from), to get rid of, to get free (of): *sganciarsi da un amico noioso* to get rid of a boring friend; (*rompere i rapporti*) to break (with): *già da un anno mi sono sganciato da quella compagnia* I broke with that group a year ago. – **4.** ⟨*Mil*⟩ to disengage o.s. (*da* from).
sgancio *m.* **1.** release. – **2.** (*rif. a bombe*) release; (*lancio*) dropping. – **3.** ⟨*tecn*⟩ release (mechanism): ~ *automatico* automatic release mechanism. ☐ *a* ~ *rapido* quick-release; ~ *ritardato* delayed release.
sgangheramento *m.* ⟨*non com*⟩ (*lo sgangherare*) unhinging, taking off the hinges. – **sgangherare** *v.t.* (sganghero) **1.** to unhinge, to take off the hinges: ~ *la porta* to take the door off its hinges. – **2.** (*rompere*) to break, to smash: ~ *un tavolo* to break a table. – **3.** ⟨*non com*⟩ (*aprire smisuratamente*) to open wide. – **sgangherarsi** *v.r.* to dislocate one's jaw(s). ☐ *sgangherarsi dalle risa* to split one's sides with laughter. – **sgangherataggine** *f.* ⟨*non com*⟩ **1.** ricketiness, ramshackleness. – **2.** (*sguaiataggine*) coarseness, boisterousness. – **sgangheratamente** *avv.* coarsely, boisterously, uproariously. – **sgangherato** (*p.p. di sgangherare*) *a.* **1.** unhinged, off its hinges. – **2.** (*sfasciato*) rickety, broken, ramshackle, dilapidated. – **3.** (*rif. a persone*: *sfatto*) flabby. – **4.** ⟨*fig*⟩ (*sconnesso*) incoherent, disjointed. – **5.** ⟨*fig*⟩ (*esagerato, scomposto*) boisterous, coarse: *riso* ~ boisterous laughter.
sgannare *v.t.* ⟨*ant*⟩ (*trarre d'inganno*) to undeceive. – **sgannarsi** *v.r.* ⟨*ant*⟩ to undeceive o.s.
sgaraffone *m.* ⟨*Stor*⟩ tax-collecter.
sgarbataggine *f.* ⟨*non com*⟩ → sgarbatezza. – **sgarbatamente** *avv.* rudely, impolitely. – **sgarbatello** (*dim. di sgarbato*) *m.* (*f.* -a) impertinent (*o* cheeky) child. – **sgarbatezza** *f.* **1.** (*qualità*) rudeness, poor manners *pl*, impoliteness, discourtesy, incivility. – **2.** (*azione sgarbata*) impolite action (*o* behaviour), discourtesy. – **sgarbato I** *a.* **1.** rude, ill-mannered, impolite, unmannerly, discourteous: *risposta -a* rude answer. – **2.** (*privo di garbo*) coarse, unattractive, graceless: *voce -a* coarse voice. – **II** *s.m.* (*f.* -a) boor, rude person. – **sgarbatone** (*accr. di sgarbato*) *m.* (*f.* -a) boor. – **sgarberia** *f.* impoliteness, discourtesy. – **sgarbo** *m.* **1.** (*mancanza di garbo*) impoliteness. – **2.** (*azione sgarbata*) impolite action (*o* behaviour), discourtesy. ☐ *fare uno* ~ *a qd.* to be rude to s.o.; *ricevere uno* ~ *da qd.* to be treated rudely by s.o.
sgarbugliare *v.t.* (sgarbuglio, sgarbugli) **1.** to untangle, to disentangle. – **2.** ⟨*fig*⟩ (*chiarire*) to untangle, to straighten (*o* sort) out: ~ *una faccenda complicata* to straighten out a complicated matter.
sgarettare *v.* → sgarrettare. – **sgarettatura** *f.* → sgarrettatura.
sgargiante (*p.pr. di sgargiare*) *a.* (*vistoso*) gaudy, showy, loud, garish: *colori -i* gaudy colours; (*appariscente*) showy, flashy: *un vestito* ~ a flashy suit. – **sgargiare** *v.i.* (sgargio, sgargi; *aus.* avere) ⟨*rar*⟩ **1.** (*vestire vistosamente*) to dress in a showy manner, to wear flashy clothes. – **2.** (*ostentare modi vistosi*) to show off.
sgarrare[1] *v.i.* (*aus.* avere) **1.** (*sbagliare*) to be (*o* go) wrong, to be mistaken (*o* inaccurate); (*mancare di puntualità*) to be late. – **2.** ⟨*fig*⟩ (*venir meno al proprio dovere*) to go wrong, to err, to fail to do one's duty. ☐ *l'orologio non sgarra un secondo* the clock keeps perfect time.
sgarrare[2] *v.t.* ⟨*region*⟩ (*lacerare, strappare*) to tear. – **sgarrarsi** *v.r.* to tear: *mi si sono sgarrati i pantaloni* I've torn my trousers.
sgarrettare *v.t.* (sgarretto) **1.** ⟨*non com*⟩ (*tagliare i garretti*) to cut the hocks of. – **2.** ⟨*Agr*⟩ to cut back (the top of). – **sgarrettatura** *f.* **1.** ⟨*non com*⟩ cutting of the hocks. – **2.** ⟨*Agr*⟩ cutting back (of the top).
sgarro[1] *m.* **1.** mistake, inaccuracy, error; (*rif. a orario*) lack of punctuality, lateness. – **2.** ⟨*fig*⟩ error.
sgarro[2] *m.* ⟨*region*⟩ (*strappo*) tear, rent.
sgarza *f.* ⟨*Ornit*⟩ **1.** → sgarzetta. – **2.** (*airone cenerino*) (common) heron, grey heron, blue(-grey) heron (*Ardea cinerea*). ☐ ~ *bianca maggiore* great white heron, ⟨*am*⟩ American egret (*Egretta alba*); ~ *cenerina* (*nitticora*) night heron (*Nycticorax nycticorax*); ~ *ciuffetto* squacco heron (*Ardeola ralloides*); ~ *nitticora* = *sgarza cenerina*. – **sgarzetta** *f.* ⟨*Ornit*⟩ little egret (*Egretta garzetta*). – **sgarzettone**: ⟨*Ornit*⟩ ~ *rosso* (*airone rosso*) purple heron (*Ardea purpurea*).
sgarzino *m.* ⟨*Tip*⟩ overlay knife.
sgattaiolare *v.i.* (sgattaiolo/*non com.* sgattaiolo; *aus.* essere) to slip (*o* steal) away, to sneak, to slink (*anche fig.*): ~ *via* to sneak off. ☐ *sgattaiolarsela* to wriggle (*o* get) out of s.th., to get off scotfree.
sgavazzare *v.i.* (*aus.* avere) ⟨*ant*⟩ (*spassarsela*) to make merry, to enjoy o.s.
sgelare *v.* (sgelo) **I** *v.t.* **1.** (*disgelare*) to thaw (out); (*rif. a frigoriferi*) to defrost. – **2.** ⟨*Aer*⟩ to de-ice. – **3.** ⟨*fig*⟩ to thaw, to soften, to melt. – **II** *v.i.* (*aus.* essere), **sgelarsi** *v.r.* to thaw (out). – **III** *v.i. impers.* (*aus.* essere/avere) to thaw. – **sgelatore** *m.* **1.** defroster. – **2.** ⟨*Aer*⟩ de-icer. – **sgelo** *m.* **1.** thaw, thawing (out); (*tempo dello sgelo*) thaw. – **2.** ⟨*fig*⟩ thawing out, unbending, melting, softening.
sgg. = *seguenti* (the) following (*abbr.* ff.).
sghei *m.pl.* ⟨*dial,scherz*⟩ (*soldi*) money.
sghembo I *a.* **1.** (*storto*) crooked; (*rif. a persone*) crooked, twisted. – **2.** (*obliquo*) oblique, slanting. – **3.** ⟨*Geom*⟩ not in the same plane: *rette -e* lines not in the same plane. – **4.** ⟨*non com*⟩ (*tortuoso*) tortuous. – **II** *s.m.* **1.** crookedness. – **2.** (*obliquità*) obliquity, slant. – **III** *avv.* **1.** crookedly. – **2.** (*obliquamente*) obliquely, slantingly, on the slant. ☐ *a* (o *di*) ~ (*per storto*) crookedly; (*obliquamente*) obliquely, on the slant, aslant, askew.
sghermire *v.t.* (sghermisco, sghermisci) ⟨*ant*⟩ (*lasciare*) to let go, to release. – **sghermitore** ⟨*lett*⟩ **I** *s.m.* (*f.* -trice) releaser. – **II** *a.* releasing.
sgheronato *a.* ⟨*Sart,non com*⟩ gored, flared.
sgherro I *s.m.* **1.** ⟨*Stor*⟩ retainer, private soldier. – **2.** ⟨*spreg*⟩ (*rif. a guardie e sim.*) policeman, ⟨*fam*⟩ cop, ⟨*spreg*⟩ pig. – **3.** (*bravaccio*) hired ruffian, thug. – **II** *a.* ⟨*ant*⟩ **1.** (*di sgherro*) ruffianly. – **2.** (*da prepotente*) arrogant, overbearing, aggressive. ☐ *da* ~ of a thug: *faccia da* ~ face of a thug.
sghiacciare *v.* (sghiaccio, sghiacci) **I** *v.t.* **1.** to thaw, to melt. – **2.** ⟨*fig*⟩ to warm (up), to take the chill off. – **II** *v.i.impers.* (*aus.* essere/avere), **sghiacciarsi** *v.r.* to get a little warmer, to lose its chill.
sghiaiamento *m.* removal of gravel. – **sghiaiare** *v.t.* (sghiaio, sghiai) to remove gravel from, to free from gravel deposits. – **sghiaiatore** *m.* ⟨*Idr*⟩ gravel trap.
sghignare *v.i.* (*aus.* avere) ⟨*non com*⟩ (*ghignare*) to sneer, to grin sarcastically.
sghignazzamento *m.* sarcastic laughter, sneering. – **sghignazzare** *v.i.* (*aus.* avere) **1.** to laugh sarcastically (*o* scornfully), to sneer (*di* at). – **2.** (*ridere sguaiatamente*) to guffaw. – **sghignazzata** *f.* **1.** (*lo sghignazzare*) sarcastic (*o* sardonic) laughter, sneering. – **2.** (*risata sguaiata*) guffaw, loud laugh, hoot. ☐ *fare una* ~ → sghignazzare. – **sghignazzio** *m.* ⟨*non com*⟩ sarcastic (*o* scornful) laughter, sneering.
sghilembo *a.* ⟨*tosc*⟩ crooked, twisted.
sghimbescio *a.* **1.** (*storto*) crooked. – **2.** (*obliquo*) oblique, slanted, aslant, askew. ☐ *a* (o *di*) ~: 1. (*storto*) crookedly: *camminare a* ~ to walk crookedly; 2. (*obliquamente*) obliquely, on the slant, askew.

sghiribịzzo *m.* (*ghiribizzo*) whim, fancy, caprice.

s.g.m., S.G.M. = *sue gentili* (o *graziose*) *mani* to be delivered into his (*o* her) own hands, personal for addressee.

sgnaccạre *v.t.* (sgnạcco, sgnạcchi) **1.** ⟨*region*⟩ (*schiacciare*) to crush. – **2.** ⟨*mil*⟩ (*mettere, cacciare*) to put, to throw: ~ *dentro* (o *in prigione*) to put (*o* throw) in jail.

sgobbạre *v.i.* (sgọbbo; *aus.* avere) ⟨*fam*⟩ **1.** to work hard, to toil, ⟨*fam*⟩ to slave, ⟨*fam*⟩ to slog, ⟨*fam*⟩ to kill o.s. – **2.** ⟨*scol*⟩ to study hard, to pore over one's books, ⟨*fam*⟩ to swot, ⟨*fam*⟩ to grind. – **sgobbạta** *f.* ⟨*fam*⟩ **1.** drudgery, ⟨*fam*⟩ slavery. – **2.** ⟨*scol*⟩ hard studying, ⟨*fam*⟩ swotting, ⟨*fam*⟩ grind. □ *fare una* ~ to put one's nose to the grindstone. – **sgọbbo** *m.* ⟨*fam*⟩ **1.** drudgery, ⟨*fam*⟩ slavery, ⟨*fam*⟩ grind. – **2.** ⟨*scol*⟩ hard studying, ⟨*fam*⟩ swotting, ⟨*fam*⟩ grind. □ *lavoro di* ~ drudgery. – **sgobbọne** *m.* (*f.* -a) ⟨*fam,spreg*⟩ **1.** hard worker, plodder, ⟨*fam*⟩ slogger. – **2.** ⟨*scol*⟩ zealous student, ⟨*fam*⟩ swot, ⟨*fam*⟩ grind.

sgocciolamẹnto *m.* ⟨*non com*⟩ **1.** (*lo sgocciolare*) dripping. – **2.** (*rumore*) dripping (noise). – **sgocciolạre** *v.* (sgọcciolo) **I** *v.t.* **1.** to (let) drip. – **2.** (*vuotare*) to drain, to empty to the last drop. – **3.** ⟨*fig*⟩ (*bere fino all'ultima goccia*) to drain, to down. – **II** *v.i.* (*aus.* essere/avere) **1.** to drip, to trickle. – **2.** (*vuotarsi*) to drain.

sgocciolatọio *m.* **1.** drainer. – **2.** (*scolapiatti*) draining-board. – **3.** (*recipiente*) drip(ping)-pan, drip trough (*o* tank, tray). – **4.** ⟨*Fot*⟩ drip tray, drainer, drying frame (*o* rack). – **5.** ⟨*Chim*⟩ drip tray (*o* pan). – **6.** ⟨*Edil*⟩ drip, dripstone. – **sgocciolatụra** *f.* **1.** (*lo sgocciolare*) dripping. – **2.** (*gocce cadute*) drippings *pl*, drops *pl.* – **3.** (*macchia*) spot, stain (from drippings). – **4.** (*residuo di liquido*) dregs *pl*, last drops *pl.* □ ⟨*fam*⟩ *la* ~ *va ai belli di natura* the last drops are for the most handsome. – **sgocciolịo** *m.* dripping. – **sgọcciolo** *m.* (*sgocciolatura*) dripping. □ ⟨*fig*⟩ *essere agli -i* to be (*o* have) nearly finished.

sgolamẹnto *m.* ⟨*fam,non com*⟩ yelling. – **sgolạrsi** *v.r.* (mi sgọlo) **1.** to yell (*o* shout, bawl) o.s. hoarse; (*cantando*) to sing o.s. hoarse. – **2.** (*parlare molto e a lungo*) to talk o.s. hoarse. – **sgolạto** *a.* ⟨*Zootecn*⟩ having a small dewlap.

sgomberạre *v.* (sgọmbero) **I** *v.t.* **1.** (*evacuare un luogo*) to evacuate: *è stato emanato l'ordine di* ~ *la zona* the order to evacuate the zone has been issued. – **2.** (*lasciare libero un appartamento*) to vacate, to move out of: *devo* ~ *l'appartamento alla fine del mese* I have to vacate the flat at the end of the month. – **II** *v.i.* (*aus.* avere) to move: *in due anni abbiamo sgomberato ben tre volte* we have moved three times in two years. – **sgomberatọre** *m.* (*f.* -trice) ⟨*non com*⟩ **1.** (*chi sgombera*) person leaving. – **2.** (*chi fa sgomberi*) mover. – **sgomberatụra** *f.* ⟨*non com*⟩ **1.** (*il cambiar casa*) moving (house). – **2.** (*spese di trasloco*) moving (*o* removal) expenses *pl.*

sgọmbero[1] *m.* **1.** (*trasloco*) move, removal: *il prossimo* ~ *mi preoccupa molto* I am very worried about the coming move; (*spese di trasloco*) moving (*o* removal) expenses *pl.* – **2.** (*lo sbarazzare*) clearing (out), emptying; (*rif. a tavoli e sim.*) clearing (off). – **3.** ⟨*Mil*⟩ (*rif. a luoghi*) abandoning of a position. □ *fare lo* ~ to move; ⟨*Mil*⟩ ~ *dei feriti* evacuation of the wounded.

sgọmbero[2] *a.* → sgombro[1].

sgombranẹve *m.inv.* ⟨*Strad*⟩ snow-plough. □ ~ *ferroviario* (railway) snow-plough; ~ *a turbina* rotary snow-plough.

sgombrạre *v.* (sgọmbro) **I** *v.t.* **1.** (*liberare da ciò che ingombra*) to clear: ~ *la strada dalle macerie* to clear the street of rubble; ~ *il tavolo* to clear the table; (*vuotare*) to empty: ~ *un cassetto* to empty a drawer. – **2.** (*evacuare*) to clear, to leave: *i dimostranti furono invitati a* ~ *la piazza* the demonstrators were asked to clear the square. – **3.** (*lasciare libero un appartamento*) to move out, to vacate: *domani sgombriamo il villino* tomorrow we are moving out of the house. – **4.** (*portar via ciò che ingombra*) to clear away, to carry away: *il vento ha sgombrato le nuvole* the wind cleared the clouds away. – **5.** ⟨*fig*⟩ (*liberare*) to clear, to free: ~ *l'animo dai pregiudizi* to clear the mind of prejudice. – **6.** ⟨*Mil*⟩ to evacuate. – **II** *v.i.* (*aus.* avere) to move. □ ⟨*Mil*⟩ ~ *i feriti* to evacuate the wounded; ⟨*Mar*⟩ ~ *il ponte* to clear the deck.

sgọmbridi *m.pl.* ⟨*Itt*⟩ (*scombridi*) scombrids *pl* (*Scombridae*).

sgọmbro[1] **I** *a.* **1.** clear; (*vuoto*) empty: *la stanza è -a* the room is empty. – **2.** ⟨*fig*⟩ free: *avere l'animo* ~ *da timori* to be free from fear. – **II** *s.m.* → sgombero[1]. □ *avere la mente -a dai pregiudizi* to have a mind free from prejudice.

sgọmbro[2] *m.* ⟨*Itt*⟩ (*scombro*) mackerel (*Scomber scomber*; *Scomber scombrus*).

sgomentạre *v.t.* (sgomẹnto) **1.** to dismay, to plunge into consternation, to daunt, to frighten. – **2.** ⟨*iperb*⟩ to terrify, to appal. – **sgomentarsi** *v.r.* to be dismayed (*o* daunted), to take fright. – **sgomentạto** (*p.p. di sgomentare*) *a.* dismayed, appalled, daunted, frightened. – **sgomẹnto I** *s.m.* **1.** dismay, consternation. – **2.** ⟨*iperb*⟩ (*cosa noiosa*) nuisance. – **3.** ⟨*non com*⟩ (*rif. a persone*) horror, fright. – **II** *a.* → sgomentato.

sgominạre *v.t.* (sgọmino) **1.** to rout, to put to flight: ~ *il nemico* to rout the enemy. – **2.** ⟨*ant*⟩ (*scompigliare*) to throw into disorder. – **sgominịo** *m.* ⟨*non com*⟩ utter confusion, disorder.

sgomitolạre *v.t.* (sgomịtolo) **1.** to unwind. – **2.** ⟨*fig,ant*⟩ to tell in a methodical manner. – **sgomitolarsi** *v.r.* to unwind.

sgommạre *v.t.* (sgọmmo) **1.** to remove the gum from. – **2.** ⟨*Tess*⟩ to degum, to scour, to ungum. – **sgommarsi** *v.r.* to lose gum. – **sgommạto** (*p.p. di sgommare*) *a.* **1.** not gummed, with no gum on it. – **2.** (*rif. ad autoveicoli*: *privo di gomme*) tyreless; (*con le gomme consumate*) with worn-out (*o* smooth) tyres. – **sgommatụra** *f.* ⟨*Tess*⟩ degumming, scouring, ungumming.

sgonfiamẹnto *m.* **1.** (*lo sgonfiare*) deflating, deflation. – **2.** (*lo sgonfiarsi*) deflating, deflation; (*rif. a pneumatici e sim.*) going flat.

sgonfiạre[1] *v.* (sgọnfio, sgọnfi) **I** *v.t.* **1.** to deflate, to let the air out of. – **2.** ⟨*fig*⟩ (*abbassare, reprimere*) to deflate, to puncture, to bring (*o* take) down: ~ *la boria di qd.* to deflate s.o.'s ego. – **3.** ⟨*fam*⟩ (*far passare il gonfiore*) to reduce (*o* bring down) the swelling of. – **4.** ⟨*fam*⟩ (*seccare*) to bother, to annoy. – **II** *v.i.* (*aus.* essere) to go down. – **sgonfiarsi** *v.r.* **1.** to deflate, to go flat (*o* down), to flatten. – **2.** (*perdere il gonfiore*) to go down. – **3.** ⟨*fig*⟩ (*perdere la boria*) to be deflated (*o* less conceited), ⟨*fam*⟩ to be taken down a peg or two: *al primo insuccesso si è sgonfiato* at his first failure he was deflated.

sgonfiạre[2] *v.i.* (sgọnfio, sgọnfi; *aus.* avere) ⟨*Sart*⟩ to (form a) puff.

sgonfiạto (*p.p. di sgonfiare*[1]) *a.* **1.** deflated, flat; (*rif. a pneumatici*) flat. – **2.** ⟨*Med*⟩ gone down, reduced. – **3.** ⟨*fig*⟩ (*ridimensionato*) less conceited, deflated, taken down a peg or two. – **sgonfiatụra** *f.* → sgonfiamento.

sgonfiẹtto *m.* → sgonfiotto.

sgọnfio[1] *a.* → sgonfiato.

sgọnfio[2] *m.* ⟨*Sart*⟩ puff.

sgonfiọtto *m.* **1.** ⟨*Dolc*⟩ puff. – **2.** ⟨*Sart*⟩ puff.

sgonnellạre *v.i.* (sgonnẹllo; *aus.* avere) **1.** (*affaccendarsi*) to bustle about. – **2.** (*andare in giro per mettersi in mostra*) to gad about, to draw attention to o.s. – **3.** (*ancheggiare*) to sway one's hips. – **sgonnellọna** *f.* ⟨*tosc*⟩ gadabout.

sgoratụra *f.* ⟨*tosc*⟩ (*macchia*) faint mark (*o* streak).

sgọrbia *f.* ⟨*Fal,Chir*⟩ gouge. □ ~ *piatta* gouge, flat scorper; ~ *triangolare* corner chisel.

sgorbiạre *v.t.* (sgọrbio, sgọrbi) **1.** (*macchiare*) to blot, to stain. – **2.** (*scarabocchiare*) to scribble on, to scrawl over. – **sgorbiatọre** *m.* (*f.* -trice) ⟨*non com*⟩ **1.** blotter. – **2.** (*chi fa scarabocchi*) scribbler, scrawler. – **sgorbiatụra** *f.* **1.** scribble, scrawl. – **2.** (*macchia*) blot, stain. – **sgọrbio** *m.* **1.** blot. – **2.** (*scarabocchio*) scribble, scrawl. – **3.** (*disegno malfatto*) daub. – **4.** ⟨*fig*⟩ (*persona brutta*) ugly person, ⟨*fam*⟩ fright: *uno* ~ *di ragazza* a fright of a girl.

sgorgamẹnto *m.* ⟨*non com*⟩ gushing (out), spouting, spurting.

sgorgạre *v.* (sgọrgo, sgọrghi) **I** *v.i.* (*aus.* essere) **1.** to gush (out), to spout, to spurt. – **2.** ⟨*fig*⟩ (*uscire in gran copia*) to flow (*o* pour) out: *le lacrime le sgorgavano dagli occhi* tears ⌜poured from⌝ (*o* welled up in) her eyes; (*uscire*) to spring, to pour out, to burst: *parole che sgorgano dal cuore* words that spring from the heart. – **3.** ⟨*ant*⟩ (*sfociare*) to flow. – **II** *v.t.* ⟨*non com*⟩ (*far sboccare*) to pour out, to disgorge.

sgọrgo *m.* (*pl.* -ghi) ⟨*non com*⟩ gush, flow: ~ *di sangue* gush of blood. □ *a* ~ copiously, in profusion, freely.

sgottạre *v.t.* (sgọtto) ⟨*mar*⟩ to bail.

sgovernạre *v.t.* (sgovẹrno) ⟨*lett*⟩ **1.** to misgovern, to misrule. – **2.** ⟨*assol*⟩ to govern badly. – **sgovẹrno** *m.* **1.** misgovernment. – **2.** (*malgoverno*) bad government.

sgozzamẹnto *m.* ⟨*non com*⟩ throat-cutting. – **sgozzạre** *v.t.* (sgọzzo) **1.** to cut (*o* slit) the throat of. – **2.** (*macellare*) to butcher, to slaughter. – **3.** (*trucidare*) to slaughter. – **4.** ⟨*fig*⟩ (*fare condizioni da strozzino*) to bleed, ⟨*fam*⟩ to fleece, ⟨*fam*⟩ to rook. □ ⟨*ant*⟩ *non* ~ (*non riuscire a dimenticare*) not to forget. – **sgozzatọre** *m.* (*f.* -trice) ⟨*non com*⟩ **1.** throat-cutter, cut-throat; (*trucidatore*) butcher. – **2.** ⟨*fig*⟩ usurer. – **sgozzatụra** *f.* ⟨*rar*⟩ **1.** throat-cutting; (*il macellare, il trucidare*) slaughter. – **2.** ⟨*fig*⟩ bleeding, ⟨*fam*⟩ fleecing, ⟨*fam*⟩ rooking.

sgradẹvole *a.* unpleasant, disagreeable, displeasing: *un odore* ~ an unpleasant smell. – **sgradevolẹzza** *f.* unpleasantness, disagreeableness. – **sgradevolmẹnte** *avv.* unpleasantly, disagreeably.

sgradịre *v.* (sgradịsco, sgradịsci) **I** *v.t.* not to appreciate (*o* welcome); (*rifiutare*) to refuse. – **II** *v.i.* (*aus.* avere) ⟨*non com*⟩ **1.** (*recar noia*) to be a nuisance (*o* trouble). – **2.** (*dispiacere*) to be displeasing (*o* unpleasant), not to please. – **sgradịto** (*p.p. di sgradire*) *a.* **1.** unwelcome, unwanted, undesirable: *una visita -a* an unwelcome visit. – **2.** (*spiacevole*) unpleasant, disagreeable, displeasing: *una notizia -a* unpleasant (*o* bad) news.

sgrạffa *f.* ⟨*Tip,non com*⟩ (*graffa*) brackets *pl.*

sgraffiamẹnto *m.* ⟨*non com*⟩ **1.** scratching. – **2.** (*graffio*) scratch. – **sgraffiạre** *v.t.* (sgrạffio, sgrạffi) ⟨*pop*⟩ **1.** (*graffiare*) to scratch. – **2.** (*rubare*) to steal, ⟨*fam*⟩ to pinch. – **sgraffiatụra** *f.* ⟨*pop*⟩ (*graffiatura*) scratch.

sgraffignạre *v.t.* ⟨*pop*⟩ **1.** (*portar via*) to take. – **2.** (*rubare*) to steal, to pilfer, to filch, ⟨*fam*⟩ to pinch.

sgrạffio *m.* **1.** ⟨*pop*⟩ (*graffio*) scratch. – **2.** ⟨*Art*⟩ (s)graffito knife. □ *disegno* (o *decorazione*) *a* ~ sgraffito, graffito.

sgrammaticạre *v.i.* (sgrammạtico, sgrammạtichi; *aus.* avere) to make grammatical errors, to use bad grammar. – **sgrammaticạto** (*p.p. di sgrammaticare*) *a.* **1.** ungrammatical. – **2.** (*che contiene errori di grammatica*) ungrammatical, containing grammatical errors. – **sgrammaticatụra** *f.* grammatical error.

sgranamẹnto *m.* **1.** husking. – **2.** (*sbucciatura*) shelling, hulling.

sgranạre[1] *v.t.* **1.** (*staccare i grani*) to shell: ~ *il granoturco* to shell maize. – **2.** (*sbucciare*) to shell, to hull: ~ *i piselli* to shell peas. – **3.** ⟨*fam*⟩ (*pregare*) to say, ⟨*fam*⟩ to rattle off: ~ *il rosario* to say the rosary, to tell one's beads. □ ~ *gli occhi* (o *tanto d'occhi*) to open one's eyes wide.

sgranare[2] *v.t.* **1.** to crumble. – **2.** ⟨*Tess*⟩ to gin. – **3.** ⟨*fam*⟩ (*mangiare con avidità*) to devour, to gobble (up). – **4.** ⟨*Mecc*⟩ to disengage, to slip (out). – **sgranarsi** *v.r.* **1.** to crumble. – **2.** ⟨*Mecc*⟩ to disengage, to slip (out): *si è sgranata la marcia* the gear slipped. □ *mi si è sgranata la chiusura lampo* my zipper broke.

sgranato[1] (*p.p. di sgranare*[1]) *a.* **1.** (*senza grani*) shelled. – **2.** (*senza buccia*) shelled, hulled. □ *occhi -i* wide-open eyes.

sgranato[2] (*p.p. di sgranare*[2]) *a.* **1.** crumbled. – **2.** ⟨*Tess*⟩ ginned. – **3.** ⟨*Mecc*⟩ slipped.

sgranatoio *m.* **1.** ⟨*Agr*⟩ sheller. – **2.** ⟨*Tess*⟩ (*sgranatrice*) cotton gin.

sgranatore[1] **I** *s.m.* (*f.* **-trice**) sheller. – **II** *a.* shelling.

sgranatore[2] *m.* (*f.* **-trice**) ⟨*fam*⟩ (*chi mangia molto*) big (*o* hearty) eater, gourmand, good trencher-man.

sgranatrice *f.* **1.** ⟨*Agr*⟩ maize (*o* corn) sheller. – **2.** ⟨*Tess*⟩ cotton gin. – **sgranatura** *f.* **1.** husking. – **2.** (*sbucciatura*) shelling, hulling. – **3.** ⟨*Tess*⟩ ginning.

sgranchiare *v.* (**sgranchio, sgranchi**) ⟨*ant,region*⟩ → **sgranchire**. – **sgranchire** *v.t.* (**sgranchisco, sgranchisci**) to stretch. – **sgranchirsi** *v.r.* to stretch (o.s.). □ *sgranchirsi le gambe* (*fare due passi*) to stretch one's legs.

sgranellamento *m.* ⟨*rar*⟩ pulling off the bunch. – **sgranellare** *v.t.* (**sgranello**) to pull off the bunch. – **sgranellarsi** *v.r.* ⟨*non com*⟩ (*frantumarsi*) to crumble, to break up. – **sgranellatura** *f.* pulling off the bunch.

sgranocchiare *v.t.* (**sgranocchio, sgranocchi**) to munch: ~ *biscotti* to munch biscuits.

sgrappare *v.t.* ⟨*region*⟩ (*strappare*) to tear (off).

sgrappolare *v.t.* (**sgrappolo**) ⟨*Agr*⟩ to separate from the stalks. – **sgrappolatoio** *m.*, **sgrappolatrice** *f.* grating for separating grapes from their stalks.

sgrassaggio, sgrassamento *m.* removal of grease (*o* fat). – **sgrassante** (*p.pr. di sgrassare*) **I** *a.* **1.** degreasing. – **2.** ⟨*Tess*⟩ scouring. – **II** *s.m.* **1.** degreasing agent, degreaser. – **2.** ⟨*Tess*⟩ scouring (*o* degreasing) agent.

sgrassare *v.t.* **1.** (*togliere il grasso*) to remove the grease (*o* fat) from; (*schiumando*) to skim (the fat off): ~ *il brodo* to skim the broth. – **2.** (*togliere macchie di grasso*) to remove grease spots from. – **3.** ⟨*Tess*⟩ to degrease. – **sgrassatore** *m.* (*f.* **-trice**) ⟨*Ind,Tess*⟩ degreaser. – **sgrassatura** *f.* **1.** degreasing (operation). – **2.** ⟨*Tess*⟩ degreasing, scouring.

sgravamento *m.* ⟨*non com*⟩ → **sgravio**.

sgravare **I** *v.t.* ⟨*non com*⟩ **1.** (*alleggerire*) to lighten. – **2.** ⟨*fig*⟩ to relieve, to ease (*da, di* of), to free (from), to take: ~ *qd. da una responsabilità* to relieve s.o. of a responsibility; ~ *qd. da un onere* to take a load off s.o. – **3.** (*rif. a oneri fiscali*) to relieve (of), to free (from). – **4.** ⟨*fig*⟩ (*rendere meno pesante*) to lessen, to lighten. – **II** *v.i.* (*aus.* **avere**) (*partorire*: *rif. a donne*) to give birth, to be delivered of a child; (*rif. ad animali*) to give birth, to have young. – **sgravarsi** *v.r.* **1.** (*liberarsi*) to free o.s., to relieve o.s.: *sgravarsi di un rimorso* to free o.s. of remorse. – **2.** (*partorire*: *rif. a donne*) to give birth, to be delivered of a child; (*rif. ad animali*) to give birth, to have young.

sgravatore *m.* (*f.* **-trice**) **1.** ⟨*rar*⟩ reliever, easer. – **2.** ⟨*Stor*⟩ tax appeals officer.

sgravidare *v.i.* (**sgravido**; *aus.* **avere**) ⟨*ant*⟩ (*partorire*) to give birth, to be delivered of a child.

sgravio *m.* **1.** lightening. – **2.** (*rif. a imposte e sim.*) relief: ~ *fiscale* tax relief. – **3.** ⟨*fig*⟩ (*liberazione*) liberation, freeing, alleviation, relief, easing. □ *a* (*o per*) ~ *di* to avoid, to get out of: *a* ~ *di responsabilità devo avvertire la polizia* to get out of the responsibility I must inform the police; *per* ~ *di coscienza* for conscience's sake, to ease one's conscience.

sgraziataggine *f.* **1.** clumsiness, awkwardness, gracelessness. – **2.** (*sgarbatezza*) ungraciousness, uncouthness. – **sgraziatamente** *avv.* **1.** (*privo di grazia*) clumsily, awkwardly, ungracefully, gracelessly. – **2.** (*privo di garbo*) ungraciously, uncouthly, rudely. – **3.** ⟨*ant*⟩ (*sfortunatamente*) unluckily, unfortunately. – **sgraziato** *a.* **1.** clumsy, awkward, ungraceful, ungainly, graceless: *ha un personale* ~ she has a graceless figure. – **2.** (*privo di garbo*) ungracious, uncouth, rude, graceless. – **3.** ⟨*ant*⟩ (*sfortunato*) unlucky.

sgretolamento *m.* shattering, crumbling, smashing. – **sgretolare** *v.t.* (**sgretolo**) **1.** to shatter, to crumble, to smash (to pieces). – **2.** ⟨*non com*⟩ (*scricchiolare*) to crunch; (*rif. a denti*) to grind. – **3.** ⟨*fig*⟩ to demolish, to undermine: ~ *gli argomenti dell'avversario* to demolish an opponent's arguments. – **sgretolarsi** *v.r.* to crumble, to fall to pieces, to break up: *una pietra che si sgretola facilmente* a rock that crumbles easily. – **sgretolato** (*p.p. di sgretolare*) *a.* smashed, shattered, crushed, broken up; (*rovinato*) crumbling. □ *intonaco* ~ chipped plaster. – **sgretolio** *m.* **1.** shattering, crumbling, smashing. – **2.** (*rumore*) crunching, grinding.

sgriccio *m.* ⟨*Ornit*⟩ (*pigliamosche*) spotted fly-catcher (*Muscicapa striata*).

sgricciolo *m.* ⟨*Ornit*⟩ (*scricciolo*) wren (*Troglodytes troglodytes*).

sgridare *v.t.* **1.** (*rimproverare*) to scold, to rebuke, ⟨*lett*⟩ to chide, ⟨*fam*⟩ to tell off. – **2.** ⟨*ant*⟩ (*parlare concitamente*) to shout at. – **sgridata** *f.* scolding, ⟨*fam*⟩ lecture, ⟨*fam*⟩ telling-off: *prendersi una bella* ~ to get a good telling-off.

sgrigiolare *v.i.* (**sgrigiolo**; *aus.* **avere**) ⟨*rar*⟩ (*scricchiolare*) to crunch. – **sgrigiolio** *m.* ⟨*rar*⟩ (*scricchiolio*) crunching.

sgrigliatore *m.* ⟨*Idr*⟩ grate cleaner.

sgrigliolare *v.* (**sgrigliolo**) ⟨*tosc*⟩ → **sgrigiolare**.

sgrillettare *v.i.* (**sgrilletto**; *aus.* **avere**) to sizzle, to fry, to sputter, to spit.

sgrinfia *f.* ⟨*pop*⟩ (*grinfia*) claw.

sgrollare *v.t.* (**sgrollo**) ⟨*region*⟩ (*scrollare*) to shake. – **sgrollo** *m.* ⟨*region*⟩ (*scrollo*) shake.

sgrommare *v.t.* (**sgrommo**) to cleanse (of incrustation), to scrape. – **sgrommatura** *f.* **1.** cleansing (of incrustation), scraping. – **2.** (*concrezione*) incrustation.

sgrondare *v.* (**sgrondo**) **I** *v.i.* (*aus.* **avere**) **1.** to drain, to drip. – **2.** ⟨*non com*⟩ (*grondare*) to be dripping (wet). – **3.** ⟨*non com*⟩ (*cader giù a grosse gocce*) to pour (down). – **II** *v.t.* (*far scolare*) to drain, to let drip. – **sgrondatore** *m.* ⟨*Enol*⟩ demuster. – **sgrondatura** *f.* dripping. – **sgrondo** *m.* **1.** dripping. – **2.** (*acqua che cade*) (drops *pl* of) water. □ *mettere* (*o tenere*) *a* ~ to drain, to leave to drip; *tetto a* ~ (*spiovente*) sloping roof.

sgroppare[1] *v.t.* (**sgroppo**) (*sciogliere un groppo, un nodo*) to untie, to undo. – **sgropparsi** *v.r.* (*rif. a membra*: *distendersi*) to stretch (o.s.).

sgroppare[2] *v.* (**sgroppo**) **I** *v.t.* **1.** to break the back of. – **2.** (*stancare*) to wear out. – **II** *v.i.* (*aus.* **avere**) to buck. – **sgroppata** *f.* **1.** (*l'inarcare la groppa*) buck(ing), buck jump. – **2.** (*cavalcata*) short gallop. – **3.** ⟨*Sport*⟩ (*nelle corse*) spurt; (*nel calcio*) fast raid on the wings. – **sgroppato** (*p.p. di sgroppare*[2]) *a.* hollow-flanked.

sgropponare *v.i.* (**sgroppono**; *aus.* **avere**), **sgropponarsi** *v.r.* ⟨*pop*⟩ to fag, to drudge, ⟨*fam*⟩ to slog, ⟨*fam*⟩ to break one's back. – **sgropponata** *f.* ⟨*pop*⟩ drudgery, fag, back-breaking work. □ *fare una* ~ → **sgropponare**.

sgrossamento *m.* **1.** rough-shaping, rough-casting, rough-hewing. – **2.** (*abbozzo*) (rough) draft, outline. – **3.** ⟨*fig*⟩ (*dirozzamento*) refinement, polishing.

sgrossare *v.t.* (**sgrosso**) **1.** (*rendere meno grosso, assottigliare*) to cut (*o* whittle) down. – **2.** (*dare la prima mano, abbozzare*) to rough-cast, to rough-hew, to rough-shape: ~ *un blocco di marmo* to rough-shape a block of marble. – **3.** ⟨*fig*⟩ (*insegnare i primi rudimenti*) to teach the rudiments to. – **4.** ⟨*tecn*⟩ to rough. – **sgrossarsi** *v.r.* (*dirozzarsi*) to become more refined, to acquire polish (*o* better manners). □ ~ *alla fresatrice* to rough-mill; ~ *al laminatoio* to rough-roll; ~ *alla pialla* to rough-plane; ~ *alla rettificazione* to rough-grind; ~ *al tornio* to rough-turn.

sgrossatore *m.* **1.** rougher. – **2.** ⟨*Scult*⟩ rough-hewer, mason who does boasting. – **sgrossatura** *f.* **1.** (*lo sgrossare*) cutting (*o* whittling) down. – **2.** (*il dare la prima mano*) rough-shaping, rough-casting, rough-hewing. – **3.** ⟨*tecn*⟩ roughing.

sgrottare *v.* (**sgrotto**) ⟨*ant*⟩ **I** *v.t.* (*scavare*) to excavate, to burrow. – **II** *v.i.* (*aus.* **avere**) ⟨*rar*⟩ to excavate.

sgrovigliare *v.t.* (**sgroviglio, sgrovigli**) to unravel (*anche fig.*): ~ *una situazione complessa* to unravel a difficulty, to clear up confusion. – **sgrovigliolare** *v.* (**sgrovigliolo**) ⟨*non com*⟩ → **sgrovigliare**.

sgrugnare *v.t.* ⟨*volg*⟩ (*rompere il muso*) to punch in the face, ⟨*fam*⟩ to bash in the face of. – **sgrugnarsi** *v.r.* to injure one's face, ⟨*fam*⟩ to injure (*o* smash) one's face. – **sgrugnata** *f.*, **sgrugno** *m.* ⟨*volg*⟩ blow in the face, punch on the nose. □ *dare una* ~ *sulla ringhiera* to hit one's face against the banister.

sgrullare *v.t.* ⟨*region*⟩ (*scrollare*) to shake. – **sgrullata** *f.* ⟨*region*⟩ (*scrollata*) (quick) shake. – **sgrullone** *m.* ⟨*region*⟩ **1.** (*scroscio di pioggia*) heavy shower, downpour, cloudburst. – **2.** (*scossone*) shake.

sgrumare *v.* → **sgrommare**.

sgruppare *v.t.* **1.** → **sgroppare**[1]. – **2.** ⟨*non com*⟩ (*separare un gruppo*) to break up; (*rif. a persone*) to separate from a group.

sguaiataggine *f.* **1.** (*l'essere sguaiato*) coarseness, uncouthness, unseemliness, vulgarity. – **2.** (*azione sguaiata*) coarse behaviour, vulgarity. – **sguaiatamente** *avv.* **1.** coarsely, uncouthly. – **2.** (*sfacciatamente*) shamelessly, impudently, vulgarly. – **sguaiato** **I** *a.* **1.** (*rif. a persone*) coarse, uncouth, vulgar. – **2.** (*rif. a cose*) coarse, uncouth, unseemly, unbecoming, vulgar: *risata -a* coarse laugh. – **II** *s.m.* (*f.* **-a**) boor, coarse person, vulgarian.

sguainare *v.t.* (**sguaino**) to unsheathe, to draw: ~ *la spada* to unsheathe one's sword. □ ⟨*fig*⟩ ~ *le unghie* (*o gli artigli*) to show (*o* bare, unsheathe) one's claws. – **sguainato** (*p.p. di sguainare*) *a.* drawn, unsheathed: *con la spada -a* with drawn sword.

sgualcire *v.t.* (**sgualcisco, sgualcisci**) **1.** to crumple, to crease, to crush: ~ *un foglio* to crumple a sheet of paper. – **2.** (*rif. a vestiti*) to wrinkle, to crease. – **sgualcirsi** *v.r.* to wrinkle, to crease: *sgualcirsi la gonna* to wrinkle one's skirt. – **sgualcito** (*p.p. di sgualcire*) *a.* **1.** crumpled, creased, crushed: *giornale* ~ crumpled newspaper. – **2.** (*rif. a vestiti*) wrinkled, creased. – **sgualcitura** *f.* **1.** (*atto*) crumpling, creasing, crushing; (*rif. a vestiti*) wrinkling, creasing. – **2.** (*effetto*) crease; (*rif. a vestiti*) wrinkle, crease.

sgualdrina *f.* ⟨*spreg*⟩ trollop, strumpet, harlot, ⟨*fam*⟩ tart. – **sgualdrinella** (*dim. di sgualdrina*) *f.* ⟨*spreg*⟩ young trollop, hussy.

sguancia *f.* (*pl.* **-ce**) ⟨*Equit*⟩ cheek-piece. – **sguanciare** *v.i.* (**sguancio, sguanci**; *aus.* **avere**) ⟨*ant*⟩ **1.** (*battere con la guancia*) to strike with one's cheek. – **2.** (*urtare di striscio*) to scrape. – **sguancio** *m.* **1.** (*obliquità*) obliqueness, obliquity, slant. – **2.** (*linea, struttura obliqua*) oblique line. – **3.** ⟨*Arch*⟩ (*sguincio*) splay, splayed jamb. □ *a* ~ obliquely, on the slant.

sguardare ⟨*ant*⟩ **I** *v.t.* **1.** (*guardare*) to look at, to gaze at, to stare at. – **2.** ⟨*fig*⟩ (*considerare*) to consider. – **II** *v.i.* (*aus.* **avere**) to look, to stare, to gaze. – **sguardata** *f.* ⟨*ant*⟩ (*sguardo*) look, glance.

ṣguạrdia *f.* ⟨*Legat*⟩ flyleaf, inner endpaper.
ṣguạrdo *m.* **1.** look, glance: ~ *penetrante* piercing look. – **2.** (*vista, occhi*) eyes *pl*: *abbassare lo* ~ to lower one's eyes, to look down. – **3.** (*capacità visiva*) eye(s) *pl*: *fin dove arriva lo* ~ as far as the eye can see. – **4.** (*veduta, vista*) view.
□ **al** *primo* ~ at the first glance; (*a prima vista*) at first sight, immediately; *cercare qd.* **con** *lo* ~ to look around for s.o.; **dare** *uno* ~ to have a look, to take a glance (*o* look): *dai uno* ~ *a questa lettera* just have a look at this letter; *non* **degnare** *qd. di uno* ~ (*disprezzarlo*) to not so much as glance at s.o., to ignore s.o.; **distogliere** *lo* ~ *da qd.* to look away from s.o., to take one's eyes off s.o.; **evitare** *lo* ~ *di qd.* to avoid s.o.'s eyes; **fissare** *lo* ~ *su qc.* to fix one's eyes on s.th., to gaze at s.th.; ~ **fisso** stare; *tenere lo* ~ *fisso su qc.* to stare at s.th.; **gettare** *uno* ~ to glance, to give a look: *gettare uno* ~ *d'odio a qd.* to give s.o. a look of hatred; ~ **d'insieme** overall view; ~ **panoramico** panoramic view; **rispondere** *allo* ~ *di qd.* to meet s.o.'s eyes (*o* gaze); *occhi* **senza** ~ dull (*o* unseeing, expressionless) eyes, blank look; **sollevare** *lo* ~ to look up, to raise one's eyes.
ṣguarnịre *v.t.* (**ṣguarnịsco, ṣguarnịsci**) **1.** (*privare di difesa*) to strip of defences, to dismantle, to leave undefended: ~ *una fortezza* to dismantle a fort; (*togliere la guarnigione*) to withdraw the garrison from. – **2.** (*privare di ornamenti*) to take the trimmings off, to strip. – **3.** ⟨*mar*⟩ to unrig, to strip. – **ṣguarnịto** (*p.p. di sguarnire*) *a.* **1.** dismantled; (*privo di difesa*) defenceless, left undefended. – **2.** (*privo di guarnizioni*) untrimmed, plain, stripped of trimmings. – **3.** ⟨*mar*⟩ unrigged, stripped.
ṣguạttero *m.* (*f.* **-a**) scullery-boy (*f* -maid), dishwasher. □ ⟨*fam*⟩ *fare lo* ~ (*fare un lavoro umile*) to do all the dirty work, to be a dogsbody; *fare lo* ~ *a tutta la famiglia* to wait on the whole family; *trattare qd.* ⌜*come uno*⌝ (*o da*) ~ to treat s.o. like dirt (*o* mud).
ṣguazzạre I *v.i.* (*aus.* **avere**) **1.** to splash about: ~ *nell'acqua* to splash about in the water; (*nel fango e sim.*) to wallow, to welter. – **2.** ⟨*fig*⟩ (*trovarsi a proprio agio*) to feel at home, to be in one's element: *nel freddo io ci sguazzo* I'm in my element in the cold. – **3.** ⟨*fig*⟩ (*stare largo*: *rif. a vestiti, scarpe*) to be lost, to swim: ~ *in un vestito* to swim in a dress. – **4.** ⟨*fig*⟩ (*disporre largamente di mezzi*) to be very well-off, ⟨*fam*⟩ to be rolling (*o* wallowing) in money. – **5.** (*rif. a liquidi*: *sbattere*) to splash (about). – **6.** ⟨*ant*⟩ (*godersela, divertirsi*) to enjoy o.s., to have a good time. – **II** *v.t.* ⟨*rar*⟩ (*scialacquare, dissipare*) to squander, to waste. □ ⟨*fig*⟩ ~ *nell'abbondanza* to wallow in plenty; ⟨*fig*⟩ ~ *nell'oro* to be rolling in money, ⟨*fam*⟩ to be loaded. – *Prov.*: *chi sguazza le feste, stenta il dì del lavoro* if you let rip on a holiday, you'll pay for it when you go back to work.
ṣgụbbia *f.* ⟨*pop*⟩ → **sgorbia**.
ṣguerciạre *v.t.* (**ṣguẹrcio, ṣguẹrci**) ⟨*non com*⟩ **1.** (*far diventare guercio*) to cause to squint. – **2.** (*rovinare la vista*) to ruin the eyesight of. – **sguerciarsi** *v.r.* to ruin one's eyes (*o* eyesight). – **ṣguercịre** *v.* (**ṣguercịsco, ṣguercịsci**) → **sguerciare**.
ṣguerguẹnza *f.* ⟨*tosc*⟩ (*atto, parole poco educati*) rudeness, impoliteness. □ *fare -e* to be rude.
ṣguernịre *v.* (**ṣguernịsco, ṣguernịsci**) ⟨*non com*⟩ → **sguarnire**. – **ṣguernịto** (*p.p. di sguernire*) *a.* ⟨*non com*⟩ → **sguarnito**.
ṣguinciạre *v.t.* (**ṣguịncio, ṣguịnci**) to cut obliquely (*o* on the cross). – **ṣguịncio** *m.* ⟨*Arch*⟩ splay, splayed jamb. □ *a* ~ obliquely, on the slant, askew: *tagliare a* ~ to cut obliquely; *di* ~ obliquely; *guardare di* ~ to look at sideways on.
ṣguinzagliạre *v.t.* (**ṣguinzạglio, ṣguinzạgli**) **1.** to unleash, to let loose, to slip (from a leash): ~ *i cani* to unleash the dogs, to let the dogs loose. – **2.** ⟨*fig*⟩ to set on (the track of).
ṣguisciạre *v.i.* (**ṣguịscio, ṣguịsci**; *aus.* **essere**) ⟨*pop*⟩ (*sgusciar via*) to slip off (*o* away).
ṣguizzạre *v.i.* (*aus.* **essere**) ⟨*ant,pop*⟩ (*guizzare*) to dart. – **ṣguịzzo** *m.* **1.** (*lo sguizzare*) darting. – **2.** (*guizzo*) dart.
ṣgusciạre[1] *v.i.* (**ṣgụscio, ṣgụsci**; *aus.* **essere**) **1.** (*scivolare via*) to slip: ~ *tra le dita* to slip through one's fingers; (*cadendo*) to drop. – **2.** (*sfuggire*) to escape, to get (*o* slip) away: *è riuscito a* ~ *via inosservato* he managed to slip away unobserved. – **3.** ⟨*fig*⟩ (*sottrarsi a qc. di sgradito*) to wriggle out, to be slippery: *non riesco a parlargli dei suoi impegni, sguscia sempre via* I never manage to talk to him about his commitments, he always wriggles out. – **4.** ⟨*non com*⟩ (*sdrucciolare*) to slip.
ṣgusciạre[2] *v.* (**ṣgụscio, ṣgụsci**) **I** *v.t.* **1.** (*levare dal guscio*) to shell, to remove the shell from: ~ *fagioli* to shell beans; ~ *un uovo* to shell an egg; (*brillare*) to polish, to husk. – **2.** (*rif. a noci e sim.*) to crack. – **3.** ⟨*Arch*⟩ to hollow, to make concave. – **II** *v.i.* (*aus.* **essere**) to hatch. – **ṣgusciạto** (*p.p. di sgusciare*[2]) *a.* **1.** shelled: *fagioli -i* shelled beans; (*brillato*) polished, husked; (*rif. a noci e sim.*) cracked. – **2.** (*uscito dall'uovo*) hatched. – **3.** ⟨*Arch*⟩ hollowed, made concave.
ṣgusciatrịce *f.* ⟨*Agr*⟩ hulling-machine, huller. – **ṣgusciatụra** *f.* shelling, hulling. – **ṣgụscio** *m.* **1.** ⟨*Arch*⟩ concave moulding. – **2.** (*strumento*) (chaser's) gouge.
shake *ingl.* [ʃeik] *m.* shake.
shaker *ingl.* ['ʃeikər] *m.* (cocktail) shaker. □ *agitare nello* ~ to shake, to mix.
shakespeariạno [ʃeikspi-] *a.* **1.** Shakespearian, Shakespeare's, of Shakespeare: *dramma* ~ Shakespearian drama. – **2.** (*relativo a Shakespeare*) Shakespearian: *critica* ~ Shakespearian criticism.

shạmpoo *ingl.* [ʃ-] *m.* **1.** (*sciampo*) shampoo. – **2.** → **shampooing**. □ *farsi uno* ~ to shampoo (*o* wash) one's hair; ~ *secco* dry shampoo. – **shampooing** *ingl.* ['ʃampu:iŋ] *m.* shampoo(ing).
Shanghại [ʃ-] *N.pr.f.* ⟨*Geog*⟩ Shanghai. – **shanghai** *m.* **1.** (*gioco*) pick-up-sticks *pl.* – **2.** ⟨*gerg*⟩ (*quartiere malfamato*) slum.
shạntung *ingl.* [ʃ-] *m.* ⟨*Tess*⟩ shantung.
sherardiẓẓaziọne [ʃ-] *f.* ⟨*Ind*⟩ sherardizing.
shẹrpa *ingl.* [ʃ-] *m.* **1.** (*portatore*) Sherpa bearer. – **2.** (*guida*) Sherpa guide.
shẹrry *ingl.* [ʃ-] *m.* ⟨*Enol*⟩ sherry.
shẹtland *ingl.* [ʃ-] **I** *s.m.* **1.** (*lana*) Shetland wool. – **2.** (*tessuto*) Shetland (cloth). – **II** *a.* Shetland: *lana* ~ Shetland wool.
shimmy *ingl.* ['ʃimi] *m.* shimmy.
shintoịṣmo [ʃ-] *m.* ⟨*Rel*⟩ (*scintoismo*) Shintoism, Shinto. – **shintoịsta I** *s.m./f.* (*scintoista*) Shintoist. – **II** *a.* → **shintoistico**. – **shintoịstico** *a.* (*pl.* **-ci**) (*scintoistico*) Shintoistic, Shinto.
shoccạnte [ʃ-] (*p.pr. di shoccare*) *a.* → **scioccante**. – **shoccạre** *v.* (**shọcco, shọcchi**) → **scioccare**. – **shọck** *ingl. m.* shock (*anche Med.*). – **shocking** *ingl.* ['ʃɔkiŋ] *a.* (*sconveniente*) shocking. □ *rosa* ~ shocking pink. – **shockiẓẓạnte** *a.* **1.** shocking: *uno spettacolo* ~ a shocking sight. – **2.** ⟨*Med*⟩ shock-: *terapia* ~ shock therapy (*o* treatment). – **shockiẓẓạre** *v.t.* to shock.
shockterapịa *f.* ⟨*Med*⟩ shock therapy (*o* treatment).
shopping *ingl.* ['ʃɔpiŋ] *m.* shopping. □ *fare lo* ~ to do one's shopping, to go shopping.
short *ingl.* [ʃɔ:t] *m.* **1.** ⟨*Cin*⟩ short, short subject (*o* picture). – **2.** *pl.* ⟨*Mod*⟩ shorts *pl.*
show *ingl.* ['ʃou] *m.* show; (*varietà*) variety show.
shunt *ingl.* [ʃʌnt] *m.* ⟨*El*⟩ shunt. – **shuntạre** *v.t.* to shunt. – **shuntạto** (*p.p. di shuntare*) *a.* shunted.
si[1] *m.* ⟨*Mus*⟩ B, si: ~ *bemolle maggiore* B flat major.
si[2] *pron.* (before words beginning with a vowel *si* becomes *s'*; when it is used with *la, lo, li, le* and *ne* it becomes *se*) **I** *pron.rifl.* **1.** (*masch.*) himself: ~ *ferì facendosi la barba* he cut himself while shaving; (*femm.*) herself: *la fanciulla* ~ *guardava nello specchio* the girl was looking at herself in the mirror; (*rif. a soggetto neutro*) itself; (*indef.*) oneself: *per lavarsi sono necessari acqua e sapone* to wash oneself one needs soap and water; *pl.* themselves: ~ *sono lavati* they washed themselves. – **2.** (*coi riflessivi impropri, quando il rifl. funge da compl. di termine*) *si traduce general. con l'agg. possessivo corrispondente*: ~ *è asciugato le mani?* did he dry his hands?; *i bambini* ~ *sono lavati i denti* the children brushed their teeth; *il giardiniere* ~ *è tagliato un dito* the gardener cut his finger; *il leone* ~ *leccava la ferita* the lion licked his wound. – **3.** (*coi verbi intransitivi pronominali*) *general. non si traduce*: ~ *alza* he gets up; ~ *lamentano* they are complaining; *perché* ~ *adira?* why is he getting angry? – **II** *pron.recipr.* each other, one another, *a volte non si traduce*: ~ *aiutano sempre* they always help each other; *i tre amici* ~ *vedono spesso* the three friends see each other often. – **III** *pron.indef.* **1.** one, they, people, we, you, man, men. – **2.** (*particella passivante*) you, one: *non* ~ *sa mai* you never know, one never can tell. – **3.** (*particella pleonastica*) *non si traduce*: *alla fine* ~ *tacque* in the end he fell silent.
Si = ⟨*Chim*⟩ *silicio* silicon.
sì[1] **I** *avv.* **1.** yes: *hai comprato il pane?* – ~ did you buy the bread? – yes, I did; ~, *l'ho visto ieri* yes, I saw him yesterday. – **2.** (*dopo una proposizione interrogativa negativa*) oh yes, yes of course: *non vieni con noi?* – ~ aren't you coming with us? – oh yes, I am. – **3.** (*davvero*) really: *questa* ~ *che è bella!* this is really beautiful! – **4.** (*in correlazione con ma*) *non si traduce, oppure si usa la forma enfatica del verbo*: *è bello* ~, *ma è troppo caro* it is nice but it's too dear; *l'ho visto* ~, *ma per poco tempo* I did see him, but only briefly. – **5.** ⟨*Tel*⟩ (*pronto*) hello!, yes! – **6.** ⟨*esclam*⟩ (*avanti*) yes, come in. – **7.** ⟨*lett*⟩ (*sebbene*) although. – **8.** ⟨*ant*⟩ (*tuttavia*) however, yet. – **II** *s.m.* **1.** yes, affirmative: *voglio un bel* ~ I want to hear a clear yes; *mi sono deciso per il* ~ I have decided in the affirmative. – **2.** (*voto favorevole*) ay(e): *tre* ~ *e due no* three ayes and two nays, three votes for and two against. – **3.** (*assenso*) yes, agreement: *non me ne andrò se prima non avrò ottenuto il tuo* ~ I won't leave until I get your agreement.
□ **adesso** ~ = **ora** *sì*; **allora** ~ *che potrò lavorare in pace* then I really shall be able to work in peace; *far* **cenno** *di* ~ (*col capo*) to nod (one's head); ~ **certamente** (*o certo*) yes of course; **certo** *che* ~ of course, certainly; **credo** *di* ~ I think so; ~ **davvero** yes really (*o* indeed); **dire** *di* ~: 1. to say yes: *dice sempre di* ~ *a tutti* she says yes to everyone; 2. (*acconsentire*) to say yes, to agree, to assent, to consent, ⟨*fam*⟩ to give the O.K.: *la mamma ha detto di* ~, *quindi posso venire* mother has agreed, so I can come; 3. (*affermare*) to say (it is) so, to think so: *pensi che verrà?* – *io dico di* ~ do you think he'll come? – I think so; *lui dice di* ~ he says (it is) so; ⟨*iron*⟩ ~, **domani** some hopes, when the moon turns blue; **e** ~ *che* and yet: *e* ~ *che l'avevo avvertito* and yet I had warned him; ⟨*lett*⟩ **lingua** *del* ~ the Italian language; **ma** ~! (yes) of course!, certainly!; ~ *e* **no**: 1. yes and no, perhaps, maybe; 2. (*in un certo modo*) in some ways: *ti è piaciuto?* – ~ *e no* did you like it? – in some ways; 3. (*circa*) about, approximately: *saranno* ~ *e no due chilometri* it's about two kilometres; *essere tra il* ~ *e il no* to be undecided, to waver; *uno* ~ *e uno no*: 1. (*agg.*) alternate, every other: *un giorno* ~ *e uno no* every other day, alternate days; 2. (*avv.*) alternately; **oh** ~! oh yes!; **ora** ~ now: *ora* ~ *che capisco*

now I understand; **pare** *di* ~ apparently, it seems so; **pronunciare** *il* ~ *(nel matrimonio)* to say " I do "; **rispondere** *di* ~ to say yes, to agree; **se** ~ *(in caso affermativo)* if so; **speriamo** *di* ~ let's hope so; **stare** *per il* ~ to be in favour.

sì[2] ⟨*lett*⟩ **I** *avv.* **1.** *(così)* thus, so, in this (*o* that) way. – **2.** *(tanto)* so. – **II** *congz.* **1.** *(così)* so (much). – **2.** *(conclusivo)* so. – **3.** *(correlativo con un altro sì: sia)* both ... and. – **4.** *(finché)* until. ☐ ~ *che* [*cong*] *(tanto che, in modo che)* so that: *bisogna far* ~ *che tutti lo sappiano in tempo* we must see to it that everyone knows in time, we must have everyone informed in time; *(a tal punto)* so much that; ~ ... *come*: 1. *(nelle similitudini)* as ... as, like ... so; 2. *(nelle comparazioni d'uguaglianza)* as ... as; ~ *come (siccome)* as, since, because; *(appena che)* as soon as; ~ *da* [*inf*] so as to, so that: *lavora sodo,* ~ *da finire presto* work hard, so ⌜as to⌝ (*o* that you) finish soon.

sịa[1] *congz.* (always used together with *sia, che, quanto, come, o*) **1.** *(nelle supposizioni)* whether ... or: ~ *che tu lo voglia o non lo voglia, verremo anche noi* whether you like it or not we're coming too; ~ *per ineducazione* ~ *per pigrizia, non scrive mai* whether out of impoliteness or laziness he never writes. – **2.** *(proponendo un'alternativa)* either ... or: ~ *lui che un altro, per me è indifferente* either him or someone else, it doesn't matter to me. – **3.** *(entrambi)* both ... and: *lo sanno* ~ *la madre che il figlio* both the mother and the son know it; *verremo* ~ *io che mia moglie* both my wife and I will come.

sịa[2] *pr.cong. di* **essere**[1].

SIAE = *Società italiana autori ed editori* Italian Authors' and Publishers' Association.

sịal *m.* ⟨*Geol*⟩ sial. – **siạlico** *a.* (*pl.* **-ci**) sialic. ☐ *crosta* **-a** sial.

siạlidi *m.pl.* ⟨*Entom*⟩ sialids *pl* (*Sialidae*).

siallịti *m.pl.* ⟨*Min*⟩ clay minerals *pl.* – **siallịtico** *a.* (*pl.* **-ci**) clay mineral-.

Siạm *N.pr.m.* ⟨*Geog*⟩ Siam.

siamạngo *m.* (*pl.* **-ghi**) ⟨*Zool*⟩ siamang (*Symphalangus syndactylus*).

siamẹse I *a.* **1.** Siamese. – **2.** *(tailandese)* Thai, Thailand, Siamese. – **II** *s.m./f.* **1.** Siamese. – **2.** *(tailandese)* Thai, Thailander. – **3.** ⟨*Zool*⟩ *(gatto)* Siamese (cat). – **4.** *pl.* *(fratelli siamesi)* Siamese twins *pl.*

siạmo *pr.ind. di* **essere**[1].

Sịbari *N.pr.f.* ⟨*Geog.stor*⟩ Sybaris. – **sibarịta** *m./f.* **1.** ⟨*Stor*⟩ Sybarite. – **2.** ⟨*fig*⟩ sybarite, Sybarite. – **sibarịtico** *a.* (*pl.* **-ci**) **1.** ⟨*Stor*⟩ Sybaritic. – **2.** ⟨*fig*⟩ sybaritic(al), Sybaritic.

sibbẹne (o *sì bẹne*) *congz.* ⟨*lett*⟩ *(dopo una proposizione negativa: bensì)* but.

Sibẹria *N.pr.f.* **1.** ⟨*Geog*⟩ Siberia. – **2.** ⟨*fig*⟩ *(luogo molto freddo)* very cold place, ⟨*scherz*⟩ North Pole. – **3.** ⟨*fig*⟩ *(deportazione)* Siberia, deportation: *mandare qd. in* ~ to send s.o. to Siberia, to deport s.o. – **siberiạno I** *a.* **1.** *(della Siberia)* Siberian. – **2.** ⟨*fig*⟩ *(freddissimo)* icy, freezing, bitterly cold. – **II** *s.m.* (*f.* **-a**) Siberian.

sibilạnte (*p.pr. di sibilare*) **I** *a.* sibilant, hissing. – **II** *s.f.* ⟨*Fon*⟩ sibilant. – **sibilạre** *v.i.* (**sịbilo**; *aus.* **avere**) **1.** to hiss, ⟨*lett*⟩ to sibilate: *il serpente sibila* snakes hiss. – **2.** *(fischiare)* to whistle: *il vento sibila* the wind is whistling. – **3.** ⟨*fig,poet*⟩ *(mormorare)* to whisper. – **sibilịo** *m.* hissing.

sibịlla *f.* **1.** ⟨*Stor*⟩ sybil. – **2.** ⟨*scherz,fig*⟩ *(donna che predice il futuro)* sibyl, prophetess; *(indovina)* fortune-teller.

Sibịlla *N.pr.f.* Sibyl, Sybil.

sibillịno *a.* **1.** ⟨*Stor*⟩ Sibylline, Sibyllic: *responsi* **-i** Sibylline answers, the Sibyl's replies. – **2.** ⟨*fig*⟩ *(ambiguo)* ambiguous, sibylline; *(oscuro, misterioso)* enigmatic, mysterious, sibylline. ☐ *libri* **-i** Sibylline Books; *oracoli* **-i** Sibylline Oracles.

sịbilo *m.* **1.** hiss(ing), ⟨*lett*⟩ sibilation. – **2.** *(fischio)* whistle, whistling. – **3.** ⟨*Med*⟩ sibilus, sibilant rale. – **4.** ⟨*ant*⟩ *(zufolo)* whistle, pipe. ☐ ⟨*Rad*⟩ ~ *d'interferenza* C.W. interference, ⟨*am*⟩ beat frequency.

Sibịu *N.pr.f.* ⟨*Geog*⟩ Sibiu.

sic *lat.* *(così)* sic.

sịca *f.* ⟨*Stor.rom*⟩ curved dagger.

sicạmbri *m.pl.* → **sigambri**.

sicạno I *a.* **1.** Sicanian. – **2.** *(siciliano)* Sicilian. – **II** *s.m.* **1.** *(lingua)* Sicanian language, language of the Sicani. – **2.** ⟨*Stor*⟩ Sicanian. – **3.** ⟨*poet*⟩ *(siciliano)* Sicilian, ⟨*lett*⟩ Sicanian.

sicạrio *m.* hired assassin, cut-throat, ruffian.

siccatività *f.* ⟨*Chim*⟩ drying property. – **siccatịvo I** *a.* **1.** drying, ⟨*lett*⟩ siccative. – **2.** ⟨*Chim*⟩ drying, siccative: *olio* ~ drying oil. – **II** *s.m.* siccative, drier.

sicchè *congz.* **1.** *(di modo che)* (and) so: *si è comportato male,* ~ *ho dovuto punirlo* he behaved badly, so I had to punish him. – **2.** *(e perciò)* so (that), therefore: *si è messo a piovere,* ~ *sono tornato* it began raining, so I came back. – **3.** *(allora, dunque: in espressioni interrogative)* well then, well: ~ *vieni o no?* well then, are you coming or not?

siccidesẹrto *m.* ⟨*Geog*⟩ hot (*o* arid) desert.

sịcciolo *m.* *(cicciolo)* scraps *pl* of pork fat (after rendering down).

siccità *f.* **1.** drought, dry weather. – **2.** *(mancanza di umidità)* dryness. – **siccitọso** *a.* ⟨*non com*⟩ **1.** dry, arid, having little rainfall: *zona* **-a** arid zone. – **2.** *(carente di umidità)* arid, dry: *terreno* ~ arid land.

siccọme I *congz.* **1.** as, since, because: ~ *dovevo uscire, ti ho lasciato un biglietto* as I had to go out, I left you a note. – **2.** ⟨*lett*⟩ *(come, nel modo in cui)* as. – **II** *avv.* ⟨*lett*⟩ *(come)* how.

siceliọta *m.* ⟨*Stor*⟩ Siceliot, Sikeliot.

sic et simplịciter *lat.* without any additions.

Sichẹo *N.pr.m.* ⟨*Lett*⟩ Sichaeus, Sychaeus.

Sicịlia *N.pr.f.* ⟨*Geog*⟩ Sicily. – **siciliạna** *f.* *(danza)* siciliana, siciliano, sicilienne. – **sicilianịsmo** *m.* ⟨*Ling*⟩ Sicilianism, Sicilian idiom (*o* word). – **sicilianità** *f.* Sicilian character. – **siciliạno I** *a.* Sicilian. – **II** *s.m.* **1.** *(dialetto)* Sicilian (dialect). – **2.** *(abitante; f.* **-a**) Sicilian.

siciliọta *m.* → **siceliota**.

sicịnni(de) *f.*, **sicịnno** *m.* **1.** ⟨*Stor*⟩ sikinnis, satyr dance. – **2.** *(danza sfrenata)* wild dance.

sicịsta: ⟨*Zool*⟩ ~ *betulina* birch mouse (*Sicista betulina*).

sic j. = ⟨*Med*⟩ *così ordino* these are my orders.

sịclo *ebr. m.* ⟨*Stor*⟩ shekel.

sicofạnte *m.* **1.** ⟨*Stor.gr*⟩ sycophant. – **2.** ⟨*estens*⟩ *(delatore, spia)* informer; *(calunniatore)* defamer, sycophant, calumniator.

sicomọro (*rar.* *sicọmoro*) *m.* **1.** ⟨*Bot*⟩ sycamore (*Ficus sycomorus*). – **2.** *(frutto)* sycamore fig.

sicọnio *m.* ⟨*Bot*⟩ **1.** *(infiorescenza)* inflorescence of the fig. – **2.** *(infruttescenza)* syconium.

sicọsi *f.* ⟨*Med*⟩ sycosis.

sicosịna *f.* ⟨*ant*⟩ *(saccarina)* saccharine.

sịculo I *a.* **1.** ⟨*Stor*⟩ Sicul(i)an. – **2.** ⟨*lett*⟩ *(sicilaino)* Sicilian. – **II** *s.m.* (*f.* **-a**) **1.** ⟨*Stor*⟩ Sicul(i)an, Sicel; *pl.* Siculi *pl.* – **2.** ⟨*lett*⟩ *(siciliano)* Sicilian.

sicumẹra *f.* ⟨*lett*⟩ presumption, arrogance.

sicụra *f.* safety, safety catch. ☐ *in* ~ with the safety catch on, at safety: *tenere l'arma in* ~ to keep a weapon at safety; *mettere la* ~ to put on the safety; *togliere la* ~ to release the safety catch, to take the safety off.

sicuramẹnte *avv.* **1.** surely; *(senza pericolo)* safely, in safety. – **2.** *(certamente)* certainly. – **3.** *(senza timore)* confidently, surely. – **4.** *(decisamente)* definitely. – **5.** ⟨*ant*⟩ *(arditamente)* boldly, daringly.

sicurạnza *f.* ⟨*ant*⟩ *(sicurezza)* (self-)assurance, (self-)confidence. – **sicurạre** *v.t.* ⟨*ant*⟩ **1.** *(rendere sicuro)* to make safe. – **2.** *(assicurare)* to assure; *(rassicurare)* to reassure. – **3.** *(fornire cauzione)* to guarantee, to give security to.

sicurẹzza *f.* **1.** safety, safeness, security: *la campagna per la* ~ *stradale* the road safety campaign. – **2.** *(garanzia)* security: *questo lavoro mi offre una* ~ *economica* this job gives me (economic) security. – **3.** *(abilità)* skill, ability: *guidare con* ~ to drive ⌜with skill⌝ (*o* skilfully); *(sicurezza di sé)* (self-)confidence, (self-)assurance: *rispondere con* ~ to answer with assurance. – **4.** *(certezza)* certainty, reliability: *la* ~ *di una notizia* the reliability of some information. – **5.** *(fiducia)* confidence: *ispirare* ~ *a qd.* to inspire confidence in s.o. – **6.** ⟨*Alp*⟩ *(manovra di sicurezza)* securing.

☐ ~ **collettiva** collective security; **di** ~ safety-, security-: *margine di* ~ safety margin; *spilla di* ~ safety-pin; *misura di* ~ precautionary measure; ~ *di* **funzionamento** operational reliability; ~ *contro gli* **infortuni** accident prevention; ~ **internazionale** international security; ⟨*Mil*⟩ ~ *in* **marcia** protection on the move; **motivi** *di* ~ security (*o* safety) reasons; **per** *maggior* ~ safety's sake, to be on the safe side; ~ **pubblica** public safety; *pubblica* ~ *(polizia)* police; *agente di pubblica* ~ policeman; ~ **sociale** social security.

sicurità *f.* ⟨*ant*⟩ → **sicurtà**.

sicụro I *a.* **1.** *(privo di timore)* safe, secure: *qui siamo* **-i** we're safe here; *(tranquillo)* confident, secure, sure: *non mi sento troppo* ~ *per l'esame* I don't feel too confident about the exam. – **2.** *(che non presenta pericoli)* safe: *un viaggio* ~ a safe trip; *(ben difeso)* secure, well-defended, inviolable: *un asilo* ~ a secure refuge. – **3.** *(che sa con certezza)* sure, certain, positive: *sono sicurissimo di averlo visto* I'm absolutely positive I saw him; *sei* ~ *di ciò che dici?* are you sure of what you're saying? – **4.** *(esperto, pratico)* skilled, skilful, expert, good, clever: *è molto* ~ *nel maneggiare le armi* he is very skilled (*o* good) at handling arms. – **5.** *(fidato)* real, true, genuine, reliable, dependable: *quello è un amico* ~ he is a real friend. – **6.** *(deciso, fermo)* steady, sure, firm: *rispose con tono* ~ he answered in a steady voice. – **7.** *(indubbio)* reliable, certain, sure, unquestionable: *l'informazione viene da fonte* **-a** the information comes from a reliable source. – **8.** *(certo: rif. a cose previste)* certain, sure, assured, inevitable: *il profitto è* ~ the profit is assured; *salvare qd. da morte* **-a** to save s.o. from certain death. – **9.** *(rif. a congegni, macchine e sim.)* reliable, sound, unfailing: *una macchina* **-a** a reliable car. – **10.** ⟨*ant*⟩ *(coraggioso)* courageous, brave. – **II** *avv.* *(certamente)* certainly, of course, undoubtedly: *verrai domani?* – ~ will you come tomorrow? – of course. – **III** *s.m.* **1.** *(luogo sicuro)* safe place. – **2.** *(sicurezza)* safety, security.

☐ *essere* **al** ~ *da qc.* to be safe from s.th.; *essere* (o *stare*) *al* ~ to be safe, to be out of harm's way; ⟨*pop*⟩ *(essere in prigione)* to be in jail; *mettere al* ~ to put in a safe place; ⟨*ant*⟩ **alla -a** = **di** *sicuro*; **dare** *per* ~ *qc.* to be sure about s.th., to say that s.th. is certain; **di** ~ certainly, surely: *verrà di* ~ he will certainly come, he is sure to come; ⟨*fam*⟩ **essere** (o *mostrarsi*) ~ *del fatto proprio* to know what one is about; ⟨*ant*⟩ **far** ~ *(rassicurare)* to reassure; ⟨*ant*⟩ *farsi* ~ *(rassicurarsi)* to be reassured, to take fresh heart; ⟨*non com*⟩ **per** ~ as certain; *per essere più* ~ to be on the safe side; ~ *di* **sé** sure of o.s., self-assured, self-confident; **sentirsi** ~ *in una materia* to be sure of o.s. on a subject; **star** ~ *(non preoccuparsi)* not to worry; *(essere certo)* to be sure, to rest assured; *camminare* (o *andare*) **sul** ~ to take no risks; *essere* (o *stare*) *sul* ~ to be perfectly safe.

sicurtà *f.* **1.** ⟨*ant*⟩ (*sicurezza*) safety, security; (*sicurezza di sé*) (self-)confidence, (self-)assurance. – **2.** ⟨*ant*⟩ (*garanzia*) guarantee, security. – **3.** ⟨*Dir*⟩ (*assicurazione*) insurance. – **sicurtạde, sicurtạte** *f.* ⟨*ant*⟩ → **sicurtà.**

sicutẹra: ⟨*scherz*⟩ *essere* (o *tornare*) *al* ~ to be back where one started, to return to the status quo.

sidecar *ingl.* ['saidka:r] *m.* ⟨*Aut*⟩ **1.** (*carrozzino laterale*) sidecar. – **2.** (*motocarrozzetta*) motorcycle combination (*o* with sidecar). – **sidecarịsta** *m./f.* **1.** (*guidatore*) motorcyclist. – **2.** (*passeggero*) passenger in a sidecar.

siderạle *a.* **1.** star-, stellar, sidereal: *luce* ~ starlight. – **2.** ⟨*Astr*⟩ (*rif. al tempo*) sidereal: *mese* ~ sidereal month. – **3.** (*molto freddo*) extremely cold, icy: *temperatura* ~ icy temperature.

siderạnte *a.* ⟨*Med,rar*⟩ (*fulminante*) fulminating, fulminant.

sịdere *v.i.* (*aus.* **essere**) ⟨*ant*⟩ (*stare*) to be.

sidẹreo *a.* **1.** ⟨*lett*⟩ (*stellare*) star-, stellar. – **2.** ⟨*Astr*⟩ (*siderale*) sidereal.

siderịte *f.* **1.** ⟨*Min*⟩ siderite, chalybite. – **2.** ⟨*Astr*⟩ siderite.

siderofilịa *f.* siderophile nature. – **siderọfilo** *a.* siderophile, siderophilous.

sidero|grafịa *f.* siderography. – **~lịte** *f.* ⟨*Min*⟩ siderolite. – **~lịtico** *a.* (*pl.* **-ci**) siderolithic. – **~mẹlano** *m.* ⟨*Min*⟩ sideromelane, obsidian. – **~penịa** *f.* ⟨*Med*⟩ sideropenia, iron deficiency.

siderọsi *f.* ⟨*Med*⟩ siderosis. ▭ ~ *epatica* hepatic siderosis, iron-liver; ~ *polmonare* siderosis, pneumoconiosis siderotica.

siderọstato *m.* ⟨*Astr*⟩ siderostat.

siderurgịa *f.* ⟨*Met*⟩ iron metallurgy, iron and steel industry. – **siderụrgico** *a./s.* (*pl.* **-ci**) **I** *a.* iron-, of the iron and steel industry. – **II** *s.m.* **1.** (*operaio*) steel-worker. – **2.** (*industriale*) iron manufacturer. – **siderurgịsta** *m.* expert in iron metallurgy.

sịdo *m.* ⟨*ant*⟩ (*freddo intenso*) icy (*o* intense) cold.

Sidọne *N.pr.f.* ⟨*Geog,Stor*⟩ Sidon.

sịdro *m.* cider, cyder; (*di pere*) perry.

sịe *avv.* ⟨*tosc,iron*⟩ → **sì**[1].

siẹda *f.* ⟨*ant*⟩ (*sedia*) chair.

siemens *ted.* ['si:-] *m.* ⟨*El*⟩ siemens.

Siẹna *N.pr.f.* ⟨*Geog*⟩ Siena.

Siẹne *N.pr.f.* ⟨*Geog.stor*⟩ Syene.

sienịte *f.* ⟨*Min*⟩ syenite. – **sienịtico** *a.* (*pl.* **-ci**) syenitic.

siepạ(gl)ia *f.* ⟨*non com*⟩ thick hedge. – **siepạre** *v.t.* (**siẹpo**) ⟨*non com*⟩ to hedge (round), to put a hedge round.

siẹpe *f.* **1.** hedge. – **2.** (*recinzione*) fence. – **3.** ⟨*fig*⟩ (*barriera*) hedge, barrier, wall: *una* ~ *di soldati* a wall of soldiers. – **4.** ⟨*Sport*⟩ hedge, hurdle.

▭ ~ **artificiale** = *siepe* **morta**; ~ *di* **canne** cane fence; ~ **comune** hedge dividing two properties; ⟨*fig,non com*⟩ **far** ~ (*sbarrare*) to form a barrier, to bar the way: *far* ~ *intorno a qd.* to form a barrier around s.o., to wall s.o. round; ~ **morta** fence; (*fatta di vegetazione morta*) dead hedge; ~ **viva** (o *naturale*) (quickset) hedge.

siepẹtta (*dim. di siepe*) *f.* **1.** low hedge (*o* fence). – **2.** ⟨*Venat*⟩ set of bird-catching nets. – **siepọne** (*accr. di siepe*) *m.* **1.** ⟨*Sport*⟩ hedge, hurdle. – **2.** ⟨*Venat*⟩ kind of bird-net; (*luogo*) grove (where the nets are spread).

siẹrico *a.* (*pl.* **-ci**) ⟨*non com*⟩ serum-, serumal.

siẹro *m.* ⟨*Biol*⟩ serum.

▭ ~ **fisiologico** physiological serum, saline (solution); ~ **immune** immune serum; ~ *di* **latte** whey, serum; **malattia** *da* ~ serum sickness (*o* disease); ~ **normale** normal serum; ~ *del* **sangue** blood serum; ~ *della* **verità** truth serum (*o* drug).

siero... *pref.* sero...

siero|diagnọsi *f.* ⟨*Med*⟩ serodiagnosis, serum diagnosis. – **~diagnọstica** *f.* (science of) serodiagnosis. – **~diagnọstico** *a.* (*pl.* **-ci**) serodiagnostic.

sierologịa *f.* ⟨*Med*⟩ serology. – **sierolọgico** *a.* (*pl.* **-ci**) serologic(al). – **sierọlogo** *m.* (*pl.* **-ghi**) serologist.

siero|mucọso *a.* ⟨*Med*⟩ seromucous. – **~profilạssi** *f.* seroprophylaxis. – **~purulẹnto** *a.* seropurulent. – **~reaziọne** *f.* seroreaction.

sierọsa *f.* ⟨*Anat*⟩ (*anche membrana sierosa*) serosa, serous membrane. – **sierosità** *f.* **1.** serosity. – **2.** ⟨*concr*⟩ serosity, serum. – **sierosịte** *f.* ⟨*Med*⟩ serositis. – **sierọso** *a.* serous.

siero|terapịa *f.* ⟨*Med*⟩ serotherapy, serum therapy. – **~terạpico** *a.* (*pl.* **-ci**) serotherapeutical. – **~tonịna** *f.* ⟨*Biol*⟩ serotonin. – **~vaccinaziọne** *f.* serovaccination.

siẹrra *f.* ⟨*Geog*⟩ sierra.

siẹsta *f.* siesta, (afternoon) nap: *fare la* ~ to take a siesta, to have a nap.

siẹte *pr.ind. di* **essere**[1].

SIF = *Società internazionale di finanziamento* International Finance Corporation.

siffạtto (o *sì fatto*) *a.* ⟨*non com*⟩ (*tale*) such: *con -a gente non bisogna discutere* it's better not to argue with ⌜such people⌝ (*o* people like that).

sifịlide *f.* ⟨*Med*⟩ syphilis. – **sifilịtico** *a./s.* (*pl.* **-ci**) **I** *a.* syphilitic. – **II** *s.m.* (*f.* **-a**) syphilitic. – **sifilizzaziọne** *f.* syphilization.

sifilo|cọmio *m.* hospital for syphilitics. – **~dẹrma** *m.* syphiloderm(a), syphilide. – **~fobịa** *f.* syphilophobia. – **~grafịa** *f.* syphilography.

sifilọgrafo *m.* syphilographer. – **sifilọide** *a.* ⟨*non com*⟩ syphiloid. – **sifilologịa** *f.* → **sifilografia.** – **sifilọlogo** *m.* (*pl.* **-gi**) → **sifilografo.** – **sifilọma** *m.* syphiloma.

sifilo|patịa *f.* **1.** syphilopathy. – **2.** → **sifilografia.** – **~pạtico** *a.* (*pl.* **-ci**) syphilopathic.

sifonạle *a.* ⟨*Bot*⟩ siphonal.

sifonạli *f.pl.* ⟨*Bot*⟩ Siphonales *pl* (*Siphonales*).

sifọne *m.* **1.** ⟨*Idr*⟩ siphon; (*condotta di sollevamento*) siphon. – **2.** (*recipiente*) siphon, ⟨*am*⟩ (soda-water) syphon. – **3.** ⟨*Geol,Zool,Bot*⟩ siphon. ▭ ~ *pollinico* pollen tube.

sifoniạti, sifọnidi *m.pl.* ⟨*Zool*⟩ siphonates *pl*, Syphon(i)ata *pl* (*Syphoniata*).

sifonọfori *m.pl.* ⟨*Zool*⟩ siphonophorans *pl*, siphonophores *pl* (*Siphonophora*).

sifonọgame *f.pl.* ⟨*Bot*⟩ phanerogams *pl*, spermatophytes *pl*, seed plants *pl* (*Siphonogamae*).

sifonọglifo [-gl-] *m.* ⟨*Zool*⟩ siphonoglyph.

sifono|micẹti *m.pl.* ⟨*Bot*⟩ (*ficomiceti*) phycomycetes *pl* (*Siphonomycetes, Phycomycetes*). – **~stẹle** *f.* ⟨*Bot*⟩ siphonostele. – **~stelịa** *f.* siphonostely. – **~stẹlico** *a.* (*pl.* **-ci**) siphonostelic.

sig., Sig. = *signore* Mister (*abbr.* Mr.).

sig.a, Sig.a = *signora* Mistress (*abbr.* Mrs.).

sigạmbri *m.pl.* ⟨*Stor*⟩ Sicambri *pl*, Sicambrians *pl*.

sigarạia *f.* **1.** (*venditrice*) cigar and cigarette seller. – **2.** (*operaia*) cigar and cigarette maker, worker in a tobacco factory. – **sigarạio** *m.* **1.** (*venditore*) cigar and cigarette seller. – **2.** (*operaio*) cigar and cigarette maker, worker in a tobacco factory. – **3.** ⟨*Entom*⟩ (*rinchite*) leaf roller. ▭ ⟨*Entom*⟩ ~ *della vite* pear leaf roller (*Byctiscus betulae*).

sigarẹtta *f.* **1.** cigarette, ⟨*fam*⟩ fag, ⟨*am.fam*⟩ butt: *fumare una* ~ to smoke a cigarette. – **2.** (*oggetto a forma di sigaretta*) cigarette: *-e medicinali* medicinal cigarettes; ~ *di cioccolato* chocolate cigarette. – **3.** (*rotolino di cartone per filo*) (paper) spool, reel.

▭ **carta** *da* ~ cigarette-paper; *-e* **estere** imported cigarettes; ~ *con* **filtro** filter-tip(ped) cigarette; ~ *senza filtro* non-filter (*o* regular) cigarette; ~ **lunga** king-size cigarette; *-e fatte a* **mano** hand-rolled (*o* handmade) cigarettes; *-e* **nazionali** domestic cigarettes.

sigarẹtto (*dim. di sigaro*) *m.* cigarillo, cigarito. – **sịgaro** *m.* **1.** cigar. – **2.** (*guglia rocciosa*) cigar-shaped aiguille (*o* pinnacle).

Sigfrịdo *N.pr.m.* Siegfried (*anche Mitol.nord.*).

Sigg. = *signori*: 1. Gentlemen; 2. ⟨*Comm*⟩ Messieurs (*abbr.* Messrs.).

sigillạre *v.t.* **1.** (*chiudere con sigilli*) to seal: ~ *una busta* to seal an envelope. – **2.** (*piombare*) to plumb, to seal (with lead). – **3.** (*chiudere bene*) to seal, to close well, to stop up: ~ *un barattolo* to seal a jar. – **4.** ⟨*Dir*⟩ to seal, to affix (*o* set) an authenticating seal to: ~ *una porta* to seal a door. – **5.** ⟨*ant*⟩ (*coniare monete*) to mint, to coin. – **6.** ⟨*ant*⟩ (*apporre un marchio*) to seal, to mark with a stamp. – **sigillarsi** *v.r.* (*chiudersi, combaciare*) to fit together (well), to meet, to match.

sigillạria *f.* ⟨*Paleont*⟩ sigillarid (*Sigillaria*).

sigillạrio *m.* seal-maker, seal-engraver. – **sigillạto** (*p.p. di sigillare*) *a.* **1.** (*chiuso con sigilli*) sealed(up), closed with seals. – **2.** (*chiuso*) closed, sealed. – **sigillatụra** *f.* **1.** (*atto*) sealing, closing. – **2.** (*effetto*) seal.

sigịllo *m.* **1.** (*matrice, impronta*) seal, signet: *un* ~ *con inciso lo stemma di famiglia* a seal with the family crest. – **2.** ⟨*Dir*⟩ seal: *apporre i -i alla porta* to put the seal on the door. – **3.** ⟨*ant*⟩ (*conio*) minting, coining. – **4.** ⟨*ant*⟩ (*marchio*) seal, mark, stamp.

▭ **anello** *con* ~ signet-ring; **applicare** *un* ~ *a qc.* to affix (*o* set) a seal to s.th., to seal s.th.; ⟨*fig*⟩ **avere** *il* ~ ⌜*alla bocca*⌝ (o *alle labbra*) to keep one's lips sealed; ⟨*Rel*⟩ ~ *della* **confessione** seal of confession (*o* the confessional); ⟨*Dir*⟩ ~ **diplomatico** diplomatic seal; *sottoposto a* ~ **doganale** bonded, in bond; ~ **ermetico** (o *d'Ermete*) hermetic seal; ⟨*Stor*⟩ **grande** ~ Great Seal; ~ *per* **lettere** letter seal; **mettere** *un* ~ *a qc.* = **applicare** *un sigillo a qc.*; ⟨*fig*⟩ *mettere il* ~ ⌜*alla bocca*⌝ (o *alle labbra*) *di qd.* to seal s.o.'s lips, ⟨*fam,volg*⟩ to shut s.o.'s mouth; ~ **notarile** notary's seal; ~ *di* **piombo** lead seal; ⟨*Stor*⟩ ~ **privato** privy seal; ⟨*Bot*⟩ ~ *di* **Salomone**: Solomon's seal (*Polygonatum officinale*; *Polygonatum multiflorum*); *mettere* **sotto** ~ to seal up; ~ *dello* **stato** Great Seal; ~ **d'ufficio** official seal.

sigillografịa *f.* sigillography, sphragistics *pl* (*costr.sing.*).

Sigịsmọndo *N.pr.m.* Sigismund (*anche Stor.*).

sịgla *f.* **1.** initials *pl*, letters *pl*. – **2.** (*forma abbreviata*) abbreviation: *ENEL è la* ~ *dell'Ente Nazionale per l'Energia Elettrica* ENEL is the abbreviation for the Ente Nazionale per l'Energia Elettrica. – **3.** ⟨*burocr*⟩ initials *pl*: *mettere la propria* ~ *a una lettera* to ⌜put one's initials to⌝ (*o* initial) a letter. – **4.** ⟨*Bot*⟩ (*simbolo*) symbol, sign.

▭ ~ **automobilistica** registration number; ~ *della* **casa** *editrice* colophon, publisher's mark (*o* imprint); ⟨*Rad,TV*⟩ ~ **musicale** signature (tune), theme song (*o* music); ⟨*Aut,Aer*⟩ ~ *di* **nazionalità** country's registration letters *pl*; ⟨*Aut*⟩ ~ *della* **provincia** provincial registration letters *pl*; ⟨*Rad*⟩ ~ *della* **stazione** station signature tune.

siglạre *v.t.* to initial, to put one's initials to. – **siglạrio** *m.* abbreviation key. – **siglatụra** *f.* **1.** (*atto*) initialling. – **2.** (*effetto*) initials *pl*.

sịgma *m.inv.* **1.** (*lettera dell'alfabeto greco*) sigma. – **2.** ⟨*Anat*⟩ sigmoid flexure (*o* colon).

sigmạtico *a.* (*pl.* **-ci**) ⟨*Gramm*⟩ sigmatic.

sigmatismo *m.* ⟨*Med,Fon*⟩ sigmatism.
sigmodonte *m.* ⟨*Zool*⟩ sigmodont (*Sigmodon*).
sigmoideo *a.* **1.** sigmoid(al). – **2.** ⟨*Anat*⟩ sigmoid(al). – **sigmoidite** *f.* ⟨*Med*⟩ sigmoiditis. – **sigmoidoscopia** *f.* sigmoidoscopy. – **sigmoidostomia** *f.* sigmoidostomy.
sig.na, Sig.na = *signorina* Miss.
signaculo *m.* ⟨*ant*⟩ (*segnacolo*) symbol.
signatura *f.* (*segnatura*) mark(ing).
signifero *m.* **1.** ⟨*Stor.rom*⟩ standard-bearer, signifer. – **2.** ⟨*ant*⟩ (*vessillifero*) vexillary.
significante (*p.pr. di significare*) **I** *a.* ⟨*lett*⟩ **1.** (*espressivo*) significant, expressive, suggestive, meaningful: *sguardo* ~ meaningful look. – **2.** (*importante*) important, significant. – **II** *s.m.* ⟨*Ling*⟩ significant, signifier, significans. – **significanza** *f.* ⟨*ant*⟩ → **significato.**
significare *v.t.* (**significo, significhi**) **1.** (*voler dire*) to mean, to denote, to signify: *che cosa significa questa parola?* what does this word mean? – **2.** (*simboleggiare*) to stand for, to symbolize, to be the symbol of: *il verde significa speranza* green stands for hope. – **3.** (*esprimere, dire*) to express, to communicate: ~ *il proprio pensiero a qd.* to express one's thoughts to s.o. – **4.** ⟨*fig*⟩ (*avere importanza, valere*) to mean, to matter, to signify: *lei non significa niente per me* she means nothing to me.
significativamente *avv.* significantly, meaningfully. – **significatività** *f.* ⟨*Statist,non com*⟩ significance. – **significativo** *a.* **1.** meaningful, significant, significative: *osservazione -a* significant observation. – **2.** (*espressivo*) expressive, significant, meaningful, full of expression: *sguardo* ~ expressive look. – **3.** (*importante*) important, significant, major, notable, big: *successo* ~ big (*o* great) success.
significato *m.* **1.** meaning, significance, sense, purport: *il* ~ *di un termine* the meaning of a term. – **2.** ⟨*Ling*⟩ signified, significatum. – **3.** ⟨*estens*⟩ (*rif. ad azioni, avvenimenti e sim.*) meaning, reason: *adesso capisco il* ~ *del suo atteggiamento* now I understand the reason for his attitude. – **4.** ⟨*fig*⟩ (*importanza, valore*) importance, significance: *attribuire un grande* ~ *a qc.* to attach great importance to s.th. ☐ ~ *figurato* figurative meaning; ~ *proprio* literal meaning; *senza* (*o privo di*) ~ meaningless.
significatore ⟨*non com*⟩ **I** *s.m.* (*f.* **-trice**) **1.** significator, signifier. – **2.** ⟨*ant*⟩ (*chi annuncia*) announcer, notifier. – **II** *a.* signifying, meaning. – **significazione** *f.* ⟨*lett*⟩ **1.** meaning, signifying. – **2.** (*significato*) meaning, significance, sense.
signino: ⟨*Archeol*⟩ *opera -a* opus signinum.
signora *f.* **1.** lady, woman: *c'è una* ~ *al telefono* there's a lady on the phone. – **2.** (*appellativo: seguito dal cognome*) Mrs.: *la* ~ *Rossi* Mrs. Rossi; (*seguito dal nome*) *non si traduce*: *parlo con la* ~ *Maria?* am I speaking to Maria?; (*seguito dal titolo*) *non si traduce*: *la* ~ *contessa* the Countess; (*usato assolutamente*) *di solito non si traduce*: *scusi* ~ excuse me; (*da parte del personale di servizio*) madam: *buon giorno* ~ good morning, madam; *pl.* ladies *pl.* – **3.** (*donna sposata*) married woman. – **4.** ⟨*pred*⟩ (*sposata*) married (woman), Mrs.: ~ *o signorina?* Mrs. or Miss?, are you married or single? – **5.** (*moglie*) wife, ⟨*pop*⟩ missus: *i miei saluti alla Sua* ~ my best regards to your wife; *il signor Bianchi e* ~ Mr. Bianchi and his wife, Mr. and Mrs. Bianchi. – **6.** (*padrona di casa*) lady of the house: *la* ~ *non è in casa* the lady of the house isn't in. – **7.** (*donna di classe*) lady, ⟨*lett*⟩ gentlewoman: *è una vera* ~ she's a real lady. – **8.** ⟨*lett*⟩ (*padrona, dominatrice*) mistress: *la* ~ *dei mari* the mistress of the seas.
☐ ⟨*Lett*⟩ *la* ~ *delle* **camelie** La Dame aux Camélias, the Lady of the Camelias; **fare** *la* ~ to live like a lady (*o* queen); ⟨*epist*⟩ **gentile** ~ Dear Madam; ⟨*epist*⟩ *gentili -e* Mesdames; ⟨*epist*⟩ *gentile* ~ *Maria Rossi*: 1. (*sulla busta*) Mrs. Maria Rossi; 2. (*formula iniziale*) Dear Mrs. Rossi; ⟨*Rel*⟩ **Nostra** ~ Our Lady: *chiesa di Nostra* ~ Church of Our Lady; *-e e* **signori** *buona sera* good evening ladies and gentlemen.
signoraggio *m.* **1.** ⟨*Econ*⟩ seigniorage, mintage, gain of the mint. – **2.** ⟨*Mediev*⟩ seign(i)ory. – **3.** ⟨*ant*⟩ (*signoria, dominio*) dominion, lordship, rule. – **signoranza** *f.* ⟨*ant*⟩ (*signoria*) dominion, rule.
signore I *s.m.* (*f.* **-a**) **1.** (*uomo*) gentleman, man: *è venuto un* ~ *a cercarti* a man came looking for you. – **2.** (*appellativo: seguito dal cognome*) Mr.: *il signor Rossi* Mr. Rossi; (*seguito dal nome*) *non si traduce*: *hai visto il signor Giovanni?* have you seen John?; (*seguito dal titolo*) *non si traduce*: *una dichiarazione del* ~ *ministro* a statement from the Minister; (*usato assolutamente*) *di solito non si traduce*: *permette* ~? may I?; (*da parte del personale di servizio*) sir: *tassì* ~? taxi, sir?; *il* ~ *desidera?* may I help you, sir? – **3.** *pl.* gentlemen *pl*: *buona sera -i* good evening gentlemen; (*rif. a uomini e donne*) ladies and gentlemen *pl*, *spesso non si traduce*; (*rif. a una coppia*) *buona sera -i* good evening Sir, good evening Madam. – **4.** (*padrone di casa*) master, man of the house. – **5.** (*uomo raffinato*) gentleman: *è un vero* ~ he's a real gentleman; (*uomo ragguardevole*) important man, man of rank (*o* standing), ⟨*fam*⟩ V.I.P. – **6.** (*uomo benestante*) rich man. – **7.** (*padrone, sovrano*) lord, master. – **8.** ⟨*ant*⟩ (*uomo amato*) love, beloved. – **II** *a.* ⟨*rar*⟩ **1.** (*ricco, benestante*) rich, wealthy. – **2.** (*eccellente*) excellent, superlative. – **Signore** *m.* **1.** (*Dio*) Lord, (Lord) God. – **2.** ⟨*esclam*⟩ good Lord, good gracious, my goodness.
☐ ⟨*epist*⟩ **egregio** ~ Dear Sir; ⟨*epist*⟩ *egregi -i* Dear Sirs, ⟨*am*⟩ Gentlemen; ⟨*epist*⟩ *egregio signor Mario Rossi*: 1. (*sulla busta*) Mr. Mario Rossi; 2. (*formula iniziale*) Dear Mr. Rossi; **fare** *il* ~ (*darsi delle arie*) to put on airs, to lord it; (*spendere con profusione*) to throw one's money around; *far vita da* (*gran*) ~ to live like a lord; ⟨*Rel*⟩ *Nostro* ~ **Gesù** *Cristo* Our Lord Jesus Christ; ⟨*ant*⟩ **Gran** ~ (*Sultano*) Grand Signior, Grand Seign(i)or, Sultan of Turkey; *il* ~ **Iddio** the Lord God; *signor* **no** → **signornò**; ⟨*Rel*⟩ **Nostro** ~ Our Lord; *i* **poveri** *e i -i* the poor and the rich; *Signor* **Presidente**! Mr. President!; *signor* **sì** → **signorsì**; *il signor* **tal** *dei tali* Mr. So-and-So.
signoreggiamento *m.* ⟨*non com*⟩ **1.** rule, domination. – **2.** ⟨*fig*⟩ mastery, domination, control. – **signoreggiare** *v.* (**signoreggio, signoreggi**) **I** *v.t.* **1.** ⟨*lett*⟩ (*dominare*) to rule (over), to dominate (over), to be master of, to reign (*o* hold sway) over: ~ *una città* to dominate a city. – **2.** ⟨*fig*⟩ (*controllare*) to master, to dominate, to control: ~ *le proprie passioni* to master one's passions. – **3.** ⟨*non com,fig*⟩ (*sovrastare*) to tower above, to dominate, to command, to overhang. – **II** *v.i.* (*aus.* **avere**) to rule, to dominate (*su qc.* s.th., over s.th.), to be master (*o* lord) (of), to hold sway (over): ~ *su una città* to be master of a city. – **signoreggiatore** ⟨*non com*⟩ **I** *s.m.* (*f.* **-trice**) **1.** ruler, dominator. – **2.** ⟨*fig*⟩ master. – **II** *a.* ruling, dominating.
signoresco *a.* (*pl.* **-chi**) **1.** of a lord, lord's, seignorial. – **2.** ⟨*spreg*⟩ (*altezzoso*) arrogant, haughty, imperious, lordly.
signorevole *a.* ⟨*ant*⟩ → **signorile.**
signoria *f.* **1.** (*dominio*) rule, mastery, dominion, ⟨*lett*⟩ signory: *vivere sotto la* ~ *di qd.* to live under s.o.'s rule. – **2.** ⟨*non com*⟩ (*condizione signorile*) lordliness, lordship. – **3.** ⟨*Stor*⟩ signoria, seign(i)ory *l'età delle -e* the age of the seigniories. – **4.** ⟨*Mediev*⟩ (*gabella*) kind of tax. – **Signoria** *f.* **1.** (*titolo d'onore*) Lordship: *Vostra* ~ Your Lordship; (*rif. a una donna*) Ladyship. – **2.** ⟨*burocr*⟩ you, *spesso non si traduce*: *la* ~ *Vostra è pregata di presentarsi* please (*o* kindly) present yourself. ☐ ⟨*non com*⟩ *essere in* ~ *di qd.* to be at s.o.'s mercy; ⟨*non com*⟩ *mettersi in* ~ to put on airs, to lord it.
signorile *a.* **1.** good-class, high-class, exclusive, elegant, ⟨*fam*⟩ posh, ⟨*fam*⟩ ritzy: *quartiere* ~ high-class neighbourhood. – **2.** (*raffinato*) refined, well-bred, polished, courtly; (*rif. a uomini*) gentlemanly, gentlemanlike; (*rif. a donne*) ladylike: *modi -i* refined manners, gentlemanly ways, ladylike behaviour. – **3.** ⟨*rar*⟩ (*nobile*) noble, aristocratic. – **signorilità** *f.* **1.** elegance, urbanity. – **2.** (*raffinatezza*) refinement, polish, (good) breeding, courtliness: *tratta gli ospiti con gran* ~ he treats his guests with great courtliness. – **signorilmente** *avv.* in a refined manner; (*rif. a uomini*) in a gentlemanly way, as befits a gentleman; (*rif. a donne*) in a ladylike way, as befits a lady.
signorina (*dim. di signora*) *f.* **1.** (*giovane donna*) young lady, girl: *ha telefonato una* ~ a young lady phoned; *diventare una* ~ to become a young lady. – **2.** (*appellativo*) Miss: *la* ~ *Bianchi* Miss Bianchi; *la* ~ *Maria* (Miss) Mary; (*con un titolo*) *non si traduce*; (*usato assolutamente*) miss: *scusi* ~ excuse me miss. – **3.** (*donna nubile*) unmarried (*o* single) woman, ⟨*burocr,spreg*⟩ spinster, ⟨*scherz,spreg*⟩ old maid; (*giovane nubile*) single girl, bachelor-girl. – **4.** ⟨*pred*⟩ (*nubile*) unmarried (woman), single (girl): *sono* ~ I am unmarried; (*ragazza*) girl, ⟨*lett*⟩ maiden, ⟨*poet*⟩ maid: *nome di* ~ maiden name. – **5.** ⟨*scherz*⟩ (*rif. a bambina*) young lady. – **6.** (*rif. a impiegata, cameriera*) girl: *la* ~ *del centralino* the girl at the switchboard; (*vocativo*) Miss; (*cameriera di ristorante*) waitress; (*vocativo*) waitress, Miss. – **7.** (*commessa*) (sales)girl, (shop-)attendant. – **8.** (*padroncina*) young mistress. ☐ *diventare* ~ to reach the age of puberty; *è rimasta* ~ she has not married.
signorinella, signorinetta (*dim. di signorina*) *f.* young girl. – **signorino** (*dim. di signore*) *m.* **1.** master, young gentleman. – **2.** ⟨*spreg,iron*⟩ mamma's boy, namby-pamby, sissy.
signormo *m.* ⟨*ant*⟩ (*il mio signore*) my lord (*o* master).
signornò (*o signor no*) *avv.* no, sir.
signorone (*accr. di signore*) *m.* (*f.* **-a**) ⟨*fam*⟩ wealthy man, man of standing; (*signore raffinato*) grand gentleman. – **signorotto** (*accr. di signore*) *m.* ⟨*spreg*⟩ squire, country gentleman.
signorsì (*o signor sì*) *avv.* **1.** yes, sir. – **2.** ⟨*mar*⟩ aye aye, sir.
signorso *m.* ⟨*ant*⟩ (*il suo signore*) his lord (*o* master). – **signorto** *m.* ⟨*ant*⟩ (*il tuo signore*) your lord (*o* master).
sika *m.* ⟨*Zool*⟩ Japanese deer, sika (*Sika*).
sikh *m.* ⟨*Rel*⟩ Sikh.
Sila *N.pr.f.* ⟨*Geog*⟩ Sila.
silaggio *m.* ⟨*Agr*⟩ ensilage.
silano *m.* ⟨*Chim*⟩ silane.
silcatura *f.* ⟨*Tess*⟩ silk-finishing.
silema *m.* ⟨*Bot*⟩ (*xilema*) xylem. – **silematico** *a.* (*pl.* **-ci**) (*xilematico*) xylem-, xylary.
silene *f.* ⟨*Bot*⟩ catchfly, silene (*Silene*).
Sileno *N.pr.m.* ⟨*Mitol*⟩ Silenus.
silente (*p.pr. di silere*) *a.* ⟨*lett*⟩ (*silenzioso*) silent.
silenziare *v.t.* (**silenzio, silenzi**) **1.** to muffle, to silence, to make quiet(er): ~ *un motore* to muffle a motor. – **2.** ⟨*non com*⟩ (*ridurre al silenzio*) to silence, to still. – **3.** ⟨*Mil*⟩ to silence.
silenziario *m.* **1.** ⟨*Stor.rom*⟩ silentiarius, slave who kept silence among the household; (*alla corte bizantina*) silentiary. – **2.** ⟨*Mediev*⟩ judge's adviser.
silenziatore *m.* **1.** (*rif. ad armi*) silencer: *pistola con* ~ gun with a silencer. – **2.** ⟨*Mot*⟩ silencer, ⟨*am*⟩ muffler. – **3.** ⟨*Rad*⟩ interference limiter. ☐ ⟨*Mot*⟩ ~ *di scarico* silencer, ⟨*am*⟩ muffler.
silenzio *m.* **1.** (*quiete*) silence, quiet, still(ness), hush: *il* ~ *della notte* the still of the night. – **2.** (*il tacere*) silence, muteness, keeping silent (*o* quiet): *ascoltare in* ~ to listen in silence; *costringere qd. al* ~ to reduce s.o. to silence, to force s.o. to keep quiet. – **3.** (*man-*

canza di corrispondenza epistolare) silence, lack of news: *questo vostro* ~ *m'impensierisce* your silence worries me. – **4.** ⟨*fig*⟩ (*discrezione, segretezza*) secrecy, discretion, silence: *ti raccomando il* ~ *su questa faccenda* please maintain secrecy about this matter; (*dimenticanza, oblio*) oblivion, obscurity, silence: *cadere nel* ~ to fall into oblivion. – **5.** (*prescrizione di quiete e periodo di tempo*) lights-out (*anche Mil.*): *durante il* ~ during lights-out. – **6.** ⟨*Mil*⟩ (*segnale di tromba*) lights-out, taps *pl* (*costr.sing.*). – **7.** ⟨*esclam*⟩ quiet, be (*o* keep) quiet, silence, hush, ⟨*fam*⟩ shut up.

□ **far** ~ to stop talking, to be quiet (*o* silent), ⟨*fam,scherz*⟩ to keep mum: *fate* ~*!* stop talking!, (be) quiet!, ⟨*fam*⟩ shut up!; *far fare* ~ *a qd.* to make s.o. be silent (*o* quiet), to silence s.o., ⟨*fam*⟩ to shut s.o. up; **in** ~ in silence; *mettere in* ~ *qc.* to hush s.th. up; ~ *di* **morte** = *silenzio di* **tomba**; ⟨*fig*⟩ **passare** *sotto* ~ *qc.* to pass s.th. over in silence, to keep quiet about s.th.; ~ **pitagorico** (*lunghissimo*) very long silence; ⟨*Rad,Mil*⟩ ~ **radio** radio silence; **restare** *in* ~ not to talk, to keep quiet; (*tacere*) to keep (*o* be) silent; **ridurre** *al* ~ to reduce to silence, to still; ⟨*fig*⟩ to silence; **rompere** *il* ~ to break the silence; ⟨*fig*⟩ ~ *di* **tomba** silence of the grave, deathlike silence, deathly hush (*o* silence); ⟨*fig*⟩ **vivere** *nel* ~ to live in obscurity. – *Prov.*: *il* ~ *è d'oro, la parola* (*è*) *d'argento* speech is silver, silence is golden.

silenziosamente *avv.* **1.** quietly, noiselessly, silently, soundlessly. – **2.** (*tacendo*) silently, mutely, without speaking. – **silenziosità** *f.* **1.** silence, quietness, stillness, noiselessness. – **2.** (*carattere taciturno*) taciturnity, laconism, reticence, muteness. – **silenzioso** *a.* **1.** silent, quiet, still, hushed: *strada -a* quiet street. – **2.** (*che non fa rumore*) noiseless, silent, soundless: *passi -i* silent steps. – **3.** (*rif. a persone*) silent, quiet, mute, unspeaking; (*taciturno*) taciturn, laconic, reticent, silent, uncommunicative, sparing of words. – **4.** ⟨*fig*⟩ silent, unspoken, tacit: *gioia -a* silent joy.

silere *v.i.* (*aus.* **avere**) ⟨*ant*⟩ (*tacere*) to be (*o* keep) silent, to keep quiet.

silesia *f.* ⟨*Tess*⟩ twill.

Silesia *N.pr.f.* → **Slesia.**

silfide *f.* **1.** ⟨*Mitol.nord*⟩ sylph. – **2.** ⟨*estens*⟩ (*donna snella*) sylph.

silfidi *m.pl.* ⟨*Entom*⟩ silphids *pl* (*Silphidae*).

silfo *m.* ⟨*Mitol*⟩ sylph.

silhouette *fr.* [silw'ɛt] *f.* **1.** silhouette. – **2.** (*corpo, linea snella*) slim (*o* svelte) figure.

silicagel *m.* ⟨*Ind*⟩ silica gel.

silicato *m.* ⟨*Min,Chim*⟩ silicate. □ ~ *di potassio* potassium silicate; ~ *di sodio* sodium silicate, silicate of soda.

silice *f.* ⟨*Min*⟩ silica; (*anidride silicica*) silica. □ *malattia da* ~ → **silicosi.** – **siliceo** *a.* siliceous, silicious, silicic. – **silicico** *a.* (*pl.* **-ci**) ⟨*Chim*⟩ silicic: *acido* ~ silicic acid. – **silicicolo** *a.* ⟨*Bot*⟩ silicicolous. – **silicio** *m.* ⟨*Chim*⟩ silicon, silicium. – **siliciuro** *m.* silicide. – **silicizzare** *v.t.* ⟨*Bot,Geol*⟩ to silicify. – **silicizzarsi** *v.r.* to silicify, to become silicified. – **silicizzato** (*p.p. di silicizzare*) *a.* silicified: *legno* ~ silicified wood. – **silicizzazione** *f.* silicification.

silicoflagellati *m.pl.* ⟨*Zool*⟩ silicoflagellates *pl* (*Silicoflagellata*).

silicone *m.* ⟨*Chim*⟩ silicone.

silicosi *f.* ⟨*Med*⟩ silicosis.

silicospongie *f.pl.* ⟨*Zool*⟩ siliceous sponges *pl* (*Silicospongiae*).

silicotubercolosi *f.* ⟨*Med*⟩ silicotuberculosis.

siliqua *f.* **1.** ⟨*Bot*⟩ silique, siliqua. – **2.** ⟨*Zool*⟩ (*cannolicchio*) razor shell, razor clam (*Solen siliqua*).

siliquastro *m.* ⟨*Bot*⟩ (*albero di Giuda*) Judas tree (*Cercis siliquastrum*).

siliquetta (*dim. di siliqua*) *f.* ⟨*Bot*⟩ silicle, silicule. – **siliquiforme** *a.* siliquiform, siliquose, siliquous.

Silla *N.pr.m.* ⟨*Stor*⟩ Silla.

sillaba *f.* syllable: *dividere in -e* to divide into syllables, to syllabify.

□ ~ **aperta** open (*o* free) syllable; ~ **breve** short syllable; *non* **cambiare** *una* ~ = *non* **toccare** *una sillaba*; *non* **capire** *una* (*sola*) ~ not to understand a word; ~ **chiusa** closed syllable, blocked (*o* checked) syllable; **di** *tre -e* three-syllable-: *parola di tre -e* three-syllable word; *non* **dire** (*o proferire*) *una* ~ (*rimanere in silenzio*) not to say a word; ~ **forte** strong syllable; ~ **implicata** = *sillaba* **chiusa**; ~ **libera** = *sillaba* **aperta**; ~ **lunga** long syllable; *non* **toccare** *una* ~ (*lasciare un testo immutato*) not to change a word.

sillabare *v.t.* (**sillabo**) **1.** (*dividere in sillabe*) to syllabify, to divide into syllables. – **2.** (*leggere*) to read syllable by syllable, to syllabize, to syllabify. – **sillabario** *m.* syllabary, syllabarium; (*abbecedario*) primer, spelling-book, elementary reading-book. – **sillabazione** *f.* syllabi(fi)cation, dividing into syllables, articulation of syllables. – **sillabico** *a.* (*pl.* **-ci**) **1.** syllabic. – **2.** ⟨*Mus*⟩ syllabic: *canto* ~ syllabic melody (*o* song). – **sillabizzazione** *f.* ⟨*non com*⟩ → **sillabazione.** – **sillabo** *m.* **1.** ⟨*rar*⟩ (*raccolta*) collection; (*sommario*) syllabus, summary. – **2.** ⟨*Stor*⟩ syllabus (of errors). – **sillabogramma** *m.* ⟨*Ling*⟩ syllable (*o* syllabic) sign, syllabogram.

sillepsi, sillessi *f.* ⟨*Ret*⟩ syllepsis.

silli *m.pl.* ⟨*Lett*⟩ satirical poems *pl.*

sillimanite *f.* ⟨*Min*⟩ sillimanite, fibrolite. – **sillimanitico** *a.* (*pl.* **-ci**) sillimanite-, fibrolitic.

silloge *f.* ⟨*lett*⟩ (*raccolta*) collection, compendium, ⟨*lett*⟩ sylloge.

sillogismo *m.* **1.** ⟨*Filos*⟩ syllogism. – **2.** (*ragionamento cavilloso*) syllogism. – **sillogistica** *f.* ⟨*Filos*⟩ syllogistic. – **sillogisticamente** *avv.* syllogistically. – **sillogistico** *a.* (*pl.* **-ci**) syllogistic. – **sillogizzare I** *v.t.* (*esporre in forma di sillogismo*) to syllogize. – **II** *v.i.* (*aus* **avere**) **1.** to syllogize. – **2.** ⟨*fig*⟩ (*ragionare sottilmente*) to ponder, to puzzle.

sillografo *m.* sillographer.

silo *m.* (*pl.* **sili/silos**) silo, (storage) bin, ⟨*am*⟩ elevator.

□ ~ *per* **cemento** cement silo; ~ *da* **cereali** grain silo; **conservazione** *nei -i* ensilage; ~ *da* **foraggi** fodder silo; **mettere** *nel* ~ to silo, to ensile; ~ *per* **minerale** ore bin; ~ *di* **stoccaggio** storage silo.

silo... *pref.* (*legno* wood) xyl(o)...

silocco *m.* (*pl.* **-chi**) ⟨*ant*⟩ (*scirocco*) sirocco, scirocco.

siloetta *f.* ⟨*rar*⟩ → **silhouette.**

silofago *m.* (*pl.* **-gi**) ⟨*Entom*⟩ xylophagan, xylophage.

silofonista *m./f.* ⟨*Mus*⟩ xylophonist, xylophone-player. – **silofono** *m.* xylophone.

silografia *f.* **1.** (*tecnica*) xylography, wood-engraving. – **2.** (*opera*) xylograph(y), woodcut, wood-engraving. – **silografico** *a.* (*pl.* **-ci**) xylographic(al). – **silografo** *m.* (*f.* **-a**) xylographer.

silologia *f.* xylology. – **silologico** *a.* (*pl.* **-ci**) xylology-, of xylology. – **silologo** *m.* (*pl.* **-gi**; *f.* **-a**) xylology expert.

silossano *m.* ⟨*Chim*⟩ siloxane.

siloteca *f.* collection of wood specimens.

siluetta *f.* ⟨*rar*⟩ → **silhouette.**

silumin *m.* ⟨*Met*⟩ silumin.

siluramento *m.* **1.** ⟨*Mil*⟩ torpedoing. – **2.** ⟨*fig*⟩ (*allontanamento, rimozione*) ousting, dismissal, ⟨*fam*⟩ sack(ing), ⟨*fam*⟩ firing. – **3.** ⟨*fig*⟩ (*distruzione*) torpedoing, undermining, wrecking: ~ *di un'iniziativa* undermining a project. – **silurante** (*p.pr. di silurare*) **I** *a.* ⟨*Mil*⟩ torpedo-: *aereo* ~ torpedo bomber (*o* plane). – **II** *s.f.* (*nave silurante*) torpedo-boat.

silurare *v.t.* **1.** to torpedo: *il nemico ha silurato due navi mercantili* the enemy torpedoed two merchant ships. – **2.** ⟨*fig*⟩ (*rimuovere da un incarico*) to remove (from one's post), to oust: ~ *un alto funzionario* to oust an important functionary; (*licenziare*) to dismiss, ⟨*fam*⟩ to sack, ⟨*fam*⟩ to fire. – **3.** (*far fallire*) to torpedo, to ruin, to wreck: ~ *un progetto* to wreck a plan; ~ *un progetto di legge* to torpedo a bill. – **siluratore I** *s.m.* (*f.* **-trice**) torpedoer (*anche fig.*). – **II** *a.* torpedo-.

Siluri *N.pr.pl.* ⟨*Stor*⟩ Silures *pl.*

siluriano I *a.* ⟨*Geol*⟩ Silurian. – **II** *s.m.* Silurian (period). – **silurico** *a./s.* (*pl.* **-ci**) → **siluriano.**

siluridi *m.pl.* ⟨*Itt*⟩ catfishes *pl*, siluroids *pl* (*Siluroidea*).

silurificio *m.* torpedo factory. – **siluriforme** *a.* torpedo-shaped, torpedo-like. – **siluripedio** *m.* ⟨*Mar.mil*⟩ torpedo firing range. – **silurista** *m.* ⟨*Mil*⟩ torpedoist, torpedoman.

siluro[1] *m.* ⟨*Itt*⟩ **1.** silurus (*Silurus*). – **2.** (*anche siluro d'Europa*) sheathfish, sly silurus, European catfish (*Silurus glanis*). □ ~ *elettronico* (*o tremante*) electric catfish, raad (*Melapterurus electricus*).

siluro[2] *m.* ⟨*Mar.mil*⟩ torpedo. □ ~ *acustico* acoustic torpedo; ~ *per aereo* air torpedo; ~ *elettrico* electric torpedo; *lanciare un* ~ to fire a torpedo, to torpedo; ⟨*fig*⟩ *lanciare un* ~ *a qd.* to ruin s.o.; ~ *umano* manned torpedo.

siluroidi *m.pl.* → **siluridi.**

silurotto (*dim. di siluro*[2]) *m.* ⟨*Mar.mil*⟩ small torpedo.

silvana *f.* **1.** ⟨*Chim*⟩ (*tellurio nativo*) native tellurium. – **2.** → **silvanite.**

Silvana *N.pr.f.* Sylvana, Silvana.

silvanite *f.* ⟨*Min*⟩ sylvanite, silvanite.

silvano[1] *a.* forest-, wood(s), woodland, ⟨*lett*⟩ sylvan, ⟨*lett*⟩ silvan.

silvano[2] *m.* ⟨*Entom*⟩ saw-toothed grain beetle (*Oryzaephilus surinamensis*).

Silvano *N.pr.m.* Sylvanus, Silvanus (*anche Mitol., Stor.*).

Silverio *N.pr.m.* ⟨*Stor*⟩ Silverius.

silvestre *a.* ⟨*lett*⟩ **1.** forest-, wood(s), woodland, of the forest (*o* wood), ⟨*lett*⟩ sylvan, ⟨*lett*⟩ sylvestrian: *fiori -i* woodland flowers. – **2.** (*selvoso*) wooded, woody, forested, ⟨*lett*⟩ sylvan. – **3.** ⟨*fig*⟩ (*aspro, difficile*) rough, uneven, broken; (*selvaggio*) wild. – **silvestro** *a.* ⟨*ant*⟩ → **silvestre.**

Silvestro *N.pr.m.* ⟨*Stor*⟩ Sylvester, Silvester. □ *san* ~ (*ultimo giorno dell'anno*) New Year's Eve.

silvia *f.* **1.** ⟨*Bot*⟩ wood anemone (*Anemone nemorosa*). – **2.** ⟨*Ornit*⟩ warbler (*Sylvia*).

□ ⟨*Ornit*⟩ ~ *del* **Cetti** Cetti's warbler (*Cettia cetti*); ~ **cinericcia** (greater) whitethroat (*Sylvia communis*); ~ *a* **gola** *cerulea* bluethroat (*Luscinia svecica*); ~ **palustre** marsh warbler (*Acrocephalus palustris*); ~ *di* **Provenza** Dartford warbler (*Sylvia undata*); ~ **rossiccia** (*cannareccione*) great reed warbler (*Acrocephalus arundinaceus*); ~ *del* **Ruppell** Ruppell's warbler (*Sylvia ruppelli*); ~ **sibilante** wood warbler (*Phylloscopus sibilatrix*); ~ **veloce** chiff-chaff (*Phylloscopus collybita*).

Silvia *N.pr.f.* Sylvia, Silvia.

silvicolo *a.* forest-, forestal, of forests, woodland, wood. – **silvicoltore** *m.* (*f.* **-trice**) (*selvicoltore*) silviculturist, sylviculturist, forestry expert. – **silvicoltura** *f.* (*selvicoltura*) silviculture, sylviculture, forestry. – **silvicultore** *m.* → **silvicoltore.** – **silvicultura** *f.* → **silvicoltura.**

silvidi *m.pl.* ⟨*Ornit*⟩ sylviids *pl* (*Sylviidae*).

silvilago *m.* (*pl.* **-ghi**) ⟨*Zool*⟩ **1.** cotton-tail rabbit (*Sylvilagus*). – **2.** (*anche silvilago di palude*) marsh hare (*Sylvilagus palustris*).

silvina *f.* → **silvite.**

silvinịte *f.* ⟨*Min*⟩ sylvinite.
Sịlvio *N.pr.m.* Sylvius, Silvius (*anche Mitol.,Stor.*).
silvịte *f.* ⟨*Min*⟩ sylvite, silvin(e).
silvọso *a.* ⟨*ant*⟩ (*selvoso*) forested, wooded, woody, ⟨*lett*⟩ sylvan.
sim. = **1.** *simile* similar (*abbr.* sim.). – **2.** *simili* similar (*abbr.* sim.). – **3.** (*similmente*) similarly (*abbr.* sim.).
SIM = ⟨*Mil*⟩ *Servizio informazioni militari* Army Intelligence Service.
sịma[1] *m.* ⟨*Geol*⟩ sima.
sịma[2] *f.* ⟨*Archeol*⟩ cyma, sima.
simạndro *m.* ⟨*Stor*⟩ kind of primitive gong.
simạtico *a.* (*pl.* -ci) ⟨*Geol*⟩ simatic. □ *involucro* ~ sima.
simbiọnte *m.* ⟨*Biol*⟩ symbiont, symbiot(e). – **simbiọṣi** *f.* **1.** ⟨*Biol*⟩ symbiosis, consortium. – **2.** ⟨*fig*⟩ (*rapporto molto stretto*) close connection; (*associazione*) association. □ ~ *antagonista* (o *disarmonica*) antagonistic symbiosis; ~ *mutualistica* (o *armonica*) mutualistic symbiosis. – **simbiọtico** *a.* (*pl.* -ci) symbiotic(al).
simblẹfaro *m.* ⟨*Med*⟩ symblepharon.
simboleggiamẹnto *m.* ⟨*non com*⟩ symbolization, symbolizing. – **simboleggiạnte** (*p.pr. di simboleggiare*) *a.* symbolizing, standing for, representing, signifying. – **simboleggiạre** *v.t.* (**simbolẹggio, simbolẹggi**) to symbolize, to stand for, to represent, to signify: *la lupa dantesca simboleggia l'avarizia* the wolf in Dante stands for avarice. – **simboleggiatụra** *f.* ⟨*non com*⟩ symbolization, symbolism.
simbọlica *f.* symbolics *pl* (*costr.sing.*), symbolism. – **simbolicamẹnte** *avv.* **1.** symbolically. – **2.** (*per mezzo di segni*) symbolically, by means of symbols (*o* signs). – **simbolicità** *f.* symbolic nature. – **simbọlico** *a.* (*pl.* -ci) **1.** symbolic(al). – **2.** (*che ha natura di simbolo*) symbolic, nominal: *dono* ~ symbolic gift. – **3.** (*che si esprime mediante simboli*) symbolic(al), expressed in symbols: *poesia -a* symbolical poetry.
simbolịṣmo *m.* **1.** symbolism (*anche Art.*): *il* ~ *di un gesto* the symbolism of a gesture. – **2.** (*uso di simboli*) symbolism, use of symbols (*o* signs). – **3.** ⟨*concr*⟩ (*complesso di simboli*) symbolism, set of symbols.
simbolịsta I *s.m./f.* symbolist. – **II** *a.* → **simbolistico**. – **simbolịstico** *a.* (*pl.* -ci) symbolistic, symbolic. – **simbolịẓẓare** *v.t.* **1.** to make (*o* treat as) symbolic, to symbolize. – **2.** → **simboleggiare**. – **simboliẓẓaziọne** *f.* **1.** symbolization, symbolism. – **2.** ⟨*Psic*⟩ symbolization.
sịmbolo *m.* **1.** symbol: *la colomba è il* ~ *della pace* the dove is the symbol of peace. – **2.** (*segno*) symbol, sign: *-i chimici* chemical symbols. – **3.** ⟨*Ling,Filos*⟩ symbol. – **4.** ⟨*Rel*⟩ symbol, creed. □ ⟨*Rel*⟩ ~ **apostolico** Apostle's Creed; ⟨*Rel*⟩ ~ **atanasiano** Athanasian Creed; ~ **cartografico** map symbol (*o* sign); ~ **geometrico** geometrical symbol (*o* sign); ~ **massonico** Masonic symbol; ~ **matematico** mathematical symbol (*o* sign); ⟨*Rel*⟩ ~ **niceno-costantinopolitano** Nicene Creed; ~ *di* **successo** status symbol.
simbologịa *f.* **1.** symbology, symbolics *pl* (*costr.sing.*). – **2.** (*simbolismo*) symbolism, symbology.
simbrạnchi *m.pl.* ⟨*Itt*⟩ symbranchs *pl* (*Symbranchia*).
Simeọne *N.pr.m.* ⟨*Bibl*⟩ Simeon.
sịmia *f.* ⟨*ant*⟩ (*scimmia*) monkey.
sịmico *a.* → **simatico**.
similgliạnte (*p.pr. di simigliare*) *a.* ⟨*lett*⟩ (*somigliante*) resembling, like. – **simigliạnza** *f.* ⟨*lett*⟩ (*somiglianza*) resemblance, likeness. – **simigliạre** *v.t.* (**simịglio, simịgli**) ⟨*lett*⟩ (*somigliare*) to resemble, to look (*o* be) like. – **simigliẹvole** *a.* ⟨*ant*⟩ **1.** resembling (*a qd.* s.o.). – **2.** (*affine*) similar (*a* to), like (s.o.).
similạre *a.* similar, suchlike. – **similarità** *f.* ⟨*non com*⟩ similarity.
sịmile I *a.* **1.** like (*a qd.* s.o.), similar (to), ⟨*pred*⟩ alike: *una disgrazia* ~ *è successa l'anno scorso* a similiar accident occurred last year; *il burro e la margarina sono -i* butter and margarine are alike. – **2.** (*tale*) such, like this (*o* that), of this (*o* that) sort: *non mi aspettavo una risposta* ~ I didn't expect ⌜such an answer⌝ (*o* an answer like this); *una cosa* ~ such a thing, a thing like this. – **3.** ⟨*Geom*⟩ similar. – **II** *avv.* (*similmente*) likewise, similarly, the same, in the same manner. – **III** *s.m.* **1.** (*prossimo*) fellow(-man), fellow-creature, neighbour: *la carità verso i propri -i* charity towards one's fellow-men. – **2.** ⟨*non com,lett*⟩ (*cosa simile*) thing like this, matter of this (*o* that) kind; (*stessa cosa*) same thing. □ *e -i* and the like, and such. – *Prov.*: *ogni* ~ *ama il suo* ~ birds of a feather flock together.
simịlia *lat.*: *et* ~ (*e simili*) and the like, and such.
similimẹnte *avv.* ⟨*ant*⟩ → **similmente**.
similitụdine *f.* **1.** ⟨*Ret*⟩ simile, allegory, similitude. – **2.** ⟨*Geom*⟩ similarity. – **3.** ⟨*lett*⟩ (*somiglianza*) likeness, resemblance, ⟨*lett*⟩ similitude: *a* ~ *di* in the likeness of.
simịllimo (*sup. di simile*) *a.* ⟨*ant*⟩ very similar (*o* like). – **similmẹnte** *avv.* similarly, likewise, in the same manner, the same.
similọro *m.* ⟨*Met*⟩ Dutch metal (*o* leaf, gold), tombac.
similpẹlle *f.* ⟨*Ind*⟩ imitation leather, leatherette.
simmachịa *f.* ⟨*Stor.gr*⟩ war alliance, ⟨*ant*⟩ symmachy. – **sịmmaco** *m.* (*pl.* -chi) war ally.
Sịmmaco *N.pr.m.* ⟨*Stor*⟩ Symmachus.
simmetrịa *f.* **1.** symmetry: *la* ~ *dei cristalli* the symmetry of crystal. – **2.** ⟨*fig*⟩ (*armonia, equilibrio*) symmetry, balance, proportion, harmony. – **simmetricamẹnte** *avv.* **1.** symmetrically, in a symmetrical manner. – **2.** ⟨*fig*⟩ symmetrically, in a balanced (*o* proportional) manner. – **simmẹtrico** *a.* (*pl.* -ci) **1.** symmetric(al). – **2.** ⟨*fig*⟩ (*armonico*) symmetric(al), balanced, proportional, harmonious. – **3.** ⟨*El*⟩ symmetrical, balanced.
sịmo *a.* ⟨*lett*⟩ (*camuso*) flat-nosed, snub-nosed.
Simoẹnta *N.pr.m.* ⟨*Geog.stor*⟩ Simois.
simolạcro *m.* ⟨*rar*⟩ → **simulacro**.
Simọne *N.pr.m.* Simon.
simoneggiạre *v.i.* (**simonẹggio, simonẹggi**; *aus.* **avere**) ⟨*lett*⟩ (*commettere simonia*) to practise (*o* commit) simony.
Simonẹtta *N.pr.f.* Simonetta.
simonịa *f.* simony. – **simoniacamẹnte** *avv.* simoniacally. – **simonịaco** *a./s.* (*pl.* -ci) **I** *a.* **1.** simoniac(al). – **2.** (*che ha carattere di simonia*) simoniac(al). – **II** *s.m.* simoniac.
Simọnide *N.pr.m.* ⟨*Stor*⟩ Simonides.
simpamịna *f.* ⟨*Farm*⟩ simpamina, amphetamine sulphate.
simpatectomịa *f.* → **simpaticectomia**.
simpatẹtico *a.* (*pl.* -ci) sympathetic. □ ⟨*Gramm*⟩ *dativo* ~ ethic(al) dative.
simpatịa *f.* **1.** (*sentimento di attrazione*) liking, attraction, fancy, fondness: *sentire* ~ *per qd.* to have a liking for s.o., to like s.o., to feel drawn to s.o. – **2.** (*qualità*) likeableness, attractiveness, congeniality, niceness. – **3.** (*affinità*) sympathy: *per* ~ in sympathy. – **4.** ⟨*Fis,Med*⟩ sympathy. □ *andare a* ~ (*o simpatie*) to be partial, to go by one's personal likings; *avere* (*o provare*) ~ *verso* (*o per*) *qd.* to like (*o* have a liking for) s.o., to be attracted by s.o.; *prendere in* ~ *qd.* to take a liking (*o* fancy) to s.o.
simpaticectomịa *f.* ⟨*Chir*⟩ sympathectomy.
simpaticità *f.* ⟨*non com*⟩ likeableness, attractiveness.
simpạtico[1] *a./s.* (*pl.* -ci) **I** *a.* **1.** (*rif. a persone*) likeable, nice, pleasant, congenial: *non è bella ma è molto -a* she's not beautiful but she's very likeable. – **2.** (*rif. a cose*) pleasant, nice, agreeable: *abbiamo passato una serata -a* we spent a very pleasant evening. – **3.** ⟨*Acu*⟩ sympathetic. – **4.** ⟨*Med*⟩ reflex. – **II** *s.m.* likeable (*o* nice, attractive) person, ⟨*am.fam*⟩ nice guy. □ *inchiostro* ~ invisible (*o* sympathetic, secret) ink; *riuscire* ~ to be popular.
simpạtico[2] *a./s.* (*pl.* -ci) **I** *s.m.* ⟨*Anat*⟩ (*grande simpatico*) sympathetic nervous system, sympathicus. – **II** *a.* **1.** neurovegetative, sympathetic: *fenomeno* ~ sympathetic phenomenon. – **2.** (*appartenente al sistema simpatico*) sympathetic.
simpatico|blastọma *m.* ⟨*Med*⟩ sympathetoblastoma, sympathicoblastoma. – **~esteṣịa** *f.* ⟨*non com*⟩ → **simpaticotonia**. – **~lịtico** *a./s.* (*pl.* -ci) **I** *a.* sympatholytic, sympathicolytic. – **II** *s.m.* sympatholytic agent. – **~mimẹtico** *a./s.* (*pl.* -ci) **I** *a.* sympath(ic)omimetic. – **II** *s.m.* sympathomimetic substance.
simpaticọne (*accr. di simpatico*[1]) *m.* (*f.* -a) really nice person, splendid (*o* jolly good) fellow.
simpatico|tonịa *f.* ⟨*Med*⟩ sympath(et)icotonia. – **~tọnico** *a.* (*pl.* -ci) sympath(et)icotonic. – **~tonịṣmo** *m.* → **simpaticotonia**. – **~trọpico** *a./s.* → **simpaticomimetico**.
simpatiẓẓạnte (*p.pr. di simpatizzare*) **I** *a.* sympathizing, supporting. – **II** *s.m./f.* sympathizer. – **simpatiẓẓạre** *v.i.* (*aus.* **avere**) **1.** to take a liking (*con* to), to become fond (of), to find likeable (*o* attractive) (s.o.): *il ragazzo ha simpatizzato con i suoi compagni di scuola* the boy took a liking to his classmates. – **2.** (*rif. a idee e sim.*) to sympathize, to go along (*per* with), to be a sympathizer (of): ~ *per un partito* to sympathize with a party.
simpato|blạsta, ~blạsto *m.* ⟨*Biol*⟩ sympath(ic)oblast.
simpẹtale *f.pl.* ⟨*Bot*⟩ Metachlamydeae *pl* (*Sympetalae*). – **simpẹtalo** *a.* gamopetalous, sympetalous.
sịmplex I *a.* ⟨*tecn*⟩ single, individual: *collegamento* ~ individual (*o* private) connection. – **II** *s.m.* ⟨*Tel*⟩ individual (*o* private) line.
sịmplice *a.* ⟨*ant*⟩ (*semplice*) simple.
Simplịcio *N.pr.m.* ⟨*Stor*⟩ Simplicius.
simplicità *f.* ⟨*ant*⟩ (*semplicità*) simplicity. – **simplificạre** *v.t.* (**simplịfico, simplịfichi**) ⟨*ant*⟩ (*semplificare*) to simplify. – **simplificaziọne** *f.* ⟨*ant*⟩ (*semplificazione*) simplification.
simpodiạle *a.* ⟨*Bot*⟩ sympodial. – **simpọdico** *a.* (*pl.* -ci) → **simpodiale**. – **simpọdio** *m.* sympodium.
simpoṣịaco *a.* (*pl.* -ci) ⟨*lett*⟩ symposiac.
simpoṣịarca, simpoṣịarco *m.* (*pl.* -chi) **1.** ⟨*Stor*⟩ symposiarch. – **2.** ⟨*lett*⟩ (*chi sovrintende a un simposio*) toast-master, symposiarch.
simpọṣio *m.* **1.** ⟨*Stor*⟩ symposium. – **2.** ⟨*fig*⟩ (*congresso*) symposium. – **3.** ⟨*lett*⟩ (*convito*) banquet, feast, symposium. □ *il* ≈ *di Platone* Plato's Symposium.
sịmpulo *m.* ⟨*Archeol*⟩ simpulum.
simulạbile *a.* ⟨*non com*⟩ **1.** (*che si può simulare*) that can be simulated (*o* put on). – **2.** (*facile a simularsi*) easy to simulate.
simulạcro *m.* **1.** (*immagine*) simulacrum, image; (*statua*) effigy, statue, simulacrum. – **2.** ⟨*fig*⟩ (*parvenza*) appearance, semblance, simulacrum. – **3.** ⟨*fig,lett*⟩ (*ombra, fantasma*) ghost, spectre, spirit, phantom. – **4.** ⟨*Aer*⟩ mock-up, full-scale model.
simulamẹnto *m.* ⟨*non com*⟩ feigning, shamming, simulation. – **simulạre** *v.t.* (**sịmulo**) **1.** to feign, to sham, to simulate, to put on, to make a show (*o* pretence) of: ~ *amicizia* to feign friendship; (*cercare di far credere ciò che non è*) to fake, to feign, to pretend, to simulate: ~ *una malattia* to fake an illness, to pretend to be ill. – **2.** (*imitare*) to imitate, to simulate. – **3.** ⟨*tecn*⟩ to simulate.
simulatamẹnte *avv.* feignedly. – **simulạto** (*p.p. di simulare*) *a.* **1.** feigned, sham, fake, pretended, simulated, false, mock. – **2.** ⟨*Dir*⟩ fictitious, simulated, sham, mock: *atto* ~ fictitious deed. – **simu-**

latore *m.* (*f.* **-trice**) **1.** sham(mer), fake(r), simulator. – **2.** ⟨*tecn*⟩ simulator. □ ⟨*Atom*⟩ ~ *di reattore* reactor simulator; ⟨*Astron*⟩ ~ *spaziale* space simulator; ⟨*Aer*⟩ ~ *di volo* flight simulator. – **simulatorio** *a.* feigned, sham, fake, false, mock, pretended, simulated. – **simulazione** *f.* **1.** feigning, sham(ming), simulation. – **2.** (*finzione*) feigning, pretence, pretending, fake, simulation. – **3.** ⟨*Dir*⟩ simulation. □ ⟨*Dir*⟩ ~ *assoluta* simulated (*o* fictitious) transaction; ~ *di contratto* simulated (*o* fictitious) contract, bogus (*o* sham) agreement; ~ *d'infermità* feigning illness, malingering; ~ *di reato* simulation of offence.

simulidi *m.pl.* ⟨*Entom*⟩ simuliids *pl* (*Simuliidae*).

simultanea *f.* (*anche traduzione simultanea*) simultaneous translation. □ *tradurre in* ~ to translate simultaneously. – **simultaneamente** *avv.* simultaneously, at the same time, contemporaneously: *la conferenza sarà tradotta* ~ *in tre lingue* the conference will be translated simultaneously in three languages. – **simultaneità** *f.* **1.** simultaneousness, simultaneity, contemporaneousness. – **2.** ⟨*rar*⟩ (*sincronismo*) synchronism. – **simultaneo** *a.* simultaneous, contemporaneous: *traduzione -a* simultaneous translation.

simun *m.* ⟨*Meteor*⟩ simoom, simoon, samum, samiel.

sin = ⟨*Mat*⟩ *seno* sine (*abbr.* sin).

sin. = ⟨*Ling*⟩ *sinonimo* synonym (*abbr.* syn.).

sin... *pref.* (*con* with, *insieme* together) with, together, syn..., sym...

sinafia *f.* ⟨*Metr*⟩ synaphe(i)a.

sinagoga *f.* **1.** ⟨*Rel.ebr*⟩ synagogue. – **2.** ⟨*estens*⟩ (*ebraismo*) Judaism, Jewish (*o* Hebrew) community; (*religione*) Judaism. – **3.** ⟨*spreg, non com*⟩ (*luogo pieno di confusione*) babel, bedlam; (*chiasso*) racket, din, noise: *fare una* ~ to make a racket. – **sinagogale** *a.* synagogal, synagogical.

Sinai *N.pr.m.* ⟨*Geog*⟩ Sinai. – **sinaitico** *a.* (*pl.* **-ci**) Sinaitic, Sinai-: *penisola -a* Sinai peninsula.

sinalefe *f.* ⟨*Metr*⟩ synal(o)epha.

sinallagma *m.* ⟨*Dir*⟩ synallagmatic obligation. – **sinallagmatico** *a.* (*pl.* **-ci**) synallagmatic.

sinandria *f.* ⟨*Bot*⟩ synandry. – **sinandrio** *m.* synandrium. – **sinangio** *m.* synangium.

sinanterico *a.* (*pl.* **-ci**) ⟨*Bot*⟩ syngenesious.

sinantocarpico *a.* (*pl.* **-ci**) ⟨*Bot*⟩: *frutto* ~ infructescence. – **sinantocarpio** *m.* infructescence.

sinantropo *m.* ⟨*Paleont*⟩ Sinanthropus (*Sinanthropus*). □ ~ *di Pechino* Peking man (*Pithecanthropus pekinensis*; *Sinanthropus pekinensis*).

sinanzia *f.* ⟨*Bot*⟩ synanthy.

sinapsi *f.* **1.** ⟨*Fisiol*⟩ synapsis, synapse. – **2.** ⟨*Biol,rar*⟩ synapsis. – **sinaptico** *a.* (*pl.* **-ci**) synaptic(al).

sinartrosi *f.* ⟨*Anat*⟩ synarthrosis, synarthrodia.

sinassario *m.* ⟨*Lit*⟩ synaxarion, synaxary, synaxarium.

sinassi *f.* ⟨*Lit,Stor*⟩ **1.** synaxis. – **2.** (*celebrazione eucaristica*) celebration of the Eucharist.

sinattantochè *congz.* ⟨*non com*⟩ → **sinchè**.

sincario *m.* ⟨*Biol*⟩ synkaryon, synkarion, syncaryon.

sin|cariofito *m.* ⟨*Bot*⟩ dikaryophyte. – **~carpia** *f.* ⟨*Bot*⟩ syncarpy. – **~carpico** *a.* (*pl.* **-ci**) syncarpous. – **~carpio** *m.* syncarp. – **~categorema** *m.* ⟨*Filos*⟩ syncategoreme. – **~categorematico** *a.* (*pl.* **-ci**) syncategorematic. – **~cefalia** *f.* ⟨*Med*⟩ syncephaly. – **~cefalo** **I** *a.* of a syncephalus. – **II** *s.m.* syncephalus.

sincello *m.* ⟨*Stor*⟩ syncellus.

sinceramente *avv.* **1.** sincerely, honestly, truly, genuinely: *rispondere* ~ to answer honestly. – **2.** (*per la verità*) really, truly, honestly: ~, *non ti capisco* I truly don't understand you.

sincerare *v.t.* (**sincero**) **1.** ⟨*lett*⟩ (*rendere convinto*) to convince, to persuade, to make believe: *vorrei sincerarti della mia buona fede* I would like to convince you of my good faith. – **2.** ⟨*ant*⟩ (*giustificare*) to justify. – **sincerarsi** *v.r.* (*accertarsi*) to make sure, to assure o.s. (*di* of), to ascertain (s.th.).

sincerezza *f.* ⟨*ant*⟩ → **sincerità**.

sincerità *f.* **1.** (*franchezza*) sincerity, honesty, openness, frankness, straightforwardness. – **2.** (*purezza*) purity, sincerity, genuineness. – **3.** ⟨*non com*⟩ (*genuinità*) authenticity. □ *con* ~ sincerely, with sincerity; *con assoluta* ~ absolutely sincerely, with absolute sincerity; *con tutta* ~ in all sincerity.

sincero *a.* **1.** (*rif. a persone*) sincere, honest, true, open, frank, genuine, real, straightforward: *un amico* ~ a true friend; (*rif. a cose*) sincere, honest, true: *risposta -a* honest answer. – **2.** (*vero*) true, real, sincere: ~ *credente* true believer. – **3.** (*sentito, non simulato*) sincere, genuine, true, real, unfeigned: *provare un affetto* ~ *per qd.* to feel true (*o* genuine) affection for s.o., to be really fond of s.o. – **4.** (*in formule di cortesia*) sincere, hearty, heartfelt, whole-hearted: *le mie più -e congratulazioni* my most sincere congratulations. – **5.** (*genuino, puro*) pure, genuine, unadulterated, sincere: *vino* ~ genuine (*o* pure) wine. – **6.** ⟨*ant*⟩ (*sano, perfetto*) perfect, whole. – **7.** ⟨*ant*⟩ (*chiaro, limpido*) clear, limpid. □ *essere* ~ *con qd.* to be honest (*o* frank) with s.o.; *parlare* ~ to speak honestly (*o* sincerely).

sinchè *congz.* **1.** (*per tutto il tempo che*) as long as. – **2.** (*fino al momento in cui*) until, till.

sinchisi *f.* ⟨*Ret,Med*⟩ synchysis.

sincinesia *f.* ⟨*Med*⟩ synkinesis, synkinesia, syncinesis.

sincipite *m.* ⟨*Anat*⟩ sinciput.

sinciziale *a.* ⟨*Biol*⟩ syncytoid, syncytial. – **sincizio** *m.* syncytium.

sincleto *m.* ⟨*Stor.gr*⟩ special meeting.

sinclinale *f.* ⟨*Geol*⟩ syncline, synclinal.

sincondrosi *f.* ⟨*Anat*⟩ synchondrosis.

sincopale *a.* ⟨*Med*⟩ syncopal.

sincopare *v.t.* (**sincopo**) ⟨*Mus,Ling*⟩ to syncopate. – **sincopato** (*p.p. di sincopare*) *a.* syncopated. – **sincopatura** *f.* ⟨*non com*⟩ syncopation. – **sincope** *f.* ⟨*Ling,Mus,Med*⟩ syncope.

sincotile *a.* ⟨*Bot*⟩ syncotyledonous. – **sincotilia** *f.* syncotyly.

sincrasi *f.* ⟨*Ling*⟩ syn(a)eresis.

sincretico *a.* → **sincretistico**. – **sincretismo** *m.* ⟨*Rel,Filos,Ling*⟩ syncretism. – **sincretista** *m./f.* syncretist. – **sincretistico** *a.* (*pl.* **-ci**) ⟨*Rel,Filos,Ling*⟩ syncretistic: *caso* ~ syncretistic case. – **sincretizzato** *a.* ⟨*Ling*⟩ syncretistic.

sincro *m.* → **sincrono**[2].

sincro... *pref.* synchro...

sincro|ciclotrone *m.* ⟨*Atom*⟩ synchro-cyclotron. – **~lampo** *m.* ⟨*Fot*⟩ synchro(nized) flash, synchroflash.

sincronia *f.* **1.** (*contemporaneità*) synchronism, synchroneity, contemporaneousness. – **2.** ⟨*Ling*⟩ synchrony. – **3.** → **sincronismo**. □ *in* ~ contemporaneously, at the same time; *mettere in* ~ to synchronize. – **sincronico** *a.* (*pl.* **-ci**) **1.** contemporaneous, synchronous. – **2.** ⟨*Ling*⟩ synchronic(al). – **3.** ⟨*tecn*⟩ synchronized.

sincronismo *m.* **1.** (*contemporaneità*) contemporaneousness, contemporaneity, synchronism. – **2.** ⟨*Fis,Ling,tecn*⟩ synchronism. □ *con* (*o in*) ~ synchronized; *mettere in* ~ to synchronize; ⟨*TV*⟩ ~ *orizzontale* horizontal synchronism; *portare al* ~ to synchronize; ⟨*TV*⟩ ~ *verticale* vertical synchronism.

sincronistico *a.* (*pl.* **-ci**) **1.** (*del sincronismo*) synchronistic(al), synchronous. – **2.** (*che avviene con sincronismo*) synchronistic(al), synchronous.

sincronizzare *v.t.* **1.** (*rendere contemporaneo*) to synchronize, to make synchronous. – **2.** ⟨*Fis,tecn*⟩ to synchronize. – **sincronizzato** (*p.p. di sincronizzare*) *a.* synchronized (*anche tecn.*). □ ⟨*Aut*⟩ *marce -e* synchromesh. – **sincronizzatore I** *s.m.* (*f.* **-trice**) **1.** (*persona, dispositivo*) synchronizer. – **2.** ⟨*Cin*⟩ (sound) synchronizer, scoring-machine, interlock. – **II** *a.* synchronizing, synchronous: *dispositivo* ~ synchronizing device, synchronizer. □ ⟨*TV*⟩ ~ *di fase* phase synchronizer; ~ *dell'immagine* picture (*o* frame) synchronizer; ⟨*Aer*⟩ ~ *di una mitragliatrice* synchronizing gear. – **sincronizzazione** *f.* synchronization (*anche Cin.*). □ ⟨*TV*⟩ ~ *delle immagini* frame (*o* picture) synchronization; ⟨*Cin*⟩ ~ *preventiva* prescoring; ⟨*Cin*⟩ *sala di* ~ scoring stage.

sincrono I *a.* **1.** synchronous, contemporaneous. – **2.** ⟨*lett*⟩ (*contemporaneo*) contemporary: *autore* ~ contemporary author. – **3.** ⟨*tecn*⟩ synchronous: *macchina elettrica -a* synchronous machine. – **II** *s.m.* ⟨*tecn*⟩ synchronous machine.

sincro(no)scopio *m.* ⟨*Fis*⟩ synchronoscope, synchroscope. – **sincrotrasformatore** *m.* ⟨*tecn*⟩ synchronizing transformer.

sincrotrone *m.* ⟨*Atom*⟩ synchrotron.

sindacabile *a.* **1.** (*controllabile*) checkable, controllable, verifiable, subject to inspection; (*nella contabilità*) subject to auditing. – **2.** (*criticabile*) criticizable, that may be judged (*o* censured). – **sindacabilità** *f.* ⟨*non com*⟩ controllability.

sindacale[1] *a.* (*dei sindacati*) trade-union-, union-, of trade-unions, ⟨*am*⟩ labor-union-: *lotte -i* union struggles; *organizzazione* ~ trade-union organization, (trade-)union.

sindacale[2] *a.* **1.** (*del sindaco*) mayor's, mayoral, of the mayor. – **2.** ⟨*Comm*⟩ auditors', of auditors, auditorial: *collegio* ~ board of auditors.

sindacalismo *m.* **1.** (trade-)unionism, syndicalism. – **2.** ⟨*Pol*⟩ syndicalism. – **sindacalista** *m./f.* **1.** (trade-)unionist, union man, trade-union representative. – **2.** ⟨*Pol*⟩ syndicalist. – **sindacalistico** *a.* (*pl.* **-ci**) **1.** trade-union-, union-. – **2.** ⟨*Pol*⟩ syndicalist(ic).

sindacamento *m.* ⟨*non com*⟩ check(ing), inspection; (*di conti*) audit(ing). – **sindacare** *v.t.* (**sindaco, sindachi**) **1.** to check, to control, to verify, to inspect; (*rif. alla contabilità*) to audit. – **2.** ⟨*fig*⟩ (*criticare*) to criticize, to judge, to pass judgement on, to evaluate.

sindacato[1] *m.* ⟨*Econ*⟩ **1.** (*organizzazione di lavoratori*) (trade-)union, ⟨*am*⟩ labor union. – **2.** (*organizzazione di datori di lavoro*) employers' association. – **3.** (*sindacato di produzione*) syndicate, union, combine, (managers') consortium, co-operative, society; (*a carattere monopolistico*) trust, cartel, pool. – **4.** (*nella finanza*) syndicate. – **5.** ⟨*spreg*⟩ racket.

□ ~ *di* **azioni** shareholders' syndicate; ~ **bianco** Catholic trade-union; ~ *di* **collocamento** pool; ~ **commerciale** ring; ~ *dei* **datori** *di lavoro* employers' association; ~ **finanziario**: 1. financial trust (*o* syndicate, institution), group of financiers; 2. (*società di collocamento o investimento*) investment trust (*o* company); 3. (*società holding*) holding company; ~ *finanziario d'emissione* issuing syndicate; ~ *di* **garanzia** underwriting syndicate, syndicate of underwriters; ~ *degli* **impiegati** white-collar trade-union; ~ *degli* **imprenditori** = *sindacato dei* **datori** *di lavoro*; ~ *d'***impresa** company union; ~ **industriale** = *sindacato di* **produzione**; ~ *dei* **lavoratori** (trade-)union, ⟨*am*⟩ labor union; ~ **libero** free trade-union; ~ **operaio** trade-union, ⟨*am*⟩ labor union; ~ **padronale** = *sindacato d'***impresa**; ~ *di* **produzione** syndicate, union, combine, (managers') consortium; (*a carattere monopolistico*) trust, cartel, pool; ~ **professionale** trade association (*o* federation); ~ **rosso** Socialist trade-union.

sindacato[2] (*p.p. di sindacare*) **I** *a.* checked, controlled, verified, inspected; (*nella contabilità*) audited. – **II** *s.m.* **1.** (*revisione*) control, check, inspection; (*revisione dei conti*) audit(ing). – **2.** (*rendiconto*)

account(ing): *presentarsi al* ~ to give an account of o.s., to account for one's work.
sindacạto[3] *m.* ⟨*non com*⟩ **1.** (*carica di sindaco*) mayoralty, mayorship, office of mayor. – **2.** (*periodo*) mayoralty.
sindacatọre I *s.m.* (*f.* **-trice**) **1.** checker, controller, inspector; (*dei conti*) auditor. – **2.** ⟨*fig*⟩ critic, auditor, criticizer, censor. – **II** *a.* **1.** checking, controlling, inspecting. – **2.** (*che critica*) critical. – **sindacaziọne** *f.* → **sindacamento.**
sịndaco *m.* (*pl.* **-ci**; *f.rar.,scherz.* **sindachẹssa**) **1.** mayor. – **2.** ⟨*Comm*⟩ auditor. – **3.** ⟨*Stor.gr*⟩ syndic. □ ~ *di Londra* Lord Mayor of London; ⟨*Comm*⟩ ~ *revisore* auditor.
sindattilịa *f.* ⟨*Med*⟩ syndactylism, syndactylia, syndactyly. – **sindạttilo** *a.* syndactyl(e), syndactylic, syndactylous.
Sindbạd: ⟨*Lett*⟩ ~ *il marinaio* Sindbad the Sailor.
sindectomịa *f.* ⟨*Med*⟩ syndectomy, peritomy.
sindẹresi *f.* **1.** ⟨*Filos*⟩ synderesis, synteresis. – **2.** (*senno*) sense. □ *perdere la* ~ to talk nonsense.
sịndesi *f.* ⟨*Ling*⟩ syndesis.
sindesmịte *f.* ⟨*Med,non com*⟩ (*congiuntivite*) conjunctivitis, syndesmitis.
sindesmologịa *f.* ⟨*Anat*⟩ (*artrologia*) syndesmology.
sindesmọsi *f.* ⟨*Anat*⟩ syndesmosis.
sindẹtico *a.* (*pl.* **-ci**) ⟨*Ling*⟩ syndetic, marked by a conjunctive, linked by a connecting particle.
sindicạre *v.* ⟨*ant*⟩ → **sindacare.** – **sindicạto** (*p.p. di sindicare*) *a./s.* → **sindacato**[2]. – **sindicatọre** *a./s.* ⟨*ant*⟩ → **sindacatore.** – **sịndico** *m.* ⟨*ant*⟩ → **sindaco.**
sịndone *f.* **1.** shroud, ⟨*lett*⟩ sindon. – **2.** ⟨*Rel*⟩ (*anche sacra sindone*) Holy Shroud.
sịndrome *f.* ⟨*Med*⟩ syndrome. □ ~ *mediastinica* mediastinal syndrome; ~ *da schiacciamento* crush (*o* compression) syndrome. – **sindrọmico** *a.* (*pl.* **-ci**) syndromic.
sịne *avv.* ⟨*ant,dial*⟩ (*sì*) yes.
sinecẹta I *a.* ⟨*Zool*⟩ synoecious. – **II** *s.m.* synoecete, synoekete.
sinecfonẹsi *f.* ⟨*Metr*⟩ **1.** (*sinizesi*) synizesis, synecphonesis. – **2.** (*sinalefe*) synal(o)epha.
sinechịa (*o sinẹchia*) *f.* ⟨*Med*⟩ synechia.
sinechiotomịa *f.* ⟨*Chir*⟩ synechiotomy.
sinecologịa[1] *f.* ⟨*Filos*⟩ synechology.
sinecologịa[2] *f.* ⟨*Biol*⟩ synecology.
sinecụra *f.* **1.** sinecure. – **2.** ⟨*ant*⟩ (*beneficio ecclesiastico*) sinecure.
sinẹddoche *f.* ⟨*Ret*⟩ synecdoche. – **sineddọchico** *a.* (*pl.* **-ci**) synecdochic(al).
sịne dịe *lat.* sine die, indefinitely: *rimandare* ~ to postpone sine die, to put off indefinitely.
sinẹdrio *m.* **1.** ⟨*Stor*⟩ (*presso i greci*) Synedrion, Synedrium; (*presso gli ebrei*) Sanhedrin, Sanhedrim, Synedrion. – **2.** ⟨*fig,scherz*⟩ (*riunione*) meeting. – **sinedrịta** *m.* ⟨*Stor*⟩ Sanhedrist. – **sịnedro** *m.* ⟨*Stor.gr*⟩ Synedrian.
sinẹgoro *m.* ⟨*Stor.gr*⟩ counsel for the defence.
sịne ịra et stụdio *lat.* impartial, unbiased.
sinẹresi *f.* **1.** syn(a)eresis. – **2.** ⟨*Chim,Fis*⟩ syn(a)eresis.
sinergịa *f.* ⟨*Med*⟩ synergism, synergia, synergy. – **sinẹrgico** *a.* (*pl.* **-ci**) synergic(al).
sinẹrgide *f.* ⟨*Bot*⟩ synergid(a).
sinergịsmo *m.* **1.** → **sinergia.** – **2.** ⟨*Teol*⟩ synergism. – **sinergịsta** *m./f.* ⟨*Teol*⟩ synergist. – **sinergịstico** *a.* (*pl.* **-ci**) synergistic(al).
sịnesi *f.* ⟨*Gramm*⟩ synesis.
sinestesalgịa *f.* ⟨*Med*⟩ syn(a)esthesialgia.
sinestẹsi *f.* ⟨*Psic,Med*⟩ syn(a)esthesia.
sinestesịa *f.* ⟨*Lett,Art*⟩ syn(a)esthesia.
sinẹstro *a.* ⟨*ant*⟩ → **sinistro.**
sinfarọsa *f.* → **sinforosa.**
sịnfili *m.pl.* ⟨*Zool*⟩ symphilids *pl*, symphylans *pl* (*Symphyla*).
sinfịllo *a.* ⟨*Bot*⟩ (*gamofillo*) gamophyllous.
sịnfilo I *a.* ⟨*Entom*⟩ symphilic, symphilous. – **II** *s.m.* symphile, myrmecoxene, true guest.
sịnfisi *f.* **1.** ⟨*Anat*⟩ symphysis. – **2.** ⟨*Bot*⟩ symphysis, symphysia. □ ⟨*Anat*⟩ ~ *mentoniera* symphysis mandibulae (*o* menti); ~ *pubica* symphysis (ossium) pubis, pubic symphysis. – **sinfisiạno** *a.* ⟨*Anat*⟩ symphyseal, symphysial. □ *punto* ~ gnathion.
sinfisiotomịa *f.* ⟨*Chir*⟩ symphysiotomy.
sịnfito *m.* ⟨*Bot*⟩ (*consolida*) comfrey (*Symphytum*).
sinfonịa *f.* **1.** ⟨*Mus*⟩ symphony: *la terza* ~ *di Beethoven* Beethoven's symphony no. 3, ⟨*fam*⟩ Beethoven's third; (*nelle opere liriche*) sinfonia, overture, symphony. – **2.** ⟨*fig*⟩ (*complesso armonico*) symphony, harmony, consonance: *una* ~ *di colori* a symphony of colours. – **3.** ⟨*spreg*⟩ racket, din, commotion; (*discorso noioso, spiacevole*) lecture, litany. – **4.** ⟨*lett*⟩ (*complesso armonico di suoni e voci*) symphony, symphonia.
sinfoniạle *a.* ⟨*rar*⟩ **1.** symphonic, of a symphony. – **2.** (*armonicamente concertato, strutturato*) harmonious, symphonious, symphonic.
sinfoniạre *v.i.* (*aus.* **avere**) ⟨*rar*⟩ **1.** (*comporre sinfonie*) to compose symphonies. – **2.** (*eseguire sinfonie*) to play symphonies. – **sinfoniẹtta** (*dim. di sinfonia*) *f.* sinfonietta. – **sinfọnico** *a.* (*pl.* **-ci**) symphony-, symphonic: *orchestra -a* symphony orchestra; *musica -a* symphonic music. – **sinfonịsmo** *m.* **1.** symphonic nature. – **2.** (*musica sinfonica*) symphonic music. – **sinfonịsta** *m./f.* **1.** (*compositore*) symphony composer, composer of symphonies, symphonist. – **2.** (*esecutore*) performer of symphonies.
sinforicạrpo *m.* ⟨*Bot*⟩ symphoricarpos (*Symphoricarpus*).
sinforọsa *f.* **1.** (*donna matura che si atteggia a giovanetta*) old flirt (*o* coquette), ⟨*fam*⟩ mutton dressed as lamb. – **2.** (*ragazza leziosa*) simpering girl. – **3.** ⟨*Mod*⟩ Dolly Varden hat.
sing. = ⟨*Gramm*⟩ *singolare* singular (*abbr.* sing.).
singalẹse I *a.* Sinhalese, Sing(h)alese, Cing(h)alese. – **II** *s.m.* **1.** (*lingua*) Sinhalese, Sing(h)alese, Cing(h)alese. – **2.** *m./f.* (*abitante*) Sinhalese, Sing(h)alese, Cing(h)alese.
singamịa *f.* ⟨*Biol*⟩ **1.** (*riproduzione sessuale*) syngamy, sexual reproduction. – **2.** (*anfimissi*) amphimixis. – **singạmico** *a.* (*pl.* **-ci**) **1.** syngamic. – **2.** (*contemporaneo alla fecondazione*) occurring contemporaneously with fecundation.
singamọsi *f.* ⟨*Zootecn*⟩ Syngamosis, syngamiasis.
Singapọre *N.pr.f.* ⟨*Geog*⟩ Singapore.
singẹnesi *f.* **1.** (*origine simultanea*) simultaneous origin. – **2.** ⟨*Biol*⟩ coalescence, fusion. – **3.** ⟨*Filos*⟩ (*preformazione*) preformation. – **singenẹsico** *a.* → **sinanterico.** – **singenẹsio** *a.* **1.** ⟨*Med*⟩ → **sindattilo.** – **2.** → **sinanterico.** – **singenẹtico** *a.* (*pl.* **-ci**) **1.** ⟨*Geol*⟩ syngenetic, syngenic. – **2.** ⟨*Biol*⟩ coalescent. – **3.** ⟨*Bot*⟩ → **sinanterico.**
singhiozzạre *v.i.* (**singhiọzzo**; *aus.* **avere**) **1.** (*piangere*) to sob: *la donna singhiozzava disperatamente* the woman sobbed bitterly. – **2.** (*avere il singhiozzo*) to have (the) hiccups, to hiccup, to hiccough. – **3.** ⟨*fig*⟩ (*procedere a sbalzi*) to jerk, to jog along, to move in fits and starts: *la vecchia automobile saliva la collina singhiozzando* the old car climbed the hill moving in fits and starts. – **singhiozzịo** *m.* sobbing. – **singhiọzzo** *m.* **1.** sob(bing): *frenare i -i* to stifle one's sobs. – **2.** (*fenomeno respiratorio*) hiccup, hiccough: *avere il* ~ to have (the) hiccups. – **3.** ⟨*Mus*⟩ hocket. □ ⟨*fig*⟩ *a* ~ (*o singhiozzi*) jerking, by fits and starts; *avanzare a* ~ to jerk (*o* jolt) along; *scoppiare in -i* to burst out sobbing.
singleton *ingl.* ['siŋgltən] *m.* (*nel bridge*) singleton.
singnatifọrmi *m.pl.* ⟨*Itt*⟩ sea-horses and pipe-fishes *pl*, lophobranchs *pl*, lophobranchiates *pl* (*Syngnathiformes*). – **sịngnato** *m.* pipe-fish (*Syngnathus*).
sịngola: ⟨*Econ*⟩ ~ *di cambio* first of exchange.
singolạre I *a.* **1.** (*unico nel suo genere*) singular, unique. – **2.** (*caratteristico, particolare*) strange, peculiar, special, distinctive: *ha un modo* ~ *di camminare* he has a strange way of walking. – **3.** (*insolito, raro, eccellente*) singular, uncommon, rare, unique, unusual: *un uomo di* ~ *ingegno* a man of rare genius; *donna di* ~ *bellezza* woman of rare beauty. – **4.** (*strano, eccentrico*) strange, singular, peculiar, eccentric, odd. – **5.** (*bizzarro*) odd, strange, queer, quaint: *gusti -i* strange tastes. – **6.** ⟨*Gramm,Filos,Dir*⟩ singular. – **7.** ⟨*ant*⟩ (*che concerne una singola persona o cosa*) individual, singular. – **II** *s.m.* **1.** ⟨*Gramm*⟩ (*numero singolare*) singular. – **2.** ⟨*Sport*⟩ singles *pl* (*costr.sing.*): ~ *femminile* women's singles. – **3.** ⟨*fig,rar*⟩ (*persona eccentrica*) eccentric.
singolarịsta *m./f.* ⟨*Sport*⟩ singles-player.
singolarità *f.* **1.** singularity, singleness, uniqueness, oneness. – **2.** (*originalità, peculiarità*) originality, distinctiveness, individuality: *la* ~ *di un libro* the originality of a book. – **3.** ⟨*fig*⟩ (*eccezionalità, rarità, eccellenza*) rarity, rareness, extraordinariness, singularity, uncommonness: *la* ~ *d'un caso* the rareness of a case. – **4.** ⟨*fig*⟩ (*stranezza*) peculiarity, eccentricity, strangeness, oddness, singularity: *fra le sue* ~ *c'è quella di non salutare mai* one of his peculiarities is that he never says hello. – **5.** ⟨*Filos*⟩ uniqueness, singularity. – **6.** ⟨*Mat*⟩ singularity. – **7.** ⟨*Ling,non com*⟩ singular.
singolarizzạre *v.t.* ⟨*non com*⟩ **1.** (*specificare*) to specify; (*distinguere*) to distinguish, to singularize. – **2.** ⟨*Gramm*⟩ to singularize, to make singular.
singolarmẹnte *avv.* **1.** (*a uno a uno*) individually, separately, singly, one by one: *ho risposto a tutti* ~ I answered everyone individually. – **2.** (*in particolare*) particularly, (e)specially, singularly; (*segnatamente*) (e)specially, mainly, most of all: *un prodotto farmaceutico buono ma* ~ *caro* a good but specially expensive pharmaceutical product. – **3.** (*insolitamente*) unusually, uncommonly, exceptionally, uniquely, strangely, singularly; (*straordinariamente*) outstandingly, extraordinarily, singularly. – **4.** (*in modo originale, strano*) peculiarly, strangely, oddly, in an eccentric manner: *comportarsi* ~ to behave strangely.
singolatịvo I *a.* ⟨*Ling*⟩ singular. – **II** *s.m.* **1.** singular. – **2.** (*nelle lingue slave*) singulative.
singolịsta *m./f.* ⟨*Sport*⟩ single oarsman.
sịngolo I *a.* **1.** (*separato dagli altri*) single, individual: *la discussione verterà su ogni* ~ *articolo* the discussion will cover each individual article. – **2.** (*unico*) single, one: *-a copia* single copy. – **3.** (*destinato a una sola persona*) single, for one (person): *cabina -a* single cabin, cabin for one. – **4.** (*rif. ad armi*) single-barrelled: *cannone* ~ single -barrelled gun. – **II** *s.m.* **1.** individual: *le esigenze del* ~ the needs of the individual. – **2.** ⟨*Tel*⟩ individual (*o* private) line. – **3.** ⟨*Sport*⟩ (*nel tennis*) singles *pl* (*costr.sing.*): ~ *femminile* women's singles; (*nel baseball*) single, one-base hit; (*nel canottaggio*) single (skiff): ~ *con timoniere* single skiff with coxswain. – **4.** ⟨*Filos*⟩ individual. □ *per* ~ singly, individually, separately.
singọne *m.* ⟨*tosc*⟩ (*zingone*) snag, stub, stump.
singonịa *f.* (*simmetria geometrica*) geometrical symmetry.
sịngrafa, sịngrafe *f.* ⟨*Stor.gr*⟩ syngraph.
singulạre *a./s.* ⟨*ant*⟩ → **singolare.** – **singularità** *f.* ⟨*ant*⟩ → **singolarità.** – **sịngulo** *a./s.* ⟨*ant*⟩ → **singolo.**

singultio *m.* ⟨*non com*⟩ sobbing. – **singultire** *v.i.* (**singultisco, singultisci**; *aus.* **avere**) ⟨*lett*⟩ **1.** (*singhiozzare*) to sob. – **2.** (*avere il singulto*) to have the hiccups, to hiccup, to hiccough. – **singulto** *m.* **1.** hiccup, hiccough: *avere il* ~ to have the hiccups. – **2.** (*rif. al pianto*) sob.

sinh = ⟨*Mat*⟩ *seno iperbolico* hyperbolic sine (*abbr.* sinh).

siniano I *a.* ⟨*Geol*⟩ Sinian. – **II** *s.m.* Sinian (system).

sinico *a.* (*pl.* **-ci**) ⟨*lett*⟩ **1.** (*della Cina*) of China, Chinese, Sinic, Sinitic. – **2.** (*dei cinesi*) Sinic, Sinitic, Chinese.

siniscalcato *m.* ⟨*Mediev*⟩ **1.** (*carica*) seneschalship, seneschalsy. – **2.** (*area di giurisdizione*) seneschalsy; (*periodo*) term of office of a seneschal. – **siniscalco** *m.* (*pl.* **-chi**) seneschal, bailiff, steward.

sinistra *f.* **1.** (*mano sinistra*) left hand: *scrivere con la* ~ to write with one's left hand. – **2.** (*parte sinistra*) left, left-hand side: *andare a* ~ to turn left. – **3.** ⟨*Pol*⟩ left: *la* ~ *di un partito* the left (wing) of a party. – **4.** ⟨*Numism*⟩ left side. – **5.** ⟨*Mar*⟩ (*manca*) port. – **6.** ⟨*Arald*⟩ sinister.
□ **a** ~: 1. (*stato*) on the left(-hand side); 2. (*moto*) to the left, left, leftwards; 3. ⟨*Mar*⟩ aport, to port; **alla** *sua* ~ (*stato*) on his left; (*moto*) to his left; **di** ~ left; ⟨*Pol*⟩ left, left-wing; *uomo di* ~ left-winger; ⟨*Pol*⟩ **estrema** ~ extreme left; ⟨*Pol*⟩ ~ **moderata** moderate left; **sulla** ~ on the left: *stare sulla* ~ to be on the left; ⟨*Strad*⟩ **tenere** *la* ~ to keep left; ⟨*Mar*⟩ **tutto** *a* ~*!* hard aport!; **verso** ~: 1. towards the left, leftwards; 2. ⟨*Mar*⟩ aport, to port. ‖ ⟨*Bibl*⟩ *la tua* ~ *ignori ciò che fa la destra* let not thy left hand know what thy right hand doeth.

sinistramente *avv.* **1.** (*torvamente*) sinisterly, in a sinister manner: *guardare qd.* ~ to look at s.o. in a sinister manner. – **2.** (*in modo infausto*) ominously, inauspiciously, sinisterly. – **3.** ⟨*ant*⟩ (*malamente*) badly, seriously.

sinistrare I *v.t.* **1.** (*danneggiare*) to damage, to cause damage to; (*colpire*) to hit, to strike. – **2.** ⟨*ant*⟩ (*interpretare in mal senso*) to interpret in a bad sense. – **II** *v.i.* (*aus.* **avere**) ⟨*ant*⟩ **1.** (*andare di traverso*) to go the wrong way; (*andare in fallo*) to miss. – **2.** (*opporsi*) to oppose. – **3.** (*tergiversare*) to hesitate. – **4.** ⟨*fig*⟩ (*andare male*) to turn out badly, to go wrong. – **sinistrarsi** *v.r.* ⟨*ant*⟩ (*infuriare*) to become angry (*o* furious).

sinistrato (*p.p. di sinistrare*) **I** *a.* damaged; (*colpito*) hit, struck. – **II** *s.m.* (*f.* **-a**) victim, casualty. □ ~ *da bombardamento* bomb -damaged, bombed; ~ *di guerra* war victim; ~ *da un incendio* fire damaged; *zona -a* disaster area.

sinistrismo *m.* **1.** ⟨*Pol*⟩ left-wing trend (*o* tendency). – **2.** ⟨*non com*⟩ (*mancinismo*) left-handedness.

sinistro I *a.* **1.** left, left-hand; (*rif. al corpo umano*) left: *il piede* ~ the left foot. – **2.** ⟨*fig*⟩ (*infausto*) inauspicious, unfavourable, unpropitious, sinister, ominous; (*cattivo*) evil, bad, sinister. – **3.** ⟨*fig*⟩ (*torvo*) sinister, ominous; (*temibile*) dreadful, fearful. – **4.** ⟨*Geom*⟩ (*destrogiro*) dextrorotatory. – **5.** ⟨*Arald*⟩ sinister. – **II** *s.m.* **1.** (*disgrazia*) accident, disaster. – **2.** *pl.* ⟨*Pol*⟩ left-wingers *pl*, left wing. – **3.** ⟨*Sport*⟩ (*nella box*) left. □ ⟨*Assic*⟩ *in caso di* ~ in case of accident; *assicurazione contro i -i* accident insurance; *liquidare un* ~ to pay off damages.

sinistrogiro *a.* **1.** ⟨*Geom*⟩ (*sinistrorso*) left-hand(ed). – **2.** ⟨*Fis, Chim*⟩ (*levogiro*) l(a)evorotatory, l(a)evorotary, l(a)evogyrate.

sinistroide ⟨*spreg*⟩ **I** *a.* ⟨*Pol*⟩ left-wing, leftist, leftish. – **II** *s.m./f.* left-winger, leftist.

sinistrorso *a.* **1.** sinistrorse, from right to left. – **2.** ⟨*Pol,scherz*⟩ (*sinistroide*) left-wing, leftist, leftish. – **3.** ⟨*Bot*⟩ sinistrorse. – **4.** ⟨*Zool*⟩ sinistral. – **5.** ⟨*Mecc*⟩ left-hand(ed), counter-clockwise. – **6.** ⟨*Chim*⟩ (*levogiro*) l(a)evorotatory, l(a)evorotary, l(a)evogyrate.

sinistrosi *f.* ⟨*Psic*⟩ sinistrosis, compensation (*o* pension) neurosis.

sinizesi *f.* ⟨*Metr*⟩ synizesis.

sinizzato *a.* assimilated by the Chinese civilization. – **sinizzazione** *f.* ⟨*non com*⟩ assimilation by the Chinese civilization.

sino I *prep.* (used only with another preposition or adverb: often shortened to *sin*) **1.** (*rif. a tempo*) until, till, up to, up till: *ti aspetto* ~ *a stasera* I'll wait for you until this evening. – **2.** (*rif. a luogo*) as far as, to: *sono arrivato* ~ *a Firenze* I went as far as Florence. – **II** *avv.* (*persino, anche*) even, actually.
□ ~ **a**: 1. [*inf*] until, till, to the extent that: 2. (*tanto da*) so much that; 3. (*temporale*) until, till, up to, up till; *ti accompagno* ~ *a casa* I'll take you home; ~ *a* **che** → **sinché**; *sin* **da**: 1. (*rif. al presente o al futuro*) (as) from, from ... on(wards), starting: *sin da oggi* starting today; 2. (*rif. al passato*) since, ⟨*enfat*⟩ ever since, as far back as: *sin dalla nascita* since birth, ever since he was born; *sin* **dove**? how far?; ~ *in* **fondo** to the (very) bottom, right down; *sin* **là** (as far as) there; ~ *a* **ora** → **sinora**; *sin d'ora*: 1. (*a partire da questo momento*) from now on, as from now, ⟨*lett*⟩ henceforth; 2. (*già ora*) as from now; ~ *a* **quando** until; (*interr.*) till when?; *sin* **qui**: 1. (*rif. a distanza*) (as far as) here, all this way; 2. (*fino a questo punto*) so (*o* thus) far, up to this point, to this extent; 3. → **sinora**.

sinodale *a.* **1.** (*del sinodo*) synodal, of a synod, synodic(al). – **2.** (*prescritto da un sinodo*) synodal, synodic(al), synod's: *prescrizione* ~ synodal decree.

sinodico *a.* (*pl.* **-ci**) **1.** ⟨*Astr*⟩ synodic(al), relating to conjunction: *rivoluzione -a* synodic revolution. – **2.** ⟨*non com*⟩ → **sinodale**.

sinodo *m.* (*lett.f.*) **1.** ⟨*Rel*⟩ synod: ~ *diocesano* diocesan synod; (*nella chiesa russa*: *santo sinodo*) Holy Synod. – **2.** ⟨*Stor*⟩ (*concilio ecclesiastico*) ecclesiastical council, synod. – **3.** ⟨*Stor.gr*⟩ assembly, meeting. – **4.** ⟨*Astr*⟩ conjunction.

sinoico *a.* (*pl.* **-ci**) ⟨*Bot*⟩ synoicous.

sinoidale *a.* ⟨*non com*⟩ → **sinusoidale**.

sinologia *f.* Sinology. – **sinologico** *a.* (*pl.* **-ci**) Sinologic(al). – **sinologo** *m.* (*pl.* **-gi/-ghi**; *f.* **-a**) Sinologist, Sinolog(ue).

sinonimia *f.* **1.** ⟨*Ling*⟩ synonymousness, synonymity, synonymy; (*sinonimo*) synonym. – **2.** ⟨*Ret,Biol*⟩ synonymy. – **sinonimica** *f.* ⟨*Ling*⟩ synonymics *pl* (*costr.sing.*), synonymy. – **sinonimico** *a.* (*pl.* **-ci**) **1.** synonymic(al), synonymatic. – **2.** (*che costituisce sinonimia*) synonymic(al). – **sinonimo I** *a.* synonymous: *parole -e* synonymous words. – **II** *s.m.* synonym (*anche Biol.*).

sinopia *f.* sinopite. □ ⟨*Fal*⟩ *filo della* ~ chalk line; ⟨*fig,ant*⟩ *andare per il filo della* ~ (*rigar dritto*) to toe the line, to follow the straight and narrow; (*procedere bene*) to progress well.

sinopsi *f.* **1.** ⟨*Cin*⟩ synopsis. – **2.** → **sinossi**.

sinopsia *f.* → **sinestesi**.

sinora (o *sin ora*) *avv.* (*finora*) so far, until now, up to now, up till this time, ⟨*lett*⟩ hitherto: *ho studiato* ~ I've been studying until now; (*in frasi negative*) so far, yet: ~ *non ha telefonato nessuno* no one has telephoned so far.

sinorogenico *a.* (*pl.* **-ci**) ⟨*Geol*⟩ synorogenic.

sinosiamese *a.* ⟨*Ling*⟩ Sino-Siamese.

sinossi *f.* (*compendio*) outline, synopsis. □ ~ *evangelica* Synoptic Gospels *pl.*

sinostosi *f.* ⟨*Med*⟩ synost(e)osis.

sinotibetano *a.* ⟨*Ling*⟩ Sino-Tibetan.

sinottici *m.pl.* (*anche vangeli sinottici*) Synoptic Gospels *pl.*

sinottico *a.* (*pl.* **-ci**) **1.** synoptic(al): *tavole sinottiche* synoptic tables; *carta -a del tempo* synoptic (*o* weather) chart. – **2.** ⟨*Bibl*⟩ Synoptic: *questione -a* Synoptic Problem.

sinovia *f.* ⟨*Anat*⟩ synovia, joint-oil, joint-water. – **sinoviale** *a.* synovial. – **sinovioma** *m.* ⟨*Med*⟩ synovioma. – **sinovite** *f.* ⟨*Med*⟩ synovitis.

sinsacro *m.* ⟨*Ornit*⟩ synsacrum.

sinsepalo *a.* ⟨*Bot*⟩ (*gamosepalo*) gamosepalous, synsepalous.

sinspermia *f.* ⟨*Bot*⟩ synspermy.

sintagma *m.* ⟨*Ling*⟩ syntagm(a). – **sintagmatico** *a.* (*pl.* **-ci**) syntagmatic.

sintantochè (o *sin tanto che*) *congz.* ⟨*non com*⟩ (*fintantoché*) until, till, as long as: *aspetterò* ~ *non si deciderà a parlare* I'll wait until he decides to talk.

sintassi *f.* **1.** ⟨*Ling*⟩ (*studio, testo*) syntax. – **2.** ⟨*Gramm*⟩ (*costruzione*) syntax. – **3.** ⟨*fig*⟩ orderly (*o* harmonious) arrangement, syntax. □ ~ *diacronica* (o *storica*) diachronic (*o* historical) syntax; *errore di* ~ syntactic error; ~ *sincronica* synchronic syntax.

sintattica *f.* syntactics *pl* (*costr.sing. o pl.*).

sintattico *a.* (*pl.* **-ci**) ⟨*Ling*⟩ **1.** syntactic(al), syntax-. – **2.** (*della sintassi*) syntactic(al).

sintepalo *a.* ⟨*Bot*⟩ (*gamotepalo*) gamophyllous.

sinteraggio *m.* → **sinterizzazione**.

sinteresi *f.* → **sinderesi**.

sinterizzare *v.t.* ⟨*Met*⟩ to sinter. – **sinterizzato** (*p.p. di sinterizzare*) *a.* sintered: *metallo* ~ sintered metal. – **sinterizzazione** *f.* sintering.

sintesi *f.* **1.** synthesis. – **2.** (*fusione*) synthesis. – **3.** (*sunto*) summary, resumé: *fare una* ~ *di qc.* to make a summary of s.th., to summarize s.th. – **4.** ⟨*tecn*⟩ synthesis. – **5.** ⟨*Chir*⟩ synthesis (of continuity).
□ ⟨*Fot*⟩ ~ **additiva** additive synthesis; ⟨*Chim*⟩ ~ **asimmetrica** asymmetric synthesis; ~ **biologica** biological synthesis; ⟨*Biol*⟩ ~ **clorofilliana** (*fotosintesi*) photosynthesis; **in** ~: 1. (*sommariamente*) in summary, summing up; 2. (*in poche parole*) in brief, in a few words, briefly, in short; ⟨*Fot*⟩ ~ **sottrattiva** subtractive synthesis.

sinteticamente *avv.* **1.** synthetically (*anche Chim.*). – **2.** (*in sintesi*) in summary, summing up, summarizing; (*in poche parole*) in brief, in a few words, briefly, in short. – **3.** ⟨*tecn*⟩ synthetically, artificially. – **sinteticità** *f.* **1.** conciseness, brevity, terseness. – **2.** (*attitudine alla sintesi*) tendency to summarize.

sintetico *a.* (*pl.* **-ci**) **1.** synthetic(al): *esposizione -a* synthetic statement; *mente -a* synthetic mind. – **2.** (*conciso, rapido*) concise, brief, terse, succinct: *stile* ~ terse style. – **3.** ⟨*Ling*⟩ synthetic(al), inflectional. – **4.** ⟨*Chim*⟩ synthethic(al). – **5.** ⟨*tecn,Ind*⟩ (*artificiale*) synthetic(al), artificial, man-made: *carburante* ~ synthetic fuel; *fibre sintetiche* synthetic (*o* man-made) fibres. – **6.** ⟨*Filos*⟩ synthetic(al).

sintetizzare *v.t.* **1.** (*ordinare in forma sintetica*) to synthesize, to synthetize, to make a synthesis of. – **2.** (*riassumere*) to summarize, to resume, to present briefly: ~ *un discorso* to summarize a speech. – **3.** ⟨*Chim*⟩ to synthesize. – **sintetizzatore I** *s.m.* (*f.* **-trice**) synthesizer. – **II** *a.* synthesizing, synthetic(al).

sintillante *a.* ⟨*ant,rar*⟩ (*scintillante*) sparkling, twinkling.

sintogramma *m.* ⟨*Rad,non com*⟩ tuning-scale.

sintoma *m.* ⟨*ant*⟩ → **sintomo**.

sintomatico *a.* (*pl.* **-ci**) **1.** symptomatic: *fenomeno* ~ symptomatic phenomenon. – **2.** ⟨*fig*⟩ (*significativo*) symptomatic, indicative, significant: *comportamento* ~ symptomatic behaviour. – **3.** ⟨*Med*⟩ symptomatic: *terapia -a* symptomatic therapy.

sintomatologia *f.* ⟨*Med*⟩ **1.** (*complesso di sintomi*) symptomatology, symptoms *pl.* – **2.** (*semeiotica*) semeiotics *pl* (*costr.sing. o pl.*), symptomology.

sintomo *m.* **1.** ⟨*Med*⟩ symptom: *i -i di una malattia* the symptoms of a disease. – **2.** (*segno, indizio*) symptom, sign, indication: *i -i di una rivolta* the signs of a revolt; (*presagio*) sign, omen, presage.

sintomologia *f.* ⟨*non com*⟩ → **sintomatologia**.
sintonia *f.* **1.** ⟨*Rad*⟩ tuning, syntony. – **2.** ⟨*Fis*⟩ (*sincronismo*) synchronism. – **3.** ⟨*fig*⟩ (*armonia*) harmony, agreement, tune, syntony: *essere in ~ con qd.* to be in agreement with s.o.
□ ~ **acuta** (*o fine*) sharp (*o* fine) tuning; **fuori** ~ out of tune; **in** ~ *su* tuned in to (*o* on); ⟨*fig*⟩ **mancanza** *di* ~ lack of harmony (*o* agreement), disagreement; **mettere** *in* ~ to tune; ~ **piatta** flat tuning, broad tuning.
sintonico *a.* (*pl.* **-ci**) **1.** ⟨*Rad*⟩ syntonic, syntonous. – **2.** ⟨*Fis*⟩ synchronous, synchronistic.
sintonismo *m.* ⟨*non com*⟩ **1.** ⟨*Rad*⟩ syntony. – **2.** ⟨*fig*⟩ harmony, agreement.
sintonizzare *v.t.* **1.** ⟨*Rad*⟩ to tune in, to syntonize. – **2.** ⟨*fig*⟩ to harmonize, to make agree. – **sintonizzarsi** *v.r.* to be tuned in. – **sintonizzato** (*p.p. di sintonizzare*) *a.* tuned. – **sintonizzatore** *m.* ⟨*Rad*⟩ tuner. – **sintonizzazione** *f.* tuning, syntonization: ~ *manuale* manual tuning; ~ *per pulsante* push-button tuning.
sintropia *f.* ⟨*Fis*⟩ syntropy. – **sintropico** *a.* (*pl.* **-ci**) syntropic.
sinuato *a.* ⟨*Bot*⟩ **1.** sinuolate, repand. – **2.** (*sinuoso*) sinuate(d), sinuous, sinuose.
sinuosamente *avv.* sinuously. – **sinuosità** *f.* **1.** (*l'essere sinuoso*) sinuosity, sinuousness. – **2.** (*parte sinuosa*) curve, bend, sinuosity; (*rif. al corpo femminile*) curve. – **sinuoso** *a.* **1.** winding, curving, bending, sinuous, tortuous, serpentine: *corso ~ di un fiume* winding course of a river. – **2.** ⟨*Bot*⟩ sinuous, sinuose, sinuate(d). – **3.** (*rif. al corpo femminile*) well-developed, ⟨*fam*⟩ curvaceous, ⟨*fam*⟩ curvy.
sinusale *a.* ⟨*Med*⟩ sinus-, sinusal, of a sinus. – **sinusite** *f.* sinu(s)itis. – **sinusitico** *a.* (*pl.* **-ci**) of sinusitis, sinu(s)itis-.
sinuslineal *m.* ⟨*Geom*⟩ sine bar.
sinusoidale *a.* ⟨*Geom*⟩ sinusoidal: *grandezza ~* sinusoidal quantity. – **sinusoide** *f.* ⟨*Geom*⟩ (*anche curva sinusoide*) sinusoid.
Sion[1] (*o Sion*) *N.pr.f.* ⟨*Geog*⟩ Zion.
Sion[2] *fr.* [si'ɔ̃] *N.pr.f.* ⟨*Geog*⟩ Sion.
sionismo *m.* Zionism. – **sionista** *m./f.* Zionist. – **sionistico** *a.* (*pl.* **-ci**) Zionist(ic).
Sionne *N.pr.f.* ⟨*poet*⟩ → **Sion**[1].
sior *m.* ⟨*dial*⟩ (*signore*) **1.** gentleman. – **2.** (*vocativo*) sir; (*seguito dal cognome*) Mr.
sipa *avv.* ⟨*ant,dial*⟩ (*sì*) yes.
sipariętto (*dim. di sipario*) *m.* ⟨*Teat*⟩ (entr'act) curtain, drop(-curtain); (*dipinto*) drop-scene. – **sipario** *m.* (house) curtain, drop(-curtain); (*dipinto*) drop-scene. □ ⟨*Pol*⟩ ~ *di acciaio* (*o ferro*) iron curtain; ⟨*Teat*⟩ *alzare il ~* to raise (*o* ring up) the curtain; ⟨*Teat*⟩ *calare il ~* to drop (*o* ring down, lower) the curtain; *cala il ~!* curtain!; ⟨*fig*⟩ *calare il ~ su qc.* to draw the curtain on (*o* over) s.th.; (*non parlarne più*) to hush s.th. up; ⟨*Teat*⟩ ~ *all'italiana* tab(leau) curtain; ⟨*Teat*⟩ ~ *di sicurezza* safety (*o* asbestos, fire) curtain. – **siparista** *m.* curtain-man.
sipe *f.* ⟨*mil*⟩ (*bomba a mano*) kind of hand-grenade.
SIPE = *Società italiana prodotti esplodenti.*
Siracusa *N.pr.f.* ⟨*Geog*⟩ Syracuse.
siracusano I *a.* of (*o* from) Syracuse, Syracusan. – **II** *s.m.* **1.** (*dialetto*) Syracusan dialect. – **2.** (*abitante*; *f.* **-a**) inhabitant (*o* native) of Syracuse. – **Siracusano** *N.pr.m.* (*territorio*) Syracuse area (*o* region), territory round Syracuse.
sire *m.* **1.** (*appellativo di sovrano*) Sire. – **2.** ⟨*ant,poet*⟩ (*signore, sovrano*) lord, master, ⟨*ant*⟩ sire.
sirena *f.* **1.** ⟨*Mitol*⟩ (*figura metà donna, metà uccello*) siren. – **2.** ⟨*Mitol. mediev*⟩ (*figura metà donna, metà pesce*) mermaid. – **3.** ⟨*fig*⟩ (*donna seducente*) temptress, femme fatale, siren. – **4.** ⟨*fig*⟩ (*con riferimento alla dolcezza del canto*) siren: *avere una voce di ~* to be siren-voiced. – **5.** ⟨*Zool*⟩ siren (*Siren*). – **6.** (*segnale*) siren, whistle, bell: *la ~ di una fabbrica* the factory whistle.
□ ~ *d'***allarme** alarm, warning siren; ⟨*fig*⟩ **canto** *di* ~ siren song; ⟨*Zool*⟩ ~ *del* **fango** Pseudobranchus (*Pseudobranchus striatus*); ⟨*Zool*⟩ **grande** ~ mud-iguana, siren (*Siren lacertina*); ⟨*Mar*⟩ ~ *da* **nebbia** foghorn; ⟨*Zool*⟩ ~ **squamata** lepidosiren(oid) (*Lepidosiren paradoxa*); ~ *a* **vapore** steam-whistle, siren.
sireni *m.pl.* ⟨*Zool*⟩ sirenians *pl* (*Sirenia*).
sirfidi *m.pl.* ⟨*Entom*⟩ syrphus (*o* syrphid) flies *pl*, syrphids *pl* (*Syrphidae*).
siri *m.* ⟨*ant*⟩ → **sire**.
Siria *N.pr.f.* ⟨*Geog*⟩ Syria (*denom.uff.*: *Repubblica Araba Siriana* Syrian Arab Republic). – **siriaco** *a./s.* (*pl.* **-ci**) **I** *a.* Syrian, of Syria; (*rif. alla lingua*) Syriac. – **II** *s.m.* **1.** (*lingua*) Syriac. – **2.** (*deserto*) Syrian desert. – **siriano I** *a.* Syrian, Syria, of (*o* from) Syria. – **II** *s.m.* **1.** (*abitante*; *f.* **-a**) Syrian, inhabitant (*o* native) of Syria. – **2.** (*lingua*) Syriac.
siriasi *f.* ⟨*Med*⟩ siriasis, sunstroke.
sirice *m.* ⟨*Entom*⟩ horntail, sirex (*Sirex*). – **siricidi** *m.pl.* horntails *pl* (*Siricidae*).
sirieno I *a.* Zyrian, Komi. – **II** *s.m.* **1.** (*lingua*) Zyrian, Ziryen, Komi. – **2.** (*abitante*; *f.* **-a**) Zyrian, Komi.
sirima *f.* ⟨*Metr*⟩ sirima.
siringa *f.* **1.** syringe. – **2.** (*catetere uretrale*) catheter. – **3.** ⟨*Mus*⟩ pan-pipe, mouth-organ, syrinx. – **4.** ⟨*Gastr*⟩ pastry-tube, squirt, syringe. – **5.** ⟨*Bot*⟩ (*lillà*) lilac (*Syringa*). – **6.** ⟨*Bot*⟩ (*serenella*) lilac (*Syringa vulgaris*).
□ ~ **auricolare** ear syringe; ~ *per* **clistere** rectal (*o* enema) syringe; ~ *di* **gomma** rubber syringe; ⟨*Mecc*⟩ ~ *per* **ingrassaggio** grease gun; ~ *per* **iniezioni** (hypodermic) syringe; ⟨*Mecc*⟩ ~ *per* **lubrificazione** oil gun.
Siringa *N.pr.f.* ⟨*Mitol*⟩ Syrinx.
siringare *v.t.* (**siringo, siringhi**) to catheterize. – **siringatura** *f.* catheterization, catheterizing.
siringe *f.* ⟨*Ornit*⟩ syrinx, lower larynx.
siringomielia *f.* ⟨*Med*⟩ syringomyelia. – **siringomielico** *a./s.* (*pl.* **-ci**) **I** *a.* syringomyelic. – **II** *s.m.* syringomyelic sufferer.
Sirio *N.pr.m.* ⟨*Astr*⟩ Sirius, Dog Star.
sirma *f.* → **sirima**.
siro ⟨*lett*⟩ **I** *a.* (*siriano*) Syrian. – **II** *s.m.* (*f.* **-a**) Syrian.
sirocchia *f.* ⟨*ant*⟩ (*sorella*) sister.
sirocco *m.* (*pl.* **-chi**) ⟨*ant*⟩ (*scirocco*) sirocco, scirocco.
siroppo *m.* ⟨*rar*⟩ (*sciroppo*) syrup.
sirratte *m.* ⟨*Ornit*⟩ Pallas' sand-grouse (*Syrrhaptes paradoxus*).
sirte *f.* ⟨*lett*⟩ **1.** (*secca*) shoal, shallow; (*banco sabbioso*) sandbank, sands *pl*; (*banco sabbioso mobile*) quicksand. – **2.** ⟨*fig*⟩ (*insidia*) danger, peril, quicksand.
Sirte *N.pr.f.* **1.** ⟨*Geog.stor*⟩ Syrtis: *Grande ~* Syrtis Major. – **2.** ⟨*Geog*⟩ Sirte. – **sirtico** *a.* (*pl.* **-ci**) **1.** ⟨*Stor*⟩ (*delle Sirti*) of the Syrtes. – **2.** (*della Sirte*) of Sirte.
serventese *m.* ⟨*Lett*⟩ sirvente(s) *pl*, sirvent.
sisal *f.* **1.** ⟨*Bot*⟩ sisal (*Agave sisalana*). – **2.** ⟨*Tess*⟩ sisal (hemp).
Sisal *N.pr.f.* ⟨*pop*⟩ (*totocalcio*) football pool(s).
SISAL = *Sport Italia società a responsabilità limitata.*
sisalana *f.* → **sisal**.
sisaro *m.* ⟨*Bot*⟩ skirret (*Sium sisarum*).
siserino *m.* ⟨*Ornit*⟩ (*organetto*) (lesser) redpoll (*Carduelis linaria*).
sisero *m.* → **sisaro**.
Sisifo *N.pr.m.* ⟨*Mitol*⟩ Sisyphus. □ ⟨*fig*⟩ *fatica* (*o lavoro*) *di ~* fruitless toil, Sisyphean task.
sisma *m.* ⟨*Geol*⟩ earthquake, seism. – **sismicità** *f.* seismicity. – **sismico** *a.* (*pl.* **-ci**) seismic, seismal, seismetic: *fenomeno ~* seismic phenomenon. – **sismo** *m.* → **sisma**.
sismo... *pref.* **1.** ⟨*Geog*⟩ (*terremoto* earthquake) seismo... – **2.** ⟨*Biol*⟩ (*scossa* vibration) seismo...
...sismo *suff.* (*terremoto* earthquake) ... seism: *macrosismo m.* macroseism.
sismografico *a.* (*pl.* **-ci**) seismographic(al). – **sismografo** *m.* seismograph. – **sismogramma** *m.* seismogram.
sismologia *f.* seismology. – **sismologico** *a.* (*pl.* **-ci**) seismologic(al). – **sismologo** *m.* (*pl.* **-gi**; *f.* **-a**) seismologist, seismographer.
sismometrico *a.* (*pl.* **-ci**) seismometric(al). – **sismometro** *m.* seismometer.
sismo|metrografo *m.* → **sismografo**. – **~microfono** *m.* (*geofono*) geophone. – **~scopio** *m.* seismoscope. – **~stetoscopio** *m.* → **sismomicrofono**. – **~terapia** *f.* ⟨*Med*⟩ s(e)ismotherapy, vibratory massage.
sissiderite *f.* ⟨*Min*⟩ siderolite, syssiderites.
sissignora (*o sì signora*) *intz.* yes, Madam. – **sissignore** (*o sì signore*) *intz.* **1.** yes, Sir. – **2.** (*naturalmente*) of course, obviously.
sissizio *m.* ⟨*Stor.gr*⟩ syssitia, syssition.
sistema *m.* **1.** system: ~ *solare* solar system. – **2.** (*organizzazione*) system: ~ *sociale* social system. – **3.** ⟨*tecn*⟩ (*procedimento*) method, system, process, procedure: ~ *di estrazione* mining method. – **4.** ⟨*pop*⟩ (*modo di fare, condotta*) behaviour, way of acting, conduct: *che -i sono questi?* what kind of behaviour is this?; (*metodo*) way, method: *questo non è il ~ di studiare* this is no way to study. – **5.** ⟨*pop*⟩ (*consuetudine, abitudine*) custom, habit, practice: *avere il ~ alzarsi presto* to be in the habit of getting up early. – **6.** (*classificazione*) system, classification (*anche Biol.*). – **7.** (*nei giochi*) system. – **8.** ⟨*Sport*⟩ (*nel calcio*) MW formation, ⟨*fam*⟩ third back game.
□ ⟨*Fot*⟩ ~ **additivo** additive system (*o* colour process); ~ **agrario** *rotativo* crop rotation (method); ~ **alfabetico** alphabetical system; ⟨*Mot*⟩ ~ *di* **alimentazione** fuel system; ⟨*Mus*⟩ ~ **armonico** harmonic system; ⟨*Econ*⟩ ~ **aureo** gold standard; ~ **bancario** banking (system); ⟨*Econ*⟩ ~ **cartaceo** paper standard; ~ **centesimale** centesimal system; ⟨*Fis*⟩ ~ **CGS** cgs (*o* centimeter-gram-second) system; **con** ~ systematically, methodically; ⟨*Pol,Econ*⟩ ~ **cooperativo** co-operative system; ~ *delle* **coordinate** co-ordinate system; ⟨*Astr*⟩ ~ **copernicano** Copernican system; ⟨*Alp*⟩ ~ *di discesa su due* **cosce** double thigh rappel method; ~ *di* **costruzione** building (*o* construction) method; ⟨*Econ*⟩ ~ **creditizio** credit system; ⟨*Min*⟩ ~ **cristallino** (*o cristallografico*) crystallographic system; ~ **decimale** decimal system; ⟨*Mil*⟩ ~ **difensivo** defensive system, system of fortifications; ⟨*Mus*⟩ ~ **dodecafonico** twelve-note (*o* dodecaphonic) method, twelve-note technique; ⟨*Alp*⟩ ~ **Dülfer** Dülfer (*o* body) rappel; ~ **economico** economic system; ⟨*Pol*⟩ ~ **elettorale** *proporzionale* (system of) proportional representation; ~ **eliocentrico** = *sistema* **copernicano**; ⟨*Chim*⟩ ~ **eterogeno** heterogeneous system; ⟨*Rad*⟩ ~ *a* **fascio** beam array; ⟨*El*⟩ ~ *a due* **fili** two-wire system; ~ **fiscale** fiscal (*o* financial) system; ⟨*Fis*⟩ ~ *di* **forze** system of forces; ⟨*Astr*⟩ ~ **galattico** Milky Way (system); ~ **geocentrico** = *sistema* **tolemaico**; ⟨*Pol*⟩ ~ *di* **governo** form of government; ⟨*Geog*⟩ ~ **idrografico** hydrographic (*o* river) system; ⟨*Psic*⟩ ~ **inconscio** unconscious; ⟨*Mecc*⟩ ~ *di* **ingranaggi** gearing; ~ *di* **lavoro** work(ing) method; ⟨*Ott*⟩ ~ *di* **lenti** optical system, combination of lenses; ⟨*Mecc*⟩ ~ *di* **leve** system of levers; ⟨*Mus,ant*⟩ ~ **massimo** greater perfect system; ~ *di* **Mendeleev** = *sistema* **periodico**; ⟨*Econ*⟩ ~ **metallico** metallic standard; ~ **metrico** *decimale* (decimal) metric system; ⟨*Fis*⟩ *di* **misure** measure-

ment system, system of units; ⟨*Mus*⟩ ~ **modale** modal system; ⟨*Geog*⟩ ~ **montuoso** mountain system (*o* chain); ⟨*Anat*⟩ ~ **muscolare** muscular system; ~ **nervoso** nervous system; ~ *nervoso centrale* central nervous system; ~ *nervoso periferico* peripheral nervous system; ~ *nervoso simpatico* sympathetic nervous system; ~ **neurovegetativo** autonomic nervous system, vegetative (*o* involuntary) nervous system; ~ *di* **numerazione** arithmetical (*o* numerical) system; ⟨*Chim*⟩ ~ **omogeneo** homogeneous system; ~ **orografico** = *sistema* **montuoso**; ~ **ottico** optical system; ⟨*Comm*⟩ ~ *di* **pagamento** method of payment; ~ **parlamentare** parliamentary government (*o* system); **per** ~ (*per abitudine*) habitually, customarily, as a practice, out of habit; (*per partito preso*) intentionally, deliberately; ⟨*Chim*⟩ ~ **periodico** (*degli elementi*) periodic system; ⟨*Astr*⟩ ~ **planetario** planetary system; ⟨*Fis*⟩ ~ **pratico** practical system; ~ *dei* **premi** premium system, bonus plan (*o* scheme); ⟨*Econ*⟩ ~ *dei* **prezzi** pricing system; ~ **proporzionale** = *sistema* **elettorale** *proporzionale*; ⟨*Pol*⟩ ~ **rappresentativo** representative system; ⟨*Comm*⟩ ~ **rateale** *di vendita* instalment plan, hire-purchase system; ⟨*Mat,Fis*⟩ ~ *di* **riferimento** frame of reference; ~ **sessagesimale** sexagesimal scale; ⟨*Bot*⟩ ~ **sessuale** sexual system; ⟨*Ling*⟩ ~ **sintattico** syntactic system; ⟨*Astr*⟩ ~ **solare** solar system; ~ **stenografico** shorthand (*o* stenographic) method; ~ **tariffario** tariff system; ⟨*Tel*⟩ ~ **telefonico** *collettivo* conference system; ⟨*Fis*⟩ ~ **termodinamico** thermodynamic system; ⟨*Astr*⟩ ~ **tolemaico** Ptolemaic system; ⟨*Mus*⟩ ~ **tonale** key-system; ~ **tributario** = *sistema* **fiscale**; ⟨*Mar*⟩ ~ **velico** rigging, tackling; ~ *di* **vita** way of life, line of conduct, habits *pl*.

sistemạre *v.t.* (**sistẹmo**) **1.** (*ordinare, organizzare in sistema*) to organize, to system(at)ize, to methodize, to reduce to a system. – **2.** (*mettere a posto*) to arrange, to (put in) order, to set out: ~ *i quadri* to arrange the pictures; (*riordinare*) to (put in) order, to tidy (up), ⟨*fam*⟩ to fix: ~ *la casa* to put the house in order, to tidy up the house. – **3.** (*risolvere, definire*) to settle, to resolve: ~ *una questione* to settle a matter; (*rif. a liti e sim.*) to settle, ⟨*fam*⟩ to make up. – **4.** (*collocare, alloggiare*) to settle, to put, to place, to accommodate, to find accommodation (*o* lodging) for, to set up: *ho sistemato i bambini in una pensione* I have put the children in a boarding-house. – **5.** (*procurare un lavoro adatto*) to find work (*o* employment) for, to place, to settle, ⟨*fam*⟩ to fix up (with a job): ~ *un disoccupato* to find a job for an unemployed person. – **6.** (*installare*) to install: *ho sistemato il frigorifero tra la credenza e la cucina* I installed the fridge between the cupboard and the stove. – **7.** (*rif. a ragazze*: *maritare*) to marry off (well), to find a (good) husband for, to settle. – **8.** ⟨*fam*⟩ (*dare una lezione*) to settle (the hash of), to see to, to teach a lesson to, ⟨*fam*⟩ to fix, ⟨*fam*⟩ to show: *ora lo sistemo io* I'll settle him, I'll show him (what's what). – **sistemarsi** *v.r.* **1.** to get organized (*o* settled, fixed up): *appena mi sono sistemato all'estero mi farò raggiungere dalla famiglia* as soon as I get settled abroad I'll have my family join me. – **2.** (*trovare un alloggio*) to find a place to live, to get settled down, to get fixed up with accommodation (*o* lodgings). – **3.** (*trovare un lavoro*) to find employment, to get work (*o* a job). – **4.** (*rif. a ragazze*: *prendere marito*) to get married, to marry, to find a husband. – **5.** ⟨*non com*⟩ (*rif. a uomini*: *prendere moglie*) to get married, to settle down.

sistemạtica *f.* systematics *pl* (*costr.sing.*). – **sistematicamẹnte** *avv.* **1.** systematically, in a systematic manner. – **2.** (*con metodo*) systematically, methodically. – **3.** (*per partito preso*) systematically, deliberately, intentionally, on principle: *ogni iniziativa viene* ~ *bloccata* every attempt is systematically blocked. – **4.** (*sempre*) always, regularly, systematically. – **sistematicità** *f.* **1.** systematic nature. – **2.** (*l'essere metodico*) methodicalness. – **3.** (*regolarità*) regularity. – **4.** (*coerenza*) coherence, consistency, logic.

sistemạtico *a./s.* (*pl.* **-ci**) **I** *a.* **1.** systematic(al): *ordine* ~ systematic order. – **2.** (*metodico*) systematic(al), methodical, regular, orderly: *uomo* ~ methodical man. – **3.** (*regolare*) regular, systematic(al): *fenomeno* ~ systematic phenomenon. – **4.** (*fatto per partito preso*) systematic, deliberate, intentional, done on principle: *opposizione -a* systematic opposition. – **5.** (*coerente*) coherent, consistent, logical. – **6.** ⟨*Filos*⟩ systematic(al). – **7.** ⟨*Med*⟩ (*sistemico*) systemic, systematic(al). – **II** *s.m.* ⟨*Biol*⟩ taxonomist, systematist, systematician.

sistemaziọne *f.* **1.** organization, systematization, regularization. – **2.** (*il mettere a posto*) arrangement, order(ing); (*effetto*) arrangement, layout: *la* ~ *dei libri negli scaffali* the arrangement of the books on the shelves; (*il riordinare*) ordering, setting to order, tidying up. – **3.** (*definizione, composizione*) settlement, settling: *la* ~ *di una vertenza* the settlement of a controversy. – **4.** (*alloggio*) accommodation, lodging, place to live; (*collocamento*) placing, lodging, settling: *provvedere alla* ~ *dei turisti in albergo* to take care of lodging the tourists in a hotel. – **5.** (*lavoro, impiego*) post, job, position, place, work, employment, situation, appointment: *cercare una* ~ to look for a job. – **6.** (*arredamento*) decoration, furnishings *pl*, décor. – **7.** (*installazione*) installation; (*all'interno*) building in. – **8.** (*matrimonio*) marrying-off, good marriage.

sistẹmico *a.* (*pl.* **-ci**) **1.** ⟨*rar*⟩ systematic(al). – **2.** ⟨*Med*⟩ systemic, systematic(al).

sistemịno *m. dim. di* **sistema**. – **sistemịsta I** *a.* systems-. – **II** *s.m./f.* systems-player.

sistẹsi *f.* ⟨*Stor.gr*⟩ public banquet.

sịstilo *m.* ⟨*Archeol*⟩ (*anche tempio sistilo*) systyle.

Sistịna *N.pr.f.* ⟨*Art*⟩ (*anche cappella Sistina*) Sistine Chapel.

sistịno *a.* Sistine, of Sixtus.

Sịsto *N.pr.m.* Sixtus.

sịstola *f.* water-hose.

sịstole *f.* ⟨*Fisiol,Metr*⟩ systole. – **sistọlico** *a.* (*pl.* **-ci**) systolic.

sịstro *m.* ⟨*Mus*⟩ sistrum.

sitạre *v.i.* (compound tenses not used) ⟨*rar*⟩ (*puzzare*) to stink, to smell.

sitibọndo *a.* ⟨*lett*⟩ **1.** (*assetato*) thirsty. – **2.** ⟨*fig*⟩ (*avido*) thirsty, longing, eager (*di* for), avid (for, of). □ *essere* ~ *di sangue* to thirst for blood, to be bloodthirsty.

sitiomanịa *f.* → **sitomania**.

sitịre *v.* (**sitịsco, sitịsci**) ⟨*poet,ant*⟩ **I** *v.t.* (*bramare*) to thirst (*o* be eager) for, to long (*o* yearn) for. – **II** *v.i.* (*aus.* **avere**) (*aver sete*) to be thirsty.

sịto[1] **I** *s.m.* **1.** ⟨*lett*⟩ (*posto*) place, site; (*località*) locality, place, spot. – **2.** ⟨*ant*⟩ (*posizione*) position, situation; (*disposizione*) arrangement. – **II** *a.* ⟨*lett,burocr*⟩ situated, located, lying. □ ⟨*Artigl*⟩ *angolo di* ~ angle of site (*o* position); ⟨*Artigl*⟩ ~ *futuro* predicted target elevation; ⟨*Veter*⟩ *mal del* ~ contagious agalactia; ⟨*Artigl*⟩ ~ *negativo* depression.

sịto[2] *m.* ⟨*tosc*⟩ (*puzzo*) stink, stench.

sitofobịa *f.* ⟨*Psic*⟩ sitophobia.

sitologịa *f.* (*dietetica*) sitology, dietetics *pl* (*costr.sing. o pl.*).

sitomanịa *f.* ⟨*Psic*⟩ sitomania.

situạre *v.t.* (**sịtuo**) **1.** (*porre*) to put, to place, to set; (*orizzontalmente*) to lay (down). – **2.** (*collocare*) to situate, to locate. – **situạto** (*p.p. di situare*) *a.* **1.** put, placed. – **2.** (*collocato*) situated, located, lying.

situaziọne *f.* **1.** situation, state (of affairs): *la* ~ *economica del paese* the economic situation of the country. – **2.** (*circostanza*) situation, position, circumstance: *essere in una difficile* ~ to be in an awkward position. – **3.** (*prospetto*) statement, position, schedule. – **4.** ⟨*Mil*⟩ (*dislocazione*) position. – **5.** ⟨*ant*⟩ (*posizione*) position.

□ *essere all'***altezza** *della* ~ to be capable of handling (*o* coping with) a situation; ⟨*Econ*⟩ ~ *della* **banca** bank return (*o* statement); ⟨*Econ*⟩ ~ *dei* **cambi** exchange situation; ⟨*Econ*⟩ ~ *di* **cassa** cash statement (*o* position); ⟨*Econ*⟩ ~ **congiunturale** business (*o* economic) situation; ~ *di* **diritto** legal situation; ~ **economica** economic situation; ~ *di* **fatto** state of affairs (*o* things), existing (*o* de facto) situation; ⟨*Comm*⟩ ~ **giornaliera** daily statement; ⟨*Econ*⟩ ~ *del* **mercato** market situation (*o* conditions *pl*); ~ **patrimoniale** financial situation (*o* position); ⟨*Econ*⟩ ~ **titoli** securities situation.

sịtula *f.* ⟨*Archeol*⟩ situla.

sivịẹra *f.* ⟨*Met*⟩ ladle.

□ ~ *a* **bilanciere** crane ladle; ~ *a* **botte** = *siviera* **cilindrica**; ~ **carrellata** wheeled drum-type ladle; ~ **cilindrica** drum ladle; ~ *di* **colata** pouring (*o* casting) ladle; ~ *da* **gru** crane ladle; ~ *a* **mano** hand ladle; ~ *di* **mescolamento** mixing ladle; ~ **portatile** hand shank; ~ **ribaltabile** (o *rovesciabile*) tilting ladle; ~ *a* **tamburo** = *siviera* **cilindrica**.

sivierịna *f.* ⟨*Met*⟩ hand ladle.

Sivịglia *N.pr.f.* ⟨*Geog*⟩ Seville. – **sivigliạno I** *a.* Sevillian, Seville. – **II** *s.m.* (*f.* **-a**) Sevillian, native (*o* inhabitant) of Seville.

siziẹnte *a.* ⟨*poet*⟩ (*assetato*) thirsty.

sizịgia *f.* (*pl.* **-gie**) **1.** ⟨*Astr*⟩ syzygy, syzygium. – **2.** ⟨*Geog*⟩ (*marea sizigiale*) syzygial tide. – **3.** ⟨*Metr*⟩ syzygy, syzygium; (*dipodia*) dipody. – **sizigiạle, sizịgio** *a.* ⟨*Astr*⟩ syzygetic, syzygial.

sịzio *m.* ⟨*tosc*⟩ (*lavoro penoso*) grindstone, labour, hard work.

sịzza *f.* cold biting wind.

S.J. = ⟨*Rel*⟩ *Compagnia di Gesù* Society of Jesus (*abbr.* S.J.).

skạldo *m.* ⟨*Lett*⟩ (*scaldo*) skald, scald.

skating *ingl.* ['skeitiŋ] *m.* **1.** (*pattinaggio sul ghiaccio*) (ice-)skating. – **2.** (*pattinaggio a rotelle*) (roller-)skating.

ski *m.* ⟨*ant*⟩ ski.

skip *ingl. m.* ⟨*Minier*⟩ skip hoisting.

skunk *ingl.* [skʌŋk] *m.* **1.** ⟨*Zool*⟩ (*moffetta*) skunk (*Mephitis mephitis*). – **2.** (*pelliccia*) skunk (fur).

s.l. = **1.** *senso lato* sensu lato, in a broad sense. – **2.** ⟨*Edit*⟩ *senza luogo* sine loco (*abbr.* s.l.). – **3.** ⟨*Sport*⟩ *stile libero* free style.

ṣlabbramẹnto *m.* ⟨*non com*⟩ **1.** (*lo slabbrare*: *rif. a vasellame*) chipping (of the rim); (*rif. a tessuti*) tearing (of the edge). – **2.** (*lo slabbrarsi*: *rif. a vasellame*) chipping; (*rif. a tessuti*) tearing, becoming torn; (*rif. a ferite*) opening, gaping. – **ṣlabbrạnte** (*p.pr. di slabbrare*) *a.* (*rif. a vasellame*) chipping; (*rif. a tessuti*) tearing; (*rif. a ferite*) gaping, open, torn. – **ṣlabbrạre I** *v.t.* **1.** to tear the edge (*o* border) of: ~ *un tessuto* to tear the edge of a fabric; (*rif. a vasellame*) to chip (*o* break) the edge (*o* rim, lip) of: ~ *una tazza* to chip the rim of a cup. – **2.** (*rif. a ferite*) to open, to enlarge. – **II** *v.i.* (*aus.* **avere**) **1.** (*traboccare*) to overflow, to brim (*o* spill) over. – **2.** (*rif. a ferite*) to gape, to open. – **slabbrarsi** *v.r.* (*rif. a vasellame*) to chip at the edge; (*rif. a tessuti*) to tear at the edge (*o* border); (*rif. a ferite*) to open, to gape. – **ṣlabbrạto** (*p.p. di slabbrare*) *a.* **1.** chipped, broken: *una tazza -a* a cup with a chipped rim. – **2.** (*rif. a ferite*) gaping, open. – **ṣlabbratụra** *f.* **1.** (*lo slabbrare*: *rif. a vasellame*) chipping (of the rim); (*rif. a tessuti*) tearing (of the edge). – **2.** (*lo slabbrarsi*: *rif. a vasellame*) chipping; (*rif. a tessuti*) tearing, becoming torn; (*rif. a ferite*) opening, gaping. – **3.** (*parte slabbrata*) torn edge (*o* rim). – **4.** ⟨*Mecc*⟩ burr. □ ⟨*Mecc*⟩ *prova di* ~ flanging test.

ṣlacciạre *v.t.* (**ṣlạccio, ṣlạcci**) **1.** to unlace, to untie, to undo, to loosen, to unfasten: ~ *le scarpe* to unlace one's shoes. – **2.** (*aprire*) to open; (*sbottonare*) to unbutton, to unfasten; (*rif. a chiusura lampo*) to unzip, to undo (the zip of); (*sfibbiare*) to unbuckle. – **slacciarsi** *v.r.* **1.** to come unlaced (*o* untied, undone), to get loose. – **2.** (*sbottonarsi*) to come unbuttoned (*o* undone): *mi si è slacciata la blusa* my blouse has come unbuttoned. – **3.** ⟨*ant*⟩ (*sciogliersi dai lacci*) to free o.s.

sladinare *v.t.* **1.** ⟨*Mecc,Mot*⟩ (*rodare*) to break (*o* run) in. – **2.** ⟨*mil*⟩ (*allenare*) to train. – **sladinatura** *f.* ⟨*non com*⟩ (*rodaggio*) break-in, run-in.

slalom *m.* ⟨*Sport*⟩ slalom: ~ *gigante* giant slalom. – **slalomista** *m./f.* slalom racer.

slamare *v.i.* (*aus.* **essere**) (*smottare*) to slip, to slide.

slamatore *m.* ⟨*Pesc*⟩ hook-remover.

slanciamento *m.* ⟨*non com*⟩ **1.** (*slancio*) throwing, flinging. – **2.** (*lo slanciarsi*) throwing (*o* flinging) o.s. – **slanciare** *v.t.* (**slancio, slanci**) to throw, to fling, to hurl. – **slanciarsi** *v.r.* **1.** to throw o.s., to fling o.s., to hurl o.s. (*contro, su* on, upon, at): *slanciarsi contro qd.* to fling o.s. upon s.o. – **2.** ⟨*fig*⟩ (*protendersi*) to soar (up), to reach (up), to extend (*verso* toward): *la torre si slancia verso il cielo* the tower soars skywards. □ *slanciarsi all'inseguimento di qd.* to rush off in pursuit of s.o.; *slanciarsi sul* (o *contro il*) *nemico* to hurl o.s. on (*o* against) the enemy. – **slanciato** (*p.p. di slanciare*) *a.* **1.** (*rif. a persone*) slender, slim, svelte: *figura -a* slender figure. – **2.** (*rif. a cose*) soaring, slender, tall and graceful: *un campanile* ~ a soaring bell-tower.

slancio *m.* **1.** (*lo slanciarsi*) (on)rush, dash, bound, leap: *con uno* ~ *gli fu addosso* he was on him in a bound, he rushed upon him; (*rincorsa*) run: *prendere lo* ~ to take a run. – **2.** ⟨*fig*⟩ (*accesso, impeto*) fit, outburst, surge, rush: *uno* ~ *di generosità* an outburst of generosity. – **3.** ⟨*fig*⟩ (*snellezza*) slenderness. – **4.** ⟨*Ginn*⟩ swing. – **5.** ⟨*Sport*⟩ (*nel golf*) swing; (*nel sollevamento pesi*) jerk. □ *di* ~: 1. with a leap (*o* dash); 2. ⟨*fig*⟩ on impulse: *agire di* ~ to act on impulse; ⟨*Mar*⟩ ~ *di prua* rake of the stern; ⟨*Filos*⟩ ~ *vitale* vital force, élan vital.

slappolare *v.t.* (**slappolo**) ⟨*Tess*⟩ to burr. – **slappolatore** *m.* (*f.* **-trice**) burrer. – **slappolatrice** *f.* (*macchina*) burring-machine. – **slappolatura** *f.* burring, burr extraction.

slargamento *m.* widening, broadening.

slargando I *avv.* ⟨*Mus*⟩ slargando, allargando, becoming broader. – **II** *s.m.* slargando sign, broadening (of the tempo).

slargare *v.* (**slargo, slarghi**) **I** *v.t.* (*rendere più largo*) to widen, to broaden, to make wider; (*rif. a scarpe, guanti, maglia e sim.*) to stretch. – **II** *v.i.* (*aus.* **avere**) ⟨*Tip*⟩ to take up space. – **slargarsi** *v.r.* **1.** (*diventare più largo*) to widen, to become wider (*o* broader), to spread, to extend; (*rif. a scarpe, guanti, maglia e sim.*) to stretch. – **2.** (*spargere*) to spread out. – **3.** ⟨*mar,rar*⟩ (*allontanarsi da un'altra nave*) to sheer off; (*prendere il largo*) to put out (to sea), to get under way, to push off. □ ⟨*fig*⟩ *sentirsi* ~ *il cuore* to be overjoyed, to be cheered (*o* gladdened).

slargatura *f.* ⟨*non com*⟩ **1.** (*lo slargare*) widening, broadening; (*punto, slargo*) widening, wider part. – **2.** ⟨*Tip*⟩ excessive space. – **slargo** *m.* (*pl.* **-ghi**) widening, wider part.

slatinare *v.i.* (*aus.* **avere**) ⟨*scherz*⟩ to Latinize, to use Latinisms, to show off one's Latin. – **slatinatura** *f.* ⟨*spreg*⟩ Latinizing, Latinization, use of Latinisms.

slattamento *m.* (*svezzamento*) weaning. – **slattare** *v.t.* (*svezzare*) to wean. – **slattatura** *f.* ⟨*non com*⟩ → **slattamento**.

slavato *a.* **1.** (*sbiadito*) faded, washed out, dingy, drab: *colore* ~ faded colour; (*pallido*) pale, wan, colourless, ⟨*fam*⟩ washed out. – **2.** ⟨*fig*⟩ (*scialbo, incolore*) dull, dreary, flat, colourless, vapid: *stile* ~ dull style; (*inespressivo*) dull, wooden, lifeless, stiff, inexpressive, expressionless: *faccia -a* wooden (*o* expressionless) face. – **slavatura** *f.* **1.** fadedness, dinginess, drabness. – **2.** (*parte slavata*) faded spot (*o* patch).

Slavia *N.pr.f.* ⟨*Ling*⟩ Slavic language countries *pl*, Slavdom.

slavina *f.* landslide, landslip; (*lavina*) snowslide, snow-slip; (*valanga*) avalanche. – **slavino** *m.* ⟨*region*⟩ **1.** → **slavina**. – **2.** (*frana di sassi*) rockslide.

slavismo *m.* **1.** ⟨*Ling*⟩ Slavism. – **2.** ⟨*Pol*⟩ Pan-Slavism, Slavophilism, Slavism. – **slavista** *m./f.* Slavicist, Slavist. – **slavistica** *f.* Slavic studies *pl.* – **slavità** *f.* Slavism. – **slavizzare** *v.t.* to Slavicize, to Slavize, to make Slavic. – **slavizzarsi** *v.r.* to become Slavic. – **slavizzazione** *f.* Slavification.

slavo I *a.* Slavic, Slavonic, Slav, Slavonian; (*degli slavi*) of the Slavs, Slavic, Slavonian. – **II** *s.m.* **1.** (*lingua*) Slavic (language), Slavonian, Slavonic; (*lingue slave*) Slavonic, Slavonic languages *pl.* – **2.** (*abitante*; *f.* **-a**) Slav, Slavonian.

slavofilia *f.* **1.** Slavophilism. – **2.** ⟨*non com*⟩ → **slavofilismo**. – **slavofilismo** *m.* ⟨*Pol,Filol*⟩ Slavophilism, Slavophil movement. – **slavofilo I** *a.* **1.** Slavophil(e). – **2.** (*dello slavofilismo*) of Slavophilism, Slavophil(e). – **II** *s.m.* (*f.* **-a**) **1.** Slavophile. – **2.** (*seguace dello slavofilismo*) advocate of Slavophilism, Slavophil(e). – **slavofobo** *a.* Slavophobic.

Slavonia *N.pr.f.* ⟨*Geog*⟩ Slavonia.

sleale *a.* **1.** (*privo di lealtà*) disloyal, treacherous, faithless: *amico* ~ disloyal friend. – **2.** (*non corretto*) unfair, dishonest, treacherous: *concorrenza* ~ unfair competition. □ *gioco* ~ foul play. – **slealmente** *avv.* **1.** (*senza lealtà*) disloyally, treacherously. – **2.** (*senza correttezza*) unfairly, dishonestly. – **slealtà** *f.* **1.** (*mancanza di lealtà*) disloyalty, treachery. – **2.** (*mancanza di correttezza*) unfairness, dishonesty.

slebo *m.* ⟨*Met*⟩ slab.

slegamento *m.* ⟨*non com*⟩ **1.** (*lo slegare*) untying, loos(en)ing. – **2.** (*l'essere slegato*) being untied. – **3.** ⟨*fig*⟩ (*incoerenza*) incoherence, looseness, disjointedness, disconnectedness.

slegare *v.t.* (**slego, sleghi**) **1.** to untie, to loose(n), to unfasten, to unbind, to undo: ~ *il cane dalla catena* to unfasten the dog's chain, to let the dog loose. – **2.** ⟨*fig,lett*⟩ (*liberare*) to (set) free, to release. – **3.** ⟨*non com*⟩ (*sciogliere*) to undo, to unfasten: ~ *un nodo* to undo a knot. – **slegarsi** *v.r.* **1.** to get loose: *i cavalli si sono slegati* the horses have got loose. – **2.** ⟨*fig*⟩ (*liberarsi*) to get free.

slegatamente *avv.* **1.** loosely. – **2.** ⟨*fig*⟩ (*incoerentemente*) incoherently. – **slegato** (*p.p. di slegare*) *a.* **1.** (*non legato*) untied, loose, unfastened, unbound, undone. – **2.** (*non rilegato*) unbound. – **3.** ⟨*fig*⟩ (*sconnesso, incoerente*) incoherent, disjointed, loose, disconnected: *frasi -e* disconnected sentences. – **slegatura** *f.* **1.** untying, loos(en)ing, unfastening, unbinding. – **2.** ⟨*fig*⟩ (*mancanza di coesione*) incoherence, looseness, disjointedness, disconnectedness.

slembare *v.i.* (**slembo**; *aus.* **essere**) ⟨*non com*⟩ to be uneven at the edges, to hang crookedly (*o* unevenly).

slentando I *avv.* ⟨*Mus*⟩ slentando, gradually decreasing in tempo. – **II** *s.m.* slentando sign. – **slentare** *v.t.* (**slento**) ⟨*non com*⟩ (*rendere meno teso*) to slack(en), to ease off; (*rendere meno stretto*) to loosen. □ ⟨*fig*⟩ ~ *la briglia* to slacken the reins, to let up; ⟨*fig,lett*⟩ ~ *la fune* to let one's hair down. – **slentatura** *f.* ⟨*non com*⟩ slackening, loosening.

Slesia *N.pr.f.* ⟨*Geog*⟩ Silesia.

slineamento *m.* ⟨*Ferr*⟩ buckling. – **slineare** *v.i.* (**slineo**; *aus.* **essere**) to buckle.

slip *ingl. m.* **1.** (*mutande da uomo*) (under)pants *pl*, briefs *pl*; (*da donna*) briefs *pl*, panties *pl.* – **2.** (*costume da bagno maschile*) (bathing-)trunks *pl*, bathing-slips *pl.* – **slippino** *m. dim. di* **slip**.

sliricare *v.t.* (**slirico, slirichi**) ⟨*non com*⟩ to make unlyrical (*o* unpoetical). – **sliricarsi** *v.r.* to become unlyrical (*o* unpoetical), to lose one's lyricism (*o* poetry). – **sliricizzare** *v.* → **sliricare**.

slitta *f.* **1.** ⟨*Sport*⟩ sled, sleigh, sledge. – **2.** ⟨*tecn*⟩ slide, guide, rail, runner. – **3.** ⟨*Artigl*⟩ chassis.

□ **andare** *in* ~ to sleigh, to go sleigh-riding; **cane** *da* ~ sled-dog, husky; ~ *trainata da cani* dog-sled; ~ *trainata da* **cavalli** horse -drawn sled, horse sleigh, ⟨*am*⟩ cutter; ⟨*El*⟩ ~ *di* **contatto** contact slider; ⟨*Mecc*⟩ ~ *a* **croce** compound rest; ⟨*Mecc*⟩ ~ **portafresa** cutter slide; ⟨*Mecc*⟩ ~ *di una* **pressa** ram; ⟨*Aut*⟩ ~ *del* **sedile** seat runner (*o* rail); ⟨*Mecc*⟩ ~ *di un* **tornio** saddle; ⟨*Mecc*⟩ ~ **trasversale** cross slide; ⟨*Sport*⟩ ~ *a* **vela** ice-boat.

slittamento *m.* **1.** sliding, slip(ping), skid(ding); (*rif. a veicoli*) skid(ding). – **2.** ⟨*fig*⟩ (*deviazione*) sliding, straying, deviation, shift. – **3.** ⟨*Econ*⟩ slump, fall, decline. – **4.** ⟨*tecn*⟩ (*scorrimento*) slipping. – **5.** ⟨*El,Geog*⟩ slip. □ ⟨*Mot*⟩ ~ *della frizione* clutch slip(page); ⟨*Aer,Sport*⟩ ~ *laterale* side-slip; ⟨*Econ*⟩ ~ *monetario* decline in value, decline of a currency; ⟨*Econ*⟩ ~ *salariale* wage drift.

slittante (*p.pr. di slittare*) *a.* sliding, slipping, skidding. – **slittare** *v.i.* (*aus.* **avere/essere**) **1.** (*andare in slitta*) to go sleigh-riding, to (ride in a) sleigh, to sled(ge). – **2.** (*scivolare*) to slide, to slip, to skid; (*rif. a veicoli*) to skid, to slip sideways: *le ruote slittavano sul ghiaccio* the wheels skidded on the ice. – **3.** ⟨*fig*⟩ (*deviare*) to slide, to stray, to deviate: *il partito slitta verso sinistra* the party is sliding to the left. – **4.** ⟨*rar*⟩ (*sdrucciolare*) to slip. – **5.** ⟨*Econ*⟩ to slide, to slump, to decline. – **6.** ⟨*teat*⟩ to get carried away.

slittina *f. dim. di* **slitta**. – **slittino** (*dim. di slitta*) *m.* sled.

slittovia *f.* sledge-lift.

slivoviz *m.* slivovitz, slivowitz, slivovic, plum brandy.

s.l.m. = *sul livello del mare* above sea-level.

slogamento *m.* ⟨*Med*⟩ dislocation.

slogan *m.* (*motto pubblicitario*) slogan.

slogare *v.t.* (**slogo, sloghi**) to dislocate, to displace; (*distorcere*) to sprain. – **slogarsi** *v.r.* to dislocate, to be (*o* get) dislocated: *slogarsi la spalla* to dislocate one's shoulder. – **slogato** (*p.p. di slogare*) *a.* **1.** dislocated. – **2.** ⟨*iperb*⟩ double-jointed. – **slogatura** *f.* **1.** dislocation, luxation. – **2.** (*distorsione*) sprain, twist, wrench.

sloggiamento *m.* ⟨*non com*⟩ **1.** (*sfratto*) eviction. – **2.** (*cacciata*) driving away (*o* out), dislodging. – **sloggiare** *v.* (**sloggio, sloggi**) **I** *v.t.* **1.** (*sfrattare*) to evict, to turn out: *il padrone di casa ha sloggiato il nuovo inquilino* the landlord evicted the new tenant. – **2.** (*cacciare via*) to drive away (*o* out), to dislodge, to throw out: ~ *il nemico* to dislodge the enemy. – **II** *v.i.* (*aus.* **avere**) **1.** to move out (*o* away), to go, to leave: ~ *dal proprio ufficio* to move out of one's office. – **2.** ⟨*fam*⟩ (*andarsene*) to leave, to go away (*o* off), ⟨*fam*⟩ to clear out. – **3.** ⟨*Mil*⟩ to withdraw, to draw (*o* fall) back, to pull out, to evacuate. – **sloggio** *m.* ⟨*rar*⟩ eviction.

slombare *v.t.* (**slombo**) **1.** to break the back of. – **2.** ⟨*fig*⟩ (*sfiancare*) to break the back of, to exhaust, to wear (*o* tire) out, ⟨*fam*⟩ to knock out: *questo lavoro mi ha slombato* this job has worn me out. – **slombarsi** *v.r.* **1.** to break one's back. – **2.** ⟨*fig*⟩ to break one's back, to wear (*o* tire) o.s. out, to become exhausted, ⟨*fam*⟩ to knock o.s. out. – **slombato** (*p.p. di slombare*) *a.* **1.** (*sfiancato*) hollow-flanked. – **2.** ⟨*fig*⟩ (*spossato*) exhausted, worn-out, tired out. – **3.** ⟨*fig*⟩ (*fiacco, snervato*) enervated, weak, feeble, listless: *stile* ~ feeble (*o* flabby) style.

slontanare *v.t.* ⟨*rar*⟩ (*allontanare*) to move away, to remove.

şlǫti, şlǫto *m.* ⟨*non com*⟩ (*zloty*) zloty.
Şlovạcchia (o *Şlovacchịa*) *N.pr.f.* ⟨*Geog*⟩ Slovakia. – **şlovạcco** *a./s.* (*pl.* **-chi**) **I** *a.* Slovak, Slovakian, Slovac. – **II** *s.m.* **1.** (*lingua*) Slovak (language), Slovakian, Slovac. – **2.** (*abitante*; *f.* **-a**) Slovak, Slovakian, Slovac.
Şlovęnia *N.pr.f.* ⟨*Geog*⟩ Slovenia. – **şlovęno I** *a.* Slovene, Slovenian. – **II** *s.m.* **1.** (*lingua*) Slovene (language), Slovenian. – **2.** (*abitante*; *f.* **-a**) Slovene.
slow, slow-fǫx *ingl.* ['slou-] *m.* (*danza*) slow fox-trot.
slum *ingl.* [slʌm] *m.* **1.** (*vicolo lurido*) slum, filthy alley. – **2.** (*sordida catapecchia*) wretched hovel. – **3.** *pl.* (*bassifondi*) slums *pl.*
şlumacạre *v.t.* (**şlumạco, şlumạchi**) ⟨*non com*⟩ (*allumacare*) to leave a slimy trail on. – **şlumacatụra** *f.* ⟨*non com*⟩ (*allumacatura*) (snail's) slimy trail (*o* mark).
şlungạre *v.t.* (**şlụngo, şlụnghi**) ⟨*non com*⟩ (*allungare*) to lengthen, to elongate, to extend. – **slungarsi** *v.r.* **1.** (*allungarsi*) to lengthen, to get longer. – **2.** (*dilungarsi*) to dwell, to speak at length, to linger. – **3.** ⟨*ant*⟩ (*allontanarsi*) to go away, to leave, to depart.
şlupatụra *f.* ⟨*Agr*⟩ freeing from dry rot.
Sm = ⟨*Chim*⟩ *samario* samarium.
Sm. = ⟨*Mus*⟩ *smorzando* smorzando (*abbr.* smorz.).
s.m. = **1.** *sul mare* above sea-level. – **2.** ⟨*epist*⟩ *sue mani* personal (*abbr.* pers.).
S.M. = **1.** ⟨*Mil*⟩ *stato maggiore* General Staff (*abbr.* G.S.). – **2.** *Sua Maestà* His (*o* Her) Majesty (*abbr.* H.M.). – **3.** ⟨*epist*⟩ *sue mani* personal (*abbr.* pers.).
şmaccạre *v.t.* (**şmạcco, şmạcchi**) ⟨*ant*⟩ **1.** (*umiliare*) to humiliate, to (put to) shame. – **2.** (*svalutare*) to depreciate, to belittle, to run down. – **şmaccạto** (*p.p. di smaccare*) *a.* **1.** ⟨*non com*⟩ (*troppo dolce*) sickly-sweet, cloying. – **2.** ⟨*fig*⟩ (*esagerato*) excessive, sickening: *adulazioni -e* sickening adulation.
şmacchiạre[1] *v.t.* (**şmạcchio, şmạcchi**) to remove stains from, to (spot-)clean: ~ *un vestito* to remove stains from a dress.
şmacchiạre[2] *v.* (**şmạcchio, şmạcchi**) **I** *v.t.* (*diboscare*) to deforest, to clear of trees. – **II** *v.i.* (*aus.* **essere**) ⟨*ant*⟩ (*uscire dalla macchia*) to come out of the bush (*o* maquis).
şmacchiatǫre *m.* (*f.* **-trice**/*tosc.* **-a**) **1.** (*chi smacchia*) (dry-)cleaner; (*chi dirige una smacchiatoria*) manager of a dry-cleaner's. – **2.** (*prodotto*) stain-remover, spot-remover. – **şmacchiatorịa** *f.* dry-cleaner's. – **şmacchiatụra** *f.* removal of stains, cleaning: ~ *a secco* dry-cleaning.
şmạcchio *m.* ⟨*Silv,non com*⟩ deforestation, cutting down of trees.
şmạcco *m.* (*pl.* **-chi**) **1.** let-down, blow, failure, defeat, reverse: *è stato per lui un grave* ~ it was a serious blow to him; *subire uno* ~ to have a let-down. – **2.** (*umiliazione*) humiliation, mortification, disgrace.
şmacrạre *v.t.* ⟨*lett*⟩ (*dimagrire*) to (make) thin, to slim.
şmagamẹnto *m.* **1.** weakening, debilitation. – **2.** (*smarrimento*) bewilderment, dismay. – **şmagạre** *v.t.* (**şmạgo, şmạghi**) ⟨*ant*⟩ **1.** (*sminuire, indebolire*) to diminish, to weaken. – **2.** (*distogliere*) to distract, to lead astray, to turn aside. – **smagarsi** *v.r.* **1.** (*disincantarsi*) to become disenchanted (*di* with). – **2.** (*sviarsi*) to stray, to turn aside (*da* from). – **3.** (*turbarsi*) to be dismayed (*o* bewildered); (*perdersi d'animo*) to lose heart. – **şmagạto** (*p.p. di smagare*) *a.* ⟨*ant,lett*⟩ **1.** (*turbato*) dismayed, bewildered. – **2.** (*disincantato*) disenchanted, disillusioned.
şmagliạnte (*p.pr. di smagliare*[2]) *a.* **1.** dazzling, radiant, bright, brilliant: *luce* ~ dazzling light; (*rif. a colori e sim.*) bright, brilliant, dazzling, glowing. – **2.** ⟨*fig*⟩ dazzling, radiant, beaming: *bellezza* ~ dazzling beauty; *un sorriso* ~ a radiant smile.
şmagliạre[1] *v.t.* (**şmạglio, şmạgli**) **1.** (*rif. a catene*) to break the links of. – **2.** (*disfare un lavoro a maglia*) to undo, to unpick, to unravel; (*rif. a calze*) to ladder, to snag, ⟨*am*⟩ to run. – **3.** (*rif. all'epidermide*) to leave stretch marks. – **4.** ⟨*non com*⟩ (*slegare*) to undo, to untie, to loosen. – **5.** ⟨*ant*⟩ (*spezzare*) to break, to snap. – **6.** ⟨*fig,ant*⟩ (*sgomentare*) to dismay, to daunt. – **smagliarsi** *v.r.* **1.** (*rif. a tessuti*) to come undone (*o* unravelled); (*rif. a calze*) to ladder, ⟨*am*⟩ to run: *mi si sono smagliate le calze* my stockings have laddered. – **2.** (*rif. all'epidermide*) to stretch, to develop stretch marks, to become slack.
şmagliạre[2] *v.i.* (**şmạglio, şmạgli**; *aus.* **avere**) ⟨*ant*⟩ (*risplendere*) to shine, to glow, to be bright (*o* dazzling), to sparkle.
şmagliạto (*p.p. di smagliare*[1]) *a.* (*rif. a tessuti*) undone, unravelled; (*rif. a calze*) laddered: *calze -e* laddered stockings, stockings with a ladder (*o* run) in them; (*rif. all'epidermide*) stretched, having stretch marks. – **şmagliatǫre** *m.* **1.** feeder. – **2.** ⟨*Mil.ant*⟩ (*sfondagiaco*) dagger.
şmagliatụra *f.* **1.** (*lo smagliare*: *rif. a tessuti*) unravelling, undoing; (*rif. a calze*) laddering, ⟨*am*⟩ running. – **2.** ⟨*concr*⟩ (*strappo*) tear, split, rent; (*rif. a calze*) ladder, ⟨*am*⟩ run. – **3.** ⟨*fig*⟩ (*soluzione di continuità*) gap, break; (*mancanza di coesione*) discontinuity, disjointedness. – **4.** ⟨*Med*⟩ stria atrophica, stretch mark; (*nella gravidanza*) stria gravidarum, stria (*o* linea) atrophicae, linear atrophy, atrophic line; (*vibice*) vibex.
şmagnetizzạnte (*p.pr. di smagnetizzare*) *a.* ⟨*Fis*⟩ demagnetizing. – **şmagnetizzạre** *v.t.* **1.** to demagnetize. – **2.** ⟨*Mar*⟩ (*rif. a navi*: *immunizzare contro mine magnetiche*) to degauss. – **şmagnetizzatǫre** *m.* demagnetizer. – **şmagnetizzaziǫne** *f.* **1.** demagnetization, demagnetizing. – **2.** ⟨*Mar*⟩ (*rif. a navi*) degaussing.
şmagrạnte (*p.pr. di smagrare*) *a.* ⟨*tecn*⟩ making lean. – **şmagrạre** *v.* ⟨*non com*⟩ → **smagrire**. – **şmagrẹnte** (*p.pr. di smagrire*) *a.* → **smagrante**. – **şmagrimẹnto** *m.* thinning, slimming, getting thin, loss of weight. – **şmagrịre** *v.* (**şmagrịsco, şmagrịsci**) **I** *v.t.* **1.** (*rendere magro*) to (make) thin, to make lose weight. – **2.** ⟨*Mot*⟩ to lean (out). – **3.** ⟨*Agr*⟩ to exhaust, to make poor (*o* infertile). – **II** *v.i.* (*aus.* **avere**), **smagrirsi** *v.r.* to get (*o* grow) thin, to lose weight, to become thinner. – **şmagrịto** (*p.p. di smagrire*) *a.* **1.** thin(ner). – **2.** ⟨*tecn*⟩ lean: *argilla -a* lean clay.
Şmalcạlda *N.pr.f.* ⟨*Geog*⟩ Schmalkalden. □ ⟨*Stor*⟩ *Lega di* ~ League of Smalkald, S(ch)malkaldic League. – **şmalcạldico** *a.* (*pl.* **-ci**) ⟨*Stor*⟩ S(ch)malcaldic, S(ch)malcaldian, Smalkald-, of Schmalkalden: *articoli -i* Schmalcaldic Articles.
şmaliziạre *v.t.* (**şmalịzio, şmalịzi**) (*scaltrire*) to sharpen the wits of, to make crafty (*o* wily), to put wise, ⟨*fam*⟩ to teach a thing or two to: *il servizio militare lo ha smaliziato* military service has taught him a thing or two. – **smaliziarsi** *v.r.* to become adept, to get clever (*o* wise), ⟨*fam*⟩ to learn a thing or two: *smaliziarsi in un lavoro* to become adept at a job. – **şmaliziạto** (*p.p. di smaliziare*) *a.* (*scaltrito*) cunning, crafty, sharp, shrewd, clever, knowing, artful: *quella ragazza è troppo -a per la sua età* that girl is too knowing for her age.
şmalizzịre *v.* (**şmalizzịsco, şmalizzịsci**) ⟨*non com*⟩ → **smaliziare**. – **şmalizzịto** (*p.p. di smalizzire*) *a.* → **smaliziato**.
şmallạre *v.t.* to husk, to remove the husk from, to shell: ~ *le noci* to shell walnuts; (*liberare dal mallo*) to hull. – **şmallạto** (*p.p. di smallare*) *a.* husked, shelled; (*liberato dal mallo*) hulled.
şmaltạre *v.t.* **1.** to enamel; (*a vetro*) to glaze. – **2.** ⟨*Cosmet,tecn*⟩ to varnish: ~ *le unghie* to varnish (*o* paint) one's nails, to put on nail-varnish. – **3.** ⟨*Fot*⟩ to glaze. – **4.** ⟨*fig*⟩ to cover, to dot, to deck, to adorn (with bright colours), to spangle (*di* with). – **şmaltạto** (*p.p. di smaltare*) *a.* **1.** enamelled; (*a vetro*) glazed. – **2.** ⟨*Cosmet, tecn*⟩ varnished: *unghie -e* varnished (*o* painted) nails. – **3.** ⟨*fig*⟩ covered, dotted, decked, adorned, spangled, strewn (*di* with): *un cielo* ~ *di stelle* a star-spangled sky. □ ⟨*El*⟩ *filo* ~ enamelled (*o* enamel-insulated) wire. – **şmaltatǫre I** *s.m.* (*f.* **-trice**) **1.** (*operaio*) enameller, enamel-worker. – **2.** (*artista*) enameller, enamellist. – **II** *a.* enamelling. – **şmaltatrịce** *f.* ⟨*Fot*⟩ glazer, glazing-machine. – **şmaltatụra** *f.* **1.** (*atto*) enamelling; (*effetto*) enamel. – **2.** ⟨*Ceram*⟩ (*atto*) glazing; (*effetto*) glaze. – **3.** ⟨*Fot*⟩ glazing. – **şmalterịa** *f.* enamel factory (*o* works).
şmaltimẹnto *m.* **1.** (*digestione*) digestion, digesting. – **2.** ⟨*fig*⟩ (*sopportazione*) swallowing, bearing, standing. – **3.** ⟨*Comm*⟩ (*vendita*) disposal, sale, marketing; (*svendita*) selling off. – **4.** (*deflusso*) draining, discharge, carrying off.
şmaltịna *f.* → **smaltite**.
şmaltịre *v.t.* (**şmaltịsco, şmaltịsci**) **1.** (*digerire*) to digest: ~ *un cibo pesante* to digest heavy food. – **2.** ⟨*fig*⟩ (*tollerare*) to swallow, to bear, to put up with, to take, to stand: ~ *un'ingiuria* to swallow an insult. – **3.** ⟨*fig*⟩ (*consumare*) to consume, to eat up, to go through. – **4.** ⟨*Comm*⟩ to dispose of, to sell, to market, ⟨*fam*⟩ to move, ⟨*fam*⟩ to shift; (*svendere*) to sell off. – **5.** (*far defluire*) to drain (off), to carry off, to discharge. □ ~ *la sbornia* to sleep it off.
şmaltịsta *m./f.* enamellist, enameller.
şmaltịte *f.* ⟨*Min*⟩ smaltite, smaltine.
şmaltitǫio *m.* ⟨*Idr*⟩ sump. – **şmaltitǫre** *a.* discharge-, waste-: *canale* ~ discharge channel.
şmạlto *m.* **1.** enamel. – **2.** (*decorazione a smalto*) enamel decoration, enamelling. – **3.** ⟨*Ceram*⟩ glaze. – **4.** *pl.* (*oggetti smaltati*) enamels *pl*, enamelware: *collezione di -i* collection of enamels; (*lavoro in smalto*) enamel-work. – **5.** ⟨*Cosmet*⟩ (*smalto per unghie*) (nail-)polish, (nail-)varnish, nail-enamel. – **6.** (*vernice*) enamel paint. – **7.** ⟨*Dent*⟩ enamel. – **8.** ⟨*lett*⟩ (*cosa dura come smalto*) stone, flint. – **9.** ⟨*ant*⟩ (*distesa erbosa*) grassy expanse, green field. – **10.** ⟨*ant*⟩ (*malta*) mortar. □ **a** ~: 1. enamel-: *pittura a* ~ enamel painting; 2. (*smaltato*) enamelled; 3. (*smaltato a vetro*) glazed; *decorare a* ~ to enamel; ⟨*Cosmet*⟩ ~ **base** enamel base; ⟨*Cosmet*⟩ ~ **colorato** coloured (nail-)varnish; ⟨*Anat*⟩ ~ **dentario** (tooth-)enamel; ⟨*Cosmet*⟩ ~ **incolore** colourless (nail-)varnish; ⟨*Cosmet*⟩ ~ **madreperlato** frosted (nail-)varnish; (*perlaceo*) pearl (nail-)varnish; ~ *per* **unghie** nail-polish, nail-varnish, nail-enamel.
şmammạre *v.i.* (*aus.* **avere**) ⟨*gerg*⟩ (*andarsene*) to go (away), ⟨*fam*⟩ to clear off, ⟨*fam*⟩ to beat it.
şmammạrsi *v.* ⟨*rar*⟩ → **smammolarsi**. – **şmammolạrsi** *v.r.* (**mi şmạmmolo**) ⟨*tosc,non com*⟩ (*struggersi*) to melt, to grow tender. □ ~ *dalle risa* to split one's sides with laughter, to laugh fit to burst.
şmanacciạre *v.i.* (**şmanạccio, şmanạcci**; *aus.* **avere**) ⟨*fam*⟩ (*gesticolare*) to gesticulate, to wave one's hands about. – **şmanacciạta** *f.* ⟨*non com*⟩ **1.** gesticulation, gesticulating. – **2.** (*gesto*) movement (*o* wave) of the hand. – **3.** (*colpo*) blow (with the hand). – **şmanacciǫne** *m.* (*f.* **-a**) ⟨*non com*⟩ one who gesticulates, gesticulator.
şmancerịa *f.* (generally in pl.) **1.** (*atto lezioso*) affectation, affected act, simper; (*atteggiamenti, modi leziosi*) affectedness, affected ways *pl*, affectation, mincing, mawkishness, simpering. – **2.** (*effusione esagerata*) mawkishness, affectation, simpering. □ *non fare -e* don't be so affected. – **şmancerǫso** *a.* affected; (*smorfioso*) simpering, mawkish, namby-pamby.
şmangiạre *v.t.* (**şmạngio, şmạngi**) ⟨*non com*⟩ **1.** (*corrodere*) to corrode, to eat away (*o* into): *gli acidi smangiano i metalli* acids eat into metals. – **2.** (*consumare*) to wear out: ~ *le scarpe* to wear out one's shoes. – **smangiarsi** *v.r.* **1.** to be eaten into, to corrode. – **2.** ⟨*fig*⟩

(*struggersi*) to be consumed (*o* eaten up): *smangiarsi per l'invidia* to be eaten up by envy. – **smangiato** (*p.p. di smangiare*) *a.* (*corroso*) corroded, eaten away (*o* into); (*consumato*) worn-out.
smangio *m.* ⟨*Tip*⟩ unprinted part of a page.
smania *f.* **1.** (*agitazione*) agitation, restlessness. – **2.** (*frenesia*) frenzy, excitement. – **3.** ⟨*fig*⟩ (*desiderio intenso*) great desire, longing, craving, mania: ~ *del gioco* gambling mania; ~ *di successo* craving (*o* longing) for success. □ *avere la* ~ *addosso* to be restless, to have the fidgets; *dare in -e* to rave, to rage, to storm; (*agitarsi*) to get excited (*o* worked up).
smaniante (*p.pr. di smaniare*) *a.* restless, tossing (and turning), agitated: ~ *di febbre* tossing with fever. – **smaniare** *v.i.* (**smanio, smani**; *aus.* **avere**) **1.** (*essere eccitato*) to be restless (*o* agitated), to toss about, to toss and turn: *ho smaniato tutta la notte* I tossed and turned all night. – **2.** (*essere furioso*) to rave, to rage, to storm. – **3.** ⟨*fig*⟩ (*desiderare ardentemente*) to long, to yearn, to crave, to hanker.
smanicare *v.t.* (**smanico, smanichi**) ⟨*non com*⟩ **1.** (*togliere il manico*) to take the handle off, to remove the handle from. – **2.** (*rompere il manico*) to break the handle of. – **smanicarsi** *v.r.* (*perdere il manico*) to lose a handle: *si è smanicato il coltello* the knife has lost its handle, the handle has come off the knife.
smanicarsi *v.r.* (**mi smanico, ti smanichi**) ⟨*non com*⟩ (*rimboccarsi le maniche*) to roll up one's sleeves.
smanicato[1] (*p.p. di smanicare*) *a.* without a handle, handleless.
smanicato[2] (*p.p. di smanicarsi*) *a.* with rolled-up sleeves.
smanierato *a.* (*sgarbato*) ill-mannered, unmannerly.
smaniglia *f.* ⟨*ant*⟩ **1.** (*braccialetto*) bracelet. – **2.** (*monile*) jewel; (*collana*) necklace; (*catena*) chain.
smanigliare *v.t.* (**smaniglio, smanigli**) ⟨*Mar*⟩ to unshackle.
smaniosamente *avv.* eagerly, with longing. – **smanioso** *a.* **1.** (*bramoso*) longing, eager, craving, thirsting (*di* for), ⟨*fam*⟩ dying: *sono* ~ *di vederlo* I am longing to see him. – **2.** ⟨*non com*⟩ (*che dà smania*) trying, that makes one restless. – **3.** (*che esprime smania*) frenzied, agitated.
smantellamento *m.* **1.** (*demolizione*) dismantlement, demolition. – **2.** ⟨*Mil*⟩ dismantlement, dismantling. – **3.** ⟨*Ind*⟩ stripping, dismantling. – **smantellare** *v.t.* (**smantello**) **1.** to dismantle, to demolish, to pull (*o* tear) down. – **2.** ⟨*Mil*⟩ to dismantle; (*distruggere, radere al suolo*) to raze, to destroy the defences (*o* walls) of. – **3.** ⟨*Ind*⟩ to dismantle, to take down, to strip. – **4.** ⟨*fig*⟩ to demolish, to refute, to break down: ~ *un'accusa* to refute an accusation. – **5.** ⟨*Mar*⟩ to dismantle, to break up.
smantigliare *v.t.* (**smantiglio, smantigli**) ⟨*mar*⟩ to top, to lower.
smanziere *m.* ⟨*ant*⟩ (*innamorato*) person in love; (*amante*) lover, sweetheart.
smarcamento *m.* ⟨*Sport*⟩ **1.** (*lo smarcare*) freeing from cover (*o* marking); (*lo smarcarsi*) getting loose, breaking away from cover. – **2.** (*effetto*) breakaway. – **smarcare** *v.t.* (**smarco, smarchi**) **1.** ⟨*Sport*⟩ to draw the cover from, to free from marking. – **2.** ⟨*mar, non com*⟩ to strike off, to cancel. – **smarcarsi** *v.r.* ⟨*Sport*⟩ to pull out, to get loose, to break away from cover. – **smarcato** (*p.p. di smarcare*) *a.* unmarked, freed from cover.
smargiassare *v.i.* (*aus.* **avere**) ⟨*non com*⟩ (*dire smargiassate*) to boast, to brag; (*fare smargiassate*) to swagger, to show off. – **smargiassata** *f.* **1.** bragging, boasting. – **2.** (*bravata*) showing off, bravado. – **3.** (*scenata violenta*) violent scene. – **smargiasseria** *f.* ⟨*non com*⟩ **1.** (*atteggiamento*) bravado. – **2.** (*smargiassata*) bragging, boasting. – **smargiasso** *m.* show-off, braggart, boaster, swaggerer. □ *fare lo* ~ to brag, to boast.
smarginare *v.t.* (**smargino**) **1.** ⟨*Legat*⟩ to trim the margins of. – **2.** ⟨*Tip*⟩ to bleed (off). – **smarginato** (*p.p. di smarginare*) *a.* **1.** ⟨*Legat*⟩ cropped. – **2.** ⟨*Tip*⟩ bled (off). – **3.** ⟨*Bot*⟩ emarginate. – **smarginatura** *f.* **1.** ⟨*Legat*⟩ trimming of margins. – **2.** ⟨*Tip*⟩ bleeding (off). – **3.** ⟨*Bot*⟩ emarginatura.
smarrare *v.t.* ⟨*Agr,non com*⟩ to hoe. – **smarratura** *f.* ⟨*non com*⟩ hoeing.
smarrimento *m.* **1.** (*lo smarrire*) loss: *denunciare lo* ~ *del portafoglio* to report the loss of one's wallet. – **2.** (*lo smarrirsi*: *rif. a persone*) getting lost; (*rif. a posta*) miscarriage, straying. – **3.** (*il perdere i sensi*) fainting-fit, ⟨*lett*⟩ swoon. – **4.** (*turbamento*) confusion, bewilderment, dismay.
smarrire *v.* (**smarrisco, smarrisci**) **I** *v.t.* **1.** (*non riuscire a trovare*) to mislay: *la mamma ha smarrito il ditale* mother has mislaid her thimble. – **2.** (*perdere*) to lose: *andando all'ufficio ho smarrito il portafoglio* on the way to the office I lost my wallet. – **3.** ⟨*fig,ant*⟩ (*turbare*) to confuse, to bewilder, to dismay. – **4.** ⟨*ant*⟩ (*perdere di vista*) to lose sight of. – **II** *v.i.* (*aus.* **essere**) ⟨*ant*⟩ (*scolorirsi*) to fade; (*rif. al viso*: *impallidire*) to (go) pale. – **smarrirsi** *v.r.* **1.** (*rif. a persone*) to get lost, to lose one's way, to lose o.s.: *si smarrì nel bosco* he got lost in the woods. – **2.** (*rif. a cose*) to get lost, to go astray, to be mislaid; (*rif. alla posta*) to miscarry, to go astray. – **3.** ⟨*fig*⟩ (*confondersi*) to grow confused (*o* bewildered), to be at a loss, to be perplexed (*o* puzzled). – **4.** ⟨*fig*⟩ (*perdere la giusta strada*) to go astray, to stray. – **5.** ⟨*ant*⟩ (*non farsi più vedere*) not to ⌜show o.s.⌝ (*o* be seen) again, to disappear. – **6.** ⟨*ant*⟩ (*scolorirsi*) to fade. □ *smarrirsi d'animo* to lose heart; ~ *la ragione* to lose one's reason, to go out of one's mind; ~ *la strada* to lose one's way, to get lost.
smarrito (*p.p. di smarrire*) *a.* **1.** mislaid; (*perso*) lost: *ufficio oggetti -i* lost-property office; *un cane* ~ a lost dog; (*rif. a posta*) miscarried, gone astray (in the post). – **2.** ⟨*fig*⟩ (*turbato*) confused, bewildered, perplexed, at a loss; (*attonito*) dazed, stunned, in a daze: *sguardo* ~ dazed expression. – **3.** ⟨*non com*⟩ (*rif. a cosa che non si distingue fra altre*) lost. – **4.** ⟨*ant*⟩ (*scolorito*) faded. □ *andare* ~ to get lost.
smarronare *v.i.* (**smarrono**; *aus.* **avere**) ⟨*fam*⟩ **1.** (*dire spropositi*) to talk nonsense, to say stupid things; (*fare spropositi*) to make blunders, to do stupid things. – **2.** (*parlare a sproposito*) to say the wrong thing, to make a blunder (*o* gaffe). – **smarronata** *f.* ⟨*fam*⟩ **1.** (*sproposito*) blunder, ⟨*fam*⟩ howler. – **2.** (*mancanza di tatto*) (piece of) tactlessness, faux pas: *commettere una* ~ to make a faux pas, to be tactless.
smarruto *a.* ⟨*ant*⟩ → **smarrito**.
smartellare *v.t.* (**smartello**) (*martellare*) to hammer.
smascellamento *m.* dislocation of the jaw. – **smascellare** *v.t.* (**smascello**) ⟨*rar*⟩ to dislocate the jaw of. – **smascellarsi** *v.r.* to dislocate one's jaw. □ ⟨*ant*⟩ *smascellarsi di* (o *dalle*) *risa* to split one's sides with laughter.
smascheramento *m.* **1.** unmasking. – **2.** ⟨*fig*⟩ unmasking, exposure. – **smascherare** *v.t.* (**smaschero**) **1.** to unmask. – **2.** ⟨*fig*⟩ (*rif. a persone*) to unmask, to expose, to show up, to uncloak; (*rif. a cose*) to expose, to disclose, to reveal: ~ *le intenzioni di qd.* to expose s.o.'s intentions. – **smascherarsi** *v.r.* **1.** to unmask o.s., to take off one's mask. – **2.** ⟨*fig*⟩ (*rivelarsi*) to give o.s. away, to expose o.s., to reveal one's true nature. – **smascherato** (*p.p. di smascherare*) *a.* **1.** unmasked. – **2.** ⟨*fig*⟩ (*rif. a persone*) unmasked, exposed, shown up; (*rif. a cose*) exposed, revealed. – **smascheratore** *m.* (*f.* **-trice**) ⟨*fig*⟩ unmasker.
smascolinato *a.* **1.** (*effeminato*) effeminate. – **2.** ⟨*fig*⟩ weak, tame, lame, flabby. – **smascolinatura** *f.* ⟨*non com*⟩ effeminacy.
smatassare *v.t.* ⟨*non com*⟩ **1.** to unwind, to wind off. – **2.** (*districare*) to disentangle, to unravel.
smaterializzare *v.t.* to dematerialize; (*spiritualizzare*) to spiritualize. – **smaterializzarsi** *v.r.* to dematerialize o.s.; (*spiritualizzarsi*) to be spiritualized. – **smaterializzazione** *f.* dematerialization. – **smateriare** *v.* (**smaterio, smateri**) → **smaterializzare**.
smattonare *v.t.* (**smattono**) to remove the bricks of. – **smattonatura** *f.* ⟨*non com*⟩ removal of bricks.
smazzata *f.* (*nei giochi di carte*) hand.
s.m.d. = *sistema metrico decimale* (decimal) metric system (*abbr.* MS).
SME = ⟨*Aut*⟩ *Guiana olandese* Dutch Guiana, Surinam.
smegma *m.* ⟨*Fisiol*⟩ smegma. – **smegmatico** *a.* (*pl.* **-ci**) smegma-.
smelare *v.* → **smielare**. – **smelatore** *m.* → **smielatore**. – **smelatura** *f.* → **smielatura**.
smembramento *m.* **1.** ⟨*non com*⟩ dismemberment. – **2.** ⟨*fig*⟩ dismemberment, break-up, splitting up, division: *lo* ~ *di un partito* the break-up of a party. – **smembrare** *v.t.* (**smembro**) **1.** ⟨*non com*⟩ to dismember, to cut up. – **2.** ⟨*fig*⟩ to dismember, to split (*o* break) up, to divide: ~ *un paese* to dismember a country. – **smembrato** (*p.p. di smembrare*) *a.* **1.** ⟨*non com*⟩ dismembered: *cadavere* ~ dismembered corpse. – **2.** ⟨*fig*⟩ dismembered, split (*o* broken) up, divided. – **smembratura** *f.* ⟨*non com*⟩ dismemberment.
smemoraggine *f.* ⟨*ant*⟩ → **smemorataggine**. – **smemoramento** *m.* ⟨*non com*⟩ **1.** (*il perdere la memoria*) loss of memory. – **2.** (*smemorataggine*) forgetfulness, lack of memory. – **smemorare** *v.i.* (**smemoro**; *aus.* **essere**) **1.** to lose one's memory. – **2.** (*diventare stupido*) to become stupid. – **smemorataggine** *f.* **1.** (*mancanza di memoria*) forgetfulness. – **2.** (*dimenticanza*) lapse of memory, piece of forgetfulness. – **smemoratezza** *f.* forgetfulness; (*distrazione*) absent-mindedness. – **smemorato** (*p.p. di smemorare*) **I** *a.* **1.** forgetful. – **2.** (*distratto, sbadato*) absent-minded, scatter-brained. – **3.** ⟨*ant*⟩ (*stupido*) stupid, silly, foolish. – **II** *s.m.* (*f.* **-a**) **1.** forgetful person. – **2.** (*persona distratta*) absent-minded person, scatter-brain. – **smemoriato** *a./s.* ⟨*pop*⟩ → **smemorato**.
smencio *a.* ⟨*tosc*⟩ → **smencito**. – **smencire** *v.t.* (**smencisco, smencisci**) ⟨*tosc*⟩ (*far afflosciare*) to make flabby. – **smencirsi** *v.r.* to become flabby (*o* limp). – **smencito** (*p.p. di smencire*) *a.* ⟨*tosc*⟩ (*floscio*) flabby, limp, drooping, sagging, soft.
smenticare *v.t.* (**smentico, smentichi**) ⟨*ant*⟩ (*dimenticare*) to forget.
smentire *v.t.* (**smentisco, smentisci**) **1.** to deny: *il governo ha smentito le voci d'una crisi* the government denied rumours of a crisis. – **2.** (*sbugiardare*) to give the lie to; (*rif. a fatti e sim.*) to belie, to prove wrong: *le sue azioni smentiscono le sue parole* his actions belie his words; *i fatti hanno smentito le tue previsioni* the facts have proved you wrong. – **3.** (*ritrattare*) to retract, to recant, to take back: ~ *una testimonianza* to retract testimony. – **4.** (*venir meno*) to let down, to be ⌜untrue to⌝ (*o* unworthy of), to belie, to run counter to: ~ *la propria fama* to ⌜let down⌝ (*o* be unworthy of) one's good name. – **smentirsi** *v.r.* to be untrue to o.s., to be inconsistent: *non smentirsi mai* to never be untrue to o.s., to be always the same. □ *il suo pessimo gusto non si smentisce mai* you can always rely upon him to show bad taste, his bad taste is unfailing.
smentita *f.* **1.** denial, denying. – **2.** (*parole, fatti*) denial; (*ritrattazione*) recantation. □ *dare una* ~ *a qc.* to deny s.th. – **smentitore** ⟨*non com*⟩ **I** *s.m.* (*f.* **-trice**) denier. – **II** *a.* denying.
smeraldino *a.* **1.** (*di smeraldo*) emerald. – **2.** (*di color smeraldo*) emerald(-green). – **smeraldo** **I** *s.m.* **1.** ⟨*Min*⟩ emerald. – **2.** (*colore*) emerald (green). – **II** *a.inv.* emerald: *verde* ~ emerald(-green).
smerciabile *a.* ⟨*Comm*⟩ saleable, sellable, marketable. □ *merci*

facilmente -i goods that sell easily. – **ṣmerciabilità** *f.* saleability, marketability. – **ṣmerciạre** *v.t.* (**ṣmẹrcio, ṣmẹrci**) to sell, to market, to dispose of; (*svendere*) to sell off. – **ṣmẹrcio** *m.* sale. □ *trovare facile* ~ to sell easily; (*giro, volume d'affari*) turnover; *c'è un grande ~ di questo prodotto* this product sells fast (*o* like hot cakes).

ṣmerdạre *v.t.* (**ṣmẹrdo**) ⟨*volg*⟩ **1.** to foul, to dirty (with excrement). – **2.** (*insudiciare*) to soil, to dirty, to foul. – **3.** ⟨*fig*⟩ (*svergognare*) to (cover with) shame, to (be)smirch. – **4.** ⟨*non com*⟩ (*pulire dalla merda*) to clean (of filth). – **smerdarsi** *v.r.* **1.** to dirty (*o* befoul) o.s. – **2.** ⟨*fig*⟩ (*coprirsi di vergogna*) to cover o.s. with shame.

ṣmerẹlli *m.pl.* ⟨*non com*⟩ morris, merels *pl* (*costr.sing.*).

ṣmẹrgo *m.* (*pl.* **-ghi**) ⟨*Ornit*⟩ merganser (*Mergus*). □ ~ **americano** hooded merganser (*o* sheldrake) (*Lophodytes cucullatus*); ~ *a becco lungo* = *smergo* **minore**; ~ **bianco** (*pesciaiola*) smew (*Mergus albellus*); ~ **maggiore** goosander, ⟨*am*⟩ merganser (*Mergus merganser*); ~ **minore** (o *segatore*) red-breasted merganser (*Mergus serratus*).

ṣmerigliạre *v.t.* (**ṣmerịglio, ṣmerịgli**) **1.** to polish with emery. – **2.** ⟨*Mecc*⟩ to grind, to lap: ~ *le valvole* to grind the valves; (*microfinire*) to hone. – **3.** ⟨*Vetr*⟩ to frost. □ ~ *a nastro* to linish.

ṣmerigliạto (*p.p. di smerigliare*) *a.* **1.** polished (with emery). – **2.** ⟨*Mecc*⟩ ground, lapped. – **3.** (*ricoperto di polvere di smeriglio*) emery-: *carta -a* emery paper. – **4.** ⟨*Vetr*⟩ frosted: *vetro ~* frosted glass. – **ṣmerigliatọre** *m.* (*f.* **-trice**) **1.** (*operaio*) (emery-)polisher. – **2.** ⟨*Mecc*⟩ lap. – **ṣmerigliatrịce** *f.* **1.** (*operaia*) (emery-)polisher. – **2.** (*macchina*) lapping-machine, grinder. □ ~ *per legno* sanding -machine, sander, sandpapering-machine; ~ *a nastro*: 1. (*per legno*) belt sander, belt sanding-machine; 2. (*per metalli*) linisher, linishing -machine.

ṣmerigliatụra *f.* **1.** (emery-)polishing. – **2.** ⟨*Mecc*⟩ lapping, grinding: ~ *degli ingranaggi* gear lapping; (*microfinitura*) honing. – **3.** ⟨*Vetr*⟩ frosting. – **4.** ⟨*Fal*⟩ sanding, sandpapering.

ṣmerịglio[1] *m.* ⟨*Min*⟩ emery: *mola a ~* emery wheel.

ṣmerịglio[2] *m.* **1.** ⟨*Ornit*⟩ merlin, ⟨*am*⟩ pigeon hawk (*Falco columbarius*). – **2.** ⟨*Ornit*⟩ (*sparviero*) sparrow-hawk (*Accipiter nisus*). – **3.** ⟨*Mil.ant*⟩ falconet.

ṣmerịglio[3] *m.* ⟨*Itt*⟩ **1.** mackerel shark, porbeagle (*Isurus cornubicus*). – **2.** (*palombo comune*) smooth-hound (*Mustelus mustelus*). – **3.** (*verdesca*) blue shark (*Prionace glauca*).

ṣmerlạre *v.t.* (**ṣmẹrlo**) ⟨*Lav.femm*⟩ to scallop (edge), to border with scallops. – **ṣmerlạto** (*p.p. di smerlare*) *a.* scalloped, scallop-edged. – **ṣmerlatụra** *f.* **1.** scallop-edging. – **2.** (*parte smerlata*) scallop-edge. – **ṣmerlettạre** *v.* (**ṣmerlẹtto**) → **smerlare.**

ṣmẹrlo[1] *m.* ⟨*Lav.femm*⟩ scallop. □ *un orlo a punto ~* a scalloped edge.

ṣmẹrlo[2] *m.* ⟨*Ornit*⟩ **1.** (*smeriglio*) merlin, ⟨*am*⟩ pigeon hawk (*Falco columbarius*). – **2.** (*sparviero*) sparrow-hawk (*Accipiter nisus*).

ṣmerlucciạre *v.i.* (**ṣmerlụccio, ṣmerlụcci**; *aus.* **essere**) ⟨*non com*⟩ to disappear, to vanish.

ṣmẹsso (*p.p. di smettere*) *a.* **1.** cast-off, left off, old: *abiti -i* cast-off clothes. – **2.** ⟨*tosc,spreg*⟩ (*dimesso*) former, one-time, retired. □ ⟨*spreg*⟩ *un prete ~* an unfrocked priest.

ṣmẹttere *v.* (**ṣmịṣi, ṣmẹsso**) **I** *v.t.* **1.** to stop, to leave off, to cease, to desist from: ~ *il lavoro* to stop work. – **2.** (*non indossare più*) to stop wearing, to cast off. – **3.** ⟨*lett*⟩ (*abbandonare*) to abandon, to forget, to put aside. – **II** *v.i.* (*aus.* **avere**) **1.** (*interrompere*) to stop: *è ora di ~* it's time to stop; *ha smesso di lavorare per motivi di salute* he has stopped working for health reasons. – **2.** (*rinunciare*) to stop, to give up, to leave off: *devi ~ di fumare* you must give up smoking. □ *ha smesso di piovere* it has stopped raining; *smettila!* stop it!, ⟨*fam*⟩ cut it out!; *smettetela di litigare* stop fighting.

ṣmeẓẓamẹnto *m.* halving. – **ṣmeẓẓạre** *v.t.* (**ṣmẹẓẓo**) **1.** to halve, to cut (*o* divide) in half: ~ *un panino* to cut a roll in half. – **2.** (*consumare a metà*) to consume (*o* use up) half of. □ ⟨*fam*⟩ *smezzare un litro di vino* to go through half a litre of wine. – **ṣmeẓẓạto** (*p.p. di smezzare*) *a.* halved; (*rif. a bottiglie e sim.*: *ridotto a metà*) half-empty.

S.M.G. = ⟨*Mil*⟩ *stato maggiore generale* General Staff (*abbr.* G.S.).

S.M.I. = *Sua maestà imperiale* His (*o* Her) Imperial Majesty (*abbr.* H.I.M.).

ṣmidollạre *v.t.* (**ṣmidọllo**) **1.** to take the marrow out of, to extract (*o* remove) the marrow from: ~ *un osso* to remove the marrow from a bone. – **2.** (*togliere la mollica*) to remove the crumb from. – **3.** ⟨*fig*⟩ (*infiacchire*) to weaken. – **smidollarsi** *v.r.* ⟨*fig,non com*⟩ **1.** (*perdere le forze*) to lose one's strength, to grow weak. – **2.** (*spossarsi*) to wear o.s. out. – **ṣmidollạto** (*p.p. di smidollare*) **I** *a.* **1.** (*vuotato del midollo*) marrowless, without the marrow. – **2.** (*rif. a pane*) without the crumb (*o* soft inside). – **3.** ⟨*fig*⟩ (*debole*) weak, feeble; (*fiacco*) weary, worn-out. – **4.** ⟨*fig*⟩ (*privo di carattere*) weak, spineless, feeble, half-hearted. – **II** *s.m.* (*f.* **-a**) spineless (*o* weak) person, ⟨*fam*⟩ namby-pamby.

ṣmielạre *v.t.* (**ṣmiẹlo**) to extract (*o* remove) honey from. – **ṣmielatọre** *m.* ⟨*tecn*⟩ honey extractor (*o* separator). – **ṣmielatụra** *f.* extraction of honey from the honeycomb.

ṣmilạce *f.* ⟨*Bot,tosc*⟩ **1.** (Italian) sarsaparilla (*Smilax aspera*). – **2.** (*convolvolo*) convolvulus, bindweed, morning glory (*Convolvolus*). – **3.** (*tamaro*) black bryony (*Tamus communis*).

ṣmilitariẓẓạre *v.t.* to demilitarize. – **ṣmilitariẓẓaziọne** *f.* demilitarization.

ṣmịlzo *a.* **1.** slim, slender, slight; (*magro*) thin, lean, spare. – **2.** ⟨*fig*⟩ (*esile*) slight, thin, meagre, scanty, threadbare, poor.

ṣminamẹnto *m.* ⟨*Mil*⟩ mine removal. – **ṣminạre** *v.t.* to clear of mines. – **ṣminatọre I** *s.m.* (*f.* **-trice**) mine-remover. – **II** *a.* mine -removing. – **ṣminatụra** *f.* → **sminamento.**

ṣminchionạto *m.* ⟨*volg*⟩ (odd) character, eccentric, ⟨*fam*⟩ crank.

Ṣmintẹo *N.pr.m.* ⟨*Mitol*⟩ Smintheus.

ṣminuimẹnto *m.* ⟨*non com*⟩ diminution, lessening, decrease. – **ṣminuịre** *v.* (**ṣminuịsco, ṣminuịsci**) **I** *v.t.* **1.** to diminish, to lessen, to decrease, to reduce. – **2.** ⟨*fig*⟩ to belittle, to play down, to minimize, to make light of: ~ *l'importanza di un fatto* to play down the importance of something. – **II** *v.i.* (*aus.* **essere**) ⟨*lett*⟩ (*diventare minore*) to become smaller, to diminish, to go down. □ ~ *i meriti di qd.* to detract from s.o.'s merits, to belittle s.o., to run s.o. down. – **ṣminuịto** (*p.p. di sminuire*) *a.* **1.** diminished, lessened. – **2.** ⟨*fig*⟩ belittled, disparaged. □ ~ *nei propri diritti* denied one's rights.

ṣminuzzamẹnto *m.* breaking into small pieces; (*il tritare*) mincing; (*lo sbriciolare*) crumbling. – **ṣminuzzạre** *v.t.* **1.** to break into small pieces; (*tritare*) to mince, to hash, to chop up; (*tagliuzzare*) to cut up; (*sbriciolare*) to crumble. – **2.** ⟨*fig*⟩ (*esporre con minuzia*) to explain in detail, to go into all the details of. – **sminuzzarsi** *v.r.* to break into fragments (*o* bits). – **ṣminuzzạto** (*p.p. di sminuzzare*) *a.* broken into small pieces, in bits, in fragments; (*tritato*) minced, hashed, chopped up; (*tagliuzzato*) cut up; (*sbriciolato*) crumbled (up). – **ṣminuzzatọio** *m.* mincer; (*coltello*) chopping-knife. – **ṣminuzzatọre** ⟨*non com*⟩ **I** *s.m.* (*f.* **-trice**) mincer, mincing-machine. – **II** *a.* mincing-, chopping-. – **ṣminuzzatrịce** *f.* ⟨*Cart*⟩ (*anche macchina sminuzzatrice*) chipper. – **ṣminuzzatụra** *f.* **1.** breaking into small pieces; (*il tritare*) mincing, hashing, chopping up; (*lo sbriciolare*) crumbling. – **2.** ⟨*concr*⟩ (small) pieces *pl*, bits *pl*; (*cose tritate*) hash; (*briciole*) crumbs *pl*.

ṣminuzzolamẹnto *m.* breaking into tiny pieces. – **ṣminuzzolạre** *v.t.* (**ṣminụzzolo**) **1.** to break into bits (*o* tiny pieces); (*sbriciolare*) to crumble. – **2.** ⟨*fig*⟩ (*frammentare*) to make fragmentary, to break up excessively.

S.M.I.R.A. = ⟨*Stor*⟩ *Sua maestà imperiale reale apostolica* His Imperial and Royal Apostolic Majesty.

ṣmiracolạre *v.i.* (**ṣmirạcolo**; *aus.* **avere**) ⟨*tosc*⟩ (*meravigliarsi*) to be unduly surprised, to wonder, to marvel (*di* at). – **ṣmiracolạto** (*p.p. di smiracolare*) *a.* ⟨*tosc*⟩ unduly surprised, wondering.

Ṣmịrne *N.pr.f.* ⟨*Geog*⟩ Smyrna. – **ṣmirniọta I** *a.* Smyrnaean. – **II** *s.m./f.* Smyrnaean, Smyrniote.

ṣmịṣi *p.rem. di* **smettere.**

ṣmistamẹnto *m.* **1.** sorting (out) (*anche Post.*): ~ *della corrispondenza* sorting of mail. – **2.** ⟨*Ferr*⟩ shunting, ⟨*am*⟩ switching: ~ *per gravità* gravity shunting. – **3.** ⟨*Sport*⟩ pass(ing). – **4.** ⟨*Mil*⟩ clearing. – **ṣmistạre** *v.t.* **1.** to sort (out) (*anche Post.*): ~ *la corrispondenza* to sort the mail. – **2.** ⟨*Ferr*⟩ to shunt, ⟨*am*⟩ to switch. – **3.** ⟨*Sport*⟩ to pass. – **4.** ⟨*Mil*⟩ to clear.

ṣmiṣuratamẹnte *avv.* **1.** beyond measure, immeasurably, exceedingly; (*in modo eccessivo*) excessively, out of all proportion. – **2.** ⟨*iperb*⟩ (*moltissimo*) immensely, enormously, greatly, ⟨*fam*⟩ hugely. – **ṣmiṣuratẹzza** *f.* immeasurability, immeasurableness, immensity, enormousness, boundlessness. – **ṣmiṣurạto** *a.* **1.** immeasurable, boundless, unbounded: *spazio ~* boundless space. – **2.** (*infinito*) infinite, endless, boundless: *la -a misericordia di Dio* the infinite mercy of God. – **3.** (*grandissimo*) enormous, immense, great, huge: *una ricchezza -a* enormous wealth; (*straordinario*) extraordinary; (*eccessivo*) excessive.

Smith *ingl.* [-θ]: ⟨*Econ*⟩ *dottrina di ~* Smithian (*o* Smith's) doctrine, Smithianism. – **smithiano I** *a.* ⟨*Econ*⟩ Smithian, Smith's. – **II** *s.m.* supporter of Smithianism.

ṣmithsonịte *f.* ⟨*Min*⟩ smithsonite.

ṣmitiẓẓạre *v.t.* **1.** to demythologize, to explode the myth about, ⟨*fam*⟩ to debunk. – **2.** (*ridimensionare*) to put (*o* get) back into perspective, to reappraise, to be (more) realistic about, to pass cool judgement on. – **ṣmitiẓẓaziọne** *f.* demythologization, ⟨*fam*⟩ debunking.

S.mo = ⟨*Rel*⟩ *santissimo* most holy, most sacred.

ṣmobiliạre *v.t.* (**ṣmobịlio, ṣmobịli**) to remove the furniture from: ~ *un appartamento* to remove the furniture from a flat. – **ṣmobiliạto** (*p.p. di smobiliare*) *a.* unfurnished; (*privato del mobilio*) with no furniture left in it.

ṣmobilitạre *v.t.* (**ṣmobịlito**) **1.** ⟨*Mil*⟩ to demobilize, ⟨*fam*⟩ to demob. – **2.** ⟨*fig*⟩ to demobilize, to normalize. – **ṣmobilitaziọne** *f.* **1.** ⟨*Mil*⟩ demobilization, ⟨*fam*⟩ demob(bing). – **2.** ⟨*fig*⟩ return to normal.

ṣmobiliẓẓo *m.* ⟨*Comm*⟩ mobilization, setting free.

ṣmocciạre *v.t.* (**ṣmọccio, ṣmọcci**) ⟨*fam*⟩ to wipe the nose of.

ṣmoccicạre *v.* (**ṣmọccico, ṣmọccichi**) **I** *v.t.* to wipe the nose of. – **II** *v.i.* (*aus.* **avere**) to run.

ṣmoccolạre *v.* (**ṣmọccolo|ṣmọccolo**) **I** *v.t.* to snuff (out): ~ *una candela* to snuff out a candle. – **II** *v.i.* (*aus.* **avere**) **1.** to drip. – **2.** ⟨*volg*⟩ (*bestemmiare*) to swear. – **ṣmoccolatọie** *f.pl.*, **ṣmoccolatọio** *m.* snuffers *pl.* – **ṣmoccolatụra** *f.* **1.** snuffing (out). – **2.** (*parte dello stoppino*) snuff. – **3.** (*scolatura di cera*) (candle) drippings *pl.*

ṣmodatamẹnte *avv.* immoderately, excessively, to excess. – **ṣmodạto** *a.* (*eccessivo*) immoderate, excessive, unrestrained: *ambizione -a* unrestrained ambition.

ṣmoderatamẹnte *avv.* immoderately, excessively. – **ṣmoderatẹzza**

f. 1. (*qualità*) immoderateness, immoderation, excess, lack of moderation. – 2. (*azione*) excess, intemperance. – **ṣmoderạto I** *a.* (*rif. a cose*) immoderate, excessive; (*rif. a persone*) immoderate, intemperate. – **II** *s.m.* (*f.* **-a**) immoderate (*o* intemperate) person. □ *essere ~ nel bere* to be intemperate.

ṣmọg *m.* smog.

smoking *ingl.* ['smoukiŋ] *m.* ⟨*Vest*⟩ dinner jacket, ⟨*am*⟩ tux(edo).

ṣmollạre *v.t.* (ṣmọllo) ⟨*non com*⟩ to (put to) soak.

ṣmollicạre *v.t.* (ṣmollịco, ṣmollịchi) to crumble. – **smollicarsi** *v.r.* to crumble.

SMOM = *Sovrano Militare Ordine di Malta* Sovereign Military Order of Malta.

ṣmonacạre *v.t.* (ṣmọnaco, ṣmọnachi) to dismiss from a monastic order. – **smonacarsi** *v.r.* to leave a monastic order; (*rif. a monache*) to renounce the veil. – **ṣmonacạto** (*p.p. di smonacare*) *a.* that has left a monastic order.

ṣmonetạre *v.t.* (ṣmonẹto) ⟨*Econ*⟩ to demonetize, to withdraw from circulation. – **ṣmonetaziọne** *f.* demonetization, withdrawal from circulation. – **ṣmonetiẓẓạre** *v.* → **smonetare**.

ṣmontạbile *a.* dismountable, that can be dismantled (*o* disassembled, taken apart), demountable: *armadio ~* wardrobe that can be dismantled. – **ṣmontạggio** *m.* disassembly, dismounting, dismantling. □ *~ generale* stripping. – **ṣmontamẹnto** *m.* ⟨*non com*⟩ → **smontaggio**.

ṣmontạre *v.* (ṣmọnto) **I** *v.t.* 1. to dismantle, to disassemble, to take apart (*o* to pieces), to dismount, to demount: *~ una libreria* to dismantle a bookcase; *~ il televisore* to disassemble the television; (*in modo totale*) to strip. – 2. (*far scendere da un veicolo*) to set (*o* put) down, to let off, to drop (off): *l'autobus mi smonta davanti a casa* the bus drops me right outside my house; (*rif. a veicoli*) to unload, to take off: *smontarono le auto dal treno* they took the cars off the train. – 3. ⟨*Edil*⟩ to dismantle, to take down (*o* to pieces): *~ un'impalcatura* to take scaffolding down. – 4. ⟨*fig*⟩ (*far perdere l'entusiasmo*) to dishearten, to discourage, to cool, to dampen: *la tua risposta mi ha smontato* your answer has ⌜discouraged me⌝ (*o* dampened my enthusiasm); (*distogliere*) to dissuade, to deter, to put off: *~ qd. da una risoluzione* to dissuade s.o. from a decision. – 5. ⟨*fig*⟩ (*ridimensionare*) to put into perspective, to reappraise, to see ⌜for what it is worth⌝ (*o* in its true light): *~ una notizia di cronaca* to reappraise a news report. – 6. ⟨*Gastr*⟩ (*fare sgonfiare*) to cause to sink, to make go down (*o* flat). – 7. ⟨*Oref*⟩ to remove from its mounting (*o* setting), to unset. – 8. ⟨*Mil.ant*⟩ to strip, to take down. – **II** *v.i.* (*aus.* **essere/avere**) 1. (*scendere: avvicinamento*) to come (*o* go) down, to descend. – 2. (*scendere: dal tram e sim.*) to get off (*da qc.* s.th.), to alight, to get down (from); (*da un'automobile*) to get out (of); (*da cavallo*) to dismount (from), to get off (s.th.). – 3. (*sgonfiarsi; aus.* **avere**) to fall, to fall flat: *il soufflé va servito subito, altrimenti smonta* the soufflé must be served immediately or it will fall. – 4. (*sbiadire*) to fade: *questo colore smonta facilmente* this colour fades quickly. – 5. (*staccare dal lavoro*) to stop (work), to go off (duty), ⟨*fam*⟩ to clock out: *gli operai smontano alle cinque* the men stop work at five. – 6. ⟨*ant*⟩ (*fermarsi ad alloggiare*) to stay. – **smontarsi** *v.r.* 1. (*scoraggiarsi*) to lose heart, to be discouraged (*o* put off). – 2. ⟨*Gastr*⟩ (*sgonfiarsi*) to go flat. □ *~ (una) casa* to remove the furniture from a house; *~ di sella* to dismount; ⟨*Mil*⟩ *~ di sentinella* to go off guard duty; *~ a terra* to land.

ṣmontạta *f.* ⟨*Itt*⟩ descent to the sea.

ṣmontạto (*p.p. di smontare*) *a.* 1. dismantled, taken to pieces. – 2. (*scolorito*) faded, discoloured. – **ṣmontatọre** *m.* (*f.* **-trice**) dismantler. – **ṣmontatụra** *f.* 1. dismantling, taking to pieces, disassembly. – 2. ⟨*fig*⟩ (*scoraggiamento*) disheartening, discouragement.

ṣmonticaziọne *f.* ⟨*Zootecn*⟩ end of summer pasture, driving down of cattle from alpine pasture.

ṣmonumentaliẓẓạre *v.t.* 1. to make less monumental. – 2. (*rendere più semplice*) to simplify.

ṣmorbạre *v.t.* (ṣmọrbo) ⟨*non com*⟩ to purify, to cleanse.

ṣmọrfia[1] *f.* 1. grimace, wry face, moue: *fare una ~* to make a grimace (*o* wry face), to grimace, to pull a face. – 2. (*moina*) simper, simpering, affectation, affected (*o* mincing) way. □ *fare una ~ di dolore* to wince with pain; *fare -e a qd.* to make faces at s.o.

ṣmọrfia[2] *f.* ⟨*dial*⟩ (*libro dei sogni*) dream-book.

ṣmorfiosẹtto (*dim. di smorfioso*) **I** *a.* affected, simpering, namby-pamby. – **II** *s.m.* (*f.* **-a**) affected person. – **ṣmorfiọso I** *a.* affected, mincing, simpering, namby-pamby. – **II** *s.m.* (*f.* **-a**) affected person. □ *fare la -a* (*civettare*) to flirt.

ṣmorịre *v.i.* (ṣmuọio, ṣmuọri; *p.p.* ṣmortịto/ṣmọrto) ⟨*lett*⟩ (*impallidire*) to (grow) pale. – **ṣmortịccio** *a.* dull, pale. – **ṣmortịre** *v.i.* (ṣmortịsco, ṣmortịsci; *aus.* **essere**) ⟨*non com*⟩ 1. to dull, to grow pale (*o* wan). – 2. (*scolorire*) to fade. – **ṣmortịto** (*p.p. di smortire*) *a.* ⟨*non com*⟩ (*sbiadito*) faded.

ṣmọrto (*p.p. di smorire*) *a.* 1. (*rif. a persone: pallido*) (deadly) pale, wan: *diventare ~* to (turn) pale. – 2. (*rif. a colori: privo di splendore*) dull, colourless, pale, wan: *colore ~* pale colour; (*sbiadito*) faded. – 3. ⟨*fig*⟩ (*scialbo, inespressivo*) colourless, expressionless: *voce -a* colourless voice; (*fiacco*) dull: *uno stile ~* a dull style. – 4. ⟨*fig*⟩ (*rif. agli occhi: spento*) lifeless, dull, dead, expressionless, listless. – 5. ⟨*ant*⟩ (*rif. a metalli: opaco*) dull: *oro ~* dull gold.

ṣmorzamẹnto *m.* 1. (*rif. a suoni*) deadening, lowering, muffling; (*rif. alla luce*) shading, dimming; (*rif. a colori*) toning down, softening; (*rif. alla seta*) quenching, slaking; (*spegnimento*) extinguishing. – 2. ⟨*fig*⟩ (*rif. a sentimenti*) quenching. – 3. ⟨*Fis*⟩ damping. □ *~ ad aria* air damping; *~ critico* critical damping.

ṣmorzạndo I *avv.* ⟨*Mus*⟩ smorzando, smorzato, dying away. – **II** *s.m.* smorzando.

ṣmorzạre *v.t.* (ṣmọrzo) 1. (*attenuare: rif. a suoni*) to deaden, to muffle, to lower; (*rif. alla luce*) to shade, to dim; (*rif. a colori*) to tone down, to soften: *in questo quadro i rossi vanno smorzati* the reds in this painting need toning down. – 2. ⟨*fig*⟩ (*reprimere*) to moderate, to dampen, to repress, to soften: *~ l'ira di qd.* to repress s.o.'s anger; *~ l'entusiasmo di qd.* to dampen s.o.'s enthusiasm. – 3. ⟨*Fis*⟩ to damp. – 4. ⟨*region*⟩ (*spegnere: rif. alla luce*) to put out; (*rif. al fuoco*) to put out, to extinguish; (*rif. alla calce*) to slake, to slack. – **smorzarsi** *v.r.* 1. to fade (away): *la luce del giorno si smorzava* the daylight was fading. – 2. (*rif. a suoni*) to die away, to grow fainter; (*rif. al fuoco: spegnersi*) to go out. □ *~ l'appetito* (*o la fame*) to dull the appetite; *~ la sete* to quench (*o* slake) one's thirst.

ṣmorzạta *f.* ⟨*Sport*⟩ drop-shot. – **ṣmorzạto** (*p.p. di smorzare*) *a.* 1. (*attenuato: rif. a suoni*) deadened, muffled, lowered: *rumore ~* muffled noise; (*rif. a colori*) toned down, softened. – 2. ⟨*Fis*⟩ damped. – 3. ⟨*region*⟩ (*spento*) put out, extinguished, dead; (*rif. alla calce*) slaked.

ṣmorzatọre I *s.m.* ⟨*tecn,Mus*⟩ damper. – **II** *a.* damping, damper-: *avvolgimento ~* damping winding. □ *~ magnetico* electromagnetic damper; *~ di vibrazioni* vibration damper.

ṣmorzatụra *f.* 1. ⟨*non com*⟩ → **smorzamento**. – 2. ⟨*Mus*⟩ attenuation, toning down, weakening. – **ṣmọrzo** *m.* ⟨*non com*⟩ deadening, toning down.

ṣmọssi *p.rem. di smuovere*. – **ṣmọsso** (*p.p. di smuovere*) *a.* shifted, displaced, moved; (*fuori posto*) out of place; (*malfermo*) loose: *un dente ~* a loose tooth; (*rif. a terreno*) freshly turned, tilled, ploughed, loose.

ṣmọtta *f.* → **smottatura**. – **ṣmottamẹnto** *m.* ⟨*Geog*⟩ landslip, landslide. – **ṣmottạre** *v.i.* (ṣmọtto; *aus.* avere) to slip, to slide down. – **ṣmottatụra** *f.* 1. (*smottamento*) landslip, landslide, slipping, sliding (down); (*terra smottata*) landslip, landslide. – 2. (*zona di smottamento*) landslide region. – 3. ⟨*Agr*⟩ breaking up of clods of earth.

ṣmọvere *v.* ⟨*pop,lett*⟩ → **smuovere**.

ṣmozzạre *v.t.* (ṣmọzzo) ⟨*non com*⟩ (*mozzare*) to cut (*o* lop) off. – **ṣmozzatụra** *f.* ⟨*non com*⟩ 1. cutting (*o* lopping) off. – 2. ⟨*concr*⟩ (*parte smozzata*) part lopped off.

ṣmozzicamẹnto *m.* ⟨*non com*⟩ 1. breaking up; (*tagliando*) cutting up (*o* to pieces); (*lacerando*) tearing to bits. – 2. ⟨*fig*⟩ breaking up, mangling. – **ṣmozzicạre** *v.t.* (ṣmọzzico, ṣmọzzichi) 1. to break up; (*tagliando*) to cut up: *~ un dolce* to cut up a cake; (*lacerando*) to tear to bits (*o* pieces). – 2. ⟨*fig*⟩ to break up, to mangle: *~ una frase* to break up a sentence; (*rif. alla pronuncia*) to mumble. – 3. ⟨*ant*⟩ (*squartare*) to quarter, to cut to pieces. – **ṣmozzicạto** (*p.p. di smozzicare*) *a.* 1. broken up, in pieces; (*tagliato*) cut up, cut to pieces (*lacerato*) torn to bits. – 2. ⟨*fig*⟩ broken up, mangled: *discorso ~* mangled discourse; (*rif. alla pronuncia*) mumbled. – **ṣmozzicatụra** *f.* → **smozzicamento**.

ṣmucciạre *v.i.* (ṣmụccio, ṣmụcci; compound forms not used) ⟨*ant*⟩ (*scivolare*) to slip.

ṣmụgnere *v.* (ṣmụngo, ṣmụgni) ⟨*ant*⟩ → **smungere**.

ṣmụngere *v.t.* (ṣmụngo, ṣmụngi; ṣmụnsi, ṣmụnto) 1. ⟨*rar*⟩ (*mungere completamente*) to milk dry; (*estrarre tutto il liquido*) to drain. – 2. ⟨*fig*⟩ (*inaridire*) to waste, to make pale and wan. – 3. ⟨*fig*⟩ (*sfruttare*) to bleed, to fleece, to milk, to squeeze, to drain: *~ i cittadini con le tasse* to bleed the citizens with taxes. – **ṣmụnto** (*p.p. di smungere*) *a.* thin, lean, emaciated, wasted, worn; (*pallido*) pale, wan: *viso ~* wan face; (*rif. a guance*) thin, gaunt.

ṣmuọvere *v.t.* (ṣmuọvo/*pop.,lett.* ṣmọvo; ṣmọssi, ṣmọsso) 1. (*spostare*) to move, to shift, to budge, to displace: *~ un masso* to shift a boulder. – 2. (*mettere in disordine*) to move, to turn (over), ⟨*fam*⟩ to mess up: *non ~ le carte sul mio tavolo* don't move the papers on my table; (*rif. a terreno*) to turn, to till, to plough. – 3. (*far muovere*) to budge, to shift: *da qui non mi smuove nessuno* nobody's budging me from here. – 4. ⟨*fig*⟩ (*distogliere*) to dissuade, to deter, to move, to win over: *non riesco a smuoverlo dalle sue idee* I cannot ⌜dissuade him⌝ (*o* make him change his mind). – 5. ⟨*fig*⟩ (*spronare*) to rouse, to stir: *non lo smuovono neppure le cannonate* even cannon-shots won't rouse him. – 6. ⟨*fig*⟩ (*riuscire a commuovere*) to move, to touch, to affect. – **smuoversi** *v.r.* 1. to move, to shift, to budge. – 2. ⟨*fig*⟩ (*cambiare proposito*) to move, to budge, to change one's mind. – 3. ⟨*fig*⟩ (*abbandonare l'indolenza abituale*) to be roused (to action). – 4. (*commuoversi*) to be moved (*o* affected, touched). □ ⟨*fam*⟩ *~ il corpo* to move one's bowels.

ṣmurạre[1] *v.t.* 1. to tear down the walls of. – 2. (*togliere dal muro*) to ⌜remove from⌝ (*o* take off) the wall.

ṣmurạre[2] *v.t.* ⟨*mar*⟩ to ease, to veer.

ṣmurạto (*p.p. di smurare*[1]) *a.* ⌜removed from⌝ (*o* taken off) the wall.

ṣmuṣạre I *v.t.* ⟨*rar*⟩ (*rompere il muso*) to hit the face of, ⟨*fam*⟩ to smash (*o* bash) in the face of. – **II** *v.i.* (*aus.* **avere**) to make a face, to grimace; (*in segno di disprezzo*) to turn up one's nose. – **ṣmuṣạta** *f.* ⟨*rar*⟩ grimace, disgusted (*o* disdainful) expression.

ṣmuscatụra *f.* ⟨*Agr*⟩ removal of moss.

ṣmussamẹnto *m.* 1. (*lo smussare*) rounding off, smoothing, chamfering, bevelling; (*lo smussarsi*) blunting. – 2. (*parte smussata*) smoothed (*o* blunted) part. – 3. (*rif. al vetro*) grinding. – 4. ⟨*fig*⟩ (*attenuazione*) softening, smoothing.

ṣmussạre *v.t.* **1.** to round off, to smooth, to chamfer, to bevel, to ease: ~ *un angolo* to smooth a corner; (*rif. al vetro*) to grind. – **2.** (*rendere meno affilato o appuntito*) to blunt, to smooth. – **3.** ⟨*fig*⟩ (*rendere meno aspro*) to smooth, to soften, to make less harsh. – **smussarsi** *v.r.* (*perdere il filo*) to become blunt.

ṣmussạto (*p.p. di smussare*) *a.* **1.** rounded off, smoothed. – **2.** (*meno affilato, meno appuntito*) blunted, smoothed. – **3.** ⟨*fig*⟩ (*attenuato*) smoothed, softened. – **ṣmussatrịce** *f.* ⟨*Mecc*⟩ bevelling-machine. – **ṣmussatụra** *f.* **1.** rounding off, smoothing, easing. – **2.** ⟨*concr*⟩ (*parte smussata*) smoothed (*o* blunted) part, chamfer. – **3.** ⟨*Arch*⟩ chamfer.

ṣmụsso[1] *m.* **1.** (*smussatura*) rounding off, smoothing, easing, bevelling. – **2.** (*parte smussata*) smoothed (*o* blunted) part, chamfer. – **3.** ⟨*Fal*⟩ chamfer, bevel (*o* chamfered) edge; (*difetto*) wane, waney (*o* dull) edge. ☐ *tagliare a* ~ to chamfer, to bevel.

ṣmụsso[2] *a.* → **smussato.**

Sn = ⟨*Chim*⟩ *stagno* tin.

ṣnasạre *v.t.* ⟨*scherz*⟩ (*portare via il naso*) to cut the nose off; (*rompere il naso*) to break the nose of. – **ṣnasạto** (*p.p. di snasare*) *a.* (*senza naso*) noseless, ⟨*fam,scherz*⟩ no-nose.

ṣnaturamẹnto *m.* ⟨*non com*⟩ **1.** perversion of one's true nature, denatur(aliz)ation. – **2.** ⟨*fig*⟩ change (of nature), distortion. – **ṣnaturạre** *v.t.* **1.** to pervert the nature of, to denatur(aliz)e. – **2.** ⟨*fig*⟩ to change, to alter, to pervert, to distort: ~ *una teoria* to distort a theory. – **snaturarsi** *v.r.* to change one's nature, to degenerate, to be denatur(aliz)ed. – **ṣnaturatamẹnte** *avv.* **1.** unnaturally, in an unnatural way. – **2.** (*crudelmente*) inhumanly, cruelly. – **ṣnaturatẹzza** *f.* ⟨*non com*⟩ unnaturalness; (*l'essere inumano, crudele*) cruelty, inhumanity. – **ṣnaturạto** (*p.p. di snaturare*) **I** *a.* **1.** perverted, unnatural: *idee -e* unnatural ideas. – **2.** (*degenerato*) degenerate, depraved. – **3.** ⟨*fig*⟩ (*inumano*) inhuman. – **4.** ⟨*fig*⟩ (*cattivo*) cruel, wicked, heartless, monstrous: *madre -a* cruel mother. – **II** *s.m.* (*f.* **-a**) inhuman person.

ṣnazionaliẓẓạre *v.t.* **1.** to denationalize. – **2.** ⟨*Econ*⟩ to denationalize, to make private again: ~ *un'azienda* to denationalize a company. – **ṣnazionaliẓẓaziọne** *f.* denationalization (*anche Econ.*).

S.N.D.A. = *Società Nazionale Dante Alighieri.*

ṣnebbiạre *v.t.* (**ṣnẹbbio**) **1.** to dispel the fog from, to clear of fog, to dissipate (*o* drive away) the mist from. – **2.** ⟨*fig*⟩ to clear: ~ *il cervello* (o *la mente*) *a qd.* to clear s.o.'s brain (*o* mind), to make s.o. think straight. – **ṣnebbiạto** (*p.p. di snebbiare*) *a.* **1.** dispelled (*o* cleared) of fog, clear. – **2.** ⟨*fig*⟩ cleared, clear.

ṣneghittịre *v.t.* (**ṣneghittịsco, ṣneghittịsci**) ⟨*non com*⟩ to make less lazy, to smarten up, to make brisk. – **sneghittirsi** *v.r.* ⟨*fam*⟩ to pull one's socks up.

ṣnellẹzza *f.* **1.** slenderness, slimness. – **2.** ⟨*tecn*⟩ slenderness. – **3.** (*sveltezza*) nimbleness, agility, deftness. – **4.** ⟨*fig*⟩ ease, smoothness.

ṣnellimẹnto *m.* **1.** making slender (*o* slim), slimming. – **2.** ⟨*fig*⟩ (*l'accelerare*) speeding up. – **3.** ⟨*fig*⟩ (*il semplificare*) simplification.

ṣnellịre *v.t.* (**ṣnellịsco, ṣnellịsci**) **1.** (*avere un effetto dimagrante*) to be slimming, to give a slim figure to, to slim: *lo sport snellisce la figura* sport makes one's figure slim, sport is slimming. – **2.** (*far sembrare più snello*) to be slimming, to make look slim(mer), to slim: *questo cappotto ti snellisce* this coat makes you look slimmer. – **3.** ⟨*fig*⟩ (*rendere più rapido, più efficiente*) to speed up: ~ *il traffico* to speed up the traffic. – **4.** ⟨*fig*⟩ (*semplificare*) to simplify: ~ *una procedura* to simplify procedure.

ṣnẹllo *a.* **1.** (*sottile*) slender, slim. – **2.** (*agile, svelto*) agile, nimble, lissom, lithe, deft: *dita -e* deft fingers. – **3.** ⟨*fig*⟩ easy, fluent, flowing, smooth, ready: *stile* ~ easy style. – **4.** ⟨*ant*⟩ (*veloce*) quick, swift.

ṣnerbạre *v.* (**ṣnẹrbo**) ⟨*ant*⟩ → **snervare.**

ṣnervamẹnto *m.* **1.** enervation, debilitation, weakening, enfeeblement; (*il fiaccare*) wearing out, exhaustion. – **2.** ⟨*tecn*⟩ yielding. ☐ *limite di* ~ yield point. – **ṣnervạnte** (*p.pr. di snervare*) *a.* **1.** enervating, exhausting, debilitating: *un clima* ~ an enervating climate. – **2.** (*che rende nervosi*) exasperating, that gets on the nerves: *attesa* ~ exasperating wait.

ṣnervạre *v.t.* (**ṣnẹrvo**) **1.** to enervate, to debilitate, to weaken, to enfeeble, to take away the vigour from: *un caldo che snerva* enervating (*o* wearing) heat. – **2.** (*rendere nervoso*) to get on the nerves of: *quest'attesa mi snerva* this wait is getting on my nerves. – **snervarsi** *v.r.* **1.** to become enervated, to be weakened. – **2.** ⟨*tecn*⟩ to lose bending power.

ṣnervatamẹnte *avv.* ⟨*non com*⟩ **1.** weakly, feebly. – **2.** ⟨*fig*⟩ (*fiaccamente*) feebly, flabbily. – **ṣnervatẹzza** *f.* **1.** enervation, weakness, feebleness, debilitation; (*esaurimento*) exhaustion, weariness. – **2.** ⟨*fig*⟩ feebleness, flabbiness, weakness, lack of vigour. – **ṣnervạto** (*p.p. di snervare*) *a.* **1.** enervated, weak, feeble, debilitated; (*estenuato*) worn-out, exhausted. – **2.** ⟨*fig*⟩ (*fiacco*) feeble, flabby, weak, spiritless, dull: *stile* ~ feeble style.

ṣnidạre I *v.t.* **1.** (*rif. ad animali*) to drive out, to rouse; (*rif. a volatili*) to flush. – **2.** (*rif. a persone*) to drive out. – **3.** ⟨*Mil*⟩ to dislodge, to drive out. – **4.** ⟨*fig,scherz*⟩ (*cacciare*) to drive (*o* get) out. – **II** *v.i.* (*aus.* **essere**) ⟨*rar*⟩ **1.** (*uscire dal nido*) to leave the nest, to fly away. – **2.** (*uscire dal rifugio*) to come out from one's shelter.

snipe *ingl.* ['snaip] *m.* ⟨*Sport*⟩ Snipe, Snipe class sailing boat.

ṣnọb I *s.m./f.inv.* snob. – **II** *a.* snobbish: *una persona* ~ a snobbish person, a snob. – **ṣnobbạre** *v.t.* (**ṣnọbbo**) to snob. – **ṣnobịsmo** *m.* **1.** (*l'essere snob*) snobbishness, snobbiness, snobbery. – **2.** (*azione snob*) snobbery, snobbish behaviour. – **ṣnobịsta** *m./f.* snob. – **ṣnobịstico** *a.* (*pl.* **-ci**) snobbish, snobby.

ṣnocciolạre *v.t.* (**ṣnọcciolo**) **1.** to stone, to remove the stone (*o* kernel) from: ~ *le ciliege* to stone cherries. – **2.** ⟨*fig*⟩ (*dire rapidamente*) to pour out, ⟨*fam*⟩ to rattle off, ⟨*fam*⟩ to spout; (*dire apertamente*) to tell: ~ *la verità* to tell the truth. – **3.** ⟨*pop*⟩ (*sborsare*) to pay out, ⟨*fam*⟩ to cough up, ⟨*fam*⟩ to shell out. – **ṣnocciolatụra** *f.* ⟨*non com*⟩ stoning.

ṣnodạbile *a.* hinged, jointed. – **ṣnodamẹnto** *m.* ⟨*non com*⟩ undoing, untying.

ṣnodạre *v.t.* (**ṣnọdo**) **1.** to unknot, to undo, to untie: ~ *una fune* to untie a knot in a rope. – **2.** (*svolgere*) to unwind, to uncoil: ~ *un cavo* to uncoil a cable. – **3.** (*rendere elastico*) to loosen (up), to make supple, to limber up: *la ginnastica snoda i muscoli* exercise loosens the muscles. – **4.** ⟨*fig*⟩ (*sciogliere*) to loosen: ~ *la lingua* to loosen one's tongue. – **5.** ⟨*fig,poet*⟩ (*impietosire*) to soften, to move to pity. – **snodarsi** *v.r.* **1.** (*slegarsi*) to come loose (*o* untied). – **2.** (*avere un andamento sinuoso*) to wind: *il fiume si snoda nella pianura* the river winds (*o* meanders) across the plain; (*svolgersi*) to unwind, to uncoil. – **3.** (*essere articolato*) to be articulated (*o* jointed), to bend: *il braccio della lampada si snoda in tutte le direzioni* the lamp bracket bends in all directions. – **4.** (*diventare elastico*) to loosen (up): *le articolazioni si snodano con continui esercizi* the joints loosen up with regular exercises. – **5.** ⟨*fig*⟩ (*risolversi*) to be untangled (*o* sorted out): *l'intreccio del libro si snoda verso la conclusione* the plot of the book is sorted out near the end.

ṣnodạto (*p.p. di snodare*) *a.* **1.** unknotted, undone, untied, loose. – **2.** (*agile, sciolto*) loose; (*rif. a articolazioni*) loose, limber, supple. – **3.** (*snodabile*) hinged, jointed, that can be articulated: *manichino* ~ jointed dummy. – **ṣnodatụra** *f.* **1.** unknotting, untying, loosening. – **2.** (*articolazione*) joint. – **ṣnodẹvole** *a.* ⟨*non com*⟩ → **snodabile.**

ṣnọdo *m.* ⟨*Mecc*⟩ articulation, (articulated) joint, pivot, hinge. ☐ ~ *cardanico* Cardan (joint); ~ *a crociera* universal joint; ~ *a ginocchiera* toggle joint; ~ *sferico* ball(-and-socket) joint.

ṣnudạre *v.t.* **1.** ⟨*lett*⟩ (*sguainare*) to unsheathe, to draw: ~ *la spada* to draw one's sword. – **2.** ⟨*ant*⟩ (*denudare*) to bare, to strip. – **ṣnudạto** (*p.p. di snudare*) *a.* unsheathed, drawn: *spada -a* drawn sword.

SO = ⟨*Geog*⟩ *Sud-ovest* South-West (*abbr.* S.W.).

soạtto *m.* → **sogatto.**

soạve[1] **I** *a.* **1.** (*delicato*) delicate, light, mild, gentle, sweet, soft: *un profumo* ~ a light perfume; *voce* ~ sweet (*o* gentle) voice. – **2.** (*dolce, piacevole*) sweet, pleasant, agreeable: *ricordi -i* sweet memories. – **3.** ⟨*Mus*⟩ soave, sweet, tender. – **4.** ⟨*ant*⟩ (*agevole*) easy, gentle. – **5.** ⟨*ant*⟩ (*tranquillo*) calm, peaceful. – **II** *avv.* ⟨*ant, poet*⟩ **1.** (*dolcemente*) sweetly. – **2.** (*pacatamente*) calmly, quietly. – **3.** (*placidamente*) placidly, calmly, peacefully.

soạve[2] *m.* ⟨*Enol*⟩ Soave, kind of white wine.

soavemẹnte *avv.* **1.** (*delicatamente*) delicately, lightly, mildly, gently, sweetly, softly. – **2.** (*dolcemente*) sweetly. – **3.** ⟨*ant*⟩ (*piano*) softly, carefully. – **soavità** *f.* **1.** (*delicatezza*) delicacy, lightness, mildness, gentleness, sweetness, softness. – **2.** (*dolcezza, gradevolezza*) sweetness, pleasantness, agreeableness. – **soavitạde, soavitạte** *f.* ⟨*ant*⟩ → **soavità.**

sobarcolạto *a.* → **sobbarcolato.**

sobbạggio(lo) *m.* ⟨*non com*⟩ → **sovvaggiolo.**

sobbalzạre *v.i.* (*aus.* **avere**) **1.** to jerk, to jolt, to bump: *il carro sobbalzava sulla strada* the cart jolted along the road. – **2.** (*trasalire*) to start, to jump, to give a start (*o* jump): ~ *di paura* to jump with fear. ☐ *il cuore mi sobbalzò dalla gioia* my heart leapt with joy. – **sobbạlzo** *m.* **1.** jerk(ing), jolt(ing). – **2.** (*trasalimento*) start, jump. ☐ *a -i* jerkily, in jolts; *procedere a -i* to jerk (*o* jolt, bounce) along; *di* ~ (*di soprassalto*) with a start: *svegliarsi di* ~ to wake up with a start; *dare un* ~ to give a start (*o* jump), to start, to jump.

sobbarcạre *v.t.* (**sobbạrco, sobbạrchi**) to burden, to load (*o* weigh) down: ~ *qd. a una spesa* to burden s.o. with an expense. – **sobbarcarsi** *v.r.* to take upon o.s., to undertake (*a qc.* s.th.), to assume the burden (of): *si è sobbarcato a un grosso sacrificio* he undertook a great sacrifice.

sobbarcolạto *a.* ⟨*ant*⟩ (*che ha vesti succinte*) with tucked (*o* girded) up clothes.

sobbattitụra *f.* ⟨*Veter*⟩ bruising of the sole of the foot.

sobbillamẹnto *m.* ⟨*pop*⟩ → **sobillamento.** – **sobbillạre** *v.* ⟨*pop*⟩ → **sobillare.**

sobbollimẹnto *m.* ⟨*non com*⟩ simmering (*anche fig.*). – **sobbollịre** *v.i.* (**sobbọllo**; *aus.* **avere**) **1.** to simmer, to boil gently. – **2.** ⟨*fig*⟩ to simmer, to seethe: *l'ira sobbolliva nel mio cuore* I was simmering with anger, I was seething. – **sobbollịto** (*p.p. di sobbollire*) *a.* **1.** brought to the boil, simmering. – **2.** ⟨*fig*⟩ simmering, seething. – **3.** ⟨*Fal*⟩ partially decayed, doaty, doty. – **sobbollitụra** *f.* **1.** ⟨*non com*⟩ simmering. – **2.** ⟨*Fal*⟩ doat, dote, decay, rot.

sobbọrgo *m.* (*pl.* **-ghi**) **1.** suburb. – **2.** (*città satellite*) dormitory town; (*città economicamente dipendente*) satellite town.

sobillamẹnto *m.* instigation, incitement. – **sobillạre** *v.t.* **1.** to work (*o* stir) up, to incite, to spur (*o* lead, egg) on. – **2.** (*istigare*) to instigate, to incite, to stir up, to spur: ~ *il popolo alla rivolta* to incite the people to rebellion. – **sobillatọre I** *s.m.* (*f.* **-trice**) instigator. – **II** *a.* inflammatory. – **sobillaziọne** *f.* instigation, incitement.

sobranzạre ⟨*ant*⟩ **I** *v.t.* (*sopraffare*) to overcome, to vanquish, to conquer. – **II** *v.i.* (*aus.* **avere**) (*sovrastare*) to dominate.

sobriamẹnte *avv.* **1.** soberly, moderately, temperately, simply. – **2.** (*concisamente*) simply, concisely. – **sobrietà** *f.* **1.** sobriety, moderateness, temperance. – **2.** (*semplicità*) sobriety, simplicity. – **3.** (*concisione*) simplicity, concision, sobriety, restraint. – **sọbrio** *a.* **1.** sober, temperate, simple: *essere* ~ *nel vestire* to be sober in one's dress, to dress plainly (*o* simply); *condurre una vita -a* to lead a simple life. – **2.** (*moderato, contenuto*) sober, simple, restrained: *una risposta -a* a restrained answer; *stile* ~ simple style.

Soc. = *società* Company (*abbr.* Co.).

sọcca *f.* ⟨*Stor*⟩ **1.** (*veste femminile*) cassock, woman's loose overgown. – **2.** (*manto maschile*) cerimonial mantle.

socchiụdere *v.t.* (**socchiụsi, socchiụso**) **1.** to half-close, to close partially: ~ *gli occhi* to half-close one's eyes. – **2.** (*rif. a porte e sim.*) to leave (*o* set) ajar, to half-close, to set to. – **socchiụso** (*p.p. di socchiudere*) *a.* **1.** half-closed, partly closed. – **2.** (*rif. a porte e sim.*) half-closed, ⟨*pred*⟩ ajar: *la porta era -a* the door was ajar.

sọccida *f.* ⟨*Dir*⟩ agistment, lease of cattle. – **soccidạnte** *m./f.* bailor of cattle in agistment. – **soccidạrio** *m.* (*f.* **-a**) agistor.

soccịnto *a.* (*succinto*) succinct, concise, brief.

sọccio *m.* ⟨*Dir*⟩ **1.** → **soccidario**. – **2.** ⟨*tosc*⟩ → **soccida**. – **3.** ⟨*tosc*⟩ (*bestiame*) cattle (kept under a contract of agistment). – **sọccita** *f.* ⟨*ant*⟩ → **soccida**.

sọcco *m.* (*pl.* **-chi**) ⟨*Stor*⟩ sock, light shoe. ☐ ⟨*fig*⟩ *calzare il* ~ (*scrivere commedie*) to write comedies; (*recitare commedie*) to act in comedies.

soccodạgnolo *m.* ⟨*pop,ant*⟩ (*sottocoda*) crupper.

soccombẹnte (*p.pr. di soccombere*) **I** *a.* **1.** succumbing, surrendering, yielding. – **2.** ⟨*Dir*⟩ losing. – **II** *s.m./f.* **1.** loser. – **2.** ⟨*Dir*⟩ losing party, loser.

soccọmbere *v.i.* (compound forms not used) **1.** to succumb, to give way (*o* in), to surrender, to yield: ~ *alla violenza* to succumb to violence. – **2.** (*morire*) to die, to succumb. – **3.** (*avere la peggio*) to come off worst. ☐ ~ *in giudizio* to lose one's case; ~ *al male* (*morire*) to succumb to a disease, to die.

soccọrrere *v.* (**soccọrsi, soccọrso**) **I** *v.t.* **1.** to help, to aid, to assist, to relieve, ⟨*lett*⟩ to succour: ~ *i bisognosi* to help the needy. – **2.** (*accorrere in aiuto*) to come to the assistance (*o* aid, help) of, to help, to aid; (*salvare*) to come to the rescue of. – **3.** ⟨*Mil*⟩ (*mandare rinforzi*) to succour, to relieve. – **II** *v.i.* (*aus.* **essere/avere**) ⟨*lett*⟩ **1.** (*sovvenire*; *aus.* **essere**) to come to mind. – **2.** (*recare aiuto*; *aus.* **avere**) to help, to aid (*a qd.* s.o.), to bring help (*o* aid) (to).

soccorrẹvole *a.* ⟨*lett*⟩ **1.** helpful, helping, ready to help. – **2.** (*che viene in soccorso*) helping. – **soccorrịbile** *a.* ⟨*rar*⟩ that can be helped, helpable. – **soccorrimẹnto** *m.* ⟨*non com*⟩ help(ing), assistance. – **soccorritọre** **I** *s.m.* (*f.* **-trice**) **1.** helper, aider, succourer; (*chi salva*) rescuer. – **2.** ⟨*El*⟩ (*relè*) relay. – **II** *a.* helping.

soccọrso *m.* **1.** help, aid, assistance, ⟨*lett*⟩ succour; (*assistenza, beneficenza*) relief, welfare, assistance. – **2.** (*il prestare aiuto*) assistance, help(ing), aid(ing), ⟨*lett*⟩ succour(ing): *omissione di* ~ failure to offer assistance; (*il salvare*) rescue, rescuing: *organizzare i -i* to organize the rescue. – **3.** *pl.* ⟨*Mil*⟩ (*rinforzi*) reinforcements *pl*, succours *pl*; (*rifornimenti*) supplies *pl*, succours *pl*. – **4.** ⟨*poet*⟩ (*soccorritore*) helper, aider; (*chi salva*) rescuer. – **5.** ⟨*ant*⟩ (*difesa, riparo*) protection, defence.

☐ ~ **alpino** mountain rescue service; **andare** *in* ~ *di qd.* to go to s.o.'s help; (*salvarlo*) to go to s.o.'s rescue; **chiamare** *a* ~ to shout for help; *chiamare a* (o *in*) ~ *qd.* to call on s.o. for help, to ask s.o. for aid; ~ **finanziario** financial aid (*o* relief); **fondo** *di* ~ relief fund; **gridare** *al* ~ = **chiamare** *a soccorso*; ~ **invernale** winter relief; ~ **marittimo** marine salvage; ⟨*scherz*⟩ ~ *di* **Pisa** (*aiuto inutile*) tardy relief, help coming too late; **prestare** ~ *a qd.* to help (*o* aid, assist) s.o., to give s.o. help; **pronto** ~: 1. first-aid; 2. (*posto di pronto soccorso*) first-aid station; 3. (*negli ospedali*) casualty ward, emergency ward; *cassetta di pronto* ~ first-aid kit (*o* box); ~ **stradale** road assistance; ~ *d'urgenza* emergency aid (*o* relief); **uscita** *di* ~ emergency door (*o* exit).

soccọscio *m.* ⟨*Macell*⟩ thick flank, round, topside.

sọcera *f.* ⟨*pop*⟩ (*suocera*) mother-in-law. – **sọcero** *m.* ⟨*pop*⟩ (*suocero*) father-in-law.

sociạbile *a.* ⟨*lett*⟩ sociable, gregarious. – **sociabilità** *f.* **1.** ⟨*lett*⟩ sociability. – **2.** ⟨*Biol*⟩ (*socialità*) sociability, sociality.

social|comunịsta **I** *s.m./f.* Social Communist. – **II** *a.* Social Communist. – **~democrạtico** *a./s.* (*pl.* **-ci**) **I** *s.m.* Social Democrat. – **II** *a.* Social Democratic. – **~democrazịa** *f.* **1.** (*partito*) Social Democratic Party. – **2.** (*movimento*) Social Democracy.

sociạle *a.* **1.** social: *doveri -i* social obligations; *convenzioni -i* social conventions; *classi -i* social classes. – **2.** (*che tende al benessere sociale*) social, welfare-: *sicurezza* ~ social security; *provvidenze -i* welfare provisions; *assistente* ~ social worker, welfare officer. – **3.** (*socievole*) social: *l'uomo è un animale* ~ man is a social animal. – **4.** (*che concerne un'associazione*) of a society (*o* association), club-, association-: *riunione* ~ club meeting. – **5.** ⟨*Comm*⟩ of a firm (*o* company), firm's, company-: *sede* ~ head office of a firm. – **6.** ⟨*Biol*⟩ social, communal.

socialfusionịsta **I** *s.m./f.* ⟨*Pol*⟩ left-wing Socialist. – **II** *a.* left -wing Socialist.

socialịsmo *m.* ⟨*Pol*⟩ Socialism.

☐ ~ **agrario** land Socialism; ~ *di* **cattedra** academic theoretical Socialism; ~ **democratico** democratic Socialism; ~ *delle* **gilde** guild Socialism; ~ **liberale** liberal Socialism; ~ *di* **stato** State Socialism.

socialịsta **I** *s.m./f.* Socialist: ~ *di sinistra* left-wing Socialist. – **II** *a.* Socialist. – **socialịstico** *a.* (*pl.* **-ci**) Socialist, Socialistic. – **socialistọide** **I** *a.* **1.** ⟨*spreg*⟩ Socialist(ic), leaning towards Socialism. – **2.** (*che si avvicina al socialismo*) (near-)Socialist, Socialist-inspired: *tendenza* ~ Socialist leaning. – **II** *s.m./f.* supporter of Socialism.

socialità *f.* **1.** (*tendenza a vivere socialmente*) sociality, sociability, sociableness, gregariousness. – **2.** (*convivenza sociale*) social life, community living. – **3.** (*complesso di rapporti sociali*) social relations *pl*; (*coscienza dei rapporti sociali*) social awareness. – **4.** ⟨*Biol*⟩ sociability, sociality.

socialitạrio *a.* ⟨*non com*⟩ social.

socializzạre *v.t.* ⟨*Econ*⟩ to socialize. – **socializzạto** (*p.p. di socializzare*) *a.* socialized. – **socializzatọre** **I** *s.m.* (*f.* **-trice**) socializer. – **II** *a.* socializing. – **socializzaziọne** *f.* **1.** socialization. – **2.** (*nazionalizzazione, statalizzazione*) nationalization.

socialmẹnte *avv.* **1.** socially. – **2.** (*in società*) in society, jointly: *acquistare* ~ *qc.* to buy s.th. in society. ☐ *essere* ~ *pericoloso* to be a danger to society.

sociaziọne *f.* ⟨*Biol*⟩ sociation.

società *f.* **1.** society, community: *vivere in* ~ to live in society; *essere pericoloso per la* ~ to be a danger to society. – **2.** (*associazione*) society, association, club: ~ *sportiva* sport club. – **3.** (*ceto di persone*) society, class, classes *pl*: *la* ~ *colta* cultured society, the educated class(es); (*società mondana*) (high) society, fashionable world: *essere presentato in* ~ to be presented in society. – **4.** ⟨*Econ,Dir*⟩ company, firm, concern, society: *la* ~ *del gas* the gas company. – **5.** ⟨*Biol*⟩ society: *la* ~ *delle formiche* the society of ants. – **6.** (*compagnia*) company, society: *fuggire la* ~ *di certe persone* to flee the company of certain people. – **7.** ⟨*Pol*⟩ (*unione*) league, society. – **8.** ⟨*Rel*⟩ society, order; (*confraternita*) brotherhood.

☐ **abito** *da* ~ evening dress; ⟨*Econ*⟩ ~ *in* **accomandita** limited partnership, ⟨*am*⟩ non-stock corporation; ~ *in accomandita per azioni* limited partnership (constituted by shareholding); ~ *in accomandita semplice* limited partnership; ~ **affiliata** associated company; **alta** ~ high society; ⟨*Zool*⟩ ~ **animale** animal society; ~ **anonima** limited (*o* joint-stock) company; ~ **armatoriale** shipping company (*o* firm); ~ **artistica** art society; ~ *di* **assicurazioni** insurance company; ~ *per* **azioni** limited company, joint-stock company, ⟨*am*⟩ corporation; ~ *di* **capitali** limited company; ~ *a capitale misto* joint venture; ~ *a* **catena** holdings *pl*, holding company; ~ **civile** civilized society, human society; ⟨*Sociol*⟩ ~ **classista** society based on class; ~ *in nome* **collettivo** general partnership; ~ **commerciale** trading company; *la* ~ *dei* **consumi** the consumer society; ~ **cooperativa** co-operative (society); ~ *di* **costruzioni** construction company (*o* firm); ~ **dipendente** subsidiary company; ~ **distributrice** *di film* (film) distributor, film distribution company; ~ **edilizia** = *società di* **costruzioni**; ~ *a carattere* **familiare** closed company, ⟨*am*⟩ closed (*o* private) corporation; **fare** ~ *con qd.* to go into business with s.o., to set up a partnership; ⟨*pop*⟩ *fare in* ~ to share s.th. with s.o., to go into s.th. as partners; ⟨*Dir*⟩ ~ *di* **fatto** de facto company; ~ **fiduciaria** trust company; ~ **finanziaria**: 1. financial trust (*o* institution); 2. (*società holding*) holding company; 3. (*società di collocamento o investimento*) investment trust; **giochi** *di* ~ parlour (*o* party) games; ~ **immobiliare** property company; ~ **industriale** industrial company; ~ **internazionale** *di finanziamento* international holding company; ~ *d'***investimento** investment company (*o* trust); ~ **letteraria** literary society; ~ *in* **liquidazione** company ⌜being wound up⌝ (*o* in liquidation); ~ *a scopo di* **lucro** profit-making company; ~ **madre** parent company; **mettersi** *in* ~ *con qd.* to ⌜go into business⌝ (*o* enter into partnership) with s.o.; ~ **mineraria** mining company; ~ *di* **navigazione** shipping company; ~ *di navigazione aerea* airline; ⟨*Stor*⟩ ≈ *delle* **Nazioni** League of Nations; *l'***onorata** ~ (*camorra*) camorra; ~ *in* **partecipazione** company in association (*o* partnership); ⟨*Econ*⟩ ~ **personale** one-man firm; ~ **privata** private (limited) company, ⟨*am*⟩ private corporation; ~ **protettrice** (o *per la protezione*) *degli animali* Society for the Prevention of Cruelty to Animals; ~ *a* **responsabilità** *illimitata* unlimited liability company; ~ *a responsabilità limitata* ⌜limited liability⌝ (*o* joint-stock) company, ⟨*am*⟩ corporation; ~ **segreta** secret society; ~ *di mutuo* **soccorso** (mutual) benefit society, mutual aid association, friendly society; ~ **umana** human society, mankind; ⟨*Bot*⟩ ~ **vegetale** plant society.

societạrio *a.* **1.** ⟨*Comm*⟩ company-, of the firm, social. – **2.** (*sociale*) social. – **3.** ⟨*Stor*⟩ (*relativo alla Società delle Nazioni*) of the League of Nations.

sociẹvole *a.* **1.** social: *l'uomo è* ~ *per natura* man is naturally social. – **2.** (*affabile, cordiale*) sociable, friendly, affable: *è una persona* ~ *e simpatica* he is a pleasant, sociable person. ☐ *essere poco* ~ to be unsociable. – **socievolẹzza** *f.* sociability, sociableness.

socinianẹsimo, socinianịsmo *m.* ⟨*Teol*⟩ Socinianism. – **sociniạno** **I** *a.* Socinian. – **II** *s.m.* (*f.* **-a**) Socinian.

sọcio *m.* (*f.* **-a**) **1.** ⟨*Comm*⟩ partner, associate: *i soci di un'impresa* the partners in a company. – **2.** (*membro*) member: ~ *del circolo sportivo* member of the sport club; (*rif. a società scientifiche o accademiche*) fellow: *un* ~ *dell'Accademia Reale* a fellow of the Royal Academy. – **3.** ⟨*Dir*⟩ partner.

☐ ~ **accomandante** limited (*o* sleeping) partner; ~ **accomandatario** general (*o* unlimited) partner; ~ *d'***affari** business partner;

~ **anziano** senior partner; ~ **benemerito** contributing member; ~ **corrispondente** corresponding member; ~ **effettivo** permanent (*o* active) member; ~ **fondatore** foundation (*o* charter) member; ~ **gerente** managing (*o* active) partner; ~ **occulto** sleeping partner; ~ **onorario** honorary member (*o* fellow); ~ **ordinario** regular (*o* dues-paying) member; ~ **promotore** original partner; ~ **sovventore** contributing member; ~ *a* **vita** life member.

sociodrạmma *m.* ⟨*Psic*⟩ role playing.

sociografịa *f.* sociography. – **sociogrạmma** *m.* sociogram.

sociolinguịstica *f.* sociolinguistics *pl* (*costr.sing.*).

sociologịa *f.* sociology.

□ ~ *dell'***arte** sociology of art; ~ *della* **conoscenza** sociology of knowledge (*o* ideas); ~ **criminale** criminal sociology; ~ **dinamica** dynamic sociology; ~ *del* **sapere** = *sociologia della* **conoscenza**; ~ **statica** static sociology; ~ **vegetale** plant sociology.

sociolọgico *a.* (*pl.* **-ci**) sociological. – **sociologịsmo** *m.* sociologism. – **sociọlogo** *m.* (*pl.* **-gi**/*pop.* **-ghi**; *f.* **-a**) sociologist.

sociometrịa *f.* sociometry.

socioterapịa *f.* ⟨*Psic*⟩ sociotherapy.

Sọcrate *N.pr.m.* ⟨*Stor*⟩ Socrates. – **socrateggiạre** *v.i.* (**socratẹggio, socratẹggi**; *aus.* **avere**) ⟨*non com*⟩ to assume a Socratic manner, to be Socratic. – **socraticamẹnte** *avv.* Socratically. – **socrạtico** *a./s.* (*pl.* **-ci**) **I** *a.* ⟨*Filos*⟩ Socratic. – **II** *s.m.* Socratic. – **socratịsmo** *m.* Socratism.

sọda *f.* **1.** ⟨*Chim*⟩ (*carbonato di sodio*) soda, sodium carbonate. – **2.** ⟨*Chim*⟩ (*idrato di sodio*) sodium hydroxide, caustic soda. – **3.** (*acqua di soda*) soda(-water). – **4.** ⟨*Bot*⟩ saltwort (*Salsola kali*). □ ~ *caustica* caustic soda, sodium hydroxide.

sodạglia *f.* unbroken (*o* untilled) ground.

sodạle *m./f.* **1.** ⟨*Stor.rom*⟩ member of an association. – **2.** ⟨*lett*⟩ (*compagno*) companion, friend.

sodalịte *f.* ⟨*Min*⟩ sodalite.

sodalịzio *m.* **1.** (*associazione*) society, association. – **2.** (*legame di amicizia*) fellowship, brotherhood, companionship. – **3.** ⟨*Rel*⟩ sodality; (*confraternita*) brotherhood, confraternity. – **4.** ⟨*Stor.rom*⟩ association, sodality.

sodamẹnte *avv.* → **sodo**.

sodamẹnto *m.* ⟨*ant*⟩ **1.** (*rafforzamento*) consolidation, strengthening. – **2.** (*malleveria*) guarantee. – **3.** (*difesa*) defence.

sodanịtro *m.* ⟨*Min*⟩ soda niter, sodium nitrate.

sodạre *v.t.* (**sọdo**) **1.** to make firm. – **2.** ⟨*Tess*⟩ to full. – **3.** ⟨*ant*⟩ (*garantire*) to guarantee, to stand surety for. – **4.** ⟨*assol,ant*⟩ to stand surety. – **sodatọre** *m.* (*f.* **-trice**) **1.** ⟨*Tess*⟩ fuller. – **2.** ⟨*Mod*⟩ felter. – **sodatrịce** *f.* **1.** ⟨*Tess*⟩ (*operaia*) fuller; (*macchina*) fulling -machine. – **2.** ⟨*Mod*⟩ (*operaia*) felter; (*macchina*) felting-machine. – **sodatụra** *f.* **1.** ⟨*Tess*⟩ fulling. – **2.** ⟨*Mod*⟩ felting.

soddisfacẹnte (*p.pr. di soddisfare*) *a.* satisfactory, satisfying. – **soddisfacentemẹnte** *avv.* satisfactorily, in a satisfactory way. – **soddisfacimẹnto** *m.* **1.** satisfaction, contenting, pleasing, gratification. – **2.** (*adempimento*) fulfilment, compliance, meeting, satisfaction; (*pagamento*) payment, satisfaction. □ ⟨*lett*⟩ *a* (o *in*) ~ *di qc.* (*in compenso*) as compensation for s.th.

soddisfạre *v.* (*pr.ind.* **soddisfạccio/soddisfò/soddịsfo, soddisfạị/soddịsfi, soddisfà/soddịsfa, soddisfacciạmo**/*fam.* **soddisfiạmo, soddisfạte, soddisfạnno/soddịsfano**; *fut.* **soddisferò**; *p.rem.* **soddisfẹci**; *pr.cong.* **soddisfạccia/soddịsfi, soddisfạcciano/soddịsfino**; *p.p.* **soddisfạtto**; → **fare**) **I** *v.t.* **1.** (*accontentare*) to satisfy, to content, to please, to gratify: ~ *il pubblico* to please the public. – **2.** (*appagare*) to satisfy, to gratify, to meet: ~ *un desiderio* to gratify a wish. – **3.** (*adempiere*) to fulfil, to comply with, to meet, to satisfy: ~ *una richiesta* to comply with a request; (*pagare*) to pay (off), to satisfy: ~ *un creditore* to pay a creditor. – **4.** (*riparare*) to make amends (*o* up) for, to make good, to repair, to atone for: ~ *un'offesa* to atone for an offence. – **5.** ⟨*Mat*⟩ to satisfy. – **II** *v.i.* (*aus.* **avere**) **1.** to discharge, to fulfil, to carry out (*a qc.* s.th.): ~ *ai propri doveri* to fulfil one's duties. – **2.** (*contentare*) to satisfy, to content, to please, to gratify (*a qd.* s.o.). – **3.** (*dar compimento*) to meet, to satisfy, to fulfil (*a qc.* s.th.), to comply (with): ~ *a una richiesta* to satisfy a request. – **4.** (*riparare*) to make good (*o* amends), to atone (*a* for), to repair (s.th.). – **soddisfarsi** *v.r.* ⟨*rar*⟩ to be satisfied (*o* content, pleased).

soddisfạtto (*p.p. di soddisfare*) *a.* **1.** satisfied, pleased, contented, gratified. – **2.** (*contento*) pleased, satisfied, content. – **3.** (*adempiuto*) satisfied, performed, fulfilled, met. – **4.** (*compensato*) paid-up, discharged: *debito* ~ paid-up debt. □ *mal* ~ dissatisfied, discontented. – **soddisfattọrio** *a.* **1.** satisfactory (*anche Teol.*). – **2.** ⟨*Dir*⟩ (*satisfattorio*) redeeming, releasing. – **soddisfazioncẹlla, soddisfazioncịna** *f. dim. di* **soddisfazione**.

soddisfaziọne *f.* **1.** satisfaction, gratification: *un'attività che dà* ~ an occupation which gives satisfaction, a satisfying activity. – **2.** (*compiacimento*) satisfaction, gratification: *provare una grande* ~ to feel ⌜great satisfaction⌝ (*o* very satisfied); *con* ~ *generale* to the general satisfaction. – **3.** (*gioia*) satisfaction, joy, pleasure: *dare molte -i a qd.* to give s.o. great joy, to be a great satisfaction to s.o.; (*gusto*) pleasure, satisfaction: *non c'è* ~ *a discutere con lui* you get no satisfaction out of arguing with him. – **4.** (*riparazione*) satisfaction, redress: *ricevere* ~ *di un'offesa* to obtain satisfaction for a wrong. – **5.** (*pagamento*) payment, satisfaction. – **6.** (*adempimento*) fulfilment, performance. – **7.** ⟨*Teol*⟩ satisfaction.

□ ⟨*iron*⟩ **bella** ~! that's small comfort!, ⟨*fam*⟩ a fat lot of good that is!, ⟨*am.fam*⟩ big deal!; **essere** *di* ~ to be satisfactory; ⟨*Dir*⟩ ~ **internazionale** international satisfaction; ⟨*Teol*⟩ ~ **sacramentale** satisfaction, penance; ⟨*Teol*⟩ ~ **vicaria** (Christ's) satisfaction, redemption through Christ.

Sọddoma *N.pr.f.* ⟨*ant*⟩ → **Sodoma**. – **soddomịa** *f.* ⟨*ant*⟩ → **sodomia**. – **soddomịta** *m.* ⟨*ant*⟩ → **sodomita**. – **soddomịtico** *a.* ⟨*ant*⟩ → **sodomitico**. – **soddomịto** *m.* ⟨*ant*⟩ → **sodomita**.

soddụrre *v.t.* (**soddụco, soddụci; soddụssi, soddọtto**; → **condurre**) ⟨*ant*⟩ (*sedurre*) to seduce. – **sodduttọre I** *s.m.* (*f.* **-trice**) ⟨*ant*⟩ (*seduttore*) seducer. – **II** *a.* seductive. – **sodduziọne** *f.* ⟨*ant*⟩ (*seduzione*) seduction.

sodẹzza *f.* **1.** firmness, compactness; (*durezza*) hardness; (*solidità*) solidity. – **2.** ⟨*fig*⟩ (*serietà*) seriousness, soundness.

sọdico *a.* (*pl.* **-ci**) ⟨*Chim*⟩ sodic, sodium-. – **sọdio** *m.* sodium: ~ *metallico* metallic sodium.

sodisfacẹnte (*p.pr. di sodisfare*) *a.* ⟨*tosc,lett*⟩ → **soddisfacente**. – **sodisfacimẹnto** *m.* ⟨*tosc,lett*⟩ → **soddisfacimento**. – **sodisfạre** *v.* ⟨*tosc,lett*⟩ → **soddisfare**. – **sodisfạtto** (*p.p. di sodisfare*) *a.* ⟨*tosc,lett*⟩ → **soddisfatto**. – **sodisfaziọne** *f.* ⟨*tosc,lett*⟩ → **soddisfazione**.

sọdo I *a.* **1.** firm, compact: *carni -e* firm flesh. – **2.** (*duro*) hard, firm; (*rif. alle uova*) hard-boiled. – **3.** ⟨*fig*⟩ (*solido*) solid, sound, firm: *una -a preparazione* a sound grounding; (*rif. ad argomenti e sim.*) sound, weighty. – **4.** ⟨*fig*⟩ (*forte*) strong; (*violento*) hard, violent: *colpo* ~ hard blow. – **5.** ⟨*fig*⟩ (*serio, fondato*) sound, well -grounded: *qualità -e* sound qualities. – **6.** ⟨*non com*⟩ (*denso*) thick, dense: *minestra -a* thick soup. – **7.** ⟨*non com*⟩ (*rif. a terreni*: *incolto*) unbroken, untilled, fallow. – **8.** ⟨*ant*⟩ (*massiccio*) solid, massive. – **II** *avv.* **1.** (*con forza*) hard: *picchiare* ~ to hit hard. – **2.** (*intensamente*) hard, intensely: *lavorare* ~ to work hard. – **3.** (*profondamente*) deeply, soundly: *dormire* ~ to sleep soundly. – **III** *s.m.* **1.** (*terreno fermo*) hard (*o* firm) ground: *costruire sul* ~ to build on firm ground. – **2.** ⟨*fam*⟩ (*ciò che è sicuro*) security, sound (*o* weighty) matter, solid basis.

□ **andare** *al* ~ to get to the point; **darle** *-e* to hit hard; ⟨*fam*⟩ *c'è del* ~ it's a sound business, it's a sound proposition; *c'è del* ~ *in questo affare* this deal is worth looking into; **mangiare** ~ to have a hearty meal; ⟨*fig*⟩ **mettere** *qc. in* ~ to establish s.th., to make s.th. clear; **star** ~ = **tener** *sodo*; ⟨*non com*⟩ **sul** ~ in earnest, seriously; *posare sul* ~ to stand on firm ground, to rest on a firm foundation; ⟨*fig*⟩ **tener** ~ (*non cedere*) to stand firm (*o* one's ground); **venire** *al* ~ (*concludere*) to come to the point, ⟨*fam*⟩ to get down to brass tacks.

sodọku *m.* ⟨*Med*⟩ sodoku, rat-bite fever.

Sọdoma *N.pr.f.* ⟨*Bibl*⟩ Sodom. – **sodomịa** *f.* **1.** sodomy. – **2.** (*omosessualità maschile*) sodomy, male homosexuality. – **3.** (*rapporto sessuale per via anale*) sodomy, anal intercourse. – **sodomịta** *m.* sodomite. – **sodomịtico** *a.* (*pl.* **-ci**) sodomitic(al). – **sodomịto** *m.* ⟨*ant*⟩ → **sodomita**.

sodụrre *v.* ⟨*ant*⟩ → **soddurre**. – **soduttọre** *a./s.* ⟨*ant*⟩ → **sodduttore**. – **soduziọne** *f.* ⟨*ant*⟩ → **sodduzione**.

sofà *m.* sofa, settee, couch.

soferạre *v.t.* (**sọffero**) ⟨*ant*⟩ (*sopportare*) to allow of, to suffer.

sofferẹnte (*p.pr. di soffrire*) *a.* **1.** suffering (*per, di* from). – **2.** ⟨*lett*⟩ (*tollerante*) tolerant, bearing, supporting. □ *essere* ~ *di*: 1. to suffer from; 2. (*essere tollerante*) to (be able to) stand: *è* ~ *del freddo* he can stand the cold; *mal* ~ (*insofferente*) intolerant.

sofferẹnza *f.* **1.** suffering: *le -e dei poveri* the sufferings of the poor. – **2.** (*dolore*) suffering, pain, anguish: *è morto tra atroci -e* he died in terrible pain. – **3.** *pl.* ⟨*Comm*⟩ unpaid (*o* overdue) bills *pl* of exchange. – **4.** ⟨*ant*⟩ (*sopportazione*) endurance, sufferance, long -suffering. □ ⟨*Comm*⟩ *in* ~ unpaid, unmet, overdue, dishonoured: *cambiali in* ~ unpaid bills.

profferẹre *v.* (**sọffero**) ⟨*ant*⟩ → **soffrire**. – **sofferịbile** *a.* ⟨*ant*⟩ → **soffribile**. – **sofferịre** *v.* (**sofferịsco, sofferịsci**) ⟨*ant*⟩ → **soffrire**.

soffermạre *v.t.* (**soffẹrmo**) to (bring to a) stop, to hold. – **soffermarsi** *v.r.* **1.** to stop (a little), to linger, to pause: *si soffermò a guardare la vetrina* she lingered to look in the shop window. – **2.** ⟨*fig*⟩ (*indugiare*) to dwell (*su* upon), to linger (over): *soffermarsi sui particolari* to dwell upon details. □ ~ *il passo* to stop. – **soffermạto** (*p.p. di soffermare*) *a.* ⟨*lett*⟩ (*fermo*) at a stop, standing.

soffẹrto (*p.p. di soffrire*) **I** *a.* **1.** suffered, endured, borne. – **2.** ⟨*fig*⟩ (*sentito*) deeply felt: *una musica -a* deeply-felt music. – **II** *s.m.* ⟨*non com*⟩ **1.** suffering. – **2.** ⟨*Dir*⟩ time spent under arrest.

soffiạggio *m.* ⟨*tecn*⟩ blow. – **soffiamẹnto** *m.* **1.** ⟨*rar*⟩ (*il soffiare*) blowing, puffing. – **2.** ⟨*gerg*⟩ (*calunniamento*) slandering; (*spiata*) giving of secret information, ⟨*gerg*⟩ singing. – **3.** ⟨*fig,non com*⟩ (*sottrazione*) stealing, ⟨*fam*⟩ pinching.

soffiạre *v.* (**sọffio, sọffi**) **I** *v.t.* **1.** to blow, to puff: ~ *il fumo della sigaretta* to blow cigarette smoke. – **2.** ⟨*fig*⟩ (*sottrarre con astuzia*) to steal, to take away, ⟨*fam*⟩ to pinch: *gli ha soffiato la ragazza* he has stolen his girl-friend from him. – **3.** (*nei giochi*) to huff: ~ *una pedina* to huff a man (*o* piece). – **4.** ⟨*pop*⟩ (*riferire in segreto*) to tell, to report, to whisper: ~ *una cosa nell'orecchio di qd.* to whisper s.th. in s.o.'s ear. – **5.** ⟨*rar*⟩ (*spostare soffiando*) to blow away: ~ *la polvere* to blow away dust. – **6.** ⟨*Vetr*⟩ to blow. – **7.** ⟨*fig, poet*⟩ (*pronunciare con un soffio*) to breathe, to whisper. – **II** *v.i.* (*aus.* **avere**) **1.** to blow: ~ *sul brodo bollente* to blow on hot soup. – **2.** (*sbuffare*) to blow, to puff (and pant): *saliva le scale soffiando* he came up the stairs puffing and panting; (*per la rabbia*) to fume. – **3.** (*rif. a venti*: *spirare*) to blow: *il vento soffia forte* the wind is blowing hard. – **4.** (*rif. a felini*) to spit, to hiss. – **5.** ⟨*gerg*⟩ (*fare la spia*) to play the spy, to tell, ⟨*gerg*⟩ to sing.

□ ~ *nel* (o *sul*) **fuoco** to blow the fire; ⟨*fig*⟩ (*fomentare*) to fan the flames; ⟨*iperb*⟩ ~ *come un* **istrice** (o *mantice*) to blow (*o* puff) like a grampus, to (puff and) pant, to be gasping for breath; *soffiarsi il* **naso** to blow one's nose; ~ *il naso al bambino* to make the child blow it's nose; ⟨*tosc*⟩ ~ *il naso ai fagiani* (*oziare*) to idle, to loaf, to laze; ⟨*Sport*⟩ ~ *la* **palla** to steal the ball; ⟨*fig*⟩ ~ *di* **rabbia** to fume with rage; ⟨*Ind*⟩ ~ *il* **vetro** to blow glass.

soffiạta *f.* **1.** puff: *una* ~ *di vento* a puff of wind. – **2.** ⟨*fig*⟩ (*istigazione*) instigation. – **3.** ⟨*gerg*⟩ (*delazione*) tip(-off): ~ *anonima* anonymous tip-off; (*notizia riservata*) secret information. □ *dare una* ~ *a qc.* to give s.th. a puff; *darsi una* ~ *al naso* to blow one's nose. – **soffiạto** (*p.p. di soffiare*) **I** *a.* **1.** ⟨*Vetr*⟩ blown. – **2.** ⟨*tecn*⟩ (*insufflato*) forced, pulsated. – **II** *s.m.* ⟨*Gastr*⟩ (*soufflé*) soufflé. – **soffiatọio** *m.* ⟨*non com*⟩ **1.** blower. – **2.** (*mantice*) bellows *pl* (*costr.sing.*).

soffiatọre *m.* (*f.* **-trice**) **1.** blower. – **2.** ⟨*gerg*⟩ (*delatore, spia*) telltale, spy, squealer; (*informatore della polizia*) informer, (police) spy, stool-pigeon. – **3.** ⟨*fig*⟩ (*persona maldicente*) calumniator, backbiter, slanderer. – **4.** ⟨*Vetr*⟩ glassblower. – **5.** ⟨*tecn*⟩ jet, blower. – **6.** ⟨*El*⟩ magnetic blower, blow-out. □ ~ *a getto di vapore* steam jet blower; ~ *a mantice* bellows *pl* (*costr.sing.*); ~ *di vetro* glassblower.

soffiatrịce *f.* (*anche macchina soffiatrice*) blowing-machine. – **soffiatụra** *f.* **1.** blowing. – **2.** ⟨*Vetr*⟩ glass-blowing. – **3.** ⟨*Met*⟩ (*bolla*) blow-hole.

sọffice *a.* **1.** soft: *materasso* ~ soft mattress. – **2.** ⟨*Agr*⟩ loose.

sofficiẹnte *a.* ⟨*ant*⟩ (*sufficiente*) sufficient, enough. – **sofficiẹnza** *f.* ⟨*ant*⟩ (*sufficienza*) sufficiency.

sofficità *f.* **1.** softness. – **2.** ⟨*Agr*⟩ looseness.

soffierịa *f.* **1.** ⟨*Vetr*⟩ glass-works *pl* (*costr.sing. o pl.*). – **2.** ⟨*Ind*⟩ blowing-plant, blower. – **3.** ⟨*Chim*⟩ blow-pipe, blow-burner. – **4.** ⟨*Aer,rar*⟩ (*galleria aerodinamica*) wind-tunnel.

soffiẹtto *m.* **1.** bellows *pl* (*costr.sing.*). – **2.** ⟨*Fot*⟩ bellows *pl* (*costr. sing.*). – **3.** ⟨*Giorn*⟩ puff. – **4.** ⟨*Edit*⟩ blurb. – **5.** ⟨*Ferr*⟩ gangway bellows cover. – **6.** (*nelle carrozze*) bellows top. – **7.** ⟨*fig*⟩ (*suggeritore*) prompter; (*suggerimento*) prompting. □ *a* ~ folding, accordion-; ⟨*fig*⟩ *fare da* ~ *a qd.* to prompt s.o.; ⟨*scherz*⟩ *lavorar di* ~ (*fare la spia*) to play the spy, to tell tales; ~ *a mantice* bellows *pl* (*costr. sing.*).

soffịno: ⟨*tosc*⟩ *fare* (o *giocare*) *a* ~ to play at blowing a coin off the back of the hand.

sọffio *m.* **1.** breath, puff: ~ *d'aria* puff (*o* breath) of air. – **2.** ⟨*fig*⟩ (*ispirazione*) inspiration, breath. – **3.** ⟨*Med*⟩ murmur. – **4.** (*rumore leggero, ronzio*) buzz, murmur. – **5.** ⟨*Rad*⟩ hiss(ing). – **6.** (*rif. a felini*) spit(ting), hiss(ing).

□ ~ **animatore** = *soffio* **vitale**; ⟨*Med*⟩ ~ **bronchiale** bronchial murmur; ⟨*Med*⟩ ~ **cardiaco** (o *al cuore*) cardiac (*o* heart) murmur; (*difetto*) vitium cordis; ⟨*fig*⟩ **d'un** ~ = **in** *un soffio*; ~ **divino** divine inspiration; ⟨*fig*⟩ **in** *un* ~ in an instant, in a flash, in the twinkling of an eye; ⟨*fig*⟩ *non ha vinto* **per** *un* ~ he lost by a hairbreadth, he came very close to victory; **rovesciare** *con un* ~ to blow over; **spegnere** *con un* ~ to blow (*o* puff) out; ~ **vitale** breath of life.

soffiọne *m.* **1.** blow-pipe. – **2.** ⟨*Geol*⟩ soffione. – **3.** ⟨*Bot*⟩ (*dente di leone*) dandelion (*Taraxacum officinale*). – **4.** ⟨*fig,non com*⟩ (*istigatore*) instigator; (*delatore*) spy, informer. – **5.** ⟨*fig,ant*⟩ (*persona presuntuosa*) conceited (*o* puffed-up) person. □ ⟨*Geol*⟩ ~ *boracifero* soffione, boric acid fumarole.

soffịtta *f.* **1.** attic, loft, garret. – **2.** (*mansarda*) mansard, garret. – **3.** ⟨*Teat*⟩ (*graticcia*) rigging loft. – **soffittạre** *v.t.* ⟨*non com*⟩ to ceil, to furnish with a ceiling. – **soffittatụra** *f.* **1.** erection of a ceiling. – **2.** (*soffitto*) ceiling.

soffịtto *m.* **1.** ceiling. – **2.** ⟨*Alp*⟩ (*tetto*) cornice. – **3.** ⟨*Aer,non com*⟩ (*quota di tangenza*) ceiling.

□ ~ *a* **capriate** *scoperte* = *soffitto a* **travature**; ~ *a* **cassettoni** coffered (*o* panelled) ceiling, lacunar; ~ **dipinto** painted ceiling; (*affrescato*) frescoed ceiling; ~ *a* **stucco** stuccoed ceiling; ~ *a* **travature** timber ceiling; ~ *a* **volta** arched ceiling.

soffocamẹnto *m.* suffocation, choking, stifling (*anche fig.*): *morire di* ~ to die of suffocation, to be choked to death. – **soffocạnte** (*p.pr. di soffocare*) *a.* suffocating, stifling, choking (*anche fig.*): *caldo* ~ stifling heat.

soffocạre *v.* (**sọffoco, sọffochi**) **I** *v.t.* **1.** to suffocate, to smother, to choke: *lo soffocò con un cuscino* he suffocated him with a pillow; (*strangolare*) to strangle. – **2.** ⟨*iperb*⟩ (*impedire la respirazione*) to suffocate, to choke, to stifle, to smother: ~ *qd. di baci* to smother s.o. with kisses. – **3.** ⟨*fig*⟩ (*togliere l'aria, la luce*: *rif. a piante e sim.*) to choke. – **4.** ⟨*fig*⟩ (*reprimere*) to suppress, to stifle, to repress, to put down: ~ *la libertà* to suppress freedom; ~ *una ribellione* to stifle a rebellion; (*rif. a scandali e sim.*) to hush (*o* smother) up; (*rif. alla voce e sim.*) to choke; (*rif. alle fiamme*) to smother, to put out: ~ *il fuoco* to smother (*o* put out) a fire. – **5.** ⟨*fig,rar*⟩ (*opprimere*) to oppress. – **II** *v.i.* (*aus.* **avere**), **soffocarsi** *v.r.* **1.** (*morire per soffocazione*) to suffocate, to smother, to choke. – **2.** ⟨*iperb*⟩ (*respirare con difficoltà*) to suffocate, to choke, to stifle: *qui si soffoca* it is stifling here. □ ~ *uno scandalo* to hush up a scandal; ⟨*fig*⟩ ~ *una rivolta nel sangue* to drown a revolt in blood.

soffocạto (*p.p. di soffocare*) *a.* **1.** suffocated, smothered, choked, stifled. – **2.** ⟨*fig*⟩ (*represso*) choked down (*o* back), repressed, stifled: *un gemito* ~ a stifled groan; (*attutito*) smothered. – **soffocatọre** **I** *s.m.* (*f.* **-trice**) **1.** stifler, smotherer; (*strangolatore*) strangler. – **2.** ⟨*fig*⟩ suppressor, represser, stifler; (*oppressore*) oppressor. – **II** *a.* **1.** suffocating, stifling, choking. – **2.** ⟨*fig*⟩ suppressing, repressing, stifling. – **soffocaziọne** *f.* **1.** suffocation, choking. – **2.** ⟨*fig*⟩ (*repressione*) suppression, repression, stifling. – **3.** ⟨*fig*⟩ (*oppressione*) oppression. □ *morire per* ~ to suffocate, to be suffocated. – **sọffoco** *m.* (*pl.* **-chi**) ⟨*region*⟩ (*afa*) sultriness, oppressive heat.

soffogamẹnto *m.* ⟨*ant,region*⟩ → **soffocamento**. – **soffogạre** *v.* ⟨*ant, region*⟩ → **soffocare**. – **soffogaziọne** *f.* ⟨*ant*⟩ → **soffocazione**.

soffọlcere *v.t.* (forms in use: **soffọlco, soffọlci; soffọlsi, soffọlto**) ⟨*ant*⟩ (*appoggiare, sostenere*) to support, to sustain. – **soffolcersi** *v.r.* (*posarsi*) to lean. – **soffọlgere** *v.* → **soffolcere**.

soffọndere *v.t.* (**soffụsi, soffụso**) ⟨*lett*⟩ (*cospargere*) to sprinkle lightly, ⟨*lett*⟩ to bedew; (*colorire*) to suffuse, to tinge: *il tramonto soffonde di rosa le nubi* the sunset tinges the clouds pink. – **soffondersi** *v.r.* to become suffused, to be tinged; (*rif. a luce, colori e sim.*) to become diffused, to spread.

soffreddạre *v.* (**soffrẹddo**) **I** *v.t.* ⟨*non com*⟩ to cool a little. – **II** *v.i.* (*aus.* **essere**), **soffreddarsi** *v.r.* to cool (down). – **soffrẹddo** *a.* ⟨*rar*⟩ cool, almost cold.

soffregamẹnto *m.* ⟨*non com*⟩ rubbing. – **soffregạre** *v.t.* (**soffrẹgo, soffrẹghi**) to rub. – **soffregarsi** *v.r.* to rub: *soffregarsi gli occhi* to rub one's eyes.

soffrẹnte (*p.pr. di soffrire*) *a.* ⟨*rar*⟩ → **sofferente**. – **soffrẹnza** *f.* ⟨*ant*⟩ → **sofferenza**. – **soffrịbile** *a.* endurable, bearable, sufferable.

soffrịggere *v.* (**soffrịggo, soffrịggi; soffrịssi, soffrịtto**) **I** *v.t.* ⟨*Gastr*⟩ to fry slowly, to brown: ~ *una cipolla nel burro* to brown an onion in butter. – **II** *v.i.* (*aus.* **avere**) **1.** ⟨*Gastr*⟩ to fry slowly, to brown. – **2.** ⟨*fig,non com*⟩ (*rodersi*) to grumble, to complain.

soffrimẹnto *m.* ⟨*rar*⟩ → **sofferenza**.

soffrịre *v.* (**sọffro; soffrịi/soffẹrsi, soffẹrto**) **I** *v.t.* **1.** to suffer (from), to endure: ~ *atroci dolori* to suffer terrible pain; *da giovane ha sofferto la fame* when he was young he suffered hunger. – **2.** (*sopportare, tollerare*) to bear, to stand, to put up with, to tolerate, to suffer, to endure: *non posso* ~ *i rumori* I cannot bear noise; *non posso* ~ *le persone ipocrite* I cannot stand hypocritical people. – **3.** (*permettere, consentire*) to permit (of), to allow (of): *questa regola non soffre eccezioni* this rule does not allow of exceptions. – **4.** ⟨*ant*⟩ (*pazientare*) to be patient; (*aspettare*) to wait. – **II** *v.i.* (*aus.* **avere**) **1.** to suffer: *ha sofferto molto senza lagnarsi* he ⌜suffered greatly⌝ (*o* endured great suffering) without complaint. – **2.** (*essere soggetto a un disturbo*) to suffer (*di* from): ~ *di cuore* to suffer from heart-disease; ~ *di mal di mare* to suffer from sea-sickness. – **3.** (*essere danneggiato*) to be damaged, to suffer: *il raccolto ha sofferto per il gelo* the crop has been damaged by the frost.

soffrịtto (*p.p. di soffriggere*) **I** *a.* ⟨*Gastr*⟩ fried slowly, browned, lightly-fried. – **II** *s.m.* lighty fried mixture of onions, herbs and bacon.

soffụsi *p.rem. di* **soffondere**. – **soffusiọne** *f.* ⟨*Med*⟩ suffusion. – **soffụso** (*p.p. di soffondere*) *a.* ⟨*lett*⟩ (*cosparso*) suffused, spread. □ *volto lievemente* ~ *di rosso* slightly flushed face; ~ *di sudore* covered in perspiration, dripping with sweat.

sofịa *f.* ⟨*lett*⟩ knowledge, wisdom, Sophia.

Sofịa *N.pr.f.* **1.** Sophie, Sophia. – **2.** ⟨*Geog*⟩ Sofia.

...sofia *suff.* (*scienza* knowledge, *dottrina* learning) ...sophy: *filosofia f.* philosophy.

sofịsma *m.* **1.** ⟨*Filos*⟩ sophism. – **2.** (*ragionamento falso*) sophism, specious reasoning, sophistry. – **sofịsmo** *m.* ⟨*ant*⟩ → **sofisma**. – **sofịsta** *m./f.* **1.** ⟨*Filos*⟩ Sophist. – **2.** (*chi usa sofismi*) sophist. – **sofịstica** *f.* ⟨*Filos*⟩ sophistry; (*i sofisti*) Sophists *pl*. – **sofisticaggine** *f.* ⟨*non com*⟩ **1.** (*l'essere sofistico*) sophistry. – **2.** (*l'usare sofismi*) sophistry. – **3.** (*ragionamento capzioso*) sophism. – **sofisticamẹnto** *m.* ⟨*non com*⟩ **1.** argument by means of sophistry, cavilling. – **2.** → **sofisticazione**.

sofisticạre *v.* (**sofịstico, sofịstichi**) **I** *v.t.* (*adulterare*) to adulterate, to doctor. – **II** *v.i.* (*aus.* **avere**) **1.** to use sophisms, to argue sophistically. – **2.** (*criticare pedantemente*) to cavil, to be captious, to split hairs. □ *trovare sempre da* ~ *su tutto* to find fault with everything. – **sofisticạto** (*p.p. di sofisticare*) *a.* **1.** adulterated, doctored, sophisticated: *burro* ~ adulterated butter. – **2.** ⟨*fig*⟩ (*ricercato*) sophisticated, subtle. – **3.** ⟨*fig*⟩ (*rif. a persone*) sophisticated. – **sofisticatọre** *m.* (*f.* **-trice**) adulterator, sophisticator. – **sofisticaziọne** *f.* adulteration, sophistication, doctoring: *-i alimentari* food adulteration. – **sofisticherịa** *f.* **1.** sophistry. – **2.** (*ragionamento complicato*) hair-splitting, sophistry, sophism, cavil. – **3.** (*pedanteria*) pedantry.

sofịstico *a.* (*pl.* **-ci**) **1.** ⟨*Filos*⟩ sophistic(al): *ragionamento* ~ sophistical reasoning; (*dei sofisti*) sophistic(al), of the Sophists. – **2.** (*proprio di un sofisma*) sophistic. – **3.** ⟨*fig*⟩ (*pedante, scrupoloso*) pedantic, cavilling, captious. – **4.** ⟨*fig*⟩ (*esigente, incontentabile*) exacting, demanding, hard to please. – **sofisticọne** (*accr. di sofistico*) *m.* (*f.* **-a**) pedant. – **sofisticụme** *m.* ⟨*spreg*⟩ **1.** (*insieme di ragionamenti*) sophistries *pl*. – **2.** ⟨*rar*⟩ (*insieme di persone sofistiche*) pedants *pl*.

sọfo *m.* ⟨*lett*⟩ (*sapiente*) wise man, sage, ⟨*lett*⟩ sophist; (*filosofo*) philosopher.

Sọfocle *N.pr.m.* ⟨*Stor*⟩ Sophocles. – **sofoclẹo** *a.* Sophoclean, of Sophocles.

Sofonịsba *N.pr.f.* ⟨*Stor*⟩ Sophonisba.

sofọra *f.* ⟨*Bot*⟩ **1.** sophora (*Sophora*). – **2.** Japanese pagoda-tree (*Sophora japonica*).

sofrẹnza *f.* ⟨*ant*⟩ → **sofferenza.**
Sofrọne *N.pr.m.* ⟨*Stor*⟩ Sophron.
sọga *f.* **1.** ⟨*dial*⟩ (*fune*) rope. – **2.** ⟨*ant,lett*⟩ → **sogatto.** – **sogạtto** *m.* ⟨*ant,region*⟩ (*striscia di cuoio*) leather strap, thong. – **sogạttolo** *m.* ⟨*ant,region*⟩ (*laccio per scarpe*) leather shoe-lace.
soggettạre *v.t.* (**soggẹtto**) ⟨*ant*⟩ (*assoggettare*) to subdue, to subject, to subjugate. – **soggettarsi** *v.r.* ⟨*ant*⟩ (*assoggettarsi*) to subject o.s.
soggettạrio *m.* ⟨*Bibliot*⟩ guide for cataloguing by subject. – **soggettaziọne** *f.* determination of subject (for cataloguing purposes).
soggettịno *m. dim. di* **soggetto**[2].
soggettịsta *m./f.* **1.** ⟨*Cin,Rad,TV*⟩ scriptwriter. – **2.** ⟨*Teat*⟩ dramatist, playwright.
soggettivamẹnte *avv.* subjectively. – **soggettivạre** *v.t.* **1.** to make subjective, to subjectivize, to subjectify. – **2.** (*interpretare soggettivamente*) to interpret subjectively. – **3.** (*rappresentare soggettivamente*) to represent subjectively. – **soggettivaziọne** *f.* ⟨*lett*⟩ subjectivization. – **soggettivịsmo** *m.* **1.** subjectivity, subjectiveness. – **2.** ⟨*Filos*⟩ subjectivism, subjectivity. – **soggettivịsta** *m./f.* **1.** subjectivist, subjective artist. – **2.** ⟨*Filos*⟩ subjectivist. – **soggettivịstico** *a.* (*pl.* **-ci**) subjective, subjectivistic. – **soggettività** *f.* **1.** ⟨*Filos*⟩ subjectivity, subjectiveness. – **2.** (*carattere soggettivo*) subjectiveness, subjectivity: *la ~ di un giudizio* the subjectiveness of an opinion.
soggettịvo *a.* subjective (*anche Gramm.*): *proposizione -a* subjective clause.
soggẹtto[1] **I** *a.* **1.** (*sottoposto*) subject (*a* to), under (s.th.): *un popolo ~ alla dominazione straniera* a nation subject to foreign domination. – **2.** (*sottomesso*) subdued, subjected. – **3.** (*obbligato*) subject, liable: *~ a tassa* liable to tax, taxable; *~ agli obblighi militari* liable to military service. – **4.** (*predisposto*) subject, prone, inclined: *~ a raffreddori* prone to colds. – **5.** (*esposto*) subject, exposed: *zona -a a terremoti* area subject to earthquakes. – **6.** (*dipendente*) dependent (on): *questo è ~ alla tua approvazione* this is dependent on your approval. – **7.** ⟨*ant*⟩ (*sottostante*) underlying. – **II** *s.m.* ⟨*ant*⟩ (*ciò che sta sotto*) underlying part, what is below. □ *merce -a a dazio* dutiable goods *pl.*
soggẹtto[2] *m.* **1.** (*argomento*) subject, (subject-)matter, topic, theme: *il ~ della discussione* the topic of discussion, the matter under discussion. – **2.** (*persona*) person: *un ~ pericoloso* a dangerous person; (*tipaccio*) ⟨*fam*⟩ character, ⟨*fam*⟩ fellow, ⟨*spreg*⟩ (bad) lot: *essere un cattivo ~* to be a bad lot. – **3.** ⟨*Med,Filos,Dir*⟩ subject: *il ~ e l'oggetto* the subject and the object. – **4.** ⟨*Cin*⟩ treatment. – **5.** ⟨*Mus*⟩ subject, opening voice. – **6.** ⟨*Bot*⟩ stock. – **7.** ⟨*Sport*⟩ racer; (*cavallo*) racehorse.
□ ⟨*Teat*⟩ *recitare* **a** *~* to act extempore; **cambiare** *il ~ della conversazione* to change the subject of the conversation; *~ di* **diritto** subject of law, person who can sue and be sued; ⟨*Teat*⟩ *~ per le* **entrate** entrance cue; *~* **grammaticale** grammatical (*o* formal) subject; ⟨*Gramm*⟩ *~* **logico** logical subject; ⟨*Dir,collett*⟩ *~ di* **processo** parties *pl* to an action; ⟨*teat*⟩ **ricorrere** *ai -i* to ad-lib; ⟨*lett*⟩ **senza** *~* (*senza consistenza reale*) lacking in substance.
soggeziọne *f.* **1.** (*servitù*) subjection, subordination; (*dipendenza*) dependency, submission. – **2.** (*sudditanza*) subjection. – **3.** (*imbarazzo, disagio*) embarrassment, uneasiness; (*timore riverente*) awe. □ *avere ~ di qd.*: 1. (*sentirsi imbarazzato*) to feel uneasy (*o* embarrassed) in s.o.'s presence; 2. (*averne timore riverente*) to stand in awe of s.o.; *mettere* (o *ispirare*) *~ a qd.*: 1. (*metterlo a disagio*) to make s.o. uneasy; 2. (*ispirargli rispetto e timore*) to (over)awe s.o., to make s.o. stand in awe of one; *mettere in ~* (*intimorire*) to make uneasy, to overawe; *mettersi in ~* to be overawed, to feel constraint (*o* uneasy); *senza ~* at one's ease, unembarrassed.
sogghignạre *v.i.* (*aus.* **avere**) **1.** to sneer, to grin sarcastically. – **2.** ⟨*ant*⟩ (*sorridere*) to laugh up one's sleeve. – **sogghịgno** *m.* sneer, sarcastic (*o* sardonic) grin. □ *fare un ~* to (give a) sneer, to grin sarcastically.
soggiacẹre *v.i.* (**soggiạccio, soggiạci; soggiạcqui, soggiaciụto**; *aus.* **essere**) **1.** to be subject (*o* liable) (*a* to), to be under (s.th.): *~ alle leggi* to be subject to laws. – **2.** (*essere sottomesso, obbedire*) to be subjected, to submit: *~ alle minacce di qd.* to submit to s.o.'s threats. – **3.** (*soccombere, cedere*) to succumb, to yield. – **4.** ⟨*ant*⟩ (*stare al di sotto*) to be below. – **soggiacimẹnto** *m.* ⟨*rar*⟩ subjection.
soggiogamẹnto *m.* ⟨*non com*⟩ subjugation, subjection. – **soggiogạre** *v.t.* (**soggiọgo, soggiọghi**) **1.** (*assoggettare*) to subjugate, to subdue, to put down: *Cesare soggiogò i Galli* Caesar subjugated the Gauls. – **2.** ⟨*fig*⟩ (*sopraffare, dominare*) to subdue, to overpower, to dominate. – **3.** ⟨*fig*⟩ (*reprimere*) to subdue, to curb: *~ le passioni* to subdue one's passions. – **4.** ⟨*ant*⟩ (*sovrastare*) to overhang; (*guardare dall'alto*) to overlook.
soggiogạto (*p.p. di soggiogare*) *a.* **1.** subjugated, subjected, subdued: *popoli -i* subjugated peoples. – **2.** ⟨*fig*⟩ (*domato, represso*) subdued, repressed, curbed. – **3.** ⟨*fig*⟩ (*sopraffatto, dominato*) subdued, overpowered, crushed. – **soggiogatọre** ⟨*lett*⟩ **I** *s.m.* (*f.* **-trice**) subjugator, conqueror, subduer; (*oppressore*) oppressor. – **II** *a.* subjugating, conquering, subduing.
soggiornạre *v.* (**soggiọrno**) **I** *v.i.* (*aus.* **avere**) **1.** to stay, ⟨*lett*⟩ to sojourn. – **2.** ⟨*fig,ant*⟩ (*indugiare*) to linger, to delay. – **II** *v.t.* **1.** ⟨*tosc*⟩ (*dare aria*) to air. – **2.** ⟨*ant*⟩ (*rif. al bestiame: custodire*) to watch over; (*rif. a persone: ospitare*) to give hospitality to.
soggiọrno *m.* **1.** stay, ⟨*lett*⟩ sojourn: *dopo un breve ~* after a short stay. – **2.** (*luogo*) place to stay; (*luogo di villeggiatura*) resort. – **3.** (*stanza di soggiorno*) living-room, sitting-room. – **4.** (*permesso di soggiorno*) residence permit. – **5.** ⟨*lett*⟩ (*dimora, residenza*) abode, residence. – **6.** ⟨*ant*⟩ (*indugio, ritardo*) delay, lingering.
□ *~ per* **cure** *termali* stay at a spa; (*luogo*) spa, health resort; **divieto** *di ~* residence prohibition; *~ all'***estero** stay abroad; **fare** *~ in un luogo* to stay in a place; *~* **libero** stay on which no limitations are placed; ⟨*Dir*⟩ *~* **obbligato** obligatory residence; ⟨*non com*⟩ **prendere** *~ in un luogo* = **fare** *soggiorno in un luogo*; **tassa** *di ~* visitor's (*o* tourist) tax.
soggiụngere *v.* (**soggiụngo, soggiụngi; soggiụnsi, soggiụnto**) **I** *v.t.* **1.** (*aggiungere*) to add, ⟨*lett*⟩ to subjoin. – **2.** ⟨*ant*⟩ (*unire, congiungere*) to join, to unite. – **II** *v.i.* (*aus.* **avere**) to add: *è tardi, soggiunse il padre, va' a letto* it's late, added his father, go to bed.
soggiuntịvo I *a.* **1.** ⟨*rar*⟩ (*che serve a legare*) joining, uniting. – **2.** ⟨*ant*⟩ (*aggiunto*) added, additional. – **II** *s.m.* ⟨*Gramm,ant*⟩ (*anche modo soggiuntivo*) subjunctive (mood). – **soggiunziọne** *f.* ⟨*ant*⟩ **1.** adding, addition. – **2.** (*aggiunta*) addition.
soggolạre *v.t.* (**soggọlo**) **1.** (*mettere il soggolo*) to put on a chinstrap (*o* wimple). – **2.** (*chiudere le vesti alla gola*) to fasten at the neck. – **soggọlo** *m.* **1.** wimple. – **2.** ⟨*Mil*⟩ chinstrap. – **3.** (*parte dei finimenti*) throat-band, throat-latch.
sogguardạre *v.t.* **1.** (*guardare di sottecchi*) to look at slyly (*o* out of the corner of one's eye), to eye furtively. – **2.** (*guardare di sfuggita*) to steal a glance at.
sọglia *f.* **1.** threshold. – **2.** (*porta, ingresso*) threshold, entrance, door: *aspettare sulla ~* to wait ⌜on the threshold⌝ (*o* at the door). – **3.** ⟨*fig*⟩ (*inizio, principio*) threshold, beginning, dawn: *le -e della civiltà* the dawn of civilization; *alla ~ della vecchiaia* on the threshold (*o* verge) of old age. – **4.** ⟨*non com*⟩ (*piano del davanzale*) (window-)sill. – **5.** ⟨*lett*⟩ (*casa*) house, dwelling. – **6.** ⟨*tecn*⟩ (*limite inferiore*) threshold: *~ di udibilità* threshold of audibility. – **7.** ⟨*Psic*⟩ threshold: *~ della coscienza* threshold of consciousness. – **8.** ⟨*Geog, Idr*⟩ sill: *~ glaciale* glacial sill. – **9.** ⟨*ant*⟩ (*gradino*) step. □ ⟨*fig*⟩ *essere alle -e* to be near: *l'inverno è alle -e* winter is (drawing) near, it is nearly winter, ⟨*lett*⟩ winter is nigh (*o* upon us); *~ del dolore* threshold of pain; ⟨*Fisiol*⟩ *~ di sensibilità* threshold of sensitivity; *valore di ~* threshold value; *varcare la ~* to cross the threshold.
sogliạre *m.* ⟨*ant*⟩ **1.** (*soglia*) threshold. – **2.** (*entrata*) entrance.
sọglio[1] *m.* ⟨*lett*⟩ **1.** (*trono*) throne, seat. – **2.** (*sede*) seat. – **3.** (*potere*) power; (*dignità*) dignity. □ *~ pontificio* papal seat.
sọglio[2] *m.* ⟨*ant*⟩ → **soglia.**
sọgliola *f.* ⟨*Itt*⟩ sole (*Solea*). □ *~ comune* Dover sole (*Solea solea*); *~ ocellata* eyed sole (*Solea ocellata*); *~ dal porro* lemon sole (*Solea lascaris*); *~ turca* Klein's sole (*Solea kleinii*).
sognạbile *a.* ⟨*non com*⟩ **1.** that can be dreamed (of). – **2.** ⟨*fig*⟩ (*sperabile, immaginabile*) imaginable, conceivable. – **sognạnte** (*p.pr. di sognare*) *a.* **1.** dreaming. – **2.** ⟨*fig*⟩ dreamy: *occhi -i* dreamy eyes. – **3.** ⟨*fig*⟩ (*vago, irreale*) dream(-like), unreal: *atmosfera ~* unreal (*o* dream) atmosphere.
sognạre *v.* (**sọgno**) **I** *v.t.* **1.** to dream of (*o* about): *~ qd.* to dream of s.o. – **2.** ⟨*fig*⟩ (*vagheggiare*) to dream of, to have dreams about: *~ un avvenire migliore* to dream of a better future; (*desiderare ardentemente*) to wish (one had), to long (for), to have dreams of: *sogno una casetta al mare* ⌜I wish I had⌝ (*o* I should so love, it is my dream to have) a little house by the sea; *~ la gloria* to have dreams of glory; *~ le ricchezze* to wish one were rich, to long to be rich. – **II** *v.i.* (*aus.* **avere**) **1.** to dream (*di* of, about). – **2.** ⟨*fig*⟩ (*desiderare, vagheggiare*) to wish, to dream, to long (for), to yearn (for): *~ di essere già in vacanza* to ⌜wish one were⌝ (*o* long to be) on holiday already. – **3.** ⟨*fig*⟩ (*fantasticare*) to daydream, to build castles in the air. – **4.** ⟨*fig*⟩ (*pensare, immaginare*) to dream, to think, to imagine: *chi se lo sarebbe mai sognato di vederti qui!* who would ever have imagined seeing you here!; *non avrei mai sognato di diventare presidente* I never dreamt I would become president; (*illudersi*) to fancy, to think, to delude o.s., to immagine: *non ti sognerai di essere promosso?* you don't imagine you're going to pass, do you? – **sognarsi** *v.r.* to dream: *si sogna spesso della sua giovinezza* he often dreams of his youth. □ ⟨*fig*⟩ *~ a occhi aperti* to daydream, to be lost in reverie; *non sognartelo neppure!* don't even dream of it!, ⟨*fam*⟩ forget it!; *mi pare di ~* it seems like a dream, I must be dreaming; *non se lo sarebbe mai sognato* he would never have dreamed of it; ⟨*fam*⟩ *vorrà dire che me lo sono sognato* I must have dreamt it, it must have been my imagination; *non me lo sono mica sognato* I didn't dream it up.
sognạto (*p.p. di sognare*) *a.* **1.** (*immaginario*) imaginary. – **2.** (*desiderato*) longed-for, hoped-for: *il premio ~* the hoped-for prize.
sognatọre I *s.m.* (*f.* **-trice**) **1.** dreamer. – **2.** ⟨*fig*⟩ dreamer; (*chi sogna ad occhi aperti*) daydreamer; (*utopista*) utopian, utopist. – **II** *a.* **1.** dreaming. – **2.** ⟨*fig*⟩ dreamy.
sọgno *m.* **1.** dream: *vedere qd. in ~* to see s.o. in a dream; (*il sognare*) dream(ing): *la donna dei suoi -i* the woman of his dreams. – **2.** ⟨*fig*⟩ (*vana immaginazione*) dream, vain hope, wishful thinking, mere fancy: *spera di vincere, ma è un ~* he hopes to win, but it's only wishful thinking; (*falsa speranza*) false (*o* fond) hope. – **3.** ⟨*fig*⟩ (*cosa vagheggiata*) dream: *~ d'amore* dream of love. – **4.** ⟨*fig*⟩ (*cosa o persona bellissima*) dream: *che villa, un ~!* what a dream of a villa!, what a wonderful (*o* beautiful, heavenly) villa! – **5.** ⟨*fig*⟩ (*vanità*) vanity, empty dream. – **6.** ⟨*lett*⟩ (*racconto fantastico*) fantastic tale.
□ *un paesino* **di** *~* a dream village, a delightful (*o* enchanting)

little village; **fare** *un* ~ to have a dream; **nemmeno** (*o neanche*) *per* ~ I wouldn't dream of it!, certainly not!; ⟨*Lett*⟩ ~ *d'una* **notte** *di mezza estate* A Midsummer Night's Dream; *-i d'oro!* sweet dreams!; ~ **premonitore** warning (*o* premonitory) dream; ⟨*fam*⟩ **un** ~ (*benissimo*) very well, ⟨*fam*⟩ heavenly, ⟨*fam*⟩ marvellous: *questo vestito ti sta un* ~ this dress suits you very well, you look marvellous in this dress.

sọia[1] *f.* ⟨*Bot*⟩ soy-bean, soya (bean) (*Soia hispida*; *Glycine hispida*; *Glycine soia*).

sọia[2] *f.* ⟨*ant*⟩ **1.** (*seta*) silk. – **2.** (*stoffa di seta*) silk (material). □ ⟨*fig*⟩ *dare la* ~ *a qd.* (*adularlo*) to flatter (*o* fawn upon) s.o.

soigné *fr.* [swa'ɲe] *a.* **1.** (*rif. a persone: agghindato*) decked out, well-groomed, soigné, sleek. – **2.** (*rif. a cose: rifinito*) cared-for, trim.

soigneur *fr.* [swa'ɲœːr] *m.* ⟨*Sport*⟩ second.

soirée *fr.* [swa're] *f.* (*serata mondana*) soirée, evening party (*o* reception).

sọl[1] *m.* ⟨*Mus*⟩ G, sol, soh: ~ *bemolle maggiore* G flat major. □ *chiave in* ~ G clef, treble clef; *corda del* ~ G string.

sọl[2] *m.* ⟨*Chim,Fis*⟩ sol.

sọl[3] *sp. m.* (*unità monetaria*) sol.

sol. = ⟨*Med*⟩ **1.** *soluzione* solution (*abbr.* sol.). – **2.** *sciolto* solute.

sọla *f.* ⟨*pop*⟩ (*suola*) sole.

solạcia *f.* ⟨*Itt*⟩ (*suacia*) megrim, scaldfish, lantern flounder (*Arnoglossus laterna*).

solạgno *m.* ⟨*Agr*⟩ chestnut seedling.

solạio *m.* ⟨*Edil*⟩ **1.** floor. – **2.** (*soffitta*) attic, loft. □ ~ *incastrato* fixed (*o* built-in) floor; ~ *di legno* wooden floor; ~ *pieno* solid floor; ~ *a travicelli* joisted floor.

solamẹnte *avv.* only, just, merely. □ *non* ~ ... *ma anche* not only ... but also: *non è* ~ *intelligente, ma anche diligente* he's not only intelligent but also hard-working.

solạna *f.* ⟨*Stor*⟩ broad crownless hat brim (on which women spread their hair for bleaching in the sun).

solanạcee *f.pl.* ⟨*Bot*⟩ potato order (*Solanaceae*).

solạndra *f.* ⟨*Veter*⟩ wound in horse's fetlock.

solanidịna *f.* ⟨*Chim*⟩ solanine.

solạno *m.* ⟨*Bot*⟩ nightshade (*Solanum*). □ ~ *nero* black nightshade (*Solanum nigrum*).

solạre[1] *a.* **1.** ⟨*Astr*⟩ solar, sun-, of the sun, sun's: *raggi -i* sun's rays. – **2.** (*di protezione contro il sole*) sun-: *crema* ~ sun-cream. – **3.** ⟨*poet*⟩ (*ricco di luce*) radiant, bright. – **4.** ⟨*fig,poet*⟩ (*chiaro, evidente*) evident, obvious, clear. □ *batteria* ~ solar battery; ⟨*Astr*⟩ *sistema* ~ solar system.

solạre[2] *v.t.* (**suọlo**) ⟨*Calz*⟩ **1.** (*mettere la suola*) to sole. – **2.** (*risolare*) to resole.

solạre[3]: ⟨*Edil*⟩ *lastrico* ~ sun-terrace, solarium.

solarimetrịa *f.* pyranometry. – **solarịmetro** *m.* pyranometer.

solạrio *m.* **1.** ⟨*Archeol*⟩ (*orologio solare*) sundial; (*orologio ad acqua*) water-clock. – **2.** ⟨*Stor.rom,Edil*⟩ solarium.

solarità *f.* ⟨*lett*⟩ (*luminosità*) luminosity, brightness, brilliance.

solạrium *lat. m.* ⟨*Edil*⟩ solarium.

solarizzaziọne *f.* ⟨*Bot,Fot*⟩ solarization.

solạta *f.* ⟨*pop*⟩ (*insolazione*) sunstroke.

solatịo I *a.* ⟨*lett*⟩ sunny. – **II** *s.m.* sunny spot. □ *a* ~ sunny, in the sun; (*a mezzogiorno*) facing south. – **solatịvo** *a./s.* ⟨*ant*⟩ → **solatio**.

solạtro *m.* ⟨*Bot*⟩ (*morella*) black nightshade (*Solanum nigrum*). □ ~ *maggiore* (*belladonna*) deadly nightshade, belladonna (*Atropa belladonna*).

solatụra *f.* ⟨*Calz*⟩ **1.** (*il mettere la suola*) soling. – **2.** (*suola*) sole. – **3.** (*risolatura*) resoling.

solcạbile *a.* ⟨*lett*⟩ ploughable. – **solcamẹnto** *m.* ⟨*rar*⟩ → **solcatura**.

solcạre *v.t.* (**sọlco**, **sọlchi**) **1.** to plough, to furrow: ~ *la terra con l'aratro* to plough the land. – **2.** (*lasciare solchi*) to furrow; (*sul legno*) to groove, to chamfer. – **3.** ⟨*fig*⟩ (*rif. a navi*) to plough: ~ *le onde* to plough the waves; (*rif. a lampi*) to streak: *i lampi solcavano il cielo* lightening streaked (across) the sky. – **4.** ⟨*fig*⟩ (*lasciare tracce*) to furrow, to streak: *le lacrime le solcavano il viso* her face was streaked (*o* furrowed) with tears, tears were running down her face; (*lasciare rughe*) to furrow, to line, to crease, to wrinkle.

solcạto (*p.p. di solcare*) *a.* **1.** ploughed, furrowed. – **2.** ⟨*fig*⟩ (*inciso*) furrowed, streaked: *guance -e di lacrime* cheeks streaked with tears; (*rif. a rughe*) furrowed, lined, creased, wrinkled: *fronte -a di rughe* furrowed brow. – **solcatọre** *m.* (*f.* **-trice**) **1.** furrower, ploughman. – **2.** ⟨*Agr*⟩ moulder, ridger, furrow-opener. – **solcatụra** *f.* **1.** ploughing, furrowing. – **2.** (*solco*) furrows *pl.*

solchẹtto (*dim. di solco*) *m.* ⟨*Venat*⟩ kind of bird-net.

sọlco *m.* (*pl.* **-chi**) **1.** furrow, drill: *seminare nei solchi* to sow in drills. – **2.** (*incavatura*) rut, track: *i solchi delle ruote del carro* the tracks of the cart-wheels. – **3.** (*scia*) wake: *il* ~ *della nave* the ship's wake; (*striscia di luce*) streak: *i solchi dei lampi* the streaks of lightning. – **4.** ⟨*fig*⟩ (*grinza, ruga*) furrow, wrinkle, line, crease: *ha profondi solchi sulla fronte* she has deep wrinkles on her forehead, her forehead is deeply lined. – **5.** ⟨*fig*⟩ (*traccia*) trace, mark, sign: *le sofferenze lasciano un* ~ *nell'animo* suffering leaves its mark on the soul. – **6.** ⟨*Mecc*⟩ groove. – **7.** ⟨*Geog*⟩ gully. – **8.** ⟨*Anat*⟩ sulcus, furrow, groove.

□ **a** *solchi* in drills; ⟨*Met*⟩ ~ *di* **colata** runner; *i solchi di un* **disco** *fonografico* the grooves of a record; ⟨*Geog*⟩ ~ *d'***impluvio** watershed; ⟨*Anat*⟩ ~ **lacrimale** lacrimal groove; ⟨*fig*⟩ **uscire** *dal* (*o fuori del*) ~ (*divagare*) to get off the point.

solcọmetro *m.* ⟨*Mar*⟩ log. □ ~ *a barchetta* log-chip; ~ *meccanico* (*o a elica*) patent log.

soldanạto *m.* ⟨*ant*⟩ (*sultanato*) sultanate.

soldanẹlla *f.* ⟨*Bot*⟩ **1.** soldanella (*Soldanella*). – **2.** sea bells *pl* (*costr. sing. o pl.*), sea bindweed (*Convolvulus soldanella*). □ ~ *acquatica* (marsh, water) pennywort (*Hydrocotyle vulgaris*).

soldạno *m.* ⟨*ant*⟩ (*sultano*) sultan.

soldạre *v.t.* (**sọldo**) ⟨*ant*⟩ **1.** (*assoldare*) to recruit, to enlist, to enroll. – **2.** (*ingaggiare: rif. a equipaggi*) to take on, to enlist, to hire; (*rif. a navi*) to charter, to hire.

soldarẹllo (*dim. di soldo*) *m.* penny, cent, sou.

soldatạccio *m. pegg. di* **soldato**. – **soldatạglia** *f.* ⟨*spreg*⟩ **1.** mob of soldiers, undisciplined soldiery. – **2.** (*truppe mercenarie*) mercenary troops *pl*, mercenaries *pl*. – **soldatẹsca** *f.* **1.** soldiers *pl*, soldiery, troops *pl*. – **2.** → **soldataglia**. – **soldatescamẹnte** *avv.* in a soldierly way. – **soldatẹsco** *a.* (*pl.* **-chi**) **1.** soldierly, soldierlike. – **2.** ⟨*spreg*⟩ soldierlike, rough, coarse. – **soldatẹssa** *f.* **1.** (female) soldier. – **2.** ⟨*fig*⟩ (*donna autoritaria*) battle-axe. – **soldatịno** (*dim. di soldato*) *m.* **1.** (*soldato giovane*) young soldier; (*umile soldato*) common soldier, private (soldier). – **2.** (*giocattolo*) (toy) soldier; (*di piombo*) tin (*o* lead) soldier. – **3.** ⟨*infant*⟩ (*pezzetto di pane*) small piece of bread.

soldạto *m.* **1.** soldier. – **2.** (*nella gerarchia militare*) (enlisted) man, private: *gli ufficiali e i -i* the officers and the enlisted men. – **3.** ⟨*fig*⟩ (*difensore, militante*) soldier, defender, champion: *un* ~ *della libertà* a defender of freedom. – **4.** ⟨*Mil.ant*⟩ mercenary. – **5.** ⟨*Entom*⟩ (*termite*) soldier; (*formica*) soldier (ant), dinergate.

□ **andare** (*a fare il*) ~ to enlist, to join up (*o* the army); ~ *di* **artiglieria** artilleryman; ~ *di* **cavalleria** cavalryman, horse soldier, trooper; ~ *di* **complemento** reservist, reserve soldier; ~ *di* **fanteria** infantryman, foot-soldier; **fare** *il* ~ to be (*o* serve) in the army; ~ *del* **genio** sapper; ~ *di* **marina** sailor; ~ **scelto** soldier with special training; ~ **semplice** private (soldier); ⟨*Stor*⟩ ~ *di* **ventura** soldier of fortune, mercenary.

soldatụccio *m. dim. di* **soldato**.

solderẹllo (*dim. di soldo*) *m.* → **soldarello**.

soldinẹlla *f.* ⟨*Bot*⟩ **1.** (marsh, water) pennywort (*Hydrocotyle vulgaris*). – **2.** sea bells *pl* (*costr.sing. o pl.*), sea bindweed (*Convolvulus soldanella*).

soldịno (*dim. di soldo*) *m.* **1.** ⟨*Stor*⟩ soldo. – **2.** → **soldarello**. – **3.** ⟨*Bot*⟩ (*marruca*) Christ's-thorn (*Paliurus spina-christi*).

sọldo *m.* **1.** soldo, five-centesimi coin. – **2.** (*quantità minima di denaro*) penny, cent, sou, halfpenny, twopence: *non avrai un* ~ *da lui* you won't get a penny out of him; *non darei un* ~ *per quel libro* I wouldn't give twopence for that book. – **3.** *pl.* (*denaro, quattrini*) money, ⟨*fam*⟩ cash, ⟨*fam*⟩ lolly, ⟨*am.fam*⟩ dough: *costa troppi -i* it costs too much money; *essere pieno di -i* to have a lot of money, ⟨*fam*⟩ to be loaded. – **4.** (*servizio*) service, pay: *essere al* ~ *di qd.* to be in s.o.'s pay (*o* service). – **5.** ⟨*ant*⟩ (*paga*) salary, wages *pl*, (soldier's) pay: *riscuotere il* ~ to collect one's pay. – **6.** ⟨*Stor*⟩ (*unità di misura*) old linear measure (3 cm).

□ **a** ~ *a* ~ penny by penny, little by little; ⟨*fam*⟩ *essere alto quanto un* ~ *di* **cacio** to be knee-high to a grasshopper; ⟨*fig*⟩ **fare** *i -i* (*arricchire*) to make money; ⟨*non com*⟩ **mezzo** ~ (*mezza paga*) half pay; *roba da* **pochi** *-i* worthless (*o* cheap) stuff, ⟨*fam*⟩ junk; **quattro** *-i* little money, twopence; *avere un* **sacco** *di -i* to have a lot of money, ⟨*fam*⟩ to be loaded (*o* rolling in money); *essere* **senza** *un* ~ to be penniless, ⟨*fam*⟩ not to have a sou (*o* bean); *non* **valere** *un* ~ (*bucato*) not to be worth a (brass) farthing, to be worthless.

soldọne (*accr. di soldo*) *m.* ⟨*Numism*⟩ large soldo.

sọle *m.* **1.** sun (*anche Astr.*): *il moto apparente del* ~ the apparent movement of the sun. – **2.** (*luce solare*) sun, sunlight: *un debole* ~ *di marzo* a weak March sun; *oggi c'è un bel* ~ the sun is bright today; (*calore*) sun(shine): *sdraiarsi al* ~ to lie in the sun. – **3.** ⟨*fig*⟩ (*persona molto bella*) beauty; (*persona amata*) love, darling, sweetheart, light of one's eyes. – **4.** ⟨*poet*⟩ (*giorno*) day; (*luce del giorno*) daylight. – **5.** ⟨*poet*⟩ (*Dio*) God. – **6.** *pl.* ⟨*poet*⟩ (*occhi*) eyes *pl*. – **7.** ⟨*Itt*⟩ (*persico sole*) (common) sunfish, pumpkin-seed (*Eupomotis gibbosus*).

□ **al** ~: 1. in the sun: *mettere qc. al* ~ to put s.th. in the sun; 2. (*al calore del sole*) in the sun(shine); 3. (*alla luce del sole*) in the sunlight; ⟨*fig*⟩ *avere qc. al* ~ to own some property; ⟨*fig*⟩ **aprire** *gli occhi al* ~ (*nascere*) to see the light of the day, to be born; ~ **artificiale** artificial sunlight; *il* ~ **batte** *su qc.* the sun is shining on s.th.; ⟨*fam*⟩ *dove non batte il* ~ (*deretano*) bottom, ⟨*fam*⟩ behind, ⟨*fam*⟩ seat; *al* **calar** *del* ~ at sunset, at sundown, when the sun sets (*o* goes down); ⟨*fig*⟩ *essere* **chiaro** *come il* ~ to be as clear as day(light); *fare la* **cura** *del* ~ to undergo heliotherapy (*o* sun therapy); **da** ~ sun-: *occhiali da* ~ sun-glasses; *il* ~ **entra** *nel Leone* the sun enters the sign of Leo; *essere* **esposto** *al* ~ (*a mezzogiorno*) to be facing south; *al* **levar** *del* ~ = *allo* **spuntar** *del sole*; *amare qd. come la* **luce** *del* ~ to love s.o. above everything; ⟨*fig*⟩ *alla luce del* ~ (*apertamente*) openly, for all to see: *agire alla luce del* ~ to do s.th. openly, to act above board; ⟨*fig*⟩ *farsi bello del* ~ *di* **luglio** to boast about s.th. that is none of one's doing; ~ *di* **mezzanotte** midnight sun; ⟨*poet*⟩ *al* **nuovo** ~ the next morning; ⟨*lett*⟩ ~ **occidente** setting sun; ⟨*lett*⟩ ~ **oriente** rising sun; **paesi** *del* ~ (*paesi mediterranei*)

Mediterranean countries; *il* ~ **picchia** the sun is scorching (*o* burning); **pieno** *di* ~ sunny; *in pieno* ~ in bright sunshine; **prendere** *il* ~ to sunbathe; ⟨*scherz*⟩ *vedere il* ~ *a* **scacchi** (*essere in prigione*) to be behind bars; **senza** ~ sunless: *giornata senza* ~ sunless day; **sotto** *il* ~ (*sulla terra*) on earth, under the sun; *allo* **spuntar** *del* ~ at sunrise, when the sun rises (*o* comes up); **terre** *del* ~ = **paesi** *del sole*. – *Prov.*: *niente di nuovo sotto il* ~ there is no new thing under the sun; *dove entra il* ~ *non entra il medico* sunshine keeps the doctor away.

solẹcchio: *far* (*o farsi*) ~ to shade (*o* shield) one's eyes from the sun.

solecịsmo *m.* ⟨*Ret*⟩ solecism. – **solecizzạre** *v.i.* (*aus.* **avere**) ⟨*lett*⟩ to solecize, to use solecisms.

soleggiamẹnto *m.* **1.** (*esposizione ai raggi solari*) insolation. – **2.** ⟨*Med*⟩ (*colpo di sole*) sunstroke, insolation. – **3.** ⟨*Edil*⟩ exposure to the sun. – **4.** ⟨*Meteor,Geol*⟩ insolation.

soleggiạnte *a.* ⟨*lett*⟩ (*splendente*) bright, radiant, shining. – **soleggiạre** *v.t.* (**solẹggio, solẹggi**) **1.** to place (*o* put out) in the sun, to expose to the sun, to sun. – **2.** ⟨*Agr*⟩ to dry in the sun. – **soleggiạto** (*p.p. di soleggiare*) *a.* in the sun, exposed to the sun; (*assolato*) sunny, full of sunshine: *una stanza -a* a sunny room. – **solẹggio**: ⟨*Mar*⟩ *al* ~ to dry (in the sun).

soleil *fr.* [sɔ'lɛ:j] *m.* **1.** ⟨*Tess*⟩ soleil. – **2.** ⟨*Mod*⟩ (*pieghettatura*) sunburst pleating.

solẹngo *m.* (*pl.* **-ghi**) ⟨*venat*⟩ (*cinghiale adulto e solitario*) solitary boar.

solẹnne *a.* **1.** solemn, formal, ceremonious: *rito* ~ solemn rite. – **2.** (*che si compie con gran pompa*) solemn, stately, grand: *-i accoglienze* solemn welcome. – **3.** (*grave*) solemn, grave, sober: *parlare con tono* ~ to speak in a solemn tone. – **4.** ⟨*iron*⟩ (*famoso, matricolato*) utter, downright, thorough, real, out and out, ⟨*fam*⟩ proper: *un* ~ *bugiardo* a real (*o* downright) liar; (*grave, molto forte*) sound, (al)mighty, good, hearty, tremendous: *un* ~ *ceffone* a hearty slap, a mighty wallop. – **5.** (*che ispira rispetto*) august, awe-inspiring, sublime, solemn. – **6.** (*splendido, magnifico*) magnificent, splendid, sumptuous. – **7.** ⟨*lett*⟩ (*festivo*) holiday-, festive: *dì* ~ festive day, holiday. – **8.** ⟨*ant*⟩ (*eccellente*) great, grand; (*esperto*) expert, authoritative. – **9.** ⟨*ant*⟩ (*squisito*) delicious, excellent, superb.

solennemẹnte *avv.* **1.** solemnly, formally, ceremoniously. – **2.** (*gravemente*) solemnly, gravely. – **solennità** *f.* **1.** solemnity, solemnness, ceremoniousness. – **2.** (*gravità*) solemnity, solemnness, gravity. – **3.** ⟨*concr*⟩ (*festa solenne*) holiday, solemnity, feast-day. – **4.** ⟨*ant*⟩ (*procedura*) solemn form, solemnity. □ ~ *civile* civil holiday; *con* ~ solemnly, with solemnity; ~ *religiosa* religious holiday (*o* feast-day); ~ *di stato* state (*o* national) holiday.

solennizzạre *v.t.* **1.** (*celebrare solennemente*) to solemnize. – **2.** ⟨*ant*⟩ (*ratificare*) to ratify. – **solennizzaziọne** *f.* solemnization, solemnizing, formal celebration.

solenoidạle *a.* ⟨*Fis*⟩ solenoidal: *campo* ~ solenoidal field. – **solenọide** *m.* solenoid.

sọleo *m.* ⟨*Anat*⟩ (*anche muscolo soleo*) soleus (muscle).

solẹre[1] *v.i.* (*pr.ind.* **sọglio, suọli, suọle, sogliạmo, solẹte, sọgliono**; *p.rem.* **solẹi**; *pr.cong.* **sọglia, sogliạmo, sogliạte, sọgliano**; *p.p.* **sọlito**; *aus.* **essere**) to be in the habit of, to be used (*o* accustomed) to, ⟨*lett*⟩ to be wont to, *a volte si rende con un avverbio*: *sogliono mangiare alle due* they usually eat at two, they are used to eating at two; *come si suol dire* as people (usually) say, as the saying is (*o* goes); *i saggi sogliono parlare poco* the wise usually speak little; (*solo al passato*) would, to use to: *solevano uscire tutte le sere* they would (*o* used to) go out every night; *soleva studiare tutte le domeniche* he used to study every Sunday.

solẹre[2] *m.* ⟨*ant*⟩ (*usanza*) usual practice, custom, habit.

solẹrte *a.* ⟨*lett*⟩ **1.** (*alacre*) active, brisk, quick, eager, willing, industrious, hard-working, enterprising, ⟨*fam*⟩ on the go; (*diligente*) diligent. – **2.** (*fatto con diligenza*) careful, thorough, accurate, painstaking, diligent. – **3.** ⟨*ant*⟩ (*sollecito*) prompt. – **solẹrzia** *f.* **1.** (*diligenza*) diligence, industriousness. – **2.** (*accuratezza*) care, conscientiousness, thoroughness.

solẹtta *dim. di suola*) *f.* **1.** (*nelle calze*) foot, stocking sole. – **2.** ⟨*Calz*⟩ sole; (*suola interna*) inner sole, insole. – **3.** ⟨*Edil*⟩ slab. – **4.** ⟨*Mar*⟩ false keel.

□ ⟨*Edil*⟩ ~ *in* **calcestruzzo** concrete slab; ~ *di* **cemento** *armato* reinforced concrete slab; ~ **continua** continuous slab; ⟨*Calz*⟩ ~ *di* **feltro** felt inner sole; ⟨*Calz*⟩ ~ *di* **gommapiuma** foam rubber inner sole; ~ **nervata** ribbed slab; ~ **prefabbricata** prefabricated (*o* ready-mixed concrete) slab; ~ *a* **sbalzo** cantilever beam; ~ *per* **scarpe** inner sole, insole.

solettạre *v.t.* (**solẹtto**) ⟨*Calz*⟩ to sole. – **solettatụra** *f.* **1.** ⟨*Calz*⟩ soling. – **2.** ⟨*Edil*⟩ slabbing, construction of slabs.

solẹtto (*dim. di solo*) *a.* all alone. □ *solo* ~ all (*o* quite) alone, all by oneself, ⟨*fam*⟩ all by one's lonesome.

sọlfa *f.* **1.** continual racket, din, ⟨*fam*⟩ row. – **2.** ⟨*fig*⟩ (*ripetizione monotona*) same old story, continual repetition: *è sempre la stessa* ~ it's always the same old story. – **3.** ⟨*ant*⟩ (*solfeggio*) solfeggio, sol-fa, solfège. □ *battere la* ~ to beat time; ⟨*fig*⟩ to harp on the same string, to keep repeating the same old story.

solfamịdico *a./s.* (*pl.* **-ci**) ⟨*Farm*⟩ **I** *a.* sulphonamide-. – **II** *s.m.* sulpha drug, sulphonamide. – **solfamidoresistẹnza** *f.* ⟨*Med*⟩ (*sulfamidoresistenza*) resistance to sulphonamides. – **solfamidoterapịa** *f.* sulphonamidotherapy.

solfammạto *m.* ⟨*Chim*⟩ sulphamate. – **solfạmmico**: *acido* ~ sulphamic acid.

solfanẹllo *m.* ⟨*non com*⟩ (*zolfanello*) (sulphur) match.

solfạra *f.* ⟨*Minier*⟩ sulphur deposit.

solfạre *v.t.* (**sọlfo**) ⟨*Agr*⟩ to (treat with) sulphur.

solfatạra *f.* ⟨*Geol*⟩ solfatara, sulphurous volcano. – **solfatariạno** *a.* → **solfatarico**. – **solfatạrico** *a.* (*pl.* **-ci**) solfataric. – **solfatạro** *m* (*operaio*) sulphur miner, worker in a sulphur mine.

solfatạto *a.* ⟨*Chim*⟩ sulphated. – **solfataziọne** *f.* **1.** sulphation. – **2.** → **solfatizzazione**. – **solfạtico**: ⟨*Agr*⟩ *concimazione -a* sulphate fertilization. – **solfatizzaziọne** *f.* ⟨*Chim*⟩ sulphatization.

solfạto *m.* ⟨*Chim*⟩ sulphate.

□ ~ *di* **ammonio** ammonium sulphate, sulphate of ammonia; ~ *di* **bario** barium sulphate; ~ *di* **calcio** calcium sulphate; ~ *di* **ferro** iron sulphate, sulphate of iron; ~ **ferroso** ferrous sulphate; ~ *di* **magnesio** magnesium sulphate; ~ **mercurico** mercuric sulphate; ~ *di* **potassio** potassium sulphate; ~ *di* **rame** copper sulphate; ~ *di* **sodio** sodium sulphate.

solfatụra *f.* ⟨*non com*⟩ → **solforatura**.

solfeggiạre *v.t.* (**solfẹggio, solfẹggi**) ⟨*Mus*⟩ to sol-fa, to solmizate. – **solfẹggio** *m.* ⟨*Mus*⟩ **1.** solfeggio, sol-fa, solfège, solmization. – **2.** (*brano di musica vocale*) solfeggio, sol-fa, solfège.

solferịno *a./s.inv.* **I** *a.* solferino. – **II** *s.m.* solferino.

solfidrạto *m.* ⟨*Chim*⟩ sulphydrate.

solfịdrico: ⟨*Chim*⟩ *acido* ~ hydrogen sulphide, sulphuretted hydrogen.

solfiẹro *a.* ⟨*non com*⟩ (*dello zolfo*) sulphur, sulphur(e)ous. – **solfịfero** *a.* sulphur, sulphur(e)ous, sulphuriferous, sulphur-bearing.

solfịno[1] *a.* ⟨*non com*⟩ (*zolfino*) sulphur.

solfịno[2] *m.* ⟨*non com*⟩ (*solfanello*) (sulphur) match.

solfitạre *v.t.* ⟨*Enol,Alim*⟩ to sulphur, to sulphurize. – **solfitaziọne** *f.* sulphuring, sulphurization.

solfịto *m.* ⟨*Chim*⟩ sulphite.

sọlfo *m.* ⟨*ant*⟩ (*zolfo*) sulphur.

solfo|ạcido *m.* ⟨*Chim*⟩ sulpho-acid. – **~battẹrio** *m.* ⟨*Biol*⟩ sulphur bacterium. – **~cianụro** *m.* ⟨*Chim*⟩ sulphocyanide.

solfonạle *m.* ⟨*Chim*⟩ sulfonal, sulfonmethans.

solfonamịdico *a./s.* → **solfamidico**.

solfonạre *v.t.* (**solfọno**) ⟨*Chim*⟩ to sulphonate. – **solfonạto** (*p.p. di solfonare*) *a.* sulphonated. – **solfonatọre** *m.* sulphonator. – **solfonaziọne** *f.* sulphonation. – **solfọnico** *a.* (*pl.* **-ci**) sulphonic.

solforạre *v.t.* (**sọlforo**) **1.** ⟨*Agr*⟩ to sulphur. – **2.** ⟨*Ind*⟩ to sulphurize, to sulphur, to sulphurate. – **solforạto** (*p.p. di solforare*) *a.* ⟨*Chim*⟩ **1.** (*che contiene zolfo*) sulphur, sulphur(e)ous, sulphuriferous. – **2.** (*trattato con zolfo*) sulphured, sulphurized. – **solforatọre** *m.* ⟨*Ind*⟩ sulphurator. – **solforatrịce** *f.* ⟨*Agr*⟩ sulphurator. – **solforatụra** *f.* ⟨*Agr*⟩ sulphuring. – **solforaziọne** *f.* **1.** sulphurization, sulphuration. – **2.** → **solforatura**.

solfọrico *a.* (*pl.* **-ci**) ⟨*Chim*⟩ sulphuric. □ *acido* ~ sulphuric acid; *anidride -a* sulphuric anhydride, sulphur trioxide. – **solforịle** *m.* sulphuryl: *cloruro di* ~ sulphuryl chloride. – **solforọso** *a.* sulphurous.

solfosạle *m.* ⟨*Chim*⟩ thio salt, sulphur salt.

solfoselẹnio *m.* ⟨*Min*⟩ selenium sulphur.

solfọssido *m.* ⟨*Chim*⟩ sulphoxide.

solfụreo *a.* ⟨*non com*⟩ (*sulfureo*) sulphur(e)ous. – **solfụro** *m.* ⟨*Chim*⟩ sulphide. □ ~ *di carbonio* carbon disulphide; ~ *di ferro* iron pyrite(s) *pl*, iron sulphide; ~ *di piombo* lead sulphide; ~ *stannico* stannic sulphide.

solicẹllo (*dim. di sole*) *m.* pale (*o* weak) sun, wan sunshine.

solidạle *a.* **1.** solid, united, unanimous, ⟨*pred*⟩ in agreement (*con* with): *essere* ~ *con qd.* to be in agreement with s.o. – **2.** ⟨*Mecc*⟩ integral. – **3.** ⟨*Dir*⟩ solidary, joint (and several); (*rif. a debitore*) jointly and severally liable. – **solidalmẹnte** *avv.* **1.** in agreement, with solidarity. – **2.** ⟨*Dir*⟩ (*in solido*) in solido, jointly (and severally).

solidamẹnte *avv.* solidly, soundly, firmly, stably.

solidạre *v.t.* (**sọlido**) ⟨*ant*⟩ **1.** (*rendere solido*) to make solid. – **2.** ⟨*fig*⟩ to consolidate, to strengthen.

solidarietà *f.* **1.** solidarity, fellowship, union. – **2.** (*comunanza*) solidarity, sharing, community: ~ *d'interessi* solidarity of interests. – **3.** ⟨*Dir*⟩ solidarity, joint (and several) liability. – **solidạrio** *a.* **1.** ⟨*Dir*⟩ solidary, joint (and several). – **2.** ⟨*non com*⟩ → **solidale**. – **solidarịsmo** *m.* **1.** solidarity, ésprit de corps. – **2.** (*indirizzo sociale*) solidarism. – **solidarịstico** *a.* (*pl.* **-ci**) solidaric, solidaristic. – **solidarizzạre** *v.i.* (*aus.* **avere**) to solidarize, to unite, to make common cause (*con* with).

solidẹzza *f.* ⟨*non com*⟩ → **solidità**.

solidificạre *v.* (**solidịfico, solidịfichi**) **I** *v.t.* **1.** to solidify, to make solid, to harden. – **2.** ⟨*Fis*⟩ to solidify. – **II** *v.i.* (*aus.* **essere**), **solidificarsi** *v.r.* **1.** to solidify, to harden, to set. – **2.** ⟨*Fis*⟩ to solidify. – **solidificạto** (*p.p. di solidificare*) *a.* **1.** solidified, hardened, solid, firm. – **2.** ⟨*fig,rar*⟩ stiff, cold. – **solidificaziọne** *f.* **1.** solidification, hardening, setting. – **2.** ⟨*Fis*⟩ solidification.

solidità *f.* **1.** solidity, solidness, soundness, firmness. – **2.** (*durevolezza, stabilità*) solidity, stability, permanence, firmness: *la* ~ *di un pilastro* the solidity of a pilaster. – **3.** ⟨*fig*⟩ (*validità*) solidity, soundness, substantiality. – **4.** ⟨*Econ,Comm*⟩ solidity, soundness, reliability, dependability: *la* ~ *di una banca* the soundness of a bank. – **5.** (*resistenza*) resistance; (*rif. a colori*) fastness. □ ~ *al lavaggio* washability, fastness to washing; ~ *alla luce* light fastness.

sọlido[1] **I** *a.* **1.** solid, firm, stable, strong: *fondamenta -e* firm foundations. – **2.** (*forte, robusto*) strong, stout, sturdy, tough, robust: *due gambe -e* a pair of sturdy legs; *scarpe -e* strong (*o* stout) shoes. – **3.** ⟨*fig*⟩ (*valido*) solid, sound, good, substantial, well-founded: *-e ragioni* sound arguments. – **4.** ⟨*fig*⟩ (*serio, ben fondato*) solid, reliable, sound, dependable, steady: *una ditta -a* a reliable firm; *avere una ~ posizione economica* to be in a sound economic position. – **5.** (*resistente*) resistant, resisting, proof. – **6.** ⟨*Geom,Fis*⟩ solid: *geometria -a* solid geometry. – **7.** ⟨*Bot*⟩ (*pieno*) solid. – **II** *s.m.* **1.** ⟨*Fis*⟩ solid (body). – **2.** ⟨*Geom*⟩ solid (figure), body. ☐ ⟨*Dir*⟩ *in ~*: 1. (*agg.*) in solido, joint (and several), solidary; 2. (*avv.*) in solido, jointly (and severally): *obbligarsi in ~* to bind o.s. jointly (and severally); *~ al lavaggio* fast, washable, non-run; *~ alla luce* fadeless, non-fading, fast to light; ⟨*Geom*⟩ *~ di rotazione* (o *rivoluzione*) solid of revolution.

sọlido² *m.* ⟨*Numism*⟩ solidus.

solidụngo *a.* (*pl.* **-ghi**) ⟨*Zool*⟩ **1.** (*rif. ad animali*) solidungulate, solidungulous, soliped(al), solipedous. – **2.** (*rif. a piedi*) whole, uncloven. – **solidụnguli** *m.pl.* solidungulates *pl* (*Solidungula*). – **solidụngulo** *a.* → **solidungo**.

solifluṣsiọne *f.*, **soliflụsso** *m.* solifluction, solifluxion.

solịfugi *m.pl.* ⟨*Zool*⟩ solifugids *pl*, solpugids *pl* (*Solifugae*).

solilọquio *m.* soliloquy; (*monologo*) monologue.

Solimạno *N.pr.m.* ⟨*Stor*⟩ Suleiman, Solyman.

solingamẹnte *avv.* ⟨*poet*⟩ (*da solo*) alone, by oneself. – **solịngo** *a.* (*pl.* **-ghi**) ⟨*poet*⟩ **1.** (*solitario*) solitary, lonely, deserted: *vita -a* solitary life. – **2.** ⟨*ant*⟩ (*unico*) sole, only, single.

solịno *m.* ⟨*Vest*⟩ **1.** (detachable) collar. – **2.** (*nell'uniforme dei marinai*) (sailor) collar.

sọlio *m.* ⟨*pop*⟩ → **soglio¹**.

solịpede *a.* ⟨*Zool*⟩ soliped, solipedal, solipedous. – **solịpedi** *m. pl.* solipeds *pl*.

solipsịṣmo *m.* ⟨*Filos*⟩ solipsism. – **solipsịsta** *m./f.* **1.** ⟨*Filos*⟩ solipsist. – **2.** ⟨*lett*⟩ (*soggettivista*) extreme subjectivist. – **solipsịstico** *a.* (*pl.* **-ci**) solipsist(ic).

solịsta **I** *s.m./f.* ⟨*Mus*⟩ **1.** (*cantante*) soloist, solo singer. – **2.** (*strumentista*) soloist, solo player. – **3.** (*ballerino*) soloist, solo dancer. – **II** *a.* solo: *violino ~* solo violin. – **solịstico** *a.* (*pl.* **-ci**) solo, soloistic.

solitamẹnte *avv.* **1.** usually, generally, as a rule. – **2.** (*quasi sempre*) nearly always.

solitariamẹnte *avv.* solitarily. – **solitạrio** **I** *a.* **1.** solitary. – **2.** (*solo*) lone, solitary: *un pedone ~* a lone pedestrian. – **3.** (*deserto*) solitary, lonely, deserted, unfrequented, lonesome: *una strada -a* a lonely road. – **4.** ⟨*Biol*⟩ solitary. – **II** *s.m.* **1.** (*f.* **-a**) solitary (person), ⟨*fam*⟩ loner. – **2.** ⟨*Oref*⟩ (*brillante*) solitaire; (*anello*) solitaire. – **3.** (*gioco di carte*) solitaire. – **4.** ⟨*non com*⟩ (*eremita*) hermit, recluse, solitary.

sọlito (*p.p. di solere¹*) **I** *a.* **1.** usual, customary, habitual, accustomed, ⟨*lett*⟩ wonted: *troviamoci al ~ posto* let's meet at the usual place. – **2.** ⟨*spreg*⟩ usual, ⟨*fam*⟩ same old: *condurre la -a vita* to lead the same old life; *è sempre il ~ bugiardo* he is still the same old liar. – **3.** (*nelle espressioni ellittiche*) *si traduce a senso*: *ne ha fatta una delle -e* he has been up to one of his usual tricks. – **II** *s.m.* **1.** (*abitudine*) habit, custom, usual practice, ⟨*lett*⟩ wont: *secondo il mio ~* as my custom is, as usual, as I usually do. – **2.** (*stessa persona*; *f.* **-a**) same, same (old) person: *sei sempre il ~* you are always the same, you never change. – **3.** (*solita cosa*) usual (thing): *che cosa desidera? – il ~* what would you like? – the usual; (*stessa cosa*) same old thing.

☐ **al** *~*: 1. = **di** *solito*; 2. = **come** *al solito*; ⟨*pop*⟩ *siamo alle -e* it's (*o* we're back to) the same old story, here we go again; ⟨*pop*⟩ **come** *al* (o *il*) *~* as (per) usual; **di** *~* usually, generally, as a rule, habitually; **essere** *~ fare qc.* to do s.th. usually (*o* as a rule), to be used (*o* accustomed) to doing s.th., to be in the habit of doing s.th.: *sono ~ fare tardi la sera* I usually stay up late; (*solo al passato*) to use to, would: *a Londra ero ~ passeggiare nel parco* when I was in London I ⌜used to⌝ (*o* would) go for walks in the park; **fuori** *del ~* unusual; **per** *~* = **di** *solito*; *fumare* **più** *del ~* to smoke more than usual.

solitụdine *f.* **1.** solitude, solitariness, seclusion, isolation. – **2.** *pl.* (*luogo solitario*) solitude, wilderness.

solịvago *a.* (*pl.* **-ghi**) ⟨*lett*⟩ wandering alone.

solịvo *a./s.* ⟨*poet*⟩ → **solatio**.

sollazzamẹnto *m.* ⟨*non com*⟩ **1.** entertainment, amusement. – **2.** (*passatempo*) pastime. – **sollazzạre** **I** *v.t.* to entertain, to amuse, to divert. – **II** *v.i.* (*aus.* **essere**) ⟨*ant*⟩, **sollazzarsi** *v.r.* to amuse o.s., to enjoy o.s. – **sollazzẹvole** *a.* ⟨*lett*⟩ **1.** (*che ama sollazzarsi*) merry, jolly, fun-loving. – **2.** (*divertente*) amusing, entertaining, enjoyable, pleasant. – **sollazzevolmẹnte** *avv.* amusingly, entertainingly. – **sollạzzo** *m.* **1.** ⟨*lett*⟩ (*divertimento*) amusement, entertainment, fun; (*passatempo*) pastime. – **2.** ⟨*fig*⟩ (*zimbello*) laughing-stock, butt: *essere il ~ di tutti* to be a general laughing-stock. – **3.** ⟨*ant*⟩ (*conforto*) comfort, consolation, solace; (*sollievo*) relief. ☐ *dare ~ a qd.* to amuse (*o* entertain) s.o.

sollẹcciola *f.* ⟨*Bot*⟩ **1.** (*acetosa*) garden sorrel (*Rumex acetosa*). – **2.** → **solleccione**. – **solleccịone** *m.* ⟨*Bot*⟩ (*calderugia*) groundsel (*Senecio vulgaris*).

sollecitamẹnte *avv.* **1.** promptly, quickly, speedily, with dispatch: *rispondere ~* to reply promptly. – **2.** (*premurosamente*) carefully, solicitously, diligently: *assistere ~ un malato* to help an ill person solicitously.

sollecitamẹnto *m.* **1.** solicitation, pressing, urging. – **2.** (*acceleramento*) speeding up, hastening, expediting.

sollecitạre *v.* (**sollẹcito**) **I** *v.t.* **1.** (*far premura*) to press for, to request urgently, to urge: *~ una ditta perché dia una risposta* to urge a firm to reply, to press a firm for a reply; *~ una decisione* to press for a decision. – **2.** (*chiedere con insistenza*) to solicit, to beg (for), to press for, to entreat: *~ favori da qd.* to solicit s.o. for favours, to beg s.o. for favours. – **3.** ⟨*burocr*⟩ to apply for: *~ un posto* to apply for a post. – **4.** (*affrettare*) to speed up, to hurry (up), to quicken, to hasten, to expedite: *~ il passo* to quicken one's pace; *~ una pratica* to expedite a matter. – **5.** ⟨*Mecc*⟩ to stress. – **6.** ⟨*fig,lett*⟩ (*stimolare*) to stimulate, to spur, to goad; (*incitare*) to incite, to stir up. – **II** *v.i.* (*aus.* **avere**), **sollecitarsi** *v.r.* ⟨*ant*⟩ (*affrettarsi*) to hurry, to make haste, to hasten. ☐ ⟨*assol*⟩ *abbiamo già sollecitato due volte* we have already asked (for action) twice, we've already asked them to hurry twice; *~ il pagamento di un debito* to dun.

sollecitatọre **I** *s.m.* (*f.* **-trice**) **1.** urger, one who presses, solicitor; (*di pagamenti*) dunner. – **2.** (*chiedente*) solicitor, petitioner, pleader. – **3.** (*istigatore*) instigator, inciter, prompter. – **4.** ⟨*Ind*⟩ follow-up man, progress man. – **5.** ⟨*Dir.ant*⟩ (*procuratore*) representative. – **II** *a.* ⟨*tecn*⟩ of strain, of stress.

sollecitatọria *f.* ⟨*burocr*⟩ (*anche lettera sollecitatoria*) reminder (letter), follow-up letter; (*a un debitore*) dunning letter. – **sollecitatọrio** *a.* soliciting, pressing, urging.

sollecitaziọne *f.* **1.** solicitation, entreaty, (urgent) request, pressing, urging: *perchè non rispondi alle nostre -i?* why don't you reply to our requests? – **2.** ⟨*fig*⟩ (*stimolo*) stimulus, inducement, incentive. – **3.** ⟨*burocr*⟩ (*richiesta*) application. – **4.** ⟨*non com*⟩ (*acceleramento*) speeding up, hastening, quickening. – **5.** ⟨*Mecc*⟩ stress.

☐ ⟨*Mecc*⟩ *~* **ammissibile** permissible (*o* working) stress; *~ di* **compressione** compressive stress; *~* **dinamica** dynamic stress; *~ d'***esercizio** service stress; *~ di* **flessione** bending (*o* transverse) stress, stress of flexure; **lettera** *di ~* reminder (letter); (*a un debitore*) dunning letter; *~ di* **ordini** soliciting of orders, touting (*o* pressing) for orders; *~ di* **rottura** breaking strain; ⟨*tecn*⟩ *sottoporre qc. a ~* to subject s.th. to stress (*o* strain), to load (*o* stress) s.th.; *~* **statica** static stress; *~ di* **taglio** shearing stress; *~ di* **tensione** tensile stress; *~* **termica** thermal shock; *~ di* **torsione** torsional stress; *~ di* **trazione** tensile stress; *~ d'***urto** impact stress.

sollẹcito **I** *a.* **1.** (*premuroso*) solicitous, careful: *i genitori sono -i dell'educazione dei figli* parents are careful of their children's upbringing; (*che agisce senza indugio*) prompt, quick, expeditious: *essere ~ ad alzarsi dal letto* to be quick in getting out of bed. – **2.** (*fatto con premura*) prompt, quick, speedy: *risposta -a* prompt reply. – **3.** ⟨*Bot*⟩ early-ripening, early-maturing. – **4.** ⟨*ant*⟩ (*mattiniero*) early-rising. – **II** *s.m.* ⟨*burocr,comm*⟩ **1.** reminder. – **2.** (*lettera sollecitatoria*) letter of reminder, follow-up letter; (*a un debitore*) dunning letter.

sollecitụdine *f.* **1.** promptness, dispatch, readiness, speed: *ha lavorato con grande ~ per terminare in giornata* he worked with great dispatch to finish within the day. – **2.** (*cura*) solicitude, care, attentiveness, mindfulness, thoughtfulness: *ha mostrato poca ~ verso di noi* he showed little thoughtfulness for us; (*gentilezza*) kindness, attention: *le -i di cui mi ha circondato* the attentions he has showered on me. – **3.** *pl.* (*affanni, preoccupazioni*) cares *pl*, worries *pl*, troubles *pl*, solicitudes *pl*. ☐ *con ~* speedily, quickly, with dispatch, promptly.

sollenạre *v.t.* (**sollẹno**) ⟨*ant*⟩ (*alleviare*) to relieve, to allay, to soothe (away).

solleọne *m.* **1.** dog-days *pl*, canicule. – **2.** (*grande calura*) (intense) summer heat: *lavorare sotto il ~* to work in the summer heat.

solleticamẹnto *m.* **1.** tickling. – **2.** ⟨*fig*⟩ (*stimolo*) tickling, stimulus, tempting, exciting, titillating: *~ dei sensi* titillating of the senses. – **solleticạnte** (*p.pr. di solleticare*) *a.* inviting, appealing, tempting; (*rif. a cibo*) appetizing. – **solleticạre** *v.t.* (**sollẹtico**, **sollẹtichi**) **1.** to tickle: *~ i piedi a qd.* to tickle s.o.'s feet. – **2.** ⟨*fig*⟩ (*stimolare*) to tickle, to stimulate, to excite, to titillate, to stir up, to arouse, to whet: *~ la curiosità di qd.* to arouse s.o.'s curiosity; *~ l'appetito* to whet the appetite. – **3.** ⟨*fig,non com*⟩ (*toccare superficialmente*) to tickle, to caress, to touch (*o* stir) gently. ☐ ⟨*scherz*⟩ *~ le spalle a qd.* (*bastonarlo*) to beat s.o., to tan s.o.'s hide.

sollẹtico *m.* (*pl.* **-chi**) **1.** tickle. – **2.** (*prurito*) itch. – **3.** ⟨*fig*⟩ prick, spur, stimulus. ☐ *fare il ~ a qd.* to tickle s.o.; ⟨*fig*⟩ *non fare neanche il ~* not to affect, to leave cold (*o* indifferent): *le tue proteste non mi fanno neanche il ~* your protests leave me cold; *sentire il ~ di qc.* (*sentirne il desiderio*) to have an itch for s.th.; ⟨*fig*⟩ *sentire il ~ di fare qc.* to be itching to do s.th., to feel like doing s.th.; *soffrire il ~* to be ticklish.

sollevạbile *a.* ⟨*non com*⟩ liftable, rais(e)able. – **sollevamẹnto** *m.* **1.** (*il sollevare*) raising, lifting; (*l'issare*) hoisting. – **2.** (*il sollevarsi*) rising, rise. – **3.** (*parte sollevata*) rise, elevation: *un piccolo ~ del terreno* a slight elevation in the ground. – **4.** ⟨*Geol*⟩ (*corrugamento*) folding. – **5.** ⟨*ant*⟩ (*rivolta*) (up)rising, revolt, rebellion, insurrection. – **6.** ⟨*ant*⟩ (*sollievo*) relief. ☐ *impianto di ~* lifting (*o* hoisting) apparatus; ⟨*Sport*⟩ *~ pesi* weight lifting.

sollevạre *v.t.* (**sollẹvo**) **1.** to raise, to lift (up): *~ un peso* to lift a weight; (*rif. a polvere e sim.*) to raise, to whip (*o* blow) up: *il vento sollevava la sabbia* the wind whipped up the sand; (*con argani e sim.*) to hoist, to heave (up), to raise, to lift (up); (*con manovelle* *e sim.*) to wind up. – **2.** (*levare*) to raise, to lift (up): *sollevò la mano per salutare* he raised his hand in greeting; ~ *il capo dal cuscino* to lift one's head from the pillow; (*rif. a coperchi e sim.*) to take off, to lift, to raise. – **3.** ⟨*fig*⟩ (*innalzare*) to raise, to lift (up), to elevate: ~ *il pensiero a Dio* to lift up one's thoughts to God. – **4.** ⟨*fig*⟩ (*presentare, far sorgere*) to raise, to make, to bring up, to put forward (*o* in the way): ~ *un'obiezione* to raise an objection; *non fa che* ~ *ostacoli* he does nothing but put obstacles in the way. – **5.** ⟨*fig*⟩ (*togliere da uno stato d'inferiorità*) to raise (up), to lift: ~ *qd. dalla miseria* to raise s.o. from poverty; ~ *dal fango* to lift (*o* take) out of the gutter. – **6.** ⟨*fig*⟩ (*alleggerire*) to relieve, to ease, to disburden (*da* of), to free, to take (from): ~ *qd. da una fatica* to relieve s.o. of a heavy task; (*destituire*) to dismiss (from), to relieve (of): *il console è stato sollevato dal suo incarico* the consul was relieved of his post. – **7.** ⟨*fig*⟩ (*ristorare*) to relieve, to give relief to, to make feel better: *il riposo ti solleverà* rest will make you feel better; (*dare conforto*) to cheer, to comfort, to make feel better, to raise the spirits of: *la tua risposta mi ha molto sollevato* your answer has cheered me greatly; (*alleviare le sofferenze*) to relieve, to allay, to assuage. – **8.** ⟨*fig*⟩ (*far insorgere*) to rouse, to stir up, to raise: ~ *il popolo contro la tirannia* to rouse (*o* stir up) the people against tyranny. – **9.** ⟨*fig*⟩ (*causare*) to arouse, to call forth, to cause: *il suo discorso sollevò un'ondata di applausi* his speech aroused thunderous applause. – **10.** ⟨*fig,lett*⟩ (*innalzare a una condizione privilegiata*) to raise, to elevate: ~ *al trono* to raise to the throne. – **11.** ⟨*fig,ant*⟩ (*esaltare*) to exalt. – **sollevarsi** *v.r.* **1.** (*levarsi in alto*) to (a)rise: *il pallone si sollevò nel cielo* the balloon rose in the sky. – **2.** (*rizzarsi*) to get up, to lift (*o* raise) o.s., to rise (up), to arise: *sollevarsi da terra* to get up from the ground. – **3.** ⟨*fig*⟩ (*riprendersi*) to recover (*da* from), to get over (s.th.), ⟨*fam*⟩ to pick up: *sollevarsi da uno spavento* to recover from a fright. – **4.** ⟨*fig*⟩ (*insorgere*) to rise (up), to rebel, to revolt: *la popolazione si sollevò in massa* the people rose up in a body. □ *mi hai sollevato da un gran peso* you've taken a great weight off my shoulders; ~ *gli occhi dal libro* to raise one's eyes from the book; ~ *lo spirito* (o *il morale*) *a qd.* to raise s.o.'s spirits, to boost s.o.'s morale.

sollevaschẹde *m.inv.* filing-card selector.

sollevạta *f.* ⟨*Ginn*⟩ leg-raising.

sollevạto (*p.p. di sollevare*) *a.* **1.** raised, lifted (up). – **2.** ⟨*fig*⟩ (*migliorato*) better; (*meno depresso*) relieved, cheered (up), in better spirits. – **3.** ⟨*lett*⟩ (*insorto*) insurgent, rebel, rebellious, in revolt. – **sollevatọre** *m.* (*f.* **-trice**) **1.** lifter, raiser. – **2.** ⟨*fig*⟩ (*chi conforta*) comforter, cheerer. – **3.** ⟨*fig*⟩ (*istigatore*) instigator, agitator. – **4.** ⟨*Aut*⟩ (*anche ponte sollevatore*) (auto) lift, lifting platform, hoist. □ ~ *elettromagnetico* magnet-lifter; ~ *idraulico* hydraulic lift; ⟨*Sport*⟩ ~ *di pesi* weight lifter.

sollevazịone *f.* **1.** ⟨*non com*⟩ (*il sollevare*) lifting, raising; (*il sollevarsi*) rising, getting up. – **2.** ⟨*fig*⟩ (*insurrezione*) (up)rising, revolt, rebellion, insurrection: *reprimere una* ~ *popolare* to suppress a popular uprising. – **3.** ⟨*fig,non com*⟩ (*turbamento*) agitation, turmoil. – **4.** ⟨*fig,non com*⟩ (*sollievo*) relief.

sollicciọne *m.* → **solleccione**.

sollicitạre *v.* ⟨*ant*⟩ → **sollecitare**. – **sollicitazịone** *f.* ⟨*ant*⟩ → **sollecitazione**. – **sollịcito** *a./s.* ⟨*ant*⟩ → **sollecito**. – **sollicitụdine** *f.* ⟨*ant*⟩ → **sollecitudine**.

solliẹvo *m.* **1.** relief: *cercare* ~ *dal caldo* to seek relief from the heat. – **2.** (*conforto*) relief, comfort. □ *con mio grande* ~ to my great relief; *dare* (o *portare*) ~ *a qd.* to afford s.o. relief, to relieve s.o.; *essere di* ~ *a qd.* to be a relief to s.o.; (*essergli di conforto*) to be of comfort to s.o.

sollịone *m.* ⟨*ant*⟩ → **solleone**.

sọllo *a.* ⟨*tosc,lett*⟩ **1.** (*soffice*) soft, yielding. – **2.** ⟨*fig*⟩ (*arrendevole*) soft, docile, compliant.

sollụcchero *m.* ⟨*tosc*⟩ → **solluchero**. – **solluccherạre** *v.t.* (**sollụchero**) ⟨*tosc*⟩ (*mandare in sollụchero*) to enrapture, to send into ecstasy (*o* raptures), to delight. – **solluccherarsi** *v.r.* to go into ecstasy (*o* raptures), to be delighted. – **sollụchero** *m.* rapture, ecstasy, delight, transport. □ *andare in* ~ to go into raptures (*o* ecstasy); *mandare in* ~ to enrapture, to send into ecstasy (*o* raptures).

solmisazịone, solmizzazịone *f.* ⟨*Mus*⟩ solmization.

sọlo I *a.* **1.** ⟨*pred*⟩ *alone*, ⟨*pred*⟩ by oneself: *essere sempre* ~ to be always alone; *stavo lì* ~ I was there alone (*o* by myself). – **2.** (*preceduto dall'art.*: *unico, singolo*) only, (only) one, single, sole: *lo studio ha una -a finestra* the office has only one window; *sei la -a amica che ho* you are the only friend I have; *credere in un* ~ *Dio* to believe in only one God. – **3.** (*soltanto*) only, just: *ancora un minuto* ~ just (*o* only) one more minute. – **4.** *pl.* (*preposto a un sost.*: *solamente, nessun altro che*) only, just: *rivista per -i uomini* magazine for men only; *ingresso riservato ai -i soci* entrance for members only. – **5.** (*di più cose che diventano uno*) one, single: *i due torrenti diventano un* ~ *fiume* the two streams become one (*o* a single) river; *i fanciulli gridavano a una -a voce* the boys shouted with one voice. – **6.** (*non ripetuto, non replicato*) just one, one ... only: *fammi un* ~ *fischio* give me just one whistle. – **7.** (*che vive da solo*) living alone; (*non sposato*) single: *una donna -a* a single woman. – **8.** (*in senso spirituale*: *abbandonato*) forsaken, deserted, lonely, lonesome, abandoned: *sentirsi* ~ to feel lonely. – **9.** (*semplice, senz'altro*) mere, alone, only, just: *mi basta la tua -a parola* your word alone is enough for me; *al* ~ *pensiero rabbrividisco* I shudder at the mere thought; *l'uomo non vive di* ~ *pane* man does not live by bread alone. – **10.** (*esclusivo*) sole: *il* ~ *rappresentante della ditta* the sole agent of the firm. – **11.** ⟨*Mus*⟩ solo, unaccompanied. – **12.** ⟨*poet*⟩ (*solitario, deserto*) solitary, lonely, remote. – **13.** ⟨*fig,ant*⟩ (*eccellente*) unique, singular, outstanding. – **II** *avv.* **1.** only, just, merely: *l'ho* ~ *toccato* I only touched it. – **2.** (*appena, non prima*) only, just: *l'ho saputo* ~ *ieri* I heard about it only yesterday, I only heard about it yesterday; ~ *una volta* just once. – **3.** (*restrittivo*) only, but, just: *è bello,* ~ *un po' caro* it's lovely, but a little expensive. – **III** *s.m.* **1.** (*f.* **-a**) only one: *è il* ~ *a sapere la verità* he is the only one who knows the truth. – **2.** ⟨*Mus,non com*⟩ (*assolo*) solo, solo passage (*o* composition). – **IV** *congz.* only, but, however, yet, nevertheless: *ho telefonato,* ~ *non ho trovato nessuno* I phoned but I didn't get any answer.

□ ⟨*Mus*⟩ **a** ~ solo, unaccompanied; ⟨*non com*⟩ *a* ~ *a* ~ = **da** *solo a solo*; ⟨*pop*⟩ ~ *come un* **cane** all alone; ~ **che**: 1. only, but, just, it's just that, the only trouble (*o* thing) is that: *vorrei andarci,* ~ *che non mi bastano i soldi* I'd like to go, only (*o* the only trouble is that) I don't have enough money; 2. (*purché*) provided that, if only: ~ *che ne avessi la possibilità* if only I had the chance; 3. (*se non fosse che*) if it were not that; **da** ~ alone, by oneself: *l'ho fatto da* ~ I did it alone (*o* by myself); *si rifà il letto da* ~ he makes his bed by himself; *essersi fatto da* ~ to be a self-made man; *parlare da* ~ to talk to oneself; *da* ~ *a* ~ in private, tête-à-tête; *ha un* ~ **figlio** he has only one son; **non** ~: 1. not only, not just; 2. (*come aggiunta*) that's not all; *non* ~ ..., *ma anche* not only ..., but also: *non* ~ *lui, ma anche sua sorella* not only him, but ⌜also his sister⌝ (*o* his sister too); ⟨*enfat*⟩ not only ..., but even: *non* ~ *vuotò la cassaforte ma mi prese anche il portafoglio* not only did he clear out the safe but he even took my wallet; (*in frasi negative*) not only ..., but ... either: *non* ~ *è arrivato in ritardo, ma non si è neanche scusato* not only did he arrive late, but he didn't even apologize either; *non uno* ~ (*neppure uno*) not (even) one, not a single one; ⟨*region*⟩ ~ **più** (*ancora soltanto*) only ... more, just ... more: ~ *più pochi giorni* only a few days more; ~ **soletto** all (*o* quite) alone, all ⌜on one's own⌝ (*o* by oneself), ⟨*fam*⟩ all by one's lonesome; ⟨*ant*⟩ ~ **tanto** → **soltanto**; **tutto** ~ = *solo* **soletto**. – *Prov.*: *meglio -i che male accompagnati* better alone than in ill company.

Solọne *N.pr.m.* ⟨*Stor*⟩ Solon. – **solone** *m.* (*legislatore*) solon, lawmaker, lawgiver, legislator. – **solọnico** *a.* (*pl.* **-ci**) Solonian, Solonic, of Solon: *legge -a* Solonian law.

solreụtte *m.* ⟨*Mus,ant*⟩ (*frase musicale*) phrase.

solstiziạle *a.* ⟨*Astr*⟩ solstitial: *punti -i* solstitial points, solstices. – **solstịzio** *m.* solstice. □ ~ *d'estate* summer solstice; ~ *d'inverno* winter solstice.

soltạnto *avv.* **1.** only, all, just, alone: *voglio* ~ *vederlo* I only want to see him. – **2.** (*appena*) only, just, barely, merely. □ *mi ha dato mille lire* – ~? he gave me a thousand lire – is that all?; ~ *loro* only they, they alone.

solụbile *a.* **1.** soluble. – **2.** ⟨*fig*⟩ solvable, soluble. □ ~ *in acido* acid -soluble; *caffè* ~ instant coffee; ~ *in acqua* water-soluble, soluble in water; ~ *in olio* oil-soluble. – **solubilità** *f.* **1.** solubility. – **2.** ⟨*fig*⟩ solvableness, solvability, solubility. – **solubilizzạre** *v.t.* ⟨*Chim, Fis*⟩ to solubilize, to make soluble.

solutịvo I *a.* ⟨*Med,ant*⟩ (*lassativo*) laxative, purgative. – **II** *s.m.* laxative, purgative.

solụto (*p.p. di solvere*) **I** *a.* ⟨*ant*⟩ **1.** (*sciolto*) free, released, loosened, loose. – **2.** (*risolto*) solved, cleared up. – **3.** (*adempiuto*) fulfilled. – **II** *s.m.* ⟨*Chim*⟩ solute. – **solutọre** *m.* (*f.* **-trice**) **1.** solver, solution finder. – **2.** ⟨*Chim*⟩ solution apparatus.

solutreạno I *a.* ⟨*Archeol*⟩ Solutrean, Solutrian, of Solutré. – **II** *s.m.* Solutrean (culture).

soluzịone *f.* **1.** ⟨*Chim*⟩ solution, dissolving; (*miscela omogenea*) solution. – **2.** ⟨*Mat*⟩ (*risoluzione*) solving, solution: *la* ~ *di un quesito* the solving of a problem. – **3.** (*spiegazione*) solution, answer, explanation: *la* ~ *di un indovinello* the answer to a riddle. – **4.** (*decisione*) decision: *venire a una* ~ to take (*o* make) a decision; *è l'unica* ~ *logica* it's the only logical decision. – **5.** (*compromesso, accordo*) settlement, arrangement, agreement: ~ *pacifica di una controversia* peaceful settlement of a dispute. – **6.** (*esito*) result, outcome, issue. – **7.** (*interruzione*) solution, break, breach, interruption; (*rif. a contratti e sim.*) solution, discharge, performance, annulment, abrogation. – **8.** ⟨*Med*⟩ solution.

□ ⟨*Chim*⟩ ~ **acquosa** water solution; ~ **alcalina** alkaline solution; ~ **ammoniacale** ammonia solution; ~ **anticongelante** anti-freeze; ~ **colloidale** colloidal solution; ~ *di* **continuità**: 1. ⟨*Med*⟩ solution of continuity (*o* connection, unity); 2. ⟨*fig*⟩ solution of continuity, interruption, break; *senza* ~ *di continuità* without a break (*o* gap), uninterrupted, without solution of continuity; ⟨*Fot, Chim*⟩ ~ **madre** stock solution; ~ **normale** normal solution; ~ *di* **para** (para) solution; ~ *di* **riserva** = *soluzione* **madre**; ~ **salina** saline solution; ~ **satura** saturated solution; ~ **tampone** buffer solution; ⟨*Comm*⟩ **unica** ~ single (*o* non-recurring) payment; *in una unica* (o *sola*) ~ in a single payment.

solv. = ⟨*Farm*⟩ *sciogli* dissolve (*abbr.* solv.).

solvatazịone *f.* ⟨*Chim*⟩ solvation. – **solvạto** *m.* solvate.

solvẹnte (*p.pr. di solvere*) **I** *a.* **1.** ⟨*Chim*⟩ solvent. – **2.** ⟨*Comm*⟩ solvent. – **II** *s.m.* ⟨*Chim*⟩ solvent. – **solvẹnza** *f.* ⟨*Comm*⟩ solvency.

sọlvere *v.t.* (**solvẹi/solvẹtti, solụto**) ⟨*lett*⟩ **1.** (*sciogliere*) to loose(n), to release. – **2.** ⟨*fig*⟩ (*liberare*) to release, to (set) free, to loose. – **3.** ⟨*fig*⟩ (*risolvere*) to solve, to resolve; (*chiarire*) to clear up, to explain, to clarify. – **4.** ⟨*fig*⟩ (*pagare*) to pay, to discharge: ~ *un debito* to pay (up) a debt; (*soddisfare*) to satisfy, to gratify, to comply with: ~ *un desiderio* to gratify a wish.

solvịbile *a.* **1.** ⟨*Comm*⟩ (*che può pagare*) solvent: *cliente* ~ solvent client. – **2.** ⟨*Comm*⟩ (*che può essere pagato*) payable. – **3.** ⟨*lett*⟩ (*risolvibile*) (re)solvable. – **solvibilità** *f.* ⟨*Comm*⟩ **1.** (*il poter pagare*) solvency. – **2.** (*il poter essere pagato*) payability, payableness.

sọma[1] *f.* **1.** (*carico*) pack, load, burden. – **2.** ⟨*fig*⟩ (*responsabilità, onere*) burden, load, charge, weight. – **3.** ⟨*fig,lett*⟩ (*peso opprimente*) burden, load; (*giogo*) yoke. – **4.** ⟨*fig,lett*⟩ (*corpo*) body. – **5.** ⟨*Stor*⟩ (*misura di capacità*) old measure of capacity (145-171 l); (*misura di superficie*) old surface measure (10,000-14,000 m^2). □ *da* ~ pack-, of burden: *bestia da* ~ pack-animal, beast of burden; ⟨*fig*⟩ (*persona che lavora molto*) packhorse, slave, drudge.

sọma[2] *m.* ⟨*Biol*⟩ soma.

sọma[3] *m.* (*in India*) soma.

...soma *suff.* (*corpo* body) ...soma, ...some: *cromosoma m.* chromosome.

somạio *m.* ⟨*tosc,ant*⟩ → **somaro.**

Somạlia *N.pr.f.* ⟨*Geog*⟩ **1.** Somaliland (*denom.uff.*: *Repubblica Somala* Somali Republic). – **2.** (*Somalia ex-italiana*) Somalia. □ ~ *britannica* British Somaliland, Somaliland Protectorate; ~ *francese* French Somaliland; ~ *italiana* Italian Somaliland. – **sọmalo I** *a.* Somalian, of Somalia, of Somaliland. – **II** *s.m.* **1.** (*lingua*) Somali. – **2.** (*abitante*; *f.* **-a**) Somali, Somalian.

somạra *f.* she-ass, jenny. – **somarạggine** *f.* **1.** (*qualità*) stupidity, blockheadedness, doltishness, dullness. – **2.** (*azione*) foolish act(ion), piece of stupidity; (*discorso*) stupid remarks *pl*, nonsensical talk. – **somarạta** *f.* ⟨*non com*⟩ foolish thing (to do). – **somarẹllo** (*dim. di somaro*) *m.* **1.** (*bambino ignorante*) dunce, donkey. – **2.** ⟨*Agr*⟩ (*vitigno*) kind of vine.

somạro *m.* (*f.* **-a**) **1.** ass, jackass, donkey. – **2.** ⟨*fig*⟩ (*persona ignorante*) ass, donkey, dolt; (*rif. a ragazzi*) donkey, dunce: *sei il più* ~ *della classe* you're the dunce of the class. – **somarọne** (*accr. di somaro*) *m.* (*f.* **-a**) ass, donkey.

somạtico *a.* (*pl.* **-ci**) ⟨*Biol*⟩ somatic. – **somatiẓẓaziọne** *f.* ⟨*Psic*⟩ somatization.

somato... *pref.* somat(o)...

somato|agnosịa *f.* ⟨*Med*⟩ body image agnosia, autotopagnosia. – **~dẹrma** *m.* ⟨*Zool*⟩ somatoderm. – **~gẹnico** *a.* (*pl.* **-ci**) ⟨*Biol*⟩ somatogenic.

somatọ|geno *a.* → **somatogenico.** – **~logịa** *f.* somatology, physical anthropology. – **~lọgico** *a.* (*pl.* **-ci**) somatological. – **~metrịa** *f.* somatometry. – **~nevrọsi** *f.* ⟨*Psic*⟩ organ neurosis. – **~plạsma** *m.* ⟨*Biol*⟩ somatoplasm, somaplasm. – **~plẹura** *f.* ⟨*Biol*⟩ somatopleure. – **~scopịa** *f.* somatoscopy.

somatọsi *f.* ⟨*Med*⟩ organic disease.

somatọtropo: ⟨*Biol*⟩ *ormone* ~ somatotropic hormone.

somaziọne *f.* ⟨*Biol*⟩ modification.

sombrẹro *sp. m.* sombrero.

someggiạbile *a.* transportable by pack-animal. – **someggiạre** *v.t.* (**somẹggio, somẹggi**) to transport by pack-animal, to carry on a packhorse (*o* mule, donkey). – **someggiạto** (*p.p. di someggiare*) *a.* transported (*o* carried) by pack-animal.

somestesịa *f.* ⟨*Fisiol*⟩ somataesthesia, somataesthesis, somaesthesia.

somiẹre, somiẹro *m.* ⟨*lett*⟩ **1.** pack-animal, beast of burden. – **2.** ⟨*Mus*⟩ wind-chest.

somigliạnte (*p.pr. di somigliare*) **I** *a.* similar (*a* to), like (s.o.), ⟨*pred*⟩ alike: *è molto* ~ *al nonno* he ⌜is very like⌝ (*o* closely resembles) his grandfather; *i due sono molto -i tra di loro* the two are very alike (*o* like each other). – **II** *s.m.* **1.** something similar: *ho qualcosa di* ~ I have something similar (*o* like it). – **2.** ⟨*lett*⟩ (*stessa cosa*) same (thing). □ *un ritratto* ~ a faithful portrait, a portrait that is a good likeness. – **somigliantemẹnte** *avv.* similarly. – **somigliạnza** *f.* resemblance, similarity, likeness: *non vedo la minima* ~ *tra te e tua sorella* I don't see the slightest resemblance between you and your sister. □ ⟨*lett*⟩ *a* ~ similar (*di* to), in the likeness (of), like (s.o.): ⟨*Bibl*⟩ *Dio creò l'uomo a sua immagine e* ~ God created man in His own image and likeness; ⟨*ant*⟩ *in* (*o della*) ~ *di* similar to, like.

somigliạre *v.* (**somịglio, somịgli**) **I** *v.i.* (*aus.* **avere**) **1.** to resemble, to look like (*a qd.* s.o.), to be similar (to): *questo ritratto non somiglia all'originale* this portrait does not resemble the original; (*rif. a membri di una stessa famiglia*) to take after (s.o.): *somiglia al padre* he takes after his father. – **2.** ⟨*ant*⟩ (*sembrare, parere*) to look, to seem, to appear. – **II** *v.t.* **1.** ⟨*non com*⟩ to be similar to, to resemble, to look like; (*rif. a membri di una stessa famiglia*) to take after. – **2.** ⟨*lett*⟩ (*paragonare*) to liken, to compare: *il poeta somiglia la fanciulla a una rosa* the poet likens the girl to a rose. – **somigliarsi** *v.r.* ⟨*recipr*⟩ to look alike, to be alike (*o* similar), to resemble e.o.: *somigliarsi come due gocce d'acqua* to be as alike as two peas in a pod. □ ~ *tutto a qd. nell'aspetto* to look just like s.o., ⟨*fam*⟩ to be the spitting image of s.o.

somigliẹvole *a./s.* ⟨*non com*⟩ → **somigliante.**

somịte *f.* ⟨*Biol*⟩ somite.

sọmma *f.* **1.** ⟨*Mat*⟩ (*addizione*) addition. – **2.** (*risultato di un'addizione*) sum, (total) amount, sum total: *la* ~ *ammonta a due milioni di lire* the total amount comes to two million lire. – **3.** (*quantità di denaro*) sum (of money), amount (of money): *guadagnare una forte* ~ to earn a great amount of money. – **4.** (*complesso risultante dall'insieme di più cose*) (sum) total, sum, whole (amount): *la* ~ *degli affari* total business; *la* ~ *dei nostri sforzi* the sum total of our efforts. – **5.** ⟨*fig*⟩ (*sostanzialità, essenziale*) gist, main point, sum, essence, pith: *la* ~ *del discorso* the gist of what is being said, the main point. – **6.** (*sostanza, conclusione*) conclusion: *questa è la* ~ *del suo discorso* this is the conclusion of his lecture. – **7.** ⟨*lett*⟩ (*compendio, sunto*) summary, compendium, epitome, sum. – **8.** ⟨*Mediev*⟩ summa.

□ ~ **versata** *in* **acconto** deposit, down (*o* part) payment; ~ **algebrica** algebraic sum; ~ **aritmetica** (arithmetical) sum; ~ *data in* **cauzione** sum deposited as surety (*o* a guarantee); ⟨*lett*⟩ *la* ~ *del* **comando** the supreme (*o* highest) power (*o* authority), the commonweal, the supreme public interest; ~ **complessiva** total (*o* aggregate) sum; ~ **depositata** sum deposited; **fare** *la* ~ *di* to add (up), to sum: *fare la* ~ *di due numeri* to add up two numbers, to add two numbers (together); ~ **forfettaria** lump sum; ~ **geometrica** geometrical sum; ~ **globale**: 1. = *somma* **complessiva**; 2. = *somma* **forfettaria**; **in** ~: 1. (*insomma*) in conclusion, to sum up, so, the fact is, finally, in short; 2. ⟨*ant*⟩ (*in breve, in sintesi*) in short, in sum, briefly; ⟨*fig*⟩ *la* ~ *delle* **somme** (*la conclusione finale*) the final conclusion, the upshot, the end; **tirare** *le -e* to cast up (accounts), to add up; ⟨*fig*⟩ to sum up, to draw conclusions; *tirate le -e* all (things) considered.

sommạbile *a.* addable, addible, that can be added (up): *numeri -i* addable numbers. – **sommabilità** *f.* addibility, capability of addition.

sommacchẹto *m.* sumac plantation.

sommạcco *m.* (*pl.* **-chi**) **1.** ⟨*Bot*⟩ sumac(h), Sicilian (*o* tanner's, tanning) sumac(h) (*Rhus coriaria*). – **2.** ⟨*Conc,ant*⟩ leather (*o* hide) tanned with sumac.

□ ~ **americano** staghorn sumac (*Rhus typhina*): ~ **arboreo** (*ailanto*) ailanthus, tree of heaven (*o* the gods) (*Ailanthus altissima*); ~ **falso** (*scotano*) smoke-tree, Venetian sumac (*Cotinus coggygria*; *Rhus cotinus*); ~ **francese** coriaria, leafy shrub containing coriamyrtin (*Coriaria myrtifolia*); ~ **persiano** = *sommacco* **arboreo**; ~ **di Sicilia** Sicilian (*o* tanner's) sumac(h) (*Rhus coriaria*); ~ **veneto** = *sommacco* **falso.**

sommạco *m.* ⟨*ant*⟩ → **sommacco.**

sommamẹnte *avv.* **1.** (*grandemente*: *davanti a verbi*) greatly, very much, extremely, highly, deeply; (*davanti ad aggettivi*) very, extremely, most, exceedingly. – **2.** (*massimamente, principalmente*) principally, above all, chiefly, especially.

sommạre *v.* (**sọmmo**) **I** *v.t.* to add (up, together), to sum: ~ *un numero con* (*o a*) *un altro* to add one number to another, to add ⌜up two numbers⌝ (*o* two numbers together); *somma cinque a dieci e avrai quindici* add five and ten and you get fifteen; *alla fatica devi* ~ *anche il tempo speso per finire il lavoro* besides the trouble you have to add the time spent in finishing the job. – **II** *v.i.* (*aus.* **avere**) (*ammontare*) to amount, to come (*a* to), to total (s.th.): *le perdite sommano a due milioni* losses amount to two million lire. □ *tutto sommato* all (things) considered, all in all, taking it all round, taking everything into account.

sommạria *f.* ⟨*Dir.ant*⟩ (*ragione sommaria*) summary justice.

sommariamẹnte *avv.* **1.** summarily, in short, briefly. – **2.** ⟨*Dir*⟩ summarily. – **sommarietà** *f.* **1.** summariness, brevity, conciseness. – **2.** ⟨*Dir*⟩ summariness.

sommạrio[1] *a.* **1.** summary, concise, compact, succinct, brief: *una esposizione -a dell'accaduto* a brief account of the event. – **2.** ⟨*Dir*⟩ summary: *processo* ~ summary proceedings.

sommạrio[2] *m.* **1.** (*compendio*) summary, compendium, epitome, outline, digest: *un* ~ *della storia d'Italia* an outline of the history of Italy. – **2.** (*riassunto*) summary, epitome, synopsis, précis: *fare il* ~ *di una novella* to make a précis of a short story. – **3.** (*indice*) table of contents, index: ~ *di un trattato* index of a treaty. – **sommariọne** (*accr. di sommario*[2]) *m.* ⟨*ant*⟩ (*catasto*) cadastre, land register.

sommatọre *m.* ⟨*El*⟩ connector, commutator. – **sommatọria** *f.* ⟨*Mat*⟩ summation. – **sommaziọne** *f.* ⟨*Mat,Fisiol*⟩ summation.

sommẹrgere *v.t.* (**sommẹrgo, sommẹrgi; sommẹrsi, sommẹrso**) **1.** (*inondare*) to submerge, to flood, to drown, to swamp, to inundate: *la campagna fu sommersa dalle acque* the countryside was flooded by the waters. – **2.** (*far affondare*) to sink, to send to the bottom, to founder: *alte onde sommersero la barca* huge waves sank the boat. – **3.** ⟨*fig*⟩ (*colmare*) to overwhelm, to cover, ⟨*fam*⟩ to heap: ~ *qd. di insulti* to cover s.o. with insults. – **4.** ⟨*fig*⟩ (*far scomparire*) to blot (*o* wipe) out, to cause to vanish: *il tempo sommerge ogni ricordo* time wipes out all memory. – **sommergersi** *v.r.* **1.** (*andare a fondo*) to sink, to founder, to go down. – **2.** (*immergersi*) to dive, to submerge: *il sottomarino si sommerge* the submarine is diving.

sommergịbile I *a.* submergible, submersible. – **II** *s.m.* ⟨*Mar*⟩ submarine. □ ~ *atomico* (*o a propulsione nucleare*) atomic (*o* nuclear -powered) submarine; ~ *di alto mare* ocean-going submarine. – **sommergibilịsta** *m.* ⟨*Mar*⟩ submariner, member of a submarine crew. – **sommersiọne** *f.* ⟨*non com*⟩ **1.** (*inondazione*) submersion, submerging, flooding, inundation. – **2.** (*l'affondare*) sinking, foundering, going down; (*il far affondare*) sinking, foundering. – **sommẹrso** (*p.p. di sommergere*) *a.* **1.** (*inondato*) submerged, flooded, swamped, inundated, drowned: *città -a* submerged city. – **2.** (*affondato*) sunk, foundered.

sommessamẹnte *avv.* **1.** softly, quietly: *piangere* ~ to weep softly. – **2.** ⟨*ant*⟩ (*con umiltà*) submissively, humbly. □ *parlare* ~ to

talk in ⌜a low voice⌝ (*o* an undertone). – **sommessiọne** *f.* ⟨*ant*⟩ → **sommissione.**
sommẹsso[1] **I** *a.* **1.** (*sottomesso*) submissive, humble, meek. – **2.** (*rif. a suoni*) soft, low, quiet, subdued. – **II** *avv.* → **sommessamente.**
sommẹsso[2] *m.* ⟨*ant*⟩ (*misura di lunghezza*) span.
sommẹtta *f. dim. di* **somma.**
sommẹttere *v.t.* (**sommịsi, sommẹsso**) ⟨*ant*⟩ **1.** (*mettere sotto*) to put underneath. – **2.** ⟨*fig*⟩ (*assoggettare*) to subject, to subdue.
sommettịna *f. dim. di* **somma.**
sommier *fr.* [sɔmj'e] *m.* ⟨*Arred*⟩ (*divano letto*) divan-bed, sofa-bed.
somministramẹnto *m.* ⟨*non com*⟩ → **somministrazione.** – **somministrạnte** *m./f.* ⟨*Dir*⟩ purveyor.
somministrạre *v.t.* **1.** to give, to administer, to dispense: ~ *una medicina* to give a medicine; (*rif. a viveri e sim.*) to give (out), to distribute. – **2.** (*offrire, porgere*) to offer, to tender, to give. – **3.** (*mettere in tavola*) to serve (up), to dish up. – **4.** (*fornire*) to supply, to provide. – **5.** ⟨*Dir*⟩ to purvey. – **6.** ⟨*scherz*⟩ (*dare qc. di sgradito*) to give, to administer; (*rif. a schiaffi e sim.*) to deal, to deliver, ⟨*fam*⟩ to land. ▭ ⟨*Dir*⟩ ~ *gli alimenti* to provide maintenance; ⟨*Rel*⟩ ~ *un sacramento* to administer (*o* give) a sacrament.
somministratịvo *a.* ⟨*non com*⟩ administrating, supply-, provision-. – **somministrạto** *m.* (*f.* **-a**) ⟨*Dir*⟩ receiver, person supplied. – **somministratọre** *m.* (*f.* **-trice**) **1.** administrator, giver. – **2.** (*elargitore*) distributor, giver. – **3.** (*fornitore*) supplier, provider. – **4.** ⟨*Dir*⟩ purveyor. – **somministraziọne** *f.* **1.** (*il somministrare*) administration, administering, giving, dispensing. – **2.** (*cosa somministrata*) supply, provision. – **3.** (*elargizione*) distribution, giving out. – **4.** ⟨*Dir*⟩ purveyance, supply(ing): *contratto di* ~ contract of purveyance. ▭ ⟨*Rel*⟩ ~ *di sacramenti* administration of the Sacraments.
sommissiọne *f.* **1.** submission, submissiveness. – **2.** ⟨*lett*⟩ (*assoggettamento*) subjection, subjugation.
sommịsta *m.* ⟨*Mediev*⟩ summist, summarist.
sommità *f.* **1.** (*vetta*) summit, peak, top: *la* ~ *di un monte* the summit (*o* peak) of a mountain, a mountain top; (*punta*) top, tip: *la* ~ *di un albero* a tree-top. – **2.** ⟨*fig*⟩ summit, peak, pinnacle, height, heights *pl*, acme: *la* ~ *della gloria* the peak of glory. – **3.** ⟨*giorn*⟩ (*incontro al vertice*) summit(-meeting); (*conferenza*) summit (conference). – **4.** (*in erboristeria*) summit. – **sommitạle** *a.* ⟨*non com*⟩ top.
sommịte *f.* ⟨*Min*⟩ nepheline, nephelite.
sọmmo I *a.* (*sup. di alto e grande*) **1.** (*altissimo*) very high (*o* tall); (*il più alto*) highest, tallest, topmost. – **2.** (*grandissimo*) very high (*o* great), extreme, top; (*il più grande*) greatest, highest. – **3.** (*il più elevato*) supreme, highest: *il* ~ *Pontefice* the Supreme (*o* Sovereign) Pontiff. – **4.** ⟨*fig*⟩ (*massimo*) (the) greatest, (the) highest, prime, extreme, top, (the) utmost: *una questione di -a importanza* a question of prime (*o* the greatest) importance; *il* ~ *bene* the greatest good. – **5.** ⟨*fig*⟩ (*eccellente*) excellent, outstanding, great, first-class: *poeta* ~ outstanding (*o* great) poet. – **II** *s.m.* **1.** (*sommità*) summit, top; (*vetta*) summit, peak, top. – **2.** ⟨*fig*⟩ summit, peak, height, heights *pl*, pinnacle: *raggiungere il* ~ *del successo* to reach the peak of success. – **3.** ⟨*Pesc*⟩ tunny-fishing rope (*o* line). ▭ ⟨*lett*⟩ *essere a* (*o al*) ~ *di qc.* to be at the top of s.th.; *al* ~ *della scala* at the top of the stairs; *al* ~ *della collina* at (*o* on) the top of the hill; *in* ~ *grado* to the highest degree.
sọmmolo *m.* ⟨*ant*⟩ (*punta*) top, tip; (*estremità*) tip, end.
sommọmmolo *m.* ⟨*Dolc,non com*⟩ fried rice cake.
sommoscạpo *m.* ⟨*Arch*⟩ upper shaft (*o* scape).
sommọssa *f.* (up)rising, revolt, insurrection, rebellion. ▭ ⟨*ant*⟩ *a* ~ *di* (*per istigazione*) at (*o* upon) the instigation of, stirred up by.
sommọsso (*p.p. di sommuovere*) *a.* **1.** (*agitato*) agitated, stirred; (*rif. al mare*) rough, troubled: *acque -e* troubled waters. – **2.** ⟨*fig*⟩ (*turbato*) troubled, disturbed, upset. – **3.** ⟨*fig*⟩ (*commosso*) moved. – **sommọvere** *v.* → **sommuovere.** – **sommovimẹnto** *m.* ⟨*non com*⟩ **1.** (*il sommuovere*) agitation, stirring, shaking; (*l'essere sommosso*) agitation; (*rif. a terra*) tremor. – **2.** (*tumulto*) uproar, commotion, tumult, unrest, agitation. – **sommovitọre** ⟨*non com*⟩ **I** *s.m.* (*f.* **-trice**) **1.** agitator. – **2.** (*istigatore*) instigator, inciter, provoker. – **II** *a.* instigating, inciting, provoking, of incitement.
sommozzatọre *m.* **1.** (deep-water) diver. – **2.** ⟨*Mar.mil*⟩ frogman.
sommuọvere *v.t.* (**sommọssi, sommọsso**; → **muovere**) ⟨*lett*⟩ **1.** (*muovere con violenza*) to shake, to stir (up), to agitate. – **2.** ⟨*fig*⟩ (*turbare*) to trouble, to upset, to disturb. – **3.** (*istigare alla ribellione*) to instigate, to incite, to stir up, to provoke, to rouse: ~ *il popolo* to stir up the people.
somniạre *v.i.* (**sọmnio, sọmni**; *aus.* **avere**) ⟨*ant*⟩ → **sognare.**
sonạbile *a.* ⟨*non com*⟩ playable.
sonacchiạre *v.* ⟨*non com*⟩ → **sonicchiare.**
sonagliẹra *f.* bell-harness, collar with bells. – **sonagliẹtto** *m. dim. di* **sonaglio.** – **sonaglịno** (*dim. di sonaglio*) *m.* **1.** (*giocattolo*) rattle. – **2.** *pl.* ⟨*Bot*⟩ quaking-grass (*Briza maxima*). – **sonạglio** *m.* **1.** (jingle-)bell, cascabel; (*rif. a slitta*) sleigh-bell, jingle-bell. – **2.** ⟨*ant*⟩ (*bolla d'aria*) air bubble. ▭ *serpente a -i* rattlesnake; ~ *per bambini* baby's rattle. – **sonagliọlo** *m.* ⟨*tosc*⟩ → **sonaglio.**
sonạnte (*p.pr. di sonare*) **I** *a.* **1.** (*che risuona*) (re)sounding; (*che emette un suono metallico*) ringing; (*rif. a strumenti e sim.*) playing, sounding. – **2.** (*rif. a voce: squillante*) shrill, ringing. – **3.** ⟨*fig*⟩ (*altisonante*) high-sounding, highflown, pompous, bombastic: *un titolo* ~ a high-sounding title. – **4.** ⟨*Fon*⟩ sonant. – **II** *s.m.* ⟨*Fon*⟩ sonant. ▭ *moneta* ~ ready cash.
sọnar *m.inv.* ⟨*tecn*⟩ sonar.
sonạre *v.* (**suọno**/*pop.,lett.* **sọno**) **I** *v.t.* **1.** (*rif. a strumenti musicali*) to play: ~ *il violino* to play the violin; (*rif. a strumenti a fiato*) to play, to blow; (*far squillare*) to sound: ~ *la tromba* to sound (*o* play) the trumpet; (*rif. a strumenti a percussione*) to strike, to play, to sound: ~ *la cembanella* to strike (*o* clash) the cymbals. – **2.** (*rif. a persone: eseguire sonando*) to play, to perform: ~ *un ballabile* to play a dance-tune. – **3.** (*rif. a strumenti: eseguire una musica*) to play: *l'organo suona un pezzo di Bach* the organ is playing a piece by Bach; (*dare il segnale*) to sound, to play: *la tromba suona il silenzio* the trumpet is sounding ' lights out '. – **4.** (*rif. a campanelli*) to ring. – **5.** (*rif. a dischi musicali e sim.*) to play. – **6.** (*rif. a campane*) to ring, to chime: ~ *l'avemaria* to ring the Angelus. – **7.** (*battere le ore*) to strike: *l'orologio suona le sei* the clock is striking six; (*con rintocchi di campana*) to chime; (*annunciare*) to ring for: ~ *la messa* to ring for Mass. – **8.** ⟨*fam*⟩ (*dare con forza*) to give, to deal, ⟨*fam*⟩ to land: ~ *un ceffone a qd.* to deal s.o. a cuff; (*picchiare, bastonare*) to beat, to thrash, to give a thrashing (*o* hiding) to, ⟨*fam*⟩ to wallop, ⟨*fam*⟩ to tan (the hide of): *guarda che te le suono* mind out or you'll get a hiding from me. – **9.** ⟨*fig*⟩ (*dire apertamente*) to say openly (*o* point-blank), ⟨*fam*⟩ to give it straight: *gliel'ha sonata* he gave it to her straight, he didn't mince words with her. – **10.** ⟨*fam*⟩ (*imbrogliare*) to take in, to swindle, to cheat, ⟨*fam*⟩ to take for a ride: *sonarla a qd.* to take s.o. in. – **11.** ⟨*fig,lett*⟩ (*significare*) to mean, to denote, to express: *le sue parole sonavano scherno* her words denoted scorn; *un discorso che sonava lode* remarks denoting praise. – **12.** ⟨*rar*⟩ (*far risonare*) to make resound. – **II** *v.i.* (*aus.* **avere/essere**) **1.** (*rif. a strumenti musicali*) to play: *il nuovo violino suona magnificamente* the new violin plays marvellously. – **2.** (*rintoccare*) to ring, to sound, to chime; (*per chiamare i fedeli*) to ring: *le campane suonano a messa* the bells are ringing for Mass. – **3.** (*rif. a campanelli*) to ring: *il telefono sonò a lungo* the telephone rang for a long time; (*scampanellare, tintinnare*) to tinkle, to jingle; (*rif. a sveglie*) to ring, to go off: *la sveglia non ha sonato* the alarm didn't go off. – **4.** (*fare il musicista*) to play, to perform: *suona in un locale notturno* he plays in a night-club. – **5.** (*emettere un suono*) to have a sound (*o* ring), to resound, to sound hollow, to ring (out): *la moneta suona male, sembra falsa* the coin has a false ring (*o* sound); *se batti qui, la parete suona* if you tap here, the wall sounds hollow. – **6.** (*rif. alle ore*) to strike: *sono appena sonate le cinque* it has just struck five. – **7.** (*avere suono, armonia*) to sound, to ring: *questa frase suona male* this sentence ⌜sounds wrong⌝ (*o* has a false ring); (*dare un'impressione*) to sound, to have an effect: *queste parole suonano strane sulla sua bocca* these words ⌜sound strange⌝ (*o* have a strange effect) coming from her. – **8.** ⟨*lett*⟩ (*risonare*) to ring (out), to resound, to echo, to reverberate: *la casa sonava di grida di bambini* the house rang with the cries of children. – **9.** ⟨*lett*⟩ (*aver fama*) to be (well-)known, to be famous (*o* noted). – **10.** ⟨*lett*⟩ (*significare*) to mean, to signify, to express.
▭ ~ *alla* **cameriera** to ring for the maid; ~ *il* **campanello** to ring the bell; (*agitandolo*) to ring (*o* shake) the bell; ~ *il* **clacson** to sound (*o* blow, toot) one's horn; ~ *a* **distesa** to (ring full) peal; ~ *a* **festa** to ring ⌜out joyfully⌝ (*o* a festive peal); *mi suona* **male** I don't like the sound of it, ⟨*fam*⟩ it sounds funny to me; ~ *a* **martello** to ring the tocsin (*o* alarm-bell); ⟨*fig*⟩ to raise the alarm; ~ *a* **morto** to toll (the knell), to sound the passing bell; ~ *a* **orecchio** to play by ear; ~ *a prima* **vista** to sight-read, to play at sight. || ⟨*fam*⟩ *sonarsele* to hit e.o., to beat e.o. up: *se le sono sonate di santa ragione* they beat e.o. up badly.
sonạta *f.* **1.** playing. – **2.** (*rif. a campane*) ringing, chiming, chimes *pl*. – **3.** (*rif. a campanelli*) ringing; (*lo scampanellare, il tintinnare*) jingling, tinkling; (*suono singolo*) ring, ting-a-ling; (*tintinnio*) jingle, tinkle. – **4.** ⟨*Mus*⟩ sonata: *una* ~ *per violino e pianoforte* a sonata for violin and piano. – **5.** ⟨*fam*⟩ (*conto salato*) exorbitant bill, high price. – **6.** ⟨*fam*⟩ (*imbroglio*) swindle, ⟨*fam*⟩ swiz: *prendersi una* ~ to be swindled, ⟨*fam*⟩ to get taken in (*o* for a ride). – **7.** ⟨*fam*⟩ (*bastonatura*) beating, thrashing, ⟨*fam*⟩ hiding, ⟨*fam*⟩ tanning: *dare una* ~ *a qd.* to give s.o. a thrashing. ▭ *fare una* ~ *al pianoforte* to play (on) the piano; ⟨*Mus*⟩ ~ *a Kreutzer* Kreutzer sonata.
sonatịna (*dim. di sonata*) *f.* ⟨*Mus*⟩ sonatina.
sonatịsta *m./f.* ⟨*Mus*⟩ composer of sonatas, sonata-writer. – **sonatịstico** *a.* (*pl.* **-ci**) sonata-: *forma -a* sonata form.
sonạto (*p.p. di sonare*) *a.* **1.** (*rif. a ore*) past, after: *sono le nove -e* it's past nine. – **2.** ⟨*fam*⟩ (*rif. agli anni: compiuto*) (well) over, past: *ha quarant'anni -i* he is past (*o* over) forty. – **3.** ⟨*gerg*⟩ (*toccato*) slightly insane, ⟨*fam*⟩ touched, ⟨*fam*⟩ daft, ⟨*fam*⟩ round the bend, ⟨*fam*⟩ crackers. – **4.** ⟨*sport*⟩ (*rif. a pugili*) punch-drunk, groggy; (*rif. ad atleti*) groggy, dizzy. ▭ ⟨*fig*⟩ *essere* (o *rimanere*) ~ (*imbrogliato*) to get swindled, to be cheated, ⟨*fam*⟩ to get caught (*o* taken for a ride); (*sconfitto*) to be beaten (*o* overcome).
sonatọre *m.* (*f.* **-trice**) **1.** player, performer. – **2.** (*professionista*) musician, player: *un* ~ *di tromba* a trumpet-player. ▭ ~ *ambulante* strolling (*o* street) musician; ⟨*fam*⟩ *buona notte* (*ai*) *-i !* (and) that's that !; ~ *di pianoforte* piano-player, pianist; ~ *di violino* violinist.
sọnco *m.* (*pl.* **-chi**) ⟨*Bot*⟩ (*crespigno*) annual sow-thistle, hare's-lettuce, milkweed (*Sonchus oleraceus*).
sọnda *f.* **1.** ⟨*Fis*⟩ probe. – **2.** ⟨*Med*⟩ probe, sound, tube, catheter. – **3.** ⟨*Minier*⟩ drill. – **4.** ⟨*Mar*⟩ (*scandaglio*) sounding-line, sounding-lead, plummet; (*stazza*) tonnage.
▭ ~ **acustica** sound probe; ⟨*Med*⟩ ~ **gastrica** stomach probe (*o*

sound, tube); ⟨*Med*⟩ ~ **intestinale** intestinal tube; ⟨*Astron*⟩ ~ **lunare** moon (*o* lunar) probe; ~ **meteorologica** weather sonde; ~ **oculare** eye probe; ⟨*Minier*⟩ ~ *di* **perforazione** boring drill; ~ **petrolifera** oil drill; ⟨*Astron*⟩ ~ **spaziale** space probe.

Sọnda: ⟨*Geog*⟩ *isole della* ~ Sunda Isles.

sondạbile *a.* soundable. – **sondạggio** *m.* **1.** sounding. – **2.** ⟨*fig*⟩ (*indagine*) survey, poll, sampling, test, inquiry, investigation, sounding, probe. – **3.** ⟨*Med*⟩ probe, sounding. – **4.** ⟨*Minier*⟩ drilling, boring. □ ⟨*Minier*⟩ ~ *esplorativo* explorative drilling; ⟨*fig*⟩ *fare un* ~ *presso qd.* to sound s.o. out; ⟨*Med*⟩ ~ *gastrico* gastric examination; *impianto di* ~ rig; ~ *dell'opinione pubblica* ⸢public opinion⸣ (*o* Gallup) poll; ~ *sottomarino* offshore (*o* submarine) drilling.

sondạre *v.t.* (**sọndo**) **1.** to sound: ~ *il fondo del mare* to sound the bottom of the sea. – **2.** ⟨*fig*⟩ to sound (out), to investigate, to inquire, to probe; (*indagare*) to survey, to poll, to sample, to test. – **3.** ⟨*Med, Fis*⟩ to probe. – **4.** ⟨*Minier*⟩ to drill, to bore. □ ⟨*fig*⟩ ~ *il terreno presso qd.* to sound s.o. out. – **sondatọre** *m.* driller, borer. – **sondatụra** *f.* ⟨*non com*⟩ → **sondaggio**.

sondịna (*dim. di sonda*) *f.* → **sondino**. – **sondịno** (*dim. di sonda*) *m.* ⟨*Med*⟩ small probe.

sọndro *m.* ⟨*Bot,tosc*⟩ (*lentisco*) lentisc(us), mastic tree (*o* shrub), lentisk (*Pistacia lentiscus*).

sonerịa *f.* **1.** striking mechanism. – **2.** ⟨*Orol*⟩ alarm. – **3.** ⟨*Tel*⟩ bell. – **4.** (*di carillon e sim.*) bell. □ ~ *d'allarme* alarm(-bell); ~ *elettrica* electric bell; ~ *telefonica* telephone bell.

sonettạccio (*pegg. di sonetto*) *m.* badly written sonnet. – **sonettẹssa** *f.* **1.** ⟨*Metr*⟩ sonnet with a tail. – **2.** ⟨*spreg*⟩ badly written sonnet. – **sonettiẹre** *m.* ⟨*spreg*⟩ sonneteer. – **sonettịsta** *m./f.* sonnetist, sonneteer, sonnet-writer. – **sonẹtto** *m.* ⟨*Metr*⟩ sonnet. □ ~ *caudato* (o *con la coda*) sonnet with a tail; ~ *doppio* (o *rinterzato*) double sonnet. – **sonettụccio, sonettụcolo** *m.* ⟨*spreg*⟩ *dim. di* **sonetto**.

sonicchiạre *v.t.* (**sonịcchio, sonịcchi**) to play a little, ⟨*fam*⟩ to fool round playing; (*rif. a strumenti a fiato*) to toot.

sọnico *a.* (*pl.* **-ci**) sonic, sound: *muro* ~ sound-barrier.

sonịo *m.* ⟨*non com*⟩ **1.** prolonged (*o* insistent) sound. – **2.** (*di campane*) prolonged ringing (*o* pealing).

sọnito *m.* ⟨*poet*⟩ (*suono*) sound.

sonnacchiosamẹnte *avv.* drowsily, sleepily. – **sonnacchiọso** *a.* **1.** (*assonnato*) drowsy, sleepy. – **2.** ⟨*fig,lett*⟩ (*indolente*) indifferent, apathetic. – **3.** (*ottuso*) dull. – **4.** ⟨*ant*⟩ (*soporifero*) sleep-inducing, somnolent.

sonnambọlico *a.* (*pl.* **-ci**) of sleepwalking, somnambulistic. – **sonnambolịsmo** *m.* ⟨*non com*⟩ → **sonnambulismo**. – **sonnạmbolo** *a./s.* ⟨*rar*⟩ → **sonnambulo**. – **sonnambulịsmo** *m.* somnambulism, sleepwalking. – **sonnạmbulo I** *s.m.* (*f.* **-a**) somnambulist, sleepwalker. – **II** *s.f.* ⟨*pop*⟩ (*indovina*) fortune-teller. – **III** *a.* somnambulist(ic), sleepwalking. □ ⟨*Mus*⟩ *la -a* La Sonnambula.

sonnecchiạre *v.i.* (**sonnẹcchio, sonnẹcchi**; *aus.* **avere**) **1.** to doze, to drowse, to nod. – **2.** ⟨*fig*⟩ (*restare inerte*) to be idle, to be half asleep, to do nothing; (*dimostrare scarso impegno*) not to make much effort, ⟨*fam*⟩ to take it easy.

sonneferạre *v.* (**sonnẹfero**) ⟨*ant*⟩ → **sonniferare**.

sonnellịno (*dim. di sonno*) *m.* **1.** nap, doze, ⟨*fam*⟩ forty winks: *schiacciare un* ~ to take (*o* have) a nap, to doze. – **2.** (*siesta*) siesta, afternoon nap.

sonniferạre *v.i.* (**sonnịfero**; *aus.* **avere**) ⟨*rar*⟩ to drowse, to doze, to nod off. – **sonnịfero I** *s.m.* **1.** ⟨*Farm*⟩ soporific, hypnotic; (*pillola*) sleeping pill; (*pozione*) sleeping potion (*o* draught). – **2.** ⟨*fig*⟩ (*cosa noiosa*) bore. – **II** *a.* **1.** soporific, somniferous, hypnotic, sleep-inducing, sleeping. – **2.** ⟨*fig*⟩ (*noioso*) boring.

sonnilọquio *m.* **1.** ⟨*non com*⟩ somniloquy, talking in one's sleep. – **2.** ⟨*rar*⟩ (*discorso sconclusionato*) rambling (speech). – **sonnịloquo** *m.* somniloquist.

sọnno *m.* **1.** sleep, ⟨*lett,poet*⟩ slumber: *avere un* ~ *agitato* to have an uneasy sleep. – **2.** (*desiderio, bisogno di dormire*) sleep(iness), drowsiness: *vincere il* ~ to overcome one's sleepiness; *la città era immersa nel* ~ the town was immersed in sleep. – **3.** ⟨*poet*⟩ (*sogno*) dream.

□ **avere** ~ to be sleepy (*o* drowsy); **cascare** *dal* ~ to be asleep on one's feet; **conciliare** *il* ~ to induce (*o* be conducive to) sleep; **dormire** *in pace i propri -i* to live peacefully, to lead a trouble-free life; *avere il* ~ **duro** to sleep soundly, to be a deep sleeper, ⟨*fam*⟩ to sleep like a log; **ebbro** *di* ~ drunk (*o* overcome) with sleep, very sleepy, ⟨*fam*⟩ dropping; ⟨*fig*⟩ ~ **eterno** death, eternal repose; *dormire il* ~ *del* **giusto** to sleep the sleep of the just; *essere* **impastato** *di* ~ to be a sleepyhead; ~ **invernale** hibernation, winter sleep; ~ **leggero** light sleep; *avere il* ~ *leggero* to be a light sleeper; **malattia** *del* ~ sleeping sickness; ⟨*fig*⟩ **mettere** ~ *a qd.* to send s.o. to sleep, to make s.o. sleepy, to be boring; **morire** *di* ~ = **cascare** *dal sonno*; ~ *della* **morte** sleep of death; *essere* **morto** *di* ~ = **cascare** *dal sonno*; **parlare** *nel* ~ to talk in one's sleep; **perdere** *il* ~ to lose (one's) sleep: *non perdere il* ~ *per quel seccatore* don't lose any sleep over that bore; *a pensarci perdo i miei -i* thinking about it keeps me awake at night; *avere il* ~ **pesante** = *avere il sonno* **duro**; **prendere** ~ to get to sleep; (*addormentarsi*) to fall asleep, to go to sleep; *m'ha preso un gran* ~ I feel very sleepy; ~ **profondo** deep (*o* sound) sleep: *addormentarsi d'un* ~ *profondo* to fall into a deep sleep; *essere in un* ~ *profondo* to be fast asleep, ⟨*fam*⟩ to be dead to the world; **riprendere** ~ to fall asleep again, to go ⸢back to sleep⸣ (*o* to sleep again); **rompere** *il* ~ *a qd.* to wake s.o. up; **rubare** *le ore al* ~ to burn the midnight oil; *dormire d'un* ~ **solo** to sleep right through the night; ⟨*fig*⟩ *l'***ultimo** ~ death; *far* **venire** ~ *a qd.* = **mettere** *sonno a qd.*; *mi è venuto* ~ I feel sleepy. – *Prov.*: *il* ~ *è l'immagine della morte* sleep is death's image.

sonnocchiọso *a.* ⟨*ant*⟩ → **sonnacchioso**.

sonnolẹnte *a.* ⟨*ant*⟩ → **sonnolento**. – **sonnolẹnto** *a.* **1.** (*assonnato*) sleepy, drowsy, ⟨*lett*⟩ somnolent. – **2.** (*che concilia il sonno*) sleepy, drowsy, soporific, somnolent, heavy with sleep. – **3.** ⟨*fig,lett*⟩ (*tardo, lento*) sleepy, drowsy, lazy, sluggish, slow, lethargic. – **4.** ⟨*Med*⟩ soporific. – **sonnolẹnza** *f.* **1.** sleepiness, drowsiness, ⟨*lett*⟩ somnolence. – **2.** ⟨*fig*⟩ (*pigrizia, torpore*) torpor, lethargy, sluggishness, laziness. – **3.** ⟨*lett*⟩ (*rif. a cose*) drowsiness, torpor, lethargy. – **4.** ⟨*Med*⟩ somnolence. □ *ho addosso una gran* ~ I am very sleepy; *il caldo dà* ~ the heat makes one feel sleepy (*o* drowsy).

sọno[1] *pr.ind. di* **essere**[1].

sọno[2] *m.* ⟨*poet*⟩ (*suono*) sound.

sonọmetro *m.* ⟨*Acu*⟩ **1.** sonometer, monochord. – **2.** ⟨*non com*⟩ (*fonometro*) phonometer.

sonọra *f.* ⟨*Ling*⟩ voiced (*o* sonorous) consonant.

sonoramẹnte *avv.* **1.** sonorously; (*rumorosamente*) loudly, noisily: *ridere* ~ to laugh loudly. – **2.** ⟨*fig*⟩ (*a dovere*) soundly: *bastonare qd.* ~ to beat s.o. soundly.

sonorịsta *m.* ⟨*Cin*⟩ sound engineer, ⟨*am*⟩ sound recordist. – **sonorità** *f.* **1.** sonorousness, resonance, sonority. – **2.** (*acustica*) acoustics *pl* (*costr.sing.*). – **3.** ⟨*fig*⟩ (*ricchezza di suoni*) resonance, sonority. – **4.** ⟨*spreg*⟩ (*altisonanza*) high-sounding (*o* highflown) nature, sonorousness. – **5.** ⟨*Fon*⟩ sonority. – **sonorizzạre** *v.t.* **1.** ⟨*Fon*⟩ to sonorize, to voice. – **2.** ⟨*Cin*⟩ to add the sound-track(s) to, to synchronize. – **sonorizzatọre** *m.* (*f.* **-trice**) ⟨*Rad*⟩ sound -effects man. – **sonorizzaziọne** *f.* **1.** ⟨*Fon*⟩ sonorization, voicing. – **2.** ⟨*Cin*⟩ adding the sound-track(s), synchronization.

sonọro I *a.* **1.** sonorous: *un metallo* ~ a sonorous metal. – **2.** ⟨*estens*⟩ (*ricco di risonanza*) sonorous, resonant, full-sounding: *una voce -a* a sonorous voice. – **3.** ⟨*fig*⟩ (*rumoroso*) noisy, loud, sonorous, resounding: *una risata -a* a noisy (*o* loud) laugh, resounding laughter; (*forte*) hard, resounding, loud: *uno schiaffo* ~ a hard slap. – **4.** ⟨*fig*⟩ sonorous, resonant: *i -i versi del Carducci* the resonant verses of Carducci. – **5.** ⟨*spreg*⟩ (*altisonante*) high-sounding, highflown, sonorous, resounding, ⟨*fam*⟩ highfalutin. – **6.** ⟨*Fon*⟩ sonorous, voiced, sonant. – **7.** ⟨*Cin*⟩ sound-: *effetti -i* sound-effects; *film* ~ sound film, ⟨*fam*⟩ talkie. – **8.** ⟨*Aer*⟩ (*sonico*) sonic. – **9.** ⟨*Acu*⟩ sound-: *onde -e* sound-waves. – **II** *s.m.* ⟨*Cin*⟩ **1.** (*film*) sound film, ⟨*fam*⟩ talkie. – **2.** (*colonna sonora*) sound-track.

sọntro *m.* → **sondro**.

sontuạrio *a.* ⟨*rar*⟩ (*suntuario*) sumptuary.

sontuosamẹnte *avv.* sumptuously. – **sontuosità** *f.* ⟨*non com*⟩ sumptuousness. – **sontuọso** *a.* sumptuous.

soperchiạnte (*p.pr. di soperchiare*) *a.* ⟨*rar*⟩ → **soverchiante**. – **soperchiạre** *v.* (**sopẹrchio, sopẹrchi**) ⟨*non com*⟩ → **soverchiare**. – **soperchiatọre** *a./s.* → **soverchiatore**. – **soperchierịa** *f.* → **soverchieria**. – **soperchiẹvole** *a.* ⟨*ant*⟩ → **soverchievole**. – **sopẹrchio** *a./s.* ⟨*ant*⟩ (*soverchio*) excessive.

sopimẹnto *m.* ⟨*lett*⟩ **1.** (*il sopire*) putting (*o* sending) to sleep; (*l'assopirsi*) falling asleep. – **2.** ⟨*fig*⟩ placating, appeasing, soothing, calming. – **sopịre** *v.t.* (**sopịsco, sopịsci**) **1.** ⟨*non com*⟩ (*addormentare*) to put (*o* send) to sleep. – **2.** ⟨*fig*⟩ (*placare*) to placate, to appease, to soothe, to assuage, to calm: ~ *la collera di qd.* to placate s.o.'s anger. – **sopirsi** *v.r.* to fall asleep. – **sopịto** (*p.p. di sopire*) *a.* **1.** asleep. – **2.** ⟨*fig*⟩ (*placato*) placated, appeased, soothed. – **sopitọre** ⟨*lett*⟩ **I** *s.m.* (*f.* **-trice**) placater, appeaser, soother, calmer, assuager. – **II** *a.* placating, appeasing, soothing.

soporạre *v.t.* (**sopọro**) ⟨*ant*⟩ **1.** (*addormentare*) to put (*o* send) to sleep. – **2.** ⟨*fig*⟩ (*spegnere*) to put out, to extinguish. – **sopọre** *m.* **1.** drowsiness, light sleep; (*stato patologico*) stupor, sopor. – **2.** ⟨*fig, rar*⟩ (*inerzia*) inertia, apathy, lethargy, torpor. – **soporịfero** *a.* **1.** soporiferous, soporific, sleep-inducing. – **2.** ⟨*fig,lett*⟩ (*noioso*) dull, boring, that sends one to sleep. – **soporọso** *a.* ⟨*rar*⟩ → **soporifero**.

soppalcạre *v.t.* (**soppạlco, soppạlchi**) ⟨*non com*⟩ to construct an intermediate floor in. – **soppạlco** *m.* (*pl.* **-chi**) ⟨*Edil*⟩ **1.** intermediate floor. – **2.** (*soffitta*) attic, garret, loft.

soppannạre *v.t.* **1.** (*foderare*) to line. – **2.** ⟨*Legat*⟩ to reinforce, to strengthen. – **soppạnno I** *s.m.* (heavy) lining. – **II** *avv.* ⟨*ant*⟩ (*sotto i panni*) under one's clothing.

soppạsso *a.* ⟨*ant,region*⟩ (*quasi secco*) almost dried (up), half-withered.

soppedạneo *m.* (*suppedaneo*) suppedaneum; (*gradino dell'altare*) predella, suppedaneum.

soppediạno *m.* ⟨*Stor*⟩ **1.** (*cassapanca*) chest (at the foot of the bed). – **2.** (*cassa*) chest, box.

soppẹlo *m.* ⟨*Macell*⟩ shoulder cut (near breast).

sopperịre *v.i.* (**sopperịsco, sopperịsci**; *aus.* **avere**) **1.** (*provvedere*) to make provision, to provide (*a* for), to meet (s.th.), to take care (of): ~ *ai bisogni della famiglia* to meet the family's needs. – **2.** (*supplire*) to make up: *sopperisce con la diligenza alla mancanza di intelligenza* he makes up for his lack of intelligence by hard work. – **3.** (*pagare*) to pay (for), to defray, to meet (s.th.): ~ *alle spese* to defray expenses.

soppesạre *v.t.* (**soppẹso**) **1.** to weigh (in one's hand), to weigh up.

– **2.** ⟨*fig*⟩ (*valutare*) to weigh (up), to consider carefully, to ponder, to think over: ~ *il pro e il contro* to weigh the pros and the cons.

soppeso: ⟨*tosc*⟩ *di* ~ bodily: *alzare* (*o prendere*) *qd. di* ~ to lift s.o. bodily.

soppiantamento *m.* ⟨*non com*⟩ supplanting, usurping. – **soppiantare** *v.t.* **1.** to supplant, to usurp, to oust, to supersede. – **2.** ⟨*ant*⟩ (*mettere sotto i piedi*) to tread underfoot; (*calpestare*) to tread (*o* step) on. – **3.** ⟨*fig,ant*⟩ (*disprezzare*) to despise, to scorn; (*ingannare*) to deceive.

soppiattare *v.t.* ⟨*ant*⟩ (*nascondere*) to conceal, to hide. – **soppiatteria** *f.* ⟨*non com*⟩ **1.** (*qualità*) acting in an underhand (*o* furtive) way, sneakiness, underhandedness. – **2.** (*atto*) sneaky (*o* underhand) act. – **soppiatto** *a.* ⟨*ant*⟩ (*nascosto*) concealed, hidden. □ *di* ~ (*di nascosto*) stealthily, furtively, on the sly, sneakily, underhandedly; *entrare di* ~ to steal in; *uscire di* ~ to steal out. – **soppiattone** *m.* (*f.* **-a**) ⟨*non com*⟩ person who acts ⌜in an underhand way⌝ (*o* on the sly), slyboots, ⟨*fam*⟩ sneak; (*ipocrita*) hypocrite, dissembler. – **soppiattoneria** *f.* → **soppiatteria**.

soppidiano *m.* → **soppediano**.

sopporre *v.t.* (**soppongo, sopponi; sopposi, sopposto**; → **porre**) ⟨*ant*⟩ (*sottoporre*) to submit.

sopportabile *a.* **1.** supportable, bearable; (*tollerabile*) bearable, tolerable: *dolore* ~ bearable pain. – **2.** ⟨*fig*⟩ (*ragionevole*) bearable, reasonable; (*discreto*) fair, passable, fairly good, tolerable. – **sopportabilità** *f.* ⟨*non com*⟩ **1.** supportability, supportableness. – **2.** ⟨*fig*⟩ bearableness, tolerableness, endurableness. – **sopportabilmente** *avv.* fairly (well), passably, tolerably, reasonably (well): *cantare* ~ to sing fairly well. – **sopportamento** *m.* ⟨*ant*⟩ → **sopportazione**.

sopportare *v.* (**sopporto**) **I** *v.t.* **1.** (*reggere*) to support, to sustain, to bear, to take: *quattro colonne sopportano la cupola* four columns support the dome. – **2.** ⟨*fig*⟩ (*subire*) to bear, to sustain: ~ *forti spese* to bear heavy expenses; (*permettersi*) to afford: *non posso* ~ *questa spesa* I cannot afford this expense. – **3.** ⟨*fig*⟩ (*patire*) to bear, to endure, to suffer, to support: ~ *un grande dolore* to bear a great sorrow; (*subire con coraggio e rassegnazione*) to put up with, to bear, to suffer: *quante ne devi* ~ *!* what a lot you have to put up with! – **4.** ⟨*fig*⟩ (*tollerare*) to bear, to stand, to take, to put up with, to tolerate: *non sopporto il caldo* I can't take (*o* stand) the heat; ~ *le persone moleste* to put up with bothersome people. – **II** *v.i.* (*aus.* **avere**) **1.** to permit, to tolerate, to allow, to stand (for): *non sopporto che tu dica questo* I won't stand (for) your saying that, I won't have you saying that; *non sopporto che in casa mia si facciano queste cose* I won't allow such behaviour in my house. – **2.** ⟨*ant*⟩ (*essere soggetto alle imposte*) to be subject to taxes.

sopportatore *m.* (*f.* **-trice**) ⟨*non com*⟩ tolerator, endurer. – **sopportazione** *f.* **1.** ⟨*non com*⟩ (*il sopportare*) bearing, endurance, suffering. – **2.** (*tolleranza*) patience, tolerance, toleration, forbearance: *anche la mia* ~ *ha un limite* there is a limit even to ⌜my patience⌝ (*o* what I will put up with). – **3.** (*sufficienza*) condescension, superciliousness. – **4.** ⟨*ant*⟩ (*permesso*) permission, leave. □ *ascoltare qd. con* ~ to listen condescendingly to s.o.; ⟨*ant*⟩ *con Vostra* ~ with your permission, by your leave. – **sopportevole** *a.* ⟨*ant*⟩ → **sopportabile**.

sopporto[1] *m.* ⟨*non com*⟩ (*supporto*) support, stand.

sopporto[2] *m.* ⟨*ant*⟩ (*sopportazione*) bearing, enduring, toleration.

soppressa *f.* ⟨*ant*⟩ (*pressa*) press. – **soppressare** *v.t.* (**soppresso**) ⟨*non com*⟩ **1.** (*pressare*) to press; (*mettere in pressa*) to place in a press. – **2.** ⟨*fig*⟩ (*sopraffare*) to oppress. – **soppressata** *f.* ⟨*Alim*⟩ headcheese. – **soppressatura** *f.* ⟨*ant*⟩ **1.** (*atto*) pressing. – **2.** (*effetto*) press(ing). – **3.** (*pressatura*) pressing.

soppressione *f.* **1.** (*revoca*) suspension, suppression: ~ *delle garanzie costituzionali* suppression of constitutional guarantees. – **2.** (*abolizione*) abolition: *la* ~ *di una legge* the abolition of a law. – **3.** (*scioglimento*) dissolution, breaking up: *la* ~ *di un ordine religioso* the dissolution of a religious order. – **4.** (*uccisione violenta*) killing, liquidation, violent suppression: *la* ~ *di un avversario politico* the liquidation of a political adversary. – **5.** ⟨*Dir*⟩ (*sottrazione*) suppression, concealment. □ ⟨*Dir*⟩ ~ *di atti d'ufficio* suppression (*o* concealment) of documents; ~ *di cadavere* destroying (*o* doing away with) a body; ~ *di* (*o della*) *corrispondenza* concealment of correspondence; ~ *di stato* concealment of birth, suppression of civil status of a new-born child; ~ *di testamento* suppression (*o* destruction) of a will.

soppressivo *a.* suppressive, abolishing. – **soppresso** (*p.p. di sopprimere*) *a.* **1.** (*revocato*) abolished. – **2.** (*sciolto*) dissolved, broken up. – **3.** (*eliminato*) eliminated, deleted, removed; (*omesso*) omitted; (*tagliato*) cut (out); (*rif. a libri e sim.*) suppressed. – **4.** (*ucciso*) killed, eliminated, liquidated. – **5.** ⟨*ant*⟩ (*represso*) repressed, kept back.

soppressore *m.* **1.** ⟨*non com*⟩ suppressor; (*chi abolisce*) abolisher; (*di leggi*) repealer. – **2.** ⟨*tecn*⟩ suppressor. □ ⟨*Tel*⟩ ~ *d'eco* echo suppressor; ~ *di radiodisturbi* radio-interference suppressor.

sopprimere *v.t.* (**soppressi, soppresso**) **1.** (*abolire*) to abolish, to do away with: ~ *una carica* to do away with a post; (*rif. a leggi*) to repeal. – **2.** (*eliminare*) to eliminate, to take out, to delete, to remove: ~ *una clausola contrattuale* to delete a clause from a contract; (*omettere*) to omit, to leave out. – **3.** (*rif. alla censura*) to cut (out): *la censura ha soppresso due scene del film* the censors have cut two scenes from the film; (*togliere dalla circolazione*) to suppress. – **4.** (*uccidere*) to kill, to eliminate, to liquidate: ~ *un testimone pericoloso* to eliminate a dangerous witness. – **5.** ⟨*Dir*⟩ to suppress, to conceal. – **6.** ⟨*ant*⟩ (*calpestare*) to tread underfoot, to step on.

soppunto *m.* ⟨*Lav.femm*⟩ blind stitch(ing).

sopra I *prep.* (before personal pronouns it is used with the prep. *di* and rarely *a*; in colloquial use it is used with the prep. *a* before substantives) **1.** (*sovrapposizione*: *con contatto*) on, upon: *il libro è* ~ *la scrivania* the book is on the desk; *portare qc.* ~ *le spalle* to carry s.th. on one's shoulders; *stendere la tovaglia* ~ *il tavolo* to spread the tablecloth on the table; *la casa sta* ~ *la collina* the house stands on the hill; *metti il giornale* ~ *la scrivania* put the newspaper on the desk. – **2.** (*sovrapposizione*: *senza contatto*) over: *un lume pende* ~ *il tavolo* a light hangs over the table; *il ponte* ~ *il fiume* the bridge over the river; *l'aeroplano volava* ~ *la città* the plane was flying over the city; (*con contatto*: *per esprimere rivestimento*) over: *mettere un cappotto* ~ *le spalle* to throw a coat over one's shoulders. – **3.** (*al di sopra di, più in alto di*) above: *l'aereo volava* ~ *le nubi* the plane was flying above the clouds; *a mille metri* ~ *il mare* at one thousand metres above sea-level; ~ *il livello stradale* above street level; ~ *zero* above zero. – **4.** (*per esprimere superiorità, autorità, governo*) over: *regnare* ~ *molti popoli* to rule over many peoples. – **5.** (*oltre, più di*) over, more than: *il prezzo di questo mobile è* ~ *le centomila lire* the price of this piece of furniture is over one hundred thousand lire; (*rif. all'età*) over, more than, older than, past: *essere* ~ *la cinquantina* to be over (*o* past) fifty; (*superiore a, più di*) over, above: *i bambini* ~ *il metro* children over (*o* taller than) one metre. – **6.** (*per indicare vicinanza immediata*) on, near: *l'albergo è proprio* ~ *il lago* the hotel is right on the lake. – **7.** (*al di là da*) beyond, after: *il paese è a pochi chilometri* ~ *Milano* the village is a few kilometres beyond Milan; (*a nord di*) to the north of: *i monti* ~ *Torino* the mountains to the north of Turin. – **8.** (*al piano superiore*) over, on top of, above: *ha la casa* ~ *il negozio* his flat is over the shop. – **9.** (*moto*: *dal basso in alto*) onto: *il gatto saltò* ~ *il tavolo* the cat jumped onto the table. – **10.** (*intorno a, riguardo a*) about, concerning, regarding, on: *una conferenza* ~ *le riforme* a lecture on the reforms; *considerazioni* ~ *la situazione politica* considerations regarding the political situation. – **11.** (*temporale*: *dopo*) after, following: *prendi un po' di zucchero* ~ *la medicina* take a little sugar after your medicine; *vittoria* ~ *vittoria* victory after victory, one victory after another; *ha fatto debiti* ~ *debiti* he ran up one debt after another. – **12.** (*più di, più che*) above, more than: *si distingue* ~ *tutti gli altri* he stands out above all the others; *lo amo* ~ *ogni cosa* I love him more than anything else. – **13.** ⟨*rar*⟩ (*prima di, innanzi*) before, preceding: *la notte* ~ *giovedì* the night before Thursday. – **14.** ⟨*ant*⟩ (*durante*) during. – **15.** ⟨*ant*⟩ (*conforme a, secondo*) conforming (to). – **II** *avv.* **1.** above, on top: *a destra ci sono i libri e* ~ *i dischi* the books are on the right and the records above (*o* on top of them). – **2.** (*al piano di sopra*) upstairs: *abitano* ~ they live upstairs. – **3.** (*sulla superficie superiore*) on the top (*o* surface, outside), on top: *una torta con* ~ *la panna* a cake with whipped cream on top (*o* it); *il coperchio* ~ *è smaltato* the lid is enamelled on the top (*o* outside). – **4.** (*precedentemente*) above, earlier (on), previously, before: *come* ~ as above; *di questo ho già parlato* ~ I spoke of this above, I have already mentioned this previously. – **5.** ⟨*ant*⟩ (*indosso*) on oneself. – **III** *a.inv.* upper, top: *la parte* ~ *si è sbiadita* the upper part has faded. – **IV** *s.m.inv.* **1.** (*parte superiore*) top, upper (*o* top) part; (*lato superiore*) top (*o* upper) side; (*rif. a vestiti*) upper part, top: *il* ~ *del corpetto* the upper part of the bodice. – **2.** ⟨*Tess*⟩ (*dritto*) right side.

□ ⟨*ant*⟩ **andare** ~ *sé* (*camminare dritto*) to walk erect (*o* upright); ⟨*burocr*⟩ *di* **cui** ~ above-mentioned, aforesaid; ⟨*non com*⟩ ~ **detto** → **sopraddetto**; **di** ~: 1. above, next: *il piano di* ~ the floor above, the next floor; 2. (*rif. alla parte superiore di un edificio*) upstairs: *una stanza di* ~ an upstairs room; *visto di* ~ seen from above; **essere** *al di* ~ *di ogni sospetto* to be above (*o* beyond) suspicion; ⟨*ant*⟩ *essere* ~ (*a fare*) *qc.* (*essere in procinto*) to be on the point of doing s.th., to be about to do s.th.; *essere* ~ *un ufficio* (*averne l'incarico*) to hold a position, to be in charge of s.th.; *la finestra* **guarda** ~ *il lago* the window overlooks the lake; ⟨*Sport*⟩ **lancio** *dal di* ~ overhand bowl; ⟨*ant*⟩ **lavorare** ~ *a sé* (*per conto proprio*) to be self -employed; ⟨*Econ*⟩ ~ *la* **pari** above par; *essere* (*o stare*) ~ **pensiero** to be lost in thought; ⟨*fig*⟩ *metterci una* **pietra** ~ to let bygones be bygones, to forget about s.th.; **più** ~ farther up; **portare** *la lana* ~ *la pelle* to wear wool next to the skin; **prendere** ~ *di sé* to undertake; ⟨*burocr*⟩ *con riguardo a* **quanto** ~ with reference to the above; **stare** ~ *a qd.*: 1. (*essergli superiore*) to be over s.o.; 2. (*fare insistenza*) to keep after (*o* on at) s.o., to be on top of s.o., to pester s.o.: *i genitori gli stavano* ~ *per farlo studiare* his parents kept after him to make him study; ⟨*ant*⟩ *stare* ~ *sé* (*essere pensoso*) to be deep in thought; ~ *la* **terra** on (the face of the) earth; ⟨*non com*⟩ ~ **tutto** → **soprattutto**; **uno** ~ *l'altro* one on top of another.

soprabbondante (*p.pr. di soprabbondare*) *a.* ⟨*non com*⟩ (*sovrabbondante*) superabundant, overabundant. – **soprabbondanza** *f.* ⟨*non com*⟩ (*sovrabbondanza*) superabundance, overabundance. – **soprabbondare** *v.i.* (**soprabbondo**; *aus.* **avere**) ⟨*non com*⟩ (*sovrabbondare*) to be overabundant.

soprabito *m.* ⟨*Vest*⟩ **1.** overcoat, top-coat. – **2.** ⟨*Stor*⟩ frock-coat.

sopraccalza *f.* over-stocking.

sopraccapellini *m.pl.* ⟨*Alim*⟩ fine long soup pasta.

sopraccapo *m.* **1.** ⟨*non com*⟩ (*grattacapo*) problem, worry, headache. – **2.** ⟨*ant*⟩ (*soprintendente*) supervisor, superintendent, head.
sopraccaricare *v.t.* (**sopraccarico, sopraccarichi**) (*sovraccaricare*) to overburden, to overload.
sopraccarico¹ *a./s.* (*pl.* **-chi**) **I** *a.* (*sovraccarico*) overburdened, overloaded. – **II** *s.m.* overburden, overload.
sopraccarico² *m.* (*pl.* **-chi**) ⟨*Mar*⟩ supercargo.
sopraccarta *f.* **1.** (outer) wrapping paper, (outer) paper wrapper. – **2.** ⟨*Stor*⟩ outside of a folded sheet of letter-paper; (*indirizzo*) address.
sopraccassa *f.* ⟨*Orol,ant*⟩ (watch-)case, casing.
sopracceleste, sopraccelestiale *a.* ⟨*ant*⟩ **1.** (*che sta sopra il cielo*) supercelestial, above the heavens. – **2.** (*divino*) divine, supercelestial.
sopraccennato *a.* **1.** above-mentioned, aforesaid. – **2.** (*già nominato*) already named, aforesaid.
sopracciẹlo *m.* ⟨*non com*⟩ **1.** (*soffitto*) ceiling. – **2.** (*volta*: *rif. a carrozze*) top (*o* roof) of a carriage; (*rif. a baldacchini*) top of a canopy (*o* tester).
sopracciglia *f.pl. di* **sopracciglio**. – **sopraccigliare** *a.* → **sopracciliare**. – **sopracciglio** *m.* (*pl.* **le sopracciglia**/*non com.* **i sopraccigli**) **1.** ⟨*Anat*⟩ eyebrow. – **2.** ⟨*lett,non com*⟩ (*sguardo*) look; (*cipiglio*) frown, scowl. – **sopracciliare** *a.* ⟨*Anat*⟩ superciliary, of (*o* near) the eyebrow: *arcata* ~ superciliary ridge (*o* arch), brow-ridge.
sopracciò *m.* **1.** ⟨*Stor*⟩ supervisor, superintendent, person in charge. – **2.** ⟨*fig,spreg*⟩ (*padrone*) master, ⟨*fam*⟩ boss: *fare il* (o *da*) ~ to act the boss, to be bossy.
sopraccitato *a.* ⟨*burocr*⟩ above-mentioned, aforesaid.
sopraccoda *m./f.* ⟨*Ornit*⟩ upper tail coverts *pl.*
sopraccollo *m.* ⟨*ant*⟩ (*sovraccarico*) overload.
sopraccolore *m.* ⟨*non com*⟩ superimposed coat of paint.
sopraccomito *m.* ⟨*Mar.ant*⟩ captain of a galley.
sopracconsole *m.* ⟨*Stor*⟩ communal magistracy.
sopraccoperta I *s.f.* **1.** bedspread, coverlet. – **2.** ⟨*Legat*⟩ (book-)jacket, dust-jacket, (book-)cover. – **3.** (*busta per lettere*) envelope. – **4.** ⟨*Mar. ant*⟩ (*controcoperta*) spar-deck. – **II** *avv.* ⟨*mar*⟩ (*sul ponte di coperta*) on deck.
sopraccrescere *v.i.* (**sopraccresco, sopraccresci; sopraccrebbi, sopraccresciuto**; *aus.* **essere**) ⟨*ant*⟩ **1.** (*crescere al di sopra*) to grow over (*o* on top). – **2.** (*aumentare*) to grow, to increase.
sopra|cifratura *f.* ⟨*Tel*⟩ second coding (*o* ciphering). – **~ciliare** *a.* → **sopracciliare**. – **~citato** *a.* → **sopraccitato**. – **~claveare, ~clavicolare** *a.* ⟨*Anat*⟩ supraclavicular. – **~comito** *m.* → **sopraccomito**. – **~conduttività** *f.* ⟨*Fis,non com*⟩ (*superconduttività*) superconductivity. – **~conduttore** *a./s.* ⟨*non com*⟩ (*superconduttore*) superconductor. – **~conduzione** *f.* ⟨*non com*⟩ (*superconduzione*) superconduction. – **~console** *m.* → **sopracconsole**. – **~cornice** *f.* ⟨*Arch*⟩ (*cimasa*) cyma(tium), crowning, moulding.
sopracqueo *a.* **1.** above water. – **2.** ⟨*Mar*⟩ surface.
sopracretaceo I *a.* ⟨*Geol*⟩ Upper Cretaceous. – **II** *s.m.* Upper Cretaceous (period).
sopracuto *a.* ⟨*Mus,non com*⟩ very high(-pitched), shrill.
sopraddazio *m.* surtax, additional tax.
sopraddetto *a.* ⟨*burocr*⟩ above-mentioned, aforesaid.
sopraddotale *a.* ⟨*Stor*⟩ of a dower (*o* dowry). – **sopraddotare** *v.t.* (**sopraddoto**) to dower. – **sopraddote** *f.* dower, dowry.
sopra|detto *a.* → **sopraddetto**. – **~eccedente** (*p.pr. di sopraeccedere*) *a.* ⟨*non com*⟩ → **sopreccedente**. – **~eccedenza** *f.* ⟨*non com*⟩ → **sopreccedenza**. – **~eccedere** *v.* ⟨*non com*⟩ → **sopreccedere**. – **~eccitabile** *a.* ⟨*non com*⟩ → **sopreccitabile**. – **~eccitabilità** *f.* ⟨*non com*⟩ → **sovreccitabilità**. – **~eccitare** *v.* (**sopraeccito**) ⟨*non com*⟩ → **sopreccitare**. – **~eccitazione** *f.* ⟨*non com*⟩ → **sopreccitazione**. – **~edificare** *v.* (**sopraedifico, sopraedifichi**) → **sopredificare**. – **~elencato** *a.* above-listed, listed above. – **~elevamento** *m.* → **soprelevamento**. – **~elevare** *v.* (**sopraelevo**) → **soprelevare**. – **~elevato** (*p.p. di sopraelevare*) *a.* → **soprelevato**. – **~elevazione** *f.* → **soprelevazione**. – **~eminente** *a.* ⟨*ant*⟩ → **sovreminente**. – **~eminenza** *f.* ⟨*ant*⟩ → **sovreminenza**. – **~esposto** *a.* above-mentioned, aforesaid, above-stated, set out above.
sopraffacente (*p.pr. di sopraffare*) *a.* ⟨*rar*⟩ overwhelming, bullying, oppressive. – **sopraffare** *v.* (**sopraffaccio/sopraffò, sopraffai, sopraffà; sopraffeci, sopraffatto**; → **fare**) **I** *v.t.* **1.** (*superare*) to overwhelm, to overcome, to crush: ~ *il nemico* to overwhelm the enemy. – **2.** ⟨*fig*⟩ to overwhelm, to overcome, to overpower, to beat down, to crush: *la stanchezza lo ha sopraffatto* fatigue overwhelmed him; ~ *qd. con le chiacchiere* to beat s.o. down by sheer talk, to talk s.o. down. – **3.** (*dominare*) to crush, to dominate, to subject, to oppress, to bully. – **II** *v.i.* (*aus.* **avere**) ⟨*ant*⟩ **1.** (*eccedere*) to overdo s.th., to go too far. – **2.** (*sovrastare*) to overhang, to tower. ☐ *Prov.*: *Dio lascia fare ma non* ~ don't push too far.
sopraffascia *f.* (*pl.* **-sce**) ⟨*non com*⟩ outer bandage.
sopraffatto (*p.p. di sopraffare*) *a.* **1.** (*superato*) overcome, overwhelmed, crushed. – **2.** ⟨*fig*⟩ overwhelmed, overcome, overpowered, crushed: ~ *dal sonno* overcome by sleep; ~ *dal dolore* crushed by sorrow. – **sopraffattore** ⟨*lett*⟩ **I** *s.m.* (*f.* **-trice**) oppressor, bully. – **II** *a.* oppressing, crushing, bullying. – **sopraffattorio** *a.* ⟨*non com*⟩ oppressive, overwhelming, bullying. – **sopraffazione** *f.* **1.** overwhelming, overpowering, crushing; (*oppressione*) oppression, bullying. – **2.** (*sopruso*) abuse of power, outrage, bullying, tyrannical act. ☐ *non tollero -i* I will not be put upon.
sopraffilare *v.t.* ⟨*Lav.femm*⟩ to overcast. – **sopraffilo** *m.* overcasting.
sopraffine *a.* ⟨*tosc*⟩ → **sopraffino**.
sopraffinestra *f.* ⟨*non com*⟩ transom (window); (*lunetta*) fanlight.
sopraffino *a.* **1.** extra fine, first-rate, first-class, best quality-, premium, superfine, top grade: *burro* ~ best-quality butter. – **2.** ⟨*fig*⟩ expert, excellent, master-, supreme, consumate: *un ladro* ~ an expert (*o* master) thief. ☐ *crudeltà* ~ refined cruelty.
sopraffollato *a.* (*sovraffollato*) overcrowded.
sopraffondo *m.* passe-partout, mount(ing).
sopraffusione *f.* ⟨*Fis*⟩ supercooling, superfusion. – **sopraffuso** *a.* supercooled, superfused.
sopra|finestra *f.* → **sopraffinestra**. – **~fioritura** *f.* ⟨*Bot*⟩ (*rifioritura*) reflorescence, reflowering, reblooming; (*rif. ad alberi da frutto*) reblossoming; (*seconda fioritura*) second flowering (*o* blooming). – **~frondescenza** *f.* ⟨*Bot*⟩ second frondescence. – **~fusione** *f.* → **sopraffusione**. – **~fuso** *a.* → **sopraffuso**.
soprag(g)astaldo *m.* ⟨*Stor*⟩ (Venetian) judge.
sopraggelo *m.* ⟨*Aer*⟩ icing.
sopraggiacca *f.* ⟨*Vest,non com*⟩ heavy jacket.
sopraggittare *v.t.* ⟨*Lav.femm,non com*⟩ to whip, to whipstitch. – **sopraggitto** *m.* **1.** (*atto*) whipping, whipstitching. – **2.** (*punto*) whipstitch. ☐ *cucire a* ~ to whipstitch.
sopraggiugnere *v.* (**sopraggiungo, sopraggiugni**) ⟨*ant*⟩ → **sopraggiungere**.
sopraggiungere *v.* (**sopraggiungo, sopraggiungi; sopraggiunsi, sopraggiunto**) **I** *v.i.* (*aus.* **essere**) **1.** (*arrivare*) to arrive, to come: *sopraggiunse un camion pieno di soldati* a truck full of soldiers arrived; *se non sopraggiungono i rinforzi siamo perduti* if the reinforcements don't come we're finished; *sopraggiunse la notte* night came (*o* fell). – **2.** (*giungere inaspettatamente*) to turn up, to arrive (*o* come) unexpectedly: *nel corso del comizio sopraggiunse la polizia* in the middle of the political rally the police arrived unexpectedly. – **3.** (*accadere*) to turn up, to arise: *se non sopraggiungono altre difficoltà* if other difficulties don't arise. – **II** *v.t.* ⟨*ant*⟩ **1.** (*cogliere di sorpresa*) to take by surprise. – **2.** (*raggiungere*) to reach. – **3.** (*aggiungere*) to add.
sopraggiungimento *m.* ⟨*non com*⟩ unexpected (*o* sudden) arrival. – **sopraggiunta** *f.* (further) addition. ☐ *per* ~ (*inoltre*) in addition, besides, moreover, what is more, into the bargain.
sopraggonna *f.* ⟨*Vest*⟩ overskirt.
sopraggravare *v.t.* ⟨*non com*⟩ **1.** to aggravate even more, to make much worse. – **2.** (*sovraccaricare*) to overburden, to overload. – **sopraggravio** *m.* ⟨*non com*⟩ worsening, greater aggravation; (*ulteriore aggravio*) new (*o* extra) burden; (*nuovo aumento*) new (*o* further) increase.
sopraggridare ⟨*ant*⟩ **I** *v.t.* (*gridare più forte*) to shout (*o* scream) louder than, to beat down. – **II** *v.i.* (*aus.* **avere**) to shout (*o* scream) louder.
sopra|giacca *f.* → **sopraggiacca**. – **~gridare** *v.* → **sopraggridare**. – **~imbotte** *f.* ⟨*Arch*⟩ extrados. – **~indicato** *a.* ⟨*burocr*⟩ above-mentioned, aforesaid, afore-stated, indicated above. – **~innestare** *v.t.* (**soprainnesto**) ⟨*Agr*⟩ to intergraft, to double-graft, to double-work. – **~innesto** *m.* intergrafting, double-grafting, double-working. – **~insegna** *f.* ⟨*Stor*⟩ **1.** insignia. – **2.** ⟨*Vest*⟩ tunic, surcoat. – **~intendente** *m.* → **soprintendente**. – **~intendenza** *f.* → **soprintendenza**. – **~intendere** *v.* → **soprintendere**.
sopralberato *a.* ⟨*Mar,non com*⟩ fitted out with over-high masts.
sopra|lineare *v.* → **soprallineare**. – **~lineatura** *f.* → **soprallineatura**.
sopralleggato *a.* ⟨*non com*⟩ **1.** (*allegato sopra*) cited (*o* alleged) above. – **2.** (*suddetto*) above-mentioned, aforesaid.
soprallineare *v.t.* (**soprallineo**) ⟨*Tip*⟩ to overline. – **soprallineatura** *f.* overline, overlining.
soprallodato *a.* praised above, already praised.
sopralluogo I *s.m.* (*pl.* **-ghi**) **1.** (*ispezione*) on-the-spot investigation (*o* inspection): *fare un* ~ to make an on-the-spot inspection. – **2.** ⟨*Dir*⟩ visit to the scene (of the crime). – **3.** ⟨*Statist*⟩ poll, survey. – **II** *avv.* ⟨*ant*⟩ (*nel luogo stesso*) on the spot.
sopra|lodato *a.* → **soprallodato**. – **~luminosità** *f.* ⟨*TV*⟩ bloom. – **~luogo** *s./avv.* → **sopralluogo**.
sopralzo *m.* → **soprelevazione**.
sopra|mano *m.* → **sopraggitto**. – **~mentovato, ~menzionato** *a.* → **soprammenzionato**. – **~metallo** *m.* ⟨*tecn*⟩ machining allowance, stock.
soprammanica *f.* oversleeve (*anche Mod.*).
soprammano¹ *m.* → **sopraggitto**.
soprammano² ⟨*ant*⟩ **I** *s.m.* overhand stroke (*o* blow). – **II** *avv.* **1.** overhand. – **2.** (*apertamente*) openly. – **3.** (*insolitamente*) unusually. – **4.** (*sommamente*) extremely, highly.
soprammattone *m.* ⟨*Mur*⟩ brick wall.
soprammentovato *a.* ⟨*ant*⟩ → **soprammenzionato**. – **soprammenzionato** *a.* above-mentioned, aforesaid.
soprammercato: ⟨*scherz*⟩ *per* ~ (*per giunta*) moreover, in addition, besides, what's more, on top of that, into the bargain.
soprammettere *v.t.* (**soprammisi, soprammesso**) to place over (*o* above).
soprammisura *avv.* ⟨*non com*⟩ (*sommamente*) extremely, exceedingly.
soprammobile *m.* knick-knack, objet d'art, bibelot, ornament.
soprammodo *avv.* ⟨*ant*⟩ (*oltremodo*) extremely, exceedingly, greatly.

soprammontare v. (soprammonto) ⟨ant⟩ I v.t. (sopraffare) to overcome, to crush. – II v.i. (aus. essere) 1. (montare sopra) to climb on(to). – 2. (crescere) to grow.
sopramondano a. supermundane.
soprana f. 1. ⟨Rel⟩ sleeveless overgarment. – 2. ⟨Stor⟩ (sopravveste lunga) long overgarment.
sopranazionale a. → soprannazionale.
sopranista m. ⟨Mus⟩ sopranist, treble singer.
soprannatura f. supernature, supernatural. – **soprannaturale** I a. 1. ⟨Filos⟩ supernatural, preternatural, superhuman. – 2. ⟨Rel⟩ supernatural. – 3. ⟨fig,non com⟩ (prodigioso) extraordinary, extreme, supernatural, superhuman: *forza* ~ superhuman strength; (divino, celeste) divine, heavenly. – 4. (grandissimo) extreme. – II s.m.inv. supernatural. – **soprannaturalismo** m. ⟨Filos⟩ supernaturalism. – **soprannaturalistico** a. (pl. -ci) supernaturalistic. – **soprannaturalità** f. 1. ⟨Filos⟩ supernaturality; (trascendenza) transcendence. – 2. ⟨Rel⟩ supernatural (o godly) nature.
soprannazionale a. (supernazionale) supra-national.
sopranno a. ⟨Zootecn⟩ over one year of age.
soprannome m. 1. nickname. – 2. ⟨ant⟩ (cognome) surname. – **soprannominare** v.t. (soprannomino) to nickname.
soprannominato[1] (p.p. di soprannominare) a. nicknamed, called, known as.
soprannominato[2] a. ⟨rar⟩ → sopranominato.
soprannotato a. above-mentioned, aforesaid.
soprannumerario a. supernumerary (anche burocr.,Anat.). – **soprannumero** I a. supernumerary. – II s.m. ⟨rar⟩ supernumerary. ☐ *in* ~ supernumerary, (in) excess.
soprano[1] I s.m. ⟨Mus⟩ 1. (registro) soprano. – 2. m./f. (cantante) soprano. – II a. ⟨rar⟩ soprano: *voce -a* soprano voice. ☐ ~ *acuto* high soprano; *chiave di* ~ soprano clef; ~ *leggero* light soprano; ~ *lirico* lyric soprano; *mezzo* ~ mezzo soprano.
soprano[2] a. ⟨ant⟩ 1. (che sta sopra) upper, higher; (più in alto) highest. – 2. ⟨fig⟩ (eccellente) excellent, superior, sovereign. – 3. ⟨fig⟩ (regale) royal, sovereign.
sopra|nome m. ⟨ant⟩ → soprannome. – **~nominato** (o *sopra nominato*) a. above-mentioned, aforesaid. – **~normale** I s.m. ⟨Occult⟩ supernormality. – II a. ⟨non com⟩ (superiore al normale) supernormal. – **~ornato** m. ⟨Arch⟩ entablature.
sopransegna f. → soprainsegna.
sopra|osso m. → soprosso. – **~petto** m. → soprappetto. – **~porre** v. ⟨ant⟩ → soprapporre. – **~porta** m. → soprapporta.
soprappaga f. extra pay, bonus. ☐ ⟨non com⟩ *per* ~ (per giunta) besides, in addition, into the bargain. – **soprappagare** v.t. (soprappago, soprappaghi) ⟨non com⟩ to overpay, to pay too much for.
soprapparto I avv. in labour. – II s.m. ⟨ant,rar⟩ (secondo parto) second birth.
soprappassaggio m. (sovrappassaggio) overpass, overbridge, fly-over. ☐ ~ *ferroviario* railway overbridge; ~ *stradale* (road) overpass. – **soprappassare** v.t. (sovrappassare) to pass over. – **soprappasso** m. (sovrappasso) overpass, overbridge, fly-over.
soprappensiero avv. distracted, absent-minded, lost in thought: *essere* ~ to be lost in throught.
soprappeso m. ⟨non com⟩ 1. overweight, excess weight. – 2. (ulteriore aggravio) extra burden. ☐ *per* ~ besides, in addition, moreover.
soprappetto m. ⟨Mil.ant⟩ breastplate.
soprappieno a. (sovrappieno) overfull, too full.
soprappiù m. 1. extra, surplus. – 2. (supplemento, aggiunta) addition, supplement, extra. ☐ *in* (o *per*) ~ besides, as well, also, in addition: *lo pagò e per* ~ *gli fece un regalo* he paid him and in addition gave him a gift; *essere di* ~ (essere di troppo) to be in excess.
soprapporre v.t. (soprappongo, soprapponi; soprapposi, soprapposto; → porre) ⟨non com⟩ (sovrapporre) to superimpose, to place (o lay) on.
soprapporta m. 1. ⟨Arch⟩ ornamental panel (over a door). – 2. ⟨Edil⟩ transom, fanlight.
soprapposizione f. ⟨non com⟩ (sovrapposizione) super(im)position. – **soprapposto** (p.p. di soprapporre) a. ⟨non com⟩ (sovrapposto) superimposed.
soprapprendere v.t. (sopprappresi, soprappreso) ⟨ant⟩ (cogliere di sorpresa) to (take by) surprise. – **soprapprendimento** m. ⟨ant⟩ taking by surprise.
soprapprezzo m. 1. extra charge, surcharge; (maggiorazione) increase (o rise) in price. – 2. ⟨Econ⟩ price over par; (premio di emissione) appreciation.
soprapprofitto m. ⟨Econ⟩ excess profit(s), extra profit(s).
sopra|prezzo m. → soprapprezzo. – **~razionale** I a. ⟨Filos⟩ suprarational. – II s.m. suprarational. – **~reddito** m. ⟨Econ⟩ 1. above-average income. – 2. ⟨non com⟩ (rendita differenziale) differential rent. – **~riferito** a. → soprarriferito. – **~riscaldamento** m. ⟨non com⟩ (surriscaldamento) overheating, superheating.
soprarriferito a. ⟨non com⟩ (surriferito) referred to above, afore-mentioned.
soprarrivare v.i. (aus. essere) ⟨non com⟩ (sopraggiungere) to arrive unexpectedly (o suddenly). – **soprarrivato** (p.p. di soprarrivare) I a. who has arrived unexpectedly (o suddenly). – II s.m. newcomer, person who has just arrived.
sopra|saturare v. → soprassaturare. – **~saturazione** f. → soprassaturazione. – **~saturo** a. → soprassaturo.
soprasberga f. ⟨Mil.ant⟩ robe worn over a hauberk.
sopra|scarpa f. galosh, overshoe: ~ *di gomma* rubber overshoe, ⟨am⟩ rubber. – **~scritta** f. 1. (indirizzo) address. – 2. ⟨non com⟩ (iscrizione) inscription. – **~scritto** a. 1. above-written, written above. – 2. (suddetto) above-mentioned, aforesaid, said. – **~scrivere** v.t. (soprascrissi, soprascritto) to write above. – **~segmentale** a. ⟨Fon⟩ suprasegmental. – **~sensibile** I a. supersensible. – II s.m. supersensible. – **~senso** m. → soprassenso. – **~soldo** m. ⟨rar⟩ → soprassoldo.
soprassalto m. start, jump, jerk. ☐ *di* ~ with a start: *svegliarsi di* ~ to wake up with a start; (ad un tratto, all'improvviso) all of a sudden, suddenly; *fare un* ~ to give a jump (o start), to jump, to start.
soprassata f. → soppressata.
soprassaturare v.t. (soprassaturo) ⟨Fis⟩ to supersaturate. – **soprassaturazione** f. supersaturation. – **soprassaturo** a. supersaturated.
soprassedere v.i. (soprassiedo/lett. soprasseggo, soprassiedi; soprassedei/soprassedetti, soprasseduto; → sedere; aus. avere) 1. (differire) to postpone, to delay, to defer, to put off (a qc. s.th.). – 2. (aspettare) to wait: *soprassediamo per qualche giorno* let's wait for a few days. – 3. ⟨ant⟩ (trattenersi) to stay. – 4. ⟨ant⟩ (sovrastare) to overhang, to be over. – 5. ⟨fig,ant⟩ (essere superiore) to be superior.
soprassegnare v.t. (soprassegno) ⟨non com⟩ 1. (segnare sopra) to sign (o mark) above. – 2. (contrassegnare) to countersign. – **soprassegnato** (p.p. di soprassegnare) a. countersigned. – **soprassegno** m. superscript diacritic.
soprassello m. ⟨ant⟩ 1. additional load. – 2. ⟨fig,rar⟩ (giunta) addition. ☐ *per* ~ (inoltre) in addition, moreover, besides.
soprassenso m. ⟨lett⟩ sixth sense.
soprassicurazione f. ⟨Assic⟩ overinsurance.
soprassoglio m. 1. (architrave) architrave. – 2. ⟨Idr⟩ sandbag defence added to a dike.
soprassoldo m. 1. (compenso straordinario) extra pay, special allowance. – 2. ⟨Mil⟩ danger money.
soprassuola f. ⟨Calz⟩ protective sole.
soprassuolo m. 1. ⟨Agr⟩ top-soil, loam. – 2. (vegetazione) vegetation, growth: ~ *boschivo* forest growth.
sopra|stallia f. ⟨Mar⟩ demurrage: *giorni di* ~ demurrage days. – **~stallo** m. ⟨ant⟩ 1. overstay(ing), staying on. – 2. (nelle dogane: periodo) extra storage period; (diritto) storage charge. – **~stampa** f. ⟨rar⟩ (sovrastampa) overprint. – **~stampare** v.t. ⟨rar⟩ (sovrastampare) to overprint. – **~stante** (p.pr. di soprastare) ⟨ant⟩ I a. (imminente) impending. – II s.m. (sovrintendente) superintendent, supervisor, overseer: *il* ~ *ai lavori* the works supervisor.
soprastare v. (soprastò, soprastai, soprastà; soprastetti, soprastato; → stare) I v.i. (aus. essere/rar. avere) 1. (stare sopra) to overhang, to dominate. – 2. ⟨fig⟩ (essere imminente) to be impending, to hang over. – 3. ⟨fig⟩ (dominare) to dominate, to keep down. – 4. ⟨fig⟩ (soprintendere) to supervise. – 5. (trattenersi, fermarsi) to stop, to stay. – 6. ⟨fig⟩ (indugiare, attendere) to delay, to linger, to wait. – II v.t. (vincere) to defeat.
sopra|storia f. ⟨Filos⟩ superhistory. – **~storicità** f. superhistorical nature. – **~storico** a. (pl. -ci) superhistoric(al). – **~struttura** f. (sovrastruttura) superstructure (anche fig.). – **~suolo** m. ⟨non com⟩ → soprassuolo. – **~tassa** f. ⟨non com⟩ → soprattassa. – **~temporale** a. ⟨Filos⟩ supertemporal. – **~temporalità** f. supertemporality. – **~tonica** f. ⟨Mus⟩ supertonic.
soprattacco m. (pl. -chi) ⟨Calz⟩ heel-piece; (di metallo) heel-plate.
soprattassa f. 1. surtax. – 2. ⟨Post⟩ additional postage; (per affrancatura insufficiente) (extra charge for) postage due. – 3. ⟨Dir⟩ fine, extra tax paid as a penalty. – **soprattassare** v.t. ⟨non com⟩ to levy a surtax on.
soprattenere v.t. (soprattengo, soprattieni; soprattenni, soprattenuto; → tenere) ⟨ant⟩ 1. (trattenere) to keep, to hold back. – 2. (far indugiare) to delay.
soprattetto a./avv. on the roof.
soprattitolo m. half-title, bastard title, fly-title.
soprattutto avv. 1. above all, most of all, above anything else: *è affezionato* ~ *al fratello maggiore* he is fond of his older brother most of all. – 2. (specialmente) particularly, especially: *mio figlio s'interessa* ~ *di matematica* my son is particularly interested in mathematics.
sopra|tunica f. ⟨Stor⟩ supertunic(a), over-tunic. – **~tutto** (o *sopra tutto*) avv. ⟨non com⟩ → soprattutto. – **~umano** a. ⟨ant⟩ (sovrumano) superhuman. – **~valutare** v. → sopravvalutare. – **~valutazione** f. → sopravvalutazione.
sopravanzare I v.i. (aus. essere/avere) 1. (avanzare; aus. essere) to be left (over), to remain: *non sopravanza nulla* there is nothing left. – 2. ⟨ant⟩ (sporgere in fuori; aus. avere) to jut out, to project; (sovrastare) to tower, to rise. – II v.t. ⟨non com⟩ (superare) to surpass, to exceed. – **sopravanzo** m. 1. remainder, rest, balance, residue. – 2. (eccedenza) surplus, excess. – 3. (sporgenza) projection. ☐ *essere di* ~ to be ⌜in excess⌝ (o left over).
sopra|venire v. ⟨ant⟩ → sopravvenire. – **~vento** avv./s. → sopravvento. – **~veste** f. ⟨ant⟩ → sopravveste. – **~vincere** v.t. (sopravinco, sopravinci; sopravinsi, sopravinto) ⟨ant⟩ 1. (stravincere) to crush, to conquer decisively. – 2. ⟨fig⟩ (sopraffare) to overcome, to overwhelm, to crush.
sopravvalutare v.t. 1. to overestimate, to overrate. – 2. ⟨Econ⟩ to overestimate, to overvalue. – **sopravvalutazione** f. 1. overestimation, overrating. – 2. ⟨Econ⟩ overestimation, overevaluation.
sopravvanzare v. ⟨ant⟩ → sopravanzare.

sopravvegliạre *v.t.* (**sopravvẹglio, sopravvẹgli**) ⟨*rar*⟩ (*sorvegliare*) to watch over.

sopravvenịenza *f.* **1.** ⟨*non com*⟩ (*rif. a cose*) sudden occurrence, unforeseen event; (*rif. a persone*) sudden (*o* unexpected) arrival. – **2.** ⟨*Econ*⟩ contingency, unforeseen (*o* unexpected) event. □ ⟨*Econ*⟩ *-e attive* non-operating profits; *-e passive* non-operating losses.

sopravvenimẹnto *m.* ⟨*non com*⟩ turning (*o* cropping) up. – **sopravvenịre** *v.* (**sopravvẹngo, sopravvịeni; sopravvẹnni, sopravvenụto;** → **venire**) **I** *v.i.* (*aus.* **essere**) **1.** (*sopraggiungere*) to arrive suddenly (*o* unexpectedly): *sopravvenne il maestro e tutti tacquero* the teacher arrived suddenly and everyone stopped talking; (*arrivare per caso*) to turn up, to happen by, to come along (*o* by). – **2.** (*accadere*) to come about. – **3.** (*capitare*) to occur, to happen. – **II** *v.t.* ⟨*lett*⟩ **1.** (*sopraggiungere*) to reach. – **2.** (*cogliere di sorpresa*) to take by surprise.

sopravventạre *v.t.* (**sopravvẹnto**) ⟨*Mar*⟩ to sail to windward. – **sopravvẹnto I** *avv.* **1.** windward. – **2.** ⟨*Mar*⟩ (to) windward. – **II** *a.* **1.** windward. – **2.** ⟨*Mar*⟩ windward, weather. – **III** *s.m.* **1.** ⟨*Mar*⟩ windward (side). – **2.** ⟨*Aer*⟩ upwind side. – **3.** ⟨*fig*⟩ (*predominio, superiorità*) upper hand, superiority: *prendere il* ~ to get the ⌜upper hand⌝ (*o* whiphand), to prevail; (*vantaggio*) advantage: *mantenere il* ~ *su qd.* to maintain one's advantage over s.o., to continue to have the upper hand of s.o. □ ⟨*Mar*⟩ *avere il* ~ to have the weather-gauge; ⟨*Geog*⟩ *Isole* ~ Windward Islands; *la marea di* ~ the weather-tide; *navigare* ~ = *avere il sopravvento*.

sopravvenụta *f.* ⟨*ant*⟩ → **sopravvenimento**.

sopravvẹsta *f.* ⟨*ant*⟩ → **sopravveste**. – **sopravvẹste** *f.* **1.** ⟨*Stor*⟩ overgarment. – **2.** ⟨*Mil.ant*⟩ surcoat, over-tunic.

sopravvissụto (*p.p. di sopravvivere*) **I** *a.* **1.** surviving. – **2.** ⟨*fig, non com*⟩ (*superato*) old-fashioned, outmoded, out-of-date. – **II** *s.m.* **1.** survivor. – **2.** ⟨*fig,non com*⟩ (*persona con idee superate*) old-fashioned person, ⟨*spreg*⟩ fossil. – **sopravvivẹnte** (*p.pr. di sopravvivere*) **I** *a.* surviving. – **II** *s.m.* survivor. – **sopravvivẹnza** *f.* **1.** (*nei confronti di altre persone*) survival, outliving: *la* ~ *del padre al figlio* a father's survival of his son; (*il rimanere in vita*) survival, surviving: *in caso di* ~ in case of survival. – **2.** (*rif. all'anima*) living on, survival, surviving. □ ⟨*Statist*⟩ *tavola di* ~ life (*o* mortality) table.

sopravvịvere *v.i.* (**sopravvịssi, sopravvissụto**; *aus.* **essere**) **1.** (*nei confronti di altre persone*) to survive, to outlive (*a qd.* s.o.): ~ *ai propri figli* to outlive one's children. – **2.** (*restare in vita*) to survive (*a qc.* s.th.), to be a survivor (of): ~ *a una sciagura* to survive a terrible accident. – **3.** ⟨*fig*⟩ to live on, to survive: ~ *nella memoria di qd.* to live on in s.o.'s memory.

sopravvịvo *m.* → **sopravvivolo**[1].

sopravvịvolo[1] *m.* ⟨*Bot*⟩ houseleek, Jupiter's-beard (*Sempervivum tectorum*).

sopravvịvolo[2]: ⟨*tosc,scherz*⟩ *avere il* ~ (*come i gatti*) to have nine lives.

sopravvọlta *f.* ⟨*Arch*⟩ double vault.

sopreccedẹnte (*p.pr. di sopreccedere*) *a.* **1.** surpassing, exceeding. – **2.** (*eccessivo*) excess, surplus, excessive. – **sopreccedẹnza** *f.* ⟨*non com*⟩ **1.** (*il sopreccedere*) exceeding. – **2.** (*ciò che sopreccede*) excess, glut. □ *essere in* ~ to be in excess. – **sopreccẹdere** *v.* (**sopreccedẹi/sopreccedẹtti, sopreccedụto**) **I** *v.t.* (*sorpassare*) to surpass, to exceed greatly. – **II** *v.i.* (*aus.* **avere**) (*essere in più*) to be excessive.

sopreccitạbile *a.* ⟨*non com*⟩ (*sovreccitabile*) overexcitable. – **sopreccitạre** *v.t.* (**soprẹccito**) ⟨*non com*⟩ (*sovreccitare*) to overexcite. – **sopreccitaziọne** *f.* ⟨*non com*⟩ overexcitement.

sopredificạre *v.* (**sopredịfico, sopredịfichi**) **I** *v.t.* to build on top of, to build on (*o* over), to superstruct. – **II** *v.i.* (*aus.* **avere**) to superstruct, to build (as a superstructure). – **sopredificaziọne** *f.* **1.** building on (*o* over, on top of), superstructing. – **2.** (*parte sopredificata*) superstructure.

soprelevamẹnto *m.* **1.** ⟨*Edil*⟩ raising; (*di un piano*) addition of a floor (*o* storey). – **2.** (*il soprelevarsi*) rising, towering. – **3.** ⟨*Ferr*⟩ (*soprelevazione del binario*) superelevation, cant. – **4.** ⟨*Strad*⟩ superelevation, banking, cant. – **soprelevạre** *v.t.* (**soprelẹvo**) **1.** ⟨*Edil*⟩ to raise, to increase the height of; (*di un piano*) to add a floor (*o* storey) to, to build another floor onto: ~ *un palazzo di un piano* to add a floor to a building. – **2.** ⟨*Ferr*⟩ (*elevare sopra il normale*) to superelevate, to cant. – **3.** ⟨*Strad*⟩ to superelevate, to bank, to cant: ~ *una strada* to bank a road. – **soprelevarsi** *v.r.* to rise, to tower (*su* above), to dominate, to command (s.th.): *il nuovo grattacielo si soprelevа su tutta la città* the new skyscraper towers above the whole city. – **soprelevạto** (*p.p. di soprelevare*) *a.* **1.** ⟨*Strad, Ferr*⟩ banked, superelevated. – **2.** ⟨*Edil*⟩ (*rif. a parte di edificio*) added; (*rif. a edificio*) raised. – **soprelevaziọne** *f.* **1.** ⟨*Edil*⟩ raising, building up; (*di un piano*) addition of a floor (*o* storey); (*parte soprelevata*) part raised (*o* built on); (*piano*) floor (*o* storey) added, new (*o* additional) floor, extra storey. – **2.** ⟨*Ferr*⟩ superelevation, cant. – **3.** ⟨*Strad*⟩ superelevation, banking, cant. – **4.** ⟨*Etnol*⟩ platform burial. – **5.** ⟨*El*⟩ voltage rise. □ ⟨*Strad*⟩ ~ *della curva* banked bend; ⟨*Ferr*⟩ ~ *della rotaia* superelevation, cant.

sopreminẹnte *a.* ⟨*ant*⟩ → **sovreminente**. – **sopreminẹnza** *f.* ⟨*ant*⟩ → **sovreminenza**.

soprẹrba *f.* ⟨*Venat*⟩ bird-net for quails.

sopressạta *f.* → **soppressata**.

soprẹsso *prep.* ⟨*ant*⟩ (*sopra*) **1.** (*con contatto: stato*) on; (*moto*) on(to). – **2.** (*senza contatto*) over.

soprimbọtte *f.* → **sopraimbotte**.

soprindicạto *a.* → **sopraindicato**.

soprinnestạre *v.* → **sopralnnestare**. – **soprinnẹsto** *m.* → **sopralnnesto**.

soprintendẹnte *m.* superintendent, supervisor. □ ~ *alle antichità e belle arti* Head of the Monuments and Fine Arts Service. – **soprintendẹnza** *f.* **1.** supervision, superintendence. – **2.** (*ente*) Service, Government office: ~ *alle antichità e belle arti* Monuments and Fine Arts Service. – **soprintẹndere** *v.i.* (**soprintẹsi, soprintẹso**; *aus.* **avere**) to superintend, to supervise (*a qc.* s.th.), to be in charge (of): ~ *ai lavori* to supervise the works, to be works superintendent.

soprọsso *m.* ⟨*pop*⟩ bony tumour.

soprumạno *a./s.* ⟨*ant*⟩ → **sopraumano**.

soprụso *m.* abuse of power, outrage, bullying, tyrannical act. □ *fare un* ~ *a qd.* to bully s.o.; *ricevere un* ~ to be abused (*o* taken advantage of).

soqquadrạre *v.t.* ⟨*ant*⟩ (*mettere a soqquadro*) to turn upside-down, to throw into disorder. – **soqquạdro** *m.* disorder, confusion, ⟨*fam*⟩ mess. □ *mettere a* ~ to turn upside-down (*o* topsy-turvy): *ha messo a* ~ *tutta la stanza* he turned the whole room upside-down; ⟨*fig*⟩ (*sconvolgere*) to unsettle, to cause an upheaval in, to upset. – **soqquadrọne** *m.* (*f.* **-a**) ⟨*tosc*⟩ messer (up).

sọr *m.* ⟨*dial*⟩ (*signor*) Mr. – **sọra** *f.* ⟨*dial*⟩ (*signora*) Mrs.

sorạre *v.i.* (**sọro**; *aus.* **avere**) ⟨*ant,dial*⟩ (*trovare sfogo*) to find an outlet, to vent o.s.

sọrba *f.* **1.** (*frutto*) sorb(-apple). – **2.** *pl.* ⟨*fig,region*⟩ (*botte*) beating, thrashing, ⟨*fam*⟩ hiding. – **3.** *pl.* ⟨*esclam*⟩ good heavens!, my goodness!, ⟨*am.fam*⟩ wow!

sorbạre *v.t.* (**sọrbo**) ⟨*region*⟩ (*picchiare*) to hit, to beat.

sorbastrẹlla *f.* ⟨*Bot*⟩ (*salvastrella*) salad burnet, burnet blood-wort (*Sanguisorba minor*).

sorbettạre *v.t.* (**sorbẹtto**) **1.** to freeze. – **2.** ⟨*fig,scherz*⟩ (*sopportare con rassegnazione*) to put up with, to swallow, to take; (*rif. a persone*) to bear, to endure, to put up with. – **sorbettiẹra** *f.* **1.** ice-cream freezer (*o* machine). – **2.** ⟨*fig,scherz*⟩ (*stanza molto fredda*) icebox, ⟨*fam*⟩ igloo. – **sorbettiẹre** *m.* (*f.* **-a**) worker in an ice-cream factory. – **sorbẹtto** *m.* ⟨*Dolc*⟩ (*gelato*) sherbet, soft ice-cream. □ ⟨*fig*⟩ *diventare un* ~ (*intirizzirsi*) to be ice-cold (*o* freezing), ⟨*fam*⟩ to freeze; *non è un* ~ (*non è una cosa da nulla*) it's no joke, it's serious.

sorbẹzzolo *m.* ⟨*Bot*⟩ (*ciavardello*) sorb, wild service tree (*Sorbus torminalis*).

sorbịbile *a.* ⟨*non com*⟩ that can be sipped.

sorbillạre *v.t.* ⟨*ant,rar*⟩ (*sorbire lentamente*) to sip slowly.

sorbịre *v.t.* (**sorbịsco, sorbịsci**) **1.** to sip: ~ *il caffè* to sip one's coffee. – **2.** (*aspirare attraverso una cannuccia*) to sip (through a straw), to suck. – **3.** ⟨*fig,scherz*⟩ (*sopportare con rassegnazione: rif. a cose*) to put up with, to swallow, to take; (*rif. a persone*) to put up with, to bear, to endure: *mi sono dovuto* ~ *la suocera per tutta la sera* I had to put up with my mother-in-law all evening. – **4.** ⟨*ant*⟩ (*assorbire*) to absorb; (*ingoiare*) to swallow.

sorbịte *f.* **1.** ⟨*Met*⟩ sorbite. – **2.** → **sorbitolo**. – **sorbitọlo** *m.* ⟨*Chim*⟩ sorbitol.

sọrbo *m.* ⟨*Bot*⟩ (*anche sorbo domestico*) service tree, sorb (*Sorbus domestica; Pirus domestica*). □ ~ *rosso* = *sorbo degli uccellatori*; ~ *selvatico*: 1. white beam (*Sorbus aria*); 2. = *sorbo degli uccellatori*; ~ *degli uccellatori* (o *uccelli*) rowan-tree, mountain-ash (*Sorbus aucuparia*).

sọrbola *f.* → **sorba**.

Sorbọna *N.pr.f.* Sorbonne.

sorbọsio *m.* ⟨*Chim*⟩ sorbose.

sọrce *m.* ⟨*ant,region*⟩ → **sorcio**. – **sorcẹtto** *m. dim. di* **sorcio**. – **sorcịno** *a.* ⟨*non com*⟩ mouse-grey, mouse-coloured. – **sọrcio** *m.* ⟨*pop*⟩ (*topo*) mouse. □ ⟨*fig*⟩ *far vedere i sorci verdi a qd.*: 1. (*dargli del filo da torcere*) to make things very hard for s.o., to lead s.o. a merry dance; 2. (*stupire*) to astound (*o* amaze) s.o. – **sọrco** *m.* (*pl.* **-ci**) ⟨*ant*⟩ → **sorcio**.

sorcọtto *m.* ⟨*Stor*⟩ surcoat.

sọrda *f.* ⟨*Fon*⟩ hard (*o* unvoiced) consonant.

sordạggine *f.* ⟨*non com*⟩ slight deafness, hardness of hearing. – **sordamẹnte** *avv.* **1.** (*con suono cupo*) dully. – **2.** (*con livida ostilità*) bitterly: *odiare* ~ *qd.* to hate s.o. bitterly. – **sordạstro I** *a.* hard of hearing, slightly deaf, deafish. – **II** *s.m.* (*f.* **-a**) person hard of hearing.

sordẹzza[1] *f.* ⟨*ant*⟩ → **sordità**.

sordẹzza[2] *f.* ⟨*ant*⟩ (*sporcizia*) filth.

sordidamẹnte *avv.* **1.** dirtily, filthily, sordidly. – **2.** (*spilorciamente*) sordidly, meanly, like a miser. – **sordidẹzza** *f.* **1.** ⟨*non com*⟩ (*sozzura*) filthiness. – **2.** ⟨*fig*⟩ (*turpitudine*) sordidness, baseness. – **3.** ⟨*fig*⟩ (*spilorceria*) niggardliness, sordidness, meanness; (*grettezza*) pettiness. – **sọrdido** *a.* **1.** (*sporco*) dirty, filthy, sordid. – **2.** (*turpe*) sordid, base, vile, dirty. – **3.** ⟨*fig*⟩ (*avaro*) niggardly, sordid, avaricious, mean; (*gretto*) petty.

sordịna *f.* **1.** ⟨*Mus*⟩ mute, sordine, sordino. – **2.** ⟨*El,Tel*⟩ deadener. □ ⟨*non com*⟩ *alla* ~ on the sly, stealthily; *in* ~: 1. softly: *cantare in* ~ to sing softly; 2. ⟨*fig*⟩ (*nascostamente*) on the sly, stealthily, underhandedly; *mettere la* ~ to mute.

sordịno *m.* **1.** ⟨*Venat*⟩ bird-call for thrushes. – **2.** ⟨*Teat*⟩ buzz(ing) (low) booing, hissing. – **3.** ⟨*Arch*⟩ (*arco di scarico*) discharging arch.

sordità *f.* **1.** (*mancanza di udito*) deafness; (*diminuzione di udito*) hardness of hearing. – **2.** ⟨*fig*⟩ (*mancanza di sensibilità*) deafness, indifference, lack of sensitivity (*o* responsiveness). – **3.** ⟨*non com*⟩ (*cupezza*) dullness.

sordịzia *f.* ⟨*ant*⟩ → **sordidezza.**

sọrdo I *a.* **1.** deaf; (*duro d'orecchi*) hard of hearing. – **2.** ⟨*fig*⟩ (*smorzato*) dull, muffled, stifled: *rumore* ~ dull sound; (*rif. ad ambienti: privo di risonanza*) having bad acoustics. – **3.** ⟨*fig*⟩ (*insensibile*) deaf, indifferent, unresponsive, insensitive: *rimanere* ~ *alle preghiere di qd.* to be deaf to s.o.'s pleas. – **4.** ⟨*fig*⟩ (*tacito*) veiled, secret, hidden, underhand: *un* ~ *rancore* a veiled rancour; (*rif. a dolori*) dull, aching. – **5.** ⟨*Fon*⟩ unvoiced, hard. – **II** *s.m.* (*f.* **-a**) deaf person; *pl.* the deaf (*costr.pl.*).
□ ~ *come una* **campana** as deaf as a door-post, stone-deaf; **cantare** *ai -i* = **parlare** *ai sordi*; ⟨*fig*⟩ *non* **dire** *a* ~ to talk to s.o. who will understand; **fare** *il* ~ to turn a deaf ear, to pretend not to hear (*o* understand); ⟨*fig*⟩ *non* **intendere** *a* ~ (*capire subito*) to understand immediately, ⟨*fam*⟩ to catch on right away; ~ *dalla* **nascita** deaf from birth, born deaf; ~ *da un* **orecchio** deaf in one ear; ⟨*fig*⟩ **parlare** *ai -i* to cry (*o* talk) to the winds, to waste one's breath; ⟨*Mus*⟩ *una* **tromba** *-a* a muted trumpet. – *Prov.*: *non c'è peggior* ~ *di* ⌜*quello che*⌝ (*o chi*) *non vuol sentire* (*o udire*) none so deaf as those that will not hear.

sordomutịsmo *m.* ⟨*Med*⟩ deaf-mutism. – **sordomụto I** *a.* deaf and dumb, deaf-mute. – **II** *s.m.* (*f.* **-a**) deaf-mute.

sordọne[1] *m.* ⟨*Ornit*⟩ **1.** Alpine accentor (*Prunella collaris*; *Accentor alpinus*). – **2.** (*frullino*) jack snipe (*Lymnocryptes minimus*). – **3.** (*peppola*) brambling, bramble finch (*Fringilla montifringilla*).

sordọne[2] *m.* ⟨*Mus*⟩ shawm.

sorẹdio *m.* ⟨*Bot*⟩ soredium, brood bud, hologonidium.

sorẹlla I *s.f.* **1.** sister (*anche fig.*). – **2.** ⟨*Rel*⟩ (*monaca*) nun, sister; (*appellativo*) Sister. – **3.** (*dama della Croce Rossa*) Red Cross voluntary worker. – **II** *a.* sister-: *nave* ~ sister ship.
□ ~ **adottiva** adopted sister; ~ **carnale** blood (*o* full) sister, sister german; ~ **consanguinea** consanguineous sister, paternal half-sister; ⟨*ant*⟩ ~ **cugina** (female) cousin; ~ **germana** = *sorella carnale*; ~ *di* **latte** foster-sister; ~ *di* **madre** maternal half-sister; *le nove -e* the Muses; ~ *di* **padre** paternal half-sister; *-e* **siamesi** Siamese twins; ~ **uterina** uterine sister, maternal half-sister.

sorellạccia *f.* (*pl.* **-ce**) *pegg. di* **sorella.** – **sorellạnza** *f.* **1.** (*relazione naturale*) sisterhood. – **2.** ⟨*fig*⟩ (*legame reciproco*) sisterhood, relationship. – **sorellạstra** *f.* half-sister. – **sorellẹvole** *a.* ⟨*ant*⟩ sisterly. – **sorellịna** (*dim. di sorella*) *f.* (*sorella piccola*) little sister; (*sorella più giovane*) younger sister.

sorẹllo *m.* ⟨*Itt*⟩ (*sugherello*) horse mackerel (*Trachurus trachurus*).

sorgạgna *f.* ⟨*Bot*⟩ (*cannarecchia*) Aleppo grass, ⟨*am*⟩ Johnson grass (*Sorghum halepense*).

sorgẹnte (*p.pr. di sorgere*) **I** *a.* rising: *la luna* ~ the rising moon. – **II** *s.f.* **1.** (*acqua che sgorga*) spring; (*punto d'origine*) source, spring-head, fountain-head: *le -i del Tevere* the sources of the Tiber. – **2.** ⟨*fig*⟩ (*causa*) cause, source, springs *pl*: ~ *di guadagno* source of profit; (*origine*) source, origin, fount(ain): *l'odio è* ~ *di tanti mali* hate is the source of much evil. – **3.** ⟨*Fis*⟩ source: ~ *di luce* source of light, light source; (*generatore d'energia*) source of energy, power source.
□ **acqua** *di* ~ spring water; ~ *d'acqua minerale* mineral spring; ~ **artesiana** artesian spring; ~ *di* **calore** source of heat; ~ **carsica** karst spring; ~ **elettronica** electronic source; ~ **idrotermale** = *sorgente* **termale**; ~ **intermittente** intermittent spring; ~ **luminosa** light source; ⟨*Atom*⟩ ~ *di* **neutroni** neutron source; ~ **perenne** perennial spring; ~ *di* **petrolio** oil-well; ⟨*Atom*⟩ ~ *di* **radiazioni** source of radiation; ~ **radioattiva** radioactive source; ⟨*Acu*⟩ ~ **sonora** sound source, source of sound (*o* acoustic energy); ~ **sottomarina** submarine spring; ~ **termale** thermal (*o* hot) spring; ⟨*Fis*⟩ ~ **termica** source of heat.

sorgentịfero, sorgentịzio *a.* spring-, of a spring.

sorgẹnza *f.* ⟨*non com*⟩ springing, rising.

sọrgere[1] *v.i.* (**sọrgo, sọrgi; sọrsi, sọrto**; *aus.* **essere**) **1.** to rise, to come up: *il sole sorge alle sei* the sun rises at six. – **2.** (*sollevarsi, levarsi*) to rise, to stand (up), ⟨*lett,poet*⟩ to arise: *nella valle sorge un'antica torre* an old tower rises in the valley. – **3.** (*scaturire: rif. ad acque*) to spring, to rise. – **4.** ⟨*fig*⟩ (*nascere*) to (a)rise, to be born, to spring (up): *dalle rovine sorse una nuova città* a new city rose from the ruins; *il centro di ricerche è sorto per iniziativa del comune* the research centre sprang up through the initiative of the town -council; (*venire su improvvisamente*) to break: *sorse una tempesta* a storm broke; (*rif. a incendi*) to break out. – **5.** ⟨*fig*⟩ (*avere origine*) to arise, to spring, to start, to originate, to come. – **6.** ⟨*fig*⟩ (*apparire*) to arise, to loom (up), to come (*o* crop) up: *sono sorte delle difficoltà* some problems have cropped up. – **7.** ⟨*fig*⟩ (*assurgere, venire*) to rise, to attain: ~ *a grande potenza* to rise to great power. – **8.** ⟨*fig,lett*⟩ (*ridestarsi dall torpore*) to rouse (*o* stir) o.s. again; (*insorgere*) to rise (up), to rebel, to revolt: ~ *in armi* to rise up in arms. – **9.** ⟨*fig,lett*⟩ (*spuntare*) to arise, to sprout, to appear. – **10.** ⟨*Mar*⟩ (*ancorarsi*) to anchor, to cast (*o* come to) anchor. □ ⟨*Mar*⟩ ~ *sull'ancora* to lie at anchor; ⟨*fig*⟩ *far* ~ to bring about, to cause, to raise: *far* ~ *un dubbio a qd.* to raise a doubt in s.o.'s mind; ⟨*ant*⟩ ~ *in piedi* to stand up (*o* on one's feet), to rise to one's feet.

sọrgere[2] *m.* appearance, rising: *al primo* ~ *del sole* at the (first) rising of the sun.

sorghẹtta *f.* → **sorgagna.**

sorgimẹnto *m.* ⟨*ant*⟩ rising. – **sorgitọre** *m.* ⟨*Mar*⟩ anchorage.

sorgịva *f.* ⟨*non com*⟩ (*sorgente*) spring; (*acqua sorgiva*) spring water. – **sorgịvo** *a.* **1.** spring-: *acqua -a* spring water. – **2.** ⟨*fig,non com*⟩ (*puro*) pure, natural, spontaneous.

sọrgo *m.* (*pl.* **-ghi**) ⟨*Bot*⟩ **1.** sorgum (*Sorghum*). – **2.** (grain) sorghum, Indian (*o* common) millet, Guinea corn, durra, ⟨*am*⟩ broomcorn (*Sorghum vulgare*). □ ~ *dolce* sorgo, sweet (*o* sugar) sorghum, Chinese sugar-cane (*Andropogon saccharatum*); ~ *gentile* Sudan (grass) (*Sorghum vulgare sudanense*); ~ *da scope* common millet, ⟨*am*⟩ broomcorn (*Sorghum dochna technicum*); ~ *sottile* = *sorgo gentile*; ~ *da zucchero* = *sorgo dolce.*

sorgọne *m.* ⟨*Bot*⟩ (*mais*) maize, Indian corn (*Zea mays*).

sorgozzọne *m.* ⟨*ant,tosc*⟩ (*sergozzone*) punch on the neck.

Sọria *N.pr.f.* ⟨*ant*⟩ (*Siria*) Syria. – **sorịano I** *s.m.* (*gatto soriano*) tabby (cat), tiger-cat. – **II** *a.* Syrian.

sọrice *m.* ⟨*ant,dial*⟩ (*sorcio*) mouse. □ ⟨*Zool*⟩ ~ *ragno* common shrew (mouse) (*Sorex araneus*). – **sorịcidi** *m.pl.* ⟨*Zool*⟩ shrews *pl*, soricines *pl* (*Soricidae*).

sorịte *f.* ⟨*Filos*⟩ sorites.

sormontạbile *a.* **1.** surmountable. – **2.** ⟨*fig*⟩ that may be overcome, surmountable. – **sormontamẹnto** *m.* ⟨*non com*⟩ **1.** surmounting; (*rif. ad acque*) overflowing. – **2.** ⟨*fig*⟩ surmounting, overcoming. – **sormontạre** *v.* (**sormọnto**) **I** *v.t.* **1.** to rise above, to surmount; (*rif. ad acque*) to overflow: *le acque sormontarono gli argini* the water overflowed the banks. – **2.** ⟨*fig*⟩ (*superare*) to surmount, to overcome, to rise above, to get over (*o* the better of): ~ *gravi difficoltà* to overcome great difficulties. – **II** *v.i.* (*aus.* **avere**) **1.** ⟨*ant,lett*⟩ (*montare in alto*) to go up, to climb; (*salire*) to rise, to go up. – **2.** ⟨*fig,non com*⟩ (*crescere in potenza*) to rise in power, to prevail. – **3.** ⟨*Sart*⟩ to overlap.

sornacạre *v.* (**sornạco, sornạchi**) ⟨*ant*⟩ → **sornacchiare.** – **sornacchịare** *v.i.* (**sornạcchio, sornạcchi**; *aus.* **avere**) **1.** ⟨*region*⟩ (*russare*) to snore. – **2.** ⟨*ant*⟩ (*sputare scatarrando*) to spit (*o* cough up) phlegm. – **sornạcchio** *m.* ⟨*ant*⟩ (*sputo catarroso*) phlegm; (*sputo*) spit.

sornịone I *a.* sly, sneaky. – **II** *s.m.* (*f.* **-a**) sly person, sneak, ⟨*fam*⟩ slyboots *pl* (*costr.sing.*).

sọro[1] *m.* ⟨*Bot*⟩ sorus.

sọro[2] *a.* ⟨*ant*⟩ **1.** (*sauro*) sorrel, bay. – **2.** ⟨*Venat*⟩ (*rif. a falchi*) in first plummage. – **3.** ⟨*fig*⟩ (*inesperto*) green, fledgeling-, simple, innocent.

sororạle *a.* ⟨*lett*⟩ sisterly, sister's, ⟨*lett*⟩ sororal. – **sororạto** *m.* ⟨*Etnol*⟩ sororate. – **sorọre** *f.* ⟨*ant*⟩ (*sorella*) sister. – **sororicịda** *m./f.* sororicide. – **sororicịdio** *m.* sororicide.

sorọsio *m.* ⟨*Bot*⟩ sorosis, sorose.

sorpassạre *v.t.* **1.** (*passare sopra*) to cross: *la strada sorpassa il fiume* the road crosses the river. – **2.** (*oltrepassare: rif. a veicoli*) to overtake, to pass: ~ *un autotreno* to overtake a trailer-truck. – **3.** (*superare in altezza*) to be higher than: *l'acqua sorpassa il livello normale* the water is higher than normal; (*rif. a persone*) to be taller than: *il figlio sorpassa il padre di dieci centimetri* the son is ten centimetres taller than his father. – **4.** ⟨*fig*⟩ to surpass, to outdo, to excel, to outstrip: ~ *qd. in abilità* to surpass s.o. in skill, to be more skilful than s.o. – **5.** ⟨*fig*⟩ (*andare oltre*) to exceed, to overstep, to go beyond, to pass: ~ *i limiti* (*o la misura*) to pass all bounds, to overstep the mark, to go too far. □ ⟨*fig*⟩ ~ *qd. in astuzia* to outwit s.o.

sorpassạto (*p.p. di sorpassare*) **I** *a.* out-of-date, old-fashioned, obsolete, old, dated. – **II** *s.m.* (*f.* **-a**) old-fashioned person, person who is behind the times. – **sorpạsso** *m.* ⟨*Strad*⟩ overtaking, passing. □ ⌜*divieto di*⌝ (*o è vietato il*) ~ no overtaking (*o* passing); *effettuare un* ~ to overtake, to pass.

sorprendẹnte (*p.pr. di sorprendere*) *a.* **1.** surprising: *un avvenimento* ~ a surprising occurrence. – **2.** (*eccezionale*) surprising, astonishing, remarkable: *intelligenza* ~ remarkable intelligence; (*strano*) strange, odd; (*inaspettato*) unexpected, unlooked-for. □ *non c'è nulla di* ~ there's nothing surprising (*o* to wonder at) about it.

sorprẹndere *v.t.* (**sorprẹsi, sorprẹso**) **1.** (*cogliere inaspettatamente*) to (take by) surprise, to come upon, to catch, to overtake: *ci sorprese la pioggia* we were caught in the rain; *la sera li sorprese in aperta campagna* evening came upon them while they were still in open country; *essere sorpreso da un temporale* to be overtaken by a storm; (*cogliere sul fatto*) to catch, to (take by) surprise: *l'ho sorpreso di nuovo a fumare* I caught him smoking again. – **2.** (*stupire, meravigliare*) to surprise, to astonish, to amaze: *tu mi sorprendi* you amaze me. – **sorprendersi** *v.r.* **1.** to catch (*o* find) o.s.: *a volte mi sorprendo a pensare ancora a lei* sometimes I still catch myself thinking of her. – **2.** (*meravigliarsi*) to be surprised (*o* amazed) (*di* at, by), to wonder, to marvel (at). □ ~ *la buona fede di qd.* (*abusarne*) to deceive s.o., to betray (*o* take advantage of) s.o.'s trust; ~ *qd. con le mani nel sacco* to catch s.o. red-handed (*o* in the act); ⟨*Mil*⟩ ~ *il nemico* to surprise the enemy, to catch the enemy off guard; *non mi sorprendo più di nulla* nothing surprises me any more; *quel che più sorprende in lui è la sua pigrizia* the most surprising thing about him is his laziness.

sorprẹsa *f.* **1.** surprise: *fare una* ~ *a qd.* to give s.o. a surprise. – **2.** (*il cogliere sul fatto*) catching (out), surprising, taking by surprise; (*irruzione*) raid: *la polizia ha fatto una* ~ *in una bisca* the police ⌜made a raid on⌝ (*o* raided) a gambling den. – **3.** (*stupore,* *meraviglia*) surprise, amazement, astonishment, wonder. – **4.** ⟨*Mil*⟩ surprise (attack). □ *a* ~ with a surprise gift inside; *scatola a* ~ (*con figura a molla*) jack-in-the-box; ⟨*iron*⟩ *bella* ~ ! some surprise !; *con* ~: 1. (*sorpreso*) in surprise; 2. (*meravigliato, stupito*) in amazement, in wonder, wonderingly; 3. = *a sorpresa*; *con sua grande* ~ to his great surprise, greatly to his surprise; *di* ~: 1. by surprise, unawares: *cogliere di* ~ to take by surprise, to catch unawares (*o* off guard); 2. (*all'improvviso*) suddenly, unexpectedly; *un attacco di* ~ a surprise attack.

sorprẹso (*p.p. di sorprendere*) *a.* **1.** surprised, taken by surprise, caught: *essere* ~ *a rubare* to be caught stealing. – **2.** (*stupito, meravigliato*) surprised, amazed, astonished: *restare* ~ *di qc.* to be amazed by (*o* at) s.th.

sọrra *f.* **1.** ⟨*Alim*⟩ tunny-fish in oil. – **2.** ⟨*Macell*⟩ shoulder of beef.

sorrẹggere *v.t.* (**sorrẹggo, sorrẹggi; sorrẹssi, sorrẹtto**) **1.** (*sostenere*) to support, to hold up, to sustain, to prop: *le colonne sorreggono il soffitto* the pillars hold up the ceiling. – **2.** ⟨*fig*⟩ (*essere d'aiuto*) to sustain, to buoy up. – **sorreggersi** *v.r.* **1.** to steady o.s. – **2.** (*reggersi in piedi*) to stand upright, to stay on one's feet. – **sorreggimẹnto** *m.* ⟨*non com*⟩ support(ing).

sorrentịno I *a.* of (*o* from) Sorrento, Sorrentine, Sorrento-. – **II** *s.m.* (*f.* **-a**) native (*o* inhabitant) of Sorrento. – **Sorrẹnto** *N.pr.f.* Sorrento.

sorridẹnte (*p.pr. di sorridere*) *a.* **1.** smiling: *bocca* ~ smiling mouth. – **2.** ⟨*fig*⟩ (*lieto, sereno*) smiling, joyous: *occhi -i* smiling eyes. – **3.** ⟨*fig*⟩ (*piacevole*) pleasant, smiling, gay. – **sorrịdere** *v.* (**sorrịsi, sorrịso**) **I** *v.i.* (*aus.* **avere**) **1.** to smile: ~ *dell'ingenuità di qd.* to smile at s.o.'s ingenuousness. – **2.** ⟨*fig*⟩ (*avere un aspetto piacevole*) to smile, to be pleasant: *il sole sorride nel cielo limpido* the sun smiles in the clear sky. – **3.** ⟨*fig*⟩ (*arridere*) to smile (*a* on), to favour (s.o.), to be favourable (to): *la fortuna gli sorride* fortune smiles on him. – **4.** ⟨*fig*⟩ (*piacere*) to appeal, to please, to make happy (*o* glad, pleased), to like (*costr.pers.*): *l'idea non mi sorride* the idea doesn't appeal to me, I don't like (*o* care for) the idea; *mi sorride l'idea di rivederti* it will make me happy to see you again, I am looking forward to seeing you again. – **II** *v.t.* ⟨*poet*⟩ **1.** (*manifestare col sorriso*) to smile. – **2.** (*dire sorridendo*) to say with a smile. □ ~ *a qd.* to smile at s.o., to give s.o. a smile; ~ *di qd.* to smile at s.o., to be amused by s.o.; ~ *di sdegno* to give a scornful smile, to smile scornfully; *la vita mi sorride* life seems good to me.

sorrịso I *s.m.* **1.** smile. – **2.** ⟨*fig*⟩ smile, grace, charm, sweetness, radiance: *il* ~ *della natura* the smile of nature. – **II** *a.* ⟨*rar,poet*⟩ **1.** (*detto sorridendo*) said with a smile. – **2.** ⟨*fig*⟩ (*allietato*) brightened, gladdened. □ *col* ~ *sulle labbra* with a smile on one's lips; *fare un* ~ *a qd.* to smile at s.o., to give s.o. a smile; *fare un* ~ to (give a) smile; *fare grandi -i* to smile brightly, to beam; *trattenere un* ~ to hold back a smile.

sorsạre *v.* (**sọrso**) ⟨*non com*⟩ → **sorseggiare**. – **sorsạta** *f.* **1.** drink, gulp, draught: *prendere una* ~ *d'acqua* to take a drink of water. – **2.** (*quantità*) gulp, draught. – **sorsatịna** (*dim. di sorsata*) *f.* drop, sip. – **sorseggiạre** *v.t.* (**sorsẹggio, sorsẹggi**) to sip: ~ *una bibita* to sip a drink. – **sorsettịno, sorsẹtto** (*dim. di sorso*) *m.* drop.

sọrsi *p.rem. di* **sorgere**.

sọrso *m.* **1.** draught, sip, gulp. – **2.** (*piccola quantità*) drop, little. □ (*a*) ~ *a* ~ in sips, a little at a time, drop by drop; ⟨*fig*⟩ *assaporare la vendetta* (*a*) ~ *a* ~ to savour one's revenge; *bere qc. a* ~ *a* ~ to sip s.th.; *bere in un* ~ to drink at one gulp; *bere a piccoli -i* to take small sips; *in un* ~ in a single draught, at one gulp; ⟨*fig*⟩ straight off, all in one go.

sọrta *f.* sort, kind: *questa* ~ *di scherzi non mi piace* I don't like this kind of joke. □ *di* ~ what(so)ever, of any kind, at all, *spesso non si traduce*: *non c'è pericolo di* ~ there is no danger whatsoever, there is (absolutely) no danger; *non c'è differenza di* ~ there is no difference (at all); *gente di questa* (o *tal*) ~ this kind of people, people like this; *di ogni* ~ of all kinds (*o* sorts); *ogni* ~ *di articoli* all kinds of articles; *della stessa* ~ of the same kind; ⟨*spreg*⟩ (*rif. a persone*) tarred with the same brush.

sọrte *f.* **1.** (*destino, fato*) fate, destiny: *essere in balia della* ~ to be at the mercy of fate; *le -i di una nazione* a nation's destiny. – **2.** (*destino individuale*) lot, fate: *lamentarsi della propria* ~ to bewail one's lot. – **3.** (*evento fortuito*) chance, opportunity: *ho avuto la rara* ~ *di conoscerlo* I had the rare opportunity of meeting him. – **4.** (*fortuna*) (good) luck, (good) fortune: *hai avuto la* ~ *di trovare un buon amico* you had the luck to find a good friend. – **5.** (*esito*) result, outcome. – **6.** ⟨*ant*⟩ (*cosa che tocca in sorte*) lot, share; (*parte di eredità*) share of an inheritance. – **7.** ⟨*ant*⟩ (*capitale a interesse*) interest-bearing capital. – **8.** ⟨*ant*⟩ (*foglietto di sorteggio*) lottery slip. – **9.** ⟨*ant,tosc*⟩ (*specie, sorta*) kind, sort. – **10.** *pl.* ⟨*ant*⟩ (*oggetti usati per fini divinatori*) lots *pl.*

□ **a** ~: 1. ⟨*non com*⟩ (*a casaccio*) at random, haphazard(ly); 2. ⟨*ant*⟩ = **per** *sorte*; *estrarre* (o *tirare*) *a* ~ to draw lots; **abbandonare** *qd. alla propria* ~ to abandon s.o. to his fate; **avere** *in* ~ to fall to s.o. (*o* s.o.'s lot): *ebbe in* ~ *un patrimonio* a fortune fell to him (*o* his lot); *avere in* ~ *un carattere mite* to be blessed (*o* born, endowed) with a sweet nature; *avere in* ~ *un figlio cattivo* to be cursed with a bad son; **buona** ~ good luck, fortune; *il mio tentativo ha avuto una* **cattiva** ~ my attempt did not ⌜turn out well⌝ (*o* meet with success); ⟨*tosc*⟩ ~ **che** (*fortuna che*) luckily, by good luck; *essere* **dato** *in* ~ *a qd.* = **toccare** *in sorte a qd.*; **gettare** *le -i* to cast lots; ⟨*Comm*⟩ **in** ~ (*di varie qualità*) of different kinds, miscellaneous; **mala** ~ bad luck, ill fortune, unlucky star; *per mala* ~ (*sfortunatamente*) unluckily, as ill luck would have it; ⟨*non com*⟩ **per** ~ (*a caso*) by chance, as it happens; **meritare** *una* ~ *migliore* to deserve better; *la sua* ~ *è* **segnata** his fate is sealed; **sperare** *nella buona* ~ to trust to luck; **tentare** *la* ~ to try one's luck, to take a chance; **toccare** (o *venire*) *in* ~ *a qd.* to fall to s.o. (*o* s.o.'s lot); *la* ~ *ha* **voluto** *che* it is (*o* was) fate that, fate willed that.

sorteggiạbile *a.* that may be drawn. – **sorteggiạre** *v.t.* (**sortẹggio, sortẹggi**) **1.** (*estrarre a sorte*) to draw; (*assegnare tirando a sorte*) to draw (lots) for, to assign by lot: ~ *i premi* to draw for the prizes. – **2.** (*scegliere tirando a sorte*) to choose by lot, to draw lots for. – **3.** ⟨*assol,ant*⟩ (*assegnare le sorti*) to assign lots. – **sorteggiạto** (*p.p. di sorteggiare*) **I** *a.* drawn (by lot), drawn for: *i premi -i* the prizes drawn; (*rif. a numeri, biglietti e sim.*) winning: *i biglietti -i* the winning tickets; *il numero* ~ the winning number, the number drawn. – **II** *s.m.* (*f.* **-a**) holder of a winning number. – **sortẹggio** *m.* drawing (of lots), draw: *fare il* ~ to (hold the) draw.

sortiẹre *m.* ⟨*Occult*⟩ sorcerer.

sortilẹgio *m.* **1.** ⟨*Stor*⟩ sortilege. – **2.** (*operazione di magia*) sorcery, magic, witchcraft. □ *fare un* ~ to work magic, to cast a spell. – **sortịlego** *a./s.* (*pl.* **-ghi**) **I** *a.* spellbinding. – **II** *s.m.* sorcerer.

sortịre[1] *v.t.* (**sortịsco, sortịsci**) ⟨*lett*⟩ **1.** (*avere in sorte*) to be endowed with: ~ *un grande ingegno* to be endowed with great genius. – **2.** (*ottenere, produrre*) to have, to get, to achieve: *la cura non ha sortito l'effetto desiderato* the cure didn't have the desired effect. – **3.** (*dare in sorte*) to give, to assign (by lot); (*destinare*) to destine, to design. – **4.** ⟨*lett*⟩ (*sorteggiare*) to draw (for).

sortịre[2] *v.i.* (**sọrto**; *aus.* **essere**) **1.** (*uscire per sorteggio*) to be drawn. – **2.** ⟨*pop*⟩ (*uscire*) to go out. – **3.** ⟨*Mil,non com*⟩ (*effettuare una sortita*) to make a sortie, to sally (forth).

sortịta *f.* **1.** ⟨*Mil*⟩ sortie, sally: *fare una* ~ to make a sally, to sally (forth). – **2.** ⟨*teat*⟩ entrance. – **3.** (*uscita spiritosa, arguzia*) sally, witty remark, witticism, ⟨*fam*⟩ crack. – **4.** ⟨*region,non com*⟩ (*uscita*) going out, exit. – **5.** ⟨*Mus*⟩ sortita, entrance aria; (*nelle cerimonie*) piece of organ music.

sortịto (*p.p. di sortire*[1]) *a.* (*ottenuto in sorte*) received, had.

sọrto *p.p. di* **sorgere**.

sorvegliạnte I *s.m./f.* **1.** (*guardiano, custode*) guard, watchman, caretaker, keeper. – **2.** (*sovrintendente*) overseer, superintendent, supervisor, surveyor, inspector. – **II** *a.* **1.** watch-. – **2.** (*che sovrintende*) supervising. □ ~ *di fabbrica* overseer; ~ *ai lavori* work supervisor; ⟨*Ferr*⟩ ~ *di linea* line(s)man, platelayer, ganger; ~ *di miniera* banksman, overman; ~ *notturno* nightwatchman; ⟨*Ferr*⟩ ~ *di stazione* station inspector.

sorvegliạnza *f.* **1.** supervision, surveillance, overseeing, superintendence, control: *sottostare a* ~ *governativa* to be under government control. – **2.** (*vigilanza*) watch, guard, surveillance: ~ *notturna* nightwatch. □ ⟨*Dir*⟩ ~ *speciale* police supervision (*o* surveillance); ~ *statale* state control.

sorvegliạre *v.t.* (**sorvẹglio, sorvẹgli**) **1.** (*controllare*) to supervise, to oversee, to control, to superintend, to watch (over): *il caposquadra sorveglia i lavori* the foreman supervises the work. – **2.** (*vigilare*) to watch over, to look after, to keep watch (*o* an eye) on: *puoi* ~ *i bambini mentre sono fuori ?* can you look after the children while I am out? – **3.** (*seguire con attenzione*) to follow (closely), to keep a watchful eye on, to watch: ~ *lo sviluppo della situazione* to follow developments closely, to watch how things turn out. – **4.** (*curare, dirigere*) to manage, to run, to attend (*o* see) to, to take care of: ~ *la casa* to run the house. – **5.** ⟨*assol*⟩ to keep watch, to be watchful (*o* wakeful).

sorvegliạto (*p.p. di sorvegliare*) **I** *a.* **1.** (*controllato*) controlled, supervised, watched (over). – **2.** (*vigilato*) guarded, watched (over), looked after. – **3.** ⟨*fig,lett*⟩ (*accurato*) careful, painstaking: *stile* ~ painstaking style. – **II** *s.m./f.* person under observation (*o* surveillance). □ ⟨*Dir*⟩ ~ *speciale* person under police surveillance, person being watched by the police.

sovenịre *v.i.* (**sorvẹngo, sorviẹni; sorvẹnni, sorvenụto**; *aus.* **essere**) ⟨*ant,poet*⟩ (*sopravvenire*) to come, to arrive, to supervene.

sorvolamẹnto *m.* ⟨*non com*⟩ flying over. – **sorvolạre** *v.* (**sorvọlo**) **I** *v.t.* **1.** to fly over: *gli aerei sorvolarono la città* the planes flew over the city. – **2.** ⟨*fig*⟩ (*tralasciare*) to pass over, to overlook, ⟨*fam*⟩ to skip: ~ *un argomento* to skip a subject. – **II** *v.i.* (*aus.* **avere**) **1.** to fly over. – **2.** ⟨*fig*⟩ (*non soffermarsi*) to pass over, ⟨*fam*⟩ to skip (*su qc.* s.th.). □ *sorvoliamo* (*lasciamo perdere*) let's skip it, never mind. – **sorvolatọre** *m.* (*f.* **-trice**) person who flies over. – **sorvọlo** *m.* flying over.

S.O.S. *m.* S.O.S. (*anche fig.*): *lanciare l'*~ to send out an S.O.S.

sosamẹllo *m.* ⟨*Dolc*⟩ kind of Easter cake.

soscrịvere *v.* (**soscrịssi, soscrịtto**) ⟨*ant*⟩ → **sottoscrivere**. – **soscrizịone** *f.* **1.** ⟨*Edit*⟩ (publisher's) imprint. – **2.** ⟨*ant*⟩ → **sottoscrizione**.

sọsia *m.inv.* double, twin: *essere il* ~ *di qd.* to be s.o.'s double.

sọso *avv.* ⟨*ant*⟩ (*su*) up, upward(s).

sospecciạre *v.t.* (**sospẹccio, sospẹcci**) ⟨*ant*⟩ (*sospettare*) to suspect. – **sospecciọne** *f.* ⟨*ant*⟩ (*sospetto*) suspicion. – **sospecciọso** *a.* ⟨*ant*⟩ (*sospettoso*) suspicious.

sospẹndere *v.t.* (**sospẹsi, sospẹso**) **1.** (*appendere, attaccare in alto*) to hang (up), to suspend. – **2.** ⟨*fig*⟩ (*interrompere*) to suspend, to break off, to interrupt: *sospendiamo la trasmissione per trasmettere un comunicato* we interrupt the programme to broadcast an announcement; (*interrompere rinviando*) to adjourn: ~ *la seduta* to adjourn the session; (*cessare*) to stop, to discontinue, to suspend: ~ *i pagamenti* to stop payment. – **3.** (*rimandare*) to put off, to postpone, to delay, to defer: ~ *la partenza* to put off one's departure. – **4.** ⟨*fig*⟩ (*privare temporaneamente di una carica*) to suspend; (*escludere*) to suspend: ~ *un alunno dalla scuola* to suspend a boy from school. – **5.** (*radiare*) to strike off, to remove: ~ *dall'ordine dei medici* to strike off the register of doctors. – **6.** (*ritirare*) to take away (temporarily), to confiscate, to revoke: ~ *una patente di guida* to confiscate a driving-licence. – **7.** ⟨*Chim,Fis*⟩ to suspend. – **8.** ⟨*lett*⟩ (*alzare in alto*) to raise, to lift. □ ⟨*Dir.can*⟩ ~ *a divinis* to suspend (from the exercise of sacred functions); ~ *un processo* to stay proceedings.

sospendịbile *a.* ⟨*non com*⟩ **1.** suspendible. – **2.** ⟨*fig*⟩ (*cessabile*) that may be stopped (*o* suspended). – **sospendimẹnto** *m.* ⟨*non com*⟩ suspending, suspension, hanging (up).

sospensiọne *f.* **1.** suspending, suspension, hanging (up). – **2.** ⟨*fig*⟩ (*interruzione*) suspension; (*rif. a riunioni e sim.*) adjournment; (*cessazione*) stoppage, stopping, suspension, discontinuance: ~ *delle ostilità* suspension of hostilities; (*soppressione temporanea*) suspension. – **3.** ⟨*Dir*⟩ stay, suspension: ~ *dell'esecuzione* stay of execution. – **4.** ⟨*Dir.can*⟩ suspension. – **5.** ⟨*burocr,Scol*⟩ (*provvedimento disciplinare*) suspension: ~ *dalle lezioni* suspension (from school); (*radiazione*) striking off, removal: ~ *dall'albo dei professionisti* striking off the professional register. – **6.** (*ritiro*) taking away, confiscation, revocation: ~ *della patente di guida* confiscation of a driving-licence. – **7.** ⟨*fig*⟩ (*ansia*) state of anxiety, worry, suspense, apprehension; (*incertezza*) uncertainty. – **8.** ⟨*Sport*⟩ suspension. – **9.** ⟨*Ginn*⟩ hang: ~ *dorsale* back hang. – **10.** ⟨*Chim*⟩ suspension. – **11.** ⟨*tecn*⟩ suspension, springing, cushioning. – **12.** ⟨*Aer*⟩ (*fune di sospensione*) suspension cable.

□ ⟨*Aut*⟩ ~ **anteriore** front-wheel suspension; ⟨*Mecc*⟩ ~ **cardanica** gimbals *pl*; ~ *dalla* **carica** suspension (from office); ⟨*Dir*⟩ ~ **cautelare** precautionary suspension; ⟨*Chim*⟩ ~ **colloidale** colloidal suspension; ⟨*Aut*⟩ ~ **elastica** elastic suspension; ⟨*Aut*⟩ ~ *in* **gomma** rubber bearing (*o* mounting); ~ *delle* **importazioni** ban (*o* embargo) on imports; ⟨*Chim*⟩ *materiale* **in** ~ suspended matter; ~ *del* **lavoro** work stoppage, lay-off; (*sciopero*) strike; ⟨*Aut*⟩ ~ *a* **molla** spring suspension; ~ *dei* **pagamenti** suspension (*o* stoppage) of payments; ⟨*Dir*⟩ ~ *condizionale della* **pena** stay of sentence, suspended execution of sentence; ⟨*Aut*⟩ ~ **pneumatica** pneumatic (*o* air) suspension; ⟨*Aut*⟩ ~ **posteriore** rear suspension; ⟨*Dir*⟩ ~ *della* **prescrizione** interruption of prescription; ⟨*Dir*⟩ ~ *del* **processo** stay of proceedings; ⟨*Aut*⟩ ~ *a* **ruote** *indipendenti* independent suspension.

sospensịva *f.* ⟨*burocr,Parl*⟩ suspension, adjournment, postponement. – **sospensịvo** *a.* ⟨*burocr*⟩ suspensive, suspending.

sospensọide *m.* ⟨*Chim*⟩ **1.** (*sospensione colloidale*) suspensoid. – **2.** (*colloide liofobo*) lyophobic colloid.

sospensọre *m.* **1.** suspensor, suspender, hanger. – **2.** ⟨*Mar*⟩ sling (of a yard). – **3.** ⟨*Bot*⟩ (*embrioforo*) suspensor, embryophore.

sospensọrio I *a.* ⟨*Anat*⟩ suspensory. – **II** *s.m.* (*apparecchio*) suspensory; (*indumento*) athletic support(er), ⟨*fam*⟩ jock-strap.

sospẹso (*p.p. di sospendere*) **I** *a.* **1.** (*appeso*) hanging, suspended (*a* from). – **2.** (*sollevato*) raised, in the air: *restò con la mano -a* he stood with his hand in the air. – **3.** ⟨*fig*⟩ (*interrotto*) suspended, broken off; (*cessato*) discontinued, suspended, stopped; (*rinviato*) postponed, deferred; (*rif. a riunioni e sim.*) adjourned. – **4.** ⟨*fig*⟩ (*ansioso*) in suspense, anxious, worried; (*incerto*) uncertain. – **5.** ⟨*fig*⟩ (*indeciso*) undecided, hesitating, irresolute. – **6.** ⟨*burocr,Scol*⟩ suspended. – **II** *s.m.* ⟨*burocr*⟩ (*pratica non definita*) outstanding matter, case that has not been attended to. □ *col fiato* ~ with bated breath; ⟨*fig*⟩ ~ *a un filo* (o *capello*) hanging by a thread; *in* ~: 1. ⟨*burocr*⟩ outstanding, in abeyance, not attended to, unsettled, not dispatched, pending: *tenere in* ~ *una pratica* to hold a matter in abeyance, to hold over a matter, to let a matter lie (*o* hang over); 2. (*rif. a conti*) outstanding, unpaid: *avere un conto in* ~ to have an outstanding account; 3. ⟨*fig*⟩ in suspense, anxious: *tenere in* ~ *qd.* to keep s.o. ⌜in suspense⌝ (*o* on tenterhooks); ⟨*fig*⟩ *essere* ~ *tra vita e morte* to hover between life and death; *restare* ~ *nel vuoto* to hang in space.

sospettạbile *a.* suspectable, that may be suspected, suspect. – **sospettabilità** *f.* liability to suspicion.

sospettạre *v.* (**sospẹtto**) **I** *v.t.* **1.** to suspect: ~ *qd. di un furto* to suspect s.o. of a theft. – **2.** (*immaginare*) to suspect: ~ *un inganno* to suspect trickery. – **3.** (*supporre, pensare*) to think, to suspect, to guess: *non avrei mai sospettato in lei tanto coraggio* I would never have thought she had so much courage. – **II** *v.i.* (*aus.* **avere**) **1.** to suspect: *molti sospettano che non si tratti di suicidio* many suspect that it is not a case of suicide. – **2.** (*avere sospetti di colpevolezza*) to suspect: ~ *di qd.* to suspect s.o. – **3.** (*diffidare*) to be suspicious (*di* of), to distrust (s.o.), to doubt (s.th.): *sospetta di tutti* he distrusts everyone. □ *non* ~ *minimamente* not to have the slightest suspicion.

sospẹtto[1] *m.* **1.** (*dubbio*) suspicion, mistrust, doubt: *destare -i* to arouse suspicion; (*presunzione di colpevolezza*) suspicion. – **2.** (*il sospettare*) suspecting, suspicion. – **3.** (*presentimento*) suspicion, misgiving, apprehension, inkling: *ha il* ~ *di avere un brutto male* she ⌜has the suspicion⌝ (*o* suspects) that she has an incurable disease; (*dubbio*) doubt. – **4.** (*piccola quantità*) hint, dash, touch, suspicion, soupçon, trace. – **5.** ⟨*ant*⟩ (*paura, timore*) fear. – **6.** ⟨*ant*⟩ (*esitazione*) hesitation; (*incertezza*) doubt, uncertainty.

□ **avere** *dei -i su qd.* (o *qc.*) to suspect s.o. (*o* s.th.); **con** ~ suspiciously; *essere* **in** ~ *di* (o *a*) *qd.* to be suspected by s.o.; *venire in* ~ to (come to) suspect, to grow suspicious; *venire* (o *cadere*) *in* ~ *di qc.* to be suspected of s.th.; *mettere qd. in* ~ to make s.o. suspicious, to arouse s.o.'s suspicion; *tenere qd. in* ~ to suspect s.o.; **senza** ~: 1. (*che non sospetta*) unsuspicious, unsuspecting; 2. (*degno di fede*) not suspect, unsuspected; *al di* **sopra** *di ogni* ~ above (all) suspicion.

sospẹtto[2] *a.* **1.** suspicious, suspect, under suspicion: *un rumore* ~ a suspicious noise; *un individuo* ~ a suspicious character; (*sospettato*) suspected: *banconote -e di falsità* bank-notes suspected of being counterfeit. – **2.** (*dubbio*) doubtful: *essere di provenienza -a* to be of doubtful origin.

sospettosamẹnte *avv.* suspiciously. – **sospettosità** *f.* suspiciousness. – **sospettọso** *a.* **1.** suspicious: *uomo* ~ suspicious man; *sguardo* ~ suspicious look, look of suspicion. – **2.** ⟨*ant*⟩ (*che desta sospetto*) suspicious, suspect. – **sospettụccio** *m. dim. di* **sospetto**.

sospeziọne *f.* → **sospeccione**.

sospịgnere *v.* (**sospịngo, sospịgni**) ⟨*ant*⟩ → **sospingere**. – **sospignimẹnto** *m.* → **sospingimento**.

sospịngere *v.t.* (**sospịngo, sospịngi; sospịnsi, sospịnto**) **1.** to drive (on), to push: *la folla ci sospingeva verso l'uscita* the crowd pushed us towards the exit. – **2.** ⟨*fig*⟩ (*incitare*) to incite, to goad, to urge; (*muovere, indurre*) to drive, to move, to stir: ~ *qd. alla disperazione* to drive s.o. to despair. □ ~ *lo sguardo verso qc.* to turn one's gaze on s.th. – **sospingimẹnto** *m.* ⟨*ant*⟩ driving (*anche fig.*). – **sospịnta** *f.* ⟨*ant*⟩ (*spinta*) drive, thrust, push; (*impulso*) impulse, urge. – **sospịnto** (*p.p. di sospingere*) *a.* driven.

sospirạre I *v.t.* **1.** (*desiderare*) to long (*o* yearn) for, to sigh after: ~ *una vacanza* to long for a holiday; (*rimpiangere*) to long (*o* ache) for, to yearn for (*o* after), to grieve (*o* pine) after; (*avere nostalgia*) to long for, to be homesick for: ~ *la patria lontana* to long (*o* be homesick) for one's distant homeland. – **2.** (*attendere con ansia, struggersi*) to wait a long time for, to wait anxiously for: *mi fanno* ~ *quei soldi* they're making me wait long enough for that money. – **3.** ⟨*ant*⟩ (*piangere*) to mourn, to weep. – **II** *v.i.* (*aus.* **avere**) **1.** (*emettere sospiri*) to sigh: *perché sospiri?* why are you sighing? – **2.** (*esprimere sentimenti di dolore*) to sigh, to grieve, to lament, to bewail. – **3.** ⟨*lett*⟩ (*soffiare dolcemente*) to blow gently. □ ~ *per qd.* (*esserne innamorato*) to sigh for s.o., to be in love with s.o.; *farsi* ~: 1. (*farsi attendere*) to keep people waiting for one, to be late; 2. (*farsi vedere raramente*) to make o.s. sought after; *far* ~ *qd.* to keep s.o. waiting.

sospirạto (*p.p. di sospirare*) *a.* **1.** (*desiderato, atteso*) longed-for, desired: *il giorno tanto* ~ the longed-for day. – **2.** ⟨*ant*⟩ (*pianto*) mourned. – **sospirẹtto** *m. dim. di* **sospiro**. – **sospirẹvole** *a.* ⟨*lett*⟩ → **sospiroso**.

sospịro *m.* **1.** sigh: *un* ~ *di sollievo* a sigh of relief. – **2.** ⟨*fig*⟩ (*cosa sospirata*) thing longed-for (*o* desired). – **3.** ⟨*lett*⟩ (*respiro*) breath. – **4.** ⟨*lett,rar*⟩ (*alito di vento*) breath. – **5.** ⟨*Mus*⟩ quarter rest. – **6.** ⟨*Dolc*⟩ light chocolate pastry, puff. □ *a -i*: 1. (*a poco a poco*) little by little, gradually, bit by bit; 2. (*a intervalli*) at intervals, intermittently; 3. (*a rate*) in instalments: *pagare a -i* to pay in instalments; *emettere* (o *dare*) *un* ~ to (give a) sigh; *mandare un gran* ~ to give (*o* heave) a deep sigh; ⟨*lett*⟩ *l'ultimo* ~ one's last breath; ⟨*fig,lett*⟩ *mandare* (o *rendere*) *l'ultimo* ~ (*morire*) to breathe one's last, to pass away.

sospirọne (*accr. di sospiro*) *m.* ⟨*fam*⟩ deep sigh: *fare un* ~ to give a deep sigh. – **sospirosamẹnte** *avv.* sighing(ly), with sighs. – **sospirọso** *a.* **1.** sighing, full of sighs. – **2.** (*triste, malinconico*) melancholy, sad, plaintive: *canto* ~ plaintive air; (*languido*) languishing; (*pieno di rimpianto, di desiderio*) longing, yearning. – **3.** (*pieno di affanni*) afflicted, of affliction, troubled: *vita -a* life of affliction. – **sospirụccio** *m. dim. di* **sospiro**.

sọspite *a.* ⟨*lett*⟩ saving, delivering.

sossọpra *avv.* ⟨*ant, region*⟩ (*sottosopra*) upside-down.

sost. = **1.** ⟨*Gramm*⟩ *sostantivo* substantive (*abbr.* subst.). – **2.** ⟨*Mus*⟩ *sostenuto* sostenuto (*abbr.* sost., sosten., sos.).

sọsta *f.* **1.** stop(ping), halt(ing): *faremo una* ~ *a Roma* we shall make a stop in Rome. – **2.** (*fermata, arresto*) stop, halt: *il lavoro ha subito una* ~ the work has come to a stop. – **3.** (*riposo*) rest. – **4.** ⟨*fig*⟩ (*pausa*) pause, stop, break: *lavorare senza* ~ to work non-stop; (*tregua*) respite, ⟨*fam*⟩ breather: *non dare* ~ *a qd.* not to allow s.o. a respite, to give s.o. no peace. – **5.** ⟨*Strad*⟩ parking, waiting, standing.

□ ⟨*Strad*⟩ **divieto** *di* ~ no parking, no waiting; ⟨*Strad*⟩ ~ *d'*emer**genza** emergency stopping only; **fare** *una* ~ (*fermarsi*) to stop; (*riposare*) to have a rest; ⟨*Strad*⟩ **in** ~ stationary, stopped; (*parcheggiato*) parked; ⟨*Strad*⟩ ~ **limitata** parking (*o* waiting) for a limited period; ~ *limitata a un'ora* one-hour parking; ⟨*Comm*⟩ ~ *di una* **merce** (temporary) storage of goods; *merce in* ~ *alla stazione* goods lying at the station; **senza** ~ (*senza interruzione*) non-stop, without a break; ⟨*Ferr*⟩ **tassa** *di* ~ demurrage, siding rent; ~ **vietata** = **divieto** *di sosta*.

sostacchịna *f.* ⟨*Edil*⟩ (*abetella*) fir pole, scaffold pole.

sostantivamẹnte *avv.* ⟨*Gramm*⟩ substantively, as a noun. – **sostantivạre** *v.t.* to substantivize, to use as a noun. – **sostantivạto** (*p.p. di sostantivare*) *a.* substantivized, used as a noun. – **sostantivaziọne** *f.* substantivization.

sostantịvo[1] *m.* ⟨*Gramm*⟩ (*anche nome sostantivo*) noun, substantive.

sostantịvo[2] *a.* ⟨*Chim*⟩ substantive: *colorante* ~ substantive dye.

sostạnza *f.* **1.** ⟨*Filos*⟩ substance. – **2.** (*materia*) substance, material, matter: ~ *plastica* plastic material, plastic. – **3.** ⟨*fig*⟩ (*essenza*) essence, substance, pith, meat: *la ~ delle cose* the essence of things; *la ~ di un discorso* the pith of a speech, the essential points in a speech; (*contenuto*) contents *pl.* – **4.** (*nutrimento*) nourishment; (*valore nutritivo*) nutrition, nutritive (*o* food) value: *la carne ha molta ~* meat has great nutritive value. – **5.** *pl.* (*patrimonio*) substance, possessions *pl*, goods *pl*, estate, property: *ha ereditato tutte le -e paterne* he inherited all his father's possessions. – **6.** ⟨*Biol, Chim*⟩ substance. – **7.** ⟨*Teol*⟩ substance; (*natura*) (divine) nature.

□ ~ **alimentare** foodstuff, food; ⟨*Fis*⟩ ~ **attiva** active mass; ⟨*Dir*⟩ *-e attive personali* personal estate *sing*; ⟨*Biol*⟩ ~ **bianca** white substance (*o* matter); ~ **colorante** dye (stuff); ⟨*Biol*⟩ ~ **corticale** cortical substance, substantia corticalis; **dare** ~ to be nourishing; ⟨*Teol*⟩ ~ **divina** God; ~ **estranea** foreign substance (*o* matter); ~ **gassosa** gaseous matter, gas; *-e* **grasse** fatty substances; ⟨*Biol*⟩ ~ **grigia** grey matter (*o* substance); **in** ~ in substance, substantially; (*insomma*) in short, to sum up, in conclusion; ⟨*Teol*⟩ ~ **increata** (*Dio*) increate substance, God; ~ **liquida** liquid; ⟨*Filos*⟩ ~ **materiale** matter; ~ **medicinale** medicine, drug; ⟨*Biol*⟩ ~ **midollare** medullary substance; ⟨*Dir*⟩ *-e* **mobili** personalty *sing*; ~ **organica** organic matter; *di* **poca** ~: 1. (*di scarso valore nutritivo*) having little nutritive value; 2. ⟨*fig*⟩ unsubstantial; ⟨*Filos*⟩ **prima** ~ first (*o* primary) substance; ~ **radioattiva** radioactive substance, radiator; ⟨*Filos*⟩ ~ **seconda** second(ary) substance; ~ **solida** solid; ~ **tossica** poisonous substance.

sostanziale I *a.* **1.** ⟨*Filos*⟩ (*di sostanza*) substantial: *forma ~* substantial form; (*che costituisce una sostanza*) substantial. – **2.** (*essenziale*) essential, substantial, material; (*basilare*) fundamental, basic, substantial. – **II** *s.m.inv.* substance, essential (matter, point).

sostanzialismo *m.* ⟨*Filos*⟩ substantialism. – **sostanzialistico** *a.* (*pl.* -ci) of (*o* relating to) substantialism. – **sostanzialità** *f.* **1.** ⟨*Filos*⟩ substantiality. – **2.** (*essenzialità*) essentiality; (*importanza*) importance. – **3.** ⟨*non com*⟩ (*cosa essenziale*) essential matter (*o* point), substance. – **sostanzialmente** *avv.* **1.** ⟨*Filos*⟩ substantially. – **2.** (*fondamentalmente*) basically, in substance, fundamentally. – **sostanziare** *v.t.* (**sostanzio, sostanzi**) ⟨*lett,non com*⟩ to substantiate, to make substantial. – **sostanziarsi** *v.r.* to gain substance, to take on substantial form. – **sostanziato** (*p.p. di sostanziare*) *a.* (*pervaso*) imbued, filled (*di* with).

sostanziosità *f.* ⟨*non com*⟩ **1.** richness. – **2.** ⟨*fig*⟩ pithiness, meatiness. – **sostanzioso** *a.* **1.** (*nutriente*) nourishing, rich, substantial: *cibo ~* nourishing food. – **2.** (*rif. a terreni*) rich. – **3.** ⟨*fig*⟩ pithy, meaty, full of substance.

sostare *v.* (**sosto**) **I** *v.i.* (*aus.* **avere**) **1.** (*fermarsi*) to stop, to halt: *sostarono un'ora per riposarsi* they stopped for an hour to rest. – **2.** (*fare una pausa*) to have a break, to stop, to pause. – **II** *v.t.* ⟨*ant,rar*⟩ (*interrompere*) to break off, to stop.

sostegno *m.* **1.** support, stay, prop. – **2.** ⟨*fig*⟩ support, prop, stay, staff: *essere il ~ della famiglia* to be the support of one's family. – **3.** ⟨*fig*⟩ (*il sostenere*) support(ing), backing. – **4.** ⟨*Sport*⟩ (*mediano*) half-back; (*nel rugby*) back. – **5.** ⟨*tecn*⟩ support, brace, standard. – **6.** ⟨*Agr*⟩ stake. – **7.** ⟨*El*⟩ standard. – **8.** ⟨*Chim*⟩ stand.

□ **a** ~ *di* supporting; ⟨*fig*⟩ in support of; ⟨*Sport*⟩ **centro** ~ centre -half; ⟨*El*⟩ ~ *per* **curve** pull-off; ⟨*Sport*⟩ ~ **destro** right-half; **fare** *da* ~ to support; ⟨*Agr*⟩ ~ **morto** stake, pole; ⟨*Edil*⟩ **muro** *di* ~ retaining (*o* breast) wall; **pilastro** *di* ~ pillar, bearer, buttress; ⟨*fig*⟩ **trovare** ~ *in qc.* to have a support (*o* prop) in s.th.; (*rif. ad argomentazioni e sim.*) to be supported (*o* backed up) by s.th., to be borne out by s.th.; ⟨*Agr*⟩ ~ **vivo** tree (used to support plants).

sostenere *v.* (**sostengo, sostieni; sostenni, sostenuto;** → **tenere**) **I** *v.t.* **1.** (*reggere, portare su di sé*) to support, to hold up, to sustain: *i pilastri sostengono il tetto* the pillars hold up the roof; *se non l'avessi sostenuto sarebbe caduto* if I hadn't supported him he would have fallen. – **2.** (*tenere fisso, fermo*) to prop (*o* hold) up: ~ *con puntelli un muro pericolante* to hold up a tottering wall with props. – **3.** (*prendere su di sé*) to bear, to take upon o.s., to meet, to shoulder: ~ *le spese* to bear expenses. – **4.** (*mantenere*) to support, to maintain, to keep: ~ *la propria famiglia* to support one's family. – **5.** ⟨*fig*⟩ (*aiutare, soccorrere*) to help out, to back up, to stand by, to support: ~ *un amico nella difficoltà* to stand by a friend in time of need; (*difendere, patrocinare*) to support, to back (up), to stand up for, to uphold, to defend: ~ *la candidatura di qd.* to support s.o.'s candidacy; ~ *una causa* to defend a cause. – **6.** ⟨*fig*⟩ (*affermare con convinzione*) to assert, to maintain, to uphold: ~ *l'innocenza di qd.* to assert s.o.'s innocence. – **7.** (*mantenere in forze*) to strengthen, to sustain, to help: *un'iniezione che sostiene il cuore* an injection that strengthens the heartbeat. – **8.** (*tollerare*) to tolerate, to (be able to) take: *l'ammalato non può ~ la luce del sole* the patient cannot tolerate sunlight; (*sopportare*) to stand, to bear, to endure: *non poté ~ il dolore* he couldn't bear the pain. – **9.** (*resistere, fare fronte a*) to resist: ~ *l'urto del nemico* to resist the enemy attack. – **10.** ⟨*Comm*⟩ (*mantenere alto*) to keep high (*o* up), to support: ~ *i prezzi* to support prices. – **11.** (*esercitare*) to hold: ~ *la presidenza* to hold the presidency. – **12.** ⟨*ant*⟩ (*soffrire, patire*) to suffer. – **13.** ⟨*ant*⟩ (*trattenere*) to keep (back). – **II** *v.i.* (*aus.* **avere**) **1.** (*affermare*) to assert, to maintain, to say, to hold: *sostengo di essere innocente* I maintain I am innocent. – **2.** (*dare forza*) to be strengthening. – **sostenersi** *v.r.* **1.** (*mantenere una posizione sollevata*: *rif. a persone*) to hold (*o* prop) o.s. up, to support o.s.: *camminava sostenendosi col bastone* he walked supporting himself with a cane; (*rif. a cose*) to stand up, to hold up, to stay up: *lo scaffale si sostiene senza altri puntelli* the shelf stays up without any other support. – **2.** ⟨*fig*⟩ (*mantenersi in forze*) to keep (o.s.) going, to sustain o.s., to keep up one's strength: *sostenersi con cibi nutrienti* to keep up one's strength with nourishing food. – **3.** ⟨*fig*⟩ (*aver forza di convinzione*) to be convincing, to hold water: *la tua proposta non si sostiene* your proposal doesn't hold water. – **4.** ⟨*ant*⟩ (*trattenersi*) to abstain, to refrain, to forbear. – **5.** ⟨*ant*⟩ (*prorogare il termine di pagamento*) to extend the term of payment.

□ ⟨*Mus*⟩ ~ *l'***arco** to withhold the bow; ⟨*Mus*⟩ ~ *il* **canto** to support the melody; ~ *la* **concorrenza** to stand up to the competition; ~ *un* **confronto** to bear comparison; ~ *la* **conversazione** to keep the conversation going, ⟨*fam*⟩ to keep the ball rolling; ~ *il* **mare** (*rif. a persone*) to be a good sailor; (*rif. a imbarcazioni*) to be seaworthy; ~ *il* **morale** *di qd.* to build up s.o.'s morale; ⟨*Mus*⟩ ~ *una* **nota** to hold a note; ⟨*Teat*⟩ ~ *una* **parte** to act a role, to play a part; ~ *una* **prova** to stand a test; ~ *lo* **sguardo** *di qd.* to stand up to s.o.'s gaze, to look s.o. in the eye; ⟨*fig*⟩ ~ *il* **vino** to hold one's alcohol (*o* liquor); ⟨*Mus*⟩ ~ *la* **voce** to sustain the voice, not to change tone.

sostenibile *a.* **1.** supportable, that may be held up. – **2.** ⟨*fig*⟩ (*tollerabile*) tolerable, supportable, bearable, endurable: *la situazione non è più ~* the situation is no longer bearable; (*che si può affrontare*) that can be borne (*o* met, undertaken). – **3.** ⟨*fig*⟩ (*plausibile*) plausible, acceptable, tenable, convincing, sustainable: *teoria ~* plausible theory. – **sostenibilità** *f.* ⟨*non com*⟩ **1.** ability to be supported (*o* held up). – **2.** ⟨*fig*⟩ (*tollerabilità*) bearableness. – **3.** ⟨*fig*⟩ (*plausibilità*) plausibility, validity, tenability.

sostenimento *m.* **1.** ⟨*non com*⟩ support(ing). – **2.** ⟨*fig*⟩ (*sostentamento*) sustenance, nourishment. – **sostenitore** **I** *s.m.* (*f.* -trice) **1.** ⟨*non com*⟩ supporter. – **2.** ⟨*fig*⟩ (*fautore*) supporter, backer: ~ *di un uomo politico* backer of a politician. – **II** *a.* contributing, supporting: *socio ~* contributing member.

sostentabile *a.* ⟨*non com*⟩ supportable, maintainable. – **sostentamento** *m.* **1.** support(ing), maintenance: *il ~ della famiglia* the maintenance of the family. – **2.** ⟨*Fis,Aer*⟩ (aerodynamic) lift. – **3.** ⟨*ant*⟩ (*sostenimento*) sustenance, nourishment.

sostentare *v.t.* (**sostento**) **1.** to support, to maintain, to keep, to provide for: ~ *la famiglia* to support one's family; (*nutrire*) to nourish, to feed, ⟨*lett*⟩ to sustain. – **2.** ⟨*Fis,Aer*⟩ to sustain, to support. – **3.** ⟨*ant*⟩ (*reggere*) to support, to hold up. – **sostentarsi** *v.r.* to keep o.s.; (*nutrirsi*) to live, to feed o.s. (*di* on): *si sostenta di sola frutta* he lives on fruit.

sostentativo *a.* ⟨*rar*⟩ sustaining. – **sostentatore** **I** *s.m.* (*f.* **-trice**) **1.** supporter, maintainer. – **2.** ⟨*fig,ant*⟩ (*fautore*) supporter, champion. – **II** *a.* **1.** supporting. – **2.** ⟨*Fis*⟩ lifting, lift-, buoyant: *gas ~* lifting gas. – **sostentazione** *f.* **1.** supporting, maintenance, keeping; (*nutrimento*) sustenance, nourishment. – **2.** ⟨*Fis,Aer*⟩ sustension. □ ⟨*Aer*⟩ ~ *a getto* jet lift(ing); ⟨*Aer*⟩ ~ *negativa* down load; *resistenza di ~* wing resistance.

sostenutezza *f.* **1.** (*riservatezza*) reserve(dness). – **2.** (*freddezza*) aloofness, coldness, stiffness, stand-offishness; (*rigidezza*) stiffness. – **3.** ⟨*non com*⟩ (*boria*) pomposity. – **4.** ⟨*Econ*⟩ steadiness, firmness; (*tendenza al rialzo*) stiffness, upward trend; (*in borsa*) bullishness. – **sostenuto** (*p.p. di sostenere*) *a.* **1.** (*riservato*) reserved, austere; (*dignitoso*) dignified. – **2.** (*freddo*) aloof, cold, stiff, distant, stand -offish; (*altero*) haughty. – **3.** (*rif. allo stile e sim.*) elevated, lofty, highflown. – **4.** ⟨*Econ*⟩ steady, firm, continuing high (*o* stable): *mercato ~* steady market; (*che tende al rialzo*) stiff, upward; (*in borsa*) bullish. – **5.** ⟨*Mus*⟩ sostenuto, sustained; (*meno mosso*) meno mosso, slower. – **6.** ⟨*Arald*⟩ supported.

sostituente (*p.pr. di sostituire*) **I** *a.* ⟨*Chim*⟩ substituent. – **II** *s.m.* substituent. – **sostituibile** *a.* replaceable, substitutable. – **sostituibilità** *f.* replaceability, substitutability.

sostituire *v.t.* (**sostituisco, sostituisci**) **1.** (*rimpiazzare*) to replace, to put in the place of: ~ *un operaio vecchio con uno giovane* to replace an elderly worker by (*o* with) a young one; ~ *un prodotto perfezionato a uno inferiore* to replace an inferior product by (*o* with) a better one. – **2.** (*cambiare*) to change, to replace: ~ *la frizione* to replace the clutch. – **3.** (*prendere il posto di*: *rif. a persone*) to substitute for, to stand in for, to replace, to take the place of: ~ *un collega malato* to substitute (*o* stand in) for a sick colleague; (*fare le veci di*) to act for: *il vicepreside sostituisce il preside* the deputy headmaster is acting for the headmaster; (*rif. a cose*) to take the place of, to replace: *l'affetto della madre non può essere sostituito* nothing can take the place of a mother's love; (*usare al posto di*) to substitute: ~ *la margarina al burro* to substitute margarine for butter. – **4.** ⟨*Chim*⟩ to substitute. – **5.** ⟨*Mat,Filos*⟩ to substitute; (*trasformare*) to transform.

sostituito (*p.p. di sostituire*) *a.* **1.** (*cambiato*) changed, replaced. – **2.** (*rimpiazzato*) replaced. – **3.** ⟨*Chim*⟩ substituted. – **sostitutivo** **I** *a.* (*atto a sostituire*) substitutive (*anche Med.*). – **II** *s.m.* ⟨*Dir*⟩ (means of) prevention, preventive measure: ~ *penale* means of prevention of crime. □ ⟨*burocr*⟩ *essere ~ di qc.* to replace s.th.

sostituto *m.* (*f.* **-a**) **1.** (*rappresentante*) substitute, representative, deputy, stand-in; (*aiutante*) assistant. – **2.** (*succedaneo*) substitute, replacement. □ ⟨*Dir*⟩ ~ *procuratore* Assistant Public Prosecutor, ⟨*am*⟩ Assistant District Attorney.

sostituzione *f.* **1.** replacement, changing: *la ~ di una macchina vecchia con una nuova* the replacement of an old car with a new one. – **2.** (*supplenza*) substitution, replacement. – **3.** (*scambio fraudolento*) substitution. – **4.** ⟨*Chim*⟩ substitution. – **5.** ⟨*Mat,Fis*⟩ substitution; (*trasformazione*) transformation. □ ⟨*Econ*⟩ *costo di* ~ opportunity cost; *in* ~ in its place, instead; *in* ~ *di* (*rif. a cose*) in the place of, instead of; (*rif. a persone*) to replace, in place of, as a substitute for; ⟨*Dir*⟩ ~ *fedecommissaria* fideicommissary substitution; ⟨*Dir*⟩ ~ *di neonato* substitution of a child; ⟨*Dir*⟩ ~ *di persona* impersonation; ⟨*Dir*⟩ ~ *testamentaria* substitution.

sostrạto *m.* **1.** (*strato sottostante*) substratum, substrate. – **2.** ⟨*fig*⟩ substratum, basis, foundation: *sotto la civiltà c'è spesso un* ~ *di barbarie* civilization often conceals a substratum of barbarity. – **3.** ⟨*Ling*⟩ substratum. – **4.** ⟨*Filos*⟩ substratum, substance.

sostruziọne *f.* ⟨*Archeol*⟩ substruction, substructure.

sotadẹo *m.* ⟨*Metr*⟩ (*anche verso sotadeo*) Sotadean verse, Sotadic. – **sotạdico** *a.* (*pl.* **-ci**) **1.** ⟨*Metr*⟩ Sotadean, Sotadic. – **2.** ⟨*lett*⟩ (*osceno*) scurrilous, Sotadic.

soteriologịa *f.* ⟨*Rel*⟩ soteriology. – **soteriolọgico** *a.* (*pl.* **-ci**) soteriological.

sottạbito *m.* ⟨*Vest*⟩ slip, petticoat.

sottacẹre *v.t.* (**sottạccio, sottạci; sottạcqui, sottaciụto**) ⟨*lett*⟩ to suppress, to omit, not to mention, to keep to o.s.

sottacẹto (o *sọtt'acẹto*) **I** *a.inv.* ⟨*Gastr*⟩ pickled: *peperoni* ~ pickled peppers. – **II** *avv.* by pickling. – **III** *s.m.* **1.** pickle. – **2.** *pl.* ⟨*collett*⟩ pickles *pl.* □ *conservare* ~ to pickle.

sottaciụto (*p.p. di sottacere*) *a.* **1.** suppressed, omitted, not mentioned. – **2.** ⟨*Gramm,non com*⟩ (*sottinteso*) understood, unexpressed.

sottạcqua (o *sọtt'ạcqua*) *avv.* ⟨*non com*⟩ underwater, under the water: *nuotare* ~ to swim underwater. □ ⟨*fig*⟩ *lavorare* ~ (*tramare*) to scheme, to plot, to be underhanded. – **sottạcqueo** *a.* ⟨*ant, rar*⟩ (*subacqueo*) subaqueous, underwater.

sottaffụsto *m.* ⟨*Artigl*⟩ undercarriage, lower carriage.

sottalimentaziọne *f.* undernourishment.

sottạna *f.* **1.** (*sottoveste*) slip, petticoat, underskirt. – **2.** (*gonna*) skirt, ⟨*ant*⟩ petticoat. – **3.** ⟨*fam*⟩ (*abito talare*) (priest's) cassock. – **4.** *pl.* ⟨*scherz*⟩ (*donne*) women *pl*, ⟨*fam*⟩ skirt, ⟨*fam*⟩ petticoat: *correre dietro alle -e* to run after women, ⟨*fam*⟩ to be a skirt-chaser; *gli sono sempre piaciute le* ~ he's always been a ladies' man. – **5.** ⟨*Stor*⟩ cassock, long loose gown. □ ~ *ecclesiastica* priest's cassock; ⟨*fig*⟩ *stare sempre attaccato* (o *cucito*) *alle -e della mamma* to be tied to one's mother's apron-strings.

sottanẹlla, sottanịna *f. dim. di* **sottana**. – **sottanịno** (*dim. di sottana*) *m.* **1.** light slip. – **2.** (*delle ballerine*) tutu, ballet skirt.

sottạno *a.* ⟨*ant*⟩ **1.** (*che sta sotto*) under. – **2.** (*inferiore*) lower.

sottạrco *m.* (*pl.* **-chi**) ⟨*Arch*⟩ underside of an arch.

sottascẹlla *f.* → **sottoascella**.

sottẹcche *avv.* ⟨*tosc*⟩ → **sottecchi**. – **sottẹcchi** *avv.* furtively, stealthily: *guardare* ~ *qd.* to glance furtively at s.o., to steal a look at s.o. □ *di* ~ secretly, stealthily: *fare qc. di* ~ to do s.th. secretly.

sottẹndere *v.t.* (**sottẹsi, sottẹso**) ⟨*Geom*⟩ to subtend.

sottentramẹnto *m.* ⟨*non com*⟩ replacement. – **sottentrạre** *v.i.* (**sottẹntro**; *aus.* **essere**) **1.** to take the place of, to replace: *il figlio maggiore sottentrò al padre* the eldest son replaced his father. – **2.** ⟨*ant*⟩ (*farsi sotto*) to put o.s. under s.th.

sotterfụgio *m.* **1.** (*pretesto*) subterfuge, pretext, excuse. – **2.** (*espediente, stratagemma*) subterfuge, device, expedient. □ *di* ~ (*di nascosto*) secretly, stealthily, by subterfuge.

sottẹrra *avv.* underground, under the ground. □ *essere* (o *stare*) ~ (*essere morto*) to be dead and buried; *andare* ~ (*morire*) to die; *volersi nascondere* ~ *dalla vergogna* to wish that the earth would open up and swallow one.

sotterrạbile *a.* that may be buried (*o* laid underground). – **sotterramẹnto** *m.* burial, putting underground.

sotterrạnea *f.* **1.** ⟨*Strad*⟩ subway, underpass. – **2.** (*ferrovia sotterranea*) underground (railway), ⟨*fam*⟩ tube, ⟨*am*⟩ subway. – **sotterrạneo I** *a.* **1.** underground, subterranean: *passaggio* ~ underground passage. – **2.** (*che proviene da sottoterra*) underground, subterranean, from under the ground: *boato* ~ underground rumble. – **3.** ⟨*fig*⟩ (*nascosto, clandestino*) secret, underground, hidden, subterranean: *attività -a* underground activities. – **4.** ⟨*lett*⟩ (*rif. all'oltretomba*) of the underworld, subterranean. – **II** *s.m.* **1.** (*scantinato*) basement, cellar, vault. – **2.** *pl.* ⟨*Stor*⟩ (*prigioni sotterranee*) dungeons *pl.* □ *mondo* ~ underworld.

sotterrạre *v.t.* (**sottẹrro**) **1.** to bury, to place (*o* lay) underground: ~ *un tesoro* to bury a treasure. – **2.** ⟨*Agr*⟩ (*rif. a semi*) to sow, to plant. – **3.** (*seppellire*) to bury: ~ *i morti* to bury the dead. – **4.** ⟨*fig*⟩ (*dimenticare*) to forget about, to bury, to think no more of: ~ *una questione* to think no more of a matter. □ ⟨*fig*⟩ ~ *tutti* (*vivere più a lungo di tutti*) to outlive everyone else, to see everyone else dead and buried. – **sotterrạto** (*p.p. di sotterrare*) *a.* **1.** buried, placed underground. – **2.** (*sepolto*) buried. – **3.** ⟨*fig*⟩ (*superato*) obsolete, superseded. □ *morto e* ~: 1. dead and buried, long dead; 2. ⟨*fig*⟩ (*superato*) obsolete, over and done with; 3. ⟨*fig*⟩ (*chiuso*) dead, closed. – **sotterratọre I** *s.m.* (*f.* **-trice**) ⟨*non com*⟩ burier. – **II** *a.* burying.

sottẹso (*p.p. di sottendere*) *a.* **1.** ⟨*Geom*⟩ subtended. – **2.** ⟨*fig,lett*⟩ (*venato, improntato*) tinged (*di* with): *un lirismo* ~ *di malinconia* lyricism tinged with melancholy.

sottẹsso *prep.* ⟨*ant*⟩ (*sotto*) below, under(neath).

sottigliạre *v.t.* (**sottịglio, sottịgli**) ⟨*ant*⟩ (*assottigliare*) to make thin(ner). – **sottigliẹzza** *f.* **1.** thinness; (*snellezza*) slimness, slenderness. – **2.** ⟨*fig*⟩ (*acutezza*) keenness, sharpness, acuteness: *la* ~ *delle sue osservazioni* the sharpness of his remarks. – **3.** ⟨*fig*⟩ (*sofisticheria*) cavil, quibble, nicety: *non perdiamoci in -e* let's not get lost in quibbles. – **4.** ⟨*fig*⟩ (*rif. all'aria*) lightness. □ ~ *di mente* quick-wittedness, sharpness (of mind).

sottịle I *a.* **1.** thin, fine: *parete* ~ thin wall. – **2.** (*fine, leggero*) fine: *polvere* ~ fine dust; *filo* ~ fine thread. – **3.** (*esile, snello*) slender, thin, slight: *una vita* ~ a thin waist. – **4.** ⟨*fig*⟩ (*rif. all'aria*) thin, rarefied, light. – **5.** ⟨*fig*⟩ (*rif. a suoni*) thin: *voce* ~ thin voice. – **6.** ⟨*fig*⟩ (*acuto*) keen, sharp, acute, penetrating: *ingegno* ~ keen mind; *vista* ~ sharp sight. – **7.** ⟨*fig*⟩ (*arguto*) shrewd, acute, subtle, nice: *umorismo* ~ subtle humour; *distinzione* ~ subtle (*o* nice) distinction. – **8.** ⟨*fig*⟩ (*cavilloso*) quibbling, hair-splitting. – **9.** ⟨*Mar*⟩ light. – **10.** ⟨*ant*⟩ (*accurato*) careful, neat, fine. – **11.** ⟨*ant*⟩ (*pungente*) biting, cutting. – **12.** ⟨*ant*⟩ (*scarso*) slight, little. – **II** *avv.* ⟨*ant*⟩ → **sottilmente**. – **III** *s.m.* thin part. □ ⟨*fig*⟩ *andare* (o *guardare*) *per il* ~ to be over-nice (*o* over-particular); ⟨*ant*⟩ *andare* (o *guardare*) *per la* ~ = *andare per il sottile.*

sottilità *f.* ⟨*rar*⟩ **1.** (*sottigliezza*) thinness; (*finezza*) thinness, fineness. – **2.** ⟨*fig*⟩ keenness, sharpness, acuteness, subtlety.

sottilizzamẹnto *m.* ⟨*non com*⟩ hair-splitting, subtilization. – **sottilizzạre** *v.i.* (*aus.* **avere**) to make (over-)subtle distinctions, to split hairs, to subtilize.

sottilmẹnte *avv.* **1.** (*finemente*) thinly, finely. – **2.** ⟨*fig*⟩ (*acutamente*) keenly, sharply, acutely; (*argutamente*) subtly, nicely: *ragionare* ~ to argue subtly. – **3.** (*diligentemente*) carefully: *studiare* ~ *una questione* to examine a matter carefully. □ *distinguere* ~ to draw subtle (*o* nice) distinctions, to make fine-drawn distinctions.

sottịno *m.* oil-catcher.

sottinsù (o *sọtt'in sù*) **I** *avv.* upwards, from below, from underneath. – **II** *s.m.* ⟨*Art*⟩ sotto in su, worm's eye view. □ *di* ~ upwards, from below.

sottintẹndere *v.t.* (**sottintẹsi, sottintẹso**) **1.** (*tralasciare di esprimere*) to leave out, to leave unexpressed: ~ *il soggetto in una proposizione* to leave out the subject of a sentence; (*tacere*) to pass over in silence. – **2.** (*implicare*) to imply, to involve: *il lavoro sottintende dei sacrifici* work involves sacrifices. – **3.** (*intendere qc. non espresso*) to infer, to understand: *la risposta lascia* ~ *il suo consenso* his answer allowed one to infer his consent. □ *si sottintende* it's obvious, it's clear. – **sottintendimẹnto** *m.* ⟨*non com*⟩ understanding. – **sottintẹso** (*p.p. di sottintendere*) **I** *a.* **1.** (*inespresso*) unsaid, unspoken, unexpressed. – **2.** (*implicito*) implied, implicit. – **3.** (*che si capisce da sé*) understood, clear. – **II** *s.m.* implication, implied reference; (*allusione*) allusion, hint. □ *è* (o *resta*) ~ (*s'intende*) it is understood; *parlare per -i* to speak allusively, to let s.th. be understood; *senza -i* openly, plainly.

sọtto I *prep.* (before personal pronouns it is used with the prep. *di* and sometimes with *a*; before substantives sometimes it is used with *a*; before words beginning with a vowel it may become *sott'*) **1.** under(neath), beneath: *la lettera è* ~ *il giornale* the letter is under the paper; *si è nascosto* ~ *il letto* he hid beneath the bed; *eravamo seduti* ~ *l'albero* we were sitting under the tree; *aveva una rivista* ~ *il braccio* he had a magazine under his arm; *vieni* ~ *il mio ombrello* come under my umbrella; *il fiume scorre* ~ *il ponte* the river flows under the bridge. – **2.** (*a un livello inferiore*) below, under(neath): ~ *il livello del mare* below sea-level; *la temperatura è* ~ *zero* the temperature is below zero; *l'appartamento* ~ *il nostro* the flat under ours; (*inferiore a, meno di*) under, below, less than: *i bambini* ~ *i dieci anni* children under ten; ~ *i cinquanta chili* less than fifty kilos; *vendere qc.* ~ *costo* to sell s.th. below cost. – **3.** (*al di qua di*) this side of: *la villa è a pochi chilometri* ~ *il paese* the villa is a few kilometres this side of the town; (*a sud di*) south of: *il 35° parallelo* ~ *l'equatore* the 35th parallel south of the equator. – **4.** (*ai piedi di*) under(neath), at the foot of, below, beneath: *si combatteva* ~ *le mura della città* they were fighting at the foot of the city walls. – **5.** (*per esprimere dipendenza, soggezione*) under: *ha dieci operai* ~ *di sé* he has ten workers under him; ~ *il dominio straniero* under foreign domination; (*durante il governo di*) under: ~ *il consolato di Cicerone* under Cicero's consulate; *visse* ~ *Cesare Augusto* he lived under Caesar Augustus. – **6.** (*in espressioni temporali: verso, nell'imminenza di*) around, near, shortly before, close to: *gli ho scritto* ~ *Natale* I wrote to him around Christmas; *ci siamo visti* ~ *Pasqua* we saw each other shortly before Easter; (*durante*) at ... -time, during, at: ~ *gli esami* at exam-time, during exams. – **7.** (*in espressioni indicanti vigilanza, custodia, influsso*) under, with: *il denaro fu trasportato* ~ *scorta* the money was conveyed under escort; *studia* ~ *un bravo professore* he studies under a good professor; *essere nato* ~ *una buona stella* to be born under a lucky star. – **8.** (*con valore modale*) under: *promettere qc.* ~ *giuramento* to promise s.th. under oath; *presentarsi* ~ *falso nome* to present o.s. under a false name. – **9.** (*a causa di*) under: *ha parlato* ~ *l'effetto dell'alcool* he talked under the influence of alcohol. – **10.** (*rif. a condizioni, pericoli incombenti*) under: ~ *la minaccia di un pericolo* under the threat of a danger; *vivere* ~ *l'incubo della guerra* to live under the incubus of war. – **11.** (*in cambio di*) on, upon: *è stato rilasciato* ~ *pagamento di una cauzione* he was released on bail; *prestare qc.* ~ *pegno* to lend s.th. ⌜upon pledge⌝ (*o* against security); (*a seguito di*) as a result of. – **12.** ⟨*Gastr*⟩ in: *funghi sott'olio* mushrooms in oil. – **II** *avv.* **1.** underneath, below, beneath, ⟨*non com*⟩ under: *prima guarda se c'è qc.* ~ first see if there's anything underneath; (*più giù*) (down) below: *si vede il mare* ~ you can see the sea down below. – **2.** (*al piano inferiore*) downstairs, down. – **3.** (*sotto il vestito*) underneath: *ha un vestito leggero e nient'altro* ~ she is wearing a light dress with nothing underneath. – **4.** (*a piè di pagina*) below: *i nomi* ~ *indicati* the names set out below. – **5.** (*in seguito*) later (on), subsequently, further on: *come vedremo* ~ as we shall see subsequently. – **6.** (*sotto a questo*) underneath: *sul tavolo c'era il libro e* ~ *il giornale* the book was on the table with the newspaper underneath. – **7.** ⟨*fam*⟩ (*sotto le armi*) doing one's military service, in the army. – **8.** ⟨*esclam*⟩ ⟨*fam*⟩ come on, ⟨*fam*⟩ get down to it, ⟨*fam*⟩ look alive, ⟨*fam*⟩ get moving: ~, *tocca a te* come on, it's your turn. – **9.** ⟨*pop*⟩ (*sul deretano*) on one's bottom (*o* behind): *sono caduto e ho battuto* ~ I fell and hurt my bottom, I fell on my behind. – **III** *a.inv.* below, underneath: *la riga* ~ the line below; (*inferiore*) lower. – **IV** *s.m.inv.* **1.** (*parte inferiore*) lower part, bottom: *il* ~ *della scatola* the bottom of the box. – **2.** ⟨*Tess*⟩ (*rovescio*) reverse (side), wrong side.

□ **al** *di* ~ underneath, (down) below; *al di* ~ *di* under(neath), below, beneath: *al di* ~ *della media* below average; **andar** ~: 1. to go down; 2. (*al piano inferiore*) to go down(stairs); 3. (*rif. ad astri*) to go down, to set; 4. (*entrare sotto le coperte*) to get under the bed-clothes; 5. (*essere investito*) to be hit (*o* run over), to be knocked down: *il ragazzo è andato* ~ *il treno* the boy was hit by a train; 6. ⟨*eufem*⟩ (*andare sotto terra, morire*) to die; 7. (*andare sott'acqua*) to go under; *andare di* ~ to go down(stairs); ⟨*fig*⟩ (*scapitarci*) to lose (by s.th.); ⟨*fig*⟩ *andare* ~ *le* **armi** to join the army; ⟨*fig*⟩ *essere* ~ *le armi* to be in the army; ~ *l'***azione** *di qc.* under the effect of s.th., through s.th.; ~ **banco** → **sottobanco**; ~ **braccio** → **sottobraccio**; ⟨*fam*⟩ ~ **casa** downstairs, down below, in front of the house; ~ **chiave** under lock and key; *chiudere* ~ *chiave* to lock; *essere* ~ *la* **cinquantina** to be under fifty, ⟨*fam,scherz*⟩ to be the right side of fifty; ~ **condizione** *di* (up)on condition that; **dar** ~ *a qc.* (*impegnarcisi*) to fall to doing s.th., to get to work on s.th.; *dar* ~ *a qd.* (*incitarlo*) to spur s.o. on; ~ *la* **data** *tre aprile* on the third of April; ~ *la data di ieri* of yesterday, dated yesterday, yesterday's; ⟨*fam*⟩ *mettere qc.* ~ *i* **denti** to eat s.th.; **di** ~: 1. underneath, below, beneath: *la merce più scadente è di* ~ the shoddier goods are underneath; 2. (*inferiore*) lower, underneath, below: *lo strato di* ~ the lower layer, the layer underneath; *il cassetto di* ~ the drawer below; 3. (*al piano inferiore: stato*) downstairs, underneath: *i Rossi abitano di* ~ the Rossis live downstairs (*o* underneath us); (*moto*) downstairs, down; 4. (*fuori di casa*) down below, out in the street, downstairs: *è di* ~ *ad aspettarti* he's downstairs waiting for you; 5. ⟨*fam*⟩ (*del piano inferiore*) underneath, downstairs: *l'appartamento di* ~ the flat underneath ours; 6. (*dal di sotto*) from (down) below, from underneath: *sbucare di* ~ to spring out from underneath; *di* ~ *in su* from bottom to top, upwards; *il di* ~ (*la parte inferiore*) the lower part, the bottom; (*la parte che sta sotto*) the bottom, the underneath; (*il lato che sta sotto*) the underside; *visto di* ~ seen from below; ⟨*fig*⟩ *c'è* ~ *qc.* there's s.th. ⌜behind this⌝ (*o* underneath); ⟨*fam*⟩ **farsela** ~ to pee (in) one's pants; ⟨*fig*⟩ **farsi** ~ *a* (*avvicinarsi*) to creep up on, to approach, to draw near; *essere* ~ *il* **fuoco** *nemico* to be under enemy fire; ~ **giuramento** on oath; **lì** (o *là*) ~ there below, down there; ~ **mano** on hand, within easy reach; ⟨*fig*⟩ *di* ~ *mano* underhand, secretly, on the sly; **metter** ~ *qd.*: 1. (*investirlo*) to knock s.o. down, to hit (*o* run over) s.o.; 2. (*piegarlo alla propria volontà*) to get the upper hand of s.o., to subdue (*o* bow) s.o., to reduce s.o. to obedience; 3. (*metterlo al lavoro*: *rif. a persone*) to set s.o. to work; (*rif. ad animali*) to set to work; (*attaccare*) to hitch up; *mettersi* ~ *a fare qc.* to throw o.s. into s.th., to set about s.th. with a will, to fall to doing s.th.; *mettere qd.* ~ *di sé* (*sopraffarlo*) to overcome (*o* master) s.o., to get the whiphand of s.o.; *avere qc.* ~ *il* **naso** to have s.th. under one's nose; ~ *falso* **nome** under a false name; *sott'***occhio** → **sottocchio**; ⟨*Econ*⟩ ~ *la* **pari** below par; ~ **pena** *di morte* on (*o* under) pain of death; **per** ~ below: *passare per* ~ to go round below; (*prendendo la strada inferiore*) to take the lower road; *mettere* ~ *i* **piedi** to tread underfoot (*anche fig.*); *camminare* ~ *la* **pioggia** to walk in the rain; **più** ~: 1. farther down, lower down; 2. (*rif. a scritti*: *in seguito*) farther on, below; *essere* ~ **processo** to be on trial; *mettere qd.* ~ *processo* to bring s.o. to trial; ~ *ogni* **punto** *di vista* from all points of view, whichever way you look at it; ⟨*fig*⟩ **restare** *di* ~ (*rimanere inferiore*) to stay at the bottom, to be (left) behind; ~ *tale* **riguardo** in this respect; ~ **sotto**: 1. deep down, down below, (right) underneath, secretly, in secret, ⟨*fam*⟩ on the quiet (*o* sly); 2. ⟨*fig*⟩ (*intimamente*) deep down, in one's heart of hearts: *si mostrava contento ma* ~ *sotto gli dispiaceva* he looked pleased but deep down he was sorry; ⟨*fig*⟩ **stare** ~ *a qd.* to be under (*o* subject to) s.o.; ⟨*fig*⟩ **tenere** ~ *qd.* (*tenerlo soggetto*) to keep s.o. down, to be s.o.'s master, to rule s.o.; (*obbligarlo a lavorare*) to keep s.o. at it; ~ **terra** → **sottoterra**; **vedi** ~ see below; ⟨*fig*⟩ ~ *la* **veste** *d'amico* in the guise of a friend; ⟨*pop*⟩ *se mi* **vieni** ~ *!* ⌜if I⌝ (*o* just let me) get my hands on you!; ~ **voce** → **sottovoce**; ~ **vuoto** *spinto* vacuum-.

sotto|alveạle *a.* ⟨*Strad,Ferr*⟩ running under a river-bed. – **~ammirạglio** *m.* ⟨*Mar.ant*⟩ commodore. – **~ascẹlla** *f.* ⟨*Sart*⟩ (dress-)-shield. – **~assicurazịone** *f.* ⟨*Assic*⟩ underinsurance. – **~bạnco** (o *sọtto bạnco*) *avv.* **1.** under the counter. – **2.** ⟨*fig*⟩ (*di nascosto*) secretly, furtively, surreptitiously, stealthily; (*rif. alla vendita di merci*) under the counter: *vendere qc.* ~ to sell s.th. under the counter. □ *di* ~ secretly; (*rif. alla vendita di merci*) under-the-counter; *merce* ~ under-the-counter goods *pl*; ⟨*fig*⟩ *mettere* ~ *qc.* (*mettere a tacere*) to shelve s.th.

sotto|bicchiẹre *m.* mat (for glasses), coaster; (*di vetro o metallo*) (glass-)stand; (*piattino*) saucer. – **~bọrdo** *avv.* ⟨*Mar*⟩ alongside. – **~bọsco** *m.* (*pl.* **-chi**) **1.** ⟨*Bot*⟩ underwood, undergrowth, brushwood, underbrush. – **2.** ⟨*fig*⟩ hangers-on *pl.* – **~bottịglia** *m.* bottle -stand; (*centrino*) mat. – **~brạccio** *avv.* arm-in-arm: *camminare* ~ to walk arm-in-arm. □ *prendere qd.* ~ to take s.o.'s arm; ~ *a qd.* arm-in-arm with s.o.; *tenere qd.* ~ to hold s.o. under the arm, to have one's arm in s.o.'s. – **~cạlcio** *m.* ⟨*Artigl*⟩ lower part of a rifle-butt. – **~cạlza** *f.* undersock. – **~cạpo** *m.* **1.** assistant chief, deputy head. – **2.** ⟨*Comm*⟩ assistant manager. – **3.** ⟨*Mar.mil*⟩ coxswain. – **4.** ⟨*Ferr*⟩ under-station-master. – **~caudạle**: ⟨*Ornit*⟩ *penne -i* subcaudal feathers *pl*, under tail-quills *pl.*

sottọcchio *avv.* before one's eyes, in front of one. □ *guardare* ~ *qd.* to look at s.o. stealthily; *tenere qc.* ~ to keep an eye on s.th.

sottoccupạto I *a.* underemployed. – **II** *s.m.* (*f.* **-a**) underemployed person. – **sottoccupazịone** *f.* underemployment.

sotto|chiạve (o *sọtto chiạve*) *avv.* **1.** locked (*o* shut) up, under lock and key. – **2.** ⟨*fig*⟩ (*in prigione*) locked up, behind bars. □ *chiudere* ~ *qc.* to lock s.th. up. – **~chiẹsa** *f.* ⟨*Arch*⟩ subterranean vault. – **~chịglia** *f.* ⟨*Mar*⟩ false keel. □ *linea di* ~ building line under the keel plate. – **~cịpria** *m./f.* ⟨*Cosmet*⟩ foundation. – **~civiltà** *f.* subculture. – **~clạsse** *f.* ⟨*Biol*⟩ subclass. – **~cọda** *m.* **1.** (*posolino*) crupper. – **2.** ⟨*Ornit*⟩ subcaudal feathers *pl*, under tail-quills *pl.* – **~comandạnte** *m.* ⟨*Mil*⟩ second-in-command. – **~comitạto** *m.* sub-committee. – **~cọmito** *m.* ⟨*Mar.ant*⟩ boatswain's mate. – **~commissịone** *f.* sub-committee, sub-commission: *ci sono due -i d'esami* there are two examination sub-committees. – **~consụmo** *m.* ⟨*Econ*⟩ underconsumption. – **~copẹrta** (o *sọtto copẹrta*) **I** *avv.* ⟨*Mar*⟩ below (deck). – **II** *s.f.* lower deck, underdeck. – **~cọppa** *m.inv.* **1.** (*centrino*) mat, coaster; (*di vetro o metallo*) stand; (*piattino*) saucer. – **2.** ⟨*Mot*⟩ underpan. – **~cornịce** *f.* ⟨*Arch*⟩ moulding (beneath a dripstone). – **~corrẹnte** *f.* ⟨*Idr*⟩ undercurrent. – **~corticạle** *a.* ⟨*Anat*⟩ subcortical. – **~cọscia** *m.* gaskin, second thigh. – **~cọscio** *m.* ⟨*Macell*⟩ (*soccoscio*) thick flank, round, topside. – **~cọsto** (o *sọtto cọsto*) **I** *avv.* below cost (price). – **II** *a.* selling below cost (price): *merce* ~ goods selling below cost (price). – **~cuọco** *m.* (*pl.* **-chi**) under-cook. – **~cutạneo** *a.* ⟨*Med*⟩ subcutaneous. – **~cụte** (o *sọtto cụte*) *avv.* ⟨*Med*⟩ subcutaneously. – **~dialẹtto** *m.* ⟨*Ling*⟩ subdialect, variant dialect. – **~diminutịvo I** *a.* ⟨*Gramm*⟩ of a diminutive of a diminutive. – **II** *s.m.* diminutive of a diminutive. – **~divịdere** *v.t.* (**sottodivịsi**, **sottodivịso**) ⟨*rar*⟩ (*suddividere*) to subdivide. – **~divisịone** *f.* **1.** ⟨*non com*⟩ (*suddivisione*) subdivision. – **2.** ⟨*Biol*⟩ subdivision. – **~dominạnte** *f.* ⟨*Mus*⟩ subdominant. – **~epạtico** *a.* (*pl.* **-ci**) ⟨*Anat*⟩ subhepatic. – **~espọrre** *v.t.* (**sottoespọngo**, **sottoespọni**; **sottoespọsi**, **sottoespọsto**; → **porre**) ⟨*Fot*⟩ to under-expose. – **~esposizịone** *f.* ⟨*Fot*⟩ **1.** underexposure. – **2.** ⟨*non com*⟩ (*fotografia sottoesposta*) under-exposed photograph. – **~espọsto** (*p.p. di sottoesporre*) *a.* under-exposed. – **~fạlda** *f.* ⟨*Mod*⟩ underside of a hat brim; (*rivestimento ornamentale*) decoration on a hat. – **~famịglia** *f.* **1.** ⟨*Biol,Ling*⟩ subfamily. – **2.** ⟨*Filol*⟩ division of a school of codices. – **~fạscia** (o *sọtto fạscia*) **I** *s.m.* ⟨*Post*⟩ printed matter (sent in a wrapper). – **II** *s.f.* (*parte del sigaro*) cigar-binder. – **III** *avv.* ⟨*Post*⟩ in (*o* under) a wrapper: *spedire* ~ to send (printed matter) in a wrapper. – **~femminẹlla** *f.* ⟨*Agr*⟩ vine shoot (growing out from a sucker). – **~femorạle**: ⟨*Anat*⟩ *muscolo* ~ musculus articularis genus. – **~flụtto** *m.* inner breakwater. – **~fluviạle**: ⟨*Idr*⟩ *acqua* ~ deep-running water, water from the undercurrent. – **~fondạre** *v.t.* (**sottofọndo**) ⟨*Edil*⟩ to underset, to underpin. – **~fondazịone** *f.* underpinning, subfoundation. – **~fọndo** *m.* **1.** ⟨*Edil*⟩ foundation, base, substructure: ~ *del pavimento* floor foundation (*o* rough). – **2.** ⟨*Strad*⟩ subgrade, road-bed, foundation, subsurface. – **3.** ⟨*Cin, Acu*⟩ background sound. – **4.** (*sfondo*) background (*anche fig.*). □ *in* ~ background-: *musica in* ~ background music. – **~fọrma** *f.* ⟨*Biol*⟩ subform. – **~frẹnico** *a.* (*pl.* **-ci**) subphrenic. – **~gạmba** (o *sọtto gạmba*) *avv.* (*con leggerezza*) lightly: *prendere* ~ *qc.* to take s.th. lightly, to make light of s.th. □ *di* ~ carelessly; ⟨*non com*⟩ *fare qc.* ~ to do s.th. carelessly. – **~gẹnere** *m.* ⟨*Biol*⟩ subgenus. – **~giacẹre** *v.i.* (**sottogiạccio**, **sottogiạci**; **sottogiạcqui**, **sottogiaciụto**; *aus.* **avere**) ⟨*lett*⟩ (*soggiacere*) to be subject. – **~gọla** *m./f.inv.* **1.** ⟨*Mod*⟩ (chin)strap. – **2.** (*parte dei finimenti*) throatlatch, throatband. – **~gọnna** *f.* ⟨*Vest*⟩ stiff petticoat. – **~govẹrno** *m.* ⟨*Pol*⟩ party-controlled State administration, abuse of party patronage in the State administration. – **~grụppo** *m.* **1.** subgroup. – **2.** ⟨*Mecc*⟩ subassembly. – **~ioidẹo** *a.* ⟨*Anat*⟩ subhyoidean, subhyoid.

sottolineạre *v.t.* (**sottolịneo**) **1.** to underline: ~ *la parte che interessa* to underline the part of interest. – **2.** ⟨*fig*⟩ (*mettere in rilievo*) to stress, to emphasize, to underline, to point out. – **sottolineạto** (*p.p. di sottolineare*) **I** *a.* **1.** underlined. – **2.** ⟨*fig*⟩ (*messo in rilievo*) stressed, emphasized, underlined. – **II** *s.m.* underlined part. – **sottolineatụra** *f.* **1.** underlining. – **2.** ⟨*fig*⟩ stressing. – **3.** ⟨*concr*⟩ underline, underscore.

sottolinguạle *a.* ⟨*Anat*⟩ sublingual.

sottọlio (o *sott'ọlio*) **I** *avv.* ⟨*Gastr*⟩ in oil: *mettere* ~ *le sardine* to put sardines in oil. – **II** *a.* in oil: *tonno* ~ tunny-fish in oil.

sotto|lunạre *a.* ⟨*non com*⟩ sublunar(y). – **~luogotenẹnte** *m.* ⟨*Mil. ant*⟩ sublieutenant. – **~mammạrio** *a.* ⟨*Anat*⟩ submammary. –

~mandibolạre *a.* ⟨*Anat*⟩ submandibular, submaxillary. – **~mạnica** *f.* ⟨*Sart*⟩ undersleeve.

sottomạno I *avv.* **1.** (*a portata di mano*) to (*o* on, at) hand, within easy reach: *ho ~ ciò che mi occorre* I have what I need on hand. – **2.** (*con la mano a palmo in giù*) underhand: *tirare la palla ~* to throw the ball underhand. – **3.** ⟨*fig*⟩ (*di nascosto*) on the quiet, stealthily, in secret, secretly: *mi ha dato una mancia ~* he gave me a tip on the quiet. – **II** *s.m.* **1.** (*cartella*) desk-pad, writing-pad. – **2.** (*regalia*) tip (*o* gratuity) passed on the quiet. – **3.** ⟨*ant*⟩ (*gratifica*) gratuity, bonus.

sottomạre *m.* ⟨*rar*⟩ sea bottom. – **sottomarịno I** *a.* **1.** underwater, submarine: *cavo ~* submarine cable. – **2.** (*rif. a sommergibili*) submarine: *guerra -a* submarine warfare. – **II** *s.m.* **1.** submarine. – **2.** ⟨*tecn*⟩ (*tipo di vernice*) rust-proof paint. □ *~ atomico* (*o a propulsione nucleare*) atomic submarine; *~ costiero* coastal submarine; *~ di lunga crociera* fleet submarine; *~ d'alto mare* sea-going submarine.

sotto|mascellạre *a.* → **sottomandibolare**. – **~mentạle** *a.* ⟨*Anat*⟩ submental. – **~mẹnto** *m.* ⟨*pop*⟩ (*doppio mento*) double-chin. – **~mercạto** *avv.* sale (at below market prices). □ *vendita ~* sale.

sottomẹsso (*p.p. di sottomettere*) *a.* **1.** subdued, subject(ed): *popoli -i* subject peoples. – **2.** (*deferente*) submissive, obedient; (*docile*) yielding. – **sottomẹttere** *v.t.* (**sottomịsi, sottomẹsso**) **1.** (*assoggettare*) to subdue, to subject, to subjugate, to put down: *~ le popolazioni ribelli* to put down the rebel populations. – **2.** (*ridurre al proprio volere*) to subject, to make submit: *vuole ~ i compagni alla sua volontà* he wants to make his companions submit to his will. – **3.** ⟨*fig*⟩ (*subordinare*) to subordinate: *~ i sensi alla ragione* to subordinate one's feelings to reason. – **4.** (*presentare*) to submit: *~ un caso al giudizio di qd.* to submit a case to s.o.'s judgement. – **5.** ⟨*non com*⟩ (*mettere sotto*) to put under. – **sottomettersi** *v.r.* **1.** to submit, to yield. – **2.** (*piegarsi all'altrui volontà*) to submit, to bow, to give way. □ *~ la vacca al toro* to mate the cow and bull. – **sottomissiọne** *f.* **1.** subjugation, subjecting, subduing. – **2.** (*remissività*) submission, submissiveness.

sotto|mucọsa *f.* ⟨*Anat*⟩ submucosa, submucous coat. – **~mucọso** *a.* submucous. – **~mụltiplo** *m.* ⟨*Mat*⟩ submultiple. – **~murạre I** *v.t.* ⟨*Mur*⟩ to underpin. – **II** *v.i.* (*aus.* **avere**) to carry out underpinning. – **~murazịone** *f.* underpinning. – **~nocchiẹre** *m.* ⟨*Mar*⟩ second mate. – **~normạle** *f.* ⟨*Geom*⟩ subnormal. – **~nọta** *f.* (*contronota*) countermand. – **~notạto** *a.* mentioned below. – **~occupạto** *a./s.* → **sottoccupato**. – **~occupazịone** *f.* → **sottoccupazione**. – **~pạlco** *m.* (*pl.* **-chi**) ⟨*Teat*⟩ understage. □ *macchinari di ~* undermachinery. – **~pạncia** *m.inv.* saddle girth(-strap), belly-band. – **~partecipạnte** *m./f.* ⟨*Comm*⟩ secondary partner (*o* participant).

sotto|passạggio *m.* ⟨*Strad*⟩ **1.** underpass. – **2.** ⟨*Ferr*⟩ subway. □ *~ dell'autostrada* motorway underpass; *~ pedonale* subway. – **~passạre** *v.t.* to go (*o* pass) under, to run below. – **~pạsso** *m.* ⟨*non com*⟩ → **sottopassaggio**.

sotto|pẹso *a.* ⟨*Med*⟩ underweight. – **~piạtto** *m.* plate (under a dish of food). – **~piẹde** *m.* **1.** (*nelle scarpe*) arch-support. – **2.** ⟨*Vest*⟩ under-strap. – **3.** ⟨*ant*⟩ (*nelle carrozze*) foot-rest. – **~pọnte** *m.* **1.** ⟨*Edil*⟩ safety platform, safety floor (under a scaffold). – **2.** ⟨*Vest,ant*⟩ strap on knee-breeches.

sottopọrre *v.t.* (**sottopọngo, sottopọni; sottopọsi, sottopọsto**; → **porre**) **1.** (*presentare*) to submit: *~ qc. all'esame di qd.* to submit s.th. to s.o. for examination. – **2.** ⟨*fig*⟩ (*costringere a qc. di spiacevole*) to subject, to impose, to put through: *~ un funzionario a inchiesta* to subject an official to an inquiry; *~ qd. a sacrifici* to impose sacrifices on s.o. – **3.** ⟨*fig*⟩ (*esporre, presentare*) to expose, to submit: *~ la propria opera alle critiche* to submit one's work to criticism. – **4.** ⟨*non com*⟩ (*assoggettare, sottomettere*) to subdue, to subject. – **5.** ⟨*rar, lett*⟩ (*porre sotto*) to place under. – **sottoporsi** *v.r.* **1.** (*subire*) to undergo, to go through (with): *sottoporsi a un intervento chirurgico* to undergo an operation; (*sobbarcarsi*) to undertake, to take on, to subject o.s. (to): *~ a spese* to take on expenses. – **2.** (*sottomettersi*) to submit, to yield: *~ al volere altrui* to submit to the will of s.o. else.

sotto|pọrtico *m.* (*pl.* **-ci**) ⟨*Arch*⟩ interior of a portico. – **~posizịone** *f.* ⟨*ant*⟩ **1.** subjection. – **2.** (*sottomissione*) submission. – **~pọsto I** *a.* **1.** subjected (*a* to): *~ a una rigida disciplina* subjected to rigid discipline. – **2.** (*presentato*) submitted (for): *~ all'approvazione di qd.* submitted for s.o.'s approval. – **3.** (*esposto*) exposed, liable (to): *essere ~ a pericoli* to be exposed to danger. – **4.** ⟨*lett*⟩ (*dedito*) dedicated. – **II** *s.m.* (*f.* **-a**) subordinate, dependent. – **~prefẹtto** *m.* ⟨*Stor*⟩ subprefect. – **~prefettụra** *f.* subprefecture. – **~prẹzzo** *avv.* cheaply, below normal prices, reduced. □ *vendere ~ qc.* to sell s.th. off. – **~priọre** *m.* ⟨*Rel*⟩ subprior. – **~prodọtto** *m.* ⟨*Econ, Comm*⟩ by-product. – **~produzịone** *f.* underproduction. – **~proletariạto** *m.* lumpen proletariat. – **~pụnto** *m.* ⟨*Lav.femm*⟩ (*soppunto*) blind stitch(ing). – **~rạzza** *f.* ⟨*Biol*⟩ subrace.

sottọrdine *m.* ⟨*Biol*⟩ sub-order. □ *in ~*: 1. (*subordinato*) subordinate, dependent, inferior: *un incarico in ~* a subordinate post; 2. (*di secondaria importanza*) of minor importance; *mettere qd. in ~ a qd.* to make s.o. subordinate to s.o., to put s.o. under s.o.; ⟨*fig*⟩ *passare in ~* to become of less importance, to move into the background; *porre in ~ un problema* to attach less importance to a problem.

sotto|rẹddito *m.* ⟨*Econ*⟩ below-standard income. – **~rẹgno** *m.* ⟨*Biol*⟩ subkingdom. – **~scạla** *m.inv.* space under a staircase. – **~scapolạre** *a.* ⟨*Anat*⟩ subscapular. – **~scẹna** *m.inv.* ⟨*Teat*⟩ understage.

sottoscrịtto (*p.p. di sottoscrivere*) **I** *a.* **1.** ⟨*burocr*⟩ undersigned: *io ~* I the undersigned. – **2.** (*firmato*) signed: *un accordo ~ da ambo le parti* an agreement signed by both parties. – **II** *s.m.* (*f.* **-a**) **1.** ⟨*burocr*⟩ undersigned. – **2.** ⟨*scherz*⟩ (*io stesso*) yours truly: *l'unico che c'è riuscito è il ~* the only one who succeeded is yours truly. □ ⟨*burocr*⟩ *letto, approvato e ~* read, approved and signed. – **sottoscrittọre** *m.* (*f.* **-trice**) subscriber, signatory; (*rif. a libri*) subscriber. □ *~ di azioni* underwriter of shares; *~ di prestito* subscriber to a loan.

sottoscrịvere *v.* (**sottoscrịssi, sottoscrịtto**) **I** *v.t.* **1.** (*scrivere sotto*) to write under, to underwrite; (*firmare sotto*) to undersign. – **2.** (*firmare*) to sign, to subscribe (to): *~ una petizione* to sign a petition. – **3.** ⟨*fig*⟩ (*avallare, aderire*) to subscribe to, to support: *~ una iniziativa* to support an undertaking; *nessuno poté ~ un simile comportamento* no one could subscribe to such a course of action. – **4.** ⟨*Econ*⟩ to subscribe for, to underwrite: *~ obbligazioni* to underwrite bonds. – **II** *v.i.* (*aus.* **avere**) **1.** (*mettere la firma*) to sign. – **2.** ⟨*fig*⟩ (*aderire*) to agree, to adhere, to subscribe (*a* to): *~ a un programma* to adhere to a programme. – **3.** ⟨*fig*⟩ (*dare un'offerta*) to subscribe (*per qc.* s.th.). – **4.** (*rif. a pubblicazioni*) to subscribe: *~ un abbonamento a una rivista* to subscribe (*o* take out a subscription) to a magazine.

sottoscrizịone *f.* **1.** signature, signing. – **2.** (*pubblica raccolta di fondi o di firme*) subscription: *promuovere una ~* to raise (*o* get up) a subscription; *aprire una pubblica ~* to open a public subscription. – **3.** (*nelle ricette mediche*) subscription. – **4.** (*nelle opere a stampa*) (publisher's) imprint. – **5.** (*rif. a pubblicazioni periodiche*) subscription. – **6.** ⟨*Econ*⟩ underwriting, subscription: *~ di azioni* underwriting of shares; *~ di prestito* subscription to a loan.

sotto|segnạre *v.t.* (**sottosẹgno**) **1.** to sign. – **2.** (*sottolineare*) to underline. – **~segretariạto** *m.* **1.** (*carica*) under-secretaryship. – **2.** (*uffici, sede*) under-secretariat. – **~segretạrio** *m.* (*vicesegretario*) under-secretary. □ *~ di stato* Under-Secretary of State. – **~sẹtto**: ⟨*Anat*⟩ *~ nasale* nasal septum. – **~sezịone** *f.* subsection. – **~sigịllo** *m.* smaller (*o* secondary) seal.

sottosọpra I *avv.* **1.** upside-down: *rivoltare una cassa ~* to turn a crate upside-down. – **2.** ⟨*fig*⟩ (*in grande disordine*) upside-down, topsy-turvy, in (great) disorder: *un appartamento messo ~* a flat in great disorder. – **3.** ⟨*fig*⟩ (*in grande turbamento*) in confusion, in a turmoil: *la partenza ci mise tutti ~* the departure put us all in a turmoil. – **II** *a.* **1.** upside-down. – **2.** ⟨*fig*⟩ (*turbato*) in a whirl, topsy-turvy. – **III** *s.m.inv.* (*confusione, scompiglio*) confusion, turmoil, whirl. □ *mettere ~ una stanza* to turn a room upside-down, to throw a room into a mess, to overturn a room.

sotto|spẹcie *f.inv.* **1.** ⟨*Biol*⟩ sub-species. – **2.** (*suddivisione*) (sub)division. – **3.** ⟨*spreg*⟩ (*specie inferiore*) (lower) species, kind. – **~specịfico** *a.* (*pl.* **-ci**) ⟨*Biol*⟩ subspecific. – **~squạdra**: ⟨*ant*⟩ *angolo ~* acute angle. – **~squạdro** *m.* **1.** ⟨*Scult*⟩ undercut, back-draft. – **2.** ⟨*tecn*⟩ undercut. □ *a* (*o in*) *~* undercut.

sottọssido *m.* ⟨*Chim*⟩ suboxide.

sottostạme *m.* ⟨*Ind*⟩ inferior-quality wool.

sottostạnte (*p.pr. di sottostare*) **I** *a.* **1.** underneath, underlying, down below: *la vallata ~* the valley underneath (*o* down below), the underlying valley. – **2.** (*inferiore*) below, lower: *l'appartamento ~* the flat below. – **3.** ⟨*fig*⟩ (*dipendente*) subordinate (*a* to), under (s.o.). – **II** *s.m.* subordinate. – **sottostạre** *v.i.* (**sottostò, sottostại; sottostẹtti**/*non com.* **sottostiẹdi, sottostạto**; → **stare**; *aus.* **essere**) **1.** ⟨*non com*⟩ to lie below, to be underneath. – **2.** ⟨*fig*⟩ (*dipendere, essere subordinato*) to be under (*a qd.* s.o.), to be subordinate (*o* subject) (to): *~ all'autorità paterna* to be subject to paternal authority. – **3.** ⟨*fig*⟩ (*sottomettersi*) to submit, to yield, to give in: *~ agli ordini di qd.* to submit to s.o.'s orders; *devo sempre ~ alle decisioni degli altri* I always have to give in to the decisions of others. – **4.** ⟨*fig*⟩ (*sottoporsi*) to undergo, to subject o.s.; (*rif. a esami e sim.*) to take, to sit for.

sotto|stazịone *f.* ⟨*El*⟩ sub-station: *~ di trasformazione* transformer sub-station. – **~sterzạnte** *a.* ⟨*Aut*⟩ understeering. – **~suọlo** *m.* **1.** subsoil: *esaminare il ~* to examine the subsoil. – **2.** (*locali*) basement. □ *ricchezze del ~* mineral resources. – **~suọno** *m.* ⟨*Acu*⟩ infrasonic wave. – **~sviluppạto** *a.* underdeveloped: *paesi -i* underdeveloped countries. – **~svilụppo** *m.* underdevelopment. – **~tangẹnte** *f.* ⟨*Geom*⟩ subtangent. – **~tenẹnte** *m.* ⟨*Mil*⟩ second lieutenant, sublieutenant. □ *~ medico* assistant medical officer; ⟨*Mar.mil*⟩ *~ di vascello* sublieutenant.

sottotẹrra (*o* sọtto tẹrra) **I** *avv.* underground, under the ground (*o* earth): *nascondere qc. ~* to hide s.th. underground. – **II** *a.* (*sotterraneo*) underground, subterranean: *locale ~* underground room. – **III** *s.m.* (*sotterraneo*) cellar, basement. □ ⟨*fig*⟩ *andare ~* (*morire*) to die; ⟨*fig*⟩ *essere* (*o stare*) *~* (*essere morto*) to be dead and buried; ⟨*fig*⟩ *mandare ~* (*far morire*) to cause to die; *mettere ~* (*seppellire*) to bury.

sotto|tẹtto *m.* ⟨*Edil*⟩ floor below the roof; (*soffitta*) attic, loft; (*mansarda*) garret, mansard. – **~tịpo** *m.* subtype (*anche Zool.*). – **~tịtolo** *m.* **1.** subtitle, subhead(ing). – **2.** ⟨*Cin*⟩ subtitle: *edizione originale con -i* original version with subtitles. □ *dare i -i a un film* to subtitle a film. – **~trạve** *f.* ⟨*Fal*⟩ corbel, bolster. – **~tribù** *f.* ⟨*Biol*⟩ subtribe. – **~ufficiạle** *m.* ⟨*non com*⟩ → **sottufficiale**. – **~valutạre** *v.t.* (**sottovạluto**) **1.** to underestimate, to underrate. – **2.** ⟨*Econ*⟩ to undervalue. – **sottovalutarsi** *v.r.* to underrate o.s. – **~valutazịone** *f.* **1.** underestimation, underrating. – **2.** ⟨*Econ*⟩ undervaluing. – **~varietà** *f.* ⟨*Biol*⟩ subvariety. – **~vạso** *m.* dish (under a flower-pot). – **~vẹla** (*o* sọtto vẹla) *avv.* ⟨*Mar*⟩ under sail.

sottoventạre *v.t.* (**sottovęnto**) ⟨*Mar*⟩ to weather, to pass to leeward of. – **sottovęnto I** *avv.* leeward: *navigare* ~ to sail leeward. – **II** *a.* lee, leeward. – **III** *s.m.* ⟨*Mar*⟩ leeward, lee. ▭ ⟨*Geog*⟩ *isole* ≈ Leeward Islands *pl.*

sotto|vęste *f.* ⟨*Vest*⟩ **1.** slip, petticoat. – **2.** (*sottogonna*) underskirt, stiff petticoat. – **3.** ⟨*tosc*⟩ (*panciotto*) waistcoat, ⟨*am*⟩ vest. – **~vịa** *f.* ⟨*Strad*⟩ **1.** underpass. – **2.** (*sottopassaggio pedonale*) subway. ▭ ⟨*ant,region*⟩ *di* ~ (*sotto*) under(neath); ⟨*fig*⟩ (*di nascosto*) secretly, stealthily. – **~vịta** *f.* ⟨*Vest*⟩ bodice, camisole, undervest. – **~vọce** (o *sọtto vọce*) *avv.* **1.** in a low voice, softly, in an undertone: *parlare* ~ to speak in a low voice. – **2.** ⟨*Mus*⟩ sotto voce, very softly.

sottraęndo *m.* ⟨*Mat*⟩ subtrahend.

sottrạrre *v.t.* (**sottrạggo, sottrại; sottrạssi, sottrạtto;** → **trarre**) **1.** (*togliere*) to remove, to take away: ~ *qc. alla vista altrui* to remove s.th. from sight. – **2.** (*liberare, salvare*) to save, to rescue, to deliver, to snatch: ~ *qd. a un pericolo* to save s.o. from danger; ~ *qd. alla morte* to snatch s.o. from (the jaws of) death. – **3.** (*rubare*) to steal, to pilfer, to purloin, to remove: ~ *qc. a qd.* to steal s.th. from s.o. – **4.** (*togliere con l'inganno*) to abstract, to remove, to steal, to take (away): *hanno sottratto importanti documenti* they have removed important documents; ~ *fondi alla pubblica amministrazione* to steal public funds. – **5.** ⟨*Mat*⟩ to subtract, to take: ~ *quattro da dieci* to subtract four from ten. – **6.** (*detrarre*) to deduct: ~ *le spese* to deduct expenses. – **7.** ⟨*ant*⟩ (*allettare*) to entice. – **sottrarsi** *v.r.* (*sfuggire*) to escape: *sottrarsi a un pericolo* to escape a danger; (*evitare*) to avoid, to get out of, to shirk: *sottrarsi al proprio dovere* ⌈to shirk⌉ (*o* not to do) one's duty.

sottrattịvo *a.* ⟨*rar*⟩ subtractive (*anche Mat.*).

sottrạtto[1] (*p.p. di sottrarre*) *a.* **1.** ⟨*Mat*⟩ subtracted: *il numero* ~ the number subtracted. – **2.** (*rubato*) stolen, pilfered: *il denaro* ~ the money stolen.

sottrạtto[2] *m.* ⟨*ant*⟩ (*astuzia*) cunning; (*raggiro*) trick, wile. – **sottrattọre** ⟨*non com*⟩ **I** *s.m.* (*f.* **-trice**) **1.** taker away. – **2.** (*chi si appropria illecitamente*) pilferer, thief, embezzler. – **3.** ⟨*ant*⟩ (*seduttore*) seducer. – **II** *a.* removing.

sottraziọne *f.* **1.** removal, taking (away). – **2.** ⟨*Mat,Filos*⟩ subtraction. – **3.** ⟨*Dir*⟩ abstraction, suppression. – **4.** ⟨*non com*⟩ (*furto*) theft, stealing.

▭ ⟨*Dir*⟩ ~ *di atti* = *sottrazione di* **documenti**; ~ *di* **cadavere** stealing (*o* removal) of a corpse; ~ *di* **cose** *sequestrate* illegal interference with attached property; ~ *di* **documenti** abstraction (*o* suppression) of documents; ~ *con* **frode** defrauding, swindling; ~ *con* **furto** theft, larceny; ~ *di* **minorenne** abduction of a minor, child-stealing.

Sott.te = ⟨*Mil*⟩ *sottotenente* sublieutenant, second lieutenant.

sottufficiạle *m.* **1.** ⟨*Mil,Aer*⟩ non-commissioned officer. – **2.** ⟨*Mar*⟩ petty officer.

soubrette *fr.* [su'brɛt] *f.* ⟨*Teat*⟩ soubrette.

soufflé *fr.* [su'fle] *m.* ⟨*Gastr*⟩ soufflé: ~ *di formaggio* cheese soufflé.

souplesse *fr.* [su'plɛs] *f.* **1.** (*scioltezza*) suppleness, litheness, looseness (*anche Sport.*). – **2.** ⟨*fig*⟩ (*capacità d'adattamento*) adaptability.

souteneur *fr.* [sut'nœ:r] *m.* (*lenone*) pimp, souteneur.

souvenir *fr.* [suv'ni:r] *m.* souvenir.

sovạtto *m.* ⟨*ant,region*⟩ (*sogatto*) leather strap, thong.

sovenịre *v.* ⟨*ant*⟩ → **sovvenire**[1].

sovęnte I *avv.* ⟨*lett*⟩ (*spesso*) often, frequently: *ti prego di scrivermi più* ~ please write to me more often. – **II** *a.* ⟨*ant*⟩ (*frequente*) frequent.

soverchiamęnte *avv.* ⟨*non com*⟩ excessively, too much. – **soverchiạnte** (*p.pr. di soverchiare*) *a.* **1.** (*superiore*) greater, superior, overwhelming, crushing: *le -i forze nemiche* the overwhelming enemy forces. – **2.** (*sovrabbondante*) excessive, superfluous.

soverchiạre *v.* (**sovęrchio, sovęrchi**) **I** *v.t.* ⟨*lett*⟩ **1.** (*oltrepassare*) to go beyond, to pass; (*varcare*) to cross; (*passare sopra*) to go over, to rise above; (*rif. ad acque*) to overflow: *il fiume soverchiò gli argini* the river overflowed its banks. – **2.** ⟨*fig*⟩ (*superare*) to surpass, to outdo, to excel: *in avarizia soverchia tutti* she outdoes everyone in stinginess. – **3.** ⟨*fig*⟩ (*opprimere*) to crush, to overwhelm. – **4.** ⟨*fig*⟩ (*rif. a rumori*) to stun, to deafen; (*coprire, soffocare*) to drown; (*rif. a grida*) to shout down. – **II** *v.i.* (*aus.* **avere**) ⟨*ant*⟩ **1.** (*sopravanzare*) to project, to protrude, to jut out. – **2.** (*sovrabbondare*) to (super)abound, to be in plenty (*o* excess), to be superfluous.

soverchiạto (*p.p. di soverchiare*) *a.* ⟨*lett*⟩ **1.** (*superato*) surpassed, excelled; (*vinto*) overcome: ~ *dal fascino di una melodia* overcome by the charm of a melody. – **2.** (*sopraffatto*) crushed, overwhelmed. – **soverchiatọre I** *s.m.* (*f.* **-trice**) oppressor, browbeater. – **II** *a.* overbearing. – **soverchierịa** *f.* **1.** overbearing behaviour, overbearingness, bullying. – **2.** (*angheria, sopruso*) act of oppression (*o* tyranny), abuse (of power), outrage. – **soverchięvole** *a.* ⟨*lett, ant*⟩ **1.** (*soverchio*) excessive. – **2.** (*prepotente*) overbearing, tyrannical, bullying; (*offensivo*) offensive. – **sovęrchio I** *a.* ⟨*non com*⟩ (*eccessivo*) excessive, too great, too much, over-, immoderate: *zelo* ~ excessive (*o* excess of) zeal, immoderate zeal; *-a indulgenza* over -indulgence. – **II** *avv.* ⟨*ant*⟩ (*troppo*) too much, too greatly, excessively. – **III** *s.m.* ⟨*ant*⟩ **1.** (*eccesso*) excess, superabundance. – **2.** (*sporgenza*) projection, jutting (*o* protruding) part. – **3.** (*soverchieria*) act of oppression (*o* tyranny), outrage. ▭ *Prov.*: *il* ~ *rompe il coperchio* enough is as good as a feast.

sọvero *m.* **1.** ⟨*Bot*⟩ (*sughero*) cork-oak, cork-tree (*Quercus suber*). – **2.** ⟨*concr*⟩ cork.

sovesciạbile *a.* ⟨*Agr*⟩ that may be ploughed under as green manure. – **sovesciạre** *v.t.* (**sovęscio, sovęsci**) **1.** to plough under as green manure; (*fertilizzare attraverso il sovescio*) to green-manure. – **2.** ⟨*assol*⟩ to plough a crop under as green manure. – **sovesciatọre** *m.* plough for green-manuring. – **sovęscio** *m.* (*il sovesciare*) green-manuring; (*piante sovesciate*) green manure, green-manure crop.

soviẹt *m.* (*pl. inv.*/**soviẹti**) soviet, council. ▭ ≈ *delle nazionalità* Soviet (*o* Council) of Nationalities; ≈ *supremo* Supreme Soviet; ≈ *dell'unione* Soviet (*o* Council) of the Union.

soviẹtico *a./s.* (*pl.* **-ci**) **I** *a.* **1.** (*dei soviet*) Soviet, soviet: *Unione -a* Soviet Union. – **2.** (*dell'URSS*) Soviet. – **II** *s.m.* (*f.* **-a**) **1.** (*abitante*) Soviet. – **2.** (*comunista*) Communist. – **sovietizzạre** *v.t.* to Sovietize. – **sovietizzaziọne** *f.* Sovietization.

sọvra *prep./avv.* ⟨*ant*⟩ → **sopra**.

sovrabbondạnte (*p.pr. di sovrabbondare*) *a.* **1.** (super)abundant, plentiful. – **2.** (*eccessivo*) excessive, superfluous. – **3.** ⟨*fig,lett*⟩ (*ampolloso*) bombastic, wordy, highflown, verbose: *stile* ~ highflown style. – **sovrabbondạnza** *f.* **1.** (super)abundance, great plenty. – **2.** (*eccesso*) excess, surplus, glut. ▭ *in* ~ in great profusion (*o* plenty). ▭ ~ *di parole* flood of words. – **sovrabbondạre** *v.i.* (**sovrabbọndo**; *aus.* **avere**) **1.** to (super)abound, to be in excess (*o* great plenty), to be superfluous. – **2.** (*possedere in misura sovrabbondante*) to have too much (*di* of), to abound greatly (in).

sovracapitalizzaziọne *f.* ⟨*Econ*⟩ overcapitalization.

sovraccạrica *f.* ⟨*El*⟩ overloading. – **sovraccaricạre** *v.t.* (**sovraccạrico, sovraccạrichi**) **1.** to overload, to overburden. – **2.** ⟨*fig*⟩ to weigh down, to crush: ~ *qd. di lavoro* to weigh s.o. down with work, to overwork s.o. – **3.** ⟨*tecn*⟩ to overload. – **4.** ⟨*El*⟩ to overload, to overcharge: ~ *una batteria* to overcharge a battery.

sovraccạrico *a./s.* (*pl.* **-chi**) **I** *a.* **1.** overloaded, overburdened: *automobile -a* overloaded car. – **2.** ⟨*fig*⟩ (*oberato*) weighed down, crushed: *essere* ~ *di compiti scolastici* to be weighed down with homework assignments. – **3.** ⟨*tecn*⟩ overloaded. – **II** *s.m.* **1.** overloading. – **2.** ⟨*concr*⟩ overload, excessive (*o* surplus) load; (*peso eccedente*) excess weight, overweight. – **3.** ⟨*fig*⟩ excessive burden: ~ *di tasse* excessive burden of taxation. – **4.** ⟨*Edil*⟩ overload. – **5.** ⟨*non com*⟩ (*sopraccarico*) overfreight, excess freight, overload. ▭ ~ *ammissibile* overload capacity; *avere un* ~ *di lavoro* to have too much work to do; *essere* ~ *di debiti* to be deeply (*o* up to one's ears) in debt; *essere* ~ *di lavoro* to be overworked, to be up to one's ears in work.

sovraccelęste, sovraccelestiạle *a.* ⟨*ant*⟩ (*sopracceleste*) supercelestial.

sovraccọmito *m.* (*sopraccomito*) captain of a galley.

sovraccompensaziọne *f.* overcompensation.

sovraccopęrta *f.* (*sopraccoperta*) **1.** coverlet, counterpane, bedspread. – **2.** (*rif. a libri*) (book-)cover, (book-)jacket, dust-jacket.

sovraccumulaziọne *f.* overaccumulation.

sovra|compressiọne *f.* (*surcompressione*) overpressure, excessive pressure. – **~corręnte** *f.* ⟨*El*⟩ overcurrent.

sovraddạzio *m.* (*sopraddazio*) additional (*o* extra, supplementary) duty, surtax.

sovraddẹtto *a.* ⟨*ant*⟩ (*sopraddetto*) aforesaid, above-mentioned.

sovra|eccitạre *v.* → **sovreccitare**. – **~espọrre** *v.* → **sovresporre**. – **~esposiziọne** *f.* → **sovresposizione**. – **~espọsto** (*p.p. di sovraesporre*) *a.* → **sovresposto**. – **~fecondaziọne** *f.* ⟨*Biol*⟩ (*superfecondazione*) superfecundation.

sovraffaticạre *v.t.* (**sovraffatịco, sovraffatịchi**) ⟨*non com*⟩ to overtire, to wear out. – **sovraffaticarsi** *v.r.* to overtire o.s., to overtax one's strength. – **sovraffaticạto** (*p.p. di sovraffaticare*) *a.* overtired.

sovraffollạre *v.t.* (**sovraffọllo**) to overcrowd. – **sovraffollạto** *a.* overcrowded.

sovraggiụngere *v.* ⟨*ant*⟩ → **sopraggiungere**.

sovra|impọrre *v.* ⟨*non com*⟩ → **sovrimporre**. – **~impọsta** *f.* ⟨*non com*⟩ → **sovrimposta**. – **~innestạre** *v.t.* (**sovrainnęsto**) ⟨*Agr*⟩ to double-graft, to double-work. – **~innęsto** *m.* double-graft(ing), double-work(ing). – **~intendęnte** *m.* → **soprintendente**. – **~intendęnza** *f.* → **soprintendenza**. – **~intęndere** *v.* → **soprintendere**. – **~intensità** *f.* → **sovracorrente**.

sovralesamęnto *m.* ⟨*Mecc*⟩ reboring, finish boring. – **sovralesạre** *v.t.* (**sovralẹso**) to rebore.

sovralimentạre *v.t.* (**sovralimęnto**) ⟨*tecn*⟩ to supercharge, to boost. – **sovralimentạto** (*p.p. di sovralimentare*) *a.* supercharged: *motore* ~ supercharged engine. – **sovralimentatọre** *m.* ⟨*Mot*⟩ supercharger, booster. – **sovralimentaziọne** *f.* supercharging, boost feeding, boosting.

sovrallenamęnto *m.* ⟨*non com*⟩ (*superallenamento*) overtraining.

sovra|modulạre *v.t.* (**sovramọdulo**) ⟨*Rad*⟩ to overmodulate. – **~modulaziọne** *f.* overmodulation.

sovrạna *f.* ⟨*Numism*⟩ **1.** (*in Inghilterra*) sovereign. – **2.** (*nel Brabante*) souveraine.

sovranamęnte *avv.* **1.** (*da sovrano*) as (a) sovereign, sovereignly, royally. – **2.** ⟨*fig*⟩ (*superbamente*) very well, superbly, in a superior way.

sovraneggiạre *v.* (**sovranęggio, sovranęggi**) **I** *v.t.* **1.** ⟨*non com*⟩ (*dominare*) to rule (over), to dominate. – **2.** ⟨*fig*⟩ to dominate. – **II** *v.i.* (*aus.* **avere**) ⟨*rar*⟩ to rule (*su qc.* s.th., over s.th.), to hold sway (over).

sovranità *f.* **1.** sovereignty: *la* ~ *del popolo* the sovereignty of the people. – **2.** (*indipendenza*) sovereignty, independence. – **3.** ⟨*fig*⟩

(*superiorità*) sovereignty, supremacy, dominion: *la ~ dello spirito sulla materia* the supremacy of mind over matter. □ ~ **aerea** sovereignty of the air; **alta** ~ sovereignty, suzerainty, supreme authority, supremacy; **atto** *di* ~ act of sovereignty; **diritti** *di* ~ sovereign rights; ~ **fiscale** financial sovereignty; ~ **interna** internal sovereignty; ~ **legislativa** legislative sovereignty; ~ **nazionale** national sovereignty; ~ **personale** personal sovereignty, personal jurisdiction (*o* competence); **piena** ~ full sovereignty; ~ *sullo* **spazio** *atmosferico* sovereignty of air space; ~ **territoriale** territorial sovereignty.

sovrannaturale *a./s.* ⟨*non com*⟩ → **soprannaturale**.

sovrano I *a.* **1.** sovereign: *stato* ~ sovereign state. – **2.** (*pieno, assoluto*) sovereign, absolute, full: *potere* ~ sovereign power. – **3.** (*di, da sovrano*) royal, sovereign's. – **4.** ⟨*fig*⟩ (*rif. a persona: eccellente*) supreme, excellent, unsurpassed, sovereign: *bellezza -a* unsurpassed beauty. – **5.** ⟨*fig*⟩ (*sommo*) great(est), supreme, extreme, paramount, high, sovereign. – **6.** ⟨*ant*⟩ (*che sta sopra*) (lying) above. – **II** *s.m.* (*f.* **-a**) **1.** sovereign, ruler, monarch; (*re*) king: *alla presenza del* ~ in the presence of the king. – **2.** *pl.* (*re e regina*) king and queen, monarchs *pl.* – **3.** ⟨*Numism*⟩ souveraine. – **4.** ⟨*ant*⟩ (*chi sta in alto*) person high up. □ *il silenzio regnava* ~ silence reigned supreme.

sovranzare *v.t.* ⟨*ant*⟩ (*sobranzare*) to overcome, to defeat.

sovraoccupazione *f.* ⟨*Econ*⟩ overemployment.

sovrappassaggio *m.* ⟨*Strad*⟩ bridge (over a road), fly-over (bridge), overbridge, overpass. – **sovrappassare** *v.t.* to pass (*o* go) over. – **sovrappasso** *m.* → **sovrappassaggio**.

sovrappensiero *avv.* ⟨*non com*⟩ → **soprappensiero**.

sovrappieno *a.* ⟨*non com*⟩ (*pienissimo*) very full, full to the brim.

sovrappiù *m.* (*soprappiù*) extra, surplus, addition.

sovrapponibile *a.* superimposable. – **sovrapponimento** *m.* ⟨*non com*⟩ → **sovrapposizione**.

sovrappopolare *v.t.* (**sovrappopolo**) to overpopulate. – **sovrappopolato** (*p.p. di sovrappopolare*) *a.* overpopulated. – **sovrappopolazione** *f.* overpopulation.

sovrapporre *v.t.* (**sovrappongo, sovrapponi; sovrapposi, sovrapposto**; → **porre**) **1.** to superimpose, to superpose: ~ *due figure* to superimpose two figures. – **2.** (*mettere sopra*) to put (*o* place) over, to lay on (top of): ~ *un libro a un altro* to put one book on (top of) another. – **3.** ⟨*fig*⟩ (*far prevalere*) to set over, to give first place to. – **4.** ⟨*Geom*⟩ to superpose. – **5.** ⟨*Mecc*⟩ to overlap. – **sovrapporsi** *v.r.* **1.** to be superimposed, to be (*o* lie) over. – **2.** ⟨*fig*⟩ (*aggiungersi*) to be added: *nuovi dissidi si sono sovrapposti ai precedenti* new differences have been added to the previous ones. – **3.** ⟨*ant*⟩ (*oltrepassare*) to surpass, to go beyond.

sovrapporta *m* → **soprapporta**.

sovrapposizione *f.* **1.** superimposition (*anche fig.*). – **2.** ⟨*Biol, Ling*⟩ superposition. – **3.** ⟨*Mecc*⟩ overlap(ping). – **4.** ⟨*Arch*⟩ supercolumniation, superposition. □ ⟨*Fis*⟩ *principio di ~ degli effetti* superposition principle.

sovrapposto (*p.p. di sovrapporre*) **I** *a.* **1.** superimposed; (*messo sopra*) placed over (*o* on top of), laid on: *i mattoni sono -i uno sull'altro* the bricks are placed one on top of the other. – **2.** ⟨*Mecc*⟩ overlapping. – **II** *s.m.* ⟨*Artigl*⟩ (*fucile sovrapposto*) over-and-under.

sovrapprezzo *m.* → **soprapprezzo**.

sovrapproduzione *f.* ⟨*Econ*⟩ overproduction.

sovra|pressione *f.* **1.** (*eccesso di pressione*) excessive pressure, overpressure. – **2.** ⟨*Fis*⟩ overpressure. – **3.** ⟨*Aer*⟩ superpressure. – **~profitto** *m.* (*soprapprofitto*) excess profit. – **~raffreddato** *a.* ⟨*tecn*⟩ supercooled. – **~razionale** *a./s.* ⟨*non com*⟩ → **soprarazionale**. – **~sensibile** *a./s.* → **soprasensibile**. – **~stampa** *f.* **1.** overprint, surprint. – **2.** ⟨*Filat*⟩ surcharge, overprint. – **~stampare** *v.t.* to overprint. – **~stampato** (*p.p. di sovrastampare*) *a.* overprinted.

sovrastante (*p.pr. di sovrastare*) *a.* **1.** standing (*o* towering) above; (*che guarda da sopra*) overlooking. – **2.** ⟨*fig*⟩ (*imminente*) imminent, impending, overhanging: *pericolo* ~ impending danger; (*minacciante*) threatening.

sovrastare *v.* (**sovrasto, sovrasti; sovrastai, sovrastato**; → **stare**) **I** *v.t.* **1.** to rise (*o* tower) above, to lie (*o* stand) above, to dominate: *il castello sovrasta il paese* the castle towers above the town; (*guardare dall'alto*) to overlook; (*rif. a persone*) to be taller than, to tower over. – **2.** ⟨*fig*⟩ (*essere imminente*) to be imminent (*o* impending), to hang over, to overhang; (*minacciare*) to threaten: *il pericolo della svalutazione sovrasta l'economia del paese* the danger of devaluation threatens the economy of the country. – **3.** ⟨*fig*⟩ (*superare*) to overcome, to surpass: *egli sovrasta gli altri competitori* he surpasses the other contestants. – **II** *v.i.* (*aus.* **essere/avere**) **1.** to rise, to tower, to stand (*a* above, over), to dominate (s.th.); (*guardare dall'alto*) to overlook (s.th.); (*rif. a persone*) to tower (over). – **2.** ⟨*fig*⟩ (*essere superiore*) to be over (*a qd.* s.o.), to be superior (to). – **3.** ⟨*ant*⟩ (*rimanere*) to stay, to remain. – **4.** ⟨*ant*⟩ (*attendere con perseveranza*) to persevere (*a* in).

sovrasterzante *a.* ⟨*Aut*⟩ oversteering.

sovrastruttura *f.* **1.** ⟨*tecn*⟩ superstructure. – **2.** ⟨*fig*⟩ (*inutile aggiunta*) useless adjunct. □ ⟨*Mar*⟩ ~ *aerea* monkey island; ~ *del ponte* navigating bridge superstructure.

sovra|suono *m.* ⟨*non com*⟩ (*ultrasuono*) ultrasound, supersound. – **~sviluppato** *a.* ⟨*Fot*⟩ overdeveloped. – **~temporale** *a.* → **sopratemporale**. – **~temporalità** *f.* → **sopratemporalità**. – **~tensione** *f.* ⟨*El,Chim*⟩ overvoltage, excess voltage. – **~tono** *m.* ⟨*Acu,Mus*⟩ overtone, ⟨*am*⟩ upper partial. – **~umano** *a./s.* ⟨*non com*⟩ → **sovrumano**.

sovreccedente (*p.pr. di sovreccedere*) *a.* → **sopreccedente**. – **sovreccedenza** *f.* → **sopreccedenza**. – **sovreccedere** *v.* → **sopreccedere**.

sovreccitabile *a.* over-excitable. – **sovreccitabilità** *f.* over-excitability. – **sovreccitamento** *m.* **1.** (*atto*) over-exciting. – **2.** (*effetto*) over-excitement. – **sovreccitare** *v.t.* (**sovreccito**) to over-excite. – **sovreccitarsi** *v.r.* to become over-excited. – **sovreccitato** (*p.p. di sovreccitare*) *a.* over-excited, overwrought, ⟨*fam*⟩ all het -up. – **sovreccitazione** *f.* over-excitement.

sovreminente *a.* ⟨*ant*⟩ **1.** (*che sta al di sopra*) lying (*o* standing) above (*a qc.* s.th.), rising (over). – **2.** ⟨*fig*⟩ greatly exceeding, surpassing. – **sovreminenza** *f.* ⟨*ant*⟩ **1.** high position. – **2.** ⟨*fig*⟩ pre-eminence, elevation, grandeur.

sovresporre *v.t.* (**sovrespongo, sovresponi; sovresposi, sovresposto**; → **porre**) ⟨*Fot*⟩ to overexpose. – **sovresposizione** *f.* overexposure. – **sovresposto** (*p.p. di sovresporre*) *a.* overexposed.

sovresso *prep.* ⟨*ant*⟩ → **sopresso**.

sovrimporre *v.t.* (**sovrimpongo, sovrimponi; sovrimposi, sovrimposto**; → **porre**) ⟨*non com*⟩ **1.** (*porre al di sopra*) to place over. – **2.** ⟨*assol*⟩ (*applicare una sovrimposta*) to impose an additional tax. – **sovrimposizione** *f.* ⟨*non com*⟩ **1.** placing again. – **2.** ⟨*Econ*⟩ (*applicazione di addizionali*) imposition of additional taxes. – **sovrimposta** *f.* additional tax, surtax.

sovrimpressione *f.* **1.** ⟨*Fot,Cin*⟩ superimposed exposure, double -exposure. – **2.** ⟨*Tip*⟩ overprint(ing). – **sovrimpresso** *a.* ⟨*Tip*⟩ overprinted.

sovrintendente *m.* → **soprintendente**. – **sovrintendenza** *f.* → **soprintendenza**. – **sovrintendere** *v.* → **soprintendere**.

sovrumano I *a.* **1.** superhuman. – **2.** ⟨*iperb*⟩ (*straordinario*) superhuman, extraordinary, exceptional: *sforzi -i* superhuman efforts; *memoria -a* exceptional memory. – **II** *s.m.inv.* the superhuman.

sovvaggio(lo) *m.* ⟨*tosc*⟩ **1.** (*rincalzo*) pad(ding), wadding, packing. – **2.** (*rigonfiamento dei vestiti*) bulge, bag.

sovvallo *m.* ⟨*tosc*⟩ (*ciò che si ha senza spesa*) something had for nothing, buckshee, free things *pl.* □ *a* ~ free, buckshee, for nothing; *andare a* ~ (*scroccare*) to scrounge, to sponge; *di* ~ (*per di più*) further(more), what is more; *mettere a* ~ to put by, to save up; ⟨*fig*⟩ (*a rischio*) to risk.

sovvenevole *a.* ⟨*lett*⟩ helpful, ready to help.

sovvenire[1] *v.* (**sovvengo, sovvieni; sovvenni, sovvenuto**; → **venire**) **I** *v.t.* ⟨*lett*⟩ (*aiutare, soccorrere*) to help, to aid, to assist. – **II** *v.i.* (*aus.* **avere/essere**) **1.** (*aiutare*; *aus.* **avere**) to help (out); (*provvedere*) to take care of: ~ *ai bisogni di qd.* to take care of s.o.'s needs. – **2.** (*venire alla mente*; *aus.* **essere**) to come to mind, to occur; (*ricordare*) to remember: *mi sovvenne quell'uomo* I remembered that man. – **sovvenirsi** *v.r.* (*ricordarsi*) to remember (*di qc.* s.th.). □ *far ~ qc. a qd.* to remind s.o. of s.th.

sovvenire[2] *m.* ⟨*lett*⟩ (*ricordo*) memory, recollection, remembrance.

sovvenitore ⟨*rar*⟩ **I** *s.m.* (*f.* **-trice**) helper, one who assists. – **II** *a.* helping, assisting.

sovventore I *s.m.* (*f.* **-trice**) **1.** supporter, backer. – **2.** (*finanziatore*) financer, (financial) backer. – **II** *a.* supporting.

sovvenzionare *v.t.* (**sovvenziono**) (*sussidiare*) to subsidize, ⟨*lett*⟩ to subvention(ize); (*finanziare*) to finance, to put up the money for. – **sovvenzionato** (*p.p. di sovvenzionare*) *a.* (*sussidiato*) subsidized; (*finanziato*) financed. – **sovvenzionatore I** *s.m.* (*f.* **-trice**) subsidizer; (*finanziatore*) (financial) backer, financer. – **II** *a.* supporting, providing financial backing.

sovvenzione *f.* **1.** subsidy, grant(-in-aid), financial support, aid, ⟨*lett*⟩ subvention: *accordare una ~* to grant a subsidy; ~ *statale* state subsidy, government aid, grant-in-aid. – **2.** ⟨*Econ*⟩ loan against security.

sovversione *f.* subversion, overthrow(ing). – **sovversivismo** *m.* **1.** (*movimento*) subversivism. – **2.** (*carattere, tendenza*) subversive nature. – **sovversivo I** *a.* **1.** subversive: *propaganda -a* subversive propaganda. – **2.** (*innovatore*) revolutionary. – **II** *s.m.* (*f.* **-a**) subversive (person).

sovversore *a./s.* ⟨*ant*⟩ → **sovvertitore**. – **sovvertimento** *m.* ⟨*non com*⟩ → **sovversione**. – **sovvertire** *v.t.* (**sovverto**) **1.** to subvert, to overthrow, to overturn: ~ *l'ordine costituito* to subvert the established order; (*sconvolgere*) to upset; (*distruggere*) to destroy. – **2.** ⟨*fig*⟩ (*corrompere*) to corrupt, to subvert, to pervert. – **sovvertitore I** *s.m.* (*f.* **-trice**) subverter, overthrower. – **II** *a.* subversive.

sozio *m.* **1.** ⟨*ant*⟩ → **socio**. – **2.** ⟨*scherz*⟩ (*compare*) friend, ⟨*fam*⟩ pal.

sozzamente *avv.* dirtily, filthily, foully (*anche fig.*). – **sozzare** *v.t.* (**sozzo**) ⟨*ant*⟩ (*insozzare*) to dirty. – **sozzezza** *f.* → **sozzura**. – **sozzo** *a.* **1.** (*sporco*) dirty, filthy, foul: *mani -e* filthy hands; *essere ~ di qc.* to be dirty (*o* covered) with s.th. – **2.** (*ripugnante*) loathsome, repulsive, disgusting. – **3.** ⟨*fig*⟩ (*turpe*) filthy, dirty, nasty, vile, shameful: ~ *affare* dirty (*o* nasty) business. – **4.** ⟨*ant*⟩ (*brutto*) ugly; (*deforme*) deformed. – **sozzume** *m.* filth, filthy (*o* dirty) things *pl* (*anche fig.*). – **sozzura** *f.* **1.** (*l'essere sozzo*) filthiness, dirtiness. – **2.** (*sporcizia*) filth, dirt. – **3.** ⟨*fig*⟩ (*l'essere turpe*) foulness, filth, loathsomeness.

sp. = ⟨*Biol*⟩ *specie* species (*abbr.* sp.).

S.P. = ⟨*Rel.catt*⟩ *Santo Padre* Holy Father.

S.p.A. = ⟨*Comm*⟩ *società per azioni* joint-stock company.

S.P.A. = *Società protettrice degli animali* Society for the Prevention of Cruelty to Animals.

spaccạbile *a.* ⟨*non com*⟩ cleavable, that may be broken (*o* split). – **spaccabilità** *f.* cleavability.
spaccalẹgna *m.inv.* **1.** woodcutter. – **2.** ⟨*Ornit*⟩ (*sgarza ciuffetto*) squacco heron (*Ardeola ralloides*).
spaccamẹnto *m.* ⟨*non com*⟩ **1.** breaking, splitting, cleaving. – **2.** (*rottura*) break, split, cleavage.
spacca|montạgne *m.inv.* ⟨*non com*⟩ → **spaccamonti.** – **~mọnti** *m. inv.* braggart, big talker. – **~ọssa** *m.inv.* ⟨*Macell*⟩ cleaver. – **~piẹtre** *m.inv.* ⟨*Strad*⟩ stone-breaker.
spaccạre[1] *v.t.* (**spạcco, spạcchi**) **1.** to cut, to split, to cleave: *~ le pietre con lo scalpello* to split the stones with a chisel. – **2.** (*rompere*) to break: *ha spaccato il vetro con un sasso* he broke the window with a rock; (*rompere per aprire*) to break open; (*con l'accetta e sim.*) to chop (up), to cut: *~ la legna* to chop wood. – **spaccarsi** *v.r.* **1.** (*fendersi*) to split, to cleave. – **2.** (*aprirsi*) to break open. – **3.** (*screpolarsi*) to crack. – **4.** (*frantumarsi*) to break up, to shiver, to shatter. □ ⟨*pop*⟩ *~ la faccia* (o *il muso*) *a qd.* (*picchiarlo*) to bash s.o.'s face in; *~ il minuto* to be dead on time, to keep perfect time: *questo orologio spacca il minuto* this watch keeps perfect (*o* split-second) time; *c'è un sole che spacca le pietre* the sun is scorching; ⟨*fam*⟩ *o la va o la spacca* it's do or die.
spaccạre[2] *v.t.* (**spạcco, spạcchi**) ⟨*non com*⟩ **1.** (*disfare un pacco*) to unwrap, to undo. – **2.** (*togliere da un pacco*) to unwrap, to take out.
spaccarẹlla *f.* ⟨*Agr,roman*⟩ (*anche pesca spaccarella*) kind of peach (that splits easily).
spaccasạssi *m.inv.* ⟨*Bot*⟩ **1.** (*bagolaro*) nettle tree (*Celtis australis*). – **2.** (*terebinto*) terebinth(-tree) (*Pistacia terebinthus*).
spaccạta *f.* **1.** cut, split, cleavage; (*di legna e sim.*) chop(ping). – **2.** ⟨*Ginn*⟩ split(s): *fare la ~* to do the splits. – **3.** ⟨*gerg*⟩ (*furto commesso infrangendo una vetrina*) smash-and-grab robbery (*o* raid). □ *dare una ~ alla legna* to chop the wood; ⟨*Alp*⟩ *salire a ~* to climb by bridging.
spaccatamẹnte *avv.* (*decisamente*) typically, truly, thoroughly.
spaccạto (*p.p. di spaccare*[1]) **I** *a.* **1.** split, cut, cleft, rent; (*rif. a legna e sim.*) chopped. – **2.** (*screpolato*) cracked. – **3.** (*rotto*) broken. – **4.** ⟨*fig*⟩ (*vero e proprio*) real, thorough, out-and-out: *un bugiardo ~* a real liar. – **5.** ⟨*fam*⟩ (*uguale*) just like, the (spitting) image of: *è suo padre ~* he is just like his father. – **II** *s.m.* **1.** ⟨*Geom*⟩ section. – **2.** ⟨*Arch*⟩ vertical section.
spaccatụra *f.* **1.** cutting, splitting, cleaving; (*rif. a legna e sim.*) chopping; (*il rompere*) breaking; (*screpolatura*) cracking. – **2.** (*crepa, fenditura*) split, cleft, rift, fissure, crevice: *una ~ nella roccia* a crevice in the rock; (*incrinatura*) crack.
spacchettạre *v.t.* (**spacchẹtto**) **1.** (*disfare un pacchetto*) to unwrap, to undo. – **2.** (*togliere dal pacchetto*) to unwrap, to take out of the wrappings.
spacchettịno, spacchẹtto *m. dim. di* **spacco.**
spacciạbile *a.* ⟨*non com*⟩ that may be passed off; (*che si può vendere*) saleable.
spacciamẹnto *m.* ⟨*ant*⟩ **1.** selling (off); (*vendita*) sale. – **2.** (*disbrigo*) dispatch.
spacciạre *v.t.* (**spạccio, spạcci**) **1.** (*vendere*) to sell (off): *~ una partita di merce* to sell off a lot of goods. – **2.** (*mettere in circolazione*) to put about (*o* into circulation): *~ monete false* to ⌜put about⌝ (*o* utter) counterfeit coin. – **3.** (*distribuire*) to distribute; (*diffondere*) to spread (about), to put about, to give out: *~ menzogne* to spread lies. – **4.** (*far passare*) to pass off: *~ ottone per oro* to pass off brass as gold. – **5.** ⟨*fam*⟩ (*dichiarare inguaribile*) to give up (all hope for), to despair of (the life of): *i medici lo hanno spacciato* the doctors have given up on him. – **6.** ⟨*rar*⟩ (*sbrigare*) to dispatch, to settle. – **7.** ⟨*fig, rar*⟩ (*uccidere*) to kill. – **8.** ⟨*ant*⟩ (*spedire d'urgenza*) to dispatch in haste. – **9.** ⟨*ant*⟩ (*liberarsi*) to rid of. – **spacciarsi** *v.r.* **1.** to pass o.s. off, to give o.s. out, to pretend: *spacciarsi per qd.* to pass o.s. off as s.o., to give o.s. out as (*o* to be) s.o., to pretend to be s.o.; *si spaccia per un gran signore* he passes himself off as a rich man. – **2.** ⟨*rar*⟩ (*disimpegnarsi*) to disengage (*o* free) o.s. – **3.** ⟨*ant*⟩ (*liberarsi*) to rid o.s., to get rid (*di* of).
spacciatamẹnte *avv.* ⟨*ant*⟩ (*speditamente*) hastily, hurriedly, with dispatch. – **spacciatịvo** *a.* ⟨*ant*⟩ **1.** (*spicciativo*) hasty, hurried, expeditious, quick. – **2.** (*facilmente commerciabile*) easy to sell.
spacciạto (*p.p. di spacciare*) *a.* ⟨*fam*⟩ **1.** (*venduto*) sold; (*diffuso*) diffused; (*dichiarato inguaribile*) given up, despaired of, done for, past recovery: *i medici lo hanno dichiarato ~* the doctors have given ⌜him up⌝ (*o* up all hope for him), the doctors despair of his life. – **2.** ⟨*pop*⟩ (*rovinato definitivamente*) ruined, done for: *se anche questo va male, sono ~* if this fails too ⌜I'm done for⌝ (*o* I've had it), if this fails too it's all over (*o* up) with me.
spacciatọre *m.* (*f.* **-trice**) **1.** distributor, ⟨*pop*⟩ pusher: *~ di biglietti falsi* distributor (*o* utterer) of counterfeit bank-notes; (*venditore*) seller. – **2.** (*rif. a notizie e sim.*) spreader.
spạccio *m.* **1.** (*vendita*) sale. – **2.** (*rivendita, negozio*) shop, ⟨*am*⟩ store: *~ di vini e liquori* shop for the sale of wine and spirits; (*nelle caserme, fabbriche e sim.*) canteen. – **3.** (*spaccio di sali e tabacchi*) salt and tobacco shop. – **4.** (*diffusione di cose illecite o false*) pushing: *~ della droga* pushing drugs. – **5.** (*diffusione di notizie*) putting about, spreading. – **6.** ⟨*ant*⟩ (*invio*) dispatch, sending. – **7.** ⟨*ant*⟩ (*messaggio*) message; (*corrispondenza*) post, mail. – **8.** ⟨*ant*⟩ (*partenza*) departure; (*commiato*) farewell, leave-taking. – **9.** ⟨*ant*⟩ (*disbrigo*) dispatch (of business), settlement. □ ⟨*ant*⟩ *moneta di ~* currency, money ⌜in circulation⌝ (*o* which is legal tender); *~ di tabacchi* tobacconist's (shop).
spạcco *m.* (*pl.* **-chi**) **1.** (*spaccatura*) splitting, cutting, cleaving; (*screpolatura*) cracking. – **2.** ⟨*concr*⟩ split, cut, cleavage, cleft; (*crepa*) crack. – **3.** (*fenditura*) fissure, crevice. – **4.** ⟨*Mod*⟩ slit; (*nella parte inferiore di una cucitura*) vent. – **5.** (*strappo, rottura*) tear, rent, split. □ *farsi uno ~ nella giacca* to tear (*o* split) one's jacket; *farsi uno ~ in testa* to cut one's head (open); ⟨*Agr*⟩ *mal dello ~* black measles *pl* (*costr.sing. o pl.*), apoplexy, bacterial blight of vines.
spacconạta *f.* bragging, boasting, ⟨*fam*⟩ big talk. – **spaccọne I** *s.m.* (*f.* **-a**) braggart, boaster, big talker, swaggerer. – **II** *a.* bragging, boasting. □ *fare lo ~* to brag, to boast, to swagger, ⟨*fam*⟩ to talk big.
spạda *f.* **1.** sword: *impugnare una ~* to hold a sword. – **2.** ⟨*fig*⟩ (*spadaccino*) swordsman, ⟨*lett*⟩ blade: *essere una buona ~* to be a good swordsman. – **3.** ⟨*fig,lett*⟩ (*violenza guerresca*) fury of war. – **4.** ⟨*fig, lett*⟩ (*azione punitrice*) sword: *la ~ della giustizia* the sword of justice. – **5.** *pl.* (*nelle carte da gioco*) spades *pl.* – **6.** ⟨*Sport*⟩ (*nella scherma*) épée, small-sword. – **7.** ⟨*Itt*⟩ ribbon-fish, dealfish (*Trachypterus iris*). – **8.** ⟨*Itt*⟩ scabbard-fish (*Lepidopus caudatus*).
□ ⟨*Itt*⟩ *~* **argentina** argentine (*Argentina sphyraena*); **battersi** *con la ~* to sword-fight; **cingere** *la ~* to gird one's sword (*anche fig.*); ⟨*fig*⟩ *~ di* **Damocle** sword of Damocles; **danza** *delle -e* sword -dance; ⟨*fig*⟩ **diritto** *come una ~* (*chiaro, preciso*) clear-cut, straightforward; ⟨*Sport*⟩ *~* **elettrica** electric épée; ⟨*fig*⟩ *passare a* **fil** *di ~* to put to the sword; **incrociare** *le -e* to cross swords; *~ alla* **mano** sword in hand; *~* **nuda** drawn (*o* unsheathed) sword, bare blade; *~ d'***onore** sword of honour; **riporre** *la ~* to sheathe one's sword; ⟨*fig*⟩ to sheathe the sword, to stop fighting; **snudare** *la ~* to draw (*o* unsheathe) one's sword; ⟨*fig*⟩ to draw the sword, to start fighting; **trarre** *la ~* (*dal fodero*) = **snudare** *la spada*; *a ~* **tratta** with drawn sword; ⟨*fig*⟩ with all one's might, as hard as one can, vigorously: *difendere qd. a ~ tratta* to stand up vigorously for s.o.; ⟨*fig*⟩ *difendersi a ~ tratta* to defend o.s. with might and main; *affermare a ~ tratta* to maintain positively; **uomo** *di ~* military man, warrior, fighter. – *Prov.*: *chi di ~ ferisce di ~ perisce* they that live by the sword shall die by the sword.
spadaccịno *m.* **1.** swordsman. – **2.** ⟨*ant*⟩ (*piccola spada*) short sword.
spadacciọla *f.* ⟨*region*⟩ (*gladiolo selvatico*) wild gladiolus.
spadạio *m.* (*fabbricante*) sword-maker. – **spadạro** *m.* ⟨*region*⟩ → **spadaio.** – **spadạta** *f.* ⟨*rar*⟩ sword-thrust. – **spadạto I** *a.* ⟨*non com*⟩ (*armato di spada*) armed with a sword. – **II** *s.m.* ⟨*Stor*⟩ soldier armed with a two-handed sword.
spadellạre *v.t.* (**spadẹllo**) ⟨*venat*⟩ **1.** (*mancare il bersaglio*) to miss. – **2.** ⟨*assol*⟩ to miss (the target).
spadẹrna *f.* ⟨*Pesc*⟩ kind of boulter. – **spadẹrno** *m.* ⟨*Pesc*⟩ triple fish-hook.
spạdice *m.* ⟨*Bot*⟩ spadix. – **spadiciflọre** *f.pl.* Spadiciflorae *pl*, spadicifloral plants *pl* (*Spadiciflorae*).
spadifọrme *a.* sword-shaped.
spadịna (*dim. di spada*) *f.* ⟨*Stor,Mod*⟩ (sword-shaped) bodkin.
spadịno (*dim. di spada*) *m.* **1.** dress-sword. – **2.** ⟨*Mil*⟩ (officer's) dirk. – **3.** ⟨*Stor,Mod*⟩ → **spadina.** – **4.** ⟨*region*⟩ → **spadacciola.** □ ⟨*region*⟩ *uscire in ~* (*vestito leggero*) to go out with too little on.
spadịsta *m.* ⟨*Sport*⟩ fencer.
spadọna[1] *f. accr. di* **spada.**
spadọna[2] *f.* ⟨*Agr*⟩ (*anche pera spadona*) kind of pear.
spadonạta *f.* ⟨*non com*⟩ cut with a broadsword.
spadọne[1] (*accr. di spada*) *m.* broadsword. □ *~ a due mani* two -handed sword.
spadọne[2] *m.* ⟨*lett*⟩ (*eunuco*) eunuch.
spadronạre *v.i.* (**spadrọno**; *aus.* **avere**) ⟨*rar*⟩ → **spadroneggiare.** – **spadroneggiạre** *v.i.* (**spadronẹggio, spadronẹggi**; *aus.* **avere**) to lord it, to play (*o* act) the master, to be domineering (*o* bossy).
spaesạto *a.* **1.** foreign, out of one's own country. – **2.** ⟨*fig*⟩ (*disorientato*) lost, bewildered, out of one's depth (*o* element): *mi sento ~ senza di te* I feel lost without you.
spagherịa *f.* ⟨*Ind*⟩ string (*o* twine) factory.
spaghettạta *f.* ⟨*fam*⟩ spaghetti dinner.
spaghẹtto[1] (*dim. di spago*[1]) *m.* **1.** thin string. – **2.** ⟨*Alim*⟩ spaghetti; – **3.** *pl.* ⟨*Alim*⟩ spaghetti: *questi -i sono buoni* this spaghetti is good; *-i al pomodoro* (o *sugo*) spaghetti with tomato sauce.
spaghẹtto[2] (*dim. di spago*[2]) *m.* → **spago**[2].
spaginạre *v.t.* (**spạgino**) ⟨*Tip*⟩ to alter the paging (*o* pagination) of. – **spaginatụra** *f.* alteration of the paging.
spagịrico *a.* (*pl.* **-ci**) ⟨*Stor,Med*⟩ spagyric(al), alchemic. – **spagirịsmo** *m.* Paracelsian system of medicine, alchemy, ⟨*ant*⟩ spagyric.
spagliamẹnto *m.* (*lo spagliare*) removal of straw; (*lo spagliarsi*) loss of straw (covering).
spagliạre[1] *v.* (**spạglio, spạgli**) **I** *v.t.* **1.** to remove the straw (covering) from: *~ i fiaschi* to remove the straw covering from flasks; (*togliere dalla paglia*) to unpack (*o* take out) from the straw. – **2.** (*rif. a cereali*) to separate from the chaff. – **II** *v.i.* (*aus.* **avere**) **1.** (*agitarsi muovendo la paglia*) to scatter the straw about. – **2.** (*nutrirsi di paglia*) to feed on straw. – **3.** (*scroccare*) to sponge. – **spagliarsi** *v.r.* to lose the straw (covering).
spagliạre[2] *v.i.* (**spạglio, spạgli**; *aus.* **avere**) ⟨*non com*⟩ (*straripare*) to overflow, to flood.
spagliạto (*p.p. di spagliare*[1]) *a.* without (*o* which has lost) its straw: *sedia -a* chair without its straw bottom; *un fiasco ~* a flask which has lost its straw covering. – **spagliatọre** *m.* (*f.* **-trice**) ⟨*ant*⟩ **1.** un-

packer (from straw), remover of straw. – **2.** (*chi spaglia il grano*) separator of grain from chaff. – **spagliatura** *f.* **1.** removal of (*o* from) straw. – **2.** (*punto di spagliatura*) place where the straw has come away.

spaglio *m.* ⟨*non com*⟩ **1.** (*straripamento*) overflowing, flooding. – **2.** (*acqua che spaglia*) flood water; (*luogo*) place where water floods. □ *a* ~ here and there, in all directions: *gettare l'acqua a* ~ to throw water in all directions; ⟨*Agr*⟩ *semina a* ~ broadcast-sowing; *seminare a* ~ to sow (*o* scatter seed) broadcast.

spagna *f.* ⟨*Bot*⟩ (*anche erba spagna*) lucerne, Spanish clover, ⟨*am*⟩ alfalfa (*Medicago sativa*).

Spagna *N.pr.f.* ⟨*Geog*⟩ Spain (*denom.uff.*: *Stato Spagnolo* the Spanish State).

spagnaio *m.* ⟨*Agr*⟩ (*medicaio*) field (*o* plot) of lucerne.

spagnola *f.* ⟨*Med*⟩ (*anche febbre spagnola*) Spanish (*o* pandemic) influenza.

spagnolaggine *f.* ⟨*rar*⟩ → **spagnolata.** – **spagnolata** *f.* ⟨*non com*⟩ (*millanteria*) bravado, swaggering. – **spagnoleggiare** *v.i.* (**spagnoleggio, spagnoleggi**; *aus.* **avere**) **1.** to use Spanish expressions, to adopt Spanish ways. – **2.** (*darsi delle arie*) to play the lord, to act high-and-mighty, to put on haughty airs. – **spagnolescamente** *avv.* haughtily. – **spagnolesco** *a.* (*pl.* **-chi**) ⟨*spreg*⟩ **1.** Spanish. – **2.** (*magniloquente*) highflown, grandiloquent, bombastic. – **3.** (*altezzoso*) haughty, proud.

spagnoletta *f.* **1.** spool, reel (of silk or cotton). – **2.** (*serramento per finestra*) window-bolt. – **3.** (*scialletto triangolare*) kind of small mantilla. – **4.** ⟨*region*⟩ (*arachide*) peanut, groundnut, monkey-nut. – **5.** ⟨*ant*⟩ (*sigaretta*) cigarette.

spagnolismo *m.* **1.** Spanish way of life, Spanish behaviour; (*carattere spagnolo*) Spanish character. – **2.** ⟨*fig*⟩ love of pomp (*o* grandeur), swagger, grandiloquence. – **3.** ⟨*Ling*⟩ Spanish expression (*o* term), Hispanicism.

spagnolo I *a.* Spanish. – **II** *s.m.* **1.** (*lingua*) Spanish. – **2.** (*abitante*; *f.* **-a**) Spaniard, Spanish person; *pl.* the Spanish (*costr.pl.*). – **spagnuolo** *a./s.* ⟨*lett*⟩ → **spagnolo.**

spago[1] *m.* (*pl.* **-ghi**) **1.** string, twine. – **2.** ⟨*Calz*⟩ cobbler's thread, lingel, twine. – **3.** ⟨*Mar*⟩ twine, cord. □ ⟨*fig*⟩ *dare* ~ *a qd.* (*incoraggiarlo*) to give s.o. rope; *tirare lo* ~ (*fare il calzolaio*) to be a shoemaker (*o* cobbler).

spago[2] *m.* (*pl.* **-ghi**) ⟨*fam,scherz*⟩ (*paura*) fright, fear, ⟨*fam*⟩ funk: *avere* (*o prendersi*) *uno* ~ to have a fright. □ *avere lo* ~ *addosso* to be afraid.

spa(h)i *m.* ⟨*Mil.ant*⟩ spahi, spahee.

spaiamento *m.* ⟨*non com*⟩ separation (of a pair). – **spaiare** *v.t.* (**spaio, spai**) to split (*o* break) up, to separate. – **spaiato** (*p.p. di spaiare*) *a.* odd, not matching, split up: *scarpe -e* odd shoes.

spalace *m.* ⟨*Zool*⟩ spalacid, mole rat (*Spalax*). – **spalacidi** *m.pl.* mole rats *pl*, spalacids *pl* (*Spalacidae*).

spalancamento *m.* ⟨*non com*⟩ **1.** (*lo spalancare*) throwing open, opening wide. – **2.** (*lo spalancarsi*) opening wide. – **spalancare** *v.t.* (**spalanco, spalanchi**) **1.** to throw open, to open wide: ~ *la finestra* to throw the window open. – **2.** (*divaricare*) to spread (open), to open wide. – **spalancarsi** *v.r.* **1.** to open wide, to burst open: *la porta si è spalancata* the door burst open. – **2.** (*aprirsi allo sguardo*) to open up before one, to spread out before one's gaze; (*rif. a precipizi e sim.*) to yawn. □ ~ *le braccia* to open one's arms; ⟨*fig*⟩ ~ *il cuore a qd.* to open one's heart to s.o.; ~ *gli occhi* to open one's eyes wide, to stare, to goggle; ⟨*fig*⟩ ~ *gli orecchi* to prick up one's ears. – **spalancato** (*p.p. di spalancare*) *a.* **1.** wide open: *occhi -i* wide open (*o* staring) eyes. – **2.** (*aperto*) open: *a braccia -e* with open arms; (*rif. agli orecchi*) pricked up. □ *restare a bocca -a* to gape.

spalare[1] *v.t.* to shovel: ~ *la neve* to shovel snow.

spalare[2] *v.t.* ⟨*Mar*⟩ to feather.

spalata *f.* shovelling. □ *dare una* ~ *a qc.* to shovel s.th.

Spalato *N.pr.f.* ⟨*Geog*⟩ Split.

spalatore *m.* (*f.* **-trice**) **1.** shoveller. – **2.** ⟨*non com*⟩ (*badilante*) navvy. – **spalatrice** *f.* ⟨*Agr*⟩ (grain) aerator.

spalatrone *f.* ⟨*Bot*⟩ (*ginestrone*) furze, gorse, whin (*Ulex europaeus*).

spalatura *f.* shovelling.

spalcare *v.t.* (**spalco, spalchi**) ⟨*rar*⟩ **1.** (*togliere le impalcature*) to remove the scaffolding from. – **2.** (*tagliare palchi di rami*) to cut the branches from (*o* off). – **spalcatura** *f.* ⟨*Silv*⟩ cutting away of branches, pruning, lopping.

spalco: ⟨*rar*⟩ *di* ~ (*disinvolto*) self-possessed: *un cantante di* ~ a self-possessed singer.

spaldo *m.* ⟨*ant*⟩ → **spalto.**

spalla *f.* **1.** ⟨*Anat*⟩ shoulder. – **2.** *pl.* (*dorso, schiena*) back: *scusate le -e* excuse me if I turn my back on you. – **3.** ⟨*Sart*⟩ shoulder: *un vestito stretto di -e* a dress narrow in the shoulders. – **4.** ⟨*fig*⟩ (*retro*) back, rear: *prendere il nemico alle -e* to take the enemy from the rear. – **5.** (*argine, scarpata*) embankment, slope, (dike) batter. – **6.** (*rif. a montagne*) shoulder; (*contrafforte*) spur, buttress. – **7.** ⟨*Edil*⟩ abutment. – **8.** ⟨*Alim*⟩ (*salame*) kind of salami. – **9.** ⟨*Giorn*⟩ (*articolo di spalla*) article in top right-hand corner of front page (opposite the editorial). – **10.** ⟨*Tip*⟩ shoulder. – **11.** ⟨*Mar*⟩ rudder-post. – **12.** ⟨*Mar.ant*⟩ stern of a galley. – **13.** ⟨*Mil.ant*⟩ front part of the flank of a bastion. – **14.** ⟨*teat*⟩ straight man.

□ **a** ~ on one's back (*o* shoulders): *portare a* ~ to carry on one's back; *nuotare a* ~ to (do the) sidestroke; ~ *a* ~ shoulder to shoulder; ⟨*scherz*⟩ **accarezzare** *le -e a qd.* (*bastonarlo*) to beat s.o., ⟨*fam*⟩ to dust s.o.'s jacket; **alle** *-e di qd.*: 1. (*dietro di lui*) behind; 2. = **dietro** *le spalle di qd.*; *assalire qd. alle -e* to fall on s.o. from behind (*o* the rear); ⟨*fig*⟩ *avere qd. alle -e* to have s.o. ⌜behind one⌝ (*o* backing one up); ⟨*fig*⟩ *mangiare* (*o vivere*) *alle -e di qd.* to live ⌜off s.o.⌝ (*o* at s.o.'s expense); *dire qc. alle -e di qd.* to say s.th. behind s.o.'s back; *ridere alle -e di qd.* to laugh at s.o. behind his back; **alzare** *le -e* to shrug (one's shoulders), to be indifferent; ⟨*Edil*⟩ ~ *dell'***arco** arch abutment; ~ *d'***argine** slope (of an embankment), batter (of a dike); **battere** *sulla* ~ *di qd.* to clap s.o. on the shoulder; (*leggermente*) to tap s.o. on the shoulder; ⟨*fig*⟩ *avere* **buone** *-e* to be strong, to have broad shoulders, to be able to bear a burden; **buttarsi** *uno scialle sulle -e* to throw a shawl over (*o* round) one's shoulders; ⟨*ant*⟩ **dare** ~ *a qd.* = **fare** *spalla a qd.*; **di** ~ with the shoulder, shoulder on: *colpire di* ~ to hit with the shoulder; ⟨*fig*⟩ *lavorare di -e* to shoulder (*o* elbow) one's way; ⟨*fig*⟩ **dietro** *le -e di qd.* behind s.o.'s back; ⟨*fig*⟩ *buttarsi qc. dietro le -e* to think no more about s.th.; *parlar male dietro le -e di qd.* to speak badly of s.o. behind his back; ⟨*Edil*⟩ ~ *in* **falso** dead abutment; **fare** ~ *a qd.* to support (*o* back up) s.o.; ~ *della* **finestra** window jamb; *essere* **forte** *di -e* to have strong shoulders, to have a strong (*o* stout) back; ⟨*Geog*⟩ *-e* **glaciali** (glacial) shoulders; ⟨*ant*⟩ **gravare** *le -e a qd.* (*molestarlo*) to trouble (*o* be a burden to) s.o.; **guardarsi** *alle -e* to protect one's rear; ⟨*fig*⟩ to protect o.s. against the unexpected; *mettere il fucile* **in** ~ to shoulder one's rifle; *essere* **largo** *di -e* to be broad-shouldered. to have broad shoulders; ~ *di* **monte** crest (*o* ridge) of a mountain; ⟨*fig*⟩ *mettere qd. con le -e al* **muro** to drive (*o* push) s.o. to the wall, to put s.o. with his back to the wall; ⟨*fig*⟩ *essere con le -e al muro* (*non aver scampo*) to have one's back to the wall; ~ *della* **porta** (*stipite*) door jamb; ⟨*fig*⟩ *avere le -e* **quadrate** to have a good head on one's shoulders; ⟨*Alp*⟩ ~ *di* **roccia** rocky shoulder; **spolverare** *le -e a qd.* = **accarezzare** *le spalle a qd.*; *essere* **stretto** *di -e* to be narrow-shouldered; ⟨*fig*⟩ **stringersi** *nelle -e* to resign o.s.; **su** *con le -e!* throw back your shoulders!, stand up straight!; ⟨*fig*⟩ *prendere qc.* **sulle** *proprie -e* to shoulder s.th., to assume the responsibility for s.th., to take s.th. upon o.s.; *avere molti anni sulle -e* to be getting on in years; ⟨*fig*⟩ *avere qd. sulle -e* to be saddled with s.o., to have s.o. on one's hands; *ho tutta la responsabilità sulle -e* I am responsible for everything, all responsibility falls on me; **voltare** (*o volgere*) *le -e a qd.* to turn one's back on s.o. (*anche fig.*); *voltare le -e al nemico* to turn tail.

spallaccio *m.* **1.** shoulder-strap (of a knapsack). – **2.** ⟨*Mil*⟩ shoulder -strap (on a uniform). – **3.** ⟨*Mil.ant*⟩ (*spallina*) epaulet(te); (*piastra d'armatura*) shoulder-plate.

spallamento *m.* ⟨*Mecc*⟩ shoulder.

spallare *v.t.* ⟨*ant*⟩ (*fiaccare*) to break down.

spallarm *intz.* ⟨*Mil*⟩ shoulder arms.

spallata *f.* **1.** push (*o* shove) with the shoulder. – **2.** (*alzata di spalle*) shrug (of the shoulders).

spallato (*p.p. di spallare*) *a.* **1.** (*campato in aria*) unfounded, groundless, fanciful, unsound. – **2.** ⟨*ant*⟩ (*rif. ad animali*: *fiaccato*) broken down.

spalleggiamento *m.* **1.** backing up, support(ing), help(ing). – **2.** ⟨*Edil*⟩ reinforcement. – **spalleggiare** *v.t.* (**spalleggio, spalleggi**) **1.** to back up, to support, to help: *era spalleggiato dal suo amico* he was backed up by his friend. – **2.** ⟨*Mil*⟩ to shoulder, to bear on the shoulders (*o* back). – **spalleggiarsi** *v.r.* ⟨*recipr*⟩ to back e.o. up, to support (*o* help) e.o. – **spalleggiato** (*p.p. di spalleggiare*) *a.* ⟨*Mil*⟩ shoulder-, borne on the shoulders (*o* back).

spalletta (*dim. di spalla*) *f.* **1.** (*parapetto*) parapet. – **2.** (*argine*) embankment, bank. – **3.** ⟨*Edil*⟩ jamb, reveal. – **4.** ⟨*rar*⟩ → **spallina.**

spalliera *f.* **1.** (*rif. a sedie, divani e sim.*) back: ~ *regolabile* adjustable back. – **2.** (*del letto*: *testata*) head(board); (*dalla parte dei piedi*) foot(board). – **3.** ⟨*Giard*⟩ espalier: *una* ~ *di rose* a rose espalier. – **4.** ⟨*Ginn*⟩ (*anche spalliera svedese*) wall bars *pl.* – **5.** ⟨*Sport*⟩ (*nell'hockey su ghiaccio*) shoulder-pad, shoulder-guard. – **6.** ⟨*Mar.ant*⟩ small bridge on the stern of a galley; (*banco estremo poppiero*) sternmost stroke thwart. □ ⟨*Giard*⟩ *far* ~ to espalier; ⟨*Edil*⟩ ~ *di protezione* guard-rail.

spallina *f.* **1.** ⟨*Mil*⟩ epaulet(te), ⟨*am*⟩ shoulder loop (*o* board). – **2.** ⟨*Mar.mil*⟩ epaulet(te), ⟨*am*⟩ shoulder mark (*o* loop, board). – **3.** (*bretella*) shoulder-strap. – **4.** (*imbottitura*) shoulder-pad(ding). □ ⟨*mil*⟩ *guadagnarsi le -e* to earn (*o* win) one's epaulet(te)s, to be made an officer.

spallone *m.* **1.** ⟨*Vest*⟩ shoulder-piece. – **2.** ⟨*gerg*⟩ (*chi porta a spalla il carico di contrabbando*) smuggler (who carries contraband on his back).

spalluccia: ⟨*fam*⟩ *fare spallucce* to shrug (one's shoulders). – **spallucciata** *f.* shrug (of the shoulders): *rispondere a -e* to answer with a shrug.

spalmare *v.t.* **1.** to spread, to smear: ~ *il burro sul pane* to spread butter on bread, to butter bread; (*rif. a unguenti e sim.*) to rub (*o* put) on, to apply: ~ *il viso di crema* to apply cream to one's face. – **2.** (*ricoprire*) to coat, to cover: ~ *la teglia di burro* to coat the baking-pan with butter, to butter (*o* grease) the baking-pan. – **spalmarsi** *v.r.* to smear (*o* spread) o.s. (*di* with); (*con creme e sim.*) to rub o.s. (with), to apply, to rub (*o* put) on.

spalmata *f.* smear(ing), spreading; (*con unguenti e sim.*) application, rubbing (*o* putting) on. □ *dare una* ~ *di qc. a qc.* to smear (*o* spread) s.th. with s.th., to spread (*o* smear) s.th. on s.th.; (*con creme e sim.*) to apply s.th. to s.th., to rub s.th. on s.th. – **spalmatina** *f. dim. di* **spalmata**. – **spalmato** (*p.p. di spalmare*) *a.* **1.** spread, smeared; (*con unguenti e sim.*) covered. – **2.** (*ricoperto*) coated, covered. – **spalmatore I** *s.m.* (*f.* **-trice**) **1.** ⟨*Tess*⟩ spreader. – **2.** ⟨*Mar.ant*⟩ slush spreader. – **II** *a.* spreading. – **spalmatrice** *f.* ⟨*Tess,Ind*⟩ spreader, spreading-machine. – **spalmatura** *f.* **1.** (*atto*) spreading, smearing. – **2.** (*effetto*) smear(ing). – **spalmo** *m.* **1.** ⟨*non com*⟩ → **spalmatura**. – **2.** ⟨*Mar*⟩ slush.

spalto *m.* **1.** (*bastionata*) glacis, bastion, earthwork. – **2.** *pl.* (*gradinate*) steps *pl*, flight of steps.

spampanamento *m.* ⟨*non com*⟩ **1.** (*lo spampanare*) stripping (*o* removing, thinning out) of vine-leaves. – **2.** (*lo spampanarsi*) shedding (*o* losing) of leaves. – **spampanare** *v.t.* (**spampano**) **1.** (*spogliare dei pampini*) to strip of vine-leaves, to remove (*o* thin out) the leaves of. – **2.** ⟨*assol,ant*⟩ (*vantarsi*) to boast, to brag. – **spampanarsi** *v.r.* **1.** (*perdere i pampini*) to shed (*o* lose) leaves. – **2.** (*rif. a fiori*) to be overblown. ◻ ⟨*pop*⟩ *spampanarsi dalle risate* to split one's sides with laughter. – **spampanata** *f.* **1.** quick stripping (*o* thinning out) of vine-leaves. – **2.** ⟨*fig,non com*⟩ (*millanteria*) boasting, bragging. ◻ *dare una ~ a qc.* to give s.th. a quick thinning out. – **spampanato** (*p.p. di spampanare*) *a.* **1.** stripped, thinned out, that has lost its leaves: *viti -e* stripped vines. – **2.** (*rif. a fiori*) overblown: *rosa -a* overblown rose. – **spampanatura** *f.* removal of vine-leaves, stripping (*o* thinning out) of vines.

spanare *v.t.* **1.** ⟨*tecn*⟩ to strip, to break the thread of. – **2.** ⟨*Agr*⟩ to remove the ball of soil from. – **spanarsi** *v.r.* ⟨*tecn*⟩ to strip. – **spanato** (*p.p. di spanare*) *a.* **1.** ⟨*tecn*⟩ stripped. – **2.** ⟨*Agr*⟩ with the ball of soil removed.

spanciare *v.* (**spancio, spanci**) **I** *v.i.* (*aus.* **avere**) **1.** (*rif. a tuffatore*) to (do a) belly-flop. – **2.** (*presentare uno spancio*) to bulge. – **II** *v.t.* ⟨*non com*⟩ (*sventrare*) to gut, to disembowel. – **spanciarsi** *v.r.* **1.** to split one's sides. – **2.** (*fare gobbe*) to bulge. ◻ ⟨*fam*⟩ *spanciarsi dalle risate* to split one's sides with laughter. – **spanciata** *f.* **1.** (*panciata*) belly-flop. – **2.** ⟨*fam*⟩ (*scorpacciata*) big feed, ⟨*fam*⟩ bellyful. ◻ ⟨*pop*⟩ *fare una ~ di qc.* to stuff o.s. with s.th., to have a big feed of s.th. – **spanciato** (*p.p. di spanciare*) *a.* bulging. – **spanciatura** *f.*, **spancio** *m.* (*ingobbimento*) bulge.

spandente *m.* lightning conductor.

spandere *v.t.* (**spandei**/*rar.* **spansi, spanto**/*ant.* **spanduto**) **1.** (*stendere*) to spread: *~ la cera sul pavimento* to spread wax on the floor. – **2.** (*versare involontariamente*) to pour out, to spill: *~ il vino sulla tovaglia* to spill wine on the tablecloth. – **3.** (*effondere*) to diffuse, to give out (*o* off), to shed: *i fiori spandevano un delicato profumo* the flowers gave off a delicate scent; *la candela spandeva una luce tenue* the candle shed a feeble light. – **4.** ⟨*fig*⟩ (*divulgare*) to spread (about), to divulge, to put about: *~ notizie false* to spread false rumours. – **5.** (*scialacquare*) to squander. – **6.** ⟨*ant*⟩ (*far uscire dalla bocca*) to utter. – **7.** ⟨*ant*⟩ (*allargare*: *rif. ad ali*) to spread, to unfold. – **spandersi** *v.r.* **1.** (*estendersi*) to spread, to extend: *la macchia si spande* the stain is spreading. – **2.** (*versarsi*) to pour, to spill. – **3.** (*effondersi*) to spread, to be shed (*o* radiated, spread): *l'odore si spande per tutta la stanza* the smell is spreading throughout the room. – **4.** ⟨*fig*⟩ (*divulgarsi*) to be spread (*o* divulged), to be put about. – **5.** ⟨*poet*⟩ (*riversarsi*) to pour, to spread. ◻ ⟨*fam*⟩ *~ acqua* (*orinare*) to urinate, to make (*o* pass) water.

spandi|cera *m.inv.* floor-polisher. – **~concime** *m.inv.* ⟨*Agr*⟩ manure -spreader, fertilizer-spreader. – **~fieno** *m.inv.* tedder, hay-spreader. – **~letame** *m.inv.* manure-spreader, muck-spreader, dung-distributor.

spandimento *m.* **1.** (*spargimento*) spreading. – **2.** (*versamento*) pouring out, shedding, spilling. ◻ ⟨*tecn*⟩ *prova di ~* flow-table test.

spandisabbia *m.inv.* (*anche macchina spandisabbia*) sand-spreader.

spanditore *m.* (*f.* **-trice**) ⟨*non com*⟩ **1.** (*chi sparge, diffonde*) spreader. – **2.** (*chi versa*) pourer, shedder, spiller: *~ di sangue* shedder of blood. – **spanditura** *f.* ⟨*non com*⟩ **1.** spreading. – **2.** (*il versare*) shedding.

spaniare *v.* (**spanio, spani**) **I** *v.t.* to free (*o* remove) from bird-lime. – **II** *v.i.* (*aus.* **avere**) (*togliere le paniuzze*) to remove the limed twigs. – **spaniarsi** *v.r.* **1.** (*liberarsi dalla pania*) to free o.s. from bird-lime. – **2.** ⟨*fig*⟩ (*trarsi d'impaccio*) to free o.s., to get out of a trap (*o* fix).

spaniel *ingl. m.* ⟨*Zootecn*⟩ spaniel. ◻ *~ della Cina* (*pechinese*) pekin(g)ese, ⟨*fam*⟩ peke; *~ da salotto* English Toy Spaniel.

spanierare *v.t.* (**spaniero**) to take out of a basket.

spanio|menorrea *f.* ⟨*Med*⟩ (*oligomenorrea*) spanomenorrh(o)ea, oligomenorrh(o)ea. – **~pnea** *f.* spanopn(o)ea.

spanna[1] *f.* **1.** span. – **2.** ⟨*fig*⟩ (*brevissima distanza*) short distance, span; (*piccola quantità*) small amount, little, ⟨*fam*⟩ bit. – **3.** ⟨*ant*⟩ (*mano distesa*) outstretched hand. ◻ ⟨*scherz*⟩ *essere alto una ~* to be very short, ⟨*fam*⟩ to be knee-high to a grasshopper.

spanna[2] *m./f.* (*vitigno*) kind of vine.

spannare[1] *v.t.* (*levare la panna*) to skim, to cream.

spannare[2] *v.t.* ⟨*venat*⟩ (*rif. alla ragna*) to loosen.

spannarola *f.* ⟨*Alim*⟩ (cheese) breaker.

spannatoia *f.* skimmer. – **spannatura** *f.* skimming, creaming.

spannocchia *f.* ⟨*region*⟩ **1.** → **spannocchio**. – **2.** (*pannocchia*) ear of corn, corn-cob. – **spannocchiare** *v.t.* (**spannocchio, spannocchi**) to husk, to shuck, to strip. – **spannocchiatura** *f.* husking, shucking.

spannocchina *f.* ⟨*Bot*⟩ (smooth) meadow grass, Kentucky blue(grass), June grass (*Poa pratensis*). ◻ *~ comune* rough meadow grass (*Poa trivialis*).

spannocchio *m.* ⟨*Zool*⟩ pen(a)eid, kind of edible prawn (*Penaeus caramote*).

spansi *p.rem. rar. di* **spandere**.

spantanare *v.t.* ⟨*non com*⟩ **1.** to get out of the mire (*o* mud, bog). – **2.** ⟨*fig,scherz*⟩ (*trarre d'impaccio*) to get out of a fix.

spanto (*p.p. di spandere*) *a.* ⟨*tosc*⟩ **1.** (*sparso*) spread (out); (*diffuso*) diffused, shed. – **2.** (*aperto, spalancato*) wide-open.

spappagallare *v.i.* (*aus.* **avere**) **1.** to chatter like a parrot; (*ripetere come un pappagallo*) to repeat like a parrot. – **2.** (*chiacchierare in continuazione*) to chatter, to jabber, to babble, to prattle.

spappare *v.* ⟨*region*⟩ → **spappolare**. – **spappolamento** *m.* **1.** (*lo spappolare*) reducing to pulp, mashing; (*lo spappolarsi*) becoming pulpy (*o* mushy). – **2.** (*effetto*) pulpiness, mushiness. – **3.** ⟨*Med*⟩ crushing. – **spappolare** *v.t.* (**spappolo**) **1.** to (reduce to) pulp, to mash. – **2.** ⟨*Med*⟩ to crush. – **spappolarsi** *v.r.* **1.** to become pulpy (*o* mushy), to be reduced to a pulp: *il riso fatto cuocere troppo si spappola* overcooked rice becomes mushy. – **2.** ⟨*Med*⟩ to be(come) crushed. ◻ ⟨*fam*⟩ *spappolarsi dalle risa* to split one's sides with laughter. – **spappolato** (*p.p. di spappolare*) *a.* **1.** pulpy, mushy, soft, squashed. – **2.** ⟨*Med*⟩ crushed.

sparacannelle *m.inv.* ⟨*Ornit*⟩ (*cannaiola*) reed warbler (*Acrocephalus scirpaceus*).

sparacchiare *v.t.* (**sparacchio, sparacchi**) **1.** to fire intermittently. – **2.** ⟨*assol*⟩ to fire intermittent shots.

sparadrappo *m.* ⟨*ant*⟩ (*cerotto*) (sticking) plaster, adhesive tape.

sparafiocina *m.* harpoon gun.

sparag(h)ella *f.* ⟨*Bot*⟩ (*asparago selvaggio*) wild asparagus. – **sparagiaia** *f.* (*asparagiaia*) asparagus-bed. – **sparagio** *m.* ⟨*Bot*⟩ (*asparago*) asparagus (*Asparagus*; *Asparagus officinalis*).

sparaglione *m.* ⟨*Itt*⟩ annular bream (*o* gilthead), ringed sargus (*Sargus annularis*; *Diplodus annularis*).

sparagnare *v.t.* ⟨*ant,region*⟩ **1.** (*risparmiare*) to save. – **2.** ⟨*assol*⟩ (*essere avaro*) to be miserly (*o* a miser). – **sparagnino** *a.* ⟨*region*⟩ (*tirchio*) miserly, niggardly, tight, stingy. – **sparagno** *m.* ⟨*ant, region*⟩ **1.** (*risparmio*) saving. – **2.** (*tirchieria*) miserliness, stinginess.

sparallarmi *m.* ⟨*Ferr*⟩ detonator, ⟨*am*⟩ torpedo.

sparamento *m.* ⟨*non com*⟩ **1.** (*atto*) shooting. – **2.** (*effetto*) shot.

sparare[1] **I** *v.t.* **1.** to shoot: *~ una palla* to shoot a bullet. – **2.** (*scaricare*) to fire, to shoot, to discharge: *~ un fucile* to fire a gun. – **3.** (*far esplodere*) to fire: *~ una revolverata* to fire a shot. – **4.** ⟨*fig*⟩ (*sferrare*) to strike, to deal, to deliver, to give, to land: *~ un calcio* to give a kick. – **5.** ⟨*fam*⟩ (*dire cose esagerate*) to tell (in an exaggerated way), to talk: *~ balle* to tell tall stories, to talk tripe. – **6.** ⟨*region*⟩ (*colpire sparando*) to shoot, to hit: *~ qd.* to shoot s.o. – **7.** ⟨*Mar*⟩ to let fly (*o* go). – **8.** ⟨*Sport*⟩ to shoot: *~ il pallone in rete* to shoot a goal. – **II** *v.i.* (*aus.* **avere**) **1.** to shoot, to fire (*a* at); (*colpire sparando*) to shoot (*a qd.* s.o.). – **2.** ⟨*Mil*⟩ (*tenere sotto il fuoco*) to fire (*contro, su, a* on), to shoot (at). – **3.** ⟨*Teat,TV*⟩ (*produrre riflessi abbaglianti*) to dazzle, to glare. – **spararsi** *v.r.* to shoot o.s.

◻ ⟨*pop*⟩ *~* **bugie** to be a great liar, ⟨*fam*⟩ to tell whoppers; *~* **calci**: 1. (*rif. ad animali*) to kick (out); 2. (*rif. a persone*) to kick; 3. ⟨*fig*⟩ to lash out; ⟨*fam*⟩ *spararle* **grosse** to talk big, to tell tall stories, ⟨*am.fam*⟩ to shoot off one's mouth; *~ a* **palla** to fire live ammunition; ⟨*Sport*⟩ *~ in* **rete** to shoot a goal; *~ a* **salve** (o *polvere*) to fire salvoes; *~ a* **zero** to shoot point-blank; ⟨*fig*⟩ to be ruthless, to show no pity. || ⟨*pop*⟩ *spara!* (*parla*) shoot!

sparare[2] *v.t.* **1.** (*squartare*) to disembowel, to cut (*o* split) open: *~ un coniglio* to cut open a rabbit. – **2.** ⟨*ant*⟩ (*squarciare*) to cut in half, to split in two. – **spararsi** *v.r.* ⟨*tosc*⟩ (*squarciarsi*) to disembowel o.s. ◻ *~ una camicia* to open a shirt down the front.

sparare[3] *v.t.* ⟨*non com*⟩ (*spogliare dei paramenti*) to remove the hangings from. – **spararsi** *v.r.* to remove one's vestments, to unvest.

sparata *f.* **1.** (*atto*) shooting, firing, discharging. – **2.** (*effetto*) shot, discharge. – **3.** ⟨*fig*⟩ (*smargiassata*) brag(ging), boast(ing). – **4.** ⟨*fig*⟩ (*scenata violenta*) scene, row.

sparato[1] (*p.p. di sparare*[1]) *a.* **1.** shot. – **2.** (*scaricato*) fired, shot, discharged. – **3.** ⟨*fig*⟩ (*sferrato*) struck, dealt, delivered, landed. – **4.** ⟨*pop*⟩ (*veloce*) fast, quick, like ⌜a shot⌝ (*o* greased lightning). ◻ *sta arrivando ~* he is coming ⌜at top speed⌝ (*o* as fast as he can).

sparato[2] (*p.p. di sparare*[2]) **I** *s.m.* ⟨*Vest*⟩ **1.** (*nelle camicie da uomo*) shirt-front. – **2.** (*apertura sul davanti*) front opening. – **II** *a.* (*aperto sul davanti*) cut in half.

sparatore *m.* (*f.* **-trice**) shooter. – **sparatoria** *f.* **1.** (*scambio di colpi d'arma da fuoco*) exchange of shots, shoot-out. – **2.** (*susseguirsi di spari*) shooting.

sparaviere, sparavieri *a./s.* ⟨*ant*⟩ → **sparviere**.

sparecchiamento *m.* ⟨*non com*⟩ clearing. – **sparecchiare** *v.t.* (**sparecchio, sparecchi**) **1.** to clear; (*rif. a stoviglie e sim.*) to clear away. – **2.** ⟨*assol*⟩ to clear the table. – **3.** ⟨*fig*⟩ (*mangiare con avidità*) to polish off, to eat up.

spareggio *m.* **1.** (*disparità, disuguaglianza*) disparity, difference, inequality; (*sproporzione*) disproportion. – **2.** (*nei giochi di carte*) deciding game. – **3.** ⟨*Sport*⟩ play-off, decider: *disputare lo ~* to play the play-off, to play off. – **4.** ⟨*Econ*⟩ (*disavanzo*) deficit, loss.

sparentare *v.i.* (**sparento**; *aus.* **avere**) **1.** (*lasciare i parenti*) to leave one's relatives. – **2.** (*morire*) to die.

sparente (*p.pr. di sparire*) *a.* ⟨*non com*⟩ disappearing, vanishing, fading away.

sparganọsi *f.* ⟨*Veter,Med*⟩ sparganosis.
spạrgere *v.t.* (**spạrgo, spạrgi; spạrsi, spạrso**) **1.** to scatter, to strew: ~ *i semi nel campo* to scatter seeds in the field. – **2.** (*rif. a persone*: *sparpagliare*) to scatter, to spread. – **3.** (*diffondere*) to give out (*o* off), to shed, to diffuse, to emit: ~ *calore* to give off heat. – **4.** (*effondere, versare*) to pour (out), to spill, to shed: ~ *il vino sulla tovaglia* to spill wine on the tablecloth; ~ *lacrime* to shed tears. – **5.** (*cospargere*) to scatter, to strew, to spread, to cover, to sprinkle: ~ *una tomba di fiori* to strew a tomb with flowers. – **6.** ⟨*fig*⟩ (*diffondere*) to spread, to sow, to scatter: ~ *discordie* to sow discontent; (*divulgare*) to spread (about), to divulge, to put about: ~ *voci* to spread gossip. – **7.** ⟨*fig,lett*⟩ (*riversare*) to scatter, to pour, to spread; (*propagare*) to spread, to propagate. – **spargersi** *v.r.* **1.** to scatter, to spread (out): *i soldati si sparsero nelle campagne* the soldiers scattered over the countryside. – **2.** ⟨*fig*⟩ (*diffondersi, divulgarsi*) to spread: *la notizia si sparse subito* the news spread fast. – **3.** ⟨*fig*⟩ (*espandersi*) to spread, to extend, to expand: *l'epidemia si sparge* the epidemic is spreading.
□ ⟨*lett*⟩ ~ *le* **chiome** (*o i capelli*) to loosen (*o* let down) one's hair, to let one's hair hang loose; ~ **denaro** *a piene mani* to spend money lavishly, ⟨*fam*⟩ to throw one's money about; ~ **sale** *su qc.* to sprinkle salt on s.th.; ⟨*fig*⟩ ~ **sangue** to shed (*o* spill) blood; ~ **sudore** to sweat; ⟨*fig*⟩ to sweat blood, to labour; ~ *ai quattro* **venti** to scatter to the four winds.
spargimẹnto *m.* **1.** scattering, strewing. – **2.** (*diffusione*) shedding, diffusing, emitting, giving out (*o* off). – **3.** (*versamento*) pouring (out), spilling, shedding. □ ⟨*fig*⟩ ~ *di sangue* bloodshed.
spargi|sale *m.inv.* salt-cellar. – **~tạlco** *m.inv.* talcum powder duster.
spargitọre *m.* (*f.* **-trice**) ⟨*non com*⟩ **1.** scatterer, strewer. – **2.** (*chi versa*) pourer, spiller, shedder (*anche fig.*): ~ *di sangue* shedder of blood.
spargolịte *f.* ⟨*Min*⟩ spargelstone, asparagus-stone.
spạrgolo *a.* ⟨*Agr*⟩ scanty, thin, with scattered grapes. – **spargolosità** *f.* scantiness, sparseness (of grapes).
spạridi *m.pl.* ⟨*Itt*⟩ sparids *pl* (*Sparidae*).
sparigliạre *v.t.* (**sparịglio, sparịgli**) to break up a pair (*o* team) of: ~ *i cavalli* to break up a team of horses. – **sparigliạto** (*p.p. di sparigliare*) *a.* unpaired, unmatched.
sparimẹnto *m.* ⟨*ant*⟩ (*scomparsa*) disappearance, vanishing.
sparịre *v.i.* (**sparịsco, sparịsci**; *aus.* **essere**) **1.** to disappear, to vanish: ~ *tra la folla* to vanish in the crowd. – **2.** (*non essere più visibile*) to disappear, to vanish, to fade away, to go: *le cicatrici dell'operazione sono sparite* the scars from the operation have gone (*o* faded away). – **3.** ⟨*fig*⟩ (*essere introvabile*) to disappear, to vanish (into thin air), to be gone: *il libro è sparito* the book has disappeared (*o* gone). – **4.** (*essere rubato*) to disappear, to vanish, to be stolen. – **5.** (*consumarsi in fretta*) to disappear, to vanish: *la torta è sparita subito* the cake disappeared in a twinkling. – **6.** (*morire*) to die, to pass away. □ ⟨*fig*⟩ ~ *dalla faccia della terra* (*morire*) to take leave of the world, to die; *far* ~: 1. (*occultare*) to hide, to conceal; 2. (*rubare*) to steal, to rob, ⟨*fam*⟩ to pinch, ⟨*fam*⟩ to lift; 3. (*consumare*) to go through; 4. (*uccidere*) to kill, ⟨*fam*⟩ to bump off.
sparizịone *f.* **1.** disappearing, vanishing, fading away. – **2.** ⟨*fig*⟩ (*scomparsa*) disappearance.
sparlạre *v.i.* (*aus.* **avere**) **1.** to speak ill (*di* of), to backbite, to slander, ⟨*fam*⟩ to run down (s.o.), ⟨*fam*⟩ to throw mud (at): *sparlano di tutti* they run everyone down. – **2.** (*parlare a sproposito*) to speak off the point, to talk nonsense. – **3.** (*usare espressioni triviali*) to use bad (*o* vulgar) language.
sparmiạre *v.* (**spạrmio, spạrmi**) → **sparagnare.**
sparnazzamẹnto *m.* ⟨*tosc,non com*⟩ **1.** scattering, strewing. – **2.** (*rif. a polli*) scattering. – **3.** ⟨*fig,ant*⟩ (*scialacquamento*) squandering. – **sparnazzạre** *v.t.* ⟨*tosc*⟩ **1.** (*sparpagliare*) to scatter, to strew, to disperse. – **2.** (*rif. a polli*) to scatter (by scratching). – **3.** ⟨*fig,ant*⟩ (*scialacquare*) to squander.
sparnọcchia *f.* ⟨*Zool*⟩ (*canocchia*) mantis prawn, squilla (*Squilla mantis*).
spạro[1] *m.* **1.** (*lo sparare*) shooting, shot, firing, discharge. – **2.** (*colpo*) shot: *uno* ~ *di fucile* a rifle shot; (*rumore*) shot, report: *ho sentito uno* ~ I heard a shot.
spạro[2] *m.* ⟨*Itt*⟩ **1.** (*sarago*) sargo, sargus, sar (*Sargus*). – **2.** → **sparaglione.**
sparpagliamẹnto *m.* **1.** (*atto*) scattering, strewing, dispersing. – **2.** (*effetto*) scattering, dispersion. – **sparpagliạre** *v.t.* (**sparpạglio, sparpạgli**) **1.** to scatter, to strew, to throw about, to disperse: ~ *le carte sul tavolo* to scatter the cards on the table. – **2.** (*mandar qua e là*) to scatter, to distribute, to place here and there: ~ *agenti in borghese per la città* to scatter plainclothes men all over town. – **3.** (*rif. a beni*) to squander, to dissipate, to waste, to fritter away. – **sparpagliarsi** *v.r.* to scatter, to disperse, to be scattered (*o* dispersed). – **sparpagliatamẹnte** *avv.* scatteredly; (*in disordine*) in disorder, untidily, pell-mell. – **sparpagliạto** (*p.p. di sparpagliare*) *a.* scattered, strewn (here and there).
sparpạglio[1] *m.* ⟨*non com*⟩ → **sparpagliamento.**
sparpaglịo[2] *m.* **1.** (*sparpagliamento continuo*) (continual) scattering. – **2.** ⟨*concr*⟩ (*quantità di cose sparpagliate*) scattered objects *pl.*
sparsi *p.rem. di* **spargere.**
sparsiọne *f.* ⟨*Stor.rom*⟩ **1.** sprinkling with scented water. – **2.** (*getto di doni*) throwing of missiles.
spạrso (*p.p. di spargere*) *a.* **1.** scattered, strewn (here and there): *libri -i sul tavolo* books scattered (*o* lying about) on the table. – **2.** (*cosparso*) strewn, covered, spread, scattered, sprinkled (*di* with): *prato* ~ *di fiori* field strewn (*o* covered) with flowers, flower-strewn field. – **3.** (*versato*) shed, spilled, poured (out): *sangue* ~ *in guerra* blood shed in battle. – **4.** ⟨*lett*⟩ (*soffuso*) covered, suffused, filled (*di* with): *volto* ~ *di rossore* face suffused with a blush. – **5.** (*sciolto*) loose: *capelli -i* loose (*o* flowing) hair. – **6.** ⟨*Bot*⟩ alternate.
Spạrta *N.pr.f.* ⟨*Geog*⟩ Sparta.
spartachịsta *m./f.* ⟨*Stor*⟩ Spartacist. – **Spạrtaco** *N.pr.m.* Spartacus (*anche Stor.*). □ ⟨*Stor*⟩ *lega* ~ Spartacus Union.
spartanamẹnte *avv.* Spartanly, in a Spartan manner, austerely. – **spartạno I** *a.* **1.** Spartan, of Sparta. – **2.** ⟨*fig*⟩ (*austero, rigido*) Spartan, austere, severe: *educazione -a* Spartan upbringing. – **II** *s.m.* (*f.* **-a**) Spartan, citizen (*o* inhabitant) of Sparta.
sparteịna *f.* ⟨*Chim*⟩ sparteine.
sparterịa *f.* **1.** (*lavorazione dello sparto*) esparto manufacture. – **2.** *pl.* (*tessuti*) esparto fabrics *pl.*
spartiạcque *m.inv.* ⟨*Geog*⟩ watershed, divide.
spartiạta *m.* ⟨*Stor.gr*⟩ Spartiate, full citizen of Sparta.
spartịbile *a.* ⟨*rar*⟩ divisible.
spartifuọco *m.inv.* ⟨*Teat*⟩ (*anche sipario spartifuoco*) fire (*o* asbestos, safety) curtain.
spartimẹnto *m.* ⟨*non com*⟩ **1.** → **spartizione.** – **2.** ⟨*Met*⟩ parting.
spartịna *f.* (*corda di sparto*) esparto rope.
spartinẹve *m.inv.* **1.** ⟨*Strad,Ferr*⟩ snow-plough. – **2.** ⟨*Sport,non com*⟩ (*spazzaneve*) snow-plough.
spartiọre *m.inv.* ⟨*Orol*⟩ locking plate.
spartịre *v.t.* (**spartịsco, spartịsci**) **1.** (*dividere in parti*) to divide up (*o* out), to share (*o* parcel) out, to split (*o* carve) up, ⟨*fam*⟩ to divvy up: *spartirsi il bottino* to split up the loot; ~ *il guadagno* to divide up the profits; (*distribuire*) to distribute, to share (*o* give) out: *il denaro verrà spartito fra i soci* the money will be shared out among the partners. – **2.** (*separare, dividere*) to separate, to part, to divide, to break up: ~ *due litiganti* to part two quarrellers. – **3.** (*rif. a capelli*) to part. – **4.** ⟨*Mus*⟩ to score, to arrange in a score. □ ⟨*fig*⟩ *non aver nulla da* ~ *con qd.* to have nothing in common with s.o.; (*non voler aver alcun rapporto*) to want nothing to do with s.o.; ⟨*tosc*⟩ ~ *una parola con qd.* (*scambiare quattro chiacchiere*) to have a chat with s.o.
spartisẹmi *m.inv.* ⟨*Enol*⟩ grapeseed separator.
spartitamẹnte *avv.* separately. – **spartịto** (*p.p. di spartire*) **I** *a.* **1.** divided up, shared (*o* parcelled) out, split up. – **2.** (*separato*) separated, parted, divided. – **3.** (*rif. a capelli*) parted. – **II** *s.m.* ⟨*Mus*⟩ **1.** piano version. – **2.** (*partitura*) score.
spartitọre *m.* (*f.* **-trice**) ⟨*non com*⟩ divider, sharer.
spartitrạffico *m.* ⟨*Strad*⟩ median strip, fender strip, dividing strip.
spartitụra *f.* **1.** → **spartizione.** – **2.** (*scriminatura*) hair parting. – **spartiziọne** *f.* division, dividing up, sharing out, splitting up: *la* ~ *dell'eredità* the dividing up of the inheritance; (*distribuzione*) distribution, sharing out.
spạrto[1] (*p.p. di spargere*) *a.* ⟨*ant,lett*⟩ **1.** (*sparso*) scattered, strewn. – **2.** (*diffuso*) diffused, shed. – **3.** (*sciolto*) loose. – **4.** (*smembrato, dilaniato*) dismembered, torn limb from limb; (*disperso*) scattered, strewn. – **5.** (*disteso, allargato*) spread out, outspread.
spạrto[2] *m.* ⟨*Bot*⟩ **1.** esparto (grass) (*Lygeum spartum*). – **2.** (*fibra*) esparto (fiber). □ ⟨*Bot*⟩ ~ *pungente* (*ammofila*) beach (*o* marram) grass, sand reed (*Ammophila arenaria*).
sparutẹzza *f.* ⟨*non com*⟩ **1.** emaciation, gauntness, thinness. – **2.** ⟨*fig*⟩ (*esiguità*) scantiness, smallness, meagreness. – **sparụto** *a.* **1.** emaciated, gaunt, haggard: *un bambino dal viso* ~ a child with a gaunt face. – **2.** ⟨*fig*⟩ (*esiguo*) scant(y), small, meagre, thin, slight.
sparvierạto *a.* ⟨*Mar.ant*⟩ swift-lined.
sparviẹre, sparviẹro I *s.m.* **1.** ⟨*Ornit*⟩ sparrow-hawk (*Accipiter nisus*). – **2.** ⟨*Mur*⟩ mortar-board, hawk; (*frettazzo*) plastering trowel, float, darby. – **3.** ⟨*Pesc*⟩ (*giacchio*) sweep-net, casting-net. – **4.** ⟨*Arald*⟩ sparrow-hawk. – **5.** ⟨*Arred,ant*⟩ (Renaissance bed) canopy, tester, baldachin. – **II** *a.* ⟨*lett*⟩ (*rapace*) hawklike, rapacious, predatory. □ ⟨*Ornit*⟩ ~ *da* **colombi** (*astore*) goshawk (*Accipiter gentilis*); ~ *da* **fiłunguelli** (*smeriglio*) (common) merlin (*Falco columbarius aesalon*); ~ **levantino** Levant sparrow-hawk (*Accipiter brevipes*); ~ **pellegrino** (*falcone*) peregrine falcon (*Falco peregrinus*); ~ **smeriglio** = *sparviero da* **fiłunguelli**; ~ **terzuolo** = *sparviero da* **colombi.**
spạsima *f.* ⟨*ant*⟩ → **spasimo.**
spasimạnte I *a.* **1.** racked with pain, suffering, in agony. – **2.** (*innamorato*) lovesick, in love, enamoured. – **II** *s.m.* ⟨*scherz*⟩ (*innamorato*) boyfriend, sweetheart, lover; (*corteggiatore, ammiratore*) suitor, wooer, admirer, beau, ⟨*lett,scherz*⟩ swain. □ *fare lo* ~ to bill and coo, to spoon.
spasimạre *v.i.* (**spạsimo**; *aus.* **avere**) **1.** to be racked with (spasms of) pain, to be in great pain (*o* agony). – **2.** ⟨*estens*⟩ (*soffrire*) to suffer: ~ *di* (*o dalla*) *sete* to suffer thirst. – **3.** ⟨*fig*⟩ (*desiderare ardentemente*) to long, to yearn, to crave, to desire, to thirst: ~ *di rivedere qd.* to long to see s.o. again. □ ~ *per qd.* (*esserne innamorato*) to be (head over heels) in love with s.o. – **spasimạto** (*p.p. di spasimare*) *a.* **1.** ⟨*ant*⟩ (*preso da spasimo*) racked by pain (*o* spasms), in great pain. – **2.** ⟨*ant*⟩ (*innamorato*) enamoured, in love.
spạsimo *m.* **1.** pain, spasm (of pain), pang, agony: *-i di morte* pangs of death, death agony. – **2.** (*sofferenza*) pang, agony: *-i dell'amore*

pangs of love; ~ *del rimorso* pang of remorse. – **3.** (*ansia*) anguish, agony, anxiety: *gli -i dell'attesa* the agony of waiting.

spaṣimọso *a.* ⟨*rar*⟩ painful, agonizing. – **spaṣmạre** *v.* ⟨*ant*⟩ → **spasimare**. – **spạṣmo** *m.* **1.** ⟨*ant*⟩ → **spasimo**. – **2.** ⟨*Med*⟩ spasm.

spaṣmodicamẹnte *avv.* **1.** spasmodically. – **2.** (*angosciosamente*) agonizingly, distressingly, painfully, with anguish. – **spaṣmọdico** *a.* (*pl.* **-ci**) **1.** ⟨*Med*⟩ spasmodic(al), spasm(at)ic. – **2.** ⟨*fig*⟩ (*angoscioso*) agonizing, distressing, painful, grievous. – **3.** ⟨*Med*⟩ (*che provoca spasmi*) spastic.

spaṣmofilịa *f.* ⟨*Med*⟩ **1.** spasmophilia. – **2.** (*tetania*) tetany. – **spaṣmọfilo** **I** *a.* spasmophilic, spasmophile. – **II** *s.m.* (*f.* **-a**) child affected with tetany.

spaṣmolịtico *a./s.* (*pl.* **-ci**) **I** *a.* ⟨*Farm*⟩ spasmolytic. – **II** *s.m.* spasmolytic (agent).

spạṣo *a.* ⟨*ant,dial*⟩ **1.** (*ampio, largo*) wide. – **2.** (*disteso, aperto*) spread out, open.

spassạre[1] *v.t.* (*divertire*) to amuse, to entertain, to divert. – **spassarsi** *v.r.* to enjoy (*o* amuse) o.s., to have fun (*o* a good time). □ *spassarsela* to enjoy o.s., to have a very good time, to have the time of one's life, ⟨*fam*⟩ to have a ball.

spassạre[2] *v.t.* ⟨*mar*⟩ to unreeve.

spasseggiạre *v.* (**spassẹggio, spassẹggi**) **I** *v.t.* ⟨*fam*⟩ (*portare a spasso*) to take out for a walk. – **II** *v.i.* (*aus.* **avere**) ⟨*ant,scherz*⟩ (*passeggiare*) to go for a walk. – **spassẹggio** *m.* (*passeggio*) walk, stroll.

spassẹvole *a.* ⟨*ant*⟩ → **spassoso**.

spassionạrsi *v.r.* (**mi spassiọno**) ⟨*tosc,non com*⟩ (*sfogarsi*) to relieve (*o* give vent to) one's feelings, to pour out one's troubles, ⟨*lett*⟩ to unbosom o.s.

spassionatamẹnte *avv.* dispassionately, impartially. – **spassionatẹzza** *f.* impartiality, lack of bias (*o* prejudice), fairness, objectivity. – **spassionạto** *a.* dispassionate, impartial, unbiased, unprejudiced, fair.

spạsso *m.* **1.** (*divertimento*) fun, entertainment, amusement, sport, lark: *darsi agli -i* to have fun, to enjoy o.s.; (*passatempo*) pastime. – **2.** ⟨*scherz*⟩ (*persona spassosa*) wag, wit, funny person, ⟨*fam*⟩ scream: *quel ragazzo è uno* ~ that boy is a scream. – **3.** (*breve passeggiata*) (short) walk, stroll.

□ **andare** *a* ~ to go out for a walk; (*a zonzo*) to wander about, to loaf; ⟨*fam*⟩ *andate a* ~*!*: 1. (*andate via*) beat it!, ⟨*fam*⟩ clear off!; 2. (*smettetela*) stop it!; **essere** *a* ~: 1. to be out for a walk; 2. = **trovarsi** *a spasso*; **mandare** *a* ~ *qd.*: 1. to send s.o. out for a walk; 2. ⟨*fam*⟩ (*licenziarlo*) to fire (*o* dismiss) s.o., ⟨*fam*⟩ to sack s.o.; 3. ⟨*scherz*⟩ (*toglierselo dai piedi*) to get rid of s.o.; **per** ~ (*per celia*) in (*o* for) fun, as a joke, for a lark; **portare** *qd. a* ~ to take s.o. out for a walk; ⟨*fam*⟩ (*illudere*) to fool s.o., ⟨*fam*⟩ to lead s.o. up the garden path; **prendersi** (o *pigliarsi*) ~ *di qd.* to make fun of s.o.; ⟨*pop*⟩ **trovarsi** *a* ~ (*essere disoccupato*) to be unemployed (*o* out of work).

spassọso *a.* **1.** (*divertente*) amusing, entertaining. – **2.** (*buffo*) funny, amusing, comic(al).

spasticità *f.* ⟨*Med*⟩ spasticity. – **spạstico** *a./s.* (*pl.* **-ci**) **I** *a.* spastic; (*caratterizzato da spasmi*) spastic, spasmodic. – **II** *s.m.* (*f.* **-a**) spastic.

spastoiạre *v.t.* (**spastọio, spastọi**) **1.** ⟨*non com*⟩ to unhobble, to unfetter. – **2.** ⟨*fig*⟩ (*liberare da impicci*) to unfetter, to unshackle, to free. – **spastoiarsi** *v.r.* **1.** to free o.s. of one's hobbles (*o* fetters), to be(come) unfettered. – **2.** ⟨*fig*⟩ to free o.s. (*da* from), to rid o.s. (of).

spạta[1] *f.* ⟨*Bot*⟩ spathe.

spạta[2] *f.* ⟨*ant*⟩ → **spada**.

spatạceo *a.* ⟨*Bot*⟩ spathaceous.

spatạngidi *m.pl.* ⟨*Zool*⟩ heart urchins *pl*, spatang(o)ids *pl*, spatangoideans *pl* (*Spatangidae*).

spạtico *a.* (*pl.* **-ci**) ⟨*Min*⟩ spathic, spathose, foliated, lamellar.

spatinạto *a.* ⟨*Pitt*⟩ that has lost its patina.

spạto *m.* ⟨*Min*⟩ spar. □ ~ *adamantino* adamantine spar, corundum; ~ *di ferro* spathic iron, siderite; ~ *di fluoro* fluorspar, fluorite; ~ *d'Islanda* Iceland spar (*o* crystal), calc-spar, calcite; ~ *pesante* heavy spar, barite.

spạtola *f.* **1.** spatula; (*per decoratori*) putty knife; (*nell'industria casearia*) breaker. – **2.** ⟨*Chir*⟩ spatula. – **3.** ⟨*Sport*⟩ (*negli sci*) ski-tip. – **4.** ⟨*Ornit*⟩ spoonbill (*Platalea leucorodia*). – **5.** ⟨*Itt*⟩ (*pesce sciabola*) scabbard fish (*Lepidopus caudatus*). □ ~ *per colore*: 1. ⟨*Tess*⟩ squeegee; 2. ⟨*Tip*⟩ palette-knife; ~ *per pittore* painting spatula.

spatolạto *a.* ⟨*Bot*⟩ spat(h)ulate.

spatolatụra *f.* spatulation; (*nell'industria casearia*) breaking.

spatriamẹnto *m.* ⟨*non com*⟩ (*espatrio*) expatriation; (*emigrazione*) emigration. – **spatriạre** *v.* (**spạtrio, spạtri**) ⟨*non com*⟩ **I** *v.t.* (*cacciare dalla patria*) to expatriate, to banish, to drive into exile. – **II** *v.i.* (*aus.* **avere**), **spatriarsi** *v.r.* to expatriate, to leave one's country; (*emigrare*) to emigrate.

spaurạcchio *m.* **1.** (*spaventapasseri*) scarecrow. – **2.** ⟨*fig*⟩ bugbear, bogey(man), bugaboo: *la matematica è il suo* ~ math is his bugbear.

spaurạre *v.t.* ⟨*ant*⟩ (*spaventare*) to frighten, to scare. – **spaurarsi** *v.r.* to be frightened (*o* scared). – **spaurạto** (*p.p. di spaurare*) *a.* ⟨*ant*⟩ (*spaventato*) frightened, scared, afraid.

spaurimẹnto *m.* (*lo spaurire*) frightening. – **spaurịre** *v.t.* (**spaurịsco, spaurịsci**) to frighten, to scare. – **spaurirsi** *v.r.* (*spaventarsi*) to be frightened (*o* scared), to take fright. – **spaurịto** (*p.p. di spaurire*) *a.* **1.** frightened, scared, afraid. – **2.** ⟨*estens*⟩ (*stanco, pallido*) wan, pale, pallid.

spavaldamẹnte *avv.* arrogantly, boldly. – **spavalderịa** *f.* **1.** arrogance, boldness, overconfidence, ⟨*fam*⟩ cockiness. – **2.** (*bravata*) boast, bragging. – **spavạldo** **I** *a.* **1.** arrogant, cocksure, overconfident, overbearing, ⟨*fam*⟩ cocky, ⟨*fam*⟩ uppish: *un giovane* ~ an arrogant youth. – **2.** (*audace, temerario*) bold, daring, dashing. – **II** *s.m.* (*f.* **-a**) arrogant (*o* cocksure) person; (*millantatore*) boaster, braggart. □ *fare lo* ~ to be a show-off (*o* braggart); *smetti di fare lo* ~ stop bragging.

spaventạbile *a.* ⟨*non com*⟩ frightenable.

spaventạcchio *m.* ⟨*tosc*⟩ → **spauracchio**.

spaventamẹnto *m.* ⟨*ant*⟩ (*lo spaventare*) frightening; (*lo spaventarsi*) taking fright.

spaventapạsseri *m.* scarecrow (*anche fig.*).

spaventạre *v.t.* (**spavẹnto**) **1.** to frighten, to scare: *quel rumore mi ha spaventato* that noise frightened me. – **2.** ⟨*estens*⟩ (*preoccupare*) to frighten, to worry, to alarm, to terrify: *il tuo stato di salute mi spaventa* the state of your health worries me. – **3.** ⟨*non com*⟩ (*distogliere*) to turn aside. – **spaventarsi** *v.r.* to be(come) frightened (*o* scared, terrified), to take (*o* get a) fright: *non spaventatevi* don't be frightened; (*rif. a cavalli*) to take fright, to shy. – **spaventạto** (*p.p. di spaventare*) *a.* frightened, afraid, scared: *il bambino era tutto* ~ the child was thoroughly frightened. – **spaventatọre** *m.* (*f.* **-trice**) ⟨*non com*⟩ frightener. – **spaventẹvole** *a.* **1.** frightening, frightful, fearful, terrifying. – **2.** (*orribile*) terrible, horrible, dreadful, awful, frightful. – **3.** ⟨*fig*⟩ (*enorme*) enormous, huge. – **spaventevolẹzza** *f.* ⟨*ant,rar*⟩ frightfulness. – **spaventevolmẹnte** *avv.* ⟨*non com*⟩ **1.** frightfully. – **2.** (*enormemente*) enormously.

spavẹnto *m.* **1.** fear, fright, scare, dread, ⟨*fam*⟩ funk: *provare uno* ~ to have a scare. – **2.** ⟨*iperb*⟩ (*persona molto brutta*) fright: *quella donna è uno* ~ that woman is a fright; (*cosa molto brutta*) fright. □ *brutto da fare* ~ frightfully ugly, hideous; *fare* (o *mettere*) ~ *a qd.* to frighten (*o* scare) s.o., to give s.o. a fright (*o* scare); ⟨*enfat*⟩ *morire di* (o *dallo*) ~ to die of fright, to be scared to death, ⟨*fam*⟩ to be in a blue funk; *prendersi uno* ~ to be frightened, to have (*o* get) a fright.

spaventosamẹnte *avv.* **1.** fearfully, frightfully, terribly. – **2.** ⟨*fam*⟩ (*moltissimo*) terribly, awfully, dreadfully, frightfully, extremely, very: *sono* ~ *stanco* I am terribly tired. – **spaventosità** *f.* ⟨*non com*⟩ frightfulness.

spaventọso *a.* **1.** frightful, dreadful, frightening, fearful, terrible: *una sciagura -a* a frightful disaster; (*terrificante*) terrifying, ghastly, awful, dreadful: *una visione -a* a dreadful sight. – **2.** ⟨*iperb*⟩ (*grande, incredibile*) tremendous, incredible, fantastic: *avere una fortuna -a* to have incredible luck. □ *in modo* ~ terribly, frightfully, very badly: *guida la macchina in modo* ~ he drives terribly.

spaziạle *a.* **1.** space-, spatial: *distribuzione* ~ spatial distribution, distribution in space. – **2.** ⟨*Filos,Arch*⟩ spatial. – **3.** ⟨*Astron*⟩ space-, spatial, of space: *volo* ~ space flight; *era* ~ space age; *la conquista* ~ the conquest of space. – **4.** ⟨*Mat*⟩ space-: *geometria* ~ space geometry.

spazialità *f.* ⟨*Arch,Pitt*⟩ spatiality, effect of space.

spazialiẓẓạre *v.t.* ⟨*Filos*⟩ to spatialize. – **spazialiẓẓaziọne** *f.* spatialization.

spaziamẹnto *m.* **1.** ⟨*non com*⟩ spacing (out); (*distanza*) space, spacing. – **2.** ⟨*Aer*⟩ distance between planes in flight formation.

spaziạre *v.* (**spạzio, spạzi**) **I** *v.t.* ⟨*Tip*⟩ to space. – **II** *v.i.* (*aus.* **avere**) **1.** to roam, to wander, to sweep: *le rondini spaziano nel cielo* the swallows sweep through the sky. – **2.** ⟨*fig*⟩ to range, to roam, to wander, to move freely: ~ *in* (o *per*) *tutti i campi del sapere* to range over all the fields of knowledge. – **spaziarsi** *v.r.* ⟨*ant*⟩ **1.** to roam, to wander, to sweep. – **2.** (*passeggiare*) to stroll.

spaziạto (*p.p. di spaziare*) **I** *a.* ⟨*Tip*⟩ spaced. – **II** *s.m.* ⟨*non com*⟩ → **spazieggiatura**. □ *non* ~ set solid; ~ *a un punto* one-point letter-spaced. – **spaziatọre** *a.* space-, spacing: *barra spaziatrice* space-bar. – **spaziatụra** *f.* **1.** ⟨*non com*⟩ spacing (out). – **2.** ⟨*Tip*⟩ spacing; (*mezzi usati per spaziare*) spaces *pl*, whites *pl*. – **spazieggiamẹnto** *m.* ⟨*non com*⟩ → **spazieggiatura**. – **spazieggiạre** *v.t.* (**spaziẹggio, spaziẹggi**) **1.** to space (out), to place at intervals. – **2.** ⟨*Tip*⟩ to letter-space, to space out. – **spazieggiatụra** *f.* ⟨*Tip*⟩ **1.** letter-spacing, interspacing, spacing out. – **2.** (*spazio*) letter-spacing, interspace.

spazientịre *v.t.* (**spazientịsco, spazientịsci**) to make lose one's patience. – **spazientirsi** *v.r.* to lose one's patience. – **spazientịto** (*p.p. di spazientire*) *a.* out of patience, irritable.

spaziettịno, spaziẹtto *m. dim. di* **spazio**.

spạzio *m.* **1.** space: *la conquista dello* ~ the conquest of space; *lanciare un'astronave nello* ~ to launch a spaceship into space. – **2.** (*posto*) room, space: *fammi un po' di* ~ make some room for me; *il tavolo occupa troppo* ~ the table takes up too much room; *l'articolo non è stato pubblicato per mancanza di* ~ the article was not published for lack of space. – **3.** (*distanza, intervallo*) space, distance: *lo* ~ *tra le file dei banchi* the space between the rows of desks; *scrivendo osserva gli spazi tra le righe* when you write ⌜leave the right amount of space between the lines⌝ (*o* space out the lines properly). – **4.** (*area, territorio*) space, area, extent: *destinare un vasto* ~ *alla semina del grano* to leave a large area for the sowing of corn. – **5.** (*rif. a tempo*) space, lapse (*o* period) of time, spell, *spesso non si traduce*: *fece la traduzione nello* ~ *di cinque giorni* he did the translation in (the space of) five days; *durò lo* ~ *di parecchi secoli* it lasted for many centuries. – **6.** ⟨*Geom,Mus*⟩ space. – **7.** ⟨*Tip*⟩

space: ~ *da 4* 4-em space. – **8.** ⟨*ant*⟩ (*comodità, agio*) comfort, ease.

□ ~ **aereo** air space; ~ *per* **affissi** billboard (*o* poster) space; *nello* ~ *di un* **anno** in a year, in a year's time, in the space (*o* course, period) of a year; (*entro un anno*) within a year; ⟨*Tip*⟩ ~ *in* **bianco** blank (space); *lasciare uno* ~ *bianco* to leave a blank space; ~ *di* **carico** loading space; ⟨*Mot*⟩ ~ *di* **compressione** compression space; ⟨*Aer*⟩ ~ *di* **decollo** take-off distance (*o* run); ~ **economico** economic area, market(ing) area, market(s); ⟨*El*⟩ ~ **esplosivo** spark gap; ⟨*Tip*⟩ *spazi* **fini** thin spaces; ⟨*Tip*⟩ *spazi* **finissimi** hair spaces; ⟨*Aut*⟩ ~ *di* **frenatura** braking distance; (*distanza di arresto*) stopping distance; ⟨*Aut,Ferr*⟩ ~ *per le* **gambe** leg room; ~ **geometrico** geometric space; ⟨*Anat*⟩ ~ **intercostale** intercostal space; ⟨*Zool*⟩ *spazi* **interdentari** diastemata *pl*; ~ **interplanetario** interplanetary (*o* outer) space; ⟨*Tip*⟩ ~ **mobile** spaceband, unit distance piece; ~ **morto**: 1. ⟨*Anat*⟩ (physiologic) dead space; 2. = *spazio* **nocivo**; ⟨*Mecc*⟩ ~ **nocivo** clearance (volume); **prendere** ~: 1. (*occuparlo*) to take up room; 2. ⟨*ant*⟩ (*allontanarsi*) to draw away; ⟨*Mat*⟩ ~ **proiettivo** projective space; ~ **pubblicitario** advertising space; ~ **pubblico** public square; *in breve* ~ *di* **tempo** in a short time, soon; ~ **vitale** lebensraum, living space.

spaziosamẹnte *avv.* spaciously. – **spaziosità** *f.* **1.** spaciousness, roominess. – **2.** (*ampiezza*) width, breadth. – **spaziọso** *a.* **1.** spacious, roomy. – **2.** (*ampio, largo*) spacious, wide, broad: *strade -e* broad streets.

spạzio-tẹmpo *m.* ⟨*Fis*⟩ space-time. – **spaziotemporạle** *a.* space -time-, of space-time.

spazza|camịno *m.* chimney-sweep. □ ⟨*Med*⟩ *cancro degli -i* chimney-sweeps' cancer. – **~focọne** *m.* ⟨*Artigl,ant*⟩ touch-hole cleaner. – **~fọrno** *m.* **1.** (*arnese*) oven-brush, oven-mop. – **2.** (*persona*) oven -man.

spazzamẹnto *m.* ⟨*non com*⟩ sweeping.

spazzamịne *m.inv.* ⟨*Mar*⟩ mine-sweeper.

spazzanẹve *m.inv.* **1.** ⟨*Strad,Ferr*⟩ snow-plough. – **2.** ⟨*Sport*⟩ snow -plough: *curva a* ~ snow-plough turn. □ ⟨*Ferr*⟩ ~ *a turbina* rotary snow-plough; ~ *a vomero* (o *rostro*) snow-plough with blades.

spazzạre *v.t.* **1.** to sweep: ~ *il pavimento* to sweep the floor; (*rif. a stanze*) to sweep out. – **2.** (*portar via*) to sweep away (*o* up), to remove: ~ *il sudiciume* to sweep away the dirt. – **3.** ⟨*fig*⟩ to sweep: *un forte vento spazzava le strade* a strong wind swept the streets; (*portar via*) to sweep (*o* drive) away: *il vento ha spazzato le nuvole* the wind has swept the clouds away. – **4.** ⟨*fig*⟩ (*ripulire, liberare*) to rid, to clean (*o* wipe) out, to sweep away, to clean up: ~ *la città dalla malavita* to rid the town of gangsterism, to clean up the town. – **5.** ⟨*fig*⟩ (*togliere di mezzo, distruggere*) to wipe out, to do away with, to destroy completely, to eliminate, to sweep away, to get rid of: ~ *i pregiudizi* to wipe out prejudice. – **6.** ⟨*Geom*⟩ to sweep. – **7.** ⟨*Mecc*⟩ to scavenge. □ ~ *via*: 1. to sweep away: ~ *via la polvere* to sweep away the dust; 2. ⟨*fig*⟩ to sweep (*o* drive) away; (*dissipare*) to dispel, to dissipate, to clear up (*o* away): *il sole ha spazzato via la nebbia* the sun dissipated (*o* cleared up) the fog; 3. ⟨*fig*⟩ (*distruggere*) to wipe out, to do away with, to destroy completely, to get rid of, to sweep away: *il ciclone ha spazzato via la casa* the cyclone swept the house away; 4. ⟨*fig*⟩ (*annientare con armi da fuoco*) to sweep, to rake; 5. ⟨*fig*⟩ (*mangiare*) to eat up, to clear, to go through, ⟨*fam*⟩ to polish off: *ha spazzato via tutto* he's polished off the lot; 6. (*fare piazza pulita*) to make a clean sweep.

spazzạta *f.* quick sweep(ing), sweep-out. □ *dare una* ~ *a qc.* to give s.th. a quick sweep; *dare una* ~ *a una stanza* to give a room a quick sweep-out. – **spazzatọio** *m.* oven-brush, oven-mop. – **spazzatọre** *m.* (*f.* -**trice**) ⟨*non com*⟩ sweeper. – **spazzatrịce** *f.* ⟨*Strad*⟩ street-sweeper. – **spazzatụra** *f.* **1.** (*lo spazzare*) sweeping. – **2.** (*il pulire*) cleaning, sweeping: ~ *delle strade* street-cleaning. – **3.** ⟨*concr*⟩ (*immondizia*) sweepings *pl*, rubbish, garbage, refuse, ⟨*am*⟩ trash. – **4.** ⟨*fig*⟩ (*cosa spregevole*) rubbish, junk, dirt: *mi tratta come se fossi* ~ he treats me like dirt. – **spazzaturạio** *m.* **1.** dustman, garbage collector. – **2.** (*spazzino*) street-cleaner, road-sweeper. – **spazzịno** *m.* **1.** street-cleaner, road-sweeper. – **2.** ⟨*non com*⟩ (*spazzaturaio*) dustman, garbage collector.

spạzzo *m.* ⟨*ant*⟩ **1.** (*spianata*) clearing. – **2.** (*pavimento*) floor. – **3.** (*unità di misura: di superficie*) old measure of area (3.18-3.93 m^2); (*di volume*) old measure of volume (1.72-3.79 m^3).

spạzzola *f.* **1.** brush (*anche El.*). – **2.** ⟨*Zool*⟩ (*nei cavalli*) fetlock. – **3.** ⟨*Entom*⟩ hairs *pl* (on the hind-legs of the worker bee).

□ *capelli tagliati* **a** ~ crew-cut hair; *baffi tagliati a* ~ toothbrush moustache; ~ *per* **abiti** clothes-brush; ~ *per* **bottiglie** bottle-brush; ~ *per* **capelli** hair-brush; ~ *per* **cappelli** hat-brush; ⟨*El*⟩ ~ *di* **carbone** carbon brush; ⟨*Bot*⟩ ~ *per* **cavalli** parsnip (*Pastinaca sativa*); ~ **cilindrica** rotary brush; ~ **circolare** circular brush; *dare un* **colpo** *di* ~ *a qc.* to give s.th. a quick brush(ing); ~ *a* **disco** brush -wheel; ⟨*Mot*⟩ ~ *del* **distributore** rotor (arm); ~ *di* **gomma** rubber brush; ~ *a* **manico** brush with a handle; ~ *per* **massaggio** massage (*o* body friction) brush; ~ **metallica** wire brush; ⟨*Met*⟩ scratch-brush; ⟨*Mus*⟩ *-e metalliche* (wire) brushes; ⟨*Bot*⟩ ~ *di* **palude** (*cannuccia*) ditch reed (*Phragmites vulgaris*); ~ **piatta** (*pennellessa*) flat brush; ⟨*Aut*⟩ ~ *del* **tergicristallo** windscreen wiper blade; ~ *per* **vestiti** = *spazzola per* **abiti**.

spazzolạio *m.* brush-maker.

spazzolạre *v.t.* (**spạzzolo**) **1.** to brush. – **2.** (*lucidare*) to polish. □ *spazzolarsi i capelli* to brush one's hair. – **spazzolạta** *f.* quick brush(ing), brush-up. □ *dare una* ~ *a qc.* to give s.th. a quick brushing (*o* brush-up). – **spazzolatịna** *f. dim. di* **spazzolata**. – **spazzolạto** (*p.p. di spazzolare*) *a.* **1.** brushed. – **2.** (*lucidato*) polished. – **spazzolatọre I** *s.m.* (*f.* -**trice**) **1.** brusher. – **2.** ⟨*Ind*⟩ brushing-machine operator. – **II** *a.* brushing. – **spazzolatrịce** *f.* ⟨*Ind*⟩ (*macchina*) brushing-machine. – **spazzolatụra** *f.* brushing. – **spazzolẹtta** *f. dim. di* **spazzola**. – **spazzolifịcio** *m.* brush factory. – **spazzolịna** *f. dim. di* **spazzola**.

spazzolịno (*dim. di spazzola*) *m.* **1.** (small) brush: ~ *per le scarpe* shoe-brush; ~ *per le unghie* nail-brush. – **2.** (*spazzolino da denti*) toothbrush.

spazzolọne (*accr. di spazzola*) *m.* (*per lavare i pavimenti*) scrub(bing) -brush; (*per lucidare*) floor-polisher.

SPE = ⟨*Mil*⟩ *servizio permanente effettivo* regular army.

speaker *ingl.* ['spi:kər] *m.* **1.** ⟨*Rad,TV*⟩ announcer; (*nello sport*) commentator. – **2.** ⟨*GB,SU*⟩ (*presidente della camera*) Speaker.

spec. = *specialmente* especially (*abbr.* esp.).

spẹcchia *f.* ⟨*Archeol*⟩ heap of stones.

specchiạio *m.* **1.** (*fabbricante*) mirror-manufacturer. – **2.** (*venditore*) mirror-seller. – **3.** (*riparatore*) mirror-repairer.

specchiạre *v.t.* (**spẹcchio, spẹcchi**) ⟨*ant*⟩ (*firmare mandati di pagamento*) to sign. – **specchiarsi** *v.r.* **1.** to look at o.s. in the mirror: *sta sempre a specchiarsi* she's always looking at herself in the mirror. – **2.** (*riflettersi: rif. a persone*) to look at one's reflection: ~ *nelle vetrine* to look at one's reflection in the shop-windows; (*rif. a cose*) to be reflected (*o* mirrored): *la casa si specchia nel lago* the house is reflected in the lake. – **3.** ⟨*fig*⟩ (*guardare come modello*) to model o.s. (*in* on, after), to take as one's example (s.o.).

specchiạto[1] (*p.p. di specchiare*) *a.* **1.** (*esemplare*) exemplary, model-, commendable, upright: *uomo di -e virtù* man of exemplary virtue. – **2.** ⟨*ant*⟩ (*rispecchiato*) reflected, mirrored. – **3.** ⟨*ant*⟩ (*rif. a pagamenti*) signed, authorized.

specchiạto[2] *a.* **1.** ⟨*non com*⟩ → **specchiettato**. – **2.** ⟨*Fal*⟩ having a kind of glossy graining.

specchiatụra *f.* **1.** ⟨*non com*⟩ (*lo specchiarsi*) looking at o.s. in the mirror. – **2.** (*pannello di porte*) door panel. – **3.** (*specchio*) mirror. – **4.** ⟨*Fal*⟩ kind of glossy graining.

specchiẹra *f.* ⟨*Arred*⟩ **1.** (large) mirror. – **2.** (*tavolino con lo specchio*) dressing-table.

specchiettạto *a.* ⟨*Zootecn*⟩ dappled. – **specchiettatụra** *f.* dappling, dapples *pl*.

specchiẹtto (*dim. di specchio*) *m.* **1.** (*da borsetta*) (handbag-)mirror. – **2.** (*prospetto riassuntivo*) table, synopsis, summary: ~ *dei verbi irregolari* table of irregular verbs. – **3.** ⟨*Venat*⟩ mirror decoy for luring skylarks. □ ⟨*fig*⟩ ~ *per allodole* lure, decoy, bait; ~ *a mano* hand-mirror; ~ *orale* dental (*o* mouth) mirror; ⟨*Aut*⟩ ~ *retrovisore* driving (*o* rear-view) mirror.

spẹcchio *m.* **1.** mirror, (looking-)glass: *guardarsi nello* (o *allo*) ~ to look at o.s. in the mirror. – **2.** ⟨*fig*⟩ (*immagine*) mirror, image, reflection: *gli occhi sono lo* ~ *dell'anima* the eyes are the mirror of the soul. – **3.** ⟨*fig*⟩ (*esemplare*) example, model, pattern, ⟨*lett*⟩ mirror: *uno* ~ *di probità* a model of honesty. – **4.** ⟨*fig*⟩ (*prospetto*) table, list, statement, ⟨*am*⟩ schedule; (*riassunto*) summary, synopsis; (*orario*) timetable, ⟨*am*⟩ schedule. – **5.** (*oggetto atto a riflettere*) mirror. – **6.** (*pannello di porte*) door panel. – **7.** ⟨*Sport*⟩ (*spazio della porta*) goal mouth. – **8.** ⟨*Legat*⟩(book-)cover. – **9.** ⟨*Ott,Astr*⟩ speculum. – **10.** ⟨*Ornit*⟩ speculum, mirror. – **11.** ⟨*Zool*⟩ (*musello*) part of the muzzle between nose and mouth. – **12.** ⟨*Oref*⟩ tinted glass. – **13.** *pl.* ⟨*Fal*⟩ coarse grain. – **14.** *pl.* ⟨*Mediev*⟩ speculum. – **15.** *pl.* ⟨*ant*⟩ (*enciclopedia*) encyclop(a)edia.

□ **a** ~ mirror-: *apparecchio* (o *strumento*) *a* ~ mirror instrument; *scrittura a* ~ mirror writing; *a* ~ *di* (*accanto a*) by, on, at: *una villa a* ~ *del mare* a house ⌜by the sea⌝ (*o* on the seashore); *essere a* ~ *dell'acqua* to be reflected in the water; ~ *d'***acqua** sheet (*o* expanse, stretch) of water; (*in un fiume*) level (*o* stretch) of water; ⟨*Gastr*⟩ **allo** ~ in gelatine (*o* aspic), glazed; ⟨*Min*⟩ ~ *d'***asino** selenite; ~ *da* **barba** shaving-mirror; *liscio* **come** *uno* ~ as smooth as a mirror, glassy, having a polished surface; *pulito come uno* ~ spotlessly clean, spick-and-span; ⟨*Ott*⟩ ~ **concavo** concave mirror; ~ **convesso** convex mirror; ~ **elettronico** electron mirror, ⟨*am*⟩ dynode; ⟨*TV*⟩ ~ **elicoidale** mirror screw; ⟨*rar*⟩ **farsi** ~ *di qd.* to model o.s. on s.o.; ⟨*Geol*⟩ ~ **freatico** phreatic stratum, ground-water table (*o* level, stratum); ⟨*Chir*⟩ ~ **frontale** forehead mirror; ⟨*Aut*⟩ ~ **interno** interior mirror; ~ *del* **lago** surface of the lake; ~ **magico** magic mirror; ~ **metallico** (o *di metallo*) metallic mirror; ~ **parabolico** parabolic mirror (*o* reflector); ⟨*Ott*⟩ ~ **piano** plane mirror; ⟨*Mar*⟩ ~ *di* **poppa** transom; ⟨*Ott*⟩ ~ *di* **proiezione** projection drawing mirror; ⟨*non com*⟩ ~ **retroscopico** = *specchio* **retrovisore**; ⟨*Aut*⟩ ~ **retrovisore** (o *retrovisivo*) driving (*o* rear-view) mirror; ~ *retrovisore antiabbagliante* anti-dazzle driving mirror, ⟨*am*⟩ antiglare rear-view mirror; ⟨*Cin*⟩ ~ **riflettore** reflecting mirror; ⟨*Fis*⟩ ~ **sferico** *concavo* spherical concave mirror; ~ *sferico convesso* spherical convex mirror; **stare** *allo* ~ to preen o.s. in the mirror; ~ **ustorio** burning glass; ⟨*Bot*⟩ ~ *di* **Venere** Venus's looking-glass (*Logouzia speculum-veneris*; *Specularia speculum-veneris*).

spẹce *avv./s.* ⟨*rar*⟩ → **specie**.

speciạle *a.* **1.** special: *ha avuto per lui uno* ~ *riguardo* he had a special regard for him. – **2.** (*particolare*) special, specific, particular, peculiar. – **3.** (*straordinario*) special, extraordinary, uncommon, unusual: *numero* ~ special issue. – **4.** (*di qualità superiore, scelto*) special, choice, premium, select, best quality-, fine: *birra* ~ premium beer. – **5.** (*che riguarda la specie*) special. ☐ *in modo* ~ (e)specially, particularly, in a special way.

specialista *m./f.* **1.** specialist, expert. – **2.** (*medico specialista*) specialist: *uno ~ delle malattie degli occhi* an eye specialist. – **3.** (*operaio specializzato*) skilled worker, technician, specialist. – **4.** ⟨*Mil,Sport*⟩ specialist.

specialistico *a.* (*pl.* **-ci**) **1.** specialistic, specialist-. – **2.** (*che concerne un medico specialista*) specialist-, specialist's, by (*o* of) a specialist: *visita -a* specialist's examination, examination by a specialist.

specialità *f.* **1.** (*particolarità, singolarità*) speciality, specialness, particularity. – **2.** (*settore, ramo*) special(i)ty, field, branch, line. – **3.** (*competenza, bravura*) special(i)ty, line: *le nature morte sono la ~ di questo pittore* still-lifes are this painter's speciality; ⟨*scherz*⟩ *rompere i bicchieri è la sua ~* his line is breaking glasses. – **4.** (*specialista*) expert, specialist, wizard, master, genius: *quel meccanico è una ~* that mechanic is a wizard. – **5.** (*prodotto caratteristico, piatto tipico*) special(i)ty: *questo piatto è una ~ del ristorante* this dish is a speciality of the restaurant. – **6.** ⟨*Sport*⟩ speciality. – **7.** ⟨*Mil*⟩ specialization, speciality. – **8.** ⟨*Aer*⟩ class, category. – **9.** ⟨*ant*⟩ (*particolare argomento*) particular subject. ☐ ⟨*Mil*⟩ ~ *d'arma* special branch; ~ *farmaceutica* (o *medicinale*) proprietary medicine, pharmaceutical (preparation).

specializzare *v.t.* **1.** to specialize. – **2.** ⟨*Mat*⟩ (*specificare*) to specify. – **specializzarsi** *v.r.* to specialize, to become a specialist (*o* an expert), to become specialized; (*rif. a medici*) to specialize. – **specializzato** (*p.p. di specializzare*) **I** *a.* **1.** specialized, skilled, expert: *industria -a* specialized industry. – **2.** ⟨*Biol*⟩ specialized. – **II** *s.m.* (*operaio specializzato*) skilled worker, technician, specialist. ☐ *medico* ~ specialist; *operaio non* ~ unskilled worker. – **specializzazione** *f.* **1.** specialization. – **2.** (*l'essere specializzato*) specialization. – **3.** ⟨*Univ*⟩ (field of) specialization, ⟨*am*⟩ major.

specialmente *avv.* **1.** especially, ⟨*fam*⟩ specially. – **2.** (*particolarmente*) especially, particularly. – **3.** (*soprattutto*) especially, above all.

specie **I** *s.f.inv.* **1.** kind, sort, type: *che ~ d'uomo è costui?* what kind of man is he?; *merci di diverse ~* merchandise of various kinds; *ci sono diverse ~ di contratti* there are various kinds of contracts. – **2.** (*aspetto*) (outward) form, aspect, ⟨*lett*⟩ species: *apparve in ~ di angelo* he appeared in the form of an angel. – **3.** ⟨*Biol*⟩ species. – **4.** ⟨*Mat*⟩ quantity, species. – **5.** ⟨*Teol*⟩ species: *sotto le ~ del pane e del vino* under the species of bread and wine. – **II** *avv.* (*specialmente*) especially, particularly, in particular: *il film è piaciuto ~ ai ragazzi* the film pleased the children in particular. ☐ **fare** ~ *a qd.* to cause surprise to s.o., to surprise s.o.: *la sua assenza mi fa ~* his absence surprises me; *mi fa ~ di te* I am surprised at you; ~ **farmaceutica** species, simple; **in** ~ → **specialmente**; ⟨*Biol*⟩ ~ **linneana** Linnaean species; ~ **monetaria** (monetary) specie; *della* **peggior** ~ of the worst kind (*o* type, sort); **sotto** ~ *di*: 1. (*in aspetto di*) under the appearance of; 2. (*in forma di*) in the form of; 3. (*sotto il pretesto di*) under the pretext of; ~ **umana** humankind, mankind, humanity; *in ~ umana* in human shape; **una** ~ *di* a sort (*o* kind) of, some sort of, of sorts: *il terreno fece una ~ di avvallamento* the ground formed a sort of hollow; ⟨*spreg*⟩ *mi hanno dato una ~ di brodaglia* they gave me a kind of watery soup; *non è proprio un castello, ma una ~* it's not exactly a castle, but ⌜like one⌝ (*o* sort of), it's a castle of sorts.

specifica *f.* ⟨*Comm,burocr*⟩ (*distinta*) detailed list: *fatemi avere una ~* please send me a detailed list; (*nota*) detailed (*o* itemized) bill.

specificabile *a.* specifiable.

specificamente *avv.* **1.** specifically. – **2.** (*specialmente*) especially, particularly, in particular, specifically.

specificare *v.t.* (**specifico, specifichi**) **1.** to specify, to state precisely, to mention explicitly: ~ *le circostanze in cui è avvenuto il delitto* to specify the circumstances in which the crime occurred. – **2.** (*elencare dettagliatamente*) to list in detail. – **3.** ⟨*non com*⟩ (*pronunciare chiaramente*) to pronounce clearly. – **specificatamente** *avv.* in detail, precisely. – **specificativo** *a.* ⟨*non com*⟩ specifying, specificative. ☐ ⟨*Gramm*⟩ *complemento* ~ specifying complement, genitive case. – **specificato** (*p.p. di specificare*) *a.* specified. – **specificatore** *m.* (*f.* **-trice**) specifier. – **specificazione** *f.* **1.** (*lo specificare*) specification, specifying. – **2.** (*indicazione particolareggiata*) specification; (*descrizione dettagliata*) specification, detailed description. – **3.** ⟨*Filos,Dir*⟩ specification. ☐ ⟨*Gramm*⟩ *complemento di* ~ genitive case. – **specificità** *f.* **1.** specificity, specificness. – **2.** (*particolarità*) specificity.

specifico *a./s.* (*pl.* **-ci**) **I** *a.* **1.** (*della specie*) specific, of the species: *differenze specifiche* specific differences; (*caratteristico*) characteristic, specific. – **2.** (*particolare, determinato*) specific, particular: *preparazione -a* specific preparation. – **3.** (*precisato*) specific, precise, explicit: *accuse specifiche* specific accusations. – **4.** ⟨*Fis,Med*⟩ specific: *peso* ~ specific weight (*o* gravity). – **II** *s.m.* ⟨*Med*⟩ **1.** (*medicina*) medicine, medication. – **2.** (*rimedio specifico*) specific (remedy).

specillare *v.t.* ⟨*Chir*⟩ to probe. – **specillo** *m.* probe.

specime *m.* ⟨*rar*⟩ → **specimen**. – **specimen** *lat. m.* (*pl. rar.* **specimina**) **1.** (*saggio*) specimen, sample. – **2.** ⟨*Edit*⟩ specimen. – **3.** ⟨*Econ*⟩ handwriting (*o* signature) specimen.

speciografia *f.* speciography. – **speciografo** *m.* (*f.* **-a**) speciographer.

speciosamente *avv.* speciously. – **speciosità** *f.* **1.** (*apparenza ingannevole*) speciousness, speciosity. – **2.** ⟨*ant*⟩ (*bellezza*) beauty. – **specioso** *a.* ⟨*lett*⟩ **1.** specious, ostensible: *giustificazione -a* specious justification. – **2.** ⟨*ant*⟩ (*bello, appariscente*) beautiful, showy.

speco *m.* (*pl.* **-chi**) **1.** ⟨*lett*⟩ (*antro*) cave, cavern. – **2.** ⟨*Archeol*⟩ specus. ☐ ⟨*Anat*⟩ ~ *vertebrale* spinal (*o* vertebral) canal.

specola *f.* **1.** (*osservatorio astronomico*) observatory. – **2.** (*parte elevata di un edificio*) raised part of a building.

specolare *v.* (**specolo**) ⟨*ant*⟩ → **speculare**[1].

specolo *m.* ⟨*Med*⟩ speculum.

speculabile *a.* that admits of speculation. – **speculamento** *m.* ⟨*non com*⟩ speculation.

speculare[1] *v.* (**speculo**) **I** *v.i.* (*aus.* **avere**) **1.** (*indagare con l'intelletto*) to speculate. – **2.** ⟨*Econ*⟩ to speculate: ~ *in borsa* to speculate on the Stock-Exchange. – **3.** ⟨*estens,spreg*⟩ (*sfruttare una situazione*) to take advantage (*su* of), to turn to one's own end (*o* advantage), to exploit (s.th.), to cash in (on): ~ *sull'ignoranza altrui* to take advantage of other people's ignorance. – **II** *v.t.* **1.** (*indagare con la ragione*) to contemplate, to consider, to reflect upon, to investigate, to inquire (*o* delve) into. – **2.** ⟨*ant*⟩ (*osservare*) to observe. ☐ ⟨*Econ*⟩ ~ *al rialzo* to bull; ~ *al ribasso* to bear.

speculare[2] *a.* specular, mirror-, of a mirror.

specularite *f.* ⟨*Min*⟩ specular iron (ore), speculite.

specularmente *avv.* (*secondo una riflessione speculare*) specularly.

speculativa *f.* ⟨*ant*⟩ **1.** (*facoltà*) speculation, speculative faculty. – **2.** (*attività*) speculation. – **speculativamente** *avv.* ⟨*non com*⟩ **1.** speculatively. – **2.** (*teoricamente*) speculatively, theoretically. – **speculativo** *a.* **1.** speculative: *mente -a* speculative mind. – **2.** (*che ha come scopo la ricerca teoretica*) speculative, theoretical: *conoscenza -a* speculative knowledge. – **3.** ⟨*Econ*⟩ speculative, risky.

speculatore **I** *s.m.* (*f.* **-trice**) **1.** speculator, contemplator. – **2.** ⟨*Econ*⟩ speculator. – **3.** ⟨*Mil.ant*⟩ (*osservatore*) observer, look-out; (*esploratore*) scout. – **4.** ⟨*spreg*⟩ profiteer, speculator, promoter. – **II** *a.* **1.** speculative. – **2.** ⟨*Econ*⟩ speculative, risky. ☐ ~ *di borsa* (stock-) jobber, stockbroker; ~ *al rialzo* bull; ~ *al ribasso* bear.

speculatorio *a.* ⟨*Econ*⟩ speculative.

speculazioncella, speculazioncina *f. dim. di* **speculazione**.

speculazione *f.* **1.** speculation: *essere portati alla ~* to be given to speculation. – **2.** (*pensiero*) thought, meditation. – **3.** ⟨*Econ*⟩ speculation. – **4.** ⟨*spreg*⟩ gamble, play: ~ *politica* political gamble. ☐ ⟨*Econ*⟩ ~ *di borsa* speculation on the Stock-Exchange; ~ *al rialzo* bull speculation; ~ *al ribasso* bear speculation.

speculite *f.* ⟨*Min*⟩ (*silvanite*) sylvanite, silvanite, graphic tellurium.

spedale *m.* ⟨*tosc*⟩ (*ospedale*) hospital. – **spedaliere** **I** *a.* ⟨*ant*⟩ (*ospedaliero*) hospital-. – **II** *s.m.* (*rettore di ospedale*) hospital director. – **spedalingo** *m.* (*pl.* **-ghi**) ⟨*ant*⟩ (*rettore di ospedale*) hospital director. – **spedalità** *f.* ⟨*burocr*⟩ **1.** (*ricovero*) sending (*o* taking) to hospital, ⟨*am*⟩ hospitalization. – **2.** (*degenza*) stay in hospital, ⟨*am*⟩ hospitalization. – **3.** (*spesa*) hospital expenses *pl.* – **spedalizzare** *v.t.* (*ospedalizzare*) to admit (*o* send) to hospital, ⟨*am*⟩ to hospitalize.

spedantire *v.t.* (**spedantisco, spedantisci**) ⟨*non com*⟩ (*rendere meno pedante*) to make less pedantic.

spedare *v.t.* (**spedo**) **1.** ⟨*non com*⟩ (*fiaccare i piedi*) to tire, to wear out. – **2.** ⟨*Mar*⟩ to weigh. – **spedarsi** *v.r.* to be footsore, to walk o.s. off one's feet. – **spedato** (*p.p. di spedare*) *a.* **1.** ⟨*non com*⟩ footsore. – **2.** ⟨*Mar*⟩ clear, aweigh.

spediente *m.* ⟨*ant,pop*⟩ (*espediente*) expedient.

spedire *v.t.* (**spedisco, spedisci**) **1.** to send, to dispatch, to ship: ~ *un pacco* to send a package; (*per posta*) to post, to mail, to send; (*via mare*) to ship; (*inoltrare*) to forward. – **2.** (*mandare*) to send: *ha spedito i figli dai nonni* he sent the children to their grandparents'. – **3.** ⟨*ant*⟩ (*sbrigare*) to expedite, to dispatch; (*fare, eseguire*) to execute, to do. – **4.** ⟨*ant*⟩ (*pagare*) to pay, to settle; (*autorizzare l'uscita di merci dalla dogana*) to clear through Customs. – **5.** ⟨*ant*⟩ (*liberare*) to free. – **spedirsi** *v.r.* ⟨*ant*⟩ **1.** (*disimpegnarsi*) to free o.s. (*da* from), to get out (of). – **2.** ⟨*rar*⟩ (*affrettarsi*) to hurry, to hasten. ☐ ⟨*Dir*⟩ ~ *una causa* to try and set action down for judgement; ⟨*pop*⟩ ~ *qd. all'altro mondo* to liquidate s.o., ⟨*fam*⟩ to send s.o. to kingdom come, ⟨*fam*⟩ to bump s.o. off; ~ *una ricetta* to make up a prescription; ⟨*Dir*⟩ ~ *una sentenza* (*emetterla*) to pass a sentence. || ⟨*Post*⟩ *spedisce Mario Rossi* from Mario Rossi.

speditamente *avv.* **1.** (*presto*) expeditiously, quickly, fast: *camminare ~* to walk quickly; (*in modo sbrigativo*) hastily. – **2.** (*correntemente*) easily, fluently, smoothly: *parlare ~ una lingua* to speak a language fluently. – **3.** (*con chiarezza*) clearly. – **speditezza** *f.* **1.** expeditiousness, expedition, dispatch. – **2.** (*prontezza*) promptness, readiness; (*celerità*) speed, quickness, haste. – **3.** (*nel parlare, nello scrivere*) fluency. – **speditivo** *a.* ⟨*non com*⟩ (*sbrigativo*) expeditious, quick.

spedito (*p.p. di spedire*) **I** *a.* **1.** (*sciolto*) fluent, easy, smooth, free: *pronuncia -a* fluent pronunciation. – **2.** (*svelto*) quick, fast: *passo ~* quick pace. – **3.** (*pronto*) ready, prompt. – **4.** ⟨*fam*⟩ (*spacciato*) done for, hopeless, beyond hope. – **5.** ⟨*ant*⟩ (*libero da legami*) free, unbound. – **II** *avv.* **1.** (*velocemente*) quickly, fast: *camminare ~* to walk quickly. – **2.** (*correntemente*) fluently, easily: *parlare ~* to speak fluently.

speditore **I** *s.m.* (*f.* **-trice**) ⟨*non com*⟩ **1.** sender. – **2.** (*mittente*) sender, dispatcher. – **II** *a.* forwarding.

spedizione *f.* **1.** (*invio*) sending, dispatch(ing), shipping, shipment;

(*per posta*) posting, mailing, sending; (*via mare*) shipping, shipment; (*l'inoltrare*) forwarding. – **2.** (*cosa spedita*) shipment, consignment. – **3.** (*trasporto*) shipment, dispatch(ing), forwarding, freight, transportation, carriage: ~ *aerea* shipment by air, air-freight. – **4.** (*impresa scientifica o militare*) expedition: ~ *geografica* geographical expedition; ⟨*collett*⟩ expedition. – **5.** ⟨*fam,scherz*⟩ expedition, foray, raid. – **6.** ⟨*Comm*⟩ (*imbarco*) embarkation, shipment, loading. – **7.** ⟨*ant*⟩ (*bolletta doganale*) customs entry.

□ **avviso** *di* ~ advice-note; **casa** *di* ~ shipping company, shippers *pl*, shipper, forwarder; **contratto** *di* ~ contract of carriage, shipping contract; ⟨*Mil*⟩ **corpo** *di* ~ expeditionary force; ~ *in* **dogana** clearance through customs; ⟨*Dir*⟩ ~ *in forma* **esecutiva** issue of judgement warranting levy of execution; ~ *per* **espresso** express shipment; **fare** *una* ~ to send a consignment; ~ **militare** military expedition; ~ **punitiva** punitive expedition; **spese** *di* ~ shipping charges; **ufficio** *di* ~ shipping department.

spedizioniẹre *m.* **1.** shipping (*o* forwarding) agent, (freight) forwarder, shipper(s). – **2.** ⟨*Stor*⟩ (*nella curia*) diocesan representative. □ ~*-vettore* shipper-carrier.

spẹglio *m.* ⟨*ant*⟩ → **specchio.**

spegnạre *v.t.* (**spẹgno**) to ⌜redeem from⌝ (*o* take out of) pawn, ⟨*fam*⟩ to get out of hock.

spẹgnere (o *spẹgnere*) *v.t.* (**spẹngo/spẹngo, spẹgni/spẹgni**/*tosc.* **spẹngi; spẹnsi/spẹnsi, spẹnto/spẹnto**) **1.** to extinguish, to put out, to douse: ~ *il fuoco* to put out the fire; (*soffiando*) to blow out: *spegni la candela* blow out the candle. – **2.** (*rif. ad apparecchi elettrici*) to switch (*o* turn) off: ~ *la radio* to turn off the radio; ~ *la luce* to switch off the light. – **3.** (*rif. a gas*) to turn off. – **4.** (*rif. a macchine, motori e sim.*) to turn off, to stop, to kill, to cut. – **5.** ⟨*fig*⟩ (*far svanire*) to obliterate, to erase, to blot (*o* wipe) out: *il tempo ha spento il ricordo* time has obliterated the memory. – **6.** (*smorzare*) to muffle, to dull, to dim, to weaken, to damp, to lessen: *la neve spegne i rumori* the snow muffles noises. – **7.** ⟨*fig*⟩ (*uccidere*) to kill. – **8.** ⟨*non com*⟩ (*pagare, saldare*) to pay (up), to settle; (*rif. a debiti*) to wipe out, to discharge. – **spegnersi** *v.r.* **1.** to go (*o* die, burn) out: *il fuoco s'è spento* the fire has died out; *mi si è spento il sigaro* my cigar has gone out. – **2.** (*rif. a corrente e sim.*) to go out (*o* off); (*rif. a gas*) to go out; (*rif. a macchine e sim.*) to stop, to stall, to die, ⟨*fam*⟩ to conk out: *il motore si spegne facilmente* the engine stalls easily. – **3.** ⟨*fig*⟩ (*venir meno*) to fade (*o* die) away, to die down, to disappear: *il mio entusiasmo si sta spegnendo* my enthusiasm is dying away; (*scomparire*) to die, to disappear, to fade away: *il sorriso le si spense sulle labbra* the smile died on her lips. – **4.** ⟨*fig*⟩ (*morire*) to die, to pass away: *si è spento tre giorni fa* he died three days ago. □ ⟨*Met*⟩ ~ *l'altoforno* to blow out the blast-furnace; ~ *la calce* to slake (*o* quench) lime; ~ *la farina* to mix flour with water; ⟨*fig*⟩ ~ *la sete* to quench one's thirst; ~ *una sigaretta* (*schiacciandola*) to stub out a cigarette.

spegnịbile *a.* ⟨*rar*⟩ extinguishable.

spegnimẹnto *m.* **1.** (*lo spegnere*) extinguishing, putting out; (*lo spegnersi*) going (*o* dying) out. – **2.** (*rif. ad apparecchi elettrici*) switching (*o* turning) off, putting out. – **3.** (*rif. a gas*) turning off. – **4.** (*rif. a macchine e sim.*) turning off, stopping; (*arresto*) stop(ping), stalling, cutting out. □ ~ *della calce* slaking (*o* quenching) of lime; ⟨*Met*⟩ ~ *di un forno* blowing out; ⟨*Atom*⟩ ~ *di un reattore* shut-down.

spegnitọio *m.* snuffer, extinguisher. – **spegnitọre I** *s.m.* (*f.* **-trice**) **1.** extinguisher. – **2.** ⟨*fig*⟩ extinguisher, quencher, subduer. – **II** *a.* **1.** extinguishing. – **2.** ⟨*fig*⟩ extinguishing, quenching, obliterating. – **spegnitụra** *f.* **1.** extinguishing, putting out, dousing; (*soffiando*) blowing out; (*lo smoccolare*) snuffing. – **2.** (*rif. ad apparecchi elettrici*) switching (*o* turning) off, putting out. – **3.** (*rif. a gas*) turning off. – **4.** (*rif. a macchine e sim.*) turning off, stopping, killing, cutting.

spelacchiamẹnto *m.* ⟨*non com*⟩ **1.** (*atto*) tearing out (patches of) hair (*o* fur). – **2.** (*effetto*) bare (*o* bald) patch. – **spelacchiạre** *v.t.* (**spelạcchio, spelạcchi**) to tear (patches of) the hair (*o* fur) off: *perchè hai spelacchiato il tuo orsacchiotto?* why have you torn the fur off your teddy-bear? – **spelacchiarsi** *v.r.* to lose (patches of) hair (*o* fur). – **spelacchiạto** (*p.p. di spelacchiare*) *a.* **1.** (*che ha pochi peli*) mangy, scanty-haired: *gatto* ~ mangy cat; (*che ha pochi capelli*) balding; (*senza capelli*) bald: *un vecchio* ~ a bald old man. – **2.** (*logoro*) worn-out, threadbare, shabby, mangy: *una pelliccia -a* a worn-out fur coat. – **3.** (*che ha poche penne*) sparsely feathered, with few feathers left.

spelagạre *v.* (**spẹlago, spẹlaghi**) ⟨*ant*⟩ **I** *v.t.* **1.** (*togliere dal pelago*) to rescue from the sea. – **2.** ⟨*fig*⟩ (*liberare*) to rescue from a predicament (*o* an awkward situation). – **II** *v.i.* (*aus.* **essere**) **1.** (*uscire dal pelago*) to be rescued from the sea. – **2.** ⟨*fig*⟩ (*trarsi d'impaccio*) to get out of a predicament (*o* an awkward situation).

spelạia *f.* **1.** floss silk. – **2.** (*cascame di seta*) silk waste.

spelạre *v.* (**spẹlo**) **I** *v.t.* to remove the hair from. – **II** *v.i.* (*aus.* **avere**), **spelarsi** *v.r.* **1.** (*perdere il pelo*) to lose fur (*o* hair), to become mangy. – **2.** (*perdere i capelli*) to lose one's hair, to go (*o* become) bald. □ *la pelliccia comincia a spelarsi* the fur is getting mangy (*o* bare patches).

spelatụra *f.* **1.** ⟨*non com*⟩ losing fur (*o* hair); (*parte spelata*) bare (*o* bald) patch. – **2.** ⟨*Tess*⟩ (*cascame di cotone*) cotton waste.

spẹlda *f.* ⟨*region*⟩ → **spelta.**

spelẹo I *a.* (*delle caverne*) cave-, spel(a)ean, speluncar: *orso* ~ cave-bear. – **II** *s.m.* ⟨*rar*⟩ (*caverna*) cave, cavern.

speleo... *pref.* (*caverna* cave) spel(a)eo..., cave-.

speleo|biologịa *f.* cave biology. – **~botạnica** *f.* cave botany. – **~grafịa** *f.* descriptive spel(a)eology.

speleologịa *f.* spel(a)eology. □ ~ *descrittiva* → **speleografia**; ~ *morfologica* → **speleomorfologia.** – **speleolọgico** *a.* (*pl.* **-ci**) spel(a)eological. – **speleọlogo** *m.* (*pl.* **-gi**/*pop.* **-ghi**; *f.* **-a**) spel(a)eologist.

speleo|meteorologịa *f.* cave meteorology. – **~morfologịa** *f.* morphological spel(a)eology. – **~paleontologịa** *f.* cave pal(a)eontology. – **~paletnologịa** *f.* cave paleethnology. – **~zoologịa** *f.* cave zoology.

spellamẹnto *m.* ⟨*non com*⟩ skinning, flaying.

spellạre *v.t.* (**spẹllo**) **1.** to skin, to flay. – **2.** (*produrre un'escoriazione*) to skin, to scrape, to graze: ~ *un ginocchio* to graze a knee. – **3.** ⟨*fam*⟩ (*chiedere prezzi esosi*) to fleece, to skin: *in questo negozio mi hanno spellato* they fleeced me in this shop. – **spellarsi** *v.r.* **1.** to peel: *mi si spella il naso* my nose is peeling. – **2.** (*prodursi un'escoriazione*) to skin (o.s.), to scrape (o.s.), to graze (o.s.); (*nelle malattie*) to desquamate, to peel, to scale off. – **3.** ⟨*Zool*⟩ to slough (*o* shed, cast off) one's skin, to exuviate, to moult.

spellatrịce *f.* ⟨*Agr*⟩ polisher.

spellatụra *f.* **1.** skinning, flaying. – **2.** (*escoriazione*) graze, scrape.

spellicciạre *v.t.* (**spellịccio, spellịcci**) ⟨*non com*⟩ **1.** (*levare il pelo*) to tear the hair (*o* fur) from; (*levare la pelle*) to skin, to flay. – **2.** ⟨*fig*⟩ (*picchiare*) to beat; (*malmenare*) to ill-treat, to abuse, to rough up. – **3.** ⟨*fig*⟩ (*sottoporre a un esame difficile*) to put a student through a hard examination. – **4.** ⟨*fig*⟩ (*sfruttare, cavar soldi*) to fleece, to skin. – **spellicciarsi** *v.r.* **1.** (*rif. a cani: azzuffarsi*) to fight. – **2.** (*rif. a persone: picchiarsi rabbiosamente*) to beat e.o. (up).

spelọnca *f.* **1.** (*caverna*) cavern, cave. – **2.** ⟨*fig*⟩ (*abitazione tetra*) hole, hovel. – **3.** ⟨*ant*⟩ (*covo di banditi*) (thieves') den.

spẹlta *f.* ⟨*Bot*⟩ spel(z) (*Triticum spelta*). □ *grande* ~ (*farro*) emmer (*Triticum dicoccum*); *piccola* ~ (cultivated) einkorn (*Triticum monococcum*).

spelụnca *f.* ⟨*ant,pop*⟩ → **spelonca.**

spẹme *f.* ⟨*poet*⟩ (*speranza*) hope.

spencer *ingl.* ['spensər] *m.* ⟨*Vest*⟩ **1.** (*gilè*) waistcoat, ⟨*am*⟩ vest. – **2.** ⟨*Stor*⟩ spencer.

spendacciọne *m.* (*f.* **-a**) spendthrift, squanderer, wastrel, prodigal.

spẹndere *v.t.* (**spẹsi, spẹso**) **1.** to spend, to expend, to disburse, to pay out: ~ *mille lire in dolciumi* to spend a thousand lire on sweets. – **2.** ⟨*fig*⟩ (*impiegare*) to use, to make use of, to employ, to spend: ~ *tutte le proprie forze in qc.* to employ (*o* spend) all one's energies on s.th.; (*rif. a tempo*) to spend: *ha speso una settimana per questo lavoro* he spent a week on this job. – **3.** ⟨*fig*⟩ (*sprecare*) to waste, to throw away: ~ *il fiato* to waste one's breath. – **4.** ⟨*assol*⟩ to spend money.

□ ~ **bene** to spend one's money well (*o* wisely), to make good use of one's money; *in questo negozio si spende bene* this shop has very reasonable prices; *senza* ~ **fatica** easily, effortlessly; ⟨*fig*⟩ ~ *il* **nome** *di qd.* to use s.o.'s name; ~ *una buona* **parola** *per qd.* to put in a good word for s.o.; ⟨*pop*⟩ ~ *un* **patrimonio** to spend a fortune (*o* mint of money); **saper** ~ = *spendere* **bene**; ⟨*fam*⟩ ~ *e* **spandere** to spend money like water, to throw one's money around. – *Prov.*: *chi più spende meno spende* cheapest is dearest.

spenderẹccio *a.* **1.** lavish, extravagant; (*scialacquatore*) spendthrift, squandering, prodigal. – **2.** (*costoso*) expensive, costly, dear. – **3.** ⟨*ant*⟩ → **spendibile.** – **spendịbile** *a.* spendable. – **spendibilità** *f.* ability to be spent.

spendicchiạre *v.t.* (**spendịcchio, spendịcchi**) **1.** (*spendere poco e con attenzione*) to spend cautiously. – **2.** (*spendere volentieri*) to get through a lot of.

spẹndio *m.* ⟨*ant*⟩ (*spesa*) expenditure, expense. – **spẹndita** *f.* ⟨*non com*⟩ spending. – **spenditọre** *m.* (*f.* **-trice**) **1.** spender. – **2.** ⟨*Mar.mil*⟩ purchaser of provisions. – **3.** ⟨*Stor*⟩ steward, purveyor.

spendolạre *v.t.* (**spẹndolo**) to hang, to dangle.

spenducchiạre *v.* → **spendicchiare.**

spẹne *f.* ⟨*non com*⟩ → **speme.**

spẹngere (o *spẹngere*) *v.* (**spẹngo/spẹngo, spẹngi/spẹngi**) ⟨*tosc,lett*⟩ → **spegnere.** – **spengịbile** *a.* ⟨*tosc,lett*⟩ → **spegnibile.** – **spengitọio** *m.* ⟨*tosc,lett*⟩ → **spegnitoio.** – **spengitọre** *a./s.* ⟨*tosc,lett*⟩ → **spegnitore.**

spennacchiạre *v.* (**spennạcchio, spennạcchi**) **1.** (*privare parzialmente delle penne*) to pluck. – **2.** ⟨*fam*⟩ (*chiedere prezzi esosi*) to fleece. – **spennacchiạto** (*p.p. di spennacchiare*) *a.* **1.** plucked. – **2.** ⟨*scherz*⟩ (*privo di capelli*) bald. – **3.** ⟨*fig,non com*⟩ (*scornato*) dismayed.

spennacchịno *m.* ⟨*Ornit*⟩ (*sgarza ciuffetto*) squacco heron (*Ardeola ralloides*).

spennạcchio *m.* ⟨*ant*⟩ (*pennacchio*) plume.

spennạre *v.t.* (**spẹnno**) **1.** to pluck: ~ *un pollo* to pluck a chicken. – **2.** ⟨*fam*⟩ (*chiedere prezzi esosi*) to fleece, to skin, to pluck. – **spennarsi** *v.r.* to lose feathers; (*fare la muta*) to moult. – **spennạta** *f.* plucking. □ *dare una* ~ *a una gallina* to pluck a hen. – **spennạto** (*p.p. di spennare*) *a.* plucked. – **spennatụra** *f.* **1.** plucking. – **2.** ⟨*fig*⟩ fleecing, skinning, plucking.

spennazzịo *m.* ⟨*Venat*⟩ scattered feathers *pl.*

spennellạre *v.t.* (**spennẹllo**) **1.** to paint. – **2.** (*con sostanze medicinali*) to paint, to swab. – **3.** ⟨*assol*⟩ (*dipingere*) to distemper; (*verniciare*) to paint. – **spennellạta** *f.* **1.** painting. – **2.** (*tratto di pennello*) stroke of the brush. – **3.** (*verniciatura*) painting. □ *dare una* ~ *a qc.* to paint s.th.; (*verniciare*) to paint s.th. – **spennellatụra**

f. **1.** (*lo spennellare*) painting, swabbing. – **2.** ⟨*Med*⟩ painting, swabbing.
spẹnsi (o *spẹnsi*) *p.rem. di* **spegnere**.
spensieratạggine *f.* **1.** (*leggerezza*) irresponsibility, frivolity. – **2.** (*azione leggera*) irresponsible behaviour, carelessness. – **3.** (*negligenza, trascuratezza*) thoughtlessness, carelessness, heedlessness, negligence.
spensieratamẹnte *avv.* in a carefree (*o* light-hearted, happy-go-lucky) way, free from care. – **spensieratẹzza** *f.* light-heartedness, frivolity. – **spensieratọ I** *a.* **1.** carefree; (*sereno, allegro*) light-hearted, carefree, happy(-go-lucky): *gioventù -a* carefree youth. – **2.** ⟨*ant*⟩ (*trascurato, negligente*) thoughtless, heedless, careless, negligent. – **II** *s.m.* (*f.* **-a**) ⟨*ant*⟩ negligent (*o* thoughtless) person.
spẹnto (*o spẹnto*) (*p.p. di spegnere*) *a.* **1.** extinguished, put out, doused, ⟨*pred*⟩ out; (*che si è spento*) ⟨*pred*⟩ out, burnt-out: *il fuoco è* ~ the fire is (*o* has gone) out; *sigaretta -a* burnt-out cigarette; (*estinto*) extinct: *vulcano* ~ extinct volcano. – **2.** (*rif. ad apparecchi elettrici*) ⟨*pred*⟩ off, ⟨*pred*⟩ out, switched (*o* turned) off, put out: *la luce è -a* the light is off; (*rif. a gas*) ⟨*pred*⟩ off, turned off; (*rif. a macchine e sim.*) ⟨*pred*⟩ off, turned off, stopped. – **3.** ⟨*fig*⟩ (*smorzato*) dull, dead: *colori -i* dull colours. – **4.** ⟨*fig*⟩ (*privo di vivacità*) lifeless, dead, dull, expressionless: *occhi -i* lifeless eyes. – **5.** (*morto*) lifeless, dead. – **6.** (*rif. a farina*) mixed with water. – **7.** (*rif. a calce*) slaked, quenched. – **8.** ⟨*lett*⟩ (*vuoto*) empty.
spenzolạre *v.* (**spẹnzolo**) **I** *v.t.* to hang, to dangle. – **II** *v.i.* (*aus.* **avere**) to hang, to dangle. – **spenzolarsi** *v.r.* to hang, to dangle, to swing. – **spenzolạto** (*p.p. di spenzolare*) *a.* hanging, dangling, drooping. – **spenzolọni** (o *spenzolọne*) *avv.* dangling, hanging down: *con le gambe* ~ with one's legs dangling.
spẹpa *f.* ⟨*non com*⟩ → **spepera**. – **spẹpera** *f.* ⟨*tosc*⟩ (*bambina vivace e saputa*) peppery little girl, lively (*o* spirited) young thing.
spẹra[1] *f.* **1.** ⟨*Mar*⟩ (*anche spera mobile*) sea-anchor. – **2.** ⟨*ant*⟩ (*sfera*) sphere, globe; (*sfera celeste*) celestial globe (*o* sphere). – **3.** ⟨*ant, tosc*⟩ (*cerchio di luce*) halo (*o* ring) of light. – **4.** ⟨*tosc*⟩ (*specchietto*) (small) mirror; (*immagine riflessa*) reflected image, reflection.
spẹra[2] *f.* ⟨*ant,lett*⟩ → **speranza**.
spẹra[3] *f.* **1.** ⟨*Zool*⟩ ark shell, blood-clam (*Arca barbata*). – **2.** ⟨*Itt*⟩ pomfret (*Brama raji*).
sperạbile *a.* to be hoped. ◻ *è* ~ *che* it is to be hoped that, let us hope that, ⟨*fam*⟩ here's hoping that: *è* ~ *che arrivino aiuti* let's hope that help arrives.
sperạnza *f.* **1.** hope: *perdere la* ~ to give up hope; (*fede, speranza fiduciosa*) trust. – **2.** (*cosa sperata*) hope, desire, expectation; (*cosa, persona in cui si spera*) hope: *sei la mia ultima* ~ you are my last hope. – **3.** (*promessa*) hope, promise, ⟨*fam*⟩ hopeful: *una* ~ *del nuoto giovanile* a hopeful in junior swimming, an up-and-coming young swimmer. – **4.** (*gioco*) kind of dice game. – **5.** ⟨*Teol*⟩ hope. – **6.** *pl.* ⟨*Bot*⟩ (*garofano a mazzetti*) sweet-william (*Dianthus barbatus*).
◻ **avere** *una* ~ to have a chance (*o* hope); *avere* ~ *in qd.* to have faith (*o* trust) in s.o.; *di* **belle** *-e* promising, full of promise, up-and-coming; *avere* **buone** *-e su qd.* to have high hopes (*o* expectations) of s.o.; **con** *la* ~ *di fare qc.* in the hope of doing s.th.: *sono andato dal medico con la speranza di parlargli* I went to the doctor's in the hope of talking to him; *aprire il* **cuore** *alla* ~ to become hopeful; **deludere** *le -e di qd.* to disappoint s.o.'s hopes (*o* expectations), to dash s.o.'s hopes; *essere deluso nelle proprie -e* to be disappointed in one's expectations; *un* **filo** *di* ~ a glimmer (*o* ray) of hope, a faint hope; *avere* **fondate** *-e* to have well-founded hopes, to have good hope, to be very hopeful; ~ **matematica** odds *pl*; *avere una* **mezza** ~ *di riuscire* to have a fair chance of succeeding; ⟨*epist*⟩ **nella** ~ *di una sollecita risposta* hoping to hear from you soon, trusting in your early reply; **oltre** *ogni* ~ beyond all hope; **pascersi** *di -e* = **vivere** *di speranze*; ⟨*ant*⟩ *essere di* **perduta** ~ (*non lasciar sperar bene di sé*) not to be promising; **pieno** *di -e* hopeful, full of hope; **riporre** *in qd. tutte le proprie -e* to place all one's hopes in s.o., to pin all one's faith on s.o.; ~ *di* **salvezza** hope of salvation; **senza** ~: 1. (*rif. a cose: agg.*) hopeless: *un caso senza* ~ a hopeless case; (*avv.*) hopelessly; 2. (*rif. a persone*) without hope; *gli* **sorride** *la* ~ (lady) luck is smiling on him; **tradire** *le -e di qd.* = **deludere** *le speranze di qd.*; *ogni* ~ *per loro è* **vana** there's no hope for them, all their hopes are vain; **vivere** *di -e* to live on hope. – *Prov.*: *la* ~ *è il pane dei miseri* hope is the poor man's bread.
Sperạnza *N.pr.f.* Hope.
speranzẹlla, speranzịna (*dim. di speranza*) *f.* ⟨*fam*⟩ slight (*o* faint) hope.
speranzọso *a.* ⟨*lett,scherz*⟩ hopeful, full of hope.
sperạre[1] *v.* (**spẹro**) **I** *v.t.* **1.** to hope (for): ~ *un bel voto* to hope for a good mark; ~ *la promozione* to hope for a promotion; *lo spero* I hope so. – **2.** (*avere fiducia che avvenga qc.*) to hope: *spero di rivederti presto* I hope to see you again soon; *speriamo che tutto vada bene* let's hope everything goes well; *spero di ricevere buone notizie* I hope I get good news. – **3.** (*aspettarsi*) to expect: *non speravo che saresti ritornato* I wasn't expecting you to come back. – **4.** ⟨*ant*⟩ (*temere*) to fear. – **II** *v.i.* (*aus.* **avere**) to hope, to trust, to place one's confidence (*in qd.* in s.o., *in qc.* for s.th.): ~ *in Dio* to trust in God; ~ *nella guarigione di qd.* to hope for s.o.'s recovery; *tutti speriamo in giorni migliori* we all hope for better days. ◻ *continuare a* ~ to keep hoping; ⟨*epist*⟩ *sperando che* hoping (*o* trusting) that, in the hope that; *far* ~ *qc. a qd.* to make s.o. hope ⌜for s.th.⌝ (*o* that s.th. will happen); *tutto lo fa* ~ prospects are very good, it looks very promising (*o* hopeful); *spero di no* I hope not; ~ *di sì* to hope so; *speriamo bene* let's hope for the best, ⟨*fam*⟩ here's hoping.
sperạre[2] *m.* hope.
sperạre[3] *v.* (**spẹro**) **I** *v.t.* ⟨*tosc*⟩ (*guardare in trasparenza*) to look at (s.th.) against the light. – **II** *v.i.* (*aus.* **avere**) ⟨*rar*⟩ (*trasparire*) to be transparent. ◻ ~ *le uova* to candle eggs.
sperạta: ⟨*tosc,non com*⟩ ~ *di sole* burst of sunshine, sudden appearance of the sun among the clouds.
sperạto (*p.p. di sperare*[1]) *a.* hoped for; (*atteso*) expected.
speratụra *f.* looking at (s.th.) against the light; (*rif. a uova*) candling. – **sperauọvo** *m.* candling device.
spẹrdere *v.t.* (**spẹrsi/sperdẹi/sperdẹtti, spẹrso/sperdụto**) **1.** ⟨*lett*⟩ (*disperdere*) to scatter, to disperse, to dispel. – **2.** ⟨*non com*⟩ (*perdere*) to lose. – **3.** ⟨*ant*⟩ (*abortire*) to abort. – **sperdersi** *v.r.* **1.** to lose one's way, to get lost, to go astray: *ci sperdemmo nel bosco* we got lost in the woods. – **2.** ⟨*fig*⟩ to become (*o* get) lost, to lose one's sense of direction: *ci si sperde in una materia così vasta* you can get lost in such a broad subject.
sperdimẹnto *m.* ⟨*non com*⟩ (*lo sperdere*) scattering, dispersal; (*lo sperdersi*) losing one's way, getting lost, going astray. – **sperditọre** *m.* (*f.* **-trice**) ⟨*ant*⟩ scatterer, disperser.
sperdụto (*p.p. di sperdere*) *a.* **1.** (*smarrito*) lost, astray: *andare* ~ to get lost, to go astray. – **2.** (*isolato*) isolated, out-of-the-way, lonely, solitary, secluded: *una fattoria -a* an out-of-the-way farm-house. – **3.** (*solo*) lonely, alone: *è un povero uomo* ~ he's a poor lonely man. – **4.** ⟨*fig*⟩ (*a disagio*) lost, bewildered, ill at ease, out of place: *sentirsi* ~ to feel lost (*o* bewildered).
sperequạto *a.* disproportionate, unequal. – **sperequaziọne** *f.* disproportion, inequality.
spẹrga *f.* ⟨*region*⟩ **1.** ⟨*Itt*⟩ (*labro*) wrasse (*Labrus*). – **2.** ⟨*Ornit*⟩ red-breasted merganser (*Mergus serrator*). – **3.** ⟨*Ornit*⟩ great crested grebe (*Podiceps cristatus*).
spẹrgere *v.t.* (**spẹrgo, spẹrgi; spẹrsi, spẹrso**) ⟨*ant*⟩ (*disperdere*) to scatter, to disperse.
spergiurạre I *v.i.* (*aus.* **avere**) **1.** (*giurare il falso*) to commit perjury, to perjure o.s.; (*non mantenere il giuramento*) to violate one's oath. – **2.** ⟨*fam*⟩ (*giurare*) to swear. – **II** *v.t.* ⟨*rar*⟩ to swear falsely: ~ *il vero* to swear falsely, to lie on oath. ◻ *giurare e* ~ to swear by all that's holy. – **spergiurạto** (*p.p. di spergiurare*) *a.* ⟨*rar*⟩ perjured. – **spergiuratọre** *m.* (*f.* **-trice**) ⟨*lett*⟩ **1.** (*chi giura il falso*) perjurer. – **2.** (*chi viola un giuramento*) oath-breaker.
spergiụro[1] **I** *a.* **1.** (*che giura il falso*) perjured, foresworn. – **2.** (*che viola il giuramento*) oath-breaking. – **II** *s.m.* (*f.* **-a**) **1.** (*chi giura il falso*) perjurer. – **2.** (*chi viola il giuramento*) oath-breaker, violator of an oath.
spergiụro[2] *m.* **1.** (*falso giuramento*) perjury. – **2.** (*violazione del giuramento*) oath-breaking.
spẹrgola *f.* ⟨*Bot*⟩ **1.** corn spurr(e)y (*Spergula arvensis*). – **2.** (large) crabgrass (*Digitaria sanguinalis*).
spericolarsi *v.r.* (**mi sperịcolo**) **1.** to be reckless, to take risks. – **2.** ⟨*tosc*⟩ (*mettersi in agitazione*) to be daunted (*o* intimidated), to be afraid, to take fright: *non spericolarti per così poco* don't be afraid of such a small thing. – **spericolatamẹnte** *avv.* recklessly. – **spericolạto** (*p.p. di spericolare*) *a.* **1.** reckless, foolhardy: *guidatore* ~ reckless driver. – **2.** ⟨*tosc*⟩ (*pauroso*) fearful, timorous. – **II** *s.m.* (*f.* **-a**) **1.** daredevil, reckless person. – **2.** ⟨*tosc*⟩ (*persona paurosa*) timid soul, ⟨*am.fam*⟩ fraidycat.
sperịenz(i)a *f.* ⟨*ant*⟩ (*esperienza*) experience.
sperimentạbile *a.* testable, that may be tried (out).
sperimentạle *a.* **1.** (*basato sull'esperienza*) experimental: *metodo* ~ experimental method, trial and error. – **2.** (*volto alla ricerca*) experimental, trial-, test-: *stazione* ~ experimental station; *campo* ~ trial plot. – **3.** (*d'avanguardia*) experimental, avant-garde: *cinema* ~ experimental cinema.
sperimentalịsmo *m.* ⟨*Filos*⟩ experimentalism.
sperimentalmẹnte *avv.* experimentally, by trial and error.
sperimentạre *v.t.* (**sperimẹnto**) **1.** (*sottoporre a esperimento*) to experiment, to test, to try out: ~ *una macchina* to test a machine; ~ *l'efficacia di una medicina* to test the effectiveness of a medicine; (*verificare con esperimenti*) to try out. – **2.** ⟨*fig*⟩ (*mettere alla prova*) to (put to the) test, to try: ~ *le proprie forze* to try one's strength. – **3.** ⟨*fig*⟩ (*conoscere per esperienza*) to experience, to have experience of, to try, to know: *ho sperimentato spesso la sua amicizia* I have often had experience of his friendship. – **4.** (*tentare*) to try, to attempt: ~ *tutti i mezzi* to try all means.
sperimentạto (*p.p. di sperimentare*) *a.* **1.** (*esperto*) experienced, expert, tried: *un chirurgo* ~ an experienced surgeon. – **2.** (*conosciuto per esperienza, efficiente*) (well-)tried, proven, tested: *un rimedio* ~ a proven remedy; *lealtà -a* well-tried loyalty. – **sperimentatọre** *m.* (*f.* **-trice**) experimenter. – **sperimentaziọne** *f.* experimentation. – **sperimẹnto** *m.* ⟨*ant*⟩ (*esperimento*) experiment.
sperlạno *m.* ⟨*Itt*⟩ sparling, smelt (*Osmerus esperlanus*).
spẹrma *m.* ⟨*Biol*⟩ sperm, semen.
sperma|cẹti *m.* ⟨*Biol*⟩ spermaceti, sperm-oil. ◻ ~ *vegetale* Chinese wax, (Chinese) insect wax. – **~dọtto** *m.* → **spermidutto**.
spermạfite *f.pl.* → **spermatofite**.
spermatẹca *f.* ⟨*Zool*⟩ spermatheca.
spermatẹisfora *f.* ⟨*Med*⟩ (*fecondazione artificiale*) artificial insemination.
spermạtico *a.* (*pl.* **-ci**) **1.** ⟨*Zool*⟩ spermatic, seminal, sperm-: *liquido* ~ spermatic fluid, semen. – **2.** ⟨*Bot*⟩ spermic, sperm-.

spermạtide, spermatịdio *m.* ⟨*Biol*⟩ spermatid.
spermato|cịsti *f.* ⟨*Anat*⟩ spermatocyst, seminal vesicle. – **~cistịte** *f.* ⟨*Med*⟩ spermatocystitis, seminal vesiculitis. – **~cịto** *m.* ⟨*Biol*⟩ spermatocyte.
spermatǫfite *f.pl.* ⟨*Bot*⟩ spermatophytes *pl*, seed plants *pl* (*Spermatophyta*).
spermatǫfora *f.*, **spermatǫforo** *m.* ⟨*Zool*⟩ spermatophore.
spermato|gęnẹsi *f.* ⟨*Biol*⟩ spermatogenesis. – **~gǫnio** *m.* spermatogonium. – **~logịa** *f.* ⟨*Bot*⟩ spermology, study of seeds.
spermatorrẹa *f.* ⟨*Biol*⟩ spermatorrh(o)ea.
spermatozǫide, spermatozǫo *m.* ⟨*Biol*⟩ spermatozoid, spermatozoon.
spermạzio *m.* ⟨*Bot*⟩ spermatium.
spermentạre *v.* ⟨*tosc*⟩ → **sperimentare.**
...spermia *suff.* ...spermia: *azoospermia f.* azoospermia.
spęrmico *a.* (*pl.* **-ci**) ⟨*Bot*⟩ (*spermatico*) spermatic, sperm-.
spermidụtto *m.* ⟨*Anat*⟩ spermaduct, spermatic duct, spermiduct.
spęrmio *m.* **1.** ⟨*Biol*⟩ → **spermatozoide.** – **2.** ⟨*Bot*⟩ sperm cell, male gamete, spermatogamete.
spermiodọtto *m.* → **spermidutto.**
spermo... *pref.* (*seme* seed) sperm(o)..., sperma..., spermi..., sperm-.
spermo|coltụra *f.* ⟨*Biol*⟩ sperm culture. – **~dęrma** *m.* spermoderm, testa, episperm.
spermǫfilo *m.* ⟨*Zool*⟩ (*citello*) ground squirrel (*Citellus*).
spermǫ|fite *f.pl.* → **spermatofite.** – **~tęca** *f.* **1.** (*collezione*) seed collection. – **2.** ⟨*Bot,ant*⟩ (*pericarpio*) pericarp, spermotheca.
spęrnere *v.t.* ⟨*ant*⟩ **1.** (*disprezzare*) to despise, to scorn. – **2.** (*rifiutare con disprezzo*) to spurn. – **3.** (*rigettare*) to reject.
spernụzzola *f.* ⟨*Ornit*⟩ (*cinciallegra*) great tit(mouse), ox-eye (*Parus maior*).
speronamẹnto *m.* ramming.
speronạra *f.* ⟨*Mar*⟩ small deckless coaster.
speronạre *v.t.* (**sperǫno**) **1.** ⟨*Mar*⟩ to ram: ~ *una nave* to ram a ship. – **2.** ⟨*ant*⟩ (*spronare*) to spur, to prick. – **speronạta** *f.* **1.** ⟨*Mar*⟩ ramming. – **2.** (*colpo dato con lo sperone*) spurring, prick(ing).
speronạto[1] (*p.p. di speronare*) *a.* ⟨*Mar*⟩ rammed.
speronạto[2] *a.* **1.** spurred, having spurs (*anche Arald.*). – **2.** ⟨*Bot*⟩ calcarate, spurred. – **3.** ⟨*Edil*⟩ buttressed.
sperǫne *m.* **1.** spur. – **2.** ⟨*Zool*⟩ ergot; (*del cane*) dew-claw; (*degli uccelli, del gallo*) spur. – **3.** ⟨*Geog*⟩ spur. – **4.** ⟨*Mar.ant*⟩ bow ram, spur. – **5.** ⟨*Edil*⟩ (*contrafforte*) spur, buttress, counterfort, strut. – **6.** ⟨*Mil*⟩ (*nelle fortificazioni*) outwork, glacis. – **7.** ⟨*Idr*⟩ (*pennello*) groin, groyne; (*molo*) pier, mole, jetty. – **8.** ⟨*Bot,Chir*⟩ spur, calcar. – **9.** ⟨*Silv*⟩ (*cornetto*) spur. – **10.** ⟨*Min,region*⟩ kind of tuff (*o* tufa). ☐ ⟨*Bot*⟩ ~ *di cavaliere*: 1. larkspur, delphinium (*Delphinium*); 2. branching (*o* field) larkspur (*Delphinium consolida*); ⟨*Stor*⟩ *giornata degli -i* Battle (*o* Day) of the Spurs; *Ordine dello speron d'oro* Order of the Golden Spur; ⟨*Agr*⟩ ~ *della segala* ergot.
speronẹlla *f.* **1.** (*rotella dello sperone*) rowel. – **2.** ⟨*Bot*⟩ larkspur, delphinium (*Delphinium*).
speroniẹra *f.* → **speronara.**
sperperamẹnto *m.* ⟨*non com*⟩ squandering, dissipation. – **sperperạre** *v.t.* (**spęrpero**) **1.** to squander, to dissipate, to fritter away: *ha sperperato tutto il suo patrimonio* he squandered his entire fortune. – **2.** ⟨*estens*⟩ (*consumare malamente*) to waste, to dissipate, to fritter (*o* throw) away: ~ *le proprie energie* to dissipate one's energies. – **3.** ⟨*ant*⟩ (*distruggere*) to destroy, to ruin. – **sperperatǫre** *m.* (*f.* **-trice**) ⟨*non com*⟩ squanderer, dissipater. – **sperperịo** *m.* (continual) squandering, dissipation, (constant) waste. – **spęrpero** *m.* squandering, dissipation; (*spreco*) waste: ~ *di energie* waste of energy; ~ *di denaro* waste of money.
sperpẹtua *f.* ⟨*fam,tosc*⟩ **1.** (*sfortuna*) bad luck. – **2.** (*lamento*) lament, querulous wailing.
spęrso (*p.p. di sperdere*) *a.* **1.** lost: *un bambino* ~ a lost child; (*rif. ad animali*) stray: *cane* ~ stray dog. – **2.** (*perduto, spaesato*) lost, bewildered: *sentirsi* ~ to feel lost (*o* bewildered). – **3.** ⟨*non com*⟩ (*disperso*) scattered, broken up.
spersonalizzạre *v.t.* **1.** to depersonalize, to deprive of personality. – **2.** (*togliere un'impronta troppo personale*) to depersonalize, to make impersonal. – **spersonalizzarsi** *v.r.* to become depersonalized, to lose (*o* give up) one's personality: *l'attore deve cercare di spersonalizzarsi* an actor must try to lose his own personality. – **spersonalizzaziǫne** *f.* ⟨*non com*⟩ depersonalization (*anche Psic.*).
spertịcarsi *v.r.* (**mi spęrtico, ti spęrtichi**) to exaggerate, to overdo, (*in qc.* s.th.), to be (over-)profuse (with), to lavish (s.th.): ~ *in complimenti* to lavish compliments. – **sperticatamẹnte** *avv.* exaggeratedly, excessively, ⟨*am*⟩ overly. – **spertịcato** (*p.p. di sperticare*) *a.* **1.** ⟨*non com*⟩ (*esageratamente lungo*) over-long, too (*o* exaggeratedly) long; (*esageratamente alto*) too tall, overgrown: *un ragazzo* ~ an overgrown boy. – **2.** ⟨*fig*⟩ (*esagerato*) exaggerated, excessive, over-profuse, overdone: *lode -a* excessive praise.
spęrto *a.* ⟨*ant*⟩ (*esperto*) expert.
spẹsa *f.* **1.** expenditure, expenses *pl*: *la* ~ *si aggira intorno al milione* the expenditure will be about a million lire; *le -e superano le entrate* expenditure exceeds income, expenses are greater than receipts. – **2.** (*costo*) cost, expense: *con modica* ~ at reasonable cost. – **3.** (*acquisto*) purchase, buy: *fare una buona* ~ to make a good purchase (*o* buy); (*acquisti giornalieri*) shopping: *andare a fare la* ~ to go shopping; *borsa della* ~ shopping bag. – **4.** *pl.* cost, expenses *pl*, charges *pl*: *-e di macchinario* cost of machinery; *-e d'impianto* installation costs. – **5.** *pl.* (*diritti*) charge(s), fee(s), dues *pl*: *-e bancarie* bank charges. – **6.** ⟨*Dir*⟩ (*spese giudiziarie*) legal costs *pl* (*o* expenses, charges, fees).
☐ **a** *-e di*: 1. at the expense of, to be paid (*o* borne) by: *a -e del padrone di casa* at the landlord's expense, charges to be borne by the landlord; 2. ⟨*fig*⟩ at the expense of, to the cost of: *ho imparato a mie -e* I learned ⌜at my expense⌝ (*o* the hard way); *-e* **accessorie** (o *accidentali*) incidental expenses, incidentals *pl*, contingencies *pl*; *-e d'***acquisto** initial costs; *-e* **addizionali** = *spese* **supplementari**; *-e* **amministrative** administrative expenses; ⟨*Mar*⟩ *-e d'***attracco** docking charges; *-e d'***avaria** average disbursement; ⟨*Econ*⟩ *-e d'***avviamento** start-up (*o* setting-up) costs; *non* **badare** *a -e* (o *spesa*) to spare no expense; ⟨*ant*⟩ *farsi* **buone** *-e* (*trattarsi bene*) to treat o.s. well; ⟨*ant*⟩ *far le buone -e a qd.* (*trattarlo bene*) to treat s.o. well; *-e di* **cancelleria** stationery expenses; (*diritti*) clerical charges; *-e per il governo della* **casa** household expenses; *-e* **commerciali** selling expenses; *-e* **complementari** = *spese* **accessorie**; *-e* **comprese** including expenses; ~ *in* **contanti** cash expenditure; **conto** *-e* expense account; *-e* **correnti** current expenses; ⟨*Econ*⟩ *-e di* **costituzione** formation (*o* establishment) expenses, promotion money; *-e* **deducibili** deductible expenses; *-e di* **deposito**: 1. storage (*o* warehousing) costs; 2. ⟨*Econ*⟩ cost of deposit; *-e* **dirette** prime (*o* direct) costs; *-e di* **dogana** customs charges (*o* dues); *-e* **effettive** actual expenses; *-e d'***esercizio** running costs, ⟨*am*⟩ operating costs; *-e* **extra** extra charges, extras *pl*; **fare** *fronte a una* ~ to undertake an expenditure; ⟨*fig*⟩ *far le -e di qc.* to pay for s.th., to bear the brunt of s.th.; *hai fatto -e?* did you buy anything?; ⟨*Econ*⟩ *-e* **fisse** fixed costs (*o* expenses); *-e di* **fondazione** = *spese di* **costituzione**; *-e* **funerarie** funeral expenses; *-e* **generali** overheads *pl*, general (*o* overhead) expenses; *-e di* **gestione** working (*o* running) costs, operating expenses; *-e* **giornaliere** daily expenses (*o* costs); *-e* **giudiziarie** (o *di giudizio*) legal costs (*o* expenses, charges, fees); *-e d'***imballaggio** packing charges, cost of packing; ⟨*Mar*⟩ *-e d'***imbarco** embarkation (*o* loading) charges; *-e d'***impianto** installation charges (*o* costs); *-e di primo impianto* initial capital expenditure (*o* outlay), cost of construction, first costs; ⟨*fig*⟩ *la* ~ *non vale l'***impresa** (o *è più la spesa che l'impresa*) it's not worthwhile (*o* worth it), it's more trouble than it's worth; *-e* **impreviste** unforeseen expenses; *-e d'***incasso** collecting charges; *-e d'***investimento** capital cost; *-e d'***istruzione** education costs, cost of education; **lavorare** *per le -e* to work just to recoup one's expenses; *-e* **legali** (legal) costs; *-e di* **magazzinaggio** warehousing charges (*o* dues), storage expenses (*o* costs); *-e di* **manodopera** labour costs, cost of labour; *-e di* **mantenimento** living expenses; *-e di* **manutenzione** maintenance costs, running expenses; *-e* **materiali** real (*o* actual) expenses; **meno** *le -e* excluding expenses, minus costs; *-e di* **miglioramento** improvement costs; *-e* **minute** petty charges (*o* expenses); ~ **monetaria** cash outlay; *-e* **notarili** notarial charges, notary's fees; *-e* **ordinarie** ordinary expenses; *-e* **ospedaliere** hospital charges; **per** *una* ~ *di* at a cost of; **perderci** *le -e* to lose money (on s.th.); *-e di* **perizia** survey expenses; *-e per il* **personale** personnel costs; **più** *le -e* plus expenses; *con* **poca** ~ without spending much, cheaply, inexpensively, at little expense; ⟨*fig*⟩ (*con poca fatica*) easily, without much effort; ⟨*non com*⟩ *essere di poca* ~ (*rif. a persona che spende poco per sé*) to be frugal (*o* economical); ⟨*Mar*⟩ *-e* **portuali** (o *di porto*) port charges, harbour dues; *-e* **postali** postage, postal charges; ~ **preventiva** estimated cost; ⟨*Econ*⟩ *-e* **previste** budgeted expenses; *-e non previste* unbudgeted expenses; *-e* **processuali** court costs; ⟨*Econ*⟩ *-e di* **protesto** protest charges (*o* expenses); *-e* **pubbliche** public (*o* government) expenditure; *fare qc. a pubbliche -e* to do s.th. at public expense; *-e di* **pubblicità** advertising expenditure (*o* outlay); **quant'è** *la* ~*?* how much does it cost?; *-e di* **rappresentanza** entertainment expenses; *-e di* **recapito** delivery charges; *-e di* **riparazione** repair charges, cost of repairs; ⟨*Mar*⟩ *-e di* **scalo** harbour charges, port dues; **senza** ~ free, without charge (*o* cost), at no cost (*o* expense), for nothing, gratis; ⟨*Econ*⟩ *senza -e* free of charge, no charge; ⟨*burocr*⟩ *-e di* **spedalità** = *spese* **ospedaliere**; *-e di* **spedizione** forwarding (*o* shipping) costs, delivery (*o* shipping) charges; *-e di* **stampa** printing costs, cost of printing; **stare** *sulle -e* to pay one's own living; ⟨*Econ*⟩ *-e* **straordinarie** extraordinary expenditure, extra expenses; *-e* **supplementari** additional (*o* extra) charges; *-e di* **trasbordo** trans-shipment expenses (*o* charges); *-e di* **trasloco** moving expenses; *-e di* **trasporto** (*rif. a merci*) transport (*o* carriage) charges, freight(age), cost of transport, handling (costs); (*rif. a passeggeri*) fare(s); ~ **utile** worthwhile expenditure; *-e* **variabili** variable (*o* fluctuating) expenses; *-e* **varie** miscellaneous (*o* sundry) expenses; *-e di* **viaggio** travel(ling) expenses; *-e* **vive** out-of-pocket expenses; **vivere** *alle -e di qd.* to be supported by s.o., ⟨*fam*⟩ to live off s.o.; *-e* **voluttuarie** unnecessary (*o* non-essential) expenses.
spesạccia (*pegg. di spesa*) *f.* (*pl.* **-ce**) bad purchase, ⟨*fam*⟩ bad buy.
spesạre *v.t.* (**spẹso**) **1.** to pay (*o* reimburse) the expenses of: ~ *qd.* to pay s.o.'s expenses. – **2.** (*contabilizzare tra le spese*) to enter among the expenses.
spesarịa *f.* ⟨*ant*⟩ → **spesa.**
spesạto (*p.p. di spesare*) **I** *a.* paid, reimbursed. – **II** *s.m.* ⟨*Teat,ant*⟩ (*paga*) actor's pay. ☐ *essere* ~ *di tutto* to have all expenses paid, to be reimbursed for all expenses; *sono* ~ *dalla ditta* the firm pays all my expenses, all my expenses are paid by the firm.
speserịa *f.* ⟨*ant*⟩ → **spesa.**

spesẹtta *f. dim. di* **spesa.**
spẹsi *p.rem. di* **spendere.** – **spẹso** *p.p. di* **spendere.**
spessamẹnte *avv.* ⟨*ant*⟩ frequently, often.
spessạre *v.t.* (**spẹsso**) ⟨*non com*⟩ (*rendere spesso*) to thicken, to make thick. – **spessarsi** *v.r.* to thicken, to become thick. – **spessạto** (*p.p. di spessare*) *a.* ⟨*rar*⟩ (*fitto*) thick, dense (*di* with); (*coperto*) covered, thick (with).
spesseggiạre *v.* (**spessẹggio, spessẹggi**) **I** *v.i.* (*aus.* **essere**; compound forms rarely used) ⟨*non com*⟩ (*verificarsi frequentemente*) to be frequent, to occur frequently, to happen (*o* take place) often. – **II** *v.t.* ⟨*ant*⟩ (*fare spesso*) to do often.
spessẹzza *f.* ⟨*non com*⟩ **1.** thickness; (*densità*) density, thickness. – **2.** (*frequenza*) frequency.
spessịmetro *m.* ⟨*tecn*⟩ thickness (*o* feeler) gauge.
spessịre *v.* (**spessịsco, spessịsci**) ⟨*ant*⟩ **I** *v.t.* **1.** (*rendere denso*) to thicken, to make thick (*o* dense). – **2.** (*rendere spesso*) to thicken, to make close (*o* thick, compact). – **II** *v.i.* (*aus.* **essere**) **1.** (*diventare denso*) to thicken, to become thick (*o* dense). – **2.** (*aumentare di spessore*) to thicken, to become close (*o* thick, compact).
spẹsso I *a.* **1.** (*denso*) thick, dense: *nebbia -a* thick fog. – **2.** (*fitto, folto*) thick, dense, crowded: *un bosco* ~ a dense forest. – **3.** (*di notevole spessore*) thick: *un muro* ~ a thick wall; *un'asse -a tre centimetri* a board three centimetres thick. – **4.** (*frequente*) frequent, repeated; (*numeroso*) numerous, many. – **II** *avv.* often, frequently: *si vedono* ~ they see each other often.
□ **meno** ~ *di prima* less often than before, not so often as formerly; **molto** ~ very often (*o* frequently); **non** ~ seldom, rarely, not often; **più** ~ more often; ⟨*pop*⟩ ~ *e* **volentieri** very often; *-e* **volte** very often, many times.
spessọre *m.* **1.** thickness: *lo* ~ *di una lamiera* the thickness of a sheet; *uno* ~ *di dieci centimetri* a thickness of ten centimetres. – **2.** ⟨*tecn,concr*⟩ distance spacer (*o* piece, block), separator, shim, wedge. □ ⟨*Aer*⟩ ~ *alare* (o *dell'ala*) wing thickness; ⟨*Atom*⟩ ~ *critico* critical thickness; ⟨*Aut*⟩ ~ *per freni* brake lining.
spesụccia *f.* (*pl.* -ce) *dim. di* **spesa.**
spetezzạre *v.i.* (**spetẹzzo**; *aus.* **avere**) ⟨*volg,ant*⟩ (*far peti*) to break wind, ⟨*volg*⟩ to fart.
spetrạre *v.t.* (**spẹtro**) ⟨*ant*⟩ **1.** (*rendere meno duro*) to soften, to make less hard. – **2.** ⟨*fig*⟩ (*intenerire*) to move, to touch, to soften (the heart of). – **spetrarsi** *v.r.* **1.** to soften, to become less hard (*anche fig.*). – **2.** (*liberarsi*) to become free.
Spett. = ⟨*Comm*⟩ **spettabile** Messrs.
spettạbile *a.* **1.** ⟨*rar*⟩ (*degno di riguardi*) honourable, respectable. – **2.** ⟨*epist,Comm*⟩ Messrs., *spesso non si traduce*: ~ *ditta Bianchi* Messrs. Bianchi, Bianchi and Co.; *alla* ~ *Direzione* The Manager.
spettacolạccio *m. pegg. di* **spettacolo.**
spettacolạre *a.* **1.** spectacular. – **2.** (*straordinario a vedersi*) spectacular, fantastic, extraordinary, unusual. – **3.** ⟨*Cin,Teat*⟩ spectacular: *film* ~ spectacular film. – **spettacolarità** *f.* spectacularity.
spettacolịno *m. dim. di* **spettacolo.**
spettạcolo *m.* **1.** show, display: ~ *di varietà* variety show; ~ *di giochi di prestigio* conjuring display; (*commedia*) play; (*film*) film; (*al circo*) show. – **2.** (*rappresentazione*) performance, show: ~ *di gala* gala performance; (*al cinema*) performance, show(ing): *domenica ci saranno due -i* there will be two performances on Sunday. – **3.** (*vista che suscita notevole impressione*) sight, spectacle, scene: *fu uno* ~ *meraviglioso* it was a wonderful sight; *affacciandomi alla finestra vidi uno* ~ *terrificante* looking out the window I saw a terrifying sight. – **4.** ⟨*ant*⟩ (*spettatori*) spectators *pl*.
□ ~ **cinematografico** film, motion-picture show, ⟨*am*⟩ movie, ⟨*am*⟩ show; ⟨*fig*⟩ **dare** ~ to attract attention, to draw attention to o.s.; *dare* ~ *di sé* to make a spectacle (*o* sight) of o.s., to make an exibition of o.s.; ~ **notturno** evening performance; ~ **pomeridiano** matinée; *-i* **pubblici** public entertainment *sing*; ~ **teatrale** play.
spettacolọne *m. accr. di* **spettacolo.** – **spettacolosamẹnte** *avv.* ⟨*fam*⟩ spectacularly. – **spettacolọso** *a.* **1.** spectacular. – **2.** ⟨*fam*⟩ (*eccezionale*) spectacular, fantastic, extraordinary, ⟨*fam*⟩ terrific: *successo* ~ extraordinary (*o* fabulous) success. – **spettacolụccio** *m. dim. di* **spettacolo.**
spettạnte (*p.pr. di spettare*) *a.* due. – **spettạnza** *f.* **1.** ⟨*burocr*⟩ (*competenza*) province, competence, authority, concern. – **2.** ⟨*Comm*⟩ (*somma dovuta*) (amount) due, amount owing: *la mia* ~ *è di centomila lire* the amount due me is a hundred thousand lire; (*onorario*) fee, fees *pl*. □ *essere di* ~ *di* (o *a*) *qd.*: 1. to be s.o.'s concern (*o* business), ⟨*fam*⟩ to be s.o.'s job, ⟨*fam*⟩ to be up to s.o.; 2. ⟨*burocr*⟩ to lie within s.o.'s province; *non è di mia* ~ it is ⌈no concern of mine⌉ (*o* not my job); ⟨*burocr*⟩ it is ⌈beyond my authority⌉ (*o* outside my province).
spettạre *v.i.* (**spẹtto**; *aus.* **essere**) **1.** (*competere per dovere*) to be the duty (*o* concern) (*a* of), to be up to, to be for (s.o.), to be responsible (*costr.pers.*): *spettava a te salutare per primo* it was up to you to say hello first. – **2.** (*essere di pertinenza*) to be the concern (*o* business), to be (*o* lie) within the province (of), to be for (*o* up to): *la questione non spetta a lui* the matter is not his concern; *non spetta a te decidere* it is not ⌈for you⌉ (*o* your place) to decide. – **3.** (*appartenere per diritto*) to be due, to have the right (*costr.pers.*), to be entitled (*costr.pers.*): *dammi quello che mi spetta* give me what is due (*o* owing) to me, give me my due; *gli spetta un terzo dell'eredità* he ⌈has the right⌉ (*o* is entitled) to a third of the estate.
spettatọre *m.* (*f.* -trice) **1.** spectator. – **2.** *pl.* audience, spectators *pl*: *c'erano pochissimi -i* there was only a small audience. – **3.** (*presente*) onlooker, bystander, spectator; (*testimone*) witness: *essere* ~ *di un evento* to be a witness to an event.
spettegolạre *v.i.* (**spettẹgolo**; *aus.* **avere**) to gossip.
spettinạre *v.t.* (**spẹttino**) to dishevel (*o* ruffle) the hair of, ⟨*fam*⟩ to mess up the hair of: *il vento mi ha spettinato* the wind has messed up my hair. – **spettinarsi** *v.r.* to make (*o* get) one's hair untidy, to dishevel (*o* ruffle) one's hair. – **spettinạto** (*p.p. di spettinare*) *a.* **1.** with untidy (*o* dishevelled, ruffled) hair, with one's hair in disorder (*o* a mess). – **2.** (*non pettinato*) uncombed, with unkempt hair.
spettorạre *v.t.* (**spẹttoro**) ⟨*ant*⟩ (*espettorare*) to expectorate. – **spettorarsi** *v.r.* ⟨*ant*⟩ to hawk, to clear one's throat.
spettrạle *a.* **1.** ghostly, ghost-like, spectral: *figura* ~ ghostly figure. – **2.** ⟨*Fis*⟩ spectral, spectrum-: *analisi* ~ spectral (*o* spectrum) analysis. □ *avere un aspetto* ~ to look like a ghost, ⟨*fam*⟩ to look ghostly.
spẹttro *m.* **1.** ghost, spectre, spirit, apparition, phantom, shade. – **2.** (*persona magra e emaciata*) ghost: *sembri uno* ~ you look like a ghost. – **3.** ⟨*fig*⟩ spectre, phantasm: *lo* ~ *della guerra* the spectre of war. – **4.** ⟨*Fis*⟩ spectrum.
□ ~ **acustico** sound (*o* acoustic) spectrum; ~ **alfa** alpha-ray spectrum; ~ *d'***arco** arc spectrum; ~ *d'***assorbimento** absorption spectrum; ~ **atomico** atomic spectrum; ~ *a* **bande** band (*o* channelled, fluted) spectrum; ~ **beta** beta-ray spectrum; ⟨*Meteor*⟩ ~ *del* **Brocken** Brocken spectre (*o* bow); ~ **continuo** continuous spectrum; ~ *di* **diffrazione** diffraction spectrum; ~ **discontinuo** discontinuous spectrum; ~ *d'***emissione** emission spectrum; ~ *d'***energia** energy spectrum; ~ *di* **fiamma** flame spectrum; ~ *di raggi* **gamma** gamma-ray spectrum; ~ **infrarosso** infra-red spectrum; ~ **magnetico** magnetic spectrum; ~ *di* **massa** mass spectrum; ~ *a* **righe** line spectrum; ~ *di* **scintille** spark spectrum; ~ **solare** solar spectrum; ~ **stellare** stellar spectrum; ~ **ultravioletto** ultra-violet spectrum; ~ **visibile** visible (*o* ocular) spectrum.
spettro|bolọgrafo *m.* ⟨*Astr*⟩ spectrobolograph. – **~bolọmetro** *m.* spectrobolometer. – **~chịmica** *f.* spectrochemistry. – **~colorịmetro** *m.* ⟨*Fis*⟩ spectrocolorimeter. – **~comparatọre** *m.* ⟨*Astr*⟩ spectrocomparator. – **~eliografịa** *f.* spectroheliography. – **~eliogrạfico** *a.* (*pl.* -ci) spectroheliographic. – **~eliọgrafo** *m.* spectroheliograph. – **~eliogrạmma** *m.* spectroheliogram. – **~elioscọpico** *a.* (*pl.* -ci) spectrohelioscopic. – **~elioscọpio** *m.* spectrohelioscope. – **~fotometrịa** *f.* ⟨*Fis*⟩ spectrophotometry. – **~fotomẹtrico** *a.* (*pl.* -ci) spectrophotometric. – **~fotọmetro** *m.* spectrophotometer. – **~grafịa** *f.* ⟨*Fis*⟩ spectrography. – **~grạfico** *a.* (*pl.* -ci) spectrographic.
spettrọ|grafo *m.* spectrograph. – **~grạmma** *m.* spectrogram. – **~metrịa** *f.* spectrometry. – **~mẹtrico** *a.* (*pl.* -ci) spectrometric.
spettrọ|metro *m.* **1.** spectrometer. – **2.** → **spettroscopio.** – **3.** → **spettrografo.** – **~scopịa** *f.* ⟨*Fis*⟩ spectroscopy. – **~scọpico** *a.* (*pl.* -ci) spectroscopic(al). – **~scọpio** *m.* spectroscope: ~ *acustico* acoustic spectroscope.
Spẹzia: *La* ~ *N.pr.f.* ⟨*Geog*⟩ La Spezia.
speziạle[1] *m.* **1.** (*venditore di spezie*) spice-seller. – **2.** ⟨*pop,ant*⟩ (*farmacista*) chemist; (*droghiere*) grocer; (*semplicista*) herbalist.
speziạle[2] *a.* ⟨*ant*⟩ (*speciale*) special. – **spezialità** *f.* ⟨*ant*⟩ (*specialità*) special(i)ty.
spẹzie[1] *f.pl.* ⟨*Gastr*⟩ spices *pl*, spicery.
spẹzie[2] *f.inv.* ⟨*ant*⟩ (*specie*) kind.
spezieltà *f.* ⟨*ant*⟩ (*specialità*) special(i)ty.
spezierịa *f.* ⟨*ant*⟩ **1.** (*drogheria*) grocery, grocer's shop. – **2.** (*farmacia*) chemist's (shop). – **3.** (*bottega di speziale*) spice shop. – **4.** *pl.* ⟨*non com*⟩ (*spezie*) spices *pl*, spicery.
spezzạbile *a.* breakable. – **spezzamẹnto** *m.* ⟨*non com*⟩ break(ing); (*stacco*) breaking (*o* snapping) off.
spezzạre *v.t.* (**spẹzzo**) **1.** to break: ~ *il ghiaccio* to break the ice; (*frantumare*) to break to (*o* into) pieces, to break up, to shatter, to shiver: ~ *un bicchiere* to break a glass into pieces; (*staccare*) to break (*o* snap) off: ~ *un ramo* to break off a branch; (*rompere da parte a parte*) to split, to cleave. – **2.** (*rompere a colpi*) to smash, to break up: *riuscirono a* ~ *la serratura* they succeeded in smashing the lock. – **3.** (*spaccare*) to chop: ~ *la legna* to chop wood. – **4.** (*strappare, rompere con violenza*) to break, to rend: ~ *una catena* to break a chain. – **5.** ⟨*fig*⟩ (*dividere in due o più parti*) to break (*o* split) up: ~ *il viaggio in tre tappe* to break up one's journey into three stages; *questo appuntamento mi spezza tutto il pomeriggio* this appointment breaks up my whole afternoon. – **6.** ⟨*Gastr*⟩ (*trinciare*) to cut up, to carve, to chop up: ~ *un pollo* to cut up a chicken. – **7.** ⟨*Med*⟩ (*fratturare*) to fracture, to break: *un calcio gli ha spezzato una gamba* a kick broke his leg. – **8.** ⟨*ant*⟩ (*cambiare in spiccioli*) to change (into small money). – **spezzarsi** *v.r.* **1.** to break; (*andare in frantumi*) to break up (*o* into pieces), to shatter, to shiver; (*staccarsi*) to break (*o* snap) off: *il ramo si spezzò sotto il peso della neve* the branch snapped off under the weight of the snow. – **2.** ⟨*Med*⟩ (*fratturarsi*) to fracture, to break: *mi si è spezzato il braccio* I broke my arm, my arm got broken. □ ⟨*fig*⟩ ~ *le catene* (*o i ceppi*) (*riacquistare la libertà*) to break one's fetters; ⟨*fig*⟩ ~ *il cuore a qd.* to break s.o.'s heart; *mi si spezza il cuore* my heart is breaking; *spezzarsi in due* to break in two; ⟨*fig*⟩ (*darsi da*

fare) to do all one can, to go to great pains (*o* trouble): *spezzarsi in due per qd.* to go to great pains for s.o..

spezzata *f.* ⟨*Geom*⟩ (*anche linea spezzata*) broken line.

spezzatino *m.* ⟨*Gastr*⟩ stew.

spezzato (*p.p. di spezzare*) **I** *a.* **1.** broken; (*frantumato*) broken up, shattered, in pieces; (*staccato*) broken (*o* snapped) off; (*spaccato*) chopped. – **2.** ⟨*fig*⟩ (*frammentario*) broken, fragmentary, disconnected, disjointed. – **3.** ⟨*Med*⟩ (*fratturato*) fractured, broken. – **4.** ⟨*Geom*⟩ broken. – **II** *s.m.* **1.** ⟨*Vest*⟩ sports jacket and trousers. – **2.** ⟨*Teat*⟩ flat. – **3.** → **spezzatino**. – **4.** *pl.* (*denari spiccioli*) small change. □ ⟨*non com*⟩ *alla -a* (*a intervalli*) intermittently, at intervals, interruptedly, discontinuously; (*un po' per volta*) bit by bit, piecemeal; ⟨*ant*⟩ *monete -e* (*spiccioli*) (small) change *sing*, coins *pl*.

spezzatore *m.* (*f.* **-trice**) **1.** ⟨*non com*⟩ breaker. – **2.** ⟨*Macell*⟩ chopper, butcher who chops up meat.

spezzatrice *f.* ⟨*Ind*⟩ divider, dividing and moulding machine.

spezzatura *f.* **1.** breaking; (*frantumazione*) breaking up (*o* in pieces), shattering, shivering; (*stacco*) breaking (*o* snapping) off. – **2.** (*effetto*) break. – **3.** ⟨*fig*⟩ (*interruzione*) interruption, break. – **4.** ⟨*concr*⟩ (*parte spezzata*) piece, fragment. – **5.** ⟨*concr*⟩ (*volume scompagnato*) odd volume; (*fascicolo*) odd fascic(u)le.

spezzettamento *m.* breaking up (*anche fig.*). – **spezzettare** *v.t.* (**spezzetto**) **1.** to break up (*o* into small pieces), to divide into fragments; (*tagliando*) to cut into small pieces: ~ *il pane* to cut bread into small pieces; (*spaccando*) to chop up. – **2.** ⟨*fig*⟩ to break up, to fragment: ~ *il discorso* to fragment the exposition. – **spezzettato** (*p.p. di spezzettare*) *a.* **1.** broken up, in pieces; (*tagliato*) cut into small pieces; (*spaccato*) chopped (up). – **2.** ⟨*fig*⟩ broken up, disjointed, fragmented, fragmentary. – **spezzettatura** *f.* → **spezzettamento**.

spezzonamento *m.* ⟨*Mil*⟩ bombing (*o* bombardment) with fragmentation bombs. – **spezzonare** *v.t.* (**spezzono**) to bomb with fragmentation bombs. – **spezzone** *m.* **1.** (*pezzo*) piece, bit; (*frammento*) fragment, scrap. – **2.** ⟨*Cin*⟩ strip of blank film. – **3.** ⟨*Mil*⟩ fragmentation (*o* anti-personnel) bomb, fragmentation shell. – **4.** ⟨*Edit*⟩ (*volume scompagnato*) odd volume; (*fascicolo*) odd fascic(u)le. – **5.** ⟨*teat*⟩ (*piccola compagnia*) small company of actors. – **6.** ⟨*Met*⟩ cut down size, crop end; (*pezzo da forgiare*) forging stock. □ ⟨*Mil*⟩ ~ *incendiario* incendiary bomb.

spezzoniera *f.* ⟨*Mil*⟩ fragmentation bomb launching device.

S.P.G.M. = ⟨*epist*⟩ *sue proprie gentili mani* personal for addressee.

spia **I** *s.f.* **1.** spy: *una* ~ *nemica* an enemy spy. – **2.** (*informatore della polizia*) (police) spy, informer, ⟨*pop*⟩ squealer, ⟨*pop*⟩ nark, ⟨*pop*⟩ stool-pigeon. – **3.** (*delatore*) telltale, spy, talebearer, tattler, ⟨*spreg*⟩ squealer, ⟨*fam*⟩ sneak. – **4.** ⟨*Pol*⟩ (*agente segreto*) secret agent. – **5.** ⟨*fig*⟩ (*indizio*) indication, sign, evidence, mark: *il rialzo dei prezzi è una* ~ *della crisi* the rise in prices is an indication of the crisis. – **6.** (*apertura*) spy-hole, peep-hole, inspection hole; (*di prigione*) Judas(-hole), Judas-window. – **7.** ⟨*tecn*⟩ (*dispositivo di controllo*) indicator; (*lampada spia*) pilot lamp, pilot-light; (*indicatore d'emergenza*) warning light. – **8.** ⟨*Teat*⟩ curtain peep-hole. – **9.** ⟨*Venat*⟩ decoy-bird. – **II** *a.* **1.** spy-: *aereo* ~ spy plane. – **2.** ⟨*tecn*⟩ pilot, warning, indicating: *lampadina* ~ pilot-light, warning light. □ ⟨*Aut*⟩ ~ *dell'***acqua** water temperature indicator; ⟨*El*⟩ ~ *del* **carico** charge indicator; **fare** *la* ~: 1. to play the spy, to (be a) spy; 2. (*fare l'informatore della polizia*) to play the informer, to inform; 3. (*riportare*) to tell (tales), to tale-bear, ⟨*fam*⟩ to (be a) sneak; *fare la* ~ *contro qd.* to ⌜inform on⌝ (*o* denounce) s.o.; (*riportare*) to tell (tales) on s.o.; *fare la* ~ *di qc.* to report (*o* tell) s.th.; ⟨*scol*⟩ *fare la* ~ *al maestro contro qd.* to sneak to the teacher on s.o., to tell on s.o. to the teacher; ⟨*Aut*⟩ ~ *dei* **lampeggiatori** winking indicator; ~ *delle luci abbaglianti* headlight beam indicator; ~ **luminosa** warning light; ⟨*Aut*⟩ ~ *dell'***olio** oil window (*o* indicator).

spiaccicare *v.t.* (**spiaccico, spiaccichi**) **1.** to squash, to crush, to flatten. – **2.** (*ridurre in poltiglia*) to (squash to a) pulp, to mash, to reduce to a pulp (*o* mash). – **spiaccicarsi** *v.r.* **1.** to squash, to become squashed (*o* crushed). – **2.** (*diventare poltiglia*) to become a pulp (*o* mash), to be squashed to a pulp.

spiaccichio *m.* **1.** (continual) squashing, crushing; (*lo spiaccicarsi di più cose*) squashing. – **2.** (*insieme di cose spiaccicate*) squashed (*o* crushed) things *pl*, squash, squashy mess. – **3.** (*poltiglia*) pulp, mash.

spiacente (*p.pr. di spiacere*) *a.* **1.** sorry, upset, regretful: *siamo -i dell'accaduto* we ⌜are sorry about⌝ (*o* regret) what happened; ~, *ma non ho altra scelta* I'm sorry, but I have no choice. – **2.** ⟨*ant*⟩ (*sgradito*) unpleasant, disagreeable; (*odioso*) hateful, odious. □ *essere* ~ to be sorry, to regret: *siamo -i di dover rifiutare* we are sorry to have to refuse, we regret having to refuse.

spiacenza *f.* ⟨*ant*⟩ (*dispiacere*) sorrow.

spiacere *v.* (**spiaccio, spiaci; spiacqui, spiaciuto**) **I** *v.i.impers.* (*aus.* **essere**) **1.** (*provare rammarico*) to be sorry (*costr.pers.*), to regret (*costr.pers.*): *mi spiace, ma devo dire di no* (I'm) sorry, but I must say no; *mi è spiaciuto di non averti visto* I'm sorry I didn't see you; (*provare contrarietà*) not to like (*costr.pers.*), to dislike (*costr.pers.*): *mi spiace il tuo modo di fare* I don't like your behaviour. – **2.** (*in formule di cortesia*) to mind (*costr.pers.*), to object (*costr.pers.*): *se non ti spiace, vorrei andare* if you ⌜don't mind⌝ (*o* have no objection), I'd like to go. – **II** *v.i.* (*aus.* **essere**) to upset, to vex, to displease, to grieve (*a qd.* s.o.): *il vostro contegno spiace a tutti* your behaviour upsets everyone. – **spiacersi** *v.r.* (*rammaricarsi*) to regret (*di qc.* s.th.), to be sorry (about), to be upset (by).

spiacevole *a.* **1.** unpleasant, disagreeable: *una sorpresa* ~ an unpleasant surprise. – **2.** (*increscioso*) regrettable, unfortunate: *uno* ~ *incidente* a regrettable incident. – **3.** ⟨*ant*⟩ (*difficile*) difficult, tiresome.

spiacevolezza *f.* **1.** unpleasantness, disagreeableness. – **2.** (*l'essere increscioso*) regrettableness, unfortunateness. – **3.** ⟨*fig*⟩ (*l'essere sgradito*) unpleasantness, undesirableness, unwelcomeness. – **spiacevolmente** *avv.* unpleasantly, disagreeably.

spiacimento *m.* ⟨*rar*⟩ **1.** sorrow, feeling sorry. – **2.** (*dispiacere*) sorrow, grief, affliction, upset.

spiaggetta *f. dim. di* **spiaggia**.

spiaggia *f.* (*pl.* **-ge**) **1.** (sea-)shore, beach: *il mare ha mangiato la* ~ the sea has eroded the shore. – **2.** (*fascia sabbiosa a uso dei bagnanti*) beach: *vestiti da* ~ beach clothes; *andare alla* ~ to go to the beach; (*stazione balneare*) bathing resort, seaside. – **3.** ⟨*estens*⟩ (*lista metallica*) metal strip for fastening runners. – **4.** ⟨*ant*⟩ (*riva: di fiume*) bank, edge; (*di un lago*) shore. – **5.** ⟨*ant*⟩ (*zona pianeggiante*) plain, □ **da** ~ beach-: *ombrellone da* ~ beach umbrella; ~ **familiare** family beach; ~ **ghiaiosa** shingly beach, shingle, stony (*o* pebbly) beach; ~ **libera** public beach; ~ **popolare** popular beach; ~ **sabbiosa** sandy beach; **vita** *di* ~ life at a seaside resort.

spiamento *m.* ⟨*non com*⟩ spying.

spianabile *a.* that can be levelled. – **spianamento** *m.* **1.** levelling. – **2.** ⟨*ant*⟩ (*spiegazione*) explanation, elucidation.

spianare **I** *v.t.* **1.** to (make) level, to make even: ~ *un terreno* to level a piece of ground; (*rif. a colline e sim.*) to level. – **2.** (*rendere liscio*) to smooth(e), to smooth out, to plane: ~ *la fronte* to smooth one's brow. – **3.** (*stirare*) to iron out: ~ *le pieghe di un vestito* to iron out the creases in a dress; (*appiattire*) to flatten, to iron flat, to smooth: ~ *una cucitura* to flatten a seam. – **4.** (*rif. a pasta e sim.*) to roll out. – **5.** (*puntare*) to level, to aim, to point: ~ *il fucile contro qd.* to level one's gun at s.o. – **6.** (*radere al suolo*) to raze (to the ground), to destroy, to flatten: *il villaggio fu spianato dalle bombe* the village was razed to the ground by the bombs; (*rif. a fortezze e sim.*) to raze, to demolish, to tear down. – **7.** ⟨*fig*⟩ to smooth (out, away), to straighten out, to eliminate, to remove: ~ *le difficoltà* to smooth (*o* iron) out the difficulties. – **8.** ⟨*ant*⟩ (*spiegare*) to explain. – **II** *v.i.* (*aus.* **avere**) ⟨*non com*⟩ **1.** (*divenire piano*) to become level (*o* even), to grow smoother. – **2.** ⟨*non com*⟩ (*essere in piano*) to be level (*o* even, flat). – **spianarsi** *v.r.* to become smooth, to smooth down (*anche fig.*). □ ⟨*pop*⟩ ~ *le costole a qd.* (*percuoterlo di santa ragione*) to give s.o. a sound beating, ⟨*fam*⟩ to dust s.o.'s jacket; ~ *a livello* to flush; ~ *col rullo* to roll; ~ *al tornio* to face, to turn in the flat; ⟨*fig*⟩ ~ *la via* (*o strada*) *a qd.* to smooth s.o.'s way.

spianata *f.* **1.** levelling, flattening, evening out; (*il lisciare*) smoothing (out). – **2.** (*spiazzo*) open space, esplanade.

spianato (*p.p. di spianare*) **I** *a.* **1.** levelled, levelled off: *terreno* ~ levelled ground. – **2.** (*liscio*) smooth, smoothed (out): *fronte -a* smooth brow. – **3.** (*piatto*) flat: *avere il petto* ~ to be flat-chested. – **4.** (*rif. ad armi: puntato*) levelled, aimed, pointed. – **5.** (*rif. a pasta e sim.*) rolled out. – **II** *s.m.* (*spiazzo*) open space, esplanade.

spianatoia *f.* pastry-board. – **spianatoio** *m.* ⟨*non com*⟩ **1.** flattener. – **2.** (*matterello*) rolling-pin. – **spianatore** *m.* (*f.* **-trice**) ⟨*non com*⟩ **1.** leveller, smoother, flattener. – **2.** ⟨*ant*⟩ (*commentatore*) annotator, commentator. – **spianatrice** *f.* **1.** ⟨*Agr*⟩ track loosener. – **2.** ⟨*Mecc*⟩ straightening (*o* flattening) machine; (*per terreno*) grader. – **spianatura** *f.* levelling; (*il lisciare*) smoothing; (*il rendere piatto*) flattening.

spiano *m.* **1.** levelling; (*il lisciare*) smoothing. – **2.** (*spianata*) open space (*o* ground), esplanade. – **3.** ⟨*Stor*⟩ (*a Firenze*) measure of corn allotted to a baker for each baking. □ ⟨*fig*⟩ *a tutto* ~: 1. (*senza limite*) to the utmost, as hard as one can, profusely: *lavorare a tutto* ~ to work ⌜as hard as one can⌝ (*o* flat out); 2. (*senza interruzione*) non-stop, without a break.

spiantamento *m.* ⟨*non com*⟩ (*lo sradicare*) uprooting.

spiantare *v.t.* ⟨*non com*⟩ **1.** (*sradicare*) to uproot, to pull (*o* tear) up, to eradicate; (*sconficcare*) to dig out: ~ *un palo* to dig out a pole. – **2.** ⟨*estens*⟩ (*abbattere*) to pull down, to demolish; (*radere*) to raze, to destroy. – **3.** ⟨*fig*⟩ (*mandare in rovina*) to ruin: *il fallimento ha spiantato quella famiglia* the bankruptcy ruined that family. – **4.** ⟨*fig,ant*⟩ (*annientare*) to uproot, to wipe out, to destroy, to eradicate. – **spiantarsi** *v.r.* (*rovinarsi*) to ruin o.s.

spiantato (*p.p. di spiantare*) **I** *a.* impoverished, penniless, poverty -stricken. – **II** *s.m.* (*f.* **-a**) **1.** impoverished person. – **2.** ⟨*spreg*⟩ pauper: *ha sposato uno* ~ she married a pauper.

spiantatore *m.* **1.** ⟨*rar*⟩ (*chi spianta*; *f.* **-trice**) uprooter. – **2.** ⟨*Agr*⟩ (*specie di zappa*) kind of hoe.

spianto: ⟨*non com*⟩ *andare a* (o *in*) ~ to go to rack and ruin, to ruin o.s.; *mandare a* (o *in*) ~ to ruin.

spiare *v.t.* (**spio, spii**) **1.** (*osservare*) to spy (on), to keep a close watch on: ~ *il nemico* to spy on the enemy; (*indagare*) to spy into (*o* on), to investigate: ~ *i movimenti di qd.* to investigate s.o.'s movements. – **2.** (*ascoltare di nascosto*) to eavesdrop (*o* spy) on: ~ *qd. dal buco della serratura* to spy on s.o. through the keyhole. – **3.** (*aspettare*) to watch (*o* wait) for, to look out for: ~ *il momento opportuno* to watch for the right moment. – **4.** (*cercare di conoscere, di scoprire*) to study, to try to judge (*o* read), to explore: ~ *le mosse dell'avversario*. – **5.** ⟨*assol*⟩ to spy; (*ascoltare*) to listen, to eavesdrop: *lo sorpresi mentre spiava* I surprised him eavesdropping.

– **6.** ⟨*ant*⟩ (*guardare attentamente*) to watch closely, to scrutinize, to study.

spiạta *f.* **1.** spying. – **2.** (*delazione*) denouncement, laying of information: *fu arrestato in seguito a una* ~ he was arrested following a denouncement. – **spiatọre** *m.* (*f.* **-trice**) ⟨*rar*⟩ (*spia*) spy.

spiattellamẹnto *m.* ⟨*non com*⟩ blabbing, speaking out. – **spiattellạre** *v.t.* (**spiattẹllo**) **1.** (*riferire*) to tell, to blab, to blurt (*o* let) out: *ha spiattellato tutto ciò che sapeva* he blabbed all he knew. – **2.** (*raccontare apertamente*) to come out with, to say (*o* declare) openly, to make no secret of, ⟨*fam*⟩ to shoot off: ~ *la verità* to come out with the truth; (*raccontare senza riguardo*) to tell flatly (*o* plainly). – **3.** (*mostrare*) to brandish, to wave, to thrust, to hold out: *mi spiattellava davanti al viso la lettera* he waved the letter in my face. – **spiattellạto** (*p.p. di spiattellare*): ⟨*tosc*⟩ *alla -a* (*apertamente*) openly, plainly, flatly, candidly: *dire le cose alla -a* to say things openly, to make no bones about things.

spiazzạre *v.t.* ⟨*sport*⟩ to cause to move out of position.

spiazzạta *f.* ⟨*non com*⟩ **1.** → **spiazzo**. – **2.** ⟨*fig*⟩ (*pelata*) bald patch (*o* spot).

spiazzạto (*p.p. di spiazzare*) *a.* ⟨*sport*⟩ out of position.

spiạzzo *m.* **1.** open space (*o* ground), esplanade. – **2.** (*radura*) clearing. – **3.** (*piazza*) square, place.

spịca *f.* **1.** ⟨*ant,poet*⟩ (*spiga*) spike, ear. – **2.** ⟨*Bot*⟩ (*spigo*) (English) lavender (*Lavandula spica*). ☐ ⟨*Med*⟩ *fasciatura a* ~ spica.

spicanạrdi *f.*, **spicanạrdo** *m.* → **spigo**.

spịcaro *m.* ⟨*Itt*⟩ **1.** picarel (*Spicara alcedo*). – **2.** kind of picarel (*Spicara vulgaris*).

spicarọla *f.* ⟨*Ornit*⟩ (*balestruccio*) (house-)martin (*Delichon urbica*).

spicạstro *m.* ⟨*Bot*⟩ verticillaster.

spiccạce, **spiccạgnolo** *a.* easily removed from the stone.

spiccamẹnto *m.* ⟨*non com*⟩ **1.** detaching. – **2.** (*rif. a fiori, a frutta*) picking, plucking.

spiccạnte (*p.pr. di spiccare*) *a.* striking, showy.

spiccạre *v.* (**spịcco, spịcchi**) **I** *v.t.* **1.** (*staccare*) to detach, to take off; (*rif. a fiori, a frutta*) to pick, to pluck: ~ *un grappolo d'uva* to pick a bunch of grapes; (*rif. a cose appese*) to take (*o* pull) down; (*da un gancio*) to unhook. – **2.** (*spezzare*) to break (*o* snap) off. – **3.** (*staccare: tagliando*) to cut off, to sever: ~ *la testa dal corpo* to sever the head from the body, to cut the head off the body; (*con un'arma da fuoco*) to blow off. – **4.** (*compiere un movimento brusco*) to take, to do, to give: ~ *un salto* to take a leap, to give a jump. – **5.** (*pronunciare distintamente*) to pronounce distinctly: *il bambino non spicca ancora bene le parole* the child does not pronounce words distinctly yet. – **6.** ⟨*Dir*⟩ to issue: ~ *un mandato di cattura* to issue a warrant of arrest. – **7.** ⟨*Comm,burocr*⟩ (*emettere*) to emit, to issue: ~ *un assegno* to issue a cheque. – **II** *v.i.* (*aus.* **avere**) **1.** (*dare nell'occhio*) to show up, to catch the eye, to be striking, to attract attention: *il rosso è un colore che spicca* red is a colour which shows up, red is an eye-catching colour. – **2.** (*distinguersi*) to stand out (*tra* among, from), to tower (above): *spicca tra i suoi compagni per intelligenza* he towers above his companions in intelligence. – **spiccarsi** *v.r.* **1.** (*rif. a frutta: staccarsi con facilità*) to come off easily; (*aprirsi facilmente*) to open easily. – **2.** ⟨*non com*⟩ (*balzare*) to jump, to leap, to spring. ☐ ~ *il bollore* to begin to boil; *far* ~ (*mettere in risalto*) to show up, to bring out, to emphasize; ~ *una tratta* to draw a bill; ~ *il volo* to fly up, to soar, to take wing; ⟨*fig*⟩ (*andarsene*) to escape, to get away, to take off.

spiccatamẹnte *avv.* **1.** (*nettamente*) clearly, distinctly, sharply, conspicuously: *distinguersi* ~ to stand out clearly; (*distintamente*) distinctly: *pronunciare* ~ *le parole* to pronounce one's words distinctly. – **2.** (*tipicamente*) typically; (*marcatamente*) markedly, unmistakably.

spiccạto (*p.p. di spiccare*) **I** *a.* **1.** (*staccato*) detached, taken off; (*rif. a fiori, a frutta*) picked, plucked. – **2.** (*spezzato*) broken off, snapped off; (*tagliato*) cut off. – **3.** (*marcato*) marked, unmistakable, obvious: *uno* ~ *accento siciliano* a marked (*o* strong) Sicilian accent; (*notevole, singolare*) great, remarkable: *avere uno* ~ *senso dell'umorismo* to have a remarkable sense of humour. – **4.** (*non comune*) uncommon, unusual. – **5.** (*nitido, distinto*) sharp, clear, distinct. – **6.** ⟨*Mus*⟩ spiccato, arco saltando. – **II** *s.m.* ⟨*Mus*⟩ spiccato, arco saltando.

spiccatọio *a.* → **spiccace**.

spicchiạre *v.t.* (**spịcchio, spịcchi**) ⟨*non com*⟩ (*dividere in spicchi*) to divide in pieces, to cut up into segments; (*tagliare a fette*) to slice, to cut into slices.

spicchiettịno, **spicchiẹtto** *m. dim. di* **spicchio**.

spịcchio *m.* **1.** ⟨*Bot*⟩ (*rif. ad agrumi*) segment, piece: *uno* ~ *d'arancia* an orange segment; (*rif. ad aglio*) clove. – **2.** (*pezzo a forma di spicchio*) piece, slice: *uno* ~ *di torta* a slice of cake. – **3.** ⟨*Arch*⟩ gore. – **4.** ⟨*Arald*⟩ (*punto*) point; (*braccio*) limb, arm.
☐ **fare** *a spicchi* to cut in pieces, to divide into segments; (*a fette*) to slice, to cut into slices; ~ *di* **luna** crescent (moon); *uno* ~ *di* **noce** a lobe of a walnut; ⟨*tosc,non com*⟩ **per** ~ (*di sghembo*) crookedly, askew; ⟨*Macell,tosc*⟩ ~ *di* **petto** middle brisket; ⟨*Geom*⟩ ~ **sferico** spherical segment.

spicciạre *v.* (**spịccio, spịcci**) **I** *v.t.* **1.** (*sbrigare*) to dispatch, to settle, to get done (*o* over with), to get through: ~ *una faccenda* to dispatch a piece of business, to get s.th. done. – **2.** (*rif. a persone*) to attend to, to see to: *il parrucchiere non mi può* ~ *prima delle cinque* the hairdresser can't attend to me before five. – **3.** (*riordinare*) to tidy (*o* clear) up, to put straight: ~ *la cucina* to tidy up the kitchen. – **4.** ⟨*tosc*⟩ (*sgombrare*) to clear off: *spiccia il tavolo, che devo apparecchiare* clear the table, I have to set it. – **5.** (*cambiare in moneta spicciola*) to change, to give small change for. – **II** *v.i.* (*aus.* **essere**) **1.** (*zampillare fuori*) to spurt (out), to gush (out), to squirt (out). – **2.** ⟨*ant*⟩ (*spiccare un salto*) to take a leap, to jump. – **spicciarsi** *v.r.* (*sbrigarsi*) to hurry (up). ☐ *spicciati!* hurry up!, (be) quick!, ⟨*fam*⟩ get a move on!

spicciatịvo *a.* **1.** (*sbrigativo*) quick, quickly done, swift, hurried, brief: *affare* ~ quick business. – **2.** (*brusco*) abrupt, brusque, rough, forceful.

spiccicạre *v.t.* (**spịccico, spịccichi**) **1.** (*staccare cose appiccicate*) to unstick, to take off, to detach: ~ *un francobollo* to unstick a stamp, to take a stamp off. – **2.** ⟨*fig*⟩ (*separare*) to separate. – **3.** (*articolare*) to utter, to say: *non riesce a* ~ *una parola* he can't say a word. – **spiccicarsi** *v.r.* **1.** (*staccarsi*) to come unstuck, to come off (*o* away). – **2.** ⟨*fig*⟩ (*liberarsi*) to get away (*da* from), to get rid (of), to leave (s.o.): *non so come spiccicarmi da quel seccatore* I don't know how to get rid of that bore. ☐ ⟨*fig*⟩ *non spiccicar parola* (*restare muto*) not to utter (*o* say) a word; ⟨*fam*⟩ *non* ~ *una parola d'inglese* not to know a word of English; *se non la mandavo via non si spiccicava più* if I hadn't sent her away she never would have left.

spiccicạto (*p.p. di spiccicare*) *a.* ⟨*region*⟩ (*somigliantissimo*) exactly (*o* very) like, the image of: *è sua madre -a* she is exactly like her mother, ⟨*fam*⟩ she is the spitting image of her mother.

spịccio **I** *a.* **1.** (*sbrigativo*) quick, hasty, quickly done; (*brusco*) brusque, abrupt: *modi spicci* abrupt ways. – **2.** (*svelto*) speedy, quick, fast. – **3.** (*spicciolo*) small, loose: *denaro* ~ small (*o* loose) change. – **4.** ⟨*non com*⟩ (*libero, disponibile*) free. – **5.** ⟨*non com*⟩ (*sgombro*) clear, free. – **II** *s.m.pl.* loose (*o* small) change. ☐ *andare per le spicce* to go straight to the point, to waste no time (*o* words).

spicciolame *m.* (small) change, loose money.

spicciolạre[1] *v.t.* (**spicciọlo**) ⟨*non com*⟩ (*staccare dal picciolo*) to pick, to pluck.

spicciolạre[2] *v.t.* (**spịcciolo**) to change, to give (small) change for: ~ *diecimila lire* to change ten thousand lire.

spicciolạto[1] (*p.p. di spicciolare*[1]) *a.* **1.** picked, plucked. – **2.** (*isolato*) scattered, single. ☐ *alla -a*: 1. (*uno alla volta*) one at a time: *uscire alla -a* to go out one at a time; 2. (*pochi alla volta*) a few at a time, by twos or threes.

spicciolạto[2] (*p.p. di spicciolare*[2]) *a.* ⟨*non com*⟩ small, loose: *denaro* ~ (small) change.

spicciolatụra *f.* ⟨*non com*⟩ picking, plucking.

spịcciolo **I** *a.* **1.** small, loose: *soldi -i* small change. – **2.** ⟨*fig,tosc*⟩ (*semplice, comune*) simple, common: *gente -a* simple people. – **II** *s.m.pl.* (small) change, small coins.

spịcco[1] *m.* (*pl.* **-chi**) conspicuousness; (*risalto*) prominence, relief. ☐ *far* ~: 1. (*risaltare*) to catch the eye, to stand out, to show up; 2. (*essere superiore*) to stand out, to tower.

spịcco[2] *a.* (*pl.* **-chi**) → **spiccace**.

spicconạre *v.t.* (**spiccọno**) **1.** (*rif. a strada*) to tear (*o* break) up with a pick; (*rif. a muro*) to tear (*o* break) down with a pick. – **2.** ⟨*assol*⟩ (*lavorare col piccone*) to work with a pick.

spicifọrme *a.* ⟨*Bot*⟩ spiciform.

spicilẹgio *m.* ⟨*lett*⟩ (*antologia*) anthology, collection, ⟨*lett*⟩ spicilege.

spicinạre *v.t.* (**spicịno/spịcino**) ⟨*tosc*⟩ **1.** (*spezzettare*) to cut (*o* break) into small pieces. – **2.** (*sbriciolare*) to crumble. – **3.** ⟨*estens*⟩ (*stritolare*) to crush, to grind. – **4.** ⟨*enfat*⟩ to smash, ⟨*fam*⟩ to make mincemeat of.

spicinịo *m.* ⟨*tosc*⟩ **1.** (*atto*) breaking into small pieces; (*sbriciolamento*) crumbling. – **2.** (*effetto*) crumbs *pl.* – **3.** ⟨*estens*⟩ (*massacro*) massacre. – **4.** ⟨*fig*⟩ (*sperpero*) waste, squandering.

spịcola *f.* ⟨*Zool*⟩ spicule.

spịcula *f.* ⟨*Astr*⟩ spicule.

spider *ingl.* ['spaidər] *m./f.* ⟨*Aut*⟩ two-seater sports-car.

spidocchiamẹnto *m.* delousing. – **spidocchiạre** *v.t.* (**spidọcchio, spidọcchi**) **1.** to delouse, to remove lice from, to pick the lice off (*o* out of). – **2.** (*rif. a piante*) to remove lice from. – **spidocchiarsi** *v.r.* to delouse o.s., to pick lice off o.s.

spiedạta *f.* ⟨*Gastr*⟩ spitful, roast on the spit. – **spiedịno** (*dim. di spiedo*) *m.* ⟨*Gastr*⟩ spitful. – **spiẹdo** *m.* **1.** ⟨*Gastr*⟩ spit, skewer. – **2.** (*quantità*) spitful: *uno* ~ *di quaglie* a spitful of quail. – **3.** ⟨*Mil. ant*⟩ spear. ☐ *allo* ~ on the spit: *arrosto allo* ~ roast on the spit.

spiegạbile *a.* **1.** explainable, explicable. – **2.** (*comprensibile*) understandable, comprehensible.

spiegacciamẹnto *m.* ⟨*non com*⟩ → **spiegazzamento**. – **spiegacciạre** *v.* (**spiegạccio, spiegạcci**) ⟨*non com*⟩ → **spiegazzare**.

spiegamẹnto *m.* **1.** ⟨*Mil*⟩ (*schieramento*) deployment: ~ *di forze* deployment of forces; (*impiego*) employment. – **2.** ⟨*ant*⟩ (*spiegazione*) explanation.

spiegạre *v.t.* (**spiẹgo, spiẹghi**) **1.** to unfold, to spread (*o* open, lay) out: ~ *la tovaglia* to spread out the tablecloth; (*srotolare*) to unroll; (*rif. a vele, a bandiere*) to unfurl. – **2.** (*aprire, allargare*) to spread (out), to open (out): *il falco spiegò le ali* the hawk spread its wings. – **3.** ⟨*fig*⟩ (*rendere intelligibile*) to explain: ~ *un enigma* to explain an enigma; (*esporre commentando*) to expound, to explain: ~ *un teorema* to expound a theorem. – **4.** ⟨*fig*⟩ (*insegnare, far capire*) to explain, to show, to tell: ~ *a qd. cosa deve fare* to explain to s.o. what he must do. – **5.** (*raccontare*) to tell, to make known: *ti spie-*

gherò la mia storia I will tell you my story; *spiegami un po' che ti è successo* tell me what happened to you. – 6. (*giustificare*) to account (for): *come spieghi questa differenza?* how can you account for this difference? – 7. ⟨*fig,non com*⟩ (*mostrare*) to show, to display: ~ *coraggio* to display courage. – 8. ⟨*fig,non com*⟩ (*impiegare*) to use, to make use of: ~ *tutta la propria influenza* to use all one's influence; (*svolgere*) to carry out, to engage in: ~ *un'intensa attività* to engage in intense activity. – 9. ⟨*Mil*⟩ to deploy: ~ *le truppe* to deploy the troops; (*schierare*) to draw up, to array. – 10. ⟨*fig,rar*⟩ (*liberare*) to free. – 11. ⟨*poet*⟩ (*spingere*) to push, to drive forward. – **spiegarsi** *v.r.* 1. (*rendersi conto*) to understand: *mi spiego le tue preoccupazioni* I understand what's worrying you; *non riesco a spiegarmi il suo comportamento* I can't understand (*o* explain) his behaviour. – 2. (*farsi capire*) to explain o.s., to make o.s. clear: *non so se mi sono spiegato bene* I don't know if I've made myself quite clear. – 3. (*esprimersi*) to express o.s.: *tu ti spieghi bene in italiano* you express yourself very well in Italian. – 4. ⟨*recipr*⟩ (*venire a una spiegazione*) to have a frank talk, to talk things over, to clear things up: *dopo la lite si sono spiegati* after the argument they cleared things up. □ ~ *il canto* to sing out; ⟨*lett*⟩ ~ *le vele al vento* (*salpare*) to set sail; ~ *la voce* to project one's voice, to sing with full voice; ~ *il volo* to spread one's wings, to prepare for flight; ⟨*fam*⟩ *mi spiego* (*voglio dire*) let me explain, I'll explain, this is what I mean; ⟨*fam*⟩ *mi spiego?* (*capisci?*) do you understand?, do you see what I mean?, ⟨*fam*⟩ do you get me?; ⟨*enfat*⟩ *non so se mi spiego* need I say more?, I'm sure you've got my point!

spiegatamẹnte *avv.* ⟨*non com*⟩ (*per esteso*) in full, in detail.

spiegatịvo *a.* ⟨*non com*⟩ (*dichiarativo*) explanatory.

spiegạto (*p.p. di spiegare*) *a.* 1. unfolded, spread (*o* opened, laid) out; (*srotolato*) unrolled; (*rif. a vele o bandiere*) unfurled. – 2. (*aperto*) spread (out), opened (out). – 3. ⟨*fig*⟩ (*chiarito*) explained, clarified, made clear, cleared up: *dubbio* ~ doubt that has been cleared up. – 4. ⟨*fig*⟩ (*commentato*) annotated, commentated; (*delucidato*) explained, expounded. – 5. ⟨*Arald*⟩ displayed, rising, rousant. □ *a bandiere -e* with flags flying (*o* unfurled), with flying colours; *a gola* (*o voce*) *-a* at the top of one's voice (*o* lungs); *a vele -e* with unfurled sails.

spiegatọre *m.* (*f.* **-trice**) ⟨*non com*⟩ 1. explainer. – 2. (*chi chiarisce*) clarifier. – **spiegatụra** *f.* unfolding, spreading out. – **spiegazioncịna** *f. dim. di* **spiegazione**.

spiegaziọne *f.* 1. explanation: *la* ~ *di una parola* the explanation of a word. – 2. (*esposizione*) explanation, expounding, exposition; (*commento*) commentary: *la* ~ *di un passo di Dante* the commentary on a passage in Dante; (*interpretazione*) interpretation, explanation: *ci sono molte -i per questa allegoria* there are many interpretations of this allegory. – 3. ⟨*concr*⟩ explanation: *una* ~ *plausibile* a plausible explanation; (*giustificazione*) justification: *non c'è* ~ *per quello che hai fatto* there's no justification for what you have done. – 4. (*chiarimento*) explanation: *esigere una* ~ to demand an explanation. – 5. (*soluzione*) solution, answer, explanation. □ *avere* (*o venire a*) *una* ~ *con qd.* to talk things out with s.o., ⟨*fam*⟩ to have it out with s.o.; *chiedere* ~ *di qc. a qd.* to ask s.o. ⌜for an explanation of⌝ (*o* to account for) s.th., to demand an explanation of s.th. from s.o.; *dare* ~ *di qc. a qd.* to account to s.o. for s.th., to give s.o. an explanation for s.th., to explain s.th. to s.o.; *dare una* ~ (*un chiarimento*) to give an explanation; *non so darmi una* ~ *del suo comportamento* I can't understand (*o* make out) his behaviour.

spiegazzamẹnto *m.* creasing, wrinkling, (c)rumpling. – **spiegazzạre** *v.t.* 1. (*piegare malamente*) to fold badly. – 2. (*gualcire*) to crease, to wrinkle, to crumple, to rumple up. – **spiegazzạto** (*p.p. di spiegazzare*) *a.* 1. badly folded. – 2. (*sgualcito*) creased, wrinkled, (c)rumpled. – **spiegazzatụra** *f.* 1. creasing, wrinkling. – 2. (*piega*) crease, wrinkle.

spieggiạre *v.t.* (**spiẹggio, spiẹggi**) ⟨*tosc*⟩ (*spiare*) to spy (on), to pry into.

spiemontizzạre *v.t.* ⟨*non com*⟩ to make un-Piedmontese (*o* less Piedmontese). – **spiemontizzarsi** *v.r.* to lose Piedmontese ways (*o* features).

spietatamẹnte *avv.* pitilessly, unmercifully, mercilessly, ruthlessly; (*crudelmente*) cruelly. – **spietatẹzza** *f.* 1. pitilessness, mercilessness, unmercifulness; (*inesorabilità*) ruthlessness; (*crudeltà*) cruelty, inhumanity. – 2. (*azione*) merciless (*o* ruthless) act, atrocity, act of cruelty.

spietạto *a.* 1. pitiless, unmerciful, merciless: *condanna -a* unmerciful condemnation. – 2. (*inesorabile*) inexorable, relentless, unbending, implacable: *sorte -a* inexorable fate; (*rif. a persone*) ruthless, relentless, unrelenting, implacable, unbending: *accusatore* ~ relentless accuser. – 3. (*disumano*) inhuman, cruel, brutal, barbarous. – 4. ⟨*iperb*⟩ (*accanito*) fierce, ⟨*fam*⟩ all-out: *una concorrenza -a* a fierce competition. □ *fare una corte -a a una ragazza* to court a girl persistently.

spietratọre *m.* ⟨*Agr*⟩ grain-washing machine, stone-remover. – **spietratrịce** *f.* root rake. – **spietratụra** *f.* removal of stones.

spifferamẹnto *m.* ⟨*non com*⟩ telling, blabbing, blurting out. – **spifferạre** *v.* (**spịffero**) I *v.t.* ⟨*fam*⟩ 1. to tell, to blab, to blurt out; ⟨*assol*⟩ to spill the beans. – 2. (*riferire*) to tell, to report. – 3. (*dire apertamente*) to say (*o* declare) openly. – II *v.i.* (*aus.* **avere**) (*rif. al vento*) to blow, to whistle (through a crack). – **spifferạta** *f.* 1. blabbing, telling, blurting out; (*spiata*) telling, reporting. – 2. (*sonata di piffero*) piping. – **spifferatọre** *m.* (*f.* **-trice**) ⟨*non com*⟩ blabber, blurter; (*spia*) telltale, ⟨*fam*⟩ sneak.

spịffero *m.* ⟨*fam*⟩ draught, ⟨*am*⟩ draft.

spifferọne *m.* (*f.* **-a**) ⟨*fam*⟩ (*chiacchierone*) chatterbox, blabber(mouth), ⟨*fam*⟩ big mouth: *non fidarti di lui, è uno* ~ don't trust him, he's a blabbermouth; (*spia*) telltale, ⟨*fam*⟩ sneak.

spịga *f.* 1. ⟨*Bot*⟩ (*dei cereali*) spike, ear, head: ~ *di grano* ear of corn. – 2. ⟨*Bot*⟩ (*infiorescenza*) spike; (*infiorescenza racemosa*) raceme. – 3. (*oggetto a forma di spiga*) spike. – 4. ⟨*Zootecn*⟩ whorl. – 5. ⟨*Tess*⟩ (*spina*) twill. – 6. ⟨*fig,lett*⟩ (*prodotto*) fruit, outcome. □ *a* ~: 1. spike-like, spike-shaped; 2. ⟨*Tess*⟩ → **spigato**[2]; ⟨*Edil*⟩ *mattonato a* ~ herring-bone brickwork; ⟨*Lav.femm*⟩ *punto a* ~ herring -bone stitch. – *Prov.*: *una* ~ *non fa manna* one swallow does not make a summer.

spigạme *m.* ⟨*non com*⟩ 1. number of ears of corn. – 2. ⟨*Bot*⟩ whorl (*o* group) of spikes.

spiganạrdo *m.* → **spigo**.

spigạre *v.i.* (**spịgo, spịghi**; *aus.* **essere/avere**) 1. (*mettere la spiga*) to ear (up), to come into ear: *il frumento comincia a* ~ the wheat is starting to ear up. – 2. (*estens*) (*rif. a ortaggi*: *invecchiare*) to go (*o* run) to seed.

spigạto[1] (*p.p. di spigare*) *a.* 1. spiked, in the ear: *avena -a* spiked oats. – 2. (*rif. a ortaggi*) gone (*o* run) to seed.

spigạto[2] *a.* ⟨*Tess*⟩ twilled: *stoffa -a* twilled material.

spigatrịce *f.* (*anche macchina spigatrice*) machine for cutting the ears off grain. – **spigatụra** *f.* 1. coming into ear, earing (up), shooting; (*periodo*) shooting time. – 2. (*nella lavorazione della paglia*) cutting the ears off grain.

spighẹtta (*dim. di spiga*) *f.* 1. spikelet. – 2. ⟨*Sart*⟩ trimming, braid.

spighịre *v.* (**spighịsco, spighịsci**) ⟨*tosc*⟩ → **spigare**.

spigionạrsi *v.r.* (**mi spigiọno**) to be(come) vacant (*o* empty): *l'appartamento si spigionerà fra tre mesi* the flat will be vacant in three months. – **spigionạto** (*p.p. di spigionarsi*) *a.* vacant, empty, ⟨*pred*⟩ to let: *appartamento* ~ vacant flat. □ ⟨*fig*⟩ *avere l'ultimo piano* ~ (*non avere cervello*) to be weak in the top storey.

spigliạre *v.t.* (**spịglio, spịgli**) 1. ⟨*non com*⟩ (*rendere disinvolto*) to make more self-confident: *la vita in città lo ha spigliato* living in the city has made him more self-confident. – 2. ⟨*ant*⟩ (*districare*) to extricate, to get out. – **spigliarsi** *v.r.* 1. ⟨*non com*⟩ (*diventare più disinvolto*) to become more self-confident. – 2. ⟨*ant*⟩ (*districarsi*) to extricate o.s. (*da* from), to get (*o* wriggle) out (of). – **spigliatamẹnte** *avv.* 1. self-confidently, free-and-easily. – 2. (*agilmente*) nimbly. – **spigliatẹzza** *f.* self-confidence, self-possession, (free -and-)easiness, lack of constraint. – **spigliạto** (*p.p. di spigliare*) *a.* 1. (*disinvolto*) self-confident, self-possessed, (free-and-)easy, unconstrained, natural, casual. – 2. (*sciolto, sicuro*) sure, confident: *passo* ~ sure step. – 3. (*agile*) nimble.

spignattạre *v.i.* (*aus.* **avere**) ⟨*fam*⟩ (*affaccendarsi intorno ai fornelli*) to busy o.s. with the cooking (*o* pots and pans).

spịgnere *v.* (**spịngo, spịgni**) ⟨*ant,region*⟩ → **spingere**.

spignoramẹnto *m.* 1. ⟨*Dir*⟩ release from sequestration (*o* distraint). – 2. (*riscatto*) redemption; (*dal pegno*) taking out of pawn (*o* hock). – **spignorạre** *v.t.* (**spignọro**) 1. ⟨*Dir*⟩ to release from sequestration (*o* distraint). – 2. (*riscattare*) to redeem; (*rif. a cosa data in pegno*) to take out of pawn (*o* hock).

spịgo *m.* (*pl.* **-ghi**) 1. ⟨*Bot*⟩ (English) lavender (*Lavandula spica*). – 2. ⟨*Bot*⟩ spike (*o* French) lavender (*Lavandula latifolia*). – 3. (*essenza*) lavender oil; (*profumo*) lavender water. □ ⟨*Bot*⟩ ~ *alpino* Celtic nard (*Valeriana celtica*).

spịgola *f.* ⟨*Itt*⟩ bass, sea-wolf, sea-dace, ⟨*am*⟩ sea bass (*Morone labrax*; *Dicentrarchus labrax*; *Labrax lupus*).

spigolamẹnto *m.* gleaning.

spigolạre *v.t.* (**spịgolo**) 1. to glean (*anche assol.*). – 2. ⟨*fig*⟩ (*raccogliere*) to glean, to gather, to collect, to pick up, to get together: ~ *aneddoti* to collect anecdotes. – **spigolatọre** *m.* (*f.* **-trice**) 1. gleaner. – 2. ⟨*fig*⟩ gleaner, gatherer. – **spigolatụra** *f.* 1. gleaning. – 2. *pl.* ⟨*concr*⟩ gleanings *pl.* – 3. *pl.* ⟨*fig*⟩ gleanings *pl*, scraps *pl*, fragments *pl.* □ *-e di cronaca* news picked up here and there.

spigolịstro ⟨*ant*⟩ I *a.* 1. (*bigotto*) over-zealous, sanctimonious, bigoted, over-devout. – 2. (*falso*) false, hypocritical, insincere. – II *s.m.* (*f.* **-a**) 1. (*persona bigotta*) bigot, pious humbug. – 2. (*ipocrita*) hypocrite.

spịgolo *m.* 1. corner: *urtare contro lo* ~ *del tavolo* to knock against the corner of the table. – 2. ⟨*Geom*⟩ edge: ~ *di un poliedro* edge of a polyhedron. – 3. *pl.* ⟨*fig*⟩ (*asprezza, scontrosità*) harshness, spikiness: *smussare gli -i del carattere di qd.* to soften the harshness of s.o.'s character. – 4. ⟨*Alp*⟩ ridge, crest. – 5. ⟨*Legat*⟩ (*morso*) joint. – 6. ⟨*Arch*⟩ edge, arris, champfer. □ ~ *arrotondato* (*o tondo*) rounded corner; ~ *smussato* smoothed (*o* cut-off) edge, bay quoin; *viso tutto -i* angular face; ⟨*fig*⟩ *persona tutta -i* rough person; ~ *vivo* sharp corner (*o* edge); *a -i vivi* sharp-edged; ~ *di volta* keystone, archstone.

spigolọso *a.* 1. angular, sharp-cornered. – 2. ⟨*fig*⟩ (*ossuto*) bony, angular. – 3. ⟨*fig*⟩ (*scontroso*) difficult, rough, unmanageable, cantankerous: *avere un carattere* ~ to have a difficult character.

spigonạrdo *m.* → **spigo**.

spigọne (*accr. di spiga*) *m.* 1. ⟨*Mar*⟩ (lengthening) pole. – 2. ⟨*Pesc*⟩ part of a fishing-net.

spigọso *a.* ⟨*non com*⟩ (*ricco di spighe*) spiky.

spigrịre *v.t.* (**spigrịsco, spigrịsci**) to make less lazy, to rouse (*o* shake) out of laziness. – **spigrirsi** *v.r.* to stop being so lazy, to rouse (*o* shake) o.s. out of one's laziness, ⟨*fam*⟩ to shake out of it, ⟨*fam*⟩ to get cracking.

spilịte *f.* ⟨*Min*⟩ spilite.

spịlla *f.* **1.** brooch: *una* ~ *di brillanti* a diamond brooch; (*spilla lunga e piatta*) pin: ~ *da* (o *per*) *cravatta* tie-pin. – **2.** ⟨*region*⟩ (*spillo*) pin. ☐ ~ ⌜*da balia*⌝ (o *di sicurezza*) safety-pin; ~ *da cappello* hatpin; ~ *ornamentale* ornamental pin.

spillaccherạre *v.t.* (**spillạcchero**) ⟨*tosc*⟩ to remove splashes of mud from.

spillạio *m.* (*f.* **-a**) **1.** (*fabbricante*) pin-maker. – **2.** (*venditore*) pin -seller.

spillạre[1] *v.t.* **1.** (*fermare con spilli*) to pin; (*unire insieme*) to pin together. – **2.** (*fermare o unire con punti metallici*) to staple (together).

spillạre[2] **I** *v.t.* **1.** to tap, to broach: ~ *la botte* to broach a cask. – **2.** (*far uscire*) to draw (off), to tap: ~ *il vino* to tap the wine. – **3.** ⟨*fig*⟩ (*cavar fuori*) to get, to squeeze: ~ *soldi a qd.* to get money out of s.o., to touch s.o. for money. – **4.** ⟨*Met*⟩ to tap. – **II** *v.i.* (*aus.* **avere/essere**) ⟨*non com*⟩ to ooze; (*stillare*) to drip. ☐ ~ *le carte* to spread out the cards slowly.

spillạta *f.* ⟨*Met*⟩ tap, tapping.

spillạtico *m.* (*pl.* **-ci**) pin-money.

spillatrịce *f.* stapler.

spillatụra *f.* **1.** tapping, broaching: ~ *della birra* beer tapping. – **2.** ⟨*tecn*⟩ running-off (from a hopper). – **3.** ⟨*Met*⟩ tapping.

spillẹtta *f. dim. di* **spilla**.

spillettoni *m.pl.* ⟨*Bot*⟩ (*acicula*) lady's-comb, shepherd's-needle (*Scandix pecten-veneris*).

spịllo *m.* **1.** pin: *appuntare qc. con uno* ~ to fasten s.th. with a pin. – **2.** (*spilla*) brooch; (*spilla lunga e piatta*) pin. – **3.** ⟨*fig*⟩ (*piccola quantità*) grain, jot, scrap, trifle; (*cosa molto piccola*) pin, trifle. – **4.** (*per forare la botte*) tap-borer; (*foro*) tap-hole. – **5.** ⟨*tecn*⟩ plunger, valve core. – **6.** ⟨*Met*⟩ vent wire (*o* rod), pricker.

☐ **a** ~ pin-, needle-: *valvola a* ~ needle valve; *tacchi a* ~ stiletto heels; ~ *da* **balia** safety-pin; **capo** *di* ~: 1. pinhead; 2. ⟨*fig*⟩ (*cosa piccolissima*) pin, trifle, farthing; 3. ⟨*fig*⟩ (*quantità minima*) grain, jot, scrap, trifle; **colpi** *di* ~ (pin)pricks *pl*; ⟨*fig*⟩ (*malignità*) goading, taunts *pl*, teasing; ⟨*fig*⟩ *uccidere qd. a colpi di* ~ to worry s.o. to death; **cuscinetto** *per -i* pincushion; ~ *di* **sicurezza**: 1. = *spillo da* **balia**; 2. (*nelle armi*) safety.

spillọne (*accr. di spillo*) *m.* **1.** (*per capelli*) hairpin. – **2.** (*per cappelli*) hatpin.

spilluzzicamẹnto *m.* ⟨*non com*⟩ **1.** (*il mangiare controvoglia*) picking (*o* pecking) at food. – **2.** (*il mangiare fuori pasto*) nibbling. – **spilluzzicạre** *v.t.* (**spillụzzico, spillụzzichi**) **1.** (*mangiare svogliatamente*) to pick (*o* peck) at. – **2.** (*mangiare fuori pasto*) to nibble (*o* snack) (between meals). – **3.** ⟨*fig*⟩ (*raggranellare*) to scrape (*o* get) together; (*rubacchiare*) to take over gradually, to steal bit by bit. – **spillụzzico**: *a* ~ (*poco per volta*) bit by bit, gradually.

spilorcerịa *f.* **1.** miserliness, stinginess, niggardliness, meanness, parsimony. – **2.** (*azione da spilorcio*) niggardly action.

spilọrcia *f.* ⟨*Pesc*⟩ long rope.

spilọrcio[1] (o *spilọrcio*) **I** *a.* miserly, stingy, niggardly, mean, parsimonious, tight-fisted. – **II** *s.m.* (*f.* **-a**) miser, skinflint, niggard, ⟨*fam*⟩ pinchpenny.

spilọrcio[2] *m.* → **spilorcia**.

spiluccạre *v.t.* (**spilụcco, spilụcchi**) ⟨*non com*⟩ (*piluccare*) to pick (off), to pluck (one at a time).

spilungọne *m.* (*f.* **-a**) ⟨*fam*⟩ lanky person, ⟨*fam*⟩ beanpole, ⟨*fam*⟩ lamp-post.

spịna *f.* **1.** ⟨*Bot*⟩ spine, thorn; (*aculeo*) prickle, thorn, aculeus. – **2.** ⟨*Zool*⟩ (*aculeo*) spine, quill, prickle: *le -e del riccio* the quills of a hedgehog. – **3.** *pl.* (*piante, rami spinosi*) briars *pl*, briers *pl*, thorns *pl*. – **4.** ⟨*fig*⟩ (*angustia, cruccio*) thorn, pain, grief, worry; (*tribolazione*) trial, tribulation, distress, trouble, affliction. – **5.** (*lisca*) (fish-)bone. – **6.** (*cannella della botte*) tap, spigot; (*foro*) tap-hole, bunghole. – **7.** (*oggetto a forma di spina*) spike. – **8.** ⟨*Anat*⟩ (*spina dorsale*) spine, backbone; (*salienza ossea*) spina, spinous (*o* spine -like) process. – **9.** ⟨*El*⟩ plug. – **10.** ⟨*tecn*⟩ plug; (*perno*) pin. – **11.** ⟨*Archeol*⟩ spina. – **12.** ⟨*Tess*⟩ twill. – **13.** ⟨*Met*⟩ pricker. – **14.** ⟨*Mar*⟩ (*golfare*) eye-bolt, ring-bolt. – **15.** ⟨*Aut*⟩ cotter, cottar, wedge, key.

☐ *birra* **alla** ~ draught beer; ⟨*Tel*⟩ ~ *d'***ascolto** answering (*o* listening) plug; ⟨*El*⟩ ~ *a* **banana** banana plug; ⟨*Med*⟩ ~ **bifida** spina bifida, schistorrhachis, hydrocele spinalis, meningocele; ⟨*El*⟩ ~ **bipolare** two-pin plug; ⟨*Mecc*⟩ ~ *di* **bloccaggio** locking (*o* retaining) pin; ~ **cilindrica** parallel pin; ⟨*El*⟩ ~ *di* **collegamento** connecting plug; ⟨*Mecc*⟩ ~ **conica** taper (*o* drift) pin; ⟨*El*⟩ ~ *di* **contatto** connecting plug; ⟨*fig*⟩ *avere una* ~ *nel* **cuore** to have a thorn in one's flesh (*o* side); ⟨*El*⟩ ~ *di* **derivazione** branching jack; ⟨*Anat*⟩ ~ **dorsale** backbone, spine; ⟨*Mecc*⟩ ~ **filettata** threaded (*o* screwed) pin; ⟨*Bot*⟩ ~ **fogliare** leaf-spine; ⟨*Mot*⟩ ~ *del* **galleggiante** float needle; ⟨*Tel*⟩ ~ *d'***innesto** operator's plug, peg; ~ **mobile** wander plug; ⟨*El*⟩ ~ **multipolare** multiple-pin plug; ~ *ad* **occhio** eye pin; ~ *di* **pesce** fish-bone; *a* ~ *di pesce* herring-bone-: *disegno a* ~ *di pesce* herring-bone (pattern); *passo a* ~ *di pesce* herring-bone step; ~ *con* **presa** *a terra* plug with earth wire; ⟨*Bot*⟩ ~ **radicale** root thorn; ⟨*El*⟩ ~ *di* **riduzione** plug adapter; ~ *di* **riferimento**: 1. ⟨*Mecc*⟩ dowel; 2. ⟨*Met*⟩ gauge pin; ⟨*Tel*⟩ ~ *di* **risposta** answering plug; **senza** *-e* thornless; (*rif. a pesci*) boneless; ⟨*Mecc*⟩ ~ *di* **sicurezza** shear (*o* break) pin; ⟨*fig*⟩ *essere* (o *stare*) **sulle** *-e* to be on tenterhooks; ~ **telefonica** telephone plug; ⟨*Mecc*⟩ ~ *per* **tornire** lathe spindle, mandrel; ~ *di* **trascinamento** driving pin; ~ **unipolare** = *spina a* **banana**; ⟨*Chir*⟩ ~ **ventosa** spina ventosa; ⟨*El*⟩ ~ *a tre* **vie** three-way multiple plug.

spinạce *m.* **1.** ⟨*non com*⟩ → **spinacio**. – **2.** ⟨*Min*⟩ (spinach) green jade.

spinạcio *m.* **1.** ⟨*Bot*⟩ spinach (*Spinacia oleracea*). – **2.** *pl.* ⟨*Gastr*⟩ spinach. ☐ ⟨*Bot*⟩ ~ *arricciato* (o *increspato, fragola*) strawberry blite (*o* pigweed) (*Chenopodium capitatum*); ~ *della Cina* Malabar nightshade (*o* spinach) (*Basella alba*); ~ *selvatico* (o *di monte*) wild spinach (*Chenopodium bonus-henricus*); ~ *della Nuova Zelanda* New Zealand spinach (*Tetragonia expansa*).

spinaciọne (*accr. di spinacio*) *m.* ⟨*Bot*⟩ (garden) orache, mountain spinach (*Atriplex hortense*).

spinacrịsti *f.* ⟨*Bot*⟩ **1.** (*agutoli*) matrimony vine, boxthorn (*Lycium europaeum*). – **2.** (*spino di Giuda*) honey locust (tree), three-thorned acacia (*Gleditschia triacanthos*).

spinạio *m.* ⟨*non com*⟩ → **spineto**.

spinạle *a.* ⟨*Anat*⟩ spinal, of the spine (*o* backbone).

spinapẹsce *m.inv.* ⟨*ant*⟩ **1.** ⟨*Mur*⟩ herring-bone (bond). – **2.** ⟨*Lav. femm*⟩ herring-bone.

spinạre *v.t.* to bone, to fillet.

spinarẹllo *m.* ⟨*Itt*⟩ **1.** three-spined stickleback (*Gasterosteus aculeatus*). – **2.** ⟨*region*⟩ → **spigola**. ☐ *piccolo* ~ ten-spined stickleback (*Gasterosteus pungitius*).

spinarọlo *m.* ⟨*Itt*⟩ dogfish (*Squalus*). ☐ ~ *imperiale* spiny (*o* piked) dogfish (*Squalus acanthias*); ~ *bruno* Blainville's dogfish (*Squalus fernandinus*).

spinạto[1] (*p.p. di spinare*) *a.* boned, filleted: *pesce* ~ filleted fish.

spinạto[2] *a.* **1.** (*fornito di spine*) barbed: *filo* ~ barbed wire. – **2.** (*a spina di pesce*) herring-bone-. – **3.** ⟨*Tess*⟩ (*spigato*) twilled. – **4.** ⟨*Arald*⟩ engrailed, indented. ☐ *stoffa -a* twill.

spinatrịce *f.* ⟨*Met*⟩ broaching-machine.

spinatụra *f.* **1.** ⟨*Met*⟩ pricking. – **2.** ⟨*Mecc*⟩ broaching. – **3.** ⟨*Alim*⟩ (curd) cutting. – **4.** ⟨*Arald*⟩ indented bordure.

spincervịno *m.* ⟨*Bot*⟩ buckthorn (*Rhamnus cathartica*).

spincionạre *v.i.* (**spinciọno**; *aus.* **avere**) ⟨*venat*⟩ **1.** to sing, to call. – **2.** (*imitare il canto dello spincione*) to imitate a chaffinch call. – **spinciọne** *m.* decoy chaffinch.

spinẹlla *f.* ⟨*Pesc*⟩ lure for fishing octopus.

spinẹllo[1] *m.* ⟨*Itt*⟩ (*spinarolo imperiale*) spiny (*o* piked) dogfish (*Squalus acanthias*).

spinẹllo[2] *m.* ⟨*Min*⟩ **1.** spinel. – **2.** *pl.* spinel group. ☐ ~ *aceto* rubicella, ruby spinel.

spinescẹnte *a.* ⟨*Bot*⟩ spinescent.

spinẹtico *a.* (*pl.* **-ci**) ⟨*Archeol*⟩ of Spina.

spinẹto *m.* thicket, brier, thorn-bush, bramble-bush.

spinẹtta[1] *f.* ⟨*Sart*⟩ (*spighetta*) braid, trimming.

spinẹtta[2] *f.* ⟨*Mus*⟩ spinet. – **spinettạio** *m.* spinet-maker.

spingạrda *f.* **1.** heavy mounted rifle. – **2.** ⟨*Mil.ant*⟩ springal(d); (*tipo di mortaio*) mortar-piece. ☐ *corpo di mille -e!* by Jove!; ⟨*fig*⟩ *per smuoverlo ci sono volute le -e* it took heaven and earth to move him.

spingạre *v.i.* (**spịngo, spịnghi**; *aus.* **avere**) ⟨*ant,lett*⟩ **1.** (*tirar calci*) to kick (out). – **2.** (*muovere concitatamente le gambe*) to kick, to fling one's legs about.

spịngere *v.* (**spịngo, spịngi; spịnsi, spịnto**) **I** *v.t.* **1.** to push, to shove: ~ *il carro* to push the cart. – **2.** (*rif. a forze naturali: imprimere un movimento*) to drive: *la corrente ha spinto la barca fuori rotta* the current has driven the boat off course. – **3.** (*far penetrare*) to drive (*o* thrust, push) in: *con una martellata spinse il chiodo nel muro* with a blow of the hammer he drove the nail into the wall. – **4.** (*premere*) to press, to push: ~ *il pulsante* to press the button. – **5.** ⟨*fig*⟩ (*portare*) to drive, to lead (on): ~ *qd. alla disperazione* to drive s.o. to despair; (*indurre*) to induce, to move; (*costringere*) to drive, to impel, to force, to make. – **6.** ⟨*fig*⟩ (*stimolare*) to spur (on), to urge (on), to press, to incite, ⟨*fam*⟩ to egg on: *il maestro spinge gli alunni a studiare di più* the teacher urges his pupils to study harder. – **7.** ⟨*fig*⟩ (*andare oltre un limite ammissibile*) to carry, to push: *ha spinto la sua sfacciataggine fino a chiedermi del denaro* he carried his cheek to the point of asking me for money. – **II** *v.i.* (*aus.* **avere**) **1.** to push, to shove: *non* ~*!* don't shove! – **2.** (*esercitare una pressione*) to drive, to press. – **spingersi** *v.r.* **1.** (*inoltrarsi*) to push on, to advance, to go forward, to penetrate, to venture: *spingersi fino al confine della giungla* to venture as far as the edge of the jungle. – **2.** ⟨*Mil*⟩ to advance, to push forward. – **3.** ⟨*fig*⟩ (*arrivare*) to go as far as. ☐ ~ *le cose troppo in là* to carry things too far; ~ *lontano* to push (*o* drive) away; ~ *la porta* to push the door; ~ *lontano lo sguardo* to gaze into the distance.

spingicạrri *m.inv.* ⟨*Ferr*⟩ wagon pinch bar, wagon moving device.

spingimẹnto *m.* ⟨*non com*⟩ pushing, shoving.

spingitọio *m.* **1.** ⟨*Artigl*⟩ follower. – **2.** ⟨*Met*⟩ pusher.

spingitọre *m.* (*f.* **-trice**) ⟨*ant*⟩ pusher.

spinificạre *v.i.* (**spinịfico, spinịfichi**; *aus.* **essere**) ⟨*Bot*⟩ to turn into a spine (*o* thorn). – **spinificạto** (*p.p. di spinificare*) *a.* that has become a spine (*o* thorn). – **spinificaziọne** *f.* turning into a spine (*o* thorn).

spinifọrme *a.* spiniform.

spinịte *f.* ⟨*Med*⟩ spinitis, myelitis.

spịno *m.* **1.** (*pianta spinosa*) brier, briar, thorn-bush. – **2.** ⟨*Bot*⟩

(*prugno selvatico*) sloe, blackthorn (*Prunus spinosa*). – **3.** ⟨*Alim*⟩ curd knife. – **4.** ⟨*region*⟩ (*spina*) spine, thorn; (*aculeo*) prickle, thorn, aculeus.

□ ⟨*Bot*⟩ ~ **cervino** → **spincervino**; ~ **giallo** yellow centaury (*Centaurea solstitialis*); ~ *di* **Giuda** honey locust (tree), three-thorned acacia (*Gleditschia triacanthos*); ~ **merlo**: 1. kind of buckthorn (*Rhamnus*); 2. sea buckthorn (*Hippophäe rhamnoides*); ~ **prugnolo** (*prugno selvatico*) sloe, blackthorn (*Prunus spinosa*); ~ **quercino** kind of buckthorn (*Rhamnus saxatilis*); ~ **santo** (*agutoli*) matrimony vine, boxthorn (*Lycium europaeum*).

spinocerebellạre *a.* ⟨*Anat*⟩ spinocerebellar: *fasci -i* spinocerebellar tracts.

spinogạtto *m.* ⟨*Bot*⟩ (*marruca*) Christ's-thorn (*Paliurus australis*; *Paliurus spinachristi*).

spịnola *f.* → **spigola**.

spinọne *m.* griffon.

spinọsa *f.* ⟨*dial*⟩ (*porcospino*) porcupine.

spinosità *f.* ⟨*non com*⟩ **1.** prickliness, thorniness, spinosity. – **2.** ⟨*fig*⟩ (*difficoltà*) thorniness, knottiness, difficulty; (*scabrosità*) delicacy, ticklishness, awkwardness.

spinọso I *a.* **1.** (*munito di spine*) spinous, spinose, thorn-, spinate; (*che ha molte spine*) thorny, prickly, spiny. – **2.** ⟨*fig*⟩ (*irto di difficoltà*) thorny, bristling with difficulties, knotty. – **3.** ⟨*fig*⟩ (*scabroso*) delicate, ticklish, awkward, prickly: *un argomento* ~ an awkward matter. – **4.** ⟨*fig*⟩ (*doloroso*) thorny, painful. – **5.** (*rif. a carattere*) awkward, touchy, prickly. – **6.** ⟨*Anat*⟩ spinous: *processo* ~ spinous process. – **II** *s.m.* ⟨*region*⟩ (*porcospino*) porcupine, hedgehog.

spinọtto *m.* **1.** ⟨*Mot*⟩ piston pin, gudgeon pin, ⟨*am*⟩ wrist pin. – **2.** ⟨*El*⟩ (*spina*) plug. □ ⟨*Mot*⟩ ~ ⌜*del pistone*⌝ (o *dello stantuffo*) piston (*o* gudgeon) pin, ⟨*am*⟩ wrist pin.

spinoẓịsmo *m.* ⟨*Filos*⟩ Spinozism.

spịnsi *p.rem. di* **spingere**.

spịnta *f.* **1.** (*atto*) pushing, shoving, thrusting. – **2.** (*effetto*) push, shove, thrust; (*urto*) (hard) push, shove. – **3.** (*impulso*) push, thrust, impulse, drive: *una* ~ *in avanti* a push ahead. – **4.** (*pressione*) thrust, pressure, force: *la* ~ *del vento* the force of the wind. – **5.** ⟨*fig*⟩ (*stimolo*) incitement, incentive, spur, inducement, stimulus: *avrebbe bisogno di una* ~ he needs an incentive. – **6.** ⟨*fig*⟩ (*aiuto, favoreggiamento*) influence, ⟨*fam*⟩ pull, ⟨*fam*⟩ string-pulling: *è stato promosso a forza di -e* he got his promotion through string-pulling; (*buona parola*) good word. – **7.** ⟨*fig*⟩ (*incremento*) boost, impetus, impulse: *dare una grande* ~ *all'industria* to give industry a great boost. – **8.** ⟨*Fis*⟩ thrust. – **9.** ⟨*Sport*⟩ (*scatto*) sprint, spurt. – **10.** ⟨*Sport*⟩ (*nel pattinaggio artistico*) push off. – **11.** ⟨*Sport*⟩ (*nel ciclismo*: *aiuto illecito*) push(ing).

□ ⟨*Fis*⟩ ~ **aerostatica** aerostatic lift (*o* thrust); ~ *di* **Archimede** fluid pressure; ⟨*Mecc*⟩ ~ **assiale** axial (*o* end) thrust; **cacciare** *qd. a -e* to push (*o* shove) s.o. away; **dare** *una* ~ *a qd.*: 1. to give s.o. a push (*o* shove), to push (*o* shove) s.o.; 2. ⟨*fig*⟩ (*aiutare*) to give s.o. a ⌜helping hand⌝ (*o* push up); *dare una* ~ *a qc.* (*incrementare*) to boost s.th., to put new life into s.th., to revive (*o* stimulate) s.th.; ⟨*Aer*⟩ ~ *di* **decollo** take-off thrust; ~ **dinamica** dynamic thrust; ~ *dell'***elica** screw propeller thrust; **fare** *a* (o *alle*) *-e* to push e.o.; ⟨*Mar*⟩ ~ *di* **galleggiamento** buoyancy; ⟨*Aer*⟩ ~ *del* **getto** jet thrust; ~ **idrostatica** = *spinta di* **Archimede**; ~ **laterale** lateral thrust; ⟨*Aer*⟩ ~ **netta** net thrust; ⟨*Bot*⟩ ~ **radicale** root pressure; ⟨*fam*⟩ (*di*) *-e o* (*di*) **sponte** willy-nilly, whether one likes it or not; ⟨*Edil*⟩ ~ *delle* **terre** earth thrust (*o* pressure).

spintarẹlla (*dim. di spinta*) *f.* **1.** slight push. – **2.** ⟨*fig*⟩ (*raccomandazione*) backing, ⟨*fam*⟩ pull; (*buona parola*) good word. – **3.** ⟨*Sport*⟩ push. □ ⟨*fig*⟩ *dare una* ~ *a qd.* to recommend s.o., to put in a good word for s.o.

spintariscọpio *m.* ⟨*Fis*⟩ spinthariscope.

spinterịsmo *m.* ⟨*Med*⟩ spintherism.

spinterọgeno *m.* ⟨*Mot*⟩ **1.** (*sistema di accensione*) (battery-)coil ignition. – **2.** (*distributore*) distributor.

spinterọmetro *m.* ⟨*El*⟩ spark gap. □ ~ *a gas* gas gap; ~ *multiplo* multiple spark gap; ~ *a sfere* sphere (spark) gap.

spịnto (*p.p. di spingere*) *a.* **1.** pushed, shoved, thrust. – **2.** ⟨*fig*⟩ (*portato*) driven, led; (*indotto*) induced, moved; (*costretto*) driven, impelled, forced, made. – **3.** ⟨*fig*⟩ (*disposto, inclinato*) inclined, ready, willing, disposed, prone: *essere* ~ *ad aiutare qd.* to feel inclined to help s.o. – **4.** ⟨*fam*⟩ (*estremistico*) extremist: *idee -e* extremist ideas; (*esagerato*) exaggerated, overdone, excessive; (*arrischiato*) bold, risky, dangerous, daring: *questo è un gioco troppo* ~ this is too risky a game. – **5.** ⟨*fam*⟩ (*scabroso*) daring, audacious: *un libro piuttosto* ~ a rather audacious book; (*piccante*) risqué, (rather) scandalous, bordering on impropriety (*o* indecency). – **6.** ⟨*Mot*⟩ supercharged, ⟨*fam*⟩ souped-up. □ *sentirsi* ~ *verso la musica* to have a bent for music.

spintọne (*accr. di spinta*) *m.* **1.** hard push, shove. – **2.** ⟨*fam*⟩ (*aiuto, raccomandazione*) help, ⟨*fam*⟩ pull; (*buona parola*) good word.

spinulọso *a.* ⟨*Bot*⟩ spinulose.

spinzạgo: ⟨*Ornit*⟩ ~ *d'acqua* (*avocetta*) avocet, scooper (*Recurvirostra avocetta*).

spiombạre[1] *v.t.* (**spiọmbo**) **1.** ⟨*Dent*⟩ to take out (the filling of). – **2.** (*togliere i piombini*) to unseal, to take the seals off, to break the seals of.

spiombạre[2] *v.* (**spiọmbo**) **I** *v.i.* (*aus.* **avere**) **1.** (*non essere a piombo*) to be out of plumb (*o* true), to lean. – **2.** (*essere molto pesante*) to be (*o* weigh) as heavy as lead. – **II** *v.t.* (*far cadere*) to topple, to push down (*o* over).

spiombatọre *m.* rail cargo thief.

spiombatụra *f.* ⟨*non com*⟩ removal of (leaden) seals.

spiombinạre *v.t.* ⟨*tosc*⟩ (*stasare un condotto*) to unstop (with a piece of lead on a wire).

spionạggio *m.* espionage, spying. □ ~ *industriale* industrial espionage; ~ *militare* military espionage; ~ *politico* political espionage.

spioncẹlla *f.* ⟨*Ornit*⟩ (*calandro*) tawny pipit, titlark, meadow-pipit (*Anthus campestris*).

spioncẹllo *m.* ⟨*Ornit*⟩ water-pipit (*Anthus spinoletta*). □ ~ *marino* Scandinavian rock-pipit (*Anthus spinoletta littoralis*); ~ *marittimo* rock-pipit (*Anthus spinoletta petrosus*).

spioncịno *m.* peep-hole, spy-hole.

spiọne *m.* (*f.* **-a**) ⟨*spreg,scherz*⟩ **1.** (*spia*) spy, ⟨*spreg*⟩ squealer. – **2.** (*ficcanaso*) meddler, intruder, busybody, ⟨*fam*⟩ nosey parker. – **spionịstico** *a.* (*pl.* **-ci**) spy-: *attività -a* spy activity, spying, espionage.

spiovẹnte (*p.pr. di spiovere*) **I** *a.* **1.** sloping: *tetto* ~ sloping roof. – **2.** (*che ricade giù*) drooping, hanging: *rami -i* drooping branches; (*rif. a capelli*: *fluente*) flowing. – **3.** ⟨*Sport*⟩ (*alto*) high. – **II** *s.m.* **1.** inclined roof surface, slope. – **2.** ⟨*Sport*⟩ (*tiro spiovente*) high shot. – **3.** ⟨*Geol*⟩ (*versante*) slope, side. □ ⟨*Arch*⟩ *a* ~ weathered.

spiọvere *v.* (**spiọve**, **spiovụto**) **I** *v.i.impers.* (*aus.* **essere**/**avere**) to stop raining. – **II** *v.i.* (*aus.* **essere**) **1.** (*scolare*) to run off, to flow down (*da qc.* s.th., from s.th.), to drain away (from). – **2.** ⟨*lett*⟩ (*ricader giù*) to flow (*o* hang) down, to fall (down), to droop.

spịpola *f.* ⟨*Ornit*⟩ (*pispola*) meadow-pipit (*Anthus pratensis*).

spippolạre *v.t.* (**spịppolo**) ⟨*tosc*⟩ **1.** (*piluccare*) to pick (off), to pluck (one at a time). – **2.** ⟨*non com*⟩ (*fare con facilità*) to do smoothly and easily, to do with great ease.

spippolẹtta *f.* → **spioncella**.

spịra *f.* **1.** (*giro di una spirale*) turn, spiral, coil. – **2.** (*rif. a serpente*) coil. – **3.** ⟨*El*⟩ loop, turn; (*spira d'avvolgimento*) (single) turn, turn (of winding), spire. – **4.** ⟨*Mecc*⟩ (*di filettatura*) turn (of a screw). □ *a -e* in coils, coiled, spiral(ly), twisting, winding; ⟨*El*⟩ ~ *d'accoppiamento* coupling loop; ⟨*Mecc*⟩ ~ *della filettatura* screw thread, turn of a screw; ~ *della molla* turn (*o* coil) of a spring; ⟨*El*⟩ *-e morte* idle loops, dead-end turns.

Spịra *N.pr.f.* ⟨*Geog*⟩ Spires, Speyer.

spirạbile *a.* ⟨*poet*⟩ (*respirabile*) breathable, ⟨*lett*⟩ respirable.

spirạcolo *m.* **1.** ⟨*Zool*⟩ spiracle. – **2.** ⟨*ant*⟩ → **spiraglio**.

spirạglio *m.* **1.** chink, crack, narrow opening, fissure. – **2.** ⟨*estens*⟩ (*striscia di luce*) ray (of light), gleam, glimmer: *dalla finestra socchiusa entrava uno* ~ *di luce* a glimmer of light came through the half-closed window; (*soffio d'aria*) breath (of air); (*corrente*) draught. – **3.** ⟨*fig*⟩ (*barlume*) gleam, glimmer, faint ray: *uno* ~ *di speranza* a glimmer of hope. – **4.** ⟨*fig*⟩ (*speranza di riuscita*) hope, chance: *nella situazione attuale non vedo alcuno* ~ as things stand now I don't think there's a chance. – **5.** ⟨*Mar*⟩ skylight.

spiralạre *v.i.* (*aus.* **avere**) ⟨*Aer*⟩ to spiral.

spiralạto *a.* **1.** (*disposto a spirale*) spiral, spiralled, coiled. – **2.** ⟨*Bot*⟩ spiral.

spirạle I *a.* spiral: *nebulosa* ~ spiral nebula. – **II** *s.f.* **1.** ⟨*Mat*⟩ (*linea spirale*) spiral (line). – **2.** ⟨*Mat*⟩ (*linea avvolgentesi su una superficie cilindrica o conica, elica*) helix, spiral. – **3.** (*oggetto a forma di spirale*) spiral. – **4.** ⟨*fig*⟩ spiral: ~ *prezzi-salari* wage-price spiral. – **5.** ⟨*Orol*⟩ hairspring. – **6.** ⟨*Aer*⟩ spiral. – **7.** ⟨*Sport*⟩ (*nel pattinaggio*) spiral. □ *a* ~ spiral, winding: *scala a* ~ spiral stairs *pl*, winding staircase; *avvolgere a* ~ to coil; ⟨*Mat*⟩ ~ *di Archimede* Archimedean spiral, spiral of Archimedes; ~ *piatta* flat spiral.

spiraleggiạre *v.i.* (**spiralẹggio**, **spiralẹggi**; *aus.* **avere**) ⟨*non com*⟩ (*muoversi, avanzare a spirale*) to spiral. – **spiralifọrme** *a.* spiraliform, spiral, winding. – **spiraloidạle** *a.* ⟨*non com*⟩ → **spiraliforme**.

spiramẹnto *m.* ⟨*non com*⟩ **1.** blowing. – **2.** ⟨*fig*⟩ (*ispirazione*) inspiration.

spirạnte I *s.f.* ⟨*Fon*⟩ (*consonante spirante*) spirant, fricative (consonant). – **II** *a.* **1.** (*che soffia*) blowing. – **2.** (*morente*) dying. – **3.** ⟨*Fon*⟩ spirant(al), fricative.

spirantiẓẓạre *v.t.* ⟨*Fon*⟩ to spirantize. – **spirantiẓẓaziọne** *f.* spirantization.

spirạre[1] **I** *v.i.* (*aus.* **avere**) **1.** (*soffiare*) to blow: *spirava una leggera brezza* a gentle breeze was blowing. – **2.** (*emanare*) to emanate, to come (*da* from), to be given off (*o* out) (by): *dai fiori spira un dolce profumo* a lovely scent came from the flowers. – **3.** ⟨*fig,poet*⟩ (*respirare*) to breathe; (*vivere*) to live, to be alive. – **4.** ⟨*ant*⟩ (*dire*) to say. – **II** *v.t.* **1.** (*emanare*) to give off (*o* out, forth), to send out, to exhale, to shed, to emit: *queste rose spirano un forte profumo* these roses give off a strong scent. – **2.** ⟨*fig*⟩ to radiate, to give off (*o* out, forth), to express: *occhi che spirano dolcezza* eyes radiating tenderness. – **3.** ⟨*poet*⟩ (*ispirare*) to inspire, to instil, to infuse, to fill. □ ⟨*fig*⟩ *che aria spira?* which way is the wind blowing?; ⟨*fig*⟩ *per voi qui non spira buon vento* there's an ill wind blowing for you here, ⟨*fam,scherz*⟩ it's unhealthy for you here; ⟨*fig*⟩ *spira aria di burrasca* there's a storm in the air, there's trouble brewing.

spirạre[2] *v.i.* (*aus.* **essere**) **1.** (*morire*) to expire, to pass away, to die, to breathe one's last. – **2.** ⟨*fig*⟩ (*finire*) to finish, to come to an end: *le vacanze sono spirate* the holidays ⌜have come to an end⌝

(*o* are over); (*scadere*) to expire: *la tregua spira oggi* the truce expires today.

spirạto (*p.p. di spirare*[2]) *a.* **1.** (*trascorso*) expired. – **2.** (*morto*) dead.

spirazione *f.* ⟨*ant*⟩ **1.** blowing. – **2.** ⟨*fig*⟩ (*ispirazione*) inspiration.

spirẹa *f.* ⟨*Bot*⟩ spiraea (*Spiraea*).

spirẹma *m.* ⟨*Biol,ant*⟩ spireme.

spirifẹridi *m.pl.* ⟨*Paleont*⟩ spire-bearers *pl*, spiriferids *pl*, spirifers *pl* (*Spiriferidae*).

spirifọrme *a.* → **spiraliforme.**

spirịllo *m.* ⟨*Biol*⟩ spirillum.

spiritạccio (*pegg. di spirito*) *m.* ⟨*fam,scherz*⟩ quick-wittedness, quickness (*o* readiness) of mind.

spiritạle *a./s.* ⟨*ant*⟩ → **spirituale.**

spiritamẹnto *m.* ⟨*rar*⟩ possession. – **spiritạre** *v.i.* (**spịrito**; not used in compound tenses) ⟨*non com*⟩ **1.** to be possessed by the devil. – **2.** ⟨*fig*⟩ (*essere fuori di sé*) to be beside o.s. (*da* with). – **spiritatamẹnte** *avv.* ⟨*non com*⟩ wildly, frantically, like one possessed.

spiritạto (*p.p. di spiritare*) **I** *a.* **1.** (*invasato, ossesso*) possessed, bewitched. – **2.** ⟨*estens*⟩ (*sconvolto, agitato*) beside o.s., wild, frantic, excited, upset, bedevilled; (*che esprime agitazione*) wild, frantic, agitated, aghast: *sguardo* ~ wild look. – **3.** ⟨*non com*⟩ (*vivace*) lively. – **II** *s.m.* (*f.* **-a**) **1.** bewitched person, one possessed: *sembrare uno* ~ to look like one possessed. – **2.** ⟨*estens*⟩ (*persona sconvolta*) one possessed, agitated person. – **3.** ⟨*non com*⟩ (*persona vivace*) lively person.

spiritẹllo (*dim. di spirito*) *m.* (*folletto*) elf, goblin, sprite.

spirịtico *a.* (*pl.* **-ci**) ⟨*Occult*⟩ spiritualistic, spiritistic: *dottrina -a* spiritualistic doctrine. – **spiritịsmo** *m.* **1.** spiritism. – **2.** ⟨*Occult*⟩ spiritualism, spiritism. – **spiritịsta** *m./f.* ⟨*Occult*⟩ spiritualist, spiritist. – **spiritịstico** *a.* (*pl.* **-ci**) spiritualistic, spiritistic.

spịrito *m.* **1.** spirit: *Dio è puro* ~ God is pure spirit. – **2.** (*anima*) spirit, soul: *-i dei morti* souls of the departed (*o* dead). – **3.** (*animo*) mind, spirits *pl*, thoughts *pl*, *a volte non si traduce*: *condizione* (o *disposizione*) *di* ~ state (*o* frame) of mind, mood, humour; *calmare gli -i della folla* to calm down the crowd; *avere lo* ~ *agitato* to be upset, to have troubled thoughts; *sollevare lo* ~ *di qd.* to raise s.o.'s spirits, to boost s.o.'s morale; (*centro della personalità morale*) spirit, mind: *piccolezza di* ~ smallness of mind. – **4.** (*essere immateriale*) spirit: *-i maligni* wicked (*o* evil) spirits. – **5.** (*genio, folletto*) elf, sprite, (elfin) spirit, fairy, goblin: ~ *del bosco* wood sprite. – **6.** (*spettro, fantasma*) ghost, spirit, phantom, spectre, wraith, apparition, ⟨*fam*⟩ spook: *credere agli -i* to believe in ghosts; *nel castello ci sono gli -i* there are ghosts in the castle, the castle is haunted; (*ombra di morto*) shade, spirit, ghost. – **7.** (*persona*) spirit, person: *essere uno* ~ *superiore* to be a noble (*o* lofty) spirit. – **8.** (*vivacità d'ingegno*) quick-wittedness, liveliness, esprit, lively wit: *persona che è tutto* ~ person who has a lively wit; (*senso dell'umorismo*) wit, sense of humour: *avere dello* ~ to have great sense of humour. – **9.** (*disposizione d'animo, senso*) spirit, disposition, outlook, frame of mind, attitude: ~ *di sacrificio* spirit of sacrifice; ~ *pratico* practical disposition; *con* ~ *vendicativo* in a spirit of revenge; (*inclinazione, attitudine*) spirit, disposition, bent, acumen, flair: *avere lo* ~ *dell'affarista* to have business acumen, to have a flair for business. – **10.** (*situazione spirituale*) spirit: *lo* ~ *di un'epoca* the spirit of an age. – **11.** *pl.* (*orientamento*) views *pl*, thought, persuasion, attitude: *uomo di -i rivoluzionari* man with revolutionary views. – **12.** (*significato intimo, parte essenziale*) spirit, inner meaning, sense: *lo* ~ *di una legge* the spirit of a law. – **13.** (*alcool*) spirit, alcohol. – **14.** ⟨*lett*⟩ (*respiro*) breath, gasp: *esalare lo* (o *l'estremo*) ~ to give one's last breath, to breathe one's last. – **15.** ⟨*Filos,Occult*⟩ spirit. – **16.** ⟨*Gramm*⟩ breathing, aspiration. – **17.** ⟨*lett,ant*⟩ (*soffio, alito*) breath(ing). – **18.** ⟨*ant*⟩ (*ispirazione*) spirit, prompting, inspiration; (*virtù, facoltà*) power. – **19.** ⟨*Fisiol,ant*⟩ spirit. – **Spirito** *m.* ⟨*Teol*⟩ (*Spirito Santo*) Holy Ghost (*o* Spirit).

□ **a** ~ spirit-: *fornello a* ~ spirit-stove; ~ **angelico** angel; ⟨*Filos*⟩ *-i* **animali** animal spirits; ~ *da* **ardere** methylated spirit; ⟨*Gramm*⟩ ~ **aspro** rough breathing; ⟨*Teol*⟩ *-i* **beati** blessed spirits, spirits of the blessed; **bello** ~ wit, witty person, bel-esprit, wag; ⟨*Farm*⟩ ~ **canforato** camphorated spirits *pl*; **con** ~: 1. witt(il)y, clever(ly): *rispondere con* ~ to give a witty reply; 2. ⟨*Mus*⟩ with spirit (*o* animation); *essere nelle migliori* **condizioni** *di* ~ to be in good (*o* the best of) spirits; *non sono in condizioni di* ~ *tali da poter uscire* I feel too depressed to go out; ~ *di* **contraddizione** spirit of contradiction; ~ *di* **corpo** esprit de corps, team spirit; ⟨*Teol*⟩ *gli -i* **dannati** the damned (*costr.pl.*), the damned souls; **di** ~: 1. (*spiritoso*) witty: *battuta di* ~ witty remark, witticism, quip, ⟨*fam*⟩ wisecrack; 2. (*che sta allo scherzo*) who can take a joke: *un uomo di* ~ a man who can take a joke, ⟨*fam*⟩ a good sport; 3. (*dedito alle cose dell'anima*) spiritual: *un uomo di* ~ a spiritual man; ⟨*Gramm*⟩ ~ **dolce** smooth breathing; **entrare** *nello* ~ *di qc.* to enter into the spirit of s.th.; **fare** *dello* ~ to be witty, to crack jokes; *credi di fare dello* ~? do you think you're being funny?; ~ **farmaceutico** alkoxide, alcoholate; ~ **folletto** elfin spirit; ~ **forte**: 1. strong-minded person; 2. ⟨*Rel*⟩ freethinker; ⟨*Bibl*⟩ *lo* ~ *è forte ma la carne è debole* the spirit is willing but the flesh is weak; ⟨*Rel*⟩ *-i* **infernali** powers of darkness, fiends (*o* spirits) of Hell; ⟨*Chim,ant*⟩ ~ *di* **legno** wood spirit; ~ **lene** = *spirito* **dolce**; **mancare** *di* ~ to be lacking in wit, to have no sense of humour; (*rif. a barzellette e sim.*) not to be funny; ~ *d'***osservazione** spirit of observation; ~ *di* **parte** partisan spirit; *avere* ~ *di parte* to take sides; ⟨*fig*⟩ ~ *di* **patata** coarse (*o* foolish) humour; **pieno** *di* ~ witty, bright; **povero** *di* ~ dull, obtuse; ⟨*pop*⟩ (*sempliciotto*) dull-witted, slow on the uptake; **presenza** *di* ~ presence of mind, ready wit; **privo** *di* ~ (*permaloso*) with no sense of humour; ⟨*pop*⟩ ~ *di* **rapa** = *spirito di* **patata**; *essere* **rapito** *in* ~ to be in ecstasy, to go into raptures; **rendere** *lo* ~ *a Dio* to give up the ghost, to die; ⟨*Chim,ant*⟩ ~ *di* **sale** hydrochloric acid; ⟨*Teol*⟩ ≈ **Santo** Holy Ghost (*o* Spirit); **secondo** *lo* ~ according to the intention; *avere* **sette** *-i* (*come i gatti*) to have nine lives; ~ *di* **solidarietà** spirit of solidarity, esprit de corps; **sotto** ~ in alcohol; *i* **valori** *dello* ~ spiritual values; **vedere** *in* ~ to imagine, to see in one's imagination (*o* mind); ⟨*Chim,ant*⟩ ~ *di* **vino** spirits *pl* of wine, ethyl alcohol; ⟨*Filos*⟩ *-i* **vitali** vital spirits.

spiritosạccio (*pegg. di spiritoso*) *m.* (*f.* **-a**) ⟨*iron*⟩ would-be wit, (un)funny person. – **spiritosạggine** *f.* **1.** wittiness. – **2.** (*battuta spiritosa*) witty remark, witticism, quip, ⟨*fam*⟩ wisecrack. □ *una* ~ *insulsa* an unfunny remark, a stupid quip. – **spiritosamẹnte** *avv.* **1.** wittily. – **2.** (*con brio*) brightly, in a lively way.

spiritosẹtto (*dim. di spiritoso*) ⟨*iron*⟩ **I** *a.* unfunny, fatuous. – **II** *s.m.* (*f.* **-a**) (un)funny person, would-be wit. – **spiritosità** *f.* ⟨*non com*⟩ → **spiritosaggine.**

spiritọso I *a.* **1.** witty, clever: *parlatore* ~ witty speaker; *una battuta -a* a witty remark, a quip. – **2.** ⟨*iron*⟩ funny: *come sei* ~! aren't you funny!, you make me roar. – **3.** ⟨*non com*⟩ (*alcolico*) spirituous, alcoholic. – **4.** ⟨*Mus*⟩ (*con spirito*) spiritoso, animated. – **5.** ⟨*ant*⟩ (*ingegnoso, astuto*) ingenious, shrewd, cunning. – **II** *s.m.* (*f.* **-a**) (un)funny person, would-be wit. □ *fare lo* ~ (to try) to be funny, to make wisecracks. – **spiritosọne** (*accr. di spiritoso*) *m.* (*f.* **-a**) ⟨*iron*⟩ (un)funny person, would-be wit.

spiritrọmba *f.* → **spirotromba.**

spiritual *ingl.* ['spiritʃuəl] *m.* (negro) spiritual.

spirituạle I *a.* **1.** (*dello spirito*) spiritual: *godimento* ~ spiritual delight; (*dell'anima*) of the soul. – **2.** (*incorporeo*) spiritual, immaterial, incorporeal: *natura* ~ spiritual nature. – **3.** (*religioso, ecclesiastico*) spiritual, ecclesiastical: *direttore* ~ spiritual director; (*sacro*) spiritual, sacred. – **4.** ⟨*Filos*⟩ spiritual. – **5.** ⟨*Mus*⟩ sacred. – **6.** ⟨*ant*⟩ (*devoto*) devout, godly, pious, spiritual. – **II** *s.m.* ⟨*Rel*⟩ (*padre spirituale*) spiritual father, father confessor.

spiritualịsmo *m.* ⟨*Filos*⟩ spiritualism. – **spiritualịsta I** *s.m./f.* spiritualist. – **II** *a.* → **spiritualistico.** – **spiritualịstico** *a.* (*pl.* **-ci**) spiritualistic.

spiritualità *f.* **1.** spirituality, spiritualness. – **2.** (*religiosità*) devoutness, piety, religious feeling. – **spiritualizẓạre** *v.t.* **1.** to spiritualize. – **2.** (*idealizzare*) to idealize. – **spiritualizẓazionẹ** *f.* **1.** spiritualization. – **2.** (*idealizzazione*) idealization. – **spiritualmẹnte** *avv.* **1.** spiritually. – **2.** (*in spirito*) in spirit: *essere presente* ~ to be present in spirit. – **3.** (*per quanto riguarda l'anima*) spiritually.

spịro *m.* ⟨*ant*⟩ **1.** (*soffio vitale*) breath of life. – **2.** (*spirito*) spirit, soul. – **3.** (*soffio*) breath. – **Spiro** *m.* ⟨*ant*⟩ (*Spirito Santo*) Holy Ghost (*o* Spirit).

spiro|battẹrio *m.* ⟨*Biol*⟩ spirobacterium. – **~chẹta** *f.* spiroch(a)ete. – **~chetọsi** *f.* ⟨*Med,Veter*⟩ spiroch(a)etosis. – **~gịra** *f.* ⟨*Bot*⟩ spirogyra (*Spirogyra*).

spiroidạle, spirọide *a.* → **spiraliforme.**

spirometrịa *f.* ⟨*Med*⟩ spirometry. – **spirọmetro** *m.* spirometer.

spirotrọmba *f.* ⟨*Entom*⟩ sucking tube.

spirtạle *a./s.* ⟨*poet*⟩ → **spirituale.** – **spịrto** *m.* ⟨*poet*⟩ → **spirito.**

spịrula *f.* ⟨*Zool*⟩ spirula (*Spirula*).

spittinạre *v.i.* (**spịttino**; *aus.* **avere**) ⟨*tosc,non com*⟩ (*rif. al pettirosso*: *cantare*) to pipe, to sing. – **spittinịo** *m.* ⟨*tosc,non com*⟩ piping (of a robin).

spiumacciạre *v.t.* (**spiumạccio, spiumạcci**) ⟨*non com*⟩ (*sprimacciare*) to fluff (*o* shake) up. – **spiumacciạta** *f.* ⟨*non com*⟩ (*sprimacciata*) shake, fluffing up.

spiumạre I *v.t.* ⟨*non com*⟩ **1.** to pluck: ~ *una gallina* to pluck a chicken. – **2.** ⟨*fig*⟩ (*carpire denaro*) to fleece, ⟨*fam*⟩ to skin. – **II** *v.i.* (*aus.* **avere**) ⟨*rar*⟩ (*perdere l'imbottitura di piume*) to lose feathers (*o* filling).

spivettạre *v.t.* (**spivẹtto**) ⟨*mil*⟩ to initiate.

spizzettạre *v.t.* (**spizzẹtto**) ⟨*region*⟩ to pink.

spizzicạre *v.t.* (**spịzzico, spịzzichi**) to nibble, to peck (*o* pick) at. – **spizzicatụra** *f.* ⟨*non com*⟩ nibbling, picking at one's food. – **spịzzico**: *a* ~ (*o spizzichi*) little by little, a little at a time, gradually, in dribs and drabs.

splancnicectomịa *f.* ⟨*Chir*⟩ splanchnicectomy. – **splạncnico** *a.* (*pl.* **-ci**) ⟨*Anat*⟩ splanchnic: *nervo* ~ splanchnic nerve.

splancno|logịa *f.* ⟨*Med*⟩ splanchnology. – **~plẹura** *f.* ⟨*Biol*⟩ splanchnopleure. – **~ptọsi** *f.* ⟨*Med*⟩ splanchnoptosis, splanchnoptosia, Glénard's disease.

splateamẹnto *m.* ⟨*Edil*⟩ levelling.

spleen *ingl.* [spli:n] *m.* (*malinconia*) melancholy, gloom, depression, dejection.

splenalgịa *f.* ⟨*Med*⟩ splenalgia.

splendẹnte (*p.pr. di splendere*) *a.* **1.** shining, bright, brilliant, ⟨*lett*⟩ splendent: *luce* ~ bright light. – **2.** ⟨*fig*⟩ shining, bright, radiant, beaming, glowing: *volto* ~ *di felicità* face glowing with happiness; *occhi -i* shining eyes.

splẹndere *v.i.* (past participle and compound tenses not used) **1.** to shine: *il sole splende alto nel cielo* the sun is shining high in the sky. – **2.** (*luccicare*) to sparkle, to glitter: ~ *come l'oro* to glitter like gold. – **3.** ⟨*fig*⟩ to shine, to beam, to be radiant (*di* with), to radiate (s.th.): *il suo volto splendeva di gioia* his face shone with joy.

splendidamẹnte *avv.* **1.** splendidly, wonderfully, beautifully, ⟨*fam*⟩ gorgeously; (*fastosamente*) splendidly, magnificently, sumptuously, gorgeously: *casa ~ arredata* sumptuously furnished house. – **2.** (*con larghezza*) lavishly, grandly, on a grand scale. □ *vivere ~* to live in grand style.

splendidẹzza *f.* **1.** (*lucentezza, luminosità*) brilliance, brightness, splendour. – **2.** ⟨*fig*⟩ (*bellezza*) beauty, loveliness. – **3.** ⟨*fig*⟩ (*generosità*) generosity, liberality, lavishness, open-handedness. – **4.** ⟨*fig*⟩ (*magnificenza*) splendour, magnificence, grandeur, sumptuousness.

splẹndido I *a.* **1.** bright, shining, brilliant, radiant: *sole ~* bright sun. – **2.** ⟨*fig*⟩ (*mirabile, bello*) splendid, magnificent, glorious, gorgeous, marvellous: *una giornata -a* a gorgeous day; *panorama ~* marvellous view; (*fastoso, magnifico*) splendid, magnificent, sumptuous, grand, gorgeous: *una -a villa* a magnificent villa. – **3.** ⟨*fig*⟩ (*eccezionale*) brilliant, exceptional, outstanding, excellent, splendid: *carriera -a* brilliant career. – **4.** ⟨*fig*⟩ (*meraviglioso, ammirevole*) splendid, wonderful, admirable: *uno ~ esempio di eroismo* a splendid example of heroism. – **5.** ⟨*fig*⟩ (*generoso*) generous, liberal, lavish. – **II** *s.m.* (*f.* **-a**) generous person. □ *fare lo ~* to give generously (*o* lavishly).

splendiẹnte *a.* ⟨*ant*⟩ → **splendente**.

splendọre *m.* **1.** (*luminosità*) brightness, brilliance, luminosity, radiance: *lo ~ del sole* the brightness of the sun. – **2.** (*lucentezza*) brightness, brilliance, lustre, shine, glitter, gleam, glow, glimmer: *lo ~ dell'oro* the brightness of gold. – **3.** ⟨*fig*⟩ (*fulgore*) splendour, radiance, bloom: *una donna nel pieno ~ della sua bellezza* a woman in the full splendour of her beauty. – **4.** ⟨*fig*⟩ (*magnificenza*) splendour, magnificence, sumptuousness, grandeur; (*fasto*) splendour, pomp, magnificence: *gli -i delle corti rinascimentali* the splendour (*o* pomp) of Renaissance courts. – **5.** ⟨*fig*⟩ (*vanto, lustro*) splendour, grandeur, glory. – **6.** ⟨*fig,concr*⟩ (*persona o cosa molto bella*) beauty, splendour: *quella donna è uno ~* that woman is a beauty. – **7.** ⟨*fig*⟩ (*periodo aureo*) splendour, heyday, days *pl* of splendour. – **8.** ⟨*lett,rar*⟩ (*spirito luminoso*) shining vision. – **9.** ⟨*Fis, ant*⟩ (*brillanza*) brilliance. □ *che ~ di arte!* what magnificent art!; *che ~ di ragazza!* what a beautiful girl!, what a beauty!; *una casa che è uno ~* a gorgeous house; *~ di vita* life of luxury; *vivere in mezzo agli -i* to live in the lap of luxury.

splẹne *m.* ⟨*Anat*⟩ (*milza*) spleen, milt. – **splenectomịa** *f.* ⟨*Chir*⟩ splenectomy. – **splenẹtico** *a./s.* (*pl.* **-ci**) **I** *a.* ⟨*Anat*⟩ **1.** splenetic, splenic. – **2.** (*malato alla milza*) splenetic, suffering from disorder of the spleen. – **3.** ⟨*estens*⟩ (*malinconico*) melancholy, depressed, gloomy, melancholic. – **II** *s.m.* (*f.* **-a**) **1.** person suffering from splenic disorder, ⟨*ant*⟩ splenetic. – **2.** ⟨*estens*⟩ (*persona malinconica*) melancholiac, depressed (*o* melancholy) person.

spleniạle *m.* ⟨*Anat*⟩ (*anche osso spleniale*) splenial (bone).

splẹnico *a./s.* (*pl.* **-ci**) **I** *a.* ⟨*Anat*⟩ splenic, splenetic. – **II** *s.m.* (*f.* **-a**) person suffering from splenic disorder.

splẹnio *m.* ⟨*Anat*⟩ splenius.

splenịte *f.* ⟨*Med*⟩ splenitis, inflammation of the spleen. – **splenịtico** *a.* (*pl.* **-ci**) of (*o* relating to) splenitis.

spleno|cịto *m.* ⟨*Biol*⟩ splenocyte. – **~contraziọne** *f.* ⟨*Med*⟩ contraction of the spleen. – **~epạtico** *a.* (*pl.* **-ci**) of the spleen and liver.

splenọ|geno *a.* ⟨*Med*⟩ splenogenic, splenogenous. – **~grạmma** *m.* splenogram. – **~manometrịa** *f.* spleen manometry. – **~megalịa** *f.* splenomegaly, splenomegalia. – **~megạlico** *a.* (*pl.* **-ci**) accompanying (*o* relating to) splenomegaly. – **~patịa** *f.* splenopathy, lienopathy. – **~ptọsi** *f.* splenoptosis, splenoptosia.

splenorrafịa *f.* ⟨*Chir*⟩ splenorrhaphy. – **splenorragịa** *f.* ⟨*Med*⟩ splenorrhagia.

spleno|tomịa *f.* ⟨*Chir*⟩ splenotomy. – **~trombọsi** *f.* ⟨*Med*⟩ thrombosis of the spleen.

Splụga: ⟨*Geog*⟩ *passo dello ~* Splugen pass.

s.p.m. = ⟨*Farm*⟩ *secondo prescrizione medica* as prescribed.

S.P.M. = ⟨*epist*⟩ *sue proprie mani* personal (for addressee).

spọcchia *f.* (*boria, sussiego*) haughtiness, arrogance, self-conceit. – **spocchiạta** *f.* ⟨*rar*⟩ haughty act. – **spocchiọne** *m.* (*f.* **-a**) haughty (*o* arrogant, bumptious) person. – **spocchiọso** *a.* ⟨*non com*⟩ (*borioso*) haughty, arrogant, bumptious.

spoderạre *v.* (**spodẹro**) **I** *v.t.* (*mandar via dal podere*) to send away (from a farm holding), to give notice to quit a farm. – **II** *v.i.* (*aus.* **avere**) to quit a farm.

spodestamẹnto *m.* ⟨*non com*⟩ **1.** depriving of power. – **2.** (*destituzione*) dismissal, removal from office. – **3.** (*detronizzazione*) dethronement, deposition. – **4.** (*il privare dei beni*) dispossession.

spodestạre *v.t.* (**spodẹsto**) **1.** to deprive of power; (*cacciare, sloggiare*) to oust: *il vecchio direttore è stato spodestato da un giovane dirigente* the old director has been ousted by a young executive. – **2.** (*destituire*) to dismiss, to discharge, to remove (from office). – **3.** (*detronizzare*) to dethrone, to depose: *~ un re* to depose a king. – **4.** (*privare dei beni*) to dispossess, to deprive of one's property: *la rivoluzione ha spodestato i nobili* the revolution dispossessed the nobility.

spọdio *m.* ⟨*Chim*⟩ (*nero animale*) char, animal charcoal, bone -black.

spodụmene, spodụmeno *m.* ⟨*Min*⟩ spodumene.

spoetạre *v.* (**spoẹto**) **I** *v.t.* ⟨*non com*⟩ to deprive of the name (*o* fame) of poet. – **II** *v.i.* (*aus.* **avere**) ⟨*scherz,spreg*⟩ to write clumsy verses. – **spoetarsi** *v.r.* to give up writing poetry.

spoetizzạnte (*p.pr. di spoetizzare*) *a.* **1.** disenchanting, disillusioning. – **2.** ⟨*estens*⟩ (*disgustante*) disgusting, sickening. – **spoetizzạre** *v.t.* **1.** (*disincantare*) to disenchant, to disillusion, to take the poetry out of. – **2.** ⟨*estens*⟩ (*disgustare*) to disgust, to sicken. – **spoetizzạto** (*p.p. di spoetizzare*) *a.* disenchanted, disillusioned.

spọglia *f.* **1.** slough, cast-off skin: *la ~ di un serpente* a snake's cast -off skin. – **2.** ⟨*poet*⟩ (*salma*) mortal remains *pl*, dead body, corpse. – **3.** *pl.* (*armatura tolta al nemico vinto*) spoils *pl.* – **4.** *pl.* (*bottino di guerra*) spoils *pl*, plunder, booty, loot: *dividere le -e* to split the booty. – **5.** ⟨*Met*⟩ draft. – **6.** ⟨*Mecc*⟩ rake. – **7.** ⟨*region*⟩ (*scartoccio*) husk, skin. – **8.** ⟨*region*⟩ (*sfoglia*) thinly rolled(-out) pastry. – **9.** ⟨*poet*⟩ (*abito, veste*) garment, clothing. – **10.** ⟨*ant*⟩ (*foglie*) leaves *pl*, foliage. □ ⟨*scherz*⟩ *sotto mentite -e* (*travestito*) in disguise; ⟨*fig*⟩ under a false name; *-e mortali* mortal remains; ⟨*Stor.rom*⟩ *-e opime* spolia opima, honourable spoils; ⟨*fig*⟩ (*ricco bottino*) rich booty; ⟨*Met*⟩ *~ dello stampo* die draft (*o* taper).

spogliamẹnto *m.* ⟨*non com*⟩ → **spoliazione**.

spogliạnte (*p.pr. di spogliare*) *a.* ⟨*Bot*⟩ deciduous.

spogliạre *v.t.* (**spọglio, spọgli**) **1.** (*svestire*) to undress, to take the clothes off, to strip: *spoglia i bambini per mandarli a letto* she is undressing the children to send them to bed; (*levare di dosso*) to take off. – **2.** (*togliere elementi accessori*) to strip: *~ la pianta dei fiori* to strip the plant of flowers; *~ uno scritto di fronzoli* to strip an article of frills; (*saccheggiare*) to strip, to rob: *il nemico ha spogliato la città dei suoi tesori d'arte* the enemy stripped the town of its art treasures. – **3.** ⟨*estens*⟩ (*derubare*) to rob; (*defraudare*) to rob, to cheat: *lo spogliarono di ogni suo avere* he was cheated of all he had. – **4.** ⟨*fig*⟩ (*privare*) to deprive, to divest: *~ qd. dei suoi diritti* to deprive s.o. of his rights. – **5.** (*esaminare sistematicamente*) to sift, to go through, to examine; (*fare lo spoglio*) to sort (out), to go through: *~ la corrispondenza* to sort (out) the mail. – **spogliarsi** *v.r.* **1.** to undress, to take one's clothes off; (*completamente*) to strip, to undress. – **2.** (*rif. a serpenti*: *mutare pelle*) to cast, to shed, to exuviate, to slough (off): *la serpe si spoglia della pelle* the snake sloughs off its skin. – **3.** (*perdere*) to lose, to shed (*di qc.* s.th.): *d'inverno gli alberi si spogliano delle foglie* in winter the trees shed their leaves. – **4.** ⟨*fig*⟩ (*privarsi*) to deprive (*o* divest) o.s. (*di* of), to give up (s.th.), to part (with): *si spogliò di tutti i suoi averi* he gave up all his property. – **5.** ⟨*fig*⟩ (*rimuovere, allontanare*) to remove, to put (*o* cast) aside (*di qc.* s.th.), to rid o.s. (of): *spogliarsi di ogni prevenzione* to put aside all prejudice. □ *~ l'abito sacerdotale* to leave the priesthood; *spogliarsi completamente* (o *nudo*) to strip (naked); *~ il riso* (*brillarlo*) to polish (*o* husk) rice.

spogliarellịsta *f.* stripper, strip-tease artist, strip-tease. – **spogliarẹllo** *m.* strip-tease: *fare uno ~* to do a strip-tease.

spogliạto (*p.p. di spogliare*) *a.* **1.** undressed; (*in abiti da camera*) in informal clothes, not dressed. – **2.** (*privato*) deprived, divested. – **3.** ⟨*fig*⟩ (*derubato*) robbed, stripped. □ *mezzo ~* half-undressed. – **spogliatọio** *m.* changing-room, dressing-room, locker room; (*nelle scuole*) cloakroom. – **spogliatọre** *m.* (*f.* **-trice**) **1.** stripper. – **2.** (*chi deruba*) robber, plunderer, stripper, despoiler. – **3.** (*chi fa uno spoglio*) sorter, checker. – **4.** ⟨*Mecc*⟩ (*tornio*) relieving (*o* backing-off) lathe. □ *~ di cadaveri* body-snatcher. – **spogliatụra** *f.* ⟨*non com*⟩ **1.** stripping. – **2.** (*lo spogliarsi*) undressing. – **3.** ⟨*Mecc*⟩ relieving, backing-off. – **spogliaziọne** *f.* ⟨*non com*⟩ → **spoliazione**.

spọglio[1] *a.* **1.** (*spogliato, privo*) devoid, stripped, bereft, deprived, bare (*di* of), lacking, wanting (in), without (s.th.). – **2.** (*squallido, nudo*) bare, naked, bleak: *casa -a* bleak house; (*rif. a piante*) bare, naked; (*rif. a terreni e sim.*) bleak, bare, barren. – **3.** ⟨*fig*⟩ (*libero*) free (*di* from), without (s.th.), devoid (of): *~ di prevenzioni* free from prejudice.

spọglio[2] *m.* **1.** sorting (out); (*esame*) examination, scrutiny, study, perusal; (*selezione*) selection, culling. – **2.** (*estratto*) excerpt, extract. – **3.** (*vestito smesso*) cast-off (garment). – **4.** (*spoliazione*) stripping, depriving, deprivation, divesting, taking away. – **5.** ⟨*Dir*⟩ dispossession. – **6.** ⟨*Dir.can*⟩ spoils *pl.* – **7.** ⟨*ant*⟩ (*pelle d'animale*) skin, hide; (*spoglia*) slough, cast-off skin. – **8.** ⟨*ant*⟩ (*preda*) plunder, booty, spoils *pl.* □ ⟨*Dir*⟩ *azione di ~* action for restitution (*o* recovery of possession); *fare lo ~ della corrispondenza* to sort the mail; *fare lo ~ dei dati* to extract data; *~* ⌈*delle schede*⌉ (o *dei voti*) checking and counting of votes; ⌈*fare lo*⌉ (o *procedere allo*) *~ dei voti* to count the votes.

spọla *f.* **1.** shuttle. – **2.** (*nelle cucitrici*) bobbin. – **3.** ⟨*Tess*⟩ (*bobina*) cop. – **4.** ⟨*Alim*⟩ (*forma di pane*) tapered loaf of bread. – **5.** ⟨*ant*⟩ (*piccola imbarcazione*) small boat, skiff. □ *fare la ~ da un luogo all'altro* to shuttle (*o* commute) from one place to another; (*rif. a mezzi di trasporto*) to shuttle (*o* ply) between two places; ⟨*Sport*⟩ *lavorare* (o *far lavoro*) *di ~* to move up and down the field.

spolatrịce *f.* ⟨*Tess*⟩ winding-machine, winding-frame. – **spolatụra** *f.* spooling, winding (onto a spool).

Spolẹto *N.pr.f.* ⟨*Geog*⟩ Spoleto.

spolẹtta (*dim. di spola*) *f.* **1.** (*nelle cucitrici*) bobbin. – **2.** ⟨*Artigl*⟩ fuse.

□ ⟨*Artigl*⟩ *~ ad* **azione** *ritardata* delayed-action fuse; *~ a doppio* **effetto** = *spoletta a* **tempo** *e percussione*; **far** *la ~* to shuttle, to go ⌈to and fro⌉ (*o* back and forth); (*rif. a mezzi di trasporto*) to shuttle, to ply; ⟨*Artigl*⟩ *~* **meccanica** mechanical fuse; *~ a* **orologeria** clockwork fuse; ~ *a* **percussione** percussion fuse; ~ *di* **prossimità** (radio) proximity fuse, variable time fuse; ~ *a* **tempo** time fuse; ~ *a tempo e percussione* combination fuse.

spolettạre *v.t.* (**spolẹtto**) ⟨*Artigl*⟩ to fuse.

spolettiẹra *f.* ⟨*Tess*⟩ winding-frame, winding-machine.

spolettifịcio *m.* ⟨*Ind*⟩ fuse factory.

spoliaziọne *f.* **1.** stripping, depriving, divesting, taking away. – **2.** ⟨*ant*⟩ (*saccheggio*) (de)spoliation, plundering, pillage.

spoliẹra *f.* → **spolettiera.**

spolinạto *m.* ⟨*Tess*⟩ (*anche broccato spolinato*) kind of brocade. – **spolịno** *m.* shuttle (for weaving brocade).

spoliticạre *v.i.* (**spolịtico, spolịtichi**; *aus.* **avere**) to talk politics.

spoliticizzạre *v.t.* to make non-political, to rid of its political nature (*o* ties). – **spoliticizzaziọne** *f.* making non-political.

spollaiạre *v.t.* (**spollạio, spollại**) ⟨*non com*⟩ to move (from one's perch), to shift, to budge. – **spollaiarsi** *v.r.* **1.** (*scuotere le penne*) to ruffle one's feathers. – **2.** ⟨*fam,scherz*⟩ (*mettersi in mostra*) to show off, to preen o.s. – **3.** ⟨*rar*⟩ (*rif. a polli: levarsi*) to leave the perch (*o* roost).

spollinạrsi *v.r.* ⟨*non com*⟩ (*rif. a polli e sim.*) to shake off lice.

spollonạre *v.t.* (**spollọno**) ⟨*Agr*⟩ to remove side-shoots from. – **spollonatụra** *f.* removal of side-shoots (*o* suckers).

spolmonạrsi *v.r.* (**mi spolmọno**) to shout ⌜one's head off⌝ (*o* o.s. hoarse); (*parlare a voce molto alta*) to talk at the top of one's voice (*o* lungs).

spolpamẹnto *m.* ⟨*non com*⟩ removal of flesh.

spolpạre *v.t.* (**spọlpo**; *p.p.* **spolpạto/spọlpo**) **1.** (*privare della carne*) to remove the flesh from, to take the meat off, to strip of flesh: ~ *un osso* to remove the flesh from a bone, to pick a bone clean. – **2.** ⟨*fig*⟩ (*spillare denaro*) to fleece, ⟨*fam*⟩ to skin: *lo hanno spolpato al gioco* they fleeced him at gambling; (*sfruttare*) to exploit, to take advantage of. – **spolparsi** *v.r.* **1.** ⟨*non com*⟩ (*dimagrire*) to lose flesh, to grow (*o* get) thin. – **2.** ⟨*fig*⟩ (*impoverirsi*) to become poverty-stricken, to grow (*o* become) poor, to bleed o.s. white: *mi sono spolpato per farti studiare* I bled myself white to enable you to study.

spolpạto (*p.p. di spolpare*) *a.* **1.** stripped of flesh, bare: *un osso* ~ a bare bone; (*rif. alla frutta*) with the pulp removed. – **2.** ⟨*estens*⟩ (*magro, secco*) thin, lean, emaciated, fleshless, ⟨*fam*⟩ skinny. – **3.** ⟨*tosc*⟩ → **spolpo.** – **spọlpo** (*p.p. di spolpare*) *a.* ⟨*tosc*⟩ (*del tutto*) absolutely, completely, utterly. □ *matto* ~ stark (*o* raving) mad.

spoltịglia *f.* → **spoltiglio.** – **spoltigliạre** *v.t.* (**spoltịglio, spoltịgli**) ⟨*Agr*⟩ to submerge and stir. – **spoltịglio** *m.* emery powder; (*pasta abrasiva*) emery paste.

spoltrạre *v.* (**spọltro**) ⟨*ant*⟩ → **spoltronire.** – **spoltrịre** *v.* (**spoltrịsco, spoltrịsci**) → **spoltronire.** – **spoltroneggiạre** *v.i.* (**spoltronẹggio, spoltronẹggi**; *aus.* **avere**) ⟨*rar*⟩ (*fare il poltrone*) to idle, to laze (*o* loaf) about. – **spoltronịre** *v.t.* (**spoltronịsco, spoltronịsci**) to ⌜cure of⌝ (*o* shake out of) one's laziness, to knock the laziness out of. – **spoltronirsi** *v.r.* to rouse o.s., to shake off one's lazy habits, ⟨*fam*⟩ to pull one's socks up, ⟨*fam*⟩ to stir one's stumps.

spolverạre *v.t.* (**spọlvero**) **1.** to dust: ~ *i mobili* to dust the furniture; (*con la spazzola*) to brush; (*col battipanni*) to beat; (*con l'aspirapolvere*) to vacuum(-clean), ⟨*fam*⟩ to hoover. – **2.** (*spolverizzare*) to dust, to sprinkle: ~ *di farina* to dust with flour. – **3.** ⟨*fam*⟩ (*mangiare con avidità*) to eat up, to gobble (up), ⟨*fam*⟩ to scoff, ⟨*fam*⟩ to polish off: *ha spolverato tutto in un attimo* he gobbled it all up in a flash. – **4.** ⟨*fig*⟩ (*rubare*) to rob, to steal: *i ladri hanno spolverato l'argenteria* the thieves stole the silverware; (*svaligiare*) to make a clean sweep of, ⟨*fam*⟩ to clean out. – **5.** ⟨*non com*⟩ (*spendere sconsideratamente*) to squander, to fritter away. – **6.** ⟨*non com*⟩ (*sorpassare*) to overtake. □ ~ *un disegno* to pounce a design; ⟨*fig*⟩ ~ *le spalle* (*o il groppone*) *a qd.* (*bastonarlo*) to beat (*o* thrash) s.o., ⟨*fam*⟩ to dust s.o.'s jacket.

spolverạta *f.* **1.** dusting; (*con la spazzola*) brush(ing); (*col battipanni*) beating; (*con l'aspirapolvere*) vacuuming, cleaning, ⟨*fam*⟩ hoover(ing). – **2.** (*lo spolverizzare*) dusting, sprinkling. □ *dare una* ~ *a una stanza* to give a room a ⌜quick dusting⌝ (*o* flick of the duster); *dare una* ~ *a una giacca* to brush a jacket, to give a jacket a quick brush; *dare una* ~ *di zucchero a un dolce* to sprinkle a cake with sugar; ⟨*fig*⟩ *dare una* ~ *a qd.* (*picchiarlo*) to give s.o. a thrashing, ⟨*fam*⟩ to dust s.o.'s jacket; *darsi una* ~ to brush o.s. (*o* one's clothes).

spolveratọre *m.* (*f.* **-trice**) ⟨*non com*⟩ **1.** duster. – **2.** ⟨*Cart*⟩ duster. – **spolveratụra** *f.* **1.** dusting; (*con la spazzola*) brushing; (*col battipanni*) beating; (*con l'aspirapolvere*) vacuum-cleaning, ⟨*fam*⟩ hoovering. – **2.** (*lo spolverizzare*) dusting, sprinkling (*anche concr.*): ~ *di zucchero* sprinkling of sugar. – **3.** ⟨*fig*⟩ (*infarinatura*) smattering: ~ *di buona educazione* smattering of good manners.

spolverịna *f.* ⟨*tosc*⟩ **1.** (*soprabito*) dust-coat, ⟨*am*⟩ duster. – **2.** (*sopravveste*) overall. – **spolverịno** *m.* **1.** (*soprabito*) dust-coat, ⟨*am*⟩ duster. – **2.** (*sopravveste*) overall. – **3.** (*recipiente*) sprinkler, duster. – **4.** (*spazzoletta dei barbieri*) neck-brush. – **5.** ⟨*tosc*⟩ (*piumino*) feather-duster. – **6.** ⟨*ant*⟩ (*polverino*) (blotting) sand.

spolverịo *m.* **1.** clouds *pl* of dust. – **2.** ⟨*fig,scherz*⟩ (*il mangiare avidamente*) gobbling, ⟨*fam*⟩ scoffing.

spolverizzamẹnto *m.* ⟨*non com*⟩ dusting, sprinkling. – **spolverizzạre** *v.t.* **1.** (*polverizzare*) to pulverize, to reduce to powder (*o* dust). – **2.** (*cospargere*) to dust, to sprinkle: ~ *di zucchero un dolce* to dust a cake with sugar. – **3.** (*nel disegno*) to pounce. – **spolverizzarsi** *v.r.* (*ridursi in polvere*) to turn to powder (*o* dust). – **spolverizzatọre** *m.* ⟨*non com*⟩ sprayer, pulverizer; (*nebulizzatore*) atomizer, nozzle. – **spolverịzzo** *m.* (*nel disegno*) pounce.

spọlvero *m.* **1.** dusting; (*con la spazzola*) brushing; (*polvere*) dust. – **2.** (*lo spolverizzare*) dusting, sprinkling; (*polvere sparsa*) dusting, sprinkling: *uno* ~ *di farina* a sprinkling of flour. – **3.** (*nel disegno*) pouncing; (*sacchetto*) pounce-bag. – **4.** ⟨*fig*⟩ (*infarinatura*) smattering. □ ⟨*fig,non com*⟩ *cose di* ~ (*di apparenza*) outward show *sing*; ⟨*fig*⟩ *cultura di* ~ (*superficiale*) smattering of knowledge.

spomiciạre *v.* (**spọmicio, spọmici**) ⟨*non com*⟩ **I** *v.t.* (*pulire con la pomice*) to pumice, to clean (*o* smooth) with pumice. – **II** *v.i.* (*aus.* **avere**) **1.** ⟨*roman*⟩ (*fare il pomicione*) to be a wolf, to flirt, ⟨*am.fam*⟩ to mash. – **2.** (*abbandonarsi a effusioni amorose*) to neck, to pet.

spọnda *f.* **1.** (*riva: di mare*) shore, beach; (*di lago*) shore; (*di fiume o canale*) bank: *la* ~ *del fiume* the river-bank, the riverside. – **2.** (*bordo*) edge: *la* ~ *del letto* the edge of the bed; (*fianco*) side. – **3.** (*parapetto*) parapet, wall; (*ringhiera*) railing, balustrade. – **4.** (*nel gioco del biliardo*) cushion. – **5.** (*rif. a carri*) board, panel, side: ~ *laterale* sideboard. – **6.** ⟨*Fal*⟩ hoarding, wooden fence. – **7.** ⟨*fig, region*⟩ (*protezione*) protection; (*protettore*) protector. – **8.** ⟨*poet*⟩ (*regione*) region, land. – **9.** ⟨*poet*⟩ (*fianco d'una nave*) side (of a ship). □ ~ *posteriore* (*di un carro*) tail-board, ⟨*am*⟩ tailgate; ⟨*Stor*⟩ *quarta* ~ (*Libia*) Libya; ⟨*Stor*⟩ *quinta* ~ (*Dalmazia*) Dalmatia.

spondạico *a.* (*pl.* **-ci**) ⟨*Metr*⟩ spondaic(al): *esametro* ~ spondaic hexameter.

spondarọla *f.* ⟨*pop*⟩ → **sponderuola.**

spondẹo *m.* ⟨*Metr*⟩ spondee, spondaic.

sponderọla *f.* ⟨*pop*⟩ → **sponderuola.** – **sponderuọla** *f.* ⟨*Fal*⟩ rebate plane, ⟨*am*⟩ rabbet plane.

spondịaco *a.* → **spondaico.**

spondilịte *f.* ⟨*Med*⟩ spondylitis, inflammation of the vertebrae. – **spọndilo** *m.* ⟨*Anat,ant*⟩ (*vertebra*) vertebra, ⟨*ant*⟩ spondyl(e).

spondilo|artrịte *f.* ⟨*Med*⟩ spondylarthritis. – **~artrọsi** *f.* spondylarthrosis. – **~lịsi** *f.* spondylolysis. – **~listẹsi** *f.* spondylolisthesis.

spondilọsi *f.* ⟨*Med*⟩ spondylosis.

spongạta *f.* ⟨*Dolc*⟩ spiced Christmas cake with fruit and honey.

spongifọrme *a.* sponge-like, spongy.

spongịna *f.* ⟨*Biol*⟩ spongin.

spongioblastọma *m.* ⟨*Med,ant*⟩ (*glioblastoma*) spongioblastoma, glioblastoma.

spongiọsi *f.* ⟨*Med*⟩ spongiosis.

spongiosità *f.* ⟨*ant*⟩ (*spugnosità*) sponginess. – **spongiọso** *a.* ⟨*ant*⟩ (*spugnoso*) spongy.

spongọsi *f.* ⟨*non com*⟩ → **spongiosi.**

spọnsa *f.* ⟨*ant*⟩ → **sposa.** – **sponsạle** *a.* ⟨*lett*⟩ (*coniugale*) conjugal, marriage-, nuptial: *letto* ~ marriage bed; (*matrimoniale*) matrimonial, of matrimony, marriage-. – **sponsạli** *m.pl.* ⟨*lett*⟩ **1.** (*promessa di matrimonio*) engagement, ⟨*lett*⟩ betrothal. – **2.** (*contratto*) marriage contract. – **3.** (*matrimonio*) wedding, marriage, ⟨*lett*⟩ nuptials *pl.* – **sponsalịzio** *m.* ⟨*ant*⟩ → **sposalizio.** – **spọnso** *m.* (*f.* **-a**) ⟨*ant*⟩ → **sposo.**

spontaneamẹnte *avv.* **1.** spontaneously. – **2.** (*di propria volontà*) of one's own accord (*o* free will); (*con naturalezza*) naturally, unaffectedly. – **spontaneità** *f.* **1.** spontaneity, spontaneousness. – **2.** (*naturalezza*) naturalness, spontaneity, spontaneousness, unaffectedness. □ *con* ~ spontaneously; (*con naturalezza*) naturally, unaffectedly.

spontaneizzạrsi *v.r.* ⟨*Bot*⟩ to become volunteer, to grow wild.

spontạneo *a.* **1.** spontaneous, voluntary: *offerta -a* spontaneous offer. – **2.** (*istintivo*) instinctive, spontaneous, involuntary: *la sua risposta fu una reazione -a all'offesa* his answer was an instinctive reaction to the insult. – **3.** (*rif. a persone: naturale, franco*) natural, unaffected, open. – **4.** (*rif. a fenomeni naturali*) spontaneous: *combustione -a* spontaneous combustion. – **5.** ⟨*Bot*⟩ volunteer, spontaneous. □ *di mia -a volontà* of my own free will.

spọnte: ⟨*scherz*⟩ *spinte o* ~ willy-nilly, whether one likes it or not.

spopolamẹnto *m.* (*lo spopolare*) depopulation, emptying (of people); (*lo spopolarsi*) depopulation. □ ~ *delle campagne* depopulation of the countryside, migration (*o* flight) from the land, rural exodus. – **spopolạre** *v.* (**spọpolo**) **I** *v.t.* to depopulate; (*rendere deserto*) to empty (of people), to make deserted (*o* empty): *il caldo ha spopolato le città* the heat has emptied the towns. – **II** *v.i.* (*aus.* **avere**) (*avere successo*) to draw the crowds, to be a success (*o* hit): *è un cantante che spopola* he is a singer who draws the crowds. – **spopolarsi** *v.r.* **1.** to become less populated, to be depopulated. – **2.** (*diventare deserto*) to empty, to become deserted (*o* empty, desolate): *la città si spopola in agosto* the town empties in August. – **spopolạto** (*p.p. di spopolare*) *a.* **1.** (*privo di popolazione*) depopulated, uninhabited, deserted, empty: *città -a* uninhabited city. – **2.** (*non frequentato*) empty, deserted: *teatro* ~ empty theatre.

spoppamẹnto *m.* weaning. – **spoppạre** *v.t.* (**spọppo**) **1.** (*svezzare*) to wean. – **2.** ⟨*fig,non com*⟩ (*educare*) to educate; (*civilizzare*) to civilize. – **spoppatụra** *f.* → **spoppamento.**

spọra *f.* ⟨*Biol*⟩ spore.

Spọradi *N.pr.f.pl.* ⟨*Geog*⟩ Sporades *pl.* □ ~ *centrali della Polinesia* Line Islands.

sporadicamẹnte *avv.* **1.** (*saltuariamente*) occasionally, sporadically. – **2.** (*di rado*) rarely. – **sporadicità** *f.* sporadicity. – **sporạdico** *a.* (*pl.* **-ci**) **1.** (*saltuario*) occasional, sporadic; (*raro*) rare, isolated: *è un caso* ~ it is an isolated case. – **2.** ⟨*Med*⟩ sporadic.

sporạngio *m.* ⟨*Bot*⟩ sporangium, spore-case. – **sporangiọforo** *m.* sporangiophore.

sporcacciọne ⟨*pop*⟩ **I** *a.* **1.** dirty, filthy. – **2.** ⟨*fig*⟩ (*turpe, immorale*) dirty, vile, filthy. – **II** *s.m.* (*f.* **-a**) **1.** dirty (*o* filthy) person, pig, ⟨*fam*⟩ slob; (*rif. a donne*) slut, slattern. – **2.** (*persona turpe*) dirty (*o* foul-minded) person, filthy wretch (*o* devil).

sporcamẹnte *avv.* **1.** (*schifosamente*) disgustingly, repulsively. – **2.** (*slealmente*) dirtily, shabbily, in an underhand way.

sporcạre *v.t.* (**spọrco, spọrchi**) **1.** to (make) dirty, to soil; (*macchiare*) to stain. – **2.** ⟨*fig*⟩ (*deturpare*) to sully, to tarnish, to soil, to cast a slur (*o* stain) on, to disgrace, to dishonour, to besmirch, to (be)foul: ~ *il proprio nome* to sully one's name. – **3.** ⟨*assol*⟩ to make (s.th.) dirty, to make a mess. – **sporcarsi** *v.r.* **1.** to dirty o.s., to get dirty: *quando mangia si sporca sempre* he always gets dirty when he eats. – **2.** ⟨*fig*⟩ (*avvilire la propria dignità*) to soil (*o* sully) o.s., to dirty one's hands: *si è sporcato per poche migliaia di lire* he dirtied his hands for a few thousand lire. – **3.** ⟨*fig,spreg*⟩ (*abbassarsi*) to stoop, to sink, to lower o.s., to degrade o.s., to debase o.s.: *non mi sporco a discutere con gente simile* I don't lower myself to arguing with such people. □ *sporcarsi le mani* to dirty (*o* soil) one's hands (*anche fig.*).

sporcatọre *m.* (*f.* **-trice**) ⟨*non com*⟩ **1.** dirtier, soiler, fouler. – **2.** ⟨*fig*⟩ sullier, besmircher. – **sporcherịa** *f.* ⟨*ant*⟩ **1.** (*sporcizia*) filth, dirt, grime, muck. – **2.** ⟨*fig*⟩ (*azione disonesta*) dishonest (*o* immoral) action. – **sporchẹtto** (*dim. di sporco*) *a.* grubby, mucky, rather dirty. – **sporchẹvole** *a.* ⟨*region*⟩ (*che si sporca facilmente*) easily dirtied. – **sporchẹzza** *f.* ⟨*non com*⟩ dirtiness, filthiness. – **sporchịno** (*dim. di sporco*) *a.* grubby, mucky, rather dirty. – **sporchịzia** *f.* ⟨*rar*⟩ → **sporcizia**.

sporcịzia *f.* **1.** dirtiness, filthiness, foulness, griminess. – **2.** ⟨*concr*⟩ dirt, filth, grime, muck; (*immondizia*) rubbish, refuse, garbage, ⟨*am*⟩ trash. – **3.** ⟨*fig*⟩ (*azione turpe*) foul (*o* sordid, base) action, indecency, dirty (*o* filthy) behaviour, ⟨*lett*⟩ turpitude; (*frase oscena*) dirty talk, obscenity, filth: *dire -e* to talk filth (*o* dirt). – **4.** ⟨*eufem*⟩ (*escremento*) dirt, excrement. – **5.** ⟨*iperb*⟩ (*cosa cattiva*) rubbish, ⟨*fam*⟩ slop, ⟨*fam*⟩ muck: *questa minestra è una* ~ this soup is muck.

spọrco *a./s.* (*pl.* **-chi**) **I** *a.* **1.** dirty, filthy, grimy, mucky: *avere le orecchie sporche* to have dirty ears. – **2.** (*imbrattato*) stained, soiled, *spesso si traduce con l'agg. appropriato*: *tovaglia -a di vino* tablecloth stained with wine; *scarpe sporche di fango* shoes splashed (*o* spattered) with mud, muddy shoes; *dita sporche d'inchiostro* inky (*o* ink-stained) fingers; *mani sporche di sangue* bloody (*o* bloodstained) hands. – **3.** ⟨*fig*⟩ (*turpe, immorale*) dirty, filthy, sordid, shabby, immoral: *azione -a* shabby behaviour, dirty trick; (*disonesto, truffaldino*) dishonest, crooked, underhand, shady. – **4.** ⟨*fig*⟩ (*sconcio*) dirty, obscene, foul, filthy, smutty, lewd, gross: *barzelletta -a* dirty joke; (*volgare*) coarse, vulgar. – **5.** ⟨*fig*⟩ (*cattivo*) guilty, dirty, bad: *avere la coscienza -a* to have a guilty conscience. – **II** *s.m.* **1.** dirt, filth, grime, muck. – **2.** ⟨*fig*⟩ dirt, filth, mire. – **3.** (*terreno coperto di vegetazione*) brush(wood), scrub. □ ⟨*fam*⟩ *farla -a* to do s.th. mean, to behave badly (*o* disgracefully), ⟨*fam*⟩ to do dirty; *avere la fedina penale -a* to have a police record; *avere la lingua -a* (*patinosa*) to have a coated (*o* furry) tongue.

sporgẹnte (*p.pr. di sporgere*) *a.* **1.** protruding, projecting, protuberant: *denti -i* protruding (*o* buck) teeth; (*rif. agli occhi*) protuberant, bulging. – **2.** (*aggettante*) jutting, ⟨*pred*⟩ jutting out, projecting. – **3.** (*a strapiombo*) overhanging, projecting, ⟨*pred*⟩ jutting out: *rupe* ~ overhanging rock.

sporgẹnza *f.* **1.** projection, protrusion. – **2.** ⟨*concr*⟩ (*ciò che sporge*) projection, jut, protrusion, projecting part. – **3.** ⟨*Edil*⟩ projection, overhang.

spọrgere *v.* (**spọrgo, spọrgi; spọrsi, spọrto**) **I** *v.t.* (*tendere in fuori*) to put out, ⟨*fam*⟩ to stick out: ~ *la testa dal finestrino* to put one's head out of the window; (*protendere*) to hold (*o* stretch) out: ~ *le mani verso qd.* to hold one's hand out to s.o. – **II** *v.i.* (*aus.* **essere**) **1.** (*venire in fuori*) to protrude, to stand (*o* stick) out: *un chiodo sporge dal muro* a nail is sticking out of the wall. – **2.** ⟨*Edil*⟩ to project, to jut out, to overhang; (*a strapiombo*) to slope, to slant. – **sporgersi** *v.r.* (*protendersi in avanti*) to lean (*o* stretch) forward; (*protendersi in fuori*) to lean (*o* reach, hang) out: *è pericoloso sporgersi dal finestrino* it is dangerous to lean out of the window. □ ~ *denuncia* to file (*o* make) a complaint; ⟨*fig*⟩ ~ *il naso fuori dell'uscio* (*uscire di casa*) to stick one's nose out the door, to go out; ⟨*Dir*⟩ ~ *querela contro qd.* to sue s.o., to bring (*o* institute) a suit against s.o., to lodge a complaint against s.o.

spọrico *a.* (*pl.* **-ci**) ⟨*Bot*⟩ spore-. – **sporịdio** *m.* sporidium. – **sporịfero** *a.* sporiferous. – **sporificạre** *v.i.* (**sporịfico, sporịfichi**; *aus.* **avere**) to bear (*o* produce) spores. – **sporificaziọne** *f.* sporification. – **sporịfico** *a.* (*pl.* **-ci**) sporigenous, sporiferous, spore-producing. – **sporịgeno** *a.* → **sporogeno**.

sporo|blạsto *m.* ⟨*Zool*⟩ sporoblast. – **~cạrp(i)o** *m.* ⟨*Bot*⟩ sporocarp. – **~cịste** *f.* **1.** ⟨*Bot*⟩ sporocyst(a). – **2.** ⟨*Zool*⟩ sporocyst. – **~dẹrma** *m.* ⟨*Biol*⟩ sporoderm. – **~fịllo** *m.* ⟨*Bot*⟩ sporophyll.

sporọfite *f.pl.* ⟨*Bot,ant*⟩ (*crittogame*) cryptogams *pl.* – **sporọfito** *m.* ⟨*Bot*⟩ sporophyte. – **sporọforo** *m.* sporophore. – **sporogẹnesi** *f.* sporogenesis. – **sporọgeno** *a.* sporogenous, sporogenic.

sporo|gonịa *f.* ⟨*Biol*⟩ sporogony. – **~gọnio** *m.* ⟨*Bot*⟩ sporogonium.

sporografịa *f.* ⟨*Biol*⟩ description of spores. – **sporọgrafo** *m.* (*f.* **-a**) scholar engaged in the description of spores. – **sporologịa** *f.* ⟨*Bot*⟩ study of spores. – **sporolọgico** *a.* (*pl.* **-ci**) spore-, of spores. – **sporọlogo** *m.* (*pl.* **-gi**; *f.* **-a**) student of spores.

sporotẹca *f.*, **sporotẹcio** *m.* → **sporangio**.

sporotricọma *m.* ⟨*Med,Veter*⟩ granuloma of sporotrichotis. – **sporotricọsi** *f.* sporotrichosis. – **sporotricọtico** *a.* (*pl.* **-ci**) sporotrichotic.

sporozọi *m.pl.* ⟨*Zool*⟩ sporozoans *pl* (*Sporozoa*).

spọrre *v.t.* (**spọngo, spọni; spọsi, spọsto**; → **porre**) ⟨*ant*⟩ **1.** (*esporre*) to display, to set out. – **2.** ⟨*fig*⟩ (*spiegare*) to explain, to expound. – **3.** (*partorire*) to give birth to, to bear.

spọrt I *s.m.* sport: *fare dello* ~ to go in for sport; *il mio* ~ *preferito è il nuoto* my favourite sport is swimming. – **II** *a.* (*sportivo*) sports-: *macchina* ~ sports-car.

□ ~ **acquatici** aquatics *pl* (*costr.sing. o pl.*), water (*o* aquatic) sports; ~ **alpino** mountaineering, alpinism, mountain-climbing; **amante** *dello* ~: 1. (*agg.*) sports-loving; 2. (*sost.*) keen sportsman (*f* -woman); ~ **atletico** athletics *pl* (*costr.sing.*); ~ *del* **calcio** football; ~ **dilettantistico** amateur sport; ~ **equestre** equestrian sport, (horseback) riding; **esercitare** *uno* ~ = **praticare** *uno sport*; ~ **invernali** winter sports; ~ *di* **montagna** mountain sports; ~ **nautici** = *sport* **acquatici**; **per** ~ for sport (*o* amusement), for (*o* out of) fun; **praticare** *uno* ~ to go in for a sport; *praticare lo* ~ *dello sci* to go skiing, to ski, to be a skier; ~ **professionistico** professional sport; ~ *dello* **sci** skiing; ~ *della* **vela** yachting, sailing.

spọrta *f.* **1.** (*sacca*) (shopping) bag; (*cesta*) (shopping) basket. – **2.** (*quantità*) bag(ful); (*cesta*) basket(ful). □ *cappello a* ~ picture hat; ⟨*non com*⟩ *rubare sulla* ~ (*sulla spesa*) to keep a little of the shopping money for o.s.

sportạre *v.i.* (**spọrto**; *aus.* **essere**) ⟨*ant*⟩ (*sporgere*) to project, to jut out, to protrude. – **sportạto** (*p.p. di sportare*) *a.* ⟨*ant*⟩ (*sporgente*) projecting, jutting (out), protruding.

sportellạto *a.* ⟨*non com*⟩ winged, having a door: *altare* ~ winged altar-piece.

sportellịsta *m./f.* ⟨*non com*⟩ counter-clerk.

sportẹllo *m.* **1.** door, wing, leaf: *lo* ~ *di un armadio* the door of a wardrobe; (*di finestre*) casement: *finestra a due -i* double casement -window. – **2.** (*porta di automobili, carrozze e sim.*) door. – **3.** (*rif. ad aperture in una porta*) delivery window. – **4.** (*negli uffici*) counter, window: *lo* ~ *è aperto dalle nove alle dodici* the counter is open from nine to twelve. – **5.** (*nelle banche*: *filiale*) branch. – **6.** ⟨*Art*⟩ wing, panel. – **7.** ⟨*Stor*⟩ (*tassa*) tax paid on leaving prison. – **8.** ⟨*Cin*⟩ gate, window.

□ ~ **bancario** bank counter; (*filiale*) bank branch; ~ *per i* **biglietti** ticket counter (*o* window), booking-office; ~ *della* **cassa** cashier's (*o* teller's) window, cash desk; ⟨*Comm,fig*⟩ **chiudere** *gli -i* to suspend payment; ⟨*Cin*⟩ ~ *del* **film** film gate (*o* window); ~ *del* **focolare** furnace (*o* firebox) door; ~ *di* **scarico** discharging door; ~ **scorrevole** sliding door; ~ *di* **ventilazione** ventilation flap.

sportivamẹnte *avv.* **1.** (*lealmente*) fairly, sportingly. – **2.** (*serenamente*) sportingly, calmly, in good part, ⟨*fam*⟩ like a good sport: *prendere le cose* ~ to take things sportingly. – **sportività** *f.* ⟨*non com*⟩ **1.** sportsmanship. – **2.** ⟨*fig*⟩ (*lealtà*) sportsmanship, fair play.

sportịvo I *a.* **1.** sports-: *notiziario* ~ sports news. – **2.** (*che pratica lo sport*) sporting, sports-: *uomo* ~ sporting man, sportsman. – **3.** (*che si interessa di sport*) sporting, sports-minded, interested in sport, ⟨*fam*⟩ sporty. – **4.** ⟨*estens*⟩ (*leale*) sportsmanlike, sporting, sportsmanly, fair, like a (good) sport: *giocare in modo* ~ to play in a sportsmanlike way. – **5.** ⟨*estens*⟩ (*sereno*) sporting, calm, ⟨*fam*⟩ like a (good) sport. – **6.** ⟨*Vest,Aut*⟩ sports-: *giacca -a* sports-jacket. – **II** *s.m.* (*f.* **-a**) **1.** (*chi pratica lo sport*) sportsman (*f* -woman). – **2.** (*chi si interessa di sport*) sports enthusiast (*o* lover), sportsman. – **3.** ⟨*estens*⟩ (*persona corretta e leale*) sportsman, (good) sport. □ *saper vincere e perdere con spirito* ~ to be a good winner or loser.

spọrto (*p.p. di sporgere*) **I** *a.* (*disteso*) outstretched, held (*o* stretched) out, out; (*proteso in fuori*) leaning (*o* hanging) out. – **II** *s.m.* **1.** (*aggetto*) projection, shoulder, overhang: ~ *del tetto* roof overhang. – **2.** (*imposta di legno*) wooden shutter. – **3.** ⟨*Edil*⟩ projection, jetty, jutty. – **4.** ⟨*ant*⟩ (*muricciolo*) low wall (for displaying goods).

spọrtula *f.* **1.** ⟨*Stor.rom*⟩ sportula. – **2.** (*compenso al giudice*) conventional fee to a judge. – **3.** ⟨*non com*⟩ (*compenso*) recompense. – **4.** ⟨*iron*⟩ (*castigo*) punishment. – **sportulạrio** *m.* ⟨*Stor*⟩ register of fees received by judge.

spọrula *f.* ⟨*Bot*⟩ **1.** sporule. – **2.** (*spora*) spore. – **sporulaziọne** *f.* **1.** ⟨*Bot*⟩ sporulation. – **2.** ⟨*Zool*⟩ schizogony.

spọsa *f.* **1.** bride: *la* ~ *era vestita di bianco* the bride was dressed in white. – **2.** (*moglie*) wife, ⟨*lett*⟩ spouse. – **3.** ⟨*pop*⟩ (*donna sposata da poco*) newly-wed, newly-married woman, young wife. – **4.** ⟨*region, ant*⟩ (*fidanzata*) fiancée. – **5.** ⟨*fig,lett*⟩ (*compagna inseparabile*) inseparable companion.

□ ⟨*Rel*⟩ ~ *dell'***Altissimo** (*Maria*) Spouse of the most High, Virgin Mary; ⟨*lett*⟩ **andare** ~ *a qd.* to become s.o.'s wife, to marry s.o.; ~ *di* **Cristo** (*la chiesa*) Bride of Christ, Church; (*suora*) Bride of Christ, nun; **da** ~ bridal, wedding-: *abito da* ~ wedding-dress, bridal gown; **dare** *qd. in* ~ *a qd.* to give s.o. to s.o. as his wife; (*nella cerimonia nuziale*) to give s.o. away; **farsi** ~ to get married, to marry; ⟨*Rel*⟩ ~ **monaca** nun on the day of her clothing (*o* taking the veil); ~ **novella** bride, newly-wed, newly-married woman; **promessa** ~ fiancée, ⟨*lett*⟩ betrothed.

spoṣalịzio I *s.m.* **1.** wedding, marriage, ⟨*lett*⟩ nuptials *pl.* – **2.** ⟨*ant*⟩

(*promessa di matrimonio*) engagement, ⟨*lett*⟩ betrothal. – **II** *a.* ⟨*ant*⟩ (*nuziale*) bridal, wedding-.

spoṣạre *v.* (**spọṣo**) **I** *v.t.* **1.** to marry; (*prendere per marito*) to take as husband; (*prendere in moglie*) to take to wife. – **2.** (*dare in moglie*) to give (in marriage), to marry (off): *i suoi la vogliono ~ a un ricco vicino* her parents want to marry her off to a rich neighbour. – **3.** (*unire in matrimonio*) to marry, to join in marriage (*o* wedlock), ⟨*lett*⟩ to wed: *li ha sposati il sindaco* they were married by the mayor. – **4.** ⟨*fig*⟩ (*unire*) to combine, to wed: *~ l'utile al dilettevole* to combine business with pleasure. – **5.** ⟨*fig*⟩ (*aderire con entusiasmo*) to espouse, to embrace, to support (*o* take up) whole-heartedly: *~ una causa* to espouse a cause. – **6.** ⟨*tecn*⟩ (*combaciare*) to fit together, to make meet, to marry, to join. – **7.** ⟨*ant*⟩ (*promettere in matrimonio*) to promise (in marriage), ⟨*lett*⟩ to betroth, ⟨*lett*⟩ to affiance. – **8.** ⟨*ant*⟩ (*promettere di prendere in moglie*) to promise to wed, to become engaged (*o* betrothed) to. – **II** *v.i.* (*aus.* **avere**) to marry, to get married, ⟨*lett*⟩ to wed. – **sposarsi** *v.r.* **1.** to marry (*con qd.* s.o.), to get married (to), ⟨*lett*⟩ to wed (s.o.): *si è sposato con mia sorella* he married my sister; (*prendere in moglie*) to marry, ⟨*lett*⟩ to take to wife (s.o.); (*prendere per marito*) to marry (s.o.). – **2.** ⟨*recipr*⟩ (*unirsi in matrimonio*) to get married, to marry: *si sono sposati due anni fa* they got married two years ago. – **3.** ⟨*fig*⟩ (*armonizzare*) to go well together, to match, to harmonize: *colori che non si sposano* colours that do not go well together. ▭ ⟨*fig*⟩ *~ le proprie opinioni* to stick to one's opinions.

spoṣạto (*p.p. di sposare*) **I** *a.* (*coniugato*) married. – **II** *s.m.* (*f.* **-a**) married man (*f* woman). – **spoṣẹtta** *f. dim. di* **sposa**. – **spoṣẹtto** *m. dim. di* **sposo**.

spoṣịna[1] (*dim. di sposa*) *f.* **1.** (*giovane sposa*) young bride; (*giovane moglie*) young wife. – **2.** (*sposa novella*) newly-wed. – **3.** ⟨*ant*⟩ (*monacanda*) novice.

spoṣịna[2] *f.* ⟨*Ornit*⟩ (*anatra sposa*) wood (*o* Carolina) duck (*Aix sponsa*).

spoṣịno (*dim. di sposo*) *m.* **1.** (*giovane sposo*) young bridegroom; (*giovane marito*) young husband. – **2.** (*sposo novello*) newly-wed. – **3.** *pl.* (*sposi novelli*) newly-weds *pl*, newly-married couple.

spọṣo *m.* **1.** (bride)groom. – **2.** (*uomo sposato da poco*) newly-wed, newly-married man; (*marito*) husband, ⟨*lett*⟩ spouse. – **3.** *pl.* (*coppia nel giorno nuziale*) bride and (bride)groom: *gli -i escono dalla chiesa* the bride and groom are coming out of the church. – **4.** (*coppia appena sposata*) newly-weds *pl*; (*marito e moglie*) (married) couple, husband (*o* man) and wife. – **5.** ⟨*ant,region*⟩ (*fidanzato*) fiancé, ⟨*lett*⟩ betrothed.

▭ **andare** ~ to marry, to get married; ⟨*Rel*⟩ ~ **della Chiesa** (*Gesù Cristo*) Bridegroom of the Church, Christ; ⟨*Rel*⟩ **mistico** ~ mystical Bridegroom; -*i* **novelli** newly-weds, newly-married couple *sing*; **promesso** ~ fiancé, ⟨*lett*⟩ betrothed; ⟨*Lett*⟩ *I promessi -i* The Betrothed.

spossamẹnto *m.* **1.** exhaustion, fatiguing, wearing out. – **2.** → **spossatezza**.

spossạnte (*p.pr. di spossare*) *a.* **1.** (*faticoso*) hard, laborious, wearisome, wearying, fatiguing: *lavoro ~* laborious work. – **2.** (*sfibrante*) exhausting, wearing: *caldo ~* exhausting heat. – **3.** ⟨*Agr*⟩ impoverishing.

spossạre *v.t.* (**spọsso**) **1.** to exhaust, to tire (out), to wear (out), to weary: *questo lavoro sposserebbe chiunque* this job would tire anyone out. – **2.** (*debilitare*) to weaken, to enfeeble, to wear out, to enervate, ⟨*fam*⟩ to take it out of: *la malattia lo ha spossato* his illness has weakened (*o* taken it out of) him. – **spossarsi** *v.r.* **1.** (*indebolirsi*) to become exhausted, to exhaust o.s., to grow weak. – **2.** ⟨*fig*⟩ (*rif. a ispirazione*) to dry up, to run dry.

spossatẹzza *f.* exhaustion, weakness, fatigue, weariness, prostration. – **spossạto** (*p.p. di spossare*) *a.* **1.** (*sfinito*) tired, weary, exhausted, worn-out, fatigued, ⟨*fam*⟩ done in: *mi sento ~ dopo la lunga camminata* I feel exhausted (*o* done in) after that long walk. – **2.** (*fiacco, debole*) weak, feeble, limp: *dopo la malattia è tutto ~* he is very weak after his illness. – **3.** ⟨*ant*⟩ (*perduto*) faint, dim.

spossessamẹnto *m.* ⟨*non com*⟩ expropriation, dispossession. – **spossessạre** *v.t.* (**spossẹsso**) to dispossess, to deprive, to expropriate. – **spossessarsi** *v.r.* to divest (*o* deprive) o.s. (*di* of), to give up (s.th.).

spostạbile *a.* **1.** movable, shiftable. – **2.** (*regolabile*) adjustable, movable. – **spostabilità** *f.* **1.** movability, shiftability. – **2.** (*regolabilità*) adjustability.

spostamẹnto *m.* **1.** (*atto*) moving, shifting, budging; (*effetto*) move, shift. – **2.** (*trasferimento*) transfer, moving, movement: *-i di capitali* transfers of capital; (*rif. a persone*) transfer, movement. – **3.** (*differimento*) postponement, deferment; (*variazione*) change, alteration, shift: *uno ~ d'orario* a change in the timetable. – **4.** ⟨*tecn*⟩ displacement. – **5.** ⟨*Met*⟩ shift, shifting.

▭ ~ **d'acqua** water displacement; ⟨*Fis*⟩ ~ **angolare** angular displacement; ~ **d'aria** pressure wave; ⟨*Mecc*⟩ ~ **assiale** clearance of an axle; ~ **elettrico** electric displacement; ⟨*El*⟩ ~ *di* **fase** phase shift; ⟨*TV*⟩ ~ *dell'***immagine** image shift; ~ *a* **mano** hand traverse; ⟨*Geol*⟩ ~ **orizzontale** (*di una faglia*) offset; ⟨*Ling*⟩ ~ *di* **significato** shift in meaning; ⟨*Fis*⟩ ~ **virtuale** virtual displacement.

spostạre *v.* (**spọsto**) **I** *v.t.* **1.** to move, to shift; (*general. in frasi negative*) to budge: *~ l'armadio in un angolo* to move the wardrobe into a corner; (*spingendo*) to push, to shove, to move, to shift; (*general. in frasi negative*) to budge. – **2.** (*disporre diversamente*) to arrange differently; (*collocare fuori posto*) to move (*o* get, put) out of place: *non ~ i libri nella libreria* don't get the books out of place in the bookcase. – **3.** (*trasferire*) to transfer, to move: *la ditta mi ha spostato da Milano a Roma* the company transferred me from Milan to Rome. – **4.** (*differire*) to postpone, to put off, to defer: *~ la data degli esami* to postpone the date of the exams. – **5.** (*variare anticipando o posticipando*) to change the time of, to shift: *~ una lezione* to change the time of a lesson. – **6.** ⟨*Chim*⟩ (*rif. ad acqua, aria*) to displace. – **7.** ⟨*fig*⟩ (*dissestare*) to upset (*o* throw out) the budget of, to disorder (the finances of), to put out of balance: *una spesa simile mi sposterebbe* an outlay like that would upset my budget. – **8.** ⟨*fig*⟩ (*turbare*) to unsettle, to upset, to throw into disorder: *~ qd. con il proprio comportamento* to unsettle s.o. by one's behavior. – **9.** ⟨*Mus*⟩ to transpose. – **II** *v.i.* (*aus.* **avere**) ⟨*rar*⟩ (*spostarsi*) to move, to shift. – **spostarsi** *v.r.* **1.** to move (over, up), to shift; (*general. in frasi negative*) to budge: *può spostarsi un po' in modo che veda anch'io?* could you move (over) a bit so that I can see too?; *l'accento si sposta sull'ultima sillaba* the accent shifts to the final syllable. – **2.** (*cambiare sede*) to move (around, about), to travel (*o* go) about: *per il lavoro mi devo ~ continuamente* I have to move around continually in this job. – **3.** ⟨*fig,non com*⟩ (*turbarsi*) to become (*o* get) unsettled, to be (*o* get) upset, to be shaken up. ▭ *~ più in là* to move further over (*o* along); *non spostarsi di un palmo* not to move (*o* budge) an inch; ⟨*fig*⟩ (*non recedere*) not to budge an inch, not to yield an iota.

spostạto (*p.p. di spostare*) **I** *a.* **1.** moved, shifted, budged. – **2.** (*regolato diversamente*) arranged differently; (*fuori posto*) out of place; (*in un'altra sede*) displaced, moved. – **3.** (*trasferito*) transferred. – **4.** (*differito*) postponed, put off, deferred; (*anticipato o ritardato*) changed, shifted. – **5.** ⟨*fig*⟩ (*disorientato*) unsettled, disorientated. – **II** *s.m.* (*f.* **-a**) misfit, unsettled person: *è sempre stato uno ~* he's always been a misfit.

spostatụra *f.* **1.** ⟨*rar*⟩ (*lo spostare*) moving, shifting; (*spostamento*) move, shift. – **2.** ⟨*fig,tosc*⟩ (*sgarbo*) discourtesy, rude act.

spọt *ingl. m.* ⟨*El*⟩ spotlight, ⟨*am*⟩ spot.

sprạnga *f.* **1.** bar, crossbar. – **2.** (*catenaccio*) bolt.

sprangạio *m.* ⟨*Artig*⟩ tinker.

sprangạre[1] *v.t.* (**sprạngo, sprạnghi**) **1.** to bolt, to bar: *~ l'uscio di casa* to bolt the front door. – **2.** ⟨*Mur*⟩ to cramp. – **3.** ⟨*tosc*⟩ (*accomodare terraglie*) to rivet.

sprangạre[2] *v.* → **spingare**.

sprangạto (*p.p. di sprangare*[1]) *a.* **1.** bolted, barred. – **2.** ⟨*Mur*⟩ cramped. – **sprangatụra** *f.* **1.** bolting, barring. – **2.** ⟨*concr*⟩ (*spranga*) bolt, bar. – **spranghẹtta** (*dim. di spranga*) *f.* **1.** (*per stoviglie rotte*) rivet. – **2.** ⟨*fam,rar*⟩ (*mal di testa*) headache; (*per una sbornia*) hangover.

sprạtto *m.* ⟨*Itt*⟩ sprat (*Clupea sprattus*).

spray *ingl.* ['sprai] **I** *s.m.* **1.** (*spruzzatore*) spray, atomizer. – **2.** (*liquido spruzzato*) spray. – **II** *a.* ...spray: *lacca ~* spray lacquer, hairspray.

sprazzạre *v.t.* ⟨*ant*⟩ (*spruzzare*) to spray; (*bagnare*) to splash, to spatter.

sprạzzo *m.* **1.** (*spruzzo*) spray, splash. – **2.** (*raggio*) flash: *~ di luce* flash of light. – **3.** ⟨*fig*⟩ (*intuizione improvvisa*) stroke: *uno ~ di genio* a stroke of genius, ⟨*fam*⟩ a brainwave. – **4.** (*improvvisa manifestazione di un sentimento*) burst: *uno ~ d'allegria* a burst of gaiety.

Sprẹa *N.pr.f.* ⟨*Geog*⟩ Spree.

sprecamẹnto *m.* ⟨*rar*⟩ (*lo sprecare*) wasting; (*spreco*) waste, wastefulness.

sprecạre *v.t.* (**sprẹco, sprẹchi**) **1.** to waste, to squander, to dissipate, to fritter away: *~ il denaro* to waste (*o* squander) money. – **2.** (*non utilizzare bene*) to waste, to fritter (*o* trifle) away: *~ il proprio tempo* to fritter one's time away; *~ una bella stoffa per un brutto vestito* to waste a lovely fabric on an ugly dress. – **3.** (*buttare via*) to waste, to throw away (*o* about). – **4.** ⟨*Sport*⟩ to miss: *~ un pallone* to miss a shot. – **sprecarsi** *v.r.* **1.** to waste (*o* spend) one's energy. – **2.** ⟨*scherz*⟩ (*fare qc. in modo meschino*) to overexert o.s., to strain o.s., to ruin o.s., to overdo things: *si è sprecato a dare cinquanta lire di mancia* that fifty-lire tip must have ruined him. ▭ *~ il fiato* (*o le parole*) to waste one's breath; ⟨*scherz*⟩ *non s'è sprecato* he hasn't ⌜gone out of his way⌝ (*o* strained himself).

sprecạto (*p.p. di sprecare*) *a.* **1.** wasted, squandered. – **2.** (*perso*) wasted, lost, *di solito si traduce con il sost.* waste: *è tempo ~* it's a waste of time; *è fiato ~* it's a waste of breath; (*inutile*) wasted, *di solito si traduce con il sost.* waste: *fatica -a* wasted (*o* a waste of) effort; *ingegno ~* wasted talent; *quell'uomo è ~ per questo lavoro* that man is wasted in this job.

sprecatọre *m.* (*f.* **-trice**) ⟨*rar*⟩ waster, squanderer, wastrel.

sprẹco *m.* (*pl.* **-chi**) **1.** waste, wasting, wastage, dissipation: *evitare gli sprechi di energia elettrica* to avoid wasting electricity. – **2.** (*cosa sprecata*) waste, wastage. ▭ *a ~* (*in grande quantità*) in plenty, in abundance; *ce n'è a ~* there's plenty of it; *fare ~ di* to waste, to squander; *~ di tempo* waste of time. – *Prov.*: *non sempre lo ~ è segno d'abbondanza* extravagance isn't always a sign of wealth.

sprecọne **I** *a.* wasteful, spendthrift. – **II** *s.m.* (*f.* **-a**) waster, wastrel, spendthrift, squanderer.

spreg. = *spregiativo* pejorative.

spregẹvole *a.* **1.** despicable, contemptible. – **2.** (*abietto*) base, mean, low, vile, abject. – **spregevolmẹnte** *avv.* despicably, contemptibly; (*con disprezzo*) contemptuously, disdainfully, scornfully.

spregiare *v.t.* (**sprẹgio, sprẹgi**) **1.** (*disprezzare*) to despise, to scorn, to disdain, to look down upon: ~ *i vili* to despise cowards. – **2.** (*non tenere in alcun conto*) to hold ⌜of no account⌝ (*o* in contempt), to have no regard for, to care nothing for, ⟨*lett*⟩ to set at nought; (*disdegnare*) to disdain, to scorn, to spurn: ~ *le ricchezze* to spurn (*o* care nothing for) wealth.

spregiativamente *avv.* contemptuously, scornfully, disdainfully, disparagingly. – **spregiativo I** *a.* **1.** contemptuous, scornful, disdainful. – **2.** ⟨*Gramm*⟩ pejorative. – **II** *s.m.* ⟨*Gramm*⟩ pejorative. – **spregiato** (*p.p. di spregiare*) *a.* ⟨*lett*⟩ **1.** (*disprezzato*) despised, scorned, disdained, held in contempt; (*negletto*) neglected, uncared for, spurned. – **2.** ⟨*non com*⟩ (*spregevole*) despicable, contemptible. – **spregiatore** ⟨*lett*⟩ **I** *s.m.* (*f.* **-trice**) despiser, scorner, disdainer; (*schernitore*) mocker, scoffer, flouter. – **II** *a.* contemptuous, scornful, disdainful; (*che schernisce*) mocking, scoffing, flouting.

sprẹgio *m.* **1.** (*atto offensivo*) insult, affront, contemptuous action: *fare uno* ~ *a qd.* to offer an affront (*o* insult) to s.o., to insult (*o* affront) s.o. – **2.** ⟨*lett*⟩ (*sdegnosa noncuranza*) indifference (*per* to), disregard (of, for), ⟨*lett*⟩ setting at nought (s.th.). □ ⟨*lett*⟩ *avere a* (o *in*) ~ (*spregiare*) to hold in contempt, to scorn, to disdain; *in* ~ *a qd.* as a slight to s.o.; *in* ~ *a qc.* in contempt of s.th.; *mostrare* ~ *per le ricchezze* to disdain (*o* spurn) wealth.

spregionare *v.* ⟨*ant*⟩ → **sprigionare**.

spregioso ⟨*non com*⟩ **I** *a.* (*offensivo*) insulting, offensive. – **II** *s.m.* (*f.* **-a**) insulter, offender.

spregiudicare *v.t.* (**spregiụdico, spregiụdichi**) ⟨*non com*⟩ (*liberare dai pregiudizi*) to free from prejudice. – **spregiudicarsi** *v.r.* to free o.s. from prejudice, to rid o.s. of one's prejudices, to become (more) open-minded. – **spregiudicatamente** *avv.* open-mindedly, unprejudicedly; (*senza scrupoli*) unscrupulously. – **spregiudicatezza** *f.* **1.** open-mindedness, freedom from prejudice. – **2.** ⟨*spreg*⟩ (*mancanza di scrupoli*) unscrupulousness. – **spregiudicato** (*p.p. di spregiudicare*) **I** *a.* **1.** open-minded, unprejudiced, unbiased. – **2.** ⟨*spreg*⟩ (*privo di scrupoli*) unscrupulous. – **II** *s.m.* (*f.* **-a**) unscrupulous person.

spregnare *v.i.* (**sprẹgno**; *aus.* **avere**) ⟨*ant*⟩ **1.** (*partorire*) to give birth. – **2.** (*abortire*) to miscarry; (*intenzionalmente*) to abort.

sprẹmere *v.t.* **1.** to squeeze: ~ *un limone* to squeeze a lemon; (*strizzare*: *rif. a panni bagnati*) to wring (out). – **2.** (*far uscire*) to squeeze out, to extract: ~ *il succo di un pomodoro* to squeeze the juice out of a tomato, to extract juice from a tomato. – **3.** ⟨*fig*⟩ (*spillare denaro*) to squeeze, to bleed, to get money out of: ~ *i cittadini con le tasse* to bleed the citizens with taxes. □ ⟨*fig*⟩ ~ *denari a* (*o da*) *qd.* to squeeze money out of s.o., to bleed s.o.; ⟨*fig*⟩ ~ *le lacrime* (*far piangere*) to wring (*o* draw) tears; ⟨*fig*⟩ *spremersi le meningi* (o *il cervello*) to rack (*o* cudgel) one's brains; ⟨*fig*⟩ ~ *il sugo di qc.* to get the substance out of s.th.

spremi|agrumi *m.inv.* citrus-fruit squeezer. – **~frutta** *m.inv.* fruit -squeezer. – **~limoni** *m.inv.* lemon-squeezer. – **~pomodoro** *m.* tomato-squeezer.

spremitore *m.* (*f.* **-trice**) **1.** squeezer. – **2.** ⟨*Cart*⟩ couch press (*o* roll). – **spremitura** *f.* **1.** squeezing; (*schiacciatura*) pressing, squashing; (*strizzatura di panni bagnati*) wringing (out). – **2.** ⟨*Med*⟩ expression. – **3.** ⟨*Cart*⟩ pressing. – **spremuta** *f.* **1.** (*lo spremere*) squeeze. – **2.** (*bibita*) fresh (fruit) juice. □ ~ *d'arancia* orange-juice; *dare una* ~ *a qc.* to squeeze s.th.; ~ *di limone* lemon-juice; ~ *d'uva* grape-juice. – **spremuto** (*p.p. di spremere*) *a.* squeezed.

spresarsi *v.t.* (**mi sprẹso**) ⟨*tecn*⟩ not to set any more.

spretarsi *v.r.* (**mi sprẹto**) ⟨*Rel*⟩ to leave the priesthood. – **spretato** (*p.p. di spretarsi*) **I** *a.* unfrocked. – **II** *s.m.* (*prete spretato*) ex-priest, unfrocked priest, ⟨*fam,spreg*⟩ spoiled priest.

sprẹto *m.* ⟨*rar*⟩ (*spregio*) contempt, scorn. □ *in* ~ *a* in contempt of.

sprezzabile *a.* ⟨*non com*⟩ (*disprezzabile*) despicable, contemptible, worthless. – **sprezzante** (*p.pr. di sprezzare*) *a.* **1.** scornful, contemptuous, disdainful. – **2.** (*altezzoso*) haughty, arrogant. □ *con fare* ~ haughtily. – **sprezzantemente** *avv.* scornfully, haughtily. – **sprezzare** *v.t.* (**sprẹzzo**) ⟨*lett*⟩ **1.** (*disprezzare*) to despise, to scorn, to disdain, to look down upon. – **2.** (*tenere in poco conto*) to hold of no account, to underrate, to depreciate, to disparage, ⟨*lett*⟩ to set at nought. – **sprezzarsi** *v.r.* (*trascurarsi*) to neglect o.s. – **sprezzatore** *m.* (*f.* **-trice**) ⟨*non com*⟩ despiser, scorner, disdainer. – **sprezzatura** *f.* ⟨*non com*⟩ **1.** scorn, disdain. – **2.** (*ostentata trascuratezza*) nonchalance, studied carelessness. – **3.** (*cosa trascurata*) carelessness. – **sprẹzzo** *m.* **1.** disregard, contempt, heedlessness. – **2.** (*disprezzo*) scorn, contempt, disdain. □ *con* ~ with (*o* in) contempt, contemptuously, in scorn, scornfully, disdainfully; *con* ~ *del pericolo* heedless of the danger.

sprigionamento *m.* emanation, efflux. – **sprigionare** *v.t.* (**sprigiono**) **1.** to emit, to give off, to send forth, to shed: *il camino sprigionava un fumo denso* the chimney emitted thick smoke; (*rif. a calore, raggi, odori*) to give off, to send forth (*o* out). – **2.** ⟨*non com*⟩ (*liberare dalla prigione*) to release, to set free. – **sprigionarsi** *v.r.* **1.** (*emanare*) to emanate, to issue, to come, to proceed (*da* from), to be given off (by); (*con violenza*) to burst out; (*rif. a liquidi*) to gush out. – **2.** ⟨*non com*⟩ (*liberarsi*) to free o.s.

sprillare *v.i.* (*aus.* **essere**) ⟨*non com*⟩ (*zampillare*) to gush, to spurt, to spout.

sprimacciare *v.t.* (**sprimạccio, sprimạcci**) to fluff (*o* shake) up. – **sprimacciata** *f.* fluffing up, shake. □ *dare una* ~ *a qc.* to fluff (*o* shake) s.th. up.

springare *v.* → **spingare**.

springtanz *ted. m.* ⟨*Mus*⟩ springdans.

sprinkler *ingl. m.* ⟨*Mar*⟩ (automatic) sprinkler head.

sprint *ingl.* **I** *s.m.* **1.** ⟨*Sport*⟩ sprint. – **2.** ⟨*Aut*⟩ pick-up, acceleration. – **II** ⟨*Aut*⟩ fast sports-car. – **III** *s.f. a.* ⟨*Aut*⟩ sports-.

sprinter *ingl.* [-ər] *m.* **1.** ⟨*Sport*⟩ (*velocista*) sprinter. – **2.** ⟨*Equit*⟩ sprinter, speed horse.

sprizzare *v.t.* **1.** to squirt, to spurt, to spray. – **2.** (*rif. a scintille e sim.*) to spray, to scatter. – **3.** ⟨*fig*⟩ (*manifestare, esprimere*) to display, to be bubbling (*o* bursting) with. – **4.** ⟨*assol*⟩ to squirt, to spray, to spurt, to gush: *l'acqua sprizzava dalla fontana* water sprayed out of the fountain. □ ~ *salute da tutti i pori* to be bursting (*o* glowing) with health, to be the picture of health. – **sprizzo** *m.* **1.** squirt, spurt: *uno* ~ *di sugo* a spurt of sauce. – **2.** ⟨*fig*⟩ flash, spark, gleam: *uno* ~ *d'intelligenza* a flash of intelligence.

sprocco *m.* (*pl.* **-chi**) ⟨*ant*⟩ **1.** (*pollone*) shoot, sprout. – **2.** ⟨*estens*⟩ (*cosa sporgente*) jut, prominence; (*manico*) handle.

sprocedato ⟨*dial*⟩ **I** *a.* (*esagerato nel bere, nel mangiare*) greedy. – **II** *s.m.* (*f.* **-a**) greedy person, glutton.

sprofondamento *m.* **1.** (*affondamento*) sinking; (*crollo*) collapse. – **2.** (*parte sprofondata*) sunken part, depression, hollow. – **3.** ⟨*Geol*⟩ subsidence, collapse.

sprofondare *v.* (**sprofondo**) **I** *v.t.* **1.** to throw (*o* cast) down. – **2.** ⟨*rar*⟩ (*far crollare*) to cause to collapse, to bring down: *il terremoto ha sprofondato il castello* the earthquake brought down the castle. – **II** *v.i.* (*aus.* **essere**) **1.** to fall (in), to collapse, to give way: *è sprofondato il tetto* the roof has fallen in. – **2.** (*affondare in qc. di cedevole*) to sink: ~ *nella neve alta* to sink into the deep snow. – **3.** (*formare una voragine*) to give way, to sink, to cave in: *il terreno sprofondò sotto di noi* the ground gave way under us. – **4.** ⟨*fig*⟩ (*lasciarsi sopraffare*) to be overcome (*o* overwhelmed) (*in* by), to give way (to): ~ *nella disperazione* to be overcome by despair. – **sprofondarsi** *v.r.* **1.** (*abbandonarsi su qc.*) to sink: *sprofondarsi in una poltrona* to sink into an armchair. – **2.** ⟨*fig*⟩ (*immergersi in un'attività*) to be absorbed (*o* engrossed), to bury o.s. (in), to dedicate o.s. (to): *sprofondarsi nello studio* to bury o.s. in one's studies.

sprofondato (*p.p. di sprofondare*) *a.* **1.** ⟨*non com*⟩ sunk(en). – **2.** ⟨*fig*⟩ (*immerso*) deep, absorbed, engrossed, ⟨*fam*⟩ buried: ~ *nella lettura* absorbed in reading, buried in a book. – **sprofondo** *m.* **1.** (*sprofondamento*) sinking; (*crollo*) collapse. – **2.** (*parte sprofondata*) sunken part, depression, hollow. – **3.** ⟨*Geol*⟩ collapse, sink. □ ⟨*fam*⟩ *abitare allo* ~ (*fuori mano*) to live in an out-of-the-way place.

sproloquiare *v.i.* (**sproloquio, sproloqui**; *aus.* **avere**) to ramble. – **sproloquio** *m.* rigmarole, rambling talk.

sprolungare *v.t.* (**sprolụngo, sprolụnghi**) ⟨*ant*⟩ (*prolungare*) to prolong.

spronare *v.* (**sprono**) **I** *v.t.* **1.** to spur: ~ *il cavallo* to spur one's horse. – **2.** ⟨*fig*⟩ (*stimolare*) to spur (on), to drive (on), to urge (on), to prod, ⟨*fam*⟩ to egg on. – **II** *v.i.* (*aus.* **avere**) to spur (one's horse): ~ *addosso a qd.* to spur one's horse against s.o. – **spronata** *f.* **1.** spurring, touch of the spurs. – **2.** ⟨*fig*⟩ (*incitamento*) push, spurring on, prod. □ *dare una* ~ *a* to spur; ⟨*fig*⟩ to spur on, to incite. – **spronatore** *m.* (*f.* **-trice**) ⟨*non com*⟩ **1.** spurrer. – **2.** ⟨*fig*⟩ (*incitatore*) urger, prodder.

sprone *m.* **1.** spur. – **2.** ⟨*fig*⟩ (*stimolo*) spur, incentive, stimulus, goad: *il suo esempio ti sia di* ~ let his example be an incentive for you. – **3.** ⟨*Sart*⟩ yoke. – **4.** ⟨*non com*⟩ (*oggetto a forma di sprone*) spur. – **5.** ⟨*non com*⟩ (*sperone, parte sporgente*) spur. □ *a spron battuto* at full speed, at a gallop; ⟨*fig*⟩ (*senza indugio*) immediately, without delay; ⟨*Bot*⟩ ~ *di cavaliere* field larkspur (*Delphinium consolida*); *dar di* ~ (o *sproni*) *al cavallo* to spur one's horse.

spronella *f.* ⟨*Bot*⟩ (*speronella*) delphinium, larkspur (*Delphinium*).

spropiare *v.* ⟨*pop*⟩ → **spropriare**.

sproporzionale *a.* ⟨*rar*⟩ disproportionate, out of proportion. – **sproporzionalità** *f.* ⟨*rar*⟩ disproportion, lack of proportion. – **sproporzionalmente** *avv.* ⟨*rar*⟩ disproportionately. – **sproporzionare** *v.t.* (**sproporziono**) ⟨*non com*⟩ **1.** to make disproportionate. – **2.** (*togliere le proporzioni*) to put out of proportion. – **sproporzionatamente** *avv.* **1.** disproportionately. – **2.** ⟨*fig*⟩ (*eccessivamente*) excessively. – **sproporzionato** (*p.p. di sproporzionare*) *a.* **1.** disproportionate, out of proportion: *il prezzo della collana è* ~ *al valore* the price of the necklace is out of proportion to its value. – **2.** ⟨*fig*⟩ (*eccessivo*) excessive. – **sproporzione** *f.* disproportion, lack of proportion.

spropositare *v.i.* (**spropọsito**; *aus.* **avere**) ⟨*non com*⟩ **1.** to make mistakes (*o* blunders); (*dire spropositi*) to talk nonsense. – **2.** ⟨*ant*⟩ (*commettere spropositi*) to make mistakes (*o* blunders), to do s.th. silly. – **spropositatamente** *avv.* **1.** (*eccessivamente*) excessively. – **2.** (*sproporzionatamente*) disproportionately. – **spropositato** (*p.p. di spropositare*) *a.* **1.** (*sproporzionato*) disproportionate, out of proportion. – **2.** (*eccessivo*) excessive, too much: *non fare spese -e* don't make excessive outlays. – **3.** (*troppo grande*) enormous, huge, too big, out of all proportion. – **4.** ⟨*non com*⟩ (*pieno di spropositi*) full of blunders (*o* mistakes).

spropọsito *m.* **1.** (*grave errore*) mistake, blunder, error, ⟨*fam*⟩ howler: *compito pieno di -i grammaticali* exercise full of grammatical mistakes. – **2.** (*sciocchezza, cosa inopportuna*) (great) mistake, blunder: *è stato uno* ~ *comprare una macchina così cara* it was a great mistake to buy such an expensive car; (*cosa grave, deplorevole*) dreadful action, something awful (*o* drastic): *farò uno* ~ *se non* *mi aiuti* I shall do something dreadful if you don't help me. – **3.** ⟨*fam*⟩ (*quantità eccessiva*) huge (*o* vast) quantity, enormous amount: *ha mangiato uno ~ di dolci* he ate an enormous amount of sweets; (*troppo*) too much: *spendere uno ~ per il gas* to spend too much on gas.

□ **a ~**: 1. (*inopportunamente*) at the wrong time (*o* moment): *interloquire a ~* to chime in at the wrong moment; 2. (*inopportuno*) wrong, unsuitable, inopportune, out of place; 3. (*in modo errato*) (in) the wrong way, wrongly: *fare qc. a ~* to do s.th. the wrong way; 4. (*non pertinente*) off (*o* beside) the point, irrelevant(ly): *parlare a ~* to speak irrelevantly, to be (*o* go) off the point; **commettere** (o *fare*) *uno* **~**: 1. (*fare una sciocchezza*) to do s.th. silly; 2. (*commettere un grave errore*) to make a great mistake; 3. ⟨*eufem*⟩ (*uccidersi*) to commit suicide, to do away with o.s.; **costare** *uno ~* to be frightfully expensive, to cost the earth; *uno ~* **madornale** a huge blunder; **pagare** *qc. uno ~* to overpay (*o* pay too much) for s.th., ⟨*fam*⟩ to pay through the nose for s.th.; *dire un* **sacco** *di -i* to talk nonsense (*o* rubbish).

spropriạre *v.t.* (**sprọprio, sprọpri**) ⟨*pop,ant*⟩ (*espropriare*) to deprive, to dispossess, to strip. – **spropriarsi** *v.r.* to deprive o.s. (*di* of), to give up (s.th.). – **spropriaziọne** *f.* ⟨*non com*⟩ (*esproprio*) deprivation, dispossession. – **sprọprio** *m.* ⟨*ant,pop*⟩ **1.** (*lo spropriare*) deprivation, dispossession. – **2.** (*lo spropriarsi*) depriving o.s.

sprovạre *v.t.* (**sprọvo**) ⟨*ant*⟩ (*provare*) to try, to attempt.

sprovincializzạre *v.t.* to make less provincial. – **sprovincializzarsi** *v.r.* to become less provincial.

sprovvedẹre *v.t.* (**sprovvẹdo; sprovvịdi, sprovvedụto/sprovvịsto**; → **vedere**) ⟨*ant*⟩ **1.** to deprive. – **2.** (*sguarnire*) to strip. – **sprovvedersi** *v.r.* to deprive o.s. (*di* of), to go without (s.th.).

sprovvedutamẹnte *avv.* **1.** (*inaspettatamente*) unexpectedly, suddenly. – **2.** (*disavvedutamente*) inadvertently, heedlessly. – **sprovvedutẹzza** *f.* **1.** deprivation. – **2.** ⟨*fig*⟩ (*mancanza di cultura o doti intellettuali*) ignorance. – **3.** ⟨*fig*⟩ (*inettitudine*) helplessness.

sprovvedụto (*p.p. di sprovvedere*) **I** *a.* **1.** (*insufficientemente dotato*) lacking (*di* in), ill-equipped (with), short (of): *sono ~ di denaro* I am short of money; *la città era -a di difensori* the city was lacking in defenders. – **2.** ⟨*fig*⟩ (*impreparato*) unprepared: *questa argomentazione apparirà chiara anche ai lettori più -i* the subject will be clear even to the most unprepared readers. – **3.** ⟨*ant*⟩ (*inatteso*) unexpected, sudden. – **II** *s.m.* (*f.* **-a**) (*persona sprovveduta*) unprepared (*o* unsuitable) person. □ ⟨*non com*⟩ *alla -a* (*di sorpresa*) unawares, by surprise.

sprovvịsto (*p.p. di sprovvedere*) *a.* **1.** (*privo*) lacking (*di* in), without, having no (s.th.), devoid (of): *una casa -a di comodità* a house without conveniences; *siamo rimasti -i di legna* we have no wood left, we have run out of wood. – **2.** ⟨*fig*⟩ (*scarsamente dotato*) short (of), lacking (in): *essere ~ di fantasia* to be short of imagination. □ *alla -a* (*di sorpresa*) unawares, by surprise: *cogliere qd. alla -a* to catch s.o. unawares, to take s.o. by surprise; *fui colto alla -a e non seppi che cosa rispondere* I was taken by surprise and didn't know what to say; *negozio ~ d'assortimento* poorly-stocked shop.

spruce *ingl.* [spru:s] *m.* ⟨*Fal*⟩ spruce (fir). □ ⟨*Bot*⟩ *~ bianco* white spruce (*Picea alba*); *~ rosa* Sitka spruce (*Picea sitkaensis*).

sprụe *f.* ⟨*Med*⟩ sprue.

spruneggio *m.* ⟨*Bot*⟩ (*pungitopo*) butcher's-broom (*Ruscus aculeatus*).

spruzzạglia *f.* ⟨*non com*⟩ **1.** spray. – **2.** (*pioggia fine*) drizzle, fine rain.

spruzzamẹnto *m.* ⟨*non com*⟩ **1.** spraying, sprinkling. – **2.** (*spruzzo*) spray. □ ⟨*El*⟩ *~ anodico* anodic sputtering; *~ catodico* cathodic sputtering.

spruzzạre *v.t.* **1.** to spray, to sprinkle: *~ un po' di profumo sui capelli* to sprinkle a little perfume in one's hair; (*schizzare*) to squirt. – **2.** (*irrorare*) to sprinkle; (*senza intenzione*) to splash, to spatter: *~ d'olio la camicia* to splash ⌜one's shirt with oil⌝ (*o* oil on one's shirt). – **spruzzarsi** *v.r.* to splash (*o* spatter) o.s., to get splashed: *spruzzarsi di fango* to get splashed with mud.

spruzzạta *f.* **1.** spraying, sprinkling. – **2.** ⟨*fig*⟩ (*pioggia passeggera*) light shower. □ *dare una ~ di qc. a qc.* to spray (*o* sprinkle) s.th. on s.th., to spray (*o* sprinkle) s.th. with s.th.; *darsi una ~ d'acqua in viso* to splash one's face with water, to give one's face a quick splash. – **spruzzatịna** (*dim. di spruzzata*) *f.* dash, sprinkling: *una ~ di profumo* a dash of perfume. – **spruzzạto** (*p.p. di spruzzare*) *a.* sprayed, sprinkled; (*rif. a persone*) splashed.

spruzzatọre *m.* **1.** spray(er), sprinkler. – **2.** (*polverizzatore*) sprayer, pulverizer; (*nebulizzatore*) atomizer, nebulizer, vaporizer, spray(er); (*per polvere insetticida*) duster. – **3.** (*da imbianchino*) spray-gun, paint sprayer. – **4.** ⟨*Mot*⟩ jet. – **5.** ⟨*Agr*⟩ sprinkler, sprayer.

□ ⟨*Tip*⟩ *~* **antiscartino** sprayer; ⟨*Mot*⟩ *~ del* **carburante** (carburettor) jet; ⟨*Mot*⟩ *~ di* **carburatore** *a iniezione* injector (nozzle), spray nozzle; *~ del* **minimo** idle (*o* low-speed) nozzle, idling (*o* slow -running, auxiliary) jet; *~ a* **pistola** spray-gun; ⟨*Mot*⟩ *~* **principale** main jet.

spruzzatụra *f.* **1.** spraying, sprinkling. – **2.** (*sostanza spruzzata*) sprinkling: *una ~ di neve* a sprinkling of snow. – **3.** (*segno*) splash, spot, stain, mark.

spruzzẹtta *f.* ⟨*Chim*⟩ wash-bottle.

spruzzettịno, spruzzẹtto *m. dim. di* **spruzzo**. – **sprụzzo** *m.* spray, sprinkling: *uno ~ d'acqua* a sprinkling of water; (*rif. alle onde*) spray; (*schizzo*) squirt, spurt, jet; (*di fango e sim.*) splash. □ *a ~* spray-: *verniciatura a ~* spray painting; *~ di pioggia* light shower.

spruzzolạre *v.t.* (**sprụzzolo**) ⟨*non com*⟩ (*spruzzare leggermente*) to sprinkle (*anche fig.*). – **spruzzolạta** *f.* ⟨*non com*⟩ sprinkling. – **spruzzolạto** (*p.p. di spruzzolare*) *a.* ⟨*non com*⟩ sprinkled (*anche fig.*). – **spruzzolịo** *m.* ⟨*non com*⟩ sprinkling. – **sprụzzolo** *m.* ⟨*non com*⟩ sprinkling. □ *~ di pioggia* shower.

spudoratamẹnte *avv.* **1.** shamelessly, brazenly. – **2.** (*sfrontatamente*) shamelessly, impudently, unabashedly: *mentire ~* to lie shamelessly (*o* barefacedly). – **spudoratẹzza** *f.* **1.** shamelessness, brazenness. – **2.** (*sfrontatezza*) shamelessness, impudence, ⟨*fam*⟩ cheek. – **spudorạto I** *a.* **1.** (*che non ha pudore*) shameless, brazen. – **2.** (*che è fatto spudoratamente*) shameless, impudent, unblushing: *una menzogna -a* a shameless (*o* barefaced) lie. – **II** *s.m.* (*f.* **-a**) shameless person, brazen-face; (*rif. a donne*) hussy.

spụgna *f.* **1.** sponge. – **2.** *pl.* ⟨*Zool*⟩ sponges *pl* (*Porifera*). – **3.** ⟨*Tess*⟩ towelling, terry (cloth), sponge cloth. – **4.** ⟨*Min*⟩ (*pietra spugna*) calcareous tufa (*o* sinter), spring deposit. – **5.** ⟨*pop*⟩ (*beone*) hard drinker, sponge, soaker, ⟨*fam*⟩ boozer.

□ *~* **artificiale** artificial (*o* synthetic) sponge; *~ da* **bagno** bath sponge; ⟨*pop*⟩ **bere** *come una ~* to drink like a fish; ⟨*fig*⟩ *dare un* **colpo** *di ~ a qc.* to forget s.th., to put s.th. out of one's mind; ⟨*Zool*⟩ *~* **cornea** honeycomb sponge (*Hippospongia equina*); *~ di* **ferro** sponge iron; ⟨*Sport*⟩ **gettare** *la ~* to throw in the sponge (*o* towel) (*anche fig.*); *~* **naturale** natural sponge; **passare** *la ~ su qc.* = *dare un* **colpo** *di spugna a qc.*; *passiamoci sopra la ~!* let bygones be bygones!; ⟨*Chim*⟩ *~ di* **platino** platinum sponge; *~* **silicea** glass sponge; *~* **vegetale** loofa(h), luffa.

spugnạre *v.t.* to sponge. – **spugnạta** *f.* **1.** (*lo spugnare*) sponging. – **2.** (*colpo*) sponge-over, wipe (*o* rub) with a sponge: *dare una ~ a qc.* to give s.th. a sponge-over, to pass a sponge over s.th. – **spugnatụra** *f.* **1.** sponging, sponge-down. – **2.** ⟨*Med*⟩ sponge-bath.

spugnọla *f.*, **spugnọlo** *m.* ⟨*Bot*⟩ **1.** morel (*Morchella*). – **2.** (edible) morel (*Morchella esculenta*). – **3.** conical (*o* bell) morel (*Morchella conica*). □ *~ bastarda* (o *di primavera, falsa*) false morel (*Gyromitra esculenta*).

spugnọne *m.* ⟨*Min*⟩ (*pietra spugna*) calcareous tufa (*o* sinter), spring deposit.

spugnosità *f.* sponginess. – **spugnọso** *a.* spongy: *osso ~* spongy bone.

spulardamẹnto *m.* stripping. – **spulardạre** *v.t.* to strip. – **spulardatọre** *m.* (*f.* **-trice**) (*operaio*) stripper, sprigger, stemmer.

spulạre *v.t.* ⟨*Agr*⟩ to winnow, to fan. – **spulatụra** *f.* winnowing.

spulciạre *v.t.* (**spụlcio, spụlci**) **1.** to pick the fleas off. – **2.** ⟨*fig*⟩ (*esaminare minuziosamente*) to scrutinize, to examine minutely (*o* meticulously), to go over with a fine-tooth comb: *~ testi antichi* to examine ancient texts minutely. – **spulciarsi** *v.r.* to look for fleas on o.s., to rid o.s. of fleas. – **spulciatọre** *m.* (*f.* **-trice**) ⟨*non com*⟩ scrutinizer. – **spulciatụra** *f.* **1.** ridding of fleas. – **2.** ⟨*fig*⟩ scrutiny, careful examination.

spuleggiạre *v.* (**spulẹggio, spulẹggi**) ⟨*rar*⟩ → **spulezzare**. – **spulẹggio** *m.* → **spulezzo**. – **spulezzạre** *v.i.* (**spulẹzzo**; *aus.* **essere**) ⟨*ant,scherz*⟩ **1.** (*fuggire di corsa*) to run away, to flee. – **2.** (*andarsene in fretta*) to rush away, to make off. – **spulẹzzo** *m.* ⟨*ant,scherz*⟩ (*fuga precipitosa*) headlong flight.

spụma *f.* **1.** foam, froth: *la ~ della birra* the froth (*o* head) of beer. – **2.** ⟨*Gastr*⟩ mousse. – **3.** (*bevanda*) effervescent (*o* fizzy) soft drink. – **4.** ⟨*Min*⟩ (*anche spuma di mare*) meerschaum, sepiolite. □ ⟨*Biol*⟩ *~ di primavera* cuckoo-spit, frog spit, cuckoo (*o* toad) spittle.

spumạnte (*p.pr. di spumare*) **I** *s.m.* ⟨*Enol*⟩ (*vino spumante*) sparkling wine; (*champagne*) champagne. – **II** *a.* **1.** foaming, frothing, frothy. – **2.** ⟨*Enol*⟩ sparkling. □ ⟨*fig*⟩ *~ di rabbia* fuming (*o* seething) with anger, ⟨*fam*⟩ foaming at the mouth. – **spumạre** *v.i.* (*aus.* **avere**) **1.** ⟨*non com*⟩ → **spumeggiare**. – **2.** (*rif. a bevande gassate*) to bubble, to be effervescent, to fizz; (*rif. al vino*) to sparkle. □ ⟨*iperb,non com*⟩ *~ dalla rabbia* to be foaming (*o* seething) with rage, ⟨*fam*⟩ to foam at the mouth.

spumeggiạnte (*p.pr. di spumeggiare*) *a.* **1.** foaming, frothing, frothy. – **2.** (*rif. a bevande gassate*) effervescent, bubbly, fizzy; (*rif. al vino*) sparkling. – **3.** ⟨*fig*⟩ (*leggero, vaporoso*) frothy, flimsy. – **4.** ⟨*fig*⟩ (*vivace*) sparkling, frothy, bubbling, lively. – **spumeggiạre** *v.i.* (**spumẹggio, spumẹggi**; *aus.* **avere**) **1.** to foam, to froth. – **2.** (*rif. a bevande gassate*) to bubble, to be effervescent, to fizz; (*rif. al vino*) to sparkle.

spụmeo *a.* ⟨*lett*⟩ (*spumeggiante*) foaming, frothing, frothy.

spumịglia *f.* ⟨*Dolc*⟩ kind of meringue.

spumọne *m.* ⟨*Dolc*⟩ **1.** mousse: *~ di cioccolato* chocolate mousse. – **2.** (*gelato*) kind of ice-cream, ⟨*am*⟩ spumone.

spumosità *f.* foaminess, frothiness. – **spumọso** *a.* **1.** foamy, foaming, frothy: *liquido ~* frothy liquid. – **2.** ⟨*fig*⟩ (*simile a spuma*) foamy, frothy. – **3.** (*spumeggiante*) foamy, frothy. – **4.** ⟨*fig*⟩ (*leggero, soffice*) light, frothy, flimsy, fluffy.

spụnta *f.* ⟨*burocr*⟩ **1.** check(ing); (*revisione*) checking; (*revisione contabile*) audit(ing). – **2.** (*segno*) tick, check. – **3.** (*ufficio*) audit office. □ *fare la ~ di qc.* to check s.th.

spuntạre[1] **I** *v.t.* **1.** (*rompere la punta*) to break the point of: *~ la matita* to break the point of the pencil; (*far perdere la punta*) to blunt. – **2.** (*tagliare la punta*) to cut the tip off; (*rif. a piante*) to trim, to prune lightly, to clip: *~ un ramo* to trim a branch; (*rif. a capelli e sim.*) to trim. – **3.** (*arrotondare la punta*) to sharpen. – **4.** (*staccare ciò che è appuntato*) to undo, to take out (*o* off); (*togliendo gli spilli*) to unpin. – **5.** ⟨*fig*⟩ (*superare, vincere*) to overcome, to get round: ~ *una difficoltà* to overcome a difficulty. – **6.** ⟨*Mar, ant*⟩ (*doppiare*) to double, to round, to turn; (*a vela*) to double, to (sail) round. – **II** *v.i.* (*aus.* **essere**) **1.** (*cominciare a nascere*) to appear, (to begin) to grow, to come out (*o* up): *spuntano i primi germogli* the first buds are coming out; (*germogliare*) to sprout; (*rif. a peli e sim.*) to begin to grow, to appear; (*rif. a denti*) to come through. – **2.** (*sorgere*) to rise, to come up: *è spuntato il sole* the sun has risen. – **3.** (*apparire improvvisamente*) to appear (*o* emerge, come out) suddenly: *il sole spuntò da dietro le nubi* the sun suddenly emerged from behind the clouds. – **4.** ⟨*non com*⟩ (*sporgere*) to project, to stick out. – **spuntarsi** *v.r.* **1.** (*perdere la punta*) to lose (*o* break) the point. – **2.** (*smussarsi*) to get blunt. – **3.** ⟨*fig*⟩ to fade, to die down (*o* away), to disappear, to soften. ☐ *gli spuntano i primi denti* he is cutting his first teeth; *spunta il giorno* day is breaking; ⟨*fig*⟩ ~ *l'impegno* to succeed; *le lacrime le spuntarono agli occhi* tears ⌜came to⌝ (*o* welled up in) her eyes; ~ *un sigaro* to clip a cigar; *un sorriso spuntò sulle sue labbra* a smile came to his lips; *spuntarla* (*averla vinta*) to succeed in getting one's way; *con me non la spunterai* with me you're not going to get away with it; *ha finito per spuntarla* he made it in the end; *spuntarla su qd.* to get the better of s.o.

spuntạre[2] *v.t.* ⟨*burocr*⟩ **1.** to tick (*o* check) off: ~ *i nomi dei candidati* to check off the names of the applicants. – **2.** (*rivedere*) to check.

spuntạre[3] *m.* **1.** (*il sorgere*) rising. – **2.** (*inizio*) beginning. ☐ *allo ~ del giorno* at daybreak, at dawn; *lo ~ del sole* sunrise.

spuntạta[1] *f.* (*taglio delle punte, di capelli*) trim(ming). ☐ *dare una ~ a qc.* to trim (*o* clip) s.th.

spuntạta[2] *f.* ⟨*burocr*⟩ checking (*o* ticking) off. ☐ *dare una ~ a qc.* to check (*o* tick) s.th. off.

spuntatịna *f. dim. di* **spuntata**[1].

spuntạto (*p.p. di spuntare*[1]) *a.* **1.** (*con la punta rotta*) without a point; (*senza punta*) blunt: *una matita -a* a blunt pencil. – **2.** ⟨*Enol*⟩ sour, acid.

spuntatọre *m.* (*f.* **-trice**) ⟨*burocr*⟩ checker.

spuntatụra[1] *f.* **1.** (*il tagliare la punta*) cutting off the tip, trimming. – **2.** (*parte spuntata*) tip, end, stump. – **3.** *pl.* (*spuntature di sigaro*) cigar tips (*o* ends) *pl.* – **4.** ⟨*Macell*⟩ flank, loin. – **5.** ⟨*Agr*⟩ (*cimature*) polling; (*cime tagliate*) cut tops *pl* (of plants), toppings *pl.* – **6.** ⟨*Mecc*⟩ champfering. – **7.** ⟨*Tess*⟩ snipping.

spuntatụra[2] *f.* ⟨*non com*⟩ → **spunta.**

spuntellare *v.t.* (**spuntẹllo**) to remove the props from, to unprop.

spuntẹrbo *m.* ⟨*Calz,non com*⟩ toe-cap.

spuntigliạre *v.t.* (**spuntịglio, spuntịgli**) ⟨*tecn*⟩ to (rub with) emery. – **spuntigliatụra** *f.* rubbing with emery. – **spuntịglio** *m.* emery; (*pasta*) emery paste. ☐ *carta allo ~* emery paper.

spuntịno *m.* snack: *fare uno ~* to have a snack.

spụnto[1] *m.* **1.** ⟨*Teat*⟩ cue. – **2.** ⟨*estens*⟩ (*idea*) idea: *il regista prese lo ~ da una novella* the director got the idea from a short story; (*suggerimento*) cue, hint; (*occasione*) opportunity, chance; (*avvio*) starting-point. – **3.** ⟨*Enol*⟩ sourness, sour taste, acidity. – **4.** ⟨*Sport*⟩ sprint, spurt. – **5.** ⟨*Mot*⟩ (*avviamento*) starting; (*accelerazione*) acceleration, take-off, breakaway. ☐ ⟨*Mot*⟩ *coppia di* (o *allo*) ~ starting torque; *dare* (o *offrire*) *lo ~ per qc.* to give the cue for s.th., to give rise to s.th.; ⟨*Enol*⟩ *prendere lo ~* to go a little sour, to begin to go sour.

spụnto[2] *a.* ⟨*ant*⟩ **1.** (*smorto*) pale, wan. – **2.** (*spossato*) weary, exhausted.

spụnto[3] *m.* ⟨*Geol*⟩ (*salbanda*) salband.

spuntonạta *f.* **1.** (*colpo di spuntone*) prick, jab. – **2.** ⟨*estens*⟩ (*colpo di punta*) jab. – **spuntọne** *m.* **1.** (*spina*) thorn; (*punta*) spike, point. – **2.** ⟨*Mil.ant*⟩ kind of pike. – **3.** ⟨*Alp*⟩ rock spike.

spuntonięre *m.* ⟨*Mil.ant*⟩ pikeman.

spunzecchiạre *v.t.* (**spunzẹcchio, spunzẹcchi**) ⟨*fam*⟩ (*punzecchiare*) to prick.

spunzonạre *v.t.* (**spunzọno**) ⟨*rar*⟩ **1.** to jab, to punch. – **2.** ⟨*estens*⟩ (*colpire con una gomitata*) to jab (*o* dig) with one's elbow. – **spunzonạta** *f.* **1.** punch. – **2.** ⟨*tosc*⟩ → **spuntonata.** – **spunzọne** *m.* ⟨*tosc*⟩ **1.** (*punta di ferro*) spike. – **2.** (*colpo con il pugno*) punch.

spurgamẹnto *m.* cleaning. – **spurgạre** *v.t.* (**spụrgo, spụrghi**) **1.** to clean, to clear (out): ~ *una fogna* to clean out a sewer. – **2.** ⟨*fig,rar*⟩ (*espurgare*) to expurgate. – **spurgarsi** *v.r.* to clear one's throat and spit. – **spurgatọre** ⟨*non com*⟩ **I** *s.m.* (*f.* **-trice**) cleaner. – **II** *a.* cleaning, clearing. – **spurgatụra** *f.* **1.** cleaning, clearing (out). – **2.** ⟨*Alim*⟩ working, kneading. – **spurgaziọne** *f.* ⟨*ant*⟩ cleaning.

spụrgo *m.* (*pl.* **-ghi**) **1.** cleaning, clearing (out); (*rif. a tubature e sim.*) clearing, freeing; (*il vuotare*) bleeding, draining. – **2.** ⟨*concr*⟩ (*materia spurgata*) drainings *pl*, rubbish; (*catarro espettorato*) phlegm, spit. – **3.** ⟨*Mar*⟩ run-off valve. – **4.** *pl.* ⟨*Comm*⟩ (*scarti editoriali*) discards *pl*; (*pubblicazioni di scarso valore*) rubbish.

spụrio *a.* **1.** illegitimate, spurious: *figlio ~* illegitimate child. – **2.** (*falsificato*) spurious, false: *scritti spuri* spurious writings. – **3.** ⟨*Biol*⟩ spurious, false.

sputacchiạre *v.* (**sputạcchio, sputạcchi**) **I** *v.i.* (*aus.* **avere**) **1.** to spit continuously, to keep spitting. – **2.** (*emettere schizzi di saliva*) to splutter. – **II** *v.t.* (*coprire di sputi*) to spit upon.

sputacchięra *f.* spittoon.

sputacchịna *f.*, **sputacchịno** *m.* ⟨*Entom*⟩ (*saponaria*) spittle bug (*o* insect), frog-hopper (*Philaenus spumarius*).

sputạcchio *m.* spit.

sputạre I *v.t.* **1.** to spit (out): ~ *noccioli* to spit out fruit-stones. – **2.** (*rif. a vulcani e sim.*) to spit, to belch. – **3.** ⟨*fig*⟩ (*pronunciare*) to say, to spit; (*con odio, disprezzo o malignità*) to spit. – **4.** ⟨*non com*⟩ (*trasudare*) to sweat, to ooze. – **II** *v.i.* (*aus.* **avere**) **1.** to spit. – **2.** (*espettorare*) to spit, to expectorate.

☐ ⟨*volg,non com*⟩ ~ **dolce** (*simulare il rancore*) to hide one's ill-feeling; ~ *in* **faccia** *a qd.* to spit in s.o.'s face; ⟨*fig*⟩ ~ *qc. in faccia a qd.* to tell s.o. s.th. to his face; ~ **fumo** to belch smoke; *sputa* **fuori**! spit it out! (*anche fig.*); *sputarsi sulle* **mani** to spit on one's hands; ⟨*fig*⟩ *sputa l'osso* drop it, give it back; ⟨*fig*⟩ ~ *nel* **piatto** *in cui si mangia* to bite the hand that feeds one; ⟨*fig*⟩ ~ *i* **polmoni** (*tossire molto forte*) to cough one's lungs out; ⟨*fig*⟩ *sono riuscito finalmente a ~ il* **rospo** *che avevo in gola* (*mi sono sfogato*) I finally got it off my chest; ~ **sangue** to spit blood; ⟨*fig*⟩ (*faticare molto*) to sweat blood: *ho dovuto ~ sangue per avere questo incarico* I had to sweat blood to get this position; ⟨*fig*⟩ ~ **sentenze** to be a wiseacre (*o* smart-aleck); ~ **su** *qc.* to spit on s.th.; ⟨*fig*⟩ to despise s.th.; ⟨*fig*⟩ ~ **veleno** to speak spitefully; **vietato** ~ no spitting.

sputasẹnno, sputasentẹnze *m./f.inv.* ⟨*spreg*⟩ wiseacre, know-all.

sputavelẹno *m.* ⟨*Bot*⟩ (*cocomero asinino*) squirting cucumber, touch-me-not (*Ecballium elaterium*).

spụtnik *russ. m.* ⟨*Astron*⟩ sputnik.

spụto *m.* **1.** (*saliva*) spittle, spit, saliva; (*espettorato*) sputum, expectoration. – **2.** ⟨*non com*⟩ (*lo sputare*) spitting. ☐ ⟨*fig*⟩ *attaccare* (*o appiccicare*) *qc. con lo ~* (*malamente*) to stick s.th. badly (*o* with spit); *ricoprire qd. di -i* to spit all over s.o.; ⟨*fig*⟩ (*insultarlo*) to insult s.o.; ~ *sanguigno* rusty sputum, prune-juice expectoration; *fare uno ~ sanguigno* to spit blood.

sputtanamẹnto *m.* ⟨*volg*⟩ **1.** (*lo sputtanare*) backbiting, slander. – **2.** (*lo sputtanarsi*) disgracing o.s. – **3.** (*l'essere sputtanato*) being slandered. – **sputtanạre** *v.t.* ⟨*volg*⟩ to slander, to backbite, to run-down. – **sputtanarsi** *v.r.* to disgrace o.s.

spyder *m./f.* → **spider.**

S.Q. = *secondo quantità* according to quantity.

squạcchera *f.* ⟨*ant*⟩ → **squacquera.** – **squaccherạre** *v.* ⟨*ant*⟩ → **squacquerare.** – **squaccherạto** (*p.p. di squaccherare*) *a.* ⟨*ant*⟩ → **squacquerato.** – **squạcquera** *f.* ⟨*fam*⟩ (*diarrea*) diarrhoea, ⟨*fam*⟩ the runs. – **squacquerạre** *v.* (**squạcquero**) ⟨*fam*⟩ **I** *v.i.* (*aus.* **avere**) (*avere la diarrea*) to have diarrhoea. – **II** *v.t.* **1.** (*dire alla svelta*) to rattle off. – **2.** (*fare presto*) to do quickly. – **3.** (*svelare tutto*) to blurt out. – **squacquerarsi** *v.r.* to go soft. – **squacqueratamẹnte** *avv.* ⟨*fam,non com*⟩ (*smodatamente*) immoderately. ☐ *ridere ~* to laugh uproariously, to roar, to guffaw. – **squacquerạto** (*p.p. di squacquerare*) *a.* ⟨*fam*⟩ **1.** (*molle*) soft. – **2.** ⟨*fig*⟩ (*smodato*) immoderate. – **squacquerẹlla** (*dim. di squacquera*) *f.* ⟨*fam*⟩ touch of diarrhoea.

squadernạre *v.t.* (**squadẹrno**) **1.** (*scartabellare*) to leaf through, to turn the pages of. – **2.** ⟨*estens*⟩ (*aprire completamente per mostrare*) to spread (open), to display: *gli squadernò la lettera davanti agli occhi* she spread the letter open before his eyes. – **3.** ⟨*fig,non com*⟩ (*dire apertamente*) to tell openly. – **4.** ⟨*non com*⟩ (*squinternare*) to unstitch, to unbind. – **squadernarsi** *v.r.* ⟨*ant*⟩ (*essere diviso*) to be scattered. – **squadernạto** (*p.p. di squadernare*) *a.* **1.** (*spalancato*) open. – **2.** (*squinternato*) loose, unstitched.

squạdra[1] *f.* **1.** (set-)square, triangle. – **2.** ⟨*Fal*⟩ try (*o* back) square.

☐ **a** ~ (*ad angolo retto*) at right angles; ~ *d'***acciaio** steel set-square; ~ *a* **battente** try square; ~ *a* **cappello** back (*o* mitre) square; ~ *da* **falegname** try (*o* back) square; ⟨*Mur*⟩ **falsa** ~ bevel (square); ~ **fissa**: 1. (*nel disegno*) set-square; 2. ⟨*Fal*⟩ try square; ⟨*Mecc*⟩ ~ *di* **fissaggio** (mounting) bracket; *essere* **fuori** (*di*) ~: 1. to be out of plumb, to be crooked; 2. (*essere fuori posto*) to be out of place; 3. ⟨*fig*⟩ (*essere sregolato*) to be disorderly; (*essere stravagante*) to be odd (*o* eccentric); **in** ~ = **a** *squadra*; ~ **metallica** metal square; **mettere** *a* (o *in*) ~ to square; ~ **prismatica** prism; ⟨*ant*⟩ **sopra** ~ obtuse; ⟨*ant*⟩ **sotto** ~ acute; ~ *a* **triangolo** set-square, triangle; **uscire** *di* ~: 1. to go out of line; 2. ⟨*fig*⟩ to go off the rails; 3. ⟨*fig*⟩ (*uscire dai gangheri*) to lose one's temper, ⟨*fam*⟩ to fly off the handle; ~ **zoppa** bevel protractor.

squạdra[2] *f.* **1.** ⟨*Mil*⟩ squad, section. – **2.** ⟨*Mar.mil,Aer.mil*⟩ squadron. – **3.** (*gruppo*) group, squad, gang, team: *una ~ di operai* a gang of workmen. – **4.** ⟨*Sport*⟩ team, squad: ~ *di calcio* football team. – **5.** ⟨*Minier*⟩ gang. – **6.** *pl.* ⟨*ant*⟩ (*moltitudine di soldati*) troops *pl*, host.

☐ **a** *-e* team-: *lavoro a -e* teamwork; ~ **aerea** air-force squadron; ~ **antincendio** fire-fighting squad; ⟨*Mil*⟩ ~ *d'***assalto** storm troops *pl*, assault party; ⟨*Mecc*⟩ ~ *d'***attacco** connecting (*o* joint) plate; ⟨*Fasc*⟩ ~ *d'***azione** *fascista* Fascist civilian (*o* action) squad; ⟨*Sport*⟩ ~ *di* **calcio** football team; ~ *di* **cavalieri** cavalry squad; ~ *del buon* **costume** vice squad; ⟨*Mil*⟩ ~ **fucilieri** squad of fusiliers; ~ *di* **ginnasti** gym team; ~ **mobile** flying-squad; ~ **navale** naval squadron; ~ *di* **soccorso** rescue squad (*o* team); ~ *di* **turno** duty-squad, duty-team; ~ *di* **vigilanza** vigilance (*o* watch) committee; (*durante gli scioperi*) pickets *pl*; ~ **volante** flying-squad.

squadrạccia (*pegg. di squadra*[2]) *f.* (*pl.* **-ce**) **1.** bad set, gang. – **2.** ⟨*spreg*⟩ (*squadra d'azione fascista*) Fascist action squad.

squadrạra *f.* ⟨*Pesc*⟩ **1.** kind of fishing-net. – **2.** (*menaide*) kind of shark net.

squadrạre[1] *v.t.* **1.** to (make) square; (*rif. alle pietre*) to square, to dress. – **2.** ⟨*fig*⟩ (*osservare attentamente*) to look at (squarely), to look over, to study, to scrutinize, to eye: ~ *qd.* ⌜*da capo a piedi*⌝ (*o dall'alto in basso*) to look s.o. up and down. ☐ ~ *con l'occhio* to measure with one's eye; ⟨*fig*⟩ to study, to scrutinize, to look over.

squadrare[2] *v.* ⟨*ant*⟩ → **squartare.**
squadrato (*p.p. di squadrare*[1]) *a.* **1.** square. – **2.** (*rif. a pietre*) squared; (*rif. al legno*) squared. – **3.** ⟨*Mus*⟩ out of time. ☐ *viso ~* square face. – **squadratore** *m.* squarer. – **squadratura** *f.* squaring.
squadretta[1] *f. dim. di* **squadra**[1].
squadretta[2] *f. dim. di* **squadra**[2].
squadriglia *f.* **1.** squad, band. – **2.** ⟨*mil*⟩ squadron.
squadrigliere *m.* ⟨*Mil.ant*⟩ member of a squad.
squadrismo *m.* ⟨*Fasc*⟩ organization and conduct of Fascist action squads. – **squadrista** *m./f.* member of a Fascist action squad.
squadro[1] *m.* **1.** squaring. – **2.** ⟨*Topogr*⟩ cross-staff (head), crosshead, cross. – **3.** ⟨*ant*⟩ (*squadra*) square. ☐ *a ~* (*ad angolo retto*) at right angles, perpendicular; ⟨*Topogr*⟩ *~ agrimensorio* (surveyors') cross -staff, crosshead; *fuori di ~*: 1. at an oblique angle; 2. ⟨*fig*⟩ (*fuori misura*) immoderate; 3. ⟨*fig*⟩ (*in disordine*) disorderly; *sotto ~* (*ad angolo acuto*) at an acute angle; *~ a specchi* corner reflector.
squadro[2] *m.* ⟨*Itt*⟩ angel-shark, angel-fish, monkfish (*Squatina squatina*). – **squadrolino** *m. dim. di* **squadro**[2].
squadronare *v.t.* (**squadrono**) ⟨*ant*⟩ **1.** (*ordinare a squadroni*) to form into squadrons. – **2.** (*schierare ordinatamente*) to line up. – **squadronarsi** *v.r.* to form (*o* line) up.
squadrone (*accr. di squadra*[2]) *m.* **1.** ⟨*Mil*⟩ squadron. – **2.** ⟨*ant*⟩ (*sciabola*) sabre. – **3.** ⟨*ant*⟩ (*schiera*) troop, host.
squagliamento *m.* **1.** melting; (*rif. alla neve*) thawing. – **2.** ⟨*fam*⟩ (*fuga*) stealing away, ⟨*fam*⟩ clearing off. – **squagliare** *v.t.* (**squaglio, squagli**) to melt; (*rif. alla neve*) to melt, to thaw. – **squagliarsi** *v.r.* to melt; (*rif. alla neve*) to melt, to thaw. ☐ ⟨*fam*⟩ *squagliarsela* (*svignarsela*) to steal (*o* sneak) away, to slink (*o* creep) off, ⟨*fam*⟩ to clear off. – **squagliato** (*p.p. di squagliare*) *a.* melted; (*rif. alla neve*) melted, thawed.
squaglio[1] *m.* ⟨*region*⟩ melting; (*rif. alla neve*) melting, thawing. ☐ ⟨*roman*⟩ *~ di cioccolata* chocolate (drink).
squaglio[2] *m.* ⟨*Itt*⟩ (*cavedano*) chub (*Squalius cephalus*).
squalidi *m.pl.* ⟨*Itt*⟩ squalids *pl* (*Squalidae*).
squalido *a.* ⟨*lett,rar*⟩ → **squallido.**
squalifica *f.* disqualification (*anche Sport.*). ☐ *~ del campo* disqualification of a football ground. – **squalificabile** *a.* deserving disqualification, liable to be disqualified (*anche Sport.*). – **squalificare** *v.t.* (**squalifico, squalifichi**) to disqualify (*anche Sport.*): *la giuria ha squalificato due giocatori* the judges have disqualified two players. – **squalificarsi** *v.r.* (*screditarsi*) to bring discredit on o.s., to prove incapable, to show o.s. unworthy. – **squalificato** (*p.p. di squalificare*) *a.* disqualified (*anche Sport.*). – **squalificazione** *f.* → **squalifica.**
squallente *a.* ⟨*lett*⟩ → **squallido.** – **squallidezza** *f.* **1.** bleakness, dreariness. – **2.** (*miseria*) wretchedness, misery, squalidity. – **3.** (*rif. a luoghi*) bleakness, desolation. – **squallido** *a.* **1.** (*in stato di assoluta miseria*) deserted, dismal, desolate, neglected: *una casa -a* a dismal house. – **2.** ⟨*fig*⟩ (*misero*) wretched, miserable, dreary, squalid: *vivere una vita -a* to lead a miserable life. – **3.** ⟨*lett*⟩ (*ispido*) unkempt, untidy, neglected: *barba -a* unkempt beard. – **4.** ⟨*non com*⟩ (*rif. a persone: pallido*) pale, wan; (*emaciato*) emaciated.
squallore *m.* **1.** (*aspetto squallido*) bleakness, dismalness, dreariness, desolate, squalor: *lo ~ di una baracca* the dreariness of a shanty. – **2.** (*grave miseria*) wretchedness, misery, squalor. – **3.** ⟨*non com*⟩ (*pallore*) paleness, wanness.
squalo *m.* ⟨*Itt*⟩ **1.** (*pescecane*) shark. – **2.** dogfish (*Squalus*). – **3.** (*cavedano*) chub (*Squalius cephalus*). ☐ *~ nasuto* porbeagle (*Lamna cornubia*).
squama *f.* **1.** ⟨*Biol,Med*⟩ squama, scale. – **2.** ⟨*Anat*⟩ squama. – **3.** (*scaglia*) scale. ☐ ⟨*Bot*⟩ *~ fruttifera* seminiferous scale; ⟨*Zool*⟩ *~ a scudo* horny scale.
squamapesce *m.inv.* ⟨*Gastr*⟩ fish-scaler.
squamare *v.t.* to scale. – **squamarsi** *v.r.* **1.** to scale. – **2.** ⟨*Med*⟩ to desquamate, to shed scales, to peel. – **squamato** (*p.p. di squamare*) **I** *a.* scaly. – **II** *s.m.pl.* ⟨*Zool*⟩ **1.** pangolins *pl*, scaly ant-eaters *pl* (*Pholidota*). – **2.** snakes and lizards *pl* (*Squamata*). – **squamiforme** *a.* squamiform.
squamma *f.* ⟨*tosc*⟩ → **squama.** – **squammare** *v.* ⟨*tosc*⟩ → **squamare.** – **squammato** (*p.p. di squammare*) *a.* ⟨*tosc*⟩ → **squamato.** – **squammoso** *a.* ⟨*tosc*⟩ → **squamoso.**
squamoso *a.* **1.** (*coperto di squame*) scaly, scaled, squamous; (*che ha molte squame*) very scaly. – **2.** ⟨*Bot*⟩ squamous, scale-. – **3.** ⟨*Med,Anat*⟩ squamous.
squamula *f.* ⟨*Biol*⟩ squamula.
squarciagola: *a ~* at the top of one's voice: *cantare a ~* to sing at the top of one's voice.
squarciamento *m.* **1.** tearing, rending, ripping. – **2.** (*il dilaniare*) tearing, rending, mangling, gashing, laceration. – **3.** ⟨*concr*⟩ (*squarcio*) rent, tear, gash.
squarciare *v.t.* (**squarcio, squarci**) **1.** to tear, to rend, to rip: *~ le vesti* to tear one's clothes. – **2.** (*dilaniare*) to tear to pieces, to rend, to mangle, to gash, to lacerate; (*sventrare*) to rip open, to disembowel. – **3.** ⟨*fig*⟩ (*rompere*) to rend, to break (through), to tear: *un lampo squarciò le tenebre* a flash of lightning rent (*o* broke through) the clouds; (*penetrare*) to penetrate, to pierce, to fathom: *~* (*il velo di*) *un mistero* to fathom a mystery. – **squarciarsi** *v.r.* to be torn (*o* rent).
squarciasacco: ⟨*non com*⟩ *a ~* with a scowl. ☐ *guardare a ~ qd.* to scowl (*o* look daggers) at s.o.
squarciato (*p.p. di squarciare*) *a.* **1.** torn, rent, ripped. – **2.** (*sventrato*) ripped open. – **3.** ⟨*non com*⟩ (*rif. alla voce*) shrill, strident. – **squarciatore** *m.* (*f.* **-trice**) ⟨*non com*⟩ tearer, ripper, render. – **squarciatura** *f.* ⟨*non com*⟩ → **squarciamento.**
squarcina *f.* ⟨*Mil.ant*⟩ kind of scimitar.
squarcio *m.* **1.** tear, rent, rip, split: *la bomba produsse uno ~ nella parete* the bomb produced a rent in the wall; (*falla*) hole, leak; (*crepaccio*) rent, cleft; (*breccia, varco*) breach: *uno ~ nelle mura nemiche* a breach in the enemy's walls. – **2.** (*ferita*) gash, wound, laceration. – **3.** ⟨*fig*⟩ (*brano*) passage, excerpt, extract. – **4.** ⟨*Comm*⟩ waste-book, daybook.
squarcione *m.* (*f.* **-a**) ⟨*non com*⟩ (*spaccone*) boaster, braggart.
squari *m.pl.* ⟨*Bot*⟩ (*erba da spazzole*) broom grass (*o* sedge) (*Andropogon gryllus*; *Chrysopogon gryllus*).
squarquoio *a.* ⟨*tosc*⟩ **1.** (*decrepito*) decrepit, ⟨*fam*⟩ doddering. – **2.** ⟨*rar*⟩ (*rif. a cose*) dilapidated, tottering.
squartamento *m.* **1.** quartering, division (*o* cutting up) into quarters. – **2.** ⟨*Macell*⟩ cutting (*o* chopping) up. – **3.** ⟨*Stor*⟩ quartering. – **squartare** *v.t.* **1.** to quarter, to divide (*o* cut) up into quarters. – **2.** ⟨*iperb*⟩ to tear to pieces, to make mincemeat of, ⟨*fam*⟩ to kill, ⟨*fam*⟩ to murder. – **3.** ⟨*Macell*⟩ to cut up (*o* to pieces), to chop up. – **4.** ⟨*Stor*⟩ to quarter. ☐ ⟨*rar*⟩ *mandare qd. a farsi ~* to swear at s.o., ⟨*fam*⟩ to tell s.o. to drop dead.
squartarola *f.* ⟨*Ornit*⟩ (*pivieressa*) black-bellied plover (*Squatarola squatarola*).
squartata *f.* ⟨*non com*⟩ quartering. ☐ *dare una ~ a qc.* to quarter s.th., to cut s.th. up quickly. – **squartatoio** *m.* ⟨*Macell*⟩ butcher's cleaver (*o* chopper). – **squartatore** *m.* (*f.* **-trice**) **1.** cutter. – **2.** ⟨*Stor*⟩ quarterer. – **squartatura** *f.* ⟨*Macell*⟩ cutting up. – **squarto** *m.* **1.** → **squartatura.** – **2.** (*rif. al legname*) split billet.
squasimodeo *m.* ⟨*ant*⟩ **1.** (*persona sciocca*) fool, simpleton. – **2.** *pl.* (*smancerie*) simpering.
squassamento *m.* ⟨*lett*⟩ violent shaking. – **squassare** *v.t.* to shake violently: *il vento impetuoso squassava gli alberi* the raging wind shook the trees violently. – **squassarsi** *v.r.* to shake o.s. – **squasso** *m.* ⟨*non com*⟩ **1.** (*scossa violenta*) (violent) shaking. – **2.** (*sconquasso*) disorder. ☐ ⟨*Med*⟩ *~ traumatico* shock.
squatarola *f.* → **squartarola.**
squatinidi *m.pl.* ⟨*Itt*⟩ monkfish(es) *pl*, angelfish(es) *pl*, squatinas *pl* (*Squatinidae*).
squatrare *v.* ⟨*ant*⟩ → **squartare.**
squattrinare[1] *v.t.* ⟨*rar*⟩ to leave penniless, to reduce to penury, to beggar. – **squattrinarsi** *v.r.* to beggar o.s., to be reduced to poverty.
squattrinare[2] *v.t.* ⟨*tosc*⟩ (*computare*) to evaluate in detail; (*vagliare*) to examine minutely, to scrutinize, to weigh up.
squattrinato (*p.p. di squattrinare*[1]) **I** *a.* penniless, ⟨*fam*⟩ broke, ⟨*fam*⟩ hard up. – **II** *s.m.* (*f.* **-a**) penniless person.
squero *m.* ⟨*ven*⟩ **1.** (*piccolo cantiere*) boat-yard. – **2.** (*scalo coperto*) boat-shed, boat-house.
squilibrare *v.t.* **1.** to throw out of balance, to unbalance. – **2.** ⟨*fig*⟩ (*dissestare*) to upset the budget of, to create (financial) difficulties for: *tutte queste spese ci hanno squilibrato* all these expenses have created financial difficulties for us. – **3.** (*privare dell'equilibrio psichico*) to derange. – **squilibrarsi** *v.r.* ⟨*non com*⟩ **1.** to lose one's balance, to be unbalanced. – **2.** ⟨*fig*⟩ (*dissestarsi*) to get into (financial) difficulties. – **squilibrato** (*p.p. di squilibrare*) **I** *a.* **1.** unbalanced. – **2.** (*pazzo*) (mentally) unbalanced, deranged, mad, ⟨*fam*⟩ nuts. – **II** *s.m.* (*f.* **-a**) lunatic, madman, ⟨*fam*⟩ nut.
squilibrio *m.* **1.** unbalance, lack of balance (*o* equilibrium); (*rif. all'economia*) lack of balance, imbalance, unbalance: *lo ~ tra la domanda e l'offerta* the lack of balance between demand and supply; (*sproporzione*) disproportion; (*dissesto, disordine*) disorder. – **2.** (*squilibrio mentale*) derangement, (mental) unbalance, lunacy, madness. – **3.** ⟨*Mecc*⟩ unbalance. ☐ *~ mentale* derangement, (mental) unbalance, lunacy, madness; ⟨*Econ*⟩ *~ del mercato* lack of balance in the market, market unbalance.
squilla[1] *f.* **1.** (*piccola campana*) little bell. – **2.** (*campano dei vaccini*) cow-bell. – **3.** ⟨*lett*⟩ (*campana*) bell; (*suono di campana*) ringing.
squilla[2] *f.* ⟨*Zool*⟩ (*canocchia*) mantis prawn, squilla (*Squilla mantis*).
squilla[3] *f.* ⟨*Bot*⟩ squill (*Urginea maritima*).
squillante (*p.pr. di squillare*) *a.* **1.** shrill, sharp, high: *voce ~* shrill voice. – **2.** ⟨*fig*⟩ (*vivace*) bright.
squillare I *v.i.* (*aus.* **avere**) **1.** (*rif. a campanelli*) to ring: *squilla il telefono* the telephone is ringing; (*rif. a campane*) to ring, to peal. – **2.** (*rif. a trombe*) to sound, to blare. – **3.** (*rif. alla voce*) to be shrill: *ha una voce che squilla troppo* her voice is too shrill; (*rif. al riso*) to ring out, to peal. – **4.** ⟨*ant*⟩ (*guizzare*) to dart. – **II** *v.t.* ⟨*non com*⟩ (*far squillare*) to sound.
squillato *a.* ⟨*Arald*⟩ with bell.
squillidi *m.pl.* ⟨*Zool*⟩ mantis prawns *pl*, squillids *pl* (*Squillidae*).
squillo[1] *m.* **1.** sharp (*o* ringing, high-pitched) sound. – **2.** (*di tromba*) blare, blast, sound. – **3.** (*di campanello*) ring.
squillo[2] *f.* (*anche ragazza squillo*) call-girl.
squinanto *m.* ⟨*Bot*⟩ camel-grass, camel-hay (*Cymbopogon schoenanthus*).
squinanzia *f.* ⟨*ant*⟩ (*angina*) angina, quinsy.

squịnci: ⟨*pop*⟩ *parlare in quinci e* ~ (*affettatamente*) to speak affectedly (*o* mincingly).
squịncio *m.* ⟨*tosc*⟩ **1.** ⟨*Arch*⟩ (*sguincio*) splay, splayed jamb. – **2.** ⟨*Sart*⟩ (*sbieco*) bias.
squinirọlo *m.* ⟨*Ornit*⟩ **1.** (*piro-piro culbianco*) green sandpiper (*Tringa ochropus*). – **2.** (*piro-piro boschereccio*) wood sandpiper (*Tringa glareola*).
squinternạre *v.t.* (**squintẹrno**) **1.** to unstitch, to take (*o* pull) to pieces: ~ *un quaderno* to take a copy-book to pieces. – **2.** ⟨*fig*⟩ (*disordinare*) to mix up, to untidy, to disarrange; (*scombussolare*) to upset. – **squinternạto** (*p.p. di squinternare*) **I** *a.* **1.** with pages loose (*o* torn out), in (*o* taken to) pieces. – **2.** ⟨*fig*⟩ eccentric, deranged. – **II** *s.m.* (*f.* **-a**) eccentric (*o* strange) person. – **squinternatụra** *f.* **1.** taking to pieces, mixing up. – **2.** ⟨*Legat*⟩ unbinding, unstitching.
squiṣitamẹnte *avv.* **1.** (*rif. a cibi e bevande*) deliciously. – **2.** (*finemente*) exquisitely, refinedly; (*delicatamente*) delicately, daintily; (*gradevolmente*) delightfully: *grazia* ~ *femminile* delightfully feminine charm; (*sommamente*) extremely, exceedingly, absolutely: *persona* ~ *gentile* extremely kind person. – **3.** (*tipicamente*) typically.
squiṣitẹzza *f.* **1.** (*rif. a cibi e bevande*) deliciousness. – **2.** (*finezza*) exquisiteness, refinedness: ~ *di gusti* refinedness of taste; (*delicatezza*) delicacy, daintiness; (*distinzione*) refinement, excellence, distinction. – **3.** (*cosa squisita*) delicious food (*o* drink), dainty, delicacy. – **4.** ⟨*lett,ant*⟩ (*singolare cura*) great care.
squiṣịto *a.* **1.** (*rif. a cibi e bevande*) delicious: *una cena -a* a delicious dinner. – **2.** (*fine*) exquisite: *modi -i* exquisite (*o* beautiful) manners; (*delicato*) delicate, dainty: *un pensiero* ~ a delicate thought; (*raffinato*) exquisite, refined: *gusto* ~ exquisite taste; (*distinto*) distinguished, excellent. – **3.** ⟨*iron*⟩ exquisite: *una -a crudeltà* exquisite (*o* refined) cruelty. – **4.** (*molto gradevole*) delightful, pleasant: *conversatore* ~ delightful conversationalist. – **5.** ⟨*lett*⟩ (*ricercato*) affected, nice.
squittinạre *v.t.* ⟨*ant*⟩ (*scrutinare*) to scrutinize.
squittịnio[1] *m.* ⟨*ant*⟩ (*scrutinio*) scrutiny.
squittinịo[2] *m.* ⟨*lett*⟩ → **squittio**. – **squittinịre** *v.* ⟨*lett*⟩ → **squittire**.
squittịno *m.* → **squittinio**[1].
squittịo *m.* twittering, cheeping, chirping. – **squittịre** *v.i.* (**squittịsco, squittịsci**; *aus.* **avere**) **1.** (*rif. a uccellini*) to twitter, to cheep, to chirp; (*rif. a pappagalli e sim.*) to squawk. – **2.** (*rif. a topi*) to squeak. – **3.** (*rif. a cani da caccia*) to yelp. – **4.** ⟨*scherz,spreg*⟩ (*rif. a persone*) to squeal, to yelp.
Sr = ⟨*Chim*⟩ *stronzio* strontium.
SR = ⟨*Aut*⟩ *Rhodesia meridionale* Southern Rhodesia.
S.R. = ⟨*Rel.catt*⟩ *Sacra Rota* (Sacred Roman) Rota.
ṣradicamẹnto *m.* **1.** uprooting. – **2.** ⟨*fig*⟩ (*eliminazione*) eradication, elimination, rooting out. – **ṣradicạre** *v.t.* (**ṣrạdico, ṣrạdichi**) **1.** to uproot, to pull up: *il vento ha sradicato gli alberi* the wind has uprooted (*o* blown down) the trees. – **2.** ⟨*fig*⟩ (*estirpare*) to eradicate, to root out, to eliminate, to get rid of, to extirpate: ~ *i pregiudizi* to root out prejudice. – **3.** ⟨*Dent*⟩ (*estrarre*) to pull (out), to extract. – **ṣradicạto** (*p.p. di sradicare*) **I** *a.* **1.** uprooted. – **2.** ⟨*fig*⟩ (*rif. a persone*) rootless. – **3.** ⟨*Arald*⟩ eradicated. – **II** *s.m.* (*f.* **-a**) rootless person, person who has no ties (*o* roots). – **ṣradicatọre** *m.* (*f.* **-trice**) **1.** ⟨*non com*⟩ uprooter. – **2.** ⟨*fig,non com*⟩ (*distruttore*) eradicator, eliminator. – **3.** ⟨*Agr*⟩ beetroot rake (*o* digger).
ṣragionamẹnto *m.* **1.** (*lo sragionare*) reasoning falsely (*o* illogically). – **2.** (*ragionamento sconnesso*) false reasoning. – **ṣragionạre** *v.i.* (**ṣragiọno**; *aus.* **avere**) **1.** (*ragionare male*) to reason falsely, to be illogical (*o* irrational). – **2.** (*fare ragionamenti sconnessi*) to talk nonsense (*o* rubbish): *è la rabbia che ti fa* ~ you are talking nonsense because you are angry. – **ṣragionẹvole** *a.* ⟨*rar*⟩ (*irragionevole*) irrational.
S.R.C. = *Santa Romana Chiesa* Holy Roman Church.
ṣregionalizzạre *v.t.* ⟨*non com*⟩ to make less regional.
ṣregolạre *v.t.* (**ṣrẹgolo**) ⟨*ant*⟩ (*far trasgredire la regola*) to throw into disorder. – **sregolarsi** *v.r.* (*allontanarsi dalla regola*) to become disorderly. – **ṣregolatamẹnte** *avv.* (*senza regola*) in a disorderly way; (*senza misura*) immoderately. – **ṣregolatẹzza** *f.* **1.** (*smodatezza*) immoderation, immoderateness, intemperance. – **2.** (*azione sregolata*) dissoluteness, dissolute (*o* reckless, wild) behaviour: *le sue -e lo hanno condotto alla tomba* his dissoluteness led him to the grave. – **3.** (*mancanza di ordine*) disorderliness, unruliness. □ ~ *di vita* dissolute living. – **ṣregolạto** *a.* **1.** (*smodato*) immoderate, intemperate: *essere* ~ *nel bere* to be an immoderate drinker, to drink to excess. – **2.** (*dissoluto*) dissolute: *vita -a* dissolute life; (*scapestrato*) reckless, wild. – **3.** (*senza ordine*) disorderly, unruly.
S.R.I. = ⟨*Stor*⟩ *Sacro Romano Impero* Holy Roman Empire (*abbr.* H.R.E.).
s.r.l., S.r.l. = ⟨*Econ*⟩ *società a responsabilità limitata* limited(-liability) company (*abbr.* Co. Ltd.).
S.R.M. = ⟨*epist*⟩ *sue riverite mani* personal for addressee.
ṣrotolạre *v.t.* (**ṣrọtolo**) to unroll. – **srotolarsi** *v.r.* to unroll.
ṣrugginịre *v.t.* (**ṣrugginịsco, ṣrugginịsci**) to remove the rust from, to derust.
ss., SS. = ⟨*Rel*⟩ **1.** *santi* saints (*abbr.* S.S.). – **2.** *santissimo* most holy, sanctissimus (*abbr.* S.S.).
SS. = ⟨*Naz*⟩ *Milizia di protezione nazista* SS (troops).
S.S. = **1.** ⟨*Rel.catt*⟩ *Santa Sede* Holy See. – **2.** ⟨*Rel.catt*⟩ *Sua Santità* His Holiness (*abbr.* H.H.). – **3.** *strada statale* main road.
SSE = *sud-sud-est* south-south-east (*abbr.* S.S.E., s.s.e.).
SSO = *sud-sud-ovest* south-south-west (*abbr.* S.S.W., s.s.w.).
ssp. = ⟨*Biol*⟩ *sottospecie* subspecies (*abbr.* ssp).
SS.PP. = ⟨*Rel.catt*⟩ *Santi Padri* Holy Fathers.
sss, st *intz.* sh, (s)hush.
sta *a.f.* ⟨*pop*⟩ (*questa*) this.
stabaccạre *v.i.* (**stabạcco, stabạcchi**; *aus.* **avere**) ⟨*pop*⟩ (*fiutare tabacco*) to take snuff.
stabbiạre *v.* (**stạbbio, stạbbi**) **I** *v.t.* **1.** to (confine in a) fold (*o* pen). – **2.** (*concimare*) to manure. – **II** *v.i.* (*aus.* **avere**) to be confined in a fold (*o* pen). – **stabbiạto** (*p.p. di stabbiare*) **I** *a.* (*concimato*) manured. – **II** *s.m.* ⟨*non com*⟩ **1.** (*stabbio*) fold, pen. – **2.** → **stabbiatura**. – **stabbiatụra** *f.* manuring, folding (in order to manure).
stạbbio *m.* **1.** (*recinto*) fold, pen. – **2.** (*stalla*) stable, shed. – **3.** (*porcile*) (pig)sty. – **4.** (*sterco*) dung. – **5.** (*letame, concime*) manure.
stabbiọlo (*dim. di stabbio*) *m.* **1.** small stable (*o* shed). – **2.** (*porcile*) (pig)sty, pigpen; (*scompartimento di porcile*) (individual) stall in pigsty.
stạbile I *a.* **1.** stable, firm, steady: *fondamenta -i* stable foundations. – **2.** ⟨*fig*⟩ (*permanente*) stable, lasting, enduring, permanent, abiding: *una pace* ~ a lasting peace; (*costante*) stable, constant: *temperatura* ~ constant temperature. – **3.** ⟨*fig*⟩ (*fisso*) permanent, fixed: *avere* ~ *dimora* to have a fixed abode; *orchestra* ~ permanent orchestra. – **4.** (*rif. a occupazione*) permanent, steady: *avere un posto* ~ to have a steady job; (*con posto fisso*) permanent. – **5.** (*residente*) resident: *popolazione* ~ resident population. – **6.** (*sicuro*) safe, steady: *questa scala non mi sembra* ~ this ladder doesn't seem very safe to me. – **7.** ⟨*Dir*⟩ (*immobile*) real, immovable: *beni -i* real property (*o* estate), immovables *pl.* – **8.** ⟨*Chim*⟩ stable: *composti -i* stable compounds. – **II** *s.m.* ⟨*burocr,Dir*⟩ **1.** (*bene immobile*) immovable property; *pl.* immovables *pl*, real estate. – **2.** (*fabbricato*) building, edifice, premises *pl*; (*casa*) house. – **3.** (*teatro stabile*) civic theatre. – **III** *s.f.* ⟨*Teat*⟩ (*compagnia stabile*) civic (*o* resident) company.
stabilimẹnto *m.* **1.** (*lo stabilire*) establishment: *lo* ~ *di una pace duratura* the establishment of a lasting peace. – **2.** (*il fondare*) establishment, foundation: *lo* ~ *di una società* the foundation of a company. – **3.** (*edificio*) building; (*complesso di edifici*) establishment. – **4.** (*complesso di edifici attrezzati per una lavorazione industriale*) factory, works *pl* (*costr.sing. o pl.*), plant: *questo* ~ *produce laminati plastici* this factory produces plastic laminates. – **5.** *pl.* (*colonie*) settlements *pl*, colonies *pl*: *-i dello Stretto* Straits settlements; (*possedimenti*) possessions *pl.* – **6.** ⟨*ant*⟩ (*rafforzamento, consolidamento*) strengthening. – **7.** ⟨*ant*⟩ (*decisione*) decision; (*fermo proposito*) determination. – **8.** ⟨*ant*⟩ (*sostegno*) support, base, foundation.
□ ~ **balneare** continental-style bathing-beach, bathing establishment; ~ **carcerario** prison; **diritto** *di* ~ right of settlement, right to establish one's residence; ~ **industriale** plant, works *pl* (*costr.sing. o pl.*), factory; ~ *di* **pena** prison, penal institution; ⟨*Mar*⟩ ~ *del* **porto** lunitidal interval at springs; ⟨*Cin*⟩ ~ *di* **posa** (film) studio, lot; ~ **siderurgico** iron and steel works *pl*; ~ **termale** thermal baths *pl*; ~ **tessile** textile mill.
stabilịre *v.* (**stabilịsco, stabilịsci**) **I** *v.t.* **1.** (*fissare*) to fix, to settle, to establish, to set: ~ *il prezzo di qc.* to fix the price of s.th. – **2.** (*costituire*) to establish, to set up: ~ *un primato* to establish a record. – **3.** (*deliberare*) to decide, to establish, to set: *abbiamo stabilito il giorno della partenza* we decided on the departure date. – **4.** (*statuire, decretare*) to establish, to decree, to agree to (*o* upon): ~ *le condizioni di resa* to establish conditions of surrender. – **5.** (*fondare*) to establish, to found, to set up: *Dario stabilì l'impero persiano* Darius founded the Persian Empire. – **6.** (*allacciare*) to establish: ~ *relazioni diplomatiche* to establish diplomatic relations. – **7.** (*effettuare, realizzare*) to make, to establish: ~ *un collegamento* to make a connection. – **8.** (*accertare*) to establish, to ascertain, to find out: ~ *la causa di una sciagura* to establish the cause of an accident. – **9.** ⟨*rar,ant*⟩ (*rendere stabile*) to (make) steady, to fix. – **II** *v.i.* (*aus.* **avere**) **1.** (*decidere*) to decide: *stabilì di partire subito* he decided to (*o* that he would) leave immediately. – **2.** (*proporsi*) to decide, to make up one's mind: *stabilì in cuor suo di fuggire* he decided to flee. – **stabilirsi** *v.r.* to settle, to establish o.s.: *stabilirsi a Roma* to settle in Rome. □ ~ *in cuor proprio* to decide, to make up one's mind; ~ *la propria dimora in un luogo* to take up residence in a place; ~ *la propria residenza in un luogo* to establish one's residence in a place; ⟨*Mar*⟩ ~ *le vele* to set the sails.
stabilità *f.* **1.** stability, firmness, steadiness: *la* ~ *di un edificio* the stability of a building; ~ *dei prezzi* price stability, steadiness of prices. – **2.** ⟨*estens*⟩ (*l'essere fisso*) permanence: *la* ~ *di un impiego* the permanence of a position. – **3.** ⟨*fig*⟩ (*l'essere permanente*) stability: *la* ~ *del governo attuale* the stability of the present government; (*l'essere durevole*) durability. – **4.** (*rif. a colori*) fastness: ~ *del colore* colour fastness. – **5.** ⟨*tecn*⟩ stability.
□ ⟨*Econ*⟩ ~ *del* **cambio** stability (*o* steadiness) of the rate of exchange; ⟨*Mar*⟩ ~ **dinamica** dynamic stability; ~ **economica** economic stability; ⟨*El*⟩ ~ *della* **frequenza** frequency stability; ⟨*Aer*⟩ ~ **intrinseca** inherent stability; ~ **laterale** lateral stability; ~ **longitudinale** longitudinal stability; ⟨*Edil*⟩ ~ **meccanica** mechanical stability; ~ **monetaria** monetary stability, stability of currency; ⟨*Mar,Aer*⟩ ~ **statica** static stability; ⟨*Aut*⟩ ~ *su* **strada** road stability; ~ **termica** heat resistance; ~ *del* **terreno** soil stability; ⟨*Aer*⟩ ~ *al* **vento** weathercock stability.
stabilịto (*p.p. di stabilire*) **I** *a.* **1.** (*costituito*) established, set up. –

2. (*fissato*) fixed, settled, established, decided upon, appointed: *il giorno* ~ the appointed day. – **3.** (*deliberato*) decided; (*decretato*) decreed, laid down. – **4.** (*convenuto*) settled, agreed (upon), arranged: *il prezzo* ~ the agreed price; *resta* ~ *che* it is agreed (*o* settled) that, we are agreed that. – **5.** (*fondato*) established, founded, set up. – **6.** ⟨*rar*⟩ (*consolidato*) strengthened. – **II** *s.m.* ⟨*Comm,Dir*⟩ (*anche stabilito di contratto*) draft contract.

stabilitụra *f.* ⟨*Edil*⟩ **1.** shimming, application of the last coat of mortar. – **2.** (*strato di malta*) white (*o* setting) coat; (*intonaco*) plaster.

stabilizẓạnte (*p.pr. di stabilizzare*) **I** *a.* stabilizing. – **II** *s.m.* ⟨*Chim*⟩ stabilizer. – **stabilizẓạre** *v.t.* **1.** to stabilize, to make stable (*o* firm, steady). – **2.** (*rendere costante*) to stabilize. – **3.** ⟨*Econ*⟩ to stabilize, to peg: ~ *i prezzi* to stabilize prices. – **4.** ⟨*tecn*⟩ to stabilize. – **stabilizzarsi** *v.r.* **1.** to become stable (*o* firm, steady). – **2.** (*diventare costante*) to become stable (*o* settled), to settle, to steady (down): *il tempo si è stabilizzato* the weather has (become) settled. – **stabilizẓạto** (*p.p. di stabilizzare*) *a.* ⟨*El,Strad*⟩ stabilized.

stabilizẓatọre *a./s.* (*f.* **-trice**) **I** *s.m.* **1.** ⟨*El,Chim,Mar,Aut*⟩ stabilizer. – **2.** ⟨*Aer*⟩ stabilizer, tail plane. – **II** *a.* stabilizing.

□ ⟨*Aer*⟩ ~ *d'***assetto** trimming tab; ~ **elettronico** electronic regulator; ⟨*Chim*⟩ ~ *d'***emulsione** emulsion stabilizer; ⟨*Mar*⟩ ~ **giroscopico** gyrostabilizer, gyroscopic stabilizer; ⟨*Aer*⟩ ~ **monoblocco** all-flying tail; ⟨*El*⟩ ~ *al* **neon** neon stabilizer; ⟨*El*⟩ ~ *di* **tensione** voltage stabilizer (*o* regulator).

stabilizẓazione *f.* **1.** stabilization. – **2.** ⟨*Econ*⟩ stabilization, pegging: ~ *dei prezzi* price stabilization (*o* pegging). – **3.** ⟨*El*⟩ stabilization, regulation. □ ⟨*Econ*⟩ ~ *dei cambi* stabilization of exchange rates; ⟨*El*⟩ ~ *della frequenza* frequency stabilization; ~ *del terreno* soil stabilization.

stabilmẹnte *avv.* **1.** stably, permanently, steadily. – **2.** ⟨*fig*⟩ (*in maniera permanente*) stably, permanently: *prendere* ~ *dimora in un luogo* to settle down permanently in a place.

stabulạre *v.* (**stạbulo**) **I** *v.t.* ⟨*Zootecn*⟩ **1.** to stable, to stall, to put into a stable (*o* stall, shed), to house: ~ *i buoi* to stable the oxen, to put the oxen in their stalls. – **2.** ⟨*Pesc*⟩ to farm. – **II** *v.i.* (*aus.* **avere**) to be stabled (*o* stalled).

stabulạrio *m.* **1.** pound. – **2.** (*canile municipale*) dog-pound. – **3.** (*reparto di allevamenti negli istituti di ricerca*) animal breeding department.

stabulaziọne *f.* ⟨*Zootecn*⟩ stabling, stalling, housing. □ ~ *aperta* open housing (system).

stacanovịsmo *m.* **1.** ⟨*Stor*⟩ Stakhanov movement, Stakhanovism. – **2.** ⟨*iron*⟩ (*zelo eccessivo*) keenness, over-eagerness. – **stacanovịsta** **I** *s.m./f.* **1.** ⟨*Stor*⟩ stakhanovite. – **2.** ⟨*iron*⟩ excessively hard worker, ⟨*scherz*⟩ eager beaver. – **II** *a.* **1.** ⟨*Stor*⟩ Stakhanovite. – **2.** ⟨*iron*⟩ over-zealous, keen, eager.

staccạbile *a.* removable, detachable. □ *foglio* ~ detachable sheet. – **staccamẹnto** *m.* (*lo staccare*) removal, detaching, taking off; (*lo staccarsi*) coming off.

staccạre *v.* (**stạcco, stạcchi**) **I** *v.t.* **1.** to remove, to take off (*o* out), to detach: ~ *un'etichetta* to remove a label. – **2.** (*rimuovere, allontanare*) to move away: ~ *un armadio dalla parete* to move a wardrobe away from the wall. – **3.** (*sganciare*) to unhook, to take off (*o* down), to remove: ~ *un quadro dal muro* to take a picture off (*o* down from) the wall; (*slegare*) to untie, to unfasten, to undo: ~ *una barca* to untie a boat; (*rif. a veicoli*) to disconnect, to unhitch: ~ *un rimorchio* to unhitch a trailer; (*rif. a vetture ferroviarie*) to uncouple, to detach. – **4.** ⟨*fig*⟩ (*separare*) to separate, to divide: ~ *una colonia dalla madrepatria* to separate a colony from its mother country; *nulla poté* ~ *i due amici* nothing could separate the two friends, the two friends were inseparable. – **5.** (*spiccare*) to pick, to pluck: ~ *un frutto dal ramo* to pick a piece of fruit from the branch. – **6.** (*strappare*) to tear off (*o* out), to pull off (*o* out, away): ~ *un foglio* to tear out a page; (*rif. a due cose unite*) to pull apart. – **7.** (*scucire*) to take (off), to unstitch: ~ *una manica dalla camicia* to unstitch a sleeve of a shirt, to take a sleeve off a shirt. – **8.** (*tagliare*) to cut (off). – **9.** (*sciogliere, slegare*) to loosen, to unfasten; (*rif. ad animali da tiro*: *buoi*) to unyoke; (*cavalli*) to unharness, to unhitch. – **10.** (*pronunciare distintamente*) to pronounce distinctly, to enunciate clearly: ~ *le parole* to enunciate one's words clearly. – **11.** (*emanare, emettere*) to issue, to put out. – **12.** ⟨*Sport*⟩ (*distanziare*) to (out)distance, to leave behind, to draw away from, to outstrip. – **13.** ⟨*Mus*⟩ to (play) staccato, to make staccato, to detach. – **14.** ⟨*El*⟩ to disconnect, to cut out; (*per mezzo di interruttore*) to switch off. – **15.** ⟨*ant*⟩ (*interrompere*) to stop, to interrupt. – **II** *v.i.* (*aus.* **avere**) **1.** (*risaltare*) to stand out, to show up (*da* against): *figure che staccano bene dal fondo* figures that show up well against the background. – **2.** ⟨*fam*⟩ (*terminare di lavorare*) to finish work, ⟨*fam*⟩ to knock off: *oggi stacco alle diciassette* today I knock off at five. – **3.** (*rif. ad animali da tiro*) to unharness (*o* unhitch) the animals. – **staccarsi** *v.r.* **1.** (*allontanarsi*) to move away (*o* off), to break (*o* come) away: *la barca si staccò dalla riva* the boat moved away from the shore. – **2.** (*venir via*) to come off (*o* out), to get detached: *l'intonaco si sta staccando dal soffitto* the plaster is coming (*o* peeling) off the ceiling. – **3.** (*strapparsi*) to come off (*o* away), to get torn (*o* ripped) off: *mi si è staccato un bottone dalla camicia* one of my shirt buttons has come off. – **4.** ⟨*fig*⟩ (*dividersi, separarsi*) to separate, to part: *staccarsi dalla famiglia* to separate from one's family. – **5.** ⟨*fig*⟩ (*allontanarsi spiritualmente*) to withdraw, to become detached (*o* cut off), to retire (*da* from): *staccarsi dal mondo* to withdraw from the world; (*rif. ad abitudini e sim.*) to grow away (from).

□ ~ *un* **assegno** to tear off a check; ⟨*Sport*⟩ ~ *la* **corsa** (*o* **volata**) to get ahead, to take the lead; ~ *qc. con un* **morso** to bite s.th. off; *staccarsi* **nettamente** to come clean away, to come off (*o* away) cleanly; ⟨*Mus*⟩ ~ *le* **note** to play notes staccato; *non poter* ~ *gli* **occhi** *da qd.* to be unable to take one's eyes off s.o.; ⟨*Tel*⟩ ~ *il* **ricevitore** to lift (*o* pick up) the receiver; ~ *un* **vestito** to cut off a dress length.

staccạto (*p.p. di staccare*) **I** *a.* **1.** detached. – **2.** (*separato, diviso*) separate(d), divided. – **3.** (*singolo*) single, separate. – **4.** ⟨*Mus*⟩ staccato. – **II** *s.m.* ⟨*Mus*⟩ (*modo di esecuzione*) staccato; (*segno*) staccato sign. – **staccatụra** *f.* ⟨*non com*⟩ → **staccamento**.

staccheggiạre *v.i.* (**stacchẹggio, stacchẹggi**; *aus.* **avere**) ⟨*non com*⟩ to clatter with one's heels.

stacciab(b)urạtta: ⟨*tosc*⟩ *fare a* ~ to pretend to sift flour.

stacciạio *m.* (*f.* **-a**) **1.** (*fabbricante*) sieve-maker. – **2.** (*venditore*) sieve-seller, sieve-vendor. – **3.** (*riparatore*) sieve-mender.

stacciạre *v.t.* (**stạccio, stạcci**) ⟨*non com*⟩ **1.** (*setacciare*) to sieve, to sift; (*burattare*) to bolt. – **2.** ⟨*fig*⟩ (*esaminare*) to sift, to examine thoroughly (*o* minutely), to scrutinize. – **stacciạta** *f.* ⟨*non com*⟩ (*setacciata*) sieving, sifting. □ *dare una* ~ *alla farina* to sift the flour. – **stacciatọre** *m.* (*f.* **-trice**) ⟨*non com*⟩ (*setacciatore*) sifter, screener. – **stacciatụra** *f.* ⟨*non com*⟩ (*setacciatura*) sieving, sifting. – **stạccio** *m.* ⟨*non com*⟩ **1.** (*setaccio*) sieve. – **2.** ⟨*tecn*⟩ (*crivello*) sieve, screen. □ ~ *di crine* hair-sieve; ⟨*Minier*⟩ ~ *oscillante* jig; *passare allo* ~ to sieve, to sift; ~ *vibrante* vibrating (*o* shaking) sieve.

staccionạta *f.* **1.** fence, stockade. – **2.** ⟨*Equit*⟩ hurdle.

stạcco *m.* (*pl.* **-chi**) **1.** (*lo staccare*) removal, detachment, pulling off (*o* out), taking off; (*lo staccarsi*) coming off. – **2.** ⟨*fig*⟩ (*intervallo*) break, gap, interval, pause. – **3.** (*differenza accentuata*) great (*o* marked) difference; (*risalto*) relief, prominence; (*rif. a colori*) contrast. – **4.** (*taglio di vestito*) length (of cloth): ~ *di vestito* suit (*o* dress) length. – **5.** ⟨*Pitt*⟩ transfer. – **6.** ⟨*Cin*⟩ cut. – **7.** ⟨*Sport*⟩ take-off. □ ~ *dei biglietti* tearing off of tickets; *fare* ~ (*spiccare*) to stand out, to show up, to be conspicuous; ~ *da terra* take-off.

stachanovịsmo *m.* ⟨*non com*⟩ → **stacanovismo**. – **stachanovịsta** *a./s.* ⟨*non com*⟩ → **stacanovista**.

stadẹra *f.* steelyard, lever scales *pl.* □ ~ *a ponte* weigh-bridge. – **staderạio** *m.* **1.** (*fabbricante*) maker of steelyards. – **2.** (*venditore*) seller of steelyards. – **staderọne** (*accr. di stadera*) *m.* ⟨*region*⟩ **1.** (*basculla*) weigh-bridge, weighing machine. – **2.** ⟨*Ferr*⟩ (*stadera a ponte*) weigh-bridge.

stạdia *f.* ⟨*Topogr*⟩ stadia (rod).

stadiạrio *a.* ⟨*Geol*⟩ stadial.

stạdico *m.* ⟨*ant*⟩ → **statico**[2].

stạdio *m.* **1.** ⟨*Archeol,Sport*⟩ stadium: *la domenica va sempre allo* ~ he always goes to the stadium on Sunday. – **2.** ⟨*fig*⟩ (*periodo, fase*) stage, phase, period: ~ *di sviluppo* stage of development. – **3.** ⟨*tecn*⟩ stage. – **4.** ⟨*Biol*⟩ stadium, period. – **5.** ⟨*Stor.gr*⟩ (*unità di misura*) stadium, stadion. – **6.** ⟨*Stor.gr*⟩ (*gara*) stadium.

□ ⟨*tecn*⟩ **a** *due stadi* two-stage; *missile a tre stadi* three-stage missile; ⟨*Rad*⟩ ~ **amplificatore** amplifier stage; ⟨*Rad*⟩ ~ **demodulatore** demodulator stage; ⟨*Stor.gr*⟩ (*corsa del*) **doppio** ~ diaulos; ⟨*Rad*⟩ ~ **finale** final (*o* output) stage; ⟨*Rad*⟩ ~ **miscelatore** mixer (stage); ~ *di* **modulazione** modulated amplifier, modulation stage; ⟨*Sport*⟩ ~ **nautico** swimming stadium; (*piscina*) pool; ⟨*Rad*⟩ ~ **pilota** driver stage; ⟨*Rad*⟩ ~ *di* **potenza** power stage; ~ *della* **produzione** stage of production; ⟨*Rad*⟩ ~ **separatore** buffer stage, separator, isolator.

staff *ingl. m.* **1.** staff: *uno* ~ *di ricercatori* a staff of researchers. – **2.** ⟨*Mil*⟩ (*stato maggiore*) general staff.

stạffa *f.* **1.** stirrup. – **2.** (*predellino*) footboard, carriage-step. – **3.** (*sottopiede*) foot-strap; (*delle ghette*) strap. – **4.** (*nelle calze*) heel. – **5.** (*nell'aratro*) U-bolt. – **6.** ⟨*Anat*⟩ stirrup(-bone), stapes. – **7.** ⟨*Met*⟩ flask, moulding-box. – **8.** ⟨*Stor*⟩ (*nelle balestre*) stirrup. – **9.** ⟨*Mecc*⟩ stirrup, bracket. – **10.** ⟨*Alp*⟩ stirrup. – **11.** ⟨*Edil*⟩ stirrup, bracket; (*nel cemento armato*) stirrup, binder. – **12.** ⟨*Fal*⟩ tie. – **13.** ⟨*Mar*⟩ (*staffone*) bracket, clamp; (*reggitoio*) stirrup. – **14.** ⟨*Ferr*⟩ (*scarpa*) stop block. – **15.** ⟨*Econ*⟩ (*reticolato*) table (for calculating interest). – **16.** ⟨*Cin*⟩ yoke, cam follower.

□ ⟨*Met*⟩ ~ **apribile** snap (flask); ⟨*Aut*⟩ ~ *della* **balestra** spring clip; **bicchiere** *della* ~ stirrup-cup, parting glass, ⟨*fam*⟩ one for the road: *bere il bicchiere della* ~ to drink a parting glass, ⟨*fam*⟩ to have one for the road; ⟨*Mecc*⟩ ~ *di* **bloccaggio** X clamp; ~ *a* **cerniera** = *staffa* **apribile**; ~ **davanti** (*nelle calze*) sock reinforcement; ⟨*Met*⟩ ~ **falsa** loose flask (*o* box); ~ *di* **ferro** (iron) stirrup; ⟨*Met*⟩ ~ **inferiore** drag, bottom box; ~ **matta** = *staffa* **apribile**; ⟨*fig*⟩ **perdere** *le -e* to lose one's temper, ⟨*fam*⟩ to fly off the handle; *far perdere le -e a qd.* to make s.o. lose his temper; ⟨*Edil*⟩ ~ **semplice** single stirrup; ⟨*tecn*⟩ ~ *di* **sicurezza** safety loop; ⟨*Met*⟩ ~ **superiore** cope, top box; ⟨*fig*⟩ **tenere** *il piede in due -e* to run with the hare and hunt with the hounds; ⟨*Mecc*⟩ ~ *per* **tubi** pipe clip (*o* clamp); ~ *della* **vanga** → **staffale**.

staffạle *m.* (*vangile*) foot-rest (of a spade).

staffạre **I** *v.i.* (*aus.* **avere**) ⟨*non com*⟩ **1.** (*rimanere impigliato nelle staffe*) to have one's foot caught in the stirrup. – **2.** → **staffeggiare**. – **II** *v.t.* ⟨*tecn*⟩ to stirrup. – **staffarsi** *v.r.* (*rimanere impigliato nelle staffe*) to have one's foot caught in the stirrup. – **staffạto** (*p.p. di* *staffare*) *a.* ⟨*non com*⟩ caught in the stirrup. – **staffatụra** *f.* **1.** ⟨*tecn*⟩ stirruping. – **2.** ⟨*Met*⟩ moulding. – **3.** ⟨*Mur*⟩ fixing of braces. – **staffeggiạre** *v.i.* (**staffẹggio, staffẹggi**; *aus.* **avere**) ⟨*ant*⟩ (*perdere la staffa*) to lose one's stirrup.

staffẹtta *f.* **1.** courier, dispatch rider. – **2.** ⟨*Mil.ant*⟩ dispatch-rider. – **3.** ⟨*Sport*⟩ (*anche corsa a staffetta*) relay race; (*squadra*) relay team. □ ⟨*fig,ant*⟩ *a* (o *di*) ~ (*di gran fretta*) in great haste; ⟨*Sport*⟩ ~ *alpina* (o *all'italiana*) ski relay race. – **staffettịsta** *m./f.* ⟨*Sport*⟩ relay racer.

staffiẹre *m.* ⟨*Stor*⟩ **1.** groom, footman, palfrenier. – **2.** (*servo*) servant.

staffilamẹnto *m.* lashing, flogging, whipping. – **staffilạre** *v.t.* **1.** to lash, to flog, to whip. – **2.** ⟨*fig*⟩ to lash out at, to criticize harshly. – **staffilạta** *f.* **1.** lash, stroke (of the whip). – **2.** ⟨*fig*⟩ (*critica aspra*) lashing (*o* biting) criticism. □ *dare le -e a qd.* to lash s.o.; *ricevere le -e* to be whipped (*o* flogged). – **staffilatọre** *m.* (*f.* **-trice**) **1.** lasher, flogger, whipper. – **2.** ⟨*fig*⟩ harsh critic, scourger. – **staffịle** *m.* **1.** stirrup-strap, stirrup-leather. – **2.** (*sferza*) strap, whip, lash.

staffọne (*accr. di staffa*) *m.* ⟨*Mar*⟩ bracket, clamp.

stafilịnidi *m.pl.* ⟨*Entom*⟩ rove beetles *pl* (*Staphylinidae*).

stafilịno *a.* ⟨*Anat*⟩ staphyline.

stafilocọccico *a.* (*pl.* **-ci**) ⟨*Biol*⟩ staphylococcic, staphylococcal. – **stafilocọcco** *m.* (*pl.* **-chi**) staphylococcus.

stafilọma *m.* ⟨*Med*⟩ staphyloma.

stafịsagr(i)a *f.* ⟨*Bot*⟩ stavesacre (*Delphinium staphisagria*). – **stafusạria** *f.* ⟨*pop*⟩ → **stafisagr(i)a.**

stạggia *f.* (*pl.* **-ge**) ⟨*ant*⟩ → **staggio**[1].

staggiạre *v.t.* (**stạggio, stạggi**) **1.** ⟨*Agr*⟩ to prop up. – **2.** ⟨*ant*⟩ (*stazzare*) to measure (the tonnage of); (*misurare la capacità*) to gauge, to measure the capacity of. – **staggiatụra** *f.* **1.** ⟨*Agr*⟩ propping up. – **2.** ⟨*ant*⟩ (*stazzatura*) measurement (for tonnage).

staggimẹnto *m.*, **staggịna** *f.* ⟨*ant*⟩ (*sequestro*) confiscation.

stạggio[1] *m.* **1.** shaft, prop, support, stay (rod). – **2.** (*nelle seggiole*) back upright. – **3.** (*nelle gabbie*) bar. – **4.** ⟨*Ginn*⟩ bar. – **5.** ⟨*Venat, Pesc*⟩ pole. – **6.** ⟨*ant*⟩ (*stazza*) dipstick.

stạggio[2] *m.* ⟨*ant*⟩ (*straglio*) stay, brace.

stạggio[3] *m.* ⟨*ant*⟩ (*ostaggio*) hostage.

staggịre *v.t.* (**staggịsco, staggịsci**) ⟨*ant*⟩ (*sequestrare*) to confiscate. □ ⟨*fig*⟩ ~ *qd. in carcere* (*trattenere*) to detain s.o. in prison.

stagionạccia (*pegg. di stagione*) *f.* (*pl.* **-ce**) **1.** bad weather. – **2.** (*rif. ad affari e sim.*) bad season. – **stagionạle I** *a.* seasonal: *malattia* ~ seasonal illness; *lavoro* ~ seasonal work. – **II** *s.m./f.* seasonal worker. – **stagionalità** *f.* ⟨*non com*⟩ seasonal nature, seasonality.

stagionamẹnto *m.* → **stagionatura.**

stagionạre *v.t.* (**stagiọno**) **1.** to season. – **2.** (*rif. a legname*) to season, to desiccate. – **3.** (*lasciar maturare*) to mature, to ripen. – **4.** ⟨*Tess*⟩ to season. – **5.** ⟨*Met,tecn*⟩ to season, to age. – **stagionạto** (*p.p. di stagionare*) *a.* **1.** seasoned: *legname* ~ seasoned wood. – **2.** (*maturato*) mature(d), ripe. – **3.** (*rif. al pane*: *raffermo*) stale. – **4.** ⟨*scherz*⟩ (*rif. a persone*: *attempato*) elderly, ⟨*pred*⟩ getting on. – **5.** ⟨*tecn*⟩ seasoned, aged. – **stagionatọre** *m.* (*f.* **-trice**) seasoner. – **stagionatụra** *f.* **1.** seasoning. – **2.** (*rif. a legname*) seasoning, desiccation. – **3.** (*maturazione*) maturing, ripening. – **4.** ⟨*Tess*⟩ seasoning. – **5.** ⟨*Met,tecn*⟩ seasoning, aging: ~ *artificiale* artificial seasoning.

stagiọne *f.* **1.** season: *le quattro -i dell'anno* the four seasons of the year. – **2.** ⟨*estens*⟩ (*condizioni meteorologiche*) weather: *la* ~ *è fredda* the weather is cold. – **3.** (*periodo*) season: ~ *delle piogge* rainy season; (*rif. all'agricoltura*) time, season: *la* ~ *della vendemmia* harvest-time. – **4.** ⟨*Teat*⟩ season; (*ciclo di rappresentazioni*) season. – **5.** ⟨*lett*⟩ (*tempo*) time, period; (*età*) age; (*età della vita*) age. – **6.** ⟨*lett*⟩ (*circostanza*) occasion, season; (*momento*) moment. – **7.** ⟨*lett*⟩ (*durata del tempo*) time.

□ **alta** ~ high season; ⟨*Zool*⟩ ~ *degli* **amori** mating season; ~ **astronomica** astronomical season; ~ **autunnale** autumn (season); *a* ~ **avanzata** late in the season; ~ *dei* **bagni** bathing-season; **bassa** ~ low (*o* off) season; **bella** (o *buona*) ~ good weather; **brutta** ~ bad weather; ~ *della* **caccia** hunting season; **cambiamento** *di* ~ change of season; ~ *di* **carnevale** carnival-time; ~ **climatica** season; **di** ~ in season: *frutta di* ~ fruit in season; ~ **estiva** summer(-time): *nella* ~ *estiva* in the summer-time, in (*o* during the) summer; **fine** ~ end of the season; *saldi di fine* ~ end-of-season sales; ~ *dei* **fiori** = *stagione* **primaverile**; **fuori** ~: 1. out of season; 2. (*primaticcio*) early: *frutto fuori* ~ early fruit; 3. (*tardivo*) late; 4. ⟨*fig*⟩ untimely; *a* ~ **inoltrata** = *a stagione* **avanzata**; ~ **invernale** winter(time); ~ **lirica** opera season; **mezza** ~ in-between season, between seasons; *vestito di mezza* ~: 1. between-seasons (*o* spring-and-fall) dress; 2. (*primaverile*) spring dress; 3. (*autunnale*) autumn dress; ~ **morta** dead (*o* off, slack) season, slack period; ~ **primaverile** (o *novella*) spring(time); ⟨*Teat*⟩ ~ *di* **prosa** theatrical season; ~ *di* **quaresima** (season of) Lent, Lententide.

stagirịta I *a.* Stagiritic, of Stagira. – **II** *s.m./f.* Stagirite, Stagyrite. – **Stagirita** *N.pr.m.* ⟨*Stor*⟩ (*Aristotele*) Stagirite, Aristotle.

stagliạre *v.* (**stạglio, stạgli**) **I** *v.t.* **1.** (*tagliare irregolarmente*) to hack, to cut unevenly; (*intaccare*) to notch. – **2.** ⟨*non com*⟩ (*regolare un conto*) to tally. – **3.** ⟨*ant*⟩ (*tagliare recisamente*) to chop. – **4.** ⟨*ant*⟩ (*computare all'ingrosso*) to calculate roughly. – **5.** ⟨*ant*⟩ (*stralciare*) to eliminate. – **II** *v.i.* (*aus.* **essere**) ⟨*rar*⟩, **stagliarsi** *v.r.* (*profilarsi*) to stand out, to be silhouetted.

stagliạto (*p.p. di stagliare*) *a.* **1.** hacked. – **2.** (*a picco*) sheer, steep. □ ⟨*ant*⟩ *andare alla -a* (*prendere la via più breve*) to take a short cut. – **stagliatụra** *f.* ⟨*non com*⟩ hacking, notching.

stạglio *m.* **1.** ⟨*region*⟩ (*affitto*) rent. – **2.** ⟨*ant*⟩ (*stralcio*) elimination; (*computo sommario*) rough calculation; (*somma fissata*) amount agreed upon. □ ⟨*region*⟩ *a* ~ (*a cottimo*) by the job, by piece-work.

stagnạio *m.* **1.** tinsmith, ⟨*am*⟩ tinman. – **2.** ⟨*region*⟩ (*idraulico*) plumber.

stagnamẹnto *m.* (*ristagno*) stagnation. – **stagnạnte** (*p.pr. di stagnare*[2]) *a.* **1.** stagnant. – **2.** ⟨*fig*⟩ (*inerte*) stagnant, sluggish: *situazione* ~ stagnant situation.

stagnạre[1] *v.t.* **1.** (*ricoprire di stagno*) to tin(-plate). – **2.** (*saldare con lo stagno*) to solder. – **3.** (*chiudere ermeticamente*) to make watertight.

stagnạre[2] **I** *v.i.* (*aus.* **avere**) **1.** to stagnate, to be stagnant: *le acque stagnavano nelle campagne sommerse* water stagnated in the flooded fields; (*fermarsi*) to stop (flowing), to cease to flow: *il sangue non accenna a* ~ there is no sign of the bleeding stopping. – **2.** (*rif. all'aria*: *essere ferma*) to be stagnant. – **3.** ⟨*fig*⟩ to be stagnant (*o* sluggish, slack, at a standstill). – **4.** ⟨*poet*⟩ (*rif. a sentimenti*) to diminish, to fade. – **II** *v.t.* to stop (the flow of), to stanch: ~ *un'emorragia* to stop a haemorrhage. – **stagnarsi** *v.r.* to cease, to stop.

stagnạro *m.* ⟨*region*⟩ → **stagnaio.**

stagnạta[1] *f.* **1.** (*rivestimento di stagno*) tinning, tin-plating. – **2.** (*saldatura*) soldering.

stagnạta[2] *f.* ⟨*ant,region*⟩ (*recipiente*) tin(-pan).

stagnạto (*p.p. di stagnare*[1]) *a.* **1.** (*ricoperto di stagno*) tinned, tin-plated. – **2.** (*saldato con lo stagno*) soldered. – **3.** (*chiuso ermeticamente*) watertight. – **stagnatọre** *m.* (*operaio*) tin-plater. – **stagnatrịce** *f.* ⟨*tecn*⟩ tin-plating machine. – **stagnatụra** *f.* ⟨*tecn*⟩ **1.** tinning, tin-plating. – **2.** (*saldatura con lo stagno*) soldering. □ ~ *elettrolitica* (electrolytic) tin-plating.

stagnaziọne *f.* **1.** (*riduzione di attività*) stagnation. – **2.** (*cessazione*) cessation, (coming to a) standstill.

stagnịcola *f.* ⟨*Ornit*⟩ (*gallinella d'acqua*) water-hen, moor hen (*Gallinula chloropus*).

stagnicoltụra *f.* ⟨*Zootecn*⟩ fish farming (in ponds).

stagnịna *f.* **1.** (*recipiente*) tin(-pan). – **2.** (*bricco per l'olio*) tin pot (for oil).

stagnịno *m.* ⟨*region*⟩ → **stagnaio.**

stạgno[1] *m.* ⟨*Chim*⟩ tin. □ ~ *bianco* white tin; ~ *per brasare* solder; *di* ~ tin-; ~ *grigio* grey tin.

stạgno[2] *m.* ⟨*Geog*⟩ pond, pool: ~ *artificiale* artificial pond.

stạgno[3] *a.* **1.** (*a tenuta d'acqua*) watertight; (*a tenuta d'aria*) airtight. – **2.** ⟨*region*⟩ (*robusto, solido*) strong, solid. □ ~ *al gas* gas-proof; ~ *alla polvere* dust-proof, sealed against dust; *rendere* ~ to make watertight; *a tenuta -a* watertight.

stagnọla *f.* **1.** (*carta stagnola*) tinfoil. – **2.** (*lattina*) can; (*barattolo*) tin, ⟨*am*⟩ can; (*bidone*) drum, tin, ⟨*am*⟩ can.

staia *f.pl. di* **staio.**

staiạta *f.* ⟨*non com*⟩ bushel(ful).

stạio *m.* (*pl.* **stại**, *le* **stạia**/*ant. le* **stạiora**) ⟨*Stor*⟩ **1.** (*unità di misura*) bushel. – **2.** (*recipiente*) bushel. – **3.** (*superficie di terreno*) area of land required to sow a bushel of grain. □ ⟨*non com*⟩ *a staia* (*in grandissima quantità*) in plenty, in great quantities; ⟨*scherz*⟩ *cappello a* ~ (*a cilindro*) top-hat.

stạiora *f.pl. ant. di* **staio.**

stalagmịte *f.* ⟨*Geol*⟩ stalagmite. – **stalagmịtico** *a.* (*pl.* **-ci**) **1.** stalagmitic. – **2.** (*simile a una stalagmite*) stalagmitic.

stalagmometrịa *f.* ⟨*Fis,Chim*⟩ stalagmometry. – **stalagmọmetro** *m.* stalagmometer.

stalammịte *f.* → **stalagmite.**

stalattịte *f.* **1.** ⟨*Geol*⟩ stalactite. – **2.** *pl.* ⟨*Arch*⟩ stalactite. – **stalattịtico** *a.* (*pl.* **-ci**) **1.** stalact(it)ic. – **2.** (*simile a una stalattite*) stalagtitic, stalactiform.

Stalingrạdo *N.pr.f.* ⟨*Geog*⟩ Stalingrad.

stalinịsmo *m.* ⟨*Pol*⟩ Stalinism. – **stalinịsta I** *s.m./f.* Stalinist. – **II** *a.* Stalinist. – **stalinizzạre** *v.t.* to Stalinize.

stạlla *f.* **1.** stable, shed, stall; (*per bovini*) cowshed; (*per equini*) stable. – **2.** (*bestie*) livestock, herd. – **3.** (*scuderia*) stables *pl*, stable. – **4.** ⟨*fig*⟩ (*luogo molto sporco*) pigsty, midden. – **5.** ⟨*ant,rar*⟩ (*ricovero delle bestie*) stabling, housing. □ *-e d'Augia*: 1. ⟨*Mitol*⟩ Augean stables; 2. ⟨*fig*⟩ (*grande sporcizia*) filth, Augean stable(s); 3. ⟨*fig*⟩ (*corruzione morale*) Augean stable(s), corruption, depravity; ⟨*fig*⟩ *chiudere la* ~ *quando i buoi sono scappati* to lock (*o* shut) the stable door after the horse has gone; *di* ~ stable-: *mozzo di* ~ stableboy.

stallạggio[1] *m.* **1.** stabling. – **2.** (*luogo*) stables *pl.* – **3.** (*spesa*) stabling charge. – **4.** ⟨*ant*⟩ (*ostellaggio*) storage; (*diritto*) storage charge.

stallạggio[2] *m.* ⟨*pop*⟩ → **stalloggi.**

stallạre[1] *v.i.* (*aus.* **avere**) ⟨*ant*⟩ **1.** (*stare in una stalla*) to be stabled. – **2.** (*rif. al bestiame*: *defecare*) to defecate.

stallạre[2] **I** *v.i.* (*aus.* **avere**) ⟨*Mar*⟩ to hold. – **II** *v.t.* to head up (onto).

stallạre[3] *v.i.* (*aus.* **essere**) ⟨*Aer*⟩ to stall.

stallạtico *a./s.* (*pl.* **-ci**) **I** *a.* stable-. – **II** *s.m.* **1.** (*concime stallatico*) (stable) manure, dung. – **2.** (*stallaggio*) stables *pl.* – **3.** (*prezzo*) stabling charge.

stallạzzo *m.* ⟨*lomb*⟩ → **stallaggio**[1].

stallẹggio *m.* ⟨*pop*⟩ → **stalloggi.**

stallerẹccio *a.* ⟨*non com*⟩ stable-. – **stallẹtta** (*dim. di stalla*) *f.* shed. – **stallẹtto** (*dim. di stalla*) *m.* **1.** ⟨*rar*⟩ → **stalletta.** – **2.** (*stabbiolo del maiale*) pigsty.

stallịa *f.* ⟨*Mar*⟩ **1.** lay-days *pl.* – **2.** (*anche compenso di stallia*) demurrage. □ *giorni di* ~ lay-days; ~ *irregolare* demurrage.

stallịẹre *m.* groom, stableboy, stablelad, stableman. – **stallịno** *a.* **1.** (*di stalla*) stall-, stable-. – **2.** (*rif. all'animale*) stalled, stable-reared. – **stạllio, stallịvo** *a.* ⟨*ant*⟩ → **stallino.**

stạllo *m.* **1.** seat; (*nei cori*) (choir-)stall. – **2.** *pl.* ⟨*collett*⟩ stalls *pl.* – **3.** (*negli scacchi*) stalemate. – **4.** (*rif. a scuderia o rimessa*) stall, place. – **5.** ⟨*Aer*⟩ stall. – **6.** ⟨*Met*⟩ furnace. – **7.** ⟨*ant*⟩ (*sosta, dimora*) stay(ing), being. ☐ ⟨*Aer*⟩ *andare in* ~ to stall; ⟨*ant*⟩ *cessare* ~ (*andarsene*) to leave, to go away.

stallọggi *m.* ⟨*Bot*⟩ birthwort (*Aristolochia clematitis*).

stallọne *m.* stallion; (*stallone da monta*) stallion, stud(-horse).

stallụccio (*dim. di stalla*) *m.* → **stalletto.**

stamaiọlo *m.* ⟨*ant*⟩ **1.** (*lavoratore di stame*) wool carder. – **2.** (*venditore*) seller of carded wool.

stamạne *avv.* ⟨*lett*⟩ → **stamani.** – **stamạni, stamattịna** *avv.* this morning.

stambecchịno *m.* ⟨*Mil.ant*⟩ **1.** (*arma*) kind of weapon. – **2.** (*soldato*) foot soldier; (*arciere*) archer.

stambẹcco[1] *m.* (*pl.* **-chi**) **1.** ⟨*Zool*⟩ steinbock, ibex, wild (*o* rock) goat (*Aegoceros*). – **2.** ⟨*Mil.ant*⟩ (*stambecchino*) kind of weapon. ☐ ⟨*Zool*⟩ ~ *delle Alpi* (Alpine) ibex, steinbock (*Aegoceros ibex*; *Capra ibex*); *arrampicarsi come uno* ~ to climb like a cat; *saltare come uno* ~ to leap like a goat.

stambẹcco[2] *m.* (*pl.* **-chi**) ⟨*Mar.ant*⟩ (*sciabecco*) xebec.

stambẹrga *f.* **1.** (*casa*) hovel, shack, rat-hole. – **2.** (*stanza*) wretched room, ⟨*fam*⟩ hole. – **stambergụccia** *f.* (*pl.* **-ce**) ⟨*spreg*⟩ *dim. di* **stamberga.**

stambụgio *m.* cubby-hole, cramped little room.

stamburamẹnto *m.* **1.** drumming, beating of drums. – **2.** ⟨*fig*⟩ (*strombazzamento*) praising; (*il vantare*) vaunting. – **stamburạre** ⟨*non com*⟩ **I** *v.i.* (*aus.* **avere**) (*sonare a lungo il tamburo*) to (beat the) drum. – **II** *v.t.* **1.** (*decantare*) to sing the praises of, to laud; (*vantare*) to vaunt, to boast of. – **2.** (*strombazzare*) to trumpet, to noise abroad. – **stamburạta** *f.* ⟨*non com*⟩ drumming, rolling of drums.

stạme *m.* ⟨*Tess*⟩ **1.** (*filo*) thread; (*dell'ordito*) yarn. – **2.** (*lana*) fine carded wool; (*filo di lana*) yarn. – **3.** ⟨*Bot*⟩ stamen. ☐ ⟨*lett*⟩ ~ *della vita* thread of life.

stamenạle *m.* → **staminale**[2].

stamẹnto *m.* ⟨*Stor,Parl*⟩ House (of the Sardinian Parliament).

stamịgna *f.* **1.** ⟨*Tess*⟩ (*per bandiere e sim.*) bunting. – **2.** ⟨*Tess*⟩ (*tessuto rado e resistente*) coarse muslin; (*di lana*) estamin, stamin. – **3.** ⟨*ant*⟩ (*veste mortuaria*) shroud.

staminạle[1] *a.* ⟨*Bot*⟩ staminal.

staminạle[2] *m.* ⟨*Mar*⟩ futtock.

staminịfero *a.* ⟨*Bot*⟩ staminiferous: *fiore* ~ staminiferous flower.

staminodịa *f.* ⟨*Bot*⟩ staminody. – **staminọdio** *m.* staminodium.

stạmno *m.* ⟨*Archeol*⟩ stamnos.

stạmpa *f.* **1.** (*arte, tecnica*) printing: *l'invenzione della* ~ the invention of printing; ~ *litografica* lithographic printing; *procedimento di* ~ printing process. – **2.** (*lo stampare*) printing: *curare la* ~ *di un libro* to supervise the printing of a book; (*impressione*) print: *una* ~ *illeggibile* illegible print. – **3.** (*stampato*) printed matter. – **4.** *pl.* ⟨*Post*⟩ printed matter, ⟨*am*⟩ prints *pl.* – **5.** ⟨*Giorn*⟩ press; (*giornalisti*) press: *tribuna riservata alla* ~ press-gallery. – **6.** ⟨*Art*⟩ (*riproduzione*) printing; ⟨*concr*⟩ print: *una* ~ *dell'800* a nineteenth-century print. – **7.** ⟨*Art*⟩ (*incisione*) engraving (*anche concr.*). – **8.** ⟨*Tess*⟩ printing. – **9.** ⟨*Fot*⟩ printing; (*copia*) print. – **10.** ⟨*tecn*⟩ moulding; (*stampaggio*) pressing. – **11.** ⟨*Venat*⟩ (*stampo*) decoy. – **12.** ⟨*fig*⟩ (*tempra, carattere*) kind, sort, type, stamp, ilk: *gente della stessa* ~ people of the same sort, ⟨*fam*⟩ birds of a feather. – **13.** ⟨*non com*⟩ (*stampo*) stamp, mould, die. – **14.** ⟨*ant*⟩ (*conio*) die. – **15.** ⟨*ant*⟩ (*impronta*) imprint, stamp.

☐ **a** ~ printed: *opere a* ~ printed works; ⟨*Art*⟩ ~ *all'***acquaforte** etching; **andare** *in* ~ to go to press; ⟨*Tip*⟩ ~ *all'***anilina** aniline printing; ~ *in* **bianco** first printing; ⟨*Fot*⟩ ~ *in bianco e nero* printing in black and white; ⟨*Fot*⟩ ~ *al* **bromuro** bromide printing; ⟨*fig*⟩ *avere una* **buona** (*o cattiva*) ~ to get a good (*o* poor) press, to get good (*o* bad) reviews; ⟨*Tip*⟩ ~ **calcografica** copperplate printing; ⟨*Giorn*⟩ ~ *a* **catena** publication of syndicated articles; **circolo** *della* ~ press club; ~ **clandestina** clandestine (*o* underground) press; ⟨*Tip*⟩ ~ *a* **colori** colour printing; ⟨*Tip*⟩ ~ *a due colori* duotone (*o* two-colour) printing; ⟨*Tip*⟩ ~ *a più colori* multicolour printing; ⟨*Post*⟩ *-e* **commerciali** commercial printed matter *sing*; ⟨*Tip*⟩ ~ **comune** surface printing; ⟨*Fot*⟩ ~ *a* (*o per*) **contatto** contact printing; **dare** *alle -e* to send ⌜for printing⌝ (*o* to the press); ⟨*Tess*⟩ ~ **diretta** direct print(ing); **errore** *di* ~ misprint; **essere** *sotto* (*o in corso di*) ~ to be printing (*o* in the press); ⟨*Giorn*⟩ ~ **estera** foreign press; ⟨*Tip*⟩ ~ *a* **incavo** intaglio printing; ⟨*Giorn*⟩ ~ **indipendente** independent press; ~ *d'***informazione** press, newspapers *pl*; ⟨*Fot*⟩ ~ *a* **ingrandimento** enlargement, ⟨*fam*⟩ blowing up; ~ **iridata** iridescent printing; ⟨*Giorn*⟩ ~ **locale** local press; ⟨*Tip*⟩ ~ *a* **macchina** machining; ⟨*Fot*⟩ ~ *di un* **negativo** printing of (*o* from) a negative; ⟨*Tip*⟩ ~ **offset** offset printing; ⟨*Giorn*⟩ ~ *d'***opposizione** opposition press; ⟨*Giorn*⟩ ~ *di* **partito** party press; ⟨*Giorn*⟩ ~ **periodica** periodical press, periodicals *pl*; ⟨*fig*⟩ *se n'è* **persa** *la* ~ they don't make them like that any more; ⟨*Tip*⟩ ~ *in* **piano** flatbed (*o* surface, planographic) printing; ~ *su macchina piana* flat printing; ⟨*Tess*⟩ ~ *a* **pigmento** pigment print(ing); ~ **policroma** = *stampa a più* **colori**; ⟨*Fot*⟩ ~ *in* **positivo** positive printing; (*copia*) positive (print); ⟨*Tip*⟩ **pronto** *per la* ~ ready to go to press; ⟨*Tip*⟩ ~ *in* **quadricromia** four-colour printing; ⟨*Giorn*⟩ ~ **quotidiana** daily press; ⟨*Post*⟩ *-e* **raccomandate** registered printed matter *sing*; ⟨*Tip*⟩ ~ *in* **rilievo** relief printing, embossing; ⟨*Tess*⟩ ~ *a* **riserva** resist printing; ⟨*Tip*⟩ ~ **rotativa** (*o a rotocalco*) rotary printing; ⟨*Giorn*⟩ ~ *a* **sensazione** yellow press; ~ *di* **sinistra** left-wing press; ⟨*Giorn*⟩ ~ **specializzata** trade press (*o* publications *pl*), specialist (*o* technical) periodicals *pl*; **spese** *di* ~ printing expenses (*o* costs); ~ *dei* **tessuti** textile printing; ~ **tipografica** typographical printing, letterpress (*o* relief) printing; ⟨*Tip*⟩ ~ *in* **tricromia** three-colour printing; ~ *su* **vetro** printing on glass; ⟨*Tip*⟩ ~ *della* **volta** backing-up, ⟨*am*⟩ backup.

stampạbile *a.* ⟨*non com*⟩ **1.** printable. – **2.** (*pronto per la stampa*) ready for printing (*o* the press). – **3.** (*che merita di essere stampato*) printable, fit to print.

stampạggio *m.* **1.** ⟨*Met*⟩ (*con pressa*) pressing, press-work; (*fucinatura*) forging; (*con punzone*) punching; (*di materie plastiche*) moulding. – **2.** ⟨*Fot*⟩ printing. – **3.** ⟨*non com*⟩ (*stampa*) printing. ☐ ⟨*Met*⟩ ~ *a* **caldo**: 1. (*con la pressa*) hot pressing, press-forging; 2. (*col maglio*) drop-forging; 3. (*a mano*) swaging; ~ *a* **compressione** compression moulding; ~ *a* **freddo** cold pressing (*o* moulding, forging); ~ *a* **iniezione** injection moulding; ~ *al* **maglio** drop-forging; ~ **profondo** deep drawing.

stampanạre *v.t.* ⟨*ant*⟩ (*stracciare*) to tear, to rend.

stampạre *v.t.* **1.** ⟨*Tip*⟩ to print, ⟨*am*⟩ to strike off: ~ *volantini pubblicitari* to print advertising flyers. – **2.** ⟨*estens*⟩ (*pubblicare*) to print, to publish, to put out: *hanno stampato una nuova edizione del celebre romanzo* they published a new edition of the well-known novel; (*scrivere e pubblicare*) to publish, to have published: *ha stampato due volumi di poesia* he published two volumes of poetry. – **3.** (*riprodurre*) to print, to reproduce: ~ *un'incisione* to print an engraving. – **4.** (*lasciare un'impronta*) to print, to leave the mark of: ~ *le proprie orme sulla sabbia* to leave the mark of one's trail in the sand. – **5.** (*coniare*) to coin, to strike: ~ *monete* to strike coins. – **6.** ⟨*tecn*⟩ to print, to stamp. – **7.** ⟨*Met*⟩ (*con la pressa*) to press; (*fucinare*) to forge; (*col punzone*) to punch; (*rif. a materie plastiche*) to mould. – **8.** ⟨*Fot*⟩ to print. – **stamparsi** *v.r.* ⟨*fig*⟩ (*restare impresso*) to impress, to be impressed (*o* imprinted): *le parole del vecchio maestro gli si stamparono nella memoria* the words of his old teacher were imprinted in his memory.

☐ ~ *un* **bacio** to plant a kiss: *gli stampò un bacio in fronte* she planted a kiss on his forehead; ⟨*fig*⟩ ~ **bugie** to tell strings of lies; ⟨*Met*⟩ ~ *a* **caldo**: 1. (*con la pressa*) to hot press, to press-forge; 2. (*col maglio*) to drop-forge; 3. (*a mano*) to swage; ⟨*fig*⟩ ~ **figlioli** to produce a lot of children, ⟨*fam*⟩ to breed like a rabbit; ⟨*Met*⟩ ~ *a* **freddo** to cold press; ~ *a* **iniezione** to injection mould; ~ *alla* **macchia** to print clandestinely; ⟨*Met*⟩ ~ *con il* **maglio** to drop-forge; ~ *qc. in* **mente** *a qd.* to impress s.th. on s.o.; ⟨*Tess*⟩ ~ *a* **riserva** to resist; ⟨*fig*⟩ *i* **soldi** *mica li posso* ~ *io !* I'm not made of money; ⟨*Tip*⟩ ~ *la* **volta** to back (up). || (*visto*) *si stampi* imprimatur, passed for printing; *dare il si stampi* to give one's imprimatur, to approve for printing.

stampatẹllo (*dim. di stampato*) *m.* block (*o* capital) letters *pl*: *scrivere in* ~ to write in block letters, to print.

stampạto (*p.p. di stampare*) **I** *a.* **1.** printed. – **2.** ⟨*estens*⟩ (*pubblicato*) printed, published. – **3.** ⟨*fig*⟩ (*impresso*) imprinted, impressed. – **4.** (*coniato*) coined, struck. – **5.** ⟨*tecn*⟩ printed, stamped. – **6.** ⟨*Met*⟩ (*con la pressa*) pressed; (*fucinato*) forged; (*col punzone*) punched; (*rif. a materie plastiche*) moulded. – **7.** ⟨*Ind*⟩ stamped, pressed: *articoli -i* stamped articles. – **II** *s.m.* **1.** ⟨*Post*⟩ printed matter: *spedire uno* ~ to send printed matter; *pl.* printed matter *sing*, ⟨*am*⟩ prints *pl.* – **2.** (*scrittura a stampa*) (printed) publication, printed work, print. – **3.** ⟨*burocr*⟩ (*modulo*) form. – **4.** ⟨*Bibliot*⟩ (*pubblicazione a stampa*) printed book. – **5.** ⟨*Tess*⟩ printed material, print. – **6.** ⟨*Met*⟩ (*con la pressa*: *a freddo*) stamping, press-work; (*a caldo*) press-forging; (*elemento stampato col maglio*) drop-forging.

stampatọre *m.* (*f.* **-trice**/*pop.* **-a**) **1.** ⟨*Tip*⟩ printer, pressman. – **2.** ⟨*tecn*⟩ hammerman; (*addetto alla pressa*) pressman. – **3.** ⟨*ant*⟩ (*tipografo*) typographer. – **stampatrịce** *f.* **1.** ⟨*Cin*⟩ printer, printing-machine. – **2.** ⟨*Tip*⟩ printing-press, printing-machine. ☐ ⟨*Cin*⟩ ~ *a contatto* contact printer; ~ *ottica* optical printer. – **stampatụra** *f.* ⟨*non com*⟩ → **stampaggio.**

stampẹlla *f.* **1.** (*gruccia*) crutch: *camminare con le -e* to walk with crutches. – **2.** (*per appendere i vestiti*) hanger. ☐ ⟨*fig*⟩ *reggersi sulle -e* to be very shaky, ⟨*fam*⟩ to be ⌜in a bad way⌝ (*o* on one's last legs).

stamperịa *f.* printing works *pl* (*costr.sing. o pl.*), printing-office, printing shop.

stampiạno **I** *a.* ⟨*Geol*⟩ Rupelian. – **II** *s.m.* Rupelian epoch, Middle Oligocene.

stampịglia *f.* **1.** (*timbro*) stamp. – **2.** ⟨*non com*⟩ (*volantino*) leaflet, pamphlet, flyer, fly-sheet. – **3.** ⟨*non com*⟩ (*modulo*) form. – **4.** ⟨*non com*⟩ (*nei botteghini del lotto*) notice with winning lottery numbers. – **stampigliạre** *v.t.* (**stampịglio, stampịgli**) to stamp. – **stampigliatrịce** *f.* stamp(er). – **stampigliatụra** *f.* **1.** (*atto*) stamping: ~ *dei biglietti di banca* stamping of bank-notes. – **2.** (*effetto*) stamp.

stampinạre *v.t.* **1.** (*riprodurre un disegno traforato*) to stencil. – **2.** (*stampigliare*) to stamp. – **3.** (*bucare*) to punch. – **stampinatụra** *f.* stencil(l)ing. – **stampịno** (*dim. di stampo*) *m.* **1.** (*disegno traforato su cartone e sim.*) stencil. – **2.** (*forma*) little mould. – **3.** (*stampiglia*) rubber stamp. – **4.** (*arnese per bucare il cuoio*) punch. – **5.** ⟨*ant*⟩ (*bozza di stampa*) proof, pull.

stampita *f.* ⟨*tosc,rar*⟩ **1.** (*discorso lungo e noioso*) rigmarole. – **2.** *pl.* (*smorfie*) grimaces *pl*, (wry) faces *pl*; (*rimbrotti*) rebukes *pl*, ⟨*fam*⟩ telling off.

stampo *m.* **1.** mould: ~ *per budino* pudding mould. – **2.** ⟨*fig*⟩ (*tempra, qualità*) kind, sort, stamp, type, ilk: *gente dello stesso* ~ people of the same kind. – **3.** ⟨*Met*⟩ (*matrice*) die, mould, matrix; (*per la fusione*) die. – **4.** *pl.* ⟨*Venat*⟩ decoys *pl.* – **5.** (*foro del ferro di cavallo*) hole (in a horseshoe).

□ ⟨*fig*⟩ *d'***antico** ~ of the old school (*o* stamp); ⟨*Met*⟩ ~ **aperto** open die; ~ *per* **coniare** (minting) die; ⟨*fig*⟩ **fatto** *con lo* ~ mass-produced; ⟨*Met*⟩ ~ **finitore** finisher, finishing die; ~ *per* **ghiaccio** ice mould (*o* can); ~ *per* **imbutitura** drawing die; ⟨*Met*⟩ ~ **inferiore** lower die; (*a caldo*) bottom swage; ~ **monetario** (minting) die; ⟨*fig*⟩ *se ne è* **perso** *lo* ~ they don't make them like that any more; ⟨*Met*⟩ ~ *per* **piega** forming die; ~ *per materie* **plastiche** mould; ~ *per* **punzonare** piercing die; ~ **superiore** top swage; *di* **vecchio** ~ = *d'antico stampo*.

stampone *m.* ⟨*Tip*⟩ proof, pull.

stanare *v.t.* **1.** to drive out, to rouse, to start, to put up: *i cani stanarono la volpe* the dogs drove out the fox. – **2.** ⟨*fig*⟩ (*far uscire*) to get (*o* draw, dig) out: *sono riuscito a stanarti da casa* I succeeded in getting you out of the house. – **3.** (*scoprire*) to discover, to find (*o* rout) out: ~ *un mistero* to discover a mystery.

stanca *f.* ⟨*Geog*⟩ **1.** (*rif. al mare*) slack water (at high tide). – **2.** ⟨*pop*⟩ (*rif. a vulcani*) quiescent period; (*rif. a fiumi*) period between high and low water. □ *essere in* ~ (*rif. alla marea*) to be slack (at high tide).

stancabile *a.* easily tired.

stancabue *m.inv.* ⟨*Bot*⟩ (*ononide*) (spiny) restharrow (*Ononis spinosa*).

stancamente *avv.* **1.** tiredly, wearily. – **2.** (*fiaccamente*) wearily; (*debolmente*) weakly; (*svogliatamente*) listlessly. – **stancamento** *m.* ⟨*non com*⟩ tiring, wearying; (*lo stancarsi*) becoming tired (*o* weary), tiring.

stancare *v.* (**stanco, stanchi**) **I** *v.t.* **1.** to tire, to weary, to fatigue: *la corsa mi ha stancato* the rush tired me; (*spossare*) to weary, to tire (out), to exhaust, to wear out, to make listless; (*indebolire*) to weaken. – **2.** ⟨*fig*⟩ (*fiaccare*) to weaken, to wear (*o* beat) down, to break (down), to tire out: ~ *l'avversario* to tire out one's opponent. – **3.** ⟨*fig*⟩ (*annoiare, infastidire*) to tire, to bore, to weary: *le sue chiacchiere mi hanno stancato* his chattering bored me. – **II** *v.i.* (*aus.* **essere**) ⟨*ant*⟩ (*mancare di forze*) to (grow) weary, to weaken. – **stancarsi** *v.r.* **1.** (*affaticarsi*) to get tired (*o* worn-out), to tire, to (grow) weary: *cerca di non stancarti* try not to tire yourself (out). – **2.** (*annoiarsi, infastidirsi*) to get (*o* be) tired, to grow weary (*di* of), ⟨*fam*⟩ to get (*o* be) fed up (with), ⟨*fam*⟩ to get (*o* be) sick (of): *mi sono stancato di quella musica* I'm sick of that music.

stancheggiamento *m.* ⟨*non com*⟩ tiring, wearing out. – **stancheggiare** *v.t.* (**stancheggio, stancheggi**) ⟨*non com*⟩ to wear (*o* beat) down, to weaken, to tire (o wear) out.

stanchevole *a.* ⟨*non com*⟩ tiring, wearisome. – **stanchezza** *f.* **1.** tiredness. – **2.** (*fiacchezza*) fatigue, weariness, exhaustion. – **3.** ⟨*fig*⟩ (*tedio*) tiredness, boredom: ~ *di vivere* boredom with life; (*svogliatezza*) listlessness, slackness. – **4.** ⟨*Agr*⟩ exhaustion. – **5.** ⟨*Edil*⟩ fatigue. □ *dare segni di* ~ to show signs of fatigue.

stanco *a.* (*pl.* **-chi**) **1.** tired, weary, fatigued: *essere* ~ *per il lungo viaggio* to be tired by the long journey. – **2.** ⟨*fig*⟩ (*annoiato, tediato*) tired, bored (*di* of), ⟨*fam*⟩ fed up (with): *essere* ~ *della vita* to be tired of life; (*infastidito*) tired, weary, ⟨*fam*⟩ sick (*di* of), ⟨*fam*⟩ fed up (with): *sono* ~ *delle tue lamentele* I am tired (*o* sick) of hearing you complain. – **3.** ⟨*fig*⟩ (*privo di vivacità*) tired, weary, dull, listless: *uno scrittore dalla fantasia -a* a writer with a tired imagination. – **4.** ⟨*Tip*⟩ printed from worn-out type. – **5.** ⟨*rar,ant*⟩ (*sinistro*) left. □ ⟨*poet*⟩ *il dì è* ~ (*è sul finire*) the day is ending; *mercato* ~ slack market; ~ *morto* dead tired, tired out; (*stufo*) sick and tired.

stand *ingl.* [stænd] *m.* **1.** (*padiglione*) stand, pavilion. – **2.** (*tribuna*) stand.

STANDA = *Società tutti articoli necessari dell'abbigliamento e arredamento.*

standard I *s.m.* **1.** (*modello, tipo*) standard, model. – **2.** (*grado, norma*) standard: ~ *di vita* standard of living (*o* life). – **II** *a.* standard: *formato* ~ standard size. – **standardizzare** *v.t.* to standardize (*anche fig.*). – **standardizzato** (*p.p. di standardizzare*) *a.* **1.** standard(ized); (*prodotto in serie*) mass-produced. – **2.** ⟨*fig*⟩ standardized. – **standardizzazione** *f.* standardization.

standista *m./f.* **1.** (*espositore*) exhibitor. – **2.** (*impiegato*) assistant (on a stand). – **standistico** *a.* (*pl.* **-ci**) ⟨*non com*⟩ exhibition-, stand-: *pubblicità -a* stand advertising.

standolio *m.* ⟨*Chim*⟩ stand oil.

standstill *ingl.* ['stænd-] *m.* ⟨*Dipl*⟩ standstill.

stanga *f.* **1.** bar, pole, bolt, rail, beam. – **2.** ⟨*pop*⟩ (*persona alta e magra*) tall thin person, ⟨*fam*⟩ beanpole. – **3.** (*nelle stalle*) bar. – **4.** (*nei passaggi a livello*) barrier. – **5.** (*nelle carrozze: timone*) shaft. – **6.** (*nell'aratro*) beam (of a plough). – **7.** ⟨*Ginn*⟩ bar. – **8.** ⟨*non com*⟩ (*pertica per spingere la barca*) pole. – **9.** ⟨*tosc,scherz*⟩ (*miseria*) poverty: *ridursi alla* ~ to be reduced to poverty.

stangare *v.t.* (**stango, stanghi**) **1.** to bar, to bolt: ~ *la porta* to bolt the door. – **2.** (*picchiare con la stanga*) to beat, to thrash, to hit. – **3.** ⟨*fig*⟩ (*far pagare*) to bleed. – **4.** ⟨*scol*⟩ (*bocciare*) to fail; (*dare un cattivo voto*) to give a bad mark to.

stangata *f.* **1.** (*colpo*) blow (with a bar). – **2.** ⟨*fig*⟩ (*spesa superiore al previsto*) blow, expense: *che* ~ *il conto dell'albergo!* what a blow the hotel bill was!; (*danno economico*) blow, harm, hard knock. – **3.** ⟨*fig*⟩ (*bocciatura*) failing mark, bad result: *prendere una* ~ *agli esami* to get a failing mark on the exams. – **4.** ⟨*Sport*⟩ shot. □ ⟨*fig*⟩ *dare una* ~ *a qd.* to do s.o. a bad turn; *prendersi a -e* to hit e.o. (with bars).

stangato (*p.p. di stangare*) ⟨*tosc,pop*⟩ **I** *a.* (*spiantato*) penniless, ⟨*fam*⟩ hard up. – **II** *s.m.* penniless person.

stanghetta (*dim. di stanga*) *f.* **1.** (small) bar. – **2.** (*degli occhiali*) earpiece. – **3.** (*chiavistello*) bolt. – **4.** (*nella scrittura*) bar, stroke. – **5.** (*nel morso del cavallo*) bit. – **6.** ⟨*Mus*⟩ bar(-line), double-bar. – **7.** ⟨*ant*⟩ (*tortura del dado*) method of torture.

stanghettina *f. dim. di* **stanghetta**.

stangonare *v.t.* (**stangono**) ⟨*Met,ant*⟩ to stir.

stangone (*accr. di stanga*) *m.* **1.** ⟨*pop*⟩ (*persona alta*; *f.* -a) tall thin person, ⟨*fam*⟩ beanpole. – **2.** ⟨*Teat*⟩ wing lights *pl.* – **3.** ⟨*Met*⟩ rabble, stirring-pole (for puddling).

Stanislao *N.pr.m.* Stanislaus.

stannano *m.* ⟨*Chim*⟩ (*idruro di stagno*) stannane. – **stannato** *m.* stannate. – **stannico** *a.* (*pl.* **-ci**) stannic: *ossido* ~ stannic oxide. – **stannifero** *a.* stanniferous, tin-: *giacimento* ~ tin deposit.

stannina, stannite *f.* ⟨*Min*⟩ stannite, tin pyrites *pl.*

stanno *m.* ⟨*rar*⟩ → **stagno**[1]. – **stannoso** *a.* ⟨*Chim*⟩ stannous, tin-: *cloruro* ~ stannous chloride.

stanotte *avv.* **1.** (*la notte in corso o quella che sta per venire*) tonight: ~ *c'è la luna* the moon is out tonight; *partiremo* ~ *alle undici* we'll leave tonight at eleven. – **2.** (*la notte passata*) last night: *hai sentito che temporale* ~? did you hear that storm last night?

stante[1] (*p.pr. di stare*) **I** *a.* **1.** standing (*anche Archeol.*): *figura* ~ standing figure. – **2.** ⟨*ant*⟩ (*corrente*) current, this. – **3.** ⟨*ant*⟩ (*stagnante*) stagnant. – **II** *prep.* (*a causa di*) because of, in view of, owing to, on account of: ~ *il cattivo tempo, la cerimonia è rinviata* the ceremony has been postponed because of the bad weather. □ ⟨*ant*⟩ *bene* ~ solid, firm, thriving; (*rif. a persone*) well-off; ⟨*non com*⟩ ~ *il fatto che* (*poiché*) since, as; ⟨*ant*⟩ *poco* (*o non molto*) ~ (*poco dopo*) soon after; *a sé* ~ separate, independent: *un appartamento a sé* ~ an independent flat; *seduta* ~ during the meeting (*o* sitting); ⟨*estens*⟩ (*subito*) immediately, at once, straight away.

stante[2] *m.* ⟨*ant*⟩ (*istante*) instant, moment. □ ⟨*ant*⟩ *in questo* ~ (*frattanto*) meanwhile, in the meantime; ⟨*ant*⟩ *in uno* ~ in an instant.

stante[3] *m.* ⟨*ant*⟩ **1.** (*sostegno, supporto*) prop, support. – **2.** ⟨*Mar*⟩ stanchion, support.

stanteché *congz.* ⟨*rar*⟩ (*poiché*) as, since.

stantio *a.* **1.** stale, old; (*rif. a sostanze grasse*) rancid: *burro* ~ rancid butter; (*rif. al pane e sim.*) stale, musty. – **2.** ⟨*fig*⟩ (*vecchio*) old, stale, obsolete; (*sorpassato*) old-fashioned, out-of-date, antiquated; (*non più attuale*) stale: *una notizia -a* stale news. – **3.** ⟨*fig*⟩ (*rif. a persone*) elderly, getting on, ageing. – **4.** ⟨*ant*⟩ (*capace di putrefarsi*) perishable. □ *sapere di* ~: 1. to have a stale (*o* bad) taste; 2. (*rif. al burro e sim.*) to taste rancid; 3. (*rif. al pane e sim.*) to be stale, to have a musty taste.

stantivo *a.* ⟨*ant,dial*⟩ → **stantio**.

stantuffo *m.* ⟨*Mecc*⟩ piston; (*di pressa idraulica*) plunger.

□ ⟨*Mot*⟩ ~ **cavo** hollow plunger; ~ **compensatore** dummy (*o* balance) piston; ~ *con* **deflettore** baffled piston; ~ *a* **disco** flat (*o* disk) piston; ~ **rotante** rotary piston; ~ *a* **testa** *piana* flat-top piston; ~ **tuffante** drowned piston, plunger.

stanza *f.* **1.** room: *cercare una* ~ to look for a room. – **2.** (*vano*) room: *appartamento di due -e* flat with two rooms, two-room(ed) flat. – **3.** ⟨*Mil*⟩ military post. – **4.** ⟨*Metr*⟩ stanza, verse; (*ottava*) octave, ottava rima. – **5.** ⟨*Venat*⟩ stag's lair. – **6.** *pl.* ⟨*Mil.ant*⟩ quarters *pl*; (*quartiere invernale*) winter quarters *pl.* – **7.** *pl.* ⟨*tosc*⟩ (*sede di un circolo*) club(-house), club premises *pl.* – **8.** ⟨*lett*⟩ (*dimora*) stay; (*residenza*) residence, dwelling, abode: *prendere* ~ *in un luogo* to take up residence in a place. – **9.** ⟨*ant,lett*⟩ (*soggiorno*) stay.

□ ~ **ammobiliata** furnished room; ~ *da* **bagno** bathroom; ~ *dei* **bambini** children's room; (*per bambini piccoli*) nursery; ⟨*Econ*⟩ ~ *di* **compensazione** clearing-house; ⟨*Mil*⟩ *essere* **di** ~ *a* to be stationed in; *reparto di* ~ *a Roma* unit stationed in Rome; ~ **esterna** room looking onto the street; ~ *d'***ingresso** (entrance) hall; ~ **interna** room which does not look onto the street; ~ *da* **letto** bedroom; ~ *a due letti* double bedroom, room with twin beds; ~ *di* **passaggio** hallway; ~ *da* **pranzo** dining-room; ⟨*Art*⟩ *le Stanze di* **Raffaello** the Raphael Stanze; ~ *di* **soggiorno** living-room, sitting-room; ~ *a* (*pian*) **terreno** ground-floor room, ⟨*am*⟩ first-floor room; ~ *a* (o *sotto il*) **tetto** attic (room).

stanzaccia *f. pegg. di* **stanza**. – **stanzetta, stanzettina** *f. dim. di* **stanza**.

stanzia *f.* ⟨*ant*⟩ → **stanza**.

stanziabile *a.* appropriable, allocatable.

stanziale *a.* **1.** permanent, fixed. – **2.** ⟨*Mil*⟩ standing, permanent: *esercito* ~ standing army. – **3.** ⟨*Venat*⟩ non-migratory: *selvaggina* ~ non-migratory game. – **4.** ⟨*ant*⟩ (*stabile*) stable, steady.

stanziamento *m.* **1.** appropriation, allocation, budgeting, earmarking: *è stato approvato lo* ~ *di fondi per le case popolari* the allocation of funds for council-houses has been approved. – **2.** (*fondi di bilancio*) appropriation, allocation, budget, earmarked funds *pl*: ~ *pubblicitario* advertising budget. – **3.** (*in contabilità*) entry, entering, booking. – **4.** ⟨*ant*⟩ (*decisione, deliberazione*) deliberation, decision.

stanziạre *v.* (**stạnzio, stạnzi**) **I** *v.t.* **1.** to appropriate, to allocate, to budget, to earmark, to set apart: ~ *fondi* to allocate funds. – **2.** (*in contabilità*) to enter, to book. – **3.** ⟨*ant*⟩ (*deliberare*) to decide. – **4.** ⟨*ant*⟩ (*pensare*) to think, to believe. – **II** *v.i.* (*aus.* **avere**) ⟨*ant*⟩ **1.** (*deliberare*) to deliberate, to decide, to resolve. – **2.** (*dimorare*) to dwell, to reside. – **stanziarsi** *v.r.* **1.** (*stabilirsi*) to settle, to establish o.s. – **2.** ⟨*Mil*⟩ to be garrisoned (*o* quartered, stationed, posted).

stanziatọre *m.* (*f.* **-trice**) appropriator, allocator, budgeter.

stanzịna *f. dim. di* **stanza**. – **stanzịno** (*dim. di stanza*) *m.* **1.** (*ripostiglio*) store-room, lumber-room. – **2.** (*spogliatoio*) dressing-room. – **3.** (*gabinetto*) lavatory, toilet, ⟨*am*⟩ bathroom. □ ~ *da bagno* bathroom. – **stanzọna** *f.*, **stanzọne** *m. accr. di* **stanza**. – **stanzụccia** *f.* (*pl.* **-ce**) *dim. di* **stanza**.

stapẹdio *a.* ⟨*Anat*⟩ stapedial. □ *muscolo* ~ stapedius (muscle).

stappạre *v.t.* to uncork: ~ *una bottiglia* to uncork a bottle; (*aprire*) to open. – **stappatụra** *f.* ⟨*non com*⟩ uncorking.

stạpula *f.* ⟨*ant*⟩ (*mercato*) market; (*fiera*) fair.

star *ingl. f.* **1.** (*attrice*) star. – **2.** ⟨*Mar*⟩ star.

starạre *v.t.* ⟨*tecn*⟩ to put out of tune: ~ *un radioricevitore* to put a radio out of tune. – **stararsi** *v.r.* to get out of tune. – **starạto** (*p.p. di starare*) *a.* out of tune.

starda *f.* ⟨*Ornit*⟩ great bustard (*Otis tarda*).

stạre *v.i.* (*pr.ind.* **stǫ, stại, sta, stiạmo, stạte, stạnno**; *fut.* **starò**; *p.rem.* **stętti**/*pop.* **stiędi, stẹsti, stętte**/*pop.* **stiẹde, stẹmmo, stẹste, stęttero**; *pr.cong.* **stịa, stiạmo, stiạte, stịano**; *impf.cong.* **stẹssi**; *imperat.* **sta/sta'/stại**; *p.pr.* **stạnte**; *p.p.* **stạto**; *aus.* **essere**) **1.** (*stare ritto, in piedi*) to be, to stand: *la colonna che vedi sta qui già da un millennio* the column you see has been standing here for a thousand years; ~ *alla finestra* to be at the window. – **2.** (*essere situato*) to be, to be located (*o* situated): *il portafoglio sta nel cassetto* the wallet is in the drawer; *dove sta il mio cappello?* where is my hat?; *la fattoria sta a pochi chilometri dal paese* the farm is (located) a few kilometres out of town; (*rif. a situazioni geografiche e sim.*) to lie, to be: *le montagne stanno a nord* the mountains ⌜lie to⌝ (*o* are in) the north. – **3.** (*essere*) to be: *le cose stanno così* this is how matters stand (*o* are), this is the situation, it's like this; *stando così le cose, me ne vado* if that's the way ⌜things are⌝ (*o* matters stand), I'm leaving; *sta scritto nella Bibbia* it's written in the Bible; *non c'è proprio da* ~ *allegri* there's nothing to be happy about. – **4.** (*essere, trovarsi: con determinazioni locali*) to be: ~ *a casa* to be at home; ~ *a scuola* to be at school; (*sedere*) to be (sitting), to sit, to be seated: ~ *a tavola* to be (*o* sit) at table; (*in posizione orizzontale*) to be, to lie: ~ *a letto* to be in bed. – **5.** (*rif. a salute, condizioni economiche e sim.*) to be: *come stai? – sto bene* how are you? – I'm fine; *da qualche settimana non sta proprio bene* he hasn't been very well for the last few weeks; *sono stato male tutta la notte* I was ill all night; *è gente che sta bene* they are very well-off. – **6.** (*rif. a abiti e sim.: di misura*) to be, to fit: *come ti stanno queste scarpe? – mi stanno strette* how do these shoes fit? – the yare tight; (*di colore*) to suit: *questa tinta ti sta bene* this colour suits you. – **7.** (*abitare*) to live, to be: *i miei amici stanno in Via Nazionale* my friends live on Via Nazionale; *stiamo al secondo piano* we live (*o* are) on the second floor. – **8.** (*vivere, abitare stabilmente*) to live: *sto con i genitori* I live with my parents; (*essere ospite*) to stay, to be the (*o* a) guest: *quando è a Londra sta dagli amici* when he's in London he ⌜stays with⌝ (*o* is a guest of) friends. – **9.** (*rimanere*) to stay, to remain, to be, to keep: *starò qui ancora un po'* I'll stay here a little longer; ~ *al sole* to stay in the sun; *staremo un anno a Londra* we'll be in London for a year; ~ *seduto* to remain seated. – **10.** (*indugiare, tardare*) to be, to take (a long time), to linger (over), to be slow, to delay: ~ *tanto a fare qc.* to take a long time to do s.th., to be very slow in doing s.th.; (*esitare*) to hesitate, to think (a while): *stette alquanto prima di decidere* he ⌜hesitated a little⌝ (*o* thought some time) before he decided, he took a little while to decide. – **11.** (*consistere*) to be, to lie, to consist: *qui sta il suo debole* that's his weak point; *la difficoltà sta nello scegliere il momento adatto* the problem ⌜is to pick⌝ (*o* lies in picking) the right moment. – **12.** (*entrarci, essere contenuto*) to hold (*costr.pers.*), to be held (*o* accommodated), to take (*costr.pers.*), to contain (*costr.pers.*), to go, to get: *nel nuovo teatro possono* ~ *tremila persone* the new theatre holds (*o* takes) three thousand people, in the new theatre three thousand people may be accommodated; *in quella bottiglia non ci stanno due litri* that bottle does not hold (*o* contain) two litres. – **13.** (*dipendere*) to depend (*in* on), to be up (to): *se stesse in me* if it ⌜were up to⌝ (*o* depended on) me; *tutto sta se vorrai mantenere la promessa* it all depends on whether you keep your promise or not. – **14.** (*seguito da un gerundio: per indicare lo svolgersi dell'azione*) to be: *sta studiando* he's studying; *stavo camminando quando mi sentii chiamare* I was walking along when I heard s.o. call me. – **15.** ⟨*non com*⟩ (*durare*) to stand, to last: *questo monumento starà nei secoli* this monument will stand throughout the centuries. – **16.** (*nei giochi di carte: non volere altre carte*) to stick, to stay. – **17.** ⟨*Mat*⟩ (*avere rapporto*) to be: *10 sta a 5 come 8 sta a 4* 10 is to 5 as 8 is to 4. – **starsi, starsene** *v.r.* **1.** (*essere*) to be: *se ne stava tutto solo* he was all alone. – **2.** (*rimanere*) to stay, to remain, to keep: *domenica me ne starò a casa tutto il giorno* I'm going to stay at home all day on Sunday. – **3.** ⟨*ant*⟩ (*fermarsi*) to stop, to stay. – **4.** ⟨*ant*⟩ (*desistere*) to refrain. – **starci**: 1. (*accettare di partecipare*) to agree, to accept, to join, ⟨*fam*⟩ to count in: *per diecimila lire ci sto* I agree to ten thousand lire; *se organizzate una gita ci sto* if you plan a trip ⌜count me in⌝ (*o* I'll join); 2. (*essere d'accordo*) to be willing, to agree: *lei ci sta* she's willing; 3. (*non reagire*) to put up with (it), to take (it), to do nothing, to let: *il marito la tradisce e lei ci sta* her husband is unfaithful but she puts up with it.

□ ~ **a** [*inf*] to be [*ger*]: *che cosa stai a fare?* what are you doing?; *stanno tutti a guardare la televisione* they're all watching television; *stammi a sentire* listen to me; ~ *a sedere* to be sitting (*o* seated); ~ *a vedere*: 1. to (wait and) see: *staremo a vedere come si metteranno le cose* we'll (wait and) see how things turn out; 2. ⟨*iron*⟩ to bet: *sta a vedere che non verrà affatto* I bet he won't show up at all; ~ *poco a* [*inf*] to be ... shortly (*o* in a while), not to take long, to be going to ... soon: *starò poco a tornare* I'll be back shortly, I won't take long; *starà poco a piovere* it's going to rain soon; ~ *sempre a* [*inf*] to be always [*ger*]: *sta sempre a piangere* she's always crying; ~ *a* [*sost*]: 1. (*attenersi*) to follow, to obey, to stick to: ~ *ai regolamenti* to obey the rules; 2. (*rimettersi*) to rely on: ~ *alla decisione dei medici* to rely on the doctors' decision; 3. (*spettare, toccare*) to be up (*a* to), to be (for): *non sta a te giudicarlo* it's not for you to judge him; *sta a lui decidere* it's up to him to decide; *non sta a noi pensarci* it's not up to us to see to it, ⟨*fam*⟩ it's not our pigeon; 4. (*costare*) to cost, to be: *a quanto stanno le fragole ora?* how much do strawberries cost now?, how much are strawberries now?; *la carne sta a duemila lire il chilo* meat costs two thousand lire a kilo; ~ **con**: 1. (*abitare stabilmente con*) to live with (*o* at): *sto con i miei* I live ⌜at home⌝ (*o* with my parents); (*abitare temporaneamente con*) to stay with (*o* at): *andrò a* ~ *con mia sorella per l'estate* I'm going to stay ⌜with my sister⌝ (*o* at my sister's) for the summer; 3. (*convivere*) to live with, to cohabit: *sta con quell'uomo già da diversi anni* she's been living with that man for several years; 4. (*parteggiare*) to side (*o* be) with, to be on the side of: *e tu con chi stai?* who(m) do you side with?, whose side are you on?; ~ **contro** *qd.* (*avversarlo*) to be against s.o.; ⟨*Dir*⟩ *star del* **credere** guarantee; ~ *a* **cuore** to be of great concern, to matter, to have at heart (*costr.pers.*), to care very much about (*costr.pers.*); ~ **dietro** *a qd.*: 1. (*trovarsi dietro*) to be behind s.o.; 2. (*seguirlo*) to follow s.o.; 3. (*sorvegliarlo*) to keep an eye on s.o., to watch over s.o.; 4. (*badargli*) to take care of s.o., to look after s.o.; 5. (*non dargli pace*) to ⌜stand over⌝ (*o* keep on at) s.o., to dog (*o* pester) s.o.; 6. ⟨*pop*⟩ (*fargli la corte*) to run after s.o.; ~ **disteso** to be ⌜lying down⌝ (*o* stretched out); *il* **fatto** *sta che* the fact is (*o* remains), the fact of the matter is: *dite pure quel che volete, ma il fatto sta che le cose vanno male* say whatever you like, but the fact (of the matter) is that things are going badly; ~ *in* **forse**: 1. (*stare in dubbio*) to be doubtful (*o* in doubt), to be uncertain (*o* hesitant), to wonder; 2. (*stare in pericolo*) to be in danger (*o* jeopardy); ⟨*fig*⟩ ~ **fresco** to be mistaken (*o* kidding o.s.): *stai fresco se speri nel mio aiuto* you're kidding yourself if you think I'm going to help you; ~ **fuori**: 1. (*all'aperto*) to be outside (*o* out-of-doors); 2. (*fuori casa*) to be out (*o* away from home): *sta fuori tutto il giorno per ragioni di lavoro* he's out all day because of his work; ~ *sulle* **generali** to stick (*o* keep) to generalities; ~ *in* **guardia** to be on one's guard; ~ **incerto** to be doubtful (*o* in doubt); *non* ~ **insieme** (*andare a pezzi*) to be falling apart (*o* to bits): *questa poltrona non sta più insieme* this armchair is falling apart; **lasciar** ~: 1. (*non toccare*) to leave alone, not to touch, to keep one's hands off: *lascia* ~ *i miei libri* leave my books alone; 2. ⟨*fig*⟩ (*non occuparsi*) to leave (it), not to bother (*o* worry, mind): *lascia* ~, *faccio io* ⌜leave it⌝ (*o* don't bother), I'll do it, leave it to me; 3. ⟨*fig,assol*⟩ (*desistere*) to leave off, to stop, to give up, to drop, to forget: *si seccò di quella faccenda e la lasciò* ~ he got tired of the matter and dropped it; 4. ⟨*fig*⟩ (*non infastidire*) to leave alone (*o* be), to leave in peace, not to bother (*o* interfere with): *lascia* ~ *il gatto* leave the cat alone; 5. ⟨*fig*⟩ (*tener fuori da una faccenda*) to leave (*o* keep) out: *lasciami* ~, *io non c'entro niente in questa storia* leave me out of this, I don't have anything to do with it; *di musica non se ne intende, ma come pittore bisogna lasciarlo* ~ he doesn't know anything about music, but when it comes to painting you can't touch him; *lasciamo* ~ *che* (*a parte il fatto che*) apart from the fact that: *lasciamo* ~ *che la colpa è di tutti noi* apart from the fact that we are all at fault; ⟨*fig*⟩ ~ (*o starsene*) *con le* **mani** *in mano* to loaf about, not to ⌜do anything⌝ (*o* lift a finger); *starsene da* **parte** to stand aside, to be on one side; ~ **per** [*inf*] to be just about (*o* going) to, to be on the point of: *il treno sta per partire* the train is (just) about to leave; *stavo proprio per telefonarti* I was just going to call you, I was on the point of calling you; *stavano per uscire quando cominciò a piovere* they were ⌜about to go out⌝ (*o* just going out) when it started to rain; ~ *in* **piedi**: 1. to be standing (*o* on one's feet), to stand; 2. (*essere alzato*) to be up; 3. ⟨*fig*⟩ (*essersi rimesso*) to be ⌜on one's feet⌝ (*o* up and about) again; ~ *sulle* **proprie** (*fare il sostenuto*) to be aloof (*o* stand-offish), ⟨*fam*⟩ to keep (o.s.) to o.s.; ~ *alla* **prova** to stand the test; *come stai a* **quattrini**? how are you off for money?; ~ **sdraiato** to be lying down, to be stretched out; *non* ~ *in* **sé** *dalla gioia* to be beside o.s. with joy; *non poter* ~ **senza** *fare qc.* to be always on the go, to have to keep busy, not to be able to sit down a minute; *non può* ~ *senza fumare* he can't manage (*o* get along) without smoking; ~ **su**: 1. (*essere ritto, in piedi*) to stand up straight; (*seduto*) to sit up straight; (*rif. a cose*) to be (*o* stand) upright;

2. (*stare sveglio*) to stay up, to be up (*o* awake): *sono stato su tutta la notte a studiare* I stayed (*o* was) up all night studying; ~ *su con lo spirito* (*non abbattersi*) to keep one's spirits up; ~ *sulle* **sue** = *stare sulle* **proprie**; *non sa* ~ *a* **tavola** he has no table-manners; *sta'* **zitto**! keep quiet!, ⟨*fam*⟩ shut up!

starẹllo *m.* ⟨*Stor*⟩ (*unità di misura*) modius.

starlạca *f.* ⟨*Ornit*⟩ (*tottavilla*) wood-lark (*Lullula arborea*).

starlọgio *m.* ⟨*pop*⟩ → **stalloggi.**

stạrna *f.* ⟨*Ornit*⟩ (*pernice*) (common grey) partridge (*Perdix perdix*).

starnạre *v.t.* ⟨*venat*⟩ to draw, to eviscerate.

starnazzạre I *v.i.* (*aus.* **avere**) **1.** to flutter, to flap. – **2.** ⟨*fig,scherz*⟩ (*fare chiasso*) to make noise, ⟨*fam*⟩ to squawk. – **II** *v.t.* to flutter, to flap: ~ *le ali* to flutter one's wings. – **starnazzịo** *m.* flutter(ing), flap(ping).

starnottịno, starnọtto (*dim. di starna*) *m.* (*starna giovane*) young partridge.

starnutamẹnto *m.* ⟨*non com*⟩ **1.** sneezing. – **2.** (*serie di starnuti*) sneezing fit, sneezes *pl.* – **starnutạre** *v.* ⟨*non com*⟩ → **starnutire.**

starnutạria *f.* ⟨*Bot*⟩ sneezewort, sneezeweed (*Achillea ptarmica*).

starnutatọrio I *a.* sternutatory, sternutative, sneeze-: *sostanza -a* sternutatory agent, sternutator(y). – **II** *s.m.* sternutator(y). – **starnutazịone** *f.* ⟨*rar*⟩ sneezing, ⟨*non com*⟩ sternutation. – **starnutịre** *v.i.* (**starnutịsco, starnutịsci**; *aus.* **avere**) to sneeze. – **starnụto** *m.* sneeze, sneezing, ⟨*non com*⟩ sternutation. □ *fare uno* ~ to (give a) sneeze; ⟨*fig*⟩ *è come fare uno* ~ it's child's-play, it's as easy as pie.

stạro *m.* ⟨*ant*⟩ (*staio*) bushel.

staroccạre *v.i.* (**starọcco, starọcchi**; *aus.* **avere**) ⟨*fam*⟩ (*nel gioco dei tarocchi*) to play a higher trump, to overtrump.

stạrosta *russ. m.* **1.** starosta. – **2.** ⟨*Stor*⟩ starosta, head of a village.

stasạre (o *stạsare*) *v.t.* to unclog, to unstop, to open, to clear.

stasẹra *avv.* **1.** (*la sera in corso*) this evening. – **2.** (*la sera che sta per venire*) this evening, tonight.

stạsi *f.* **1.** ⟨*Med*⟩ (*rallentamento*) stasis, slowing; (*ristagno*) stasis, stagnation, stoppage. – **2.** ⟨*fig*⟩ (*arresto*) standstill, stagnation, stagnancy, stasis, inactivity, sluggishness. – **3.** ⟨*Econ*⟩ (*congiuntura bassa*) slump. □ ⟨*fig*⟩ *c'è una* ~ *negli affari* business is slack; ⟨*Med*⟩ ~ *fecale* coprostasia, fecal impaction; ~ *linfatica* lymphatic stasis; ⟨*fig*⟩ *essere in un periodo di* ~ to be at a standstill; ~ *sanguigna* stagnation of the blood, (blood) stasis; ~ *venosa* venous (*o* passive) congestion.

stạsimo *m.* ⟨*Lett*⟩ stasimon.

stasobasofobịa *f.* ⟨*Med*⟩ stasibasiphobia, stasobasiphobia. – **stasofobịa** *f.* stasiphobia, stasophobia.

statạle I *a.* **1.** (*dello stato*) state-, government-, of the state (*o* government), ⟨*am*⟩ statal: *controllo* ~ state control. – **2.** (*che riguarda lo stato*) state-, government-, concerning the state (*o* government), civil. – **3.** (*di proprietà dello stato*) state-, government-, public, state-owned, government-owned, ⟨*am*⟩ statal: *scuola* ~ state school. – **II** *s.m./f.* (*impiegato statale*) civil servant, government employee; *pl.* civil service, civil servants *pl.* – **III** *s.f.* (*strada statale*) trunk -road, ⟨*am*⟩ federal highway.

statalịsmo *m.* **1.** ⟨*Dir*⟩ theory of the State as the sole fount of law. – **2.** ⟨*Pol*⟩ governmentalism. – **statalịsta** *m./f.* ⟨*Pol*⟩ governmentalist. – **statalịstico** *a.* (*pl.* **-ci**) **1.** ⟨*Dir*⟩ concerning the theory of the State as the sole fount of law. – **2.** ⟨*Pol*⟩ of governmentalism.

statalizzạre *v.t.* to nationalize, to governmentalize, to put under state control. – **statalizzatọre** *m.* (*f.* **-trice**) nationalizer. – **statalizzazịone** *f.* nationalization, governmentalization.

statạre *v.i.* (*aus.* **avere**) ⟨*tosc*⟩ (*estatare*) **1.** (*rif. ad animali*) to (spend the) summer. – **2.** ⟨*Agr*⟩ to leave a space between ploughing-times.

statạrio *a.* ⟨*ant*⟩ **1.** (*che sta fermo sul posto*) fixed, stationary, static. – **2.** (*sommario*) summary.

stạte *f.* ⟨*poet,pop*⟩ (*estate*) summer.

statẹre *m.* ⟨*Numism*⟩ stater.

stạtica *f.* **1.** ⟨*Fis*⟩ statics *pl* (*costr.sing.*). – **2.** ⟨*estens*⟩ poise, equilibrium. □ ~ *economica* statics *pl* (*costr.sing.*); ~ *grafica* statics *pl.* (*costr.sing.*). – **staticamẹnte** *avv.* statically.

stạtice *f.* ⟨*Bot*⟩ statice (*Statice*).

staticịsmo *m.* ⟨*non com*⟩ (*immobilismo*) inactivity, inaction.

staticità *f.* **1.** static nature (*o* quality). – **2.** (*immobilità*) motionlessness, stillness. – **3.** ⟨*fig*⟩ static nature; (*ristagno, stasi*) stagnancy, inactivity.

stạtico[1] *a.* (*pl.* **-ci**) **1.** ⟨*Fis*⟩ static(al): *equilibrio* ~ static equilibrium. – **2.** ⟨*estens*⟩ equilibratory. – **3.** ⟨*fig*⟩ (*immobile*) static; (*ristagnante*) stagnant.

stạtico[2] *m.* (*pl.* **-chi**) ⟨*ant*⟩ (*ostaggio*) hostage.

...statico *suff.* (*che arresta* that checks) ...static: *emostatico a.* haemostatic.

statịno[1] *m.* **1.** ⟨*Univ*⟩ receipt for examination fee. – **2.** ⟨*burocr*⟩ record of service, conduct sheet.

statịno[2] *a.* ⟨*region*⟩ **1.** (*rif. a uccelli*) migrant. – **2.** ⟨*rar*⟩ (*rif. a frutta*) summer-.

statịsmo *m.* ⟨*tecn*⟩ static nature. – **statịsta** *m./f.* ⟨*Pol*⟩ **1.** (*uomo di stato*) statesman. – **2.** (*persona esperta nell'arte di governare*) politician, statesman.

statịstica *f.* **1.** (*scienza*) statistics *pl* (*costr.sing.*); (*dati*) statistics *pl*: ~ *delle nascite* birth statistics. – **2.** ⟨*estens*⟩ (*computo, calcolo*) calculation. □ ~ **applicata** applied statistics; ~ **demografica** (o *della popolazione*) population statistics; ~ **economica** economic statistics; ~ **matematica** mathematical statistics; ~ *delle* **professioni** statistical breakdown by occupation, labour statistics; ~ **sociale** sociological statistics; ~ *del* **traffico** traffic statistics.

statisticamẹnte *avv.* statistically. – **statịstico** *a./s.* (*pl.* -ci) **I** *a.* **1.** statistical: *calcoli -i* statistical calculations. – **2.** ⟨*ant*⟩ (*che concerne lo stato*) state-, government-. – **II** *s.m.* statistician.

statịvo I *a.* ⟨*non com*⟩ **1.** (*permanente*) permanent, stationary, fixed. – **2.** (*rif. a uccelli: stazionario*) non-migratory. – **II** *s.m.* **1.** ⟨*Chim*⟩ stand, column; (*treppiede*) tripod. – **2.** ⟨*Ott*⟩ (*sostegno*) (microscope) stand; (*microscopio*) microscope. – **3.** ⟨*Cin*⟩ (*treppiede*) tripod.

statizzạre *v.* → **statalizzare.** – **statizzatọre** *m.* → **statalizzatore.** – **statizzazịone** *f.* → **statalizzazione.**

stạto[1] *m.* **1.** (*lo stare*) state: *verbi di* ~ verbs of state. – **2.** (*modo di essere*) state, condition: *lo* ~ *del tempo* the condition of the weather; *in buono* ~ in good condition (*o* shape); ~ *di salute* state of health. – **3.** (*condizione economica e sociale*) position, social condition, state, circumstances *pl*, status, standing, station: *migliorare il proprio* ~ to improve one's position. – **4.** (*tenore di vita*) state, standard of living: *vivere in uno* ~ *d'indigenza* to live in (a state of) poverty. – **5.** (*ceto*) class, rank. – **6.** (*situazione*) situation, state (of affairs): ~ *d'emergenza* state of emergency. – **7.** (*aspetto esteriore*) state: *non puoi uscire in questo* ~ you can't go out ⌈in this state⌉ (*o* looking like this); *come hai fatto a ridurti in questo* ~? however did you get yourself into such a state (*o* mess)? – **8.** ⟨*Dir,burocr*⟩ state: ~ *coniugale* married (*o* conjugal) state. – **9.** ⟨*burocr*⟩ (*stato civile*) civil status; (*certificato*) civil status certificate. – **10.** *pl.* ⟨*Stor*⟩ (*assemblea*) States *pl*, Estates *pl*, Parliament: *-i generali* States-General. – **11.** ⟨*Stor*⟩ (*in Francia: divisione della società*) estate: *i nobili, il clero e il terzo* ~ the nobles, the clergy and the third estate. – **12.** ⟨*Chim,Fis*⟩ state. – **13.** ⟨*Med*⟩ state: ~ *agonico* agonal state. – **14.** ⟨*Econ,Comm*⟩ situation, state, condition, status; (*documento, prospetto*) statement, position, return, ⟨*am*⟩ schedule. – **15.** ⟨*ant*⟩ (*permanenza, stabilità*) permanence. – **16.** ⟨*ant*⟩ (*patrimonio*) estate, property.

□ ⟨*Dir*⟩ ~ **d'accusa** committal for trial, arraignment, indictment; *mettere qd. in* ~ *d'accusa* to commit s.o. for trial, to arraign (*o* indict) s.o.; *essere in* ~ *d'accusa* to be committed for trial, to lie under a charge; ⟨*Chim,Fis*⟩ ~ **d'aggregazione** state (of aggregation); ~ *d'***agitazione** (state of) agitation, excitement; *essere in* **altro** ~ = *essere in stato* **interessante**; ⟨*Stor*⟩ ~ *delle* **anime** religious census; ~ *d'***animo** mood, state of mind; ⟨*Dir*⟩ ~ **d'arresto** arrest, detention, confinement: *in* ~ *d'arresto* under arrest; ~ **d'assedio** state of emergency, martial law; ~ *di* **benessere** (state of) well-being; (*rif. allo stato economico*) prosperity, economic well-being; *allo* ~ **brado** in the wild state; ~ *di* **celibe** = *stato* **libero**; ⟨*Dir*⟩ ~ *di* **cittadinanza** citizenship; ~ **civile** civil status; (*ufficio*) Registry Office; *registro dello* ~ *civile*: 1. (*libro*) Register of Births, Marriages, and Deaths; 2. (*anagrafe*) Registry (*o* Register) Office, Record Office; ~ *di* **civiltà** degree (*o* stage) of civilization; ⟨*Med*⟩ ~ **comatoso** comatose state, coma; ~ *dei* **comunicanti** = *stato delle* **anime**; ~ *di* **conservazione** state of preservation; *in buono* ~ *di conservazione* well-preserved; ~ *di* **coscienza** consciousness; ~ *delle* **cose** state of affairs (*o* things); (*circostanze*) circumstances *pl*: *in questo* ~ *di cose* under (*o* in) these circumstances; ~ **critico** critical state; ⟨*Psic*⟩ ~ **depressivo** depressed state, (state of) depression; ~ **eccitato** = *stato* **d'agitazione**; ~ **ecclesiastico** clerical state; ~ **economico** economic situation; ⟨*Psic*⟩ ~ **emotivo** emotion; ~ *d'***equilibrio**: 1. ⟨*Atom*⟩ equilibrium condition; 2. ⟨*fig*⟩ (state of) equilibrium; ~ **fallimentare** (o *di fallimento*) (state of) bankruptcy; ~ *di* **famiglia** family (*o* civil) status; (*certificato*) civil status certificate; ⟨*Econ*⟩ ~ **finale** final balance-sheet; ⟨*Fis*⟩ ~ **gassoso** gaseous state; ~ **giuridico**: 1. ⟨*Dir*⟩ juridical status, legal standing; 2. ⟨*burocr*⟩ (*rif. a impiegati statali*) legal status of a civil servant; 3. (*ordinamento*) civil service law; ~ *di* **gravidanza** pregnancy: *essere in* ~ *di avanzata gravidanza* to be in the advanced stage(s) of pregnancy; ⟨*Teol*⟩ ~ *di* **grazia** state of grace (*anche fig.*); ~ *di* **guerra** state of war; ⟨*ant*⟩ *durare* (o *essere*) **in** ~ (*nella prosperità*) to prosper, to thrive; ⟨*non com*⟩ *essere in* ~ *di fare qc.* to be capable of doing s.th., to be able to do s.th.; ⟨*non com*⟩ *non essere in* ~ *di fare qc.* to be unable (*o* unfit) to do s.th.; ⟨*ant*⟩ *montare in* ~ (*crescere in dignità*) to gain dignity, to go up in rank; ~ *d'***inconscienza** unconsciousness; ~ *d'***innocenza** innocence; *essere in* ~ *d'innocenza* to be innocent; *essere in* ~ **interessante** to be pregnant, ⟨*lett*⟩ to be with child, ⟨*fam*⟩ to be expecting; ~ **laicale** (o *laico*) lay state; ⟨*Dir*⟩ ~ **libero** (*celibato*) unmarried (*o* single) state; *allo* ~ *libero*: 1. ⟨*Chim*⟩ free; 2. = *allo stato* **brado**; ⟨*Fis*⟩ ~ **liquido** liquid state; ⟨*Mil*⟩ ~ **maggiore** (General) Staff; ~ *maggiore generale* General Staff of the combined forces; ⟨*Dir*⟩ ~ **maritale** married (*o* conjugal) state; ⟨*burocr*⟩ ~ **matricolare** civil servant's personal record (*o* file); ⟨*Chim*⟩ ~ **nascente** nascent state; ⟨*Min*⟩ *allo* ~ **nativo** native, in the native state; ~ *di* **natura** state of nature, natural (*o* primitive) state; ⟨*Dir*⟩ ~ *di* **necessità** jeopardy; ~ *di* **nubile** = *stato* **libero**; ⟨*Psic*⟩ ~ **passionale** passion; ⟨*Dir*⟩ ~ **passivo** liabilities *pl*; ⟨*Comm*⟩ ~ **patrimoniale** statement of assets and liabilities; ~ *di* **peccato** state of sin; ~ *di* **pericolo** danger; ~ *della* **persona** = *stato di* **famiglia**; ⟨*Econ*⟩ ~ *di* **previsione** budget; ~ **primiero** original state (*o* condition); ⟨*Stor*⟩ *Stati* **provinciali** States Provincial *pl*; **quarto** ~ (*proletariato*) proletariat; ~ **religioso** religious state; **ridursi** *in cattivo* ~ to get into a sorry (*o* bad) state; *allo* ~ **selvaggio** = *allo stato* **brado**; ⟨*Mil*⟩ ~ *di* **servizio** officer's military record (*o* file), officer's record of service, record (*o* conduct) sheet; ⟨*Fis*⟩ ~ **solido** solid state; ⟨*Stor*⟩ **terzo** ~ (*borghesia*) third estate, commons *pl*;

~ **transitorio** transitional state, state of transition; *in* ~ **d'ubriachezza** in a state of drunkenness, under the influence of drink (*o* alcohol); *di* **umile** ~ of humble rank, of lowly station; ⟨*Dir*⟩ ~ **vedovile** widowhood, widowed state.

stạto[2] *m.* ⟨*Pol*⟩ **1.** State, state. – **2.** (*territorio*) state, country, nation, territory: *invadere uno* ~ to invade a country. – **3.** ⟨*ant*⟩ (*potenza politica o territoriale*) political power. – **4.** ⟨*ant*⟩ (*arte di governare*) statesmanship, politics *pl* (*costr.sing. o pl.*).

□ **affare** *di* ~ affair of state; ⟨*fig*⟩ *farne un affare di* ~ to make a mountain out of a molehill, ⟨*am.fam*⟩ to make a federal case out of it; ~ **associato** associated state; ~ **assoluto** (*o assolutistico*) absolutist state (*o* rule); **colpo** *di* ~ coup (d'état); ~ **confessionale** country having a state religion; ~ **confinante** border (*o* neighbouring) state; ~ **corporativo** corporative (*o* corporate) state; ~ **cuscinetto** buffer state; **di** ~ State-, state-: *religione di* ~ state religion; *scuola di* ~ state school, ⟨*am*⟩ public school; ~ *di* **diritto** constitutional state; ~ **federale** federal state; ~ **feudale** feudal state; ~ **indipendente** independent state; ~ **industriale** industrial country; ~ **laico** country not having a state religion; ~ **membro** member state; ~ *non membro* non-member state; ~ **monarchico** monarchy; ~ *di* **partito** single-party state; ~ *di* **polizia** police state; ⟨*Stor*⟩ ≈ **Pontificio** Papal State; ~ **protetto** protected state, protectorate; ~ **protettore** protecting state; ~ **repubblicano** republic; ~ *di* **residenza** = *stato di soggiorno*; ~ **satellite** satellite state (*o* country), satellite; ~ *di* **soggiorno** country of residence; ~ **sovrano** sovereign state; ~ **teocratico** theocratic state, theocracy; ~ **totalitario** totalitarian state; *Stati* **Uniti** *d'America* United States of America; **uomo** *di* ~ statesman; ~ **vassallo** vassal state.

stạto[3] *p.p. di* **stare**.

stato... *pref.* (*equilibrio* equilibrium) stato...

...stato *suff.* (*che ferma* that keeps stable or constant) ...stat: *termostato m.* thermostat.

stato|blạsto *m.* ⟨*Biol*⟩ statoblast. – **~cịsti** *f.* statocyst.

statọgrafo *m.* ⟨*Meteor*⟩ barograph.

statọio *m.* (*nel giogo*) iron peg (*o* pin) in a yoke.

statolạtra *m./f.* ⟨*rar*⟩ idolator of the state, state-worshipper. – **statolatrịa** *f.* statolatry, idolatry of the state, state-worship.

statọlder *m.* ⟨*Stor*⟩ stad(t)holder. – **statolderạto** *m.* stadtholderate, stadtholdership.

statolịte *m.* → **statolito**. – **statolịtico** *a.* (*pl.* **-ci**) ⟨*Biol*⟩ statolithic. – **statọlito** *m.* statolith.

statọmetro *m.* ⟨*Med*⟩ statometer, exophthalmometer.

statọre *m.* ⟨*tecn*⟩ stator.

statoreattọre *m.* ⟨*Aer*⟩ ramjet engine.

statorecettọre *m.* ⟨*Biol*⟩ statoreceptor.

statọrico *a.* (*pl.* **-ci**) ⟨*tecn*⟩ stator-, of a stator.

statoscọpio *m.* ⟨*Meteor,Aer*⟩ statoscope.

stạtua *f.* **1.** statue. – **2.** (*monumento*) statue, monument. □ *-e di cera* waxworks *pl*; ~ *equestre* equestrian statue; *essere* (*o sembrare*) *una* ~: 1. (*essere immobile*) to be (*o* stand) as still as a statue, to be motionless; 2. (*non parlare*) to keep quiet, not to say a word; 3. (*essere maestoso*) to be (*o* look) statuesque, to be majestic; ~ *della libertà* Statue of Liberty; ~ *in piedi* standing statue.

statuạle I *a.* (*statale*) state-, of the State, government-. – **II** *s.m.* ⟨*ant*⟩ **1.** (*uomo di stato*) statesman. – **2.** (*membro del governo*) member of the government.

statualịsmo *m.* ⟨*non com*⟩ → **statalismo**.

statuạria *f.* ⟨*non com*⟩ (*anche arte statuaria*) statuary.

statuạrio I *a.* **1.** statuary; (*adatto per statue*) statuary: *marmo* ~ statuary marble. – **2.** ⟨*fig*⟩ (*maestoso, solenne*) statuesque, majestic: *figura -a* statuesque figure. – **II** *s.m.* ⟨*rar*⟩ sculptor, statuary.

statuẹtta (*dim. di statua*) *f.* statuette.

statuịre *v.t.* (**statuịsco, statuịsci**; *p.p.* **statuịto**/*ant.* **statụto**) **1.** ⟨*lett*⟩ (*stabilire*) to establish, to lay down; (*ordinare*) to ordain, to decree. – **2.** ⟨*ant*⟩ (*erigere*) to erect, to raise. – **statuiziọne** *f.* ⟨*Dir*⟩ **1.** ordaining, decreeing. – **2.** (*ordine, precetto*) decree.

statunitẹnse I *a.* United States-, of the United States, American, ⟨*abbr*⟩ U.S. – **II** *s.m./f.* United States citizen, American.

stạtu quo *lat. m.* ⟨*Pol*⟩ status quo, existing state of affairs. □ ~ *ante* (*o prius*) status quo ante.

statụra *f.* **1.** height, stature: ~ *media* average height. – **2.** ⟨*fig*⟩ (*levatura morale*) stature, (high) calibre, prestige, quality: *essere di grande* ~ *morale* to be of high moral stature. – **3.** ⟨*ant*⟩ (*forma del corpo*) shape (*o* form) of the body. – **4.** ⟨*ant*⟩ (*posizione del corpo*) position of the body. – **5.** ⟨*ant*⟩ (*espressione del volto*) (facial) expression. □ *essere* ⌜*di alta*⌝ (*o alto di*) ~ to be tall; *di piccola* ~ short.

staturạle *a.* ⟨*Med*⟩ of stature (*o* height).

stạtus quo *lat. m.* → **statu quo**.

statutạle *a./s.* ⟨*non com*⟩ → **statutario**. – **statutạrio I** *a.* **1.** statutory, statute-: *legge -a* statutory law. – **2.** (*costituzionale*) constitutional. – **II** *s.m.* ⟨*Stor.mediev*⟩ statute drafter.

statụto[1] *m.* **1.** statute. – **2.** (*costituzione*) constitution. – **3.** (*complesso di deliberazioni*) (company) by-laws *pl.* – **4.** ⟨*Mediev*⟩ (*norme legislative*) statutes *pl*; (*raccolta di leggi*) statute book, code of law. – **5.** ⟨*rar*⟩ (*stato giuridico*) juridical (*o* legal) status. □ ~ *d'occupazione* occupation statute; (*nel diritto internazionale*) personal statute; ~ *sociale* company by-laws *pl*; ~ *territoriale* territorial statute.

statụto[2] *p.p. ant. di* **statuire**.

staurọforo *m.* ⟨*rar*⟩ (*crocifero*) cross-bearer, crucifer.

staurolatrịa *f.* cross-worship.

stauro|lịte *f.* ⟨*Min*⟩ staurolite, staurotide. – **~scọpio** *m.* ⟨*Ott*⟩ stauroscope. – **~tẹca** *f.* ⟨*Art*⟩ staurotheca, cross-shaped reliquary.

stạvolo *m.* ⟨*rar*⟩ (*dimora stagionale*) summer stable.

stavọlta *avv.* ⟨*fam*⟩ (*questa volta*) this time.

stayer *ingl.* ['steiər] *m.* ⟨*Sport*⟩ stayer.

stạza *f.* ⟨*ant*⟩ → **stazza**. – **stazạre** *v.* ⟨*ant*⟩ → **stazzare**. – **stazatọre** *m.* ⟨*ant*⟩ → **stazzatore**. – **stazatụra** *f.* ⟨*ant*⟩ → **stazzatura**.

stạzio *m.* **1.** ⟨*ant*⟩ (*luogo di dimora*) dwelling-place. – **2.** ⟨*dial*⟩ (*a Venezia*) gondola mooring.

Stạzio *N.pr.m.* ⟨*Stor*⟩ Statius.

staziọgrafo *m.* station pointer.

stazionạle *a.* **1.** ⟨*Biol*⟩ habitat-: *forma* ~ habitat form, ecad. – **2.** ⟨*Lit*⟩ stational: *chiesa* ~ stational church. □ ⟨*Lit*⟩ *processione* ~ Stations *pl* of the Cross.

stazionamẹnto *m.* ⟨*Strad*⟩ **1.** parking. – **2.** (*sosta*) stopping, standing. – **stazionạre** *v.i.* (**staziọno**; *aus.* **avere**) **1.** ⟨*Strad*⟩ to be parked. – **2.** (*sostare*) to stop, to stand.

stazionarietà *f.* **1.** stationariness. – **2.** ⟨*fig*⟩ (*immutabilità*) stationariness, immobility, fixedness.

stazionạrio I *a.* **1.** stationary. – **2.** ⟨*fig*⟩ (*immutabile*) stationary, unchanging, immobile, fixed: *temperatura -a* stationary temperature. – **3.** ⟨*Ornit*⟩ non-migratory: *uccelli stazionari* non-migratory birds. – **4.** ⟨*Fis*⟩ stationary: *onda -a* stationary wave. – **5.** ⟨*Astr*⟩ stationary. – **6.** ⟨*Econ*⟩ stationary, static, stable. – **II** *s.m.* **1.** ⟨*Stor.rom*⟩ stationary. – **2.** ⟨*Mediev*⟩ manuscript-keeper.

stazioncịna *f. dim. di* **stazione**.

staziọne *f.* **1.** station: *dov'è la* ~ *dell'autobus?* where is the bus station?; (*stazione ferroviaria*) (railway) station, ⟨*am*⟩ (train) depot: *questo treno si ferma in tutte le -i* this train stops at all the stations; *andrò a prenderlo alla* ~ I'll pick him up at the station. – **2.** (*luogo di sosta*) stop, stopping-place: *fare* ~ *in un'osteria* to make a stop at a tavern. – **3.** (*località di soggiorno*) resort: ~ *balneare* seaside resort; (*luogo di cura*) health resort; (*stazione idrominerale o termale*) spa, watering-place. – **4.** (*ambiente o attrezzature per prestazioni particolari*) station: *ricevere bene una* ~ *trasmittente* to receive a (radio) station clearly. – **5.** (*piccolo osservatorio scientifico*) station, small observatory. – **6.** ⟨*Lit*⟩ (*nella Via Crucis*) Station (of the Cross). – **7.** ⟨*Mil*⟩ post: *la* ~ *dei carabinieri* the carabinieri post. – **8.** ⟨*Biol,Geol*⟩ station, habitat; (*biotopo*) biotope, station. – **9.** (*posizione*) position: ~ *piana* flat position; ~ *eretta* erect (*o* upright) position. – **10.** ⟨*Med*⟩ agmen. – **11.** ⟨*Stor.rom*⟩ military station (*o* post).

□ ~ **aerea** airport; ~ **aeroportuale** (*aerostazione*) airport offices and facilities *pl*; ~ **alpina**: 1. ⟨*Ferr*⟩ mountain railway station; 2. (*luogo di cura*) mountain spa (*o* health resort); 3. ⟨*Sport*⟩ mountain ski resort; ⟨*Rad*⟩ ~ **amplificatrice** repeater station; ~ **d'arrivo** arrival (*o* destination) station; ~ *degli* **autobus** bus station, ⟨*am*⟩ bus depot; ~ *delle* **autocorriere** coach station (*o* terminal), public -transport station; ⟨*Ferr*⟩ ~ *per* **bestiame** livestock loading station; ~ **capolinea** terminal, terminus, reversing (*o* dead-end) station; ~ **centrale** main (*o* central) station; ~ **clandestina** pirate radio station; ~ **climatica** health resort; ⟨*Ferr*⟩ ~ *di* **deposito** storage sidings *pl*; ⟨*Ferr*⟩ ~ **destinataria** (*o di destinazione*) destination (*o* receiving) station; ⟨*non com*⟩ **essere** *di* ~ to stand, to be standing; ⟨*Ferr*⟩ ~ *di* **fermata** stopping station, stop; ~ *con fermata facoltativa* flag station, ⟨*am*⟩ whistle-stop, ⟨*am*⟩ flag-stop; ~ **ferroviaria** railway station; ⟨*Mar*⟩ ~ **fotoelettrica** searchlight station; ⟨*Ferr*⟩ ~ *di* **frontiera** border (*o* frontier) station; ⟨*Mar*⟩ ~ *di* **governo** pilot-house, wheelhouse; ~ **idrominerale** (mineral) spa, watering -place; ⟨*Ferr*⟩ ~ **intermedia** intermediate station; ~ **invernale**: 1. (*luogo di cura*) winter spa; 2. ⟨*Sport*⟩ winter sports resort; ⟨*Mar*⟩ ~ *di* **lancio** torpedo room; ⟨*Aut*⟩ ~ *di* **lavaggio** car wash; ⟨*Rad*⟩ ~ **locale** local (radio) station; ⟨*Aut*⟩ ~ *di* **lubrificazione** greasing station; ⟨*Astron*⟩ ~ **lunare** moon station; ~ **marina** seaside (health) resort; ⟨*Mar*⟩ ~ **marittima** harbour (*o* seaport) station; ⟨*Ferr*⟩ ~ **merci** goods station, ⟨*am*⟩ freight yard (*o* depot); ~ **meteorologica** weather-station; ⟨*Ferr*⟩ ~ **mittente** forwarding station; ⟨*Zootecn*⟩ ~ *di* **monta** stud-farm; ⟨*Ind*⟩ ~ *di* **montaggio** place on the assembly line; ~ *a* **monte** mountain (*o* top) station; ⟨*Dipl*⟩ ~ **navale** naval station; ⟨*Ferr*⟩ ~ **nodale** junction; ~ *di* **partenza**: 1. starting-point, point of departure; 2. ⟨*Ferr*⟩ departure station; ~ *di* **polizia** police station, ⟨*am*⟩ station house; ⟨*Idr*⟩ ~ *di* **pompaggio** pumping plant (*o* station); ~ **principale** = *stazione* **centrale**; ⟨*Ferr*⟩ ~ *di* **raccordo** trans-shipping station (*o* depot); ~ **radio** (*o radiofonica*) radio station; ~ **relè** (*o relais*) = *stazione* **ripetitrice**; ~ **ricevente** receiving station; ⟨*Aut*⟩ ~ *di* **rifornimento** petrol station, ⟨*am*⟩ gas (*o* filling, service) station; ~ **ripetitrice**: 1. ⟨*Rad,Tel*⟩ relay (*o* repeater) station; 2. ⟨*TV*⟩ television relay (*o* repeater) station; ⟨*Mar*⟩ ~ *di* **salvataggio** lifeboat station; ~ **sanitaria** outlying post of a local authority doctor; ~ *di* **servizio** = *stazione di* **rifornimento**; ⟨*Geol*⟩ ~ **sismica** seismological station; ⟨*Ferr*⟩ ~ *di* **smistamento** shunting station (*o* depot), marshalling yard; ⟨*Astron*⟩ ~ **spaziale** space station; ~ **sperimentale** experimental station; ~ **telefonica** public call-office (*o* telephone), ⟨*am*⟩ public telephone station; ~ **termale** spa, watering-place; ⟨*Ferr*⟩ ~ **terminale** terminal station, terminus, last stop, ⟨*fam*⟩ end of the line; ⟨*Ferr*⟩ ~ *di* **testa** terminal station, terminus, railhead, ⟨*am*⟩ terminal; ⟨*Mar.mil*⟩ ~ *direzione* **tiro** fire control station; ~ *di* **transito** transit station; ~ *di* **trasbordo** transfer, trans-shipment station; ~ **trasmittente** transmitting station; ~ *a*

valle valley station; ~ *della* **Via** *Crucis* Station of the Cross; ~ **viaggiatori** passenger station.

stạzza *f.* **1.** ⟨*Mar*⟩ tonnage. – **2.** (*asta graduata, staggio*) dipstick. – **3.** ⟨*Pesc*⟩ wooden stick (in a drag-net). ◻ *certificato di* ~ tonnage certificate; ⟨*Mar,Sport*⟩ ~ *internazionale* international rating; ~ *lorda* gross tonnage; ~ *netta* net tonnage; ⟨*Mar,Sport*⟩ ~ *di regata* (regatta) rating; ~ *di registro* register tonnage.

stazzamẹnto *m.* ⟨*non com*⟩ → **stazzatura**. – **stazzạre** *v.t.* **1.** to measure (*o* gauge) the tonnage of. – **2.** (*avere una stazza*) to have a tonnage of: ~ *mille tonnellate* to have a tonnage of one thousand tons. – **stazzatọre** *m.* (*anche perito stazzatore*) tonnage measurer (*o* gauger). – **stazzatụra** *f.* **1.** gauging of tonnage. – **2.** (*stazza*) tonnage.

stạzzo *m.* **1.** pen; (*ovile*) fold. – **2.** ⟨*ant*⟩ (*luogo di sosta*) stopping -place.

stazzọna *f.* ⟨*Archeol*⟩ (*dolmen*) dolmen.

stazzonamẹnto *m.* ⟨*non com*⟩ **1.** creasing, crumpling. – **2.** (*palpeggiamento*) touching, feeling. – **stazzonạre** *v.t.* (**stazzọno**) ⟨*non com*⟩ **1.** to crease, to crumple. – **2.** (*palpeggiare*) to touch, to feel; (*rif. a carezze amorose*) to caress, to fondle.

stazzọne *f./m.* ⟨*ant*⟩ **1.** (*luogo di sosta*) station, stop, stopping-place. – **2.** (*abitazione*) dwelling-place, abode.

steapsịna *f.* ⟨*Biol*⟩ steapsin.

stearammịde *f.* ⟨*Chim*⟩ stearamide. – **stearạto** *m.* stearate. – **steạrico** *a.* (*pl.* **-ci**) stearic: *acido* ~ stearic acid; *candela -a* stearic candle. – **stearịle** *m.* stearyl. – **stearịna** *f.* stearin.

steatịte *f.* ⟨*Min*⟩ steatite, soapstone.

steatọgeno I *a.* ⟨*Med*⟩ steatogenous. – **II** *s.m.* steatogenous substance.

steatọma *m.* ⟨*Med*⟩ steatoma.

steatonecrọsi *f.* ⟨*Med*⟩ steatonecrosis.

steatopigịa *f.* ⟨*Anat*⟩ steatopyg(i)a, steatopygy. – **steatopigịdi** *m.pl.* ⟨*Etnol*⟩ Bushmen Hottentot and Pygmy races *pl.* – **steatopịgio** *a.* → **steatopigo**. – **steatọpigo** *a.* (*pl.* **-gi**) ⟨*Anat*⟩ steatopygic, steatopygous.

steatornịte *m.* ⟨*Ornit*⟩ oil-bird, guacharo (*Steatornis caripensis*).

steatorrẹa *f.* ⟨*Med*⟩ steatorrh(o)ea. – **steatọsi** *f.* steatosis, fatty degeneration.

stẹca(de) *f.* ⟨*Bot*⟩ French lavender (*Lavandula stoechas*).

stẹcca *f.* **1.** bar, stick, picket, rod, stake: *le stecche del cancello* the pickets on the gate. – **2.** (*del busto*) (whale)bone; (*del ventaglio*) rod, slat; (*dell'ombrello*) rib. – **3.** (*del biliardo*) cue. – **4.** (*delle persiane*) slat. – **5.** ⟨*Med*⟩ (*per fratture*) splint. – **6.** (*confezione di sigarette*) carton. – **7.** (*stonatura*) false (*o* wrong) note. – **8.** ⟨*Sport*⟩ ice-hockey stick. – **9.** ⟨*Pitt*⟩ painting spatula. – **10.** ⟨*Scult*⟩ modelling spatula (*o* stick). – **11.** ⟨*Tip,Legat*⟩ folding stick. – **12.** ⟨*Ferr*⟩ fish(ing) plate, rail splice, splice (*o* joint) bar. – **13.** ⟨*Mar*⟩ batten. – **14.** ⟨*Calz*⟩ (wooden) sleeker, sleeking stick. – **15.** *pl.* ⟨*Calz*⟩ (wooden) pegs *pl.* – **16.** ⟨*Aut*⟩ dipstick. – **17.** ⟨*Mil.ant*⟩ button polisher.
◻ ~ (*d'osso*) *di* **balena** whalebone; ~ *da* **biliardo** (billiard) cue; ~ *dei* **calzolai** sleeker, sleeking stick; ~ *per* **colletto** collar-bone, collar-stiffener; **fare** *una* ~: 1. = **prendere** *una stecca*; 2. (*nel biliardo*) to miscue; ⟨*Med*⟩ *stecche* **gessate** plaster splints; ⟨*fam,non com*⟩ **lasciar** *la* ~ *a qd.* to shunt one's work off on s.o. else, to leave one's work for s.o. else to finish; ⟨*Med*⟩ *stecche* **ossee** bone splints; ⟨*fig*⟩ **prendere** *una* ~ to play a false note; (*cantando*) to sing a false note, to go off the note.

steccạccia (*pegg. di stecca*) *f.* (*pl.* **-ce**) miscue. ◻ *fare* ~: 1. (*nel biliardo*) to miscue; 2. ⟨*rar*⟩ (*cantando*) to sing a false note; 3. ⟨*rar*⟩ (*sonando*) to play a false note.

steccadẹnti *m.inv.* ⟨*rar*⟩ (*stuzzicadenti*) toothpick.

steccạia *f.* pilework, piling, stockade.

steccạre *v.* (**stẹcco**, **stẹcchi**) **I** *v.t.* **1.** to fence (in). – **2.** ⟨*Gastr*⟩ to make holes in (for larding). – **3.** ⟨*Med*⟩ to splint, to immobilize with splints. – **II** *v.i.* (*aus.* **avere**) **1.** (*nel biliardo*) to miscue. – **2.** (*stonare: cantando*) to sing a false note, to go off the note; (*sonando*) to play a false (*o* wrong) note.

steccạta *f.* **1.** → **steccato**. – **2.** (*colpo di stecca*) blow with a rod (*o* stick). – **3.** ⟨*Mil*⟩ palisade; (*insieme di pali*) stakes *pl*, palisade.

steccạto *m.* **1.** fence: *lo* ~ *del giardino* the garden fence. – **2.** (*stacionata*) stockade, pen. – **3.** ⟨*Equit*⟩ rails *pl.* – **4.** ⟨*Stor*⟩ (*campo, spiazzo*) enclosed ground (for jousting and tourneying). ◻ ⟨*Equit*⟩ *essere* (o *correre*) *allo* ~ to race along the inner side of the track.

steccatụra *f.* **1.** fencing (in). – **2.** ⟨*Ferr*⟩ fishing.

steccherịno *m.* ⟨*Bot*⟩ (*anche steccherino dorato*) kind of fungus (*Hydnum repandum*). ◻ ~ *bianco* (o *bruno*) kind of edible fungus (*Hydnum imbricatum*).

stecchẹtto (*dim. di stecco*) *m.* small stick. ◻ *a* ~: 1. (*a corto di cibo*) short of food, on short rations, with little food: *stare a* ~ to have little food, to be on short rations; 2. (*a corto di denaro*) short of money, low on money, ⟨*fam*⟩ hard up; *tenere qd. a* ~: 1. (*rif. a denaro*) to keep s.o. short of money; 2. (*rif. a cibo*) to keep s.o. on short rations.

stecchiẹra *f.* cue rack.

stecchịno (*dim. di stecco*) *m.* **1.** small stick. – **2.** (*stuzzicadenti*) toothpick.

stecchịre *v.* (**stecchịsco**, **stecchịsci**) **I** *v.t.* **1.** ⟨*rar*⟩ (*far diventare secco*) to dry up, to make dry. – **2.** ⟨*fig*⟩ (*uccidere sul colpo*) to kill outright (*o* on the spot). – **II** *v.i.* (*aus.* **avere**), **stecchirsi** *v.r.* **1.** (*diventare secco*) to dry up; (*diventare magro*) to become thin. – **2.** (*diventare rigido*) to become stiff (*o* rigid). – **stecchịto** (*p.p. di stecchire*) *a.* **1.** (*rinsecchito*) dried up (*o* out). – **2.** (*magrissimo*) very thin, skinny, gaunt, ⟨*fam*⟩ thin as a rake (*o* beanpole). – **3.** (*rigido*) stiff, rigid. – **4.** ⟨*fig*⟩ (*meravigliato*) flabbergasted, astounded, open -mouthed: *le sue parole mi lasciarono* ~ I was flabbergasted by what he said. – **5.** ⟨*fig*⟩ (*morto*) stone-dead. ◻ *morto* ~ stone-dead, ⟨*fam*⟩ dead as a doornail; ⟨*pop*⟩ *rimanere morto* ~ to be killed on the spot.

stẹcco *m.* (*pl.* **-chi**) **1.** twig. – **2.** *pl.* ⟨*collett*⟩ brushwood. – **3.** (*bastoncino*) stick. – **4.** ⟨*fig*⟩ (*persona magrissima*) thin (*o* skinny) person, ⟨*fam*⟩ beanpole, ⟨*fam*⟩ bag of bones. – **5.** *pl.* ⟨*Gastr*⟩ fried meat on a spit. – **6.** ⟨*Fal*⟩ wooden peg (*o* pin). – **7.** ⟨*Entom*⟩ stick-insect (*Bacillus rossii*). ◻ ⟨*fig*⟩ *magro come uno* ~ as thin as a rake; ⟨*fig*⟩ *ridursi* (o *essere ridotto*) *uno* ~ to become a bag of bones, to be all skin and bones.

stẹccolo *m.* ⟨*tosc*⟩ → **stecco**.

stecconạre *v.t.* (**steccọno**) ⟨*non com*⟩ to fence (in). – **stecconạta** *f.*, **stecconạto** *m.* fencing, paling, stockade.

steccọne (*accr. di stecco*) *m.* **1.** stake, pale. – **2.** ⟨*Tip*⟩ margin; (*regoli*) furniture.

steccụto *a.* ⟨*non com*⟩ **1.** (*pieno di stecchi*) full of brushwood (*o* twigs). – **2.** (*fatto a stecchi*) twig-like.

stechiometrịa *f.* ⟨*Chim*⟩ stoich(e)iometry. – **stechiomẹtrico** *a.* (*pl.* **-ci**) stoichiometric(al): *calcoli -i* stoichiometric calculations.

steeple-chase *ingl.* ['sti:pl'tʃeis] *m.* ⟨*Equit*⟩ steeplechase. – **steepler** *ingl.* ['sti:plər] *m.* steeplechaser.

Stefạnia *N.pr.f.* Stephanie, Stefanie.

stefaniạno I *a.* ⟨*Geol*⟩ Stephanian. – **II** *s.m.* Stephanian, Upper Upper Carboniferous.

stefanịte *f.* ⟨*Min*⟩ stephanite.

Stẹfano *N.pr.m.* Stephen, Steven. ◻ (*il giorno di*) *santo* ~ Boxing Day.

steganọpodi *m.pl.* ⟨*Ornit*⟩ steganopods *pl*, steganopodans *pl* (*Steganopodes*).

stegocẹfali *m.pl.* ⟨*Paleont*⟩ stegocephalians *pl* (*Stegocephali*).

stegodọnti *m.pl.* ⟨*Paleont*⟩ stegodonts *pl* (*Stegodontidae*).

stẹgola *f.* ⟨*Agr*⟩ handle.

stẹgolo *m.* wooden axle (of a windmill).

stegosạuro *m.* ⟨*Paleont*⟩ stegosaur(ian) (*Stegosaurus*).

steineriạna [stai-] *f.* ⟨*Mat*⟩ (*anche curva steineriana*) Steinerian.

stẹla *f.* ⟨*rar*⟩ → **stele**.

stelạre *a.* → **stelico**.

stelạto *a.* ⟨*rar*⟩ (*fornito di stelo*) stemmed, stalked.

stẹle *f.* **1.** ⟨*Archeol*⟩ stela, stele. – **2.** ⟨*Bot*⟩ stele, vascular cylinder. ◻ ⟨*Archeol*⟩ ~ *funeraria* funerary stele; ⟨*Bot*⟩ ~ *primitiva* protostele; ⟨*Archeol*⟩ ~ *votiva* votive stele.

stẹlico *a.* (*pl.* **-ci**) ⟨*Bot*⟩ stelar: *teoria -a* stelar theory.

stẹlla[1] *f.* **1.** ⟨*Astr*⟩ star: *il sole è una* ~ the sun is a star; (*corpo celeste*) star, heavenly body. – **2.** *pl.* (*cielo*) stars *pl*, open (air): *dormire sotto le -e* to sleep ⌜under the stars⌝ (*o* out in the open). – **3.** (*immagine, oggetto a forma di stella*) star. – **4.** (*sorte, destino*) star, fate, destiny: *la sua buona* ~ *lo aiuterà* his lucky star will help him. – **5.** ⟨*enfat*⟩ (*rif. a persone*) lucky star, (good) angel. – **6.** (*diva*) star: *le -e del cinema* film stars. – **7.** (*emblema, distintivo*) star; (*insegna onorifica*) star. – **8.** (*macchia bianca sulla testa del cavallo*) star, blaze. – **9.** (*rosetta dello sperone*) rowel. – **10.** (*asterisco*) asterisk, star. – **11.** ⟨*fam*⟩ (*goccia di grasso*) floating droplet of fat. – **12.** ⟨*Mar,Sport*⟩ star. – **13.** ⟨*Oref*⟩ star (facet). – **14.** *pl.* ⟨*Alim*⟩ star-shaped soup pasta. – **15.** ⟨*Arald*⟩ (*stella a cinque punte*) mullet; (*a sei punte*) estoile, star. – **16.** ⟨*lett*⟩ (*donna bellissima*) beautiful woman, beauty; (*donna amata*) beloved, loved one; (*bambino bello*) beautiful child. – **17.** *pl.* ⟨*poet*⟩ (*occhi*) beautiful (*o* shining) eyes *pl.* – **18.** ⟨*ant*⟩ (*stella polare*) Pole star, North Star. – **19.** ⟨*ant*⟩ (*pianeta*) planet.
◻ **a** ~ star-, star-shaped, star-like; (*radiale*) radial: *motore a* ~ radial engine; ⟨*Bot*⟩ ~ **alpina** (o *delle Alpi*) edelweiss, lion's foot (*Leontopodium alpinum*); ⟨*fig*⟩ **andare** *alle -e*: 1. (*rif. a prezzi*) to go (*o* become) sky-high, to rise steeply, to rocket, to shoot (*o* go right) up; 2. (*rif. a merci*) to become very expensive; *urli che* **arrivavano** *alle -e* loud (*o* piercing) cries, cries that rent the air; *i prezzi sono arrivati alle -e* prices are sky-high; ⟨*Bot*⟩ ~ *di* **Betlemme** Star of Bethlehem (*Ornithogalum arabicum*); ~ **cadente** falling-star, shooting-star; ⟨*fig*⟩ *essere nato sotto una* **cattiva** ~ to be born under an unlucky star, ⟨*poet*⟩ to be star-crossed; ~ **cometa** comet; ~ *di* **David** Star (*o* Shield) of David, Magen David; ⟨*ant,poet*⟩ ~ **diana** (*pianeta Venere*) Venus; ⟨*Astr*⟩ *-e* **doppie** double stars; ⟨*ant*⟩ ~ **errante** (o **erratica**) planet, wandering star; ~ **filante**: 1. = *stella* **cadente**; 2. (*striscia di carta*) (paper) streamer; ⟨*Astr*⟩ ~ **fissa** fixed star; ~ **gigante** giant star; ~ *di prima* **grandezza** star of the first magnitude; ~ *d'***Israele** Star of David; **levare** *qd. alle -e* = **portare** *qd. alle stelle*; *alla* **luce** *delle -e* by starlight; ⟨*Bibl*⟩ ~ *dei re* **magi** star of Bethlehem; ⟨*Zool*⟩ *-e di* **mare** starfishes *pl*, sea-stars *pl* (*Asteroidea*); ⟨*Lit*⟩ ~ *del* **mare** (*Maria Vergine*) Stella Maris, Star of the Sea; ~ *del* **mattino** (*pianeta Venere*) morning star, Venus; ⟨*Lit*⟩ ~ **mattutina** (*Maria Vergine*) Virgin Mary; ⟨*Astr*⟩ ~ **nana** dwarf (star); ~ *di* **Natale**: 1. ⟨*Bot*⟩ poinsettia, Christmas flower (*Poinsettia pulcherrima*); 2. = *stella dei re* **magi**; ⟨*Astr*⟩ ~ **nuova** nova; ⟨*Astr*⟩ *le sette -e dell'***Orsa** *maggiore* the seven stars in Ursa Major, the Big Dipper; ⟨*poet*⟩ ~ *del* **pastore** = *stella del* **mattino**; **pioggia** *di -e* rain of stars; ~ **polare** Pole star, North Star, lodestar; **polvere** *di -e* stardust; ⟨*fig*⟩ **portare** *qd. alle -e* (*esaltarlo*) to praise s.o.

to the skies; ⟨*Astr*⟩ ~ *di* **posizione** *nota* clock (*o* time) star; ⟨*Astr*⟩ ~ **principale** chief star; **salire** *alle -e* = **andare** *alle stelle*; *notte* **senza** *-e* starless night; ⟨*Bot*⟩ ~ *di* **sera** evening primrose (*Oenothera biennis*); ⟨*Zool*⟩ *-e* **serpentine** (*ofiuroidi*) brittle stars, ophiuroids *pl* (*Ophiuroidea*); ⟨*enfat*⟩ *sono cose mai viste* **sotto** *le -e* it is extraordinary; ⟨*fig*⟩ *dalle -e alle* **stalle** from riches to rags; ~ *del* **sud** (*diamante*) Star of the South; ~ **variabile** variable star; ⟨*fig*⟩ **vedere** *le -e* to see stars.

stẹlla[2] *f.* ⟨*Mar*⟩ fining (of the hull).

stellage *fr.* [-ˈla:ʒə] *m.* → **stellaggio**. – **stellạggio** *m.* ⟨*Econ*⟩ double option, straddle, put and call.

stellạnte (*p.pr. di stellare*[1]) *a.* ⟨*poet*⟩ **1.** (*che splende di stelle*) starry, star-studded, star-spangled. – **2.** ⟨*fig*⟩ (*luminoso*) shining, bright, sparkling, starry.

stellạre[1] *v.t.* (**stẹllo**) ⟨*non com*⟩ **1.** (*riempire di stelle*) to cover (*o* fill) with stars, to adorn (*o* stud) with stars. – **2.** ⟨*fig*⟩ (*costellare*) to strew, to stud, to deck, to spangle. – **stellarsi** *v.r.* to become filled with stars, to become starry (*o* star-studded).

stellạre[2] *a.* **1.** ⟨*Astr*⟩ stellar, star, astral: *ammasso* ~ star-cluster. – **2.** (*a forma di stella*) star-shaped, star, star-like: *collegamento* ~ star connection. – **3.** ⟨*Bot*⟩ (*stellato*) stellate. □ *motore* ~ radial engine.

stellạre[3] *v.t.* (**stẹllo**) ⟨*Mar*⟩ to fine (away).

stellạria *f.* **1.** ⟨*Bot*⟩ chickweed, starwort (*Stellaria*). – **2.** ⟨*ant*⟩ (*calcare madreporico*) madrepore.

stellạto[1] (*p.p. di stellare*[1]) **I** *a.* **1.** starry, star-spangled, star-studded, starlit, stellated: *cielo* ~ starry sky. – **2.** ⟨*fig*⟩ (*cosparso*) studded, strewn, decked (*di* with), spangled: *abito* ~ *di gemme* jewel-studded gown. – **3.** (*simile a stella*) star-like, stellate, star-shaped, star: *macchia -a* star-shaped spot. – **II** *s.m.* **1.** ⟨*non com*⟩ (*cielo stellato*) star-spangled sky, starry firmament. – **2.** ⟨*Itt*⟩ smooth hound (*Mustelus vulgaris, Mustelus canis*). □ ⟨*SU*⟩ *bandiera -a* Star-spangled Banner, Stars and Stripes *pl*.

stellạto[2] (*p.p. di stellare*[3]) **I** *a.* ⟨*Mar*⟩ V-shaped: *coste -e* V-shaped ribs. – **II** *s.m.* wedgelike part.

stellatụra[1] *f.* ⟨*Bot*⟩ star (*o* spider) shape.

stellatụra[2] *f.* ⟨*Mar*⟩ **1.** (*grado di finezza*) fineness (of the hull). – **2.** (*forma a V*) V-shape.

stellectomịa *f.* ⟨*Chir*⟩ stellectomy.

stelleggiạre *v.t.* (**stellẹggio, stellẹggi**) ⟨*non com*⟩ **1.** (*riempire di stelle*) to stud (*o* adorn) with stars. – **2.** (*ricamare stelle*) to embroider stars on. – **stelleggiạto** (*p.p. di stelleggiare*) *a.* ⟨*rar*⟩ (*stellato*) star-studded, starry.

stellẹridi *m.pl.* ⟨*Zool*⟩ (*stelle di mare*) starfishes *pl*, sea-stars *pl* (*Asteroidea*).

stellẹtta (*dim. di stella*[1]) *f.* **1.** (*asterisco*) asterisk, star. – **2.** (*rotella dello sperone*) rowel. – **3.** *pl.* ⟨*Mil*⟩ stars *pl*. – **4.** *pl.* ⟨*Alim*⟩ star-shaped soup pasta. □ ⟨*Mil*⟩ *guadagnarsi le -e* to earn one's stars; ⟨*Mil*⟩ *rimetterci le -e* to be demoted.

stellettạre *v.t.* (**stellẹtto**) ⟨*Tip*⟩ to (mark with an) asterisk, to star.

stellịna (*dim. di stella*[1]) *f.* **1.** (*divetta*) starlet. – **2.** *pl.* ⟨*Alim*⟩ star-shaped soup pasta. □ ⟨*Bot*⟩ ~ *odorosa* sweet woodruff (*Asperula odorata*).

stelliọne *m.* ⟨*Zool*⟩ tarente (*Agama stellio*; *Stellio vulgaris*; *Tarentola mauritanica*).

stellịte *f.* **1.** ⟨*Met*⟩ stellite. – **2.** ⟨*Min*⟩ pectolite; (*wollastonite*) wollastonite, tabular spar.

stelloncịno *m.* ⟨*giorn*⟩ short newspaper item (*o* article), brief note (*o* paragraph).

stellọne (*accr. di stella*[1]) *m.* ⟨*non com*⟩ (*canicola*) great heat, blazing sun.

stẹlo *m.* **1.** ⟨*Bot*⟩ stem, stalk; (*peduncolo florale*) (floral) peduncle, flower stalk. – **2.** (*sostegno*) stand, pedestal: *lo* ~ *della lampada* the lamp-stand. – **3.** ⟨*tecn*⟩ shaft, stem; (*di valvole*) valve stem (*o* spindle). – **4.** ⟨*Mot*⟩ piston rod. – **5.** ⟨*Anat*⟩ hair shaft. – **6.** ⟨*Mod*⟩ (*delle calze*) side seam. – **7.** ⟨*poet*⟩ (*tronco*) (tree-)trunk. □ ⟨*Ferr*⟩ ~ *della rotaia* web (of a rail); ⟨*Mot*⟩ ~ *dello stantuffo* piston rod.

Stẹlvio *N.pr.m.* ⟨*Geog*⟩ (*anche passo dello Stelvio*) Stelvio (Pass).

stẹmma *m.* ⟨*Arald*⟩ coat of arms, arms *pl*, armorial bearings *pl*. □ ~ *di città* city coat of arms; ⟨*Filol*⟩ ~ *dei codici* stemma (*o* genealogical tree) of manuscripts; ~ *doppio* double coat of arms; ~ *gentilizio* coat of arms; ~ *nazionale* national coat of arms.

stemmạrio *m.* ⟨*non com*⟩ collection of reproductions of coats of arms. – **stemmạto** *a.* blazoned, armorial, bearing a coat of arms.

stemmcristiạnia *m.* ⟨*Sport*⟩ stem Christiania.

stẹmmulo (*dim. di stemma*) *m.* ⟨*Arald*⟩ shield denoting a seigniory.

stemperamẹnto *m.* ⟨*non com*⟩ (*il diluire*) diluting, dilution; (*scioglimento*) dissolving; (*rif. a colori*) mixing, distemper(ing).

stemperạnza *f.* ⟨*ant*⟩ **1.** (*intemperanza*) intemperance, excess. – **2.** (*intemperie*) bad (*o* inclement) weather.

stemperạre *v.t.* (**stẹmpero**) **1.** (*diluire*) to dilute; (*sciogliere*) to dissolve; (*rif. a colori*) to mix, to distemper. – **2.** ⟨*fig*⟩ to dilute, to spin out, to water down: ~ *un lungo discorso* to spin out a long speech. – **3.** ⟨*Met*⟩ to soften. – **4.** ⟨*Gastr*⟩ to mix. – **5.** ⟨*non com*⟩ (*far perdere la punta*) to blunt: ~ *una matita* to blunt a pencil. – **6.** ⟨*fig,non com*⟩ (*svigorire, avvilire*) to weaken, to enfeeble. – **7.** ⟨*lett, poet*⟩ (*corrompere, guastare*) to corrupt, to ruin, to spoil. – **stemperarsi** *v.r.* **1.** ⟨*Met*⟩ (*perdere la tempera*) to become soft (*o* untempered). – **2.** (*perdere la punta*) to become blunt. – **3.** ⟨*fig*⟩ (*sciogliersi, struggersi*) to melt, to dissolve: *stemperarsi in lacrime* to melt into tears.

stemperatamẹnte *avv.* ⟨*ant*⟩ (*smoderatamente*) intemperately, excessively.

stemperạto (*p.p. di stemperare*) *a.* **1.** (*diluito*) diluted; (*sciolto*) dissolved; (*rif. a colori*) mixed, distempered. – **2.** ⟨*fig*⟩ diluted, spun out, watered down. – **3.** (*privo di punta*) blunt(ed). – **4.** ⟨*Met*⟩ untempered, soft(ened). – **5.** ⟨*ant*⟩ (*intemperante, smodato*) intemperate, excessive.

stemperatụra *f.* → **stemperamento**.

stempiạrsi *v.r.* (**mi stẹmpio, ti stẹmpi**) to start to go bald, to have a receding hairline, to thin at the temples. – **stempiạto** (*p.p. di stempiarsi*) *a.* thinning at the temples, having a receding hairline. – **stempiatụra** *f.* **1.** balding (*o* thinning) at the temples. – **2.** (*parte della tempia priva di capelli*) receding hairline.

stemprạre *v.* → **stemperare**.

S.Ten. = ⟨*Mil*⟩ *sottotenente* second lieutenant.

stendạle *m.* ⟨*ant*⟩ → **stendardo**. – **stendardiẹre** *m.* ⟨*Mil.ant*⟩ standard-bearer. – **stendạrdo** *m.* **1.** standard, banner, flag. – **2.** ⟨*Lit*⟩ standard, banner. – **3.** ⟨*Bot*⟩ (*vessillo*) standard, banner, vexillum. – **4.** ⟨*Venat*⟩ (*rete: per uccelli*) bird-net; (*per animali*) animal-net. – **5.** ⟨*fig, non com*⟩ (*bandiera*) flag. □ ⟨*Stor*⟩ *Battaglia dello* ~ Battle of the Standard.

stẹndere *v.t.* (**stẹsi, stẹso**) **1.** (*allungare*) to stretch (out), to extend: ~ *le braccia* to stretch out one's arms; (*stiracchiare*) to stretch. – **2.** (*svolgere*) to spread (out), to lay, to extend, to stretch out: ~ *la tovaglia sul tavolo* to spread the tablecloth on the table; (*spiegare*) to unfold, to spread (*o* lay) out. – **3.** (*sciorinare*) to hang out (*o* up): ~ *il bucato* to hang out the washing. – **4.** (*stirare*) to roll (out): ~ *la pasta* to roll out the dough. – **5.** (*spalmare*) to spread: ~ *il burro sul pane* to spread butter on bread, to butter bread. – **6.** (*mettere a giacere*) to lay (down): ~ *qd. sul letto* to lay s.o. on the bed. – **7.** (*abbattere, tramortire*) to knock flat (*o* down), to floor, to stretch out, to fell, to lay low (*o* out): *lo stese a terra con un pugno* he gave him a punch that knocked him flat, he felled him with a blow; (*uccidere*) to kill, to fell. – **8.** (*mettere per iscritto*) to draw up, to write, to make, to draft: ~ *un contratto* to draw up a contract; ~ *un testamento* to draw up (*o* make) a will; ~ *un verbale* to draw up a report; (*rilasciare*) to issue. – **9.** (*rilassare*) to relax: ~ *i muscoli* to relax the muscles. – **10.** ⟨*Met*⟩ (*spianare*) to hammer out. – **11.** ⟨*non com*⟩ (*tendere, svolgere un filo*) to stretch, to draw taut. – **12.** ⟨*rar*⟩ (*allentare*) to loosen. – **stendersi** *v.r.* **1.** (*allungarsi*) to stretch out, to extend; (*stiracchiarsi*) to stretch. – **2.** (*mettersi a giacere*) to lie (down), to stretch out: *stenditi sul divano* stretch out on the couch. – **3.** (*estendersi*) to spread (out), to extend, to stretch, to reach, to run; (*arrivare*) to reach, to extend, to stretch: *le sue terre si stendono fino al fiume* his property reaches (*o* goes) as far as the river. – **4.** ⟨*non com*⟩ (*dilungarsi*) to enlarge, to dwell, to talk at length (*su* on, upon). – **5.** ⟨*lett,ant*⟩ (*raggiungere certi limiti*) to reach, to extend, to go. – **6.** ⟨*ant*⟩ (*indugiare*) to linger. □ ~ *le gambe* to stretch (out) one's legs; ⟨*volg*⟩ (*morire*) to die, ⟨*fam*⟩ to kick the bucket; ~ *la mano a qd.*: 1. (*porgergliela*) to hold out one's hand to s.o.; 2. ⟨*fig*⟩ (*aiutarlo*) to give s.o. a helping hand; 3. (*chiedergli l'elemosina*) to hold (*o* put) out one's hand, to beg; ⟨*non com*⟩ ~ *il passo* to lengthen one's stride; ~ *le truppe* to deploy the troops.

stenderẹllo *m.* ⟨*roman*⟩ (*matterello*) rolling-pin.

stendifịli *m.inv.* ⟨*Tel*⟩ cableman, line(s)man, wireman.

stendimẹnto *m.* ⟨*non com*⟩ **1.** stretching out. – **2.** (*l'allungare*) stretching (out), extending, holding out. – **3.** (*lo spalmare*) spreading.

stenditọio *m.* **1.** (*locale*) drying-room. – **2.** (*incastellatura*) clothes drier (*o* rack).

stenditọre *m.* (*f.* **-trice**) **1.** spreader, stretcher. – **2.** ⟨*Tess*⟩ (*operaio*) tenterer. – **3.** ⟨*Tess*⟩ (*macchina*) tenter. – **stenditrịce** *f.* ⟨*Tess*⟩ **1.** (*operaia*) tenterer. – **2.** (*macchina*) tenter. – **stenditụra** *f.* **1.** spreading, stretching (out). – **2.** ⟨*Tess*⟩ tentering.

stenebrạre *v.t.* (**stẹnebro**) ⟨*lett*⟩ **1.** to dispel darkness from. – **2.** ⟨*fig*⟩ to enlighten, to illuminate, to illumine, to clear.

stenịa *f.* ⟨*Med*⟩ (*vigore*) sthenia. – **stẹnico** *a.* (*pl.* **-ci**) (*vigoroso*) sthenic.

steno... *pref.* (*stretto* narrow) sten(o)...

steno|alịno *a.* stenohaline. – **~cardịa** *f.* ⟨*Med*⟩ stenocardia, angina pectoris. – **~cefalịa** *f.* (*dolicocefalia*) stenocephaly, stenocephalia, dolicocephaly. – **~cẹfalo** *a.* stenocephalic, dolicocephalic.

stenọ|coro *a.* ⟨*Biol*⟩ stenochoric. – **~dattilografịa** *f.* shorthand-typing, shorthand (*o* stenography) and typing. – **~dattilọgrafo** *m.* (*f.* **-a**) shorthand-typist. – **~ecịa** *f.* ⟨*Biol*⟩ stenecious nature. – **~ẹco** *a./s.* (*pl.* **-ci**) **I** *a.* stenecious, stenoecic. – **II** *s.m.* stenecious organism.

stenọ|fago *a.* (*pl.* **-gi**) ⟨*Biol*⟩ stenophagous. – **~fillịa** *f.* ⟨*Bot*⟩ stenophyllism. – **~fịllo** *a.* stenophyllous, narrow-leaved.

stenografạre *v.t.* (**stenọgrafo**) to write (*o* take) down in shorthand, ⟨*non com*⟩ to stenograph. – **stenografạto** (*p.p. di stenografare*) *a.* shorthand-, written (*o* taken) down in shorthand. – **stenografịa** *f.* shorthand, stenography, ⟨*fam*⟩ steno. – **stenograficamẹnte** *avv.* in shorthand, stenographically. – **stenogrạfico** *a.* (*pl.* **-ci**) **1.** shorthand-, stenographic(al): *segno* ~ shorthand symbol. – **2.** (*stenografato*) shorthand-, in shorthand, written (*o* taken) down in shorthand. – **3.** (*che serve a stenografare*) shorthand-, stenographic. – **stenọgrafo** *m.* (*f.* **-a**) stenographer.

stenogrạmma *m.* **1.** → **stenoscritto**. – **2.** (*segno stenografico*) shorthand symbol (*o* character). – **3.** ⟨*tecn*⟩ (*schema a blocchi*) block diagram.

Stenọne: ⟨*Anat*⟩ *dotto di* ~ Steno's (*o* Stensen's) duct, duct of Steno (*o* Stensen); ⟨*Min*⟩ *legge di* ~ law of constancy of angles. – **stenonịano** *a.* (*di Stenone*) Steno's, Stensen's, of Steno (*o* Stensen). – **stenonịte** *f.* ⟨*Med*⟩ inflammation of Steno's duct.
stenoṣạggio *m.* ⟨*Tess*⟩ reinforcement bath.
stenoscrịtto *m.* ⟨*non com*⟩ shorthand text, text written in shorthand.
stenọṣi *f.* ⟨*Med*⟩ stenosis.
stenossibiọnte *a.* ⟨*Biol*⟩ stenoxybiont.
steno|termịa *f.* ⟨*Biol*⟩ stenothermy. – **~tęrmo** *a.* stenothermal, stenothermic. – **~tipịa** *f.* stenotypy.
stentacchịare *v.i.* (**stentạcchio, stentạcchi**; *aus.* **avere**) ⟨*fam*⟩ **1.** to find it hard, to be hardly able. – **2.** (*soffrire piccole privazioni*) to be in rather straitened circumstances.
stentạre *v.* (**stęnto**; *p.p.* **stentạto**/*tosc.* **stęnto**) **I** *v.i.* (*aus.* **avere**) **1.** (*durare fatica*) to have difficulty (*o* trouble) (*a* in), to find it hard (to), to be hardly able (to): ~ *a leggere* to have difficulty in reading, to find reading hard. – **2.** (*riuscire difficile*) to find it hard, to be hardly able: *stento a credere una cosa simile* I find it hard to believe such a thing; *stentavo a riconoscerlo* I could hardly recognize him. – **3.** (*stentare a vivere*) to be in want (*o* need), to find it hard to ⌜keep going⌝ (*o* make ends meet): *con quello che guadagna stenta a tirare avanti* he finds it hard to make ends meet on what he makes. – **II** *v.t.* ⟨*non com*⟩ (*guadagnare con sforzo*) to scrape, to earn (*o* obtain) with great difficulty: ~ *la vita* to scrape along, to earn barely enough to live on. – **stentarsi** *v.r.* ⟨*ant*⟩ (*soffrire*) to suffer.
Stentaręllo *N.pr.m.* → **Stenterello.**
stentatamẹnte *avv.* **1.** with difficulty. – **2.** (*in povertà*) in poverty. – **stentatẹzza** *f.* **1.** difficulty. – **2.** (*l'essere pieno di stenti*) poverty, privation, hardship, straitened circumstances *pl.* – **3.** (*l'essere sforzato*) stiffness, unnaturalness. – **4.** (*il crescere a fatica*) stuntedness. – **stentatịno** (*dim. di stentato*) *a.* rather stunted (*o* scrubby); (*rif. a persone*) rather underdeveloped (*o* stunted).
stentạto (*p.p. di stentare*) *a.* **1.** (*ottenuto con fatica*) hard-earned: *pane* ~ hard-earned bread; (*eseguito faticosamente*) laboured. – **2.** (*pieno di stenti*) hard, poverty-stricken, of poverty (*o* privation): *vita -a* hard life, life of poverty. – **3.** (*sforzato*) forced, stiff, unnatural: *sorriso* ~ forced smile; (*rif. a opere letterarie*) stilted, stiff, laboured: *prosa -a* stilted prose. – **4.** (*che cresce a fatica*) stunted, scrubby; (*rif. a persone*) stunted, underdeveloped.
stenterellạta *f.* prank (*o* quip) worthy of Stenterello. – **stenterellẹsco** *a.* (*pl.* **-chi**) like (*o* worthy of) Stenterello. – **Stenteręllo** *N.pr.m.* ⟨*Teat*⟩ Stenterello. – **stenterello** *m.* (*persona magra e goffa*) lanky clumsy person.
stęnto[1] *m.* **1.** hardship. – **2.** *pl.* (*miseria*) poverty, privation, straitened circumstances *pl*: *crescere fra gli -i* to grow up in poverty; (*sofferenza*) suffering. – **3.** (*difficoltà*) difficulty: *ha fatto il lavoro con molto* ~ he did the work with great difficulty; (*sforzo*) hard work, toil, effort. ◻ *a* ~ barely, hardly, with difficulty (*o* trouble): *si regge in piedi a* ~ he can barely stand; *lo credo a* ~ I find it difficult to believe; *ci sono riuscito a* ~ I had some difficulty in succeeding, ⟨*fam*⟩ I just made it; *parlare a* ~ to be barely able to speak; *senza* ~ effortlessly, easily, without difficulty; *una vita di -i* a life of poverty (*o* hardship); *fare una vita di -i* to lead a hard (*o* poverty -stricken) life, to live in poverty.
stęnto[2] (*p.p. di stentare*) *a.* ⟨*tosc*⟩ → **stentato.**
Stęntore *N.pr.m.* ⟨*Mitol*⟩ Stentor. – **stentore** *m.* ⟨*lett*⟩ stentor. – **stentọreo** *a.* ⟨*lett*⟩ stentorian: *voce -a* stentorian voice.
stentucchịare *v.* (**stentụcchio, stentụcchi**) ⟨*fam*⟩ → **stentacchiare.**
stentụme *m.* ⟨*tosc*⟩ **1.** (*insieme di cose stente*) stunted things *pl*, poor specimens *pl.* – **2.** (*rif. a piante*) stunted (*o* scrubby) plants *pl.*
stepidịre *v.* → **stiepidire.**
stęppa *f.* ⟨*Geog*⟩ steppe. – **stęppico** *a.* (*pl.* **-ci**) steppe-. – **steppificaziọne** *f.* steppe formation, transformation into a steppe. – **steppọso** *a.* steppe-like.
steradiạnte *m.* ⟨*Geom*⟩ steradian, sterad. – **sterạngolo** *m.* (*angolo solido*) solid angle.
stęrco *m.* (*pl. rar.* **stęrchi**/*poet. le* **stęrcora**) **1.** (*di uomini*) f(a)eces *pl*, excrement. – **2.** (*di animali*) dung, excrement.
sterco|bilịna *f.* ⟨*Biol*⟩ stercobilin. – **~bilinọgeno** *m.* stercobilinogen.
stercorạceo *a.* **1.** (*di sterco*) stercoraceous, stercoral, dung-; (*simile a sterco*) dung-like, similar to excrement (*o* dung). – **2.** ⟨*Med*⟩ stercoral, stercoraceous, stercorous, faecal.
stercorạrio[1] *a.* ⟨*lett*⟩ dung-, stercoral: *scarabeo* ~ dung-beetle.
stercorạrio[2] *m.* ⟨*Ornit*⟩ skua(-gull), jaeger, marlin(e)spike (*Stercorarius*). ◻ ~ *maggiore* great skua, bonxie (*Stercorarius skua*); ~ *mezzano* (o *coda lunga*) pomarine jaeger (*Stercorarius pomarius*).
stercoremịa *f.* ⟨*Med*⟩ stercor(a)emia.
stercụlia *f.* ⟨*Bot*⟩ sterculia (*Sterculia*). – **sterculịacee** *f.pl.* kurrajongs *pl*, koorajongs *pl* (*Sterculiaceae*).
stęreo (*accorc. di stereofonico*) *a.* stereo(phonic).
stereo... *pref.* (*solido* solid, *rigido* rigid, *tridimensionale* three-dimensional) stere(o)...
stereo|agnoṣịa *f.* ⟨*Med*⟩ stereoagnosis, astereognosis. – **~autọgrafo** *m.* ⟨*Topogr*⟩ stereoautograph.
stereọ|bate *m.* ⟨*Archeol*⟩ stereobate. – **~cartọgrafo** *m.* ⟨*Topogr*⟩ photogrammetrical reproduction apparatus. – **~chịmica** *f.* stereochemistry. – **~chịmico** *a.* (*pl.* **-ci**) stereochemical. – **~cinematografịa** *f.* stereoscopic cinematography, three-dimensional films *pl*, ⟨*fam*⟩ 3-D films *pl.* – **~comparatọre** *m.* ⟨*Topogr*⟩ stereocomparator. – **~fonịa** *f.* ⟨*Acu*⟩ stereophony. – **~fọnico** *a.* (*pl.* **-ci**) stereophonic, ⟨*fam*⟩ stereo: *effetto* ~ stereophonic effect; *disco* ~ stereo(phonic) record. – **~fotografịa** *f.* stereophotography, stereoscopic photography. – **~fotogrạmma** *m.* ⟨*Topogr*⟩ stereogram. – **~fotogrammetrịa** *f.* stereophotogrammetry. – **~fotogrammętrico** *a.* (*pl.* **-ci**) stereophotogrammetric. – **~grafịa** *f.* ⟨*Radiol*⟩ radiostereoscopy. – **~grạfico** *a.* (*pl.* **-ci**) ⟨*Geom,Min*⟩ stereographic(al): *proiezione -a* stereographic projection. – **~grạmma** *m.* ⟨*Mat,Topogr*⟩ stereogram. – **~iṣomerịa** *f.* ⟨*Chim*⟩ stereoisomerism. – **~iṣọmero** *a.* stereoisomeric.
stereọma *m.* ⟨*Bot*⟩ stereom(e).
stereo|metrịa *f.* ⟨*Geom*⟩ stereometry. – **~mẹtrico** *a.* (*pl.* **-ci**) stereometric. – **~planịgrafo** *m.* stereoplanigraph. – **~radiografịa** *f.* → **stereografia.** – **~scopịa** *f.* ⟨*Fisiol,Ott*⟩ stereoscopy. – **~scọpico** *a.* (*pl.* **-ci**) ⟨*Fisiol,Ott*⟩ stereoscopic(al): *figura -a* stereoscopic figure. – **~scọpio** *m.* ⟨*Ott*⟩ stereoscope. – **~tạssi** *f.* ⟨*Biol*⟩ stereotaxis, stereotropism.
stereotipạre *v.t.* (**stereọtipo**) ⟨*Tip*⟩ to stereotype. – **stereotipạto** (*p.p. di stereotipare*) *a.* **1.** ⟨*Tip*⟩ stereotype(d). – **2.** ⟨*fig*⟩ (*convenzionale*) stereotyped, conventional; (*fisso*) fixed, frozen, stiff, mechanical: *sorriso* ~ frozen smile; (*trito*) stereotyped, trite, hackneyed.
stereotipịa[1] *f.* ⟨*Tip*⟩ **1.** stereotypy. – **2.** (*lastra*) stereotype (plate), stereo; (*stampa*) stereotype print. ◻ ~ *semicilindrica* curved stereo. ~ *piana* flat stereotype.
stereotipịa[2] *f.* ⟨*Psic*⟩ stereotypy.
stereotịpico *a.* (*pl.* **-ci**) ⟨*Tip*⟩ stereotype-. – **stereotipịsta** *m.* stereotypist, stereotyper. – **stereọtipo** *a.* **1.** ⟨*Tip*⟩ stereotype(d). – **2.** ⟨*fig*⟩ (*stereotipato*) stereotyped, stereotypic(al).
stereo|tomịa *f.* ⟨*Geom*⟩ stereotomy. – **~tropịṣmo** *m.* ⟨*Biol*⟩ stereotropism.
stęrico *a.* (*pl.* **-ci**) ⟨*Chim*⟩ steric: *impedimento* ~ steric hindrance.
stęrile I *a.* **1.** sterile, infertile, barren. – **2.** ⟨*fig*⟩ (*improduttivo, inutile*) sterile, useless, unproductive, vain, fruitless, barren: *sforzi -i* vain efforts. – **3.** ⟨*fig*⟩ (*scarso, privo*) without (*di qc.* s.th.), lacking, wanting (in), devoid (of): *discussione* ~ *di risultati* discussion without (*o* leading to no) results, fruitless discussion. – **4.** ⟨*Med*⟩ (*sterilizzato*) sterile, sterilized. – **5.** ⟨*Agr*⟩ sterile, barren, unfruitful, unproductive. – **6.** ⟨*Minier*⟩ waste. – **II** *s.m.* ⟨*Minier*⟩ waste, tail, tailings *pl*, tails *pl.*
sterilẹzza *f.* ⟨*rar*⟩ → **sterilità.** – **sterilịre** *v.t.* (**sterilịsco, sterilịsci**) to sterilize, to make barren (*o* unproductive) (*anche fig.*). – **sterilità** *f.* **1.** sterility, infertility, barrenness. – **2.** ⟨*fig*⟩ (*improduttività, inutilità*) sterility, uselessness, unproductivity, fruitlessness, barrenness. – **3.** ⟨*Med*⟩ (*assenza di microrganismi*) sterility. – **4.** ⟨*Agr*⟩ sterility, barrenness, unfruitfulness, unproductiveness. – **sterilịto** (*p.p. di sterilire*) *a.* ⟨*rar*⟩ **1.** sterile, sterilized. – **2.** ⟨*fig*⟩ sterile, barren, unproductive: *ingegno* ~ sterile mind.
sterilizẓạre *v.t.* **1.** to sterilize. – **2.** (*eliminare microrganismi*) to sterilize: ~ *un ago* to sterilize a needle. – **3.** ⟨*Econ*⟩ to sterilize. – **sterilizẓạto** (*p.p. di sterilizzare*) *a.* **1.** sterilized. – **2.** (*sterile*) sterile, sterilized: *garza -a* sterile gauze. – **sterilizẓatọre I** *s.m.* (*f.* **-trice**) **1.** sterilizer. – **2.** (*apparecchio*) sterilizer. – **II** *a.* sterilizing. ◻ ~ *a secco* dry sterilizer. – **sterilizẓaziọne** *f.* **1.** sterilization. – **2.** (*distruzione di microrganismi*) sterilization. – **3.** ⟨*Econ*⟩ sterilization (of gold).
sterilmẹnte *avv.* sterilely, barrenly.
sterịna *f.* → **sterolo.**
sterlạcca *f.* ⟨*Ornit*⟩ (*lodola*) skylark, lark (*Alauda arvensis*).
sterlạtto, sterlẹtto *m.* ⟨*Itt*⟩ sterlet (*Acipenser ruthenus*).
sterlịna *f.* **1.** (*lira sterlina*) pound (sterling). – **2.** ⟨*Stor*⟩ (*a Napoli*) unit of weight (1/20 oz.).
sterlineạre *v.t.* ⟨*Tip*⟩ to unlead, to remove leads from. – **sterlineạto** *a.* unleaded, solid. – **sterlineatụra** *f.* **1.** (*atto*) unleading, removal of leads. – **2.** (*effetto*) unleaded lines *pl* (*o* composition).
sterminạbile *a.* exterminable. – **sterminamẹnto** *m.* ⟨*non com*⟩ extermination. – **sterminạre** *v.t.* (**stęrmino**) to exterminate, to wipe out, to destroy, to annihilate (*anche Mil.*): ~ *le mosche* to exterminate flies. – **sterminatamẹnte** *avv.* (*smisuratamente*) immensely, enormously. – **sterminatẹzza** *f.* immensity, boundlessness. – **sterminạto** *a.* **1.** (*smisurato*) immense, boundless. – **2.** ⟨*iperb*⟩ enormous, immense, vast. – **sterminatọre I** *s.m.* (*f.* **-trice**) exterminator, destroyer, annihilator. – **II** *a.* exterminating, destroying. ◻ *angelo* ~ angel of death.
stermịnio *m.* **1.** extermination, destruction, annihilation, wiping out (*anche Mil.*). – **2.** ⟨*fam,iperb*⟩ (*enorme quantità*) enormous (*o* vast) quantity, huge amount. ◻ *i campi di* ~ *nazisti* Nazi extermination camps.
stęrna *f.* ⟨*Ornit*⟩ **1.** tern, sea swallow. – **2.** *pl.* terns *pl*, sea swallows *pl* (*Sterninae*).
◻ ~ **indiana** sooty tern (*Sterna fuscata*); ~ **maggiore** Caspian tern (*Hydroprogne caspia*); ~ **mezzana** sandwich tern (*Thalasseus sandvicensis*); ~ **minore** little tern (*Sterna albifrons*); ~ **nera** white -winged black tern (*Clidonias leucoptera*; *Hydrochelidon leucoptera*); ~ *del* **Rüppel** lesser crested tern (*Thalasseus bengalensis*).
sternạle *a.* ⟨*Med*⟩ sternal. – **sternalgịa** *f.* sternalgia, sternodynia.
stęrnere *v.t.* ⟨*ant*⟩ **1.** (*distendere a terra*) to spread out on the ground. – **2.** (*spianare*) to level. – **3.** ⟨*fig*⟩ (*spiegare, chiarire*) to explain.
sternịte *f.* ⟨*Zool*⟩ sternite.
stęrno *m.* ⟨*Anat*⟩ sternum, breast-bone.

sterno|cleidomastoidęo *m.* ⟨*Anat*⟩ (*anche muscolo sternocleidomastoideo*) sternocleidomastoid (muscle). – **~costạle** *a.* sternocostal. – **~ioidęo** *m.* sternohyoid. – **~puntụra** *f.* ⟨*Med*⟩ sternal puncture.
sternutạre *v.* ⟨*non com*⟩ → **starnutire**. – **sternutịre** *v.* (**sternutịsco, sternutịsci**) ⟨*non com*⟩ → **starnutire**. – **sternụto** *m.* ⟨*non com*⟩ → **starnuto**.
stęro *m.* (*unità di misura*) stere, cubic metre.
sterǫide *m.* ⟨*Chim*⟩ steroid. – **sterǫlo** *m.* sterol.
stęrpa *f.* ⟨*Zootecn,region*⟩ (sterile) fattening sheep.
sterpạglia *f.* brushwood.
sterpạgnola *f.* ⟨*Ornit*⟩ Dartford warbler (*Sylvia undata*).
sterpạia *f.*, **sterpạio** *m.* scrub(land). – **sterpạme** *m.* → **sterpaglia**.
sterpạre *v.t.* (**stęrpo**) ⟨*lett*⟩ **1.** (*svellere*) to weed; (*estirpare*) to uproot, to eradicate, to extirpate. – **2.** ⟨*fig*⟩ to root (*o* wipe) out, to destroy, to extirpate.
sterparǫla *f.* → **sterpazzola**. – **sterpạzzola** (o *sterpazzǫla*) *f.* ⟨*Ornit*⟩ (*anche sterpazzola comune*) (greater) whitethroat (*Sylvia communis*). ☐ ~ *nana* desert warbler (*Sylvia nana*); ~ ⌈*con gli occhiali*⌉ (*o di Sardegna*) spectacled warbler (*Sylvia conspicillata*). – **sterpazzolịna** (*dim. di sterpazzola*) *f.* ⟨*Ornit*⟩ subalpine warbler (*Sylvia cantillans, Sylvia subalpina*).
stęrpe *f.* ⟨*ant*⟩ → **sterpo**. – **sterpẹto** *m.* → **sterpaia**. – **sterpịccio** *m.* ⟨*non com*⟩ → **sterpaglia**.
sterpịgno *a.* ⟨*non com*⟩ **1.** scrubby, covered with underbrush, overgrown with brushwood; (*simile a sterpo*) scrub-like. – **2.** → **sterposo**.
stęrpo *m.* **1.** (*ramo secco*) dry branch; (*ramoscello secco*) dry twig. – **2.** (*pruno*) withered thorn-bush (*o* bramble-bush). – **3.** (*ceppaia morta*) tree-stump. – **4.** *pl.* scrub, underbrush. – **sterpọso** *a.* scrubby, covered with underbrush.
sterquilịn(i)o *m.* ⟨*lett,rar*⟩ (*letamaio*) manure-heap, dung-heap.
sterramẹnto *m.* excavation, digging up (*o* out). – **sterrạre** *v.t.* (**stęrro**) **1.** to excavate, to dig up (*o* out). – **2.** ⟨*assol*⟩ to excavate (*o* dig up) earth. – **sterrạto** (*p.p. di sterrare*) **I** *a.* excavated, dug up (*o* out). – **II** *s.m.* excavated (*o* loose) earth, diggings *pl*, spoil. – **sterratọre** *m.* excavator, digger, navvy. – **stęrro** *m.* **1.** excavation, excavating, digging up (*o* out). – **2.** (*terra asportata*) excavated (*o* loose) earth, diggings *pl*, spoil. – **3.** (*lavori di sterro*) excavation work. – **4.** ⟨*Venat*⟩ digging out.
stertọre *m.* ⟨*Med*⟩ stertor. – **stertorọso** *a.* stertorous.
sterzạbile *a.* ⟨*non com*⟩ steerable.
sterzạre[1] *v.t.* (**stęrzo**) **1.** to steer; (*voltare*) to turn, to swerve. – **2.** ⟨*fig*⟩ (*mutare indirizzo*) to swerve, to veer, to deviate, to shift.
sterzạre[2] *v.t.* (**stęrzo**) ⟨*ant*⟩ **1.** (*dividere in tre*) to divide into three parts; (*dividere per tre*) to divide by three. – **2.** (*diminuire di un terzo*) to reduce by one third. – **3.** (*diradare*) to thin out (*anche Silv.*): ~ *una pineta* to thin out a pine forest.
sterzạta *f.* **1.** (*lo sterzare*) steering; (*effetto*) sharp turn, swerve. – **2.** ⟨*fig*⟩ (*mutamento improvviso*) swerve, turn, veer, sudden shift. ☐ ⟨*Aut*⟩ *angolo di* ~ steering angle; *fare una brusca* ~ to steer sharply; (*voltare*) to make a sharp turn, to swerve suddenly; *raggio di* ~ turning radius.
sterzatụra *f.* **1.** (*lo sterzare*) lessening by one third. – **2.** ⟨*Silv*⟩ thinning out.
stęrzo[1] *m.* **1.** ⟨*Aut*⟩ steering-gear; (*volante*) steering-wheel. – **2.** (*di bicicletta o moto*) handlebar stem; (*manubrio*) handlebars *pl.* – **3.** ⟨*non com*⟩ (*sterzata*) sharp turn, swerve.
☐ ⟨*Aut*⟩ ~ **diretto** direct steering; ~ **dolce** easy (*o* light) steering-wheel; ~ **duro** hard (*o* heavy) steering-wheel; ~ **idraulico** hydraulic steering-gear; ~ **irreversibile** irreversible steering, self-locking steering-gear; ~ **servocomando** power (*o* fingertip) steering.
stęrzo[2] *m.* ⟨*Silv*⟩ thinning out. ☐ *bosco a* ~ thinned-out wood.
stẹsa *f.* **1.** (*lo spianare*) spreading out; (*lo sciorinare*) hanging out (*o* up). – **2.** (*insieme di cose stese*) things *pl* spread out, spread; (*mucchio*) heap, pile. – **3.** (*lunga fila*) long line (*o* row). ☐ *una* ~ *di panni* (a line of) clothes hanging out to dry; *dare una* ~ *al colore* to apply a coat of paint.
stesạre *v.t.* (**stẹso**) ⟨*Mar,non com*⟩ to loosen.
Stesịcoro *N.pr.m.* ⟨*Stor*⟩ Stesichorus.
stẹso (*p.p. di stendere*) *a.* **1.** (*sciorinato*) hung out (*o* up), hanging. – **2.** (*disteso*) spread out, outspread: ~ *sul pavimento* spread out on the floor. – **3.** (*teso*) taut, stretched out. – **4.** (*allargato*) stretched out, extended.
stęssere *v.t.* to unweave, to unravel, to undo.
stessịssimo (*sup. di stesso*) *a.* ⟨*fam,enfat*⟩ very same, identical, just (*o* exactly) the same: *è la -a cosa* it's the very same thing.
stẹsso **I** *a.* **1.** (*medesimo*) same: *passiamo le vacanze sempre nello* ~ *posto* we always go to the same place for our holidays; *oggi danno lo* ~ *film di ieri* they are playing the same film today as yesterday. – **2.** (*uguale*) same: *due malattie con gli -i sintomi* two diseases with the same symptoms; *tu e io abbiamo la -a età* you and I are the same age. – **3.** (*rafforzativo, posposto a un sost.*: *proprio, in persona*) in person, personally: *il ministro* ~ *è intervenuto alla cerimonia* the minister personally (*o* himself) attended the ceremony; *la direttrice -a ha scritto questa lettera* the manageress ⌈in person⌉ (*o* herself) wrote this letter; *Dante* ~ *usa questa voce* Dante himself uses this word; (*anche, persino*) even: *tua madre -a era d'accordo con me* even your mother agreed with me; *i suoi -i avversari lo hanno ammesso* even his enemies have admitted it. – **4.** (*rafforzativo, posposto a un pron.pers. soggetto*): *io* ~ (o *-a*) I myself; *tu* ~ (o *-a*) you yourself; *egli* (o *lui*) ~ he himself; *ella* (o *lei*) *-a* she herself; *esso* ~ it itself; *noi -i* (o *-e*) we ourselves; *voi -i* (o *-e*) you yourselves; *essi* (o *loro*) *-i* they themselves; *esse* (o *loro*) *-e* they themselves; *lo farò io* ~ I'll do it myself; *l'hai detto tu -a* you said it yourself; *noi -i ne sentimmo parlare* we ourselves heard about it; *essi -i ci hanno accompagnato* they themselves came with us. – **5.** (*rafforzativo, posposto a un pron.rifl.*) -self: *me* ~ (o *-a*) myself; *te* ~ (o *-a*) yourself; *se* ~ (o *-a*) himself, herself, itself; *noi -i* (o *-e*) ourselves; *voi -i* (o *-e*) yourselves; *se -i* (o *-e*) themselves: *gli egoisti pensano solo a se -i* selfish people think only of themselves; *parla molto di se* ~ he talks a lot about himself; ⟨*Bibl*⟩ *ama il prossimo tuo come te* ~ love thy neighbour as thyself. – **6.** (*rafforzativo, posposto a un agg.poss.*) own: *questo va contro i suoi -i interessi* this goes against his own interests; *l'ho fatto con le mie -e mani* I did it with my own hands. – **7.** (*rafforzativo, posposto a un avv.*) very, right: *vorrei farlo oggi* ~ I would like to do it this very day; *possiamo farlo qui* ~ we can do it right here. – **8.** (*proprio*) very, exact, precise: *sono le sue -e parole* they are his very words. – **9.** (*in persona, personificato*) itself, personified, in person: *la tua amica è la gentilezza -a* your friend is kindness itself (*o* personified). – **10.** (*solito*) same old, usual: *è sempre lo* ~ *discorso* it's (always) the same old story. – **11.** (*pleonastico*) *non si traduce*: *per capire certe regole è necessario rileggere le regole -e più volte* to understand some rules you must reread them several times. – **II** *pron.* **1.** (*la stessa persona*) same person: *sono sempre gli -i a protestare* it's always the same people who complain. – **2.** (*con valore neutro*: *la stessa cosa*) same (thing): *che tu lo faccia o no, per me è lo* ~ whether you do it or not, ⌈it's all the same⌉ (*o* it makes no difference) to me. – **3.** ⟨*enfat*⟩ (*questo*) same, it: *per lubrificare la serratura spalmare la -a di grasso* to lubricate the lock spread grease on it (*o* same). – **III** *avv.* (*ugualmente*) anyway, anyhow, just (*o* all) the same: *te lo racconterò lo* ~, *anche se non ci credi* I'll tell you about it anyway, even if you don't believe it; *ci andrò lo* ~ I'll go just the same. ☐ *alle -e* (*alle solite*) same old things (*o* story); *essere* (o *tornare*) *alle -e* to be off again; *siamo sempre alle -e* it's the same old story; *fa* (o *è*) *lo* ~ (*non importa*) it doesn't matter, it makes no difference, it's all the same; *lo* ~ *che* the same that (*o* as): *è la -a persona che vidi ieri* it's the same person that I saw yesterday; *non è più lo* ~ *di una volta* he isn't what he used to be, he is no longer the man he used to be; *è la -a e medesima cosa* it's the very same thing; *lo* ~ *che niente* ⌈as good⌉ (*o* the same) as nothing.
stesụra *f.* **1.** (*compilazione*) drawing up, drafting, writing, making (out): *la* ~ *di un contratto* the drawing up of a contract. – **2.** (*redazione*) draft, version. – **3.** ⟨*Pitt*⟩ spreading. – **4.** ⟨*non com*⟩ (*lo stendere*) spreading.
STET = *Società torinese esercizi telefonici.*
stetoscopịa *f.* ⟨*Med*⟩ stethoscopy. – **stetoscọpico** *a.* (*pl.* **-ci**) stethoscopic(al). – **stetoscọpio** *m.* stethoscope.
Stettịno *N.pr.f.* ⟨*Geog*⟩ Stettin, Szczecin.
stẹvola *f.* → **stegola**.
steward *ingl.* ['stjuəd] *m.* **1.** ⟨*Mar,Aer*⟩ steward. – **2.** ⟨*rar*⟩ (*maestro di casa*) major-domo, ⟨*ant*⟩ steward. – **3.** ⟨*Equit,ant*⟩ steward. – **stewardess** *ingl.* ['stjuədis] *f.* ⟨*Aer*⟩ (air-)hostess, stewardess.
stịa *f.* chicken-coop, hutch. ☐ *pigiati come in una* ~ packed in like sardines.
stiạccia *f.* (*pl.* **-ce**) ⟨*pop,tosc*⟩ (*schiaccia*) **1.** ⟨*Venat*⟩ dead-fall. – **2.** ⟨*Gastr*⟩ kind of tongs. – **stiacciạre** *v.t.* (**stiạccio, stiạcci**) ⟨*pop, tosc*⟩ (*schiacciare*) to crush, to squash, to squeeze. – **stiacciạta** *f.* ⟨*pop,tosc*⟩ (*schiacciata*) squeeze, crush(ing).
stiacciạto *m.* ⟨*Scult*⟩ kind of bas-relief.
stiaccịno *m.* ⟨*Ornit*⟩ whinchat (*Saxicola rubetra*).
stiacciọne *m.* ⟨*Ornit*⟩ (*strillozzo*) corn bunting (*Emberiza calandra*).
stiạffo *m.* ⟨*pop,tosc*⟩ (*schiaffo*) slap, smack.
stiạncia *f.* (*pl.* **-ce**) ⟨*Bot*⟩ cattail, reed mace (*Typha latifolia*).
stiantiạre *v.t.* ⟨*pop,tosc*⟩ (*schiantare*) to break (*o* snap) off.
stiantịno *m.* ⟨*Entom*⟩ (*elaterio*) click (*o* snapping) beetle, skipjack, elater(id) (*Elater*). ☐ ~ *sicuro* (*elaterio dei cereali*) striped elaterid beetle (*Agriotes lineatus*).
stiạnto *m.* ⟨*pop,tosc*⟩ (*schianto*) crash, breaking.
stiattạre *v.i.* (*aus.* **essere**) ⟨*pop,tosc*⟩ (*schiattare*) to burst (*anche fig.*).
stiạvo ⟨*pop,tosc*⟩ **I** *a.* (*schiavo*) slave-. – **II** *s.m.* (*f.* **-a**) slave.
stibiạto *m.* ⟨*Chim*⟩ (*antimoniato*) antimoniate. – **stịbico** *a.* (*pl.* **-ci**) antimonic, stibic.
stibịna *f.* → **stibnite**.
stịbio *m.* ⟨*Chim,ant*⟩ (*antimonio*) antimony, stibium. – **stibịsmo** *m.* ⟨*Med*⟩ stibialism, chronic antimonial poisoning. – **stibnịte** *f.* ⟨*Min*⟩ stibnite, antimonite, antimony glance.
stichicamẹnte *avv.* ⟨*Metr*⟩ stichically. – **stịchico** *a.* (*pl.* **-ci**) stichic.
stick *ingl. m.* stick: ~ *deodorante* stick deodorant.
stịco *m.* (*pl.* **-chi**) ⟨*Filol*⟩ (*verso*) stich(os), verse; (*rigo*) stich(os), line.
stico|manzịa *f.* ⟨*Occult*⟩ stichomancy. – **~metrịa** *f.* ⟨*Filol,Ret*⟩ stichometry. – **~mẹtrico** *a.* (*pl.* **-ci**) stichometric(al).
sticọ|metro *m.* ⟨*Tip*⟩ type (*o* line) gauge, pica rule, typometer. – **~mitịa** *f.* ⟨*Lett*⟩ stichomythia, stichomythy.
stidiọne *m.* ⟨*pop,tosc*⟩ (*schidione*) spit.
stiepidịre *v.t.* (**stiepidịsco, stiepidịsci**) ⟨*non com*⟩ (*rendere tiepido*) to make (luke)warm; (*raffreddare*) to cool; (*riscaldare*) to warm up. – **stiepidịto** (*p.p. di stiepidire*) *a.* lukewarm, tepid.
stięra *f.* ⟨*pop,tosc*⟩ (*schiera*) formation.

stiẹtto (o *stiẹtto*) *a.* ⟨*pop,tosc*⟩ (*schietto*) open, frank.
stif(f)ẹlius *m.* ⟨*Mod*⟩ frock-coat, redingote.
stigadọsso *m.* ⟨*Bot*⟩ (*steca*) French lavender (*Lavandula stoechas*).
Stịge *N.pr.m.* ⟨*Mitol*⟩ Styx. – **stịgio** *a.* ⟨*lett*⟩ **1.** (*dello Stige*) Stygian, of the Styx: *palude -a* Stygian swamp. – **2.** ⟨*estens*⟩ (*infernale*) infernal, hellish, Stygian. – **3.** ⟨*fig,rar*⟩ (*nero, scuro*) dark, gloomy.
stigliạre *v.t.* (**stịglio, stịgli**) ⟨*Tess*⟩ to scutch, to skutch. – **stigliatọre** *m.* (*f.* **-trice**) (*operaio*) scutcher. – **stigliatrịce** *f.* **1.** (*operaia*) scutcher. – **2.** (*macchina*) scutcher, scutching-machine. – **stigliatụra** *f.* scutching. – **stịglio** *m.* **1.** furniture and fixtures *pl.* – **2.** ⟨*Tess*⟩ scutcher.
stịgma *m.* **1.** ⟨*Bot*⟩ stigma. – **2.** ⟨*Zool*⟩ stigma, spiracle; (*macchia oculare*) eyespot, stigma. – **3.** (*marchio*) brand, mark, stigma.
stigmạria *f.* ⟨*Paleont*⟩ stigmaria(n) (*Stigmaria*).
stịgmate *f.pl.* → **stimmate**.
stigmạtico *a.* (*pl.* **-ci**) **1.** ⟨*Bot*⟩ stigmatic. – **2.** ⟨*Ott*⟩ stigmatic, anastigmatic. – **stigmatịfero** *a.* ⟨*Bot*⟩ stigmatiferous. – **stigmatịsmo** *m.* ⟨*Ott*⟩ stigmatism.
stigmatiẓẓạre *v.t.* **1.** (*biasimare*) to stigmatize, to censure. – **2.** ⟨*Stor*⟩ to brand with a hot iron, ⟨*ant*⟩ to stigmatize. – **3.** ⟨*rar*⟩ (*imprimere le stimmate*) to stigmatize, to mark with stigmata. – **stigmatiẓẓaziọne** *f.* stigmatization (*anche Stor.*).
stịgnere *v.* (**stịngo, stịgni**) ⟨*ant*⟩ → **stingere**.
stilạre *v.t.* ⟨*burocr*⟩ to draw up, to draft: ~ *un contratto* to draw up a contract.
stilạta *f.* ⟨*Edil*⟩ (*rif. a colonne*) colonnade; (*rif. a pilastri*) pier.
stilạto *m.* ⟨*burocr*⟩ draft.
stilb *m.* ⟨*Fis*⟩ stilb.
stilbẹne *m.* ⟨*Chim*⟩ stilbene. – **stilbẹnico** *a.* (*pl.* **-ci**) stilbene-: *colorante* ~ stilbene dye.
stilbịte *f.* ⟨*Min*⟩ stilbite, desmine.
stịle *m.* **1.** (*modo*) style, manner, way; (*modo di comportarsi*) style, manner, way, habit, fashion: *non è nel suo* ~ *agire così* it's not ⌜his style⌝ (*o* like him) to act that way. – **2.** ⟨*Art,Lett*⟩ style: ~ *gotico* Gothic style. – **3.** (*eleganza*) style, elegance, class. – **4.** ⟨*non com*⟩ (*sistema di computo dell'anno*) style: ~ *vecchio* old style; ~ *nuovo* new style. – **5.** ⟨*Stor*⟩ (*stilo*) stylus, style; (*asticella per disegnare*) drawing-pencil. – **6.** ⟨*Stor*⟩ (*stiletto, arma*) stiletto, stylet. – **7.** ⟨*rar*⟩ (*elemento in forma di asta*) pole, post, stick.
□ **avere** (*dello*) ~ to have style: *un ballerino che ha* ~ a dancer that has style; *non avere* ~ to lack style; ⟨*Mus*⟩ ~ *a* **cappella** a cappella style; ⟨*Lett*⟩ ~ **comico** comic style; *in* **grande** ~ in (great) style, on a grand scale, in the grand manner: *spendere in grande* ~ to spend ⌜on a grand scale⌝ (*o* lavishly); *essere* **in** ~ to be stylish (*o* in style); *mobili in* ~ period furniture; ⟨*Sport*⟩ ~ **libero** free style; ⟨*Lett*⟩ (*dolce*) *stil* **novo** dolce stil nuovo; ~ *di* **nuoto** swimming style; ⟨*Mus*⟩ ~ **rappresentativo** stile rappresentativo, recitative; ⟨*Lett*⟩ ~ **sublime** lofty style; ~ **tragico** tragic style. – *Prov.*: *lo* ~ *è l'uomo* the style is the man.
stilè *a.* (*elegante*) stylish, elegant, smart.
stilẹma *m.* ⟨*Lett*⟩ **1.** stylistic element. – **2.** (*atteggiamento caratteristico*) stylistic characteristic (*o* feature).
stilettạre *v.t.* (**stilẹtto**) ⟨*rar*⟩ (*colpire*) to (stab with a) stiletto; (*uccidere*) to (kill with a) stiletto. – **stilettạta** *f.* **1.** stab with a stiletto. – **2.** ⟨*fig*⟩ stab, pang, pain: *sentire una* ~ *al petto* to feel a stab in the chest. – **stilẹtto** (*dim. di stilo*) *m.* stiletto, stylet. □ ⟨*Bot*⟩ *-i d'acqua* water soldiers (*Stratiotes aloides*).
Stilicọne *N.pr.m.* ⟨*Stor*⟩ Stilicho.
stilidiạcee *f.pl.* ⟨*Bot*⟩ stylidiums *pl* (*Stylidiaceae*).
stilifọrme *a.* ⟨*Anat*⟩ styliform.
stilịsmo *m.* ⟨*Lett,Art*⟩ **1.** stylism. – **2.** ⟨*concr*⟩ (*virtuosismo stilistico*) stylistic subtlety, refinement of style. – **stilịsta** *m./f.* **1.** ⟨*Lett, Art*⟩ stylist, master of style. – **2.** ⟨*Sport*⟩ stylist. – **3.** ⟨*Mod*⟩ (*nei grandi magazzini*) stylist.
stilịstica *f.* ⟨*Lett*⟩ **1.** stylistics *pl* (*costr.sing. o pl.*). – **2.** (*retorica*) rhetoric. – **3.** (*trattato*) treatise on literary style. – **4.** ⟨*concr*⟩ (*stile*) style. – **stilisticamẹnte** *avv.* stylistically. – **stilịstico** *a.* (*pl.* **-ci**) stylistic(al).
stilịta, stilịte *m.* ⟨*Rel*⟩ stylite, pillar saint.
stiliẓẓamẹnto *m.* ⟨*non com*⟩ → **stilizzazione**. – **stiliẓẓạre** *v.t.* to stylize. – **stiliẓẓạto** (*p.p. di stilizzare*) *a.* stylized. – **stiliẓẓaziọne** *f.* stylization.
stịlla *f.* ⟨*lett*⟩ **1.** (*goccia*) drop, bead. – **2.** ⟨*fig*⟩ (*quantità minima*) drop, spot, minute quantity. □ (*a*) ~ *a* ~ drop by drop, one drop at a time; *cadere* (*a*) ~ *a* ~ to drip, to fall in drops; ~ *di pianto* tear(-drop).
stillamẹnto *m.* ⟨*non com*⟩ **1.** dripping. – **2.** ⟨*fig*⟩ quibbling. – **stillạnte** (*p.pr. di stillare*) *a.* ⟨*lett*⟩ **1.** (*coperto di stille*) covered with drops, beaded. – **2.** (*gocciolante*) dripping.
stillạre I *v.t.* **1.** (*trasudare*) to ooze, to exude. – **2.** (*versare*) to drip, to pour drop by drop, to trickle. – **3.** ⟨*fig*⟩ (*infondere*) to instil, to infuse, to imbue. – **4.** ⟨*fam*⟩ (*arzigogolare*) to quibble over, to split hairs over. – **5.** ⟨*non com*⟩ (*distillare*) to distil; (*filtrare*) to filter. – **II** *v.i.* (*aus.* **essere**) **1.** (*gocciolare*) to drip, to drop, to trickle: *l'acqua che stilla dai rami dell'albero* the water dripping from the branches of the tree. – **2.** (*trasudare*) to ooze, to exude: *la resina stilla dai tronchi* the resin is oozing from the tree-trunks. – **3.** ⟨*fig*⟩ (*arzigogolare*) to rack (*o* cudgel) one's brains, to strain, to strive. – **stillarsi** *v.r.* (*scervellarsi*) to rack one's brains: *stillarsi per trovare una soluzione a un problema* to rack one's brains to find the solution to a problem. □ ⟨*fam*⟩ *stillarsi il cervello* to rack one's brains; ~ *lacrime* to shed tears; ~ *sudore* to drip with sweat, to be covered with beads of perspiration.
stillạto (*p.p. di stillare*) **I** *a.* (*distillato*) distilled; (*filtrato*) filtered. – **II** *s.m.* ⟨*Gastr,non com*⟩ strong broth, consommé. – **stillaziọne** *f.* **1.** ⟨*non com*⟩ dripping. – **2.** ⟨*non com*⟩ (*distillazione*) distillation. – **3.** ⟨*non com*⟩ (*infusione*) infusion. – **4.** ⟨*Silv*⟩ dripping (of water from higher onto lower trees).
stilliberịsta *m./f.* ⟨*Sport*⟩ free-styler, free-style swimmer.
stillicịdio *m.* **1.** (continual) dripping of water. – **2.** ⟨*fig*⟩ continual repetition, constant trickle. □ ⟨*Dir*⟩ *servitù di* ~ stillicide.
stịllo *m.* ⟨*tosc*⟩ **1.** (*alambicco*) still. – **2.** ⟨*fig*⟩ (*espediente ingegnoso*) trick, find, dodge, ruse. – **3.** (*nei giochi di carte*) high card.
stilnovịsmo *m.* ⟨*Lett*⟩ **1.** dolce stil nuovo genre. – **2.** → **stilnovo**. – **stilnovịsta I** *s.m./f.* dolce stil nuovo poet. – **II** *a.* → **stilnovistico**. – **stilnovịstico** *a.* (*pl.* **-ci**) **1.** (*dello stilnovo*) dolce stil nuovo-, of the dolce stil nuovo. – **2.** (*degli stilnovisti*) of the dolce stil nuovo poets. – **stilnọvo** (o *stil nọvo*) *m.* dolce stil nuovo.
stịlo *m.* **1.** ⟨*Stor*⟩ (*strumento per scrivere*) stylus. – **2.** (*braccio graduato della stadera*) graduated arm (of a steelyard), beam. – **3.** (*pugnale, stiletto*) stiletto, stylet. – **4.** (*arnese a forma di asta*) pole, post, stick, shaft. – **5.** (*stollo*) pole (in a haystack). – **6.** (*ago della meridiana*) style, gnomon, stylus. – **7.** ⟨*Mar*⟩ (*stante*) stanchion support. – **8.** ⟨*Edil*⟩ (*antenna*) spar, scaffolding standard. – **9.** ⟨*Rad*⟩ rod antenna, flag-pole aerial. – **10.** ⟨*Stor.rom*⟩ iron palisade, pointed stake. – **11.** ⟨*Zool*⟩ style, stylus. – **12.** ⟨*Entom,Bot*⟩ stylus, style, stylet. – **13.** ⟨*ant,lett*⟩ (*stile*) style.
stilọbate *m.* ⟨*Archeol*⟩ **1.** stylobate. – **2.** (*gradinata di tempio*) temple steps *pl.*
stilofaringẹo (o *stilofarịngeo*) *m.* ⟨*Anat*⟩ (*anche muscolo stilofaringeo*) stylopharyngeus.
stilọforo I *a.* ⟨*Arch*⟩ columniferous, bearing a column. – **II** *s.m.* columniferous animal.
stiloglọsso *m.* ⟨*Anat*⟩ (*anche muscolo stiloglosso*) styloglossus.
stilogrạfica *f.* (*anche penna stilografica*) fountain-pen. – **stilogrạfico** *a.* (*pl.* **-ci**) stylographic, fountain-: *inchiostro* ~ stylographic (*o* fountain-pen) ink; *penna -a* fountain-pen.
stilọide: ⟨*Anat*⟩ *apofisi* ~ styloid process. – **stiloidẹo I** *a.* stylohyoid. – **II** *s.m.* (*muscolo stiloideo*) stylohyoid(eus).
stilommatọfori *m.pl.* ⟨*Zool*⟩ slugs and land-snails *pl* (*Stylommatophora*).
stilopọdio *m.* ⟨*Bot*⟩ stylopodium.
stịlton *ingl.* [-ən] *m.* ⟨*Alim*⟩ Stilton (cheese).
stịma *f.* **1.** (*buona opinione*) esteem, regard, respect, good opinion: *degno di* ~ worthy of esteem (*o* respect), estimable; *godere la* ~ *di tutti* to enjoy everyone's respect. – **2.** (*valutazione*) appraisal, estimate, assessment, rating, (e)valuation: ~ *dei danni* estimate of damages. – **3.** (*prezzo*) appraisal, estimate, assessment; (*valore*) appraisal, estimate, appraised (*o* estimated) value. – **4.** ⟨*Mar*⟩ reckoning.
□ **avere** *grande* ~ *di qd.* to hold s.o. in high esteem, to have ⌜a high opinion of⌝ (*o* much regard for) s.o., to think highly of s.o.; *avere poca* ~ *di qd.* not to think much of s.o., to have a poor (*o* low) opinion of s.o.; ~ **catastale** cadastral survey; **fare** *la* ~ *di qc.* to appraise (*o* estimate) s.th., to make an appraisal (*o* estimate) of s.th.; ⟨*epist*⟩ *con la* **massima** ~ respectfully yours, yours truly, yours sincerely; ⟨*Agr*⟩ *-e* **morte** farm equipment and seed; *con* **perfetta** ~ = *con la* **massima** *stima*; ⟨*Mar*⟩ **punto** *di* ~ estimated position; ~ *delle* **tasse** tax assessment; ~ **ufficiale** official appraisal (*o* estimate); ⟨*Agr*⟩ *-e* **vive** livestock *sing.*
stimạbile *a.* **1.** (*rispettabile*) estimable, worthy of esteem (*o* regard, respect), respectable. – **2.** (*valutabile*) estimable, appraisable, assessable. – **stimabilità** *f.* ⟨*non com*⟩ **1.** (*rispettabilità*) estimableness, respectability. – **2.** (*valutabilità*) estimableness, appraisability.
stimạre I *v.t.* **1.** (*reputare*) to consider, to think, to hold, to believe: *lo stimano un bravo impiegato* they consider him a good employee; *lo stimo un uomo felice* I think he is a happy man. – **2.** (*apprezzare*) to esteem, to think highly of, to hold in high regard (*o* respect), to respect, to have a good opinion of: *è stimato da tutti* everyone thinks highly of him; (*tener caro*) to appreciate. – **3.** (*valutare*) to estimate, to appraise, to assess: ~ *un podere* to appraise a farm. – **4.** ⟨*Mar*⟩ to fix by dead reckoning, to estimate. – **II** *v.i.* (*aus.* **avere**) to think, to hold, to believe. – **stimarsi** *v.r.* **1.** (*ritenersi*) to consider o.s., to think o.s.: *stimarsi fortunato* to consider o.s. lucky, to think one is lucky. – **2.** ⟨*region*⟩ (*darsi delle arie*) to have a high opinion of o.s., to rate o.s. highly. □ ⟨*ant*⟩ *se bene io stimo* (*se è giusta la mia opinione*) if I am not mistaken, if I am correct; *fare* ~ *qc.* to have s.th. appraised; *farsi* ~ *da qd.* to earn s.o.'s esteem (*o* respect); ~ *molto qd.* to ⌜think highly⌝ (*o* have a good opinion) of s.o., to esteem (*o* respect) s.o. greatly; ~ *poco qd.* to think poorly of s.o., not to think much of s.o., to have a low opinion of s.o.
stịmate *f.pl.* ⟨*non com*⟩ → **stimmate**.
stimatịssimo (*sup. di stimato*) *a.* **1.** highly esteemed, very highly (*o* well) thought of, greatly respected. – **2.** ⟨*epist*⟩ (*rif. a persone*) dear, ⟨*ant*⟩ esteemed: ~ *signore* Dear Sir; (*rif. a lettere e sim.*) valued, *di solito non si traduce.*
stimatịva *f.* ⟨*lett*⟩ (*estimativa*) critical faculty, judgement.
stimatiẓẓạre *v.* ⟨*non com*⟩ → **stigmatizzare**.
stimạto (*p.p. di stimare*) *a.* **1.** esteemed, respected, highly thought of: *un medico molto* ~ a greatly respected doctor. – **2.** ⟨*epist*⟩ (*rif.*

a persone) dear, ⟨*ant*⟩ esteemed; (*rif. a lettere e sim.*) valued, *di solito non si traduce*: *la Vostra -a* (*lettera*) *del 2 luglio* your letter of July 2nd. – **3.** (*valutato*) estimated, appraised, assessed. – **4.** ⟨*Mar*⟩ estimated, reckoned: *punto* ~ estimated position.

stimatọre *m.* (*f.* **-trice**) **1.** (*ammiratore*) admirer, lover, appreciator, esteemer. – **2.** (*perito*) estimator, appraiser, assessor, judge, valuator: ~ *del monte dei pegni* pawnshop appraiser. – **stimaziọne** *f.* ⟨*rar*⟩ → **stima.**

stịmite *f.pl.* ⟨*ant*⟩ → **stimmate.** – **stịmma** *m.* → **stigma.**

stịmmate *f.pl.* **1.** ⟨*Stor*⟩ (*marchio*) brand, ⟨*ant*⟩ stigma. – **2.** ⟨*fig, spreg*⟩ (*segno distintivo*) stigma, brand, disgrace, stain, mark. – **3.** ⟨*Med*⟩ stigmas *pl*, stigmata *pl.* – **4.** ⟨*Rel*⟩ stigmata *pl.*

stimmạtico *a.* → **stigmatico.** – **stimmatịfero** *a.* → **stigmatifero.** – **stimmatizzạre** *v.* → **stigmatizzare.** – **stimmatizzaziọne** *f.* → **stigmatizzazione.**

stịmo *m.* ⟨*ant*⟩ **1.** (*stima*) esteem. – **2.** (*estimo*) appraisal, estimate, evaluation.

stimolạnte (*p.pr. di stimolare*) **I** *a.* **1.** stimulating: *esempio* ~ stimulating example. – **2.** ⟨*Farm*⟩ stimulating, stimulant. – **II** *s.m.* ⟨*Farm*⟩ stimulant.

stimolạre *v.t.* (**stịmolo**) **1.** (*incitare*) to incite, to urge, to stir, to prod, to stimulate: ~ *qd. a studiare* to urge s.o. to study. – **2.** (*suscitare*) to arouse, to excite, to quicken: ~ *l'invidia di qd.* to arouse s.o.'s envy. – **3.** (*risvegliare una reazione*) to whet, to stimulate, to sharpen: ~ *l'appetito* to whet the appetite. – **4.** ⟨*Fisiol*⟩ to stimulate. – **5.** ⟨*lett*⟩ (*incitare con lo stimolo*) to prod, to goad. – **6.** ⟨*ant*⟩ (*di animali*: *pungere*) to bite, to sting. – **7.** ⟨*fig,ant*⟩ to torment.

stimolatịvo *a.* ⟨*non com*⟩ stimulating, stimulative. – **stimolatọre** **I** *s.m.* (*f.* **-trice**) **1.** stimulator, arouser. – **2.** (*provocatore*) inciter, provoker. – **3.** ⟨*Med*⟩ stimulator. – **4.** ⟨*Farm*⟩ stimulant. – **II** *a.* inciting, stimulating. □ ⟨*Med*⟩ ~ *cardiaco* pacemaker. – **stimolaziọne** *f.* **1.** (*incitamento*) incitement, urging, prodding, goading, stimulation. – **2.** (*eccitazione*) arousing. – **3.** ⟨*fig*⟩ (*stimolo*) stimulus, incentive. – **4.** ⟨*Med*⟩ stimulation.

stịmolo *m.* **1.** (*sollecitazione*) stimulus, incentive, spur, goad: *per studiare ha bisogno di uno* ~ he needs an incentive to (make him) study; (*rif. a passioni e sim.*) stimulus, sting, prick: *agire sotto lo* ~ *della gelosia* to act under the stimulus of jealousy. – **2.** (*bisogno fisico*) pang(s), prick, sting: *lo* ~ *della fame* the pangs of hunger. – **3.** ⟨*Fisiol*⟩ stimulus: ~ *interno* internal stimulus. – **4.** ⟨*lett*⟩ (*pungolo*) prod, goad. – **5.** ⟨*fig,ant*⟩ (*tormento, noia*) torment. □ *sotto lo* ~ *di* driven (*o* roused) by, full of, under the influence of: *sotto lo* ~ *dell'ira* ⌜driven by⌝ (*o* full of) anger.

stimoloterapịa *f.* ⟨*Med*⟩ stimulation (*o* irritation) therapy.

stịmulo *m.* ⟨*ant*⟩ → **stimolo.** – **stimuloterapịa** *f.* → **stimoloterapia.**

stinạre *v.t.* ⟨*non com*⟩ (*tirar fuori dal tino*) to draw from a vat.

stincạta *f.* blow on the shin. □ *dare una* ~ *in qc.* to hit one's shin against s.th. – **stincatụra** *f.* ⟨*non com*⟩ **1.** (*percossa*) blow on the shin. – **2.** (*segno*) bruise (*o* mark) on the shin. – **stịnco** *m.* (*pl.* **-chi**) **1.** ⟨*Anat*⟩ shin(-bone), tibia. – **2.** ⟨*Zool*⟩ cannon-bone. – **3.** ⟨*Bot*⟩ (*lentisco*) lentiscus, mastic tree (*o* shrub), lentisk, lentisc (*Pistacia lentiscus*). □ ⟨*fig,non com*⟩ *rompere gli stinchi a qd.* (*seccarlo*) to annoy (*o* bother) s.o., to be a nuisance to s.o.; ⟨*fig*⟩ *non essere uno* ~ *di santo* to be no angel (*o* saint).

stinfạlide *a.* ⟨*Mitol*⟩ Stymphalian: *palude* ~ Stymphalian swamp. – **Stịnfalo** *N.pr.f.* ⟨*Geog.stor*⟩ Stymphalus.

stịngere *v.* (**stịngo, stịngi; stịnsi, stịnto**) **I** *v.t.* **1.** (*scolorire*) to discolour, to take the colour out of. – **2.** (*far sbiadire*) to (make) fade: *il sole stinge i colori* the sun makes colours fade. – **3.** ⟨*rar*⟩ (*cancellare, detergere*) to wash (*o* clean) away. – **II** *v.i.* (*aus.* **essere/avere**), **stingersi** *v.r.* **1.** (*scolorirsi*) to run: *è una tinta che stinge* that colour runs. – **2.** (*sbiadire*) to fade. – **3.** ⟨*fig,poet*⟩ (*impallidire*) to become pale (*o* wan), to fade; (*svanire*) to vanish.

stịnguere *v.t.* (**stịnsi, stịnto**) ⟨*ant*⟩ **1.** (*spegnere*) to put out, to turn off. – **2.** (*estinguere*) to extinguish.

stintignạre *v.i.* (*aus.* **avere**) ⟨*fam,non com*⟩ (*lavoricchiare*) to shilly-shally, to work half-heartedly.

stịnto[1] (*p.p. di stingere*) *a.* **1.** that has run (*o* lost its colour), discoloured. – **2.** (*sbiadito*) faded: *un vecchio vestito* ~ a faded old dress.

stịnto[2] *p.p. di* **stinguere.**

stioppạre *v.i.* (**stiọppo**; *aus.* **essere**) ⟨*pop,tosc*⟩ (*scoppiare*) to burst.

stiọppo *m.* ⟨*pop,tosc*⟩ (*schioppo*) gun.

stịpa *f.* **1.** kindling (wood), firewood, brushwood. – **2.** ⟨*fig*⟩ (*mucchio*) heap, mass, pile, mound. – **3.** ⟨*Bot*⟩ (*anche stipa domestica*) tree heath (*Erica arborea*). – **4.** ⟨*ant*⟩ (*catasta di legna*) stack of wood, woodpile.

stipaiọla *f.* ⟨*Ornit*⟩ (*passera scopaiola*) hedge-sparrow (*Prunella modularis*).

stipạre *v.t.* **1.** (*rif. a persone*) to pack, to cram, to crowd: *stiparono i giornalisti in una piccola stanza* they packed the newspapermen into a small room; (*rif. a cose*) to pack, to cram, to stuff: ~ *una libreria di libri* to cram a bookcase with books; (*ammucchiare*) to heap, to pile. – **2.** ⟨*Silv*⟩ to clear brushwood from. – **3.** ⟨*lett*⟩ (*addensare*) to thicken, to make dense. – **stiparsi** *v.r.* **1.** (*addensarsi*) to thicken, to become thick. – **2.** (*affollarsi*) to crowd, to throng, to swarm. – **stipạto** (*p.p. di stipare*) *a.* **1.** (*rif. a persone*: *stretto, pigiato*) packed, crammed, crowded, squeezed, crushed. – **2.** (*rif. a luogo*: *affollato*) crowded, packed, swarming (*di* with): *il vagone era* ~ *di gente* the carriage was packed with people.

stipatụra *f.* ⟨*Silv*⟩ clearing of brushwood (from a wood).

stịpe *f.* ⟨*Archeol*⟩ votive offerings *pl*, donaries *pl.*

STIPEL = *Società telefonica interregionale piemontese e lombarda.*

stipẹlla *f.* → **stipoletta.**

stipendiạre *v.t.* (**stipẹndio, stipẹndi**) **1.** (*corrispondere lo stipendio*) to pay (a salary to). – **2.** (*assumere*) to employ, to hire, to take on.

stipendiạrio *m.* ⟨*ant*⟩ stipendiary.

stipendiạto (*p.p. di stipendiare*) **I** *a.* **1.** (*pagato*) paid: *è* ~ *dal Comune* he is paid by the Borough. – **2.** (*impiegato*) employed, hired (*di* by), in the employ (of). – **3.** (*che percepisce uno stipendio*) salaried, ⟨*lett*⟩ stipendiary: *impiegato* ~ salaried worker. – **II** *s.m.* (*f.* **-a**) salaried worker (*o* employee).

stipẹndio *m.* **1.** salary, wages *pl*, ⟨*am*⟩ pay: ~ *base* basic salary; *uno* ~ *di 100.0000 lire il mese* a 100,000 lire per month salary. – **2.** (*pagamento dello stipendio*) payment of salary. – **3.** ⟨*Dir.can*⟩ Mass-money, Mass-penny, Mass-stipend. – **4.** ⟨*Stor.rom*⟩ (*paga dei mercenari*) mercenary soldier's pay. – **5.** ⟨*ant*⟩ (*mercede*) payment, remuneration.

□ ~ **arretrato** back pay; **aumento** *di* ~ increase in salary, rise, ⟨*am*⟩ raise; ⟨*ant*⟩ **essere** *agli stipendi di qd.* to be in s.o.'s service (*o* employ, pay); ~ **finale** final salary; ~ **fisso** regular (*o* fixed) salary, steady wage; ~ **iniziale** starting salary (*o* pay); ~ **lordo** gross salary; ~ **netto** net salary, take-home pay; **riduzione** *dello* ~ salary cut; ~ **tabellare** union-scale salary.

stipendiụccio (*dim. di stipendio*) *m.* ⟨*spreg*⟩ pittance, starvation pay.

stipẹto *m.* ⟨*non com*⟩ (*terreno cosparso di stipa*) land overgrown with brushwood.

stipettạio *m.* ⟨*Artig*⟩ cabinet-maker. – **stipetterịa** *f.* cabinet-making.

stipẹtto (*dim. di stipo*) *m.* **1.** ⟨*Arred*⟩ cabinet; (*a muro*) wall-cabinet, cupboard. – **2.** (*scrigno*) chest, casket. – **3.** ⟨*Mar*⟩ locker.

stipitạto *a.* ⟨*Bot*⟩ stipitate.

stịpite *m.* **1.** ⟨*Edil*⟩ jamb: ~ *della porta* door-jamb. – **2.** ⟨*Bot*⟩ (*fusto*) trunk; (*gambo, peduncolo*) stipe, stalk; (*cauloide*) cauloid; (*cauloma*) caulome. – **3.** ⟨*fig*⟩ (*capostipite*) founder (of a family); (*ceppo*) stock, line, family. – **4.** (*di una croce*) upright. – **5.** ⟨*Biol*⟩ (*divisione*) division.

stịpo *m.* ⟨*Arred*⟩ **1.** cabinet. – **2.** (*armadio*) wall-cabinet, cupboard.

stịpola *f.* ⟨*Bot*⟩ stipule, stipula.

stipolạre[1] *v.* ⟨*rar*⟩ → **stipulare.**

stipolạre[2] *a.* ⟨*Bot*⟩ stipular: *spine -i* stipular thorns. – **stipolạto** *a.* stipulate(d).

stipolẹtta *f.* ⟨*Bot*⟩ stipel. – **stipolifọrme** *a.* stipuliform.

stipọne (*accr. di stipo*) *m.* **1.** large cabinet. – **2.** ⟨*region*⟩ (*cassone*) large cabinet, cassone.

stịpsi *f.* ⟨*Med*⟩ constipation, costiveness.

stịpula[1] *f.* **1.** ⟨*rar*⟩ → **stipola.** – **2.** ⟨*lett*⟩ (*stoppia*) stubble.

stịpula[2] *f.* ⟨*burocr*⟩ → **stipulazione.**

stipulạnte (*p.pr. di stipulare*) **I** *a.* **1.** ⟨*Dir*⟩ contracting. – **2.** ⟨*Dir.rom*⟩ stipulating. – **II** *s.m./f.* **1.** ⟨*Dir*⟩ contracting (*o* stipulating) party, party to a contract (*o* agreement). – **2.** ⟨*Dir.rom*⟩ stipulator, stipulant. – **stipulạre** *v.t.* (**stịpulo**) ⟨*Dir*⟩ **1.** (*concludere*) to enter into, to make, to contract: ~ *un patto* to enter into an agreement. – **2.** (*stendere*) to draw up, to draft: ~ *un contratto* to draw up a contract. □ ~ *un matrimonio* to arrange a marriage.

stipulaziọne *f.* **1.** ⟨*Dir*⟩ (*il concludere*) entering into, making; (*specificando determinate condizioni*) stipulation; (*lo stendere*) drawing up, drafting: ~ *di un contratto* drawing up of a contract; (*firma*) signing. – **2.** ⟨*Dir*⟩ (*contratto*) contract, agreement. – **3.** ⟨*Dir.rom*⟩ stipulation.

stịra *f.* ⟨*Calz*⟩ rolling-machine.

stiracalzọni *m.inv.* trouser-press.

stiracchiamẹnto *m.* **1.** (*lo stiracchiare*) stretching; (*lo stiracchiarsi*) stretching (o.s.). – **2.** (*effetto*) stretch. – **3.** ⟨*fig*⟩ (*contrattazione*) bargaining, haggling.

stiracchiạre *v.* (**stiracchio, stiracchi**) **I** *v.t.* **1.** to stretch: ~ *le gambe* to stretch one's legs. – **2.** ⟨*fig*⟩ (*forzare il significato*) to force, to strain; (*storcere*) to distort, to twist: ~ *il senso di un discorso* to twist the sense of s.o.'s words. – **3.** ⟨*fig*⟩ (*cavillare*) to quibble over, to split hairs over. – **II** *v.i.* (*aus.* **avere**) ⟨*fam*⟩ **1.** (*lesinare*) to skimp, to economize, to tighten one's purse-strings: *stiracchiando siamo arrivati alla fine del mese* by skimping we made it to the end of the month. – **2.** (*mercanteggiare*) to bargain (*su* over), to haggle (over, about): ~ *sul prezzo* to bargain over the price, to haggle. – **stiracchiarsi** *v.r.* to stretch (o.s.). □ ~ *le membra* to stretch (one's limbs); ⟨*fam*⟩ ~ *la vita* (*vivere stentatamente*) to have a hard time making ends meet, to scrape along.

stiracchiatamẹnte *avv.* with difficulty, with an effort. – **stiracchiạto** (*p.p. di stiracchiare*) *a.* **1.** (*sforzato*) forced, strained: *interpretazione -a* forced interpretation; (*storto*) distorted, twisted. – **2.** (*stentato*) stilted, stiff, laboured. – **stiracchiatụra** *f.* **1.** ⟨*non com*⟩ stretching. – **2.** ⟨*fig*⟩ (*forzatura*) forcing, straining; (*travisamento*) distortion, twisting; (*interpretazione forzata*) forced interpretation; (*espressione forzata*) strained expression.

stirạggio *m.* **1.** ⟨*tecn*⟩ (*stiramento*) stretching, drawing. – **2.** ⟨*Cosmet*⟩ (*rif. a capelli*) straightening (out). □ ~ *del vetro* drawing of glass.

stiramạniche *m.inv.* sleeve-board.

stiramẹnto *m.* **1.** stretching. – **2.** ⟨*non com*⟩ (*rif. a biancheria*) ironing; (*rif. a vestiti*) pressing. – **3.** (*lo stirarsi*) stretching (o.s.). – **4.** ⟨*Med*⟩ sprain(ing), strain(ing), twisting, (w)rick: ~ *muscolare* muscle sprain. – **5.** ⟨*tecn*⟩ stretching. – **6.** ⟨*Tess*⟩ drawing, draft.

stirạre *v.t.* **1.** to stretch, to pull flat (*o* smooth). – **2.** (*rif. a biancheria*) to iron: ~ *una camicia* to iron a shirt; (*rif. a vestiti*) to press: ~ *una giacca* to press a jacket. – **3.** (*rif. a membra*: *stendere*) to stretch: *stirò le braccia* he stretched his arms. – **4.** ⟨*fig*⟩ (*forzare*) to force, to strain; (*distorcere*) to distort, to twist. – **5.** ⟨*tecn*⟩ to stretch. – **6.** ⟨*Calz*⟩ to roll. – **7.** ⟨*Tess*⟩ to draw. – **8.** ⟨*assol*⟩ (*stirare il bucato*) to do the ironing, to iron. – **stirarsi** *v.r.* ⟨*fam*⟩ to stretch (o.s.). □ *farsi* ~ *i capelli* to have one's hair straightened; *indumenti che non si stirano* wash-and-wear (*o* no-iron, drip-dry) garments; *stirarsi da sé* (*sulla stampella*) no-iron, wash-and-wear, drip-dry.

stirạta *f.* quick iron-over, quick ironing (*o* pressing): *dare una* ~ *a qc.* to give s.th. a quick ironing (*o* iron-over), to run the iron over s.th. – **stiratịna** *f. dim. di* **stirata**. – **stirạto** (*p.p. di stirare*) *a.* **1.** stretched. – **2.** (*col ferro da stiro*) ironed, pressed. – **3.** ⟨*tecn*⟩ stretched.

stiratọio *m.* **1.** (*piano del tavolo da disegno*) drawing-board. – **2.** ⟨*Tess*⟩ drawing-frame. – **3.** (*rif. al tavolo da stiro*) ironing-blanket, ironing -cloth. – **stiratọre** *m.* (*f.* **-trice**/*pop.* **-a**) **1.** stretcher. – **2.** (*col ferro da stiro*) ironer, presser. – **3.** ⟨*tecn*⟩ stretcher, stretching-machine operator. – **4.** ⟨*Tess*⟩ drawer. – **5.** ⟨*Calz*⟩ rolling-machine operator. – **6.** ⟨*region*⟩ (*piano del tavolo da disegno*) drawing-board.

stiratorịa *f.* ⟨*tosc*⟩ → **stireria**. – **stiratrịce** *f.* **1.** ironer; (*col ferro a vapore*) presser. – **2.** ⟨*Tess*⟩ (*stiratoio*) drawing-frame. – **stiratụra** *f.* **1.** stretching. – **2.** (*col ferro da stiro*) ironing, pressing. – **3.** ⟨*Med*⟩ (*stiramento*) sprain(ing), strain(ing), twisting, (w)rick. – **4.** ⟨*tecn*⟩ stretch(ing). – **5.** ⟨*Calz*⟩ rolling. – **6.** ⟨*Tess*⟩ drawing. □ ⟨*Mecc*⟩ ~ *a freddo* cold stretch; *riprendere la* ~ to hang out, to drop out.

stirẹne *m.* → **stirolo**.

stirerịa *f.* **1.** (*negozio*) ironing-shop. – **2.** (*locale*) ironing-room.

Stịria *N.pr.f.* ⟨*Geog*⟩ Styria. – **stiriạno I** *a.* Styrian. – **II** *s.m.* (*f.* **-a**) Styrian.

stirizzịre *v.t.* (**stirizzịsco, stirizzịsci**) to stretch, to free from numbness.

stịro *m.* **1.** ironing, pressing. – **2.** ⟨*tecn*⟩ stretch(ing). – **3.** ⟨*Calz*⟩ rolling. – **4.** ⟨*Tess*⟩ drawing. □ *da* ~ ironing: *tavolo da* ~ ironing -board; *ferro da* ~: 1. iron, flat-iron; 2. (*a vapore*) steam iron; 3. (*elettrico*) electric iron; ⟨*Tess*⟩ ~ *in fino* fine-drawing; ⟨*Mecc*⟩ ~ *a freddo* cold stretch; *non* ~ wash-and-wear, no-iron, drip-dry.

stirọlo *m.* ⟨*Chim*⟩ styrene, styrol.

stiro(lo)plạsto *m.* ⟨*Ind*⟩ styrene plastic.

stirpạre *v.t.* ⟨*pop*⟩ **1.** (*estirpare*) to extirpate, to eradicate, to pull up (*o* out), to uproot. – **2.** ⟨*fig*⟩ to extirpate, to eradicate, to root (*o* wipe) out, to destroy, to exterminate.

stirpạtico *m.* (*pl.* **-ci**) **1.** ⟨*Dir*⟩ right to gather (*o* cut) firewood. – **2.** ⟨*Dir.mediev*⟩ (*tassa*) tax for the right to gather firewood.

stịrpe *f.* **1.** (*schiatta, famiglia*) stock, family, race, house: ~ *d'eroi* race of heroes; *d'antica* ~ from an old family. – **2.** (*origine, discendenza*) descent, extraction, birth, origin: *di nobile* ~ of noble birth. – **3.** (*razza*) race. – **4.** ⟨*Dir*⟩ descendants *pl*, issue, offspring, progeny. – **5.** ⟨*Bot*⟩ (*divisione*) division.

stiticạggine *f.* → **stitichería**. – **stiticamẹnte** *avv.* (*con avarizia*) stingily, meanly. – **stiticherịa** *f.* ⟨*fam*⟩ **1.** constipation. – **2.** ⟨*fig*⟩ (*avarizia*) stinginess, meanness, niggardliness. – **stitichẹzza** *f.* **1.** constipation, costiveness. – **2.** ⟨*fig*⟩ (*lentezza*) slowness. – **3.** ⟨*fig*⟩ (*avarizia*) stinginess, meanness, niggardliness. – **stịtico** *a./s.* (*pl.* **-ci**) **I** *a.* **1.** constipated. – **2.** ⟨*fig*⟩ (*lento, stentato*) slow. – **3.** ⟨*fig*⟩ (*avaro*) stingy, mean, niggardly. – **4.** ⟨*ant*⟩ (*astringente*) styptic, astringent; (*agro*) sour. – **II** *s.m.* (*f.* **-a**) person suffering from constipation.

stịttico *a.* (*pl.* **-ci**) ⟨*Farm,rar*⟩ styptic, haemostatic.

stịva[1] *f.* **1.** ⟨*Mar,Aer*⟩ hold. – **2.** ⟨*ant*⟩ → **stivaggio**. □ ~ *di poppa* aft(er) hold; ~ *di prora* forehold, forward hold.

stịva[2] *f.* ⟨*lett*⟩ (*stegola*) handle.

stivạggio *m.* ⟨*Mar*⟩ stowage. □ *diritti* (*o tassa*) *di* ~ stowage *sing.*

stivalạio *m.* ⟨*Calz*⟩ bootmaker. – **stivalạta** *f.* kick from (*o* with) a boot. – **stivalạto** *a.* booted, wearing boots.

stivạle *m.* **1.** ⟨*Calz*⟩ boot. – **2.** ⟨*fig*⟩ (*Italia*) Italy. – **3.** ⟨*fig,ant*⟩ (*persona stolta, incapace*) fool, dolt, simpleton.

□ ~ *da* **caccia** hunting-boot; ~ *da* **cavallerizzo** riding-boot; ~ *a mezza* **gamba** top-boot; ⟨*Lett*⟩ *gli -i delle sette* **leghe** the seven -league boots; ⟨*fig*⟩ **lustrare** *gli -i a qd.* (*adularlo*) to lick s.o.'s boots, to toady to s.o.; ⟨*spreg*⟩ *scrittore dei* **miei** *-i* writer, my foot!; ~ *da* **motociclista** motorcycle boot; ~ *da* **palombaro** diver's boot; ~ *da* **palude** wader, waterproof boot; ⟨*pop,eufem*⟩ **rompere** *gli -i a qd.* to annoy (*o* bother) s.o., to be a nuisance (*o* pest) to s.o.; ~ *alla* **scudiera** top-boot, wellington; **ungere** *gli -i a qd.* = **lustrare** *gli stivali a qd.*

stivalerịa *f.* ⟨*Calz*⟩ boot factory. – **stivalẹtto** (*dim. di stivale*) *m.* ⟨*Calz*⟩ ankle-boot; (*da donna*) bootee, ankle-boot. – **stivalọne** (*accr. di stivale*) *m.* high-boot, top-boot; (*da caccia*) hunting-boot.

stivamẹnto *m.* **1.** ⟨*Mar,Aer*⟩ (*lo stivare*) stowage, stowing; (*stivaggio*) stowage. – **2.** ⟨*Met*⟩ ramming. – **stivạre** *v.t.* **1.** ⟨*Mar,Aer*⟩ to stow. – **2.** ⟨*non com*⟩ (*stipare*) to cram, to crowd, to squeeze. – **stivạto** (*p.p. di stivare*) *a.* → **stipato**. – **stivatọre** *m.* **1.** ⟨*Mar*⟩ stevedore, longshoreman, stower. – **2.** ⟨*Aer*⟩ freight-handler. – **stivatụra** *f.* stowage.

stịzza *f.* anger, temper, vexation. □ *avere* (*o provare*) ~ *per qc.* to be angry at s.th.; *con* ~ angrily, in a temper; *fare* (*o far montare la*) ~ *a qd.* to make s.o. angry (*o* lose his temper), to send s.o. into a rage; *mi monta la* ~ I'm losing my temper, I'm getting angry (*o* cross). – **stizzạre** *v.* ⟨*ant*⟩ → **stizzire**. – **stizzẹtta** *f. dim. di* **stizza**. – **stizzịre** *v.* (**stizzịsco, stizzịsci**) **I** *v.t.* to make angry (*o* cross), to vex. – **II** *v.i.* (*aus.* **essere**), **stizzirsi** *v.r.* to become (*o* get) angry, to lose one's temper, ⟨*fam*⟩ to fly off the handle. – **stizzịto** (*p.p. di stizzire*) *a.* angry, cross, ⟨*pred*⟩ in a temper.

stịzzo *m.* ⟨*ant,region*⟩ (*tizzo*) (fire)brand, burning coal.

stizzosamẹnte *avv.* angrily, crossly, in a temper. – **stizzosẹtto, stizzosịno** *a. dim. di* **stizzoso**. – **stizzọso** *a.* **1.** irascible, irritable, testy, touchy, hot-tempered: *un bambino* ~ an irritable child. – **2.** (*che dimostra stizza*) angry, cross, peevish, petulant: *parole -e* peevish words.

stọ *a.* ⟨*pop*⟩ (*questo*) this.

stọa *f.* ⟨*lett*⟩ → **stoà**. – **Stoa** *N.pr.f.* ⟨*Filos*⟩ Stoa, Stoic school, Stoicism. – **stoà** *gr. f.* ⟨*lett*⟩ (*portico*) stoa, portico.

stocạstico *a.* (*pl.* **-ci**) ⟨*Mat*⟩ (*probabilistico*) stochastic, of probability.

stoccafịsso *m.* **1.** ⟨*Alim*⟩ dried cod, stockfish. – **2.** ⟨*fam*⟩ (*persona magra e secca*) skinny person, ⟨*fam*⟩ beanpole: *sembrare uno* ~ to look like a beanpole.

stoccạggio *m.* ⟨*Comm*⟩ storing (up), storage.

Stoccạrda *N.pr.f.* ⟨*Geog*⟩ Stuttgart.

stoccạta *f.* **1.** thrust, stab. – **2.** ⟨*Sport*⟩ (*nella scherma*) straight thrust. – **3.** ⟨*fig*⟩ (*battuta pungente*) cutting remark, gibe, taunt. – **4.** ⟨*fig*⟩ (*dolore*) stab, twinge, pang. – **5.** ⟨*pop*⟩ (*richiesta di denaro*) sudden (*o* unexpected) request for a loan. – **6.** ⟨*Sport*⟩ (*nel calcio*) goal shot. □ *dare una* ~ *a qd.* to taunt s.o. – **stoccatịna** (*dim. di stoccata*) *f.* **1.** prick, cut. – **2.** ⟨*fig*⟩ (*battuta pungente*) gibe, quip. – **stoccatọre** *m.* (*f.* **-trice**) **1.** thruster. – **2.** ⟨*fig*⟩ (*chi dice parole pungenti*) taunter, giber. – **3.** ⟨*pop*⟩ (*chi fa richieste di denaro*) person who asks for a loan, cadger.

stoccheggiạre *v.* (**stocchẹggio, stocchẹggi**) **I** *v.t.* (*colpire con lo stocco*) to thrust, to cut. – **II** *v.i.* (*aus.* **avere**) ⟨*non com*⟩ (*tirare di stocco*) to thrust.

stọcco[1] *m.* (*pl.* **-chi**) **1.** rapier. – **2.** (*bastone da stocco*) swordstick.

stọcco[2] *m.* (*pl.* **-chi**) **1.** ⟨*non com*⟩ (*fusto del granturco*) maize stalk. – **2.** ⟨*ant*⟩ (*parte di legno della lancia*) shaft. – **3.** ⟨*ant*⟩ (*stollo*) (stack-)pole.

Stoccọlma *N.pr.f.* ⟨*Geog*⟩ Stockholm.

stọffa *f.* **1.** (*tessuto*) material, fabric, cloth, stuff: ~ *per cappotti* cloth for coats; ~ *di buona qualità* good quality material. – **2.** ⟨*fam*⟩ (*dote naturale*) stuff, makings *pl*, what it takes: *avere la* ~ *del giornalista* to have the makings of a journalist; *c'è della* ~ *in lui* he has what it takes. □ *di* ~ cloth-; ~ *gommata* rubberized material, rubber-coated fabric; ~ *di lana* (wool) cloth, woollen material; ~ *a reticolo* checked cloth.

stoffẹtta, stoffettịna (*dim. di stoffa*) *f.* ⟨*spreg*⟩ poor (*o* shoddy) material.

stọgliere *v.t.* (**stọlgo, stọgli; stọlsi, stọlto;** → **togliere**) ⟨*rar*⟩ (*togliere*) to take away, to remove. – **stogliersi** *v.r.* to go away, to leave.

stọia *f.* ⟨*pop*⟩ (*stuoia*) (rush, reed) matting. – **stoiạio** *m.* (*f.* **-a**) rush (*o* reed) weaver, maker of mats. – **stoiạre** *v.t.* (**stuọio, stuọi**) ⟨*rar*⟩ (*ricoprire con stuoie*) to cover with mats (*o* matting), to mat. – **stoiạto** *m.* ⟨*non com*⟩ shelter of reed-matting; (*cannicciata*) trellis.

stoicamẹnte *avv.* stoically, impassively. – **stoicịsmo** *m.* **1.** ⟨*Filos*⟩ Stoicism. – **2.** ⟨*fig*⟩ (*impassibilità, serenità*) stoicism, impassiveness. – **stọico** *a./s.* (*pl.* **-ci**) **I** *a.* **1.** ⟨*Filos*⟩ Stoic(al). – **2.** ⟨*fig*⟩ stoic(al), impassive. – **II** *s.m.* (*f.* **-a**) **1.** ⟨*Filos*⟩ Stoic. – **2.** ⟨*fig*⟩ stoic.

stoịno *m.* **1.** mat; (*davanti a una porta*) doormat. – **2.** (*tipo di tenda*) (sun-)blind.

stọla *f.* **1.** ⟨*Mod*⟩ stole: ~ *di visone* mink stole. – **2.** ⟨*Lit*⟩ stole. – **3.** ⟨*Stor*⟩ stola. □ ⟨*Dir.can*⟩ *diritti* (*o incerti, tasse*) *di* ~ stole (*o* surplice) fees.

stolidạggine *f.* ⟨*non com*⟩ → **stoltezza**. – **stolidamẹnte** *avv.* ⟨*lett*⟩ → **stoltamente**. – **stolidẹzza, stolidità** *f.* ⟨*lett*⟩ → **stoltezza**. – **stọlido** *a./s.* ⟨*lett*⟩ → **stolto**.

stọllo *m.* **1.** (stack-)pole. – **2.** (*asta*) wooden pole.

stolọne[1] *m.* ⟨*Lit*⟩ vertical orphrey on a cope.

stolọne[2] *m.* **1.** ⟨*Bot*⟩ stolon, runner. – **2.** ⟨*Zool*⟩ stolon. – **stolonịfero** *a.* ⟨*Bot,Zool*⟩ stoloniferous. – **stolonizzazịone** *f.* ⟨*Zool*⟩ stolonization.

stoltamẹnte *avv.* foolishly, stupidly. – **stoltẹzza** *f.* **1.** foolishness, stupidity, silliness. – **2.** (*azione stolta*) stupidity, foolish action; (*parole stolte*) nonsense, stupid talk. – **stoltilọquio** *m.* ⟨*lett*⟩ foolish talk. – **stoltịzia** *f.* ⟨*ant*⟩ → **stoltezza**.

stọlto I *a.* **1.** (*rif. a persone*) foolish, stupid, silly, witless, brainless. – **2.** (*rif. a cose*) foolish, stupid, silly, inane, senseless. – **II** *s.m.* (*f.* **-a**) fool, simpleton: *comportarsi da* ~ to act like a fool.

stọma *m.* ⟨*Biol,Bot*⟩ stoma.

stomạcace *f.* ⟨*Med*⟩ stomacace, stomatocace.

stomacạle *a.* → **stomachico**. – **stomacạnte** (*p.pr. di stomacare*) *a.* → **stomachevole**. – **stomacạre** *v.t.* (**stọmaco, stọmachi**) **1.** to turn the stomach of, to sicken, to nauseate, to make (feel) sick. – **2.** ⟨*fig*⟩ (*disgustare*) to sicken, to nauseate, to disgust, to revolt, ⟨*fam*⟩ to make sick. – **stomacarsi** *v.r.* to be nauseated (*di* by), ⟨*fam*⟩ to get sick (of). – **stomacạto** (*p.p. di stomacare*) *a.* **1.** nauseated, sickened (*di* by). – **2.** ⟨*fig*⟩ (*disgustato*) sickened, nauseated, disgusted, revolted (by). – **stomachẹvole** *a.* **1.** sickening, nauseating, nauseous: *sapore* ~ nauseous taste. – **2.** ⟨*fig*⟩ (*disgustoso*) nauseating, disgusting, revolting, ⟨*fam*⟩ sickening: *spettacolo* ~ nauseating sight. – **stomachevolmẹnte** *avv.* nauseatingly, sickeningly, disgustingly, revoltingly.

stomạchico *a.* (*pl.* **-ci**) **1.** stomachic(al), gastric. – **2.** (*per lo stomaco*) stomachic(al). – **stomachịno** (*dim. di stomaco*) *m.* (*stomaco delicato*) weak stomach, ⟨*fam*⟩ tum-tum.

stọmaco *m.* (*pl.* **-chi/-ci**) **1.** ⟨*Anat*⟩ stomach, ⟨*fam,infant*⟩ tummy: *rovinarsi lo* ~ to ruin one's stomach. – **2.** ⟨*fig*⟩ (*capacità di sopportazione*) stomach. – **3.** ⟨*fig*⟩ (*coraggio*) courage, nerve, grit, ⟨*fam*⟩ guts *pl.* – **4.** ⟨*region*⟩ (*petto*) breast, chest. – **5.** ⟨*rar*⟩ (*mal di stomaco*) stomach-ache.

□ ⟨*fig,non com*⟩ (*di*) **contro** ~ (*malvolentieri*) unwillingly, against one's will; **dare** *di* ~ to vomit, to be sick, ⟨*fam*⟩ to throw up; ~ **dilatato** dilated stomach; ⟨*non com*⟩ **far** ~ = **rivoltare** *lo stomaco*; *avere uno* ~ *di* **ferro** to have a cast-iron stomach; ⟨*Ornit*⟩ ~ **ghiandolare** (*proventriglio*) proventriculus, glandular stomach; *avere* (o *sentirsi*) *lo* ~ **imbarazzato** to have indigestion (*o* an upset stomach); **mal** *di* ~ stomach-ache, ⟨*fam,infant*⟩ tummy-ache; *essere* **malato** *di* ~ to have ⌜stomach trouble⌝ (*o* a bad stomach); **muovere** *lo* ~ = **rivoltare** *lo stomaco*; *a* ~ **pieno** on a full stomach; **riempirsi** *lo* ~ to fill up, to stuff (o.s.), to gorge (o.s.), ⟨*volg*⟩ to fill one's belly; **rimanere** *nello* ~ to sit on one's stomach; **rivoltare** *lo* ~ to turn (*o* upset) one's stomach; *avere uno* ~ *di* **struzzo** = *avere uno stomaco di* **ferro**; *avere qc.* **sullo** ~ to have s.th. sitting (*o* lying) on one's stomach; ⟨*fam*⟩ *avere qd. sullo* ~ to be unable to stomach s.o.; ⟨*Ornit*⟩ ~ **trituratore** ventriculus, gizzard, muscular stomach; *a* ~ **vuoto** on an empty stomach.

stomacọso *a.* → **stomachevole**. – **stomacụccio** (*dim. di stomaco*) *m.* → **stomachino**.

stomạtico *a.* (*pl.* **-ci**) **1.** (*stomachico*) stomachic(al). – **2.** ⟨*Bot*⟩ stomatal, stomatic. – **3.** ⟨*rar*⟩ (*che giova nelle malattie della bocca*) good for diseases of the mouth.

stomatịte *f.* ⟨*Med*⟩ stomatitis. □ ~ *gangrenosa* gangrenous stomatitis; ~ *micotica* (o *parassitaria*) mycotic (*o* parasitic) stomatitis, thrush.

stomatologịa *f.* stomatology. – **stomatolọgico** *a.* (*pl.* **-ci**) stomatologic(al). – **stomatọlogo** *m.* (*pl.* **-gi**; *f.* **-a**) stomatologist. – **stomatoplạstica** *f.* ⟨*Chir*⟩ stomatoplasty.

stomatọpodi *m.pl.* ⟨*Zool*⟩ stomatopods *pl* (*Stomatopoda*).

stomiạtidi *m.pl.* ⟨*Itt*⟩ stomiatids *pl* (*Stomiatidae*).

stomiatoidẹi *m.pl.* ⟨*Itt*⟩ stomiatoids *pl* (*Stomiatoidea*).

stọmio *m.* ⟨*Bot*⟩ stomium.

stonacạre *v.t.* (**stọnaco, stọnachi**) ⟨*non com*⟩ (*togliere l'intonaco*) to strip of plaster, to remove the plaster from.

stonamẹnto *m.* ⟨*non com*⟩ → **stonata**. – **stonạre** *v.* (**stọno**) **I** *v.t.* **1.** ⟨*Mus*⟩ (*rif. a sonatori*) to play flat (*o* out of tune, off-key); (*rif. a cantanti*) to sing flat (*o* out of tune, off-key): *un cantante che stona* a singer that sings flat. – **2.** ⟨*fig*⟩ (*sconcertare, turbare*) to upset, to trouble, to disturb, to bewilder. – **II** *v.i.* (*aus.* **avere**) **1.** ⟨*Mus*⟩ (*rif. a strumenti*) to be (*o* play) out of tune; (*rif. a cantanti*) to sing out of tune (*o* flat, off-key). – **2.** ⟨*fig*⟩ (*contrastare*) to be out of keeping (*o* place), to clash, to jar (*con* with): *ciò che hai fatto stona col tuo carattere* what you have done is out of keeping with your character; (*rif. a colori e sim.*) to clash, not to go (with), not to match (s.th.): *queste scarpe stonano con il vestito* these shoes do not go well with the suit.

stonạta *f.* ⟨*Mus*⟩ (*stonatura*: *rif. a strumenti*) playing out of tune, false note; (*rif. a cantanti*) singing off-key (*o* out of tune), false note. – **stonatịna** (*dim. di stonata*) *f.* ⟨*fam*⟩: *fare una* ~ (*rif. a sonatori*) to play ⌜out of tune⌝ (*o* a false note); (*rif. a cantanti*) to sing off-key (*o* out of tune).

stonạto (*p.p. di stonare*) *a.* **1.** ⟨*Mus*⟩ (*rif. a note*) flat, false, off-key; (*rif. a strumenti*) out of tune: *un pianoforte* ~ an out-of-tune piano; (*rif. a cantanti*) flat, out of tune, off-key. – **2.** ⟨*fig*⟩ jarring, false, wrong, out of place (*o* keeping), clashing: *una nota -a* a jarring note; (*rif. a colori e sim.*) clashing. – **3.** ⟨*fig*⟩ (*sconcertato, turbato*) upset, troubled, disturbed, bewildered: *sentirsi* ~ to feel bewildered. □ ⟨*fig*⟩ *essere* ~ to be out of sorts.

stonatụra *f.* **1.** (*atto*: *rif. a strumenti*) playing out of tune; (*rif. a cantanti*) singing flat (*o* off-key, out of tune); (*effetto*) lack of harmony. – **2.** (*suono*) false (*o* wrong, flat) note. – **3.** ⟨*fig*⟩ jarring note, incongruity. □ ⟨*fig*⟩ *essere una* ~ to be wrong (*o* out of place); (*rif. a colori*) to clash, not to go, to look wrong; *fare una* ~ (*sonando*) to play a false note; (*cantando*) to sing a false note, to go off-key (*o* flat).

stondạre *v.t.* (**stọndo**) ⟨*non com*⟩ (*rendere tondo*) to (make) round. – **stondạto** (*p.p. di stondare*) *a.* ⟨*non com*⟩ (*arrotondato*) rounded.

stonịo *m.* ⟨*non com*⟩ jarring, continual playing (*o* singing) out of tune.

stọp *m.* **1.** ⟨*Tel*⟩ stop. – **2.** ⟨*Strad*⟩ (*segnale*) stop sign; (*comando*) halt major road ahead. – **3.** ⟨*Aut*⟩ (*fanalino d'arresto*) brake light. – **4.** ⟨*esclam*⟩ stop, halt. – **5.** ⟨*Astr*⟩ (*appulso*) appulse. □ ⟨*mar*⟩ *dare* (o *prendere*) *uno* ~ to ⌜take the time⌝ (*o* give the instant) of an observation; *intimare lo* ~ *a un automobilista* to signal a motorist to stop.

stọppa *f.* **1.** ⟨*Tess*⟩ tow. – **2.** ⟨*region*⟩ (*sbornia*) drunkenness.

□ ⟨*ant*⟩ *far la* **barba** *di* ~ *a qd.* (*giocargli un tiro birbone*) to play a trick on s.o.; ⟨*Mar*⟩ ~ **bianca** oakum caulk(ing); **carne** *che sembra* ~ tough (*o* stringy) meat; ⟨*Mar*⟩ ~ **catramata** black cakum; **di** ~ tow-, towy, towlike; ⟨*estens*⟩ (*biondo e irsuto*) like straw: *capelli di* ~ hair like straw; ⟨*fig*⟩ *gambe di* ~ (*fiacche*) weak (*o* wobbly) legs; ⟨*fig*⟩ *uomo di* ~ (*privo d'energia*) man of straw (*o* no account); ⟨*Tess*⟩ ~ *di* **lino** flax tow; ~ **nera** = *stoppa* **catramata**.

stoppạccio *m.* **1.** wad. – **2.** ⟨*Stor*⟩ (*stoppino*) slow-match. – **stoppaccịoso** *a.* **1.** (*stopposo*) towy, towlike. – **2.** ⟨*fam*⟩ (*duro e filaccioso*) tough, stringy.

stoppạre[1] *v.t.* (**stọppo**) ⟨*region*⟩ **1.** to stop (*o* plug) with tow. – **2.** (*chiudere bene*) to stop up.

stoppạre[2] *v.t.* (**stọppo**) **1.** (*arrestare, fermare*) to stop, to halt, to bring to a stop (*o* halt). – **2.** ⟨*Sport*⟩ to trap, to stop. – **stoppạta** *f.* ⟨*Sport*⟩ trapping (*o* stopping) the ball.

stoppatọre[1] *m.* ⟨*Mar*⟩ caulker.

stoppatọre[2] *m.* ⟨*Sport*⟩ ball trapper (*o* stopper).

stọpper *ingl.* [-ər] *m.* **1.** ⟨*Sport*⟩ ball trapper (*o* stopper); (*difensore*) back, policeman. – **2.** ⟨*Mar*⟩ stopper.

stọppia *f.* **1.** stubble, stubbles *pl.* – **2.** *pl.* (*campo di stoppie*) stubble (field) *sing.*

stoppinạre *v.t.* ⟨*non com*⟩ **1.** (*accendere con lo stoppino*) to fire (*o* light) with a slow-match. – **2.** ⟨*tosc*⟩ (*stoppare*) to stop up.

stoppịno *m.* **1.** wick. – **2.** (*miccia*) slow-match. – **3.** ⟨*Tess*⟩ roving. – **4.** ⟨*Stor*⟩ (*stoppaccio*) slow-match.

Stoppịno *N.pr.m.* ⟨*Teat*⟩ Stoppino.

stoppiọne *m.* ⟨*Bot*⟩ (*scardaccione*) Canada thistle, creeping (*o* corn, cursed) thistle (*Cirsium arvense*).

stoppọso *a.* **1.** towy, towlike. – **2.** ⟨*estens*⟩ (*rif. a capelli*) like straw. – **3.** ⟨*fig*⟩ (*filaccioso, fibroso*) stringy; (*rif. a carne*) stringy, tough.

storạce *m.* ⟨*Bot*⟩ **1.** genuine storax tree (*Liquidambar orientalis*). – **2.** storax (*Styrax officinalis*). – **3.** (*balsamo*) (liquid) storax, (Levant) storax.

stọrcere *v.t.* (**stọrco, stọrci; stọrsi, stọrto**) **1.** to twist, to wrest, to wrench: ~ *il braccio a qd.* to twist s.o.'s arm; *mi sono storto un piede* I have twisted my foot. – **2.** (*curvare, piegare*) to bend, to curve, to make crooked: ~ *un chiodo* to bend a nail. – **3.** ⟨*fig*⟩ (*alterare*) to twist, to distort: ~ *le parole altrui* to twist a person's words, to distort what s.o. said. – **storcersi** *v.r.* **1.** (*contorcersi*) to twist, to writhe, to contort. – **2.** (*piegarsi malamente*) to bend, to become bent (*o* crooked, twisted): *il chiodo s'è storto* the nail has bent. □ ⟨*fig*⟩ ~ *la bocca* (o *il muso*) to make a wry face, to twist one's mouth; ⟨*fig*⟩ ~ *il naso* to turn up one's nose; ~ *gli occhi* to roll one's eyes.

storcicọllo *m.* ⟨*pop,non com*⟩ (*torcicollo*) stiff neck.

storcimẹnto *m.* **1.** (*lo storcere, lo storcersi*: *atto*) twisting, wrenching, wresting; (*effetto*) wrench. – **2.** (*contorcimento*) twisting, contortion.

stordimẹnto *m.* **1.** stunning, dazing, bewildering; (*dovuto a bevande alcoliche*) befuddling, dulling; (*dovuto a rumore*) stunning, deafening. – **2.** (*stato di turbamento*) dazed state, dizziness, dullness. – **3.** (*sbalordimento*) stupefaction, bewilderment, astonishment.

stordịre *v.* (**stordịsco, stordịsci**) **I** *v.t.* **1.** to stun, to daze, to bewilder, to stupefy; (*rif. a bevande alcoliche*) to befuddle, to dull (the senses of); (*rif. a rumore*) to stun, to deafen: *il chiasso mi stordisce* the uproar is deafening me. – **2.** ⟨*fig*⟩ (*sbalordire*) to stun, to stupefy, to dumbfound. – **II** *v.i.* (*aus.* **essere**) ⟨*non com*⟩ **1.** (*rimanere turbato*) to be upset (*o* perturbed, uneasy). – **2.** (*rimanere sbalordito*) to be stunned (*o* stupefied, dumbfounded, astounded). – **stordirsi** *v.r.* to lose o.s., to forget (o.s.), to dull one's senses: *cerca di stordirsi bevendo* he tries to forget by drinking.

storditạggine *f.* **1.** carelessness, absent-mindedness, thoughtlessness, heedlessness. – **2.** (*errore commesso per storditaggine*) foolish mistake, blunder. – **storditamẹnte** *avv.* carelessly, absent-mindedly, thoughtlessly. – **storditẹzza** *f.* ⟨*non com*⟩ carelessness, absent-mindedness, heedlessness. – **stordịto** (*p.p. di stordire*) **I** *a.* **1.** stunned, dazed, bewildered, stupefied, dumbfounded: *era* ~ *per lo scoppio della bomba* he was stunned by the explosion of the bomb. – **2.** (*distratto, sbadato*) careless, absent-minded, scatter-brained, heedless. – **II** *s.m.* (*f.* **-a**) scatter-brain, thoughtless person.

stọria *f.* **1.** history: *con la scoperta dell'America inizia la* ~ *moderna* modern history begins with the discovery of America. – **2.** (*opera storiografica*) history, historical work: ~ *d'Inghilterra* history of England; ~ *della letteratura italiana* history of Italian literature. – **3.** ⟨*Scol*⟩ history: *una lezione di* ~ a history lesson. – **4.** (*serie di vicende*) story: *la* ~ *della mia vita* the story of my life; *è una* ~ *penosa* it's a sad story; (*fatto, episodio*) affair, story, event, incident, matter, business. – **5.** (*narrazione, racconto*) story, tale, account: *una* ~ *d'amore* a love story; *mi fece la* ~ *del suo viaggio* he gave me an account of his trip; (*favola*) tale, story: *-e per bambini* children's stories. – **6.** (*faccenda, questione*) matter, affair, question, business: *non voglio più sentir parlare di questa* ~ I don't want to hear another word about this business; *in questa* ~ *io non c'entro* I don't have anything to do with this matter. – **7.** (*spesso al pl.*: *fandonia*) (tall) stories *pl*, tales *pl*, fibs *pl*, yarns *pl*, nonsense: *quel ragazzo ci ha raccontato un sacco di -e* that boy told us a lot of tall tales; (*pretesto, scusa*) excuse, pretext: *questa è una* ~ *per non andare a scuola* this is an excuse to stay home from school. – **8.** *pl.* (*tergiversazioni, smorfie*) fuss *sing*: *non fare tante -e* don't make such a fuss; *raccontami tutto senza tante -e* tell me everything without making such a fuss. – **9.** (*verità*) fact: *questa è* ~ this is ⌜a fact⌝ (*o* true). – **10.** *pl.* ⟨*esclam*⟩ (stuff and) nonsense, humbug, rubbish: *-e, non ci credo proprio* nonsense, I don't believe a word of it. – **11.** (*rappresentazione pittorica*) scene, picture: *la parete è affrescata con -e dell'Antico Testamento* the wall is frescoed with scenes from the Old Testament.

□ ~ **naturale** natural history; *il* **padre** *della* ~ (*Erodoto*) the Father of History, Herodotus; **passare** *alla* ~ to go down in history; ~ **romanzata** historical novel; ~ **sacra** sacred history; *è la* **solita** ~ it's the same old story; ~ **universale** universal history. – *Prov.*: *la* ~ *è maestra di vita* history is the teacher of life, we learn from history.
storiạle ⟨*ant*⟩ **I** *a.* (*istoriale*) historical. – **II** *s.m.* historian.
storiạre *v.t.* (**stọrio, stọri**) ⟨*non com*⟩ (*istoriare*) to decorate with historical (*o* legendary) scenes. □ ⟨*tosc*⟩ *far* ~ *qd.* (*tirarlo in lungo*) to put s.o. off, ⟨*fam*⟩ to keep s.o. on a string; ⟨*tosc*⟩ *fare* ~ *qc.* (*tirarla per le lunghe*) to draw (*o* drag) s.th. out.
storicamẹnte *avv.* **1.** historically: *considerare* ~ *i fatti* to consider the facts historically. – **2.** (*realmente, di fatto*) really, actually, historically: *quest'incontro è* ~ *avvenuto* this meeting actually took place.
storicịsmo *m.* ⟨*Filos*⟩ historicism. – **storicịsta** *m./f.* historicist. – **storicịstico** *a.* (*pl.* **-ci**) historicist. – **storicità** *f.* **1.** (*veridicità storica*) historical authenticity, historicity: *la* ~ *di un fatto* the historicity of a fact. – **2.** (*carattere storico*) historicity, historicalness. – **storiciẓẓạre** *v.t.* to historicize. – **storiciẓẓaziọne** *f.* historicizing.
stọrico *a./s.* (*pl.* **-ci**) **I** *a.* **1.** (*della storia, che appartiene alla storia*) historical: *opera* **-a** historical work. – **2.** (*realmente accaduto, non inventato*) historical: *fatto* ~ historical fact; *i personaggi* **-i** *di un romanzo* the historical characters in a novel. – **3.** (*memorabile*) historic, memorable, to be remembered: *una giornata* **-a** a day to be remembered. – **4.** ⟨*fam*⟩ (*noto a tutti*) well-known: *questa è una cosa* **-a** this is well-known (*o* known by all). – **II** *s.m.* **1.** (*studioso*; *f.* **-a**) historian; (*storiografo*) historiographer, historian. – **2.** ⟨*Teat*⟩ narrator.
storiẹlla, storiellịna (*dim. di storia*) *f.* (*aneddoto*) (funny) story, anecdote; (*barzelletta*) joke: ~ *oscena* dirty joke; (*frottola*) (tall) story. – **storiẹtta** (*dim. di storia*) *f.* ⟨*non com*⟩ (*piccolo libro di storia*) short history book.
storịno *m.* ⟨*region*⟩ → **stoino**.
storiografịa *f.* historiography. – **storiogrạfico** *a.* (*pl.* **-ci**) historiographic(al). – **storiọgrafo** *m.* (*f.* **-a**) **1.** historian, historiographer. – **2.** (*titolo*) historiographer, official historian: ~ *di corte* court historiographer, official court historian.
storiọne *m.* ⟨*Itt*⟩ **1.** sturgeon (*Acipenser*). – **2.** common sturgeon (*Acipenser sturio*). □ *in bocca allo* ~*!* good fishing!; ⟨*Itt*⟩ ~ *ladano* (*o russo*) beluga, huso, great white sturgeon, Russian (*o* isinglass) sturgeon (*Huso huso*).
stormeggiạre *v.* (**stormẹggio, stormẹggi**) ⟨*ant*⟩ **I** *v.t.* (*sonare a stormo*) to ring the tocsin (*o* alarm-bell). – **II** *v.i.* (*aus.* **avere**) (*riunirsi in stormi*) to flock (*o* mass) together, to swarm.
stormịre *v.i.* (**stormịsco, stormịsci**; *aus.* **avere**) to rustle.
stọrmo *m.* **1.** (*rif. ad animali*) flock, herd, pack, swarm; (*rif. a uccelli*) flock, flight. – **2.** (*gruppo di persone*) crowd, swarm, band, host. – **3.** ⟨*fig*⟩ (*grande quantità*) mass. – **4.** ⟨*Mil*⟩ (*gruppo di cavalieri*) troop of horse. – **5.** ⟨*Aer*⟩ flight formation composed of a headquarters and several groups (approximately equivalent to a wing). – **6.** ⟨*Mil.ant*⟩ armed host. – **7.** ⟨*ant*⟩ (*scontro militare*) storm, assault, attack. □ *a* **-i** in flocks (*o* swarms, masses); ⟨*Mil*⟩ *carica a* ~ assault, storming; *sonare a* ~ to ring the tocsin (*o* alarm-bell).
stornạre *v.* (**stọrno**) **I** *v.t.* **1.** (*allontanare*) to avert, to ward (*o* stave) off, to avoid: ~ *il pericolo* to avert danger. – **2.** (*dissuadere, distogliere*) to dissuade, to divert, ⟨*fam*⟩ to put off: ~ *qd. da qc.* to put s.o. off s.th., to dissuade s.o. from (doing) s.th. – **3.** ⟨*Comm*⟩ (*nella contabilità: trasferire*) to transfer; (*rettificare*) to reverse. – **4.** ⟨*Comm*⟩ (*rif. a contratti: annullare*) to cancel. – **5.** ⟨*ant*⟩ (*volgere in altra direzione*) to turn away (*o* aside). – **6.** ⟨*ant*⟩ (*alterare*) to change. – **II** *v.i.* (*aus.* **essere**) ⟨*ant*⟩ (*tornare indietro*) to turn back.
stornarẹlla *f.* ⟨*Veter*⟩ contagious agalactia.
stornellamẹnto *m.* ⟨*non com*⟩ singing of stornelli. – **stornellạre** *v.i.* (**stornẹllo**; *aus.* **avere**) to sing stornelli. – **stornellạta** *f.* **1.** singing of stornelli. – **2.** (*insieme di stornelli*) stornelli *pl.* □ *fare una* ~ to sing stornelli. – **stornellatọre** *m.* (*f.* **-trice**) singer of stornelli.
stornẹllo[1] *m.* ⟨*Mus*⟩ stornello.
stornẹllo[2] *m.* → **storno**[2].
stornẹllo[3] (*dim. di storno*[1]) **I** *a.* ⟨*Zootecn*⟩ dapple(d)-grey. – **II** *s.m.* (*f.* **-a**) (*cavallo storno*) dapple-grey (horse).
stọrno[1] *a.* ⟨*Zootecn*⟩ dapple(d)-grey: *cavallo* ~ dapple-grey (horse).
stọrno[2] *m.* ⟨*Ornit*⟩ **1.** starling (*Sturnus*). – **2.** (*anche storno comune*) (common) starling (*Sturnus vulgaris*). □ ~ *marino* (*o delle more*) = *storno roseo*; ~ *nero* spotless starling (*Sturnus unicolor*); ~ *roseo* rose(-coloured) starling, shepherd bird, rose(-coloured) pastor (*Pastor roseus*).
stọrno[3] *m.* **1.** ⟨*Comm*⟩ transfer; (*rettificazione*) reversal, contra-entry; (*rif. a contratti di assicurazione*) cancellation. – **2.** ⟨*tosc*⟩ (*biglietto del lotto*) lottery ticket.
storpiamẹnto *m.* **1.** crippling, laming, maiming. – **2.** ⟨*fig*⟩ distortion, twisting, warping. – **storpiạre** *v.t.* (**stọrpio, stọrpi**) **1.** (*rendere storpio*) to cripple, to maim: *quell'incidente lo ha storpiato* that accident crippled him; (*rif. ai piedi*) to lame, to cripple. – **2.** (*rendere deforme*) to deform, to disfigure. – **3.** ⟨*fig*⟩ (*deformare*) to distort, to twist: *i giornali hanno storpiato i fatti* the papers distorted the facts. – **4.** ⟨*fig*⟩ (*parlar male*) to mangle, ⟨*fam*⟩ to murder: ~ *una lingua* to mangle a language; (*pronunciare male*) to mispronounce: ~ *un nome* to mispronounce a name. – **5.** ⟨*fig*⟩ (*fare male*) to bungle. – **6.** ⟨*ant*⟩ (*impedire, disturbare*) to disturb, to hinder. – **storpiarsi** *v.r.* to become crippled (*o* lame, deformed), to be maimed; (*rif. a persone*) to become lame (*o* a cripple). – **storpiạto** (*p.p. di storpiare*) **I** *a.* crippled, lame, maimed. – **II** *s.m.* (*f.* **-a**) cripple, lame person. – **storpiatụra** *f.* **1.** (*atto*) crippling, laming, maiming, deforming; (*effetto*) lameness, deformity. – **2.** (*cosa storpiata*) bungle, botch. – **3.** ⟨*fig*⟩ (*deformazione*) twisting, distorting: ~ *del senso* twisting of the meaning. – **4.** ⟨*fig*⟩ (*cattiva pronuncia*) mangling, mispronounciation; (*cattiva esecuzione*) bungling, botching.
stọrpio[1] **I** *a.* crippled, lame. – **II** *s.m.* (*f.* **-a**) cripple, lame person.
stọrpio[2] *m.* ⟨*ant*⟩ **1.** (*impedimento*) obstacle, hindrance. – **2.** (*indugio*) delay.
stọrta[1] *f.* **1.** twist, wrench. – **2.** (*distorsione*) sprain, twist, (w)rick, wrench. – **3.** ⟨*rar*⟩ (*svolta*) bend, turn, curve. □ *dare una* ~ *a qc.* to give s.th. a twist, to twist s.th.; ⟨*rar*⟩ *fare una* ~ (*svoltare*) to turn, to bend; *prendere una* ~ *al piede* to sprain one's foot.
stọrta[2] *f.* **1.** ⟨*Chim*⟩ retort, still. – **2.** (*recipiente refrattario*) retort. – **3.** ⟨*non com*⟩ (*pappagallo*) urinal. – **4.** ⟨*Mil.ant*⟩ curved sword.
stortạme *m.* ⟨*Mar*⟩ crooked timber.
stortẹtta (*dim. di storta*[2]) *f.* ⟨*Mil.ant*⟩ curved sword.
stortẹzza *f.* ⟨*non com*⟩ crookedness.
stortịni *m.pl.* ⟨*Alim*⟩ small soup pasta.
stortịno (*dim. di storto*) **I** *a.* **1.** slightly crooked. – **2.** ⟨*pop*⟩ (*dalle gambe storte*) bandy-legged, bow-legged. – **II** *s.m.* (*f.* **-a**) bandy-legged (*o* bow-legged) person, ⟨*fam*⟩ bandy-legs. – **stọrto** (*p.p. di storcere*) **I** *a.* **1.** (*non dritto*) crooked, twisted, bent: *un chiodo* ~ a bent nail. – **2.** (*sbilenco*) crooked, ⟨*pred*⟩ askew, ⟨*fam*⟩ cockeyed: *il quadro è* ~ the picture is crooked. – **3.** (*rif. a occhi*) squint, ⟨*pred*⟩ crossed: *ha gli occhi* **-i** he is squint-eyed (*o* cross-eyed), his eyes are crossed; (*rif. allo sguardo*) squint. – **4.** (*che ha le gambe storte*) bandy-legged, bow-legged. – **5.** ⟨*fig*⟩ wrong, false, mistaken: *idee* **-e** mistaken ideas; (*assurdo*) absurd, ⟨*fam*⟩ cockeyed. – **II** *s.m.* (*f.* **-a**) bandy-legged (*o* bow-legged) person, ⟨*fam*⟩ bandy-legs. – **III** *avv.* **1.** crookedly. – **2.** (*di traverso*) obliquely, askew, awry. □ *guardare* ~ *qd.* to squint at s.o.; ⟨*fig*⟩ to give s.o. a nasty look.
stortụra *f.* **1.** crookedness, twistedness, bentness; (*l'essere fuori sesto*) crookedness. – **2.** ⟨*fig*⟩ mistakenness, wrongness, falseness; (*assurdità*) absurdity, ridiculousness, ⟨*fam*⟩ cockeyedness.
stọscio *m.* ⟨*ant*⟩ (*caduta a precipizio*) headlong fall.
stovịglia *f.* (generally in pl.) dishes *pl*, crockery: *lavare le* **-e** to wash the dishes, to wash up. – **stovigliạio** *m.* (*f.* **-a**) ⟨*non com*⟩ **1.** (*fabbricante*) potter. – **2.** (*venditore*) crockery-seller. – **stoviglierịa** *f.* ⟨*non com*⟩ **1.** crockery, pottery, domestic hardware. – **2.** (*fabbrica*) pottery.
stozzamẹnto *m.* ⟨*non com*⟩ → **stozzatura**. – **stozzạre** *v.t.* (**stọzzo**) **1.** to emboss. – **2.** ⟨*tecn*⟩ to slot. – **stozzatọre** *m.* **1.** puncher. – **2.** ⟨*tecn*⟩ slotter. – **stozzatrịce** *f.* ⟨*tecn*⟩ slotter, slotting-machine. – **stozzatụra** *f.* **1.** ⟨*Oref*⟩ punching, embossing. – **2.** ⟨*tecn*⟩ slotting. – **stọzzo** *m.* ⟨*Oref*⟩ punch, embossing tool.
strabalzạre **I** *v.t.* **1.** ⟨*rar*⟩ (*trabalzare*) to toss (*o* throw) about, to jolt. – **2.** ⟨*ant*⟩ (*trasferire d'autorità*) to transfer. – **II** *v.i.* (*aus.* **essere**/*rar.* **avere**) ⟨*rar*⟩ (*trabalzare*) to bounce about.
strabenedịre *v.t.* (**strabenedịco, strabenedịci; strabenedịssi, strabenedẹtto**) ⟨*pop*⟩ **1.** to bless profusely. – **2.** ⟨*eufem*⟩ (*maledire*) to damn.
strabẹre *v.i.* (**strabẹvo; strabẹvvi/strabevẹtti**/*rar.* **strabevẹi, strabevụto**; → **bere**; *aus.* **avere**) to drink excessively (*o* too much).
strạbico *a./s.* (*pl.* **-ci**) **I** *a.* (*rif. a persone*) squint-eyed, cross-eyed; (*rif. a occhi*) squint, cross(ed). – **II** *s.m.* (*f.* **-a**) squint-eyed (*o* cross-eyed) person. □ *guardare qd.* ~ to squint at s.o.
strabiliạnte (*p.pr. di strabiliare*) *a.* marvellous, amazing: *invenzione* ~ marvellous invention. – **strabiliạre** *v.* (**strabịlio, strabịli**) **I** *v.t.* to astound, to stun, to dumbfound: *le tue avventure hanno fatto* ~ *tutti* your adventures have really astounded everyone. – **II** *v.i.* (*aus.* **avere**) **1.** (*meravigliarsi*) to be amazed (*o* astonished). – **2.** (*sbalordirsi*) to be stupefied (*o* dumbfounded). □ *far* ~ to stun, to stupefy, to dumbfound. – **strabiliạto** (*p.p. di strabiliare*) *a.* amazed, astounded; (*sbalordito*) stupefied, dumbfounded, stunned. – **strabilịre** *v.* ⟨*ant*⟩ → **strabiliare**.
strabịsmo *m.* ⟨*Med*⟩ strabismus, squint, cross-eye. □ *essere affetto da* ~ to squint; ~ *concomitante* concomitant (*o* muscular) strabismus; ~ *convergente* internal (*o* convergent) squint, esotropia, cross-eye.
straboccamẹnto *m.* ⟨*non com*⟩ overflowing, brimming over. – **straboccạre** *v.i.* (**strabọcco, strabọcchi**; *aus.* **essere**/**avere**) **1.** (*traboccare*) to overflow, to brim over. – **2.** ⟨*ant*⟩ (*precipitare*) to fall (headlong), to plunge (*o* hurtle) down.
strabocchẹvole *a.* **1.** (*eccessivo*) (super)abundant, overwhelming: *ricchezza* ~ abundant wealth; (*grandissimo*) huge, enormous, vast: *folla* ~ vast crowd. – **2.** ⟨*ant*⟩ (*impetuoso, precipitoso*) impetuous, rash, precipitate. – **3.** ⟨*ant*⟩ (*scosceso, dirupato*) steep, sheer, precipitous. – **strabocchevolmẹnte** *avv.* (*eccessivamente*) exceptionally, extraordinarily, overwhelmingly. – **strabọcco** *m.* (*pl.* **-chi**) ⟨*rar*⟩ (*trabocco*) overflowing.
strabometrịa *f.* ⟨*Med*⟩ strabometry, strabismometry. – **strabọmetro** *m.* strabismometer, strabometer.
Strabọne *N.pr.m.* ⟨*Stor*⟩ Strabo.
strabuẓẓamẹnto *m.* ⟨*non com*⟩ rolling. – **strabuẓẓạre** *v.t.* to roll: ~ *gli occhi* to roll one's eyes.
stracanạrsi *v.r.* ⟨*fam,tosc*⟩ (*affaticarsi*) to work ⌜very hard⌝ (*o* like a slave), to wear o.s. out. – **stracanạta** *f.* ⟨*fam,tosc*⟩ (*sfacchinata*) exhausting job, heavy chore.

stracannạggio *m.* ⟨*Tess*⟩ rewinding. – **stracannạre** *v.t.* to rewind. – **stracannatụra** *f.* → **stracannaggio.**

stracạrico *a.* (*pl.* **-chi**) overladen, overloaded, overburdened, bursting (*di* with): *essere ~ di lavoro* to be overburdened with work.

strạcca *f.* ⟨*rar*⟩ (*stanchezza*) tiredness, weariness, fatigue. □ ⟨*ant*⟩ *fare qc. a ~* to exert o.s.; *pigliare una ~* (*stancarsi molto*) to get very tired, to wear o.s. out.

stracca|brạccia: ⟨*non com*⟩ *a ~* wearily, half-heartedly. – **~dẹnti** *m.inv.* ⟨*Dolc,region*⟩ (kind of) hard biscuit. – **~ganạsce** *m.inv.* **1.** ⟨*roman*⟩ → **straccadenti.** – **2.** ⟨*ven*⟩ (*castagna secca*) dried chestnut.

straccạggine *f.* ⟨*non com*⟩ **1.** (*stanchezza*) tiredness, weariness. – **2.** (*spossatezza*) exhaustion, fatigue.

straccạle *m.* **1.** breeching. – **2.** *pl.* ⟨*ant*⟩ (*bretelle*) braces *pl*; (*spalline*) (shoulder-)straps *pl.* – **3.** ⟨*pop,tosc*⟩ (*cencio*) scrap, rag, piece. – **4.** *pl.* ⟨*pop,tosc*⟩ (*cose inutili*) odds and ends *pl*, rubbish, junk, stuff, ⟨*am*⟩ trash.

straccamẹnte *avv.* wearily, tiredly. – **straccamẹnto** *m.* tiring, wearying; (*stanchezza*) tiredness, weariness; (*spossatezza*) exhaustion, fatigue. – **straccạre** *v.t.* (**strạcco, strạcchi**) ⟨*pop*⟩ (*stancare molto*) to tire (out), to weary, to fag, to exhaust, to wear out, ⟨*fam*⟩ to do in. – **straccarsi** *v.r.* to tire, to get tired (*o* weary), to get (*o* become) exhausted, to wear o.s. out.

straccerịa *f.* **1.** (*quantità di stracci*) rags *pl.* – **2.** ⟨*spreg*⟩ old rags *pl*, tatters *pl.* – **3.** ⟨*ant*⟩ (*vendita di roba minuta*) sale of odds and ends. – **straccẹtto** (*dim. di straccio*[1]) *m.* (*cencio per pulire*) cloth, cleaning rag.

stracchẹzza *f.* ⟨*non com*⟩ weariness, exhaustion.

stracchịno *m.* **1.** ⟨*Alim*⟩ kind of soft cheese. – **2.** ⟨*Dolc,napol*⟩ ice -cream brick.

stracciạbile *a.* tearable, that may be torn. – **stracciabilità** *f.* ⟨*non com*⟩ tearableness.

stracciabrạche *m.inv.* ⟨*Bot*⟩ (*salsapariglia nostrana*) smilax (*Smilax aspera*).

stracciafọglio *m.* ⟨*ant*⟩ **1.** (*brogliaccio*) waste-book, daybook. – **2.** (*scartafaccio*) notebook, scribbling block; (*libro per le minute dei verbali*) minute-book.

stracciaiọlo *m.* (*f.* **-a**) **1.** ragman, rag-merchant, rag-and-bone man; (*di vestiti*) old-clothes man. – **2.** ⟨*rar*⟩ (*operaio addetto alla stracciatura dei bozzoli*) comber. – **stracciamẹnto** *m.* ⟨*non com*⟩ tearing.

stracciạre *v.t.* (**strạccio, strạcci;** *p.p.* **stracciạto/strạccio**) **1.** to tear; (*facendo a pezzi*) to tear up: *~ un giornale* to tear up a newspaper. – **2.** (*strappare*) to tear, to rend, to rip: *~ i vestiti di dosso a qd.* to rip the clothes off s.o.; (*rif. a capelli*) to tear out. – **3.** (*in bachicoltura*) to comb. – **4.** (*nell'industria degli stracci*) to unravel. – **5.** ⟨*sport*⟩ to beat, ⟨*fam*⟩ to lick, ⟨*fam*⟩ to whack. – **6.** ⟨*ant*⟩ (*dilaniare*) to tear (to pieces), to rend. – **7.** ⟨*ant*⟩ (*fracassare*) to smash, to shatter, to break to pieces. – **stracciarsi** *v.r.* to tear, to rend. □ *stracciarsi le vesti in segno di dolore* to rend one's garments in grief; ⟨*sport*⟩ *~ gli avversari* (*batterli con superiorità*) to lick the opposing team.

stracciarọlo *m.* ⟨*region*⟩ → **stracciaiolo.**

stracciasạcco: ⟨*non com*⟩ *a ~* (*in cagnesco*) sullenly, surlily. □ *guardare qd. a ~* to scowl (*o* glare) at s.o., to give s.o. a surly look.

stracciatẹlla *f.* ⟨*Gastr*⟩ broth with egg and cheese.

stracciạto (*p.p. di stracciare*) *a.* **1.** torn, rent, ripped: *foglio ~* torn sheet; (*fatto a pezzi*) torn up. – **2.** (*rif. a persone*) ragged, tattered, in rags, in tatters: *andare in giro tutto ~* to go around in rags. – **stracciatụra** *f.* **1.** (*lo stracciare*) tearing, rending, ripping; (*il fare a pezzi*) tearing up. – **2.** (*strappo*) tear, rent, rip. – **3.** (*nell'industria degli stracci*) unravelling.

strạccio[1] *m.* **1.** rag, scrap of cloth: *raccogliere stracci* to collect rags; (*ritaglio di tessuto*) remnant, bit of material. – **2.** *pl.* (*indumenti logori*) rags *pl*, tatters *pl*: *essere vestito di stracci* to be dressed in rags. – **3.** (*cencio per pulire*) rag, cloth; (*per spolverare*) duster, dust-cloth; (*per pavimenti*) floor-cloth. – **4.** ⟨*pop*⟩ (*persona malridotta*) wreck: *ridursi uno ~* to become ⌈a wreck⌉ (*o* worn-out). – **5.** (*in bachicoltura: seta estratta dal bozzolo col pettine*) combings *pl.* – **6.** *pl.* ⟨*Cart*⟩ rags *pl.* – **7.** ⟨*rar*⟩ (*strappo*) tear, rent. □ ⟨*non com*⟩ *non capire uno ~ di qc.* not to know anything (*o* the first thing) about s.th.; ⟨*pop*⟩ *uno ~ di marito* a poor husband; *passare lo ~ in* (o *per*) *terra* to wipe (over) the floor; *non avere neppure uno ~ di vestito* not to have a rag to one's name; ⟨*non com*⟩ *non ce n'è uno ~* there is not the least bit.

strạccio[2] (*p.p. di stracciare*) *a.* **1.** waste, odd: *carta -a* waste paper. – **2.** (*stracciato*) torn.

straccịone *m.* (*f.* **-a**) **1.** ragamuffin, ragged fellow, tatterdemalion. – **2.** (*pezzente*) beggar, wretch, down-and-out, poor fellow. – **stracciọso** *a.* ⟨*non com*⟩ ragged, tattered, shabby, in rags. – **stracciv ẹndolo** *m.* → **stracciaiolo.**

strạcco *a.* (*pl.* **-chi**) ⟨*pop*⟩ **1.** (*stanco*) tired, weary; (*svogliato*) half -hearted, listless, sluggish. – **2.** (*sfinito*) tired out, worn-out, exhausted, ⟨*fam*⟩ beat, ⟨*fam*⟩ done in, all-in. – **3.** ⟨*fig*⟩ (*logorato*) worn (-out). – **4.** ⟨*fig*⟩ (*esaurito*) dying, fading, lukewarm, faint: *sentimento ~* dying (*o* lukewarm) sentiment. □ *alla -a* wearily; (*svogliatamente*) listlessly, half-heartedly; *caccia alla -a* hunting on horseback; *~ morto* dead tired; *terreno ~* impoverished soil.

straccurạggine, straccurạnza *f.* ⟨*pop,ant*⟩ (*trascuratezza*) carelessness, negligence. – **straccurạre** *v.t.* ⟨*pop,ant*⟩ (*trascurare*) to neglect, to be careless about, to overlook. – **straccuratạggine** *f.* → **straccuraggine.** – **straccurạto** (*p.p. di straccurare*) *a.* ⟨*pop,ant*⟩ (*trascurato*) neglected.

stracittà *f.* ⟨*Lett*⟩ cosmopolitan literature.

stracọcere *v.* ⟨*pop*⟩ → **stracuocere.**

stracollạre *v.t.* (**stracọllo**) ⟨*fam*⟩ (*slogare*) to sprain, to twist, to wrench, to (w)rick. – **stracollarsi** *v.r.* to sprain, to twist, to wrench: (*gli*) *si è stracollato un piede* he has sprained his foot. – **stracollatụra** *f.* ⟨*fam*⟩ sprain, wrench, twist, dislocation, (w)rick.

stracontẹnto *a.* very glad (*o* pleased), highly delighted, overjoyed, ⟨*fam*⟩ pleased as punch.

stracọtto (*p.p. di stracuocere*) **I** *a.* **1.** ⟨*Gastr*⟩ overcooked, overdone. – **2.** ⟨*pop*⟩ (*molto innamorato*) head over heels in love. – **II** *s.m.* ⟨*Gastr*⟩ braised meat, stew, casserole. □ *cotto e ~* overdone; ⟨*fig*⟩ head over heels in love. – **stracuọcere** *v.t.* (**stracuọcio, stracuọci; stracọssi, stracọtto;** → **cuocere**) to overcook, to overdo.

strạda *f.* **1.** road, way; (*di città*) street, road: *questa finestra dà sulla ~* this window looks out on the street. – **2.** (*via non selciata*) way, path; (*vicolo*) lane, alley. – **3.** (*percorso*) way, route: *qual'è la ~ per andare al municipio?* which is the way to the town-hall?; *ho segnato la ~ sulla carta* I've marked the route on the map; *facciamo la stessa ~* we're going the same way; *insegnare la ~ a qd.* to tell s.o. the way; (*cammino: a piedi*) walk, journey; (*in macchina*) drive, trip, journey: *ci sono due ore di ~* it's a two-hour trip, it takes two hours to get there. – **4.** (*varco*) way, path: *aprirsi una ~ nella neve* to clear a path through the snow; (*passaggio*) way, passage: *farsi ~ fra la folla* to make one's way through the crowd. – **5.** (*solco, apertura*) opening, way, path. – **6.** ⟨*fig*⟩ path, way, track: *mettersi sulla buona ~* to take the right path, to go the right way. – **7.** ⟨*fig*⟩ (*mezzo, metodo*) way, means *pl* (*costr.sing. o pl.*), ways and means *pl*, course, path: *tentare ogni ~ possibile* to try every possible way. – **8.** → **stradatura.**

□ *~ d'accesso*: 1. access (*o* approach) road; 2. (*viale*) drive(way); 3. (*raccordo*) connecting (*o* link) road; *~* **alzaia** towpath; **andare** *per la propria ~* to go on one's way; *~* **asfaltata** asphalt(ed) road; *~ di* **attraversamento** road (crossing an estate); *~* **bianca** (*non asfaltata*) dirt road; *~ di* **calcestruzzo** concrete highway (*o* road); **cambiare** *~* to take another road, to go another way; *~* **camionabile** road open to heavy traffic, ⟨*am*⟩ truck road; *~ di* **campagna** country road; (*strada stretta*) (country) lane; *~* **carovaniera** caravan route; *~ a doppia* **carreggiata** dual carriageway, ⟨*am*⟩ two-lane road; *~* **carrozzabile** = *strada* **rotabile**; **chiedere** *la ~ a qd.* to ask s.o. the way; ⟨*fig*⟩ *la ~ del* **cielo** the road to Heaven; *~ di* **circonvallazione** ring-road, ⟨*am*⟩ belt highway; (*per evitare l'attraversamento di una città*) by-pass; *~ di* **città** street, road; **codice** *della ~* Highway Code; *~* **comunale** country (*o* rural, local) road; (*in una città*) urban (*o* town) road, (city) street; *~ di grande* **comunicazione** arterial road, trunk-road, highway; ⟨*Mil*⟩ *~* **coperta** covered (*o* protected) route; ⟨*ant*⟩ *~* **corrente** = *strada* **maestra**; **da** *~* road-, street-; ⟨*fig*⟩ (*volgare*) gutter-, coarse, vulgar: *linguaggio da ~* coarse language, gutter talk; ⟨*ant*⟩ **darsi** *alla ~* (*darsi al brigantaggio*) to take to the highway, to become a highwayman (*o* footpad); **di** *~* street-, road-, highway-, of the road: *ragazzo di ~* street urchin; *donna di ~* street-walker, prostitute; *~ in* **discesa** downhill road; **divorare** *la ~* to eat up the road; *~* **extraurbana** road outside a town; *~* **facendo** on the (*o* one's) way, (as one is) going along; **fare** *una ~* (*percorrerla*) to go along a road, to cover a route; *che ~ fai?* which way are you going?; *fare ~ a qd.* to lead the way for s.o., to precede s.o., to show s.o. the way; ⟨*fig*⟩ to pave the way for s.o.; *farsi ~*: 1. (*aprirsi un passaggio*) to clear a way (*o* path): *farsi ~ nella boscaglia* to clear a path through the brush; 2. ⟨*fig*⟩ (*diffondersi*) to gain ground, to spread; 3. ⟨*fig*⟩ (*raggiungere il successo*) to make one's way, to do well for o.s.; 4. (*rivelarsi*) to come out: *la verità si è fatta ~* the truth has come out; *fare molta ~* to go (*o* come) a long way (*anche fig.*); ⟨*fig*⟩ *trovare la ~* **fatta** to have it (*o* things) easy; *~* **ferrata** railway, ⟨*am*⟩ railroad; **fuori** (*di*) *~*: 1. (*su strada sbagliata*) off the route, on the wrong road: *siamo fuori ~, dobbiamo tornare indietro* we're on the wrong road, we'll have to turn back; 2. (*fuori pista*) off the road: *in curva il camion è andato fuori ~* the truck went off the road on the curve; 3. ⟨*estens*⟩ (*fuori mano*) out of the way, off the beaten track: *il ristorante è un po' fuori ~* the restaurant is a bit out of the way; 4. ⟨*fig*⟩ (*in errore*) on the wrong track: *sembra che la polizia sia fuori ~* it seems that the police are on the wrong track; *mettere qd. fuori* (*di*) *~* to send s.o. off the road; ⟨*fig*⟩ to lead s.o. astray, to put s.o. on the wrong track; ⟨*fig*⟩ *essere fuori ~* to be on the wrong track: *se ragioni così sei fuori ~* if that's what you think you're on the wrong track; ⟨*Aut*⟩ **gara** *fuori ~* cross-country rally; *un* **giorno** *di ~* a day's journey; *~* **impraticabile** impassable (*o* impracticable) road; *la ~ è* **interrotta**: 1. the road is impassable; 2. (*per lavori*) the road is up; 3. (*è ostruita*) the road is blocked; *~* **laterale** side street, side road; *~* **maestra** main road, highway, highroad; ⟨*fig*⟩ **mettere** *qd. sulla* (o *in mezzo alla*) *~* to reduce s.o. to poverty, to turn s.o. out on the street; ⟨*fig*⟩ *mettere qd. sulla buona ~* to set (*o* put) s.o. on the right path; ⟨*fig*⟩ *mettersi la ~ fra le gambe* (*incamminarsi*) to set out (on one's way), to be off; *mettersi per una ~* to take a road; *a* **mezza** *~* halfway (there); *essere in* **mezzo** *a una ~* to be ⌈out on⌉ (*o* in the middle of) a road; ⟨*fig*⟩ (*essere privo di mezzi*) to have no means of subsistence, to be down and out; ⟨*fig*⟩ *lasciare qd. in mezzo a una ~* to leave s.o. ⌈out on the street⌉ (*o* high and dry); *la città è a un* **miglio** *di ~* the town is a mile away (*o* off); *~* **militare** military road; *~* **montagnosa** (o *di montagna*) mountain road; ⟨*fig*⟩ **mordere** *la ~* (*rif. a pneuma-*

tici) to hold the road; *(rif. a ciclisti)* to sprint; ~ **mulattiera** mule -track, bridle-path; ~ **nazionale** = *strada* **statale**; ~ **panoramica** panoramic road, scenic drive; **per** *la* ~ along the way (*o* road); ~ **piana** (o *pianeggiante*) flat road; ~ **poderale** estate road; ~ **praticabile** (*a piedi*) practicable road, road open to pedestrians (*o* foot traffic); (*con veicolo*) road open to motor vehicle (*o* traffic); ~ *con diritto di* **precedenza** priority road, road with right-of-way; ⟨*fig*⟩ **prendere** *la* ~ (*andarsene*) to set (*o* be) off, to get going, to be on one's way; *prendere una* ~ to take a road; ⟨*fig*⟩ to choose a way, to take a path (*o* course); ~ **principale**: 1. main (*o* major) road; 2. = *strada* **maestra**; ~ **privata** private road; ~ **provinciale** provincial (*o* regional) road; ~ **pubblica** public highway; ⟨*fig*⟩ **raccogliere** *qd. dalla* ~ to take s.o. out of the gutter; ~ *di* **raccordo** = *strada di* **svincolo**; ⟨*ant*⟩ ~ **regia** = *strada* **maestra**; ~ **rotabile** carriageroad, carriageway; ~ *in* **salita** uphill road; ~ **sbarrata** blocked road; ~ *di* **scorrimento** freeway, throughway, ⟨*am*⟩ expressway; *aprirsi la* ~ *con la* **scure** to hack one's way through; ~ **sdrucciolevole** slippery road; ~ **secondaria** secondary (*o* minor) road, by-road; ~ *a* **senso** *unico* one-way road; ~ *di* **servizio** service road; ⟨*fig*⟩ **spianare** *la* ~ *a qd.* to smooth ⌜the way for s.o.⌝ (*o* s.o.'s path), to pave s.o.'s way; ~ **statale** trunk-road, national road, ⟨*am*⟩ federal highway; **su** ~ road-: ⟨*Aut*⟩ *corsa su* ~ road-race; ~ *di* **svincolo** exit road; **tagliare** *la* ~ *a qd.*: 1. to cut across s.o.'s path, to bar (*o* get in) s.o.'s way; 2. ⟨*fig*⟩ to thwart s.o., to bar (*o* block) s.o.'s way; 3. ⟨*Aut*⟩ to cut in on s.o.; ~ **tangenziale** by-pass; ~ **trasversale** crossroad; ⟨*fig*⟩ **trovare** *la propria* ~ to find one's way; *l'***uomo** *della* ~ the man in the street; ~ **urbana** = *strada di* **città**; **uscire** *di* ~ to ⌜go off⌝ (*o* leave) the road; ~ *senza* **uscita** cul-de-sac, blind-alley, dead end. – *Prov.*: *tutte le -e conducono a Roma* all roads lead to Rome; *la* ~ *dell'inferno è lastricata di buone intenzioni* the road to hell is paved with good intentions.

stradạccia *f.* (*pl.* -ce) ⟨*spreg*⟩ *pegg. di* **strada**.

stradaiọlo *m.* ⟨*non com*⟩ → **stradista**.

stradạle I *a.* **1.** road-: *lavori -i* road works. – **2.** (*del traffico*) road-, traffic-: *incidente* ~ traffic accident. – **II** *s.f.* (*anche polizia stradale*) traffic police, ⟨*am*⟩ highway patrol. – **III** *s.m.* ⟨*non com*⟩ (*viale*) main road, highroad, ⟨*am*⟩ highway. ☐ *fondo* ~ road-bed; *regolamento* ~ traffic regulation, rule of the road.

stradạre *v.t.* ⟨*non com*⟩ **1.** (*istradare*) to direct, to guide, to put on the right way, to route. – **2.** ⟨*fig*⟩ to guide, to set on the right path; (*avviare*) to start, to set off, to initiate. – **stradarsi** *v.r.* (*mettersi in strada*) to start (off), to set off.

stradạrio *m.* street-guide.

stradatụra *f.* ⟨*Fal*⟩ setting (of a saw).

stradẹtta, stradettịna (*dim. di strada*) *f.* lane; (*in città*) alley(way), narrow street. – **stradicciọla** (*dim. di strada*) *f.* → **stradetta**.

stradicò, stradicọto *m.* → **straticò**.

stradiẹre *m.* ⟨*ant*⟩ (*daziere*) exciseman, revenue-officer.

stradịna (*dim. di strada*) *f.* → **stradetta**.

stradịno[1] *m.* **1.** road-worker, roadman. – **2.** ⟨*Minier*⟩ layer of rails. – **3.** ⟨*tosc*⟩ (*uomo di strada*; *f.* **-a**) vulgar person, ill-bred fellow, boor.

stradịno[2] (*dim. di strada*) *m.* → **stradetta**.

stradiọta, stradiọto *m.* → **stradiotto**. – **stradiottẹsco** *a.* (*pl.* **-chi**) ⟨*Stor*⟩ (e)stradiot-. – **stradiọtto** *m.* (e)stradiot.

stradịsta *m.* ⟨*Sport*⟩ road-racing cyclist.

stradivạri(o) *m.* ⟨*Mus*⟩ Stradivarius.

stradọne (*accr. di strada*) *m.* **1.** wide road, ⟨*am*⟩ boulevard. – **2.** (*viale*) avenue. – **3.** (*in una grande villa*) drive(way).

stradọppio *a.* **1.** ⟨*rar*⟩ more than double. – **2.** ⟨*Bot*⟩ double.

stradotạle *a.* ⟨*pop*⟩ (*extradotale*) extradotal, paraphernal.

stradụccia *f.* (*pl.* -ce) ⟨*spreg*⟩ *dim. di* **strada**. – **stradụcola** *f.* ⟨*spreg*⟩ *dim. di* **strada**.

strafalciạre *v.i.* (**strafạlcio, strafạlci**; *aus.* **avere**) **1.** ⟨*ant,rar*⟩ (*lavorare male*) to work carelessly (*o* in slipshod fashion). – **2.** ⟨*fig, non com*⟩ (*commettere grossi errori*) to (make a) blunder. – **strafalciọne** *m.* blunder, ⟨*fam*⟩ howler, ⟨*am.fam*⟩ boner: *un compito pieno di -i* an assignment full of howlers.

strafạre *v.i.* (**strafạccio/strafò, strafạl; strafẹci, strafạtto**; → **fare**; *aus.* **avere**) to do too much, to overdo things, to go to extremes: *tu vuoi sempre* ~ you always want to overdo things. – **strafạtto** (*p.p. di strafare*) *a.* **1.** long since done. – **2.** (*rif. a frutta*) over-ripe.

strafelạrsi *v.r.* (**mi strafẹlo**) ⟨*tosc*⟩ (*affannarsi*) to wear o.s. out, to exert o.s., ⟨*fam*⟩ to sweat blood.

strafigurạre *v.t.* ⟨*pop,ant*⟩ (*trasfigurare*) to transfigure, to transform.

strafilạggio *m.* ⟨*Mar*⟩ **1.** lacing. – **2.** (*cordicella*) hammock lashing. – **strafilạre** *v.t.* to lace.

straforạre *v.t.* (**strafọro**) ⟨*rar,ant*⟩ (*traforare*) to bore (through), to tunnel (through).

strafọro *m.* ⟨*rar*⟩ (*traforo*) hole, perforation. ☐ *di* ~: 1. (*di nascosto*) secretly, on the quiet (*o* sly), in secret: *i due si vedono spesso di* ~ the two of them often see each other on the sly; 2. (*di sfuggita*) fleetingly, in passing, hastily; 3. (*indirettamente*) indirectly, in a roundabout way: *l'ho saputo di* ~ I heard about it indirectly; *entrare di* ~ to sneak (*o* slip) in.

strafottẹnte (*p.pr. di strafottere*) **I** *a.* **1.** arrogant, regardless (*o* heedless) of others. – **2.** (*rif. ad atti*) impertinent, insolent, pert. – **II** *s.m./f.* arrogant person. – **strafottẹnza** *f.* **1.** disregard for others' opinions, couldn't-care-less attitude. – **2.** (*impertinenza*) impertinence, insolence, impudence. – **strafọttersi** *v.r.* ⟨*volg*⟩ (*infischiarsene*) to care nothing, ⟨*fam*⟩ not to give a damn, ⟨*fam*⟩ not to care a rap (*o* hoot) (*di* about, for). ☐ *a* ~ (*in grande quantità*) in plenty, in abundance; *avere quattrini a* ~ to have plenty of money.

strafusạria *f.* ⟨*Bot*⟩ (*stafisagria*) stavesacre (*Delphinium staphisagria*).

strạge *f.* **1.** slaughter, massacre; (*carneficina*) carnage, butchery. – **2.** (*distruzione*) havoc, ruin, destruction. – **3.** ⟨*fig*⟩ (*gran numero di bocciature*) mass of failures, massacre, slaughter: *agli esami di matematica c'è stata una* ~ the math exams were a massacre. – **4.** ⟨*fam*⟩ (*grande abbondanza*) mass, heap, lot. ☐ *fare* ~ *di nemici* to slaughter (*o* massacre) the enemy; ⟨*fig*⟩ *fare grande* ~ *di* to play havoc with; ⟨*Bibl*⟩ ~ *degli innocenti* Slaughter of the Innocents.

stragiudiciạle, stragiudiziạle *a.* ⟨*Dir*⟩ (*extragiudiziale*) extrajudicial, out of court.

strạglio *m.* ⟨*Mar*⟩ stay.

stragodẹre *v.i.* (**stragọdo**; *aus.* **avere**) ⟨*fam*⟩ to be overjoyed, to be very glad.

stragọnfio *a.* excessively swollen, overinflated.

stragrạnde *a.* **1.** extraordinarily great (*o* big), very large, enormous, huge. – **2.** ⟨*iperb*⟩ (*grande*) great: *la* ~ *maggioranza* the great majority.

stralciạre *v.t.* (**strạlcio, strạlci**) **1.** (*eliminare*) to remove, to take out: ~ *un passo da un testo* to ⌜remove a passage from⌝ (*o* take a passage out of) a text. – **2.** ⟨*non com*⟩ (*sbrigare, sbrogliare*) to settle, to wind up, to finish off. – **3.** ⟨*Comm*⟩ (*mettere in liquidazione*) to wind up, to liquidate: ~ *una società* to wind up a company. – **4.** ⟨*Comm*⟩ (*liquidare*) to take off, to deduct: ~ *una partita da un conto* to deduct an item from a bill. – **5.** ⟨*Dir*⟩ to settle, to come to an arrangement over. – **6.** ⟨*burocr*⟩ (*estrarre*) to prepare, to make an extract from. – **7.** ⟨*rar*⟩ (*potare i tralci delle viti*) to prune, to cut off the shoots from. – **stralciatụra** *f.* ⟨*Agr*⟩ **1.** pruning. – **2.** ⟨*concr*⟩ prunings *pl*, shoots *pl* cut off.

strạlcio *m.* **1.** removal, taking out (*o* away, off). – **2.** (*estratto*) extract, excerpt; (*scelta, cernita*) selection. – **3.** ⟨*Comm*⟩ (*liquidazione*) winding up, liquidation. ☐ *vendere a* ~ to sell off (*o* at bargain prices), to clear; ⟨*Dir*⟩ *legge* ~ transitional law.

strạle *m.* ⟨*lett*⟩ **1.** (*freccia*) arrow, shaft. – **2.** ⟨*fig*⟩ dart, arrow: *gli -i d'amore* the darts of love. – **3.** ⟨*fig*⟩ (*dolore*) wound, sorrow, grief.

straliciạre *v.t.* (**stralịcio, stralịci**) ⟨*tosc*⟩ (*tagliare in tralice*) to cut slantwise (*o* on the bias). – **stralciatụra** *f.* ⟨*tosc*⟩ **1.** cutting slantwise (*o* on the bias). – **2.** (*cosa tagliata in tralice*) material cut on the bias.

strallạre *v.t.* ⟨*Edil*⟩ to stay, to support. – **strallạto** (*p.p. di strallare*) *a.* stayed, supported, propped up.

strallẹtto (*dim. di strallo*) *m.* ⟨*Mar*⟩ stay.

strạllo *m.* **1.** ⟨*Mar*⟩ stay. – **2.** ⟨*Edil*⟩ stay, guy, support. ☐ ⟨*Mar*⟩ ~ *di* **contromezzana** mizzen topmast stay; ~ *di* **flocco** jibstay; ~ *di* **maestra** mainstay; ~ *di* **poppa** stern (*o* after) stay; ~ **prodiero** forestay; ~ *di* **trinchetto** fore-topmast stay; **vela** *di* ~ staysail.

strallọgi *m.* ⟨*Bot*⟩ (*aristolochia*) birthwort (*Aristolochia clematitis*).

stralodạre *v.t.* (**stralọdo**) to overpraise, to extol, ⟨*fam*⟩ to praise to the skies.

stralọggi *m.* → **strallogi**.

stralucẹnte *a.* ⟨*non com*⟩ very (*o* extremely) bright, shining brilliantly.

stralunamẹnto *m.* ⟨*non com*⟩ rolling. – **stralunạre** *v.t.* to roll: ~ *gli occhi* to roll one's eyes. – **stralunạto** (*p.p. di stralunare*) *a.* **1.** rolling, staring (wildly). – **2.** (*sconvolto*: *rif. a persone*) very upset, troubled, distracted, beside o.s.: *oggi ti vedo* ~ you look very upset to me today. – **stralunatụra** *f.* → **stralunamento**.

stramaledẹtto (*p.p. di stramaledire*) *a.* ⟨*pop*⟩ cursed, damned, ⟨*volg*⟩ bloody. – **stramaledịre** *v.t.* (**stramaledịco, stramaledịci**; **stramaledịssi, stramaledẹtto**) ⟨*pop*⟩ to curse with all one's strength. ☐ ⟨*enfat*⟩ *Dio lo stramaledica!* (God) damn him!

stramaturaziọne *f.* ⟨*non com*⟩ overripening. – **stramatụro** *a.* overripe.

stramazzạre I *v.i.* (*aus.* **essere**) (*cadere*) to fall (heavily), to drop (down): ~ *a terra* to fall to the ground. – **II** *v.t.* ⟨*non com*⟩ (*far cadere a terra*) to knock down. – **stramazzạta** *f.* ⟨*non com*⟩ heavy fall, dropping to the ground.

stramạzzo[1] *m.* **1.** (heavy) fall, dropping to the ground. – **2.** (*caduta d'acqua*) head of water. – **3.** ⟨*Idr*⟩ mill weir, overfall (orifice), ⟨*am*⟩ trashrack. ☐ ⟨*rar*⟩ *cader giù di* ~ to fall heavily, to drop down; *diede uno* ~ *in terra* he dropped to the ground.

stramạzzo[2] *m.* **1.** ⟨*region*⟩ (*paglericcio*) pallet, straw (*o* tick) mattress; (*sacco*) palliasse. – **2.** ⟨*Itt*⟩ (*miliobate*) eagle-ray, bull-ray (*Myliobatis*). – **3.** ⟨*Itt*⟩ (*pastinaca*) sting-ray (*Dasyatis pastinaca*; *Trygon vulgaris*). ☐ *fare* (o *dare*) ~ (*nei giochi di carte*) to win all but one game.

stramazzọne *m.* heavy fall.

strạmba *f.* ⟨*ant*⟩ (*anche corda stramba*) sennit, plaited rope.

strambamẹnte *avv.* strangely, oddly, queerly.

strambasciạre *v.i.* (**strambạscio, strambạsci**; *aus.* **essere**) ⟨*ant*⟩ (*trambasciare*) to be deeply distressed, to suffer great anguish.

strambellạre *v.t.* (**strambẹllo**) ⟨*ant*⟩ **1.** (*ridurre in brandelli*) to tear to pieces, to slash, to rip, to lacerate. – **2.** ⟨*fig*⟩ to rend, to tear, to torment, to harrow. – **strambẹllo** *m.* ⟨*ant*⟩ (*brandello*) rag, piece, scrap, tatter.

stramberịa *f.* **1.** eccentricity, oddness, queerness, strangeness. – **2.** (*azione stramba*) strange action, odd thing, eccentric behaviour; (*rif. a discorsi*) odd remark. – **strạmbo** *a.* **1.** odd, strange, queer, eccentric. – 2. ⟨*rar*⟩ (*storto, sbilenco*) crooked; (*rif. a gambe*) bandy, bow; (*rif. a membra*) twisted, crooked; (*rif. a occhi*) squint, cross(ed).

strambọtto *m.* 1. ⟨*Metr,Lett*⟩ strambotto, satirical poem. – 2. ⟨*fig, rar*⟩ (*poesia di scarso valore*) poem of little worth. – 3. ⟨*fig,rar*⟩ (*sproposito*) blunder, mistake; (*fandonia*) (tall) story, yarn. – **strambọttolo** *m.* ⟨*pop*⟩ → **strambotto**.

strạme *m.* hay, straw. □ ⟨*fig,poet*⟩ *fare ~ di qd.* (*danneggiarlo*) to play havoc with s.o.

stramọnio *m.* ⟨*Bot*⟩ thorn apple, jimson weed (*Datura stramonium*).

stramortịre *v.* (**stramortịsco, stramortịsci**) ⟨*pop,intens*⟩ **I** *v.t.* (*tramortire*) to stun, to daze, to knock unconscious (*o* out). – **II** *v.i.* (*aus.* **essere**) to (drop in a) faint, to pass out, ⟨*lett*⟩ to swoon.

strampalatạggine *f.* ⟨*non com*⟩ → **strampaleria**. – **strampalạto** *a.* strange, odd, queer, outlandish, ⟨*fam*⟩ weird; (*illogico*) illogical: *ragionamento ~* illogical way of thinking; (*rif. a persone*) eccentric, freakish, outlandish, strange, peculiar, odd, ⟨*fam*⟩ crazy: *ragazzo ~* strange boy. – **strampalerịa** *f.* 1. eccentricity, freakishness, oddness. – 2. (*azione strampalata*) strange behaviour, eccentric action, odd thing to do; (*idea strampalata*) queer (*o* outlandish) idea; (*discorso strampalato*) curious (*o* strange) remark.

stranamẹnte *avv.* 1. strangely, oddly; (*bizzarramente*) strangely, queerly, oddly, eccentrically. – 2. (*insolitamente*) unusually, exceptionally.

stranẹzza *f.* 1. strangeness, oddness, peculiarity, singularity; (*l'essere insolito*) unusualness, uncommonness. – 2. (*bizzarria*) strangeness, queerness, oddness, eccentricity. – 3. (*atto strano*) strange (*o* odd) thing to do, odd behaviour (*o* ways *pl*): *non sopporto più le tue -e* I can't take your odd behaviour any more; (*discorso strano*) odd (*o* peculiar) remark, strange thing to say.

strangolamẹnto *m.* 1. (*lo strangolare*) strangling, strangulation. – 2. (*effetto*) strangulation.

strangolaprẹti *m.pl.* ⟨*region*⟩ 1. ⟨*Gastr*⟩ (*strozzapreti*) dumplings *pl*. – 2. ⟨*Dolc*⟩ sweet dumplings *pl*.

strangolạre *v.t.* (**strạngolo**) 1. to strangle, to throttle; (*strozzare*) to choke, to stifle, to suffocate. – 2. ⟨*iperb*⟩ (*stringere al collo*) to choke, to strangle, to suffocate: *questa cravatta mi strangola* this tie is choking me. – 3. ⟨*Mar*⟩ to seize, to rack. – **strangolarsi** *v.r.* 1. to strangle (o.s.), to choke: *rimase impigliato nelle corde e si strangolò* he was caught in the ropes and strangled. – 2. ⟨*ant*⟩ (*gridare a squarciagola*) to scream (*o* shout) at the top of one's lungs. – **strangolatọre** *m.* (*f.* **-trice**) strangler. – **strangolatọrio** *a.* ⟨*non com*⟩ 1. strangulatory, strangling, strangulative. – 2. ⟨*fig*⟩ oppressive, hard, ⟨*fam*⟩ cut-throat. – **strangolatụra** *f.* 1. ⟨*rar*⟩ → **strangolamento**. – 2. ⟨*Mar*⟩ seizing. – **strangolaziọne** *f.* ⟨*non com*⟩ → **strangolamento**.

stranguglịone *m.* (generally in pl.) 1. (*singhiozzo*) hiccup, hiccough: *avere gli -i* to have (the) hiccups. – 2. (*sensazione di pienezza*) full-up feeling. – 3. ⟨*non com*⟩ (*singulto del ridere*) hiccup(s) (from laughing). – 4. ⟨*Veter,pop*⟩ (*adenite equina*) strangles *pl* (*costr.sing. o pl.*), colt distemper. – 5. ⟨*Med,pop*⟩ (*tonsillite*) tonsillitis; (*orecchioni*) mumps *pl* (*costr.sing.*).

strangụria *f.* ⟨*Med*⟩ strangury.

straniamẹnto *m.* ⟨*lett*⟩ estrangement, alienation. – **straniạre** *v.t.* (**strạnio, strạni**) ⟨*lett*⟩ to estrange, to alienate, to draw away: *~ qd. da qd.* to estrange s.o. from s.o. – **straniarsi** *v.r.* 1. (*allontanarsi*) to draw away, to drift apart. – 2. ⟨*fig*⟩ (*diventare estraneo*) to become estranged. – **straniạto** (*p.p. di straniare*) *a.* ⟨*rar*⟩ → **stranito**.

straniẹre *m.* ⟨*ant*⟩ (*straniero*) stranger. – **straniẹro I** *a.* 1. (*estero*) foreign, alien: *paese ~* foreign country; *una ragazza -a* a foreign girl; *lingua -a* foreign language. – 2. (*degli stranieri*) foreign, foreigners': *l'occupazione -a* foreign occupation. – 3. (*formato da stranieri*) foreign: *legione -a* Foreign Legion. – 4. ⟨*lett*⟩ (*ostile, nemico*) enemy-, hostile. – 5. ⟨*lett*⟩ (*estraneo*) outside, extraneous; (*sconosciuto*) strange, unknown. – 6. ⟨*non com*⟩ (*strano*) strange. – **II** *s.m.* (*f.* **-a**) 1. (*chi appartiene a uno stato estero*) foreigner; ⟨*burocr*⟩ alien: *~ indesiderabile* undesirable alien. – 2. (*forestiero*) stranger; (*sconosciuto*) stranger, unknown person: *è uno ~ per me* he's a stranger to me, I don't know him. – 3. ⟨*collett*⟩ (*popolazione nemica*) enemy (*costr.sing. o pl.*).

strạnio *a.* ⟨*ant*⟩ 1. (*estraneo*) outside, extraneous; (*sconosciuto*) strange, unknown. – 2. (*straniero*) foreign, alien. – 3. (*strano*) strange, unusual.

stranịre *v.t.* (**stranịsco, stranịsci**) (*turbare*) to bewilder, to daze, to confound. – **stranịto** (*p.p. di stranire*) *a.* 1. (*turbato*) uneasy, restive. – 2. (*intontito*) befuddled, dazed: *è ancora ~ dal sonno* he's still befuddled with sleep.

strạno I *a.* 1. strange, odd: *comportamento ~* strange behaviour; *per uno ~ caso* by an odd chance; (*insolito*) unusual, uncommon. – 2. (*rif. a persone*) strange, queer, odd, eccentric, bizarre, freakish: *è un ragazzo molto ~* he's a very strange boy. – 3. (*che turba*) strange, peculiar, odd, queer, ⟨*fam*⟩ weird: *mi ha fatto una -a impressione* he made a strange impression on me. – 4. ⟨*poet*⟩ (*estraneo*) ungermane, extraneous; (*sconosciuto*) strange, unknown; (*di altra nazione*) foreign. – **II** *s.m.inv.* strange (*o* odd) thing. – **III** *s.m.* (*f.* **-a**) ⟨*ant*⟩ 1. (*persona estranea*) outsider, stranger. – 2. (*straniero*) foreigner. □ *~ a dirsi* oddly enough, strange to say; *è ~ che non mi abbia telefonato* it's odd (*o* funny) that he hasn't called me.

stranutạre *v.* ⟨*pop*⟩ → **stranutire**. – **stranutịre** *v.i.* (**stranutịsco, stranutịsci**; *aus.* **avere**) ⟨*pop*⟩ (*starnutire*) to sneeze. – **stranụto** *m.* ⟨*pop*⟩ (*starnuto*) sneeze.

straordinariamẹnte *avv.* 1. extraordinarily, uncommonly, unusually. – 2. (*sommamente*) extremely, highly, exceedingly: *è ~ interessante* it is extremely interesting. – **straordinariạto** *m.* temporary period (*o* term) of office. – **straordinarietà** *f.* extraordinariness, uncommonness.

straordinạrio I *a.* 1. extraordinary, exceptional, out of the ordinary: *avvenimento ~* extraordinary event; (*insolito*) unusual, uncommon. – 2. (*grandissimo*) extraordinary, tremendous, remarkable: *una forza -a* extraordinary strength. – 3. (*speciale*) special: *recita -a* special performance; *treno ~* special train. – 4. ⟨*burocr*⟩ supernumerary, temporary: *impiegato ~* temporary clerk. – 5. ⟨*Dipl*⟩ extraordinary: *inviato ~* envoy extraordinary. – **II** *s.m.* 1. something unusual (*o* out of the ordinary): *non c'è niente di ~* there is nothing unusual about it; (*cosa singolare, eccezionale*) something extraordinary (*o* singular, strange). – 2. ⟨*burocr*⟩ (*lavoro straordinario*) overtime: *fare sei ore di ~* to do six hours (of) overtime; (*compenso*) overtime (pay). – 3. ⟨*burocr*⟩ (*impiegato straordinario*) temporary clerk (*o* worker). □ *fare ore -e* to do overtime; *lavoro ~* overtime.

straorzạre *v.* (**straọrzo**) **I** *v.i.* (*aus.* **avere**) ⟨*Mar*⟩ to yaw, to veer windward, to broach to, to luff suddenly. – **II** *v.t.* to cause to veer windward, to steer (*o* bring) windward. – **straorzạta** *f.* 1. (*atto*) yawing, veering windward, broaching to. – 2. (*effetto*) windward veer, luff.

strapaesạno I *a.* chauvinist(ic), jingo. – **II** *s.m.* (*f.* **-a**) 1. chauvinist, jingo. – 2. ⟨*Lett*⟩ member of strapaese literary movement. – **strapaẹse** *m.* ⟨*Lett*⟩ strapaese literary movement.

strapagạre *v.t.* (**strapạgo, strapạghi**) to overpay: *il tuo lavoro è strapagato* your work is overpaid.

straparlạre *v.i.* (*aus.* **avere**) 1. to be over-talkative, to talk too much, to talk and talk. – 2. (*sparlare*) to backbite, to slander. – 3. (*farneticare*) to rave, to talk wildly (*o* nonsense).

strapazzamẹnto *m.* 1. mistreatment, ill-treatment, rough handling. – 2. (*lo strapazzarsi*) over-exertion, strain. – **strapazzạre** *v.t.* 1. (*maltrattare*) to ill-treat, to ill-use, to mistreat, to abuse; (*rimproverare*) to scold, to rail at, to bully. – 2. (*affaticare*) to overwork, to wear out, to overtire, to strain, to flog. – 3. (*trattare con scarso riguardo: rif. a cose*) to handle roughly, to treat badly, to knock (*o* throw) about, to batter (about), to mishandle: *~ i libri* to throw one's books about, not to look after one's books. – 4. ⟨*estens*⟩ (*fare male*) to do badly (*o* in slipshod fashion), to botch, to bungle, to make a mess (*o* hash) of: *~ un lavoro* to bungle a job. – **strapazzarsi** *v.r.* 1. not to spare o.s., to neglect one's health, to overtax one's strength. – 2. (*affaticarsi*) to drive o.s., to tire (*o* wear) o.s. out, to overtire (*o* strain) o.s. □ *~ un autore* (*interpretarlo male*) to misinterpret a writer; (*tradurlo male*) to translate a writer's work badly; *~ una musica* to play a piece (of music) badly.

strapazzạta *f.* 1. (*violenta sgridata*) scolding, dressing-down, ⟨*fam*⟩ telling off. – 2. (*faticata*) exertion, fatigue, great effort, strain: *quel viaggio è stato una vera ~* that trip was really a strain. □ *dare* (*o fare*) *una ~ a qd.* to give s.o. a dressing-down, to reprimand s.o. severely. – **strapazzatịna** (*dim. di strapazzata*) *f.* scolding, dressing-down. – **strapazzạto** (*p.p. di strapazzare*) *a.* 1. (*malconcio*) the worse for wear, in a bad state, spoilt, battered (about), knocked about; (*maltrattato*) ill-used, mishandled. – 2. (*affaticato*) overworked, overtired, strained, tired out, worn-out. – 3. (*pieno di strapazzi*) hard, full of hardships: *vita -a* hard life. □ ⟨*non com*⟩ *alla -a* (*alla peggio*) in slipshod fashion, somehow or other; ⟨*Gastr*⟩ *uova -e* scrambled eggs. – **strapazzatọre** *m.* (*f.* **-trice**) ⟨*non com*⟩ 1. mistreater, abuser, misuser. – 2. (*chi rovina*) rough user (*o* handler), spoiler. – **strapạzzo** *m.* 1. (*fatica*) exertion, fatigue, strain, effort: *gli -i del viaggio* the fatigue of the journey. – 2. (*maltrattamento*) rough usage (*o* handling, treatment). □ *da ~* work(ing)-: *vestiti da ~* working clothes; ⟨*fig,spreg*⟩ worthless, third-rate: *pittore da ~* third-rate artist; *gli -i di gioventù* the excesses of youth. – **strapazzọne** *m.* (*f.* **-a**) rough handler, spoiler, destructive person. – **strapazzọso** *a.* tiring, fatiguing.

strapẹrdere *v.i.* (**straperdẹi/straperdẹtti, straperdụto**; *aus.* **avere**) to lose heavily (*o* everything).

strapiantạre *v.t.* ⟨*non com*⟩ (*trapiantare*) to transplant.

strapiẹno *a.* 1. (*pieno zeppo*) full to overflowing (*di* with), brimful (of), crowded, packed (with). – 2. (*che ha mangiato troppo*) full up. □ *essere ~ di debiti* to be ⌜burdened with⌝ (*o* up to one's ears in) debt.

strapiombạnte (*p.pr. di strapiombare*) *a.* overhanging, jutting (out). – **strapiombạre** *v.i.* (**strapiọmbo**; *aus.* **essere/avere**) 1. (*non essere a piombo*) to be out of plumb (*o* the perpendicular), to lean: *il muro strapiomba* the wall is leaning. – 2. (*sporgere*) to overhang, to jut (out): *una roccia che strapiomba sul mare* a cliff that juts out over the sea. – **strapiọmbo** *m.* 1. overhanging, jutting out. – 2. (*parte rocciosa sporgente*) overhanging rock, bulge, projection. – 3. ⟨*Edil*⟩ projection; (*aggetto*) projection, overhang, shoulder. □ *a ~* overhanging, jutting (out).

strapoggiạre *v.* (**strapọggio, strapọggi**) **I** *v.i.* (*aus.* **avere**) ⟨*Mar*⟩ to veer leeward (*o* away from the wind), to bear away suddenly. – **II** *v.t.* to steer leeward (*o* away from the wind). – **strapoggiạta** *f.* leeward veer, fall away from the wind.

straportạre *v.t.* (**strapọrto**) ⟨*pop*⟩ (*trasportare*) to transport, to convey. – **strapọrto** *m.* ⟨*pop*⟩ (*trasporto*) transport(ation), carriage, conveyance.

strapotẹnte *a.* extremely (*o* very) powerful, very strong. – **stra-**

potẹnza *f.* **1.** extraordinary power (*o* strength), very great power. – **2.** (*eccesso di potenza*) overwhelming (*o* excessive) power, excess of power. – **strapotẹre** *m.* **1.** (*potere eccessivo*) excessive power. – **2.** (*abuso di potere*) abuse of power.

strappạbile *a.* ⟨*non com*⟩ (*lacerabile*) tearable, that may be torn; (*che si può tirar via*) that may be torn off (*o* away), detachable. – **strappamẹnto** *m.* **1.** (*lo strappare*) tearing (up, off, away), snatching, wrenching, wresting, rending, breaking. – **2.** (*strappo*) tear, rent, rip, break. – **3.** ⟨*Med*⟩ laceration, tearing. – **4.** ⟨*Aer*⟩ ripping.

strappạre *v.t.* **1.** (*togliere con la forza*) to tear away (*o* out), to snatch (away), to pull away (*o* out), to grab: ~ *qc. di mano a qd.* to snatch s.th. from (*o* out of) s.o.'s hand; *mi strappò la lettera* he snatched the letter (away) from me; (*lottando*) to wrest, to wrench, to tear. – **2.** (*portar via rompendo*) to tear (off, out), to rip (off, out): ~ *un foglio dal quaderno* to tear a page from (*o* out of) the notebook; *gli strappò di dosso la giacca* he tore his jacket off his back; (*staccare*) to tear (*o* pull, break, pluck) off: ~ *un ramo* to break off a branch. – **3.** (*lacerare, fare uno strappo in qc.*) to tear, to rip, to rend, to make a tear (*o* hole) in: ~ *i calzoni* to tear (*o* make a tear in) one's trousers; (*rompere in più parti*) to tear up (*o* to pieces): ~ *il giornale* to tear up the newspaper; (*rif. a filo, spago e sim.*) to break (in two), to sever: *strappò il laccio della scarpa* he broke his shoe-lace. – **4.** (*svellere, estirpare*) to pull up (*o* out), to uproot, to tear up: ~ *le erbacce* to pull up the weeds; (*rif. a capelli e sim.*) to tear, to rend; (*rif. a penne*) to pluck; (*rif. a denti*) to pull (out), to extract. – **5.** ⟨*fig*⟩ (*carpire*) to wring, to get: ~ *un segreto a qd.* to wring a secret from s.o., ⟨*fam*⟩ to get a secret out of s.o.; (*con l'astuzia*) to worm, to draw, to get; (*con lusinghe e moine*) to coax, to wheedle, to get; (*con la forza*) to wring, to extort, to force. – **6.** ⟨*Med*⟩ to pull, to wrench, to tear, to sprain; (*lacerare*) to lacerate. – **strapparsi** *v.r.* **1.** to tear, to rip, to split, to get torn: *mi si è strappata la gonna* my skirt has torn; (*rompersi*) to break. – **2.** (*staccarsi, distaccarsi*) to tear o.s. away, to break away (*da* from), to leave (s.o.).

□ ~ *gli* **applausi** to draw cheers (*o* applause); *strapparsi i* **capelli** to tear (out) one's hair, ⟨*lett*⟩ to rend one's hair; ⟨*fig*⟩ ~ *il* **cuore** *a qd.* to wring s.o.'s heart, to move s.o. deeply; ⟨*fig*⟩ *parole che strappano il cuore* heartbreaking (*o* heart-rending) words; ⟨*Aut*⟩ *la* **frizione** *strappa* the clutch is seizing up; ⟨*fig*⟩ ~ *le* **lacrime** *a qd.* to move s.o. to tears; ~ *qd. alla* **morte** to snatch s.o. from the jaws of death; ⟨*fig*⟩ ~ *il* **pane** (o *la vita*) to scrape a living; ~ *in* **pezzi** to tear (*o* rend, rip) to pieces, to tear up.

strappạta *f.* **1.** tearing (away, out), pulling (away, out). – **2.** (*tirata*) snatch, pull, tug, grab, jerk, ⟨*fam*⟩ yank. □ *dare una* ~ *a qc.* to snatch (*o* grab) s.th.; *con una* ~ *le portò via la borsetta* he snatched her bag from her; (*tirare*) to give s.th. a tug (*o* pull), to tug (*o* pull) s.th.: *dare una* ~ *al campanello* to give the bell a tug, to pull (*o* tug at) the bell; ⟨*fam*⟩ *dare una* ~ *a qd.* (*dargli un passaggio*) to give s.o. a lift. – **strappatịna** *f. dim. di* **strappata**. – **strappạto** (*p.p. di strappare*) *a.* **1.** (*lacerato*) torn, rent, ripped: *vestito* ~ torn dress. – **2.** (*stracciato*) torn, ragged; (*rif. a persone*) ragged, tattered, in rags, in tatters. – **3.** (*rotto*) broken off; (*staccato*) torn (off, out): *un foglio* ~ a torn-out page. – **strappatọre** *m.* (*f.* **-trice**) **1.** ⟨*rar*⟩ snatcher, grabber. – **2.** ⟨*Tess*⟩ (*operaio*) drawer. – **strappatrịce** *f.* ⟨*Tess*⟩ **1.** (*operaia*) drawer. – **2.** (*macchina*) draw(ing) frame, tearing-machine, tearer, opener, shredder. – **strappatụra** *f.* **1.** tearing. – **2.** (*strappo*) tear, rent, rip. – **3.** ⟨*Tess*⟩ tow. – **strappettịno, strappẹtto** *m. dim. di* **strappo**.

strappịsta *m.* ⟨*Sport*⟩ (*nel sollevamento pesi*) specialist in the snatch.

strạppo *m.* **1.** tearing (away, out), snatching, grabbing. – **2.** (*strattone*) pull, snatch, tug, grab, jerk, ⟨*fam*⟩ yank. – **3.** (*lacerazione*) tear, rent, rip. – **4.** ⟨*fig*⟩ (*infrazione*) departure, break (*a* from), breach, infringement (of): *uno* ~ *alle consuetudini* a departure from custom; (*eccezione*) exception: *fare uno* ~ *alla regola* to make an exception to the rule, to stretch a point. – **5.** ⟨*non com*⟩ (*squarcio*) tear, break, split. – **6.** ⟨*Med*⟩ (*strappo muscolare: atto*) pulling a muscle; (*effetto*) torn muscle. – **7.** ⟨*Sport*⟩ (*nel ciclismo*) breaking away. – **8.** ⟨*Sport*⟩ (*nel sollevamento pesi*) snatch. □ *a -i* jerkily, fitfully, by fits and starts; (*a intervalli*) at intervals, on and off: *fare un lavoro a -i* to do a job by fits and starts; *dare uno* ~ *a qc.* to snatch (at) s.th., to make a grab at s.th.; (*tirare*) to tug (*o* pull) at s.th., to give s.th. a tug (*o* pull); *fare uno* ~ *nei calzoni* to tear one's trousers; *senza -i*: 1. (*agg.*) smooth; 2. (*avv.*) smoothly, without a jerk; ⟨*non com*⟩ *uno* ~ *di sereno tra le nuvole* a patch of blue among the clouds.

strapuggiạre *v.* → **strapoggiare**. – **strapuggiạta** *f.* → **strapoggiata**.

strapuntịno (*dim. di strapunto*) *m.* **1.** (*seggiolino*) jump (*o* folding) seat. – **2.** ⟨*Mar*⟩ hammock mattress. – **strapụnto** *m.* ⟨*non com*⟩ **1.** (*rozzo materasso*) rough mattress; (*paglericcio*) pallet, straw (*o* tick) mattress. – **2.** (*coperta imbottita*) quilt.

strarịcco *a.* (*pl.* **-chi**) ⟨*pop*⟩ extremely (*o* very) rich, ⟨*fam*⟩ filthy (*o* stinking) rich, ⟨*fam*⟩ rolling in the stuff.

straripamẹnto *m.* **1.** (*atto*) overflowing, flooding. – **2.** (*effetto*) overflow, flood. – **straripạre** *v.i.* (*aus.* **essere/avere**) to overflow (its banks), to flood: *il fiume ha straripato inondando le campagne* the river has overflowed its banks flooding the countryside.

straripẹvole *a.* ⟨*ant*⟩ (*scosceso*) steep, precipitous.

Strasbụrgo *N.pr.f.* ⟨*Geog*⟩ Strasbourg.

strascicamẹnto *m.* **1.** trailing, sweeping; (*rif. ai piedi*) shuffling, dragging. – **2.** ⟨*fig*⟩ (*rif. alla pronuncia*) drawling. – **strascicạre** *v.* (**strạscico, strạscichi**) **I** *v.t.* **1.** to trail, to sweep: *camminava strascicando la gonna a terra* she walked trailing her skirt on (*o* along) the ground; (*a fatica*) to drag; (*rif. ai piedi, alle scarpe*) to shuffle: ~ *i piedi* to shuffle (one's feet), to drag one's feet, to scuff. – **2.** ⟨*fig*⟩ (*tirare per le lunghe*) to draw (*o* drag) out, to protract: ~ *un lavoro* to draw out a job; (*non riuscire a liberarsi*) to be unable to shake off, to drag out, to continue to suffer: ~ *una malattia* to be unable to shake off an illness. – **3.** ⟨*fig*⟩ (*pronunciare lentamente*) to drawl, to draw out. – **II** *v.i.* (*aus.* **avere**) **1.** (*rif. a cose*) to trail, to sweep: *la pelliccia strascicava a terra* the fur was trailing on the ground; (*con pesantezza*) to drag. – **2.** (*rif. a persone*) to drag o.s. along. – **strascicarsi** *v.r.* to drag o.s. (along). □ ~ *le gambe* to drag one's legs.

strascicạta *f.* ⟨*non com*⟩ drawling. – **strascicạto** (*p.p. di strascicare*) *a.* **1.** trailing, dragged. – **2.** ⟨*fig*⟩ (*rif. alla pronuncia*) drawled, drawn out. □ ⟨*tosc*⟩ *cavolo* ~ cabbage cooked in oil (*o* sauce). – **strascichịo** *m.* **1.** (*dei piedi*) shuffling, dragging, scuffing. – **2.** (*rumore, fruscio*) shuffling sound, scuff(le).

strạscico *m.* (*pl.* **-chi**) **1.** ⟨*non com*⟩ trailing, sweeping; (*lo strascicare faticosamente o pesantemente*) dragging. – **2.** (*parte del vestito*) train: *reggere lo* ~ to bear a train. – **3.** (*seguito, corteo*) train, suite. – **4.** ⟨*fig*⟩ (*seguito, conseguenza*) after-effects *pl*, aftermath, train, wake: *gli strascichi di una malattia* the after-effects of an illness. – **5.** ⟨*fig*⟩ (*rif. a suoni e sim.*) drawing out; (*pronuncia strascicata*) drawl. – **6.** (*sbavatura delle lumache*) trail. □ *a* ~ drag-: *caccia a* ~ drag-hunt(ing); *reti a* ~ drag-nets, trawl-nets; ~ *della cometa* train (*o* tail) of a comet, comet's tail; *parlare con lo* ~ to (speak with a) drawl.

strascicọni *avv.* trailing, dragging; (*rif. ai piedi*) dragging (*o* trailing) one's feet, shuffling, scuffing. □ *camminare* (*a*) ~ to shuffle (along), to drag one's feet, to scuff.

strascinạccio *m.* ⟨*Venat,Stor*⟩ drag-net.

strascinamẹnto *m.* dragging. – **strascinạre** *v.t.* **1.** to drag (along), to trail (along), to lug (along): ~ *una sedia* to drag a chair; (*per terra*) to drag (*o* trail) along the ground. – **2.** (*condurre, spingere a forza*) to drag (off), to haul (off): ~ *qd. in prigione* to haul s.o. off to prison. – **3.** ⟨*pop*⟩ (*strappare via*) to carry away, to tear (*o* sweep) away, to bear along: *la corrente strascina tronchi d'albero* the current sweeps away tree-trunks. – **4.** ⟨*fig,pop*⟩ to carry away: *fu strascinato dall'entusiasmo* he was carried away by his enthusiasm. – **strascinarsi** *v.r.* **1.** to drag (*o* pull) o.s. along. – **2.** ⟨*fig*⟩ (*andare per le lunghe*) to drag on, to draw out: *la causa si strascina da anni* the suit has been dragging on for years. □ *strascinarsi dietro qd.* to drag s.o. along (with one); *strascinarsi nel fango* to drag o.s. along in the mud; ⟨*fig*⟩ to wallow in mud; ⟨*fig*⟩ ~ *la vita* to drag out an existence. – **strascinạto** (*p.p. di strascinare*) *a.* ⟨*Gastr, region*⟩ fried up (with oil and garlic): *verdura -a* fried up vegetables.

strascinịo *m.* **1.** dragging, trailing, lugging. – **2.** (*rumore*) dragging (sound).

strạscino[1] (o *strascịno*) *m.* **1.** ⟨*non com*⟩ dragging, trailing. – **2.** ⟨*Pesc*⟩ kind of casting-net. – **3.** ⟨*Venat*⟩ kind of bird-net. – **4.** ⟨*region*⟩ (*strascico*) train. – **5.** ⟨*ant*⟩ (*prolungamento, strascico della voce*) drawl(ing).

strascịno[2] **I** *s.m.* ⟨*ant*⟩ **1.** (*svenditore ambulante di carne*) hawker of inferior quality meat. – **2.** ⟨*fig*⟩ (*persona malvestita*) ragged (*o* shabbily-dressed) person. – **II** *a.* (*malvestito*) shabby, ragged, in (rags and) tatters.

strasecolạre *v.i.* (**strasẹcolo**; *aus.* **essere/avere**) ⟨*pop,intens*⟩ (*trasecolare*) to be astounded (*o* flabbergasted).

strass *m.* paste, strass.

stratagẹmma *m.* **1.** ⟨*Mil*⟩ stratagem. – **2.** ⟨*estens*⟩ (*astuzia, espediente*) stratagem, trick, ruse, device, artifice, ⟨*fam*⟩ dodge: *ricorrere a uno* ~ to resort to a trick.

stratạtico *a.* (*pl.* **-ci**) ⟨*Stor*⟩ road toll.

stratẹga *m.* → **stratego**. – **stratẹgia** *f.* **1.** ⟨*Mil*⟩ strategy; (*particolare comportamento bellico*) strategy. – **2.** ⟨*fig*⟩ strategy, cunning: *ha messo in atto tutta la sua* ~ *per spuntarla* he used all his cunning to win. – **strategicamẹnte** *avv.* **1.** ⟨*Mil*⟩ strategically. – **2.** ⟨*fig*⟩ (*abilmente*) strategically, cunningly, cleverly. – **stratẹgico** *a.* (*pl.* **-ci**) **1.** ⟨*Mil*⟩ strategic(al). – **2.** ⟨*fig*⟩ strategic(al), cunning, clever. □ *mossa -a* strategic move (*anche fig.*). – **stratẹgo** *m.* (*pl.* **-ghi**) **1.** (*comandante di esercito*) army commander. – **2.** (*esperto in strategia*) strategist, strategic expert. – **3.** ⟨*fig*⟩ strategist. – **4.** ⟨*Stor.gr*⟩ strategus, strategos. – **5.** → **straticò**.

straticò, straticọto *m.* ⟨*Stor*⟩ magistrate.

stratificạre *v.t.* (**stratịfico, stratịfichi**) **1.** to stratify, to form (*o* arrange) in strata. – **2.** ⟨*Geol,Biol*⟩ to stratify. – **stratificarsi** *v.r.* to stratify, to form strata, to become stratified. – **stratificạto** (*p.p. di stratificare*) *a.* stratified, in strata, in layers: *rocce -e* stratified rocks. – **stratificaziọne** *f.* **1.** stratification (*anche fig.,Biol.*). – **2.** ⟨*Geol*⟩ stratification, bedding. – **3.** ⟨*Met*⟩ stratification, banding. □ ⟨*Geol*⟩ ~ *concordante* concordant stratification; ~ *discordante* discordant bedding (*o* stratification); ~ *incrociata* cross-bedding, current bedding, diagonal stratification.

stratifọrme *a.* stratiform.

stratigọto *m.* → **straticò**.

stratigrafịa *f.* ⟨*Geol,Radiol*⟩ stratigraphy. – **stratigrạfico** *a.* (*pl.* **-ci**) ⟨*Geol,Radiol*⟩ stratigraphic(al). – **stratigrạmma** *m.* ⟨*Radiol*⟩ stratigram.

stratimetrịa *f.* ⟨*Geol*⟩ measurement of strata.
stratiọta, stratiọte, stratiọto *m.* ⟨*Stor*⟩ stradiot.
strạto *m.* **1.** layer, coat, coating: *uno ~ di polvere* a layer of dust; (*rif. a colori*) coat, coating: *uno ~ di vernice* a coat of paint. – **2.** ⟨*tecn*⟩ layer. – **3.** ⟨*fig*⟩ (*ceto*) stratum, level, class. – **4.** ⟨*Meteor*⟩ stratus. – **5.** ⟨*Geol*⟩ stratum, bed, layer. – **6.** ⟨*Min*⟩ vein. – **7.** ⟨*Archeol,Ling,Statist*⟩ stratum. – **8.** ⟨*ant*⟩ (*tappeto, drappo*) carpet. – **9.** ⟨*ant*⟩ (*letto*) bed.
□ **a** *-i*: 1. in strata (*o* layers), layered, stratified; 2. ⟨*Bot*⟩ stratose; ⟨*Geol*⟩ *-i* **concordanti** concordant strata; ⟨*Anat*⟩ ~ **corneo** stratum corneum, horny layer; ⟨*Geol*⟩ *-i* **discordanti** discordant strata; ⟨*Fis*⟩ **doppio** ~ double layer; ⟨*Atom*⟩ ~ **elettronico** shell; ~ **filtrante** filter-bed; ⟨*Mur*⟩ ~ **finale** finishing coat; ~ **geologico** geological stratum; ⟨*Anat*⟩ ~ **germinativo** stratum germinativum, germinative (*o* basic cell) layer; ⟨*Anat*⟩ ~ **granuloso** stratum granulosum, granular layer; ⟨*Geol*⟩ *-i* **inclinati** incline(d) bedding *sing*, cross -bedding *sing*; ~ **isolante** insulating layer; ⟨*Aer*⟩ ~ **limite** boundary layer; ⟨*Anat*⟩ ~ **papillare** stratum papillare, papillary layer; ~ **protettivo** protective layer (*o* coat); ~ *di* **sbarramento** depletion layer, barrier layer; ⟨*Anat*⟩ ~ **spinoso** stratum spinosum, prickle-cell layer; ⟨*Strad*⟩ ~ *d'***usura** wearing coat; ⟨*Geol*⟩ *-i* **verticali** vertical strata.
strato|cụmulo *m.* ⟨*Meteor*⟩ stratocumulus. – **~nạutica** *f.* ⟨*Aer,non com*⟩ stratospheric flying.
Stratọne *N.pr.m.* ⟨*Stor*⟩ Strato.
stratonẹmbo *m.* ⟨*Meteor,non com*⟩ (*nembostrato*) nimbostratus (cloud).
stratonịṣmo *m.* ⟨*Filos*⟩ philosophy of Strato, Stratonic(al) philosophy.
stratopạuṣa *f.* ⟨*Astr*⟩ stratopause.
stratopedạrca *m.* ⟨*Stor*⟩ quartermaster.
stratosfẹra *f.* ⟨*Astr*⟩ stratosphere. – **stratosfẹrico** *a.* (*pl.* **-ci**) **1.** ⟨*Astr*⟩ stratospheric(al). – **2.** ⟨*fig*⟩ (*altissimo*) stratospheric, exorbitant, excessively high; (*astruso*) abstruse, recondite; (*fantastico*) fantastic, stratospheric.
stratọ|stato *m.* ⟨*Aer*⟩ stratostat. – **~viṣiọne** *f.* ⟨*Rad,TV*⟩ stratovision.
strạtta *f.* (*tirata*) pull, tug, jerk, ⟨*fam*⟩ yank: *dare una ~ a una fune* to give a rope a tug (*o* jerk), to tug (*o* pull) a rope. □ ⟨*non com*⟩ *a -e* jerkily, by jerks; ⟨*fig,non com*⟩ (*in modo discontinuo*) in fits and starts, on and off.
strattagẹmma *m.* ⟨*pop*⟩ → **stratagemma**.
strattọne (*accr. di stratta*) *m.* violent pull, sharp tug (*o* jerk), wrench: *dare uno ~ a qc.* to give s.th. a wrench, to tug s.th. sharply. □ *a -i* jerkily.
stravacạto *a.* ⟨*Tip*⟩ printed crooked.
stravaccạrsi *v.r.* (**mi stravạcco, ti stravạcchi**) ⟨*dial*⟩ (*stendersi scompostamente*) to sprawl (out). – **stravaccạto** (*p.p. di stravaccarsi*) *a.* ⟨*dial*⟩ sprawling.
stravaġạnte I *a.* **1.** (*rif. a persone*) eccentric, unconventional, ⟨*fam*⟩ cranky. – **2.** (*rif. a cose*) eccentric, extravagant, fantastic: *modi -i* eccentric behaviour. – **3.** (*strano*) odd, queer, strange, peculiar, weird, ⟨*fam*⟩ funny: *idea ~* odd idea. – **4.** ⟨*non com*⟩ (*straordinario, singolare*) extraordinary, exceptional, singular. – **II** *s.m./f.* odd (*o* strange) fellow, ⟨*fam*⟩ character, ⟨*am.fam*⟩ oddball. – **stravaġantemẹnte** *avv.* eccentrically, oddly, queerly. – **stravaġạnza** *f.* **1.** eccentricity, unconventionality, oddness. – **2.** ⟨*concr*⟩ odd behaviour, eccentric ways *pl.*
stravaṣamẹnto *m.* ⟨*non com*⟩ decantation, decanting. – **stravaṣạre I** *v.t.* ⟨*non com*⟩ (*travasare*) to decant, to pour out. – **II** *v.i.* (*aus.* **essere**), **stravasarsi** *v.r.* ⟨*Med*⟩ to extravasate. – **stravạṣo** *m.* ⟨*non com*⟩ **1.** → **stravasamento**. – **2.** ⟨*Med*⟩ (*travaso*) extravasation, effusion. □ ⟨*fam*⟩ ~ *di bile* outflow of bile; ~ *di sangue* extravasation, effusion of blood.
stravẹcchio *a.* **1.** very old, ⟨*scherz*⟩ ancient. – **2.** ⟨*fig*⟩ out-of-date, stale, (very) old, ⟨*fam*⟩ old hat: *notizie -e* out-of-date news. – **3.** ⟨*Alim*⟩ (*stagionato*) aged: *formaggio ~* aged cheese. – **4.** ⟨*Enol*⟩ vintage-, mellow, mature.
stravedẹre *v.* (**stravịdi, stravịsto/stravedụto**; → **vedere**) **I** *v.t.* to mistake, to see wrongly. – **II** *v.i.* (*aus.* **avere**) to be mistaken (in seeing), to see wrongly. □ ⟨*fig*⟩ ~ *per qd.* to see s.o. through rose -coloured spectacles.
stravẹro *a.* ⟨*enfat*⟩ quite true.
stravịncere *v.t.* (**stravịnco, stravịnci; stravịnsi, stravịnto**) **1.** to beat (hollow), ⟨*fam*⟩ to lick. – **2.** ⟨*assol*⟩ to win ⌜hands down⌝ (*o* all along the line); (*nei giochi*) to win ⌜by a large margin⌝ (*o* hands down).
straviṣạre *v.t.* ⟨*pop*⟩ (*travisare*) to distort, to twist, to misinterpret.
straviziạre *v.i.* (**stravịzio, stravịzi**; *aus.* **avere**) to revel, to indulge in revelry, ⟨*fam*⟩ to live it up, ⟨*am.fam*⟩ to have a ball. – **stravịzio** *m.* excess, overindulgence; (*eccesso nel mangiare*) excessive eating, overeating; (*disordine nel bere*) excessive drinking, overdrinking; (*rif. alla vita sessuale*) debauchery, loose living, dissoluteness; (*gozzoviglia*) revelry, hearty eating and drinking.
stravịzzo *m.* **1.** ⟨*ant,region*⟩ → **stravizio**. – **2.** (*convito dell'Accademia della Crusca*) banquet (*o* dinner party) of the Crusca Academy.
stravolẹre *v.i.* (**stravọglio, stravuọi; stravọlli, stravolụto**; → **volere**; *aus.* **avere**) ⟨*non com*⟩ to want (*o* ask for) too much.
stravọlgere *v.t.* (**stravọlgo, stravọlgi; stravọlsi, stravọlto**) **1.** to rock, to shake; (*rif. al volto*) to contort, to twist: *il dolore aveva stravolto i suoi lineamenti* pain had contorted his features. – **2.** ⟨*fig*⟩ (*turbare profondamente*) to greatly trouble (*o* upset), to affect deeply: *la triste notizia lo ha stravolto* the sad news affected him deeply. – **3.** ⟨*fig*⟩ (*travisare*) to twist, to distort, to warp, to misrepresent. – **4.** ⟨*fig,non com*⟩ (*mutare profondamente*) to change radically, to revolutionize. – **stravolgersi** *v.r.* (*contorcersi*) to twist, to writhe, to roll about. □ ~ *gli occhi* to roll one's eyes.
stravolġimẹnto *m.* **1.** (*lo stravolgere*) twisting, distorting; (*lo stravolgersi*) twisting, writhing, rolling about. – **2.** (*effetto*) twist, contorsion, distortion. – **stravọlto** (*p.p. di stravolgere*) *a.* **1.** (*stralunato*) rolling; (*rif. al volto*) contorted, twisted, wry: *lineamenti -i dall'ira* features contorted with anger. – **2.** ⟨*fig*⟩ (*profondamente turbato*) deeply upset, greatly disturbed (*o* troubled): *mente -a* disturbed (*o* deranged) mind. – **3.** ⟨*fig,non com*⟩ (*profondamente mutato*) revolutionized, radically changed.
straziamẹnto *m.* ⟨*non com*⟩ **1.** tearing apart (*o* to pieces), laceration. – **2.** (*tormento*) torment, torture. – **3.** (*afflizione*) torment, suffering, distress. – **laziạnte** (*p.pr. di straziare*) *a.* **1.** racking, tormenting, excruciating: *dolori -i* excruciating pains. – **2.** (*angoscioso*) agonizing, full of anguish, piercing: *grido ~* agonizing (*o* piercing) cry. – **3.** ⟨*fig*⟩ heart-rending, harrowing: *scena ~* heart-rending scene.
straziạre *v.t.* (**strạzio, strạzi**) **1.** (*tormentare*) to torture, to rack; (*dilaniare*) to tear apart (*o* to pieces), to rend, to lacerate, to mangle: *il suo corpo fu straziato da una bomba* his body was torn to pieces by a bomb. – **2.** (*affliggere profondamente*) to torment, to tear, to rend, to torture, to harrow. – **3.** ⟨*scherz*⟩ (*sperperare*) to waste, to squander, to dissipate; (*sciupare*) to ruin, to spoil. – **4.** ⟨*fig,scherz*⟩ (*dimostrare scarsa perizia*) to mangle, ⟨*fam*⟩ to murder: ~ *una musica* to murder a piece of music. – **5.** ⟨*ant*⟩ (*schernire*) to mock, to deride, to taunt. – **6.** ⟨*ant*⟩ (*strappare*) to tear (out). □ ⟨*fig*⟩ ~ *il cuore* to be heart-rending; ~ *il cuore a qd.* to break s.o.'s heart; ⟨*enfat*⟩ ~ *le orecchie* to pierce (*o* grate on) the ears, to be ear-splitting: *questa musica mi strazia le orecchie* this music ⌜is torture to⌝ (*o* grates on) my ears, this music offends the ear; ~ *una lingua* (*parlarla male*) to murder (*o* mangle) a language.
straziạto (*p.p. di straziare*) *a.* **1.** (*torturato*) tortured, racked; (*dilaniato*) torn apart (*o* to pieces), rent. – **2.** (*tormentato*) tormented, torn, racked, tortured, harassed, rent: ~ *dai rimorsi* racked (*o* torn) by remorse, in an agony of remorse. □ *cuore ~* broken heart; ~ *dal dolore* grief-stricken. – **straziatọre** *m.* (*f.* **-trice**) ⟨*rar*⟩ tearer, racker, render.
strạzio *m.* **1.** (*scempio*) torture, tearing (apart), lacerating. – **2.** ⟨*fig*⟩ (*tormento*) torment, torture, agony: *essere in preda agli strazi del rimorso* to be a prey to the torments of remorse. – **3.** ⟨*fam,scherz*⟩ (*fastidio, seccatura*) torture, agony: *che ~ questo film!* what agony this film is!, what an awful film this is!; (*persona noiosa*) nuisance, ⟨*fam*⟩ bore, ⟨*fam*⟩ pest, ⟨*fam*⟩ pain in the neck. – **4.** ⟨*fig,non com*⟩ (*spreco*) waste, squandering, wastage. – **5.** ⟨*fig*⟩ (*rif. a cattive esecuzioni*) mangling, ⟨*fam*⟩ murder. – **6.** ⟨*tosc*⟩ (*cascami, avanzi*) waste, left-overs *pl*, bits and pieces *pl*; (*ritagli di carta*) shavings *pl.* – **7.** ⟨*ant*⟩ (*strage*) massacre, slaughter, blood-bath. – **8.** ⟨*ant*⟩ (*scherno*) mockery, derision. □ *fare ~ di*: 1. (*dilaniare*) to tear apart (*o* to pieces), to rend, to lacerate; 2. ⟨*fig*⟩ (*rovinare*) to play havoc with, to ruin, to devastate, to destroy; 3. ⟨*fig*⟩ (*eseguire o usare male*) to mangle, ⟨*fam*⟩ to murder: *fare ~ della propria lingua* to mangle one's own language; 4. ⟨*fig*⟩ (*sprecare*) to waste, to squander (away), to dissipate.
straziọmidi *m.pl.* ⟨*Entom*⟩ soldier-flies *pl*, stratiomyi(i)ds *pl* (*Stratiomy[i]dae*).
strạzza *f.* ⟨*Tess*⟩ raw silk waste.
strebbiạre *v.t.* (**strẹbbio, strẹbbi**) **1.** ⟨*tosc*⟩ (*sciupare*) to spoil, to ruin, to be hard on, to wear out. – **2.** ⟨*ant*⟩ (*lisciare*) to smooth.
strẹblidi *m.pl.* ⟨*Entom*⟩ bat-flies *pl* (*Streblidae*).
strecciạre *v.t.* (**strẹccio, strẹcci**) ⟨*rar*⟩ (*disfare*: *rif. a trecce*) to unplait, to undo; (*rif. a capelli*) to unplait, to loosen.
strẹga *f.* **1.** witch; (*maga, fattucchiera*) sorceress. – **2.** ⟨*fig,spreg*⟩ (*donna malvagia*) (hell)cat, shrew, nasty (*o* bad, hateful) woman; (*donna brutta e vecchia*) (old) hag, crone, witch. – **3.** (*pivetta*) reed. – **4.** (*liquore*) Strega. – **5.** ⟨*Itt*⟩ red-speckled blenny (*Blennius sanguinolentus*). – **6.** ⟨*Itt*⟩ butterfly fish, ocellated blenny (*Blennius ocellaris*). – **7.** ⟨*Itt*⟩ rock blenny, tompot (*Blennius gattorugine*). – **8.** ⟨*Itt*⟩ (*barbatula*) stone loach (*Cobitis barbatula*). □ *caccia alle streghe* witch-hunt (*anche fig.*); ⟨*fig*⟩ *convegno delle streghe* witches' sabbath, coven; ⟨*Bot*⟩ *erba ~*: 1. hedge nettle (*Stachys palustris*); 2. (*licopodio*) club-moss, lycopodium (*Lycopodium*); ⟨*Itt*⟩ ~ *gattorugine* rock blenny, tompot (*Blennius gattorugine*).
stregamẹnto *m.* ⟨*non com*⟩ **1.** (*atto*) bewitching, casting of a spell; (*effetto*) bewitchment, spell. – **2.** ⟨*fig*⟩ (*malia*) witchery, enchantment, fascination, charm. – **streġạre** *v.t.* (**strẹgo, strẹghi**) **1.** to bewitch, to cast (*o* put) a spell on, to put under a spell. – **2.** ⟨*fig*⟩ (*ammaliare*) to bewitch, to enchant, to captivate, to charm, to entrance, to fascinate, to enthral: *quella donna lo ha stregato* that woman bewitched him. – **streġạto** (*p.p. di stregare*) *a.* **1.** bewitched, under a spell. – **2.** ⟨*iperb*⟩ (*disgraziato*) bewitched, hexed.
strẹġghia *f.* ⟨*tosc*⟩ → **striglia**.
stregherịa *f.* ⟨*rar*⟩ → **stregoneria**. – **stregọne** *m.* **1.** wizard; (*mago*) magician, sorcerer. – **2.** (*guaritore*) healer, ⟨*spreg*⟩ quack. – **3.** ⟨*Etnol*⟩ witch-doctor, medicine-man. – **stregonerịa** *f.* **1.** (*rif. a streghe*) witchcraft, sorcery; (*rif. a stregoni*) wizardry, sorcery; (*magia nera*) (black) magic. – **2.** (*operazione magica*) spell; *pl.* sorcery. □ *fare -e* to cast spells, to practise witchcraft. – **stregonẹsco** *a.* (*pl.* **-chi**) **1.** witch-, witchlike, sorcerous. – **2.** ⟨*fig*⟩ (*brutto, sinistro*) witchlike, ugly, sinister, evil, witchy. – **stregọnico** *a.* (*pl.* **-ci**) witch-, magic, sorcerous.

stregua *f.* ⟨*ant*⟩ (*rata, quota*) quota, share. □ *alla* ~ *di* on a level with, by the same standard (*o* yardstick) as, in the same way as; *alla stessa* ~: 1. by the same standard, in the same way: *mettere* (o *considerare*) *tutti alla stessa* ~ to judge everyone ⌜by the same standard⌝ (*o* in the same way); 2. (*su un piano di parità*) alike, on a par: *trattare tutti alla stessa* ~ to treat everyone alike.

strelitzia [-zia] *f.* ⟨*Bot*⟩ **1.** strelitzia (*Strelitzia*). – **2.** bird-of-paradise (*Strelitzia reginae*).

strelizzo *m.* ⟨*Stor*⟩ Strelitz (soldier).

stremare *v.t.* (**stremo**) **1.** (*sfinire*) to exhaust, to wear (*o* tire) out; (*indebolire gravemente*) to weaken, to enfeeble: *la malattia ha stremato il suo fisico* the disease weakened him. – **2.** ⟨*fig*⟩ (*depauperare*) to exhaust, to drain, to impoverish. – **3.** ⟨*ant*⟩ (*diminuire, ridurre*) to lessen, to diminish. – **stremato** (*p.p. di stremare*) *a.* **1.** (*esausto*) exhausted, worn-out, tired out. – **2.** ⟨*fig*⟩ (*privo di risorse*) impoverished, without means, destitute.

stremenzire *v.* ⟨*ant*⟩ → **striminzire**.

stremezza *f.* ⟨*lett,non com*⟩ **1.** (*debolezza*) (physical) weakness. – **2.** (*povertà*) destitution, poverty.

streminzire *v.* ⟨*ant*⟩ → **striminzire**.

stremire *v.t.* (**stremisco, stremisci**) ⟨*ant,region*⟩ (*sgomentare*) to terrify, to frighten.

stremità *f.* ⟨*ant*⟩ **1.** (*estremità*) end, extremity. – **2.** (*miseria*) want, poverty.

stremma *m.* stremma.

stremo I *s.m.* **1.** utmost, extreme. – **2.** (*momento estremo*) last moment, end; (*punto estremo*) extremity, furthest point, extreme limit. – **II** *a.* ⟨*ant*⟩ **1.** (*estremo*) extreme. – **2.** (*scarso, povero*) poor, meagre. – **3.** (*ridotto*) short, small. □ *essere* (*ridotto*) *allo* ~: 1. (*fisicamente*) to be at the end of one's strength, ⟨*fam*⟩ to be on one's last legs; 2. (*finanziariamente*) to ⌜be at⌝ (*o* have reached) the end of one's resources, to have reached rock-bottom, ⟨*fam*⟩ to be down to one's last penny.

strenna *f.* **1.** present, gift: ~ *di Natale* Christmas present. – **2.** ⟨*Edit*⟩ (*pubblicazione*) New Year's collection. – **3.** ⟨*Stor.rom*⟩ han(d)sel, gift.

strenuamente *avv.* ⟨*lett*⟩ **1.** valiantly, bravely. – **2.** ⟨*estens*⟩ (*infaticabilmente*) tirelessly, untiringly. – **strenuo** *a.* ⟨*lett*⟩ **1.** (*valoroso*) valiant, brave. – **2.** ⟨*estens*⟩ (*infaticabile*) tireless, untiring: *uno* ~ *lavoratore* an untiring worker.

strepente (*p.pr. di strepere*[1]) *a.* ⟨*poet*⟩ (*che fa rumore*) noisy.

strepere[1] *v.i.* (compound forms not used) ⟨*poet*⟩ (*rumoreggiare*) to make a noise, to sound; (*rif. ad acqua*) to rush, to roar.

strepere[2] *m.* ⟨*poet*⟩ (*rumore*) noise, sound; (*rif. ad acqua*) rush(ing), roar(ing).

strepire *v.* (**strepisco, strepisci**) → **strepere**[1].

strepitare *v.i.* (**strepito**; *aus.* **avere**) **1.** to make a loud (*o* deafening) noise, to crash, to roar. – **2.** (*gridare forte*) to yell, to shout (*o* cry out) loudly, to bawl. – **strepitio** *m.* din. – **strepito** *m.* **1.** loud (*o* deafening) noise, crash, roar. – **2.** (*grida*) clamour, din, hubbub, noise, uproar, tumult. – **3.** (*rif. ad applausi e sim.*) roar. □ ⟨*fig*⟩ *fare* ~ to cause a stir (*o* storm), to be much talked about.

strepitosamente *avv.* **1.** noisily, clamorously. – **2.** ⟨*fig*⟩ outstandingly, greatly. – **strepitoso** *a.* **1.** noisy, clamorous, loud, ⟨*lett*⟩ strepitous. – **2.** (*fragoroso*) resounding, deafening, thunderous, roaring: *applausi -i* thunderous applause. – **3.** ⟨*fig*⟩ (*grandissimo*) great, tremendous, outstanding, resounding: *successo* ~ resounding success. – **4.** ⟨*Mus*⟩ strepitoso, noisy.

strepsitteri *m.pl.* ⟨*Entom*⟩ strepsipterons *pl* (*Strepsiptera*).

strepto... *pref.* (*contorto* twisted) strept(o)...

strepto|bacillo *m.* → **streptococco**. – **~coccemia** *f.* ⟨*Med*⟩ streptococc(a)emia, strepticemia. – **~cocco** *m.* (*pl.* **-chi**) ⟨*Med*⟩ streptococcus. – **~lisina** *f.* strepto(cocco)lysin. – **~miceti** *m.pl.* streptomyces *pl*. – **~micina** *f.* ⟨*Farm*⟩ streptomycin. – **~neuri** *m.pl.* ⟨*Zool*⟩ streptoneurans *pl* (*Streptoneura*). – **~tricina** *f.* ⟨*Farm*⟩ streptothricin. – **~tricosi** *f.* ⟨*Med,ant*⟩ streptot(h)richosis.

stretta *f.* **1.** (firm) hold, grip, grasp, clasp, clench: *liberarsi dalla* ~ *dell'avversario* to free o.s. from the opponent's grasp; (*morsa*) vice-like grip. – **2.** (*abbraccio*) embrace, clasp, squeeze. – **3.** (*il restringere*) tightening (up), pulling in; (*il rendere meno ampio*) narrowing. – **4.** (*fitta*) stab of pain, sharp (*o* shooting) pain, twinge, pang. – **5.** ⟨*fig*⟩ (*turbamento, emozione*) pang (of grief), stab (of pain). – **6.** (*calca*) crowd, throng, press, crush: *sottrarsi alla* ~ *della folla* to get away from the press of the crowd. – **7.** ⟨*fig*⟩ (*punto culminante*) climax, crucial (*o* critical) point, culmination: *essere alla* ~ *finale* to have reached a critical point. – **8.** ⟨*fig*⟩ (*situazione difficile*) difficult situation, predicament, straits *pl*, ⟨*fam*⟩ fix, ⟨*fam*⟩ corner, ⟨*fam*⟩ spot: *ci troviamo in una* ~ *dolorosa* we are in a painful predicament. – **9.** (*passaggio angusto*) narrow passage; (*vallata molto stretta*) narrow pass, defile; (*burrone, gola*) gorge, ravine. – **10.** ⟨*non com*⟩ (*spazio fra il letto e il muro*) narrow space (between bed and wall). – **11.** ⟨*tecn*⟩ (*serraggio*) tightening, gripping, clamping. – **12.** ⟨*Fon*⟩ constriction (of the air passage). – **13.** ⟨*Mus*⟩ stretta, stretto, rapid finale (*o* concluding passage). – **14.** ⟨*Agr*⟩ premature ripening. – **15.** ⟨*ant*⟩ (*ammasso*) mound, pile, heap. □ **allentare** *la* ~ to loosen one's hold (*o* grip); ⟨*Econ*⟩ ~ **creditizia** credit squeeze; ~ *al* **cuore** sharp (*o* stab of) pain in the heart; ⟨*fig*⟩ pang (of grief); ⟨*fig*⟩ **essere** *alle -e*: 1. (*essere in una situazione difficile*) to be in a difficult situation, ⟨*fam*⟩ to be in a tight spot (*o* corner); 2. (*dover prendere una decisione*) to be forced to make a decision, to have one's back to the wall; *dare una* ~ *di* **freni** to brake; ⟨*fig*⟩ to tighten up, to clamp down; *sentire una* ~ *alla* **gola** to have a lump in one's throat; *alla* ~ *dell'***inverno** in the depths of winter; ~ *di* **mano** handshake; *dare una* ~ *di mano a qd.* to shake hands with s.o.; **mettere** (o *prendere*) *qd. alle -e* to put s.o. on the spot, to drive s.o. to the wall; **venire** *alle -e* (*al momento conclusivo*) to reach a climax (*o* crucial point), to come to a head; *dare una* ~ *di* **vite** to tighten (up) a screw.

strettamente *avv.* **1.** tight(ly), close(ly), fast: *legato* ~ tied tight (*o* fast). – **2.** (*rigorosamente*) strictly: ~ *confidenziale* strictly confidential. – **3.** (*miseramente*) poorly, meagrely. – **4.** (*assolutamente*) strictly, absolutely: ~ *necessario* strictly necessary.

strettezza *f.* **1.** (*rif. ad ampiezza*) tightness, closeness. – **2.** (*rif. a larghezza*) narrowness: *la* ~ *di una strada* the narrowness of a road. – **3.** ⟨*fig*⟩ (*scarsità*) shortage, lack, scarsity: ~ *di tempo* lack of time. – **4.** ⟨*fig*⟩ (*ristrettezza*) poverty, (financial) straits *pl*, straitened circumstances *pl*: *vivere nelle -e* to live in poverty. – **5.** ⟨*ant*⟩ (*ostacolo*) obstacle, hindrance.

strettire *v.t.* (**strettisco, strettisci**) ⟨*tosc*⟩ (*restringere*) to tighten; (*rendere meno ampio*) to narrow.

stretto (*p.p. di stringere*) **I** *a.* **1.** (*non largo*) narrow: *una scrivania -a* a narrow desk; *una strada -a* a narrow street. – **2.** (*rif. a vestiti e sim.*: *non ampio*) tight(-fitting), close-fitting, clinging: *un vestito* ~ a tight dress; *ho le scarpe -e* my shoes are tight. – **3.** (*serrato*) tight, fast: *nodo* ~ tight knot. – **4.** (*brusco, forte*) sharp: *curva -a* sharp bend. – **5.** (*molto vicino, addossato*) close (*a* to), hugging (s.th.): *camminare* ~ *al muro* to walk hugging (*o* close to) the wall; *stare -i l'uno all'altro* to be close to e.o., to be huddled up (*o* together). – **6.** (*racchiuso, pigiato*) squeezed, hemmed in, wedged, packed: *si trovò* ~ *fra due automobili* he was hemmed in between two cars. – **7.** ⟨*fig*⟩ (*costretto, incalzato*) forced, driven, pressed, constrained (*da* by): ~ *dalle necessità* forced by necessity. – **8.** (*unito, legato*) bound, tied, linked (*da* by): *essere* ~ *da amicizia con qd.* to be bound to s.o. by friendship. – **9.** (*vicino, intimo*) close, near: *parenti -i* close (*o* near) relatives; *amici -i* close friends. – **10.** (*rigoroso*) strict, close, rigorous: *-a sorveglianza* strict supervision, close watch; *mantenere uno* ~ *riserbo su un argomento* to maintain a strict reserve on a subject; (*preciso*) exact, precise: *attenersi allo* ~ *significato di una parola* to stick to the exact meaning of a word. – **11.** (*rif. a dialetti*: *puro, schietto*) pure: *parlare lo* ~ *milanese* to speak pure Milanese. – **12.** (*con valore limitativo*) bare, strict: *lo* ~ *necessario* the bare minimum (*o* necessities). – **13.** ⟨*Fon*⟩ closed: *una e -a* a closed e. – **14.** ⟨*Tip*⟩ (*rif. a caratteri*) condensed. – **15.** ⟨*non com*⟩ (*segreto*) secret, private. – **16.** ⟨*non com*⟩ (*parsimonioso*) close(-fisted), tight(-fisted); (*avaro*) mean, miserly: *è molto* ~ *nello spendere* he's very miserly about spending money. – **17.** ⟨*poet*⟩ (*cauto*) wary, cautious. – **II** *avv.* tight(ly), close(ly), fast: *legare qc. ben* ~ to tie s.th. tight (*o* fast); *lo abbracciò* ~ she hugged him tight. – **III** *s.m.* **1.** ⟨*Geog*⟩ straits *pl* (*costr.sing.*), strait: *lo* ~ *di Gibilterra* the Straits of Gibraltar. – **2.** ⟨*non com*⟩ (*stretta, passaggio angusto*) narrow passage. – **3.** ⟨*Mus*⟩ stretto. – **4.** ⟨*Anat*⟩ strait.

□ *avere il* **cuore** ~ *dall'emozione* to be downhearted (*o* sad at heart); *prendere una* **curva** *-a* to cut a corner; *a* **denti** *-i* with clenched teeth (*anche fig.*); ⟨*Anat*⟩ ~ **inferiore** pelvic outlet, exitus pelvis, inferior pelvic strait; ~ *di* **mare** strait(s); *coi* **pugni** *-i* with clenched fists; ⟨*Stor*⟩ **questione** *degli -i* Straits Question; ⟨*Anat*⟩ ~ **superiore** pelvic inlet, aditus pelvis, superior pelvic strait; **tenere** *qd.* ~ *a sé* to hold s.o. close (*o* tight, fast); ⟨*fig*⟩ *tenersi* ~: 1. (*essere parsimonioso*) to be thrifty (*o* economical); 2. (*essere tirchio*) to be mean (*o* miserly, stingy), to be close(-fisted); 3. (*essere cauto*) to be wary (*o* cautious).

strettoia *f.* **1.** ⟨*Strad*⟩ narrowing in the road, ⟨*fam*⟩ bottleneck. – **2.** ⟨*fig*⟩ (*situazione difficile*) difficult (*o* tricky) situation, ⟨*fam*⟩ corner, ⟨*fam*⟩ tight spot: *trovarsi in una* ~ to find o.s. in a tight spot. – **3.** ⟨*ant*⟩ → **strettoio**. – **4.** ⟨*ant*⟩ (*fascia, legaccio*) (tight) band; (*di cuoio*) strap.

strettoio *m.* **1.** clamp. – **2.** (*torchio a vite*) press. – **3.** (*strumento per botti*) small hand windlass for drawing barrel staves together. – **4.** ⟨*Legat*⟩ press. – **5.** ⟨*Minier*⟩ (*incuneatore*) clamp. – **6.** ⟨*ant*⟩ (*luogo angusto*) narrow place.

strettura *f.* ⟨*non com*⟩ **1.** (*rif. ad ampiezza*) tightness; (*rif. a larghezza*) narrowness. – **2.** (*luogo stretto*) narrow place.

stria *f.* **1.** ⟨*Arch*⟩ (*scanalatura di colonna*) stria. – **2.** (*solco, incisione*) furrow, groove, channel, flute. – **3.** (*riga di colore*) streak, stripe, stria, narrow band of colour; *pl.* trail *sing*: *le -e della lumaca* the snail's trail. – **4.** ⟨*Med*⟩ stria, streak. – **5.** ⟨*Geol,Vetr*⟩ (*striatura*) stria. □ ⟨*Anat*⟩ *-e acustiche* (o *midollari*) acoustic (*o* auditory) striae, striae medullares acusticae, Bergmann's cords; ⟨*Med*⟩ *-e atrofiche* striae atrophicae, stretch marks.

striara *f.* ⟨*Pesc*⟩ kind of drag-net.

striare *v.t.* (**strio, strii**) to streak, to stripe, to mark, to striate. – **striato** (*p.p. di striare*) *a.* **1.** streaked, striped, marked, striate(d). – **2.** ⟨*Anat*⟩ striated. – **3.** ⟨*Bot*⟩ striate, lineate, lined, strigose. – **4.** ⟨*Min*⟩ striated: *cristallo* ~ striated crystal. – **striatura** *f.* **1.** (*lo striare*) streaking, striping. – **2.** ⟨*concr*⟩ striae *pl*, streaks *pl*, streaking, stripes *pl*, striation. – **3.** ⟨*Min*⟩ striation. □ *-e glaciali* glacial striation *sing*.

stribbia *f.* ⟨*Tess*⟩ slub-catcher.

stribbiare *v.t.* (**stribbio, stribbi**) ⟨*non com*⟩ **1.** (*strebbiare*) to spoil. – **2.** (*strubbiare*) to wear out, to reduce to rags.

stricạre *v.* (**strịco, strịchi**) ⟨*ant,region*⟩ → **strigare.**
striccatụra *f.* ⟨*Tess*⟩ teaseling, raising.
strịcco *m.* (*pl.* **-chi**) ⟨*Mar*⟩ Spanish burton.
strịcnico: ⟨*Chim*⟩ *acido* ~ strychnic acid. – **stricnịna** *f.* strychnine. – **stricninịsmo** *m.* ⟨*Med*⟩ strychninism.
strịcto sẹnsu *lat.* in a strict sense, strictly speaking.
strịda *f.pl. di* **strido.**
stridẹnte (*p.pr. di stridere*) *a.* **1.** strident, harsh, shrill, squeaking, creaking, grating, rasping: *suono* ~ strident (*o* harsh) sound. – **2.** ⟨*fig*⟩ (*contrastante*) conflicting, clashing, contradictory; (*rif. a colori*) clashing; (*rif. ad animali*) squeaking; (*rif. a insetti*) chirping. – **3.** ⟨*fig*⟩ (*con valore rafforzativo*) blatant: *contrasto* ~ blatant (*o* direct) contrast. – **strịdere** *v.i.* (compound tenses and past participle **stridụto** rarely used; *aus.* **avere**) **1.** (*strillare*) to shriek, to screech, to utter a shrill (*o* piercing) cry; (*rif. ad animali*) to squeak; (*rif. a insetti*) to chirp. – **2.** (*rif. al fuoco*) to crackle, to hiss: *la fiamma stride* the flame is crackling; (*rif. a oggetti caldi nell'acqua*) to hiss, to sputter, to pop: *il ferro rovente nell'acqua stride* red-hot iron hisses in water; (*rif. al vento*) to shriek, to howl, to scream. – **3.** (*cigolare: rif. a porte e sim.*) to squeak, to creak, to grate, to rasp, to grind: *la porta stride sui cardini* the door is squeaking on its hinges; (*rif. a catene e sim.*) to clank, to rattle, to screech. – **4.** ⟨*fig*⟩ (*contrastare*) to differ (*con* from), to conflict, to clash, to (be in) contrast (with), to be contradictory (to), to go against (s.th.): *le tue parole stridono con i fatti* what you say goes against the facts; (*produrre un effetto sgradevole*) to be out of keeping, to clash, to jar, not to go (with); (*rif. a colori*) to clash, ⟨*fam*⟩ to shriek: *queste due tinte stridono tra loro* these two colours clash. – **5.** ⟨*tosc*⟩ (*soffocare la propria rabbia*) to stifle one's anger.
stridịo *m.* **1.** shrieking, screeching. – **2.** (*rif. al fuoco*) sputtering, hissing. – **3.** (*rif. a porte e sim.: cigolio*) squeaking, creaking, grating; (*rif. a freni*) squealing, screeching. – **stridịre** *v.* (**stridịsco, stridịsci**) ⟨*ant*⟩ → **stridere.**
strịdo *m.* (*pl.* **le strịda**/*non com.* **gli strịdi**) shriek, shrill (*o* piercing) cry, screech.
stridọre *m.* **1.** screech(ing), shrill sound, squeal, grating. – **2.** (*rif. a porte e sim.: cigolio*) squeak(ing), creak(ing), grating, rasping; (*rif. a catene e sim.*) screeching; (*rif. a freni*) screech, squeal: ~ *di freni* screech of brakes. – **3.** ⟨*Med*⟩ stridor: ~ *respiratorio* (respiratory) stridor. – **4.** ⟨*ant,region*⟩ (*freddo intenso e asciutto*) intense (*o* severe) dry cold; (*caldo eccessivo*) excessive (*o* scorching) heat. □ ~ *di denti* gnashing (*o* grinding) of teeth.
strịdula *f.* ⟨*Ornit*⟩ (*gufo selvatico*) tawny owl (*Strix aluco*).
stridulạnte (*p.pr. di stridulare*) *a.* ⟨*Entom*⟩ stridulant, stridulous: *insetti -i* stridulous insects. □ *organo* (o *apparato*) ~ stridulating organ. – **stridulạre** *v.i.* (**strịdulo**; *aus.* **avere**) to stridulate. – **stridulatọre** *a.* → **stridulante.** – **stridulaziọne** *f.* stridulation. – **strịdulo** *a.* **1.** (*acuto*) strident, shrill, rasping, harsh, grating: *voce -a* shrill voice. – **2.** (*che emette suoni striduli*) strident, shrill, stridulous; (*rif. a porte e sim.*) squeaky, creaky, rasping; (*rif. a insetti*) stridulous, stridulant, strident. – **3.** ⟨*Med*⟩ stridulous. □ *laringite -a* laryngismus stridulus, laryngitis stridulosa, false (*o* spasmodic) group.
striẹva *f.* ⟨*ant*⟩ (*staffa*) stirrup.
strịga *f.* → **stridula.**
strigạre *v.t.* (**strịgo, strịghi**) ⟨*non com*⟩ **1.** (*districare*) to disentangle, to unravel, to undo, to untangle. – **2.** ⟨*fig*⟩ to disentangle, to unravel, to sort (*o* straighten) out. – **strigarsi** *v.r.* to disentangle (*o* free) o.s. (*da* from), to get out (of).
strịge *f.* **1.** (*uccello notturno di rapina*) nocturnal bird of prey. – **2.** ⟨*ant*⟩ (*strega*) witch. □ ⟨*Ornit*⟩ ~ *allocco* → **stridula;** ~ *stridula* short-eared owl (*Asio flammeus*).
strịgidi *m.pl.* ⟨*Ornit*⟩ strigeids *pl* (*Strigidae*).
strigifọrmi *m.pl.* ⟨*Ornit*⟩ owls *pl* (*Strigiformes*).
strigilạto *a.* ⟨*Archeol*⟩ strigilate. – **strigilatụra** *f.* strigil, spiral fluting. – **strịgile** *m./f.* strigil.
strịglia *f.* curry-comb. – **strigliạre** *v.t.* (**strịglio, strịgli**) **1.** to curry(-comb): ~ *i cavalli* to curry the horses. – **2.** ⟨*fig*⟩ (*esaminare scrupolosamente*) to examine with a fine toothcomb. – **3.** ⟨*pop*⟩ (*sgridare*) to rebuke, to scold, to rail at, ⟨*fam*⟩ to dress down, ⟨*fam*⟩ to tell off. – **strigliarsi** *v.r.* ⟨*scherz*⟩ to groom o.s., to spruce o.s. up. – **strigliạta** *f.* **1.** curry-comb, currying. – **2.** ⟨*fig*⟩ (*rimprovero*) rebuke, scolding, ⟨*fam*⟩ telling off. □ *dare una* ~ *a* to curry(-comb); ⟨*fig*⟩ to rebuke, to scold: *il maestro ha dato una* ~ *al ragazzo* the teacher scolded the boy. – **strigliatịna** *f. dim. di* **strigliata.** – **strigliatọre** *m.* (*f.* **-trice**) ⟨*non com*⟩ currier, groom. – **strigliatụra** *f.* ⟨*non com*⟩ **1.** currying, curry-combing. – **2.** ⟨*scherz*⟩ (*lo strigliarsi*) grooming, sprucing up.
strịgnere *v.* (**strịngo, strịgni**) ⟨*ant*⟩ → **stringere.**
strigọide *m.* ⟨*Ornit*⟩ morepork, mopoke (*Podargus strigoides*).
strịgolo *m.* ⟨*Bot*⟩ bladder campion (*Silene cucubalus, Silene inflata*).
strịgope *m.* ⟨*Ornit*⟩ owl-parrot, kakapo (*Strigops habroptilus*).
strillạnte (*p.pr. di strillare*) *a.* shrill, screaming, shrieking, yelling, screeching: *voce* ~ shrill voice. – **strillạre I** *v.i.* (*aus.* **avere**) **1.** to shriek, to yell, to scream, to screech: *appena vide il ladro cominciò a* ~ when she saw the thief she began to scream. – **2.** (*parlare: a voce alta*) to shout, to yell: *non occorre che tu strilli, non sono sordo* you don't have to shout, I'm not deaf; (*con voce stridula*) to shriek, to screech, to scream. – **3.** (*dire ad alta voce*) to shout (*a* at, to), to yell, to bawl (at), to call out (to): *mi strillò di chiudere la finestra* he shouted to me to close the window. – **4.** ⟨*fig*⟩ (*protestare*) to protest, to gripe, ⟨*fam*⟩ to make a fuss, ⟨*fam*⟩ to holler. – **II** *v.t.* **1.** (*dire ad alta voce*) to shout (out), to yell (out). – **2.** ⟨*pop*⟩ (*sgridare*) to scold, ⟨*fam*⟩ to tell off. □ ~ *i giornali* to hawk newspapers on the streets.
strillạta *f.* **1.** (*grido*) shout, (sharp) cry, yell. – **2.** ⟨*pop*⟩ (*sgridata*) scolding, ⟨*fam*⟩ telling off, ⟨*fam*⟩ dressing-down.
strịllo *m.* **1.** (*grido*) scream, shriek, yell, sharp (*o* shrill) cry, shout: *fare uno* ~ to (let out a) scream, to (give a) yell. – **2.** *pl.* ⟨*fig*⟩ (*vivace protesta*) loud protest.
strillonạggio *m.* hawking newspapers (on the streets). – **strillọne** *m.* (*f.* **-a**) **1.** ⟨*fam*⟩ shouter, screamer, ⟨*fam*⟩ bawler; (*chi parla a voce troppo alta*) person with a loud voice, loud talker. – **2.** (*venditore di giornali nelle strade*) newspaper-seller, newspaper man (*o* boy), newsboy, news-vendor. – **3.** ⟨*Ornit*⟩ (*occhione*) stone curlew (*o* plover) (*Burhinus oedicnemus*).
strillọzzo *m.* ⟨*Ornit*⟩ corn bunting (*Emberiza calandra*).
striminzịre *v.t.* (**striminzịsco, striminzịsci**) **1.** to hold (*o* pull, keep) in; (*dentro un busto o sim.*) to strait-lace, to lace up. – **2.** (*rendere più magro*) to make thinner, to slim. – **striminzirsi** *v.r.* **1.** (*diventare più magro*) to become (*o* get) thin. – **2.** (*stringersi*) to pull o.s. in; (*dentro un busto e sim.*) to lace o.s. up (*o* in). – **striminzịto** (*p.p. di striminzire*) *a.* **1.** (*stretto*) pulled in, tightly sheathed; (*in un busto e sim.*) laced in. – **2.** (*misero*) shabby, poor: *un vestito* ~ a shabby dress. – **3.** (*magro*) thin, ⟨*fam*⟩ skinny; (*stentato*) stunted: *un vecchio* ~ a stunted old man. □ *secco* ~ as thin as a rake, like a skeleton, all skin and bones.
strimpellamẹnto *m.* (*rif. a strumenti a corda*) strumming, thrumming, scraping; (*rif. a strumenti a tastiera*) pounding, banging, thumping. – **strimpellạre** *v.t.* (**strimpẹllo**) (*sonare malamente: rif. a strumenti a corda*) to strum, to thrum, to scrape, to twang: ~ *la chitarra* to strum the guitar; (*rif. a strumenti a tastiera*) to pound, to bang on, to thump: ~ *il pianoforte* to bang on the piano. – **strimpellạta** *f.* **1.** (*rif. a strumenti a corda*) strum(ming), thrum(ming), scrape; (*rif. a strumenti a tastiera*) pound(ing), bang(ing), thump(ing). – **2.** (*sonata*) din, ⟨*fam*⟩ racket, ⟨*fam*⟩ row. □ *fare una* ~: 1. (*rif. a strumenti a corda*) to strum (*o* thrum) out a piece; 2. (*rif. a strumenti a tastiera*) to pound (*o* thump) away. – **strimpellatọre** *m.* (*f.* **-trice**) (*rif. a strumenti a corda*) strummer, thrummer; (*rif. a strumenti a tastiera*) pounder, banger, thumper. – **strimpellatụra** *f.* ⟨*non com*⟩ → **strimpellamento.** – **strimpellịo** *m.* (*rif. a strumenti a corda*) strumming, thrumming; (*rif. a strumenti a tastiera*) pounding, banging, thumping. – **strimpellọne** *m.* (*f.* **-a**) ⟨*scherz*⟩ (*di strumenti a corda*) strummer, thrummer, scraper; (*di strumenti a tastiera*) pounder, banger, thumper.
strinạre *v.t.* **1.** to scorch: ~ *una camicia* to scorch a shirt. – **2.** ⟨*Gastr*⟩ to singe. – **strinarsi** *v.r.* to scorch. – **strinạto** (*p.p. di strinare*) **I** *a.* **1.** scorched: *camicia -a* scorched shirt. – **2.** ⟨*Gastr*⟩ singed. – **II** *s.m.* (*sapore*) burnt taste; (*odore*) burnt smell. □ *sapere di* ~ (*aver sapore*) to taste burnt; (*odorare*) to have a burnt smell; *secco* ~ skinny, as thin as a rake, like a skeleton (*o* beanpole), all skin and bones. – **strinatụra** *f.* scorch (mark).
strịnga *f.* **1.** (*laccio*) lace; (*per scarpe*) (shoe-)lace. – **2.** ⟨*Itt*⟩ red bandfish (*Cepola rubescens*). – **stringạio** *m.* (*f.* **-a**) ⟨*non com*⟩ **1.** (*fabbricante*) lace-maker. – **2.** (*venditore*) lace-seller.
stringạre *v.t.* (**strịngo, strịnghi**) **1.** to lace (up), to tie (up) tight. – **2.** ⟨*fig*⟩ (*rendere conciso*) to condense, to make concise. – **stringatamẹnte** *avv.* concisely, tersely, briefly, to the point. – **stringatẹzza** *f.* conciseness, concision, brevity, terseness. □ *con* ~ concisely, tersely. – **stringạto** (*p.p. di stringare*) *a.* **1.** (*stretto*) tight, tied tightly; (*attillato*) close-fitting, tight, clinging. – **2.** ⟨*fig*⟩ (*conciso*) concise, brief, terse, to the point.
stringẹndo I *avv.* ⟨*Mus*⟩ stringendo, progressively quickening the tempo. – **II** *s.m.* stringendo, quickening of the tempo.
stringẹnte (*p.pr. di stringere*) **I** *a.* **1.** (*urgente, impellente*) pressing, urgent: *necessità -i* urgent needs. – **2.** (*serrato*) convincing, forceful, cogent, stringent: *ragioni -i* convincing reasons. – **3.** ⟨*Farm*⟩ (*antidiarroico*) anti-diarrhoea-. – **II** *s.m.* ⟨*Farm,non com*⟩ anti-diarrhoeic.
strịngere *v.* (**strịngo, strịngi; strịnsi, strẹtto**/*pop.,tosc.* **strịnto**) **I** *v.t.* **1.** (*serrare fortemente*) to clasp, to hold tight(ly), to clutch: *mi strinse cordialmente la mano* he clasped my hand cordially; *stringeva tra le mani la borsetta* she clutched her bag in her hands. – **2.** (*premere, tenere premuto*) to clasp, to press, to embrace, to hug, to squeeze: ~ *qd. tra le braccia* to clasp s.o. in one's arms; *la madre stringeva il figlio al seno* the mother pressed her son to her breast. – **3.** (*avvicinare fra loro due cose*) to press (together), to squeeze (together): ~ *le labbra* to press one's lips together; ~ *le gambe* to squeeze one's legs together. – **4.** (*circondare, premere da ogni parte*) to surround, to press (against), to throng (around): *la folla stringeva la squadra vincitrice* the crowd surrounded the winning team. – **5.** (*legare*) to tie (up), to fasten: ~ *un pacco con lo spago* to tie up a package with string. – **6.** (*premere dolorosamente*) to pinch, to be (too) tight: *queste scarpe stringono i piedi* these shoes are pinching my feet. – **7.** (*rimpicciolire, restringere*) to take in: *far* ~ *un vestito troppo largo* to have a dress that is too large taken in. – **8.** (*concludere*) to make, to contract, to enter into, to stipulate: ~ *un patto* to make a pact; ~ *un'alleanza* to contract an alliance. – **9.** (*avvitare*) to tighten, to screw tight: ~ *una morsa* to tighten a vice. – **10.** (*riassumere in sintesi*) to summarize, to sum up, to

condense: ~ *un discorso* to summarize a speech. – **11.** (*accelerare*) to speed up, to make faster, to quicken: ~ *il passo* to quicken one's step. – **12.** ⟨*lett*⟩ (*impugnare, brandire*) to grasp, to brandish: ~ *la spada* to grasp one's sword. – **13.** ⟨*rar*⟩ (*obbligare, costringere*) to impel, to force, to compel: *il bisogno mi stringe a chiederti aiuto* need compels me to ask you for help. – **14.** (*rendere stitico*) to constipate. – **II** *v.i.* (*aus.* **avere**) **1.** (*incalzare, urgere*) to be pressing, to press, to be (running) short: *il tempo stringe* time presses (*o* is short). – **2.** (*essere stretto*) to be (too) tight: *questa giacca stringe* this jacket is tight; (*rif. a scarpe*) to pinch, to be tight. – **3.** ⟨*fig*⟩ (*essere breve*) to be brief (*o* short, concise). – **4.** (*rendere stitico*) to constipate. – **5.** ⟨*Sport*⟩ to concentrate the attack. – **6.** ⟨*Mus*⟩ (*accelerare*) to quicken. – **stringersi** *v.r.* **1.** (*accostarsi*) to squeeze (o.s.), to press (o.s.): *si strinse al muro per lasciarmi passare* he squeezed himself against the wall to let me pass; *il bambino si stringeva alla madre* the child pressed himself against his mother. – **2.** (*restringersi*: *per fare spazio*) to squeeze together: *si strinsero per fare un po' di posto all'ultimo arrivato* they squeezed together to make room for the latest arrival. – **3.** ⟨*recipr*⟩ to embrace e.o., to hug e.o., to squeeze e.o.: *si strinsero in un forte abbraccio* they embraced e.o. with a big hug. – **4.** (*riunirsi associandosi*) to join, to unite (*in* in).

□ *stringersi* **addosso** *a qd.*: 1. (*assalirlo*) to set upon s.o.; 2. (*con affetto*) to snuggle up to s.o., to nestle close (up) to s.o.; ~ **amicizia** *con qd.* to become s.o.'s friend, to strike up a friendship with s.o.; ~ *d'***assedio** *una città* to lay siege to a town; *stringersi* **attorno** *a qd.* to press (*o* crowd, throng) round s.o.; (*raccogliersi*) to gather close around s.o.; **che** *stringe* (*stretto*) tight, tight-fitting, close-fitting: *un colletto che stringe* a tight(-fitting) collar; ~ *la* **cinghia** to tighten one's belt (*anche fig.*); ⟨*Mar*⟩ ~ *la* **costa** to hug the coast; ⟨*fig*⟩ ~ *il* **cuore** to wring (*o* break) one's heart; ⟨*Aut*⟩ ~ *in* **curva** to squeeze (*o* force over) on a curve; ~ *i* **denti** to clench one's teeth; ⟨*fig*⟩ to grit (*o* clench) one's teeth; ⟨*fig*⟩ ~ *i* **freni** to tighten the reins, to tighten up, to clamp down; ⟨*fig*⟩ ~ *la* (o *alla*) **gola** to bring a lump to one's throat; *stringersi* **intorno** *a qd.* = *stringersi* **attorno** *a qd.*; ⟨*rar*⟩ ~ *il* **latte** (*coagularlo*) to curdle the milk; ~ *la* **mano** *a qd.* to shake ⌜s.o.'s hand⌝ (*o* hands with s.o.); ~ *qd. con le spalle al* **muro** to press s.o. up against the wall; ⟨*fig*⟩ to force s.o. up against the wall, to put s.o. in a tight spot; ~ *l'***occhio** to shut (*o* close) one's eyes tight; (*ammiccare*) to wink; ~ *i* **pugni** to clench one's fists; *stringersi nelle* **spalle** to shrug one's shoulders; ⟨*fig,non com*⟩ *stringersi nelle* **spese** (*fare economia*) to cut down (on) expenses, to economize; ~ *il* **tempo** (o *i tempi*): 1. ⟨*Mus*⟩ to quicken the tempo; 2. ⟨*fig*⟩ (*accelerare*) to speed things up; *i tempi stringono* time is getting short; ⟨*fig*⟩ ~ *qd. tra l'***uscio** *e il muro* (*metterlo alle strette*) to back s.o. into a corner, to drive s.o. to the wall; ⟨*Mar*⟩ ~ *il* **vento** to haul (upon) the wind, to (keep the) luff, to hug (*o* close) the wind, to sail close to the wind, to sail full and by; ⟨*Mecc*⟩ ~ *una* **vite** to tighten a screw. || *stringi stringi* in short, all in all, to sum up, when all is said and done, when you get down to it: *stringi stringi, non abbiamo guadagnato nulla* when you get down to it, we gained nothing.

stringilạma *m.inv.* ⟨*Orol*⟩ regulator, index.

stringimẹnto *m.* **1.** (*pressione*) pressing, pressure. – **2.** (*il serrare*) tightening: ~ *dei freni* tightening of brakes. – **3.** (*restringimento*) taking in: *lo* ~ *di un vestito* the taking in of a dress. □ ⟨*fig*⟩ ~ *di cuore* heavy heart.

stringinạso *m.inv.* ⟨*Sport*⟩ nose-clip. □ *occhiali a* ~ pince-nez.

stringitọio *m.* ⟨*Pesc*⟩ tunny-fishing net.

stringitọre *m.* (*f.* **-trice**) **1.** ⟨*non com*⟩ tightener. – **2.** (*addetto a uno strettoio*) press operator. – **stringitụra** *f.* ⟨*non com*⟩ **1.** tightening. – **2.** (*pressatura*) pressing.

strịnto (*p.p. di stringere*) *a.* ⟨*pop,tosc*⟩ (*premuto*) pressed.

striọne *m.* ⟨*ant*⟩ **1.** ⟨*Stor.rom*⟩ (*istrione*) actor, histrion. – **2.** ⟨*fig, spreg*⟩ play-actor, clown, ⟨*fam*⟩ ham.

strippạggio *m.* ⟨*Chim,Met*⟩ stripping.

strippapẹlle: ⟨*pop*⟩ *mangiare a* ~ to eat (till one is) fit to burst.

strippạre *v.i.* (*aus.* **avere**), **stripparsi** *v.r.* ⟨*pop*⟩ to gorge, to stuff o.s., to guzzle. – **strippạta** *f.* ⟨*pop*⟩ good feed (*o* tuck-in), ⟨*fam*⟩ bellyful: *fare una* ~ *di qc.* to have a bellyful (*o* good feed) of s.th. – **strippọne** *m.* (*f.* **-a**) ⟨*pop*⟩ glutton, guzzler, gourmand(izer).

striscẹtta, striscettịna *f. dim. di* **striscia**.

strịscia *f.* **1.** (*di stoffa, carta e sim.*) strip, slip: *una* ~ *di carta* a strip of paper, a streamer. – **2.** (*figura simile a una striscia, larga riga*) stripe: *cravatta nera a strisce rosse* black tie with red stripes. – **3.** (*striscia di cuoio*) strip, thong; (*per affilare*) strop. – **4.** (*porzione di territorio*) strip (of land). – **5.** (*traccia*) trace, streak: *una* ~ *di sangue* a streak of blood. – **6.** ⟨*Strad*⟩ line. – **7.** ⟨*Geom*⟩ plane between parallels. – **8.** *pl.* ⟨*Alim*⟩ kind of noodles. – **9.** ⟨*Mar*⟩ (*ferzo*) (sail)cloth. – **10.** ⟨*ant*⟩ (*spada da duello*) rapier. □ *a strisce* striped: *maglia a strisce* striped sweater; ⟨*Aer*⟩ ~ *di atterramento* runway; (*su terra battuta*) airstrip, landing strip; ~ *di cuoio* leather thong, strip of leather; (*per affilare rasoi*) (razor-)strop; ⟨*Strad*⟩ *strisce pedonali* (o *zebrate*) pedestrian (*o* zebra) crossing *sing.*

strisciaiọla *f.* ⟨*Ornit*⟩ (*cutrettola gialla*) yellow (*o* blue-headed) wagtail (*Motacilla flava*).

strisciamẹnto *m.* **1.** creeping, crawling, slipping, slithering. – **2.** (*lo sfiorare*: *passando accanto*) grazing, shaving, brushing past; (*passando sopra*) skimming. – **3.** ⟨*fig*⟩ (*adulazione servile*) fawning, flattery, obsequiousness. – **4.** ⟨*Mecc*⟩ sliding.

strisciạndo I *avv.* ⟨*Mus*⟩ strisciando, glissando. – **II** *s.m.* glissando. – **strisciạnte** (*p.pr. di strisciare*) *a.* **1.** crawling, creeping. – **2.** ⟨*fig*⟩ (*adulatore*) fawning, obsequious, servile. – **3.** ⟨*Bot*⟩ creeping, repent. – **4.** ⟨*El*⟩ sliding: *contatto* ~ sliding contact. □ *animali -i* reptiles *pl*; ⟨*Econ*⟩ *inflazione* ~ creeping inflation; *pianta a fusto* ~ creeper.

strisciạre *v.* (**strịscio, strịsci**) **I** *v.i.* (*aus.* **avere**) **1.** (*passare sfiorando sopra una superficie*) to creep, to crawl, to slide, to slip, to slither: *i serpenti strisciano per terra* snakes crawl along the ground; (*rif. ad aerei e sim.*) to skim: *l'idrovolante strisciava sull'acqua* the seaplane skimmed over the water. – **2.** (*sfregare con maggiore o minore intensità un ostacolo*) to graze, to shave, to scrape (*contro qc.* s.th.), to pass close (to): *ho strisciato col parafango contro il muro* I grazed the wall with the mudguard. – **3.** (*crescere raso terra*) to creep, to be a creeper (*o* creeping plant): *le zucche strisciano sul suolo* the (vegetable) marrow is a creeper. – **4.** ⟨*fig*⟩ (*adulare, ossequiare servilmente*) to grovel, to crawl, to fawn. – **II** *v.t.* **1.** to drag, to scuff, to shuffle: ~ *un baule pesante* to drag a heavy trunk; ~ *i piedi per terra* to drag one's feet (along the ground). – **2.** (*sfiorare*) to graze, to shave, to brush: *la pallottola gli strisciò il braccio* the bullet grazed his arm. – **3.** (*produrre una raschiatura, un graffio*) to scrape, to scratch, to graze: *ho strisciato lo sportello destro* I have scraped the right door. – **strisciarsi** *v.r.* **1.** to rub (o.s.), to rub up: *non strisciarti contro il muro* don't rub against the wall; *l'animale si strisciava contro l'albero* the animal was rubbing itself up against the tree. – **2.** ⟨*fig*⟩ (*adulare*) to rub up (*a* to), to fawn (upon), to flatter (s.o.): *strisciarsi a qd.* to rub up to s.o. – **3.** ⟨*rar*⟩ (*azzimarsi*) to dress up. □ ~ *via* to steal (*o* creep) away; *il ladro si allontanò strisciando lungo il muro* the thief slipped away ⌜creeping along⌝ (*o* hugging) the wall.

strisciạta *f.* **1.** creeping, crawling, slithering; (*lo sfiorare*) grazing, brushing. – **2.** (*segno*) streak. □ *fare una* ~ *sull'acqua* to skim over the water. – **strisciatịna** *f. dim. di* **strisciata**. – **strisciatụra** *f.* **1.** creeping, crawling. – **2.** (*segno*) trail, track, streak.

strịscio *m.* **1.** creeping, crawling, sliding, slithering. – **2.** (*lo strisciare i piedi ballando*) shuffle, shuffling. – **3.** (*segno*) mark, scrape; (*tocco o colpo di striscio*) graze. – **4.** ⟨*Sport*⟩ (*nella scherma*) glide. – **5.** ⟨*Med*⟩ (*metodo microscopico*) smear. □ *ballo con lo* ~ shuffle; *di* ~ slightly, superficially, grazing: *ferire di* ~ to wound superficially, to graze; *ferita da* ~ graze, scratch; *toccare di* ~ to graze, to brush (against).

strisciolịna *f. dim. di* **striscia**.

strisciọne (*accr. di striscia*) **I** *s.m.* **1.** (*striscia di tela posta di traverso a strade*) banner. – **2.** (*lungo manifesto murale*) banner poster, long wall-poster. – **II** *avv.* → **striscioni**. □ ~ *pubblicitario* advertising banner; ~ *del traguardo* banner at the finishing line. – **strisciọni** *avv.* (by) crawling, (by) creeping. □ *avanzare* ~ to crawl (along).

stritolạbile *a.* grindable, crushable. – **stritolamẹnto** *m.* **1.** grinding, crushing. – **2.** (*sbriciolamento*) shattering. – **stritolạre** *v.t.* (**strịtolo**) **1.** to grind, to crush. – **2.** ⟨*fig*⟩ (*demolire, annientare*) to crush, to demolish, ⟨*fam*⟩ to make mincemeat of. – **stritolarsi** *v.r.* **1.** to be shattered, to shatter, to smash to pieces, to shiver. – **2.** ⟨*ant*⟩ (*sdilinquirsi*) to languish, to become weak (*o* faint).

stritolatọre *m.* (*f.* **-trice**) ⟨*non com*⟩ **1.** grinder, crusher. – **2.** ⟨*fig*⟩ demolisher, crusher. – **stritolatụra** *f.* ⟨*non com*⟩ **1.** grinding, crushing. – **2.** ⟨*concr*⟩ grind, powder. – **stritolaziọne** *f.* ⟨*non com*⟩ → **stritolamento**. – **stritolịo** *m.* **1.** grinding, crushing. – **2.** (*rumore*) grinding.

striziọne *f.* **1.** ⟨*Fis*⟩ striction. – **2.** ⟨*Met,Edil*⟩ contraction (*o* reduction) in area.

strizza|limọni *m.inv.* ⟨*non com*⟩ (*spremilimoni*) lemon-squeezer. – **~patạte** *m.inv.* ⟨*non com*⟩ (*schiacciapatate*) potato-masher.

strizzạre *v.t.* **1.** to wring (out): ~ *i panni* to wring out the clothes; (*con lo strizzatoio*) to mangle, to wring. – **2.** (*spremere*) to squeeze: ~ *un limone* to squeeze a lemon. – **3.** ⟨*estens*⟩ (*stringere*) to squeeze, to draw tight. □ ~ *l'occhio a qd.* to wink at s.o.; *questo busto mi strizza un po'* this girdle is rather tight. – **strizzạta** *f.* **1.** (*rif. a panni bagnati*) wringing (out). – **2.** (*spremitura*) squeezing. – **3.** (*quantità di liquido*) squeeze, dash. – **4.** ⟨*estens*⟩ (*stretta*) tightening. □ *dare una* ~ *alla biancheria* to wring out the wash; *dare una* ~ *a un limone* to squeeze a lemon; ~ *d'occhi* wink; *dare una* ~ *d'occhi a qd.* to wink at s.o. – **strizzatịna** (*dim. di strizzata*) *f.* wink: *dare una* ~ *d'occhi a qd.* to give s.o. a wink, to wink at s.o.

strizzạto (*p.p. di strizzare*) *a.* **1.** wrung (out): *panni -i* wrung clothes. – **2.** ⟨*estens*⟩ (*stretto*) squeezed, wedged, hemmed (in), crushed, squashed.

strizzatọio *m.* (*nelle lavatrici*) mangle, wringer.

strizzatụra *f.* **1.** wring(ing); (*con lo strizzatoio*) mangling, wringing. – **2.** (*spremitura*) squeezing, squeeze.

strizzọne *m.* **1.** squeeze; (*abbraccio stretto*) hug. – **2.** (*fitta*) sharp (*o* shooting) pain, stab of pain. – **3.** ⟨*tosc*⟩ (*fase di freddo acuto*) cold spell.

strobilaziọne *f.* ⟨*Biol*⟩ strobilation.

strọbilo *m.* **1.** ⟨*Bot*⟩ strobilus, cone. – **2.** ⟨*Zool*⟩ strobila.

strọbo *m.* ⟨*Bot*⟩ Weymouth pine, (American) white pine (*Pinus strobus*).

stroboscopịa *f.* ⟨*Fis*⟩ stroboscopy. – **stroboscọpico** *a.* (*pl.* **-ci**) stroboscopic: *effetto* ~ stroboscopic effect; *disco* ~ stroboscopic disk. □ *tubo* ~ strobe, stroboscopic tube. – **stroboscọpio** *m.* stroboscope: ~ *ultrasonoro* ultrasonic stroboscope.

strǫfa *f.* → **strofe.**
strofantịna *f.* ⟨*Chim*⟩ strophanthin.
strǫfanto (o *strofạnto*) *m.* ⟨*Bot*⟩ strophanthus (*Strophanthus*).
strǫfe *f.* (*pl.inv./rar.* **strǫfi**) ⟨*Metr*⟩ strophe. – **strofẹtta** (*dim. di strofe*) *f.* strophe with short lines.
strǫfica *f.* (*anche poesia strofica*) strophic poetry. – **strǫfico** *a.* (*pl.* **-ci**) ⟨*Metr,Mus*⟩ strophic: *costruzione -a* strophic structure.
strofinạccio *m.* rag, cloth; (*per spolverare*) dust-cloth, duster; (*per i piatti*) dishcloth; (*per i pavimenti*) floorcloth.
strofinamẹnto *m.* **1.** rubbing; (*per lucidare*) polishing; (*per pulire*) rubbing (up, down); (*con un cencio e sim*) wiping. – **2.** ⟨*Med*⟩ effleurage.
strofinạre I *v.t.* **1.** to rub; (*per lucidare*) to polish: ~ *un mobile* to polish a piece of furniture; (*per pulire*) to rub (up, down), to clean: ~ *il pavimento* to clean the floor. – **2.** (*strisciare sfregando*) to rub, to scrape. – **II** *v.i.* (*aus.* **avere**) to rub. – **strofinarsi** *v.r.* **1.** to rub (up), to rub o.s.: *strofinarsi al muro* to rub against the wall. – **2.** ⟨*fig*⟩ (*adulare*) to flatter, to butter up (*a qd.* s.o.), to curry favour (with), ⟨*fam*⟩ to bootlick (s.o.). ◻ ~ *un fiammifero* to strike a match.
strofinạta *f.* (quick) rub, rub-up; (*per lucidare*) (quick) polish; (*con un cencio e sim.*) wipe-over. ◻ *dare una* ~ *al pavimento* to wipe (over) the floor; (*per lucidarlo*) to give the floor a quick polish. – **strofinatịna** *f. dim. di* **strofinata**. – **strofinịo** *m.* **1.** (continual) rubbing. – **2.** ⟨*tecn*⟩ rubbing, friction.
strofinọne *m.* ⟨*pop,non com*⟩ (*adulatore*) flatterer, sycophant, toady, ⟨*fam*⟩ bootlicker.
strǫfio *m.* ⟨*Stor*⟩ **1.** (*fascia per sostenere il petto*) band (supporting the bust). – **2.** (*benda*) band; (*benda frontale*) (head)band. – **3.** (*correggia nel cesto dei pugili*) handwraps *pl*, bandage.
strofịolo *m.* ⟨*Bot*⟩ strophiole, strophiola.
strofọide *f.* ⟨*Mat*⟩ strophoid.
strǫfulo *m.* ⟨*Med*⟩ strophulus.
strǫlaga *f.* ⟨*Ornit*⟩ grebe (*Colymbus*). ◻ ~ *dal becco giallo* white-billed diver, ⟨*am*⟩ yellow-billed loon (*Gavia adamsii*); ~ *maggiore* great northern diver, ⟨*am*⟩ common loon (*Gavia immer*; *Colymbus immer*); ~ *mezzana* black-throated diver, ⟨*am*⟩ arctic loon (*Gavia arctica*); ~ *minore* (o *piccola*) red-throated diver, ⟨*am*⟩ red-throated loon (*Gavia stellata*; *Colymbus stellatus*).
strolagạre *v.* ⟨*rar*⟩ → **strologare.** – **strǫlago** *m.* ⟨*non com*⟩ → **strologo.**
strologạre *v.i.* (**strǫlogo, strǫloghi**; *aus.* **avere**) **1.** (*lambiccarsi il cervello*) to rack one's brains. – **2.** (*almanaccare*) to muse, to indulge in fancies, to daydream. – **3.** ⟨*ant*⟩ (*indovinare per mezzo dell'astrologia*) to foresee, to predict; (*divinare*) to divine. – **strologịa** *f.* ⟨*pop*⟩ (*astrologia*) astrology. – **strǫlogo** *m.* (*pl.* **-ghi**; *f.* **-a**) ⟨*pop*⟩ (*astrologo*) astrologer.
strǫma *m.* ⟨*Biol*⟩ stroma.
stromatẹidi *m.pl.* ⟨*Itt*⟩ stromateidae *pl* (*Stromateidae*).
stromạtico *a.* (*pl.* **-ci**) ⟨*Biol*⟩ stromal, stromatic, stromatous.
stromatolịti *f.pl.* ⟨*Geol*⟩ stromatoliths *pl.*
strombạre *v.t.* (**strọmbo**) ⟨*Arch*⟩ to splay. – **strombatụra** *f.* **1.** ⟨*Edil*⟩ splay, splayed jambs *pl.* – **2.** ⟨*Arch*⟩ embrasure.
strombazzamẹnto *m.* → **strombazzatura.** – **strombazzạre I** *v.t.* **1.** ⟨*non com*⟩ (*divulgare a suon di tromba*) to trumpet. – **2.** ⟨*fig*⟩ to trumpet abroad (*o* about), to shout from the rooftops. – **II** *v.i.* (*aus.* **avere**) ⟨*rar*⟩ (*sonare la tromba*) to blow (*o* play) the trumpet loudly, to blare away. ◻ ~ *ai quattro venti* to shout to the four winds, to shout from the rooftops. – **strombazzạta** *f.* trumpeting. – **strombazzatọre** *m.* (*f.* **-trice**) **1.** ⟨*rar*⟩ trumpeter, trumpet-player. – **2.** ⟨*fig*⟩ trumpeter, braggart. – **strombazzatụra** *f.* trumpeting.
strombettạre *v.* (**strombẹtto**) **I** *v.i.* (*aus.* **avere**) **1.** to play the trumpet badly, to blare away. – **2.** (*sonare il clacson*) to sound one's horn, ⟨*fam*⟩ to beep. – **II** *v.t.* ⟨*non com,pop*⟩ (*strombazzare*) to trumpet (abroad), to noise about. – **strombettạta** *f.* **1.** bad trumpet playing. – **2.** ⟨*Aut*⟩ sounding one's horn, ⟨*fam*⟩ beeping. ◻ *dare una* ~ to sound one's horn. – **strombettịo** *m.* **1.** (continuous) trumpeting. – **2.** ⟨*Aut*⟩ (continuous) sounding of one's horn.
strọmbo[1] *m.* ⟨*Zool*⟩ **1.** stromb, strombus (*Strombus*). – **2.** king conch (*Strombus gigas*).
strọmbo[2] *m.* ⟨*non com*⟩ → **strombatura.**
strọmbo[3] *m.* ⟨*Itt*⟩ **1.** mackerel (*Scomber*). – **2.** frigate mackerel (*Auxis thazard*).
Strọmboli *N.pr.f.* ⟨*Geog*⟩ Stromboli. – **strombolịano** *a.* **1.** of Stromboli. – **2.** ⟨*Geol*⟩ Strombolian.
stromẹnto *m.* ⟨*poet*⟩ → **strumento.**
stroncamẹnto *m.* ⟨*non com*⟩ → **stroncatura.**
stroncạre *v.t.* (**strọnco, strọnchi**; *p.p.* **stroncạto**/*tosc.* **strọnco**) **1.** to break (*o* tear) off: *l'uragano ha stroncato parecchi rami dagli alberi* the hurricane broke a lot of branches off the trees; (*tagliando*) to cut off. – **2.** ⟨*fig,iperb*⟩ (*affaticare*) to exhaust, to wear out: *una salita che stronca le gambe* a climb that wears out one's legs; (*prostrare*) to wear (out), to destroy, to exhaust, to drain of all strength: *il dolore lo ha stroncato* the pain has worn him out. – **3.** ⟨*fig*⟩ (*porre fine a qc.*) to cut short, to end (abruptly), to put a stop to, to halt: ~ *le attività di una banda criminale* to put a stop to a gang's activities; (*uccidere*) to kill: *lo stroncò un infarto* he was killed by a heart attack. – **4.** ⟨*fig*⟩ (*reprimere*) to put down, to crush, to subdue, to quell: ~ *una rivolta* to crush a revolt; (*distruggere*) to destroy, to dash, to crush: ~ *le speranze di qd.* to dash s.o.'s hopes. – **5.** ⟨*fig*⟩ (*criticare spietatamente*) to slash, to tear to pieces, ⟨*fam*⟩ to slate: ~ *un film* to slate a film. ◻ *un peso che stronca le braccia* a back-breaking weight.
stroncatọre *m.* (*f.* **-trice**) ⟨*non com*⟩ **1.** breaker (*o* cutter) off. – **2.** ⟨*fig*⟩ (*chi interrompe*) ender. – **3.** ⟨*fig*⟩ (*critico spietato*) harsh critic, ⟨*fam*⟩ slater. – **stroncatọrio** *a.* slating, harsh, fiercely critical: *una critica -a* a slating review. – **stroncatụra** *f.* **1.** breaking (*o* cutting) off. – **2.** ⟨*fig*⟩ (*critica acerba*) slating (criticism). – **3.** ⟨*Silv*⟩ chopping (*o* cutting) down. ◻ *fare la* ~ *di un libro* to slate a book, to give a book a harsh review.
strọnco (*p.p. di stroncare*) *a.* (*pl.* **-chi**) ⟨*tosc*⟩ **1.** (*stroncato*) cut off, broken down, slashed, chopped. – **2.** ⟨*Equit*⟩ broken down.
stronfiạre *v.i.* (**strọnfio, strọnfi**; *aus.* **avere**) ⟨*tosc*⟩ **1.** (*sbuffare*) to snort, to blow, to pant, to wheeze. – **2.** (*esprimere malcontento*) to grumble, to snort, to fume. – **3.** (*russare*) to snore (loudly). – **stronfiọne** *m.* (*f.* **-a**) **1.** snorter, one who pants. – **2.** ⟨*fig*⟩ (*persona boriosa*) conceited (*o* puffed-up) person.
strọngile *m.* ⟨*Stor.gr*⟩ cargo-ship.
strongịlidi *m.pl.* ⟨*Zool*⟩ strongylids *pl*, strongyl(e)s *pl* (*Strongylidae*). – **strọngilo** *m.* strongyl(e) (*Strongylus*).
strongiloidọsi *f.* ⟨*Med,Veter*⟩ strongyloidiasis, strongyloidosis.
stronzạre *v.t.* (**strọnzo**) ⟨*ant*⟩ (*diminuire fraudolentemente il valore delle monete metalliche*) to clip (coins).
stronzẹtto *m. dim. di* **stronzo.**
stronzianịte *f.* ⟨*Min*⟩ strontianite.
strọnzio *m.* ⟨*Chim*⟩ strontium.
strọnzo *m.* ⟨*volg*⟩ **1.** excrement, ⟨*volg*⟩ turd. – **2.** ⟨*fig*⟩ (*persona inetta, ignorante*) ass, ⟨*volg*⟩ shit, ⟨*volg*⟩ turd. – **strọnzolo** *m.* ⟨*tosc*⟩ → **stronzo.**
stropicciamẹnto *m.* rubbing. – **stropicciạre** *v.t.* (**stropịccio, stropịcci**) **1.** to rub: *stropicciarsi gli occhi* to rub one's eyes. – **2.** ⟨*fam, region*⟩ (*sgualcire*) to wrinkle, to crease (up). – **stropicciarsi** *v.r.* ⟨*volg*⟩ (*non curarsi*) not to care, not to give a damn: *me ne stropiccio* I don't give a damn, what do I care? ◻ ~ *i piedi per terra* to shuffle (*o* drag) one's feet. – **stropicciạta** *f.* rub(bing). ◻ *dare una* ~ *a qc.* to give s.th. a rub, to rub s.th.; *darsi una* ~ *alle mani* to rub one's hands. – **stropicciatụra** *f.* **1.** rubbing. – **2.** ⟨*pop,fig*⟩ (*imbroglio*) swindle, cheat, fraud. – **stropiccịo** *m.* **1.** (continual) rubbing. – **2.** (*rumore*) sound of rubbing; (*di piedi*) shuffling (*o* scuffing) noise: *ho sentito uno* ~ *dietro la porta* I heard a shuffling noise behind the door.
stroppạre *v.t.* (**strọppo**) ⟨*Mar*⟩ to strop.
stroppiamẹnto *m.* ⟨*pop*⟩ (*storpiamento*) crippling, maiming. – **stroppiạre** *v.t.* (**strọppio, strọppi**) ⟨*pop*⟩ (*storpiare*) to cripple, to maim. – **stroppiatụra** *f.* ⟨*pop*⟩ (*storpiatura*) crippling, maiming. – **strọppio** ⟨*pop*⟩ **I** *a.* (*storpio*) crippled, maimed. – **II** *s.m.* (*f.* **-a**) cripple.
strọppo(lo) *m.* ⟨*Mar*⟩ strop, strap.
strosciạre *v.i.* (**strọscio, strọsci**; *aus.* **avere**) ⟨*tosc*⟩ (*scrosciare*) to pour (down), to pelt, to beat down; (*rif. a torrenti e sim.*) to roar, to thunder, to crash, to pour down. – **strọscio** *m.* ⟨*tosc*⟩ (*scroscio*) roar, thunder, pelting, downpour; (*rumore*) roar(ing), pelting, crash(ing), thunder(ing).
strọzza *f.* ⟨*pop,scherz*⟩ (*gola*) throat, ⟨*scherz*⟩ gullet: *afferrare qd. per la* ~ to grab s.o. by the throat.
strozzagallịne *m.inv.* ⟨*Itt*⟩ (*callionimo*) dragonet (*Callionymus*).
strozzalịno *m.* ⟨*Bot*⟩ flax dodder (*o* vine) (*Cuscuta epilinum*).
strozzalụpo *m.* ⟨*Bot*⟩ (*luparia*) wolfsbane (*Aconitum lycoctonum*).
strozzamẹnto *m.* **1.** strangulation, strangling, choking, throttling. – **2.** (*restringimento*) constriction, compression, strangulation. – **3.** ⟨*Med*⟩ strangulation: ~ *erniario* strangulation of a hernia. – **4.** ⟨*Mecc*⟩ throttling.
strozzaprẹti *m.pl.* ⟨*Gastr,region*⟩ dumplings *pl.*
strozzarạne, strozzaranọcchi *f.inv.* ⟨*Bot*⟩ marsh (*o* water) foxtail (*Alopecurus geniculatus*).
strozzạre I *v.t.* (**strọzzo**) **1.** to strangle, to choke, to throttle: ~ *un pollo* to strangle a chicken. – **2.** ⟨*estens*⟩ (*restringere*) to constrict, to compress. – **3.** ⟨*fig*⟩ (*soffocare*) to suffocate, to choke, to smother. – **4.** ⟨*fig*⟩ (*prestare denaro a usura*) to lend money on usury to; (*rovinare*) to ruin, to strangle. – **5.** ⟨*fig*⟩ (*impedire*) to nip. – **6.** ⟨*Mecc*⟩ to throttle. – **7.** ⟨*Med*⟩ to strangulate. – **II** *v.i.* (*aus.* **avere**) (*rif. a cibi: rimanere in gola*) to choke, to strangle: *mi sentivo* ~ I was choking, the food stuck in my throat. – **strozzarsi** *v.r.* **1.** to choke, to strangle: *se mangi così in fretta ti strozzi* you're going to choke if you eat so fast. – **2.** ⟨*estens*⟩ (*restringersi*) to narrow, to become narrower, to be constricted. – **strozzạto** (*p.p. di strozzare*) *a.* **1.** strangled, choked, throttled; (*soffocato*) suffocated. – **2.** ⟨*estens*⟩ (*ristretto*) constricted, narrow(ed), compressed. – **3.** ⟨*fig*⟩ (*soffocato*) muffled, suppressed, faint: *voce -a* muffled voice. – **4.** ⟨*Med*⟩ strangulated: *ernia -a* strangulated hernia. – **5.** ⟨*Mecc*⟩ throttled. ◻ *voce -a dal pianto* voice choked with tears, choked voice.
strozzatọio I *s.m.* ⟨*Mar*⟩ compressor. – **II** *a.* ⟨*rar*⟩ (*che strozza*) choking, strangling, throttling; (*che restringe*) constricting. – **strozzatọre I** *s.m.* (*f.* **-trice**) strangler, choker. – **II** *a.* choke-: ⟨*El*⟩ *bobina strozzatrice* choke coil, reactor. – **strozzatụra** *f.* **1.** strangling, choking, throttling. – **2.** ⟨*estens*⟩ (*restringimento*) constriction, narrowing; (*rif. a recipienti*) narrow neck. – **3.** ⟨*Econ*⟩ bottleneck, factor restricting development. – **4.** ⟨*Artigl*⟩ choking; (*effetto*) choke. – **5.** ⟨*fig,rar*⟩ (*usura*) usury.
strozzịẹre *m.* ⟨*Stor*⟩ falconer.

strozzinaggio *m.* (*usura*) usury, ⟨*fam*⟩ loan-sharking. – **strozzinesco** *a.* (*pl.* **-chi**) usurer's, of a usurer, ⟨*fam*⟩ of a loan-shark. – **strozzino** *m.* (*f.* **-a**) **1.** (*usuraio*) usurer, ⟨*fam*⟩ loan-shark. – **2.** ⟨*estens, spreg*⟩ fleecer, robber, ⟨*fam*⟩ blood-sucker. – **strozzo** *m.* ⟨*pop*⟩ (*strozzinaggio*) usury, ⟨*fam*⟩ loan-sharking. □ ⟨*pop*⟩ *a* ~ (*a usura*) at extortionate interest rates, at usury, usuriously: *dare denaro a* ~ to lend money at extortionate interest rates, ⟨*fam*⟩ to loan-shark; ⟨*Minier*⟩ *coltivazione a* ~ stoping, stope working.

strubbiare *v.t.* (**strubbio, strubbi**) ⟨*tosc*⟩ (*sciupare*) to wear out, to spoil, to be hard on.

struccare *v.t.* (**strucco, strucchi**) to remove the make-up of. – **struccarsi** *v.r.* to take off one's make-up.

strucolo *m.* ⟨*ven*⟩ → **strudel**. – **strudel** *ted. m.* ⟨*Dolc*⟩ strudel: ~ *di mele* apple strudel.

struffinaccio *m.* ⟨*ant*⟩ → **strofinaccio**. – **struffinare** *v.* ⟨*ant*⟩ → **strofinare**.

struf(f)oli *m.pl.* ⟨*Dolc*⟩ honey-covered pastries *pl.*

struggente (*p.pr. di struggere*) *a.* (*tormentoso*) agonizing, tormenting.

struggere *v.t.* (**struggo, struggi; strussi, strutto**) **1.** (*fondere con il calore*) to melt; (*rif. alla neve*) to thaw, to melt. – **2.** ⟨*fig*⟩ (*consumare lentamente*) to consume, to destroy, to eat up (*o* into): *il rimorso lo strugge* remorse is consuming him; (*rif. a desiderio intenso*) to consume. – **3.** ⟨*tosc*⟩ (*sperperare*) to waste, to squander, to dissipate. – **4.** ⟨*tosc*⟩ (*annoiare con richieste insistenti*) to pester, to nag, to keep on at. – **5.** ⟨*ant*⟩ (*distruggere*) to destroy; (*uccidere*) to kill. – **struggersi** *v.r.* **1.** (*fondersi*) to melt; (*rif. alla neve*) to thaw, to melt. – **2.** ⟨*fig*⟩ (*consumarsi lentamente*) to be consumed (*o* eaten up): *si struggeva dal desiderio di rivederlo* she was consumed by the desire to see him again; (*languire*) to pine (away), to languish, to waste away: *struggersi d'amore per qd.* to pine (*o* waste) away for love of s.o. □ ⟨*fig*⟩ *mi strugge il cuore* my heart aches (*o* is breaking); *struggersi dal dolore* to eat one's heart out; ⟨*non com*⟩ *struggersi in lacrime* to melt into tears.

struggi|buco *m.* (*pl.* **-chi**) ⟨*tosc*⟩ (*struggimento, sofferenza*) torment, suffering, agony, distress. – **~cuore** *m.inv.* ⟨*non com*⟩ **1.** (*struggimento di cuore*) heartache, heartbreak. – **2.** (*commozione*) emotion. – **~grano** *m.* ⟨*Entom*⟩ granary (*o* grain) weevil (*Calandra granaria*). – **~legno** *m.* ⟨*Bot*⟩ (*fungo delle case*) house fungus (*Merulius lacrimans*).

struggimento *m.* **1.** melting; (*rif. alla neve*) thawing, thaw(-out), melting. – **2.** ⟨*fig*⟩ (*amore, desiderio*) longing, yearning, pining. – **3.** ⟨*fig*⟩ (*tormento*) torment, agony, anguish; (*cruccio*) distress, suffering. – **struggitore** *m.* (*f.* **-trice**) ⟨*rar*⟩ destroyer.

strulleria *f.* ⟨*tosc,non com*⟩ **1.** (*l'essere grullo*) foolishness, silliness. – **2.** (*azione sciocca*) foolish (*o* silly) action; (*parole sciocche*) nonsense, silly talk. – **strullo** ⟨*tosc*⟩ **I** *a.* (*grullo*) silly, foolish. – **II** *s.m.* fool, ⟨*fam*⟩ silly ass, ⟨*fam*⟩ dope.

struma *f.* **1.** ⟨*Med*⟩ (*gozzo*) goitre, struma; (*tumefazione*) swelling, tumefaction. – **2.** ⟨*ant*⟩ (*scrofola*) scrofule, struma, king's evil.

strumentale I *a.* **1.** (*fatto per mezzo di strumenti*) instrumental, instrument-: *analisi* ~ instrumental analysis. – **2.** ⟨*Gramm*⟩ instrumental. – **II** *s.m.* ⟨*Gramm*⟩ (*anche caso strumentale*) instrumental case. □ ⟨*Aer*⟩ *navigazione* ~ instrumental navigation; ⟨*Mus*⟩ *concerto vocale e* ~ vocal and instrumental concert; ⟨*Aer*⟩ *volo* ~ instrument (*o* blind) flight. – **strumentalismo** *m.* ⟨*Filos*⟩ instrumentalism. – **strumentalità** *f.* instrumentality.

strumentalizzare *v.t.* **1.** ⟨*Mus*⟩ to adapt for instrumental playing. – **2.** ⟨*fig*⟩ to take advantage of, to exploit. – **strumentalizzazione** *f.* exploiting, taking advantage of.

strumentalmente *avv.* instrumentally (*anche Mus.*). – **strumentare** *v.t.* (**strumento**) **1.** ⟨*Mus*⟩ to instrument, to orchestrate. – **2.** ⟨*rar*⟩ (*porre in pubblica scrittura*) to draw up (as a contract under seal).

strumentario I *s.m.* (*complesso di strumenti*) instruments *pl*, tools *pl*, instrumentation: ~ *chirurgico* surgical instruments. – **II** *a.* ⟨*ant*⟩ (*che serve di strumento*) instrumental.

strumentatore *m.* (*f.* **-trice**) ⟨*Mus*⟩ instrumentator. – **strumentatura** *f.* instrument, orchestration. – **strumentazione** *f.* **1.** → **strumentatura**. – **2.** (*apparecchiatura*) instruments *pl*, instrumentation.

strumentini (*dim. di strumento*) *m.pl.* ⟨*Mus*⟩ woodwinds.

strumentista *m./f.* ⟨*Mus*⟩ intrumentalist.

strumento *m.* **1.** (*arnese*) tool, implement: *gli -i del falegname* the carpenter's tools. – **2.** (*apparecchio, dispositivo*) instrument: *-i ottici* optical instruments. – **3.** (*strumento musicale*) (musical) instrument. – **4.** ⟨*fig*⟩ (*mezzo*) instrument, tool: *essere lo* ~ *della provvidenza* to be the instrument of Divine Providence. – **5.** ⟨*Dir*⟩ instrument. □ ⟨*Mus*⟩ *-i* **aerofoni** wind instruments, aerophones *pl*; ⟨*Mus*⟩ *-i ad* **arco** bowed string(ed) intruments, strings *pl*; ~ **astronomico** astronomical instrument; ~ **bellico** weapon, implement of war; ⟨*El*⟩ ~ *a* **bobina** *mobile* moving-coil instrument; ⟨*Mar*⟩ *-i di* **bordo** ship's instruments; ⟨*Aer*⟩ flight instruments; ~ **campione** sub-standard instrument; ~ **chirurgico** surgical instrument; ⟨*Dir,Mediev*⟩ ~ **confessionato** guaranteed instrument; ⟨*Mus*⟩ *-i a* **corda** string(ed) instruments, strings *pl*; ⟨*Mus*⟩ *-i* **cordofoni** chordophones *pl*; *-i per* **disegno** drawing instruments; ⟨*Mus*⟩ *-i a* **fiato** wind (instruments); *-i a fiato di legno* woodwinds *pl*; ⟨*tecn*⟩ ~ *a* **filo** *caldo* hot-wire instrument; ~ *di* **fisica** physics instrument; ~ **geodetico** geodetic instrument; ~ **guarentigiato** = *strumento* **confessionato**; ~ *di* **guerra** = *strumento* **bellico**; ⟨*Mus*⟩ *-i* **idiofoni** idiophones *pl*; ⟨*tecn*⟩ ~ **indicatore** indicator; ~ **industriale** industrial tool; ~ *di* **laboratorio** laboratory instrument; *-i di* **lavoro** work tools; ⟨*El*⟩ ~ *a* **magnete** *mobile* moving-magnet instrument; ⟨*Mus*⟩ *-i* **membranofoni** membranophones *pl*; ~ **metereologico** meteorological instrument; ~ *di* **misura** (*o misurazione*) measuring instrument, meter; ~ **musicale** musical instrument; ~ *musicale elettrico* electrical musical instrument; *-i* **nautici** navigation instruments; ~ *d'***osservazione** observational instrument; ⟨*Mus*⟩ ~ *a* **penna** string(ed) instrument plucked with a plectrum; ⟨*Mus*⟩ ~ *a* **percussione** percussion instrument; ⟨*Mus*⟩ ~ *a* **pizzico** plucked string(ed) instrument; ⟨*Econ*⟩ *-i di* **produzione** means of production, capital goods; ⟨*Artigl*⟩ *-i di* **puntamento** sighting apparatus *sing*; ~ *a* **quadrante** dial instrument; ⟨*Dir*⟩ ~ *di* **ratifica** instrument of ratification; ~ **registratore** recorder, recording mechanism (*o* instrument); *-i* **rurali** agricultural (*o* farm) implements; ⟨*Mus*⟩ ~ *a* **tastiera** keyboard (instrument), keyed instrument; ⟨*Stor*⟩ ~ *di* **tortura** instrument of torture.

strumiprivo *a.* ⟨*Med*⟩ strumiprivic, strumiprivous.

strumite *f.* ⟨*Med*⟩ strumitis.

strumoso *a.* ⟨*ant*⟩ **1.** (*scrofoloso*) strumous, scrofulous. – **2.** (*variopinto*) multicoloured.

strupo *m.* ⟨*ant*⟩ → **stupro**.

strupparella: ⟨*Ornit*⟩ ~ *di maggio* (*sterpazzola*) whitethroat (*Sylvia communis*); ~ *di settembre* (*bigiarella*) lesser whitethroat (*Sylvia curruca*).

strusa *f.* **1.** ⟨*Tess*⟩ waste silk. – **2.** ⟨*Venat*⟩ cord dragged for raising game.

strusciamento *m.* **1.** brushing, rubbing; (*sfregamento*) scraping, rubbing; (*rif. ai piedi*) shuffling, dragging, scuffing. – **2.** (*rumore*) brushing (*o* rubbing) sound; (*rif. ai piedi*) sound of shuffling feet.

strusciare *v.* (**struscio, strusci**) **I** *v.t.* **1.** to brush, to rub; (*sfregare*) to scrape, to rub; (*strascicare i piedi per terra*) to shuffle, to drag, to scuff. – **2.** ⟨*non com*⟩ (*logorare*) to wear out. – **II** *v.i.* (*aus.* **avere**) to brush, to rub; (*sfregare*) to scrape, to rub: *ho strusciato col parafango contro il muro* I scraped the mudguard against the wall. – **strusciarsi** *v.r.* **1.** to rub (o.s.): *il gatto si strusciava contro le mie gambe* the cat was rubbing up against my legs. – **2.** ⟨*recipr*⟩ to rub against e.o. – **3.** ⟨*fig*⟩ (*adulare*) to rub up (*a* to), to fawn (upon), to flatter (s.o.), to toady, ⟨*pop*⟩ to suck up (to).

strusciata *f.* rub, scrape. □ *dare una* ~ *al muro* to rub against the wall; (*col parafango e sim.*) to scrape against the wall. – **strusciatina** *f. dim. di* **strusciata**.

struscio[1] *m.* (continual) rubbing, scraping; (*rif. ai piedi*) shuffling, scuffing, dragging.

struscio[2] *m.* **1.** (*a Napoli*) Holy Thursday promenade (in the main streets of Naples). – **2.** ⟨*estens*⟩ (*passeggiata domenicale*) Sunday promenade.

struscione *m.* (*f.* **-a**) ⟨*fam,spreg*⟩ **1.** person who brushes against walls; (*chi sciupa la roba*) person who wears out his clothes fast. – **2.** ⟨*fig*⟩ flatterer, fawner, ⟨*spreg*⟩ toady.

struttivo *a.* ⟨*non com*⟩ (*strutturale*) structural.

strutto[1] *m.* ⟨*Gastr*⟩ lard.

strutto[2] (*p.p. di struggere*) *a.* **1.** ⟨*tosc*⟩ (*sciolto*) melted. – **2.** ⟨*rar*⟩ (*smagrito*) wasted away, emaciated.

struttura *f.* **1.** structure (*anche tecn.*). – **2.** (*ossatura*) structure, frame(work). – **3.** ⟨*fig*⟩ (*composizione, connessione*) structure, composition, make-up: *la* ~ *di una lingua* the structure of a language; *la* ~ *di un romanzo* the structure of a novel. – **4.** ⟨*Edil*⟩ construction, structure: ~ *in cemento armato* reinforced-concrete structure. □ ⟨*Fis*⟩ ~ **atomica** atomic structure; ~ **economica** economic structure; ⟨*Edil*⟩ ~ *in* **ferro** steel construction; ⟨*Fis*⟩ ~ **fina** fine structure; ~ **grammaticale** grammatical structure; ⟨*Geol*⟩ ~ **lamellare** sheeting; ~ *di* **legno** wooden construction; (*ossatura*) scaffolding; ⟨*Atom*⟩ ~ **nucleare** nuclear structure; ⟨*Gramm*⟩ ~ *d'un* **periodo** sentence structure; ~ **portante** (*o resistente*) carrying structure; ⟨*Econ*⟩ ~ *dei* **prezzi** price structure; ~ *dei* **salari** wage structure; ~ **sociale** social structure, structure of society; ⟨*Agr*⟩ *la* ~ *del* **terreno** the structure of soil.

strutturale *a.* structural: *difetto* ~ structural defect.

strutturalismo *m.* **1.** ⟨*Ling*⟩ structuralism. – **2.** ⟨*Psic*⟩ structuralism, structural psychology. – **strutturalista I** *s.m./f.* structuralist. – **II** *a.* → **strutturalistico**. – **strutturalistico** *a.* (*pl.* **-ci**) structural-ist(ic).

strutturalmente *avv.* structurally.

strutturare *v.t.* to structure, to give a structure to, to organize. – **strutturato** (*p.p. di strutturare*) *a.* **1.** structured. – **2.** (*composto*) structured, made up of many elements. – **strutturazione** *f.* **1.** (*lo strutturare*) structuring, organization. – **2.** (*modo di organizzare*) structure, organization.

strutturistica *f.* ⟨*Chim,Fis*⟩ study of molecular structure.

struzza *f.* **1.** ⟨*Mar*⟩ sprit. – **2.** ⟨*Pesc*⟩ pole (used for punting).

struzzo *m.* ⟨*Ornit*⟩ ostrich (*Struthio camelus*). □ ⟨*fig*⟩ *politica dello* ~ ostrichism, ostrich(-like) attitude; *fare lo* (*o la politica dello*) ~ to (play) ostrich, to bury one's head in the sand; ⟨*fig*⟩ *avere uno stomaco di* ~ to have a cast-iron stomach.

stuarda *f.* ⟨*Mod*⟩ (*colletto alla stuarda*) high stiff collar. – **stuardo** *a.* ⟨*Stor*⟩ Stuart, Stewart. □ *Maria Stuarda* Mary Stuart.

stuccamento *m.* **1.** (*atto*) stuccoing, plastering. – **2.** (*effetto*) stucco(work).

stuccare[1] *v.t.* (**stucco, stucchi**) **1.** to stucco, to plaster. – **2.** (*chiu-*

dere con lo stucco) to putty. – **3.** (*decorare con stucchi*) to stucco: ~ *un soffitto* to stucco a ceiling.

stuccạre[2] *v.t.* (**stụcco, stụcchi**) **1.** (*nauseare*) to nauseate, to make sick, to sicken, to disgust: *questa minestra mi ha stuccato* this soup has made me sick. – **2.** ⟨*fig*⟩ (*infastidire, seccare*) to bore, to tire, to cause distaste in. – **stuccarsi** *v.r.* to get sick (*o* tired), to tire (*di* of), ⟨*fam*⟩ to get fed up (with).

stuccatọre *m.* (*f.* **-trice**) **1.** plasterer, stucco-worker. – **2.** (*decoratore di soffitti e pareti*) stucco-worker. – **stuccatụra** *f.* **1.** plastering, stuccoing; (*rif. a finestre*) puttying. – **2.** (*strato di stucco*) (layer of) plaster, stucco; (*rif. a finestre*) putty. – **3.** ⟨*Art*⟩ stucco(work).

stucchẹvole *a.* **1.** cloying, sickly, sickening, nauseating. – **2.** ⟨*fig*⟩ (*noioso*) tedious, tiresome, boring. – **stucchevolẹzza** *f.* **1.** cloyingness, nauseatingness. – **2.** ⟨*fig*⟩ (*l'annoiare*) tediousness, tiresomeness. – **stucchevolmẹnte** *avv.* tediously, tiresomely.

stụcchio *m.* ⟨*Bot*⟩ (*acero comune*) common (*o* field, hedge) maple (*Acer campestre*).

stụcco[1] *m.* (*pl.* **-chi**) **1.** (*per lavori di muratura*) (common) stucco, plaster; (*per legno e sim.*) plaster; (*per finestre*) putty. – **2.** ⟨*Art*⟩ stucco. – **3.** ⟨*Art*⟩ (*rilievo di stucco*) stucco(work). □ ⟨*fig*⟩ *rimanere* (o *restare*) *di* ~ to be dumbfounded, to be left speechless (*o* without words).

stụcco[2] *a.* (*pl.* **-chi**) tired, ⟨*fam*⟩ sick (*di* of), ⟨*fam*⟩ fed up (with): *sono* ~ *delle sue lamentele* I am sick of all his grumbling. □ *essere* ~ *e ristucco di qc.* to be sick ⌜and tired⌝ (*o* to death) of s.th.

stuccọso *a.* ⟨*non com*⟩ → **stucchevole.**

studentạccio *m. pegg. di* **studente.**

studẹnte *m.* (*f.* **-essa**) **1.** (*di scuola media*) pupil, schoolboy (*f* -girl), ⟨*am*⟩ student: ~ *di liceo* grammar-school pupil, ⟨*am*⟩ high school student. – **2.** ⟨*Univ*⟩ (university) student, undergraduate: ~ *di filosofia* philosophy student; ~ *di medicina* medical student.

studentẹllo (*dim. di studente*) *m.* ⟨*spreg*⟩ poor student.

studentẹsca *f.* ⟨*non com,lett*⟩ **1.** (*di scuola media*) pupils *pl*, schoolchildren *pl*, ⟨*am*⟩ students *pl*, ⟨*am*⟩ student body. – **2.** ⟨*Univ*⟩ student body, students *pl.* – **studentẹsco** *a.* (*pl.* **-chi**) **1.** schoolboy- (*f* schoolgirl-), school-: *gergo* ~ schoolboy slang. – **2.** ⟨*Univ*⟩ student-, university-: *vita -a* university life, student life, student days.

studentịno, studentụccio, studentụcolo *m. dim. di* **studente.**

studiạbile *a.* ⟨*non com*⟩ **1.** that can be studied, not difficult to study. – **2.** (*degno di essere studiato*) worth studying.

studiacchiạre *v.* (**studiạcchio, studiạcchi**) **I** *v.t.* to study listlessly (*o* fitfully). – **II** *v.i.* (*aus.* **avere**) to study listlessly (*o* fitfully).

studiạnte *m.* ⟨*ant*⟩ **1.** → **studente.** – **2.** (*studioso*) scholar.

studiạre *v.* (**stụdio, stụdi**) **I** *v.t.* **1.** to study: ~ *una lingua* to study a language; (*all'università*) to study, to read: ~ *legge* to read law. – **2.** (*indagare, esaminare*) to seek to understand, to study, to examine, to investigate: ~ *il cuore umano* to study the human heart; (*osservare*) to study, to observe: ~ *l'avversario* to study one's opponent. – **3.** (*cercare di trovare, di risolvere*) to try to (*o* and) find, to seek (to achieve), to see: ~ *il modo per riuscire a fare qc.* to try to find a way of doing s.th., to see how one can do s.th. – **4.** (*preparare, predisporre*) to study, to prepare, to think out: ~ *un piano di lavoro* to prepare a work plan. – **5.** (*escogitare*) to think up, to devise, to find, to come up with: *le studia tutte per non lavorare* he is always thinking up some new way of getting out of work. – **6.** (*esercitarsi in qc.*) to study, to practise: ~ *una parte* to study a part; ~ *il pianoforte* to practise the piano. – **7.** (*misurare, controllare*) to study, to pick, to weigh, to measure: ~ *le parole* to weigh one's words. – **8.** ⟨*ant*⟩ (*stimolare, sollecitare*) to hurry, to urge on. – **II** *v.i.* (*aus.* **avere**) **1.** (*seguire studi regolari: a scuola*) to go to school, to study: *ho dovuto smettere di* ~ *per trovare un lavoro* I had to ⌜leave school⌝ (*o* cut short my schooling) and look for a job; ~ *costa danaro* studying (*o* education) is expensive; (*all'università*) to go to university (*o* college), to have a university education: *mio padre non ha mezzi per farmi* ~ my father isn't rich enough for me to go to university, my father can't afford to ⌜send me to⌝ (*o* put me through) university. – **2.** (*frequentare una scuola o un'università*) to go (*a* to), to study, to be (at): *studia al liceo francese* he goes to the French lycée; ~ *all'università* to be at university. – **3.** ⟨*ant*⟩ (*applicarsi*) to work, to apply o.s. – **4.** ⟨*non com*⟩ (*cercare*) to try, to seek. – **studiarsi** *v.r.* **1.** (*osservarsi con attenzione*) to observe o.s. – **2.** ⟨*recipr*⟩ to observe (*o* watch) e.o. – **3.** ⟨*non com*⟩ (*cercare*) to try, to seek, to endeavour: *studia di fare meglio* try to do better.

□ ~ **con** (o *sotto la guida di*) *un buon maestro* to study under a good teacher; ~ **medicina** to study medicine; ~ *a* **memoria** to learn by heart, to memorize; ⟨*ant*⟩ ~ *il* **passo** to quicken one's pace; *una* **persona** *che non ha studiato* an uneducated person; *ha studiato da* **sé** he is self-taught.

studiatamẹnte *avv.* **1.** (*in modo ricercato*) studiedly, affectedly. – **2.** (*di proposito*) studiedly, deliberately, intentionally, on purpose.

studiạto (*p.p. di studiare*) *a.* **1.** (*misurato*) studied, deliberate: *parole -e* studied words. – **2.** (*affettato*) studied, affected: *gesti -i* affected gestures. – **3.** (*intenzionale*) studied, deliberate, intentional: *-a noncuranza* studied indifference. – **4.** (*preparato*) well (*o* carefully) prepared, studied, thought out: *un progetto ben* ~ a well-prepared plan.

studiatọre *m.* (*f.* **-trice**) ⟨*rar*⟩ student.

studicchiạre *v.* → **studiacchiare.**

studiẹtto (*dim. di studio*) *m.* **1.** small study; (*di artista*) studio. – **2.** (*disegno*) study, sketch.

stụdio *m.* **1.** study(ing): *lo* ~ *dell'inglese* the study of English, learning English. – **2.** (*indagine, ricerca*) study, studies *pl*, research, investigation: *il libro è il frutto di lunghi studi* the book is the fruit of long study. – **3.** (*ricerca scientifica*) study, (scientific) research. – **4.** (*scritto, trattato*) study, paper: *uno* ~ *su Dante* a paper on Dante. – **5.** (*lavoro preparatorio, progetto*) (preliminary) study, plan: ~ *per la costruzione di un ponte* plan for the construction of a bridge. – **6.** *pl.* ⟨*Scol,Univ*⟩ studies *pl*: *ha abbandonato gli studi* he has given up his studies; *studi classici* classical studies, classics. – **7.** (*stanza*) study, ⟨*fam,scherz*⟩ den; (*di artista o fotografo*) studio. – **8.** (*ufficio di professionista*) office: ~ *legale* lawyer's office; (*rif. a medici*) office, consulting room. – **9.** (*negli scacchi*) problem. – **10.** ⟨*Rad, TV,Teat*⟩ studio. – **11.** ⟨*Cin*⟩ (*teatro di posa*) (film-)studio. – **12.** ⟨*Mus*⟩ study, étude. – **13.** ⟨*Art*⟩ (*bozzetto*) study, sketch. – **14.** ⟨*Mediev*⟩ (*università*) university: *lo* ~ *di Bologna* Bologna University. – **15.** ⟨*lett*⟩ (*cura, diligenza*) care, concern. – **16.** ⟨*lett*⟩ (*desiderio*) desire, wish; (*naturale inclinazione*) inclination, nature, bent. – **17.** ⟨*lett*⟩ (*lavoro*) work. – **18.** ⟨*ant*⟩ (*occupazione*) occupation.

□ ⟨*lett*⟩ **a** (*bello*) ~ (*di proposito*) on purpose, deliberately, intentionally; ~ **acustico** recorder-room, ⟨*am*⟩ machine room; **allo** ~ under study; ~ **artistico** (*nella pubblicità*) art department, studio; ~ **cinematografico** film-studio, ⟨*am*⟩ motion-picture studio; ⟨*Cin*⟩ ~ *di* **doppiaggio** dubbing theatre (*o* studio); **fare** *due ore di* ~ to study for two hours; *fare gli studi*: 1. (*a scuola*) to go to school, to have one's schooling, to study; 2. (*all'università*) to go to (a university), to be at (a university), to study: *ha fatto gli studi a Oxford* he ⌜went to⌝ (*o* was at) Oxford University; *ho fatto gli studi universitari* I have a university education, I went to university; 3. (*seguire un corso*) to follow a course (of studies); ⟨*Mediev*⟩ ~ **generale** studium generale, university; *studi* **letterari** literary studies; ⟨*Econ*⟩ ~ *di* **mercato** market study (*o* survey); ~ **notarire** notary's office; ⟨*lett*⟩ **porre** (o *mettere*) *ogni* ~ *nel fare qc.* to strive to do s.th.; ~ *della* **produzione** process analysis; ⟨*Cin*⟩ ~ **sonoro** sound studio; ~ **televisivo** (television) studio; *al* **termine** *degli studi* after leaving school; (*all'università*) after getting one's degree, after university, after coming down; **uomo** *di* ~ studious man; ⟨*Pitt*⟩ ~ *dal* **vero** study from life.

studiọlo (*dim. di studio*) *m.* **1.** (small) studio. – **2.** ⟨*Arred*⟩ cabinet.

studiosamẹnte *avv.* **1.** (*con diligenza*) diligently, hard; (*con cura*) carefully. – **2.** ⟨*ant*⟩ (*apposta*) deliberately, purposely.

studiọso I *a.* **1.** dedicated (*di* to), interested (in): *è* ~ *di parapsicologia* he's interested in parapsychology. – **2.** (*diligente*) hard-working, studious, diligent: *un ragazzo* ~ a hard-working boy. – **3.** ⟨*lett*⟩ (*premuroso, sollecito*) considerate, heedful. – **4.** ⟨*ant*⟩ (*bramoso*) covetous. – **II** *s.m.* (*f.* **-a**) (*chi studia*) scholar, student: ~ *di storia* history scholar; (*persona affermatasi nello studio*) scholar: *un insigne* ~ an eminent scholar. □ ~ *di diritto* student of law; (*giurista*) jurist; ~ *di matematica* mathematics scholar, mathematician.

stuellạre *v.t.* (**stuẹllo**) ⟨*Med*⟩ to tampon, ⟨*non com*⟩ to tent. – **stuẹllo** *m.* tampon, tent.

stụfa *f.* **1.** stove, heater: ~ *a legna* wood(-burning) stove; (*elettrica o a gas*) heater, fire. – **2.** (*radiatore*) radiator. – **3.** ⟨*Geol*⟩ stufa. – **4.** ⟨*rar*⟩ (*serra*) hot-house, greenhouse, stove. – **5.** ⟨*ant*⟩ (*locale termale*) sweat(ing) room, sweathouse, steam room; (*nelle terme romane*) sudatorium. – **6.** ⟨*ant*⟩ (*bagno caldo*) hot bath.

□ ~ *ad* **alimentazione** *automatica* magazine stove; ⟨*Chim*⟩ ~ *ad* **aria** air bath; ~ *a circolazione d'aria calda* hot-air stove (*o* furnace); ~ *a* **carbone** coal stove; ~ **economica** kitchen range, cooker, ⟨*am*⟩ cooking range, ⟨*am*⟩ stove; ~ *d'***essiccamento** drying oven (*o* stove, chamber); ~ *a* **gas** gas-fire, gas-heater; ~ *di* **maiolica** tiled (*o* majolica) stove; ~ *a* **parabola** reflector heater; ~ *a* **petrolio** oil-stove; ~ *a* **radiazione** radiation stove; ⟨*Med*⟩ ~ **termostatica** thermostatic stove, incubator.

stufaiọla *f.* stewpot, stockpot.

stufaiọlo *m.* ⟨*ant*⟩ (*addetto al servizio dei bagni caldi*) bath attendant.

stufạre *v.t.* **1.** ⟨*Gastr*⟩ to stew. – **2.** ⟨*non com*⟩ (*riscaldare in una stufa*) to warm (in an oven). – **3.** ⟨*fam*⟩ (*seccare, annoiare*) to bore, to annoy, to tire: *mi hai proprio stufato con queste lamentele* you've bored me to death with your complaining. – **4.** ⟨*Alim*⟩ (*rif. ai formaggi*) to ferment. – **stufarsi** *v.r.* ⟨*fam*⟩ to be (*o* get) sick (*di* of), to be fed up (with), to be (sick and) tired, to have had enough (of): *mi sono stufato di mangiare merluzzo* I am sick of eating cod, I am fed up with cod. □ ⟨*Tess*⟩ ~ *i bozzoli* to stifle the cocoons.

stufatịno (*dim. di stufato*) *m.* → **stufato.** – **stufạto** *m.* ⟨*Gastr*⟩ stew. □ *cotto* (*o fatto*) *in* ~ stewed.

stufatọre *m.* (*f.* **-trice**) ⟨*Alim*⟩ cheese fermenter. – **stufatụra** *f.* **1.** ⟨*Tess*⟩ stifling (of cocoons). – **2.** ⟨*Alim*⟩ fermentation (of cheese). – **3.** ⟨*Gastr*⟩ stewing.

stụfo *a.* ⟨*pop*⟩ tired, ⟨*fam*⟩ sick (and tired) (*di* of), ⟨*fam*⟩ fed up, ⟨*fam*⟩ browned (*o* cheesed) off (with): *essere* ~ *di un lavoro* to be sick and tired of a job; *essere* ~ *di qd.* to be fed up with s.o., to have had enough of s.o. □ *essere* ~ *e arcistufo* to be fed up to the back teeth; *essere* ~ *da morire* to be bored to death.

stultilọquio *m.* ⟨*rar*⟩ (*discorso stolto*) nonsense, silly (*o* senseless) talk.

stụlto ⟨*ant*⟩ **I** *a.* (*stolto*) silly, foolish, senseless. – **II** *s.m.* (*f.* **-a**) fool, dullard.

stuọia *f.* **1.** (*tessuto*) reed-matting. – **2.** (*singolo articolo*) mat. – **stuoiạto** *m.* ⟨*rar*⟩ (*stoiato*) mat-covered shelter.

stuoịno *m.* ⟨*rar*⟩ (*stoino*) doormat.

stuọlo *m.* **1.** (*moltitudine*) host, crowd, swarm, band, group, flock. – **2.** ⟨*ant*⟩ (*schiera di armati*) host, array; (*esercito*) army. – **3.** ⟨*ant*⟩ (*flotta*) fleet.
stụpa *m.* ⟨*Etnol*⟩ stupa, tope.
stupefacẹnte (*p.pr. di stupefare*) **I** *a.* **1.** astonishing, amazing, astounding, stupefying: *spettacolo* ~ astonishing sight. – **2.** ⟨*Med*⟩ stupefactive, stupefacient, narcotic: *effetto* ~ stupefactive effect. – **II** *s.m.* drug, narcotic, ⟨*fam*⟩ dope.
stupefạre *v.t.* (**stupefạccio/stupefò, stupefại, stupefà; stupefẹci, stupefạtto**; → **fare**) to astound, to amaze, to stupefy. – **stupefarsi** *v.r.* to be astounded (*o* stupefied). – **stupefạtto** (*p.p. di stupefare*) *a.* astonished, astounded, amazed, stupefied: *occhiata -a* amazed look. – **stupefaziọne** *f.* **1.** (*atto*) astounding, stupefying; (*effetto*) amazement, astonishment, stupefaction, great surprise. – **2.** ⟨*Med*⟩ stupor, stupefaction.
stupendamẹnte *avv.* stupendously, marvellously. – **stupẹndo** *a.* **1.** stupendous, wonderful, marvellous, amazing: *un quadro* ~ a stupendous painting. – **2.** ⟨*iperb*⟩ (*molto bello*) marvellous, wonderful, stupendous, (very) beautiful, lovely, ⟨*fam*⟩ gorgeous; *una giornata -a* a lovely day.
stupidạggine *f.* **1.** stupidity. – **2.** (*atto stupido*) stupidity, act (*o* piece) of stupidity, stupid thing to do; (*detto stupido*) stupid remark, nonsense, stupidity, ⟨*fam*⟩ tripe, ⟨*fam*⟩ rubbish: *dire -i* to make a stupid remark, to talk nonsense (*o* tripe); (*errore stupido*) stupid mistake. – **3.** (*cosa da poco*) (mere) trifle, nothing (to worry about): *ti ho comprato una* ~ I bought you a trifle. – **stupidamẹnte** *avv.* **1.** stupidly. – **2.** ⟨*ant*⟩ (*in modo che denota stupore*) in astonishment. – **stupidạta** *f.* ⟨*region*⟩ (*atto, detto stupido*) stupidity. – **stupidẹllo** (*dim. di stupido*) **I** *a.* silly. – **II** *s.m.* (*f.* **-a**) silly little thing. – **stupidẹzza** *f.* ⟨*rar*⟩ stupidity. – **stupidimẹnto** *m.* ⟨*non com*⟩ (*istupidimento*) stupidity; (*intontimento*) stupefaction, daze. – **stupidịno** (*dim. di stupido*) *a./s.* → **stupidello**. – **stupidịre** *v.* (**stupidịsco, stupidịsci**) ⟨*non com*⟩ **I** *v.t.* **1.** (*istupidire*) to make stupid, to stupefy, to dull. – **2.** (*intontire*) to daze, to stun, to stupefy, to bewilder. – **II** *v.i.* (*aus.* **essere**) **1.** to become stupid, to grow dull (-witted). – **2.** (*intontirsi*) to become dazed (*o* stupefied), to be bewildered.
stupidità *f.* **1.** stupidity, obtuseness. – **2.** (*atto stupido*) stupidity, act of stupidity, s.th. stupid, stupid thing to do: *fare una* ~ to do s.th. stupid; (*detto stupido*) stupid remark, nonsense, ⟨*fam*⟩ rubbish, ⟨*fam*⟩ tripe. – **3.** ⟨*non com*⟩ (*stato di torpore*) stupefaction, stupor, daze. – **stupidịto** (*p.p. di stupidire*) *a.* ⟨*non com*⟩ **1.** (*istupidito*) dazed, silly, stupefied, bewildered, stunned. – **2.** (*sbalordito*) amazed, astonished.
stụpido I *a.* **1.** stupid, foolish, obtuse, ⟨*fam*⟩ thick-headed, ⟨*am.fam*⟩ dumb. – **2.** (*che denota scarsa intelligenza*) stupid, foolish, ⟨*am.fam*⟩ dumb: *una risposta -a* a stupid reply. – **3.** ⟨*lett*⟩ (*sbalordito, attonito*) stupefied, dumbfounded; (*stupito*) astonished, amazed. – **4.** ⟨*lett,rar*⟩ (*che sbalordisce*) stupefying, dazing. – **5.** ⟨*ant*⟩ (*torpido*) torpid. – **II** *s.m.* (*f.* **-a**) stupid (*o* obtuse) person, fool, dolt, ⟨*fam*⟩ blockhead. – **stupidọne** (*accr. di stupido*) ⟨*pop*⟩ **I** *a.* stupid, silly, ⟨*am.fam*⟩ dumb. – **II** *s.m.* (*f.* **-a**) stupid person, ⟨*fam*⟩ silly (*o* great) fool, ⟨*fam*⟩ numbskull.
stupịre *v.* (**stupịsco, stupịsci**) **I** *v.t.* (*meravigliare*) to stupefy, to amaze, to astonish, to astound: *le tue parole mi stupiscono* what you say amazes me. – **II** *v.i.* (*aus.* **essere**), **stupirsi** *v.r.* to be astonished (*o* amazed), to be (very) surprised (*di* at), to be stupefied (by): *non c'è da stupirsi* there's nothing to be surprised at. – **stupịto** (*p.p. di stupire*) *a.* (*meravigliato*) astonished, amazed, astounded, stupefied, (very) surprised: *essere* ~ *di qc.* to be astonished (*o* amazed) at s.th.
stupọre *m.* **1.** amazement, astonishment, great surprise, wonder: *riempire di* ~ to fill with wonder, to amaze, to stun. – **2.** ⟨*concr*⟩ (*cosa che stupisce*) wonder, marvel. – **3.** ⟨*esclam*⟩ lo and behold: *mi voltai e,* ~, *me lo vidi davanti* I turned round, and lo and behold, there he was. – **4.** ⟨*Med*⟩ stupor, stupefaction. – **5.** ⟨*ant*⟩ (*stato di stordimento*) stupor, numbness; (*intorpidimento*) torpor, dullness, numbness. ▭ *fare* ~ *a qd.* to amaze (*o* astonish) s.o.; *con suo grande* ~ to his astonishment (*o* great surprise); *essere preso* (o *colto*) *dallo* ~ to be astonished.
stuporọso *a.* ⟨*non com*⟩ stupefying, dulling.
stuprạre *v.t.* ⟨*Dir*⟩ to rape. – **stupratọre** *m.* rapist. – **stụpro** *m.* rape.
stụra *f.* uncorking, opening. ▭ *dare la* ~: 1. (*rif. a bottiglie*) to uncork, to open; 2. (*rif. a botti*) to unbung; 3. ⟨*fig*⟩ to give vent (*a* to), to open up, to unburden o.s.: *dare la* ~ *al proprio risentimento* to give vent to one's resentment; ⟨*fig,non com*⟩ *prendere la* ~ to give vent, to get going, to start talking about s.th.
stura|bottịglie *m.inv.* bottle-opener; (*cavatappi*) corkscrew. – **~lavandịni** *m.inv.* plunger, plumber's helper (*o* friend).
sturamẹnto *m.* unplugging, unclogging, opening; (*rif. a bottiglie*) uncorking; (*rif. a botti*) unbunging.
sturạre *v.t.* **1.** (*rif. a bottiglie*) to uncork: ~ *un fiasco* to uncork a flask; (*rif. a botti*) to unbung. – **2.** (*liberare una conduttura ostruita*) to unplug, to open, to unclog.
sturbamẹnto *m.* ⟨*non com*⟩ **1.** upsetting. – **2.** ⟨*rar*⟩ (*disturbo*) disturbance. – **sturbạre** *v.t.* **1.** ⟨*non com*⟩ (*turbare, sconvolgere*) to upset, to unsettle, to throw into disorder (*o* confusion). – **2.** ⟨*rar*⟩ (*disturbare*) to disturb, to trouble, to throw out. – **sturbarsi** *v.r.* (*turbarsi*) to be upset (*o* troubled). – **sturbatọre** *m.* (*f.* **-trice**) ⟨*non com*⟩ (*disturbatore*) disturber. – **stụrbo** *m.* **1.** ⟨*non com*⟩ (*sconvolgimento*) upset, confusion, disorder. – **2.** ⟨*rar*⟩ (*disturbo*) disturbance, trouble.
stutạre *v.t.* ⟨*ant,region*⟩ (*spegnere*) to dampen, to put out.
stuzzicadẹnti *m.inv.* **1.** toothpick. – **2.** ⟨*fam*⟩ (*persona molto magra*) tall skinny person, ⟨*fam*⟩ beanpole. – **3.** ⟨*fig,non com*⟩ (*ghiottoneria*) titbit, tasty morsel.
stuzzicamẹnto *m.* **1.** picking, poking. – **2.** ⟨*fig*⟩ irritating, vexing, annoying; (*il punzecchiare*) teasing, taunting, goading. – **stuzzicạnte** (*p.pr. di stuzzicare*) *a.* **1.** (*stimolante*) stimulating, arousing, exciting. – **2.** (*che stimola l'appetito*) appetizing, tasty. – **3.** (*eccitante*) exciting, stirring: *vista* ~ stirring sight.
stuzzicạre *v.t.* (**stụzzico, stụzzichi**) **1.** to pick (at), to poke (at): *stuzzicarsi i denti* to pick one's teeth; (*toccare con insistenza*) to probe, to pick, to poke (at), to prod, to jab: *stuzzicarsi una piaga* to pick at a sore. – **2.** ⟨*fig*⟩ (*molestare, infastidire*) to irritate, to bother, to annoy, to vex, to worry: *non stuzzicarlo mentre studia* don't bother him while he's studying; (*punzecchiare*) to tease, to taunt, to goad, ⟨*fam*⟩ to get at. – **3.** ⟨*fig*⟩ (*stimolare*) to excite, to (a)rouse, to whet, to stimulate, to provoke: ~ *la curiosità di qd.* to arouse (*o* excite) s.o.'s curiosity; ~ *l'appetito* to whet the appetite. ▭ ⟨*fig*⟩ *non* ~ *il cane che dorme* let sleeping dogs lie; ~ *il fuoco* to stir (*o* poke up) the fire.
stuzzichịno *m.* **1.** ⟨*fam*⟩ tease, irritating person. – **2.** ⟨*region*⟩ (*spuntino*) snack; (*cibo che stuzzica l'appetito*) appetizer, titbit.
stylé *fr. a.* → **stilè**.
su I *prep.* (followed by the definite article it becomes **sul** [*su* + *il*], **sụllo** [*su* + *lo*], **sụlla** [*su* + *la*], **sụi** [*su* + *i*], **sụgli** [*su* + *gli*], **sụlle** [*su* + *le*], *ant.,lett.* **su'l** [*su* + *il*], **su lo, su la**, *rar.* **su i, su gli, su le**) **1.** (*sovrapposizione con contatto: stato*) on: *la penna è sulla scrivania* the pen is on the desk; *era seduto sul tappeto* he was sitting on the carpet; (*moto*) on, on to, onto: *metti il giornale sulla sedia* put the newspaper on the chair. – **2.** (*sovrapposizione senza contatto*) over: *ora voliamo* ~ *Roma* we are now flying over Rome; *un ponte sul fiume* a bridge over the river; (*con contatto: per esprimere rivestimento*) over: *metti uno scialle sulle spalle* throw a shawl over your shoulders. – **3.** (*al di sopra di, più in alto di*) above: *a mille metri sul mare* one thousand metres above sea-level. – **4.** (*per esprimere superiorità, autorità, governo*) over: *regnare* ~ *mezzo mondo* to reign over half the world; *avere potere* ~ *qd.* to have power over s.o. – **5.** (*per indicare vicinanza immediata*) on, by: *sul lungomare* on the sea-front; *una città sul mare* a city by the sea; *Londra è sul Tamigi* London is on the Thames. – **6.** (*moto: dal basso in alto e dall'alto in basso*) on, on to, onto: *questa finestra dà sul giardino* this window looks out onto (*o* over) the garden; *l'uccellino volò su un ramo* the little bird flew onto a branch; *salire sull'autobus* to get on the bus; (*verso*) toward(s), for: *dirigersi sulla città* to head toward the city, to head (*o* make) for the city; (*contro*) on, at: *i vincitori marciarono sulla capitale* the victors marched on the capital; *il cane si gettò sul mendicante* the dog leapt at the beggar. – **7.** (*approssimazione: circa, pressappoco*) about, around, approximately, roughly, some: *ho lavorato sulle cinque ore* I worked about (*o* some) five hours; *essere sulla sessantina* to be about sixty; *costerà sulle ottomila lire* it must cost approximately eight thousand lire; *peserà sui cinquanta chili* she must weigh around fifty kilos; (*verso, intorno a*) at, (at) about, (at) around: *vediamoci sul mezzogiorno* let's get together around noon; *sul far della sera* at twilight. – **8.** (*intorno a, riguardo a*) about, concerning, regarding, on: *discutere sulla situazione economica* to argue about the economic situation; *una conferenza sull'arte moderna* a lecture on modern art. – **9.** (*temporale: dopo*) after, ⟨*fam*⟩ on top of: *non bere il vino sul latte* don't drink wine after milk. – **10.** (*nel complemento di materia*) on: *un dipinto* ~ *tela* a painting on canvas; *incidere* ~ *rame* to engrave on copper. – **11.** (*nei complementi di modo o maniera*) to, on, upon, at: *scarpe fatte* ~ *misura* shoes made to measure; *spedire qc.* ~ *richiesta* to send s.th. on request; *lavorare* ~ *ordinazione* to work to order; ~ *invito dall'ambasciata italiana* at the invitation of the Italian Embassy; (*oltre*) after: *debiti* ~ *debiti* one debt after another; (*secondo*) following, after, on: *sull'esempio di suo padre* following his father's example; ~ *mio consiglio* on my advice. – **12.** (*di, fra*) out of, in: *nove volte* ~ *dieci* nine times out of ten. – **13.** (*rif. a libri, giornali e sim.: in*) in: *l'ho letto sul giornale* I read it in the paper. – **II** *avv.* **1.** (*stato*) (up) above, overhead: *gli uffici sono* ~ the offices are above; (*moto*) (up) above, up. – **2.** (*al piano superiore: stato*) upstairs: *digli che sto* ~ tell him that I'm upstairs; (*moto*) upstairs, up: *viẹni* ~*!* come on up! – **3.** (*indosso*) on: *aveva* ~ *un vestito nuovo* she ⌜had on⌝ (*o* was wearing) a new dress. – **4.** (*negli ordini: in alto*) up: ~ *le mani!* hands up!, up with your hands! – **5.** (*esortativo: suvvia*) come on, ⟨*am.fam*⟩ let's go: ~, *ragazzi, moviamoci* come on, boys, let's get moving; ~, *racconta tutto!* come on, spit it out!
▭ **con** ~ with ... on it: *una scrivania con* ~ *un telefono* a desk with a telephone on it; **da** ~ (*dall'alto*) from above, from overhead; (*dal piano di sopra*) from upstairs; ~ *e* **giù**: 1. up and down: *andare* ~ *e giù per le scale* to go up and down the stairs; 2. (*avanti e indietro*) back and forth, up and down, to and fro: *il leone andava* ~ *e giù per la gabbia* the lion paced back and forth in its cage; 3. (*viavai*) coming and going, toing and froing, bustle, stir: *c'era un continuo* ~ *e giù* there was a constant coming and going; *in* ~ *e in giù* up and down; ~ *per giù* (*pressappoco*) more or less, roughly,

about, approximately; **in** ~: 1. (*verso l'alto*) up(wards): *guarda in ~ e lo vedrai* look up and you'll see it; 2. (*al nord*) up: *da Roma in ~* from Rome up; 3. (*movimento verso valori più alti*) up, on: *i bambini dai sei anni in ~* children from six up, children over (*o* from the age of) six; **là** ~ up there; **mettere** ~: 1. (*rif. a persone: aizzare*) to turn against: *lo hai messo ~ contro di me* you have turned him against me; 2. (*rif. a cose*) to set up: *mettere ~ casa* to set up house; *sul* **momento** (*immediatamente*) immediately, right away; (*lì per lì*) at first, there and then: *sul momento non seppi rispondere* I couldn't answer there and then; ~ **per** (*lungo*) up: *si arrampicò ~ per il muro* he climbed up the wall; (*arrivando in cima*) he climbed up onto (*o* on top of) the wall; ~ *due* **piedi** on the spot, there and then; **più** ~ further up, higher up; **poco** ~, *poco giù* (*pressappoco*) about, roughly, approximately, more or less; **qui** (*o qua*) ~ up here; *sul* **serio** seriously; ~ *di* **sopra** upstairs; **stare** *sulle sue* to be stand-offish; ~ **su**: 1. right up, (all the) way up: *~ su fino alla cima* right up to the top; 2. ⟨*esclam*⟩ come on: *~ su, siamo in ritardo* (oh) come on, we're late.

SU = ⟨*Aut*⟩ *Unione* (*delle*) *Repubbliche Socialiste Sovietiche* Union of Soviet Socialist Republics.

S.U. = *Stati Uniti* United States (*abbr.* U.S., US).

su'[1] (*accorc. di suo*) *a.poss.* ⟨*tosc*⟩ (*di lui*) his; (*di lei*) her.

su'[2] *prep.art.* (abbreviated form of *sui*, combining *su* + *i*) → **su**.

S.U.A. = *Stati Uniti d'America* United States of America (*abbr.* U.S.A., USA).

suaccennạto *a.* above-mentioned, aforesaid.

suạcia *f.* ⟨*Itt*⟩ **1.** megrim, lantern flounder, scaldfish (*Arnoglossus laterna*). – **2.** spotted flounder (*Citharus linguatula*).

suadẹnte (*p.pr. di suadere*) *a.* ⟨*lett*⟩ **1.** (*che persuade*) persuasive, convincing; (*che induce*) inducing. – **2.** (*allettante*) tempting, inviting, attractive, winning. – **3.** (*che lusinga*) alluring, enticing. – **suadẹre** *v.t.* (**suạsi, suạso**) ⟨*lett*⟩ **1.** (*persuadere*) to persuade, to convince. – **2.** (*indurre*) to induce, to lead. – **suaditọre** ⟨*lett*⟩ **I** *s.m.* (*f.* **-trice**) persuader, convincer. – **II** *a.* persuasive. – **suạdo** *a.* ⟨*ant*⟩ → **suadente**.

suahẹli *m.* **1.** (*lingua*) Swahili. – **2.** (*abitante; f.* **-a**) Swahili.

suạsi *p.rem. di* **suadere**. – **suasiọne** *f.* ⟨*ant,lett*⟩ (*persuasione*) persuasion. – **suasịva** *f.* ⟨*rar,lett*⟩ (*persuasiva: arte di persuadere*) persuasiveness; (*forza di persuasione*) persuasion, persuasiveness. – **suasịvo** *a.* ⟨*lett*⟩ **1.** (*persuasivo*) persuasive, convincing. – **2.** (*lusinghevole*) alluring, enticing, winning. – **suạso** *p.p. di* **suadere**.

suasọria *f.* ⟨*Lett,Ret*⟩ suasoria.

suasọrio *a.* ⟨*lett*⟩ **1.** (*che mira a persuadere*) persuasive. – **2.** (*che mira a esortare*) exhortative, hortatory.

suạsso *m.* ⟨*Ornit*⟩ **1.** (*svasso*) grebe (*Podiceps*). – **2.** (*pesciaiola*) smew (*Mergus albellus*).

suạve ⟨*ant*⟩ **I** *a.* (*soave*) soft, gentle. – **II** *avv.* softly, gently. – **suavità** *f.* ⟨*ant*⟩ (*soavità*) softness, gentleness.

sub (*accorc. di subacqueo*) *m./f.* ⟨*Sport*⟩ skin-diver.

sub... *pref.* **1.** (*sotto* under) sub..., under-. – **2.** (*vicino* near) sub... – **3.** (*quasi* almost) sub...

sub|acạule *a.* ⟨*Bot*⟩ subacauline. – **~ạcido** *a.* subacid.

subạcqueo **I** *a.* **1.** underwater, subaqueous, submarine: *pesca -a* underwater fishing; *cavo ~* submarine cable. – **2.** ⟨*Biol*⟩ subaqueous, submarine, underwater. – **3.** ⟨*Geol*⟩ submarine, underwater, subaqueous. – **II** *s.m.* **1.** skin-diver. – **2.** (*sommozzatore*) (deep-sea) diver.

sub|acụto *a.* ⟨*Med*⟩ subacute. – **~aẹreo** *a.* subaerial.

subaffittạre *v.t.* to sublease, to (sub)let: *ho subaffittato due stanze del mio appartamento* I've sublet two rooms in my appartment. – **subaffịtto** *m.* sublet, sublease; (*il subaffittare*) subletting, subleasing. ▭ *abitare in ~* to sublet; *dare in ~* → **subaffittare**; *prendere in ~* to sublet, to sublease. – **subaffittuạrio** *m.* (*f.* **-a**) sublessee, subtenant.

sub|afflụente *m.* ⟨*Geog*⟩ tributary of a tributary. – **~agẹnte** *m.* subagent. – **~agenzịa** *f.* subagency (*anche Comm.*). – **~alpịno** *a.* **1.** ⟨*Geog,Biol*⟩ subalpine. – **2.** (*padano*) Po-, Po River-, Po Valley-. – **3.** (*piemontese*) Piedmontese, of Piedmont.

subalternạnte (*p.pr. di subalternare*) **I** *a.* ⟨*Filos*⟩ making subaltern, universal, subalternating. – **II** *s.f.* subalternant, superaltern. – **subalternạre** *v.t.* (**subaltẹrno**) **1.** ⟨*Filos*⟩ to make subaltern. – **2.** ⟨*ant*⟩ (*rendere subalterno*) to subordinate. – **subalternạta** *f.* ⟨*Filos*⟩ subalternate. – **subalternạto** (*p.p. di subalternare*) *a.* subaltern, particular. – **subalternaziọne** *f.* subalternation.

subaltẹrno **I** *a.* **1.** subordinate, subaltern: *impiegato ~* subordinate employee. – **2.** ⟨*Filos*⟩ subaltern. – **II** *s.m.* **1.** subordinate, subaltern. – **2.** ⟨*Mil*⟩ subaltern. ▭ ⟨*Filos*⟩ *proposizione -a* subaltern (proposition).

sub|alveạre *a.* ⟨*Geog*⟩ **1.** along a river-bed. – **2.** ⟨*non com*⟩ → **subalveo**. – **~ạlveo** *a.* beneath a river-bed. – **~andịno** *a.* sub-Andean. – **~antạrtico** *a.* (*pl.* **-ci**) ⟨*Geog,Biol*⟩ subantarctic. – **~apostọlico** *a.* (*pl.* **-ci**) ⟨*Rel,non com*⟩ subapostolic.

subappaltạre *v.t.* ⟨*Dir*⟩ **1.** (*dare in subappalto*) to subcontract. – **2.** ⟨*non com*⟩ (*prendere in subappalto*) to subcontract. – **subappaltatọre** **I** *s.m.* (*f.* **-trice**) subcontractor. – **II** *a.* subcontracting. – **subappạlto** *m.* subcontract. ▭ *dare in ~* to subcontract; *prendere in ~* to subcontract.

sub|appenninico *a.* (*pl.* **-ci**) ⟨*Geog*⟩ **1.** subapennine. – **2.** (*ai piedi dell'Appennino*) (lying) at the foot of the Apennines. – **≈appennịno** *N.pr.m.* Subapennines *pl.* – **~ạrido** *a.* subarid. – **~ạrtico** *a.* (*pl.* **-ci**) ⟨*Geog,Biol*⟩ subarctic. – **~associaziọne** *f.* ⟨*Biol*⟩ subassociation.

subạsta *f.* ⟨*Dir,rar*⟩ (*asta*) auction. – **subastạre** *v.t.* to auction (off).

sub|atlạntico *a./s.* (*pl.* **-ci**) ⟨*Biol,Geol*⟩ sub-Atlantic. – **~atọmico** *a.* (*pl.* **-ci**) ⟨*Fis*⟩ subatomic.

sụbbia *f.* **1.** (*scalpello*) chisel. – **2.** ⟨*region*⟩ (*lesina*) awl. – **subbiạre** *v.t.* (**sụbbio, sụbbi**) to chisel.

subbiettivạre *v.* → **subiettivare**. – **subbiettivaziọne** *f.* → **subiettivazione**. – **subbiettivịsmo** *m.* → **subiettivismo**. – **subbiettivịsta** *m./f.* → **subiettivista**. – **subbiettivịstico** *a.* → **subiettivistico**. – **subbiettività** *f.* → **subiettività**. – **subbiettịvo** *a.* → **subiettivo**. – **subbiẹtto** *a./s.* → **subietto**.

subbillamẹnto *m.* ⟨*ant*⟩ (*sobillamento*) instigation. – **subbillạre** *v.t.* ⟨*ant*⟩ (*sobillare*) to instigate, to incite, to stir up.

sụbbio *m.* **1.** ⟨*Tess*⟩ beam. – **2.** (*rullo per la manganatura*) (mangle-)roller, cylinder of a mangle (*o* wringer). – **3.** ⟨*poet*⟩ (*arte tessile*) weaving. – **4.** ⟨*ant*⟩ (*albero rotante*) roller. – **5.** ⟨*Mar.ant*⟩ wooden peg (*o* pin). ▭ ⟨*Tess*⟩ *~ avvolgitore* (o *del tessuto*) cloth beam; *~ d'ordito* warp beam.

subbissạre *v.* ⟨*ant*⟩ → **subissare**. – **subbịsso** *m.* ⟨*ant*⟩ → **subisso**.

subbollimẹnto *m.* (*sobbollimento*) simmering. – **subbollịre** *v.i.* (**subbọllo**; *aus.* **avere**) (*sobbollire*) to simmer. – **subbollitụra** *f.* → **subbollimento**.

subboreạle *a.* ⟨*Biol,Geol*⟩ subboreal.

subbụglio *m.* (*confusione*) uproar, turmoil, tumult; (*disordine*) confusion, disorder, chaos: *mettere in ~* to throw into confusion; *la moltitudine era in ~* the crowd was in a turmoil.

subbullịre *v.* → **subbollire**.

sub|carpạtico *a.* (*pl.* **-ci**) ⟨*Geog*⟩ (*transcarpatico*) sub-Carpathian. – **~cognọme** *m.* additional (*o* second) name, distinguishing surname.

sub conditiọne *lat.* ⟨*Dir*⟩ (*sotto condizione*: *agg.*) conditional; (*avv.*) conditionally.

sub|cọnscio **I** *a.* ⟨*Psic*⟩ subconscious. – **II** *s.m.* (*subcosciente*) subconscious. – **~contịnuo** *a.* (*quasi continuo*) subcontinuous (*anche Med.*). – **~contrarietà** *f.* ⟨*Filos*⟩ subcontrariety. – **~contrạrio** *a.* subcontrary. ▭ *proposizione -a* subcontrary (proposition). – **~contrạtto** *m.* ⟨*Dir*⟩ subcontract. – **~cosciẹnte** **I** *s.m.* ⟨*Psic*⟩ subconscious. – **II** *a.* ⟨*non com*⟩ (*subconscio*) subconscious. – **~cosciẹnza** *f.* ⟨*non com*⟩ subconscious. – **~costiẹro** *a.* ⟨*Geog*⟩ sublittoral. – **~cultụra** *f.* subculture. – **~delegạre** *v.t.* (**subdẹlego, subdẹleghi**) to subdelegate. – **~delegaziọne** *f.* subdelegation. – **~desẹrtico** *a.* (*pl.* **-ci**) ⟨*Geog*⟩ semidesert: *clima ~* semidesert climate. – **~desẹrto** *m.* subdesert, semidesert.

subdolamẹnte *avv.* in an underhand way, shiftily, deceitfully. – **sụbdolo** *a.* underhand, shifty, deceitful, sneaky, crafty, sly.

sub|economạto *m.* office of the vice-treasurer; (*di università e sim.*) vice-bursar's office. – **~ecọnomo** *m.* vice-treasurer; (*di università e sim.*) vice-bursar. – **~ecumẹne** *f.* ⟨*Geog*⟩ temporarily inhabitable zone.

subentrạnte (*p.pr. di subentrare*) *a.* **1.** (*che succede*) succeeding, following, next; (*che sostituisce*) taking over, replacing. – **2.** ⟨*Med*⟩ subintrant.

subentrạre *v.* (**subẹntro**) **I** *v.i.* (*aus.* **essere**) **1.** (*succedere*) to succeed, to follow, to come after (*a qd.* s.o.). – **2.** (*sostituire*) to take over (*a* from), to take the place (of), to replace (s.o.): *al suo posto subentrò un giovane impiegato* he was replaced by a young employee. – **3.** ⟨*fig*⟩ to take the place (*a* of), to replace (s.th.), to follow (on): *allo stupore subentrò la paura* fear followed on astonishment. – **4.** ⟨*rar*⟩ (*entrare dentro*) to come in. – **II** *v.t.* ⟨*lett*⟩ (*entrare dentro*) to enter.

subẹntro *m.* ⟨*burocr*⟩ (*il succedere*) succession; (*il sostituire*) taking over.

subequatoriạle *a.* ⟨*Geog*⟩ subequatorial.

suberịcolo *a.* → **sughericolo**. – **subericoltọre** *m.* → **sughericoltore**. – **subericoltụra** *f.* → **sughericoltura**. – **suberificạre** *v.i.* (**suberịfico, suberịfichi**; *aus.* **essere**), **suberificarsi** *v.r.* ⟨*Bot*⟩ to be suberized, to be infiltrated with suberin. – **suberificaziọne** *f.* suberization. – **suberịna** *f.* suberin.

suberịt (o *sụberit*) *m.* ⟨*Ind*⟩ kind of corkboard.

suberizzạre *v.* → **suberificare**. – **suberizzaziọne** *f.* → **suberificazione**. – **sụbero** *m.* ⟨*ant*⟩ (*sughero*) cork, suber. – **suberọsi** *f.* ⟨*Agr*⟩ suberization.

suberosiọne *f.* ⟨*Geol*⟩ subsurface erosion.

suberosità *f.* ⟨*Bot*⟩ corkiness. – **suberọso** *a.* **1.** suberose, cork-like. – **2.** (*che contiene suberina*) suberose.

sub|febbrịle *a.* ⟨*Med*⟩ subfebrile. – **~fẹudo** *m.* → **suffeudo**. – **~frẹnico** *a.* (*pl.* **-ci**) ⟨*Med*⟩ subphrenic.

subiettivạre *v.t.* ⟨*lett*⟩ (*soggettivare*) to subjectivize, to subjectify. – **subiettivaziọne** *f.* ⟨*lett*⟩ (*soggettivazione*) subjectivization. – **subiettivịsmo** *m.* ⟨*lett*⟩ (*soggettivismo*) subjectivity (*anche Filos.*). – **subiettivịsta** *m./f.* ⟨*lett*⟩ (*soggettivista*) subjectivist (*anche Filos.*). – **subiettivịstico** *a.* (*pl.* **-ci**) ⟨*lett*⟩ (*soggettivistico*) subjective, subjectivistic. – **subiettività** *f.* ⟨*lett*⟩ (*soggettività*) subjectivity, subjectiveness (*anche Filos.*). – **subiettịvo** *a.* ⟨*lett*⟩ (*soggettivo*) subjective (*anche Gramm.*). – **subiẹtto** ⟨*lett*⟩ **I** *a.* **1.** (*sottoposto*) subject (*a* to), under (s.o., s.th.). – **2.** (*sottomesso*) subdued, subject(ed). – **II** *s.m.* **1.** (*argomento, soggetto*) subject, topic, theme. – **2.** ⟨*Filos,Gramm*⟩ subject.

subillamẹnto *m.* ⟨*ant*⟩ (*sobillamento*) instigation. – **subillạre** *v.t.* ⟨*ant*⟩ (*sobillare*) to instigate, to incite, to stir up.

sub|imạgo *f.inv.* **1.** ⟨*Entom*⟩ subimago. – **2.** ⟨*Pesc*⟩ fly. – **~infeudạre** *v.t.* (**subinfẹudo**) ⟨*Mediev*⟩ to subinfeudate. – **~infeudaziọne** *f.* subinfeudation. – **~ingrẹsso** *m.* ⟨*Dir*⟩ succession to a legal claim (*o* right). – **~inquilịno** *m.* (*f.* **-a**) sublessee, subtenant.

subịre *v.t.* (**subịsco, subịsci**) **1.** (*essere costretto a sopportare*) to suffer, to meet with, to endure: ~ *un torto* to suffer a wrong. – **2.** (*sottoporsi a*) to have, to undergo: ~ *un'operazione* to have an operation. – **3.** (*sottostare*) to undergo, to go through, to experience: ~ *un interrogatorio* to undergo an interrogation. □ ~ *una condanna* to be convicted; ~ *un danno* to be damaged; ~ *le conseguenze di qc.* to suffer (*o* bear) the consequences of s.th.; ~ *un esame* to take (*o* undergo) an exam; ~ *il proprio destino* to submit to fate, to accept one's lot.

subirrigaziọne *f.* ⟨*Agr*⟩ subirrigation, subsurface irrigation.

subissạre I *v.t.* **1.** ⟨*non com*⟩ (*far precipitare in rovina*) to bring down (in ruins); (*distruggere*) to destroy. – **2.** ⟨*fig*⟩ (*colmare*) to overwhelm, to load, to heap: ~ *qd. di insulti* to heap insults on s.o.; ~ *qd. di domande* to overwhelm s.o. with questions. – **II** *v.i.* (*aus.* **essere**) ⟨*non com*⟩ **1.** (*inabissarsi*) to sink, to be swallowed up. – **2.** (*rovinarsi*) to crash (down), to collapse.

subịsso *m.* **1.** (*rovina, sfacelo*) ruin, collapse, destruction. – **2.** ⟨*fam*⟩ (*grande quantità*) crowd, host, mass, heap: *ho ricevuto un ~ di lettere* I received a mass of letters. □ *andare in ~* to fall into ruin; ~ *di applausi* thunderous applause; ⟨*fam*⟩ *costare un ~* to cost a fortune (*o* mint); ⟨*non com*⟩ *mandare in ~* to overthrow, to bring down; (*sperperare*) to waste, to squander.

subitamẹnte *avv.* immediately, at once, right now; (*all'improvviso*) suddenly, all of a sudden.

subitaneamẹnte *avv.* suddenly, all at once, all of a sudden. – **subitaneità** *f.* suddenness. – **subitạneo** *a.* **1.** (*improvviso*) sudden; (*repentino*) sudden, unexpected. – **2.** ⟨*non com*⟩ (*involontario, istintivo*) inadvertent, involuntary. – **subitạno** *a.* ⟨*poet,ant*⟩ → **subitaneo**.

subitẹzza *f.* ⟨*rar*⟩ suddenness.

sụbito I *avv.* **1.** (*immediatamente*) immediately, at once, ⟨*fam*⟩ right away: *vieni qui ~* come here at once. – **2.** (*in brevissimo tempo*) at once, ⟨*fam*⟩ right away, ⟨*fam*⟩ in (less than) no time, ⟨*fam*⟩ in a jiffy: *torno ~* I'll be back ⌜right away⌝ (*o* in a moment), I'll be right back. – **3.** ⟨*lett*⟩ (*improvvisamente*) suddenly, unexpectedly. – **II** *a.* ⟨*lett*⟩ **1.** (*improvviso*) sudden, unexpected. – **2.** (*rapido*) fast, rapid, quick. – **3.** (*pronto*) ready, quick, prompt. – **4.** ⟨*ant*⟩ (*impetuoso, impulsivo*) impulsive, headstrong. □ ⟨*ant*⟩ ~ *che* (o *come*) as soon as, no sooner than; ⟨*lett*⟩ *di* (o *d'un*) ~ (*improvvisamente*) suddenly, all at once; ~ *dopo* immediately after(wards), straight (*o* just) after; ⟨*non com*⟩ *in un ~* (*in un attimo*) in a second (*o* flash), very quickly; ~ *prima* just before.

sub iụdice *lat.* (*in discussione*) sub judice.

sublacẹnse I *a.* (*di Subiaco*) of (*o* from) Subiaco. – **II** *s.m./f.* native (*o* inhabitant) of Subiaco.

sublimạbile *a.* ⟨*non com*⟩ sublimable.

sublimạre I *v.t.* **1.** (*esaltare*) to exalt, to raise, to sublime. – **2.** ⟨*lett*⟩ (*innalzare ad alti onori*) to raise, to exalt. – **3.** ⟨*Fis,Chim*⟩ to sublime, to sublimate. – **4.** ⟨*Psic*⟩ to sublimate. – **5.** ⟨*ant*⟩ (*sollevare da terra*) to lift, to raise. – **II** *v.i.* (*aus.* **essere**) ⟨*Chim*⟩ to sublimate, to sublime. – **sublimarsi** *v.r.* **1.** to raise o.s., to make o.s. sublime. – **2.** ⟨*ant*⟩ (*ergersi verso l'alto*) to rise, to tower up.

sublimạto *m.* ⟨*Chim*⟩ sublimate.

sublimaziọne *f.* **1.** raising, elevation. – **2.** ⟨*Psic,Chim*⟩ sublimation.

sublịme I *a.* **1.** (*eccellente*) sublime, excellent, outstanding: *un artista ~* a sublime artist; *un ~ esempio di virtù* an outstanding example of virtue. – **2.** ⟨*lett*⟩ (*alto, elevato*) high, lofty, tall. – **II** *s.m.inv.* sublime: *pittura che raggiunge il ~* painting that approaches the sublime. – **sublimemẹnte** *avv.* sublimely.

subliminạle, subliminạre *a.* ⟨*Psic,Med*⟩ subliminal.

sublimità *f.* sublimity, loftiness.

sublimịzzạre *v.t.* ⟨*Psic*⟩ to sublimate. – **sublimizzarsi** *v.r.* to be sublimated.

sub|linguạle *a.* **1.** ⟨*Anat*⟩ (*sottolinguale*) sublingual. – **2.** ⟨*Farm*⟩ for perlingual administration. – **~litorạle** *a.* ⟨*Geog*⟩ sublittoral. – **~litorạneo** *a.* coastal, lying behind the coast. – **~locạre** *v.t.* (**sublọco, sublọchi**) ⟨*Dir,non com*⟩ (*dare in sublocazione*) to sublet, to sublease. – **~locatạrio** *m.* (*f.* **-a**) ⟨*non com*⟩ sublessee, subtenant. – **~locaziọne** *f.* sublet, sublease; (*il dare in sublocazione*) subletting, subleasing. – **~lunạre** *a.* ⟨*Meteor*⟩ sublunar(y). □ *il mondo ~* the earth. – **~lussaziọne** *f.* ⟨*Med*⟩ subluxation. – **~marịno** *a.* ⟨*rar*⟩ (*sottomarino*) submarine. – **~mentạle** *a.* ⟨*Med*⟩ submental. – **~micrọne** *m.* ⟨*Fis*⟩ submicron. – **~microscọpico** *a.* (*pl.* **-ci**) submicroscopic. – **~nolẹggio** *m.* ⟨*Comm,Mar*⟩ freight, charter and carriage. – **~normạle** *a.* ⟨*Med*⟩ subnormal. – **~oceạnico** *a.* (*pl.* **-ci**) suboceanic, under the ocean.

subodorạre *v.t.* (**subodọro**) to get wind of, to smell, to sense: ~ *un inganno* to smell a rat.

suborbitạle *a.* ⟨*Anat,Astron*⟩ suborbital.

subordinamẹnto *m.* subordination, subordinating. – **subordinạnte** (*p.pr. di subordinare*) *a.* ⟨*Gramm*⟩ subordinating. – **subordinạre** *v.t.* (**subọrdino**) **1.** (*far dipendere*) to subordinate: *non devi ~ le tue decisioni alle sue* you must not subordinate your decisions to his. – **2.** (*mettere su di un piano inferiore*) to subordinate. – **3.** ⟨*Gramm*⟩ to subordinate. – **subordinạta** *f.* ⟨*Gramm*⟩ (*anche proposizione subordinata*) subordinate clause. □ ~ *causale* causal clause; ~ *finale* final clause; ~ *temporale* temporal clause. – **subordinatamẹnte** *avv.* **1.** subordinately. – **2.** (*in dipendenza*) subject (*a* to), depending (on) (*anche Dir.*). – **subordinatịvo** *a.* **1.** subordinating. – **2.** ⟨*Gramm*⟩ subordinative: *congiunzione -a* subordinative conjunction.

subordinạto (*p.p. di subordinare*) **I** *a.* **1.** (*dipendente*) dependent (*a* on), subject (to): ~ *all'approvazione del ministro* subject to the approval of the minister; (*vincolato, condizionato*) dependent (on), subordinate (to): *i miei programmi sono sempre -i a quelli di mio marito* my plans are always subordinate to those of my husband. – **2.** (*secondario*) secondary, subordinate, minor. – **3.** (*rif. a rapporti di lavoro*) for hire, for an employer: *lavoro ~* work done for hire. – **4.** (*sottoposto ad autorità*) subordinate (to), under (s.o.): *è ~ al direttore* he is under the director. – **5.** (*ubbidiente, rispettoso*) obedient, (well-)disciplined. – **6.** ⟨*Gramm*⟩ subordinate. – **II** *s.m.* (*f.* **-a**) subordinate. □ *in via -a* secondarily; *lavoratore ~* employee.

subordinaziọne *f.* **1.** (*dipendenza*) dependence, subjection. – **2.** (*sottomissione*) obedient submission, subordination. – **3.** (*rif. a rapporti di lavoro*) condition of being employed (*o* hired). – **4.** ⟨*Gramm, Filos*⟩ subordination.

subordinazionịsmo *m.* ⟨*Teol*⟩ subordinationism. – **subordinazionịsta** *m.* subordinationist.

subọrdine: ⟨*Dir*⟩ *in ~* (*subordinatamente, in dipendenza*) subject, depending; (*in via subordinata*) secondarily; *essere* (o *trovarsi*) *in ~* (*dipendere*) to be subject (*o* subordinate, dependent), to be under.

subornạre *v.t.* (**subọrno**) ⟨*Dir*⟩ to bribe, to suborn: ~ *un teste* to suborn a witness. – **subornatọre** *m.* (*f.* **-trice**) briber, suborner. **subornaziọne** *f.* bribery, subornation: ~ *di teste* subornation (*o* bribing) of a witness.

sub|parallẹlo *a.* ⟨*rar*⟩ (*quasi parallelo*) subparallel, nearly parallel. – **~polạre** *a.* ⟨*Geog*⟩ subpolar. – **~regiọne** *f.* subregion.

subrẹtta *f.* ⟨*rar*⟩ (*soubrette*) soubrette. – **subrettịna** *f. dim. di* **subretta**.

subsannạre *v.i.* (*aus.* **avere**) ⟨*lett*⟩ (*ghignare*) to sneer; (*deridere*) to deride, to mock, to jeer.

sub|scapolạre *a.* ⟨*Anat*⟩ (*sottoscapolare*) subscapolar. – **~sẹllio** *m.* ⟨*Stor.rom*⟩ subsellium.

subsequẹnte *a.* **1.** (*susseguente*) subsequent, succeeding, following. – **2.** ⟨*Geol*⟩ subsequent: *valle ~* subsequent valley.

sub|sfẹrico *a.* (*pl.* **-ci**) (*non perfettamente sferico*) subspherical, spheroidal. – **~sọnico** *a.* (*pl.* **-ci**) subsonic. – **~sonọro** *a.* ⟨*non com*⟩ → **subsonico**. – **~strạto** *m.* **1.** ⟨*non com*⟩ (*sostrato*) substratum, substrate. – **2.** ⟨*Biol*⟩ substrate. – **3.** ⟨*Ling,Filos*⟩ substratum. – **~totạle I** *a.* (*quasi totale*) subtotal (*anche Chir.*). – **II** *s.m.* ⟨*Comm*⟩ subtotal. – **~tropicạle** *a.* ⟨*Geog*⟩ subtropical: *clima ~* subtropical climate.

subụcula *lat. f.* ⟨*Stor.rom*⟩ under-tunic.

subulạto *a.* ⟨*Biol*⟩ subulate, awl-shaped.

sub|umạno *a.* ⟨*rar*⟩ subhuman. – **~urbạno** *a.* suburban: *strada -a* suburban road.

suburbicạrio *a.* ⟨*Dir.can,Stor*⟩ suburbicarian: *diocesi -e* suburbicarian dioceses.

subụrbio *m.* suburbs *pl*, suburbia; (*zona periferica*) suburb: *i suburbi di una città* the suburbs of a city.

subụrra *f.* ⟨*lett*⟩ (*quartiere sudicio e malfamato*) slum, disreputable (*o* unsavoury) district.

sub|verticạle *a.* ⟨*non com*⟩ (*quasi verticale*) subvertical. – **~vulcạno** *m.* ⟨*Geol*⟩ magma chamber. – **~xerofilịa** *f.* ⟨*Bot*⟩ subxerophily. – **~xerọfilo** *a.* subxerophilous. – **~xerofitịsmo** *m.* → **subxerofilia**.

SUCAI = *Sezione universitaria del club alpino italiano.*

succedaneità *f.* substitutability. – **succedạneo I** *a.* taking (*o* that can take) the place (*di* of), acting as a substitute (for), ⟨*lett*⟩ succedaneous. – **II** *s.m.* (*surrogato*) substitute, surrogate, ⟨*lett*⟩ succedaneum.

succedẹnte (*p.pr. di succedere*) *a.* ⟨*ant*⟩ (*che si sussegue*) succeeding, ⟨*lett*⟩ succedent.

succẹdere *v.i.* (**succẹssi/succedẹi/succedẹtti, succẹsso/succedụto**; *aus.* **essere**) **1.** (*subentrare*) to succeed, to follow, to come after (*a qd.* s.o.): *a Tiberio successe Caligola* Caligula succeeded Tiberius. – **2.** (*seguire*) to follow, to come after (*a qc.* s.th.): *al lampo succede il tuono* thunder follows lightning. – **3.** (*accadere*) to happen, to take place: *sono cose che succedono* these things (will) happen. – **4.** (*capitare*) to happen, to occur, to befall: *che cosa gli è successo?* what happened to him? – **5.** ⟨*ant*⟩ (*riuscire*) to succeed. – **6.** ⟨*ant*⟩ (*derivare*) to derive, to spring. – **succedersi** *v.r.* ⟨*recipr*⟩ to follow on, to follow (*o* come after) e.o., to occur in succession. □ *che ti succede?* what's the matter with you?

succẹdersi *m.* succession, sequence, run, string, series: *il ~ degli avvenimenti* the succession of events.

succeditọre ⟨*rar*⟩ **I** *s.m.* (*f.* **-trice**) successor. – **II** *a.* succeeding. – **successịbile** *a.* ⟨*Dir*⟩ capable of inheriting, entitled to succeed, in line of succession. – **successibilità** *f.* capacity to inherit.

successiọne *f.* **1.** succession. – **2.** (*il susseguirsi*) succession, sequence: *la ~ delle stagioni* the succession of the seasons. – **3.** (*serie ordinata*) succession, sequence, series: *la linea è una ~ di punti* a line is a sequence of points. – **4.** ⟨*Dir*⟩ succession; (*eredità*) inheritance. – **5.** ⟨*Dir,Pol*⟩ succession: ~ *al trono* succession (to the throne). – **6.** ⟨*Biol*⟩ succession. – **7.** ⟨*Mat*⟩ series.

□ ⟨*Dir*⟩ **apertura** *della ~* opening (*o* vesting) of succession; ⟨*Dir*⟩ ~ **collaterale** succession in the collateral line; ⟨*Agr*⟩ ~ *delle* **colture** crop rotation, succession of crops; **diritti** *di ~* death (*o* probate, succession) duties, ⟨*am*⟩ inheritance (*o* estate) taxes; *diritto di* ~ right of succession; *diritto delle -i* law of succession; ~ *di* **eventi** train (*o* course) of events; ⟨*Stor*⟩ **guerre** *di* ~ Wars of Succession; ~ *ab* **intestato** intestate succession; ~ **legittima** legal succession; **liquidare** *la* ~ to wind up the estate; ~ *a titolo* **particolare** singular succession; *essere* **prossimo** *alla* ~ to be next in order of succession; ⟨*Dir,Pol*⟩ ~ *tra* **stati** succession of states; ~ **statistica** statistical series; ⟨*Dir*⟩ ~ **testamentaria** testamentary succession, succession under will; ~ *a titolo* **universale** universal succession.

successivamẹnte *avv.* **1.** (*dopo*) later, then, subsequently, after(wards): *pensiamo prima ai bambini, ~ penseremo a noi* let's take care of the children first, then ourselves. – **2.** (*uno dopo l'altro*) successively, consecutively.

successịvo *a.* **1.** (*seguente*) following (*a qc.* s.th.), after, subsequent (to): *il giorno ~* the following (*o* next) day, the day after; *l'anno ~ alla sua morte* the year after his death. – **2.** (*uno dopo l'altro*) successive, consecutive: *a ondate -e* in consecutive waves. – **3.** ⟨*Mat*⟩ successive. □ *essere ~ a* to follow, to be subsequent to, to come after; *in un momento ~* later, subsequently.

succẹsso[1] *m.* **1.** (*esito favorevole, buona riuscita*) success: *riportare ~* to have (*o* meet with) success, to be successful. – **2.** (*accoglienza favorevole*) success: *il romanzo ha avuto ~* the book had success. – **3.** ⟨*assol*⟩ (*successo teatrale e sim.*) success, ⟨*fam*⟩ hit: *gli ultimi -i della musica leggera* the latest popular song hits. – **4.** (*esito*) outcome, result(s), issue, upshot: *che ~ hanno avuto i tuoi sforzi?* what was the outcome of your efforts? – **5.** ⟨*rar*⟩ (*avvenimento*) event, happening.

□ *avere* **cattivo** ~ to be unsuccessful, to turn out badly; **con** ~ (*agg.*) successful; (*avv.*) successfully; **di** ~ ⟨*fam*⟩ hit-: *canzonetta di grande ~* hit song, smash-hit; ~ **discografico** hit record; *avere ~ con le* **donne** to be a lady-killer; ~ **elettorale** success at the polls; **grande** ~ great success, ⟨*fam*⟩ hit; **senza** ~ (*agg.*) unsuccessful; (*avv.*) unsuccessfully, to no end; ⟨*Teat,Lett*⟩ ~ *di* **stima** succès d'estime.

succẹsso[2] *p.p. di* **succedere**.

successọne (*accr. di successo*[1]) *m.* great success, ⟨*fam*⟩ (smash-)hit.

successọre I *s.m.* (*f. rar.* **succeditrịce**) successor. – **II** *a.* succeeding, successive, succession-, successor-. □ ⟨*Stor*⟩ *stati -i* Succession (*o* Successor) States. – **successọrio** *a.* ⟨*Dir*⟩ succession-, inheritance-. □ *imposta -a* death (*o* probate, succession) duty, ⟨*am*⟩ inheritance (*o* estate) tax.

succhiamẹnto *m.* sucking, suction. □ *a ~* suction-.

succhiạre *v.t.* (**sụcchio, sụcchi**) **1.** to suck (on): *~ il poppatoio* to suck (on) the bottle; *succhiarsi il dito* to suck one's thumb. – **2.** (*assorbire*) to absorb, to draw (up), to suck (up): *le radici succhiano l'acqua piovana* the roots draw up the rainwater. – **3.** (*vuotare succhiando*) to suck, to draw: *~ una ferita* to draw a wound. – **4.** (*lasciar sciogliere sulla lingua*) to suck: *~ una caramella* to suck a sweet. – **5.** (*sorbire*) to sip. – **6.** (*risucchiare*) to swallow up, to engulf: *il vortice succhiò l'imbarcazione* the boat was swallowed up by the whirlpool. – **succhiarsi** *v.r.* **1.** (*sorseggiare*) to sip: *succhiarsi un bicchierino di liquore* to sip a glass of liqueur. – **2.** ⟨*fig, non com*⟩ (*godersi tranquillamente*) to enjoy. – **3.** ⟨*fig,non com*⟩ (*sopportare*) to put up with. □ *~ il latte* to suck milk, to nurse; ⟨*fig*⟩ *aver succhiato qc. col latte* to have been brought up doing (*o* on) s.th., to have imbibed s.th. from the cradle up; ⟨*sport*⟩ *~ la ruota* to use another cyclist as a windbreak; ⟨*fig*⟩ *~ il sangue a qd.* to bleed s.o. white, to squeeze s.o. dry, to be a blood-sucker.

succhiạta *f.* suck, pull; (*sorso*) sip. □ *dare una ~ a qc.* to suck s.th., to take a pull on s.th.

succhiatọio *m.* ⟨*pop*⟩ (*rif. a insetti: proboscide*) proboscis.

succhiatọre *m.* (*f.* **-trice**) **1.** sucker: *~ di sangue* blood-sucker. – **2.** (*congegno*) sucker.

succhiellamẹnto *m.* ⟨*Fal*⟩ gimletting, piercing, boring. – **succhiellạre** *v.t.* (**succhiẹllo**) **1.** to gimlet, to pierce. – **2.** ⟨*tosc*⟩ (*nelle carte*) to spread out slowly. – **succhiẹllo** *m.* **1.** ⟨*Fal*⟩ gimlet, auger. – **2.** ⟨*Sport*⟩ twist.

succhiẹtto *m.* dummy, ⟨*am*⟩ pacifier.

sụcchio[1] *m.* **1.** → **succhiata**. – **2.** ⟨*non com*⟩ (*risucchio*) suction, undertow. – **3.** ⟨*Bot*⟩ (*umore, linfa*) sap. – **4.** ⟨*Venat*⟩ (*succio*) scape. □ *l'essere in ~* the rising of sap.

sụcchio[2] *m.* ⟨*ant,tosc*⟩ (*succhiello*) gimlet, auger.

succhiọne *m.* **1.** ⟨*Bot*⟩ sucker. – **2.** ⟨*fig*⟩ (*parassita*) parasite, blood-sucker, leech.

succhiọtto *m.* **1.** dummy, ⟨*am*⟩ pacifier. – **2.** ⟨*pop*⟩ (*segno sulla pelle*) bruise caused by sucking.

succiacạpre *m.inv.* ⟨*Ornit*⟩ (European) nightjar, goatsucker (*Caprimulgus europaeus*). □ *~ algerino* Egyptian nightjar (*Caprimulgus aegyptius*); *~ americano* night hawk (*Chordeiles minor*); *~ collorosso* red-necked nightjar (*Caprimulgus ruficollis*); *~ meridionale* south European nightjar (*Caprimulgus europaeus meridionalis*).

succiamẹle *m.inv.* ⟨*Bot*⟩ (*orobanche*) broomrape (*Orobanche*).

succiamẹnto *m.* sucking.

succianẹspole *m./f.inv.* ⟨*tosc*⟩ (*persona inetta*) insignificant person, ⟨*fam*⟩ good-for-nothing.

succiạre *v.t.* (**sụccio, sụcci**) ⟨*tosc,pop*⟩ **1.** (*succhiare*) to suck: *~ il dito* to suck one's thumb; *~ una caramella* to suck a sweet. – **2.** ⟨*fig*⟩ (*sopportare qc. di molesto*) to put up with: *succiarsi una visita noiosa* to put up with a tedious visit.

succiasạngue *m./f.inv.* ⟨*non com*⟩ **1.** ⟨*fig*⟩ blood-sucker, leech. – **2.** ⟨*fig*⟩ (*strozzino*) usurer, ⟨*fam*⟩ loan-shark.

succiạta *f.* **1.** suck. – **2.** (*lo sciogliere in bocca*) sucking. □ *dare una ~ a* (*succhiare*) to suck.

succiatọio *m.* ⟨*Bot*⟩ haustorium, sucker.

succiatọre *m.* (*f.* **-trice**) sucker.

succịdere *v.t.* (**succịsi, succịso**) **1.** ⟨*lett*⟩ (*tagliare alla base*) to cut off low (*o* at the base). – **2.** ⟨*Silv*⟩ to cut at the base.

succinạto *m.* ⟨*Chim*⟩ succinate.

succịngere *v.t.* (**succịngo, succịngi; succịnsi, succịnto**) ⟨*lett,non com*⟩ to gird, to belt up.

succịnico *a.* (*pl.* **-ci**) ⟨*Chim*⟩ succinic: *acido ~* succinic acid. – **succinịte** *f.*, **sụccino** *m.* ⟨*Min*⟩ (*ambra*) succinite, amber.

succintamẹnte *avv.* **1.** scantily clad, wearing revealing clothes: *donna ~ vestita* scantily-clad woman. – **2.** ⟨*fig*⟩ (*concisamente*) succinctly, concisely, briefly: *narrare ~ qc.* to tell s.th. briefly. – **succintẹzza** *f.* ⟨*non com*⟩ (*brevità*) brevity, succinctness.

succịnto (*p.pr. di succingere*) *a.* **1.** (*rif. a indumenti*) scant(y), revealing: *un costume da bagno ~* a scanty bathing-suit; (*scollato*) low-cut, with a low neckline. – **2.** (*rif. a persone: con le vesti succinte*) scantily dressed. – **3.** ⟨*lett*⟩ (*legato e tirato su*) succint, girded (*o* tucked) up: *una tunica -a* a girded-up tunic. – **4.** ⟨*fig*⟩ (*breve, sintetico*) succinct, concise, brief: *un ~ resoconto* a concise account; (*rif. a persone*) succinct, concise, terse. – **5.** ⟨*Entom*⟩ succinct. – **6.** ⟨*ant*⟩ (*legato in basso*) tied low down. □ *in ~* (*in breve*) concisely, briefly, succinctly, in short; *sii ~!* be brief!; *in vesti -e* scantily clad.

sụccio *m.* **1.** ⟨*rar,dial*⟩ (*succiata*) suck, pull; (*sorso*) sip. – **2.** ⟨*Venat*⟩ (*verso del beccaccino*) scape.

sụcciola *f.* ⟨*ant,tosc*⟩ (*castagna lessata*) boiled chestnut. □ ⟨*fig, tosc*⟩ *andare in brodo di -e* (*andare in solluchero*) to ⌜beb eside o.s.⌝ (*o* go mad) with joy.

succiọne *m.* → **succhione**.

succịsi *p.rem. di* **succidere**.

succisiọne *f.* cutting off at the base. – **succịso** (*p.p. di succidere*) *a.* cut off at the base.

succitạto *a.* above-mentioned, above(-named).

succlạvio *a.* ⟨*Anat*⟩ subclavian.

sụcco *m.* (*pl.* **-chi**) **1.** juice: *un limone pieno di ~* a lemon full of juice, a juicy lemon; *un bicchiere di ~ di arancia* a glass of orange-juice. – **2.** ⟨*fig*⟩ (*essenza*) essence, main (*o* essential) point, pith, heart, gist: *il ~ della questione* the gist of the matter, the point. – **3.** ⟨*Fisiol,Chim*⟩ juice.

□ ⟨*Biol*⟩ ~ **cellulare** cell sap; ⟨*Fisiol*⟩ ~ **duodenale** duodenal juice; ~ **enterico** intestinal juice; ⟨*Art*⟩ *succhi d'***erbe** kind of imitation tapestry; ~ *di* **frutta** fruit-juice; ⟨*Fisiol*⟩ ~ **gastrico** gastric juice; ~ *di* **mele** apple-juice; ⟨*Biol*⟩ ~ **nucleare** nuclear sap, karyolymph; ⟨*Fisiol*⟩ ~ **pancreatico** pancreatic juice; ~ *di* **pomodoro** tomato-juice; ~ *d'***uva** grape-juice; ~ **vegetale** sap; ~ *di* **verdura** vegetable-juice.

succosamẹnte *avv.* concisely, succinctly, pithily. – **succosità** *f*, **1.** juiciness, succulence. – **2.** ⟨*fig*⟩ richness, fullness. – **succọso** *a.* **1.** juicy, succulent: *frutto ~* juicy fruit. – **2.** ⟨*fig*⟩ (*sostanzioso*) pithy, meaty, full of substance; (*riassuntivo*) concise, succinct.

sụccube *m./f.* **1.** slave, person dominated by s.o. – **2.** ⟨*Occult*⟩ succubus. □ *diventare ~ di qd.* to become ⌜s.o.'s slave⌝ (*o* entirely dominated by s.o.); *essere ~ di qd.* to be dominated by s.o. – **sụccubo** *m.* (*f.* **-a**) ⟨*non com*⟩ → **succube**.

succulẹnto *a.* **1.** succulent, juicy: *un'arancia -a* a succulent orange. – **2.** ⟨*estens*⟩ (*gustoso*) succulent, tasty: *un pranzo ~* a tasty meal. – **3.** ⟨*Bot*⟩ (*grasso*) succulent, juicy: *pianta -a* succulent (plant). – **succulẹnza** *f.* **1.** succulence, juiciness. – **2.** ⟨*estens*⟩ (*l'essere gustoso*) succulence, tastiness. – **3.** ⟨*Bot*⟩ succulence.

succursạle I *s.f.* **1.** branch (office), ⟨*non com*⟩ succursal: *la ditta ha aperto una nuova ~* the company has opened a new branch office. – **2.** ⟨*Post*⟩ branch post office. – **II** *a.* branch-, succursal, subsidiary: *chiesa ~* succursal church, mission (church), chapel of ease.

succursalịsta *m.* ⟨*Dir.can*⟩ priest (in charge of a chapel of ease).

succussiọne *f.* ⟨*Med*⟩ succussion. □ *~ ippocratica* hippocratic succussion.

sụcido *a.* **1.** ⟨*Tess*⟩ yolky: *lana -a* yolky wool. – **2.** ⟨*ant*⟩ (*sudicio*) filthy, dirty. – **sucidụme** *m.* **1.** ⟨*Tess*⟩ yolk. – **2.** ⟨*ant*⟩ (*sudiciume*) filth, dirt, grime.

sụco *m.* ⟨*lett*⟩ → **succo**.

sụcre *sp. m.* (*unità monetaria*) sucre.

sucrịna *f.* ⟨*non com*⟩ (*saccarina*) saccharin.

sucrochịmica *f.* applied sugar-chemistry.

sud I *s.m.* **1.** south. – **2.** (*regione meridionale*) south: *il ~ della Francia* the south (*o* southern part) of France, southern France. – **3.** (*Italia meridionale*) south(ern) Italy. – **II** *a.* south, southern: *polo ~* South Pole; *emisfero ~* southern hemisphere. □ *a ~*: 1. (*stato*) south, southern, in the south: *la città è a ~ di Roma* the city is south of Rome; 2. (*moto*) south, to the south: *la macchina si diresse a ~* the car headed south; *abitante del ~* southerner; *vento del ~* south wind, southerly; *verso ~* south, southward(s), southerly.

sudacchiạre *v.i.* (**sudạcchio, sudạcchi**; *aus.* **avere**) to perspire a little, to sweat slightly.

Sudạfrica *N.pr.m.* ⟨*Geog*⟩ **1.** south (*o* southern) Africa. – **2.** (*stato*) South Africa (*denom.uff.*: *Repubblica del Sudafrica* Republic of South Africa). – **sudafricạno I** *a.* **1.** (*dell'Africa del sud*) South

African. – **2.** (*della Repubblica sudafricana*) South African, of South Africa. – **II** *s.m.* (*f.* **-a**) South African. ☐ *Unione -a* Union of South Africa.

sudamẹnto *m.* ⟨*rar*⟩ perspiring, sweating.

Sudamẹrica *N.pr.m.* ⟨*Geog*⟩ South America. – **sudamericạno I** *a.* South American. – **II** *s.m.* (*f.* **-a**) South American.

sudạmina *f.* ⟨*Med*⟩ sudamen.

Sudạn *N.pr.m.* ⟨*Geog*⟩ Sudan (*denom.uff.*: *Repubblica del Sudan* Republic of the Sudan, Sudanese Republic). – **sudanęse I** *a.* Sudanese, Sudan-, of the Sudan. – **II** *s.m.* **1.** (*lingua*) Sudani. – **2.** *m./f.* (*abitante*) Sudanese.

sudanịde I *a.* Sudanian. – **II** *s.m.* Sudanian.

sudạnte (*p.pr. di sudare*) *a.* ⟨*non com*⟩ sweating, perspiring.

sudarạbico *a./s.* (*pl.* **-ci**) **I** *a.* **1.** of southern Arabia. – **2.** ⟨*Ling*⟩ South Arabic. – **II** *s.m.* ⟨*Ling*⟩ South Arabic.

sudạre I *v.i.* (*aus.* **avere**) **1.** to sweat, to perspire: *mi sudano le mani* my hands are perspiring. – **2.** ⟨*fig*⟩ (*faticare molto, lavorare*) to work hard, to labour, ⟨*fam*⟩ to sweat: *~ per guadagnarsi da vivere* to work hard to earn a living. – **3.** ⟨*non com*⟩ (*trasudare*) to transude, to exude. – **II** *v.t.* **1.** (*trasudare*) to transude, to ooze, to exude, to sweat: *la brocca suda acqua* the jug is oozing water. – **2.** ⟨*fig*⟩ (*guadagnare con fatica*) to toil for, ⟨*fam*⟩ to sweat: *~ il pane* to toil for one's bread. ☐ *~ sette camicie* = *sudare sangue*; *~ freddo* to be in a cold sweat; *al solo pensiero sudavo freddo* the very idea ⌜put me in a cold sweat⌝ (*o* made my blood run cold); ⟨*iperb*⟩ *~ sangue* to sweat blood, to work like a slave.

sudạrio *m.* **1.** ⟨*Stor.rom*⟩ sudarium, sweat-cloth; (*fascia di lino dei soldati*) sweat-band. – **2.** ⟨*Rel*⟩ sudarium, Veronica. – **3.** ⟨*rar*⟩ (*lenzuolo funebre*) shroud, winding-sheet.

sudạta *f.* **1.** sweat(ing). – **2.** ⟨*fig*⟩ (*sforzo, fatica*) (great) effort, toil, hard work, drudgery, ⟨*fam*⟩ sweat. ☐ *fare una gran ~* to sweat (all over); ⟨*fig*⟩ to work hard (*o* like a slave), to sweat blood. – **sudatạccia** *f.* (*pl.* **-ce**) *pegg. di* **sudata**. – **sudatamẹnte** *avv.* ⟨*non com*⟩ (*con fatica*) by the sweat of one's brow, with great toil. ☐ *pane guadagnato ~* hard-earned bread. – **sudatịccio I** *a.* sweaty, damp: *avere la fronte -a* to have a damp forehead; *mani sudaticce* sweaty hands. – **II** *s.m.* (*sudore*) perspiration, sweat. – **sudatịna** *f. dim. di* **sudata**.

sudatlạntico *a.* (*pl.* **-ci**) South Atlantic: *dorsale -a* South Atlantic ridge.

sudạto (*p.p. di sudare*) *a.* **1.** sweaty: *mani -e* sweaty hands; (*bagnato di sudore*) sweaty, damp with sweat, wet with perspiration. – **2.** ⟨*fig*⟩ (*guadagnato con fatica*) hard-earned, earned (*o* gained) by the sweat of one's brow: *pane ~* hard-earned bread. – **3.** ⟨*lett*⟩ (*fatto con molta fatica*) toiled (*o* slaved) over, achieved by a great effort; (*faticoso, esercitato affaticandosi*) sweaty, laborious. ☐ *~ fradicio* bathed in sweat.

sudatọre *m.* (*f.* **-trice**) ⟨*non com*⟩ person who sweats (*o* perspires) freely. – **sudatọrio I** *a.* **1.** sweat-, ⟨*lett*⟩ sudatory: ⟨*Etnol*⟩ *capanna -a* sweat-house. – **2.** (*sudorifero*) sudoriferous, sudorific, producing sweat. – **II** *s.m.* ⟨*Archeol*⟩ sudatorium, sudatory.

suddelegạre *v.* → **subdelegare**.

suddẹtto I *a.* above-mentioned, above, aforesaid. – **II** *s.m.* (*f.* **-a**) above, said (person).

suddiaconạto *m.* ⟨*Rel*⟩ subdiaconate, subdeaconate. – **suddiạcono** *m.* subdeacon.

suddistịnguere *v.t.* (**suddistịnsi, suddistịnto**) ⟨*non com*⟩ to make a further distinction between (*o* in), ⟨*lett*⟩ to subdistinguish. – **suddistinziọne** *f.* subdistinction, further (*o* subordinate) distinction.

sudditạnza *f.* **1.** subjection, subjectdom. – **2.** (*cittadinanza*) citizenship. – **sụddito I** *s.m.* (*f.* **-a**) **1.** subject. – **2.** (*cittadino*) citizen. – **II** *a.* ⟨*ant*⟩ (*soggetto*) subject.

suddivịdere *v.t.* (**suddivịsi, suddivịso**) **1.** to subdivide: *~ un capitolo in paragrafi* to subdivide a chapter into paragraphs. – **2.** (*dividere*) to divide: *~ un libro in capitoli* to divide a book into chapters. – **suddivisịbile** *a.* subdividable, subdivisible. – **suddivisiọne** *f.* **1.** subdivision. – **2.** (*divisione*) division. – **suddivịso** (*p.p. di suddividere*) *a.* **1.** subdivided. – **2.** (*diviso*) divided. – **suddivisọre** *m.* ⟨*non com*⟩ **1.** subdivider. – **2.** (*divisore*) divider. ☐ ⟨*El*⟩ *~ di tensione* voltage (*o* potential) divider.

sudequatoriạle *a.* South Equatorial.

sud-ęst *m.* south-east. ☐ *a ~ di* (to the) south-east of; *di ~* south-eastern, from the south-east; (*rif. a vento*) south-east, south-easterly: *vento di ~* south-east wind, south-easter, south-easterly.

Sudẹti *N.pr.m.pl.* ⟨*Geog*⟩ Sudeten *pl*, Sudetes *pl*, Sudetic Mountains *pl.* ☐ ⟨*Stor*⟩ *questione dei ~* Sudeten problem.

sudicerịa *f.* **1.** dirtiness, filthiness. – **2.** ⟨*concr*⟩ dirty thing; ⟨*collett*⟩ (*insieme di cose sudicie*) dirty things *pl*, muck, filth, filthiness. – **3.** ⟨*fig*⟩ (*indecenza*) indecency, immodesty. – **4.** ⟨*fig*⟩ (*atto indecente*) indecency, indecent behaviour; (*discorso indecente*) indecent (*o* dirty) talk, foul language. – **5.** ⟨*fig*⟩ (*azione disonesta*) disgrace, shame, outrage, dirty trick.

sudiciamẹnte *avv.* dishonestly, dirtily, immorally, foully.

sụdicio I *a.* **1.** (*sporco*) dirty, filthy, grimy: *viso ~* dirty face; (*macchiato*) dirty, soiled: *una tovaglia -a* a dirty tablecloth. – **2.** ⟨*fig*⟩ (*disonesto*) dishonest, dirty, underhand, immoral, dishonourable. – **3.** ⟨*fig*⟩ (*indecente*) indecent, improper, obscene, dirty: *discorsi sudici* indecent (*o* foul) language, dirty talk. – **4.** ⟨*spreg*⟩ dirty, filthy, foul, ⟨*fam*⟩ lousy, ⟨*fam*⟩ rotten, ⟨*fam*⟩ low-down: *un ~ ricattatore* a dirty blackmailer. – **5.** ⟨*non com*⟩ (*rif. a colore: non brillante*) dirty, off-, dingy: *bianco ~* dirty white, off-white. – **II** *s.m.inv.* **1.** filth, dirt, grime: *vivere nel ~* to live in filth. – **2.** ⟨*fig*⟩ (*immoralità*) dishonesty, immorality, dirty behaviour.

☐ *avere la* **coscienza** *-a* to have a guilty (*o* bad) conscience; *~ di* **fango** muddy; *~ di* **fuliggine** sooty; *~ d'***inchiostro** inky; ⟨*fam, non com*⟩ **lingua** *-a* coated (*o* furred) tongue; *~ di* **polvere** dusty; *~ di* **unto** greasy, oily.

sudiciọne (*accr. di sudicio*) *m.* (*f.* **-a**) **1.** dirty (*o* filthy) person, ⟨*fam*⟩ pig, ⟨*am.fam*⟩ slob. – **2.** ⟨*fig*⟩ immoral person, ⟨*fam*⟩ swine.

sudiciụme *m.* **1.** dirt, filth, muck. – **2.** ⟨*fig*⟩ (*disonestà*) dirt, dishonesty, immorality. – **3.** ⟨*spreg,non com*⟩ (*persona sudicia*) dirty (*o* filthy) person, ⟨*fam*⟩ (dirty) pig, ⟨*am.fam*⟩ slob. – **4.** ⟨*fig,non com*⟩ (*persona disonesta*) immoral person.

sudịsta I *s.m./f.* **1.** southerner. – **2.** ⟨*Stor*⟩ Confederate, Southerner, ⟨*am.fam*⟩ rebel. – **II** *a.* **1.** southern. – **2.** ⟨*Stor*⟩ Confederate, Southern, ⟨*am.fam*⟩ rebel.

sudorạle *a.* ⟨*Med*⟩ sudoral. ☐ *febbre ~* undulant fever, brucellosis. – **sudoraziọne** *f.* ⟨*Fisiol*⟩ diaphoresis, perspiration, sweating.

sudọre *m.* **1.** sweat, perspiration. – **2.** ⟨*fig*⟩ (*fatica*) hard work, drudgery, toil, sweat: *questo lavoro mi è costato molto ~* this job cost me a lot of hard work.

☐ ⟨*non com*⟩ **andare** *in ~* to sweat, to perspire; **bagnato** *di ~* sweaty, wet (*o* dripping) with sweat, perspiring; *essere in un* **bagno** *di ~* to be ⌜bathed in⌝ (*o* dripping with) sweat; *~* **freddo** cold sweat; ⟨*fig*⟩ *mi venne il ~ freddo* I broke out in a cold sweat, my blood ran cold; *guadagnarsi il pane col ~ della* **fronte** to earn one's living by the sweat of one's brow; **grondante** *di ~* dripping with sweat, ⟨*fam*⟩ all in a sweat; **madido** (*o* **molle**) *di ~* = **bagnato** *di sudore*; *~ della* **morte** cold sweat of death; **sciogliersi** *in ~* = *essere in un* **bagno** *di sudore*; **spargere** *~* to sweat; ⟨*fig*⟩ (*affaticarsi*) to work hard, to sweat blood; **stille** *di ~* beads of sweat.

sudorịfero I *a.* sudorific, sudoriferous, diaphoretic: *una bevanda -a* a sudorific beverage. – **II** *s.m.* sudorific. – **sudorịfico** *a.* (*pl.* **-ci**) ⟨*non com*⟩ (*sudorifero*) sudorific, sudoriferous.

sudorịna *f.* ⟨*pop*⟩ → **sudamina**.

sudorịparo *a.* ⟨*Fisiol*⟩ sudoriparous, sweat-, sudoriferous: *ghiandole -e* sweat-glands, sudoriparous glands.

sud-ǫvest *m.* **1.** south-west. – **2.** (*copricapo*) sou'wester, south-wester. ☐ *a ~ di* (to the) south-west of; *di ~* south-western, from the south-west; (*rif. a vento*) south-west: *vento di ~* south-west wind, south-wester, south-westerly.

sụdra *m.* S(h)udra.

sud-sud-ęst *m.* south-south-east. – **sud-sud-ǫvest** *m.* south-south-west.

Sud-Tirọlo *N.pr.m.* ⟨*Geog*⟩ South Tyrol.

sụe *avv.* ⟨*ant,tosc*⟩ → **su**.

Suẹcia *N.pr.f.* ⟨*poet,ant*⟩ (*Svezia*) Sweden. – **suẹco** *a./s.* (*pl.* **-ci/-chi**) ⟨*ant*⟩ **I** *a.* (*svedese*) Swedish. – **II** *s.m.* (*f.* **-a**) Swede.

suespọsto *a.* ⟨*burocr*⟩ above, above-stated, aforesaid.

Suẹvia *N.pr.f.* ⟨*ant*⟩ (*Svevia*) Swabia. – **suẹvo** ⟨*ant*⟩ **I** *a.* (*svevo*) Swabian, Suabian. – **II** *s.m.* (*f.* **-a**) Swabian, Suabian.

Sụez *N.pr.f.* ⟨*Geog*⟩ Suez. ☐ *canale di ~* Suez Canal.

Suẹzia *N.pr.f.* ⟨*poet,ant*⟩ (*Svezia*) Sweden.

suffẹtto *m.* ⟨*Stor.rom*⟩ (*anche console suffetto*) suffect.

suffẹudo *m.* ⟨*Mediev*⟩ subfief.

sufficẹnte *a./s.* → **sufficiente**. – **sufficẹnza** *f.* → **sufficienza**.

sufficiẹnte I *a.* **1.** enough, sufficient: *avere viveri -i per due giorni ancora* to have enough (*o* sufficient) food for two more days. – **2.** (*adeguato*) enough, sufficient, adequate, *di solito si qualifica con un aggettivo*: *queste non sono scuse -i* these excuses are not good enough; *la sala non è ~ a contenere tanta gente* the hall is not large enough to hold so many people. – **3.** (*presuntuoso*) presumptuous, (self-)conceited, ⟨*fam*⟩ cocky; (*borioso*) arrogant, haughty: *tono ~* arrogant tone. – **4.** ⟨*Scol*⟩ fair. – **5.** ⟨*ant*⟩ (*idoneo, adatto*) suitable. – **II** *s.m.* **1.** enough: *ha appena il ~ per vivere* he has barely enough to live on. – **2.** ⟨*non com*⟩ (*persona che ostenta superiorità*) conceited (*o* cocky) person. ☐ *essere ~* (*bastare*) to be enough, to suffice, ⟨*fam*⟩ to do; *essere ~ a se stesso* to be self-sufficient; *fare il ~* to act in a conceited way, ⟨*fam*⟩ to act superior; *non trovo parole -i a esprimere la mia riconoscenza* I cannot find words to express my gratitude.

sufficientemẹnte *avv.* **1.** sufficiently. – **2.** (*abbastanza*) enough, sufficiently. – **sufficiẹnza** *f.* **1.** sufficiency. – **2.** (*boria*) self-conceit; (*presunzione*) arrogance, presumptuousness. – **3.** ⟨*Scol*⟩ pass-mark. – **4.** ⟨*ant*⟩ (*pregio, valore*) worth. ☐ *a ~* enough: *mangiare a ~* to eat enough; *avere denaro a ~* to have enough money.

sụfficit *lat. intz.* ⟨*fam*⟩ that's enough.

suffịggere *v.t.* (**suffịggo, suffịggi**; *rar.* **suffịssi, suffịsso**) ⟨*Ling*⟩ to suffix, to add (as a suffix). – **suffịsso** *m.* suffix. ☐ *~ flessionale* ending, desinence; *~ nominale* nominal suffix; *~ verbale* verbal suffix. – **suffissọide** *m.* suffix.

sufflè *m.* ⟨*Gastr*⟩ (*soufflé*) soufflé.

suffocạre *v.t.* (**sụffoco, sụffochi**) ⟨*ant*⟩ (*soffocare*) to suffocate. – **suffocaziọne** *f.* ⟨*ant*⟩ (*soffocazione*) suffocation.

suffolạre *v.* → **sufolare**.

suffọlcere *v.t.* (**suffọlco, suffọlci; suffọlsi, suffọlto**) ⟨*lett,ant*⟩ (*soffolcere*) to support, to sustain.

suffọndere *v.t.* (**suffụsi, suffụso**) ⟨*ant*⟩ (*soffondere*) to sprinkle lightly, to bedew; (*colorire*) to tinge, to suffuse.

suffraganeità *f.* ⟨*Dir.can*⟩ suffraganship. – **suffragạneo** *a.* suffragan. ☐ *vescovo ~* suffragan (bishop).

suffragare *v.t.* (**suffrago, suffraghi**) **1.** (*appoggiare, sostenere*) to support, to bear out, to uphold, to back: *i fatti suffragano questa tesi* the facts bear out this theory. – **2.** ⟨*Rel*⟩ to pray (*o* intercede) for. – **3.** ⟨*ant*⟩ (*favorire*) to help, to assist; (*giovare*) to be useful to. – **suffragatore** *m.* (*f.* **-trice**) ⟨*Rel,non com*⟩ interceder (for the souls of the dead). – **suffragazione** *f.* **1.** ⟨*non com*⟩ support, help. – **2.** ⟨*Rel*⟩ intercession, suffrage.

suffragetta *f.* **1.** ⟨*Stor*⟩ suffragette. – **2.** ⟨*scherz*⟩ suffragette, feminist.

suffragio *m.* **1.** (*diritto di voto*) suffrage, franchise, vote; (*votazione*) voting, suffrage. – **2.** (*voto*) vote: *dare il proprio ~ a un candidato* to give one's vote to a candidate; (*voto favorevole*) approval, sanction, suffrage. – **3.** ⟨*Teol*⟩ suffrages *pl*, intercession; (*opera di carità*) good work. – **4.** ⟨*Dir.can*⟩ decision of an ecclesiastic court. – **5.** ⟨*lett*⟩ (*appoggio, favore*) support, favour; (*approvazione*) approval, sanction, suffrage: *la nuova opera ha ottenuto il ~ della critica* the new opera received the approval of the critics.
□ ⟨*Teol*⟩ *in ~ delle* **anime** *dei defunti* for the (souls of the) dead; *~* **diretto** direct suffrage; *~* **elettorale** suffrage, franchise; *~* **indiretto** indirect suffrage; **messa** *in ~ di qd.* Mass offered for (the soul of) s.o.; *~* **ristretto** restrict suffrage; *~* **universale** universal suffrage.

suffragista I *f.* → **suffragetta.** – **II** *m.* suffragist.

suffrutice *m.* ⟨*Bot*⟩ suffrutex, suffruticous plant. – **suffruticoso** *a.* **1.** suffruticous, suffruticose. – **2.** (*ricco di suffrutici*) abounding in suffruticous plants.

suffumicamento *m.* → **suffumicazione.** – **suffumicare** *v.t.* (**suffumico, suffumichi**) **1.** to fumigate (*anche di locali*). – **2.** ⟨*non com*⟩ (*riempire di fumo, di vapore*) to fill with smoke (*o* vapour, gas). – **suffumicazione** *f.* fumigation (*anche di locali*). – **suffumigare** *v.* ⟨*rar*⟩ → **suffumicare.**

suffumigio *m.* **1.** (*fumigazione*) fumigation. – **2.** ⟨*Med,Etnol*⟩ suffumigation.

suffusione *f.* ⟨*ant*⟩ (*soffusione*) suffusion. – **suffuso** *a.* ⟨*ant*⟩ (*soffuso*) suffused, spread.

sufi *m.* ⟨*Rel*⟩ Sufi. – **sufico** *a.* (*pl.* **-ci**) Sufic, Sufistic, Sufi. – **sufismo** *m.* Sufi(i)sm. – **sufita I** *a.* Sufic, Sufistic, Sufi. – **II** *s.m.* → **sufi.**

sufolare *v.i.* (**sufolo;** *aus.* **avere**) ⟨*ant*⟩ (*zufolare*) to pipe. – **sufolo** *m.* ⟨*ant*⟩ (*zufolo*) pipe.

suga: *carta ~* (*carta assorbente*) blotting-paper.

sugaia *f.* ⟨*tosc*⟩ (*concimaia: serbatoio*) sewage tank; (*mucchio*) manure heap, compost pile (*o* heap).

sugante (*p.pr. di sugare*) *a.* blotting: *carta ~* blotting-paper. – **sugare** *v.t.* (**sugo, sughi**) **1.** ⟨*ant,region*⟩ (*succhiare*) to suck; (*asciugare*) to dry. – **2.** ⟨*tosc*⟩ (*concimare*) to manure, to fertilize.

sugarello *m.* → **sugherello.**

sugatto(lo) *m.* (*sogatto*) (leather) thong, leather strip.

suggellamento *m.* sealing (*anche fig.*). – **suggellare** *v.t.* (**suggello**) **1.** ⟨*lett*⟩ (*sigillare*) to (close with a) seal. – **2.** ⟨*fig*⟩ to seal, to confirm: *suggellarono il patto con un brindisi* they sealed the pact with a toast. – **suggellazione** *f.* **1.** → **suggellamento.** – **2.** ⟨*Med*⟩ suggillation.

suggello *m.* **1.** ⟨*lett*⟩ (*sigillo*) seal. – **2.** ⟨*fig*⟩ seal; (*conferma*) seal, pledge, token, sign. □ *a ~ della nostra amicizia* as a token of our friendship.

suggere *v.t.* (forms in use: *pr.ind.* **sugge;** *impf.* **suggeva;** *pr.cong.* **sugga;** *ger.* **suggendo**) ⟨*lett*⟩ (*succhiare*) to suck.

suggerimento *m.* **1.** suggestion, suggesting. – **2.** (*la cosa consigliata*) suggestion: *dare un ~* to make a suggestion. – **3.** (*consiglio*) (piece of) advice, suggestion, tip: *seguire i -i di qd.* to take s.o.'s advice, to listen to s.o. □ *per ~ di qd.* at s.o.'s suggestion, on s.o.'s advice.

suggerire *v.t.* (**suggerisco, suggerisci**) **1.** to suggest: *~ una parola a qd.* to suggest a word to s.o.; (*a bassa voce*) to prompt, to hint, to help. – **2.** (*ispirare, richiamare alla mente*) to bring to mind, to suggest: *la primavera suggerisce ricordi della giovinezza* spring brings to mind memories of youth. – **3.** (*consigliare*) to suggest, to advise: *non so che cosa suggerirti* I don't know what to suggest; *mi suggerì di darlo a te* he suggested that I give it to you. – **4.** ⟨*Teat*⟩ to prompt.

suggeritore *m.* (*f.* **-trice/-a**) **1.** prompter. – **2.** (*consigliere*) adviser, suggester. – **3.** ⟨*Teat*⟩ prompter: *buca del ~* prompter's box, prompt-box.

suggestibile *a.* ⟨*Med*⟩ suggestible. – **suggestibilità** *f.* suggestibility. – **suggestionabile** *a.* suggestible. – **suggestionabilità** *f.* suggestibility. – **suggestionare** *v.t.* (**suggestiono**) **1.** to influence: *non lasciarti ~ dalle sue parole* don't let yourself be influenced by what he says. – **2.** (*indurre*) to work on, to induce, to persuade. – **suggestionarsi** *v.r.* to be influenced. – **suggestionato** (*p.p. di suggestionare*) *a.* **1.** strongly influenced; (*ipnotizzato*) hypnotized. – **2.** ⟨*estens*⟩ (*impressionato*) struck, impressed, affected; (*affascinato*) fascinated, struck.

suggestione *f.* **1.** ⟨*Psic*⟩ suggestion: *~ ipnotica* (hypnotic) suggestion. – **2.** ⟨*estens*⟩ (*influenza*) influence: *non posso sottrarmi alla sua ~* I can't resist his influence; (*suggerimento*) suggestion. – **3.** ⟨*fig*⟩ (*impressione*) impression, effect; (*fascino*) suggestiveness, charm, fascination, attraction: *la ~ del paesaggio* the charm of the scenery. □ ⟨*Dir*⟩ *~ collettiva* crowd suggestion.

suggestivamente *avv.* suggestively. – **suggestività** *f.* suggestiveness, charm. – **suggestivo** *a.* **1.** suggestive, indicative. – **2.** ⟨*estens*⟩ (*affascinante*) suggestive, charming: *una poesia -a* a suggestive poem. – **3.** ⟨*Dir*⟩ leading: *domanda -a* leading question.

suggettivo *a.* ⟨*ant*⟩ (*soggettivo*) subjective.

suggetto *a./s.* ⟨*ant*⟩ → **subietto.**

suggezione *f.* ⟨*ant,pop*⟩ (*soggezione*) subjection.

suggio *m.* ⟨*Mar.ant*⟩ (*caviglia di legno*) (wooden) belaying-pin.

sughera *f.* ⟨*Bot*⟩ (*anche quercia sughera*) cork-oak (*Quercus suber*). – **sugheraio** *m.* (*f.* **-a**) cork-worker. – **sugherato** *a.* ⟨*non com*⟩ **1.** (*fornito di sughero*) corked, cork-. – **2.** (*del colore del sughero*) cork-, cork-coloured.

sugherello *m.* ⟨*Itt*⟩ horse mackerel (*Trachurus trachurus*).

sughereta *f.*, **sughereto** *m.* cork plantation. – **sughericolo** *a.* cork-. – **sughericoltore** *m.* (*f.* **-trice**) cork planter. – **sughericoltura** *f.* cork growing. – **sugherificio** *m.* cork factory.

sughero *m.* **1.** ⟨*Bot*⟩ cork-oak (*Quercus suber*). – **2.** ⟨*Bot*⟩ (*tessuto secondario delle fanerogame*) cork. – **3.** ⟨*Ind*⟩ cork. – **4.** (*tappo di sughero*) cork. □ *di ~* cork-: *suole di ~* cork soles; *tappo di ~* cork; *~ femmina* (*o gentile*) reproduction cork; *~ maschio* (*o primario*) virgin cork; *~ secondario = sughero femmina*; *~ vergine = sughero maschio.*

sugherone[1] (*accr. di sughero*) *m.* ⟨*Bot*⟩ (*sughero maschio*) virgin cork.

sugherone[2] *m.* ⟨*Ornit*⟩ (*smergo maggiore*) goosander (*Mergus merganser*). □ *~ ciuffetto* (*smergo minore*) red-breasted merganser (*Mergus serrator*); *~ occhiolino* (*pesciaiola*) smew (*Mergus albellus*).

sugherosità *f.* corkiness. – **sugheroso** *a.* **1.** ⟨*Bot*⟩ suberose, cork-. – **2.** (*simile al sughero*) corky, cork-like, suberose.

sughetto, sughino (*dim. di sugo*) *m.* ⟨*Gastr*⟩ sauce.

sugli *prep.art.* (formed from *su + gli*) → **su.**

sugliardo *a.* ⟨*ant*⟩ (*sudicio*) filthy, dirty.

sugna *f.* **1.** pork fat. – **2.** (*strutto*) lard. – **3.** ⟨*non com*⟩ (*grasso, morchia*) grease. – **sugnoso** *a.* **1.** fatty, fat, containing lard. – **2.** (*untuoso*) greasy, oily.

sugo *m.* (*pl.* **-ghi**) **1.** ⟨*Gastr*⟩ (*salsa*) sauce; (*prodotto durante la cottura della carne*) gravy. – **2.** (*succo*) juice. – **3.** ⟨*fig*⟩ (*essenza*) (main) point, essence, gist, pith: *il ~ del discorso* the point of what was said. – **4.** ⟨*fig,scherz*⟩ (*soddisfazione, piacere*) fun, satisfaction, pleasure: *non c'è ~ a stuzzicarlo* there's no fun in teasing him. – **5.** *pl.* ⟨*Gastr,region*⟩ dish made of flour and must. – **6.** ⟨*tosc*⟩ (*concime*) manure, dung.
□ ⟨*Gastr*⟩ **al** *~* with (*o* in) sauce; ⟨*fig,scherz*⟩ *~ di* **bosco** (*legnate*) beating, thrashing; ⟨*Alim*⟩ *~ di* **canna** syrup; *~ di* **carne** gravy; ⟨*tosc*⟩ **dare** *il ~ a* (*concimare*) to manure; ⟨*fig,scherz*⟩ *~ di* **gomito** (*fatica*) elbow-grease; (*lavoro manuale*) work, labour; *~ di* **pomodoro** tomato-sauce; ⟨*fig*⟩ **senza** *~* pointless, flat, insipid, dull; ⟨*fig*⟩ **spremere** *il ~ di* (*o da*) *qc.* to get the substance (*o* point) of s.th.

sugosamente *avv.* **1.** juicily. – **2.** ⟨*fig*⟩ pithily. – **sugosità** *f.* **1.** juiciness, succulence. – **2.** ⟨*fig*⟩ pithiness. – **sugoso** *a.* **1.** (*succoso*) juicy, succulent. – **2.** (*condito con molto sugo*) with a lot of sauce. – **3.** ⟨*fig*⟩ pithy, meaty, full of substance.

sui *prep.art.* (formed from *su + i*) → **su.**

suicida I *s.m./f.* suicide. – **II** *a.* suicidal: *mania ~* suicidal mania. – **suicidarsi** *v.r.* **1.** to commit suicide, to kill o.s., to do away with o.s., to take one's life. – **2.** ⟨*fig*⟩ to commit suicide, ⟨*fam*⟩ to do ⌜for o.s.⌝ (*o* o.s. in). – **suicidio** *m.* suicide (*anche fig.*): *~ morale* moral suicide.

suidi *m.pl.* ⟨*Zool*⟩ suidians *pl*, suids *pl* (*Suida*).

sui generis *lat.* sui generis, unique, peculiar.

suindicato *a.* above-mentioned, above, (afore)said.

suinetto (*dim. di suino*) *m.* ⟨*Zool*⟩ piglet. – **suinicolo** *a.* ⟨*Zootecn*⟩ of pig-breeding. – **suinicoltore** *m.* (*f.* **-trice**) pig-breeder, hog -farmer. – **suinicoltura** *f.* pig-breeding.

suino I *s.m.* **1.** ⟨*Zool*⟩ (*maiale*) (domestic) pig, swine; (*il maschio: castrato*) hog; (*non castrato*) boar; (*la femmina*) sow. – **2.** *pl.* ⟨*Zool*⟩ swine *pl* (*Suinae*). – **3.** ⟨*Macell*⟩ pork, pig-meat. – **4.** ⟨*fig,non com*⟩ (*persona sudicia*) filthy person, pig (*f* sow); (*persona turpe*) swine. – **II** *a.* pig-, swine-. □ *carne -a* pork.

suite *fr.* [sy'it] *f.* **1.** ⟨*Mus*⟩ suite. – **2.** ⟨*rar*⟩ (*seguito*) suite, retinue.

suiveur *fr.* [syi'vœ:r] *m.* ⟨*Sport*⟩ follower.

sul *prep.art.* (formed from *su + il*) → **su.**

sula *f.* ⟨*Ornit*⟩ **1.** booby, gannet (*Sula*). – **2.** (*anche sula bassana*) gannet, Solan (*o* Solent) goose (*Sula bassana*).

sulfamidico *a./s.* (*pl.* **-ci**) **I** *a.* ⟨*Farm*⟩ sulphonamide-. – **II** *s.m.* sulphonamide, sulpha drug, sulphamide. – **sulfamidoresistenza** *f.* ⟨*Med*⟩ resistance to sulphonamides.

sulfureo *a.* **1.** (*di zolfo*) sulphur(e)ous, sulphur-. – **2.** (*che contiene zolfo*) sulphur(e)ous, sulphur-: *acque -e* sulphurous waters. – **3.** (*del colore dello zolfo*) sulphur(e)ous, sulphur-coloured. – **4.** (*simile a zolfo*) sulphur(e)ous.

sulidi *m.pl.* ⟨*Ornit*⟩ boobies and gannets *pl* (*Sulidae*).

sull' *prep.art.* (formed from *su + il*) → **su.**

sulla[1] *prep.art.* (formed from *su + la*) → **su.**

sulla[2] *f.* ⟨*Bot*⟩ sulla (clover), French honeysuckle (*Hedysarum coronarium*). – **sullaio** *m.* field of sulla clover.

sulle *prep.art.* (formed from *su + le*) → **su.**

sullo[1] *prep.art.* (formed from *su + lo*) → **su.**

sullo[2] *m.* ⟨*Itt*⟩ sheepshead bream (*Charax puntazzo*).

sullodato *a.* **1.** ⟨*scherz*⟩ already praised, praised before. – **2.** ⟨*burocr*⟩ (*sunnominato*) above-mentioned, aforesaid.

sulmontịno I *a.* of (*o* from) Sulmona. – **II** *s.m.* (*f.* **-a**) native (*o* inhabitant) of Sulmona.

Sulpịcio *N.pr.m.* ⟨*Stor*⟩ Sulpicius.

sulpiziạni *m.pl.* ⟨*Rel*⟩ Sulpicians *pl.*

sultạna *f.* **1.** (*moglie del sultano*) sultana, sultan's wife. – **2.** (*madre del sultano*) sultana, sultan's mother. – **3.** ⟨*Arred*⟩ (circular) divan. – **sultanạle** *a.* **1.** (*del sultano*) sultanic, sultan's. – **2.** (*del sultanato*) of a sultanate. – **sultanạto** *m.* **1.** (*dignità*) sultanate. – **2.** (*territorio*) sultanate. – **sultanịa** *f.* ⟨*lett*⟩ → **sultanato.** – **sultaniạle** *a.* → **sultanale.**

sultanịna *f.* sultana. □ *uva* ~ sultana (raisin).

sultạno *m.* sultan. □ ⟨*fig*⟩ *darsi arie di* ~ to lord it; ⟨*fig*⟩ *fare una vita da* ~ to live like a king.

sum. = ⟨*Farm*⟩ *sumatur* take, to be taken (*abbr.* sum.).

sụmach *m.* (*tappeto*) kind of rug.

Sumạtra *N.pr.f.* ⟨*Geog*⟩ Sumatra.

sụmbul *m.* **1.** ⟨*Bot*⟩ sumbul, sambul, musk-root (*Ferula sumbul*). – **2.** (*droga*) sumbul(-root), sambul.

sụmere *v.t.* ⟨*Lit*⟩ to take.

sumẹrico *a.* (*pl.* **-ci**) ⟨*Stor*⟩ Sumerian, Sumeric. – **sumẹro I** *s.m.* **1.** (*lingua*) Sumerian. – **2.** (*abitante*; *f.* **-a**) Sumerian. – **II** *a.* → **sumerico.** – **sumerologịa** *f.* Sumerology. – **sumerọlogo** *m.* (*pl.* **-gi**; *f.* **-a**) Sumerologist.

sụmma *f.* summa.

summentovạto, summenzionạto *a.* ⟨*burocr*⟩ above-mentioned, aforesaid.

summịsta *m.* ⟨*Mediev*⟩ summist.

sụmmo ⟨*ant*⟩ **I** *a.* (*sommo*) highest. – **II** *s.m.inv.* summit, top.

summụltiplo *m.* ⟨*non com*⟩ (*sottomultiplo*) submultiple.

sund [sun] *m.* ⟨*Geog*⟩ strait, sound.

sundanẹse I *a.* Sundanese. – **II** *s.m./f.* Sundanese.

sụnna *f.* ⟨*Rel*⟩ Sunna(h). – **sunnịta** *m./f.* Sunnite.

sunnominạto *a.* ⟨*burocr*⟩ above-mentioned, aforesaid.

sunteggiạre *v.t.* (**suntẹggio, suntẹggi**) to summarize, to make a summary of, to sum up. – **sụnto** *m.* summary, résumé. □ *fare un* ~ *di qc.* to summarize s.th.; *in* ~ (*brevemente*) briefly, summarizing, in short.

suntuosità *f.* (*sontuosità*) sumptuousness. – **suntuọso** *a.* (*sontuoso*) sumptuous.

sụo I *a.poss.* **1.** (*di lui*) his: *alcuni suoi parenti* some of his relatives, some relatives of his; *in vece* **-a** in his place; (*di lei*) her: *la madre e* ~ *figlio* the mother and her son; (*con valore indefinito*: *rif. a cose o animali*) its: *ogni frutto ha la* **-a** *stagione* every fruit has its season. – **2.** ⟨*enfat*⟩ (*suo proprio*: *di lui*) his own: *l'ha scritto di* ~ *pugno* he wrote it in his own hand; (*di lei*) her own; (*neutro*: *rif. a cose o animali*) its own. – **3.** ⟨*pred*⟩ (*proprietà, possesso*: *di lui*) his: *questo libro è* ~ this book is his; (*di lei*) hers: *questa borsa è* **-a** this handbag is hers. – **4.** (*forma di riguardo*; generally written with a capital) your: *ho ricevuto la Sua lettera* I have received your letter; *La ringrazio per la Sua* (*lettera*) *del 15 aprile* thank you for your letter of the 15th of April; (*nelle formule di chiusura delle lettere*) yours, yours truly: *Suo Mario Carli* yours truly, Mario Carli. – **5.** (*nelle espressioni ellittiche*: *di lui*) his: *ognuno vorrà dire la* **-a** (*opinione*) everyone will want to have his (own) say; (*di lei*) her: *sono dalla* **-a** (*parte*) I'm on her side. – **6.** (*abituale*: *di lui*) his: *dopopranzo fuma sempre la* **-a** *sigaretta* after dinner he always smokes his cigarette; (*di lei*) her. – **7.** (*preceduto dall'art. indeterminativo*: *di lui*) of his: *un* ~ *amico* a friend of his; (*di lei*) of hers: *un* ~ *libro* a book of hers; (*genitivo*: *di lui*) of him; (*di lei*) of her: *l'ho fatto per amore* ~ I did it for love of her. – **II** *pron.poss.* (*di lui*) his: *la mia camera è più grande della* **-a** my room is larger than his; (*di lei*) hers: *questa è la mia borsa, quella è la* **-a** this is my bag, that one is hers. – **III** *s.m.* **1.** (*averi, beni*: *di lui*) his (own) property: *ha dilapidato tutto il* ~ he squandered all his property; (*di lei*) her (own) property. – **2.** *pl.* (*parenti*: *di lui*) his relatives *pl*, his family: *i suoi non gli scrivono da mesi* his family hasn't written to him in months; (*di lei*) her relatives *pl*, her family; (*genitori*: *di lui*) his parents *pl*; (*di lei*) her parents *pl*; (*sostenitori, seguaci*: *di lui*) his men *pl*, his followers *pl*, his supporters *pl*: *questi due giovani sono dei suoi* these are two of his men; (*di lei*) her men *pl*, her followers *pl*, her supporters *pl*.

□ *a* **ciascuno** *il* ~ to each his own; ⟨*non com*⟩ **fare** *qc. di* ~ to do s.th. of one's free will; *Sua* **Maestà** His Majesty; *non c'è* **nulla** *di* ~ there is nothing of his own (in it); **pagare** *del* ~ to pay out of one's own pocket; *Sua* **Santità** His Holiness; ⟨*fig*⟩ **stare** *sulle* **-e** (*non dare confidenza*) to be aloof (*o* stand-offish), to keep to o.s.; *a* ~ **tempo** (*rif. al futuro*) in due course; (*rif. al passato*) originally; *ogni cosa a* ~ **tempo** there is a time for everything; ⟨*ant*⟩ **toccar** *le* **-e** (*avere ciò che uno si merita*) to get what one deserves; *è* **una** *delle* **-e** he's gone and done it again, there he goes again.

suọcera *f.* **1.** mother-in-law. – **2.** ⟨*spreg,scherz*⟩ (*donna autoritaria e bisbetica*) nag(ger), scold, virago, ⟨*scherz*⟩ battle-axe. □ ~ *e nuora*: 1. (*ampolle per olio e aceto*) (oil and vinegar) cruet; 2. ⟨*Bot*⟩ (*viola del pensiero*) wild pansy (*Viola tricolor*); ⟨*scherz*⟩ *star come* ~ *e nuora* (*in lite continua*) to fight like cats and dogs. – *Prov.*: ~ *e nuora, tempesta e gragnuola* mothers and daughters-in-law never get along well. – **suọcero** *m.* **1.** father-in-law. – **2.** *pl.* (*suocero e suocera*) mother- and father-in-law (*costr.pl.*), ⟨*fam*⟩ in-laws *pl.*

suọla *f.* **1.** sole; (*parte anteriore*) sole. – **2.** (*nello zoccolo del cavallo*) sole. – **3.** (*negli sci*) sole (of a ski). – **4.** (*nell'aratro*) sole. – **5.** ⟨*Ferr*⟩ flange. – **6.** ⟨*Fal,Mar,Strad*⟩ sole. – **7.** ⟨*Ind,Met*⟩ sole, hearth, bottom. – **8.** ⟨*Min*⟩ floor.

□ ~ *di* **corda** rope (*o* hemp) sole; ~ *di* **cuoio** leather sole; **doppia** ~ double sole; **fare** *le* **-e** *a* to sole; ~ *di* **gomma** rubber sole; **-e intere** (whole) soles; ~ **interna** inner sole, insole; **mezza** ~ half sole; ~ *di* **para** crêpe (rubber) sole; *far* **rifare** *le* **-e** *a* to have resoled; ⟨*Ferr*⟩ ~ *della* **rotaia** flange; ⟨*fam*⟩ *rimetterci anche le* **-e** *delle* **scarpe** to lose the shirt off one's back; ⟨*fig*⟩ *avere il giudizio sotto le* **-e** *delle scarpe* not to have an ounce of sense.

suolạre *v.t.* (**suọlo**) **1.** (*mettere la suola*) to sole. – **2.** (*rifare la suola*) to resole. – **suolatụra** *f.* **1.** (*il mettere la suola*) soling. – **2.** (*risolatura*) resoling.

suọlo¹ *m.* **1.** ground: *cadere al* ~ to fall to the ground. – **2.** (*terra*) ground, earth, land; (*terreno*) earth, soil. – **3.** ⟨*non com*⟩ (*pavimento*) floor. – **4.** ⟨*lett*⟩ (*terra, paese*) country, land. – **5.** ⟨*poet*⟩ (*superficie di specchio d'acqua*) surface. – **6.** ⟨*region*⟩ (*strato*) layer. □ ⟨*Geog*⟩ ~ *desertico* desert soil; ~ *eluviale* eluvial soil; ~ *pubblico* public property.

suọlo² *m.* (*pl.* **le suọla**) ⟨*tosc*⟩ (*suola*) sole.

suonạbile *a.* (*sonabile*) playable. – **suonacassẹtte** *m.inv.* cassette player. – **suonạre** *v.* → **sonare.**

suọno *m.* **1.** sound (*anche Fis.*): *il* ~ *della sua voce* the sound of his voice; *la velocità del* ~ the speed of sound. – **2.** (*tono*) tone, sound: ~ *alto* high tone. – **3.** (*rumore*) sound, noise: *il* ~ *del ruscello* the sound (*o* rippling) of the brook. – **4.** ⟨*Ling*⟩ sound; (*fonema*) phoneme. – **5.** ⟨*Mus*⟩ sound, notes *pl*: *il* ~ *del flauto* the sound (*o* piping) of the flute. – **6.** ⟨*fig,rar*⟩ (*discorso*) speech. – **7.** ⟨*rar*⟩ (*il sonare uno strumento*) playing. – **8.** ⟨*fig,ant*⟩ (*impressione*) impression. – **9.** ⟨*poet*⟩ (*fama*) fame, renown. – **10.** ⟨*poet*⟩ (*voce*) voice; (*parola*) word. – **11.** ⟨*ant*⟩ (*motivo*) motif.

□ ⟨*fig,scherz*⟩ *lo accolsero* **a** *suon di fischi* they greeted him with boos; ⟨*fig,scherz*⟩ *glielo fecero fare a suon di bastonate* they beat him into doing it; ⟨*Acu*⟩ ~ **accessorio** secondary tone; **al** ~ *d'una fisarmonica* to the sound of an accordion; ~ **armonico** harmonic, overtone; ⟨*non com*⟩ **arte** *dei* **-i** (*musica*) music; ⟨*Aer*⟩ **barriera** *del* ~ sound-barrier; ⟨*Acu*⟩ ~ **bianco** white noise; ~ *delle* **campane** sound (*o* ringing, pealing, tolling) of bells; (*singolo rintocco*) peal, toll; ⟨*Mus*⟩ ~ **chiuso** stopped note; ⟨*Acu*⟩ **-i combinati** combination tones; ⟨*Acu*⟩ ~ **composto** combined tone; ⟨*Ling*⟩ ~ **consonantico** consonantal sound; ⟨*Mus*⟩ ~ **differenziale** difference tone; ⟨*Mus*⟩ ~ **falso** dissonance, discord; ⟨*fig*⟩ *le sue parole avevano un* ~ *falso* his words ⌜had a false ring⌝ (*o* rang false); ⟨*Ling*⟩ ~ **finale** final sound; ⟨*Aer*⟩ ~ **fondamentale** fundamental tone; ⟨*Ling*⟩ ~ **iniziale** initial sound, first phoneme; ~ **interno** internal sound, medial (sound); **muro** *del* ~ = **barriera** *del suono*; ⟨*Mus*⟩ ~ **naturale** natural; ⟨*Acu*⟩ ~ **puro** (*o semplice*) pure (*o* simple) tone; ~ **stereofonico** stereo(phonic) sound; ~ *di* **tromba** trumpet-call, sound of the trumpet; ~ **udibile** audible sound; ⟨*Ling*⟩ ~ **vocalico** vowel sound.

suọr (*accorc. di suora*) *f.* Sister. – **suọra** *f.* **1.** ⟨*Rel*⟩ nun, sister: *farsi* ~ to become a nun, ⟨*lett*⟩ to take the veil. – **2.** (*titolo*) Sister: *suor Maria* Sister Mary. – **3.** ⟨*ant*⟩ (*sorella*) sister. □ *Suore della carità* Sisters of Charity; ~ *conversa* lay sister; ~ *infermiera* nursing nun; ~ *professa* professed nun.

sup. = ⟨*Gramm*⟩ *superlativo* superlative (*abbr.* sup.).

sụper¹ I *a.* premium: *carburante* ~ premium petrol, ⟨*am*⟩ premium (*o* high-octane) gas(oline). – **II** *s.f.* ⟨*Aut*⟩ premium petrol (*o* motor fuel), ⟨*am*⟩ premium gas(oline). – **III** *s.m.inv.* ⟨*non com*⟩ (*grado massimo*) acme, peak, height.

sụper² *m.* ⟨*Chim*⟩ (*superfosfato*) superphosphate, super.

super... *pref.* super..., sur..., over...

superạbile *a.* superable, surmountable, that can be overcome. – **superabilità** *f.* superability, superableness.

super|acụstico *a.* (*pl.* **-ci**) ⟨*Acu*⟩ supersonic. – **~aerodinạmica** *f.* superaerodynamics *pl* (*costr.sing.*). – **~affollạto** *a.* overcrowded, ⟨*fam*⟩ jam-packed. – **~alcọlico** *a./s.* (*pl.* **-ci**) **I** *a.* ⟨*Enol*⟩ high alcohol content, alcoholic, ⟨*am*⟩ hard. – **II** *s.m.* spirits *pl*, ⟨*am*⟩ hard liquor. – **~alimentaziọne** *f.* overfeeding, superalimentation, supernutrition. – **~allenamẹnto** *m.* ⟨*Sport*⟩ overtraining.

superamẹnto *m.* **1.** (*l'oltrepassare*) exceeding, being (*o* going) beyond, going over: *il* ~ *dei limiti di velocità* exceeding (*o* going over) speed limits; (*il varcare*) crossing, passing: *il* ~ *del traguardo* crossing the finishing-line. – **2.** (*il superare*) overcoming, getting through (*o* over), passing: *il* ~ *di un esame* getting through an exam; *il* ~ *di una malattia* getting over an illness; *il* ~ *della paura* overcoming one's fear. – **3.** (*l'essere superiore, più bravo*) surpassing, being better than, outdoing: *il* ~ *di un concorrente* outdoing a competitor. – **4.** (*sorpasso*) pass(ing), overtaking: *il* ~ *di un veicolo* the passing of a vehicle. – **5.** ⟨*Filos*⟩ counterbalance.

superạrbitro *m.* chief referee (*o* arbitrator).

superạre *v.t.* (**sụpero**) **1.** (*essere superiore*) to exceed, to surpass: *la produzione supera il fabbisogno* production exceeds need; *il risultato ha superato tutte le mie aspettative* the result surpassed all my expectations. – **2.** (*andare oltre un dato limite*) to exceed, to be (*o* go) beyond, to surpass (*anche fig.*): *questo supera le nostre forze* this exceeds our strength; (*rif. all'età*) to be over: *ha superato la quarantina* he is over forty. – **3.** (*percorrere*) to cover, to travel: ~ *grandi distanze* to cover long distances; (*attraversare*) to cross, to pass over: ~ *un fiume* to cross a river. – **4.** (*sorpassare*) to pass, to overtake: *il corridore ha superato il gruppo* the runner passed the group; ~ *un veicolo in curva* to pass a vehicle on a curve. –

5. ⟨*fig*⟩ (*essere più bravo*) to surpass, to be better than, to outdo: *qualche volta l'alunno supera il maestro* sometimes the student surpasses the teacher; ~ *qd. per astuzia* to surpass s.o. in cunning, to be more cunning than s.o.; ~ *qd. in qc.* to be better than s.o. in doing s.th. – **6.** (*sostenere qc. di difficile, di pericoloso*) to overcome, to get through (*o* over), to pass: ~ *una malattia* to get over an illness; *ha sostenuto l'esame di maturità* he got through his school-leaving exam. – **7.** ⟨*fig*⟩ (*vincere, battere*) to defeat, to beat, to overcome, to get the better of: ~ *un rivale* to overcome a rival; ~ *la concorrenza* to beat the competition. – **8.** ⟨*Mar*⟩ (*rif. a imbarcazioni a vela*) to overhaul.

☐ ~ *in* **grandezza** to be larger than; ~ *in* **larghezza** to be wider than; ~ *in* **lunghezza** to be longer than; ~ *un* **muro** to climb over a wall; ~ *in* **numero** to be more than; ~ *in* **peso** to outweigh; ~ *un avversario di cinque* **punti** to beat an opponent by five points; ⟨*Sport*⟩ ~ *un* **record** to beat a record; ~ **se** *stesso* to surpass o.s.; ~ *in* **velocità** to be (*o* go) faster than.

superassicurazịone *f.* over-insurance.

superạto (*p.p. di superare*) *a.* **1.** (*non più valido*) obsolete, old: *teorie -e* obsolete theories. – **2.** (*antiquato*) out-of-date, old-fashioned, antiquated: *idee -e* old-fashioned ideas.

super|autodịna *f.* ⟨*Rad*⟩ superautodyne. – **~aviazịone** *f.* ⟨*Aer,rar*⟩ high altitude flying.

Supẹrba: *la* ~ (*Genova*) Genoa.

superbamẹnte *avv.* **1.** proudly, haughtily. – **2.** ⟨*fig,enfat*⟩ (*splendidamente*) superbly, magnificently, splendidly, wonderfully.

supẹrbia *f.* **1.** pride, (self-)conceit. – **2.** (*orgoglio*) pride, haughtiness, ⟨*fam*⟩ snootiness; (*arroganza*) arrogance. – **3.** ⟨*Teol*⟩ pride. ☐ ⟨*pop*⟩ *con* ~ haughtily, arrogantly, in a high-and-mighty manner, ⟨*fam*⟩ snootily; *guardare qd. con* ~ to look down one's nose at s.o.; *gonfio* (o *pieno*) *di* ~ full of pride, puffed up, ⟨*fam*⟩ full of o.s.; *montare* (o *salire*) *in* ~ to grow proud; *senza* ~ modestly. – *Prov.*: *la* ~ *è figlia dell'ignoranza* pride is the daughter of ignorance; *la* ~ *andò a cavallo e tornò a piedi* pride goes before a fall, pride goes before and shame follows after.

superbiạccia *f.* (*pl.* -ce) *pegg. di* **superbia**. – **superbiẹtta** *f. dim. di* **superbia**. – **superbiosamẹnte** *avv.* ⟨*non com*⟩ haughtily, arrogantly. – **superbiosẹtto** (*dim. di superbioso*) *a.* ⟨*scherz,non com*⟩ rather conceited, rather snooty. – **superbiọso** *a.* ⟨*non com*⟩ haughty, proud, arrogant. – **superbịre** *v.i.* (**superbịsco, superbịsci**; *aus.* essere) ⟨*ant,poet*⟩ (*insuperbire*) to grow proud (*o* haughty).

supẹrbo I *a.* **1.** proud: *una famiglia ricca e -a* a rich and proud family; (*arrogante*) haughty, arrogant. – **2.** (*fiero*) proud: *essere* ~ *di qc.* to be proud of s.th. – **3.** (*altero, contegnoso*) haughty, aloof, disdainful. – **4.** (*rif. ad animali*: *tronfio*) proud, haughty, strutting, puffed up; (*vivace*) spirited, mettlesome. – **5.** ⟨*fig*⟩ (*grandioso*) magnificent, grand(iose), splendid, superb, proud: *un palazzo* ~ a magnificent palace; (*ottimo*) superb, magnificent, splendid, wonderful: *è un vino* ~ it is a superb wine. – **6.** ⟨*fig*⟩ (*altissimo, eccelso*) lofty, high: *le -e cime alpine* the lofty Alpine peaks. – **7.** ⟨*fig*⟩ (*erto, ripido*) steep. – **8.** ⟨*fig,non com*⟩ (*impetuoso*) violent, impetuous. – **9.** ⟨*ant*⟩ (*sporgente*) jutting (out), protruding. – **10.** ⟨*ant*⟩ (*acuto*) sharp, keen. – **II** *s.m.* (*f.* -a) proud person; *pl.* the proud (*costr.pl.*).

super|bọmba *f.* **1.** superbomb. – **2.** (*bomba all'idrogeno*) hydrogen -bomb, H-bomb, superbomb. – **~carburạnte** *m.* premium (*o* super, high-octane) petrol, ⟨*am*⟩ premium gas(oline).

supercịlio *m.* ⟨*ant*⟩ **1.** (*sopracciglio*) eyebrow. – **2.** ⟨*fig*⟩ (*cipiglio*) frown, scowl. – **superciliọso** *a.* ⟨*non com*⟩ (*altezzoso*) supercilious, haughty.

super|colọsso *m.* ⟨*Cin*⟩ supercolossal film. – **~conduttività** *f.* ⟨*Fis*⟩ superconductivity, supraconductivity. – **~conduttịvo** *a.* superconductive. – **~conduttọre** *m.* superconductor. – **~conduzịone** *f.* superconduction. – **~congelạto** ⟨*non com*⟩ **I** *a.* ⟨*Alim*⟩ (*surgelato*) (deep-)frozen. – **II** *s.m.* frozen food. – **~congiuntụra** *f.* ⟨*Econ*⟩ boom, favourable trend, ⟨*am*⟩ upswing. – **~decorạto I** *a.* much -decorated. – **II** *s.m.* (*f.* -a) much-decorated person. – **~dọnna** *f.* **1.** superwoman, superior woman. – **2.** ⟨*iron*⟩ paragon, superwoman. ☐ ⟨*pop*⟩ *darsi arie da* ~ to act conceited (*o* superior), to ⌈put on⌉ (*o* give o.s.) airs. – **~dotạto** *a.* (highly-)gifted, highly-endowed. – **~-ẹgo** *m.* → **super-io**. – **~eminẹnte** *a.* ⟨*ant*⟩ **1.** (*sovreminente*) lying (*o* standing) above (*a qc.* s.th.), rising (over). – **2.** ⟨*fig*⟩ supereminent, greatly exceeding, surpassing. – **~eminẹnza** *f.* ⟨*ant*⟩ **1.** (*sovreminenza*) high position. – **2.** ⟨*fig*⟩ supereminence, pre-eminence, elevation, grandeur. – **~erogatọrio** *a.* supererogatory. – **~erogazịone** *f.* supererogation. – **~eterodịna** *f.* ⟨*Rad*⟩ superheterodyne. – **~famịglia** *f.* ⟨*Biol*⟩ superfamily. – **~fecondazịone** *f.* superfecundation. – **~fetazịone** *f.* **1.** ⟨*Biol*⟩ superfetation; (*nelle piante*) superfetation. – **2.** ⟨*fig*⟩ (*aggiunta superflua*) superfetation, superfluous addition.

superfịce *f.* → **superficie**.

superficiạle *a.* **1.** (*relativo alla superficie*) superficial, surface-: *strato* ~ superficial fascia. – **2.** (*che non penetra in profondità*) superficial, surface-, shallow: *un'incisione* ~ a shallow incision; *ferita* ~ superficial wound, flesh-wound. – **3.** ⟨*fig*⟩ (*rif. a persone*: *che non approfondisce*) superficial, shallow; (*leggero, fatuo*) fatuous, shallow, flighty. – **4.** ⟨*fig*⟩ (*rif. a cose*: *rapido, sbrigativo*) superficial, hasty, cursory, casual: *dare un'occhiata* ~ *al giornale* to give a hasty glance at the paper; (*non profondo, generico*) shallow, vague, superficial. – **5.** ⟨*Geog*⟩ surface-: *acqua* ~ surface water. – **6.** ⟨*Fis,tecn*⟩ surface-: *tensione* ~ surface tension. – **7.** ⟨*Geom*⟩ plane: *figure -i* plane figures.

superficialità *f.* **1.** superficiality, superficialness. – **2.** ⟨*fig*⟩ superficiality, shallowness. ☐ *con* ~ superficially. – **superficialmẹnte** *avv.* **1.** superficially, on the surface: *il problema è stato trattato molto* ~ the problem was dealt with very superficially. – **2.** ⟨*fig*⟩ (*esteriormente*) superficially, shallowly. – **superficialọne** (*accr. di superficiale*) ⟨*fam*⟩ **I** *a.* very superficial (*o* shallow). – **II** *s.m.* (*f.* -a) very superficial person.

superfịcie *f.* **1.** surface: *la* ~ *di un tavolo* the surface of a table; *la* ~ *del mare* the surface of the sea. – **2.** ⟨*Mat,Geom*⟩ surface; (*di solidi*) plane; (*area*) area: *calcolare la* ~ *di un cerchio* to calculate the area of a circle. – **3.** ⟨*fig*⟩ (*apparenza, esteriorità*) surface, appearance. – **4.** ⟨*estens*⟩ (*strato*) layer, coat: *una sottile* ~ *d'asfalto* a thin layer of asphalt. – **5.** ⟨*tecn*⟩ surface, way; (*parete*) wall.

☐ ⟨*Mecc*⟩ ~ **adesiva** adhesive surface; ~ **agraria** (o *agricola*) agricultural area, farmland; ⟨*Aer*⟩ ~ **alare** wing area; ~ **algebrica** algebraic area; **alla** ~ on the surface (*anche fig.*); ⟨*Mecc*⟩ ~ *d'***appoggio** supporting surface; ⟨*Fis*⟩ ~ *d'***attrito** rubbing surface; ~ *a* **bosco** woodland area, forest; ~ **coltivabile** cultivable area, (area of) arable land; ~ **coltivata** cultivated area, area under cultivation, land under crop; ⟨*Aer*⟩ ~ *di* **comando** control surface; ~ *di* **contatto** faying surface, surface of contact; ~ *di* **controllo** control surface; ⟨*Edil*⟩ ~ **coperta** built (*o* covered) area; ⟨*Geom*⟩ ~ **curva** curve surface; **diritto** *di* ~ superficies, superficial right; ⟨*El*⟩ **effetto** *di* ~ surface charge effect, s-effect; ⟨*Fis*⟩ ~ **equipotenziale** equipotential surface; ~ **forestale** = *superficie a* **bosco**; ⟨*Mecc*⟩ ~ **frenante** braking surface; ~ **frontale** front surface, face; **in** ~ = **alla** *superficie*; ⟨*Geom*⟩ ~ **laterale** lateral face, side surface; ~ **liscia** smooth surface; ⟨*Fis*⟩ ~ *di* **livello** level surface; ⟨*Fis*⟩ ~ *d'***onda** wave front; ~ **piana** plane (*o* flat) surface; ⟨*Anat*⟩ ~ **plantare** sole of the foot; ⟨*Aer*⟩ ~ **portante** supporting surface; ⟨*Mecc*⟩ ~ *di* **raffreddamento** cooling surface; ⟨*Mecc*⟩ ~ **riscaldante** heating surface; ~ *di* **rivoluzione** = *superficie* **rotonda**; ⟨*Geom*⟩ ~ **rotonda** (o *di rotazione*) surface of revolution; ~ **ruvida** rough surface; ⟨*Mecc*⟩ ~ *di* **scorrimento** sliding (*o* slide, gliding) surface; ~ **speculare** mirror surface, surface of a mirror; ~ **stampante** type face; ~ **stradale** (o *della strada*) road surface; ⟨*Geol*⟩ ~ **strutturale** bedding plane; ~ **terrestre** (o *della terra*) earth's surface; ~ **totale** total area; ~ **utile** useful (*o* useable) surface; ⟨*Mar*⟩ ~ **velica** sail area.

superfinitụra *f.* ⟨*tecn*⟩ superfinishing, precision (*o* fine) finishing.

superfluità *f.* **1.** superfluousness, superfluity. – **2.** ⟨*non com*⟩ (*cosa superflua*) non-essential; *pl.* excess, superfluous things *pl*, surplus.

supẹrfluo I *a.* **1.** superfluous, unnecessary: *spese -e* unnecessary expenses; (*non indispensabile*) non-essential, superfluous. – **2.** (*inutile*) useless, superfluous, gratuitous: *ogni commento è* ~ all comment is superfluous. – **II** *s.m.inv.* surplus, excess, extra.

super|fortẹzza: ⟨*Aer*⟩ ~ *volante* Superfort(ress). – **~fosfạto** *m.* ⟨*Chim*⟩ superphosphate, super. – **~galạssia** *f.* ⟨*Astr*⟩ supergalaxy. – **~gigạnte** *f.* ⟨*Astr*⟩ (*anche stella supergigante*) supergiant (star).

supergiù (o *su pẹr giù*) *avv.* → **suppergiù**.

sụperi *m.pl.* ⟨*Mitol*⟩ (*anche dei superi*) supernal gods *pl*.

super|-iconoscọpio *m.* ⟨*Fis*⟩ supericonoscope, image iconoscope. – **~infezịone** *f.* ⟨*Med*⟩ superinfection. – **~-ịo** *m.* ⟨*Psic*⟩ super-ego.

superiọra *f.* ⟨*Rel.catt*⟩ (*anche madre superiora*) Mother Superior, Superioress. – **superiorạto** *m.* office of a Superior.

superiọre (*compar. di alto*) **I** *a.* **1.** (*rif. a qualità, a capacità*) superior, greater, more, better: *ha una forza di volontà* ~ *alla mia* he has more will-power than I have; *essere* ~ *a qd. per intelligenza* to be more intelligent than s.o.; *la squadra avversaria è* ~ *alla nostra* the opposing team is better than ours. – **2.** (*più alto, più elevato*) higher, above: *statura* ~ *alla media* above average height; *temperatura* ~ *ai cinquanta gradi* temperature above fifty; *ottenere un punteggio* ~ to get a higher score; (*rif. a numeri*) more (*o* higher) than, over, above. – **3.** (*che è situato più sopra*) upper, above: *i piani -i della casa* the upper floors of the house; *abita al piano* ~ he lives on the floor above; (*che si trova più in alto*) upper: *la parte* ~ *della pagina* the upper half of the page; *il labbro* ~ the upper lip. – **4.** (*al di sopra*) above, beyond: *essere* ~ *alla media* to be above average; *un lavoro* ~ *alle mie forze* a job beyond my capabilities; *un'opera* ~ *a ogni critica* a work above all criticism; *essere* ~ *ai pettegolezzi* to be above gossip. – **5.** (*di grado superiore*) senior, superior, upper: *le classi -i della scuola* the senior classes of the school; *ufficiali -i* superior (*o* higher-ranking) officers. – **6.** (*più avanzato*) advanced, higher: *istruzione* ~ higher education; *un corso di fisica* ~ an advanced physics course. – **7.** ⟨*assol*⟩ (*ottimo*) first-class, excellent, high-quality, superior: *un prodotto di qualità* ~ a first-class product; (*altamente dotato*) superior, gifted, talented: *una mente* ~ a superior mind. – **8.** ⟨*Geog*⟩ (*settentrionale*) northern, north: *Austria* ~ Northern Austria. – **9.** ⟨*Geol*⟩ upper, upstream: *il corso* ~ *del Nilo* the upper course of the Nile. – **10.** ⟨*lett*⟩ (*precedente*) preceding. – **II** *s.m.* (*f.* -a) **1.** superior: *obbedire ai -i* to obey one's superiors. – **2.** ⟨*Rel. catt*⟩ (Father) Superior.

☐ **arti** *-i* upper limbs, arms *pl*; *essere* ~ *per* **durata** to be longer -lasting, to last longer; **essere** ~ *a qd.* to rank above s.o.; *essere* ~ *a un concorrente* to be superior to a competitor; *di* **età** ~ older; ⟨*Geog*⟩ **Lago** ~ Lake Superior; *essere* ~ *di* **numero** to be superior in number.

superiorità *f.* superiority: ~ *numerica* numerical superiority; *confidare nella* ~ *dei propri mezzi* to trust in the superiority of one's capabilities. – **superiormẹnte** *avv.* higher up, at (*o* on) the top, above, on the upper part.

superlativamẹnte *avv.* **1.** superlatively. – **2.** (*sommamente*) excel-

lently, superlatively, in the highest degree. – **3.** (*straordinariamente*) extraordinarily, unusually. – **4.** ⟨*Gramm*⟩ superlatively.
superlatịvo I *a.* **1.** (*eccellente*) superlative, supreme, excellent: *bellezza -a* superlative beauty. – **2.** (*esagerato*) superlative, exaggerated, excessive. – **3.** ⟨*Gramm*⟩ superlative. – **II** *s.m.* ⟨*Gramm*⟩ (*grado superlativo*) superlative (degree). ☐ ⟨*Gramm*⟩ ~ *assoluto* absolute superlative; ~ *relativo* relative superlative.
super|lavọro *m.* overwork. – **~lịbros** *lat. m.inv.* ⟨*Bibliot*⟩ book -stamp, superexlibris. – **~mạrket** *ingl. m.* → **supermercato.** – **~mercạto** *m.* supermarket. – **~nazionạle** *a.* supernational: *interessi -i* supernational interests. – **~nazionalità** *f.* supernationality.
supẹrni *m.pl.* → **superi.**
supẹrno *a.* ⟨*lett*⟩ **1.** (*superiore*) upper, higher. – **2.** (*alto*) (on) high. – **3.** (*celeste*) celestial, heavenly, ⟨*lett*⟩ supernal; (*divino*) divine, godly.
super|normạle *a.* (*sopranormale*) supernormal. – **~nọva** *f.* ⟨*Astr*⟩ supernova. – **~nutriziọne** *f.* supernutrition, overfeeding, superalimentation.
sụpero[1] *a.* **1.** ⟨*lett*⟩ (*superiore*) upper. – **2.** (*alto*) high; (*più alto*) higher. – **3.** ⟨*Bot*⟩ superior. ☐ (*dei*) *-i* supernal gods.
sụpero[2] *m.* ⟨*Comm,burocr*⟩ (*eccedenza*) surplus, extra, excess.
super|omịsmo *m.* → **superumanismo.** – **~ọrdine** *m.* ⟨*Zool*⟩ superorder. – **~petrolịera** *f.* ⟨*Mar*⟩ supertanker, super oil-tanker. – **~potẹnza** *f.* ⟨*Pol*⟩ superpower, superstate. – **~pressiọne** *f.* ⟨*Fis,rar*⟩ overpressure, excessive pressure. – **~produziọne** *f.* ⟨*non com*⟩ (*sovrapproduzione*) overproduction. – **~reattịvo** *a.* ⟨*Rad*⟩ super -regenerative: *ricevitore* ~ super-regenerative receiver. – **~reaziọne** *f.* super-regeneration, super-reaction. ☐ *a* ~ → **superreattivo.** – **~rifraziọne** *f.* ⟨*Fis*⟩ super-refraction. – **~rigeneratịvo** *a.* → **superreattivo.** – **~rigeneraziọne** *f.* **1.** ⟨*Biol*⟩ super-regeneration. – **2.** ⟨*non com*⟩ → **superreazione.** – **~saturaziọne** *f.* (*soprasaturazione*) supersaturation. – **~sọnico** *a.* (*pl.* **-ci**) supersonic: *velocità -a* supersonic speed; *aereo* ~ supersonic plane, SST. – **~sonọro** *a.* ⟨*non com*⟩ → **supersonico.** – **~stạto** *m.* ⟨*Pol*⟩ superstate.
supẹrstite I *a.* surviving (*anche fig.*). – **II** *s.m./f.* survivor: *i -i del terremoto* the survivors of the earthquake. ☐ *padre* ~ *al figlio* father who survives (*o* outlives) his son.
superstiziọne *f.* superstition. – **superstiziosamẹnte** *avv.* **1.** superstitiously, in a superstitious way. – **2.** (*per superstizione*) superstitiously, out of superstition. – **superstiziosità** *f.* superstitiousness. – **superstiziọso** *a.* superstitious.
super|strạda *f.* motorway, ⟨*am*⟩ superhighway. – **~strạto** *m.* ⟨*Ling*⟩ superstratum. – **~testimọne** *m./f.* key witness. – **~transatlạntico** *m.* (*pl.* **-ci**) ⟨*Mar*⟩ superliner. – **~umanịsmo** *m.* ⟨*Filos*⟩ nature of a superman. – **~umerạle** *m.* ⟨*Rel.ebr*⟩ superhumeral, ephod. – **~uọmo** *m.* superman.
supervacạneo *a.* ⟨*lett,rar*⟩ **1.** (*superfluo*) superfluous. – **2.** (*vano*) vain, useless. – **supervacạno** *a.* ⟨*ant*⟩ → **supervacaneo.**
super|valutạre *v.t.* (**supervalụto/supervạluto**) ⟨*non com*⟩ (*sopravvalutare*) **1.** to overestimate, to overrate. – **2.** ⟨*Econ*⟩ to overestimate, to overvalue. – **~visiọne** *f.* **1.** supervision, supervising, oversight. – **2.** ⟨*Cin*⟩ supervision. – **~visọre** *m.* supervisor.
supinamẹnte *avv.* **1.** supinely. – **2.** ⟨*fig*⟩ (*servilmente*) supinely, servilely.
supịno[1] *a.* **1.** on one's back, face upwards, supine: *giacere* ~ to lie on one's back. – **2.** (*rif. alle mani*) supine, supinated. – **3.** ⟨*fig*⟩ supine, servile, abject: *obbedienza -a* supine obedience. – **4.** ⟨*rar, lett*⟩ (*volto all'insù*) turned upwards. ☐ *ignoranza -a* (*ignoranza crassa*) crass ignorance; *rassegnazione -a* (*rassegnazione vile*) cowardly resignation.
supịno[2] *m.* ⟨*Gramm*⟩ supine.
sụppa *f.* ⟨*ant,region*⟩ (*zuppa*) soup.
sụpparo *m.* ⟨*Mar.ant*⟩ topsail.
suppedạneo *m.* **1.** ⟨*lett*⟩ (*panchetto per i piedi*) foot-rest, footstool; (*tappeto*) carpet, rug; (*stoino*) mat. – **2.** ⟨*Lit*⟩ suppedaneum, predella; (*della croce*) suppedaneum.
suppellẹttile *f.* ⟨*collett*⟩ **1.** furnishings *pl*, equipment; (*di una casa*) household furnishings *pl* (*o* goods). – **2.** ⟨*Archeol*⟩ grave goods *pl*, archaeological finds *pl*. – **3.** ⟨*fig,non com*⟩ (*insieme di nozioni*) store (of knowledge). ☐ ~ *domestica* household furnishings (*o* goods) *pl*; *-i sacre* church furnishings; ~ *scolastica* school equipment (*o* furnishings *pl*).
suppergiù *avv.* ⟨*fam*⟩ (*all'incirca*) about, roughly, approximately, more or less, circa: *c'erano* ~ *venti persone* there were about twenty people.
supplementạre *a.* **1.** supplementary, additional: *volume* ~ supplementary volume; (*rif. a prezzi e sim.*) extra, additional, supplementary: *tassa* ~ supplementary tax, surtax. – **2.** (*straordinario*) extra, special, additional: *treno* ~ special train. – **3.** ⟨*Geom*⟩ supplementary: *angoli -i* supplementary angles. ☐ ⟨*Econ*⟩ *costo* ~ supplementary cost; ⟨*Sport*⟩ *tempi -i* extra time *sing*, overtime (periods).
supplemẹnto *m.* **1.** (*aggiunta*) supplement, addition; (*aggiunta fatta per completare*) supplement. – **2.** (*rif. a prezzi e sim.*) extra (charge), surcharge, additional charge: *un* ~ *di mille lire* a one-thousand lire surcharge; (*rif. a stipendi e sim.*) supplementary allowance. – **3.** ⟨*Edit*⟩ (*pubblicazione*) supplement; (*appendice*) appendix. – **4.** ⟨*Geom*⟩ supplement. – **5.** ⟨*ant*⟩ (*assegno*) allowance. – **6.** ⟨*ant*⟩ (*milizie di riserva*) reserve troops *pl*, reinforcements *pl*. ☐ ~ *d'anzianità* seniority salary increase; ⟨*Giorn*⟩ ~ *illustrato* illustrated supplement; ~ *per lavoro pesante* (o *gravoso*) hardship pay; ~ *per lavoro pericoloso* danger money; ⟨*Assic*⟩ ~ *di premio* additional premium; ⟨*Ferr*⟩ ~ *per* (*treno*) *rapido* ⌜additional charge⌝ (*o* extra fare) for travel on an express train.
supplentạto *m.* **1.** temporary post; (*complesso di supplementi*) temporary staff, substitutes *pl*, ⟨*fam*⟩ temporaries *pl*. – **2.** ⟨*Scol*⟩ temporary (*o* substitute) teaching post, supply work; (*complesso di supplenti*) temporary (*o* supply) teachers *pl*, temporary staff. – **topplẹnte**
I *a.* **1.** temporary, substitute: *personale* ~ temporary staff. – **2.** ⟨*Scol*⟩ temporary, supply-, on supply, substitute. – **II** *s.m./f.* **1.** substitute, ⟨*fam*⟩ temporary. – **2.** ⟨*Scol*⟩ temporary teacher, supply (teacher). – **supplẹnza** *f.* **1.** temporary post. – **2.** ⟨*Scol*⟩ temporary (*o* supply) teaching post, supply work. ☐ *attività di* ~ substitution, temporary work; *fare una* ~ to hold a temporary post, to ⌜stand in⌝ (*o* substitute).
suppletivịsmo *m.* ⟨*Ling*⟩ (*eteroclisia*) suppletion, heteroclisis.
suppletịvo *a.* **1.** supplementary, additional, extra: *elezione -a* supplementary election, by-election. – **2.** ⟨*Ling*⟩ (*eteroclitico*) suppletive. ☐ *corso* ~ continuation course, refresher course. – **suppletọrio** *a.* ⟨*non com*⟩ → **suppletivo.**
supplì *m.* ⟨*Gastr*⟩ rice croquette.
sụpplica *f.* **1.** (*umile preghiera*) plea, entreaty, supplication: *arrendersi alle suppliche di qd.* to give in to s.o.'s pleas. – **2.** (*istanza*) petition, request: *stendere una* ~ to draw up a petition. – **3.** ⟨*Rel*⟩ supplication(s). ☐ *in atto di* ~ imploringly, beseechingly.
supplicạnte (*p.pr. di supplicare*) **I** *a.* begging, beseeching, imploring, suppliant: *voce* ~ imploring voice. – **II** *s.m./f.* petitioner, suppliant, supplicant. – **supplicạre** *v.* (**sụpplico, sụpplichi**) **I** *v.t.* **1.** to beseech, to entreat, to implore, to beg, ⟨*lett*⟩ to pray, ⟨*lett*⟩ to supplicate: ~ *gli dei* to entreat the gods. – **2.** ⟨*iperb*⟩ to beg: *te ne supplico* I beg you. – **II** *v.i.* (*aus.* **avere**) ⟨*lett*⟩ to beseech, to entreat, to beg, to supplicate (*a qd.* s.o.). – **supplicatọre** *m.* (*f.* **-trice**) ⟨*non com*⟩ suppliant, entreater. – **supplicatọrio** *a.* ⟨*non com*⟩ supplicating, of supplication: *lettera -a* letter of supplication. – **supplicaziọne** *f.* **1.** ⟨*ant*⟩ (*supplica*) supplication, beseeching, entreaty. – **2.** ⟨*Dir, Stor*⟩ (*ricorso*) petition; (*appello*) appeal. ☐ ⟨*Lit*⟩ ~ *litanica* (*litania*) litany. – **sụpplice** ⟨*lett*⟩ **I** *a.* **1.** beseeching, suppliant. – **2.** (*rif. a parole e sim.*) imploring, beseeching, of supplication: *voce* ~ imploring tone. – **II** *s.m./f.* petitioner, beseecher, suppliant. – **supplichẹvole** *a.* **1.** imploring, beseeching, suppliant, of supplication: *parole -i* imploring words. – **2.** ⟨*lett*⟩ (*supplicante*) suppliant. – **supplichevolmẹnte** *avv.* imploringly, beseechingly, supplicatingly.
suppḷicio *m.* ⟨*ant*⟩ → **supplizio.**
supplicità *f.* ⟨*lett,rar*⟩ beseeching quality, note (*o* tone) of entreaty.
supplimẹnto *m.* ⟨*ant*⟩ → **supplemento.**
supplịre *v.* (**supplịsco, supplịsci**) **I** *v.i.* (*aus.* **avere**) **1.** to compensate, to make up (*a* for): ~ *con lo studio alla mancanza d'ingegno* to make up for lack of intelligence by study. – **2.** ⟨*ant*⟩ (*bastare*) to suffice. – **3.** ⟨*ant*⟩ (*soddisfare*) to fulfil; (*rif. a debiti*) to settle, to pay off. – **II** *v.t.* **1.** (*fare le veci*) to substitute, to stand (*o* fill) in for, to take the place of: ~ *un professore* to stand in for a teacher. – **2.** ⟨*rar,ant*⟩ (*aiutare*) to help.
suppliziạre *v.t.* (**supplịzio, supplịzi**) ⟨*non com*⟩ **1.** to torture. – **2.** (*uccidere*) to execute.
supplịzio *m.* **1.** torture, torment: ~ *cinese* Chinese torture. – **2.** (*pena di morte*) capital punishment, death penalty. – **3.** ⟨*fig*⟩ (*grave patimento*) torment, torture, agony: *soffrire il* ~ *della sete* to suffer the torment of thirst, to be racked by thirst. – **4.** ⟨*iperb*⟩ agony, torture: *queste scarpe strette sono un vero* ~ these tight shoes are sheer agony. – **5.** ⟨*lett*⟩ (*pena*) punishment. ☐ ~ *capitale* (*estremo supplizio*) death penalty, capital punishment; *condannare all'estremo* ~ to condemn to death; *condurre al* ~ to lead to death (*o* execution); ⟨*Mitol*⟩ ~ *di Tantalo* punishment (*o* torment) of Tantalus (*anche fig.*); ⟨*fig*⟩ *far patire il* ~ *di Tantalo a qc.* to tantalize s.o.
supponịbile *a.* **1.** supposable, to be supposed (*o* imagined). – **2.** (*presumibile*) presumable.
suppọrre *v.* (**suppọngo, suppọni; suppọsi, suppọsto**) **I** *v.i.* (*aus.* **avere**) **1.** (*ammettere*) to suppose: *supponiamo che tu abbia ragione* let us suppose (*o* say) you are right; *suppongo che tu non mi creda* I suppose you don't believe me; *suppongo di sì* I suppose so. – **2.** (*immaginare, pensare*) to suppose, to imagine: *supponiamo che mi risponda di no* supposing (*o* suppose) he says no; (*credere*) to suppose, to believe, to guess, to think, to presume: *suppongo che sia stato lui l'autore del furto* I suppose he was the thief. – **II** *v.t.* **1.** ⟨*non com*⟩ to suppose. – **2.** ⟨*ant*⟩ (*porre sotto*) to place under. – **3.** ⟨*ant*⟩ (*scambiare*) to substitute.
supportạre *v.t.* (**suppọrto**) **1.** (*nel golf*) to tee. – **2.** ⟨*tecn*⟩ to support.
suppọrto *m.* **1.** (*sostegno*) support; (*rif. a cuscinetti e sim.*) (bearing) housing. – **2.** (*struttura*) stand, support, base, holder, rest. – **3.** (*puntello*) prop, support, shore. – **4.** (*cartone per fotografie e sim.*) (cardboard) mount. – **5.** ⟨*Pitt*⟩ support. – **6.** ⟨*Fot*⟩ base, support.
☐ ⟨*Cin*⟩ ~ *all'***acetato** acetate base; ⟨*Mecc*⟩ ~ *dell'***albero** bearing, journal box, pillow block; ⟨*Mecc*⟩ ~ **antivibrante** shock-isolating mounting; ~ *di* **base** step bearing; ⟨*El*⟩ ~ *per* **bobine** coil form; ~ *del* **cuscinetto** bearing housing; ⟨*Tip*⟩ *-i per il* **foglio** sheet bands; ⟨*Mecc*⟩ ~ *a* **forcella** forked support; ⟨*Mecc*⟩ ~ **magnetico** magnetic stand; ⟨*Aut*⟩ ~ *del* **motore** engine bracket (*o* lug, mounting); ~ *a* **muro** wall bearing; ⟨*Mecc*⟩ ~ **oscillante** articulated support, floating saddle; ⟨*Mecc*⟩ ~ **pendente** hanger; ⟨*Mecc*⟩ ~ *del* **perno** journal bearing; ~ *del* **pezzo** work-rest, hollow rest; ~ *a* **rulli** roller

bearing; ~ *a* **scorrimento** slide (*o* sliding) bearing; ~ *a* **scudo** end-shield bearing; ~ *per* **tubi** pipe stand.
suppositivo *a.* ⟨*non com*⟩ **1.** hypothetical. – **2.** (*supposto*) supposed, assumed. – **suppositizio** *a.* ⟨*non com*⟩ supposititious: *prole -a* supposititious offspring. – **supposito I** *a.* ⟨*ant*⟩ (*supposto*) supposed. – **II** *s.m.* (*f.* **-a**) ⟨*Dir*⟩ supposititious person.
suppositorio *m.* → **supposta.**
supposizione *f.* **1.** supposition, assumption, conjecture: *la tua è una* ~ *infondata* your assumption is groundless. – **2.** (*simulazione*) simulation, feign(ing). – **3.** ⟨*Filos*⟩ supposition, hypothesis. – **4.** ⟨*Dir*⟩ (fraudulent) substitution, ⟨*ant*⟩ supposition: ~ *di parto* substitution of a child. – **5.** ⟨*ant*⟩ (*scambio di persona*) mistaken identity.
supposta *f.* ⟨*Farm*⟩ suppository.
supposto (*p.p. di supporre*) **I** *a.* **1.** supposed, assumed. – **2.** (*presunto*) presumed. – **II** *s.m.inv.* ⟨*non com*⟩ supposition, assumption.
suppurabile *a.* ⟨*Med*⟩ that may suppurate. – **suppuramento** *m.* ⟨*rar*⟩ → **suppurazione.** – **suppurante** (*p.pr. di suppurare*) *a.* suppurating. – **suppurare** *v.i.* (*aus.* **avere**) to suppurate, to discharge pus. – **suppurativo I** *a.* ⟨*Med,Farm*⟩ suppurative. – **II** *s.m.* ⟨*Farm*⟩ suppurative. – **suppurazione** *f.* ⟨*Med*⟩ suppuration. □ ⌜*venire a*⌝ (*o andare in*) ~ to suppurate.
supputare *v.t.* (**supputo**) ⟨*ant*⟩ (*calcolare*) to calculate, to reckon. – **supputazione** *f.* ⟨*ant*⟩ (*calcolo*) calculation.
supra|liminale *a.* ⟨*Psic*⟩ supraliminal. – **~sternale** *a.* ⟨*Anat*⟩ suprasternal.
suprema *f.* → **suprême.**
supremamente *avv.* **1.** supremely. – **2.** (*sommamente*) supremely, greatly, most.
suprematismo *m.* ⟨*Art*⟩ suprematism.
supremazia *f.* **1.** (*potere supremo*) supremacy, supreme power (*o* authority): *la* ~ *dello stato* the supremacy of the state. – **2.** (*preminenza*) supremacy, pre-eminence, superiority: *la* ~ *del ciclismo italiano* the superiority of Italian cycling. – **3.** ⟨*Rel.catt*⟩ (Papal) supremacy. □ ⟨*Stor*⟩ *atto di* ~ Act of Supremacy, Supremacy Act.
suprême *fr.* [sy'prɛ:m] *m.* ⟨*Gastr*⟩ **1.** chicken suprême. – **2.** (*salsa*) (sauce) suprême.
supremo *a.* **1.** ⟨*lett*⟩ supreme. – **2.** ⟨*fig*⟩ (*altissimo*) supreme: *corte -a* Supreme Court; *la -a autorità dello Stato* the supreme authority of the state. – **3.** ⟨*fig*⟩ (*estremo*) last: *il giudizio* ~ the Last Judgement. – **4.** ⟨*fig*⟩ (*massimo, sommo*) great(est), highest, utmost: *con* ~ *disprezzo del pericolo* with the utmost contempt for danger; (*straordinario*) extraordinary, supreme: *donna di -a bellezza* woman of extraordinary beauty. – **5.** (*ultimo, estremo*) last. □ *l'Ente* ~ the Supreme (Being), God.
suq *ar. f.* suq, s(o)uk.
sur *prep.* ⟨*ant*⟩ (*su, sopra*) **1.** (*con contatto: stato*) on; (*moto*) on to, on. – **2.** (*senza contatto*) over, above.
sur... *pref.* (*sopra* over) sur..., over-, super...
sura[1] *f.* ⟨*Rel*⟩ sura(h).
sura[2] *f.* ⟨*Med,non com*⟩ (*polpaccio*) calf.
sura[3] *f.* → **surah.** – **surah** *f.* ⟨*Tess*⟩ surah.
surale *a.* ⟨*Med*⟩ sural.
suralimentazione *f.* **1.** (*sovralimentazione*) overfeeding, superalimentation, supernutrition. – **2.** ⟨*Mot*⟩ boost feeding, boosting, supercharging.
suramina *f.* ⟨*Farm*⟩ suramin (sodium), germanin.
surannè *fr.* [syra'ne] *a.* (*invecchiato*) old-fashioned, outmoded, out-of-date.
surclassare *v.t.* **1.** (*superare, stravincere*) to outclass. – **2.** ⟨*Sport*⟩ to outclass, ⟨*fam*⟩ to beat hands down. – **3.** ⟨*Ferr,non com*⟩ to raise the class of.
sur|compressione *f.* ⟨*Mot*⟩ supercompression. – **~compresso** *a.* supercompressed. – **~dimensionamento** *m.* ⟨*tecn*⟩ reboring, finish boring. – **~dimensionare** *v.t.* (**surdimensiono**) to rebore. – **~dimensionato** *a.* oversize. – **~gelamento** *m.* (deep-)freezing. – **~gelare** *v.t.* (**surgelo**) to (deep-)freeze. – **~gelato I** *a.* ⟨*Alim*⟩ (deep-)frozen: *carne -a* frozen meat. – **II** *s.m.* (deep-)frozen food.
surgere *v.i.* (**surgo, surgi; sursi, surto;** *aus.* **essere**) ⟨*ant,poet*⟩ (*sorgere*) to rise. – **surgimento** *m.* ⟨*ant*⟩ (*sorgimento*) rising, rise.
suricata *f.* ⟨*Zool*⟩ suricat(e) (*Suricata*).
surmenage *fr.* [syrmə'na:ʒ] *m.* **1.** mental strain (*o* fatigue); (*superlavoro fisico*) overwork, over-exertion, fatigue. – **2.** ⟨*Sport*⟩ overtraining.
surmolotto[1] *m.* ⟨*Zool*⟩ (*ratto delle chiaviche*) brown (*o* Norwegian) rat (*Rattus norvegicus*).
surmolotto[2] *m.* ⟨*Itt*⟩ (*triglia di scoglio*) (striped) surmullet (*Mullus surmuletus*).
suro *m.* ⟨*Itt*⟩ (*sugherello*) horse mackerel (*Trachurus trachurus*). □ ⟨*fam*⟩ *lasciare* ~ (*piantare in asso*) to leave flat (*o* in the lurch).
surplus *ingl.* ['sə:pləs] *m.* **1.** ⟨*Econ*⟩ (*eccedenza*) surplus. – **2.** (*residuato bellico*) war surplus.
surra *f.* ⟨*Veter*⟩ surra(h).
surraffreddamento *m.* supercooling, undercooling. – **surraffreddare** *v.t.* (**surraffreddo**) to supercool, to undercool. – **surraffreddato** (*p.p. di surraffreddare*) *a.* supercooled, undercooled.
sur|reale *a.* surrealist(ic), surreal. – **~realismo** *m.* ⟨*Art*⟩ surrealism. – **~realista I** *s.m./f.* surrealist. – **II** *a.* → **surrealistico.** – **~realistico** *a.* (*pl.* **-ci**) surrealist(ic), surreal.
surrenale *a.* ⟨*Anat,Med*⟩ suprarenal: *ghiandola* (o *capsula*) ~ suprarenal gland (*o* body, capsule), adrenal gland. – **surrenalectomia** *f.* ⟨*Chir*⟩ suprarenalectomy, adrenalectomy. – **surrenalectomizzare** *v.t.* to perform a suprarenalectomy on. – **surrenalite** *f.* ⟨*Med*⟩ adrenalitis, adrenitis. – **surrene** *m.* ⟨*Anat*⟩ suprarene, suprarenal gland (*o* body, capsule), adrenal gland. – **surrenectomia** *f.* → **surrenalectomia.**
surrettizio[1] *a.* ⟨*Dir*⟩ surreptitious.
surrettizio[2] *a.* ⟨*Filos*⟩ surreptitious, subreptive.
surrezione *f.* ⟨*Dir.can*⟩ subreption.
sur|ricordato, ~riferito *a.* above-mentioned, aforesaid.
surriscaldamento *m.* **1.** overheating. – **2.** ⟨*Fis,tecn*⟩ superheating, overheating: ~ *intermedio* intermediate superheating. – **3.** ⟨*Mecc*⟩ overheating. – **surriscaldare** *v.t.* **1.** (*riscaldare eccessivamente*) to overheat. – **2.** ⟨*Fis,tecn*⟩ to superheat, to overheat. – **3.** ⟨*Mecc*⟩ to overheat. – **4.** ⟨*fig*⟩ to make too hot (*o* excited, fiery), to overheat. – **surriscaldarsi** *v.r.* ⟨*Mecc*⟩ to be(come) overheated. – **surriscaldato** (*p.p. di surriscaldare*) *a.* **1.** (*eccessivamente scaldato*) overheated: *ambiente* ~ overheated room. – **2.** ⟨*Fis,tecn*⟩ superheated, overheated: *vapore* ~ superheated steam. – **3.** ⟨*fig*⟩ overheated, over-excited, fiery, impassioned. – **surriscaldatore** *m.* ⟨*tecn*⟩ superheater.
surroga *f.* ⟨*burocr*⟩ → **surrogazione.** – **surrogabile** *a.* replaceable, substitutable. – **surrogabilità** *f.* replaceability, substitutability. – **surrogamento** *m.* ⟨*non com*⟩ replacement, substitution. – **surrogare** *v.t.* (**surrogo/surrogo, surroghi/surroghi**) ⟨*non com*⟩ **1.** (*sostituire*) to replace, to substitute: ~ *qc. con* (o *a*) *qc.* to substitute s.th. for s.th., to replace s.th. by s.th. – **2.** (*subentrare*) to replace, to take the place of, to substitute for.
surrogato (*p.p. di surrogare*) **I** *a.* replaced, substituted. – **II** *s.m.* **1.** surrogate, substitute, replacement. – **2.** (*surrogato di caffè*) coffee surrogate, ersatz coffee; (*surrogato di cioccolato*) chocolate surrogate, ersatz chocolate. – **3.** ⟨*estens*⟩ (*ripiego*) expedient, makeshift.
surrogatorio *a.* ⟨*Dir*⟩ subrogatory. – **surrogazione** *f.* **1.** ⟨*non com*⟩ (*sostituzione*) substitution, replacement, surrogation. – **2.** ⟨*Dir*⟩ subrogation. □ ⟨*non com*⟩ *in* ~ *di* in substitution for, as a replacement for.
surtout *fr.* [syr'tu] *m.* **1.** ⟨*Vest*⟩ surtout, overcoat. – **2.** (*alzata da tavola*) (fruit) stand.
survoltare *v.t.* (**survolto**) ⟨*El*⟩ to boost the voltage of. – **survoltore** *m.* positive (voltage) booster. – **survoltrice** *f.* (*anche macchina survoltrice*) → **survoltore.**
Susa *N.pr.f.* ⟨*Geog.stor*⟩ Susa, Shushan.
Susanna *N.pr.f.* Susan, Susanna(h), Suzanne. □ ⟨*scherz*⟩ *fare la casta* ~ to affect virtue, to play the innocent.
suscettanza *f.* ⟨*El*⟩ susceptance.
suscettibile *a.* **1.** susceptible (*di* of, to): ~ *di miglioramento* susceptible of improvement, improvable. – **2.** (*rif. a persone: permaloso*) (hyper-) sensitive, susceptible, ⟨*fam*⟩ touchy: *non credevo che fosse così* ~ I didn't think he was so touchy. – **suscettibilità** *f.* **1.** susceptibilities *pl*, sensibilities *pl*, feelings *pl*: *urtare la* ~ *di qd.* to hurt s.o.'s feelings. – **2.** ⟨*non com*⟩ (*l'essere soggetto*) susceptibility.
suscettività *f.* **1.** ⟨*Filos*⟩ susceptibility, receptivity. – **2.** ⟨*Fis*⟩ susceptibility: ~ *magnetica* magnetic susceptibility. – **suscettivo** *a.* **1.** ⟨*Filos*⟩ susceptible, receptive. – **2.** ⟨*El*⟩ susceptible.
suscetto *m.* ⟨*Bot*⟩ suscept.
suscitamento *m.* ⟨*non com*⟩ causing, giving rise to; (*il destare*) arousal, stirring up.
suscitare *v.* (**suscito**) **I** *v.t.* **1.** (*causare*) to cause, to give rise to, to bring about: ~ *uno scandalo* to cause a scandal; (*provocare*) to stir up, to provoke: ~ *una rivolta* to stir up a revolt. – **2.** (*destare*) to arouse, to kindle, to stir up, to excite, to quicken: ~ *l'ira di qd.* to arouse s.o.'s anger. – **3.** ⟨*ant*⟩ (*risuscitare*) to resuscitate; (*salvare dalla morte*) to save, to rescue. – **II** *v.i.* (*aus.* **essere**) ⟨*ant*⟩ (*risorgere, levarsi*) to rise.
suscitatore I *s.m.* (*f.* **-trice**) causer, instigator, provoker; (*chi desta*) arouser, exciter. – **II** *a.* causing, giving rise to.
susina (o *susina*) *f.* plum. – **susino** (o *susino*) *m.* ⟨*Bot*⟩ (European) plum, plum-tree (*Prunus domestica*). □ ~ *di macchia* blackthorn (*Prunus spinosa*).
suslik *m.* ⟨*Zool*⟩ s(o)uslik (*Citellus suslica*).
suso *avv.* ⟨*ant*⟩ (*su: stato*) up; (*moto*) up, upwards.
suspense *ingl.* [sə'spens] *f./rar.m.* suspense.
suspezione *f.* → **suspicione.** – **suspicare** *v.* (**suspico, suspichi**) ⟨*ant*⟩ **I** *v.t.* (*sospettare*) to suspect. – **II** *v.i.* (*aus.* **avere**) to suspect, to be suspicious. – **suspicione, suspizione** *f.* ⟨*ant*⟩ **1.** (*sospetto*) suspicion. – **2.** (*timore*) fear; (*esitazione*) hesitation. □ ⟨*Dir*⟩ *legittima* ~ presumed partiality (*o* bias), legitimate fear of no fair trial.
sussecutivo *a.* ⟨*rar*⟩ → **susseguente.** – **susseguente** (*p.pr. di susseguire*) *a.* (*successivo*) subsequent, following, next, after: *il mattino* ~ the next (*o* following) morning, the morning after; *il giorno* ~ *alla sua partenza* the day after (*o* subsequent to) his departure; ~ *a qc.* coming after s.th. – **susseguentemente** *avv.* subsequently, afterwards, then.
susseguire *v.* (**sussеguo**) **I** *v.t.* **1.** to follow, to succeed, to come after: *il giorno sussegue la notte* night follows day. – **2.** (*derivare come conseguenza*) to follow, to result: *ne sussegue che hai torto* it follows that you are wrong. – **II** *v.i.* (*aus.* **essere**) to follow, to come after: *il tuono sussegue al lampo* thunder follows lightning. – **susseguirsi** *v.r.* ⟨*recipr*⟩ to follow e.o., to succeed e.o., to come in succession: *i tuoni si susseguivano a intervalli brevissimi* the rolls

of thunder followed one another at very short intervals. □ *un susseguirsi di avvenimenti* a rapid succession of events.
sussequente *a.* ⟨*ant*⟩ → **susseguente.**
sussi *m.* (*gioco*) kind of quoits. □ ⟨*fam,non com*⟩ *essere il* ~ (*il bersaglio degli scherzi e delle malignità altrui*) to be a butt (*o* laughing-stock).
sussidiare *v.t.* (**sussidio, sussidi**) **1.** (*sovvenzionare*) to subsidize: ~ *un'impresa* to subsidize a company. – **2.** (*aiutare*) to help, to aid, to assist: ~ *una famiglia bisognosa* to help a needy family. – **sussidiario I** *a.* subsidiary, auxiliary, complementary: *scienza -a* auxiliary science. – **II** *s.m.* ⟨*Scol*⟩ primary schoolbook. □ ⟨*Strad*⟩ *fermata -a* additional stop; *moneta -a* subsidiary (*o* divisional) coinage, fractional currency (*o* money). – **sussidiatore** ⟨*non com*⟩ **I** *s.m.* (*f.* **-trice**) subsidizer. – **II** *a.* subsidizing.
sussidio *m.* **1.** (*aiuto, soccorso*) help, aid: *essere di* ~ *a qd.* to be of help to s.o.; *mandare qd. in* ~ *di qd.* to send s.o. in s.o.'s aid (*o* support), to send s.o. to help s.o. – **2.** (*aiuto in denaro*) grant, subsidy: *concedere un* ~ *a qd.* to give s.o. a grant. – **3.** *pl.* ⟨*lett*⟩ (*truppe ausiliarie*) auxiliaries *pl.* – **4.** ⟨*Stor*⟩ (*tributo straordinario*) special tax (*o* levy).
□ ~ *d'***alimentazione** food subsidy; *sussidi* **audiovisivi** audio-visual aids; ⟨*Dir.can*⟩ ~ **caritativo** charitable subsidy; ⟨*Scol*⟩ *sussidi* **didattici** teaching (*o* classroom) aids; ~ *di* **disoccupazione** unemployment benefit, ⟨*am*⟩ unemployment compensation, ⟨*fam*⟩ dole; ~ **familiare** family allowance; ~ **malattia** sickness benefit, sick pay; ~ **mortuario** death benefit; ~ **statale** (o *dello stato*) government subsidy (*o* aid), grant-in-aid; ~ *di* **trasloco** moving allowance; ~ *di* **vecchiaia** old age benefit.
sussiego *m.* (*pl.* **-ghi**) haughtiness, hauteur. □ *con* ~ haughtily. – **sussiegoso** *a.* haughty.
sussistente (*p.pr. di sussistere*) *a.* **1.** subsisting, subsistent, existing. – **2.** (*valido*) valid, sound, good: *ragioni -i* sound reasons.
sussistenza *f.* **1.** (*quanto occorre al sostentamento*) subsistence: *mezzi di* ~ means of subsistence. – **2.** ⟨*Mil*⟩ subsistence, subsistence money (*o* allowance); (*corpo*) commissariat. – **3.** ⟨*Filos*⟩ subsistence; (*sostanza*) substance. □ ⟨*Mil*⟩ *compagnie* (o *plotoni*) *di* ~ catering corps, commissariat *sing*, ⟨*am*⟩ subsistence companies; ~ *militare* (military) catering, ⟨*am*⟩ subsistence.
sussistere *v.i.* (**sussistei/sussistetti, sussistito**; *aus.* **essere/avere**) **1.** (*esistere*) to exist, to subsist: *non sussiste reato* no crime exists; (*esserci*) to be: *non sussistono prove contro di loro* there is no proof against them. – **2.** (*essere valido*) to be valid (*o* sound, good): *ragioni che non sussistono* reasons which are not valid, unsound reasons; (*avere fondamento*) to hold good (*o* true), to hold water, to subsist, to obtain. – **3.** ⟨*Filos*⟩ to subsist, to exist, to be.
sussultare *v.i.* (*aus.* **avere**) **1.** to start, to jump: *all'udire quel grido sussultò* he started when he heard the cry; ~ *di spavento* to start with fear. – **2.** (*sobbalzare*) to shake, to tremble: *la terra sussultò* the earth trembled. – **sussulto** *m.* **1.** start, jump. – **2.** (*scossa*) shock, tremor. □ *avere* (o *dare*) *un* ~ to start, to jump; (*rif. alla terra*: *sobbalzare*) to shake, to tremble; ⟨*Fisiol*⟩ ~ *muscolare* twitch (of a muscle). – **sussultorio** *a.* **1.** jumpy, jerky. – **2.** ⟨*Geol*⟩ sussultatory: *moto* ~ sussultatory movement.
sussumere *v.t.* ⟨*Filos*⟩ to subsume. – **sussuntivo** *a.* subsumptive. – **sussunzione** *f.* **1.** ⟨*Filos*⟩ subsumption. – **2.** ⟨*Dir*⟩ summary, résumé.
sussurrare I *v.t.* **1.** to whisper, to murmur: ~ *qc. all'orecchio di qd.* to whisper s.th. in s.o.'s ear. – **2.** (*dire nascostamente in tono di critica*) to whisper, to insinuate, to make insinuations: *sussurrano certe cose sul tuo conto!* they're insinuating things about you! – **II** *v.i.* (*aus.* **avere**) **1.** (*parlare a bassa voce*) to whisper, to murmur. – **2.** (*mandare un rumore leggero*) to whisper, to murmur: *dalla finestra si sentiva* ~ *il ruscello* from the window you could hear the brook murmuring; (*stormire*) to rustle: *le fronde sussurravano nel vento* the leaves rustled in the breeze. – **3.** ⟨*fig*⟩ (*criticare, sparlare*) to gossip (*contro* about), to speak ill (of), to backbite.
sussurrato (*p.p. di sussurrare*) *a.* **1.** whispered, murmured. – **2.** ⟨*Mus*⟩ sotto voce, whispered. – **sussurratore** *m.* (*f.* **-trice**) ⟨*non com*⟩ **1.** whisperer, murmurer. – **2.** (*critico malevolo*) backbiter, (malicious) gossip, whisperer. – **sussurrazione** *f.* ⟨*non com*⟩ **1.** whispering, murmuring, ⟨*lett*⟩ sussuration. – **2.** (*parole sussurrate*) whispered words *pl*, whisperings *pl.* – **3.** ⟨*fig*⟩ (*maldicenza*) backbiting, malicious gossip (*o* whispering). – **sussurrio** *m.* **1.** whispering, murmuring. – **2.** (*rif. al vento e sim.*) whispering, murmuring. – **3.** (*rif. all'acqua*) murmuring, gurgling, babbling; (*rif. a foglie e sim.*) rustling. – **4.** ⟨*fig*⟩ (*maldicenza*) backbiting, malicious gossip (*o* whispering). – **sussurro** *m.* **1.** whisper, murmur. – **2.** (*rif. al vento*) whisper, murmur. – **3.** (*rif. all'acqua*) murmur, gurgle, babble; (*fruscio*) rustle. – **sussurrone** *m.* (*f.* **-a**) ⟨*non com*⟩ **1.** whisperer. – **2.** (*maldicente*) (malicious) gossip, backbiter, murmurer.
susta *f.* **1.** ⟨*region*⟩ (*molla*) spring; (*molla a spirale*) coil spring. – **2.** (*stanghetta degli occhiali*) earpiece. – **3.** ⟨*ant*⟩ (*imbroglio delle vele*) clew-line, brail. □ ⟨*region*⟩ *ci vogliono le -e per farlo muovere* he has to be pushed to get him moving.
sustacchina *f.* ⟨*Edil*⟩ (*sostacchina*) round timber, fir (*o* scaffold) pole.
sustanz(i)a *f.* ⟨*ant*⟩ (*sostanza*) substance. – **sustanzialità** *f.* ⟨*ant*⟩ (*sostanzialità*) substantiality.
susurrare *v.* ⟨*lett*⟩ → **sussurrare.** – **susurrato** (*p.p. di susurrare*) *a.* ⟨*lett*⟩ → **sussurrato.** – **susurratore** *m.* ⟨*lett*⟩ → **sussurratore.** – **susurrazione** *f.* ⟨*lett*⟩ → **sussurrazione.** – **susurrio** *m.* ⟨*lett*⟩ → **sussurrio.** – **susurro** *m.* ⟨*lett*⟩ → **sussurro.**
suto *p.p. ant. di* **essere**[1].
sutra *m.* ⟨*Lett*⟩ sutra, sutta.
sutro *m.* ⟨*Ornit*⟩ (*voltolino*) spotted crake (*o* rail) (*Porzana porzana*).
suttori *m.pl.* ⟨*Zool*⟩ suctorians *pl* (*Suctoria*).
sutura *f.* **1.** ⟨*Chir*⟩ (*atto*) suture, suturing; (*effetto*) suture. – **2.** ⟨*Bot, Anat*⟩ suture. – **3.** ⟨*Geol*⟩ vein. – **4.** ⟨*fig,non com*⟩ (*collegamento, nesso*) connection, link, bridge.
suturale *a.* ⟨*Anat,Chir*⟩ sutural. – **suturare** *v.t.* ⟨*Chir*⟩ to suture.
suvenire *v.* → **suvvenire.**
suvero *m.* ⟨*ant,region*⟩ (*sughero*) cork.
suvvenire *v.t.* (**suvvengo, suvvieni; suvvenni, suvvenuto**; → **venire**) ⟨*ant*⟩ (*sovvenire*) to help, to assist.
suvvi *avv.* ⟨*ant*⟩ (*su di esso, su di essa*) on it.
suvvia *intz.* come on.
suzeraineté *fr.* [syzrɛn'te] *f.* ⟨*Stor,Pol*⟩ suzerainty.
suzione *f.* sucking, suction.
suzzacchera *f.* **1.** ⟨*ant,tosc*⟩ (*bevanda medicinale*) draught (of vinegar and sugar). – **2.** ⟨*fig,non com*⟩ (*cosa lunga e noiosa*) bore, boring thing.
suzzare *v.t.* ⟨*tosc*⟩ **1.** (*sorbire*) to sip. – **2.** (*assorbire*) to absorb.
s.v. = **1.** ⟨*Mus*⟩ *sottovoce* sotto voce. – **2.** ⟨*Bibliot*⟩ *sub voce* sub verbo (*o* voce) (*abbr.* s.v., S.V.).
S.V. = ⟨*epist*⟩ *Signoria Vostra* you.
sva *m.* ⟨*Ling,non com*⟩ (*scevà*) schwa, shwa.
svagamento *m.* ⟨*non com*⟩ **1.** (*il ricrearsi*) amusement, enjoyment, relaxation. – **2.** (*il distrarsi*) distraction.
svagare *v.t.* (**svago, svaghi**) **1.** (*ricreare*) to cheer (up), to amuse; (*divertire*) to amuse, to entertain. – **2.** ⟨*non com*⟩ (*distrarre*) to distract: *non svagarlo quando studia* don't distract him when he's studying. – **3.** ⟨*fam,tosc*⟩ (*piacere, garbare*) to like (*costr.pers.*): *questo modo di fare non mi svaga* I don't like that kind of behaviour. – **svagarsi** *v.r.* **1.** (*ricrearsi*) to amuse (*o* enjoy) o.s., to take (*o* find) recreation, to relax, to cheer up; (*divertirsi*) to enjoy o.s., to have fun. – **2.** (*distrarsi*) to be distracted.
svagataccio (*pegg. di svagato*) *m.* (*f.* **-a**) ⟨*non com*⟩ scatter-brain. – **svagataggine** *f.* ⟨*non com*⟩ → **svagatezza.** – **svagatello** (*dim. di svagato*) **I** *a.* absent(-minded). – **II** *s.m.* (*f.* **-a**) absent-minded person, daydreamer. – **svagatezza** *f.* ⟨*lett*⟩ **1.** (*spensieratezza*) thoughtlessness, heedlessness. – **2.** (*distrazione*) absent-mindedness, absence of mind; (*disattenzione*) lack of attention, inattention, distraction. – **svagativo** *a.* ⟨*rar*⟩ diverting, distracting. – **svagato** (*p.p. di svagare*) **I** *a.* **1.** (*disattento*) inattentive, heedless: *perché sei sempre così* ~*?* why are you always so inattentive?; (*assente*) absent (-minded), daydreaming. – **2.** (*proprio di chi è distratto*) absent (-minded), inattentive, dreamy, vacant: *avere un aspetto* ~ to have an absent look. – **II** *s.m.* (*f.* **-a**) absent-minded person, daydreamer, person with his head in the clouds.
svaginamento *m.* ⟨*Chir*⟩ disinvagination. – **svaginare** *v.t.* (**svagino**) to disinvaginate.
svago *m.* (*pl.* **-ghi**) **1.** (*lo svagare, lo svagarsi*) amusement, diversion, recreation, relaxation: *prendersi un po' di* ~ to take some recreation. – **2.** (*ciò che svaga*) amusement, relaxation, entertainment, recreation, diversion: *in questa città ci sono pochi svaghi* there ⌜are few amusements⌝ (*o* isn't much entertainment) in this city; (*passatempo*) pastime.
svagolare *v.t.* (**svagolo**) ⟨*non com*⟩ (*svagare, distrarre*) to distract. – **svagolarsi** *v.r.* (*trastullarsi*) to amuse o.s., to (let o.s.) be distracted. – **svagolato** (*p.p. di svagolare*) **I** *a.* **1.** (*svagato*) absent-minded. – **2.** (*superficiale*) superficial, shallow. – **II** *s.m.* (*f.* **-a**) absent-minded person, daydreamer.
svaligiamento *m.* robbery; (*di notte*) burglary. – **svaligiare** *v.t.* (**svaligio, svaligi**) **1.** to rob, ⟨*fam*⟩ to clean (out): ~ *un appartamento* to rob a flat; (*di notte*) to burgle. – **2.** ⟨*ant*⟩ (*saccheggiare*) to sack, to plunder. – **svaligiatore** *m.* (*f.* **-trice**) robber; (*svaligiatore notturno*) burglar.
svalutare *v.t.* (**svaluto**/*non com.* **svaluto**) **1.** ⟨*Econ*⟩ to devalue, to devaluate, to depreciate: ~ *una moneta* to devalue a currency. – **2.** ⟨*fig*⟩ (*sminuire*) to belittle, to depreciate, to disparage: *cercavano di* ~ *i suoi meriti* they tried to belittle his good qualities. – **svalutarsi** *v.r.* **1.** ⟨*Econ*⟩ (*perdere il valore*) to be devalued, to fall in value, to go down. – **2.** ⟨*Comm*⟩ to depreciate. – **3.** (*rif. a persone*: *sminuirsi*) to underrate (*o* belittle) o.s., to make light of one's worth: *gli piace svalutarsi per falsa modestia* he likes to underrate himself out of false modesty. – **svalutazione** *f.* **1.** depreciation. – **2.** (*giudizio che tende a sminuire*) disparagement, belittlement. – **3.** ⟨*Econ*⟩ devaluation.
svampare *v.i.* (*aus.* **essere**) ⟨*region*⟩ **1.** to blaze forth, to burst out. – **2.** ⟨*fig*⟩ (*diminuire d'intensità*) to die down, to cool off (*o* down), to disappear: *l'ira svampò presto* his anger soon died down.
svampire *v.i.* (**svampisco, svampisci**; *aus.* **essere**) ⟨*region*⟩ **1.** (*svanire, evaporare*) to evaporate, to disappear. – **2.** ⟨*fig*⟩ (*diminuire di vigore*) to die down (*o* away), to cool, to disappear: *gli svampì tutto l'entusiasmo* all his enthusiasm cooled. – **svampito** (*p.p. di svampire*) ⟨*region*⟩ **I** *a.* (*svanito*) wandering, absent-minded. – **II** *s.m.* (*f.* **-a**) vague (*o* absent-minded) person.
svanimento *m.* ⟨*lett*⟩ **1.** disappearance, vanishing, fading (*o* dying) away. – **2.** (*rif. a suoni*) dying down (*o* away), fading away. – **3.** (*rif. a odori*) loss of scent (*o* aroma); (*rif. a sapori*) loss of taste (*o* flavour); (*lo svaporare*) evaporation.

şvanịre *v.i.* (**şvanịsco, şvanịsci**; *aus.* **essere**) **1.** (*dileguarsi*) to disappear, to vanish, to fade (away): ~ *nella nebbia* to vanish into the fog; *la visione svanì* the vision faded. – **2.** (*disperdersi*) to dissipate, to clear, to disperse: *il fumo è svanito* the smoke has cleared. – **3.** (*rif. a suoni*) to die down (*o* away), to fade away. – **4.** (*perdere l'odore*) to lose its scent (*o* aroma): *se lasci aperta la boccetta il profumo svanisce* if you leave the bottle open the perfume will lose its scent; (*perdere il sapore*) to lose its taste (*o* flavour). – **5.** (*svaporare*) to evaporate. – **6.** ⟨*fig*⟩ (*estinguersi, sfumare*) to fade (*o* die) away, to disappear, to vanish, to go: *tutte le sue illusioni sono ormai svanite* all his illusions have faded away. – **7.** ⟨*fig*⟩ (*indebolirsi*) to die down, to fade (away), to become fainter, to grow weaker, to lose strength: *la memoria svanisce con gli anni* the memory grows weaker with the passing of the years; *la sua collera è svanita* his anger has died down. □ ~ *in fumo* to go up in smoke (*anche fig.*).

şvanitẹllo (*dim. di svanito*) ⟨*fam*⟩ **I** *a.* silly, doltish, ⟨*fam*⟩ not quite all there. – **II** *s.m.* (*f.* **-a**) dolt, ⟨*fam*⟩ ninny.

şvanitịccio *a.* ⟨*rar*⟩ (*che evapora facilmente*) (highly) volatile.

şvanịto (*p.p. di svanire*) **I** *a.* **1.** (*dileguato*) disappeared, vanished. – **2.** (*che ha perso l'odore*) that has lost its scent (*o* aroma); (*che ha perso il sapore*) that has lost its taste (*o* flavour). – **3.** ⟨*fig*⟩ (*stordito, inebetito*) weak in the head, ⟨*fam*⟩ not quite all there. – **4.** ⟨*fig*⟩ (*scomparso, sfumato*) vanished, ⟨*fam*⟩ gone up in smoke: *speranze -e* vanished hopes. – **II** *s.m.* (*f.* **-a**) absent-minded (*o* distracted) person.

şvantaggiạto *a.* at a disadvantage: *essere* ~ *da* (*o per*) *qc.* to be at a disadvantage on account of s.th.

şvantạggio *m.* **1.** disadvantage, drawback: *tornare a* ~ *di qd.* to be to s.o.'s disadvantage; *essere in* ~ *rispetto a qd.* to be at a disadvantage in comparison with s.o. – **2.** (*danno*) detriment, disadvantage: *con mio grande* ~ to my great disadvantage (*o* detriment). – **3.** (*inferiorità*) handicap, disadvantage, snag: *eravamo in* ~, *solo tre contro cinque* we were at a disadvantage, three against five. – **4.** ⟨*Sport*⟩ handicap: *essere in* ~ *di sei minuti* to have a six-minute handicap, to be six minutes behind; *rimontare lo* ~ to make up for one's handicap, to catch up.

şvantaggiosamẹnte *avv.* disadvantageously. – **şvantaggiọso** *a.* disadvantageous, unfavourable.

şvạnzica *f.* **1.** ⟨*Numism*⟩ zwanziger. – **2.** *pl.* ⟨*fam*⟩ (*quattrini*) money.

şvaporạbile *a.* ⟨*non com*⟩ volatile, evaporable. – **şvaporamẹnto** *m.* **1.** evaporation. – **2.** (*indebolimento: di odore*) loss of scent (*o* aroma); (*di sapore*) loss of taste (*o* flavour). – **şvaporạre** *v.i.* (**şvapọro**; *aus.* **essere**) **1.** to evaporate. – **2.** (*perdere l'odore*) to lose scent (*o* aroma); (*perdere il sapore*) to lose taste (*o* flavour). – **3.** ⟨*fig*⟩ (*svanire*) to die down (*o* away), to fade (*o* pass) away, to vanish, to calm down. – **şvaporạto** (*p.p. di svaporare*) **I** *a.* **1.** evaporated. – **2.** ⟨*fig*⟩ absent-minded. – **II** *s.m.* (*f.* **-a**) feeble-minded person, dolt. – **şvaporaziọne** *f.* ⟨*non com*⟩ evaporation.

şvariamẹnto *m.* ⟨*non com*⟩ **1.** variation. – **2.** (*distrazione*) diversion, distraction. – **3.** (*l'essere di diversi colori*) variation in colour. – **4.** ⟨*ant*⟩ (*deviamento*) deviation.

şvariạre *v.* (**şvạrio, şvạri**) **I** *v.t.* ⟨*non com*⟩ **1.** (*rendere vario*) to vary. – **2.** ⟨*fig*⟩ (*svagare*) to divert, to distract. – **II** *v.i.* (*aus.* **essere/avere**) **1.** ⟨*lett*⟩ (*essere di diversi colori*) to vary in colour, to be different colours. – **2.** ⟨*ant*⟩ (*deviare*) to deviate. – **3.** ⟨*fig,ant*⟩ (*deviare dalla regola*) to stray.

şvariatamẹnte *avv.* in various (*o* different) ways, variously. – **şvariatẹzza** *f.* variation; (*varietà*) variety. – **şvariạto** (*p.p. di svariare*) *a.* **1.** (*variato*) varied, variegated, diversified. – **2.** (*diverso*) various, different: *sono state fatte -e ipotesi sull'argomento* various conjectures were made on the subject; (*numeroso*) many, numerous: *mi ha telefonato -e volte* he called me many times. □ *diversi e -i* various and sundry; *molti e -i* various, many different: *in molti e -i modi* in many different ways.

şvạrio *m.* ⟨*ant*⟩ **1.** (*divario*) difference. – **2.** (*deviazione*) deviation; (*variazione*) variation; (*errore*) mistake, error.

şvariọne *m.* blunder, bad mistake, ⟨*fam*⟩ howler.

şvaşamẹnto *m.* ⟨*non com*⟩ (*svasatura*) flaring, spreading, widening.

şvaşạre *v.t.* **1.** (*rif. a piante: cambiare di vaso*) to repot. – **2.** (*allargare*) to flare, to spread, to widen. – **3.** ⟨*tecn*⟩ to flare. – **şvaşạto** (*p.p. di svasare*) **I** *a.* spread, flared, widened: *gonna -a* flared skirt. – **II** *s.m.* ⟨*Mar*⟩ wedgelike part.

şvaşatụra *f.* **1.** (*il cambiar vaso*) repotting. – **2.** (*l'allargare*) flaring, spreading, widening. – **3.** ⟨*Sart*⟩ flaring, flare. – **4.** ⟨*Mar*⟩ fineness (of the hull); (*forma a V*) V-shape. – **5.** ⟨*Arch*⟩ (*svaso*) hollow. – **6.** ⟨*tecn*⟩ flaring, belling. □ ⟨*Arch*⟩ ~ *muraria* embrasure.

şvạşo *m.* ⟨*Arch*⟩ hollow.

şvạsso *m.* ⟨*Ornit*⟩ **1.** grebe (*Podiceps*). – **2.** (*pesciaiola*) smew (*Mergus albellus*).

□ ~ *dal* **collo** *nero* = *svasso* **turco**; ~ **collorosso** red-necked grebe (*Podiceps griseigena*); ~ **comune** = *svasso* **maggiore**; ~ **cornuto** (o *forestiero*) horned grebe (*Podiceps auritus*); ~ **grosso** (*smergo minore*) red-breasted merganser (*Mergus serrator*); ~ **maggiore** great crested grebe (*Podiceps cristatus*); ~ **turco** (o *piccolo*) black-necked grebe, ⟨*am*⟩ eared grebe (*Podiceps nigricollis*).

şvạstica *f.* ⟨*Stor*⟩ swastika, fylfot.

şvattạto *a.* ⟨*El*⟩ wattless, reactive: *corrente -a* wattless current.

şvecchiamẹnto *m.* **1.** modernization, renewal, ⟨*am*⟩ up-dating. – **2.** (*rinnovamento*) renewal. – **şvecchiạre** *v.t.* (**şvęcchio, şvęcchi**) **1.** to bring up-to-date, to modernize, to renew, to freshen up, ⟨*am*⟩ to up-date: ~ *le idee* to bring one's ideas up-to-date. – **2.** (*rinnovare*) to renew: ~ *il guardaroba* to renew one's wardrobe. – **şvecchiatụra** *f.* ⟨*non com*⟩ → **svecchiamento**.

şvecciạre *v.t.* (**şvęccio, şvęcci**) ⟨*Agr*⟩ to free of vetch.

şvęco *a./s.* → **sueco**.

şvedẹse **I** *a.* Swedish, Sweden. – **II** *s.m.* **1.** (*lingua*) Swedish. – **2.** *m./f.* (*abitante*) Swede.

şvẹglia *f.* **1.** (*ora della sveglia*) time for getting up, getting-up time: *domani la* ~ *è alle sei* tomorrow the time for getting up is six o'clock. – **2.** (*segnale*) (early) call: *a che ora desidera la* ~? what time do you want your call? – **3.** (*orologio a sveglia*) alarm(-clock): *mettere la* ~ *alle sette* to set the alarm-clock for seven; *la* ~ *non ha suonato* the alarm did not ring. – **4.** ⟨*Mil*⟩ reveille. – **5.** ⟨*fam*⟩ (*schiaffone*) slap, smack. – **6.** ⟨*scherz*⟩ (*rimprovero*) scolding, ⟨*fam*⟩ telling-off. – **7.** ⟨*Stor*⟩ (*forma di tortura*) prevention of sleep (as a torture). □ *dare la* ~ to give a signal for waking up; ⟨*Mil*⟩ *suonare la* ~ to sound reveille; ~ *telefonica* telephone waking service.

şvegliamẹnto *m.* ⟨*rar*⟩ → **svegliata**.

şvegliạre *v.t.* (**şvẹglio, şvẹgli**) **1.** to wake (up), to waken (up), to awaken, ⟨*lett*⟩ to rouse: *svegliami alle otto* wake me up at eight, call me at eight. – **2.** ⟨*fig*⟩ (*scuotere dal torpore*) to wake up, to stir, to rouse, ⟨*fam*⟩ to shake out of it; (*scaltrire*) to wake up, to open the eyes of, to sharpen the wits of, to alert, ⟨*fam*⟩ to wise up: *la vita in città lo ha svegliato* city living wised him up. – **3.** ⟨*fig*⟩ (*eccitare, suscitare*) to (a)rouse, to stir, to whet: ~ *l'appetito* to whet the appetite. – **svegliarsi** *v.r.* **1.** to wake (up), to awake(n), ⟨*lett*⟩ to rouse o.s.: *oggi mi sono svegliato tardi* I woke up late today. – **2.** ⟨*fig*⟩ (*uscire dal torpore*) to rouse o.s., ⟨*fam*⟩ to shake out of it. – **3.** ⟨*fig*⟩ (*scaltrirsi*) to wake (*o* sharpen) up, to open one's eyes, to get cleverer, ⟨*fam*⟩ to wise up: *con l'età si è svegliato* he wised up as he got older. – **4.** ⟨*fig*⟩ (*manifestarsi*) to reawaken, to reappear, to crop up (again), to be stimulated, to start (up) again: *mi si è svegliato un mal di denti* my toothache has ⌜started again⌝ (*o* come back). – **5.** (*rif. al vento*) to rise. □ ⟨*iperb*⟩ *non lo sveglierebbero nemmeno le cannonate* it would take a bomb to wake him up, he would sleep through anything; *sveglia!* wake up!; ⟨*fig*⟩ wake up!, ⟨*fam*⟩ shake out of it!, ⟨*fam*⟩ get a move on!, ⟨*fam*⟩ get cracking!; *svegliarsi di soprassalto* to wake up with a start. – *Prov.*: *non* ~ *il can che dorme* let sleeping dogs lie.

şvegliarịno *m.* ⟨*fam*⟩ **1.** (*rimprovero*) scolding, ⟨*fam*⟩ telling-off, ticking-off, ⟨*fam*⟩ dressing-down. – **2.** (*sollecitazione*) reminder. □ *dare* (*o fare*) *uno* ~ *a qd.* to call s.o. to order, to tell s.o. off.

şvegliạta *f.* ⟨*non com*⟩ **1.** (*lo svegliare*) waking up, awakening. – **2.** (*lo svegliarsi*) awak(en)ing, waking up. □ ⟨*non com*⟩ *fare una brutta* ~ to get out of bed on the wrong side. – **şvegliatẹzza** *f.* ⟨*non com*⟩ alertness. – **şvegliạto** (*p.p. di svegliare*) *a.* ⟨*ant*⟩ **1.** (*sveglio*) awake. – **2.** ⟨*fig*⟩ alert, quick(-witted), sharp, smart. – **şvegliatọre** *m.* (*f.* **-trice**) ⟨*non com*⟩ awakener, rouser (*anche fig.*).

şvęgliere *v.* (**şvęglio, şvęgli**) ⟨*ant*⟩ → **svellere**.

şvẹglio *a.* **1.** ⟨*pred*⟩ awake; (*alzato*) ⟨*pred*⟩ up. – **2.** ⟨*fig*⟩ (*pronto, svelto*) alert, quick(-witted), ⟨*fam*⟩ quick off the mark, ⟨*fam*⟩ wide-awake: *è un bambino molto* ~ he's a very quick child. – **3.** ⟨*fam*⟩ (*scaltro*) sharp, smart, cunning, clever. □ *perfettamente* ~ wide-awake; *rimanere* (*o stare*) ~ (*non andare a letto*) to stay (*o* keep) awake, to stay (*o* be) up; (*non dormire*) to be awake, not to sleep.

şvelamẹnto *m.* ⟨*non com*⟩ revelation, revealing.

şvelạre *v.t.* (**şvẹlo**) **1.** (*rivelare*) to reveal, to disclose, to tell: ~ *un segreto a qd.* to reveal a secret to s.o. – **2.** (*manifestare, palesare*) to reveal, to show, to display: *il suo volto svelava una grande stanchezza* ⌜his face showed⌝ (*o* you could see from his face) how tired he was. – **3.** ⟨*rar*⟩ (*togliere il velo*) to unveil. – **svelarsi** *v.r.* (*rivelarsi*) to reveal (*o* show, prove) o.s., to give o.s. away: *ti sei svelato* you've given yourself away, you've shown your true colours. – **şvelạto** (*p.p. di svelare*) *a.* **1.** revealed, disclosed: *segreto* ~ revealed secret. – **2.** (*smascheramento*) revealed, exposed. – **3.** ⟨*lett,rar*⟩ (*senza velo*) unveiled. – **şvelatọre** *m.* (*f.* **-trice**) ⟨*non com*⟩ revealer, discloser.

şvelatụra *f.* ⟨*Pitt*⟩ removal of glaze.

şvelenạre *v.* (**şvelẹno**) ⟨*non com*⟩ → **svelenire**. – **şvelenatọre** **I** *s.m.* detoxicant, detoxifier. – **II** *a.* detoxicating. – **şvelenịre** *v.t.* (**şvelenịsco, şvelenịsci**) **1.** to detoxify, to remove the poison from. – **2.** ⟨*fig*⟩ (*liberare da rancori*) to free from rancour (*o* a grudge). – **svelenirsi** *v.r.* **1.** (*sfogare il rancore*) to vent one's spite (*o* rancour), ⟨*fam*⟩ to let off steam, ⟨*fam*⟩ to get s.th. ⌜off one's chest⌝ (*o* out of one's system). – **2.** ⟨*fig*⟩ (*rif. a sentimenti: smussarsi*) to become less harsh; (*rif. a rapporti*) to improve, to pick up.

şvęllere *v.t.* (**şvęllo/şvęlgo, şvęlsi/şvęssi, şvęlto**) ⟨*lett*⟩ **1.** (*strappar via*) to tear (*o* wrench, pull) away; (*sradicare*) to tear up, to pull up (*o* out); (*rif. ad alberi*) to uproot, to tear (*o* pull) up by the roots, to extirpate, to eradicate. – **2.** ⟨*fig*⟩ (*cacciare*) to root (*o* wipe, drive) out, to get rid of, to eradicate. – **svellersi** *v.r.* ⟨*ant*⟩ **1.** to become extirpated (*o* eradicated). – **2.** (*andarsene*) to leave, to depart.

şvellimẹnto *m.* ⟨*rar*⟩ (*lo strappare via*) tearing (*o* pulling, wrenching) away; (*sradicamento*) uprooting, extirpation, eradication, tearing up, pulling up (*o* out).

şveltamẹnte *avv.* (*rapidamente*) quickly, fast, rapidly. – **şveltẹzza** *f.* **1.** (*rapidità*) quickness, speed, swiftness, rapidity, briskness. – **2.** (*snellezza*) slenderness, slimness, svelteness. – **3.** ⟨*fig*⟩ (*prontezza* *d'ingegno*) quickness, quick-wittedness, sharpness, smartness, mental agility. – **şveltimẹnto** *m.* **1.** speeding up, making quicker (*o* easier), quickening: *lo ~ del traffico stradale* the speeding up of road traffic; (*semplificazione*) simplification. – **2.** (*il rendere più snello*) slimming, thinning. – **şveltịno** (*dim. di svelto*) *a.* quite quick. ☐ *fa' ~* be quick, hurry up, ⟨*fam*⟩ get a move on.

şveltịre *v.t.* (**şveltịsco, şveltịsci**) **1.** (*rendere più pronto, disinvolto*) to wake up, to make smarter (*o* cleverer), to sharpen the wits of: *l'esperienza lo ha sveltito* experience woke him up. – **2.** (*rendere più spedito*) to make quicker (*o* easier), to quicken, to speed up, to hurry (up): *~ il traffico* to speed up traffic; (*semplificare*) to simplify: *~ una frase troppo lunga* to simplify an overlong sentence. – **3.** (*rendere snello, sottile*) to slim, to make slimmer, to thin, to trim (down): *la ginnastica sveltisce la figura* gymnastics trims the figure. – **sveltirsi** *v.r.* **1.** to wake (*o* sharpen) up, to become quicker (*o* more alert), to get cleverer, ⟨*fam*⟩ to wise up. – **2.** (*diventare più spigliato*) to polish one's manners.

şvẹlto *a.* **1.** (*rapido*) quick, fast, rapid, swift, brisk, smart: *camminare con passo ~* to go at a brisk (*o* smart) pace, to walk fast. – **2.** (*che si prepara velocemente*) quick, easy to fix (*o* prepare): *una pietanza -a* a quick dish. – **3.** (*pronto, veloce nell'agire*) quick, fast, rapid, swift: *è ~ nel lavoro* he is a quick worker. – **4.** (*rapido, pronto d'ingegno*: *rif. a persone*) quick(-witted), quick on the uptake, alert, sharp, smart: *è molto ~ per la sua età* he is very sharp for his age. – **5.** (*sottile, snello*) slender, slim, svelte: *un vestito di linea -a* a dress with a slim line. – **6.** ⟨*esclam*⟩ (be) quick, quickly, hurry up, ⟨*fam*⟩ get a move on, ⟨*fam*⟩ hop to it, ⟨*fam*⟩ step on it. ☐ *alla -a*: 1. quickly, fast, rapidly: *lavorare alla -a* to work quickly; 2. (*in fretta*) in a hurry, hastily, hurriedly; *~ di lingua* gossipy, backbiting; *essere ~ di lingua* to be a gossip (*o* backbiter); *~ di mano*: 1. (*incline al furto*) light-fingered; 2. (*pronto a usare le mani*) free with one's fists (*o* hands); *~ come uno scoiattolo* as quick as lightning, ⟨*fam*⟩ quick as a bunny.

şvenamẹnto *m.* ⟨*non com*⟩ **1.** cutting of veins. – **2.** ⟨*fig*⟩ bleeding. – **şvenạre** *v.t.* (**şvẹno**) **1.** to cut (*o* sever, slash) the veins of. – **2.** ⟨*fig*⟩ (*privare totalmente delle proprie sostanze*) to bleed (dry). – **svenarsi** *v.r.* **1.** to slash (*o* sever, cut) one's veins. – **2.** (*ridursi in miseria*) to reduce o.s. to poverty, to leave o.s. without a penny. – **şvenatụra** *f.* ⟨*rar*⟩ → **svenamento**.

şvẹndere *v.t.* (**şvendẹi/şvendẹtti, şvendụto**) **1.** (*vendere a prezzo inferiore*) to sell ⌜at a low price⌝ (*o* below market-price); (*vendere sotto costo*) to sell ⌜below cost⌝ (*o* at a loss). – **2.** (*rif. a rimanenze*) to clear, to sell off: *svendiamo tutta la merce* all goods must ⌜be cleared⌝ (*o* go). ☐ *~ sui mercati esteri* to dump. – **şvẹndita** *f.* **1.** selling at a low price; (*vendita sotto costo*) below cost sale. – **2.** (*rif. a rimanenze*) selling off, clearance; (*liquidazione*) clearance (sale), sale. ☐ *~ per cessazione d'esercizio* closing-down sale; *~ di fine stagione* end-of-season clearance sale; *~ sui mercati esteri* dumping.

şvenevolạggine *f.* ⟨*non com*⟩ → **svenevolezza**. – **şvenẹvole I** *a.* **1.** (*fiacco*) languid. – **2.** (*sdolcinato*) mawkish, maudlin, sentimental, ⟨*fam*⟩ s(l)oppy: *atteggiamento ~* mawkish attitude; (*affettato*) simpering, mincing, affected: *essere ~ nel parlare* to be affected in one's speech. – **3.** ⟨*ant*⟩ (*sguaiato*) rude, coarse, vulgar. – **II** *s.m./f.* mawkish (*o* affected) person. ☐ *fare lo ~* to be mawkish (*o* affected), to simper. – **şvenevolẹzza** *f.* **1.** languidness. – **2.** (*sdolcinatezza*) mawkishness, maudlinism, simpering, mincing, ⟨*fam*⟩ s(l)oppiness; (*affettazione*) affectation, affectedness. – **3.** *pl.* (*comportamento svenevole*) affectation, simpering, languishing (*o* mawkish) behaviour. – **şvenevolmẹnte** *avv.* **1.** (*in modo fiacco*) languidly. – **2.** (*in modo lezioso*) mawkishly, affectedly.

şvẹnia *f.* ⟨*tosc*⟩ **1.** (*lungaggine noiosa*) tedious slowness, rigmarole. – **2.** *pl.* (*moine*) simpering, affectation, mannerisms *pl*, mawkishness.

şvenimẹnto *m.* faint, fainting-fit, unconsciousness, ⟨*lett*⟩ swoon. ☐ *avere uno ~* to faint, to pass out. – **şvenịre** *v.i.* (**şvẹngo, şvịeni; şvẹnni, şvenụto**; *aus.* **essere**) to faint, to lose consciousness, to pass out, → **venire**; ⟨*lett*⟩ to swoon. ☐ ⟨*fig,non com*⟩ *far ~* (*disgustare*) to disgust; *mi sento ~* I feel (as if I'm going to) faint; ⟨*fig*⟩ I feel disgusted (*o* sick).

şventagliamẹnto *m.* ⟨*non com*⟩ fanning. – **şventagliạre** *v.t.* (**şventạglio, şventạgli**) **1.** to fan (*anche estens.*). – **2.** (*aprire a ventaglio*) to fan (out), to spread (like a fan): *~ le carte da gioco* to fan one's cards. – **3.** ⟨*fig*⟩ (*sventolare*) to wave: *gli sventagliò la lettera sotto il naso* he waved the letter under his nose. – **sventagliarsi** *v.r.* to fan o.s. – **şventagliạta** *f.* **1.** fanning. – **2.** (*ventata*) gust of wind. – **3.** (*colpo*) blow with (*o* from) a fan. – **4.** (*scarica, raffica*) burst, volley. – **şventagliạto** (*p.p. di sventagliare*) *a.* (*aperto a ventaglio*) fanned (out), spread (out).

şventạre *v.t.* (**şvẹnto**) **1.** (*far fallire*) to thwart, to foil, to block, to prevent, to baffle: *~ una congiura* to foil a plot. – **2.** (*scongiurare, allontanare*) to ward off, to avert, to avoid: *~ il pericolo d'una inflazione* to avert the danger of inflation. – **3.** ⟨*Mar*⟩ to spill. – **4.** ⟨*ant*⟩ (*far uscire*: *rif. a gas e sim.*) to let out. ☐ *~ una mina* to disarm a mine.

şventatạggine *f.* ⟨*non com*⟩ → **sventatezza**. – **şventatamẹnte** *avv.* **1.** (*sconsideratamente*) rashly, recklessly. – **2.** (*distrattamente*) absent-mindedly, absently. – **şventatẹzza** *f.* **1.** (*sbadataggine*) rashness, recklessness, thoughtlessness; (*distrazione*) absent-mindedness, inattention. – **2.** (*atto sventato*) oversight: *questa ~ ti costerà cara* this oversight will cost you dearly.

şventạto (*p.p. di sventare*) **I** *a.* **1.** (*imprudente*: *rif. a persone*) rash, reckless, impulsive, imprudent, unwary; (*rif. a cose*) rash, hasty; (*sbadato*) careless, heedless, thoughtless. – **2.** (*distratto*) absent-minded, scatter-brained. – **II** *s.m.* (*f.* -a) absent-minded person, scatter-brain. ☐ *alla -a* (*con imprudenza*) on an impulse, rashly, recklessly; (*distrattamente*) absent-mindedly, absently.

şvẹntola *f.* **1.** (*ventola*) fire-fan. – **2.** ⟨*fig*⟩ (*schiaffo violento*) slap, smack, cuff, blow. – **3.** ⟨*Sport*⟩ (*nel pugilato*) swing; (*nel calcio*) kick, shot. – **4.** ⟨*fig*⟩ (*infatuazione, cotta*) infatuation, ⟨*fam*⟩ crush. ☐ *orecchie a ~* flap-ears; *dare una ~ a qd.* to slap (*o* cuff) s.o.

şventolamẹnto *m.* **1.** waving, fluttering. – **2.** (*l'agitare facendo vento*) wafting, shaking.

şventolạre *v.* (**şvẹntolo**) **I** *v.t.* **1.** to wave, to flutter: *~ un fazzoletto* to wave a handkerchief. – **2.** (*agitare per fare vento*) to waft, to shake, to move. – **3.** (*ravvivare il fuoco*) to fan. – **II** *v.i.* (*aus.* **avere**) to wave, to flutter. – **sventolarsi** *v.r.* (*farsi vento*) to fan o.s. – **şventolạta** *f.* **1.** (*lo sventolare*) waving, flutter(ing); (*lo sventolarsi*) fanning o.s. – **2.** (*il ravvivare il fuoco*) fanning the fire. ☐ *dare una ~ al fuoco* to fan the fire; *darsi una ~* to fan o.s. – **şventolịo** *m.* waving, fluttering: *lo ~ delle bandiere* the waving of flags.

şventramẹnto *m.* **1.** (*lo sventrare*) disembowelment, cleaning, gutting. – **2.** (*squarciamento*) tearing (apart), ripping up, rending. – **3.** ⟨*fig*⟩ (*demolizione*: *rif. a case*) demolition, knocking down; (*rif. a quartieri*) demolition, clearance. – **4.** ⟨*Med*⟩ eventration.

şventrạre *v.t.* (**şvẹntro**) **1.** to disembowel, to draw, to clean, to gut: *~ un pollo* to clean a chicken. – **2.** (*squarciare*) to tear (apart), to rip (up), to rend, to rip open, to disembowel. – **3.** (*uccidere colpendo al ventre*) to stab to death (in the stomach). – **4.** ⟨*fig*⟩ (*demolire*: *rif. a costruzioni*) to demolish, to knock down; (*rif. a quartieri*) to demolish, to clear.

şventrạta[1] *f.* disembowelment, cleaning, gutting. ☐ *dare una ~ a un pollo* to clean a chicken.

şventrạta[2] *f.* ⟨*rar*⟩ (*scorpacciata*) feed.

şventrạto (*p.p. di sventrare*) *a.* **1.** disembowelled, cleaned. – **2.** (*squarciato*) torn apart, ripped up; (*rif. a persone*) ripped open, disembowelled, stabbed (to death). – **3.** ⟨*fig*⟩ (*demolito*) demolished. – **4.** ⟨*fig*⟩ (*insaziabile*) insatiable.

şventụra *f.* **1.** ill (*o* bad) luck, misfortune: *per nostra ~* to our misfortune, unluckily for us; *~ volle* as ill luck would have it; *essere perseguitato dalla ~* to be dogged by bad luck. – **2.** (*disgrazia*) misfortune, mishap, blow: *la sua morte è stata una ~ per tutti* his death was a misfortune for everyone. – **3.** ⟨*iperb*⟩ (*molestia*) nuisance, bother. ☐ *per colmo di ~* to crown (*o* top) it all. – *Prov.*: *nelle -e si conoscono gli amici* a friend in need is a friend indeed.

şventuratamẹnte *avv.* unfortunately, unluckily. – **şventurạto I** *a.* **1.** unlucky, unfortunate, hapless; (*sciagurato*) wretched, unhappy. – **2.** (*che causa sventura*) unlucky, fateful: *giorno ~* unlucky day. – **II** *s.m.* (*f.* -a) **1.** unlucky (*o* unfortunate) person. – **2.** (*persona sciagurata*) wretch.

şvenụto (*p.p. di svenire*) *a.* in a faint, unconscious. ☐ *cadere ~* to faint, to pass out.

şverdịre *v.i.* (**şverdịsco, şverdịsci**; *aus.* **essere**) ⟨*non com*⟩ (*perdere il verde*) to lose its green (colour), to fade.

şvergạre *v.t.* (**şvẹrgo, şvẹrghi**) **1.** ⟨*non com*⟩ (*ridurre in verghe*) to make into bars (*o* rods). – **2.** ⟨*Mar*⟩ (*rif. a vele*) to unbend, to heave out; (*rif. a paranchi*) to unreeve.

şverginamẹnto *m.* **1.** (*deflorazione*) defloration, deflowering. – **2.** (*stupro*) rape. – **şverginạre** *v.t.* (**şvẹrgino**) **1.** (*deflorare*) to deflower. – **2.** (*stuprare*) to rape, to ravish. – **3.** ⟨*fig,scherz*⟩ (*usare per la prima volta*) to use for the first time, ⟨*fam*⟩ to christen.

şvergognamẹnto *m.* shaming, putting to shame. – **şvergognạre** *v.t.* (**şvergọgno**) **1.** (*far vergognare*) to (put to) shame, to disgrace. – **2.** (*smascherare*) to unmask, to expose, to show up: *~ qd. davanti a tutti* to expose s.o. in front of everyone. – **şvergognatamẹnte** *avv.* ⟨*non com*⟩ (*sfrontatamente*) shamelessly, impudently, brazenly. – **şvergognatẹzza** *f.* (*spudoratezza*) shamelessness, impudence. – **şvergognạto** (*p.p. di svergognare*) **I** *a.* **1.** ashamed, put to shame. – **2.** (*spudorato, sfrontato*) shameless, impudent, brazen. – **II** *s.m.* (*f.* -a) shameless (*o* impudent) person, brazen-face.

şvergolamẹnto *m.* **1.** ⟨*tecn*⟩ twist(ing); (*piegamento*) bend(ing). – **2.** ⟨*Mar*⟩ warp, buckle. – **3.** ⟨*Aer*⟩ twist, warping: *~ dell'ala* wing warping; *~ aerodinamico* aerodynamic twist. – **şvergolạre** *v.t.* (**şvẹrgolo**) **1.** ⟨*tecn*⟩ to twist; (*piegando*) to bend. – **2.** ⟨*Mar*⟩ to warp, to buckle. – **3.** ⟨*Aer*⟩ to twist, to warp. – **svergolarsi** *v.r.* to become twisted; (*piegando*) to become bent, to bend. – **şvergolạto** (*p.p. di svergolare*) *a.* **1.** twisted; (*piegato*) bent. – **2.** (*ingobbato*) warped, buckled.

şverlạre *v.i.* (**şvẹrlo**; *aus.* **avere**) to twitter, to chirp.

şvernamẹnto *m.* **1.** ⟨*non com*⟩ wintering. – **2.** ⟨*Biol*⟩ (*ibernazione*) hibernation. – **şvernạnte** (*p.pr. di svernare*[1]) *a.* **1.** wintering. – **2.** ⟨*Biol*⟩ (*ibernante*) hibernating.

şvernạre[1] *v.* (**şvẹrno**) **I** *v.i.* (*aus.* **avere**) **1.** to (spend the) winter: *~ in riviera* to winter on the Riviera. – **2.** (*giungere alla fine dell'inverno*) to last through the winter. – **3.** ⟨*Mil*⟩ to go into winter quarters. – **4.** ⟨*Biol*⟩ (*ibernare*) to hibernate. – **II** *v.t.* ⟨*non com*⟩ (*far svernare*) to keep during the winter; (*rif. ad animali*) to winter. – **svernarsi** *v.r.* ⟨*ant*⟩ (*uscire dall'inverno*) to come out of the winter, to leave winter behind one.

şvernạre[2] *v.i.* (**şvẹrno**; *aus.* **avere**) ⟨*ant*⟩ (*cantare a primavera*) to sing in the spring.

svernatoio *m.* ⟨*Bot,rar*⟩ (*ibernacolo*) hibernacle, hibernaculum.
sverniciare *v.t.* (**svernicio, svernici**) ⟨*tecn*⟩ to remove paint from, to strip of paint. – **sverniciatore** *m.* paint remover, stripper. – **sverniciatura** *f.* paint removing, stripping. □ ~ *alla fiamma* burning off.
sverno *m.* ⟨*non com*⟩ → **svernamento.**
sverre *v.* ⟨*poet,rar*⟩ → **svellere.**
sversataggine *f.* ⟨*tosc*⟩ **1.** (*sgarbataggine*) incivility, rudeness, roughness, boorishness, uncouthness. – **2.** (*atto sgarbato*) discourtesy, rude behaviour. – **sversato** *a.* ⟨*tosc*⟩ **1.** (*rif. a persone*: *sgarbato, sgraziato*) uncivil, rude, rough, boorish. – **2.** (*privo di verso*) shapeless; (*sproporzionato*) out of proportion, disproportionate; (*goffo*) clumsy.
sverza (o *sverza*) *f.* **1.** (*scheggia*) splinter, chip. – **2.** (*scheggia di legno*) splinter, chip (of wood). – **sverzare** *v.t.* (**sverzo/sverzo**) **1.** (*scheggiare*) to splinter, to chip. – **2.** (*ridurre in sverze*) to chop into splinters (*o* chips). – **3.** (*turare con sverze*) to plug up (with chips of wood), to stop (with splinters). – **sverzarsi** *v.r.* (*rompersi in verze*) to splinter, to chip, to break into splinters (*o* chips). – **sverzato** (*p.p. di sverzare*) *a.* (*scheggiato*) chipped, splintered. – **sverzetta, sverzettina** *f. dim. di* **sverza.**
sverzino[1] *m.* ⟨*Bot*⟩ (*verzino*) brazilwood, Pernambuco wood (*Caesalpinia echinata*).
sverzino[2] *m.* **1.** (*spago ritorto*) whipcord. – **2.** (*cordicella della frusta*) cord at the end of a whiplash.
svesciare *v.t.* (**svescio, svesci**) ⟨*tosc*⟩ **1.** (*rivelare*) to reveal, to disclose. – **2.** (*spiattellare*) to tell, to blab, to blurt out.
svescicare *v.t.* (**svescico, svescichi**) to blister. – **svescicarsi** *v.r.* (*bruciandosi*) to blister (o.s.). – **svescicatura** *f.* ⟨*pop*⟩ **1.** (*lo svescicare, lo svescicarsi*) blistering. – **2.** ⟨*concr*⟩ blister, burn.
svescicone *m.* (*f.* **-a**) ⟨*tosc*⟩ (*chi sparla*) blurter, ⟨*fam*⟩ blabbermouth.
svestire *v.t.* (**svesto**) **1.** to undress, to strip: ~ *il bambino* to undress the baby. – **2.** ⟨*estens*⟩ (*togliere il rivestimento*) to divest, to strip, to take off: ~ *un libro della copertina* to take the cover off a book. – **3.** ⟨*fig*⟩ (*togliere*) to take away, to strip. – **4.** ⟨*ant,lett*⟩ (*deporre una veste*) to lay aside. – **svestirsi** *v.r.* **1.** to undress (o.s.), to get undressed, to take off one's clothes, to strip. – **2.** ⟨*fig*⟩ (*perdere un'apparenza esteriore*) to rid o.s. (*di* of), to lay aside (s.th.). – **3.** ⟨*fig*⟩ (*deporre*) to divest o.s. (of), to lay aside (s.th.): ~ *di una carica* to lay aside an office. – **svestito** (*p.p. di svestire*) *a.* **1.** undressed; (*nudo*) nude, naked. – **2.** ⟨*estens*⟩ (*privo di rivestimenti*) stripped, divested.
Svetonio *N.pr.m.* ⟨*Stor*⟩ Suetonius.
svettamento *m.* ⟨*non com*⟩ → **svettatura.** – **svettare** *v.* (**svetto**) **I** *v.t.* ⟨*Silv*⟩ to poll(ard), to cut (*o* trim) the tops of, to lop (the crowns of). – **II** *v.i.* (*aus.* **avere**) ⟨*lett*⟩ **1.** (*rif. ad alberi*: *agitare la cima*) to wave its top. – **2.** (*ergersi*) to rise (up), to stand out. – **svettato** (*p.p. di svettare*) *a.* ⟨*Silv*⟩ polled, pollard(ed), lopped. – **svettatoio** *m.* lopping shears *pl*, pruner. – **svettatura** *f.* **1.** poll(ard)ing, lopping. – **2.** (*cime tagliate*) polled (*o* pollard) tops *pl*, lopped crowns *pl.*
Svevia *N.pr.f.* ⟨*Geog*⟩ Swabia. – **svevo I** *a.* **1.** Swabian, Suabian. – **2.** ⟨*Stor*⟩ Suevian, Suevic. – **3.** ⟨*Stor*⟩ (*degli Hohenstaufen*) Hohenstaufen: *casa -a* Hohenstaufen family. – **II** *s.m.* **1.** (*dialetto*) Swabian, Suabian. – **2.** (*abitante; f.* **-a**) Swabian, Suabian. – **3.** ⟨*Stor*⟩ Suevian. – **4.** ⟨*Stor*⟩ (*appartenente alla casa degli Hohenstaufen*) Hohenstaufen.
Svezia *N.pr.f.* ⟨*Geog*⟩ Sweden (*denom.uff.*: *Regno di Svezia* Kingdom of Sweden).
svezzamento *m.* **1.** weaning: *lo* ~ *del bambino* the weaning of a baby. – **2.** (*il disabituare*) weaning, breaking of a habit. – **svezzare** *v.t.* (**svezzo**) **1.** to wean: ~ *un bambino* to wean a baby. – **2.** (*disabituare*) to break (of a habit), to wean, to disaccustom: ~ *qd. da qc.* to wean s.o. from s.th., to break s.o. of s.th., to disaccustom s.o. to s.th. – **svezzarsi** *v.r.* to break (*o* get rid of) a habit, to disaccustom o.s.: *svezzarsi dal fumo* to break o.s. of (the habit of) smoking. – **svezzato** (*p.p. di svezzare*) *a.* weaned.
svezzese *a./s.* ⟨*ant*⟩ → **svedese.**
S.V.I. = *Signoria Vostra Illustrissima* Your Lordship.
sviamento *m.* **1.** (*lo sviare*) deviation, diversion, turning aside; (*lo sviarsi*) wandering, straying. – **2.** ⟨*Ferr*⟩ (*deragliamento*) derailment. – **3.** (*in senso morale*: *smarrimento, traviamento*) leading astray, corruption: *lo* ~ *della gioventù* the corruption of youth; (*il traviarsi*) going astray. □ ~ *dell'indagine* leading an investigation astray; ⟨*Dir*⟩ ~ *di potere* abuse of power.
sviare *v.* (**svio, svii**) **I** *v.t.* **1.** to turn aside, to avert, to ward off, to divert: ~ *un colpo* to ward off a blow. – **2.** ⟨*fig*⟩ (*distogliere*) to distract, to divert: ~ *l'attenzione di qd.* to divert s.o.'s attention. – **3.** ⟨*fig*⟩ (*allontanare*) to draw away, to turn aside (*o* away), to deter, to persuade not to: ~ *qd. dagli studi* to draw s.o. away from his studies. – **4.** (*far deviare*) to put on the wrong track, to lead astray, to mislead: ~ *le indagini della polizia* to put the police on the wrong track. – **5.** ⟨*fig*⟩ (*corrompere*) to lead astray, to corrupt: *le cattive compagnie lo hanno sviato* bad company has led him astray. – **II** *v.i.* (*aus.* **avere**) **1.** ⟨*rar*⟩ (*uscire di strada*) to go (*o* wander) off the road, to leave one's path (*o* course), to stray. – **2.** ⟨*Ferr*⟩ (*deragliare*) to derail, to jump the rails. – **sviarsi** *v.r.* **1.** (*uscire di strada*) to lose one's way, to get lost; (*sbagliare strada*) to take the wrong way (*o* road). – **2.** (*allontanarsi*) to leave: *l'uccello si è sviato dal nido* the bird has left the nest. – **3.** ⟨*fig*⟩ (*allontanarsi dalla retta via*) to go astray, ⟨*fam*⟩ to stray from the straight and narrow. □ ~ *il discorso* to get off the point. – **sviato** (*p.p. di sviare*) **I** *a.* led astray, misled; (*corrotto*) corrupt(ed). – **II** *s.m.* (*f.* **-a**) person who has gone (*o* been led) astray.
svicolare *v.i.* (**svicolo**; *aus.* **avere/essere**) **1.** to turn into an alley. – **2.** ⟨*fam*⟩ (*svignarsela*) to slip (*o* slink, sneak) away, ⟨*fam*⟩ to beat it, ⟨*am.fam*⟩ to take a powder. □ ⟨*pop*⟩ *svicolarsela* to slip away (*o* off), ⟨*fam*⟩ to beat it.
svignare *v.i.* (*aus.* **essere**) ⟨*non com*⟩ to sneak (*o* steal) away, to slip (*o* make) off. □ ⟨*fam*⟩ *svignarsela* to slip off (*o* away), ⟨*fam*⟩ to beat it, ⟨*pop*⟩ to scarper: *all'arrivo della polizia i ladri se la sono svignata* when the police arrived the thieves beat it.
svigorimento *m.* **1.** weakening. – **2.** (*fiacchezza*) weakness. – **svigorire** *v.t.* (**svigorisco, svigorisci**) **1.** (*indebolire*) to weaken, to enfeeble, to debilitate. – **2.** ⟨*fig*⟩ to weaken, to undermine, to sap, to enfeeble. – **svigorirsi** *v.r.* to become weak(er), to be enfeebled, to lose (one's) vigour. – **svigorito** (*p.p. di svigorire*) *a.* **1.** weakened. – **2.** ⟨*fig*⟩ weakened, enfeebled, undermined.
svilimento *m.* **1.** debasement. – **2.** ⟨*Econ*⟩ (*svalutazione*) devaluation. – **svilio** *m.* ⟨*rar*⟩ **1.** debasement. – **2.** ⟨*Econ*⟩ devaluation. – **svilire** *v.t.* (**svilisco, svilisci**) **1.** to debase. – **2.** ⟨*Econ*⟩ (*svalutare*) to devalue.
svillaneggiamento *m.* **1.** outrage. – **2.** (*ingiuria*) insult, abuse. – **svillaneggiare** *v.t.* (**svillaneggio, svillaneggi**) to outrage, to treat roughly; (*ingiuriare*) to insult, to abuse. – **svillaneggiatore** *m.* (*f.* **-trice**) ⟨*non com*⟩ insulter, abuser.
sviluppabile I *a.* **1.** developable, that may be developed. – **2.** ⟨*Geom*⟩ developable. – **II** *s.f.* ⟨*Geom*⟩ (*superficie sviluppabile*) developable surface. – **sviluppamento** *m.* ⟨*rar*⟩ → **sviluppo.** – **sviluppante** *f.* ⟨*Mat,Mecc*⟩ involute, evolvent. □ ⟨*Mecc*⟩ *dentatura a* ~ involute toothing.
sviluppare *v.t.* **1.** (*aprire, distendere*) to unwrap, to open: ~ *un involto* to unwrap a parcel; (*sciogliere un viluppo*) to loosen, to undo, to untie: ~ *un groviglio* to undo a tangle. – **2.** (*trattare ampiamente*) to develop, to expound, to evolve, to work out: *devi* ~ *meglio l'ultima parte dell'articolo* you have to develop the end of the article better. – **3.** (*far aumentare gradatamente*) to develop, to expand, to build up, to increase, to make grow: ~ *il commercio* to build up trade; (*rinvigorire*) to strengthen, to develop: *lo sport sviluppa le membra* sport strengthens the limbs. – **4.** (*suscitare, produrre*) to cause, to produce, to bring about: *la scintilla ha sviluppato un incendio* the spark caused a fire; (*sprigionare*: *rif. a gas*) to emit, to discharge, to release: *questo terreno sviluppa gas* this ground emits gas. – **5.** ⟨*tecn*⟩ to develop, to generate, to produce: *il nuovo motore sviluppa 300 cavalli vapore* the new engine generates 300 horse-power. – **6.** ⟨*Fot*⟩ to develop: ~ *una pellicola* to develop a roll of film. – **7.** ⟨*Mat*⟩ to develop: ~ *un'equazione* to develop an equation – **svilupparsi** *v.r.* **1.** (*rif. a organismi viventi*: *acquistare forma definitiva*) to develop, to grow: *l'insetto si è sviluppato completamente* the insect is completely developed; (*raggiungere l'età dello sviluppo*) to develop: *il ragazzo si è sviluppato molto tardi* the boy developed very late; (*raggiungere la pubertà*) to develop, to reach puberty. – **2.** (*crescere*) to grow: *quanto si è sviluppato tuo figlio dall'ultima volta che l'ho visto* how your son has grown since the last time I saw him; (*rinvigorirsi*) to develop, to strengthen: *la mente si sviluppa con lo studio* the mind develops with study. – **3.** (*aumentare, progredire*) to expand, to increase, to grow, to develop: *in questi ultimi anni la produzione tessile si è notevolmente sviluppata* over the last few years textile production has increased considerably; (*espandersi*) to expand, to spread out, to extend: *la città si è sviluppata verso il mare* the city has spread out toward the sea. – **4.** (*manifestarsi aumentando gradatamente d'intensità*) to break out: *si è sviluppato un incendio* a fire broke out; *bisogna evitare che si sviluppi un'epidemia* we must prevent an epidemic from breaking out; (*sprigionarsi*: *rif. a gas*) to be emitted, to issue, to come (*da* from), to be given off (by): *dalla reazione si sviluppa un gas* gas is emitted by the reaction. – **5.** ⟨*lett*⟩ (*liberarsi*) to free o.s., to get free (of), to break free (from): *svilupparsi da una stretta* to break free from a grip.
sviluppata *f.* ⟨*Mat*⟩ (*evoluta*) evolute.
sviluppato (*p.p. di sviluppare*) *a.* **1.** (*giunto al termine del suo sviluppo*) (fully) developed, full-grown: *insetto* ~ fully developed insect; (*che ha raggiunto la pubertà*) developed: *una ragazza -a* a developed girl. – **2.** (*cresciuto, irrobustito*) strong, robust, sturdy, husky: *un ragazzo molto* ~ a very sturdy boy. – **3.** (*accentuato*) marked, strong: *ha uno* ~ *senso del dovere* he has a marked sense of duty. – **4.** ⟨*Geom*⟩ developed.
sviluppatore *m.* (*f.* **-trice**) **1.** ⟨*non com*⟩ developer. – **2.** ⟨*Fot,Chim*⟩ developer. – **sviluppatrice** *f.* developing-machine.
sviluppo *m.* **1.** (*atto*) development: *attendiamo gli -i della situazione* we are waiting for developments in the situation. – **2.** (*accrescimento, incremento*) development, growth: *favorire lo* ~ *del turismo* to favour the growth of tourism; (*espansione*) expansion, growth, development, build-up: *lo* ~ *di un'azienda* the expansion of a company. – **3.** (*rif. a organismi viventi*: *crescita*) development, growth: *lo* ~ *fisico e psichico del fanciullo* the physical and mental development of the child. – **4.** (*svolgimento, trattazione più estesa*) development, working out, broader treatment: *dare maggior* ~ *alla parte introduttiva dello studio* to give a broader treatment to the introductive part of the study. – **5.** ⟨*tecn*⟩ development, generation. – **6.** ⟨*Fot*⟩ (*lo sviluppare*) development; (*bagno di sviluppo*

developer: ~ *fotomeccanico* process developer. – **7.** ⟨*Mus*⟩ development (section). – **8.** ⟨*Mat,Geom*⟩ development: ~ *di una superficie* development of a surface.
□ ⟨*Fot*⟩ ~ **chimico** chemical development; **dare** *grande* ~ *a un'industria* to expand (*o* boost) an industry; ~ **economico** economic development; ⟨*Biol*⟩ ~ **embrionale** embryonic development; ⟨*Fisiol*⟩ **età** *dello* ~ (*pubertà*) puberty; ~ **fisico** physical development; ~ **fotografico** photographic development; ⟨*Fis*⟩ ~ *di* **gas** generation of gas; ⟨*Biol*⟩ ~ **ontogenetico** (*ontogenesi*) ontogenetic development, ontogeny; *lo* ~ *di una* **strada** the length of a road; ⟨*Fot*⟩ ~ **superficiale** surface development; ⟨*Fot*⟩ ~ *a* **tempo** development by time; *in* **via** *di* ~ developing, in the course (*o* process) of development, growing: *paesi in via di* ~ developing countries.

ṣvinạre *v.t.* ⟨*Enol*⟩ **1.** to draw (off), to rack (off). – **2.** ⟨*assol*⟩ to draw wine from the vat, to rack off. – **ṣvinatọre** *m.* (*f.* **-a**) ⟨*non com*⟩ drawer-off. – **ṣvinatụra** *f.* drawing (off), racking (off).

ṣvincolamẹnto *m.* **1.** (*atto*) unbinding, freeing, release; (*effetto*) liberation. – **2.** ⟨*fig*⟩ release, freeing, setting free. – **3.** ⟨*Econ*⟩ redemption. – **4.** ⟨*Comm*⟩ (*sdoganamento*) clearance, clearing: ~ *della merce* clearance of goods.

ṣvincolạre *v.t.* (**ṣvịncolo**) **1.** ⟨*non com*⟩ to unbind, to free of bonds. – **2.** ⟨*fig*⟩ (*liberare da un vincolo*) to release, to (set) free. – **3.** ⟨*Econ*⟩ to redeem: ~ *una casa da un'ipoteca* to redeem a house, to pay off the mortgage on a house. – **4.** ⟨*Comm*⟩ (*sdoganare*) to clear. – **svincolarsi** *v.r.* to free o.s., to get (*o* worm) free: *svincolarsi da una stretta* to free o.s. of a grip.

ṣvịncolo *m.* **1.** (*liberazione*) release, liberation. – **2.** ⟨*Econ*⟩ redemption. – **3.** ⟨*Comm*⟩ (*sdoganamento*) clearance. – **4.** ⟨*Strad*⟩ motorway crossing.

ṣvịo *m.* → **sviamento**.

ṣviolinạre *v.t.* ⟨*fam,scherz*⟩ (*adulare sfacciatamente*) to fawn on, to flatter, ⟨*fam*⟩ to fall all over, ⟨*fam*⟩ to suck up to. – **ṣviolinạta** *f.* **1.** ⟨*Mus*⟩ violin refrain. – **2.** → **sviolinatura**. – **ṣviolinatụra** *f.* ⟨*fam,scherz*⟩ (*adulazione sfacciata*) fawning, flattery.

ṣvịrgola *f.* ⟨*region*⟩ (*percossa*) (heavy) blow; (*data con i piedi*) (violent) kick. – **ṣvirgolạre** *v.t.* (**ṣvịrgolo**) ⟨*region*⟩ (*colpire violentemente*) to beat, to hit (hard); (*con i piedi*) to kick (hard).

ṣvirilịzzạre *v.t.* **1.** ⟨*rar*⟩ to evirate, to emasculate. – **2.** ⟨*fig*⟩ (*infiacchire*) to emasculate, to weaken, to enfeeble. – **ṣvirilịzzạto** (*p.p. di svirilizzare*) *a.* **1.** evirated, emasculated. – **2.** ⟨*fig*⟩ (*infiacchito*) emasculated, weakened.

ṣvirulentạre *v.t.* (**ṣvirulẹnto**) ⟨*Biol*⟩ to remove virulence from. – **svirulentarsi** *v.r.* to lose its virulence. – **ṣvirulentaziọne** *f.* loss of virulence.

ṣviṣamẹnto *m.* ⟨*fig*⟩ distortion, twisting. – **ṣviṣạre** *v.t.* **1.** ⟨*fig*⟩ to distort, to twist, to misrepresent, to alter: ~ *la verità* to distort the truth. – **2.** ⟨*ant*⟩ (*sfigurare*) to disfigure.

ṣvisceramẹnto *m.* ⟨*non com*⟩ **1.** (*esame accurato*) thorough examination, dissection; (*studio particolareggiato*) detailed study. – **2.** ⟨*rar*⟩ (*sventramento*) disembowelling, evisceration. – **ṣviscerạre** *v.t.* (**ṣvịscero**) **1.** (*esaminare a fondo*) to examine (*o* go into) thoroughly, to dissect, to get to the bottom of: *ho sviscerato la questione* I examined the matter thoroughly; (*studiare a fondo*) to study in detail, to make a thorough study of; (*trattare esaurientemente*) to deal with exhaustively. – **2.** ⟨*rar*⟩ (*sventrare*) to disembowel, to eviscerate. – **sviscerarsi** *v.r.* (*profondersi*) to be profuse with expressions of affection, ⟨*fam*⟩ to fall all over: *sviscerarsi per qd.* to fall all over s.o. – **ṣvisceratamẹnte** *avv.* passionately, deeply, ardently, with all one's heart: *amare* ~ *qd.* to love s.o. deeply. – **ṣvisceratẹzza** *f.* **1.** passion, ardour. – **2.** (*manifestazione eccessiva*) effusion, gushing, unrestrained expression (of feelings). – **ṣviscerạto** *a.* **1.** (*appassionato*) passionate, deep, ardent: *amore* ~ passionate love. – **2.** ⟨*spreg*⟩ (*eccessivo*) effusive, gushing, over-demonstrative.

ṣvịsta *f.* **1.** oversight, slip: *è stata una* ~ it was an oversight. – **2.** (*errore*) slip, slight mistake.

ṣvitạbile *a.* ⟨*non com*⟩ that may be unscrewed. – **ṣvitamẹnto** *m.* unscrewing. – **ṣvitạre** *v.t.* **1.** (*staccare*: *rif. a viti*) to unscrew, to remove. – **2.** (*staccare pezzi tenuti insieme da viti*) to unscrew; (*aprire allentando viti*) to unscrew. – **ṣvitạto** (*p.p. di svitare*) ⟨*scherz*⟩ **I** *a.* (*strambo*) odd, ⟨*fam*⟩ with a screw loose, ⟨*fam*⟩ screwy, ⟨*fam*⟩ nutty, ⟨*fam*⟩ barmy. – **II** *s.m.* (*f.* **-a**) odd person, ⟨*fam*⟩ nut, ⟨*am. fam*⟩ screwball. □ *essere un po'* ~ to have a screw loose. – **ṣvitatụra** *f.* unscrewing.

ṣviticchiạre *v.t.* (**ṣvitịcchio**, **ṣvitịcchi**) to untwine, to disentangle, to untangle. – **svitịcchiarsi** *v.r.* **1.** to disentangle o.s. – **2.** ⟨*fig*⟩ (*liberarsi*) to get rid, to free o.s. (*da* of).

Ṣvịtto *N.pr.f.* ⟨*Geog*⟩ Schwyz.

ṣviziạre *v.t.* (**ṣvịzio**, **ṣvịzi**) ⟨*non com*⟩ (*togliere il vizio*) to break (*o* cure, get out) of a bad habit: ~ *qd.* to break s.o. of a bad habit. – **sviziarsi** *v.r.* ⟨*non com*⟩ (*perdere il vizio*) to break (*o* cure) o.s. of a bad habit, to get out of a bad habit.

Ṣvịzzera *N.pr.f.* ⟨*Geog*⟩ Switzerland (*denom.uff.*: *Confederazione Svizzera* Swiss Confederation). – **ṣvịzzero I** *a.* Swiss: *guardie -e* Swiss guards. – **II** *s.m.* **1.** (*abitante*; *f.* **-a**) Swiss; *pl.* the Swiss (*costr.pl.*). – **2.** (*guardia svizzera*) Swiss guard. – **3.** ⟨*Alim*⟩ emmenthal, Swiss (cheese), emmentaler.

ṣvociạto *a.* voiceless, who has lost his voice.

ṣvogliạre *v.t.* (**ṣvọglio**, **ṣvọgli**) ⟨*non com*⟩ (*far perdere la voglia*) to make lose one's desire, to make stop wanting: ~ *qd. da qc.* to make s.o. ⌜stop wanting⌝ (*o* lose his desire for) s.th. – **svogliarsi** *v.r.* to lose one's desire (*di, da* for), to desire (*o* want) no longer (s.th.), to lose interest (in). – **ṣvogliatạccio** (*pegg. di svogliato*) *m.* (*f.* **-a**) idle fellow, shirker, ⟨*fam*⟩ lazy-bones. – **ṣvogliatạggine** *f.* → **svogliatezza**. – **ṣvogliatamẹnte** *avv.* **1.** unwillingly, listlessly, unenthusiastically. – **2.** (*con indolenza*) lazily. – **ṣvogliatẹzza** *f.* **1.** unwillingness, listlessness, indifference, lack of enthusiasm, disinclination. – **2.** (*pigrizia*) laziness, indolence. □ *con* ~ listlessly, unenthusiastically: *studiare con* ~ to study listlessly; (*con pigrizia*) lazily, indolently.

ṣvogliạto (*p.p. di svogliare*) **I** *a.* **1.** unwilling, listless, indifferent, unenthusiastic, disinclined. – **2.** (*indolente*) lazy, indolent, idle, slack: *uno scolaro* ~ a lazy (*o* slack) pupil. – **3.** (*annoiato*) bored. – **II** *s.m.* (*f.* **-a**) **1.** listless (*o* unenthusiastic) person. – **2.** (*persona pigra*) lazy person, slacker, ⟨*fam*⟩ lazy-bones. – **ṣvogliatụra** *f.* ⟨*rar*⟩ → **svogliatezza**.

ṣvolacchiạre *v.i.* (**ṣvolạcchio**, **ṣvolạcchi**; *aus.* **avere**) to fly about, to flit (to and fro).

ṣvolạre *v.i.* (**ṣvọlo**; *aus.* **avere**) **1.** ⟨*lett*⟩ (*volar via*) to fly away (*o* off), to take flight (*o* wing). – **2.** ⟨*lett*⟩ (*svolazzare*) to fly about. – **3.** ⟨*region*⟩ (*volare*) to fly.

ṣvolazzamẹnto *m.* ⟨*non com*⟩ flying about, flitting, fluttering. – **ṣvolazzạnte** (*p.pr. di svolazzare*) *a.* fluttering. – **ṣvolazzạre** *v.i.* (*aus.* **avere**) **1.** (*volare qua e là*) to fly about (*o* here and there), to flit, to flutter. – **2.** (*agitare le ali*) to flutter, to flap, to beat (one's wings). – **3.** ⟨*fig*⟩ (*agitarsi*) to flutter, to flap, to fly: *i suoi capelli svolazzavano al vento* her hair was flying in the wind. – **4.** ⟨*fig, scherz*⟩ (*vagare qua e là*) to flit, to flutter, to fly, to jump. – **ṣvolazzịo** *m.* ⟨*non com*⟩ (continual) fluttering.

ṣvolạzzo *m.* **1.** (*breve volo*) short flight. – **2.** (*lembo che svolazza*) fluttering (*o* flapping) edge (of a garment). – **3.** (*abbellimento calligrafico*) flourish: *una calligrafia con molti -i* handwriting with many flourishes. – **4.** ⟨*fig*⟩ (*ornamento superfluo*) flourish, embellishment, ornament: *prosa piena di -i* writing full of embellishments.

ṣvolẹre *v.* (**ṣvọglio**, **ṣvuọi**; **ṣvọlli**, **ṣvolụto**; → **volere**) ⟨*rar*⟩ **I** *v.t.* (*non volere più*) to want no longer, to cease to want. – **II** *v.i.* (*aus.* **avere**) (*mutare parere*) to change one's mind.

ṣvọlgere *v.t.* (**ṣvọlgo**, **ṣvọlgi**; **ṣvọlsi**, **ṣvọlto**) **1.** to unwind: ~ *una matassa* to unwind a skein; (*srotolare*) to unroll: ~ *una pellicola dalla bobina* to unroll film from the spool; (*distendere*) to unfold, to spread out: ~ *una tovaglia* to spread out a tablecloth. – **2.** (*trattare per esteso*) to develop, to expand, to treat more broadly: ~ *un argomento* to develop a theme. – **3.** ⟨*fig*⟩ (*attuare una serie di azioni per il conseguimento di uno scopo*) to develop, to work out: ~ *un piano di lavoro* to develop a work plan; (*esplicare*) to carry on (*o* out): ~ *un'attività commerciale* to carry on a commercial activity. – **4.** ⟨*non com*⟩ (*deviare*) to divert, to turn aside. – **5.** ⟨*fig,non com*⟩ (*distogliere*) to dissuade. – **svolgersi** *v.r.* **1.** to unwind, to become unwound: *il filo si svolge dal rocchetto* the thread is unwinding from the spool. – **2.** ⟨*fig*⟩ (*distendersi, spiegarsi*) to unfold, to spread (*o* open) out: *una splendida vista si svolgeva sotto i nostri occhi* a splendid view was spread out before our eyes. – **3.** ⟨*fig*⟩ (*accadere, aver luogo*) to occur, to happen, to come about, to go: *ecco come si svolsero i fatti* this is how things went; (*procedere*) to proceed, to go on (*o* off): *la vita si svolge monotona* life goes on monotonously. – **4.** (*essere ambientato*) to be set: *il primo atto si svolge a Venezia* the first act is set in Venice. – **5.** ⟨*fig*⟩ (*essere disputato*: *rif. a gare e sim.*) to be played: *la partita di calcio si svolgerà a Roma* the football game will be played in Rome. – **6.** ⟨*fig*⟩ (*liberarsi*) to free o.s. □ ⟨*rar*⟩ ~ *un libro* (*sfogliarlo*) to skim through a book; ⟨*Scol*⟩ ~ *un tema* to write a composition.

ṣvolgimẹnto *m.* **1.** (*lo svolgere, lo svolgersi*) unwinding; (*lo srotolare, lo srotolarsi*) unrolling. – **2.** (*trattazione*) development, treatment: *lo* ~ *di una tesi* the development of a thesis; (*esposizione*) explanation. – **3.** ⟨*fig*⟩ (*attuazione, progressione*) development, working out: *lo* ~ *di un piano strategico* the development of a strategic plan; (*l'esplicare*) carrying on (*o* out): ~ *di molteplici attività* carrying out many activities. – **4.** (*andamento, prosecuzione*) course: *lo* ~ *degli eventi* the course of events. – **5.** ⟨*Scol*⟩ (*componimento*) composition, theme.

ṣvolgitọre *m.* (*f.* **-trice**) ⟨*non com*⟩ unwinder.

ṣvolịo *m.* ⟨*lett*⟩ flying away, flight. – **ṣvọlo** *m.* ⟨*non com*⟩ flight.

ṣvọlta *f.* **1.** turning: *divieto di* ~ no turning. – **2.** ⟨*concr*⟩ (*curva*) turn, curve, bend; (*angolo*) corner. – **3.** ⟨*fig*⟩ turning-point, crossroads *pl* (*costr.sing.*): *una* ~ *importante nella vita* an important turning -point in one's life. – **4.** ⟨*fig*⟩ (*cambiamento*) change: *c'è stata una* ~ *nei nostri rapporti* there was a change in our relationship. □ ⟨*Strad*⟩ *divieto di* ~ *a destra* no right turn; *divieto di* ~ *a sinistra* no left turn; ~ *pericolosa* dangerous curve ahead.

ṣvoltamẹnto *m.* ⟨*non com*⟩ **1.** (*lo svoltare*) unwrapping; (*lo srotolare*) unrolling. – **2.** (*lo svoltarsi*) turning.

ṣvoltạre *v.* (**ṣvọlto**) **I** *v.i.* (*aus.* **avere**) **1.** (*fare la voltata*) to turn: ~ *a destra* to turn (to the) right. – **2.** (*curvare*) to turn, to curve, to bend. – **II** *v.t.* ⟨*non com*⟩ (*svolgere*) to unwrap; (*srotolare*) to unroll. □ ~ *in una strada* to turn (off) into a street; ~ *all'angolo* to turn at the corner.

ṣvoltạta *f.* turn(ing). □ *fare una* ~ to turn. – **ṣvoltatụra** *f.* ⟨*non com*⟩ (*lo svolgere*) unwrapping; (*lo srotolare*) unrolling.

ṣvọlto[1] (*p.p. di svolgere*) *a.* **1.** (*sviluppato*) developed. – **2.** (*effettuato*) conducted, carried on (*o* out): *il lavoro* ~ *nei primi mesi* the work carried out in the early months. – **3.** (*trattato*) treated, dealt with.

ṣvọlto² *m.* ⟨*rar*⟩ → **svolta.**

ṣvoltolamẹnto *m.* ⟨*non com*⟩ **1.** (*lo svoltolare*) unrolling, unwrapping; (*lo svoltolarsi*) tossing and turning. – **2.** → **svoltatura.** – **ṣvoltolạre** *v.t.* (**ṣvọltolo**) **1.** to unwrap, to undo, to open: ~ *un pacco* to unwrap a package; (*srotolare*) to unroll. – **2.** (*girare*) to turn (over), to roll (over). – **svoltolarsi** *v.r.* (*rigirarsi*) to toss and turn: *svoltolarsi nel letto* to toss and turn in bed.

ṣvọlvere *v.* ⟨*poet*⟩ → **svolgere.**

ṣvotamẹnto *m.* → **svuotamento.** – **ṣvotạre** *v.* → **svuotare.**

ṣvuotamẹnto *m.* **1.** emptying (out). – **2.** ⟨*Chir*⟩ removal, extirpation. – **3.** ⟨*fig*⟩ (*privare di significato*) emptying, depriving, divesting. – **ṣvuotạre** *v.t.* (**ṣvuọto**) **1.** (*vuotare*) to empty (out). – **2.** ⟨*fig*⟩ to empty, to deprive, to divest: ~ *una frase d'ogni significato* to empty a phrase of all meaning, to make a phrase meaningless.

SW = *sud-ovest* south-west (*abbr.* SW).

Swan *ingl.* [swɔn]: ⟨*El*⟩ *zoccolo* ~ Swan (*o* bayonet) sockel.

ṣwattato *a.* → **svattato.**

Swaziland *ingl.* ['swa:zilænd] *N.pr.m.* ⟨*Geog*⟩ Swaziland.

sympọṣium *lat. m.* symposium.

SYR = ⟨*Aut*⟩ *Siria* Syria.

T

t, T [ti, *region.* te] *f./m.* (*lettera dell'alfabeto*) t, T: *due t* two t's; *ferro a T* T-iron; *una t maiuscola* a capital T; *una t minuscola* a small t; ⟨*Tel*⟩ *t come Torino* T for Tommy.

t = **1.** *tonnellata* ton (*abbr.* t.). – **2.** ⟨*Fis*⟩ *tempo* time (*abbr.* t.). – **3.** ⟨*Fis*⟩ *temperatura* temperature (*abbr.* t., temp.).

Ta = ⟨*Chim*⟩ *tantalio* tantalum.

tab *ingl.* [tæb] *m.* ⟨*Aer*⟩ (trim) tab.

tab. = *tabella* table (*abbr.* tab., t.).

tabaccạio *m.* (*f.* -a) tobacconist. – **tabaccạre** *v.i.* (**tabạcco, tabạcchi;** *aus.* **avere**) to take snuff. – **tabaccạto** *a.* ⟨*rar*⟩ tobacco(-coloured), tobacco brown, snuff-coloured, buff. – **tabaccherịa** *f.* tobacconist's (shop). – **tabacchicoltọre** *m.* (*f.* **-trice**) tobacco-grower. – **tabacchicoltụra** *f.* tobacco-growing. – **tabacchicultọre** *m.* → **tabacchicoltore.** – **tabacchicultụra** *f.* → **tabacchicoltura.** – **tabacchiẹra** *f.* snuff-box. – **tabacchifịcio** *m.* **1.** tobacco factory. – **2.** (*attività*) tobacco-processing. – **tabacchịna** *f.* (*operaia*) (woman) tobacco-worker. – **tabacchịno** *m.* (*f.* -a) **1.** (*operaio*) tobacco-worker. – **2.** ⟨*region*⟩ → **tabaccaio.**

tabạcco *a./s.* (*pl.* **-chi**) **I** *s.m.* **1.** ⟨*Bot*⟩ tobacco(-plant) (*Nicotiana*). – **2.** (*foglie*) tobacco, tobacco leaves *pl*; (*materia*) tobacco. – **3.** (*tabacco da consumo*) tobacco(s): *tabacchi turchi* Turkish tobacco. – **4.** (*colore*) tobacco(-colour), tobacco-brown, buff. – **II** *a.* (*color tabacco*) tobacco-coloured, tobacco(-brown), buff.

□ **annusare** ~ = **fiutare** *tabacco*; **cicca** *di* ~ quid (of tobacco); **ciccare** ~ to chew tobacco; **color** ~ tobacco(-colour); ~ *in* **corda** chewing tobacco; (*pezzo*) plug; **fiutare** ~ to take snuff; ~ *da* **fiuto** snuff; ~ *da* **fumo** tobacco; ~ **giallo** bright tobacco; ~ **greggio** raw tobacco; ~ **grossolano** shag; ~ *da* **masticare** = *tabacco in* **corda**; *masticare* ~ to chew tobacco; ~ ⌜*da* **naso**⌝ (o *in polvere*) = *tabacco da* **fiuto**; ~ *da* **pipa** pipe tobacco; **prendere** ~ = **fiutare** *tabacco*; **presa** *di* ~ pinch of snuff; ~ *in* **rotoletti** pigtail, twist of tobacco; ~ **trinciato** cut tobacco (for pipes).

tabaccọne ⟨*fam*⟩ **I** *s.m.* (*f.* -a) snuff-taker, snuffer. – **II** *a.* fond of taking snuff, snuff-taking. – **tabaccọso** *a.* snuffy, soiled with snuff.

tabacọṣi *f.* ⟨*Med*⟩ tobacosis, tobacism, tobacco poisoning.

tabạgico *a.* (*pl.* **-ci**) ⟨*Med*⟩ tobacco-. □ *intossicazione -a* → **tabagismo.** – **tabagịṣmo** *m.* tabagism, nicotinism.

tabạnidi *m.pl.* ⟨*Entom*⟩ tabanids *pl*, horseflies *pl*, gadflies *pl*, breezes *pl* (*Tabanidae*).

tabarin *fr.* [-'rɛ̃] *m.* night-club (with variety numbers).

tabạrro *m.* **1.** ⟨*region*⟩ (*mantello*) cloak. – **2.** ⟨*scherz*⟩ (*mantello pesante*) overcoat, top-coat, greatcoat.

tạbe *f.* **1.** ⟨*Med*⟩ tabes; (*tabe dorsale*) tabes dorsalis, locomotor ataxia. – **2.** ⟨*lett*⟩ (*pus*) pus. – **3.** ⟨*lett*⟩ (*consunzione*) consumption. □ ~ *paralisi* → **taboparalisi.**

tabefạtto *a.* **1.** ⟨*lett*⟩ (*marcio*) putrid, rotten; (*guasto*) decayed, bad. – **2.** ⟨*ant*⟩ (*imbrattato, lordo*) dirty, soiled, stained.

tabẹlla *f.* **1.** plaque, plate, tablet; (*tavoletta di legno*) board. – **2.** (*prospetto*) table, statement, ⟨*am*⟩ schedule; (*elenco*) list: ~ *dei prezzi* price-list. – **3.** ⟨*Mus*⟩ (*strumento di legno*) clapper; (*raganella*) rattle. – **4.** ⟨*Stor.rom*⟩ (wax-)tablet; (*lettera*) letter. – **5.** ⟨*Etnol*⟩ (*tavoletta di defissione*) transfixion tablet. – **6.** ⟨*ant*⟩ (*tavoletta votiva*) votive tablet.

□ ~ *delle* **aliquote** *d'imposta* rate-of-taxation table; ⟨*Mar.mil*⟩ ~ *d'***armamento** (*o equipaggio*) quarter bill; ⟨*Mar*⟩ ~ *di* **deviazione** deviation card; ⟨*Mar.mil*⟩ ~ *di* **guerra** quarter bill; ~ *degli* **interessi** interest table; ~ *di* **marcia**: 1. ⟨*Sport*⟩ = *tabella* **oraria**; 2. ⟨*fig*⟩ work schedule; ⟨*Mar.mil*⟩ ~ **normale** station bill; ⟨*Sport*⟩ ~ **oraria** schedule; ~ *delle* **parità** parity table; ⟨*Ferr*⟩ ~ *di* **percorrenza** running chart; ⟨*Fot*⟩ ~ *di* **posa** exposure guide (*o* table); ~ **salariale** table of wages, wage scale; ⟨*fig,non com*⟩ **sonare** *le -e dietro a qd.*: 1. (*beffeggiarlo*) to mock (*o* jeer at) s.o.; 2. (*parlarne male*) to run s.o. down.

tabellạre *a.* **1.** table-, board-. – **2.** (*che ha forma di tabella*) tabular. □ *aumento* ~ *dello stipendio* salary rise in accordance with a union scale.

tabellạrio *m.* ⟨*Stor.rom*⟩ letter-carrier.

tabellịna (*dim. di tabella*) *f.* ⟨*Mat*⟩ multiplication table.

tabellionạto *m.* ⟨*Stor*⟩ **1.** (*professione*) office of notary, notaryship. – **2.** (*contrassegno*) notary's mark (*o* sign). – **tabelliọne** *m.* **1.** ⟨*Stor*⟩ (*notaio*) tabellion, notary. – **2.** ⟨*Stor.rom*⟩ (*scrivano pubblico*) tabellion, public scrivener. – **3.** ⟨*Mar.ant*⟩ consignee (of goods).

tabellọne (*accr. di tabella*) *m.* **1.** large board (*o* table). – **2.** (*tavola per le affissioni*) notice-board, board: ~ *delle partenze* departure board; (*tavola per manifesti e cartelloni murali*) hoarding, billboard. – **3.** (*manifesto*) poster, placard, bill. – **4.** ⟨*Sport*⟩ (*nella pallacanestro*) backboard.

tabernạcolo *m.* **1.** ⟨*Lit*⟩ tabernacle, ciborium. – **2.** ⟨*Arch*⟩ tabernacle, niche; (*specie di edicola*) shrine. – **3.** ⟨*Rel.ebr*⟩ Tabernacle: *festa dei -i* Feast of Tabernacles. – **4.** ⟨*Mar.ant*⟩ (*pedana sopraelevata*) bridge platform; (*alloggio del capitano*) captain's cabin; (*nelle bussole marine*) compass housing. – **5.** ⟨*Stor.rom*⟩ tent; (*attendamento da campo*) camp; (*tenda del comandante militare*) commander-in-chief's tent.

tabernạrio *m.* ⟨*Stor.rom*⟩ (*oste*) innkeeper, host.

tabẹtico *a./s.* (*pl.* **-ci**) **I** *a.* ⟨*Med*⟩ tabetic. – **II** *s.m.* tabetic, sufferer from tabes.

tabì *m.* ⟨*Stor*⟩ (*pesante tessuto di seta*) tabby, silk taffeta.

tạbico *a.* (*pl.* **-ci**) ⟨*Med*⟩ tabic, tabetic.

tạbido *a.* ⟨*lett*⟩ (*putrescente*) decaying, rotting, ⟨*lett*⟩ tabid.

tabinẹtto *m. dim. di* **tabì.**

tableau *fr.* [ta'blo] *m.* **1.** (*tappeto della roulette*) roulette table. – **2.** ⟨*esclam*⟩ tableau.

table d'hôte *fr.* [tabl'do:t] *f.* ⟨*non com*⟩ table-d'hôte, set meal.

tablier *fr.* [tabli'e] *m.* ⟨*Etnol*⟩ Hottentot apron.

tablịno *m.* ⟨*Archeol*⟩ tablinum.

tablọide *m.* ⟨*Farm*⟩ tablet, tabloid.

tabọga *m.inv.* ⟨*non com*⟩ **1.** (*slitta*) toboggan. – **2.** (*scivolo*) chute, slide; (*per giochi*) slide.

taboparạliṣi *f.* ⟨*Med*⟩ taboparalysis, taboparesis.

Tạbor *N.pr.m.* ⟨*Geog*⟩ Tabor. □ ⟨*Stor*⟩ *battaglia del* ~ Battle of Mount Tabor.

taborịta *m./f.* ⟨*Rel*⟩ Taborite.

tabouret *fr.* [tabu're] *m.* ⟨*Arred*⟩ tabouret, stool; (*per i piedi*) foot-stool.

tabù **I** *s.m.* **1.** ⟨*Etnol*⟩ taboo, tabu (*anche estens.*). – **2.** ⟨*scherz*⟩ (*soggetto non nominabile*) taboo (*o* forbidden) subject. – **II** *a.* **1.** ⟨*Etnol*⟩ taboo, tabu (*anche estens.*). – **2.** ⟨*scherz*⟩ (*che non si può nominare*) taboo, forbidden: *argomento* ~ taboo subject. □ ~ *alimentare* food taboo; ⟨*Ling*⟩ ~ *lessicale* (o *linguistico*) taboo (word); ~ *di persona* personal taboo; ~ *di rapporto* taboo between relations; ~ *sessuale* sex taboo.

tabuiẓẓạre *v.t.* to taboo, to tabu, to make (*o* declare) taboo. – **tabuiẓẓaziọne** *f.* tabuing, making (*o* declaring) taboo, imposition of a taboo.

tạbula gratulatọria *lat. f.* congratulatory list.

tạbula rạsa *lat. f.* **1.** tabula rasa, blank tablet. – **2.** ⟨*Filos*⟩ tabula rasa. – **3.** ⟨*scherz*⟩ (*testa vuota*) empty head, ignoramus. □ ⟨*scherz*⟩ *far* ~: 1. (*portare via tutto*) to make a clean sweep, ⟨*fam*⟩ to clear the lot; 2. (*consumare tutto*) to finish (*o* polish) everything off; 3. (*cacciare via tutti*) to drive everyone off (*o* away); *la mia memoria è una* ~ my memory is a complete blank.

tabulạre[1] *a.* tabular (*anche Min.,Bot.,Geog.*): *cristallo* ~ tabular crystal. □ ⟨*Econ*⟩ *regime del modulo* ~ tabular standard.

tabulạre[2] *v.t.* (**tạbulo**) ⟨*Mat,Fis*⟩ to tabulate.

tabulạrio[1] *m.* ⟨*Stor.rom*⟩ (*archivio*) tabularium, tabulary, archives *pl.*

tabulạrio[2] *m.* **1.** ⟨*Stor.rom*⟩ archivist. – **2.** ⟨*Stor*⟩ (*schiavo liberato*) freed slave.

tabulạti *m.pl.* ⟨*Paleont*⟩ tabulate corals *pl* (*Tabulata*).

tabulạto *m.* tabulation. – **tabulatọre** *m.* tabulator. – **tabulatrịce** *f.* tabulator, tabulating-machine. – **tabulaziọne** *f.* ⟨*Mat,Fis*⟩ tabulation.

tac *onom.* → **tacchete.**

tạcca *f.* **1.** notch, hack, cut: *un banco di scuola pieno di tacche* a school desk full of notches. – **2.** (*intaccatura in una lama*) nick, jag: *un coltello con tacche* a knife with nicks. – **3.** (*statura*) height, stature; (*corporatura*) build. – **4.** (*chiazza sulla pelle*) blotch, blemish; (*macchia del pelame*) patch. – **5.** ⟨*fig*⟩ (*levatura*) intelligence, mental capacity, intellect, calibre; (*qualità*) kind, sort: *d'una* ~ of a kind, of the same sort; (*valore*) worth. – **6.** ⟨*fig*⟩ (*difetto, magagna*) fault, defect: *tutti abbiamo le nostre tacche* we all have our faults. – **7.** ⟨*Mecc*⟩ notch. – **8.** ⟨*Alp*⟩ foothold, notch, incut. – **9.** ⟨*Tip*⟩ nick. – **10.** ⟨*Tess, ant*⟩ (*cartello*) label, tag, tally. □ *tacche di* **contrassegno** tally marks; **fare** *tacche in qc.* to notch (*o* nick, jag) s.th., to cut notches in s.th.; ~ *della* **freccia** notch of an arrow; *uomo di* **mezza** ~ man of medium height; ⟨*fig*⟩ man of little worth; ~ *di* **mira** backsight notch; *le tacche della* **stadera** the notches on a steelyard; ⟨*tosc,fam*⟩ ~ **tacca** (*così così*) so-so; (*alle calcagna*) on one's heels.

taccagnerịa *f.* miserliness, niggardliness, stinginess, meanness. – **taccạgno I** *a.* miserly, niggardly, stingy, mean. – **II** *s.m.* (*f.* -**a**) miser, stingy (*o* mean) person.

taccamạcca *f.* (*resina*) tacamahac(a).

taccạre *v.t.* (**tạcco, tạcchi**) ⟨*ant*⟩ (*porre la tacca sui panni*) to put a label on.

taccạta *f.* ⟨*Mar*⟩ keel block; *pl.* stocks *pl.* □ ~ *di bacino* docking block; ~ *centrale* (o *di chiglia*) keel block; ~ *laterale* bilge block.

taccạto *a.* **1.** (*segnato con tacche*) notched, nicked, jagged, marked. – **2.** (*munito di tacche*) notched, nicked. – **3.** (*macchiato, screziato*) spotted, mottled, streaked, speckled, flecked.

taccheggiạre[1] *v.t.* (**tacchẹggio, tacchẹggi**) ⟨*Tip*⟩ to overlay, to underlay.

taccheggiạre[2] *v.* (**tacchẹggio, tacchẹggi**) **I** *v.t.* (*rubare col taccheggio*) to shoplift. – **II** *v.i.* (*aus.* **avere**) to shoplift. – **taccheggiatọre** *m.* (*f.* -**trice**) shoplifter. – **taccheggia**[illegible]**ra** *f.* → **taccheggio**[2].

tacchẹggio[1] *m.* ⟨*Tip*⟩ overlay, underla[illegible]g).

tacchẹggio[2] *m.* (*furto di merci esposte in* [illegible]*ndita*) shoplifting.

taccherẹlla (*dim. di tacca*) *f.* ⟨*fig*⟩ (*difettuccio*) slight fault, small failing.

tạcchete *onom.* **1.** click, clack. – **2.** ⟨*intens*⟩ suddenly, ⟨*fam*⟩ lo and behold, ⟨*fam*⟩ all of a sudden: *mi ero appena messo a studiare e* ~ *venne a mancare la luce* I had just started to study when suddenly the lights went out.

tacchẹtta *f. dim. di* **tacca.**

tacchettạre *v.i.* (**tacchẹtto**; *aus.* **avere**) to clatter one's heels when walking.

tacchettịna *f. dim. di* **tacca.**

tacchettịo *m.* **1.** (*rumore di tacchi*) clatter (*o* clicking) of heels. – **2.** (*rumore di fucileria e sim.*) rattle, rattling, crackle, crackling; (*rif. a mitragliatrice*) rat-(a-)tat.

tacchẹtto (*dim. di tacco*) *m.* **1.** (small) heel; (*rif. a scarpe femminili*) thin heel. – **2.** (*rif. alle scarpe dei calciatori*) stud. – **3.** ⟨*Tess*⟩ (loom) picker. – **4.** ⟨*Mar*⟩ cleat.

tạcchia *f.* ⟨*Itt*⟩ (*arnoglosso*) megrim, scaldfish, lantern flounder (*Arnoglossus laterna*).

tacchịna *f.* (*femmina del tacchino*) turkey-hen. – **tacchịno** *m.* (*f.* -**a**) **1.** ⟨*Ornit*⟩ turkey (*Meleagris*); (*il maschio*) turkey(-cock). – **2.** ⟨*Gastr*⟩ turkey. □ *diventare rosso come un* ~ to become as red as a turkey-cock (*o* lobster); ⟨*fig*⟩ *fare la ruota come il* ~ (*essere vanitoso*) to be as proud as a peacock; ~ *selvatico* (wild) turkey (*Meleagris gallopavo*); ⟨*fig*⟩ *sembrare un* ~ (*essere vanitoso*) to preen o.s., to be vain.

tạccia *f.* (*pl. rar.* -**ce**) **1.** (*cattiva fama*) bad reputation. – **2.** (*imputazione*) charge, imputation. □ *avere la* ~ *di bugiardo* to ⌜have a reputation⌝ (*o* be branded) as a liar. – **tacciạbile** *a.* ⟨*non com*⟩ accusable, chargeable, that can be accused: ~ *di falsità* that can be accused of falsification. – **tacciạre** *v.t.* (**tạccio, tạcci**) to accuse, to tax, to charge: ~ *qd. di qc.* to accuse s.o. of s.th., to tax (*o* charge) s.o. with s.th.; ~ *qd. di tradimento* to accuse s.o. of treason.

tạccio: ⟨*tosc*⟩ *fare un* ~ (*fare un affare in blocco*) to make a rough estimate, to settle in the gross.

tạcco *m.* (*pl.* -**chi**) **1.** ⟨*Calz*⟩ heel. – **2.** (*pezzo di legno per sostegno*) block. – **3.** ⟨*Tip*⟩ underlay, interlay. – **4.** ⟨*Mar*⟩ chock, block; (*tacchetto*) cleat. – **5.** ⟨*Aer*⟩ chock. □ *tacchi* **alti** high heels; *scarpe con tacchi alti* high-heeled shoes; ⟨*fam*⟩ **alzare** *i tacchi* (*fuggire*) to take to one's heels, to show a clean pair of heels; ⟨*Mar*⟩ ~ *di* **bacino** docking block; ⟨*Calz*⟩ *tacchi* **bassi** low heels; **battere** *i tacchi*: 1. to tap (*o* beat) one's heels; 2. ⟨*Mil*⟩ to click one's heels; 3. = **alzare** *i tacchi*; ~ *di* **gomma** rubber heel; ⟨*fig*⟩ **mettersi** *al* ~ *di qd.* (*seguirlo*) to follow s.o. (*o* on s.o.'s heels); (*pedinarlo*) to dog s.o.'s footsteps, to follow s.o. closely; **rifare** *i tacchi delle* (o *alle*) *scarpe* to heel a pair of shoes; *scarpe* **senza** ~ flat shoes, ⟨*fam*⟩ flats *pl*; ⟨*Calz*⟩ *tacchi a* **spillo** stiletto (*o* spike) heels.

tạccola[1] *f.* **1.** ⟨*Ornit*⟩ jackdaw (*Corvus monedula*). – **2.** ⟨*fig,ant*⟩ (*ciancia*) prattle, chatter, idle talk; (*bazzecola*) trifle; (*burla*) joke, jest. – **3.** ⟨*fig,ant*⟩ (*tresca*) intrigue.

tạccola[2] *f.* ⟨*region*⟩ (*pisello*) kind of pea.

tạccola[3] *f.* ⟨*non com*⟩ (*difetto, magagna*) defect, flaw, slight fault, imperfection.

tạccolo[1] *m.* ⟨*tosc,non com*⟩ (*debituccio*) small debt.

tạccolo[2] *m.* ⟨*ant*⟩ **1.** (*cosa da nulla*) trifle. – **2.** ⟨*scherz*⟩ (*burla*) joke, jest, prank. – **3.** (*noia, briga*) trouble, worry, nuisance.

tacconạre *v.t.* (**taccọno**) ⟨*region*⟩ **1.** ⟨*Calz*⟩ to stitch (a double sole on). – **2.** (*rattoppare*) to patch. – **tacconạto** (*p.p. di tacconare*) *a.* ⟨*region*⟩ stitched.

taccọne *m.* **1.** ⟨*region*⟩ (*toppa*) patch. – **2.** ⟨*fig,region*⟩ (*rimedio*) remedy. – **3.** ⟨*Calz*⟩ (*bulletta*) hobnail, stud. – **4.** ⟨*Met*⟩ scab. – **5.** ⟨*ant*⟩ (*tacco*) heel. □ ⟨*fig*⟩ *battere il* ~ (*darsela a gambe*) to take to one's heels, to show a clean pair of heels.

taccuịno *m.* **1.** notebook. – **2.** (*titolo di libri*) notebook. – **3.** (*album per disegni e abbozzi*) sketch-book. – **4.** ⟨*Mediev*⟩ handbook, manual. – **5.** ⟨*ant*⟩ (*lunario, almanacco*) almanac.

tacẹnte (*p.pr. di tacere*[1]) *a.* ⟨*lett,rar*⟩ **1.** keeping silent. – **2.** (*silenzioso*) silent, quiet.

tacẹre[1] *v.* (**tạccio, tạci, tạce, tacciạmo, tacẹte, tạcciono; tạcqui**/*ant.* **tacẹtti, taciụto**) **I** *v.i.* (*aus.* **avere**) **1.** (*stare zitto*) to keep (*o* be) quiet, to hold one's tongue, to be silent, to say nothing: *non sa* ~ he can never keep quiet; *non sapendo che cosa dire, tacqui* as I did not know what to say, I said nothing. – **2.** (*smettere di parlare*) to stop speaking, to fall (*o* be) silent: *detto questo, tacque* after saying this, he fell silent. – **3.** (*fare silenzio*) to be (*o* keep) quiet, to stop talking, to be silent, ⟨*fam*⟩ to shut up: *ma taci una buona volta!* do be quiet!, ⟨*fam*⟩ shut up once and for all! – **4.** ⟨*estens*⟩ (*non farsi più sentire*) to fall silent, to stop: *l'artiglieria nemica improvvisamente tacque* suddenly the enemy artillery fell silent; (*rif. ai rumori*) to stop: *tace ogni rumore* all noise has stopped. – **5.** (*non dare notizie di sé*) not to get in touch, not to write. – **6.** ⟨*fig*⟩ (*essere immerso nel silenzio*) to be silent, to be sunk in silence, to lie still: *la campagna tace* the countryside was silent (*o* peaceful); (*rif. agli elementi*: *essere quieto, calmo*) to be calm (*o* still): *il vento tace* the wind is calm. – **7.** ⟨*fig*⟩ (*non dire nulla*) not to say anything, to say nothing (*su* about), to make no mention (of), to be silent (on): *le fonti contemporanee tacciono su questo argomento* contemporary sources ⌜make no mention of⌝ (*o* say nothing about) this subject; *su questo caso la legge tace* the law is silent here, the law does not provide for this case. – **8.** ⟨*poet*⟩ (*non manifestarsi*) not to appear (*o* show o.s.); (*rimanere ignorato*) to remain unknown. – **II** *v.t.* **1.** (*non dire*) to say nothing about, to be silent about, not to say a word about: *tacque l'accaduto per non impressionarlo* he didn't say a word about the incident because he didn't want to frighten him. – **2.** (*non rivelare*) to conceal, not to mention, to hide, to withhold: *raccontò i fatti tacendo però i nomi dei complici* he told what happened but he withheld the names of his accomplices. – **3.** (*sottintendere*) to omit, to leave out: ~ *un particolare superfluo* to omit a superfluous detail. – **4.** ⟨*Gramm*⟩ to omit: *in questa proposizione può essere taciuto il soggetto* in this sentence the subject may be omitted. – **tacersi** *v.r.* ⟨*lett*⟩ (*tacere*) to be silent (*o* quiet). □ *far* ~: 1. to silence, to make keep quiet, to hush: *fa'* ~ *i ragazzi* make the children keep quiet; *far* ~ *un bambino che piange* to hush a crying baby; 2. ⟨*fig*⟩ to silence: *far* ~ *la voce della coscienza* to silence the voice of conscience; *taci!* (do) be quiet!, hold your tongue!, ⟨*fam*⟩ shut up!; (*smetti di chiacchierare*) (do) stop talking!, quiet! – *Prov.*: *chi tace acconsente* silence gives consent.

tacẹre[2] *m.* **1.** keeping quiet, silence. – **2.** (*silenzio*) silence. □ *mettere a* (o *in*) ~ to hush up: *mettere a* ~ *uno scandalo* to hush up a scandal. – *Prov.*: *un bel* ~ *non fu mai scritto* silence was never written down.

tạcet *lat.* ⟨*Mus*⟩ tacet.

tacheometrịa *f.* ⟨*Topogr*⟩ tachymetry, tacheometry, fly-surveying. – **tacheomẹtrico** *a.* (*pl.* -**ci**) **1.** (*della tacheometria*) tachymetric, tacheometric. – **2.** (*del tacheometro*) tachymeter-, tacheometric. – **tacheọmetro** *m.* tachymeter, tacheometer.

tachi... *pref.* (*rapido* swift, rapid) tachy..., tacho...

tachi|cardịa *f.* tachycardia. – **~cạrdico** *a.* (*pl.* -**ci**) **1.** tachycardiac. – **2.** (*che presenta tachicardia*) tachycardiac, suffering from tachycardia. – **~fagịa** *f.* tachyphagia. – **~femịa, ~frasịa** *f.* tachyphemia, tachyphrasia. – **~gẹnesi** *f.* ⟨*Biol*⟩ tachygenesis. – **~grafịa** *f.* **1.** (*stenografia*) tachygraphy, shorthand, stenography. – **2.** ⟨*Stor*⟩ tachygraphy.

tachịgrafo[1] *m.* (*f.* -**a**) **1.** (*stenografo*) tachygrapher, stenographer. – **2.** ⟨*Stor*⟩ tachygrapher.

tachịgrafo[2] *m.* ⟨*tecn*⟩ tachograph.

tachi|lalịa *f.* → **tachifemia.** – **~metrịa** *f.* ⟨*Fis*⟩ tachometry. – **~mẹtrico** *a.* (*pl.* -**ci**) **1.** (*della tachimetria*) tachometric. – **2.** (*del tachimetro*) tachometric, tachometer-.

tachịmetro *m.* **1.** ⟨*tecn*⟩ tachometer. – **2.** ⟨*Aut*⟩ speedometer, tachometer.

□ ~ *di una* **bicicletta** cyclometer; ~ **elettrico** electric tachometer; ~ *a* **liquido** liquid tachometer; ~ **magnetico** magnetic tachometer; ~ *a* **nastro** horizontal-moving-column speedometer; ~ **registratore** → **tachigrafo**[2].

tachịnidi *m.pl.* ⟨*Entom*⟩ tachina flies *pl*, tachinids *pl* (*Tachinidae*).

tachi|pnẹa *f.* ⟨*Med*⟩ tachypn(o)ea. – **~psịchico** *a.* (*pl.* **-ci**) ⟨*Psic*⟩ tachypsychic. – **~psichịṣmo** *m.* tachypsychia.

tachisme *fr.* [ta'ʃism] *m.* ⟨*Pitt*⟩ tachisme.

tacịbile *a.* ⟨*rar*⟩ **1.** that can be kept quiet. – **2.** (*di cui non è opportuno parlare*) that should be kept quiet.

tacitamẹnte *avv.* **1.** (*senza parlare*) silently, quietly, in silence. – **2.** (*segretamente*) secretly, in secret. – **3.** (*senza una manifestazione espressa di volontà*) tacitly: *acconsentire* ~ to consent tacitly, to give tacit consent.

tacitamẹnto *m.* paying-off. – **tacitạre** *v.t.* (**tạcito**) **1.** to pay off: ~ *un creditore* to pay off a creditor. – **2.** ⟨*ant*⟩ (*far tacere*) to silence. □ ~ *uno scandalo* to hush up a scandal; ~ *un testimone* (*corromperlo*) to bribe a witness. – **tacitaziọne** *f.* → **tacitamento.**

taciteggiạre *v.i.* (**tacitẹggio, tacitẹggi;** *aus.* **avere**) ⟨*Lett*⟩ to write tersely (in the style of Tacitus), to imitate the style of Tacitus. – **tacitiạno** *a.* **1.** (*di Tacito*) Tacitean, of Tacitus. – **2.** ⟨*fig*⟩ (*conciso*) terse, concise, Tacitean. – **tacitịṣmo** *m.* **1.** (*studio di Tacito*) study of Tacitus. – **2.** (*imitazione di Tacito*) imitation of Tacitus. – **3.** ⟨*estens*⟩ (*lo scrivere stringatamente*) terse writing.

tạcito *a.* **1.** (*silenzioso*) silent: *con passo* ~ with silent step. – **2.** (*tranquillo, quieto*) quiet, still, peaceful, silent: *la -a notte* the still night. – **3.** (*non espresso, non manifestato*) tacit, unspoken: *un* ~ *rimprovero* a tacit reproof. – **4.** (*sottinteso*) tacit, implicit, unspoken: *una -a intesa* a tacit understanding.

Tạcito *N.pr.m.* ⟨*Stor*⟩ Tacitus.

taciturnamẹnte *avv.* ⟨*non com*⟩ taciturnly. – **taciturnità** *f.* ⟨*non com*⟩ taciturnity. – **tacitụrno** *a.* **1.** taciturn, reserved, uncommunicative, reticent: *carattere* ~ taciturn character. – **2.** (*che tace*) silent, quiet: *perché sei così* ~ *oggi?* why are you so quiet today? – **3.** ⟨*poet*⟩ (*silenzioso*) silent, still.

tacnọdo *m.* ⟨*Geom*⟩ tacnode.

tactịṣmo *m.* ⟨*Biol*⟩ (*tattismo*) taxis, tactism, taxism.

taddarịta *f.* ⟨*region*⟩ **1.** ⟨*Zool*⟩ (*pipistrello*) bat. – **2.** ⟨*Itt*⟩ (*miliobate*) eagle ray, bull ray (*Myliobates*).

Taddẹo *N.pr.m.* Thaddaeus.

tadọrna (o *tadọrna*) *f.* ⟨*Ornit*⟩ (*volpoca*) sheldrake, sheld-fowl, sheld-duck (*Tadorna tadorna*).

taf[1] *m.* → **taff.**

taf[2] *onom.* → **taffete.**

tafanạre ⟨*non com*⟩ **I** *v.t.* (*pungere*) to bite, to sting. – **II** *v.i.* (*aus.* **avere**) (*frugare dappertutto*) to rummage around, to search everywhere.

tafanạrio *m.* ⟨*scherz*⟩ (*sedere*) bottom, seat, ⟨*fam*⟩ behind, ⟨*fam*⟩ backside.

tafạno *m.* **1.** ⟨*Entom*⟩ horsefly, gadfly, breeze (*Tabanus*). – **2.** ⟨*fig*⟩ (*persona molesta*) nuisance, ⟨*fam*⟩ pest.

taferụglia *f.* (*pl.* **-ge**) ⟨*ant*⟩ → **tafferuglio.**

tafettà, tafettạno *m.* ⟨*ant*⟩ → **taffettà.**

taff *m.* ⟨*Bot*⟩ teff (grass) (*Eragrostis abyssinica*).

tafferịa *f.* (*piatto*) wooden dish (for polenta).

tafferụglio *m.* **1.** (*rissa*) brawl, scuffle; (*scompiglio*) uproar, tumult; (*confusione*) confusion. – **2.** ⟨*ant*⟩ (*baldoria*) merrymaking.

taffetà, taffetạno *m.* ⟨*non com*⟩ → **taffettà.** – **taffetas** *fr.* [taf'ta] *m.* → **taffettà.**

tạffete *onom.* **1.** bang, crash. – **2.** ⟨*intens*⟩ suddenly, ⟨*fam*⟩ all of a sudden, ⟨*fam*⟩ lo and behold: *vado al caffè e* ~ *incontro proprio quel seccatore* I no sooner get to the café when lo and behold I run into that bore.

taffettà *m.* **1.** ⟨*Tess*⟩ taffeta. – **2.** (*cerotto*) plaster. □ ~ *adesivo* (*cerotto adesivo*) sticking-plaster; *di* ~ taffeta-. – **taffettạno** *m.* ⟨*ant*⟩ → **taffettà.**

tafofobịa *f.* ⟨*Psic*⟩ taphephobia, taphiphobia, taphophobia.

tagẹte *m.* ⟨*Bot*⟩ marigold, tagetes (*Tagetes*).

tagịc(c)o *a./s.* (*pl.* **-chi**) **I** *a.* Ta(d)jik, Tadzhik. – **II** *s.m.* (*f.* **-a**) Ta(d)jik, Tadzhik. – **Tagichistạn, Tagikistạn** *N.pr.m.* ⟨*Geog*⟩ Tadzhikistan, Ta(d)jik, Tadzhik Soviet Socialist Republic.

tạglia[1] *f.* **1.** price, reward: *sul suo capo pende una forte* ~ there is a heavy price on his head. – **2.** (*statura*) stature, height; (*proporzioni del corpo*) size; (*corporatura*) build: *un uomo di* ~ *robusta* a man with a stocky build. – **3.** (*rif. agli animali*) height, stature. – **4.** ⟨*Sart*⟩ size: *un vestito di* ~ *46* a size 46 dress; *questo soprabito non è della mia* ~ this coat isn't my size. – **5.** ⟨*Econ*⟩ (*imposta arbitraria*) arbitrary tax. – **6.** ⟨*Stor*⟩ (*imposta*) tax, duty, levy. – **7.** ⟨*Stor*⟩ (*contribuzione di uomini o di denaro*) contribution (in men or money); (*esercito dei confederati*) confederate army. – **8.** ⟨*Stor*⟩ (*tributo straordinario imposto dai vincitori ai vinti*) tribute (as war indemnity), war reparations *pl.* – **9.** ⟨*Stor*⟩ (*prezzo del riscatto*) ransom. – **10.** ⟨*ant*⟩ (*taglio d'abito*) cut, style. – **11.** ⟨*ant*⟩ (*tacca di contrassegno*) tally mark. □ *di media* ~: 1. (*rif. alla corporatura*) of medium size (*o* build); 2. (*rif. alla statura*) of average height; 3. (*rif. ad abiti*) stock size.

tạglia[2] *f.* ⟨*Mar*⟩ pulley(-block), (hoisting) tackle.

tagliạbile[1] *a.* cuttable, that can be cut; (*che si può recidere*) that can be cut off.

tagliạbile[2] **I** *a.* ⟨*Stor*⟩ taxable, subject to tax; (*servo della gleba*) of a serf. – **II** *s.m./f.* serf.

taglia|bọrse *m.inv.* (*borsaiolo*) bag-snatcher; (*chi tagliava le borse*) cutpurse. – **~bọschi** *m.inv.* → **taglialegna.** – **~bottọni** *m.pl.* ⟨*Entom*⟩ bud curculio, apple twig cutter, cutting weevil (*Rhynchites coeruleus*). – **~cạlli** *m.inv.* corn-cutter, corn-knife. – **~cạrta** *f.inv.* ⟨*Cart*⟩ (*taglierina*) cutter. – **~cạrte** *m.inv.* paper-knife.

Tagliacartọni *N.pr.m.* ⟨*Lett*⟩ Tagliacartoni, blustering soldier.

taglia|cẹrchio *m.inv.* (*nel compasso*) exchangeable point. – **~circụito** *m.* ⟨*El*⟩ (*fusibile*) fuse.

tagliạcque *m.inv.* ⟨*Idr*⟩ nosing.

taglia|fẹrro *m.inv.* ⟨*Mecc*⟩ cold chisel. – **~fiẹno** *m.inv.* ⟨*Agr*⟩ hay cutter. – **~filẹtti** *m.* ⟨*Tip*⟩ guillotine. – **~fịli** *m.* wire cutters *pl.* – **~ fuọco** *a./s.inv.* **I** *a.* fire-, fireproof. – **II** *s.m.* **1.** ⟨*Edil*⟩ fire barrier. – **2.** ⟨*Teat*⟩ safety (*o* fire) curtain. – **~lẹgna** *m.inv.* woodcutter. – **~lẹgne** *m.* ⟨*non com*⟩ → **taglialegna.** – **~mạre** *m.inv.* ⟨*Mar*⟩ cutwater.

tagliamẹnto *m.* **1.** ⟨*non com*⟩ cutting; (*recisione*) cutting off; (*taglio*) cut. – **2.** ⟨*ant*⟩ (*strage*) slaughter, massacre, carnage.

Tagliamẹnto *N.pr.m.* ⟨*Geog*⟩ Tagliamento.

tagliạndo *m.* **1.** coupon; (*scontrino*) voucher, check, ticket, receipt, counterfoil, slip. – **2.** (*rif. a interessi*) interest coupon. □ ~ *per la benzina* gas coupon; ~ *di controllo* counterfoil, tally; ~ *degli interessi* interest coupon.

taglia|pạsta *m.inv.* ⟨*Gastr*⟩ (*anche rotella tagliapasta*) pastry-cutter. – **~piẹtre** *m.inv.* (*scalpellino*) stone-dresser, stone-cutter, stonemason.

tagliạre[1] *v.* (**tạglio, tạgli**) **I** *v.t.* **1.** to cut; (*a fette*) to slice: ~ *il pane col coltello* to slice (*o* cut) the bread. – **2.** (*produrre una ferita*) to cut: *tagliarsi un dito* to cut one's finger; (*staccare*) to cut (off): ~ *un pezzo di formaggio* to cut off a piece of cheese; (*trafiggere*) to cut: ~ *la gola a qd.* to cut s.o.'s throat. – **3.** (*separare*) to cut (off): ~ *due metri di stoffa* to cut off two metres of cloth. – **4.** (*asportare recidendo*) to cut off: ~ *la testa a qd.* to cut (*o* chop) off s.o.'s head, to behead s.o.; (*potare*) to lop, to cut off: ~ *i rami di un albero* to lop (*o* cut) off the branches of a tree, to prune a tree. – **5.** (*dividere: in due*) to cut, to cut in two (*o* half): ~ *lo spago* to cut the string; (*in più parti*) to cut (up): ~ *una torta in parti uguali* to cut a cake up into equal parts; (*trinciare*) to carve: ~ *un pollo* to carve a chicken. – **6.** (*accorciare*) to cut: ~ *i capelli* to cut one's hair; (*tosare, radere*) to shear, to crop, to clip. – **7.** (*interrompere*) to cut (off): ~ *i rifornimenti* to cut off supplies. – **8.** (*intersecare*) to cut across, to intersect, to cross: *questa strada taglia la nazionale* this road cuts across the main highway; ~ *la rotta* to cross the bows of a ship. – **9.** (*abbreviare*) to cut, to shorten, to prune: ~ *un articolo* to shorten an article. – **10.** (*censurare*) to cut, to censor: *la censura ha tagliato il film in più punti* the censors have ⌜cut the film in several places⌝ (*o* made several cuts in the film). – **11.** (*ridurre*) to cut, to reduce: ~ *le spese* to cut expenses. – **12.** (*attraversare per la linea più corta*) to cut: ~ *una curva* to cut a curve. – **13.** (*sfaccettare*) to cut, to facet: ~ *un diamante* to cut a diamond. – **14.** ⟨*Sart*⟩ to cut: ~ *una gonna* to cut a skirt. – **15.** ⟨*Agr*⟩ (*segare*) to saw, to cut: ~ *il tronco di un albero* to cut a tree trunk; (*mietere*) to reap, to mow, to cut: *tagliano il grano* they are reaping the grain. – **16.** ⟨*Legat*⟩ to cut; (*rifilare*) to trim. – **17.** ⟨*Enol*⟩ to blend, to mix. – **18.** ⟨*Med*⟩ to cut; (*amputare*) to amputate; (*sezionare*) to dissect, to cut up; (*incidere, aprire*) to lance, to incise, to cut (open), to open: ~ *un ascesso* to lance an abscess. – **19.** ⟨*Sport*⟩ to cut: ~ *una palla* to cut a ball. – **20.** ⟨*Silv*⟩ (*rif. ad alberi*) to cut (down), to fell, to hew, to chop (down); (*rif. a boschi*) to cut down. – **21.** ⟨*non com*⟩ (*solcare*) to plough; (*rif. a remi: fendere l'acqua*) to cleave. – **22.** ⟨*fig,non com*⟩ (*troncare*) to cut short (*o* off), to break off. – **23.** ⟨*ant*⟩ (*ferire*) to wound. – **II** *v.i.* (*aus.* **avere**) **1.** (*essere affilato*) to cut, to be sharp: *questo coltello non taglia* this knife doesn't cut. – **2.** (*seguire il cammino più breve*) to cut, to take a short cut: *tagliammo per i campi* we cut across the fields. – **tagliarsi** *v.r.* to cut o.s.

□ *farsi* ~ *la* **barba** to have one's beard shaved off; ⟨*fig*⟩ ~ *le* **braccia** *a qd.* to tie s.o.'s hands; ~ *le* **carte** to cut (the cards); ⟨*fig*⟩ *una nebbia che si taglia col* **coltello** fog that one could cut with a knife, thick fog; ⟨*fig*⟩ ~ *la* **corda** to make off, to cut and run; ⟨*fig*⟩ *tagliar* **corto** to cut short; ~ *a* **dadi** to dice, to cube; ⟨*fig*⟩ *un vento che taglia la* **faccia** a biting (*o* cutting) wind; ~ *a* **fette** to slice; ⟨*Mil*⟩ ~ **fuori** to cut off; ⟨*fig*⟩ (*separare*) to cut off, to separate; ~ *le* **gambe** *a qd.* = *tagliare le* **braccia** *a qd.*; ⟨*fig*⟩ ~ *la* **lingua** *a qd.* to cut out s.o.'s tongue; ⟨*fig*⟩ *avere una lingua che taglia come le forbici* (*essere maldicente*) to have a biting (*o* slashing) tongue; ~ *a* **metà** to cut in two (*o* half); ~ *le* **monete** (*tosarle*) to clip coins; (*ritirarle dalla circolazione*) to withdraw coins from circulation; ⟨*fig*⟩ ~ *i* **panni** *addosso a qd.* to cut s.o. to pieces; ~ *a* **pezzi** to cut to pieces (*o* bits); ~ *una* **siepe** to trim a hedge; ~ *la* **strada** *a qd.*: 1. to cut s.o.'s way off, to bar s.o.'s way; 2. (*rif. ad automobilisti*) to cut in on s.o.; 3. ⟨*fig*⟩ to hinder s.o.; ⟨*iperb*⟩ *piuttosto mi farei* ~ *la* **testa** over my dead body; ⟨*fig*⟩ ~ *la testa al toro* to cut the matter short, to settle the matter once and for all; ⟨*fig*⟩ ~ *i* **viveri** *a qd.* to cut off s.o.'s supplies.

tagliạre[2] *v.* (**tạglio, tạgli**) ⟨*ant*⟩ → **taglieggiare.**

tagliarẹlli *m.pl.* ⟨*Alim*⟩ narrow soup noodles *pl.*

taglia|rẹte, ~rẹti *m.inv.* ⟨*Mar*⟩ net-cutter. – **~sfọglia** *m.inv.* → **tagliapasta.** – **~sịgari** *m.inv.* cigar-cutter. – **~strạcci** *f.inv.* ⟨*Cart*⟩ rag-cutter, rag-chopper.

tagliạta *f.* **1.** cut, cutting. – **2.** (*tosa, rasatura*) shearing, cropping, clipping, clip. – **3.** ⟨*Agr*⟩ (*mietitura*) reaping, cutting, mowing. –

4. ⟨*Silv*⟩ (*abbattuta di alberi*) cutting (*o* chopping) down, clearing; (*alberi abbattuti*) felled trees *pl*; (*radura*) clearing. – **5.** ⟨*Mil.ant*⟩ (*sbarramento*) abatis, barricade. – **6.** ⟨*Sport,rar*⟩ (*nella scherma*: *volante*) coupé. – **7.** ⟨*ant*⟩ (*strage*) massacre, slaughter, carnage. ◻ ⟨*ant*⟩ ~ *d'alberi* felled trees *pl*; *dare una* ~ *a*: 1. to cut; 2. (*recidere*) to cut off; 3. (*accorciare*) to cut, to give a trim: *dammi una* ~ *ai capelli* give my hair a trim, give me a hair-cut; 4. (*tosare*) to shear, to crop, to clip; 5. ⟨*Agr*⟩ (*segare*) to saw, to cut; (*mietere*) to mow, to cut; 6. ⟨*Silv*⟩ (*abbattere*: *rif. ad alberi*) to cut (*o* chop) down; (*rif. a boschi*) to cut down; *farsi dare una* ~ *ai capelli* to have one's hair cut, to get a hair-cut; ⟨*ant*⟩ *far gran* ~ *di gente* to massacre, to cause a blood-bath.

tagliatẹlle *f.pl.* ⟨*Alim*⟩ kind of ribbon-shaped pasta, noodles *pl*. – **tagliatẹlli** *m.pl.* ⟨*tosc*⟩ → **tagliatelle**.

tagliatịna (*dim. di tagliata*) *f.* cut, trim. ◻ *farsi dare una* ~ *ai capelli* to have one's hair trimmed.

tagliatịni *m.pl.* ⟨*tosc*⟩ → **taglierini**.

tagliạto (*p.p. di tagliare*[1]) **I** *a.* **1.** cut. – **2.** (*reciso*) cut off. – **3.** (*rif. a capelli*: *accorciato*) cut: *capelli -i corti* hair cut short. – **4.** (*rif. alle forme del corpo*) built, formed: ~ *bene* well built, shapely. – **5.** ⟨*fig*⟩ (*portato per natura, incline*) cut out (*per* for), suited (to): *non è* ~ *per questa professione* he is not cut out for this profession, this profession is not for him. – **6.** ⟨*Sart*⟩ cut out. – **7.** ⟨*Silv*⟩ cut down, felled, hewn. – **8.** ⟨*Agr*⟩ (*segato*) sawed, cut; (*mietuto*) mown, cut. – **9.** ⟨*Sport*⟩ cut, chopped: *palla -a* cut ball. – **10.** ⟨*Arald*⟩ per bend sinister. – **11.** ⟨*ant*⟩ (*castrato*) castrated. – **II** *s.m.* **1.** ⟨*Arald*⟩ shield per bend sinister. – **2.** ⟨*Lav.femm*⟩ (*sfilato*) drawn-thread work. ◻ ⟨*fig*⟩ ~ *con l'accetta*: 1. (*rif. a lavoro*) roughly shaped, clumsily made, rough; 2. (*rif. a persone*) rough, uncouth; *un uomo* ~ *all'antica* an old-fashioned man, a man of the old school; ⟨*fig*⟩ *essere* ~ *apposta per qd.* to be ⌈just right⌉ (*o* made) for s.o., to be made to measure for s.o.; ⟨*fig*⟩ *ha trovato una moglie -a apposta per lui* he has found a wife who is just right for him; *questo vestito sembra* ~ *apposta per te* this dress seems to have been made for you; *essere* ~ *per qc.* to be cut out for s.th.; *non sono* ~ *per la matematica* I have no head for mathematics; *rocca -a a picco* (*scoscesa*) sheer cliff; ~ *fuori* cut out (*o* off).

tagliatọre *m.* (*f.* **-trice**/*pop.* **-a**) **1.** cutter (*anche Sart.*). – **2.** ⟨*Macell*⟩ chopper. – **tagliatrịce** *f.* **1.** ⟨*Sart*⟩ cutter. – **2.** (*macchina*) cutting -machine, cutter (*anche Minier.*). ◻ ⟨*Mecc*⟩ ~ *ad arco* arc cutting -machine.

tagliatụbi *m.inv.* ⟨*Mecc*⟩ pipe-cutter.

tagliatụra *f.* **1.** cutting. – **2.** (*punto*) place where a cut is made. – **3.** (*ciò che si porta via tagliando*) cut (piece), snip, clipping.

tagliavẹnto *m.inv.* **1.** ⟨*Mar*⟩ stormsail. – **2.** ⟨*Artigl*⟩ nose(-cap), ballistic cap of projectile. – **3.** ⟨*Aut,rar*⟩ (*parabrezza*) windscreen, ⟨*am*⟩ windshield.

taglieggiạre *v.t.* (**tagliẹggio, tagliẹggi**) **1.** to tax, to impose (*o* levy) a tribute on. – **2.** ⟨*ant*⟩ (*imporre una taglia per il riscatto di un prigioniero*) to put a ransom on, to hold to ransom. – **taglieggiatọre** *m.* (*f.* **-trice**) imposer of taxes.

tagliẹnte **I** *a.* **1.** cutting. – **2.** (*affilato*) sharp: *una lama* ~ a sharp blade. – **3.** ⟨*fig*⟩ (*mordace, pungente*) cutting, biting, sharp, pungent: *lingua* ~ sharp tongue; *freddo* ~ biting (*o* bitter) cold. – **4.** ⟨*Art*⟩ clear-cut, well-defined. – **5.** ⟨*Bot*⟩ sharp-edged, acuminate. – **6.** ⟨*ant*⟩ (*che termina ad angolo acuto*) acute-angled; (*appuntito*) pointed, sharp. – **II** *s.m.* (*parte tagliente*) sharp side, part that cuts; (*filo*) cutting edge, edge (*anche tecn.*). ◻ *voce* ~ harsh voice. – **taglientemẹnte** *avv.* ⟨*non com*⟩ (*di taglio*) edgewise.

tagliẹre *m.* **1.** chopping-board; (*per il pane*) bread-board. – **2.** ⟨*Ceram*⟩ upper part of a potter's wheel. – **3.** ⟨*region*⟩ (*spianatoia per la pasta*) pastry-board. – **4.** ⟨*ant*⟩ (*piatto*) dish; (*vassoio*) tray. – **5.** *pl.* ⟨*ant*⟩ (*coperti*) places *pl* (at table), table-settings *pl*. ◻ ⟨*ant*⟩ *essere* (o *stare*) *a* ~ *con qd.* (*essere insieme a tavola*) to be at table with s.o., to eat at the same table with s.o.; ⟨*fig*⟩ *essere due ghiotti a un* ~ (*desiderare la stessa cosa*) to want the same thing. – *Prov.*: *non stanno bene due ghiotti a un* ~ two gluttons at one table are too many.

taglierịa *f.* diamond-cutting workshop.

taglierịna *f.* **1.** ⟨*Mecc*⟩ (*trancia*) cutter. – **2.** ⟨*Cart*⟩ guillotine, paper -cutter. – **3.** ⟨*Fot*⟩ trimmer. ◻ ⟨*Tip*⟩ ~ *circolare* (o *rotativa*) rotary sheeter.

taglierịni *m.pl.* ⟨*Alim*⟩ thin soup noodles *pl*. ◻ ⟨*fig*⟩ ~ *fatti in casa* (*faccende combinate in famiglia*) put-up affair.

tagliettịno *m. dim. di* **taglietto**[2].

tagliẹtto[1] *m.* **1.** ⟨*Mecc*⟩ kind of cold-chisel. – **2.** ⟨*Tip*⟩ rule-cutter. – **3.** ⟨*Legat*⟩ guillotine, paper-cutter, paper-cutting machine.

tagliẹtto[2] *m. dim. di* **taglio**.

tạglio *m.* **1.** (*il tagliare*) cutting: *il* ~ *di un bosco* the cutting down of a wood; (*l'asportare, l'amputare*) cutting off: ~ *della testa* cutting (*o* chopping) off of s.o.'s head, beheading. – **2.** (*effetto del tagliare*) cut: *mi sono fatto un* ~ *al dito* I have a cut on my finger; (*incisione, solco*) cut, gouge: *un banco pieno di tagli* a bench full of cuts; (*apertura, spaccatura*) opening. – **3.** (*modo di lavorare tagliando*) cut: *questa sarta ha un* ~ *preciso* this dressmaker has a clean cut; (*tecnica di tagliare la stoffa*) cutting (out); (*foggia, linea*) cut, style: *una giacca di* ~ *classico* a jacket with a classical cut; *un vestito di ottimo* ~ a well-cut dress; *vestito di* ~ *inglese* suit cut in the English style (*o* fashion). – **4.** (*parte staccata da un intero*) piece; (*rif. a stoffe*: *pezzo staccato dalla pezza*) length, piece: *un* ~ *di seta* a piece of silk; (*quantità di tessuto per confezionare un indumento*) length: *un* ~ *di stoffa per un vestito da uomo* a suit-length; (*pezzo di carne di bestia macellata*) piece (of meat), cut: *un* ~ *da brodo* a piece of meat for making soup; *un* ~ *magro* a lean piece (*o* cut); *un buon* ~ *per il lesso* a good piece for boiling; *un* ~ *nella lombata* a cut off the loin, a loin cut. – **5.** (*parte tagliente*) cutting edge, edge: *un coltello con* ~ *affilato* a knife with a sharp edge, a sharp (-edged) knife; (*affilatura*) edge, sharpness: *la lama ha perso il* ~ the blade has ⌈lost its edge⌉ (*o* become blunt). – **6.** (*parte più sottile di un oggetto, contrapposta alla superficie maggiore*) edge, thinnest part: *mettere i libri di* ~ to put the books edge-on. – **7.** ⟨*fig*⟩ (*soppressione*) cut: *bisognerà apportare alcuni tagli al manoscritto* we shall have to make some cuts in the manuscript; *i tagli della censura* censorship cuts. – **8.** ⟨*fig*⟩ (*interruzione brusca*) cut, break: *dare un* ~ *deciso a una relazione* to make a clean break with s.o. – **9.** ⟨*Oref*⟩ cut. – **10.** ⟨*Cin*⟩ cut. – **11.** ⟨*Mus*⟩ le(d)ger-line. – **12.** ⟨*Giorn*⟩ (*anche articolo di taglio*) centrally-placed article (spread across two or three columns). – **13.** ⟨*Legat*⟩ edge: *un libro col* ~ *dorato* a book with a gilt edge, a gilt-edged book; ~ *superiore* (o *di testa*) top edge; ~ *inferiore* (o *di piede*) tail edge. – **14.** ⟨*Agr*⟩ (*rif. a cereali*) reaping, cutting; (*rif. all'erba*) mowing, cutting: ~ *del fieno* mowing of hay; (*potatura*) pruning, lopping. – **15.** ⟨*Silv*⟩ (*rif. a bosco*) cutting down, clearing; (*rif. ad alberi*) cutting (*o* chopping) down, felling, hewing. – **16.** ⟨*Edil*⟩ (*sollecitazione di taglio*) shear, shearing -stress. – **17.** ⟨*Sport*⟩ spin. – **18.** ⟨*non com*⟩ (*stacco, distacco*) removal, detaching, taking (*o* tearing) off. – **19.** ⟨*fig,ant*⟩ (*linea, figura*) line, form, shape. – **20.** ⟨*ant*⟩ (*strage, uccisione*) massacre. ◻ ⟨*Chir*⟩ ~ *di un* **arto** amputation of a limb; ~ *dell'***ascia** chop; ⟨*tecn*⟩ ~ **bastardo** bastard cut; **biglietti** *di grosso* ~ high-denomination notes, ⟨*am*⟩ big bills; *biglietti di piccolo* ~ low-denomination notes, ⟨*am*⟩ small bills; **bosco** *da* ~ coppice(wood); **cadere** *in* ~ = **venire** *in taglio*; ⟨*Mecc*⟩ ~ *al* **cannello** oxygen cutting; ~ *dei* **capelli** hair-cut; (*foggia*) hair-style; ~ *di* **carne** cut (*o* piece) of meat; ⟨*Chir*⟩ ~ **cesareo** Caesarean section (*o* operation); **da** ~: 1. (*che può essere tagliato*) for cutting (*o* slicing): *formaggio da* ~ cheese for cutting; 2. (*che serve a tagliare*) cutting: *utensile da* ~ cutting implement, cutter; *ferita da* ~ cut, gash; **dare** *il* ~ *a qc.* to sharpen (*o* whet) s.th.: *dare il* ~ *a un rasoio* to sharpen (*o* strop) a razor; **di** ~: 1. (*per dritto*) on edge, on end, edgewise, edgeways: *mettere qc. di* ~ to stand s.th. ⌈on edge⌉ (*o* edge-on); *mattoni messi di* ~ bricks laid on edge, brick-on-edge course; 2. (*con la lama*) edgewise, edge-on: *colpire di* ~ to hit edgewise; ⟨*Sport*⟩ *colpire di* ~ *la palla* to spin the ball; ~ **dolce**: 1. (*rif. a lame*) taille-douce; 2. (*rif. a lime*) smooth cut; ~ **doppio** double edge; *a doppio* ~: 1. double -edged, two-edged; 2. ⟨*fig*⟩ double-edged, that cuts both ways: *arma a doppio* ~ double-edged weapon; **fare** *ampi tagli in un film* to cut a film drastically, to slash a film; *farsi un* ~ *alla mano* to cut one's hand; ~ *alla* **fiamma** = *taglio al* **cannello**; **in** ~ = **di** *taglio*; ⟨*Cin*⟩ ~ *d'***inquadratura** cutting of a shot; *il* ~ *di un* **istmo** the cutting of an isthmus; ~ *della* **lima** cut of a file; ⟨*Macell*⟩ ~ **nazionale** standard cut; ~ **netto** clean cut; ⟨*fig*⟩ *dare un* ~ *netto a qc.*: 1. (*interrompendola*) to make a clean break with s.th.; 2. (*risolverla decisamente*) to cut s.th. short; ~ **ossiacetilenico** oxyacetylene cutting; **per** ~ = **di** *taglio*; *far* **perdere** *il* ~ *a un coltello* to blunt a knife; ⟨*Edil*⟩ **pietra** *da* ~ freestone; ~ **profondo** gash, deep cut; ⟨*Mecc*⟩ **prova** *di* ~ shearing test; ⟨*Silv*⟩ ~ **raso** clear felling (*o* cutting), clearing; **rifare** *il* ~ (*affilare*) to sharpen, to whet; ⟨*Oref*⟩ ~ *a* **rosetta** rose(-cut); **scuola** *di* ~ dressmaking school; ⟨*Mecc*⟩ ~ *a* **smusso** mitre (*o* bevel) cut; ⟨*ant*⟩ *mettere al* ~ *della* **spada** (*giustiziare*) to put to the sword; ⟨*Sart*⟩ *vestiti di* ~ **sportivo** casual wear, sportswear; ⟨*Mar*⟩ ~ *delle* **vele** cutting of the sails, sail making; **vendere** *a* ~: 1. (*rif. a stoffe e sim.*) to sell by length; 2. (*rif. a cibi*: *a fette*) to sell by the slice; ⟨*fig,non com*⟩ **venire** *in* (o *a*) ~ (*capitare a proposito*) to come at the right moment (*o* time); ⟨*Enol*⟩ ~ *dei* **vini** blending (*o* mixing) of wines; *vino da* ~ strong wine used for blending. – *Prov.*: *bisogna fare il* ~ *secondo la stoffa* one must cut one's coat according to one's cloth.

tagliọla *f.* ⟨*Venat*⟩ trap, snare. ◻ *cadere nella* ~ to fall into the trap, to be ensnared (*anche fig.*); ~ *a esca* baited trap; ~ *con gabbia* box trap, box fall; *preso alla* ~ caught in the trap.

taglioḷịni *m.pl.* ⟨*Alim*⟩ thin soup noodles *pl*.

tagliọlo *m.* **1.** ⟨*tosc*⟩ (*bocconcino*) piece, mouthful. – **2.** ⟨*Met*⟩ (*scalpello*) chisel. ◻ ⟨*Met*⟩ ~ *a caldo* hot chisel; ~ *a freddo* cold-chisel.

tagliọne[1] *m.* **1.** ⟨*Stor*⟩ talion, retaliation: *legge del* ~ law of retaliation, lex talionis, ⟨*fam*⟩ an eye for an eye and a tooth for a tooth. – **2.** ⟨*ant*⟩ (*taglia, tributo*) special tax (*o* tribute).

tagliọne[2] *m.* ⟨*Idr*⟩ cut-off wall.

tagliuzzamẹnto *m.* cutting up, cutting to bits (*o* shreds). – **tagliuzzạre** *v.t.* to cut up, to cut to bits (*o* shreds), to cut into pieces; (*rif. a carne e verdure*) to chop up.

tạgo *m.* (*pl.* **-ghi**) ⟨*Stor.rom*⟩ tagus.

Tạgo *N.pr.m.* ⟨*Geog*⟩ Tagus.

taguạn (o **tạguan**) *m.* ⟨*Zool*⟩ taguan, flying squirrel (*Petaurista petaurista*).

Tahịti *N.pr.f.* ⟨*Geog*⟩ Tahiti. – **tahitiạno** **I** *a.* Tahitian. – **II** *s.m.* (*f.* **-a**) Tahitian.

taiạsso *m.* ⟨*Zool*⟩ (*pecaro labiato*) white-lipped peccary (*Tayassu pecari*).

Tạide *N.pr.f.* ⟨*Stor*⟩ Thais.

tạiga *f.* ⟨*Geol*⟩ taiga. – **taigà** *f.* ⟨*non com*⟩ → **taiga**.

Taigẹte *N.pr.f.* ⟨*Mitol,Astr*⟩ Taygete.

Taigẹto *N.pr.m.* ⟨*Geog*⟩ Taygetus.
tailandẹse I *a.* Thai, of Thailand. – **II** *s.m.* **1.** (*lingua*) Thai. – **2.** *m./f.* (*abitante*) Thai, Thailander. – **Tailạndia** *N.pr.f.* ⟨*Geog*⟩ Thailand (*denom.uff.*: *Regno di Tailandia* Kingdom of Thailand).
taille *fr.* [ta'j] *f.* ⟨*Mod*⟩ **1.** (*figura*) figure; (*statura*) stature, height. – **2.** (*vita*) waist.
tailleur *fr.* [ta'jœ:r] *m.* ⟨*Vest*⟩ suit, (tailored) costume: ~ *sportivo* casual (*o* country) suit; (*con giacca a vita*) fitted costume.
tạit *m.* ⟨*rar*⟩ (*tight*) morning dress.
tạkin *m.* ⟨*Zool*⟩ (Himalayan) takin (*Budorcas taxicolor*).
talabalạcco *m.* (*pl.* **-chi**) ⟨*Mus,ant*⟩ Moorish war-drum.
talacimạnno *m.* ⟨*ant*⟩ (*muezzin*) muezzin.
talalgịa *f.* ⟨*Med*⟩ talalgia.
talạltra *pron.f.* **1.** (*correlativo di taluna*) others *pl.* – **2.** (*correlativo di talvolta*) (at) other times. – **talạltro** *pron.m.* (*correlativo di taluno*) others *pl*: *taluno lo preferisce marrone,* ~ *nero* some prefer it brown, others black.
talạmico *a.* (*pl.* **-ci**) ⟨*Anat*⟩ thalamic.
talamịta *m.* ⟨*Mar.ant*⟩ thalamite.
tạlamo *m.* **1.** ⟨*Stor.gr*⟩ thalamus, thalamium. – **2.** ⟨*lett*⟩ (*camera nuziale*) bridal chamber; (*letto nuziale*) bridal bed. – **3.** ⟨*lett*⟩ (*letto*) bed. – **4.** ⟨*Bot*⟩ thalamus, receptacle, torus. – **5.** ⟨*Anat*⟩ thalamus. – **6.** ⟨*Mar.ant*⟩ lowest tier of oars; (*costruzione coperta*) stern cabin. – **7.** ⟨*Mediev*⟩ open-air stage. □ ⟨*fig,lett*⟩ *condurre al* ~ (*sposare*) to lead to the altar, to marry, ⟨*lett*⟩ to wed; ⟨*fig,lett*⟩ *macchiare* (o *contaminare*) *il* ~ (*commettere adulterio*) to be unfaithful, to commit adultery; ⟨*Anat*⟩ ~ *ottico* optic thalamus.
talamọfori *m.pl.* ⟨*Paleont*⟩ foraminifers *pl* (*Thalamophora, Foraminifera*).
talamotomịa *f.* ⟨*Chir*⟩ thalamotomy.
talạnta *f.* ⟨*Geog*⟩ (*anche linea talanta*) isoamplitude.
talạre I *f.* ⟨*Rel.catt*⟩ (*anche veste o tonaca talare*) (priest's) cassock. – **II** *m.pl.* ⟨*Mitol*⟩ talaria *pl.*
talạssico *a.* (*pl.* **-ci**) thalassic, sea, marine. – **talassịcolo** *a.* ⟨*Biol*⟩ sea, sea-living.
talasso... *pref.* (*mare* sea) thalass(o)..., sea, marine.
talassọbio *a.* ⟨*Biol*⟩ sea, marine, living in the sea. – **talassobiologịa** *f.* biological oceanography.
talassọcrate *m.* ⟨*lett*⟩ (*dominatore del mare*) thalassocrat. – **talassocrazịa** *f.* ⟨*Stor,non com*⟩ thalassocracy, maritime supremacy.
talassofilịa *f.* ⟨*Biol*⟩ living in (*o* at) the sea. – **talassọfilo** *a.* sea, sea-living. – **talassọfita** *f.* ⟨*Bot*⟩ thalassophyte, sea-plant.
talassofobịa *f.* ⟨*Psic*⟩ thalassophobia, morbid dread of the sea.
talassografịa *f.* (*oceanografia*) thalassography, oceanography. – **talassogrạfico** *a.* (*pl.* **-ci**) thalassographic, oceanographic. – **talassọgrafo** *m.* (*f.* **-a**) thalassographer.
talasso|logịa *f.* → **talassografia**. – **~metrịa** *f.* thalassometry. – **~terapịa** *f.* ⟨*Med*⟩ thalassotherapy. – **~terạpico** *a.* (*pl.* **-ci**) thalassotherapeutic.
talatto... *pref.* → **talasso...**
talbotipịa *f.* ⟨*Fot*⟩ talbotype, calotype.
talché *congz.* ⟨*lett*⟩ (*cosicché*) so that.
tạlco *m.* (*pl.* **-chi**) **1.** ⟨*Min*⟩ talc, talcum. – **2.** ⟨*Farm,Cosmet*⟩ talcum powder, dusting powder, ⟨*fam*⟩ talc. □ ~ *borato* talcum powder, talc; *malattia da* ~ → **talcosi**; ~ *in polvere* talcum powder.
talcoscịsto *m.* ⟨*Min*⟩ talc schist, talc slate.
talcọsi *f.* ⟨*Med*⟩ pneumoconiosis caused by inhalation of talc.
talcọso *a.* **1.** (*che contiene talco*) talcose, talcous. – **2.** (*simile al talco*) talcous.
tạle *a./pron.dimostr.* (often shortened to **tal**, *pl.* **tạli**; obsolete plural **tạl**) **I** *a.* (often used with the correlatives *quale, che, da*) **1.** (*di questa o quella maniera*) such, of this (*o* such a) kind, like this: *-i discorsi non si possono sopportare* I cannot allow ⌜talk like this⌝ (*o* this sort of talk); *le sue lettere sono -i che non meritano risposta* letters like his do not deserve a reply; *non l'avrei creduto capace di una* ~ *azione* I wouldn't have believed him capable of such an action. – **2.** (*così*) *non si traduce*: *da ragazza era molto magra, ora non è più* ~ as a girl she was very thin, but she isn't any more. – **3.** (*così grande*) such (a) *seguito da un sostantivo*, so *seguito da un aggettivo*: *come puoi sopportare una* ~ *villania?* how can you put up with such rudeness?; *hai messo un* ~ *disordine che non trovo più il giornale* you have ⌜caused such confusion⌝ (*o* made such a mess) that I can't find the newspaper; *il freddo è* ~ *che non oso uscire di casa* it is so cold that I daren't put my nose outside; *mi sono preso un* ~ *spavento* I was so frightened, I had such a fright. – **4.** (*preceduto al sing. dall'art. indeterminato*: *un certo*) certain: *un* ~ *dottor Carli desidera parlarti* a certain Dr. Carli wants to speak to you; *hanno ospiti a cena, -i Rossi* they have guests to dinner, a certain couple called Rossi. – **5.** (*preceduto da questo, quello*: *per indicare una persona o oggetto determinato*) that: *vorrei sapere quanto hai pagato quel* ~ *articolo* I'd like to know how much you paid for that article; *hai parlato con quella tal persona?* did you speak to that person? – **6.** (*questo*) this (*pl* these): *con -i parole mi ha congedato* with these words he dismissed me; (*quello*) that (*pl* those). – **II** *pron.* **1.** (*questa, quella persona*) the one, the person: *io sono il* ~ I am the person. – **2.** (*preceduto dall'art. indeterminato*: *persona indeterminata*) someone: *c'è un* ~ *di là che ti aspetta* there's someone waiting for you over there. – **3.** (*preceduto da quello*: *persona nota*) person, man (*f* woman), ⟨*fam,spreg*⟩ fellow: *è tornato quel* ~ *di ieri sera* that man from last night is here again. – **4.** ⟨*ant*⟩ (*uno, taluno*) someone. – **III** *avv.* ⟨*ant*⟩ (*così*) thus, so, in such a way; (*tanto*) so, so much.
□ ⟨*ant,lett*⟩ **a** ~ = *a tal* **punto**; *in tal* **caso** in this (*o* such a) case; (*allora*) then; *un* **certo** ~ a certain person (*o* fellow, man); ⟨*lett*⟩ **come** ~ as such; *alla tal* **ora** at such and such a time; *non è* **persona** ~ *da giungere a compromessi* he is not one (*o* the sort of person) to compromise; *a tal* **punto** to such a point; *tal* **quale** (*certo*) certain: *una tal quale somiglianza* a certain likeness; *l'ho fatto* ~ *quale mi hai detto* I did it just (*o* exactly) as you said; ~ (*e*) *quale*: 1. (*identico*) exactly like this, just so; 2. (*testualmente*) exact(ly), precise(ly), word for word: *mi ha riposto così,* ~ *e quale* he answered me like this word for word, this was his exact answer; *è* ~ *quale sua nonna* she is just like her grandmother; ⟨*lett*⟩ *a tal* **segno** = *a tal* **punto**; ⟨*iron,non com*⟩ *tal* **sia** *di lui* (*peggio per lui*) all the worse for him; ~ ... **tale** like ... like, as ... so: ~ *padre* ~ *figlio* like father like son; *il* (o *la*) *tal dei -i* so-and-so; *il signor tal dei -i* Mr. what's-his-name, Mr. so-and-so; *l'ho saputo dalla tal dei -i* I heard it from what's-her-name.
talẹa (o *tạlea*) *f.* ⟨*Giard*⟩ cutting. □ ~ *in acqua* water cutting; ~ *a gemma* eye cutting; ~ *legnosa* hard-wood cutting. – **taleạggio** *m.* propagation by means of cuttings.
talẹd *m.* ⟨*Rel.ebr*⟩ tallith, praying-shawl.
talẹggio *m.* ⟨*Alim*⟩ kind of soft cheese.
talentạccio (*accr. di talento*[1]) *m.* ⟨*scherz*⟩ **1.** talent, rough-and-ready ability. – **2.** (*persona di talento*) talented person.
talentạre *v.i.* (**talẹnto**; *aus.* **essere**) ⟨*lett*⟩ (*garbare*) to please (*costr. pers. o impers.*), to suit (*costr.impers.*) (*a qd.* s.o.), to be to the liking (of) (*costr.impers.*), to like (*costr.pers.*): *fa sempre ciò che gli talenta* he always does what he likes (*o* pleases).
talẹnto[1] *m.* **1.** (*capacità*) talent: *avere molto* ~ to have great talent; *avere* ~ *musicale* to have a talent for (*o* in) music. – **2.** (*persona dotata di talento*) talented person, person of talent, ⟨*lett*⟩ talent. – **3.** ⟨*lett*⟩ (*desiderio*) wish; (*voglia*) longing, desire; (*volontà*) will. – **4.** ⟨*lett*⟩ (*inclinazione*) inclination.
□ ⟨*lett*⟩ **a** (o *di*) *proprio* ~ as one pleases; ⟨*lett*⟩ *a proprio* ~ (*spontaneamente*) of one's own free will; ⟨*lett*⟩ *andare a* ~ *a qd.* (*andargli a genio*) to please s.o., to be to s.o.'s liking; ⟨*lett*⟩ **mal** ~ (*malanimo*) ill-will, malevolence; *di mal* ~ against one's will, unwillingly; **pieno** *di* ~ very talented, of great talent; **senza** (o *privo di*) ~ untalented, talentless; *un* **uomo** *di* ~ a talented man, a man of talent; ⟨*ant*⟩ *mi* **viene** *in* ~ *qc.* (*ho il desiderio*) I should like to do s.th.
talẹnto[2] *m.* (*unità di peso*) talent (*anche Numism.*).
talentọso *a.* **1.** ⟨*rar*⟩ (*pieno d'ingegno*) talented. – **2.** ⟨*ant*⟩ (*voglioso, desideroso*) desirous, eager. – **talentuọso** *a.* ⟨*rar*⟩ (*talentoso*) talented.
Talẹte *N.pr.m.* ⟨*Stor*⟩ Thales.
Talịa *N.pr.f.* ⟨*Mitol*⟩ Thalia.
taliạcei *m.pl.* ⟨*Zool*⟩ thaliaceans *pl* (*Thaliacea*).
taliạno[1] *a./s.m.* (*f.* **-a**) (*italiano*) Italian.
taliạno[2] *m.* ⟨*Ornit*⟩ (*cavalier d'Italia*) black-winged stilt (*Himantopus himantopus*).
taliọne *m.* ⟨*lett*⟩ → **taglione**[1].
talịpede I *a.* ⟨*Med*⟩ taliped(ic), club-footed. – **II** *s.m./f.* taliped.
talịsie *f.pl.* ⟨*Stor.gr*⟩ Thalusia, harvest feast.
talismạnico *a.* (*pl.* **-ci**) ⟨*rar*⟩ **1.** (*di talismano*) talismanic(al), of a talisman. – **2.** (*magico*) magic, talismanic(al). – **talịsmạno** *m.* talisman, charm (*anche fig.*).
talịsmo *m.* ⟨*Med*⟩ club-foot, talipes.
talịttro *m.* ⟨*Bot*⟩ meadow rue, thalictrum (*Thalictrum*).
tallarịta *f.* → **taddarita**.
tạllero *m.* ⟨*Numism*⟩ t(h)aler, (German) dollar. □ ~ *di Maria Teresa* Maria Theresa dollar.
tạllico *a.* (*pl.* **-ci**) ⟨*Chim*⟩ thallic, thallium-.
tallimẹnto *m.* ⟨*Agr*⟩ (*accestimento*) tillering.
Tạllinn *N.pr.f.* ⟨*Geog*⟩ Tallin(n).
tallịno *a.* ⟨*Bot*⟩ (*del tallo*) thalline.
tạllio *m.* ⟨*Chim*⟩ thallium.
tallịre *v.i.* (**tallịsco, tallịsci**; *aus.* **avere/essere**) ⟨*Agr*⟩ **1.** (*germogliare*) to sprout, to germinate, to bud, to shoot; (*fare il tallo*) to form a thallus. – **2.** (*accestire*) to tiller. – **tallịto** (*p.p. di tallire*) *a.* germinated; (*accestito*) tillered. – **tallitụra** *f.* → **tallimento**. – **tạllo** *m.* **1.** ⟨*Bot*⟩ thallus. – **2.** ⟨*pop*⟩ (*germoglio*) bud, sprout, shoot; (*talea*) cutting. □ ⟨*fig,ant*⟩ *metter un* ~ *sul vecchio* (*ringiovanire*) to be rejuvenated; *-i di rapa* (*broccoli di rapa*) turnip-tops *pl.*
tallọfita *f.* ⟨*Bot*⟩ (*anche pianta tallofita*) thallophyte.
tallọforo *m.* ⟨*Stor.gr*⟩ branch-bearer.
tallọide *a.* ⟨*Bot*⟩ thalloid. – **tallọma** *m.* (*tallo*) thallus.
tallonạggio *m.* ⟨*Sport*⟩ heeling.
tallonamẹnto *m.* **1.** hot (*o* close) pursuit, chasing. – **2.** ⟨*Sport*⟩ (*nel rugby e nel calcio*) heeling. – **3.** ⟨*Ferr*⟩ trailing (*o* forcing open) the points.
tallonạre *v.* (**tallọno**) **I** *v.t.* **1.** to pursue closely, to press (hard on), to chase, to follow at the heels of. – **2.** ⟨*Sport*⟩ to follow closely, to keep close behind; (*nel rugby e nel calcio*: *colpire la palla col tallone*) to heel. – **II** *v.i.* (*aus.* **avere**) ⟨*Mar*⟩ to hit the bottom.
tallonạta *f.* **1.** kick, blow with the heel. – **2.** ⟨*Sport*⟩ (*nel rugby e nel calcio*) heel, heeling. – **tallonatọre** *m.* ⟨*Sport*⟩ hooker.
talloncịno *m.* coupon; (*scontrino*) counterfoil, receipt, slip, voucher.
tallọne[1] *m.* **1.** ⟨*Anat*⟩ heel. – **2.** (*nelle calze*) heel. – **3.** (*parte inferiore*) heel, foot, bottom; (*rif. a coltelli*) heel. – **4.** (*della stecca del biliardo*) handle of a billiard cue. – **5.** (*degli sci*) back of a ski. – **6.** (*nei*

pneumatici) bead. – **7.** (*nel cavallo*) heel, hind part of hoof, ⟨*ant*⟩ talon. – **8.** (*nelle carte*) talon. – **9.** (*nell'aratro*) landside. – **10.** ⟨*Mus*⟩ talon, heel. – **11.** ⟨*Tip*⟩ sliding bar (*o* head), lever, ⟨*am*⟩ knee. – **12.** ⟨*Ferr*⟩ heel of points (*o* blade). – **13.** ⟨*Mar*⟩ (*calcagnolo*) heel (of a ship's keel). – **14.** ⟨*rar*⟩ (*cedola, tagliando*) coupon; (*scontrino*) counterfoil, check, slip. – **15.** ⟨*ant*⟩ (*malleolo*) malleolus. □ ⟨*fig*⟩ ~ *d'Achille* (*punto debole*) Achilles' heel; *battere i -i* to click one's heels; *calze senza* ~ heelless stockings; *girare sui -i* to turn on one's heel; *il* ~ *d'Italia* (*la Puglia*) the heel of Italy, Apulia; ~ *del pneumatico* tyre bead.

tallọne[2] *m.* ⟨*Econ*⟩ standard. □ ~ *argenteo* silver standard; ~ *aureo* (*o oro*) gold standard; ~ *metallico* metallic standard.

tallọso *a.* ⟨*Bot*⟩ thalline, thalloid, thallose.

tallurịno *m.* ⟨*Ornit*⟩ (*occhione*) stone curlew (*o* plover), ⟨*am*⟩ thick-knee (*Burhinus oedicnemus; Oedicnemus oedicnemus*).

talmẹnte *avv.* so.

talmụd *m.* ⟨*Rel.ebr*⟩ Talmud. – **talmụdica** *f.* ⟨*non com*⟩ Talmudism. – **talmụdico** *a.* (*pl.* **-ci**) Talmudic. – **talmudịsta** *m./f.* Talmudist.

tạlo *a.* ⟨*Med*⟩ club-: *piede* ~ club-foot.

Tạlo *N.pr.m.* ⟨*Mitol*⟩ Talos.

talọra *avv.* sometimes, at times. – **talọtta** *avv.* ⟨*ant*⟩ → **talora**.

tạlpa I *f.* **1.** ⟨*Zool*⟩ mole (*Talpa*). – **2.** ⟨*Zool*⟩ (*talpa europea*) common mole (*Talpa europaea*). – **3.** ⟨*Zool*⟩ (*talpa cieca*) mole-rat, blind mole (*Talpa caeca*). – **4.** (*pelliccia*) moleskin, mole. – **5.** ⟨*fig*⟩ (*persona tarda*) dull (*o* slow-witted) person, dullard, dolt; (*persona retriva*) person ⌜with backward ideas⌝ (*o* behind the times). – **6.** ⟨*Zool*⟩ (*topo delle chiaviche*) brown (*o* Norway, Hanoverian) rat (*Rattus norvegicus*). – **7.** ⟨*pop*⟩ (*scavatrice di gallerie*) tunnelling machine. – **II** *m.inv.* (*color talpa*) mole grey, moleskin. □ *aratro* ~ mole plough (*o* drainers); *cieco come una* ~ as blind as a bat (*o* mole); ⟨*Zool*⟩ ~ *marsupiale* (*notoritto*) marsupial mole (*Notoryctes typhlops*).

tạlpidi *m.pl.* ⟨*Zool*⟩ talpids *pl* (*Talpidae*).

talpọne (*accr. di talpa*) *m.* **1.** ⟨*Zool*⟩ (*topo delle chiaviche*) brown (*o* Norway, Hanoverian) rat (*Rattus norvegicus*). – **2.** ⟨*fig*⟩ (*persona che sta sempre rintanata in casa*) stay-at-home.

talụno I *pron.indef.* **1.** (*qualcuno*) someone, somebody, some: *come già aveva detto* ~ *dei presenti* as some of those present have already said. – **2.** *pl.* (*alcune persone*) some *pl*, some people *pl*: *-i gli danno ragione* some people say he is right. – **3.** (*correttivo di talaltro*) some *pl*: ~ *gli crede, talaltro no* some believe him, others don't. – **II** *a.* (*alcuni*) some: *-i storici affermano che* some historians say that; (*certi*) certain.

talvọlta *avv.* **1.** sometimes, at times, now and then: *come* ~ *avviene* as sometimes happens. – **2.** (*in correlazione con talaltra*) sometimes: ~ *studia, talaltra no* sometimes he studies, sometimes he doesn't.

tamagnịno (*dim. di tamagno*) *a.* ⟨*ant*⟩ (*piccolo*) small, tiny. – **tamạgno** *a.* ⟨*ant,rar*⟩ **1.** (*tanto grande*) so big. – **2.** (*assai grande*) very big. – **3.** (*tanto piccolo*) so small. – **4.** (*molto piccolo*) very small, tiny, ⟨*vezz*⟩ wee.

tamạnto *a.* ⟨*ant*⟩ (*così grande*) so big.

tamaricạcee *f.pl.* ⟨*Bot*⟩ tamarisk family (*Tamaricaceae*). – **tamarịce** *f.* → **tamerice**.

tamarịndo *m.* **1.** ⟨*Bot*⟩ tamarind (*Tamarindus indica*). – **2.** (*frutto*) tamarind. – **3.** (*polpa*) tamarind, tamarind pulp. – **4.** (*infuso*) tamarind water (*o* tea), tamarind infusion; (*sciroppo*) tamarind syrup; (*bibita*) tamarind drink.

tamarịsco *m.* (*pl.* **-chi**) → **tamerice**.

tạmaro *m.* ⟨*Bot*⟩ (*vite nera*) black bryony (*Tamus communis*).

tambarẹllo *m.* ⟨*Itt*⟩ frigate mackerel (*Auxis thazard, Auxis bisus*).

tambellọne *m.* ⟨*tosc*⟩ (*mattone*) large brick.

tambourin *fr.* [tãbu'rɛ̃] *m.* ⟨*Mus*⟩ tambourin.

tambụcio, tambụgio *m.* ⟨*Mar*⟩ hatch-cover frame.

tamburagiọne *f.* ⟨*Stor*⟩ secret accusation (placed in a special box).

tamburạio *m.* (*fabbricante di tamburi*) drum-maker.

tamburạre I *v.t.* **1.** ⟨*scherz*⟩ (*picchiare, percuotere*) to beat, to hit. – **2.** ⟨*Stor*⟩ to accuse (*o* denounce) secretly. – **3.** ⟨*Fal*⟩ to veneer. – **II** *v.i.* (*aus.* **avere**) ⟨*non com*⟩ (*stamburare*) to drum. – **tamburạto** (*p.p. di tamburare*) *a.* ⟨*Fal*⟩ veneered.

tamburaziọne *f.* → **tamburagione**.

tambureggiamẹnto *m.* **1.** drumming. – **2.** (*serie di colpi*) drumming. – **3.** ⟨*fig*⟩ hammering, pounding, beating. – **4.** ⟨*Mil*⟩ (*martellamento*) pounding. – **5.** ⟨*Sport*⟩ pummeling, pounding. – **tambureggiạnte** (*p.pr. di tambureggiare*) *a.* running, pounding: *fuoco* ~ running fire, drumfire. – **tambureggiạre** *v.i.* (**tamburẹggio, tamburẹggi**; *aus.* **avere**) **1.** to drum. – **2.** ⟨*fig*⟩ to hammer, to pound, to beat. – **3.** ⟨*Mil*⟩ to pound.

tamburellạre *v.i.* (**tamburẹllo**; *aus.* **avere**) **1.** to play the tambourine. – **2.** (*battere*) to drum, to beat: ~ *con le dita sul tavolo* to drum the table with one's fingers.

tamburellịsta *m./f.* tamburello player.

tamburẹllo[1] (*dim. di tamburo*) *m.* **1.** ⟨*Mus*⟩ tambourine, tambour de basque, timbrel. – **2.** ⟨*Sport*⟩ tamburello; (*gioco*) tamburello. – **3.** ⟨*Lav.femm*⟩ tambour, embroidery-frame.

tamburẹllo[2] *m.* → **tambarello**.

tamburẹtto (*dim. di tamburo*) *m.* ⟨*Mar.ant*⟩ (*pedana*) circular platform (on the forecastle of a galley).

tamburinạre *v.* ⟨*rar*⟩ → **tamburellare**.

tamburịno (*dim. di tamburo*) *m.* **1.** (*soldato*) drummer-boy. – **2.** ⟨*giorn*⟩ entertainment guide. – **3.** ⟨*Mar.ant*⟩ → **tamburetto**.

tamburlạno *m.* **1.** (*sorta di alambicco*) kind of still (*o* alembic). – **2.** (*telaio per asciugare la biancheria*) clothes-dryer; (*per scaldare la biancheria*) linen-airer. – **3.** ⟨*Mar*⟩ (*tamburo*) paddle-box. – **4.** ⟨*region,non com*⟩ (*tostino per il caffè*) coffee-roaster. □ ⟨*fig,rar*⟩ *fare a qd. la testa come un* ~ (*rintronarlo*) to deafen s.o.

tambụro *m.* **1.** ⟨*Mus*⟩ drum. – **2.** (*sonatore*) drummer. – **3.** (*nelle armi*) cylinder. – **4.** (*negli argani*) barrel. – **5.** ⟨*tecn,El*⟩ drum. – **6.** ⟨*Orol*⟩ barrel. – **7.** ⟨*Arch*⟩ (*nelle cupole*) tambour, drum; (*nelle colonne*) (column-)drum. – **8.** ⟨*Aut*⟩ (*tamburo dei freni*) brake drum. – **9.** ⟨*Tess*⟩ swift. – **10.** ⟨*Teat*⟩ winch. – **11.** ⟨*giorn*⟩ announcement of subscription rates. – **12.** ⟨*Mar*⟩ paddle-box. – **13.** ⟨*Mil.ant*⟩ (*nel Rinascimento*) barbican; (*nell'Ottocento*) outwork. – **14.** ⟨*Stor*⟩ (*cassa del denaro pubblico*) coffer for public funds. – **15.** ⟨*Stor*⟩ (*cassetta contenente denunzie*) box for anonymous accusations.

□ **a** ~ drum-: *avvolgimento a* ~ drum winding; *pistola a* ~ revolver; ~ **avvolgitore** winding drum; **bacchette** *per* ~ drumsticks *pl*; ⟨*Mus*⟩ ~ **basco** (*tamburello*) tambourine, tambour de basque, timbrel; ⟨*Mil*⟩ *a tambur* **battente** with drums beating, with beat of drum; ⟨*fig*⟩ (*subito*) immediately, at once; **battere** *il* ~ to beat the drum; ⟨*fig*⟩ to blow the (*o* one's) trumpet; ~ *per* **cavi** cable drum; ⟨*Mus*⟩ ~ **coperto** muffled drum; ⟨*Cin*⟩ ~ **dentato** sprocket (wheel); ⟨*Cin*⟩ ~ *dentato inferiore* take-up sprocket; ⟨*Cin*⟩ ~ *dentato superiore* feed sprocket; ⟨*Tess*⟩ ~ *a* **denti** porcupine; ⟨*Mil.ant*⟩ ~ **difensivo** outwork; ~ *d'***essiccazione** drying drum; ⟨*Cart*⟩ ~ *per* **filigranatura** dandy roll; ⟨*Mecc*⟩ ~ *del* **freno** brake drum; ⟨*Tip*⟩ ~ *di* **giustificazione** justifying scale; ~ *della* **lavatrice** washing drum; ~ **maggiore** drum-major; ⟨*Cin*⟩ ~ **magico** zoetrope, wheel of life; ⟨*El*⟩ ~ **magnetico** magnetic drum; ~ **miscelatore** (*o mescolatore*) mixing drum; *avere la* **pancia** *come un* ~ to be bloated from over -eating; ~ *a* **pettini** = *tamburo a* **denti**; ~ *della* **pistola** revolver cylinder; ⟨*Mecc*⟩ ~ *di* **specchi** mirror drum (*o* wheel); ⟨*fig,non com*⟩ **sul** ~ (*subito*) immediately, at once; **suono** *di* ~ sound (*o* beating) of drums; ⟨*Mar*⟩ ~ *del* **verricello** drum of winch, (winding-)drum, barrel (*o* roller) of winch.

tamburọne (*accr. di tamburo*) *m.* **1.** ⟨*ant*⟩ (*grancassa*) bass drum. – **2.** ⟨*giorn*⟩ announcement of subscription rates.

tamerịce *f.* ⟨*Bot*⟩ tamarisk (*Tamarix*). – **tamerịsco** *m.* (*pl.* **-chi**) ⟨*non com*⟩ → **tamerice**.

Tamerlạno *N.pr.m.* ⟨*Stor*⟩ Tamerlane, Tamburlaine.

Tamịgi *N.pr.m.* ⟨*Geog*⟩ Thames.

tamịgio *m.* ⟨*ant*⟩ → **tamiso**.

Tạmiri (o *Tamịri*) *N.pr.m.* ⟨*Mitol*⟩ Thamyris.

tamịso *m.* ⟨*ven*⟩ **1.** (*staccio*) sieve. – **2.** ⟨*Pesc*⟩ conical net.

Tampịco: ⟨*Tess*⟩ *canapa* (o *fibra*) *di* ~ Tampico hemp (*o* fibre), istle.

tampọco *avv.* ⟨*ant,scherz*⟩ (*nemmeno*) not even.

tamponamẹnto *m.* **1.** (*otturazione*) plugging, stopping (up): ~ *di una falla* stopping of a leak. – **2.** ⟨*Strad,Ferr*⟩ bumping, crash(ing), hit(ting), collision, running into: ~ *di una macchina* running into a car, collision with a car. – **3.** ⟨*Chir*⟩ plugging, tamponage, tamponade, tamponing. – **4.** ⟨*Edil*⟩ (*muro di tamponamento*) curtain wall. □ ~ *del cuore* cardiac tamponade.

tamponạre *v.t.* (**tampọno**) **1.** (*otturare*) to plug, to stop (up), to close (up), to fill, to bung. – **2.** ⟨*Strad,Ferr*⟩ to hit, to run (*o* go, drive) into, to crash (*o* bump) into, to collide with: ~ *un'automobile* to run into a car. – **3.** ⟨*Chim*⟩ to buffer, to add a buffer solution to. – **4.** ⟨*Chir*⟩ to plug, to tampon. □ ~ *una falla* to stop a leak; ⟨*fig*⟩ to fill a gap, to make (s.th.) good; ~ *una ferita* to tampon a wound. – **tamponatụra** *f.* ⟨*non com*⟩ **1.** (*otturazione*) plugging, stopping (up). – **2.** ⟨*Chir*⟩ tamponade, tamponage.

tampọne *m.* **1.** plug, stopper, bung, wad, pad. – **2.** (*cuscinetto: per timbri*) ink-pad (for rubber stamps), stamp-pad; (*per tirare bozze*) proof planer; (*di carta assorbente*) blotter. – **3.** ⟨*Med*⟩ tampon, pack, plug, tent; (*per fare prelievi*) swab. – **4.** ⟨*Med*⟩ (*prelievo*) taking (of a sample); ⟨*concr*⟩ smear, swab; (*esame*) analysis, test. – **5.** ⟨*Chim*⟩ buffer: *soluzione* ~ buffer solution. – **6.** ⟨*Tip*⟩ ink ball, tampon. – **7.** ⟨*Ferr*⟩ (*respingente*) buffer. – **8.** ⟨*Met*⟩ bod, bott. – **9.** ⟨*Mus*⟩ kind of drumstick.

□ ⟨*Orol*⟩ ~ **ammortizzatore** buffer; ~ **assorbente** absorbent pad; (*assorbente igienico*) sanitary towel (*o* napkin); ~ *di* **gomma** rubber pad (*o* buffer); ~ *per* **timbri** ink-pad, stamp-pad; ⟨*Mot*⟩ ~ *di* **vapore** vapour lock.

tam-tam (o *tamtạm*) *m.* **1.** ⟨*Mus*⟩ tam-tam, Chinese gong. – **2.** ⟨*Etnol*⟩ tom-tom, tam-tam.

tạna *f.* **1.** den; (*buca*) hole; (*di conigli*) burrow; (*di lepri*) form; (*covo*) lair: *la* ~ *della volpe* the fox's lair (*o* earth). – **2.** ⟨*fig*⟩ (*nascondiglio*) hideout, haunt, hiding-place, den: *la* ~ *dei banditi* the robbers' den; (*rifugio*) den, nest. – **3.** ⟨*fig*⟩ (*stamberga*) hovel, den, hole, slum. – **4.** (*nei giochi*) home. – **5.** ⟨*Geog*⟩ hole, cave, cavern.

tanacẹto *m.* ⟨*Bot*⟩ tansy, bitter buttons *pl* (*costr.sing. o pl.*), ginger plant (*Tanacetum vulgare; Chrysanthemum vulgare*).

tanạglia *f.* ⟨*non com*⟩ (*tenaglia*) pincers *pl*, tongs *pl*. – **tanagliạre** *v.t.* (**tanạglio, tanạgli**) ⟨*Stor*⟩ (*attanagliare*) to torture with red hot pincers. – **tanagliạto** *m.* ⟨*Mil.ant*⟩ tenaille. – **tanagliọne** *m.* ⟨*Mil.ant*⟩ tenaillon.

tanạgra (o *tạnagra*) *f.* **1.** ⟨*Archeol*⟩ Tanagra (figurine). – **2.** ⟨*Ornit*⟩ tanager (*Tanagra*). □ ⟨*Ornit*⟩ ~ *azzurra* blue tanager (*Thraupis episcopus*).

Tanạgra (o *Tạnagra*) *N.pr.f.* ⟨*Geog*⟩ Tanagra.

tanạgridi *m.pl.* ⟨*Ornit*⟩ tanagers *pl* (*Tanagridae*).

Tanai *N.pr.m.* ⟨*Geog.ant*⟩ (*Don*) Don, Tanais.
tananai *m.* ⟨*fam,non com*⟩ (*grande frastuono*) uproar, din, hubbub.
Tanato *N.pr.m.* ⟨*Mitol,Psic*⟩ Thanatos.
tanato... *pref.* (*morte* death) thanat(o)...
tanato|fobia *f.* ⟨*Psic*⟩ thanatophobia. – **~fobico** *a.* (*pl.* -ci) **1.** thanatophobic. – **2.** (*affetto da tanatofobia*) suffering from thanatophobia. – **~logia** *f.* ⟨*Med*⟩ thanatology. – **~logico** *a.* (*pl.* -ci) thanatological. – **~scopia** *f.* (procedure for) ascertaining death. – **~scopico** *a.* (*pl.* -ci) of (*o* concerning) the ascertainment of death.
tanatosi *f.* ⟨*Entom*⟩ thanatosis.
tanca[1] *f.* **1.** jerry can. – **2.** ⟨*Mar*⟩ tank.
tanca[2] *f.* ⟨*region*⟩ (piece of) land; (*podere adibito al pascolo*) pasture (-land).
tancheggiare *v.i.* (**tancheggio, tancheggi**; *aus.* **avere**) ⟨*Sport,Mar*⟩ (*beccheggiare*) to pitch, to toss. – **tancheggio** *m.* (*beccheggio*) pitching, tossing.
Tancredi *N.pr.m.* ⟨*Stor*⟩ Tancred.
tandem I *s.m.* **1.** (*bicicletta*) tandem (bicycle). – **2.** ⟨*fig*⟩ tandem, pair, partners *pl.* – **3.** ⟨*tecn*⟩ tandem. – **II** *a.* ⟨*tecn*⟩ tandem-: ⟨*Tel*⟩ *centrale* ~ tandem (central) office. ☐ ⟨*El*⟩ *collegamento in* ~ parallel connection; ⟨*fig*⟩ *in* ~ in tandem, together, in partnership, as a pair.
tanè ⟨*non com*⟩ **I** *a.* (*castano*) tan, tawny. – **II** *s.m.inv.* (*color tanè*) tan, tawny colour.
tanfata *f.* **1.** whiff (of a musty smell). – **2.** (*zaffata*) whiff (of a bad smell). – **tanfo** *m.* **1.** stench, stink, bad smell. – **2.** (*odore di muffa, di umido*) musty (*o* mouldy) smell: *sapere di* ~ to have a musty smell, to smell musty.
tang = ⟨*Mat*⟩ *tangente* tangent (*abbr.* tan).
tanga *m.inv.* ⟨*Archeol*⟩ terracotta loin-cloth.
Tanganica *N.pr.m.* ⟨*Geog*⟩ **1.** (*lago*) (Lake) Tanganyika. – **2.** (*territorio*) Tanganyika (Territory). – **tanganicano I** *a.* Tanganyikan, Tanganyika. – **II** *s.m.* (*f.* -a) Tanganyikan.
tangara *f.* ⟨*Ornit*⟩ tanager (*Tangara*).
tangente[1] **I** *a.* ⟨*Geom*⟩ tangent: *curva* ~ tangent curve. – **II** *s.f.* **1.** (*retta tangente*) tangent (line). – **2.** (*tangente trigonometrica*) tangent. ☐ ~ *asintotica* asymptotic tangent; ~ *coniugata* conjugate tangent; ⟨*fig,scherz*⟩ *filare per la* ~ (*svignarsela accortamente*) to slip (*o* make) off; ~ *iperbolica* hyperbolic tangent; ~ *trigonometrica* tangent.
tangente[2] **I** *s.f.* **1.** ⟨*Comm*⟩ (*percentuale*) percentage. – **2.** ⟨*ant*⟩ (*quota*) share, portion, quota. – **II** *a.* ⟨*ant*⟩ (*spettante*) owing, due.
tangenza *f.* **1.** ⟨*Geom*⟩ tangency. – **2.** ⟨*Aer*⟩ (*quota di tangenza*) ceiling: ~ *d'esercizio* operational ceiling. – **tangenziale I** *a.* ⟨*Geom, Ott*⟩ tangential, tangent. – **II** *s.f.* **1.** ⟨*Geom*⟩ (*retta tangente*) tangent (line). – **2.** ⟨*Strad*⟩ (*strada tangenziale*) by-pass. – **tangenzialmente** *avv.* ⟨*Geom*⟩ tangentially.
tangere *v.t.* (**tango, tangi**) ⟨*poet*⟩ (*toccare*) to touch.
Tangeri *N.pr.f.* ⟨*Geog*⟩ Tangier.
tangerino *m.* ⟨*Agr*⟩ tangerine.
tangheggiare *v.* ⟨*ant*⟩ → **tancheggiare**. – **tangheggio** *m.* ⟨*ant*⟩ → **tancheggio**.
tangheraccio *m.* ⟨*spreg*⟩ *pegg. di* **tanghero**. – **tanghero** *m.* (*f.rar.* -a) **1.** boor, bumpkin, lout. – **2.** (*villano*) ruffian, hooligan.
tangibile *a.* **1.** tangible, touchable, palpable. – **2.** ⟨*fig*⟩ (*evidente*) tangible, palpable, clear: *prova* ~ tangible proof. – **tangibilità** *f.* tangibility (*anche fig.*). – **tangibilmente** *avv.* tangibly, palpably (*anche fig.*).
tango I *s.m.* (*pl.* -ghi) (*danza*) tango. – **II** *s.m.inv.* (*colore*) tangerine, bright orange. – **III** *a.inv.* tangerine, bright orange.
tangone *m.* ⟨*Mar*⟩ swinging boom.
tangorecettore *m.* ⟨*Fisiol*⟩ tangoreceptor.
tanica *f.* → **tanca**[1].
tank *ingl.* [tæŋk] *m.* **1.** ⟨*Mil*⟩ (*carro armato*) tank. – **2.** → **tanca**[1].
tanka *f.* ⟨*Lett*⟩ tanka.
tanna *f.* ⟨*Itt*⟩ (*cantaro*) kind of sea bream (*Spondyliosoma cantharus*).
tannante (*p.pr. di tannare*) **I** *a.* ⟨*Conc*⟩ tanning. – **II** *s.m.* (*anche agente tannante*) tanning agent, tan. – **tannare** *v.t.* (*conciare pelli con il tanno*) to tan.
tannato *m.* ⟨*Chim*⟩ tannate.
tannatura *f.* ⟨*Pesc*⟩ tanning of fishing nets.
tannico *a.* (*pl.* -ci) ⟨*Chim*⟩ tannic: *acido* ~ tannic acid.
tannifero *a.* ⟨*Bot*⟩ tanniferous.
tannino *m.* ⟨*Chim*⟩ tannin.
tanno *m.* ⟨*ant*⟩ **1.** (*scorza contenente tannino*) tanbark. – **2.** (*scorza della quercia*) tan, tannin, oak bark.
tanrec *m.* ⟨*Zool*⟩ tanrec, tenrec (*Tanrec ecaudatus*).
tantafera *f.* ⟨*tosc*⟩ (*ragionamento lungo e incoerente*) rigmarole, long rambling speech. – **tantaferata** *f.* ⟨*non com*⟩ → **tantafera**.
tantalato *m.* ⟨*Chim*⟩ tantalate. – **tantalico** *a.* (*pl.* -ci) tantalic. – **tantalifero** *a.* tantalum-. – **tantalio** *m.* tantalum. – **tantalite** *f.* ⟨*Min*⟩ tantalite.
tantalo *m.* ⟨*Ornit*⟩ wood stork, wood ibis (*Tantalus ibis*).
Tantalo *N.pr.m.* ⟨*Mitol*⟩ Tantalus. ☐ ⟨*fig*⟩ *supplizio* (o *pena*) *di* ~ torment (*o* cup) of Tantalus.
tan-tan (o *tantan*) *m.* ⟨*non com*⟩ → **tam-tam**.
tantième *fr.* [tɑ̃ti'ɛm] *m.* ⟨*Comm*⟩ tantième, percentage (*o* share) of profits.
tantinello, tantinino *a. dim. di* → **tantino**.
tantino (*dim. di tanto*) **I** *a.* ⟨*rar*⟩ (*assai piccolo*) very small, tiny. – **II** *avv.* (always preceeded by the indefinite article *un*) **1.** a little, a (little) bit: *dammene un* ~ give me a bit. – **2.** (*per un po' di tempo*) for a while (*o* time), for a little (*o* bit): *vado un* ~ *a dormire* I'm going to sleep for a while. – **3.** (*davanti ad agg.*: *un poco*) little, somewhat: *era un* ~ *seccato* he was a little annoyed. – **4.** (*davanti ad agg.*: *abbastanza*) a little, rather, somewhat: *è un* ~ *antipatico* he is rather unpleasant. – **III** *s.m.* little, bit: *un* ~ *di carne* a little (*o* bit of) meat; (*rif. a liquidi*) drop: *un* ~ *di vino* a drop of wine.
tanto I *a.* **1.** (*usato assolutamente*: *molto*) much (*pl* many), a lot (of), ⟨*fam*⟩ a load of: *ho* ~ *lavoro* I have a lot of work; *abbiamo -e preoccupazioni* we have many worries; *sei caffè al giorno sono -i* six cups of coffee a day is a lot; (*tanto grande*) so much, so great, such: *c'è -a miseria nel mondo* there is so much poverty in the world; (*così lungo*) so long: *dove sei stato* ~ *tempo?* where have you been for ⌜so long⌝ (*o* such a long time)?, where have you been all this time?; (*in così grande numero*) so many, all the, all these (*o* those), such a lot (of): *a che ti servono -e matite?* why do you need so many pencils?, what do you need all these pencils for?; *che ci fa qui -a gente?* what are all these people doing here?, why are there so many people here?; (*in così grande quantità*) so much, all this (*o* that): *perché vuoi* ~ *pane?* why do you want so much bread? – **2.** (*correlativo di che e da*) so much (*pl* so many), such: *ho -i libri che non so dove metterli* I have so many books I don't know where to put them all; *hanno -i soldi che soddisfano tutti i loro capricci* they have so much money (that) they can satisfy their every whim; *ha -a volontà che riesce in ogni sua impresa* he has such will-power that he succeeds in everything he does. – **3.** (*correlativo di quanto*: *in proposizioni positive*) as much (*pl* as many): *ho -i libri quanti lui* I have as many books as he has; *ho -i amici in Italia quanti* (*ne ho*) *in Inghilterra* I have as many friends in Italy as in England; *spende* ~ *denaro quanto ne guadagna* he spends as much money as he earns; (*in proposizioni negative*) so much (*pl* so many), as much (*pl* as many): *non ho -i vestiti quanti ne hai tu* I don't have as many dresses as you. – **4.** (*altrettanto*) as much (again), the same amount (of), so much (*pl* so many): *ho cambiato le centomila lire in -i biglietti da mille* I have changed the hundred thousand lire for the same amount in thousand lire notes; *pl.* as many (again), the same number (of), so many: *ci comportiamo come -i sciocchi* we are behaving like ⌜so many⌝ (*o* a bunch of) fools. – **5.** ⟨*lett*⟩ (*così importante*) so important: ~ *ospite* so important a guest, such an important guest. – **II** *pron.* **1.** (*con valore neutro*) a lot, much, a great deal: *chi ha* ~ *e chi niente* some have much and others nothing; (*così molto*) so much, such a lot, ⟨*fam*⟩ all that: *come puoi mangiare* ~*?* how can you eat so much?; (*in correlazione con quanto*) as much: *prendine* ~ *quanto ne vuoi* take as much as you want. – **2.** *pl.* (*molte persone*) many (*o* a lot of) people: *-i lo trovano simpatico* many people like him; *-i la pensano così* that's what many people think; ⟨*enfat*⟩ so many people: *-i l'hanno visto* so many people have seen him; (*in correlazione con quanti*) as (*o* so) many: *non sono -i quanti speravo* there aren't as many as I had hoped. – **3.** (*rif. a numeri indeterminati*) so much (*pl* so many), such and such: *dei soldi che ti do, -i sono per te e -i per tua sorella* ⌜so much⌝ (*o* a certain amount) of the money I am giving you is for you and so much for your sister; *ai -i di ottobre* on such and such a day in October, on a certain date in October. – **4.** (*ciò, questo*) this, that: ~ *mi basta* this is enough for me; ~ *ti dovevo* that is what I owed you. – **III** *avv.* **1.** (*così, talmente*: *con agg. e avv.*) so: *è* ~ *gentile quella signora* that lady is so kind; *era* ~ *tardi che dovetti andarmene* it was so late that I had to go; *è* ~ *giovane che sembra una bambina* she is so young she looks like a child; (*coi verbi*) so much, such a lot, so, *spesso si traduce con* do: *mi piace* ~ I like it so much, I do like it; *perché ridi* ~*?* why are you laughing so much?; *camminai* ~ *da stancarmi* I walked so much that I tired myself out; *non studiare* ~ don't study so much (*o* hard). – **2.** (*in correlazione con quanto, con agg. e avv.*: *in proposizioni positive*) as: *è* ~ *bella quanto modesta* she is as beautiful as she is modest; (*in proposizioni negative*) so, as: *non è* ~ *diligente quanto suo fratello* he is not as hard -working as his brother; *non è poi* ~ *freddo quanto sembra* it's not really as cold as it seems; (*per esprimere una corrispondenza*) the more: ~ *più vali quanto più sai* the more you know the more you are worth. – **3.** (*sia, così*; *in correlazione con quanto, come, con sost. e pron.*) both: *vorrei comprare* ~ *il registratore quanto il giradischi* I should like to buy both the tape-recorder and the record player; *ammiro* ~ *il tuo coraggio come la tua presenza di spirito* I admire both your courage and your presence of mind. – **4.** (*in correlazione con da o che*) so, such, so much (*pl* so many): *è* ~ *sciocco da non capire* he is ⌜so silly⌝ (*o* such a fool) that he does not understand. – **5.** (*dinnanzi a comparativi*) so much the: ~ *meglio* so much the better. – **6.** (*molto, assai*: *con agg. e avv.*) very, so: *è* ~ *vecchio* he is very old; (*coi verbi*) very much: *ti ringrazio* ~ thank you very much. – **7.** (*soltanto, solamente*) just: ~ *per cambiare* just for a change; *per una volta* ~ just for once; *perché non vai al cinema,* ~ *per passare il tempo?* why don't you go to the cinema (just) to pass the time? – **8.** (*per molto tempo*) (for) a long time, ⟨*fam*⟩ (for) ages; (*in frasi negative e interrogative*) (for) long: *non ho lavorato* ~ I didn't work long; (*per così molto tempo*) (for) such a long time, (for) so long: *è* ~ *che ti aspetto* I have been waiting such a long time for you. – **9.** (*con valore moltiplicativo*) as much, as: *tre volte* ~ three times as much; *è grande due volte* ~ he is twice as big. – **IV** *congz.* **1.** (*comunque*) however, but, nevertheless, yet, though, *a volte non si traduce*: *ho fatto di tutto,* ~ *so già che non otterrò nulla*

I did everything I could but I know that it won't get me anywhere; *puoi anche parlargli, ~ non gliene importa nulla* you can talk to him if you like, (though) he doesn't care (*o* give a damn). – **2.** (*con valore conclusivo*) in any case, anyway, anyhow, after all, *spesso non si traduce*: *non avvilirti, ~ ormai è fatta* don't get depressed, after all it's all over with now; *è inutile strillare, ~ non ti sente nessuno* it's no use shouting, no one will hear you; *non sprecare fiato, ~ non ti darà nulla* don't waste your breath, he won't give you anything (in any case). – **V** *s.m.inv.* **1.** (*quantità, numero indefinito*) so much: *un ~ al chilo* so much per kilo. – **2.** (*quantità grande, quasi eccessiva*) great: *devi prendere in considerazione sia il ~, sia il poco* you have to consider both the great and the small.

□ **a ~** (*a tal segno*) to such a point, so far: *arrivare a ~* to reach such a point, to go so far; *è arrivato a ~ da rinfacciarmi la mia generosità* he ⌜went so far as to reproach⌝ (*o* actually reproached) me for my generosity; *-i* **auguri** best (*o* all good) wishes; *fare ~ di* **cappello** *a qd.* to take off one's hat to s.o. (*anche fig.*); **~ che**: 1. (*fino al momento in cui*) until, till; (*per tutto il tempo che*) as long as; 2. → **tantoché**; *ne ha* **combinate** *-e* (*di marachelle*) he has been up to ⌜all sorts of⌝ (*o* so many) tricks; *è una casa* **come** *ce ne sono -e* it's just an ordinary house; **con** *~ di* (*addirittura con*) *si traduce a senso*: *con ~ di barba* with a long beard; *ascoltare qd. con ~ d'orecchi* (*molto attentamente*) to listen attentively to s.o., ⟨*fam*⟩ to be all ears; *guardare con ~ d'occhi* (*spalancando gli occhi*) to gaze at wide-eyed; *rimanere con ~ di naso* (*restare male*) to be disappointed (*o* let down); **da ~**: 1. (*da tanto tempo*) for (such) a long time, so long: *da ~ aspettavo una sua lettera* I had been waiting for a letter from him for such a long time; 2. (*capace*) (that) capable, up to it: *non lo credevo da ~* I didn't think him (that) capable; *non mi stimi da ~?* don't you think I'm up to it?; **darne** *-e a qd.* (*picchiarlo ben bene*) to give s.o. a thrashing; ⟨*fam*⟩ *se ~ mi dà ~* (*se le cose stanno così*) if this is the case, in these circumstances; **di ~** that (*o* this) much, this: *è più lungo di ~* it is that much longer; *non ne vorrei più di ~* I don't want more than this; *di ~ in ~* (*saltuariamente*) from time to time, occasionally: *si fa vivo di ~ in ~* he shows up from time to time; *a* **dir** *~* (*al massimo*) at the (ut)most; *a dir ~ saranno state le undici* it must have been eleven at the latest; *dirne -e a qd.* (*rimproverarlo aspramente*) to give s.o. a thorough scolding, to tell s.o. off roundly; **dopo** *~ studiare* after all that studying, after such hard work; **e** *-i* (*o -e*) and something: *nell'anno milleseicento e -i* in sixteen hundred and something; (*rif. a somme di denaro e sim.*) odd: *costa tremila e -e lire* it costs three thousand lire odd; **~ è**: 1. (*è lo stesso*) it's the same, there's no difference: *~ è fare le cose a metà che non farle affatto* doing only half a job is the same as not doing it at all, if you don't do a thing properly you might as well not do it at all; 2. (*conclusivo*) (well) never mind, there you are, it can't be helped: *se non possiamo arrivare prima di cena, ~ è* if we can't arrive before dinner time, (well) never mind; **~ fa** = *tanto* **vale**; *a* **far** *~* = *a* **dir** *tanto*; **fino a** *~ che* = *tanto* **che**; **fra** *~* (*frattanto*) in the meanwhile, meantime; *è* **già** *~ se* it's something if; *non è più ~* **giovane** she's not so young any more; ⟨*pop*⟩ *~ di* **guadagnato** all (*o* so much) the better; **in** *~ ... in quanto* in that: *il problema è in ~ importante in quanto riguarda tutta la popolazione* the problem is important in that it regards the whole population; *in ~* (*intanto*) in the meanwhile (*o* meantime); *in ~ che* while; **~ ma ~** = *tanto e* **poi** *tanto*; **~ meno** the less: *quanto più lo conosco ~ meno mi piace* the more I know him the less I care for him; **né** *~ né quanto* (*niente affatto*) not at all, in no way: *non mi interessa né ~ né quanto* I am not at all interested; **non** *~* (*poco*) not much, not very, little; **ogni** *~* every so many, every few; (*saltuariamente*) every so often, every now and then: *ci vediamo ogni ~* we see each other every so often; *ogni -i* (*o -e*) every so many, every few: *il fenomeno si ripete ogni -i giorni* the phenomenon is repeated every few days; *ogni -e settimane* every so many weeks; **or** *non è ~* (*non molto tempo fa*) not long ago, a (short) while ago: *l'ho incontrato or non è ~* I met him a while ago; **per** *~* (*pertanto*) therefore, so, consequently, for this reason, thus, hence; (*dunque*) therefore, so, then; **~ più** *che* all the more so, especially as: *è inutile avvisarlo, ~ più che è probabile che non venga* it's useless to tell him especially as he probably won't come anyway; *~ più glielo dico, ~ meno mi ascolta* the more I tell him the less he listens to me; *non più che ~* (*poco*) very little, not much: *si dà da fare non più che ~* he does very little; *ci voleva ~* **poco** it took so little (doing), it was so easy; *~ e* **poi** *~* so much (*pl* so many), such a lot (of); *ne ha* **prese** *-e !* (*di botte*) he got ⌜such a⌝ (*o* a real) thrashing!; **~ quanto**: 1. approximately; 2. ⟨*non com*⟩ (*un poco*) a little; *eravamo in -i quanti non osavo sperare* there were more of us than I had dared to hope; **quel** *~* (just) as much, (just) that amount, (just) enough: *ho quel ~ che mi consente di vivere* I have just enough to live on; *compra quel ~ che ti occorre adesso* buy just as much as you need now; **raccontarne** *-e* (*di fandonie*) to talk a lot (*o* load) of nonsense; **scusi** *~* do excuse me, I'm so sorry; **senza** *-e cerimonie* without ceremony (*o* much ado); *senza ~ cercare* without searching too long (*o* hard); *ne* **spende** *-i* (*di denari*) he spends ⌜so much⌝ (*o* a lot of) money; *sei ~*, **tanto** *gentile* you are so (very) kind; *-e parole, -i spropositi* as many blunders as words, every word a blunder; *~* **vale** you may (*o* might) as well, one might just as well, we'd (*o* it would be) better: *~ vale che tu lo faccia subito* you might as well do it at once; *~ varrebbe rifare il lavoro* one might as well do the whole job over again.

tantoché *congz.* ⟨*non com*⟩ (*tanto che*) so (that), with the result that: *arrivai tardi, ~ avevano già finito* I arrived late, and so they had already finished; *era insopportabile, ~ una volta ho litigato con lui* he was so insufferable that I once had a row with him.

tantọsto *avv.* ⟨*ant*⟩ (*subito*) immediately, at once.

tạntra *m.pl.* ⟨*Rel*⟩ Tantras *pl.* – **tantrịsmo** *m.* Tantrism. – **tantrịstico** *a.* (*pl.* **-ci**) Tantric, Tantrik.

tạntum ẹrgo *lat. m.* ⟨*Lit*⟩ tantum ergo.

tantụndem *lat.* **I** *a.* ⟨*Dir*⟩ (*equivalente*) equivalent. – **II** *s.m.* equivalent.

tanụda *f.* → **tanna**.

tạo *m.* ⟨*Filos,Rel*⟩ Tao. – **taoịsmo** *m.* Taoism. –**taoịsta I** *s.m./f.* Taoist. – **II** *a.* → **taoistico**. – **taoịstico** *a.* (*pl.* **-ci**) Taoistic, Taoist.

Taormịna *N.pr.f.* ⟨*Geog*⟩ Taormina.

tạpa *f.* ⟨*Tess*⟩ tapa (cloth).

tapẹto *m.* ⟨*ant,rar*⟩ → **tappeto**.

tapinamẹnte *avv.* (*miseramente*) wretchedly, miserably. – **tapinạre** *v.i.* (*aus.* **avere**) ⟨*ant*⟩ (*vivere miseramente*) to live wretchedly, to lead a life of misery. – **tapinarsi** *v.r.* (*affliggersi*) to grieve, to torment o.s. – **tapinẹllo** (*dim. di tapino*) ⟨*lett*⟩ **I** *a.* wretched, miserable. – **II** *s.m.* (*f.* **-a**) wretch, wretched (*o* miserable) person. – **tapịno I** *a.* wretched, miserable. – **II** *s.m.* (*f.* **-a**) wretch, wretched (*o* miserable) person.

tapiọca *f.* ⟨*Alim*⟩ tapioca.

tapịridi *m.pl.* ⟨*Zool*⟩ tapirs *pl*, tapirids *pl* (*Tapiridae*).

tapịro *m.* **1.** ⟨*Zool*⟩ tapir (*Tapirus*). – **2.** (*pelle*) tapir skin. □ *~ americano* Brazilian tapir (*Tapirus terrestris*); *~ di Baird* Baird's tapir (*Tapirus bairdi*); *~ indiano* (o *dalla gualdrappa*) Malay(an) tapir, Indian tapir (*Tapirus indicus*).

tapis roulant *fr.* [ta'piru,lɑ̃] *m.* **1.** (*scala mobile*) escalator, moving staircase. – **2.** ⟨*Ind*⟩ conveyor (*o* endless) belt, apron, travelling band.

tạppa *f.* **1.** (*luogo di sosta*) halting place, halt, stop, stopping place (*anche Mil.*). – **2.** (*sosta*) halt, stop: *fare una ~* to make a stop. – **3.** (*percorso tra una sosta e l'altra*) stage, lap, leg. – **4.** ⟨*fig*⟩ stage, lap: *le -e della civiltà* the stages (in the progress) of civilization. – **5.** ⟨*Sport*⟩ lap, stage. □ *a -e*: in stages, in laps (*anche fig.*): *corsa a -e* race in laps; *a piccole -e* in short stages; ⟨*fig*⟩ *bruciare le -e* to forge ahead, to cut corners, to rush on; ⟨*fig*⟩ *bruciare le -e della carriera* to go ahead fast, to have a rapid career, to rise quickly; ⟨*Sport*⟩ *~ a cronometro* timed lap; ⟨*Sport*⟩ *~ piana* open-country stage; ⟨*Sport*⟩ *~ in salita* hill stage.

tappabụchi *m.inv.* ⟨*scherz*⟩ stopgap, fill-in: *fare da* (o *il*) *~* to act as a stopgap, to fill in.

tappạre *v.t.* **1.** (*chiudere*) to close (up), to block (up): *~ la finestra* to block up the window; (*otturare*) to stop (up), to close (up), to plug, to fill, ⟨*lett*⟩ to obturate. – **2.** (*con un turacciolo*) to stop, to stopper, to plug; (*con un sughero*) to cork: *~ un fiasco* to cork a flask. – **3.** (*zaffare*) to bung. – **4.** (*tenere chiuso*) to shut, to hold, to stop: *tapparsi il naso* to hold one's nose. – **5.** ⟨*fam*⟩ (*chiudere*) to close, to shut up: *~ la bocca a qd.* to close s.o.'s mouth, to shut s.o. up. – **6.** ⟨*fam*⟩ (*rinchiudere*) to shut up: *~ qd. in un luogo* to shut s.o. up somewhere; (*a chiave*) to lock up. – **tapparsi** *v.r.* **1.** (*rinchiudersi*) to shut o.s. up: *tapparsi in casa* to shut o.s. up at home. – **2.** ⟨*rar*⟩ (*coprirsi con un indumento*) to wrap up well, to muffle (o.s.) up. □ ⟨*fig*⟩ *~ un buco* (*pagare un debito*) to pay a debt; *tapparsi le orecchie* to stop (*o* put one's hands over) one's ears; ⟨*fig*⟩ (*non voler sentire*) to refuse to listen, to turn a deaf ear.

tapparẹlla *f.* ⟨*region*⟩ (*serranda avvolgibile*) rolling shutter. – **tapparellịsta** *m.* ⟨*region*⟩ (*fabbricante*) manufacturer of rolling shutters; (*chi ripara*) repairer of rolling shutters.

tappạto (*p.p. di tappare*) *a.* **1.** closed (up), blocked; (*otturato*) stopped (up), closed (up), plugged. – **2.** (*con turacciolo*) stopped, stoppered, plugged; (*con sughero*) corked. – **3.** ⟨*fam*⟩ (*rinchiuso*) shut up: *se ne sta ~ in casa* he is shut up at home.

tappetạre *v.t.* (**tappẹto**) ⟨*non com*⟩ (*ricoprire con tappeti*) to carpet.

tạppete *onom.* **1.** tap: *tippete ~* tip tap. – **2.** ⟨*esclam*⟩ (*ecco*) lo and behold.

tappetịno (*dim. di tappeto*) *m.* **1.** rug, mat. – **2.** (*zerbino*) (door)mat.

tappẹto *m.* **1.** carpet: *un ~ persiano* a Persian carpet; *mettere un ~ sul pavimento* to lay a carpet on the floor; (*tappetino*) rug, mat: *un ~ scendiletto* a bedside rug; *un ~ di spugna per la stanza da bagno* a bath-mat; (*stuoia*) mat. – **2.** (*per tavoli*) (table)cloth. – **3.** (*per pareti*) hangings *pl*, tapestry. – **4.** ⟨*fig*⟩ carpet. – **5.** ⟨*Sport*⟩ mat; (*nel pugilato*) canvas(s). – **6.** ⟨*Strad*⟩ carpet. – **7.** ⟨*Biol*⟩ tapetum. – **8.** ⟨*Mar.mil*⟩ pattern.

□ ⟨*Sport*⟩ **andare** *al ~* (*cadere a terra*) to go down, to be knocked down; (*nel pugilato*) to hit the canvas(s); ⟨*Strad*⟩ *~* **bituminoso** bitumen carpet, asphalt surface; *~* **erboso**: 1. grass field; 2. ⟨*Giard*⟩ lawn, ⟨*lett*⟩ (green)sward; ⟨*Zool*⟩ *~* **fibroso** tapetum fibrosum; *~ di* **gomma** rubber mat; ⟨*Sport*⟩ *~ per la* **lotta** wrestling mat; ⟨*Sport*⟩ **mettere** *al ~* (*atterrare*) to knock down; ⟨*fig,non com*⟩ **pagare** *sul ~* to pay ⌜àt once⌝ (*o* on the nail); *~* **preghiera** prayer-mat; ⟨*fig*⟩ *mettere* (o *portare*) *una* **questione** *sul ~* to bring up a question; ⟨*Sport*⟩ *~ per il* **salto** mat for jumping, (gym) mat; *~ per le* **scale** stair-carpet; *~* **stradale** road carpet; *~ per* **vasca** *da bagno* bath-mat; ⟨*fig,non com*⟩ **venire** *sul ~* (*essere intavolato*) to come up for discussion, to be broached; *~* **verde** green baize (cloth); ⟨*fig*⟩ (*tavolo da gioco*) gaming-table, green baize table; ⟨*fig*⟩ (*bisca*) gambling den (*o* house).

tappẹtto (*dim. di tappo*) *m.* (*f.* -a) ⟨*fam*⟩ (*persona di bassa statura*) short person, tubby fellow, ⟨*fam*⟩ (little) podge.
tappezzạre *v.t.* (**tappẹzzo**) **1.** (*rif. a pareti*: *con carta*) to paper: *ha tappezzato la camera da letto con carta azzurra* she papered the bedroom with blue wallpaper; (*con arazzi*) to hang (with tapestry), to tapestry; (*con legno*) to cover, to panel. – **2.** (*rif. a mobili e sim.*) to upholster, to cover: ~ *di velluto una poltrona* to cover an armchair in velvet; (*imbottire*) to stuff, to pad, to quilt. – **3.** ⟨*estens*⟩ (*ricoprire*) to cover, to plaster: ~ *una parete di manifesti* to cover a wall with posters. – **4.** ⟨*estens*⟩ (*rivestire*) to cover; (*all'interno*) to line.
tappezzerịa *f.* **1.** (*rif. a pareti*) (wall)paper; (*stoffa*) tapestry, hangings *pl*; (*rivestimento in legno*) panelling. – **2.** (*rif. a mobili e sim.*) upholstery, cover(ing); (*imbottitura*) stuffing, padding, quilting. – **3.** (*arte, tecnica*) upholstery, upholstering. – **4.** ⟨*non com*⟩ (*negozio*) upholstery shop, upholsterer's; (*laboratorio*) upholstery workshop. – **5.** ⟨*Aut*⟩ upholstery. □ ⟨*fam*⟩ *fare da* ~ (*nelle feste da ballo*) to be a wallflower.
tappezziẹre *m.* (*f.* -a) **1.** (*chi riveste poltrone e sim.*) upholsterer. – **2.** (*chi riveste pareti*) decorator, paperhanger.
tappịno *m. dim. di* **tappo**.
tạppo *m.* **1.** stopper, plug; (*di sughero*) cork; (*a vite*) (screw)cap. – **2.** ⟨*estens*⟩ (*oggetto di occlusione*) plug, stopper. – **3.** (*zaffo*) bung. – **4.** ⟨*scherz*⟩ (*persona di bassa statura*) small (*o* short) person, tubby fellow, ⟨*fam*⟩ (little) podge. – **5.** ⟨*Met*⟩ bot.
□ ⟨*pop*⟩ ~ *in* **bocca**! mum's the word!, ⟨*fam*⟩ keep your mouth (*o* trap) shut!; ⟨*scherz*⟩ ~ *da* **botte** tubby little man, ⟨*fam*⟩ podge; ~ *da* **bottiglia** bottle-cap; ⟨*Med*⟩ ~ *di* **cerume** inspissated cerumen, dried wax in the ear; ~ *a* **corona** crown cap (*o* cork); ⟨*Mar*⟩ ~ *di* **cubia** hawse plug; ~ **filettato** = *tappo a* **vite**; ⟨*El*⟩ ~ **fusibile** plug fuse, fuseplug; ~ *di* **gomma** rubber stopper, plug; ⟨*Mot*⟩ ~ *d'***introduzione** *dell'olio* oil filler cap; ~ *di* **latta** cap; ~ *del* **radiatore** radiator cap; *questo vino* **sa** *di* ~ this wine is corky (*o* corked); ~ *di* **scarico** *dell'olio* oil drain plug; ~ *di* **vetro** glass stopper; ~ *a* **vite** screw plug (*o* cap); ⟨*Artigl*⟩ ~ *di* **volata** tampion.
Tạpso *N.pr.f.* ⟨*Geog.stor*⟩ Thapsus.
ta-pum *onom.* bang, boom.
tar *m.* ⟨*Zool*⟩ thar, tahr (*Hemitragus*).
tạra *f.* **1.** tare. – **2.** (*malattia, anomalia*) hereditary defect (*o* taint), anomaly, deviation; (*difetto*) defect, blemish, taint, flaw. – **3.** ⟨*ant*⟩ (*defalco, detrazione*) deduction; (*sconto*) discount.
□ ~ **convenzionale** customary tare; ~ **effettiva** actual tare; ~ **ereditaria** hereditary defect (*o* taint); ~ **extra** super tare; *far la* ~ *di* to tare, to ascertain the tare of; ⟨*fig*⟩ *far la* ~ *a una notizia* to play down news; ~ **fissa** = *tara* **effettiva**; ~ **legale** estimated tare; ~ **media** average tare; ~ **netta** (o *reale*) = *tara* **effettiva**; ~ **d'uso** = *tara* **convenzionale**.
tarabạra (o *tạra bạra*) *avv.* ⟨*ant*⟩ → **tarabaralla**. – **tarabarạlla** *avv.* ⟨*tosc*⟩ **1.** (*suppergiù*) more or less, approximately, (round) about. – **2.** (*in un modo o nell'altro*) somehow or other. – **3.** (*poco male*) never mind, it's not important.
tarabugịno (*dim. di tarabugio*) *m.* ⟨*non com*⟩ → **tarabusino**. – **tarabụgio** *m.* ⟨*non com*⟩ → **tarabuso**. – **tarabuṣịno** (*dim. di tarabuso*) *m.* ⟨*Ornit*⟩ little bittern (*Ixobrychus minutus*). □ ~ *orientale* Schrenk's little bittern (*Ixobrychus eurhythmus*). – **tarabụṣo** *m.* (Eurasian) bittern, bull of the bog (*Botaurus stellaris*). □ ~ *americano* American bittern (*Botaurus lentiginosus*).
tarạgna: ⟨*Gastr,region*⟩ *polenta* ~ polenta cooked with butter and cheese.
tarạllo *m.* ⟨*Dolc*⟩ kind of sweet ring-shaped biscuit. – **tarallụccio**: *finire a tarallucci e vino* (*comporre amichevolmente un contrasto*) to make it up, to end up good friends.
tarantẹlla *f.* **1.** (*danza*) tarantella, tarantelle. – **2.** ⟨*Pesc*⟩ fishing-net (for coastal fishing).
tarantẹllo *m.* **1.** ⟨*Alim*⟩ charcuterie made from tunny-fish. – **2.** ⟨*Macell*⟩ meat makeweight.
tarantịno I *a.* of Taranto, Taranto-. – **II** *s.m.* (*f.* -a) native (*o* inhabitant) of Taranto.
tarantịsmo *m.* ⟨*Psic*⟩ tarantism.
Tạranto *N.pr.f.* ⟨*Geog*⟩ Taranto.
tarạntola *f.* ⟨*Zool*⟩ **1.** (*anche tarantola pugliese*) tarantula (*Lycosa tarentula*). – **2.** (*stellione*) tarente (*Tarentula mauritanica*). □ ⟨*fig*⟩ *essere morso da una* ~ (*rif. a persona scatenata*) to be behaving wildly.
tarantolạto *a.* ⟨*non com*⟩ **1.** bitten by a tarantula. – **2.** (*affetto da tarantismo*) affected by tarantism.
tarantolịno *m.* ⟨*Zool*⟩ kind of gecko (*Phyllodactylus europaeus*).
tarantolịsmo *m.* → **tarantismo**.
tararà *f.* ⟨*Agr*⟩ winnower, grain cleaning machine.
tarạre *v.t.* **1.** to tare. – **2.** ⟨*tecn*⟩ (*eseguire la taratura*) to calibrate. – **3.** ⟨*Fis*⟩ to set.
Tarascọna *N.pr.f.* ⟨*Geog*⟩ Tarascon.
tarạssaco *m.* (*pl.* **-chi**) ⟨*Bot*⟩ **1.** dandelion (*Taraxacum*). – **2.** (*dente di leone*) dandelion, cankerwort (*Taraxacum officinale*).
tarạto (*p.p. di tarare*) *a.* **1.** tared. – **2.** ⟨*tecn*⟩ calibrated. – **3.** ⟨*fig*⟩ (*affetto da tara ereditaria*) tainted with a hereditary defect; (*pieno di tare*) full of defects. – **4.** ⟨*fig*⟩ (*moralmente guasto*) corrupt. – **taratọre** *m.* (*f.* **-trice**) ⟨*non com*⟩ calibrator. – **taratụra** *f.* **1.** taring, assessment of tare. – **2.** ⟨*tecn*⟩ calibration. – **3.** ⟨*Fis*⟩ calibration, standardization, gauging. □ ⟨*Rad*⟩ ~ *di ricevitori* alignment of receivers.
tarcagnọtto ⟨*tosc*⟩ **I** *a.* (*tracagnotto*) squat, sturdy, stocky, thickset. – **II** *s.m.* (*f.* -a) squat person.
tạrchia: ⟨*Mar*⟩ *vela a* ~ spritsail.
tarchiạto *a.* **1.** (*rif. a persone*) thickset, sturdy. – **2.** ⟨*non com*⟩ (*rif. a cose*) squat.
tardamẹnte *avv.* slowly.
tardạndo I *avv.* ⟨*Mus*⟩ tardando. – **II** *s.m.* tardando.
tardạnza *f.* ⟨*ant*⟩ **1.** lateness. – **2.** (*indugio*) delay, lateness. □ ⟨*ant*⟩ *far* ~ (*fare tardi*) to be late; (*indugiare*) to take a long time.
tardạre I *v.i.* (*aus.* **avere**) **1.** (*essere in ritardo*) to be late: ~ *a un appuntamento* to be late for an appointment. – **2.** (*indugiare*) to delay, to take (a long) time, to be late: ~ *a rispondere* to delay in replying, to take (a long) time answering; ~ *in un pagamento* to be late (*o* in arrears) with a payment. – **3.** ⟨*lett*⟩ (*con uso impersonale*: *sembrare tardi*) to seem to take a long time, to seem long. – **II** *v.t.* **1.** (*ritardare*) to delay, to hold up: ~ *la consegna di una merce* to delay delivery of goods; *le continue piogge tardano i lavori* all this rain has held up the work. – **2.** ⟨*lett*⟩ (*rendere più lento*) to slow down, to make slow, to slacken. □ *Prov.*: *chi tarda a dare quel che promette, del promesso si ripente* he loses his thanks who promises and delays.
tardenoiṣiạno [-nua-] **I** *a.* ⟨*Archeol*⟩ Tardenoisian. – **II** *s.m.* Tardenoisian.
tardẹzza *f.* → **tardità**.
tạrdi *avv.* **1.** late: *alzarsi* ~ *la mattina* to get up late in the morning. – **2.** (*in ritardo*) late, tardy: *arrivare* ~ *a scuola* to be late for school.
□ **è** ~ it's late; (*è troppo tardi*) it's too late: *dovevi farlo prima, ora è* ~ you should have done it before, it's too late now; **far** ~: 1. to be late; 2. (*restare alzato fino a tarda ora*) to stay up late; *si è fatto* ~ it is (*o* has got) late; ⟨*non com*⟩ **parere** ~ to seem a long way off; *a* **più** ~*!* see you later!; *al più* ~ at the latest; **presto** *o* ~ sooner or later; **sul** ~ late (in the day), latish: *di pomeriggio sul* ~ late in the afternoon. – *Prov.*: *meglio* ~ *che mai* better late than never; *chi* ~ *arriva, male alloggia* last come, last served.
tardịgrado I *a.* ⟨*rar*⟩ (*che cammina lentamente*) walking (*o* going) slowly, ⟨*lett*⟩ tardigrade. – **II** *s.m.* ⟨*Zool*⟩ **1.** tardigrad(e), water-bear. – **2.** *pl.* tardigrad(e)s *pl*, water-bears *pl*, bear-animalcules *pl* (*Tardigrada*). – **3.** *pl.* ⟨*ant*⟩ (*bradipi*) sloths *pl*, bradypods *pl*, tardigrades *pl* (*Bradypodidae*).
tardịo *a.* ⟨*ant*⟩ → **tardivo**. – **tardità** *f.* ⟨*lett*⟩ **1.** (*lentezza*) slowness. – **2.** (*ottusità*) obtuseness, dullness, slow-wittedness. – **tarditạte** *f.* ⟨*ant*⟩ → **tardità**. – **tardivamẹnte** *avv.* late; (*troppo tardi*) tardily. – **tardività** *f.* ⟨*non com*⟩ tardiness.
tardịvo *a.* **1.** (*rif. a fatti stagionali e sim.*) late: *un inverno* ~ a late winter; (*che fiorisce tardi*) late, slow to flower; (*che matura tardi*) late, slow-ripening. – **2.** (*che viene troppo tardi*) tardy, belated: *scuse -e* tardy apologies; *pentimento* ~ tardy repentance. – **3.** (*ritardato*) retarded: *sviluppo* ~ retarded development; (*rif. a persone*) retarded, backward: *bambino* ~ retarded child.
tardịzia *f.* ⟨*Agr*⟩ late produce; (*frutto*) late fruit; (*verdura*) late vegetable.
tạrdo I *a.* **1.** (*lento*) slow: ~ *nel muoversi* slow in moving, slow -moving. – **2.** (*pigro*) lazy, sluggish. – **3.** ⟨*fig*⟩ (*ottuso, poco sagace*) slow(-witted), dull: *essere* ~ *nel capire* to be slow in understanding. – **4.** (*che viene troppo tardi*) tardy: *un* ~ *aiuto* tardy help, help that comes too late. – **5.** (*avanzato nel tempo*) late: *lo vedrò nella -a mattinata* I'll be seeing him late in the morning; *a notte -a* late at night. – **6.** (*ultimo*) late: ~ *gotico* late Gothic; *il* ~ *Medioevo* the late Middle Ages. – **7.** (*rif. a età*) ripe, goodly, extreme: *fino a -a età* to a ripe old age. – **8.** ⟨*non com*⟩ (*che indugia*) late, lingering. – **9.** ⟨*Mus*⟩ tardo, slow. – **II** *avv.* **1.** (*lentamente*) slowly. – **2.** (*tardi*) late. □ ~ *d'ingegno* obtuse, slow-witted, dull(-witted), ⟨*fam*⟩ thick; ~ *latino* low (*o* post-classical) Latin; *a -a ora* late.
tardọna *f.* ⟨*scherz*⟩ **1.** slow woman, ⟨*fam*⟩ slowcoach. – **2.** (*donna sfiorita*) woman who refuses to admit she is ⌜past her prime⌝ (*o* no longer young). – **3.** ⟨*fam*⟩ (*pigrona*) lazy woman, ⟨*fam*⟩ lazy -bones. – **tardọne** (*accr. di tardo*) *m.* (*f.* -a) ⟨*fam*⟩ **1.** (*persona lenta*) slow person, ⟨*fam*⟩ slowcoach. – **2.** (*pigrone*) lazy person, ⟨*fam*⟩ lazy-bones.
tardorinascimentạle *a.* late Renaissance-.
tardorogẹnico *a.* (*pl.* **-ci**) ⟨*Geol*⟩ late orogenic.
tarentịno *a./s.* → **tarantino**.
tạrga *f.* **1.** plate, plaque, sign: *sulla porta c'era una* ~ *d'ottone con il nome dell'inquilino* on the door there was a brass plate with the tenant's name. – **2.** ⟨*Aut*⟩ (number-)plate, ⟨*am*⟩ (license) plate. – **3.** ⟨*Sport*⟩ (*premio*) plaque. – **4.** ⟨*Arch*⟩ (memorial) plaque, (inscription) plate, tablet. – **5.** ⟨*Mil.ant*⟩ (kind of) shield, ⟨*ant*⟩ targe(t).
□ ⟨*Aut*⟩ ~ **anteriore** front number-plate; ⟨*El*⟩ **dati** *di* ~ rating sing; ~ **d'immatricolazione** (number-)plate, ⟨*am*⟩ (license) plate; ~ **internazionale** international number-plate; ~ *di* **nazionalità** national plate; ~ **posteriore** rear number-plate; ~ **provvisoria** temporary number-plate.
targạre *v.t.* (**tạrgo, tạrghi**) **1.** to give a plate (*o* plaque) to, to put a plate on. – **2.** ⟨*Aut*⟩ to give a number-plate to. – **targạto** (*p.p. di targare*) *a.* ⟨*Aut*⟩ with the number(-plate): *vettura -a Roma EO3320* car with the number(-plate) Rome EO3320. □ *la mia automobile è -a* ... my car's number(-plate) is ... – **targatụra** *f.* **1.** giving of a plate, affixing of a plaque. – **2.** ⟨*Aut*⟩ giving of a number-plate, affixing of plates.
targẹlie *f.pl.* ⟨*Stor.gr*⟩ Thargelia.

targhetta (*dim. di targa*) *f.* **1.** plate, plaque. – **2.** ⟨*tecn*⟩ nameplate, type-plate. ☐ ⟨*Mil.ant*⟩ ~ *da pugno* kind of small shield.
targone[1] (*accr. di targa*) *m.* ⟨*Mil.ant*⟩ large shield.
targone[2] *m.* ⟨*Bot*⟩ (*dragonella*) tarragon (*Artemisia dracunculus*).
targum *m.* ⟨*Bibl*⟩ Targum.
tarì *m.* ⟨*Numism*⟩ tari.
tariffa *f.* **1.** tariff, rate; (*prezzo*) price, charge; (*rif. ai trasporti pubblici*) fare: *-e ferroviarie* rail fares. – **2.** (*elencazione dei tributi*) table of charges (*o* rates), scale of charges. – **3.** ⟨*estens*⟩ (*tariffario*) list (*o* table, book) of rates, tariff, price-list. – **4.** ⟨*estens*⟩ (*decreto che dispone le tariffe*) tariff decree.
☐ **-e catastali** = *tariffe d'***estimo**; ~ **chilometrica** tariff on a mileage (*o* uniform) basis; ~ **concorrenziale** cut rate, competitive price; ~ **differenziale** differential tariff (*o* rate); ~ **doganale** customs tariff, rate of customs duty, table of customs duties; **-e d'estimo** cadastral assessment rate *sing*; ~ **fissa** fixed rate (*o* tariff); ~ **generale** general (*o* universal) tariff; ⟨*Giorn*⟩ ~ *delle* **inserzioni** advertising rate; ~ **intera** (*nei trasporti pubblici*) full fare; ~ **interna** inland rate, internal tariff; ~ **massima** (o *limite*) maximum tariff; **mezza** ~ half tariff (*o* rate); (*nei trasporti pubblici*) half fare; ~ **normale** (o *ordinaria*) standard (*o* normal) tariff, ordinary rate; ~ **notarile** scale of notarial fees; ~ **postale** postal rate (*o* tariff); ~ **preferenziale** preferential tariff; ~ **protettiva** protective tariff; ~ **ridotta** reduced rate; ~ **salariale** wage rate; ~ **speciale** special rate (*o* tariff); **supplemento** *di* ~ tariff supplement; ~ *dei* **trasporti** fare.
tariffale *a.* (*tariffario*) tariff-. – **tariffare** *v.t.* to put a tariff on, to impose a scale of charges upon; (*stabilire prezzi*) to fix the prices (*o* rates) of. – **tariffario I** *a.* tariff-, of (*o* in) rates: *aumento* ~ rise in tariffs (*o* rates); (*rif. ai trasporti pubblici*) fare-. – **II** *s.m.* list (*o* table, book) of rates, tariff, price-list. – **tariffazione** *f.* ⟨*Comm*⟩ fixing of tariffs (*o* charges), tariffing; (*rif. a prezzi*) fixing of prices (*o* rates); (*nei trasporti pubblici*) fixing of fares.
tarla *f.* ⟨*roman*⟩ → **tarma**.
tarlare *v.i.* (*aus.* **essere**) **1.** (*rif. a tarli*) to be worm-eaten. – **2.** (*rif. a tarme*) to be moth-eaten. – **tarlarsi** *v.r.* **1.** (*rif. a tarli*) to become (*o* get) worm-eaten: *questo tipo di legno si tarla facilmente* this kind of wood becomes worm-eaten easily. – **2.** (*rif. a tarme*) to become (*o* get) moth-eaten.
tarlatana *f.* ⟨*Tess*⟩ tarlatan.
tarlato (*p.p. di tarlare*) *a.* **1.** worm-eaten: *legno* ~ worm-eaten wood. – **2.** (*tarmato*) moth-eaten. – **tarlatura** *f.* **1.** worm-hole; (*rif. a tarme*) moth-hole. – **2.** (*polvere di legno*) dust from worm-eaten wood.
tarlo *m.* **1.** ⟨*Entom*⟩ woodworm: *il mobile è rovinato dai -i* the piece of furniture is ruined by woodworms. – **2.** ⟨*fig*⟩ gnawing, pangs *pl*: *il* ~ *della gelosia* the pangs of jealousy. – **3.** ⟨*Veter*⟩ horse onychomycosis. ☐ ⟨*ant*⟩ *averci il* ~ *con qd.* (*portargli rancore*) to bear a grudge against s.o.; ⟨*fig*⟩ *il* ~ *del dubbio* gnawing doubt.
tarma *f.* ⟨*Entom*⟩ moth, clothes-moth. ☐ ~ *della lana* casemaking clothes-moth (*Tinea pellionella*).
tarmare *v.i.* (*aus.* **essere**) to be moth-eaten. – **tarmarsi** *v.r.* to become (*o* get) moth-eaten. – **tarmato** (*p.p. di tarmare*) *a.* moth-eaten.
tarmica *f.* ⟨*Bot*⟩ sneezewort (*Achillea ptarmica*).
tarmicida I *a.* moth-repellant. – **II** *s.m.* moth-repellant, moth-killer.
tarmola *f.* ⟨*tosc*⟩ **1.** → **tarma**. – **2.** → **tarlo**.
tarmolare *v.* (**tarmolo**) ⟨*tosc*⟩ → **tarlare**. – **tarmolato** (*p.p. di tarmolare*) *a.* ⟨*tosc*⟩ → **tarlato**. – **tarmolo** *m.* ⟨*rar*⟩ (*polvere di legno, tarlatura*) dust from worm-eaten wood.
taro *m.* ⟨*Bot*⟩ taro, dalo (*Colocasia antiquorum*).
taroccare *v.i.* (**tarocco, tarocchi**; *aus.* **avere**) **1.** to play one's trump-card. – **2.** ⟨*fam*⟩ (*borbottare*) to grumble, to mutter; (*litigare*) to quarrel, to bicker, to wrangle.
tarocco[1] *m.* (*pl.* **-chi**) **1.** (*carta*) tarot, tarok, taroc(k). – **2.** (*gioco*) taroc(k), tarok, tarot(s).
tarocco[2] *m.* (*pl.* **-chi**) ⟨*Agr*⟩ kind of orange.
tarocco[3] *a.* (*pl.* **-chi**) ⟨*region*⟩ (*tonto*) dull, slow(-witted).
tarozzo *m.* ⟨*Mar*⟩ **1.** (*asta di ferro*) sheer batten (*o* pole). – **2.** (*gradino*) wooden rung (of a rope-ladder).
tarpan *m.* ⟨*Zool*⟩ tarpan (*Equus gmelini*).
tarpano ⟨*non com*⟩ **I** *a.* (*rozzo, ignorante*) rough, coarse, uncouth. – **II** *s.m.* (*f.* **-a**) rough (*o* coarse) person, lout, boor.
tarpare *v.t.* to clip. ☐ ⟨*fig*⟩ ~ *le ali a qd.* to clip s.o.'s wings. – **tarpatura** *f.* ⟨*non com*⟩ clipping.
Tarpea *N.pr.f.* ⟨*Mitol*⟩ Tarpeia.
tarpeio *a.* ⟨*ant*⟩ → **tarpeo**. – **tarpeo** *a.* ⟨*Stor.rom*⟩ Tarpeian: *rupe -a* Tarpeian Rock.
tarpi(g)na *f.* ⟨*Bot*⟩ (*cuscuta*) dodder, love vine, hell weed (*Cuscuta epithymum*).
Tarquinia *N.pr.f.* ⟨*Geog*⟩ Tarquinia.
Tarquinio *N.pr.m.* ⟨*Stor*⟩ Tarquinius. ☐ ~ *Prisco* Tarquinius Priscus; ~ *il Superbo* Tarquinius Superbus, Tarquin the Proud.
tarraconense *a.* Tarragonese, of Tarragona. – **Tarragona** *N.pr.f.* ⟨*Geog*⟩ Tarragona.
tarsale *a.* ⟨*Anat*⟩ **1.** tarsal: *ossa -i* tarsal bones. – **2.** (*rif. allo strato fibroso delle palpebre*) tarsal. – **tarsalgia** *f.* ⟨*Med*⟩ tarsalgia.
tarsia *f.* **1.** (*arte*) inlaying, marquetry; (*con elementi di legno*) inlaying, (in)tarsia. – **2.** ⟨*concr*⟩ (*lavoro d'intarsio*) inlaid work, inlay, marquetry; (*con elementi di legno*) inlaid work, (in)tarsia. – **tarsiare** *v.t.* (**tarsio, tarsi**) ⟨*ant*⟩ (*intarsiare*) to inlay, to do marquetry work on; (*con elementi di legno*) to inlay, to do intarsia work on.
tarsio *m.* ⟨*Zool*⟩ tarsier (*Tarsius tarsius*).
tarsite *f.* ⟨*Med*⟩ tarsitis. – **tarso** *m.* ⟨*Anat*⟩ **1.** tarsus. – **2.** (*strato fibroso della palpebra*) tarsus.
Tarso *N.pr.f.* ⟨*Geog*⟩ Tarsus.
tarsorrafia *f.* ⟨*Chir*⟩ tarsorrhaphy. – **tarsotomia** *f.* tarsotomy.
Tartaglia *N.pr.m.* ⟨*Teat*⟩ Tartaglia, stuttering character. – **tartaglia** *m.inv.* → **tartaglione**.
tartagliamento *m.* stuttering, stammering. – **tartagliare** *v.* (**tartaglio, tartagli**) **I** *v.t.* **1.** (*pronunciare stentatamente*) to mutter, to grunt: *tartagliò qc. e se ne andò* he muttered s.th. and left. – **2.** (*parlare malamente*) to speak haltingly: ~ *il francese* to speak French haltingly, to speak broken French. – **II** *v.i.* (*aus.* **avere**) (*balbettare*) to stutter, to stammer. – **tartaglione** *m.* (*f.* **-a**) stutterer, stammerer.
tartana *f.* **1.** ⟨*Mar*⟩ tartan(a), tartane. – **2.** ⟨*Pesc*⟩ trawl(-net), drag-net. – **tartanetta** (*dim. di tartana*) *f.* ⟨*Mar*⟩ (small) tartan. – **tartanina** (*dim. di tartana*) *f.* ⟨*Pesc*⟩ drag-net (for sole). – **tartanone** (*accr. di tartana*) *m.* kind of trawl-net.
tartarato *m.* ⟨*ant*⟩ → **tartrato**.
tartareo *a.* ⟨*lett*⟩ **1.** (*del Tartaro*) Tartarean, infernal, of Tartarus. – **2.** (*infernale*) infernal, hellish.
tartaresco *a.* (*pl.* **-chi**) **1.** (*dei tartari*) Tartar, Tartarian, Tatar, Tartaric, of the Ta(r)tars. – **2.** (*della Tartaria*) Tartar, of Tartary, Tartarian, Tartaric. – **Tartaria** (*rar. Tartaria*) *N.pr.f.* **1.** ⟨*Geog. stor*⟩ Tartary, Tatary. – **2.** ⟨*rar*⟩ (*Tataria*) Tatar Autonomous Soviet Socialist Republic.
tartarico[1] *a.* (*pl.* **-ci**) ⟨*Chim*⟩ tartaric: *acido* ~ tartaric acid.
tartarico[2] *a.* (*pl.* **-ci**) ⟨*ant*⟩ (*tartaresco*) Tartar, Tartaric.
tartaro[1] *m.* **1.** ⟨*Dent*⟩ (*anche tartaro dentario*) tartar. – **2.** (*incrostazione calcarea*) tartar, calcareous incrustation. – **3.** ⟨*Enol*⟩ (*tartaro delle botti*) tartar. – **4.** ⟨*Min,region*⟩ (*specie di tufo*) kind of tufa.
tartaro[2] **I** *a.* **1.** (*della Tartaria*) Tartar, of Tartary, Tartarian, Tartaric. – **2.** (*dei tartari*) Tartar, Tatar, Tartarian, Tartaric. – **3.** ⟨*Gastr*⟩ tartar(e): *salsa -a* tartar(e) sauce. – **II** *s.m.* (*f.* **-a**) Tartar, Tatar. ☐ ⟨*Gastr*⟩ *carne alla -a* steak tartare, tartar(e) steak.
Tartaro *N.pr.m.* **1.** ⟨*Mitol*⟩ Tartarus. – **2.** ⟨*lett*⟩ (*inferno*) hell, underworld.
tartaruga *f.* **1.** ⟨*Zool*⟩ (*testuggine*) tortoise. – **2.** ⟨*Zool*⟩ (*tartaruga d'acqua*) turtle. – **3.** *pl.* ⟨*Zool*⟩ tortoises and turtles *pl*, testudinates *pl*, chelonians *pl* (*Chelonia, Testudinata*). – **4.** (*carne*) turtle: *zuppa di* ~ turtle soup. – **5.** (*materiale*) tortoiseshell: *un portacipria di* ~ a tortoiseshell compact. – **6.** ⟨*fam*⟩ (*persona lenta*) tortoise, ⟨*fam*⟩ snail, ⟨*fam*⟩ slowcoach.
☐ ⟨*Zool*⟩ ~ **alligatore** alligator snapper, alligator turtle (*o* terrapin) (*Macrochelys temmincki*); ~ **arrau** arrau, jurara (*Podocnemis expansa*); ~ **artificiale** imitation tortoiseshell; **color** ~ tortoise (colour); ~ **embricata** hawksbill (turtle) (*Eretmochelys imbricata*; *Chelonia imbricata*); ~ *del* **fango** *comune* mud turtle, mud terrapin (*o* tortoise) (*Kinosternon sonoriense*); **lento** *come una* ~ as slow as a tortoise (*o* snail); ~ **palustre** European pond tortoise (*o* turtle) (*Emys orbicularis*); *camminare a* **passi** *di* ~ to go at a snail's pace, to crawl along; ~ **scatola** *comune* American box turtle (*o* tortoise) (*Terrapene carolina*); ~ **verde** green turtle (*Chelonia mydas*).
tartassare *v.t.* ⟨*fam*⟩ **1.** to ill-treat, to maltreat, to ill-use, to knock about. – **2.** ⟨*fig*⟩ to give a hard (*o* rough) time to, to be hard on, ⟨*fam*⟩ to put through it (*o* the mill): *all'esame è stato un po' tartassato* they gave him a hard time of it at the exam; *sono stato tartassato dal fisco* the tax people have put me through the mill. – **3.** ⟨*fig*⟩ (*sonare male uno strumento*) to play badly: *quel ragazzo tartassa il pianoforte* that boy plays the piano badly, that boy thumps on the piano; (*rif. a strumenti ad arco*) to scrape away on. – **4.** ⟨*fig*⟩ (*parlare male*) to mangle, to maul, ⟨*fam*⟩ to murder: ~ *una lingua* to mangle a language.
tarte(l)letta *f.* ⟨*Dolc*⟩ cake, pastry. – **tartina** *f.* ⟨*Gastr*⟩ tartine, canapé: ~ *di caviale* caviar canapé.
tartrato *m.* ⟨*Chim*⟩ tartrate: ~ *di potassio* potassium tartrate.
Tartù *N.pr.f.* ⟨*Geog*⟩ Tartu Yuriev.
tartuca *f.* ⟨*non com*⟩ → **tartaruga**.
tartufaia *f.* **1.** (*terreno*) truffle-ground; (*aiola*) truffle-bed. – **2.** → **tartufaio**. – **tartufaio** *m.* (*f.* **-a**) truffle-seller. – **tartufare** *v.t.* ⟨*Gastr*⟩ (*guarnire con tartufi*) to garnish with truffles. – **tartufato** (*p.p. di tartufare*) *a.* truffled, garnished with truffles.
tartuferia *f.* ⟨*non com*⟩ **1.** (*ipocrisia*) hypocrisy, tartuffery, tartufferie. – **2.** (*azione ipocrita*) hypocritical action (*o* behaviour).
tartuficolo *a.* truffle-, of (*o* relating to) truffles. – **tartuficoltore** *m.* (*f.* **-trice**) truffle grower. – **tartuficoltura** *f.* truffle growing (*o* cultivation). – **tartuficultore** *m.* → **tartuficoltore**. – **tartuficultura** *f.* → **tartuficoltura**.
tartufo *m.* **1.** ⟨*Bot*⟩ truffle (*Tuber*). – **2.** ⟨*Gastr,Dolc*⟩ truffle. – **3.** ⟨*Zool*⟩ venus, Venus clam, Venus's-shell (*Venus*). – **4.** ⟨*fig*⟩ (*ipocrita*) hypocrite, Tartuffe.
☐ ⟨*Bot*⟩ ~ *d'***Alba** white truffle (*Tuber magnatum*); ~ *di* **canna** Jerusalem artichoke, topinambour (*Helianthus tuberosus*); ⟨*Dolc*⟩ *-i di* **cioccolato** chocolate truffles; ~ *d'***estate** summer truffle, common (English) truffle (*Tuber aestivum*); ~ *dei* **maiali** white truffle (*Choiromyces meandriformis*); ~ **nero** *agostengo* = *tartufo di* **Norcia**; ~ ⌜*di* **Norcia**⌝ (o *del Périgord*) French (*o* Périgord) truffle (*Tuber melanosporum*).

tartụfolo *m.* ⟨*tosc*⟩ → **tartufo.**

Tarvịsio[1] *N.pr.m.* ⟨*Geog*⟩ Tarvisio.

Tarvịsio[2] *N.pr.f.* ⟨*ant*⟩ (*Treviso*) Treviso, ⟨*ant*⟩ Tarvisium.

tạsca *f.* **1.** pocket. – **2.** (*scomparto di valigie e sim.*) compartment, pocket. – **3.** ⟨*Gastr*⟩ (*per decorare dolci*) pastry bag. – **4.** ⟨*Anat*⟩ pouch. – **5.** ⟨*Bot*⟩ (*lacuna*) lacuna. – **6.** ⟨*lett,non com*⟩ (*borsa*) bag, pocket.

□ *tasche* **applicate** = *tasche a* **toppa**; ⟨*Zool*⟩ *tasche* **boccali** cheek pouches; ~ *dei* **calzoni** trouser pocket; **conoscere** *qc. come le proprie tasche* to know s.th. ⌜like the back of one's hand⌝ (*o* inside out); **da** ~ pocket: *orologio da* ~ pocket watch; ⟨*Anat*⟩ ~ **faringea** pharyngeal pouch; ⟨*fig*⟩ *avere le tasche ben* **fornite** to have one's pockets well lined, ⟨*fam*⟩ to be ⌜in the money⌝ (*o* loaded); ⟨*pop,non com*⟩ *avere qd.* **in** ~: 1. (*averlo a noia*) to be fed up with s.o.; 2. (*disprezzarlo*) to despise s.o.; 3. (*non poterlo sopportare*) to be unable to stand (*o* bear) s.o.; ~ **laterale** side pocket; ⟨*Sart*⟩ ~ *a* **listino** patch-pocket; ⟨*Zool*⟩ *tasche* **mammarie** mammary pouches; ⟨*fig*⟩ *starsene con le* **mani** *in* ~ to stand with one's hands in one's pockets, to stand about doing nothing; **pagare** *di* ~ *propria* to pay out of one's own pocket; ~ *dei* **pantaloni** = *tasca dei* **calzoni**; ⟨*Sart*⟩ ~ *a* **patta** (*o pattina*) pocket with a flap; ⟨*pop*⟩ *avere le tasche* **piene** *di qc.* (*esserne stufo*) to be sick (and tired) of s.th., ⟨*fam*⟩ to be fed up with s.th.; ⟨*pop,non com*⟩ **pigliare** *qd. in* ~ (*prenderlo a noia*) to grow tired of s.o., ⟨*fam*⟩ to get sick of s.o.; ~ **posteriore** back pocket; ⟨*pop*⟩ **rompere** *le tasche a qd.* (*seccarlo*) to bother (*o* annoy) s.o., ⟨*fam*⟩ to be a pain in the neck to s.o.; ⟨*pop*⟩ *non rompermi le tasche!* don't bother me!, don't be a nuisance!; ⟨*Sart*⟩ ~ *a* **spacco** pocket with a vent; ⟨*fig*⟩ **svuotare** *le tasche di qd.* (*fargli spendere tutto*) to empty s.o.'s pockets, ⟨*fam*⟩ to clean s.o. out; ⟨*Sart*⟩ *tasche a* **toppa** patch-pockets; *a me non* **viene** *nulla in* ~ (*non ne traggo alcun guadagno*) I get nothing out of it, I have no axe to grind; ⟨*fig*⟩ *avere le tasche* **vuote** to be penniless, ⟨*fam*⟩ to be broke.

tascạbile *a.* **1.** pocket: *dizionario* ~ pocket dictionary; *lampadina* ~ pocket flashlight (*o* torch). – **2.** ⟨*estens,scherz*⟩ (*di piccole proporzioni*) miniature, tiny, pocket(-size). – **3.** ⟨*Mar*⟩ pocket: *corazzata* ~ pocket battleship.

tascapạne *m.inv.* haversack (*anche Mil.*).

tascạta *f.* pocketful.

taschịna (*dim. di tasca*) *f.* ⟨*Filat*⟩ stamp envelope.

taschịno (*dim. di tasca*) *m.* **1.** ⟨*Sart*⟩ (*tasca interna di giacca*) inside (breast) pocket; (*tasca esterna di giacca*) breast pocket; (*di panciotto*) waistcoat pocket. – **2.** (*scompartimento, suddivisione*) compartment, pocket. – **3.** (*portamonete*) purse. □ *da* ~ pocket: *orologio da* ~ pocket watch; ~ *per l'orologio* watch pocket, fob (pocket).

tạsi *m.* ⟨*Zool*⟩ (*levriere afgano*) Afghan (hound).

tasic(h)inesịa *f.* ⟨*Psic*⟩ tasikinesia.

Tasmạnia *N.pr.f.* ⟨*Geog*⟩ Tasmania. – **tasmaniạno I** *a.* Tasmanian. – **II** *s.m.* (*f.* **-a**) Tasmanian. – **tasmạnidi** *m.pl.* Tasmanians *pl.*

tạso *m.* ⟨*rar*⟩ (*tartaro delle botti*) tartar.

Tạso *N.pr.f.* ⟨*Geog*⟩ Thasos.

TASS = *Agenzia Telegrafica dell'Unione Sovietica* Tass, Telegraph Agency Soviet Union.

tạssa *f.* **1.** tax. – **2.** (*imposta*) tax, levy, duty. – **3.** (*prezzo imposto*) fee, cost, price, charge. – **4.** ⟨*Stor*⟩ (*tributo*) tribute; (*multa*) fine.

□ ~ **addizionale** additional tax, surtax; ⟨*Mar*⟩ ~ *d'***approdo** landing charge; ⟨*Aer*⟩ ~ *d'***atterraggio** landing charge; ~ *di* **bollo** stamp-duty, stamp tax; ⟨*Aut*⟩ ~ *di* **circolazione** road (*o* registration) tax; ~ *di* **compensazione** compensation tax; ~ **complementare** (supplementary) income tax; ~ *di* **consumo** consumption tax, excise duty (*o* tax); ⟨*Post*⟩ ~ *a carico del* **destinatario** surcharge to be paid by receiver; *-e* **doganali** Customs duties; ~ **erariale** state (*o* revenue) tax; (*sugli spettacoli*) entertainment tax; ~ *d'***esame** examination fee; **esente** *da -e* tax-free, tax-exempt; (*rif. a imposte*) duty-free; ~ *d'***esercizio** licence tax; ~ *all'***esportazione** export duty; *-e* **giudiziarie** court (*o* legal) fees; ⟨*scherz*⟩ ~ *sugl'***imbecilli** (*gioco del lotto*) lottery; **imporre** *una* ~ *su qc.* to tax s.th.; ~ *all'***importazione** import duty; *-e* **industriali** trade taxes; ~ *d'***iscrizione** entrance (*o* registration) fee; ~ *di* **noleggio** rental (cost); ~ *sulla* **paga** = *tassa sul* **salario**; ~ *per il rilascio del* **passaporto** passport fee; *-e* **progressive** progressive (*o* graduated) taxes; ~ *di* **registrazione** registration fee; ~ *di* **registro** stamp-duty; ~ *di* **ricchezza** *mobile* income tax; ~ *sul* **salario** pay-roll tax; *-e* **scalari** = *tasse* **progressive**; *-e* **scolastiche** school fees, tuition *sing*; **soggetto** *a* ~ taxable; (*rif. a imposte*) dutiable; ~ *di* **soggiorno** tourist (*o* visitors') tax; ⟨*Ferr*⟩ ~ *di* **sosta** siding rent, demurrage; ~ *di* **successione** death (*o* probate, successione) duty, ⟨*am*⟩ inheritance (*o* estate) tax; ~ *di* **trascrizione** transcription fee; **ufficio** *delle -e* tax office; ~ *sul* **valore** *aggiunto* value added tax.

tassạbile *a.* **1.** taxable, subject (*o* liable) to tax. – **2.** (*soggetto a imposta*) dutiable, subject (*o* liable) to duty. – **tassabilità** *f.* **1.** taxability, taxableness. – **2.** (*rif. a imposte*) liability to duty.

tassạcee *f.pl.* ⟨*Bot*⟩ yew family (*Taxaceae*).

tassagiọne *f.* ⟨*ant*⟩ → **tassazione.**

tassạmetro *m.* taximeter, meter. □ ~ *di parcheggio* (*parcometro*) parking-meter.

tassạre *v.t.* **1.** to tax. – **2.** (*rif. a imposte*) to levy a duty on, to charge a duty; (*gravare d'imposte*) to tax heavily. – **3.** (*fissare l'imponibile*) to assess, to tax. – **4.** ⟨*estens*⟩ to contribute, ⟨*fam*⟩ to have a whip round, ⟨*am.fam*⟩ to chip in: *per aiutarlo ci siamo tassati per mille lire a testa* we each chipped in a thousand lire to help him. – **5.** ⟨*Post*⟩ to charge surcharge (*o* excess postage). – **6.** ⟨*ant*⟩ (*stabilire un prezzo*) to set (*o* fix) a price. □ ~ *troppo qc.* to overtax s.th., to charge too much duty on s.th.

tassạta *f.* ⟨*Post*⟩ (*anche lettera tassata*) postage-due letter.

tassativamẹnte *avv.* definitely, absolutely: *proibire qc.* ~ to absolutely prohibit s.th. – **tassatịvo** *a.* **1.** express, distinct, explicit. – **2.** (*perentorio, non discutibile*) definite, incontrovertible, decisive, final, absolute: *ordine* ~ definite order.

tassạto (*p.p. di tassare*) *a.* **1.** taxed. – **2.** (*rif. a imposte*) bearing (*o* subject to) a duty. – **3.** ⟨*Post*⟩ postage-due, carrying a surcharge.

tassatọre *m.* (*f.* **-trice**) ⟨*non com*⟩ taxer.

tassaziọne *f.* **1.** taxation: ~ *doppia* double taxation. – **2.** (*il gravare d'imposte*) imposing of a duty. – **3.** (*l'ammontare*) tax, taxation. – **4.** (*accertamento dell'imponibile*) assessment. □ ~ *troppo onerosa* over-taxation; *soggetto a* ~ taxable; (*rif. a imposte*) dutiable.

tassellamẹnto *m.* ⟨*non com*⟩ **1.** plugging. – **2.** ⟨*Econ*⟩ labelling with a revenue stamp.

tassellạre *v.t.* (**tassẹllo**) **1.** (*mettere tasselli*) to dowel, to plug. – **2.** (*tagliare un pezzo a forma di tassello*) to cut out a wedge from: ~ *un formaggio* to cut out a wedge of cheese. – **3.** ⟨*Econ*⟩ to label with a revenue stamp. – **tassellạto** (*p.p. di tassellare*) **I** *a.* dowelled, plugged. – **II** *s.m.* ⟨*non com*⟩ (*parquet*) parquet (flooring). – **tassellatụra** *f.* dowelling.

tassẹllo *m.* **1.** plug, block; (*per fissare chiodi e sim.*) nog. – **2.** (*pezzo a forma di tassello*) wedge. – **3.** ⟨*Sart*⟩ gusset. – **4.** ⟨*Met*⟩ dolly block. – **5.** ⟨*Stor,Mod*⟩ short cape. – **6.** ⟨*Arch*⟩ tessella. – **7.** ⟨*Mar*⟩ graving piece.

tassẹsco *a.* (*pl.* **-chi**) ⟨*Lett*⟩ of Tasso, Tasso's; (*nello stile del Tasso*) in the style (*o* manner) of Tasso.

tassẹto *m.* ⟨*non com*⟩ (*bosco*) yew forest.

tassì *m.* taxi, (taxi-)cab, ⟨*am.fam*⟩ hack. □ ~ *aereo* air taxi; *chiamare un* ~ to call a cab; ~ *libero* free cab.

tassịa *f.* **1.** ⟨*Bot*⟩ arrangement: ~ *delle radici* root arrangement, rhizotaxis, rhizotaxy. – **2.** ⟨*Biol*⟩ (*tattismo*) taxis, tactism, taxism.

tassiạno *a.* → **tassesco.**

tassịdea *f.* ⟨*Zool*⟩ American badger (*Taxidea taxus*).

tassidermịa *f.* taxidermy. – **tassidermịsta** *m./f.* taxidermist.

tassinạro *m.* (*f.* **-a**) ⟨*roman*⟩ → **tassista.**

tassinomịa *f.* → **tassonomia.** – **tassinomịsta** *m./f.* → **tassonomista.**

tassịsta *m./f.* taxi-driver, cab-driver, ⟨*fam*⟩ cabbie, ⟨*am.fam*⟩ hack(ie).

tạsso[1] *m.* **1.** ⟨*Zool*⟩ badger (*Meles, Meles meles*). – **2.** (*pelo*) badger's hair (*o* fur): *pennello di* ~ badger's-hair brush, badger. □ ~ *americano* → **tassidea**; ~ *bruno* ferret-badger, pahmi (*Helictis orientalis*); *dormire come un* ~ to sleep like a log; ~ *fetente* teledu, stink(ing) badger, Javanese skunk (*Mydaus javanensis*).

tạsso[2] *m.* ⟨*Bot*⟩ (English, European) yew (*Taxus baccata*). □ ~ *barbasso* → **tassobarbasso.**

tạsso[3] *m.* **1.** rate: ~ *di natalità* birth-rate. – **2.** ⟨*Econ*⟩ rate. – **3.** ⟨*Stor*⟩ tax, duty, levy.

□ ~ *d'***ammortamento** rate of depreciation; ~ *ufficiale di* **banca** (official) bank rate; ~ *di* **cambio** rate (*o* par) of exchange, exchange rate; ~ *di* **capitalizzazione** yield; ~ *di* **conversione** rate of conversion; ~ **doganale** rate of duty; ~ *di* **favore** preferential (*o* special) rate; ~ *d'***interesse** rate of interest; ~ *di* **mortalità** death rate; ~ **preferenziale** = *tasso di* **favore**; ~ *di* **sconto** rate of discount, discount rate; ~ *di sconto bancario* bank rate (of discount); ~ *di* **sviluppo** rate of growth.

tạsso[4] *m.* ⟨*Mecc*⟩ stake; (*incudine da calderaio*) boiler-maker's anvil.

tassobarbạsso *m.* ⟨*Bot*⟩ mulle(i)n (*Verbascum*).

tassọdio *m.* ⟨*Bot*⟩ taxodium (*Taxodium*).

tassọlo *m.* ⟨*Ornit*⟩ (*assiolo*) scops owl (*Otus scops*).

tassọne *m.* ⟨*Mar,non com*⟩ (*morsaia*) shoal, reef.

tassonomịa *f.* ⟨*Biol*⟩ taxonomy, systematics *pl* (*costr.sing.*). – **tassonọmico** *a.* (*pl.* **-ci**) taxonomic(al), systematic(al). – **tassonomịsta** *m./f.* taxonomist, systematist.

tạsta *f.* **1.** tent, dossil, pledget. – **2.** ⟨*Edil*⟩ probe. – **3.** ⟨*ant*⟩ (*noia*) boredom.

tastamẹnto *m.* ⟨*rar*⟩ feeling, touching.

tastạre *v.t.* **1.** to touch, to feel. – **2.** (*toccare con un bastone e sim.*) to sound, to probe, to feel; (*dando piccoli colpi*) to tap. – **3.** ⟨*fig*⟩ (*saggiare*) to feel (*o* sound) out, to test: ~ *l'avversario* to sound out one's adversary. – **4.** ⟨*non com*⟩ (*assaggiare*) to sample, to taste, to try. – **5.** ⟨*pop*⟩ (*toccare*) to touch; (*gustare*) to taste. □ ~ *il polso a qd.* to feel s.o.'s pulse (*anche fig.*); ⟨*fig*⟩ ~ *il terreno* to put out feelers, to see how the land lies.

tastạta *f.* ⟨*non com*⟩ **1.** (light) touch. – **2.** ⟨*fig*⟩ feeling (*o* sounding) out, testing. □ *dare una* ~ *a qc.* to touch s.th.; ⟨*fig*⟩ *dare una* ~ *a qd.* to sound s.o. out. – **tastatịna** *f. dim. di* **tastata.**

tastatọre I *s.m.* (*f.* **-trice**) **1.** ⟨*non com*⟩ toucher, feeler. – **2.** ⟨*tecn*⟩ tracer point, stylus. – **3.** ⟨*Tess*⟩ cop guard. – **II** *a.* **1.** ⟨*non com*⟩ touching. – **2.** ⟨*tecn*⟩ of a tracer point.

tasteggiạre *v.t.* (**tastẹggio, tastẹggi**) **1.** (*tastare leggermente*) to touch (*o* feel) lightly. – **2.** (*toccare i tasti*) to touch (*o* run one's fingers over, finger) the keyboard.

tastiẹra *f.* **1.** keyboard (*anche Tip.*). – **2.** ⟨*Mus*⟩ keyboard; (*negli strumenti a corda*) fingerboard. – **3.** ⟨*Mar*⟩ diving controls *pl.*

tạsto *m.* **1.** key: *i -i della macchina da scrivere* the typewriter keys. – **2.** ⟨*Mus*⟩ (*del pianoforte e sim.*) key; (*negli strumenti a corda*) fret. – **3.** (*leva di comando*) key, lever, button. – **4.** ⟨*fig*⟩ (*argomento*) subject, topic: *questo ~ è meglio lasciarlo stare* we'd better not touch on that subject. – **5.** (*prelievo di materiale*) sample. – **6.** ⟨*Zootecn*⟩ (*maneggiamento*) feeling (to see how fat an animal is). – **7.** ⟨*non com*⟩ (*il tastare*) touch(ing), feel(ing). – **8.** ⟨*Macell,ven*⟩ (*falda*) loin (of meat).

□ **al** ~ (*tastando*) by (the) touch, by the feel; *riconoscere qc. al* ~ to recognize s.th. by touch; *andare a* ~ to feel (*o* grope) one's way; ⟨*Acu*⟩ ~ *d'***annullamento** erase button; ⟨*Acu*⟩ ~ *d'***arresto** stop button; ⟨*Mus*⟩ ~ *del* **basso** bass button (*o* stud); ⟨*fig*⟩ **battere** *sempre lo stesso* ~ to harp on the same thing all the time; ~ *di* **comando** control key; ~ **incolonnatore** tabulating key; ~ *delle* **maiuscole** shift-key; ~ **Morse** Morse tapper; ~ *del* **pianoforte** piano key; ⟨*Acu*⟩ ~ *di* **registrazione** record button; ⟨*Mus*⟩ ~ *dei* **registri** stop; ~ **ripetitore** repeat key; ~ *di* **ritorno** back-spacer, return key; ~ *del doppio* **spazio** double-spacer; ~ **telegrafico** (telegraph) key, tapper, sending (*o* Morse) key; ~ *di* **terreno** trial shaft (for excavation); ⟨*fig*⟩ **toccare** *qd. su un* ~ to touch s.o. on a sore spot; ⟨*fig*⟩ *toccare un* ~ *delicato* to touch on a delicate subject; ⟨*fig*⟩ *toccare il* ~ *giusto* to strike the right note; ~ **trasmettitore** = *tasto* **telegrafico**.

tastọne *avv.* ⟨*non com*⟩ → **tastoni**. – **tastọni** *avv.* **1.** gropingly, feeling one's way. – **2.** ⟨*fig*⟩ gropingly, hesitantly, uncertainly, blindly: *procedere* ~ to proceed hesitantly, to feel one's way. □ *a* ~ gropingly; *camminare* ~ to walk along feeling one's way, to grope one's way along.

tạta ⟨*infant*⟩ **I** *f.* **1.** (*bambinaia*) nanny, nursemaid, ⟨*infant*⟩ nana. – **2.** (*sorella maggiore*) elder sister, ⟨*am.fam*⟩ sis. – **II** *m.* **1.** (*fratello*) brother. – **2.** (*babbo*) father, ⟨*fam*⟩ daddy, ⟨*infant*⟩ dada.

tatanại *m.* ⟨*non com*⟩ → **tananai**.

Tatarịa (o *Tatạria*) *N.pr.f.* **1.** ⟨*Geog*⟩ Tatar (Autonomous Soviet Socialist) Republic. – **2.** ⟨*rar*⟩ (*Tartaria*) Tartary, Tatary. – **tạtaro** ⟨*non com*⟩ **I** *a.* (*tartaro*) Tartar, Tatar, Tatarian. – **II** *s.m.* (*f.* **-a**) Tartar(ian), Tatar(ian).

tạto *m.* ⟨*infant,non com*⟩ **1.** (*fratello*) brother. – **2.** (*babbo*) father, ⟨*fam*⟩ daddy, ⟨*infant*⟩ dada.

tạttera *f.* ⟨*ant*⟩ **1.** (*minuzia*) trifle. – **2.** (*magagna*) defect, taint.

tạttica *f.* **1.** ⟨*Mil*⟩ tactics *pl* (*costr.sing.*): ~ *navale* naval tactics. – **2.** ⟨*fig,Pol,Sport*⟩ tactics *pl* (*costr.pl.*), method: *questa è la sua* ~ *consueta* these are his usual tactics; ~ *elettorale* election tactics.

tatticamẹnte *avv.* tactically (*anche fig.*). – **tatticịsmo** *m.* use of tactics.

tạttico[1] *a./s.* (*pl.* **-ci**) **I** *a.* **1.** ⟨*Mil*⟩ tactical, of tactics; (*che si riferisce a una singola operazione bellica*) tactical: *posto* ~ tactical position. – **2.** ⟨*estens*⟩ tactical, cunning. – **3.** ⟨*fig*⟩ (*accorto, prudente*) tactical. – **II** *s.m.* ⟨*Mil*⟩ tactician.

tạttico[2] *a.* (*pl.* **-ci**) ⟨*Biol*⟩ tactic. □ *movimenti* **-i** taxis(m), tactism.

tatticọne *m.* (*f.* **-a**) tactician, skilful manoeuverer.

tạttile *a.* tactile, of touch. – **tattilità** *f.* **1.** (*possibilità di essere percepito*) tactility, tangibility. – **2.** (*capacità di percepire*) tactility.

tattịsmo *m.* ⟨*Biol*⟩ taxis, tactism, taxism.

tạtto *m.* **1.** touch: *riconoscere qc. al* ~ to recognize s.th. by (its) touch. – **2.** (*senso*) (sense of) touch. – **3.** ⟨*fig*⟩ (*delicatezza*) tact; (*discrezione*) tact, discretion, diplomacy. □ ⟨*fig*⟩ *con* ~: 1. (*agg.*) tactful; 2. (*avv.*) tactfully: *agire con* ~ to behave tactfully; *essere liscio al* ~ to be smooth to the touch; ⟨*fig*⟩ *mancanza di* ~ tactlessness; ⟨*fig*⟩ *senza* (o *privo di*) ~ tactless.

tatù *m.* ⟨*Zool*⟩ (*armadillo*) armadillo (*Dasypus*).

tatuạggio *m.* ⟨*Etnol*⟩ tattoo(ing), tatoo(ing). – **tatuạre** *v.t.* (**tạtuo**) to tat(t)oo. – **tatuarsi** *v.r.* to tat(t)oo o.s. – **tatuạto** (*p.p. di tatuare*) *a.* tat(t)ooed.

tạu *m./f.inv.* (*lettera dell'alfabeto greco*) tau.

taumatopẹidi *m.pl.* ⟨*Entom*⟩ processionary moths *pl* (*Thaumatopoeidae*).

taumatrọpio *m.* ⟨*Stor,Cin*⟩ thaumatrope.

taumaturgịa *f.* thaumaturgy, magic, performance of miracles. – **taumatụrgico** *a.* (*pl.* **-ci**) thaumaturgic(al). – **taumatụrgo** *m.* (*pl.* **-gi/-ghi**) thaumaturge, thaumaturgist, performer of miracles, wonder-worker.

Tạuno *N.pr.m.* ⟨*Geog*⟩ Taunus.

tauọne *m.* ⟨*Fis*⟩ (*mesone*) meson.

taupe *fr.* [to:p] **I** *s.m.* (*color talpa*) mole, taupe (colour). – **II** *a.* mole-, taupe-.

tạura *f.* ⟨*Zootecn*⟩ freemartin.

Tạuri[1] *N.pr.m.pl.* ⟨*Geog*⟩ (*anche monti Tauri*) Tauern *pl.* □ *Alti* ~ Hohe Tauern; *Bassi* ~ Niedere Tauern.

Tạuri[2] *N.pr.m.pl.* ⟨*Stor*⟩ Tauri *pl.*

Tauride *N.pr.f.* ⟨*Geog.stor*⟩ Tauris.

taurịna *f.* ⟨*Chim*⟩ taurine.

taurịno *a.* **1.** taurine, of a bull, bull-. – **2.** ⟨*fig*⟩ taurine, bull-like, bull-, like (*o* of) a bull: *con forza* **-a** with the strength of a bull; (*tozzo e robusto*) bull-: *collo* ~ bull neck.

tạuro *m.* ⟨*poet*⟩ (*toro*) bull. – **Tauro** *N.pr.m.* ⟨*Astr*⟩ Taurus, Bull.

Tạuro *N.pr.m.* ⟨*Geog.stor*⟩ Taurus, Toros.

tauro|bọlio *m.* ⟨*Stor,Rel*⟩ taurobolium, tauroboly. – **~catạpsie** *f.pl.* ⟨*Stor.gr*⟩ taurokathapsia *pl* (*costr.sing.*).

tauroctonịa *f.* ⟨*Stor,Rel*⟩ bull-slaying.

tauro|machịa *f.* **1.** ⟨*Stor*⟩ fight between bulls. – **2.** (*corrida*) bullfight, corrida, tauromachy. – **~mọrfo** *a.* tauromorphic, in the form of a bull.

taurọtrago *m.* (*pl.* **-ghi**) ⟨*Zool*⟩ eland (*Taurotragus oryx*).

tauto... *pref.* (*identità* sameness) taut(o)...

tautọcrona *f.* ⟨*Mecc*⟩ (*anche curva tautocrona*) tautochrone. – **tautocronịsmo** *m.* ⟨*Fis*⟩ tautochronism; (*isocronismo*) tautochronism, isochronism. – **tautọcrono** *a.* tautochronous; (*isocrono*) tautochronous, isochronous, isochronal.

tauto|logịa *f.* **1.** ⟨*Filos,Ling*⟩ tautology. – **2.** ⟨*Ret*⟩ (*perissologia*) pleonasm, redundancy, tautology. – **~lọgico** *a.* (*pl.* **-ci**) tautological.

tautomerịa *f.* ⟨*Chim*⟩ tautomerism, dynamic isomerism, tautomery. – **tautọmero** *a.* tautomeric.

tautosillạbico *a.* (*pl.* **-ci**) ⟨*Ling*⟩ tautosyllabic.

tav. = *tavola* plate (*abbr.* pl.).

tavardẹtta *f.* ⟨*Mod*⟩ ladies' sendal-lined cape.

tavẹlla *f.* ⟨*Edil*⟩ hollow flat block (*o* tile). – **tavellạto** *a.* constructed with hollow flat blocks (*o* tiles). – **tavellatụra** *f.*, **tavellonạto** *m.* structure made with hollow flat blocks (*o* tiles). – **tavellọne** *m.* → **tavella**.

tavẹrna *f.* **1.** (*osteria*) tavern, wine shop. – **2.** (*ristorante arredato rusticamente*) rustic (*o* country-style) restaurant. – **3.** ⟨*spreg,non com*⟩ (*bettola*) low tavern. – **4.** ⟨*fig,non com*⟩ (*stanza scura e umida*) dark damp room, hole. – **5.** ⟨*ant*⟩ (*bottega*) shop. □ ⟨*spreg,non com*⟩ *da* ~ low, vulgar, coarse: *discorsi da* ~ vulgar talk.

tavernạio *m.* ⟨*ant*⟩ (*oste*) tavern-keeper. – **tavernịẹre** *m.* **1.** (*oste*) tavern-keeper, ⟨*fam*⟩ pub-keeper. – **2.** (*chi frequenta taverne*) habitué of taverns, ⟨*am.fam*⟩ bar-fly.

tạvola *f.* **1.** (*asse*) plank, board (*anche Fal.*): *un pavimento di* **-e** a plank floor. – **2.** (*mobile*) table: *sparecchiare la* ~ to clear the table; (*tavola per scrivere o da ufficio*) desk. – **3.** (*prospetto, tabella*) table: ~ *dei logaritmi* logarithmic table, table of logarithms; (*indice di un libro*) table of contents, index. – **4.** (*elenco*) list: ~ *di proscrizione* list of proscribed persons. – **5.** (*piano di banco e sim.*) board, table: ~ *di smerigliatura* grinding (*o* sanding) table. – **6.** (*piastra*) plate, slab. – **7.** *pl.* (*tavolato*) planks *pl*, planking. – **8.** ⟨*Art*⟩ (*quadro su legno*) tablet, panel (painting): ~ *votiva* votive tablet; (*lastra*) slab, table. – **9.** ⟨*Edit*⟩ (*illustrazione*) plate. – **10.** ⟨*Geog,Oref*⟩ table. – **11.** ⟨*Filat*⟩ plate. – **12.** ⟨*Rel.ev*⟩ assembly, council. – **13.** ⟨*Stor*⟩ (*lastra con scritture di pubblico interesse*) table, tablet: *le dodici* **-e** the Twelve Tables. – **14.** ⟨*Stor*⟩ (*tavola cerata per scrivere*) (wax writing) tablet. – **15.** ⟨*Stor*⟩ (*unità di misura*) old measure of area (27-42 m^2). – **16.** ⟨*Stor*⟩ (*tavola delle possessioni*) land register. – **17.** ⟨*Mil.ant*⟩ (*pavese*) pavis(e), pavais. – **18.** ⟨*ant*⟩ (*pasto*) meal. – **19.** ⟨*ant*⟩ (*banco*) bank. – **20.** ⟨*ant*⟩ (*documento*) document; (*libro, registro*) book, register. – **21.** ⟨*ant*⟩ (*quadro, ritratto*) painting, portrait. – **22.** *pl.* ⟨*ant*⟩ (*gioco*) kind of dice game.

□ ⟨*esclam*⟩ **a** ~ *!* dinner's ready!, ⟨*fam*⟩ come and get it!, ⟨*fam*⟩ soup's on!; ~ **allungabile** extension (*o* draw-leaf) table; **alzarsi** *da* ~ to leave (*o* get up from) the table; *bisogna alzarsi da* ~ *con un po' d'appetito* you should leave the table a little hungry; **amare** *la buona* ~ to be a gourmet; **apparecchiare** *la* ~ to set the table; ⟨*Mus*⟩ ~ **armonica** soundboard, belly; ⟨*Minier*⟩ ~ *d'***arricchimento** buddle, sluice; ~ *da* **biliardo** billiard (*o* pool) table; *far* **buona** ~ (*mangiar bene*) to keep a good table, to eat well; ~ **calda** lunch counter, snack-bar; ⟨*Stor*⟩ ~ **cerata** wax writing tablet; ⟨*Edit*⟩ ~ *a* **colori** colour plate; ⟨*El*⟩ ~ *di* **comando** console; ⟨*Tip*⟩ ~ *per* **composizione** bank, board, random; ~ *di* (o *da*) **cucina** kitchen table; **da** ~ table: *biancheria da* ~ table linen; ~ *da* **disegno** drawing-board; ⟨*Stor*⟩ *legge delle* **dodici** **-e** law of the Twelve Tables; ⟨*ant*⟩ **fare** ~ (*negli scacchi*) to stalemate; (*nella dama*) to draw; ⟨*non com*⟩ *non far* ~ (*non riuscire a nulla*) to be unsuccessful; ~ **geografica** map; ~ *di* **getto** = *tavola da* **tiro**; ⟨*Geog*⟩ ~ *di* **ghiacciaio** glacier table; ~ *da* **gioco** gaming-table; (*tavola quadrata, coperta di panno verde*) card-table; ~ **girevole** = *tavola* **rotante**; ⟨*fig,non com*⟩ *tenere* ~ **imbandita** to keep open house; *il pranzo è* **in** ~ dinner is ⌜on the table⌝ (*o* ready); (*più formale*) dinner is served; ⟨*Mecc*⟩ ~ **inclinabile** tilting table; ~ *degli* **interessi** interest table; ⟨*Bibl*⟩ **-e** *della* **legge** Tables of the Law, Two Tables; ⟨*non com*⟩ **levare** *le* **-e** to clear the table; ⟨*Tip*⟩ ~ *per* **marginare** feed board; **mettere** *a* ~ (*rif. a vivande*) to serve (up); (*rif. a persone*) to seat; *mettere in* ~ to put on the table; ⟨*ant*⟩ *mettere* ~ (*dare convito*) to hold a feast; ⟨*fig*⟩ *avere parecchie persone da mettere a* ~ (*da nutrire a proprie spese*) to have a lot of mouths to feed; ⟨*fig*⟩ *mettere le carte in* ~ to put one's cards on the table; *mettersi a* ~ to sit down at (the) table; ⟨*rar*⟩ *a* **mezza** ~ (*a metà del pasto*) halfway through the meal; ~ *della* **moltiplicazione** = *tavola* **pitagorica**; ⟨*Geog*⟩ **Montagna** *della* ~ Table Mountain; ⟨*Mar*⟩ ~ **nautica** nautical table; ⟨*non com*⟩ ~ **nera** (*lavagna*) blackboard; ⟨*Tess*⟩ ~ *nera dell'uniformità* evenness tester; ⟨*Mat*⟩ ~ **numerica** numerical table; **-e** *del* **palcoscenico** boards *pl*, stage *sing*; ⟨*fig*⟩ *calcare le* **-e** *del palcoscenico* to tread the boards; (*darsi al teatro*) to go on the stage; ⟨*Econ*⟩ ~ *di* **parità** parity table; ⟨*Mecc*⟩ ~ *della* **piallatrice** planer table; ~ **pitagorica** multiplication table; ⟨*Mecc*⟩ ~ **portapezzo** worktable; **portare** *in* ~ to serve (up), to put on the table; ~ *da* **pranzo** dining(-room) table, dinner table; ~ **reale** (*gioco*) backgammon, ⟨*lett*⟩ tables *pl*; ⟨*Mecc*⟩ ~ **rotante** rotary (*o* revolving) table; ~ **rotonda**: 1. ⟨*Mediev,Lett*⟩ Round Table; 2. (*congresso di esperti*) round table; 3. ⟨*ant*⟩ (*tavola di riguardo*) table of honour; ⟨*fig*⟩ ~ *di* **salvezza** last resort, salvation; ~ **sinottica** synoptic table; ~ *da* **spianare** pastry-board; ~ **statistica** statistical table; ~ *da* **stiro** ironing-board; **tenere** ~ = **mettere** *tavola*; ⟨*Edit*⟩ **-e** *fuori* **testo** plates *pl*; ⟨*Artigl*⟩ ~ *da* **tiro** firing (*o* gunnery) table. – *Prov.*: *a* ~ *non s'invecchia* good food keeps you young.

tavolạccia (*pegg. di tavola*) *f.* (*pl.* -ce) **1.** (*asse*) plank board. – **2.** (*tavolo*) table.
tavolaccịno *m.* ⟨*Stor*⟩ magistrate's page.
tavolạccio (*pegg. di tavolo*) *m.* **1.** (*pancaccio*) plank-bed. – **2.** ⟨*Mil. ant*⟩ (*pavese*) pavis(e), pavais.
tavolạme *m.* planks *pl*, lumber, timber.
tavolạre[1] *v.t.* (**tạvolo**) **1.** to cover with planking, to plank (over), to board over. – **2.** ⟨*ant*⟩ (*rif. a beni immobili*) to register (*o* enter) in the land register. – **3.** ⟨*ant*⟩ (*misurare*) to measure.
tavolạre[2] *a.* ⟨*ant*⟩ (*di registro*) land register-: *sistema* ~ land register system.
tavolạta *f.* table(ful), dinner party.
tavolạto[1] *m.* **1.** (*rif. a pareti*) wainscot(ting), panelling. – **2.** (*tipo di pavimento*) wooden flooring, floor boards *pl*, plank floor; (*parquet*) parquet. – **3.** (*assito*) partition, boarding. – **4.** ⟨*Mar*⟩ (*rif. a ponti e sim.*) planking. – **5.** ⟨*Minier*⟩ beaming, beams *pl*. – **6.** ⟨*Geog*⟩ tableland, plateau. – **7.** ⟨*Edil*⟩ (*tramezzo: in legno*) wooden partition; (*in muratura*) narrow dividing wall. ▭ ⟨*Anat*⟩ ~ *osseo* table; ~ *osseo interno* inner (*o* vitreous) table.
tavolạto[2] (*p.p. di tavolare*[1]) *a.* **1.** (*ricoperto di tavole*) covered with planks, planked (over), boarded over. – **2.** (*registrato nei libri fondiari*) registered (*o* entered) in the land register.
tavolatụra *f.* (*registrazione*) registration (in the land register). – **tavolaziọne** *f.* **1.** → **tavolatura**. – **2.** (*misurazione*) measurement of land.
tavoleggiạnte *m.* ⟨*ant,non com*⟩ (*cameriere*) waiter. – **tavoleggiạre** *v.t.* (**tavolẹggio, tavolẹggi**) ⟨*ant*⟩ (*servire a tavola*) to serve, to wait on (at table).
tavolẹlla (*dim. di tavola*) *f.* ⟨*Stor*⟩ notice-board. – **tavolẹllo** (*dim. di tavola*) *m.* ⟨*Stor*⟩ (*banco del cambiavalute*) money-changer's table.
tavolẹtta (*dim. di tavola*) *f.* **1.** (*assicella*) board, plank. – **2.** (*pezzo rettangolare di sostanza alimentare*) bar, slab: *una* ~ *di cioccolato* a slab of chocolate, a chocolate bar. – **3.** ⟨*Art*⟩ (*dipinto su tavola*) tablet, panel (painting); (*piccolo quadro*) small painting. – **4.** ⟨*Farm*⟩ tablet, lozenge. – **5.** ⟨*rar,ant*⟩ (*tavolino*) (small) table.
▭ ⟨*Aut*⟩ **andare** *a* ~ (*premere a fondo l'acceleratore*) to press the accelerator to the floor; ⟨*Stor.rom*⟩ ~ **cerata** waxed writing tablet; ~ *da* **disegno** drawing-board; ⟨*Tip*⟩ ~ *di* **macinazione** ink slab; ~ **pretoriana** plane-table; ~ *da* **stiro** ironing-board.
tavoliẹre[1] *m.* **1.** ⟨*Geog*⟩ tableland, plateau. – **2.** (*piano del tavolo da biliardo*) surface of a billiard table. – **3.** (*scacchiera*) chessboard. – **4.** ⟨*non com*⟩ (*tavolino da gioco*) board. – **Tavoliere** *N.pr.m.* ⟨*Geog*⟩ (*anche Tavoliere delle Puglie*) Tavoliere di Puglia.
tavoliẹre[2] *m.* ⟨*ant*⟩ **1.** (*cambiavalute*) money-changer. – **2.** (*banchiere*) banker.
tavolinẹtto *m. dim. di* **tavolino**.
tavolịno (*dim. di tavolo*) *m.* **1.** small table; (*tavolo*) table. – **2.** (*scrittoio*) desk, writing-table; (*banco*) desk. – **3.** (*nei caffè*) (café-)table. – **4.** (*da gioco*) gaming-table, card-table. – **5.** (*negli scompartimenti ferroviari*) collapsible table. – **6.** (*del microscopio*) stage.
▭ **al** ~ theoretically, in theory, ⟨*fam*⟩ on paper; ~ *per* (*i*) **fiori** flower table (*o* stand); ~ *da* **fumo** smoking table, smoker's companion; ~ *da* **lavoro** worktable; ⟨*fig*⟩ *lavoro di* ~ work requiring much time and patience; ~ *da* **notte** (*comodino*) night (*o* bedside) table; ⟨*Occult*⟩ ~ **parlante** talking table, table used in table-turning; ~ *per gli* **scacchi** chessboard; **stare** *a* ~ *tutto il giorno* to sit at one's desk all day long; ⟨*fig*⟩ (*studiare*) to study all day long; ~ *da* **tè** tea-table. – *Prov.*: *a* ~ *si conosce il galantuomo* you can recognize a gentleman at the gaming-table.
tavolịsta *m.* ⟨*Minier*⟩ buddler, buddleman, worker on the sluice.
tạvolo *m.* **1.** table. – **2.** (*per studiare, scrivere e sim.*) desk: ~ *d'ufficio* office desk.
▭ ~ **allungabile** extension table; ⟨*Med*⟩ ~ **anatomico** dissecting table; ⟨*Tel*⟩ ~ *di* **commutazione** switchboard; ~ *da* **cucina** kitchen table; ~ *da* **disegno** drawing table (*o* desk); ~ *da* **gioco** gaming -table; (*tavolo piccolo e quadrato, ricoperto di panno verde*) card-table; ⟨*Tip*⟩ ~ *d'***impaginazione** making-up table; ~ *da* **lavoro**: 1. desk; 2. ⟨*tecn*⟩ work-bench; ~ *della* **macchina** *da scrivere* typewriter table; ~ *di* **montaggio**: 1. ⟨*Cin*⟩ splicing table; 2. ⟨*Tip*⟩ light-table, illuminated planning table; ⟨*Chir*⟩ ~ **operatorio** operating-table; ~ *da* **pranzo** dining(-room) table; ~ **ribaltabile** folding (*o* drop-leaf) table; ~ *da* **stiro** ironing-board.
tavolọna (*accr. di tavola*) *f.* **1.** large board (*o* plank). – **2.** (*lastra*) (large) slab. – **3.** (*tavolo*) (large) table.
tavolọne (*accr. di tavolo e di tavola*) *m.* **1.** (large) table. – **2.** (*asse*) large board (*o* plank). – **3.** ⟨*Fal*⟩ (*pancone*) heavy plank. ▭ ⟨*Pesc*⟩ ~ *divergente* otter board.
tavolọzza *f.* **1.** ⟨*Pitt*⟩ palette. – **2.** ⟨*estens*⟩ (*complesso dei colori d'un pittore*) palette, (favour**ite**) colours *pl*. – **3.** ⟨*fig*⟩ (*nella critica letteraria*) palette, range (*o* quality, use) of colour. ▭ ⟨*fam*⟩ *sembrare una* ~ (*rif. a donna*) to be all painted up.
tavv. = *tavole* plates.
taxạcee *f.pl.* → **tassacee**.
taxạli *f.pl.* ⟨*Bot*⟩ yews *pl* (*Taxales*).
tạxi *m.* ⟨*non com*⟩ → **tassì**.
taxi-girl *ingl.* ['tæksigəːl] *f.* taxi-dancer, taxi-girl.
tạxis *f.* ⟨*Chir*⟩ taxis.
taxịsta *m./f.* ⟨*non com*⟩ → **tassista**.
tạxon *lat. m.* ⟨*Biol*⟩ taxon.
taylorịsmo [tei-] *m.* ⟨*Econ*⟩ Taylorism, scientific management. – **taylorịsta** *m./f.* Taylorite. – **taylorịstico** *a.* (*pl.* -ci) of Taylor, Taylor-, Taylor's.
tạzza *f.* **1.** (*recipiente*) cup: *una* ~ *di porcellana* a porcelain cup. – **2.** (*quantità*) cup(ful): *bere una* ~ *di brodo* to drink a cup of broth. – **3.** (*vaso della latrina*) lavatory pan, ⟨*am*⟩ toilet bowl. – **4.** (*vasca di fontana*) basin (of a fountain). – **5.** ⟨*non com*⟩ (*ciotola*) bowl. – **Tazza** *N.pr.f.* ⟨*Astr*⟩ Crater, Cup. ▭ ~ *da caffè* coffee-cup; ⟨*Met*⟩ ~ *di colata* hand ladle; ~ *da tè* teacup.
tazzẹtta (*dim. di tazza*) *f.* ⟨*Bot*⟩ polyanthus (narcissus) (*Narcissus tazetta*). – **tazzettịna** *f. dim. di* **tazza**. – **tazzịna** (*dim. di tazza*) *f.* **1.** (small) cup. – **2.** (*da caffè*) coffee-cup, demitasse (cup). – **3.** ⟨*Met*⟩ hand ladle. – **tazzọna** *f. accr. di* **tazza**. – **tazzọne** (*accr. di tazza*) *m.* **1.** → **tazzona**. – **2.** ⟨*ant*⟩ (*confettiera*) bonbonnière.
Tb = ⟨*Chim*⟩ *terbio* terbium.
tbc, TBC = ⟨*Med*⟩ **1.** *tubercolosi* tuberculosis (*abbr.* T.B., TB). – **2.** *tubercolotico* tuberculous, tubercular.
tc = ⟨*Chim*⟩ *tecneto* technetium.
T.C.I. = *Touring Club Italiano* Italian Touring Club.
tẹ *pron.pers.* **1.** (*oggetto e preceduto da preposizione*) you, ⟨*ant*⟩ thee: *ho chiamato* ~ *e non lui* I called you not him; *l'ho visto con* ~ I saw him with you; *non mi ricordo di* ~ I don't remember you; (*te stesso*) yourself: *devi deciderlo da* ~ you must decide by yourself. – **2.** (*soggetto: in espressioni esclamative*) you: *povero* ~*!* poor you!; (*in forme comparative*) you: *è alto quanto* ~ he's as tall as you (are). – **3.** (*predicativo*) you: *pareva proprio* ~ she looked just like you. – **4.** (*compl. di termine*) you: ~ *l'ho detto io* I told you.
Te = ⟨*Chim*⟩ *tellurio* tellurium.
tè *m.* **1.** ⟨*Bot*⟩ tea (*Camellia sinensis*; *Thea sinensis*). – **2.** (*foglioline essiccate di tè*) tea. – **3.** (*bevanda*) tea: *una tazza di* ~ a cup of tea. – **4.** (*riunione, trattenimento*) tea: *l'ora del* ~ tea-time.
▭ ~ *delle* **cinque** afternoon (*o* five-o'clock) tea; **da** ~ tea: *biscotti da* ~ tea-biscuits; *servizio da* ~ tea-set; *sala da* ~ tea-room, tea-shop; *casa da* ~ tea-house; ⟨*eufem*⟩ (*casa d'appuntamenti*) brothel; ~ **danzante** tea-dance; ~ *d'***Europa** = *tè* **svizzero**; ⟨*Bot*⟩ ~ *dei* **gesuiti** Mexican tea (*Chenopodium ambrosioides*); ~ **ghiacciato** ice(d) tea; **invitare** *qd. a un* ~ to invite s.o. to tea; ~ *di* **menta** mint tea; ~ *del* **Messico** = *tè dei* **gesuiti**; ~ **nero** black tea; ⟨*Bot*⟩ ~ *del* **New Jersey** New Jersey tea (*Ceanothus americanus*); ⟨*Bot*⟩ ~ *del* **Paraguay** (mate) Paraguay tea, maté (*Ilex paraguariensis*); **prendere** *un* ~ to have a cup of tea; ⟨*Bot*⟩ ~ **svizzero** speedwell (*Veronica officinalis*); ~ **verde**: 1. green tea; 2. = *tè* **svizzero**.
te' *intz.* ⟨*ant,dial*⟩ (*tieni*) take.
tẹa *f.* ⟨*Bot*⟩ (*anche rosa tea*) tea-rose (*Rosa odorata, Rosa thea*).
tẹacee *f.pl.* ⟨*Bot*⟩ tea family (*Theaceae*).
teak *ingl.* [tiːk] *m.* **1.** ⟨*Bot*⟩ teak (*Tectona grandis*). – **2.** (*legno*) teak.
teạndrico *a.* (*pl.* -ci) ⟨*Teol*⟩ theandric. – **teandrịsmo** *m.* theanthropism, theantropology.
teatịno I *a.* ⟨*non com*⟩ (*di Chieti*) of (*o* from) Chieti. – **II** *s.m.* **1.** (*abitante*; *f.* -a) native (*o* inhabitant) of Chieti. – **2.** ⟨*Rel*⟩ Theatine.
teatrạbile *a.* dramatic, suitable for the stage. – **teatrạle** *a.* **1.** (*del teatro*) theatrical, theatre-, of the theatre, stage-, drama-: *compagnia* ~ theatre (*o* theatrical) company. – **2.** ⟨*fig*⟩ (*esagerato, artificioso*) theatrical, dramatic, histrionic: *gesti -i* theatrical gestures. – **teatralità** *f.* **1.** theatricality, theatricalness. – **2.** ⟨*fig*⟩ theatricalness, theatricalism, staginess, histrionics *pl* (*costr.sing. o pl.*). – **teatralmẹnte** *avv.* **1.** theatrically. – **2.** ⟨*fig*⟩ theatrically, dramatically.
teatrạnte *m./f.* ⟨*non com*⟩ **1.** actor. – **2.** ⟨*fig*⟩ (*chi assume atteggiamenti teatrali*) theatrical person, ⟨*fam,spreg*⟩ tub-thumper, ⟨*fam*⟩ ham.
teạtrico *a./s.* (*pl.* -ci) **I** *s.m.* ⟨*Stor.gr*⟩ theatre obolus. – **II** *a.* ⟨*lett, rar*⟩ (*di teatro*) theatrical.
teatrịno (*dim. di teatro*) *m.* **1.** (*gioco per bambini*) toy theatre. – **2.** (*di marionette*) puppet theatre. ▭ ~ *dei burattini* puppet theatre.
teạtro *m.* **1.** (*attività teatrale, istituzione*) theatre, stage. – **2.** (*edificio*) theatre, playhouse. – **3.** (*spettacolo*) play, (theatrical) performance, theatre: *andare a* ~ to go to the theatre; (*rappresentazioni sceniche*) theatre, drama: *mi piace molto il* ~ I am very fond of the theatre. – **4.** (*pubblico*) house, audience, theatre: *ricevere l'applauso di tutto il* ~ to be applauded by the entire house. – **5.** (*complesso di opere drammatiche*) theatre, plays *pl*, drama: *il* ~ *greco* Greek drama. – **6.** ⟨*fig*⟩ theatre, scene, place, stage: ~ *di un delitto* scene of a crime; ~ *bellico* theatre of war. – **7.** ⟨*Archeol*⟩ theatre.
▭ ⟨*Univ*⟩ ~ **anatomico** anatomy theatre; ~ *all'***aperto** open-air theatre; ⟨*scherz*⟩ ~ **Bianchini** (*letto*) bed; ~ *dei* **burattini** puppet theatre; ~ **comico** comedy; **darsi** *al* ~ to dedicate o.s. to the theatre; (*fare l'attore*) to go on the stage; **di** ~ stage-, theatre-: *attore di* ~ stage actor; ~ **esaurito** full house; (*sui cartelloni*) sold out; **frequentatore** *di* ~ theatre-goer; **gente** *di* ~ theatre people; ~ **lirico** (*edificio*) opera-house; (*genere*) opera; ~ *delle* **marionette** = *teatro dei* **burattini**; ~ *delle* **ombre** shadow play (*o* show, pantomime); ~ *d'***opera** = *teatro* **lirico**; ⟨*Mil*⟩ ~ *delle* **operazioni** theatre of operations; ~ *dei* **piccoli** children's theatre; ⟨*Cin*⟩ ~ *di* **posa** studio; ~ *di* **prosa** theatre, playhouse; ⟨*fig*⟩ (straight) theatre, legitimate theatre; ~ *dei* **pupi** = *teatro dei* **burattini**; ~ *di* **rivista** music-hall; ~ *a* **scena** *circolare* theatre-in-the-round; ~ **sperimentale** experimental (*o* studio) theatre; ~ **stabile** permanent (*o* civic) theatre; ~ **tragico** tragedy; ~ *di* **varietà** = *teatro di* **rivista**; ~ **vuoto** empty house (*o* theatre).
teatrọne (*accr. di teatro*) *m.* ⟨*fam,non com*⟩ (*gran piena di spettatori*)

full (*o* packed) house. – **teatrụccio** (*dim. di teatro*) *m.* ⟨*spreg*⟩ second-rate theatre.
Tebạide *N.pr.f.* ⟨*Geog.stor,Lett*⟩ Thebaid. – **tebaide** *f.* **1.** (*luogo solitario*) isolated place, desert. – **2.** (*eremitaggio*) hermitage.
tebạina *f.* ⟨*Chim*⟩ thebaine. – **tebaịsmo** *m.* ⟨*Med*⟩ thebaism, opiumism, opium addiction.
Tebạldo *N.pr.m.* Theobald, Thybald.
tebạno I *a.* **1.** ⟨*Geog.stor*⟩ Theban. – **2.** (*tebeo*) Theban, Thebaic. – **II** *s.m.* (*f.* -a) **1.** Theban. – **2.** (*tebeo*) Theban. – **Tẹbe** *N.pr.f.* Thebes. – **tebẹo I** *a.* Theban, Thebaic. – **II** *s.m.* (*f.* -a) Theban.
tebrịz *m.* Tabriz.
Tẹbro *N.pr.m.* ⟨*poet*⟩ Tiber.
tec. = **1.** *tecnica* technology (*abbr.* technol., tech., tec.). – **2.** *tecnico* technical (*abbr.* tech., techn.).
tẹca *f.* **1.** (*astuccio, custodia*) case. – **2.** ⟨*Lit*⟩ reliquary. – **3.** ⟨*Biol*⟩ theca. □ ⟨*Anat*⟩ ~ *cranica* cranium, brain case; ⟨*Lit*⟩ ~ *eucaristica* pyx; ⟨*Anat*⟩ ~ *vertebrale* vertebral canal, theca vertebralis.
...teca *suff.* **1.** (*custodia* container) ...theca: *spermoteca f.* spermatheca. – **2.** (*raccolta* collection) ...theca: *pinacoteca f.* pinacotheca.
tecạle *a.* ⟨*Biol*⟩ thecal.
tecamẹbe *f.pl.* ⟨*Zool*⟩ testaceans *pl* (*Thecamoebaea, Testacea*).
tẹcca[1] *f.* → **teccola**[1].
tẹcca[2] *f.* ⟨*Ornit*⟩ (*pittima minore*) bar-tailed godwit (*Limosa lapponica*). – **tẹcchia** *f.* (*pittima reale*) black-tailed godwit (*Limosa limosa*).
tẹccola[1] *f.* ⟨*fam,tosc*⟩ **1.** (*piccola macchia*) small spot (*o* stain). – **2.** (*piccolo difetto*) defect, flaw, imperfection, blemish. – **3.** ⟨*fig*⟩ fault, defect, blemish.
tẹccola[2] *f.* ⟨*Ornit*⟩ (*voltolino*) spotted crake (*o* rail) (*Porzana porzana*).
technicọlor *m.* ⟨*Cin*⟩ technicolor. □ *film in* ~ technicolor film; ⟨*fam*⟩ *in* ~ in technicolor (*o* vivid colours), brightly coloured.
tẹck *m.* → **teak**.
Tẹcla *N.pr.f.* Thecla, Thekla.
tecnẹto, tecnẹzio *m.* ⟨*Chim*⟩ technetium.
tẹcnica *f.* **1.** technology, technics *pl* (*costr.sing. o pl.*), ⟨*am*⟩ (technical) know-how: *lo sviluppo della* ~ the advance of technology. – **2.** (*pratica*) technique: ~ *della pittura* painting technique. – **3.** (*procedimento specifico*) technique, manner, way, procedure: *le tecniche più avanzate* the most advanced techniques. – **4.** ⟨*spreg*⟩ technique, mechanical skill: *questa poesia è pura* ~ this poetry is all technique. □ ~ **bancaria** banking; ~ **commerciale** commerce; ~ **elettronica** electronics *pl* (*costr.sing.*); ~ *del* **freddo** refrigeration (engineering); ~ **industriale** industrial technique; ~ **mercantile** merchandising; ~ **mineraria** mining engineering.
tecnicamẹnte *avv.* technically.
tẹcniche *f.pl.* ⟨*Scol*⟩ (*anche scuole tecniche*) technical schools *pl.*
tecnicịsmo *m.* **1.** technicality. – **2.** (*predominio della parte tecnica*) predominance of the technical aspect; (*applicazione rigorosa di norme*) strict application of rules. – **3.** ⟨*spreg*⟩ (*uso eccessivo di termini tecnici*) technicalism. – **4.** ⟨*Ling*⟩ (*termine tecnico*) technical term, technicality.
tecnicịsta *m./f.* technician. – **tecnicità** *f.* technicalness, technicality. – **tecnicizzạre** *v.t.* **1.** to technicalize. – **2.** ⟨*Ling*⟩ to introduce as a technical term, to give a technical meaning to.
tẹcnico *a./s.* (*pl.* -ci) **I** *a.* **1.** technical: *progresso* ~ technical progress. – **2.** (*specializzato*) technical: *termini -i* technical terms; (*da esperto*) expert-. – **3.** ⟨*Scol*⟩ technical. – **II** *s.m.* **1.** technician: ~ *elettronico* electronics technician. – **2.** (*esperto*) expert: ~ *pubblicitario* advertising expert. – **3.** (*operaio specializzato*) technician, engineer, skilled worker: ~ *del suono* sound engineer. □ ~ *del collaudo* testing engineer; ~ *delle luci* light technician; ~ *d'officina* works (*o* shop) engineer.
tecnicolọre *m.* ⟨*rar*⟩ → **technicolor**.
tecnịgrafo *m.* universal drafting device.
tecno... *pref.* (*arte* art) techno...
tecnọcrate *m./f.* technocrat. – **tecnocrạtico** *a./s.* (*pl.* -ci) **I** *a.* technocratic. – **II** *s.m.* (*f.* -a) **1.** → **tecnocrate**. – **2.** ⟨*Stor*⟩ Technocrat. – **tecnocrazịa** *f.* technocracy (*anche Stor.*).
tecnografịa *f.* technography. – **tecnogrạfico** *a.* (*pl.* -ci) technographic(al).
tecnologịa *f.* **1.** technology. – **2.** (*tecnica*) technique. – **3.** ⟨*non com*⟩ (*terminologia tecnica*) technical terminology. – **4.** ⟨*Etnol*⟩ (*ergologia*) study of material culture. – **tecnolọgico** *a.* (*pl.* -ci) **1.** technological. – **2.** (*tecnico*) technical: *dizionario* ~ technical dictionary. – **tecnọlogo** *m.* (*pl.* -gi) technologist.
tecnopatịa *f.* ⟨*Med*⟩ (*malattia professionale*) occupational disease.
tẹco *pron.* ⟨*ant,lett*⟩ (*con te*) with you, ⟨*ant*⟩ with thee. □ *con* (*esso*) ~ with you.
tecodọnte *a.* ⟨*Zool*⟩ thecodont.
tectọna *f.* ⟨*Bot*⟩ teak (*Tectona grandis*).
tectọnica *f.* ⟨*Geol*⟩ (*tettonica*) tectonics *pl* (*costr.sing.*). – **tectọnico** *a.* (*pl.* -ci) (*tettonico*) tectonic. – **tectonosfẹra** *f.* (*sfera tettonica*) tectonosphere.
tectọrio *a.* (*tettorio*) tectorial.
tẹda *f.* **1.** ⟨*Stor*⟩ torch. – **2.** ⟨*poet*⟩ (*fiaccola*) torch. – **3.** ⟨*poet*⟩ (*pino selvatico*) wild pine (wood). – **4.** ⟨*poet,non com*⟩ (*matrimonio*) marriage, matrimony. □ ⟨*poet*⟩ ~ *nuziale* bridal torch; (*nozze*) wedding (ceremony); ⟨*fig*⟩ (*matrimonio*) marriage, matrimony.
teddẹum *m.* ⟨*rar,tosc*⟩ → **Te Deum**.
tedescạccio (*pegg. di tedesco*) *m.* (*f.* -a) German, ⟨*spreg*⟩ Hun, ⟨*spreg*⟩ Kraut. – **tedescạnte** *a./s.* ⟨*non com,spreg*⟩ → **tedescofilo**. – **tedescheggiạre** *v.i.* (**tedeschẹggio, tedeschẹggi**; *aus.* **avere**) **1.** to Germanize, to adopt German ways. – **2.** (*essere tedescofilo*) to Germanize, to be a Germanophile. – **tedescherịa** *f.* ⟨*scherz, spreg*⟩ **1.** (*complesso di tedeschi*) (group of) Germans *pl*; (*insieme di tedeschi*) Germans *pl*, ⟨*spreg*⟩ Huns *pl*, ⟨*spreg*⟩ Krauts *pl*, ⟨*spreg*⟩ Bo(s)ches *pl*. – **2.** (*Germania*) Germany. – **tedeschizzạre** *v.t.* to Germanize. – **tedeschizzarsi** *v.r.* to be(come) Germanized. – **tedeschizzaziọne** *f.* Germanization.
tedẹsco *a./s.* (*pl.* -chi) **I** *a.* German: *letteratura -a* German literature. – **II** *s.m.* **1.** (*lingua*) German. – **2.** (*abitante*; *f.* -a) German. □ **alla** *-a* in the German way (*o* manner); ⟨*Ling*⟩ **alto** ~ High German; ~ **antico** (*antico alto tedesco*) Old High German; ⟨*Ling*⟩ **basso** ~ Low German; ~ **letterario** = **alto** *tedesco*; ⟨*Ling*⟩ ~ **medio** (*medio alto tedesco*) Middle High German; **parlare** *il* ~ to speak German.
tedescofilịa *f.* Germanophilia. – **tedescọfilo I** *a.* Germanophil(e). – **II** *s.m.* (*f.* -a) Germanophil(e), Germanophilist. – **tedescofobịa** *f.* Germanophobia. – **tedescọfobo I** *a.* Germanophobic. – **II** *s.m.* (*f.* -a) Germanophobe. – **tedescọne** (*accr. di tedesco*) *m.* (*f.* -a) big tall German, typical German. – **tedescọtto** (*accr. di tedesco*) *m.* (*f.* -a) sturdy (*o* stocky) young German. – **tedescụme** *m.* ⟨*spreg*⟩ **1.** (*rif. a persone*) Germans *pl*, ⟨*spreg*⟩ Huns *pl*, ⟨*spreg*⟩ Krauts *pl*. – **2.** (*rif. a cose*) German things *pl*, ⟨*spreg*⟩ German trash.
Tẹ Dẹum *lat. m.* **1.** ⟨*Lit*⟩ Te Deum. – **2.** ⟨*esclam,non com*⟩ (*finalmente*) finally, at last. □ ⟨*fam*⟩ *cantare il* ~ (*ringraziare Dio*) to thank God (*o* heavens); ~ *laudamus!* (*finalmente*) finally!, at last!
tediạre *v.t.* (**tẹdio, tẹdi**) **1.** (*infastidire*) to bother, to annoy, to vex: *non vorrei tediarti con le mie preoccupazioni* I don't want to bother you with my troubles. – **2.** (*annoiare*) to weary, to tire, to bore.
tẹdio *m.* **1.** tediousness, tedium, wearisomeness, boredom. – **2.** (*fastidio*) trouble, bother, annoyance. – **3.** (*stanchezza, insofferenza*) tediousness, tiresomeness: *il* ~ *della vita* the tediousness of life. □ *dare* (o *recare*) ~ *a qd.* to bother s.o., to be a nuisance to s.o.; *sentire* ~ *di qc.* to be bothered (*o* annoyed) by s.th.; (*esserne annoiato*) to be bored by s.th.; *venire a* ~ *a qd.* to weary s.o.
tediosamẹnte *avv.* ⟨*non com*⟩ **1.** (*fastidiosamente*) tediously. – **2.** (*noiosamente*) tediously, boringly, tiresomely. – **tediosità** *f.* **1.** (*fastidio*) bother, trouble, annoyance. – **2.** (*noia*) tediousness, boredom, tiresomeness. – **tediọso** *a.* **1.** (*fastidioso*) troublesome, tedious, bothersome. – **2.** (*noioso*) boring, tedious, wearisome, tiresome.
tedọforo *m.* ⟨*lett*⟩ (*portatore di fiaccola*) torch-bearer.
teelịna *f.* ⟨*Biol*⟩ theelin, estrone. – **teelọlo** *m.* theelol, estriol.
Teetẹto *N.pr.m.* ⟨*Stor*⟩ Theaetetus.
tẹf(f) *m.* ⟨*Bot*⟩ teff (grass) (*Eragrostis tef, Eragrostis abyssinica*).
tefigrạmma *m.* (*tifigramma*) tephigram.
tefillạh *ebr. f.* ⟨*Lit*⟩ prayer, tephillah. – **tefillịn** *ebr. f.pl.* (*filatteri*) t(e)fillin, tephillin, phylactery.
tẹflon *m.* ⟨*Ind*⟩ teflon.
tefrịte *f.* ⟨*Min*⟩ tephroite.
tẹga *f.* ⟨*region*⟩ **1.** (*baccello*) pod. – **2.** (*resta del grano*) awn, beard, arista; (*lisca*) fish-bone. – **3.** *pl.* ⟨*fig*⟩ (*capelli lisci e dritti*) long straight hair.
tegamạta *f.* **1.** (*quantità*) pan(ful): *una* ~ *di carciofi* a panful of artichokes. – **2.** (*colpo*) blow with a (frying-)pan.
tegạme *m.* **1.** (frying-)pan. – **2.** (*quantità*) pan(ful). □ *uova al* ~ fried eggs.
tegamịna *f.* ⟨*non com*⟩ *dim. di* **tegame**. – **tegamịno** (*dim. di tegame*) *m.* (*porzione*) serving, portion. – **tegamọne** *m. accr. di* **tegame**.
Tegẹa *N.pr.f.* ⟨*Geog.stor*⟩ Tegea.
tegenạria *f.* ⟨*Zool*⟩ house spider (*Tegenaria domestica*).
tegẹo *a.* **1.** (*di Tegea*) Tegean, of Tegea. – **2.** ⟨*poet*⟩ (*arcade*) Arcadian.
tẹgghia *f.* ⟨*ant*⟩ → **teglia**.
tẹglia *f.* **1.** (baking-)pan, pie-pan. – **2.** (*quantità*) pan(ful). – **3.** ⟨*fig, scherz*⟩ (*cappello a tesa larga e piatta*) hat with a flat broad brim.
tegliạta *f.* pan(ful). – **tegliẹtta** *f. dim. di* **teglia**. – **tegliọna** *f. accr. di* **teglia**. – **tegliọne** (*accr. di teglia*) *m.* ⟨*non com*⟩ large baking -pan.
tẹgmen *lat. m.* **1.** ⟨*Bot*⟩ tegmen, endopleura. – **2.** ⟨*Anat*⟩ tegmen.
tegmẹnto *m.* ⟨*Anat*⟩ tegmentum.
tẹgmine *f.pl.* ⟨*Entom*⟩ tegmina *pl*, elytra *pl*, wing-covers *pl*.
tegnẹnte (*p.pr. di tenere*) *a.* ⟨*ant*⟩ **1.** (*saldo, compatto*) compact. – **2.** (*tenace*) holding. – **3.** ⟨*fig*⟩ (*avaro*) stingy, mean.
tẹgola *f.* **1.** ⟨*Edil*⟩ (roofing-)tile. – **2.** ⟨*fig*⟩ (*improvvisa disgrazia*) blow, bolt: *gli è cascata una* ~ *sul capo* it hit him like a bolt from the blue. □ ~ *a* **canale** = *tegola* **curva**; *di* **colmo** ridge-course tile; ~ **comune** (o *concava*) concave tile; ~ *per* **conversa** = *tegola* **dritta**; ~ **curva** ridge tile; ~ **dritta** convex tile; ~ **maritata** flap pantile; ~ **marsigliese** gutter tile; ~ **piana** (o *piạtta*) plain roofing-tile; ~ *alla* **romana** = *tegola* **maritata**.
tegolạta *f.* blow from a (roofing-)tile. – **tegolạto** *m.* (*copertura di tegole*) roof tiling. – **tegolẹtta, tegolịna** *f. dim. di* **tegola**.
tegolịne *f.pl.* ⟨*ven*⟩ (*fagiolini*) green (*o* string) beans *pl*.
tẹgolo *m.* ⟨*tosc*⟩ (*tegola*) (roofing-)tile. □ *Prov.*: *chi ha -i di vetro non tiri sassi al vicino* people who live in glass houses shouldn't throw stones.
tegolọne *m. accr. di* **tegola** *e di* **tegolo**.

tegumentạle, tegumentạrio *a.* **1.** ⟨*Anat*⟩ (in)tegumental, (in)tegumentary. – **2.** ⟨*Bot*⟩ tegumental, endopleural. ☐ *sistema* ~ integument. – **tegumẹnto** *m.* **1.** ⟨*Anat*⟩ integument(um). – **2.** ⟨*Bot*⟩ integument.
Teherạn *N.pr.f.* ⟨*Geog*⟩ Teh(e)ran.
teicoltọre *m.* (*f.* **-trice**) tea-grower. – **teicoltụra** *f.* tea-growing.
teiẹra *f.* teapot.
teịna *f.* ⟨*Chim*⟩ theine, caffeine.
teịsmo[1] *m.* ⟨*Teol,Filos*⟩ theism.
teịsmo[2] *m.* ⟨*Med*⟩ theinism, theism.
teịsta *m./f.* ⟨*Teol,Filos*⟩ theist. – **teịstico** *a.* (*pl.* **-ci**) theistic(al).
tẹk *m.* → **teak.**
tel. = *telefono* telephone (*abbr.* tel.).
tẹla[1] *f.* **1.** cloth, fabric: ~ *d'amianto* asbestos cloth; *rilegatura in* ~ cloth binding. – **2.** (*armatura tessile*) plain weave. – **3.** (*tela da pittore*) canvas: *dipinto su* ~ painted on canvas; (*quadro su tela*) canvas, painting, picture: *nel museo abbiamo alcune -e di Raffaello* in the museum we have several canvases by Raphael. – **4.** ⟨*Mar, collett*⟩ (*vela*) canvas, sail. – **5.** ⟨*Anat*⟩ tela. – **6.** ⟨*fig,lett*⟩ (*trama*) web, tissue, network: *una* ~ *d'imbrogli* a web of deceit. – **7.** ⟨*lett*⟩ (*insieme dell'ordito di un lavoro*) framework; (*rif. a opere letterarie*) plot. – **8.** ⟨*ant*⟩ (*corso*) course (of events).
☐ ⟨*Mecc*⟩ ~ **abrasiva** emery cloth; ⟨*Tess*⟩ ~ **batista** lawn, batiste, cambric; ⟨*fig*⟩ **cadere** *nella* ~ to fall into the trap; **cala** *la* ~ the curtain descends; ⟨*fig*⟩ the show is over; ~ *da* **camicie** shirting; **carta** ~ linen paper; ~ **cerata**: 1. oilcloth; 2. ⟨*Mar*⟩ oilcloth, oilskin; ~ *per* **copie** tracing cloth; ~ *di* **cotone** cotton; ~ *per* **dipingere** canvas; ⟨*venat*⟩ ~ *alle* **folaghe** kind of coot hunting; ~ *da* **fusto** buckram, wigan; ~ **gommata** rubberized canvas; ⟨*ant*⟩ *sarebbe* **gran** ~ (*sarebbe troppo lungo*) it would take too long to tell; ~ **greggia** canvas; ~ ⌜*d'***imballaggio**⌝ (o *da imballo*) packcloth, bagging; ~ **impermeabilizzata** waterproof cloth; ⟨*Legat*⟩ **in** ~ clothbound, cloth-; ~ **incerata** = *tela* **cerata**; ~ (*di*) **iuta** jute cloth (*o* canvas), hessian, burlap; ~ *da* **lenzuola** sheeting; ~ *di* **lino** linen; *sarebbe* **lunga** ~ = *sarebbe* **gran** *tela*; ⟨*Agr*⟩ **mal** *della* ~ stalk break, sclerotina, root rot of carrots and mangolds; ⟨*Cart*⟩ ~ **metallica** wire cloth; ⟨*Legat*⟩ **mezza** ~ half-cloth: *rilegatura a mezza* ~ half(-cloth) binding; *rilegare a mezza* ~ to bind in half-cloth; ~ **olandina** (o *d'Olanda, olona*) duck (*o* olona) cloth, canvas; ⟨*fig,lett*⟩ **ordire** *una* ~ to (weave a) plot; ⟨*fig*⟩ ~ *di* **Penelope** (*opera interminabile*) Penelope's web, endless task; ~ *di* **ragno** spider's web, cobweb; ~ *da* **rinforzo** buckram, backing; ~ **smeriglio** (*o smerigliata*) = *tela* **abrasiva**; ~ *da* **vele** (o *tende*) sailcloth, canvas, duck (cloth). – *Prov.*: *a* ~ *ordita Dio manda il filo* God helps those who help themselves.
tẹla[2]: ⟨*pop,tosc*⟩ *far* ~ (*svignarsela*) to take French leave, to make o.s. scarce, ⟨*fam*⟩ to hop it.
telạggio *m.* ⟨*Tess*⟩ weave, weaving.
tẹlagon *m.* ⟨*Zool*⟩ (*midao*) Javanese skunk, stink badger, teledu (*Mydaus javanensis*).
telaiẹtto, telaịno *m. dim. di* **telaio.**
telạio *m.* **1.** ⟨*Tess*⟩ loom. – **2.** (*ossatura strutturale*) frame: ~ *di finestre* window-frame. – **3.** ⟨*Pitt,tecn*⟩ frame. – **4.** ⟨*Aut*⟩ chassis. – **5.** ⟨*Edil*⟩ framework. – **6.** ⟨*Legat*⟩ sewing-frame, sewing-press, sewing-bench. – **7.** ⟨*Rad*⟩ (*anche antenna a telaio*) frame (*o* loop) aerial. – **8.** ⟨*Tip*⟩ chase. – **9.** ⟨*Fot*⟩ dark slide, plate-holder.
☐ ⟨*Tess*⟩ ~ *ad* **aghi** lappet loom; ⟨*Tess*⟩ ~ **automatico** automatic loom; ~ *d'***autovettura** (o *automobile*) chassis; ~ *della* **bicicletta** bicycle frame; ⟨*ant*⟩ **campare** *del* ~ to make a living from ⌜the loom⌝ (*o* weaving); ⟨*Fot*⟩ ~ *per* **diapositiva** slide-frame, slide-mount; ~ *di* **ferro** iron frame; ⟨*Tip*⟩ ~ *per* **impaginazione** chase galley; ~ *del* **letto** bed-frame; ⟨*Tess*⟩ ~ *a basso* **liccio** low-warp loom; ~ *ad alto liccio* high-warp loom; ~ *per* **maglieria** knitting-machine, knitting-frame, knitter; ⟨*Tess*⟩ ~ *a* **mano** hand loom; ~ **meccanico** power loom; ⟨*Tess*⟩ ~ *a* **pedali** treadle loom; ~ *di* **Penẹlope** Penelope's web; ⟨*Tip*⟩ ~ **pneumatico** vacuum printing-frame; ⟨*Mar*⟩ ~ *di* **poppa** stern (*o* propeller) frame; ⟨*Mot*⟩ ~ *del* **radiatore** radiator frame; ⟨*Aut*⟩ ~ **ribassato** dropped (*o* underslung) frame; ~ *da* **ricamo** embroidery frame; (*di forma rotonda*) embroidery hoop, tambour; ⟨*Mecc*⟩ ~ *della* **sega** saw frame; ⟨*Tess*⟩ ~ **semimeccanico** dandy loom; ⟨*Tess*⟩ ~ *per* **tappeti** carpet loom; ⟨*Mar*⟩ ~ *del* **timone** rudder frame; ~ **tubolare** (o *in tubi*) loop frame; ⟨*Aut*⟩ tubular chassis (*o* frame).
telamọne *m.* ⟨*Arch*⟩ telamon, atlas.
Telamọne *N.pr.m.* ⟨*Mitol*⟩ Telamon.
telangettạsia *f.* → **teleangectasia.**
telạre *v.i.* (tẹlo; *aus.* essere) ⟨*tosc*⟩ (*svignarsela*) to take French leave, to make o.s. scarce, ⟨*fam*⟩ to hop it.
telạro *m.* ⟨*ant*⟩ → **telaio.**
telạto *a.* linen(-finish): *carta -a* linen paper.
telchịni *m.pl.* ⟨*Mitol*⟩ Telchines *pl.*
telo... *pref.* (*lontano* distant) tel(e)..., telo...
tele|abbonạto *m.* (*f.* **-a**) ⟨*TV*⟩ television licence-holder. – **~angectạsia** *f.* ⟨*Med*⟩ telangiectasia, telangiectasis. – **~angectạsico** *a.* (*pl.* **-ci**) telangiectatic. – **~ạrma** *f.* ⟨*Mil*⟩ guided missile. – **~autografịa** *f.* ⟨*Tel*⟩ telautography. – **~autogrạfico** *a.* (*pl.* **-ci**) telautographic. – **~autọgrafo** *m.* telautograph. – **~avviatọre** *m.* ⟨*El*⟩ contactor (*o* solenoid) starter. – **~bọmba** *f.* ⟨*Mil*⟩ (air launched) guided bomb. – **~cabịna** *f.* cable-car. – **~cạmera** *f.* ⟨*TV*⟩ television camera, telecamera. – **~cịnema** *m.*, **~cinematografịa** *f.* telecine. – **~cinẹsi** *f.* ⟨*Occult*⟩ telekinesis. – **~cinẹtico** *a.* (*pl.* **-ci**) telekinetic. – **~comandạre** *v.t.* ⟨*El,Rad*⟩ to operate by remote control. – **~comandạto** (*p.p. di telecomandare*) *a.* remote control-, operated by remote control. – **~comạndo** *m.* **1.** remote control, telecontrol. – **2.** (*dispositivo*) remote control (device). – **~composịtrịce** *f.* ⟨*Tip*⟩ teletype-setter. – **~comunicạre** *v.t./i.* (telecomụnico, telecomụnichi; *aus.* avere) ⟨*non com*⟩ to communicate by telegraph, telephone, radio cable or television. – **~comunicaziọne** *f.* **1.** telecommunication. – **2.** *pl.* telecommunications *pl.* – **3.** ⟨*non com*⟩ (*comunicazione a distanza*) long-distance communication. ☐ *Unione internazionale delle -i* International Telecommunications Union. – **~controllạre** *v.* (telecontrọllo) → **telecomandare.** – **~contrọllo** *m.* → **telecomando.** – **~crọnaca** *f.* ⟨*TV*⟩ television (*o* TV) report, telecast. ☐ *trasmettere in* ~ to televise, to telecast. – **~cronịsta** *m./f.* television commentator, telecaster. – **~diffọndere** *v.t.* (telediffụsi, telediffụso) to telecast, to broadcast by television, to televise. – **~diffusiọne** *f.* **1.** ⟨*Rad*⟩ broadcasting. – **2.** ⟨*TV*⟩ telecasting. – **~diffụso** (*p.p. di teletiffondere*) *a.* telecast(ed), broadcast (*o* given) on television, television-.
teledù *m.* → **telagon.**
telefẹrica *f.* cableway, (aerial) ropeway, telpher. – **telefẹrico** *a.* (*pl.* **-ci**) **1.** (*della teleferica*) cableway-, telpher-. – **2.** ⟨*non com*⟩ (*che concerne i trasporti a distanza*) long-distance-. – **teleferịsta** *m.* cableway operator, telpherman.
telefịlm *m.* ⟨*TV*⟩ telefilm, television film.
telefonạre *v.* (telẹfono) **I** *v.i.* (*aus.* **avere**) to telephone, to call (on the telephone), to ring up (*a qd.* s.o.), ⟨*fam*⟩ to phone: *non ho potuto* ~ *a mia moglie* I wasn't able to phone my wife. – **II** *v.t.* to telephone, to call (on the telephone), to ring up, ⟨*fam*⟩ to phone, ⟨*am.fam*⟩ to buzz: *ho telefonato la notizia della mia promozione ai genitori* I phoned the news of my promotion to my parents. – **telefonarsi** *v.r.* ⟨*recipr*⟩ to telephone (*o* phone) e.o., to call e.o. (on the telephone), to ring e.o. up.
telefonạta *f.* (tele)phone call, call, ring, ⟨*am.fam*⟩ buzz; (*conversazione*) telephone conversation.
☐ **fare** *una* ~ *a qd.* to phone (*o* call, ring up) s.o., to give s.o. a ring (*o* call); ~ **interurbana** trunk (*o* long-distance) call; ~ *con* **preavviso** person-to-person call; ~ *in* **teleselezione** direct-dial call; ~ **urbana** local call; ~ **urgente** urgent (*o* emergency) call.
telefonatịna (*dim. di telefonata*) *f.* brief telephone call, short telephone conversation. ☐ *fare una* ~ *a qd.* to give s.o. a buzz (*o* quick ring).
telefonạto *a.* ⟨*sport*⟩ telegraphed.
telefonịa *f.* telephony. ☐ ~ *automatica* automatic telephony; ~ *interurbana* toll telephony; ~ *multipla* multiplex telephony; ~ *ottica* optical telephony; ~ *portante* carrier telephony.
telefonicamẹnte *avv.* by telephone, on (*o* over) the phone, telephonically. ☐ *l'ho avvertito* ~ I told him by telephone, I phoned (him) to tell him; *chiamare* ~ *qd.* to (tele)phone s.o., to ring s.o. up. – **telefọnico** *a.* (*pl.* **-ci**) telephone-, telephonic, ⟨*fam*⟩ phone-: *elenco* ~ telephone book (*o* directory); *cabina -a* telephone box (*o* booth), call-box; *comunicazione -a* (tele)phone call. – **telefonịsta** *m./f.* **1.** (*impiegato*) (telephone) operator, switchboard operator, telephonist. – **2.** (*operaio*) telephone repairman.
telẹfono *m.* **1.** telephone, ⟨*fam*⟩ phone: *l'invenzione del* ~ the invention of the telephone; ~ *a gettoni* coin-box (*o* pay) phone; *numero di* ~ (tele)phone number. – **2.** (*ente telefonico*) telephone company (*o* service). – **3.** (*luogo telefonico pubblico*) public telephone, ⟨*am*⟩ pay station (*o* phone).
☐ **al** ~*!* telephone!, you are wanted on the (tele)phone!; ~ **automatico** dial (*o* automatic) telephone; **avere** *il* ~ to be on the (tele)phone, to have a (tele)phone; ~ *da* **camera** room telephone; ~ *da* **campo** field telephone; **chiamare** *qd. al* ~ to call s.o. to the phone; (*fare una telefonata*) to call (*o* ring) s.o. up, to (tele)phone s.o.; ⟨*fam*⟩ *dare un* **colpo** *di* ~ *a qd.* to ring (*o* phone) s.o. up, to give s.o. a ring (*o* call), ⟨*am.fam*⟩ to give s.o. a buzz; *essere* **desiderato** *al* ~ to be wanted on the (tele)phone; ~ **duplex** party line; **essere** *al* ~ = **stare** *al telefono*; ~ **esterno** outside telephone; ~ *senza* **fili** wireless telephone; ~ **interno**: 1. house phone, interphone; 2. ⟨*Aer*⟩ intercom, interphone; ~ *da* **muro** wall phone; **parlare** *per* ~ to talk on the phone; ~ **pubblico** public phone; **resti** *al* ~*!* hold the line!, ⟨*fam*⟩ hang on!; **rispondere** *al* ~ to answer the phone; ~ *di* **servizio** service telephone; **stare** *al* ~ to be on the phone; ~ *da* **tavolo** desk phone; ~ **visore** television phone.
telefonometrịa *f.* telephonometry.
telẹ|foro *m.* primitive kind of cableway (*o* telpher). – **~fọto** *f.inv.* **1.** (*tecnica*) telephotography, phototelegraphy: *trasmettere per* ~ to transmit by telephotography. – **2.** (*singola fotografia*) wirephoto, telephoto(graph), phototelegraph. – **~fotografịa** *f.* **1.** → **telefoto.** – **2.** ⟨*Fot*⟩ photograph made with a telescope lens. – **~fotogrạfico** *a.* (*pl.* **-ci**) telephotographic. – **~gẹnico** *a.* (*pl.* **-ci**) ⟨*TV*⟩ telegenic. – **~giornạle** *m.* ⟨*TV*⟩ television newscast, television news (programme), ⟨*fam*⟩ news. – **~gonịa** *f.* ⟨*Biol*⟩ telegony. – **~goniọmetro** *m.* ⟨*Ott*⟩ telegoniometer.
Telẹgono *N. pr.m.* ⟨*Mitol*⟩ Telegonus.
telegrafạre *v.t.* (telẹgrafo) to send a telegram (*o* wire) to, to telegraph, ⟨*fam*⟩ to wire: ~ *una notizia a qd.* to wire news to s.o.; (*per telegrafo sottomarino*) to cable, to send a cable to.
telegrafịa *f.* telegraphy.
☐ ~ **armonica** voice-frequency telegraphy; ~ **duplex** duplex

system of telegraphy; ~ ⌜*senza* **fili**⌝ (o *Marconi*) Marconi wireless telegraphy; ~ **multipla** multiple (system of telegraphy); ~ **ottica** visual signalling; ~ **quadruplice** quadruplex telegraphy; ~ **ultraacustica** superacoustic telegraphy.
telegraficamẹnte *avv.* **1.** by telegram (o wire, cable), telegraphically: *avvertire* ~ *qd.* to let s.o. know by wire, to wire news to s.o. – **2.** ⟨*fig*⟩ (*concisamente*) briefly, concisely, telegraphically, in a few words. – **telegrạfico** *a.* (*pl.* **-ci**) **1.** (*del telegrafo*) telegraph-, telegraphic: *filo* ~ telegraph wire. – **2.** ⟨*fig*⟩ (*conciso*) brief, concise, terse, telegraphic: *stile* ~ concise style. – **telegrafịsta** *m./f.* **1.** telegrapher, telegraph(ic) operator, telegraphist. – **2.** ⟨*Mil*⟩ telegraphist, member of the signals corps. – **3.** (*operaio*) telegraph repairman.
telẹgrafo *m.* **1.** telegraph. – **2.** (*ufficio*) telegraph office.
□ ~ ⌜*da* **campo**⌝ (o *campale*) field telegraph; ~ **elettrico** electric telegraph; ~ *senza* **fili** wireless telegraph; ⟨*Mar*⟩ ~ *di* **macchina** engine-room telegraph; ~ **Morse** Morse telegraph; ~ **ottico** optical telegraph; **per** ~ by telegram (o wire); ~ **sottomarino** (o *subacqueo*) submarine telegraph; ~ **stampante** printing telegraph.
telegrafọnico *a.* (*pl.* **-ci**) ⟨*non com*⟩ telegraph- and telephone-.
telegrạmma *m.* telegram, ⟨*fam*⟩ wire: *consegnare un* ~ to deliver a telegram.
□ ~ *d'***auguri** greetings (o congratulatory) telegram; ~ **cifrato** (o *in cifra*) cipher telegram; ~ *di* **condoglianze** telegram of sympathy (o condolences); ~ *per l'***estero** foreign telegram; ~ *per l'***interno** domestic telegram; ~ **lettera** letter telegram, day letter, lettergram, LT; (*mandato nelle ore notturne*) night letter(gram); ~ **ordinario** ordinary-rate telegram; ~ *con* **precedenza** *assoluta* top priority telegram; ~ *con* **risposta** *pagata* reply-paid telegram; ~ **treno** (o *volante*) train telegram service; ~ **urgente** urgent telegram.
tele|guịda *f.* remote control. – **~guidạre** *v.t.* to operate by remote control. – **~guidạto** (*p.p. di teleguidare*) *a.* remote control-. – **~iconotipịa** *f.* (*telefoto*) telephotography, phototelegraphy. – **~idrọgrafo** *m.* ⟨*tecn*⟩ long-distance water level gauge. – **~idrọmetro** *m.* long-distance water level recording gauge.
Telẹmaco *N.pr.m.* ⟨*Mitol*⟩ Telemachus.
telemanọmetro *m.* ⟨*tecn*⟩ telemanometer.
telemark *ingl.* ['telima:k] *m.* ⟨*Sport*⟩ telemark.
tele|meccạnica *f.* telemechanics *pl* (*costr.sing. o pl.*). – **~meccạnico** *a.* (*pl.* **-ci**) telemechanic. – **~meteorọgrafo** *m.* (*radiosonda*) radiosonde, telemeteorograph. – **~metrạggio** *m.* ⟨*Ott*⟩ telemetering. – **~metrạre** *v.t.* (**telẹmetro**) to telemeter. – **~metrịa** *f.* telemetry. – **~mẹtrico** *a.* (*pl.* **-ci**) telemetric. – **~metrịsta** *m.* **1.** telemeter operator. – **2.** ⟨*Mil*⟩ range-taker.
telẹ|metro *m.* ⟨*Ott*⟩ telemeter, range-finder: ~ *stereoscopico* stereoscopic range-finder. – **~misụra**, **~misurazione** *f.* telemetering, telemetry. – **~motọre** *m.* ⟨*Mar*⟩ telemotor.
telencẹfalo *m.* ⟨*Biol*⟩ telencephalon.
tele|negatịvo: ⟨*Ott*⟩ *lente -a* telenegative lens. – **~ob(b)iettịvo** *m.* ⟨*Fot*⟩ telephoto (lens), teleobjective, telelens.
teleologịa *f.* ⟨*Filos*⟩ **1.** teleology. – **2.** (*finalità*) finality, teleology. – **teleolọgico** *a.* (*pl.* **-ci**) teleologic(al).
teleọstei *m.pl.* ⟨*Itt*⟩ teleosteans *pl*, teleostomes *pl*, teleosts *pl* (*Teleostei*).
tele|patịa *f.* ⟨*Psic*⟩ telepathy. – **~pạtico** *a.* (*pl.* **-ci**) telepathic. – **~pilotạggio** *m.* → **teleguida**. – **~plạsma** *m.* ⟨*Occult*⟩ teleplasm, ectoplasm. – **~proiẹtto** *m.* ⟨*Mil*⟩ guided missile. – **~quiz** *m.* ⟨*TV*⟩ television (o TV) quiz programme. – **~radiografịa** *f.* ⟨*Radiol*⟩ teleradiography, teleroentgenography. – **~radiọgrafo** *m.* teleradiograph, teleroentgenograph. – **~radiogrạmma** *m.* teleradiogram, teleroentgenogram. – **~radiotrasmẹsso** (*p.p. di teleradiotrasmettere*) *a.* transmitted (o broadcast) on television and radio simultaneously. – **~radiotrasmẹttere** *v.t.* (**teleradiotrasmịsi**, **teleradiotrasmẹsso**) to transmit (o broadcast) on television and radio simultaneously. – **~registrazione** *f.* ⟨*Fis*⟩ remote recording (of measurements).
telerịa *f.* **1.** soft (o dry) goods *pl*, textiles *pl*, fabrics *pl*, cloth, material, drapery. – **2.** *pl.* (*insegna di negozi*) draper's, textiles *pl*, fabrics *pl*.
tele|ricevẹnte I *a.* television receiving. – **II** *s.f.* (*stazione telericevente*) television receiving station. – **~riprẹsa** *f.* ⟨*Cin,Fot*⟩ shot taken with a telephoto lens, telephoto shot, distance shot, long -shot.
telẹro *m.* ⟨*Pitt*⟩ large canvas (o painting).
tele|ruttọre *m.* ⟨*El*⟩ remote-control switch. – **~schẹrmo** *m.* ⟨*TV*⟩ (television) screen, telescreen. – **~scopịa** *f.* **1.** telescopy. – **2.** (*televisione*) television. – **~scopicamẹnte** *avv.* telescopically. – **~scọpico** *a.* (*pl.* **-ci**) **1.** telescopic(al), telescope-: *osservazione -a* telescopic observation. – **2.** ⟨*Ott*⟩ (*afocale*) afocal. – **3.** ⟨*tecn*⟩ telescopic(al), telescope-.
telescọpio *m.* telescope.
□ ⟨*tecn*⟩ **a** ~ (*telescopico*) telescopic(al), telescope-; ⟨*Astr*⟩ ~ **catottrico** reflecting telescope; ~ **diottrico** refracting telescope; ~ **elettronico** electronic telescope; ~ **equatoriale** equatorial (telescope); ~ ⌜*a* **riflessione**⌝ (o *riflettore*) reflecting telescope; ~ ⌜*a* **rifrazione**⌝ (o *rifrattore*) = *telescopio* **diottrico**.
tele|scrịtto (*p.p. di telescrivere*) ⟨*non com*⟩ **I** *a.* teletyped. – **II** *s.m.* teletype. – **~scrivẹnte** *f.* (*anche macchina telescrivente*) teletype (-writer), teleprinter. □ *trasmettere per* ~ to teletype(write). – **~scriventịsta** *m./f.* teletypist. – **~scuọla** *f.* ⟨*TV*⟩ schools' television; (*per adulti*) educational television. – **~segnalazione** *f.* ⟨*El*⟩ remote indication. – **~selettịvo** *a.* ⟨*Tel*⟩ direct dialling-. – **~selezione** *f.* direct dialling (system). □ ~ *d'utente* direct dialling, subscriber's trunk dialling; ~ *d'operatrice* operator's direct dialling.
telẹsia *f.* ⟨*Min*⟩ (*zaffiro*) sapphire, ⟨*ant*⟩ telesia.
tele|sịsmico *a.* (*pl.* **-ci**) teleseismic. – **~sịsmo** *m.* ⟨*Geol*⟩ teleseism. – **~sọnda** *f.* ⟨*Meteor*⟩ (*radiosonda*) radiosonde, telemeteorograph. – **~spettatọre** *m.* (*f.* **-trice**) ⟨*TV*⟩ (tele)viewer. – **~stampạnte** *f.* → **telescrivente**.
telestesịa *f.* ⟨*Occult*⟩ tel(a)esthesia.
telẹstico *m.* (*pl.* **-chi**) ⟨*Lett*⟩ telestich.
tele|strumẹnto *m.* remote indication instrument. – **~termọmetro** *m.* telethermometer. – **~trasmẹsso** (*p.p. di teletrasmettere*) *a.* **1.** transmitted over a long distance. – **2.** ⟨*TV*⟩ televised, telecast(ed), broadcast (o given, shown) on television. – **~trasmẹttere** *v.t.* (**teletrasmịsi**, **teletrasmẹsso**) **1.** to transmit over a long distance. – **2.** ⟨*TV*⟩ to televise, to telecast, to broadcast (o give, show) on television: ~ *una commedia* to give a play on television. – **~trasmettitọre** *m.* teletransmitter, remote transmitter. – **~trasmissione** *f.* **1.** long-distance transmission. – **2.** ⟨*TV*⟩ telecast, television programme. – **~trasmittẹnte** (*p.pr. di teletrasmettere*) **I** *a.* ⟨*TV*⟩ of television broadcasting. – **II** *s.f.* (*anche stazione teletrasmittente*) television (broadcasting) station.
telẹtta[1] *f.* ⟨*non com*⟩ → **toletta**.
telẹtta[2] (*dim. di tela*[1]) *f.* **1.** thin cotton (o linen) cloth. – **2.** ⟨*Sart*⟩ interfacing. – **3.** ⟨*Tess*⟩ sliver. – **4.** ⟨*Pesc*⟩ kind of small seine net. – **5.** ⟨*ant*⟩ (*drappo intessuto d'oro e argento*) cloth woven with gold and silver.
telẹtto *m. dim. di* **telo**[1].
teleutẹnte *m./f.* ⟨*TV*⟩ holder of a television licence, television subscriber.
teleutospọra *f.* ⟨*Bot*⟩ teleutospore, teliospore.
tẹlevel *m.* ⟨*Aer*⟩ fuel level gauge.
televisione *f.* **1.** television, ⟨*fam*⟩ TV: *l'invenzione della* ~ the invention of television; *presto avremo la* ~ *a colori* we'll soon have colour television. – **2.** (*ente*) television (broadcasting company): *la* ~ *italiana* Italian television. – **3.** (*trasmissione televisiva*) television (programme): *guardare la* ~ to watch (the) television. – **4.** → **televisore**. – **5.** ⟨*non com*⟩ (*studio televisivo, stazione trasmittente*) television station.
□ ~ *in* **bianco** *e nero* black and white television; ~ *a* **circuito** *chiuso* closed-circuit television; ~ *a* **colori** colour television; ~ *a* **gettone** coin-operated television; ~ **stereoscopica** stereoscopic television; **trasmettere** *per* ~ to televise, to telecast, to broadcast on (o by) television; **vedere** *alla* ~ to see on television (o TV).
televisịvo *a.* television-, televisual, ⟨*fam*⟩ TV-: *trasmettitore* ~ television transmitter; *programma* ~ TV programme. – **televisọre** *m.* television (set), televisor, ⟨*fam*⟩ TV, ⟨*fam*⟩ telly, ⟨*fam*⟩ box, ⟨*am.fam*⟩ idiot box.
tẹlex *m.* telex. □ *servizio* ~ telex (service).
telferạggio *m.* ⟨*tecn*⟩ telpherage.
telfụsa *f.* ⟨*Zool*⟩ (*granchio di fiume*) river crab (*Potamon edule*).
teliospọra *f.* → **teleutospora**.
telịtoco *a.* (*pl.* **-ci**) ⟨*Biol*⟩ thelytokous.
tẹll *m.* ⟨*Archeol*⟩ tell, hill, mound.
tellịna *f.* **1.** ⟨*Zool*⟩ tellen, tellin(a), sunset shell (o clam) (*Tellina*). – **2.** ⟨*Zool*⟩ cockle (*Cardium edule*). – **3.** ⟨*Gastr*⟩ clam. – **tellịnidi** *m.pl.* ⟨*Zool*⟩ sunset shells *pl*, sunset clams *pl*, tellins *pl*, tellens *pl* (*Tellinidae*).
tellurạto *m.* ⟨*Chim*⟩ tellurate.
tellụrico[1] *a.* (*pl.* **-ci**) **1.** ⟨*Geol*⟩ telluric, terrestrial: *movimento* ~ telluric motion. – **2.** ⟨*non com*⟩ (*ctonio*) chthonic, chthonian.
tellụrico[2]: ⟨*Chim*⟩ *acido* ~ telluric acid. – **tellụrio** *m.* tellurium. □ ~ *grafico* (*silvanite*) sylvanite, silvanite, graphic tellurium. – **tellurịte** *f.* ⟨*Min*⟩ tellurite. – **tellurịto** *m.* ⟨*Chim*⟩ tellurite, salt of tellurous acid. – **tellurọso**: *acido* ~ tellurous acid.
tẹlo[1] *m.* **1.** length of cloth (o material, fabric): *lenzuolo a due -i* sheet made with two lengths of cloth. – **2.** (*pezzo di tela*) piece of cloth (o fabric, material). □ ~ *gommato* rubberized material; ~ *di salvataggio* (*dei pompieri*) jumping net (o sheet), safety (o fireman's) net; ⟨*Aer*⟩ ~ *da strappo* tear-off cap; ~ *da tenda* tenting, material for tents.
tẹlo[2] *m.* ⟨*poet*⟩ **1.** (*arma da lancio*) throwing weapon, javelin. – **2.** (*freccia*) arrow; (*dardo*) dart. – **3.** (*arma*) weapon.
telo... *pref.* (*fine* end) tel(o)..., tele...
telo|fạse *f.* ⟨*Biol*⟩ telophase. – **~frạgma**, **~frạmma** *m.* telophragma, Krause's membrane.
telọma *m.* ⟨*Bot*⟩ telome.
telọne (*accr. di telo*[1]) *m.* **1.** large piece of canvas cloth. – **2.** (*copertone*) tarpaulin. – **3.** ⟨*Teat*⟩ (*sipario*) drop-curtain. – **4.** ⟨*Cin*⟩ (*schermo*) screen. □ ~ *di salvataggio* jumping net (o sheet), safety (o fireman's) net.
telonẹo *m.* ⟨*Stor.rom*⟩ indirect tax.
telọnio[1] *m.* → **teloneo**.
telọnio[2] *m.* ⟨*ant*⟩ (*banco dei gabellieri*) money-changer's table. □ ⟨*ant,scherz*⟩ *essere* (o *stare*) *al* ~ (*al tavolo di lavoro*) to work hard at one's desk.
teloslịtta *f.* (*dei pompieri*) canvas slide (o chute).
tẹl quel *fr.* [-'kɛ-] ⟨*Econ*⟩ tal qual.
tẹlson *m.* ⟨*Zool*⟩ telson.
TELVE = *Società telefonica delle tre Venezie.*
tẹma[1] **I** *s.m.* **1.** (*argomento*) theme, subject, topic: *il* ~ *di una con-*

ferenza the subject of a lecture. – **2.** ⟨*Scol*⟩ (*componimento*) composition, theme: *assegnare un* ~ to assign a composition. – **3.** ⟨*Ling*⟩ theme, stem; (*radice*) root: *il* ~ *di un verbo* the root of a verb. – **4.** ⟨*Mus*⟩ theme, motive, motif, subject. – **5.** ⟨*giorn,sport*⟩ (*azione offensiva*) offence, attack. – **6.** ⟨*ant*⟩ (*esempio*) example. – **II** *s.f.* ⟨*ant*⟩ (*argomento*) theme, subject, topic.

□ ~ *d'*attualità timely subject; ⟨*Mus*⟩ ~ **fondamentale** main theme; ⟨*scol*⟩ **fuori** ~ off the subject, digressing; ⌜*andare fuori*⌝ (*o uscire di*) ~ to wander off the subject, to digress; ⟨*Ling*⟩ ~ **nominale** nominal stem; **svolgere** *un* ~ to develop a theme; ⟨*scol*⟩ to write a composition (*o* theme); ⟨*Ling*⟩ ~ **temporale** temporal theme; ⟨*Mus*⟩ ~ **variato** theme with (*o* and) variations; ~ **verbale** verb stem.

tęma[2] (o *tęma*) *f.* ⟨*lett*⟩ (*timore*) fear. □ ⟨*lett*⟩ *per* ~ *di* for fear of, lest; *senza* ~ without fear.

tęma[3] *m.* ⟨*Stor*⟩ theme.

temątica *f.* **1.** ⟨*Lett*⟩ (main) themes *pl*: *la* ~ *di una corrente letteraria* the themes of a literary trend. – **2.** ⟨*Mus*⟩ (main) themes *pl*, motives *pl*. – **temątico** *a.* (*pl.* **-ci**) **1.** ⟨*Ling,Mus,Lett*⟩ thematic. – **2.** ⟨*Stor,non com*⟩ of (*o* concerning) themes. – **tematįsmo** *m.* ⟨*Mus*⟩ thematic nature (*o* character).

tęmeno *m.* ⟨*rar*⟩ → **temenos**. – **tęmenos** *gr. m.* ⟨*Stor.gr*⟩ temenos.

temęnte (*p.pr. di temere*) *a.* ⟨*lett*⟩ fearing; (*timoroso*) fearful. – **temęnza** *f.* **1.** ⟨*ant*⟩ (*timore*) fear. – **2.** ⟨*tosc*⟩ (*rispetto, soggezione*) awe: *avere* ~ *di qd.* to stand in awe of s.o.

temerariamęnte *avv.* rashly, recklessly. – **temerarietà** *f.* **1.** rashness, recklessness, foolhardiness, temerity. – **2.** (*avventatezza*) rashness, hastiness. – **temerąrio I** *a.* **1.** rash, reckless, foolhardy, temerarious: *un giovane* ~ a reckless youth. – **2.** (*avventato*) rash, hasty: *giudizio* ~ hasty judgement. – **II** *s.m.* (*f.* **-a**) rash (*o* reckless) person, daredevil.

temęre *v.* (**tęmo/tęmo**) **I** *v.t.* **1.** (*aver timore di*) to fear, to be afraid of, to dread: *temo le sgridate di mio padre* I dread my father's scoldings; ~ *le persone cattive* to be afraid of evil people; *temo di scivolare* I'm afraid I'm going to slip; *ho la coscienza tranquilla e non ho nulla da* ~ my conscience is clear and I have nothing to fear; (*aspettarsi*) to fear, to expect: ~ *il peggio* to fear the worst; ~ *una brutta sorpresa* to expect a nasty surprise. – **2.** (*provare un riverente rispetto*) to fear, to stand in awe of: ~ *Iddio* to fear God. – **3.** (*rifuggire da*) not to stand (*o* take), to suffer from, to be afraid of, to be affected (*o* harmed) by: *i vecchi temono il freddo* old people suffer from the cold; *così vestito non temo la pioggia* I'm not afraid of the rain when I'm dressed like this; *piante che temono la luce* plants that cannot stand light. – **II** *v.i.* (*aus.* **avere**) **1.** (*essere preoccupato*) to be worried (*o* anxious) (*per* about), to fear, to be afraid (for): ~ *per la salute di qd.* to be worried about s.o.'s health. – **2.** (*dubitare*) to fear, to doubt (*di qc.* s.th.), to be doubtful (about): *temo del buon esito dell'impresa* I am doubtful about the success of the undertaking; *non* ~, *ti aiuterò* don't be afraid, I will help you. – **3.** (*diffidare*) to mistrust (*di qd.* s.o.), to have no trust (*o* confidence) (in): ~ *di tutto e di tutti* to mistrust everything and everyone. – **temersi** *v.r.* ⟨*ant*⟩ **1.** (*paventare*) to fear. – **2.** (*aver timore*) to be afraid (*di* of), to fear (s.th.). – **3.** (*esitare*) to hesitate.

□ ⟨*Comm*⟩ *teme il* **calore** keep cool, store in a cool place; *non* ~ **confronti** not to fear competition: *un prodotto che non teme confronti* a product that does not fear competition; *non* ~ *le* **difficoltà** to be undaunted by difficulties; ⟨*Comm*⟩ *teme la* **luce** do not expose to light, store in a dark place; **non** *tema!* don't be afraid!, don't worry!, never fear!, have no fear!, ⟨*lett*⟩ fear not!; ⟨*Comm*⟩ *teme l'***umidità** store in a dry place, keep dry.

temerità *f.* **1.** temerity, recklessness, rashness, foolhardiness. – **2.** (*atto temerario*) reckless (*o* rash) act, (piece of) foolhardiness.

Tęmi *N.pr.f.* ⟨*Mitol*⟩ Themis.

temįbile *a.* to be feared, fearful, dreadful: *un nemico poco* ~ a foe who is not to be feared.

Tęmide *N.pr.f.* → **Temi**.

Temįstocle *N.pr.m.* ⟨*Stor*⟩ Themistocles.

tęmo *m.* → **temone**.

tęmolo *m.* ⟨*Itt*⟩ grayling (*Thymallus thymallus*).

temǫne *m.* ⟨*ant*⟩ (*timone*) helm. – **temonięre** *m.* ⟨*ant*⟩ (*timoniere*) helmsman.

tęmpa *f.* ⟨*Alp,region*⟩ rounded mountain peak.

tempąccio (*pegg. di tempo*) *m.* nasty (*o* foul) weather.

tempaiǫlo *m.* ⟨*tosc*⟩ (*anche maialino tempaiolo*) suck(l)ing-pig.

Tęmpe *N.pr.f.* ⟨*Geog*⟩ Tempe. □ *valle di* ~ Vale of Tempe.

tempelląre *v.* (**tempęllo**) ⟨*ant*⟩ **I** *v.t.* **1.** to strike, to bang, to beat; (*rif. a campane*) to clang. – **2.** ⟨*fig*⟩ (*far vacillare*) to cause to waver. – **II** *v.i.* (*aus.* **avere**) **1.** (*sonare*) to ring, to play, to sound. – **2.** ⟨*fig*⟩ (*essere incerto*) to hesitate, to be doubtful, to waver. – **tempelląta** *f.* ⟨*ant*⟩ **1.** → **tempello**. – **2.** ⟨*Folcl*⟩ clanging, banging, din. – **tempęllo** *m.* ⟨*ant*⟩ (*suono*) ringing, sounding, din; (*rif. a campane*) clanging, pealing, ringing. – **tempellǫne** *m.* ⟨*scherz*⟩ waverer, vacillator, shilly-shallyer.

tęmpera *f.* **1.** ⟨*Pitt*⟩ (*tecnica*) tempera, distemper; (*liquido impiegato*) distemper; (*dipinto*) tempera painting, distemper. – **2.** ⟨*Agr*⟩ adequate soil water content. – **3.** → **tempra**. □ ⟨*Pitt*⟩ *a* ~ tempera-, distemper-: *ritratto a* ~ tempera portrait, distemper; *dipingere a* ~ to distemper.

tempera|ląpis, **~matįte** *m.inv.* pencil-sharpener.

temperamęnto *m.* **1.** (*indole*) temperament, disposition, nature: ~ *artistico* artistic temperament; *essere contrario al* ~ *di qd.* to be against one's nature. – **2.** (*forza, indipendenza di carattere*) temperament, character: *questa ragazza ha* (*del*) ~ this girl has character. – **3.** (*originalità, potenza creativa*) creativity, originality: *questo pittore dimostra un notevole* ~ this painter shows considerable originality. – **4.** (*alleviamento, mitigazione*) tempering, mitigation, alleviation. – **5.** (*conciliazione*) reconciliation, reconcilement, settlement; (*compromesso*) compromise. – **6.** ⟨*Stor*⟩ temperament, complexion, humour: *i quattro -i* the four humours. – **7.** ⟨*Mus*⟩ temperament. – **8.** ⟨*ant*⟩ (*mescolanza di elementi in giusta proporzione*) well-proportioned mixture; (*mescolanza*) mixture, blend.

□ ~ **anormale** dyscrasia; ~ **bilioso** choleric temperament; ~ **flemmatico** phlegmatic temperament; **per** ~ by nature (*o* disposition): *è rissoso per* ~ he's argumentative by nature; ~ **sanguigno** sanguine temperament.

temperamįne *m.inv.* lead sharpener.

temperąnte (*p.pr. di temperare*) **I** *a.* **1.** temperate, moderate: *essere* ~ *nel bere* to be a temperate drinker. – **2.** ⟨*Teol*⟩ temperate. – **II** *s.m./f.* temperate (*o* moderate) person. – **temperantemęnte** *avv.* temperately, moderately.

temperąnza *f.* **1.** temperance, moderation. – **2.** (*moderazione*) moderation, self-control, temperance, restraint: ~ *a tavola* self-control at table, restraint in eating. – **3.** ⟨*Teol*⟩ temperance. – **4.** ⟨*ant*⟩ (*mitigazione*) mitigation, alleviation. – **5.** ⟨*ant*⟩ (*temperatura*) temperature. – **6.** ⟨*ant*⟩ (*temperamento, indole*) temperament, disposition.

temperąre *v.t.* (**tęmpero**) **1.** (*mitigare*) to lessen, to mitigate, to temper, to soften: ~ *un rimprovero con un sorriso* to temper a scolding with a smile; (*lenire*) to alleviate, to relieve, to allay, to mitigate: ~ *la sete* to relieve one's thirst. – **2.** (*moderare, frenare*) to moderate, to temper, to control, to check: ~ *l'ira* to control one's anger. – **3.** (*fare la punta*) to sharpen: ~ *una matita* to sharpen a pencil. – **4.** ⟨*poet*⟩ (*regolare*) to adjust. – **5.** ⟨*Met*⟩ (*temprare*) to temper. – **6.** ⟨*Mus*⟩ to temper. – **7.** ⟨*lett*⟩ (*formare, plasmare*) to shape, to form. – **8.** ⟨*ant*⟩ (*mescolare*) to mix, to blend. – **9.** ⟨*ant, poet*⟩ (*fondere suoni*) to attune, to temper. – **temperarsi** *v.r.* **1.** (*contenersi*) to be temperate (*o* moderate): *temperarsi nel bere* to be moderate in drinking. – **2.** ⟨*ant*⟩ (*trattenersi*) to control o.s. □ ⟨*ant*⟩ ~ *i colori* to mix (*o* distemper) colours.

temperatamęnte *avv.* **1.** temperately, moderately. – **2.** (*moderatamente*) temperately, moderately, mildly, somewhat: *acqua* ~ *fredda* somewhat cold water, temperate water. – **temperatįvo** *a.* ⟨*ant*⟩ (*atto a moderare*) moderating, tempering. – **temperąto** (*p.p. di temperare*) *a.* **1.** temperate (*anche Geog.*). – **2.** (*moderato*) temperate, moderate, self-controlled, restrained: *essere* ~ *nel bere* to be a moderate drinker. – **3.** (*rif. a sentimenti*) self-controlled, restrained: *una gioia -a* restrained joy. – **4.** (*appuntito*) sharpened. – **5.** ⟨*Mus, Met*⟩ tempered. – **6.** ⟨*ant*⟩ (*mescolato*) mixed, blended.

temperatǫio *m.* ⟨*ant*⟩ → **temperino**.

temperatǫre *m.* (*f.* **-trice**) ⟨*non com*⟩ **1.** temperer. – **2.** (*moderatore*) moderator.

temperatųra *f.* **1.** ⟨*Fis,Meteor*⟩ temperature. – **2.** ⟨*Med*⟩ temperature; (*febbre*) temperature, fever: *ha un po' di* ~ he has a slight temperature. – **3.** ⟨*ant*⟩ (*tempra*) tempering. – **4.** ⟨*ant*⟩ (*l'appuntire*) sharpening; (*l'essere appuntito*) sharpness. – **5.** ⟨*ant*⟩ (*temperamento*) temperament.

□ **abbassamento** *di* ~ drop in temperature; ~ **ambiente** room temperature; ⟨*Fis*⟩ ~ **assoluta** absolute temperature; **bassa** ~ low temperature; ~ **centigrada** temperature centigrade; ~ *di* **condensazione** dew-point; ~ *di* **congelamento** freezing temperature; ~ **critica** critical temperature; ~ *d'***ebollizione** boiling-point; ~ **esterna** outside (*o* outdoor) temperature; ⟨*Fis*⟩ ~ *di* **fusione** melting point; ~ **massima** maximum temperature; ~ **media** average temperature; ~ **minima** minimum temperature; ~ **normale** standard temperature; ⟨*Fis*⟩ ~ **peritettica** peritectic temperature; ~ *di* **solidificazione** solidification temperature; ⟨*Met*⟩ ~ *di* **tempra** hardening temperature; ~ *del* **terreno** soil temperature.

tempęrie *f.* ⟨*lett*⟩ **1.** weather; (*stato mite dell'atmosfera*) mild (*o* seasonable) weather. – **2.** ⟨*fig*⟩ (*clima*) climate, atmosphere. – **3.** ⟨*ant*⟩ (*mescolanza*) mixture, blend, combination.

temperinąta *f.* cut from (*o* with) a penknife. – **temperįno** *m.* **1.** penknife, pocket-knife, jackknife. – **2.** → **temperalapis**.

tempęsta *f.* **1.** storm, tempest: *una* ~ *infuria sulla regione* a storm is raging over the region; (*bufera di vento*) wind-storm, gale; (*burrasca*) squall. – **2.** ⟨*fig*⟩ (*grave turbamento*) storm, turmoil, whirl, agitation, upheaval: *avere la* ~ *nell'animo* to be in a state of great agitation, to be in a turmoil. – **3.** (*confusione, scompiglio*) confusion, chaos. – **4.** ⟨*fig*⟩ (*gran quantità*) shower, storm, hail: *una* ~ *di bastonate* a shower of blows; ~ *di fischi* storm of catcalls. – **5.** ⟨*fig*⟩ (*sfuriata di rimproveri*) storm of rebuke, violent scolding. – **6.** ⟨*region*⟩ (*grandine*) hail. – **7.** ⟨*ant*⟩ (*impeto, furia*) fury, vehemence, violence.

□ ⟨*fig*⟩ *s'intende* **acqua**, *ma non* ~ (*biasimando un eccesso*) don't overdo things, you are going too far; ⟨*fig*⟩ *una* ~ *in un* **bicchier** *d'acqua* a tempest in a teapot; ~ **geomagnetica** = *tempesta* **magnetica**; ~ *di* **ghiaccio** (*gelicidio*) glazed frost, ⟨*am*⟩ glaze; *essere* **in** ~ to be stormy (*o* tempestuous) (*anche fig.*); ~ **magnetica** magnetic storm; ~ *di* (*o sul*) **mare** sea-storm; ~ *di* **neve** snowstorm, blizzard; ⟨*scherz*⟩ *nell'aria c'è* **odore** *di* ~ trouble is brewing; ~ *di* **polvere** dust-storm; ~ *di* **sabbia** sandstorm; ~ *di* **vento** wind-storm, gale. – *Prov.*: *dopo la* ~ *viene il sereno* after the storm comes the calm.

tempestạre *v.* (tempẹsto) **I** *v.t.* **1.** (*investire, percuotere*) to batter, to storm, to rain (blows upon): ~ *la porta di calci* to batter the door by kicking; *lo tempestò di pugni* he rained blows upon him. – **2.** (*ornare fittamente*) to stud, to adorn: ~ *un diadema di pietre preziose* to stud a tiara with precious stones. – **3.** ⟨*iperb*⟩ (*importunare*) to bombard, to pester, to badger, to nag, to harass: ~ *qd. di domande* to bombard (*o* pester) s.o. with questions. – **4.** ⟨*ant*⟩ (*mettere sottosopra*) to upset, to make havoc of. – **II** *v.i.* (*aus.* **avere**) **1.** (*agitarsi, infuriare*) to rage, to storm: *tempestava con i pugni sul tavolo* he raged banging his fists on the table. – **2.** ⟨*fig,ant*⟩ (*essere agitato*) to be stormy. – **III** *v.i.impers.* (*aus.* **avere/essere**) to storm, to rage: *tempestava e grandinava* it stormed and hailed.

tempestạto (*p.p. di tempestare*) *a.* **1.** assailed: *un forte* ~ *dalle cannonate* a fort assailed by cannon fire. – **2.** (*riccamente ornato*) studded, decked, strewn, spangled (*di* with): *diadema* ~ *di brillanti* diamond -studded tiara, tiara studded with diamonds; (*cosparso*) sprinkled, scattered, covered (*di* with). – **3.** ⟨*fig*⟩ (*incalzato*) assailed, inundated: ~ *da lettere di congratulazioni* inundated with letters of congratulation. – **4.** ⟨*ant*⟩ (*travagliato*) tormented, troubled.

tempestịo *m.* **1.** storm, hail, volley, shower: *un* ~ *di colpi* a hail of blows. – **2.** ⟨*tosc*⟩ hubbub, din, tumult.

tempestivamẹnte *avv.* **1.** (*al momento giusto*) opportunely, at the right time, seasonably: *il tuo aiuto è giunto* ~ your help came at the right time. – **2.** (*in tempo*) in time. – **tempestività** *f.* timeliness, opportuneness, seasonableness. – **tempestịvo** *a.* timely, opportune, seasonable, well-timed: *aiuto* ~ timely help. □ *giungere* ~ to come at the right time.

tempestosamẹnte *avv.* **1.** stormily, tempestuously. – **2.** ⟨*fig*⟩ violently, tumultuously. – **tempestọso** *a.* **1.** stormy, raging, ⟨*lett*⟩ tempestuous: *una notte -a* a stormy night. – **2.** ⟨*fig*⟩ (*violento*) stormy, violent, furious, wild, passionate, tumultuous: *passione -a* wild passion. – **3.** ⟨*poet*⟩ (*impetuoso*) impetuous, raging, furious.

tẹmpia *f.* **1.** temple: *hai già le -e grigie* you are going grey at the temples. – **2.** *pl.* ⟨*estens*⟩ (*capo*) head, ⟨*poet*⟩ brow: *una corona le cingeva le -e* a crown encircled his brow. – **3.** *pl.* ⟨*poet*⟩ (*mente*) mind.

tempiạle *m.* ⟨*Tess*⟩ temple.

tempiẹre *m.* ⟨*Stor*⟩ (*templare*) (Knight) Templar.

tempiẹtto (*dim. di tempio*) *m.* **1.** templet, small temple. – **2.** ⟨*Arch*⟩ (*padiglione*) pavilion.

tẹmpio *m.* (*pl.* **tẹmpi/tẹmpli**) **1.** temple: *il* ~ *di Giove* the temple of Jove. – **2.** (*chiesa*) temple, church: *il* ~ *di san Pietro a Roma* the church of St. Peter in Rome. – **3.** ⟨*estens*⟩ (*edificio dedicato alla memoria*) monument. – **4.** ⟨*fig*⟩ temple: *il* ~ *della giustizia* the temple of justice. – **5.** ⟨*poet*⟩ (*cielo*) heaven; (*firmamento*) firmament, vault of heaven. □ ~ *del milite ignoto* tomb of the unknown soldier.

tempịsmo *m.* sense of timing. – **tempịssimo**: ⟨*iperb*⟩ *in* ~ in plenty of time, well on time, very early. – **tempịsta** *m./f.* **1.** ⟨*Mus*⟩ good timekeeper. – **2.** ⟨*fig*⟩ (*chi ha il senso dell'opportunità*) opportunist, person who senses opportunities. – **3.** ⟨*tecn*⟩ timekeeper, checker.

templạre, templạrio I *a.* **1.** ⟨*Stor*⟩ of the Temple, ⟨*pred*⟩ Templar: *cavaliere* ~ Knight Templar, Knight of the Temple. – **2.** ⟨*Art,non com*⟩ templar, of a temple. – **II** *s.m.* ⟨*Stor*⟩ (Knight) Templar, Knight (*o* Poor Soldier) of the Temple. □ ⟨*Stor*⟩ *ordine dei -i* order of Knights Templars.

tẹmplo *m.* ⟨*ant*⟩ → **tempio.**

tẹmpo *m.* **1.** (*tempo cronologico*) time: *il* ~ *vola* time flies; *un anno di* ~ a year's time, a year. – **2.** (*spazio di tempo*) (space of) time, while, period: *per lungo* ~ for a long time; *per qualche* ~ for a time (*o* while). – **3.** (*durata*) time, duration, length (of time): ~ *di cottura* cooking time. – **4.** (*periodo, epoca*) time(s), day(s), era, epoch, age: *è passato il* ~ *della spensieratezza* the carefree days are over; *al* ~ *di Giulio Cesare* in Julius Caesar's day, at the time of Julius Caesar. – **5.** *pl.* (*epoca vagamente definita*) time, day, year: *nei -i antichi* in ancient times; *negli ultimi -i* in the last few years. – **6.** (*età della vita*) age: *quanto* ~ *ha tuo figlio?* what is your son's age?, how old is your son? – **7.** (*parte della giornata*) time, period: *il* ~ *della ricreazione* playtime, recreation period; *è* ~ *di dormire* it's bedtime; (*parte dell'anno*) time, ⟨*lett*⟩ tide: ~ *di carnevale* Carnival time; (*stagione*) season: *il* ~ *dei bagni* the bathing season. – **8.** (*momento stabilito*) time: *è* ~ *di agire* it's time to act; *in* ~ *utile* in (good) time. – **9.** (*indugio, dilazione*) time: *hai* ~ *tre giorni* you have three ⌜days' time⌝ (*o* days); *prendere* ~ to ask for (more) time. – **10.** (*termine*) (appointed, fixed) time, time limit: *è finito il* ~ time is up; *è scaduto il* ~ *utile per il ricorso* the time limit for an appeal has expired. – **11.** (*tempo atmosferico*) weather: *che* ~ *fa?* what's the weather like?; *fa brutto* ~ the weather is bad; *cambiamento di* ~ change in the weather. – **12.** (*parte di spettacolo*) part: *fine del primo* ~ end of the first part. – **13.** (*fase*) stage, phase: *la spedizione sarà effettuata in due -i* the expedition will be carried out in two phases. – **14.** ⟨*Metr*⟩ rhythm. – **15.** ⟨*Mus*⟩ (*movimento dinamico*) tempo, pace: *allargare il* ~ to slacken the tempo; (*misura, battuta*) beat, measure, bar; (*scansione della battuta, cadenza ritmica*) time, tempo: *a* ~ *di valzer* in waltz-time; (*ritmo*) rhythm, time, metre; (*parte di una composizione*) movement: *una sinfonia in quattro -i* a symphony with four movements. – **16.** ⟨*Gramm*⟩ tense: *il* ~ *futuro* the future (tense). – **17.** ⟨*Mot*⟩ stroke: *motore a due -i* two-stroke engine. – **18.** ⟨*Sport*⟩ time: ~ *supplementare* overtime; (*ciascuna delle fasi del gioco*) half: *segnare un gol nel primo* ~ to score a goal in the first half. – **19.** ⟨*Fis,Filos*⟩ time. – **20.** ⟨*Orol*⟩ (*bilanciere*) balance-wheel, swing-wheel. – **21.** ⟨*non com*⟩ (*usato con valore di preposizione: entro*) in, within: ~ *un'ora* in one hour's time. – **22.** ⟨*ant*⟩ (*stagione*) season, time. – **23.** ⟨*ant*⟩ (*mestruazioni*) period, menstruation.

□ **a** ~: 1. (*al momento opportuno*) at the right time (*o* moment); 2. ⟨*Mus*⟩ in time: *ballare a* ~ to dance in time; *a* ~ *di marcia* in march-time; 3. ⟨*Mus*⟩ (*didascalia*) a tempo, in (the regular) time; *andare a* ~ to keep time; *a un* ~ = *al tempo* **stesso**; ⟨*Rad*⟩ ~ *d'***accensione** heating time, heating-up period; **acquistare** ~ = **guadagnare** *tempo*; ~ **addietro** some time ago; ⟨*Ginn*⟩ **al** ~*!* repeat!, back to the beginning!; *al* ~ *dei -i* long ago, in ancient times; ⟨*fig*⟩ *essere all'***altezza** *dei -i* to be with (*o* abreast of) the times, to keep up with the times; **altri** *-i!* those were the days!; *cose d'altri -i* old-fashioned things; *ad altro* ~ to (*o* at) a later date, subsequently; **ammazzare** *il* ~ = **ingannare** *il tempo*; *coll'***andare** *del* ~ in time, as time goes (*o* went) by; *il buon* ~ **antico** the good old days; *fin dai -i antichi* since ancient times; ⟨*lett*⟩ **anzi** ~ before time, ahead of time, early; ~ *d'***arresto**: 1. = *tempo di* **frenata**; 2. = *tempo* **passivo**; ⟨*Ind*⟩ ~ **assegnato** standard (*o* allowed) time; ⟨*Fis*⟩ ~ **assoluto** absolute time; ~ **atmosferico** weather; ~ *d'***attesa** waiting time (*anche Ind.*); ⟨*Ind*⟩ ~ **attivo** productive time; ⟨*rar*⟩ *a* ~ **avanzato** = *a tempo* **perso**; *non* **aver** ~ not to have time: *non ho* ~ *per ascoltarti* I haven't got time to listen to you; ⟨*Lit*⟩ ~ *dell'***avvento** Advent; ⟨*El*⟩ ~ *d'***avviamento** response time; ⟨*Mus*⟩ ~ *in* **battere** downbeat, thesis; *battere il* ~ to beat time; (*con le mani*) to clap time; *il* ~ *si mette al* **bello** it is clearing up; *i -i in cui* **Berta** *filava* in the olden days, long ago; *per* **breve** ~ for a short time (*o* while); ⟨*fig*⟩ *fare il* **buono** *e il* **brutto** (o *cattivo*) ~ to lord it, to be all-powerful, to do as one pleases; *col buono o cattivo* ~ in good weather or bad, come rain or (come) shine; ⟨*non com*⟩ *avere buon* ~ (*avere tempo da perdere*) to have time to waste; **buttar** *via il* ~ to waste time; ⟨*Fis*⟩ ~ *di* **caduta** falling time; ⟨*Mecc*⟩ ~ **caldo** heat time; ~ *del* **calendario** calendar time; ⟨*pop*⟩ ~ *da* **cani** foul (*o* nasty, miserable) weather; ⟨*Ind*⟩ ~ **ciclo** floor-to-floor time, cycle time, minimum (*o* lowest) unit time; ~ **civile** civil time; **col** ~ in time; *col* ~ *gli perdonerai* you will forgive him in time; *col* ~ *si dimentica tutto* in time one forgets everything; ⟨*Gramm*⟩ *-i* **composti** compound tenses; *con i -i che* **corrono** in this day and age, the way things are now; **corso** *del* ~ course of time; ~ **cronologico** chronological time; **da** (*gran*) ~ for some (*o* quite a) time; *è da* ~ *che non ti vedo* I haven't seen you for some time; **dar** ~ *a qd.* to give s.o. time; *dammi* ~ *fino a venerdì* give me until Friday; *ti dò una settimana di* ~ I give you a week's time; *dar* ~ *al* ~ to let matters take their course, not to rush things; *bisogna dar* ~ *al* ~ one must be patient; *darsi al bel* (o *buon*) ~ (*spassarsela*) to have a good time; *a* ~ **debito** at the right time; *in* ~ **debito** in due course, duly; ~ **debole** = *tempo in* **levare**; **del** ~ of the era (*o* time), contemporary: *documenti del* ~ documents of the time; ⟨*ant*⟩ **di** ~ (*anziano*) old; ⟨*non com*⟩ *di* ~ *in* ~ from time to time, every now and then; ⟨*ant*⟩ ~ *delle* **donne** (*mestruazioni*) menstruation, period; *poco* ~ **dopo** a short while afterwards, shortly (o soon) after; *molto* ~ *dopo* a long time afterwards, long after; *-i* **duri** hard times; **è** ~ *di* [*inf*] it is (high) time: *è* ~ *di smetterla* it's high time you stopped that; *è* ~ *che tu lo sappia* it's (high) time you knew; ⟨*Ind*⟩ ~ **effettivo** actual time; (*rif. a calcolatore elettronico*) real time; ⟨*Ind*⟩ ~ **elementare** (basic) element time; (*qualche*) ~ **fa** some time ago, a while back; *poco* ~ *fa* a short time ago, a (little) while ago, not long ago; ⟨*burocr*⟩ *a* **far** ~ *da* (*a partire da*) starting from; (*con validità da*) effective (*o* with effect) from; **fino** *a quel* ~ until then; ~ **forte** = *tempo in* **battere**; ~ *di* **frenata** stopping time; *nel* ~ *che* **fu** in the past; ⟨*Mus*⟩ *andare* **fuori** ~ to get out of time; ⟨*Sport*⟩ ~ *di* **gioco** playing-time; ~ *della* **giovinezza** youth; *a* ~ **giusto** at the right time; *proprio al* ~ *giusto* just in the nick of time; ⟨*lett*⟩ **gran** ~ (*per molto tempo*) for a long time; ⟨*lett*⟩ *or non è gran* ~ not long ago; ~ *di* **Greenwich** = *tempo* **universale**; **guadagnare** ~: 1. (*fare qc. con anticipo*) to gain time; 2. (*tirare le cose in lungo*) to play for time; ~ *di* **guerra** wartime, time of war; **in** ~ in time: *arrivare* (o *fare*) *in* ~ to arrive in time; *sei ancora in* ~ you're still in time; *fare in* ~ *a fare qc.* to have (enough) time to do s.th.: *faccio in* ~ *a fare una telefonata?* have I time to make a call?; *fare giusto in* ~ to make it in time; *non faccio mai in* ~ *a farlo* I'll never make it in time; *non sei più in* ~ you're too late; *essere sempre in* ~ *di* (o *per*) *fare qc.* to have plenty of time to do s.th.; ⟨*non com*⟩ *in* ~ *di* in, within: *in* ~ *di tre giorni* in three days (*o* days' time); ~ *d'***inattività** = *tempo* **passivo**; **ingannare** *il* ~ to kill (*o* while away the) time; ⟨*lett*⟩ **innanzi** ~ = **prima** *del tempo*; ⟨*El*⟩ ~ *d'***interdizione** off period; ~ *da* **ladri** = *tempo da* **cani**; **lasciar** *correre il* ~ to let time pass; ⟨*fig*⟩ *lasciare il* ~ *che trova* to have no effect, to change nothing; *lasciar* ~ *al* ~ = **dar** *tempo al tempo*; ⟨*Ind*⟩ ~ *di* **lavorazione** through-put time; ~ **legale** (legal) term; (*ora legale*) summer-time, daylight-saving time; ⟨*Mus*⟩ ~ *in* **levare** upbeat; ~ **libero** free (*o* leisure, spare) time; ~ **locale**: 1. local time; 2. ⟨*Meteor*⟩ local weather; *da* **lungo** ~ = *da* **molto** *tempo*; *a* ~ *e* **luogo** at the right (*o* proper) time and in the right place; *ogni cosa va fatta a* ~ *e luogo* there is a time and a place for everything; ⟨*Ind*⟩ ~ *di* (*lavorazione alla*) **macchina** machining (*o* machine) time; ⟨*Mil,Sport*⟩ ~ *di* **marcia** march-time; ⟨*fig*⟩ **marciare** *con i -i* to keep up with the times; ~ **materiale** time: *non ho il* ~ *materiale per farlo* I haven't (the) time to do it; *i -i non sono* **maturi** the time is not ripe; ~ **medio**: 1. average time;

2. (*rif. all'ora*) mean time; ~ *medio dell'Europa Occidentale* Western European time; ⟨*Mus*⟩ ~ *di due* **metà** two-two time; **metterci** ~ to take time; *senza por* ~ *in* **mezzo** without wasting time, with no further ado; ⟨*rar*⟩ *di mezzo* ~ (*di mezza età*) middle-aged; ⟨*ant*⟩ *in quel mezzo* ~ (*nel frattempo*) in the meantime; *ai* **miei** *-i* in my time (*o* day); ⟨*Sport*⟩ **migliorare** *il* ~ to better the time; **misurazione** *del* ~ time measurement, timing; *a* ~ *e* **modo** properly, at the right time and in the right way; **molto** ~ a long time, plenty (*o* a lot) of time; (*in frasi negative e interrogative*) long, much time: *non ci vuole molto* ~ it doesn't take long; *da molto* ~ for a long time, ⟨*lett*⟩ long; *per molto* ~ for a long time, for a good while; **nel** ~ *attuale* at the present time; *nel* ~ *che* while; *nel* ~ *di un mese* in a month's time, in a month; *nella* **notte** *dei -i* at the beginning of time, long long ago, from time immemorial; *fatti che si perdono nella notte dei -i* events which go back beyond the dawn of time; *di notte* ~ at night(-time); *d'***ogni** ~ at any time, timeless, for all occasions; *in ogni* ~ in all ages; (*sempre*) always; ⟨*Mus*⟩ ~ *di due* **ottavi** two-eight time; ~ *di* **pace** peacetime, time of peace; *in* **pari** ~ at the same time; ⟨*Lit*⟩ ~ **pasquale** (o *di Pasqua*) Easter(-time), Eastertide; **passare** *il* ~ to spend one's time; *per passare il* ~ to while the time away; *col passar del* ~ with the passing of time; ⟨*Ind*⟩ ~ **passivo** down (*o* idle) time; **per** ~: 1. (*presto*) in time: *dovevi pensarci per* ~ you should have thought of it in time; 2. (*di buon'ora*) early; *mettersi in cammino per* ~ to set out early; **perdere** (*il*) ~ to waste (one's) time; *non c'è* ~ *da perdere* there's no time to lose; **perdita** *di* ~ waste of time; ~ **permettendo** if time permits, if there's enough time; (*rif. a condizioni meteorologiche*) if the weather is good, weather permitting; *è* ~ **perso** it is a waste of time; *a* ~ *perso* in one's free (*o* spare) time, as a hobby (*o* side-line); *è tutto* ~ *perso* it's all a waste of time; *un impiego a* ~ **pieno** a full-time job; ⟨*scherz*⟩ *al* ~ *di re* **Pipino** in days of yore, in olden times; **poco** ~ little time, not long; *ho poco* ~ I haven't long (*o* much time); *è qui da poco* ~ he has only been here a short time, he hasn't been here long; *per poco* ~ for a short time, for a little while; ⟨*Fot*⟩ ~ *di* **posa** exposure time; *il* ~ **presente** the present; ⟨*ant*⟩ **prestare** ~ (*dare tempo*) to allow (*o* give) time; **previsione** *del* ~ weather-forecast; **prima** *del* ~ early, before one's time, prematurely: *venire prima del* ~ to come early; *poco* ~ *prima* a short time before, not long before; *molto* ~ *prima* a long time before; *nei* **primi** *-i* at the beginning (*o* outset); *in un* **primo** ~ at the beginning, at first; ⟨*Mus*⟩ ~ *primo* (*didascalia*) tempo primo, return to the original pace; ⟨*lett*⟩ *in* **processo** (o *progresso*) *di* ~ in the course of time; *per* **qualche** ~ for some time, for a while; **quanto** ~? how long?: *quanto* ~ *ci vuole?* how long does it take?; ⟨*Lit*⟩ ~ **quaresimale** (o *di Quaresima*) Lent; ⟨*Mus*⟩ ~ *di tre* **quarti** three-quarter time, three-four time; *in* **quel** ~ at that time; *è* **questione** *di* ~ it's a matter of time; *con* **questo** ~ *vuoi uscire?* do you mean to go out in this weather?; ⟨*Psic*⟩ ~ *di* **reazione** reaction time; ~ *per* **riflettere** time to think things over; ⟨*Ind*⟩ **rilevazione** *dei -i* time recording, time taking; ~ *di* **riposo** rest time (*o* period); *nei* **ritagli** *di* ~ in one's ⸢spare time⸣ (*o* odd moments); **rubare** *il* ~ *al sonno* to burn the midnight oil; ⟨*Mus*⟩ ~ **rubato** (tempo) rubato; ⟨*Comm*⟩ ~ *di* **scadenza** due date; ⟨*Gramm*⟩ *-i* **semplici** simple tenses; ⟨*fam*⟩ **sentire** *il* ~ (*avvertire il cambiamento di tempo*) to be affected by the weather; **senza** ~ timeless; (*eternamente*) eternally; ~ **siderale** sidereal time; ~ **solare** solar time; ⸢*al* ~ **stesso**⸣ (o *nello stesso tempo*) at the same time: *è una ragazza intelligente e al* ~ *stesso lavoratrice* she is a clever girl and a hard-working one at the same time, she is both clever and hard-working; ~ **stravagante** changeable (*o* unsettled) weather; ⟨*Mus*⟩ **stringere** *i -i* to quicken the tempo; *il* ~ *stringe* time is getting short, time presses; ⟨*Ind*⟩ **studio** *dei -i* time study; *a* **suo** ~: 1. (*rif. al passato*) originally; 2. (*rif. al futuro*) in due course (*o* time); 3. (*al momento giusto*) when the time comes, at the right time; *fare il suo* ~: 1. (*rif. a persone*) to have had one's day, to be behind the times: *quell'attore ha fatto il suo* ~ that actor has had his day; 2. (*rif. a cose*) to be old-fashioned (*o* out-of-date), ⟨*fam*⟩ to be old hat; **tanto** ~ so long, such a long time: *perché hai impiegato tanto* ~? why did you take so long?, why did it take you such a long time?; *da tanto* ~ for such a long time: *è da tanto* ~ *che te lo volevo dire* I've been wanting to tell you for such a long time; *in questi* **ultimi** *-i* lately; **un** ~ once, formerly; (*nelle fiabe*) once upon a time; *in un* ~ at one time; ~ **universale** Greenwich Mean Time; *in* ~ **utile** in (good) time, within the time-limit; ~ *di* **vacanze** holiday time; ~ *della* **vendemmia** vintage (time); *ci* **vuole** ~ it takes (a long) time; *ci vuole poco* ~ it doesn't take long. – *Prov.*: *il* ~ *è denaro* (o *moneta*) time is money; *il* ~ *è galantuomo* time will tell, murder will out; *col* ~ *e con la paglia maturano le nespole* (*e la canaglia*) all things mature in time; *il* ~ *è il miglior medico* time heals all, time is the great physician (*o* healer); ~ *e marea non aspettano nessuno* time and tide wait for no man; *bisogna prendere il* ~ *come viene* take things as ⸢you find them⸣ (*o* they come); *chi ha* ~ *non aspetti* ~ make hay while the sun shines; *il* ~ *viene per chi lo sa aspettare* everything comes to him who waits. || *c'è* ~ there's no rush (*o* hurry), there's plenty of time; *c'è ancora* ~ there is still time; *c'è sempre* ~ there's plenty of time, there's no rush; *non c'è più* ~ *per qc.* it's too late for (*o* to do) s.th.; ⟨*lett*⟩ *già fu* ~ *che* a long time ago; *i -i che furono* the good old days, olden days (*o* times); *è del mio* ~ he's about my age.

tempọne *m.* → **tempa.**

tẹmpora *f.pl.* ⟨*lett*⟩ (*anche quattro tempora*) Ember days *pl.*

temporạle[1] **I** *a.* **1.** temporal, of time. – **2.** ⟨*Gramm*⟩ of time, temporal: *avverbi -i* adverbs of time. – **3.** ⟨*Rel*⟩ temporal: *pene -i* temporal punishments; (*terreno*) worldly, earthly, temporal: *beni -i* worldly goods. – **4.** ⟨*ant*⟩ (*secolare*) secular, lay. – **II** *s.m.* ⟨*Rel*⟩ temporal, temporality; (*mondo*) world.

temporạle[2] *a.* ⟨*Anat*⟩ temporal: *arteria* ~ temporal artery; *osso* ~ temporal bone.

temporạle[3] *m.* **1.** (thunder)storm: *è scoppiato un* ~ a storm broke out. – **2.** ⟨*scherz*⟩ (*sgridata, rimprovero*) scolding, sharp rebuke, ⟨*fam*⟩ telling off. – **3.** ⟨*ant*⟩ (*tempo*) time; (*stagione*) season. □ ⟨*scherz,fig*⟩ *c'è aria di* ~ there's trouble brewing (*o* coming). – **temporalẹsco** *a.* (*pl.* **-chi**) storm-, stormy, of a storm: *nuvole temporalesche* storm clouds.

temporalịsmo *m.* ⟨*Rel.catt*⟩ temporalism. – **temporalịsta I** *s.m.* temporalist. – **II** *a.* temporalistic. – **temporalità** *f.* **1.** temporality, temporalness. – **2.** (*l'essere mondano*) temporality, worldliness, mundanity; (*caducità*) transience. – **3.** *pl.* (*beni terreni della chiesa*) temporalities *pl.* – **temporalmẹnte** *avv.* ⟨*non com*⟩ **1.** temporally. – **2.** (*non spiritualmente*) temporally, materially; (*caducamente*) transiently.

temporaneamẹnte *avv.* temporarily. – **temporaneità** *f.* temporariness. – **temporạneo** *a.* **1.** (*provvisorio*) temporary, provisional: *un incarico* ~ a temporary post. – **2.** (*passeggero*) passing, transitory, fleeting: *nubi -e* passing clouds. – **3.** ⟨*ant*⟩ (*che viene a tempo debito*) timely.

temporariamẹnte *avv.* ⟨*ant*⟩ → **temporaneamente.** – **temporạrio** *a.* ⟨*ant*⟩ → **temporaneo.**

temporeggiamẹnto *m.* temporization, temporizing.

temporeggiạre *v.* (**temporẹggio, temporẹggi**) **I** *v.i.* (*aus.* **avere**) **1.** to mark time, to take one's (*o* a long) time, to delay, to procrastinate, to linger, to be slow: *continuava a* ~ *sperando di ottenere condizioni migliori* he kept procrastinating in the hope of getting better terms. – **2.** (*prendere tempo*) to gain time, to temporize. – **3.** ⟨*non com*⟩ (*destreggiarsi*) to manage, to contrive. – **II** *v.t.* ⟨*ant*⟩ (*tirare per le lunghe*) to draw out. – **temporeggiarsi** *v.r.* ⟨*ant*⟩ **1.** to delay, to procrastinate, to mark time. – **2.** (*destreggiarsi*) to manage, to contrive. – **temporeggiatọre I** *s.m.* (*f.* **-trice**) procrastinator, temporizer. – **II** *a.* ⟨*non com*⟩ procrastinating, temporizing. – **Temporeggiatore** *N.pr.m.* ⟨*Stor*⟩ (*Quinto Fabio Massimo*) Quintus Fabius Maximus, Cunctator.

tempọribus ịllis *lat.* (*tanto tempo fa*) long ago, in olden times.

temporizzạre *v.t.* ⟨*tecn*⟩ to time. – **temporizzatọre** *m.* ⟨*El*⟩ timer. – **temporizzaziọne** *f.* ⟨*tecn*⟩ timing.

tẹmpra *f.* **1.** ⟨*tecn*⟩ (*atto*) hardening, tempering; (*effetto*) temper, hardness. – **2.** ⟨*fig*⟩ (*costituzione fisica*) constitution: *un uomo di* ~ *eccezionale* a man with an exceptional constitution. – **3.** (*carattere, temperamento*) temperament, character, disposition. – **4.** ⟨*fig*⟩ (*rif. a voce: timbro*) timbre. – **5.** (*taglio dato alla penna d'oca*) sharpening; (*taglio affilato di una lama*) sharpness, edge. – **6.** ⟨*poet*⟩ (*armonia di parti*) harmony, temper. – **7.** ⟨*ant*⟩ (*modulazione della voce*) modulation. – **8.** ⟨*ant*⟩ (*umore*) temper, humour. – **9.** ⟨*ant*⟩ (*temperatura*) temperature; (*clima*) climate.
□ ⟨*Met*⟩ ~ *in* **acqua** water hardening (*o* quenching); ~ *in* **aria** air hardening; ~ **diretta** (o *di durezza*) = *tempra* **ordinaria**; ~ *alla* **fiamma** flame hardening; ~ *a* **immersione** quenching, quench hardening; ~ *a* **induzione** induction hardening; ~ *in* **olio** oil hardening (*o* temper); ~ **ordinaria** hardening; ~ *alla* **pressa** die quenching; ~ *di* **profondità** through hardening; ~ **scalare** marquenching; ~ **superficiale** surface hardening.

temprạre *v.t.* (**tẹmpro**) **1.** ⟨*tecn*⟩ to harden, to temper. – **2.** ⟨*fig*⟩ (*rendere forte*) to strengthen, to toughen, to temper: *il lavoro ha temprato il suo carattere* work has toughened his character. – **3.** ⟨*ant*⟩ (*calmare*) to calm. – **temprarsi** *v.r.* to be strengthened, to grow stronger (*o* tougher): *i caratteri si temprano nelle avversità* the character grows stronger in adversity. □ ⟨*Met*⟩ ~ *in acqua* to water-harden, to quench in water; ~ *in aria* to air-harden; ~ *alla fiamma* to flame-harden; ~ *in olio* to oil-harden, to oil-temper. – **temprạto** (*p.p. di temprare*) *a.* **1.** ⟨*Met*⟩ tempered, hardened. – **2.** ⟨*Vetr*⟩ tempered. – **3.** ⟨*fig*⟩ hardened, toughened, inured, tempered: *è* ~ *a tutte le sofferenze* he is inured to all suffering.

temps *fr.* [tɑ̃] *m.* (*nella danza*) temps.

tempụscolo *m.* ⟨*Fis*⟩ differential of time.

temulẹnto *a.* ⟨*lett,rar*⟩ (*ubriaco*) drunk. – **temulẹnza** *f.* ⟨*lett,rar*⟩ (*ubriachezza*) drunkenness.

ten. = **1.** ⟨*Mil*⟩ *tenente* lieutenant (*abbr.* Lieut., Lt.). – **2.** ⟨*Mus*⟩ *tenuto* tenuto (*abbr.* ten.).

Ten. = ⟨*Mil*⟩ *tenente* Lieutenant (*abbr.* Lieut., Lt.).

tenạce *a.* **1.** (*che non si deforma*) tough: *un filo d'acciaio molto* ~ a very tough steel wire. – **2.** (*adesivo*) sticky, adhesive, tenacious, viscous; (*viscoso*) viscous, thick, sticky, gluey: *colla* ~ thick glue. – **3.** ⟨*fig*⟩ (*saldo*) tenacious: *memoria* ~ tenacious (*o* retentive) memory. – **4.** (*costante nei propositi*) tenacious, persistent, resolute, persevering, firm: *essere* ~ *nelle proprie opinioni* to be firm in one's views. – **5.** ⟨*lett*⟩ (*parco*) frugal, sparing; (*avaro*) mean, miserly. – **tenacemẹnte** *avv.* tenaciously.

tenạcia *f.* (*costanza*) tenacity, constancy: *lavorare con* ~ to work with tenacity; (*ostinazione*) persistence, obstinacy.

tenacità *f.* **1.** → **tenacia.** – **2.** ⟨*tecn*⟩ tenacity, toughness. – **3.** ⟨*fig*⟩ (*avarizia*) avarice, miserliness. □ ~ *del terreno* cohesion of the soil.

tenạcolo *m.* ⟨*Chir*⟩ tenaculum.

tenạglia *f.* **1.** pincers *pl*, pliers *pl*; (*per afferrare*) tongs *pl*. – **2.** ⟨*fig*⟩ pincers *pl*. – **3.** ⟨*Dent*⟩ (dental) forceps. – **4.** *pl.* ⟨*Mar*⟩ kevel, bollard, cleat. – **5.** ⟨*Mil.ant*⟩ tenaille. – **6.** *pl.* ⟨*pop*⟩ (*chele*) pincers *pl*, claws *pl*, nippers *pl*, chelae *pl*.

□ **a** ~ pincerlike, pincer-: ⟨*Mil*⟩ *manovra a* ~ pincer (movement); ~ **articolata** toggle tongs *pl*; ~ *per* **casse** box tongs *pl*; ~ *da* **fucina** forge (*o* forging) tongs *pl*; ⟨*fig*⟩ **levare** *a qd. qc. con le -e* to force (*o* get) s.th. from s.o.; (*farlo parlare*) to force (*o* get) s.th. out of s.o.; ~ *per* **lingotti** ingot stripper; ~ *da* **maniscalco** blacksmith's tongs *pl*; *un* **paio** *di -e* a pair of pincers; ~ **perforatrice** (o *punzonatrice*) punching tongs *pl*, punch; ~ **piana** flat pliers *pl*; ⟨*Dir,Stor*⟩ **supplizio** *della* ~ torturing with red-hot pincers; ~ *per* **tubi** pipe tongs *pl* (*o* wrench); ⟨*fig*⟩ *ci son* **volute** *le -e per farlo rispondere* the answer had to be dragged out of him.

tenagliẹtta (*dim. di tenaglia*) *f.* **1.** pincers *pl*. – **2.** ⟨*Chir*⟩ pincette. – **tenagliọne** (*accr. di tenaglia*) *m.* ⟨*Met*⟩ lifter.

tenalgịa *f.* ⟨*Med*⟩ tenalgia.

tęnar *m.* ⟨*Anat*⟩ (*anche eminenza tenar*) thenar eminence, ball of the thumb. – **tęnare** *m.* → **tenar**.

tenạrio[1] *a.* ⟨*lett*⟩ (*infernale*) infernal, hellish.

tenạrio[2] *m.* ⟨*Min*⟩ (*anche marmo tenario*) kind of black marble.

tencạro *m.* ⟨*Pesc*⟩ net for tench fishing.

tencionạre *v.* (**tenciọno**) ⟨*ant*⟩ → **tenzonare**. – **tenciọne** *f.* ⟨*ant*⟩ → **tenzone**.

tęnda *f.* **1.** ⟨*Arred*⟩ (*cortina*) hanging, curtain: *una* ~ *separava le due stanze* a curtain separated the two rooms; *aprire la* ~ to draw the curtain. – **2.** (*abitazione smontabile*) tent: ~ *da campo* field tent. – **3.** ⟨*Mar*⟩ (*per proteggere dal sole*) awning.

□ ~ *del* **circo** circus tent; **dormire** *sotto la* ~ to sleep under canvas; **levare** *le -e* to strike (*o* move) camp, to fold one's tent; ⟨*fig*⟩ (*andarsene*) to pack up and go, to move on (*o* away); ⟨*Med*⟩ ~ *a* **ossigeno** oxygen-tent; **piantare** *le -e* to pitch one's tent; ⟨*fig*⟩ (*stabilirsi in un luogo*) to pitch one's tent, to settle down, to take up residence; ⟨*fig*⟩ **ritirarsi** *sotto la* ~ (*come Achille*) to withdraw offended, to retire in a huff; ~ *da* **spiaggia** bathing-tent; ⟨*non com*⟩ ~ *del* **teatro** (*sipario*) curtain; ~ *alla* **veneziana** Venetian blind.

tendạggio *m.* **1.** curtaining, curtains *pl*, ⟨*am*⟩ drapery, ⟨*am*⟩ drapes *pl*. – **2.** ⟨*non com*⟩ (*tenda*) curtain.

tendạle *m.* **1.** ⟨*non com*⟩ (*grande tenda*) (large) tent, marquee. – **2.** ⟨*Mar.ant*⟩ (stern) awning. – **tendalẹtto** (*dim. di tendale*) *m.* **1.** ⟨*non com*⟩ tent, awning. – **2.** ⟨*Mar*⟩ awning.

tendạme *m.* (generally in pl.) curtaining, drapery.

tendẹnte (*p.pr. di tendere*) *a.* **1.** (*rif. a colori*) bordering, verging (on), tending (*a* to, towards), on the ... side: *un colore* ~ *al grigio* a colour tending towards grey, a greyish colour, a colour on the grey side. – **2.** (*incline*) given, inclined, prone: ~ *all'ira* inclined to anger. – **3.** (*che mira*) intended, aiming, aimed: *una manovra* ~ *ad accerchiare il nemico* a manoeuvre aimed at surrounding the enemy; *parole -i a ingannare* words intended to deceive. □ *azzurro* ~ *al grigio* grey(ish)-blue.

tendẹnza *f.* **1.** (*attitudine*) aptitude, bent, leaning, propensity, liking, disposition: *avere* ~ *allo studio* to have an aptitude for study; *seguire la propria* ~ to follow one's bent; (*inclinazione naturale*) inclination, tendency, leaning: *avere una* ~ *alla malinconia* to ⌜have an inclination towards⌝ (*o* incline to) melancholy. – **2.** (*rif. a cose*) tendency, trend, move, drift: *la* ~ *della moda è verso le gonne corte* the tendency is for skirts to go up, short skirts are now ⌜the trend⌝ (*o* in fashion). – **3.** (*orientamento*) tendency, trend: *le -e della letteratura* literary trends; (*corrente*) current of opinion (*o* thought); (*gruppo, insieme di persone*) group, faction: *la* ~ *di sinistra* the Left-wing faction, the Leftists. – **4.** ⟨*Econ,Statist*⟩ trend, tendency: *-e inflazionistiche* inflationary trends.

□ ⟨*Dir*⟩ ~ **a** *delinquere* tendency to crime; **avere** ~ *a qc.* to incline towards s.th.; (*averci attitudine*) to have a bent for s.th.; *avere* ~ *all'ozio* to tend (*o* be inclined) to be lazy; *il tempo ha* ~ *a migliorare* the weather is ⌜tending to improve⌝ (*o* picking up); **con** ~ *a* with a tendency to (*o* towards), tending to: *tempo nuvoloso, con* ~ *a precipitazioni locali* cloudy weather with a tendency towards local showers; ⟨*Pol*⟩ ~ **espansionistica** expansionist trend; ⟨*Econ*⟩ ~ **lineare** steady trend; ~ *di* **mercato** market trend; ~ *dei* **prezzi** price trend; ~ *al* **rialzo** upward tendency, bullish trend; ~ *al* **ribasso** downward trend, bearish tendency.

tendenziạle *a.* tendential, potential. – **tendenzialmẹnte** *avv.* tendentially, potentially. □ *un ragazzo* ~ *cattivo* a boy with bad tendencies.

tendenziosamẹnte *avv.* tendentiously. – **tendenziosità** *f.* **1.** tendentiousness. – **2.** (*parzialità*) tendentiousness, bias. – **tendenziọso** *a.* **1.** tendentious. – **2.** (*parziale*) tendentious, biased: *notizia -a* tendentious news.

tęndere *v.* (**tęsi, tęso**) **I** *v.t.* **1.** (*mettere in tensione*) to stretch, to tighten, to pull, to make taut: ~ *un elastico* to stretch a rubber band; ~ *uno spago tra un chiodo e l'altro* to stretch a string between two nails; ~ *una corda del violino* to tighten a violin string. – **2.** (*distendere, spiegare*) to hang out (*o* up), to spread out: ~ *la biancheria ad asciugare* to hang the washing out to dry. – **3.** (*allungare, porgere*) to hold (*o* put) out. – **4.** ⟨*estens*⟩ (*preparare, predisporre*) to set, to lay, to prepare: ~ *un'insidia a qd.* to set a trap for s.o. – **II** *v.i.* (*aus.* **avere**) **1.** (*aspirare, mirare*) to aim (*a* at), to have designs (on), to aspire (to), to have as a goal, ⟨*fam*⟩ to be after (s.th.): ~ *alla cattedra universitaria* to aim at a professorship; *tutti tendono alla felicità* everybody's goal is happiness. – **2.** (*essere naturalmente incline*) to be inclined (*o* given, prone) (*a* to), to tend, to incline (towards, to): *il ragazzo tende alla malinconia* the boy inclines to melancholy; (*essere favorevole, propendere*) to have tendencies, to be inclined (*a* to), to tend (toward), to lean: *questo scrittore tende al socialismo* this writer has socialist tendencies. – **3.** (*modificarsi verso una determinata condizione*) to get, to become, to tend: *il tempo tende al brutto* the weather is getting worse; *la situazione economica tende a migliorare* the economic situation is ⌜becoming better⌝ (*o* looking up); *questa stoffa tende a scolorire* this material tends to fade. – **4.** (*rif. a colori, sapori, odori*: *avvicinarsi a una determinata gradazione*) to be on the ... side, to be somewhat (*o* rather) ..., to tend (to be): *questa pietanza tende al dolce* this dish is on the sweet side; *questa tinta ha delle sfumature che tendono al rosso* this colour has shades that are on the reddish side. – **5.** (*volgersi in una direzione*) to turn, to bear: *il cammino tende verso il nord* the road turns towards the north. – **tendersi** *v.r.* (*contrarsi*) to contract: *i muscoli si tendono* muscles contract.

□ ~ *le* **ali** to spread one's wings; ~ *l'***arco** to draw a bow; ~ *il* **collo** to crane (*o* stretch) one's neck; ⟨*Pol*⟩ ~ *a* **destra** to lean to the Right, to have Right-wing tendencies; ~ *la* **mano**: 1. (*per salutare*) to offer one's hand; 2. (*per chiedere l'elemosina*) to hold one's hand out; 3. ⟨*fig*⟩ (*aiutare*) to give a hand: *mi ha teso la mano in un momento difficile* he gave me a hand when I needed it; ⟨*fig*⟩ ~ *l'***orecchio** (*prestare attenzione*) to lend an ear; ~ *le* **reti** to cast the nets; ~ *a uno* **scopo** to have a (*o* as one's) goal; ~ *lo* **sguardo** *verso qd.* to look closely at s.o.; ~ *le* **vele** to unfurl the sails.

tendi|catẹna *m.inv.* ⟨*tecn*⟩ chain stretcher (*o* tightener, adjuster). – **~cịnghia** *m.inv.* **1.** belt stretcher. – **2.** (*rullo tendicinghia*) tension roller. – **~cọllo** *m.inv.* collar-stiffener, stay. – **~fịlo** *m.inv.* tension disks *pl*, thread-tensioner.

tendịna (*dim. di tenda*) *f.* **1.** ⟨*Arred*⟩ (*tenda leggera per finestre*) (glass) curtain, ⟨*am*⟩ drape; (*cortina*) hanging, curtain. – **2.** ⟨*Fot*⟩ focal -plane shutter. □ ⟨*Mot*⟩ ~ *del radiatore* frost shield, winter cover; ~ *alla veneziana* Venetian blind.

tęndine *m.* ⟨*Anat*⟩ tendon. – **tendịneo** *a.* tendinous, tendon-, tendonous. – **tendinịte** *f.* ⟨*Med*⟩ tendinitis. – **tendinọso** *a.* ⟨*non com*⟩ **1.** tendinous, tendonous; (*pieno di tendini*) tendinous, tendonous, sinewy. – **2.** (*simile a tendine*) tendinous, tendon-like.

tenditọio *m.* ⟨*non com*⟩ **1.** (*strumento*) clothes drier (*o* rack). – **2.** (*luogo*) drying-room.

tenditọre **I** *s.m.* (*f.* **-trice**) **1.** ⟨*non com*⟩ stretcher, layer; (*chi tira*) stretcher, tightener, strainer. – **2.** (*arnese*) turnbuckle. – **II** *a.* tightening: *fune tenditrice* tightening rope; ~ *a vite* tightening screw.

tendomucịna *f.*, **tendomucọide** *m.* ⟨*Med*⟩ tendomucin, tendomucoid.

tendọne (*accr. di tenda*) *m.* **1.** (*di negozi e sim.*) awning; (*di circo e sim.*) tent. – **2.** ⟨*Arred*⟩ (large) curtain. – **3.** ⟨*non com*⟩ (*sipario*) curtain. – **4.** ⟨*fig,tosc*⟩ (*ammasso di nuvole*) bank of clouds (on the horizon).

tendọpoli *f.* tent city.

tendosinovịte, tendovaginịte *f.* ⟨*Med*⟩ tendosynovitis, tendovaginitis.

tęnebra (*poet. tenębra*) *f.* (generally in pl.) **1.** (*oscurità*) dark(ness), black, obscurity: *la casa era avvolta nelle -e* the house was immersed in darkness. – **2.** ⟨*fig*⟩ darkness, ignorance: *le -e del Medioevo* the darkness of the Middle Ages. – **3.** ⟨*poet*⟩ (*mondo dei morti*) kingdom of the dead. □ *angelo* (o *re*) *delle -e* (*demonio*) Prince of Darkness; *fitte -e* pitch black *sing* (*o* darkness), thick gloom *sing*, deep shadows.

tenebrạre *v.t.* (**tęnebro**) ⟨*lett*⟩ **1.** (*oscurare*) to darken, to dim, to obscure. – **2.** ⟨*fig*⟩ to darken, to obscure, to cloud, to overshadow. – **tenebrarsi** *v.r.* to darken, to dim, to grow dark (*o* dim).

tenebrịa *f.* ⟨*ant*⟩ (*tenebre profonde*) darkness, black(ness), gloom. – **tenebricọso** *a.* ⟨*ant*⟩ → **tenebroso**.

tenebriọne *m.* ⟨*Entom*⟩ tenebrionid (*Tenebrio*). □ ~ *mugnaio* (yellow) mealworm (*Tenebrio molitor*). – **tenebriọnidi** *m.pl.* tenebrionids *pl*, darkling (ground) beetles *pl* (*Tenebrionidae*).

tenebrọre *m.* ⟨*lett*⟩ (*tenebra*) dark(ness), black(ness), gloom, shadow.

tenebrosamẹnte *avv.* darkly, obscurely. – **tenebrosità** *f.* ⟨*non com*⟩ **1.** darkness, dimness, obscurity, gloom. – **2.** ⟨*fig*⟩ (*misteriosità*) darkness, mystery, obscurity, mysteriousness. – **tenebrọso** *a.* **1.** dark, dim, gloomy, shadowy, murky. – **2.** ⟨*fig*⟩ (*misterioso*) dark, obscure, mysterious, secret. – **3.** ⟨*lett,rar*⟩ (*di vista corta*) short -sighted.

tenẹnte *m.* ⟨*Mil*⟩ lieutenant. □ ~ *colonnello* lieutenant-colonel; ~ *generale* lieutenant-general; ~ *medico* medical officer; ⟨*Mar*⟩ ~ *di vascello* lieutenant (senior grade). – **tenentịno** *m. dim. di* **tenente**. – **tenẹnza** *f.* ⟨*Mil*⟩ **1.** (*comando*) lieutenancy. – **2.** (*territorio*) district under a lieutenant.

teneramẹnte *avv.* **1.** (*affettuosamente*) tenderly, affectionately, fondly, dearly. – **2.** ⟨*Mus*⟩ teneramente, tenderly, con tenerezza.

tenẹre *v.* (*pr.ind.* **tęngo**/*ant.* **tęgno, tiẹni, tiẹne, teniạmo**/*ant.* **tegnạmo, tenẹte, tęngono**/*ant.* **tęgnono**; *fut.* **terrò**; *p.rem.* **tẹnni**/*ant.* **tenẹi/tenẹtti**; *pr.cong.* **tęnga**/*ant.* **tęgna, teniạmo**/*ant.* **tegnạmo, teniạte**/*ant.* **tegnạte, tęngano**/*ant.* **tęgnano**; *p.p.* **tenụto**) **I** *v.t.* **1.** to hold: ~ *in mano un libro* to hold a book (in one's hand); *tieni il coltello con la destra* hold your knife with your right hand; ~ *la padella* *per il manico* to hold the frying-pan by the handle; (*prendere*) to take: *tieni!* take this!, here! – **2.** (*reggere*) to hold: *tienimi la scala mentre salgo* hold the ladder while I climb up; *non ce la faccio più a ~ questo peso sulle spalle* I can't hold this weight on my shoulders any longer; (*sostenere*) to hold up, to support: *le colonne tengono la cupola* the columns hold up the dome. – **3.** (*mantenere o conservare in una determinata posizione o condizione*) to keep, to have: *~ gli occhi bassi* to keep one's eyes lowered; *~ le mani in tasca* to keep one's hands in one's pockets; *tiene i figli in collegio* he keeps his children in boarding-school; *dove tieni i libri?* where do you keep your books? – **4.** ⟨*region*⟩ (*avere*) to have: *tiene moglie* he has a wife, he is married; *~ molti soldi* to have a lot of money. – **5.** (*portare*) to wear, to keep: *~ la camicia sbottonata* to wear one's shirt open; *teneva i capelli corti* he wore (*o* kept) his hair short. – **6.** (*lasciare*) to keep, to leave: *~ la porta aperta* to leave the door open. – **7.** (*trattenere, conservare*) to keep: *tieni pure questo libro, te lo regalo* keep this book, it's a gift; *tenga pure il resto* keep the change. – **8.** (*tenere presso di sé*) to keep, to have: *~ una cameriera* to have a maid. – **9.** (*serbare, mantenere*) to keep: *~ fede alla parola data* to keep one's word; *~ la promessa* to keep one's promise; (*custodire*) to keep: *~ un segreto* to keep a secret. – **10.** (*trattenere*) to keep, to hold back: *un'influenza lo tiene a letto* influenza is keeping him in bed; *il ferito è stato tenuto in osservazione per tre giorni* the injured man was kept under observation for three days. – **11.** (*frenare, domare*) to hold (*o* keep) back, to check: *~ il riso* to hold back one's laughter. – **12.** (*occupare spazio*) to take up: *l'autocarro teneva tutta la strada* the truck took up the whole road; (*occupare per serbare*) to keep, to save, to hold: *se arrivate prima, tenetemi il posto* if you get there first, save a place for me. – **13.** (*detenere*) to hold, to have: *~ il comando* to (hold) command. – **14.** (*fare*) to hold, to give: *~ una conferenza* to give a lecture. – **15.** (*contenere*) to hold, to contain, to take: *il serbatoio tiene venticinque litri* the tank holds twenty-five litres; *il teatro tiene duemila persone* the theatre holds (*o* seats) two thousand. – **16.** (*non lasciar passare*: *rif. a liquidi e gas*) to hold back, to keep in (*o* out): *uno strato di cemento che tiene l'acqua* a layer of cement which keeps out the water. – **17.** (*seguire una direzione*) to keep to, to follow (*anche fig.*): *~ la destra* to ⌈keep to⌉ (*o* drive on) the right; *per andare alla stazione tenga sempre la stessa strada* to get to the station just keep to the same street; *~ sempre la stessa linea di condotta* to always follow the same course of behaviour. – **18.** (*ritenere, considerare*) to think, to consider, to hold: *non lo tengono in alcun conto* they think very little of him; *ti ho sempre tenuto per un buon amico* I always thought you a good friend. – **19.** (*trattare*) to treat: *lo tengono come un principe* they treat him like a prince; (*prendersi cura di*) to look after, to take care of. – **20.** ⟨*Mil*⟩ to hold, to keep, to control: *il nemico teneva la città* the enemy held the city. – **21.** ⟨*lett*⟩ (*abitare*) to live in, to inhabit. – **22.** ⟨*lett*⟩ (*aver raggiunto*) to have reached, to be at. – **23.** ⟨*lett*⟩ (*dominare*) to dominate, to be master of. – **24.** ⟨*lett*⟩ (*rif. a luogo*: *accogliere in sé*) to take, to welcome. – **25.** ⟨*poet*⟩ (*ottenere*) to obtain. – **II** *v.i.* (*aus.* **avere**) **1.** (*reggere allo sforzo*: *rif. a persone*) to hold out, to last: *questi soldati non potranno ~ a lungo* these soldiers can't hold out for long; (*rif. a cose*) to hold: *il catenaccio non tiene più* the chain doesn't hold any more. – **2.** (*rif. a recipienti*) to be sound (*o* leak-proof): *la botte non tiene* the barrel isn't sound. – **3.** (*reggere, resistere*: *rif. a colla, a calce e sim.*) to hold, to stick: *la colla non tiene* the glue doesn't stick; (*rif. a colori*) to be fast (*o* resistant): *una tinta che tiene* a dye which is resistant. – **4.** (*essere valido*) to hold up, to be valid: *sono ragioni che non tengono* these are arguments which don't hold up; *non c'è scusa che tenga* no excuse is valid. – **5.** (*procedere in una determinata direzione*) to keep (*anche fig.*): *~ a sinistra* to keep (to the) left. – **6.** (*parteggiare*) to back (up), to support, to be: *~ per* (o *da*) *qd.* to be on s.o.'s side, to back s.o. up, to support s.o. – **7.** (*dare importanza*) to care (*a* about), to attach importance (to), to set great store (by): *tiene molto al vestiario* she cares a lot about clothes. – **8.** ⟨*Mar*⟩ to hold, to grip: *l'ancora tiene* the anchor holds. – **9.** ⟨*non com*⟩ (*attecchire*) to take root, to thrive, to flourish. – **10.** ⟨*ant*⟩ (*conservare il denaro*) to be miserly. – **11.** ⟨*ant*⟩ (*prendersi cura*) to take care (*di* of), to look after (s.th.). – **tenersi** *v.r.* **1.** (*reggersi*) to hold, to hang (*a* on to), to support o.s. (by): *tenersi agli appositi sostegni* to hold on to the straps. – **2.** (*rimanere in una determinata posizione*) to stay, to keep: *tenersi in sella* to stay in the saddle; *tenersi in ginocchio* to stay on one's knees, to kneel; (*mantenersi*) to keep, to be, to hold o.s.: *tenersi pronto* to be ready. – **3.** (*seguire una determinata posizione*) to keep, to stay: *tenersi lontano dalla costa* to keep away from the coast; (*guidando un veicolo*) to drive. – **4.** (*attenersi*) to follow (*a qc.* s.th.), to keep, to stick (to), to abide (by): *tenersi alle prescrizioni del medico* to follow the doctor's orders; *tenersi ai fatti* to keep (*o* stick) to the facts. – **5.** (*trattenersi*) to check o.s., to hold o.s. back, to keep o.s.: *non poteva tenersi dal ridere* he couldn't keep himself from laughing. – **6.** (*ritenersi, considerarsi*) to consider (*o* think) o.s.: *si tiene onorato della tua amicizia* he considers himself honoured by your friendship. – **7.** ⟨*rar*⟩ (*essere orgoglioso*) to be proud. – **8.** ⟨*rar*⟩ (*dimorare*) to live. – **9.** ⟨*ant*⟩ (*reggersi in piedi*) to stand, to keep on one's feet.

□ ~ **a** [*inf*] (*volere*) to want: *tengo a dichiarare che non sono d'accordo* I want to state that I don't agree; *tenerci a qc.* to care (a lot) about s.th., to set great store by s.th., to attach great importance to s.th.: *ci tengo a riuscire* I attach great importance to success, success means a lot to me; *ci tiene molto che il figlio superi gli esami* he sets great store by his son's passing the exams; ~ **allegro** to enliven, to keep happy; *tenersi* **amico** *qd.* to keep on friendly terms with s.o., ⟨*fam*⟩ to keep in s.o.'s good books; ⟨*fig*⟩ ~ *l'***anima** *coi denti* to be on one's last legs; ~ *in* **ansia** to make anxious (*o* worried); ⟨*fig*⟩ ~ **banco** to be the centre of attention; ~ **bordone** *a qd.* = *tenere* **mano** *a qd.*; ~ **bottega** to keep shop; *il cappotto mi tiene* **caldo** the coat keeps me warm; ⟨*fig*⟩ ~ *il* **campo** (*essere superiore*) to be outstanding (*o* superior); ~ *una* **carica** to hold office; ⟨*ant*⟩ ~ **con** *qd.* (*parteggiare*) to be for s.o., to be on s.o.'s side; ~ **consiglio** to seek advice; *tener* **conto** *di qc.* to take s.th. into consideration; ~ *in gran conto qd.* to think highly of s.o., to have a high opinion of s.o.; ~ *i conti* to keep the accounts; ~ **da** *qd.* (*assomigliargli*) to look like s.o., to take after s.o.; ⟨*ant*⟩ *tenersi* **di** *qc.* (*vantarsene*) to be proud of s.th.; ~ *a* **dieta** to keep to a diet; *tener* **dietro** *a qd.*: 1. (*seguirlo*) to follow s.o.; 2. ⟨*fig*⟩ to follow s.o.'s progress, to keep up with s.o.; 3. (*seguire il suo ragionamento*) to follow s.o.; 4. (*sorvegliarlo*) to keep an eye on s.o.; *non riesco a tener dietro a tutto il lavoro* I can't keep up with all the work; ⟨*lett*⟩ ~ *in* **dispregio** *qd.* to think poorly of s.o., to have a low opinion of s.o.; ~ *a* **distanza** to keep at a distance, to keep off; ⟨*fig*⟩ ~ **duro** (*resistere*) to hold (*o* stand) out; (*perseverare*) to keep going, to stand fast; ~ *in* **equilibrio** to balance; ~ **fermo** to keep still; ~ *per fermo* (*per cosa certa*) to take as certain; ~ *il* **fiato** to hold one's breath; ⟨*fig*⟩ ~ *a* **freno** *la lingua* to hold one's tongue; ~ *al* **fresco** to keep in a cool place; ⟨*fig*⟩ (*tenere in prigione*) to keep in jail, ⟨*fam*⟩ to keep ⌈on ice⌉ (*o* in the cooler); *tenersi in* **guardia** to keep on one's guard; ~ *al* **guinzaglio** to keep on a leash; ~ **indosso** to wear, to have on; ~ **informato** *qd.* to keep s.o. informed (*o* up-to-date); ~ *i* **libri** to keep the books; ~ **lontano** *qd.* to keep s.o. at a distance, to hold s.o. off; ~ *le* **mani** *a posto* to keep one's hands to o.s.; ⟨*fig*⟩ ~ *mano a qd.* (*essergli complice*) to be hand in glove with s.o.; ⟨*Strad*⟩ ~ *la mano* to keep to the right side of the road; ⟨*Mar*⟩ ~ *il* **mare** to be seaworthy; ~ *a* **mente** *qc.* to keep s.th. in mind; ⟨*Mus*⟩ ~ *una* **nota** to hold a note; ~ *d'occhio qd.* to keep an eye on s.o.; ~ **occupato** *qd.* to keep s.o. busy; ⟨*ant*⟩ ~ *qd. in* **parole** (*trattenerlo con discorsi*) to engage s.o. in conversation; ~ *la* (o *dalla*) **parte** *di qd.* to be on s.o.'s side, to back s.o. up; ⟨*fig*⟩ ~ *la testa a* **partito** to have a good head on one's shoulders; ~ *qd. a* **pensione** to have a boarder; ~ *qc.* **per sé** to keep s.th. for o.s.; *tenersi in* **piedi** to keep on one's feet; ⟨*ant*⟩ ~ *la* **porta** (*tenerla chiusa*) to keep the door closed; ~ *a* **pranzo** *qd.* to invite s.o. to stay for dinner; ~ **presente** *qc.* to keep (*o* bear) s.th. in mind; ~ **prigioniero** *qd.* to hold s.o. prisoner; ⟨*fig*⟩ ~ *qd. in* **pugno** to have s.o. in the palm of one's hand; ~ *una* **regola** (*osservarla*) to keep (*o* follow, observe) a rule; ⟨*Sport*⟩ ~ *il* **ritmo** (*resistere*) to keep up the pace; ⟨*Mar*⟩ ~ *la* **rotta** to sail (*o* stay) on course; ~ *il* **sacco** *a qd.* = *tenere* **mano** *a qd.*; ~ *un* **segreto** to keep a secret; ~ *in* **serbo** to save up, to set aside (*o* by); ~ *in* **sospeso** *qc.* to keep s.th. pending (*o* in abeyance); ⟨*Aut*⟩ ~ *bene la* **strada** to hold the road well; ~ **stretto** to hold tightly, to clasp; *tenersi sulle* **sue** (*essere riservato*) to be reserved, to keep to oneself; ⟨*fig*⟩ ~ **testa** *a qd.* to stand up to s.o.; ⟨*Mar*⟩ *tenersi al* **vento** to head up (*o* into the wind), to keep the luff, to sail ⌈to windward⌉ (*o* aweather); ⟨*fig,non com*⟩ (*agire con opportunismo*) to swim with the tide. – *Prov.*: *tanto ne va a chi tiene, quanto a chi scortica* the receiver is as bad as the thief.

tenerẹllo (*dim. di tenero*) **I** *a.* tender, young, early, green. – **II** *s.m.* **1.** (*f.* -a) tender young thing. – **2.** *pl.* ⟨*Dolc*⟩ kind of chocolate sweet.

tenerẹzza *f.* **1.** tenderness, softness. – **2.** ⟨*fig*⟩ (*affettuosità*) tenderness, fondness, affection; (*affettuosa commozione*) tenderness, affection, warmth: *ricordare qd. con ~* to remember s.o. ⌈with tenderness⌉ (*o* tenderly). – **3.** ⟨*fig*⟩ (*parole affettuose*) loving words *pl*; (*atti affettuosi*) acts *pl* of tenderness, loving behaviour. – **4.** ⟨*Pitt*⟩ (*morbidezza*) softness.

Tenerịffa *N.pr.f.* ⟨*Geog*⟩ Tenerif(f)e.

tenerịno (*dim. di tenero*) *a.* rather tender. □ *ciliegio ~* heart cherry, gean.

tẹnero I *a.* **1.** (*cedevole al tatto*) soft, fragile, malleable: *creta -a* soft clay; (*facilmente lavorabile*) soft, that can be worked: *pietra -a* soft rock. – **2.** (*molle*) tender, soft: *carne -a* tender meat. – **3.** ⟨*estens*⟩ (*fresco, giovane*) tender, young, green, fresh: *erba -a* tender grass. – **4.** ⟨*estens*⟩ (*che ha pochissimi anni*) tender, young: *un ~ bambino* a tender child. – **5.** (*rif. a colori*: *pallido*) soft, subdued, tender, pale: *verde ~* soft green. – **6.** ⟨*fig*⟩ (*facile alla commozione*) soft, tender: *cuore ~* soft heart. – **7.** ⟨*fig*⟩ (*affettuoso*) fond, loving, tender, affectionate: *un ~ padre* a loving father; *-i sguardi* fond looks; (*indulgente*) soft, indulgent. – **8.** ⟨*rar*⟩ (*debole*) weak, soft. – **9.** ⟨*ant*⟩ (*premuroso*) careful, solicitous. – **II** *s.m.inv.* **1.** (*parte tenera*) tender (*o* soft) part. – **2.** ⟨*fig*⟩ (*affetto*) affection, tenderness; (*amore*) love. □ *essere di cuore ~* to be tender-hearted, to be soft-hearted; *fin dalla più -a età* from the most tender years; ⟨*rar*⟩ *punto sul ~* cut to the quick.

tenerụme *m.* **1.** (*insieme di cose tenere*) tender things *pl.* – **2.** (*cosa tenera*) tender thing. – **3.** (*parte tenera*) tender (*o* soft) part. – **4.** ⟨*fig*⟩ (*smancerie*) affectation, mawkish sentimentality. – **5.** ⟨*Macell*⟩ gristle.

tenẹsmo *m.* ⟨*Med*⟩ tenesmus. □ *~ rettale* rectal tenesmus; *~ vescicale* vesical tenesmus.

tẹnia[1] *f.* **1.** ⟨*Stor*⟩ t(a)enia, fillet. – **2.** ⟨*Arch*⟩ t(a)enia, band.

tẹnia[2] *f.* ⟨*Zool*⟩ tapeworm, t(a)enia (*Taenia*). – **tenịạsi** *f.* ⟨*Med*⟩ teniasis. – **tenịạti** *m.pl.* ⟨*Zool*⟩ cestoideans *pl* (*Taeniata*).
tenịbile *a.* ⟨*non com*⟩ **1.** tenable, holdable. – **2.** ⟨*fig*⟩ tenable, defensible.
tenierạto *a.* ⟨*Mil.ant*⟩ having a stock. – **teniẹre** *m.* (*della balestra*) stock (of a crossbow); (*dello schioppo*) stock (of a gun).
tenịfugo *a./s.* (*pl.* **-ghi**) **I** *a.* ⟨*Farm*⟩ taenifuge, teni(a)fuge. – **II** *s.m.* taenifuge, teni(a)fuge.
tenimẹnto *m.* ⟨*ant*⟩ **1.** (*il tenere*) holding, keeping. – **2.** (*sostegno*) support. – **3.** (*tenuta*) holding, estate.
teniọsi *f.* ⟨*rar*⟩ → **teniasi.**
tenitọre I *s.m.* (*f.* **-trice**) holder; (*gestore*) keeper, manager. – **II** *a.* ⟨*Mar*⟩ that holds well. □ ⟨*Mar*⟩ *fondo buon* ~ good anchorage (*o* holding ground).
tenitọr(i)o *m.* ⟨*ant*⟩ (*zona di dominio*) territory.
tenitụra *f.* ⟨*rar*⟩ holding.
tẹnnica *f.* ⟨*pop*⟩ **1.** (*tecnica*) technique. – **2.** (*tecnologia*) technology, technics *pl* (*costr.sing. o pl.*). – **tẹnnico** *a./s.* (*pl.* **-ci**) ⟨*pop*⟩ **I** *a.* (*tecnico*) tecnical. – **II** *s.m.* technician.
tẹnnis *m.* ⟨*Sport*⟩ **1.** (*gioco*) (lawn-)tennis: *giocare al* ~ to play tennis. – **2.** (*luogo*) tennis-court, tennis-courts *pl*: *albergo con* ~ hotel with tennis-courts. □ *da* ~ tennis-: *scarpe da* ~ tennis shoes; *racchetta da* ~ tennis racquet; *partita di* ~ game of tennis; ~ *su prato* lawn -tennis; ~ *da tavolo* table-tennis, ping-pong.
tennịsta *m./f.* tennis-player. – **tennịstico** *a.* (*pl.* **-ci**) **1.** tennis-. – **2.** (*dei tennisti*) tennis-: *costume* ~ tennis clothes.
tẹnno *m.* (*titolo dell'imperatore del Giappone*) Tenno.
tenodẹsi *f.* ⟨*Chir*⟩ tenodesis.
tenonatrịce *f.* ⟨*Fal*⟩ tenoner, tenoning-machine. – **tenọne** *m.* tenon. □ ~ *a cuneo* wedged tenon; ~ *obliquo* tapered tenon; *unire a* ~ to tenon.
tenoplastịa, tenoplạstica *f.* ⟨*Chir*⟩ teno(nto)plasty.
tenọre I *s.m.* **1.** way, tenor: *di questo* ~ in this way, at this rate. – **2.** (*tono*) tenor, substance, drift: *il* ~ *di una lettera* the tenor of a letter. – **3.** ⟨*tecn*⟩ (*percentuale contenuta*) content, percentage: *bevanda di basso* ~ *alcolico* drink with a low alcoholic content. – **4.** ⟨*Mus*⟩ (*registro della voce maschile*) tenor; (*cantante*) tenor; (*registro dell'organo*) principal. – **5.** ⟨*Mus,Mediev*⟩ (*canto tenuto*) canto fermo; (*parte alla quale era affidato il canto tenuto*) tenor, tenor part. – **6.** ⟨*Min*⟩ tenor. – **II** *a.* ⟨*Mus*⟩ tenor.
□ ⟨*burocr*⟩ **a** ~ *di* (*secondo*) in accordance with; *a* ~ *di legge* according to the law; ~ **drammatico** (o *di forza*) dramatic tenor; ~ ⌜*di* **grazia**⌝ (o *leggero*) lyric tenor; ⟨*Min*⟩ ~ **medio** tenor, average metallic content; *in* **questo** ~ as follows, in this way, like this: *mi rispose in questo* ~ he answered as follows, this was his answer; *dello* **stesso** ~ of the same kind; ~ *di* **vita**: 1. way of life; 2. (*condotta*) behaviour; 3. (*livello*) standard of living: *avere un alto* ~ *di vita* to have a high standard of living.
tenoreggịạre *v.i.* (**tenorẹggio, tenorẹggi**; *aus.* **avere**) **1.** (*cantare con voce di tenore*) to sing tenor. – **2.** (*cantare in modo simile a un tenore*) to sing like a tenor. – **tenorịle** *a.* tenor: *voce* ~ tenor voice. – **tenorịno** (*dim. di tenore*) *m.* light tenor.
tenorrafịa *f.* ⟨*Chir*⟩ tenorraphy. – **tenosinovịte** *f.* → **tendosinovite.** – **tenotomịa** *f.* tenotomy. – **tenọtomo** *m.* tenotome. – **tenovaginịte** *f.* → **tendosinovite.**
tẹnrec *m.* ⟨*Zool*⟩ tenrec, tanrec (*Tenrec ecaudatus*; *Centetes ecaudatus*).
tẹnsa *f.* ⟨*Stor.rom*⟩ tensa, ritual processional carriage.
tensioattività *f.* ⟨*Fis,Chim*⟩ surface activity. – **tensioattịvo I** *a.* surface-active. – **II** *s.m.* surfactant, surface-active agent.
tensiọgrafo *m.* ⟨*Fis*⟩ strain gauge. – **tensiọmetro** *m.* **1.** ⟨*Fis*⟩ tensiometer. – **2.** ⟨*tecn*⟩ strain gauge. □ ~ *magnetico* magnetic potentiometer.
tensiọne *f.* **1.** (*atto*) tension: *sottoporre una corda a* ~ to subject a rope to tension; (*effetto*) tension, tautness. – **2.** ⟨*fig*⟩ (*stato d'eccitazione*) tension, stress, strain: *la discussione ha provocato uno stato di* ~ the argument caused an atmosphere of tension. – **3.** ⟨*fig*⟩ (*stato di conflitto*) tension: ~ *internazionale* international tension. – **4.** ⟨*Chim,Fis*⟩ tension; (*dovuta a trazione*) stretch; (*sollecitazione*) stress, strain; (*pressione*) pressure. – **5.** ⟨*Fisiol*⟩ tension: ~ *arteriosa* arterial tension; (*pressione*) pressure: ~ *sanguigna* blood pressure. – **6.** ⟨*El*⟩ (*anche tensione elettrica*) voltage, tension.
□ ⟨*El*⟩ **alta** ~ high voltage; *ad alta* ~ high-tension-; ~ **alternata** alternating voltage; **altissima** ~ extra-high voltage; ⟨*fig*⟩ ~ *dell'***animo** tension, anxiety, strain; ⟨*El*⟩ ~ **anodica** anode (*o* plate) voltage; ⟨*El*⟩ **bassa** ~ low voltage; *a bassa* ~ low-tension-; **caduta** *di* ~ voltage drop; ~ *di* **carica** charging voltage; ~ **continua** direct current voltage; ~ **diretta** forward voltage; ~ **disruptiva** disruptive voltage; ⟨*Teat,Lett*⟩ ~ **drammatica** dramatic tension; ⟨*El*⟩ ~ *d'***eccitazione** excitation (*o* exciting) voltage; ⟨*El*⟩ **elevare** *la* ~ to boost; ~ *d'***esercizio** rated (*o* working) voltage; ~ *del* **filamento** filament (*o* heating) voltage; ~ **finale** terminal voltage; ~ *di* **griglia** grid voltage; ⟨*Psic*⟩ ~ **individuale** tension; ⟨*Met*⟩ ~ **interna** internal stress; ⟨*El*⟩ ~ **inversa** inverse voltage; ~ *di* **lavoro** = *tensione d'***esercizio**; ~ *di* **linea** line voltage; *a* **massima** ~ maximum (*o* peak) voltage; ⟨*Econ*⟩ ~ **monetaria** monetary pressure; ⟨*fig*⟩ ~ **nervosa** (o *di nervi*) (nervous) tension; ⟨*El*⟩ ~ **nominale** nominal voltage; ~ *di* **placca** plate voltage; ~ *di* **polarizzazione** bias voltage; ⟨*Mecc*⟩ ~ **residua** residual voltage; ⟨*El*⟩ ~ *di* **rete** (power-) line voltage, mains voltage; ⟨*Econ*⟩ ~ **rialzista** upward (*o* bullish) pressure; ⟨*El*⟩ ~ *di* **riscaldamento** warming voltage; ⟨*El*⟩ ~ *di* **scarica** discharging (*o* flashover) voltage; ~ **sociale** social tension; *essere* (o *trovarsi*) **sotto** ~: 1. ⟨*Fis,tecn*⟩ to be under pressure (*o* tension); 2. ⟨*El*⟩ to be live (*o* hot); 3. ⟨*fig*⟩ to be tense (*o* strained), to be under tension (*o* pressure); ⟨*Fis*⟩ ~ **superficiale** surface tension; ~ **tragica** = *tensione* **drammatica**; ⟨*El*⟩ ~ *a* **vuoto** no-load (*o* open circuit) voltage; ~ **zero** no voltage.
tensoflessiọne *f.* ⟨*Edil*⟩ tensile and bending stress.
tensọre I *a.* **1.** tension-: *rullo* ~ tension roller. – **2.** ⟨*Anat*⟩ tensor. **II** *s.m.* **1.** ⟨*Mat*⟩ tensor. – **2.** ⟨*Anat*⟩ (*muscolo tensore*) tensor (muscle).
tensoriạle *a.* ⟨*Mat*⟩ tensorial: *calcolo* ~ tensorial calculus.
tentạbile I *a.* attemptable. – **II** *s.m.inv.* (everything) possible: *tentare il* ~ to try everything possible.
tentacolạre *a.* tentacular (*anche fig.*). – **tentạcolo** *m.* **1.** ⟨*Biol*⟩ tentacle. – **2.** ⟨*fig*⟩ tentacle, feeler.
tentamẹnto *m.* ⟨*ant*⟩ **1.** (*tentazione*) temptation. – **2.** (*tentativo*) attempt.
tentạnte (*p.pr. di tentare*) *a.* ⟨*non com*⟩ (*allettante*) tempting, enticing.
tentạre *v.* (**tẹnto**) **I** *v.t.* **1.** to try, to attempt: ~ *tutte le vie* to try every way; ~ *la fortuna* to try one's luck. – **2.** (*sperimentare*) to try (out): ~ *una nuova cura* to try a new treatment. – **3.** ⟨*fig*⟩ (*cercare di corrompere*) to tempt. – **4.** ⟨*fig*⟩ (*allettare*) to tempt, to entice: *è un'idea che mi tenta* the idea entices me, it's a tempting idea. – **5.** ⟨*lett*⟩ (*mettere alla prova*) to try, to test, to prove: ~ *l'onestà di qd.* to test s.o.'s honesty; (*esaminare*) to examine. – **6.** ⟨*lett*⟩ (*toccare per saggiare*) to try, to test: ~ *il terreno con un bastone* to test the (firmness of the) ground with a stick. – **7.** ⟨*lett*⟩ (*rif. a strumenti musicali*) to touch, to strum, to stroke: ~ *le corde di uno strumento* to strum the strings of an instrument. – **II** *v.i.* (*aus.* **avere**) (*provare*) to try: *ho tentato inutilmente di telefonarti* I tried to phone you without any success. □ *tentarle tutte* to try everything, to leave no stone unturned. – *Prov.*: *il* ~ *non nuoce* it doesn't hurt to try.
tentatịvo *m.* **1.** attempt, try, bid: *fare un* ~ to make an attempt, to have a try; ⟨*Sport*⟩ ~ *di primato* record bid. – **2.** ⟨*Dir*⟩ attempt: ~ *di conciliazione* attempt at reconciliation; ~ *di suicidio* suicide attempt.
tentạto (*p.p. di tentare*) *a.* tempted: *essere* ~ *di fare qc.* to be tempted to do s.th. □ ⟨*Dir*⟩ ~ *omicidio* attempted homicide. – **tentatọre I** *s.m.* (*f.* **-trice**/*pop.* **-a**) **1.** tempter (*f* -tress). – **2.** (*diavolo*) Devil, Tempter. – **3.** ⟨*scherz*⟩ (*seduttore*) tempter (*f* -tress), enticer. – **II** *a.* tempting.
tentazioncẹlla *f.* ⟨*scherz*⟩ *dim. di* **tentazione.** – **tentaziọne** *f.* **1.** ⟨*Teol*⟩ temptation: *le -i di sant'Antonio* the temptations of St. Anthony. – **2.** (*allettamento*) temptation, enticement: *le -i della città* the temptations of the city. – **3.** (*voglia, desiderio*) temptation: *non potei resistere alla* ~ *di leggere quel libro* I couldn't resist the temptation to read that book; *che* ~ *quella torta!* ⌜what a temptation⌝ (*o* how tempting) that cake is! □ *avere la* ~ *di* [*inf*] to be tempted: *ebbi la* ~ *di andarmene* I was tempted to go; *cadere in* ~ to fall into temptation, to be tempted; *indurre in* ~ to lead into temptation; *resistere alle -i* to resist temptations.
tentẹnna *m.inv.* ⟨*scherz*⟩ waverer. □ *essere un gran* ~ to be ⌜very indecisive⌝ (*o* a vacillator, a shilly-shallyer).
tentennamẹnto *m.* **1.** ⟨*non com*⟩ shaking: ~ *di capo* shaking of the head; (*traballamento*) tottering, staggering. – **2.** ⟨*fig*⟩ hesitation, wavering: *dopo molti -i* after much hesitation. – **tentennạnte** (*p.pr. di tentennare*[1]) *a.* **1.** tottering, shaky, unsteady. – **2.** ⟨*fig*⟩ (*esitante*) hesitant, undecided.
tentennạre[1] *v.* (**tentẹnno**) **I** *v.i.* (*aus.* **avere**) **1.** to totter, to be unsteady, to shake, to wobble; (*traballare*) to wobble, to shake, to totter: *il tavolo tentenna* the table is shaking. – **2.** ⟨*fig*⟩ (*essere incerto*) to waver, to hesitate, to be undecided, ⟨*fam*⟩ to shilly-shally: ~ *di fronte a una decisione* to hesitate when faced with a decision. – **II** *v.t.* to shake: ~ *il capo* to shake one's head. □ ~ *la culla* to rock the cradle; *avere un dente che tentenna* to have a loose tooth; *camminare tentennando* to totter along.
tentennạre[2] *m.* **1.** shaking: *il* ~ *del capo* the shaking of one's head. – **2.** ⟨*fig*⟩ (*indecisione*) hesitation, wavering, indecision.
tentennạta *f.* **1.** shake: *una* ~ *del capo* a shake of the head. – **2.** (*colpo*) shake. – **tentennatịna** *f. dim. di* **tentennata.**
tentennịno *m.* ⟨*Bot*⟩ hairy vetch (*o* tare) (*Vicia hirsuta*).
tentennịo *m.* **1.** shaking, tottering, wobbling. – **2.** ⟨*fig*⟩ (*indecisione*) hesitation, wavering, indecision. – **tentennọni** *avv.* **1.** (*tentennando*) shakily, unsteadily, tottering. – **2.** ⟨*fig*⟩ (*con incertezza*) hesitatingly, waveringly.
tentọne, tentọni *avv.* gropingly (*anche fig.*). □ *a* ~ gropingly, blindly; *camminare a* ~ to grope (*o* feel) one's way; *cercare a -i qc.* to grope for s.th.
tentrẹdine *f.* ⟨*Entom*⟩ saw-fly, tenthredinid (*Tenthredo*).
□ ~ *delle* **meline** apple saw-fly (*Hoplocampa testudinea*); ~ *delle* **perine** pear saw-fly (*Hoplocampa brevis*); ~ ⌜*delle* **rape**⌝ (*o dei navoni*) turnip saw-fly (*Athalia colibri*); ~ *del* **ribes** imported currantworm (*Nematus ribesii*); (*piccola*) ~ *delle* **susine** plum saw-fly (*Hoplocampa minuta*).
tentredịnidi *m.pl.* ⟨*Entom*⟩ saw-flies *pl*, hornet-flies *pl*, tenthredinids *pl* (*Tenthredinidae*).
tenuamẹnte *avv.* tenuously, weakly, slightly.
tẹnue I *a.* **1.** (*sottile*) slender, thin, slim, slight, tenuous: *il calice*

è retto da un ~ stelo the goblet is supported by a slender stem. – **2.** (*non denso, leggero*) thin, tenuous, rare, rarefied: *una ~ nebbia* a thin mist. – **3.** (*pallido, non vivo*) pale, light, soft: *un ~ rosa* a soft pink; (*debole*) weak, faint, feeble, tenuous: *un ~ filo di voce* a feeble tone of voice; *un ~ raggio di sole* a faint ray of sunlight. – **4.** ⟨*fig*⟩ (*esiguo*) tenuous, faint, weak, slight, flimsy, meagre: *una ~ speranza* a faint hope. – **5.** ⟨*fig*⟩ (*di poca importanza*) slight, insignificant, tenuous, meagre: *un ~ contributo* a meagre contribution; (*non grave*) light, lenient. – **6.** ⟨*Fon*⟩ of a tenuis. – **II** *s.m.* ⟨*Anat*⟩ (*intestino tenue*) small intestine. – **III** *s.f.* ⟨*Fon,ant*⟩ (*consonante tenue*) tenuis. – **tenuemente** *avv.* → **tenuamente**.

tenuità *f.* **1.** (*sottigliezza*) slenderness, thinness, tenuity: *la ~ di un filo* the thinness of a wire. – **2.** (*leggerezza*) thinness, tenuity, rarity; (*debolezza*) weakness, faintness, feebleness, tenuity: *la ~ di una speranza* the faintness of a hope. – **3.** (*pallidezza*) paleness, lightness, softness. – **4.** (*inadeguatezza*) inadequacy, insufficiency: *la ~ dei mezzi economici* the inadequacy of the funds.

tenuta *f.* **1.** (*rif. a recipienti*) tightness, retaining quality. – **2.** (*capacità*) capacity: *il serbatoio ha una ~ di trenta litri* the tank ⌜has a thirty-litre capacity⌝ (*o* holds thirty litres). – **3.** (*guarnizione*) seal: *~ a secco* dry seal. – **4.** (*possedimento rurale*) holding, farm, estate: *ha molte -e nel Lazio* he owns many farms in Lazio. – **5.** (*divisa*) uniform, dress: *~ da carcerato* prison uniform; (*abito*) dress, clothes *pl*. – **6.** (*equipaggiamento*) equipment, outfit, kit. – **7.** ⟨*Aut*⟩ (*tenuta di strada*) road holding, roadability. – **8.** ⟨*Sport*⟩ (*resistenza*) endurance, resistance. – **9.** ⟨*Sport*⟩ (*nel pugilato*) clinching. – **10.** ⟨*Mus*⟩ (power of) sustaining. – **11.** ⟨*Mediev*⟩ (*investitura*) investiture. – **12.** ⟨*ant*⟩ (*possesso*) possession. – **13.** ⟨*ant*⟩ (*contenuto di fino*) (degree of) fineness.

□ ⟨*tecn*⟩ **a** *~ di* -tight, -proof: *a ~ d'acqua* watertight; *a ~ d'aria* airtight; *a ~ di gas* gas-tight, gas-proof; ⟨*Mil*⟩ **alta** ~ full dress (uniform); ⟨*Comm*⟩ *~ di* **conto** account keeping; ~ **ermetica** = *tenuta* **stagna**; *~ di* **fatica** fatigues *pl*, work clothes *pl*; ⟨*Mecc*⟩ *~ a* **labirinto** labyrinth seal (*o* ring); *~ di* **lavoro**: 1. work clothes *pl*; 2. ⟨*Tip*⟩ docket, job bag; ⟨*Comm*⟩ *~ dei* **libri** book-keeping; ⟨*Mil*⟩ *~ di* **marcia** battle-dress; ⟨*Mar*⟩ *~ al* **mare** seaworthiness; ⟨*Mil*⟩ ~ **piccola** undress uniform; *~ da* **spiaggia** beach clothes *pl*, beachwear; ~ **stagna** watertight seal; *a ~ stagna* watertight; ⟨*Aut*⟩ *~ di* **strada** road holding, roadability.

tenutaria *f.* madam (of a brothel). – **tenutario** *m.* **1.** (*chi gestisce una casa chiusa*) manager of a brothel; (*rif. a bische*) manager of a gambling-house. – **2.** ⟨*non com*⟩ (*possessore*) owner, holder, proprietor.

tenutella (*dim. di tenuta*) *f.* small estate.

tenuto (*p.p. di tenere*) **I** *a.* **1.** held, kept. – **2.** (*soggetto, obbligato*) held, obliged, bound. – **3.** ⟨*Mus*⟩ tenuto, held. – **II** *s.m.* ⟨*Mus*⟩ (*nota tenuta*) sustained note. □ ⟨*non com*⟩ *essere ~ di qc.* (*sentirsi obbligato*) to be grateful (*o* obliged) for s.th.; *essere ~ a fare qc.* to ⌜be obliged⌝ (*o* have a duty) to do s.th., to have to do s.th.; *siamo -i a rispondere* we must reply.

tenzonare *v.i.* (**tenzono**; *aus.* **avere**) ⟨*lett*⟩ **1.** (*combattere*) to fight, to combat, to battle. – **2.** ⟨*fig*⟩ (*contrastare*) to clash, to be at strife. – **tenzone** *f.* **1.** ⟨*Lett*⟩ poem of dispute; (*nella letteratura provenzale*) tenson. – **2.** ⟨*lett*⟩ (*contrasto*) dispute, conflict, disagreement; (*polemica*) polemic, argument. – **3.** ⟨*lett*⟩ (*combattimento*) combat, fight, battle. □ ⟨*lett,scherz*⟩ *singolar ~* duel: *venire a singolar ~* to (fight a) duel.

teo... *pref.* (*dio* god) the(o)...

Teobaldo *N.pr.m.* ⟨*Stor*⟩ Theobald.

teobroma *m.* ⟨*Bot*⟩ **1.** Theobroma (*Theobroma*). – **2.** cacao (*Theobroma cacao*). – **teobromina** *f.* ⟨*Chim*⟩ theobromine.

teocalli *m.* ⟨*Archeol*⟩ teocalli.

teo|centrico *a.* (*pl.* **-ci**) ⟨*Filos,Rel*⟩ theocentric. – **~crasia** *f.* ⟨*Rel*⟩ theocrasy, theocrasia. – **~craticamente** *avv.* theocratically. – **~cratico** *a./s.* (*pl.* **-ci**) **I** *a.* ⟨*Pol*⟩ theocratic. – **II** *s.m.* theocrat. – **~crazia** *f.* theocracy.

teocriteo *a.* ⟨*Lett*⟩ Theocrit(e)an. – **Teocrito** *N.pr.m.* ⟨*Stor*⟩ Theocritus.

teodia *f.* ⟨*lett*⟩ (*canto in lode di Dio*) theody.

teodicea *f.* ⟨*Teol*⟩ theodicy.

Teodolinda *N.pr.f.* ⟨*Stor*⟩ Theodelinda.

teodolite *m.* ⟨*Topogr*⟩ theodolite.

Teodora *N.pr.f.* ⟨*Stor*⟩ Theodora.

Teodorico *N.pr.m.* ⟨*Stor*⟩ Theodoric.

Teodoro *N.pr.m.* ⟨*Stor*⟩ Theodore.

Teodosia *N.pr.f.* Theodosia.

teodosiano *a.* ⟨*Stor*⟩ Theodosian. – **Teodosio** *N.pr.m.* ⟨*Stor*⟩ Theodosius.

teofagia *f.* ⟨*Rel*⟩ theophagy.

Teofane *N.pr.m.* ⟨*Stor*⟩ Theophanes.

teo|fania *f.* ⟨*Rel*⟩ theophany. – **~filantropia** *f.*, **~filantropismo** *m.* ⟨*Rel,Stor*⟩ theophilanthropism, theophilanthropy.

teofillina *f.* ⟨*Chim*⟩ theophylline.

Teofilo *N.pr.m.* ⟨*Stor*⟩ Theophilus.

teoforo *a.* ⟨*Ling*⟩ theophoric, theophorous.

Teofrasto *N.pr.m.* ⟨*Stor*⟩ Theophrastus.

teogamia *f.* ⟨*Rel*⟩ marriage of gods.

Teognide [-gn-] *N.pr.m.* ⟨*Stor*⟩ Theognis.

teogonia *f.* **1.** theogony. – **2.** (*miti*) theogony. – **teogonico** *a.* (*pl.* **-ci**) theogonic.

teologale *a.* theological: *virtù -i* theological virtues. – **teologare** *v.* (**teologo, teologhi**) ⟨*ant*⟩ → **teologizzare**. – **teologastro** *m.* theologaster.

teologia *f.* theology.

□ ~ **dogmatica** dogmatic theology; ~ **federale** federal (*o* convenant) theology; ~ **fondamentale** fundamental theology; ~ **morale** moral theology; ~ **naturale** natural theology; ~ **pastorale** pastoral theology; ~ **rivelata** revealed theology; ~ **sistematica** systematic theology.

teologicamente *avv.* theologically. – **teologico** *a.* (*pl.* **-ci**) theological. – **teologizzare** *v.i.* (*aus.* **avere**) **1.** to theologize. – **2.** (*parlare da teologo*) to theologize, to play the theologian. – **teologo** *m.* (*pl.* **-gi**; *f. non com.* **teologhessa**) theologian.

teomania *f.* ⟨*Psic*⟩ theomania.

Teone *N.pr.m.* ⟨*Stor*⟩ Theon.

Teopompo *N.pr.m.* ⟨*Stor*⟩ Theopompus.

teorba *f.* ⟨*Mus,non com*⟩ (*tiorba*) theorbo, archlute.

teorema *m.* ⟨*Mat,Filos*⟩ theorem. – **teorematico** *a.* (*pl.* **-ci**) ⟨*non com*⟩ theorematic.

teoresi *f.* ⟨*Filos*⟩ theory, theoretics *pl* (*costr.sing. o pl.*) – **teoreta** *m./f.* theorist, theoretician.

teoretica *f.* ⟨*Filos*⟩ (*anche filosofia teoretica*) theoretics *pl* (*costr.sing. o pl.*) theoretical philosophy. – **teoreticamente** *avv.* theoretically, in theory. – **teoretico** *a.* (*pl.* **-ci**) theoretical.

teoria *f.* **1.** (*formulazione sistematica*) theory: *le -e della fisica moderna* the theories of modern physics. – **2.** ⟨*estens*⟩ theory: *la ~ e la pratica* theory and practice. – **3.** (*modo di pensare*) theory, idea: *le tue -e sull'amicizia sono sorpassate* your ideas on friendship are out-of-date. – **4.** ⟨*Stor.gr*⟩ theory, delegation. – **5.** ⟨*lett*⟩ (*corteo, sfilata*) procession, train; (*serie*) series, line.

□ ~ **atomica** atomic theory; ⟨*Filos*⟩ *~ della* **conoscenza** gnoseology, theory of knowledge; **in** ~ in theory, theoretically; *~ delle* **misure** theory of measurement; ~ **nucleare** = *teoria* **atomica**; ⟨*Statist*⟩ *~ delle* **probabilità** theory of probability; ⟨*Fis*⟩ *~ dei* **quanti** quantum theory; *~ della* **relatività** theory of relativity; *~ dello* **stato** theory of the state, political theory.

teorica *f.* ⟨*non com*⟩ (*teoria*) theory. – **teoricamente** *avv.* **1.** (*in teoria*) theoretically, in theory. – **2.** (*in base a certi principi*) theoretically, in theory. – **teoricità** *f.* theoretical quality (*o* nature).

teorico *a./s.* (*pl.* **-ci**) **I** *a.* **1.** theoretic(al): *considerazioni teoriche* theoretical considerations. – **2.** (*che si basa sulla teoria*) theoretic(al): *insegnamento ~* theoretical teaching. – **II** *s.m.* (*f.* **-a**) **1.** theorist, theoretician, theorizer. – **2.** ⟨*spreg*⟩ (*chi manca di capacità pratiche o tecniche*) theorist, theorizer.

teorizzamento *m.* ⟨*non com*⟩ theorization, theorizing. – **teorizzare** *v.t.* to theorize (*anche assol.*). – **teorizzatore** *m.* (*f.* **-trice**) ⟨*non com*⟩ theorizer, theoretician, theorist. – **teorizzazione** *f.* theorization.

teoro *m.* ⟨*Stor.gr*⟩ theor, theorus.

teosofia *f.* ⟨*Rel*⟩ theosophy. – **teosofico** *a.* (*pl.* **-ci**) theosophic(al): *società -a* Theosophical Society. – **teosofo** *m.* **1.** theosophist, theosopher. – **2.** ⟨*Stor*⟩ Theosophist, Theosopher.

Teotimo *N.pr.m.* ⟨*Stor*⟩ Theotimus.

tepalo *m.* ⟨*Bot*⟩ tepal.

tepefatto *a.* ⟨*lett,rar*⟩ (*reso tiepido*) made (luke)warm; (*riscaldato*) heated, warmed (up). – **tepente** (*p.pr. di tepere*) *a.* ⟨*lett*⟩ (*tiepido*) warm, tepid, lukewarm. – **tepere** *v.i.* (forms in use: 3rd pers. pres. ind. **tepe** and p.pr. **tepente**) ⟨*lett*⟩ (*essere tiepido*) to be lukewarm (*o* tepid).

tepidamente *avv.* ⟨*non com*⟩ (*tiepidamente*) tepidly, lukewarmly (*anche fig.*).

tepidario *m.* **1.** ⟨*Archeol*⟩ tepidarium. – **2.** ⟨*non com*⟩ (*serra*) greenhouse.

tepidezza *f.* (*tiepidezza*) tepidness, tepidity, lukewarmness (*anche fig.*). – **tepidità** *f.* ⟨*non com*⟩ → **tepidezza**. – **tepido** *a.* ⟨*non com*⟩ (*tiepido*) tepid, lukewarm (*anche fig.*).

tepore *m.* warmth, tepidness: *c'è un piacevole ~ in questa stanza* there's a pleasant warmth in this room, this room is pleasantly warm. – **teporino** *m. dim. di* **tepore**.

teppa *f.* ⟨*spreg*⟩ **1.** (*malavita*) underworld. – **2.** → **teppaglia**. – **teppaglia** *f.* ⟨*spreg*⟩ hooligans *pl*, mob, rabble. – **teppismo** *m.* **1.** hooliganism, violence: *atto di ~* act of hooliganism. – **2.** (*malavita*) underworld, gangsterism, organized crime. – **teppista** *m.* ⟨*spreg*⟩ hooligan, ruffian, thug, hoodlum, ⟨*am.fam*⟩ hood. – **teppistico** *a.* (*pl.* **-ci**) of a hooligan, ruffianly.

tequila *sp.* [-'ki-] *f.* (*bevanda*) tequil(l)a.

ter *lat. avv.* third. □ ⟨*Ferr*⟩ *treno ~* extra (*o* second) relief train.

teramano I *a.* of (*o* from) Teramo, Teramo-. – **II** *s.m.* **1.** (*dialetto*) Teramo dialect. – **2.** (*abitante*; *f.* **-a**) inhabitant (*o* native) of Teramo. – **Teramano** *N.pr.m.* (*territorio*) Teramo area (*o* region), territory around Teramo.

terapeuta *m./f.* ⟨*non com,Lett*⟩ therapeutist, therapist. – **Terapeuti** *m.pl.* ⟨*Stor.rel*⟩ Therapeutae *pl*, Therapeutics *pl*. – **terapeutica** *f.* **1.** (*terapia*) therapeutics *pl* (*costr.sing. o pl.*), therapy; (*tecnica terapeutica*) therapy. – **2.** (*farmacoterapia*) pharmacotherapeutics *pl* (*costr.sing. o pl.*). – **terapeutico** *a.* (*pl.* **-ci**) **1.** therapeutic. – **2.** (*che ha per fine la terapia*) therapeutic.

terapia *f.* ⟨*Med*⟩ **1.** therapy, therapeutics *pl* (*costr.sing. o pl.*). – **2.** (*cura*) therapy, treatment, cure.

□ *~ all'aria* **libera** open-air cure; ~ **causale** (*o* **etiologica**) etiologic therapy; ~ **convulsivante** electric shock therapy; *~ a* **onde** *corte* short wave therapy (*o* diathermy); ~ *a onde supersoniche* (o *ultrasoniche*) ultrasonic (*o* supersonic) wave treatment; ~ **profilattica** preventive treatment, prophylaxis; *a* ~ **raggi** *X* X-ray (*o* roentgen) therapy, radiotherapy, X-ray (*o* roentgen) treatment; ~ **sintomatica** symptomatic therapy; ~ *del* **sonno** sleep cure; ⟨*Agr*⟩ ~ **vegetale** phytotherapy.

terapista *m./f.* therapist.

terato... *pref.* (*mostruosità* monstrosity) terat(o)...

terato|genesi *f.* ⟨*Biol*⟩ teratogenesis. – **~genetico** *a.* (*pl.* -ci) teratogenetic. – **~genia** *f.* → **teratogenesi**. – **~logia** *f.* teratology: ~ *vegetale* (plant) teratology. – **~logico** *a.* (*pl.* -ci) teratological.

teratoma *m.* ⟨*Med*⟩ teratoma.

terbidi *m.pl.* ⟨*Chim*⟩ terbium, metals *pl.* – **terbio** *m.* terbium.

tercio *sp.* [-io] *m.* ⟨*Mil.ant*⟩ tercio.

terebene *m.* ⟨*Chim*⟩ terebene.

terebinto *m.* ⟨*Bot*⟩ terebinth(-tree) (*Pistacia terebinthus*).

terebra *f.* **1.** ⟨*Mil.ant*⟩ terebra. – **2.** ⟨*Entom*⟩ terebra.

terebrante *a.* **1.** ⟨*rar*⟩ (*perforante*) boring, piercing. – **2.** ⟨*Entom*⟩ terebrant. – **3.** ⟨*Med*⟩ piercing, terebrant, terebrating. – **terebranti** *m.pl.* ⟨*Entom*⟩ terebrants *pl* (*Terebrantia*).

terebrazione *f.* ⟨*Minier,Edil*⟩ (*perforazione*) drilling, boring.

terechia *f.* ⟨*Ornit*⟩ terek (*Terekia cinerea*).

teredine *f.* ⟨*Zool*⟩ shipworm (*Teredo navalis*).

Terenzia *N.pr.f.* ⟨*Stor*⟩ Terentia.

Terenzio *N.pr.m.* ⟨*Stor*⟩ Terence.

Tereo (o *Tereo*) *N.pr.m.* ⟨*Mitol*⟩ Tereus.

Teresa *N.pr.f.* Therese, Teresa, Theresa. – **teresiano** *a.* ⟨*Stor*⟩ of Maria Theresa. ☐ *codice* ~ Codex Theresianus.

Teresina (*dim. di Teresa*) *N.pr.f.* Teresa, ⟨*fam*⟩ Terry.

terete *a.* ⟨*poet*⟩ (*levigato*) polished, smoothed.

terga *f.pl. di* **tergo**.

tergale *m.* ⟨*Arald*⟩ back.

tergemino *a.* ⟨*lett*⟩ (*triplice*) triple, threefold.

tergere *v.t.* (**tergo, tergi; tersi, terso**) ⟨*lett*⟩ **1.** to wipe (away), to (wipe) clean; (*asciugare*) to (wipe) dry: ~ *le lacrime* to dry (*o* wipe away) one's tears. – **2.** ⟨*fig,rar*⟩ (*purificare*) to purify, to cleanse.

Tergeste *N.pr.f.* ⟨*ant*⟩ (*Trieste*) Trieste. – **tergestino** ⟨*ant*⟩ **I** *a.* (*triestino*) Triestine, (of) Trieste. – **II** *s.m.* (*f.* -a) Triestino, Triestene, Triestine.

tergicristallo *m.* ⟨*Aut*⟩ windscreen-wiper, ⟨*am*⟩ windshield-wiper.

tergiversare *v.i.* (**tergiverso**; *aus.* **avere**) **1.** to beat about the bush, to hem and haw. – **2.** (*rispondere ambiguamente*) to equivocate, to tergiversate. – **tergiversatore** *m.* (*f.* **-trice**) ⟨*non com*⟩ equivocator. – **tergiversazione** *f.* **1.** hemming and hawing, beating about the bush. – **2.** (*il rispondere ambiguamente*) equivocation, tergiversation, prevarication. – **3.** ⟨*Dir.rom*⟩ withdrawal of accusation. ☐ *senza tante -i* without beating about the bush, straight off.

tergo *m.* (*pl. i* **terghi**, *le* **terga**/*ant. le* **tergora**) ⟨*lett*⟩ **1.** (*dorso*) back. – **2.** (*rif. a foglio di carta e sim.*: *faccia posteriore*) back, verso; (*rif. a monete*) reverse.

☐ **a** ~: 1. (*di dietro*) behind; 2. (*nei rinvii*) over: *vedi a* ~ please turn over, P.T.O.; *stare a* ~ *di qd.* to be behind s.o.; **da** ~ from behind: *seguire da* ~ to follow from behind; **dare** *il* ~ (*fuggire*) to turn tail, to run away, to flee; **voltare** *le terga* (*o il tergo*): 1. to turn away; 2. ⟨*fig*⟩ (*fuggire*) = **dare** *il tergo*.

tergora *f.pl. ant. di* **tergo**.

teriaca *f.* ⟨*Med,ant*⟩ theriac(a), cure-all.

terilene *m.* ⟨*Tess*⟩ terylene.

terio... *pref.* (*animale* animal) therio...

terio|cefalo *a.* ⟨*non com*⟩ having the head of a wild beast. – **~morfismo** *m.* ⟨*Rel*⟩ theriomorphism. – **~morfo** *a.* theriomorphic.

terlano *m.* ⟨*Enol*⟩ kind of dry white wine.

termale *a.* **1.** thermal, of hot springs: *acque -i* thermal waters. – **2.** ⟨*Bot*⟩ hot spring-: *pianta* ~ hot spring plant, thermad. – **3.** ⟨*Archeol*⟩ of the (Roman) baths. ☐ *sorgente* ~ hot spring.

terme *f.pl.* **1.** baths *pl.* – **2.** ⟨*Archeol*⟩ baths *pl*, thermae *pl*: *le* ~ *di Caracalla a Roma* the Baths of Caracalla in Rome.

termeno *m.* ⟨*Enol*⟩ kind of wine.

...termia *suff.* (*calore* heat) ...thermia, ...thermy: *ipertermia f.* hyperthermia.

termico *a.* (*pl.* **-ci**) **1.** thermal, thermic, heat-, of (*o* relating to) heat. – **2.** ⟨*Fis,tecn*⟩ thermal, thermic, heat-: *resistenza -a* thermal resistance.

...termico *suff.* ...thermic: *ipertermico a.* hyperthermic.

termidoriani *m.pl.* ⟨*Stor*⟩ Thermidorians *pl*, Thermidoreans *pl.* – **termidoriano** *a.* Thermidorian, Thermidorean. – **termidoristi** *m.pl* → **termidoriani**. – **termidoro** *m.* Thermidor.

terminabile *a.* that may be finished, terminable. – **terminabilità** *f.* ⟨*non com*⟩ terminableness.

terminal *ingl. m.* ⟨*Aer*⟩ (air) terminal.

terminale I *a.* **1.** terminal, final, end: *stazione* ~ terminal (station), terminus. – **2.** (*di confine*) boundary, border, terminal: *pietra* ~ boundary stone. – **3.** ⟨*Med*⟩ terminal. – **4.** ⟨*Bot*⟩ terminal: *gemma* ~ terminal bud. – **II** *s.m.* **1.** ⟨*tecn*⟩ (*parte estrema*) terminal, end. – **2.** ⟨*El*⟩ cable terminal, lug. – **3.** ⟨*Tel*⟩ terminal. ☐ ⟨*El*⟩ ~ *di batteria* battery terminal; ~ *di cavo* cable terminal, lug; ~ *d'entrata* input terminal; ~ *a morsetto* clamp terminal.

terminante (*p.pr. di terminare*) *a.* ending, finishing: *parole -i in consonante* words ending in consonants.

terminare *v.* (**termino**) **I** *v.t.* **1.** (*finire*) to finish, to end, to conclude: ~ *un lavoro* to finish a job; ~ *gli studi* to conclude one's studies. – **2.** ⟨*rar*⟩ (*compiere*) to complete, to finish. – **3.** ⟨*non com*⟩ (*delimitare*) to mark the boundary of, to bound. – **4.** ⟨*ant*⟩ (*definire*) to define; (*determinare*) to determine, to decide; (*spiegare*) to explain. – **II** *v.i.* (*aus.* **essere**) **1.** to end: *la strada termina qui* the road ends here. – **2.** (*rif. a tempo*) to end, to be over: *lo spettacolo terminerà alle dodici* the show will end (*o* be over) at twelve. – **3.** (*rif. a parole e sim.*) to end (*con*, *in* with, in): *parola che termina in consonante* word ending in a consonant. – **4.** (*avere l'estremità*) to end: ~ *a punta* to end in a point. – **5.** ⟨*non com*⟩ (*confinare*) to bound, to border. – **terminarsi** *v.r.* to end.

terminativo *a.* **1.** ⟨*non com*⟩ terminative. – **2.** ⟨*Ling*⟩ (*perfettivo*) perfective.

terminato (*p.p. di terminare*) *a.* **1.** (*finito*) ended, finished. – **2.** (*compiuto*) done, concluded. – **3.** ⟨*non com*⟩ (*delimitato*) bounded, marked off. – **4.** ⟨*ant*⟩ (*determinato*) determined, set, fixed. – **terminatore** *m.* (*f.* **-trice**) **1.** ⟨*non com*⟩ terminator, ender. – **2.** ⟨*Astr*⟩ terminator.

terminazione *f.* **1.** (*estremità*) extremity, end, termination; (*punta*) point, tip. – **2.** ⟨*Ling*⟩ (*suono, sillaba*) ending, termination; (*suffisso*) suffix, ending, termination; (*desinenza*) ending, termination, desinence. – **3.** *pl.* ⟨*Tip*⟩ serifs *pl.* – **4.** ⟨*Dir*⟩ (*il segnare i confini*) setting (*o* marking) of bounds. – **5.** ⟨*non com*⟩ (*il portare a termine*) termination, conclusion, ending. – **6.** ⟨*ant*⟩ (*determinazione*) decision, determination.

termine *m.* **1.** (*confine, limite*) limit, border, bound(ary), confines *pl*: *lo steccato segna i -i del podere* the fence marks the boundary of the farm. – **2.** (*pietra di confine*) boundary stone, term. – **3.** (*punto estremo*) end: *siamo arrivati al* ~ *della strada* we've reached the end of the road; (*fine, compimento*) end, conclusion, close: *al* ~ *del discorso* at the end of the speech. – **4.** (*spazio di tempo*) time, (given) period, *spesso non si traduce*: *il lavoro sarà eseguito nel* ~ *di un mese* the work will be done within (the period of) a month; (*scadenza*) term, expiry, expiration; (*giorno*) date of expiry, expiry (*o* final) date, date due, term (day): *domani scade il* ~ *per la presentazione delle domande* tomorrow is the final date for submitting applications. – **5.** (*grado, punto*) stage: *la pratica era già a buon* ~ the case was already at an advanced stage; (*stato*) way, condition, state, term: *le cose stanno in questi -i* things are ⌜this way⌝ (*o* like this). – **6.** (*esaurimento*) exhaustion, consumption, depletion: *il* ~ *delle provviste* the depletion of supplies. – **7.** (*meta, punto d'arrivo*) goal, aim, object: *questo è il* ~ *dei nostri sforzi* this is the object of our endeavours. – **8.** *pl.* (*limiti concessi all'agire*) limits *pl*, limit, bounds *pl*: *oltrepassare i -i della buona educazione* to pass all bounds (of good manners), to overstep the limit (*o* mark), to go too far. – **9.** (*elemento*) term, element: *il soggetto e il predicato sono -i di una proposizione* the subject and the predicate are elements of a sentence; *i due -i di un paragone* the two terms of a comparison. – **10.** (*parola, vocabolo*) term, word: *questo è un* ~ *scientifico* this is a scientific term; *una raccolta di -i di marina* a collection of naval terms; (*locuzione*) term, expression. – **11.** ⟨*Econ*⟩ (*rif. a effetti e sim.*: *scadenza*) maturity; (*rata*) instalment, payment. – **12.** ⟨*Astr*⟩ term. – **Termine** *N.pr.m.* ⟨*Mitol*⟩ Terminus.

☐ **a** ~: 1. time-, term-, fixed expiration date-; 2. (*in borsa*) future, forward, for the account: *mercato a* ~ future (*o* forward) market; *operazione a* ~ forward exchange dealing; *contratto a* ~ time (*o* forward) contract, time bargain; (*in borsa*) futures *pl*; *contratto a* ~ *fisso* (*o fermo*) fixed-time bargain; *parto a* ~ full-term-birth; ⟨*Mat*⟩ ~ **algebrico** algebraic term; ⟨*Strad*⟩ ~ **autostrada** end of the motorway; **aver** ~ to end; *a* **breve** ~: 1. short-term-, short(-dated): *prestito a breve* ~ short-term loan; *cambiale a breve* ~ short-dated bill; 2. ⟨*fig*⟩ in the short run; *nel più breve* ~ *possibile* (with)in the shortest possible time, as soon (*o* quickly) as possible; ⟨*Gramm*⟩ **complemento** *di* ~ indirect object; ⟨*Comm*⟩ ~ *di* **consegna** delivery term (*o* date); *consegne a* ~ fixtures *pl*; *entro il* ~ **convenuto** within the dead-line agreed upon; ~ *di* **denuncia** term for registration; *in tutta l'***estensione** *del* ~ in every (*o* the broadest) sense of the word; ~ **finale** = *termine* **ultimo**; **fissare** *un* ~ to set a term; *a* ~ **fisso** at a fixed time, fixed-term-, having a ⌜fixed term⌝ (*o* due date); *senza* ~ *fisso* indefinite, without a ⌜set term⌝ (*o* fixed limit); ~ **giudiziario** period fixed by the Court; ~ **improrogabile** dead-line, absolute time-limit; **in** *altri -i* (*in altre parole*) in other words; *essere in buoni* (o *cattivi*) *-i con qd.* to be on good (*o* bad) terms with s.o.; *in che -i sei con loro?* what terms are you on with them?; ⟨*non com*⟩ *in* ~ *che* (*a tal punto che*) to such an extent that; ~ **iniziale** beginning of a term, commencement of a period; **lasciarsi** *in buoni -i* to part on good terms; ⟨*burocr*⟩ *a -i di* **legge** according to the law, by law; *a* **lungo** ~ long-term-, long(-dated); ⟨*fig*⟩ in the long run; ⟨*non com*⟩ *essere ridotto a* **mal** ~ to be in a bad way (*o* state); ⟨*Filos*⟩ ~ **medio** middle term; *a medio* ~ medium term-, with (an) average due date; **mezzi** *-i* compromise *sing*, expedient *sing*, shift *sing*, half measure *sing*; *esprimersi in mezzi -i* to hedge, to beat about the bush; *parlare senza mezzi -i* to express o.s. in no uncertain terms, not to mince one's words; ⟨*Mat*⟩ *ridurre ai* **minimi** *-i* to reduce to lowest terms; ⟨*fig*⟩ *ridurre qc. ai minimi -i* to bring (*o* reduce) s.th. to its lowest terms; **moderare** *i -i* to moderate one's language, to mind one's words; ⟨*Dir*⟩ ~ *d'***opposizione** period (*o* term) for lodging a protest; ~ *di* **pagamento** date of payment; ⟨*Dir*⟩ ~ **perentorio** mandatory period; **porre** ~ *a qc.* to end s.th., to put an end to s.th.; **portare** *a* ~ *qc.* to bring s.th. to (a) conclusion; ⟨*Comm*⟩ ~ *di* **preavviso** (period of) notice; *nel* ~ **prescritto** within the ⌜prescribed term⌝ (*o* set time), by the appointed date; ~ *di* **prescrizione** period of prescription; ~ *di* **presentazione** term (*o* dead-line) of presentation, period for presentation; ⟨*Dir*⟩ *-i* **processuali** time limits in judicial proceedings; ⟨*Dir*⟩ ~ *di* **protesto** period of protestation; *fissare i -i della* **questione** to settle (*o* define) the terms of the matter; ⟨*Comm*⟩ ~ *di* **redazione** *dell'inventario* period for taking (*o* drawing up) the inventory; ~ *di* **registrazione** term (*o* period) of registration; *a* **rigor** *di -i* strictly speaking; ~ *di* **scadenza** term of expiration; (*giorno*) expiry date, day (*o* date) of expiration; ~ **ultimo** dead-line; **volgere** *al* ~ to draw (*o* be coming) to an end, to be about to finish (*o* end).

terminịsmo *m.* ⟨*Filos*⟩ terminism. – **terminịsta** *m.* terminist. – **terminịstico** *a.* (*pl.* **-ci**) terministic.

terminologịa *f.* **1.** terminology: ~ *scientifica* scientific terminology. – **2.** (*trattato, studio*) terminology.

tẹrminus *lat. m.* ⟨*Stor,Dir*⟩ terminus. ◻ ~ *ad quem* terminus ad quem, destination, end, purpose; ~ *ante quem* terminus ante quem; ~ *post quem* terminus post quem; ~ *a quo* terminus a quo, point of origin.

termiọne *m.* ⟨*Atom*⟩ thermion.

termistọre *m.* ⟨*El*⟩ thermistor.

termitạio *m.* termitary, termitarium, termites' nest.

tẹrmite[1] *f.* ⟨*Entom*⟩ **1.** termite, white (*o* wood) ant. – **2.** *pl.* termites *pl* (*Isoptera*).

termịte[2] *f.* ⟨*Chim*⟩ thermit, thermite.

termitọfili *m.pl.* ⟨*Entom*⟩ termitophiles *pl.*

termitọfilo *a.* termitophilous.

tẹrmo *m.inv.* → **termos**.

termo... *pref.* (*calore* heat) therm(o)..., heat-.

...termo *suff.* (*calore* heat) **1.** (*nella formazione degli agg.*) ...thermic, ...thermous, ...thermal: *omeotermo a.* homoiothermic. – **2.** (*nella formazione dei sost.*) ...therm, -heater: *omeotermo m.* homoiotherm.

termo|amperọmetro *m.* ⟨*El*⟩ (*amperometro termico*) thermoammeter. – **~analgesịa, ~anestesịa** *f.* ⟨*Med*⟩ thermoan(a)esthesia, thermoanalgesia, thermanalgesia. – **~bạgno** *m.* flat with central heating and bathroom. – **~barọmetro** *m.* ⟨*Meteor,non com*⟩ thermobarometer. – **~battẹrio** *m.* ⟨*Biol*⟩ thermobacterium. – **~cạustica, ~causticaziọne** *f.* ⟨*Chir*⟩ cauterization, cauterizing. – **~cautẹrio** *m.* thermocautery, actual cautery. – **~chịmica** *f.* thermochemistry. – **~chịmico** *a.* (*pl.* **-ci**) thermochemical. – **~cinẹtica** *f.* ⟨*Fis*⟩ thermokinetics *pl* (*costr.sing. o pl.*). – **~cinẹtico** *a.* (*pl.* **-ci**) thermokinetic. – **~compressọre** *m.* heat pump. – **~convettọre** *m.* ⟨*tecn*⟩ convector. – **~copẹrta** *f.* electric (*o* heating) blanket. – **~cọppia** *f.* ⟨*El*⟩ (*coppia termoelettrica*) thermocouple. – **~corịsmo** *m.* ⟨*Bot*⟩ defoliation through heat. – **~crọce** *f.* ⟨*El*⟩ thermojunction. – **~crọsi** *f.* ⟨*Fis*⟩ thermochrosy. – **~diffusiọne** *f.* thermodiffusion, thermal diffusion. – **~dinạmica** *f.* thermodynamics *pl* (*costr.sing. o pl.*). – **~dinạmico** *a.* (*pl.* **-ci**) thermodynamic(al): *sistema* ~ thermodynamic system. – **~dispersiọne** *f.* ⟨*Biol*⟩ (*termolisi*) thermolysis. – **~elemẹnto** *m.* ⟨*tecn*⟩ thermo element. – **~elettricità** *f.* thermoelectricity.

termoelẹttrico *a.* (*pl.* **-ci**) thermoelectric. ◻ *batteria -a* thermoelectric battery; *coppia -a* thermoelectric couple (*o* pair), thermocouple.

termo|elettrọmetro *m.* ⟨*El*⟩ thermoelectrometer. – **~elettrọne** *m.* ⟨*Fis*⟩ thermoelectron. – **~elettrọnica** *f.* thermionics *pl* (*costr.sing.*). – **~elettrọnico** *a.* (*pl.* **-ci**) thermoelectronic. ◻ *effetto* ~ Richardson effect, thermionic emission. – **~estesịa** *f.* ⟨*Fisiol*⟩ **1.** (*sensibilità termica*) thermo(a)esthesia, therm(a)esthesia. – **2.** ⟨*non com*⟩ (*iperstesia termica*) thermohyper(a)esthesia. – **~estesiọmetro** *m.* thermo(a)esthesiometer, therm(a)esthesiometer.

termofilịa *f.* ⟨*Biol*⟩ thermophily. – **termọfilo** *a.* thermophil(e), thermophilic, thermophilous.

termọ|foro *m.* (electric) heating pad. – **~galvanọmetro** *m.* ⟨*El*⟩ thermogalvanometer.

termogẹnesi *f.* ⟨*Biol*⟩ thermogenesis. – **termọgeno** *a.* thermogenic: *batteri -i* thermogenic bacteria.

termografịa *f.* ⟨*Tip*⟩ thermography. – **termogrạfico** *a.* (*pl.* **-ci**) thermographic. – **termọgrafo** *m.* ⟨*tecn*⟩ thermograph.

termo|grạmma *m.* ⟨*tecn*⟩ thermogram. – **~igrogrạfico** *a.* (*pl.* **-ci**) ⟨*Meteor*⟩ hygrothermographic. – **~igrọgrafo** *m.* hygrothermograph. – **~indurẹnte I** *a.* ⟨*tecn*⟩ thermoset(ting), thermohardening. – **II** *s.m.* thermoset. – **~interruttọre** *m.* ⟨*El*⟩ thermal (*o* temperature) switch. – **~iọne** *m.* thermion. – **~iọnica** *f.* thermionics *pl* (*costr. sing.*). – **~iọnico** *a.* (*pl.* **-ci**) thermionic: *valvola -a* thermionic valve. – **~isolạnte I** *a.* ⟨*Fis*⟩ thermic insulating. – **II** *s.m.* thermic insulant, lagging (*o* insulating) material. – **~lạbile** *a.* thermolabile.

termọ|lisi *f.* ⟨*Chim,Biol*⟩ thermolysis. – **~logịa** *f.* ⟨*Fis*⟩ thermology, science of heat. – **~lọgico** *a.* (*pl.* **-ci**) thermological. – **~luminescẹnza** *f.* thermoluminescence. – **~magnẹtico** *a.* (*pl.* **-ci**) thermomagnetic. – **~magnetịsmo** *m.* thermomagnetism. – **~metrịa** *f.* thermometry. – **~mẹtrico** *a.* (*pl.* **-ci**) **1.** (*della termometria*) thermometric. – **2.** (*del termometro*) thermometric, thermometer-: *scala -a* thermometric (*o* temperature) scale.

termọmetro *m.* **1.** thermometer: *il* ~ *segna zero* the thermometer reads zero. – **2.** (*termometro clinico*) (clinical) thermometer. ◻ ⟨*Aut*⟩ ~ *dell'***acqua** water temperature gauge, heat (*o* water temperature) indicator; ~ *ad* **alcool** spirit thermometer; ~ *da* **bagno** bath thermometer; ~ *a* **bulbo** bulb thermometer; ~ *a bulbo bagnato* wet-bulb thermometer; ~ *da* **camera** room thermometer; ~ **clinico** clinical thermometer; ~ **differenziale** differential thermometer; ~ *a* **distanza** telethermometer; ~ **elettrico** electric thermometer; ~ *a* **gas** gas thermometer; ~ *a* **liquido** liquid(-filled) thermometer; ~ *a* **massima** maximum thermometer; ~ *a massima e minima* maximum and minumum thermometer; ~ *a* **mercurio** mercury thermometer; ~ **metallico** metallic thermometer; ~ *a* **minima** minimum thermometer; ~ *a* **quadrante** dial thermometer; ~ **registratore** recording (*o* register) thermometer; ~ *a* **resistenza** resistance thermometer; ~ *a* **rovesciamento** reversing thermometer.

termo|minerạle *a.* warm, warm-water-: *sorgente* ~ warm spring. – **~moltiplicatọre** *m.* ⟨*El*⟩ (*moltiplicatore termoelettrico*) thermomultiplier.

termọne *m.* ⟨*Biol*⟩ termone.

termo|nucleạre *a.* ⟨*Fis*⟩ thermonuclear: *bomba* ~ thermonuclear bomb. – **~osmọsi** *f.* ⟨*Fis*⟩ thermo-osmosis. – **~pịla** *f.* ⟨*El*⟩ (*pila termoelettrica*) thermopile.

Termọpile, Termọpili *N.pr.f.pl.* ⟨*Geog.stor*⟩ Thermopylae.

termo|plasticità *f.* ⟨*Chim*⟩ thermoplasticity. – **~plạstico** *a.* (*pl.* **-ci**) thermoplastic: *resine termoplastiche* thermoplastic resins; *sostanza -a* thermoplastic (material).

termopọlio *m.* ⟨*Archeol*⟩ thermopolion.

termo|pọmpa *f.* ⟨*tecn*⟩ heat pump. – **~propulsọre, ~reattọre** *m.* thermoreactor. – **~regolạrsi** *v.r.* (**mi termorẹgolo**) ⟨*Biol*⟩ to be thermoregulating. – **~regolatọre** *m.* ⟨*tecn*⟩ thermoregulator. – **~regolaziọne** *f.* **1.** ⟨*tecn,Biol*⟩ thermoregulation.

tẹrmos *m.* thermos (bottle), thermos flask, vacuum bottle.

termo|sciọfilo *a.* ⟨*Biol*⟩ heat-and-shade-loving. – **~scọpio** *m.* ⟨*tecn*⟩ thermoscope. – **~sensịbile** *a.* ⟨*Fis*⟩ thermosensitive. – **~sensibilità** *f.* thermosensitivity.

termosifọne *m.* **1.** (*sistema di riscaldamento*) central heating. – **2.** (*radiatore*) radiator. – **3.** ⟨*Fis*⟩ thermosiphon. ◻ ~ *ad acqua* hot-water (central) heating; *riscaldamento a* ~ central heating; ~ *a vapore* steam (central) heating.

termostạbile *a.* ⟨*Fis*⟩ thermostable.

termostatạre *v.t.* (**termọstato**) ⟨*Fis*⟩ to thermostat. – **termostạtico** *a.* (*pl.* **-ci**) **1.** thermostatic. – **2.** (*a temperatura costante*) constant temperature-: *ambiente* ~ constant-temperature chamber. – **termọstato** *m.* ⟨*tecn*⟩ **1.** thermostat. – **2.** → **termoregolatore**. – **3.** ⟨*Aut*⟩ thermostat, calorstat.

termotạssi *f.* → **termotattismo**. – **termotạttico** *a.* ⟨*Biol*⟩ thermotactic, thermotaxic. – **termotattịsmo** *m.* thermotaxis.

termo|tẹcnica *f.* ⟨*Ind*⟩ thermotechnics *pl* (*costr.sing.*), heat engineering. – **~terapịa** *f.* ⟨*Med*⟩ thermotherapy. – **~tropịsmo** *m.* ⟨*Bot*⟩ thermotropism. – **~ventilaziọne** *f.* air-heating.

tẹrna *f.* **1.** trio, tern, triplet, set (*o* group) of three. – **2.** (*lista di tre nomi*) short list (of three candidates). – **3.** (*nelle bocce*) three-man team. – **4.** ⟨*Mat*⟩ tern, triplet, trio. – **ternạre** *v.t.* (**tẹrno**) **1.** (*includere in una terna*) to include in a list of three candidates. – **2.** ⟨*Univ*⟩ to include in a list of three candidates for a professorship.

ternạria *f.* ⟨*Stor*⟩ **1.** (*magistratura*) Venetian magistracy (for duties on foodstuffs). – **2.** (*residenza*) residence of the "ternaria"; (*magazzino*) storehouses *pl* of the "ternaria". – **3.** (*gabella*) duty, tax (levied by the "ternaria").

ternarietà *f.* ⟨*rar*⟩ ternary (*o* threefold) nature. ◻ ⟨*Mus*⟩ ~ *del ritmo* triple time.

ternạrio I *a.* **1.** ternary, threefold, triple. – **2.** (*di tre sillabe*) three -syllable-, of (*o* having) three syllables: *verso* ~ three-syllable line. – **3.** ⟨*Chim,Min*⟩ ternary: *composto* ~ ternary compound. – **4.** ⟨*Mus*⟩ (*rif. alla forma*) ternary; (*rif. al ritmo*) triple. – **II** *s.m.* **1.** ⟨*non com*⟩ (*gruppo di tre elementi*) triplet, trio, group (*o* set) of three. – **2.** ⟨*Metr*⟩ (*terzina*) triplet, terzina, tercet.

ternạro *a./s.* ⟨*ant*⟩ → **ternario**.

ternạto (*p.p. di ternare*) *a.* **1.** (*incluso in una terna*) included on a list of three candidates. – **2.** ⟨*Bot*⟩ ternate.

ternerịa *f.* → **ternaria**.

tẹrno *m.* **1.** (*nel gioco del lotto*) tern, set of three winning numbers. – **2.** (*fascicolo*) three-sheet pamphlet. – **3.** (*nel gioco dei dadi*) double three, ⟨*ant*⟩ terns *pl.* ◻ ⟨*fig*⟩ *prendere* (o *vincere*) *un* ~ *al lotto* to have a stroke of luck, ⟨*fam*⟩ to hit the jackpot.

terọfita *f.* ⟨*Bot*⟩ (*anche pianta terofita*) therophyte, annual (plant).

teromọrfi *m.pl.* ⟨*Paleont*⟩ theromorphs *pl*, pelycosaurs *pl* (*Theromorpha*). – **terọpodi** *m.pl.* theropods *pl* (*Theropoda*).

Terpạndro *N.pr.m.* ⟨*Stor*⟩ Terpander.

terpạno *m.* ⟨*Chim*⟩ terpane.

terpẹne *m.* ⟨*Chim*⟩ terpene. – **terpẹnico** *a.* (*pl.* **-ci**) terpenic, terpene-: *resine terpeniche* terpene resins.

terpịna *f.* ⟨*Chim*⟩ terpin hydrate.

tẹrra *f.* **1.** earth (*anche Astr.*): *la rotazione diurna della* ~ the daily rotation of the earth. – **2.** (*terra, in contrapposizione al mare, all'aria*) earth, land: *una stretta lingua di* ~ *si protende nel mare* a narrow point of land extends into the sea; *una spedizione per via* ~ a land expedition. – **3.** (*territorio, regione*) region, territory, land: *-e polari* polar regions; (*paese*) land, country: *nostalgia della* ~ *natale* homesickness for one's native land; *morire in* ~ *straniera* to die in a foreign land. – **4.** (*mondo, vita terrena*) earth, world: *i beni della* ~ the riches of the earth; *siamo solo di passaggio per questa* ~ we are brief visitors in this world. – **5.** ⟨*estens*⟩ (*gli uomini*) man(kind), men *pl*, world: *tutta la* ~ *ammira gli astronauti* the whole world admires the astronauts. – **6.** (*sostanza naturale incoe-*

rente) earth, soil, dirt: *un sacco di* ~ a bag of earth; *smuovere un mucchio di* ~ to move a pile of earth; (*argilla, creta*) clay: *vasi in* ~ clay pots. – **7.** (*terreno coltivabile*) (arable) land, earth, soil: *arare la* ~ to plough the land; ~ *fertile* fertile soil. – **8.** (*campagna, campi*) land, soil, country: *i frutti della* ~ the fruits of the soil; *ritorno alla* ~ back to the land; *lavoratori della* ~ workers of the land, tillers of the soil. – **9.** ⟨*estens*⟩ (*superficie piana su cui poggia un corpo: suolo*) ground: *sdraiarsi per* ~ to lie down on the ground; *strisciare sulla* ~ to crawl along the ground; *buttare un oggetto in* ~ to throw an object to the ground; (*pavimento*) floor: *sollevare un giornale da* ~ to pick up a newspaper from the floor; *dormire per* ~ to sleep on the floor. – **10.** (*possedimento rurale, fondo*) (piece of) land, property, estate, holding: *vendere una* ~ to sell an estate; *ritirarsi a vivere nelle proprie -e* to retire to live on one's own estate; *ha una* ~ *in Lombardia* he has some property in Lombardy. – **11.** ⟨*lett*⟩ (*luogo abitato*) country, region; (*città*) city, town; (*borgata*) town(ship). – **12.** ⟨*El*⟩ earth, ⟨*am*⟩ ground; (*messa a terra*) earthing, ⟨*am*⟩ grounding. – **13.** ⟨*Chim*⟩ earth.

□ **a** ~: 1. (*stato*) on the ground; 2. (*moto*) (on)to the ground: *buttare qd. a* ~ to knock s.o. to the ground; ⟨*fig*⟩ **abbandonare** *questa* ~ (*morire*) to quit this world (*o* vale of tears); ⟨*El*⟩ ~ **accidentale** accidental earth; ⟨*Geog*⟩ *le Terre* **Alte** the Highlands *pl*; ~ **argillosa** clayey (*o* loamy) soil; ⟨*scherz*⟩ ~ **ballerina** (*l'Italia meridionale*) quake country, Southern Italy; ~ **bolare** = *terra di* **Siena**; ~ **bruciata** scorched earth; ⟨*Mil*⟩ *tattica della* ~ *bruciata* scorched earth policy; ⟨*fig*⟩ **buttare** *a* ~ = **mettere** *a terra*; ~ **cattù** catechu, cutch; ⟨*El*⟩ **collegare** *a* ~ to earth, ⟨*am*⟩ to ground; ~ **colorante** earth colour, colouring earth; ⟨*non com*⟩ ~ **cotta** → **terracotta**; ~ **decolorante** bleaching clay (*o* earth); **della** ~: 1. earth-, of the earth (*o* Earth); 2. (*terreno*) earthly, wordly: *i piaceri della* ~ earthly pleasures; **di** ~ (*di terraferma*) land-: *brezza di* ~ land breeze; ⟨*Mil*⟩ *forze di* ~ land forces; ⟨*Geog*⟩ *-e* **emerse** lands above sea-level; ⟨*fig*⟩ **essere** *a* ~: 1. (*fisicamente mal ridotto*) to be in bad shape; 2. (*depresso*) to be in low spirits; 3. (*finanziariamente rovinato*) to be ruined, ⟨*fam*⟩ to be broke; ⟨*non com*⟩ ~ **ferma** → **terraferma**; ⟨*El*⟩ **filo** *di* ~ earth-wire, ⟨*am*⟩ ground wire; *a* **fior** *di* ~ just grazing (*o* touching) the earth; ⟨*Tess*⟩ ~ *da* **follone** fuller's earth; ⟨*Met*⟩ ~ *da* **fonderia** moulding (*o* foundry) sand; ⟨*Geog*⟩ ≈ *del* **Fuoco** Tierra del Fuego; ~ **gialla** = *terra di* **Siena**; ~ **giapponica** (*o del Giappone*) = *terra* **cattù**; *avere una* **gomma** *a* ~ to have a puncture (*o* flat tyre), ⟨*am*⟩ to have a flat; ~ **grassa** = *terra* **vegetale**; ~ **grigia** podzol (soil), podsol; ⟨*Min*⟩ ~ **d'infusori** kieselguhr, infusorial earth; ⟨*fig*⟩ *sentirsi* **mancare** *la* ~ *sotto i piedi* (*sentirsi perduto*) to feel lost, to feel the ground cut out from under one; *mi sentii mancare la* ~ *sotto i piedi* my heart sank; ~ **matta** = *terra* **ballerina**; ⟨*El*⟩ *la* **messa** *a* ~ earthing, earthing-connection, ⟨*am*⟩ grounding; **mettere** *a* ~: 1. ⟨*El*⟩ to earth, ⟨*am*⟩ to ground: *mettere a* ~ *un apparecchio* to earth an instrument; 2. ⟨*fam*⟩ (*esaurire*) to wear out, to knock (*o* tire) out; 3. ⟨*fam*⟩ (*rovinare*) to ruin, to break, ⟨*fam*⟩ to do for; *mettere sotto* ~ to put (*o* run) underground, to bury; (*seppellire*) to bury; ⟨*Met*⟩ ~ (*da*) **modello** facing sand, skinning loam; *la* ~ **natia** one's homeland, one's native land, one's mother country; ~ *di* **nessuno** no-man's-land; *dormire sulla* **nuda** ~ to sleep on the bare ground; ⟨*Met*⟩ ~ **nuova** new sand; ⟨*Pitt*⟩ ~ *d'***ombra** umber; ~ *di* **Pegù** = *terra* **cattù**; **per** ~: 1. (*stato*) on the ground: *sdraiarsi per* ~ to lie on the ground; 2. (*moto*) (on)-to the ground: *cadere per* ~ to fall to the ground; *per mare e per* ~: 1. by land and by sea; 2. ⟨*fig*⟩ everywhere, high and low: *cercare qd. per mare e per* ~ to search high and low for s.o.; *mettere* **piede** *a* ~: 1. to set foot on the ground; 2. (*scendendo da cavallo*) to dismount; 3. (*scendendo da un'imbarcazione*) to land, to go ashore; 4. (*scendendo da un velivolo*) to land; ⟨*fig*⟩ *stare coi piedi in* (*o sulla*) ~ (*essere realisti*) to have one's feet on the ground; ~ *da* **pipe** pipe-clay, ball clay; ⟨*fig*⟩ *andare a far* ~ *da pipe* (*morire*) to die; ~ *da* **porcellana** kaolin, china-clay; ⟨*ant*⟩ **prendere** (*o pigliare*) ~ to berth, to be beached; ⟨*El*⟩ **presa** *di* ~ earth plate; ~ **promessa** Promised Land (*anche fig.*); ⟨*Chim*⟩ ~ **rara** rare earth; **raso** ~: 1. close to the ground, grazing (*o* skimming over) the ground; 2. ⟨*Artigl*⟩ sweeping the ground; 3. ⟨*Sport*⟩ ground-, low; 4. ⟨*fig*⟩ (*dappoco*) insignificant, mediocre, pedestrian; ⟨*Min*⟩ ~ **refrattaria** fireclay; ⟨*Met*⟩ ~ *da* **riempimento** backing (*o* bedding) sand; **rimanere** *a* ~: 1. (*non riuscire a imbarcarsi*) to miss the boat; 2. (*perdere l'aereo*) to miss ⌜one's flight⌝ (*o* the plane); 3. (*perdere il treno*) to miss the train; ~ *di* **riporto** made ground, backfill; ⟨*Min*⟩ ~ **rossa** terra rossa; ≈ **Santa** Holy Land; **sbarcare** (*o scendere*) *a* ~ to go ashore, to land; ~ **secca** dry sand; ⟨*Min*⟩ ~ *di* **Siena** sienna; ~ **sigillata**: 1. ⟨*Archeol*⟩ terra sigillata, Arretine fabric (*o* ware); 2. ⟨*Min*⟩ cimolite; **sotto** ~ underground, under the earth: *un cavo che corre sotto* ~ an underground cable; ~ **terra**: 1. close to the ground, at ground level, terre à terre; 2. ⟨*Mar*⟩ hugging the coast, coasting; *andare* (*o navigare*) ~ *terra* (*costeggiare*) to (hug the) coast; 3. ⟨*fig*⟩ ordinary, prosaic, pedestrian, terre à terre, matter-of-fact: *essere* ~ *terra* (*essere limitato intellettualmente*) to be prosaic (*o* pedestrian); **toccare** ~: 1. ⟨*Mar*⟩ (*approdare*: *rif. a persone*) to land, to go ashore: (*rif. a navi*) to berth, to come alongside; 2. ⟨*Aer*⟩ (*atterrare*) to land; *non toccare* ~ *dalla felicità* to be beside o.s. with joy, to be in seventh heaven; ~ **vegetale** loam; ⟨*Met*⟩ ~ **verde** green earth, terre verte; ~ **vergine** virgin land; ⟨*Mar*⟩ ~ *in* **vista**! land ho! – *Prov.*: ~ *nera buon grano mena* black earth produces good crops.

terrạccia (*pegg. di terra*) *f.* (*pl.* **-ce**) poor earth (*o* soil).

terracọtta *f.* (*pl.* terrecọtte) **1.** (*argilla cotta*) terra-cotta, fired clay. – **2.** (*manufatto*) terra-cotta. □ *statuine di* ~ terra-cotta statues, terra-cottas.

terrạcqueo *a.* terraqueous: *globo* (*o orbe*) ~ terraqueous globe.

terrafẹrma *f.* (*pl.rar.* terrefẹrme) **1.** (*parte continentale di una regione*) mainland, continent, ⟨*ant*⟩ terra firma: *città di* ~ mainland town. – **2.** (*in contrapposizione al mare*) dry land, land, terra firma: *sbarcare sulla* ~ to set foot on dry land.

terraggẹre *m.* ⟨*Dir*⟩ tenant farmer. – **terraggerịa** *f.* tenant farming (with payment in kind). – **terraggerịsta** *m.* → **terraggere**. – **terrạggio** *m.* → **terraggeria**.

terrạglia *f.* ⟨*Ceram*⟩ **1.** china. – **2.** *pl.* (*oggetti*) china(ware), earthenware, crockery. □ ~ *dolce* pipeclay; ~ *forte* ironstone (china); ~ *media* earthenware.

terrạglio *m.* ⟨*ant*⟩ **1.** (*terrazzo*) terrace. – **2.** (*terrapieno*) bank, embankment.

terrạgno *a.* ⟨*ant*⟩ **1.** (*posto sulla terra*) land-, on (the) land. – **2.** (*poco rialzato*) low, ground-level-.

terragnọla *f.* ⟨*Ornit*⟩ (*allodola*) (sky)lark (*Alauda arvensis*).

terrạgnolo *a.* **1.** ⟨*ant*⟩ → **terragno**. – **2.** ⟨*Zool*⟩ (*terricolo*) terrestrial: *animale* ~ terrestrial animal. – **3.** ⟨*Bot*⟩ prostrate, trailing, creeping.

terraiọla *f.* ⟨*Ornit*⟩ (*calandrella*) short-toed lark (*Calandrella brachydactyla*).

terraiọlo I *a.* ⟨*Ornit*⟩ terrestrial: *uccello* ~ terrestrial bird. – **II** *s.m.* **1.** terrestrial bird. – **2.** (*capinera*) blackcap (*Sylvia atricapilla*). – **3.** ⟨*mar*⟩ landlubber.

terramạra *f.* (*pl.* terramạre/terremạre) ⟨*Archeol*⟩ terramara. – **terramarịcolo** *m.* inhabitant of a terramara.

terramicịna *f.* ⟨*Farm*⟩ terramycin.

terrạneo *a.* ⟨*Edil*⟩ ground-level-.

terrạno *m.* ⟨*Enol*⟩ kind of dry red wine.

terranọva *m.inv.* ⟨*Zool*⟩ (*cane di Terranova*) Newfoundland (dog).

Terranọva *N.pr.f.* ⟨*Geog*⟩ Newfoundland.

terrapienạre *v.t.* (terrapiẹno) **1.** to embank, to bank up. – **2.** ⟨*assol*⟩ to build embankments. – **terrapiẹno** *m.* **1.** embankment, bank. – **2.** ⟨*Mil*⟩ rampart. □ ~ *ferroviario* railway embankment; ~ *stradale* road embankment.

terrạqueo *a.* → **terracqueo**.

terrạrio *m.* ⟨*Zootecn*⟩ terrarium.

Terrasạnta *N.pr.f.* ⟨*Geog,Rel*⟩ Holy Land.

terraticạnte *m.* → **terraggere**. – **terrạtico** *m.* (*pl.* **-ci**) **1.** → **terraggeria**. – **2.** ⟨*ant*⟩ (*imposta*) land tax.

terrạzza *f.* **1.** terrace; (*ripiano di copertura dell'edificio*) (roof-)terrace. – **2.** ⟨*Geol,Agr*⟩ terrace. □ *a -e* terraced. – **terrazzamẹnto** *m.* ⟨*Geol,Agr*⟩ terracing.

terrazzạno *m.* (*f.* **-a**) ⟨*lett*⟩ **1.** (*abitante di castello*) castle-dweller; (*abitante di un borgo*) villager, townsman. – **2.** (*compaesano*) fellow -townsman. – **3.** (*abitante di città assediata*) inhabitant of a besieged town.

terrazzạre *v.t.* ⟨*Geol,Agr*⟩ to terrace. – **terrazzạto** (*p.p. di terrazzare*) *a.* **1.** ⟨*Geol*⟩ terraced, terrace-; (*a forma di terrazzo*) terraciform, terraced. – **2.** ⟨*Agr*⟩ terraced.

terrazziẹre *m.* **1.** (*operaio sterratore*) navvy, digger, excavator. – **2.** (*operaio pavimentatore*) floorer, floor-layer.

terrazzịna (*dim. di terrazza*) *f.* ⟨*region*⟩ → **terrazzino**. – **terrazzịno** (*dim. di terrazzo*) *m.* (*balcone*) balcony.

terrạzzo *m.* **1.** terrace. – **2.** (*balcone*) (wide) balcony. – **3.** ⟨*Geol, Agr*⟩ terrace. – **4.** ⟨*Edil*⟩ (*tipo di pavimento*) terrazzo. – **5.** ⟨*Mil.ant*⟩ high earthwork (thrown up by a besieging force), ⟨*lett*⟩ terrace. □ ⟨*Geol*⟩ ~ *alluvionale* alluvial terrace; ~ *fluviale* stream (*o* river) terrace; ~ *marino* marine terrace.

terrẹlla *m.* ⟨*Fis*⟩ terrella.

terremotạto I *a.* devastated by an earthquake. – **II** *s.m.* (*f.* **-a**) (*profugo*) earthquake victim (*o* refugee).

terremọto *m.* **1.** ⟨*Geol*⟩ earthquake, quake. – **2.** ⟨*fig*⟩ (*persona irrequieta*) live wire, lively person, madcap, ⟨*fam*⟩ whirl; (*ragazzo vivace*) live wire, lively child, romp.

□ ~ *d'***assestamento** = *terremoto* **tettonico**; ~ *di* **crollo** collapse earthquake; ~ **ondulatorio** undulatory quake; **scossa** *di* ~ earthquake tremor; ~ **sottomarino** submarine earthquake, sea-quake; ~ **sussultorio** sussultatory earthquake; ~ **tettonico** tectonic earthquake; ~ **vulcanico** volcanic earthquake.

terrenità *f.* ⟨*rar*⟩ earthliness, worldliness.

terrẹno[1] **I** *a.* **1.** earthly, terrestrial, worldly, mundane: *vita -a* earthly life. – **2.** (*che è al livello del suolo*) ground-, ground (*o* street) level-, ground(-floor), on the ground floor: *piano* ~ ground floor; *stanza -a* room on the ground floor, ground-floor room. – **3.** ⟨*ant, rar*⟩ (*terrestre*) terrestrial, earth's. – **II** *s.m.* (*pianterreno*) ground floor.

terrẹno[2] *m.* **1.** (*strato superficiale della crosta terrestre*) land, country, ground: ~ *montuoso* mountainous country (*o* land); ~ *desertico* desert (land). – **2.** (*terra coltivabile*) land, earth, soil: ~ *fertile* fertile land; *dissodare il* ~ to plough the land. – **3.** (*suolo*) ground: *il ferito era riverso sul* ~ the wounded man was lying on his back on the ground. – **4.** (*fondo*) (piece of) land, (landed) property, plot (of land), (real) estate: *ha comprato un* ~ *per fabbricarsi una casetta* he bought a plot of land to build himself a house. – **5.** (*podere*) farm, holding, plot (of land): *ha dei -i in campagna* he owns several plots of land in the country; (*zona*) ground, land, terrain, region, territory, area: *perlustrare il* ~ to patrol the area; *avere* *una perfetta conoscenza del* ~ to know the lie of the land. – **6.** (*campo di battaglia*) battlefield, ⟨*lett*⟩ field: *molti soldati rimasero sul* ~ many soldiers were left on the field. – **7.** ⟨*fig*⟩ (*argomento*) field, sphere, terrain, subject, matter: *questo è un* ~ *infido* it's a tricky matter; *non posso seguirti su questo* ~ I can't keep up with you in that field. – **8.** ⟨*Sport*⟩ (*terreno di gioco*) (sports) ground, (playing-) field; (*prato delle corse, pista*) track. – **9.** ⟨*Geol*⟩ terrane, (geological) formation. – **10.** ⟨*ant*⟩ (*territorio*) territory; (*dominio*) domain, land. □ ~ **alluvionale**: 1. ⟨*Geol*⟩ alluvial terrane; 2. ⟨*Agr*⟩ alluvial soil; ~ **arativo** = *terreno* **coltivabile**; ~ **argilloso** clayey (*o* loamy) soil; ~ **boschivo** wooded land, woodland; ~ **collinoso** hilly land (*o* ground); ~ **coltivabile** arable (*o* tillable) land; ~ **coltivato** cultivated land, land under cultivation; ⟨*Biol*⟩ ~ **coltura** culture medium; ~ **confinante** (o *contiguo*) adjoining land, neighbouring estate; ⟨*Minier*⟩ ~ *di* **copertura** (over)burden; ~ **duro** hard ground; ~ **erboso** grassland, grassy land; ~ **fabbricabile** (o *fabbricativo*) building site (*o* ground); ⟨*fig*⟩ **guadagnar** ~ to gain ground; ~ **incoerente** crumbly (*o* noncohesive) soil; *-i* **incolti** uncultivated (*o* untilled) land *sing*, waste(land) *sing*; (*lasciato in maggese*) fallow fields; ~ **industriale** industrial area (*o* zone); ⟨*fig*⟩ **lasciare** *sul* ~ to leave behind, to abandon; ~ **leggero** light (*o* loose, porous) soil; ~ **magro** lean (*o* poor) soil; ⟨*fig*⟩ *sentirsi* **mancare** *il* ~ *sotto i piedi* to feel lost, to feel the ground cut out from under one; ⟨*fig,ant*⟩ *trovare il* ~ **morbido** (*trovare una persona facile*) to meet with no resistance; ⟨*fig*⟩ ~ **neutro** neutral ground; ~ **ortivo** vegetable garden; (*su grande scala*) market garden, ⟨*am*⟩ truck farm; ~ **paludoso** swampy land, swamp, marshland; ~ *da* **pascolo** pasture (land); **perdere** ~ to lose ground (*anche fig.*); ~ **pesante**: 1. ⟨*Sport*⟩ heavy track, muddy field; 2. ⟨*Agr*⟩ muddy land, heavy soil; ⟨*ant*⟩ *non è* ~ *da* **piantarci** *vigna* (*non è persona su cui si possa sperare*) he's not to be counted on, there's nothing to be got from him; ~ **pietroso** rocky ground (*o* soil); ~ **prativo** meadow(land), grass(land), land under grass; ⟨*fig*⟩ **preparare** *il* ~ to prepare the ground, to pave the way; ⟨*fig*⟩ **restare** *sul* ~ (*morire in combattimento*) to die on the battlefield; ⟨*Edil*⟩ ~ *di* **riporto** made (o filled) ground, backfill; ⟨*Agr*⟩ ~ *a* **riposo** fallow land; ~ **sabbioso** sandy soil; **saggiare** *il* ~ = **tastare** *il terreno*; ~ **salso** (o *salino*) saline soil; **scendere** *sul* ~ (*venire a duello*) to cross swords, to fight (*o* have) a duel; ~ **sciolto** loose earth, dirt; ~ **seminativo** sowable land; ⟨*Mur*⟩ ~ *di* **sovraccarico** surcharge; ~ **stanco** impoverished soil; **studiare** *il* ~ to study the lie of the land (*anche fig.*); ~ *di* **superficie** topsoil; **tastare** *il* ~ to sound the ground; ⟨*fig*⟩ to put out feelers, to get the lie of the land; ~ **vegetale** loam; ~ **vulcanico** volcanic soil.

tẹrreo *a.* **1.** (*di terra*) earthy, earth-, earthen. – **2.** (*del colore della terra*) earth-coloured. – **3.** (*rif. al colorito*: *giallo livido*) deadly pale, ashen, wan, sallow.

terrẹstre I *a.* **1.** terrestrial, of the Earth (*o* earth), earth's: *magnetismo* ~ terrestrial magnetism; *il globo* ~ the terrestrial sphere; *la superficie* ~ the earth's surface. – **2.** (*terreno*) earthly, terrestrial, worldly, mundane: *il paradiso* ~ the earthly paradise. – **3.** (*della terraferma*) land-: *battaglia* ~ land battle. – **4.** ⟨*Zool,Bot*⟩ terrestrial, land-. – **II** *s.m./f.* earthling, inhabitant of the Earth.

terrestrità *f.* ⟨*lett*⟩ **1.** earthliness. – **2.** (*terrenità*) earthliness, worldliness. – **terrẹstro** *a./s.* ⟨*ant*⟩ → **terrestre.**

terrịbile *a.* **1.** terrible, terrifying, fearful, dreadful: *visione* ~ fearful sight. – **2.** (*spietato*) pitiless, cruel, terrible; (*estremamente severo*) harsh, cruel, savage: *giudice* ~ a cruel judge. – **3.** ⟨*iperb*⟩ (*intenso*) terrible, dreadful, frightful, ⟨*fam*⟩ awful: ~ *mal di denti* terrible toothache; *faceva un caldo* ~ the heat was terrible, it was terribly hot; (*straordinario*) extraordinary, tremendous, great: *forza* ~ tremendous strength.

terribilità *f.* ⟨*non com*⟩ terribleness. – **terribilmẹnte** *avv.* **1.** (*in modo da spaventare*) terribly. – **2.** ⟨*iperb*⟩ (*intensamente*) very, greatly, terribly, extraordinarily, tremendously: *fa* ~ *caldo* it's terribly hot; (*in modo straordinario*) terribly, ⟨*fam*⟩ frightfully, ⟨*fam*⟩ awfully: *è* ~ *noioso* he is terribly dull.

terricciạto *m.* ⟨*Agr*⟩ compost. – **terrịccio** *m.* soil, earth, loam. □ ~ *agricolo* surface soil, topsoil; ~ *di brughiera* heath-mould.

terricciọla (*dim. di terra*) *f.* **1.** (*piccolo possedimento agrario*) small farm, small property (*o* holding), ⟨*am*⟩ family farm. – **2.** (*piccolo borgo*) village, township.

terrịcolo *a.* ⟨*Zool,Bot*⟩ terrestrial, land-.

terrier *fr.* [teri'e] *m.* ⟨*Zool*⟩ terrier.

terriẹre *m.* ⟨*ant*⟩ **1.** (*abitante d'un borgo fortificato*) inhabitant of a fortified town. – **2.** (*paesano*) townsman; (*di villaggio*) villager. – **3.** (*compaesano*) fellow-townsman, fellow-villager.

terriẹro *a.* landed: *proprietà -a* landed property, estate; *proprietario* ~ landowner, landed proprietor.

terrificạnte (*p.pr. di terrificare*) *a.* terrifying. – **terrificạre** *v.t.* (**terrịfico, terrịfichi**) to terrify. – **terrịfico** *a.* (*pl.* **-ci**) ⟨*lett*⟩ (*spaventevole*) terrifying, terrible, ⟨*lett*⟩ terrific.

terrịgeno *a.* **1.** ⟨*lett*⟩ (*nato dalla terra*) earth-born, ⟨*lett*⟩ terrigenous. – **2.** ⟨*Geol*⟩ terrigenous: *depositi -i* terrigenous deposits.

terrịgno *a.* ⟨*lett*⟩ **1.** (*che ha l'aspetto della terra*) earthy, earthlike. – **2.** (*del colore della terra*) earth-coloured. – **3.** ⟨*ant*⟩ (*di animale*: *che vive sotto terra*) living underground.

terrịna *f.* ⟨*region*⟩ terra-cotta bowl, terrine.

territoriạle I *a.* territorial: *confini -i* territorial boundaries; *acque -i* territorial waters. – **II** *s.f.* (*anche milizia territoriale*) territorial army. – **territorialịstico** *a.* (*pl.* **-ci**) territorial: *politica -a* territorial policy. – **territorialità** *f.* territoriality: ~ *della legge* principle of territoriality. – **territorializzạre** *v.t.* ⟨*non com*⟩ to territorialize. – **territorializzarsi** *v.r.* to be territorialized.

territọrio *m.* **1.** territory: *territori costieri* coastal territories. – **2.** (*estensione di paese soggetto alla giurisdizione di uno stato*) territory: ~ *italiano* Italian territory; *i territori d'oltremare* overseas territories; (*regione, paese*) territory, region: *invadere il* ~ *nemico* to invade enemy territory. – **3.** (*negli stati federali*) territory: *Territorio del Nord* Northern Territory. – **4.** ⟨*fig*⟩ (*campo*) territory, sphere, province. □ ⟨*Pol*⟩ ~ *sotto amministrazione fiduciaria* trust (*o* trusteeship) territory; ~ *internazionale* international territory; ~ *di missione* missionary territory; ~ *nazionale* (o *dello stato*) national (*o* state) territory; ~ *periferico* peripheral territory.

terriziọne *f.* ⟨*Stor*⟩ threatening with torture.

terrọne *m.* (*f.* **-a**) ⟨*region,spreg*⟩ (*abitante dell'Italia meridionale*) Southern Italian.

terrọre *m.* **1.** terror: *incutere* ~ *a qd.* to strike terror into s.o.'s heart. – **2.** (*persona o cosa che causa terrore*) terror: *l'esame era il suo* ~ the exam was a terror for him. – **3.** ⟨*Pol*⟩ reign of terror, terrorism. – **Terrore** *m.* ⟨*Stor*⟩ Reign of Terror, (Red) Terror. □ *avere* ~ *di qc.* to be terrified of s.th.; ⟨*Stor*⟩ ≈ *bianco* White Terror; ⟨*Psic*⟩ ~ *notturno* pavor nocturnus, night terrors *pl*; *pieno di* ~ terror -struck, filled with terror.

terrorịsmo *m.* **1.** terrorism. – **2.** (*regime terroristico*) terrorism, reign of terror. – **Terrorismo** *m.* ⟨*Stor*⟩ (*Terrore*) (Reign of) Terror. – **terrorịsta I** *s.m./f.* **1.** terrorist. – **2.** ⟨*Stor*⟩ Terrorist, Jacobin. – **II** *a.* → **terroristico.** – **terrorịstico** *a.* (*pl.* **-ci**) **1.** terroristic, of terror: *regime* ~ terroristic regime, reign of terror. – **2.** (*relativo al terrorismo*) terroristic, terrorist.

terrorizzạre *v.t.* **1.** (*incutere grande spavento*) to terrorize, to terrify. – **2.** (*tenere sotto un regime di terrore*) to terrorize. – **terrorizzạto** (*p.p. di terrorizzare*) *a.* **1.** terrorized, terrified: *appariva* ~ he looked terrified. – **2.** (*tenuto in stato di terrore*) terrorized.

terrọso *a.* **1.** (*misto a terra*) earth-, earthy; (*sporco di terra*) dirty, covered with earth: *mani -e* hands covered with earth. – **2.** (*simile a terra*) earthy, earth-like. □ *metalli -i* earth metals.

terrụcola *f.* **1.** (*villaggio*) village, hamlet. – **2.** (*terreno magro*) lean (*o* poor) soil.

tersamẹnte *avv.* **1.** clearly. – **2.** ⟨*fig*⟩ tersely. – **tersẹzza** *f.* ⟨*lett, non com*⟩ **1.** cleanness, clearness. – **2.** (*limpidezza, trasparenza*) limpidness, limpidity, transparency, clarity. – **3.** ⟨*fig*⟩ terseness, polish: *la* ~ *di uno stile* the terseness of a style.

Tersịcore *N.pr.f.* ⟨*Mitol*⟩ Terpsichore.

tersità *f.* ⟨*rar*⟩ → **tersezza.**

Tersịte *N.pr.m.* ⟨*Mitol*⟩ Thersites.

tẹrso (*p.p. di tergere*) *a.* **1.** (*pulito, nitido*) clean, clear, limpid: *aria -a* clean (*o* pure) air. – **2.** (*limpido*) transparent, (crystal-)clear: *acque -e* clear (*o* limpid) waters. – **3.** ⟨*fig*⟩ (*forbito*) terse, polished, refined: *stile* ~ terse style.

Tertulliạno *N.pr.m.* ⟨*Stor*⟩ Tertullian.

tẹrza *f.* **1.** ⟨*Scol*⟩ (*rif. alle scuole elementari*) third form (*o* class), ⟨*am*⟩ third grade; (*rif. alle scuole medie*) third form (*o* class) (of middle school), ⟨*am*⟩ last year of junior high school, ⟨*am*⟩ ninth grade; (*rif. al liceo classico*) last year of grammar school, sixth form, ⟨*am*⟩ senior year (of high school); (*rif. al liceo scientifico*) third year of grammar school, ⟨*am*⟩ third year of high school. – **2.** ⟨*Aut*⟩ third (gear): *ingranare la* ~ to engage the third gear. – **3.** ⟨*Ferr*⟩ (*terza classe*) third class: *viaggiare in* ~ to travel third class. – **4.** ⟨*Mus*⟩ third. – **5.** ⟨*Sport*⟩ tierce, third. – **6.** ⟨*Lit*⟩ terce, ⟨*ant*⟩ tierce. – **7.** ⟨*Stor.rom*⟩ third hour, (about) nine a.m. – **8.** ⟨*Dir*⟩ (*terza parte*) third. – **9.** ⟨*Arald*⟩ tierce. – **10.** ⟨*rar*⟩ (*gruppo di tre*) (group of) three, trio.

□ ⟨*Sport*⟩ ~ **alta** high third; ⟨*Mus*⟩ ~ **aumentata** augmented third; ⟨*Sport*⟩ ~ **bassa** low third; ⟨*Ferr*⟩ **biglietto** *di* ~ third-class ticket; ⟨*Econ*⟩ ~ *di* **cambio** third of exchange; ⟨*Mus*⟩ ~ **diminuita** diminished third; ⟨*Scol*⟩ ~ **elementare** third form (in primary school), ⟨*am*⟩ third grade; **essere** *in* ~: 1. ⟨*Aut*⟩ to be in third (gear); 2. ⟨*pop*⟩ (*avere tre carte dello stesso valore*) to have three of a kind; ⟨*Scol*⟩ ~ **liceale** (*o liceo*): 1. (*rif. al liceo classico*) sixth form, ⟨*am*⟩ senior (*o* fourth) year; 2. (*rif. al liceo scientifico*) third year; ⟨*Mus*⟩ ~ **maggiore** major third; ⟨*Scol*⟩ ~ **media** third form (in middle school), ⟨*am*⟩ last year of junior high school, ⟨*am*⟩ ninth grade; ⟨*ant*⟩ **mezza** ~ (about) half-past seven in the morning; ⟨*Mus*⟩ ~ **minore** minor third; ⟨*Mus*⟩ ~ **ottava** great octave; ⟨*Sport*⟩ **parata** *di* ~ tierce.

terzạdro *m.* ⟨*Dir*⟩ tenant farmer (who keeps one-third of his produce).

terzạna *f.* ⟨*Med*⟩ (*anche febbre terzana*) tertian (fever).

terzanà *m./f.* ⟨*ant,tosc*⟩ (*arsenale*) arsenal.

terzanẹlla[1] *f.* ⟨*Tess*⟩ poor grade silk.

terzanẹlla[2] *f.* ⟨*Bot*⟩ (*anagallide*) scarlet (*o* red) pimpernel, poor man's weatherglass (*Anagallis arvensis*).

terzạre *v.* ⟨*ant*⟩ → **terziare.**

terzarịa *f.* ⟨*ant,region*⟩ → **terzeria.**

terzarolạre *v.t.* (**terzarọlo**/*lett.* **terzaruọlo**) ⟨*Mar*⟩ to reef. – **terzarọlo** *m.* **1.** ⟨*Mar*⟩ reef. – **2.** ⟨*Mar.ant*⟩ (*nelle galere*: *terzo vogatore*) third rower. – **3.** ⟨*Mil.ant*⟩ small harquebus.

terzạvo(lo) *m.* (*f.* **-a**) ⟨*non com*⟩ (*trisavolo*) great-great-grandparent.

terzẹra *f.* **1.** ⟨*Edil*⟩ purlin. – **2.** ⟨*Comm*⟩ (*tronco d'albero*) tree trunk about a foot in diameter at six feet height.

terzerịa *f.* **1.** ⟨*Dir*⟩ form of tenant farming (in which the tenant farmer keeps one-third of his produce). – **2.** ⟨*Agr*⟩ three-year crop rotation system, three-field (*o* three-course) system.

terzerọlo *m.* → **terzarolo.**

terzẹtta *f.* ⟨*Mil.ant*⟩ short-barrelled pistol.

terzẹtto *m.* **1.** ⟨*Mus*⟩ terzetto, (vocal) trio. – **2.** ⟨*scherz*⟩ (*gruppo di tre persone*) trio, three (people) *pl*: *siete proprio un allegro* ~ you're really a gay trio. – **3.** (*gruppo di tre cose*) trio, set (*o* group) of three. – **4.** ⟨*Metr,ant*⟩ (*terzina*) triplet, tercet, terzina.

terziạre *v.t.* (**tẹrzio, tẹrzi**) ⟨*Agr*⟩ to plough for the third time (at right angles to the previous ploughing).

terziạrio I *a.* **1.** third, tertiary. – **2.** ⟨*Geol*⟩ Tertiary. – **3.** ⟨*Med*⟩ tertiary. – **II** *s.m.* **1.** ⟨*Geol*⟩ Tertiary (period). – **2.** ⟨*Rel*⟩ (*f.* **-a**) tertiary.

terziatọre *m.* ⟨*Mediev*⟩ peasant (who gives one-third of his produce to the landowner).

terziatụra *f.* ⟨*Agr*⟩ third ploughing (of fallow land).

terziẹre *m.* ⟨*Mediev*⟩ third part of a town.

terzịglia *f.* **1.** ⟨*Sport*⟩ three-man team. – **2.** ⟨*Mil,Ginn*⟩ three-man line-up.

terzịglio *m.* kind of card game.

terzịna *f.* **1.** ⟨*Metr*⟩ triplet, tercet, terzina. – **2.** ⟨*Mus*⟩ triplet, ⟨*non com*⟩ tercet. – **3.** ⟨*ant*⟩ (*terno al lotto*) tern.

terzinạre *v.t.* ⟨*Mus*⟩ to arrange in triplets.

terzịno *m.* **1.** ⟨*Sport*⟩ (full)back. – **2.** (*misura di capacità*) third of a flask. – **3.** ⟨*Mus*⟩ clarinet (*o* flute) tuned a minor third above normal. – **4.** ⟨*Zootecn,region*⟩ two- or three-year-old billy goat. □ ~ *destro* right-back; ~ *sinistro* left-back; ~ *volante* reserve centre-half, second centre-back.

tẹrzo I *a.* **1.** third: *il* ~ *martedì del mese* the third Tuesday of the month. – **2.** (*rif. a regnanti, pontefici*) the Third: *Napoleone* ~ Napoleon the Third, Napoleon III. – **3.** ⟨*rar*⟩ (*costituito da tre unità*) threefold, triple. – **II** *avv.* thirdly, third. – **III** *s.m.* **1.** (*ordinale*; *f.* **-a**) third. – **2.** (*frazionario*) third (part): *un* ~ *del mio denaro* a third of my money. – **3.** (*terza persona*) third (person). – **4.** *pl.* (*altri*) third parties *pl*, others *pl*: *non voglio l'intervento di -i* I don't want the involvement of any third parties. – **5.** (*terza cosa*) third. – **6.** ⟨*Rad*⟩ (*terzo programma*) third programme. – **7.** ⟨*Dir*⟩ third party: *danno di -i* damage to third parties. – **8.** ⟨*Mil.ant*⟩ tercio, tertio. – **9.** ⟨*rar*⟩ → **terziere.**

□ ⟨*Ornit*⟩ ~ *d'***aquila** harrier (*o* short-toed) eagle, serpent eagle (*Circaëtus gallicus*); ⟨*Comm*⟩ *per* **conto** *-i* on behalf of third parties; *a* **danno** *di -i* to the detriment of third parties; ⟨*non com*⟩ **essere** *in* ~ (*fare da terzo*) to make a three; ~ **grado** third degree; *il* ~ **incomodo** the odd man out, ⟨*fam*⟩ the fifth wheel; *la -a* **Italia** (*L'Italia postrisorgimentale*) Post-Risorgimento Italy; *in* ~ **luogo** in the third place, thirdly; *il* ~ **mondo** the third world; ⟨*Rel*⟩ *terz'***ordine** third order; *roba di terz'ordine* third-rate junk; ⟨*Giorn*⟩ *la -a* **pagina** the literary page; ⟨*fam*⟩ *il* ~ *e il* **quarto** (*questo e quello*) this person and that; ⟨*scherz*⟩ *il* ~ **sesso**: 1. (*le zitelle*) spinsters *pl*, ⟨*fam*⟩ old maids *pl*; 2. (*gli invertiti*) third sex, homosexuals *pl*.

terzodẹcimo *a.* ⟨*lett*⟩ (*tredicesimo*) thirteenth.

terzogẹnito I *a.* third born. – **II** *s.m.* (*f.* **-a**) third born (child).

terzọlo[1] *m.* ⟨*pop*⟩ → **terzuolo**[1].

terzọlo[2] *m.* → **terzuolo**[2].

terzọne *m.* **1.** ⟨*Tess*⟩ sackcloth. – **2.** ⟨*Mar*⟩ water barrel.

terzụltimo (o *terz'ụltimo*) **I** *a.* third from the last, last but two. – **II** *s.m.* (*f.* **-a**) third from the last, last but two.

terzuọlo[1] *m.* ⟨*Agr*⟩ (*anche fieno terzuolo*) hay of the third cutting.

terzuọlo[2] *m.* **1.** ⟨*Venat*⟩ t(i)ercel. – **2.** ⟨*Ornit*⟩ (*astore*) goshawk (*Accipiter gentilis*). □ ⟨*Ornit*⟩ ~ *pellegrino* (*falcone*) peregrine falcon (*Falco peregrinus*).

tẹsa *f.* **1.** (*il tendere*) stretching; (*rif. a trappole e sim.*) setting, laying. – **2.** (*falda del cappello*) brim: *cappello a larga* ~ wide-brim(med) hat. – **3.** ⟨*Venat*⟩ (*paretaio*) bird trap; (*reti*) bird catching nets *pl*. – **4.** ⟨*Stor*⟩ (*unità di larghezza*) toise. – **5.** ⟨*ant*⟩ (*tensione*) tension. □ ⟨*Venat*⟩ *fare la* ~ to set the trap.

tesafịli *m.inv.* ⟨*El*⟩ wire stretcher.

tesạggio *m.* **1.** ⟨*tecn*⟩ stretching. – **2.** ⟨*Edil*⟩ (pre)stressing. – **tesạre** *v.t.* (**tẹso**) **1.** ⟨*tecn*⟩ to stretch. – **2.** ⟨*Edil*⟩ to (pre)stress. – **3.** ⟨*Mar*⟩ to haul taut, to put under tension, to stretch; (*rif. a vela*) to hoist taut. – **tesatụra** *f.* **1.** ⟨*tecn*⟩ stretching. – **2.** ⟨*Edil*⟩ (pre)stressing. – **3.** ⟨*Mar*⟩ hauling taut, putting under tension.

tesaurerịa *f.* ⟨*ant*⟩ → **tesoreria.** – **tesauriẹre** *m.* ⟨*ant*⟩ → **tesoriere.**

tesaurismọsi *f.* ⟨*Med*⟩ thesaurismosis, storage (*o* accumulation) disease.

tesaurizzạre I *v.t.* **1.** to hoard, to accumulate, to store. – **2.** ⟨*non com*⟩ (*far tesoro*) to treasure (up), to set great store by; (*giovarsi*) to profit by. – **II** *v.i.* (*aus.* **avere**) to hoard. – **tesaurizzaziọne** *f.* **1.** hoarding, accumulation, storing. – **2.** ⟨*Econ*⟩ (*tesoreggiamento*) hoarding. – **3.** ⟨*non com*⟩ (*il far tesoro*) treasuring (up). – **tesạuro** *m.* ⟨*ant,poet*⟩ → **tesoro.**

tesaurọsi *f.* → **tesaurismosi.**

teschiẹtto *m. dim. di* **teschio.** – **tẹschio** *m.* skull. □ ~ *di morte* death's head, skull.

Tẹseo (o *Tesẹo*) *N.pr.m.* ⟨*Mitol*⟩ Theseus.

tẹsi[1] *f.* **1.** thesis (*anche Metr.*). – **2.** ⟨*Mus*⟩ thesis, downbeat.

□ ⟨*Lett*⟩ **a** ~ thesis-, of ideas, engagé, with a message: *commedia a* ~ thesis (*o* problem) play, comedy of ideas; ⟨*Univ*⟩ **discutere** *la* ~ to dispute one's thesis; ⟨*Univ*⟩ ~ *di* **dottorato** doctoral thesis; **formulare** *una* ~ to advance a thesis; ⟨*Dir*⟩ **in** ~ primarily, in the first place; ~ *di* **laurea** degree thesis; **sostenere** *una* ~ to uphold an idea.

tẹsi[2] *p.rem. di* **tendere.**

tesịna (*dim. di tesi*[1]) *f.* ⟨*Univ*⟩ short supplementary thesis (*o* dissertation).

tesmofọrie *f.pl.* ⟨*Stor.gr*⟩ Thesmophoria.

tesmotẹta *m.* **1.** ⟨*Stor.gr*⟩ thesmothete. – **2.** ⟨*lett*⟩ (*legislatore*) legislator, lawgiver, thesmothete.

tẹso (*p.p. di tendere*) **I** *a.* **1.** taut, tight: *fune -a* taut rope; (*tirato*) drawn, taut, stretched, tightened. – **2.** (*irrigidito*) stiff, rigid, tense: *muscoli -i* stiff muscles. – **3.** (*come riflesso di tensione psichica*) tense: *faccia -a* tense face; *avere i nervi -i* to have tense nerves. – **4.** (*allungato*) outstretched: *gli si fece incontro con le braccia -e* he came towards him with arms outstretched. – **5.** (*proteso*) outstretched, stretched (*o* held) out, out: *con la mano -a* holding one's hand out. – **6.** ⟨*fig*⟩ (*quasi ostile*) tense: *rapporti -i* tense relations. – **7.** ⟨*Meteor*⟩ (*rif. a venti*: *al terzo posto della scala di Beaufort*) gentle: *brezza -a* gentle breeze; (*al quinto posto*) fresh: *vento* ~ fresh breeze. – **II** *s.m.* (*riparo*) screen of reeds. □ *con le orecchie -e* with ears pricked up, straining to hear; (*rif. ad animali*) with cocked ears; *stare con le orecchie -e* to strain (*o* prick up) one's ears; (*rif. ad animali*) to cock one's ears.

tesọna (*accr. di tesa*) *f.* broad hat brim.

tesoreggiamẹnto *m.* → **tesaurizzazione.** – **tesoreggiạre** *v.* (**tesorẹggio, tesorẹggi**) → **tesaurizzare.**

tesorerịa *f.* **1.** (*ufficio pubblico*) treasury: ~ *dello stato* State treasury. – **2.** (*insieme di mezzi liquidi*) treasury, exchequeur.

tesorẹtto (*dim. di tesoro*) *m.* → **tesorino.**

tesorierạto *m.* ⟨*ant*⟩ (*ufficio di tesoriere*) treasurership, office of treasurer.

tesoriẹre *m.* **1.** treasurer. – **2.** (*depositario di un tesoro*) treasurer. – **3.** ⟨*Rel*⟩ (*sacerdote*) treasurer. – **4.** ⟨*Stor*⟩ archicamerarius.

tesorịno (*dim. di tesoro*) *m.* darling, ⟨*fam*⟩ pet (lamb).

tesorizzạre *v.* → **tesaurizzare.** – **tesorizzaziọne** *f.* → **tesaurizzazione.**

tesọro *m.* **1.** treasure; (*grande ricchezza*) treasure, riches *pl*, great wealth. – **2.** (*luogo dove sono depositati tesori*) treasury, treasure -house; (*in una banca*) vault. – **3.** ⟨*fig*⟩ (*ricchezza naturale*) (natural) resources *pl*, treasures *pl*: *i -i della terra* the earth's natural resources; (*oggetto di grande valore*) treasure: *inestimabili -i d'arte* priceless art treasures. – **4.** ⟨*fig*⟩ (*dono prezioso*) precious gift, treasure. – **5.** ⟨*fig*⟩ (*ricchezza spirituale*) (spiritual) treasure, riches *pl*. – **6.** ⟨*fig*⟩ (*persona molto amata*) darling, treasure, jewel, ⟨*fam*⟩ pet. – **7.** ⟨*fig*⟩ (*persona molto simpatica*) treasure, ⟨*fam*⟩ sweetie; (*persona molto utile*) treasure, pearl, gem, jewel. – **8.** (*erario pubblico*) Treasury: *buoni del* ~ Treasury bonds; ⟨*GB*⟩ Treasury, Exchequer. – **9.** (*organo statale*) treasury. – **10.** (*insieme di arredi sacri, reliquie*) treasury: *il* ~ *di San Pietro* the Treasury of St. Peter's. – **11.** ⟨*Archeol*⟩ thesaurus, treasury. – **12.** ⟨*Dir*⟩ treasure-trove. – **13.** ⟨*Mediev*⟩ (*opera enciclopedica*) thesaurus.

□ ~ **corazzato** vault; ⟨*fam*⟩ **costare** *un* ~ to cost a mint; **far** ~ *di qc.*: 1. (*tenerne conto*) to treasure s.th. up, to set great store by s.th., to take s.th. to heart, to cherish s.th.: *fare* ~ *dei consigli di qd.* to take s.o.'s advice to heart; 2. (*giovarsene*) to profit by s.th.; ~ *di* **guerra** war chest; ⟨*iperb*⟩ **profondere** *-i* to lavish money, to spend money freely (*o* like water); *un* ~ *di* **ragazza** a darling (girl), a delightful (*o* dear) girl, a treasure of a girl; **valere** *un* ~ to be worth a fortune (*o* mint).

tesorọne *m. accr. di* **tesoro.** – **tesorụccio** (*dim. di tesoro*) *m.* → **tesorino.**

Tẹspi *N.pr.m.* ⟨*Stor*⟩ Thespis. □ *carro di* ~ Thespis' cart.

Tessạglia *N.pr.f.* ⟨*Geog*⟩ Thessaly. – **tessạlico** *a./s.* (*pl.* **-ci**) **I** *a.* Thessalian. – **II** *s.m.* (*dialetto*) Thessalian. – **tẹssalo I** *a.* Thessalian, of Thessaly. – **II** *s.m.* **1.** (*abitante*; *f.* **-a**) Thessalian. – **2.** ⟨*poet*⟩ (*centauro*) centaur.

Tessalọnica (o *Tessalonịca*) *N.pr.f.* ⟨*Geog.stor*⟩ Thessalonica. – **tessalonicẹse I** *a.* Thessalonian. – **II** *s.m./f.* Thessalonian.

tessạno *a./s.* ⟨*non com*⟩ → **texano.**

tessellạto *a.* ⟨*Archeol*⟩ tessellated, mosaic-: *pavimento* ~ tessellated floor.

tẹssera *f.* **1.** (*cartoncino*) card: ~ ⌜*di socio*⌝ (o *d'iscrizione*) membership card; (*libretto*) book: ~ *annonaria* ration book, ration card. – **2.** (*documento d'identità*) identity card, ⟨*fam*⟩ I.D.; (*lasciapassare*) pass: ~ *di giornalista* press pass (*o* card). – **3.** (*tessera di partito*) party card. – **4.** (*nei mosaici*) tessera. – **5.** (*nel gioco del domino*) domino. – **6.** ⟨*Stor.rom*⟩ tessera, identifying tablet. – **7.** ⟨*poet*⟩ (*biglietto del treno*) train ticket. – **8.** ⟨*ant*⟩ (*biglietto da visita*) visiting card, ⟨*am*⟩ calling card.

□ ⟨*Ferr*⟩ ~ *d'***abbonamento** season-ticket; ~ *di libera* **circolazione** pass, free ticket; ~ **ferroviaria** train pass; ~ *di libero* **ingresso** (free) pass; ⟨*Archeol*⟩ ~ **lusoria** (*dado*) die; ~ **musiva** tessera; ~ *del* **partito** party (membership) card; ~ *di* **riconoscimento** identity card; ~ **tranviaria** tram pass.

tesseramẹnto *m.* **1.** (*il tesserare*) giving of a (membership) card, distribution of membership cards. – **2.** (*il tesserarsi*) acquiring a membership card. – **3.** (*distribuzione di tessere di razionamento*) distribution of ration cards. – **4.** (*razionamento*) rationing: ~ *dei generi alimentari* food rationing.

tesserạndolo *m.* ⟨*ant*⟩ → **tessitore.**

tesserạre *v.t.* (tẹssero) **1.** to give a (membership) card to; (*rif. a partiti*) to give a (party) card to. – **2.** (*assoggettare a razionamento*) to ration. – **tesserarsi** *v.r.* to obtain (*o* get) one's membership card. – **tesserạto** (*p.p. di tesserare*) **I** *a.* **1.** having a membership card; (*iscritto*) holding the party card, card carrying. – **2.** (*razionato*) rationed. – **II** *s.m.* member: *questo partito ha molti -i* this party has many (card carrying) members.

tẹssere *v.t.* (tessẹi, tessụto) **1.** to weave: ~ *la canapa* to weave hemp; (*rif. a stuoie e sim.*) to weave, to plait, to braid: ~ *un tappeto* to weave a carpet; (*rif. a reti*) to net. – **2.** (*usare per la tessitura*) to weave: ~ *il filo* to weave thread. – **3.** ⟨*estens*⟩ (*intrecciare*) to weave, to plait, to braid: ~ *una ghirlanda di fiori* to weave a garland of flowers. – **4.** ⟨*fig*⟩ (*macchinare, ordire*) to weave, to plot, to scheme: ~ *congiure* to weave plots; ~ *inganni* to weave a web of deceit. – **5.** ⟨*fig*⟩ (*comporre con arte*) to weave, to put together, to contrive: ~ *una grandiosa opera storica* to put together a great historical work.

□ ⟨*lett*⟩ ~ **danze** to dance; ⟨*Tess*⟩ ~ *in* **diagonale** to twill; ⟨*fig*⟩ ~ *le* **lodi** *di qd.* to (speak in) praise of s.o., to sing s.o.'s praises; ⟨*Tess*⟩ ~ *a* **macchina** to weave by power-loom; ~ *a* **mano** to hand-weave, to weave by hand; *il* **ragno** *tesse la sua tela* the spider spins its web; *gli* **uccelli** *tessevano voli nel cielo azzurro* the birds wove patterns in the blue sky.

tesserịna *f.*, **tesserịno** (*dim. di tessera*) *m.* **1.** (*documento d'identità*) identity card. – **2.** (*rif. ad associazioni*) membership card. – **3.** ⟨*Edil*⟩ (*nei mosaici*) tessera.

tẹssile **I** *a.* **1.** textile: *industria* ~ textile industry. – **2.** (*che serve alla tessitura*) textile: *fibra* ~ textile fibre. – **II** *s.m.* (generally in pl.) **1.** (*operaio*) textile worker. – **2.** (*materiale tessile*) textile. – **3.** *pl.* ⟨*collett*⟩ (*prodotti tessili*) textiles *pl.*

tessilsạcco *m.* (*pl.* **-chi**) ⟨*Comm*⟩ garment bag.

tessimẹnto *m.* ⟨*non com*⟩ **1.** (*il tessere*) weaving; (*rif. a stuoie e sim.*) weaving, plaiting, braiding. – **2.** (*trama*) weft, woof.

tessitọre *m.* (*f.* **-trice**/*pop.* **-a**) **1.** weaver; (*chi tesse a maglia*) knitter. – **2.** ⟨*fig,lett*⟩ (*orditore*) weaver, contriver; (*di complotti, inganni e sim.*) plotter, schemer. – **3.** *pl.* ⟨*Rel*⟩ heretics *pl.* – **4.** *pl.* ⟨*Ornit*⟩ weaverbirds *pl*, weavers *pl* (*Ploceidae*). □ ⟨*fig,lett*⟩ ~ *d'inganni* plotter, schemer, intriguer, weaver of plots.

tessitorịa *f.* ⟨*non com*⟩ **1.** (*attività*) weaving; (*tessitura a maglia*) knitting; (*arte*) (art of) weaving. – **2.** (*bottega*) weaver's shop; (*stabilimento*) weaving factory (*o* mill).

tessitụra *f.* **1.** weaving; (*a maglia*) knitting; (*rif. a reti*) netting. – **2.** (*stabilimento*) weaving factory (*o* mill). – **3.** (*l'intrecciare*) weaving, plaiting, braiding: *la* ~ *di una stuoia* the weaving of a mat; (*intreccio*) weave, plait, braid. – **4.** ⟨*fig*⟩ (*composizione*) weaving (together), composition. – **5.** ⟨*fig*⟩ (*strutturazione*) structure, frame; (*trama, intreccio*) plot: *la* ~ *di un romanzo* the plot of a novel. – **6.** ⟨*Min*⟩ texture; (*struttura*) structure: ~ *porosa* porous structure. – **7.** ⟨*Mus*⟩ tessitura, compass. □ ~ *a maglia* knitting; ~ *meccanica* power-loom weaving.

tessorịa *f.* ⟨*ant*⟩ (*bottega di tessitore*) weaver's shop; (*opificio*) weaving mill.

tessutạle *a.* ⟨*Biol,Med*⟩ textural, tissural, tissue-, of the tissues.

tessụto (*p.p. di tessere*) **I** *a.* **1.** woven; (*a maglia*) knitted. – **2.** ⟨*lett*⟩ (*intrecciato*) interwoven, intertwined, linked. – **II** *s.m.* **1.** textile, fabric, material, cloth, stuff: ~ *di seta* silk (material). – **2.** *pl.* ⟨*collett*⟩ textiles *pl*, fabrics *pl*, soft (*o* yard) goods *pl.* – **3.** ⟨*fig*⟩ (*intreccio*) tissue, web: *un* ~ *di menzogne* a tissue (*o* pack) of lies; (*trama*) plot. – **4.** ⟨*Biol,Anat*⟩ tissue.

□ ⟨*Anat*⟩ ~ **adiposo** adipose tissue; ⟨*Biol*⟩ ~ **animale** animal tissue; ⟨*Biol*⟩ ~ **cartilagineo** cartilaginous tissue; ~ **cellulare** cellular tissue; ⟨*Anat*⟩ ~ **connettivo** connective tissue; ⟨*Legat*⟩ ~ *per* **copertine** bookbinders' cloth, (book)binding cloth; ⟨*Tess*⟩ ~ **diagonale** twill; ⟨*Anat*⟩ ~ **epiteliale** epithelial tissue, epithelium; ~ **fantasia** patterned cloth (*o* fabric); ⟨*Biol*⟩ ~ **fibroso** fibrous tissue; ⟨*Bot*⟩ ~ **fondamentale** ground (*o* fundamental) tissue; ~ **gommato** rubber-coated fabric; ~ **lacunoso** = *tessuto* **spugnoso**; ~ *a* **maglia** knitted fabric, jersey (cloth); ⟨*Tess*⟩ ~ **martellato** matelassé; ~ **metallico**: 1. ⟨*Mecc*⟩ wire cloth; 2. ⟨*Tess*⟩ metallic fabric; ~ **misto** union (cloth); ⟨*Anat*⟩ ~ **muscolare** muscular tissue; ~ **nervoso** nervous tissue; ~ **operato** Jacquard weave; ⟨*Biol*⟩ ~ **parenchimatico** parenchymatous tissue, parenchyma; ⟨*Tess*⟩ ~ **pettinato** combed fabric; (*di lana*) worsted; ⟨*Anat*⟩ ~ **reticolare** (*o reticolato*) reticular tissue; ~ *in* **rilievo** embossed fabric; ⟨*Bot*⟩ ~ **scleroso** sclerenchymatous tissue, sclerenchyma; ⟨*Tess*⟩ ~ **spigato** cross twill; ~ **spugnoso** spongy tissue; ~ **stratificato** stratified tissue; ⟨*Biol*⟩ ~ **vegetale** vegetable tissue.

tẹst *ingl. m.* test.

□ ~ **attitudinale** aptitude test; ~ **caratterologico** personality test; ~ *di* **destrezza** test of manual dexterity; ~ **d'interesse** = *test* **vocazionistico**; ~ **mentale** mental alertness test; ~ *di* **personalità** = *test* **caratterologico**; ~ *di* **profitto** achievement test, test of achieved skill; ~ *di* **rendimento** performance (*o* proficiency) test; ~ **sociometrico** sociometric test; ~ **vocazionistico** vocational interest test.

tẹsta *f.* **1.** head (*anche Art.*): *appoggiare la* ~ *sul cuscino* to rest one's head on the pillow; *la* ~ *di un cavallo* the head of a horse; *una* ~ *in bronzo* a bronze head. – **2.** (*parte superiore del cranio*) head, skull: *una* ~ *bianca* a white head; *mettere il cappello in* ~ to put one's hat on one's head. – **3.** ⟨*fig*⟩ (*mente, cervello*) head, mind, brain: *lavoro di* ~ brain work; (*facoltà mentali*) head, brains *pl*, wits *pl*: *adoperare la* ~ to use one's head; (*riflessione*) thought, thinking, reflection: *fare le cose senza* ~ to act without thinking. – **4.** ⟨*fig*⟩ (*ingegno, capacità*) ability, talent, skill, aptitude: *è un uomo di* ~ he's a man of talent; *avere poca* ~ *per lo studio* to have little aptitude for study; (*persona capace*) mind, brain, genius, intellect: *la perdita di una grande* ~ the loss of a great brain. – **5.** ⟨*fig*⟩ (*vita*) life, head, blood: *esigere la* ~ *di qd.* to want s.o.'s head. – **6.** (*estremità di un oggetto*) head, end, tip: *la* ~ *del fiammifero* the head of a match; *la* ~ *di un chiodo* the head of a nail, the nail head. – **7.** (*parte anteriore*) head, front, top: *in* ~ *al treno* at the front of the train; (*estremità anteriore di uno schieramento, di una fila*) head: *la* ~ *della colonna in marcia* the head of a column on the march. – **8.** (*rif. a piante: specie di tubero*) bulb: *una* ~ *d'aglio* a bulb of garlic; (*capsula*) head, capsule. – **9.** ⟨*Sport*⟩ (*nelle corse ippiche*) head: *vincere per mezza* ~ to win by half a head. – **10.** ⟨*Sport*⟩ (*sfera del martello*) head, poll; (*delle racchette*) head; (*del bastone da golf*) head, knob. – **11.** ⟨*Numism*⟩ head; (*dritto*) head, obverse, right side. – **12.** ⟨*Anat*⟩ head: *la* ~ *del femore* the head of the femur. – **13.** ⟨*Mot*⟩ (*testata*) (cylinder) head. – **14.** ⟨*Itt*⟩ rock (*o* streaked) gurnard (*Trigla lineata*). – **15.** ⟨*ant*⟩ (*capofamiglia*) head of the family. – **16.** ⟨*ant*⟩ (*testatico*) head-tax, poll-tax, capitation.

□ **a** ~ each, per head, a head: *il prezzo è di mille lire a* ~ the price is one thousand lire each; ⟨*Equit*⟩ ~ *a* ~ neck-and-neck; (*pari*) draw; ⟨*fig*⟩ **abbassare** *la* ~ (*accettare un'umiliazione*) to bow one's head; ⟨*Mar*⟩ ~ **d'albero** masthead; **alla** ~ *di* at the head of (*anche fig.*): *essere alla* ~ *di un movimento* to be at the head of a movement, to head (*o* lead) a movement; ⟨*fig*⟩ *a* ~ **alta** with one's head held high: *camminare a* ~ *alta* to walk with one's head held high; ⟨*Mil*⟩ ~ *di* **avanguardia** vanguard; *non* **avere** *la* ~ *a qc.* not to ⌜be interested in⌝ (*o* think of) s.th., to have no interest in s.th., to care nothing about s.th.; *non avere* ~ *che per qc.* to be interested only in one thing; *non hai* ~ *che per il divertimento* all you think of is enjoying yourself; ⟨*fig*⟩ *a* ~ **bassa** with bowed (*o* lowered) head, crestfallen; ⟨*fam*⟩ *non sapere dove* **battere** *la* ~ not to know which way to turn; ⟨*Mot*⟩ *battere in* ~ to ping, to knock; ~ *di* **biella** big end (of a connecting-rod); ⟨*Etnol*⟩ **cacciatori** *di -e* head-hunters *pl*; ⟨*fig*⟩ ~ **calda** (*persona impulsiva*) hot-head; ~ *della* **campana** head of a bell; ⟨*Tip*⟩ ~ *del* **carattere** head (of type); ⟨*pop*⟩ *sei una testa di* **cavolo** (*sei un imbecille*) you're a fool; ⟨*Mecc*⟩ ~ **cilindrica** cheese head; ⟨*Mot*⟩ ~ *del* **cilindro** cylinder head; ⟨*Aut*⟩ ~ **coda** about-face: *fare un* ~ *coda* to do an about-face; **colpo** *di* ~: 1. ⟨*fig*⟩ rash action, impulse, whim; 2. ⟨*Sport*⟩ header; ⟨*Astr*⟩ ~ *della* **cometa** comet's head; ⟨*fig*⟩ *-e* **coronate** (*regnanti*) crowned heads, monarchs *pl*; ⟨*Mecc*⟩ ~ *a* **croce** crosshead; ~ *e croce* (*gioco*) heads or tails; ⟨*fig*⟩ **dare** *alla* ~ to go to one's head: *il vino gli ha dato alla* ~ the wine has gone to his head; *un vino che dà alla* ~ a heady wine; *il successo gli ha dato alla* ~ success has gone to his head; ⟨*Mecc*⟩ ~ *del* **dente** point of the tooth; **di** ~: 1. leading, in the lead, at the top (*o* head), top-: *candidati di* ~ leading candidates; *gruppo di* ~ leading group; 2. (*con la testa*) with the head; *colpire la palla di* ~ to head the ball; ⟨*Sport*⟩ *segnare di* ~ to make a goal by heading the ball; *dare di* ~ *in qc.* to hit (*o* bump) one's head against s.th.; ⟨*Chim*⟩ *la* ~ *della* **distillazione** the first part of a distillation; ⟨*Mecc*⟩ ~ *a* **dividere** dividing (*o* index) head; **dolore** *di* ~ = **mal** *di testa*; ~ **dura**: 1. ⟨*fam*⟩ (*persona testarda*) obstinate (*o* stubborn) person; *avere la* ~ *dura* to be obstinate (*o* stubborn); 2. ⟨*Itt*⟩ = *testa* **grossa**; **entrare** *in* ~: 1. (*essere compreso*) to be understandable, to understand (*costr. pers.*): *la matematica non mi entra in* ~ I cannot understand mathematics; 2. (*essere ritenuto*) to get into one's head (*costr.pers.*), to remember (*costr.pers.*): *queste date non m'entrano in* ~ I cannot get these dates into my head; ⟨*Mecc*⟩ ~ **esagonale** hexagonal head; ⟨*Mil*⟩ ~ **esplosiva** warhead; **fare** *di* ~ *propria* to do as one chooses (*o* thinks fit), to make one's own decisions, ⟨*fam*⟩ to act off one's own bat; ⟨*fig*⟩ *non bisogna* **fasciarsi** *la* ~ *prima d'essersela rotta* don't cross your bridges before you come to them; ⟨*Mecc*⟩ ~ *di* **ferro** iron head; **ficcarsi** *qc. in* ~ = **mettersi** *in testa qc.*; ⟨*Tess*⟩ ~ *di* **filatura** spinning head; ~ *di* **fonte** (*fontanile*) spring; ⟨*Mecc*⟩ ~ **foratrice** drilling (*o* boring) head; ⟨*Ott*⟩ ~ **fotometrica** photometer head; ⟨*fig*⟩ ~ *di* **gesso** (*prestanome*) strawman, front; ⟨*fig*⟩ *far* **girare** *la* ~ *a qd.* (*farlo innamorare*) to make s.o. lose his head (for one); *cadere a* ~ *in* **giù** to fall headlong; **grattarsi** *la* ~ (*per l'imbarazzo*) to scratch one's head; ⟨*Itt*⟩ ~ **grossa** rock (*o* streaked) gurnard (*Trigla lineata*); ⟨*Mil*⟩ ~ *di* **guerra** warhead; ⟨*fig*⟩ *avere qc.* **in** ~ (*conoscerla bene*) to know s.th. well (*o* through and through), to have s.th. in one's head; (*avere l'intenzione*) to have s.th. in mind, to intend: *avere in* ~ *di fare qc.* to intend to do s.th.; *avere un cappello in* ~ to be wearing a hat, to have a hat on (one's head); ⟨*fig*⟩ *essere in* ~ (*essere avanti a tutti*) to be in the lead (*o* forefront), to lead, to head; *andare* (*o passare*) *in* ~ to take the lead; ⟨*fig*⟩ **lavare** *la* ~ *all'asino* (*fare opera inutile*) to waste one's time; ⟨*fig*⟩ **lavata** *di* ~ (*sgridata*) telling-off; ⟨*fam*⟩ ~ *di* **legno** (*persona sciocca*) ⟨*fam*⟩ blockhead; (*persona cocciuta*) stubborn (*o* hard-headed) person; ~ *del* **letto** head of the bed; **levare** *qc. di* ~ *a qd.* to convince s.o. to the contrary, to get s.th. out of s.o.'s head; *levarsi qc. dalla* ~ to get s.th. out of one's head, ⟨*fam*⟩ to forget s.th.; **mal** *di* ~ headache: *avere mal di* ~ to have a headache; ⟨*fig*⟩ ~ **matta** madcap, crackpot, eccentric; ⟨*Anat*⟩ ~ *di* **Medusa** caput medusae; ⟨*fig*⟩ **mettere** *qc. in* ~ *a qd.*: 1. (*ricordargli qc.*) to get (*o* drive) s.th. into s.o.'s head; 2. (*convincerlo di qc.*) to put s.th. into s.o.'s head: *chi ti ha messo in* ~ *simili idee?* who put these ideas into your head?; *mettersi in* ~

qc. to get s.th. into one's head; ⟨*fig*⟩ *mettersi alla* ~ *di* to place o.s. at the head of, to become the leader of; *avere* **molta** ~ to be very intelligent; **montare** *alla* ~ to go (*o* rush) to one's head; *il sangue mi monta alla* ~ the blood is rushing to my head; (*per rabbia*) I'm beginning to see red, I'm furious; ⟨*fig*⟩ *montarsi la* ~ to become swollen-headed, to be puffed up; ~ *di* **moro**: 1. (*colore*) dark brown; 2. ⟨*Arald*⟩ Moor's head; 3. ⟨*Alim*⟩ Edam cheese; 4. ⟨*Mar*⟩ cap; ~ *di* **morto**: 1. (*teschio*) skull; 2. ⟨*Entom*⟩ death's-head moth (*Acherontia atrops*); ⟨*Mecc*⟩ ~ **motrice** headstock; ⟨*Mur*⟩ **muro** *a una* ~ half-brick wall; *muro a due -e* whole-brick wall; *muro a tre -e* brick-and-a-half wall; ⟨*Mil*⟩ ~ **nucleare** nuclear warhead; ⟨*fig*⟩ *avere la* ~ *fra le* **nuvole** (*essere svagato*) to have one's head in the clouds; ⟨*fig*⟩ *vivere con la* ~ *fra le nuvole* (*perdere il contatto con la realtà*) to live in a dream world, to be a daydreamer; *la* ~ *di una* **pagina** the top (*o* head) of a page; ⟨*fig*⟩ *fare una* ~ *come un* **pallone** *a qd.* (*stordirlo*) to daze s.o. (with one's chatter), ⟨*fam*⟩ to talk s.o.'s head off; ⟨*Cin*⟩ ~ **panoramica** panorama head; ⟨*Bot*⟩ ~ *di* **papavero** poppy head, poppy capsule; *tenere* (o *avere*) *la* ~ *a* **partito** to be sensible (*o* level-headed); *mettere la* ~ *a partito* (*mettere giudizio*) to get sense, to turn over a new leaf; ⟨*fig*⟩ **passare** *per la* ~ (*affacciarsi alla mente*) to come into one's head (*o* mind); *ma che cosa ti passa per la* ~? what has come over you?, what are you thinking of?; ⟨*fig*⟩ *mi è passato di* ~ it has slipped my mind, I have forgotten it; **pena** *la* ~ on pain of death; ⟨*fig*⟩ **perdere** *la* ~ to lose one's head: *quella ragazza gli ha fatto perdere la* ~ that girl made him lose his head; *sentirsi la* ~ **pesante** to feel heavy headed; *mi sento la* ~ *pesante* my head feels heavy; *dalla* ~ *ai* **piedi** from head to toe, from top to toe; ⟨*fig*⟩ **piegare** *la* ~ to submit, to give in, to bow one's head; ⟨*Mot*⟩ ~ *del* **pistone** piston head; ⟨*Mil*⟩ ~ *di* **ponte** bridgehead; ⟨*fam*⟩ *avere la* ~ *a* **posto** to be clear -headed (*o* clear-thinking), to have all one's wits about one; ⟨*fam*⟩ *non avere la* ~ *a posto* to be confused, to be unable to think straight; *mettere la* ~ *a posto* to settle down, to get sense; ~ **quadra**: 1. (*persona equilibrata*) steady (*o* well-balanced) person, person with a good head on his shoulders; 2. ⟨*Mecc*⟩ square head; ⟨*fig*⟩ *essere una* ~ *di* **rapa** (*essere uno zuccone*) to be a blockhead (*o* dunce); ⟨*fam*⟩ *avere la* ~ *come una rapa* (*essere rapato*) to have one's hair cropped (*o* cut very short); (*essere calvo*) to be bald, ⟨*fam*⟩ to have a head like a billiard-ball; **rimetterci** *la* ~ to lose one's life; ⟨*fig*⟩ **riquadrare** *la* ~ *a qd.* to teach s.o. to think straight, ⟨*fam*⟩ to get some sense into s.o.'s head; **rispondere** *di qc. con la propria* ~ to stake one's life on s.th.; ⟨*fig*⟩ **rizzare** *la* ~ (*risentirsi*) to take offence, to bridle; ⟨*fig*⟩ **rompersi** *la* ~ (*scervellarsi*) to rack one's brains; ⟨*Stor*⟩ *-e* **rotonde** Roundheads *pl*; ⟨*fig*⟩ *uscirne con la* ~ **rotta** (*avere la peggio*) to come off badly; ⟨*Mecc*⟩ *la* ~ *delle* **ruote** (*mozzo*) the hub of the wheels; ⟨*pop*⟩ *agire con la* ~ *nel* **sacco** (*senza riflettere*) to act thoughtlessly (*o* recklessly); **salire** *alla* ~ = **dare** *alla testa*; ⟨*fig*⟩ **saltare** *in* ~ to get (*o* pop) into one's head, to ⌜come to⌝ (*o* cross one's) mind: *che cosa ti salta in* ~? what has got into your head?, what can you be thinking of?; ⟨*Mil*⟩ ~ *di* **sbarco** beach head; **scommettere** *la* ~ to bet one's life; *a* ~ **scoperta** bare-headed, hatless; **scuotere** *la* ~ to shake one's head; *mettere la* ~ *a* **segno** = *mettere la testa a* **partito**; ⟨*fig*⟩ **senza** ~ (*sventatamente*) without thinking: *fare qc. senza* ~ to do s.th. without thinking; ⟨*tecn*⟩ ~ **sferica** ball head; ⟨*Mar.mil*⟩ ~ *del* **siluro** torpedo (war)head; ~ *di* **spillo** pinhead; ~ *dello* **stantuffo** = *testa del* **pistone**; ⟨*Mecc*⟩ ~ **svasata** countersunk head; **tener** ~ *a qd.* (*resistergli*) to oppose (*o* stand up to) s.o.: *tener* ~ *al nemico* to stand up to the enemy; ⟨*Mar*⟩ ~ *del* **timone** rudder-head; **togliersi** *qc. dalla* ~ = **levarsi** *qc. dalla testa*; ⟨*Mecc*⟩ ~ **tonda** round head, ball nose; ⟨*fig*⟩ *tagliare la* ~ *al* **toro** (*troncare netto*) to settle the matter once and for all, to cut the Gordian knot; ⟨*Mecc*⟩ ~ *a* **torretta** turret head; ~ *di* **trave** beam-end, headpiece of a beam; ⟨*Etnol*⟩ ~ **trofeo** trophy head; ~ *di* **turco** target, butt, cock-shot, cock-shy; ⟨*fig*⟩ *essere la* ~ *di turco di qd.* (*essere il bersaglio, la vittima*) to be s.o.'s butt (*o* victim); ⟨*Mecc*⟩ ~ *della* **valvola** valve head; **venire** *in* ~ = **saltare** *in testa*; ⟨*fig*⟩ *mi va* **via** *la* ~ (*mi si confondono le idee*) I feel confused, ⟨*fam*⟩ I can't think straight any more; ~ *della* **vite** screw head; ⟨*fam*⟩ ~ **vuota** (*persona sventata*) giddy (*o* empty-headed) person, thoughtless person; ⟨*Mecc*⟩ ~ **zigrinata** knurled head. – *Prov.*: *tante -e, tanti cervelli* (o *pareri*) opinions differ, everybody has his own ideas about how to do s.th.; *chi non ha* ~ *abbia gambe* a forgetful head makes a weary pair of heels; *a* ~ *bianca spesso cervello manca* white hair doesn't always mean wisdom.

testạbile *a.* ⟨*Dir.non com*⟩ testable.

testacẹllidi *m.pl.* ⟨*Zool*⟩ testacellids *pl*, testacellidans *pl* (*Testacellidae*).

testạceo I *a.* **1.** (*di coccio*) terra-cotta-, earthenware-. – **2.** ⟨*Zool*⟩ testaceus. – **II** *s.m.pl.* ⟨*Zool*⟩ testaceans *pl*.

testaceologịa *f.* ⟨*ant*⟩ (*conchiliogia*) conchology, testaceology.

testạgnolo *m.* ⟨*tosc*⟩ (*cerchio di barile*) hoop.

testamentạrio *a.* **1.** testamentary: *esecutore* ~ testamentary executor; (*che si fa per testamento*) testamentary, by will. – **2.** ⟨*Bibl*⟩ testamentary.

testamẹnto *m.* **1.** will, testament: *fare* ~ to make one's will. – **2.** (*gioco*) kind of forfeits. – **3.** ⟨*fam,scherz*⟩ (*testa grossa*) big head. – **4.** ⟨*Bibl*⟩ (*patto*) testament. – **5.** ⟨*lett*⟩ kind of mediaeval drama.

□ **antico** ~ = **vecchio** *testamento*; ⟨*Dir*⟩ ~ *a* **bordo** *di nave* will made on board ship; ~ **congiuntivo** joint (*o* mutual) will; **disporre** *per* ~ *dei propri beni* to dispose of one's property by will; **ereditare** *per* ~ to inherit under a will; **lasciare** *qc. per* ~ *a qd.* to leave s.th. to s.o. by (*o* in one's) will; ~ **notarile** will made before a notary; ⟨*Bibl*⟩ **nuovo** ~ New Testament; ~ **olografo** holograph will; ~ **orale** oral (*o* nuncupative) will; ~ **pubblico** solemn will; ~ **reciproco** reciprocal will; **scrivere** *il* ~ to write one's will; ⟨*fig*⟩ ~ **spirituale** spiritual heritage; ⟨*Bibl*⟩ **vecchio** ~ Old Testament.

testạnte (*p.pr. di testare*) ⟨*non com*⟩ **I** *a.* making a will. – **II** *s.m./f.* testator (*f* -trix).

testardạccio *a./s. pegg. di* testardo. – **testardạggine** *f.* obstinacy, stubbornness. – **testardamẹnte** *avv.* obstinately, stubbornly. – **testạrdo I** *a.* obstinate, stubborn, headstrong, ⟨*fam*⟩ pigheaded: ~ *come un mulo* as stubborn as a mule. – **II** *s.m.* (*f.* **-a**) obstinate (*o* stubborn) person.

testạre *v.* (**tẹsto**) **I** *v.i.* (*aus.* **avere**) ⟨*Dir*⟩ (*fare testamento*) to make one's will. – **II** *v.t.* ⟨*ant*⟩ (*assegnare per testamento*) to leave (by will), to will.

testạta[1] *f.* **1.** (*colpo*) blow with the head. – **2.** (*parte anteriore*) head: ~ *del letto* bedhead, head of a bed. – **3.** ⟨*Tip*⟩ (*titolo sovrapposto a colonne*) running headline; (*capopagina*) headpiece. – **4.** ⟨*Giorn*⟩ head(ing), nameplate, ⟨*am*⟩ masthead. – **5.** ⟨*Mot*⟩ (cylinder) head. – **6.** ⟨*Arch,Edil,Legat*⟩ head. – **7.** ⟨*Mil*⟩ warhead. – **8.** ⟨*Artigl*⟩ stock.

□ ⟨*Giorn*⟩ ~ *d'***articolo** heading of an article; ⟨*Mot*⟩ ~ *del* **cilindro** cylinder head; **dare** *una* ~ *contro il* **muro** to bump (*o* hit) one's head against the wall; ⟨*Geog*⟩ ~ *di* **fiume** head of a river; ~ *del* **giornale** newspaper name; ~ *di* **lettera** letterhead; ⟨*Mar*⟩ ~ *di* **molo** pierhead; ~ *di* **ponte** head (*o* end) of a bridge; ~ *di* **valle** head of a valley.

testạta[2] *f.* ⟨*tosc*⟩ panful.

testạtico *a./s.* (*pl.* **-ci**) **I** *s.m.* **1.** ⟨*Mediev*⟩ head-tax, poll-tax, capitation. – **2.** ⟨*Stor*⟩ (*dazio sul pascolo*) grazing tax. – **II** *a.* (*a testa*) per capita.

testatịna (*dim. di testata*[1]) *f.* **1.** light blow with the head. – **2.** ⟨*Giorn*⟩ heading (of a feature article).

testatọre *m.* (*f.* **-trice**) ⟨*Dir*⟩ testator (*f* -trix), maker of a will.

tẹste[1] *m./f.* ⟨*Dir*⟩ (*testimone*) witness.

tẹste[2] *m.* ⟨*rar*⟩ → **test**.

testé *avv.* **1.** ⟨*lett,ant*⟩ (*poco fa*) just now. – **2.** ⟨*ant*⟩ (*ora, adesso*) now. – **3.** ⟨*ant*⟩ (*fra poco*) shortly, in a few moments.

tester *ingl.* ['testər] *m.* ⟨*El*⟩ (*analizzatore*) analyser.

testẹso *avv.* → **testé**.

testicolạre *a.* ⟨*Anat*⟩ testicular. – **testịcolo** *m.* **1.** testicle, testis. – **2.** *pl.* (*scroto*) scrotum.

testiẹra *f.* **1.** (*finimento del cavallo*) headstall, headpiece. – **2.** (*testata di letto*) bedhead, headboard; (*rif. a sedili*) headrest. – **3.** ⟨*Mod*⟩ (*arnese per parrucche*) model (*o* dummy) head, wig-block; (*delle modiste*) model head. – **4.** ⟨*Mar*⟩ (*rif. alla vela*) head. – **5.** ⟨*Mil.ant*⟩ (*armatura della testa del cavallo*) chamfron. – **6.** ⟨*Stor*⟩ (*diadema*) diadem.

testificạre *v.t.* (**testịfico, testịfichi**) ⟨*rar*⟩ **1.** (*testimoniare*) to testify, to declare, to bear witness to. – **2.** ⟨*fig*⟩ to prove. – **testificaziọne** *f.* ⟨*ant*⟩ **1.** testifying. – **2.** (*testimonianza*) testimony.

tẹstile *a./s.* ⟨*ant*⟩ → **tessile**.

testimọne *m./f.* **1.** witness (*anche Dir.*): *presentarsi come* ~ to appear as a witness. – **2.** (*testimone di nozze*) witness; (*per lo sposo*) best man. – **3.** ⟨*fig*⟩ (*prova, indizio*) evidence.

□ ~ *d'***accusa** = *testimone a* **carico**; ~ *ad* **actum** = *testimone* **strumentale**; ~ **auricolare** auricular witness, earwitness; ~ *a* **carico** witness for the prosecution; **chiamare** *qd. a* ~ to call s.o. to (bear) witness; ~ *a* **discarico** witness for the defence; **falso** ~ false witness; **fare** *da* ~ *a qd.*: 1. to act as witness for s.o., to bear s.o. witness; 2. (*alle nozze*) to be a witness at s.o.'s wedding; 3. (*rif. al testimone dello sposo*) to be best man at s.o.'s wedding; ⟨*Rel*⟩ *-i di* **Geova** Jehovah's Witnesses; ~ **giudiziale** witness; ~ *a futura* **memoria** witness who makes a deposition for future use; ~ **oculare** eyewitness; ~ **principale** principal witness; ~ **strumentale** attesting witness, witness to a deed; ~ *d'***udito** = *testimone* **auricolare**; ~ *di* **vista** (o *veduta*) = *testimone* **oculare**.

testimoniạle I *a.* ⟨*Dir*⟩ testimonial, of witnesses, of a witness: *prova* ~ testimonial evidence. – **II** *s.m.* **1.** (*insieme di testimoni*) witnesses *pl*: ~ *d'accusa* witnesses for the prosecution. – **2.** (*ciò che risulta dalle deposizioni*) evidence, testimony. □ ⟨*Mar*⟩ ~ *d'avaria* declaration of average, (sea) protest.

testimoniạnza *f.* **1.** testimony, evidence, ⟨*lett*⟩ witness; (*deposizione*) testimony, deposition: *la* ~ *è durata pochi minuti* the deposition lasted a few minutes. – **2.** ⟨*estens*⟩ (*attestato, prova*) evidence, proof, token: *a* (o *in*) ~ *della mia stima* as a token of my esteem; (*manifestazione*) demonstration, expression, display. – **3.** *pl.* ⟨*Lett*⟩ encomiums prefaced to a literary work. □ *a* ~ *di qc.* ⌜as proof⌝ (*o* in token) of s.th., to prove s.th.; *falsa* ~ false testimony, ⟨*lett*⟩ false witness; *dire* (o *fare*) *falsa* ~ to give false testimony, ⟨*lett*⟩ to bear false witness; ⟨*Bibl*⟩ *non dire falsa* ~ thou shalt not bear false witness; *rendere* (o *fare*) ~ *di qc.* to testify (*o* bear witness) to s.th.; ⟨*ant*⟩ *rendere* ~ *a qd.* (*rendergli omaggio*) to pay homage to s.o.

testimoniạre *v.* (**testimọnio, testimọni**) **I** *v.t.* **1.** to testify, to give testimony: ~ *il falso* to give false testimony. – **2.** ⟨*fig*⟩ to testify, to be evidence of. – **II** *v.i.* (*aus.* **avere**) to testify, to give testimony, to bear witness: *ha testimoniato a favore dell'imputato* he testified on behalf of the accused; (*rendere una deposizione*) to give evidence. □ *essere chiamato a* ~ to be called to (*o* as a) witness. – **testimoniạto** (*p.p. di testimoniare*) *a.* in evidence, of which evidence (*o* proof) exists; (*provato*) proved, attested, witnessed. – **testimọnio** *m.* (*f.* **-a**) **1.** ⟨*pop*⟩ → **testimone**. – **2.** ⟨*non com*⟩ (*indizio*) evidence, token, sign. – **3.** ⟨*ant*⟩ (*testimonianza*) testimony, ⟨*lett*⟩ witness. □ ⟨*Bibl*⟩ *non dire falso* ~ thou shalt not bear false witness; *fare da* ~ *a un matrimonio* to be a witness at a wedding; ⟨*Minier*⟩ ~ *di sonda* drill core.

testịna (*dim. di testa*) *f.* **1.** (*carattere sventato*) thoughtless person, capricious little thing, ⟨*fam*⟩ scatter-brain. – **2.** ⟨*Macell,Gastr,tecn*⟩ calf's head.

□ ⟨*Acu*⟩ ~ *di* **cancellazione** erase (*o* erasing) head; ~ **fonografica** pick-up; ~ *d'***incisione** = *testina di* **registrazione**; ~ **magnetica** magnetic head; ~ *di* **registrazione** recording (*o* cutting) head; ~ *di* **riproduzione** reproducing (playback) head.

tęsto[1] *m.* **1.** text: ~ *di una lettera* text of a letter. – **2.** (*originale di uno scritto*) (original) text: *la traduzione ha travisato il* ~ the translation has distorted the original text. – **3.** (*opera*) work, text: *i -i classici* classical works, the classics. – **4.** (*passo*) text, passage. – **5.** ⟨*Scol*⟩ (*libro*) (text-)book: ~ *di storia* history book. – **6.** ⟨*Bibl, Filol*⟩ text. – **7.** ⟨*Mus*⟩ text: *canzone su* ~ *del Cinquecento* song based on a sixteenth century text; (*negli oratori*) narrative part (of an oratorio).

□ ⟨*Filol*⟩ ~ **definitivo** definitive text; **fare** ~: 1. to be the standard, ⟨*fam*⟩ to go; 2. (*rif. a persone*) to be an authority; 3. (*rif. a un'opera*) to be the standard work; *traduzione con* ~ *a* **fronte** translation with original text on opposite page, parallel text; ⟨*Edit*⟩ *tavole* **fuori** ~ plates *pl*; ⟨*Filol*⟩ ~ *a* **penna** handwritten text, manuscript; ~ **pubblicitario** advertising copy; *i* ⌈*-i* **sacri**⌉ (*o sacri testi*) the Sacred (*o* Holy) Scriptures, the Bible; ~ **scolastico** text-book; ⟨*Filol*⟩ ~ *a* **stampa** printed text; ⟨*Dir*⟩ ~ **unico** consolidation act.

tęsto[2] *m.* **1.** (*coperchio*) (earthenware) lid. – **2.** (*teglia*) tin dish (for cooking), shallow pan; (*di coccio*) earthenware dish. – **3.** ⟨*ant, dial*⟩ (*vaso da fiori*) flowerpot. – **4.** ⟨*ant*⟩ (*disco per cuocere focacce e sim.*) griddle. – **5.** ⟨*ant*⟩ (*terracotta*) earthenware, terra-cotta.

tęsto[3] *a.* ⟨*ant*⟩ **1.** (*intessuto*) (inter)woven. – **2.** (*contesto*) interwoven, interlaced, entwined.

tęsto[4] *m.* ⟨*rar*⟩ → **test**.

testolịna *f.* **1.** *dim. di* **testa**. – **2.** ⟨*fig*⟩ (*persona sventata*) scatter-brain.

testọne (*accr. di testa*) *m.* **1.** (*persona dalla testa grossa*; *f.* **-a**) big-headed person. – **2.** ⟨*fig*⟩ (*persona ostinata*; *f.* **-a**) obstinate (*o* stubborn) person, pig-headed person. – **3.** ⟨*fig*⟩ (*persona stupida*; *f.* **-a**) blockhead, dolt, ⟨*fam*⟩ fathead. – **4.** ⟨*Itt*⟩ kind of goby (*Gobius cobitis*). – **5.** ⟨*Numism*⟩ testone, teston. – **6.** ⟨*fam*⟩ million lire.

testọre *m.* ⟨*ant*⟩ **1.** (*tessitore*) weaver. – **2.** ⟨*fig*⟩ (*compositore*) composer, ⟨*poet*⟩ weaver.

testosterọne *m.* ⟨*Biol*⟩ testosterone.

testuạle *a.* **1.** textual: *critica* ~ textual criticism. – **2.** (*che riproduce esattamente il testo*) textual, literal. – **3.** (*che corrisponde esattamente a ciò che è stato detto*) exact, precise, very: *mi disse queste -i parole* these were his precise (*o* very) words. – **4.** ⟨*esclam*⟩ those were the very words, sic. – **testualmẹnte** *avv.* literally, word for word, exactly.

testụcchio *m.* ⟨*Bot*⟩ common (*o* field, hedge) maple (*Acer campestre*).

testudinạti *m.pl.* ⟨*Zool*⟩ testudinates *pl*, chelonians *pl*, tortoises and turtles *pl* (*Testudinata, Chelonia*).

testudinạto *a.* **1.** ⟨*Archeol*⟩ testudinate, arched. – **2.** ⟨*lett*⟩ (*foggiato a guscio di testuggine*) in the form of a tortoise shell.

testụdine *f.* ⟨*lett*⟩ → **testuggine**. – **testudịnidi** *m.pl.* ⟨*Zool*⟩ testudos *pl* (*Testudinidae*).

testụdo *f.* **1.** ⟨*Stor.rom*⟩ (*testuggine*) testudo. – **2.** ⟨*Mus,ant*⟩ testudo; (*liuto*) lute. – **3.** ⟨*ant,rar*⟩ (*testuggine*) tortoise.

testuggịnato *a.* ⟨*Archeol,rar*⟩ testudinate.

testụggine *f.* **1.** ⟨*Zool*⟩ (*tartaruga di terra*) tortoise, turtle; (*tartaruga marina*) turtle. – **2.** *pl.* ⟨*Zool*⟩ turtles and tortoises *pl*, testudinates *pl* (*Testudines*). – **3.** ⟨*Stor.rom*⟩ (*strumento musicale*) testudo. – **4.** ⟨*Stor.rom*⟩ (*macchina da guerra*) testudo. – **5.** ⟨*Archeol*⟩ testudo, arched vault (*o* ceiling). □ ⟨*Zool*⟩ ~ *franca* green turtle (*Chelonia mydas*). – **testuggịneo** *a.* ⟨*lett,rar*⟩ (*di testuggine*) tortoise-, testudineous, testudinal.

testụra *f.* ⟨*non com*⟩ **1.** (*tessitura*) weaving, weave. – **2.** ⟨*fig*⟩ (*intreccio*) plot; (*struttura*) texture, structure.

tęta *m./f.inv.* → **theta**.

tetanịa *f.* ⟨*Med*⟩ tetany, tetania. – **tetạnico** *a.* (*pl.* **-ci**) tetanic. – **tętano** *m.* ⟨*Med,Veter,Fisiol*⟩ tetanus. – **tetanọide** *a.* ⟨*Med*⟩ tetanoid. – **tetanospaşmịna** *f.* ⟨*Biol*⟩ tetanus (*o* tetanal) toxin, tetanospasmin.

tetartoedrịa *f.* ⟨*Min*⟩ tetartohedrism.

tête-à-tête *fr.* [tɛta'tɛ:t] *m.* tête-à-tête.

tetęrrimo (*sup. di tetro*) *a.* ⟨*lett,rar*⟩ **1.** (*molto oscuro*) (pitch) dark. – **2.** (*molto squallido*) most dismal (*o* gloomy), very bleak.

Tęti *N.pr.f.* **1.** ⟨*Mitol*⟩ Tethys. – **2.** → **Tetide**[1]. □ ⟨*poet*⟩ *il regno di* ~ (*il mare*) the sea, the deep; ⟨*poet*⟩ *in seno a* ~ (*nel mare*) in the sea (*o* deep).

TETI = *Società telefonica italiana*.

tętico *a.* (*pl.* **-ci**) ⟨*Filos*⟩ thetic. □ ⟨*Mus*⟩ *ritmo* ~ thetic rhythm.

Tętide[1] *N.pr.f.* ⟨*Geol*⟩ Thethys.

Tętide[2] *N.pr.f.* ⟨*Mitol*⟩ Thetis.

tetra... *pref.* (*quattro* four) tetr(a)..., four-.

tetra|branchiạti *m.pl.* ⟨*Zool*⟩ tetrabranchs *pl*, tetrabranchiates *pl*, nautiloids *pl* (*Tetrabranchiata*). – **~cişeşaẹdro** *m.* ⟨*Min*⟩ tetrahexahedron, tetrakis-hexahedron. – **~clorụro** *m.* ⟨*Chim*⟩ tetrachloride: ~ *di carbonio* carbon tetrachloride. – **~cọrdo** *m.* ⟨*Mus, Stor*⟩ **1.** tetrachord. – **2.** (*strumento*) tetrachord. – **~cromịa** *f.* ⟨*Fot*⟩ (*quadricromia*) four-colour process.

tetractịno *a.* ⟨*Zool*⟩ tetract(al), tetractine, tetraxonid, tetraxial.

tetradattilịa *f.* ⟨*Med*⟩ tetradactylity.

tętrade *f.* tetrad (*anche Filos.,Biol.*).

tetra|dimensionạle *a.* ⟨*Fis*⟩ four-dimensional. – **~dịnamo** *a.* ⟨*Bot*⟩ tetradynamous. – **~dimịte** *f.* ⟨*Min*⟩ tetradymite. – **~drạmma**, **~drạmmo** *m.* ⟨*Numism*⟩ tetradrachm(a). – **~edrạle** *a.* ⟨*Geom*⟩ tetrahedral. – **~ędrico** *a.* (*pl.* **-ci**) tetrahedral, tetrahedric(al). – **~edrịte** *f.* ⟨*Min*⟩ tetrahedrite. – **~ędro** *m.* ⟨*Geom*⟩ tetrahedron. – **~etịle** *m.* ⟨*Chim*⟩ tetraethyl.

tetrạfora *f.* ⟨*non com*⟩ (*quadrifora*) mullioned window with four lights, four-light window.

tetrạggine *f.* **1.** darkness, gloom. – **2.** (*l'essere cupo, sinistro*) forbiddingness, grimness, sinisterness: *la* ~ *di un vecchio castello* the grimness of an old castle. – **3.** ⟨*fig*⟩ (*aspetto accigliato*) gloominess, sullenness: *la sua* ~ *lo rende antipatico a tutti* his gloominess makes an unpleasant impression on everyone.

tetragonạle *a.* ⟨*Geom,Min*⟩ tetragonal.

tetragọnia *f.* ⟨*Bot*⟩ New Zealand spinach (*Tetragonia expansa*).

tetrạgono **I** *a.* **1.** ⟨*Geom*⟩ tetragonal. – **2.** ⟨*fig*⟩ (*fermo, resistente*) strong, firm, steadfast; (*irremovibile*) steadfast, firm, unshakable, unyielding. – **3.** ⟨*Bot*⟩ tetragonal, quadrangular. – **II** *s.m.* ⟨*Geom*⟩ (*quadrangolo*) tetragon, quadrangle; (*tetraedro*) tetrahedron.

tetragonụridi *m.pl.* ⟨*Itt*⟩ squaretails *pl* (*Tetragonuridae*).

tetragrạmma[1] *m.* ⟨*Mus,ant*⟩ four-line staff (*o* stave).

tetragrạmma[2] *m.* **1.** (*parola di quattro lettere*) tetragram, tetragrammaton. – **2.** ⟨*Rel.ebr*⟩ Tetragrammaton. – **tetragrammạto** ⟨*non com*⟩ **I** *a.* tetragrammatonic, of a tetragrammaton, ⟨*ant*⟩ tetragrammatical. – **II** *s.m.* → **tetragramma**[2].

tetra|lẹmma *m.* ⟨*Filos*⟩ tetralemma. – **~lịna** *f.* ⟨*Chim*⟩ tetralin(e). – **~logịa** *f.* **1.** ⟨*Teat,Mus,Lett*⟩ tetralogy. – **2.** ⟨*Mus*⟩ (*opera di Wagner*) the Ring (of the Nibelungs).

tetramẹnte *avv.* darkly, gloomily, dismally.

tetramerịa *f.* ⟨*Bot*⟩ tetramerism. – **tetrạmero** *a.* tetramerous.

tetrametilęne *m.* ⟨*Chim*⟩ tetramethylene, cyclobutane.

tetrạmetro **I** *a.* ⟨*Metr*⟩ tetrameter. – **II** *s.m.* tetrameter. □ ~ *anapestico* anapaestic tetrameter; ~ *giambico* iambic tetrameter; ~ *trocaico* trochaic tetrameter.

tetra|mọrfo *m.* ⟨*Art*⟩ tetramorph. – **~nitrạto** *m.* ⟨*Chim*⟩ tetranitrate.

tetraodọntidi *m.pl.* → **tetrodontidi**.

tetraọne *m.* ⟨*Ornit*⟩ prairie chicken (*o* fowl, grouse) (*Tympanuchus americanus, Tympanuchus cupido pinnatus*). – **tetraọnidi** *m.pl.* tetraonids *pl*, ⟨*pop*⟩ grouse *pl* (*Tetraonidae*).

tetrapạk *m.* four-sided container.

tetra|pareşi (*o tetrapareşi*) *f.* ⟨*Med*⟩ paresis of all four limbs. – **~peptịde** *m.* ⟨*Chim*⟩ tetrapeptid(e).

tetrạ|pilo *m.* ⟨*Archeol*⟩ tetrapylon. – **~plegịa** *f.* ⟨*Med*⟩ tetraplegia, quadriplegia. – **~ploidịa** *f.* ⟨*Biol*⟩ tetraploidy. – **~pnẹumoni** *m.pl.* ⟨*Zool*⟩ tetrapneumonians *pl* (*Tetrapneumones*).

tetrạpode *a.* ⟨*rar*⟩ (*quadrupede*) tetrapodal, tetrapod, quadruped.

tetrạpodi *m.pl.* ⟨*Zool*⟩ tetrapods *pl* (*Tetrapoda*).

tetrapodịa *f.* ⟨*Metr*⟩ tetrapody. □ ~ *dattilica* dactylic tetrapody; ~ *giambica* iambic tetrapody.

tetrạpoli *f.* ⟨*Stor.gr*⟩ tetrapolis.

tetrapolmonạti *m.pl.* → **tetrapneumoni**.

tetrạrca *m.* ⟨*Stor*⟩ **1.** tetrarch. – **2.** (*nella Giudea*) tetrarch. – **tetrarcạto** *m.* **1.** tetrarchy, tetrarchate. – **2.** (*periodo*) reign of a tetrarch. – **tetrarchịa** *f.* **1.** ⟨*Stor*⟩ tetrarchy; (*governo di quattro sovrani*) tetrarchy. – **2.** ⟨*non com*⟩ (*governo esercitato da quattro persone*) tetrarchy, rule by four persons; (*governo di quattro partiti*) four-party coalition.

tetrạrco *a.* (*pl.* **-chi**) ⟨*Bot*⟩ tetrarch.

tetra|spọra *f.* ⟨*Bot*⟩ tetraspore. – **~sporạngio** *m.* tetrasporangium. – **~sporọfito** *m.* tetrasporophyte.

tetrạss(on)e *a.* ⟨*Zool*⟩ tetract(al), tetractine, tetraxonid, tetraxial.

tetrastatẹre *m.* ⟨*Numism*⟩ four-stater coin.

tetrạstico *a./s.* (*pl.* **-ci**) **I** *a.* **1.** ⟨*Metr*⟩ tetrastichal, tetrastichic, four-line-. – **2.** ⟨*Arch*⟩ (*rif. a portico*) having four lines of columns. – **3.** ⟨*Pitt*⟩ four-panel-. – **4.** ⟨*Bot*⟩ tetrastichous. – **II** *s.m.* ⟨*Metr*⟩ tetrastich.

tetrạstilo *a.* ⟨*Archeol*⟩ tetrastyle.

tętrathlon, tętratlo(n) *m.* ⟨*Sport,non com*⟩ contest consisting of four events.

tetratọmico *a.* (*pl.* **-ci**) ⟨*Chim*⟩ tetratomic.

tetrattinẹllidi *m.pl.* ⟨*Zool*⟩ tetractinellids *pl* (*Tetractinellida*).

tetravalẹnte *a.* ⟨*Chim*⟩ tetravalent.

tetrazịna *f.* ⟨*Chim*⟩ tetrazine.

tetrịl *m.* ⟨*Chim*⟩ tetryl.

tętro *a.* **1.** dark, gloomy, dismal: *stanza -a* dark room. – **2.** (*fosco, minaccioso*) forbidding, gloomy, grim, sinister: *un carcere* ~ a gloomy prison. – **3.** ⟨*fig*⟩ (*rif. a persone*: *cupo*) gloomy, dismal, dark: *avere uno sguardo* ~ to have a dark espression, to look gloomy; (*triste*) gloomy, dismal, sad, dark: *-i pensieri* dismal thoughts. – **4.** ⟨*non com*⟩ (*ripugnante*) dreadful, horrid.

tẹtrodo *m.* ⟨*El,Rad*⟩ tetrode: ~ *a fascio* beam tetrode.
tetrodọntidi *m.pl.* ⟨*Itt*⟩ globefish *pl*, puffers *pl*, tetraodonts *pl*, balloonfish *pl* (*Tetrodontidae, Tetraodontidae*).
tetrọssido *m.* ⟨*Chim*⟩ tetroxide.
tẹtta *f.* ⟨*fam*⟩ (*mammella*) breast, ⟨*fam*⟩ tit(ty).
tettaiọlo *a.* ⟨*non com*⟩ roof-, living under the roof. □ ⟨*fig*⟩ *topo* ~ solitary person, lone character.
tettạre *v.t.* (**tẹtto**) ⟨*ant,region*⟩ (*poppare*) to suck (at the breast), to nurse. – **tettarẹlla** *f.* teat, nipple.
tẹtte, tettè *m.* ⟨*infant*⟩ (*cane*) dog, ⟨*infant*⟩ doggy, ⟨*infant*⟩ bow-wow.
tettibrạnchi, tettibranchiạti *m.pl.* ⟨*Zool*⟩ tectibranchs *pl*, tectibranchiates *pl* (*Tectibranchia, Tectibranchiata*).
tettifọrme *a.* ⟨*non com*⟩ roof-shaped, tectiform.
tettịna *f.* ⟨*fam*⟩ *dim. di* **tetta**.
tettịno (*dim. di tetto*) *m.* penthouse.
tẹtto *m.* **1.** roof: *rifare il ~ della casa* to put a new roof on the house. – **2.** (*copertura*) roof, top: *il ~ di una vettura* the roof of a vehicle. – **3.** ⟨*estens*⟩ (*casa, alloggio*) house, home, roof: ~ *paterno* (family) home; *essere senza ~* to be without a roof over one's head, to be homeless. – **4.** ⟨*Alp*⟩ horizontal overhang, roof. – **5.** ⟨*Anat,Min, Geol*⟩ roof. – **6.** ⟨*Meteor*⟩ height of cloud base, ⟨*am*⟩ ceiling. – **7.** ⟨*region*⟩ (*maira*) summer stable.
□ **a** ~: 1. (*immediatamente sotto il tetto*) attic-, under the roof: *abitare a ~* to live in the attic; 2. (*a forma di tetto*) roof-shaped; ~ *a due* **acque** = *tetto a due* **spioventi**; ⟨*Aut*⟩ ~ **apribile** sun(shine) roof; ~ *ad* **arcarecci** purlin roof; ~ *ad* **arco** arched roof; ~ *in* **ardesia** slate roof; ⟨*tosc*⟩ *il ~ è* **basso** (*invitando a moderare il linguaggio in presenza di bambini*) little pitchers have big ears; ~ *a* **botte** wagon roof; ~ *a* **bulbo** imperial roof; ~ *a* **cannicci** reed(-thatched) roof; ~ *a* **capanna** saddle roof; ~ *a* **capriate** trussed roof; ⟨*fig*⟩ *non avere né* **casa** *né* ~ not to have a roof over one's head; ~ *a* **cavaliere** high-pitched roof; ⟨*Aut*⟩ ~ **centinato** curved roof; ~ **conico** conical roof; ⟨*estens*⟩ ~ **coniugale** conjugal roof; ⟨*Dir*⟩ *abbandono del ~ coniugale* desertion; ~ *a* **conversa** valley roof; ~ *a* **cupola** dome-shaped roof; ⟨*estens*⟩ ~ **domestico** home; ~ *a una* **falda** = *tetto a uno* **spiovente**; ~ *a due* **falde** = *tetto a due* **spioventi**; ~ *alla* **francese** = *tetto a* **mansarda**; ~ *a* **gradinata** stepped roof; ⟨*fig*⟩ **gridare** *qc. dai -i* (*farlo sapere a tutti*) to make s.th. known far and wide, to shout s.th. from the housetops; ~ *a* **guglia** = *tetto* **piramidale**; ~ *a* **lucernario** lantern roof; ~ *a* **mansarda** mansard roof; **mettere** *il ~ a* to roof (over); ⟨*Geog*⟩ ~ *del* **mondo** (*Pamir*) roof of the world, Pamir region; ⟨*estens*⟩ ~ **natio** birthplace, family home; ~ *a* **padiglione** hip (*o* tent) roof; ~ **piano** flat roof; ~ **piramidale** spire roof; **predicare** *qc. dai -i* = **gridare** *qc. dai tetti*; ~ *a* **punta** high-pitched roof; ⟨*Aut*⟩ ~ **scorrevole** sliding roof; **senza** ~: 1. roofless, with no roof; 2. (*rif. a persone*) homeless, without a roof to one's head; ~ *a uno* **spiovente** lean-to roof, pent (*o* single-pitch) roof; ~ *a due spioventi* saddle roof; (*su timpano*) gable roof; ~ *a* **terrazzo** platform (*o* flat) roof.
tettogẹnesi *f.* ⟨*Geol*⟩ tectogenesis; (*orogenesi*) orogeny, orogenesis. – **tettogenẹtico** *a.* (*pl.* -ci) of tectogenesis; (*orogenico*) orogenic.
tettọia *f.* **1.** roof(ing), cover; (*tetto sporgente sopra porte e sim.*) canopy, porch roof; (*a uno spiovente*) penthouse. – **2.** (*pensilina*) cantilever roof. – **3.** (*tettoia di stazione*) station canopy (*o* awning), platform roofing.
tẹttola *f.* **1.** ⟨*Zool*⟩ wattle. – **2.** ⟨*ant*⟩ → **tetta**.
tettọnica *f.* **1.** ⟨*Geol*⟩ tectonics *pl* (*costr.sing.*). – **2.** ⟨*Anat*⟩ stratification. – **tettonicizzaziọne** *f.* tectonization. – **tettọnico** *a.* (*pl.* -ci) tectonic.
tettọre *a.* ⟨*Zool,Bot*⟩ (*che copre*) tectorial: *peli -i* tectorial hairs. – **tettọrio** *a.* tectorial: *membrana -a* tectorial membrane, membrane of Corti.
tettụccio (*dim. di tetto*) *m.* ⟨*Aer*⟩ canopy.
tẹucrio *m.* ⟨*Bot*⟩ germander (*Teucrium*).
tẹucro ⟨*lett*⟩ **I** *a.* (*troiano*) Trojan. – **II** *s.m.* Trojan.
Tẹucro *N.pr.m.* ⟨*Mitol*⟩ Teucer.
teurgịa *f.* ⟨*Stor*⟩ (*forma di magia*) theurgy. – **teụrgico** *a.* (*pl.* -ci) theurgic(al). – **teụrgo** *m.* (*pl.* -ghi) **1.** ⟨*Stor*⟩ theurgist. – **2.** ⟨*estens, lett*⟩ (*mago*) magician, wonder-worker.
Teutobụrgo: ⟨*Geog*⟩ *selva di* ~ Teutoburger Wald.
tẹutone *m.* **1.** ⟨*Stor*⟩ Teuton. – **2.** ⟨*rar*⟩ (*tedesco*) Teuton, German. – **teutoneggiạnte** *a.* → **teutonizzante**. – **teutọnico** *a.* (*pl.* -ci) **1.** ⟨*Stor*⟩ Teutonic. – **2.** ⟨*spreg*⟩ (*tedesco*) Teutonic, German. □ *Ordine* ~ Teutonic Order. – **teutonizzạnte** *a.* Teutonizing.
Tẹvere *N.pr.m.* ⟨*Geog*⟩ Tiber. – **Tẹvero** *N.pr.m.* ⟨*ant*⟩ → **Tevere**.
texạno **I** *a.* (*del Texas*) Texan. – **II** *s.m.* (*f.* -a) Texan. – **Tẹxas** *N.pr.m.* ⟨*Geog*⟩ Texas.
tg = ⟨*Mat*⟩ *tangente* tangent (*abbr.* tan.).
Th. = ⟨*Chim*⟩ *torio* thorius.
Thailạndia *N.pr.f.* (*Tailandia*) Thailand.
thẹ *m.* (*tè*) tea.
thẹnar *m.* ⟨*Anat*⟩ (*tenar*) thenar.
thẹrmos *m.* thermos (flask), vacuum bottle.
thẹta *m./f.inv.* (*lettera dell'alfabeto greco*) theta.
thọlos *f.* ⟨*Archeol*⟩ tholos.
Thọr *N.pr.m.* ⟨*Mitol.nord*⟩ Thor.
thọron *m.* ⟨*Chim*⟩ thoron.
Thọth *N.pr.m.* ⟨*Mitol*⟩ Thoth.
thrill *ingl.* [θril] *m.* ⟨*rar*⟩ thrill. – **thrịller** *ingl.* [-er] *m.* ⟨*Cin*⟩ thriller. – **thrịlling** *ingl.* [-iŋ] **I** *a.* (*emozionante*) thrilling. – **II** *s.m.* thriller. □ *pieno di* ~ thrilling.
Thụle *N.pr.f.* ⟨*Geog.stor*⟩ Thule.
thulịte *f.* ⟨*Min*⟩ (*tulite*) thulite.
thyratron *ingl.* [ˈθairε-] *m.* ⟨*El*⟩ thyratron.
ti[1] *f./m.* (*consonante*) T, t. □ ⟨*non com*⟩ *a* ~ T-shaped.
ti[2] *pron.pers.* **1.** (*te: compl.oggetto*) you, ⟨*ant*⟩ thee: ~ *vedo* I see you. – **2.** (*a te: compl. di termine*) (to) you, ⟨*ant*⟩ (to) thee: *cosa ~ ha detto?* what did he say to you? – **3.** (*riflessivo*) yourself, ⟨*ant*⟩ thyself, *spesso non si traduce*: ~ *sei lavato?* have you washed (yourself)?; ~ *sei pettinato?* did you comb your hair?; ~ *ricordi?* do you remember? – **4.** (*con valore di dativo etico*) you, *spesso non si traduce*: ~ *sei preso un bel raffreddore* you have caught a bad cold. – **5.** (*rafforzativo*) *non si traduce*: *che ~ credevi?* what did you expect? – **6.** ⟨*dial*⟩ (*pleonastico*) *non si traduce*: *statti buono!* be good!, behave yourself!
Ti = ⟨*Chim*⟩ *titanio* titanium.
tịade *f.* ⟨*Stor.gr*⟩ (*menade, baccante*) Thyiad.
tiamịna *f.* ⟨*Chim*⟩ thiamin(e). – **tiaminạsi** *f.* ⟨*Biol*⟩ thiaminase.
tiạra *f.* **1.** ⟨*Lit,Stor*⟩ tiara: ~ *papale* papal tiara. – **2.** ⟨*Mod,non com*⟩ kind of high hat.
tịaso *m.* ⟨*Stor.gr*⟩ thiasus.
Tiberịade *N.pr.f.* ⟨*Geog*⟩ Tiberias. □ *lago di* ~ Sea of Galilee, Lake Tiberias.
tiberịno *a.* of the Tiber, Tiber-, ⟨*lett*⟩ Tiberine.
Tibẹrio *N.pr.m.* ⟨*Stor*⟩ Tiberius.
tịbet *m.* ⟨*Tess*⟩ T(h)ibet, Tibet cloth.
Tịbet *N.pr.m.* ⟨*Geog*⟩ Tibet, Thibet. – **tibetạno** **I** *a.* Tibetan, Thibetan. – **II** *s.m.* **1.** (*lingua*) Tibetan, Thibetan. – **2.** (*abitante*; *f.* -a) T(h)ibetan, native (*o* inhabitant) of Tibet. – **tibetịde** **I** *a.* Tibetan, Thibetan: *razza* ~ Tibetan race. – **II** *s.m./f* Tibetan, Thibetan.
tịbeto-birmạno *a.* Tibeto-Burman, Tibeto-Burmese. □ *lingua -a* Tibeto-Burman, Tibeto-Burmese.
tịbia *f.* **1.** ⟨*Anat*⟩ tibia, shin-bone. – **2.** ⟨*Mus,Stor,Zool*⟩ tibia. – **tibiạle** **I** *a.* ⟨*Anat*⟩ tibial. – **II** *s.m.* **1.** ⟨*Anat*⟩ (*anche muscolo tibiale*) tibialis. – **2.** ⟨*lett*⟩ (*schiniere*) greave, shin guard. – **tibialgịa** *f.* ⟨*Med*⟩ tibialgia.
tibịcine *m.* ⟨*Stor.rom*⟩ (*sonatore di tibia*) tibicen, flautist.
Tibịsco *N.pr.m.* ⟨*Geog*⟩ Tisza.
Tibụllo *N.pr.m.* ⟨*Stor*⟩ Tibullus.
tibụrio *m.* ⟨*Arch*⟩ lantern.
tibụrte *a./s.* ⟨*lett*⟩ → **tiburtino**. – **Tiburtịna** *N.pr.f.* Via Tiburtina. – **tiburtịno** **I** *a.* **1.** ⟨*Stor.rom*⟩ Tiburtine. – **2.** ⟨*lett*⟩ (*tivolese*) of Tivoli. – **II** *s.m.* ⟨*ant*⟩ (*travertino*) travertine.
tic **I** *onom.* click. – **II** *s.m.* **1.** click. – **2.** ⟨*Psic*⟩ (*anche tic nervoso*) tic, twitch(ing). – **3.** ⟨*fig*⟩ (*singolare abitudine*) tic, obsession, compulsive habit. □ *il ~ tac dell'orologio* the tick-tock (*o* ticking) of the clock; *il cuore mi faceva ~ toc* my heart went pit-a-pat.
ticchettạre *v.i.* (**ticchẹtto**; *aus.* **avere**) to tick, to click; (*rif. a orologi e sim.*) to tick; (*rif. a macchine da scrivere*) to tap; (*rif. alla pioggia*) to patter, to go pit-a-pat. – **ticchettịo** *m.* clicking; (*rif. a orologi e sim.*) ticking; (*rif. a macchine da scrivere*) tapping; (*rif. alla pioggia*) pattering, pit-a-pat.
tịcchio[1] *m.* **1.** (*capriccio*) whim, fancy: *gli è saltato il ~ di andare in Islanda* some whim induced him to go off to Iceland. – **2.** (*tic nervoso*) tic, twitch(ing).
tịcchio[2] *m.* (*macchiolina*) speck.
ticchiolạto *a.* **1.** (*cosparso di macchioline*) speckled. – **2.** ⟨*Agr*⟩ scabby. – **ticchiolatụra** *f.* **1.** speckling. – **2.** ⟨*Agr*⟩ scab.
ticcọso **I** *a.* **1.** ⟨*non com*⟩ (*relativo a tic nervoso*) twitching, of a tic. – **2.** ⟨*rar*⟩ (*che soffre di tic*) suffering from a tic. – **II** *s.m.* (*f.* -a) person suffering from a tic (*o* twitch).
ticinẹse **I** *a.* Ticinese, of Ticino. – **II** *s.m./f.* Ticinese, native (*o* inhabitant) of Ticino. – **Ticịno** *N.pr.m.* ⟨*Geog*⟩ Ticino, Tessin. □ *Canton* ~ Canton of Ticino.
tick-fever *ingl.* [-fiːver] *m.* ⟨*Med*⟩ tick fever.
Ticọne *N.pr.m.* ⟨*Stor*⟩ Tycho Brahe. – **ticọnico** *a.* (*pl.* -ci) ⟨*Astr*⟩ Tychonic, Tychonian: *sistema* ~ Tychonic system.
tictạc (o *tic tac*) **I** *onom.* tick-tack; (*rif. a orologi*) tick-tock, tick-tack. – **II** *s.m.* tick-tack; (*rif. a orologi*) tick-tock, ticking, tick-tack. □ *fare* ~ to tick-tack; (*rif. a orologi*) to (go) tick-tock, to tick.
Tidẹo *N.pr.m.* ⟨*Mitol*⟩ Tydeus.
Tidịde *N.pr.m.* ⟨*Mitol*⟩ (*Diomede*) Tydides, Diomides.
tiẹlla *f.* ⟨*ant,region*⟩ (*teglia*) pan, shallow dish (for cooking), tin; (*di coccio*) earthenware dish.
tienịle *m.* ⟨*Chim*⟩ thienyl.
tientibẹne *m.inv.* ⟨*Mar*⟩ life-line.
tiepidamẹnte *avv.* lukewarmly, tepidly (*anche fig.*). – **tiepidẹzza** *f.* **1.** lukewarmness, tepidity, tepidness. – **2.** ⟨*fig*⟩ lukewarmness, half-heartedness, tepidness. □ *con* ~ lukewarmly. – **tiepidità** *f.* ⟨*non com*⟩ → **tiepidezza**. – **tiẹpido** *a.* **1.** lukewarm, tepid, half-cold: *acqua -a* lukewarm water. – **2.** ⟨*fig*⟩ (*poco caloroso*) lukewarm, half-hearted, tepid, unenthusiastic: *applausi -i* half-hearted (*o* feeble) applause.
Tiẹste *N.pr.m.* ⟨*Mitol*⟩ Thyestes.
tịfa *f.* ⟨*Bot*⟩ cattail, cat's tail, reed mace (*Typha*). – **tifạcee** *f.pl.* cattail family (*Typhaceae*).
tifạre *v.i.* (*aus.* avere) **1.** to be a fan, to be a supporter (*per* of),

to support (s.o.). – **2.** ⟨*estens*⟩ (*parteggiare*) to side (with), to be on the side (of).
tifico *a.* (*pl.* **-ci**) ⟨*Med*⟩ typhous, of typhus.
tiflatonia *f.* ⟨*Med*⟩ typhlatony, typhlatonia. – **tiflectasia** *f.* typhlectasia. – **tiflite** *f.* typhlitis.
tiflo... *pref.* (*intestino cieco* caecum) typhl(o)...
tiflo|atonia *f.* → **tiflatonia**. – **~ectasia** *f.* → **tiflectasia**. – **~grafia** *f.* embossed (*o* raised) printing.
tiflope *m.* ⟨*Zool*⟩ Asia Minor blind-snake (*Typhlops vermicularis*). – **tiflopidi** *m.pl.* blind-snakes *pl*, worm-snakes *pl*, blind-worms *pl*, typhlopes *pl* (*Typhlopidae*).
tifo *m.* **1.** ⟨*Med*⟩ typhus fever. – **2.** ⟨*fam*⟩ (*entusiasmo fanatico*) (wild) enthusiasm; (*incoraggiamento*) support, backing.
□ ~ **addominale** abdominal typhus, typhoid fever; ~ **amarillico** (*febbre gialla*) amarillic typhus, yellow fever; ~ **esantematico** (o *degli accampamenti*) exanthematous (*o* petechial) typhus, typhus fever; ⟨*fam*⟩ **fare** *il* ~ *per qd.* to be s.o.'s fan; (*incoraggiarlo*) to cheer for s.o., to support s.o.; ⟨*ant*⟩ ~ **pestilenziale** (*peste*) plague, pestilence; ~ **petecchiale** = *tifo* **esantematico**.
tifoide *a.* ⟨*Med*⟩ typhoid. – **tifoidea** *f.* typhoid (fever). – **tifoideo** *a.* → **tifoide**.
tifone *m.* ⟨*Meteor*⟩ typhoon.
Tifone *N.pr.m.* ⟨*Mitol*⟩ Typhon.
tifoso I *a.* **1.** ⟨*Med*⟩ typhous, typhoid; (*ammalato di tifo*) suffering from typhus. – **2.** ⟨*fam*⟩ (*nello sport*) sport-loving, enthusiastic (about sport); (*fanatico*) enthusiastic, keen: *essere ~ di un cantante* to be enthusiastic about a singer. – **II** *s.m.* (*f.* **-a**) **1.** ⟨*Med*⟩ sufferer from typhus. – **2.** ⟨*fam*⟩ fan, supporter, enthusiast; (*acceso sostenitore*: *rif. a persone*) fan; (*rif. a cose*) fan, supporter, lover, enthusiast, fanatic: *un ~ del jazz* a jazz-lover; *un ~ del calcio* a football fan.
tight *ingl.* ['tait] *m.* ⟨*Vest*⟩ morning dress (*o* suit).
tiglia *f.* ⟨*region*⟩ (*fibra*) fibre.
tigliacee *f.pl.* ⟨*Bot*⟩ linden family (*Tiliaceae*).
tiglio *m.* **1.** ⟨*Bot*⟩ linden, lime(tree) (*Tilia*). – **2.** (*legno*) limewood, linden, limetree wood. – **3.** (*fibra*) fibre, bast; (*fibra legnosa*) fibre. – **4.** (*infuso*) lime tea. – **5.** ⟨*tosc*⟩ (*nel seme delle castagne*) chestnut skin. □ ⟨*Bot*⟩ ~ *nostrale* large-leaved lime (*o* linden) (*Tilia platyphyllos*); ~ *riccio* (o *selvatico*) small-leaved lime (*o* linden) (*Tilia cordata*).
tiglioso *a.* (*fibroso*) fibrous; (*duro*) tough, stringy: *carne -a* tough meat.
tigna *f.* **1.** ⟨*Med,Veter*⟩ tinea, ringworm. – **2.** ⟨*fig*⟩ (*cosa molesta, repellente*) nuisance, unpleasant thing. – **3.** ⟨*region*⟩ (*persona avara*) miser, skinflint. – **4.** ⟨*region*⟩ (*ostinazione*) obstinacy, stubbornness. □ ⟨*Med*⟩ ~ *favosa* favus, crusted ringworm; ⟨*fig,volg*⟩ *grattar la ~* (*picchiare senza misericordia*) to beat mercilessly; ⟨*Entom*⟩ ~ *del melo* ermine moth (*Hyponomeuta malinellus*); ⟨*Med*⟩ ~ *microsporica* Gruby's disease; ~ *tricofitica* tinea trichophytina, ringworm.
tignamica *f.* ⟨*Bot*⟩ (*elicriso*) helichrysum (*Helichrysum*).
tignarsi *v.r.* (*aus.* **essere**) ⟨*ant,region*⟩ (*intignarsi*) to become moth -eaten.
tignere *v.* (**tingo, tigni**) ⟨*ant*⟩ → **tingere**.
tignola *f.* ⟨*Entom*⟩ moth.
□ ~ *del* **cacao** tobacco (*o* flour, cacao, chocolate) moth (*Ephestia elutella*); ~ *del* **cavolo** diamond back moth (*Plutella maculipennis*); ~ *grigia della* **farina** (Mediterranean) flour moth (*Ephestia kuhniella*); ~ *falsa del* **grano** European grain moth (*Tinea granella*); ~ *fasciata del grano* Indian meal moth, meal worm moth (*Plodia interpunctella*); ~ *delle* **mele** codling moth (*Carpocapsa pomonella*; *Laspeyresia pomonella*); ~ *del* **melo**: 1. ermine moth (*Hyponomeuta malinellus*); 2. small tineid moth, apple fruit miner (*Argyresthia conjugella*); ~ *delle foglie del melo* (o *pero*) apple and thorn skeletonizer (*Simaethis pariana*); ~ *dei* **panni**: 1. webbing clothes moth (*Tineola biseliella*); 2. casemaking clothes moth (*Tinea pellionella*); ~ *del* **pesco** peach twig borer (*Anarsia lineatella*); ~ *della* **vite** grape-berry moth (*Conchylis ambiguella*).
tignosa *f.* ⟨*Bot*⟩ Amanita (*Amanita*). □ ~ *bianca* (o *primaverile*) destroying angel (*Amanita verna*); ~ *bigia* (o *bruna*) panther (cap) (*Amanita pantherina, Amanita maculata*); ~ *paglierina* false death cup (*Amanita mappa, Amanita citrina*); ~ *verdognola* death cup, death angel, destroying angel (*Amanita phalloides*).
tignoso I *a.* **1.** ⟨*Med*⟩ affected with ringworm. – **2.** ⟨*fig,region*⟩ (*avaro*) mean, stingy; (*testardo*) obstinate, stubborn. – **3.** ⟨*fig,ant*⟩ (*vile, dappoco*) worthless, mean, low. – **II** *s.m.* (*f.* **-a**) **1.** ⟨*Med*⟩ sufferer from ringworm. – **2.** ⟨*fig,region*⟩ (*persona avara*) miser; (*persona testarda*) stubborn (*o* obstinate) person. – **3.** ⟨*fig,non com*⟩ (*persona vile*) low person, mean fellow.
tigrarsi *v.r.* to become striped (*o* streaked). – **tigrato** *a.* **1.** striped, streaked, ⟨*fam*⟩ stripy, ⟨*fam*⟩ streaky: *gatto ~* striped (*o* tiger) cat. – **2.** ⟨*Tess*⟩ striped: *stoffa -a* striped cloth. – **tigratura** *f.* stripes *pl.*
tigre *f.*/*ant.,lett. m.* **1.** ⟨*Zool*⟩ tiger (*f* tigress) (*Panthera tigris*). – **2.** ⟨*fig*⟩ (*persona crudele*) tiger, wild beast, cruel person. □ ⟨*fig*⟩ ~ *di carta* paper tiger; ⟨*fig*⟩ *cuore di ~* cruel heart; *feroce come una ~* as fierce as a tiger; *legno ~* letterwood, snakewood, leopardwood.
tigresco *a.* (*pl.* **-chi**) **1.** tigerish, tigerlike. – **2.** ⟨*fig*⟩ (*crudele*) cruel, bloodthirsty, tigerish. – **3.** ⟨*rar*⟩ (*agile*) agile.
Tigri *N.pr.m.* ⟨*Geog*⟩ Tigris.
tigrotto (*dim. di tigre*) *m.* **1.** (*piccolo della tigre*) tiger cub, young tiger. – **2.** ⟨*rar*⟩ (*persona audace*) daring (*o* bold) person.

tilacino *m.* ⟨*Zool*⟩ Tasmanian wolf (*o* tiger), thylacine (*Thylacinus cynocephalus*).
tilbury *ingl.* ['tilbəri] *m.* ⟨*Stor*⟩ tilbury.
tilde *m.*/*f.* ⟨*Fon,Tip*⟩ tilde.
tilla, tillide *f.* ⟨*Bot*⟩ tylosis, tylose.
tillite *f.* ⟨*Min*⟩ tillite.
tillo *m.* → **tilla**. – **tillosi** *f.* ⟨*Bot*⟩ tylotic condition.
tiloma *m.* ⟨*Med*⟩ tyloma.
tilopodi *m.pl.* ⟨*Zool*⟩ tylopods *pl*, camels and llamas *pl* (*Tylopoda*).
tilosi *f.* ⟨*Med*⟩ tylosis.
timballo *m.* **1.** ⟨*Gastr*⟩ (*pietanza*) timbale; (*stampo*) mould. – **2.** ⟨*Mus*⟩ timbal, kettledrum; (*tamburo*) drum.
timbra *f.* ⟨*Bot*⟩ (*santoreggia*) summer savory (*Satureja hortensis*).
timbrare *v.t.* **1.** to stamp. – **2.** ⟨*Post*⟩ (*rif. a francobolli*) to postmark. – **timbrato** (*p.p. di timbrare*) *a.* **1.** stamped. – **2.** ⟨*Post*⟩ postmarked, bearing a postmark. – **timbratura** *f.* **1.** stamping. – **2.** ⟨*Post*⟩ postmarking.
timbrico *a.* (*pl.* **-ci**) tone-colour-, of (*o* relating to) tone-colour, of timbre.
timbrificio *m.* rubber-stamp factory.
timbro *m.* **1.** (rubber-)stamp. – **2.** (*bollo*) stamp. – **3.** ⟨*Mus,Acu*⟩ timbre, tone-colour. – **4.** ⟨*Fon*⟩ timbre. – **5.** ⟨*fig*⟩ (*tono*) tone, timbre. – **6.** ⟨*Arald*⟩ timbre, tymber.
□ ~ *di* **gomma** rubber stamp; ~ *a* **mano** hand stamp; ~ *a* **martello** hammer-type stamp; ~ **metallico** metal stamp; **mettere** *un ~ a qc.* to stamp s.th.; ~ **postale** postmark; ~ *a* **rulli** roller stamp; ~ *a* **secco** embossing stamp.
timbro|filia, ~logia *f.* ⟨*ant*⟩ (*filatelia*) philately, stamp collecting, ⟨*rar*⟩ timbrophily.
Timbuctù *N.pr.f.* ⟨*Geog*⟩ Timbuktu, Tombouctou.
timectomia *f.* ⟨*Chir*⟩ thymectomy.
timele (o **timele**) *f.* ⟨*Archeol*⟩ thymele.
timeleacee *f.pl.* ⟨*Bot*⟩ mezereon family (*Thymelaeaceae*).
Timeo *N.pr.m.* ⟨*Stor*⟩ Timaeus.
timiama *m.* ⟨*lett,rar*⟩ (*incenso*) incense.
timico *a.* (*pl.* **-ci**) ⟨*Med*⟩ thymic, thymus-.
timidamente *avv.* **1.** timidly. – **2.** (*in modo esitante, incerto*) shyly, bashfully. – **timidetto** *a. dim. di* **timido**. – **timidezza** *f.* **1.** timidity. – **2.** (*comportamento timido*) shyness, bashfulness. □ *con ~* shyly. – **timidino** *a. dim. di* **timido**. – **timidità, timiditate** *f.* ⟨*lett*⟩ → **timidezza**.
timido I *a.* **1.** (*facile a impaurirsi*) timid: *il cervo ~* the timid deer. – **2.** (*incerto, impacciato*) shy, bashful: *non parla mai perché è ~* he never speaks because he is shy; *un ~ saluto* a bashful greeting. – **3.** ⟨*non com*⟩ (*vago*) vague, uncertain. – **4.** ⟨*non com*⟩ (*impaurito*) frightened, fearful. – **II** *s.m.* (*f.* **-a**) **1.** (*persona poco coraggiosa*) timid person. – **2.** (*persona poco disinvolta, impacciata*) shy (*o* bashful) person. □ *come una colomba* as timid as a hare. – **timiduccio** *a. dim. di* **timido**.
timina *f.* ⟨*Chim*⟩ thymine.
timite *f.* ⟨*Med*⟩ thymitis.
timo[1] *m.* ⟨*Anat*⟩ thymus.
timo[2] *m.* ⟨*Bot*⟩ **1.** thyme (*Thymus*). – **2.** (common garden) thyme (*Thymus vulgaris*). – **3.** wild thyme (*Thymus serpyllum*). □ ~ *d'acqua* waterweed (*Elodea canadensis*); *olio* (o *essenza*) *di ~* thyme-oil, oil of thyme.
Timocle *N.pr.m.* ⟨*Stor*⟩ Timocles.
Timocrate *N.pr.m.* ⟨*Stor*⟩ Timocrates.
timocratico *a.* (*pl.* **-ci**) ⟨*Pol*⟩ timocratic. – **timocrazia** *f.* timocracy.
timolo *m.* ⟨*Chim*⟩ thymol.
timologia *f.* ⟨*Filos*⟩ (*assiologia*) axiology.
timoma *m.* ⟨*Med*⟩ thymoma.
timone *m.* **1.** ⟨*Mar*⟩ rudder, helm. – **2.** ⟨*Aer*⟩ rudder. – **3.** (*nei carri*) shaft; (*nell'aratro*) beam. – **4.** ⟨*fig*⟩ (*governo, direzione*) guidance, leadership, helm. – **5.** ⟨*Astr*⟩ handle. – **6.** ⟨*poet*⟩ (*carro*) chariot, cart.
□ ⟨*Mar*⟩ ~ **automatico** automatic steering; ⟨*Mar*⟩ ~ *alla* **barra** helm hard over; ⟨*Aer*⟩ ~ *di* **coda** tail rudder; ⟨*Mar,Aer*⟩ ~ **compensato** balance(d) rudder; ⟨*Aer*⟩ ~ *di* **direzione** rudder; ⟨*Mar*⟩ ~ *a* **dritta**! helm astarboard!, starboard rudder!; ~ *tutto a dritta!* helm hard astarboard!; ⟨*fig*⟩ **essere** *al ~ dello stato* to govern (*o* lead) the nation; ⟨*Aer,Mar*⟩ ~ *di* **fortuna** jury rudder; ⟨*Mar*⟩ **leva** *~!* ease the rudder!; ⟨*Mar*⟩ ~ **orizzontale** diving rudder; ~ *di* **poppa** stern rudder; **prendere** *il ~* to take the helm (*anche fig.*); ~ *di* **profondità**: 1. ⟨*Mar*⟩ diving rudder; 2. ⟨*Aer*⟩ = *timone di* **quota**; ⟨*Mar*⟩ ~ *di* **prora** bow rudder; ⟨*Aer*⟩ ~ *di* **quota** elevator; ⟨*Mar*⟩ *non* **rispondere** *al ~* to fall off; ⟨*Mar*⟩ ~ *a* **sinistra**! helm aport!; ~ *tutto a sinistra!* helm hard aport!
Timone *N.pr.m.* ⟨*Stor*⟩ Timon.
timoneggiare *v.t.* (**timoneggio, timoneggi**) ⟨*non com*⟩ **1.** to steer. – **2.** ⟨*fig*⟩ (*dirigere*) to guide, to lead, to govern.
timonella *f.* ⟨*region*⟩ (*calessino*) small gig, one-horse carriage.
timoneria *f.* **1.** ⟨*Mar,ant*⟩ wheelhouse. – **2.** ⟨*Aut*⟩ steering gear.
timoniera *f.* ⟨*Mar*⟩ **1.** (*locale*) wheelhouse, pilothouse, steering compartment. – **2.** (*losca*) rudder hole.
timoniere[1] *m.* **1.** ⟨*Mar*⟩ helmsman, steersman. – **2.** ⟨*Sport*⟩ cox(swain). □ ⟨*Mar*⟩ ~ *automatico* (*giropilota*) automatic pilot, gyropilot, autopilot.
timoniere[2] *f.pl.* ⟨*Ornit*⟩ (*anche penne timoniere*) rectrices *pl.*
timoniero *a.* **1.** (*del timone*) rudder-, helm-. – **2.** (*che ha funzione di timone*) steering.

timonista *m.* ⟨*ant*⟩ → **timoniere**[1].
timorato *a.* **1.** God-fearing, devout, religious. – **2.** (*coscienzioso, scrupoloso*) conscientious, scrupulous. □ ~ *di Dio* God-fearing.
timore *m.* **1.** fear, dread: *il* ~ *della morte* the fear of death. – **2.** (*preoccupazione*) worry, fear, anxiety. – **3.** (*soggezione, rispetto*) awe, respect: *avere* ~ *di qd.* to be in awe of s.o. – **4.** ⟨*rar*⟩ (*paura*) fear, fright.
□ *timor di* **Dio** fear of God (*o* the Lord); *senza timor di Dio* godless; **essere** *in* ~ *per qd.* to be worried (*o* anxious) about s.o.; *timor* **panico** panic fear; **per** ~ *che* for fear that, lest; *per* ~ *di* for fear: *non ti ho telefonato per* ~ *di disturbarti* I didn't call you for fear of disturbing you; ~ **reverenziale** reverential fear, awe; **senza** ~ fearless, without fear.
timorosamente *avv.* timorously, fearfully, timidly. – **timorosetto** (*dim. di timoroso*) *a.* a little timid. – **timoroso** *a.* **1.** timorous, fearful, afraid. – **2.** (*preoccupato*) worried, anxious, afraid.
Timoteo *N.pr.m.* ⟨*Stor*⟩ Timothy.
timpa *f.* **1.** (*rilievo*) rise. – **2.** (*burrone*) ravine, gorge.
timpanale: ⟨*Entom*⟩ *organo* ~ tympanum.
timpanato *a.* ⟨*Archeol*⟩ having a tympanum.
timpaneggiare *v.i.* (**timpaneggio, timpaneggi**; *aus.* **avere**) ⟨*ant*⟩ (*sonare il timpano*) to play the kettledrum.
timpania *f.* → **timpanismo**. – **timpanico** *a.* (*pl.* **-ci**) ⟨*Anat*⟩ tympanic, tympanal: *osso* ~ tympanic bone. – **timpanismo** *m.* ⟨*Med*⟩ tympanites, tympanism.
timpanista *m./f.* tympanist, kettledrummer.
timpanite *f.* ⟨*Med*⟩ **1.** tympanitis, myringitis. – **2.** ⟨*rar*⟩ → **timpanismo**.
timpano *m.* **1.** ⟨*Mus*⟩ kettledrum; *pl.* timpani *pl*, kettledrums *pl*. – **2.** ⟨*Anat*⟩ (*orecchio medio*) tympanum, middle ear; (*membrana*) tympanic membrane, tympanum, eardrum. – **3.** ⟨*Archeol,Entom*⟩ tympanum. – **4.** ⟨*Edil*⟩ (*dei ponti*) tympanum. – **5.** ⟨*Tip*⟩ tympan. – **6.** ⟨*Stor*⟩ (*macchina idraulica*) tympanum, water-wheel. – **7.** ⟨*lett*⟩ (*tamburo*) drum. □ ⟨*fam*⟩ *essere duro di -i* to be hard of hearing; ⟨*Mus*⟩ ~ *meccanico* machine (*o* mechanically tuned) drum; ⟨*fam*⟩ *rompere i -i a qd.* (*assordarlo*) to deafen s.o.; (*seccarlo*) to irritate (*o* bother) s.o.; ⟨*Mus*⟩ ~ *a vite* screw drum.
timpone *m.* → **timpa**.
tina *f.* **1.** ⟨*Venat*⟩ hide. – **2.** ⟨*ant,region*⟩ → **tino**[1].
tinaia *f.* ⟨*Enol*⟩ **1.** wine-cellar. – **2.** ⟨*region*⟩ (*locale per la preparazione del vino*) vat-room.
tinami, tinamiformi *m.pl.* ⟨*Ornit*⟩ tinamous *pl* (*Tinamiformes*).
tinca *f.* **1.** ⟨*Itt*⟩ tench (*Tinca tinca*). – **2.** ⟨*teat*⟩ (*parte faticosa*) difficult part, unrewarding role. □ ⟨*Anat*⟩ *muso di* ~ part of the cervix protruding into the vagina. – **tincolino** (*dim. di tinca*) *m.* little tench.
tincone *m.* **1.** ⟨*ant*⟩ (*ascesso inguinale*) inguinal adenitis. – **2.** ⟨*fig, tosc*⟩ (*persona noiosa*) bore, ⟨*fam*⟩ pain-in-the-neck.
tindalizzare *v.t.* ⟨*Ind*⟩ to Tyndallize. – **tindalizzazione** *f.* Tyndallization.
Tindareo *N.pr.m.* ⟨*Mitol*⟩ Tyndareus. – **tindaride** *m./f.* Tyndaridae *pl*.
Tindaride *N.pr.m.* ⟨*Stor*⟩ Tyndarides.
Tindaro *N.pr.m.* → **Tindareo**.
tineidi *m.pl.* ⟨*Entom*⟩ tineids *pl* (*Tineidae*).
tinella (*dim. di tina*) *f.* **1.** ⟨*Venat*⟩ hide. – **2.** ⟨*ant,region*⟩ → **tinello**[2].
tinello[1] *m.* **1.** (*stanzetta da pranzo*) breakfast room, (small) dining -room. – **2.** (*mobilio*) dining-room furniture. – **3.** ⟨*roman*⟩ (*osteria rustica*) tavern. – **4.** ⟨*ant*⟩ (*stanza per la servitù*) servants' hall (*o* room).
tinello[2] (*dim. di tino*[1]) *m.* (*piccolo tino*) small vat; (*bigoncio*) tub.
tingere *v.t.* (**tingo, tingi; tinsi, tinto**) **1.** to dye: ~ *di verde un cappotto* to dye a coat green. – **2.** (*macchiare, sporcare*) to stain, to spot. – **3.** ⟨*lett*⟩ (*colorare*) to colour, to paint, to tinge, to tint. – **4.** ⟨*fig,lett*⟩ (*macchiare*) to stain, to sully. – **5.** ⟨*lett*⟩ (*bagnare*) to bathe. – **tingersi** *v.r.* **1.** to dye (o.s.): *tingersi i capelli* to dye one's hair; (*dipingersi*) to paint (o.s.). – **2.** ⟨*pop*⟩ (*darsi il belletto*) to make up. – **3.** (*macchiarsi*) to stain (o.s.), to spot (o.s.): *tingersi le mani d'inchiostro* to stain one's hands with ink. – **4.** (*colorarsi*) to become coloured (*o* tinged), to take on a hue, to turn, to grow: *le nuvole si tingevano di rosa* the clouds ⌜took on a rosy hue⌝ (*o* turned pink). – **5.** (*arrossire*) to blush, to redden, to turn red, to flush. – **6.** ⟨*fig*⟩ (*assumere una particolare sfumatura*) to mix, to be tinged: *un ricordo che si tinge di malinconia* a memory which is tinged with melancholy. □ ⟨*fig,lett*⟩ ~ *d'oro* to gild.
Tingi *N.pr.f.* ⟨*Geog,ant*⟩ (*Tangeri*) Tangier. – **tingitano** *a.* ⟨*ant*⟩ (*tangerino*) Tangerine, of (*o* from) Tangier.
tingitura *f.* ⟨*non com*⟩ (*tintura*) dyeing.
tinniente (*p.pr. di tinnire*) *a.* ⟨*lett*⟩ (*tintinnante*) tinkling; (*squillante*) ringing, sounding. – **tinnire** *v.i.* (**tinnisco, tinnisci**; *aus.* **avere**) ⟨*lett*⟩ (*tintinnare*) to tinkle; (*squillare*) to ring, to sound. – **tinnito** *m.* ⟨*lett*⟩ (*tintinnio*) tinkling. – **tinnulo** *a.* → **tinniente**.
tino[1] *m.* **1.** vat, tub; (*in tintoria*) vat. – **2.** ⟨*Met*⟩ shaft. □ ⟨*Cart*⟩ ~ *di alimentazione* machine (*o* stuff) chest; ~ *di fermentazione* tun; ⟨*tecn*⟩ ~ *di miscela* mash tun.
tino[2] *m.* ⟨*Bot*⟩ (*laurotino*) laurustine (*Viburnum tinus*).
tinozza *f.* **1.** tub, trough. – **2.** (*conca per il bucato*) (wash-)tub. – **3.** (*vasca da bagno*) (bath-)tub. – **4.** ⟨*Mar*⟩ (*baia*) wash-tub. – **tinozzetta, tinozzina** *f. dim. di* **tinozza**.

tinta *f.* **1.** (*colore*) colour, ⟨*lett*⟩ hue: *in tutte le -e* in all colours; (*sfumatura*) shade, tint, tinge. – **2.** (*materia colorante*) dye; (*per muri e sim.*) paint: *dare una mano di* ~ to put on a coat of paint; (*sciolta in acqua*) (colour)wash, distemper. – **3.** ⟨*fig*⟩ colour: *descrivere qc. a fosche -e* to paint s.th. in dark colours. – **4.** ⟨*pop*⟩ (*qualità*) kind, sort. – **5.** ⟨*fig,non com*⟩ (*apparenza*) (outward) appearance.
□ ⟨*fig*⟩ **calcare** (o *caricare*) *le -e* to exaggerate, ⟨*fam*⟩ to lay it on thick; ~ *a* **calce** calcimine, colour wash, distemper; *avere una* ~ **celeste** to be blue; *dramma a* **forti** *-e* sensational play, melodrama; **mezza** ~: 1. half-tone, half-shade, half-tint, middle tone; 2. (*sfumatura*) tinge; 3. ⟨*Pitt*⟩ half-tone; *di* ~ **rossiccia** reddish; ⟨*fig*⟩ **smorzare** *le -e* to play (*o* tone) down; *a* (o *di*) ~ **solida** colour -fast.
tintaccia *f.* (*pl.* **-ce**) *pegg. di* **tinta**.
tintarella (*dim. di tinta*) *f.* ⟨*fam*⟩ (*abbronzatura*) (sun-)tan. □ *prendere la* ~ to get (sun-)tanned, to get a tan.
tinteggiare *v.t.* (**tinteggio, tinteggi**) **1.** (*colorire a tratti*) to paint here and there; (*colorire con colori diversi*) to paint different colours. – **2.** (*colorire lievemente*) to tint, to tinge. – **3.** ⟨*Edil*⟩ (*dare il colore alle pareti*) to paint, to distemper. – **tinteggiatura** *f.* **1.** (*il colorire a tratti*) painting here and there. – **2.** (*il colorire lievemente*) tinting, tinging. – **3.** ⟨*Edil*⟩ painting, distempering.
tinterella (*dim. di tinta*) *f.* → **tintarella**.
tintillano *m.* ⟨*ant*⟩ (*panno fine di lana*) fine wool.
tintin (o *tin tin*) **I** *onom.* tinkle-tinkle, jingle. – **II** *s.m.* tinkling, ringing, jingle.
tintinella *f.* ⟨*Bot*⟩ (*fusaggine*) spindle tree (*Evonymus europaeus*).
tintinnabolo *m.* **1.** ⟨*Stor.rom*⟩ tintinnabulum, bell. – **2.** ⟨*Stor,Rel*⟩ bell borne on a pole.
tintinnamento *m.* ⟨*non com*⟩ tinkling, ringing, jingling. – **tintinnante** (*p.pr. di tintinnare*) *a.* tinkling, ringing, jingling, clinking. – **tintinnare** *v.i.* (*aus.* **avere**) to tinkle, to ring, to jingle, to clink. – **tintinnio** *m.* tinkling, ringing, jingling, clinking. – **tintinnire** *v.* (**tintinnisco, tintinnisci**) ⟨*lett*⟩ → **tintinnare**. – **tintinno** *m.* ⟨*non com*⟩ tinkling, ringing, jingling.
tinto (*p.p. di tingere*) *a.* **1.** dyed: *stoffa -a* dyed cloth. – **2.** (*pitturato*) painted. – **3.** (*macchiato*) stained. – **4.** (*colorato naturalmente*) tinted, coloured; (*colorato leggermente*) tinged: *nuvole -e di rosa* clouds tinged with pink, rose-tinted clouds. – **5.** (*imbellettato*) made up, ⟨*spreg*⟩ painted. – **6.** ⟨*fig*⟩ (*mescolato*) tinged, mixed (*di* with). – **7.** ⟨*ant*⟩ (*oscuro*) dark; (*sporco*) dirty.
tintore *m.* (*f.* **-a**) **1.** dyer. – **2.** (*titolare di tintoria*) owner of a dry -cleaner's shop; (*lavorante*) worker in a dry-cleaner's shop. – **tintoria** *f.* **1.** (*laboratorio*) dye-works *pl*, dye-house. – **2.** (*bottega di pulitura*) dry-cleaner's (shop), cleaner's (shop). – **3.** (*tecnica*) dyeing.
tintoriale *a.* → **tintorio**.
tintorino *m.* ⟨*Agr*⟩ (*vitigno*) type of vine, teinturier.
tintorio *a.* dyeing, dye-: *materie -e* dyeing materials, dyestuffs, dyes.
tintura *f.* **1.** (*atto*) dyeing. – **2.** (*effetto*) colour, tint. – **3.** (*soluzione colorante*) dye. – **4.** ⟨*fig*⟩ (*infarinatura*) smattering: *una* ~ *d'inglese* a smattering of English. – **5.** ⟨*Farm,Chim*⟩ tincture: ~ *di iodio* tincture of iodine. – **6.** ⟨*fig,rar*⟩ (*cattiva fama*) (bad) reputation. □ ⟨*Tess*⟩ ~ *a immersione* immersion dyeing; ~ *in matasse* skein (*o* hank) dyeing; ~ *in pezza* piece dyeing; ~ *al tino* vat dyeing.
tio... *pref.* ⟨*Chim*⟩ (*zolfo* sulphur) thi(o)..., sulph(o)...
tio|acido *m.* ⟨*Chim*⟩ thio acid, sulphacid. – **~alcole** *m.* thioalcohol, mercaptan. – **~ammide** *f.* thioamid(e). – **~batterio** *m.* ⟨*Biol*⟩ thiobacterium, sulphur bacterium. – **~cianato** *m.* ⟨*Chim*⟩ thiocyanate, thiocyanide, sulphocyanate, sulphocyanide. – **~cianico**: *acido* ~ thiocyanic (*o* sulphocyanic) acid. – **~colo** *m.* thiokol. – **~etere** *m.* thioether. – **~fene** *m.* thiophen(e). – **~fenico** *a.* (*pl.* **-ci**) thiophenic. – **~fenolo** *m.* thiophenol, phenyl mercaptan.
tiogeno *a.* ⟨*Biol*⟩ thiogenic.
tionato *m.* ⟨*Chim*⟩ thionate. – **tionico**: *acido* ~ thionic acid. – **tionile** *m.* thionyl, sulphinyl. – **tionina** *f.* thionine.
tioplasto *m.* ⟨*Chim*⟩ thioplast.
tiorba *f.* ⟨*Mus*⟩ theorbo, archlute, theorboed lute. – **tiorbato**: *liuto* ~ theorbo, theorboed lute, archlute. – **tiorbista** *m./f.* theorbist, theorbo-player.
tio|solfato *m.* ⟨*Chim*⟩ thiosulphate. □ ~ *di sodio* sodium thiosulphate, sodium hyposulphite. – **~solforico**: *acido* ~ thiosulphuric acid. – **~urea** *f.* thiourea.
tipaccio (*pegg. di tipo*) *m.* scoundrel, rogue, nasty character. – **tipetto** (*dim. di tipo*) *m.* character, type.
tipi *m.inv.* ⟨*Etnol*⟩ tepee, tipi, teepee.
...tipia *suff.* (*stampa* printing) ...typy, ...type: *cromotipia f.* colour -type.
tipicamente *avv.* typically. – **tipicità** *f.* **1.** typicalness, typicality. – **2.** (*esemplarità*) typicalness, typicality. – **tipicizzare** *v.* ⟨*non com*⟩ → **tipizzare**.
tipico[1] *a.* (*pl.* **-ci**) typical: *atteggiamento* ~ typical attitude; *prodotti -i della regione* typical products of the district.
tipico[2] *m.* (*pl.* **-ci**) ⟨*Rel*⟩ typicon, typikon.
tipificare *v.* (**tipifico, tipifichi**) ⟨*non com*⟩ → **tipizzare**. – **tipificazione** *f.* ⟨*non com*⟩ → **tipizzazione**. – **tipino** (*dim. di tipo*) *m.* → **tipetto**.

tipiẓẓạre *v.t.* **1.** to typify. – **2.** ⟨*Ind*⟩ to standardize. – **tipiẓẓaziọne** *f.* **1.** typifying, typification. – **2.** ⟨*Ind*⟩ standardization.

tịpo I *s.m.* **1.** (*genere*) type, kind, sort: *merce d'ogni ~* goods of every kind; (*specie, qualità*) type, kind, sort, ilk: *con gente del suo ~ è difficile andare d'accordo* it's hard to get along with people of his ilk. – **2.** (*modello, esemplare*) type, model, specimen: *il primo ~ di caldaia a vapore* the first specimen of a steam boiler. – **3.** (*forma esemplare, razza*) type: *il ~ mongolo* the Mongol type; (*fisionomia caratteristica*) prototype. – **4.** ⟨*fig*⟩ (*schema ideale*) (ideal) type: *è il ~ del seduttore* he is the seducer type. – **5.** ⟨*estens*⟩ (*persona originale*) character: *ma sai che sei un ~ curioso!* you know you're really a strange character! – **6.** ⟨*fam*⟩ (*un tale*) person, someone, ⟨*fam*⟩ fellow, ⟨*fam*⟩ chap, ⟨*am.fam*⟩ guy: *è venuto un ~ a cercarti* some fellow came looking for you. – **7.** ⟨*fig*⟩ (*simbolo, figura*) symbol: *un vero ~ di bellezza* a real symbol of beauty. – **8.** ⟨*Bot,Zool*⟩ type. – **9.** ⟨*Med*⟩ type: *~ isterico* hysterical type. – **10.** ⟨*Tip*⟩ (*caratteri tipografici*; generally in pl.) type. – **II** *a.* **1.** ⟨*tecn*⟩ standard, model: *impianto ~* standard installation. – **2.** ⟨*Statist*⟩ typical: *il reddito di una famiglia ~* the income of a typical family. – **3.** (*fatto a imitazione di qc.*) -type, imitation: *pelle ~ camoscio* chamois-type leather, imitation chamois leather.

□ *sei un* **bel** *~!* you're a fine one!; ⟨*Tip*⟩ *-i* **bodoniani** Bodoni type *sing*; ⟨*Med*⟩ *~* **costituzionale** constitutional type; **del** *~ di* = **sul** *tipo di*; *scarpe* **di** *~ sportivo* sporty shoes; **essere** *un ~* (*essere elegante*) to be elegant; (*essere originale*) to be a character; *~* **monetario** (monetary) type; *di* **nuovo** *~* of a new kind; *~* **psicologico** psychological type; ⟨*scherz*⟩ *~ da* **spiaggia** odd person, ⟨*fam*⟩ queer fish; **sul** *~ di* (*simile a*) like; ⟨*tecn*⟩ *~* **unificato** standard type.

tipo... *pref.* typ(o)...

...tipo *suff.* ...type: *archetipo m.* archetype.

tipo|compoṣiziọne *f.* ⟨*Tip*⟩ (*atto*) type-setting, composition; (*effetto*) composition. – **~cromịa** *f.* ⟨*non com*⟩ (*cromotipia*) colour-type.

tipografịa *f.* **1.** (*arte, procedimento*) typography. – **2.** (*stabilimento*) printing house (*o* works *pl*), ⟨*fam*⟩ printer's. – **tipograficamẹnte** *avv.* typographically. – **tipogrạfico** *a.* (*pl.* **-ci**) typographic(al); (*di stampa*) typographic(al), printer's: *errore ~* typographical error. – **tipọgrafo** *m.* **1.** typographer, printer. – **2.** (*compositore*) typographer, compositor, type-setter.

tipo|inciṣiọne *f.* ⟨*non com*⟩ (*zincotipia*) zincography. – **~litografịa** *f.* ⟨*ant*⟩ printing and lithographic works *pl*.

tipologịa *f.* typology (*anche Bibl.*). – **tipolọgico** *a.* (*pl.* **-ci**) typologic(al). □ ⟨*Bibl*⟩ *esegesi -a* typological exegesis, typology.

tipometrịa *f.* ⟨*Tip*⟩ typometry. – **tipọmetro** *m.* type gauge (*o* scale).

tipostạmpa *f.* ⟨*Tip*⟩ (*stampa tipografica*) print.

tịppe(te) tạppe(te) *onom.* tip-tap, tapping.

tip tap I *onom.* tip-tap, tapping. – **II** *s.m.* (*ballo*) tap-dance.

tiptologịa *f.* **1.** ⟨*Occult*⟩ typtology, spirit-rapping. – **2.** (*linguaggio convenzionale dei carcerati*) tapping code.

tịpula *f.* ⟨*Entom*⟩ crane fly (*Tipula*). – **tipụlidi** *m.pl.* crane flies *pl*, tipulas *pl* (*Tipulidae*).

tira|bạci *m.inv.* ⟨*scherz*⟩ kiss-curl, kiss-me-quick. – **~bọzze** *m.inv.* ⟨*Tip*⟩ **1.** proof press. – **2.** (*torcoliere*) printer, pressman. – **~brạce** *m.inv.* baker's rake, oven rake. – **~busciò, ~busciọne** *m.* ⟨*ant*⟩ (*cavatappi*) corkscrew. – **~catẹna** *m.inv.* ⟨*rar*⟩ (*tendicatena*) chain -tightener. – **~fọndo** *m.* **1.** ⟨*Mecc*⟩ wooden vice bolt. – **2.** ⟨*Ferr*⟩ screw spike, sleeper (*o* coach) screw. – **~fọrme** *m.inv.* ⟨*Calz*⟩ last-hook. – **~fụmo** *m.inv.* ⟨*tecn*⟩ chimney cap.

tirạggio *m.* **1.** ⟨*tecn*⟩ draught. – **2.** ⟨*Ott*⟩ extension. – **3.** ⟨*Mar*⟩ unloading. – **4.** ⟨*Tess*⟩ drawing.

□ *~ d'***aria** draught; *~* **artificiale** forced draught; *~* **forzato** (*o meccanico*) = *tiraggio* **artificiale**; *~* **naturale** natural draught; *~* **soffiato** forced draught; *~* **verticale** updraw.

tiragliatọre, tiraglięre *m.* ⟨*Mil*⟩ tirailleur.

tira|lạtte *m.inv.* (*anche pompetta tiralatte*) breast pump. – **~lịcci** *m.inv.* ⟨*Tess*⟩ lam rod, shaft. – **~lịnee** *m.inv.* drawing-pen, ruling -pen.

tiralọro *m.inv.* ⟨*Oref*⟩ gold-wire drawer.

tiramẹnto *m.* ⟨*non com*⟩ pulling.

tiramọlla *m.* ⟨*non com*⟩ → **tiremmolla**.

tiramollạre *v.t.* (**tiramọllo**) ⟨*Mar*⟩ to veer (*o* let go) and haul.

Tirạna *N.pr.f.* ⟨*Geog*⟩ Tirana, Tirane.

tiranneggiamẹnto *m.* ⟨*non com*⟩ tyranny, tyrannizing, oppression. – **tiranneggiạre** *v.* (**tirannẹggio, tirannẹggi**) **I** *v.t.* **1.** to tyrannize, to oppress. – **2.** ⟨*estens*⟩ (*trattare con durezza*) to tyrannize, to bully. – **3.** ⟨*fig*⟩ (*obbligare*) to force. – **II** *v.i.* (*aus.* **avere**) (*agire da tiranno*) to be tyrannical (*o* a tyrant), to tyrannize. – **tirannẹllo** (*dim. di tiranno*) *m.* ⟨*spreg*⟩ petty tyrant; (*rif. a bambini*) little tyrant (*o* dictator). – **tirannescamẹnte** *avv.* ⟨*non com*⟩ tyrannically. – **tirannẹsco** *a.* (*pl.* **-chi**) ⟨*non com*⟩ → **tirannico**.

tirannịa *f.* **1.** tyranny, despotism, oppression: *liberarsi dalla ~ di qd.* to free o.s. of s.o.'s tyranny; (*esercizio della tirannia*) tyranny. – **2.** ⟨*estens*⟩ (*autorità intransigente*) tyranny, despotism. – **3.** ⟨*estens*⟩ (*atto tirannico*) tyranny. – **4.** ⟨*fig*⟩ (*costrizione*) constraint.

tirannicịda I *s.m./f.* tyrannicide. – **II** *a.* tyrannicidal. – **tirannicịdio** *m.* tyrannicide.

tirạnnico *a.* (*pl.* **-ci**) **1.** (*di tiranno*) tyrannical. – **2.** (*da tiranno*) tyrannical, tyrannous, oppressive, despotic. – **3.** ⟨*estens*⟩ (*prepotente*) tyrannical, despotic, bullying: *un padre ~* a tyrannical father.

tirạnnide *f.* **1.** tyranny. – **2.** ⟨*Stor.gr*⟩ tyrannis, tyranny.

tirạnnidi *m.pl.* ⟨*Ornit*⟩ tyrant flycatchers (*o* birds) *pl*, tyrants *pl* (*Tyrannidae*).

tirạnno I *s.m.* (*f.* **-a**) **1.** tyrant. – **2.** ⟨*estens*⟩ (*persona autoritaria*) tyrant, bully, despot, ⟨*fam*⟩ dictator. – **3.** ⟨*fig*⟩ ruler, master (*f* mistress). – **4.** ⟨*Ornit*⟩ common kingbird (*Tyrannus tyrannus*). – **II** *a.* tyrannical, tyrannous, despotic.

tirannosạuro *m.* ⟨*Paleont*⟩ **1.** tyrannosaur (*Tyrannosaurus, Tyrannosaurus rex*). – **2.** *pl.* tyrannosaurs *pl* (*Tyrannosauridae*).

tirạnte (*p.pr. di tirare*) **I** *a.* ⟨*Bot*⟩ contractile. – **II** *s.m.* **1.** tie, brace. – **2.** ⟨*Calz*⟩ pull strap. – **3.** ⟨*Edil*⟩ tie-beam. – **4.** ⟨*Mar*⟩ fall, hauling part. – **5.** (*tiraggio*) draught.

□ ⟨*Mar*⟩ *~ d'***acqua** draught; ⟨*Edil*⟩ *~ d'***ancoraggio** tie-bolt, anchor-bolt; *~ del* **freno** brake rod; *~ a* **fune** guy (rope); ⟨*Mar*⟩ *~ di un* **paranco** fall of tackle; ⟨*Aut*⟩ *~* **trasversale** track (*o* steering tie) rod; ⟨*Mecc*⟩ *~ a* **vite** screw stay, bolt; (*di caldaia*) boiler stud (*o* stay).

tiranterịa *f.* linkage, rods *pl*. □ *~ di comando* actuating (*o* control) linkage; *~ del freno* brake linkage (*o* rigging); ⟨*Aut*⟩ *~ dello sterzo* steering linkage.

tira|ọlio *m.inv.* oil syphon. – **~piędi** *m.inv.* **1.** ⟨*Stor*⟩ hangman's assistant. – **2.** ⟨*fam,spreg*⟩ lackey, hanger-on, boot-licker, henchman. – **~prạnzi** *m.inv.* (*calapranzi*) service lift, dumb-waiter. – **~prọve** *m.inv.* ⟨*Tip*⟩ proof-press. – **~pụgni** *m.inv.* knuckleduster, brass knuckles *pl*.

tirạre I *v.t.* **1.** to pull, to tug: *~ una corda* to pull a rope; *~ qd. per i capelli* to pull s.o. by the hair; *~ il campanello d'allarme* to pull the alarm bell. – **2.** (*far avanzare dietro di sé*) to pull, to draw: *~ un carretto* to pull a cart; *la locomotiva tira i vagoni* the locomotive is pulling the carriages; *due cavalli tiravano la carrozza* two horses drew the carriage; (*trascinare*) to drag: *abbiamo dovuto tirarlo fin qui* we had to drag him this far. – **3.** (*spostare*) to move: *tira il tavolo vicino al muro* move the table close to the wall. – **4.** (*muovere lateralmente per chiudere, per aprire*) to draw, to pull across: *~ la tenda* to draw the curtain. – **5.** (*attirare fisicamente e spiritualmente*) to attract, to draw: *la calamita tira il ferro* a magnet attracts iron; *questo concerto tira molti appassionati di musica* this concert attracts many music-lovers. – **6.** (*cavare, estrarre*) to draw (out), to pull (*o* take) out: *~ un dente* to pull (*o* take) out a tooth, to extract a tooth; *~ un biglietto della lotteria* to draw a lottery ticket. – **7.** ⟨*pop*⟩ (*assorbire liquido*) to absorb, to drink in; (*succhiare*) to suck: *~ il latte* to suck milk. – **8.** (*tracciare*) to draw: *~ una linea* to draw a line. – **9.** (*scagliare, lanciare*) to throw, to hurl, to fling, to cast: *~ sassi* to throw stones; (*assestare*) to give, to deal, *o si traduce a senso*: *~ un calcio a qd.* to give s.o. a kick; (*far partire*) to fire: *~ una fucilata* to fire a shot. – **10.** (*stampare*) to print, to run off, ⟨*am*⟩ to strike off: *~ mille copie di un libro* to print a thousand copies of a book; *~ una ristampa di un libro* to run off a reprint of a book; (*ricavare*) to get, to obtain: *~ dieci copie di un negativo* to get ten copies of a negative. – **11.** (*riscuotere*) to draw. – **12.** ⟨*ant,lett*⟩ (*indurre*) to lead, to influence. – **13.** ⟨*ant*⟩ (*tirare in lungo*) to drag out. – **II** *v.i.* (*aus.* **avere**) **1.** to pull, to draw: *i buoi tirano bene* the oxen draw well. – **2.** (*rif. a vento e sim.*: *soffiare*) to blow: *oggi tira la tramontana* today the north wind is blowing. – **3.** (*rif. a indumenti e sim.*: *stringere*) to be (too) tight, to pull: *questo vestito tira sui fianchi* this dress is too tight at the hips. – **4.** (*far fuoco*) to shoot, to fire: *~ col fucile* to shoot with a rifle; *~ alla selvaggina* to shoot (at) game. – **5.** ⟨*Sport*⟩ (*effettuare un tiro*) to shoot: *~ a* (*o in*) *rete* to shoot a goal; (*nella scherma*) to fence. – **6.** (*avere tiraggio*) to draw: *la stufa non tira bene* the stove does not draw well; *questo sigaro non tira* this cigar does not draw. – **7.** (*succhiare*) to suck. – **8.** ⟨*Aut*⟩ to run: *adesso il motore tira bene* now the motor is running well. – **9.** ⟨*fig*⟩ (*mirare, tendere*) to aim (*a* at), to be after (s.th.): *tira ai soldi* he is after the money; (*rif. a colori*) to verge, to border (*a* on), *o non si traduce*: *blu che tira al verde* blue verging on green, greenish blue. – **10.** ⟨*fig*⟩ (*assomigliare*) to be like, to take after (*da qd.* s.o.), to be the image (of): *il bambino tira dalla nonna* the baby is the image of his grandmother; (*rif. al carattere*) to take (after): *ha tirato tutto dal padre* he takes after his father. – **11.** (*essere avaro*) to be mean (*o* stingy, close-fisted), ⟨*fam*⟩ to be tight; (*risparmiare*) to economize, to save: *tirano sul mangiare* they economize on food. – **12.** (*rif. ad armi*: *avere una determinata gittata*) to have a range: *il cannone tira cinquanta chilometri* the cannon has a range of fifty kilometres. – **tirarsi** *v.r.* **1.** (*spostarsi*) to move: *tirarsi in avanti* to move forward. – **2.** ⟨*ant*⟩ (*andare*) to go.

□ ⟨*fig*⟩ *~ l'***acqua** *al proprio mulino* to bring grist to one's mill; *tirarsi* **addosso** to attract, to bring upon o.s., to make o.s. the object of: *tirarsi addosso le critiche di tutti* to make o.s. the object of everyone's criticism; ⟨*volg*⟩ *~ l'***aiolo** (*o i calzini*) = *tirare le* **cuoia**; ⟨*fig*⟩ *~ l'***anima** *coi denti* to have one foot in the grave; ⟨*fig*⟩ *tira* **aria** *di tempesta* there's a storm brewing; *~* **avanti**: 1. (*proseguire il cammino*) to go on; 2. ⟨*fig*⟩ (*campare*) to live, to keep going; *~ avanti con poco* to scrape up a living, ⟨*fam*⟩ to pull the devil by the tail; *come va? si tira avanti* how are you? getting along all right; 3. ⟨*fig*⟩ (*continuare*) to go (*o* carry) on with: *~ avanti il lavoro* to go on with one's work; *~ un* **bacio** *a qd.* to blow (*o* throw) a kiss to s.o.; *~ in* **ballo** *qd.* (*farlo intervenire*) to drag s.o. in; *~ in ballo qc.* (*farne oggetto di discussione*) to drag s.th. in; *~* **bestemmie** to curse, to swear, to blaspheme; ⟨*fam*⟩ *~ a* **campare** to keep going somehow, to make a living as best one can; *non te la prendere,* *tira a campare* don't worry, try to keep going; ~ *i* **capelli** *a qd.* to pull s.o.'s hair; ⟨*fig*⟩ ~ *qd. per i capelli* (*costringerlo*) to force s.o.; *una conclusione tirata per i capelli* a far-fetched conclusion; ⟨*fig*⟩ ~ *la* **carretta** (*lavorare duramente*) to work hard; ⟨*fig*⟩ ~ *la* **cinghia** (*vivere stentatamente*) to tighten one's belt; ~ *il* **collo** *a un pollo* to wring a chicken's neck; ⟨*fig*⟩ ~ *il collo a qd.* to wring s.o.'s neck; ~ *un* **colpo** to deal a blow, to hit out; (*con armi da fuoco*) to fire a shot; *al tirar dei* **conti** (*tutto sommato*) all things considered, after all, when all is said and done; ⟨*pop*⟩ ~ *le* **cuoia** (*morire*) to die, ⟨*fam*⟩ to kick the bucket; *tirar* **dietro** to drag (*o* draw) after one, to pull, to draw; *tirarsi dietro*: 1. to drag, to pull along; 2. ⟨*fig*⟩ (*portare con sé altre persone*) to bring (*o* drag) along with one; 3. ⟨*fig*⟩ (*avere come conseguenza*) to lead to; 4. ⟨*fig*⟩ (*addossarsi*) to attract, to bring upon o.s.: *si è tirato dietro le invidie di tutti* he attracted everyone's envy; ~ **dritto**: 1. (*camminare per la propria strada*) to keep right on, to go ahead (*o* straight on); 2. ⟨*fig*⟩ (*tendere alla meta prefissa*) to head straight for one's goal; ⟨*fig*⟩ ~ *il* **fiato** to draw breath; ~ **fuori**: 1. (*estrarre*) to take out, to draw (out), to pull (out), to produce: ~ *fuori il coltello* to draw one's knife; ~ *fuori la lingua* to hold (*o* stick) out one's tongue; 2. ⟨*fig*⟩ (*liberare*) to get, to help: ~ *qd. fuori dai guai* to get s.o. out of trouble; 3. (*rif. a veicoli*) to get out, to take out: ~ *fuori la macchina dal garage* to get the car out of the garage; 4. ⟨*fig*⟩ (*presentare, inventare*) to come out (*o* up) with, ⟨*fam*⟩ to dig up: ~ *fuori scuse* to come up with excuses; *ma guarda che cosa va a tirar fuori* just look what he comes up with; ~ **giù**: 1. (*calare, abbassare*) to lower, to let (*o* bring) down: ~ *giù il sipario* to lower the curtain; 2. (*buttare in basso*) to throw down: *tirami giù la chiave* throw me down the key; 3. ⟨*fam*⟩ (*bere d'un fiato*) to gulp down, to toss off: ~ *giù un bicchiere* to gulp down a whole glass(ful); 4. ⟨*fam*⟩ (*assestare con forza*) to rain: ~ *giù legnate* to rain blows, to give a beating; 5. ⟨*fam*⟩ (*proferire*) to say; ⟨*fig*⟩ ~ *giù i prezzi* to slash prices; *tirarsi* **indietro**: 1. (*arretrare*) to draw (*o* move) back, to back; 2. ⟨*fig*⟩ (*sottrarsi a un impegno*) to back out, to shirk, to go back on one's word; ~ *a* **indovinare** to take a (wild) guess; ~ **innanzi** (o *di lungo*): 1. to keep going, to go (straight) on, to proceed; 2. ⟨*fig*⟩ to go one's own way; 3. ⟨*fig*⟩ (*vivacchiare*) to keep going, to manage somehow; *tirarsi in* **là** (*scostarsi*) to draw (*o* move) aside; ~ *a* **lucido** to polish, to shine; ⟨*fig*⟩ ~ *qc.* ⌜*in* **lungo**⌝ (*o per le lunghe*): 1. to take a long time over s.th., to drag s.th. out; 2. (*indugiare*) to delay s.th.; 3. (*rimandare*) to put s.th. off; ~ **moccoli** to swear; ⟨*fig*⟩ *tira e* **molla** indecision, ⟨*fam*⟩ shilly-shallying; ~ *gli* **orecchi** *a qd.* to pull (*o* tweak) s.o.'s ear; ⟨*fig*⟩ to tell s.o. off, to scold (*o* reproach) s.o.; *una* **parola** *tira l'altra* one word leads to another; ~ *qd. da* **parte** to draw s.o. aside; *tirarsi da parte* to draw (*o* step) aside; ~ **partito** *da qc.* (*trarne vantaggio*) to get an advantage from s.th.; ~ *qd.* **per** *la manica* to tug at s.o.'s sleeve; ~ *sul* **prezzo** (*contrattare*) to bargain, to haggle; ~ **profitto** *da qc.* to profit by s.th.; ⟨*fig*⟩ ~ *i* **remi** *in barca* (*rinunciare ad agire*) to refuse to act; ~ *un* **respiro** to draw breath; ~ *un respiro di sollievo* to give a sigh of relief; ~ *le* **reti** to haul in the nets; ~ *di* **scherma** to fence, to practise fencing; ~ *in* **secco** *una barca* to draw a boat out of the water; ~ *a* **segno** to practise target-shooting; ~ *le* **somme** to add up; ⟨*fig*⟩ to come to a conclusion; ~ *a* **sorte** to draw lots; ~ *sulle* **spese** (*fare economia*) to cut down on expenses; ~ **su**: 1. to pull up: ~ *su le calze* to pull up one's stockings; 2. ⟨*Mar*⟩ to hoist, to haul up: ~ *su l'ancora* to hoist the anchor; 3. (*sollevare*) to lift up, to raise; 4. (*drizzare*) to straighten, to hold up: *tira su la testa* hold up your head; 5. (*costruire*) to build, to put up: *hanno tirato su un villino in pochi mesi* they put up a villa in a few months; 6. (*rif. a gonne e sim.*) to hitch up; 7. (*rif. alle maniche*) to tuck (*o* roll) up; 8. (*rif. ai capelli*) to put up; 9. (*tirare su col naso*) to sniff; 10. ⟨*fam*⟩ (*allevare, educare*) to bring up, to raise: ~ *su un bambino* to bring up a child; *tirarsi su*: 1. (*alzarsi*) to get up: *tirati su da terra che ti sporchi* get up off the ground or you'll get dirty; 2. ⟨*fig*⟩ (*riaversi*) to recover, to get on one's feet again, ⟨*fam*⟩ to pick up: *con un po' di riposo si tirerà su* with a little rest he'll pick up; 3. ⟨*fig*⟩ (*migliorare le proprie condizioni*) to get on, to rise in the world; ⟨*fig*⟩ ~ *su i prezzi* to raise (*o* increase) prices; ⟨*fig*⟩ *col* **tempo** *che tira* (*con i tempi che corrono*) the way things are going; ~ **via**: 1. to take (*o* pull) away; 2. (*continuare a camminare*) to go on, to keep going; 3. ⟨*fig*⟩ (*fare in fretta, senza impegno*) to do carelessly (*o* hastily), to rush, to botch, ⟨*fam*⟩ to do any old way (*o* how): *tirar via un lavoro* to do a job carelessly; *fare qc. a tirar via* to do s.th. any old way; 4. (*non dare importanza*) not to attach any importance to.

tirassẹgno *m.* target-shooting, shooting practice; (*luogo*) shooting -range.

tira|stivạli *m.inv.* (*per calzare gli stivali*) boot hook; (*per toglierli*) bootjack. – **~suọle** *m.inv.* ⟨*Calz*⟩ buffing tool.

tirạta *f.* **1.** pull, tug; (*strattone*) pull, wrench, jerk. – **2.** (*l'inspirare*) pull, draw, puff, ⟨*fam*⟩ drag: *dopo le prime -e buttò via la sigaretta* after the first few puffs he threw away the cigarette. – **3.** (*azione compiuta senza interruzione*) go, stretch: *abbiamo fatto tutto il lavoro in una* ~ we did all the work in one go; (*seduta*) sitting. – **4.** (*lungo discorso*) talk, long speech, rigmarole: *la tua* ~ *non ha convinto nessuno* all your talk didn't convince anyone; (*invettiva*) tirade, harangue. – **5.** ⟨*Teat*⟩ long speech. – **6.** ⟨*Mus*⟩ tirade. ☐ *dare una* ~ *a qc.* to give s.th. a tug, to tug at s.th.; *dare una* ~ *alla sigaretta* to take a puff on a cigarette; ⟨*fig*⟩ *fare una* ~ *contro qd.* to harangue s.o.; ⟨*fig*⟩ ~ *d'orecchi* (*rimprovero*) scolding, telling off; *dare a qd. una* ~ *d'orecchi* to pull (*o* tweak) s.o.'s ear; ⟨*fig*⟩ to tell s.o. off.

tiratẹzza *f.* ⟨*rar*⟩ (*l'essere tirato, teso*) tightness, tension.

tiratịno (*dim. di tirato*) *a.* (*piuttosto avaro*) economical, careful, rather tight.

tiratịra (o *tịra tịra*) *m.inv.* **1.** tugging, snatching. – **2.** ⟨*fam*⟩ (*attrazione*) attraction, ⟨*fam*⟩ soft spot; (*passioncella*) attraction, ⟨*fam*⟩ crush. ☐ *fare a* ~ to tug, to snatch.

tirạto (*p.p. di tirare*) *a.* **1.** pulled, drawn. – **2.** (*teso*) taut, tight, stretched: *corda -a* taut rope. – **3.** (*affaticato*) drawn, haggard: *volto* ~ drawn face. – **4.** (*avaro*) mean, stingy, tight: *è molto* ~ *nello spendere* he's very tight with his money. – **5.** ⟨*fig*⟩ (*stentato*) hard. ☐ ~ *a lucido* shining; ⟨*fam*⟩ (*elegante*) elegant, smart, ⟨*fam*⟩ dolled up; ~ *via* rushed, hastily (*o* carelessly) done, sloppy, botched; *un lavoro* ~ *via* a careless piece of work.

tiratọio *m.* ⟨*Tess*⟩ drying shop.

tiratọre *m.* (*f.* **-trice**) **1.** puller; (*nel tiro della fune*) man (in a tug-of -war team). – **2.** (*rif. ad armi da fuoco*) shot: ~ *scelto* crack shot, marksman. – **3.** ⟨*Sport*⟩ (*nel calcio*) scorer. – **4.** (*nella scherma*) fencer. ☐ *franco* ~: 1. ⟨*Mil*⟩ sniper; 2. ⟨*Parl*⟩ politician who secretly votes against the party line.

tiratrọne *m.* ⟨*Fis*⟩ thyratron.

tiratụra *f.* **1.** drawing, pulling; (*il tendere*) stretching. – **2.** (*delle lenzuola*) stretching and folding. – **3.** ⟨*Tip*⟩ printing; (*numero di copie*) run, edition; (*rif. a giornali*) circulation: ~ *complessiva* total circulation. ☐ ⟨*Tip*⟩ ~ *di bozze* printing (*o* running off) of proofs; ~ *forte* long run; ~ *frazionata* split run; ~ *piccola* short run.

tiratụtti *m.inv.* ⟨*Mus*⟩ full-organ stop.

tiravolịsta *m./f.* ⟨*Sport*⟩ clay-pigeon shooter, trapshooter.

tirchiạccio (*pegg. di tirchio*) **I** *a.* mean, miserly, stingy, tight(-fisted). – **II** *s.m.* (*f.* -a) miser, ⟨*fam*⟩ tightwad. – **tirchierịa** *f.* **1.** meanness, miserliness, stinginess, tightfistedness. – **2.** (*azione*) (piece of) meanness, stinginess. – **tịrchio** ⟨*spreg*⟩ **I** *a.* (*avaro*) mean, miserly, stingy, tight(-fisted). – **II** *s.m.* (*f.* -a) miser, ⟨*fam*⟩ tightwad.

tirẹlla *f.* trace.

tiremmọlla *m.inv.* **1.** ⟨*Mar*⟩ veer (*o* let go) and haul. – **2.** ⟨*fam*⟩ (*atteggiamento indeciso*) hesitation, indecision, ⟨*fam*⟩ shilly-shally(ing), ⟨*fam*⟩ dithering: *dopo un lungo* ~ after much hesitation. – **3.** ⟨*fam*⟩ (*persona incostante*) changeable (*o* inconsistent) person, weather-cock. – **4.** (*gioco*) party game played with ribbons.

tireọsi *f.* ⟨*Med*⟩ thyrosis.

tireo|tomịa *f.* ⟨*Chir*⟩ thyrotomy, thyrofissure, laryngofissure. – **~tossicọsi** *f.* ⟨*Med*⟩ thyrotoxicosis. – **~trofịna**, **~tropịna** *f.* ⟨*Biol*⟩ thyrotrop(h)in, thyrotrop(h)ic hormone.

Tirẹsia *N.pr.m.* ⟨*Mitol*⟩ Tiresias.

tirẹtto *m.* ⟨*region*⟩ (*cassetto*) drawer.

Tirịnto *N.pr.f.* ⟨*Geog.stor*⟩ Tiryns.

tiritẹra *f.* **1.** (*filastrocca*) nursery rhyme. – **2.** ⟨*estens*⟩ (*discorso lungo e noioso*) rigmarole, ⟨*fam*⟩ old story.

tirlindạna *f.* ⟨*Pesc,region*⟩ fishline, longline.

tịro[1] *m.* **1.** draught. – **2.** (*animali che tirano un veicolo*) team; (*carrozza*) coach, carriage: ~ *a quattro* coach and four, four-in-hand. – **3.** (*rif. alle armi da lancio*) shooting; (*colpo, sparo*) shot. – **4.** ⟨*estens*⟩ (*lo scagliare*) throwing, casting; (*mossa*) throw, cast, shot. – **5.** ⟨*fig*⟩ (*tentativo*) attempt, try. – **6.** ⟨*fig*⟩ (*scherzo spiacevole*) trick, turn: *gli ha fatto un bel* ~ he played a dirty trick on him. – **7.** (*rif. a sigarette e sim.*) pull, puff, drag. – **8.** ⟨*Sport*⟩ (*lancio: atto*) throwing, pitching, bowling; (*effetto*) throw, pitch, bowl, cast: ~ *del giavellotto* javelin-throw(ing); (*nel calcio*) shot at goal. – **9.** ⟨*Mil*⟩ (*fuoco*) fire. – **10.** ⟨*Edil*⟩ (*apparecchio*) winch. – **11.** ⟨*Teat*⟩ fly line. – **12.** ⟨*non com*⟩ (*portata*) range.

☐ *essere* **a** ~: 1. to be within range; 2. ⟨*fig*⟩ (*essere a portata di mano*) to be on hand, to be within reach; 3. ⟨*fig*⟩ (*essere al punto giusto di cottura*) to be done to a turn; ⟨*fig*⟩ *venire a* ~ to turn up; *se mi viene a* ~ *glielo dirò* if I ⌜get a chance⌝ (*o* see him) I'll tell him; ⟨*Mil*⟩ *essere al -i* (*rif. al tiro a bersaglio*) to be at target practice; (*rif. a manovre di tiro*) to be on shooting manoeuvres; ~ **alto**: 1. ⟨*Mil*⟩ high fire; 2. ⟨*Sport*⟩ high shot; ⟨*Sport*⟩ ~ **angolato** shot into the corner of the net; ⟨*Artigl*⟩ ~ *d'***appoggio** supporting fire; ⟨*Mil*⟩ **aprire** *il* ~ to open fire; ~ *con l'***arco** archery; ~ *al* **bersaglio** target practice; (*luogo*) shooting-range; ⟨*fig*⟩ ~ **birbone** dirty trick; ⟨*Sport*⟩ ~ *a* **campanile** skied ball; ~ **contraereo** anti-aircraft fire; ⟨*Artigl*⟩ ~ **curvo** high-angle fire; **da** ~ draught: *cavalli da* ~ draught horses; ⟨*Artigl*⟩ ~ **diretto** direct fire; ⟨*Venat*⟩ ~ *a* **fermo** shot at sitting game; ~ *alla* **fune** tug-of-war; *tenersi* **fuori** ~ to keep out of range; ⟨*fig*⟩ to keep out of the way; ⟨*fam*⟩ *essere fuori* ~ to be out of reach; ⟨*fig*⟩ **giocare** *un* ~ *a qd.* to play a trick on s.o.; ⟨*Artigl*⟩ ~ **indiretto** indirect fire; ~ *d'***infilata** enfilade fire; ~ *d'***interdizione** harassing (*o* interdiction) fire; ⟨*Sport*⟩ ~ **libero** free throw (*o* shot); ~ **lungo** long shot; ⟨*Sport*⟩ ~ *a* **parabola** curved delivery, lob; ⟨*Sport*⟩ ~ *al* **piattello** clay-pigeon shooting, trapshooting ~ *al* **piccione** pigeon shooting; ⟨*Sport*⟩ ~ *in* **porta** goal shot; ⟨*Mil*⟩ ~ *di* **preparazione** preparatory fire; ⟨*Mil*⟩ ~ **radente** grazing fire; ~ **rapido** rapid (*o* quick) fire; ~ *a* **rete** = *tiro in* **porta**; ~ *di* **sbarramento** barrage fire; *a un* ~ *di* **schioppo** within rifle-shot; ⟨*fig*⟩ within short range, a stone's throw away; ⟨*pop*⟩ ~ **secco**: 1. (*colpo apoplettico*) fit; 2. (*morte improvvisa*) sudden death; ~ *a* **segno** → **tirassegno**; ⟨*fig*⟩ *i -i della* **sorte** the tricks of fortune; ~ *raso* **terra** low shot; ~ **teso** low-angle fire; ⟨*Sport*⟩ ~ *a* **volo** wing shooting, shooting at a moving target.

tịro[2] *m.* ⟨*ant*⟩ (*serpente velenoso*) poisonous snake.
Tịro *N.pr.f.* ⟨*Geog.stor*⟩ Tyre.
tirocidịna *f.* ⟨*Farm*⟩ tyrocidin(e).
tirocinạnte I *a.* training, trainee-, apprentice-. – **II** *s.m./f.* trainee, apprentice, beginner, tyro. – **tirocịnio** *m.* **1.** apprenticeship: *fare* ~ to do one's apprenticeship; (*periodo*) apprenticeship. – **2.** (*nelle professioni*) training.
tirocondrotomịa, tirofissụra *f.* → **tireotomia.**
tirogẹnico *a.* (*pl.* -ci) ⟨*Med*⟩ thyrogenic, thyrogenous.
tiroglịfidi [-gl-] *m.pl.* ⟨*Zool*⟩ tyroglyphids *pl*, acarids *pl* (*Tyroglyphidae*).
tirọide *f.* ⟨*Anat*⟩ **1.** (*ghiandola*) thyroid (gland). – **2.** (*cartilagine tiroide*) thyroid cartilage, Adam's apple. – **tiroidectomịa** *f.* ⟨*Chir*⟩ thyroidectomy. – **tiroidẹo** *a.* ⟨*Anat*⟩ **1.** thyroid(al). – **2.** (*rif. alla cartilagine*) thyroid. – **tiroidịna** *f.* → **tiroiodina.** – **tiroidịsmo** *m.* ⟨*Med,rar*⟩ (*ipertiroidismo*) thyroidism. – **tiroidịte** *f.* thyroiditis.
tiroido|terapịa *f.* ⟨*Med*⟩ thyroidotherapy, thyrotherapy. – **~tomịa** *f.* → **tireotomia.**
tiroiodịna *f.* ⟨*Farm*⟩ thyroiodine, iodothyrin.
tirolẹse I *a.* Tyrolese, Tirolese, Tyrolean. – **II** *s.m./f.* Tyrolese, Tirolese, Tyrolean. – **III** *s.f.* (*danza, melodia*) Tyrolienne. □ *alla* ~ Tyrolese: *cappello alla* ~ Tyrolese hat; *canto alla* ~ Tyrolienne.
Tirọlo *N.pr.m.* ⟨*Geog*⟩ Tirol, Tyrol.
tirọne[1] *m.* ⟨*Stor.rom*⟩ (*recluta*) tyro, recruit.
tirọne[2] *m.* ⟨*teat*⟩ scenery brace.
Tirọne *N.pr.m.* ⟨*Stor*⟩ Tiro. – **tironiạno** *a.* ⟨*Paleogr*⟩ Tironian: *note -e* Tironian notes.
tiroprịvo *a.* ⟨*Med*⟩ thyr(e)oprivic, thyr(e)oprival.
tirọsina *f.* ⟨*Chim*⟩ tyrosine. – **tirọsinạsi** *f.* ⟨*Biol*⟩ tyrosinase.
tirossịna *f.* → **tiroxina.**
tirotomịa *f.* → **tireotomia.**
tirotricịna *f.* ⟨*Farm*⟩ tyrothricin.
tirotrofịna, tirotropịna *f.* → **tireotrofina.** – **tirọtropo**: *ormone* ~ → **tireotrofina.**
tiroxịna *f.* ⟨*Chim*⟩ thyroxine.
Tirrẹnia *N.pr.f.* ⟨*Geog.stor*⟩ Tyrrhenia, Etruria.
Tirrẹnica *N.pr.f.* ⟨*Ferr*⟩ railway line from Ventimiglia to Reggio Calabria.
tirrẹnico *a.* (*pl.* -ci) Tyrrhenian, Tyrrhene: *le coste tirreniche* the Tyrrhenian coast.
tirrẹno I *a.* **1.** (*estrusco*) Etruscan, Tyrrhenian, Tyrrhene. – **2.** (*pelasgico*) Pelasgian, Pelasgic. – **3.** → **tirrenico.** – **II** *s.m.* ⟨*Stor*⟩ **1.** (*etrusco*) Etruscan, Tyrrhenian. – **2.** (*pelasgo*) Pelasgian.
Tirrẹno *N.pr.m.* ⟨*Geog*⟩ (*anche mare Tirreno*) Tyrrhenian Sea.
tịrso *m.* **1.** ⟨*Mitol*⟩ thyrsus. – **2.** ⟨*Bot*⟩ thyrsus, thyrse.
tirsocefalịa *f.* ⟨*Med*⟩ turricephaly.
tirsọide *a.* ⟨*Bot*⟩ thyrsoid.
tirtạico *a.* (*pl.* -ci) ⟨*lett*⟩ **1.** Tyrtaean. – **2.** (*d'ispirazione eroica*) Tyrtaean. – **Tirtẹo** *N.pr.m.* ⟨*Stor*⟩ Tyrtaeus.
tisạna *f.* **1.** (*decotto di orzo*) ptisan, tisane, barley-water. – **2.** (*infuso medicamentoso*) ptisan, tisane, herb tea.
tisanọtteri *m.pl.* ⟨*Entom*⟩ thrips *pl*, thysanopterans *pl* (*Thysanoptera, Physopoda*).
tisanụri *m.pl.* ⟨*Entom*⟩ bristletails *pl*, thysanurans *pl* (*Thysanura*).
Tịsbe *N.pr.f.* ⟨*Mitol*⟩ Thisbe.
tịsi *f.* ⟨*Med*⟩ phthisis, consumption, pulmonary tuberculosis, TB. □ ~ *galoppante* galloping phthisis (*o* consumption); ~ *degli spaccapietre* stone-cutters' phthisis, chalicosis flint disease.
tisichẹllo (*dim. di tisico*) ⟨*pop*⟩ **I** *a.* consumptive, tubercular. – **II** *s.m.* (*f.* -a) consumptive. – **tisichẹzza** *f.* **1.** ⟨*Med*⟩ consumption. – **2.** ⟨*estens*⟩ (*gracilità*) thinness, frailness, emaciation. – **3.** ⟨*fig*⟩ (*fiacchezza*) weakness. – **tisichịno** (*dim. di tisico*) *a./s.* → **tisichello.** – **tịsico** *a./s.* (*pl.* -ci) **I** *a.* **1.** ⟨*Med*⟩ consumptive, tubercular. – **2.** ⟨*estens*⟩ (*rif. a piante: stentato*) stunted. – **3.** ⟨*fig*⟩ (*fiacco*) weak. – **II** *s.m.* (*f.* -a) ⟨*Med*⟩ consumptive. □ ⟨*pop*⟩ *essere* ~ *marcio* to be wasting away from consumption. – **tisicụccio** (*dim. di tisico*) *a./s.* → **tisichello.** – **tisicụme** *m.* ⟨*spreg*⟩ **1.** ⟨*non com*⟩ (*persone tisiche*) consumptives *pl.* – **2.** ⟨*estens*⟩ (*piante stentate*) stunted plants *pl.*
Tisịfone *N.pr.m.* ⟨*Mitol*⟩ Tisiphone.
tisiogẹnesi *f.* ⟨*Med*⟩ phthisiogenesis. – **tisiọgeno** *a.* phthisiogenic, phthisiogenetic. – **tisiologịa** *f.* ⟨*Med*⟩ phthisiology. – **tisiọlogo** *m.* (*pl.* -gi; *f.* -a) phthisiologist.
tisso|tropịa *f.* → **tixotropia.** – **~trọpico** *a.* → **tixotropico.**
tissulạre *a.* ⟨*Biol,Med*⟩ textural, tissue-. – **tissurạle** *a.* ⟨*non com*⟩ → **tissulare.**
tissutạle *a.* ⟨*non com*⟩ → **tessutale.**
tit. = **1.** *titolo* title (*abbr.* tit.). – **2.** *titolare* proprietor (*abbr.* prop.).
titanạto *m.* ⟨*Chim*⟩ titanate.
titạnia *f.* ⟨*Met*⟩ (*rutilo*) titania, rutile.
titạnico[1] *a.* (*pl.* -ci) **1.** ⟨*Mitol*⟩ Titanic. – **2.** ⟨*fig*⟩ (*gigantesco*) titanic, colossal, gigantic: *uno sforzo* ~ a titanic effort.
titạnico[2]: ⟨*Chim*⟩ *acido* ~ titanic acid. – **titanịfero** *a.* titaniferous.
titạnio[1] *m.* ⟨*Chim*⟩ titanium.
titạnio[2] *a.* ⟨*poet*⟩ (*dei titani*) Titanic, of the Titans, Titan-. – **titanịsmo** *m.* ⟨*lett*⟩ Titanism.
titanịte *f.* ⟨*Min*⟩ titanite, sphene.
titạno *m.* **1.** ⟨*Mitol*⟩ Titan. – **2.** ⟨*estens*⟩ (*persona di forza eccezionale*) titan, giant. – **3.** ⟨*fig*⟩ (*persona di grandissimo ingegno*) giant, mogul, titan, genius: *un* ~ *dell'industria* a mogul of industry. – **Titano** *N.pr.m.* ⟨*Astr*⟩ Titan.

titanomachịa *f.* ⟨*Mitol*⟩ Titanomachy, Titanomachia.
Titicạca *N.pr.m.* ⟨*Geog*⟩ (*anche lago Titicaca*) Lake Titicaca.
titillamẹnto *m.* **1.** (*il titillare*) titillation, tickling. – **2.** (*sensazione*) titillation, tickle. – **3.** ⟨*fig*⟩ (*eccitamento*) titillation, excitement. – **titillạre** *v.t.* **1.** (*solleticare*) to titillate, to tickle. – **2.** ⟨*fig*⟩ (*eccitare*) to titillate, to excite, to tickle. – **titillaziọne** *f.* ⟨*rar*⟩ titillation, tickling.
titimạglio, titịmalo *m.* ⟨*Bot*⟩ (*euforbia*) spurges *pl*, euphorbias *pl* (*Euphorbia*).
titịno I *a.* ⟨*Pol*⟩ Tito's. – **II** *s.m.* Titoist, supporter of Tito. – **titịsmo** *m.* ⟨*non com*⟩ → **titoismo.**
Tịto *N.pr.m.* **1.** ⟨*Stor*⟩ Titus. – **2.** ⟨*Pol*⟩ Tito.
titoịsmo *m.* ⟨*Pol*⟩ Titoism. – **titoịsta I** *a.* Titoist. – **II** *s.m./f.* Titoist.
titolạccio *m. pegg. di* **titolo.**
titolạre[1] **I** *a.* **1.** regular, official, titular: *il direttore* ~ the official director. – **2.** ⟨*Rel*⟩ (*che ha solo il titolo*) titular: *vescovo* ~ titular bishop. – **II** *s.m./f.* **1.** proprietor, owner (*anche Dir.*): ~ *di una ditta* proprietor of a firm. – **2.** (*chi occupa un ufficio avendone il titolo*) official, office holder. – **3.** ⟨*Scol*⟩ regular teacher, holder (*o* incumbent) of a teaching post. – **4.** ⟨*Univ*⟩ (full) professor, holder of a chair. – **5.** ⟨*Rel*⟩ titular. – **6.** ⟨*Sport*⟩ first-team player. □ ~ *di cattedra*: 1. ⟨*Scol*⟩ regular teacher, holder of a teaching post; 2. ⟨*Univ*⟩ (full) professor, holder of a chair; ~ *di un conto* account -holder; ~ *di pensione* ⌜holder of⌝ (*o* person entitled to) a pension.
titolạre[2] *v.t.* (**tịtolo**) **1.** ⟨*Chim,Biol*⟩ to titrate. – **2.** ⟨*Tess*⟩ to number. – **3.** ⟨*Cin*⟩ to title. – **4.** ⟨*non com*⟩ (*attribuire un titolo nobiliare*) to confer a title upon, to make. – **5.** ⟨*iron,non com*⟩ (*dare un epiteto ingiurioso*) to call: ~ *qd. di sciocco* to call s.o. a fool. – **6.** ⟨*non com*⟩ (*dare un titolo a una chiesa*) to dedicate. – **7.** ⟨*rar*⟩ (*intitolare*) to title.
titolarità *f.* ⟨*Dir*⟩ entitlement.
titolạto (*p.p. di titolare*[2]) **I** *a.* **1.** titled. – **2.** ⟨*Chim*⟩ titrated. – **II** *s.m.* (*f.* -a) titled person, nobleman (*f* -woman).
titolatọre *m.* (*f.* -trice) ⟨*Chim*⟩ person who carries out titration.
titolatrịce *f.* ⟨*Cin*⟩ titler.
titolatụra *f.* **1.** titling (*anche Cin.*). – **2.** ⟨*Stor*⟩ (*insieme di titoli*) titles *pl.* – **titolaziọne** *f.* **1.** ⟨*non com*⟩ titling. – **2.** ⟨*Chim,Biol*⟩ titration. – **3.** ⟨*Tess*⟩ numbering.
titolẹtto (*dim. di titolo*) *m.* **1.** ⟨*Tip*⟩ (*testata*) running (*o* current) head. – **2.** ⟨*Econ*⟩ small headline, running title.
titolịsta *m./f.* **1.** ⟨*Giorn*⟩ (*chi formula i titoli*) headline writer; (*chi compone i titoli*) headline setter. – **2.** ⟨*Cin*⟩ titler.
tịtolo *m.* **1.** title: *il* ~ *di un romanzo* the title of a novel. – **2.** ⟨*Giorn*⟩ (*testata*) headline. – **3.** (*frontespizio*) title-page, title. – **4.** (*titolo di dignità*) title: ~ *di re* title of king, royal title; (*titolo nobiliare*) title (of nobility). – **5.** (*titolo di studio*) qualification. – **6.** (*titolo di campione*) title: ~ *mondiale* world title. – **7.** (*diritto acquisito*) right, claim, title: *non hai nessun* ~ *alla mia riconoscenza* you have no claim to my gratitude. – **8.** ⟨*iron,scherz*⟩ (*epiteto ingiurioso*) name. – **9.** ⟨*estens*⟩ (*nome, denominazione*) name. – **10.** ⟨*estens*⟩ (*fama*) reputation, name. – **11.** ⟨*fig*⟩ (*motivo, ragione*) reason, motive, ground: *a che* ~ *mi dici questo?* for what reason are you telling me this?, what's the reason for telling me this? – **12.** (*lemma*) headword, entry word, main entry. – **13.** ⟨*Econ*⟩ security; (*azione*) share; *pl.* stock(s); (*obbligazione*) bond. – **14.** ⟨*Econ*⟩ (*nel bilancio dello stato*) section, heading. – **15.** ⟨*Dir*⟩ title; (*documento*) title (-deed). – **16.** ⟨*Dir*⟩ (*nei testi: ripartizione*) title. – **17.** ⟨*Chim*⟩ titre, strength: ~ *della soluzione* titre of a solution. – **18.** ⟨*Met*⟩ fineness; (*rif. all'oro*) title. – **19.** ⟨*Tess*⟩ count, number: ~ *del filato* yarn count. – **20.** ⟨*Stor.rom*⟩ (*iscrizione*) title, inscription, titulus.
□ **a** ~ *di* as, for, out of, *o si traduce con l'infinito*: *a* ~ *di premio* as a prize, to reward s.o.; *a* ~ *di rimborso* as reimbursement, in repayment; *a* ~ *di curiosità* out of curiosity; *ti dico questo a* ~ *di incoraggiamento* I am telling you this to encourage you; *a* ~ *di prova* on trial, as a test; *acquisito a* ~ *di prova* trial purchase; ⟨*Dir*⟩ **abuso** *di -i* unlawful use of official, ecclesiastical or academic titles; ~ **accademico** academic qualification (*o* title); ~ **alcolico** alcoholic content; ~ **alternativo** subtitle; *-i* **azionari** stock(s), shares *pl*; ~ **bastardo** = **mezzo** *titolo*; ~ *di* **capitolo** title (*o* heading) of a chapter; ⟨*Giorn*⟩ ~ *a* **caratteri** *di scatola* banner headline; ⟨*Rel*⟩ ~ *di una* **chiesa** title of a church; ~ **chimico** titre, strength; ⟨*Giorn*⟩ ~ *di* **colonna** column heading (o title); ~ *di* **copertina** cover title; ⟨*Tip*⟩ ~ **corrente** running headline (*o* title); ⟨*Legat*⟩ ~ *di* **costa** back title, title on the spine; ⟨*Econ*⟩ ~ *di* **credito** credit instrument, proof of debt, evidence of indebtedness; ⟨*Cin*⟩ ~ **definitivo** release title; ~ *di* **dignità** title; ⟨*Dir*⟩ ~ **esecutivo** document (*o* writ) of execution; ~ *di* **esportazione** export licence; ⟨*Econ*⟩ ~ **estero** foreign security; ⟨*Tip*⟩ **falso** ~ flyleaf; ⟨*Econ*⟩ *-i* **ferroviari** railway stock(s); ~ *di* **film** film title; ⟨*Cin*⟩ ~ *di* **fine** end title; ~ **fondario** title deed; ⟨*Tip*⟩ ~ **generale** collective title; ~ **giuridico** document (*o* instrument) of title, title-deed; *a* **giusto** ~ rightly, with every right; *a* ~ **gratuito** free (of charge); ~ **d'importazione** import licence; ⟨*Econ*⟩ ~ **industriale** industrial security; ~ **ipotecario** (form) warrant; ⟨*Econ*⟩ *-i di* **listino** listed stock(s) (*o* securities); ⟨*Tip*⟩ **mezzo** ~ half (*o* bastard) title; ~ *della* **moneta** fineness of coinage, (monetary) standard; *-i* **negoziabili** negotiable stock(s); ~ **nobiliare** title of nobility; ⟨*Econ*⟩ ~ **nominativo** registered (*o* inscribed) security; ~ **obbligazionario** bond, debenture; *a* ~ **oneroso** for money, for a consideration, at a price; ⟨*Dir.can*⟩ ~ **d'ordinazione** title; ⟨*Econ*⟩ ~ **all'ordine** instrument made out to order, certificate payable to order; ~ *del-*

l'oro title; ⟨*Tip*⟩ ~ **parziale** section title; *a* ~ **personale** personally, in a personal capacity; ⟨*Econ*⟩ *-i in* **porta** securities in hand; ~ *al* **portatore** bearer bond; ⟨*Cin*⟩ ~ **principale** main title; ⟨*Econ*⟩ *-i* **privilegiati** preference (*o* preferred) stock(s); ~ *di* **proprietà**: 1. ⟨*Econ*⟩ treasury stock, securities owned; 2. ⟨*Dir*⟩ title-deed to property; ~ **pubblico** government stock(s); *-i* **quotati** quoted securities; *-i non quotati* unquoted securities; *-i a* **reddito** *variabile* variable yield stock; ~ *di* **rendita** *fondiaria* land annuity bond; **sotto** ~ *di* (*sotto pretesto di*) on the pretext of; ⟨*Econ*⟩ *-i di* **stato** state bonds, government stock; *-i di* **studio** educational qualification (*o* record); ⟨*Cin*⟩ *-i di* **testa** credits *pl*, credit titles; ⟨*Econ*⟩ ~ **trasferibile** marketable title; *a* ~ **ufficiale** officially, in an (*o* one's) official capacity; *a* ~ **ufficioso** unofficially; ⟨*Dir*⟩ *a* ~ **universale** universal; ⟨*Meteor*⟩ ~ *di* **vapore** *acqueo* water vapour ratio.

titolọne (*accr. di titolo*) *m.* ⟨*Giorn*⟩ banner headline. – **titolụccio** *m.* ⟨*spreg*⟩ *dim. di* **titolo**.

Titọne *N.pr.m.* → **Titono**.

titoniạno I *a.* ⟨*Geol*⟩ Tithonian, Portlandian. – **II** *s.m.* Tithonian, Portlandian. – **titọnico** *a.* (*pl.* **-ci**) → **titoniano**.

Titọno *N.pr.m.* ⟨*Mitol*⟩ Tithonus.

titubạnte (*p.pr. di titubare*) *a.* (*incerto*) irresolute, undecided, perplexed, doubtful; (*esitante*) hesitant, faltering. – **titubạnza** *f.* **1.** irresoluteness, hesitation, indecision, doubt, perplexity: *è un uomo deciso che non conosce -e* he is a resolute man who knows no hesitations. – **2.** (*azione*) hesitating behaviour. – **titubạre** *v.i.* (**tị-tubo**; *aus.* **avere**) **1.** ⟨*non com*⟩ to be irresolute (*o* undecided), to be in doubt; (*esitare*) to hesitate, to waver, to falter: ~ *a lungo prima di prendere una decisione* to hesitate for a long time before making a decision. – **2.** ⟨*rar*⟩ (*oscillare*) to oscillate, to wave (to and fro). – **titubaziọne** *f.* **1.** ⟨*non com*⟩ → **titubanza**. – **2.** ⟨*rar*⟩ (*l'oscillare*) oscillation. – **3.** ⟨*Astr,ant*⟩ (*librazione*) libration.

Tịvoli *N.pr.f.* ⟨*Geog*⟩ Tivoli.

tixotropịa *f.* ⟨*Chim,Fis*⟩ thixotropy. – **tixotrọpico** *a.* (*pl.* **-ci**) thixotropic.

Tịzi *N.pr.m.pl.* ⟨*Stor.rom*⟩ **1.** (*tribù*) Tities *pl*, Titienses *pl*. – **2.** (*confraternita religiosa*) Titii *pl*.

Tiziạna *N.pr.f.* Tiziana.

tizianẹsco *a.* (*pl.* **-chi**) ⟨*Pitt*⟩ **1.** (*di Tiziano*) of Titian, Titian's, Titianic. – **2.** (*alla maniera di Tiziano*) Titianesque. – **3.** (*rif. a colore*) Titian: *biondo* (*o rosso*) ~ Titian (red), auburn. – **Tiziạno** *N.pr.m.* ⟨*Stor*⟩ Titian.

Tiziẹnsi *N.pr.m.pl.* ⟨*Stor.rom*⟩ (*Tizi*) Tities *pl*, Titienses *pl*.

Tịzio *N.pr.m.* **1.** ⟨*Stor*⟩ Titius. – **2.** ⟨*Mitol*⟩ Tityus, Tityos. – **tizio** *m.* ⟨*fam*⟩ person, someone (or other), ⟨*fam*⟩ character, ⟨*fam*⟩ fellow: *è venuto un* ~ *per te* someone came to see you. □ *un* ~ *qualunque* a nobody, a very ordinary fellow; ~, *Caio e Sempronio* Tom, Dick and Harry.

tịzzo *m.* (*di legno*) (fire)brand; (*di carbone*) smoking coal.

tizzonatụra *f.* ⟨*Zootecn*⟩ (*carbonatura*) dark patches *pl* (on horses).

tizzọne *m.* → **tizzo**. □ ⟨*fig*⟩ ~ *d'inferno* (*persona malvagia*) wicked person, blackguard.

TL = ⟨*Chim*⟩ *tallio* thallium.

tlạspi *m.* ⟨*Bot*⟩ pennycress (*Thlaspi*).

Tm = ⟨*Chim*⟩ *tulio* thulium.

tmẹsi *f.* ⟨*Gramm,Metr*⟩ tmesis.

Tn = ⟨*Chim*⟩ *thoron* thoron.

tọ'[1] (*tronc. di togli*) *intz.* ⟨*fam*⟩ **1.** (*prendi, tieni*) here you are, here, take (this): ~, *prendi quest'arancia* here, take this orange. – **2.** ⟨*esclam*⟩ (*guarda un po'*) well, well I never, I say, hey: ~, *chi si vede* well, just look who's here. – **3.** (*richiamo per cani*) here boy.

tọ'[2] (*tronc. di tuo*) *a.poss.* ⟨*ant,region*⟩ (*tuo*) your.

Toạnte *N.pr.m.* ⟨*Mitol*⟩ Thoas.

toast *ingl.* ['toust] *m.* **1.** (*coppia di fette di pane tostato riempite*) toasted sandwich; (*fetta di pane tostato*) (piece of) toast. – **2.** ⟨*rar*⟩ (*brindisi*) toast.

Tobịa *N.pr.m.* Tobias, Tobiah, ⟨*dim*⟩ Toby.

tobọga *m.inv.* **1.** (*slitta*) toboggan. – **2.** (*scivolo*) chute, slide; (*per giochi*) slide.

Tọbruch *N.pr.m.* ⟨*Geog*⟩ Tobruk.

tocạ̀i *m.* **1.** (*vitigno*) Tokay vine. – **2.** (*vino*) Tokay (wine).

tocạrio I *a.* ⟨*Ling*⟩ Tocharian, Tokharian. – **II** *s.m.* Tocharian, Tokharian. – **tocạrico** *a./s.* (*pl.* **-ci**) → **tocario**.

tọcca[1] *f.* **1.** (*passamaneria*) kind of braid, trimming (used in church decorations). – **2.** ⟨*ant*⟩ (*drappo intessuto di fili d'oro e d'argento*) silk cloth woven with gold and silver thread.

tọcca[2] *f.* **1.** ⟨*ant*⟩ (*lega*) touch needle; (*pietra di paragone*) touchstone; (*saggio dell'oro*) assay of gold. – **2.** ⟨*tosc*⟩ (*buca stradale*) hole in the road, pothole. □ ⟨*Chim*⟩ *analisi alla* ~ drop(test) analysis, spot analysis.

toccạbile *a.* **1.** touchable, tangible. – **2.** (*sensibile al tatto*) tangible, palpable, tactile. – **3.** ⟨*fig*⟩ (*tangibile, concreto*) tangible, concrete.

tocca|fẹrro *m.inv.* (*gioco*) kind of children's game. – **~fọndo** *m.inv.* (*gioco*) kind of morra.

toccạ̀i *m.* ⟨*rar*⟩ → **tocai**.

toccalạpis *m.* (*portalapis*) pencil-holder, pencil-case, pencil-box.

toccamạno *m.* **1.** (*stretta di mano*) handshake. – **2.** (*mancia*) tip (given on the sly). – **3.** ⟨*ant*⟩ (*tocco della mano con cui lo sposo impalma la sposa*) touching of the bride's hand by the bridegroom.

toccamẹnto *m.* ⟨*non com*⟩ touching, touch.

toccạnte (*p.pr. di toccare*) *a.* (*commovente*) touching, moving.

toccapọma (*o tocca pọma*) *m.inv.* ⟨*ant*⟩ (*gioco dei quattro cantoni*) puss in the corner.

toccạre *v.* (**tọcco, tọcchi**; *p.p.* **toccạto**/*ant.* **tọcco**) **I** *v.t.* **1.** to touch: *è proibito* ~ *la merce* do not touch the goods. – **2.** (*palpare*) to touch, to feel: *gli toccò la fronte per sentire se aveva la febbre* she felt his forehead to see whether he had a temperature. – **3.** (*essere a contatto*) to touch: *il tavolo tocca il muro* the table is touching (*o* up against) the wall; *l'acqua è troppo bassa, l'elica tocca il fondo* the water is too shallow, the propeller is touching bottom. – **4.** (*spostare*) to touch, to move, ⟨*fam*⟩ to fool around with, ⟨*fam*⟩ to lay a finger on: *non toccate niente sul mio tavolo* don't touch anything on my desk; *non* ~ *i giocattoli di tuo fratello* don't touch your brother's toys. – **5.** (*riprendere un lavoro per correggerlo*) to touch: *il quadro va bene così, non lo toccherei più* the painting looks fine like that, I wouldn't touch it any more. – **6.** (*giungere, raggiunger*) to touch, to reach: *è così alto che quasi tocca il soffitto* he's so tall he can almost touch the ceiling; ~ *la meta* to reach one's goal; (*rif. all'età*) to be almost: ~ *la settantina* to be almost seventy. – **7.** (*fare scalo*) to call, to stop: *la nave toccherà Genova e Barcellona* the ship will call at Genoa and Barcelona; (*rif. ad aerei*) to land, to (make a) stopover. – **8.** (*riguardare*) to touch, to concern, to regard: *è un'accusa che tocca tutti noi* it is an accusation that touches all of us; *la questione mi tocca da vicino* the matter regards me closely. – **9.** ⟨*fig*⟩ (*trattare brevemente*) to touch on, to deal with briefly: *toccherò questo argomento* I will touch on this subject. – **10.** (*impressionare, commuovere*) to touch, to move: *lo hai toccato con le tue parole* what you said touched him. – **11.** ⟨*fig*⟩ (*fare o dire cose che recano danno*) to do (*o* say) s.th. against, to touch: *guai a toccarlo nei suoi interessi!* there'll be trouble if you do anything against his interests! – **12.** ⟨*fig*⟩ (*offendere, ferire, urtare*) to touch, to wound, to sting: ~ *l'amor proprio di qd.* to wound s.o.'s pride; ~ *qd. sul vivo* to touch s.o. to the quick; ~ *qd. nel suo punto debole* to touch s.o.'s weak point. – **13.** ⟨*non com*⟩ (*sonare*) to play: ~ *l'organo* to play the organ. – **14.** ⟨*non com*⟩ (*picchiare, percuotere*) to hit, to lay hands on. – **15.** ⟨*eufem*⟩ (*avere rapporti sessuali*) to touch, to have: *nessun uomo l'ha mai toccata* no man has over touched her; *non ha mai toccato una donna* he has never had a woman. – **16.** ⟨*Sport*⟩ (*nella scherma*) to touch. – **II** *v.i.* (*aus.* **avere**) **1.** (*toccare in sorte*) to come the way (*a* of), to fall (to), to befall (s.o.), to be: *ti è toccata una bella fortuna* good luck came your way, you've been very lucky; (*capitare: rif. a cose spiacevoli*) to happen (to): *tutte le disgrazie toccano a lui* all the unpleasant things happen to him. – **2.** (*spettare di diritto*) to have the right (*costr.pers.*), to be entitled: *il premio tocca a me* I am entitled to the prize; (*spettare di dovere*) to be up to (*a qd.* s.o.), to be the concern (*o* job), to be the duty (*o* business): *tocca a te mantenere la famiglia* it's up to you to support the family. – **3.** (*essere il turno*) to be the turn (*a* of): *a chi tocca ora?* whose turn is it now?; *tocca a te tirare la palla* it's your turn to throw the ball. – **4.** (*essere costretto*) to have to (*costr.pers.*), to be obliged (*o* forced) to (*costr. pers.*), must (*costr.pers.*): *mi toccò tacere* I had to keep quiet; *ma guarda che mi tocca* (*di*) *sentire!* the things I have to listen to!; *mi tocca uscire di nuovo* I'll have to go out again. – **5.** (*toccare il fondo: rif. a imbarcazioni*) to ground, to touch bottom (*o* ground), to run aground; (*rif. a persone*) to touch bottom. – **toccarsi** *v.r.* **1.** to touch, to feel: *si toccò la fronte* he felt his forehead. – **2.** ⟨*recipr*⟩ to touch (e.o.): *le due poltrone si toccano* the two armchairs are touching (*o* up against) e.o.

□ ~ *i* **bicchieri** (*per fare un brindisi*) to touch (*o* clink) glasses; *non toccar* **cibo** (*non mangiare*) not to touch food, not to eat: *non tocca cibo da tre giorni* he hasn't eaten for three days; ⟨*fig*⟩ ~ *il* **cielo** *con un dito* to be in seventh heaven; ⟨*fig*⟩ ~ *il* **cuore** *di qd.* to touch (*o* move) s.o.; ⟨*pop*⟩ *non* ~ *un* **dente** not satisfy (*o* be filling), to leave hungry; *gli* **estremi** *si toccano* extremes meet; ⟨*fam*⟩ *tocca* **ferro**! ⌜knock on⌝ (*o* touch) wood!; ~ *il* **fondo**: 1. ⟨*Mar*⟩ to ground, to touch bottom (*o* ground), to run aground; 2. (*rif. a persone*) to touch bottom; ⟨*fig*⟩ ~ *il fondo di qc.* (*raggiungere il grado massimo*) to reach the height (*o* climax) of s.th., to sink to the depths of s.th.; ⟨*fig*⟩ ~ *con* **mano** *qc.* (*accertarsene*) to see s.th. with one's own eyes, to ascertain (*o* get proof of) s.th. personally; ~ *il* **polso** *a qd.* to feel s.o.'s pulse (*anche fig.*); ⟨*non com*⟩ *tocca e* **sana** → **toccasana**; ~ *il* **segno** to hit the mark; ~ *in* **sorte** *a qd.* to fall to s.o.'s lot; ~ **terra**: 1. to touch the ground; 2. (*arrivare fino in terra*) to reach the ground; 3. ⟨*Mar*⟩ (*approdare: rif. a persone*) to land, to go ashore; 4. (*rif. a navi*) to berth, to come alongside; 5. ⟨*Aer*⟩ to land; ⟨*fig*⟩ *non* ~ *terra dalla gioia* to be walking on air, to be beside o.s. with joy; *a chi tocca*, **tocca** that's fate (*o* life), ⟨*am.fam*⟩ that's the way the cookie crumbles. || *toccarle, toccarne* (*ricevere botte*) to get a thrashing; ⟨*fig*⟩ (*rimetterci, avere la peggio*) to get the worst of it, to come off worst.

toccasạna *m.inv.* (*rimedio sicuro*) infallibile remedy, cure-all, panacea (*anche fig.*): *questa bevanda è un* ~ this drink is a cure-all.

toccạta *f.* **1.** touch: *dare una* ~ *a qc.* to give s.th. a touch, to touch s.th. – **2.** ⟨*Mus*⟩ toccata. – **toccatịna** *f. dim. di* **toccata**.

toccạto (*p.p. di toccare*) *a.* **1.** ⟨*Sport*⟩ touché. – **2.** ⟨*fig,esclam*⟩ (*andato a segno*) touché. – **3.** ⟨*fam*⟩ (*picchiatello*) touched, eccentric, crazy, ⟨*fam*⟩ nutty. – **4.** ⟨*non com*⟩ (*sopraccennato*) above mentioned, aforesaid. □ ⟨*fam*⟩ *essere* ~ *nel cervello* to be a bit touched, ⟨*fam*⟩ to be round the bend.

toccatọre *m.* (*f.* **-trice**) **1.** ⟨*rar*⟩ toucher. – **2.** ⟨*Stor*⟩ official of the

Merchants' Court (who notified debtors of the mandatory period for payment by touching them).

toccatụtto *m./f.inv.* ⟨*fam*⟩ curious person who wants to touch everything.

toccheggiạre *v.i.* (**tocchẹggio, tocchẹggi**; *aus.* **avere**) ⟨*non com*⟩ (*sonare a tocchi*) to toll, to ring (slowly).

tocchẹtto[1] (*dim. di tocco*[1]) *m.* **1.** tap, light touch. – **2.** ⟨*fam*⟩ (*colpo apoplettico*) apoplectic stroke.

tocchẹtto[2] (*dim. di tocco*[4]) *m.* ⟨*Gastr,ant*⟩ (*guazzetto*) fish stew.

tọcco[1] *m.* (*pl.* **-chi**) **1.** touch, touches *pl*: *dare l'ultimo ~ a qc.* to put the last (*o* finishing) touches to s.th. – **2.** (*piccola quantità*) touch, dash, trace: *ancora un ~ di cipria* just a touch more powder. – **3.** (*colpo*) knock, rap, blow: *un ~ alla porta* a knock on the door. – **4.** (*rintocco*: *di campane, di orologi*) stroke. – **5.** (*l'una*) one (o'clock), one p.m.: *è sonato il ~* it has struck one; *il ~ dopo mezzanotte* one o'clock in the morning, one a.m. – **6.** ⟨*Art*⟩ touch: *si riconosce il ~ dell'artista* you can see the touch of the artist; (*pennellata*) stroke (of the brush), touch: *ancora qualche ~ e il quadro è finito* a few more strokes and the painting will be finished. – **7.** ⟨*Mus*⟩ (*modo di sonare*) touch: *un pianista dal ~ leggero* a pianist with a light touch; (*rif. a violinista*) touch (on a violin), ⟨*lett*⟩ stroke. – **8.** ⟨*non com*⟩ (*sensazione prodotta al tatto*) feel: *stoffa che ha il ~ della seta* material that has the feel of silk. – **9.** ⟨*tosc,non com*⟩ (*colpo apoplettico*) apoplectic stroke. – **10.** ⟨*napol*⟩ (*gioco*) drinking game. – **11.** ⟨*Zootecn*⟩ (*maneggiamento*) feeling to see how fat an animal is. – **12.** ⟨*Stor*⟩ notification of the mandatory period for payment of a debt. □ ⟨*tosc,non com*⟩ *~ d'accidente* apopletic stroke; ⟨*fig*⟩ *il ~ magico* the magic touch; *~ in penna* pen-and-ink drawing.

tọcco[2] *a.* (*pl.* **-chi**) **1.** (*rif. a frutta*: *ammaccato*) bruised. – **2.** ⟨*pop*⟩ (*picchiatello*) touched, eccentric, crazy, ⟨*fam*⟩ nutty: *essere ~* (*nel cervello*) to be a bit touched, ⟨*fam*⟩ to be not quite all there.

tọcco[3] *m.* (*pl.* **-chi**) (big) piece, hunk, chunk: *un ~ di formaggio* a big piece of cheese; *un ~ di carne* a hunk of meat. □ ⟨*pop*⟩ *~ d'asino* stupid fool, idiot; ⟨*pop*⟩ *un bel ~ di donna* (o *ragazza*) a fine figure of a woman; ⟨*pop*⟩ *un ~ d'uomo* ⸢a fine⸣ (*o* quite some) fellow, a fine figure of a man.

tọcco[4] *m.* (*pl.* **-chi**) ⟨*Gastr,region*⟩ meat sauce.

tọcco[5] *m.* (*pl.* **-chi**) **1.** (*berretta*) toque, brimless cap. – **2.** (*cappello da donna*) toque, woman's round brimless hat. – **3.** ⟨*Arald*⟩ cap.

tọcco[6] *p.p. ant. di* **toccare.**

tọco *m.* (*pl.* **-chi**) ⟨*Ornit*⟩ toco (*Ramphastos toco*).

toco... *pref.* (*parto* childbirth) toco..., toko...

tocoferọlo *m.* ⟨*Chim*⟩ tocopherol.

toco|gnosịa *f.* → **tocologia.** – **~gonịa** *f.* ⟨*Biol*⟩ tocogony, parental generation. – **~logịa** *f.* ⟨*rar*⟩ (*ostetricia*) tocology, tokology.

tọdaro *m.* ⟨*Zool*⟩ **1.** (*totano*) squid (*Ommatostrephes sagittatus*). – **2.** ⟨*region*⟩ (*calamaro*) squid, calamary (*Loligo vulgaris*).

todẹsco *a./s.* (*pl.* **-chi**) ⟨*ant*⟩ **I** *a.* (*tedesco*) German. – **II** *s.m.* **1.** (*lingua*) German. – **2.** (*abitante*; *f.* **-a**) German.

toelẹtta, toelẹtte *f.* → **toletta.**

tofạna: ⟨*ant*⟩ *acqua ~* (*acquetta*) kind of poison. – **tofarẹllo** *m.* → **tofana.**

tọffee [-fi], **tọffy** *ingl. m./f.* ⟨*Dolc*⟩ toffee.

tọfo[1] *m.* ⟨*Med*⟩ tophus.

tọfo[2] *m.* → **tofone.** – **tofọne** *m.* ⟨*Pesc,region*⟩ kind of fishing net.

tọga *f.* **1.** ⟨*Stor.rom*⟩ toga. – **2.** (*di giudici, professori e sim.*) gown, toga, robe. – **3.** ⟨*fig*⟩ (*attività forense*) legal profession, Bar. □ ⟨*fig*⟩ *indossare la ~* (*diventare magistrato*) to become a judge, to don the judge's gown; (*diventare avvocato*) to become a lawyer.

togạta *f.* ⟨*Lett*⟩ (*anche commedia togata*) fabula togata.

togạti *m.pl.* (*magistrati*) judges *pl.*

togạto *a.* **1.** ⟨*Stor.rom*⟩ wearing a toga, togated, togaed. – **2.** (*di giudici, professori e sim.*) in (*o* wearing) a gown, gowned. – **3.** ⟨*fig*⟩ (*solenne, aulico*) togated, dignified, stately.

tọgliere *v.t.* (*pr.ind.* **tọlgo**/*ant.,poet.* **tọgllo, tọglie, togliạmo, togliẹte, tọlgono**/*ant.,poet.* **tọgliono**; *fut.* **toglierò**/*pop.,poet.* **torrò**; *p.rem.* **tọlsi**; *pr.cong.* **tọlga**/*ant.,poet.* **tọglia, togliạmo, togliạte, tọlgano**/*ant.,poet.* **tọgliano**; *p.p.* **tọlto**) **1.** (*rimuovere, levar via*) to take off, to take away, to take, to remove: *~ un quadro dalla parete* to take a picture off (of) the wall; *hanno tolto il bambino da quella scuola* they have taken their child ⸢away from⸣ (*o* out of) that school; (*rif. a indumenti*) to take off, to remove: *togli le scarpette al bambino* take the baby's bootees off. – **2.** (*privare di*) to take (away): *la guerra gli ha tolto i genitori* the war took his parents from him. – **3.** (*liberare da*) to (set) free: *~ qd. dalla schiavitù* to free s.o. from slavery; (*rif. a situazioni spiacevoli*) to get out: *mi hai tolto da un bell'impiccio* you got me out of a nice fix. – **4.** (*non concedere più, riprendere*) to take away (*o* back): *gli tolse il libro che gli aveva dato* he took back the book he had given him. – **5.** (*rubare*) to steal, to take: *mi tolsero il portafoglio* they stole my wallet. – **6.** (*destituire*) to remove, to dismiss: *~ qd. da un incarico* to remove s.o. from a post. – **7.** (*sottrarre*) to subtract, to take: *~ tre da sei* to subtract (*o* take) three from six. – **8.** (*abolire*) to abolish, to lift, to do away with, to remove: *~ un divieto* to abolish a prohibition, to lift (*o* raise) a ban. – **9.** ⟨*non com*⟩ (*prendere*) to take: *tolse l'impermeabile dall'attaccapanni e se ne andò* he took his raincoat off the hook and went off; *~ commiato da qd.* to take one's leave of s.o.; (*comprare*) to get: *tolse un pollo al mercato* he got a chicken at the market. – **10.** ⟨*non com*⟩ (*impedire*) to prevent, to stop: *sei raffreddato ma ciò non toglie che devi fare i tuoi compiti* if you have a cold that doesn't stop you from doing your homework. – **11.** ⟨*lett*⟩ (*prendere come modello*) to take, to draw: *~ lo stile da un autore* to take (*o* imitate) the style of a writer. – **12.** ⟨*region*⟩ (*esigere in pagamento*) to demand (*o* require) money from. – **13.** ⟨*lett*⟩ (*escogitare*) to think up (*o* out), to devise. – **14.** ⟨*lett*⟩ (*incominciare*) to begin. – **15.** ⟨*ant*⟩ (*ricevere*) to receive. – **togliersi** *v.r.* **1.** (*levarsi*: *rif. a indumenti*) to take off, to remove: *togliersi la giacca* to take one's jacket off; (*sfilarsi*) to slip (*o* take) off: *togliersi i guanti* to take off one's gloves. – **2.** (*liberarsi*) to get out: *togliersi da una situazione difficile* to get out of a difficult situation. – **3.** (*allontanarsi*) to go (off), to go away (*da* from), to leave (s.th.): *togliersi da un luogo* to leave (*o* go away from) a place. – **4.** (*soddisfare*) to satisfy: *togliersi un capriccio* to satisfy a whim.

□ *togliersi il* **cappello** to take off one's hat; (*per salutare*) to lift (*o* take off, tip) one's hat; **ciò** *non toglie che mi piace* that doesn't ⸢alter the fact that I⸣ (*o* mean that I don't) like it, I still like it (though); *togliersi una* **curiosità** to satisfy one's curiosity; ⟨*ant*⟩ *tolga* **Iddio** (*o il cielo*) *!* (*Dio non voglia*) God forbid!; *~ a qd. un'***idea** *dalla testa* to get an idea out of s.o.'s head; ⟨*fig*⟩ *togliersi la* **maschera** to take off one's mask; *~ di* **mezzo** *qd.*: 1. (*allontanarlo*) to remove s.o., to get s.o. out of the way; 2. ⟨*fig*⟩ (*ucciderlo*) to kill s.o., ⟨*pop*⟩ to bump s.o. off; ⟨*ant*⟩ *~* (*in, per*) **moglie** to marry, ⟨*lett*⟩ to take to wife; *~ qd. dal* **mondo** (*ucciderlo*) to kill s.o.; *~ l'***onore** *a qd.* (*disonorarlo*) to dishonour s.o.; *~ la* **parola** *a qd.* to cut s.o. short, to interrupt s.o.; *~ la parola di bocca a qd.* to take the words out of s.o.'s mouth; ⟨*ant*⟩ *~ la* **persona** *a qd.* (*ucciderlo*) to take s.o.'s life; *togliersi qd. dai* **piedi** (*mandarlo via*) to get rid of s.o., to send s.o. packing; ⟨*pop*⟩ *togliti dai piedi !* get out of the way !, ⟨*fam*⟩ scram !, ⟨*fam*⟩ hop it !; ⟨*non com*⟩ *~ la* **reputazione** (*screditare*) to discredit, to bring into disrepute; *~ il* **saluto** *a qd.* not to speak to s.o. any more, to cut s.o. (dead); *togliersi la* **sete** to quench (*o* slake) one's thirst; *togliersi la* **soddisfazione** *di fare qc.* to have (*o* give o.s.) the satisfaction of doing s.th.; *togliersi la* **vita** to take one's life; *~ la* **voglia** *di fare qc.* to take the pleasure out of something, to cure of wanting to do s.th.: *quell'incidente mi ha tolto la voglia di correre con la macchina* that accident cured me of wanting to drive fast; *togliersi la voglia di fare qc.* to satisfy a longing (*o* urge) to do s.th.

tọgna *f.* ⟨*Pesc,ven*⟩ **1.** (*lenza*) (fishing) line. – **2.** (*lenza di fondo*) set line.

tọgo[1] *a.* (*pl.* **-ghi**) ⟨*dial,scherz*⟩ (*ottimo*) excellent, first-rate.

tọgo[2] *m.* (*pl.* **-ghi**) ⟨*non com*⟩ **1.** → **toga.** – **2.** (*veste lunga e solenne*) long robe.

Tọgo *N.pr.m.* ⟨*Geog*⟩ Togoland (*denom.uff.*: *Repubblica di ~* Republic of Togo). – **togolẹse I** *a.* Togolese, Togo-. – **II** *s.m./f.* Togolese, Togolander.

toh *intz.* ⟨*non com,esclam*⟩ (*to'*) well, well I never, I say.

toilette *fr.* [twa'lɛt] *f.* → **toletta.**

tokại *m.* (*vitigno*) Tokay vine.

Tọkio, Tọkyo *N.pr.f.* ⟨*Geog*⟩ Tokyo.

tọlda *f.* ⟨*Mar.ant*⟩ (*coperta*) deck.

toledạno *a.* Toledan, of Toledo. □ ⟨*Astr*⟩ *tavole -e* Alphonsine tables. – **Tolẹdo** *N.pr.f.* ⟨*Geog*⟩ Toledo.

tolemạico *a./s.* (*pl.* **-ci**) **I** *a.* ⟨*Stor,Astr*⟩ Ptolemaic: *sistema ~* Ptolemaic system. – **II** *s.m.* Ptolemaist.

Tolemẹo *N.pr.m.* → **Tolomeo.**

tolẹtta *f.* **1.** (*mobile*) dressing-table, toilet-table, ⟨*am*⟩ vanity. – **2.** (*camerino*) dressing-room, toilet room. – **3.** (*gabinetto*) toilet, lavatory, cloakroom, ⟨*am*⟩ washroom, ⟨*am*⟩ powder room. – **4.** (*operazioni necessarie per vestirsi*) toilet: *far ~* to make one's toilet, to dress and make up. – **5.** (*abito e acconciatura femminili*) toilette, outfit, costume.

tolettịsta *m./f.* ⟨*non com*⟩ (*estetista*) beautician.

tolidịna *f.* ⟨*Chim*⟩ tolidine.

tollatụra *f.* ⟨*Tess*⟩ stroking.

tollenọne *m.* **1.** ⟨*Idr*⟩ hydraulic lift, (water) hoist. – **2.** ⟨*Mil.ant*⟩ machine for lifting soldiers into a besieged city.

tollerạbile *a.* **1.** tolerable, bearable: *caldo ~* bearable heat. – **2.** (*ammissibile*) tolerable, allowable, sufferable. □ *non è ~* it's intolerable. – **tollerabilità** *f.* **1.** tolerability, tolerableness. – **2.** (*ammissibilità*) tolerability. – **tollerạnte** (*p.pr. di tollerare*) *a.* **1.** tolerant, tolerating: *essere ~ di un medicamento* to be ⸢tolerant of⸣ (*o* able to take) a medicine. – **2.** (*che rispetta le opinioni altrui*) tolerant: *un uomo ~* a tolerant man.

tollerạnza *f.* **1.** tolerance. – **2.** (*rispetto delle idee altrui*) tolerance, toleration: *~ religiosa* religious toleration. – **3.** (*comprensione*) understanding, forbearance, indulgence: *ha mostrato una grande ~ nei miei confronti* he showed much understanding in my regard. – **4.** (*tempo d'indugio consentito*) grace, respite; (*divergenza ammessa*) tolerance, allowable deviation. – **5.** (*capacità di sopportare il dolore*) tolerance, endurance, stamina. – **6.** ⟨*Ferr*⟩ (*tempo di sosta per attendere la coincidenza*) admitted delay, maximum waiting time (for a connection). – **7.** ⟨*tecn*⟩ tolerance, allowance. – **8.** ⟨*Dir*⟩ toleration.

□ ⟨*tecn*⟩ *~* **bilaterale** bilateral tolerance; **campo** *di ~* tolerance zone; **casa** *di ~* (*postribolo*) brothel; *~ di* **coniazione** tolerance, remedy, allowance; *~* **dimensionale** dimensional tolerance; *~ di* **fabbricazione** factory limit; *~* **fondamentale** basic tolerance; ⟨*Med*⟩ **limite** *di ~* degree of tolerance, go-and-no-go limit; *~* **massima** *e minima* plus-and-minus tolerances; *~ di* **posizione** positional tolerance; **spirito** *di* ~ (spirit of) tolerance; ⟨*tecn*⟩ ~ **stretta** close tolerance; ~ **unilaterale** unilateral tolerance.

tollerạre *v.t.* (**tọllero**) **1.** (*sopportare*; *rif. a cose*) to put up with, to bear, to endure, to tolerate: *ho tollerato fin troppo la tua maleducazione* I have tolerated your rudeness too long; (*in frasi negative*) to tolerate, to stand for; (*rif. a persone*) to put up with, to stand, to bear (with), to tolerate, ⟨*fam*⟩ to stick: *non tollero questo seccatore* I can't stand that bore. – **2.** (*permettere*) to tolerate, to allow, to permit, to have: *non tollero che risponda così a tua madre* I won't have you answer your mother back that way. – **3.** (*ammettere*) to tolerate, to allow; (*considerare con indulgenza*) to be indulgent towards. – **4.** (*resistere senza danno*) to tolerate, to take, to endure, to bear, to stand: ~ *il freddo* to tolerate (*o* stand) the cold. – **tollerạto** (*p.p. di tollerare*) **I** *a.* **1.** tolerated, put up with, borne, endured. – **2.** (*ammesso, rispettato*) tolerated, allowed: *culti -i* allowed religions. – **II** *s.m.* (*f.* **-a**) ⟨*Dir.can*⟩ toleratus. – **tollerazịone** *f.* ⟨*non com*⟩ **1.** toleration. – **2.** (*tolleranza*) tolerance, toleration.

tọllere *v.* ⟨*lett,ant*⟩ → **togliere.**

tọllero *m.* ⟨*ant*⟩ (*tallero*) t(h)aler.

tollẹtta *f.* ⟨*ant*⟩ **1.** (*ciò che è stato tolto, rubato*) stolen goods *pl.* – **2.** (*rapina*) robbery. – **tollẹtto**: ⟨*ant*⟩ *mal* ~ → **tolletta.**

tọlo *m.* **1.** ⟨*Archeol*⟩ tholus, tholos. – **2.** (*cupola*) dome, cupola.

tolomạico *a.* (*pl.* **-ci**) Ptolemaic.

Tolomẹo *N.pr.m.* ⟨*Stor*⟩ Ptolemy.

Tolọne *N.pr.f.* ⟨*Geog*⟩ Toulon.

tolonẹo *m.* (*teloneo*) indirect tax (on the movement of goods).

Tolọsa *N.pr.f.* ⟨*Geog*⟩ Toulouse.

tolstoiạno *a.* ⟨*Lett*⟩ Tolstoyan, Tolstoian. – **tolstoịsmo** *m.* Tolstoyism.

tọlto (*p.p. di togliere*) *a.* (*eccetto*) except for, with the exception of. ▭ *il mal* ~ (*ciò che è stato rubato*) ill-gotten gains *pl.*

tolù *m.* (*balsamo di tolù*) balsam of tolu, tolu (balsam).

toluenammịna *f.* ⟨*Chim*⟩ toluidine. – **toluẹne** *m.* toluene, toluol. – **tolụico** *a.* (*pl.* **-ci**) toluic. – **toluidịna** *f.* toluidine. – **toluịle** *m.* toluyl. – **toluilẹne** *m.* toluylene. – **toluọlo** *m.* → **toluene.**

tom. = ⟨*Bibliot*⟩ *tomo* tome (*abbr.* tom.).

tọma: *promettere Roma e* ~ (*promettere grandi cose*) to promise the earth.

tomạia *f.* → **tomaio.** – **tomaifịcio** *m.* ⟨*Calz*⟩ factory of shoe uppers. – **tomạio** *m.* (*pl. i* **tomại**/*le* **tomạia**/*le* **tomạie**) (shoe) upper; (*parte anteriore*) vamp.

tomạre[1] *v.i.* (**tọmo**; *aus.* **essere**) ⟨*ant*⟩ **1.** (*gettarsi a terra con le gambe all'aria*) to throw o.s. to the ground with one's legs in the air. – **2.** (*cadere all'ingiù*) to fall (down, headlong). – **3.** (*piombare, cadere*) to fall, to plunge.

tomạre[2] *v.t.* (**tọmo**) ⟨*Mar*⟩ to gybe, to jibe.

Tomạso *N.pr.m.* ⟨*non com*⟩ → **Tommaso.**

tọmba *f.* **1.** tomb, grave, sepulchre, burial place. – **2.** (*sepolcro monumentale*) tomb: ~ *di famiglia* family tomb. – **3.** ⟨*fig*⟩ (*luogo chiuso, tetro*) tomb, gloomy place: *questa casa è una* ~ this house is like a tomb. – **4.** ⟨*fig*⟩ (*morte*) grave, death: *portare qd. alla* ~ to drive s.o. to his grave; *dalla culla alla* ~ from the cradle to the grave. – **5.** (*canale sotterraneo*) underground channel. – **6.** ⟨*fig, non com*⟩ (*caverna*) cave, cavern.

▭ ⟨*Arch*⟩ ~ *ad* **arcosolio** arcosolium; ~ *a* **edicola** aedicula; **essere** *una* ~ = *essere* **muto** *come una tomba*; ⟨*Archeol*⟩ ~ *a* **galleria** passage (*o* gallery) grave; ⟨*Archeol*⟩ ~ **megalitica** megalithic tomb; ⟨*iperb*⟩ *essere* **muto** *come una* ~ to be as silent as the grave; ⟨*fig*⟩ *essere con un* **piede** *nella* ~ to have one foot in the grave; **portare** *un segreto sino alla* ~ to carry a secret to the grave; ~ **rupestre** rock tomb; ⟨*Idr*⟩ ~ *a* **sifone** culvert.

tombạcco *m.* (*pl.* **-chi**) ⟨*Met*⟩ tombac.

tombạle *a.* tomb-, grave-, burial-: *pietra* ~ tombstone, grave-stone.

tombamẹnto *m.* ⟨*Edil*⟩ filling.

tombarẹllo[1] *m.* ⟨*Itt*⟩ (*tambarello*) frigate mackerel, bonito (*Auxis thazard*).

tombarẹllo[2] *m.* **1.** ⟨*Ferr*⟩ dumping wagon. – **2.** ⟨*Aut*⟩ tipper, dumper.

tombarọlo *m.* ⟨*pop*⟩ grave robber.

tombatụra *f.* ⟨*Idr*⟩ foundation of a dyke.

tombeau *fr.* [tõ'bo] *m.* **1.** ⟨*Mus*⟩ memorial work, tombeau. – **2.** ⟨*Art*⟩ Pietà.

tombeur *fr.* [tõ'bœr] *m.* **1.** (*chi fa cadere*) person who makes one fall. – **2.** (*stroncatore*) slashing critic.

tombịno *m.* **1.** ⟨*Strad*⟩ drain. – **2.** (*chiusino*) manhole-cover. – **3.** ⟨*region*⟩ (*pozzo nero*) cesspool, cesspit.

Tomboctù *N.pr.f.* ⟨*Geog*⟩ (*Timbuctù*) Timbuktu, Timbuctoo.

tọmbola[1] *f.* **1.** tombola, kind of lotto, housey-housey, bingo: *giocare a* ~ to play tombola; (*l'occorrente per giocare a tombola*) game of tombola, lotto set. – **2.** (*vincita*) tombola prize. ▭ *far* ~ to win the tombola prize.

tọmbola[2] *f.* ⟨*fam*⟩ **1.** (*caduta, ruzzolone*) tumble, fall: *fare* (*una*) ~ to take a tumble, to tumble (*o* fall) down. – **2.** (*cattivo esito*) failure, fiasco, miss. – **3.** ⟨*esclam*⟩ upsy-daisy, ups-a-daisy, oops. – **4.** ⟨*region*⟩ (*capriola*) somersault: *far le -e* to turn somersaults.

tombolạre *v.* (**tọmbolo**) ⟨*fam*⟩ **I** *v.i.* (*aus.* **essere**) **1.** (*ruzzolare*) to tumble (down), to fall (down), to take a tumble. – **2.** (*cadere all'ingiù*) to fall (down, headlong). – **II** *v.t.* ⟨*non com*⟩ to fall (*o* tumble) down.

tombolạta[1] *f.* game of tombola.

tombolạta[2] *f.* ⟨*non com*⟩ (*ruzzolone, capitombolo*) tumble, (headlong) fall.

tombolẹto *m.* ⟨*rar*⟩ (*tumoleto*) sand-dunes *pl.*

tombolẹtto (*dim. di tombolo*[3]) *m.* (*f.* **-a**) → **tombolino**[1].

tombolịno[1] (*dim. di tombolo*[3]) *m.* (*f.* **-a**) ⟨*fam*⟩ (*bambino grassottello*) plump child, ⟨*fam*⟩ little podge.

tombolịno[2] (*dim. di tombola*[1]) *m.* second game of tombola.

tọmbolo[1] *m.* **1.** ⟨*fam*⟩ (*ruzzolone, capitombolo*) tumble, headlong fall. – **2.** ⟨*fig*⟩ fall, downfall, crash, collapse; (*rovina*) ruin; (*rovescio di fortuna*) setback.

tọmbolo[2] *m.* ⟨*Geog*⟩ (*cordone sabbioso*) tombolo, connecting (sand-)bar; (*serie di dune*) (sand-)dunes *pl.*

tọmbolo[3] *m.* **1.** (*cuscino cilindrico*) bolster. – **2.** ⟨*Lav.femm*⟩ lace-pillow; (*trina*) pillow-lace. – **3.** ⟨*fam,scherz*⟩ (*persona bassa e grassoccia*) tubby person, ⟨*fam*⟩ podge.

tombolọne[1] (*accr. di tombolo*[1]) *m.* tumble, headlong fall.

tombolọne[2] (*accr. di tombola*[1]) *m.* → **tombolino**[2].

tombolọtto (*dim. di tombolo*[3]) *m.* → **tombolino**[1].

Tombuttù *N.pr.f.* ⟨*Geog,ant*⟩ (*Timbuctù*) Timbuktu, Timbuctoo.

Tomè *N.pr.m.* → **Tommè.**

tomẹnto *m.* ⟨*Bot*⟩ tomentum, pubescence. – **tomentọso** *a.* tomentose, downy, fluffy, cottony.

...tomia *suff.* (*taglio* section, incision) ...tomy: *osteotomia f.* osteotomy.

tomịno *m.* ⟨*Alim*⟩ kind of goat's milk cheese.

tọmio *m.* ⟨*Ornit*⟩ tomium.

Tomịri (*o* *Tọmiri*) *N.pr.f.* ⟨*Stor*⟩ Tomyris.

tomịsidi *m.pl.* ⟨*Zool*⟩ crab spiders *pl*, thomisids *pl* (*Thomisidae*).

tomịsmo *m.* ⟨*Filos,Teol*⟩ Thomism. – **tomịsta** **I** *s.m./f.* Thomist. – **II** *a.* → **tomistico.** – **tomịstico** *a.* (*pl.* **-ci**) thomist(ic).

Tommạso *N.pr.m.* Thomas.

▭ *san* ~ *d'***Aquino** St. Thomas Aquinas; ⟨*Stor*⟩ ~ **Becket** Thomas à Becket; *essere* (*o fare*) **come** *san* ~ (*essere incredulo*) to be a doubting Thomas; ⟨*Stor*⟩ ~ *da* **Kempis** Thomas à Kempis; ⟨*Stor*⟩ ~ **Moro** (Sir) Thomas More.

Tommè *N.pr.m.* ⟨*pop*⟩ (*Tommaso*) Thomas.

tọmo[1] *m.* **1.** tome; (*volume*) tome, volume. – **2.** (*libro*) book, tome. – **3.** ⟨*fam*⟩ (*tipo*) person, ⟨*fam*⟩ character, ⟨*fam*⟩ sort, ⟨*fam*⟩ fellow: *un bel* ~ an odd sort, a queer fish.

tọmo[2] *m.* ⟨*ant*⟩ (*caduta*) fall, tumble.

..tomo *suff.* (*taglio* cutting) ...tome: *craniotomo m.* craniotome.

tomografịa *f.* ⟨*Radiol*⟩ (*stratigrafia*) tomography.

tọmolo *m.* **1.** ⟨*region*⟩ (*unità di misura agraria*) measure of land area. – **2.** ⟨*Stor*⟩ (*unità di misura di capacità*) old measure of capacity (27.5-55.5 l.).

tọnaca *f.* **1.** (*dei frati*) habit, frock; (*con cappuccio*) cowl; (*delle monache*) nun's dress (*o* habit). – **2.** (*dei preti*) cassock, cloth, gown. – **3.** ⟨*Anat*⟩ tunica; (*guaina*) sheath. – **4.** ⟨*Met*⟩ moulding earth. – **5.** *pl.* ⟨*non com*⟩ (*frati*) monks *pl*; (*monache*) nuns *pl.* ▭ *gettare la* ~ (*alle ortiche*): 1. (*sfratarsi*) to leave the monastery, ⟨*lett*⟩ to abandon the cowl; 2. (*smonacarsi*) to leave the convent, ⟨*lett*⟩ to renounce the veil; 3. (*spretarsi*) to leave the priesthood, ⟨*lett*⟩ to lay aside the cloth; *vestire* (*o* *indossare*) *la* ~: 1. (*farsi frate*) to become a friar, to enter the monastery, ⟨*lett*⟩ to take the habit (*o* cowl); 2. (*farsi monaca*) to become a nun, to enter the convent, ⟨*lett*⟩ to take the veil; 3. (*farsi prete*) to enter the priesthood, to become a priest.

tonacẹlla (*dim. di tonaca*) *f.* **1.** ⟨*ant*⟩ small habit (*o* frock); (*seconda tonaca*) under-habit. – **2.** (*tunicella*) tunicle.

tonạle *a.* **1.** ⟨*Mus*⟩ tonal, tone-. – **2.** ⟨*Pitt*⟩ tone-. – **3.** ⟨*Lett*⟩ tone-, of tone. – **tonalịsmo** *m.* **1.** ⟨*Mus*⟩ tonalism. – **2.** ⟨*Pitt*⟩ stress on tonality.

tonalità *f.* **1.** (*gradazione di colore*) shade, tone, hue: *una* ~ *di rosso* a shade of red. – **2.** ⟨*Mus*⟩ key, tonality; (*sistema*) tonality, tone-system. – **3.** ⟨*Pitt*⟩ tonality, colour-scheme, tone-system. ▭ ⟨*Mus*⟩ ~ *maggiore* major key; ~ *minore* minor key.

tonalịte *f.* ⟨*Min*⟩ tonalite.

tonạnte (*p.pr. di tonare*) *a.* **1.** thundering. – **2.** (*risonante*) loud, booming, sonorous: *voce* ~ loud voice. – **3.** ⟨*Chim*⟩ explosive: *gas* ~ explosive gas. ▭ ⟨*Mitol*⟩ *Giove* ~ Jove the thunderer.

tonạre *v.* (**tuọno**/*pop.,lett.* **tọno**) **I** *v.i.* (*aus.* **avere**) **1.** to thunder. – **2.** (*produrre rumore simile al tuono*) to thunder; (*rif. a voce*) to boom, to resound. – **3.** ⟨*fig*⟩ (*parlare, inveire con violenza*) to thunder: ~ *contro qd.* to thunder against s.o. – **II** *v.i.impers.* (*aus.* **essere**/**avere**) to thunder. ▭ *Prov.*: *tanto tonò che piovve* it's happened at last, it had (*o* was bound) to happen.

tọnca *f.inv.* ⟨*Bot*⟩ (*anche fava tonca*) tonka bean.

tonchiạre *v.i.* (**tọnchio**, **tọnchi**; *aus.* **essere**) to be infested with weevils. – **tonchiạto** (*p.p. di tonchiare*) *a.* infested with weevils, weevily.

Tonchịno *N.pr.m.* ⟨*Geog*⟩ Tonkin.

tọnchio *m.* ⟨*Entom*⟩ bruchid, weevil, beetle. ▭ ~ *del fagiolo* bean seed beetle, bean weevil (*Acanthoscelides obtectus*); ~ *delle fave* broadbean weevil, European bean beetle (*Bruchus rufimanus*); ~ *delle lenticchie* lentil weevil (*Bruchus lentis*); ~ *del pisello* pea weevil (*o* beetle, bug) (*Bruchus pisorum*).

tonchiọso *a.* → **tonchiato.**

tọnda *f.* ⟨*Mod*⟩ eighteenth-century Venetian woman's garment.

tondạre[1] *v.t.* (**tọndo**) ⟨*ant*⟩ **1.** (*tosare*) to shear, to clip, to crop. – **2.** (*rifilare i margini dei libri*) to trim. – **3.** (*cimare il panno*) to shear, to clip.

tondạre[2] *v.t.* (**tọndo**) (*arrotondare*) to round (off), to make round.
tondeggiamẹnto *m.* **1.** (*atto*) rounding (off). – **2.** (*effetto*) roundishness. – **tondeggiạnte** (*p.pr. di tondeggiare*) *a.* roundish, round, curved: *dare una forma* ~ *a qc.* to give a round shape to s.th. – **tondeggiạre** *v.* (**tondẹggio, tondẹggi**) **I** *v.i.* (*aus.* **essere**) to be round(ish). – **II** *v.t.* ⟨*non com*⟩ (*arrotondare*) to round (off), to make round.
tondẹllo (*dim. di tondo*) *m.* **1.** round. – **2.** (*legna da ardere*) round billet; (*carbone*) round piece of coal. – **3.** ⟨*Numism*⟩ planchet, coin-blank. – **4.** ⟨*Macell,non com*⟩ (*girello*) topside.
tọndere *v.t.* ⟨*ant*⟩ **1.** (*tosare*) to shear, to clip, to crop; (*rif. a monete*) to clip. – **2.** (*potare*) to prune, to trim.
tondẹtto (*dim. di tondo*) *a.* **1.** roundish. – **2.** ⟨*fam*⟩ (*grassoccio*) plump, tubby.
tondẹzza *f.* ⟨*non com*⟩ roundness.
tondịno (*dim. di tondo*) *m.* **1.** round; (*ferro tondo*) round bar. – **2.** (*sottobicchiere*) (glass) mat, ⟨*am*⟩ coaster. – **3.** (*rif. alla legna*) round billet. – **4.** ⟨*Numism*⟩ planchet, coin-blank. – **5.** ⟨*Met*⟩ rod. – **6.** ⟨*Edil*⟩ reinforcing (*o* iron) rod, reinforced concrete rod. – **7.** ⟨*Arch*⟩ astragal. – **8.** ⟨*non com*⟩ (*piatto piano*) plate; (*piattino*) saucer.
tọndo I *a.* **1.** (*circolare*) round, circular: *tavolo* ~ round table. – **2.** (*sferico*) round, spherical. – **3.** (*rif. a parti del corpo*: *tornito, pieno*) round, full *guance -e* full cheeks; (*tondeggiante*) rounded, full: *fianchi -i* rounded hips. – **4.** ⟨*fig*⟩ (*rif. a numeri, misure e sim.*) round: *cifra -a* round number. – **5.** ⟨*fig,non com*⟩ (*semplicione*) silly, foolish, simple. – **II** *s.m.* **1.** round; (*lastra*) round plate (*o* disk); (*ferro*) round bar. – **2.** (*forma circolare*) circle. – **3.** ⟨*Tip*⟩ (*carattere tondo*) roman type. – **4.** ⟨*Pitt*⟩ tondo, circular painting. – **5.** ⟨*Arch,Arred*⟩ medallion; (*scultura*) tondo. – **6.** (*rif. a legna da ardere*) round log. – **7.** ⟨*non com*⟩ (*piatto, vassoio*) plate; (*sottocoppa*) mat, ⟨*am*⟩ coaster; (*piattino*) saucer.
□ **a** ~ = **in** *tondo*; *a* ~ *a* ~ (all) around, in a circle (*o* ring), round; ⟨*tosc*⟩ **alla** *-a* (*in giro*) in a ring (*o* circle); *parlare* **chiaro** *e* ~ to speak bluntly, not to mince one's words; *fare* **cifra** *-a* to make a round figure; *fare il* **conto** ~ to round (off) the bill; ⟨*pop*⟩ *essere* ~ *come l'o di* **Giotto** to be perfectly round; ⟨*fig*⟩ (*essere stupido*) to be a fool (*o* simpleton); **in** ~ in a ring (*o* circle), (a)round: *girare in* ~ to move round; *in* ~ *in* ~ = **a** *tondo a tondo*; *una faccia -a come la* **luna** a moon-shaped face; ~ *come una* **palla** perfectly round (*o* circular); ⟨*ant*⟩ ~ *di* **pelo** (*sciocco*) foolish, simple; *un mese* ~ **tondo** exactly a month, a full month; ⟨*Scult*⟩ (*a*) **tutto** ~ in full relief, standing out; ~ *di* **vetro** bull's-eye (pane).
tondọne (*accr. di tondo*) *m.* **1.** ⟨*Gastr*⟩ (*frittella*) kind of pancake. – **2.** (*trave non squadrata*) unsquared beam. – **3.** (*nel ballo*: *girotondo*) round. – **4.** ⟨*Edil*⟩ (timber) pile. – **5.** (*rif. alla legna*) round log.
tondụto (*p.p. di tondere*) ⟨*ant*⟩ **I** *a.* (*tosato*) shorn, sheared, clipped, cropped. – **II** *s.m.* shorn person.
tọnfano *m.* **1.** deep part of a river. – **2.** ⟨*ant*⟩ (*vaso capace*) large drinking vessel.
tonfạre *v.* (**tọnfo**) **I** *v.t.* ⟨*tosc*⟩ (*picchiare*) to hit. – **II** *v.i.* (*aus.* **essere**) ⟨*non com*⟩ (*fare un tonfo*) to (make a) thud; (*cadendo in acqua*) to (make a) splash.
tọnfete *onom.* bump, plop, bang; (*rif. a cosa che cade in acqua*) splash, plop.
tọnfo *m.* **1.** (*rumore*) thud, plop, bump, bang; (*rif. a cosa che cade in acqua*) splash, plop. – **2.** ⟨*non com*⟩ (*caduta*) fall. □ *fare un* ~ to (make a) thud, to plop, to fall with a bang, to thump; (*cadendo in acqua*) to (make a) splash.
tọnga *a./s.inv.* **I** *a.* Tonga. – **II** *s.m./f.* Tonga.
Tọnga: ⟨*Geog*⟩ *isole* ~ Tonga Islands, Friendly Islands.
tọni *m.* (*pagliaccio del circo*) clown.
Tọni (*dim. di Antonio*) *N.pr.m.* Tony.
...tonia *suff.* (*tensione* tension, *pressione* pressure) ...tony, ...tonia: *atonia f.* atony, atonia.
tọnica[1] *f.* ⟨*Mus*⟩ keynote, tonic.
tọnica[2] *f.* ⟨*ant,region*⟩ → **tonaca.**
tonicẹlla (*dim. di tonica*[2]) *f.* → **tonacella.**
tonicità *f.* ⟨*non com*⟩ **1.** ⟨*Mus,Ling*⟩ tonic nature. – **2.** ⟨*Med*⟩ tonicity.
tọnico *a./s.* (*pl.* **-ci**) **I** *a.* **1.** ⟨*Mus*⟩ tonic. – **2.** ⟨*Ling*⟩ tonic: *sillaba -a* tonic syllable. – **3.** ⟨*Med*⟩ tonic, reconstituent; (*che dà forza*) tonic, invigorating, bracing, strengthening: *amaro* ~ tonic bitters. – **II** *s.m.* **1.** ⟨*Farm*⟩ tonic, ⟨*fam*⟩ pick-me-up. – **2.** ⟨*Cosmet*⟩ tonic: ~ *per capelli* hair tonic. □ ⟨*Ling*⟩ *accento* ~ main stress, tonic accent, stress accent; ⟨*Mus*⟩ *nota -a* tonic, keynote.
tọnic solfa *ingl.* [-ˈfa] *f.* ⟨*Mus*⟩ tonic sol-fa.
tonificạnte (*p.pr. di tonificare*) *a.* tonic; (*rinforzante*) invigorating, bracing. □ *rimedio* ~ tonic, ⟨*fam*⟩ pick-me-up. – **tonificạre** *v.t.* (**tonịfico, tonịfichi**) **1.** to tone up, to give tone to, to tonify. – **2.** (*rinforzare*) to strengthen, to invigorate, to brace. – **3.** ⟨*Med*⟩ to tonify, to tonicize, to give tone to.
Tọnio (*accorc. di Antonio*) *N.pr.m.* Tony.
tonitruạnte *a.* **1.** ⟨*lett*⟩ (*che tuona*) thundering. – **2.** ⟨*scherz*⟩ (*rif. a persona dalla voce tonante*) noisy, boisterous; (*rif. a voce*) loud, booming, resounding.
tonnạra *f.* ⟨*Pesc*⟩ tunny-fishing nets *pl*, set of tunny nets. – **tonnarẹlla** (*dim. di tonnara*) *f.* small set of tunny nets.
tonnarẹlli *m.pl.* ⟨*Alim*⟩ square-sectioned noodles *pl.*
tonnarọtto *m.* ⟨*Pesc*⟩ tunny fisher.
tonnạto: ⟨*Gastr*⟩ *vitello* ~ veal with tunny-fish sauce.
tonneau *fr.* [tɔˈno] *m.* ⟨*Aer*⟩ (aileron) roll.
tonneggiạre *v.t.* (**tonnẹggio, tonnẹggi**) ⟨*Mar*⟩ to warp, to kedge. – **tonneggiarsi** *v.r.* to warp. – **tonnẹggio** *m.* **1.** ⟨*Mar,Aer*⟩ (*il tonneggiare*) warping. – **2.** *pl.* (*cavi di tonneggio*) warps *pl.*
tonnellạggio *m.* **1.** ⟨*Mar*⟩ (register) tonnage. – **2.** ⟨*Mar.mil*⟩ (*dislocamento*) (displacement) tonnage. – **3.** ⟨*Ferr*⟩ tonnage.
tonnellạta *f* ton: *una* ~ *di carbone* a ton of coal.
□ ⟨*Ferr*⟩ ~**-chilometro** ton-kilometre; ⟨*Mar*⟩ ~ *di* **dislocamento** displacement ton; ~ *d'***ingombro** measurement (*o* freight) ton; ~ *di* **portata** *lorda* deadweight ton; ~ *di* **stazza** register ton; ~ *di stazza lorda* gross ton; ~ *di stazza netta* net ton; ~ *di* **volume** = *tonnellata di* **stazza.**
tonnẹllo *m.* ⟨*ant*⟩ (*barilotto*) barrel, cask.
tonnẹtto *m.* **1.** ⟨*Itt*⟩ (belted) bonito, pelamyd (*Sarda sarda*; *Pelamys sarda*). – **2.** ⟨*region*⟩ (*tonno sott'olio*) tunny-fish in oil.
tọnnidi *m.pl.* ⟨*Itt*⟩ tunny-fish family (*Thynnidae*).
tonnịna *f.* **1.** ⟨*Alim*⟩ (*tonno sott'olio*) tunny-fish in oil; (*salume di carne di tonno*) tunny-back sausage. – **2.** ⟨*Itt*⟩ little tuna (*o* tunny), false albacore (*Euthynnus alletteratus*). □ ⟨*ant,iperb*⟩ *far* ~ *di qd.* (*farlo a pezzi*) to make mincemeat of s.o.
tọnno *m.* **1.** ⟨*Itt*⟩ (*anche tonno comune*) tunny(-fish), tuna (*Thunnus thynnus*; *Orcynus thynnus*). – **2.** (*carne*) tunny(-fish), tuna(-fish). □ ~ *bonita* (belted) bonito, pelamyd (*Sarda sarda*; *Pelamys sarda*); ~ *sott'olio* tunny-fish in oil; *pesca del* ~ tuna fishing.
tọno[1] *m.* **1.** tone, volume: *abbassare il* ~ *della voce* to speak in a lower tone (of voice). – **2.** (*modulazione, inflessione di voce*) tone, way: *in* ~ *scherzoso* in a joking tone; *non ammetto che mi si parli in questo* ~ I don't allow people to speak to me this way. – **3.** (*carattere stilistico*) tone, style: *un discorso di* ~ *elevato* a speech with a lofty tone. – **4.** (*rif. a colori*: *gradazione*) shade, tone, hue: *una stoffa con tutti i -i dell'azzurro* a fabric coloured in all shades of blue. – **5.** ⟨*Mus*⟩ tone; (*nota*) note, ⟨*am*⟩ tone; (*tonalità*) key, tonality; (*modo*) mode, tonus. – **6.** ⟨*Med*⟩ tone, tonus. – **7.** ⟨*non com*⟩ (*accento*) accent.
□ ⟨*Fon*⟩ ~ **ascendente** rising tone; **calare** *di* ~: 1. ⟨*Mus*⟩ to fall in pitch; 2. ⟨*fig*⟩ (*perdere di vigore*) to lose one's enthusiasm; ⟨*fig*⟩ **cambiare** ~ to adopt a different tone, to change one's tune; **dare** ~: 1. (*rinvigorire*) to tone up, to brace, to invigorate; 2. ⟨*fig*⟩ to give tone: *questo divano dà* ~ *a tutto il salotto* this divan gives tone to the whole sitting-room; *dare il* ~: 1. ⟨*Mus*⟩ (*dare l'intonazione*) to set the tone, to give the note; 2. ⟨*fig*⟩ (*fare da guida*) to give a lead, to set the style: *è un pittore che dà il* ~ he's a painter who sets the style; ⟨*fig*⟩ *darsi* ~ (*darsi importanza*) to strike an attitude, to give o.s. airs; ⟨*Fon*⟩ ~ **discendente** falling tone; ⟨*Acu,Mus*⟩ ~ **fondamentale** fundamental (tone); ⟨*Mus*⟩ *essere* **fuori** ~ to be out of tune (*anche fig.*); ⟨*fig*⟩ *essere* **giù** *di* ~ not be o.s., to be out of sorts, ⟨*fam*⟩ to be feeling low (*o* poorly), ⟨*fam*⟩ to be under the weather; **in** ~ (*fisicamente vigoroso*) fit, in fine form, feeling fine; ⟨*Mus*⟩ *essere in* ~ to be in tune; ⟨*fig*⟩ *essere in* ~ *con l'ambiente* to be in keeping (*o* tune) with one's surroundings; ⟨*Mus*⟩ ~ **maggiore** major key; ~ **minore** minor key; ⟨*Med*⟩ ~ **muscolare** tonus; **rispondere** *a* ~: 1. to give a reasonable (*o* logical) answer; 2. (*a proposito*) to answer to the point; 3. (*per le rime*) to answer back, ⟨*fam*⟩ to give tit for tat; ⟨*fig*⟩ **scadere** *di* ~ to go down; **scendere** *di* ~ = **calare** *di tono*; ⟨*fig,non com*⟩ **stare** (*o* **tenersi**) *in* ~ (*mantenere il contegno*) to be reserved; ⟨*Mus*⟩ **uscire** *di* ~ to go (*o* get) out of tune; ⟨*fig,non com*⟩ (*perdere il filo del discorso*) to lose track (of what one is saying); ⟨*non com*⟩ **venire** *in* ~ (*capitare a proposito*) to come just at the right time.
tọno[2] *m.* ⟨*pop*⟩ (*tuono*) thunder.
tono... *pref.* (*tensione* tension) tono...
...tono *suff.* **1.** (*tensione* tension, *pressione* pressure) ...tonus: *elettrotono m.* electrotonus. – **2.** (*tono* tone) ...tone: *baritono m.* baritone.
tonometrịa *f.* ⟨*Chim,Fis*⟩ tonometry. – **tonọmetro** *m.* ⟨*Mus, Chim,Fis,Acu,Med*⟩ tonometer.
tonoplạsto *m.* ⟨*Bot*⟩ tonoplast.
tonsịlla *f.* ⟨*Anat*⟩ **1.** tonsil. – **2.** (*tonsilla palatina*) (palatine) tonsil. □ ~ **cerebellare** tonsil of the cerebellum; ~ **faringea** pharyngeal (*o* third) tonsil; ~ **linguale** lingual tonsil; **terza** ~ = *tonsilla* **faringea**; *farsi* **togliere** *le -e* to have one's tonsils removed (*o* out); ~ **tubarica** tubal (*o* Gerlach's) tonsil.
tonsillạre *a.* ⟨*Med*⟩ tonsillar(y). – **tonsillectomịa** *f.* ⟨*Chir*⟩ tonsillectomy. □ ~ *parziale* → **tonsillotomia**; ~ *totale* tonsillectomy. – **tonsillịte** *f.* ⟨*Med*⟩ tonsillitis.
tonsillọ|lito *m.* ⟨*Med*⟩ tonsillolith. – **~patịa** *f.* tonsillopathy. – **~prịvo** *a.* tonsilloprive, who has had his tonsils removed.
tonsillotomịa *f.* ⟨*Chir*⟩ tonsillotomy. – **tonsillọtomo** *m.* tonsillotome.
tonsọre *m.* ⟨*ant,scherz*⟩ (*barbiere*) barber, ⟨*ant*⟩ tonsor.
tonsụra *f.* ⟨*Rel*⟩ tonsure. – **tonsurạndo I** *a.* about to be tonsured. – **II** *s.m.* person who is about to be tonsured. – **tonsurạre** *v.t.* to tonsure. – **tonsurạto** (*p.p. di tonsurare*) **I** *a.* tonsured. – **II** *s.m.* tonsured person.
tontịna *f.* ⟨*Econ*⟩ tontine.
tọnto I *a.* ⟨*fam*⟩ stupid, silly, ⟨*am*⟩ dumb, ⟨*fam*⟩ thick. – **II** *s.m.* (*f.* **-a**) stupid person, fool, ⟨*fam*⟩ dope, ⟨*fam*⟩ blockhead. □ *fare il finto* ~ to pretend not to understand, ⟨*fam*⟩ to play dumb.
tọn tọn *onom.* ding dong.
Tọny *N.pr.m.* → **Toni.**
tọpa *f.* **1.** ⟨*scherz,volg*⟩ (*femmina del topo*) female rat. – **2.** ⟨*region*⟩ (*talpa*) mole.

topạcchio *m.* ⟨*Ornit*⟩ (*colombella*) stock dove, wood pigeon (*Columba oenas*).
topạia *f.* **1.** (*nido di topi*: *rif. alla specie più piccola*) mousehole; (*rif. alla specie più grande*) rat's nest (*o* burrow), rathole. – **2.** ⟨*fig*⟩ (*stamberga*) hovel, wretched house, ⟨*spreg*⟩ dump; (*stanza squallida*) wretched (*o* mean) room, ⟨*spreg*⟩ rathole.
topalgịa *f.* ⟨*Psic*⟩ topoalgia.
topạrca *m.* ⟨*Stor*⟩ toparch. – **toparchịa** *f.* toparchy.
topạto *a.* mouse-coloured, mouse-grey.
topạzio *m.* **1.** ⟨*Min*⟩ topaz. – **2.** (*color giallo ambrato*) topaz. – **3.** ⟨*Ornit*⟩ (*colibrì topazio*) topaz (humming-bird) (*Topaza pella*). □ ⟨*Min*⟩ ~ *bruciato* pink topaz; *falso* ~ (*quarzo citrino*) false topaz, citrine, topaz quartz; ~ *fumé* smoky topaz; ~ *indiano* (*o orientale*) Oriental (*o* Indian) topaz; ~ *siberiano* Siberian topaz.
topazolịte *f.* ⟨*Min*⟩ topazolite.
topạzzo *m.* ⟨*pop*⟩ → **topazio**.
topectomịa *f.* ⟨*Chir*⟩ topectomy.
topẹsco *a.* (*pl.* **-chi**) ⟨*non com*⟩ rat-like: *faccia -a* rat-like face.
topiạrio: ⟨*Giard*⟩ *arte -a* topiary (art).
tọpica[1] *f.* ⟨*Ret,Filos*⟩ topic.
tọpica[2] *f.* ⟨*fam*⟩ (*gaffe*) gaffe, faux pas, blunder: *fare una* ~ to make a gaffe, ⟨*fam*⟩ to put one's foot in it; (*sbaglio*) error, mistake.
topicịda **I** *a.* rat-, mouse-. – **II** *s.m.* rat-poison.
tọpico *a./s.* (*pl.* **-ci**) **I** *a.* **1.** ⟨*Ret,Filos*⟩ of a commonplace, ⟨*ant*⟩ topic. – **2.** (*locale*) topical, local. – **3.** (*decisivo, risolutivo*) decisive, resolutive. – **4.** (*specifico*) specific. – **5.** ⟨*Med,Farm*⟩ topical, local. – **II** *s.m.* ⟨*Med,Farm*⟩ locally-applied external remedy, ⟨*ant*⟩ topic. □ *arte -a* topic; *data -a* indication of place; *luogo* ~: 1. ⟨*Ret, Filos*⟩ commonplace (of argument), ⟨*ant*⟩ topic; 2. (*luogo comune*) commonplace, cliché, platitude; 3. (*tema generale*) general theme, topic.
topinambụr *m.* ⟨*Bot*⟩ Jerusalem artichoke (*Helianthus tuberosus*).
topịno[1] *a.* ⟨*non com*⟩ (*del colore del topo*) mousey, mouse-grey.
topịno[2] (*dim. di topo*[1]) *m.* **1.** (*f.* **-a**) small (*o* baby) mouse, mouselet, mousekin. – **2.** ⟨*fig*⟩ (*persona piccola*) small person, whipper-snapper, shrimp; (*rif. a bambini*) little thing. – **3.** ⟨*Ornit*⟩ sand martin, bank swallow (*Riparia riparia*). – **4.** *pl.* ⟨*Gastr,tosc*⟩ potato gnocchi *pl*, kind of potato dumplings. □ ⟨*Zool*⟩ ~ *pettirosso* house shrew (*Crocidura russula*).
topless *ingl.* ['tɔplis] *m.* topless garment.
tọpo[1] *m.* **1.** mouse; (*ratto*) rat. – **2.** ⟨*Zool*⟩ (*topo domestico*) house mouse (*Mus musculus*). – **3.** ⟨*Vetr*⟩ (*grisatoio*) tool used for grinding the edge of glass after cutting.
□ ⟨*Zool*⟩ ~ *d'***acqua** coyp(o)u, coypu rat (*Myocastor coypus*); ⟨*fig*⟩ ~ *d'***albergo** hotel thief; ⟨*fig*⟩ ~ *d'auto* car thief; *essere* **bagnato** *come un* ~ to be dripping (*o* soaking), to be wet through, to look like a drowned rat; *ci* **ballano** (*o possono ballare*) *i -i* (*rif. ad ambiente ampio e vuoto*) it is big but quite empty; ~ **bianco** white mouse; ⟨*scherz, fig*⟩ ~ *di* **biblioteca** bookworm; ⟨*Lett*⟩ *il* ~ *di* **campagna** *e il* ~ *di città* The Country Mouse and the Town Mouse; ~ **campagnolo** field mouse (*Apodemus agrarius*); ~ *campagnolo agreste* meadow vole, short-tailed vole (*o* field mouse) (*Microtus agrestis*); ~ *campagnolo comune* field mouse (*o* vole) (*Microtus arvalis*); ~ **comune** house mouse (*Mus musculus*); ⟨*fig*⟩ *far la* **fine** *del* ~ (*rimanere intrappolato*) to fall into a trap; ~ *delle* **fogne** brown (*o* Norway) rat (*Rattus norvegicus*); ~ **marsupiale** *saltatore* jerboa pouched mouse (*Antechinomys laniger*); ~ **muschiato** muskrat (*Ondatra*); ~ *delle* **nevi** snow mouse (*Microtus nivalis*); ~ *delle* **nocciole** hazel mouse (*Muscardinus avellanarius*); **parer** *un* ~ *uscito dall'orcio* = *essere* **bagnato** *come un topo*; ~ **quercino** garden (*o* oak) dormouse (*Eliomys quercinus*); ~ **saltatore** = *topo* **marsupiale** *saltatore*; ~ **selvatico** common wood mouse, long-tailed field mouse (*Apodemus sylvaticus*); ~ **spinoso** spiny mouse (*Acomys hunteri*); ⟨*fig*⟩ ~ *di* **treno** train thief. – *Prov.*: *i -i abbandonano la nave che affonda* rats leave a sinking ship.
tọpo[2] *m.* ⟨*Mar*⟩ flat-bottomed boat.
topo... *pref.* (*luogo* place) top(o)...
topofobịa *f.* ⟨*Psic*⟩ topophobia.
topografịa *f.* **1.** (*rappresentazione*) topographical map; (*insieme di procedimenti*) topography. – **2.** (*configurazione d'un luogo*) topography. – **3.** ⟨*Med*⟩ topography. – **topograficamẹnte** *avv.* topographically. – **topogrạfico** *a.* (*pl.* **-ci**) topographical: *carta -a* topographical map. □ ⟨*Med*⟩ *anatomia -a* topographical anatomy, topography; *rilievi -i* ordnance surveys. – **topọgrafo** *m.* **1.** (*studioso*) topographer. – **2.** (*professionista*) topographer, surveyor.
topolịno[1] (*dim. di topo*[1]) *m.* (*f.* **-a**) **1.** little (*o* baby) mouse, mouselet, mousekin. – **2.** ⟨*Zool*⟩ (*topo domestico*) house mouse (*Mus musculus*). – **3.** ⟨*vezz*⟩ lively child, imp, scamp. – **Topolino** *N.pr.m.* ⟨*Cin*⟩ Mickey Mouse. □ ⟨*Zool*⟩ ~ *domestico* house mouse (*Mus musculus*); ~ *nano* (*o delle risaie*) harvest mouse (*Micromys minutus*).
topolịno[2] *f.* ⟨*Aut*⟩ early model of the Fiat 500 car.
topologịa *f.* **1.** topology (*anche Geom.*). – **2.** ⟨*Ling*⟩ word-positioning. – **3.** ⟨*Med*⟩ topology. – **topolọgico** *a.* (*pl.* **-ci**) topological.
toponimịa *f.* ⟨*non com*⟩ → **toponomastica**. – **toponịmico** *a./s.* (*pl.* **-ci**) **I** *a.* toponymic(al). – **II** *s.m.* calling after a place-name. – **topọnimo** *m.* place-name, toponym. – **toponomạstica** *f.* **1.** (*studio*) toponymy, study of place-names. – **2.** (*complesso di toponimi*) place-names *pl*, toponymy. – **toponomạstico** *a.* (*pl.* **-ci**) toponymic, of place-names.
toporạgno *m.* ⟨*Zool*⟩ shrew (mouse), sorex (*Sorex*). □ ~ *acquaiolo* water shrew (*Neomys fodiens*); ~ *alpino* Alpine shrew (*Sorex alpinus*); ~ *comune* common shrew (*Sorex araneus*); ~ *pigmeo* pygmy shrew (*Sorex minutus*).
tọppa *f.* **1.** (*pezza*) patch. – **2.** (*serratura*) lock: *girare la chiave nella* ~ to turn the key in the lock; (*buco della serratura*) keyhole. – **3.** (*gioco*) kind of game of chance. – **4.** ⟨*Artigl*⟩ lock frame. □ *a* ~ patch-: *tasca a* ~ patch-pocket; *mettere una* ~ *a qc.* to put a patch on s.th., to patch s.th.; ⟨*fig*⟩ (*rimediare alla meglio*) to patch s.th. up; ~ *di un pneumatico* tyre patch.
toppạto *a.* ⟨*Zootecn,non com*⟩ (*pezzato*) spotted, dappled, with patches.
toppè *m.* ⟨*rar*⟩ → **toupet**.
tọppete *intz.* bang; (*rif. a vasellame rotto e sim.*) crash; (*parlando con un bambino caduto*) ups-a-daisy, oops.
toppẹtta, toppettịna *f. dim. di* **toppa**.
tọppo *m.* **1.** stump. – **2.** (*ceppo*) block.
toppọne (*accr. di toppa*) *m.* **1.** (*rinforzo*) reinforcement, strengthening piece. – **2.** (*coltre*) under-blanket.
toque *fr.* [tɔk] *f.* ⟨*Mod*⟩ toque.
tọr *m.* ⟨*Fis*⟩ torr.
torà[1] *m.* ⟨*Zool*⟩ tora (*Bubalis tora*; *Alcelaphus tora*).
torà[2] *f.* → **torah**.
torạce *m.* **1.** ⟨*Anat*⟩ thorax, thoracic cavity, chest. – **2.** ⟨*Zool,Entom*⟩ thorax. – **3.** ⟨*Stor*⟩ (*corazza*) breastplate, thorax, cuirass. □ ⟨*Med*⟩ ~ *a botte* barrel-shaped thorax; ~ ⌜*da calzolaio*⌝ (*o a imbuto*) funnel chest, shoemaker's breast; ~ *carenato* pigeon breast, keeled chest.
toracectomịa *f.* ⟨*Chir*⟩ thoracectomy.
toracentẹsi (*o toracẹntesi*) *f.* ⟨*Chir*⟩ thoracentesis.
torạcici *m.pl.* **1.** ⟨*Zool*⟩ Thoracica *pl* (*Thoracica*). – **2.** ⟨*Itt*⟩ thoracic fish *pl*, thoracics *pl* (*Thoracica*).
torạcico *a.* (*pl.* **-ci**) **1.** thoracic, chest-: *gabbia -a* thoracic (*o* rib) cage. – **2.** (*dorsale*) thoracic: *nervi -i* thoracic nerves.
toraco|centẹsi (*o toracocẹntesi*) *f.* → **toracentesi**. – **~metrịa** *f.* ⟨*Med*⟩ thoracometry. – **~plạstica** *f.* ⟨*Chir*⟩ thoracoplasty. – **~scopịa** *f.* thoracoscopy. – **~scọpio** *m.* thoracoscope. – **~tomịa** *f.* thoracotomy.
torạh *f.* ⟨*Rel.ebr*⟩ Tora(h).
tọrba[1] *f.* peat. □ ~ *di alno* (*o ontano*) elder-fen peat; ~ *di carne* reed and sedge peat; ~ *di palude* fen-peat, eutrophic peat.
tọrba[2] *f.* ⟨*tosc*⟩ → **torbida**.
torbạto *m.* ⟨*Enol*⟩ Sardinian white wine.
torbịcolo *a.* ⟨*Bot*⟩ growing in peat-bogs, torfaceous.
tọrbida *f.* **1.** ⟨*Geog*⟩ alluvial matter (carried along in suspension in a river), silt. – **2.** ⟨*Minier*⟩ (ore-)pulp.
torbidamẹnte *avv.* turbidly. – **torbidẹzza** *f.* turbidity, turbidness. – **torbidịccio** *a.* turbid, cloudy, rather thick. – **torbidità** *f.* **1.** ⟨*non com*⟩ → **torbidezza**. – **2.** ⟨*Meteor,Chim,Fis*⟩ turbidity: ~ *atmosferica* atmospheric turbidity.
tọrbido **I** *a.* **1.** (*rif. a liquidi*) turbid, cloudy, muddy, thick: *acqua -a* cloudy water; (*rif. ad aria, nuvole e sim.*) turbid, dark, thick, dense. – **2.** ⟨*fig*⟩ (*cupo*) dark, turbid: *sguardo* ~ dark look. – **3.** ⟨*fig*⟩ (*irrequieto*) troubled, turbid: *sonno* ~ troubled sleep; (*confuso*) turbid, confused: *idee -e* confused ideas; (*tumultuoso*) troubled, riotous. – **4.** ⟨*non com*⟩ (*fosco*) dark. – **II** *s.m.* **1.** something wrong (*o* amiss), ⟨*fam*⟩ something fishy: *c'è del* ~ *in questa faccenda* there is something ⌜wrong here⌝ (*o* fishy about this). – **2.** *pl.* (*principi di sommossa*) unrest, disturbances *pl*; (*tumulti*) tumults *pl*, riots *pl*. □ ⟨*fig*⟩ *pescare nel* ~ to fish in troubled waters.
torbidụme *m.* turbid things *pl*, cloudy (*o* thick) matter.
torbiẹra *f.* ⟨*Geog*⟩ peat-bog, peat-moor, peat-moss. □ ~ *alta* (*o di montagna*) upland (*o* hill) moor, raised bog; ~ *di transizione* transitional moor.
tọrbo *a./s.* ⟨*tosc*⟩ → **torbido**.
torbọso *a.* ⟨*Geog*⟩ peaty, peat-: *terreno* ~ peaty land; *palude -a* peat-bog.
torcẹnte (*p.pr. di torcere*) *a.* ⟨*Fis,Mecc*⟩ twisting: *momento* ~ twisting moment, torque.
torcẹra *f.* ⟨*non com*⟩ → **torciera**.
tọrcere *v.* (**tọrco, tọrci; tọrsi, tọrto**) **I** *v.t.* **1.** to twist. – **2.** (*avvolgere insieme più fili*) to twist (together). – **3.** (*piegare, curvare*) to bend: ~ *un ferro* to bend a rod. – **4.** (*storcere*) to twist, to wring: *torcersi le mani* to wring one's hands. – **5.** (*strizzare*) to wring (out): ~ *la biancheria* to wring out the washing. – **6.** ⟨*fig,lett*⟩ (*volgere*) to lead, to direct. – **7.** ⟨*fig,lett*⟩ (*deviare*) to turn aside, to lead astray: ~ *qd. dal retto cammino* to lead s.o. astray. – **8.** ⟨*lett*⟩ (*stravolgere*) to distort, to twist. – **II** *v.i.* (*aus.* **essere**) ⟨*rar*⟩ **1.** (*voltare*) to turn; (*rif. a strade*) to wind, to bend, to twist. – **2.** ⟨*ant*⟩ (*girare intorno*) to turn (*o* move) round, to rotate. – **torcersi** *v.r.* **1.** (*contorcersi*) to writhe, to twist, to contort, to roll about: *torcersi dal dolore* to writhe in agony. – **2.** ⟨*lett*⟩ (*volgersi*) to turn (round).
□ ⟨*fig*⟩ *non* ~ *un* **capello** *a qd.* not to hurt a hair of s.o.'s head; ~ *il* **collo** (*ripiegarlo*) to hold one's head on one side (as a show of humility); (*per vedere*) to crane (*o* stretch) one's neck; ~ *il collo a qd.* to strangle s.o., to wring s.o.'s neck; ~ *il* **filo** to twist thread; *dare del filo da* ~ *a qd.* to make things hard for s.o.; ~ *il* **fuso** to twirl a spindle; ~ *le* **labbra** to grimace; ~ *il* **naso** to turn up one's nose; ~ *gli* **occhi** to roll one's eyes; *torcersi dalle* **risa** to be doubled up (*o* split one's sides) with laughter.
torcẹtto *m.* church candle (made of four long candles).
torchiạre *v.t.* (**tọrchio, tọrchi**) **1.** to press. – **2.** ⟨*fig,non com*⟩ (*sotto-*

porre a interrogatorio) to assail, ⟨*fam*⟩ to fire (*o* shoot) questions at. – **torchiatọre** *m.* ⟨*Ind*⟩ presser. – **torchiatụra** *f.* ⟨*Ind,Enol*⟩ pressing.

torchiẹtto (*dim. di torchio*[1]) *m.* **1.** ⟨*Legat*⟩ binding-press. – **2.** ⟨*Fot*⟩ printing-frame.

tọrchio[1] *m.* **1.** ⟨*Mecc*⟩ press. – **2.** ⟨*Enol*⟩ (wine-)press. – **3.** ⟨*Legat*⟩ binding-press. – **4.** ⟨*Tip*⟩ (printing-)press.

□ ⟨*Anat*⟩ ~ **addominale** abdominal muscles *pl*; ⟨*Tip*⟩ ~ **calcografico** copperplate press; ⟨*scherz,non com*⟩ *far* **gemere** *i torchi* (*dar opere alla stampa*) to print a work; ⟨*tecn*⟩ ~ **idraulico** hydraulic press; ⟨*fig*⟩ *far* **lavorare** *i torchi* (*stampare biglietti di banca*) to print bank-notes; ~ *per* **litografia** lithographic press; ⟨*Tip*⟩ ~ *a* **mano** hand press; ~ **offset** offset press; ~ **pneumatico** pneumatic press; ⟨*fig*⟩ *essere* **sotto** *il* ~ to be under pressure; ⟨*fig*⟩ *mettere* (o *tenere*) *qd. sotto il* ~: 1. to put pressure (*o* the screws) on s.o.; 2. (*sottoporlo a un interrogatorio serrato*) to fire questions at s.o., ⟨*fam*⟩ to give s.o. the third degree; ⟨*fig*⟩ *essere sotto i torchi* (o *il torchio*) (*essere in corso di stampa*) to be at (*o* in the) press, to be in the process of printing; ⟨*fig*⟩ *mandare sotto i torchi* (*far stampare*) to send for printing; ~ *da* **stampa** (hand) press; ~ **tirabozze** (o *tiraprove*) proof(ing) press.

tọrchio[2] *m.* ⟨*ant*⟩ **1.** (*cero*) (wax) candle. – **2.** → **torcetto**.

tọrcia *f.* (*pl.* -ce) **1.** torch; (*fiaccola resinosa*) torch (of resinous wood). – **2.** (*cero*) (wax) candle, torch. □ ~ *elettrica* electric torch, flashlight; ~ *a vento* wind-proof torch.

torciạre *v.t.* (**tọrcio, tọrci**) ⟨*ant*⟩ **1.** (*attorcere*) to twist, to twine. – **2.** (*legare stretto*) to bind (*o* tie) tightly.

torcicọllo *m.* **1.** ⟨*fam*⟩ stiff-neck, ⟨*fam*⟩ crick in the neck. – **2.** ⟨*Med*⟩ torcicollis, wryneck. – **3.** ⟨*spreg,non com*⟩ (*bacchettone*) pious humbug, sanctimonious hypocrite. – **4.** → **tortacollo**.

torciẹra *f.*, **torciẹre** *m.* **1.** (torch-)holder, stand. – **2.** (*candeliere*) candlestick.

torcigliạre *v.t.* (**torcịglio, torcịgli**) ⟨*non com*⟩ (*attorcigliare*) to twist, to twine, to wind.

torciglịone *m.* **1.** ⟨*Mod*⟩ (*acconciatura*) turban. – **2.** → **torcinaso**.

torcimạnno *m.* (*turcimanno*) dragoman.

torcimẹnto *m.* **1.** (*il torcere*) twisting; (*il torcersi*) writhing, twisting. – **2.** ⟨*non com*⟩ (*torsione*) torsion, twist. – **3.** ⟨*ant*⟩ (*svolta*) turn(ing); (*deviazione*) turning aside.

torcịmetro *m.* ⟨*Tess*⟩ twist counter.

torcinạso *m.* (*pl.inv.*/**torcinạsi**) twitch, barnacle.

torcitọio *m.* **1.** ⟨*Tess*⟩ (*torcitrice*) throwing (*o* twisting) machine, twister, twisting (*o* doubling) frame. – **2.** ⟨*ant*⟩ (*torchio*) press. – **torcitọre** *m.* **1.** twister. – **2.** ⟨*Tess*⟩ throwster. – **torcitrịce** *f.* **1.** twister. – **2.** ⟨*Tess*⟩ (*operaia*) throwster. – **3.** ⟨*Tess*⟩ (*macchina*) throwing (*o* twisting) machine, twister, twisting frame: ~ *per lino* flax throwing machine.

torcitụra *f.* **1.** ⟨*non com*⟩ twisting; (*torsione*) torsion, twisting, wrenching. – **2.** ⟨*region*⟩ (*spremitura nello strettoio*) pressing. – **3.** ⟨*Tess*⟩ throwing; (*torsione*) twist(ing).

torcolạre[1] *m.* ⟨*lett,ant*⟩ (*torchio*) press. □ ~ *di Erofilo* → **torculare**.

torcolạre[2] *v.t.* (**tọrcolo**) ⟨*ant,dial*⟩ (*torchiare*) to press. – **torcolạto** (*p.p. di torcolare*[2]) **I** *a.* ⟨*dial*⟩ (*torchiato*) pressed; (*rif. al vino*) raisin-. – **II** *s.m.* ⟨*Enol*⟩ raisin wine.

torcolẹtto (*dim. di torcolo*[1]) *m.* ⟨*ant*⟩ → **torchietto**.

torcoliẹre *m.* **1.** ⟨*Tip*⟩ pressman, hand-press printer, operator of a proof(ing) press. – **2.** ⟨*Stor*⟩ printer.

tọrcolo[1] *m.* ⟨*ant*⟩ → **torchio**[1].

tọrcolo[2] *m.* ⟨*region*⟩ **1.** ⟨*Dolc*⟩ kind of Christmas cake. – **2.** (*cercine per bambini*) kind of padded hat for children.

torculạre: ⟨*Anat*⟩ ~ *di Erofilo* torcular (Herophili).

tordạia *f.* ⟨*Venat*⟩ kind of bird-net.

tordạio *m.* **1.** (*vivaio di tordi*) breeding-place for thrushes. – **2.** ⟨*Venat*⟩ fowling-ground for thrushes.

tordẹla, tordẹlla *f.* ⟨*Ornit*⟩ mistle(toe) thrush, missel thrush, storm cock (*Turdus viscivorus*). □ ~ *gazzina* fieldfare (*Turdus pilaris*).

tọrdo *m.* **1.** ⟨*Ornit*⟩ thrush (*Turdus*). – **2.** ⟨*Ornit*⟩ song thrush, ⟨*lett*⟩ throstle, ⟨*lett*⟩ mavis (*Turdus philomelus*). – **3.** ⟨*fig,non com*⟩ (*persona sciocca*) fool, simpleton, dolt. – **4.** ⟨*Itt*⟩ wrasse (*Labrus*).

□ ~ **bottaccio** (o *comune*) song thrush, ⟨*lett*⟩ throstle, ⟨*lett*⟩ mavis (*Turdus philomelus*); ~ *dal* **collare** ring ouzel (*o* thrush, blackbird) (*Turdus torquatus*); ~ **dorato** golden mountain thrush (*Turdus dauma aureus*); ~ **gelsomino** (*re di quaglie*) corncrake, land rail (*Crex crex*); ~ **golanera** black-throated thrush (*Turdus ruficollis, Turdus atrogularis*); **grasso** *come un* ~ shapely, well-turned; ~ **marino** European bee-eater (*Merops apiaster*); ~ **mezzano** fieldfare (*Turdus pilaris*); ~ **migratore** migratory thrush, American robin (*Turdus migratorius*); ~ **minore** = *tordo* **sassello**; ~ **nano** hermit thrush (*Hylocichla guttata*); ~ **oscuro** eyebrowed thrush (*Turdus obscurus*); ~ **roseo** rose-coloured starling (*Pastor roseus*); ~ **sassatile** rock-thrush (*Monticola saxatilis*); ~ **sassello** redwing (*Turdus iliacus, Turdus musicus*); ~ **siberiano** Siberian thrush (*Turdus sibiricus*); ~ **solitario** blue rock-thrush (*Monticola solitarius*); ~ **unicolore** Tickell's thrush (*Turdus unicolor*).

toreadọr *sp. m.* → **torero**.

toreạre *v.i.* (**torẹo**; *aus.* **avere**) ⟨*non com*⟩ to fight bulls, to be a torero.

torẹllo[1] (*dim. di toro*[1]) *m.* **1.** young bull, bullock. – **2.** ⟨*fig*⟩ (*giovane robusto*) ox, bull, strong (*o* hefty) young fellow.

torẹllo[2] *m.* ⟨*Mar*⟩ garboard strake.

torẹro *m.* bullfighter, toreador, torero.

torẹuta *m.* ⟨*Art*⟩ toreutic artist. – **torẹutica** *f.* toreutics *pl* (*costr. sing.*), toreutic art.

toriạto *a.* ⟨*tecn*⟩ covered with thorium.

tọrico *a.* (*pl.* -ci) ⟨*Mat*⟩ toric, of a torus; (*che ha forma di toro*) toric, torus-shaped.

torinẹse **I** *a.* of Turin, Turinese. – **II** *s.m.* **1.** (*dialetto*) dialect of Turin. – **2.** *m./f.* (*abitante*) native (*o* inhabitant) of Turin. – **Torinese** *N.pr.m.* (*territorio*) territory around Turin. – **Torịno** *N.pr.f.* ⟨*Geog*⟩ Turin.

tọrio *m.* ⟨*Chim*⟩ thorium.

tọrlo *m.* (*tuorlo*) egg yolk.

tọrma *f.* **1.** ⟨*Stor.rom*⟩ turma, troop of thirty horsemen. – **2.** (*gruppo di soldati armati*) band (of soldiers), troop. – **3.** (*massa di persone*) (unruly) crowd, throng, swarm. – **4.** (*branco di animali*) herd. – **5.** ⟨*fig,poet*⟩ (*grande quantità*) host, great number. □ *a -e* in crowds, in a host.

tormalịna *f.* ⟨*Min*⟩ tormaline.

tormẹnta *f.* ⟨*Meteor*⟩ snowstorm.

tormentạre *v.t.* (**tormẹnto**) **1.** (*mettere alla tortura*) to torture, to torment. – **2.** ⟨*estens*⟩ (*affliggere*) to torment, to afflict, to torture: *essere tormentato dal mal di testa* to be tormented by headache; (*causare una pena*) to torment, to distress, to afflict, to torture, to rack: *essere tormentato dal rimorso* to be tormented by remorse. – **3.** ⟨*estens*⟩ (*infastidire*) to torment, to plague, to pester, to harass: *smetti di tormentarmi con le tue domande* stop pestering me with your questions. – **tormentarsi** *v.r.* to be tormented, to torment o.s., to worry: *non tormentarti prima del tempo* don't worry until you have to.

tormentạto (*p.p. di tormentare*) *a.* **1.** tormented, tortured, afflicted. – **2.** (*irrequieto*) anxious, restless: *animo* ~ restless spirit. – **3.** ⟨*fig*⟩ (*aspro, accidentato*) rough, uneven, broken: *un sentiero* ~ a rough path. – **tormentatọre** *m.* (*f.* -trice) tormentor, torturer.

tormentịlla *f.* ⟨*Bot*⟩ tormentil, septfoil (*Potentilla erecta, Potentilla tormentilla*).

tormẹnto *m.* **1.** torment, agony: *morire fra i più atroci -i* to die in atrocious agony. – **2.** ⟨*estens*⟩ (*fastidio, molestia*) torment, torture, ⟨*fam*⟩ agony: *il* ~ *della sete* the torment of thirst; *queste zanzare sono un vero* ~ these mosquitos are agony (*o* murder). – **3.** ⟨*estens*⟩ (*cruccio, strazio*) torment, pang, agony: *soffrire i -i della gelosia* to suffer the torments of jealousy; (*preoccupazione*) worry. – **4.** ⟨*pop*⟩ (*persona fastidiosa*) torment, torture, ⟨*fam*⟩ pest. – **5.** ⟨*Stor*⟩ (*strumento di tortura*) instrument of torture, torment; (*tortura*) torture. – **6.** ⟨*Mar,Edil*⟩ stress, strain. – **7.** ⟨*Mil.ant*⟩ war-engine for hurling missiles, ⟨*ant*⟩ torment.

tormentọne *m.* **1.** ⟨*giorn*⟩ series of articles or cartoons attacking a person or institution. – **2.** (*larva di maggiolino*) grub of the cockchafer.

tormentosamẹnte *avv.* tormentingly. – **tormentọso** *a.* **1.** tormenting, painful: *una fame -a* tormenting (*o* nagging) hunger. – **2.** ⟨*estens*⟩ (*fastidioso*) tormenting, troublesome, upsetting, worrying: *pensieri -i* troublesome thoughts.

tornacọnto *m.* **1.** (*utile*) profit, gain. – **2.** (*vantaggio*) advantage, benefit. □ *averci il proprio* ~ to find s.th. profitable (*o* to one's advantage), to get s.th. out of it; *esserci* ~ to be profitable.

tornacọro *m.* ⟨*Arch*⟩ choir-screen.

tornạdo *m.inv.* ⟨*Meteor*⟩ tornado.

tornagụsto *m.* ⟨*rar*⟩ appetizing food.

tornạnte[1] *m.* ⟨*Strad*⟩ hairpin bend (*o* curve). □ *strada a -i* sharply winding road, road full of hairpin curves.

tornạnte[2] (*p.pr. di tornare*) *a.* ⟨*rar*⟩ returning.

tornạre *v.* (**tọrno**) **I** *v.i.* (*aus.* **essere**) **1.** to return, to get back; (*venire di nuovo*) to come back: *tornate presto* come back soon; (*andare di nuovo*) to go back: ~ *al proprio posto* to go back to one's seat; (*essere di ritorno*) to be back: *torno subito* I'll be back at once; *papà stasera torna alle dieci* Daddy will be back at ten this evening. – **2.** (*essere riportato indietro*) to be given (*o* brought) back, to go (*o* come) back, to return: *la macchina da scrivere deve* ~ *nel mio studio* the typewriter must be brought back to my study. – **3.** (*riprendere un'attività*) to go back, to start again, to return: ~ *al lavoro* to go back to work. – **4.** (*ripresentarsi, ricomparire*) to come (*o* be) back, to return, to have again: *gli è tornata la febbre* his temperature has come back, he has a temperature again; *mi sono tornate le forze* my strength has come back, I have recovered my strength. – **5.** (*riportare il discorso su*) to go (*o* come) back to, to take up again: ~ *su un argomento* to go back to a subject, to take a subject up again. – **6.** (*ridiventare*) to become (*o* be) again: *l'abito è tornato come nuovo* the dress is like new (again); ~ *sano* to become healthy (*o* sound) again. – **7.** (*ricominciare*) to start again, to begin again: *torna a piovere* it has started to rain again; *tornò a stirare* she started ironing again. – **8.** ⟨*fam*⟩ (*essere, riuscire*) to be, to prove (to be), to turn out (to be): *se vi torna comodo* if it is convenient for you; ~ *utile* to be useful, to prove of use; *non mi torna gradito* it isn't very nice for me. – **9.** ⟨*fam*⟩ (*risultare esatto*) to be right (*o* exact): *il conto non torna* the bill is not right. – **10.** ⟨*fam*⟩ (*essere vantaggioso*) to be to the advantage (*a* of), to be advantageous (*o* profitable) (to), to get s.th. out of it (*costr. pers.*): *fa solo quello che gli torna* he does only what ⌜is to his advantage⌝ (*o* he can get s.th. out of); (*valere la pena*) to pay (s.o.), to be ⌜worth it⌝ (*o* worth-while). – **11.** ⟨*ant*⟩ (*ridursi*) to be reduced, to go down; (*rif. a stoffe*: *restringersi*) to shrink. – **12.** ⟨*tosc*⟩ (*andare a stare in altro luogo*) to move, to go. – **13.** ⟨*lett*⟩ (*mutarsi*) to turn, to change (*in* into). – **14.** ⟨*ant*⟩ (*alloggiare*) to stay, to lodge. – **II** *v.t.* **1.** ⟨*lett*⟩ (*far tornare*) to take back; (*riportare*) to bring back. – **2.** ⟨*lett*⟩ (*restituire a precedente condizione*) to restore, to bring back. – **3.** ⟨*ant,pop*⟩ (*far ridiventare*) to make (again). – **4.** ⟨*ant*⟩ (*restituire*) to return, to give back. – **5.** ⟨*ant*⟩ (*volgere*) to turn; (*volgere di nuovo*) to turn again (*o* back). – **6.** ⟨*ant*⟩ (*mutare*) to turn, to change. – **tornarsi** *v.r.* ⟨*ant,lett*⟩ (*tornare*) to return, to go (*o* come) back.

□ ~ *in* **aereo** to fly back, to return by plane; ~ *all'***antico** to go back to old times (*o* customs), to look to the past for inspiration; ~ *d'***attualità**: 1. to become of topical interest again; 2. = *tornare di* **moda**; **ben** *tornato!* welcome back!, glad (*o* nice) to see you again!; ⟨*fam,tosc*⟩ ~ *bene*: 1. (*di vestiti*: *star bene*) to fit well; 2. (*essere utile*) to be of use (to); ⟨*scherz*⟩ ~ *a* **bomba** (*riprendere l'argomento principale*) to get back to the subject; ~ *alla* **carica** to insist, to persist; ~ *a* **casa** to go (*o* come) home; ~ **comodo** to be convenient; ⟨*non com*⟩ *tornar* **conto**: 1. (*valere la pena*) to be ⌈worth it⌉ (*o* worth-while), to pay; 2. (*far comodo*) to be convenient; 3. (*recare vantaggio*) to be of advantage: *non mi torna conto* it's not to my advantage, I get nothing out of it; ~ *di* **corsa** to rush (*o* hurry) back; ⟨*fig*⟩ ~ **daccapo** to go back to where one started from, to start again, ⟨*fam*⟩ to go back to square one; ~ **dentro** to come (*o* go) back in; ~ *a* **dire** to repeat; ~ *su qc. col* **discorso** to go back to a subject; *il tuo discorso non torna* what you say ⌈is not logical⌉ (*o* doesn't make sense); ~ *a* **galla**: 1. to (come to the) surface again, to resurface; 2. ⟨*fig*⟩ (*rif. a persone*) to come to the top again, to get one's head above water again; 3. ⟨*fig*⟩ (*rif. a fatti*) to come up (*o* to light) again; ~ **giù** to go (*o* come) back down; ~ *in* **gola** (*di cibo mal digerito*) to repeat, to rise in the gullet; ~ **indietro**: 1. to go (*o* come) back, to return: ~ *un passo indietro* to go back a little; 2. ⟨*fig*⟩ (*nel discorso*) to go back; 3. ⟨*fig*⟩ (*regredire*) to go (*o* turn) back, to regress: *aveva fatto dei progressi ma dopo la malattia è tornato indietro* he had improved but after his illness he regressed; 4. (*rimangiarsi una promessa*) to go back on ⌈one's word⌉ (*o* what one has said); *non si torna più indietro* there is no turning (*o* looking) back; ⟨*fam,tosc*⟩ ~ **male**: 1. (*di vestiti*: *star male*) not to fit (*a qd.* s.o.), to look wrong (on); 2. (*essere dannoso*) to be harmful (to); ~ *alla* **mente**: 1. to come back to mind; 2. (*ricordare*) to remember: *non mi torna alla mente* I don't remember it; ~ *di* **moda** to come back into fashion, to be the fashion again; ~ *al* **mondo** to come back to life; ~ *a* **nuoto** to swim back; *ciò mi torna* **nuovo** that's news to me; ~ *a* **onore** *di qd.* to be to s.o.'s honour, to do s.o. credit; ~ *sui propri* **passi** to retrace one's steps; ~ *in* **patria** to go (*o* come) home; ~ *col* **pensiero** *a qc.* to think back to s.th., to remember s.th.; ~ *in* **possesso** *di qc.* to get s.th. back, to regain possession of s.th.; ~ *a* **proposito** (*venire a proposito*) to be just right; (*al momento giusto*) to come at the right time (*o* moment); ⟨*fig*⟩ ~ *al* **punto** *di partenza* to go back to the starting-point (*o* beginning); ~ *in* **sé** to come round (*o* to, to one's senses), to regain consciousness; ⟨*fig*⟩ (*ravvedersi*) to come to one's senses, to recover one's wits, to become sensible (*o* reasonable) again; ~ **sopra** *qc.* (*ripensarci*) to have second thoughts about s.th., to go back on a decision; ~ **su**: 1. to come (*o* go) back up, to climb back; 2. = *tornare in* **gola**; ~ *in* **uso** = *tornare in* **voga**; ⟨*fig*⟩ ~ *sulla retta* **via** to mend one's ways, ⟨*fam*⟩ to get back on the straight and narrow; ~ *in* **vita** to come back to life; ~ *in* **voga** to come in (*o* into fashion) again. || *tornarsene* to go (*o* come) back, to return; *torniamo a noi* let's get back to the subject; *ti torna?* (*è giusto?*) does that seem (*o* look, sound) right to you?, is that right? do you agree?, ⟨*fam*⟩ okay?, ⟨*fam*⟩ right?

tornasọle *m.inv.* ⟨*Chim*⟩ litmus, lacmus. □ *carta* (o *cartina*) *al* ~ litmus paper; *tintura di* ~ litmus tincture.

tornạta *f.* ⟨*non com*⟩ **1.** (*seduta*) session, meeting. – **2.** ⟨*Lett*⟩ envoy, envoi, last verse. – **3.** ⟨*ant*⟩ (*ritorno*) return. □ ⟨*ant*⟩ *fare* ~ (*tornare*) to return.

tornatụra *f.* ⟨*Stor*⟩ (*unità di misura agraria*) old measurement of land (about 1600-3500 m²).

torneamẹnto *m.* ⟨*ant*⟩ **1.** (*il torneare*) tourneying; (*il giostrare*) jousting, tilting. – **2.** (*torneo*) tournament, tourney: *fedire un* ~ (*partecipare a un torneo*) to (take part in a) tourney; (*giostra*) joust. – **torneạnte** (*p.pr. di torneare*) **I** *a.* tourneying; (*che giostra*) jousting, tilting. – **II** *s.m.* tourneyer; (*giostratore*) jouster, tilter. – **torneạre** *v.* (**tornẹo**) **I** *v.i.* (*aus.* **avere**) **1.** to tourney; (*giostrare*) to joust, to tilt. – **2.** ⟨*non com*⟩ (*muoversi, girare intorno*) to move around, to circle. – **II** *v.t.* ⟨*ant*⟩ (*circondare*) to surround. – **torneatọre** *m.* tourneyer; (*giostratore*) jouster, tilter.

tornẹggio *m.* ⟨*tecn*⟩ throwing (on a potter's wheel).

tornẹllo *m.* turnstile.

tornẹo *m.* **1.** ⟨*Mediev*⟩ tournament, tourney; (*giostra*) joust, tilt. – **2.** (*serie di gare*) tournament: ~ *di bridge* bridge tournament. □ ~ *d'eliminazione* elimination match; ~ *a squadre* team competition.

tornerịa *f.* ⟨*non com*⟩ turning shop.

tornẹse *m.* ⟨*Numism*⟩ tournois.

torniamẹnto *m.* → **torneamento**.

tornichẹtto *m.* **1.** ⟨*non com*⟩ → **tornante**[1]. – **2.** ⟨*Mar*⟩ (chain-)swivel; (*tenditore*) rigging-screw, bottle-screw.

tornimẹnto *m.* ⟨*non com*⟩ **1.** → **tornitura**. – **2.** ⟨*fig*⟩ shaping, turning, fashioning.

tọrnio *m.* ⟨*Mecc*⟩ lathe.

□ ~ *per* **assi** *montati* wheel-set lathe; ~ **automatico** automatic (*o* self-acting) lathe; ~ *da* **banco** bench lathe; ~ *con banco raccorciato* stud lathe; ~ *per* **brillantare** polishing lathe; ~ *per* **cilindri** *da laminatoio* roll lathe; ~ *a* **collo** *d'oca* gap lathe; ~ *a* **copiare** duplicating (*o* copying) lathe; ~ *per* **filettare** threading (*o* screw-cutting) lathe; ~ *da* **formatore** forming (*o* form-turning) lathe; ~ **frontale** face (*o* facing) lathe, end (*o* surface) lathe; ~ *per* **legno** wood-turning lathe; ~ *per* **metalli** metal(-turning) lathe; ~ *da* **orologiaio** watchmaker's lathe; ~ **parallelo** centre (*o* horizontal, slide) lathe, ⟨*am*⟩ engine lathe; ~ *di* **precisione** precision lathe; ~ *per* **profilare** forming lathe; ~ **rapido** high-speed lathe; ~ *a* **revolver** turret (*o* capstan) lathe; ~ **riproduttore** = *tornio a* **copiare**; ~ *a* **ruote** wheel lathe; ~ *a* **sagoma** forming lathe; ~ **sgrossatore** roughing lathe; ~ **spogliatore** (o *a spogliare*) relieving (*o* backing-off) lathe; ~ *di* **testa** frontal (*o* front-operated) lathe, surface (*o* facing) lathe; ~ *a* **torretta** = *tornio a* **revolver**; ~ *per* **troncare** slicing lathe; ~ **universale** universal lathe; ~ *da* **utensileria** toolmaker's lathe; ~ *a più* **utensili** multicut-lathe; ~ *da* **vasaio** potter's (*o* throwing) wheel; ~ **verticale** boring mill; ~ *per* **viteria** screw machine.

tornịre *v.t.* (**tornịsco, tornịsci**) **1.** ⟨*tecn*⟩ to turn (on a lathe). – **2.** (*arrotondare*) to turn, to round off. – **3.** ⟨*fig*⟩ to shape, to turn, to polish, to fashion: ~ *una frase* to turn a phrase; (*elaborare*) to elaborate, to devise. □ ~ *con mandrino* to mandrel; ~ *in piano* to face; ~ *a sagoma* to profile turn; ~ *a spoglia* to back off (on the lathe).

tornịto (*p.p. di tornire*) *a.* **1.** turned. – **2.** ⟨*estens*⟩ (*di forme rotonde*) shapely, (well-)turned: *braccia -e* shapely arms. – **3.** ⟨*fig*⟩ (*armonioso*) (well-)turned, polished: *una frase -a* a well-turned phrase; (*elaborato*) elaborate. – **tornitọre** *m.* ⟨*tecn*⟩ turner, lathe-hand, lathe-operator; (*di legno*) wood-turner.

tornitụra *f.* ⟨*tecn*⟩ **1.** turning; (*rif. a legno*) wood turning. – **2.** (*residui*) shavings *pl*, cuttings *pl*, chips *pl*, filings *pl*.

□ ~ **conica** taper turning; ~ *di* **finitura** finish turning; ~ *in* **lungo** longitudinal turning; ~ **piana** (o *in piano*) facing; ~ *di* **precisione** precision turning; ~ *a* **riproduzione** copy turning; ~ *a* **sagoma** profile turning; ~ *di* **sfacciatura** facing; ~ *di* **sgrosso** rough turning, roughing.

tọrno[1] *m.* ⟨*ant,region*⟩ → **tornio**.

tọrno[2] *m.* ⟨*non com*⟩ (*giro*) turn, ring, circle. □ ⟨*ant*⟩ *a* ~ (*attorno*) (a)round; *di* ~ around; *togliti di* ~ get out of the way; *levarsi di* ~ *qd.* to get rid of s.o.; ⟨*ant*⟩ *in* ~ (*intorno*) (a)round; *in quel* ~ *di tempo* about (*o* at) that time; ⟨*non com*⟩ *in quel* ~ (*circa*) about, approximately; ~ *torno* (*tutt'intorno*) all (a)round.

tọro[1] *m.* **1.** bull. – **2.** ⟨*fig*⟩ (*persona robusta*) ox, strong (*o* thickset) person, bull: *essere un* ~ to be as strong as an ox. – **Toro** *N.pr.m.* ⟨*Astr*⟩ Taurus, Bull. □ ⟨*Ornit*⟩ ~ *marino* (*tarabuso*) bittern, bull of the bog (*Botaurus stellaris*); ⟨*fig*⟩ *prendere il* ~ *per le corna* to take the bull by the horns; ⟨*fig*⟩ *tagliare la testa al* ~ to settle the question, to cut the Gordian knot.

tọro[2] *m.* **1.** ⟨*Mat,Arch*⟩ torus, tore. – **2.** ⟨*Bot,Biol*⟩ torus. – **3.** ⟨*Bot*⟩ (*ricettacolo*) receptacle.

tọro[3] *m.* ⟨*ant*⟩ (*letto maritale*) marriage-bed; (*matrimonio*) marriage. □ ⟨*Dir*⟩ *separazione di* ~ (*e mensa*) judicial separation, divorce a mensa et thoro.

toroidạle *a.* **1.** ⟨*Mat*⟩ toroidal. – **2.** ⟨*El*⟩ toroid(al): *bobina* ~ toroid (*o* ring) coil. – **torọide** *f.* ⟨*Mat*⟩ toroid.

tọron *m.* ⟨*Chim*⟩ thoron.

Torọnto *N.pr.f.* ⟨*Geog*⟩ Toronto.

torọso *a.* ⟨*lett,rar*⟩ (*muscoloso*) muscular.

torpedinạre *v.t.* (**torpẹdino**) to torpedo.

torpẹdine[1] *f.* ⟨*Itt*⟩ (*anche torpedine marezzata*) (marbled) electric ray (*Torpedo marmorata*). □ ~ *del Nobili* electric ray, torpedo, cramp-fish, numb-fish (*Torpedo nobiliana*).

torpẹdine[2] *f.* ⟨*Mar.mil*⟩ torpedo.

torpedịnidi *m.pl.* ⟨*Itt*⟩ electric rays *pl*, torpedoes *pl* (*Torpedinidae, Narcaciontidae, Narcobatidae*).

torpedinịera *f.* ⟨*Mar.mil*⟩ torpedo-boat. – **torpedinịere I** *s.m.* torpedoist, torpedo-man. – **II** *a.* ⟨*rar*⟩ torpedo-: *barca -a* torpedo-boat. – **torpedinịero** *a.* ⟨*ant*⟩ (*torpediniere*) torpedo-.

torpẹdo *f.inv.* ⟨*Aut*⟩ torpedo.

torpedọne *m.* ⟨*Aut*⟩ (*autobus panoramico*) touring coach; (*pullman*) (motor-)coach, ⟨*am*⟩ bus.

torpẹnte (*p.pr. di torpere*) *a.* **1.** ⟨*lett*⟩ (*inerte*) torpid, sluggish, inert. – **2.** ⟨*lett*⟩ (*che intorpidisce*) dulling, (be)numbing. – **3.** ⟨*Med*⟩ torpent. – **tọrpere** *v.i.dif.* (used only in the present indicative and subjunctive) ⟨*lett,ant*⟩ **1.** (*essere intorpidito*) to be torpid (*o* numb). – **2.** (*restare intorpidito*) to become torpid (*o* sluggish), to grow numb. – **3.** ⟨*fig*⟩ (*essere pigro*) to be sluggish (*o* lethargic).

torpidamẹnte *avv.* torpidly. – **torpidẹzza** *f.* **1.** torpor, torpidity, numbness. – **2.** (*stato di indolenza*) dullness, lethargy, sluggishness, torpor. – **torpidità** *f.* ⟨*non com*⟩ → **torpidezza**. – **tọrpido** *a.* **1.** torpid, numb, benumbed. – **2.** ⟨*fig*⟩ (*pigro*) dull(ed), torpid, sluggish, lethargic, slow. – **3.** ⟨*Med*⟩ torpid. – **4.** ⟨*poet*⟩ (*che rende torpido*) dulling, that makes torpid, (be)numbing.

torpịglia *f.* ⟨*ant*⟩ → **torpedine**[1].

torpọre *m.* **1.** torpor. – **2.** ⟨*fig*⟩ (*pigrizia*) torpor, lethargy, dullness, sluggishness.

torquạto *m.* ⟨*Ornit*⟩ (*chiurlo*) curlew, ⟨*am*⟩ Eurasian curlew (*Numenius arquata*).

tọrque *f.* ⟨*lett*⟩ (*monile*) collar, torque; (*collana*) necklace; (*catena*) chain.
tọrr *m.* → **tor**.
torracchiọne *m. accr. di* **torre**¹. – **torrạccia** *f.* (*pl.* -ce) *pegg. di* **torre**¹.
torraiọlo: ⟨*Ornit*⟩ *colombo* ~ rock dove (*Columbia livia*).
torrạzzo *m.* tower, massive (*o* tower-shaped) building.
tọrre¹ *f.* **1.** tower. – **2.** (*struttura a forma di torre*) tower. – **3.** (*negli scacchi*) rook, castle. – **4.** ⟨*Alp*⟩ tower, high rocky formation. – **5.** ⟨*Mar.mil*⟩ turret. – **6.** ⟨*Arald*⟩ tower. – **7.** ⟨*Mil.ant*⟩ (assault) tower; (*sugli elefanti*) tower. – **8.** ⟨*Folcl*⟩ kind of folk-dance.
□ *edificio* **a** ~ tower; ~ *d'***acqua** water-tower; ~ *d'***angolo** corner (*o* angle) tower; ⟨*fig*⟩ ~ *d'***avorio** ivory tower; ⟨*scherz*⟩ (*donna onestissima*) virtuous woman; ⟨*Bibl*⟩ ~ *di* **Babele** tower of Babel; ⟨*Mar.mil*⟩ ~ **binata** twin (*o* gun) turret; ~ **campanaria** bell tower; ~ *di* **comando** conning tower; ~ **comunale** town-hall tower; ⟨*Aer*⟩ ~ *di* **controllo** control tower; ⟨*Mar.mil*⟩ ~ **corazzata** turret; *orologio da* ~ tower clock; ⟨*Minier*⟩ ~ *d'***estrazione** winding tower, headgear, lift (*o* head) frame; ~ *del* **faro** lighthouse; ~ **gentilizia** tower of a noble family's residence; ⟨*Ind*⟩ ~ *di* **Glover** Glover tower; ~ *di* **guardia** guard (*o* watch) tower, look-out tower; ⟨*Astron*⟩ ~ *di* **lancio** launching (*o* rocket-assembly) tower; ⟨*Ind*⟩ ~ *di* **lavaggio** scrubber; ⟨*Ind*⟩ ~ *di lavaggio dell'ammoniaca* ammonia-washer; ~ *in* **legno** wooden tower; ≈ *di* **Londra** Tower of London; ~ **merlata** crenellated tower; ⟨*Mil.ant*⟩ ~ **mobile** (movable) tower; ~ **osservatorio** observation tower; ⟨*Minier*⟩ ~ *di* **perforazione** derrick, drilling rig; ⟨*Minier*⟩ ~ *di* **produzione** production (*o* servicing) derrick; ~ *della* **radio** radio mast, ⟨*am*⟩ radio tower; ~ *di* **raffreddamento** cooling tower; ~ *di raffreddamento del coke* coke-quenching tower (*o* plant); ⟨*Ferr*⟩ ~ *di* **smistamento** junction signal box, ⟨*am*⟩ switch tower; ~ *della* **televisione** television tower; ⟨*Sport*⟩ ~ *del* **trampolino** run-down tower; ⟨*Mar.mil*⟩ ~ **trinata** triple turret; ~ *di* **trivellazione** = *torre di* **perforazione**.
tọrre² *v.t.* ⟨*poet,dial*⟩ **1.** (*togliere*) to take. – **2.** (*prendere in moglie*) to marry, ⟨*lett*⟩ to take to wife; (*prendere come marito*) to marry.
torrefạre *v.t.* (**torrefò**/**torrefạccio**, **torrefại**; **torrefẹci**, **torrefạtto**; → **fare**) to roast, to toast, to torrefy; (*rif. al caffè*) to roast. – **torrefạtto** (*p.p. di torrefare*) *a.* ⟨*non com*⟩ roasted, toasted, torrefied; (*rif. al caffè*) roasted. – **torrefattọre** *m.* (*f.* **-trice**) ⟨*non com*⟩ roaster. – **torrefaziọne** *f.* **1.** roasting, toasting, torrefaction; (*del caffè*) roasting. – **2.** (*locale*) shop where coffee is roasted; (*bottega*) shop selling (roasted) coffee. – **3.** (*nella lavorazione del tabacco*) toasting. – **4.** ⟨*Minier*⟩ roasting, torrefaction.
torreggiạre *v.i.* (**torrẹggio**, **torrẹggi**; *aus.* **avere**) **1.** (*levarsi*) to rise, to tower (up). – **2.** ⟨*rar*⟩ (*levarsi in alto con torri*) to tower, to stand. – **3.** ⟨*fig*⟩ (*elevarsi come una torre*) to tower (*su* over), to rise (above): *torreggia su tutti con la sua statura* he towers over everyone.
torrentạccio *m. pegg. di* **torrente**.
torrẹnte I *s.m.* **1.** stream, torrent: ~ *glaciale* glacier stream. – **2.** ⟨*estens*⟩ (*corrente*) torrent, stream, flow: ~ *di lava* torrent of lava. – **3.** ⟨*fig*⟩ torrent, flood, stream, flow: *un* ~ *di parole* a torrent of words; *un* ~ *di lagrime* a flood of tears. – **4.** ⟨*Med*⟩ bloodstream. – **5.** ⟨*ant*⟩ (*corrente marina*) (sea) current. – **II** *a.* ⟨*ant*⟩ (*rapido*) swift, rushing. □ *a -i* in torrents: *la pioggia cadeva a -i* it was raining in torrents, it was pouring (with rain).
torrentẹllo *m. dim. di* **torrente**. – **torrentịzio** *a.* of a stream, torrential: *fiume di natura -a* torrential river. – **torrentụccio** *m. dim. di* **torrente**. – **torrenziạle** *a.* **1.** (*che fluisce con impeto*) torrential, streaming: *pioggia* ~ torrential rain. – **2.** ⟨*non com*⟩ (*di torrente*) torrential, of a stream.
torrẹtta (*dim. di torre*¹) *f.* **1.** (*struttura*) turret. – **2.** ⟨*Mar*⟩ (*di un sommergibile*) tower; (*torretta corazzata*) turret; (*torre di comando*) conning tower. – **3.** ⟨*Mil*⟩ turret (of a tank). – **4.** ⟨*Aer,Mecc*⟩ turret. – **5.** ⟨*Zool*⟩ → **torricella**. □ ⟨*Mecc*⟩ ~ *esagonale* hexagonal turret; ⟨*Mil*⟩ ~ *osservatorio* observation tower; ⟨*Mecc*⟩ ~ *portautensili orientabile* revolving turret. – **torricciọla** *f.* ⟨*spreg*⟩ *dim. di* **torre**¹.
torricẹlla (*dim. di torre*¹) *f.* ⟨*Zool*⟩ horn shell (*Cerithium vulgatum*).
torricellạto *a.* ⟨*Arald*⟩ with turrets.
torricelliạno *a.* ⟨*Fis*⟩ (*barometrico*) Torricellian: *vuoto* ~ Torricellian vacuum.
torricịno *m.* ⟨*non com*⟩ *dim. di* **torre**¹.
tọrrido *a.* **1.** (*caldissimo*) torrid, scorching, burning, hot: *clima* ~ torrid climate. – **2.** (*secco*) torrid, dry, parched; (*bruciato dal caldo*) torrid, scorched. □ ⟨*Geog*⟩ *zona -a* torrid zone.
torriẹre *m.* ⟨*ant,lett*⟩ → **torrigiano**. – **torrigiạno** *m.* **1.** (*abitante d'una torre*) tower-dweller. – **2.** ⟨*ant*⟩ (*custode d'una torre*) tower-dweller, tower-keeper.
torrịno *m.* ⟨*non com*⟩ *dim. di* **torre**¹.
torriọne *m.* **1.** ⟨*Stor*⟩ (large) tower, keep. – **2.** ⟨*Mar.mil*⟩ turret mast.
torrịto *a.* ⟨*rar*⟩ (*turrito*) turreted; (*ricco di torri*) many-towered.
torrọne *m.* ⟨*Dolc*⟩ torrone, kind of nougat: ~ *al cioccolato* chocolate torrone.
torsẹllo *m.* ⟨*ant*⟩ **1.** (*balla*) bale. – **2.** (*cercine*) pad, small cushion (for carrying loads on one's head). – **3.** (*cuscinetto per spilli*) pincushion. – **4.** (*punzone per monete*) minting die.
torsiọmetro *m.* **1.** ⟨*Tess*⟩ twist counter. – **2.** ⟨*tecn*⟩ torque meter.
torsionạle *a.* ⟨*tecn*⟩ torsional, torsion-.
torsiọne *f.* **1.** torsion, twisting. – **2.** ⟨*tecn,Chir*⟩ torsion. – **3.** ⟨*Mecc*⟩ torsion, twist. – **4.** ⟨*Tess,Ginn*⟩ twist. – **5.** ⟨*Mat*⟩ torsion, second curvature. □ ⟨*Tess*⟩ ~ *destra* openband twisting; ~ *del filato* yarn twisting; *sollecitazione di* ~ torsional stress.
tọrso *m.* **1.** (*di pianta*) stalk, stem; (*fusto del cavolo*) stalk. – **2.** (*di frutta*) core: *un* ~ *di mela* an apple core. – **3.** (*fusto del granturco*) corn-cob. – **4.** (*busto, tronco*) trunk, torso. – **5.** ⟨*Scult*⟩ torso. – **6.** ⟨*fam*⟩ (*persona inetta*) incompetent (*o* worthless) person, bungler, ⟨*fam*⟩ useless fellow. □ *a* ~ *nudo* bare-chested; *stare lì come un* ~ (*fermo*) to stand there like a cabbage.
torsolạta *f.* ⟨*non com*⟩ blow with a cabbage-stalk. □ *prendere qd. a -e* to throw rotten tomatoes at s.o.
tọrsolo *m.* **1.** (*torso: di piante*) stalk, stem; (*del cavolo*) stalk; (*di frutta*) core: ~ *di mela* apple core. – **2.** ⟨*fam*⟩ (*persona inetta*) incompetent person, bungler, ⟨*fam*⟩ useless (*o* worthless) fellow. □ ⟨*spreg*⟩ *non valere un* ~ to be worthless.
torsụto *a.* ⟨*roman*⟩ having a large stalk.
tọrta¹ *f.* **1.** ⟨*Dolc*⟩ cake: ~ *di cioccolato* chocolate cake; ~ *nuziale* wedding cake; (*di frutta*) pie, tart, flan; (*crostata*) tart, open-face pie. – **2.** ⟨*Gastr*⟩ cake, tart: ~ *di formaggio* cheesecake; (*pasticcio*) pie, pasty.
□ ~ *alla* **crema** cream cake; ⟨*fam*⟩ **dividersi** *la* ~ (*spartirsi il bottino*) to split the loot; ~ **gelata** ice-cream cake; ~ *di* **mandorle** almond cake; ⟨*fig*⟩ **mangiare** *la* ~ *in testa a qd.* (*essergli superiore*) to be far superior to s.o.; ~ *di* **mele** apple-pie; ~ ⌜*di* **Pasqua**⌝ (o *pasqualina*) Genoese Easter pie; ~ *di* **ricotta** cheesecake, ricotta pie; ~ *a* **ripiani** tiered cake; ~ *di* **riso** rice-cake; ~ **rustica** savoury pie (*o* pasty); **spartirsi** *la* ~ = **dividersi** *la torta*. – *Prov.*: *a chi piace la* ~ *a chi i tortelli* every man to his taste.
tọrta² *f.* **1.** (*il torcere*) twisting. – **2.** ⟨*ant*⟩ (*torcitura*) twist; (*piegatura*) fold, bend. □ *dare una* ~ *a qc.* to twist s.th.
tortacọllo *m.* ⟨*Ornit*⟩ (*torcicollo*) wryneck (*Iynx torquilla*).
tortellịno (*dim. di tortello*) *m.* ⟨*Gastr*⟩ tortellino, kind of ravioli. – **tortẹllo** (*dim. di torta*¹) *m.* **1.** ⟨*Gastr*⟩ kind of pie. – **2.** ⟨*Dolc*⟩ kind of fritter. – **tortellọne** *m.* ⟨*Gastr*⟩ kind of ravioli.
tortẹzza *f.* ⟨*rar*⟩ crookedness.
tortịccio *m.* **1.** (*fune*) cable-laid rope, cable (rope). – **2.** ⟨*Mar*⟩ cable -laid rope, cable, hawser.
tortiẹra *f.* (*teglia*) cake tin.
tortịglia *f.* ⟨*Tess*⟩ cord.
tortigliạre *v.t.* (**tortịglio**, **tortịgli**) ⟨*rar*⟩ (*attorcigliare*) to twist, to twine.
tortigliọne *m.* **1.** spiral. – **2.** ⟨*Mod*⟩ (*acconciatura*) turban. – **3.** *pl.* ⟨*Alim*⟩ kind of twisted soup pasta. – **4.** → **torcinaso**. – **5.** ⟨*Stor*⟩ (*canna di arma da fuoco*) rifled gun-barrel. – **6.** ⟨*Entom*⟩ (*sigaraio*) leaf roller. □ *a* ~ spiral, twisted: *colonna a* ~ spiral column; *baffi a* ~ twirled moustache.
tọrtile *a.* spiral, twisted: *colonna* ~ spiral column.
tortịna (*dim. di torta*¹) *f.* ⟨*Gastr*⟩ tartlet. – **tortịno** (*dim. di torta*¹) *m.* ⟨*Gastr*⟩ pie.
tortịre *v.i.* (**tortịsco**, **tortịsci**; *aus.* **essere**) ⟨*ant*⟩ (*aggirarsi qua e là*) to stray, to wander about.
tọrto¹ *m.* **1.** wrong: *mettersi dalla parte del* ~ to put o.s. in the wrong; *riparare un* ~ to right a wrong; *fare un* ~ *a qd.* to do s.o. (a) wrong, to wrong s.o. – **2.** (*colpa*) fault: *il* ~ *non è tutto mio* it's not all my fault. – **3.** ⟨*ant*⟩ (*pretesa ingiusta*) wrongful claim.
□ **a** ~: 1. (*ingiustamente*) wrongfully, wrongly, unjustly; *non a* ~ *si dice che è avaro* it's right to call him mean, anyone who says he's a miser is right; 2. (*inopportunamente*) wrongly; *ti lamenti a* ~ you are wrong to complain; *a* ~ *o a ragione* right or wrong; **avere** ~ to be wrong; *ho il solo* ~ *di averti ascoltato* my only mistake was to listen to you; *avere un* ~ *verso qd.* to have done s.o. wrong; **dar** ~ *a qd.* to say that s.o. is wrong, to contradict s.o.; *i fatti gli hanno dato* ~ events proved him wrong; **far** ~ *a qd.*: 1. to wrong s.o., to do s.o. wrong; 2. (*essere indegno*) to be unworthy of s.o., not to do s.o. justice: *queste parole ti fanno* ~ these words are unworthy of you; *avere* ~ **marcio** to be absolutely wrong; *essere dalla* **parte** *del* ~ to be in the wrong; **riconoscere** *i propri -i* to recognize one's faults; *non ha* **tutti** *i -i* he's not altogether wrong, there is some truth in what he says.
tọrto² (*p.p. di torcere*) **I** *a.* **1.** twisted. – **2.** (*piegato*) bent. – **3.** (*tortuoso*) crooked, twisted; (*rif. a strade e sim.*) winding, twisting; (*storto*) twisted, crooked: *avere la bocca -a* to have a twisted mouth. – **4.** ⟨*ant*⟩ (*obliquo*) oblique, slanting. – **5.** ⟨*ant*⟩ (*deformato*) deformed. – **6.** ⟨*ant*⟩ (*ingiurioso*) insulting, offensive. – **II** *avv.* ⟨*lett*⟩ (*torvamente*) surlily, grimly, sullenly. – **III** *s.m.* ⟨*Tess*⟩ twine, twist. □ *andare con il collo* ~ (*affettare compunzione*) to affect demureness; (*affettare religiosità ipocrita*) to make a show of piety; *gambe -e* bandy legs.
tọrtola *m./f.* ⟨*ant,pop*⟩ → **tortora**.
tọrtora **I** *f.* ⟨*Ornit*⟩ turtle-dove (*Streptopelia turtur*). – **II** *m.inv.* (*colore*) dove-colour, turtle-dove.
□ ⟨*Ornit*⟩ ~ *del* **Capo** Namagua (dove) (*Oena capensis*); ~ *dal* **collare** ring-dove, collared dove (*Streptopelia risoria*); ~ *dal collare orientale* collared turtle-dove (*Streptopelia turtur decaocto*); **color** ~ dove-colour, turtle-dove; ~ **comune** turtle-dove (*Streptopelia turtur*); ~ **orientale** eastern turtle-dove (*Streptopelia orientalis*); **timido** *come una* ~ as timid as a hare.
tortorạta *f.* ⟨*region*⟩ (*randellata*) blow with a cudgel.
tortọre¹ *m.* **1.** ⟨*region*⟩ (*randello*) club, cudgel. – **2.** ⟨*ant*⟩ (*carnefice*) executioner; (*chi dà la tortura*) torturer.
tọrtore² *m./f.* ⟨*lett*⟩ → **tortora**.

tortoreggiamẹnto *m.* **1.** ⟨*non com*⟩ cooing. – **2.** ⟨*scherz*⟩ billing and cooing. – **tortoreggiạre** *v.i.* (**tortorẹggio, tortorẹggi**; *aus.* **avere**) **1.** ⟨*non com*⟩ (*tubare*) to coo. – **2.** ⟨*scherz*⟩ (*scambiarsi affettuosità*) to bill and coo.

tortorẹlla (*dim. di tortora*) *f.* turtle-dove.

tọrtoro *m.* (*treccia di paglia*) straw plait, plaited straw.

tortrịce *f.* ⟨*Entom*⟩ tortrix, leaf-roller moth (*Tortrix*). □ ~ *delle gemme* bud moth (*Tmetocera ocellana*); ~ *del pisello* pea moth (*Laspeyresia nigricana*); ~ *della quercia* green oak tortrix (*Tortrix viridana*); ~ *delle susine* plum tortrix moth (*Laspeyresia funebrana*). – **tortrịcidi** *m.pl.* ⟨*Entom*⟩ tortricids *pl*, leaf-roller moths *pl* (*Tortricidae*).

tortuosamẹnte *avv.* tortuously, crookedly (*anche fig.*). – **tortuosità** *f.* **1.** tortuosity, crookedness. – **2.** ⟨*concr*⟩ tortuosity, bend, sinuosity. – **3.** ⟨*fig*⟩ tortuosity, crookedness, deviousness. □ *le* ~ *del fiume* the winding course of the river. – **tortuọso** *a.* **1.** tortuous, winding, bending, crooked, twisting and turning: *un fiume* ~ a winding (*o* meandering) river. – **2.** ⟨*fig*⟩ (*poco chiaro, ambiguo*) tortuous, crooked, devious: *ragionamento* ~ devious reasoning.

tortụra *f.* **1.** (judicial) torture: *mettere alla* ~ to put to (the) torture; *strumenti di* ~ instruments of torture. – **2.** ⟨*estens*⟩ (*forma di coercizione morale e fisica*) torture: *sottoporre qd. a una continua* ~ *morale* to subject s.o. to continuous mental torture. – **3.** ⟨*fig*⟩ (*tormento*) torture, torment, agony, anguish: *l'esame di chimica è stato una vera* ~ the chemistry exam was real agony. – **4.** ⟨*ant*⟩ (*torcimento*) twisting. – **5.** ⟨*ant*⟩ (*tortura della corda*) strappado.

torturạre *v.t.* **1.** to torture. – **2.** ⟨*fig*⟩ (*tormentare*) to torment, to torture, to rack: *la gelosia lo tortura* he is tormented with jealousy. – **torturarsi** *v.r.* (*affliggersi*) to torment o.s. □ *torturarsi il cervello* to rack (*o* cudgel) one's brains.

torulọsi *f.* ⟨*Med*⟩ torulosis, cryptococcosis, European blastomycosis.

torulọso *a.* ⟨*Bot*⟩ torulose, torulous, moniliform.

torvamẹnte *avv.* surlily, grimly, sullenly; (*biecamente*) askance, askew: *guardare* ~ *qd.* to look askance at s.o. – **tọrvo** **I** *a.* surly, grim, sullen, fierce: *occhiata -a* surly look; (*bieco*) sidelong, ⟨*pred*⟩ askew. – **II** *avv.* → **torvamente.**

torzọne *m.* ⟨*non com*⟩ **1.** (*frate converso*) lay brother. – **2.** ⟨*estens*⟩ (*frate rozzo*) ignorant boorish friar (*o* monk); (*persona rozza*) boor, uncouth fellow.

tọsa[1] *f.* ⟨*non com*⟩ → **tosatura.**

tọsa[2] *f.* ⟨*region*⟩ (*ragazza*) girl.

tosacạni *m.* **1.** dog-clipper. – **2.** ⟨*scherz,spreg*⟩ (*barbiere poco abile*) unskilful barber.

tosamẹnto *m.* ⟨*non com*⟩ → **tosatura.**

tosạre *v.t.* (**tọso**; **tosạto**/*ant.* **tọso**) **1.** to shear: ~ *una pecora* to shear a sheep; (*rif. a cani*) to clip. – **2.** ⟨*estens*⟩ (*tagliare pareggiando*) to clip, to trim: ~ *le frange di un tappeto* to trim the fringe on a rug; (*rif. a monete*) to clip. – **3.** ⟨*scherz*⟩ (*tagliare i capelli molto corti*) to crop, to give a close haircut to, ⟨*scherz*⟩ to scalp. – **4.** ⟨*region*⟩ (*tagliare i capelli*) to cut the hair of. – **5.** ⟨*fam*⟩ (*spogliare del denaro*) to fleece, ⟨*fam*⟩ to bleed, ⟨*fam*⟩ to scalp, ⟨*fam*⟩ to clip: ~ *qd. come una pecora* to fleece s.o. like a lamb.

tosạto (*p.p. di tosare*) *a.* **1.** shorn, sheared; (*rif. a cani*) clipped. – **2.** (*rif. a monete*) clipped. – **3.** ⟨*region*⟩ (*con i capelli molto corti*) cropped, ⟨*scherz*⟩ scalped. – **tosatọre** *m.* (*f.* **-trice**/*pop.* **-a**) shearer; (*rif. a cani*) clipper; (*rif. a monete*) clipper; (*rif. ad alberi*) trimmer, clipper, cutter, pruner. – **tosatrịce** *f.* **1.** (*macchinetta per tosare*) hair-clipper, clippers *pl*; (*per pecore*) sheep-shearing machine. – **2.** ⟨*Giard*⟩ (lawn-)mower.

tosatụra *f.* **1.** (*di pecore*) (sheep-)shearing; (*di cani*) clipping; (*rif. ad alberi*) trimming, clipping, lopping, cutting, pruning. – **2.** (*vello che si porta via tosando*: *di pecore*) fleece, shearings *pl*, shorn wool; (*di cani*) clippings *pl*. – **3.** ⟨*scherz*⟩ (*taglio dei capelli*) (hair-)cut. – **4.** ⟨*Numism*⟩ clipping (of coins).

Toscạna *N.pr.f.* ⟨*Geog*⟩ Tuscany. – **toscanamẹnte** *avv.* in Tuscan style, in the Tuscan way, like a Tuscan. – **toscaneggiạnte** (*p.pr. di toscaneggiare*) **I** *a.* affecting the Tuscan style. – **II** *s.m./f.* person who affects (*o* adopts) the Tuscan style. – **toscaneggiạre** *v.* (**toscanẹggio, toscanẹggi**) **I** *v.i.* (*aus.* **avere**) to affect the Tuscan style, to adopt the Tuscan manner. – **II** *v.t.* ⟨*rar*⟩ (*toscanizzare*) to give Tuscan form to.

toscanẹllo (*dim. di toscano*) *m.* **1.** (*sigaro*) kind of small cigar. – **2.** (*fagiolo*) kind of small white bean.

toscanerịa *f.* ⟨*non com,spreg*⟩ exaggerated use of Tuscan idioms. – **toscanẹse** ⟨*ant,scherz*⟩ **I** *a.* Tuscan. – **II** *s.m.* (*lingua*) Tuscan. – **toscanẹsimo** *m.* ⟨*non com*⟩ → **toscanismo.**

toscạnico *a.* (*pl.* **-ci**) ⟨*Arch*⟩ (*tuscanico*) Tuscan.

toscanịno (*dim. di toscano*) *m.* (*f.* **-a**) Tuscan. – **toscanịsmo** *m.* ⟨*Ling*⟩ **1.** Tuscan nature. – **2.** (*parola, locuzione*) Tuscan idiom (*o* expression). – **toscanità** *f.* ⟨*Ling*⟩ Tuscan nature (*o* quality). – **toscanizzạre** **I** *v.t.* to make Tuscan, to give Tuscan form to. – **II** *v.i.* (*aus.* **avere**) ⟨*non com*⟩ (*toscaneggiare*) to affect (*o* adopt) the Tuscan style.

toscạno **I** *a.* **1.** Tuscan. – **2.** ⟨*ant*⟩ (*etrusco*) Etruscan, ⟨*ant*⟩ Tuscan. – **II** *s.m.* **1.** (*dialetto*) Tuscan. – **2.** (*abitante*; *f.* **-a**) Tuscan, native (*o* inhabitant) of Tuscany. – **3.** (*tipo di sigaro*) kind of strong cigar. – **4.** (*vino toscano*) Tuscan wine. – **5.** ⟨*ant*⟩ (*etrusco*; *f.* **-a**) Etruscan, ⟨*ant*⟩ Tuscan. □ ⟨*Arch*⟩ *ordine* ~ Tuscan order.

tọsco[1] (o **tọsco**) *a./s.* (*pl.* **-chi**) ⟨*lett*⟩ → **toscano.**

tọsco[2] *m.* (*pl.* **-chi**) ⟨*poet*⟩ (*veleno*) poison.

tosịno *m.* shearer (of sheep).

tọso (*p.p. di tosare*) **I** *a.* ⟨*ant*⟩ (*tosato*) shorn; (*rif. a monete*) clipped. – **II** *s.m.* (*f.* **-a**) ⟨*region*⟩ (*ragazzo*) boy (*f* girl).

tosọne *m.* ⟨*ant*⟩ (*vello*) fleece. □ *Toson d'oro*: 1. ⟨*Mitol*⟩ (*vello d'oro*) golden fleece; 2. (*ordine cavalleresco*) Order of the Golden Fleece.

tọssa *f.* ⟨*ant,pop*⟩ → **tosse.** – **tossạccia** (*pegg. di tosse*) *f.* (*pl.* **-ce**) hacking (*o* nasty) cough.

tọsse *f.* **1.** cough. – **2.** (*colpo di tosse*) cough. □ **accesso** *di* ~ coughing fit; ⟨*pop*⟩ ~ **asinina** (*o* **canina**) = *tosse* **convulsa**; **avere** *la* ~ to have a cough; **colpo** *di* ~ cough; ~ **convulsa** (o *convulsiva*) whooping cough, pertussis; ~ **emetizzante** cough causing vomiting; ~ **grassa** cough accompanied by expectoration; *un* **nodo** *di* ~ a prolonged coughing fit; ~ **secca** dry cough.

tosserẹlla, tossẹtta, tossettịna *f. dim. di* **tosse.**

tossialimentạre *a.* ⟨*Biol*⟩ derived from spoiled food: *sostanza* ~ toxic substance derived from bad food.

tossicạria *f.* ⟨*Bot*⟩ (*graziola*) gratiola, hedge hyssop (*Gratiola officinalis*).

tossicchiạre *v.i.* (**tossịcchio, tossịcchi**; *aus.* **avere**) to cough (discreetly), to clear one's throat.

tossicità *f.* toxicity. – **tọssico** *a./s.* (*pl.* **-ci**) **I** *a.* (*velenoso*) toxic, poisonous. – **II** *s.m.* ⟨*ant*⟩ (*veleno*) **1.** poison. – **2.** ⟨*Med*⟩ toxic. – **3.** ⟨*iperb*⟩ (*cibo disgustoso*) poison, ⟨*fam*⟩ muck. □ ⟨*iperb*⟩ *amaro come un* ~ as bitter as poison; ⟨*Med*⟩ *-i endogeni* endogenous toxics; *-i esogeni* exogenous toxics.

tossicodẹndro *m.* ⟨*Bot*⟩ poison ivy (*Toxicodendron radicans*; *Rhus toxicodendron*).

tossico|dermịa *f.* → **tossidermia.** – **~fobịa** *f.* ⟨*Psic*⟩ toxicophobia.

tossicologịa *f.* ⟨*Farm*⟩ toxicology: ~ *forense* legal (*o* forensic) toxicology. – **tossicolọgico** *a.* (*pl.* **-ci**) toxicologic(al). – **tossicọlogo** *m.* (*pl.* **-gi**; *f.* **-a**) toxicologist.

tossicolọso *a.* that has a persistent (*o* nagging) cough.

tossicọmane **I** *a.* addicted. – **II** *s.m./f.* (drug) addict, toxicomaniac. – **tossicomanịa** *f.* drug addiction (*o* habit), toxicomania.

tossicọne *m.* ⟨*tosc*⟩ (*forte tosse*) hacking cough.

tossicọsi *f.* ⟨*Med*⟩ toxicosis.

tossi|dermịa *f.* ⟨*Med*⟩ toxicodermatitis, toxidermitis, toxicoderma. – **~emịa** *f.* tox(a)emia. – **~ẹmico** *a.* (*pl.* **-ci**) tox(a)emic.

tossịfugo *a./s.* (*pl.* **-ghi**) ⟨*Farm*⟩ **I** *a.* cough-, bechic, antitussive. – **II** *s.m.* bechic, cough-remedy.

tossilạggine *f.* ⟨*Bot*⟩ coltsfoot (*Tussilago farfara*).

tossịna *f.* ⟨*Biol*⟩ toxin.

tossinfettịvo *a.* ⟨*Med*⟩ toxinfectious. – **tossinfeziọne** *f.* toxinfection.

tossinoterapịa *f.* ⟨*Med*⟩ toxinotherapy, toxitherapy.

tossịre *v.i.* (**tossịsco/tọsso, tossịsci/tọssi**; *aus.* **avere**) to cough. □ ~ *sangue* to cough (*o* spit) up blood.

tossọide *m.* ⟨*Med*⟩ toxoid.

tossọttera *f.* ⟨*Entom*⟩ (*anche tossottera del grano*) greenbug, spring wheat aphid (*Toxoptera graminum*; *Schizaphis graminum*).

tostacaffè *m.* coffee-roaster.

tostamẹnte *avv.* ⟨*ant*⟩ (*rapidamente*) quickly, swiftly. – **tostanẹzza** *f.* ⟨*ant*⟩ quickness. – **tostạno** *a.* ⟨*ant*⟩ (*rapido*) swift, fast.

tostapạne *m.inv.* (electric) toaster.

tostạre *v.t.* (**tọsto**) **1.** (*torrefare*) to roast, to toast: ~ *il caffè* to roast coffee. – **2.** (*abbrustolire*) to toast: ~ *il pane* to toast bread. – **tostatọre** *m.* (*f.* **-trice**) ⟨*non com*⟩ **1.** toaster. – **2.** (*torrefattore*) roaster. – **tostatụra** *f.* **1.** toasting. – **2.** (*torrefazione*) roasting, toasting.

tostịno *m.* **1.** ⟨*fam*⟩ → **tostacaffè.** – **2.** ⟨*rar*⟩ → **tostapane.**

tọsto[1] **I** *a.* ⟨*ant*⟩ (*veloce, rapido*) swift, fast, quick. – **II** *avv.* ⟨*lett*⟩ **1.** (*subito*) at once, immediately. – **2.** (*presto*) quickly; (*tra breve*) soon, before long. □ ⟨*lett*⟩ *ben* ~ (*subito*) at once; (*tra breve*) soon, before long; ⟨*lett*⟩ ~ *che* (*non appena che*) as soon as; ⟨*rar*⟩ *più* ~ (*piuttosto*) rather; ⟨*lett,non com*⟩ *sì* ~ *come* = *tosto che.*

tọsto[2] *a.* ⟨*lett,region*⟩ **1.** (*duro*) hard. – **2.** (*sodo*) firm, hard. □ *faccia -a* cheek; *avere la faccia -a* to be bold (*o* cheeky), to have the nerve (*o* gall).

tọsto[3] *m.* ⟨*non com*⟩ toasted sandwich.

tọt **I** *a.indef.inv.* **1.** (*tanto*) so much, a certain amount of; *pl.* so many *pl*, a certain number of: *se questo appartamento oggi costa* ~ *milioni fra qualche anno costerà il doppio* if this apartment costs so many million today in a few years it will cost twice as much. – **2.** ⟨*non com*⟩ (*tale*) such-and-such. – **II** *pron.indef.* (*tanto*) so much, a certain amount: *spendere* ~ *per il vitto e* ~ *per i divertimenti* to spend so much on food and so much on entertainment.

tọta *f.* ⟨*dial*⟩ (*fanciulla*) girl; (*signorina*) young lady.

totạle **I** *a.* **1.** total, whole, entire: *importo* ~ total cost; *lunghezza* ~ total length. – **2.** (*completo*) total, complete: *esaurimento* ~ *della merce* total clearance of the goods; (*assoluto*) total, absolute, utter. – **II** *s.m.* (*somma*) total, sum: *fare il* ~ to find the total, to cast (*o* add) up; (*importo*) (sum) total, total amount: *il* ~ *è di centomila lire* the total amount is one hundred thousand lire. □ *eclissi* ~ total eclipse; ~ *generale* grand total; ~ *parziale* subtotal; ~ *delle vendite* total sales *pl*.

totalità *f.* **1.** (*interezza*) totality, entirety. – **2.** (*numero complessivo*) whole. – **3.** ⟨*Mat,non com*⟩ (*insieme*) set, aggregate. □ ~ *dei beni* total estate (*o* assets); *nella* ~ *dei casi* in all cases; *la* ~ *dei presenti* all those present; *nella sua* ~ as a whole: *preso nella sua* ~ taken as a whole.

totalitạrio *a.* **1.** complete, whole, absolute, by (*o* of) everybody:

ha avuto un'adesione -a he has met with complete support, he has had everyone's support. – **2.** ⟨*Pol*⟩ totalitarian: *regime* ~ totalitarian regime. – **totalitarịsmo** *m.* ⟨*Pol*⟩ totalitarianism. – **totalitarịstico** *a.* (*pl.* **-ci**) totalitarian.

totalizzạre *v.t.* **1.** (*giungere a un totale*) to total, to reach a total of, to make, to put (*o* get) together; (*nello sport*) to score (a total of): ~ *sei punti* to score (a total of) six points. – **2.** ⟨*non com*⟩ (*calcolare in totale*) to add up, to total. – **totalizzatọre** *m.* **1.** totalizator, pari-mutuel machine, ⟨*fam*⟩ tote (*anche Sport.*). – **2.** ⟨*tecn*⟩ (*integratore*) integrator; (*parte d'una calcolatrice*) result (*o* product) register. – **totalizzaziọne** *f.* ⟨*non com*⟩ totalization, summing.

totalmẹnte *avv.* totally, wholly, entirely; (*completamente*) completely, utterly.

totalriflettọmetro *m.* ⟨*Ott*⟩ total reflection meter.

tọtano[1] *m.* ⟨*Zool*⟩ **1.** squid (*Ommatostrephes sagittatus*). – **2.** ⟨*region*⟩ (*calamaro*) squid, calamary (*Loligo vulgaris*).

tọtano[2] *m.* ⟨*Ornit*⟩ (*anche totano moro*) spotted redshank (*Tringa erythropus*). □ ~ *brevipede* grey-rumped sandpiper (*Heteroscelus brevipes*).

tọtem *m.* ⟨*Etnol*⟩ totem. – **totẹmico** *a.* (*pl.* **-ci**) totemic, totemistic, totem-: *gruppo* ~ totemic group, totem-group. – **totemịsmo** *m.* totemism. □ ~ ⌜*di gruppo*⌝ (*o sociale*) group totemism; ~ *individuale* individual totemism, nagualism; ~ ⌜*dei sessi*⌝ (*o sessuale*) sexual totemism; ~ *tribale* tribal totemism.

totịp *m.* system of public betting on horse-races.

totipotẹnte *a.* ⟨*Biol*⟩ totipotent. – **totipotẹnza** *f.* totipotency.

tọto *a.* ⟨*ant*⟩ (*tutto*) all.

totò: ⟨*infant*⟩ *far* (*o dar le*) ~ (*dar le busse*) to slap, to spank.

totocạlcio *m.* football pool(s), ⟨*fam*⟩ pools *pl*: *giocare al* ~ to do the pools; *vincere al* ~ to win the football pool.

tọto cọrde *lat.* (*di tutto cuore*) with all one's heart.

totomạglio *m.* ⟨*Bot*⟩ spurge (*Euphorbia*).

tottavịlla *f.* ⟨*Ornit*⟩ woodlark (*Lullula arborea*).

touche *fr.* [tuʃ] *f.* ⟨*Sport*⟩ touchline.

toupet *fr.* [tu'pɛ] *m.* **1.** ⟨*Mod*⟩ hairpiece, toupee, toupet. – **2.** ⟨*Stor, Mod*⟩ toupee, toupet. – **3.** ⟨*fig,non com*⟩ (*sfrontatezza*) impudence, effrontery.

toupie *fr.* [tu'pi] *f.* ⟨*Ind*⟩ router.

tour *fr.* [tur] *m.* ⟨*Sport*⟩ (*giro di Francia*) Tour de France.

tourbillon *fr.* [turbi'jɔ̃] *m.* ⟨*Sport*⟩ whirlwind attack, attack with changing position.

tour de force *fr.* [turdə'fɔrs] *m.* **1.** (*prova di forza*) tour de force, feat of strength (*anche Sport.*). – **2.** (*sforzo prolungato*) tour de force.

tournedos *fr.* [turna'do] *m.* ⟨*Gastr*⟩ tournedos.

tournée *fr.* [tur'ne] *f.* ⟨*Teat,Sport*⟩ tour: *andare in* ~ to (go on) tour.

tourniquet *fr.* [turni'ke] *m.* **1.** (*tornante*) hairpin bend (*o* curve). – **2.** → **tornello**.

tout court *fr.* [tu'ku:r] *avv.* (*in breve*) tout court, without further addition or explanation.

tovạglia *f.* tablecloth, cloth: *stendere la* ~ *sul tavolo* to spread the tablecloth on the table. □ ⟨*Lit*⟩ ~ *d'altare* altar-cloth. – **tovagliạto** *m.* **1.** table linen, napery. – **2.** (*tipo di tessuto*) material for table linen. – **tovagliẹtta, tovaglịna** *f. dim. di* **tovaglia**.

tovagliolịno *m. dim. di* **tovagliolo**. – **tovagliọlo** *m.* (table) napkin, serviette: ~ *di carta* paper serviette.

tovagliọna *f.*, **tovagliọne** *m. accr. di* **tovaglia**. – **tovagliụccia** *f.* (*pl.* **-ce**) ⟨*spreg*⟩ *dim. di* **tovaglia**.

toxoplasmọsi *f.* ⟨*Med,Veter*⟩ toxoplasmosis.

toxọtidi *m.pl.* ⟨*Itt*⟩ archerfish(es) *pl* (*Toxotidae*).

tozzẹtto *m.* ⟨*Ceram*⟩ small glazed floor-tile.

tọzzo[1] *a.* (*rif. a persone*) stocky, thickset, stumpy: *un ragazzo piccolo e* ~ a short stocky boy; (*rif. a cose*) squat, stumpy: *una torre -a* a squat tower.

tọzzo[2] *m.* (*pezzo*) piece. □ ⟨*fig*⟩ *guadagnare un* ~ *di pane* to earn a crust of bread; ⟨*fam*⟩ *per un* ~ *di pane* (*per poco*) for a mere trifle, ⟨*fam*⟩ for a song.

tozzọne *m.* → **torzone**.

TP = ⟨*Mar.mil*⟩ *torpediniera* torpedo-boat (*abbr.* T.B.).

T.Q. = ⟨*Comm*⟩ *tale quale* tal qual.

TR = ⟨*Aut*⟩ *Turchia* Turkey.

tr. = **1.** ⟨*Mus*⟩ *trillo* trill (*abbr.* tr.). – **2.** ⟨*Comm*⟩ *tratta* draft, bill of exchange. – **3.** ⟨*Gramm*⟩ *transitivo* transitive (*abbr.* tr.).

T-R *m.inv.* ⟨*Rad*⟩ transmitto-receiver (*abbr.* T/R).

tra *prep.* (when followed by a personal pronoun it is generally used with *di*; the contracted forms **tral** [*tra*+*il*], **trạllo** [*tra*+*lo*], **trạlla** [*tra*+*la*], **trạl**, **tra'** [*tra*+*i*], **trạgli** [*tra*+*gli*] are obsolete or poetic) **1.** (*rif. a due persone o cose*) between: *sedeva* ~ *i genitori* he was sitting between his parents; ~ *i due fratelli non c'è alcuna somiglianza* there is no likeness between the two brothers. – **2.** (*rif. a più persone o cose*) among(st): *la pace* ~ *le nazioni* peace among nations; *arrivammo* ~ *i primi* we were among the first to arrive. – **3.** (*in mezzo a, circondato da*) among, amid(st), in, in the middle of, in the midst of: ~ *i fiori* amid the flowers; *un paesino* ~ *i monti* a village among (*o* in) the mountains. – **4.** (*rif. a tempo*) in, within: *tornerò* ~ *una settimana* I'll be back in a week's time; (*rif. a luogo*) another, after: ~ *quaranta chilometri saremo a Roma* another forty kilometres and we'll be in Rome. – **5.** (*partitivo*) of, among: *il più giovane* ~ *noi condurrà il gioco* the youngest of us will organize the game; *chi* ~ *di voi?* which of you? – **6.** (*per indicare un complesso, una totalità*) in: ~ *tutti saranno stati una trentina* there must have been some thirty of them ⌜in all⌝ (*o* altogether). – **7.** (*causale*) (what) with: ~ *tanto lavoro non ho un minuto libero* with so much work to do I haven't a minute to spare.

□ ~ **l'altro** among other things; (*inoltre*) besides; *stringere qd.* ~ *le* **braccia** to clasp s.o. in one's arms; ~ **breve** = *tra poco*; **detto** ~ (*di*) *noi* between ourselves, in confidence; ⟨*lett*⟩ **di** ~ among(st), amid(st): *un ruscello scorreva di* ~ *i sassi* a stream flowed among the rocks; ~ ... **e**: 1. (*col sost. al sing.*) between ... and: *Orvieto si trova* ~ *Firenze e Roma* Orvieto is between Florence and Rome; 2. (*con agg. o avv.*) half ... half: *un'espressione* ~ *triste e pensosa* a half sad, half thoughtful expression; 3. (*con l'inf.*) what with: ~ *mangiare e dormire ho speso cinquemila lire* what with board and lodging I spent five thousand lire; ~ **oggi** *e domani* by tomorrow; ⟨*fig,lett*⟩ *andare* ~ *i* **più** (*morire*) to die; ~ **poco** in a little while, shortly, soon; ~ **sé** to o.s.: *parlare* ~ *sé* to talk to o.s.; *pensare* ~ *sé e sé* to think to o.s.; ~ *il* **sonno** *e la veglia* half asleep.

tra' *prep.art.* (apostrophized form of *trai*, formed from *tra*+*i*) → **tra**.

trabạcca *f.* ⟨*ant*⟩ (*baracca*) hut; (*tenda*) tent; (*padiglione*) pavilion.

trabạccolo *m.* ⟨*Mar*⟩ small sailing-boat.

trabaldạre *v.t.* ⟨*ant*⟩ (*trafugare*) to steal, to purloin, to filch.

traballamẹnto *m.* **1.** (*rif. a persone*) staggering, tottering, lurching, reeling. – **2.** (*rif. a cose*) wobbling.

traballạnte (*p.pr. di traballare*) *a.* **1.** (*rif. a persone*) staggering, tottering, lurching, reeling. – **2.** (*rif. a cose*) unsteady, wobbly, shaky, rickety. – **3.** ⟨*fig*⟩ (*non saldo*) tottering, shaky; (*rif. a cose astratte*) wavering, unsteady: *fede* ~ wavering faith. – **traballạre** *v.i.* (*aus.* **avere**) **1.** (*rif. a persone: barcollare*) to stagger, to totter, to lurch, to reel. – **2.** (*rif. a cose: vacillare*) to be unsteady, to be shaky (*o* rickety), to wobble: *il tavolino traballa* the table is rickety; (*rif. alla terra: tremare*) to tremble, to shake, to quake. – **3.** ⟨*fig*⟩ (*essere in pericolo*) to totter, to be shaky: *il trono traballa* the throne is tottering; (*rif. a cose astratte*) to waver: *la sua fede comincia a* ~ his faith is beginning to waver.

traballịo *m.* **1.** (*rif. a persone*) staggering, tottering, lurching, reeling. – **2.** (*rif. a cose*) wobbling, lurching, shaking. – **traballọne** *m.* ⟨*non com*⟩ lurch, stagger. □ *dare il* ~: 1. to fall (down); 2. (*fig*) (*andare in rovina*) to be ruined; 3. ⟨*fig*⟩ (*morire*) to die.

trabalzạre I *v.t.* ⟨*non com*⟩ (*spostare*) to toss (around), to throw, to fling (about). – **II** *v.i.* (*aus.* **essere**) to jump (*o* leap, spring) about. – **trabạlzo** *m.* **1.** ⟨*non com*⟩ toss, throw. – **2.** ⟨*ant*⟩ (*usura*) usury. – **trabalzọne** (*accr. di trabalzo*) *m.* ⟨*non com*⟩ (*forte scossa*) jolt, bump.

trabạnte *m.* **1.** ⟨*Mil.ant*⟩ trabant, bodyguard; (*servitore*) officer's servant. – **2.** (*attendente*) orderly, batman. – **3.** ⟨*Biol*⟩ (*satellite*) trabant, satellite.

trabạtto *m.* ⟨*Agr*⟩ seed sieve (*o* sifter).

trạbea *f.* ⟨*Stor.rom*⟩ trabea. – **trabeạta** *f.* ⟨*Lett*⟩ (*anche commedia trabeata*) trabeata. – **trabeạto** *a.* ⟨*Stor.rom*⟩ (*vestito con la trabea*) wearing a trabea.

trabeaziọne *f.* ⟨*Arch*⟩ trabeation.

trabẹcola *f.* ⟨*Anat*⟩ trabecula. – **trabecolạre** *a.* trabecular.

trabịccolo *m.* **1.** (*arnese per contenere lo scaldino*) wooden frame (around a bed-warmer). – **2.** ⟨*scherz*⟩ (*veicolo sgangherato*) ramshackle (*o* rickety) vehicle, ⟨*fam*⟩ jalopy, ⟨*fam*⟩ crock. – **3.** (*aggeggio complicato o strano*) complicated gadget, odd device.

traboccamẹnto *m.* ⟨*non com*⟩ **1.** overflowing. – **2.** (*rif. a bilance*) tipping, dipping, weighing down.

traboccạnte (*p.pr. di traboccare*[1]) *a.* **1.** overflowing (*di* with), brimful (of). – **2.** ⟨*fig*⟩ overflowing, brimming over (with).

traboccạre[1] *v.* (**trabọcco**, **trabọcchi**) **I** *v.i.* (*aus.* **essere/avere**) **1.** (*rif. a liquidi*) to overflow, to flow (*o* brim) over; (*in seguito a bollore*) to boil over: *il latte è traboccato* the milk has boiled over. – **2.** (*rif. a recipienti*) to be overflowing (*o* brimming), to be full to the brim (*di* with), to be brimful (of); (*rif. a luoghi chiusi*) to be full (of), to be overflowing (with): *la sala traboccava di gente* the room was full of people. – **3.** ⟨*fig*⟩ to be overflowing, to be brimming (with): *il mio cuore trabocca di gioia* my heart is overflowing with joy. – **4.** ⟨*fig*⟩ (*scoppiare*) to burst. – **5.** ⟨*non com*⟩ (*rif. a bilance*) to tip, to dip. – **6.** ⟨*non com*⟩ (*straripare*) to overflow. – **7.** ⟨*rar*⟩ (*cadere col viso a terra*) to fall flat on one's face. – **8.** ⟨*ant*⟩ (*rif. a monete: pesare più del previsto*) to be overweight. – **II** *v.t.* ⟨*rar*⟩ **1.** (*riversare*) to pour out, to spill. – **2.** (*gettare a terra*) to throw down. □ ⟨*fig*⟩ *far* ~ *la bilancia da un lato* to tip (*o* turn) the scales; *la bilancia trabocca in suo favore* the scales are tipping (*o* tipped, weighed) in his favour; ⟨*fig*⟩ *è la goccia che fa* ~ *il vaso* it's the ⌜last straw⌝ (*o* straw that broke the camel's back), it's too much, ⟨*fam*⟩ it's the end.

traboccạre[2] *v.t.* (**trabọcco**, **trabọcchi**) ⟨*ant*⟩ **1.** (*atterrare col trabocco*) to knock down with a catapult. – **2.** (*pesare monete col trabocco*) to weigh.

trabocchẹtto *m.* **1.** trap, pitfall; (*botola*) trap-door. – **2.** ⟨*fig*⟩ (*insidia, tranello*) trap, snare; (*difficoltà dissimulata*) pitfall, snag: *la traduzione era piena di -i* the translation was full of snags. – **3.** ⟨*Teat*⟩ trap(-door). – **4.** ⟨*Minier*⟩ raise, rise, riser. □ *cadere in un* ~ to fall into a trap; *domanda* ~ trick question; ⟨*fig*⟩ *tendere un* ~ *a qd.* to set a trap for s.o.

trabocchevole *a.* ⟨*rar*⟩ (*eccessivo*) excessive, superabundant. – **trabocchevolmente** *avv.* excessively.
trabocco[1] *m.* (*pl.* **-chi**) **1.** overflowing. – **2.** ⟨*Idr*⟩ (*sfioratore*) spillway. ☐ ⟨*non com*⟩ ~ *di sangue* haemoptysis.
trabocco[2] *m.* (*pl.* **-chi**) ⟨*Mil.ant*⟩ trabuch, kind of catapult.
trabocco[3] *m.* (*pl.* **-chi**) ⟨*ant*⟩ (*bilancino*) balance (for weighing coins).
trabucarsi *v.r.* (**mi trabuco, ti trabuchi**) ⟨*non com*⟩ (*andare di buco in buco*) to go from one hole to another.
trabucchella *f.* ⟨*Ornit*⟩ (*tarabusino*) little bittern (*Ixobrychus minutus*).
trabucco[1] *m.* → **trabocco**[2].
trabucco[2] *m.* (*pl.* **-chi**) ⟨*Stor*⟩ (*unità di misura*) measure of length (about 2.8-5.2 m).
trabucco[3] *m.* (*pl.* **-chi**) ⟨*Pesc*⟩ kind of drag-net.
trabucco[4] *m.* (*pl.* **-chi**) ⟨*Ornit*⟩ (*tarabuso*) bittern (*Botaurus stellaris*).
trabuco[1] *m.* ⟨*Geol,region*⟩ karst hole, swallow-hole.
trabuco[2] *sp. m.* (*sigaro*) trabuco.
tracagnotto I *a.* (*tarchiato*) squat, stocky, thickset, dumpy. – **II** *s.m.* (*f.* **-a**) squat (*o* stocky) person.
tracannare *v.t.* to swill, to gulp down: ~ *un bicchiere di vino* to gulp down a glass of wine. – **tracannatore** *m.* (*f.* **-trice**) gulper, guzzler.
traccagnotto *a./s.* → **tracagnotto**.
traccheggiare *v.* (**traccheggio, traccheggi**) ⟨*rar*⟩ **I** *v.t.* **1.** (*tenere a bada indugiando*) to put off. – **2.** (*tardare a concedere*) to delay, to dally with. – **II** *v.i.* (*aus.* **avere**) (*temporeggiare*) to temporize, to dally.
traccheggio[1] *m.* **1.** ⟨*non com*⟩ dallying, delay. – **2.** ⟨*Sport*⟩ (*nella scherma*) false attack.
traccheggio[2] *m.* ⟨*tosc,fam*⟩ long delay, procrastination, dilly-dallying.
traccia *f.* (*pl.* **-ce**) **1.** track, trail: *la* ~ *di una slitta* the track of a sleigh. – **2.** (*orma umana*) (foot)print, footmark, tracks *pl*; (*orma animale*) spoor, trail, tracks *pl*. – **3.** (*striscia*) trail: *una lunga* ~ *di polvere* a long trail of gunpowder. – **4.** ⟨*estens*⟩ (*segno, indizio*) trace, mark, sign: *scomparire senza lasciar* ~ *di sé* to disappear without leaving a trace. – **5.** *pl.* (*vestigia*) traces *pl*, trace, signs *pl*, remains *pl*, vestiges *pl*: *tracce di antiche civiltà* traces of ancient civilizations. – **6.** (*schizzo, abbozzo*) sketch; (*schema*) outline, general plan: *preparare la* ~ *di un romanzo* to prepare the outline of a novel. – **7.** *pl.* ⟨*Chim,Med*⟩ traces *pl*: *tracce di sangue* traces of blood. – **8.** ⟨*Mur*⟩ chase. – **9.** ⟨*Mecc*⟩ (*sede*) seat; (*scanalatura*) groove. – **10.** ⟨*Strad*⟩ layout. – **11.** ⟨*tecn*⟩ (*di magnetofono*) track; (*di schermi dei tubi a raggi catodici*) trace. – **12.** ⟨*lett*⟩ (*cammino, percorso*) path, way. – **13.** ⟨*ant*⟩ (*schiera*) crowd, long line. ☐ ⟨*poet*⟩ **amorosa** ~ (*richiamo sessuale*) sexual urge; ⟨*fig,rar*⟩ **andare** *in* ~ *di qd.* to go in search of s.o.; ⟨*fig*⟩ **essere** *sulle tracce di qd.* to be on s.o.'s trail; **falsa** ~: 1. ⟨*Venat*⟩ false trail (*o* scent); 2. ⟨*fig*⟩ wrong track: *seguire una falsa* ~ to go off on the wrong track, to be (*o* get) off the track; ⟨*Chim*⟩ **in** *tracce* in traces; ~ **luminosa** (*di proiettili*) luminous trail; ~ *di* **ruggine** rust mark; **seguire** *le tracce di qd.* to follow s.o.'s tracks; ⟨*fig*⟩ to follow in s.o.'s footsteps; ⟨*El*⟩ **sotto** ~ in conduits (*o* tubes).
tracciamento *m.* **1.** ⟨*non com*⟩ tracing. – **2.** ⟨*Topogr*⟩ layout. – **3.** ⟨*Mecc*⟩ scribing, marking off. – **4.** ⟨*Sport*⟩ marking (the track), setting out (the course). ☐ ~ *di confine* demarcation of a boundary; *fare il* ~ *sul terreno* to lay out. – **tracciante** (*p.pr. di tracciare*) **I** *a.* tracer-, tracing: *proiettile* ~ tracer bullet (*o* shell). – **II** *s.m.* **1.** ⟨*Mil*⟩ tracer bullet (*o* shell). – **2.** ⟨*Fis*⟩ tracer: ~ *radioattivo* radioactive tracer. – **tracciare** *v.t.* (**traccio, tracci**) **1.** to trace, to mark (out), to draw: ~ *un linea tratteggiata* to draw a broken line. – **2.** ⟨*estens*⟩ (*disegnare*) to draw, to sketch; (*rif. a diagrammi e sim.*) to lay (*o* map) out. – **3.** ⟨*fig*⟩ (*abbozzare*) to outline, to sketch (out), to describe: *l'autore traccia un quadro della situazione attuale* the author sketches a picture of the present situation. – **4.** ⟨*Geom*⟩ to describe: ~ *un arco* to describe an arc. – **5.** ⟨*Mecc*⟩ to scribe, to mark off. – **6.** ⟨*Topogr*⟩ to contour. – **7.** ⟨*Mar*⟩ (*rif. a costruzioni*) to lay off, to loft; (*rif. a percorsi*) to plot. – **8.** ⟨*ant*⟩ (*macchinare, ordire*) to plot, to scheme. – **9.** ⟨*rar*⟩ (*seguire le tracce*) to follow the trail (*o* track). ☐ ~ *a grandi linee* to outline; ⟨*fig*⟩ ~ *un programma* to map out a programme; *punta a* ~ scriber; ⟨*Mar*⟩ *sala a* ~ mold loft; ⟨*Agr*⟩ ~ *per la semina* to prepare drills for sowing; ⟨*fig*⟩ ~ *la via a qd.* to prepare the ground for s.o.
tracciaspessori *m.inv.* ⟨*fam*⟩ marking gauge.
tracciato (*p.p. di tracciare*) **I** *a.* traced (out), marked. – **II** *s.m.* **1.** (*progetto*) plan, layout: *il* ~ *di una strada* the layout of a road; *seguire il* ~ to follow the plan. – **2.** (*disegno*) drawing, sketch. – **3.** ⟨*fig*⟩ (*abbozzo*) rough draft, outline. – **4.** ⟨*Mecc*⟩ plan. – **5.** ⟨*Mar*⟩ (*rotta*) course, route. ☐ ~ *del confine* boundary line; ⟨*Mar*⟩ ~ *della rotta* course, route; ⟨*Aer*⟩ ~ *rotta* air plot.
tracciatore *m.* **1.** (*f.* **-trice**) tracer. – **2.** ⟨*Mecc*⟩ scriber, marker off. – **3.** (*nelle macchine elettroniche*) plotter. – **4.** ⟨*Mar*⟩ loftsman, plotter. – **5.** ⟨*Sport*⟩ trace layer.
tracciatrice *f.* **1.** tracer. – **2.** ⟨*Mecc*⟩ jig borer. – **tracciatura** *f.* **1.** (*disegno*) drawing, tracing. – **2.** ⟨*Mecc*⟩ scribing, marking off. – **3.** ⟨*Mar*⟩ lofting. – **4.** ⟨*Legat*⟩ (*grecaggio*) kerfing.
tracco *m.* (*pl.* **-chi**) (*fuoco d'artificio*) firecracker.
traccutaggine *f.* ⟨*ant*⟩ (*trascuratezza*) carelessness, negligence. – **traccutato** *a.* ⟨*ant*⟩ **1.** (*trascurato*: *rif. a persone*) careless, negligent. – **2.** (*rif. a cose*) neglected, unkempt.
trace I *a.* ⟨*non com*⟩ (*tracio*) Thracian. – **II** *s.m.* **1.** (*lingua*) Thracian. – **2.** *m./f.* (*abitante*) Thracian. – **3.** ⟨*Stor.rom*⟩ (*gladiatore*) Thrace, Thracian.
trachea *f.* **1.** ⟨*Anat*⟩ trachea, windpipe. – **2.** ⟨*Zool,Bot*⟩ trachea. – **tracheale** *a.* **1.** ⟨*Anat*⟩ tracheal. – **2.** ⟨*Zool,Bot*⟩ tracheal. – **tracheati** *m.pl.* ⟨*Zool*⟩ tracheates *pl*, tracheate arthropods *pl* (*Tracheata*).
tracheidale *a.* ⟨*Bot*⟩ tracheidal. – **tracheide** *f.* tracheid.
tracheite *f.* ⟨*Med*⟩ tracheitis.
trachelorrafia *f.* ⟨*Chir*⟩ trachelorrhaphy. – **trachelotomia** *f.* trachelotomy.
tracheo|bronchite *f.* ⟨*Med*⟩ tracheobronchitis. – **~cele** *m.* tracheocele.
tracheofite *f.pl.* ⟨*Bot*⟩ tracheophytes *pl* (*Tracheophyta*).
tracheo|malacia *f.* ⟨*Med*⟩ tracheomalacia. – **~patia** *f.* tracheopathy, tracheopathia. – **~scopia** *f.* tracheoscopy. – **~stenosi** *f.* tracheostenosis. – **~tomia** *f.* ⟨*Chir*⟩ tracheotomy. – **~tomizzare** *v.t.* to tracheotomize.
trachinidi *m.pl.* ⟨*Itt*⟩ weevers *pl* (*Trachinidae*).
Trachinie *N.pr.f.pl.* ⟨*Lett*⟩ Trachiniae *pl*.
trachino *m.* ⟨*Itt*⟩ weever (*Trachinus*).
trachipteridi *m.pl.* → **trachitteridi**.
trachite *f.* ⟨*Min*⟩ trachyte. – **trachitico** *a.* (*pl.* **-ci**) **1.** trachytic. – **2.** ⟨*non com*⟩ (*porfirico*) porphyritic.
trachitteridi *m.pl.* ⟨*Itt*⟩ deal fishes *pl*, ribbonfishes *pl* (*Trachipteridae, Trachypteridae*). – **trachittero** *m.* deal fish, ribbonfish (*Trachypterus taenia*).
Tracia *N.pr.f.* ⟨*Geog*⟩ Thrace. ☐ ~ *greca* (o *occidentale*) Western Thrace; ~ *turca* (o *orientale*) Eastern Thrace. – **tracico** *a.* (*pl.* **-ci**) Thracian.
tracimabile *a.* ⟨*Idr*⟩ overflow-. – **tracimare I** *v.i.* (*aus.* **avere**) to overflow. – **II** *v.t.* ⟨*non com*⟩ to overflow. – **tracimazione** *f.* overflowing.
tracina *f.* ⟨*Itt*⟩ **1.** → **trachino**. – **2.** greater weever (*Trachinus draco*).
tracio I *a.* Thracian. – **II** *s.m.* ⟨*lett*⟩ **1.** (*lingua*) Thracian. – **2.** (*abitante*; *f.* **-a**) Thracian.
tracolla *f.* **1.** shoulder-strap. – **2.** ⟨*Mod,rar*⟩ stole. ☐ *a* ~ shoulder-, slung over one shoulder, on one's shoulder: *borsetta a* ~ shoulder bag; *portare la borsa a* ~ to carry one's bag on one's shoulder.
tracollare *v.i.* (**tracollo**; *aus.* **essere**) **1.** to lose one's balance, to lean to one side, to overbalance; (*cadere*) to fall (*o* tip) over. – **2.** (*rif. a bilance*) to overbalance. – **3.** ⟨*fig*⟩ (*rif. a prezzi, ad azioni e sim.*) to drop (*o* fall) suddenly. – **tracollo** *m.* **1.** (*rif. a bilance*) dipping, weighing down. – **2.** ⟨*fig*⟩ (*crollo*) collapse, breakdown; (*rovina finanziaria*) ruin, crash, collapse. ☐ ~ *della borsa* stock exchange crash; ~ *dei prezzi di borsa* fall (*o* slump) in prices on the stock exchange; *subire un* ~ to be (financially) ruined.
tracoma *m.* ⟨*Med*⟩ trachoma. – **tracomatoso I** *a.* **1.** trachomatous. – **2.** (*affetto da tracoma*) trachomatous. – **II** *s.m.* (*f.* **-a**) person suffering from trachoma.
tracotante I *a.* arrogant, haughty, overbearing, overweening. – **II** *s.m./f.* arrogant person. – **tracotanza** *f.* ⟨*lett*⟩ arrogance, haughtiness.
tractarianismo *m.* ⟨*Rel*⟩ Tractarianism. – **tractariano I** *a.* Tractarian. – **II** *s.m.* Tractarian. ☐ *movimento* ~ → **tractarianismo**.
tractus *lat. m.* ⟨*Lit*⟩ tract.
tracuro *m.* ⟨*Zool*⟩ horse mackerel (*Trachurus trachurus*).
tracutaggine *f.* → **traccutaggine**. – **tracutato** *a.* → **traccutato**.
tradere *v.* ⟨*ant*⟩ → **tradire**.
tradescanzia *f.* ⟨*Bot*⟩ spiderwort (*Tradescantia*).
tradigione *f.* ⟨*ant*⟩ → **tradimento**.
tradimento *m.* **1.** treachery, betrayal. – **2.** ⟨*Dir*⟩ treason: *alto* ~ high treason; (*infedeltà coniugale*) unfaithfulness, adultery. ☐ *a* ~ treacherously, by treachery; (*imprevedibilmente*) by surprise: *cogliere a* ~ to take by surprise; *mangiare il pane a* ~ (*senza guadagnarselo*) to eat at other people's expense; *commettere un* ~ *contro qd.* to betray s.o.; ~ *della patria* treason.
tradire *v.t.* (**tradisco, tradisci**) **1.** to betray, to be disloyal to: ~ *la patria* to betray one's country; ~ *la fede data* to betray one's trust. – **2.** (*mancare alla fede coniugale*) to be unfaithful to, ⟨*fam*⟩ to cheat on: ~ *la moglie* to be unfaithful to one's wife. – **3.** ⟨*estens*⟩ (*manifestare involontariamente*) to betray, to reveal, to show, to display: *non* ~ *la propria stanchezza* to betray no signs of one's fatigue; (*divulgare, rivelare*) to betray, to reveal, to disclose: ~ *un segreto* to betray a secret. – **4.** ⟨*fig*⟩ (*venir meno*) not to keep, to fail in: ~ *una promessa* not to keep a promise. – **5.** ⟨*fig*⟩ (*falsare*) to distort, to misrepresent: ~ *la verità* to distort the truth; (*deludere*) to deceive, to betray: *hai tradito la mia fiducia* you have betrayed my trust; *se la memoria non mi tradisce* if my memory does not deceive (*o* fail) me, if my memory serves me right. – **6.** ⟨*ant*⟩ (*consegnare per tradimento*) to deliver to the enemy. – **tradirsi** *v.r.* to betray o.s., to give o.s. away: *ti sei tradito* you gave yourself away. ☐ ~ *l'aspettazione di qd.* to disappoint (*o* fail to come up to) s.o.'s expectations; ~ *la propria fama* not to live up to one's reputation, to be a disappointment; ⟨*fam*⟩ *un vino che tradisce* a deceptively strong wine.
tradito[1] (*p.p. di tradire*) *a.* **1.** betrayed. – **2.** (*rif. alla fede coniugale*) betrayed, deceived: *moglie* **-a** betrayed wife, wife whose husband is unfaithful. – **3.** ⟨*estens*⟩ (*rivelato*) betrayed.
tradito[2] *a.* ⟨*Filol*⟩ (*tramandato*) handed down.

traditọre I *s.m.* (*f.* **-trice**/*pop.* **-a**) **1.** traitor, betrayer: ~ *della patria* traitor to one's country. – **2.** (*infedele*) deceiver. – **II** *a.* **1.** treacherous. – **2.** (*che inganna, delude*) treacherous, deceitful, deceptive. □ *alla -a* treacherously; (*di sorpresa*) by surprise. – **traditorẹllo** *m.* (*f.* **-a**) ⟨*pop*⟩ *dim. di* **traditore**.

tradizionạle *a.* **1.** traditional: *un costume* ~ a traditional costume. – **2.** ⟨*scherz*⟩ (*solito, consueto*) usual, customary. □ *di tipo* ~ traditional. – **tradizionalịsmo** *m.* traditionalism. – **tradizionalịsta I** *s.m./f.* traditionalist. – **II** *a.* → **tradizionalistico**. – **tradizionalịstico** *a.* (*pl.* **-ci**) traditionalist(ic). – **tradizionalmẹnte** *avv.* traditionally.

tradiziọne *f.* **1.** tradition: *rompere la* ~ to break with tradition; ~ *orale* oral tradition, word-of-mouth; *la* ~ *vuole che* according to tradition, it is the tradition that. – **2.** (*usi, costumi*) tradition, custom: *una famiglia che ha delle -i* a family with (many) traditions. – **3.** ⟨*fam*⟩ (*abitudine*) custom, tradition. – **4.** ⟨*Dir*⟩ tradition, delivery, transfer. – **5.** ⟨*Teol*⟩ tradition. – **6.** ⟨*Filol*⟩ transmission.

tradizionịsta *m.* ⟨*Stor*⟩ (*nell'Islam*) traditionist. – **tradizionịstica** *f.* study of tradition (*o* Hadith).

tradọtta *f.* ⟨*Mil*⟩ troop-train.

tradọtto (*p.p. di tradurre*) *a.* translated.

traducianịsmo *m.* ⟨*Teol*⟩ traducianism.

traducịbile *a.* **1.** translatable. – **2.** ⟨*fig*⟩ expressible. □ *non* ~ untranslatable; *un testo difficilmente* ~ a text that is difficult to translate.

tradunionịsmo *m.* trade-unionism. – **tradunionịsta** *m./f.* trade-unionist. – **tradunionịstico** *a.* (*pl.* **-ci**) trade-union-.

tradụrre *v.t.* (**tradụco, tradụci; tradụssi, tradọtto**; → **condurre**) **1.** to translate: ~ *un brano dall'italiano in latino* to translate a passage from Italian into Latin. – **2.** ⟨*fig*⟩ (*spiegare*) to put, to explain: ~ *qc. in parole povere* to explain s.th. simply, to put s.th. into simple words; (*esprimere*) to express. – **3.** ⟨*burocr*⟩ to take, to convey: *l'assassino fu tradotto in carcere* the murderer was taken to prison; (*trasferire*) to transfer. – **4.** ⟨*lett*⟩ (*tramandare*) to transmit, to hand down.

□ ~ *in* **atto** to put into effect, to carry out; ⟨*Dir*⟩ ~ *in* **giudizio** to bring to justice, to bring before the court (*o* judge); ~ *all'***impronta** to translate at sight, to do sight translation; ~ *alla* **lettera** to translate literally (*o* word for word); ~ **liberamente** = *tradurre a* **senso**; ~ *in* **pratica** = *tradurre in* **atto**; ~ *a* **senso** to translate loosely (*o* freely).

traduttọre I *s.m.* (*f.* **-trice**) **1.** translator: ~ *giurato* certified (*o* sworn) translator. – **2.** (*libretto*) translation. – **II** *a.* translating: *macchina traduttrice* translating machine. – **traduziọne** *f.* **1.** translation: *una* ~ *dall'italiano in latino* a translation from Italian into Latin. – **2.** ⟨*burocr*⟩ (*trasporto di detenuti*) transfer. □ ⟨*burocr*⟩ *fare una* ~ to transfer; ~ *letterale* literal translation; ~ *libera* free (*o* loose) translation; ~ *simultanea* simultaneous translation.

traẹnte (*p.pr. di trarre*) **I** *a.* drawing. – **II** *s.m.* ⟨*Econ*⟩ drawer: ~ *di un assegno* drawer of a cheque. – **III** *s.f.* (*fune traente*) pull (*o* traction) rope, hauling cable. – **traẹnza** *f.* ⟨*Econ*⟩ drawing. – **trạere** *v.t.* ⟨*ant*⟩ (*trarre*) to draw.

trafạlco *m.* (*pl.* **-chi**) ⟨*non com*⟩ (*travalca*) kind of broken trot.

trafelamẹnto *m.* ⟨*rar*⟩ panting. – **trafelạre** *v.i.* (**trafẹlo**; *aus.* **avere**) ⟨*ant*⟩ (*ansimare*) to pant, to be out of breath. – **trafelạto** (*p.p. di trafelare*) *a.* panting, breathless, out of breath.

trafẹrro *m.* ⟨*Fis*⟩ air gap.

trafficạbile *a.* ⟨*non com*⟩ (*commerciabile*) marketable, trafficable; (*vendibile*) saleable. – **trafficạnte** *m./f.* **1.** trader, dealer, merchant, trafficker: ~ *di schiavi* slave trader (*o* runner), slaver. – **2.** ⟨*spreg*⟩ operator, trafficker. □ ~ *in divise* trafficker in foreign currencies; ~ *di stupefacenti* drug peddler, ⟨*gerg*⟩ pusher.

trafficạre *v.* (**trạffico, trạffichi**) **I** *v.i.* (*aus.* **avere**) **1.** (*commerciare*) to deal, to trade, to traffic: ~ *in elettrodomestici* to deal in household appliances. – **2.** (*affaccendarsi*) to bustle about, to busy o.s. – **II** *v.t.* **1.** ⟨*spreg*⟩ to traffic in. – **2.** ⟨*ant*⟩ (*maneggiare*) to use, to handle, to wield, to ply. □ ~ *con qd.* to deal with s.o., ⟨*fam*⟩ to have truck with s.o.

trafficạto (*p.p. di trafficare*) *a.* busy: *una strada molto -a* a very busy road. – **trafficatọre** *m.* (*f.* **-trice**) ⟨*non com*⟩ → **trafficante**. – **trafficheịno** *m.* (*f.* **-a**) ⟨*spreg*⟩ intriguer, schemer, trafficker.

trạffico *m.* (*pl.* **-ci**/*ant.* **-chi**) **1.** (*commercio*) trade, commerce, trading. – **2.** (*commercio illecito*) traffic, trade: ~ *di stupefacenti* traffic in drugs, drug peddling. – **3.** (*movimento*) movement; (*confusione*) bustle, confusion. – **4.** ⟨*Strad,Ferr,Aer*⟩ traffic: *strada chiusa al* ~ road closed to traffic; *il* ~ *delle ore di punta* the rush hour traffic.

□ ~ **aereo** air traffic; ~ **circolare** roundabout traffic flow; ~ **cittadino** city traffic; ⟨*spreg*⟩ **far** ~ *di qc.* to traffic in s.th.; ~ **ferroviario** rail traffic; ~ **internazionale** international traffic; ~ **interno** domestic traffic; ~ **locale** local traffic; (*insegna stradale*) local traffic only; ~ **marittimo** maritime traffic; ~ **merci** goods (*o* freight) traffic; ~ **nazionale** = *traffico* **interno**; ~ **pedonale** pedestrian traffic; ~ **pendolare** commuter traffic; ~ **postale** postal traffic; ⟨*Strad*⟩ ~ *di* **punta** peak (*o* rush) hour traffic; ~ *a* **senso** *unico* one-way traffic; ~ **stradale** road traffic; ~ **telefonico** telephone traffic (*o* operation); ~ *di* **transito** through traffic; ~ **urbano** urban traffic; ~ **viaggiatori** passenger traffic.

trafficọne *m.* (*f.* **-a**) ⟨*spreg*⟩ **1.** opportunist, ⟨*spreg*⟩ wheeler-dealer. – **2.** (*impiccione*) busybody, schemer, intriguer.

trafiẹre, trafiẹri *m.* ⟨*ant*⟩ (*pugnale*) dagger.

trafịggere *v.t.* (**trafịggo, trafịggi; trafịssi, trafịtto**) **1.** to run through, to pierce, to transfix, to impale: ~ *qd. con la spada* to run s.o. through with a sword. – **2.** ⟨*fig*⟩ (*rif. a dolori fisici*) to pierce, to rack, to torment. – **3.** ⟨*fig*⟩ (*affliggere*) to afflict, to torment, to pierce; (*addolorare*) to grieve, to distress. – **4.** ⟨*non com*⟩ (*pungere*) to prick. □ ⟨*fig*⟩ ~ *il cuore* (o *l'anima*) *di qd.* to pierce s.o.'s heart; (*rif. a passione amorosa*) to win s.o.'s heart.

trafiggimẹnto *m.* ⟨*non com*⟩ running through, piercing, transfixion. – **trafiggitọre** *m.* (*f.* **-trice**) ⟨*non com*⟩ piercer, wounder.

trafịla *f.* **1.** wire-drawing machine, draw bench; (*filiera*) die (plate), drawplate. – **2.** ⟨*Mecc,non com*⟩ (*trafilatura*) drawing. – **3.** ⟨*fig*⟩ (*complesso di difficoltà da superare*) obstacles to be overcome. – **4.** ⟨*burocr*⟩ (*serie di operazioni da seguire*) (official) procedure: *la pratica seguirà una lunga* ~ the matter will involve a lengthy procedure. □ ~ *per fili* wire-drawing machine; (*filiera*) wire-drawer's plate; ~ *multipla* wortle; ~ *per nastri* flatter; ~ *per tubi* tube-drawing machine.

trafilạbile *a.* ⟨*non com*⟩ ductile. – **trafilabilità** *f.* ⟨*non com*⟩ ductility, ductileness.

trafilạre *v.t.* ⟨*Mecc*⟩ to draw. – **trafilạto** (*p.p. di trafilare*) **I** *a.* drawn. – **II** *s.m.* drawn product. □ ~ *a caldo* hot-drawn; ~ *a freddo* cold-drawn; ~ *lucido* bright-drawn. – **trafilatọre** *m.* (wire-) drawer. – **trafilatrịce** *f.* (*anche macchina trafilatrice*) draw-bench, drawing-machine; (*per fili*) wire-drawing machine.

trafilatụra *f.* ⟨*Mecc*⟩ drawing.

□ ~ *a* **caldo** hot-drawing; ~ **continua** continuous drawing; ~ *di* **fili** wire-drawing; ~ *a* **freddo** cold-drawing; ~ **lucida** bright-drawing; ~ *a* **secco** soap-drawing; ~ *di* **tubi** tube-drawing.

trafilerịa *f.* ⟨*Mecc*⟩ (wire-)drawing mill.

trafilẹtto *m.* ⟨*Giorn*⟩ paragraph, short notice (*o* article).

trafịtta *f.* **1.** stab, wound. – **2.** ⟨*non com*⟩ (*puntura, trafittura*) sharp (*o* piercing) pain. – **3.** ⟨*fig,non com*⟩ (*afflizione*) pang; (*parola, gesto che ferisce*) sting, cut, blow.

trafittịvo *a.* ⟨*non com*⟩ **1.** piercing, sharp. – **2.** ⟨*fig*⟩ piercing, stabbing. – **trafịtto** (*p.p. di trafiggere*) *a.* **1.** run through, pierced, transfixed. – **2.** ⟨*fig*⟩ (*addolorato*) grieved, wounded.

trafittụra *f.* **1.** (*atto*) running through, piercing, transfixion. – **2.** (*effetto*) (stab) wound. – **3.** ⟨*non com*⟩ (*puntura*) sharp (*o* piercing) pain. – **4.** ⟨*rar*⟩ (*afflizione*) pang, sting.

traforamẹnto *m.* ⟨*non com*⟩ piercing; (*trivellatura*) boring, drilling; (*l'aprire una galleria*) tunnelling. – **traforạre** *v.t.* (**trafọro**) **1.** to pierce, to perforate: *la pallottola gli ha traforato il cuore* the bullet pierced his heart; (*trivellare*) to bore, to drill; (*aprire una galleria*) to tunnel (through), to make a tunnel in. – **2.** (*eseguire un lavoro di traforo*) to do fretwork on, to decorate with fretwork; (*in legno*) to cut (with a fretsaw). – **3.** ⟨*Lav.femm*⟩ to embroider in openwork. – **4.** (*aprire un buco*) to make a hole in.

traforạto (*p.p. di traforare*) *a.* **1.** pierced, perforated; (*trivellato*) bored, drilled; (*fatto a galleria*) tunnelled. – **2.** (*a traforo*) open, lacy; (*rif. al legno*) fretworked. □ *legno* ~ fretwork; *ricamo* ~ openwork. – **traforatọre** *m.* (*f.* **-trice**) ⟨*non com*⟩ piercer, perforator; (*chi trivella*) borer, driller; (*chi fa una galleria*) tunneller. – **traforatrịce** *f.* **1.** ⟨*non com*⟩ (*chi trafora*) piercer, perforator; (*chi trivella*) borer, driller. – **2.** (*macchina*) boring-machine, drilling-machine; (*sega*) fretsaw, fretsawing-machine. – **traforaziọne** *f.* ⟨*non com*⟩ piercing, perforation; (*trivellazione*) boring, drilling; (*di galleria*) tunnelling.

trafọro *m.* **1.** piercing, perforation; (*trivellatura*) boring, drilling; (*il fare una galleria*) tunnelling. – **2.** (*galleria*) tunnel: *il* ~ *del Monte Bianco* the Mont Blanc tunnel. – **3.** (*lavoro a fori*) fretwork. – **4.** ⟨*Lav.femm*⟩ openwork.

trafugamẹnto *m.* filching, purloining, stealing. – **trafugạre** *v.t.* (**trafụgo, trafụghi**) to filch, to purloin, to steal. – **trafugarsi** *v.r.* ⟨*lett,non com*⟩ (*fuggire nascostamente*) to flee, to steal away.

trag. = ⟨*Lett*⟩ *tragedia* tragedy (*abbr.* trag.).

tragẹda *m.* → **tragediografo**.

tragẹdia *f.* **1.** ⟨*Lett*⟩ tragedy (*anche collett.*): *la* ~ *greca* Greek tragedy; *una* ~ *di Shakespeare* a Shakespearean tragedy. – **2.** ⟨*fig*⟩ (*spettacolo tragico*) tragedy; (*disgrazia*) tragedy, disaster, calamity. – **3.** ⟨*iperb*⟩ (*scenata*) scene, (terrible) fuss, tragedy: *non è il caso di fare tante -e* there's no need to make such a fuss. – **4.** ⟨*ant*⟩ (*componimento letterario elevato*) tragedy. □ ⟨*Mus*⟩ ~ *musicale* opera.

tragediạbile *a.* ⟨*rar*⟩ suitable for a tragedy. – **tragediạnte** *m./f.* ⟨*non com*⟩ **1.** → **tragediografo**. – **2.** (*attore*) tragic actor (*f* -tress), tragedian (*f* -dienne). – **3.** ⟨*fig*⟩ fusser. – **tragediọgrafo** *m.* tragedian, writer of tragedies. – **tragẹdo** *m.* ⟨*lett*⟩ **1.** → **tragediografo**. – **2.** ⟨*rar*⟩ (*attore*) tragic actor (*f* -tress), tragedian (*f* -dienne).

tragẹlafo *m.* ⟨*Zool*⟩ **1.** tragelaph, strepsiceros (*Tragelaphus*). – **2.** *pl.* tragelaphines *pl* (*Tragelaphinae*). □ ~ *striato* bushbuck, boschbok, guib, harnessed antelope (*Tragelaphus scriptus*).

tragettạre *v.* (**tragẹtto**) ⟨*ant*⟩ → **tragittare**. – **tragẹtto** *m.* ⟨*ant*⟩ **1.** (*via traversa*) short-cut; (*sentiero scosceso*) steep path. – **2.** (*passaggio*) journey.

trạggere *v.t.* ⟨*ant*⟩ (*trarre*) to draw.

traghettạre *v.t.* (**traghẹtto**) **1.** to ferry. – **2.** (*traversare in barca*) to cross, to ferry across: ~ *un fiume* to cross a river. – **3.** (*trasbordare*) to tran(s)ship. – **traghettatọre** *m.* (*f.* **-trice**) ferryman (*f* -woman). – **traghẹtto** *m.* **1.** (*il trasportare*) ferrying; (*l'attraversare*) crossing. – **2.** (*luogo*) ferry. – **3.** (*nave traghetto*) ferry(-boat).

□ ~ *aereo* air ferry; ~ *per automobili* car ferry; ~ *ferroviario* train ferry; ~ *fluviale* river ferry; ~ *a fune* rope (*o* cable) ferry.
tragicamẹnte *avv.* **1.** tragically; (*in circostanze tragiche*) tragically, in tragic circumstances. – **2.** ⟨*fig*⟩ (*dolorosamente*) tragically, sadly. – **tragicità** *f.* tragicalness (*anche fig.*).
trạgico *a./s.* (*pl.* **-ci**) **I** *a.* **1.** ⟨*Lett*⟩ tragic(al): *stile* ~ tragic style; (*di tragedie*) tragic, of tragedies: *scrittore* ~ writer of tragedies; *attore* ~ tragic actor. – **2.** ⟨*fig*⟩ (*triste, luttuoso*) tragic, very sad: *in circostanze tragiche* in tragic circumstances. – **II** *s.m.* **1.** tragic. – **2.** (*autore*) tragedian, writer of tragedies. – **3.** (*attore*) tragedian (*f* -dienne), tragic actor (*f* -tress). □ ⟨*fam*⟩ *fare il* ~ to make a mountain out of a molehill, to make a great fuss (*o* bother); ⟨*fam*⟩ *prendere qc. sul* ~ to dramatize s.th.
tragicọmico *a./s.* (*pl.* **-ci**) **I** *a.* ⟨*Lett*⟩ tragicomic(al) (*anche fig.*). – **II** *s.m.* writer of tragicomedies. – **tragicommẹdia** *f.* ⟨*Lett*⟩ tragicomedy (*anche fig.*).
tragittạre *v.t.* ⟨*non com*⟩ **1.** (*traghettare*) to ferry. – **2.** (*rif. a corsi d'acqua*: *attraversare*) to cross, to ferry across. – **tragittarsi** *v.r.* (*trasferirsi*) to travel.
tragịtto *m.* **1.** (*viaggio*) journey: *durante il* ~ during the journey, on the way; (*traversata*) crossing, passage. – **2.** (*tratto di strada, percorso*) way, route. – **3.** ⟨*Anat,Med*⟩ canal, passage: ~ *inguinale* inguinal canal. – **4.** ⟨*tosc*⟩ (*sentiero ripido*) steep path. – **5.** ⟨*ant*⟩ (*traghetto*) ferry.
trạgli *prep.art.* (formed from *tra* + *gli*) → **tra.**
trạglia *f.* ⟨*Mar*⟩ (*draglia*) stay, runner.
trạgo *m.* (*pl.* **-ghi**) ⟨*Anat*⟩ tragus.
tragopạno *m.* ⟨*Ornit*⟩ tragopan (*Tragopan*). □ ~ *satiro* crimson tragopan (*Tragopan satyra*).
tragopogọne *m.* ⟨*Bot*⟩ goatsbeard (*Tragopogon*).
tragosẹlino *m.* ⟨*Bot*⟩ greater burnet saxifrage (*Pimpinella major*).
traguardạre *v.t.* **1.** to look through a sight at. – **2.** (*guardare di sottecchi*) to look at furtively, to steal a look at, to squint at; (*guardare di sfuggita*) to catch a hurried glimpse of. – **3.** ⟨*fig*⟩ (*spiare*) to peep at.
traguạrdo *m.* **1.** ⟨*Sport*⟩ (*punto d'arrivo*) finish, winning (*o* finishing) post; (*linea*) finishing line; (*nastro*) finishing tape: *tagliare il* ~ to cross the finishing line, to breast the tape. – **2.** ⟨*fig*⟩ (*punto d'arrivo*) goal, aim, target: *raggiungere un* ~ to achieve one's goal. – **3.** (*strumento ottico*) (back-)sight, level. – **4.** (*nelle armi*) sight. – **5.** ⟨*Fot*⟩ finder. □ ⟨*Sport*⟩ ~ *intermedio* intermediate post; ⟨*Aer*⟩ ~ *di puntamento* bomb-sight.
trạgula *f.* ⟨*Mil.ant*⟩ dart.
trại *prep.art.* (formed from *tra* + *i*) → **tra.**
Traiạno *N.pr.m.* ⟨*Stor*⟩ Trajan.
traiettạre *v.* ⟨*ant*⟩ → **traghettare.**
traiettọria *f.* **1.** trajectory, path; (*rif. a proiettili*) trajectory. – **2.** ⟨*Fis,Geom*⟩ trajectory.
□ ~ **balistica** ballistic trajectory; ⟨*Aer*⟩ ~ **discendente** declining trajectory; ⟨*Aer*⟩ ~ *di* **discesa** glide path; ⟨*Ott*⟩ ~ *del* **raggio** path of ray; ~ *di* **salita** trajectory of climb, climbing path; ~ *di* **volo** flight path.
trailer *ingl.* ['treilər] *m.* (*roulotte*) trailer, caravan.
trạina *f.* **1.** tow rope. – **2.** ⟨*Equit*⟩ kind of broken trot. – **3.** ⟨*Venat*⟩ lune, leash. □ *pesca a* ~ trolling.
trainạbile *a.* pullable, haulable, towable. – **trainạre** *v.t.* (**trạino**) **1.** to pull, to haul, to drag, to draw: *i buoi trainano il carro* the oxen pull the cart; (*rimorchiare*) to tow. – **2.** ⟨*fig*⟩ to drag. – **trainạto** (*p.p. di trainare*) *a.* pulled, drawn, dragged; (*rimorchiato*) towed.
trainer *ingl.* ['treinər] *m.* **1.** (*allenatore*) trainer. – **2.** ⟨*Equit*⟩ (race-horse) trainer.
trạino *m.* **1.** (*il trainare*) pulling, haulage, dragging, drawing; (*il rimorchiare*) towing. – **2.** (*ciò che viene trainato*) tow. – **3.** (*strascico*) train. – **4.** (*veicolo senza ruote*) sled, sledge, sleigh. – **5.** (*carro*) wagon, cart; (*insieme di carri*) wagon train. – **6.** (*carico*) load. – **7.** ⟨*Equit*⟩ (*traina*) kind of broken trot. – **8.** ⟨*poet*⟩ (*treno*) train. – **9.** ⟨*ant*⟩ (*seguito di persone*) train, retinue. – **10.** ⟨*ant*⟩ (*tenore di vita*) standard of living.
□ ~ **aereo** sky train; ~ **animale** drawing (*o* haulage) by animals; **da** ~ draught, ⟨*am*⟩ draft: *animali da* ~ draught animals; **gancio** *di* ~ hitch; ~ **meccanico** mechanical haulage; ⟨*ant*⟩ ~ *di* **vita** standard of living.
trait d'union *fr.* [trɛdynj'ɔ̃] *m.* **1.** (*trattino*) hyphen. – **2.** ⟨*fig*⟩ (*legame*) link, connection. – **3.** ⟨*fig*⟩ (*intermediario*) intermediary, go-between: *fare da* ~ to act as intermediary.
tral *prep.art.* (formed from *tra* + *il*) → **tra.**
tralasciamẹnto *m.* ⟨*non com*⟩ **1.** (*il lasciare da parte*) neglect(ing); (*l'interrompere*) stopping, interruption. – **2.** (*l'omettere*) omission. – **tralasciạre** *v.t.* (**tralạscio, tralạsci**) **1.** (*lasciare da parte*) to neglect: ~ *gli studi* to neglect one's studies; (*interrompere*) to discontinue, to stop, to interrupt. – **2.** (*omettere di fare*) to omit, to fail, to neglect: *non* ~ *di avvertirmi* ⌜don't fail⌝ (*o* be sure) to let me know. – **3.** (*omettere*) to leave out, to omit, ⟨*fam*⟩ to skip: ~ *alcuni particolari* to leave out some details.
tralatịzio *a.* ⟨*Stor,rar*⟩ (*tramandato*) traditional.
trạlcio *m.* shoot; (*della vite*) vine-shoot.
tralịccio *m.* **1.** ⟨*Tess*⟩ ticking, ticken. – **2.** (*struttura*) framework. – **3.** (*graticcio*) trellis, lattice; (*travatura reticolare*) truss. – **4.** (*pilone a traliccio*) pylon, girder-pole: *un* ~ *d'alta tensione* high-tension pylon. □ *a* ~ lattice-, trellis-: *ponte a* ~ lattice bridge; ~ *di sostegno di un ponte* trestle.
tralịce: *in* (o *di*) ~ (*di sbieco*) slantingly, askance, obliquely, sideways on: *guardare qd. in* ~ to look askance at s.o.
tralignamẹnto *m.* ⟨*non com*⟩ degeneration; (*il deviare*) deviation. – **tralignạre** *v.i.* (*aus.* **essere/avere**) (*degenerare*) to fall away (from ancestral excellence), ⟨*ant*⟩ to degenerate; (*peggiorare*) to degenerate, to deteriorate; (*deviare*) to deviate.
trạlla *prep.art.* (formed from *tra* + *la*) → **tra.**
trallerallà, trallerallẹra *intz.* tra-la-la.
trạllo *prep.art.* (formed from *tra* + *lo*) → **tra.**
tralucẹnte (*p.pr. di tralucere*) *a.* **1.** (*trasparente*) translucent, transparent. – **2.** ⟨*rar*⟩ (*lucente*) shining, bright. – **tralụcere** *v.i.dif.* (forms used: **tralụce; traluceva**) **1.** to shine (*in, attraverso* through): *un debole chiarore traluceva attraverso la tenda* a faint light shone through the curtain. – **2.** ⟨*fig*⟩ (*trasparire*) to shine: *la felicità le traluce dagli occhi* her eyes are shining with happiness. – **3.** ⟨*non com*⟩ (*lasciar passare la luce*) to be translucent.
tram *m.* tram(car), ⟨*am*⟩ trolley(car), ⟨*am*⟩ streetcar: *andare in* ~ to go by tram.
trạma *f.* **1.** ⟨*Tess*⟩ weft, woof, filling. – **2.** (*filato*) yarn; (*di seta*) tram. – **3.** ⟨*fig*⟩ (*macchinazione*) plot, conspiracy: *sventare una* ~ to foil a plot. – **4.** ⟨*fig*⟩ (*argomento, intreccio*) plot: *la* ~ *di un romanzo* the plot of a novel. – **5.** ⟨*Sport*⟩ (*insieme coordinato di azioni*) attacking strategy, offensive tactics *pl.* – **6.** ⟨*Bot*⟩ trama. – **7.** ⟨*Anat*⟩ tissue.
tramạcchio *m.* ⟨*non com*⟩ → **tramaglio.** – **tramạglio** *m.* **1.** ⟨*Pesc*⟩ trammel (net). – **2.** ⟨*Venat*⟩ trammel.
tramagnịno *m.* ⟨*Teat*⟩ **1.** (*mimo*) mime, mimic, clown. – **2.** (*comparsa*) walk-on. – **3.** (*giocoliere*) juggler.
tramandamẹnto *m.* ⟨*non com*⟩ handing down. – **tramandạre** *v.t.* **1.** to hand down. – **2.** ⟨*ant*⟩ (*trasferire*) to convey, to transport. – **tramandarsi** *v.r.* to be handed down. □ ~ *di padre in figlio* to hand down from father to son.
tramạre *v.t.* **1.** (*macchinare*) to plot, to scheme, to intrigue. – **2.** ⟨*rar*⟩ (*intrecciare la trama con l'ordito*) to weave.
trambasciạre *v.i.* (**trambạscio, trambạsci**; *aus.* **essere**) ⟨*rar*⟩ (*soffrire per grave dolore*) to be deeply distressed, to suffer great anguish. – **trambasciạto** (*p.p. di trambasciare*) *a.* ⟨*rar*⟩ (*profondamente addolorato*) deeply distressed (*o* grieved).
trambustịo *m.* ⟨*non com*⟩ continuous turmoil. – **trambụsto** *m.* **1.** (*agitazione disordinata*) turmoil, confusion, bustle. – **2.** (*confusione rumorosa*) uproar: *c'è un terribile* ~ *in casa* there's an awful uproar in the house.
tramenạre *v.* (**tramẹno**) ⟨*tosc,fam*⟩ **I** *v.t.* (*maneggiare*) to move about; (*mettendo disordine*) to turn topsy-turvy. – **II** *v.i.* (*aus.* **avere**) **1.** (*frugare*) to search, to rummage. – **2.** (*affaccendarsi*) to bustle about.
tramendụe, tramendụi *a./pron.inv.* ⟨*ant*⟩ **I** *a.* (*ambedue*) both. – **II** *pron.* both.
tramenịo *m.* **1.** moving about, movement. – **2.** ⟨*estens*⟩ (*movimento disordinato*) bustle, disorder, fuss, stir. – **3.** (*rumore*) noise.
tramescolamẹnto *m.* mixture, blend. – **tramescolạre** *v.t.* (**tramẹscolo**) ⟨*non com*⟩ (*frammescolare*) to mix, to mingle.
tramẹsso *m.* ⟨*ant,region*⟩ (*piatto di mezzo*) entrée.
tramestạre *v.* (**tramẹsto**) **I** *v.t.* **1.** (*mettere sottosopra*) to turn topsy-turvy (*o* upside-down), to throw into disorder. – **2.** (*mescolare*) to mix. – **II** *v.i.* (*aus.* **avere**) **1.** to rummage. – **2.** ⟨*assol*⟩ (*far disordine*) to turn everything topsy-turvy, to make everything untidy. – **3.** (*muoversi rumorosamente*) to move about noisily.
tramestịo *m.* bustle, stir.
tramẹttere *v.t.* (**tramịsi, tramẹsso**) ⟨*ant*⟩ **1.** (*frammettere*) to insert, to put between. – **2.** (*trasmettere*) to transmit. – **3.** (*mettere da parte*) to set aside. – **4.** (*tralasciare*) to omit, to leave out; (*trascurare*) to neglect, to omit, to overlook. – **tramettersi** *v.r.* **1.** (*intromettersi*) to interfere, to meddle, ⟨*fam*⟩ to butt in. – **2.** (*occuparsi*) to occupy (*o* concern) o.s.
tramẹzza *f.* **1.** (*tramezzo*) partition. – **2.** ⟨*Calz*⟩ slipsole, insole, inner sole.
tramezzạbile *a.* ⟨*non com*⟩ insertable, that may be interposed. – **tramezzamẹnto** *m.* **1.** ⟨*non com*⟩ insertion, interposition. – **2.** ⟨*Art*⟩ cloisonnism. □ *senza* ~ uninterruptedly, without interruption.
tramezzạre *v.* (**tramẹzzo**) **I** *v.t.* **1.** (*interporre*) to insert, to place between, to interpose; (*nel linguaggio di cucina*) to alternate, to place in layers. – **2.** (*separare con un tramezzo*) to partition (off). – **3.** ⟨*ant*⟩ (*dividere, spartire*) to separate, to part. – **II** *v.i.* (*aus.* **avere**) (*stare in mezzo come mediatore*) to act as mediator.
tramezzatụra *f.* **1.** (*rif. ad ambienti*) partitioning (off). – **2.** (*tramezzo*) partition; (*insieme di tramezzi*) partitioning.
tramezzịno (*dim. di tramezzo*²) *m.* **1.** (small) partition. – **2.** ⟨*Gastr*⟩ sandwich. – **3.** ⟨*non com*⟩ (*uomo-sandwich*) sandwich-man.
tramẹzzo¹ *avv.* (*frammezzo*) between; (*tra più di due*) in the midst (*o* middle) of, among.
tramẹzzo² *m.* **1.** partition; (*muro divisorio*) partition (*o* dividing) wall. – **2.** (*piatto di mezzo*) entrée. – **3.** ⟨*Arch*⟩ jube, rood-screen. – **4.** ⟨*Bot*⟩ septum, dissepiment. – **5.** ⟨*Lav.femm*⟩ entredeux, lace insertion. – **6.** ⟨*Mediev,Teat*⟩ back flat. □ ⟨*Edil*⟩ *pietra di* ~ bondstone.
trạmite **I** *s.m.* **1.** (*via, mezzo*) means. – **2.** ⟨*lett*⟩ (*passaggio*) way, route; (*sentiero*) path. – **II** *prep.* (*per mezzo di*) by, by means of,

through: ~ *la posta* by post. ☐ *appresi la notizia* ~ *la radio* I heard the news on the radio; *fare da* ~ to act as intermediary (*o* go -between); *per il* ~ *di qd.* through s.o.; *servire di* (o *da*) ~ to be (*o* represent) a link, to link up; (*rif. a persone*) = *fare da tramite.*

tramodulazione *f.* → **transmodulazione.**

tramoggia *f.* (*pl.* **-ge**) **1.** hopper. – **2.** ⟨*estens*⟩ (*nel macinino da caffè*) coffee bean receptacle. – **3.** (*nell'Accademia della Crusca*) box (for literary works). – **4.** ⟨*Mar*⟩ feeder. – **5.** ⟨*Min*⟩ hopper crystal.

☐ **a** ~ hopper-shaped, hopper-: ⟨*Ferr*⟩ *carro a* ~ hopper(-bottom) car; *finestra a* ~ hopper-frame window; ⟨*Mar*⟩ **barca** ~ hopper; ⟨*Ind*⟩ ~ *di* **carica** (o *alimentazione*) feed (*o* charging) hopper; ⟨*Met*⟩ ~ *di* **colata** runner, running herd; ⟨*Mar*⟩ ~ **lanciatorpedini** torpedo tube; ~ *di* **scarico** collecting bin; ⟨*Agr*⟩ ~ *del* **seme** seed-box.

tramoggiaio *m.* ⟨*non com*⟩ hopperman.

tramoggiato: ⟨*Min*⟩ *cristallo* ~ hopper crystal.

tramontana *f.* **1.** tramontana; (*vento del nord*) north wind. – **2.** (*nord*) north. ☐ *a* ~ north(ward), towards the north: *una finestra che guarda a* ~ a window facing north; ⟨*fig*⟩ *perdere la* ~ to get confused, ⟨*fam*⟩ to be all at sea. – **tramontanata** *f.* ⟨*non com*⟩ **1.** (*tramontana persistente*) persistent ⌜north wind⌝ (*o* tramontana); (*soffio di tramontana*) gust of north wind, norther, northerly wind. – **2.** ⟨*Mar*⟩ (*burrasca da nord*) northerly gale. – **tramontanina** (*dim. di tramontana*) *f.* north wind. – **tramontano I** *a.* ⟨*ant*⟩ **1.** (*oltramontano*) tramontane; (*che proviene da oltre le Alpi*) tramontane, transalpine. – **2.** (*che proviene da settentrione*) north(ern), northerly. – **II** *s.m.* ⟨*non com*⟩ → **tramontana.**

tramontante (*p.pr. di tramontare*[1]) *a.* ⟨*non com*⟩ **1.** setting. – **2.** ⟨*fig*⟩ waning, fading, declining: *gloria* ~ declining glory.

tramontare[1] *v.i.* (**tramonto**; *aus.* **essere**) **1.** ⟨*Astr*⟩ to set, to go down. – **2.** ⟨*fig*⟩ (*avere fine*) to come to an end, to have its day, to pass away: *una vita che sta tramontando* a life that is coming to an end; (*dileguarsi*) to fade, to wane, to decline: *le mie speranze sono tramontate* my hopes have faded.

tramontare[2] *m.* **1.** setting; (*rif. al sole*) sunset: *al* ~ *del sole* at sunset. – **2.** ⟨*fig*⟩ fading, decline.

tramonto *m.* **1.** ⟨*Astr*⟩ setting, going down; (*del sole*) sunset. – **2.** ⟨*fig*⟩ fading, decline, waning: *il* ~ *della giovinezza* the fading of youth; (*fine*) end. ☐ *al* ~: 1. at sunset; 2. ⟨*fig*⟩ on the wane, declining, fading; *dall'alba al* ~ from dawn to dusk; ⟨*fig*⟩ *un attore giunto ormai al* ~ an actor who has had his day; *il sole al* ~ the setting sun; *l'ora del* ~ sunset; *il* ~ *della vita* the decline of life, old age; *il sole volge al* ~ the sun is about to set.

tramortimento *m.* ⟨*non com*⟩ **1.** (*atto*) stunning. – **2.** (*effetto*) faint, ⟨*lett*⟩ swoon.

tramortire *v.* (**tramortisco, tramortisci**) **I** *v.t.* **1.** to stun, to knock out (*o* unconscious). – **2.** (*rif. a parti del corpo*) to numb. – **II** *v.i.* (*aus.* **essere**) to faint, to pass out, to lose consciousness, ⟨*lett*⟩ to swoon. – **tramortito** (*p.p. di tramortire*) *a.* **1.** (*privo di sensi*) unconscious, in a faint, senseless: *lo trovarono a terra* ~ they found him on the floor unconscious. – **2.** (*stordito*) stunned.

tramp *ingl.* [træmp] *m.* ⟨*Mar*⟩ tramp (steamer), tramp ship.

trampalo *m.* ⟨*tosc*⟩ → **trampolo.**

trampoliere *m.* ⟨*Ornit*⟩ wading bird. – **trampolieri** *m.pl.* wading birds *pl* (*Grallae*).

trampolino *m.* ⟨*Sport*⟩ **1.** (*per i tuffi*: *pedana*) diving-board, springboard; (*struttura*) diving tower. – **2.** (*nel salto con gli sci*) ski-jump. – **3.** (*nelle palestre*: *pedana*) springboard, take-off board. – **4.** (*serie di tempi*) set. ☐ ⟨*fig*⟩ *fare* (o *servire*) *da* ~ *a qd.* to be a steppingstone (*o* springboard) for s.o.

trampolo *m.* **1.** stilt. – **2.** *pl.* ⟨*fam*⟩ (*gambe lunghe*) long legs *pl*, stilts *pl*. – **3.** ⟨*Agr*⟩ (*nell'aratro*) gauge wheel. ☐ *reggersi sui -i*: 1. to balance o.s. on stilts; 2. ⟨*fig*⟩ (*rif. a persone*) to be in a bad way; ⟨*fig*⟩ *un ragionamento che si regge sui -i* an argument that doesn't hold water.

tramuardo *m.* ⟨*Pesc*⟩ kind of fishing-net.

tramuta *f.* **1.** ⟨*pop*⟩ → **tramutamento.** – **2.** ⟨*ant*⟩ (*trasferimento di proprietà*) transfer; (*conversione di un prestito*) conversion of a loan. – **tramutamento** *m.* **1.** changing. – **2.** (*trasporto*) transport(ing); (*trasferimento*) transfer. – **3.** (*travaso*) decanting. – **4.** (*trapianto*) transplanting.

tramutare *v.t.* **1.** (*mutare*) to change, to turn, to transform: *la maga tramutò il principe in rospo* the witch turned the prince into a toad. – **2.** (*trasportare*) to transport, to move; (*trasferire*) to transfer: ~ *un dirigente* to transfer an executive. – **3.** (*travasare*) to decant. – **4.** (*trapiantare*) to transplant. – **tramutarsi** *v.r.* to be transformed, to change (*in* into), to turn (into, to). – **tramutazione** *f.* → **tramutamento.**

tramuto *m.* ⟨*Agr*⟩ mountain pasture strip.

tramvai *m.*, **tramvia** *f.* → **tranvia.** – **tramway** *ingl.* [ˈtræmwei] *m.* → **tranvia.**

tranare *v.t.* ⟨*ant*⟩ (*trainare, trascinare*) to draw, to drag.

trance *ingl.* [trɑːns] *f.* trance: *cadere in* ~ to fall (*o* go) into a trance.

tranchant *fr.* [trɑ̃ˈʃɑ̃] *a.* ⟨*non com*⟩ (*deciso*) trenchant, decided.

tranche *fr.* [trɑ̃ːʃ] *f.* **1.** ⟨*Gastr*⟩ slice. – **2.** ⟨*Econ*⟩ tranche. ☐ ⟨*Lett*⟩ ~ *de vie* slice of life.

tranchiottire *v.* → **tranghiottire.**

trancia *f.* (*pl.* **-ce**) **1.** ⟨*Gastr*⟩ slice: ~ *di pesce* slice of fish. – **2.** ⟨*Mecc*⟩ (*cesoia*) shears *pl*; (*cesoiatrice*) shearing-machine.

tranciare *v.t.* (**trancio, tranci**) ⟨*Mecc*⟩ to cut, to blank; (*con cesoie*) to shear. – **tranciatore** *m.* cutter; (*usando cesoie*) shearer. – **tranciatrice** *f.* **1.** ⟨*Mecc*⟩ (*cesoiatrice*) shearing-machine. – **2.** ⟨*Fal*⟩ veneer planing-machine. – **tranciatura** *f.* ⟨*Mecc*⟩ cutting, blanking; (*con cesoie*) shearing; (*rif. a legno*) slicing. ☐ ~ *del contorno* trimming; ~ *a fustella* die-cutting; ~ *di intaglio* notching.

trancio *m.* ⟨*Gastr*⟩ (*trancia*) slice.

trancista *m.* → **tranciatore.**

tranello *m.* **1.** (*insidia*) trap, snare: *tendere un* ~ *a qd.* to set a trap for s.o. – **2.** (*difficoltà non palese*) pitfall, catch.

tranghiottire *v.t.* (**tranghiotto**) ⟨*rar*⟩ **1.** (*inghiottire*) to swallow (down). – **2.** ⟨*fig*⟩ to swallow (up).

trangosciare *v.i.* (**trangoscio, trangosci**; *aus.* **essere**) ⟨*ant*⟩ (*provare angoscia*) to suffer, to be distressed. – **trangosciato** (*p.p. di trangosciare*) *a.* ⟨*ant*⟩ (*angosciato*) anguished, distressed.

trangugiamento *m.* gulping. – **trangugiare** *v.t.* (**trangugio, trangugi**) **1.** to gulp (down), to bolt, to guzzle: ~ *un boccale di birra* to gulp a mug of beer. – **2.** ⟨*fig*⟩ (*mandar giù*) to swallow: ~ *un boccone amaro* to swallow a bitter pill. – **trangugiatore** *m.* (*f.* **-trice**) gulper, guzzler.

tranita *m.* ⟨*Mar.ant*⟩ thranite.

tranne *prep.* except (for), excepting, but (for), ⟨*lett*⟩ save: *c'erano tutti* ~ *lui* they were all there except him, everyone but him was there. ☐ ~ *che*: 1. (*tranne*) except (for), but (for): *fa tutto* ~ *che lavorare* he does everything except work; 2. (*a meno che*) unless.

tranquillamente *avv.* **1.** (*con tranquillità*) quietly, peacefully, tranquilly: *vivere* ~ to live quietly. – **2.** (*senza troppo preoccuparsi*) confidently, with confidence, without fear, without hesitation: *rivolgiti* ~ *al direttore* go to the manager without hesitation. – **3.** (*senza rischi*) safely, without danger: *in questo lago puoi fare* ~ *il bagno* you can swim in this lake safely (*o* without danger). – **4.** (*comodamente, facilmente*) easily: *è una macchina che fa* ~ *i 130 km.*/*orari* it's a car that easily does 130 kms. an hour. – **5.** ⟨*Mus*⟩ tranquillo.

tranquillante (*p.pr. di tranquillare*) **I** *a.* calming, soothing, tranquillizing: *una bevanda* ~ a soothing beverage; (*che tranquillizza*) reassuring: *notizie -i* reassuring news. – **II** *s.m.* ⟨*Farm*⟩ tranquillizer: *non prendere troppi -i* don't take too many tranquillizers.

tranquillare I *v.t.* **1.** (*calmare, sedare*) to calm, to soothe, to quieten, to ease. – **2.** (*tranquillizzare*) to tranquillize, to reassure. – **3.** ⟨*ant*⟩ (*tenere a bada*) to keep at bay. – **4.** ⟨*ant*⟩ (*rendere sicuro*) to make safe. – **II** *v.i.* (*aus.* **essere**), **tranquillarsi** *v.r.* ⟨*ant*⟩ **1.** (*stare quieto*) to be calm; (*mettersi quieto*) to calm down. – **2.** (*riposarsi*) to rest, to relax; (*svagarsi*) to amuse (*o* enjoy) o.s.

tranquillità *f.* **1.** calm(ness), stillness, peacefulness: *la* ~ *della natura* the peacefulness of nature. – **2.** (*quiete, silenzio*) quiet(ness), peace(fulness), silence. – **3.** (*calma*) tranquillity, calm: *possiamo considerare la situazione con tutta* ~ we can consider the situation ⌜with complete tranquillity⌝ (*o* calmly). – **4.** (*sicurezza*) confidence, peace of mind: *per mia* ~ *vorrei che lo mettessi per iscritto* for my own peace of mind I'd like you to put it in writing. ☐ *con* ~ calmly; *per Sua* ~ to set your mind at rest.

tranquillizzante (*p.pr. di tranquillizzare*) *a.* reassuring. – **tranquillizzare** *v.t.* **1.** (*rendere tranquillo*) to calm, to make calm, to quiet, to tranquillize: *la tua presenza qui mi tranquillizza* your being here makes me calm. – **2.** (*rassicurare*) to reassure: ~ *qd.* to reassure s.o., to set s.o.'s mind at rest. – **tranquillizzarsi** *v.r.* **1.** (*mettersi quieto*) to calm down. – **2.** (*rassicurarsi*) to be reassured.

tranquillo *a.* **1.** (*calmo*) calm: *il mare è* ~ the sea is calm. – **2.** (*quieto, silenzioso*) quiet, peaceful, tranquil. – **3.** (*pacifico*) peaceful, calm: *sonno* ~ peaceful (*o* untroubled) sleep. – **4.** (*sereno*) serene, tranquil, easy: *coscienza -a* easy conscience. – **5.** (*sicuro*) sure, confident, unworried: *possiamo stare -i sull'esito degli esami* we can be sure of the result of the examinations. – **6.** ⟨*Mus*⟩ tranquillo. ☐ *mantenersi* ~ (*non agitarsi*) to keep calm; *stia* ~ (*non dubiti*) don't worry, take it easy, have no fear; *vivere* ~ to live peacefully (*o* in peace).

trans. = ⟨*Gramm*⟩ *transitivo* transitive (*abbr.* trans., tr.).

trans... *pref.* (*al di là* beyond, *attraverso* across) trans...

transahariano *a.* trans-Sahara(n): *ferrovia -a* trans-Saharan railway.

trans|alpino *a.* transalpine. – **~aminasi** *f.* ⟨*Biol*⟩ transaminase. – **~aminasico** *a.* (*pl.* **-ci**) transaminase-, of a transaminase. – **~andino** *a.* trans-Andean. – **~appenninico** *a.* (*pl.* **-ci**) transapennine. – **~arabico** *a.* (*pl.* **-ci**) trans-Arabia(n). – **~araliano**: *ferrovia -a* Orenburg-Tashkent railway.

transare *v.t.* ⟨*Dir*⟩ **1.** (*transigere*) to agree on, to settle. – **2.** ⟨*assol*⟩ to come to terms, to reach an agreement.

transatlantico *a./s.* (*pl.* **-ci**) **I** *a.* transatlantic. – **II** *s.m.* ⟨*Mar*⟩ transatlantic (ship, liner).

transatto *p.p. di* **transigere.**

transaustraliano *a.* trans-Australian: *ferrovia -a* trans-Australian railway.

transazione *f.* **1.** compromise, arrangement. – **2.** ⟨*Dir*⟩ settlement, composition: *effettuare una* ~ to effect a composition; ~ *extragiudiziale* settlement out of Court. – **3.** ⟨*Comm*⟩ transaction; (*compravendita*) sale, transaction. ☐ ⟨*Econ*⟩ *-i di capitali* capital transactions, movement of capital; ~ *commerciale* commercial transaction, business deal; *-i invisibili* invisible transactions; *-i a termine* option (*o* forward exchange) dealings *pl*, time bargains *pl*, futures *pl*.

transbuccale *a.* ⟨*Med*⟩ by mouth, mouth-.

trans|canadese *a.* trans-Canadian. – **~carpatico** *a.* (*pl.* **-ci**) trans-Carpathian. – **~carpazia** *N.pr.f.* ⟨*Geog*⟩ **1.** Transcarpathian

Oblast. – **2.** ⟨*Stor*⟩ Carpathian Ruthenia. – **≈cạspia** *N.pr.f.* ⟨*Geog*⟩ Transcaspia, Transcaspian Region. – **~caspiạno** *a.* Transcaspian. ◻ *Regione -a* → **Transcaspia.** – **~cạspico** *a.* (*pl.* **-ci**) → **transcaspiano.** – **≈caucạsia** *N.pr.f.* ⟨*Geog*⟩ Transcaucasia. – **~caucạsico** *a.* (*pl.* **-ci**) Transcaucasian.

transcẹndere *v.t.* (**transcẹsi, transcẹso**) ⟨*ant*⟩ (*trascendere*) to surpass, to transcend, to go (*o* be) beyond.

trans|conduttạnza *f.* ⟨*El*⟩ transconductance. – **~continentạle** *a.* transcontinental. – **~cọrrere** *v.* → **trascorrere.** – **~cristallizzazione** *f.* ⟨*Met*⟩ orthotropic (*o* basaltic, columnar) crystallization.

transcrịvere *v.t.* (**transcrịssi, transcrịtto**) ⟨*ant*⟩ (*trascrivere*) to transcribe.

transcutạneo *a.* ⟨*Med*⟩ transcutaneous, transcutaneal: *assorbimento* ~ transcutaneous absorption.

transdanubiạno *a.* trans-Danubian.

trạnseat *lat. intz.* (*sia pure*) so be it, all right, let it be. ◻ *per una volta* ~ just for once it's all right.

transẹnna *f.* **1.** barrier. – **2.** ⟨*Arch*⟩ transenna; (*di divisione*) screen.

transẹtto *m.* ⟨*Arch*⟩ transept.

transeụnte *a.* ⟨*Filos,lett*⟩ transeunt, transient.

Trans-Eurọp-Exprẹss *m.* ⟨*Ferr*⟩ Trans-Europe Express.

trạnsfer *m.* → **transfert.**

transferịre *v.* → **trasferire.**

trạnsfert *m.* **1.** ⟨*Psic*⟩ transference, transfer. – **2.** (*trasporto di turisti all'albergo*) transport (to the hotel).

transfiguramẹnto *m.* ⟨*ant*⟩ → **trasfiguramento.** – **transfigurạre** *v.* ⟨*ant*⟩ → **trasfigurare.** – **transfigurazione** *f.* ⟨*ant*⟩ → **trasfigurazione.**

trans|finịto *a.* ⟨*Mat,Filos*⟩ transfinite. – **~fluẹnza** *f.* ⟨*Geol*⟩ overflow. – **~fluịre** *v.i.* (**transfluịsco, transfluịsci;** *aus.* **essere**) to overflow. – **~focạtor** *m.* ⟨*Fot*⟩ zoom lens, transfocator. – **~formạre** *v.* ⟨*ant*⟩ → **trasformare.**

trạnsfuga *m.* **1.** ⟨*lett*⟩ (*disertore*) deserter. – **2.** ⟨*Pol*⟩ renegade.

Transgiordạnia *N.pr.f.* ⟨*Geog*⟩ Trans-Jordan, Transjordania.

Transhimạlaya *N.pr.m.* → **Transimalaia.**

transiberiạno *a.* trans-Siberian: *ferrovia -a* trans-Siberian railway.

transiẹnte I *a.* ⟨*El*⟩ transient. – **II** *s.m.* transient.

transigẹnte (*p.pr. di transigere*) *a.* ⟨*non com*⟩ yielding, flexible. – **transigẹnza** *f.* ⟨*non com*⟩ compliance, flexibility.

transịgere *v.* (**transịgo, transịgi;** *p.rem. rar.* **transigẹi/transigẹtti, transạtto**) **I** *v.t.* ⟨*Dir*⟩ to compromise, to settle. – **II** *v.i.* (*aus.* **avere**) **1.** ⟨*Dir*⟩ to reach (*o* come to) a settlement. – **2.** (*venire a patti*) to reach an agreement, to come to terms, to compromise: ~ *con la propria coscienza* to compromise with one's conscience; (*cedere*) to yield, to give in: *non posso* ~ *su questo punto* I cannot give in on this point.

transigịbile *a.* ⟨*Dir*⟩ open to settlement (*o* transaction). – **transigibilità** *f.* conciliability, negotiability, possibility to transact.

transilluminazione *f.* ⟨*Med*⟩ transillumination, diaphanoscopy.

Transilvạnia *N.pr.f.* ⟨*Geog*⟩ Transylvania. – **transilvạnico** *a.* (*pl.* **-ci**) Transylvanian. – **transilvạno** *a.* ⟨*non com*⟩ → **transilvanico.**

Transimạlaia (o *Transimalạia*) *N.pr.m.* ⟨*Geog*⟩ Trans-Himalayas *pl.*

transirạnico *a.* (*pl.* **-ci**) trans-Iranian.

transịre *v.i.* (*aus.* **essere**) ⟨*ant*⟩ **1.** (*passare*) to pass. – **2.** ⟨*fig*⟩ (*morire*) to die, to pass away.

transịstor, transistọre *m.* ⟨*El*⟩ transistor.

◻ **a** ~ transistor-: *radio a* ~ transistor radio; ~ *a* **base** *diffusa* diffused-base transistor; ~ *a* **contatto** *puntiforme* = *transistor a* **punta**; ~ *a* **effetto** *di campo* field-effect transistor; ~ *a* **giunzione** junction transistor; ~ **legato** alloy(ed) transistor; ~ **planare** planar transistor; ~ *di* **potenza** power transistor; ~ *a* **punta** (o *punte*) point-contact transistor; ~ *a* **rifusione** meltback transistor; ~ **unipolare** unipolar transistor.

transistorizzạre *v.t.* ⟨*El*⟩ to transistorize. – **transistorizzạto** (*p.p. di transistorizzare*) *a.* transistorized. – **transistorizzazione** *f.* transistorization, transistorizing.

transitạbile *a.* **1.** practicable, passable, transitable, trafficable: *strada* ~ practicable road. – **2.** (*rif. a valichi e sim.*) practicable, transitable, crossable: *passo non* ~ *a causa della neve* pass that is not crossable because of the snow. – **3.** (*attraversabile*) crossable. ◻ *strada* ~ *con catene* road where chains are required. – **transitabilità** *f.* **1.** practicability, fitness for traffic. – **2.** (*rif. a valichi e sim.*) practicability.

transitạre *v.i.* (**trạnsito;** *aus.* **essere**) **1.** (*a piedi*) to pass, to walk; (*con veicoli*) to pass, to drive, to proceed, to transit. – **2.** (*rif. a valichi e sim.*) to cross, to transit. – **3.** (*attraversare*) to cross.

transitạrio *m.* ⟨*Comm*⟩ forwarding agent, (freight) forwarder.

transitivamẹnte *avv.* ⟨*Gramm*⟩ transitively. – **transitività** *f.* transitiveness, transitivity. – **transitịvo** *a.* transitive.

trạnsito *m.* **1.** transit, passing (through), passage. – **2.** (*rif. a valichi e sim.*) transit, crossing. – **3.** ⟨*Ferr,Mar,Astr*⟩ transit. – **4.** ⟨*Mil*⟩ passage, transit. – **5.** ⟨*Comm*⟩ transit. – **6.** ⟨*lett*⟩ (*morte*) death, passing away. – **7.** ⟨*ant*⟩ (*il passare*) passing.

◻ **di** ~ transit-, passing through; ⟨*Strad*⟩ **divieto** *di* ~ no thoroughfare; **in** ~ in transit; ~ **internazionale** international traffic; ⟨*Strad*⟩ ~ **interrotto** road closed; ⟨*Strad*⟩ ~ **riservato** *ai pedoni* pedestrians only; ⟨*Ferr*⟩ **stazione** *di* ~ transit (*o* intermediate) station.

transitoriamẹnte *avv.* transitorily, temporarily. – **transitorietà** *f.* transitoriness, temporariness.

transitọrio[1] **I** *a.* **1.** (*passeggero*) transitory, transient, passing, fleeting: *felicità -a* fleeting happiness. – **2.** (*provvisorio, non definitivo*) temporary, transitory, provisional: *sistemazione -a* temporary arrangement. – **3.** ⟨*Fis*⟩ transient. – **II** *s.m.* transient.

transitọrio[2] *m.* ⟨*Lit*⟩ Communion.

trạnsitron *m.* ⟨*El*⟩ transitron.

transizione *f.* transition (*anche Fis.,Mus.*): *periodo di* ~ period of transition. ◻ ⟨*Fis*⟩ ~ *elettronica* electron transition (*o* jump); ~ *nucleare* nuclear transition; ~ *quantica* quantum transition (*o* jump).

transḷạto *a./s.* ⟨*ant*⟩ → **traslato.** – **transḷatọre** *a./s.* ⟨*ant*⟩ → **traslatore.** – **transḷazione** *f.* ⟨*ant*⟩ → **traslazione.**

transḷitterạre *v.* ⟨*non com*⟩ → **traslitterare.** – **transḷitterazione** *f.* ⟨*non com*⟩ → **traslitterazione.**

transḷ|lụcido *a.* ⟨*lett*⟩ → **traslucido.** – **~lunạre** *a.* ⟨*Astr*⟩ translunar(y). – **~mọdulazione** *f.* ⟨*Rad*⟩ cross modulation. – **~mongọlico** *a.* (*pl.* **-ci**) trans-Mongolian.

transṃutạre *v.* ⟨*ant*⟩ → **trasmutare.** – **transṃutazione** *f.* ⟨*ant*⟩ → **trasmutazione.**

transoceạnico *a.* (*pl.* **-ci**) transoceanic.

transọnico *a.* (*pl.* **-ci**) ⟨*Fis*⟩ transonic, trans-sonic. – **transonọro** *a.* ⟨*rar*⟩ → **transonico.**

trans|padạno *a./s.* ⟨*non com*⟩ → **traspadano.** – **~persiạno** *a.* → **transiranico.** – **~polạre** *a.* transpolar, Polar: *rotta* ~ Polar route. – **~pọrre** *v.* ⟨*ant*⟩ → **trasporre.** – **~portạre** *v.* ⟨*ant*⟩ → **trasportare.** – **~tiberịno** *a.* ⟨*non com*⟩ across the Tiber.

transubtanziạrsi *v.* → **transustanziarsi.** – **transubstanziazione** *f.* → **transustanziazione.**

transumanạre *v.* ⟨*non com*⟩ → **trasumanare.** – **transumạno** *a.* ⟨*non com*⟩ transhuman, superhuman.

transumạnte (*p.pr. di transumare*) *a.* ⟨*Zootecn*⟩ transhumant. – **transumạnza** *f.* transhumance. – **transumạre** *v.i.* (*aus.* **avere**) to move to other pastures.

transụnto *m.* ⟨*non com*⟩ (*sunto*) summary, abstract.

transurạnico *a.* (*pl.* **-ci**) ⟨*Chim*⟩ transuranium-, transuranic, transuranian: *elemento* ~ transuranium element.

transustanziạrsi *v.r.* (**mi transustạnzio, ti transustạnzi**) ⟨*Teol*⟩ to be transubstantiated. – **transustanziazione** *f.* transubstantiation.

Trạnṣvaal *N.pr.m.* ⟨*Geog*⟩ Transvaal.

tranṣvariazione *f.* ⟨*Statist*⟩ transvariation.

tranṣvedẹre *v.i.* (**tranṣvẹdo; tranṣvịdi, tranṣvịsto;** *aus.* **avere**) ⟨*lett*⟩ (*travedere*) to be mistaken.

tranṣvestitịsmo *m.* ⟨*Psic*⟩ transvestism.

tran tran *m.* ⟨*fam*⟩ routine: *il solito* ~ the usual (*o* same old) routine.

tranvại *m.* **1.** → **tram.** – **2.** → **tranvia.** – **trạnve** *m.* ⟨*region*⟩ → **tram.**

tranvịa *f.* tramway, tramline, ⟨*am*⟩ streetcar (*o* trolley) line. ◻ ~ *sotterranea* underground tramline. – **tranviạrio** *a.* tram-, tramway-, ⟨*am*⟩ streetcar-, ⟨*am*⟩ trolley: *biglietto* ~ tram ticket. – **tranviẹre** *m.* (*f.* **-a**) tramway employee, tram-man; (*conducente*) tram-driver; (*bigliettaio*) tram-conductor.

trạpa *f.* ⟨*Bot*⟩ **1.** water-chestnut (*Trapa*). – **2.** (*castagna d'acqua*) water-chestnut, water-caltrop (*Trapa natans*).

trapanamẹnto *m.* ⟨*non com*⟩ → **trapanazione.** – **trapanạre** *v.t.* (**trạpano**) **1.** to drill, to bore; (*forare*) to pierce. – **2.** ⟨*Chir*⟩ to drill; (*rif. al cranio*) to trephine, to trepan. – **trapanatọre** *m.* (*f.* **-trice**) (*operaio*) driller.

trapanatrịce *f.* **1.** (*operaia*) driller. – **2.** (*macchina*) drill, drilling -machine.

◻ ~ **automatica** automatic drill (*o* drilling-machine), power drill; ~ *da* **banco** bench drilling-machine; ~ *a* **colonna** column drilling-machine; ~ **fresatrice** drilling and milling machine; ~ *per* **legno** wood drilling-machine, woodworking drill press; ~ **radiale** radial drilling-machine; ~ *a* **revolver** revolver drilling-machine.

trapanatụra *f.* drilling, boring. – **trapanazione** *f.* **1.** → **trapanatura.** – **2.** ⟨*Chir*⟩ drilling: ~ *ossea* drilling of bone; (*rif. al cranio*) trephination, trephinement, trepanation. ◻ ~ *del cranio* trepanation, trephinement; ~ *dentaria* drilling of teeth, dental drilling.

trạpano *m.* **1.** ⟨*Mecc*⟩ drill; (*punta da trapano*) bit, drill. – **2.** (*trapanatrice*) drill, drilling-machine. – **3.** ⟨*Chir*⟩ trephine. – **4.** ⟨*Dent*⟩ drill.

◻ ~ *ad* **arco** bow drill; ~ **automatico** automatic drill (*o* drilling -machine); ~ *da* **banco** bench drilling-machine; ~ *a* **colonna** pillar drill, column (*o* upright) drilling-machine; ~ *a* **cricco** ratchet brace (*o* drill); ~ *da* **dentista** dental (*o* dentist's) drill; ~ **elettrico** *portatile* portable electric drill; ⟨*Dent*⟩ ~ **indolore** high-speed drill; ~ *per* **legno** wood drilling-machine, woodworking drill press; ~ *a* **mano** hand drill; (*menarola*) brace, wimble, breast-borer; ~ **meccanico** power drill; ~ *a* **menarola** brace, wimble, breast-borer; ~ *per* **metalli** metal-drilling machine; ~ **multiplo** multiple-spindle drilling-machine, gang drill; ~ **orizzontale** horizontal drill; ~ *a* **petto** hand brace, breast drill; ~ **radiale** radial drill (*o* drilling -machine); ~ **rapido** high-speed drill; ~ *a* **revolver** revolver drilling -machine; ~ *a* **ultrasuoni** ultrasonic drilling-machine; ~ *a* **vite** Archimedean drill.

trapassạbile *a.* pierceable. – **trapassamẹnto** *m.* **1.** ⟨*non com*⟩ piercing, running through. – **2.** ⟨*ant,lett*⟩ (*morte*) death, passing away.

trapassạre I *v.t.* **1.** to pierce, to run through, to transfix; (*perforare*) to pierce: *il proiettile gli trapassò il cuore* the bullet pierced his heart; (*trafiggere*) to transfix, to stab. – **2.** ⟨*lett*⟩ (*valicare*) to cross. – **3.** ⟨*fig,lett*⟩ (*oltrepassare*) to go beyond, to exceed. – **4.** ⟨*lett*⟩ (*trascorrere*) to pass, to spend. – **5.** ⟨*lett*⟩ (*superare*) to excel, to surpass. – **6.** ⟨*lett*⟩ (*tralasciare*) to pass over. – **7.** ⟨*lett*⟩ (*trasgredire*) to transgress. – **II** *v.i.* (*aus.* **essere**) **1.** (*passare attraverso*) to pass; (*rif. alla luce*) to shine, to filter. – **2.** (*passare*) to pass (*anche rif. al tempo*). – **3.** ⟨*lett*⟩ (*passare oltre*) to pass on. – **4.** ⟨*lett*⟩ (*morire*) to die, to pass on (*o* away). – **5.** ⟨*lett*⟩ (*passare da un luogo all'altro*) to go. – **6.** ⟨*rar,ant*⟩ (*passare il tempo*) to pass the time. – **trapassạto** (*p.p. di trapassare*) **I** *a.* **1.** (*trafitto*) pierced. – **2.** ⟨*fig*⟩ (*rif. al cuore*) broken. – **3.** (*passato, trascorso*) past. – **II** *s.m.* **1.** ⟨*lett*⟩ (*defunto*) dead person, deceased; *pl.* the dead (*costr.pl.*), the deceased (*costr. pl.*). – **2.** ⟨*Gramm*⟩ past perfect, pluperfect. □ ⟨*Gramm*⟩ ~ *prossimo* past perfect, pluperfect; ~ *remoto* past perfect, pluperfect.

trapạsso[1] *m.* **1.** (*passaggio*) passage, passing. – **2.** ⟨*fig*⟩ transition. – **3.** ⟨*fig,lett*⟩ (*morte*) death, passing away. – **4.** ⟨*Econ,Dir*⟩ transfer, conveyance. – **5.** ⟨*ant*⟩ (*il passare*) passing. □ ⟨*Dir*⟩ ~ *di diritti* transfer (*o* cession) of rights; ~ *di proprietà* conveyance of property.

trapạsso[2] *m.* ⟨*Equit*⟩ kind of broken trot.

trapelạre *v.* (**trapẹlo**) **I** *v.i.* (*aus.* **essere**) **1.** (*filtrare*) to leak (*o* ooze) out; (*penetrare*) to seep. – **2.** ⟨*fig*⟩ (*rivelarsi*) to get out (*o* round), to become known, ⟨*fam*⟩ to leak out: *la notizia è trapelata* the news has got out, there has been a leak. – **3.** ⟨*rar*⟩ (*riversarsi*) to pour out. – **II** *v.t.* ⟨*rar*⟩ (*scoprire*) to discover, to find out. □ *senza lasciar* ~ *nulla* without letting anything out; *il suo sguardo non lasciava* ~ *i sentimenti* his expression did not reveal (*o* betray) his feelings.

trapelạto: ⟨*teat*⟩ *compagnia* -*a* second-rate theatrical company with guest star.

trapẹlo *m.* **1.** (*bestia da tiro*) spare animal; (*cavallo*) trace-horse. – **2.** ⟨*teat*⟩ (*attore celebre*) guest star with a minor company.

trapẹto *m.* → **trappeto**.

trapẹzio **I** *s.m.* **1.** ⟨*Geom*⟩ trapezium. – **2.** ⟨*Ginn*⟩ trapeze. – **3.** ⟨*Anat*⟩ (*osso trapezio*) trapezium; (*muscolo trapezio*) trapezius. – **4.** (*in enigmistica*) variant of the magic square. – **II** *a.* ⟨*rar*⟩ trapezial, trapeze -like. □ ⟨*Geom*⟩ ~ *isoscele* isosceles trapezium; *numero al* ~ (*al circo*) trapeze act; ⟨*Astr*⟩ ~ *di Orione* the trapezium of Orion; ⟨*Geom*⟩ ~ *rettangolo* right-angled trapezium. – **trapezịsta** *m./f.* trapeze artist, trapezist.

trapezịta *m.* ⟨*Stor.gr*⟩ banker.

trapezoẹdrico *a.* (*pl.* -**ci**) ⟨*Geom,Min*⟩ trapezohedral. – **trapezoẹdro** *m.* trapezohedron.

trapezọforo *m.* ⟨*Archeol*⟩ trapezophoron.

trapezoidạle *a.* trapezoid(al). – **trapezọide** **I** *a.* → **trapezoidale**. – **II** *s.m.* **1.** ⟨*Geom*⟩ trapezoid. – **2.** ⟨*Anat*⟩ (*osso trapezoidale*) trapezoid.

trapiantạbile *a.* transplantable (*anche Chim.*). – **trapiantamẹnto** *m.* ⟨*non com*⟩ transplanting, transplantation. – **trapiantạre** *v.t.* **1.** to transplant (*anche Biol.,Chir.*): ~ *un cuore* to transplant a heart. – **2.** ⟨*fig*⟩ (*trasferire*) to transplant, to resettle, to relocate; (*rif. a usanze e sim.*) to transplant, to bring. – **trapiantarsi** *v.r.* to move, to emigrate (*in* to), to settle (in): *trapiantarsi all'estero* to settle abroad.

trapiantatọio *m.* ⟨*Agr*⟩ transplanter. – **trapiantatrịce** *f.* transplanter. □ ~ *meccanica* transplanting-machine, transplanter. – **trapiantaziọne** *f.* ⟨*rar*⟩ transplanting, transplantation. – **trapiantịna** *f.* (*operaia*) (rice) transplanter.

trapiạnto *m.* **1.** ⟨*Agr*⟩ transplanting, transplantation. – **2.** ⟨*Biol, Chir*⟩ transplant, transplantation.

□ ⟨*Chir*⟩ ~ **autoplastico** autoplastic transplantation; ~ **cardiaco** (*o del cuore*) heart transplant; ~ **eteroplastico** heteroplastic transplant; ~ **omoplastico** homeotransplant, homeograft; ~ *d'organo* transplant of an organ; ~ *del* **rene** kidney transplant; ~ *di* **tendini** tendon transplantation.

trapọrre *v.t.* (**trapọngo, trapọni; trapọsi, trapọsto**; → **porre**) ⟨*ant*⟩ **1.** (*interporre*) to interpose. – **2.** (*trasporre*) to transpose. – **3.** (*trasportare*) to transport.

traportạre *v.t.* (**trapọrto**) ⟨*ant*⟩ **1.** (*trasportare*) to transport, to carry, to convey. – **2.** (*far passare oltre*) to carry.

trạppa[1] *f.* ⟨*Rel*⟩ Trappist monastery.

trạppa[2] *f.* ⟨*Mar*⟩ tackle.

trappẹto *m.* ⟨*region*⟩ (*frantoio*) (olive) press.

trappịsta *m.* ⟨*Rel*⟩ Trappist (monk). □ ⟨*fig*⟩ *fare una vita da* ~ to live like a hermit. – **trappistịna** *f.* Trappistine.

trạppola *f.* **1.** trap, snare: *mettere una* ~ *per i topi* to set a mouse-trap. – **2.** ⟨*fig*⟩ (*insidia, agguato*) trap, snare: *attirare qd. in una* ~ to draw s.o. into a trap. – **3.** ⟨*fam*⟩ (*fandonia*) tall story, ⟨*fam*⟩ fib, ⟨*fam*⟩ yarn: *raccontare* -*e* to tell tall stories, to spin yarns. – **4.** ⟨*fam*⟩ (*oggetto che funziona male*) wreck. – **5.** ⟨*Mar*⟩ (portable) signal lamp. – **6.** ⟨*Geol*⟩ trap: ~ *stratigrafica* stratigraphic trap. – **7.** ⟨*Pesc*⟩ fish trap. – **8.** ⟨*El*⟩ trap.

□ ⟨*fig*⟩ **cadere** *in* ~ to ⌜fall into⌝ (*o* be caught in) a trap, to be (en)snared; ~ *a* **cassetta** box trap; ⟨*El*⟩ ~ **elettronica** beam trap; ~ *a* **ganasce** bow trap (*o* gin), jaw trap; ⟨*El*⟩ ~ **ionica** ion trap; **tendere** *una* ~ *a qd.* to set a trap for s.o., to lay a snare for s.o.

trappolạre *v.t.* (**trạppolo**) **1.** to (en)trap, to catch in a trap, to (en)snare. – **2.** ⟨*fig*⟩ (*raggirare*) to (en)trap, to (en)snare, to trick. – **trappolatọre** *m.* (*f.* -**trice**) ⟨*non com*⟩ (*ingannatore*) trickster, cheat. – **trappolerịa** *f.* (*inganno*) (en)trapping, deception, (en)snaring, cheating. – **trappolọne** *m.* (*f.* -**a**) ⟨*pop*⟩ **1.** (*chi tende trappole*) trapper, ensnarer. – **2.** ⟨*fig*⟩ (*imbroglione*) trickster, cheat.

trapụngere *v.t.* (**trapụngo, trapụngi; trapụnsi, trapụnto**) ⟨*lett*⟩ (*ricamare*) to embroider.

trapụnta *f.* quilt; (*imbottita di piume*) eiderdown, down cover.

trapuntạre *v.t.* **1.** (*ricamare*) to embroider. – **2.** (*impuntire*) to stitch through. – **3.** (*lavorare a trapunto*) to quilt.

trapụnto (*p.p. di trapungere*) **I** *a.* **1.** (*ricamato*) embroidered. – **2.** ⟨*fig*⟩ marked, dotted: *cielo* ~ *di stelle* sky dotted with stars, star-spangled sky. – **II** *s.m.* ⟨*Lav.femm*⟩ (*tecnica*) quilting; (*punto*) quilting; (*ricamo*) embroidery.

trạrre[1] *v.* (**trạggo, trại**/*ant.* **trạggi, trạe**/*ant.* **trạgge, traiạmo**/*ant.* **traggiạmo, traẹte, trạggono**; *fut.* **trarrò**; *p.rem.* **trạssi**; *pr.cong.* **trạgga, traiạmo**/*ant.* **traggiạmo, traiạte**/*ant.* **traggiạte, trạggano**; *imperat.* **trại**/*ant.* **trạggi, traẹte**; *p.pr.* **traẹnte**; *p.p.* **trạtto**) **I** *v.t.* **1.** (*tirare*) to draw, to pull: ~ *la barca a riva* to pull a boat ashore. – **2.** (*estrarre, cavar fuori*) to draw, to pull (*o* take) out: ~ *la spada dal fodero* to draw (*o* unsheathe) one's sword. – **3.** (*condurre, portare*) to take: *il colpevole fu tratto in prigione* the culprit was taken to prison. – **4.** (*portare da uno stato all'altro*) to bring, to lead: ~ *a compimento qc.* to bring s.th. to completion, to complete s.th. – **5.** ⟨*fig*⟩ (*tirare fuori*) to get, to draw, ⟨*fam*⟩ to worm: ~ *un segreto di bocca a qd.* to worm a secret out of s.o. – **6.** (*ricavare*) to get, to obtain, to derive, to draw: ~ *vantaggio da qc.* to get a benefit from s.th. – **7.** (*desumere, derivare*) to draw, to take: ~ *la trama di un film da un romanzo di successo* to take the plot of a film from a best-seller. – **8.** (*emettere*) to give: ~ *un sospiro di sollievo* to give (*o* heave) a sigh of relief. – **9.** (*indurre*) to lead, to induce: *l'ambizione lo traeva a comportarsi così* ambition led him to behave like that. – **10.** ⟨*Econ,Comm*⟩ to draw, to issue: ~ *una cambiale su qd.* to draw a bill of exchange on s.o.; ~ *a vista* to draw at sight. – **11.** ⟨*non com*⟩ (*togliere*) to take: ~ *qc. di mano a qd.* to take s.th. from s.o.'s hand. – **12.** ⟨*non com*⟩ (*condurre via*) to take away. – **13.** ⟨*non com*⟩ (*portar via, salvare*) to save: ~ *qd. da morte* to save s.o. from death. – **14.** ⟨*fig, non com*⟩ (*attirare*) to attract, to draw; (*sedurre*) to seduce. – **15.** ⟨*non com*⟩ (*detrarre, defalcare*) to deduct. – **16.** ⟨*poet*⟩ (*trascorrere*) to spend, to pass. – **17.** ⟨*poet*⟩ (*trascinare*) to drag (out). – **18.** ⟨*rar*⟩ (*lanciare, tirare*) to throw, to cast. – **19.** ⟨*rar*⟩ (*strappare*) to pull out. – **20.** ⟨*ant*⟩ (*riscuotere*) to collect. – **21.** ⟨*ant*⟩ (*togliere di dosso*) to take off. – **22.** ⟨*ant*⟩ (*distogliere*) to deter. – **II** *v.i.* (*aus.* **avere**) **1.** ⟨*rar*⟩ (*rif. a vento: spirare*) to blow. – **2.** ⟨*poet*⟩ (*accorrere*) to go, ⟨*lett*⟩ to betake o.s.; (*passare, muoversi*) to pass. – **trarsi** *v.r.* **1.** to draw, to move: *trarsi in disparte* to draw (*o* step) aside. – **2.** ⟨*fig*⟩ (*sottrarsi, cavarsi*) to get: *trarsi fuori da una difficoltà* to get out of a difficulty. – **3.** ⟨*poet*⟩ (*accorrere*) to hasten; (*recarsi*) to go, ⟨*lett*⟩ to betake o.s. – **4.** ⟨*ant*⟩ (*indurirsi*) to be drawn.

□ ~ *in* **arresto** to arrest; ~ *a* **effetto** to execute, to carry out; ~ *in* **errore** to mislead, to lead astray; ~ *in* **inganno** to deceive; ~ *a* **morte** *qd.* to lead s.o. to his death; ~ **origine** to originate; ~ *a* **salvamento** to save, to rescue; (*recuperare*) to salvage; ⟨*Comm*⟩ ~ *allo* **scoperto** to overdraw; ~ *la* **seta** to reel silk; ~ *a* **sorte** to draw lots; ~ *in* **tentazione** to lead into temptation.

trạrre[2] *m.* **1.** drawing. – **2.** ⟨*rar*⟩ (*tiro*) throw.

trasalimẹnto *m.* start, jump. □ *avere un* ~ to (give a) start, to (give a) jump. – **trasalịre** *v.i.* (**trasalịsco, trasalịsci**; *aus.* **avere**/**essere**) to (give a) start, to (give a) jump, to be startled: ~ *per lo spavento* to start with fright.

trasaltạre *v.i.* (*aus.* **avere**) ⟨*non com*⟩ to jump.

trasandamẹnto *m.* ⟨*rar*⟩ neglect. – **trasandạre** ⟨*ant*⟩ **I** *v.t.* **1.** (*trascurare*) to neglect. – **2.** (*tralasciare*) to omit, to pass over. – **II** *v.i.* (*aus.* **essere**) (*eccedere*) to go too far. – **trasandạto** (*p.p. di trasandare*) *a.* **1.** (*rif. a persone*) shabby, slovenly, untidy, sloppy, unkempt: *essere* ~ *nel vestire* to be shabby. – **2.** (*rif. a cose*) neglected, untidy, unkempt: *vestiti* -*i* untidy clothes; (*rif. ad azioni*) careless, negligent, slovenly: *lavoro* ~ careless (*o* slipshod) work.

trasbordạre *v.* (**trasbọrdo**) **I** *v.t.* **1.** to transfer, to tran(s)ship. – **2.** ⟨*Mar*⟩ to tran(s)ship; (*rif. a persone*) to transfer. – **II** *v.i.* (*aus.* **avere**) **1.** to change. – **2.** ⟨*Mar*⟩ to tran(s)ship. – **trasbordatọre** *m.* **1.** ⟨*Mar*⟩ launch. – **2.** ⟨*Ferr*⟩ (*carrello trasbordatore*) transfer table, traverser.

trasbọrdo *m.* **1.** transfer, tran(s)shipment. – **2.** ⟨*Mar*⟩ tran(s)shipment; (*rif. a persone*) transfer, changing.

trascẹgliere *v.t.* (**trascẹlgo, trascẹgli; trascẹlsi, trascẹlto**) ⟨*rar*⟩ (*scegliere*) to choose. – **trascẹlto** (*p.p. di trascegliere*) *a.* ⟨*rar*⟩ chosen.

trascendentạle **I** *a.* **1.** ⟨*Filos*⟩ transcendental; (*trascendente*) transcendent. – **2.** ⟨*estens*⟩ (*straordinario*) extraordinary, exceptional. – **3.** ⟨*Mat*⟩ transcendental. – **II** *s.m.inv.* ⟨*Filos*⟩ transcendental. □ ⟨*fam*⟩ *non è niente di* ~ there's nothing special about it.

trascendentalịsmo *m.* ⟨*Filos*⟩ transcendentalism. – **trascendentalịsta** *m./f.* transcendentalist. – **trascendentalmẹnte** *avv.* transcendentally. – **trascendẹnte** **I** *a.* **1.** ⟨*Filos*⟩ transcendent; (*soprasensibile*) transcendent. – **2.** ⟨*Mat*⟩ transcendental. – **II** *s.m.inv.* transcendent. – **trascendentịsmo** *m.* ⟨*Filos,Teol*⟩ trascendentalism. – **trascendentịstico** *a.* (*pl.* -**ci**) transcendentalist(ic). – **trascendẹnza** *f.* ⟨*Filos,Mat*⟩ transcendence, trascendency.

trascẹndere *v.* (**trascẹsi, trascẹso**) **I** *v.t.* **1.** to surpass, to go (*o* be) beyond, to exceed. – **2.** ⟨*Filos*⟩ to transcend. – **II** *v.i.* (*aus.* **avere**/*non com.* **essere**) (*eccedere*) to go too far; (*lasciarsi trasportare*) to lose control of o.s.; (*abbassarsi*) to stoop, to descend. – **trascendersi** *v.r.* ⟨*Filos*⟩ to transcend o.s. □ ~ *a vie di fatto* to come to blows. – **trascendimẹnto** *m.* ⟨*non com*⟩ trascendence.

trascerre *v.* ⟨*poet*⟩ → **trascegliere.**
trascicare *v.t.* (**trascico, trascichi**) (*strascicare*) to drag.
trascina *f.* ⟨*Itt*⟩ (*tracina*) weever (*Trachinus*).
trascinabile *a.* **1.** that can be dragged (*o* pulled). – **2.** ⟨*Geol*⟩ erodible, erodable. – **trascinabilità** *f.* **1.** ⟨*rar*⟩ possibility of being dragged. – **2.** ⟨*Geol*⟩ erodibility, erodability.
trascinamento *m.* **1.** dragging. – **2.** ⟨*Mot*⟩ motoring over.
trascinare *v.t.* **1.** to drag (along): ~ *una sedia* to drag a chair; ~ *i piedi* to drag one's feet; (*strisciando per terra*) to drag, to trail. – **2.** ⟨*estens*⟩ (*condurre a forza*) to drag: *trascinarono il ladro al commissariato* they dragged the thief (off) to the police station. – **3.** ⟨*fig*⟩ (*avvincere*) to sway, to enthral: ~ *la folla* to sway the crowd; (*trasportare*) to carry away. – **4.** ⟨*fig*⟩ (*tirare per le lunghe*) to drag out. – **trascinarsi** *v.r.* **1.** to drag o.s. (along). – **2.** ⟨*fig*⟩ (*andare per le lunghe*) to drag on: *il processo si trascinò per mesi e mesi* the trial dragged on for months and months.
□ ⟨*fig*⟩ *trascinarsi* **dietro** to drag o.s. along; (*acquistare alla propria causa*) to win over; ⟨*fig*⟩ *trascinarsi alla* **meglio** to lead a hard life, to struggle along; ⟨*fig*⟩ ~ *con* **sé** (*portare come conseguenza*) to bring, to cause; ~ **via**: 1. to pull (*o* drag) away; 2. (*rif. ad acqua e sim.*) to sweep away; ~ *la* **vita** = *trascinarsi alla* **meglio**.
trascinatore **I** *s.m.* (*f.* **-trice**) **1.** ⟨*rar*⟩ dragger, puller. – **2.** ⟨*fig*⟩ swayer. – **II** *a.* enthralling. □ ⟨*Chim*⟩ ~ *areotropico* areotropic entrainer.
trascinella *f.* ⟨*Pesc*⟩ bag-net.
trascinio *m.* **1.** dragging. – **2.** (*rumore*) dragging noise, sound of dragging.
trascoloramento *m.* ⟨*non com*⟩ discolouration, discolouring. – **trascolorare** *v.* (**trascoloro**) **I** *v.i.* (*aus.* **essere**) **1.** to discolour, to become discoloured, to change colour. – **2.** (*rif. a persone*: *impallidire*) to (grow) pale. – **II** *v.t.* ⟨*rar*⟩ (*far mutare colore*) to discolour, to change the colour of. – **trascolorarsi** *v.r.* **1.** to become discoloured, to change colour. – **2.** (*rif. a persone*: *impallidire*) to (grow) pale.
trascontinentale *a.* → **transcontinentale.**
trascorrere[1] *v.* (**trascorsi, trascorso**) **I** *v.t.* **1.** to spend, to pass: ~ *le vacanze al mare* to spend one's holidays at the seaside; ~ *il tempo leggendo* to spend (*o* pass) one's time reading. – **2.** ⟨*estens*⟩ (*scorrere, esaminare rapidamente*) to look (*o* glance, skim) through: ~ *un libro* to look through a book. – **3.** ⟨*lett*⟩ (*percorrere*) to go (*o* pass) through; (*oltrepassare*) to cross. – **II** *v.i.* (*aus.* **avere/essere**) **1.** (*rif. al tempo*: *passare*; *aus.* **essere**) to pass, to go by, to elapse: *sono già trascorsi più di due anni* more than two years have gone by already. – **2.** ⟨*fig,non com*⟩ (*trascendere*; *aus.* **avere**) to go too far. – **3.** ⟨*lett*⟩ (*andare oltre, passare avanti*; *aus.* **essere**) to go (*o* pass) on. – **4.** ⟨*lett*⟩ (*passare rapidamente da una cosa all'altra*) to flit, to jump.
trascorrere[2] *m.* passing: *il* ~ *del tempo* the passing of time.
trascorrevole *a.* ⟨*rar*⟩ **1.** passing. – **2.** (*che trascorre velocemente*) fleeting, transient, passing. – **trascorrimento** *m.* ⟨*non com*⟩ passing. – **trascorso** (*p.p. di trascorrere*) **I** *a.* **1.** passed. – **2.** (*passato*) past. – **II** *s.m.* **1.** (*errore*) mistake, fault: *i suoi -i sono noti a tutti* everyone knows his faults. – **2.** (*fallo*) slip, lapse. □ ~ *di gioventù* youthful escapade.
trascritto (*p.p. di trascrivere*) *a.* **1.** (*copiato*) transcribed (*anche Mus.*). – **2.** ⟨*Ling*⟩ transcribed, transliterated. – **3.** ⟨*Dir*⟩ registered. – **trascrittore** *m.* (*f.* **-trice**) transcriber, copyist.
trascrivere *v.t.* (**trascrissi, trascritto**) **1.** (*copiare*) to transcribe, to copy (out). – **2.** ⟨*Ling*⟩ (*scrivere secondo un diverso sistema grafico o fonetico*) to transcribe, to transliterate: ~ *foneticamente* to transcribe phonetically. – **3.** ⟨*Dir*⟩ (*registrare*) to register, to record. – **4.** ⟨*Mus*⟩ to transcribe. □ ~ *qc. in bella copia* to make a fair copy of s.th.
trascrizione *f.* **1.** (*copiatura*) transcription, copying: *la* ~ *fedele di un testo* the faithful transcription of a text; (*copia*) transcript, copy. – **2.** ⟨*Ling*⟩ (*traslitterazione*) transcription, transliteration: ~ *fonetica* phonetic transcription. – **3.** ⟨*Dir*⟩ registration. – **4.** ⟨*Mus*⟩ transcription.
trascurabile *a.* negligible: *quantità* ~ negligible quantity. – **trascuraggine, trascuranza** *f.* ⟨*non com*⟩ → **trascuratezza.**
trascurare **I** *v.t.* **1.** (*non curare, non occuparsi di*) to neglect: ~ *lo studio* to neglect one's studies; ~ *la famiglia* to neglect one's family. – **2.** (*non tenere conto di*) to overlook, to ignore, to disregard, to neglect: *non possiamo* ~ *il tuo contributo* we cannot overlook your contribution; (*tralasciare*) to neglect, to omit, ⟨*fam*⟩ to skip: *trascuriamo i particolari* let's skip the details. – **3.** (*non adempiere*) to neglect: ~ *il proprio dovere* to neglect (*o* fail in) one's duty, not to do one's duty. – **II** *v.i.* (*aus.* **avere**; *omettere di fare*: *per sbadataggine*) to fail; (*per dimenticanza*) to forget: *non* ~ *di avvertirlo in tempo* don't forget (*o* fail) to let him know in time. – **trascurarsi** *v.r.* to neglect o.s., to let o.s. go: *non devi trascurarti così* you can't let yourself go like this.
trascuratàccio *m.* (*f.* **-a**) ⟨*spreg*⟩ *pegg. di* **trascurato**. – **trascurataggine** *f.* → **trascuratezza.** – **trascuratamente** *avv.* negligently, carelessly; (*disordinatamente*) untidily, in a disorderly way. – **trascuratezza** *f.* **1.** carelessness, negligence, neglect; (*disordine*) disorder, untidiness. – **2.** (*azione*) negligence, carelessness. □ *con* ~ negligently, carelessly.
trascurato (*p.p. di trascurare*) **I** *a.* **1.** neglected. – **2.** (*abbandonato*) neglected, uncared for: *giardino* ~ neglected garden. – **3.** (*che agisce con trascuratezza*) careless, negligent; (*disordinato*) disorderly, untidy; (*negligente*) negligent. – **II** *s.m.* (*f.* **-a**) untidy (*o* shabby) person. – **trascuratone** *m.* (*f.* **-a**) *accr. di* **trascurato**. – **trascuratore** *m.* (*f.* **-trice**) ⟨*rar*⟩ neglectful person, neglecter.
trascutaggine *f.* ⟨*ant*⟩ **1.** (*negligenza*) negligence, carelessness. – **2.** (*presunzione*) presumptuousness, presumption. – **trascutato** *a.* ⟨*ant*⟩ **1.** hasty, rushed; (*trascurato*) careless. – **2.** (*sfacciato*) impertinent, impudent.
trasdurre *v.t.* (**trasduco, trasduci; trasdussi, trasdotto**; → **condurre**) ⟨*Fis*⟩ to act as a transducer. – **trasduttore** *m.* ⟨*Fis*⟩ transducer. □ ~ *analogico* analog transducer; ~ *a capacità* capacitance transducer; ~ *digitale* digital transducer; ~ *elettroacustico* electro-acoustical transducer; ~ *elettromeccanico* electromechanical transducer. – **trasduzione** *f.* **1.** ⟨*Fis*⟩ action of a transducer. – **2.** ⟨*Biol*⟩ transduction.
trasecolamento *m.* ⟨*non com*⟩ astonishment, amazement. – **trasecolare** *v.i.* (**trasecolo**; *aus.* **essere/avere**) to be astonished (*o* amazed, astounded), to be dumbfounded (*o* flabbergasted). □ *far* ~ to astonish, to amaze. – **trasecolato** (*p.p. di trasecolare*) *a.* astonished, amazed, astounded, dumbfounded, flabbergasted.
trasentire *v.t.* (**trasento**) ⟨*non com*⟩ **1.** (*sentire vagamente*) to hear (vaguely). – **2.** (*fraintendere*) to misunderstand, to hear wrong.
trasferibile *a.* **1.** transferable. – **2.** (*cedibile*) transferable, conveyable (*anche Dir.*). – **3.** (*girabile*: *rif. ad assegni e sim.*) negotiable: *non* ~ not negotiable. – **trasferibilità** *f.* **1.** transferability. – **2.** (*cedibilità*) transferability, conveyability (*anche Dir.*). – **3.** (*rif. ad assegni e sim.*) negotiability.
trasferimento *m.* **1.** (*rif. a impiegati*) transfer: *fare domanda di* ~ to ask for a transfer; (*rif. a cose*) transfer, move, removal. – **2.** (*trasloco*) removal, move: *ci vedremo dopo il nostro* ~ *in campagna* we'll see each other after our move to the country. – **3.** (*cessione*) transfer, conveyance, making over (*anche Dir.*): ~ *della proprietà* conveyance of property. – **4.** (*trasporto*) transport. – **5.** ⟨*Econ*⟩ transfer: ~ *di un credito* transfer of a credit; ~ *di fondi* transfer of funds; (*rif. a valuta*) conversion. – **6.** ⟨*Psic*⟩ (*transfert*) transference, transfer. □ ⟨*burocr*⟩ ~ *per punizione* disciplinary transfer; ~ *di residenza* change of residence.
trasferire *v.t.* (**trasferisco, trasferisci**) **1.** (*rif. a persone*) to transfer: ~ *un impiegato in un'altra sede* to transfer an employee to another branch; (*rif. a cose*) to transfer, to (re)move: *la ditta si è trasferita a Roma* the company moved to Rome. – **2.** (*cedere*) to transfer, to make over, to convey (*anche Dir.*). – **3.** (*trasportare*) to transport. – **4.** ⟨*Psic*⟩ to transfer. – **5.** ⟨*Econ*⟩ to transfer: ~ *denaro su un conto* to transfer money to an account; (*rif. a valuta*) to convert. – **trasferirsi** *v.r.* **1.** (*traslocare*) to move: *ci trasferiamo a Milano* we are moving to Milan. – **2.** (*essere ceduto*) to be transferred (*anche Dir.*).
trasferta *f.* **1.** transfer, duty travel. – **2.** (*indennità*) subsistence, travelling allowance, travel expenses *pl.* – **3.** ⟨*Sport*⟩ away game, out-of-town match. □ *essere in* ~ to be on duty travel, to be absent on official business; ⟨*Sport*⟩ *giocare in* ~ to play ⌜away from home⌝ (*o* an away match); *squadra in* ~ away team; *mandare in* ~ to send on ⌜duty travel⌝ (*o* temporary assignment).
trasfiguramento *m.* ⟨*non com*⟩ transfiguring, transfiguration. – **trasfigurare** *v.t.* **1.** to transfigure. – **2.** ⟨*fig*⟩ to transfigure, to transform: *la gioia le trasfigurava il volto* joy transformed her face. – **trasfigurarsi** *v.r.* **1.** to be (*o* become) transfigured. – **2.** ⟨*Teol*⟩ to be transfigured. – **trasfigurato** (*p.p. di trasfigurare*) *a.* transfigured (*anche fig.*). – **trasfigurazione** *f.* **1.** transfiguration. – **2.** ⟨*Teol,Art,Lit*⟩ Transfiguration. – **trasfigurire** *v.* (**trasfigurisco, trasfigurisci**) → **trasfigurare.**
trasfocatore *m.* ⟨*Fot*⟩ zoom lens, transfocator.
trasfondere *v.t.* (**trasfusi, trasfuso**) **1.** ⟨*non com*⟩ to pour, to decant. – **2.** ⟨*Med*⟩ to transfuse. – **3.** ⟨*fig*⟩ (*trasmettere, infondere*) to instil, to imbue, to transfuse. – **trasfondersi** *v.r.* to be transfused. – **trasfondibile** *a.* ⟨*non com*⟩ transfusible.
trasformabile *a.* **1.** transformable (*anche Mat.*); (*adattabile, che si può cambiare*) alterable, changeable. – **2.** ⟨*Aut*⟩ convertible. □ ⟨*Aut*⟩ *macchina* ~ convertible. – **trasformabilità** *f.* transformability (*anche Mat.*).
trasformare *v.t.* (**trasformo**) **1.** to transform, to change: *la bonifica ha trasformato il paese* the reclamation has transformed the country; *questa pettinatura ti trasforma* this hair-style changes you. – **2.** (*cambiare*) to change: *la ricchezza li ha trasformati* wealth has changed them, they have changed since they got rich. – **3.** (*modificare*) to change, to alter, to modify: ~ *un progetto* to change a plan. – **trasformarsi** *v.r.* **1.** to change, to turn, to be transformed (*in* into): *l'acqua si è trasformata in ghiaccio* the water has turned into ice; *il bruco si trasforma in farfalla* the caterpillar changes into a butterfly. – **2.** (*cambiare*) to change: *la città si trasforma di giorno in giorno* the city is changing daily. – **3.** ⟨*fig*⟩ (*diventare*) to turn (into, to): *l'attesa si trasformò in angoscia* expectation turned to dread. – **4.** ⟨*Biol*⟩ to be transformed, to metamorphose. – **5.** ⟨*rar*⟩ (*mascherarsi*) to disguise o.s.
trasformativo *a.* ⟨*non com*⟩ transformative, transforming.
trasformato (*p.p. di trasformare*) *a.* **1.** transformed (*anche Mat.*). – **2.** (*cambiato*) changed. – **3.** ⟨*Biol*⟩ transformed, metamorphosed. – **4.** ⟨*ant*⟩ (*sfigurato, deforme*) disfigured, deformed.
trasformatore *m.* (*f.* **-trice**) **1.** transformer (*anche El.,Fis.*). – **2.** ⟨*Fot*⟩ (*prospettografo*) perspectograph, perspectometer. – **3.** ⟨*tecn*⟩ (*scambiatore di calore*) heat exchanger.
□ ⟨*El*⟩ ~ **abbassatore** *di tensione* step-down transformer; ~ *d'***accensione** filament transformer; ~ *d'***adattamento** matching trans-

former; ⟨Rad⟩ ~ d'**alimentazione** power (*o* supply) transformer; ~ *a* **campo** *rotante* rotating field transformer; ~ *a* **colonne** core-type transformer; ~ **corazzato** = *trasformatore a* **mantello**; ~ *di* **corrente** current transformer; ~ **elevatore** *di tensione* step-up transformer; ~ *di* **fase** phase transformer; ~ *di* **frequenza** frequency transformer; ⟨Rad⟩ ~ *di media frequenza* band-pass filter; ~ *a frequenza intermedia* intermediate frequency transformer; ~ *a* **mantello** shell(-type) transformer; ~ *di* **misura** instrument transformer; ~ **monofase** single-phase transformer; ~ *a* **nucleo** *di ferro* iron-core transformer; ~ *in* **olio** oil immersed (*o* filled) transformer; ⟨Rad⟩ ~ **pilota** pilot transformer; ~ *di* **potenza** power transformer; ~ *a* **prese** tapped transformer; ~ *di* **rete** = *trasformatore* d'**alimentazione**; ~ **riduttore** = *trasformatore* **abbassatore** *di tensione*; ~ **survoltore** booster transformer; ~ *di* **tensione** voltage transformer; ~ **trifase** three-phase transformer; ⟨Rad⟩ ~ *d'***uscita** output transformer; ~ **variabile** variable (*o* adjustable) transformer.

trasformaziọne *f.* **1.** transformation, change: *subire -i* to undergo changes, to be changed. – **2.** (*modifica, mutamento*) change, alteration. – **3.** ⟨Biol⟩ (*metamorfosi*) transformation, metamorphosis. – **4.** ⟨Mat⟩ transformation. – **5.** ⟨El,Fis⟩ transformation, conversion. □ ⟨Fis⟩ ~ *di* **calore** heat exchange; ⟨El⟩ ~ *della* **corrente** (current) transformation; ⟨Fis⟩ ~ *dell'***energia** transformation of energy; ⟨Mat⟩ ~ **lineare** linear transformation; ~ **radioattiva** radioactive transformation; ⟨Met⟩ ~ **strutturale** structural transformation.

trasformịsmo *m.* **1.** ⟨Pol⟩ transformism. – **2.** ⟨Biol⟩ transformism, evolutionism. – **trasformịsta I** *s.m./f.* **1.** ⟨Pol⟩ transformist. – **2.** ⟨Biol⟩ transformist, evolutionist. – **3.** ⟨Teat⟩ quick-change artist. – **II** *a.* → **trasformistico**. – **trasformịstico** *a.* (*pl.* **-ci**) **1.** ⟨Pol⟩ transformist. – **2.** ⟨Biol⟩ transformistic.

trasfuşionạle *a.* ⟨non com⟩ transfusion-. – **trasfuşiọne** *f.* **1.** pouring, decanting. – **2.** ⟨Med⟩ (*trasfusione di sangue*) (blood) transfusion. – **3.** ⟨fig⟩ instilling, imbuing, transfusion. □ ⟨Bot⟩ *tessuto di* ~ transfusion tissue.

traşgredimẹnto *m.* ⟨non com⟩ transgression.

traşgredịre *v.* (**traşgredịsco**, **traşgredịsci**) **I** *v.t.* to transgress, to disobey, to infringe, to break, to violate: ~ *un ordine* to disobey an order. – **II** *v.i.* (*aus.* **avere**) to transgress, to disobey, to infringe, to break (*a qc.* s.th.): ~ *a una legge* to break a law. – **traşgreditọre** *m.* (*f.* **-trice**) ⟨rar⟩ → **trasgressore**.

traşgressiọne *f.* **1.** transgression, breaking, infringement: *la* ~ *di una legge* the infringement of a law. – **2.** ⟨concr⟩ (*violazione di una norma*) infringement, breach. – **3.** ⟨Geol⟩ transgression: ~ *retica* Rhaetic transgression. – **traşgressịvo** *a.* ⟨Geol⟩ transgressive. – **traşgressọre** *m.* transgressor, breaker.

Traşimẹno *N.pr.m.* ⟨Geog⟩ (*anche Lago Trasimeno*) Lake Trasimeno, Lake of Perugia.

traşlatạre *v.t.* **1.** ⟨lett⟩ (*portare altrove*) to transfer, to transport, ⟨rar⟩ to translate. – **2.** ⟨ant⟩ (*tradurre*) to translate. – **traşlatịvo** *a.* ⟨Dir⟩ translative.

traşlạto I *a.* **1.** (*figurato*) figurative, metaphoric(al): *senso* ~ metaphorical sense. – **2.** ⟨lett⟩ (*trasferito*) transferred, transported. – **II** *s.m.* **1.** (*metafora*) metaphor. – **2.** (*figura retorica*) figure of speech. □ *al* (*o per*) ~ metaphorically.

traşlatọre I *s.m.* (*f.* **-trice**) **1.** ⟨non com⟩ transporter, transferrer. – **2.** ⟨Fis⟩ → **trasduttore**. – **3.** ⟨Tel⟩ repeater, translator. – **4.** ⟨ant⟩ (*traduttore*) translator. – **II** *a.* ⟨tecn⟩ repeating. □ ~ *catodico* cathode follower.

traşlatọrio *a.* **1.** transfer-. – **2.** ⟨Fis⟩ translational, translatory: *moto* ~ translational motion, (motion of) translation.

traşlaziọne *f.* **1.** ⟨non com⟩ (*trasferimento*) transfer, removal; (*trasporto*) transport(ing). – **2.** ⟨Dir,Econ⟩ transfer, conveyance. – **3.** ⟨Fis,Geol,Astr⟩ translation. – **4.** ⟨Mecc⟩ translation; (*spostamento, corsa*) traverse. – **5.** (*in cinematica*) step, translation. – **6.** ⟨Psic⟩ (*transfert*) transference. – **7.** ⟨ant⟩ (*traduzione*) translation. – **8.** ⟨ant⟩ (*metafora*) metaphor.

□ ⟨Mecc⟩ ~ **automatica** power traverse; ⟨Lit⟩ ~ *di una* **festa** translation of a feast; ⟨Fis⟩ **moto** *di* ~ motion of translation; ⟨Mecc⟩ ~ **rapida** quick (*o* rapid) traverse; ⟨Rel⟩ ~ *delle* **reliquie** translation of relics; ~ *della* **salma** transfer of a body (to another grave); ~ *di una* **solennità** = *traslazione di una* **festa**; ⟨Geol⟩ **teoria** *della* ~ theory of continental drift.

traşlitterạre *v.t.* (**traşlịttero**) to transliterate. – **traşlitterạto** (*p.p. di traslitterare*) *a.* transliterated. – **traşlitteraziọne** *f.* transliteration.

traşlocamẹnto *m.* ⟨non com⟩ → **trasloco**. – **traşlocạre** *v.* (**traşlọco**, **traşlọchi**) **I** *v.t.* to transfer: ~ *un impiegato* to transfer an employee. – **II** *v.i.* (*aus.* **avere**), **traslocarsi** *v.r.* to move: *ci siamo traslocati in periferia* we moved to the outskirts. – **traşlocaziọne** *f.* ⟨Biol⟩ translocation. – **traşlọco** *m.* (*pl.* **-chi**) **1.** (*trasferimento*) transfer. – **2.** (*cambiamento di casa*) move; (*trasporto di masserizie*) removal, moving.

traşlucidità *f.* **1.** ⟨Fis⟩ translucence, translucency. – **2.** ⟨lett⟩ (*trasparenza*) transparence. – **traşlụcido** *a.* **1.** ⟨Fis⟩ translucent. – **2.** ⟨lett⟩ (*trasparente*) transparent.

traşmarịno *a.* ⟨lett⟩ (*oltremarino*) oversea(s), beyond the seas.

traşmẹsso (*p.p. di trasmettere*) *a.* **1.** transmitted, passed on. – **2.** (*mandato*) sent. – **3.** (*comunicato*) conveyed. – **4.** ⟨Tel⟩ transmitted; (*per radiotelefono*) transmitted. – **5.** ⟨Rad⟩ broadcast: *un programma* ~ *alle ore 20* a programme broadcast at 8:00 p.m.; (*rif. a segnali*) transmitted. – **6.** ⟨TV⟩ telecast, televised. – **7.** ⟨Mecc⟩ transmitted.

traşmẹttere *v.t.* (**traşmịsi**, **traşmẹsso**) **1.** to transmit, to pass on: ~ *una malattia* to transmit a disease; (*tramandare da una generazione all'altra*) to hand down (*o* on), to transmit. – **2.** (*mandare*) to send: ~ *una lettera a qd.* to send a letter to s.o.; (*inoltrare*) to pass on, to transmit, to forward. – **3.** (*comunicare*) to convey, to inform of: ~ *una notizia a qd.* to convey news to s.o., to inform s.o. of s.th. – **4.** ⟨Dir⟩ to convey, to transfer: ~ *un diritto a qd.* to transfer a right to s.o.; (*per eredità*) to leave, to bequeath. – **5.** ⟨Tel⟩ to transmit. – **6.** ⟨Rad⟩ to broadcast: ~ *un discorso* to broadcast a speech. – **7.** ⟨TV⟩ to telecast, to televise. – **8.** ⟨Mecc⟩ to transmit. – **trasmettersi** *v.r.* to be transmitted (*o* passed on); (*tramandarsi*) to be handed down. □ *trasmettersi per contagio* to be contagious, to (be) spread by infection; ⟨Rad⟩ ~ *in ripresa diretta* to broadcast live; ⟨TV⟩ to telecast live; *abbiamo trasmesso il notiziario* you have been listening to the news.

traşmettitọre I *s.m.* (*f.* **-trice**) **1.** transmitter. – **2.** (*di malattia, rif. a insetti*) vector, carrier. – **3.** ⟨Tel⟩ (*telegrafista*) telegraphist; (*radiotelegrafista*) wireless (*o* radio) operator. – **4.** ⟨Tel⟩ (*dispositivo*) transmitter. – **5.** ⟨Rad⟩ (*stazione trasmittente*) transmitting (*o* broadcasting) station. – **6.** ⟨Mar⟩ transmitter. – **II** *a.* transmitting (*anche Tel.,Rad.*).

□ ~ *ad* **arco** arc transmitter; ~ **automatico** alternator transmitter (*o* sender); ~ **direzionale** directional transmitter; ~ *di* **disturbi** jammer, disturbing transmitter; ~ *d'***immagini** phototelegraph (*o* picture) transmitter; ~ *a* **micro-onde** microwave transmitter; ~ *a* **modulazione** *d'ampiezza* amplitude-modulation transmitter; ~ *a modulazione di frequenza* frequency-modulated transmitter; ~ **Morse** Morse key, telegraph key; ~ *a* **onde** *corte* short-wave transmitter; ~ **radar** radar transmitter; ~ **radiotelegrafico** radiotelegraph transmitter; ~ *a grande* **raggio** high-power transmitter; ~ *a* **scintilla** spark transmitter; ~ **telegrafico** telegraph transmitter; ~ **televisivo** television transmitter; ~ *a* **valvole** valve transmitter.

traşmigramẹnto *m.* ⟨non com⟩ → **trasmigrazione**. – **traşmigrạre** *v.i.* (*aus.* **essere/avere**) **1.** to transmigrate; (*emigrare*) to emigrate. – **2.** (*rif. a uccelli*) to migrate. – **3.** (*trasmettersi*) to be ⌜passed on⌝ (*o* handed down). – **4.** ⟨Rel⟩ (*reincarnarsi*) to transmigrate, to be reincarnated. – **traşmigraziọne** *f.* **1.** transmigration; (*emigrazione*) emigration. – **2.** (*rif. a uccelli*) migration: ~ *annuale delle rondini* annual migration of swallows. □ ⟨Rel⟩ ~ *delle anime* (*metempsicosi*) transmigration (of souls), metempsychosis.

traşmissịbile *a.* transmissible, transmittable; (*per eredità*) inheritable. – **traşmissibilità** *f.* transmissibility; (*per eredità*) inheritableness.

traşmissiọne *f.* **1.** transmission, passing on: ~ *di poteri* transmission of powers. – **2.** (*invio*) sending, despatch. – **3.** ⟨Rad⟩ broadcast(ing), transmitting; (*programma*) broadcast, programme. – **4.** ⟨TV⟩ telecast(ing); (*programma*) television programme, telecast. – **5.** ⟨Mecc⟩ transmission; (*congegno di comando, di trazione*) gearing, drive, transmission. – **6.** ⟨Fis⟩ transmission. – **7.** *pl.* ⟨Mil⟩ military communications network.

□ ⟨Mot⟩ ~ *ad* **albero** shafting; ⟨Aut⟩ ~ **anteriore** front-wheel drive; ~ **articolata** toggle link; ~ *ad* **attrito** friction drive (*o* gear); ⟨Fis⟩ ~ *del* **calore** heat transmission; ⟨Mot⟩ ~ **cardanica** universal transmission; ~ *a* **catena** chain drive (*o* gearing); ~ *a* **cinghia** belt drive; ~ **diretta**: 1. ⟨Mecc⟩ direct transmission; 2. ⟨TV⟩ (*ripresa diretta*) direct (*o* live) telecast; 3. ⟨Rad⟩ direct (*o* live) broadcast; ⟨Fis⟩ ~ *d'***energia** power transmission; ~ *a* **frizione** = *trasmissione ad* **attrito**; ~ *a* **fune** rope drive; ~ **idraulica** hydraulic (*o* hydrodynamic) drive; ⟨Tel⟩ ~ *d'***immagini** picture telegraphy; ~ **indiretta**: 1. ⟨Rad⟩ recorded broadcast (*o* programme); 2. ⟨TV⟩ recorded programme (*o* telecast); ⟨Mecc⟩ ~ *a* **ingranaggi** toothed gearing, gear transmission; ~ *a ingranaggi conici* bevel-gear drive; ~ *a* **leva** leverage, lever transmission; ~ **meccanica** mechanical drive; ⟨Fis⟩ ~ *del* **moto** motion transmission, transmission of motion; ⟨Psic⟩ ~ *del* **pensiero** thought transference; ⟨Aut⟩ ~ **posteriore** rear-wheel drive; ⟨Rad⟩ ~ **pubblicitaria** radio commercial; ⟨TV⟩ television commercial; ~ **radiofonica** broadcast; ~ **registrata** = *trasmissione* **indiretta**; ~ **snodata** = *trasmissione* **cardanica**; ~ **televisiva** telecast(ing); ⟨Mecc⟩ ~ *a* **vite** *senza fine* worm gearing transmission.

traşmissịvo *a.* transmitting, transmissive.

traşmittẹnte (*p.pr. di trasmettere*) **I** *a.* transmitting (*anche Tel., Rad.*). – **II** *s.f.* **1.** ⟨Rad⟩ (*stazione trasmittente*) transmitting (*o* broadcasting) station. – **2.** (*apparecchio*) transmitter.

traşmodamẹnto *m.* ⟨non com⟩ going to excess. – **traşmodạre** *v.i.* (**traşmọdo**; *aus.* **avere**) to go ⌜to excess⌝ (*o* too far), to be immoderate. □ ~ *nel bere* to drink immoderately (*o* to excess). – **traşmodatamẹnte** *avv.* ⟨non com⟩ immoderately, excessively. – **traşmodạto** (*p.p. di trasmodare*) *a.* excessive, immoderate, exaggerated.

traşmodulaziọne *f.* → **transmodulazione**.

traşmutạbile *a.* ⟨lett⟩ transmutable. – **traşmutabilità** *f.* ⟨lett⟩ transmutability.

traşmutamẹnto *m.*, **traşmutạnza** *f.* ⟨ant⟩ transmutation, transformation.

traşmutạre *v.t.* ⟨lett⟩ **1.** to transmute, to transform. – **2.** (*scambiare*) to exchange. – **3.** ⟨ant⟩ (*trasferire*) to transfer. – **4.** ⟨ant⟩ (*cedere in possesso*) to give, to hand over. – **5.** ⟨ant⟩ (*tradurre*) to translate. – **6.** ⟨ant⟩ (*travasare*) to pour off, to decant. – **trasmutarsi** *v.r.* ⟨lett⟩ **1.** to be transformed, to change. – **2.** (*trasferirsi*) to move; (*muoversi, spostarsi*) to move. – **3.** ⟨ant⟩ (*passare sotto il dominio*) to pass.

traṣmutatọre *m.* (*f.* **-trice**) ⟨*rar*⟩ transmuter, transformer. – **traṣmutaziọne** *f.* ⟨*lett*⟩ **1.** transmutation, transformation. – **2.** ⟨*Fis*⟩ transmutation. – **3.** ⟨*ant*⟩ (*traduzione*) translation. – **traṣmutẹvole** *a.* ⟨*rar*⟩ → **trasmutabile.**

trasognamẹnto *m.* ⟨*lett*⟩ daydreaming. – **trasognạre** *v.i.* (**trasọgno**; *aus.* **avere**) ⟨*rar*⟩ **1.** to daydream. – **2.** (*rimanere incerto*) to be uncertain (*o* dazed). – **trasognạto** (*p.p. di trasognare*) *a.* **1.** dreamy, absent-minded, lost in reverie: *guardare qd. con occhi -i* to look at s.o. with a dreamy (*o* far-away) expression; *avere un'aria -a* to look absent-minded. – **2.** (*sbalordito*) astonished, amazed, dumbfounded; (*stordito*) dazed, bewildered.

traṣoriẹre *m.* ⟨*ant*⟩ (*tesoriere*) treasurer.

traspadạno I *a.* transpadane. – **II** *s.m.* (*f.* **-a**) person who lives on the north side of the Po River.

trasparẹnte (*p.pr. di trasparire*) **I** *a.* **1.** transparent: *carta* ~ transparent paper. – **2.** ⟨*fig*⟩ transparent, clear. – **3.** ⟨*iperb*⟩ (*molto sottile*) wafer-thin, very thin, that you can see through: *una fetta* ~ *di formaggio* a very thin slice of cheese. – **4.** ⟨*Fis*⟩ transparent. – **II** *s.m.* **1.** (*cartellone pubblicitario*) transparency. – **2.** ⟨*Sart,Lav.femm*⟩ backing. – **3.** ⟨*Fot*⟩ transparency. – **4.** ⟨*Cin*⟩ back projection, process screen (*o* background). – **5.** ⟨*Teat*⟩ scrim. – **6.** ⟨*Tip*⟩ acetate proof. – **trasparẹnza** *f.* **1.** transparence, transparency, transparentness: *la* ~ *di un cristallo* the transparency of a crystal glass. – **2.** ⟨*fig*⟩ transparence. ▭ *guardare qc. in* ~ to look at s.th. against the light.

trasparẹre *v.* ⟨*ant*⟩ → **trasparire.**

traspariṛe *v.i.* (**traspạio/traspariṣco, traspạri/traspariṣci; traspạrvi/trasparịi/traspạrsi, traspạrso/trasparịto**; *aus.* **essere**) **1.** (*rif. alla luce*) to shine (*o* gleam) through: *il cristallo lascia* ~ *la luce del sole* crystal lets the sunlight shine through; (*rif. a oggetti non luminosi*) to show through, to appear, to be seen: *attraverso il vestito di pizzo traspariva la sottoveste nera* the black slip showed through her lace dress. – **2.** ⟨*fig*⟩ (*rif. a sentimenti e sim.*: *mostrarsi*) to shine, to be apparent (*o* obvious), to reveal: *dal suo volto traspariva la gioia* his face shone with joy. – **3.** ⟨*rar*⟩ (*essere trasparente*) to be transparent. ▭ *non lasciare* ~ *le proprie intenzioni* not to reveal one's intentions.

traspịcuo *a.* ⟨*lett*⟩ (*trasparente*) transparent.

traspirạbile *a.* transpirable. – **traspirạnte** (*p.pr. di traspirare*) *a.* transpiring.

traspirạre I *v.i.* (*aus.* **essere**) **1.** (*esalare*) to transpire. – **2.** (*sudare*) to perspire, to sweat. – **3.** ⟨*fig*⟩ (*trapelare*) to transpire, to leak out, to come to light: *da quanto ha detto non traspira niente dei suoi progetti* from what he said none of his plans leaked out. – **II** *v.t.* ⟨*non com*⟩ **1.** (*lasciar traspirare*) to transpire. – **2.** ⟨*fig*⟩ (*tradire*) to betray.

traspiratọrio *a.* ⟨*Fisiol*⟩ transpiratory, of transpiration.

traspiraziọne *f.* **1.** ⟨*Fisiol*⟩ transpiration, insensible perspiration; (*sudorazione*) perspiration, sweating. – **2.** ⟨*Bot*⟩ transpiration. ▭ ⟨*Bot*⟩ ~ *cuticolare* cuticular transpiration; *entrare in* ~ to start to perspire (*o* sweat); *essere in* ~ to perspire, to sweat; ⟨*Bot*⟩ ~ *stomatica* stomatal transpiration.

trasponimẹnto *m.* ⟨*non com*⟩ → **trasposizione.** – **traspọrre** *v.t.* (**traspọngo, traspọni; traspọsi, traspọsto;** → **porre**) **1.** to transpose, to move. – **2.** ⟨*Mus*⟩ (*trasportare*) to transpose.

trasportạbile *a.* **1.** transportable, conveyable; (*rif a malati e sim.*) able to be moved. – **2.** (*portabile*) portable; (*mobile*) movable, mobile. – **trasportamẹnto** *m.* ⟨*non com*⟩ → **trasporto.**

trasportạre *v.t.* (**traspọrto**) **1.** (*portare*) to transport, to carry, to convey, to take: *una barca li trasportò sulla sponda opposta* a boat carried them to the other bank. – **2.** (*spostare*) to move, to take, to carry: *trasporteremo il divano nello studio* we shall move the divan into the study; (*portare via*) to remove, to take away. – **3.** (*rif. a viaggiatori o merci*) to transport, to carry. – **4.** (*inoltrare*) to forward, to carry, to transport, ⟨*am*⟩ to ship; (*per nave*) to ship. – **5.** (*rif. a malati, morti e sim.*) to take, to carry, to bear, to convey: *il ferito fu trasportato all'ospedale* the wounded man was taken to the hospital. – **6.** (*trasferire*) to transfer, to move: *trasportarono la capitale da Roma a Costantinopoli* the capital was moved from Rome to Constantinople. – **7.** (*rinviare*) to move, to transfer: ~ *una festa a un'altra domenica* to move a feast to another Sunday. – **8.** ⟨*fig*⟩ to take, to transport; (*portare indietro*) to take back: *il dramma ci trasporta in tempi lontani* the play takes us back to olden times. – **9.** ⟨*fig*⟩ (*trascinare*) to transport, to carry away: *lasciarsi* ~ *dall'ira* to let o.s. be carried away by anger, to lose one's temper. – **10.** (*condurre con forza, spingere*) to drive, ⟨*lett*⟩ to waft: *la nave era trasportata dal vento* the ship was driven by the wind. – **11.** (*nell'arte del restauro*) to transfer. – **12.** ⟨*Mus,Mat*⟩ to transpose. – **13.** ⟨*Comm*⟩ to transfer. – **14.** ⟨*ant*⟩ (*tradurre*) to translate. – **trasportarsi** *v.r.* **1.** ⟨*non com*⟩ to go, ⟨*lett*⟩ to betake o.s.; (*trasferirsi*) to move. – **2.** ⟨*fig*⟩ to go (in thought), to imagine o.s.

trasportạto (*p.p. di trasportare*) **I** *a.* **1.** (*portato*) transported, conveyed. – **2.** (*rif. a passeggeri e merci*) transported, carried. – **3.** (*trasferito*) transferred. – **4.** ⟨*fig*⟩ transported, carried away (*da* by), in a transport (of): ~ *dall'ira* in a transport of rage, carried away by rage, beside o.s. with rage. – **II** *s.m.* (*f.* **-a**) passenger. ▭ ⟨*Assic*⟩ *terzi -i* passengers *pl.*

trasportatọre I *s.m.* (*f.* **-trice**) **1.** transporter, carrier. – **2.** ⟨*tecn*⟩ conveyor, carrier; (*nella cucitrice*) feed dog. – **II** *a.* transport-, conveyor, feed(ing): *rulli -i* feeding rollers.
▭ ~ *a* **catena** chain conveyor; ~ *a catena di tazze* = *trasportatore a* **tazze**; ~ *a* **cavo** cable conveyor; ~ *a* **coclea** screw conveyor; ~ **continuo** continuous conveyor; **elevatore** ~ elevator conveyor; ~ *a* **nastro** conveyor (*o* carrier) belt, ribbon conveyor; ~ *a* **piastra** slat (*o* apron) conveyor; ~ **pneumatico** pneumatic conveyor; ~ *a* **rulli** roller conveyor; ~ *a* **scosse** vibrating (*o* bumping) conveyor, shaker; ~ *a* **tazze** bucket conveyor, skip hoist; ~ *dei* **tronchi** log conveyor; ~ **vibrante** vibratory conveyor; ~ *a* **vite** = *trasportatore a* **coclea.**

trasportaziọne *f.* ⟨*rar*⟩ transport(ation).

traspọrto *m.* **1.** transport(ation), moving, carrying, carriage, conveyance; (*con veicolo*) transportation, moving, carriage, carrying. – **2.** (*inoltro*) forwarding, shipping; (*per nave*) shipping, transport, carriage. – **3.** *pl.* ⟨*collett*⟩ (*traffico dei trasporti*) transport(ation); (*servizio dei trasporti*) transportation. – **4.** (*rif. a gas, elettricità e sim.*) conveyance; (*distribuzione*) distribution. – **5.** (*rif. a malati, morti e sim.*) carrying, transport. – **6.** (*trasferimento*) transfer: *il* ~ *della merce da un magazzino all'altro* the transfer of freight from one warehouse to another. – **7.** ⟨*fig*⟩ (*impeto*) transport, impetus, frenzy; (*attacco*) transport, fit: *in un* ~ *d'ira* in a transport of rage. – **8.** ⟨*fig*⟩ (*entusiasmo, passione*) transport, ecstasy, rapture: *l'abbracciò con* ~ he hugged her with rapture; (*fervore*) fervour, zeal, enthusiasm: *lavorare con* ~ to work with great enthusiasm. – **9.** ⟨*Comm*⟩ transfer, carriage, freight. – **10.** ⟨*Mus,Mat*⟩ transposition. – **11.** ⟨*Pitt*⟩ transferring; (*dipinto trasportato*) transfer. – **12.** ⟨*Tip*⟩ transfer. – **13.** ⟨*Sport*⟩ croisé to flank. – **14.** ⟨*ant*⟩ (*traduzione*) translation.
▭ ~ *per via* **d'acqua** carriage by water; ~ **aereo** (o *per via aerea*) air transportation; ~ *aereo internazionale* international air transportation; *-i a* **carico** *del cliente* carriage forward; ~ *a carico del mittente* carriage paid, ⟨*am*⟩ (carriage) prepaid; ~ *a* **collettame** ⌜groupage traffic⌝[1] (*o* collective consignment) transport; ~ *a breve* **distanza** short haulage; ~ *a grande distanza* long-distance haulage; ~ *per* **ferrovia** rail transport(ation); ~ **fluviale** river transportation; ~ **funebre** funeral procession; (*esequie*) funeral; *-i* **interurbani** interurban passenger transportation *sing*; ~ **d'ipoteca** transfer of mortgage; ~ **marittimo** (o *per via mare*) carriage by sea; ~ **merci** freight, transport (*o* carriage) of goods, haulage; **mezzi** *di* ~ means of transportation; ~ **militare** military transport; ~ **misto** combined passenger and goods transportation; ~ **pagato** carriage paid; ~ **passeggeri** passenger transport; ⟨*Ind*⟩ ~ **pneumatico** pneumatic haulage (*o* conveyance); ~ **stradale** (o *su strada*) road transport; (*traffico di merci*) road freight, transport of goods by road; ~ **terrestre** (o *per via terra*) land transport, conveyance by land; ~ *a mezzo* **tubi** pipeage; ~ **viaggiatori** = *trasporto* **passeggeri**; ~ *per* **vie** *navigabili* inland navigation transport.

traspọsi *p.rem. di* **trasporre.**

traspoṣitọre I *s.m.* (*f.* **-trice**) **1.** transposer. – **2.** ⟨*Mus*⟩ transposer. – **II** *a.* ⟨*Mus*⟩ transposing: *strumenti -i* transposing instruments. – **traspoṣiziọne** *f.* **1.** transposition. – **2.** ⟨*Filol*⟩ transposition, metathesis. – **3.** ⟨*Tel*⟩ transposition, crossing of wires. – **4.** ⟨*Cin*⟩ change-over.

traspọsto *p.p. di* **trasporre.**

traṣricchịre *v.* (**traṣricchịsco, traṣricchịsci**) **I** *v.i.* (*aus.* **essere**) ⟨*ant*⟩ (*diventare straricco*) to become very rich. – **II** *v.t.* (*rendere straricco*) to make very rich.

trassạto I *a.* ⟨*Econ*⟩ drawee-, paying. – **II** *s.m.* (*f.* **-a**) drawee, payer.

trassinạre *v.t.* ⟨*ant*⟩ (*maltrattare*) to ill-treat, to maltreat.

Trastẹvere *N.pr.m.* (*quartiere di Roma*) Trastevere. – **trasteverịno I** *a.* Trasteverine, of Trastevere. – **II** *s.m.* (*f.* **-a**) Trasteverine.

trạsto *m.* ⟨*Mar.ant*⟩ support for a thwart; (*banco dei rematori*) thwart.

trastụlla: ⟨*scher*⟩ *dar l'erba* ~ *a qd.* (*pascerlo di lusinghe*) to lead s.o. up the garden path, to put s.o. off with vain promises.

trastullamẹnto *m.* ⟨*non com*⟩ **1.** (*il trastullare*) amusement. – **2.** (*il trastullarsi*) amusement, trifling.

trastullạre *v.t.* **1.** (*far divertire*) to amuse; (*giocando*) to play with. – **2.** (*tenere buono con promesse*) to feed on vain promises, to put off. – **3.** ⟨*ant*⟩ (*dilettare*) to delight, to give pleasure to. – **4.** ⟨*ant*⟩ (*lusingare*) to flatter; (*ingannare*) to deceive. – **trastullarsi** *v.r.* **1.** (*divertirsi*) to amuse o.s.; (*giocare*) to play. – **2.** (*perder tempo*) to waste time, to fritter (*o* trifle) away one's time, to dawdle: *studia invece di trastullarti* study instead of wasting time. – **3.** ⟨*non com*⟩ (*burlarsi*) to make fun, to make a fool (*di* of). – **4.** ⟨*ant*⟩ (*dilettarsi*) to take pleasure (*o* delight); (*rif. al godimento d'amore*) to trifle, to dally.

trastullatọre *m.* (*f.* **-trice**) amuser. – **trastullẹtto** *m. dim. di* **trastullo.** – **trastullịni** (*dim. di trastullo*) *m.pl.* ⟨*tosc*⟩ (*semi di zucca tostati e salati*) salted roasted pumpkin seeds *pl.*

trastụllo *m.* **1.** amusement; (*il giocare*) play. – **2.** (*gioco*) game; (*passatempo*) pastime. – **3.** (*giocattolo*) toy. – **4.** ⟨*fig*⟩ plaything, sport: *essere il* ~ *della fortuna* to be the plaything of fortune. – **5.** ⟨*iron*⟩ (*cosa molesta*) nuisance, bother: *è stato proprio un bel* ~ *!* it was a real nuisance! – **6.** (*zimbello*) laughing-stock, butt. – **7.** ⟨*ant*⟩ (*diletto, ricreazione*) delight, pleasure; (*distrazione*) diversion.

trastullọne *m.* (*f.* **-a**) ⟨*non com*⟩ idler, loafer.

trasudamẹnto *m.* ⟨*non com*⟩ **1.** oozing, transuding. – **2.** ⟨*Med*⟩ transudation.

trasudạre I *v.i.* (*aus.* **essere**) **1.** (*stillare*) to ooze, to transude, to seep: *l'umidità trasuda dal muro* the moisture is seeping out of the wall. – 2. ⟨*Med*⟩ to transude. – 3. ⟨*ant*⟩ (*sudare*) to sweat, to perspire. – **II** *v.t.* **1.** (*lasciar trasudare*) to ooze, to transude. – **2.** ⟨*fig*⟩ (*lasciar trapelare*) to reveal, to disclose.

trasudativo *a.* ⟨*non com*⟩ → **trasudatizio**. – **trasudatizio** *a.* ⟨*Med*⟩ transudative, transudatory. – **trasudato** (*p.p. di trasudare*) **I** *a.* transudated. – **II** *s.m.* ⟨*Med*⟩ transudate. – **trasudazione** *f.* **1.** ⟨*non com*⟩ oozing, transudation. – **2.** ⟨*Med*⟩ transudation.

trasumanare *v.i.* (*aus.* **essere**) ⟨*lett*⟩ to become superhuman, to transcend human nature. – **trasumanarsi** *v.r.* **1.** to become superhuman, to transcend human nature. – **2.** (*spiritualizzarsi*) to be spiritualized. – **trasumanazione** *f.* ⟨*non com*⟩ transhumanation, becoming superhuman.

trasvalutare *v.t.* ⟨*lett*⟩ to transvalue, to transvaluate (*anche Filos.*). – **trasvalutazione** *f.* ⟨*lett*⟩ transvalutation (*anche Filos.*).

trasversale **I** *a.* **1.** transverse, transversal. – **2.** (*che attraversa*) cross-: *via* ~ crossroad. – **3.** ⟨*tecn,Anat*⟩ transverse. – **II** *s.f.* **1.** ⟨*Geom*⟩ (*anche retta trasversale*) transverse (line), transversal: *tracciare una* ~ to draw a transversal line. – **2.** (*nella roulette*) transversal, transversal bet. – **3.** (*via traversa*) crossroad. ☐ *in senso* ~ transversally. – **trasversalità** *f.* transverseness. – **trasversalmente** *avv.* **1.** transversally. – **2.** ⟨*Mar*⟩ athwartship.

trasversatore *m.* ⟨*Ferr*⟩ (*anche carrello trasversatore*) travelling platform, traverser.

trasverso **I** *a.* ⟨*non com*⟩ transverse, transversal; (*che attraversa*) cross-. – **II** *s.m.* ⟨*Edil*⟩ crossbeam.

trasvertitrice *f.* ⟨*El*⟩ (*anche macchina trasvertitrice*) transverter.

trasviare *v.t.* (**trasvio**, **trasvii**) ⟨*ant*⟩ **1.** (*far deviare*) to lead astray (*o* off one's road). – **2.** ⟨*fig*⟩ (*sviare*) to divert, to cause to wander. – **3.** ⟨*fig,rar*⟩ (*traviare*) to lead astray, to corrupt.

trasvolare *v.* (**trasvolo**) **I** *v.t.* **1.** to fly (over, across), to cross: ~ *l'Atlantico* to fly across the Atlantic. – **2.** ⟨*fig,rar*⟩ (*accennare di sfuggita*) to touch on, to mention briefly: ~ *un argomento* to touch on a subject. – **II** *v.i.* (*aus.* **essere/avere**) **1.** ⟨*fig*⟩ (*passare rapidamente*) to jump, to skip, to leap: *la mente trasvola di pensiero in pensiero* the mind jumps from one thought to another. – **2.** ⟨*fig*⟩ (*sorvolare*) to barely touch (*su* on), to pass (over) quickly, to mention briefly (s.th.): *trasvolò sull'argomento* he barely touched on the matter. – **3.** ⟨*ant*⟩ (*volare*) to fly; (*passare rapidamente*) to flit.

trasvolata *f.* ⟨*Aer*⟩ **1.** flight, air crossing. – **2.** (*volo senza scalo*) non-stop flight. – **trasvolatore** *m.* (*f.* **-trice**) flyer. ☐ *il primo* ~ *dell'Atlantico* the first man to fly (across) the Atlantic. – **trasvolo** *m.* ⟨*rar*⟩ → **trasvolata**.

tratta *f.* **1.** (*illecito commercio di persone*) trade: *la* ~ *dei bianchi* the white slave trade. – **2.** ⟨*Comm*⟩ draft, bill (of exchange): *spiccare una* ~ *su qd.* to draw a bill on s.o. – **3.** ⟨*Ferr*⟩ section, stretch (of a railway line). – **4.** ⟨*Pesc,region*⟩ trawling; (*rete*) trawl(-net), drag-net. – **5.** ⟨*non com*⟩ (*il trarre, il tirare*) pulling, tugging; (*quantità*) amount pulled. – **6.** ⟨*ant*⟩ (*strattone*) pull, tug, wrench, yank. – **7.** ⟨*ant*⟩ (*spazio percorso da un oggetto tirato*) space; (*intervallo di spazio*) distance. – **8.** ⟨*ant*⟩ (*esportazione di merci*) export; (*licenza*) export licence. – **9.** ⟨*ant*⟩ (*estrazione a sorte di nomi*) drawing (of names by lot). – **10.** ⟨*poet,ant*⟩ (*fila di persone*) line, file; (*corteo*) procession.

☐ ⟨*Comm*⟩ ~ **accettata** accepted draft; ~ *all'***aria** windmill; ~ *delle* **bianche** white-slave trade; ~ *a* **data** *fissa* draft on a fixed date; ~ **documentata** document(ary) bill, documentary draft; ~ **domiciliata** domiciled (*o* addressed) bill; ~ *dall'***estero** foreign bill; ~ *dei* **negri** Negro slave trade; **pagare** *una* ~ to honour a draft; ~ *degli* **schiavi** slave trade; ~ *allo* **scoperto** overdraft; ⟨*ant*⟩ ~ *di* **tempo** stretch of time; ~ *a certo tempo data* draft at a certain time after (*o* from) date; ~ *a certo tempo vista* draft at a certain time after (*o* from) sight; ~ *a* **vista** bill at sight, bill on demand, demand (*o* sight) draft.

trattabile *a.* **1.** that may be treated (*o* dealt with). – **2.** (*che si può discutere*) negotiable, that can be discussed: *prezzo* ~ negotiable price. – **3.** ⟨*fig*⟩ (*affabile*) tractable: *una persona* ~ a tractable person. – **4.** ⟨*Met*⟩ malleable, tractable. – **5.** ⟨*Chim,tecn*⟩ treatable, tractable. – **trattabilità** *f.* **1.** ability to be dealt with. – **2.** (*l'essere discutibile*) negotiability. – **3.** ⟨*fig*⟩ (*affabilità*) tractability, tractableness: *la* ~ *di una persona* the tractability of a person. – **4.** ⟨*Met*⟩ malleability, tractability. – **5.** ⟨*Chim,tecn*⟩ treatableness.

trattamento *m.* **1.** treatment: ~ *di favore* special treatment. – **2.** (*rif. ad alberghi, ristoranti e sim.*) service: *in quell'albergo fanno un ottimo* ~ the service is excellent in that hotel. – **3.** ⟨*estens*⟩ (*mantenimento, vitto e alloggio*) board and lodging, room and board, keep: *la ragazza è stata assunta a settantamila lire al mese, più il* ~ *completo* the girl was hired at seventy thousand lire a month plus full board and lodging. – **4.** (*retribuzione*) pay(ment), remuneration: *il* ~ *degli insegnanti è migliorato* the teachers' remuneration has been improved. – **5.** ⟨*tecn,Chim*⟩ treatment. – **6.** ⟨*Med,Cosmet*⟩ treatment: *il* ~ *dei tumori* the treatment of tumours. – **7.** ⟨*Minier*⟩ dressing. – **8.** ⟨*Cin*⟩ treatment, scenario. – **9.** ⟨*ant*⟩ (*ricevimento*) reception. – **10.** ⟨*ant*⟩ (*trattativa*) negotiation.

☐ ⟨*Ind*⟩ ~ **acido** acid treatment; ~ *di* **bellezza** beauty treatment; ~ **economico** pay(ment), remuneration; ⟨*fam*⟩ **fare** *un gran* ~ *a qd.* to treat s.o. very well; ⟨*Ind*⟩ ~ *di* **forno** baking; ⟨*Med*⟩ ~ *d'una* **frattura** treatment of a fracture; ~ *a* **freddo** cold-treating; ⟨*Ind*⟩ ~ **limite** threshold treatment; ⟨*lett,ant*⟩ **mal** ~ (*maltrattamento*) ill -treatment; ~ **medico** medical treatment; *ha avuto il* ~ *che si* **meritava** he ⌜got what⌝ (*o* was treated as) he deserved; ~ **preliminare** (*o* **preventivo**) preliminary treatment; ⟨*burocr*⟩ ~ *di* **quiescenza** pension, superannuation; ⟨*Agr*⟩ ~ *dei* **semi** seed dressing; ⟨*Ind*⟩ ~ **successivo** aftertreatment; ⟨*Strad*⟩ ~ **superficiale** (road) surface treatment; ⟨*Mar*⟩ ~ **tavola** table money; ⟨*tecn*⟩ ~ **termico** heat -treatment; ⟨*non com*⟩ **tutto** ~ full board and lodging, full keep; ~ *con* **vapore** steam treatment.

trattare **I** *v.t.* **1.** (*discutere, sviluppare un tema*) to deal with, to treat: ~ *esaurientemente un tema* to deal with a subject exhaustively. – **2.** (*condurre trattative*) to negotiate, to discuss: ~ *l'armistizio* to negotiate the armistice. – **3.** (*comportarsi in un determinato modo*) to treat: ~ *qd. con gentilezza* to treat s.o. kindly; ~ *onestamente un cliente* to treat a client honestly; (*comportarsi in modo opportuno*) to handle: *non sa* ~ *i suoi uomini* he does not know how to handle his men. – **4.** (*avere relazioni*) to deal (*o* have dealings) with, to have to do with: *non tratto certa gente* I will have ⌜no dealings⌝ (*o* nothing to do) with certain people. – **5.** (*soddisfare le richieste altrui*: *rif. specialmente ad albergatori, a negozianti*) to treat, to take care of, to look after, to handle: *in questo albergo trattano molto bene i clienti* they take very good care of the guests in this hotel; ~ *male un avventore* to treat a client shabbily; *tratti troppo bene i tuoi alunni* you treat your pupils too well. – **6.** (*adoperare, maneggiare*) to handle, to use: *tratta il pennello da maestro* he handles his brush like a master. – **7.** (*lavorare, manipolare una sostanza*) to work: ~ *il ferro* to work iron. – **8.** ⟨*Comm*⟩ (*avere in vendita*) to carry, to handle, to deal in, to stock, to keep: *la nostra ditta tratta i laminati plastici* our firm deals in laminated plastics. – **9.** ⟨*tecn,Chim*⟩ to treat: ~ *una sostanza con un reattivo* to treat a substance with a reagent. – **10.** ⟨*Med,Cosmet*⟩ to treat: ~ *una ferita con lo iodio* to treat a wound with iodine. – **11.** ⟨*Minier*⟩ to dress. – **12.** ⟨*lett*⟩ (*toccare*) to touch, to handle. – **13.** ⟨*ant*⟩ (*esercitare, dedicarsi*) to practice. – **II** *v.i.* (*aus.* **avere**) **1.** to be about (*di qc.* s.th.), to deal (with), to treat (of): *di che cosa tratta il film?* what is the film about? – **2.** (*discutere*) to negotiate (*di qc., su qc.* s.th.), to discuss the terms (of), to treat (for): ~ *della resa* to negotiate the surrender. – **3.** (*discutere per accordarsi sul prezzo*) to bargain, to haggle (*di, su* over), to negotiate (s.th.): *bisogna* ~ *prima di comprare* you have to bargain before you buy. – **4.** (*avere relazioni*) to have to do, to deal, to have dealings (*con* with): *non tratto con persone che non conosco* I don't deal with people I don't know. – **5.** ⟨*non com*⟩ (*comportarsi*) to behave. – **trattarsi** *v.r.* **1.** to treat o.s., to live, ⟨*fam*⟩ to do o.s.: *trattarsi da signore* to live like a lord; *trattarsi bene* to do (*o* treat) o.s. well, to look after o.s. – **2.** (*usato impersonalmente*: *esserci la questione*) to be a matter (*o* question) (*di* of), to be about (s.th.): *si tratta di questo* this is what it's about; *si tratta di cosa grave* it's a serious matter; *non si tratta solo di te* it's not a question of you alone, you are not the only one concerned (*o* involved); *si tratta di stabilire chi andrà per primo* ⌜it is a matter of deciding⌝ (*o* we have to decide) who will go first.

☐ ⟨*pop*⟩ ~ *qd. come un* **cencio** to treat s.o. like dirt (*o* a nobody); ⟨*Met*⟩ ~ *al* **forno** to bake; ~ *qd. da* **fratello** to treat s.o. like a brother; ~ **galvanicamente** to galvanize; ⟨*fig*⟩ ~ *qd. coi* **guanti** to handle s.o. with kid gloves; ~ **male** *qd.* to be mean to s.o., to treat s.o. shabbily (*o* badly); **modo** *di* ~ way of treating: *non mi piace il suo modo di* ~ *la gente* I don't like ⌜his way of treating⌝ (*o* the way he treats) people; ⟨*Ind*⟩ ~ **preventivamente** to pretreat; ~ **termicamente** to heat-treat; ~ *con* **vapore** to (treat with) steam.

trattariano *a./s.* → **tractariano**.

trattario **I** *s.m.* (*f.* **-a**) ⟨*Dir,Econ*⟩ drawee, payer. – **II** *a.* drawing.

trattatello (*dim. di trattato*) *m.* short treatise. – **trattatista** *m./f.* writer of a treatise.

trattativa *f.* negotiation: *le -e sono fallite* negotiations have fallen through. ☐ ~ *di capitolazione* negotiations for surrender; *-e in corso* negotiations under way; *essere in -e* to be negotiating; *-e internazionali* international negotiations; ~ *privata* private negotiation; ~ *sindacale* labour (union) negotiation.

trattato *m.* **1.** (*opera*) treatise: *un* ~ *di filosofia* a treatise on philosophy. – **2.** ⟨*Dir*⟩ treaty: ~ *di pace* peace treaty; (*accordo*) agreement: ~ *culturale* cultural agreement. – **3.** ⟨*ant*⟩ (*sezione di un'opera*) section, part (of a work). – **4.** ⟨*ant*⟩ (*trattativa*) negotiation, ⟨*lett*⟩ treaty. – **5.** ⟨*ant*⟩ (*cospirazione*) conspiracy, plot.

☐ ~ *d'***alleanza** treaty of alliance; ⟨*Dir*⟩ ~ **aperto** open treaty, treaty open for accession; ~ *d'***arbitrato** treaty of arbitration; ~ **chiuso** treaty not open for accession; ~ *di* **commercio** commercial treaty; ~ *di* **compensazione** treaty of compensation; ~ **economico** economic agreement; ~ *di* **garanzia** treaty of guarantee; ~ **internazionale** international treaty; ~ *di* **navigazione** navigation treaty; ≈ **nord-atlantico** North Atlantic Treaty; ~ *d'***opzione** treaty of option; ~ *di* **reciprocità** reciprocity treaty; ~ *di* **stato** treaty.

trattatore *m.* (*f.* **-trice**) **1.** ⟨*non com*⟩ negotiator. – **2.** ⟨*ant*⟩ → **trattatista**. – **trattazione** *f.* **1.** treatment. – **2.** (*scritto*) treatment, treatise. ☐ *fare una esauriente* ~ *di un argomento* to treat (*o* deal with) a topic exhaustively.

tratteggiamento *m.* **1.** (*il segnare a tratti*) hatching, shading; (*il disegnare a larghi tratti*) outlining, sketching out. – **2.** ⟨*fig*⟩ (*descrizione*) outline, sketch. – **tratteggiare** *v.t.* (**tratteggio**, **tratteggi**) **1.** (*segnare a tratti*: *nel disegno*) to hatch, to sketch. – **2.** (*abbozzare*) to sketch (out), to draw, to outline: ~ *un ritratto* to sketch out a portrait. – **3.** ⟨*fig*⟩ (*descrivere nelle linee essenziali*) to sketch out, to outline: ~ *i caratteri di un periodo storico* to sketch out the characteristics of an historical period. – **tratteggiata** *f.* broken line. – **tratteggiato** (*p.p. di tratteggiare*) *a.* **1.** sketched: *un disegno ben* ~ a well sketched drawing. – **2.** (*ombreggiato*) shaded, hatched. – **3.** ⟨*fig*⟩ (*descritto*) drawn. – **tratteggiatura** *f.* hatching. – **tratteggio** *m.* **1.** hatching: ~ *incrociato* cross-hatching. – **2.** (*linea a tratti*) broken line, line of dashes. – **3.** ⟨*fig*⟩ (*descrizione*) sketch.

trattenere *v.t.* (**trattengo, trattieni; trattenni, trattenuto;** → **tenere**) **1.** (*far restare, far rimanere*) to keep (back), to detain, to have (*o* make) stay: *mi ha trattenuto per più di due ore* he kept me for more than two hours; *i feriti sono stati trattenuti in ospedale* the wounded have been kept in hospital; *vorrei trattenerti a cena* I'd like to have you stay for supper. – **2.** (*tenere indietro con la forza, frenare*) to hold back, to (keep in) check, to restrain: ~ *i cavalli* to hold the horses back. – **3.** (*sforzarsi di tenere dentro di sé*) to keep (*o* hold) back, to check, to restrain, to curb, to control, to repress: ~ *le lacrime* to hold back one's tears; (*soffocare*) to smother: ~ *il riso* to smother one's laughter. – **4.** (*astenersi dal consegnare*) to keep, to hold: *trattieni la corrispondenza fino al mio ritorno* hold the mail until I get back. – **5.** (*detrarre*) to keep (back), to withhold: ~ *una somma sullo stipendio* to withhold a part of one's salary. – **6.** (*intrattenere*) to entertain, to amuse: ~ *gli ospiti con un po' di musica* to entertain the guests with a little music. – **7.** ⟨*lett*⟩ (*tenere*) to keep. – **trattenersi** *v.r.* **1.** (*rimanere, fermarsi*) to stay, to remain: *perché non ti trattieni ancora un po'?* why don't you stay a little longer?; *quanto ti tratterrai a Roma?* how long will you stay in Rome? – **2.** ⟨*fig*⟩ (*astenersi*) to hold o.s. back, to stop (o.s.), to restrain o.s., to keep (o.s.): *non potei trattenermi dal ridere* I couldn't keep from laughing; *mi sono trattenuto a stento dal dirgli tutto* I could hardly stop myself from telling him everything. – **3.** (*intrattenersi*) to make conversation, to converse, to talk about: *trattenersi su un argomento* to talk about a subject. □ ~ *il respiro* (o *fiato*) to hold one's breath; ~ *qd. con chiacchiere* to delay s.o. with chatter.

trattenimento *m.* **1.** (*spettacolo*) entertainment, performance, show: ~ *musicale* musical entertainment; (*festa*) party; (*ricevimento*) reception. – **2.** (*intrattenimento*) entertainment, amusement. – **3.** ⟨*non com*⟩ (*indugio*) detention, delay. □ ~ *danzante* (*di pomeriggio*) tea dance; (*di sera*) dance, ball.

trattenitore *m.* (*f.* **-trice**) ⟨*non com*⟩ **1.** detainer, person who keeps one (back). – **2.** (*chi intrattiene*) entertainer.

trattenuta *f.* ⟨*burocr*⟩ (*ritenuta*) deduction, stoppage, amount witheld: ~ *di pensione* pension deduction; *operare delle -e sullo stipendio* to make deductions from s.o.'s salary. □ ~ *d'acconto* (o *fiscale*) withholding tax; ~ *sul salario* deduction from wages.

trattenuto I *a.* ⟨*Mus*⟩ trattenuto, held back in tempo. – **II** *s.m.* **1.** ⟨*Mus*⟩ phrase that is held back in tempo. – **2.** ⟨*Stor*⟩ (*capitano di ventura*) kind of condottiere.

trattino *m.* **1.** (*nelle parole composte*) hyphen; (*per introdurre un discorso diretto*) dash. – **2.** (*nel disegno a tratteggio*) hatch. □ ~ *d'unione* hyphen; *unire* (o *dividere*) *una parola con un* ~ to hyphen(ate) a word.

tratto[1] *m.* **1.** stroke; (*linea, segno*) stroke, line: *un* ~ *di penna* a stroke of the pen; *un* ~ *di pennello* a brushstroke. – **2.** (*lineetta, trattino*) hyphen; (*per introdurre un discorso diretto*) dash. – **3.** *pl.* ⟨*fig*⟩ (*lineamenti, tratti del volto*) features *pl*: *-i marcati* marked features. – **4.** *pl.* ⟨*fig*⟩ (*elementi caratteristici*) features *pl*, traits *pl*, characteristics *pl*: *i -i più notevoli di un carattere* the most outstanding features of s.o.'s character. – **5.** (*parte, segmento*) part, piece, segment; (*rif. a tubazione, cavo e sim.*) length, piece; (*rif. a binario*) section. – **6.** (*tratto di strada*) way, stretch: *abbiamo fatto insieme un lungo* ~ we've gone a long way together; (*di fiume*) reach; (*percorso, distanza*) distance, way. – **7.** (*spazio, regione*) tract, stretch, expanse, space: *un gran* ~ *di mare* a great expanse of sea; ~ *di cielo* expanse of sky. – **8.** ⟨*fig*⟩ (*brano d'uno scritto e sim.*) passage. – **9.** (*modo di trattare*) ways *pl*, manners *pl*, address, bearing: *persona di* ~ *fine* person with refined ways. – **10.** ⟨*fig*⟩ (*gesto*) gesture, act: *un* ~ *di generosità* a generous gesture. – **11.** (*negli scacchi*) move. – **12.** ⟨*non com*⟩ (*durata di tempo*) period, (extent of) time, while. – **13.** ⟨*fig,non com*⟩ (*differenza, divario*) difference, diversity. – **14.** ⟨*Lit*⟩ Tract, tractus. – **15.** ⟨*Mecc*⟩ (*taglio di lima*) file cut. – **16.** *pl.* ⟨*Tip*⟩ (*grazie, finezze*) serifs *pl*, ceriphs *pl*. – **17.** ⟨*Anat*⟩ tract, tractus. – **18.** ⟨*ant*⟩ (*il trarre*) pulling, drawing, tugging; (*il tirare, il gettare*) throwing, casting. – **19.** ⟨*ant*⟩ (*occasione, opportunità*) opportunity, chance. – **20.** ⟨*ant*⟩ (*motto arguto*) witticism, witty saying (*o* remark), quip.

□ **a** *-i*: 1. (*temporale*) at times, every now and then; 2. ⟨*non com*⟩ (*locale*) here and there; *a un* ~: 1. = **tutt'***a un tratto*; 2. (*a un tempo*) at the same time; **avere** *il* ~ (*essere il primo a giocare*) to have the first move; ⟨*fig,ant*⟩ *avere qualche bel* ~ (*qualche bella pensata*) to have some good ideas; ⟨*fig*⟩ *dare il* ~ *alla* **bilancia** to turn (*o* tip) the scales; ⟨*Ferr*⟩ ~ *di* **binario** track section; ~ *di* **corda**: 1. length of rope; 2. ⟨*Stor*⟩ strappado; ~ *di* **costa** stretch of coast; **di** ~ *in* ~ = **a** *tratti*; *d'un* ~ = **a** *un tratto*; ~ *di* **divisione** hyphen; *a* **grandi** (o *larghi*) *-i* in outline, with (sweeping) strokes; *disegnare a grandi* (o *larghi*) *-i* to (draw in) outline, to sketch (out); ⟨*ant*⟩ **innanzi** ~ (*anzitutto*) first of all; ⟨*Mecc*⟩ ~ *della* **lima** cut of the file; *in un* **medesimo** ~ at the very same time (*o* moment), in the same instant; ⟨*Anat*⟩ ~ **olfattorio** olfactory tract; ⟨*Anat*⟩ ~ **ottico** optic tract, tractus opticus; ~ *di* **penna** stroke of the pen; ⟨*non com*⟩ *di* (o *al*) **primo** ~ (*da principio*) at first, at the beginning; ~ *di* **spirito** witticism, witty saying (*o* remark), quip; *nello* **stesso** ~ = *in un* **medesimo** *tratto*; ~ *di* **terra** tract (*o* stretch) of land; **tutt'***a un* ~ all of a sudden, suddenly; ⟨*non com*⟩ *dare gli* **ultimi** *-i* (*morire*) to be in the throes of death; ⟨*ant*⟩ **un** ~ (*una volta*) once; ⟨*Tip*⟩ ~ *d'***unione** grip length; *-i del* **volto** features *pl*.

tratto[2] (*p.p. di trarre*) *a.* **1.** (*tirato fuori*) drawn (*o* pulled) out. – **2.** (*preso, tolto*) taken, drawn (*da* from): *un brano* ~ *da un celebre romanzo* a passage taken from a well-known novel. – **3.** (*eccettuato*) except (for), with the exception of. – **4.** (*detratto*) deducted: *cifra -a dallo stipendio* amount deducted from one's salary. □ *difendere qd. a spada -a* to defend s.o. with drawn (*o* naked, unsheathed) sword; ⟨*fig*⟩ to defend s.o. with all one's strength.

trattore[1] *m.* ⟨*Aut*⟩ tractor.
□ ~ **agricolo** (farm, agricultural) tractor; ~ **anfibio** amphibious tractor; ~ **cingolato** (o *a cingoli*) crawler (*o* track-laying) tractor, caterpillar (tractor); ~ **elettrico** electric tractor; ~ **gommato** (pneumatic) tyred tractor; ~ *a* **ruote** wheeled tractor; ~ **semicingolato** half-track tractor; ~ **stradale** road tractor; ~ **universale** all-purpose tractor.

trattore[2] *m.* (*f.* **-trice**) **1.** drawer, puller. – **2.** ⟨*Tess*⟩ silk-reeler, cocoon-reeler.

trattore[3] *m.* (*f. rar.* **-trice**/*pop.* **-a**) **1.** (*oste*) owner of a trattoria, restaurant-keeper. – **2.** ⟨*Stor*⟩ (*a Siena*) food wholesaler.

trattoria[1] *f.* trattoria, restaurant, eating-house.

trattoria[2] *f.* ⟨*Tess*⟩ filature.

trattorista *m.* tractor driver (*o* operator), tractorist.

trattrice[1] *f.* **1.** → **trattore**[1]. – **2.** (*trattore agricolo*) farm tractor, (agricultural) tractor. □ ~ *per rimorchio su strada* tractor (truck).

trattrice[2] *f.* ⟨*Mat*⟩ (*anche trattrice della retta*) tractrix.

trattura *f.* ⟨*Tess*⟩ (silk-)reeling.

tratturo[1] *m.* (sheep-)track.

tratturo[2] *m.* ⟨*Pesc*⟩ fixed fresh water fishing net.

traudire *v.* (**traodo; traudii, traudito**) ⟨*non com*⟩ **I** *v.t.* **1.** (*udire male*) to hear badly (*o* wrongly), to mishear. – **2.** (*udire a tratti*) to hear intermittently (*o* every now and then). – **II** *v.i.* (*aus.* **avere**) to hear wrong(ly), to mishear, to misunderstand.

traule *m.* ⟨*Itt*⟩ horse mackerel (*Trachurus trachurus*).

trauma *m.* ⟨*Med*⟩ trauma, injury, wound. □ ~ *da parto* birth trauma; ~ *psichico* psychic trauma, mental shock.

traumaticina *f.* ⟨*Farm*⟩ traumaticin.

traumatico *a.* (*pl.* **-ci**) traumatic: *reumatismo* ~ traumatic rheumatism.

traumatismo *m.* ⟨*Med*⟩ traumatism.

traumatizzante (*p.pr. di traumatizzare*) *a.* **1.** ⟨*Med*⟩ traumatizing. – **2.** ⟨*fig*⟩ traumatizing, that causes a shock. – **traumatizzare** *v.t.* **1.** to traumatize. – **2.** ⟨*fig*⟩ (*sconvolgere*) to traumatize, to cause a shock in, to upset. – **traumatizzato** (*p.p. di traumatizzare*) **I** *a.* **1.** traumatized. – **2.** ⟨*fig*⟩ (*sconvolto*) traumatized, in shock, suffering from shock: *è rimasto* ~ *dall'incidente automobilistico* he was in shock after the car accident. – **II** *s.m.* (*f.* **-a**) traumatized person.

traumatologia *f.* ⟨*Med*⟩ traumatology, accident surgery. – **traumatologico** *a.* (*pl.* **-ci**) accident-: *centro* ~ accident ward. – **traumatologo** *m.* (*pl.* **-gi**; *f.* **-a**) traumatologist.

traumatotropismo *m.* ⟨*Bot*⟩ traumatropism.

trautonium *m.* ⟨*Mus*⟩ trautonium.

travagare *v.i.* (**travago, travaghi**; *aus.* **avere**) ⟨*Equit*⟩ to traverse.

travaglia *f.* ⟨*ant*⟩ (*sofferenza*) suffering. □ *dare* ~ *a* (*angustiare*) to torment, to pain.

travagliamento *m.* ⟨*non com*⟩ **1.** (*il travagliare*) affliction, torment; (*il travagliarsi*) torment. – **2.** (*effetto*) torment, suffering, distress.

travagliare *v.* (**travaglio, travagli**) **I** *v.t.* **1.** to afflict, to torment, to trouble. – **2.** (*affliggere spiritualmente*) to torment, to afflict, to trouble, to distress: *il rimorso lo travaglia* he is tormented by remorse. – **II** *v.i.* (*aus.* **avere**) **1.** (*patire fisicamente*) to suffer (*da* from), to be afflicted (*o* tormented) (by). – **2.** (*affliggersi*) to suffer, to be tormented, to worry. – **3.** ⟨*Mar*⟩ to strain, to labour. – **4.** ⟨*ant*⟩ (*lavorare*) to work; (*lavorare con fatica*) to labour, to drudge, to toil. – **travagliarsi** *v.r.* **1.** (*affannarsi*) to drive (*o* push) o.s., to work hard. – **2.** (*tormentarsi*) to be tormented (*o* distressed), to grieve, to suffer.

travagliato (*p.p. di travagliare*) *a.* (*faticoso, duro*) hard, difficult; (*afflitto, tormentato*) afflicted, suffering, troubled, agitated. □ *una vita -a* a life of torment (*o* suffering), a hard (*o* difficult) life. – **travagliatore** *m.* (*f.* **-trice**) ⟨*non com*⟩ tormenter.

travaglio[1] *m.* **1.** (*angoscia, affanno*) suffering, pain, anguish, distress: *un* ~ *interno* inner suffering. – **2.** (*tormento fisico*) torment, torture, suffering. – **3.** ⟨*lett*⟩ (*fatica*) labour, toil, drudgery, ⟨*lett*⟩ travail. – **4.** ⟨*Med*⟩ pains *pl*, pain, upset: ~ *di stomaco* stomach upset, upset stomach. □ ~ *di parto* labour, travail.

travaglio[2] *m.* ⟨*Veter*⟩ (*durante la ferratura*) trave; (*durante interventi chirurgici*) crush.

travaglioso *a.* **1.** ⟨*non com*⟩ troubled, painful. – **2.** ⟨*lett*⟩ (*amante del lavoro*) industrious, laborious.

travailleuse *fr.* [trava'jø:z] *f.* ⟨*Arred*⟩ work-table.

travalca *f.* ⟨*Equit*⟩ broken trot.

travalcare[1] *v.i.* (**travalco, travalchi**; *aus.* **avere**) ⟨*Equit*⟩ to break (a trot).

travalcare[2] *v.* ⟨*ant,region*⟩ → **travalicare**.

travalco *m.* (*pl.* **-chi**) ⟨*ant*⟩ → **travalca**.

travalicamento *m.* ⟨*non com*⟩ crossing (*o* passing) over. – **travalicare** *v.* (**travalico, travalichi**) ⟨*lett*⟩ **I** *v.t.* **1.** (*valicare*) to cross (over), to pass over. – **2.** ⟨*fig,ant*⟩ (*trasgredire*) to transgress, to

break, to infringe. – II *v.i.* (*aus.* **avere**) (*passare*) to pass (*anche fig.*). – **travạlico** *m.* (*pl.* **-chi**) ⟨*lett*⟩ crossing (over), passing over.
travamẹnto *m.* ⟨*non com*⟩ (*travatura*) truss, beams *pl.*
travarcạre *v.* ⟨*ant*⟩ → **travalicare.**
travaṣamẹnto *m.* decanting, pouring (out). – **travaṣạre** *v.t.* **1.** to decant, to pour (out, off): ~ *il vino in bottiglie* to pour the wine into bottles. – **2.** ⟨*fig*⟩ (*versare*) to pour. – **3.** ⟨*fig*⟩ (*trasferire*) to move, to transfer. – **travasarsi** *v.r.* **1.** to overflow, to spill. – **2.** ⟨*fig, lett*⟩ (*passare, spostarsi*) to pass, to move. – **travaṣatrịce** *f.* ⟨*Enol*⟩ transfer pump.
travạṣo *m.* **1.** pouring (out, off), decanting. – **2.** ⟨*Med*⟩ extravasation, effusion: ~ *di sangue* extravasation, effusion of blood. – **3.** ⟨*fig, non com*⟩ (*trasferimento*) transfer. ◻ ⟨*fam*⟩ ~ *di bile* outflow of bile; ⟨*fig,scherz*⟩ ~ *delle idee* propagation (*o* spreading) of ideas through the Press.
travạta *f.* **1.** ⟨*Edil*⟩ beams *pl*, framework, truss, beam (*o* strut) frame, beam system; (*trave*) beam, girder. – **2.** ⟨*Arch*⟩ truss.
travạto *a.* ⟨*non com*⟩ **1.** (*fatto con travi*) truss-, trussed; (*rinforzato con travi*) trussed, strengthened with beams. – **2.** (*rif. a cavalli*) having two white socks on the same side.
travatụra *f.* ⟨*Edil*⟩ **1.** (*operazione*) trussing. – **2.** ⟨*concr*⟩ (*insieme di travi*) beams *pl*, framework, frame.
trạve *f./ant.,region. m.* **1.** beam, girder; (*di sostegno*) truss. – **2.** (*nell'aratro*) plough beam. – **3.** ⟨*Anat*⟩ (*corpo calloso*) (corpus) callosum. – **4.** ⟨*Pesc*⟩ bait line (in fishing nets). – **5.** ⟨*Mil.ant*⟩ (battering) ram. – **6.** ⟨*Aer*⟩ axial girder.
◻ ~ *in* **aggetto** overhanging beam; ~ *ad* **arco** arch truss, arch(ed) girder; ⟨*Mil.ant*⟩ ~ *dell'***ariete** battering ram; ⟨*Edil*⟩ ~ **armata** reinforced truss (*o* beam); ⟨*Aer*⟩ ~ **articolata** articulated (*o* jointed) boom; ~ **assiale** axial girder; ⟨*Ferr*⟩ ~ **ballerina** swing bolster (*o* beam); ⟨*Mar*⟩ ~ *di* **chiglia** bar keel; ⟨*Aer*⟩ ~ *di* **coda** (tail) boom, tail girder; ⟨*Edil*⟩ ~ *di* **colmo** ridge-pole, roof-tree, ridge purlin (*o* board); ~ **composita** truss (*o* compound, built-up) beam; ~ **continua** continuous beam; ~ *di* **controvento** wind beam; ~ *in* **ferro** iron beam (*o* girder); ⟨*fig*⟩ *fare di un* **fuscello** *una* ~ to make a mountain out of a molehill; ~ *di* **irrigidimento** brace; ~ *di* **legno** wooden beam, timber (beam), ~ **longitudinale** longitudinal beam; ~ **maestra** main girder; ~ *a* **mensola** = *trave a* **sbalzo**; ~ **nervata** ribbed beam; ~ **piena** solid beam; ⟨*Ferr*⟩ ~ **portante** body bolster; ~ **reticolare** truss; ~ *a* **sbalzo** cantilever, semi-beam, semi-girder; ~ *a* **scatola** box girder (*o* beam); ~ **snodata** = *trave* **articolata**; ~ *del* **soffitto** ceiling joist (*o* beam); ~ **stirata** stretched beam (*o* girder); ~ *a* **traliccio** lattice girder; ~ **trasversale** cross girder (*o* beam); ~ **trionfale** road-beam.
travedẹre *v.* (**travẹdo**; **travịdi**, **travịsto**) **I** *v.i.* (*aus.* **avere**) **1.** (*ingannarsi nel vedere*) to be mistaken, not to see well, to be (*o* see) wrong: ~ *per la stanchezza* not to see well because of fatigue. – **2.** ⟨*fig*⟩ (*ingannarsi*) to be wrong (*o* mistaken), to deceive o.s.: *se li condanni tutti, travedi* if you condemn them all, you're wrong. – **3.** ⟨*fig*⟩ (*essere accecato d'amore*) to see through rose-tinted spectacles, ⟨*fam*⟩ to be crazy (about), to love blindly (*per qd.* s.o.): *la mamma travede per il figlio minore* the mother is crazy about her youngest son. – **II** *v.t.* **1.** ⟨*non com*⟩ (*intravedere*) to see indistinctly, to catch sight (*o* a glimpse) of. – **2.** ⟨*fig*⟩ to glimpse, to sense.
travẹggole: *avere le* ~ (*travedere*) to be wrong (*o* mistaken), to take (*o* mistake) one thing for another; *fare venire le* ~ *a* to make see double.
traveller's cheque *ingl.* ['trævlərstʃek] *m.* ⟨*Econ*⟩ traveller's cheque.
travẹrsa *f.* **1.** (*trave*) crosspiece, traverse, bar, transom. – **2.** (*via traversa*) (cross)road, (cross)street: *prendi la seconda* ~ *a destra* take the second road (*o* turning) on the right. – **3.** (*lenzuolo*) drawsheet. – **4.** (*nella scacchiera*) rank. – **5.** (*del letto*) slat. – **6.** ⟨*Mecc*⟩ crossbar, crosspiece, cross brace, crossbeam. – **7.** ⟨*Aut*⟩ cross member (*o* bearer), bolster, transverse bar. – **8.** ⟨*Ferr*⟩ (railway) sleeper, ⟨*am*⟩ (railroad) tie, ⟨*am*⟩ crosstie. – **9.** ⟨*Sport*⟩ crossbar. – **10.** ⟨*Mar*⟩ (ship's) beam. – **11.** ⟨*Idr*⟩ weir, barrier; (*briglia: per la correzione di torrenti*) dike embankment; (*per trattenere terreni franosi*) reinforcement (to prevent landslides). – **12.** ⟨*Topogr*⟩ (*alidada*) alidade. – **13.** ⟨*Mus*⟩ (*flauto traverso*) transverse (*o* German) flute. – **14.** ⟨*Arald*⟩ bendlet sinister. – **15.** ⟨*dial*⟩ (*grembiule*) apron. – **16.** ⟨*ant*⟩ (*manrovescio*) cross-cut, sideways blow. – **17.** ⟨*ant*⟩ (*traversia*) cross, annoyance, trial.
◻ ⟨*Idr*⟩ ~ **cilindrica** roller weir; ~ *della* **croce** crossarm, crossbar; ⟨*Ferr*⟩ ~ **doppia** double sleeper; ~ *in* **ferro** (o *acciaio*) steel sleeper; ⟨*Ferr*⟩ ~ *di* **legno** timber (*o* wooden) sleeper, ⟨*am*⟩ wooden crosstie; ~ **mobile**: 1. ⟨*Idr*⟩ movable weir; 2. ⟨*Mecc*⟩ cross-slide; ⟨*Ferr*⟩ ~ **oscillante** swinging transom; ~ *del* **pavimento** joist, floor beam; ~ *del* **tetto** roof beam; ⟨*Aut*⟩ ~ **tubolare** tubular cross bearer (*o* member).
traversạle *a./s.* ⟨*non com*⟩ → **trasversale.**
traversạre *v.t.* (**travẹrso**) **1.** to cross, to go across, to traverse: ~ *la strada* to cross the street; (*con un veicolo*) to cross, to drive across; (*cavalcando*) to cross, to ride across; (*scorrendo*) to slide (*o* glide) across: *il fiume traversa la città* the river crosses the city. – **2.** (*passare da parte a parte*) to go (*o* pass) through, to pierce: *il proiettile traversò la parete* the bullet went through the wall. – **3.** ⟨*non com*⟩ (*mettere di traverso*) to put (*o* lay) across. – **4.** ⟨*Alp*⟩ to make a traverse of, to traverse. – **traversarsi** *v.r.* ⟨*Mar*⟩ to broach.
◻ ⟨*Mar*⟩ ~ *l'***ancora** to stow (*o* secure) the anchor; ~ *a* **guado** *un fiume* to ford a river; ⟨*Mar*⟩ ~ *una* **nave** to take a course perpendicular to the direction of the wind; ~ *a* **nuoto** to swim across; ⟨*Sport*⟩ ~ *la* **porta** to cross the gate; ~ *la* **via** *a qd.* to bar s.o.'s way, to obstruct s.o.'s path; ⟨*fig*⟩ to thwart (*o* frustrate) s.o., to get (*o* put obstacles) in s.o.'s way; ~ *in* **volo** to fly across (*o* over).
traversạta *f.* **1.** crossing: *a causa del traffico la* ~ *della città richiese un'ora* because of the traffic crossing the city took an hour. – **2.** (*viaggio, navigazione*) crossing, passage: *abbiamo avuto un'ottima* ~ we had a fine crossing; (*in aereo*) flight, trip: *la* ~ *dell'Atlantico dura poche ore* the flight over the Atlantic lasts a few hours. – **3.** (*a nuoto*) crossing. – **4.** ⟨*Alp*⟩ traverse. ◻ ⟨*Ferr*⟩ ~ *a raso* (*intersezione*) crossing.
traversịa *f.* **1.** ⟨*Mar*⟩ prevailing wind; (*vento sfavorevole*) contrary (*o* adverse) wind. – **2.** *pl.* ⟨*fig*⟩ (*avversità*) mishaps *pl*, troubles *pl*, trials *pl*, adversities *pl*: *abbiamo superato molte* **-e** we have overcome many trials.
traversiẹre[1] *f.pl.* ⟨*Mar*⟩ (*anche barre traversiere*) braces *pl*, booms *pl*, yards *pl*, stays *pl.*
traversiẹre[2] *a.* ⟨*Mar*⟩ transverse. – **traversiẹro** *a.* → **traversiere**[2].
traversịna (*dim. di traversa*) *f.* ⟨*Ferr*⟩ sleeper, ⟨*am*⟩ (railroad) tie, ⟨*am*⟩ crosstie. ◻ ⟨*Ferr*⟩ ~ *d'acciaio* steel sleeper, ⟨*am*⟩ steel tie; ~ *di cemento armato* reinforced concrete sleeper; ~ *impregnata* impregnated (*o* treated) sleeper; ~ *di legno* timber (*o* wooden) sleeper, ⟨*am*⟩ wooden crosstie.
traversịno *m.* **1.** ⟨*Mar*⟩ (*cavo di ormeggio*) breast fast, breast line; (*paranco*) tackle, purchase. – **2.** ⟨*region*⟩ (*capezzale*) bedhead.
travẹrso I *a.* **1.** cross, traverse, transverse, crosswise. – **2.** ⟨*ant*⟩ (*avverso*) adverse; (*aspro, spiacevole*) unpleasant, untoward. – **II** *s.m.* **1.** side, width, breadth: *appoggiare sul* ~ to lie on one's side. – **2.** ⟨*non com*⟩ (*oggetto posto di traverso*) traverse, crosspiece. – **3.** ⟨*Mar*⟩ beam. – **4.** ⟨*Ferr*⟩ (*traversa*) sleeper, ⟨*am*⟩ (cross)tie. – **5.** ⟨*Edil*⟩ beam. – **6.** ⟨*ant*⟩ (*colpo obliquo*) (cross-)cut. – **7.** ⟨*ant*⟩ (*flauto traverso*) transverse (*o* German) flute.
◻ **a** ~ crosswise, sideways (on), cross; ⟨*Mar*⟩ *andare a* ~ to broach; ⟨*Mar*⟩ *essere al* ~ to be abeam (*o* abreast); **di** ~: 1. crosswise; 2. (*obliquamente*) sideways (on), slantwise, slantingly, obliquely; 3. ⟨*Mar*⟩ athwart; *andare di* ~: 1. (*rif. a cibi*) to go down the wrong way; 2. ⟨*fig*⟩ (*non avere successo*) to go wrong (*o* awry); *guardare di* ~: 1. to look sideways on, to give a sidelong glance; 2. (*in modo malevolo*) to give a nasty look; *prendere qc. di* ~ to take s.th. the wrong way; ⟨*non com*⟩ **in** ~ = **di** *traverso*; **parola** **-a** unpleasant (*o* cross) word; *prendere una parola di* (o *a*) ~ to take a word the wrong way; **per** ~ = **di** *traverso*; ⟨*fig*⟩ **vie** **-e** underhand ways (*o* methods), sharp practise: *ottenere un posto per vie* **-e** to get a job by underhand methods.
traversọne (*accr. di traversa*) *m.* **1.** crosspiece, traverse, bar. – **2.** ⟨*Sport*⟩ (*nel calcio*) cross-pass, cross-kick; (*nella scherma*) flank-cut, sabre-cut. – **3.** ⟨*Ferr*⟩ sleeper (under switch points), ⟨*am*⟩ tie. – **4.** ⟨*Meteor*⟩ strong easterly (*o* east wind).
travertịno *m.* ⟨*Min*⟩ travertin(e), travertine stone, calcareous sinter.
travestị *fr. m.* ⟨*Teat*⟩ role played by a performer of the opposite sex.
travestimẹnto *m.* **1.** (*per non farsi riconoscere*) disguising; (*per maschera e sim.*) dressing-up. – **2.** ⟨*concr*⟩ disguise: *un* ~ *perfetto* a perfect disguise; (*costume, maschera*) fancy-dress, costume: *un* ~ *per carnevale* carnival fancy-dress. – **3.** ⟨*fig*⟩ disguise, camouflage. – **4.** ⟨*Lett*⟩ travesty.
travestịre *v.t.* (**travẹsto**) **1.** (*per non farsi riconoscere*) to disguise; (*per maschera e sim.*) to dress up. – **2.** ⟨*fig*⟩ (*trasformare*) to disguise, to mask, to transform. – **3.** ⟨*Lett*⟩ to make a travesty of, to travesty. – **travestirsi** *v.r.* **1.** (*per non farsi riconoscere*) to disguise o.s.: *travestirsi da mendicante* to disguise o.s. as a beggar; (*per maschera e sim.*) to dress (up): *travestirsi da pirata* to dress up as a pirate. – **2.** ⟨*fig*⟩ (*fingere*) to dress up, to camouflage o.s., to disguise o.s. (*da* as).
travestitịṣmo *m.* → **transvestitismo.**
travestịto (*p.p. di travestire*) **I** *a.* **1.** disguised, in disguise: *un poliziotto* ~ a policeman in disguise; (*per maschera e sim.*) dressed (up): ~ *da clown* dressed as a clown, in a clown's costume. – **2.** ⟨*fig*⟩ in the guise (*da* of), disguised, dressed up (as). – **II** *s.m.* (*f.* **-a**) **1.** person in disguise; (*per maschera e sim.*) person in fancy-dress. – **2.** (*Psic*) transvestite. – **travestitụra** *f.* ⟨*non com*⟩ **1.** dressing-up, disguising. – **2.** ⟨*concr*⟩ disguise; (*per maschera e sim.*) fancy-dress, costume.
travẹt *m.* ⟨*region*⟩ (*impiegatuccio*) petty clerk, ⟨*am.fam*⟩ pen pusher, ⟨*am.fam*⟩ paper shuffler.
travẹtta (*dim. di trave*) *f.* bar (of a buttonhole).
travetterịa *f.* ⟨*non com*⟩ (*basso ceto impiegatizio*) clerical workers *pl.*
travẹtto[1] *m.* → **travet.**
travẹtto[2] (*dim. di trave*) *m.* small beam.
traviamẹnto *m.* **1.** (*il traviare*) leading astray; (*il traviarsi*) going astray, straying. – **2.** (*effetto*) aberration, corruption.
traviạre *v.* (**travịo**, **travịi**) **I** *v.t.* **1.** (*corrompere*) to lead astray, to corrupt. – **2.** ⟨*non com,poet*⟩ (*far deviare*) to lead astray (*o* off one's road). – **II** *v.i.* (*aus.* **avere**) ⟨*rar*⟩ **1.** (*deviare*) to deviate, to go astray, to turn aside (*o* off). – **2.** ⟨*fig*⟩ to go (*o* be led) astray, to stray, to be corrupted, ⟨*scherz*⟩ to wander from the straight and narrow. – **traviarsi** *v.r.* (*corrompersi*) to go astray, to stray, to be(come) corrupted: *in città si è traviato* he was corrupted in the city. –
traviạto (*p.p. di traviare*) *a.* (*corrotto*) corrupt(ed), debauched,

led astray: *gioventù -a* corrupt youth. – **traviatọre** *m.* (*f.* **-trice**) ⟨*non com*⟩ corrupter.

travicẹllo (*dim. di trave*) *m.* **1.** small beam (*o* girder). – **2.** ⟨*Edil*⟩ rafter, joist; (*del solaio*) batten, (floor) joist. □ ⟨*fig*⟩ *stare a letto a contare i -i* (*poltrire nel letto*) to laze (*o* lie idle) in bed; (*essere costretto a letto*) to be confined to one's bed, to have to stay in bed; ⟨*fig*⟩ *fare il* ~ (*non esercitare la propria autorità*) to let things slide.

travịsamẹnto *m.* distortion, alteration. – **travịsạre** *v.t.* **1.** to distort, to alter, to twist: ~ *la realtà* to distort reality. – **2.** ⟨*non com*⟩ (*alterare l'aspetto*) to alter, to transform, to change. – **travisarsi** *v.r.* to disguise o.s. – **travịsạto** (*p.p. di travisare*) *a.* **1.** disguised. – **2.** ⟨*fig*⟩ distorted, twisted, altered.

travois *fr.* [travw'a] *m.* ⟨*Etnol*⟩ travois(e), travoy.

travolgẹnte (*p.pr. di travolgere*) *a.* overwhelming: *un* ~ *attacco* an overwhelming attack; (*rif. agli elementi*) furious, violent, raging: *vento* ~ raging wind.

travọlgere *v.t.* (**travọlgo, travọlgi; travọlsi, travọlto**) **1.** to sweep (*o* carry) away: *il fiume travolse il ponte* the river swept the bridge away; (*rovesciare*) to overturn, to knock down. – **2.** (*investire*) to run down (*o* over), to knock down, to hit: *fu travolto da un autocarro* he was run over by a truck. – **3.** ⟨*fig*⟩ to overwhelm, to carry away, to engulf: *la crisi economica ha travolto il paese* the economic crisis overwhelmed the country. – **4.** (*sopraffare*) to rout, to overwhelm: ~ *il nemico* to rout the enemy. – **5.** (*mettere sottosopra*) to upset, to turn topsy-turvy. – **6.** ⟨*non com*⟩ (*storcere*) to twist. – **7.** ⟨*lett*⟩ (*volgere*) to turn. – **travolgersi** *v.r.* ⟨*non com*⟩ (*contorcersi*) to writhe, to twist.

travolgimẹnto *m.* **1.** overwhelming, overturning. – **2.** ⟨*rar*⟩ (*sconvolgimento*) upset(ting), upheaval.

travọlto (*p.p. di travolgere*) *a.* ⟨*lett*⟩ twisted, distorted, bent. – **travọlvere** *v.* ⟨*ant*⟩ → **travolgere**.

trawl *ingl.* [trɔːl] *m.* ⟨*Pesc*⟩ trawl(-net). – **trawler** *ingl.* ['trɔːlər] *m.* trawler.

traziọne *f.* **1.** (*atto*) traction, drawing, pulling; (*effetto*) traction. – **2.** ⟨*Fis*⟩ traction; (*tensione*) tension. – **3.** ⟨*Mecc*⟩ traction, drive. – **4.** ⟨*Med*⟩ traction. – **5.** ⟨*Sport*⟩ (*nel nuoto*) pull. – **6.** ⟨*Edil*⟩ tensile stress.

□ *a* ~ **animale** animal-drawn; ⟨*Aut*⟩ ~ **anteriore** front(-wheel) drive; ⟨*Mar*⟩ ~ *alla* **bitta** bollard pull; ⟨*Aut*⟩ ~ *a* **cingoli** caterpillar drive; ⟨*Ferr*⟩ ~ *a* **dentiera** geared drive; **di** ~: 1. traction-, pull-, tractive: *fune di* ~ traction (*o* pull) rope; 2. ⟨*Mecc*⟩ driving, traction-, *ruota di* ~ driving wheel; ⟨*Ferr*⟩ ~ **elettrica** electric traction; ~ **ferroviaria** railway traction; ⟨*Aut*⟩ ~ **posteriore** rear(-wheel) drive; ~ *sulle* (*o a*) *quattro* **ruote** four-wheel drive; ~ *a* **vapore** steam traction.

trazzẹra *f.* ⟨*sicil*⟩ (*tratturo*) (sheep-)track.

trẹ *a./s.inv.* **I** *a.* **1.** three. – **2.** (*con valore indeterminato*: *pochi*) few, couple, a, one: *ha detto* ~ *parole in tutto* he only said a few words, he said hardly a word. – **II** *s.m.* **1.** (*numero*) three (*anche Scol.*). – **2.** (*nelle date*) third: *il* ~ *luglio* the third of July, July the third. – **3.** (*tram*) (number) three. – **4.** ⟨*Sport*⟩ (*nel pattinaggio su ghiaccio*) three. – **III** *s.f.pl.* three o'clock, three; (*di notte*) three a.m., three (o'clock) in the morning; (*di pomeriggio*) three p.m., three (o'clock) in the afternoon.

□ **a** ~ *a* ~ three by three, three at a time, in threes; ⟨*Mar*⟩ *un* ~ **alberi** a three-masted ship, a three-master; *siamo* **in** ~ there are three of us; **ogni** ~ *mesi* every three months, every third month; **per** ~: 1. = **a** *tre a tre*; 2. (*il triplo*) three times as much; *lavora per* ~ he does the work of three men; *moltiplicare per* ~ to multiply by three; **tutt'e** ~ all three; ~ **volte** three times; ⟨*fam*⟩ ~ *volte buono* stupid, ⟨*fam*⟩ thick.

treạlberi *m.inv.* ⟨*Mar*⟩ three-master, three-masted ship.

trẹbbia[1] *f.* **1.** (*trebbiatrice*) threshing-machine. – **2.** (*trebbiatura*) threshing. – **3.** ⟨*Stor*⟩ instrument of torture.

trẹbbia[2] *f.* (generally in pl.) ⟨*Alim*⟩ draff.

trẹbbia[3] *f.* ⟨*Bot*⟩ (*erba da spazzole*) broom grass (*o* sedge) (*Andropogon gryllus*; *Chrysopogon gryllus*).

trebbiạno *m.* (*vitigno*) kind of vine.

trebbiạre *v.t.* (**trẹbbio, trẹbbi**) **1.** ⟨*Agr*⟩ to thresh. – **2.** ⟨*ant*⟩ (*tritare*) to chop up. – **trebbiatọre** *m.* (*f.* **-trice**) thresher. – **trebbiatrịce** *f.* **1.** (*operaia*) thresher. – **2.** (*macchina*) threshing-machine. – **trebbiatụra** *f.* **1.** threshing. – **2.** (*tempo*) threshing season (*o* time).

trẹbbio *m.* ⟨*ant*⟩ **1.** (*trivio*) crossroads *pl* (*costr.sing. o pl.*), place where three roads meet. – **2.** (*riunione*) knot (of persons), small group; (*brigata*) company, gathering.

trẹbbo *m.* ⟨*region*⟩ **1.** (*riunione*) company, gathering. – **2.** (*veglia*) evening gathering. □ ⟨*Stor*⟩ *-i poetici* poetry readings.

Trebịsọnda *N.pr.f.* ⟨*Geog*⟩ Trebizond, Trabzon. □ ⟨*fig*⟩ *perdere la* ~ to be befuddled, to be(come) confused.

trẹcca *f.* ⟨*tosc,ant*⟩ **1.** (*donna che vende verdura*) fruit and vegetables vendor. – **2.** ⟨*spreg*⟩ fishwife.

treccạre *v.i.* (**trẹcco, trẹcchi**; *aus.* **avere**) ⟨*ant*⟩ to swindle, to cheat.

trẹccia *f.* (*pl.* **-ce**) **1.** plait, braid, ⟨*fam*⟩ pigtail: *farsi le trecce* to do one's hair in braids, to plait one's hair. – **2.** (*intreccio*) plait, braid. – **3.** (*resta*) string. – **4.** (*per i cappelli di paglia*) plait, braid. – **5.** ⟨*Alim*⟩ (*pane*) braid. – **6.** ⟨*Arch*⟩ guilloche. – **7.** ⟨*El*⟩ braid. – **8.** ⟨*Tess*⟩ (*passamano*) braid.

intrecciạio, trecciaiọlo *m.* (*f.* **-a**) braider.

trecciạre *v.t.* (**trẹccio, trẹcci**) **1.** to plait, to braid. – **2.** ⟨*poet,ant*⟩ (*intrecciare*) to braid, to intertwine, to entwine. – **trecciạto** (*p.p. di trecciare*) **I** *a.* (*intrecciato*) braided, intertwined, entwined. – **II** *s.m.* ⟨*Tess*⟩ plaiting, braiding. – **trecciatrịce** *f.* ⟨*Tess*⟩ plaiting -machine, braiding-machine. – **trecciatụra** *f.* **1.** ⟨*Artigl*⟩ plaiting, braiding. – **2.** ⟨*concr*⟩ plait, braid.

treccịẹra *f.* ⟨*Mod,ant*⟩ ornament for women's braids.

treccịna *f.*, **treccịno** (*dim. di treccia*) *m.* small plait, braid, ⟨*fam*⟩ pigtail. – **trecciọla** (*dim. di treccia*) *f.* **1.** → **trecciolina**. – **2.** ⟨*El*⟩ braid. – **trecciolịna** (*dim. di trecciola*) *f.* ⟨*Lav.femm*⟩ braid.

treccọne *m.* (*f.* **-a**) ⟨*ant,tosc*⟩ **1.** (*venditore di verdure*) greengrocer. – **2.** ⟨*spreg*⟩ (*rivendugliolo*) hawker, pedlar.

trecenạrio *m.* ⟨*Stor.rom*⟩ trecenarius.

trecentẹsco *a.* (*pl.* **-chi**) fourteenth century-: *un castello* ~ a fourteenth century castle; (*rif. all'arte e letteratura italiana*) of the Trecento, Trecento-.

trecentẹsimo **I** *a.* three-hundredth. – **II** *s.m.* **1.** (*ordinale*; *f.* **-a**) three-hundredth. – **2.** (*frazionario*) three-hundredth (part).

trecentịsta *m./f.* (*scrittore*) Trecentist, writer of the Trecento; (*artista*) Trecentist, artist of the Trecento. – **trecentịstico** *a.* (*pl.* **-ci**) → **trecentesco**.

trecẹnto *a./s.inv.* **I** *a.* three hundred. – **II** *s.m.* three hundred. – **Trecento** *m.* fourteenth century; (*rif. all'arte e letteratura italiana*) Trecento.

tredẹcimo *a./s.* ⟨*ant,rar*⟩ → **tredicesimo**.

tredicennạle *a.* ⟨*rar*⟩ **1.** (*che dura tredici anni*) thirteen-year-, lasting thirteen years. – **2.** (*che ricorre ogni tredici anni*) that occurs every thirteen years.

tredicẹnne **I** *a.* thirteen-year-old, ⟨*pred*⟩ of thirteen, ⟨*pred*⟩ thirteen years old. – **II** *s.m./f.* thirteen-year-old (child), boy (*f* girl) of thirteen.

tredicẹnnio *m.* ⟨*non com*⟩ thirteen years *pl*, thirteen-year period.

tredicẹsima *f.* **1.** ⟨*Mus*⟩ thirteenth. – **2.** (*tredicesima mensilità*) thirteenth month's salary. – **3.** ⟨*Comm*⟩ thirteenth copy (given free to a bookseller by the publisher for every twelve purchased).

tredicẹsimo **I** *a.* **1.** thirteenth. – **2.** (*rif. a regnanti*) the Thirteenth. – **II** *s.m.* **1.** (*ordinale*; *f.* **-a**) thirteenth: *essere il* ~ *a tavola* to be the thirteenth at table. – **2.** (*frazionario*) thirteenth.

trẹdici *a./s.inv.* **I** *a.* thirteen. – **II** *s.m.* **1.** (*numero*) thirteen: *il* ~ *porta sfortuna* thirteen is an unlucky number. – **2.** (*nelle date*) thirteenth: *il* ~ *maggio* the thirteenth of May, May the thirteenth. – **3.** (*tram*) (number) thirteen. – **III** *s.f.pl.* one o'clock, one p.m.; (*nei trasporti internazionali*) thirteen hours *pl.* □ *fare un* ~ (*al totocalcio*) to guess the results of all thirteen matches.

tredicịna *f.* (*tredici*) (about) thirteen, thirteen or so, ⟨*scherz*⟩ a baker's dozen: *saranno una* ~ there must be about thirteen of them.

trẹfolo *m.* **1.** ⟨*Mecc*⟩ wobbler. – **2.** ⟨*Tess*⟩ strand. □ *a -i* in strands; ~ *centrale* core strand; ~ *di rame* copper strand.

tregẹnda *f.* ⟨*lett*⟩ **1.** sabbat, (witches') sabbath. – **2.** ⟨*fig*⟩ (*pandemonio*) pandemonium, uproar, din. □ *notte di* ~ witches' sabbath, sabbat.

treggẹa *f.* ⟨*ant*⟩ (*confetteria*) sugared almonds *pl.*

trẹggia *f.* (*pl.* **-ge**) sled, sleigh; (*traino*) sled(ge), wheelless cart. – **treggiatọre** *m.* ⟨*non com*⟩ sled driver.

trẹgua (*o* **trẹgua**) *f.* **1.** ⟨*Mil*⟩ (*interruzione di combattimento*) truce. – **2.** ⟨*fig*⟩ (*pausa, sosta*) pause, truce, interruption; (*riposo*) rest, break, respite, truce: *abbiamo bisogno di un po' di* ~ we need a little rest. – **3.** ⟨*Pol*⟩ (*nelle battaglie elettorali*) (electoral) truce.

□ ~ **d'armi** truce, armistice, cease fire; *non* **dare** ~ to give no peace (*o* respite): *le preoccupazioni non mi danno* ~ my worries ⌜give me no peace⌝ (*o* will not let me be); ⟨*Mediev*⟩ ~ *di* **Dio** Truce of God; ⟨*poet*⟩ *far* ~ *con i* **pensieri** (*cessare di preoccuparsi*) to stop worrying; ~ **salariale** period without wage claims; **senza** ~: 1. without respite; 2. (*ininterrottamente*) non-stop, ceaselessly, uninterruptedly: *la pioggia cade senza* ~ it is raining non-stop.

trẹicio *a.* ⟨*poet*⟩ (*tracio*) Thracian.

tremạ *fr.* *m.* ⟨*Ling*⟩ (*dieresi*) diaeresis.

tremạcchio *m.* → **tremaglio**.

tremac(u)ọre *m.* ⟨*non com*⟩ **1.** (*batticuore*) palpitation, throbbing. – **2.** (*ansia*) anxiety, fear, trepidation.

tremạglio *m.* ⟨*Pesc*⟩ kind of fishing-net.

tremạnte (*p.pr. di tremare*) *a.* **1.** trembling, shaking, shuddering, quivering: ~ *di paura* trembling with fear; (*rif. alle gambe*) trembling, shaking; (*per il freddo*) shivering, trembling. – **2.** (*rif. a rami e sim.*: *oscillanti al vento*) trembling, waving, swaying. □ *scrittura* ~ shaky hand.

tremạre *v.* (**trẹmo**/*ant.* **trịẹmo**) **I** *v.i.* (*aus.* **avere**) **1.** to tremble, to shake, to shudder, to quiver: *tremava per lo spavento* he was trembling with fear; (*per il freddo*) to shiver, to tremble. – **2.** ⟨*fig*⟩ (*essere impaurito*) to tremble, to shake, to quiver: *davanti a lui tremava tutta Roma* all Rome trembled before him. – **3.** ⟨*fig*⟩ (*essere in ansia*) to tremble: *trema per i suoi figli* she trembles for her children. – **4.** (*oscillare*) to tremble, to shake, to waver; (*al vento*) to tremble, to shake, to sway; (*rif. a edifici e sim.*) to tremble. – **5.** (*rif. alla terra*) to tremble, to shake, to quake. – **6.** (*rif. a suono, voce*) to tremble, to quiver, to shake: *la voce gli tremò per l'emozione* he was so upset his voice trembled. – **7.** (*rif. a luce*) to quiver, to flicker. – **8.** ⟨*poet*⟩ (*vibrare, palpitare*) to quiver, to beat, to tremble. – **II** *v.t.* ⟨*poet*⟩ (*temere*) to tremble, to fear.

□ ~ *come una* **canna** = *tremare come una* **foglia**; ~ *da* **capo** *a piedi* to shake from head to foot; **far** ~: 1. (*scuotere*) to shake; 2. ⟨*fig*⟩ (*incutere paura*) to make tremble (with fear); ~ *come una* **foglia** to tremble (*o* shake) like a leaf; *mi tremano le* **gambe** my legs are shaking; ⟨*fam*⟩ **non** ~: 1. (*avere coraggio*) to have no fear; 2. (*non avere preoccupazioni*) to have no worries; *mi trema la* **vista** everything is swimming, I can't see straight.

tremarella *f.* ⟨*fam*⟩ shivers *pl*, trembling. – **2.** ⟨*fig*⟩ (*timore, paura*) fear, quaking. □ *avere la* ~ to be quaking (*o* shaking) in one's boots; *far venire la* ~ *a qd.* to give s.o. the shivers.

trematodi *m.pl.* ⟨*Zool*⟩ trematodes *pl* (*Trematoda*).

tremebondo *a.* ⟨*lett*⟩ **1.** (*tremante*) trembling, quaking, shaking. – **2.** ⟨*fig*⟩ fearful, full of trepidation.

tremendamente *avv.* **1.** terribly, dreadfully, awfully. – **2.** ⟨*iperb*⟩ (*moltissimo, grandissimo*) terribly, hugely, enormously, greatly, tremendously; (*straordinariamente*) terribly, extraordinarily, tremendously, ⟨*fam*⟩ awfully, ⟨*fam*⟩ frightfully: *è* ~ *noioso* it's terribly boring.

tremendo *a.* **1.** terrible, dreadful, awful, tremendous: *-a punizione* dreadful punishment. – **2.** (*terribile, spaventoso*) tremendous, dreadful, terrible, fearful, frightful: *una -a disgrazia* a terrible accident. – **3.** ⟨*iperb*⟩ (*molto spiacevole*) terrible, ⟨*fam*⟩ ghastly, ⟨*fam*⟩ awful, ⟨*fam*⟩ frightful: *fa un caldo* ~ the heat is terrible; (*durissimo, gravissimo*) terrible, severe, great, tremendous: *la notizia fu per lui un colpo* ~ the news was a great blow for him.

trementina *f.* turpentine. □ *essenza di* ~ oil of turpentine.

tremerella *f.* ⟨*non com*⟩ → **tremarella**.

tremila *a./s.inv.* **I** *a.* three thousand. – **II** *s.m.* **1.** three thousand. – **2.** (*anno*) (year) three thousand. – **3.** ⟨*Alp*⟩ three thousand metres *pl* (above sea-level).

tremillesimo I *a.* three-thousandth. – **II** *s.m.* **1.** (*ordinale*; *f.* **-a**) three-thousandth. – **2.** (*frazionario*) three-thousandth.

tremitio *m.* ⟨*non com*⟩ (continual) trembling.

tremito *m.* **1.** trembling, shaking, quivering, shuddering, tremor; (*per il freddo*) shivering. – **2.** ⟨*Med*⟩ tremor. – **3.** ⟨*Geol*⟩ (*scossa*) shock, tremor. – **4.** ⟨*fig,poet*⟩ (*agitazione*) tremor, agitation. □ *essere colto dal* ~ to shiver, to shudder.

tremola *f.* ⟨*Itt*⟩ kind of torpedo (*o* electric ray) (*Torpedo marmorata*).

tremolamento *m.* ⟨*non com*⟩ trembling, shaking, quiver(ing), shiver(ing).

tremolante (*p.pr. di tremolare*) *a.* **1.** trembling, quivering, shaking, shivering. – **2.** (*rif. a luce, ad aria*) shimmering; (*rif. a fiamme*) flickering, trembling, quivering; (*rif. a stelle*) twinkling. – **3.** (*rif. a suoni, voce*) trembling, quavering, shaking; (*esitante*) hesitant.

tremolanti *m.pl.* ⟨*Rel*⟩ Shakers *pl*.

tremolare *v.* (**tremolo**) **I** *v.i.* (*aus.* **avere**) **1.** to tremble, to quiver, to shake, to shiver. – **2.** (*rif. a luce, ad aria*) to shimmer, to quiver; (*rif. a fiamme*) to flicker, to tremble, to quiver; (*rif. a stelle*) to twinkle. – **3.** (*rif. a voce e sim.*) to tremble, to quaver, to shake. – **II** *v.t.* ⟨*Mus*⟩ to play (*o* sing) a tremolo in, to make quiver.

tremolina *f.* ⟨*Bot*⟩ **1.** (*anche erba tremolina*) quaking-grass, trembling-grass (*Briza media*). – **2.** small quaking-grass (*Briza minor*). – **tremolino** *m.* ⟨*Bot*⟩ **1.** (*tremolo*) asp(en), trembling poplar (*Populus tremula*). – **2.** quaking-grass, trembling-grass (*Briza media*).

tremolio *m.* **1.** trembling, quivering, shaking, shiver(ing). – **2.** (*rif. a luce, ad aria*) shimmering, quivering; (*rif. a fiamme*) flickering, trembling. – **3.** (*rif. a suoni*) tremble, quiver(ing). – **4.** ⟨*Astr*⟩ (*scintillazione*) twinkling, twinkle, scintillation.

tremolo I *a.* ⟨*non com*⟩ → **tremolante**. – **II** *s.m.* **1.** ⟨*Mus*⟩ tremolo; (*registro*) tremolo (stop), tremulant. – **2.** ⟨*Bot*⟩ asp(en), trembling (*o* quaking) poplar (*Populus tremula*). – **3.** → **tremola**. – **4.** ⟨*Mod, region*⟩ flower-shaped hairpin.

tremore *m.* **1.** tremor. – **2.** ⟨*fig*⟩ (*agitazione*) (tremulous) agitation, tremor, trembling; (*paura*) fear, trembling. – **3.** ⟨*Med*⟩ tremor. □ ⟨*Med*⟩ ~ *intenzionale* intention tremor; ~ *passivo* passive tremor; ⟨*fig*⟩ *senza* ~ fearless; ⟨*fig*⟩ *stare con* ~ to (be in a) tremble, to quake.

tremotio *m.* ⟨*tosc,non com*⟩ racket, commotion, din.

tremoto *m.* ⟨*pop,tosc*⟩ (*terremoto*) earthquake.

tremulo *a.* → **tremolante**.

tremuoto *m.* ⟨*ant*⟩ → **tremoto**.

trenaggio *m.* ⟨*Minier*⟩ haulage.

trenare *v.t.* (**treno**) ⟨*sport*⟩ (*allenare*) to train.

trench *ingl.* [trentʃ] *m.* ⟨*Vest*⟩ trench-coat.

trenetico *a.* (*pl.* **-ci**) ⟨*lett*⟩ threnodic.

trenette *f.pl.* ⟨*Gastr*⟩ long narrow noodles *pl*.

trenino (*dim. di treno*[1]) *m.* toy train.

treno[1] *m.* **1.** train. – **2.** (*modo di vivere*) way of life, life-style; (*tenore di vita*) standard of living. – **3.** ⟨*Zool*⟩ part (of an animal), quarters *pl*. – **4.** ⟨*Mil*⟩ train. – **5.** ⟨*tecn*⟩ (*serie*) train, series. – **6.** ⟨*Met*⟩ mill. – **7.** ⟨*Artigl*⟩ (gun-)carriage. – **8.** ⟨*ant*⟩ (*equipaggio signorile*) equipage; (*seguito*) train, retinue, suite; (*scorta*) escort. – **9.** ⟨*ant*⟩ (*convoglio*) convoy, train. – **10.** ⟨*rar,ant*⟩ (*sfarzo*) pomp.

□ ~ **accelerato** slow train, ⟨*am*⟩ local (*o* milk) train; **andare** *in* ~ to travel by train; ~ **anteriore**: 1. ⟨*Aut*⟩ (*avantreno*) forecarriage; 2. ⟨*Zool*⟩ forequarters *pl*; (*rif. a cavalli*) forehand; ⟨*Ferr*⟩ ~ **articolato** articulated train; ~ **automotore** motor-coach (*o* multiple-unit) train, rail motor-train; ~ **bestiame** cattle train; ~ **bianco** train for conveying the sick to a sanctuary; ~ **bis** relief (*o* extra) train; ~ **blindato** = *treno* **corazzato**; **cambiare** ~ to change trains; ~ *con* **carrozze** *intercomunicanti* vestibule train; *arriverò* **col** ~ *delle undici* I shall be coming by (*o* on) the eleven o'clock train; ~ **corazzato** armoured train; ~ **direttissimo** fast (*o* through) train; ~ **diretto** through train; ~ **dispari** down train, odd-number(ed) train; ⟨*Met*⟩ ~ **duo** twin-rolling mill, two-high mill; ~ **espresso** express train; ~ **fantasma** ghost train; ~ **feriale** week-day train; ~ **festivo** train running on Sundays or holidays; ⟨*Aut*⟩ ~ *di* **gomme** set of tyres; ⟨*Fis*⟩ ~ **d'impulsi** spike (*o* pulse) train; ⟨*Met*⟩ ~ *di* **laminazione** train of rolls; ⟨*Ferr*⟩ ~ **lampo** express (train); ~ **letti** sleeping-car train, ⟨*am*⟩ sleeper; ~ **locale** local train; ~ *di* **lusso** luxury (*o* Pullman) train; ~ *del* **mattino** morning train; ~ **merci** goods (*o* freight) train; ~ **militare** troop train; ~ **misto** combined passenger and goods train; ⟨*Met*⟩ ~ *per* **nastri** strip mill; ~ **omnibus** slow (*o* omnibus) train, ⟨*am*⟩ local train; ⟨*Fis*⟩ ~ **d'onde** wave train, train of waves; *il* ~ *è in* **orario** the train is on time (*o* schedule); ~ **ordinario** regular train; ~ **ospedale** hospital (*o* ambulance, Red Cross) train; ~ **pari** up (*o* even number) train; ~ *a lungo* **percorso** long-distance train; **perdere** *il* ~ to miss one's train; ~ *di* **pneumatici** = *treno di* **gomme**; ~ **popolare** special holiday train; ~ **postale** mail train; ~ **posteriore**: 1. ⟨*Aut*⟩ rear-carriage; 2. ⟨*Zool*⟩ hindquarters *pl*; *devo* **prendere** *il* ~ *delle dieci* I have to catch the ten o'clock train; ~ **rapido** express (train); ⟨*Met*⟩ ~ **reversibile** reverse rolling mill; ~ *di* **ruote**: 1. ⟨*Aut*⟩ wheel set; 2. ⟨*Mecc*⟩ train of gearing; **salire** *sul* ~ to board (*o* get on) the train; ⟨*Met*⟩ ~ **sbozzatore** roughing (rolling) mill, roughing train; **scendere** *dal* ~ to get off the train; ~ *di* **soccorso** breakdown train; ~ **speciale** special train; ~ **spola** shuttle service train; ~ **stradale** (*autotreno*) road train, ⟨*am*⟩ trailer truck, ⟨*am*⟩ truck trailer unit; ~ **straordinario** = *treno* **speciale**; ~ **supplementare** = *treno* **bis**; ⟨*Met*⟩ ~ *a* **trio** three rolling mill; ~ **turistico** tourist train; ~ **viaggiatori** passenger train; ~ *di* **vita** (*tenore*) standard of living; **vivere** *in gran* ~ to have a high standard of living, to live in the lap of luxury.

treno[2] *m.* ⟨*Stor.gr*⟩ threnos, threnody, lament. – **trenodia** *f.* → **treno**[2].

trenta *a./s.inv.* **I** *a.* thirty. – **II** *s.m.* **1.** (*numero*) thirty. – **2.** (*nelle date*) thirtieth: *il* ~ *luglio* the thirtieth of July, July the thirtieth. – **3.** ⟨*Univ*⟩ thirty (out of thirty). – **4.** (*tram*) (number) thirty. □ *gli* **anni** ~ the thirties *pl*; *aver* **compiuto** *i* ~ to be thirty (years old); **essere** *sui* ~ to be ⌜about thirty⌝ (*o* thirtyish); ⟨*Stor*⟩ *la* **Guerra** *dei Trent'anni* the Thirty Years' War; ~ *e* **quaranta** (*gioco*) rouge-et-noir, trente-et-quarante; ⟨*fig*⟩ *chi ha fatto* ~ *può fare* **trentuno** now that you've gone that for you might as well finish.

trentennale I *a.* **1.** (*che dura trent'anni*) thirty-year(s')-, lasting thirty years. – **2.** (*che si rinnova ogni trent'anni*) thirty-year. – **II** *s.m.* thirtieth anniversary.

trentenne I *a.* thiry-year-old-, of thirty, ⟨*pred*⟩ thirty years old. – **II** *s.m./f.* thirty-year-old man (*f* woman), thirty-year-old, man (*f* woman) of thirty. – **trentennio** *m.* thirty years *pl*, thirty-year period.

trentesimo I *a.* thirtieth. – **II** *s.m.* **1.** (*ordinale*; *f.* **-a**) thirtieth. – **2.** (*frazionario*) thirtieth (part).

trentina *f.* **1.** (*trenta*) thirty; (*circa trenta*) about (*o* some) thirty, thirty or so: *erano una* ~ *di pagine* there were about thirty pages. – **2.** (*rif. a età*) about thirty: *essere sulla* ~ to be about thirty, to be thirtyish. □ **aver** *passato la* ~ to be over thirty.

trentino I *a.* **1.** (*di Trento*) Tridentine, of Trent. – **2.** (*della Venezia Tridentina*) of Venezia Tridentina. – **II** *s.m.* (*f.* **-a**) **1.** (*abitante di Trento*) inhabitant (*o* native) of Trent. – **2.** (*abitante della Venezia Tridentina*) inhabitant (*o* native) of Venezia Tridentina. – **Trentino** *N.pr.m.* (*territorio*) Trentino. □ ⟨*Geog*⟩ *Trentino-Alto Adige* Trentino-Alto Adige.

Trento *N.pr.f.* ⟨*Geog*⟩ Trent.

trentuno *a./s.inv.* **I** *a.* thirty-one. – **II** *s.m.* **1.** (*numero*) thirty-one. – **2.** (*nelle date*) thirty-first: *il* ~ *maggio* the thirty-first of May, May the thirty-first. □ ~ *al* **banco** (*gioco di carte*) thirty-one, trente-et-un; ⟨*fig*⟩ **battere** *il* ~ (*scappare*) to run away, to take to one's heels; ⟨*fig*⟩ **dare** *nel* ~ (*capitar male*) to end up badly, to be unlucky; ⟨*fig*⟩ **prendere** *il* ~ (*andarsene*) to leave, to go away.

trepang *m.* ⟨*Gastr*⟩ trepang, bêche-de-mer.

trepestio *m.* ⟨*tosc*⟩ (*calpestio confuso*) racket, clamour.

trepidamente *avv.* anxiously, fearfully. – **trepidante** (*p.pr. di trepidare*) *a.* anxious, trembling, fearful. – **trepidanza** *f.* ⟨*lett*⟩ (*trepidazione*) trepidation, anxiety. – **trepidare** *v.i.* (**trepido**; *aus.* **avere**) to be anxious (*o* worried), to tremble: *tutti trepidavano per la sua sorte* everyone was anxious over his fate. – **trepidazione** *f.* **1.** trepidation, apprehension, anxiety, fear, timorousness. – **2.** ⟨*Fis,tecn*⟩ vibration. – **3.** ⟨*Astr*⟩ trepidation. □ *con* ~ anxiously, with trepidation; *pieno di* ~ anxious, fearful, in great trepidation; *stare in* ~ to be anxious (*o* apprehensive).

trepidezza, trepidità *f.* ⟨*rar*⟩ → **trepidanza**.

trepido *a.* **1.** ⟨*lett*⟩ (*pieno di ansia*) anxious, fearful, timorous, trembling; (*sollecito*) solicitous, anxious. – **2.** ⟨*poet*⟩ (*tremolante*) tremulous, trembling.

treponema *m.* ⟨*Biol*⟩ treponema.

treponti *m.inv.* → **trepponti**.

treppicare *v.i.* (**treppico, treppichi**; *aus.* **avere**) ⟨*pop,tosc*⟩ (*far rumore con i piedi*) to stamp, to stomp.

treppiede, treppiedi *m.* **1.** ⟨*Arred*⟩ tripod. – **2.** ⟨*tecn*⟩ tripod. – **3.** (*arnese da cucina*) tripod, trivet.

trepponti *m.inv.* ⟨*Mar.ant*⟩ three-decker.

trequarti *m.inv.* **1.** ⟨*Vest*⟩ three-quarter-length coat. – **2.** ⟨*Chir*⟩ troc(h)ar. – **3.** ⟨*Sport*⟩ (*nel rugby*) three-quarter back.

trẹsca *f.* **1.** (*relazione amorosa illecita*) (love-)affair, intrigue. – **2.** (*intrigo*) intrigue, plot; (*imbroglio*) involved situation, intricate matter, complication. – **3.** ⟨*ant*⟩ (*cattiva compagnia*) bad company. – **4.** ⟨*ant*⟩ (*ballo contadinesco*) kind of lively country-dance. – **5.** ⟨*poet, ant*⟩ (*dimenio*) restless movement, fidgeting. □ *ordire una* ~ to scheme, to weave a plot.

trescạre *v.i.* (**trẹsco, trẹschi**; *aus.* **avere**) **1.** (*avere una relazione illecita*) to have an affair. – **2.** (*ordire intrighi*) to intrigue, to scheme, to plot; (*imbrogliare*) to create confusion, to muddle things. – **3.** ⟨*ant*⟩ (*ballare la tresca*) to dance the 'tresca'; (*ballare il trescone*) to do a square-dance, to dance the 'trescone'. – **4.** ⟨*poet,ant*⟩ (*ballare*) to dance.

trescọne *m.* ⟨*ant*⟩ (*ballo contadinesco*) square dance. □ ⟨*scherz*⟩ *ballare il* ~ (*dimenarsi*) to fidget, to be restless, ⟨*fam*⟩ to have ants in one's pants.

tresẹtte *m.inv.* → **tressette.**

trẹspide *m.* ⟨*ant*⟩ → **trespolo.**

trẹspolo *m.* **1.** trestle, horse, stand, support; (*per uccelli*) perch. – **2.** (*sgabello*) stool. – **3.** ⟨*fig*⟩ (*veicolo in cattivo stato*) jalopy, ⟨*am. fam*⟩ heap.

tressẹtte *m.inv.* tresette. – **tressẹtti** *m.inv.* ⟨*tosc*⟩ → **tressette.**

trẹsviri *m.pl.* ⟨*rar,lett*⟩ (*triumviri*) triumvirs *pl*, triumviri *pl*.

trẹto *m.* ⟨*Bot*⟩ poricidal capsule.

treviẹre *m.* ⟨*Mar*⟩ sailor handling the courses.

Trevịgi *N.pr.f.* ⟨*ant*⟩ → **Treviso.** – **trevigiạno I** *a.* of Treviso. – **II** *s.m.* (*f.* **-a**) native (*o* inhabitant) of Treviso.

Trẹviri *N.pr.f.* ⟨*Geog*⟩ Trier.

trevisạno *a./s.* → **trevigiano.** – **Trevịso** *N.pr.f.* ⟨*Geog*⟩ Treviso.

trẹvo *m.* ⟨*Mar*⟩ course.

trẹx *m.* → **tria.**

trẹzza *f.* ⟨*ant*⟩ → **treccia.**

tri... *pref.* (*tre* three, *triplo* triple) tri..., three-.

trịa *f.* (*filetto*) morris, merels *pl* (*costr.sing.*), mill.

triạca *f.* ⟨*Farm,Stor*⟩ theriac(a), Venice treacle.

triacạnto *m.* ⟨*Bot*⟩ (*spino di Giuda*) honey locust (*Gleditschia triacanthos*).

triacisottaẹdro *m.* ⟨*Geom*⟩ triakisoctahedron. – **triacistetraẹdro** *m.* ⟨*Geom,Min*⟩ triakistetrahedron.

triactịno *a.* → **triasse.**

trịade *f.* **1.** triad: ~ *di divinità* triad of deities. – **2.** ⟨*Mus*⟩ triad, common chord. – **triạdico** *a.* (*pl.* **-ci**) triadic.

triạle I *a.* ⟨*Gramm*⟩ trial, trinal. – **II** *s.m.* trial, trinal.

trialịsmo *m.* ⟨*Filos*⟩ trialism. – **trialịstico** *a.* (*pl.* **-ci**) of trialism, trialist-.

triandrịa *f.* ⟨*Bot*⟩ triandrous nature.

triangolạre[1] *a.* **1.** triangular: *fazzoletto* ~ triangular (*o* three-cornered) scarf. – **2.** ⟨*fig*⟩ triangular, three-sided: *scambi -i* triangular trade. – **3.** ⟨*Geom*⟩ triangular.

triangolạre[2] *v.t.* (**triạngolo**) ⟨*Sport*⟩ to pass triangularly. □ ~ *il pallone* to pass the ball triangularly, to engage in triangular passing.

triangolarità *f.* ⟨*non com*⟩ triangularity. – **triangolarmẹnte** *avv.* triangularly.

triangolạto: ⟨*Arald*⟩ *scudo* ~ barry-indented shield.

triangolaziọne *f.* **1.** ⟨*Topogr*⟩ triangulation. – **2.** ⟨*Sport*⟩ (*nel calcio*) triangular passing.

triangolẹtto, triangolịno *m. dim. di* **triangolo.**

triạngolo *m.* **1.** triangle. – **2.** (*oggetto a forma di triangolo*) triangle; (*insieme di tre elementi disposti a triangolo*) triangle. – **3.** ⟨*teat*⟩ triangle. – **4.** (*pannolino igienico per neonati*) napkin, ⟨*fam*⟩ nappy, ⟨*am*⟩ diaper. – **5.** (*slip*) bathing slips (*o* trunks) *pl*. – **6.** ⟨*Strad*⟩ red (warning) triangle. – **7.** ⟨*Mecc*⟩ (*lima a sezione triangolare*) triangular (*o* three-square) file. – **Triangolo** *N.pr.m.* ⟨*Astr*⟩ Triangulum, Triangle.

□ ~ **acutangolo** acute-angled triangle; ~ **astronomico** astronomical triangle; ⟨*Fis*⟩ ~ ⌜*di* **colore**⌝ (*o cromatico*) colour triangle, chromaticity diagram; ~ **equilatero** equilateral triangle; ⟨*Fis*⟩ ~ *delle* **forze** triangle of forces; ⟨*Sport*⟩ (*nel calcio*) **gioco** *a* ~ triangle play; ~ **isoscele** isosceles triangle; ~ **ottusangolo** obtuse-angled triangle; ~ **piano** plane triangle; ~ **rettangolo** right(-angled) triangle, rectangular triangle; ~ **scaleno** scalene triangle; ~ **sferico** spherical triangle; ⟨*Fon*⟩ ~ *delle* **vocali** vowel triangle.

Trianon *fr.* [-'nɔ̃] *N.pr.m.* Trianon.

triarchịa *f.* ⟨*Pol*⟩ (*rif. a partiti*) triarchy; (*rif. a persone*) triarchy, triumvirate, rule of three.

triạrco *a.* (*pl.* **-chi**) ⟨*Bot*⟩ triarch.

triạrio *m.* ⟨*Stor.rom*⟩ triarii *pl*, ⟨*lett*⟩ triary.

trịas *m.* ⟨*Geol*⟩ Triassic (period), Trias. – **triạsico** *a./s.* → **triassico.**

triạsse *a.* ⟨*Zool*⟩ triactinal, triactine.

triạssico *a./s.* (*pl.* **-ci**) **I** *a.* ⟨*Geol*⟩ Triassic. – **II** *s.m.* → **trias.**

triạssone *a.* → **triasse.**

trịat(h)lon *m.* ⟨*Sport*⟩ triathlon.

triatọmico *a.* (*pl.* **-ci**) ⟨*Chim*⟩ triatomic.

trịbade *f.* ⟨*Psic*⟩ (*lesbica*) tribade, lesbian. – **tribadịsmo** *m.* (*lesbismo*) tribadism, lesbianism.

tribạle *a.* tribal. – **tribalịzio** *a.* ⟨*non com*⟩ → **tribale.**

tribạsico *a.* (*pl.* **-ci**) ⟨*Chim*⟩ tribasic.

tribbiạre *v.t.* (**trịbbio, trịbbi**) ⟨*tosc*⟩ **1.** (*trebbiare*) to thresh. – **2.** ⟨*fig*⟩ to thrash, to beat.

trịbo *m.* ⟨*ant*⟩ → **tribù.**

tribo... *pref.* (*strofinamento* friction) tribo...

triboelettricità *f.* ⟨*Fis*⟩ tribo-electricity. – **triboelẹttrico** *a.* (*pl.* **-ci**) tribo-electric. □ *effetto* ~ → **triboelettricità.**

tribolamẹnto *m.* **1.** (*il tormentare*) tormenting, torturing; (*l'essere tormentato*) torment, affliction. – **2.** (*pena, sofferenza*) tribulation, suffering, affliction, distress.

tribolạre *v.* (**trịbolo**) **I** *v.t.* to torment, to torture. – **II** *v.i.* (*aus.* **avere**) to suffer, to grieve: *ha tribolato per tutta la vita* he suffered his whole life. – **tribolarsi** *v.r.* ⟨*ant*⟩ (*affliggersi*) to grieve, to worry. □ *far* ~ to torment, to torture, to afflict; ⟨*fam*⟩ *ha finito di* ~ (*è morto*) his sufferings are over.

tribolạto (*p.p. di tribolare*) *a.* suffering, afflicted, tormented, in distress; (*pieno di affanni*) tormented, hard, troubled, painful: *vita -a* hard life. – **tribolatọre** *m.* (*f.* **-trice**) ⟨*non com*⟩ **1.** (*chi fa tribolare*) tormenter, afflicter. – **2.** (*chi tribola*) sufferer.

tribolaziọne *f.* **1.** tribulation, suffering, distress, affliction: *le -i della vita* the (trials and) tribulations of life. – **2.** ⟨*fig*⟩ (*cosa o persona che causa preoccupazioni*) trial, tribulation, thorn in the flesh: *quel figlio è la sua* ~ that boy is a thorn in his flesh. – **3.** ⟨*rar*⟩ (*fastidio, molestia*) bother, trouble.

tribọlio *m.* ⟨*Entom*⟩ (rust-)red flour beetle (*Tribolium castaneum*).

trịbolo *m.* **1.** ⟨*Bot*⟩ chamomile (*Anthemis*). – **2.** ⟨*Bot*⟩ (*castagna d'acqua*) water-chestnut, (water-)caltrop (*Trapa natans*). – **3.** ⟨*Bot*⟩ puncture-weed, puncture vine (*Tribulus terrestris*). – **4.** ⟨*lett*⟩ (*pruno*) thorn -bush, bramble(-bush). – **5.** *pl.* ⟨*fig,lett*⟩ tribulations *pl*, afflictions *pl*, trials *pl*. – **6.** ⟨*Stor*⟩ caltrop.

triboluminescẹnza *f.* ⟨*Fis*⟩ triboluminescence.

Triboniạno *N.pr.m.* ⟨*Stor*⟩ Tribonian.

tribọrdo *m.* ⟨*Mar*⟩ starboard.

trịbrachi, tribrạchio *m.* → **tribraco.** – **trịbraco** *m.* (*pl.* **-chi**) ⟨*Metr*⟩ (*anche verso tribraco*) tribrach.

tribù *f.* **1.** tribe. – **2.** ⟨*Stor*⟩ (*presso i romani, gli ebrei*) tribe. – **3.** ⟨*scherz*⟩ (*famiglia numerosa*) tribe, brood, clan.

tribuịre *v.t.* (**tribuịsco, tribuịsci**) ⟨*rar,lett*⟩ (*attribuire*) to attribute.

tribulạre *v.* ⟨*ant*⟩ → **tribolare.** – **tribulaziọne** *f.* ⟨*ant*⟩ → **tribolazione.**

tribụna *f.* **1.** (*podio rialzato*) tribune, rostrum, dais, platform, stand. – **2.** (*palco riservato*) gallery: ~ *della stampa* press- gallery. – **3.** (*nei campi sportivi e sim.*) stand; (*tribuna principale coperta*) grandstand. – **4.** ⟨*Arch*⟩ (*nelle basiliche paleocristiane*) tribune; (*galleria*) tribune, gallery; (*matroneo*) women's gallery. – **5.** ⟨*Stor.rom*⟩ tribune. – **6.** ⟨*ant*⟩ (*pulpito*) pulpit; (*ambone*) ambo.

□ ~ **diplomatica** diplomats' gallery (*o* box, stand); ~ *d'***onore** V.I.P. stand; ~ *degli* **oratori** tribune, rostrum, speaker's platform; ~ *dell'***orchestra** bandstand; ~ *dell'***organo** organ loft; ~ *riservata al* **pubblico** public gallery.

tribunạle *m.* **1.** (law-)court, court of justice (*o* law), tribunal: *stare in* ~ to be in court. – **2.** (*palazzo di giustizia*) lawcourt(s), court -house, ⟨*am*⟩ (central) courts *pl*. – **3.** (*autorità*) court, Court: *portare davanti al* ~ to take to Court; *per ordine del* ~ by court order. – **4.** ⟨*fig,non com*⟩ tribunal, judgement (seat): *il* ~ *dell'opinione pubblica* the tribunal of public opinion. – **5.** ⟨*Stor.rom*⟩ tribunal.

□ ~ **arbitrale** court of arbitration; ~ **civile** civil court, court of equity; ~ **commerciale** commercial court; ~ *della* **confessione** (*confessionale*) tribunal of penance, confessional; (*confessione*) confession; ~ *della* **coscienza** (tribunal of) conscience; *il* ~ *di* **Dio** the Tribunal of God, the Judgement Seat; ~ **disciplinare** disciplinary court; ~ **ecclesiastico** ecclesiastic (*o* church) court; ~ **fallimentare** bankruptcy court; ~ *di* **guerra** court martial; ~ **insurrezionale** = *tribunale del* **popolo**; ⟨*ant*⟩ ~ *del* **maleficio** (*tribunale penale*) criminal court; ~ **marittimo** admiralty court; ~ **militare** court martial, military court; ~ *per i* **minorenni** juvenile court; ~ **ordinario** ordinary court; ~ *del* **partito** party court (*o* tribunal); ~ **penale** criminal court; ~ *di* **penitenza** = *tribunale della* **confessione**; ~ *del* **popolo** revolutionary court; ~ *delle* **prede** prize court; ⟨*Dir. can*⟩ ~ *della Sacra* **Rota** (Sacred Roman) Rota; ⟨*Stor*⟩ ~ *del* **sangue** Council of Blood (*o* Troubles); ⟨*fig*⟩ **sedere** *in* ~ to (be a) judge; ~ **speciale** special court; ~ **supremo** supreme court.

tribunalẹsco *a.* (*pl.* **-chi**) ⟨*spreg*⟩ court, legalistic.

tribunạto *m.* **1.** ⟨*Stor.rom*⟩ (*carica*) tribuneship, tribunate; (*periodo*) tribuneship, tribunate; (*collegio di tribuni*) tribunes *pl*, college of tribunes. – **2.** ⟨*Mediev*⟩ tribunate, Roman magistracy. – **3.** ⟨*Stor*⟩ (*in Francia*) Tribunate.

tribunẹsco *a.* (*pl.* **-chi**) ⟨*spreg*⟩ bombastic. – **tribunịzio** *a.* ⟨*Stor. rom*⟩ tribunitian, tribunician, tribunitial: *potestà -a* tribunitian power.

tribụno *m.* **1.** ⟨*Stor.rom*⟩ tribune. – **2.** ⟨*Stor*⟩ tribune, Roman magistrate. – **3.** ⟨*fig*⟩ (*demagogo*) demagogue, tribune, popular leader. □ ⟨*Stor.rom*⟩ ~ *militare* military tribune; ~ *della plebe* tribune of the people.

tributạre *v.t.* to attribute, to render, to give, to bestow, to pay: ~ *onori a qd.* to render honours to s.o., to honour s.o.

tributạria *f.* (*anche polizia tributaria*) excise and revenue police.

tributạrio *a.* **1.** tax-, taxation, fiscal, financial: *riforma -a* tax reform; *sistema* ~ fiscal (*o* financial) system, tax(ation) system. – **2.** (*soggetto al pagamento di un tributo*) tributary. □ ⟨*Dir*⟩ *diritto* ~ financial law; ⟨*Geog*⟩ *fiume* ~ (*affluente*) tributary (river), affluent; (*immissario*) tributary, outlet, affluent.

tributarịsta *m./f.* (*esperto*) tax expert, expert in financial law; (*studioso*) scholar of financial law.

tribụto[1] *m.* **1.** (*imposta*) tax, tribute. – **2.** ⟨*fig*⟩ tribute; (*contributo*)

contribution. – 3. ⟨*Stor.rom*⟩ tribute. – 4. ⟨*poet*⟩ (*acqua di un affluente o di un immissario*) tributary waters *pl.* □ *assoggettare a* ~ to lay under tribute; ~ *mobiliare* personal property tax; ⟨*fig*⟩ *pagare il proprio* ~ *alla natura* (*morire*) to pay the debt of nature; *pagare un* ~ *di sangue* to pay with one's blood.
tribụto[2]: ⟨*Stor.rom*⟩ *comizi -i* comitia tributa *pl.*
tricạsio *m.* ⟨*Bot*⟩ trichasium.
trịcche trạcche I *onom.* click-clack. – **II** *s.m.* ⟨*pop*⟩ **1.** click-clack, clickety-clack. – **2.** (*battola*) clapper.
tricefalịa *f.* three-headedness. – **tricẹfalo** *a.* tricephalous, three-headed: *divinità -a* three-headed deity.
trichẹco *m.* (*pl.* **-chi**) ⟨*Zool*⟩ walrus (*Trichecus*). □ ⟨*scherz*⟩ *sembrare un* ~ to have a walrus moustache.
trichịạsi *f.* ⟨*Med*⟩ trichiasis.
trichịna *f.* ⟨*Zool*⟩ trichina (*Trichinella spiralis*). – **trichinạsi** *f.* ⟨*non com*⟩ → **trichinosi**. – **trichinạto** *a.* trichinated, trichinized. – **trichinọsi** *f.* ⟨*Med*⟩ trichinosis.
trichịte *f.* **1.** ⟨*Min*⟩ trichite; (*cristallite*) crystallite. – **2.** ⟨*Zool*⟩ trichite.
triciclico *a.* (*pl.* **-ci**) ⟨*Chim*⟩ tricyclic.
tricịclo I *s.m.* **1.** tricycle. – **2.** (*per il trasporto della merce*) tricycle. – **3.** ⟨*Aut*⟩ (motor-)tricycle, three-wheeled vehicle. – **II** *a.* ⟨*Aer*⟩ tricycle-: *carrello* ~ tricycle undercarriage, nose-wheel landing-gear.
tricịpite I *a.* ⟨*lett*⟩ **1.** three-headed: *mostro* ~ three-headed monster. – **2.** ⟨*Anat*⟩ triceps-, tricipital. – **II** *s.m.* ⟨*Anat*⟩ (*muscolo tricipite*) triceps muscle. □ ⟨*Anat*⟩ ~ *brachiale* (o *del braccio*) triceps brachii.
triclạdi *m.pl.* ⟨*Zool*⟩ triclads *pl*, planarians *pl* (*Tricladida*).
triclinịạre *a.* ⟨*Stor.rom*⟩ triclinial, of the triclinium. – **triclịnio** *m.* triclinium.
triclịno I *a.* ⟨*Min*⟩ triclinic. – **II** *s.m.* (*sistema triclino*) triclinic system.
tricloro|etilẹne *m.* → **trielina**. – **~metạno** *m.* ⟨*Chim*⟩ (*cloroformio*) trichloromethane, chloroform.
trico... *pref.* (*pelo, capello* hair) trich(o)...
tricobattẹri *m.pl.* ⟨*Biol*⟩ trichobacteria *pl* (*Trichobacteria*).
tricọcco *a.* (*pl.* **-chi**) ⟨*Bot*⟩ tricoccous.
trico|cefalọsi *f.* ⟨*Med*⟩ trichocephaliasis, trichocephalosis. – **~clạsịa** *f.* ⟨*Med*⟩ trichoclasia, trichoclasis.
tricọfita *m.* → **tricofito**. – **tricofịtico** *a.* (*pl.* **-ci**) ⟨*Med*⟩ trichophytic. – **tricọfito** *m.* ⟨*Bot*⟩ trichophyte, trichophyton (*Trichophyton*).
trico|fizịa *f.* ⟨*Med*⟩ trichophytosis, trichophytia. – **~fobịa** *f.* ⟨*Psic*⟩ trichophobia. – **~lọma** *m.* ⟨*Bot*⟩ kind of fungus (*Tricholoma*).
tricolọre I *a.* tricolo(u)r, three-coloured. – **II** *s.m.* **1.** (*bandiera tricolore*) tricolour. – **2.** (*bandiera italiana*) Italian tricolour, Italian flag.
tricọma *m.* **1.** (*pelo, setola*) hair, bristle. – **2.** ⟨*Bot*⟩ trichome, trichoma. – **3.** ⟨*Entom*⟩ trichome.
tricomanịa *f.* → **tricotillomania**.
tricomatọso *a.* ⟨*Bot,Entom*⟩ trichomatous.
tricomicọsi *f.* ⟨*Med*⟩ trichomycosis.
tricọnco *a.* (*pl.* **-chi**) ⟨*Arch*⟩ triconch: *schema* ~ triconch plan.
triconsonạntico *a.* (*pl.* **-ci**) ⟨*Ling*⟩ triconsonantal. – **triconsonantịsmo** *m.* triconsonantalism.
tricoptilọsi *f.* ⟨*Med*⟩ trichoptilosis.
tricọrde, tricọrdo *a.* ⟨*lett*⟩ trichord (*anche Mus.*).
tricọrne *a.* ⟨*lett*⟩ tricorn(e), three-horned.
tricọrno *m.* ⟨*Mod,Stor*⟩ tricorn(e), cocked (*o* three-cornered) hat; (*dei preti*) biretta.
Tricọrno *N.pr.m.* ⟨*Geog*⟩ Triglav, Tricorno.
tricorpọreo *a.* ⟨*lett,rar*⟩ (*a tre corpi*) tri-corporal, tri-corporate(d), three-bodied.
tricorrẹssi *f.* ⟨*Med*⟩ trichorrhexis. □ ~ *nodosa* trichorrhexis nodosa, clastothrix.
tricọsi *f.* ⟨*Med*⟩ trichosis.
tricosporịa, tricosporiọsi *f.* ⟨*Med*⟩ trichosporosis.
tricosụro *m.* ⟨*Zool*⟩ phalanger, (Australian) opossum (*Trichosurus, Phalangista*). □ ~ *volpino* common phalanger (*o* opossum), brush-tailed phalanger (*o* opossum), vulpine phalanger (*Trichosurus vulpecula*).
tricot *fr.* [tri'ko] *m.* **1.** (*lavoro a maglia*) knitting. – **2.** ⟨*Tess*⟩ tricot.
tricọtile *a.* ⟨*Bot*⟩ tricotyledonous. – **tricotilịa** *f.* tricotyledony.
tricotillomanịa *f.* ⟨*Psic*⟩ trichotillomania.
tricotomịa[1] *f.* ⟨*Chir*⟩ shaving (of body hair).
tricotomịa[2] *f.* ⟨*Filos,Bot*⟩ trichotomy.
tricọtteri *m.pl.* ⟨*Entom*⟩ caddis flies *pl*, trichopter(an)s *pl* (*Trichoptera*).
tricoxerọsi *f.* ⟨*Med*⟩ fragilitas crinium.
tricrọico *a.* (*pl.* **-ci**) ⟨*Min*⟩ trichroic. – **tricroịsmo** *m.* trichroism.
tricromạsịa *f.* → **tricromatismo**. – **tricromạtico** *a.* (*pl.* **-ci**) ⟨*Med*⟩ trichromatic. – **tricromatịsmo** *m.* trichromatism, trichromacy.
tricromịa *f.* ⟨*Tip*⟩ **1.** (*procedimento*) trichromatism, three-colour process. – **2.** (*riproduzione*) trichromatic print, (three-)colour print.
tric-trạc (o *tric trac*) *m.* (*tavola reale*) tric-trac, trick-track, backgammon.
tricurịạsi *f.* ⟨*Med*⟩ trichuriasis.
tricuspidạle *a.* tricuspid (*anche Anat.,Arch.*). – **tricuspidạto** *a.* tricuspidate (*anche Mat.,Bot.*). – **tricụspide** *a.* **1.** tricuspid. – **2.** ⟨*Bot*⟩ tricuspidate, tricuspid. – **3.** ⟨*Anat*⟩ tricuspid: *valvola* ~ tricuspid valve.
tridạttilo *a.* tridactyl(e), tridactylous.
tridemịsmo *m.* ⟨*Pol,Stor*⟩ Three Principles of the People.
tridentạto *a.* **1.** ⟨*lett*⟩ (*armato di tridente*) bearing a trident. – **2.** ⟨*non com*⟩ (*a tre punte*) tridentate. – **3.** ⟨*Bot*⟩ tridentate. □ ⟨*lett*⟩ *nume* ~ (*Nettuno*) Neptune. – **tridẹnte** *m.* **1.** trident. – **2.** (*forcone*) pitchfork; (*per fieno*) hayfork. – **3.** ⟨*Mitol,Arald,Geom*⟩ trident. □ ⟨*Med*⟩ *mano a* ~ trident hand.
tridentịno *a.* ⟨*Geog*⟩ Tridentine. □ ⟨*Stor*⟩ *Concilio* ~ Council of Trent.
tridimensionạle *a.* **1.** tridimensional, three-dimensional. – **2.** ⟨*Cin*⟩ three-dimensional, ⟨*fam*⟩ 3-D: *schermo* ~ three-dimensional screen. – **tridimensionalità** *f.* tridimensionality.
tridimịte *f.* ⟨*Min*⟩ tridymite.
triduạno *a.* ⟨*rar*⟩ lasting three days. – **trịduo** *m.* ⟨*Rel.catt*⟩ triduum, triduo.
triecịa *f.* ⟨*non com*⟩ → **trioicismo**. – **triẹco** *a.* ⟨*non com*⟩ → **trioico**.
triẹdrico *a.* (*pl.* **-ci**) ⟨*Geom*⟩ trihedral. – **triẹdro I** *a.* ⟨*Geom*⟩ trihedral. – **II** *s.m.* **1.** (*angolo triedro*) trihedral angle; (*angoloide*) polyhedron. – **2.** (*triangolo, trilatero*) trihedron.
triẹgua *f.* ⟨*ant*⟩ → **tregua**.
trielịna *f.* ⟨*Chim*⟩ trichloro-ethylene.
triennạle I *a.* **1.** (*che dura tre anni*) three-year-, triennial: *corso* ~ three-year course. – **2.** (*che si verifica ogni tre anni*) three-yearly, triennal. – **II** *s.f.* ⟨*Art*⟩ Triennal (Exhibition). – **triẹnne** *a.* ⟨*non com*⟩ three-year-old. – **triẹnnio** *m.* (period of) three years, triennium.
triẹra *f.* → **triere**. – **trierạrca** *m.* ⟨*Stor.gr*⟩ trierarch. – **trierarchịa** *f.* trierarchy. – **trierạrco** *m.* (*pl.* **-chi**) → **trierarca**. – **triẹre** *f.* ⟨*rar,lett*⟩ (*trireme*) trireme.
Triẹste *N.pr.f.* ⟨*Geog*⟩ Trieste. – **triestịno I** *a.* Trieste, Triestine. – **II** *s.m.* **1.** (*dialetto*) dialect of Trieste. – **2.** (*abitante*; *f.* **-a**) native (*o* inhabitant) of Trieste, Triestino, Triestine. – **Triestino** *N.pr.m.* territory around Trieste, Triestino.
trietẹrico *a.* (*pl.* **-ci**) ⟨*Stor.gr*⟩ trieteric: *festa -a* trieteric festival. – **trietẹride** *f.* trieteric.
trifạse *a.* ⟨*tecn*⟩ three-phase, triphase: ⟨*El*⟩ *corrente* ~ three-phase current.
trifạuce *a.* ⟨*lett*⟩ having three jaws, three-mouthed.
trifenilmetạno *m.* ⟨*Chim*⟩ triphenylmethane.
trịfido *a.* **1.** ⟨*lett*⟩ (*diviso in tre parti*) three-part, divided in three, tripartite; (*a tre punte*) three-pointed. – **2.** ⟨*Bot*⟩ trifid.
trifilịte *f.* ⟨*Min*⟩ triphylite.
trifogliạio *m.* ⟨*non com*⟩ field of clover.
trifogliạto[1] *a.* ⟨*Bot*⟩ trifoliate(d).
trifogliạto[2] *a.* ⟨*non com*⟩ **1.** (*simile a trifoglio*) cloverleaf, clover-. – **2.** (*misto a trifoglio*) mixed with clover. □ ⟨*Arald*⟩ *croce -a* cross trefly (*o* treflée), cross botonny (*o* botonée).
trifoglịno *m. dim. di* **trifoglio**.
trifọglio *m.* **1.** ⟨*Bot*⟩ clover, trefoil, trifolium (*Trifolium*). – **2.** ⟨*Arch*⟩ trefoil.
□ ⟨*Bot*⟩ ~ **acetoso** (*acetosella*) sheep's sorrel (*Rumex acetosella*); ~ *d'acqua* = *trifoglio* **fibrino**; ~ **alessandrino** = *trifoglio* **egiziano**; ~ **bianco** = *trifoglio* **ladino**; ~ **bolognino** = *trifoglio* **pratense**; ~ **cavallino** yellow sweet clover (*Melilotus officinalis*); ~ **egiziano** Egyptian clover, berseem (clover) (*Trifolium alexandrinum*); ~ **epatico** → **trinità**[2]; ~ **fibrino** marsh trefoil, buckbean (*Menyanthes trifoliata*); ~ **filiforme** yellow suckling clover, ⟨*am*⟩ small hop trefoil (*Trifolium filiforme*); ~ **fragola** strawberry clover (*Trifolium fragiferum*); ~ **giallo** *delle sabbie* kidney vetch (*Anthyllis vulneraria*); ~ **ibrido** = *trifoglio* **svedese**; ~ **incarnato** crimson clover (*Trifolium incarnatum*); ~ **ladino** Ladino (*o* white) clover, shamrock, white Dutch (clover) (*Trifolium repens*); ~ **olandese** hop clover (*o* trefoil) (*Trifolium campestre*); ~ **pratense** (o *pesarese*) red clover (*Trifolium pratense*); ~ **rosso** = *trifoglio* **incarnato**; ~ **svedese** alsike (clover), Swedish clover (*Trifolium hybridum*); ~ **violetto** = *trifoglio* **pratense**.
trifogliolạto *a.* → **trifogliato**[1].
trifogliọne *m.* ⟨*Bot*⟩ (*trifoglio pratense*) red clover (*Trifolium pratense*). □ ~ *d'acqua* (*trifoglio fibrino*) marsh trefoil, buckbean (*Menyanthes trifoliata*).
trịfola *f.* ⟨*region*⟩ (*tartufo*) truffle. – **trifolạto** *a.* ⟨*Gastr*⟩ thinly sliced and cooked with oil, garlic and parsley.
trịfora *f.* ⟨*Arch*⟩ (*anche finestra trifora*) three-light window, three-mullioned window.
triforcạre *v.t.* (**trifọrco, trifọrchi**) ⟨*rar*⟩ to divide into three branches. – **triforcarsi** *v.r.* to fork, to divide into three branches, ⟨*lett*⟩ to trifurcate. – **triforcaziọne** *f.* ⟨*rar*⟩ trifurcation.
tri|forcụto *a.* trifurcate(d), having three forks (*o* branches). – **~fọrio** *m.* ⟨*Arch*⟩ triforium. – **~fọrme** *a.* triform (*anche Mitol.*).
trịga *f.* ⟨*Stor.rom*⟩ triga.
trigamịa *f.* trigamy. – **trịgamo I** *a.* **1.** trigamous. – **2.** ⟨*non com*⟩ (*che si è sposato tre volte*) that has married three times, thrice-married. – **II** *s.m.* **1.** trigamist. – **2.** ⟨*non com*⟩ (*chi si è sposato tre volte*) thrice-married man (*f* woman).
trigeminạle *a.* ⟨*Med*⟩ trigeminal. – **trigẹmino I** *a.* **1.** triplet, ⟨*lett*⟩ trigeminous: *parto* ~ triplet birth. – **2.** ⟨*Med*⟩ trigeminal. – **II** *s.m.* ⟨*Anat*⟩ (*nervo trigemino*) trigeminal (nerve).
trigenịa *f.* ⟨*Dir.can*⟩ consanguinity in the third degree.
trigẹsima *f.* **1.** ⟨*Dir,Stor*⟩ thirtieth part. – **2.** (*tributo*) tribute of thirty percent on income. – **trigẹsimo I** *a.* ⟨*non com*⟩ thirtieth. – **II** *s.m.* ⟨*Lit*⟩ month's mind. □ *nel* ~ *della morte di qd.* on the thirtieth day after s.o.'s death.

trigger *ingl.* ['trigər] **I** *s.m.* ⟨*El*⟩ trigger. – **II** *a.* trigger-.
triglia *f.* ⟨*Itt*⟩ mullet (*Mullus*). ☐ ~ *di fango* (o *minore*) red mullet, plain surmullet (*Mullus barbatus*); ⟨*fam*⟩ *fare l'occhio di* ~ *a qd.* to make sheep's eyes at s.o.; ~ ⌜*di scoglio*⌝ (o *maggiore*) (striped) surmullet (*Mullus surmuletus*).
trigliceride [-gl-] *m.* ⟨*Chim*⟩ triglyceride.
triglidi [-gl-] *m.pl.* ⟨*Itt*⟩ gurnards *pl*, triglids *pl* (*Triglidae*).
triglifo [-gl-] *m.* ⟨*Arch*⟩ triglyph.
trigon *lat. m.* ⟨*Stor.rom*⟩ trigon.
trigonale I *a.* **1.** trigonal, triangular. – **2.** ⟨*Min*⟩ trigonal: *sistema* ~ trigonal system. – **3.** ⟨*Astr*⟩ trigonal; (*rif. all'aspetto*) trine. – **II** *s.m.* ⟨*Astr*⟩ trigon; (*aspetto*) trine.
trigone *m.* ⟨*Itt*⟩ (*pastinaca*) sting-ray (*Dasyatis pastinaca*; *Trygon vulgaris*).
trigonella *f.* ⟨*Bot*⟩ **1.** trigonel (*Trigonella*). – **2.** fenugreek, foenngreek, foenugreek (*Trigonella foenumgraecum*). – **3.** sweet trefoil, blue melilot (*Trigonella caerulea*).
trigono I *a.* trigonal (*anche Bot.*). – **II** *s.m.* **1.** ⟨*Anat*⟩ trigone: ~ *vescicale* trigone of the bladder. – **2.** ⟨*Astr*⟩ trigon. – **3.** ⟨*Mus*⟩ trigon, sabbeka, sackbut, sambuca.
trigonometria *f.* ⟨*Mat*⟩ **1.** trigonometry: ~ *sferica* spherical trigonometry. – **2.** ⟨*rar*⟩ (*goniometria*) goniometry. – **trigonometrico** *a.* (*pl.* **-ci**) trigonometric(al).
trigramma *m.* ⟨*Fon*⟩ trigraph.
trigriglia: ⟨*Rad*⟩ *tubo* ~ pentode (valve).
trilaterale *a.* **1.** trilateral, three-sided. – **2.** ⟨*fig*⟩ trilateral, three-sided, three-cornered: *accordo* ~ trilateral agreement. – **trilatero I** *a.* ⟨*Geom*⟩ trilateral. – **II** *s.m.* trilateral.
trilene *m.* → **trielina.**
trilettere *a./s.* ⟨*non com*⟩ → **trilittero.**
trilineare *a.* (*di tre linee*) trilinear.
trilingue *a.* **1.** trilingual, triglot, in three languages: *iscrizione* ~ trilingual inscription; *testo* ~ triglot text. – **2.** (*che parla tre lingue*) trilingual, speaking three languages. – **trilinguismo** *m.* use of three languages.
trilione *m.* ⟨*Mat*⟩ (*un milione di bilioni*) trillion, ⟨*am*⟩ quintillion.
trilite *m.* ⟨*Archeol*⟩ trilith. – **trilitico** *a.* (*pl.* **-ci**) trilithic.
trilitterale *a./s.* → **trilittero.** – **trilitterismo** *m.* → **triconsonantismo.** – **trilittero I** *a.* ⟨*Ling*⟩ triliteral, three-letter-. – **II** *s.m.* triliteral.
trillante (*p.pr. di trillare*) *a.* trilling. – **trillare** *v.i.* (*aus.* **avere**) **1.** to trill, to quaver; (*rif. a uccelli*) to warble, to trill. – **2.** ⟨*Mus*⟩ to trill. – **trillo** *m.* **1.** ⟨*Mus*⟩ trill, quaver. – **2.** (*rif. a campanelli*) ring, trill; (*rif. a uccelli*) warble, trill.
trilobato *a.* **1.** ⟨*Biol*⟩ trilobate, three-lobed. – **2.** ⟨*Arch*⟩ trefoil, three-foiled: *arco* ~ trefoil arch.
trilobiti *f.pl.* ⟨*Paleont*⟩ trilobites *pl* (*Trilobitae, Trilobita*).
tri|lobo I *a.* → **trilobato.** – **II** *s.m.* ⟨*Arch*⟩ (*arco trilobato*) trefoil arch. – **~loculare** *a.* ⟨*Bot*⟩ trilocular, triloculate. – **~logia** *f.* ⟨*Lett, Mus*⟩ trilogy. – **~longherone I** *a.* ⟨*Aer*⟩ three longeron-. – **II** *s.m.* three longeron construction. – **~lustre** *a.* ⟨*lett*⟩ fifteen year-.
trim. = *trimestre* trimester.
Trimalc(h)ione *N.pr.m.* ⟨*Lett*⟩ Trimalchio. – **trimalcionico** *a.* (*pl.* **-ci**) ⟨*lett*⟩ ⌜worthy of⌝ (*o* fit for) Trimalchio.
trimegisto *a./s.* ⟨*ant*⟩ → **trismegisto.**
trimembre, trimembro *a.* ⟨*non com*⟩ three-membered.
trimeria *f.* ⟨*Bot*⟩ trimerous condition. – **trimero I** *a.* **1.** ⟨*Bot*⟩ trimerous. – **2.** ⟨*Chim*⟩ trimeric. – **II** *s.m.* ⟨*Chim*⟩ trimer.
trimestrale *a.* **1.** quarterly, ⟨*lett*⟩ trimestr(i)al. – **2.** (*che ricorre ogni tre mesi*) quarterly, three-monthly, three-month-: *pubblicazione* ~ quarterly (review), trimestrial. – **3.** ⟨*Scol*⟩ term's, term-. – **trimestralmente** *avv.* every quarter, quarterly.
trimestre I *s.m.* **1.** quarter, three months *pl*, trimester: *pagare ogni* ~ to pay every (*o* by the) quarter. – **2.** ⟨*Scol*⟩ term, ⟨*am*⟩ trimester. – **3.** (*paga trimestrale*) quarter's (*o* three months') pay; (*rata trimestrale*) quarterly instalment. – **4.** (*numero, fascicolo trimestrale*) number (of a quarterly). – **II** *a.* ⟨*lett*⟩ → **trimestrale.**
trimetilene *m.* ⟨*Chim*⟩ trimethylene, cyclopropane.
trimetilxantina *f.* ⟨*Chim*⟩ (*caffeina*) caffeine, trimethyl-xanthine.
trimetrico *a.* (*pl.* **-ci**) ⟨*Metr*⟩ trimeter-, of a trimeter. – **trimetro** *m.* (*anche verso trimetro*) trimeter. ☐ ~ *giambico* iambic trimeter; ~ *trocaico* trochaic trimeter.
trimorfismo *m.* ⟨*Bot*⟩ trimorphism. – **trimorfo** *a.* trimorphic, trimorphous.
trimotore I *a.* trimotor. – **II** *s.m.* ⟨*Aer*⟩ trimotor (plane).
trimpellare *v.i.* (**trimpello**; *aus.* **avere**) **1.** (*tosc*) (*reggersi male sulle gambe*) to stagger, to totter, to reel; (*rif. a oggetti*) to be shaky, to totter. – **2.** ⟨*fig,tosc*⟩ (*essere indeciso*) to waver, to hesitate. – **3.** ⟨*rar*⟩ (*strimpellare*) to strum, to thrum.
trimpellino *m.* ⟨*tosc*⟩ **1.** (*chi barcolla*) staggerer, totterer. – **2.** ⟨*fig*⟩ (*chi tentenna*) waverer, hesitater. – **trimpellio** *m.* ⟨*non com*⟩ **1.** (*barcollio*) staggering, tottering, reeling. – **2.** (*strimpellio*) strum(ming).
trimurti *f.* ⟨*Rel*⟩ Trimurti.
trina *f.* ⟨*Lav.femm*⟩ lace. ☐ *-e* ⌜*di punto*⌝ (o *all'ago*) point-lace; *-e ricamate* embroidered lace; *sembrare una* ~ to be lacy, to be as delicate (*o* fine) as lace.
Trinacria *N.pr.f.* ⟨*Geog.stor*⟩ Sicily, ⟨*ant*⟩ Trinacria. – **trinacrio** *a.* ⟨*lett*⟩ Sicilian, Trinacrian.
trinaia *f.* ⟨*non com*⟩ **1.** (*artigiana*) lace-maker, lace-worker. – **2.** (*venditrice*) lace-seller. – **triname** *m.* ⟨*non com*⟩ (assortment of) lace.
trinare[1] *v.t.* ⟨*non com*⟩ (*guarnire di trine*) to trim (*o* edge) with lace, to lace.
trinare[2] *v.i.* (*aus.* **avere**) ⟨*Lit*⟩ to trinate.
trinato[1] (*p.p. di trinare*[1]) *a.* ⟨*non com*⟩ (*guarnito di trine*) lace-trimmed, edged with lace.
trinato[2] *a.* ⟨*non com*⟩ **1.** (*disposto a tre a tre*) arranged in threes, three-by-three. – **2.** ⟨*Mar*⟩ triple, three-gun: *torre -a* triple turret.
trinca *f.* ⟨*Mar*⟩ gammon(ing). ☐ *navigare alla* ~ to sail with only staysails; ⟨*region*⟩ *nuovo di* ~ (*nuovo di zecca*) brand-new; ⟨*non com*⟩ *tagliare* (o *lasciare*) *di* ~ (*di colpo*) to stop suddenly, to cut short.
trincare[1] *v.t.* (**trinco, trinchi**) ⟨*Mar*⟩ to lash, to secure.
trincare[2] *v.t.* (**trinco, trinchi**) ⟨*pop*⟩ to drink: *gli piace* ~ he likes to drink; (*vuotare*) to drink down, ⟨*fam*⟩ to knock back.
trincarino *m.* ⟨*Mar*⟩ stringer; (*rif. a nave in legno*) waterway.
trincata *f.* ⟨*pop*⟩ (*bevuta*) drink.
trincato *a.* ⟨*ant*⟩ (*furbo*) cunning, sly.
trincatore *m.* ⟨*non com,pop*⟩ (*bevitore*) (great, heavy) drinker, tippler.
trincatura *f.* ⟨*Mar*⟩ lashing, securing.
trincea *f.* **1.** ⟨*Strad,Ferr*⟩ cutting, ⟨*am*⟩ cut. – **2.** ⟨*Mil*⟩ trench: *guerra di* ~ trench warfare. ☐ *febbre delle -e* trench fever; ⟨*fig*⟩ *in* ~ (*al fronte*) in the front line, at the front. – **trincera** *f.* ⟨*ant*⟩ → **trincea.**
trinceramento *m.* **1.** (en)trenching, entrenchment. – **2.** (*luogo trincerato*) entrenchment. – **trincerare** *v.t.* (**trincero**) to (en)trench. – **trincerarsi** *v.r.* **1.** to entrench o.s. – **2.** ⟨*fig*⟩ (*ripararsi, difendersi*) to take refuge, to hide: *trincerarsi nel silenzio* to take refuge in silence. ☐ *trincerarsi dietro* (o *con*) *un pretesto* to find an excuse. – **trincerato** (*p.p. di trincerare*) *a.* **1.** (en)trenched, fortified with trenches. – **2.** ⟨*fig*⟩ (*riparato*) protected, defended, sheltered.
trincerista *m.* ⟨*Mil*⟩ trench soldier.
trincerone (*accr. di trincea*) *m.* ⟨*Mil.ant*⟩ wide fortified (*o* revetted) trench.
trincettata *f.* **1.** (*colpo*) blow with (*o* from) a shoe knife. – **2.** (*taglio*) cut (made by a shoe knife). – **trincetto** *m.* ⟨*Calz*⟩ shoe (*o* cobbler's) knife.
trinchettina *f.* ⟨*Mar*⟩ fore (*o* topmast) staysail. ☐ ~ *di fortuna* (*mangiavento*) storm jib.
trinchetto *m.* ⟨*Mar*⟩ **1.** (*albero*) foremast. – **2.** (*pennone*) foreyard. – **3.** (*vela inferiore*) foresail. ☐ *albero di* ~ foremast.
trincia|foglia *m.inv.* (*in bachicoltura*) mulberry-leaf shredder. – **~foraggi** *m.inv.* ⟨*Agr*⟩ fodder-cutter.
trinciamento *m.* ⟨*non com*⟩ cutting (up), chopping (up), shredding; (*lo scalcare*) carving.
trinciante[1] (*p.pr. di trinciare*) **I** *a.* cutting, chopping; (*che serve a scalcare*) carving. – **II** *s.m.* **1.** (*coltello*) carving knife. – **2.** ⟨*ant*⟩ (*scalco*) carver.
trinciante[2] *m.* ⟨*ant*⟩ (*tipo di fazzoletto*) headscarf (worn in bed).
trincia|paglia *m./f.inv.* ⟨*Agr*⟩ straw-cutting machine. – **~polli** *m.inv.* poultry shears *pl.* – **~pollo** *m.* → **trinciapolli.**
trinciare *v.t.* (**trincio, trinci**) **1.** (*tagliare*) to cut (up), to chop (up): ~ *la paglia* to cut the straw up. – **2.** (*scalcare*) to carve, to cut: ~ *un pollo* to carve a chicken. – **3.** ⟨*non com*⟩ (*mangiare con avidità*) to eat avidly. – **trinciarsi** *v.r.* to wear out, to shred, to split. ☐ ⟨*fig*⟩ ~ *l'aria con gesti* to make sweeping gestures, to beat (*o* flail) the air; ⟨*fig*⟩ ~ *giudizi* (*dare giudizi avventati*) to make rash (*o* sweeping) judgements; (*giudicare con aria dotta*) to be sententious (*o* a wiseacre); ⟨*fig*⟩ ~ *i panni addosso a qd.* (*parlarne male*) to pull s.o. to pieces, to run s.o. down.
trinciarighe *m.* ⟨*Tip*⟩ lead and slug cutter.
trinciata *f.* cut, chop, slice. ☐ *dare una* ~ *a qc.* to cut s.th. up. – **trinciatina** *f. dim. di* **trinciata.**
trinciato (*p.p. di trinciare*) **I** *a.* **1.** (*tagliato*) cut (up), chopped (up). – **2.** (*scalcato*) carved, cut. – **3.** ⟨*Arald*⟩ (parted) per bend. – **II** *s.m.* **1.** (*tabacco*) shag, cut. – **2.** ⟨*Arald*⟩ shield with a bend. ☐ ~ *forte* strong shag; ~ *medio* medium cut; ~ *sottile* fine cut.
trinciatore I *s.m.* (*f.* **-trice**) **1.** cutter, shredder. – **2.** ⟨*ant*⟩ (*scalco*) carver, steward. – **II** *a.* ⟨*rar*⟩ carving, cutting. – **trinciatrice** *f.* (*persona, macchina*) cutter, shredder.
trinciatuberi *m./f.inv.* ⟨*Agr*⟩ root-shredder; (*per affettare*) slicer, slicing-machine.
trinciatura *f.* **1.** cutting (up), shredding, chopping (up). – **2.** ⟨*concr*⟩ shreds *pl*, cuttings *pl.* – **3.** ⟨*Ind*⟩ cutting (into fine shreds).
trinciera *f.* ⟨*ant*⟩ → **trincea.**
trincio *m.* ⟨*non com*⟩ tear, cut; (*punto*) tear.
trincone *m.* (*f.* **-a**) ⟨*pop,scherz*⟩ (*gran bevitore*) drunkard, heavy (*o* hard) drinker, tippler, ⟨*fam*⟩ boozer.
trinella *f.* ⟨*Mar*⟩ sennit, sinnet.
trinellare *v.t.* (**trinello**) ⟨*Lav.femm,rar*⟩ (*fornire di trine*) to ⌜sew on⌝ (*o* adorn with) lace; (*fornire di soutache*) to sew on braid (*o* soutache).
tringa *f.* ⟨*Ornit*⟩ Tringa (*Tringa*).
Trinidad *N.pr.f.* ⟨*Geog*⟩ Trinidad.
trinità[1] *f.* **1.** trinity, threefoldness. – **2.** ⟨*Teol*⟩ (*dottrina*) Trinity, trinity. – **Trinità** *f.* Trinity. ☐ ⟨*Lit*⟩ *festa della santissima* ~ Trinity Sunday.
trinità[2] *f.* ⟨*Bot*⟩ (*anche erba trinità*) liver leaf, hepatica (*Anemone hepatica triloba*).
trinitario I *a.* **1.** ⟨*Teol*⟩ Trinitarian, of the Trinity: *dogma* ~ dogma

of the Trinity. – **2.** ⟨*Rel*⟩ Trinitarian: *ordine* ~ Trinitarian Order. – **II** *s.m.* ⟨*Rel*⟩ Trinitarian.
trinitarịṣmo *m.* → **triteismo.**
trinitrịna *f.* ⟨*Chim*⟩ (*nitroglicerina*) nitroglycerin(e), trinitrin, trinitroglycerin(e).
trinitro|benzẹne *m.* ⟨*Chim*⟩ trinitrobenzene. – **~cresọlo** *m.* trinitrocresol. – **~fenọlo** *m.* trinitrophenol. – **~glicerịna** [-gl-] *f.* → **trinitrina.** – **~toluẹne** *m.* trinitrotoluene.
trịno *a.* **1.** ⟨*rar*⟩ (*triplice*) triple, threefold, trine. – **2.** ⟨*Teol*⟩ Triune, Three: *Dio uno e* ~ the One and Triune God, God ⌜One and Three⌝ (*o* Three in One). – **3.** ⟨*Agr*⟩ (*trinato*) arranged in threes, three-by-three. – **4.** ⟨*Mar*⟩ (*trinato*) triple, three-gun-.
trinọmio I *s.m.* ⟨*Mat*⟩ trinomial (*anche fig.*). – **II** *a.* ⟨*Mat*⟩ trinomial.
trinundịno *m.* ⟨*Stor.rom*⟩ trinundine.
trịo I *s.m.* **1.** ⟨*Mus*⟩ trio. – **2.** ⟨*fig,scherz*⟩ trio, three. – **3.** ⟨*Sport*⟩ trio. – **II** *a.* trio, three-high: ⟨*Met*⟩ *laminatoio* ~ trio (*o* three-high) mill.
triọbolo *m.* ⟨*Numism*⟩ triobol.
trịodo *m.* ⟨*El*⟩ triode, three-electrode tube. □ ~ *doppio* duotriode, double (*o* dual, twin) triode; ~ *a gas* triode, thyratron, grid-glowtube; ~ *a ghianda* acorn triode.
trioicịṣmo *m.* ⟨*Bot*⟩ trioecism, trioecious polygamy. – **triọico** *a.* (*pl.* **-ci**) trioecious.
trionfạle *a.* **1.** triumphal: *entrata* ~ triumphal entry; *arco* ~ triumphal arch, arch of triumph. – **2.** (*festoso*) triumphant, triumphal, exultant: *accoglienza* ~ triumphal reception; *successo* ~ triumphant success. – **trionfalmẹnte** *avv.* **1.** triumphally. – **2.** (*festosamente*) triumphantly, triumphally. – **trionfạnte** (*p.pr. di trionfare*) *a.* **1.** triumphant, in triumph: *la Chiesa* ~ the Church Triumphant. – **2.** ⟨*estens*⟩ (*pieno di gioia*) triumphant, exultant. □ *essere* ~ to triumph, to exult.
trionfạre *v.i.* (**triọnfo**; *aus.* **avere**) **1.** ⟨*Stor.rom*⟩ to triumph. – **2.** (*riportare una vittoria*) to triumph, to be victorious, to prevail (*su*, *di* over): ~ *sui nemici* to triumph over one's foes. – **3.** ⟨*fig*⟩ to triumph, to be victorious, to prevail (*su* over): *lo spirito trionfa sulla materia* mind triumphs over matter; *far* ~ *la giustizia* to make justice prevail. – **4.** ⟨*fig*⟩ (*ottenere un successo*) to be a (great) success, to be successful: *una commedia che trionfa sulle scene di tutta l'Italia* a play which is a great success throughout Italy. – **5.** ⟨*fig*⟩ (*esultare*) to exult, to triumph. – **6.** ⟨*fig,spreg*⟩ (*vantarsi*) to boast. □ *la verità presto o tardi trionfa* truth will out. – **trionfạto** (*p.p. di trionfare*) *a.* ⟨*poet*⟩ (*vinto, debellato*) conquered, defeated. – **trionfatọre** *m.* (*f.* **-trice**) **1.** ⟨*Stor.rom*⟩ triumphator. – **2.** (*vincitore*) conqueror, winner, victor, triumpher.
triọnfo *m.* **1.** ⟨*Stor.rom*⟩ triumph. – **2.** (*splendida vittoria*) triumph. – **3.** ⟨*fig*⟩ (*vittoria*) triumph, victory: *il* ~ *della giustizia* the triumph of justice; (*successo*) success: *la rappresentazione fu un* ~ the show was a success (*o* hit). – **4.** (*manifestazione di entusiasmo*) triumph, exultation, joy. – **5.** ⟨*Art*⟩ triumph. – **6.** ⟨*Stor*⟩ (*carro allegorico*) (processional) float; (*canto*) carnival song. – **7.** ⟨*Arred*⟩ (*trionfo da tavola*) ornamental stand (*o* centre-piece). – **8.** ⟨*Rel*⟩ (*glorificazione celeste*) triumph, exultation. – **9.** (*tarocco*) tarok, taroc(k). – **10.** *pl.* ⟨*Dolc*⟩ large ornate cakes *pl.* □ *accogliere qd. in* ~ to greet s.o. in triumph; *essere portato in* ~ to be borne in triumph, to be carried shoulder-high.
triọni *m.pl.* ⟨*lett*⟩ **1.** (*Orsa maggiore e minore*) Great Bear and Little Bear, Ursa Major and Ursa Minor. – **2.** (*Orsa minore*) Little Bear, Ursa Minor. – **3.** (*settentrione*) north.
triọnice *f.* ⟨*Zool*⟩ trionych(o)id (*Trionyx*). – **trionịcidi** *m.pl.* trionych(o)ids *pl* (*Trionychidae*).
triorchidịa *f.* ⟨*Med,Veter*⟩ triorchidism.
triọssido *m.* ⟨*Chim*⟩ trioxide: ~ *d'arsenico* arsenic trioxide.
triọtto *m.* ⟨*Itt*⟩ fish similar to a roach (*Leuciscus aula*).
tripạla *f.* ⟨*Aer*⟩ (*anche elica tripala*) three-blade(d) propeller.
tripalmitịna *f.* ⟨*Chim*⟩ tripalmitin.
tripanẹidi *m.pl.* ⟨*Entom*⟩ trypetids *pl*, trypaneids *pl* (*Trypaneidae, Trypetidae*).
tripanocịda I *a.* ⟨*Med*⟩ trypanocidal. – **II** *s.m.* trypanocide. – **tripanọṣi** *f.* → **tripanosomiasi.** – **tripanosọma** *m.* ⟨*Zool*⟩ trypanosome (*Trypanosoma, Castellanella*). – **tripanosomịaṣi** *f.* ⟨*Med,Veter*⟩ trypanosomiasis.
tripartịre *v.t.* (**tripartịsco, tripartịsci**) ⟨*non com*⟩ to divide into three (parts).
tripartịtico *a.* (*pl.* **-ci**) three-party-, tripartite. – **tripartitịṣmo** *m.* ⟨*non com*⟩ tripartitism, three-party system.
tripartịto[1] (*p.p. di tripartire*) *a.* **1.** tripartite. – **2.** ⟨*Pol*⟩ tripartite, three-party-. – **3.** ⟨*Bot*⟩ tripartite. – **Tripartito** *m.* ⟨*Stor*⟩ Tripartite pact.
tripartịto[2] *m.* ⟨*Pol*⟩ (*anche governo tripartito*) three-party government.
tripartiziọne *f.* tripartition, division into three.
tripennạto *a.* ⟨*Bot*⟩ tripinnate. – **tripennatosẹtto** *a.* tripinnatisect.
tripẹtalo *a.* ⟨*Bot*⟩ tripetaloid.
trịpide *m.* ⟨*Entom*⟩ **1.** thrips (*Thrips*). – **2.** *pl.* thrips *pl*, thripids *pl* (*Thripidae*). □ ~ *del tabacco* onion (*o* tobacco) thrips.
tripịtaka *m.* ⟨*Rel*⟩ Tri-pitaka.
trịpla *f.* (*rif. a giochi*) combination of all three probabilities.
triplạno *m.* ⟨*Aer*⟩ triplane.
triplegịa *f.* ⟨*Med*⟩ triplegia.
trịplet *ingl. m.* **1.** ⟨*Ott*⟩ triplet. – **2.** (*in spettroscopia*) triplets *pl.*
triplẹtta *f.* **1.** (*bicicletta a tre posti*) three-seat bicycle. – **2.** (*schioppo da caccia*) three-barrelled shotgun. – **3.** ⟨*non com*⟩ (*triplo colpo riuscito*) triple win.
triplẹtto *m.* → **triplet.**
trịplex *m.* **1.** ⟨*Met*⟩ (*processo triplex*) triplex process. – **2.** ⟨*Mar*⟩ system of three coincidence range-finders.
triplicạre *v.t.* (**trịplico, trịplichi**) **1.** to triple, to multiply by three, to triplicate: ~ *un numero* to triple a number. – **2.** ⟨*iperb*⟩ to triple, to treble, to multiply by three, to increase threefold. – **triplicarsi** *v.r.* to triple, to treble. – **triplicạto** (*p.p. di triplicare*) *a.* **1.** tripled, triplicated: *un prezzo* ~ a tripled price. – **2.** ⟨*iperb*⟩ tripled, trebled, (increased) threefold. – **triplicatọre** *m.* tripler. – **triplicaziọne** *f.* **1.** tripling, triplication. – **2.** ⟨*iperb*⟩ tripling, trebling, increasing threefold.
trịplice *a.* **1.** triple, threefold: *un* ~ *effetto* a triple effect. □ *in* ~ *copia* in triplicate. – **2.** (*che avviene fra tre parti*) triple: ⟨*Stor*⟩ ≈ *Alleanza* Triple Alliance. – **triplicemẹnte** *avv.* ⟨*non com*⟩ three times. – **triplicità** *f.* ⟨*non com*⟩ triplicity, threefold nature.
triplinẹrvio *a.* ⟨*Bot*⟩ triple-nerved, trinervate, three-nerved-.
triplịsta *m./f.* ⟨*Sport*⟩ hop step and jump specialist.
triplịte *f.* ⟨*Min*⟩ triplite.
trịplo I *a.* **1.** (*tre volte maggiore*) triple, three times as much (*o* great), threefold: *una somma -a* three times ⌜as much money⌝ (*o* the sum); *con forze -e* with threefold strength; (*tre volte più grande*) three times as big (*o* large), three times the size: *voglio un bastone* ~ *di questo* I want a stick three times ⌜as large as⌝ (*o* the size of) this one. – **2.** (*ripetuto tre volte*) triple. – **3.** → **triplice.** – **II** *s.m.* triple, three times *pl*: *sei è il* ~ *di due* six is three times two; (*tre volte tanto*) triple, three times as much: *guadagna il* ~ *di me* he earns three times as much as I do. □ *salto* ~ hop step and jump.
triplọide *a.* ⟨*Biol*⟩ triploid. – **triploidịa** *f.* triploidy.
triplọmetro *m.* ⟨*Topogr*⟩ three-metre rod.
triplopịa *f.* ⟨*Med*⟩ triplopia.
trịpode *m.* **1.** (*treppiede*) tripod. – **2.** ⟨*Stor.gr*⟩ tripod. □ ⟨*fig*⟩ *sedere sul* ~ (*sentenziare*) to pontificate, to be sententious.
tripodịa *f.* ⟨*Metr*⟩ tripody: ~ *anapestica* anap(a)estic tripody.
tripolạre *a.* ⟨*El*⟩ tripolar.
trịpoli *m.* ⟨*Geol*⟩ tripoli.
Trịpoli *N.pr.f.* ⟨*Geog*⟩ **1.** (*in Libia*) Tripoli. – **2.** (*nel Libano*) Tripoli; ⟨*Stor*⟩ Tripolis. – **tripolịno I** *a.* of Tripoli, Tripoli-, Tripolitan. – **II** *s.m.* **1.** (*abitante*; *f.* **-a**) native (*o* inhabitant) of Tripoli, Tripolitan. – **2.** ⟨*Lav.femm*⟩ kind of crochet work.
Tripolitạnia *N.pr.f.* ⟨*Geog*⟩ Tripolitania.
trịpolo *m.* ⟨*pop*⟩ → **tripoli.**
tripọsto *m.inv.* ⟨*Aer*⟩ three-seater.
trịppa *f.* **1.** ⟨*Gastr*⟩ tripe. – **2.** ⟨*scherz*⟩ (*ventre*) stomach, ⟨*volg*⟩ belly: *riempirsi la* ~ to fill one's belly, to stuff o.s.; (*pancione*) paunch, ⟨*fam*⟩ pot(-belly), ⟨*fam*⟩ bay-window. – **3.** ⟨*Conc*⟩ pelt (stripped of hair, fur or wool). □ ⟨*scherz*⟩ *mettere su* ~ (*ingrassare*) to put on weight, to get fat (*o* paunchy); ⟨*scherz*⟩ *pensare solo alla* ~ to think only of one's stomach. – **trippạccia** (*pegg. di trippa*) *f.* (*pl.* **-ce**) ⟨*scherz*⟩ (*pancione*) paunch, ⟨*fam*⟩ pot(-belly), ⟨*fam*⟩ bay-window.
trippạio *m.* (*f.* **-a**) **1.** → **trippaiolo.** – **2.** ⟨*Macell*⟩ tripe-man (*f* -woman). – **trippaiọlo** *m.* (*f.* **-a**) (*venditore*) tripe-seller. – **trippạrolo** *m.* ⟨*roman*⟩ → **trippaiolo.** – **trippạto** *a.* ⟨*Gastr,non com*⟩ cooked and served like tripe. – **tripperịa** *f.* **1.** (*negozio*) tripe-shop, tripery. – **2.** ⟨*Macell*⟩ tripery.
trippẹtta (*dim. di trippa*) *f.* ⟨*fam*⟩ (*ventre*) stomach, ⟨*volg*⟩ belly.
trippẹtto *m.* ⟨*Bot*⟩ (*spugnola*) morel (*Morchella*).
trippọne (*accr. di trippa*) *m.* ⟨*fam*⟩ **1.** (*pancione*) paunch, ⟨*fam*⟩ pot(-belly), ⟨*fam*⟩ bay-window. – **2.** (*persona con la pancia grossa*) pot-belly, ⟨*fam*⟩ fatty.
tripsịna *f.* ⟨*Biol*⟩ trypsin.
triptofạno *m.* ⟨*Biol*⟩ tryptophan(e).
tripudiạre *v.i.* (**tripụdio, tripụdi**; *aus.* **avere**) to rejoice, to exult. – **tripụdio** *m.* **1.** rejoicing, jubilation, exultation, ⟨*lett*⟩ tripudiation. – **2.** ⟨*fig*⟩ (*aspetto gioioso*) joy, joyful sight. – **3.** ⟨*Stor.rom*⟩ (*danza sacerdotale*) tripudium, kind of religious dance; (*auspicio*) tripudium, tripudiary divination. – **4.** ⟨*poet*⟩ (*danza gioiosa*) dance of joy.
triradiạto *a.* ⟨*Zool*⟩ (*triasse*) triradiate.
trirẹgno *m.* (*tiara papale*) (papal) tiara, triregnum.
trirẹme *f.* ⟨*Mar.ant*⟩ (*anche nave trireme*) trireme.
tris *m.* three (of a kind): ~ *di re* three kings.
triṣạgio *m.* ⟨*Lit*⟩ trisagion.
triṣạvo(lo) *m.* (*f.* **-a**) **1.** (*padre del bisavolo*) great-great-grandfather (*f* grandmother). – **2.** (*antenato*) ancestor.
trịscele *f.* ⟨*Numism*⟩ triskele, triskelion.
triṣdrụcciolo *a.* ⟨*Fon,non com*⟩ having the accent on the fifth to last syllable.
trisecạre *v.t.* (**trịseco, trịsechi**) ⟨*Mat*⟩ to trisect.
trisẹtto *a.* ⟨*Bot*⟩ triseptate.
triseziọne *f.* ⟨*Geom*⟩ trisection.
trisillạbico *a.* (*pl.* **-ci**) trisyllabic. – **trisillabịṣmo** *m.* ⟨*Gramm*⟩ trisyllabism. – **trisịllabo I** *a.* → **trisillabico.** – **II** *s.m.* **1.** (*parola*) trisyllable. – **2.** (*verso*) trisyllabic verse, line of verse of three syllables.
trisimbiọṣi *f.* ⟨*Bot*⟩ triple symbiosis.
trịṣma *m.* ⟨*Med*⟩ trismus, lockjaw.
triṣmegịsto I *a.* ⟨*Mitol*⟩ (*tre volte il più grande*) Trismegistus,

Trismegistic(al): *Ermete* ~ Hermes Trismegistus. – **II** *s.m.* ⟨*Tip, ant*⟩ 36-point.
trismo *m.* → **trisma**.
trisolfato *m.* ⟨*Chim*⟩ trisulphate. – **trisolforico** *a.* (*pl.* **-ci**) trisulphuric. – **trisolfuro** *m.* trisulphide.
trissagine *f.* ⟨*Bot*⟩ (*camedrio*) wall germander (*Teucrium chamaedrys*).
Tristano *N.pr.m.* ⟨*Lett*⟩ Tristan, Tristram. □ ~ *e Isotta* Tristan and Isolde.
tristanzuolo *a.* ⟨*lett*⟩ **1.** (*alquanto tristo*) bad. – **2.** (*bricconcello*) somewhat roguish. – **3.** ⟨*ant*⟩ (*sparuto*) haggard, wasted. – **4.** ⟨*ant*⟩ (*buono a nulla*) good-for-nothing.
triste *a.* **1.** sad, unhappy, downcast: *un ragazzo* ~ a sad boy; (*che esprime tristezza*) sad, unhappy: *occhi -i* sad eyes. – **2.** (*che causa tristezza*) sad, sorrowful, unhappy: *una* ~ *notizia* sad news. – **3.** (*misero, squallido*) bleak, gloomy, dreary, depressing: *una casa* ~ a dreary house. – **tristemente** *avv.* (*in modo triste*) sadly, unhappily, sorrowfully. □ *un luogo* ~ *famoso* a place famous because of its unhappy associations.
tristezza *f.* **1.** sadness, unhappiness. – **2.** (*fatto che affligge*) sorrow, grief, affliction; (*dispiacere*) care, trouble. – **3.** ⟨*ant*⟩ (*malvagità, cattiveria*) wickedness; (*atto malvagio*) wicked act, evil deed.
tristico[1] *a.* (*pl.* **-ci**) ⟨*Bot*⟩ tristichous.
tristico[2] *m.* (*pl.* **-ci**) ⟨*Metr*⟩ (*anche verso tristico*) tristich.
tristizia *f.* ⟨*ant,lett*⟩ **1.** (*tristezza*) sadness, melancholy. – **2.** (*ciò che è causa di dolore*) sorrow. – **3.** (*malvagità, cattiveria*) wickedness, badness. – **4.** (*atto malvagio*) wicked deed.
tristo *a.* **1.** (*malvagio*) wicked, evil, bad: *azione -a* wicked deed. – **2.** (*scaltro*) cunning, sly: *è* ~ *come il demonio* he's as sly as the devil. – **3.** (*meschino, magro*) poor, mean, lean, sorry; (*stentato*) stunted. – **4.** (*sventurato*) wretched, unhappy, hapless: *avere un* ~ *destino* to have a hapless fate. – **5.** ⟨*ant,lett*⟩ (*triste*) sad, unhappy; (*penoso*) sorrowful, painful. – **6.** ⟨*ant*⟩ (*sgradevole*) unpleasant; (*puzzolente*) evil-smelling, stinking. □ ⟨*ant*⟩ *alla -a* (*di malavoglia*) unwillingly; ⟨*ant*⟩ *trist'a chi nasce povero!* woe betide (*o* to) anyone born poor!
trisulco *a.* (*pl.* **-chi**) ⟨*lett*⟩ **1.** (*a tre solchi*) three-grooved. – **2.** (*a tre punte*) three-pointed. □ *lingua -a* forked tongue (*anche fig.*).
tritabile *a.* that may be chopped (*o* ground), grindable; (*che si può pestare*) poundable.
trita|carne *m.inv.* (*anche macchinetta tritacarne*) mincer, meat grinder (*o* chopper). – **~ghiaccio** *m.inv.* ice-crusher.
tritagonista *m.* ⟨*Teat*⟩ tritagonist.
tritame *m.* → **tritume**.
tritamente *avv.* ⟨*lett*⟩ **1.** (*minutamente*) minutely. – **2.** ⟨*fig*⟩ (*minuziosamente*) closely, in detail. – **tritamento** *m.* grinding, chopping (up).
tritanomalia *f.* ⟨*Med*⟩ partial tritanopia. – **tritanopia** *f.* tritanopia.
tritapannelli *m.inv.* (*frangipannelli*) grinder of oil cakes.
tritare *v.t.* **1.** to grind, to chop (up); (*rif. a carne e sim.*) to mince, to grind, to chop (up). – **2.** (*pestare*) to pound. – **3.** ⟨*ant,region*⟩ (*trebbiare*) to thresh. – **4.** ⟨*ant*⟩ (*calpestare*) to tread (*o* step) on. – **5.** ⟨*fig,ant*⟩ (*trattare con eccessiva minuzia*) to treat in too much detail; (*esaminare minutamente*) to examine closely. – **tritato** (*p.p. di tritare*) **I** *a.* minced, ground, chopped: *carne -a* minced meat, mince(meat). – **II** *s.m.inv.* (*carne tritata*) minced (*o* chopped, ground) meat, mincemeat, mince. – **tritatura** *f.* **1.** mincing, grinding, chopping; (*il pestare*) pounding. – **2.** ⟨*concr*⟩ chopped (*o* ground) things *pl*, mince.
tritatutto *m.inv.* food chopper (*o* grinder), mincer.
triteismo *m.* ⟨*Teol*⟩ tritheism. – **triteista I** *s.m./f.* tritheist. – **II** *a.* tritheistic(al).
tritello *m.* (*cruschello*) fine bran.
tritemimera *f.* (*anche cesura tritemimera*) → **tritemimere**. – **tritemimere** *f.* ⟨*Metr*⟩ trithemimeral caesura.
triterio *m.* → **tritio**.
triternato *a.* ⟨*Bot*⟩ triternate.
tritico *a.* (*pl.* **-ci**) ⟨*lett,rar*⟩ (*frumento*) wheat.
tritino *m.* ⟨*Ind*⟩ pea.
tritio *m.* ⟨*Chim*⟩ tritium. – **tritionico**: *acido* ~ trithionic acid.
trito I *a.* **1.** (*tritato*) chopped, ground; (*rif. a carne e sim.*) minced, ground, chopped. – **2.** (*pestato*) pounded. – **3.** (*logoro, consumato*) worn, threadbare. – **4.** ⟨*fig*⟩ (*risaputo*) trite, common-place, hackneyed, stale, well-worn: *argomenti -i* trite subjects. – **5.** ⟨*lett*⟩ (*malvestito*) badly-dressed, shabby. – **6.** ⟨*ant*⟩ (*trebbiato*) threshed. – **7.** ⟨*ant*⟩ (*calpestato*) trodden; (*rif. a strada*) (well-)beaten, much -frequented, trodden. – **8.** ⟨*ant*⟩ (*minuto*) small. – **9.** ⟨*ant*⟩ (*breve*) short, brief. – **10.** ⟨*ant*⟩ (*rapido*) fast; (*frequente*) frequent. – **II** *s.m.* **1.** ⟨*Gastr*⟩ stuffing, forcemeat. – **2.** ⟨*Ind*⟩ pea. □ ~ *di carne* meat stuffing, forcemeat; ~ *di cipolla* onion stuffing; ⟨*fig*⟩ ~ *e ritrito* trite, hackneyed.
tritolare *v.t.* (**tritolo**) ⟨*rar*⟩ (*stritolare*) to grind.
tritolismo *m.* ⟨*Med*⟩ TNT poisoning, trinitrotoluene (*o* T.N.T.) poisoning.
tritolo[1] *m.* ⟨*Chim*⟩ trinitrotoluene, T.N.T., TNT.
tritolo[2] *m.* ⟨*fam,tosc*⟩ (*briciolo*) crumb, (tiny) piece, scrap.
tritone[1] *m.* **1.** ⟨*Mitol*⟩ Triton, triton. – **2.** ⟨*Zool*⟩ newt, triton (*Triturus*). □ ~ *crestato* (o *dalle verruche*) (water) newt, greater water newt, triton, eft, aquatic salamander (*Triturus cristatus*).
tritone[2] *m.* ⟨*Fis*⟩ triton.
Tritone *N.pr.m.* ⟨*Mitol,Astr*⟩ Triton.
tritono *m.* ⟨*Mus*⟩ tritone.
trittico *m.* (*pl.* **-ci**) **1.** triptych. – **2.** ⟨*Filat*⟩ series of three commemoratives. – **3.** ⟨*Aut*⟩ triptyque. – **4.** ⟨*non com*⟩ (*insieme di tre oggetti uguali*) set of three.
trittongo *m.* (*pl.* **-ghi**) triphthong.
tritume *m.* **1.** chopped (*o* ground) things *pl.* – **2.** ⟨*fig,spreg*⟩ (*piccola cosa*) triviality, trifle; (*eccesso di particolari insignificanti*) hair -splitting, petty detail.
tritura *f.* ⟨*ant*⟩ **1.** (*il tritare*) mincing, chopping, grinding. – **2.** (*roba tritata*) chopped (*o* ground) things *pl.* – **3.** (*trebbiatura*) threshing.
triturabile *a.* that may be chopped (*o* ground), grindable; (*macinabile*) grindable. – **trituramento** *m.* ⟨*non com*⟩ chopping, grinding. – **triturare** *v.t.* to chop, to grind, ⟨*lett*⟩ to triturate; (*macinare*) to grind. – **trituratore I** *s.m.* (*f.* **-trice**) ⟨*non com*⟩ chopper, grinder. – **II** *a.* chopping, grinding. □ ⟨*Zool*⟩ *apparato* ~ masticatory organs *pl*; ⟨*Anat*⟩ *denti -i* grinding teeth, grinders, molars. – **triturazione** *f.* chopping, grinding, ⟨*lett*⟩ trituration; (*macinatura*) grinding.
triumvirale *a.* → **triunvirale**. – **triumvirato** *m.* → **triunvirato**. – **triumviro** *m.* → **triunviro**.
triunfale *a.* ⟨*ant*⟩ → **trionfale**. – **triunfare** *v.* ⟨*ant*⟩ → **trionfare**. – **triunfo** *m.* ⟨*ant*⟩ → **trionfo**.
triunvirale *a.* ⟨*Stor.rom*⟩ triumviral. – **triunvirato** *m.* ⟨*Stor.rom, estens*⟩ triumvirate. – **triunviro** *m.* triumvir.
trivalente *a.* ⟨*Chim*⟩ trivalent. □ *iniezione* ~ compound injection. – **trivalenza** *f.* trivalence, trivalency.
trivalve *a.* ⟨*Biol*⟩ trivalve, trivalvular.
trivella *f.* **1.** ⟨*Fal*⟩ auger. – **2.** ⟨*Minier*⟩ drill. – **3.** ⟨*region*⟩ (*succhiello*) gimlet.
□ ⟨*Fal*⟩ ~ **cava** shell auger; ⟨*Fal*⟩ ~ *a* **elica** (o *tortiglione*) screw auger; ⟨*Minier*⟩ ~ *a* **granaglia** shot (*o* calyx) drill; ⟨*Minier*⟩ ~ *a* **percussione** percussion (*o* churn) drill; ⟨*Fal*⟩ ~ *a* **sgorbia** pod auger; ⟨*Minier*⟩ ~ *a* **tubo** core drill; ~ *a* **valvola** self-emptying borer (*o* drill).
trivellamento *m.* ⟨*non com*⟩ → **trivellazione**.
trivellare *v.t.* (**trivello**) **1.** to drill, to bore: ~ *un asse* to drill (a hole in) a plank; ~ *il terreno* to drill the ground. – **2.** (*forare*) to make a hole in, to pierce, to puncture. – **3.** ⟨*fig*⟩ (*assillare*) to torment, to harass, to nag at. – **4.** ⟨*lett*⟩ (*trapassare*) to cut through, to pierce.
trivellatore *m.* (*f.* **-trice**) **1.** driller, borer. – **2.** ⟨*Minier*⟩ (*trivella*) drill. – **trivellatura** *f.* **1.** drilling, boring. – **2.** ⟨*Minier*⟩ drilling, boring, sinking. – **3.** (*materiale trivellato*) borings *pl.*
trivellazione *f.* **1.** drilling, boring. – **2.** ⟨*Minier*⟩ drilling, boring, sinking; (*perforazione verticale del terreno*) deep drilling.
□ ~ **esplorativa** (o *d'assaggio*) explorative drilling; ~ *a* **getto** *d'acqua* jetting; ~ *a* **percussione** rope (*o* percussion, cable) drilling; ~ *a* **rotazione** rotary drilling; ~ **sottomarina** offshore (*o* submarine) drilling; **torre** *di* ~ derrick.
trivello *m.* ⟨*Fal*⟩ (*trivella*) auger.
triveneto *a.* (*delle tre Venezie*) of the three Venetias.
triviale *a.* **1.** (*volgare*) vulgar, coarse, low; (*scurrile*) obscene, lewd, bawdy: *espressione* ~ obscene term, obscenity. – **2.** (*banale*) trivial, commonplace, banal, obvious. – **3.** ⟨*Mediev*⟩ trivial, of the trivium. – **trivialità** *f.* **1.** (*volgarità*) vulgarity, coarseness; (*scurrilità*) obscenity, lewdness, bawdiness. – **2.** (*atto triviale*) vulgarity, vulgarism, vulgar act; (*espressione triviale*) coarse expression; (*oscenità*) obscenity: *dire* ~ to use obscenities (*o* coarse language). – **3.** (*banalità*) triviality, banality, obviousness. – **trivialmente** *avv.* vulgarly, coarsely. – **trivialone** (*accr. di triviale*) *m.* (*f.* **-a**) vulgar (*o* coarse) person. – **trivialuccio** (*dim. di triviale*) *a.* (*alquanto triviale*) rather vulgar.
Trivigi *N.pr.f.* ⟨*ant*⟩ → **Treviso**. – **trivigiano** *a./s.* ⟨*ant*⟩ → **trevigiano**.
trivio *m.* **1.** ⟨*non com*⟩ triple crossroad, place where three roads meet. – **2.** ⟨*Mediev*⟩ (*arti del trivio*) trivium. – **3.** ⟨*Zool*⟩ trivium. □ ⟨*spreg*⟩ *da* ~ (*triviale*) vulgar, coarse.
trivomere *a.* ⟨*Agr*⟩ three-share plough.
trivulziano *a.* ⟨*Stor*⟩ of (*o* concerning) the Trivulzio family.
trizio *m.* → **tritio**.
trizona *f.* ⟨*Stor*⟩ three occupied zones of West Germany.
Troade *N.pr.f.* ⟨*Geog,Stor*⟩ Troas, Troad.
trobadorico *a.* → **trovadorico**.
trocaico *a.* (*pl.* **-ci**) ⟨*Metr*⟩ trochaic: *verso* ~ trochaic verse.
trocantere *m.* ⟨*Anat,Zool*⟩ trochanter. □ *grande* ~ greater trochanter; *piccolo* ~ lesser trochanter. – **trocanterico** *a.* (*pl.* **-ci**) trochanteric, trochanteral. – **trocanterite** *f.* ⟨*Med*⟩ osteitis of the greater trochanter.
trocantino *m.* ⟨*Zool*⟩ (*trocantere*) trochantin(e), trochanter.
trocheo I *a.* ⟨*Metr*⟩ trochaic. – **II** *s.m.* trochee.
trochilia *f.* ⟨*Entom*⟩ aegeriid, clearwing moth (*Sesia*).
trochilidi *m.pl.* ⟨*Ornit*⟩ hummingbirds *pl* (*Trochilidae*).
trochilo *m.* ⟨*Arch*⟩ trochilus, scotia.
trochine *m.* ⟨*Anat*⟩ trochin. – **trochite** *m.* **1.** ⟨*Anat*⟩ trochiter. – **2.** ⟨*Zool,Paleont*⟩ (en)trochite. □ ⟨*Geol*⟩ *calcari a -i* trochiten-kalk.
troclea *f.* ⟨*Anat*⟩ trochlea. – **trocleare**: *nervo* ~ trochlear (nerve).
troco *m.* (*pl.* **-chi**) ⟨*Zool*⟩ **1.** trochus. – **2.** (*mollusco*) trochus, top-shell.
trococefalia *f.* ⟨*Med*⟩ (*acrocefalia*) trochocephalia, trochocephaly.
trocofora *f.* ⟨*Zool*⟩ (*anche larva trocofora*) trocophore.
trocoidale *a.* ⟨*Mat*⟩ (*cicloidale*) trochoidal, cycloid(al). – **trocoide**

I *a.* ⟨*Anat*⟩ trochoid(al): *articolazione* ~ trochoid articulation. – II *s.f.* **1.** (*cicloide*) cycloid. – **2.** (*rulletta*) trochoid, roulette.
trofẹo *m.* **1.** trophy; (*monumento*) trophy, monument. – **2.** ⟨*fig*⟩ (*vittoria*) victory. □ ~ *di caccia* hunting trophy; ~ *di guerra* war trophy.
trofịa *f.* ⟨*non com*⟩ → **trofismo**.
...trofia *suff.* (*nutrizione* nutrition) ...trophy: *ipertrofia f.* hypertrophy.
trọfico *a.* (*pl.* **-ci**) **1.** ⟨*Biol*⟩ trophic, nutritional. – **2.** ⟨*Med*⟩ trophic: *disturbo* ~ trophic disorder.
...trofico *suff.* (*nutrizione* nutrition) ...trophic, ...trophous: *atrofico a.* atrophic.
trofịsmo *m.* **1.** ⟨*Med*⟩ trophism. – **2.** ⟨*Biol*⟩ (*nutrizione*) trophism, nutrition.
trofo... *pref.* (*nutrizione* nutrition) troph(o)...
...trofo *suff.* → **...trofico**.
trofo|blạsto, **~ectodẹrma** *m.* ⟨*Biol*⟩ trophoblast, trophoderm. – **~fịllo** *m.* ⟨*Bot*⟩ trophophyll. – **~logịa** *f.* ⟨*rar*⟩ trophology. – **~neurọsi** *f.* ⟨*Med*⟩ trophoneurosis. – **~neurọtico** *a.* (*pl.* **-ci**) trophoneurotic. – **~nụcleo** *m.* ⟨*Biol*⟩ trophonucleus, macronucleus. – **~plạsma** *m.* ⟨*ant*⟩ trophoplasm. – **~plạsto** *m.* ⟨*Bot*⟩ trophoplast, plant plastid. – **~terapịa** *f.* ⟨*Med,ant*⟩ (*dietoterapia*) trophotherapy, dietotherapy.
trofozọite *m.* ⟨*Zool*⟩ trophozoite.
trogliạre *v.i.* (**trọglio, trọgli**; *aus.* **avere**) ⟨*tosc,ant*⟩ (*balbettare*) to stutter. – **trọglio** *a.* ⟨*tosc,ant*⟩ (*balbuziente*) stuttering.
troglọbio I *a.* ⟨*Biol*⟩ troglobiont-. – II *s.m.* troglobiont.
troglodịta *m./f.* **1.** troglodyte, cave-dweller. – **2.** ⟨*estens*⟩ (*chi abita in grotte*) cave-dweller; (*chi abita in sotterranei*) inhabitant of a cellar. – **3.** ⟨*fig*⟩ (*uomo rozzo*) cave-man, troglodyte: *vivere come un* ~ to live like a cave-man. – **trogloditico** *a.* (*pl.* **-ci**) **1.** troglodytic, cave-, of (*o* relating to) cave-dwellers. – **2.** ⟨*estens*⟩ (*rif. a chi abita in grotte*) cave-dwelling-; (*rif. a chi abita in sotterranei*) inhabiting a cellar. – **3.** ⟨*fig*⟩ (*rozzo*) cave-man-, troglodytic. – **trogloditịsmo** *m.* **1.** troglodytism, cave-dwelling. – **2.** ⟨*fig*⟩ primitiveness, troglodytic nature.
trọgolo *m.* **1.** trough, basin. – **2.** (*mangiatoia per suini*) trough. – **3.** ⟨*tecn*⟩ trough, vat. – **4.** ⟨*Edil*⟩ (*bagnolo*) lime slaking vat. – **5.** ⟨*Zootecn*⟩ hatchery, hatching receptacle.
trogọne *m.* ⟨*Ornit*⟩ **1.** (*quetzal*) quetzal (bird) (*Pharomacrus mocinno*). – **2.** *pl.* trogons *pl* (*Trogones*). – **trogọnidi** *m.pl.* trogons *pl* (*Trogonidae*).
trọia *f.* **1.** ⟨*volg*⟩ (*scrofa*) sow. – **2.** ⟨*fig*⟩ (*donnaccia*) slut, bitch, ⟨*lett*⟩ strumpet.
Trọia *N.pr.f.* ⟨*Geog.stor*⟩ Troy.
troiạio *m.* ⟨*volg*⟩ **1.** (*porcile*) pigsty. – **2.** ⟨*fig*⟩ (*luogo sudicio*) pigsty, pigpen. – **3.** ⟨*fig*⟩ (*locale malfamato*) low dive, hang-out for prostitutes and criminals.
troiạno I *a.* Trojan. – II *s.m.* (*abitante*; *f.* **-a**) Trojan.
troiạta *f.* **1.** ⟨*volg*⟩ (*azione sudicia*) dirty trick, dirty (*o* low-down) thing to do; (*mascalzonata*) rascally trick; (*lavoro mal fatto*) botch, bungle. – **2.** ⟨*Stor*⟩ (*seguito di masnadieri*) armed band.
trọica, trọika *f.* **1.** troika. – **2.** ⟨*fig*⟩ troika, (rule of) three, triumvirate.
Trọilo *N.pr.m.* ⟨*Lett*⟩ Troilus. □ ⟨*Lett*⟩ ~ *e Cressida* Troilus and Cressida.
trọll *m.* ⟨*Mitol.nord*⟩ troll.
trọlle *m.* ⟨*non com*⟩ → **trolley**. – **trolley** *ingl.* ['trɔli] *m.* **1.** (*filobus*) trolley-bus. – **2.** (*presa ad asta*) trolley, current collector.
trọmba *f.* **1.** ⟨*Mus*⟩ trumpet: *un assolo di* ~ a trumpet solo; (*sonatore*) trumpet(-player); (*registro dell'organo*) tromba, trumpet. – **2.** ⟨*Mil*⟩ bugle: *tre squilli di* ~ three bugle-blasts; (*sonatore*) bugler. – **3.** ⟨*Aut*⟩ horn. – **4.** ⟨*Acu*⟩ horn, trumpet. – **5.** ⟨*fig*⟩ (*divulgatore*) trumpeter, proclaimer, announcer; (*persona pettegola*) gossip. – **6.** ⟨*pop*⟩ (*proboscide dell'elefante*) trunk; (*di insetti*) proboscid. – **7.** ⟨*Edil*⟩ well. – **8.** ⟨*Arch*⟩ squinch. – **9.** ⟨*Idr*⟩ pump: ~ *d'incendio* fire pump. – **10.** ⟨*lett*⟩ (*canto poetico*) poem; (*poeta*) poet. – **11.** ⟨*ant*⟩ (*banditore*) town-crier. – **12.** ⟨*ant*⟩ (*asta*) auction. – **13.** ⟨*ant*⟩ (*soffiante*) blower. – **14.** ⟨*ant*⟩ (*canna fumaria*) flue.
□ **a** ~ (*a imbuto*) funnel-shaped; ⟨*Meteor*⟩ ~ *d'***acqua** waterspout; ⟨*ant*⟩ ~ **acustica** (*cornetto acustico*) ear-trumpet; ⟨*poet*⟩ *l'***angelica** ~ = *la tromba del* **giudizio**; ⟨*Meteor*⟩ ~ *d'***aria** tornado; (*mulinello*) whirlwind; ~ *dell'***ascensore** lift-well; ~ **aspirante** suction (*o* lift) pump; ⟨*ant*⟩ ~ *da* **barile** = *tromba da* **vino**; ⟨*Mus*⟩ ~ **bassa** cornet; ⟨*Aut*⟩ ~ **elettrica** electric horn; ⟨*Mar*⟩ ~ *d'***esaurimento** bilge pump; ⟨*Acu*⟩ ~ **esponenziale** exponential (*o* logarithmic) horn; ⟨*Anat*⟩ ~ *d'***Eustachio** Eustachian tube; ~ *di* **Falloppio** Fallopian tube; ⟨*lett*⟩ *la* ~ (o *le trombe*) *della* **fama** notoriety, fame; ⟨*fig*⟩ *dare* **fiato** *alle -e* (*annunciare*) to trumpet (*o* announce); ⟨*Mil.ant*⟩ ~ *di* **fuoco** kind of petard; ⟨*Bibl*⟩ *le -e di* **Gerico** the horns of Jericho; ⟨*Minier*⟩ ~ *di* **gettito** chute, shoot, pass; ⟨*lett*⟩ *la* ~ *del* **giudizio** the trumpet of God; ~ **marina**: 1. ⟨*Meteor*⟩ waterspout; 2. ⟨*Mus, ant*⟩ trumpet marine, marine trumpet; 3. = *tromba* **parlante**; ⟨*ant*⟩ ~ **parlante** (*tipo di megafono*) speaking-trumpet; ⟨*fam*⟩ **partire** *in* ~ (*iniziare con slancio*) to throw o.s. into s.th., to go off at full steam; ⟨*fam*⟩ **passare** *in* ~ to rush past; ⟨*Aut*⟩ ~ *a* **pera** bulb horn; ⟨*ant*⟩ **rimanere** *nella* ~ (*far fiasco*) to fail; ⟨*fig*⟩ *tornare con le -e nel* **sacco** (*scornato, deluso*) to come back empty-handed; ~ *delle* **scale** stair-well; ⟨*El*⟩ ~ *a* **sirena** siren; ⟨*fig*⟩ **sonare** *la* ~ (*annunciare*) to trumpet, to announce; ⟨*Calz*⟩ ~ *degli* **stivali** leg of a boot; ~ **terrestre** = *tromba d'***aria**; ⟨*ant*⟩ **vendere** *alla* ~ (*all'asta*) to auction; ⟨*ant*⟩ ~ *da* **vino** wine siphon.

trombadọre *m.* ⟨*ant*⟩ → **trombettiere**.
trombạio *m.* **1.** (*fabbricante*) trumpet-maker. – **2.** (*venditore*) trumpet-seller. – **3.** ⟨*region*⟩ (*fabbricante di docce e sim.*) gutter-maker; (*idraulico*) plumber.
trombạre *v.* (**trọmbo**) I *v.t.* **1.** ⟨*scherz*⟩ (*bocciare*) to fail, to reject; (*a scuola*) to fail, ⟨*am.fam*⟩ to flunk; (*bloccare*) to hinder. – **2.** ⟨*triv*⟩ (*possedere carnalmente*) to have sexual intercourse with, ⟨*triv*⟩ to fuck, ⟨*triv*⟩ to screw. – **3.** ⟨*ant*⟩ (*pompare*) to pump; (*travasare*) to decant. – **4.** ⟨*ant*⟩ (*vendere all'asta*) to auction. – II *v.i.* (*aus.* **avere**) ⟨*ant*⟩ (*sonare la tromba*) to play the trumpet. □ ⟨*scol,scherz*⟩ *essere trombato* to fail, ⟨*am.fam*⟩ to be flunked.
trombạsi *f.* → **trombina**.
trombạta *f.* ⟨*scherz*⟩ (*bocciatura*) failure, rejection; (*insuccesso*) failure.
trombatọre *m.* ⟨*ant*⟩ → **trombettiere**.
trombatụra *f.* ⟨*non com*⟩ **1.** ⟨*scherz*⟩ (*bocciatura*) failing, rejection. – **2.** ⟨*ant*⟩ (*travaso*) decanting.
trombectomịa *f.* ⟨*Chir*⟩ thrombectomy.
trombẹtta[1] (*dim. di tromba*) *f.* **1.** small trumpet; (*giocattolo*) toy trumpet. – **2.** ⟨*Itt*⟩ snipefish, trumpet-fish, bellows-fish (*Centriscus scolopax*). □ ⟨*Mus*⟩ ~ *a chiavi* key (*o* kent, regent's) bugle; ⟨*Bot*⟩ ~ *di morto* (*corno dell'abbondanza*) horn of plenty (*Cantharellus cornucopioides*); ⟨*Bot*⟩ ~ *rossa* trumpet creeper (*o* vine) (*Campsis radicans*).
trombẹtta[2] *m.* **1.** trumpet(-player), trumpeter. – **2.** ⟨*Mil*⟩ bugler.
trombettạre *v.* (**trombẹtto**) ⟨*ant*⟩ I *v.i.* (*aus.* **avere**) **1.** (*strombettare*) to play the trumpet badly, to blare away. – **2.** (*sonare il clacson*) to sound one's horn, to honk. – II *v.t.* to trumpet (abroad), to noise about.
trombettiẹre *m.* **1.** ⟨*Mil*⟩ bugler. – **2.** ⟨*Ornit*⟩ trumpeter bullfinch (*Erythrospiza githaginea*; *Bucanetes githagineus*). – **3.** ⟨*Ornit*⟩ trumpeter (*Psophia*). – **4.** ⟨*Zootecn*⟩ Trumpeter (pigeon).
trombettịsta *m.* ⟨*Mus*⟩ trumpet(-player).
trombẹtto[1] *m.* ⟨*ant*⟩ → **trombetta**[2].
trombẹtto[2] *m.* **1.** ⟨*Bot*⟩ (*melone lungo*) long melon. – **2.** ⟨*Ornit*⟩ (*tarabuso*) bittern, bull of the bog (*Botaurus stellaris*).
trombịna *f.* ⟨*Biol*⟩ thrombin.
trombịno *m.* ⟨*Mar*⟩ steam escape pipe.
trombizzạre *v.t.* ⟨*Med*⟩ to thrombose. – **trombizzạto** (*p.p. di trombizzare*) *a.* thrombosed, thrombotic.
trọmbo *m.* ⟨*Med*⟩ thrombus.
trombo|astenịa *f.* ⟨*Med*⟩ thrombasthenia. – **~cịta, ~cịto** *m.* ⟨*Biol*⟩ thrombocyte, blood platelet. – **~citopatịa** *f.* → **trombopatia**. – **~citopenịa** *f.* thrombocytopenia. – **~citọsi** *f.* (*piastrinosi*) thrombocytosis. – **~flebịte** *f.* thrombophlebitis.
trombọgeno *m.* ⟨*Biol*⟩ thrombogen, prothrombin.
trombonạta *f.* (*colpo di trombone*) blunderbuss shot. – **tromboncịno** (*dim. di trombone*) *m.* **1.** small trench-mortar. – **2.** ⟨*Mil.ant*⟩ small blunderbuss (*o* trombone).
trombọne (*accr. di tromba*) *m.* **1.** ⟨*Mus*⟩ trombone; (*sonatore*) trombone(-player); (*registro dell'organo*) trombone. – **2.** ⟨*fig*⟩ (*oratore enfatico*) bombastic orator, ⟨*fam*⟩ windbag; (*scrittore*) bombastic writer. – **3.** ⟨*fig*⟩ (*millantatore*) boaster, braggart. – **4.** ⟨*Mil.ant*⟩ blunderbuss, trombone. – **5.** ⟨*Calz*⟩ (*stivalone*) high boot. – **6.** (*schioppo con canna corta*) sawed off shotgun. – **7.** ⟨*Bot*⟩ daffodil, trumpet narcissus (*Narcissus pseudonarcissus*). – **8.** ⟨*Ornit*⟩ bittern, bull of the bog (*Botaurus stellaris*). □ ⟨*Mus*⟩ ~ *basso* bass trombone; ~ *contralto* alto trombone; ~ *tenore* tenor trombone.
trombonịsta *m.* ⟨*Mus*⟩ trombone(-player).
trombo|patịa *f.* ⟨*Med*⟩ thrombopathy. – **~penịa** *f.* → **trombocitopenia**.
trombọsi *f.* ⟨*Med*⟩ thrombosis. – **trombọtico** *a.* (*pl.* **-ci**) **1.** thrombotic. – **2.** (*che provoca trombosi*) thrombotic.
trọmmel: ⟨*Minier*⟩ ~ *sfangatore* trommel.
trompe-l'oeil *fr.* [trɔ̃p'lœːj] *m.* ⟨*Pitt*⟩ trompe l'oeil.
tronạre *v.i.impers.* (**trọna/truọna**; *aus.* **essere/avere**) ⟨*ant,dial*⟩ (*tonare*) to thunder.
tronạta *f.* ⟨*tosc*⟩ (*sparo fragoroso*) explosion.
troncạbile *a.* **1.** that may be cut (*o* chopped) off; (*spezzabile*) that may be broken (*o* snapped) off. – **2.** ⟨*fig*⟩ that may be ⌜broken off⌝ (*o* cut short, interrupted). – **3.** ⟨*Ling*⟩ that may be apocopate(d).
troncamẹnto *m.* **1.** cutting (*o* chopping) off; (*lo spezzare*) breaking (*o* snapping) off. – **2.** ⟨*fig*⟩ (*interruzione*) breaking off, cutting short, interruption: *il* ~ *di una relazione amorosa* the breaking off of an affair. – **3.** ⟨*Ling*⟩ apocopation, apocope.
troncạre *v.t.* (**trọnco, trọnchi**) **1.** to cut (*o* chop) off, to crop: ~ *la cima di un albero* to cut off a tree-top; *la lama gli troncò una gamba* the blade cut off his leg. – **2.** (*spezzare*) to break (*o* snap) off: ~ *lo stelo di un fiore* to break the stem off a flower; ~ *un ramo* to snap off a branch. – **3.** ⟨*fig*⟩ (*interrompere*) to cut (*o* break) off, to cut short, to interrupt, to put a sudden end to: ~ *un'amicizia* to break off a friendship; *quell'incidente troncò la sua brillante carriera* the accident cut short his brilliant career. – **4.** ⟨*fig*⟩ (*stancare molto*) to tire (out), to wear out, to fatigue: *una salita che tronca le gambe* a climb that tires one's legs. – **5.** ⟨*Ling*⟩ to apocopate. – **6.** ⟨*ant,poet*⟩ (*uccidere*) to kill; (*decapitare*) to behead, to decapitate. □ ⟨*fig*⟩ ~ *le ali a qd.* to clip s.o.'s wings; ~ *le parole in bocca a qd.* to interrupt s.o., to cut s.o. short; ~ *la speranza* to be discouraging, to kill all hope.
troncạto (*p.p. di troncare*) I *a.* **1.** cut (*o* chopped) off, cut. – **2.** (*spez-*

zato) broken (*o* snapped) off. – **3.** ⟨*fig*⟩ (*interrotto*) broken off, cut short, interrupted: *una carriera -a* a career that has been cut short. – **4.** ⟨*fig*⟩ (*molto stanco*) tired (*o* worn) out, fatigued, very weary. – **5.** ⟨*Ling*⟩ apocopate(d). – **6.** ⟨*Arald*⟩ fess(e): ~ *in fascia* per fess. – **II** *s.m.* ⟨*Arald*⟩ fess(e). – **troncatọre** *m.* (*f.* **-trice**) ⟨*rar*⟩ cutter, chopper. – **troncatrịce** *f.* ⟨*Mecc*⟩ cropper. – **troncatụra** *f.* ⟨*non com*⟩ cutting (*o* chopping) off; (*lo spezzare*) breaking (*o* snapping) off; (*taglio*) cut.

tronchẹse *m./f.* ⟨*Mecc*⟩ nippers *pl*, clippers *pl*. – **tronchesịna** (*dim. di tronchese*) *f.* ⟨*Cosmet*⟩ nail clippers *pl*. – **tronchesịno** (*dim. di tronchese*) *m.* ⟨*Mecc*⟩ nippers *pl*.

tronchẹtto *m.* **1.** → **tronchese**. – **2.** *pl.* (*mezzi stivali*) low boots.

trọnco[1] *a.* (*pl.* **-chi**) **1.** (*troncato, mozzo*) cut (*o* chopped) off, cut. – **2.** (*spezzato*) broken (*o* snapped) off. – **3.** ⟨*fig*⟩ (*privo di forze*) tired (*o* worn) out, limp, drooping, weak: *mi sento le braccia tronche per la stanchezza* my arms are limp from tiredness; (*spezzato da emozioni e sim.*) broken, shattered. – **4.** ⟨*fig*⟩ (*interrotto, incompleto*) broken off, cut short, interrupted, unfinished: *un discorso* ~ an unfinished speech. – **5.** ⟨*Geom,Metr*⟩ truncated: *una piramide -a* a truncated pyramid; *un verso* ~ a truncated line of verse. – **6.** ⟨*Ling*⟩ apocopate(d): *parola -a* apocopated word. □ *in* ~ unfinished, broken off: *lasciare in* ~ *un lavoro* to leave a job unfinished (*o* half done); *licenziamento in* ~ dismissal without notice, ⟨*fam*⟩ firing (*o* sacking) on the spot; *notizie tronche* incomplete (*o* fragmentary) news; *rimanere in* ~ to be left unfinished (*o* half done).

trọnco[2] *m.* (*pl.* **-chi**) **1.** (*fusto eretto delle piante arboree*) tree-trunk; (*rif. a fusti tagliati*) log, (tree-)trunk: *uno sbarramento di tronchi e macigni* a barricade of tree-trunks and rocks; *una capanna di tronchi* a log cabin. – **2.** (*tratto*) section: *aprire alla circolazione il primo* ~ *di un'autostrada* to open the first section of a motorway to traffic; (*diramazione*) branch: *un* ~ *della strada raggiunge la fattoria* a branch goes off from the main road to the farm; (*diramazione ferroviaria*) branch line. – **3.** ⟨*fig*⟩ (*ceppo, stirpe*) stock: *popoli dello stesso* ~ peoples of the same stock. – **4.** (*in un bollettario*) stub, stump, counterfoil. – **5.** ⟨*Anat*⟩ trunk, torso. – **6.** ⟨*Scult*⟩ torso. – **7.** ⟨*Arch*⟩ (*fusto*) shaft, trunk: *il* ~ *di una colonna* the shaft of a column.

□ ~ *d'***albero** (tree-)trunk; ⟨*Ferr*⟩ ~ *di* **binario** track section; ⟨*Geom*⟩ ~ *di* **cono** truncated cone; ~ **ferroviario** railway section; ⟨*Mar*⟩ ~ **maggiore** lower mast; ⟨*Geom*⟩ ~ *di* **piramide** truncated pyramid.

troncọne (*accr. di tronco*[2]) *m.* **1.** stump: *il* ~ *di un pioppo* the stump of a poplar tree. – **2.** (*moncone*) stump: *il* ~ *della gamba* the stump of a leg. – **3.** ⟨*poet*⟩ (*tronco*) trunk.

troneggiạre *v.i.* (**tronẹggio, tronẹggi**; *aus.* **avere**) **1.** (*sedere maestosamente*) to reign, to sit on a throne. – **2.** (*sovrastare per statura*) to tower over, to be taller than: *troneggia su tutti* he towers over everyone. – **3.** ⟨*estens*⟩ (*rif. a cose*: *far bella mostra di sé*) to reign, to tower: *in mezzo alla tavola troneggiava la torta nuziale* the wedding cake towered in the center of the table. – **4.** ⟨*scherz*⟩ (*tenere un atteggiamento di superiorità*) to reign, ⟨*fam*⟩ to lord it.

tronẹtto (*dim. di trono*[1]) *m.* ⟨*Lit*⟩ throne, monstrance-rest.

tronfiamẹnte *avv.* conceitedly, pompously. – **tronfiạre** *v.i.* (**trọnfio, trọnfi**; *aus.* **avere**) ⟨*non com*⟩ **1.** (*ansimare*) to pant, to puff. – **2.** (*andare in giro tronfio*: *rif. a galli, piccioni e sim.*) to strut. – **3.** ⟨*iron*⟩ (*rif. a persone*) to strut, to swagger. – **tronfiẹzza** *f.* ⟨*non com*⟩ conceit(edness). – **trọnfio** *a.* **1.** conceited, puffed up. – **2.** (*ridondante*) pompous, bombastic. – **tronfiọne** (*accr. di tronfio*) *m.* (*f.* **-a**) ⟨*spreg*⟩ conceited person, ⟨*spreg*⟩ pompous ass.

troniẹra *f.* ⟨*Mil.ant*⟩ (gun-)embrasure.

trọno[1] *m.* **1.** throne. – **2.** ⟨*fig*⟩ (*autorità sovrana*) throne: *salire* (o *ascendere*) *al* ~ to ascend the throne; *perdere il trono* to lose one's throne. – **3.** (*istituto monarchico*) throne, monarchy. – **4.** ⟨*Lit*⟩ (*tronetto*) throne, monstrance-rest. – **5.** ⟨*poet*⟩ (*seggio dei beati*) seat of the blessed. – **6.** *pl.* (*ordine della gerarchia angelica*) Thrones *pl*. □ *abdicare al* ~ to abdicate; ⟨*Art*⟩ *in* ~ enthroned; ⟨*fig*⟩ *mettere sul* ~ *qd.* to put s.o. on the throne; ~ *papale* papal throne; ⟨*fig*⟩ *sedere sul* ~ (*regnare*) to be on the throne, to reign.

trọno[2] *m.* ⟨*ant*⟩ **1.** (*tuono*) thunder. – **2.** (*folgore*) thunder-bolt, lightning.

troostịte *f.* ⟨*Min*⟩ troostite.

tropạrio *m.* ⟨*Lit*⟩ troparion.

tropẹa *f.* ⟨*region*⟩ (*temporale*) storm; (*uragano*) hurricane.

tropeịna *f.* ⟨*Chim*⟩ tropeine. – **tropeịsmo** *m.* ⟨*Med*⟩ tropeinism.

tropeolạcee *f.pl.* ⟨*Bot*⟩ tropaeolums *pl* (*Tropaeolaceae*). – **tropẹolo** *m.* **1.** tropaeolum (*Tropaeolum*). – **2.** (*cappuccina*) nasturtium (*Tropaeolum majus*).

...tropia *suff.* (*movimento* movement, *trasformazione* change) ...tropy, ...tropism: *allotropia f.* allotropy, allotropism.

tropicạle *a.* ⟨*Geog*⟩ tropical: *foresta* ~ tropical forest. □ *zona* ~ torrid zone, the tropics *pl*. – **tropicalizzạre** *v.t.* to tropicalize. – **tropicalizzạto** (*p.p. di tropicalizzare*) *a.* tropicalized. – **tropicalizzaziọne** *f.* tropicalization.

trọpico[1] *a./s.* (*pl.* **-ci**) **I** *s.m.* **1.** ⟨*Geog,Astr*⟩ tropic. – **2.** *pl.* ⟨*Geog*⟩ tropics *pl*. – **II** *a.* ⟨*Astr*⟩ tropic(al): *mese* ~ tropical month. □ ~ *del Cancro* Tropic of Cancer; ~ *del Capricorno* Tropic of Capricorn.

trọpico[2] *a.* → **tropistico**.

...tropico *suff.* (*movimento* movement) ...tropic: *eliotropico a.* heliotropic.

tropịna *f.* ⟨*Chim*⟩ tropine.

tropịsmo *m.* ⟨*Biol*⟩ tropism. – **tropịstico** *a.* (*pl.* **-ci**) tropistic.

trọpo *m.* **1.** ⟨*lett*⟩ (*metafora*) metaphor; (*figura retorica*) trope, figure of speech. – **2.** ⟨*Mus*⟩ trope. – **3.** ⟨*Filos*⟩ mood, ⟨*ant*⟩ trope.

tropo... *pref.* (*il volgersi* turning, *cambiamento* change) trop(o)...

...tropo *suff.* (*il volgersi* turning) **1.** (*nella formazione degli agg.*) ...tropic, ...tropous: *isotropo a.* isotropic, isotropous. – **2.** (*nella formazione dei sost.*) ...trope.

tropọfilo *a.* ⟨*Bot*⟩ tropophilous. – **tropọfita** *f.*, **tropọfito** *m.* tropophyte.

tropologịa *f.* **1.** tropology. – **2.** (*allegoria*) allegory; (*uso di allegorie*) use of allegories. – **tropologicamẹnte** *avv.* **1.** tropologically; (*metaforicamente*) metaphorically. – **2.** (*allegoricamente*) allegorically. – **tropolọgico** *a.* (*pl.* **-ci**) **1.** (*figurato*) tropologic(al), figurative; (*metaforico*) metaphorical. – **2.** (*allegorico*) allegorical.

tropo|pạusa *f.* ⟨*Geog*⟩ tropopause. – **~sfẹra** *f.* troposphere. – **~sfẹrico** *a.* (*pl.* **-ci**) tropospheric.

trọppo I *a.* **1.** too much: ~ *traffico* too much traffic; *la minestra è -a per me* that's too much soup for me; *pl.* too many: *-e difficoltà* too many problems; *hai fatto -i errori* you made too many mistakes. – **2.** (*eccessivo*) too much: ~ *piacere* too much pleasure. – **3.** ⟨*ant*⟩ (*molto, numeroso*) numerous, many. – **II** *avv.* **1.** too much: *parla* ~ he talks too much. – **2.** (*con aggettivi e avverbi*) too: *è* ~ *intelligente per farlo* he's too smart to do that; *non fare* ~ *tardi* don't be too late. – **3.** (*molto, assai*) very, only too: *sa anche* ~ *bene quello che dovrebbe fare* he knows very (*o* only too) well what he should do. – **III** *s.m.* **1.** too much: *non mi sembra di aver chiesto* ~ I don't think I've asked for too much. – **2.** *pl.* (*troppe persone*) too many: *siamo -i in questa stanza* there are too many of us in this room. – **3.** (*rif. al tempo*) too long: *ho aspettato già* ~ I have already waited too long.

□ **di** ~: 1. (*rif. a cose*) too many, superfluous, unnecessary, not needed: *ho bevuto qualche bicchiere di* ~ I had a few glasses ⌜too many⌝ (*o* more than I should); 2. (*rif. a persone*) to omany, de trop: *uno di noi due è di* ~ there is one too many of us here; *averne di* ~ *di qd.* to be fed up with s.o.; *questo è* ~ *!* this is too much!; (*è il colmo*) this is the limit!; ~ **gentile**! you are too kind!; ⟨*scherz*⟩ *-a* **grazia** (*sant'Antonio*) it's too much of a good thing, that's overdoing it; **non** ~ not too (much), none too (much): *come va?* – *non* ~ *bene* how is it going? – not too well; *l'ha fatto, ma non* ~ *volentieri* he did it, but none too willingly; *meglio* ~ *che* ~ **poco** better too much than not enough; **pur** ~ (*purtroppo*) unfortunately. – *Prov.*: *chi* ~ *abbraccia, nulla stringe* grasp all, lose all; *il* ~ *stroppia* enough is enough.

troppo-piẹno *m.inv.* ⟨*Idr*⟩ overflow.

trọscia *f.* (*pl.* **-ce**) **1.** ⟨*ant,region*⟩ (*pozzanghera*) puddle; (*rigagnolo*) rivulet. – **2.** ⟨*Conc,non com*⟩ tan pit (*o* vat).

trọta *f.* ⟨*Itt*⟩ trout.

□ ~ **arcobaleno** (o *iridea*) rainbow trout (*Salmo irideus*; *Salmo gairdnerii*); ⟨*Gastr*⟩ ~ **bollita** boiled trout; ⟨*Gastr*⟩ ~ *al* **blu** blue trout; ~ *di* **lago** lake trout (*Salmo trutta lacustris*); ~ **marina** (*o salmonata*) sea trout (*Salmo trutta trutta*); ~ ⌜*di* **torrente**⌝ (o *fario*) brown (*o* brook) trout (*Salmo trutta fario*).

troticoltọre *m.* (*f.* **-trice**) trout-breeder. – **troticoltụra** *f.* trout-breeding.

trotinatụra *f.* (*nei cavalli*) trout colouring, trout-coloured spots *pl*. – **trotịno** *a.* trout-coloured.

trottạbile *a.* ⟨*non com*⟩ suitable for trotting along.

trottapiạno *m.inv.* ⟨*scherz*⟩ (*persona lenta*) tortoise, ⟨*scherz*⟩ slow-coach.

trottạre *v.i.* (**trọtto**; *aus.* **avere**) **1.** (*rif. a cavalli*) to trot. – **2.** ⟨*estens*⟩ (*camminare velocemente*) to trot (along), to walk briskly, to hurry. – **3.** ⟨*fig*⟩ (*darsi da fare*) to bustle, to hustle: *ho dovuto* ~ *per farmi pagare* I had to hustle to get paid. □ ⟨*iron*⟩ *ti farò* ~ *io !* I'll make you ⌜shake a leg⌝ (*o* get a move on)! – **trottạta** *f.* **1.** trot: *fare una* ~ *a cavallo* to go for a trot on horseback. – **2.** ⟨*fig*⟩ (*camminata rapida*) brisk walk. – **trottatịna** *f. dim. di* **trottata**. – **trottatọia** *f.* ⟨*Stor*⟩ granite strips in cobbled roads for carriage wheels. – **trottatọio** *m.* **1.** (*pista*) trotting-track. – **2.** → **trottata**. – **trottatọre** *m.* (*f.* **-trice**) **1.** (*cavallo addestrato per le corse al trotto*) trotter; (*cavallo che trotta*) trotter, trotting horse. – **2.** ⟨*fig,scherz*⟩ (*rif. a persone*) brisk walker. □ *essere un buon* ~ to be a good walker; ~ *russo* (o *Orlov*) Orloff (trotter).

trotterellạre *v.i.* (**trotterẹllo**; *aus.* **avere**) (*rif. a cavalli*) to trot, to jog; (*rif. a persone*) to trot, to jog (along); (*rif. a bambini piccoli*) to toddle (along).

trottịstico *a.* (*pl.* **-ci**) ⟨*non com*⟩ trotting: *gara -a* trotting race.

trọtto *m.* **1.** trot. – **2.** ⟨*fam*⟩ (*andatura svelta*) trot, brisk pace. – **3.** ⟨*fig,non com*⟩ (*ritmo di lavoro*) pace, rate.

□ **al** ~ *!* at a trot!; ~ **allungato** extended trot; **andare** *al* (o *di*) ~: 1. (*rif. a cavalli*) to (go at a) trot; 2. (*rif. a cavalieri*) to (ride at a) trot; ⟨*fig*⟩ *il* ~ *dell'***asino** (*impeto di breve durata*) a flash in the pan, a short-lived phenomenon: *ha cominciato con entusiasmo, ma è stato il* ~ *dell'asino* he started off enthusiastically, but ⌜it was short-lived⌝ (*o* he soon got tired); **buon** ~ steady (*o* fast) trot; **corsa** *al* ~ trotting race; ~ *all'***inglese** posting, rising to the trot; **mettere** *il cavallo al* ~ to trot a horse; **mezzo** ~ short trot, jog; *far* **prendere** *il* ~ *al cavallo* = **mettere** *il cavallo al trotto*; **rompere** *il* ~ to break; **tenere** *il cavallo al* ~ to keep a horse in a trot.

trọttola *f.* **1.** top, spinning-top: *giocare con la* ~ to ⌜play with a⌝ (*o* spin one's) top. – **2.** ⟨*Sport*⟩ (*nel pattinaggio*) spin. – **3.** ⟨*Zool*⟩

trochus, top-shell (*Trochus*). □ ⟨*fam*⟩ *girare come una* ~ to spin like a top; (*essere affaccendato*) to rush (*o* whirl) about, ⟨*fam,scherz*⟩ to buzz around; ~ *musicale* (o *armonica*) musical (*o* humming) top.
trottolare *v.i.* (**trottolo**; *aus.* **avere**) ⟨*fam*⟩ (*girare come una trottola*) to spin like a top; (*essere vivace*) to rush (*o* whirl) about, to be a live wire.
trottolino (*dim. di trottola*) *m.* (*f.* **-a**) ⟨*scherz*⟩ (*bambino vivace*) lively child, live wire.
trotzkismo *m.* ⟨*Pol*⟩ Trotskyism. – **trotzkista I** *s.m./f.* Trotskyist, Trotskyite. – **II** *a.* Trotskyist.
troupe *fr.* [trup] *f.* **1.** ⟨*Teat,Cin*⟩ troupe, company. – **2.** ⟨*non com*⟩ (*gruppo*) group.
trousse *fr.* [trus] *f.* **1.** (*astuccio*) case. – **2.** (*borsetta da sera*) evening bag.
trovabile *a.* ⟨*non com*⟩ findable.
trovadore *m.* → **trovatore**[2]. – **trovadorico** *a.* (*pl.* **-ci**) ⟨*Lett*⟩ troubador-, of the troubadors: *poesia -a* troubador poetry.
trovamento *m.* **1.** finding. – **2.** ⟨*ant*⟩ (*invenzione*) invention; (*ritrovamento*) discovery.
trovante *m.* ⟨*Geol*⟩ (*masso erratico*) erratic (boulder), erratic block.
trovare *v.t.* (**trovo**/*ant.* **truovo**) **1.** to find: *ho trovato il libro che cercavo* I have found the book I was looking for; *non trovo più i miei occhiali* I can't find my glasses; (*poter acquistare*) to find, to get: *questo giornale lo trovi in tutte le edicole* you can find this paper at all the newsstands. – **2.** (*riuscire ad avere*) to find, to obtain, to get, to have: ~ *lavoro* to get a job, to find work; *non si trova più un posto libero* there are no seats ⌈to be had⌉ (*o* left). – **3.** (*conquistare*) to achieve, to win: *in quest'impresa troverai fama e gloria* you will achieve fame and glory in this undertaking, this undertaking will bring you fame and glory. – **4.** (*incontrare*) to meet, to find: *trovo molte difficoltà in questo lavoro* I'm ⌈finding⌉ (*o* have met with, have run up against) a number of difficulties in this job; *trovò la morte in un incidente stradale* he met his death in a road accident. – **5.** (*avere*) to have: *in quel momento mi trovai addosso solo poche lire* I had only a few pence on me just then. – **6.** (*escogitare, inventare*) to find, to think (*o* make) up, to invent: *trova sempre nuove scuse* he is always finding fresh excuses; *dobbiamo* ~ *un nuovo sistema di lavoro* we must think up a new work plan. – **7.** (*scoprire*) to find, to discover: ~ *il colpevole* to find the culprit. – **8.** (*cogliere, sorprendere*) to catch, to find, to surprise, to discover: ~ *qd. in fallo* to catch s.o. red-handed; *lo trovarono mentre rubava* he was caught stealing. – **9.** (*riconoscere, riscontrare*) to find: *il medico lo ha trovato molto deperito* the doctor found him (*o* that he was) very run down; *lo hanno trovato colpevole* he was found guilty. – **10.** (*pensare, reputare*) to think, to believe (*anche assol.*): *trovo che non dovresti scrivere questa lettera* I don't think you should write this letter; *come la trovi questa cosa?* what do you think of this?; *questo cappello mi sta bene, non trovi?* this hat looks well on me, ⌈don't you think⌉ (*o* doesn't it)? – **11.** (*vedere, scorgere*) to come upon (*o* to), to find, to see: *imboccò la prima traversa che trovò* he turned into the first street he came to. – **12.** (*accorgersi*) to find, to see: *trovo che qui sta andando tutto in malora* I see that things are going to rack and ruin here. – **13.** ⟨*non com*⟩ (*cercare di conoscere*) to try to know. – **14.** ⟨*ant*⟩ (*poetare*) to write poetry (*o* verses). – **trovarsi** *v.r.* **1.** (*essere, stare*) to be: *allora mi trovavo a Venezia* at that time I was in Venice; *trovarsi in buona salute* to be in good health. – **2.** (*essere per caso, capitare*) to find o.s., to (happen to) be: *mi trovavo a passare di lì* I ⌈was just⌉ (*o* happened to be) passing by there; *improvvisamente ci trovammo in una discesa* we suddenly found ourselves going downhill. – **3.** (*essere in una certa situazione*) to be, to find o.s.: *trovarsi indietro col lavoro* to be behind with one's work; *trovarsi in debito* to be in debt; *trovarsi nei guai* to be (*o* find o.s.) in trouble. – **4.** (*sentirsi*) to get on, to feel: *come ti trovi nel nuovo ufficio?* how are you getting on in your new office?; *qui mi trovo piuttosto male* I don't get on very well here, I don't like it here. – **5.** (*essere situato*) to be, to be located (*o* situated), to lie, to stand: *dove si trova la casa?* where is the house?; *il paese si trova al di là del fiume* the town is (*o* lies, stands) on the other side of the river. – **6.** (*incontrarsi*) to meet, to see e.o.: *troviamoci alle sei alla stazione* we'll meet at the station at six; (*imbattersi*) to run into, to meet, to find; (*riunirsi*) to meet, ⟨*fam*⟩ to get together: *troviamoci stasera a casa mia* let's get together tonight at my house. – **7.** (*essere in vendita*) to be (on sale), to be sold, to be found: *si trova in tutte le librerie* it is (*o* can be found) in all the bookshops.
□ *trovarsi d'***accordo** to be in agreement; *trovarsi a proprio* **agio** to feel at ease (*o* home); **andare** *a* ~ *qd.*: 1. (*fargli visita*) to go to see s.o., to call on s.o., to pay s.o. a visit: *domenica andrò a* ~ *i miei genitori* I'm going to see my parents on Sunday; 2. (*rif. a fornitori e sim.*) to go to s.o., to pay a visit to s.o.: *devo proprio andare a* ~ *la mia sarta* I must go to my dressmaker's; *trovarsi* **bene** *con qd.* to get on (*o* along) well with s.o., to enjoy s.o.'s company; *trovarsi bene da qd.* to be well treated by s.o.; *mi sono trovato bene in quell'albergo* I was well treated in that hotel; ~ **da** [*inf*] to have ... to [*inf*]: *trova sempre da ridire* he always has ⌈to criticize⌉ (*o* some fault to find); ⟨*fig*⟩ ~ *qd. con le* **mani** *nel sacco* to catch s.o. red-handed (*o* in the act); **venire** *a* ~ *qd.* to come and see s.o., to call on s.o., to pay s.o. a visit: *venite a trovarmi* come and see me.
trovarobe *m.inv.* ⟨*Teat*⟩ property-man, propman.
trovata *f.* **1.** (*idea felice*) (good, great) idea, ⟨*fam*⟩ brain-wave: *è stata proprio una (bella)* ~ that was really a great idea; (*espediente, ripiego*) expedient, contrivance, device. – **2.** (*battuta*) quip, witty remark: ~ *degna di un comico* witty remark worthy of a comedian.
trovatello *m.* (*f.* **-a**) foundling.
trovato[1] (*p.p. di trovare*) *a.* found. □ *ben* ~*!* (*a chi si rivede*) it's nice to see you again!; (*rif. a idee e sim.*) well said!, that's good (*o* a good idea)!
trovato[2] *m.* **1.** (*ritrovato, invenzione*) invention. – **2.** ⟨*non com*⟩ (*cosa trovata*) find, thing found. – **3.** ⟨*rar*⟩ (*pretesto*) excuse, pretext; (*espediente*) makeshift, expedient.
trovatore[1] *m.* (*f.* **-trice**) ⟨*rar,ant*⟩ **1.** (*chi trova*) finder. – **2.** (*scopritore*) discoverer; (*inventore*) inventor.
trovatore[2] *m.* ⟨*Lett*⟩ troubador.
trov(i)ero *m.* ⟨*Lett*⟩ trouvère.
troy *ingl. m.* troy weight.
trozkismo *m.* → **trotzkismo**. – **trozkista** *a./s.* → **trotzkista**.
trozza *f.* ⟨*Mar*⟩ parrel.
trozzella *f.* ⟨*Archeol*⟩ kind of Messapian amphora.
truca *f.* ⟨*Cin*⟩ optical printer.
truccare[1] *v.t.* (**trucco, trucchi**) **1.** (*modificare qc. per trarre in inganno*) to falsify, to rig, ⟨*fam*⟩ to doctor (up): ~ *un mobile per farlo sembrare antico* to doctor up a piece of furniture to make it look antique; ~ *i risultati di una votazione* to rig the results of an election. – **2.** ⟨*Teat*⟩ (*modificare temporaneamente per esigenze teatrali*) to make up: ~ *un attore da vecchio* to make an actor up as an old man; (*travestire*) to dress up: *lo hanno truccato da zingaro* they dressed him up as a gypsy. – **3.** (*imbellettare*) to make up. – **4.** ⟨*Aut, Mot*⟩ to supercharge, ⟨*fam*⟩ to soup up: ~ *il motore di un'utilitaria* to soup up the engine of an economy car. – **5.** ⟨*Sport*⟩ to rig, ⟨*fam*⟩ to fix: ~ *una partita* to rig a game. – **truccarsi** *v.r.* **1.** (*modificarsi per ingannare*) to disguise o.s.: *si era truccato per sfuggire alla polizia* he disguised himself to elude the police. – **2.** ⟨*Teat*⟩ (*modificare il proprio aspetto*) to make (o.s.) up: *il baritono si truccava da Rigoletto* the baritone made himself up for the part of Rigoletto; (*travestirsi*) to dress (o.s.) up. – **3.** (*imbellettarsi*) to make (o.s.) up, to put make-up on: *truccarsi il viso* to make up one's face; *si trucca troppo* she ⌈puts on⌉ (*o* wears) too much make-up. □ ~ *le carte* to fix (*o* mark) the cards; ~ *i dadi* to load the dice.
truccare[2] *v.* (**trucco, trucchi**) **I** *v.i.* (*aus.* **avere**) (*nei giochi di palla*) to knock (*o* hit) away the opponent's ball. – **II** *v.t.* ⟨*rar*⟩ (*imbrogliare*) to cheat.
truccato (*p.p. di truccare*[1]) *a.* **1.** (*modificato per trarre in inganno*: *rif. a persone*) disguised; (*rif. a cose*) falsified, rigged, ⟨*fam*⟩ doctored (up): *mobile* ~ doctored (up) piece of furniture; *risultati -i* rigged results. – **2.** ⟨*Teat*⟩ (*rif. all'aspetto*) made up (*da* as); (*rif. a vestiti*) dressed up. – **3.** (*imbellettato*: *rif. a persone*) made-up, wearing make-up, with make-up on: *una donna eccessivamente -a* a heavily made-up woman, a woman with too much make-up on; (*rif. al viso, agli occhi e sim.*) made-up: *occhi -i* made-up eyes; *labbra -e* made-up lips. – **4.** ⟨*Aut,Mot*⟩ supercharged, ⟨*fam*⟩ souped up: *macchina -a* souped up car. – **5.** ⟨*Sport*⟩ rigged, ⟨*fam*⟩ fixed: *una partita -a* a rigged game. □ *carte -e* fixed (*o* marked) cards; *dadi -i* loaded dice.
truccatore *m.* (*f.* **-trice**) ⟨*Cin,Teat*⟩ make-up man (*f* woman), make-up artist.
truccatura *f.* **1.** (*il truccare*: *rif. a persone*) disguising; (*rif. a cose*) falsification, rigging (up), ⟨*fam*⟩ doctoring up. – **2.** ⟨*Teat*⟩ (*rif. all'aspetto*) making up (as); (*rif. a vestiti*) dressing up. – **3.** (*l'imbellettarsi*) making up, putting on make-up. – **4.** ⟨*concr*⟩ (*occorrente per truccare il viso*) make-up, cosmetics *pl.* – **5.** ⟨*Aut,Mot*⟩ supercharging, ⟨*fam*⟩ souping up. – **6.** ⟨*Sport*⟩ rigging, ⟨*fam*⟩ fixing. – **7.** ⟨*fig*⟩ (*inganno*) trick.
trucc(h)iare *v.* (**trucc[h]io, trucc[h]i**) ⟨*ant*⟩ → **truccare**[2].
trucco[1] *m.* (*pl.* **-chi**) **1.** (*inganno*) trick (*anche Fot.*): *i trucchi del prestigiatore* the conjuror's tricks; *scoprire il* ~ to discover the trick (*o* catch, gimmick); (*astuzia*) trick, guile, artifice, stratagem. – **2.** ⟨*Cin*⟩ trick (shot), special effect. – **3.** ⟨*Cosmet*⟩ make-up: *rifarsi il* ~ to put on fresh make-up; ⟨*concr*⟩ (*sostanze adoperate*) make-up, cosmetics *pl*: *togliersi il* ~ to remove one's make-up. □ *trucchi cinematografici* trick shots, special effects; *mettersi* (o *farsi*) *il* ~ to make (o.s.) up; ⟨*Cin*⟩ ~ *ottico* optical trick shot; ⟨*Cin*⟩ *trucchi di ripresa* shooting tricks; ⟨*scherz*⟩ *il* ~ *c'è ma non si vede* there's a trick to it but you can't see it.
trucco[2] *m.* (*pl.* **-chi**) ⟨*Stor*⟩ (*anche trucco a tavola*) kind of bagatelle. □ ~ *a terra* kind of croquet.
truccone *m.* ⟨*non com*⟩ **1.** (*imbroglione*) cheat, swindler. – **2.** ⟨*rar*⟩ (*sensale di matrimoni*) marriage-broker.
truce *a.* **1.** threatening, menacing, grim, fierce: *sguardo* ~ threatening (*o* fierce) look. – **2.** (*crudele*) cruel: *un* ~ *delitto* a cruel crime; (*feroce*) fierce. – **trucemente** *avv.* **1.** threateningly, grimly, fiercely. – **2.** (*crudelmente*) cruelly.
trucia *f.* ⟨*tosc*⟩ (*miseria*) poverty, wretchedness; (*aspetto misero*) wretched (*o* shabby, poverty-stricken) appearance.
trucidare *v.t.* (**trucido**/*ant.* **trucido**) **1.** to slaughter, to slay, to massacre. – **2.** (*assassinare*) to murder, to kill. – **trucidatore** *m.* (*f.* **-trice**) ⟨*non com*⟩ slaughterer, slayer; (*assassino*) murderer, killer.
trucio *a.* ⟨*tosc*⟩ **1.** (*logoro*) worn, threadbare, shabby. – **2.** (*misero*) wretched.
truciolaio *m.* (*operaio*) shaver. – **truciolare** *v.t.* (**truciolo**) ⟨*non*

com⟩ to shave, to chip. – **truciolatrịce** *f.* ⟨*tecn*⟩ shredding-machine. – **truciolẹtto, truciolịno** *m. dim. di* **truciolo.**
trụciolo *m.* **1.** (*di legno*) (wood) shaving, chip; (*di metallo*) shaving. – **2.** (*materiale d'imballaggio*) shavings *pl*, ⟨*am*⟩ excelsior.
□ *-i* **fluenti** flow chips; *-i di* **limatura** filings; *-i* **metallici** metal shavings; *-i di* **piallatura** parings, wood shavings; *-i di* **raschiettatura** scrapings; *-i di* **tornitura** turnings; *-i di* **trapanatura** drillings.
truck *ingl.* [trʌk] *m.* **1.** (*carretto, carrello*) truck, cart. – **2.** (*autocarro*) truck, lorry. – **3.** ⟨*Cin*⟩ truck, dolly.
trucolẹnto *a.* ⟨*rar*⟩ → **truculento.** – **truculẹnto** *a.* ⟨*lett*⟩ **1.** (*truce*) threatening, menacing, grim; (*crudele*) truculent, cruel, fierce. – **2.** ⟨*scherz*⟩ (*terrificante*) blood-curdling: *un fumetto* ~ a blood-curdling comic, a blood-and-thunder comic.
trudge(o)n *ingl.* ['trʌdʒən] *m.* ⟨*Sport*⟩ trudgen stroke, trudge(o)n.
trụffa *f.* **1.** swindle, cheat, fraud, ⟨*fam*⟩ robbery: *è una vera* ~ it's a real swindle, ⟨*fam*⟩ it's daylight robbery. – **2.** ⟨*Dir*⟩ fraud, swindle. – **3.** ⟨*ant*⟩ (*bagattella*) trifle; (*chiacchiera*) gossip. □ ~ *all'americana* confidence trick (*o* game); *commettere una* ~ to commit fraud, to perpetrate a swindle; *essere vittima di una* ~ to be defrauded (*o* swindled).
truffaldịno I *s.m.* (*imbroglione*) cheat, swindler. – **II** *a.* cheating, swindling, fraudulent: *impresa -a* fraudulent undertaking.
Truffaldịno *N.pr.m.* ⟨*Teat*⟩ Truffaldino.
truffạrdo *a./s.* ⟨*ant*⟩ → **truffaldino.**
truffạre *v.t.* **1.** to cheat, to swindle, ⟨*fam*⟩ to do. – **2.** (*sottrarre mediante truffa*) to cheat, to swindle, ⟨*fam*⟩ to rob, ⟨*fam*⟩ to do, ⟨*fam*⟩ to take: *l'hanno truffato di mezzo milione* ⌜they cheated him of⌝ (*o* he was cheated out of) half a million, ⟨*fam*⟩ he was done for half a million. – **3.** ⟨*Dir*⟩ (*defraudare*) to defraud, to swindle. – **4.** ⟨*assol*⟩ (*commettere truffa*) to commit fraud, to perpetrate a swindle. – **truffarsi** *v.r.* ⟨*ant*⟩ (*beffarsi*) to laugh (*di* at), to make fun (of). □ *rimanere truffato* to be swindled (*o* cheated); *vivere truffando* to be a swindler. – **truffatọre** *m.* (*f.* **-trice**) cheat(er), swindler.
truffé *fr.* [try'fe] *a.* **1.** ⟨*Gastr*⟩ (*tartufato*) truffled. – **2.** ⟨*fig*⟩ (*rif. a libri*) grangerized, extra-illustrated.
trufferịa *f.* ⟨*non com*⟩ (*imbroglio*) swindle, fraud, trick(ery). – **truffọne** *m.* (*f.* **-a**) ⟨*region*⟩ **1.** → **truffatore.** – **2.** (*imbroglione*) cheat, trickster.
trufolạre *v.i.* (**trụfolo**; *aus.* **avere**) ⟨*rar*⟩ **1.** (*frugare, rimestare*) to rummage. – **2.** (*sguazzare*) to wallow. – **trufolarsi** *v.r.* to wallow.
truịsmo *m.* ⟨*rar*⟩ (*verità ovvia*) truism. – **truịstico** *a.* (*pl.* **-ci**) ⟨*rar*⟩ truistic(al).
trullạggine *f.* ⟨*tosc*⟩ (*grullaggine*) silliness, foolishness.
trullạre[1] *v.i.* (*aus.* **avere**) ⟨*ant,volg*⟩ (*fare peti*) to break wind, ⟨*volg*⟩ to fart.
trullạre[2] *a.* ⟨*region*⟩ (*allegro*) gay.
trullerịa *f.* ⟨*tosc*⟩ **1.** (*stupidità*) silliness, foolishness. – **2.** (*atto stupido*) foolish (*o* silly) action; (*parole sciocche*) nonsense.
trụllo[1] *m.* ⟨*Etnol*⟩ trullo: *i -i di Alberobello* the trulli at Alberobello.
trụllo[2] *a.* ⟨*tosc*⟩ (*grullo*) silly, foolish.
trụllo[3] *m.* ⟨*ant,volg*⟩ (*peto*) wind, gas, ⟨*volg*⟩ fart.
trumeau *fr.* [try'mo] *m.* **1.** ⟨*Arred*⟩ bureau, secretary; (*specchiera*) trumeau, pier-glass. – **2.** ⟨*Arch*⟩ trumeau. – **trumò** *m.* → **trumeau.**
trụnco *m.* (*pl.* **-chi**) ⟨*lett,ant*⟩ (*tronco*) trunk, body; (*tronco d'albero*) (tree) trunk.
truọgo *m.* (*pl.* **-ghi**), **truọgolo** *m.* ⟨*lett*⟩ (*trogolo*) trough.
truọno *m.* → **trono**[2].
trụppa *f.* **1.** ⟨*Mil*⟩ troop; (*bassa forza*) men *pl*, troops *pl*. – **2.** ⟨*spreg*⟩ (*banda*) gang, crew. – **3.** ⟨*scherz*⟩ (*gruppo*) group, company, troop, band, horde, swarm: *-e di amici* hordes of friends. – **4.** ⟨*Cin*⟩ (*troupe*) troupe, company. – **5.** ⟨*ant*⟩ (*drappello*) armed band (*o* gang). – **6.** ⟨*ant*⟩ (*gran quantità di gente*) troop, band, large group.
□ **a** *-e* in groups, in swarms, in a troop; ⟨*Mil*⟩ *-e* **aerotrasportate** airborne troops; *-e* **ausiliarie** auxiliary troops; **in** *-e* = **a** *truppe*; ⟨*Mil*⟩ *-e* **leggere** light-armed troops; *-e* **mercenarie** mercenaries *pl*; *-e d'***occupazione** occupation troops; *-e di* **rincalzo** (*o rinforzo*) reinforcements *pl*; **uomini** *di* ~ men *pl*, troops *pl*, ranks *pl*.
truppẹllo *m.* ⟨*ant*⟩ (*drappello*) squad.
truschịno *m.* ⟨*tecn*⟩ surface gauge.
trust *ingl.* [trʌst] *m.* ⟨*Econ*⟩ trust. □ ~ *bancario* banking trust; ⟨*fig*⟩ ~ *dei cervelli* brain(s) trust.
trutilạre *v.i.* (*aus.* **avere**) to whistle.
tsạntsa *f.* ⟨*Etnol*⟩ tsantsa.
tse-tsẹ *f.* ⟨*Entom*⟩ (*anche mosca tse-tse*) tsetse fly (*Glossina palpalis*).
tsigạno I *s.m.* (*f.* **-a**) (*zigano*) Tzigane, (Hungarian) gypsy. – **II** *a.* Tzigane, gypsy.
t.s.l., T.S.L. = ⟨*Mar*⟩ *tonnellata stazza lorda* gross ton (*abbr.* G.T., GT).
t.s.n., T.S.N. = ⟨*Mar*⟩ *tonnellata stazza netta* net ton (*abbr.* N.T., NT).
tsụga *f.* ⟨*Bot*⟩ hemlock (spruce) (*Tsuga*).
tsunạmi *m.inv.* **1.** tsunami, tidal wave. – **2.** (*maremoto*) seaquake.
TT = ⟨*Aut*⟩ *Togo* Togo.
T.T. = *versamento telegrafico* telegraphic transfer (*abbr.* T.T., TT).
...ttero *suff.* (*ala* wing, *pinna* fin) **1.** (*nella formazione dei sost.*) ...pter: *elịcottero m.* helicopter. – **2.** (*nella formazione degli agg.*) ...pterous: *micrọttero a.* micropterous.
tu I *pron.pers.* **1.** you, ⟨*ant*⟩ thou: ~ *l'hai visto?* have you seen him?; *sei stato* ~*?* was it you? – **2.** (*lo stesso*) yourself, the same: *non sembri più* ~ you don't seem the same any more. – **3.** (*con valore personale*) you, one: *quando* ~ *pensi che* when you think that. – **II** *s.m.* familiar form (of you): *dare del* ~ *a qd.* to use the familiar form when speaking to s.o. □ *a* ~ *per* ~ face to face: *stare a* ~ *per* ~ *con qd.* to be face to face with s.o.; *mettersi a* ~ *per* ~ *con qd.* to set up in competition with s.o., to set o.s. up against s.o.; ⟨*non com*⟩ *nel* ~ *per* ~ (*a quattr'occhi*) in private, in confidence; *parlare a* ~ *per* ~ *con qd.* to speak to s.o. as an equal.
Tu = ⟨*Chim*⟩ *tulio* thulium (*abbr.* Tm.).
tu' (*accorc. di tuo*) *a.* ⟨*pop,tosc*⟩ your.
T.U. = ⟨*Dir*⟩ *testo unico* consolidation act.
tuareg(h) I *s.m.* **1.** (*lingua*) Tuareg. – **2.** *m./f.* (*abitante*) Tuareg. – **II** *a.* Tuareg.
tuatạra *f.* ⟨*Zool*⟩ tuatara, tuatera (*Hatteria punctata*).
tub *ingl.* [tʌb] *m.* ⟨*non com*⟩ **1.** (*tinozza, mastello*) tub. – **2.** (*bagno*) bath(tub). – **3.** (*stanza da bagno*) bathroom.
tụba *f.* **1.** ⟨*Stor,Mus*⟩ tuba. – **2.** ⟨*Mod*⟩ top-hat. – **3.** ⟨*Anat*⟩ tube. – **4.** ⟨*Mil*⟩ (*recluta*) raw recruit, ⟨*fam*⟩ rookie. – **5.** ⟨*poet*⟩ (*tromba*) trumpet; (*tromba di guerra*) (war-)trumpet. – **6.** ⟨*fig,poet*⟩ (*voce poetica*) poetic voice. □ ⟨*Anat*⟩ ~ *uditiva* (*o di Eustachio*) Eustachian tube; ~ *uterina* (*o di Falloppio*) Fallopian tube.
tubạggio *m.* ⟨*Mecc*⟩ tubbing.
tubạre *v.i.* (*aus.* **avere**) **1.** to coo: *i colombi tubano* doves coo. – **2.** ⟨*fig,scherz*⟩ (*rif. a innamorati*) to (bill and) coo: ~ *come due colombi* to bill and coo like two doves.
tubạrico *a.* (*pl.* **-ci**) ⟨*Anat*⟩ tubal.
tubạta *f.* ⟨*ant*⟩ **1.** (*stanza della torre*) tower (*o* high) room. – **2.** (*torre*) tower.
tubatụra *f.* → **tubazione.**
tubaziọne *f.* ⟨*tecn*⟩ **1.** (*sistema, insieme di tubi*) piping, pipes *pl*, pipeline. – **2.** (*singolo tubo*) pipe: ~ *d'aspirazione* suction pipe.
□ ~ *dell'***acqua** water pipes *pl*; ~ *dell'acqua* **potabile** drinking-water pipes; ~ **flessibile** flexibile piping; ~ *del* **freno** brake line; ~ *del* **gas** gas pipeline; ~ **interrata** = *tubazione* **sotterranea**; ~ *di* **mandata** delivery pipe(line); ~ *di* **ritorno** return piping; ~ *di* **scarico**: 1. waste pipes *pl*; 2. ⟨*Mot*⟩ gas-exhaust pipe, exhaust (*o* discharge) line; ~ **sotterranea** underground pipeline; ~ *del* **vapore** steam piping (*o* pipe).
tuberạcee *f.pl.* ⟨*Bot*⟩ truffles *pl*, tubers *pl* (*Tuberaceae*).
tubercolạre *a.* ⟨*Med*⟩ **1.** (*della tubercolosi*) tuberculous, tubercular. – **2.** (*di tubercolo*) tubercular, tuberculate, tuberculous. □ *bacillo* ~ tubercle bacillus.
tubercolạto *a.* ⟨*Bot*⟩ tuberculate.
tubercolịna *f.* ⟨*Med*⟩ tuberculin. □ ~ *nuova* new tuberculin. – **tubercolịnico**: ⟨*Chim*⟩ *acido* ~ tuberculinic acid.
tubercolino|reaziọne *f.* ⟨*Med*⟩ tuberculin test (*o* reaction). – **~terapịa** *f.* tuberculinotherapy.
tubercolizzạre *v.t.* ⟨*Med*⟩ to tubercularize. – **tubercolizzạto** (*p.p. di tubercolizzare*) *a.* ⟨*Bot*⟩ tubercled, tuberculate. – **tubercolizzaziọne** *f.* **1.** ⟨*Med*⟩ tuberculization, tubercularization. – **2.** ⟨*Bot*⟩ tuberculization.
tubẹrcolo *m.* **1.** ⟨*Med*⟩ tubercle. – **2.** ⟨*Anat*⟩ tubercle, tuberculum. – **3.** ⟨*Bot*⟩ tubercle, tubercule. □ ⟨*Med*⟩ ~ *anatomico* (*o degli anatomisti*) anatomical tubercle, post-mortem wart; ~ *genitale* (*o fallico*) genital tubercle; ⟨*Bot*⟩ ~ *radicale* root-tubercle.
tubercolọma *m.* ⟨*Med*⟩ tuberculoma, tuberculome. □ ~ *del cervello* conglomerate tubercle.
tubercolosạrio *m.* (*sanatorio*) sanatorium (for tubercular patients), tubercular hospital.
tubercolọsi *f.* ⟨*Med,Veter,Agr*⟩ tuberculosis, ⟨*fam*⟩ TB. □ ~ *miliare* miliary tuberculosis; ~ *ossea* bone tuberculosis; ~ *polmonare* pulmonary tuberculosis, tuberculosis of the lungs, (pulmonary) phthisis, consumption. – **tubercolọso I** *a.* **1.** ⟨*Med,Veter*⟩ tuberculous, tubercular. – **2.** → **tubercolato.** – **II** *s.m.* (*f.* **-a**) tuberculosis case, person suffering from tuberculosis. – **tubercolọtico** *a./s.* (*pl.* **-ci**) **I** *a.* ⟨*Med*⟩ **1.** (*della tubercolosi*) tuberculous, tubercular, of tuberculosis, ⟨*fam*⟩ TB-. – **2.** (*affetto da tubercolosi*) tuberculous, tubercular. – **II** *s.m.* (*f.* **-a**) tuberculosis case, person suffering from tuberculosis.
tubercolụto *a.* ⟨*rar*⟩ **1.** tuberculate, tubercled. – **2.** (*cosparso di tubercoli*) covered with tubercles.
tubercụlide *f.* ⟨*Med*⟩ tuberculid(e).
tubẹrculo *m.* ⟨*ant*⟩ → **tubercolo.**
tuberịa *f.* pipes *pl*.
tuberificạre *v.i.* (**tuberịfico, tuberịfichi**; *aus.* **essere**) ⟨*Bot*⟩ to become tuberous.
tuberịna *f.* ⟨*Bot*⟩ Chinese (*o* Japanese) artichoke, knotroot (*Stachys sieboldii*; *Stachys tuberifera*).
tuberizzạre *v.* → **tuberificare.** – **tuberizzaziọne** *f.* ⟨*Bot*⟩ tuberization.
tụbero *m.* ⟨*Bot*⟩ tuber.
tuberọsa *f.* ⟨*Bot*⟩ tuberose (*Polyanthes tuberosa*).
tuberosità *f.* ⟨*non com*⟩ **1.** tuberous appearance. – **2.** ⟨*concr*⟩ (*protuberanza*) tuberosity, protuberance. – **3.** ⟨*Anat*⟩ tuberosity. – **4.** ⟨*ant,rar*⟩ (*l'essere bitorzoluto*) lumpiness, knottiness. – **tuberọso** *a.* ⟨*Bot*⟩ **1.** tuberous. – **2.** (*che somiglia a un tubero*) tuberous.
tubettifịcio *m.* tube factory. – **tubettịno** *m. dim. di* **tubetto.**
tubẹtto (*dim. di tubo*) *m.* **1.** (small) tube; (*tubetto flessibile*) (small) hose. – **2.** (*contenitore schiacciabile*) tube: ~ *di dentifricio* tube of toothpaste; ~ *di colore* tube of paint. – **3.** (*contenitore cilindrico,*

il contenuto) tube, vial: *un* ~ *di aspirina* a tube of aspirin; *ingerire un* ~ *di sonnifero* to swallow a tube of sleeping pills. – **4.** ⟨*Tess*⟩ tube, cop, bobbin, quill. □ ~ *di gomma* (*nel contagocce*) rubber bulb; ⟨*Bot*⟩ ~ *pollinico* pollen tube; ~ *di vetro* glass tube.

tubịcine *m.* ⟨*Stor.rom*⟩ tuba-player.

tubiẹra *f.* **1.** ⟨*tecn*⟩ pipes *pl* in a water heater. – **2.** ⟨*Met*⟩ tuyère, blast inlet. – **tubiẹro** *a.* ⟨*tecn*⟩ tube-: *piastre -e* tube plates.

tubifịcidi *m.pl.* ⟨*Zool*⟩ tubificids *pl* (*Tubificidae*).

tubinạri *m.pl.* ⟨*Ornit*⟩ Procellariiformes *pl*, Tubinares *pl* (*Tubinares*).

Tubịnga *N.pr.f.* ⟨*Geog*⟩ Tubingen.

tubịno (*dim. di tubo*) *m.* **1.** ⟨*Mod*⟩ sheath (dress). – **2.** ⟨*Vest*⟩ bowler (hat), ⟨*am*⟩ derby (hat).

tubipọridi *m.pl.* ⟨*Zool*⟩ organ-pipe corals *pl*, tubipores *pl* (*Tubiporidae*).

tubịsta *m.* **1.** pipe-maker; (*idraulico*) plumber. – **2.** ⟨*Mar.mil*⟩ pipe-fitter.

tubitẹlo: ⟨*Zool*⟩ *ragni -i* tube spinners (*o* weavers), tube-weaving spiders.

tụbo *m.* **1.** pipe, tube. – **2.** (*tubo flessibile*) hose, flexible pipe (*o* tube). – **3.** ⟨*El*⟩ (*tubo elettronico*) (vacuum) tube. – **4.** ⟨*Bot*⟩ tube. – **5.** ⟨*Anat*⟩ canal, duct.

□ ~ *dell'***acqua** water pipe; ⟨*Aut*⟩ ~ *per* **albero** *comando sterzo* steering pillar (*o* column); ~ **alettato** (o *ad alette*) finned tube; ~ *d'***alimentazione** feed pipe; ⟨*Aer*⟩ induction pipe; ~ *d'***allungamento** extension tube; ~ *d'***ammissione** inlet tube; ⟨*TV*⟩ ~ **analizzatore** image dissector, dissector tube; ⟨*Artigl*⟩ ~ **anima** liner; ~ *dell'***aria** air pipe; ~ **armato** armoured conduit; ~ **aspirante** suction pipe; ~ *d'***aspirazione**: 1. = *tubo* **aspirante**; 2. = *tubo d'***ammissione**; ~ *della* **benzina** petrol pipe; ~ *a* **bicchiere** socket tube; ~ **bollitore** water tube; ⟨*Fis*⟩ ~ *di* **Braun** Braun tube; ~ **capillare** capillary tube; ⟨*Mot*⟩ ~ *del* **carburante** petrol (*o* fuel) pipe; ⟨*Minier*⟩ ~ **carotiere** core barrel; ~ **catodico** (o *a raggi catodici*) cathode-ray tube; ~ **collettore** header; ~ **contatore** counter tube, counting detector tube; ~ *di* **conteggio** *a base decimale* decade counter tube; ~ **convertitore** *di frequenza* mixing valve; ~ **convogliatore** conveyor tube; ⟨*Bot*⟩ ~ **cribroso** sieve tube; ⟨*Mar*⟩ ~ *di* **cubia** hawse pipe; ⟨*Anat*⟩ ~ **digerente** alimentary canal; ~ *di* **diramazione** branch pipe; ⟨*Mecc*⟩ ~ **distanziatore** distance tube; ~ *di* **drenaggio** drainpipe; ~ **elettronico** vacuum tube; ⟨*Rad*⟩ ~ *a fascio elettronico* electron-beam tube (*o* valve); ~ **esplosivo** fragmentation bomb (*o* shell), anti -personnel bomb; ~ *di* **fiamma** flame tube; ~ **flangiato** (o *a flange*) flanged pipe; ~ **flessibile** flexible pipe; (*di gomma e sim.*) (rubber) hose, hosepipe; ~ **fluorescente** glow tube; ~ *di* **flusso** flow pipe; ⟨*Fis*⟩ ~ *di* **forza** tube of force; ~ *di* **fumo** flue; ~ *a* **gas** gas tube; ~ **Geiger** Geiger tube; ~ *a* **gomito** round elbow, knee bend; ~ *di* **gomma** rubber hose; ⟨*Orol*⟩ ~ *di* **guida** bridge-guiding tube; ~ **isolante** insulating conduit (*o* tube); ~ *per* **lampi** *di luce* flash tube; ⟨*Mar.mil*⟩ ~ **lanciasiluri** torpedo tube; ⟨*Mil*⟩ ~ *di* **lancio** bore; ⟨*Bot*⟩ ~ **laticifero** laticiferous vessel; ~ *di* **livello** *in vetro* glass gauge; ~ *di livello del combustibile* oil level pipe; ~ *di* **mandata** feed (*o* delivery) pipe; ~ **Mannesmann** seamless steel pipe; ~ **metallico** metal tube; ⟨*Anat*⟩ ~ **midollare** medullary tube, neural canal; ~ **montante** riser; ⟨*El*⟩ ~ **multiplo** multiple-unit tube; ~ *al* **neon** neon tube; ~ **nervato** = *tubo* **alettato**; ⟨*Anat*⟩ ~ **nervoso** myelinated (*o* medullated) fibre; ~ **neurale** = *tubo* **midollare**; ~ *dell'***olio** oil pipe; ~ *a* **onda** *viaggiante* (o *progressiva*) travelling-wave tube; ~ **ondulato** corrugated pipe; ⟨*El*⟩ ~ *a* **pendenza** *variabile* variable-mutual conductance valve (*o* tube); ⟨*TV*⟩ ~ **pilota** monitor tube; ~ *di* **piombo** lead pipe; ⟨*Bot*⟩ ~ **pollinico** pollen tube; ~ *ad alta* **pressione** high-pressure hose; ~ *di* **raffreddamento** cooling tube (*o* pipe); ⟨*Rad*⟩ ~ *di* **reattanza** tube (*o* valve) reactor, reactance tube; ~ *di* **recupero** scavenge pipe; ⟨*El*⟩ ~ **regolatore** *di corrente* current regulator tube, barretter; ⟨*TV*⟩ ~ *da* **ripresa** camera (*o* pick-up) tube; ~ *di* **riscaldamento** heating pipe; ⟨*Minier*⟩ ~ *di* **rivestimento** casing; ⟨*Chim*⟩ ~ *da* **saggio** test tube; ⟨*Mot*⟩ ~ *di* **scappamento** exhaust pipe; ~ *di* **scarico**: 1. drain pipe, waste pipe, spout; 2. = *tubo di* **scappamento**; ⟨*Ferr*⟩ ~ *di scarico del vapore* exhaust steam pipe; ~ *di* **sfiato** breather (pipe); ~ *dello* **sfioratore** = *tubo di* **troppo-pieno**; ~ **spruzzatore** spraying tube; ~ *della* **stufa** stovepipe; ⟨*Aer*⟩ ~ *di stufa volante* ram-jet engine; ~ *a* **T** T-tube; ~ *per* **telecamera** telecamera (*o* pick-up) tube; ~ **telescopico** extension tube; ~ **televisivo** picture tube, ⟨*am*⟩ kinescope; ~ **trafilato** drawn tube (*o* pipe); ~ **trasportatore** = *tubo* **convogliatore**; ⟨*Idr*⟩ ~ *di* **troppo-pieno** overflow pipe; ~ *a* **U** U-tube; ⟨*Anat*⟩ ~ **urinifero** uriniferous (*o* renal, kidney) tubule; ~ *di* **ventilazione** vent pipe; ⟨*Fis*⟩ ~ *di* **Venturi** Venturi (tube); ~ *di* **vetro** glass tube (*o* pipe); ~ *a* **vuoto** vacuum tube; ~ ⌜*ad alto vuoto*⌝ (o *a vuoto spinto*) high-vacuum tube.

tubolạre **I** *a.* **1.** (*che ha forma di tubo*) tubular. – **2.** (*costituito da tubo*) tubular: ⟨*Edil*⟩ *armatura* ~ tubular scaffolding. – **II** *s.m.* **1.** (*pneumatico*) tubular tyre. – **2.** ⟨*Mil*⟩ insignia of rank (worn as a shoulder loop or strap).

tubolạto *a.* ⟨*non com*⟩ tubulary. – **tubolatụra** *f.* **1.** piping, pipes *pl.* – **2.** ⟨*Mar*⟩ system (of pipes), piping, pipes *pl*: ~ *ausiliario* auxiliary piping.

tụbolo *m.* ⟨*non com*⟩ → **tubulo**.

tubolọso *a.* ⟨*Bot*⟩ tubulate, tubiform, tube-shaped, trumpet-shaped.

tubulạre *a.* tubular (*anche Biol.*).

tubulạto *a.* → **tubolato**. – **tubulatụra** *f.* → **tubolatura**.

tụbulo *m.* **1.** tubule, small tube. – **2.** ⟨*Anat,Biol,Bot*⟩ tubule. □ ⟨*Anat*⟩ *-i renali* uriniferous (*o* renal, kidney) tubules; *-i seminiferi* seminiferous tubules.

tubulọso *a.* → **tuboloso**.

tucạno *m.* ⟨*Ornit*⟩ **1.** toucan. – **2.** *pl.* toucans *pl* (*Rhamphastidae*). – **Tucano** *m.* ⟨*Astr*⟩ Tucana, Toucan.

tuchinạggio *m.* ⟨*Stor*⟩ peasant revolts *pl* (in Piedmont).

Tucịdide *N.pr.m.* ⟨*Stor*⟩ Thucydides. – **tucididẹo** *a.* ⟨*Lett*⟩ Thucydidean.

tucụl *m.* ⟨*Etnol*⟩ (straw-roofed) hut.

tụdero *m.* ⟨*spreg,region*⟩ (*tedesco*) German, ⟨*spreg*⟩ Hun.

tudertịno ⟨*lett*⟩ **I** *a.* (*di Todi*) of (*o* from) Todi. – **II** *s.m.* (*abitante*; *f.* **-a**) inhabitant (*o* native) of Todi.

tuẹllo *m.* ⟨*Zootecn*⟩ quick (of a horse's hoof).

tufạceo *a.* tufaceous: *roccia -a* tufaceous rock. – **tufẹllo** *m.* block of tuff.

tuff *onom.* bump, bang, plump. □ ~ *tuff* puff-puff.

tuffamẹnto *m.* ⟨*non com*⟩ **1.** (*il tuffare*) plunging, dipping. – **2.** (*il tuffarsi*) plunging, diving. – **tuffạnte** (*p.pr. di tuffare*) *a.* dipping. □ *stantuffo* ~ drowned piston, hydraulic ram (*o* plunger).

tuffạre *v.t.* to dip, to plunge: ~ *un remo nell'acqua* to dip an oar in the water. – **tuffarsi** *v.r.* **1.** (*immergersi*) to plunge, to dive: *tuffarsi in mare* to plunge into the sea. – **2.** (*fare un tuffo*) to dive: *tuffarsi in una piscina* to dive in a pool. – **3.** (*gettarsi verso il basso*) to leap (down): *tuffarsi nel vuoto* to leap into space. – **4.** ⟨*Aer*⟩ (*scendere in picchiata*) to (nose-)dive. – **5.** (*tramontare*) to sink, to disappear: *il sole si tuffò all'orizzonte* the sun sank on the horizon. – **6.** ⟨*fig*⟩ (*lanciarsi, precipitarsi*) to dive, to plunge (*in* into), to throw o.s. (in): *tuffarsi nella mischia* to dive into the fray; *i pompieri si tuffarono fra le fiamme* the firemen plunged into the holocaust. – **7.** ⟨*fig*⟩ (*sprofondarsi*) to plunge (*in* into), to bury o.s. (in): *tuffarsi nello studio* to bury o.s. in one's books; (*rif. a vizi e sim.*) to throw o.s. (into), to indulge (in), to give o.s. up (to). □ ⟨*poet*⟩ *tuffarsi nel sonno* (*addormentarsi*) to fall into a deep sleep.

tuffạta *f.* **1.** (*il tuffare*) (quick) dip, plunge. – **2.** (*il tuffarsi*) dive, plunge. □ *dare una* ~ *a qc. in qc.* to dip s.th. in s.th. – **tuffatịna** *f. dim. di* **tuffata**. – **tuffatọre** *m.* (*f.* **-trice**) **1.** diver, plunger. – **2.** (*atleta*) diver. – **3.** ⟨*Aer*⟩ dive-bomber. – **4.** ⟨*Mar*⟩ (*sommozzatore*) diver, frogman. – **tuffatụra** *f.* ⟨*rar*⟩ → **tuffamento**.

tụffete *onom.* ⟨*non com*⟩ (*tonfete*) bump, plop, bang; (*rif. a cosa che cade in acqua*) splash, plop.

tuffẹtto *m.* ⟨*Ornit*⟩ little grebe (*Podicipes ruficollis*). □ ~ *tuffatore* white-eyed pochard (*Nyroca nyroca*).

tuffịsta *m./f.* ⟨*Sport*⟩ diver. – **tuffịstica** *f.* diving.

tụffo[1] *m.* **1.** (*il tuffare*) dip, plunge; (*il tuffarsi*) dive, jump (into the water). – **2.** (*breve bagno*) dip: *faccio un* ~ *ed esco subito* I'll just go in for a dip and come right out. – **3.** ⟨*fig*⟩ (*forte emozione*) throb, sudden emotion, jolt. – **4.** ⟨*Sport*⟩ dive. – **5.** *pl.* → **tuffistica**. – **6.** ⟨*Sport*⟩ (*nel calcio*) dive. – **7.** ⟨*Aer*⟩ nose-dive. – **8.** ⟨*fig,rar*⟩ (*caduta rovinosa, fiasco*) fiasco. – **9.** ⟨*rar*⟩ (*scroscio di pioggia*) shower, downpour.

□ **a** ~ (*di slancio*) with a leap (*o* dash); ⟨*fig*⟩ *buttarsi a* ~ *su qc.* to make a dive for s.th., to grab at s.th.; ⟨*rar*⟩ ~ *d'***acqua** (*scroscio di pioggia*) shower; ⟨*Sport*⟩ ~ *in acqua* dive; ~ *da grande* **altezza** high dive; ~ *ad* **angelo**: 1. (*nel calcio*) flying dive by goalkeeper (to stop a ball); 2. (*nel nuoto*) swan dive; ~ *in* **avanti** forward dive; ~ *a* **candela** = *tuffo* **verticale**; ⟨*fig*⟩ *provai un* ~ *al* **cuore** my heart missed (*o* skipped) a beat; ⟨*fig*⟩ **dare** *un* ~ (*sbagliare*) to make a mistake; **gara** *di -i* diving contest; ⟨*Sport*⟩ ~ **indietro** back dive; ~ *in* **partenza** racing dive; ~ ⌜*in* **piedi**⌝ (o *a pennello*) jump; ~ **raggruppato** crouched jump, ⟨*fam*⟩ honeypot; ~ *dei* **remi** dip of the oars; (*il rumore*) splash of the oars: *udivamo il* ~ *dei remi* we could hear the splash of the oars; ⟨*Sport*⟩ ~ *alla* **rondine** swallow dive, ⟨*am*⟩ swan dive; ⟨*Sport*⟩ ~ *con doppio* **salto** *mortale* double somersault dive; *il* **sangue** *mi fece* (o *diede*) *un* ~ = *provai un tuffo al* **cuore**; ⟨*Aer*⟩ **scendere** *in* ~ to (nose-)dive; ⟨*Sport*⟩ ~ *a* **serpentina** corkscrew dive; ⟨*Sport*⟩ ~ *di* **testa** straight header; ~ **verticale** handstand dive.

tụffo[2] *m.* → **tufo**[2].

tuffolịno *m.* → **tuffetto**.

tụffolo *m.* ⟨*Ornit*⟩ **1.** (*svasso piccolo*) black-necked grebe, ⟨*am*⟩ eared grebe (*Podicipes nigricollis*). – **2.** (*svasso*) grebe (*Podicipes*).

tụfo[1] *m.* ⟨*Min*⟩ (*di natura vulcanica*) tuff, tufa; (*di natura calcarea*) tufa. □ ~ *basaltico* basaltic tufa; ~ *calcareo* (calcareous) tufa; ~ *cristallino* crystal tuff; ~ *vulcanico* volcanic tufa, tuff.

tụfo[2] *m.* ⟨*dial*⟩ (*puzzo*) stink, stench.

tufọso *a.* ⟨*non com*⟩ → **tufaceo**.

tụga *f.* ⟨*Mar*⟩ bridge house, deckhouse, roundhouse. □ ~ *a prora* forecastle. – **tughẹtta** (*dim. di tuga*) *f.* companion, hatch-cover frame.

tugụrio *m.* (*abitazione*) hovel; (*ambiente*) hole.

tụia *f.* ⟨*Bot*⟩ thuja, arbor vitae (*Thuja, Thuia*).

tularemịa *f.* ⟨*Veter,Med*⟩ tular(a)emia.

Tụle *N.pr.f.* ⟨*Geog.stor*⟩ Thule.

tụlio *m.* ⟨*Chim*⟩ thulium.

tulipạno *m.* **1.** ⟨*Bot*⟩ tulip (*Tulipa*). – **2.** (*campana di lampada elettrica*) tulip-shaped lampshade. – **3.** ⟨*Artigl*⟩ tulip, muzzle swell. □ ⟨*Bot*⟩ ~ *giallo* (o *selvatico*) wild tulip (*Tulipa silvestris*).

tụlle *m.inv.* ⟨*Tess*⟩ tulle. □ *di* ~ tulle-: *vestito di* ~ tulle dress; ⟨*Lav.femm*⟩ *punto* ~ net embroidery.

Tụllia *N.pr.f.* Tullia.

tulliạno *a.* ⟨*Lett*⟩ (*di Cicerone*) Ciceronian, of Cicero (*o* Tully). – **Tulliano** *m.* (*anche carcere Tulliano*) Tullianum, Mamertine Prison.
Tụllio *N.pr.m.* **1.** Tullius. – **2.** (*Cicerone*) Tully, Cicero.
tulucuna *f.* ⟨*Bot*⟩ carap(a) (*Carapa procera*). □ *grasso di* ~ carap oil.
tumefạre *v.t.* (**tumefạccio/tumefò, tumefại; tumefẹci, tumefạtto;** → **fare**) ⟨*non com*⟩ (*gonfiare*) to tumefy, to cause to swell. – **tumefarsi** *v.r.* to swell (up), to tumefy. – **tumefạtto** (*p.p. di tumefare*) *a.* swollen, tumefied. – **tumefaziọne** *f.* ⟨*Med*⟩ swelling, tumefaction.
tumescẹnte *a.* ⟨*non com*⟩ (*gonfio*) swollen, tumescent. – **tumescẹnza** *f.* **1.** ⟨*non com*⟩ (*gonfiore*) swelling, tumescence. – **2.** ⟨*Med*⟩ tumescence.
tumidẹzza, tumidità *f.* ⟨*non com*⟩ **1.** (*gonfiore*) swelling. – **2.** ⟨*fig*⟩ pompousness, pomposity, tumidity: ~ *di stile* pomposity of style.
tụmido *a.* ⟨*lett*⟩ **1.** (*gonfio*) swollen, tumid: *guancia -a* swollen cheek. – **2.** (*carnoso, turgido*) thick, fleshy: *labbra -e* thick lips. – **3.** ⟨*fig*⟩ (*ampolloso*) tumid, bombastic, pompous: *stile* ~ pompous style. – **4.** ⟨*rar*⟩ (*superbo, altezzoso*) proud, haughty.
tum(m)istụfi *m./f.* ⟨*scherz*⟩ **1.** (*persona noiosa*) bore; (*seccatore*) nuisance. – **2.** (*persona schifiltosa*) finicky person.
tụmolo *m.* ⟨*rar*⟩ → **tumulo**.
tumorạccio *m.* ⟨*spreg*⟩ *pegg. di* **tumore**. – **tumorạle** *a.* ⟨*Med*⟩ tumoral, tumorous, tumour-: *cellule -i* tumoral cells. – **tumọre** *m.* **1.** ⟨*Med*⟩ tumour. – **2.** ⟨*rar*⟩ (*gonfiore, rigonfiamento*) swelling, lump. – **3.** ⟨*fig,rar*⟩ (*superbia*) pride, haughtiness. □ ⟨*Med*⟩ ~ *benigno* benign tumour; ~ *bianco* tumour albus, white swelling, arthritis fungosa; ~ *maligno* malignant (*o* cancerous) tumour. – **tumorẹtto** *m. dim. di* **tumore**.
tumorosità *f.* ⟨*ant*⟩ **1.** (*gonfiore*) swelling. – **2.** (*escrescenza*) excrescence. – **tumorọso** *a.* ⟨*ant*⟩ **1.** (*gonfio*) swollen. – **2.** (*grasso*) fat.
tumulạre[1] *v.t.* (**tụmulo**) ⟨*non com*⟩ (*seppellire*) to bury, to inter, to entomb.
tumulạre[2] *a.* ⟨*rar*⟩ (*di tumolo*) tumular.
tumulaziọne *f.* **1.** (*seppellimento*) burial, burying, interment. – **2.** (*sepoltura in nicchie o loculi*) burial, burying.
tụmulo *m.* **1.** mound. – **2.** ⟨*Archeol*⟩ tumulus, barrow. – **3.** (*sepolcro, tomba*) tomb, grave, sepulchre. – **4.** ⟨*non com*⟩ (*catafalco*) catafalque.
tumụlto *m.* **1.** uproar, tumult, turmoil. – **2.** (*rumore confuso*) din, tumult, commotion. – **3.** (*agitazione di popolo*) riot, tumult, (up)rising: ⟨*Stor*⟩ *il* ~ *dei Ciompi* the uprising of the Ciompi. – **4.** ⟨*fig*⟩ tumult, turmoil: *avere l'anima in* ~ to be in a tumult.
tumultuạnte (*p.pr. di tumultuare*) **I** *a.* **1.** tumultuous, riotous, in tumult. – **2.** (*chiassoso*) rowdy. – **II** *s.m./f.* rioter. – **tumultuạre** *v.i.* (**tumụltuo**; *aus.* **avere**) **1.** to riot. – **2.** (*manifestare pubblicamente il malcontento*) to be in an uproar, to clamour.
tumultuạrio *a.* ⟨*non com*⟩ **1.** hasty: *una decisione -a* a hasty decision. – **2.** (*messo insieme in fretta*) haphazard, picked up here and there. – **3.** ⟨*Edil*⟩ (*d'emergenza*) emergency.
tumultuosamẹnte *avv.* **1.** tumultuously, riotously; (*chiassosamente*) tumultuously, turbulently, rowdily. – **2.** ⟨*fig*⟩ (*concitatamente*) turbulently, tumultuously, excitedly.
tumultuọso *a.* **1.** tumultuous, riotous. – **2.** (*agitato*) tumultuous, turbulent, disorderly: *folla -a* turbulent crowd. – **3.** (*chiassoso*) tumultuous, turbulent, noisy, rowdy, uproarious: *seduta -a* rowdy session. – **4.** ⟨*fig*⟩ tumultuous, turbulent: *passioni -e* turbulent passions.
tun *onom.* bang.
tụndra *f.* ⟨*Geog*⟩ tundra.
tụnfete *onom.* (**tonfete**) bump, bang; (*rif. a cosa che cade in acqua*) splash, plop.
tungịno *m.* ⟨*Dir,Mediev*⟩ count's deputy, centenarius.
tungstạto *m.* ⟨*Chim*⟩ tungstate, wolframate. – **tungstenịte** *f.* ⟨*Min*⟩ tungstenite. – **tungstẹno** *m.* ⟨*Chim*⟩ tungsten.
tungụso I *a.* Tungusic, Tungus(e). – **II** *s.m.* (*f.* **-a**) Tungus, Tunguz. □ *dialetti -i* Tungusic, Tungus(e).
tụnica *f.* **1.** tunic. – **2.** ⟨*Anat*⟩ tunic(a). – **3.** ⟨*Bot*⟩ tunic; (*squama di bulbi*) tunic. – **4.** ⟨*Mil.ant*⟩ (*giubba*) tunic. – **5.** ⟨*fig,poet*⟩ (*rivestimento*) covering. □ ⟨*Anat*⟩ ~ *intima* tunica intima; ~ *dell'occhio* tunica conjunctiva.
tunicạti *m.pl.* ⟨*Zool*⟩ tunicates *pl*, urochords *pl* (*Tunicata*).
tunicạto *a.* **1.** ⟨*lett*⟩ (*vestito di tunica*) wearing (*o* dressed in) a tunic. – **2.** ⟨*Bot*⟩ tunicate.
tunicẹlla (*dim. di tunica*) *f.* ⟨*Lit*⟩ tunicle. – **tunichẹtta** *f. dim. di* **tunica**.
Tụnisi *N.pr.f.* ⟨*Geog*⟩ Tunis. – **Tunịsia** *N.pr.f.* Tunisia (*denom. uff.*: *Repubblica Tunisina* Republic of Tunisia). – **tunisịno I** *a.* (*della Tunisia*) Tunisian; (*di Tunisi*) Tunisian, Tunis. – **II** *s.m.* (*f.* **-a**) (*abitante*: *della Tunisia*) Tunisian; (*di Tunisi*) Tunisian.
tụnnel *m.* **1.** ⟨*Strad,Ferr*⟩ tunnel: *il* ~ *del Monte Bianco* the Mont Blanc tunnel. – **2.** ⟨*Mar*⟩ tunnel, alley.
□ ⟨*Aer*⟩ ~ **aerodinamico** wind-tunnel; ⟨*El*⟩ **effetto** ~ tunnel effect; ⟨*Mar*⟩ ~ *dell'***elica** shaft tunnel, screw (propeller) tunnel; ~ **ferroviario** railway tunnel; ⟨*Aut*⟩ ~ *di* **lavaggio** tunnel car-wash; ⟨*Med*⟩ **malattia** *del* ~ ancylostomiasis, hookworm, tunnel anaemia, St. Gotthard's tunnel disease; ~ **stradale** road tunnel; ⟨*Aut*⟩ ~ *della* **trasmissione** transmission shaft tunnel; ~ *del* **vento** = *tunnel* **aerodinamico**.
tụo I *a. poss.* **1.** your, ⟨*ant*⟩ thy (*anche epist.*): *il* ~ *gatto* your cat; *molti tuoi compagni* many of your friends, many friends of yours; *il* ~ *affezionatissimo Mario* your loving Mario; (*tuo proprio*) your own: *guarda il libro* ~ look at your own book. – **2.** (*usato predicativamente*) yours, ⟨*ant*⟩ thine: *questa penna è -a?* is this pen yours?; *la casa è -a* the house is yours. – **3.** (*nelle espressioni ellittiche*) your *seguito dal sostantivo sottinteso*: *ho ricevuto la -a* (*lettera*) *del dieci maggio* I received your letter of the tenth of May; *sto dalla -a* (*parte*) I am on your side; *hai diritto a dire la -a* you have a right to have your say. – **II** *pron.poss.* yours, ⟨*ant*⟩ thine: *mio padre è più vecchio del* ~ my father is older than yours. – **III** *s.m.* **1.** (*averi, beni*) means *pl* (*costr.sing. o pl.*), property (of your own), your resources *pl*, what you have: *non hai niente del* ~? have you nothing of your own?; (*ciò che ti spetta di diritto*) what is yours (*o* due to you). – **2.** *pl.* (*parenti*) your relatives *pl*, your (*o* the) family, ⟨*fam*⟩ your folks (*o* people): *come stanno i tuoi?* how is your family?; (*genitori*) your parents *pl*, ⟨*fam*⟩ your folks *pl*; (*amici*) your friends *pl*, ⟨*fam*⟩ your crowd; (*seguaci*) your followers (*o* men) *pl*. □ *questo* ~ *amico* this friend of yours; *a casa -a* at your house, at home.
tuonạre *v.* (**tuọno**) **I** *v.i.* (*aus.* **avere**) (*tonare*) to thunder (*anche fig.*). – **II** *v.i.impers.* (*aus.* **essere/avere**) to thunder (*anche fig.*).
tuọno[1] *m.* **1.** clap (*o* peal, crash) of thunder, thunder: *si sentì un* ~ (a clap of) thunder was heard; (*tuono prolungato*) roll of thunder; *pl.* thunder: *il brontolio dei -i* the rumble of thunder. – **2.** ⟨*estens*⟩ (*fulmine*) lightning, thunderbolt. – **3.** ⟨*fig*⟩ (*strepito, fragore*) thunder, boom, roar. □ ⟨*fig*⟩ *di* ~ (*tonante*) thundering: *voce di* ~ thundering voice.
tuọno[2] *m.* ⟨*ant*⟩ (*tono*) tone.
tuọrlo *m.* yolk: *un* ~ *d'uovo* an egg yolk.
tupạia *f.* ⟨*Zool*⟩ **1.** tree shrew (*Tupaia*). – **2.** tana, tupaia (*Tupaia tana*). – **tupạidi** *m.pl.* tree shrews *pl*, tupaiids *pl* (*Tupaiidae*).
tupè *m.* ⟨*non com*⟩ (**toupet**) toupet, hairpiece.
tụpelo *m.* **1.** ⟨*Bot*⟩ black (*o* sour) gum, tupelo, pepperidge (*Nyssa silvatica*). – **2.** (*legno*) tupelo.
tupi, tupì I *a.* Tupi, Tupian. – **II** *s.m.* **1.** (*lingua*) Tupi. – **2.** *m./f.* (*abitante*) Tupi.
tuppè *m.* → **tupè**.
tụppete *onom.* bump, plump, ⟨*infant*⟩ bumpety. □ ~ *tappete* tip-tap; (*rif. al cuore*) pit-a-pat.
tur *m.* ⟨*Zool*⟩ tur (*Capra hibex cylindricornis*). □ ~ *del Caucaso* tur (*Capra caucasica*); ~ *dei Pirenei* Spanish ibex (*Capra pyrenaica*).
tụra *f.* **1.** ⟨*Idr*⟩ cofferdam. – **2.** ⟨*tosc*⟩ (*piccola chiusa*) (small) dam.
tura|bottịglie *m.inv.* corking-machine. – **~bụchi** *m.inv.* **1.** → **turabuco**. – **2.** (*tappabuchi*) stopgap. – **~bụco** *m.* (*pl.* **-chi**) ⟨*Tip,Giorn*⟩ filler.
turạccio *m.* ⟨*ant*⟩ → **turacciolo**. – **turacciolạio** *m.* (*f.* **-a**) cork-maker. – **turacciolịno** *m. dim. di* **turacciolo**. – **turạcciolo** *m.* stopper; (*di sughero*) cork: ~ *di bottiglia* bottle cork; (*di botti*) bung.
turacịna *f.* ⟨*Biol*⟩ turacin.
turạco *m.* (*pl.* **-chi**) ⟨*Ornit*⟩ touraco, plantain-eater (*Turacus*). □ ~ *violetto* violet plantain-eater (*Musophaga violacea*).
turafạlle *m.inv.* ⟨*Mar*⟩ stopwater; (*rif. a falle provocate dal fuoco nemico*) shot plug.
turamẹnto *m.* (*il turare*) plugging, stopping (up); (*con sughero*) corking.
Turạn *N.pr.m.* ⟨*Geog*⟩ Turan. – **turạnico** *a.* (*pl.* **-ci**) **1.** Turanian. – **2.** (*turanide*) Turanian. – **3.** ⟨*Ling,rar*⟩ (*uralo-altaico*) Ural-Altaic. – **turanịde I** *a.* Turanian. – **II** *s.m./f.* Turanian.
turapọri *m.inv.* ⟨*tecn*⟩ filler, sealer.
turạre *v.t.* to plug, to stop; (*con sughero*) to cork: ~ *un fiasco* to cork a flask. – **turarsi** *v.r.* (*intasarsi*) to be(come) blocked (*o* stopped, plugged): *si è turato il lavandino* the sink is stopped up.
□ *turarsi la* **bocca** to cover one's month; ⟨*fig*⟩ ~ *la bocca a qd.* to shut s.o.'s mouth, to silence s.o., ⟨*fam*⟩ to shut s.o. up; ~ *un* **buco**: 1. to plug (*o* fill in) a hole; 2. (*riempire uno spazio vuoto*) to fill in; 3. ⟨*fig*⟩ (*pagare un debito*) to pay a debt; 4. ⟨*fig*⟩ (*sostituire temporaneamente*) to fill (*o* stand) in for s.o., to replace s.o.; ⟨*fig*⟩ ~ *una* **falla** to pay a debt; *turarsi il* **naso** to hold one's nose; *turarsi gli* **orecchi** to stop one's ears; ~ *il* **viso** (*coprirselo*) to cover one's face.
turạto (*p.p. di turare*) *a.* **1.** (*tappato*) plugged, stopped; (*con sughero*) corked. – **2.** (*intasato*) blocked, stopped, plugged.
tụrba[1] *f.* **1.** rabble, mob: *una* ~ *di mendicanti* a rabble of beggars. – **2.** *pl.* (*masse di gente*) crowd, throng, multitude: *Gesù parlava alle -e* Jesus spoke to the multitude. – **3.** ⟨*poet*⟩ (*moltitudine di animali*) pack, horde (of animals).
tụrba[2] *f.* ⟨*Med*⟩ disorder: *-e nervose* nervous disorders.
turbạbile *a.* easily upset (*o* disturbed). – **turbabilità** *f.* ⟨*non com*⟩ susceptibility.
turbagiọne *f.* ⟨*ant*⟩ → **turbazione**.
turbamẹnto *m.* **1.** disturbance, disturbing, troubling: ~ *dell'ordine pubblico* disturbing the peace. – **2.** (*inquietudine, smarrimento*) perturbation, anxiety, agitation, worry: *a quella notizia fu preso da un profondo* ~ at the news he was filled with anxiety. □ ⟨*Dir*⟩ ~ *di funzione religiosa* interruption of a religious ceremony.
turbạnte *m.* turban (*anche Mod.*). □ ⟨*Bot*⟩ ~ *di turco* (*martagone*) Turk's cap lily, purple martagon lily (*Lilium martagon*).
turbantịno *m.* ⟨*Gastr,non com*⟩ vol-au-vent.
turbạre *v.t.* **1.** (*disturbare*) to disturb, to trouble, to upset, to interfere with: ~ *una riunione* to disturb (*o* be a disturbance in) a meeting; (*interrompere*) to interrupt. – **2.** (*sconvolgere, sconcertare*)

to upset, to perturb, to trouble, to derange: *la notizia lo turbò profondamente* the news upset him very much. – **3.** (*intorbidare*) to make turbid (*o* cloudy), to cloud. – **4.** ⟨*lett*⟩ (*mettere in disordine*) to throw out, to upset: ~ *i piani di qd.* to upset (*o* throw out) s.o.'s plans; (*guastare*) to upset, to spoil, to ruin. – **turbarsi** *v.r.* **1.** to grow (*o* get) upset, to be perturbed (*o* affected); (*inquietarsi*) to grow (*o* get) worried, to get uneasy (*o* agitated): *si turba per ogni sciocchezza* she gets worried over every little thing. – **2.** (*confondersi*) to become confused, to be disconcerted. – **3.** (*guastarsi*: *rif. al tempo*) to break, to change for the worse; (*annuvolarsi*: *rif. al cielo*) to cloud over, to become cloudy; (*ingrossarsi*: *rif. al mare*) to grow rough. – **4.** (*intorbidarsi*) to become turbid (*o* cloudy), to cloud. – **5.** ⟨*ant*⟩ (*corrucciarsi*) to become enraged (*o* angry).

turbativa *f.* ⟨*Dir*⟩ **1.** disturbance, obstruction, annoyance, nuisance. – **2.** (*turbativa del possesso*) disturbance of possession.

turbativo *a.* ⟨*non com*⟩ disturbing.

turbato (*p.p. di turbare*) *a.* **1.** disturbed, agitated, troubled. – **2.** (*preoccupato*) worried, uneasy, troubled. – **3.** (*sconvolto*) upset, disturbed, deranged: *la sua mente era rimasta -a da quella catastrofe* his mind was upset by that catastrophe. – **4.** (*intorbidato*) turbid, cloudy. – **5.** ⟨*fig,lett*⟩ (*offuscato*) dimmed, cloudy, clouded. – **6.** ⟨*Fon,non com*⟩ central, middle, mixed: *vocale -a* central vowel. – **7.** ⟨*ant*⟩ (*adirato*) enraged, angry.

turbatore *m.* (*f.* **-trice**) ⟨*non com*⟩ disturber. – **turbazione** *f.* **1.** ⟨*non com*⟩ → **turbamento**. – **2.** ⟨*ant*⟩ (*confusione*) confusion, turmoil.

turbellari *m.pl.* ⟨*Zool*⟩ turbellarians *pl* (*Turbellaria*).

turbidimetria *f.* ⟨*Chim,Fis*⟩ turbidimetry.

turbido ⟨*ant*⟩ **I** *a.* (*torbido*) turbid, cloudy. – **II** *s.m.inv.* something wrong (*o* obscure, fishy), dubious situation.

turbina *f.* ⟨*tecn*⟩ **1.** turbine. – **2.** (*turbomacchina*) turbine engine; (*turbomotrice*) turbine engine. – **3.** ⟨*non com*⟩ (*separatore centrifugo*) centrifugal separator.

□ ⟨*Mot*⟩ ~ *ad* **aria** *calda* hot-air turbine; ~ **assiale** axial-flow turbine; ~ **ausiliaria** auxiliary turbine; ⟨*Idr*⟩ ~ *a* **elica** propeller turbine; ~ *a* **gas** gas turbine; ~ **idraulica** water (*o* hydraulic) turbine; ⟨*Idr*⟩ ~ **Kaplan** Kaplan turbine; ~ **marina** marine turbine; ⟨*Idr*⟩ ~ **Pelton** Pelton wheel turbine; ⟨*Mot*⟩ ~ **radiale** radial(-flow) turbine; ~ *a* **reazione** reaction turbine; ~ *a* **vapore** steam turbine.

turbinale *m.* ⟨*Biol*⟩ turbinate (bone), nasal concha.

turbinare *v.* (**turbino**) **I** *v.t.* ⟨*tecn*⟩ to separate. – **II** *v.i.* (*aus.* **avere**) **1.** to whirl, to eddy: *il nevischio turbinava nell'aria* the sleet was whirling in the air. – **2.** ⟨*fig*⟩ to seethe, to whirl: *molte idee turbinano nella sua mente* many ideas are seething in his mind.

turbinato I *a.* ⟨*Bot*⟩ turbinate. – **II** *s.m.* ⟨*Anat*⟩ turbinate (bone), nasal concha.

turbine *m.* **1.** (*vortice di vento*) whirlwind. – **2.** ⟨*estens*⟩ (*vortice*) whirl, eddy, swirl: *il ~ della danza* the whirl of the dance. – **3.** ⟨*fig*⟩ (*moltitudine*) (seething) horde, swarm, throng: *un ~ di gente* a seething horde of people; (*grande quantità*) whirl(wind), rush: *un ~ di idee* a rush of ideas. – **4.** ⟨*fig*⟩ (*tumulto*) turmoil, whirl: *il ~ della passione* the turmoil of passion. □ ~ *di neve* snow storm; ~ *di polvere* dust-storm; ~ *di sabbia* sandstorm; ~ *di vento* whirlwind.

turbinidi *m.pl.* ⟨*Zool*⟩ turban shells *pl*, turbos *pl* (*Turbinidae*).

turbinio *m.* **1.** whirling, eddying. – **2.** ⟨*fig*⟩ (*tumulto, agitazione*) eddying, tumult, whirl, seething: *il ~ della vita moderna* the whirl of modern life; *il ~ della folla* the eddying of the crowd.

turbinosamente *a.* **1.** stormily, whirlingly. – **2.** ⟨*fig*⟩ giddily, dizzily, stormily. – **turbinoso** *a.* **1.** whirling, swirling, eddying, stormy: *vento ~* swirling wind. – **2.** ⟨*fig*⟩ giddy, dizzy, stormy, whirling, eddying: *movimento ~* whirling movement.

turbitto: ⟨*Chim,Farm*⟩ ~ *minerale* turpeth mineral, calomel; ~ *vegetale* (vegetable) turpeth, Indian jalap.

turbo[1] *a.* ⟨*ant*⟩ (*torbido*) turbid, cloudy.

turbo[2] *m.* ⟨*poet*⟩ → **turbine**.

turbo... *pref.* (*turbina* turbine) turbo...

turbo|alternatore *m.* ⟨*El*⟩ turbo-alternator. – **~circolatore** *m.* ⟨*Chim*⟩ centrifugal blower. – **~cisterna** *f.* ⟨*Mar*⟩ turbine-driven tanker. – **~compressore** *m.* ⟨*tecn*⟩ turbo-compressor, multistage centrifugal blower. – **~dinamo** *f.* ⟨*El*⟩ turbodynamo, turbogenerator. – **~elettrico** *a.* (*pl.* **-ci**) ⟨*tecn*⟩ turbo-electric: *propulsione -a* turbo-electric propulsion. – **~elica** *m.inv.* **1.** ⟨*Aer*⟩ turbo-propeller engine, turbo-prop (*o* propjet) engine. – **2.** (*aereo*) turbo-prop. – **~generatore** *m.* ⟨*El*⟩ turbogenerator; (*gruppo turbogeneratore*) turbogenerator set (*o* unit). – **~getto** *m.* ⟨*Aer*⟩ **1.** turbojet (*o* jet turbine) engine. – **2.** (*aereo a turbogetto*) turbojet.

turbolento *a.* **1.** turbulent, tumultuous, unruly, riotous. – **2.** (*inquieto*) unruly, boisterous, rowdy: *scolaresca -a* unruly pupils. – **3.** ⟨*fig*⟩ (*burrascoso*) stormy, troubled, turbulent: *tempi -i* troubled times. – **4.** ⟨*non com*⟩ (*torbido*) turbid, cloudy. – **5.** ⟨*Fis*⟩ turbulent: *moto ~* turbulent flow. – **turbolenza** *f.* **1.** turbulence, tumultuousness, unruliness; (*turbamento*) disturbance. – **2.** ⟨*non com*⟩ (*torbidezza*) turbidness, cloudiness. – **3.** ⟨*Fis,Chim,Meteor*⟩ turbulence. □ ⟨*Mot*⟩ *camera di ~* swirl chamber.

turbo|locomotiva *f.* ⟨*Ferr*⟩ turbine locomotive (*o* engine). – **~macchina** *f.* turbine engine. – **~motore** *m.* turbine engine. – **~motrice** *f.* turbine engine. – **~nave** *f.* turbine steamship. – **~pompa** *f.* (*pompa centrifuga*) centrifugal pump. – **~propulsore** *m.* ⟨*Aer*⟩ turbo-propeller (*o* turbo-prop, propjet) engine. – **~reattore** *m.* → **turbogetto**. – **~riduttore** *m.* ⟨*Mar*⟩ geared turbine. – **~soffiante** *m.* ⟨*tecn*⟩ turboblower. – **~ventilatore** *m.* (*ventilatore centrifugo*) turbofan.

turbulento *a.* ⟨*lett*⟩ → **turbolento**. – **turbulenza** *f.* ⟨*lett*⟩ → **turbolenza**.

turcasso *m.* quiver.

turcheggiare *v.i.* (**turcheggio, turcheggi**; *aus.* **avere**) ⟨*non com*⟩ **1.** to imitate Turkish ways. – **2.** (*simpatizzare per la Turchia*) to support (*o* be friendly toward) Turkey.

turchesa *a./s.* ⟨*ant*⟩ → **turchese**.

turchesca *f.* ⟨*Agr*⟩ (*uva baresana*) white table grape from Apulia.

turchesco *a.* (*pl.* **-chi**) ⟨*ant*⟩ (*turco*) Turkish.

turchese I *s.f.* ⟨*Min,Oref*⟩ turquoise. – **II** *s.m.inv.* (*colore*) turquoise (blue). – **III** *a.inv.* (*color turchese*) turquoise. – **turchessa** *f.* ⟨*ant*⟩ (*turchese*) turquoise.

Turchestan *N.pr.m.* ⟨*Geog*⟩ Turkestan, Turkistan.

turchetto *m.* ⟨*Dolc*⟩ small oval chocolate cake.

Turchia *N.pr.f.* ⟨*Geog*⟩ Turkey (*denom. uff.*: *Repubblica Turca* Republic of Turkey).

turchina *f.* ⟨*Min*⟩ (*turchese*) turquoise.

turchinetto *m.* (*sostanza colorante*) laundry blue (*o* bluing).

turchiniccio *a.* verging on turquoise, bluish.

turchino I *a.* deep blue. – **II** *s.m.* deep blue.

turchio *a./s.* ⟨*ant*⟩ → **turco**.

turchizzare *v.t.* ⟨*non com*⟩ to bring under Turkish influence, to Turkize, to make Turkish. – **turchizzarsi** *v.r.* to become Turkish, to fall under the influence of Turkish culture and civilization. – **turchizzazione** *f.* ⟨*non com*⟩ bringing under Turkish influence, absorption into the Turkish cultural world.

turcico: ⟨*Anat*⟩ *sella -a* sella turcica, Turkish saddle.

turcimanno *m.* ⟨*non com*⟩ **1.** (*dragomanno*) dragoman. – **2.** ⟨*scherz*⟩ (*interprete*) interpreter; (*mezzano*) go-between.

turco *a./s.* (*pl.* **-chi**) **I** *a.* **1.** Turkish. – **2.** ⟨*Ling*⟩ Turkish; (*turco -tataro*) Turko-Tatar, Turkic. – **II** *s.m.* **1.** (*lingua*) Turkish. – **2.** (*abitante*; *f.* **-a**) Turk. – **3.** ⟨*Stor*⟩ Turk.

□ **alla** *-a*: 1. Turkish style-, in the Turkish manner; 2. ⟨*Mus*⟩ alla turca, in the Turkish style; *caffè ~* (o *alla turca*) Turkish coffee; ⟨*Arred*⟩ *divano alla -a* (*ottomana*) ottoman; *sedere alla -a* to sit cross-legged; **bestemmiare** *come un ~* to swear like a trooper; **fumare** *come un ~* to smoke like a chimney; ⟨*Stor*⟩ **gran** ~ Grand (*o* Great) Turk, Sultan; **lingue** *turche* Turkic languages; ⟨*fig*⟩ **parlare** (*in*) ~ (*in modo incomprensibile*) to speak double Dutch.

turcologia *f.* Turkish studies *pl.* – **turcologico** *a.* (*pl.* **-ci**) of (or related to) Turkish studies. – **turcologo** *m.* (*pl.* **-gi**; *f.* **-a**) scholar of Turkish studies.

turcomanno *a./s.* → **turkmeno**.

turcopoli *m.pl.* ⟨*Stor*⟩ turcopoles *pl.*

turco-tataro I *a.* Turko-Tatar, Turkic. – **II** *s.m.* **1.** (*lingua*) Turko-Tatar, Turkic. – **2.** (*abitante*; *f.* **-a**) Turko-Tatar (*o* Turkic) person.

turdidi *m.pl.* ⟨*Ornit*⟩ thrushes *pl* (*Turdidae*).

Turenna *N.pr.f.* ⟨*Geog*⟩ Touraine.

turf *ingl.* [tə:f] *m.* **1.** (*pista per corse ippiche*) turf, race-track. – **2.** (*sport ippico*) Turf, turf; (*mondo dell'ippica*) Turf, racing world, turfdom.

turfa *f.* ⟨*ant*⟩ **1.** (*torba*) peat, turf. – **2.** (*torbiera*) (peat) bog.

turficolo *a.* ⟨*Bot*⟩ bog-dwelling.

turfman *ingl.* ['tə:fmæn] *m.* ⟨*Sport*⟩ turfman, racingman.

turfofilia *f.* ⟨*Biol*⟩ adaptability to bogs. – **turfofilo** *a.* → **turficolo**.

turfoso *a.* (*torboso*) peaty, turfy.

turgenza *f.* ⟨*ant*⟩ → **turgidezza**.

turgere *v.i.* (**turgo, turgi**; lacks past participle and preterite) ⟨*rar, poet*⟩ **1.** (*inturgidire*) to swell up, to become turgid. – **2.** (*essere turgido*) to be turgid (*o* swollen). – **3.** ⟨*fig*⟩ (*crescere*) to increase, to swell. – **turgescente** *a.* **1.** ⟨*Med*⟩ (*che presenta turgore*) turgescent, swollen, turgid. – **2.** ⟨*Bot*⟩ turgescent. – **turgescenza** *f.* ⟨*Med, Bot*⟩ (*turgore*) turgor, turgescence. – **turgidezza** *f.* **1.** turgidity, turgidness, swollenness (*anche fig.*). – **2.** ⟨*Med,Bot*⟩ turgidity, turgor. – **3.** ⟨*Geog*⟩ (*morbida*) medium water. – **turgidità** *f.* (*turgidezza*) turgidity, turgidness, swollenness. – **turgido** *a.* **1.** turgid; (*gonfio*) swollen. – **2.** ⟨*Med,Bot*⟩ turgid. – **3.** ⟨*fig*⟩ (*ampolloso*) turgid, pompous, bombastic. – **turgore** *m.* **1.** ⟨*non com*⟩ turgidity, turgidness. – **2.** ⟨*Med,Bot*⟩ turgor.

Turgovia *N.pr.f.* ⟨*Geog*⟩ Thurgau.

turibolo *m.* ⟨*Lit*⟩ thurible, censer.

turiferario *m.* **1.** ⟨*Lit*⟩ thurifer. – **2.** ⟨*fig,lett*⟩ (*adulatore, incensatore*) flatterer.

turificato *m.* ⟨*Stor,Rel*⟩ Christian who offered incense to pagan gods. – **turificazione** *f.* **1.** ⟨*non com*⟩ (*incensazione*) censing, incensation, thurification. – **2.** ⟨*Stor,Rel*⟩ offering of incense to pagan gods by a Christian.

Turingia *N.pr.f.* ⟨*Geog*⟩ Thuringia. □ *selva di ~* Thuringian Forest.

turingiano I *a.* ⟨*Geol*⟩ Thuringian. – **II** *s.m.* Thuringian system.

turingite *f.* ⟨*Min*⟩ thuringite.

turionale *a.* ⟨*Bot*⟩ turioniferous. – **turione** *m.* turion.

turismo *m.* **1.** tourism, touring, travel. – **2.** (*insieme di attività*) tourism, tourist business; (*movimento di forestieri*) tourism, travel.

□ **da** ~ touring: *vettura da ~* touring car; **Ente** *per il ~* Tourist Board; **fare** *del ~* to travel, to tour; ~ *in* **ferrovia** rail travel, travel (*o* touring) by rail; ~ **fluviale** river travel, cruising on rivers; ~ **lacuale** lake travel, cruising on lakes; ~ *di* **massa** mass tourism;

~ **nautico** sea travel, voyaging; ~ **podistico** hiking, rambling, walking holidays *pl*; ~ *sulle* **strade** road travel; ⟨*Aut*⟩ ~ **veloce** fast touring car.

turista *m./f.* tourist; (*escursionista*) tourist, ⟨*fam*⟩ tripper; (*a piedi*) hiker, rambler. – **turistico** *a.* (*pl.* -ci) tourist: ⟨*Mar,Aer*⟩ *classe -a* tourist class.

Turkmenia *N.pr.f.*, **Turkmenistan** *N.pr.m.* ⟨*Geog*⟩ Turkmenistan, Turkomen, Turkmen Soviet Socialist Republic. – **turkmeno I** *a.* Turkmenian, Turkmen. – **II** *s.m.* **1.** (*lingua*) Turkmen, Turkoman, Turcoman. – **2.** (*abitante*; *f.* -a) Turkman.

turlupinare *v.t.* to cheat, to swindle, ⟨*fam*⟩ to take in. – **turlupinatore** *m.* (*f.* -trice) cheat, swindler. – **turlupinatura** *f.* cheating, swindling, swindle.

turlupini *m.pl.* ⟨*Stor,Rel*⟩ Turlupins *pl.*

turma *f.* ⟨*ant*⟩ (*torma*) herd.

turnice *f.* ⟨*Ornit*⟩ (*quaglia tridattila*) Andalusian hemipode (*Turnix sylvatica*). – **turnicidi** *m.pl.* button quails *pl*, bush quails *pl* (*Turnicidae*).

turnista *m./f.* shift worker.

turno *m.* **1.** (*di lavoro*) shift: *cambiare il* ~ to change shifts; *avere il* ~ *di notte* to be on nightshift; *un* ~ *di sei ore* a six-hour shift. – **2.** (*guardia*: *rif. a militari*) guard; (*rif. a custodi, personale ospedaliero*) duty: *l'infermiera di* ~ the nurse on duty. – **3.** (*volta*) turn: *è il tuo* ~ it's your turn. – **4.** ⟨*Sport*⟩ heat: ~ *eliminatorio* preliminary heat; (*cambio di posizione*) change(-over), change of position (*o* place). – **5.** ⟨*Mar*⟩ watch.

□ **a** ~: 1. in turn(s), by turn(s): *gli alunni rispondevano a* ~ *alle domande* the students answered the questions by turns; 2. (*rif. al lavoro*) in shifts: *lavorare a* ~ to work in shifts, to do shift-work; ~ **alternato** alternate shift; **aspettare** *il proprio* ~ to wait one's turn; **di** ~ (*rif. a medici di ospedale e sim.*) on duty: *essere di* ~ to be on duty; ⟨*Mil*⟩ (*essere di guardia*) on (guard) duty, on guard; ~ **diurno** day (*o* first) shift; **fare** *a* ~ to take turns: *fare a* ~ *a fare qc.* to take turns to do s.th., to take turns (at) doing s.th., to do s.th. by turns; *fare un* ~ (*di lavoro*) to work a shift; ~ **fisso** fixed shift; **fuori** *di* ~ out of turn; (*non in servizio*) off duty; ~ *di* **giorno** = *turno* **diurno**; ⟨*Mil*⟩ ~ *di* **guardia** guard duty; ~ *di* **lavoro** shift; *lavoro a -i* shift work; ~ **pendolare** swing shift; *a scuola abbiamo i -i di* **pomeriggio** we have afternoon shifts at school; ~ **rotatorio** rotating shift; *lo farai quando sarà il* **tuo** ~ you'll do it when ⌜it's your turn⌝ (*o* your turn comes).

Turno *N.pr.m.* ⟨*Mitol*⟩ Turnus.

turo[1] *m.* ⟨*tosc*⟩ **1.** (*tappo*) stopper; (*di metallo*) cap; (*di sughero*) cork; (*per botti*) bung. – **2.** (*coperchio*) lid, cover, top.

turo[2] *m.* → **tur.**

turoniano I *a.* ⟨*Geol*⟩ Turonian. – **II** *s.m.* Turonian formation.

turpe *a.* **1.** base, foul, shameful, vile, low: *azione* ~ shameful action, foul deed; (*spudorato*) shameless, improper, indecent: *proposta* ~ indecent proposal. – **2.** (*sconcio*) obscene, filthy, disgusting: *un individuo* ~ a disgusting person. – **3.** ⟨*lett*⟩ (*brutto*) ugly, horrid.

turpemente *avv.* **1.** basely, foully, shamefully, vilely; (*spudoratamente*) shamelessly, improperly, indecently. – **2.** (*in modo sconcio*) obscenely, filthily, disgustingly. – **turpezza** *f.* ⟨*rar*⟩ foulness, vileness.

turpiloquio *m.* foul (*o* obscene) language, ⟨*fam*⟩ dirty talk. □ ⟨*Dir*⟩ *esercitare il* ~ to use obscene language.

turpitudine *f.* **1.** turpitude, depravity, baseness, foulness, vileness; (*azione turpe*) turpitude, vile (*o* shameful) act. – **2.** (*oscenità*) obscenity; (*discorso osceno*) obscene language, foul talk; (*atto osceno*) obscene behaviour.

turpo *a.* ⟨*ant*⟩ → **turpe.**

turribolo *m.* ⟨*ant,tosc*⟩ → **turibolo.**

turricefalia *f.* ⟨*Med*⟩ oxycephaly, turrecephaly, turricephaly.

turricolato *a.* turriculate(d), turred, turritid: *conchiglia -a* turritid shell.

turritano I *a.* (*della città di Porto Torres*) of (*o* from) Porto Torres. – **II** *s.m.* (*abitante*; *f.* -a) native (*o* inhabitant) of Porto Torres.

turritellidi *m.pl.* ⟨*Zool*⟩ screw-shells *pl*, turritellids *pl* (*Turritellidae*).

turrito *a.* towered, turreted; (*ricco di torri*) many-towered: *castello* ~ many-towered castle.

tursio *m.* ⟨*Zool*⟩ bottle-nose(d) dolphin, bottlenose, bottle-nose(d) porpoise (*Tursiops truncatus*).

tuscanico *a.* (*pl.* -ci) ⟨*Arch*⟩ Tuscan.

tusci *m.pl.* ⟨*Stor*⟩ (*etruschi*) Etruscans *pl.* – **Tuscia** *N.pr.f.* ⟨*Geog. stor*⟩ (*Etruria*) Etruria.

tussah *ingl.* ['tʌse] *f.* ⟨*Tess*⟩ tussah, tussore.

tussigeno *a.* ⟨*Med*⟩ cough-producing.

tussilaggine *f.* ⟨*Bot*⟩ coltsfoot (*Tussilago farfara*).

tussor *m.* ⟨*Tess*⟩ tussah, tussore.

tuta *f.* **1.** overalls *pl.* – **2.** ⟨*Sport*⟩ track-suit. – **3.** ⟨*Aer*⟩ (flying-)suit.

□ ~ *di* **amianto** asbestos suit; ⟨*Aer*⟩ ~ **antigravità** G-suit; ~ *di* **gomma** rubber overalls *pl*; ~ **incombustibile** fireproof suit; ~ *da* **lavoro** (work) overalls *pl*, work clothes *pl*; ⟨*Mil*⟩ ~ **mimetica** camouflage; ⟨*Aer*⟩ ~ **pressurizzata** pressurized suit; ⟨*Astron*⟩ ~ **spaziale** space-suit; ~ **sportiva** track-suit; ~ *di* **volo** (flying-)suit.

Tutankhamon *N.pr.m.* ⟨*Stor*⟩ Tutankhamen, Tut-ankh-amen.

tutela *f.* **1.** (*difesa, protezione*) defence, protection: ~ *della famiglia* protection of the family; *sotto la* ~ *della legge* under the protection of the law; (*rif. a santi*) protection, patronage. – **2.** (*difesa di diritti e sim.*) defence, protection, safeguarding: *affidare a qd. la* ~ *dei propri interessi* to entrust s.o. with the protection of one's interests; (*controllo*) supervision. – **3.** ⟨*Dir*⟩ guardianship, tutelage, wardship. – **4.** ⟨*Pol*⟩ trusteeship.

□ **a** ~ *di* in defence of; ⟨*Dir*⟩ **avere** *la* ~ *di qd.* to be s.o.'s guardian; ~ *delle* **bellezze** *naturali* conservation of nature (*o* natural resorces), preservation of natural beauties and wildlife; ⟨*Dir*⟩ ~ *dei* **diritti** safeguarding (*o* protection) of one's rights; ~ *d'***incapace** guardianship of an incapable person; ~ *di* **minori** guardianship of minors; ~ *della* **natura** = *tutela delle* **bellezze** *naturali*; ~ *del* **patrimonio** *artistico* preservation of works of art; ⟨*Dir*⟩ *essere* **sotto** ~ to be under protection (*o* guardianship); *essere sotto la* ~ *di qd.* to be s.o.'s ward; **uscire** *di* ~ to come of age.

tutelare[1] *v.t.* (**tutelo**) to protect, to defend, to safeguard: *le leggi tutelano il cittadino* the laws protect the citizen; ~ *la propria libertà* to defend one's liberty. – **tutelarsi** *v.r.* to protect (*o* safeguard) o.s.: *tutelarsi contro i rischi* to protect o.s. against risks; (*assicurarsi*) to insure o.s.

tutelare[2] *a.* **1.** tutelar(y), guardian-: *divinità -i* tutelary gods; *angelo* ~ guardian angel. – **2.** ⟨*fig*⟩ guardian-. – **3.** ⟨*Dir*⟩ tutelary: *giudice* ~ tutelary judge, judge of the guardianship court. – **4.** ⟨*Silv*⟩ shelterwood-. □ ⟨*Dir*⟩ *boschi -i* woods functioning as barriers against landslides.

tutina (*dim. di tuta*) *f.* (*per bambini*) rompers *pl*, romper suit, playsuit.

Tutmosi *N.pr.m.* ⟨*Stor*⟩ Thutmose, Thotmes, Thutmosis.

tuto[1] *a.* ⟨*ant*⟩ (*sicuro*) safe; (*protetto*) protected.

tuto[2] *lat. avv.* (*sicuramente*) certainly.

tutolo *m.* ⟨*Agr*⟩ corn-cob.

tutore *m.* (*f.* -trice/*pop.* -a) **1.** ⟨*Dir*⟩ guardian: *essere il* ~ *di un minorenne* to be the guardian of a minor. – **2.** ⟨*estens*⟩ (*protettore, difensore*) protector, defender, guardian, safeguarder: *essere il* ~ *dell'unità familiare* to be the defender of family unity. – **3.** ⟨*Agr*⟩ (*sostegno*) prop.

□ ⟨*fam*⟩ *non ho* **bisogno** *di -i* I don't need anyone to look after me; ⟨*fig*⟩ **fare** *da* ~ *a qd.* to be s.o.'s guardian; ~ *della* **legge** policeman; *-i dell'***ordine** (*pubblico*) police *sing*; ⟨*Med*⟩ ~ **ortopedico** brace; ⟨*Dir*⟩ *essere* **sotto** ~ to be a ward, to have a guardian.

tutorio *a.* ⟨*Dir*⟩ tutelary. □ *autorità -a* (public official with) supervisory authority.

tuttabuona *f.* ⟨*Bot*⟩ (*buon Enrico*) Good-King-Henry, Good-Henry (*Chenopodium bonus henricus*).

tuttafiata (o *tutta fiata*) *avv.* ⟨*ant*⟩ **1.** (*continuamente*) continuously. – **2.** (*tuttavia, nondimeno*) nevertheless, still, however.

tuttala *a./s.inv.* **I** *a.* ⟨*Aer*⟩ tailless, flying-wing-, all-wing-. – **II** *s.m.* tailless aeroplane, flying wing, all-wing aeroplane.

tuttalpiù *avv.* ⟨*rar*⟩ **1.** (*tutt'al più*) at (the) most. – **2.** (*al più tardi*) at (the) latest. – **3.** (*nella peggiore delle ipotesi*) at (the) worst.

tuttapasta *f.* ⟨*Cart*⟩ (whole) stuff, stock.

tuttasana (o *tutta sana*) *f.* ⟨*Bot*⟩ (*ciciliana*) tutsan (*Hypericum androsaemum*).

tuttasanta I *a.f.* ⟨*Lit*⟩ (*epiteto della Vergine*) Most Holy. – **II** *s.f.* Most Holy Virgin Mary.

tuttavia I *congz.* **1.** (*concessivo*) yet, nevertheless, however, still, but, just (*o* all) the same: *non te lo meriti,* ~ *farò il possibile* you don't deserve it, but I'll do whatever I can. – **2.** (*avversativo*) however, nevertheless: ~ *è meglio che tu lo sappia* however it's better for you to know about it. – **II** *avv.* ⟨*ant,lett*⟩ (*sempre, tuttora*) still. □ ⟨*ant*⟩ ~ *che* (*ogni volta che*) every time that; *pur* ~ nevertheless.

tuttavolta (o *tutta volta*) *avv./congz.* ⟨*ant*⟩ → **tuttavia.**

tuttissimo (*sup. di tutto*) *pron.* ⟨*scherz*⟩ absolutely everything.

tutto I *a.* **1.** all, the whole (of): ~ *il giorno* all day; *per* ~ *il giorno* all day (long), throughout the day, (for) the whole day; *-a l'Italia* all (*o* the whole of) Italy; *per -a l'Italia* ⌜all over⌝ (*o* throughout) Italy; *-a Londra lo sapeva* all (*o* everybody in) London knew about it. – **2.** (*intero, completo*; *con l'esclusione di divisioni*) the whole (of), all, entire: *durante* ~ *l'inverno* for the whole winter; *-a la nostra produzione va all'estero* our entire production is exported; *ha mangiato -a la torta* he has eaten the whole cake; ~ *il personale è in sciopero* the whole staff is on strike, all the personnel are on strike; ~ *il progetto fu riesaminato* the whole project was re-examined. – **3.** *pl.* all: *-i questi giornali* all these newspapers; *è venuto con -i i suoi amici* he came with all his friends; *-i i negozi erano chiusi* all the shops were closed, the shops were all closed; *-i i ragazzi fecero del loro meglio* all the boys did their best, the boys all did their best; *mi telefonano a -e le ore* they phone me at all hours. – **4.** *pl.* (*ogni singolo*) every, every one of: *vado in ufficio -i i giorni* I go to the office every day; *-i i negozi erano chiusi* every shop was closed; *-i i ragazzi fecero del loro meglio* every boy did his best; (*qualunque*) any: *-e le professioni sono belle* any profession is nice; *può telefonare a -e le ore* he may telephone at any time. – **5.** (*seguito da un numerale*) all: *tutt'e tre* all three; *li ho salutati -i e cinque* I greeted all five of them; (*seguito dal numero due*) both: *sono venuti -i e due* both of them came, they both came. – **6.** ⟨*intens*⟩ all, quite, completely: *te lo mando con* ~ *l'affetto* I send it with all my love; *apparve in pubblico in -a la sua bellezza* she appeared in public in all her beauty; *essere tutt'occhi* (o *tutt'orecchi*) to be all eyes (*o* ears); *questo ragazzo è* ~ *braccia e gambe* this boy is all arms and legs; *mi parlò con -a libertà* she spoke quite freely to me; *rispondimi con -a sincerità* please ⌜answer sincerely⌝ (*o* give me a completely sincere answer). – **7.** (*incluso, compreso*) up to (and including), to:

impara a memoria a ~ il verso ventisei learn by heart up to the twenty-sixth line; (*rif. al tempo*) until, ⟨*am*⟩ through; *ci fermeremo qui a ~ sabato* we shall stay here until Saturday; *a ~ il 1972* through 1972. – **8.** (*soltanto, esclusivamente*) all, only, nothing but, mere: *sono -e chiacchiere* it's all (*o* mere) talk, it's only (*o* nothing but) gossip; *è -a una menzogna* it's all a lie, ⟨*enfat*⟩ it's one big lie. – **9.** (*in espressioni ellittiche*) *si traduce a senso*: *pensarle -e* to think of everything possible; *ma tu le sai -e* you are up to every trick. – **II** *pron.* **1.** (*ogni cosa*) everything, ⟨*lett*⟩ all: *penso a ~* I think of everything; *ha confessato ~* he has confessed everything; *~ è perduto, fuorché l'onore* all is lost except honour; (*qualsiasi cosa*) anything: *è capace di ~* he is capable of anything. – **2.** *pl.* everyone, everybody, all: *lo sapevano -i* everybody knew, they all knew; *aspetto -i senza eccezione* I expect everyone without exception; *zitti -i!* be quiet everyone!; *le bambine sono state -e promosse* all the girls have passed; *sono arrivati -i?* has everyone arrived?; (*ognuno*) everybody, everyone: *in una piccola città si conoscono -i* in a small town everyone knows everyone else. – **3.** *pl.* (*ogni persona, tutto il mondo*) everyone, everybody: *-i desiderano la pace* everyone wants peace, we all want peace; *prendersela con -i* to blame everybody. – **4.** *pl.* (*con un pron.pers.*) all of (*seguito dal pron.*), all (*preceduto dal pron.*): *noi -i* (o *-e*) all of us, we all; *noi -i ti pensiamo* ⌜we are all⌝ (*o* all of us are) thinking of you; *-i* (o *-e*) *loro* all of them, they all. – **5.** *pl.* ⟨*Mus*⟩ tutti. – **III** *avv.* **1.** (*interamente*) quite, exactly, just, completely: *è ~ il contrario* it's exactly the opposite; *è ~ l'opposto di quello che tu pensi* it's quite the opposite of what you think. – **2.** ⟨*intens*⟩ (*seguito da un agg.*) all, very, most, quite: *stava seduto lì ~ triste* he sat there looking very sad; *~ nudo* all (*o* quite, stark) naked; *lo trovai ~ sconvolto* I found him very upset; *con le mani -e screpolate* with her hands all chapped. – **IV** *s.m.inv.* **1.** whole: *la parte per il ~* the part for the whole. – **2.** (*l'intero, il complesso*) all, everything, the whole thing, ⟨*fam*⟩ the lot: *il ~ costa diecimila lire* the whole thing costs ten thousand lire; *spedisci il ~ a Roma* send ⌜the lot⌝ (*o* it all) to Rome.

□ *tutt'***altro**: 1. anything but, quite the reverse of, far from, ⟨*fam*⟩ not a bit: *è tutt'altro che furbo* he is anything but cunning; 2. (*niente affatto*) not at all, not in the least, ⟨*fam*⟩ not a bit: *sei convinto? – tutt'altro* are you convinced? – not at all; 3. (*al contrario*) on the contrary; ⟨*mar*⟩ **avanti** *-a!* full steam ahead!; ⟨*non com*⟩ *essere* **buono** *a ~* to be able to turn one's hand to everything (*o* anything); *essere ~* **casa** to be a family man, to be a home-body (*o* home-bird); *~* **che** → **tuttoché**; *essere ~* **chiesa** to be a regular church-goer; *~* **ciò** *che* everything (that), all (that): *~ ciò che vedi è suo* all you see is his; *ho ~ ciò che occorre* I have everything I need; **con** *~* (*nonostante*) for (*o* with) all, despite (*o* in spite of) all: *con -a la mia pazienza, non lo posso sopportare* ⌜with all my patience⌝ (*o* as patient as I am) I can't stand him; *con -e le sue preoccupazioni, è sempre allegro* in spite of all his worries he is always cheerful; *con ~ che* (*malgrado*) although, despite: *con ~ che glielo avessi sconsigliato, è partito lo stesso* although I had advised him against it he still left; *~* **considerato** all (things) considered; *~ al* (o *il*) **contrario** just the opposite: *fa ~ il contrario di quello che gli si dice* he does just the opposite of what he's told; *di ~* **cuore** with all one's heart, whole-heartedly; **da** *per ~* everywhere, all over the place; **del** *~*: 1. (*interamente*) completely, quite, entirely: *ora è finito del ~* now it's ⌜completely finished⌝ (*o* all over); 2. ⟨*ant*⟩ (*assolutamente*) absolutely; *non del ~* not completely, not entirely, not altogether; *fare* **di** *~*: 1. (*ogni servizio, lavoro*) to do everything (*o* anything), to turn one's hand to anything; 2. (*fare ogni sforzo*) to do all (*o* everything) one can, to make every effort: *farò di ~ per accontentarti* I'll do all I can to satisfy you; *saper fare di ~* to be able to do everything, ⟨*fam*⟩ to be an all-rounder; *mangiare di ~* to eat everything (*o* anything); ⟨*mar*⟩ *~ a* **dritta**! hard astarboard!; *-i e* **due** both: *sono venuti -i e due* they have both come, both of them have come; **fuori** *~* overall: *lunghezza fuori ~* length overall, overall length; ⟨*ant*⟩ *~* **giorno** (*sempre, continuamente*) always; **in** *~* (*complessivamente*) in all, all told, altogether: *gli spettatori saranno in ~ cinquemila* there must be five thousand spectators in all; *quanto fa in ~?* how much is it all told?; *in ~ e per ~* (*completamente*) completely, entirely, quite, in all respects; *sono in ~ e per ~ d'accordo con te* I ⌜am in complete agreement⌝ (*o* entirely agree) with you; ⟨*mar*⟩ **indietro** *-a forza!* full speed astern!; **innanzi** *~* = **prima** *di tutto*; *~* **intero** entire, whole: *s'è bevuto un fiasco ~ intero* he drank a whole flask; *tutt'***intorno** all around (*o* about); *essere ~* **lingua** (*parlare moltissimo*) to be ⌜very talkative⌝ (*o* a chatterbox); (*essere linguacciuto*) to be a gossip (*o* scandalmonger); *in -i i* **modi** (*comunque*) in any case, anyhow, anyway: *spero di risentirti, in -i i modi l'appuntamento resta fissato per domenica* I hope to hear from you again, but in any case the appointment is for Sunday; *~* **muscoli** very muscular; *essere ~* **naso** to be all nose, to have a big nose; *o ~ o* **niente** (it's) all or nothing; *a tutt'***oggi** to date, up till now, so far; ⟨*non com*⟩ *tutt'***ora** → **tuttora**; *sei ~ tuo* **padre** you take after your father in everything; *in ~ o in* **parte** in whole or in part; *il ~* **per** *~* everything: *dobbiamo tentare il ~ per ~* we must stake everything, ⟨*fam*⟩ it's neck or nothing; ⟨*ant*⟩ *per ~* = **da** *per tutto*; ⟨*fig*⟩ *~ d'un* **pezzo** upright, of sterling character: *è un uomo ~ d'un pezzo* he is a man of sterling character; *tutt'al* **più**: 1. at (the) most: *saranno stati tutt'al più una ventina* there must have been about twenty of them at most; 2. (*al più tardi*) at the latest; 3. (*nel peggiore dei casi*) at (the) worst; **prima** *di ~* first of all, firstly: *prima di ~ dimmi il perchè di questa visita* first of all tell me the reason for this visit; *è di una fedeltà a -a* **prova** he is truly faithful, his faithfulness is well-tried; *di ~* **punto** completely, thoroughly; *vestito di ~ punto* perfectly dressed, ⟨*fam*⟩ dressed (up) to the nines; *-i* **quanti** *i partecipanti* all the participants; *dovete venire -i quanti* you must all come; *~* **quanto**: 1. (*intero*) all, whole, entire; 2. (*avv.*) all, completely; 3. (*pron.*) everything, ⟨*fam*⟩ the lot; *~* **quello** *che* → *tutto* **ciò** *che*; **questo** *è ~* that's all, ⟨*fam*⟩ that's it (*o* the lot); ⟨*mar*⟩ *~ a* **sinistra**! hard aport!; *correre a ~* **spiano** to run as hard as one can; *~* **sta** *nell'andare d'accordo* the most important thing is to get on with each other; *~ sta che nessuno parli* the main thing is for no one to talk; *~ sta a cominciare bene* well begun is half done; *un uomo ~* **studio** a very studious man, a man given up to study; *essere ~* **sudato** to be bathed in sweat, ⟨*fam*⟩ to be all sweaty; *tutt'a un* **tratto** *è sparito* suddenly (*o* all of a sudden) he disappeared; **tremava** *-a* she was trembling all over; *essere* (o *fare*) *tutt'***uno** (*non esserci differenza*) to make no difference, to be all the same: *oggi o domani è tutt'uno per noi* today or tomorrow, it's all the same to us; *è tutt'uno con il padrone* he's hand in glove with the boss; *a tutt'***uomo** (*con tutte le energie*) as hard as one can, with might and main; *andare a -a* **velocità** to go at full (*o* top) speed; *una* **volta** *per -e* once and for all; *-e le volte che* every time (that). – *Prov.*: *chi ~ vuole, di rabbia muore* be content with what you have, you can't have everything.

tuttoché (o *tụtto chẹ*) *congz.* ⟨*ant*⟩ **1.** (*benché, quantunque*) (al)though, ⟨*lett*⟩ albeit. – **2.** (*quasi*) almost, nearly.

tuttodì (o *tụtto dì*) *avv.* ⟨*ant*⟩ (*di continuo, sempre*) always, continuously.

tuttofạre (o *tụtto fạre*) **I** *a.* general: *domestica ~* general maid, maid of all work. – **II** *s.f.* general maid, maid of all work. □ ⟨*scherz*⟩ *segretario ~* dogsbody, ⟨*fam*⟩ man Friday.

tuttọra (*non.com. tutt'ọra*) *avv.* **1.** (*ancora*) still: *credo che sia ~ vivo* I think he is still alive. – **2.** ⟨*ant*⟩ (*di continuo*) continually. – **3.** ⟨*ant*⟩ (*nondimeno*) yet, nevertheless. □ ⟨*ant*⟩ *~ che* (*tutte le volte che*) every time (that).

tuttotọndo (o *tụtto tọndo*) *m.* ⟨*Scult*⟩ (full) round. □ *in ~* in full (*o* the) round.

tutù *m.* tutu.

tụtulo *m.* ⟨*Archeol*⟩ tutulus.

tutụtto *a.* ⟨*ant,rar*⟩ (*tutto quanto*) all.

tụzia *f.* ⟨*Met*⟩ zinc retort flue-dust.

tuziorịsmo *m.* ⟨*Filos,Rel*⟩ tutiorism. – **tuziorịsta I** *s.m./f.* tutiorist. – **II** *a.* → **tuzioristico**. – **tuziorịstico** *a.* (*pl.* **-ci**) tutiorist-.

TV[1] = **1.** *televisione* television (*abbr.* T.V., TV). – **2.** ⟨*Aut*⟩ *turismo veloce* fast touring car.

TV[2] *f.* **1.** television, ⟨*fam*⟩ TV. – **2.** (*apparecchio televisivo*) television (*o* TV) set, ⟨*fam*⟩ telly, ⟨*fam*⟩ box.

Tyche *N.pr.f.* ⟨*Mitol*⟩ Tyche.

tze-tzẹ *f.* ⟨*non com*⟩ → **tse-tse**.

tzigạno I *a.* (*zigano*) Tzigane; (*da zingaro*) gypsy-. – **II** *s.m.* (*f.* **-a**) Tzigane, (Hungarian) gypsy.

U

u, U *f./m.* (*lettera dell'alfabeto*) u, U: *due u* two u's (*o* us); *una u maiuscola* a capital U; *una u minuscola* a small u; *doppia u* double U; ⟨*Tel*⟩ *u come Udine* U for Uncle. □ *ferro a U* U-iron, channel iron (*o* bar, beam).
u = ⟨*Numism*⟩ *unicum* unicum.
U = **1.** ⟨*Chim*⟩ *uranio* uranium. – **2.** ⟨*Aut*⟩ *Uruguay* Uruguay.
u. = *uomini* men.
u' *avv.* ⟨*ant*⟩ (*dove*) where. □ ⟨*ant*⟩ ~ *che* (*dovunque*) everywhere, wherever.
uà *onom.* ⟨*non com*⟩ → **uè**.
u.a., U.a. = *Unità astronomica* astronomical unit (*abbr.* A.U.).
U.A. = ⟨*Farm*⟩ *Unità antitossica* antitoxic unit (*abbr.* A.U.), immunizing unit (*abbr.* I.U.).
uadi *m.* ⟨*Geol*⟩ wadi, wady.
UAM = *Unione africano-malgascia* Malagasy Republic, African and Malagasy Union.
ubara *m.* ⟨*Ornit*⟩ houbara (bustard), ruffed bustard (*Chlamydotis undulata*). □ ~ *asiatica* Macqueen's bustard (*Chlamydotis undulata macqueeni*).
ubbia *f.* **1.** (*infondata previsione*) superstitious idea, (mere) fantasy, vain imagining; (*timore infondato*) groundless fear; (*fisima*) whim, fancy, silly idea (*o* notion), ⟨*fam*⟩ bee in one's bonnet: *avere la testa piena di -e* to have a lot of bees in one's bonnet. – **2.** (*pregiudizio*) prejudice.
ubbidiente (*p.pr. di ubbidire*) *a.* **1.** obedient. – **2.** ⟨*assol*⟩ (*che è solito ubbidire*) obedient, submissive; (*rif. a bambini*) obedient, well-behaved; (*rif. ad animali*) obedient, well-trained, docile: *un cane* ~ an obedient dog. – **3.** ⟨*Mar*⟩ (easily) manoeuvrable. – **4.** ⟨*poet*⟩ (*cedevole*) yielding. □ *carattere* ~ docile (*o* compliant) character; *essere* ~ *ai genitori* to obey one's parents. – **ubbidientemente** *avv.* ⟨*non com*⟩ obediently.
ubbidienza *f.* **1.** obedience (*anche Teol.,Dir.can.*). – **2.** (*abitudine di ubbidire*) obedience, submissiveness: ~ *cieca* blind obedience. – **3.** ⟨*ant*⟩ (*dominio*) dominion, rule, sway; (*sudditanza*) subjection; (*fedeltà di suddito*) submission.
□ **dovere** ~ *a qd.* to owe s.o. obedience; ⟨*ant*⟩ **essere** *a* ~ *di qd.* (*esserne il suddito*) to be subject to s.o.; ⟨*non com*⟩ **far** *l'*~: 1. (*eseguire l'ordine*) to obey, to be obedient; 2. (*eseguire la penitenza*) to do one's penance; **giurare** ~ *al re* to swear allegiance to the king; ~ **passiva** passive obedience; **ridurre** *all'*~: 1. to reduce to obedience, to make obedient; 2. (*rif. ad animali*) to tame, to make obedient; (*rif. a cavallo*) to break; 3. (*sottomettere*) to subject, to subdue; ⟨*ant*⟩ **tenere** *a* (o *in*) ~ *un popolo* (*dominarlo*) to rule (*o* hold sway over) a people.
ubbidire *v.* (**ubbidisco, ubbidisci**) **I** *v.i.* (*aus.* **avere**) **1.** to obey (*a qd.* s.o.): ~ *ai genitori* to obey one's parents. – **2.** (*ottemperare*) to comply (with), to obey (s.th.), to abide (by): ~ *alle leggi* to comply with the law, to be law-abiding. – **3.** (*dar retta*) to listen, to pay attention, to give heed (to). – **4.** ⟨*assol*⟩ (*essere ubbidiente*) to be obedient. – **5.** ⟨*estens*⟩ (*reagire, rispondere*) to respond (to): *i freni non ubbidiscono più* the brakes no longer respond. – **6.** ⟨*lett*⟩ (*essere suddito*) to be subject (to). – **7.** ⟨*Mar*⟩ to answer, to respond. – **II** *v.t.* ⟨*non com*⟩ to obey. □ *esigo di essere ubbidito* I will be obeyed; *le gambe non mi ubbidiscono più* my legs won't do what I want any more. – **ubbidito** (*p.p. di ubbidire*) *a.* **1.** obeyed. – **2.** (*osservato*) obeyed, complied with.
ubbioso *a.* ⟨*rar*⟩ **1.** (*pieno di ubbie*) full of ⌜groundless fears⌝ (*o* vain imaginings). – **2.** (*sospettoso*) suspicious. – **3.** (*che costituisce un'ubbia*) foolish.
ubbriacamento *m.* ⟨*non com*⟩ → **ubriacatura**. – **ubbriacare** *v.* ⟨*non com*⟩ → **ubriacare**. – **ubbriacato** (*p.p. di ubbriacare*) *a.* ⟨*non com*⟩ → **ubriacato**. – **ubbriacatura** *f.* ⟨*non com*⟩ → **ubriacatura**. – **ubbriachezza** *f.* ⟨*non com*⟩ → **ubriachezza**. – **ubbriaco** *a./s.* ⟨*non com*⟩ → **ubriaco**. – **ubbriacone** *m.* ⟨*non com*⟩ → **ubriacone**.
ubere *a.* (*sup.* **uberrimo**) ⟨*poet*⟩ (*fertile*) fertile.
ubero[1] *m.* ⟨*poet*⟩ (*mammella*) breast; (*rif. ad animali*) udder.
ubero[2] *a.* red-roan. □ *cavallo* ~ red roan.
uberrimo *sup. di* **ubere**.
ubertà *f.* ⟨*lett*⟩ **1.** (*fertilità*) fertility. – **2.** (*prosperità*) prosperity. – **3.** ⟨*ant*⟩ (*abbondanza*) abundance, copiousness; (*ricchezza*) wealth, richness.
Uberto *N.pr.m.* Hubert. □ *cane di sant'*~ bloodhound.
ubertosamente *avv.* productively, fruitfully. – **ubertosità** *f.* ⟨*lett*⟩ → **ubertà**. – **ubertoso** *a.* ⟨*lett*⟩ **1.** (*fertile*) fertile; (*produttivo*) productive, fruitful. – **2.** ⟨*ant*⟩ (*abbondante, copioso*) abundant, copious.
ubi *lat. m.* **1.** ⟨*poet*⟩ (*luogo*) place. – **2.** ⟨*Filos*⟩ ubicatio, whereness.
UBI = *Unione bocciofila italiana*.
ubicare *v.t.* (**ubico, ubichi**) ⟨*burocr*⟩ (*situare*) to locate, to situate, to site, to place, to position. – **ubicato** (*p.p. di ubicare*) *a.* located, situated, sited, placed, positioned. – **ubicazione** *f.* location, position, site.
ubi consistam *lat. m.* **1.** (*base*) footing, point of reference. – **2.** (*punto di partenza*) starting-point, point of departure.
ubidiente (*p.pr. di ubidire*) *a.* ⟨*ant*⟩ → **ubbidiente**. – **ubidienza** *f.* ⟨*lett*⟩ → **ubbidienza**. – **ubidire** *v.* ⟨*ant*⟩ → **ubbidire**.
ubiero *a.* → **ubero**[2].
ubi maior, minor cessat *lat.* the weakest goes to the wall.
ubino *m.* ⟨*ant*⟩ (*piccolo cavallo*) small horse, pony.
ubiquista **I** *a.* ⟨*Biol*⟩ ubiquitous, widely distributed. – **II** *s.m./f.* ⟨*Rel*⟩ (*ubiquitario*) Ubiquitarian, Ubiquarian, Ubiquist. □ *animale* ~ ubiquist, ubiquitous animal; *pianta* ~ ubiquist, ubiquitous plant. – **ubiquità** *f.* **1.** ⟨*Rel*⟩ ubiquity; (*l'essere presente in più luoghi contemporaneamente*) ubiquity, ubiquitousness, omnipresence. – **2.** ⟨*Rel*⟩ (*dottrina*) Ubiquitism, Ubiquitarianism, Ubiquity. – **3.** ⟨*Biol*⟩ ubiquitousness. □ ⟨*fam,scherz*⟩ *non ho il dono dell'*~ I can't be everywhere at once. – **ubiquitario** **I** *a.* **1.** ⟨*Biol*⟩ (*ubiquista*) ubiquitous, widely distributed. – **2.** ⟨*scherz,non com*⟩ (*che si trova in ogni luogo*) ubiquitous, omnipresent. – **II** *s.m.* (*f.* **-a**) ⟨*Rel*⟩ Ubiquitarian, Ubiquarian, Ubiquist. – **ubiquo** *a.* ⟨*rar*⟩ (*che può trovarsi contemporaneamente in più luoghi*) ubiquitous.
U-Boat *ted. m.* ⟨*Mil*⟩ U-boat.
ubriacamento *m.* → **ubriacatura**.
ubriacare *v.t.* (**ubriaco, ubriachi**) **1.** (*rendere ubriaco*) to make drunk, to intoxicate, to inebriate, to go to the head of; (*indurre a bere fino a ubriacare*) to make (*o* get) drunk: ~ *qd.* to get s.o. drunk. – **2.** ⟨*fig*⟩ (*stordire, frastornare*) to daze, to bewilder, to confuse, to stun: *questo chiasso mi ha ubriacato* this uproar has ⌜dazed me⌝ (*o* set my head in a whirl). – **3.** ⟨*fig*⟩ (*esaltare*) to go to the head of, to intoxicate, to carry away, to blind: *non lasciarti* ~ *dalle sue promesse* don't let his promises go to your head; (*innamorare*) to bewitch, to turn the head of. – **ubriacarsi** *v.r.* **1.** to get drunk, to become intoxicated, ⟨*fam*⟩ to get tipsy (*o* high, stoned). – **2.** ⟨*fig,non com*⟩ (*innamorarsi*) to fall madly in love (*di* with); (*esaltarsi*) to have one's head turned, to be intoxicated (*o* carried away) (*di* by), to become drunk (with).
ubriacato (*p.p. di ubriacare*) *a.* **1.** drunk, ⟨*attr*⟩ drunken, intoxicated, inebriated, ⟨*fam*⟩ high, ⟨*fam*⟩ stoned. – **2.** ⟨*fig,non com*⟩ (*stordito*) dazed, bewildered, confused, stunned, with one's head in a whirl. – **3.** ⟨*fig,non com*⟩ (*esaltato*) drunk, intoxicated, exhilarated, carried away.
ubriacatura *f.* **1.** (*atto*) making drunk, intoxication, inebriation; (*effetto*) drunkenness, (state of) intoxication, ⟨*lett*⟩ inebriety. – **2.** ⟨*fig*⟩ (*esaltazione*) excitement, enthusiasm, intoxication; (*infatuazione*) infatuation (*per* with), passion, great love (for): *prendere un'*~ *per qd.* to have an infatuation for s.o.
ubriachezza *f.* **1.** drunkenness, intoxication, ⟨*lett*⟩ inebriety. – **2.** (*vizio di ubriacarsi*) drunkenness. – **3.** ⟨*Dir*⟩ drunkenness, intoxication. □ *in stato di* ~ in a state of drunkenness (*o* intoxication), drunk, under the influence of alcohol; ⟨*Dir*⟩ *guidare in stato di* ~ to drive while under the influence of drink (*o* alcohol).
ubriaco *a./s.* (*pl.* **-chi**) **I** *a.* **1.** drunk, ⟨*attr*⟩ drunken, intoxicated, inebriated, ⟨*fam*⟩ tipsy, ⟨*fam*⟩ high, ⟨*fam*⟩ stoned. – **2.** ⟨*fig*⟩ (*esaltato*) intoxicated, drunk, beside o.s. (*di* with), carried away, blinded (by): ~ *di gioia* beside o.s. with joy. – **3.** ⟨*fig*⟩ (*stordito*) dazed, bewildered, confused, (with one's head) in a whirl. – **II** *s.m.* (*f.* **-a**) drunk, drunken person. □ *essere* ~ *fradicio* to be dead (*o* blind) drunk. – **ubriacone** *m.* (*f.* **-a**) drunkard.
U.C. = **1.** ⟨*Mil*⟩ *ufficiale di complemento* reserve officer. – **2.** *ufficio di collocamento* labour (*o* employment) exchange.
ucase *m.inv.* ⟨*rar*⟩ → **ukase**.
uccellabile *a.* ⟨*rar*⟩ **1.** game-. – **2.** ⟨*fig*⟩ gullible.
uccellaccio (*pegg. di uccello*) *m.* ⟨*spreg*⟩ **1.** (*uccello del malaugurio*) bird of ill omen. – **2.** (*uccello che si nutre di carogne*) carrion-bird. – **3.** ⟨*fig*⟩ (*persona balorda*) fool.
uccellagione *f.* ⟨*Venat*⟩ **1.** bird-catching, fowling. – **2.** ⟨*concr*⟩ (*uccelli catturati*) bag (of birds), birds *pl* (caught). – **3.** ⟨*concr, non com*⟩ (*luogo*) place (*o* site) for bird-catching, bird-catching area, fowling ground (*o* floor); (*tempo*) fowling (*o* bird-catching) season.
uccellaia *f.* **1.** (large number of) birds *pl* (*anche spreg.*). – **2.** → **uccellanda**. – **uccellaio** *m.* (*venditore di uccelli*) bird-seller. – **uccellame** *m.* **1.** (large number of) birds *pl*. – **2.** (*uccelli presi*) (bag of) birds *pl*. – **uccellamento** *m.* ⟨*non com*⟩ bird-catching, fowling. – **uccellanda** *f.* ⟨*Venat*⟩ bird-catching site (*o* area), fowling ground (*o* floor).
uccellare[1] *v.* (**uccello**) **I** *v.i.* (*aus.* **avere**) **1.** ⟨*Venat*⟩ to fowl (*a* for): *andare a* ~ *a lodole* to go fowling for larks. – **2.** ⟨*fig,ant*⟩ (*cercare di ottenere*) to seek (*a* after). – **II** *v.t.* ⟨*non com*⟩ **1.** (*ingannare*) to hoodwink, to take in, to trick, to gull, to dupe. – **2.** (*beffare*) to

make fun of, to mock. □ ⟨*fig,non com*⟩ *non ~ a pispole* to set one's sights high.

uccellare[2] *m.* ⟨*ant*⟩ → **uccellanda.**

uccellato[1] (*p.p. di uccellare*[1]) *a.* ⟨*non com*⟩ **1.** (*ingannato*) hoodwinked, taken in, tricked, duped. – **2.** (*beffato*) mocked, made fun of.

uccellato[2] *a.* ⟨*Tess*⟩ having a bird design.

uccellatoio *m.* ⟨*non com*⟩ → **uccellanda.** – **uccellatore** *m.* (*f.* **-trice**) **1.** ⟨*Venat*⟩ bird-catcher, fowler. – **2.** ⟨*lett*⟩ (*beffatore*) mocker, scoffer, derider. – **3.** ⟨*fig,ant*⟩ (*chi cerca in ogni modo di ottenere cariche, onori*) seeker of honours. – **uccellatura** *f.* ⟨*non com*⟩ **1.** ⟨*Venat*⟩ bird-catching, fowling. – **2.** ⟨*fig*⟩ (*beffa, canzonatura*) hoax, jest, ⟨*fam*⟩ leg-pull; (*raggiro*) trick.

uccelletto (*dim. di uccello*) *m.* ⟨*Gastr*⟩ (small) bird. – **uccelliera** *f.* aviary, bird-house; (*grande gabbia*) (large) bird-cage.

uccellina *f.* ⟨*Mar*⟩ moonsail.

uccellinaio *m.* (*f.* **-a**) ⟨*Venat*⟩ catcher of small birds. – **uccellinare** *v.i.* (*aus.* **avere**) to catch small birds. – **uccellino** (*dim. di uccello*) *m.* **1.** (*uccello appena nato*) nestling, young (*o* baby) bird. – **2.** ⟨*Gastr*⟩ (small) bird. □ ⟨*Gastr*⟩ *-i scappati* (*di manzo*) beef olives; (*di vitello*) veal olives.

uccello *m.* **1.** bird, ⟨*lett*⟩ fowl. – **2.** *pl.* ⟨*Ornit*⟩ birds *pl* (*Aves*). – **3.** ⟨*Gastr*⟩ bird. – **4.** ⟨*triv*⟩ (*membro virile*) penis, ⟨*triv*⟩ cock. – **5.** ⟨*fig,ant*⟩ (*persona sciocca*) fool, simpleton, gull.

□ ~ **acquatico** waterfowl; ⟨*fig*⟩ **andare** *come un* ~ to fly (along), to go like the wind; ~ **anseriforme** anserine bird; ~ **biscia** snakebird (*Anhinga*); ~ *di* **bosco** wood-bird; ⟨*fig*⟩ *essere uccel di bosco*: 1. (*libero*) to be free; 2. (*irreperibile*) to be nowhere to be found, to have flown the coop; ~ **canoro** (o *canterino*) song-bird, songster; *il* **canto** *degli -i* bird-song; ~ **cucitore** = *uccello* **sarto**; ⟨*poet*⟩ ~ **divino** (*angelo*) angel; *star come l'~ sulla* **frasca** (*pronto ad andarsene*) to be ready to leave at any moment, to be poised for flight; ~ *in* **gabbia** cage-bird; *sembrare un ~ in gabbia* to be restless; ~ **gatto** cat-bird (*Dumetella carolinensis*); ⟨*lett*⟩ ~ *di* **Giove** (*aquila*) bird of Jove, eagle; ⟨*lett*⟩ ~ *di* **Giunone** (*pavone*) Juno's bird, peacock; ~ **imbalsamato** stuffed bird; ~ **lepre** (*tarabuso*) bittern, bull of the bog, butterbump (*Botaurus stellaris*); ~ **lira**: 1. lyre bird (*Menura*); 2. (superb) lyre bird (*Menura superba*); ~ *di* (o *del*) **malaugurio** bird of ill omen; ⟨*fig*⟩ (*iettatore*) Jonah, ⟨*am*⟩ jinx; *non fare l'~ del malaugurio* don't be a pessimist (*o* wet blanket); ~ *di* **mare** seabird, sea-fowl; ~ *di santa* **Maria** (*martin pescatore*) kingfisher (*Alcedo atthis*); ~ **migratore** migratory bird; ~ **mosca** humming -bird; ~ *della* **neve**: 1. (*sordone*) Alpine accentor (*Prunella collaris*); 2. slate-coloured junco (*o* snowbird) (*Junco hyemalis*); ~ *di* **nido** nestling; *un ~ appena uscito dal nido* a fledgeling (*anche fig.*); ~ *dagli* **occhiali** silver-eye, white-eye (*Zosterops*); ~ **ombrellato** umbrella bird (*Cephalopterus ornatus*); ~ *del* **paradiso** bird of paradise (*Paradisea*); ~ **parasole** = *uccello* **ombrellato**; ~ *di* **passo** bird of passage, migratory bird; ~ **pescatore** = *uccello di santa* **Maria**; ~ *di san* **Pietro** = *uccello delle* **tempeste**; ~ **predatore** (o *da preda*) bird of prey, raptor, predator; ~ **rampicante** climber, creeper, climbing (*o* scansorial) bird; ~ **rapace** = *uccello* **predatore**; ~ *rapace diurno* diurnal bird of prey; ~ *rapace notturno* nocturnal bird of prey; ~ *di* **richiamo** decoy (bird); ~ *di* **ripa** wader, wading bird; ⟨*Gastr*⟩ *-i in* **salmì** salmi; ~ **sarto** tailor-bird (*Orthotomus*); ~ **serpente** = *uccello* **biscia**; ~ **silvano** = *uccello di* **bosco**; ⟨*Gastr*⟩ *-i allo* **spiedo** birds on the spit; ~ *delle* **tempeste** (*procellaria*) storm(y) petrel, Mother Carey's chicken (*Hydrobates pelagicus*); ~ *delle tempeste americano* Wilson's (storm) petrel (*Oceanites oceanicus*); ~ *delle tempeste di Bulwer* Bulwer's petrel (*Bulweria bulwerii*); ~ *delle tempeste codaforcuta* Leach('s) petrel (*Oceanodroma leucorrhoa*); ~ *delle tempeste di Madera* Madeiran petrel (*Oceanodroma castro*); ~ **toro** = *uccello* **ombrellato**; ~ **trampoliere** wader, wading-bird, stilt-bird; **vispo** *come un* ~ lively (*o* gay) as a lark, ⟨*fam*⟩ chirpy; *a* **volo** *d'~* bird's-eye-: *vista a volo d'~* bird's-eye view; *-i dello* **zucchero** honeycreepers (*Coerebidae*). – *Prov.*: *a ogni ~ il suo nido è bello* every bird likes its own nest best; ~ *in gabbia non canta per amor, canta per rabbia* a bird in a cage sings not for joy but for rage.

uccidere *v.t.* (**uccisi, ucciso**) **1.** to kill, ⟨*lett*⟩ to slay; (*accoppare*) to kill, ⟨*pop*⟩ to do in, ⟨*pop*⟩ to bump off; (*mettere a morte*) to put to death. – **2.** (*assassinare*) to murder; (*per motivi politici o religiosi*) to assassinate. – **3.** ⟨*estens*⟩ (*distruggere*) to kill (off), to destroy: *il gelo ha ucciso le piante* the frost killed the plants. – **4.** ⟨*estens*⟩ (*affrettare la morte*) to be the death of, to drive (*o* bring) to one's grave, to kill: *lo hanno ucciso i dispiaceri* his troubles were the death of him. – **5.** ⟨*iperb*⟩ (*svigorire, abbattere*) to exhaust, to weary, to wear, to drain, ⟨*fam*⟩ to kill: *è un caldo che uccide* the heat is very wearing, ⟨*fam*⟩ the heat is killing. – **6.** ⟨*Venat*⟩ to kill, to bring down, to bag; (*con armi da fuoco*) to shoot. – **7.** ⟨*Macell*⟩ to slaughter. – **8.** ⟨*Biol*⟩ to kill, to destroy: ~ *germi* to kill germs. – **uccidersi** *v.r.* **1.** (*togliersi la vita*) to kill o.s., to do away with o.s., to take one's life, to commit suicide: *si è ucciso per disperazione* he committed suicide in despair. – **2.** ⟨*recipr*⟩ to kill e.o. □ ~ *qd. con una fucilata* to shoot s.o. (dead); ~ *col veleno qd.* to poison s.o.

uccidimento *m.* ⟨*rar*⟩ → **uccisione.** – **ucciditore** *m.* (*f.* **-trice**) ⟨*non com*⟩ → **uccisore.**

uccio *a.* ⟨*fam*⟩ (*misero*) poor, wretched, shabby, ⟨*fam*⟩ terrible: *un vestituccio ~ ~* a shabby dress; (*scarso*) poor, meagre, low, scanty.

uccisi *p.rem. di* **uccidere.**

uccisione *f.* **1.** killing, ⟨*lett*⟩ slaying; (*messa a morte*) putting to death. – **2.** (*assassinio*) murder; (*per motivi politici o religiosi*) assassination – **3.** (*strage*) killing, slaughter, massacre, blood-bath, carnage. – **4.** ⟨*Venat*⟩ kill(ing), bagging. – **5.** ⟨*Biol*⟩ killing, destruction. – **6.** ⟨*Macell*⟩ slaughter(ing). □ ⟨*ant*⟩ *mettere a ~ una città* (*farvi una strage*) to put a city to the sword.

ucciso (*p.p. di uccidere*) **I** *a.* **1.** killed, ⟨*lett*⟩ slain; (*accoppato*) killed, ⟨*fam*⟩ done in, ⟨*fam*⟩ bumped off; (*messo a morte*) put to death. – **2.** (*assassinato*) murdered; (*per motivi politici o religiosi*) assassinated. – **3.** ⟨*estens*⟩ (*distrutto*) killed, destroyed. – **4.** ⟨*fig*⟩ (*oppresso*) crushed, stifled. – **5.** ⟨*Venat*⟩ killed, brought down, bagged. – **6.** ⟨*Macell*⟩ slaughtered. – **7.** ⟨*Biol*⟩ killed, destroyed. – **II** *s.m.* (*f.* **-a**) **1.** victim, dead person; *pl.* dead (*costr.pl.*), ⟨*lett*⟩ slain (*costr.pl.*); (*assassinato*) murdered person, murder victim. – **2.** (*morto*) dead person; *pl.* dead (*costr.pl.*).

uccisore *m.* (*f.* **ucciditrice**/*pop.* **-a**) killer, ⟨*lett*⟩ slayer; (*assassino*) murderer: *l'~ del vecchio è stato catturato* the old man's murderer was captured; (*per motivi politici o religiosi*) assassin.

U.C.D.G. = *Unione cristiana delle giovani* Young Women's Christian Association (*abbr.* YWCA).

UCI = *Unione ciclistica internazionale* International Cycling Association.

UCIIM = *Unione cattolica italiana insegnanti medi.*

Ucraina (o *Ucraina*) *N.pr.f.* ⟨*Geog*⟩ Ukraine. – **ucraino** (o *ucraino*) **I** *a.* Ukrainian, of the Ukraine. – **II** *s.m.* **1.** (*lingua*) Ukrainian. – **2.** (*abitante*; *f.* **-a**) Ukrainian.

UDE = **1.** *Unione della difesa europea* European Defence Community (*abbr.* EDC). – **2.** *Unione doganale europea* European Customs Union.

UDI = *Unione donne italiane* Association of Italian Women.

udibile *a.* audible: *un rumore appena ~* a barely audible noise. – **udibilità** *f.* audibility, audibleness. □ ⟨*Acu*⟩ *campo di ~* audibility range; *distanza di ~* audible (*o* audibility) range, hearing distance, earshot; *limite di ~* limit of audibility; *soglia di ~* threshold of audibility (*o* acoustic perception).

udienza *f.* **1.** hearing, ⟨*lett*⟩ audience: *dare ~ a qd.* to give s.o. a hearing, to listen to s.o. – **2.** (*licenza d'essere ricevuto*) audience, hearing: *chiedere ~* to ask for an audience. – **3.** ⟨*concr*⟩ (*incontro, colloquio*) audience: *sala delle -e* audience chamber. – **4.** ⟨*Dir*⟩ (court) hearing, sitting. – **5.** ⟨*ant*⟩ (*attività giurisdizionale*) jurisdiction; (*tribunale, magistratura*) court, tribunal. – **6.** ⟨*ant*⟩ (*uditorio*) audience, listeners *pl.*

□ ⟨*scherz*⟩ *non* **dare** ~ to take no notice of others, not to come off one's pedestal; ⟨*Dir*⟩ ~ **istruttoria** hearing in a preliminary investigation; ~ **particolare** private audience; ~ **pontificia** papal audience; ⟨*Dir*⟩ ~ *a* **porte** *chiuse*: 1. (*rif. a cause civili*) hearing in chambers; 2. (*rif. a cause penali*) hearing in camera; ~ **pubblica**: 1. public audience; 2. ⟨*Dir*⟩ public hearing, hearing in open Court; ⟨*Stor*⟩ **regia** ~ high (*o* supreme) court; *essere* **ricevuto** *in ~* to be received in audience.

udina *f.* (*appartenente all'UDI*) member of the Association of Italian Women.

Udine *N.pr.f.* ⟨*Geog*⟩ Udine.

udire[1] *v.* (*pr.ind.* **odo, odi, ode, udiamo, udite, odono**; *fut.* **udirò/udrò**; *p.rem.* **udii**; *p.pr.rar.* **udente/udiente**; *p.p.* **udito**) **I** *v.t.* **1.** to hear: ~ *una voce* to hear a voice. – **2.** (*venire a conoscenza*) to hear, (to come) to hear of, to learn, to get to know of: *hai udito l'ultima novità?* have you heard the latest? – **3.** (*mettere in pratica*) to hear, to listen to: *non ode i consigli* he won't ⌜listen to anyone⌝ (*o* take advice). – **4.** ⟨*lett*⟩ (*esaudire*) to hear, to listen to, to grant: ~ *le preghiere di qd.* to hear s.o.'s prayers. – **5.** ⟨*lett*⟩ (*ascoltare*) to hear, to listen to. – **6.** ⟨*ant*⟩ (*essere alunno di*) to study under, to be a scholar (*o* pupil) of. – **II** *v.i.* (*aus.* **avere**) **1.** to hear: *udii che usciva* I heard him going out. – **2.** (*venire a sapere*) to hear, to learn, to get to know: *ho udito che ti sposi presto* I've heard you're getting married soon. – **3.** ⟨*non com*⟩ (*ascoltare*) to hear, to listen. – **4.** ⟨*ant*⟩ (*essere alunno*) to study (*da* under), to be a scholar (*o* pupil), to attend the lectures (of).

udire[2] *m.* ⟨*lett*⟩ (*udito*) (faculty of) hearing.

udita *f.* ⟨*non com*⟩ hearing. □ *per ~* by hearsay; *testimonio d' ~* ear-witness.

uditivo *a.* **1.** auditory, auditive, of hearing: *facoltà -a* faculty (*o* power) of hearing. – **2.** ⟨*Fis*⟩ audible, of audibility (*o* hearing): *campo ~* audible range, range of audibility (*o* hearing). – **3.** ⟨*Med*⟩ auditory: *condotto ~* auditory canal (*o* meatus).

udito[1] *m.* **1.** (*senso dell'udito*) (sense of) hearing. – **2.** (*facoltà uditiva*) hearing (power), faculty (*o* power) of hearing. □ *esser debole d'~* to be hard of hearing; *durezza d'~* hardness of hearing; *avere l'~ fine* to have acute (*o* keen) hearing, to have sharp (*o* quick) ears; *avere l'~ grosso* = *essere debole d'udito*; *privo d'~* deaf.

udito[2] (*p.p. di udire*[1]) *a.* **1.** heard. – **2.** (*saputo*) heard, known (of). – **3.** ⟨*lett*⟩ (*esaudito*) heard. □ *-e entrambi le parti* after hearing both parties to the suit.

uditofono *m.* hearing-aid, deaf-aid.

uditorato *m.* ⟨*Dir,non com*⟩ (*carica*) office of judge (*o* magistrate, auditor), judgeship; (*dignità*) judge's rank, magistracy, auditorship.

uditore *m.* (*f.* **-trice**) **1.** hearer, ⟨*lett*⟩ auditor. – **2.** (*ascoltatore*) listener; *pl.* (*uditorio*) audience (*costr.sing. o pl.*). – **3.** ⟨*Scol*⟩ pupil allowed to attend lessons but not to sit any exams, auditor. – **4.** ⟨*Univ*⟩ non-examination student, auditor. – **5.** ⟨*Dir*⟩ judge, magistrate, auditor. – **6.** ⟨*Dir.can*⟩ auditor, judge: ~ *di Rota* judge

of the Rota. – **7.** ⟨*Stor*⟩ hearer of ambassadors. □ ⟨*Dir*⟩ ~ *giudiziario* judge (of the lowest rank); ⟨*Stor*⟩ ~ *militare* magistrate, judge advocate; ~ *dei tribunali ecclesiastici* auditor.
uditorio[1] *m.* audience (*costr.sing. o pl.*), listeners *pl*: *un ~ attento* an attentive audience.
uditorio[2] *a.* ⟨*rar*⟩ (*uditivo*) auditory, auditive, of hearing.
udizione *f.* ⟨*rar*⟩ (*l'udire*) hearing.
Udmurtia *N.pr.f.* Udmurt Autonomous Soviet Socialist Republic. – **udmurto I** *a.* Udmurt, Votyak, Votiak. – **II** *s.m.* (*f.* **-a**) Udmurt, Votyak, Votiak.
udometria *f.* (*pluviometria*) udometry, pluviometry. – **udometrico** *a.* (*pl.* **-ci**) (*pluviometrico*) udometric, pluviometric(al). – **udometro** *m.* (*pluviometro*) udometer, rain-gauge, pluviometer.
uè *onom.* waugh, wagh, wah, wa. □ ~ *uè* boo-hoo.
u.e., U.E. = ⟨*Med*⟩ *uso esterno* for external use (only), for external application, not to be taken internally.
UEB = *Unione economica Benelux* Benelux Customs Union, Union Economique Benelux.
UEF = *Unione europea dei federalisti* European Union of Federalists (*abbr.* E.U.F.).
UEO = *Unione europea occidentale* Western European Union (*abbr.* W.E.U., WEU).
UEP = *Unione europea dei pagamenti* European Payments Union (*abbr.* E.P.U., EPU).
uf(f), uffa *intz.* ouf, oof.
ufficiale[1] *a.* **1.** official: *notizia ~* official news; *lingua ~* official language; *ricevimento ~* official reception; *fidanzamento ~* official engagement. – **2.** (*proprio di atti o cerimonie ufficiali*) official, formal: *visita in forma ~* official visit.
ufficiale[2] *m.* **1.** (*funzionario*) official, officer. – **2.** ⟨*Mil*⟩ officer. – **3.** (*grado di ordini cavallereschi*) officer.
□ ~ *dell'***aereonautica** air-force officer; **allievo** ~ cadet officer; **alti** *-i* high-ranking officers; ~ *d'***artiglieria** gunnery officer; ~ *di* **carriera** regular officer; ⟨*Mar*⟩ ~ **commissario** commissary, commissariat-officer; ~ *di* **complemento** reserve officer; ⟨*Mar*⟩ ~ *di* **coperta** officer of the deck, deck officer; ~ *di* **fanteria** infantry officer; ⟨*Sport*⟩ ~ *di* **gara** judge, referee, umpire; *-i* **generali** generals *pl*; ⟨*Dir*⟩ ~ **giudiziario** bailiff, tipstaff, sheriff's officer; **grand'**~ great officer; ~ *di* **guardia** officer of the watch; *-i* **inferiori** lower -ranking (*o* inferior) officers, officers below field rank; ~ *di* **marina** naval officer; ~ **medico** medical officer; ⟨*Mar*⟩ ~ *di* **navigazione** navigating (*o* navigation) officer, navigator; ~ *d'***ordinanza** orderly (officer); ⟨*Aer*⟩ ~ **osservatore** observation officer; ~ *di* **picchetto** officer of the day; ~ **postale** (o *di posta*) post-office clerk; ⟨*Mar*⟩ **primo** ~ first (*o* chief) officer, first (*o* chief) mate; **pubblico** ~ public official; ~ *della* **riserva** reserve officer; ~ *di* **rotta** = *ufficiale di* **navigazione**; ~ **sanitario** health officer; ~ *in* **servizio** *permanente effettivo* regular officer; ~ *di* **stato** *civile* registrar; *-i di stato maggiore* staff officers; *-i* **subalterni** subalterns *pl*; *-i* **superiori** high-ranking officers.
ufficialessa *f.* **1.** ⟨*Mil*⟩ (woman) officer. – **2.** ⟨*burocr*⟩ (woman) officer, (woman) official. – **3.** ⟨*scherz*⟩ (*moglie di ufficiale*) officer's wife. – **ufficialetto, ufficialino** *m. dim. di* **ufficiale**[2].
ufficialità[1] *f.* **1.** official nature (*o* character), officiality: *l'~ delle informazioni* the official nature of the information. – **2.** (*l'essere fatto secondo formule prescritte*) official (*o* formal) nature: *l'~ di una visita* the official nature of a visit.
ufficialità[2] *f.* ⟨*Mil*⟩ officers *pl*.
ufficialmente *avv.* officially, formally: *visitare ~ un paese* to visit a country officially (*o* in one's official capacity); *fidanzarsi ~* to become officially engaged.
ufficialone (*accr. di ufficiale*[2]) *m.* ⟨*fam*⟩ **1.** (*alto ufficiale*) high-ranking officer. – **2.** (*ufficiale corpulento*) portly (*o* stout) officer. – **ufficialuccio** *m. dim. di* **ufficiale**[2].
ufficiante (*p.pr. di ufficiare*) **I** *a.* officiating: *sacerdote ~* officiating priest. – **II** *s.m.* ⟨*Rel*⟩ officiant, celebrant. – **ufficiare** *v.* (**ufficio, uffici**) **I** *v.t.* **1.** ⟨*Lit*⟩ (*officiare*) to serve. – **2.** ⟨*burocr*⟩ (*invitare, sollecitare ossequiosamente*) to invite. – **II** *v.i.* (*aus.* **avere**) ⟨*Lit*⟩ (*officiare*) to officiate. – **ufficiatore** *m.* ⟨*Lit,non com*⟩ (*officiatore*) officiant. – **ufficiatura** *f.* ⟨*Lit*⟩ (*officiatura*) officiation, officiating. □ *spese di ~* ritual (*o* cultural) expenses.
ufficio *m.* **1.** duty, ⟨*lett*⟩ office: *è ~ dei genitori aver cura dei figli* it is the duty of parents to look after their children. – **2.** (*compito inerente alla carica*) (official) duty, task, office: *è ~ del giudice* it's the duty of the judge. – **3.** (*mansione*) task, duty, function, job: *con quale ~ sei stato assunto?* what job were you hired to do?; (*servizio*) office, service, favour, turn: *sono uffici che si compiono malvolentieri* they are favours one doesn't do willingly. – **4.** (*carica*) office, appointment: *detenere un ~* to hold office; *assumere un ~* to take office; (*posto*) office, position, post: *sospendere qd. da un ~* to suspend s.o. from a post. – **5.** (*organo, complesso d'impiegati*) office: *l'~ è stato trasferito in Via Garibaldi* the office has been moved to via Garibaldi; *~ postale* post office. – **6.** ⟨*Comm*⟩ office, department. – **7.** (*luogo*) office: *andare in ~* to go to the office; (*stanza*) office: *l'~ del direttore* the manager's office. – **8.** ⟨*Lit*⟩ (Divine) Office, breviary; (*libro*) breviary.
□ ~ **acquisti**: 1. buying (*o* purchasing) office; 2. = *ufficio* **approvvigionamenti**; ~ **amministrativo** administrative office; ~ *dell'***anagrafe** registry (office), register office; ~ **annonario** food office; ~ **approvvigionamenti** supply office; ~ **brevetti** patent office; **buoni uffici**: 1. good offices (*o* services): *grazie ai buoni uffici di qd.* through (*o* thanks to) s.o.'s good offices; *interporre i propri buoni uffici in favore di qd.* to ⌜use one's good offices⌝ (*o* intercede) on s.o.'s behalf; 2. ⟨*Dir*⟩ mediation; ~ **cambi(o)** exchange (office), bureau de change; (*in banca*) foreign exchange (*o* currency) department; ~ **cassa** cash office (*o* department); (*per le paghe*) pay(-roll) office; ~ *del* **catasto** land registry (office); ~ *di* **censura** *cinematografica* film censor's (*o* censors') office; ~ **centrale**: 1. central (*o* main) office; 2. ⟨*Comm*⟩ head office, headquarters; ~ *di* **collocamento** employment (*o* labour) exchange, employment office; ~ *per il* **commercio** *estero* foreign trade office; ~ *di* **compensazione** clearing -house; ~ **consolare** consulate; ⟨*Comm*⟩ ~ **contabilità** accounts office, accounting department, ⟨*fam*⟩ accounts *pl*; ~ **contenzioso** legal department; ~ *di* **controllo** checking (*o* control, inspection) office; ~ *di controllo dei prezzi* price control board; **d'~**: 1. office-: *lavoro d'~* office work; *orario d'~* office hours; 2. (*ufficialmente*) officially: *sarà informato d'~* he will be officially informed; 3. (*in qualità o veste ufficiale*) in one's official capacity, ex officio, in virtue of one's office: *procedere d'~* to act in one's official capacity; 4. (*ufficiale*) official: *una lettera d'~* an official letter; ⟨*Dir*⟩ **difensore** *d'~* counsel for the defence appointed by the Court; ~ **distaccato** branch office; ~ **doganale** Customs *pl* (*costr.sing.*), Custom(s)-house, Custom(s)-office; ~ **emigranti** emigration office; ~ (*di*) **esportazioni** export office (*o* department); ~ *delle* **finanze** tax office, revenue board; ⟨*Lit*⟩ ~ **funebre** office for the dead, funeral service; ~ *d'***igiene** *pubblica* public health office; ~ *delle* **imposte** tax office; ~ **informazioni** inquiry office, inquiries *pl*, ⟨*am*⟩ information bureau; ~ *del* **lavoro** labour office; ≈ *internazionale del lavoro* International Labour Office; ~ **legale**: 1. (*studio legale*) law office; 2. (*reparto*) legal department; ~ *di* **liquidazione** liquidation office; ~ **marittimo** navigation office; ~ *di servizio sociale per* **minorenni** youth welfare office; ⟨*Lit*⟩ ~ *dei* **morti** office for the dead; ~ **notarile** notary's office; ~ **oggetti** *smarriti* lost property office, ⟨*am*⟩ lost and found; ⟨*Mil*⟩ ~ **operazioni** operations *pl* (*costr.sing.*); ~ *di* **orientamento** *professionale* vocational guidance centre; ~ **paga** pay(-roll) office; ~ (*del*) **personale** personnel office (*o* department); ~ **pesi** *e misure* office of weights and measures, ⟨*am*⟩ bureau of standards; ~ *di* **polizia** police station (*o* office); ⟨*Econ*⟩ ~ **portafoglio** securities department; ~ **portuale** port (*o* harbour) office; ~ **prenotazioni** booking-office; ⟨*Ind*⟩ ~ **progettazione** design office, engineering department; ~ (*del*) **protocollo**: 1. ⟨*Dipl*⟩ protocol office; 2. ⟨*Comm,burocr*⟩ registry; ~ **pubblicità** advertising (*o* publicity) department; ~ **pubblico** public (*o* government) office; *per* **ragioni** *d'~*: 1. for official reasons; 2. (*per servizio*) on official matters (*o* business); 3. (*in qualità o veste ufficiale*) ex officio, in one's official capacity; ~ *del* **registro** registry (*o* registration, public records) office; ⟨*Dir*⟩ Registry (of Deeds); ~ **segreteria** secretary's office; ⟨*Comm*⟩ ~ **spedizioni** forwarding department (*o* office); ~ **stampa** press office; ~ **stranieri** aliens' office; ⟨*Econ*⟩ ~ **sviluppo** development office, office for development; ~ **tecnico** technical (*o* engineering) department; ⟨*Lit*⟩ ~ *delle* **tenebre** Tenebrae *pl* (*costr. sing. o pl.*); ~ **titoli** = *ufficio* **portafoglio**; ~ **turistico** = *ufficio* **viaggi**; ≈ *internazionale dell'***Unione** *postale universale* International Bureau of the Universal Postal Union; ⟨*Comm*⟩ ~ **vendite** sales office (*o* department); ~ *di* **verifica** = *ufficio di* **controllo**; ~ **viaggi** travel office (*o* bureau, agency), tourist office; ~ *di* **vigilanza** control office (*o* board). || *non è mio ~* it is not my job (*o* province), it is not up to me.
ufficiosamente *avv.* unofficially. – **ufficiosità** *f.* **1.** unofficial nature: *l'~ di una notizia* the unofficial nature of some news. – **2.** ⟨*rar*⟩ (*officiosità*) kindness, courtesy. – **ufficioso** *a.* **1.** unofficial, semi -official, ⟨*lett*⟩ officious; (*non confermato*) unofficial. – **2.** (*rif. a organi e sim.*) unofficial, semi-official. – **3.** ⟨*rar*⟩ (*premuroso, cortese*) kind, obliging, courteous; (*generoso*) generous. □ *in via -a* unofficially.
uffiziale[1] *a.* ⟨*ant*⟩ → **ufficiale**[1].
uffiziale[2] *m.* ⟨*ant*⟩ → **ufficiale**[2].
uffiziare *v.* ⟨*ant*⟩ → **ufficiare**.
uffizio *m.* **1.** ⟨*Lit*⟩ office. – **2.** ⟨*tosc*⟩ (*ufficio*) office. □ ⟨*Lit*⟩ ~ *dei defunti* office for the dead; ~ *divino* (Divine) Office; *galleria degli Uffizi* Uffizi Gallery; ⟨*Stor*⟩ *Sant'*≈ Holy Office.
uffo *m.* ⟨*Zool*⟩ haunch.
UFI = *Unione internazionale fiere* Union of International Fairs.
uficiale[1] *a.* ⟨*ant*⟩ → **ufficiale**[1].
uficiale[2] *m.* ⟨*ant*⟩ → **ufficiale**[2].
uficio *m.* ⟨*ant*⟩ → **ufficio**.
ufiziale[1] *a.* ⟨*ant*⟩ → **ufficiale**[1].
ufiziale[2] *m.* ⟨*ant*⟩ → **ufficiale**[2].
ufiziare *v.* ⟨*ant*⟩ → **ufficiare**. – **ufizio** *m.* ⟨*ant*⟩ → **ufficio**.
ufo: *a ~* (*senza pagare*) free (of charge), gratis, for nothing, without paying; (*alle spalle di altri*) off others, at others' expense, by scrounging: *mangiare a ~* to live ⌜off others⌝ (*o* at others' expense).
Uganda *N.pr.f.* ⟨*Geog*⟩ Uganda (*denom.uff.*: *Repubblica dell'Uganda* Republic of Uganda). – **ugandese I** *a.* Ugandan, Uganda-, of Uganda. – **II** *m./f.* (*abitante*) Ugandan.
ugaritico *a./s.* (*pl.* **-ci**) **I** *a.* ⟨*Archeol*⟩ Ugaritic, of Ugarit. – **II** *s.m.* ⟨*Ling*⟩ Ugaritic, Ugaritian.
ugello *m.* ⟨*tecn*⟩ **1.** nozzle, jet. – **2.** (*tubiera*) tuyere.
□ ~ *dell'***aria** air nozzle (*o* jet); ⟨*Mot*⟩ ~ *dell'***economizzatore** economizer jet; ~ *a doppio* **getto** twin-jet nozzle; ~ *d'***iniezione**:

1. ⟨*Mot*⟩ injector (*o* injection) nozzle; 2. ⟨*Met*⟩ injector channel, pouring-gate; ⟨*Mot*⟩ ~ *del* **massimo** needle jet; ~ *del* **minimo** pilot (jet); ⟨*Mot*⟩ ~ **propulsore** propelling nozzle.

uggerẹlla (*dim. di uggia*) *f.* → **uggiolina.**

ụggia *f.* (*pl.* **-ge**) **1.** (*noia, tedio*) boredom, ennui, tedium, weariness; (*fastidio, molestia*) nuisance, trouble, bother. – **2.** ⟨*non com*⟩ (*mancanza di luce e di sole*) gloom, deep shade; (*ombra*) shade, shadow. □ **avere** *in* ~ *qd.* to dislike s.o.; **dare** ~ *a qd.* to trouble (*o* bother) s.o., to be a nuisance to s.o.; *mi è* **in** ~ I dislike him; **prendere** *in* ~ *qd.* to take a dislike to s.o.; **venire** *in* ~ to be tedious (*o* wearisome); *far venire l'*~ *a qd.* ⟨*fam*⟩ to get s.o. down: *questo tempo mi fa venire l'*~ this weather gets me down.

uggiarẹlla (*dim. di uggia*) *f.* → **uggiolina.**

uggiolamẹnto *m.* ⟨*non com*⟩ whining, whimpering. – **uggiolạre** *v.i.* (**ụggiolo**; *aus.* **avere**) to whine, to whimper.

uggiolịna (*dim. di uggia*) *f.* **1.** (slight) feeling of discomfort. – **2.** (*senso di languore allo stomaco*) hunger pangs *pl*, empty feeling in one's stomach.

uggiolịo *m.* whining, whimpering.

uggiosamẹnte *avv.* tediously, wearisomely, dully; (*fastidiosamente*) troublesomely. – **uggiosẹtto, uggiosịno** (*dim. di uggioso*) *a.* rather dull, a little tedious; (*fastidiosetto*) slightly irritating. – **uggiosità** *f.* dullness, tedium, wearisomeness; (*molestia*) tiresomeness, troublesomeness; (*rif. al tempo*) gloominess, dreariness.

uggiọso I *a.* **1.** (*noioso*) boring, dull, tedious, wearisome: *un discorso* ~ a boring speech; (*rif. al tempo*) dull, gloomy. – **2.** (*molesto*) troublesome, bothersome, irritating, tiresome, annoying. – **3.** ⟨*non com*⟩ (*irrequieto*) irritable, restless, fretful, out of sorts. – **4.** ⟨*rar*⟩ (*ombroso*) murky, shadowy. – **II** *s.m.* (*f.* **-a**) (*persona noiosa*) bore; (*persona fastidiosa*) nuisance, troublesome (*o* tiresome) person.

uggịre *v.t.* (**uggịsco, uggịsci**) ⟨*non com*⟩ **1.** to bore. – **2.** (*tediare*) to bore, to weary; (*infastidire*) to trouble, to bother. – **3.** ⟨*rar*⟩ (*ombreggiare*) to throw into shadow, to shade. – **uggirsi** *v.r.* ⟨*non com*⟩ **1.** (*annoiarsi*) to grow (*o* get) bored, to (grow) weary. – **2.** (*infastidirsi, seccarsi*) to become annoyed (*o* irritated) (*di* by), ⟨*fam*⟩ to get fed up (with). – **uggịto** (*p.p. di uggire*) *a.* ⟨*non com*⟩ (*annoiato*) bored, weary, tired; (*seccato*) irritated, annoyed, ⟨*fam*⟩ fed up.

ụgna *f.* ⟨*ant,tosc*⟩ (*unghia*) nail.

ugnạre *v.t.* ⟨*Fal*⟩ (*augnare*) to chamfer, to bevel.

ugnạta *f.* ⟨*ant,tosc*⟩ → **unghiata.**

ugnatụra *f.* ⟨*Fal*⟩ chamfer, bevel.

ugnẹlla *f.* **1.** ⟨*Oref*⟩ graver. – **2.** ⟨*Zootecn*⟩ chestnut.

ugnẹllo[1] *m.* → **unghiello.**

ugnẹllo[2] *m.* (*unghiola del gatto*) cat's claw.

ugnẹllo[3] *m.* ⟨*Art*⟩ scoop.

ụgnere *v.t.* (**ụngo, ụgni**) ⟨*ant*⟩ (*ungere*) to grease, to smear.

ugnẹtto *m.* **1.** ⟨*tecn*⟩ chisel. – **2.** ⟨*Mecc*⟩ cutting-tool.

Ụgo *N.pr.m.* Hugo, Hugh.

ụgola *f.* **1.** ⟨*Anat*⟩ uvula. – **2.** ⟨*fig*⟩ (*gola*) throat. □ ⟨*scherz*⟩ *bagnarsi* (o *rinfrescarsi*) *l'*~ to slake (*o* quench) one's thirst, ⟨*fam*⟩ to wet one's whistle; ⟨*fig*⟩ *avere un'*~ *d'oro* to have a beautiful voice; ⟨*Anat*⟩ ~ *del verme* (o *cervelletto*) uvula.

ugonọtto *m.* (*f.* **-a**) ⟨*Stor*⟩ Huguenot.

ugrạda *f.* ⟨*Geol*⟩ flat space between sinkholes (*o* swallow-holes).

ụgrico *a.* (*pl.* **-ci**) ⟨*Ling*⟩ Ugric, Ugrian. – **ụgro I** *a.* Ugrian. – **II** *s.m.* (*f.* **-a**) Ugrian.

ugro-fịnni *m.pl.* Finno-Ugrians *pl.* – **ugro-fịnnico** *a./s.* (*pl.* **-ci**) **I** *a.* ⟨*Ling*⟩ Ugro-Finnish, Ugro-Finnic, Finno-Ugric, Finno-Ugrian. – **II** *s.m.* Finno-Ugric (languages *pl*).

uguagliamẹnto *m.* ⟨*non com*⟩ **1.** (*il rendere uguale*) equalization, equalizing, making equal; (*il diventare uguale*) becoming equal. – **2.** (*uguaglianza*) equality.

uguaglịanza *f.* **1.** equality, being equal: ~ *di peso* equality of weight. – **2.** (*principio eticopolitico*) equality: ~ *di fronte alla legge* equality before the law; (*rif. a diritti*) equality of rights. – **3.** (*uniformità*) evenness, uniformity. – **4.** ⟨*Mat*⟩ equality; (*equivalenza*) equivalence.

uguaglịare *v.t.* (**uguạglio, uguạgli**) **1.** to make equal, to equalize: *la morte uguaglia tutti gli uomini* death makes all men equal, death levels all men. – **2.** (*rendere uniforme*) to make even (*o* uniform, level). – **3.** (*giungere allo stesso livello*) to equal, to match, to be ⌜the equal of⌝ (*o* a match for): ~ *il proprio maestro* to equal one's master. – **4.** (*giudicare uguale*) to compare, to regard as equal. – **5.** ⟨*Sport*⟩ to equal: ~ *un primato* to equal a record. – **uguagliarsi** *v.r.* **1.** (*essere uguale*) to be equal. – **2.** (*stimarsi pari, paragonarsi*) to compare o.s. (*a* with), to put o.s. on the same level (as).

uguagliatọre ⟨*non com*⟩ **I** *s.m.* (*f.* **-trice**) equalizer. – **II** *a.* equalizing, levelling.

uguạle I *a.* **1.** (exactly) the same (*a* as), like (s.th.), equal (to): *due penne -i* two pens that are exactly the same, two like pens; *voglio una penna* ~ *alla tua* I want a pen like (*o* the same as) yours. – **2.** (*stesso, identico*) the same, identical: *vestiti di* ~ *colore* clothes of the same colour; (*allo stesso livello*) equal: *le nostre forze sono -i* our forces are equal. – **3.** (*che è sempre lo stesso*) the same: *la legge è* ~ *per tutti* the law is the same for everybody. – **4.** (*uniforme*) even, uniform: *parlare con tono sempre* ~ to speak in an even tone. – **5.** ⟨*fig*⟩ uniform, even, equal, steady: *stile* ~ uniform style. – **6.** (*monotono*) unchanging, unvarying, monotonous: *disegno* ~ unchanging design; (*rif. a voce*) dull, monotonous: *un canto* ~ a monotonous chant. – **7.** (*liscio*) even, level, smooth: *pianura* ~ level plain. – **8.** ⟨*Geom*⟩ congruent. – **9.** ⟨*Mat*⟩ equal, equivalent (*a* to): *tre più due* (*è*) ~ *a cinque* three plus two ⌜is equal to⌝ (*o* equals) five, three and two make five. – **II** *s.m./f.* **1.** equal. – **2.** ⟨*fig*⟩ equal, peer, match: *non ha l'*~ he has no equal (*o* peer), he is peerless (*o* matchless, unequalled); *questo scrittore non ha l'*~ nobody can match (*o* come up to) this writer, this writer stands alone. – **3.** ⟨*non com*⟩ (*rif. a cose*) equal: *non troverai l'*~ *di queste scarpe* you won't find the equal of these shoes. – **III** *avv.* equally, the same: *stanco* ~ equally (*o* just as) tired; *due bambini alti* ~ (o *-i*) two children of the same height; *costano* ~ they cost the same (amount).

□ ⟨*Comm*⟩ ~ *al* **campione** up to sample; *di* **colore** ~ of the same colour; **essere** ~ (*fare lo stesso*) to make no difference, not to matter: *per me è* ~ it makes no difference to me, it's all the same to me, I don't care (*o* mind); *essere* ~ *a se stesso* to be consistent; ~ *di* **età** of the same age; ~ *di* **forma** of (*o* having) the same shape; **senza** *l'*~ unequalled, matchless, incomparable, peerless: *una fortuna senza l'*~ incomparable good luck.

ugualità *f.* ⟨*rar*⟩ → **uguaglianza.**

ugualitạrio ⟨*non com*⟩ **I** *a.* ⟨*Pol*⟩ (*egualitario*) egalitarian, equalitarian, levelling. – **II** *s.m.* (*f.* **-a**) egalitarian, equalitarian, leveller. – **ugualitarịsmo** *m.* ⟨*non com*⟩ (*egualitarismo*) egalitarianism, equalitarianism, doctrine of equal rights.

ugualmẹnte *avv.* **1.** equally, the same, in the same way, alike: *distribuire* ~ *qc.* to share s.th. out equally; *tratta* ~ *il ricco e il povero* he treats rich and poor alike (*o* the same). – **2.** (*uniformemente*) evenly, uniformly. – **3.** (*tuttavia*) all (*o* just) the same, nonetheless, nevertheless: *vincerai* ~ you will win just the same.

uguạnno *avv.* ⟨*ant,region*⟩ (*quest'anno*) this year.

uh *intz.* (*per esprimere meraviglia*) oh; (*per esprimere disgusto*) ugh; (*per esprimere dolore*) ah, oh.

ụhi *intz.* ah, oh.

uhm *intz.* hum.

U.I. = **1.** ⟨*Farm*⟩ *Unità* (*biologica*) *internazionale* international unit (*abbr.* I.U., IU). – **2.** ⟨*Farm*⟩ *Unità Immunizzante* immunizing unit (*abbr.* I.U., IU). – **3.** ⟨*Med*⟩ *uso interno* for internal use.

UIA = *Unione internazionale astronomica* International Astronomical Union.

UIC = *Unione italiana ciechi.*

UIL = **1.** *Ufficio internazionale del lavoro* International Labour Office. – **2.** *Unione italiana del lavoro.*

UIP = *Unione internazionale di pattinaggio* International Skating Union.

UIPPI = *Unione internazionale per la protezione della proprietà industriale* International Union for the Protection of Industrial Property.

U.I.P.T.D. = *Unione internazionale per la pubblicazione di tariffe doganali* International Bureau for the Publication of Customs Tariffs.

UIS = *Unione internazionale di soccorso* International Relief Union (*abbr.* I.R.U.).

uistitì *m.* ⟨*Zool*⟩ marmoset. □ ~ *a pennacchi bianchi* common marmoset, wistit(i), ouistiti (*Callithrix iacchus*; *Hapale iacchus*); ~ *a pennacchi neri* black-eared marmoset (*Callithrix penicillata*; *Hapale penicillata*).

UIT = *Unione internazionale telecomunicazioni* International Telecommunications Union (*abbr.* I.T.U., ITU).

UITS = *Unione italiana di tiro a segno.*

U.K. = *Regno unito* United Kingdom (*abbr.* U.K.).

ukạse *m.inv.* **1.** ⟨*Stor*⟩ ukase, ukaz. – **2.** ⟨*estens*⟩ (*ordine arbitrario*) ukase, arbitrary order.

ukulẹle *f./m.inv.* ⟨*Mus*⟩ ukulele, ukelele.

ụlama *m.* ulama, ulema.

ulạno *m.* ⟨*Mil.ant*⟩ u(h)lan.

ularbụrong *m.* ⟨*Zool*⟩ mangrove snake (*Boiga dendrophila*).

ụlca *f.* ⟨*Mar*⟩ flat-bottomed Dutch bark.

ụlcera *f.* ⟨*Med*⟩ **1.** ulcer. – **2.** (*ulcera gastrica*) gastric ulcer; (*ulcera duodenale*) duodenal ulcer. □ ~ *molle* soft ulcer (*o* chancre), chancroid, venereal ulcer (*o* sore). – **ulceramẹnto** *m.* ⟨*rar*⟩ → **ulcerazione.** – **ulcerạre** *v.t.* (**ụlcero**) (*produrre un'ulcera*) to ulcerate. – **ulcerarsi** *v.r.* to ulcerate. – **ulceratịvo** *a.* ulcerative. – **ulcerạto** (*p.p. di ulcerare*) *a.* **1.** ⟨*Med*⟩ ulcerated: *tessuto* ~ ulcerated tissue. – **2.** ⟨*fig,non com*⟩ (*esacerbato*) deeply grieved, broken-hearted; (*rif. al cuore*) broken, grieving. – **ulcerazịone** *f.* **1.** (*formazione*) ulceration. – **2.** (*ulcera*) ulcer(ation). – **ụlcere** *f.* ⟨*ant*⟩ → **ulcera.** – **ulcerọso I** *a.* ⟨*Med*⟩ **1.** ulcerous. – **2.** (*affetto da ulcera*) ulcerous. – **II** *s.m.* (*f.* **-a**; *malato*) sufferer from ulcers.

ụlema *m.* → **ulama.**

ulịgano *m.* (*teppista*) hooligan.

ulịgine *f.* ⟨*rar*⟩ (*umidità del terreno*) ground moisture, dampness. – **uliginọso** *a.* ⟨*non com*⟩ **1.** (*umido*) damp. – **2.** ⟨*Bot*⟩ uliginous, uliginose, marsh-.

Ulịsse *N.pr.m.* ⟨*Lett*⟩ Ulysses, Odysseus. – **ulịsside** (o *ulissịde*) *m./f.* ⟨*lett*⟩ **1.** (*discendente d'Ulisse*) descendant of Ulysses. – **2.** ⟨*fig*⟩ (*esploratore*) explorer.

ulịte *f.* ⟨*Med*⟩ (*gengivite*) gingivitis, ulitis.

ulịva *f.* (*oliva*) olive.

ulivạstro[1] *a.* (*olivastro*) olive(-coloured), olivaceous.

ulivạstro[2] *m.* ⟨*Bot*⟩ (*olivastro*) wild olive, oleaster (*Olea europaea oleaster*).

ulivato *a.* ⟨*rar*⟩ (*olivato*) planted with olive trees. – **ulivella** (*dim. di uliva*) *f.* **1.** small olive. – **2.** ⟨*Bot*⟩ (*ligustro*) privet (*Ligustrum vulgare*). – **3.** ⟨*Bot*⟩ spurge laurel (*Daphne*). – **uliveta** *f.* ⟨*non com*⟩ → **uliveto**. – **uliveto** *m.* (*oliveto*) olive-grove.

ulivetta (*dim. di uliva*) *f.* **1.** (*ferro da cesello*) (kind of) chisel, graving tool. – **2.** (*allacciatura degli alamari*) frog. – **ulivicolo** *a.* ⟨*non com*⟩ (*olivicolo*) olive-growing, of olives, olive-. – **ulivicoltura** *f.* ⟨*non com*⟩ (*olivicoltura*) olive-growing. – **ulivigno** *a.* ⟨*lett*⟩ (*olivigno*) olive-, olive-coloured. – **ulivo** *m.* ⟨*Bot*⟩ (*olivo*) olive(-tree) (*Olea, Olea europaea*).

Ulma *N.pr.f.* ⟨*Geog*⟩ Ulm.

ulmacee *f.pl.* ⟨*Bot*⟩ (*olmacee*) elm family (*Ulmaceae*). – **ulmana** *f.* ⟨*Bot*⟩ (*olmaria*) meadow-sweet (*Spiraea ulmaria*).

ulmico *a.* → **umico**.

ulna *f.* ⟨*Anat*⟩ ulna. – **ulnare** *a.* ulnar. – **ulnarmente** *avv.* on the ulnar side.

uloch *m.* ⟨*Zool*⟩ hoolock (*Hylobates hoolock*).

ulorragia *f.* ⟨*Med*⟩ (*emorragia gengivale*) ulorrhagia, oulorrhagia.

ulotricacee *f.pl.* ⟨*Bot*⟩ ulotrichaceae *pl* (*Ulotrichaceae*).

ulotrichia *f.* ⟨*Anat*⟩ ulotrichy. – **ulotrico** *a.* (*pl.* **-chi**) ulotrichous.

ulpiano *N.pr.m.* ⟨*Stor*⟩ Ulpian.

Ulrica *N.pr.f.* Ulrica.

Ulrico *N.pr.m.* ⟨*Stor*⟩ Ulrich.

ulster *ingl. m.* ⟨*Mod*⟩ ulster.

ulsteriano *a./s.m.* ⟨*Geol*⟩ Ulsterian, Lower Devonian.

ulteriore *a.* **1.** further, ulterior, more: *-i delucidazioni* further explanations. – **2.** (*situato al di là*) farther. ▭ *Gallia* ~ Transalpine Gaul. – **ulteriormente** *avv.* **1.** (*più oltre, più avanti*) farther (on), further: *procedere* ~ to go farther on. – **2.** (*in seguito*) later (on), subsequently, afterwards.

ultimamente *avv.* **1.** (*negli ultimi tempi*) recently, lately, in recent times, ⟨*lett*⟩ of late: *l'ho visto* ~ I saw him recently. – **2.** ⟨*ant*⟩ (*alla fine*) in the end, at last, finally.

ultimare *v.* (**ultimo**) **I** *v.t.* to finish: ~ *i lavori* to finish the work; (*compiere*) to complete, to finish (off), to bring to an end. – **II** *v.i.* (*aus.* **essere**) ⟨*ant*⟩ (*essere alla fine*) to draw to a close, to be at the end.

ultimativo *a.* final, last: *proposta -a* final proposition.

ultimatum *m.* ⟨*Pol*⟩ ultimatum (*anche estens.*): *dare l'~ a qd.* to give s.o. an ultimatum.

ultimazione *f.* finishing; (*compimento*) completion, finishing (off).

ultimissima *f.* ⟨*Giorn*⟩ **1.** (*edizione*) latest edition. – **2.** *pl.* (*notizie*) latest news, ⟨*fam*⟩ latest. ▭ ⟨*Giorn*⟩ *le -e della notte* the late night news.

ultimo **I** *a.* **1.** last: *l'~ gradino* the last step; *quest'-a frase è sbagliata* this last sentence is wrong. – **2.** (*temporalmente posteriore agli altri*) last, final: *fare un ~ tentativo* to make a final attempt, ⟨*fam*⟩ to have a last go. – **3.** (*recentissimo*) latest: *le -e notizie* the latest news; *l'-a moda* the latest fashion. – **4.** (*estremo*) far(thest), extreme, outermost, utmost, last: *l'~ lembo di terra italiana* the farthest tip of Italy. – **5.** (*più indietro, più in fondo*) back, last: *sedere nell'-a fila* to sit in the back (*o* last) row, to sit at the back. – **6.** (*più in alto*) last, top: *abitare all'~ piano* to live on the top floor. – **7.** (*più in basso*) bottom, last: *l'~ riga di una pagina* the bottom line of a page. – **8.** (*minimo, inferiore*) last, least: *il lavoro è la sua -a cura* work is the last thing he worries about. – **9.** (*massimo, sommo*) ultimate, utmost, highest, farthest: *le -e vette della poesia* the highest peaks of poetry. – **10.** (*in espressioni elittiche*) last: *l'~ (giorno) dell'anno* the last day of the year; *questa è l'-a (birichinata) che mi fai* that is the last trick you are playing on me. – **11.** (*inferiore*) lowest, last, poorest; (*in una classifica e sim.*) bottom. – **12.** ⟨*lett*⟩ (*il più lontano nel futuro*) last, ultimate, furthest; (*primo nel passato*) earliest, furthest. – **13.** ⟨*lett*⟩ (*primario, fondamentale*) prime: *Dio è l'-a causa dell'universo* God is the prime cause of the universe. – **14.** ⟨*lett*⟩ (*remoto*) remote, far(away), distant. – **15.** ⟨*poet*⟩ (*il più lontano*) farthest. – **II** *s.m.* (*f.* **-a**) **1.** last: *arrivare l'~* to come last; *dal primo all'~* from first to last. – **2.** (*persona inferiore ad altri*) last, lowest: ⟨*Bibl*⟩ *gli -i saranno i primi* the last shall be first; (*in una classifica e sim.*) bottom, last: *è l'~ della classe* he is last in the class. – **3.** (*ultimo giorno del mese*) last day. – **4.** (*punto, momento estremo*) end.

▭ **all'~**: 1. at the end: *siamo all'~ dello spettacolo* we are at the end of the show; 2. (*all'ultimo momento*) at the last moment; 3. (*infine*) at last, finally, in the end; *l'~ dell'***anno** the last day of the year, New Year's Eve; *essere l'~* **arrivato** to be (*o* come) last; ⟨*fig*⟩ to be a newcomer; **da** ~ (*alla fine*) at the end; **fino** *all'~* to the last, to the (very) end, until the end; **in** ~ in (*o* at) the end, eventually; *dare l'-a* **mano** *a una parete* to put the last coat of paint on a wall; *l'~ del* **mese** the last day of the month; *gli -i giorni del mese* the end of the month; ~ **nato** last-born; **non** ~ not the least, one of the chief; **per** ~ last: *parlò per ~* he spoke last, he was the last to speak; **quest'~** (*il secondo di due*) the latter; **quint'~** (*quintultimo*) fifth to last, last but four; **sapete** *l'-a* (*storiella*)? have you heard the latest (joke)?; ⟨*burocr*⟩ ~ **scorso** last: *la mia lettera del cinque maggio ~ scorso* my letter of May the fifth last; *nelle -e* **settimane** in the last few weeks; **sull'~** at (*o* in, towards) the end; *negli -i* **tempi** recently, lately; *essere l'~* **venuto** = *essere l'~* **arrivato**; *-e* **volontà** last wishes; *l'-a* **volta** the last time. – *Prov.*: ⟨*scherz*⟩ *beati gli -i se i primi sono discreti* blessed are the last if the first leave something.

ultimogenito **I** *a.* last-born. – **II** *s.m.* (*f.* **-a**) last-born, youngest.

ulto *a.* ⟨*poet*⟩ (*vendicato*) avenged; (*punito*) punished. – **ultore** ⟨*poet*⟩ **I** *s.m.* (*f.* **-trice**; *vendicatore*) avenger, revenger. – **II** *a.* **1.** aveng'ng, revenging; (*punitore*) punishing. – **2.** (*attributo di divinità*) revenger, avenger: *Giove ~* Jupiter the Revenger.

ultra[1] *fr.* [yl'tra] **I** *s.m.* (*pl.* **ultras**) **1.** ⟨*Stor*⟩ Ultra. – **2.** (*oltranzista*) ultraist, extremist. – **II** *a.* extremist, ultraist(ic).

ultra[2]: *e ~* and beyond.

ultra... *pref.* **1.** (*oltre* beyond) ultra..., trans... – **2.** (*eccessivo* excessive) ultra..., super..., hyper..., over-.

ultra|accelerante *m.* ⟨*tecn*⟩ fast accelerator, ultra-accelerator. – **~centenario** **I** *a.* over one hundred years old, of over (*o* more than) a hundred, ultra-centenarian. – **II** *s.m.* (*f.* **-a**) person over one hundred years old. – **~centrifuga** *f.* ⟨*Chim,Fis*⟩ ultracentrifuge. – **~centrifugazione** *f.* ultracentrifugation. – **~corto** *a.* ⟨*Rad*⟩ ultra-short: *onde -e* ultra-short waves.

ultracustica *f.* ⟨*Acu*⟩ ultrasonics *pl* (*costr.sing.*), supersonics *pl* (*costr.sing.*). – **ultracustico** *a.* (*pl.* **-ci**) ultrasonic, supersonic.

ultra|filtrazione *f.* ⟨*Chim,Fis*⟩ ultrafiltration. – **~filtro** *m.* ultrafilter. – **~marino** *a.* ⟨*non com*⟩ **1.** (*oltremarino, d'oltremare*) oversea(s), beyond the seas; (*provenienza*) from overseas. – **2.** (*rif. a colore*) ultramarine. – **~micrometro** *m.* ⟨*Fis*⟩ ultramicrometer. – **~microscopia** *f.* ultramicroscopy. – **~microscopico** *a.* (*pl.* **-ci**) (*submicroscopico*) ultramicroscopic. – **~microscopio** *m.* ⟨*Ott*⟩ ultramicroscope. – **~moderno** *a.* ultramodern. – **~mondano** *a.* ⟨*lett*⟩ (*oltremondano*) of another world, beyond this world, ultramundane. – **~montanismo** *m.* ⟨*Stor,Rel*⟩ ultramontanism. – **~montanista** *m./f.* ultramontanist. – **~montano** *a.* **1.** (*al di là dei monti*) (from) beyond the mountains, ultramontane; (*d'oltralpe*) (from) beyond the Alps; (*straniero*) foreign. – **2.** ⟨*Stor,Rel*⟩ ultramontane. – **~potente** *a.* **1.** (*potentissimo*) very powerful. – **2.** ⟨*Rad,Mot*⟩ high -power(ed), very powerful: *un motore ~* a high-power engine. – **~rallentatore** *m.* ⟨*Cin*⟩ ultra-slow-motion camera. – **~rapido** *a.* **1.** ultrafast, ultrarapid, superspeed-, very fast. – **2.** ⟨*Fot*⟩ ultrafast, ultrarapid, ultrasensitive. – **~realista** *m./f.* ⟨*Stor*⟩ ultra, ultra -royalist. – **~rosso** **I** *a.* ⟨*Fis*⟩ (*infrarosso*) infra-red, ultra-red: *raggi -i* infra-red rays. – **II** *s.m.* infra-red. – **~sensibile** *a.* (*sensibilissimo*) ultrasensitive, hypersensitive. – **~sonico** *a.* (*pl.* **-ci**) (*supersonico*) ultrasonic, supersonic: *aereo ~* supersonic aircraft. – **~sonoro** *a.* **1.** supersonic: *onda -a* supersonic wave. – **2.** → **ultrasonico**. – **~sonoterapia** *f.* → **ultrasuonoterapia**. – **~struttura** *f.* **1.** ⟨*Biol*⟩ ultrastructure. – **2.** ⟨*Min*⟩ superstructure. – **~strutturale** *a.* ultrastructural. – **~strutturistica** *f.* **1.** ⟨*Biol*⟩ study of ultrastructures. – **2.** ⟨*Min*⟩ study of superstructures. – **~strutturistico** *a.* (*pl.* **-ci**) → **ultrastrutturale**. – **~suono** *m.* ⟨*Acu*⟩ ultrasound, supersound. – **~suonoterapia** *f.* ⟨*Med*⟩ ultrasonotherapy. – **~terreno** *a.* celestial: *felicità -a* celestial joy. ▭ *vita -a* afterlife. – **~violetto** **I** *a.* ⟨*Fis*⟩ ultra-violet: *raggi -i* ultra-violet rays. – **II** *s.m.* ultra-violet (radiation). – **~virus** *m.* ⟨*Biol*⟩ ultravirus. – **~vuoto** *m.* ⟨*Fis*⟩ extra-high vacuum.

ultroneo *a.* ⟨*rar*⟩ (*volontario*) voluntary; (*spontaneo*) spontaneous.

ulula *f.* ⟨*Ornit*⟩ hawk-owl (*Surnia ulula*).

ululare *v.i.* (**ululo**; *aus.* **avere**) **1.** to howl, ⟨*lett*⟩ to ululate. – **2.** ⟨*fig*⟩ (*piangere dirottamente*) to (weep and) wail, to howl. – **3.** ⟨*fig*⟩ to howl, to wail, to moan: *il vento ululava* the wind howled. – **4.** ⟨*poet*⟩ (*risonare di ululi o urli*) to resound with howls. – **ululato** *m.* (*l'ululare*) howling; (*urlo prolungato o lamentoso*) howl, wail. – **ululatore** *m.* (*f.* **-trice**) ⟨*non com*⟩ howler, wailer. – **ululo** *m.* **1.** ⟨*non com*⟩ howl(ing), ⟨*lett*⟩ ululation. – **2.** ⟨*fig*⟩ howl(ing), wail(ing), moan(ing).

ululone *m.* ⟨*Zool*⟩ kind of toad (*Bombinator*). ▭ *~ dal ventre di fuoco* fire-bellied toad (*Bombina bombina*).

ulva *f.* ⟨*Bot*⟩ (*lattuga marina*) sea lettuce (*Ulva lactuca*).

umanamente *avv.* **1.** humanly: *è ~ impossibile* it's humanly impossible. – **2.** (*benevolmente*) humanely: *trattare qd. ~* to treat s.o. humanely.

umanarsi *v.r.* to become man (*o* incarnate), to be made flesh. – **umanazione** *f.* ⟨*lett,rar*⟩ incarnation: *l'~ di Gesù Cristo* the Incarnation of Jesus Christ.

umanesimo *m.* **1.** humanism. – **2.** ⟨*Stor,Lett*⟩ Humanism, humanism. – **umanismo** *m.* ⟨*rar*⟩ → **umanesimo**. – **umanista** **I** *s.m./f.* **1.** humanist. – **2.** ⟨*Stor*⟩ Humanist, humanist. – **3.** ⟨*ant*⟩ (*insegnante di lettere classiche*) teacher of classics (*o* the humanities). – **II** *a.* humanist(ic). – **umanistico** *a.* (*pl.* **-ci**) **1.** humanist(ic). – **2.** ⟨*Stor*⟩ Humanist(ic), humanist(ic). – **3.** (*classico*) classical: *studi -i* classical studies, the humanities.

umanità *f.* **1.** (*natura umana*) human nature, humanity. – **2.** (*genere umano*) humanity, mankind: *un benefattore dell'~* a benefactor to mankind; (*uomini, esseri umani*) humanity, men *pl*, people (*costr.pl.*). – **3.** (*sentimento*) humanity, humaneness: *trattare qd. con ~* to treat s.o. humanely (*o* with humanity). – **4.** (*studi letterari*) (liberal) Arts *pl*, humanities *pl.* – **5.** ⟨*ant*⟩ (*atto di umanità*) humane act (*o* deed).

umanitario **I** *a.* humanitarian: *spirito ~* humanitarian spirit. – **II** *s.m.* (*f.* **-a**) ⟨*non com*⟩ humanitarian. – **umanitarismo** *m.* **1.** humanitarianism; (*filantropia*) philanthropy, philanthropism. – **2.** (*cosmopolitismo*) cosmopolit(an)ism.

umanizzare *v.t.* **1.** (*rendere umano*) to humanize, to make human. – **2.** (*incivilire*) to civilize, to humanize. – **umanizzarsi** *v.r* **1.** to become human; (*umanarsi*) to become man (*o* incarnate), to be made flesh. – **2.** (*incivilirsi*) to become civilized. – **umanizzato**

(*p.p. di umanizzare*) *a.* **1.** humanized: *latte* ~ humanized milk. – **2.** ⟨*Teol*⟩ made human: *divinità -a* divinity made human.
umạno I *a.* **1.** human, of man, man's: *il corpo* ~ the human body; *tracce di vita -a* signs of human life. – **2.** (*conforme alla natura umana*) human, of man: *dignità -a* human dignity. – **3.** (*comprensivo, affabile*) humane, understanding, benevolent: *è una persona molto -a* he is a very understanding person. – **II** *s.m.* **1.** human: *l'~ e il divino* the human and the divine. – **2.** *pl.* ⟨*poet*⟩ (*uomini*) humanity, men *pl*; (*genere umano*) humanity, mankind. □ *Prov.*: *-a cosa è errare* to err is human.
umaziọne *f.* ⟨*ant*⟩ (*seppellimento*) burial, inhumation, interment.
umbellạto *a.* ⟨*Bot*⟩ umbellate(d), umbellar. – **umbelliflọre** *f.pl.* umbellales *pl* (*Umbelliflorae*).
umbertịno *a.* ⟨*Stor*⟩ of (the time of) Umberto I.
Umbẹrto *N.pr.m.* Humbert, Umberto.
umbilicạle *a.* ⟨*non com*⟩ (*ombelicale*) umbilical. – **umbilicạto** *a.* ⟨*non com*⟩ (*ombelicato*) umbilicate. – **umbilịco** *m.* (*pl.* **-chi**) ⟨*non com*⟩ (*ombelico*) umbilicus, navel.
umbonạto *a.* **1.** having (*o* with) a boss, bossed: *scudo* ~ shield with a boss. – **2.** ⟨*Bot*⟩ umbonate. – **umbọne** *m.* **1.** umbo, boss (of a shield). – **2.** ⟨*Biol*⟩ umbo.
umbrạtico *a.* (*pl.* **-ci**) → **umbrofilo.**
umbrạtile *a.* ⟨*lett*⟩ **1.** (*ombreggiato*) shady, shaded. – **2.** ⟨*fig*⟩ shadowy: *vita* ~ shadowy existence. – **3.** ⟨*fig*⟩ (*solitario*) solitary, secluded; (*riposto, segreto*) secret, hidden.
Ụmbria *N.pr.f.* ⟨*Geog*⟩ Umbria.
ụmbridi *m.pl.* ⟨*Itt*⟩ mudminnows *pl* (*Umbridae*).
umbrịfero *a.* ⟨*lett*⟩ (*ombrifero*) shadowy, shady, giving shade.
ụmbro I *a.* Umbrian, of Umbria. – **II** *s.m.* **1.** (*dialetto, antica lingua*) Umbrian. – **2.** (*abitante*; *f.* **-a**) Umbrian, native (*o* inhabitant) of Umbria.
umbrọfilo *a.* ⟨*Biol*⟩ shade-loving, sciophilous, umbratical. – **umbrọfobo** *a.* (*eliofilo*) heliophilous, heliophilic.
umerạle *a.* ⟨*non com*⟩ (*omerale*) humeral. – **ụmero** *m.* ⟨*ant*⟩ (*omero*) humerus.
umettamẹnto *m.* ⟨*non com*⟩ moistening. – **umettạre** *v.t.* (**umẹtto**) (*inumidire*) to moisten, to damp(en), to wet. – **umettatọre** *m.* **1.** moistener, damp(en)er. – **2.** (*macchina*) damper, ⟨*am*⟩ dampener. – **umettaziọne** *f.* moistening, dampening.
UMI = **1.** *Unione matematica italiana.* – **2.** *Unione monarchica italiana.*
ụmiak *m.* umiak, oomia(c)k.
ụmico *a.* (*pl.* **-ci**) ⟨*Biol*⟩ humic. □ ⟨*Chim*⟩ *acido* ~ humic acid. – **umịcolo** *a.* humicular, humicole, saprophytic.
umidẹtto (*dim. di umido*) *a.* → **umidiccio.** – **umidẹzza** *f.* dampness, moistness. – **umidịccio** *a.* dampish, wettish. □ *mani umidicce* clammy hands.
umidificạre *v.t.* (**umidịfico, umidịfichi**) to humidify, to moisten: ~ *l'aria* to humidify the air. – **umidificatọre** *m.* ⟨*tecn*⟩ **1.** humidifier. – **2.** → **umettatore.** – **umidificaziọne** *f.* humidifying, humidification. – **umidịno** (*dim. di umido*) *a.* → **umidiccio.** – **umidịre** *v.t.* (**umidịsco, umidịsci**) ⟨*non com*⟩ (*inumidire*) to dampen, to moisten.
umidità *f.* **1.** damp(ness). – **2.** (*presenza di acqua o vapore acqueo*) humidity, damp(ness); (*umidità eccessiva*) (excessive) humidity. – **3.** (*contenuto idrico*) moisture: *l'~ del terreno* soil moisture (*o* humidity). – **4.** ⟨*Meteor*⟩ humidity. □ ⟨*Meteor*⟩ ~ *assoluta* absolute humidity; ~ *relativa* relative humidity; ~ *specifica* specific humidity; *teme l'~* keep dry (*o* in a dry place).
ụmido I *a.* **1.** damp, humid: *giornata -a* damp day. – **2.** (*bagnato*) damp, moist, wet: *le lenzuola sono ancora -e* the sheets are still damp. – **3.** ⟨*Meteor,Geog*⟩ humid: *clima* ~ humid climate. – **4.** ⟨*tecn, Chim*⟩ wet. – **5.** ⟨*Med*⟩ wet, moist: *tosse -a* wet (*o* loose) cough. – **6.** ⟨*poet*⟩ (*liquido*) liquid, fluid; (*che contiene acqua*) watery. – **II** *s.m.* **1.** (*umidità*) damp(ness): *l'~ è nocivo alla salute* the damp is bad for the health; (*ambiente umido*) damp. – **2.** ⟨*Gastr*⟩ (*carne al sugo*) stewed meat. – **3.** ⟨*lett*⟩ (*sostanza liquida*) liquid, fluid, watery substance.
□ **a** ~ wet-; *bollo a* ~ rubber stamp; ⟨*Meteor,Geog*⟩ **caldo** ~ humid (*o* damp) heat; **freddo** ~ damp cold; ⟨*Gastr*⟩ **in** ~ stewed, in casserole: *carne in* ~ stewed meat; *cuocere in* ~ to stew; ⟨*Stor*⟩ **regime** ~ wet government; *analisi per* **via** *-a*: 1. ⟨*Chim*⟩ wet-way analysis; 2. ⟨*Met*⟩ wet assay.
umidọre *m.* ⟨*lett*⟩ → **umidità.**
umidọstato *m.* ⟨*rar*⟩ (*igrostato*) hygrostat, humidistat.
umidụccio (*dim. di umido*) *a.* dampish.
umịfero *a.* ⟨*Agr,ant*⟩ humous, rich in humus. – **umificaziọne** *f.* ⟨*Biol*⟩ humification.
ụmile I *a.* **1.** humble, unpretentious: *una persona* ~ an unpretentious person; (*sottomesso*) humble, meek, submissive: *essere* ~ *con i superiori* to be submissive to one's superiors. – **2.** (*proprio di persona umile*) humble, meek: *contegno* ~ humble attitude; *parlare con voce* ~ to speak in a meek voice. – **3.** (*rif. al grado sociale: semplice*) humble, lowly: *essere di -i origini* to be of humble origin; *una famiglia* ~, *ma onesta* a humble but honest family. – **4.** (*povero, modesto*) poor, lowly, humble, mean: *un'abitazione* ~ a poor house; (*meschino, vile*) lowly, mean: *gli spettano sempre i lavori più -i* he always gets the mean (*o* dirty) jobs. – **5.** ⟨*epist*⟩ humble: *Vostro* ~ *servitore* your humble servant. – **6.** ⟨*lett*⟩ (*poco elevato da terra, non alto*) low. – **7.** ⟨*poet*⟩ (*misero*) wretched, miserable, poor; (*sventurato*) luckless. – **II** *s.m./f.* humble person: *gli -i di cuore* the humble in heart, the meek.
umilemẹnte *avv.* ⟨*ant*⟩ → **umilmente.**
umiliamẹnto *m.* ⟨*rar*⟩ (*umiliazione*) humiliation. – **umiliạnte** (*p.pr. di umiliare*) *a.* humiliating: *parole -i* humiliating words.
umiliạre *v.t.* (**umịlio, umịli**) **1.** to humiliate, to humble, to mortify: ~ *qd. con aspri rimproveri* to humiliate s.o. with sharp reproofs. – **2.** (*reprimere*) to mortify, to humble: ~ *la superbia di qd.* to humble s.o.'s pride. – **3.** ⟨*rar*⟩ (*presentare*) to humbly present: *Le umiliamo questa supplica* we humbly present this petition. – **4.** ⟨*lett*⟩ (*abbassare*) to lower, to bow: ~ *il capo davanti a qd.* to bow one's head before s.o.; (*piegare*) to bend. – **5.** ⟨*lett*⟩ (*rendere più mite*) to make milder. – **umiliarsi** *v.r.* **1.** to humble (*o* humiliate, lower) o.s., ⟨*spreg*⟩ to grovel: ⟨*Bibl*⟩ *chi si umilia sarà esaltato* he that humbleth himself shall be exalted. – **2.** (*fare atto di sottomissione*) to humble o.s., to bow, to bend. – **3.** ⟨*enfat*⟩ (*prostrarsi umilmente*) to prostrate o.s. (humbly), ⟨*spreg*⟩ to grovel. □ ~ *la carne* to mortify the flesh.
umiliatịvo *a.* ⟨*rar*⟩ humiliating, ⟨*lett*⟩ humiliative.
umiliạto (*p.p. di umiliare*) **I** *a.* **1.** humiliated, humbled, mortified. – **2.** (*pentito*) contrite, repentant. – **II** *s.m.* (*f.* **-a**) **1.** humiliated person. – **2.** *pl.* ⟨*Rel*⟩ Humiliati *pl.* – **umiliatọre I** *s.m.* (*f.* **-trice**) humiliator, mortifier. – **II** *a.* humiliating, mortifying. – **umiliaziọne** *f.* **1.** humbling, humiliation, mortification: *l'~ di una persona superba* the humbling of a proud person. – **2.** (*atto umiliante*) humiliation: *non sopporto più le tue continue -i* I can't bear these constant humiliations from you any more. – **3.** (*atto di sottomissione*) (act of) submission: *fece la sua doverosa* ~ *al nuovo sovrano* he made his act of submission to the new sovereign. – **umilịssimo** (*sup. di umile*) *a.* **1.** extremely humble. – **2.** ⟨*epist*⟩ most humble: ~ *servitore* most humble servant. – **umilmẹnte** *avv.* **1.** humbly: *chiedo* ~ *perdono* I humbly beg pardon. – **2.** (*modestamente*) humbly, modestly. – **3.** ⟨*ant*⟩ (*in basso*) low (down).
umiltà *f.* **1.** humility, humbleness: *l'~ è una virtù* humility is a virtue; *pregare Dio con tutta* ~ to beg God with all humility. – **2.** (*sentimento di riverenza*) humility, reverence: *presentarsi a qd. con grande* ~ to appear before s.o. with great humility. – **3.** (*qualità di ciò che è umile*) humbleness, unpretentiousness: *l'~ di una casa* the unpretentiousness of a house; ~ *di origini* humbleness of birth, low birth. – **4.** (*condizione modesta*) humbleness, lowliness.
ụmlaut *ted. m.* ⟨*Gramm*⟩ **1.** (*metafonesi*) umlaut, metaphony. – **2.** (*dieresi*) umlaut, diaeresis.
ụmo *m.* ⟨*rar*⟩ (*humus*) humus. – **umọgeno** *a.* ⟨*Agr*⟩ humifying.
umorạle *a.* ⟨*Med,Stor*⟩ humoral. □ *dottrina* ~ → **umoralismo.** – **umoralịsmo** *m.* humoral pathology, humoralism.
umọre *m.* **1.** (*liquido biologico*) humour. – **2.** (*linfa*) sap, ⟨*ant*⟩ humour. – **3.** ⟨*fig*⟩ (*indole*) temperament, character, humour, disposition. – **4.** ⟨*fig*⟩ (*disposizione*) mood, spirits *pl*, frame of mind, humour, temper: *essere di* ~ *nero* to be in a black mood; *gli -i del popolo* the mood of the people. – **5.** ⟨*Med,Stor*⟩ humour. – **6.** ⟨*rar*⟩ (*inimicizia*) enmity, animosity, hostility. – **7.** ⟨*ant*⟩ (*liquido*) liquid, fluid; (*acqua*) water.
□ ⟨*Fisiol*⟩ ~ **acqueo** aqueous humour; **bell'**~ (*persona faceta*) wag, facetious (*o* droll) person; *fare il bell'*~ (*fare il gradasso*) to brag, to boast, ⟨*fam*⟩ to be cocky; ⟨*fig*⟩ *conoscere l'~ della* **bestia** (*conoscere il carattere di una persona*) to know someone's moods; **buon** ~ good mood (*o* humour); (*allegria*) high (*o* good) spirits *pl*; *essere di buon* ~ to be in ⌜a good mood⌝ (*o* good spirits); (*abitualmente*) to be good-tempered (*o* good-humoured); *essere di* **cattivo** ~ to be in a bad mood (*o* temper, humour); (*abitualmente*) to be bad-tempered (*o* ill-humoured); ⟨*non com*⟩ **dare** *nell'~ a qd.* (*andargli a genio*) to be to s.o.'s liking; *umor* **faceto** facetious (*o* droll) humour; *essere* ⌜*di* **mal** ~⌝ (*o d'umore nero*) = *essere di* **cattivo** *umore*; **pieno** *di* ~ humorous, full of humour, witty.
umorẹsca *f.* ⟨*Mus*⟩ humoresque.
umorẹsco *a.* (*pl.* **-chi**) ⟨*non com*⟩ humorous.
umorẹtto, umorịno (*dim. di umore*) *m.* ⟨*iron*⟩ peevish (*o* cantankerous) temperament.
umorịsmo *m.* **1.** humour: *mancare del senso dell'~* to have no sense of humour; ~ *macabro* macabre (*o* gruesome) humour. – **2.** ⟨*Med,Stor*⟩ → **umoralismo.** □ *pieno* (o *ricco*) *d'~* full of humour, humorous, funny, witty.
umorịsta I *s.m./f.* **1.** humorous person, person with a strong sense of humour. – **2.** (*attore comico*) comic actor, comedian; (*macchietta*) comic figure, character part. – **3.** (*scrittore*) humorist; (*disegnatore*) cartoonist. – **4.** ⟨*Med,Stor*⟩ humoralist, humorist. – **5.** ⟨*ant*⟩ (*persona bizzarra*) eccentric (*o* odd) person, ⟨*ant*⟩ humorist. – **II** *a.* humorous, comic.
umoristicamẹnte *avv.* humorously. – **umorịstico** *a.* (*pl.* **-ci**) **1.** humorous, comic: *la vena -a di uno scrittore* the humorous vein of a writer. – **2.** (*spiritoso, allegro*) funny, witty, humorous, comic, amusing: *una storiella -a* a funny story. – **3.** ⟨*Mus*⟩ humorous, capricious. □ *giornale* ~ humorous magazine; *spirito* ~ sense of humour.
umorọso *a.* ⟨*non com*⟩ **1.** moist, humid, watery, ⟨*ant*⟩ humorous. – **2.** (*rif. a persone*) full of humours.
ụmus *m.* ⟨*rar*⟩ (*humus*) humus.
un *art.m.* → **uno.**
U.N. = *Nazioni unite* United Nations (*abbr.* U.N., UN).
ụna I *art.f.* → **uno.** – **II** *s.f.* (*ora*) one (o'clock): *è l'~* it is one o'clock.
unạnime *a.* unanimous: *consenso* ~ unanimous agreement; *essere*

tutti -i nel fare qc. to be ⌈unanimous in doing⌉ (*o* unanimously in favour of doing) s.th. – **unanimemẹnte** *avv.* unanimously, with one consent. – **unanimịsmo** *m.* ⟨*Filos*⟩ Unanimism, unanimism. – **unanimità** *f.* unanimity. ☐ *all'~* unanimously, with one (*o* common) accord. – **unanimitạrio** *a.* unanimous.

UNAT = *Unione nazionale artisti teatrali.*

ụna tạntum *lat.* **I** *a.* non-recurring, single. – **II** *avv.* once, a single time. – **III** *s.m.* non-recurring payment.

unciạle *f.* ⟨*rar*⟩ (*onciale*) uncial.

uncinạre *v.t.* **1.** (*piegare a uncino*) to bend, to hook, to crook. – **2.** (*afferrare con un uncino*) to hook. – **3.** ⟨*fig,rar*⟩ (*derubare*) to rob, to defraud. ☐ ⟨*Sport*⟩ *~ il pallone* to trap the ball.

uncinariọsi *f.* ⟨*Med,Veter*⟩ ancylostomiasis, uncinariasis, hookworm disease.

uncinạto (*p.p. di uncinare*) *a.* **1.** hooked, hook-shaped, uncinate, hamate. – **2.** (*munito di uncini*) hooked, having hooks. – **3.** ⟨*Anat*⟩ unciform, uncinate, hamate: *osso ~* unciform (*o* hamate) bone, uncinatum, hamatum. – **4.** (*simile a uncino*) hook-like, unciform. – **5.** ⟨*Med*⟩ uncinate. ☐ *parentesi -a* angled brackets. – **uncinazịone** *f.* ⟨*non com*⟩ hooking (*anche Med.*). – **uncinẹllo** (*dim. di uncino*) *m.* hook. – **uncinẹtto** (*dim. di uncino*) *m.* **1.** ⟨*Lav.femm*⟩ crochet-hook; (*lavoro*) crochet(-work), crocheting. – **2.** → **uncinello**. ☐ *lavorare all'~* to crochet, to do crochet work; *~ per ricamo* crochet-hook.

uncịno *m.* **1.** hook: *appendere qc. a un ~* to hang s.th. on a hook. – **2.** ⟨*fig*⟩ (*pretesto, cavillo*) pretext, excuse: *attaccarsi* (*o appigliarsi*) *a tutti gli -i* to seize on every pretext. – **3.** ⟨*fig,scherz*⟩ (*scarabocchio*) scribble, scrawl, pothook. – **4.** ⟨*Sport*⟩ (*nel pugilato*) hook. – **5.** ⟨*Bot*⟩ hook. – **6.** ⟨*Zool*⟩ hamulus.
☐ **a** *~* hook-shaped, hooked, crooked: *chiodo a ~* hooked nail; *~ dell'***amo** fish-hook; ⟨*Anat*⟩ *~ dell'***ippocampo** uncus; ⟨*Mus*⟩ *~ della* **nota** note hook, pennant, crook; ⟨*fig*⟩ **tirato** *con gli -i* far -fetched.

ụncus *lat. m.* ⟨*Anat*⟩ uncus (*Gyri hippocampi*).

undecennạle *a.* eleven-year-, of eleven years, eleven years long; (*che ricorre ogni undici anni*) eleven-yearly, (recurring) every eleven years.

undẹcimo *a.* ⟨*lett*⟩ (*undicesimo*) eleventh.

undicẹnne **I** *a.* of eleven, eleven-year-old, eleven years old. – **II** *s.m./f.* eleven-year-old, boy (*f* girl) of eleven. – **undicẹnnio** *m.* eleven years *pl*, eleven-year period.

undicẹsima *f.* ⟨*Mus*⟩ eleventh.

undicẹsimo **I** *a.* **1.** eleventh. – **2.** (*rif. a pontefici e regnanti*) the Eleventh. – **II** *s.m.* **1.** (*ordinale*; *f.* -a) eleventh. – **2.** (*frazionario*) eleventh.

ụndici *a./s.inv.* **I** *a.* eleven. – **II** *s.m.* **1.** (*numero*) eleven. – **2.** (*nelle date*) eleventh: *l'~ agosto* the eleventh of August, August (the) eleventh. – **3.** ⟨*Sport*⟩ eleven, (football) team: *l'~ azzurro* the Italian football team. – **III** *s.f.pl.* (*ore*) eleven (o'clock), eleven a.m.

undicimịla *a./s.inv.* eleven thousand.

UNESCO = *Organizzazione delle Nazioni Unite per l'educazione, la scienza e la cultura* United Nations Educational Scientific and Cultural Organization (*abbr.* U.N.E.S.C.O., UNESCO).

ungạrico *a.* (*pl.* **-ci**) Hungarian. – **ụngaro** **I** *a.* ⟨*rar*⟩ (*ungherese*) Hungarian. – **II** *s.m.* **1.** (*f.* -a) Hungarian. – **2.** ⟨*Numism*⟩ hungar (-dollar).

ụngere *v.t.* (**ụngo**, **ụngi**; **ụnsi**, **ụnto**) **1.** to oil, to grease: *~ la serratura* to oil the lock; (*lubrificare*) to lubricate, to grease, to oil; (*con creme e sim.*) to rub cream into, to apply cream to; (*impomatare*) to put ointment on, to spread (*o* rub) with ointment. – **2.** (*insudiciare di grasso*) to make greasy, to get grease (*o* oil) on: *ti sei unto tutto il vestito* you have ⌈got grease all over your dress⌉ (*o* made your dress all greasy). – **3.** ⟨*fig*⟩ (*adulare*) to fawn on, to flatter, ⟨*fam*⟩ to butter up: *~ qd.* to butter s.o. up. – **4.** ⟨*assol*⟩ to be greasy: *questa crema non unge* this cream is non-greasy. – **5.** ⟨*fig, assol*⟩ (*corrompere*) to offer bribes, to grease s.o.'s palm. – **6.** (*insignire d'una dignità con olio consacrato*) to anoint (*anche Rel.catt.*). – **ungersi** *v.r.* **1.** (*spalmarsi di grasso*) to grease o.s., to rub o.s. with oil, to apply oil: *ungersi prima di prendere il sole* to apply oil before sunbathing. – **2.** (*macchiarsi di grasso*) to get grease (*o* oil) on o.s. ☐ ⟨*scherz*⟩ *~ il dente* (*mangiare*) to eat; ⟨*ant*⟩ *~ il grifo* = *ungere il dente*; ⟨*fig*⟩ *~ le ruote a qd.* (*adularlo*) to flatter s.o., ⟨*fam*⟩ to butter s.o. up; (*corrompere*) to bribe s.o., to grease s.o.'s palm.

ungherẹse **I** *a.* **1.** Hungarian, of Hungary. – **2.** ⟨*Mus*⟩ Hungarian. – **II** *s.m.* **1.** (*lingua*) Hungarian. – **2.** *m./f.* (*abitante*) Hungarian. – **3.** ⟨*Alim*⟩ (*salame ungherese*) Hungarian salami.

Ungherịa *N.pr.f.* ⟨*Geog*⟩ Hungary (*denom.uff.*: *Repubblica Popolare Ungherese* Hungarian People's Republic).

ungherịna *f.* ⟨*Mil*⟩ kind of cloak.

ụnghero *a.* ⟨*ant*⟩ (*ungherese*) Hungarian.

ụnghia *f.* **1.** ⟨*Anat*⟩ nail: *tagliarsi le -e* to cut (*o* pare) one's nails; (*unghia della mano*) (finger)nail: *avere le -e sporche* to have dirty nails; (*unghia del piede*) (toe)nail. – **2.** ⟨*Zool*⟩ nail; (*artiglio*) claw; (*di rapace*) talon; (*zoccolo*) hoof. – **3.** (*minima grandezza o distanza*) inch, tiny bit, fingerbreadth. – **4.** (*punta*) claw: *~ della marra* claw of a hoe; (*uncino*) hook. – **5.** (*nei coltelli*: *unghiata*) groove, notch, nick. – **6.** ⟨*Arch*⟩ groin. – **7.** ⟨*Bot*⟩ claw. – **8.** ⟨*Legat*⟩ (*unghiatura*) projecting edge of a book cover.
☐ ⟨*Mar*⟩ *~ dell'***ancora** anchor bill, pea(k); ⟨*fig*⟩ **avere** *qd. tra* (*o sotto*) *le -e* to have s.o. in one's clutches; ⟨*fig*⟩ **capitare** *sotto le -e di qd.* to fall into s.o.'s clutches; *~* **falcata** claw; ⟨*Enol*⟩ **fare** *~* to form a ring of froth; *farsi le -e* to do one's nails; ⟨*Zool*⟩ *~* **fessa** cloven hoof; *-e della* **granbestia** (*o gran bestia*) long fingernails; ⟨*Med*⟩ *~* **incarnita** (*o incarnata*) ingrown nail; ⟨*fig*⟩ **levare** *qc. di sotto le -e di qd.* to get s.th. out of s.o.'s clutches; ⟨*fig,rar*⟩ *avere le -e* **lunghe** (*essere ladro*) to be light-fingered; *~ della* **mano** fingernail; ⟨*fig*⟩ **mettere** *le -e addosso a qd.* to get one's claws into s.o., to get s.o. in one's clutches, to lay (*o* get one's) hands on s.o.; ⟨*fig*⟩ *mettere fuori le -e* (*rivoltarsi*) to show one's claws; *~ del* **piede** toenail; **pulirsi** *le -e* to clean one's nails; *largo* **quanto** *un'~* a fingerbreadth; ⟨*fig*⟩ **sfuggire** *di sotto le -e a qd.* to get out of s.o.'s clutches; **tirar** *fuori le -e* = **mettere** *fuori le unghie.* – *Prov.*: *dall'~ si conosce il leone* by his mark you know him, the lion is recognized by his claws.

unghiạta *f.* **1.** (*graffio, ferita*) scratch; (*prodotta da unghie di animali*) scratch, claw-mark. – **2.** (*nei coltelli*) groove, notch, nick. ☐ *dare un'~ a qd.* to scratch s.o., to give s.o. a scratch; (*rif. ad animali*) to claw s.o.

unghiạto *a.* **1.** having nails. – **2.** ⟨*Zool*⟩ clawed. – **3.** ⟨*Arald*⟩ unguled.

unghiatụra *f.* **1.** ⟨*Legat*⟩ projecting edge of a book cover. – **2.** ⟨*Arch*⟩ (*augnatura*) chamfer, bevel. – **3.** ⟨*Dir*⟩ (nail) scratch.

unghiẹlla *f.* ⟨*Zool*⟩ chestnut.

unghiẹllo *m.* ⟨*Zool*⟩ **1.** claw. – **2.** (*nei ruminanti*) dew-claw.

unghiẹtta (*dim. di unghia*) *f.* **1.** ⟨*Mecc*⟩ crosscut chisel. – **2.** ⟨*Art*⟩ scoop.

unghiọlo *m.* ⟨*Zool*⟩ (sharp) claw.

unghiọne (*accr. di unghia*) *m.* **1.** (large) nail; (*grosso artiglio*) (large) claw; (*di rapace*) (great) talon. – **2.** ⟨*Zool*⟩ hoof.

unghiụto *a.* → **unghiato**.

ungimẹnto *m.* ⟨*non com*⟩ **1.** oiling, greasing, smearing. – **2.** ⟨*fig*⟩ bribing, bribery. – **ungitụra** *f.* oiling, greasing; (*lubrificazione*) greasing, lubrification.

unguạnno *avv.* → **uguanno**.

ungueạle *a.* ⟨*Anat*⟩ nail-, ungual, unguinal: *letto ~* nail bed.

unguentạre *v.t.* (**unguẹnto**) ⟨*rar*⟩ to rub with ointment, to put ointment on.

unguentạrio **I** *a.* ⟨*non com*⟩ ointment-, unguentary, of (*o* for) ointments: *vaso ~* ointment jar, unguentary vase. – **II** *s.m.* ⟨*ant*⟩ **1.** (*fabbricante*) unguentary, unguentarian, maker of unguents (*o* ointments). – **2.** (*venditore*) unguentary, unguentarian, seller of unguents (*o* ointments). – **3.** ⟨*Stor.rom*⟩ bath attendant. – **unguentiẹre** *m.* ⟨*ant*⟩ → **unguentario**. – **unguẹnto** *m.* **1.** ointment, salve, unguent. – **2.** (*pomata profumata*) cream, pomade. – **3.** ⟨*fig,non com*⟩ (*rimedio*) balm, remedy.

ụnguibus et rọstris *lat.* ⟨*scherz*⟩ tooth and nail.

unguịcola *f.* ⟨*Zool,Anat*⟩ flat(tened) nail.

unguicolạti *m.pl.* ⟨*Zool*⟩ unguiculates *pl* (*Unguicolata*).

unguicolạto *a.* ⟨*Ornit,Bot*⟩ unguiculate.

ungulạti *m.pl.* ⟨*Zool*⟩ ungulates *pl* (*Ungulata*). ☐ *~ artiodattili* even-toed ungulates, artiodactyls; *~ perissodattili* odd-toed ungulates, perissodactyls.

ungulịgrado **I** *a.* ⟨*Zool*⟩ unguligrade, walking on hoofs. – **II** *s.m.* unguligrade animal.

UNI = *Ente nazionale italiano di unificazione.*

uni... *pref.* uni..., one-, single-, mono...

uni|ạsse *a.* ⟨*Bot*⟩ uniaxial, haplocaulescent. – **~ạssico** *a.* (*pl.* **-ci**) ⟨*Min*⟩ uniaxial.

uniạte **I** *a.* ⟨*Rel.catt*⟩ Uniat(e). – **II** *s.m.* Uniat(e).

unịbile *a.* ⟨*non com*⟩ unitable, joinable. – **unibilità** *f.* ⟨*rar*⟩ unitability.

ụnica *f.inv.* only thing: *l'~ è dimenticarlo* the only thing to do is to forget it. ☐ *è l'~!* it's the only thing to do!

unicamẹnte *avv.* **1.** (*solamente*) only, just, merely: *desidero ~ una risposta* I only want an answer. – **2.** ⟨*non com*⟩ (*in modo unico, particolare*) uniquely.

unicamerạle *a.* ⟨*Pol*⟩ unicameral: *sistema ~* unicameral system. – **unicamer(al)ịsmo** *m.* unicameralism.

UNICE = *Unione delle industrie della comunità europea* European Community Industrial Union.

unicellulạre **I** *a.* ⟨*Biol*⟩ unicellular. – **II** *s.m.* (*organismo unicellulare*) unicell(ular).

unicità *f.* **1.** oneness, unicity, uniqueness, singleness: *~ d'intenti* singleness of intent. – **2.** (*l'essere senza uguali*) uniqueness.

ụnico *a./s.* (*pl.* **-ci**) **I** *a.* **1.** only, one, sole, ⟨*enfat*⟩ one and only: *leggere è il mio ~ svago* reading is my one and only relaxation; *è figlio ~* he's an only child. – **2.** (*solo, esclusivo*) sole, exclusive: *agente ~* sole agent. – **3.** (*singolo*) single: *binario ~* single track; *tutto in un ~ volume* all in a single volume. – **4.** ⟨*enfat*⟩ (*ineguagliabile, eccellente*) unique, unequalled: *è un artista ~* he's a unique artist; *è un prodotto veramente ~* it's really a unique product. – **II** *s.m.* **1.** only one, only person: *sei l'~ a saperlo* you're the only one to know. – **2.** ⟨*Filos*⟩ ego. ☐ *atto ~* one-act play; *far fronte ~* to present a united front; *è più ~ che raro* it's rare to the point of being unique.

unicolọre *a.* unicolour(ed), of (*o* having) a single colour, unicolorous.

unicọrno **I** *a.* unicorn, single-horned, one-horned. – **II** *s.m.* **1.** (*liocorno*) unicorn. – **2.** ⟨*Zool*⟩ (*narvalo*) narwhale, sea-unicorn, unicorn (whale) (*Monodon monoceros*). – **Unicorno** *N.pr.m.* ⟨*Astr*⟩ Unicorn, Monoceros.

unicuịque sụum *lat.* ⟨*Dir*⟩ to each his own.

ụnicum *lat. m.* **1.** ⟨*Bibliot,Filat*⟩ unicum, unique, sole existing exemplar. – **2.** ⟨*Numism*⟩ unique, single specimen.

uni|dimensionạle *a.* ⟨*Geom,Fis*⟩ unidimensional, one-dimensional. – **~direzionạle** *a.* **1.** ⟨*tecn,Rad*⟩ unidirectional, one-way-: *antenna* ~ unidirectional antenna. – **2.** ⟨*Strad*⟩ one-way-. – **~familiạre** *a.* ⟨*non com*⟩ one family-, for a single family.

unificạbile *a.* unifiable, unitable; (*che si può standardizzare*) standardizable. – **unificabilità** *f.* ⟨*rar*⟩ ability to be unified; (*idoneità a essere standardizzato*) ability to be standardized.

unificạre *v.t.* (**unịfico, unịfichi**) **1.** (*riunire*) to unite, to join (together): ~ *l'Europa* to unite Europe; (*fondere*) to consolidate, to amalgamate, to merge, to join (together): ~ *i codici* to merge the legal codes. – **2.** (*rendere uguale e unico*) to unify: ~ *la scuola elementare* to unify the elementary school. – **3.** ⟨*Ind*⟩ (*standardizzare*) to standardize, to normalize: ~ *i contenitori del latte* to standardize milk containers.

unificatịvo *a.* unifying, unitive, unific.

unificạto (*p.p. di unificare*) *a.* **1.** (*riunito*) united, joined (together). – **2.** (*ridotto a tipo unico*) unified. – **3.** (*standardizzato*) standardized: *dimensioni -e* standardized dimensions. – **unificatọre I** *s.m.* (*f.* **-trice**) unifier, uniter. – **II** *a.* unifying, uniting. – **unificaziọne** *f.* **1.** (*l'unificare*) union, joining (together). – **2.** (*fusione*) consolidation, amalgamation, merger, merging: *l'*~ *di due imprese* the merger of two companies. – **3.** ⟨*Ind*⟩ (*standardizzazione*) standardization, normalization.

uni|filạre *a.* ⟨*tecn,El*⟩ (*monofilare*) single-wire-, single-wired, unifilar: *circuito* ~ single-wire circuit. – **~flọro** *a.* ⟨*Bot*⟩ unifloral, uniflorous. – **~fogliolạto** *a.* unifoliolate.

uniformạre *v.t.* (**unifọrmo**) **1.** (*rendere piano*) to make even, to even (*o* level) out: ~ *il terreno prima della semina* to level out the ground before sowing. – **2.** (*adattare*) to adapt, to adjust (*a* to), to bring into line (with). – **uniformarsi** *v.r.* to adapt, to adjust, to conform (*a* to), to fall into line (with): *uniformarsi all'ambiente* to adapt to one's surroundings. – **uniformaziọne** *f.* ⟨*non com*⟩ **1.** making uniform, uniforming. – **2.** (*adattamento*) adaptation, adjustment.

unifọrme[1] *a.* **1.** (*costante, uguale*) uniform, even, regular: *passo* ~ even (*o* steady) pace. – **2.** (*che ha la stessa forma*) uniform. – **3.** (*piano*) even, uniform: *terreno* ~ even ground. – **4.** (*monotono*) unvarying, unchanging, uniform, monotonous: *esistenza* ~ unchanging existence. – **5.** ⟨*Fis*⟩ uniform: *velocità* ~ uniform velocity.

unifọrme[2] *f.* **1.** uniform: *l'*~ *dei collegiali* school uniform. – **2.** ⟨*Mil*⟩ uniform, military dress.

□ ⟨*Mil*⟩ **alta** ~ full-dress uniform, regimentals *pl*; ~ *dell'***aviazione** Air Force uniform; **in** ~ in uniform, uniformed; **indossare** *l'*~ to wear a uniform, to be in uniform; ~ *di* **marcia** battle-dress, field-service uniform, ⟨*am*⟩ fatigues *pl*; ~ *della* **marina** navy uniform; ~ **militare** military (*o* regimental) uniform; ~ **ordinaria** service uniform; ~ *da* **passeggio**: 1. ⟨*Mil*⟩ walking-out dress (*o* uniform); 2. ⟨*Mar*⟩ shore kit.

uniformemẹnte *avv.* **1.** uniformly, regularly, evenly. – **2.** ⟨*Fis*⟩ uniformly.

uniformità *f.* **1.** uniformity, regularity. – **2.** (*l'essere piano*) evenness, uniformity: *l'*~ *del terreno* the evenness of the ground. – **3.** (*concordia, unanimità*) agreement, accord, unanimity, concord: ~ *di punti di vista* unanimity of points of view. – **4.** (*monotonia*) uniformity, unvariedness, sameness, monotony: *l'*~ *di un panorama* the monotony of a panorama. – **5.** ⟨*Fis*⟩ uniformity. □ ⟨*Stor*⟩ *Atto di* ~ Act of Uniformity.

uniformiẓẓạre *v.* → **uniformare**. – **uniformiẓẓaziọne** *f.* → **uniformazione**.

uni|gẹnere *a.* ⟨*non com*⟩ of one kind. – **~gẹnito I** *a.* **1.** ⟨*Teol*⟩ only begotten. – **2.** ⟨*rar*⟩ (*unico*) only. – **II** *s.m.* Only Begotten (Son of God). – **~labiạto** *a.* ⟨*Bot*⟩ unilabiate.

unilaterạle *a.* **1.** unilateral, one-sided: *proposta* ~ unilateral proposal. – **2.** ⟨*fig*⟩ (*parziale*) one-sided, partial, unilateral: *visione* ~ one-sided view. – **3.** ⟨*Dir*⟩ unilateral, one-sided: *contratto* ~ unilateral contract. – **4.** ⟨*Bot,Med*⟩ unilateral. – **5.** ⟨*tecn,non com*⟩ (*unidirezionale*) unidirectional, one-way. – **6.** ⟨*Mat*⟩ → **unilatero**. – **unilateralità** *f.* ⟨*non com*⟩ **1.** unilateralism, unilaterality. – **2.** ⟨*fig*⟩ (*parzialità*) one-sidedness, partiality. – **unilateralmẹnte** *avv.* **1.** unilaterally. – **2.** ⟨*fig*⟩ (*da un solo punto di vista*) one-sidedly, from only one point of view.

uni|lạtero *a.* ⟨*Mat*⟩ unilateral. – **~loculạre** *a.* ⟨*Bot*⟩ unilocular, one-celled.

unimẹnto *m.* ⟨*ant,rar*⟩ (*unione*) union.

uni|modạle *a.* ⟨*Statist*⟩ unimodal. – **~nẹrvio** *a.* ⟨*Bot*⟩ uninerviate. – **~nominạle** *a.* ⟨*Pol*⟩ (*rif. al sistema elettorale*) uninominal; (*rif. ai collegi elettorali*) single-member-, uninominal: *collegio* ~ single-member constituency.

uniọne *f.* **1.** union, uniting, joining: *l'*~ *dell'anima col corpo* the uniting of body and soul. – **2.** ⟨*tecn*⟩ (*collegamento, connessione*) union, connection, coupling, junction, joint: ~ *a coprigiunto* fished joint. – **3.** (*associazione, federazione*) union, association: ~ *sindacale* labour union. – **4.** (*coalizione*) coalition, union: *l'*~ *delle sinistre* the coalition of the left. – **5.** (*matrimonio*) union, marriage. – **6.** ⟨*fig*⟩ (*concordia*) union, unity, agreement, harmony, accord, concord: *in questa famiglia c'è una perfetta* ~ in this family there is perfect harmony. – **7.** ⟨*fig*⟩ (*coesione, continuità*) connection, coherence. – **8.** ⟨*Pol*⟩ union.

□ ~ **amministrativa** administrative union; ⟨*Dir*⟩ ~ *di* **cause** consolidation of actions; ⟨*Fal*⟩ ~ *a* **coda** *di rondine* dovetail joint; ~ **coniugale** marriage, wedlock; ⟨*Fal*⟩ ~ *a* **denti** scarf joint; ~ **difensiva**: 1. defence union; 2. ⟨*Stor*⟩ Sonderbund; ~ **doganale** customs union; ≈ *delle* **donne** *italiane* Association of Italian Women; ~ **economica** economic union; ≈ **europea** *occidentale* Western European Union; ⟨*Stor*⟩ ≈ **francese** French Union; ≈ **indiana** (Republic of) India, Bharat; ~ **industriale** employers' association; ~ **internazionale** international union; ≈ *italiana del* **lavoro** Italian Federation of Trade-Unions; ⟨*Fal*⟩ ~ *a mezzo* **legno** halving; ~ **libera** concubinage; ⟨*Fal*⟩ ~ *a* **maschio** *e femmina* tongue and groove joint; ≈ **matematica** *internazionale* International Mathematical Union; ~ **matrimoniale** = *unione* **coniugale**; ≈ **monarchica** *italiana* Italian Royalist Union; ~ **monetaria** monetary union; ≈ *europea dei* **pagamenti** European Payments Union; ⟨*Dir*⟩ ~ **personale** personal union; ≈ **postale** *universale* Universal Postal Union; ~ **reale** real union; ≈ *delle* **Repubbliche** *Socialiste Sovietiche* Union of Soviet Socialist Republics; ~ *dei* **sindacati** federation of trade-unions; ≈ **Sovietica** Soviet Union; ⟨*Stor*⟩ **stati** *dell'*≈ States of the Union; ≈ **sudafricana** Union of South Africa; ~ **tariffaria** tariff syndicate; ≈ *internazionale delle* **telecomunicazioni** International Telecommunications Union. – *Prov.*: *l'*~ *fa la forza* strength lies in unity.

unionịsmo *m.* **1.** ⟨*Pol,Rel*⟩ unionism. – **2.** ⟨*Stor*⟩ (*tradunionismo*) (trade-)unionism. – **unionịsta** *m./f.* **1.** ⟨*Pol,Rel*⟩ unionist. – **2.** ⟨*Stor*⟩ Unionist.

uniovulạre *a.* ⟨*Biol*⟩ unioval, uniovular, uniovulate, monovular: *gemelli -i* uniovular (*o* identical) twins.

unị|paro *a.* ⟨*Biol*⟩ uniparous. – **~pẹtalo** *a.* ⟨*Bot*⟩ unipetalous, gamopetalous. – **~polạre** *a.* ⟨*El*⟩ unipolar, one-pole-, single-pole-.

unịre *v.t.* (**unịsco, unịsci**) **1.** to unite, to join, to combine: ~ *tutte le forze* to unite all forces; *hanno deciso di* ~ *i loro beni* they decided to combine (*o* pool) their possessions. – **2.** (*collegare, congiungere*) to join, to connect, to put together: ~ *due assi con la colla* to join two boards with glue. – **3.** (*ravvicinare*) to join (together), to bring (*o* put, draw) together: ~ *due tavoli* to put two tables together. – **4.** ⟨*fig*⟩ (*rif. a persone*: *stringere con vincoli morali o legali*) to bind, to unite, to make united: *li uniscono interessi comuni* common interests ⌜unite them⌝ (*o* make them united); (*rendere solidale*) to unite, to bring together: *le disgrazie uniscono gli uomini* misfortune unites men. – **5.** ⟨*fig*⟩ (*associare armonicamente*) to combine, to unite, to join: *questa ragazza unisce alla grazia l'intelligenza* this girl combines gracefulness and intelligence; ~ *il merito alla virtù* to unite merit with virtue. – **6.** (*mettere in comunicazione*) to connect, to join, to unite: ~ *due città con una ferrovia* to connect two cities with a railroad; ~ *due punti con una retta* to join two points with a straight line. – **7.** (*aggiungere*) to add: ~ *l'interesse al capitale* to add interest to capital. – **8.** ⟨*burocr*⟩ (*allegare, accludere*) to enclose, to attach: ~ *qc. a una lettera* to ⌜enclose s.th. in⌝ (*o* attach s.th. to) a letter. – **unirsi** *v.r.* **1.** (*formare un'unione*) to unite, to join up (*o* together): *le due società si unirono per assicurarsi nuovi mercati* the two companies joined together to assure themselves new markets. – **2.** (*congiungersi, mescolarsi*) to unite, to join together, to combine: *vicino alla foce le acque dei due fiumi su uniscono* near the mouth the two rivers join (*o* flow together). – **3.** (*accordarsi, armonizzarsi*) to blend, to harmonize, to go well: *i diversi colori si uniscono perfettamente* the different colours blend perfectly. – **4.** (*accompagnarsi, mettersi insieme*) to join up (*a* with), to join (s.o.): *ci unimmo a loro per andare al cinema* we joined them to go to the cinema. □ ⟨*Fal*⟩ ~ *a coda di rondine* to dovetail; *unirsi in matrimonio* to get married, to marry; ⟨*Fal*⟩ ~ *a mortasa* to mortise; *unirsi in società* to enter into partnership; ~ *a tenone* = *unire a mortasa*.

uni|seminạto *a.* ⟨*Bot*⟩ one-seeded, monospermous. – **~seriạto** *a.* uniserial, uniseriate. – **~sessuạle, ~sessuạto** *a.* **1.** ⟨*Biol*⟩ unisexual. – **2.** ⟨*Bot*⟩ (*diclino*) diclinous, unisexual. – **~sillạbico** *a.* (*pl.* **-ci**) (*monosillabico*) monosyllabic, of one syllable. – **~sịllabo I** *a.* ⟨*rar*⟩ (*monosillabo*) monosyllabic. – **II.** *s.m.* monosyllable. – **~sonạnza** *f.* ⟨*rar*⟩ unisonance.

unịsono I *a.* **1.** unisonous, unisonal, unisonant. – **2.** ⟨*Mus*⟩ unison-, unisonous, unisonal, unisonant, unisono: *canto* ~ unison singing (*o* song). – **3.** ⟨*fig*⟩ (*concorde, conforme*) in agreement, in unison (*a* with), unisonous, concordant. – **II** *s.m.* **1.** ⟨*Mus*⟩ unison. – **2.** ⟨*fig*⟩ agreement, concord, accord, unison. □ ⟨*Mus*⟩ *all'*~ in unison, unisono; ⟨*fig*⟩ (*concordemente*) in unison, in agreement.

unità *f.* **1.** unity, oneness, singleness: ~ *e pluralità* unity and plurality. – **2.** (*insieme omogeneo*) unity: *l'*~ *della famiglia* the unity of the family. – **3.** (*unione politica*) unity: *l'*~ *d'Italia* the unity of Italy; (*unificazione*) unification. – **4.** (*identità, concordia*) unity, accord: ~ *di propositi* unity of purpose. – **5.** ⟨*concr*⟩ (*singolo individuo o oggetto*) unit. – **6.** (*unità di misura*) measure, (unit of) measurement. – **7.** ⟨*Mat*⟩ unit: *una dozzina è costituita di dodici* ~ a dozen is made up of twelve units; *il numero 32 è formato di 3 decine e 2* ~ the number 32 is made up of 3 tens and 2 units. – **8.** ⟨*Mil*⟩ unit. – **9.** ⟨*Mar*⟩ (*nave*) ship; (*insieme organico di più navi*) unit. – **10.** ⟨*Aer*⟩ (*aereo*) aircraft, aeroplane, ⟨*am*⟩ airplane; (*insieme di aerei*) unit. – **11.** ⟨*Statist*⟩ unit.

□ ⟨*El*⟩ ~ **addizionatrice** add-on unit; ~ **aerea** (*aereo*) aircraft, ⟨*am*⟩ airplane; (*insieme di aerei*) unit; ⟨*Farm*⟩ ~ **antitossica** antitoxic (*o* immunizing) unit; ~ **astronomica** astronomical unit;

⟨*Farm*⟩ ~ **biologica** biological unit; ⟨*Mil*⟩ ~ **combattente** fighting unit; **condurre** *a* ~ to unite, to unify; ⟨*Econ*⟩ ~ *di* **conto** unit of account; ⟨*Fis*⟩ ~ **derivata** derived unit; ~ **fondamentale** fundamental unit; ⟨*Mil*⟩ **grande** ~ formation of troops; ⟨*Farm*⟩ ~ **internazionale** international unit; ⟨*Fis*⟩ ~ **magnetica** magnetic unit; ~ *di* **misura** measure, (unit of) measurement; ⟨*fig*⟩ yardstick, term of comparison; *sistema di ~ di misura* system of units of measure; ~ *di misura di capacità* measure of capacity; ~ *di misura lineare* (*o di lunghezza*) linear (*o* long) measure, measurement of length; ~ *di misura di peso* measure of weight; ~ *di misura di tempo* time -measurement unit, time unit, unit of time; ~ *di misura di volume* measure of capacity, cubic (*o* solid) measure; ~ **monetaria** monetary unit; ⟨*Econ*⟩ ~ **operativa** operating unit; ⟨*Mat*⟩ ~ *del primo* **ordine** units *pl*; ~ *del secondo ordine* tens *pl*; ~ *del terzo ordine* hundreds *pl*; ⟨*Comm*⟩ ~ *di* **prezzo** unit price, cost per unit; ⟨*Econ*⟩ ~ **produttiva** establishment; ⟨*Biol*⟩ ~ **sistematica** taxon, systematic unit; ⟨*Fis*⟩ ~ **termica** heat unit; ⟨*Lett*⟩ *le* **tre** ~ the three unities; ⟨*Teol*⟩ ~ *e* **trinità** *di Dio* Oneness and Trinity of God.

unitamẹnte *avv.* **1.** (*in modo compatto*) unitedly. – **2.** (*concordemente*) in agreement, in accord, in unison, unanimously. – **3.** (*insieme, congiuntamente*) together (*a* with), with (s.th.).

unitarianẹsimo, unitarianịsmo *m.* ⟨*Rel*⟩ Unitarianism. – **unitarịano I** *a.* Unitarian. – **II** *s.m.* (*f.* **-a**) Unitarian. – **unitarietà** *f.* ⟨*rar*⟩ unitariness.

unitạrio I *a.* **1.** unitary: *sforzi unitari* unitary efforts. – **2.** (*costituito da un'unità*) unitary, unit-: *costo* ~ unit cost. – **3.** (*teso verso l'unità*) unitary: *movimento* ~ unitary movement. – **4.** (*uniforme*) uniform. – **5.** ⟨*Mat*⟩ unitary. – **II** *s.m.* (*f.* **-a**) **1.** unitarian. – **2.** ⟨*Rel*⟩ Unitarian.

unitarịsmo *m.* ⟨*Pol,Rel*⟩ Unitarianism.

unitẹzza *f.* **1.** compactness. – **2.** (*uniformità*) uniformity, evenness, regularity.

unitịvo *a.* ⟨*non com*⟩ **1.** unitive, uniting. – **2.** ⟨*Gramm,rar*⟩ (*copulativo*) copulative.

unịto (*p.p. di unire*) *a.* **1.** united, joined, combined: *tre pezzi di stoffa -i insieme* three pieces of material joined together. – **2.** (*associato*) united, combined, joined, associated: *Nazioni Unite* United Nations. – **3.** (*unificato*) united, unified: *un paese* ~ a united (*o* unified) country. – **4.** (*stretto da vincoli morali o legali*) bound, close, united: *una famiglia molto -a* a very close family; *erano -i da un'antica amicizia* they were bound by an old friendship. – **5.** (*aggiunto*) added. – **6.** (*uniforme, privo di disegni*) solid: *una stoffa di tinta -a* solid colour fabric. – **7.** ⟨*burocr*⟩ (*allegato*) enclosed, attached. – **8.** ⟨*Rel*⟩ (*unito*) Uniate: *Greci -i* Greek Uniates.

unitọre *m.* (*f.* **-trice**) ⟨*rar*⟩ uniter (*anche fig.*).

uni|vạlve *a.* **1.** ⟨*Zool*⟩ univalve. – **2.** ⟨*Bot*⟩ univalve(d), univalvular. – **~verbizzazione** *f.* ⟨*Ling*⟩ hypostatization.

universạle[1] **I** *a.* **1.** universal; (*che abbraccia tutto*) universal: *legge* ~ universal law. – **2.** (*di tutti gli uomini, di tutto il mondo*) universal, world-: *storia* ~ world history; *pace* ~ universal peace. – **3.** (*generale*) general: *compianto* ~ general grief; (*rif. al suffragio*) universal. – **4.** (*versato in tutti i campi*) universal, all-round: *genio* ~ universal genius. – **5.** ⟨*Dir*⟩ universal: *erede* ~ universal heir. – **6.** ⟨*tecn*⟩ universal: *strumento* ~ universal instrument. – **7.** ⟨*rar*⟩ (*intero, completo*) complete, utter. – **II** *s.m.* **1.** ⟨*Filos*⟩ universal. – **2.** *pl.* ⟨*Filos*⟩ (*concetti*) universals *pl.* – **3.** ⟨*rar*⟩ (*totalità*) totality, all; (*umanità*) humanity, mankind, men *pl.*

universạle[2] *m.* ⟨*Topogr*⟩ universal instrument.

universaleggịare *v.* (**universalẹggio, universalẹggi**) → **universalizzare.**

universalịsmo *m.* ⟨*Pol,Rel*⟩ universalism. – **universalịsta** *m./f.* universalist. – **universalịstico** *a.* (*pl.* **-ci**) universalistic.

universalità *f.* **1.** universality. – **2.** (*totalità*) universality, entire mass, totality. – **3.** (*capacità di abbracciare tutto lo scibile*) universality. ☐ *l'~ degli uomini* mankind, humanity, all men *pl.*

universalizzạre *v.t.* **1.** (*rendere universale*) to universalize, to make universal. – **2.** (*diffondere largamente*) to generalize, to universalize. – **universalizzarsi** *v.r.* **1.** to universalize (*anche Filos.*), to become universal. – **2.** (*diffondersi*) to be (*o* become) generalized, to become general. – **universalizzazịone** *f.* **1.** universalization (*anche Filos.*). – **2.** (*diffusione*) generalization.

universalmẹnte *avv.* **1.** universally, commonly, generally: *principi ~ validi* universally accepted principles; (*da tutti*) universally, generally, by everyone: *autorità ~ riconosciuta* universally recognized authority. – **2.** ⟨*ant*⟩ (*nella totalità*) wholly, all; (*interamente*) wholly, completely.

universịade *f.* ⟨*Sport*⟩ world University games *pl.*

università *f.* **1.** university: *essere iscritto all'~* to be enrolled at the university; *l'~ di Roma* Rome University; (*edificio, insieme di edifici*) university, ⟨*am*⟩ campus. – **2.** ⟨*Mediev*⟩ association, corporation, guild, ⟨*ant*⟩ university. – **3.** ⟨*ant*⟩ (*universalità*) universality. ☐ ~ **agraria** agricultural co-operative; **andare** *all'~* to go to (the) university; ~ **commerciale** business college; ⟨*fam*⟩ **fare** *l'~* = **andare** *all'università*; ~ **popolare** night-school, University Extension (course); ~ **privata** private university; ~ *di* **stato** state (*o* public) university; ~ *degli* **studi** university.

universitạrio I *a.* university-: *corsi universitari* university courses. – **II** *s.m.* (*f.* **-a**) **1.** (*studente*) university student. – **2.** ⟨*non com*⟩ (*professore*) university teacher (*o* lecturer), faculty member.

univẹrso[1] *m.* **1.** universe, cosmos. – **2.** (*mondo*) (whole) world, creation: ⟨*iperb*⟩ *credersi il padrone dell'~* to consider o.s. lord of creation; (*terra*) earth. – **3.** ⟨*Statist*⟩ universe. ☐ ⟨*Astr*⟩ ~ *galattico* Milky Way galaxy (*o* system), Galaxy; ~ *sidereo* (*o metagalattico*) metagalaxy, universe.

univẹrso[2] *a.* ⟨*lett*⟩ (*tutto intero*) universal, whole, entire: *l'~ mondo* the whole world.

univibratọre *m.* ⟨*El*⟩ one-shot (*o* monostable) multivibrator.

univocamẹnte *avv.* unambiguously, univocally. – **univocazịone** *f.* ⟨*rar*⟩ → **univocità.** – **univocità** *f.* **1.** univocity; (*l'avere un'unica interpretazione*) unambiguousness. – **2.** ⟨*Filos*⟩ univocity. – **unịvoco** *a.* (*pl.* **-ci**) **1.** unambiguous, univocal: *affermazione -a* unambiguous statement. – **2.** (*di cose che hanno in comune nome e definizione*) univocal. – **3.** ⟨*Filos*⟩ univocal.

ụnnico *a.* (*pl.* **-ci**) ⟨*Stor*⟩ of (*o* relating to) the Huns. – **ụnno** *m.* (*f.* **-a**) Hun.

ụno (as adjective and article *ụno* becomes *un* before words beginning with vowels or consonants except those beginning with *s* + consonant, *gn, ps, z, x*; the feminine form *ụna* becomes *un'* before words beginning with a vowel) **I** *a.* **1.** one, a: *ha un figlio maschio e due femmine* he has a son and two daughters; *un anno e tre mesi* one year and three months; *-a settimana e due giorni* a week and two days; ~ *e mezzo* one and a half; *un chilometro e mezzo* one and a half kilometres, a kilometre and a half; *pagina* ~ page one. – **2.** (*uno solo, unico*; *spesso in frasi negative*) one, a, single: *non fa un passo se non è accompagnato* he doesn't take a single step alone; *-a rondine non fa primavera* one swallow does not make spring; *non ho che un amico* I have only one friend; (*rafforzato da unico, solo, soltanto*) one (single), a single: *sarebbe bastata anche -a sola parola* just one single word would have been enough; *mi trattengo soltanto un giorno* I'm staying for just one day. – **3.** ⟨*iperb*⟩ (*quantità minima*; *spesso in frasi negative*) a, one: *ho visto appena -a o due macchine* I only saw a car or two; *non ho -a lira* I don't have a penny, I have ⌜hardly any⌝ (*o* very little) money. – **4.** (*in frasi ellittiche con sottinteso la parola storia, avventura e sim.*) one, *o si traduce a senso*: *ve ne racconterò -a* I'll tell you a good one; *combinarne -a* to get into a fix. – **5.** ⟨*lett*⟩ (*unito, compatto*) united, one: *l'Italia -a e libera* united free Italy. – **II** *s.m.* **1.** ⟨*Mat*⟩ one: *scrivere un* ~ to write a one; *scrivere due* ~ to write two ones; ~ *più* ~ *fa due* one plus one equals two; *contare da ~ a dieci* to count from one to ten; *scrivo sei e riporto* ~ I write down six and carry one; *moltiplicare per* ~ to multiply by one. – **2.** (*seguito da un partitivo*) one: ~ *di voi* one of you; ~ *dei molti presenti* one of the many present; *-a delle stanze era ammobiliata* one of the rooms was furnished. – **3.** (*nelle espressioni temporali*: *il primo del mese*) first: *l'~ di marzo* the first of March, March first; (*il primo anno di un secolo*) one: *tutti i nati nell'~* all those born in nineteen hundred and one. – **III** *pron.indef.* **1.** (*un tale, una certa persona*) someone, a person, ⟨*fam*⟩ a fellow (*o* chap): *c'è ~ che ti aspetta* there's someone waiting for you; *c'era ~ delle imposte che ti cercava* someone from the tax office was looking for you. – **2.** (*uno qualunque, qualsivoglia*) one, any (old) one: *ci sono dei giornali sul tavolo, passamene* ~ there are some newspapers on the table, pass me one; ~ *di questi giorni verrò a trovarti* one of these days I'll pay you a visit. – **3.** (*alcuno*) someone, somebody: *dir male di* ~ to speak badly about someone; *se ~ ti dice così, che rispondi?* if somebody says that to you, what are you going to say? – **4.** (*con valore impersonale*: *chi*) one, you, a person, anyone: *se ~ vuole, può ottenere tutto* if a person really tries he can get anything; *se ~ ha soldi può permettersi viaggi simili* if you have money you can afford to take trips like that. – **IV** *art.indef.* **1.** a: *un giornale* a newspaper; *-a mela* an apple; ~ *specchio* a mirror; *-a casa* a house; *sto leggendo un romanzo* I am reading a novel. – **2.** ⟨*enfat*⟩ such a (*o* an), what a (*o* an), *o si traduce a senso*: *ho avuto -a paura!* I had such a fright!, what a fright I had! – **3.** (*circa, più o meno*) about, around, roughly, some: *ci vorrà -a mezz'ora* it will take about half an hour; *costerà un tremila lire* it must cost around three thousand lire.

☐ ⟨*ant*⟩ **a** *-a* (*a una voce*) as one, all together, with one voice; *a ~ a* ~ one by one, one after the other; ~ ... **altro** one ... other, some ... other: ~ *sì, gli altri no* some yes, others no; ~ *dopo l'altro* one after another; *l'~ e l'altro* (*entrambi*) both (*costr.pl.*); *l'~ o l'altro* either (*costr.sing.*); *né l'~ né l'altro* (*nessuno dei due*) neither (*costr.sing.*); (*con verbo negativo*) either (*costr.sing.*): *non mi piace né l'~ né l'altro* I don't like either (of them); ~ (o *l'uno*) *per* **cento** one per cent; *per* **dirne** *-a* just to give you an example (*o* idea); ⟨*Mil*⟩ *un-***due**! left-right!; ⟨*enfat*⟩ **e** ~! that's one (done), that's the first; *ne ha* **fatta** *-a delle sue* he's gone and done it again; ⟨*ant*⟩ **in** ~ (*insieme*) as one, together; *le* **ore** *-a* one (o'clock), one a.m.; *marciare* **per** ~ to march in single file; *stare* (o *andare*) *per* ~ to need one point to win; ~ **più**, ~ *meno* what's one more or less; ⟨*eufem*⟩ *-a di* **quelle** (*prostituta*) a street-walker; ~ **solo** just one, one only; ~ *dei* **tanti** (*una persona comune*) one of the many, no one special; *in un primo* **tempo** at first; *un* **terzo** one-third, a third; **tutt'**~ (*una sola persona*) (like) one; (*una sola cosa*) the same thing, one thing only; *essere tutt'~*: 1. (*essere la stessa cosa*) to be all the same, not to matter (*o* make a difference); 2. (*essere quasi simultaneo*) to be almost simultaneous; *vederlo e fuggire fu tutt'~* no sooner did he see him than he took to his heels; *vederlo e ridere fu un tutt'~* when (*o* as soon as) he saw him he burst out laughing, one look at him set him off laughing; ~ *per* (o *alla*) **volta** one at a time; *-a seconda volta* a second time, again. – *Prov.*: ~ *per tutti,*

tutti per ~ all for one and one for all; ~ *non fa numero* one swallow doesn't make a summer, one and none is all one, one is not much (*o* enough).

UNPA = *Unione nazionale per la protezione antiaerea.*

ụnqua *avv.* ⟨*ant,poet*⟩ **1.** (*nessuna volta*) never, not ever. – **2.** (*qualche volta*) ever.

unquạnche, unquạnco *avv.* ⟨*ant,poet*⟩ (*giammai*) never. □ *non* ~ (*mai fino ad ora*) never before; (*non ancora*) never (*o* not) yet.

ụnque *avv.* → **unqua.**

unquemại *avv.* ⟨*ant*⟩ (*mai*) never, not ever.

UNRRA = *Soccorso per i territori europei danneggiati dalla guerra* United Nations Relief and Rehabilitation Administration (*abbr.* U.N.R.R.A., UNRRA).

untạre *v.t.* ⟨*region*⟩ (*ungere*) to grease, to oil. – **untạta** *f.* ⟨*region*⟩ greasing, oiling. – **untatụra** *f.* ⟨*region*⟩ (*ungitura*) greasing, oiling.

untịccio I *a.* (*un po' unto*) lightly greased, slightly oily. – **II** *s.m.* (*sostanza grassa*) grease, oil, fat.

ụnto[1] (*p.p. di ungere*) **I** *a.* **1.** (*spalmato di grasso*) greased, oiled. – **2.** (*sporco*: *di grasso*) greasy; (*di olio*) oily, oil-stained; (*sporco*) dirty, filthy. – **3.** ⟨*Rel*⟩ (*consacrato*) anointed. – **II** *s.m.* ⟨*Rel*⟩ anointed. □ ~ *e bisunto* all greasy, filthy; ⟨*Rel*⟩ *l'*~ *del Signore* (*Cristo*) the Lord's Anointed; (*il sacerdote*) a priest; ~ *come un topo* filthy and greasy.

ụnto[2] *m.* **1.** (*grasso*) grease, fat: *una macchia d'*~ a grease spot; (*lubrificante*) grease, oil: *dare* ~ *alle ruote del carro* to apply oil to the cart-wheels. – **2.** ⟨*Gastr*⟩ fat, lard; (*condimento grasso*) dripping. – **3.** ⟨*non com*⟩ (*cibo grasso*) greasy (*o* oily) food. □ ⟨*fig*⟩ *dare dell'*~ *a qd.* (*adularlo*) to flatter s.o., ⟨*fam*⟩ to butter s.o. up; *essere sporco d'*~ to be greasy (*o* fat-stained).

untọre *m.* **1.** greaser. – **2.** ⟨*Stor*⟩ plague-spreader.

untụme *m.* grease, oil, fat.

untuosamẹnte *avv.* unctuously. – **untuosità** *f.* **1.** greasiness, oiliness. – **2.** (*grasso*) grease, oil; (*lubrificante*) grease, oil. – **3.** ⟨*fig*⟩ (*ipocrisia*) unctuousness, oiliness. – **untuọso** *a.* **1.** greasy, fatty, ⟨*lett*⟩ unctuous: *capelli -i* greasy hair; (*oleoso*) oily. – **2.** (*ipocrita*) unctuous, oily: *ha un modo di fare* ~ *e insopportabile* he has an unbearable unctuous way about him.

UNUCI = *Unione nazionale ufficiali in congedo d'Italia.*

UNURI = *Unione nazionale universitaria rappresentativa italiana.*

unziọne *f.* **1.** greasing, oiling; (*con pomate*) smearing, rubbing, application. – **2.** ⟨*Lit*⟩ anointing, unction: ~ *sacerdotale* priestly anointing. – **3.** ⟨*fig*⟩ (*atteggiamento affettato, falsa umiltà*) unctuousness, oiliness. – **4.** ⟨*non com*⟩ (*unguento*) ointment, salve; (*cosmetico*) cream, pomade, pomatum. – **5.** ⟨*Bibl,Stor*⟩ anointing: *l'*~ *del re* the anointing of the king. □ ⟨*Lit*⟩ *estrema* ~ Extreme Unction.

uọm *apoc. di* **uomo.**

uọmini *pl. di* **uomo.**

uọmo *m.* (*pl.* **uọmini**) **1.** (*essere umano*) man, human being: *l'*~ *preistorico* prehistoric man. – **2.** (*individuo di sesso maschile*) man, male: *quella donna sembra un* ~ that woman looks like a man; (*individuo adulto*) man, adult: *ormai è diventato un* ~ he is a man now; *un* ~ *e un fanciullo ragionano diversamente* an adult and a child think differently. – **3.** (*individuo*) man, person, fellow: *c'è un* ~ *alla porta* there's a man at the door; (*persona di fiducia*) man: *il partito non ha trovato il suo* ~ the party has not found its (*o* the right) man; *ecco l'*~ *che fa per noi* here's just the man we need. – **4.** ⟨*enfat*⟩ man: *va' da lui, che quello è un* ~ go to him, he's a man. – **5.** ⟨*collett*⟩ (*specie umana*) man, mankind, human race: *gli uomini sono tutti fratelli* all men are brothers; *i diritti dell'*~ the rights of man. – **6.** (*dipendente incaricato*) man: *ti manderò uno dei miei uomini* I'll send you one of my men; *è venuto l'*~ *del gas* the gasman came. – **7.** ⟨*pop*⟩ (*marito*) man, husband, ⟨*fam*⟩ old man: *il suo* ~ *è più giovane di lei* her man is younger than she is; (*amante*) man, lover. – **8.** (*usato con valore generico*: *si, uno*) man, anyone, someone: *quando l'*~ *perde la testa ne combina di tutti i colori* when someone loses his head he makes a mess. – **9.** ⟨*Mil,Sport*⟩ man: *una squadra composta di dieci uomini* a ten-man team. – **10.** ⟨*rar*⟩ (*misura di profondità*) measure of depth (equivalent to a man's height).

□ ~ *d'***affari** businessman; ~ *d'***ancora** (*nel tiro alla fune*) anchor man; *un* ~ *all'***antica** an old-fashioned man; ~ *d'***armi** man-at-arms; ~ *d'***azione** man of action; ~ *da* **bosco** *e da riviera* (*capace di cavarsela o adattarsi in ogni occasione*) versatile fellow, adaptable sort; (*che sa fare di tutto*) man who can turn his hand to anything, jack of all trades; *un* **brav'**~ (*persona onesta*) a good (*o* honest) man; ~ *alla* **buona** simple (*o* plain) fellow; ~ *di* **chiesa**: 1. (*ecclesiastico*) man of the church, clergyman, ecclesiastic, churchman; 2. (*uomo molto religioso*) religious man; 3. (*uomo pio*) church-goer, devout man, regular worshipper; ~ *di* **classe** (*elegante*) distinguished man, man with class; ~ *di* **colore** Negro, black (man); ⟨*scherz*⟩ **conosco** *l'*~ (o *il mio uomo*) I know ⌜my man⌝ (*o* who I'm dealing with); ~ *di* **corte**: 1. (*cortigiano*) courtier; 2. ⟨*ant*⟩ (*buffone*) jester; ~ *di* **cuore** (*generoso*) big-hearted (*o* generous) man; **da** ~ man's, men's: *sarto da* ~ man's tailor; *abito da* ~ man's suit; *non è da uomini* it is not for (*o* worthy of) a man; *da* ~ *a* ~ (*in tutta franchezza*) man to man; **di** ~ man's, male, masculine: *voce d'*~ man's voice; ⟨*Teol*⟩ ~ **Dio** Man-God, God-Man, God made man; ~ *di Dio* man of God; ⟨*fam*⟩ **fare** *l'*~ to be (*o* act like) a man; *non è* ~ *da farlo* he is not the man to do it; *farsi* (*un*) ~ to grow up, to become a man; ~ *di* **fatica** labourer; ~ **fatto** (full-)grown man; ~ *di poca* **fede** (*di fede vacillante*) man of little faith; (*scettico*) doubtful (*o* sceptical) man; ~ *di* **fiducia** reliable person; (*braccio destro*) right-hand man, confidential assistant (*o* agent); ⟨*Rel*⟩ **Figlio** *dell'*~ Son of man; ⟨*iron*⟩ **furbo** *l'*~ ! he's a cunning one!; *essere l'*~ *del* **giorno** to be the man of the moment; ⟨*Sport*⟩ ~ *di* **giro** pivot player; **grand'**~: 1. (*dotato di capacità eccezionali*) great man; 2. ⟨*iron*⟩ (*un buono a nulla*) good-for-nothing; ~ *di* (*buon*) **gusto** man with (*o* of) taste; ~ *del* **latte** milkman; ~ *di* **legge**: 1. (*avvocato*) lawyer, ⟨*lett*⟩ man of law; 2. (*giurista*) jurist; ~ *di* **lettere** man of letters, literary (*o* learned) man; ~ *di* **mare** seaman, sailor; ⟨*mar*⟩ ~ *a mare!* man overboard!; ~ **meccanico** automaton, robot; **mezz'**~ small (*o* puny) fellow, ⟨*fam,spreg*⟩ shrimp; *essere l'*~ *del* **momento** = *essere l'uomo del* **giorno**; ~ *di* **mondo** man of the world; ~ **morto**: 1. (*attaccapanni a colonna*) clothes-stand; 2. (*servitore muto*) silent valet; ⟨*Ferr*⟩ *dispositivo di* ~ *morto* dead-man control; ~ **nero**: 1. (*gioco*) Old Maid; 2. ⟨*ant*⟩ (*servitore*) servant; *un* ~ **nuovo** an upstart; ⟨*ant*⟩ **ogni** ~ (*ognuno*) everyone; ~ *d'***onore** man of honour; *un* ~ *d'oro* a man worth his weight in gold; ~ *di* **paglia**: 1. ⟨*Comm*⟩ (*prestanome*) man of straw, dummy, front; 2. ⟨*fig*⟩ straw man, puppet, figure -head; ~ *del* **pane** breadman, baker's man (*o* boy), ⟨*fam*⟩ baker; ~ *di* **parola** man of his word; ~ *di poche parole* (*taciturno*) man of few words; **per** (*soli*) *uomini* for men (only), men only-; *essere un* ~ **perso** to be lost (*o* helpless), ⟨*fam*⟩ to be done for: *senza la moglie è un* ~ *perso* he is lost without his wife; *un* (*bel*) **pezzo** *d'*~ a fine figure of a man, ⟨*pop*⟩ a nice hunk of man; ⟨*Alp*⟩ ~ *di* **pietra** cairn; *l'*~ **qualunque** (*l'uomo comune*) the average man, the man in the street; ~ **ragno** (*contorsionista*) contortionist; ~ **rana** frogman; ~ **sandwich** sandwichman; *un* **sant'**~ a good man; ~ *di* **scienza** man of science, scientist; ⟨*Mil*⟩ ~ **siluro** torpedo man; *l'*~ *della* **situazione** the right man to deal with the situation; *come un* **sol** ~ (*concordemente*) as one man, all together; ~ *di* **spirito** witty man, wit, wag; ~ **sportivo** sportsman; *l'*~ *della* **strada** = *l'uomo* **qualunque**; ~ *di* **talento** man of talent, talented man; ~ *di* **teatro** man of the theatre; ~ *di* **toga** (*magistrato*) judge, magistrate; ~ **torpedine** = *uomo* **siluro**; ⟨*non com*⟩ **a tutt'**~ (*con tutta la forza*) with all one's might and main. – *Prov.*: ~ *avvisato mezzo salvato* forewarned is forearmed; *l'*~ *propone e Dio dispone* man proposes, God disposes; *l'*~ *è lupo all'*~ man is a wolf to man, man is man's worst enemy; *l'*~ *è misura di tutte le cose* man is the measure of all things.

uọpo *m.* ⟨*lett,ant*⟩ (*bisogno*) need; (*necessità*) necessity. □ ⟨*lett*⟩ *all'*~ (*al momento opportuno*) in case of necessity (*o* need), if need be; (*a tale scopo*) for such a purpose; ⟨*lett*⟩ *essere d'*~ (*abbisognare*) to be necessary; ⟨*lett*⟩ *far* (*d'*) ~ = *essere d'uopo*; ⟨*lett*⟩ *serbare all'*~ to put aside in case of need; ⟨*burocr*⟩ *a tal* ~ with this end in view.

uọsa *f.* **1.** (*ghetta*) gaiter. – **2.** ⟨*Mediev*⟩ thigh boot. – **3.** ⟨*Mil.ant*⟩ kind of iron shoe.

uọva *f.pl. di* **uovo.**

uọvo *m.* (*pl.* **le uọva**) **1.** egg: *la gallina ha fatto un* ~ the hen has laid an egg. – **2.** (*oggetto a forma d'uovo*) egg, ovoid. – **3.** *pl.* (*uova di pesce e sim.*) roe, spawn. – **4.** ⟨*Biol*⟩ egg, ovum.

□ ⟨*non com*⟩ **accomodare** *le -a nel panierino* (*trarre vantaggio da qc. a scapito di qd.*) to arrange things to one's own advantage; *-a* **affogate** = *uova in* **camicia**; ~ **bazzotto** (lightly-)boiled egg, three minute egg; ~ **benedetto** decorated Easter egg (blessed by the priest); *-a da* **bere** fresh eggs (that can be eaten raw); *è come bere un* ~ (*è facilissimo*) it's as easy as winking (*o* falling off a log); *-a in* **camicia** poached eggs; ⟨*fig*⟩ **camminare** *sulle -a* to walk on eggs; ⟨*Dolc*⟩ ~ *di* **cioccolata** chocolate egg; ⟨*fig*⟩ *l'*~ *di* **Colombo** the obvious solution (to the problem); *è l'*~ *di Colombo!* it's as plain as the nose on your face!; ~ *alla* **coque** soft-boiled egg; **covare** *le -a* to sit on eggs, to brood; ~ **duro** = *uovo* **sodo**; **fare** *l'*~ (*deporlo*) to lay an egg; *fare un* ~ (*cucinarlo*) to cook an egg; ~ **fresco** fresh egg; ~ **gallato** (o *fecondato*) fertilized egg; ~ *di* **gallina** hen's egg; ~ *di* **giornata** new-laid egg; ~ **marcio** bad (*o* rotten) egg; ⟨*ant*⟩ *-a di* **Norimberga** (*orologi da tasca*) pocket-watches *pl*; ~ *all'***occhio** *di bue* = *uovo al* **tegamino**; ~ *all'***ostrica** prairie-oyster, egg-yolk seasoned with salt and lemon; *-a con* **pancetta** bacon and eggs; ~ **pasquale** (o *di Pasqua*) Easter egg; *essere* **pieno** *come un* ~ to be full (up), ⟨*fam*⟩ to be bursting; ~ *al* **pomodoro** fried egg with tomato sauce; ⟨*Lav.femm*⟩ ~ *da* **rammendo** darning-egg, darning -ball, darning-mushroom; ⟨*fig*⟩ **rompere** *le -a nel paniere a qd.* to upset s.o.'s plans; ~ **sbattuto** beaten egg; ⟨*ant*⟩ ~ *dello* **schermidore** hollow in the palm of the hand (when holding a sword); ~ **sodo** hard-boiled egg; ~ **stantio** stale egg; *-a di* **storione** caviar *sing*; *-a* **strapazzate** scrambled eggs; ~ *di* **struzzo** ostrich egg; ~ *da* **tè** tea ball; ~ *al* **tegamino** (o *tegame*) fried egg; **uscire** *dall'*~ to hatch. – *Prov.*: *è meglio un* ~ *oggi che una gallina domani* better an egg today than a hen tomorrow, a bird in the hand is worth two in the bush.

uọvulo *m.* ⟨*Bot*⟩ (*ovolo*) royal (*o* Caesar's) agaric, Caesar's mushroom (*Amanita caesarea*).

u.p. = ⟨*Dir*⟩ *ultima parte* last paragraph (*o* section).

UPA = *Unione panamericana* Pan American Union (*abbr.* P.A.U., PAU).

upạnisad *f.* ⟨*Rel*⟩ upanis(h)ad.

ụpas *m.* ⟨*Bot*⟩ upas(-tree) (*Antiaris toxicaria*).

UPI = *Ufficio privato investigativo* private detective agency.

Upim, UPIM = *Unico Prezzo italiano di Milano.*

uppercut *ingl.* ['ʌpəkʌt] *m.* ⟨*Sport*⟩ upper-cut.
Up(p)sạla *N.pr.f.* ⟨*Geog*⟩ Up(p)sala.
UPU = *Unione postale universale* Universal Postal Union (*abbr.* U.P.U., UPU).
ụpupa *f.* ⟨*Ornit*⟩ hoopoe, hoopoo (*Upupa epops*). – **upụpidi** *m.pl.* hoopoes *pl* (*Upupidae*).
U.Q. = ⟨*Pol*⟩ *Uomo qualunque* man-in-the-street movement.
uragano *m.* **1.** ⟨*Meteor*⟩ hurricane; (*vento di forza eccezionale*) hurricane. – **2.** (*tempesta*) storm, tempest, gale. – **3.** ⟨*fig*⟩ storm, gale, outburst, hurricane: *un ~ di applausi* a storm of applause.
Urạl *N.pr.m.* ⟨*Geog*⟩ Ural. – **Urạli** *N.pr.m.pl.* ⟨*Geog*⟩ Ural Mountains *pl*, Urals *pl*. – **urạlico** *a.* (*pl.* **-ci**) **1.** Uralian, Uralic, Ural. – **2.** ⟨*Ling*⟩ Uralic, Uralian. – **3.** → **uralide.** – **uralịde** *a.* Uralian, Uralic.
uralịte *f.* ⟨*Min*⟩ uralite.
uralo-altạico *a.* (*pl.* **-ci**) ⟨*Ling*⟩ Ural-Altaic. □ *famiglia -a* Ural -Altaic.
uranạto *m.* ⟨*Chim*⟩ uranate.
urạngo *m.* (*pl.* **-ghi**) ⟨*Zool*⟩ orang-(o)utan (*Simia satyrus*; *Pongo pygmaeus*).
Urạnia *N.pr.f.* ⟨*Mitol*⟩ Urania.
uraniạno I *a.* ⟨*Astr*⟩ Uranian. – **II** *s.m.* (*f.* **-a**) Uranian.
urạnico[1] *a.* (*pl.* **-ci**) ⟨*lett*⟩ (*del cielo*) uranian, heavenly, celestial: *divinità uraniche* celestial deities.
urạnico[2] *a.* (*pl.* **-ci**) ⟨*Chim*⟩ uranic.
urạnidi *m.pl.* ⟨*Entom*⟩ uraniids *pl* (*Uraniidae*).
uranịfero *a.* ⟨*Min*⟩ uraniferous, uranium-: *minerale ~* uraniferous mineral.
uranịle *m.* ⟨*Chim*⟩ uranyl.
uraninịte *f.* ⟨*Min*⟩ uraninite, cleveite, pitchblende.
urạnio *m.* ⟨*Chim*⟩ uranium. □ ⟨*Atom*⟩ *~ arricchito* enriched uranium; *~ combustibile* uranium fuel; *minerale di ~* uranium ore; *~ naturale* natural uranium.
uranịsmo *m.* ⟨*non com*⟩ (*omosessualità maschile*) uranism, homosexuality. – **uranịsta** *m.* ⟨*non com*⟩ uranist, homosexual.
uranịte *f.* ⟨*Min*⟩ **1.** (*autunnite*) autunnite, uranite. – **2.** (*mica di uranio*) uranium mica.
Urạno *N.pr.m.* ⟨*Mitol,Astr*⟩ Uranus.
urano... *pref.* **1.** (*cielo* sky) uran(o)... – **2.** (*palato* palate) uran(o)... – **3.** ⟨*Min*⟩ uran(o)..., uranium-.
uranografịa *f.* ⟨*Astr*⟩ uranography. – **uranogrạfico** *a.* (*pl.* **-ci**) uranographic(al). – **uranọgrafo** *m.* (*f.* **-a**) uranographer.
uranolịte *f.* ⟨*rar*⟩ (*meteorite*) meteorite, ⟨*rar*⟩ uranolite.
urano|logịa *f.* ⟨*Astr*⟩ uranology. – **~metrịa** *f.* ⟨*Astr*⟩ uranometry. – **~mẹtrico** *a.* (*pl.* **-ci**) uranometrical. – **~plạstica** *f.* ⟨*Chir*⟩ uranoplasty, uraniscoplasty. – **~schịsi** *f.* ⟨*Med*⟩ (*palatoschisi*) uranoschisis, uranoscochasma, platoschisis, cleft palate. – **~scopịa** *f.* ⟨*Astr*⟩ uranoscopy, astronomical observation.
uranọscopo *m.* ⟨*Itt*⟩ (*anche uranoscopo scabro*) star-gazer (*Uranoscopus scaber*).
uranọso *a.* ⟨*Chim*⟩ uranous, uranium-.
urartẹo I *a.* Urartaean, Urartian, of Urartu. – **II** *s.m.* ⟨*Ling*⟩ Urartaean, Urartian.
urạto *m.* ⟨*Chim*⟩ urate. – **uratolịtico** *a./s.* (*pl.* **-ci**) **I** *a.* ⟨*Biol*⟩ uratolytic. – **II** *s.m.* uratolytic substance. – **uratụria** *f.* ⟨*Med*⟩ uraturia.
urbanamẹnte *avv.* urbanely, politely, courteously.
urbanẹsimo *m.* urbanization, urbanism, city (*o* town) growth. – **urbanịsmo** *m.* ⟨*non com*⟩ → **urbanesimo.** – **urbanịsta** *m./f.* town (*o* city) planner, urbanist. – **urbanịstica** *f.* town-planning, ⟨*am*⟩ city planning. – **urbanịstico** *a.* (*pl.* **-ci**) town-planning-, of (*o* for) town-planning, urbanistic.
urbanità *f.* **1.** urbanity, courtesy, politeness, suavity. – **2.** ⟨*Statist*⟩ proportion of city to country dwellers. □ *con ~* urbanely, politely, courteously: *rispondere con ~* to answer politely.
urbanizzạre *v.t.* **1.** (*dare aspetto urbano*) to urbanize, to civilize; (*favorire lo sviluppo di una città*) to urbanize. – **2.** (*incivilire*) to civilize; (*dirozzare, ingentilire*) to polish, to refine. – **urbanizzaziọne** *f.* urbanization.
urbạno *a.* **1.** city-, town-, urban: *mura -e* city walls. – **2.** (*cortese, civile*) urbane, courteous, polite, suave, civil: *modi -i* polite manners. – **3.** ⟨*Stor.rom*⟩ urban.
Urbạno *N.pr.m.* ⟨*Stor*⟩ Urban.
urbạrio *m.* ⟨*Stor*⟩ **1.** (*libro dei terreni coltivati*) land register. – **2.** (*registro dei beni pubblici*) register (of public property). – **3.** (*inventario dei beni d'una chiesa*) inventory of church property. – **4.** (*registro delle regalie e diritti dovuti al comune*) tax roll.
ụrbe *f.* ⟨*lett*⟩ (*città*) city, town. – **Urbe** Rome. – **ụrbico** *a.* (*pl.* **-ci**) city-, town-, of the (*o* a) city: *porte urbiche* city gates.
ụrbi et ọrbi *lat.* **I** *a.* ⟨*Rel.catt*⟩ urbi et orbi, to Rome and the world. – **II** *avv.* ⟨*scherz*⟩ (*dappertutto*) everywhere, high and low; (*a tutti*) to one and all. □ *ormai lo sanno ~* it's common knowledge now, all the world and his wife know it.
urbinạte I *a.* (*di Urbino*) of Urbino. – **II** *s.m./f.* (*abitante*) native (*o* inhabitant) of Urbino. – **Urbinate** *N.pr.m.* **1.** (*territorio*) Urbino area (*o* region), territory round Urbino. – **2.** (*Raffaello*) Raphael. – **Urbịno** *N.pr.f.* ⟨*Geog*⟩ Urbino.
ụrca[1] *f.* ⟨*Mar*⟩ flat-bottomed Dutch bark.
ụrca[2] *intz.* ⟨*region*⟩ my goodnes, well I never, ⟨*am*⟩ wow.
Ụrd(hr) *N.pr.f.* ⟨*Mitol*⟩ Urd.
ụrdu, urdù I *a.* ⟨*Ling*⟩ Urdu, Hindustani. – **II** *s.m.* Urdu, Hindustani.
urẹa (*o ụrea*) *f.* ⟨*Biol*⟩ urea, carbamide. – **ureạsi** *f.* ur(e)ase.
uredinạli *f.pl.* ⟨*Bot*⟩ uredines *pl* (*Uredinales*). – **urẹdine** *f.* uredo (*Uredo*). – **uredịnee** *f.pl.* → **uredinali.**
urẹdio *m.* → **uredosoro.** – **urediospọra** *f.* → **uredospora.** – **uredosọro** *m.* ⟨*Bot*⟩ uredosorus, uredinium. – **uredospọra** *f.* ured(i)-spore.
urẹico *a.* (*pl.* **-ci**) ⟨*Biol*⟩ **1.** ureic, ureal. – **2.** (*che contiene urea*) ureic, ureal. – **urẹide** *f.* ⟨*Chim*⟩ ureide. – **uremịa** *f.* ⟨*Med*⟩ ur(a)emia. – **urẹmico** *a./s.* (*pl.* **-ci**) **I** *a.* **1.** ur(a)emic. – **2.** (*affetto da uremia*) ur(a)emic. – **II** *s.m.* (*f.* **-a**) sufferer from uraemia.
urẹna *f.* ⟨*Bot*⟩ Caesar weed, urena (*Urena lobata*).
urẹnte *a.* ⟨*Med*⟩ (*bruciante*) burning: *dolori -i* burning pains.
urẹo *m.* ⟨*Stor*⟩ uraeus.
ureo... *pref.* ure(o)...
ureogẹnẹsi *f.* ⟨*Biol*⟩ ureapoiesis, ureopoiesis. – **ureogenẹtico** *a.* (*pl.* **-ci**) ureagenetic, ureogenetic.
ureọ|metro *m.* ⟨*Med*⟩ ureameter, ureometer. – **~poiẹsi** *f.* → **ureogenesi.** – **~poiẹtico** *a.* → **ureogenetico.**
uretạnico *a.* (*pl.* **-ci**) ⟨*Chim*⟩ of (*o* pertaining to) urethane. – **uretạno** *m.* urethan(e).
ureterạle *a.* ⟨*Med*⟩ ureteral, ureteric. – **uretẹre** *m.* ureter. – **ureterectasịa** *f.* ureterectasia, ureterectasis. – **ureterectomịa** *f.* ureterectomy. – **uretẹrico** *a.* (*pl.* **-ci**) ⟨*non com*⟩ → **ureterale.** – **ureterịte** *f.* ureteritis.
uretero|cẹle *m.* ⟨*Med*⟩ ureterocele. – **~grafịa** *f.* ureterography. – **~litiạsi** *f.* ureterolithiasis. – **~plạstica** *f.* ureteroplasty. – **~stomịa** *f.* ureterostomy. – **~tomịa** *f.* ureterotomy.
urẹtra (o *ụretra*) *f.* ⟨*Anat*⟩ urethra. – **uretrạle** *a.* ⟨*Anat,Med*⟩ urethral. – **uretralgịa** *f.* ⟨*Med*⟩ urethralgia. – **uretrectomịa** *f.* ⟨*Chir*⟩ urethrotomy. – **uretrịte** *f.* ⟨*Med*⟩ urethritis.
uretro|cẹle *f.* ⟨*Med*⟩ urethrocele. – **~cistịte** *f.* urethrocystitis. – **~grafịa** *f.* urethrography. – **~litiạsi** *f.* urethrolithiasis. – **~plạstica** *f.* urethroplasty.
uretrorragịa *f.* ⟨*Med*⟩ urethrorrhagia, urethraemorrhagia. – **uretrorrẹa** *f.* urethrorrh(o)ea.
uretro|scopịa *f.* ⟨*Med*⟩ urethroscopy. – **~scọpio** *m.* urethroscope. – **~stomịa** *f.* urethrostomy. – **~tomịa** *f.* urethrotomy.
uretrọtomo *m.* ⟨*Chir*⟩ urethrotome.
urg. = *urgente* urgent.
urgẹnte (*p.pr. di urgere*) *a.* **1.** urgent, pressing: *necessità ~* pressing need. – **2.** ⟨*Post,Tel*⟩ urgent: *telegramma ~* urgent telegram; (*sulle lettere*) urgent. – **3.** ⟨*ant,lett*⟩ (*che incalza*) pressing. □ *aver bisogno ~ di qc.* to need s.th. urgently, to have urgent need of s.th. – **urgentemẹnte** *avv.* urgently.
urgẹnza *f.* **1.** (*l'essere urgente*) urgency; (*necessità impellente*) urgent need. – **2.** (*sollecitudine, rapidità*) promptness, speed, dispatch. – **3.** ⟨*ant*⟩ (*situazione incalzante*) imminency; (*emergenza*) emergency. □ **aver** *~ di qc.* to need s.th. urgently; *ho ~ di parlarti* I must speak to you; *in* **caso** *d'~* in (case of) an emergency; **con** *~* urgently; (*rapidamente*) fast, speedily; **d'**~: 1. (*agg.*) urgent, emergency-: *chiamata d'~* urgent (*o* emergency) call; *chiamare qd. d'~* to make an emergency call to s.o.; 2. (*avv.*) urgently; *non c'è ~* it's not urgent, there's no rush; **fare** *~ a qd.* to press (*o* urge) s.o.
urgenzạre *v.* (**urgẹnzo**) **I** *v.t.* ⟨*comm,burocr*⟩ (*sollecitare*) to press (for), to urge. – **II** *v.i.* (*aus.* **avere**) to press, to be pressing.
ụrgere *v.* (**ụrgo, ụrgi**; lacks compound tenses) **I** *v.t.* ⟨*lett*⟩ **1.** (*incalzare*) to press, to follow (*o* chase) closely, to be hard on the heels of. – **2.** ⟨*fig*⟩ (*sollecitare*) to urge, to impel, to incite, to spur on. – **II** *v.i.* **1.** (*essere urgente*) to be urgent (*o* vital, pressing): *necessità che urgono* needs which are pressing, urgent needs. – **2.** (*essere necessario al più presto*) to be needed urgently, to be necessary immediately: *urge un medico* a doctor is needed urgently. – **3.** (*premere*) to press: *la folla urgeva alle porte dello stadio* the crowd pressed against the gates of the stadium. – **III** *v.i. impers.* to need (*o* be needed) urgently, to be vital: *mi urgono denari* I need money urgently.
...urgịa *suff.* (*lavorazione*) ...urgy: *metallurgia f.* metallurgy.
urg.mo = *urgentissimo* (very) urgent.
ụri (o *uri*) *f.* ⟨*Rel*⟩ h(o)uri.
Ụri *N.pr.m.* ⟨*Geog*⟩ Uri.
ụria[1] *f.* ⟨*Ornit*⟩ foolish guillemot (*Uria aalge, Uria troile*). □ *~ grossa* thick-billed murre, Brunnich's murre (*o* guillemot) (*Uria lomvia*).
ụria[2] *f.* ⟨*ant*⟩ (*augurio*) omen, sign.
Urịa *N.pr.m.* ⟨*Bibl*⟩ Uriah.
...uria *suff.* (*minzione* urination) ...uria: *ematuria f.* ha(e)maturia.
urial *m.* ⟨*Zool*⟩ urial, oorial, shapo(o) (*Ovis vignei*).
uricemịa *f.* ⟨*Med*⟩ **1.** (*iperuricemia*) hyperuric(a)emia. – **2.** → **uricoemia.** – **uricẹmico** *a./s.* (*pl.* **-ci**) **I** *a.* **1.** uric(a)emic, lith(a)emic. – **2.** (*rif. a persone*) lith(a)emic. – **II** *s.m.* (*f.* **-a**) sufferer from uric(a)emia.
ụrico *a.* (*pl.* **-ci**) ⟨*Biol*⟩ uric: *acido ~* uric acid.
urico|emịa *f.* ⟨*Fisiol*⟩ uric(a)emia, uricacid(a)emia, lith(a)emia. – **~gẹnẹsi** *f.* uropoiesis. – **~lịsi** *f.* ⟨*Biol,Chim*⟩ uricolysis. – **~poiẹsi** *f.* → **uricogenesi.**
uridrọsi *f.* ⟨*Med*⟩ ur(h)idrosis.
urigịno *m.* ⟨*Ornit*⟩ (*occhione*) stone curlew, thick-knee (*Burhinus oedicnemus*).
urịna *f.* ⟨*Fisiol*⟩ urine, ⟨*pop*⟩ water. □ *analisi delle -e* urinalysis, uranalysis. – **urinạre** *v.i.* (*aus.* **avere**) ⟨*non com*⟩ (*orinare*) to urinate,

to pass water. – **urinạrio** *a.* ⟨*Anat,Med*⟩ urinary: *vie -e* urinary tract. – **urinạta** *f.* ⟨*rar*⟩ (*orinata*) **1.** urination, micturition. – **2.** (*quantità*) (quantity of) urine passed. – **urinaziọne** *f.* ⟨*rar*⟩ (*orinazione*) urination. – **urinịfero** *a.* ⟨*Anat*⟩ uriniferous: *tubulo ~* uriniferous tubule. – **urinịgeno** *a.* urogenous. – **urinọso** *a.* ⟨*Fisiol,Med*⟩ urinous.

urịte *m.* ⟨*Entom*⟩ urite.

ụrla *f.pl. di* **urlo**. – **urlạccio** *m. pegg. di* **urlo**. – **urlamẹnto** *m.* ⟨*non com*⟩ **1.** (*l'urlare*) howling. – **2.** (*urlo*) howl.

urlạre I *v.i.* (*aus.* **avere**) **1.** (*rif. ad animali*) to howl: *il cane ha urlato tutta la notte* the dog howled all night. – **2.** (*rif. all'uomo*) to cry (out), to shout, to scream: *~ di dolore* to scream with pain; (*alzare la voce*) to shout, to yell, to bawl: *~ come un ossesso* to shout like one possessed, to yell like a madman; *non ~, non sono sordo* don't shout, I'm not deaf. – **3.** (*dire ad alta voce*) to shout, to yell, to say in a loud voice: *gli urlò che se ne andasse* he shouted at him to go away. – **4.** (*rif. al mare, a sirene e sim.*) to howl, to wail, to shriek. – **II** *v.t.* **1.** (*chiamare*) to shout, to yell, to bawl out: *~ un nome* to shout a name. – **2.** (*cantare a voce spiegata*) to sing at the top of one's voice, ⟨*spreg*⟩ to bawl, ⟨*spreg*⟩ to shriek. ▭ *~ a perdifiato* (o *squarciagola*) to shout at the top of one's voice. – *Prov.*: *chi più urla, ha più ragione* the loudest voice is first obeyed.

urlạta *f.* **1.** shout, howl, outcry. – **2.** (*sgridata*) scolding, telling off, dressing-down.

urlatọre I *s.m.* (*f.* **-trice**) **1.** shouter, yeller, bawler, howler. – **2.** (*cantante urlatore*) pop-singer. – **II** *a.* howling, shrieking, bawling. ▭ ⟨*Zool*⟩ *~ rosso* red howler (*Alouatta seniculus*); *scimmie urlatrici* howler (*o* howling) monkeys *pl*, howlers *pl* (*Alouatta*).

urlịo *m.* **1.** shouting, howling, crying (out). – **2.** ⟨*estens*⟩ howling, shrieking: *l'~ del vento* the howling of the wind.

ụrlo *m.* (*pl.* **gli ụrli/le ụrla**) **1.** (*rif. ad animali*) roar, howl: *gli -i delle belve* the roars of the wild animals. – **2.** (*acuto grido umano*) cry, howl, shriek: *cacciare un ~* to give a shriek, to utter a cry, to give (*o* let out) a yell; *si udivano -a da ogni parte* shouts were heard on all sides. – **3.** (*strepito, fragore*) roar, thunder: *l'~ del mare in tempesta* the thunder of the stormy sea. – **4.** *pl.* ⟨*estens*⟩ (*parole, esclamazioni violente e scomposte*) shouts *pl*, shouting, yells *pl*, yelling: *quando discutono si sentono -i in tutto il palazzo* when they argue you can hear them yelling in the whole building. – **5.** ⟨*estens*⟩ shriek(ing), howl(ing), wail(ing): *l'~ della sirena* the wailing of the siren; (*rif. al vento*) howling, wailing, shrieking.

urlọne[1] *m.* ⟨*non com*⟩ *accr. di* **urlo**.

urlọne[2] *m.* (*f.* **-a**) shouter, bawler, yeller; (*chi parla a voce troppo alta*) person who talks at the top of his voice.

ụrna *f.* **1.** ballot-box, ⟨*ant*⟩ urn: *deporre una scheda nell'~* to place one's vote in the ballot-box. – **2.** ⟨*Archeol*⟩ (*vaso*) urn; (*urna cineraria*) cinerary urn (*o* vase). – **3.** ⟨*Bot*⟩ urn. – **4.** ⟨*Stor.rom*⟩ (*unità di misura*) measure of capacity. – **5.** ⟨*Lett*⟩ (*tomba*) tomb. – **6.** ⟨*poet, fig*⟩ (*vicenda incerta*) uncertain fate.

▭ **andare** *alle -e* (*votare*) to vote, to go to the polls; *~* **cineraria** cinerary urn (*o* vase); *~* **elettorale** ballot-box; **partecipazione** *alle -e* poll; **responso** *delle -e* (*esito della votazione*) election results (*o* returns); **ricorrere** *alle -e* to take a vote.

ụro *m.* ⟨*Zool*⟩ auroch(s), urus (*Bos primigenius*).

uro...[1] *pref.* (*coda* tail) uro...

uro...[2] *pref.* (*urina* urine) ur(o)...

uro|bilịna *f.* ⟨*Biol*⟩ urobilin. – **~bilinọgeno** *m.* urobilinogen. – **~bilinụria** *f.* ⟨*Med*⟩ urobilinuria.

urociọne *m.* ⟨*Zool*⟩ grey fox (*Urocyon cineroargenteus*).

urocịsti *f.* ⟨*Anat*⟩ (*vescica urinaria*) urocyst, urinary bladder. – **urocistịte** *f.* ⟨*Med*⟩ (*cistite*) urocystitis.

urocordạti *m.pl.* ⟨*Zool*⟩ tunicates *pl*, urochords *pl* (*Urochordata*).

urocrọmo *m.* ⟨*Biol*⟩ urochrome.

urodẹli *m.pl.* ⟨*Zool*⟩ caudates *pl*, urodeles *pl*, urodelans *pl* (*Urodela*).

urofilịa *f.* → **urolagnia**.

urogạllo *m.* ⟨*Ornit*⟩ (*gallo cedrone*) capercaillie, wood (*o* great) grouse (*Tetrao urogallus*).

uro|genitạle *a.* ⟨*Med*⟩ urogenital, urogenitary. – **~grafịa** *f.* urography. – **~grạmma** *m.* urogram. – **~lagnịa** *f.* urolagnia.

urolitịasi *f.* ⟨*Med*⟩ urolithiasis. – **urọlito** *m.* urolith, urolite, urinary calculus. – **urolitọgeno** *a.* urolithic, marked by the presence (*o* formation) of urinary calculi.

urologịa *f.* ⟨*Med*⟩ urology. – **urolọgico** *a.* (*pl.* **-ci**) urologic(al). – **urọlogo** *m.* (*pl.* **-gi**; *f.* **-a**) urologist.

uromạnte *m.* ⟨*Med,Stor*⟩ uroscopist. – **uromanzịa** *f.* uromancy, urinomancy, uroscopy.

uromạstice *m.* ⟨*Zool*⟩ **1.** mastigure (*Uromastix*). – **2.** kind of mastigure (*Uromastix acanthinurus*). – **3.** *pl.* mastigures *pl* (*Uromastix*). ▭ *~ dai piedi spinosi* dab(b) (*Uromastix spinipes*).

uromelanịna *f.* ⟨*Biol*⟩ uromelanin.

urọ|metro *m.* ⟨*Med*⟩ urometer, urinometer. – **~nefrọsi** *f.* uronephrosis, hydronephrosis.

urọni *m.pl.* ⟨*Etnol*⟩ Hurons *pl*.

uroniạno I *a.* ⟨*Geol*⟩ Huronian. – **II** *s.m.* Huronian.

uropẹltidi *m.pl.* ⟨*Zool*⟩ uropelt(id)s *pl* (*Uropeltidae*).

uropịgeo: *ghiandola -a* → **uropigio**. – **uropịgio** *m.* ⟨*Ornit*⟩ (*anche ghiandola dell'uropigio*) uropygial (*o* preen) gland.

uro|poiẹsi *f.* ⟨*Fisiol*⟩ uropoiesis. – **~poiẹtico** *a.* (*pl.* **-ci**) uropoietic. – **~scopịa** *f.* ⟨*Med*⟩ uroscopy. – **~sẹpsi** *f.* urosepsis.

urrà I *intz.* hurrah, hooray, hurray: *hip, hip, hip ~!* hip, hip, hurrah! – **II** *s.m.* hurrah, cheer(ing): *un ~ per il nostro eroe* three cheers for our hero.

ụrsidi *m.pl.* ⟨*Zool*⟩ ursids *pl* (*Ursidae*).

ursọlico: *acido ~* ursolic acid.

ursọne[1] *m.* ⟨*Zool*⟩ Canada porcupine, urson (*Erethizon dorsatum*).

ursọne[2] *m.* ⟨*Chim*⟩ ursolic acid.

URSS = *Unione delle Repubbliche Socialiste Sovietiche* Union of Soviet Socialist Republics (*abbr.* U.S.S.R., USSR).

ụrta *f.* ⟨*ant,region*⟩ **1.** (*antipatia*) dislike, antipathy. – **2.** (*malvolere*) ill-will. ▭ ⟨*non com*⟩ *aversi in ~* (*essere in contrasto*) to be at odds (*o* variance), to be in conflict; ⟨*non com*⟩ *essere in ~ con qd.* to be at odds (*o* loggerheads) with s.o.; ⟨*non com*⟩ *prendere in ~ qd.* to take a dislike to s.o.

urtacchiạre *v.t.* (**urtạcchio, urtạcchi**) ⟨*non com*⟩ to bump, to jostle, to buffet.

urtamẹnto *m.* ⟨*rar*⟩ **1.** (*l'urtare*) knocking, banging, bumping, hitting. – **2.** (*urto*) knock, bump, blow.

urtạnte (*p.pr. di urtare*) **I** *a.* (*indisponente*) irritating, annoying, provoking: *un comportamento ~* an irritating way of behaving. – **II** *s.m.* ⟨*Mar*⟩ **1.** (*trave*) bilge-keel. – **2.** (*nelle torpedini*) horn, prong.

urtạre I *v.t.* **1.** to knock (against, into), to bang (into, against), to bump (into), to hit, to strike, ⟨*fam*⟩ to bash: *~ il capo nel muro* to bang one's head against the wall; *mi ha urtato con il parafango* he bumped me with his mudguard. – **2.** (*dare uno spintone*) to bump (into), to push, to jostle, to shove: *non urtarmi, sto scrivendo* don't push me, I'm writing. – **3.** ⟨*fig*⟩ (*indispettire*) to annoy, to provoke, ⟨*fam*⟩ to get on the nerves of, ⟨*fam*⟩ to rub up the wrong way: *la sua insistenza mi urta* his persistence ⌜annoys me⌝ (*o* gets on my nerves). – **4.** ⟨*non com*⟩ (*far urtare*) to cause to knock into (*o* against). – **II** *v.i.* (*aus.* **avere**) **1.** to bump (*contro, in* into), to bang, to crash, to knock (against, into), to run (into, up against), to hit (s.th.): *~ contro un albero* to run into a tree. – **2.** ⟨*fig*⟩ (*l'imbattersi*) to run (*in* into, up against), to meet (with): *~ in difficoltà* to run into difficulties. – **urtarsi** *v.r.* **1.** to bump, to knock (*contro* into). – **2.** ⟨*recipr*⟩ to bump (*o* run) into e.o., to collide (with e.o.). – **3.** ⟨*fig*⟩ (*irritarsi*) to grow (*o* get) irritated: *si urta per un nonnulla* he gets irritated over nothing. – **4.** ⟨*fig*⟩ (*venire a contrasto*) to fall out, to have a falling out: *si sono urtati per una questione di soldi* they had a falling out over money. – **5.** (*scontrarsi*) to clash, to crash, to run into e.o., to collide: *i due automezzi si sono urtati frontalmente* the two trucks crashed into e.o. head-on. ▭ ⟨*fig*⟩ *~ i nervi di qd.* to get on s.o.'s nerves.

urtạta *f.* bang, knock, bump, blow, ⟨*fam*⟩ shove. ▭ *dare un'~ a qc.* to bang (into) s.th., to give s.th. a knock; (*per aprire*) to give s.th. a push (*o* shove). – **urtatịna** (*dim. di urtata*) *f.* tap, glancing blow. – **urtạto** (*p.p. di urtare*) *a.* (*irritato*) irritated, annoyed, vexed, put out: *essere ~ con qd.* to be annoyed with s.o. ▭ *avere i nervi -i* to be a nervous wreck. – **urtatọre** *m.* (*f.* **-trice**) ⟨*rar*⟩ pusher, striker. – **urtatụra** *f.* ⟨*fam,non com*⟩ **1.** (*urto*) knock, bang, bump, ⟨*fam*⟩ shove. – **2.** ⟨*fig*⟩ (*irritazione*) irritation, annoyance, vexation. ▭ ⟨*non com*⟩ *prendersi una grande ~ di nervi* to be highly irritated.

urtịca *f.* ⟨*Bot*⟩ (*ortica*) (stinging) nettle (*Urtica*). – **urticạcee** *f.pl.* (*orticacee*) nettle family, nettles *pl* (*Urticaceae*). – **urticạio** *m.* ⟨*rar*⟩ (*orticaio*) nettle-bed. – **urticạnte** *a.* **1.** ⟨*Biol*⟩ (*orticante*) urticant, urticating, stinging. – **2.** ⟨*estens*⟩ (*irritante*) stinging, irritating, nettling. – **urticạria** *f.* ⟨*Med,rar*⟩ urticaria, nettle-rash. – **urticạrico** *a.* (*pl.* **-ci**) ⟨*rar*⟩ → **urticante**.

ụrto *m.* **1.** blow, knock, hit, stroke, bang, bump, ⟨*fam*⟩ whack; (*spinta*) push, shove, thrust. – **2.** (*lo sbattere*) hitting, banging, crashing. – **3.** (*collisione, scontro*) collision, crash: *~ di navi* collision between ships. – **4.** ⟨*fig*⟩ (*contrasto*) conflict, clash, collision, disagreement: *~ d'interessi* conflict of interests; *~ d'idee* clash of ideas. – **5.** ⟨*Mil*⟩ engagement, action, encounter; (*attacco, assalto*) attack, assault: *sostenere l'~ del nemico* to withstand the enemy attack. – **6.** ⟨*Fis,Atom*⟩ impact, collision.

▭ ⟨*Mil*⟩ **contingente** *d'~* assault force, shock troops *pl*; **dare** *un ~ a qc.* to knock (into) s.th., to bump against s.th.; (*dare una spinta*) to give s.th. a push (*o* shove); ⟨*non com*⟩ *dare d'~ in qc.* = **dare** *un urto a qc.*; ⟨*Farm*⟩ **dose** *d'~* massive dose; ⟨*Fis*⟩ *~* **elastico** elastic collision (*o* impact); *~* **elettronico** electron impact; **energia** *d'~* impact strength; **entrare** *in ~* to collide; *~* **esplosivo** air (*o* aerodynamic) volume displacement; (*onda di pressione*) blast; ⟨*fig*⟩ **essere** *in ~ con qd.* to be at odds (*o* loggerheads) with s.o.; *~* **frontale** head-on collision; ⟨*fig*⟩ **mettersi** *in ~ con qd.* to fall out with s.o.; ⟨*fig*⟩ *~ di* **nervi** irritation; ⟨*Fis*⟩ **onda** *d'~* shock wave; ⟨*fig*⟩ **prendere** *in* (o *a*) *~ qd.* to take a dislike to s.o.; **resistente** *agli -i* shock-resistant, shock-proof; **resistenza** *all'~* impact strength, shock resistance; **venire** *in ~ con qd.* = **mettersi** *in urto con qd.*

urtọne (*accr. di urto*) *m.* **1.** violent knock (*o* blow); (*spintone*) hard push (*o* shove). – **2.** (*scontro*) violent collision (*o* crash).

urtoterapịa *f.* ⟨*Med*⟩ shock treatment (*o* therapy).

urubù *m.* ⟨*Ornit*⟩ black vulture, urubu (*Cathartes urubu*).

uruguaiạno I *a.* Uruguayan, Uruguay. – **II** *s.m.* (*f.* **-a**) Uruguayan. – **Urugụay** *N.pr.m.* ⟨*Geog*⟩ **1.** (*stato*) Uruguay (*denom.uff.*: *Repubblica dell'Uruguay* Republic of Uruguay). – **2.** (*fiume*) Uruguay. – **uruguayạno** *a./s.* → **uruguaiano**.

u.s. = ⟨*burocr*⟩ *ultimo scorso* last month (*abbr.* ult.).

U.S. = **1.** *Ufficio stampa* Press Office. – **2.** *uscita di sicurezza* emergency exit.

USA = *Stati Uniti d'America* United States of America (*abbr.* USA, U.S.A.).

uṣabile *a.* usable, fit for use, that may be used.

uṣanza *f.* **1.** custom, usage: *una vecchia* ~ an old custom; *pl.* custom, customs *pl*, usage, ways *pl.* – **2.** (*abitudine*) habit, custom, practice, rule, ⟨*lett*⟩ wont: *avere l'~ di alzarsi presto* to have (*o* be in) the habit of getting up early, to make a rule of getting up early. – **3.** (*moda*) fashion, custom: *l'~ della gonna corta* the short skirt fashion. – **4.** ⟨*Lit*⟩ use. – **5.** ⟨*ant*⟩ (*cosa consueta*) rule, usual thing. – **6.** ⟨*ant*⟩ (*consuetudine, familiarità*) familiarity, familiar terms *pl.* – **7.** ⟨*Lit,ant*⟩ (*libro*) ceremonial. □ *all'~ di* according to the custom of; *all'~ degli antichi* as the ancients did; *è* (*buona*) ~ it is a polite custom; *a Natale c'è l'~ di farsi dei doni* it is the custom to exchange presents at Christmas; *da noi vige questa* ~ we have this custom, it is customary among us.

uṣare I *v.t.* **1.** (*adoperare*) to use, to make use of: ~ *il coltello* to use a knife; *posso ~ la tua bicicletta?* may I use your bicycle?; *questo scrittore usa troppe voci dialettali* this writer uses too many dialectal words. – **2.** ⟨*fig*⟩ (*esercitare, mettere in atto*) to exercise, to use: ~ *un diritto* to exercise a right. – **3.** (*con un oggetto astratto: agire con*) to exercise, to act (with): ~ *prudenza* to exercise prudence; ~ *molta attenzione* to act very carefully. – **4.** (*in espressioni di cortesia: fare*) to do: ~ *una cortesia a qd.* to do s.o. a favour; *non vuoi usarmi questo favore?* don't you want to do me this favour? – **5.** (*portare abitualmente*) to wear: *d'inverno uso la pelliccia* I wear my fur in the winter. – **II** *v.i.* (*aus.* **avere**) **1.** (*avere la consuetudine di*) to do usually, to be used (*o* accustomed) to, to be in the habit of, to be the custom (*costr.impers.*): *usano alzarsi di buon'ora* they usually get up early; *a casa nostra si usa rispondere agli auguri* in our home it is the custom to return a greeting. – **2.** (*servirsi*) to use (*di qc.* s.th.), to make use, to avail o.s. (of): *non sa ~ delle proprie capacità* he doesn't know how to make use of his own capabilities. – **3.** (*essere di moda*) to be the (*o* in) fashion, to be fashionable: *certe feste popolari oggi non usano più* some folk festivals are no longer in fashion; *anni fa usavano le gonne lunghe* years ago long skirts were fashionable. – **4.** (*usato impersonalmente*) to be the custom (*o* practice), to be customary (*o* usual, normal): *da noi usa così* this is our custom. – **5.** ⟨*lett*⟩ (*recarsi di frequente*) to visit often, to be a frequent guest (*o* visitor): ~ *in una famiglia* to be a frequent guest of a family. – **usarsi** *v.r.* ⟨*lett,rar*⟩ (*assuefarsi*) to become accustomed, to get used (*a* to).

□ ⟨*lett*⟩ *usarsi* **a** *una cosa* (*farci l'abitudine*) to ⌜become accustomed⌝ (*o* get used) to s.th.; **come** *s'usa* as the custom is; ~ **con** *qd.* (*frequentarlo*) to frequent (*o* associate with) s.o.; ⟨*ant*⟩ ~ *con le donne* to have sexual intercourse with women; ~ *il proprio* **diritto** to exercise one's rights; ~ *le* **mani** (*picchiare*) to use one's hands, to hit, to beat; ~ **minacce** to threaten; ~ **modi** *raffinati* to have refined ways; ⟨*fig*⟩ ~ *le* **orecchie** (*ascoltare con attenzione*) to prick up one's ears; ~ **pazienza** to be patient; ~ *la* **testa** (*ragionare*) to use one's head; ~ **violenza** *a qd.*: 1. to force s.o.; 2. (*violentarlo*) to rape s.o.; ⟨*fig*⟩ ~ *violenza a se stesso* to force ⌜s.th. upon o.s.⌝ (*o* o.s. to do s.th.). – *Prov.*: *usa col buono e sta bene coi cattivi* keep friendly company with good people, but don't offend the bad.

uṣata *f.* ⟨*ant*⟩ (*uso*) custom; (*abitudine*) custom, habit. □ ⟨*ant*⟩ *prendere ~* (*prendere l'abitudine*) to get into the habit. – **uṣatamẹnte** *avv.* ⟨*ant*⟩ (*solitamente*) usually, customarily, habitually.

uṣato (*p.p. di usare*) **I** *a.* **1.** used. – **2.** (*consumato*) worn(-out), used. – **3.** (*vecchio, di seconda mano*) second-hand, used: *automobili -e* used cars. – **4.** (*in uso*) used, in use: *i metodi -i in una scuola* the methods in use in a school. – **5.** (*solito*) usual, habitual, customary. – **6.** (*abituato*) used, accustomed, trained, inured: *uomini -i al lavoro* men accustomed to work. – **II** *s.m.* **1.** (*solito*) custom, what is usual, ordinary: *secondo l'~* as the custom is, as usual. – **2.** ⟨*collett*⟩ second-hand articles *pl*; (*automobili usate*) used cars *pl.* □ *mercato dell'~* second-hand market, ⟨*fam*⟩ flea market; *fuori dell'~* unusual, out of the ordinary; *più grande dell'~* larger than usual.

uṣatto *m.* **1.** ⟨*Mediev*⟩ (*stivaletto*) tall leather boot. – **2.** ⟨*ant*⟩ (*tasca di cuoio*) (leather) pouch.

uṣbẹcco *a./s.* ⟨*ant*⟩ → **usbeco**. – **Uṣbechistạn** *N.pr.m.* Uzbek Soviet Socialist Republic, Uzbekistan. – **uṣbẹco** *a./s.* (*pl.* **-chi**) **I** *a.* Uzbek-. – **II** *s.m.* (*f.* **-a**) Uzbek, Usbeg. – **Uṣbekistạn** *N.pr.m.* → **Usbechistan**. – **uṣbẹko** *a./s.* ⟨*non com*⟩ → **usbeco**.

uṣbẹrgo *m.* (*pl.* **-ghi**) **1.** ⟨*Mil.ant*⟩ hauberk. – **2.** ⟨*lett*⟩ (*corazza*) armour. – **3.** ⟨*fig,lett*⟩ (*protezione, difesa*) protection, shield, defence: *essere sotto l'~ della legge* to be under the protection of the law.

uscẹnte (*p.pr. di uscire*) *a.* **1.** ending, closing: *l'anno ~* the closing year, the year which is on its way out. – **2.** ⟨*burocr*⟩ outgoing, retiring: *il preside ~* the outgoing headmaster. – **3.** ⟨*Gramm*⟩ ending: *tema ~ in "a"* stem ending in "a".

uscẹre *m.* ⟨*rar*⟩ → **usciere**[1].

usciạle *m.* **1.** ⟨*non com*⟩ (*grande porta*) large door; (*a vetri*) glass door. – **2.** ⟨*ant*⟩ (*apertura della fornace*) loading door.

usciạta *f.* ⟨*non com*⟩ slam, bang (of a door). □ ⟨*non com*⟩ *chiudere la porta con un'~* to slam the door shut (*o* to); ⟨*non com*⟩ *dare* (*o fare*) *un'~ in faccia a qd.* to slam the door in s.o.'s face.

uscịere[1] *m.* (*f.* **-a**) **1.** (*impiegato d'ordine*) usher. – **2.** ⟨*non com*⟩ (*portiere*) porter, caretaker. – **3.** ⟨*Dir.ant*⟩ (Court) bailiff, tipstaff, usher.

uscịere[2] *m.* ⟨*Mar.ant*⟩ ship for the transport of horses.

uscimẹnto *m.* ⟨*ant*⟩ **1.** (*uscita*) leaving, issuing, exit. – **2.** ⟨*concr*⟩ (*luogo*) exit, way out. – **3.** (*fine*) outcome, end(ing).

uscịno *m. dim. di* **uscio**.

ụscio *m.* **1.** (*porta*) door: *l'~ della stanza da letto* the bedroom door. – **2.** (*ingresso*) entrance. – **3.** ⟨*fig,poet*⟩ (*passaggio*) opening, outlet; (*uscita*) exit, way out.

□ ⟨*fig*⟩ *essere a ~ e* **bottega** (*abitare molto vicini*) to live next door to e.o.; ~ *della* **cantina** cellar door; ~ *di* **casa** front (*o* street) door; (*ingresso*) entrance; ~ *del* **cortile** courtyard door; ~ **davanti** front door; **farsi** *sull'~* to come to the door; ⟨*fig*⟩ *non* **fermarsi** *al primo ~* not to take the first opportunity that comes along; *mettere qd.* **fuori** *dell'~* to turn s.o. out of the house; ⟨*fig*⟩ **infilare** *l'~* to make off, to sneak away; **magro** *come un ~* = **secco** *come un uscio*; ⟨*non com*⟩ *avere il* **male** (*o il malanno*) *e l'~ addosso*: 1. (*avere una disgrazia dopo l'altra*) to have one misfortune after another; 2. (*avere il danno e le beffe*) to have insult added to injury; **mettersi** *sull'~* = **farsi** *sull'uscio*; ⟨*fig*⟩ *mettere* (*o stringere*) *qd. fra l'~ e il* **muro** (*metterlo alle strette*) to put s.o. ⌜on the spot⌝ (*o* with his back to the wall); ⟨*fig*⟩ *trovarsi tra l'~ e il muro* to be between the devil and the deep blue sea; ⟨*fig*⟩ **prendere** *l'~* to leave; ⟨*fig*⟩ (*svignarsela in fretta*) to slip (*o* clear) off, to take o.s. off; ⟨*pop*⟩ **secco** *come un ~* skinny, as lean as a rake; **stare** *sull'~* to stand in the doorway; *non se ne* **trovano** *a ogni ~* they don't grow on trees; ~ *a* **vetri** glass door. – *Prov.*: *chi non l'ha all'~ l'ha alla finestra* it will get you in the end, you can't win.

usciolạre *v.i.* (**usciọlo**; *aus.* **avere**) ⟨*rar*⟩ (*origliare alla porta*) to eavesdrop, to listen at the keyhole. – **usciọlo** (*dim. di uscio*) *m.* **1.** wicket (gate). – **2.** ⟨*Ornit*⟩ (*assiolo*) scops owl (*Otus scops*).

uscịre *v.i.* (**ẹsco**, **ẹsci**, **ẹsce**, **usciạmo**, **uscịte**, **ẹscono**; *aus.* **essere**) **1.** (*andare fuori*) to go out (*di, da* of), to leave: ~ *a piedi* to leave on foot; *il ragazzo uscì dalla stanza* the boy went out of the room; *il treno esce dalla stazione* the train is leaving the station. – **2.** (*venir fuori*) to come out: ~ *dal bagno* to come out of the bathroom. – **3.** ⟨*assol*⟩ to go out: *perché non usciamo un po'?* why don't we go out for a while?; *esco un momento e torno* I'm going out for a minute and will be right back. – **4.** (*allontanarsi, separarsi*) to leave (*da qc.* s.th.), to break away (from), to withdraw: ~ *dal gruppo* to leave the group; ~ *dalle file di un partito* to break away from the ranks of a party. – **5.** (*scendere da mezzi di locomozione*) to get off (*da qc.* s.th.), to get out (of), to alight (from): ~ *dal treno* to get off the train; *esci dalla macchina* get out of the car. – **6.** (*essere dimesso*) to be discharged (*da* from), to leave (s.th.), to come out (of): ~ *dal carcere* to be discharged (*o* released) from prison; ~ *dall'ospedale* to be discharged from hospital, to come out of hospital. – **7.** (*sboccare*: *rif. a strade*) to open, to lead (*su, in* into), to come out, to emerge (in): *questa stradetta esce sulla piazza* this street leads into the square; (*rif. a fiumi*) to flow, to open (*in* into), to have its outlet (in). – **8.** (*emanare, scaturire*: *rif. a liquidi*) to flow (out), to come (out), to run: *l'acqua esce dal rubinetto* the water flows from the tap; (*rif. a gas e sim.*) to come (out), to escape: *il fumo esce dal camino* smoke is coming out from the chimney. – **9.** ⟨*estens*⟩ (*sporgere da una superficie*) to protrude, to stick out: *il chiodo esce di qualche centimetro dalla porta* the nail is sticking a few centimetres out of the door. – **10.** (*trarre la propria origine*) to descend, to come, to spring (*da* from), to be (of); (*essere stato educato*) to come (*da* from), to have been educated (by): *esce dalla migliore università italiana* he comes from the best Italian university. – **11.** (*essere sorteggiato*) to come out (*o* up), to be drawn: *il suo nome è uscito per primo* his name was drawn first; *il numero ventidue non esce da tre mesi* number twenty two has not come up for three months. – **12.** (*eccedere, sconfinare*) to lie (*o* go) beyond, to be beyond (*o* outside), to surpass: *ciò esce dalla mia competenza* that is outside my province. – **13.** (*risaltare*) to show up, to stand out: *il quadro esce bene su questo sfondo* the painting shows up well against this background. – **14.** (*apparire inaspettatamente*) to spring, to come (*di* from): ~ *dall'oscurità* to spring out of the darkness; *di dove sei uscito?* where did you spring from? – **15.** (*dire all'improvviso, sbottare*) to come out (*con, in* with), to let out, to give (s.th.): ~ *in una battuta scherzosa* to ⌜come out with⌝ (*o* make) a wisecrack; ~ *in un grido* to give (*o* let out) a cry. – **16.** (*essere stato fatto, fabbricato*) to come (from), to have been created (by): *questo modello esce dalle mani di un sarto famoso* this model was created by a great designer. – **17.** (*essere pubblicato*) to come out, to be published (*o* issued), to appear: *la rivista esce settimanalmente* the magazine comes out weekly. – **18.** (*lasciare uno stato per passare a un altro*) to leave (behind), to come out (*da* of), to drop (s.th.): ~ *dall'infanzia* to leave one's childhood behind; ~ *dal riserbo* to drop one's reserve. – **19.** (*risultare, provenire*) to come (*da* from, of, out of), to be the outcome (*o* result) (of), to result (from): *che cosa uscirà da quest'imbroglio?* what will come of this complicated situation?; *ne uscì una lunga lite* the outcome was a long quarrel. – **20.** (*ricavarsi*) to get, to obtain: *da questo scampolo esce a stento un vestito* you can just about get a dress out of this remnant. – **21.** (*liberarsi, svincolarsi*) to get out (*da* of), to free o.s.: ~ *dalle mani di qd.* to get out of s.o.'s clutches. – **22.** (*riuscire*) to come, to be: ~ *vincitore* to be the winner, to come out on top; *è uscito secondo* he came out second. – **23.** (*lasciare, abbandonare*) to leave, to quit: ~ *di carica* to leave office; ~ *da una società* to leave (*o* resign from) a company. – **24.** (*elevarsi, distaccarsi*) to rise above, to emerge (*da* from): ~ *dalla massa* to rise above the masses. –

25. ⟨*Ling*⟩ (*terminare*) to end: *una parola che esce in consonante* a word that ends in a consonant. – **26.** ⟨*Teat*⟩ to exit: *esce il re* exit the king.

☐ ~ *in* **automobile** to go out in the car, to take a drive; ⟨*lett*⟩ ~ *a* **bene** (*avere buon esito*) to be successful, to have a successful outcome; ~ *dai* **binari**: 1. ⟨*Ferr*⟩ to jump the track, to run off the rails; 2. ⟨*fig*⟩ to leave the right track; *uscir di* **bocca** to slip out; ~ *di* **carreggiata** to run off the road; ~ *di* **casa**: 1. to leave the house; 2. ⟨*fig*⟩ (*rif. a figlie che si sposano*) to leave home; ⟨*fig*⟩ ~ *dal* **convento**: 1. (*smonacarsi*) to leave the convent; 2. (*sfratarsi*) to leave a monastic order; ~ *di* **corsa** to run (*o* rush) out, ⟨*fam*⟩ to tear out; ⟨*fig*⟩ ~ *per il rotto della* **cuffia** (*cavarsela a malapena*) to get through by the skin of one's teeth; ~ **detto** to slip out; ~ *a* **dire** *qc.* to come out with s.th.; ~ **fuori** (*andare fuori*) to go out; (*venire fuori*) to come out, to emerge; ~ *a* **galla** to float (*o* come) to the surface; ⟨*fig*⟩ ~ *dai* **gangheri** to fly off the handle; ~ *dalla* **legalità** to be illegal; ~ *dal* **letto**: 1. to get out of bed; 2. (*rif. a fiumi*) to burst its banks: *il fiume è straripato uscendo dal suo letto* the river has burst its banks; ~ *da una* **malattia** to ⌜get over⌝ (*o* recover from) an illness; ~ *di* **mano** (*sfuggire, cadere*) to slip (*o* drop, fall) out of one's hands: *la bottiglia mi uscì di mano e si ruppe* the bottle slipped out of my hands and broke; 2. ⟨*fig*⟩ to leave one's hands, to be brought to completion; ~ *in* **mare** (*rif. a navi*) to put out to sea; ~ *di* **mente** to slip one's mind, to forget (*costr. pers.*): *mi era uscito di mente* it had slipped my mind, I had forgotten; ⟨*fig*⟩ *la* **messa** *esce fra pochi minuti* Mass will be over in a few minutes; ~ *di* **moda** to go out of fashion; ⟨*poet*⟩ ~ *al* **mondo** (*nascere*) to be born, to come into the world; ~ *dalla* **nave** (*sbarcare*) to leave (the) ship, to disembark; **non** *esco da una settimana* I haven't been out for a week; ⟨*fig*⟩ ~ *dagli* **occhi** (*rif. a cosa che non si sopporta più*) to be sick and tired of, to be fed up with; ~ *a* **passeggio** to go out for a walk; ⟨*region*⟩ ~ **pazzo** (*impazzire*) to go mad; ~ **per** *la finestra* to get out through the window; ~ *per la porta* to leave (*o* go out) by the door; ⟨*fam*⟩ *escimi dai* **piedi**! = *escimi di* **torno**!; *gli esce il* **sangue** *dal naso* his nose is bleeding, he has a nosebleed; ~ *di* **scena**: 1. (*rif. ad attori*) to exit, to leave the stage; 2. ⟨*fig*⟩ (*rif. a personaggi importanti*) to leave the scene; ~ *sulla scena* (*rif. ad attori*) to come on stage; ⟨*fig*⟩ ~ *di* **sé** to fly into a rage, to lose one's temper, to get angry; ⟨*fig*⟩ ~ *dal* **seminato** to digress, to wander off the point; ⟨*fig*⟩ ~ *di* **senno** to go mad, to become insane; ⟨*fig*⟩ ~ *di* **sentimento** (*svenire*) to faint, to pass out; (*impazzire*) to go mad; *è uscito il* **sole** the sun has come out; ~ *di* **soppiatto** to steal out; ~ *di* **strada** to go off the road; ~ *alla* **superficie** = *uscire a* **galla**; *escimi di* **torno**! get out of my way!, ⟨*fam*⟩ scram!, ⟨*am.fam*⟩ beat it!; ~ *di* **tutela** to come of age; ⟨*non com*⟩ ~ *di* **vita** (*morire*) to die, to depart this life. ‖ *uscirne*: 1. to come out of it; 2. ⟨*fig*⟩ (*cavarsela*) to come out of it, to emerge, to come (*o* get) off: *ne è uscito con onore* he emerged with honour; *uscirsene*: 1. (*andarsene*) to go off; 2. ⟨*fig*⟩ to come out: *se ne uscì con una battuta inimitabile* he came out with a great line; *uscirsene con poco* to get off lightly; *uscirsene con qc.* (*dirla*) to come out with s.th.; (*all'improvviso*) to blurt s.th. out; ⟨*fig*⟩ *di qui non si esce* there's no way out of this, there's no getting away from it; *esci!* (*fuori*) get out!

uscịta *f.* **1.** (*l'uscire*) going out, coming out, leaving; (*lo scendere da un veicolo*) getting out (*o* off, down), alighting. – **2.** (*passaggio per cui si esce*) exit, way out: *l'~ della stazione* the station exit; *la grotta aveva due -e* the grotto had two exits; (*porta, portone*) exit: *un palazzo con più -e* a building with several exits. – **3.** (*emanazione di liquidi*) outflow, flowing (*o* coming) out; (*di gas e sim.*) outlet, escape: ~ *del vapore* steam outlet. – **4.** (*foro d'uscita, sbocco*) outlet, vent, hole, opening: *l'~ per l'acqua piovana* the opening for the rainwater. – **5.** ⟨*fig*⟩ (*scappatoia, soluzione*) way out, solution: *questa è l'unica ~ ragionevole* this is the only reasonable solution; *di qui non c'è ~* there's no way out of this. – **6.** (*motto di spirito*) witty remark, quip, wisecrack: *la sua ~ destò grande ilarità tra i presenti* his witty remark made everyone laugh; (*espressione imprevedibile e bizzarra*) strange remark, odd thing to say: *i bambini talvolta hanno delle -e che mettono in imbarazzo* sometimes children make odd remarks that are embarrassing. – **7.** (*pubblicazione*) publication, issue. – **8.** ⟨*Comm*⟩ (*spesa*) expenditure, outlay, expense: *le -e superano le entrate* expenses exceed income. – **9.** ⟨*Comm*⟩ (*rif. a merci*) clearance: *l'~ della merce dal deposito* the clearance of goods from the warehouse; (*esportazione*) export. – **10.** ⟨*Ling*⟩ end(ing), termination, desinence: *l'~ dell'accusativo* the accusative ending. – **11.** ⟨*Teat*⟩ (*l'uscire dalla scena*) exit; (*entrata in scena*) entrance, coming on stage. – **12.** ⟨*Mil*⟩ (*sortita*) sortie, sally. – **13.** ⟨*Mar*⟩ egress, sailing, putting out to sea. – **14.** ⟨*Sport*⟩ coming out of goal (of goalkeeper). – **15.** ⟨*El,Rad*⟩ output: *l'~ di un amplificatore* the output of an amplifier. – **16.** ⟨*Mecc*⟩ outlet. – **17.** ⟨*Minier*⟩ ascent.

☐ ~ *d'***aria** outlet of air, air outlet; ⟨*Strad*⟩ ~ **autocarri** lorry turn-off; **buona** ~ (o *buon'uscita*): 1. (*gratifica*) gratuity; 2. (*per appartamenti e sim.*) key money; 3. ⟨*Comm*⟩ (*avviamento*) goodwill; ⟨*Comm*⟩ ~ *di* **cassa** cash disbursement; ⟨*Comm*⟩ ~ **effettiva** actual expenditure; **giorno** *d'~* day off, free day; **libera** ~ time off duty, free time (*anche Mil.*): *essere in libera ~* to be ⌜off duty⌝ (*o* out on a pass); ⟨*El*⟩ **misuratore** *d'~* output meter; ⟨*Econ*⟩ ~ *d'oro* gold outflow; ⟨*Sport*⟩ ~ *dai* **pali** coming out of goal (of goalkeeper); ⟨*Sport*⟩ ~ *del* **portiere** exit of goalkeeper from goal; ~ **secondaria** back (*o* side) exit; ⟨*El*⟩ **segnale** *d'~* output signal; ~ *di* **sicurezza** emergency exit; **strada** *senza ~* dead end, blind-alley; **trovare** *l'~* to find the ⌜way out⌝ (*o* exit); ⟨*Sport*⟩ ~ *in* **tuffo** flying tackle (by goalkeeper); *una situazione senza* **via** *d'~* a situation with no way out, a deadlock; **vietata** *l'~* No Exit.

uscịto *m.* ⟨*ant*⟩ (*fuoruscito*) (political) exile; (*profugo*) refugee.

uscọcchi *m.pl.* Uskoks *pl.*

uṣignolịn: ⟨*Ornit*⟩ ~ *d'inverno* (*magnanina*) Dartford warbler (*Sylvia undata*).

uṣignọlo *m.* **1.** ⟨*Ornit*⟩ nightingale (*Luscinia megarhyncha*). – **2.** ⟨*fig*⟩ nightingale, sweet singer.

☐ ~ *d'***Africa** rufous warbler, rufous bush chat (*Agrobates galactodes*; *Aedon galactodes*); **cantare** *come un ~* to sing very sweetly; ⟨*Lett*⟩ *l'~ di* **Ceo** (*Simonide*) Simonides of Ceos; ~ *di* **fiume** Cetti's warbler (*Cettia cetti*); ~ **levantino** kind of rufous warbler (*Agrobates galactodes syriacus*); ⟨*iron*⟩ ~ *di* **maggio** (*asino*) ass, donkey; ~ **maggiore** thrush nightingale (*Luscinia luscinia*); ~ *di* **palude** = *usignolo di* **fiume**; ⟨*iron*⟩ ~ *di* **pantano** (*rana*) Dutch nightingale, frog, swamp singer; ~ *di* **passo** (*cannareccione*) great reed warbler (*Acrocephalus arundinaceus*).

uṣịpeti *m.pl.* ⟨*Stor*⟩ Usipetes *pl.*

USIS = *Servizio d'informazione degli Stati Uniti* United States Information Service (*abbr.* USIS, U.S.I.S.).

uṣitạto *a.* ⟨*lett*⟩ **1.** (*comune*) common, much used, in frequent (*o* common) use: *locuzione -a* common expression. – **2.** (*solito, abituale*) usual, habitual: *nel modo ~* in the usual way.

uṣneạcee *f.pl.* ⟨*Bot*⟩ Usneaceae *pl* (*Usneaceae*).

ụṣo[1] *m.* **1.** use: *l'~ dell'automobile* the use of the car; *comprare qc. per ~ personale* to buy s.th. for one's personal use. – **2.** (*consumo*) consumption, taking, use: *l'~ delle droghe* the use of drugs. – **3.** (*rif. a macchine e sim.*) operation, attendance, control. – **4.** (*capacità d'usare*) use: *ha perso l'~ della mano destra* he lost the use of his right hand; *riacquistare l'~ delle gambe* to regain the use of one's legs. – **5.** (*pratica, esercizio continuo*) practice: *le lingue s'imparano con l'~* languages are learnt by practice. – **6.** (*usanza, costume*) custom, usage, use: *rispettare gli -i nazionali* to respect national customs; *gli -i dei popoli primitivi* the customs of primitive peoples. – **7.** (*voga, moda*) fashion, use: *queste cose non sono più in ~* these things are no longer in fashion. – **8.** (*rif. alla lingua*) usage: *l'~ fiorentino di una parola* the Florentine usage of a word; (*senso, significato*) meaning, sense: *l'~ traslato di un'espressione* the figurative meaning of a word. – **9.** ⟨*Dir*⟩ use, jus utendi. – **10.** ⟨*Dir*⟩ (*consuetudine*) customary (*o* consuetudinary) law, custom, consuetude. – **11.** ⟨*non com*⟩ (*scopo, fine*) purpose, end. – **12.** ⟨*lett*⟩ (*abitudine*) habit, custom, practice, ⟨*lett*⟩ wont. – **13.** ⟨*ant*⟩ (*compagnia*) association, keeping company.

☐ **a** ~ *di qd.* for (the use of) s.o.; *classici a ~ della gioventù* classics for young people, juvenile editions of the classics; **all'~** *di* (*secondo la moda o i gusti di*) in the ... way (*o* fashion), ... style: *all'~ cinese* in the Chinese way (*o* fashion), Chinese style; ⟨*Ling*⟩ *d'~* **antiquato** (o *antico*) obsolete; ⟨*lett*⟩ **avere** *in* (o *per*) *~ di fare qc.* (*essere solito*) to be accustomed (*o* used) to doing s.th.; *non ho in ~ di mentire* it is not my custom to lie; ~ *della* **bandiera** showing the flag; ~ **commerciale** custom of trade; *secondo gli -i commerciali* in accordance with commercial practice, as is usual in the trade; ⟨*Ling*⟩ ~ **comune** everyday language; **con** ~ *di* with use of: *con ~ di cucina* with use of kitchen (facilities); ⟨*non com*⟩ **conoscere** *l'~ di qc.* to know how to use s.th., to know what s.th. is for; ~ *e* **consumo** wear and tear; *per proprio ~ e consumo* for one's own (*o* personal) use; ~ **corrente** = *uso* **comune**; *-i e* **costumi** usage *sing* and custom; **d'~**: 1. (*corrente*) usual, habitual; 2. ⟨*Ling*⟩ common; ⟨*Ling*⟩ *d'~* **dialettale** dialectal; ~ **diplomatico** diplomatic custom (*o* convention); **essere** *in ~* to be the custom; (*di moda*) to be in (*o* the) fashion; *esserci l'~* to be customary (*o* the custom): *c'è l'~ di dare la mancia* it is customary (*o* the custom) to tip; ⟨*Farm*⟩ *per ~* **esterno** for external use only; **fare** ~ *di qc.* to use s.th., to make use of s.th.: *fare ~ delle armi* to use arms; *fare ~ di narcotici* to take drugs; *fare buon ~ di qc.* to get good wear out of s.th.; ⟨*non com*⟩ *far l'~ a qc.* (*assuefarvisi*) to ⌜become accustomed⌝ (*o* get used) to s.th.; ~ *della* **forza** use of force; **fuori** (*d'*) ~: 1. (*inservibile*) unserviceable, useless, broken-down: *mettere fuori ~* to make unserviceable; 2. (*guasto*) out of order, not working: *l'ascensore è fuori ~* the lift is not working; 3. ⟨*Ling*⟩ obsolete, that has gone out of usage, that is no longer in use: *parola fuori ~* obsolete word, word no longer in use; 4. (*all'antica*) old-fashioned, out of fashion; ~ **indebito** unlawful (*o* wrongful) use; *per ~* **industriale** for industrial use; ⟨*Farm*⟩ *per ~* **interno** to be taken internally; ~ **legittimo** lawful use; ⟨*Ling*⟩ ~ **letterario** literary usage (*o* language); ~ **locale** local use (*o* custom); **mettere** *in ~* to put (in)to use; ⟨*Dir*⟩ ~ *di* **nome** *falso* use of a false name; ⟨*Dir*⟩ **non** ~ non-use; ⟨*Ling*⟩ ~ **parlato** spoken (*o* everyday, colloquial) language; ~ *della* **parola** (power of) speech; ~ **pelle** (*che imita la pelle*) imitation, simulated; ⟨*lett*⟩ **per** ~ (*abitualmente*) usually, as a rule, habitually; **perdere** *l'~ della parola* to lose the power of speech; *per ~* **personale** = *per proprio uso e* **consumo**; **porre** *in ~* = **mettere** *in uso*; **pronto** *per l'~* ready for use; ⟨*Dir*⟩ *di ~* **pubblico** for public (*o* general) use; ~ *della* **ragione** use of reason; *per* (o *a*) ~ **scolastico** (o *delle scuole*) for school use, for schools; ⟨*Ling*⟩ ~ **scritto** written usage (*o* language); ⟨*comm*⟩ *stoffa ~* **seta** silk-like material, imitation silk; *secondo l'~ del* **tempo** according to the custom of the time; *fotografia* ~ **tessera** passport photograph; **tornare** *in* ~ to come back into use (*o* usage, fashion); *per* **tutti** *gli -i* all-purpose-, for all purposes; **venire** *in* ~ to come into fashion (*o* usage); *l'*~ **vuole** *che* it is the custom that, custom requires that.

ụṣo[2] *a.* ⟨*lett*⟩ (*abituato*) used, accustomed: *essere* ~ *alle fatiche* to be used to hard work; *essere* ~ *a fare qc.* to be accustomed (*o* used) to doing s.th.

uṣolịere *m.* ⟨*ant*⟩ lace, garter.

uṣọmetro *m.* ⟨*Tess*⟩ abrasion tester, wear machine.

ụssaro, ụssero *m.* ⟨*Mil.ant*⟩ hussar.

USSI = *Unione stampa sportiva italiana.*

ussịta I *a.* ⟨*Rel*⟩ Hussite. – **II** *s.m./f.* Hussite. – **ussitịṣmo** *m.* Hussitism.

ussoricịda *a./s.* ⟨*rar*⟩ → **uxoricida.** – **ussoricịdio** *m.* ⟨*rar*⟩ → **uxoricidio.**

ụsta *f.* ⟨*Venat*⟩ scent.

ụstascia *a./s.inv.* **I** *a.* ⟨*Stor*⟩ Ustasi-, Ustachi-. – **II** *s.m.* Ustasi, Ustachi.

ustilaginạcee *f.pl.* ⟨*Bot*⟩ smut fungi *pl* (*Ustilaginaceae*).

ustilaginịṣmo *m.* ⟨*Med*⟩ ustilaginism.

ustionạre *v.t.* (**ustịọno**) to burn; (*con un liquido*) to scald, to burn. – **ustionarsi** *v.r.* to burn (o.s.): *si è ustionato il braccio* he burned his arm; (*con un liquido*) to scald (*o* burn) o.s. – **ustionạto** (*p.p. di ustionare*) *a.* burnt; (*con un liquido*) scalded, burnt; (*coperto di ustioni*) covered with burns. – **ustịọne** *f.* burn; (*fatta con un liquido*) scald, burn.

ụsto[1] *a.* **1.** ⟨*poet*⟩ (*bruciato*) burnt; (*con un liquido*) scalded, burnt. – **2.** ⟨*Chim*⟩ calcined: *magnesia -a* calcined (*o* light) magnesia.

ụsto[2] *m.* ⟨*Mar.ant*⟩ double length of mooring cable.

ustolạre *v.i.* (**ụstolo**; *aus.* **avere**) ⟨*rar*⟩ **1.** (*guardare con occhio bramoso*) to look greedily. – **2.** (*mugolare*) to whimper, to whine, to yelp.

ustọrio *a.* burning: *specchio* ~ burning glass.

ustrịna *f.*, **ustrịno** *m.* ⟨*Stor*⟩ crematorium.

uṣuạle *a.* **1.** (*comunemente usato*) usual, common: *espressione* ~ common (*o* everyday) expression. – **2.** (*solito*) usual, customary, habitual, ⟨*lett*⟩ wonted: *con la sua* ~ *calma* with his usual calm. – **3.** (*ordinario*) ordinary, common, everyday: *un pasto* ~ an ordinary meal. – **4.** (*frequente, consueto*) common, usual, frequent, everyday: *un fatto* ~ an everyday happening. □ ⟨*non com*⟩ *per l'*~ commonly, usually, normally.

uṣualità *f.* ⟨*non com*⟩ commonness, habitualness, customariness. – **uṣualmẹnte** *avv.* (*abitualmente*) usually, normally, commonly, as a rule.

uṣuạrio I *a.* ⟨*Dir*⟩ being the beneficiary of a use. – **II** *s.m.* (*f.* **-a**) usuary.

uṣucapịbile *a.* ⟨*Dir*⟩ usucaptable, usucaptible. – **uṣucapibilità** *f.* capability of being acquired by usucapion. – **uṣucapiọne** *f.* usucap(t)ion. – **uṣucapịre** *v.t.* (**uṣucapịsco, uṣucapịsci**) to usucapt, to acquire by prescription (*o* uninterrupted possession).

uṣufruịre *v.i.* (**uṣufruịsco, uṣufruịsci**; *aus.* **avere**) **1.** (*approfittare*) to benefit (*di* by, from), to profit (by), to take advantage (of): ~ *di uno sconto* to take advantage of a discount; (*valersi*) to make use, to avail o.s. (of). – **2.** ⟨*Dir*⟩ to enjoy (in usufruct).

uṣufruttạre *v.t.* ⟨*ant*⟩ **1.** (*avere in usufrutto*) to enjoy in usufruct. – **2.** ⟨*estens*⟩ (*sfruttare*) to exploit, to take advantage of. – **uṣufrụtto** *m.* ⟨*Dir*⟩ usufruct, right of user. □ *dare qc. in* ~ *a qd.* to give s.th. to s.o. in usufruct; *lasciare* ⌜*qc. in* ~ *a qd.*⌝ (*o l'usufrutto di qc. a qd.*) to leave s.th. in usufruct to s.o. – **uṣufruttuạrio I** *a.* ⟨*Dir*⟩ usufructuary. – **II** *s.m.* (*f.* **-a**) usufructuary: ~ *a vita* usufructuary for life.

uṣụra[1] *f.* **1.** (*strozzinaggio*) usury. – **2.** ⟨*ant*⟩ (*interesse*) interest; (*interesse eccessivo*) usury, high (*o* exorbitant) interest. □ *a* (*o con*) ~: 1. at interest: *prestare denaro a* ~ to lend money at interest, to lend on usury; 2. ⟨*fig*⟩ (*in maniera sovrabbondante*) with interest, a hundredfold, richly.

uṣụra[2] *f.* **1.** ⟨*tecn*⟩ wear (and tear); (*dovuta a sfregamento*) wear, abrasion, rubbing down (*o* away, off): *resistenza all'*~ resistance to wear, wear (*o* abrasion) resistance. – **2.** ⟨*Med*⟩ wearing away (*o* down). – **3.** ⟨*fig,rar*⟩ (*logorio*) strain, wearing □ *resistente all'*~ wear-resistant, long-wearing, hard-wearing.

uṣurạio I *s.m.* (*f.* **-a**) **1.** (*strozzino*) usurer, ⟨*fam*⟩ loan-shark. – **2.** ⟨*estens,spreg*⟩ (*avaro*) miser, skinflint. – **II** *a.* usurious: *interesse* ~ usurious interest.

uṣurạrio *a.* ⟨*non com*⟩ usurious. – **uṣureggiạre** *v.i.* (**uṣurẹggio, uṣurẹggi**; *aus.* **avere**) ⟨*ant*⟩ (*esercitare l'usura*) to practise usury, to lend money at usurious interest. – **uṣurịere** *m.* (*f.* **-a**) (*usuraio*) usurer.

uṣurpamẹnto *m.* ⟨*non com*⟩ → **usurpazione.**

uṣurpạre *v.t.* **1.** to usurp, to seize: ~ *un trono* to usurp a throne. – **2.** (*ricoprire un ufficio indegnamente*) to hold unworthily, to be an unworthy holder of: ~ *una carica* to be an unworthy holder of an office. – **3.** (*fregiarsi indegnamente d'un titolo*) to usurp: ~ *il titolo di principe* to usurp the title of prince. – **4.** ⟨*rar,ant*⟩ (*usare, adoperare*) to use.

uṣurpatịvo *a.* ⟨*non com*⟩ usurping; (*relativo a usurpazione*) usurpative. – **uṣurpạto** (*p.p. di usurpare*) *a.* **1.** usurped. – **2.** (*esercitato indegnamente*) unworthily exercised. – **3.** (*rif. a titoli e sim.*) usurped. – **uṣurpatọre I** *s.m.* (*f.* **-trice**) usurper. – **II** *a.* usurping. – **uṣurpaziọne** *f.* **1.** usurpation. – **2.** ⟨*Dir*⟩ usurpation, encroachment, unlawful appropriation (*o* assumption). □ ~ *di funzioni pubbliche* usurpation of public office; ~ *di onori* unlawful appropriation of dignities and honours, unlawful use of titles; ~ *di possesso* unlawful taking of possession.

USVI = *Unione società veliche italiane.*

ut *m.* ⟨*Mus.ant*⟩ ut.

ụta *f.* ⟨*Lett*⟩ waka.

utẹllo *m.* ⟨*ant*⟩ (*vasetto di terracotta*) glazed earthenware oil-jar.

utẹnsile[1] *a.* ⟨*tecn*⟩ tool: *macchina* ~ machine tool.

utensịle[2] (*non com. utẹnsile*) *m.* **1.** utensil: *-i da cucina* kitchen utensils. – **2.** (*attrezzo, strumento*) tool, implement, utensil: *gli -i del falegname* the carpenter's tools. – **3.** *pl.* ⟨*collett*⟩ tools *pl*, equipment. **4.** ⟨*Etnol,Archeol*⟩ tool, utensil, implement.

□ ~ **agricolo** agricultural tool, farm implement; ⟨*Mecc*⟩ ~ *per* **alesare** borer, reamer, boring tool; ~ *per* **chiodare** riveter, riveting tool; ~ **circolare** circular tool; ~ **curvo** cranked (*o* bent) tool; ~ **diamantato** diamond-point tool; ~ **elettrico** power tool; ~ **filettatore** threading (*o* screw-cutting) tool; ~ **finitore** finishing tool; ~ *da* **macchina** machine tool; ~ **a mano** hand tool; ~ **meccanico** = *utensile* **elettrico**; ~ **perforatore** drill, drilling tool; ~ **pneumatico** pneumatic tool; ~ *a* **punta** *tonda* round tool; ⟨*Mecc*⟩ ~ **sagomato** forming (*o* profile) tool; ~ *per* **scanalare** slot (*o* grooving) cutter; ⟨*Agr*⟩ ~ *per* **scortecciare** bark scraper, debarker; ⟨*Mecc*⟩ ~ **sgrossatore** (*o per sgrossare*) rougher, roughing (*o* rough-turning) tool, stocking tool; ~ *da* **taglio** cutting (*o* edge) tool; ~ ⌜*da* **tornio**⌝ (*o per tornire*) lathe (*o* turning) tool, (lathe) cutting tool; ~ *per* **tracciare** scriber, marking(-off) tool; ~ *per* **troncare** parting (*o* cutting-off) tool.

utensilerịa *f.* **1.** (*insieme di utensili*) tools *pl*. – **2.** (*officina*) tool-room. – **utensilịsta** *m.* ⟨*Ind*⟩ tool-maker.

utẹnte *m./f.* **1.** user: ~ *della strada* road user. – **2.** (*consumatore*) consumer; (*rif. a gas, energia elettrica e sim.*) consumer, user: ~ *del gas* gas consumer. – **3.** (*abbonato*) subscriber: ~ *del telefono* telephone subscriber; (*della radio e televisione*) licence-holder: *-i della radio* radio licence-holders.

utẹnza *f.* **1.** use; (*consumo*) consumption; (*rif. a gas e sim.*) consumption, use; (*abbonamento*) subscription; (*rif. a radio e sim.*) holding of a licence. – **2.** ⟨*collett*⟩ (*insieme degli utenti*) users *pl*, consumers *pl*; (*abbonati*) subscribers *pl*; (*rif. alla radio e alla televisione*) licence-holders *pl*.

uterịno *a.* ⟨*Anat*⟩ uterine. – **ụtero** *m.* uterus, womb.

uteroovạrico *a.* (*pl.* **-ci**) utero-ovarian. – **uterorrafịa** *f.* ⟨*Chir*⟩ hysterorrhaphy. – **uterorragịa** *f.* ⟨*Med*⟩ metrorrhagia.

UTET = *Unione tipografico-editrice torinese.*

Utica *f.* ⟨*Geog.stor*⟩ Utica. – **uticẹnse** *a.* ⟨*Stor*⟩ of (*o* pertaining to) Utica. – **Uticense** *N.pr.m.* ⟨*Stor*⟩ (*Catone l'Uticense*) Cato.

ụtile I *a.* **1.** (*rif. a persone*) useful, helpful: *vorrei esserti* ~ I'd like to be helpful (*o* of some help) to you; *rendersi* ~ *a qd.* to make o.s. useful to s.o. – **2.** (*vantaggioso, proficuo*) helpful, useful, good: *un consiglio* ~ good advice; *il soggiorno all'estero è* ~ *per apprendere una lingua straniera* a stay abroad is useful for learning a foreign language; (*che fa bene*) good (*a* for), beneficial, of use (to): *una medicina* ~ *al fegato* a medicine which is good for the liver. – **3.** (*utilizzabile*) utilizable, us(e)able. – **4.** (*pratico*) useful, practical, serviceable, handy: *strumento* ~ useful (*o* handy) tool; *è un regalo* ~ it's a practical gift. – **5.** ⟨*tecn*⟩ useful, working-, pay-, service-: *peso* ~ pay-load; *lunghezza* ~ working length. – **II** *s.m.* **1.** (*utilità*) utility, benefit, good, profit: *non ricava nessun* ~ *dai miei consigli* he gets no profit from my advice. – **2.** (*vantaggio*) advantage, benefit, profit: *pensare al proprio* ~ to think of what (benefit) one can get out of s.th. – **3.** (*guadagno, profitto*) profit, benefit. – **4.** ⟨*Econ*⟩ profit, profits *pl*, return, gain. – **5.** ⟨*Econ*⟩ *pl.* (*reddito*) income *sing*, revenue *sing*: *gli -i di un'azienda* a company's income. – **6.** ⟨*rar*⟩ (*interesse*) interest.

□ ⟨*Econ*⟩ *-i di* **capitale** capital gains; ~ *di* **congiuntura** boom profits *pl*, profits *pl* due to a favourable economic situation; ~ **dichiarato** declared profit; *unire l'*~ *al* **dilettevole** to mix business with pleasure; ⟨*Comm*⟩ ~ **distribuito** distributed profit(s); ~ *non distribuito* undistributed profits *pl*, retained earnings *pl*; ~ **effettivo** actual profit; ⟨*Comm*⟩ ~ *d'***esercizio** income for the year; ~ *lordo d'esercizio* gross profit; ⟨*fam*⟩ *posso* **essere** ~ *in qc.?* may I help you?, is there anything I can do for you?; ⟨*Econ*⟩ ~ **fittizio** fictitious profit; ~ **lordo** gross profit; ⟨*Comm*⟩ ~ **marginale** marginal profit; ⟨*non com*⟩ **mettere** *a* ~ to invest profitably; ⟨*Econ*⟩ ~ **netto** net profit (*o* income); ~ **presunto** anticipated profit; ~ **probabile** imaginary (*o* anticipated) profit; ~ **realizzato** profit made (*o* realized); ~ **reinvestito** accumulated profit; ~ **sperato** = *utile* **presunto**; **superficie** ~ working area; *in* **tempo** ~ in (good) time, within the time-limit; **trarre** *un* ~ *dall'esperienza* to profit by an experience; *a me non ne* **viene** *nessun* ~ I get nothing out of it.

utilịsta *m./f.* **1.** (*utilitario*) utilitarian. – **2.** ⟨*Dir*⟩ emphyteuta, long-term leaseholder, holder of a beneficial tenancy.

utilità *f.* **1.** usefulness, utility, benefits *pl*, use: *l'*~ *dell'esperienza* the usefulness of experience. – **2.** (*utilizzabilità*) usability. – **3.** (*utile*) utility, benefit, good, profit; (*vantaggio*) advantage, profit, benefit. – **4.** (*praticità*) usefulness, practicality, practicalness, serviceableness. – **5.** ⟨*Econ*⟩ utility, ophelimity, economic satisfaction. – **6.** ⟨*ant*⟩ (*utile, guadagno*) profit, gain; (*interesse*) interest; (*emolumento*) emolument.

□ **essere** *di* ~ to be useful (*o* of use); ⟨*Econ*⟩ ~ **marginale** marginal utility; *di* **nessuna** ~ of no use, serving no purpose; *essere di* **poca** ~ to be of little use, not to be much good; ~ **pubblica** common welfare (*o* good), public (*o* national) interest: *per ragioni di pubblica* ~ in the public interest, for the common good; ⟨*Econ*⟩ ~ **totale** total utility; **trarre** *un'*~ *da qc.* to benefit (*o* profit) by s.th., to get some good out of s.th.

utilitạria *f.* ⟨*Aut*⟩ (*anche automobile utilitaria*) utility (car); (*piccola autovettura di basso costo*) small (economical) car, ⟨*fam*⟩ runabout, ⟨*am*⟩ compact, ⟨*am*⟩ economy car.

utilitạrio I *a.* utilitarian: *una morale -a* a utilitarian moral. – **II** *s.m.* (*f.* **-a**) (*utilitarista*) utilitarian. – **utilitarịsmo** *m.* ⟨*Filos,estens*⟩ utilitarianism. – **utilitarịsta I** *s.m./f.* **1.** utilitarian. – **2.** ⟨*estens*⟩ opportunist. – **II** *a.* ⟨*non com*⟩ → **utilitaristico.** – **utilitarịstico** *a.* (*pl.* **-ci**) **1.** ⟨*Filos*⟩ utilitarian: *principio* ~ utilitarian principle. – **2.** ⟨*estens*⟩ (*pratico*) utilitarian, practical: *scopi -i* utilitarian aims.

utilizzạbile *a.* utilizable, us(e)able. – **utilizzabilità** *f.* usability, possibility of being utilized.

utilizzạre *v.t.* (*impiegare con profitto*) to use, to employ, to make use of, to utilize: ~ *vecchi appunti per fare un articolo* to make use of old notes to write an article. – **utilizzatọre** *m.* (*f.* **-trice**) user, utilizer; (*consumatore*) user, utilizer, consumer: ⟨*Comm*⟩ ~ *finale* ultimate user. – **utilizzaziọne** *f.* **1.** (*impiego*) use, utilization: *tempo di* ~ utilization time. – **2.** (*sfruttamento*) utilization. – **utilịzzo** *m.* **1.** ⟨*burocr,tecn*⟩ (*utilizzazione*) utilization, use; (*sfruttamento*) utilization. – **2.** ⟨*Econ*⟩ availment: ~ *parziale* part availment; ~ *totale* full availment.

utilmẹnte *avv.* usefully, to good use, to account, profitably: *impiegare* ~ *il proprio tempo* to put one's time to good use, to make good use of one's time.

ụtinam *lat. intz.* ⟨*scherz*⟩ (*magari*) I wish, if only, would that.

utopịa *f.* utopia, dream: *il tuo progetto è solo un'*~ your plan is a mere utopia. – **utọpico** *a.* ⟨*non com*⟩ → **utopistico.** – **utopịsta** *m./f.* **1.** utopian, utopist. – **2.** (*sognatore*) utopian, dreamer; (*visionario*) utopian, idealist, visionary. – **utopịstico** *a.* (*pl.* **-ci**) utopian, utopistic: *concezioni utopistiche* utopian concepts; (*da sognatore*) utopian, visionary, imaginary. □ ⟨*Pol*⟩ *socialismo* ~ Utopian Socialism.

utraquịsmo *m.* ⟨*Rel*⟩ Utraquism. – **utraquịsta I** *s.m./f.* Utraquist, Calixtin. – **II** *a.* Utraquist(ic).

utriạca *f.* ⟨*Farm,Stor*⟩ (*triaca*) theriac(a), Venice treacle.

utricolạre *a.* ⟨*Bot*⟩ utricular. – **utrịcolo** *m.* utricle.

U.V. = ⟨*Fis*⟩ *ultravioletto* ultra-violet (*abbr.* U.V., UV).

ụva *f.* grapes *pl*: *raccogliere l'*~ to pick grapes; (*acino*) grape.

□ ~ **bianca** white grapes *pl*; **chicco** *d'*~ grape; ~ *di* **Corinto** currants *pl*; ⟨*Med*⟩ **cura** *dell'*~ grape cure (*o* diet); ⟨*Folcl*⟩ **festa** *dell'*~ grape festival; **grappolo** *d'*~ bunch of grapes; ~ *di* **mare**: 1. ⟨*Itt*⟩ (*uovo di seppia*) sea-grapes *pl*; 2. = *uva* **marina**; ⟨*Bot*⟩ ~ **marina** (*sargassi*) gulf-weed, sargosso (weed), sea-grape (*Sargassum*); ~ *di* **monte** mountain cranberry, red whortleberry, cowberry (*Vaccinium vitis idaea*); ~ **moscata** muscat, muscatel (grape); ~ *da* **mosto** = *uva da* **vino**; ~ **nera** black grapes *pl*; ~ **orsina** (*o d'orso*) bearberry (*Arctostaphylos uva-ursi*); ~ **passa** raisins *pl*; ~ **precoce** early grapes *pl*; ~ **regina** kind of table grape; ~ **secca** = *uva* **passa**; ~ **spina**: 1. ⟨*Bot*⟩ gooseberry (bush) (*Ribes grossularia*); 2. (*frutta*) gooseberry; **succo** *d'*~ grape juice; ~ **sultanina** sultanas *pl*, sultana raisins *pl*; ~ **tamina** (*tamaro*) black byrony (*Tamus communis*); ~ **tardiva** late grapes *pl*; ~ *da* **tavola** table (*o* dessert) grapes *pl*; ~ **turca** pokeweed (*Phytolacca americana*); ~ **ursina** = *uva* **orsina**; ~ *da* **vino** wine grapes *pl*; ~ *di* **volpe** herb Paris, true-love (*Paris quadrifolia*).

uvạceo *a.* **1.** ⟨*non com*⟩ grape-, of grapes. – **2.** (*simile all'uva*) grape-, grape-like, grap(e)y: *colore* ~ grape colour.

uvạggio *m.* ⟨*Enol*⟩ making of wine from various kinds of grapes.

ụvala *f.* ⟨*Geol*⟩ uvala.

ụvea *f.* ⟨*Anat*⟩ uvea. – **uveạle** *a.* uveal. □ *membrana* ~ uvea, uveal tract. – **uveịte** *f.* ⟨*Med*⟩ uveitis.

ụveo *a.* ⟨*lett*⟩ → **uvaceo.**

ụvero *m.* ⟨*ant*⟩ (*ubero*) mamma, breast.

uvẹtta (*dim. di uva*) *f.* (*uva passa*) raisins *pl*.

UVI = *Unione velocipedistica italiana.*

uvịfero *a.* ⟨*lett*⟩ grape-bearing.

uvịna (*dim. di uva*) *f.* ⟨*Bot*⟩ (*fitolacca*) pokeweed (*Phytolacca americana*).

uviopatịa *f.* ⟨*Med*⟩ disease caused by ultra-violet rays.

ụvola *f.* ⟨*ant*⟩ → **uvula.**

uvọso *a.* ⟨*rar*⟩ **1.** (*ricco d'uva*) abounding in grapes. – **2.** → **uvifero.**

ụvula *f.* ⟨*Anat*⟩ uvula. – **uvulạre** *a.* **1.** ⟨*Fon*⟩ uvular. – **2.** ⟨*Med*⟩ uvular. □ ⟨*Fon*⟩ *suono* ~ uvular (sound). – **uvulịte** *f.* ⟨*Med*⟩ uvulitis.

uxoricịda I *s.m./f.* uxoricide, wife-killer; (*uccisore del coniuge*) mariticide, spouse-killer. – **II** *a.* uxoricidal, of an uxoricide; (*dell'uccisione del coniuge*) mariticidal. – **uxoricịdio** *m.* uxoricide, wife -killing; (*uccisione del coniuge*) mariticide, spouse-killing.

uxorilocạle *a.* matrilocal, uxorilocal. – **uxorilocalità** *f.* matrilocality.

uxọrio *a.* (*della moglie*) uxorial, wife-, wife's.

uzbẹco *a./s.* ⟨*rar*⟩ → **usbeco.**

ụzza *f.* ⟨*tosc*⟩ (*brezzolina*) gentle cool breeze.

uzzạto *a.* ⟨*tosc*⟩ (*rif. a botte*: *panciuto*) bulging, bellied. – **ụzzo** *m.* ⟨*tosc*⟩ (*rigonfiamento della botte*) bulge, belly; (*incurvamento delle doghe*) curvature, curving, bulging.

uzzolịre *v.t.* (**uzzolịsco, uzzolịsci**) ⟨*tosc*⟩ (*far venire l'uzzolo*) to make fancy, to attract, to arouse desire in. – **ụzzolo** *m.* (*voglia*) whim, fancy, caprice. □ *m'è venuto l'*~ *di fare una passeggiata* I fancy going for a walk; *mettere qd. nell'*~ *di* (*fare*) *qc.* to make s.o. fancy (doing) s.th.

V

v, V *f./m.* (*lettera dell'alfabeto*) v, V: *una v maiuscola* a capital V; *una v minuscola* a small v; ⟨*Tel*⟩ *v come Venezia* v for Victor. □ *a V* V-, V-shaped: *cilindri a V* V-shaped cylinders.

v = **1.** ⟨*Fis*⟩ *velocità* velocity (*abbr.* v, V). – **2.** *volume* volume (*abbr.* v, v., V.).

V = **1.** ⟨*Chim*⟩ *vanadio* vanadium. – **2.** ⟨*El*⟩ *volt* volt (*abbr.* V., v.). – **3.** ⟨*Fis*⟩ *velocità* velocity (*abbr.* V, v). – **4.** ⟨*Fis*⟩ *volume* volume (*abbr.* V, V., v.). – **5.** ⟨*Stor*⟩ *vittoria* victory (*abbr.* V).

v. = **1.** *vedi, vedasi* see (*abbr.* v.). – **2.** *venerdì* Friday (*abbr.* Fri.). – **3.** *verbo* verb (*abbr.* v.). – **4.** ⟨*Filol*⟩ *verso* verse (*abbr.* v.). – **5.** ⟨*lett*⟩ *verso* versus (*abbr.* v.). – **6.** ⟨*epist,comm*⟩ *vostro* yours (*abbr.* yrs.).

V. = **1.** *via* street (*abbr.* St.), road (*abbr.* Rd.). – **2.** ⟨*Rel*⟩ *Vergine* Virgin Mary (*abbr.* V.M.). – **3.** ⟨*Rel*⟩ *vescovo* bishop (*abbr.* B., Bp.).

v/ = ⟨*epist,comm*⟩ yours (*abbr.* yrs.).

va[1] *pres.ind. di* **andare**[1].

va[2]: ~ *e vieni m.*: 1. (*andirivieni*) coming and going, to and fro: *il* ~ *e vieni della gente* the coming and going of people; 2. ⟨*Mar*⟩ (*teleferica*) to-and-fro aerial ropeway.

VA = ⟨*Fis*⟩ *volt-ampere* volt-ampere (*abbr.* VA, va).

va'[1] *imperat. di* **andare**[1].

va'[2] *intz.* go on, (well I) never, ⟨*fam*⟩ come off it: *t'hanno promosso? ma* ~*!* you passed your exam? well I never!

v.a. = ⟨*Gramm*⟩ *verbo attivo* active verb, verb active (*abbr.* v.a., va).

V.A. = *Vostra Altezza* Your Highness.

vacạbile *a.* ⟨*non com*⟩ able (*o* liable) to be vacated; (*che sarà vacante*) that will be vacant, due to fall vacant.

vacạnte (*p.pr. di vacare*) **I** *a.* **1.** vacant, empty: *posto* ~ vacant post. – **2.** ⟨*Mar*⟩ in ballast, not carrying a cargo. – **3.** ⟨*ant*⟩ (*di persona*: *privo di ufficio*) without office. – **4.** ⟨*ant*⟩ (*di bene immobile*: *privo di proprietario*) having no known owner. – **5.** ⟨*ant*⟩ (*libero*) free; (*privo*) without (*di qc.* s.th.), lacking (in), devoid (of). – **II** *s.m.* ⟨*ant*⟩ (*beneficio vacante*) vacant benefice (*o* living).

vacantị(v)o *a./s.* → **vagantivo.**

vacạnza *f.* **1.** holiday, ⟨*am*⟩ vacation: *andare in* ~ to go on holiday; (*giorno di permesso*) holiday, day off: *avere* ~ to have a day off. – **2.** *pl.* (*periodo di ferie*) holidays *pl*, ⟨*am*⟩ vacation: *passare le -e al mare* to spend one's holidays by the sea. – **3.** (*periodo di chiusura*: *rif. a scuole*) (school) holidays *pl*, ⟨*gerg*⟩ hols *pl*, ⟨*am*⟩ vacation; (*rif. al Parlamento e sim.*) recess; (*rif. alle università e ai tribunali*) vacation, ⟨*gerg*⟩ vac. – **4.** (*periodo di riposo*) holiday, break, rest: *ha bisogno di un po' di* ~ he needs a break. – **5.** (*l'essere vacante*) vacancy: *la* ~ *di una cattedra universitaria* the vacancy of a chair at the university.

□ *-e* **annuali** annual holidays; **avere** *le -e* to have one's holidays; ⟨*non com*⟩ **coprire** *una* ~ to fill a vacancy; **dare** ~ *a qd.* to give s.o. a holiday; (*rif. a un giorno libero*) to give s.o. a day off; ~ **elettronica** electron vacancy; **essere** (*o esserci*) ~ to be a holiday: *oggi è* ~ today is a holiday; *essere in* ~ to be on holiday (*o* vacation); (*rif. al parlamento*) to be in recess; *-e* **estive** summer holidays;

far ~: 1. (*avere vacanza*) to have a holiday; 2. (*assentarsi dal servizio*) to take time off; (*per un giorno*) to take (*o* have) a day off, to be off for the day; 3. (*mancare a scuola*) to stay away from school, to be absent; ⟨*Mar*⟩ ~ **generale** suspension of the building of all warships; **giorno** *di* ~ holiday: *due giorni di* ~ two day's holiday; (*giorno libero*) day off: *dare un giorno di* ~ to give a day's holiday, to give a day off; ⟨*Dir*⟩ ~ *della* **legalità** suspension of constitutional guarantees; ~ *della* **legge** waiting period (before a law comes into force); **mandare** *qd. in* ~ to give s.o. a holiday, to send s.o. off for a holiday; ⟨*fig*⟩ *mandare il cervello in* ~ (*smettere di pensare*) to give one's brain a rest; **mezza** ~ half-holiday; *-e* **natalizie** (o *di Natale*) Christmas holidays; ⟨*Mar*⟩ ~ **navale** temporary suspension of the building of new ships; ~ *dei* **pagamenti** moratorium; *-e* **parlamentari** (Parliamentary) recess; *-e* **pasquali** (o *di Pasqua*) Easter holidays; **periodo** *delle -e* holidays *pl*, holiday-time; **prendere** *le -e* to take one's holidays; *-e* **scolastiche** school holidays; ⟨*Dir.can*⟩ ~ *della Santa* **Sede** vacancy of the Apostolic See; ~ *di fine* **settimana** week-end.

vacạre *v.i.* (vạco, vạchi; *aus.* **essere/avere**) **1.** ⟨*non com*⟩ (*essere vacante*) to be vacant (*o* empty). – **2.** ⟨*Dir*⟩ (*essere privo di valore*) to have no force. – **3.** ⟨*ant*⟩ (*mancare*) to lack, to be wanting; (*finire*) to end, to finish. – **4.** ⟨*ant*⟩ (*attendere*) to pay attention. – **5.** ⟨*ant*⟩ (*riposare*) to rest; (*cessare da un'attività*) to stop.

vacạtio lẹgis *lat. f.* ⟨*Dir*⟩ waiting period (before a law comes into force).

vacaziọne *f.* **1.** ⟨*Dir*⟩ period of work (*o* services rendered). – **2.** ⟨*Dir*⟩ (*vacazione della legge*) waiting period (before a law comes into force). – **3.** ⟨*ant*⟩ (*l'essere vacante*) vacancy. – **4.** ⟨*ant*⟩ (*vacanza*) holiday, vacation. – **5.** ⟨*ant*⟩ (*mancanza*) lack. – **6.** ⟨*ant*⟩ (*onorario per servizio fuori sede*) daily allowance. □ ⟨*Dir*⟩ ~ *della legge* waiting period (before a law comes into force).

vạcca *f.* **1.** cow. – **2.** ⟨*volg*⟩ (*donna di cattivi costumi*) slut, bitch, whore. – **3.** ⟨*spreg*⟩ (*donna grassa, trasandata*) (fat) slut, bag, ⟨*am*⟩ fat slob. – **4.** *pl.* (*in bachicoltura*) diseased silkworms *pl.* – **5.** ⟨*Itt*⟩ devil-fish (*Cephaloptera edentula*; *Dicerobatis giorna*). □ *andare in* ~: 1. (*rif. a bachi da seta*) to become diseased, to stop producing silk; 2. ⟨*region*⟩ (*diventare svogliato*) to grow lazy (*o* idle); ⟨*non com*⟩ *far la* ~ (*starsene in ozio*) to be idle (*o* indolent), to be a slacker; ⟨*Bibl*⟩ *le sette vacche grasse e le sette vacche magre* the seven fat kine and the seven lean kine; ⟨*fig*⟩ *essere in tempo di vacche grasse* (*di abbondanza*) to be going through a time of plenty; ~ *da latte* milk (*o* milch) cow; ⟨*Itt*⟩ ~ *marina* devil-fish (*Cephaloptera edentula*; *Dicerobatis giorna*).

vaccạia: ⟨*Ornit*⟩ ~ *bigia* (o *scura*) Egyptian vulture, Pharoah's chicken (*Neophron percnopterus*).

vaccạio *m.* cowboy, cowherd, cowman; (*in una stalla*) cowman. – **vaccarẹlla** (*dim. di vacca*) *f.* → **vaccherella.** – **vaccạro** *m.* ⟨*region*⟩ → **vaccaio.**

vaccạta *f.* **1.** (*area di pascolo*) pasture (land), season's pasturage (for one cow). – **2.** ⟨*region,volg*⟩ (*grossa sciocchezza*) foolishness, (piece of) nonsense, idiocy; (*porcheria*) botch, badly-done thing, ⟨*fam*⟩ lousy job, ⟨*fam*⟩ mess.

vaccherẹlla (*dim. di vacca*) *f.* **1.** heifer, young cow. – **2.** ⟨*Bot*⟩ (*colombina*) Russula (*Russula*).

vaccherịa *f.* **1.** cowshed, cowhouse, byre. – **2.** ⟨*region*⟩ (*latteria rustica*) (country) dairy.

vacchẹtta (*dim. di vacca*) *f.* **1.** (*vacca piccola*) small cow; (*vacca giovane*) heifer. – **2.** ⟨*volg*⟩ (*ragazza di cattivi costumi*) little slut, little bitch. – **3.** ⟨*Conc*⟩ cowhide. – **4.** ⟨*ant,region*⟩ (*libretto*) book; (*registro*) register. □ ⟨*Conc*⟩ ~ *di Russia* Russia leather (*o* calf).

vacchịno *m.* ⟨*non com*⟩ (*anche formaggio vacchino*) cow's-milk cheese.

vaccịna *f.* **1.** (*bovino*) head of cattle; (*vacca*) cow. – **2.** (*carne di vacca, di manzo*) beef. – **3.** (*sterco*) cow-dung. – **4.** ⟨*ant*⟩ (*vaiolo dei bovini*) cow-pox, vaccinia.

vaccinạbile *a.* that can be vaccinated, vaccinable. – **vaccinạre** *v.t.* **1.** to vaccinate, to inoculate. – **2.** (*rif. all'antivaiolosa*) to vaccinate (against smallpox).

vaccinạro *m.* ⟨*roman*⟩ **1.** (*conciapelli*) tanner. – **2.** ⟨*ant*⟩ (*macellaio*) butcher. □ ⟨*Gastr*⟩ *coda alla -a* ragoût of oxtail.

vaccinạto (*p.p. di vaccinare*) *a.* **1.** vaccinated, inoculated. – **2.** ⟨*fig*⟩ immune (*contro* from, against), inured (to), proof (against), unaffected (by): *essere* ~ *contro le delusioni* to be inured to disappointment. – **vaccinatọre I** *s.m.* (*f.* -**trice**) vaccinator, inoculator. – **II** *a.* vaccinal, inoculative.

vaccinaziọne *f.* vaccination, inoculation; (*contro il vaiolo*) (smallpox) vaccination.

□ ~ **antidifterica** anti-diptheria vaccination; ~ **antivaiolosa** smallpox vaccination; **certificato** *di* ~ vaccination certificate; **farsi** *la* ~ to be (*o* get) vaccinated; ~ **obbligatoria** compulsory vaccination; ~ **preventiva** (o *profilattica*) protective inoculation, preventive vaccination; **sottoporre** *alla* ~ to vaccinate; ~ **terapeutica** curative inoculation.

vaccịnico *a.* (*pl.* -**ci**) **1.** vaccine, vaccinal: *linfa -a* vaccine lymph. – **2.** (*rif. al vaiolo vaccino*) vaccine, cow-pox-.

vaccinịẹto *m.* vaccinium.

vaccinifọrme *a.* ⟨*Med*⟩ vacciniform, vaccinoid.

vaccịno I *a.* **1.** cow's, cows', cow-, vaccine: *latte* ~ cow's milk. – **2.** (*bovino*) bovine, cattle-. – **3.** (*rif. a cavalli e sim.*) cow-hocked. – **II** *s.m.* vaccine; (*contro il vaiolo*) (smallpox) vaccine. □ *bestia -a* head of cattle, bovine animal; (*vacca*) cow; *bestiame* ~ cattle; ~ *monovalente* monovalent (*o* univalent) vaccine; ~ *polivalente* polyvalent (*o* multivalent) vaccine; ~ *specifico* specific vaccine.

vaccinọ|geno *a.* vaccinogenous, vaccine-producing: *laboratorio* ~ vaccinogenous laboratory. – **~profilạssi** *f.* ⟨*Med*⟩ protective inoculation, prophylactic vaccination. – **~stịlo** *m.* vaccinostyle. – **~terapịa** *f.* vaccine therapy. – **~terạpico** *a.* (*pl.* -**ci**) of vaccine therapy.

vacillamẹnto *m.* ⟨*non com*⟩ **1.** (*rif. a persone*) swaying, tottering, staggering, reeling. – **2.** (*rif. a cose*) wobbling, swaying, swinging, teetering; (*rif. a fiamma, luce e sim.*) flickering, wavering. – **3.** ⟨*fig*⟩ wavering, tottering.

vacillạnte (*p.pr. di vacillare*) *a.* **1.** (*rif. a persone*) unsteady, shaky, tottering, swaying, staggering: *passo* ~ unsteady step. – **2.** (*rif. a cose*) wobbling, swaying, teetering; (*rif. a fiamma, luce e sim.*) flickering, wavering. – **3.** ⟨*fig*⟩ (*instabile*) unsteady, tottering, wavering: *trono* ~ tottering throne; (*debole*) faltering, feeble: *memoria* ~ feeble memory. – **4.** ⟨*fig*⟩ (*incerto, malsicuro*) wavering, shaky, unsteady, vacillating, uncertain: *fede* ~ wavering (*o* uncertain) faith. – **5.** ⟨*Zootecn*⟩ cow-hocked.

vacillạre *v.i.* (*aus.* **avere**) **1.** (*rif. a persone*) to sway, to totter, to stagger, to reel: *vacillò e cadde a terra* he swayed and fell; (*rif. alla testa*) to reel, to go round; (*rif. alle gambe*) to shake, to be unsteady. – **2.** (*rif. a cose*) to sway, to swing, to waver, to teeter, to wobble: *il tavolo vacilla* the table is wobbling; (*non avere stabilità*) to be unsteady. – **3.** (*rif. a fiamma, luce e sim.*) to flicker, to waver. – **4.** ⟨*fig*⟩ (*essere instabile*) to waver, to be unsteady, to totter: *la sua fede vacilla* his faith is wavering. – **5.** ⟨*fig*⟩ (*venir meno*) to be uncertain (*o* shaky): *la memoria mi vacilla* my memory is shaky, I am losing my memory.

vacillaziọne *f.* ⟨*non com*⟩ **1.** swaying, staggering, tottering, swinging. – **2.** ⟨*fig*⟩ vacillation, hesitation, wavering.

vacuạre *v.t.* (vạcuo) ⟨*lett,ant*⟩ (*svuotare*) to empty. – **vacuaziọne** *f.* ⟨*ant*⟩ (*svuotamento*) emptying.

vacuịsta *m./f.* ⟨*Filos*⟩ vacuist.

vacuità *f.* **1.** vacuity, vacuousness, emptiness. – **2.** ⟨*fig*⟩ (*vuotaggine*) vacuity, vacuousness, emptiness; (*inconsistenza*) vainness, emptiness. – **3.** ⟨*fig*⟩ (*frivolezza*) vacuity, vacuousness, inanity, frivolousness.

vạcuo I *a.* **1.** ⟨*lett*⟩ (*vuoto*) empty, vacuous. – **2.** ⟨*fig*⟩ (*privo di principi, idee*) empty, vacuous: *mente -a* empty mind. – **3.** ⟨*fig*⟩ (*frivolo*) frivolous, inane, empty: *discorsi -i* inane talk. – **4.** ⟨*rar*⟩ (*libero da preoccupazione*) carefree. – **II** *s.m.* ⟨*rar*⟩ **1.** (*vuoto*) vacuum, vacuity, emptiness; (*spazio vuoto*) vacuity, empty space. – **2.** (*cavità*) cavity, hollow, vacuity; (*buco*) hole. – **3.** ⟨*fig*⟩ emptiness, blank. – **4.** ⟨*Mil.ant*⟩ space between the bullet and the powder chamber.

vacuolạre *a.* ⟨*Biol*⟩ vacuolar: *sistema* ~ vacuolar system, vacuome. – **vacuolizzạre** *v.i.* (*aus.* **avere**) to vacuolate, to form vacuoles. – **vacuolizzaziọne** *f.* vacuol(iz)ation.

vacụolo *m.* **1.** ⟨*Biol*⟩ vacuole. – **2.** ⟨*Min*⟩ (*piccola cavità interna*) small cavity. – **vacuolọso** *a.* ⟨*Biol*⟩ vacuolate. – **vacuọma** *m.* vacuome, vacuolar system.

vacuọmetro *m.* ⟨*Fis*⟩ vacuometer.

vacuumterapịa *f.* ⟨*Med*⟩ vacuum treatment.

vademẹcum I *s.m.* **1.** vade-mecum, handbook, manual. – **2.** ⟨*Econ*⟩ (*assegno vademecum*) certified cheque. – **II** *a.* ⟨*Econ*⟩ certified.

vạde rẹtro Sạtana *lat.* ⟨*scherz*⟩ get thee behind me Satan.

vạdia *f.* ⟨*Dir,Mediev*⟩ (*guadia*) pledge. – **vadiaziọne** *f.* pledging.

vadimọnio *m.* ⟨*Dir.rom*⟩ recognizance.

vạdo[1] *m.* ⟨*ant*⟩ (*guado*) ford.

vạdo[2] *pr.ind. di* **andare**[1].

vadọso *a.* **1.** ⟨*Geol*⟩ vadose. – **2.** ⟨*ant*⟩ (*guadabile*) fordable.

Vadụz *N.pr.f.* ⟨*Geog*⟩ Vaduz.

vae vịctis *lat.* woe to the vanquished, vae victis.

vạfer *m.* ⟨*Alim*⟩ (*wafer*) wafer.

vạfro *a.* ⟨*lett,rar*⟩ (*astuto*) shrewd, cunning, astute, crafty.

vagabondạccio (*pegg. di vagabondo*) *m.* tramp, bum, ⟨*am*⟩ hobo. – **vagabondạggine** *f.* vagrancy, vagabondage, vagabondism, vagabondry.

vagabondạggio *m.* **1.** (*l'andare in giro senza un preciso programma*) wandering(s), roaming(s), roving(s): *dopo un lungo* ~ *per l'Europa* after long wanderings throughout Europe. – **2.** ⟨*fig*⟩ wandering(s): *vagabondaggi letterari* literary wanderings. – **3.** ⟨*Dir*⟩ vagrancy.

vagabondạre *v.i.* (**vagabọndo**; *aus.* **avere**) **1.** to be a vagabond (*o* tramp), to be on the road, to vagabond. – **2.** (*andare in giro senza meta*) to wander (about), to roam, to rove, to ramble (about): *ho vagabondato tutto il giorno per la città* I wandered about the city all day; (*viaggiare*) to wander, to rove, to take to the road: ~ *per l'Europa* to wander through Europe. – **3.** ⟨*fig*⟩ to wander, to rove, to roam. □ ~ *con i pensieri* to let one's thoughts wander; ~ *con la fantasia* to give one's imagination free play.

vagabọndo I *a.* **1.** vagabond, wandering, vagrant, roving, homeless: *gente -a* homeless people, vagabonds; (*rif. ad animali*) stray. – **2.** (*da vagabondo*) vagabond: *vita -a* vagabond life. – **3.** ⟨*lett*⟩ (*errante*) wandering, roving, roaming. – **II** *s.m.* (*f.* -**a**) **1.** vagrant, drifter, vagabond. – **2.** ⟨*estens*⟩ (*giramondo*) vagabond, rover, wanderer, rolling stone. – **3.** ⟨*spreg*⟩ (*scioperato*) idler, loafer, ⟨*fam*⟩ bum. – **4.** ⟨*Dir*⟩ vagrant. □ *fare il* ~ to be always out and about; ⟨*iron*⟩ *fare il mestiere del* ~ to be an idler. – **vagabụndo** *a./s.* ⟨*ant*⟩ → **vagabondo.**

vagạle *a.* ⟨*Med*⟩ vagal. □ *tono* ~ vagotonia, sympathetic imbalance.

vagamẹnte *avv.* **1.** vaguely, hazily. – **2.** ⟨*non com*⟩ (*leggiadramente*) prettily, gracefully.
vagamọndo *m.* ⟨*pop*⟩ **1.** (*vagabondo*) vagabond, vagrant, drifter. – **2.** (*giramondo*) tramp, wanderer, rover, vagrant.
vagạnte (*p.pr. di vagare*) *a.* **1.** wandering, roving, roaming, straying. – **2.** ⟨*fig*⟩ wandering, roving: *sguardo* ~ roving gaze. □ ⟨*Med*⟩ *dolori -i* wandering pains.
vagantịvo ⟨*region*⟩ **I** *a.* **1.** (*celibe, nubile*) single, unmarried. – **2.** (*sterile*) sterile, barren. – **3.** (*libero*) free. – **4.** (*incolto*) uncultivated, untilled, waste. – **II** *s.m.* ⟨*Stor*⟩ (*diritto di caccia, pesca e raccolta di canne*) right to hunt, fish and collect reeds.
vagạre *v.i.* (**vạgo, vạghi**; *aus.* **avere**) **1.** (*rif. a persone*) to wander, to rove, to roam, to ramble: ~ *per il mondo* to roam the world. – **2.** (*rif. ad animali*) to wander, to stray. – **3.** (*rif. a cose*) to wander, to drift. – **4.** ⟨*fig*⟩ to wander, to roam, to drift: ~ *con la fantasia* to allow one's imagination to roam, to give one's imagination free play. – **5.** ⟨*ant*⟩ (*divagare*; *aus.* **essere**) to digress, to stray from the point.
vagellạio *m.* ⟨*ant*⟩ (*tintore*) dyer.
vagellamẹnto *m.* ⟨*rar*⟩ → **vaneggiamento**. – **vagellạre** *v.* (**vagẹllo**) ⟨*tosc*⟩ → **vaneggiare**.
vagẹllo *m.* ⟨*ant*⟩ **1.** (*caldaia*) boiler, cauldron, copper; (*caldaia dei tintori*) dye vat. – **2.** (*materia tintoria*) dye(stuff), pigment (with a base of indigo or wood).
vagheggiamẹnto *m.* ⟨*lett*⟩ **1.** (*il guardare con diletto*) loving (*o* amorous) gaze, fond (*o* pleasurable) contemplation. – **2.** ⟨*fig*⟩ (*desiderio*) longing, yearning.
vagheggiạre *v.t.* (**vaghẹggio, vaghẹggi**) **1.** (*contemplare con compiacimento*) to gaze at with admiration, to contemplate with pleasure: ~ *le bellezze della natura* to gaze at the beauties of nature with admiration; (*guardare con amore*) to gaze at lovingly, to look at fondly. – **2.** ⟨*estens*⟩ (*pensare con desiderio*) to long (*o* yearn) for: ~ *la patria lontana* to long for one's far-off country; (*sognare*) to dream of: ~ *la gloria* to dream of glory. – **3.** ⟨*lett*⟩ (*ammirare, corteggiare*) to admire, to woo, to court. – **4.** ⟨*fig,poet*⟩ (*dominare, rif. a costruzioni*) to dominate, to command, to overlook. – **vagheggiarsi** *v.r.* ⟨*lett*⟩ to admire o.s., to contemplate o.s. with admiration.
vagheggiạto (*p.p. di vagheggiare*) *a.* **1.** gazed upon fondly. – **2.** ⟨*fig*⟩ (*desiderato*) longed for, desired: *il premio* ~ the longed-for prize. – **vagheggiatọre** *m.* (*f.* **-trice**) ⟨*lett*⟩ **1.** admirer, lover. – **2.** (*corteggiatore*) courter, wooer, admirer. – **vagheggịno** *m.* ⟨*non com*⟩ **1.** (*giovane galante*) (young) gallant, flirt, ladies' man: *fare il* ~ to play the gallant, to flirt. – **2.** (*corteggiatore*) courter, suitor, wooer, beau.
vaghẹzza *f.* **1.** (*l'esser vago, incerto*) vagueness, indeterminacy, haziness. – **2.** ⟨*lett*⟩ (*leggiadria*) grace, charm, beauty, prettiness; ⟨*concr*⟩ (*ornamento*) ornament, decoration, embellishment. – **3.** ⟨*lett*⟩ (*voglia, capriccio*) wish, longing, yearning, desire; (*capriccio*) fancy, whim. – **4.** ⟨*rar*⟩ (*diletto, piacere*) delight, pleasure. – **5.** ⟨*rar*⟩ (*inclinazione*) inclination, desire. □ ⟨*non com*⟩ *con* ~ vaguely, uncertainly; ⟨*scherz*⟩ *se ti punge* ~ if you fancy (*o* are so inclined).
vagillamẹnto *m.* ⟨*ant*⟩ → **vacillamento**. – **vagillạre** *v.* ⟨*ant*⟩ → **vacillare**. – **vagillaziọne** *f.* ⟨*ant*⟩ → **vacillazione**.
vagịna *f.* **1.** ⟨*Anat*⟩ vagina. – **2.** ⟨*ant*⟩ (*fodero, guaina*) sheath. – **vaginạle I** *a.* ⟨*Anat,Med*⟩ vaginal. – **II** *s.f.* ⟨*Anat*⟩ (*membrana o tunica vaginale*) tunica vaginalis testis. – **vaginalịte** *f.* ⟨*Med*⟩ vaginalitis. – **vaginịsmo** *m.* vaginismus. – **vaginịte** *f.* vaginitis, colpitis.
vagino|dinịa *f.* ⟨*Med*⟩ vaginodynia, colpodynia. – **~pẹssi, ~pessịa** *f.* ⟨*Chir*⟩ vaginopexy, colpopexy.
vagịre *v.i.* (**vagịsco, vagịsci**; *aus.* **avere**) **1.** to cry, to wail, to whimper. – **2.** ⟨*fig,non com*⟩ (*essere agli inizi*) to be in ⌜one's infancy⌝ (*o* the cradle). – **vagịto** *m.* **1.** crying, wailing, whimpering. – **2.** ⟨*fig, non com*⟩ beginning, stirring, (first) sign, dawning: *i primi -i della civiltà* the first stirrings of civilization.
vạglia[1] *m.inv.* **1.** money order, draft: ~ *bancario* bank draft. – **2.** (*vaglia postale*) money order, postal order: *riscuotere un* ~ to cash a money order. – **3.** ⟨*Stor*⟩ kind of credit certificate.
□ ~ **cambiario**: 1. (*cambiale*) promissory note; 2. (*vaglia bancario*) bank draft; ~ **postale** money (*o* postal) order; ~ *postale internazionale* international money order; ~ **telegrafico** telegraphic money order; ~ *del* **tesoro** treasury bond (certificate), exchequer bond.
vạglia[2]: *di* ~: 1. (*di valore*) of worth, worthy; 2. (*capace*) able, skilful, good: *un medico di gran* ~ a very skilful doctor; 3. ⟨*ant*⟩ (*con forza*) with might and main.
vagliạio *m.* ⟨*non com*⟩ **1.** (*fabbricante*) sieve-maker. – **2.** (*venditore*) sieve-seller.
vagliạre *v.t.* (**vạglio, vạgli**) **1.** to sift, to sieve, to riddle, to screen: ~ *la ghiaia* to sieve gravel; (*spulare*) to winnow, to fan: ~ *il grano* to winnow grain. – **2.** ⟨*fig*⟩ (*considerare attentamente*) to weigh (up), to examine closely (*o* thoroughly): ~ *una proposta* to weigh up a proposal; (*scevrare*) to sift, to sort out. – **vagliạta** *f.* **1.** sifting. – **2.** ⟨*fig,rar*⟩ weighing (up), examining, sifting. □ *dare una* ~ *a qc.* to sift (*o* sieve) s.th.; ⟨*fig*⟩ to examine s.th. – **vagliatọre** *m.* (*f.* **-trice**) **1.** (*operaio*) sifter, siever, screener; (*crivellatore*) screener, sifter, jigger. – **2.** ⟨*fig,rar*⟩ weigher, examiner. – **vagliatrịce** *f.* **1.** (*operaia*) sifter, siever, screener. – **2.** (*macchina*) sifting-machine. □ ~ *del grano* grain husker, grain husking-machine.
vagliatụra *f.* **1.** sifting, sieving, screening, riddling; (*spulatura*) winnowing. – **2.** ⟨*fig*⟩ (*attenta considerazione*) weighing (up), careful consideration, close examination; (*lo scevrare*) sifting, sorting out. – **3.** ⟨*concr*⟩ (*materiale di scarto*) siftings *pl.*
vạglio *m.* **1.** sieve, sifter, riddle, screen; (*staccio*) sieve. – **2.** ⟨*fig*⟩ (*esame attento*) close examination, careful consideration, weighing up: *non resiste al* ~ it does not hold up on close examination; (*lo scevrare*) sifting, sorting out; (*scelta*) choice. – **3.** ⟨*Minier*⟩ screen, riddle, jig. – **4.** ⟨*Edil*⟩ screen, sieve.
□ ~ **centrifugo** centrifugal screen; ~ **classificatore** classifying (*o* grading) screen; ⟨*fig*⟩ **fare** *un* ~ *di qc.*: 1. (*esaminare*) to weigh s.th. up, to examine s.th. closely; 2. (*scevrare*) to sift s.th., to sort s.th. out; 3. (*scegliere*) to choose s.th.; ~ *per* **grano** grain sieve; ~ **oscillante** oscillating (*o* vibrating) screen; ⟨*Minier*⟩ jig; **passare** *qc. al* ~ to sift (*o* sieve) s.th.; ⟨*fig*⟩ to examine s.th. closely, to weigh s.th. up; ⟨*fig*⟩ **portare** *l'acqua col* ~ (*fare un lavoro inutile*) to perform a useless task, to carry water in a sieve; **ridotto** *come un* ~ (*bucato*) riddled (with holes), peppered, ⟨*fam*⟩ holey; ⟨*iron*⟩ **riparare** *l'acqua come un* ~ (*rif. a ombrelli*) to be all leaky (*o* holey); ~ **rotante** revolving screen; ⟨*Mur*⟩ ~ *per* **sabbia** screen; ⟨*Minier*⟩ ~ *a* **scossa** vibrating screen; (*tavola d'arricchimento a scossa*) vanner; ~ *a* **tamburo** rotary (*o* trommel) screen; ⟨*Agr*⟩ ~ **ventilatore** (*tararà*) winnower, grain cleaning machine; ~ **vibratore** = *vaglio* **oscillante**.
vạgo[1] *a./s.* (*pl.* **-ghi**) **I** *a.* **1.** vague, faint, indefinite, hazy: *un* ~ *sospetto* a vague suspicion. – **2.** ⟨*lett*⟩ (*leggiadro, grazioso*) graceful, pretty, charming; (*dolce*) sweet, gentle. – **3.** ⟨*lett*⟩ (*desideroso*) desirous (*di* of), eager (for). – **4.** ⟨*lett*⟩ (*errante*) wandering, straying, drifting, errant. – **II** *s.m.* **1.** vagueness, indeterminacy. – **2.** ⟨*rar*⟩ (*bellezza*) beauty. – **3.** ⟨*rar*⟩ (*innamorato*) lover, sweetheart; (*amante*) lover. □ ⟨*poet*⟩ ~ *di qc.*: 1. (*adorno*) adorned with s.th.; 2. (*allettatore*) enticing s.th.; *fare* (o *rendere*) *qd.* ~ *di qc.* to arouse a desire in s.o. for s.th.
vạgo[2] *m.* ⟨*Anat*⟩ vagus (nerve).
vagoestesịa *f.* → **vagotonia**. – **vagoestẹsico** *a./s.* → **vagotonico**.
vagolạre *v.i.* (**vạgolo**; *aus.* **avere**) ⟨*lett*⟩ (*andar vagabondo*) to wander, to roam, to rove.
vạgolo *a.* ⟨*ant*⟩ → **vagulo**.
vagoncịno (*dim. di vagone*) *m.* **1.** (*carrello*) trolley, truck. – **2.** (*di teleferiche e funivie*) cableway car. – **3.** ⟨*Minier*⟩ corf, tram, truck, wagon, tub, ⟨*am*⟩ (mine) car. □ ~ *a bilico* tip wagon, dump car, tipping truck; ~ *per carbone* coal tub, mine car; ~ *da miniera* corf, tram, wagon, tub; ~ *ribaltabile* = *vagoncino a bilico*.
vagọne *m.* **1.** ⟨*Ferr*⟩ (*per viaggiatori*) (railway) carriage, (railway) coach, car; (*per merci*) (goods) wagon, van, ⟨*am*⟩ freight car. – **2.** (*contenuto di un vagone*) wagon-load. – **3.** ⟨*fam*⟩ (*gran quantità*) heap, pile.
□ ~ **aperto** open goods wagon, ⟨*am*⟩ gondola car; ~ **chiuso** covered wagon (*o* van), box car; ~ **cisterna** cistern, tank wagon (car); ~ **ferroviario** (*per viaggiatori*) railway carriage (*o* coach), ⟨*am*⟩ railroad car; (*per merci*) goods wagon, ⟨*am*⟩ freight car; ~ **frigorifero** refrigerated wagon, refrigerator car; ~ **letto** sleeping-car, wagon-lit, sleeper; ~ **merci** goods wagon, ⟨*am*⟩ freight car; ~ **passeggeri** = *vagone* **viaggiatori**; ~ *a due* **piani**: 1. (*per viaggiatori*) two-level coach; 2. (*per merci*) double-decker wagon; ~ **piatto** flat wagon, ⟨*am*⟩ flatcar; ~ **postale** mail-van, ⟨*am*⟩ mailcar; ~ *con* **ripiani** multi-deck wagon; ~ **ristorante** dining-car, restaurant-car, diner; ~ **soccorso** breakdown van; ~ *a* **stanti** wagon with stanchions, stanchion car; ~ *per trasporto* **tronchi** logging car; ~ **viaggiatori** passenger car (*o* coach).
vagonẹtto (*dim. di vagone*) *m.* **1.** (*carrello*) trolley, truck. – **2.** ⟨*Minier*⟩ corf, tram, truck, wagon, tub, ⟨*am*⟩ (mine) car. □ ~ *a bilico* tip wagon, dump car; ~ *per carbone* coal tub, mine car; ~ *da miniera* corf, tram, ⟨*am*⟩ car; ~ *ribaltabile* = *vagonetto a bilico*; ~ *a ripiani* shelved wagon. – **vagonịsta** *m.* **1.** ⟨*Minier*⟩ loader of mine trucks, carman. – **2.** ⟨*Edil*⟩ construction wagon loader, trucker.
vago|stenịa *f.* → **vagotonia**. – **~stẹnico** *a./s.* → **vagotonico**. – **~tomịa** *f.* ⟨*Chir*⟩ vagotomy. – **~tonịa** *f.* ⟨*Med*⟩ vagotonia, vagotony. – **~tọnico** *a./s.* (*pl.* **-ci**) **I** *a.* vagotonic. – **II** *s.m.* vagotonic type. – **~tonịna** *f.* ⟨*Biol*⟩ vagotonin(e). – **~tonịsmo** *m.* → **vagotonia**.
vague *fr.* [vag]: ⟨*Cin*⟩ *nouvelle* ~ nouvelle vague, new wave.
vạgulo *a.* ⟨*lett*⟩ (*errante*) wandering.
vah *intz.* ⟨*non com*⟩ → **va'**[2].
vại *pres.ind. di* **andare**[1].
vaiạio *m.* ⟨*ant*⟩ **1.** (*conciatore di pellicce di vaio*) vair tanner. – **2.** (*venditore*) vair merchant. – **3.** (*pellicciaio*) furrier.
vaiạre *v.i.* (**vạio, vại**; *aus.* **essere**) ⟨*rar*⟩ (*invaiare*) to take on a darker colour, to become dark in colour. – **vaiạto** *a.* ⟨*ant*⟩ **1.** (*di colore vaio*) vair-coloured; (*nereggiante*) dark-coloured. – **2.** (*simile al vaio*) vair-like. – **3.** (*screziato*) speckled, flecked; (*variegato*) variegated.
vainịglia *f.* → **vaniglia**. – **vainigliạto** *a.* ⟨*rar*⟩ → **vanigliato**.
vạio I *s.m.* **1.** (*pelliccia*) vair (fur). – **2.** (*colore*) dark grey. – **3.** ⟨*Arald*⟩ vair. – **4.** ⟨*ant*⟩ (*abito fatto di pelliccia di vaio*) vair garment. – **II** *a.* **1.** (*di colore tendente al nero*) blackish; (*grigio tendente al nero*) blackish-grey; (*brunonero*) brownish-black. – **2.** (*screziato*) dark -speckled. – **3.** (*rif. a occhio di animali*) dark-speckled.
vaiolạre *v.i.* (**vaiọlo**; *aus.* **essere**) ⟨*rar*⟩ (*invaiolare*) to take on a darker colour. – **vaiolarsi** *v.r.* **1.** ⟨*Met*⟩ to pit. – **2.** ⟨*lett*⟩ (*assumere un aspetto vaiolato*) to become speckled. – **vaiolạto** (*p.p. di vaiolare*) *a.* **1.** speckled, spotted, variegated: *foglie -e* variegated leaves. – **2.** ⟨*Met*⟩ pitted. – **3.** ⟨*ant*⟩ (*di frutti*) blackish.

vaiolatụra *f.* **1.** ⟨*Agr*⟩ (*vaiolo: della vite*) grape anthracnose, bird's-eye rot (*o* disease) (*Gloeosporium ampelophagum*); (*del pesco*) peach freckle (*o* scab) (*Megacladosporium carpophilum*); (*dell'olivo*) olive blotch (*o* leaf spot) (*Cycloconium oleagineum*); (*della patata*) common potato scab (*Actinomyces scabies*). – **2.** ⟨*Met*⟩ pitting.

vaiolaziọne *f.* ⟨*non com*⟩ → **vaiolizzazione**. – **vaiolịẓẓaziọne** *f.* ⟨*Med,ant*⟩ variolation.

vaiọlo *m.* **1.** ⟨*Med,Veter*⟩ smallpox, variola. – **2.** (*vaccino*) smallpox vaccine. – **3.** ⟨*pop*⟩ (*vaccinazione*) smallpox vaccination. – **4.** ⟨*Agr*⟩ (*della vite*) grape arthracnose, bird's-eye rot (*o* disease) (*Gloeosporium ampelophagum*); (*del pesco*) peach freckle (*o* scab) (*Megacladosporium carpophilum*); (*dell'olivo*) olive blotch (*o* leaf spot) (*Cycloconium oleagineum*); (*della patata*) common potato scab (*Actinomyces scabies*). ▭ ⟨*pop*⟩ ~ *acquaiolo* (*varicella*) chicken-pox, varicella; ~ *aviario* fowl pox; ~ *equino* horsepox; ~ *vaccino* cow-pox.

vaiolọide *f.* ⟨*Med*⟩ varioloid. – **vaiolọso I** *a.* **1.** variolous, smallpox-: *esantema* ~ variolous exanthema. – **2.** (*affetto da vaiolo*) variolous, ⌜affected with⌝ (*o* suffering from) smallpox. – **II** *s.m.* (*f.* **-a**) variolous patient.

vairọne *m.* ⟨*Itt*⟩ **1.** kind of teleost (*Telestes muticellus*). – **2.** (*leucisco*) dace (*Leuciscus*). – **3.** (*sanguinerola*) minnow (*Phoxinus laevis*).

vạiva *m.* ⟨*Zool*⟩ (*tapiro indiano*) Indian tapir (*Tapirus indicus*).

vaivọda *m.* ⟨*Stor*⟩ (*voivoda*) vaivode, voivode. – **vaivodạto** *m.* (*voivodato*) voivodeship.

val (*apoc. di valle*) *f.* valley.

val. = ⟨*Econ*⟩ *valuta* currency (*abbr.* cur.).

Valạcchia (*ant. Valacchịa*) *N.pr.f.* ⟨*Geog*⟩ Wal(l)achia.

valạlla *m.* ⟨*Mitol.nord,non com*⟩ (*Walhalla*) Valhalla, Walhalla.

valạnga *f.* **1.** ⟨*Geol*⟩ avalanche. – **2.** ⟨*fig*⟩ shower, avalanche, flood: *una* ~ *di regali* a shower of gifts; (*rif a parole e sim.*) flood, rush, avalanche; (*rif. ad applausi e sim.*) storm (of applause), thunderous applause; (*mucchio enorme*) mountain, mass, huge pile. – **3.** ⟨*fig*⟩ (*folla*) crowd, mob, throng. – **4.** ⟨*Atom*⟩ avalanche.

▭ ⟨*Geol*⟩ ~ *di* **fondo** ground avalanche; ~ **invernale** dry-snow avalanche; ~ *di* **neve** (snow) avalanche; (*lavina*) snow-slip, snowslide; ⟨*Sport*⟩ **parata** (*o tuffo*) *a* ~ flying tackle; ~ *di* **polvere** wind avalanche; ~ **primaverile** = *valanga di* **fondo**.

valanzẹlla *f.* ⟨*Pesc*⟩ kind of square fishing-net.

valcạre *v.* ⟨*ant,poet*⟩ → **valicare**.

valchịria *f.* **1.** ⟨*Mitol.nord*⟩ Valkyrie, Walkyrie, Valkyr. – **2.** ⟨*fam, scherz*⟩ (*donna nordica*) Nordic woman, blond Nordic type.

vạlco *m.* ⟨*ant,poet*⟩ → **valico**[1].

Valdemạro *N.pr.m.* ⟨*Stor*⟩ Waldemar, Valdemar.

valdẹse I *a.* **1.** ⟨*Rel*⟩ Waldensian. – **2.** ⟨*Geog*⟩ (*di Vaud*) Vaudois, of Vaud. – **II** *s.m./f.* **1.** ⟨*Rel*⟩ Waldensian; *pl.* Waldenses *pl*, Waldensians *pl*, Vaudois *pl*. – **2.** ⟨*Geog*⟩ (*abitante di Vaud*) Vaudois.

valdesịsmo *m.* ⟨*non com*⟩ → **valdismo**. – **valdịsmo** *m.* ⟨*Rel*⟩ **1.** (*movimento*) Waldensian movement. – **2.** (*religione*) Waldensian religion.

valdostạno I *a.* of the Val(le) d'Aosta. – **II** *s.m.* **1.** (*dialetto*) dialect of the Val(le) d'Aosta. – **2.** (*abitante*; *f.* **-a**) inhabitant (*o* native) of the Val(le) d'Aosta.

vạle *lat.* ⟨*lett*⟩ **I** *intz.* vale, farewell, good-bye. – **II** *s.m.* **1.** (*saluto*) vale, farewell, good-bye. – **2.** (*estremo saluto*) last farewell.

valenciennes *fr.* [valɑ̃sj'ɛn] **I** *s.m.pl.* ⟨*Lav.femm*⟩ Valenciennes (lace). – **II** *a.* Valenciennes-: *pizzi* ~ Valenciennes lace.

valẹnte *a.* **1.** good, skilful, capable: *un medico* ~ a good doctor; (*esperto*) expert, skilled, experienced; (*abile*) able, clever. – **2.** ⟨*ant*⟩ (*prode, valoroso*) brave, valiant. – **3.** ⟨*ant*⟩ (*savio, virtuoso*) virtuous.

Valẹnte *N.pr.m.* ⟨*Stor*⟩ Valens.

valentemẹnte *avv.* (*valorosamente*) bravely, valiantly.

valenterịa *f.* ⟨*ant*⟩ → **valentia**. – **valentịa** *f.* **1.** (*capacità*) skill, capability; (*esperienza*) experience; (*abilità*) ability, cleverness. – **2.** ⟨*ant*⟩ (*atto valoroso*) brave deed; (*prodezza*) feat, exploit.

Valentịna *N.pr.f.* Valentina.

Valentiniạno *N.pr.m.* ⟨*Stor*⟩ Valentinian.

valentinịte *f.* ⟨*Min*⟩ valentinite.

valentịno *a.* (*di Valenza in Francia*) of (*o* from) Valence.

Valentịno *N.pr.m.* **1.** Valentine. – **2.** ⟨*Stor*⟩ Valentine, Valentinus. ▭ *festa di san* ~ St. Valentine's Day.

valẹntre *a.* ⟨*pop,ant*⟩ → **valente**. – **valentrịa** *f.* ⟨*ant*⟩ → **valentia**.

valentuọmo *m.* (*pl.* **valentuọmini**) **1.** worthy man, man of great merit; (*persona onesta*) honest man. – **2.** ⟨*iron*⟩ (*brav'uomo*) fine fellow, good man.

valẹnza *f.* **1.** ⟨*ant*⟩ (*valore*) value, worth; (*coraggio*) valour; (*virtù*) virtue, honesty. – **2.** ⟨*Chim,Biol*⟩ valence, valency.

Valẹnza *N.pr.f.* ⟨*Geog*⟩ **1.** (*in Spagna*) Valencia. – **2.** (*in Francia*) Valence.

valẹre *v.* (*pr.ind.* **vạlgo**/*ant.,poet.* **vạglio**, **vạli**, **vạle**, **valiạmo**, **valẹte**, **vạlgono**/*ant.,poet.* **vạgliono**; *fut.* **varrò**; *p.rem.* **vạlsi**; *p.p.* **vạlso**/ *rar.* **valụto**/*ant.,pop.* **valsụto**) **I** *v.i.* (*aus.* **essere**/**avere**) **1.** (*avere potenza, autorità*) to have influence (*o* authority), to be powerful (*o* influential): *il capitano vale più del tenente* a captain has more authority than a lieutenant; *Alessandro Magno valse più di ogni altro sovrano dell'antichità* Alexander the Great was the most powerful sovereign of ancient times. – **2.** (*avere forza legale o logica*) to be valid, to be in effect (*o* force), to hold (good, water), to apply: *questa legge non vale più* this law is no longer in force; *è una critica fondata che vale per tutte le sue opere* it's a well-founded criticism that holds good for all his works; *vale ancora questo passaporto?* is this passport still valid?; (*avere effetto, essere regolare*) to be valid (*o* good): *la dichiarazione non vale se presentata in ritardo* the declaration is not valid if presented late. – **3.** (*aver merito, pregio*: *rif. a persone*) to be able (*o* capable, competent), to be good (*o* clever, skilful): *un tecnico che vale molto* a very good technician; *nella sua professione non vale molto* he's not very competent in his profession; (*aver valore, prezzo*: *rif. a cose*) to be worth: *questa macchina vale diversi milioni* this machine is worth several million lire; (*costare*) to cost: *quest'anno il vino buono vale moltissimo* this year good wine costs a lot. – **4.** (*essere utile, giovare*) to be of use, to be good (*o* a help), to avail, to serve (a purpose): *a nulla valsero i consigli del padre* the father's advice served no purpose; *che mi valse l'aver taciuto?* what good did it do me to keep quiet?; (*servire*) to be (of use), to (be of) avail, to serve: *ciò ti valga da lezione* let that be a lesson to you. – **5.** (*equivalere, corrispondere, spesso col compl. oggetto*) to be worth, to be the equivalent (of), to be equal (to), to be ⌜the same⌝ (*o* as good) as: *uno scudo valeva cinque lire* one escudo used to be worth five lire; *lo yard inglese vale circa 90 centimetri* the English yard is equal to about 90 centimetres; *questa parola, in dialetto, vale un insulto* in dialect this word is as good as an insult. – **6.** (*nei giochi*: *essere valido, essere regolare*) to be valid: *c'è stato uno sbaglio e la partita non vale* there was an error and the game is not valid. – **7.** (*fruttare, rendere*) to produce, to yield, to bring in: *questo capitale può* ~ *cinquecentomila lire mensili* this capital can yield five hundred thousand lire per month. – **8.** (*importare*) to be of use, to matter, to be important, to make a difference: *che vale?* what use is it?, what does it matter?, what difference does it make? – **II** *v.t.* **1.** (*procurare, procacciare*) to bring, to earn: *la sua condotta gli valse un severo rimprovero* his behaviour earned him a sharp reproof. – **2.** ⟨*ant*⟩ (*meritare*) to deserve. – **valersi** *v.r.* (*avvalersi, servirsi*) to use, to make use of, to take advantage of: *valersi della propria autorità* to use one's power; *si sono valsi di me come mediatore* they took advantage of me as a mediator.

▭ ⟨*pop*⟩ *non* ~ *un* **cavolo** = *non valere un* **fico**; **che** *vale*: 1. (*rif. a cose*) valuable, of great value: *merce che vale* valuable goods; 2. (*rif. a persone*: *capace*) able, capable, good, clever, skilful: *un avvocato che vale* a good lawyer; *vale a* **dire** (*è come dire*) that is to say, it's the same as saying, that means: *vale a dire che non rivedrò più i miei soldi* it's the same as saying I'll never get my money back; *partiremo domani, vale a dire che non sarò presente alla riunione* we're leaving tomorrow, that means I won't be at the meeting; ⟨*fig*⟩ **far** ~ to assert: *far* ~ *i propri diritti* to assert one's rights; *far* ~ *la propria autorità* to make one's authority felt; *far* ~ *le proprie ragioni* to demand what is due one; **farsi** ~: 1. (*farsi rispettare*) to demand respect: *è debole ma sa farsi* ~ he's weak but he knows how to demand respect; 2. (*mettere in risalto le proprie capacità*) to make one's talents known; 3. (*imporsi*) to assert o.s., to make o.s. (*o* one's weight) felt; ⟨*fig*⟩ *non* ~ *un* **fico** (*secco*) not to be worth a brass farthing, to be worthless, ⟨*am*⟩ not to be worth a plugged nickle; *valer* **meglio** (*essere preferibile*) to be better: *vale meglio tacere* it would be better to keep quiet; **né** *vale dire che ...* nor does it serve any purpose to say that ..., nor is there any point in saying that ...; **non** *vale!* that's not fair!; ⟨*fam*⟩ ~ *un* **occhio** (*della testa*) = *valere un* **tesoro**; *vale tant'***oro** *quanto pesa* it (*o* he) is worth its (*o* his) weight in gold; ~ *la* **pena** to be worth (it), to be worth-while (*o* worth the trouble): *non vale la pena di leggere quest'articolo* it's not worth the trouble to read this article; *non ne vale la pena* it's not worth it; ⟨*fam*⟩ ~ **per** *due* to be worth (*o* as good as) two men; ⟨*fam*⟩ ~ *un* **Perù** = *valere un* **tesoro**; *roba che vale* **poco** worthless stuff, useless junk; **tanto** *vale regalarglielo* you might as well give it to him; *se eri sicuro di essere bocciato, tanto valeva non fare l'esame* if you were sure you were going to fail, you might as well not have taken the exam; *tanto valeva restarsene a casa* we might as well have stayed home; *tanto vale che ti dica tutto* I might as well tell you everything; ~ *un* **tesoro** to be worth a fortune; *valga il* **vero** just to prove the truth of what I'm saying; (*infatti*) in fact, indeed. || *varrà quel che varrà* (*valga quel che può valere*) for what it's worth; ⟨*Tip*⟩ *vale* stet.

valẹria *f.* ⟨*Ornit*⟩ (*aquila di mare*) white-tailed (sea) eagle (*Haliaëtus albicilla*).

Valẹria *N.pr.f.* Valerie.

valeriạna *f.* **1.** ⟨*Bot*⟩ valerian(a) (*Valeriana*). – **2.** ⟨*Bot*⟩ garden heliotrope, valerian, setwall (*Valeriana officinalis*). – **3.** (*droga*) valerian. – **4.** (*bevanda*) valerian tea. ▭ ~ *greca* (*polemonio*) Jacob's ladder, Greek valerian, charity (*Polemonium coeruleum*); ~ *lattarda* (*o rossa*) red (*o* spur) valerian, French honeysuckle (*Centranthus ruber*); ⟨*Farm*⟩ *olio essenziale di* ~ valerian oil. – **valerianạcee** *f.pl.* ⟨*Bot*⟩ valerian family (*Valerianaceae*).

valerianạto *m.* ⟨*Chim*⟩ valerate.

valerianẹlla *f.* ⟨*Bot*⟩ corn salad, lamb's lettuce (*Valerianella olitoria*).

valeriạnico *a.* (*pl.* **-ci**) ⟨*Chim*⟩ valer(ian)ic: *acido* ~ valeric (*o* valerianic) acid.

Valeriạno *N.pr.m.* ⟨*Stor*⟩ Valerian(us).

Valẹrio *N.pr.m.* ⟨*Stor*⟩ Valerius.

valẹte *lat. intz.* ⟨*rar*⟩ farewell, good-bye, ⟨*ant*⟩ valete.

valetudinạrio ⟨*lett*⟩ **I** *a.* (*malaticcio*) infirm, sickly, ailing, ⟨*lett*⟩ valetudinarian. – **II** *s.m.* (*f.* **-a**) invalid, ⟨*lett*⟩ valetudinarian. –

valetụdine *f.* ⟨*ant*⟩ **1.** (*salute*) health. – **2.** (*buona salute*) good health.
valẹvole *a.* **1.** (*valido*) valid, good: *biglietto* ~ *per il ritorno* ticket valid for the return trip. – **2.** (*efficace*) efficacious. – **valevolmẹnte** *avv.* validly.
valgịṣmo *m.* ⟨*Med*⟩ valgoid condition.
vạlgo[1] *a.* (*pl.* **-ghi**) ⟨*Med*⟩ valgus. ☐ *ginocchio* ~ genu valgum, knock-knees; *piede* ~ talipes (*o* pes) valgus.
vạlgo[2] *pr.ind. di* **valere**.
valì *m.* ⟨*Stor*⟩ vali, wali.
valicạbile *a.* passable, that may be crossed. – **valicabilità** *f.* passableness.
valicạio *m.* ⟨*ant*⟩ (*chi lavora la seta al valico*) silk-spinner.
valicạre *v.* (**vạlico, vạlichi**) **I** *v.t.* **1.** to cross, to pass (*o* go) over: ~ *un fiume* to cross a river; (*rif. a montagne*) to cross. – **2.** (*guadare*) to ford, to wade. – **3.** ⟨*ant*⟩ (*passare, superare*) to surpass; (*trasgredire*) to violate. – **4.** ⟨*ant*⟩ (*passare sotto silenzio*) to pass over. – **II** *v.i.* (*aus.* **avere**) ⟨*ant*⟩ (*passare*) to pass.
vạlico[1] *m.* (*pl.* **-chi**) **1.** (*il valicare*) crossing, passing (over); (*rif. a luoghi montani*) crossing. – **2.** ⟨*concr*⟩ pass(age), crossing-place; (*passo montano*) (mountain) pass: ~ *alpino* Alpine pass. – **3.** (*guado*) ford. – **4.** ⟨*Venat*⟩ place where game runs. – **5.** ⟨*ant,poet*⟩ (*passo delle gambe*) step, stride.
vạlico[2] *m.* (*pl.* **-chi**) ⟨*Tess*⟩ **1.** spindle support. – **2.** ⟨*ant*⟩ (*macchina filatrice*) silk spinning-machine (*o* spinner).
validamẹnte *avv.* **1.** (*efficacemente*) validly, effectively, efficaciously. – **2.** ⟨*Dir*⟩ validly.
validaziọne *f.* ⟨*Mat*⟩ proof, demonstration.
validità *f.* **1.** validity, soundness: *la* ~ *degli argomenti* the soundness of the arguments. – **2.** (*l'essere valevole*) validity: *il biglietto ha la* ~ *di tre giorni* the validity of the ticket is three days, the ticket is valid for three days. – **3.** (*efficacia*) validity, effectiveness, efficaciousness, efficacy: *la* ~ *di una cura* the efficacy of a treatment. – **4.** (*efficacia giuridica*) validity. – **5.** ⟨*non com*⟩ (*forza*) strength, power, vigour.
vạlido *a.* **1.** valid, sound, well-grounded: *principio* ~ valid principle; *ragioni -e* sound reasons. – **2.** (*valevole*) valid, good: *biglietto* ~ valid ticket. – **3.** (*efficace*) effective, efficacious, valid: ~ *aiuto* valid (*o* great, real) help. – **4.** (*che ha efficacia giuridica*) valid. – **5.** (*forte, vigoroso*) strong, powerful, robust. – **6.** (*che merita approvazione*) good, fine, sound, worthy: *uno scrittore* ~ a fine writer. – **7.** ⟨*non com*⟩ (*capace, idoneo*) fit. – **8.** ⟨*Biol*⟩ valid. ☐ *legalmente* ~ valid, legal; *non* ~ invalid, null.
valịge *f.* ⟨*ant,region*⟩ → **valigia**. – **valigerịa** *f.* **1.** (*negozio*) leather -goods shop. – **2.** (*fabbrica*) leather-goods factory. – **3.** (*industria*) leather-goods industry. – **4.** (*assortimento*) leather goods *pl*, leatherware, luggage, baggage. – **valigẹtta** *f. dim. di* **valigia**.
valịgia *f.* (*pl.* **-gie/-ge**) **1.** suitcase, ⟨*fam*⟩ case, ⟨*am*⟩ (travelling-)bag; *pl.* suitcases *pl*, luggage, ⟨*am*⟩ (travelling-)bags *pl*, baggage. – **2.** ⟨*ant*⟩ (*valigia postale*) mailbag, mail-pouch.
☐ **a** ~ portable, hand-: *fonografo a* ~ portable record player; ~ **diplomatica** diplomatic pouch (*o* bag); **disfare** *le -e* to unpack; **fare** *le -e* to pack; ⟨*fig*⟩ to pack up, to pack one's bags (and go); ⟨*Stor*⟩ ≈ *delle* **Indie** Indian Mail; ⟨*ant*⟩ ~ **postale** mailbag.
valigịaio *m.* (*f.* **-a**) **1.** (*fabbricante*) leather-goods manufacturer. – **2.** (*venditore*) seller of leather goods, leatherware merchant. – **valigịna** *f.*, **valigịno** *m. dim. di* **valigia**. – **valigiọna** *f.*, **valigiọne** *m. accr. di* **valigia**.
valimẹnto *m.* **1.** ⟨*ant*⟩ (*valore, pregio*) worth, value. – **2.** ⟨*Stor*⟩ kind of annual tax.
valitụdine *f.* → **valetudine**.
valkịria *f.* ⟨*non com*⟩ → **valchiria**.
vallạnte *m.* ⟨*Pesc*⟩ hatcheryman in a lagoon fish hatchery.
vallạre[1]: ⟨*Stor.rom*⟩ *corona* ~ vallar(y) crown.
vallạre[2] *v.t.* ⟨*poet*⟩ **1.** (*cingere con vallo*) to wall round (*o* about), to surround with a wall; (*cingere con trincea*) to surround with a trench. – **2.** (*circondare per difesa*) to surround in defence, to fortify.
vallạta *f.* (large) valley.
vạlle *f.* **1.** ⟨*Geog*⟩ valley, ⟨*lett*⟩ dale, ⟨*lett*⟩ vale. – **2.** (*depressione paludosa*) flat marshland. – **3.** (*insenatura lunga e stretta*) (long narrow) inlet, creek. – **4.** (*nelle creste d'acqua*) valley. – **5.** ⟨*Bibl, Lett*⟩ (*terra*) land, ⟨*lett*⟩ vale: ~ *di lacrime* vale of tears.
☐ **a** ~: 1. (*rif. a fiumi*) downstream, downriver (*di* from), below (s.th.): *il Tevere a* ~ *di Roma* the Tiber below Rome; 2. (*da un monte e sim.*) down(hill): *scendere a* ~ to go down(hill); 3. ⟨*fig*⟩ (*successivamente*) after, in the latter phase(s); 4. ⟨*Med*⟩ below, under; ⟨*Idr*⟩ *acqua a* ~ backwater; ~ **d'accumulazione** accumulation valley; ~ *di* **duna** dune valley; ~ **epigenetica** epigenetic valley; ~ *d'***erosione** valley formed by erosion; ~ **fluviale** river valley; ~ **glaciale** glacier valley; ~ **longitudinale** longitudinal valley; ~ **morta** dead valley; ~ **dell'onda** valley of a wave; ~ **pensile** hanging valley; ~ *da* **pesca** lagoon fish hatchery; ~ **sospesa** = *valle* **pensile**; ~ *di* **sovrimposizione** = *valle* **epigenetica**; ~ **tettonica** tectonic valley; ~ **trasversale** transverse valley; ~ *a* U U-shaped valley; ~ **vulcanica** volcanic valley.
vallẹa *f.* ⟨*poet*⟩ **1.** (*valle*) valley. – **2.** → **vallata**.
vallẹcola (*dim. di valle*) *f.* **1.** ⟨*non com*⟩ small valley. – **2.** ⟨*Bot*⟩ vallecule. – **3.** ⟨*Anat,Zool*⟩ vallecula.
vallerạno ⟨*dial*⟩ **I** *a.* (*valligiano*) valley-dwelling. – **II** *s.m.* (*f.* **-a**) valley-dweller.
valleṣạno *m.* ⟨*ven*⟩ **1.** (*abitante di valle da pesca*) inhabitant of a lagoon fish hatchery. – **2.** (*vallante*) hatcheryman in a lagoon fish hatchery.
Vallẹse *N.pr.m.* ⟨*Geog*⟩ Valais.
vallẹtta[1] *f. dim. di* **valle**.
vallẹtta[2] *f.* ⟨*TV*⟩ assistant.
vallẹtto[1] *m.* **1.** ⟨*Stor*⟩ page. – **2.** (*usciere municipale*) town-hall usher (in dress uniform). – **3.** ⟨*TV*⟩ assistant. ☐ ⟨*Stor*⟩ ~ *d'arme* equerry, (e)squire.
vallẹtto[2] (*dim. di vallo*[3]) *m.* ⟨*dial,lett*⟩ **1.** (*cestello*) small basket. – **2.** (*crivello*) sieve.
vallicoltụra, vallicultụra *f.* lagoon fish breeding.
valligịano **I** *a.* valley-dwelling. – **II** *s.m.* (*f.* **-a**) valley-dweller, ⟨*lett*⟩ dalesman. ☐ *genti -e* valley folk.
vallịṣnẹria *f.* ⟨*Bot*⟩ Vallisneria (*Vallisneria*).
vallịvo *a.* **1.** (*di valle*) valley-. – **2.** (*delle valli lagunari*) of the lagoon fish hatcheries.
vạllo[1] *m.* **1.** ⟨*Stor.rom*⟩ vallum. – **2.** ⟨*Stor*⟩ rampart, wall. – **3.** ⟨*lett*⟩ (*trincea*) trench; (*opera di difesa*) entrenchment, defensive work. – **4.** ⟨*Anat*⟩ (*solco*) vallum, furrow. – **5.** ⟨*fig,poet*⟩ (*baluardo*) rampart, bulwark, bastion.
☐ ⟨*Stor.rom*⟩ ~ **Adriano** Hadrian's Wall; ⟨*Stor*⟩ ~ **atlantico** Atlantic Wall; ⟨*Anat*⟩ ~ **linguale** vallum; ⟨*Geol*⟩ ~ **morenico** declivity beside a lateral moraine; ⟨*Stor*⟩ ~ **occidentale** West Wall, Siegfried Line; ⟨*Anat*⟩ ~ **ungueale** vallum unguis, nail-wall.
vạllo[2] *m.* ⟨*ant,region*⟩ (*valle*) valley.
vạllo[3] *m.* ⟨*dial,lett*⟩ **1.** (*cesto*) basket. – **2.** (*crivello*) sieve.
vallombroṣạno **I** *a.* ⟨*Rel*⟩ Vallombrosian, of the Vallombrosians. – **II** *s.m.* Vallombrosian.
vallọna *f.* ⟨*Mil.ant*⟩ kind of sword.
valloncẹllo *m. dim. di* **vallone**[1].
vallọne[1] (*accr. di valle*) *m.* ⟨*Geog*⟩ **1.** deep valley. – **2.** (*depressione nelle regioni montuose*) ravine, gorge; (*valletta a fondo stretto*) narrow valley. – **3.** (*canale marino*) deep inlet.
vallọne[2] **I** *a.* Walloon. – **II** *s.m.* **1.** (*dialetto*) Walloon. – **2.** *m./f.* (*abitante; anche f.* **-a**) Walloon. – **3.** *pl.* ⟨*Stor*⟩ Walloons *pl.*
vallonẹa, vallonịa *f.* ⟨*Bot*⟩ valonia oak (*Quercus aegilops*). ☐ *frutto di* ~ valonia, valonea, dried acorn-cups *pl.*
Vallọnia *N.pr.f.* ⟨*Geog,non com*⟩ Walloon Belgium.
valonẹa, valonịa *f.* → **vallonea**.
valọre *m.* **1.** (*pregio*) value, worth: *il* ~ *di un'opera letteraria* the value of a literary work. – **2.** (*prezzo*) value, price: *acquistare* ~ to increase in value; *questa merce ha un* ~ *complessivo di tre milioni* the total value of these goods is three million. – **3.** (*importanza*) importance, significance, value: *non capisco il* ~ *di questa scoperta* I don't understand the significance of this discovery. – **4.** (*validità*) validity, efficacy: *senza prove questo racconto non ha* ~ without proof this story ⌜has no validity⌝ (*o* is not valid). – **5.** *pl.* (*oggetti di valore*) valuables *pl*: *i -i devono essere conservati nella cassaforte* valuables must be kept in the safe. – **6.** (*significato*) meaning, significance: *il* ~ *di un'affermazione* the meaning of a statement. – **7.** (*funzione*) function, use: *participio con* ~ *di aggettivo* participle ⌜with the function of⌝ (*o* used as) an adjective, participle used adjectivally. – **8.** (*coraggio*) valour, bravery, courage, prowess: *soldati pieni di* ~ soldiers filled with bravery. – **9.** ⟨*enfat*⟩ authority, expert, leading figure, brain: *nel suo campo è un* ~ he's an authority in his field. – **10.** ⟨*Filos*⟩ value: *capovolgimento di tutti i -i* reversal of all values. – **11.** ⟨*Econ*⟩ value; (*utilità di un bene*) utility value. – **12.** ⟨*Econ*⟩ (*titolo*) security; *pl.* stock: *Borsa -i* Stock-Exchange; (*azione*) share; (*obbligazione*) bond. – **13.** ⟨*Mat*⟩ value. – **14.** ⟨*Mus*⟩ (*durata*) value: *una semiminima ha il* ~ *di due crome* a crotchet has the value of two quavers. – **15.** ⟨*non com*⟩ (*meriti*) merits *pl.* – **16.** ⟨*lett*⟩ (*virtù*) virtue; (*capacità particolare*) talent, skill. – **17.** ⟨*ant*⟩ (*influenza delle stelle*) influence of the stars. – **18.** ⟨*ant*⟩ (*onnipotenza di Dio*) omnipotence (of God). – **19.** ⟨*ant*⟩ (*forza*) vigour, strength; (*forza d'animo*) strength of mind.
☐ ~ *d'***acquisto** purchase (*o* buying) value; ~ **affettivo** sentimental value; ⟨*Econ*⟩ ~ **aggiunto** value added; *imposta sul* ~ *aggiunto* value added tax; ~ **approssimativo** estimated value; ~ **approssimato** approximate value; ~ **artistico** artistic worth; ~ **assicurato** insured value; ⟨*Mat*⟩ ~ **assoluto** absolute value; **atto** *di* ~ deed of valour, valorous deed, brave act; ~ **attuale** present value; **aumentare** *di* ~ to increase in value, to be worth more; *non* **avere** ~ to be of no value (*o* worth); *avere* ~ *di* to amount to, to be the equivalent of, to be as good as: *le tue parole hanno* ~ *di accusa* what you say amounts to an accusation; ⟨*Econ*⟩ ~ *di* **bilancio** book value, balance-sheet value; ~ **bollato** stamp; ~ *di* **borsa** = *valore del* **cambio**; *-i di borsa* Stock-Exchange securities, stock(s); ⟨*Econ*⟩ ~ *del* **cambio** market value, rate of exchange; ⟨*Econ*⟩ ~ **capitalizzato** capitalized value; **carte** *-i* securities, stocks, shares; ~ **civile** civil bravery; *medaglia al valor civile* medal (awarded) for civil bravery; **combattere** *con* ~ to fight bravely (*o* courageously); ~ **commerciale** commercial (*o* market) value; ⟨*Comm*⟩ ~ *alla* **consegna** amount to be collected on delivery; ⟨*Comm*⟩ ~ **contabile** book value; ~ **convenuto** agreed value, value agreed upon; ~ **corrente** = *valore del* **cambio**; *di* ~ **costante** of stable (*o* fixed) value; ⟨*Fis*⟩ ~ *di* **cresta** peak value; *non* **dare** ~ *a qc.* to attach no importance to s.th.; **di** ~: 1. of value; 2. (*rif. al valore venale*) valuable, of (great) value: *oggetti di* ~ valuable objects, valuables; 3. (*rif. a persone*) of great merit, leading, expert: *un avvocato di* ~ a leading lawyer; (*abile*) skilful, able, good; ~ **dichiarato** declared value,

value declared; ~ economico economic value; ~ effettivo real value; ⟨Mat⟩ ~ efficace effective value; ~ fisso fixed value; ~ fittizio fictitious value; ⟨Med⟩ ~ globulare cell colour ratio; ~ imponibile taxable value; ~ indicativo indicative value; ⟨Econ⟩ ~ industriale industrial share (o stock); ~ intrinseco intrinsic value; ~ legale (di monete) nominal (o par) value; avere ~ di legge to be legally valid (o binding); ~ limite limiting value, limit; ~ locativo rental value; ⟨Art⟩ -i luministici lighting (values); ⟨Econ⟩ ~ marginale marginal value; ~ matematico mathematical value; ⟨Statist⟩ ~ mediano median (value); ~ medio mean (o average) value; ~ di mercato market value; ~ militare military valour (o bravery); medaglia al valor militare medal for military valour; ⟨Econ⟩ -i minerari mining shares; -i mobiliari stocks, debentures and bonds; ~ monetario (o della moneta) money value; ⟨Econ⟩ ~ negoziabile market value; -i negoziabili negotiable securities; di nessun ~ = senza valore; ~ nominale nominal (o par, face) value; ~ normale normal value; ~ numerico numerical value; ~ nutritivo food (o nutritional) value; ~ obiettivo objective value; ~ orientativo = valore indicativo; ~ originario (o d'origine) value at source; ~ patrimoniale tangible net worth; perdere ~ to go down in value, to be worth less, to become less valuable; ~ di perizia appraised value; ⟨Art⟩ -i pittorici pictorial values; ~ prescritto = valore nominale; ~ presunto constructive value; privo di ~ = senza valore; ⟨Econ⟩ -i non quotati unlisted (o unquoted) securities; ~ reale: 1. ⟨Fis⟩ true (o actual) value; 2. = valore intrinseco; ⟨Econ⟩ ~ di realizzo break-up value; ⟨Mat⟩ ~ reciproco reciprocal (value); ⟨Econ⟩ -i a reddito fisso fixed-yield (o fixed-interest) securities; ~ di tutto riposo gilt-edged security; ~ di scambio value in exchange; senza ~ worthless, of no value, worth nothing; -i siderurgici = valori minerari; ~ soggettivo subjective value; ⟨Fis⟩ ~ di soglia threshold (o liminal) value; ⟨Art⟩ -i spaziali spatial values; ~ stabile stable value; ⟨Econ⟩ -i di stato government stocks (o securities, bonds); ~ stimato estimated value; ⟨Art⟩ -i tattili tactile values; ⟨Econ⟩ teoria del ~ value theory; ⟨Art⟩ -i tonali tone values; ~ d'uso value in use, utility value; ~ venale market(able) value, sales (o selling) value.

valorizzare v.t. 1. to exploit, to put to good use, to use to advantage, to turn to account, to utilize: ~ una scoperta to exploit a discovery. – 2. (aumentare di valore) to increase (o bring up) the value of, to place a higher price on, to make more valuable: questa bella cornice valorizza il quadro this lovely frame makes the picture more valuable. – 3. ⟨fig⟩ (mettere in evidenza) to bring out, to show off to advantage, to make the most of: ~ qd. to make the most of s.o. (o s.o.'s talents). □ ~ un assegno (avvalorarlo) to write (o issue) a cheque. – **valorizzazione** f. 1. exploitation, utilization, turning to account. – 2. (aumento di valore) increase in value.

valorosamente avv. bravely, valiantly, valorously, courageously.

valoroso I a. 1. brave, valiant, valorous, courageous: -i combattenti valiant soldiers. – 2. (valente) skilful, skilled, good, able, talented, outstanding, top-rate: un ~ chirurgo a skilful surgeon. – 3. ⟨ant⟩ (efficace) efficacious. – **II** s.m. (f. -a) brave (o valiant) person.

Valparaiso N.pr.f. ⟨Geog⟩ Valparaiso.

valpolicella m. ⟨Enol⟩ Valpolicella.

Valpurga N.pr.f. ⟨Stor⟩ Walpurgis. □ notte di santa ~ Walpurgis Night.

valsente m. ⟨ant⟩ 1. (valore) value; (valore commerciale) price. – 2. (capitale, ricchezza) capital, wealth.

valsesiana f. ⟨Pesc⟩ kind of bamboo fishing-pole.

valsi p.rem. di valere. – **valso** p.p. di valere.

Valsugana (o Val Sugana) N.pr.f. ⟨Geog⟩ Val Sugana.

valsuto p.p. ant.,pop. di valere.

Valtellina N.pr.f. ⟨Geog⟩ Valtellina.

valtzer m. ⟨rar⟩ → valzer.

valuta f. ⟨Econ⟩ 1. currency, money: ~ cartacea paper money. – 2. (moneta straniera) foreign currency. – 3. (valore delle monete) value, monetary worth. – 4. (giorno da cui decorrono gli interessi) day from which interest is to run: con ~ primo gennaio interest to run from January the first. – 5. ⟨ant⟩ (valore in denaro) worth, value.

□ ~ aurea gold currency (o standard); ~ di cambiale amount of a bill of exchange; ~ di conto money of account; ~ debole soft (o weak) currency; ~ estera foreign currency (o money); ~ forte hard currency; ~ indice isometric standard, managed currency; ~ intesa agreed currency (o sum); ⟨fig,ant⟩ essere di ~ intesa con qd. to have a secret agreement with s.o.; ⟨Econ⟩ ~ (a corso) legale legal tender; ~ locale local currency; ~ metallica specie, metal coin; ~ nazionale domestic currency; ~ d'oro = valuta aurea; ~ pregiata = valuta forte; ~ stabile stable currency.

valutabile a. assessable, calculable, valued, estimated: la perdita è ~ in dieci milioni the loss ⌜is estimated⌝ (o may be put) at ten million. – **valutabilità** f. ⟨non com⟩ calculableness, ability to be valued.

valutare v.t. (valuto/valuto) 1. (determinare il valore) to appraise, to assess, to evaluate, to value: hanno valutato questo quadro dieci milioni the painting has been appraised at ten million; ~ un appartamento to evaluate a flat. – 2. (calcolare) to estimate, to calculate: ~ le entrate di qd. to estimate s.o.'s income; (tener conto) to take into account, to consider: valutando la somma anticipata, restano da pagare centomila lire taking into account the amount paid in advance, the balance is one hundred thousand lire. – 3. ⟨fig⟩ (calcolare approssimativamente) to estimate, to put, to reckon, to judge, ⟨fam⟩ to guess, ⟨fam⟩ to figure: ~ la distanza tra due paesi to estimate the distance between two towns; ~ le capacità di qd. to judge (o pass a judg(e)ment on) s.o.'s capabilities. – 4. ⟨fig⟩ (considerare, stimare) to estimate: ho valutato di estinguere il debito in dieci anni I estimated repaying the debt in ten years. – 5. (tenere in considerazione) to rate, to hold, to value, to evaluate, to consider, to think: ~ una persona to evaluate a person; non lo valuto all'altezza del compito I don't think he's up to the job; (tenere in gran conto) to esteem, to think highly of. – 6. (vagliare, soppesare) to judge, to estimate, to weigh: ~ la portata di un discorso to judge the importance of a speech; ~ il pro e il contro to weigh the pros and the cons.

valutario a. 1. monetary, money-, currency-: riforma -a monetary reform. – 2. (rif. alle valute estere) monetary, foreign currency- (o money-): legge -a monetary law. – **valutativo** a. evaluative.

valutazione f. 1. appraisal, (e)valuation, estimation: fare la ~ di un terreno to make an evaluation of a piece of land, to evaluate a property. – 2. (calcolo approssimativo) estimate, reckoning. – 3. (entità) estimate, estimated value. – 4. (determinazione del valore) evaluation, judging, estimation: ~ del danno estimation of damage. – 5. (giudizio) evaluation, judg(e)ment, appraisal.

□ ~ fiscale tax assessment; ~ del lavoro job evaluation; ⟨Psic⟩ ~ del merito merit rating, performance appraisal; ~ potenziale merit rating in terms of potential, potential analysis; ~ delle prove di un processo evaluation of trial evidence; ~ mediante punteggio numerical rating.

valva f. 1. ⟨Zool,Bot⟩ valve. – 2. ⟨Chir⟩ dilator. – 3. ⟨Art⟩ leaf, tablet (of a diptych). – 4. ⟨lett,ant⟩ (battente d'una porta) leaf, wing (of a door). – **valvare** a. 1. ⟨Zool⟩ valvular: margine ~ valvular margin. – 2. ⟨Bot⟩ valvate.

valvassino m. ⟨Mediev⟩ vavasor's vassal. – **valvassore** m. vavaso(u)r, valvas(s)or. – **valvassoro** m. ⟨ant⟩ → valvassore.

valvola f. 1. valve. – 2. ⟨El⟩ (fusibile) fuse: è saltata una ~ a fuse has blown. – 3. ⟨Rad⟩ valve, ⟨am⟩ tube: una radio a cinque -e a radio with five valves. – 4. ⟨Mus⟩ (rif. a strumenti d'ottone a fiato: pistone) valve, piston; (rif. all'organo) wind valve, pallet. – 5. ⟨Anat⟩ valve, valvula.

□ ⟨Mecc⟩ ~ ad ago needle (o pin) valve; ~ d'alimentazione feed(er) valve; ~ d'ammissione inlet valve; ⟨Rad⟩ ~ amplificatrice amplifying (o amplifier) valve; ⟨Mecc⟩ ~ dell'aria (compressa) air-inlet valve; ~ d'arresto stop valve; ~ d'aspirazione suction (o intake) valve; ~ automatica automatic stop valve; ⟨Anat⟩ ~ bicuspidale biscupid (o mitral) valve; ~ della camera d'aria inner tube valve; ~ del carburante fuel nozzle (o jet); ⟨Anat⟩ ~ cardiaca cardiac valve; ⟨Mecc⟩ ~ a cassetto slide valve; ~ a cerniera flap valve, flapper; ~ di chiusura dell'aria choke; ~ di decompressione pressure reducing valve; ~ elettrolitica electrolytic rectifier; ⟨Rad, TV⟩ ~ elettronica valve, electron tube; ⟨Mecc⟩ ~ a farfalla butterfly valve, throttle valve; ⟨Mecc⟩ ~ a fungo mushroom (o poppet) valve; ⟨El⟩ ~ (a filo) fusibile fuse, fusible cut-out; ⟨Mecc⟩ ~ del galleggiante float valve; ~ limitatrice della pressione pressure relief valve; ⟨Aer⟩ ~ a manica crab-pot valve; ~ mitrale = valvola bicuspidale; ⟨Mecc⟩ ~ a piattello disk valve; ⟨Idr⟩ ~ di troppo pieno overflow (o relief) valve; ⟨Anat⟩ ~ pilorica pyloric valve; ~ del pneumatico tyre valve; ⟨Rad,TV⟩ ~ preamplificatrice pre-amplifier valve; ~ regolatrice del flusso throttle valve; ~ rotativa rotary valve; ~ a saracinesca gate (o sluice) valve; ⟨Mot⟩ ~ di scappamento libero exhaust cut-out; ⟨Mecc,Mot⟩ ~ di scarico exhaust valve; (in una caldaia) blowdown valve; ⟨Rad⟩ ~ schermata screened valve; ⟨Mecc⟩ sede (di) ~ valve seat; ⟨Mecc⟩ ~ a sfera ball valve; ~ di sfiato air valve; ~ di sicurezza: 1. ⟨Mecc⟩ safety-valve; 2. ⟨El⟩ safety fuse; 3. ⟨fig⟩ safety-valve, way of letting off steam; ~ a spillo = valvola ad ago; ~ di spurgo = valvola di scarico; ⟨El⟩ ~ termoionica thermionic valve (o tube); ⟨Mot⟩ ~ in testa overhead valve; ⟨Anat⟩ ~ tricuspidale (o tricuspide) tricuspid valve; ⟨Rad⟩ ~ d'uscita output valve.

valvolame m. ⟨tecn⟩ valves pl.

valvolare a. 1. ⟨Rad,TV⟩ valve-, ⟨am⟩ tube-. – 2. ⟨Med⟩ valval, valvular, valvar, valve-: insufficienza ~ valvular insufficiency.

valvoliera f. ⟨El⟩ fuse box (o panel block).

valvolone ⟨Aer⟩ prow valve.

valvolopatia f. → valvulopatia. – **valvolotomia** f. → valvulotomia. – **valvulite** f. ⟨Med⟩ valvulitis. – **valvulopatia** f. valvular affection, damage of the cardiac valves. – **valvulotomia** f. valvulotomy.

valzer m. 1. (danza) waltz. – 2. (musica) waltz (music).

□ ballare il ~ to (dance the) waltz; ⟨Stor⟩ giro di ~ deviation from foreign policy; ~ lento (o inglese) hesitation waltz; a passo di ~ waltzing, at a waltz (step); ~ viennese Viennese waltz.

vamp ingl. f. vamp, femme fatale.

vampa f. 1. blaze. – 2. (ondata di calore) burst of heat, heat wave, blast (of hot air); (aria infocata) fierce heat. – 3. ⟨fig⟩ (ardore di sentimento) ardour, fire, burning, blaze, (out)burst, flames pl: le -e della passione the fire(s) of passion, burning passion. – 4. (arrossamento del volto) flush, blush; (rif. alla menopausa) hot flash (o flush). – 5. ⟨Artigl⟩ flash; (di ritorno) blowback. □ ~ del sole blaze (o fierce heat) of the sun; -e al viso blushes.

vampante a. ⟨poet⟩ (che manda vampe) blazing, flaming.

vampata f. 1. blaze; (fiamma) (burst of) flame. – 2. (ondata di calore) burst (o wave) of heat, blast (of hot air); (aria infocata) fierce heat. – 3. ⟨fig⟩ (ondata veemente di sentimento) (out)burst,

explosion, eruption: *una ~ d'ira* a burst of rage. □ *sentirsi salire al viso una ~* to feel a flush coming over one's face, to feel o.s. blushing (*o* going red).
vampeggiante (*p.pr. di vampeggiare*) *a.* ⟨*rar*⟩ blazing, burning, flaming. – **vampeggiare** *v.i.* (**vampeggio, vampeggi**; *aus.* **avere**) ⟨*rar*⟩ (*mandare vampe*) to blaze, to burn, to give off fierce heat, to flame.
vampireggiare *v.i.* (**vampireggio, vampireggi**; *aus.* **avere**) ⟨*scherz*⟩ to play the vamp, to act the femme fatale.
vampirismo *m.* **1.** ⟨*non com*⟩ (*l'essere vampiro*) vampirism. – **2.** ⟨*Psic*⟩ vampirism, necrophilism.
vampiro *m.* **1.** vampire. – **2.** ⟨*fam*⟩ (*ingordo speculatore*) blood-sucker, profiteer, vampire. – **3.** ⟨*Zool*⟩ vampire (bat). – **4.** *pl.* ⟨*Zool*⟩ vampire bats *pl* (*Desmodontidae*). □ *donna ~* vamp, femme fatale; ⟨*Zool*⟩ *~ spettro* kind of vampire (*Vampyrum spectrum*); *~ vero di Azara* kind of blood-sucking bat (*Desmodus rotundus*).
vampo *m.* ⟨*lett*⟩ **1.** (*vampa*) blaze, burst. – **2.** (*calore intenso*) burst (*o* wave) of heat, heat wave, blast (of hot air). – **3.** (*splendore intenso*) blaze, glow. □ ⟨*lett*⟩ *far ~* (*mandare vivida luce*) to blaze, to shine brightly; ⟨*lett*⟩ *menar ~*: 1. (*infuriarsi*) to blaze with anger, to flare up; 2. (*menar vanto*) to boast.
vanadato *m.* ⟨*Chim*⟩ vanadate. – **vanadico** *a.* (*pl.* **-ci**) vanadic: *acido ~* vanadic acid. – **vanadinite** *f.* ⟨*Min*⟩ vanadinite. – **vanadio** *m.* ⟨*Chim*⟩ vanadium. – **vanadoso** *a.* vanadious: *cloruro ~* vanadious chloride.
vanagloria *f.* **1.** vainglory, vanity, pride. – **2.** ⟨*Teol*⟩ vainglory. – **vanagloriarsi** *v.r.* (**mi vanagloriò, ti vanaglori**) to (indulge in) vainglory, to puff o.s. up; (*vantarsi*) to boast. – **vanagloriosamente** *avv.* vaingloriously. – **vanaglorioso I** *a.* vainglorious. – **II** *s.m.* (*f.* **-a**) vainglorious person; *pl.* the vainglorious (*costr.pl.*).
vanamente *avv.* **1.** (*inutilmente, invano*) in vain, vainly, uselessly, to no avail. – **2.** (*con vanità*) vainly, vaingloriously.
vanare *v.i.* (*aus.* **avere**) ⟨*ant,poet*⟩ (*vaneggiare*) to rave.
vandalico *a.* (*pl.* **-ci**) **1.** ⟨*Stor*⟩ Vandalic, Vandal, of the Vandals. – **2.** ⟨*fig*⟩ vandal(ic), barbarous: *atti -i* vandalic acts. – **vandalismo** *m.* vandalism. □ *atto di ~* act of vandalism. – **vandalo** *m.* (*f.* **-a**) **1.** ⟨*Stor*⟩ Vandal. – **2.** ⟨*fig*⟩ vandal.
Vandea *N.pr.f.* ⟨*Geog*⟩ Vendée. – **vandeano I** *a.* **1.** Vendéan, of the Vendée. – **2.** ⟨*estens*⟩ (*legittimista e reazionario*) reactionary and legitimist; (*fedele alla corona*) royalist(ic). – **II** *s.m.* (*f.* **-a**) **1.** Vendéan, native (*o* inhabitant) of the Vendée. – **2.** ⟨*estens*⟩ (*legittimista, reazionario*) reactionary and legitimist; (*fedele alla corona*) royalist, legitimist.
vanderù *m.* ⟨*Zool*⟩ lion-tailed macaque (*o* monkey) (*Macacus albibarbatus*; *Macaca silenus*).
vaneggiamento *m.* **1.** raving. – **2.** ⟨*fig*⟩ raving, ⟨*fam*⟩ going off the rails.
vaneggiare *v.* (**vaneggio, vaneggi**) **I** *v.i.* (*aus.* **avere**) **1.** to rave, to be wandering (in one's mind); (*parlare*) to talk wildly (*o* deliriously). – **2.** ⟨*estens*⟩ to rave, to rage: *ma tu vaneggi!* you must be raving!, what on earth are you talking about? – **3.** ⟨*fig*⟩ (*fantasticare*) to (day)dream, to wool-gather. – **4.** ⟨*lett*⟩ (*perdersi in cose vane*) to seek after vain things, to pursue vanity. – **5.** ⟨*lett*⟩ (*spalancarsi*) to yawn, to gape. – **6.** ⟨*lett*⟩ (*riuscire vano*) to be in vain. – **7.** ⟨*lett,rar*⟩ (*vagare nel vuoto*) to wander, to drift (in space). – **II** *v.t.* ⟨*non com*⟩ (*dire cose vane*) to rave about, to say wildly: *che cosa vaneggi?* what are you raving about?, what wild talk is this?
vaneggiatore *m.* (*f.* **-trice**) ⟨*non com*⟩ raver.
vanello *m.* ⟨*Ornit*⟩ (*anche vanello forestiero*) lapwing (*Vanellus vanellus*).
vanerello (*dim. di vano*) **I** *a.* vain, conceited. – **II** *s.m.* (*f.* **-a**) vain (*o* conceited) person.
vanescente *a.* ⟨*lett*⟩ (*evanescente*) vanishing, evanescent.
vanesiata *f.* ⟨*rar*⟩ (*atto, parola da vanesio*) fatuity. – **vanesio I** *a.* foppish, fatuous and conceited, foolishly vain. – **II** *s.m.* (*f.* **-a**) fatuous conceited fool.
vanessa *f.* ⟨*Entom*⟩ vanessa (*Vanessa*).
vanezza *f.* ⟨*rar*⟩ → **vanità**.
vanga *f.* ⟨*Agr*⟩ (planting) spade. □ *~ da fieno* hay-cutter; *~ da torba* peat-cutter.
vangaiola *f.* ⟨*Pesc*⟩ kind of drag-net.
vangare *v.t.* (**vango, vanghi**) to dig (up, over), to turn up, to spade: *~ il campo* to dig the field.
vangata *f.* **1.** (*lavoro di vanga*) digging (over, up), dig-over, turning up. – **2.** (*atto di piantare la vanga nel terreno*) dig, thrust of the spade. – **3.** (*quantità*) spadeful. – **4.** (*colpo di vanga*) blow from a spade. □ *dare una ~ al terreno* to dig over the ground; ⟨*tosc*⟩ *fare la ~* (*vangare insieme e di buona lena*) to dig all together energetically.
vangato *m.* ⟨*Agr*⟩ dug-up ground, ground that has been turned over. – **vangatore** *m.* (*f.* **-trice/-a**) digger. – **vangatura** *f.* digging (up, over), turning over, spading.
vangele: ⟨*ant*⟩ *giurare alle sante* (*die*) *~* to swear on the Gospel. – **vangelio** *m.* ⟨*ant*⟩ → **vangelo**. – **vangelista** *m.* ⟨*ant,pop*⟩ (*evangelista*) evangelist. – **vangelizzare** *v.t.* ⟨*ant*⟩ (*evangelizzare*) to evangelize.
vangelo *m.* **1.** Gospel, gospel: *il ~ di san Marco* St. Mark's Gospel, the Gospel according to St. Mark. – **2.** (*libro*) gospel(-book): *giurare ⌜sul ~⌝* (*o sui santi vangeli*) to swear on the gospel. – **3.** (*brano*) Gospel for the day, Gospel reading. – **4.** (*messaggio di redenzione*) gospel: *diffondere il ~* to spread the gospel. – **5.** ⟨*Lit*⟩ (*parte della messa*) Gospel. – **6.** ⟨*fig*⟩ (*complesso di principi fondamentali*) gospel, faith: *il ~ del socialismo* the gospel of socialism. – **7.** ⟨*fam*⟩ (*verità sacrosanta*) gospel (truth): *per me le tue parole sono ~* what you say is the gospel truth for me, I take what you say for gospel. □ *-i apocrifi* apocrypha *pl*, apocryphal gospels; ⟨*fig*⟩ *prendere qc. come ~* to take s.th. as gospel truth.
vangheggia, vangheggiola *f.* ⟨*Agr,tosc*⟩ **1.** blade (of a spade); (*vomere*) (plough)share. – **2.** ⟨*non com*⟩ (*taglio della vanga*) edge (of a spade).
vanghetta (*dim. di vanga*) *f.* **1.** small spade. – **2.** ⟨*Mil*⟩ entrenching tool. – **vanghettare** *v.t.* (**vanghetto**) ⟨*Agr*⟩ to turn over. – **vanghetto** (*dim. di vanga*) *m.* small spade.
vanghile *m.* ⟨*ant*⟩ → **vangile**. – **vangile** *m.* ⟨*Agr,non com*⟩ foot-rest (of a spade).
vanguardia *f.* ⟨*ant*⟩ (*avanguardia*) vanguard, van.
vania *f.* **1.** ⟨*Stor*⟩ (*avania*) tax, tribute. – **2.** ⟨*fig*⟩ (*angheria, sopruso*) oppression, outrage.
vanificare *v.t.* (**vanifico, vanifichi**) ⟨*non com*⟩ (*rendere vano*) to thwart, to frustrate.
vaniglia *f.* **1.** ⟨*Bot*⟩ vanilla (*Vanilla*). – **2.** ⟨*Bot*⟩ vanilla plant (*Vanilla planifolia*). – **3.** ⟨*Bot*⟩ garden heliotrope (*Heliotropium peruvianum*). – **4.** (*frutto della vaniglia*) vanilla (bean); (*essenza*) vanilla (flavouring), vanilla essence: *gelato di ~* vanilla ice-cream; (*vanillina*) vanillin. □ ⟨*Bot*⟩ *~ d'inverno* winter heliotrope (*Petasites fragrans*; *Nardosmia fragrans*).
vanigliato *a.* vanilla-, vanilla flavoured: *zucchero ~* vanilla sugar. – **vaniglina** *f.* → **vanillina**.
vaniglione *m.* ⟨*Bot*⟩ **1.** vanillon. – **2.** (*vaniglia d'inverno*) winter heliotrope (*Petasites fragrans*; *Nardosmia fragrans*).
vanillina *f.* ⟨*Chim*⟩ vanillin.
vaniloquio *m.* idle (*o* empty, random) talk, nonsense, ⟨*fam*⟩ twaddle.
vanire *v.i.* (**vanisco, vanisci**; *aus.* **essere**) ⟨*poet*⟩ (*svanire, dileguarsi*) to vanish, to disappear, to fade (away).
vanità *f.* **1.** vanity, conceit: *fare qc. per ~* to do s.th. out of vanity. – **2.** (*inefficacia, inutilità*) vainness, uselessness: *la ~ delle nostre fatiche* the vainness of our efforts. – **3.** (*caducità*) vanity, worthlessness, futility: *tutto è ~* all is vanity. – **4.** ⟨*concr*⟩ (*bene vano*) vanity, worthless thing. – **5.** ⟨*lett*⟩ (*l'essere incorporeo*) incorporeity, bodilessness.
vanitosamente *avv.* vainly. – **vanitosetto** (*dim. di vanitoso*) **I** *a.* rather conceited. – **II** *s.m.* (*f.* **-a**) conceited person. – **vanitoso I** *a.* vain: *~ come un pavone* as vain as a peacock. – **II** *s.m.* (*f.* **-a**) vain person, vain man (*f* woman). – **vanitosone** (*accr. di vanitoso*) **I** *a.* vain, full of o.s. – **II** *s.m.* (*f.* **-a**) vain person.
vanni *m.pl.* ⟨*poet*⟩ (*ali*) wings *pl* (*anche fig.*).
Vanni (*accorc. di Giovanni*) *N.pr.m.* Johnny, Jack(y).
vannino *m.* ⟨*roman*⟩ (*puledro giovane*) (young) colt.
vanno *pres.ind. di* **andare**[1].
vano I *a.* **1.** (*inutile*) vain, useless, idle: *-e parole* idle words. – **2.** (*privo di fondamento*) vain, empty, idle: *-e speranze* vain hopes. – **3.** (*caduco*) vain, worthless, futile: *-e ricchezze* vain riches. – **4.** (*frivolo, leggero*) foolish, silly: *-i discorsi* foolish talk. – **5.** ⟨*lett*⟩ (*vuoto*) empty, hollow. – **6.** ⟨*lett*⟩ (*incorporeo*) incorporeal, immaterial, bodiless, shadowy. – **II** *s.m.* **1.** (*spazio*) space. – **2.** (*cavità*) hollow, hole, space, opening: *~ della finestra* window opening. – **3.** (*ambiente, locale*) room: *un appartamento di otto -i* a flat with eight rooms, an eight-room apartment. – **4.** ⟨*Aer*⟩ bay. – **5.** ⟨*lett*⟩ (*vuoto*) hollow. – **6.** ⟨*lett*⟩ (*ciò che è inutile*) vanity, what is useless. □ *~ dell'***ascensore** lift-shaft; *~* **batteria** battery stand; ⟨*Aer*⟩ *~* **bombe** bomb-bay; *~ del* **forno** hearth; ⟨*non com*⟩ **in** *~* (*invano*) in vain, vainly; ⟨*Aut*⟩ *~* **motore** motor compartment; ⟨*Edil,Aut*⟩ *~* **porta** door opening; ⟨*Aut*⟩ *~* **portabagagli** (luggage) boot, ⟨*am*⟩ trunk; **rendere** *~* to make useless; **riuscire** *~* to be ⌜in vain⌝ (*o* unsuccessful); *~ delle* **scale** stair well; ⟨*Aer,Astron*⟩ *~* **strumenti** instrument panel.
vantaggiare *v.t.* (**vantaggio, vantaggi**) **1.** ⟨*non com*⟩ (*avvantaggiare*) to favour, to be to the advantage of. – **2.** ⟨*tosc*⟩ (*superare*) to be more (*o* greater) than, to surpass. – **3.** ⟨*tosc*⟩ (*far risparmiare*) to make (save) money: *~ qd.* to save s.o. money, to make s.o. save money. – **vantaggiarsi** *v.r.* ⟨*non com*⟩ (*avvantaggiarsi*) to gain, to get ahead, to get a lead. – **vantaggiato** (*p.p. di vantaggiare*) *a.* ⟨*tosc*⟩ **1.** (*abbondante*) a good, over, abundant: *ci saranno due chilometri -i* it must be ⌜a good⌝ (*o* over) two kilometres. – **2.** (*comodo*) comfortable, roomy, easy; (*largo*) full, loose.
vantaggino (*dim. di vantaggio*) *m.* **1.** slight advantage (*o* lead). – **2.** ⟨*tosc*⟩ (*aggiunta, contentino*) s.th. thrown in, makeweight, (bit) extra. – **3.** ⟨*Calz,tosc*⟩ reinforcement (near the sole).
vantaggio *m.* **1.** (*condizione favorevole*) advantage: *questi sono i vantaggi di chi è celibe* these are the advantages of being a bachelor; (*privilegio*) privilege. – **2.** (*profitto*) benefit, advantage, profit: *trarre ~ da qc.* to take advantage of s.th., to get some good out of s.th., to benefit by s.th.; (*guadagno*) profit. – **3.** (*distacco di tempo o di spazio*) lead: *il ladro aveva una ventina di chilometri di ~ sui suoi inseguitori* the thief had a twenty kilometre lead on his pursuers. – **4.** ⟨*Sport*⟩ lead; (*abbuono*) handicap. – **5.** ⟨*Tip*⟩ galley. – **6.** ⟨*Fis*⟩ efficiency. – **7.** ⟨*Calz*⟩ reinforcement (near the sole). – **8.** ⟨*non com*⟩ (*sconto*) discount. – **9.** ⟨*tosc*⟩ (*aggiunta, contentino*) s.th. thrown in, makeweight, (bit) extra.
□ **andare** *a ~ di qd.* to be to s.o.'s advantage; *andare in ~* to

take the lead; **avere** *un* ~ *su qd.* to have an advantage over s.o., to have the advantage of s.o.; *avere su qd. il* ~ *di qc.* to have the advantage of s.th. over s.o.; ⟨*Sport*⟩ ~ *alla* **battuta** advantage server; **cercare** *il proprio* ~ to be self-seeking (*o* an opportunist), to think only of one's own interests; ⟨*Tip*⟩ ~ *per le* **colonne** slip (*o* column) galley; **dare** *molti vantaggi* to offer many advantages; *dare cento punti di* ~ to give a hundred point handicap; ⟨*tosc*⟩ **di** ~ (*in più*) extra: *qualche copia di* ~ a few extra copies; **essere** *a* ~ *di qd.* to be ⌜to s.o.'s advantage⌝ (*o* in s.o.'s favour); *essere in* ~: 1. to ⌜have the⌝ (*o* be at an) advantage: *siamo in* ~ *perché siamo più numerosi* we have the advantage because there are more of us; 2. ⟨*Sport*⟩ to be ahead, to be in the lead: *essere in* ~ *per tre a due* to be leading by three to two; ⟨*non com*⟩ **in** ~ *di qd.* to s.o.'s advantage; ⟨*Sport*⟩ **regola** *del* ~ advantage rule; ~ *alla* **riscossa** advantage striker; **venire** *a* ~ *di qd.* = **andare** *a vantaggio di qd.*

vantaggiosamẹnte *avv.* advantageously, to advantage, favourably: *tutti se ne potranno servire* ~ everyone can use it to advantage. – **vantaggiọso** *a.* **1.** advantageous, favourable: *patti -i* advantageous agreements; *a condizioni -e* on favourable terms. – **2.** ⟨*ant*⟩ (*che cerca il proprio vantaggio*) self-seeking.

vantamẹnto *m.* ⟨*non com*⟩ boasting, bragging.

vantạre *v.t.* **1.** to boast of (*o* about), to brag of (*o* about), to vaunt: ~ *le proprie ricchezze* to boast of one's wealth. – **2.** (*andare fiero*) to boast: *la nostra città vanta splendidi monumenti* our city boasts splendid monuments. – **3.** (*avanzare fondata pretesa*) to claim, to make a claim to: ~ *diritti su qc.* to claim rights to s.th. – **vantarsi** *v.r.* **1.** to boast, to brag (*di* about, of), to vaunt (s.th.): *vantarsi delle proprie capacità* to boast about one's own ability, ⟨*fam*⟩ to blow one's own trumpet. – **2.** (*millantarsi*) to boast, to brag (*di* about), to swagger. – **3.** ⟨*Mediev*⟩ to challenge to a storytelling contest. □ ⟨*fam*⟩ *non faccio per vantarmi* I don't want to boast (*o* blow my own trumpet), I don't mean to brag.

vantatọre *m.* (*f.* **-trice**) ⟨*non com*⟩ **1.** boaster, braggart. – **2.** (*millantatore*) boaster, braggart, swaggerer, ⟨*fam*⟩ show-off. – **vantazione** *f.* ⟨*rar*⟩ bragging, boasting. □ ⟨*tosc*⟩ *non lo dico* (o *faccio*) *per* ~ (*per vantarmi*) I'm not saying this to be boastful, I don't mean to brag. – **vanterịa** *f.* **1.** boasting, bragging, boastfulness, swaggering. – **2.** ⟨*concr*⟩ brag(ging), boast(ing), swagger(ing), vaunt(ing).

vạnto *m.* **1.** (*il vantare, il vantarsi*) boast(ing), brag(ging). – **2.** (*motivo d'orgoglio*) boast, ⌜cause for⌝ (*o* source of) pride; (*motivo di gloria*) boast, ⟨*lett*⟩ fount of glory. – **3.** (*merito, pregio*) merit, credit, virtue: *ha il* ~ *di essere stato sempre sincero* he has the merit of always having been sincere. – **4.** ⟨*lett*⟩ (*motivo di vanteria*) cause for boasting, ⟨*lett*⟩ vaunt. – **5.** ⟨*Mediev*⟩ challenge to a storytelling contest. □ ⟨*lett*⟩ *aver* ~ *su qd.* (*essergli superiore*) to be better than s.o., to have the upper hand of s.o.; ⟨*iron*⟩ *bel* ~*!* fine thing!; *dare il* ~ *di qc. a qd.* to give s.o. credit for s.th.; *menar* ~ *delle proprie ricchezze* to brag about one's wealth; ⟨*lett*⟩ *darsi* ~ (*dichiararsi capace*) to say one is able, to pride o.s.

vantọne *m.* ⟨*non com*⟩ (*millantatore*) braggart, boaster.

vanụme *m.* **1.** ⟨*non com*⟩ (*insieme di cose vane*) vain things *pl* (*o* talk), nonsense, vanities *pl.* – **2.** ⟨*Agr*⟩ grain which fails to mature.

vạnvera: *a* ~ haphazardly, without thinking: *parlare a* ~ to talk without thinking, to babble on; *fare le cose a* ~ to do things haphazardly.

vạpiti *m.* ⟨*Zool*⟩ (*wapiti*) wapiti (*Cervus canadensis*).

vapofọrno *m.* (baker's) steam oven; (*panificio*) steam bakery.

vaporạbile *a.* ⟨*rar*⟩ evaporable, quickly evaporating. – **vaporabilità** *f.* ⟨*rar*⟩ evaporability. – **vaporạnte** (*p.pr. di vaporare*) *a.* ⟨*poet*⟩ (*che esala vapore*) evaporating. – **vaporạre** *v.* (**vapọro**) ⟨*poet*⟩ **I** *v.t.* **1.** (*esalare*) to emit, to give off. – **2.** (*riempire di vapori*) to fill with vapours. – **3.** ⟨*fig*⟩ (*velare*) to cloud, to blur, to conceal, to shroud. – **II** *v.i.* (*aus.* **avere**/**essere**) **1.** (*evaporare, svaporare*) to evaporate. – **2.** (*uscire a forma di vapore*) to be given off as vapour. – **3.** (*diffondersi, perdersi*) to spread, to drift (in the form of vapour). – **vaporaziọne** *f.* ⟨*non com*⟩ **1.** (*evaporazione*) evaporation. – **2.** (*suffumigio*) suffimigation.

vapọre *m.* **1.** vapour (*anche Fis.*); (*vapore acqueo*) steam, vapour (*anche Fis.*). – **2.** (*nebbiolina*) mist, haze, vapour, fumes *pl.* – **3.** (*fumo*) smoke. – **4.** (*esalazione, emanazione*) vapour, fumes *pl*, exhalation, emanation: *-i mefitici* mephitic exhalations. – **5.** (*nave a vapore*) steamer, steamboat. – **6.** ⟨*poet*⟩ (*stella cadente*) shooting-star, falling-star. – **7.** ⟨*poet*⟩ (*fiamma*) flame. – **8.** ⟨*ant*⟩ (*vampe di calore*) kind of nervous disorder, ⟨*lett*⟩ vapours *pl.*

□ **a** ~ steam-: *caldaia a* ~ steam-boiler; *macchina a* ~ steam -engine; ~ **acqueo** (o *d'acqua*) steam; ⟨*Gastr*⟩ **al** ~ steamed: *asparagi al* ~ steamed asparagus; *cuocere al* ~ to steam; *-i d'olio* oil vapours; ~ **saturo** saturated steam; ~ *di* **scarico** exhaust steam, blast; ~ **secco** dry steam; ~ **soprassaturo** supersaturated vapour; ~ **surriscaldato** superheated steam; *a* **tutto** ~ (*con gran celerità*) at full (*o* top) speed, full steam ahead, at full steam; ⟨*fig*⟩ ~ **umido** wet steam; ⟨*non com*⟩ *-i del* **vino** (*fumi del vino*) wine fumes; ~ **vivo** live steam.

vaporẹtto (*dim. di vapore*) *m.* ⟨*Mar*⟩ **1.** steamer, (small) steamboat. – **2.** ⟨*non com*⟩ (*piccola motonave*) (small) motor-ship.

vaporiẹra *f.* ⟨*ant*⟩ (*locomotiva a vapore*) (steam) locomotive, steam -engine.

vaporịmetro *m.* ⟨*Fis*⟩ vaporimeter.

vaporịno (*dim. di vapore*) *m.* ⟨*non com*⟩ → **vaporetto.**

vaporizzạre **I** *v.t.* **1.** to vaporize (*anche Fis.*). – **2.** (*spruzzare*) to vaporize, to spray. – **3.** ⟨*tecn,Cosmet*⟩ to steam. – **II** *v.i.* (*aus.* **essere**), **vaporizzarsi** *v.r.* (*evaporare*) to evaporate. – **vaporizzatọre** *m.* **1.** (*evaporatore*) evaporator; (*per i termosifoni*) humidifier. – **2.** (*polverizzatore*) sprayer, vaporizer; (*nebulizzatore*) atomizer. – **vaporizzatụra** *f.* ⟨*Tess*⟩ decatizing. – **vaporizzaziọne** *f.* **1.** (*evaporazione*) evaporation: ~ *dell'acqua* evaporation of water. – **2.** (*nebulizzazione*) vaporization.

vaporosità *f.* **1.** (*leggerezza*) filminess, gauziness, vaporousness. – **2.** ⟨*non com*⟩ (*indeterminazione*) vagueness, haziness. – **3.** ⟨*rar*⟩ (*l'essere pieno di vapore*) vaporousness. – **vaporọso** *a.* **1.** (*leggero, soffice*) filmy, gauzy, vaporous: *seta -a* filmy silk. – **2.** ⟨*non com*⟩ (*vago*) vague, hazy, idle, vaporous. – **3.** ⟨*non com*⟩ (*di vapore*) vaporous, vapory; (*rif. a vapore acqueo*) steam-; (*avvolto di vapori*) vaporous, surrounded by vapours: (*rif. a vapore acqueo*) vaporous, steamy.

vaquero *sp.* [-ˈkɛ-] *m.* vaquero, herdsman.

var. = **1.** ⟨*Filol*⟩ *variante* variant (*abbr.* var.). – **2.** ⟨*Biol*⟩ *varietà* variety (*abbr.* var.).

varamẹnto *m.* **1.** ⟨*Edil*⟩ assembly of finished parts. – **2.** ⟨*Mar.ant*⟩ (*varo*) launch(ing).

varạnidi *m.pl.* ⟨*Zool*⟩ monitors *pl*, monitor lizards *pl*, varan(id)s *pl* (*Varanidae*). – **varạno** *m.* ⟨*Zool*⟩ monitor (lizard), varan(id) (*Varanus*). □ ~ *fasciato* water monitor (*Varanus salvator*).

varạre *v.t.* **1.** ⟨*Mar*⟩ to launch: ~ *una nave* to launch a ship. – **2.** ⟨*fig*⟩ (*presentare ufficialmente in pubblico*) to launch, to get going (*o* under way): ~ *un'impresa* to launch an enterprise; (*rif. a pubblicazioni*) to present, to launch. – **3.** ⟨*Dir*⟩ to pass: ~ *una legge* to pass a law. – **4.** ⟨*fig,scherz*⟩ (*promuovere, approvare*) to pass: ~ *un candidato* to pass a candidate. – **5.** ⟨*Edil*⟩ to assemble (the finished parts of). – **6.** ⟨*ant*⟩ (*calare in acqua un battello della nave*) to lower (into the water). □ ⟨*Mar*⟩ *vararsi in costa* (o *secca*) to run aground, to ground.

varạta *f.* **1.** (*nelle cave di marmo*) dislodging of slabs. – **2.** ⟨*Minier*⟩ massive blasting.

varatọio *m.* ⟨*Mar*⟩ ways *pl* (*costr.pl. o sing.*), launchways *pl* (*costr. sing. o pl.*), launching ways *pl* (*costr.sing. o pl.*).

varcạbile *a.* passable, that may be crossed.

varcạre *v.* (**vạrco, vạrchi**) **I** *v.t.* **1.** to cross, to pass: ~ *la soglia* to cross the threshold. – **2.** (*valicare*) to cross: ~ *il mare* to cross the sea. – **3.** ⟨*fig*⟩ (*oltrepassare, superare*) to overstep, to go beyond, to exceed: ~ *i limiti della convenienza* to overstep the bounds of propriety; (*rif. all'età*) to be over, to pass: *ha varcato la sessantina* he is over sixty. – **4.** ⟨*lett*⟩ (*estendersi*) to span, to stretch over (*o* across). – **5.** ⟨*lett*⟩ (*traghettare*) to ferry. – **6.** ⟨*ant,rar*⟩ (*sorpassare*) to overtake, to go past. – **II** *v.i.* (*aus.* **essere**) ⟨*lett*⟩ **1.** (*del tempo*: *trascorrere*) to pass. – **2.** (*procedere*) to proceed, to move (*o* go) along; (*passare*) to pass; (*aprirsi un varco*) to open a way for o.s., to push one's way.

vạrco *m.* (*pl.* **-chi**) **1.** opening: *l'acqua aveva aperto un* ~ *nella diga* the water made an opening in the dam; (*passaggio*) passage, (narrow) way: *aprirsi un* ~ *tra la folla* to make (*o* push) one's way through the crowd. – **2.** ⟨*non com*⟩ (*valico montano*) (mountain) pass. – **3.** ⟨*non com*⟩ (*il valicare*) crossing. – **4.** ⟨*non com*⟩ (*il passare*) passing. □ *aspettare al* ~ 1. (*appostarsi*) to lie in wait: *aspettare la selvaggina al* ~ to lie in wait for game; 2. ⟨*fig*⟩ to bide one's time; ⟨*fig*⟩ *aspettare qd. al* ~ to wait to catch s.o. out; ⟨*fig*⟩ *prendere* (o *cogliere*) *al* ~ to catch out; ⟨*rar*⟩ ~ *di tempo* (*spazio di tempo*) period of time.

varẹa *f.* ⟨*Mar*⟩ (*estremità di albero*) pole; (*estremità di pennone*) yard-arm.

vare(c)chịna *f.* bleach, javelle water.

varesịno **I** *a.* of (*o* from) Varese. – **II** *s.m.* (*f.* -a) inhabitant (*o* native) of Varese. – **Varesọtto** *N.pr.m.* ⟨*Geog*⟩ territory in the province of Varese.

vạria *lat. f.pl.* varia *pl*, miscellany.

variạbile **I** *a.* **1.** variable, varying, changeable, fluctuating: *prezzo* ~ fluctuating price. – **2.** (*incostante*) variable, changeable, unsteady, unsettled, shifting: *tempo* ~ unsettled (*o* changeable) weather; (*volubile*) changeable, inconstant, fickle: *umore* ~ changeable (*o* fickle) mood, moodiness. – **3.** (*rif. a persone*) inconstant, variable, fickle, unsteady, changeable. – **4.** ⟨*Statist,Mat,Econ*⟩ variable. – **5.** ⟨*Gramm*⟩ declinable, inflected. – **II** *s.m.* ⟨*Meteor*⟩ unsettled (*o* changeable) weather; (*segno del barometro*) change, variable. – **III** *s.f.* **1.** ⟨*Mat*⟩ variable. – **2.** ⟨*Astr*⟩ (*anche stella variabile*) variable (star).

□ ⟨*Mat*⟩ ~ **autonoma** autonomous variable; ~ **casuale** = *variabile stocastica*; ~ **dipendente** dependant variable; ~ **indipendente** independent variable; ⟨*Astr*⟩ *-i* **irregolari** irregular variables; ⟨*Mat*⟩ ~ **stocastica** stochastic (*o* random) variable, variate; *il barometro sta* **sul** ~ the barometer says variable; **vento** ~ variable (*o* shifting) wind.

variabilità *f.* **1.** variability, changeability. – **2.** (*instabilità*) variability, changeability, unsteadiness. – **3.** (*rif. a persone*) inconstancy, fickleness, variability, changeability. – **4.** ⟨*Mat,Econ,Statist,Biol*⟩ variability. – **5.** ⟨*Gramm*⟩ declinable (*o* inflectible) nature.

variabilmẹnte *avv.* variably.

variamẹnte *avv.* variously; (*in maniera diversa*) in different ways.

variamẹnto *m.* ⟨*ant*⟩ (*il variare*) varying, variation.

variạnte (*p.pr. di variare*) **I** *a.* varying, variant, changing. – **II** *s.f.*

1. variation, variant: *il modello viene presentato in più -i* there are several variations of (*o* on) the model. – **2.** (*cambiamento*) variation, change: *apportare una ~ a qc.* to make a change in s.th. – **3.** ⟨*Ling,Filol,Arch*⟩ variant. – **4.** ⟨*Strad*⟩ improvement route. – **III** *s.m.* ⟨*Biol,Statist*⟩ variant. □ ⟨*Filol*⟩ ~ *d'autore* author's variant; ⟨*Ling*⟩ ~ *grafica* (spelling) variant.

varianza *f.* **1.** ⟨*Fis,Mat,Statist*⟩ variance. – **2.** ⟨*ant*⟩ (*variazione*) variation, change.

variare *v.* (**vario, vari**) **I** *v.t.* **1.** to vary, to change, to make a change in, to alter: ~ *il percorso* to make a change in the route; (*cambiare*) to change: ~ *la disposizione dei libri* to change the arrangement of the books, to rearrange the books. – **2.** (*alternare*) to vary, to change: ~ *il proprio guardaroba* to vary one's wardrobe; (*rendere vario, diversificare*) to vary, to diversify. – **II** *v.i.* (*aus.* **avere/essere**; *avere* is used when the subject is a person, *essere* when the subject is a thing) **1.** (*subire variazioni*) to vary (*di* in), to change (in s.th.): *in tanti anni ha variato poco di fisionomia* for many years he changed little in appearance; *da allora il mondo è molto variato* the world has changed a lot since then. – **2.** (*essere differente*) to vary, to differ, to be different: *i gusti variano da persona a persona* tastes differ, people have different tastes. □ ~ *d'aspetto* to look different; *per ~* for a change; *mi piace ~* I like ⌜to change⌝ (*o* variety); *i prezzi variano col* (o *al*) ~ *della domanda* prices vary (*o* change, fluctuate) according to demand; ⟨*scherz*⟩ *tanto per ~* just for a change: *tanto per ~, anche oggi pasta asciutta* pasta again today, just for a change.

variatamente *avv.* with variety, with variation, varyingly.

variato (*p.p. di variare*) **I** *a.* **1.** varied, diversified: *la conversazione era -a* the conversation was varied. – **2.** (*vario, non uniforme*) varied, changing: *paesaggio ~* varied landscape. – **3.** ⟨*non com*⟩ (*variopinto*) many-coloured, multicoloured. – **II** *s.m.* ⟨*Biol,Statist*⟩ (*variante*) variant.

variatore *m.* ⟨*tecn*⟩ **1.** variator. – **2.** (*regolatore*) governor, regulator. □ ⟨*Mot*⟩ ~ *di coppia* torque convertor; ⟨*El*⟩ ~ *di fase* phase (*o* phasing) transformer; ~ *di frequenza* frequency changer (*o* convertor); ~ *di velocità* speed variator.

variazione *f.* **1.** varying, variation, change; (*diversificazione*) variation, diversification. – **2.** (*modifica*) change, variation: *introdurre qualche ~ nel programma* to make some changes in the programme. – **3.** (*oscillazione*) variation, change, fluctuation: *brusche -i di temperatura* sudden variations in temperature. – **4.** ⟨*Biol,Mus,Astr,Mat*⟩ variation. – **5.** ⟨*Econ*⟩ change, fluctuation, variation. – **6.** ⟨*poet, ant*⟩ (*varietà*) variety.
□ ⟨*Mar*⟩ ~ *d'***assetto** change (*o* alteration) of trim; ⟨*Econ*⟩ ~ **attiva** *e* **passiva** active and passive change; ⟨*Mar,Aer*⟩ ~ *di una* **bussola** variation of a compass; ⟨*Mat*⟩ **calcolo** *delle -i* variational calculus (*o* method), calculus of variations; ⟨*El*⟩ ~ *di* **carico** load variation; *-i* **congiunturali** cyclical fluctuations; ⟨*El*⟩ ~ *di* **corrente** current variation; ⟨*Econ*⟩ ~ *nella* **domanda** *e nell'offerta* change in demand and supply; ⟨*El,Rad*⟩ ~ *di* **frequenza** frequency change; ⟨*Fis*⟩ ~ **magnetica** magnetic variation; ⟨*Econ*⟩ ~ *del* **prezzo** price change; (*oscillazione*) price fluctuation; ⟨*Biol*⟩ ~ **spontanea** mutation; ⟨*Statist*⟩ ~ **stagionale** seasonal variation; ⟨*Mus*⟩ *-i sul* **tema** variations *pl* (on a theme); ⟨*fig*⟩ variations on a theme; ⟨*El*⟩ ~ *di* **tensione** voltage change (*o* variation); ~ *di* **velocità** speed variation.

varice *f.* ⟨*Med*⟩ varix, varicose vein.

varicella *f.* ⟨*Med*⟩ chicken-pox, varicella.

varichina *f.* ⟨*region*⟩ → **vare(c)china.**

varicocele *m.* ⟨*Med*⟩ varicocele, hernia varicosa.

varicosità *f.* ⟨*Med*⟩ varicosis, varicosity. – **varicoso** *a.* varicose: *vene -e* varicose veins.

varie *f.pl.* miscellaneous, varia *pl.* □ *eventuali e ~* any other business.

variegato *a.* **1.** (*a strisce*) variegated, streaked, striped; (*venato*) veined. – **2.** (*screziato*) speckled, variegated, flecked. – **3.** (*policromo*) variegated, many-coloured, multicoloured, varicoloured. – **4.** ⟨*Agr*⟩ (*albicato*) albinic. – **variegatura** *f.* **1.** variegation; (*venatura*) veining. – **2.** (*screziatura*) speckling, variegation. – **3.** (*policromia*) variegation, many-coloured aspect. – **4.** ⟨*Agr*⟩ (*albicatura*) albinism.

varietà I *f.* **1.** variety, range: *un artista notevole per la ~ dei suoi interessi* an artist noted for the range of his interests. – **2.** (*diversità, divario*) difference, diversity, discrepancy: ~ *di opinioni* difference of opinions. – **3.** (*assortimento*) variety, assortment: *abbiamo una grande ~ di vini* we have a great assortment of wines. – **4.** ⟨*concr*⟩ (*oggetto dotato di caratteristiche proprie*) variety, kind, sort: *una bella ~ di quarzo* a beautiful variety of quartz. – **5.** ⟨*Biol*⟩ variety. – **6.** ⟨*Ling*⟩ (*variante*) variant. – **II** *m.* **1.** ⟨*Teat*⟩ variety, ⟨*am*⟩ vaudeville: *artista di ~* variety artist; (*edificio, locale*) variety theatre, music-hall. – **2.** ⟨*Rad,TV*⟩ variety show. □ ⟨*Bot*⟩ ~ *fisiologica* physiologic race (*o* form); *spettacolo di ~* variety show, ⟨*am*⟩ vaudeville.

varietale *a.* ⟨*Biol*⟩ varietal.

variété *fr. m.* ⟨*Teat*⟩ (*varietà*) variety (show).

varifocale *a.* ⟨*Fot*⟩ varifocal, zoom-: *obiettivo ~* zoom (*o* varifocal) lens.

vario I *a.* **1.** (*variato, non uniforme*) varied, diversified: *vegetazione -a* varied vegetation; *stile ~* varied style. – **2.** (*differente, molteplice*) various, different, varied, diverse, many: *oggetti di -a grandezza* objects of various sizes; *persone di -a età e -a condizione sociale* persons of various ages and backgrounds. – **3.** (*diverso, numeroso*: *col sost. al pl.*) various, several, numerous: *ho -e cose da fare* I have several things to do; *l'ho visto -e volte* I saw him several times; *in -e circostanze della vita* in various circumstances in life. – **4.** (*instabile, mutevole*) changeable, variable: *umore ~* changeable mood. – **5.** (*irregolare*) variable: *moto ~* variable motion. – **6.** ⟨*Comm*⟩ miscellaneous, sundry: *articoli vari* sundry articles; *merci -e* miscellaneous merchandise. – **7.** ⟨*ant*⟩ (*diverso*) different. – **8.** ⟨*ant*⟩ (*multicolore*) multicoloured. – **II** *s.m.* **1.** variety. – **2.** *pl.* (*diverse persone*) various (*o* several) people *pl*, a number of people: *mi sono rivolto a vari, nessuno ha saputo darmi una risposta* I asked several people but no one could give me an answer. □ *uomo d'ingegno ~* versatile man. – *Prov.*: *il mondo è bello perché è ~* variety is the spice of life.

Vario *N.pr.m.* ⟨*Stor*⟩ Varius.

variografo *m.* **1.** ⟨*tecn*⟩ recording variometer, magnetograph. – **2.** ⟨*Meteor*⟩ (*microbarografo*) microbarograph.

variola[1] *f.* ⟨*Min*⟩ variole.

variola[2] *f.* ⟨*ant*⟩ (*vaiolo*) smallpox, variola.

variolato *a.* ⟨*rar*⟩ (*macchiettato*) speckled, spotted.

variolite *f.* ⟨*Min*⟩ variolite. – **variolitico** *a.* (*pl.* **-ci**) variolitic.

variolizzazione *f.* ⟨*non com*⟩ → **vaiolizzazione.**

variometro *m.* **1.** ⟨*tecn*⟩ variometer. – **2.** ⟨*Aer*⟩ variometer, rate-of -climb indicator. – **3.** ⟨*Rad,El*⟩ variometer, variocoupler.

variopinto *a.* many-coloured, multicoloured, gaily coloured.

variscico *a.* → **varisco.**

variscite *f.* ⟨*Min*⟩ variscite, utahlite.

varisco *a.* (*pl.* **-chi**) ⟨*Geol*⟩ variscan: *corrugamento ~* variscan orogeny.

varismo *m.* ⟨*Med*⟩ varus (condition).

varistore *m.* ⟨*El*⟩ varistor.

varmetro *m.* ⟨*El*⟩ varmeter.

varna *m.* (*casta*) varna, caste, class.

Varna *N.pr.f.* ⟨*Geog*⟩ Varna.

varo[1] *m.* **1.** ⟨*Mar*⟩ launch(ing): *il ~ di una nave* the launching of a ship. – **2.** ⟨*fig*⟩ (*pubblicazione*) launch(ing), publication; (*presentazione*) presentation; (*rif. a leggi*) passing; (*rif. a lavori*) launching, getting under way. – **3.** ⟨*fig*⟩ (*inaugurazione*) inauguration. – **4.** ⟨*Edil*⟩ assembly of finished parts. □ *fare il ~ di una nave* to launch a ship.

varo[2] *a.* ⟨*Med*⟩ varus: *coxa -a* coxa vara, bent hip. □ *ginocchio ~* genu varum, bow-legs; *piede ~* talipes (*o* pes) varus, pigeon-toes.

varo[3] *a.* ⟨*ant*⟩ (*vario*) varied, various.

Varo[1] *N.pr.m.* ⟨*Geog*⟩ **1.** (*fiume*) Var. – **2.** (*dipartimento*) Var.

Varo[2] *N.pr.m.* ⟨*Stor*⟩ Varus.

varolo *m.* ⟨*Itt*⟩ (*spigola*) bass, sea-wolf, sea-dace, ⟨*am*⟩ sea bass (*Morone labrax*; *Labrax lupus*).

varometro *m.* → **varmetro.**

varrocchio *m.* **1.** ⟨*Mil.ant*⟩ kind of capstan. – **2.** ⟨*Stor*⟩ (*argano*) kind of winch, capstan.

Varrone *N.pr.m.* ⟨*Stor*⟩ Varro. – **varroniano** *a.* Varronian. □ ⟨*scherz*⟩ *etimologia -a* Varronian etymology, absurd (*o* over-simplified) etymology.

Varsavia *N.pr.f.* ⟨*Geog*⟩ Warsaw.

varsovienne *fr.* [-vj'ɛn] *f.* ⟨*Stor*⟩ (*danza*) varsovienne, varsoviana.

varva *f.* ⟨*Geol*⟩ varve.

varvassore, varvassoro *m.* ⟨*ant*⟩ → **valvassore.**

vas, VAS = ⟨*Mar.mil*⟩ *vedetta antisommergibile* submarine vedette -boat.

vasaio *m.* (*f.* **-a**) **1.** (*fabbricante*) potter, pottery-maker, thrower. – **2.** (*venditore*) pottery-seller.

vasale *a.* **1.** ⟨*Anat*⟩ vasal: *parete ~* vasal wall. – **2.** ⟨*Bot*⟩ vascular, vasal.

vasame *m.* ⟨*ant*⟩ (*vasellame*) crockery.

vasca *f.* **1.** basin; (*serbatoio, cisterna*) tank, cistern, basin. – **2.** (*vasca da bagno*) bath, bathtub, tub. – **3.** (*bacino*: *di fontana e sim.*) basin. – **4.** (*piscina*) swimming-pool, bathing-pool, ⟨*fam*⟩ pool; (*insieme di piscine*) swimming-bath, swimming-pool. – **5.** ⟨*Idr*⟩ (*bacino*) basin. – **6.** ⟨*Ind*⟩ tank, vat. – **7.** ⟨*Sport*⟩ (*lunghezza della vasca*) pool's length: *la nuotatrice è in vantaggio di una ~* the swimmer is a pool's length ahead.
□ ⟨*Mar*⟩ ~ *del* **bacino** *di carenaggio* dock basin; ~ **bagnapiedi** foot bath; ~ *da* **bagno** bath, (bath)tub; ~ *del* **bucato** wash-tub; ⟨*Idr*⟩ ~ *di* **calma** clarification bed; ⟨*Ind*⟩ ~ *di* **candeggio** bleach(ing) vat; ⟨*Ind*⟩ ~ *di* **decantazione** (o *depurazione*) settling tank; ⟨*Met*⟩ ~ *di* **decapaggio** pickling vat; ~ *per i* **fanghi** mud-tub; ~ *di* **Froude** = *vasca* **navale**; ~ *per* **immersione** dipping tank; ~ *di* **lavaggio** ⟨*Ind*⟩ washing tank, swilling tank; ~ *per la* **malta** mortar pan (*o* trough, tub); ~ **navale** Froude (*o* test) tank; ⟨*Cart*⟩ ~ **olandese** beater tub; ~ *dei* **pesci** fish-tank; ~ *di* **raccolta** collecting trough; ~ *a* **sedile** hip-bath, sit-down bath, sitz bath; ~ *di* **sedimentazione**: 1. ⟨*Idr*⟩ sedimentation tank; 2. ⟨*Ind*⟩ settling (*o* sedimentation) tank; ~ **sperimentale** = *vasca* **navale**; ⟨*Fot*⟩ ~ *di* **sviluppo** developing tank; ~ *per* **tintura** (o *tingere*) dyeing vat.

vascello *m.* **1.** ⟨*Mar.ant*⟩ vessel, ship. – **2.** ⟨*Pesc*⟩ (*maona*) barge, lighter. □ ⟨*Mar.mil*⟩ *di ~* sea-: *capitano di ~* (sea-)captain; *ufficiale di ~* naval officer, officer in the navy; *il ~ fantasma* The Flying Dutchman (*anche Mus.*).

vaschetta (*dim. di vasca*) *f.* (*bacinella*) (small) basin.
□ ~ *dell'***acquasanta** holy-water basin; ~ *del* **barometro** cup, cistern; ~ *di* **cacciata** flushing cistern (*o* tank); ⟨*Mot*⟩ ~ ⌜*del* **carburatore**⌝ (o *galleggiante*) float chamber; ~ *per* **doccia** shower tray; ⟨*Fot*⟩ ~ *di* **fissaggio** fixing tray; ⟨*Fot*⟩ ~ *di* **sviluppo** developing tray; ~ *del* **termometro** (thermometer) bulb.

vascolare *a.* **1.** ⟨*Ceram*⟩ vase-: *pittura* ~ vase painting. – **2.** ⟨*Anat*⟩ vascular: *lesione* ~ vascular lesion. – **3.** ⟨*Bot*⟩ vascular. □ *piante -i* vascular plants; *tessuto* ~ vascular tissue; ⟨*Anat*⟩ *tunica* ~ tunica vasculosa, vascular layer.

vascolarizzato *a.* **1.** ⟨*Anat*⟩ vascularized. – **2.** ⟨*Bot*⟩ vascular. □ ⟨*Anat*⟩ *ben* ~ highly vascularized. – **vascolarizzazione** *f.* ⟨*Biol*⟩ **1.** vascularization. – **2.** (*irrorazione sanguigna*) vascularization.

vascolo *m.* **1.** ⟨*rar*⟩ (*vasetto*) (small) vessel. – **2.** ⟨*Bot*⟩ vasculum.

vase *m.* ⟨*poet*⟩ → **vaso.**

vasectomia *f.* ⟨*Chir*⟩ vasectomy.

vaselina *f.* ⟨*Chim*⟩ vaseline, petrolatum, petroleum jelly. □ ~ *artificiale* artificial vaseline; *olio di* ~ paraffin oil, ⟨*am*⟩ kerosene.

vasella *f.pl. ant. di* **vasello.**

vasellaio *m.* ⟨*ant*⟩ → **vasaio.**

vasellame *m.* (*di porcellana*) crockery, china; (*di metallo prezioso*) plate; (*di vetro o cristallo*) glassware. □ ~ *d'argento* silver plate, silverware; ~ *d'argilla* crockery, earthenware; ~ *da cucina* kitchenware, crockery; ~ *da tavola* tableware. – **vasellamento** *m.* ⟨*ant*⟩ → **vasellame.**

vasellina *f.* → **vaselina.**

vasello *m.* (*pl. i* **vaselli**/*ant. le* **vasella**) **1.** ⟨*Lit*⟩ cruet. – **2.** ⟨*lett,ant*⟩ (*piccolo vaso*) (small) pot; (*vaso*) pot. – **3.** ⟨*fig,ant*⟩ vessel. – **4.** ⟨*ant*⟩ (*vascello*) ship, vessel; (*navicella*) small ship, boat.

vaseria *f.* ⟨*non com*⟩ (*complesso di vasi da giardino*) (flower)pots *pl.*

vasetto (*dim. di vaso*) *m.* **1.** jar, pot: *un* ~ *di crema da notte* a jar of night-cream; ~ *della colla* paste (*o* glue) pot. – **2.** ⟨*infant*⟩ potty.

vasistas *fr. m.* transom hopper window.

vaso *m.* **1.** (*recipiente*) vase, pot, vessel: ~ *di porcellana* porcelain vase; *mettere i fiori in un* ~ to put the flowers in a vase; (*vaso da fiori di terracotta*) flowerpot: *piantare in* ~ to plant in a flowerpot, to pot; (*barattolo*) jar: *un* ~ *di conserva* a jar of preserves. – **2.** (*boccale*) mug; (*brocca*) pitcher, jug. – **3.** (*orinale*) chamber-pot, urinal, ⟨*fam*⟩ jerry, ⟨*am*⟩ slop jar. – **4.** (*parte d'una latrina*) lavatory-pan, ⟨*am*⟩ toilet bowl. – **5.** ⟨*Anat*⟩ vessel, vas. – **6.** ⟨*Bot*⟩ vessel. – **7.** ⟨*Mar*⟩ cradling. – **8.** ⟨*Agr*⟩ tree branching only at the top. – **9.** ⟨*Arch*⟩ (*parte interna*) body, interior; (*di un teatro*) auditorium, body; (*rif. a capitelli*) bell, vase. – **10.** ⟨*fig,poet*⟩ (*rif. a persone*) vessel. □ ⟨*Anat*⟩ ~ **aberrante** vas (*o* vasculum) aberrans; ⟨*Bot*⟩ *-i* **aperti** tracheae *pl*, tracheas *pl*; *-i di* **cantina** wine vessels, wine casks, barrels and vats; ~ *di* **ceramica** (ceramic) pot, ceramic vase; ⟨*Anat*⟩ *-i* **chiliferi** chyliferous (*o* chyle) vessels; ⟨*Bot*⟩ *-i* **chiusi** tracheids *pl*; ⟨*Fis*⟩ *-i* **comunicanti** communicating vessels; ⟨*Rel,lett*⟩ ~ *d'elezione* (*anima eletta*) chosen soul; ⟨*Idr*⟩ ~ *d'***espansione** expansion tank; ~ *da* **fiori** flowerpot; (*recipiente decorativo*) vase; ~ **fiorito** pot(ted) plant; ~ **funerario** funerary vessel; ~ **inglese** = *vaso a* **sedile**; *-i* **intercomunicanti** = *vasi* **comunicanti**; ⟨*Archeol*⟩ ~ **lacrimale** (*lacrimatoio*) tear-bottle, lachrymatory, lachrymal vase; ⟨*Bot*⟩ ~ **laticifero** laticiferous vessel; ⟨*Anat*⟩ ~ **linfatico** lymph(atic) vessel; ⟨*Entom*⟩ *-i* **malpighiani** Malpighian vessels (*o* tubes, tubules); ~ *da* **marmellata** jam-jar; ~ *di marmellata* jar of jam; ~ *da* **notte** (*orinale*) chamber-pot; ⟨*Anat*⟩ *-i* **nutritivi** nutrient vessels; ~ **ornamentale** (decorative) vase; ~ *di* **Pandora** Pandora's box; ~ *da* **pianta** flowerpot; ⟨*Lit*⟩ *-i* **sacri** sacred vessels; ⟨*fig*⟩ *portare -i a* **Samo** to carry coals to Newcastle; ⟨*Anat*⟩ ~ **sanguigno** (o *sanguifero*) blood-vessel; ~ *a* **sedile** standard toilet (*o* water-closet); ~ *di* **terra** pot, terracotta vase; ~ *alla* **turca** floor toilet (*o* water-closet); ~ *di* **vetro** (glass) vase, glass vessel; *-i* **vinari** = *vasi di* **cantina.**

vaso|costrittore I *s.m.* ⟨*Farm*⟩ vaso-constrictor. – **II** *a.* **1.** (*relativo a vasocostrizione*) of vaso-constriction. – **2.** (*che provoca vasocostrizione*) vaso-constrictive, vaso-constricting. □ *nervo* ~ vaso-constrictor. – **~costrizione** *f.* ⟨*Med*⟩ vaso-constriction. – **~dilatatore I** *s.m.* ⟨*Farm*⟩ vaso-dilator. – **II** *a.* **1.** (*relativo a vasodilatazione*) of vaso-dilation. – **2.** (*che provoca vasodilatazione*) vaso-dilating, inducing vaso-dilation. □ *nervo* ~ vaso-dilator. – **~dilatazione** *f.* ⟨*Med*⟩ vaso-dil(at)ation. – **~motilità** *f.* vaso-motion. – **~motore** *a.* ⟨*Anat*⟩ vasomotor: *nervi -i* vasomotor nerves. – **~motorio** *a.* ⟨*Med*⟩ vaso-motorial, vaso-motoric, vaso-motory. – **~motricità** *f.* → **vasomotilità.** – **~neurosi** *f.* vaso-neurosis. – **~paralisi** *f.* vasoparalysis. – **~paresi** *f.* vasoparesis. – **~pressina** *f.* ⟨*Biol*⟩ vaso-pressin. – **~spasmo** *m.* ⟨*Med*⟩ vaso-spasm. – **~spastico** *a.* (*pl.* **-ci**) vaso-spastic. – **~tonina** *f.* → **vasopressina.**

vassallaggio *m.* **1.** ⟨*Mediev*⟩ (*condizione*) vassalage; (*atto*) commendation, vassalage. – **2.** ⟨*fig*⟩ (*stato di soggezione*) vassalage, subjection, servitude, bondage. – **3.** ⟨*Dir*⟩ vassalage.

vassallata *f.* ⟨*roman*⟩ (*bricconata*) roguery, knavish trick.

vassallatico *a./s.* (*pl.* **-ci**) **I** *a.* ⟨*Mediev*⟩ vassalic, vassal, of a vassal. – **II** *s.m.* ⟨*ant*⟩ (*vassallaggio*) vassalage. – **vassallesco** *a.* (*pl.* **-chi**) **1.** ⟨*Mediev*⟩ vassal, of a vassal, vassalic. – **2.** ⟨*fig,spreg*⟩ (*servile*) servile, subservient, vassal. – **vassallitico** *a./s.* ⟨*non com*⟩ → **vassallatico.** – **vassallizzare** *v.t.* **1.** ⟨*rar*⟩ to vassal(ize). – **2.** ⟨*fig, non com*⟩ (*rendere soggetto*) to vassal(ize), to (make) subject.

vassallo I *s.m.* **1.** ⟨*Mediev*⟩ vassal. – **2.** ⟨*fig*⟩ (*dipendente*) dependent, servant; (*suddito*) subject. – **3.** ⟨*fig,spreg*⟩ (*servo*) servant, menial. – **4.** ⟨*roman*⟩ (*birbante, briccone*) rogue, rascal. – **5.** ⟨*ant*⟩ (*garzone*) boy, helper. – **II** *a.* vassal: *stato* ~ vassal state.

vasso *m.* ⟨*ant*⟩ **1.** (*vassallo*) vassal; (*leudo*) leud, vassal. – **2.** (*schiavo*) slave.

vassoiata *f.* **1.** (*quantità*) trayful. – **2.** ⟨*rar*⟩ (*colpo*) blow with (*o* from) a tray.

vassoio *m.* **1.** tray. – **2.** ⟨*Mur*⟩ hawk, mortar-board, hod. – **3.** ⟨*Lit*⟩ tray. – **4.** ⟨*tosc*⟩ (*arnese per mondare biade e sim.*) wooden tub. □ ⟨*Met*⟩ ~ *per anime* core plate; ⟨*Met*⟩ ~ *di cottura* core carrier.

vastamente *avv.* vastly.

vastasata *f.* ⟨*sicil*⟩ (*farsa popolare*) (popular Sicilian) farce.

vastezza *f.* ⟨*rar*⟩ → **vastità.** – **vastità** *f.* **1.** vastness, vastitude. – **2.** (*superficie, spazio molto estesi*) vastness, immensity, vast expanse (*o* region): *la* ~ *del mare* the immensity of the sea. – **3.** ⟨*fig*⟩ vastness. – **vasto** *a.* **1.** vast, huge, far-reaching, extensive: *-i possedimenti* vast holdings; (*grande*) large, great: *una -a sala* a large room. – **2.** ⟨*fig*⟩ vast, wide, broad, extensive, immense, profound, great, large: *una -a cultura* a wide culture; *su -a scala* on a large scale.

Vat. = *Vaticano* Vatican (*abbr.* Vat.).

vate *m.* ⟨*lett*⟩ **1.** (*profeta*) prophet. – **2.** (*poeta*) poet.

vaticanista *m./f.* **1.** (*studioso*) scholar of Vatican problems. – **2.** (*fautore*) Vaticanist.

vaticano *a.* **1.** Vatican: *giardini -i* Vatican gardens. – **2.** (*dello stato*) Vatican: *poste -e* Vatican Post Office; (*della Santa Sede*) Vatican, of the Holy See. □ *basilica -a* Basilica of St. Peter; ⟨*Filol*⟩ *codice* ~ Codex Vaticanus. – **Vaticano** *N.pr.m.* ⟨*Geog*⟩ Vatican. □ *città del* ~ Vatican City (*denom.uff.*: *Stato della Città del Vaticano* Vatican City State); *stato del* ~ Vatican City State.

vaticinare *v.t.* (**vaticino**/**vaticino**) (*predire*) to foretell, to predict, ⟨*lett*⟩ to vaticinate. – **vaticinatore** *m.* (*f.* **-trice**) ⟨*lett*⟩ prophet, ⟨*lett*⟩ vaticinator. – **vaticinazione** *f.* ⟨*lett,non com*⟩ → **vaticinio.** – **vaticinio** *m.* prediction, foretelling, ⟨*lett*⟩ vaticination. – **vaticino** *m.* ⟨*lett,rar*⟩ → **vaticinatore.**

vattelappesca ⟨*fam*⟩ (*chi lo sa*) goodness (*o* who) knows, my guess is as good as yours, who can tell?, I don't know, how should I know?: *quanti erano?* – ~ how many of them were there? – how should I know?; *è andato a finire* ~ *dove* goodness knows where it's got to.

vaucheria [voʃ-] *f.* ⟨*Bot*⟩ vaucheria, green felt (*Vaucheria*).

Vaud *fr.* [vo] *N.pr.m.* ⟨*Geog*⟩ Vaud.

vauda *f.* ⟨*Geog*⟩ (*baraggia*) dry moorland.

vaudeville *fr.* [vod'vil] *m.* ⟨*Teat*⟩ vaudeville.

vavorna *f.* ⟨*Bot*⟩ (*lantana*) wayfaring-tree (*Viburnum lantana*).

vb. = ⟨*Gramm*⟩ *verbo* verb (*abbr.* vb., v.).

V.C. = **1.** *valor civile* civil bravery. – **2.** ⟨*Dipl*⟩ *vice console* Vice Consul (*abbr.* V.C.).

V.d.F. = *Vigili del fuoco* Fire Department (*abbr.* F.D.).

ve *pron./avv.* → **vi.**

V.E. = *vostra eccellenza* Your Excellency.

ve' (*apoc. di vedi*) *intz.* ⟨*ant,region*⟩ **1.** (*vedi*) look, see, mark. – **2.** (*rafforzativo*) then, now, *spesso non si traduce*: *non ci provare,* ~ *!* don't try (then)! – **3.** (*bada*) mind, look, listen. – **4.** (*nevvero*) isn't that so?, isn't that right? □ ~ *sì* yes then; ~ *no* no then, well no.

've *avv.* ⟨*poet*⟩ (*ove*) where.

vecchia *f.* **1.** (*donna vecchia*) old woman. – **2.** ⟨*fam*⟩ (*madre*) mother, ⟨*fam*⟩ mum; (*nonna*) grandmother, ⟨*fam*⟩ granny. – **3.** ⟨*fam,region*⟩ (*moglie*) wife, ⟨*fam*⟩ old lady (*o* woman). – **4.** ⟨*region*⟩ (*luminello*) flash (of reflected light), dazzle, flicker.

vecchiaccia (*pegg. di vecchia*) *f.* (*pl.* **-ce**) old witch, hag.

vecchiaia *f.* **1.** old age, senility; (*rif. ad animali e piante*) old age. – **2.** ⟨*collett*⟩ (*i vecchi*) the old (*costr.pl.*), the aged (*costr.pl.*), old people *pl*: *rispettare la* ~ to respect the aged. – **3.** ⟨*fig,scherz*⟩ (*rif. a cose*) old age. □ ⟨*fig*⟩ *essere il bastone della* ~ *di qd.* to be the staff of s.o.'s old age; ⟨*scherz*⟩ *è la* ~ it's old age (creeping up); *morire di* ~ to die of old age; ⟨*fam*⟩ *morirà di* ~ (*rif. a persona sana e robusta*) he'll live to be a hundred; ~ *precoce* premature senility; *tarda* ~ advanced (old) age, ripe old age.

vecchiardo *m.* (*f.* **-a**) **1.** ⟨*spreg*⟩ old fool, silly old man. – **2.** ⟨*lett*⟩ (*vecchione*) old man. – **vecchiarella** (*dim. di vecchia*) *f.* ⟨*non com*⟩ → **vecchietta.** – **vecchiarello** (*dim. di vecchio*) *m.* ⟨*non com*⟩ → **vecchietto.** – **vecchierella** (*dim. di vecchia*) *f.* → **vecchietta.** – **vecchierello** (*dim. di vecchio*) *m.* → **vecchietto.** – **vecchietta** (*dim. di vecchia*) *f.* little old woman (*o* lady). – **vecchietto** (*dim. di vecchio*) *m.* little old man. – **vecchiezza** *f.* (old) age. – **vecchina** (*dim. di vecchia*) *f.* → **vecchietta.** – **vecchino** (*dim. di vecchio*) *m.* ⟨*non com*⟩ → **vecchietto.**

vecchio I *a.* **1.** old, aged: *diventare* ~ to grow old, to age; *sentirsi* ~ to feel old (*o* one's years); (*attempato*) elderly, getting on (in years). – **2.** (*anziano*) old: *è più* ~ *di me de tre anni* he is three years older than I am, he is three years my elder. – **3.** (*senile, da vecchio*) old, aged: *un viso* ~ *e stanco* a worn old face. – **4.** (*nato da molto tempo*) old, ⟨*scherz*⟩ ancient: *un* ~ *ronzino* an old nag. – **5.** (*che dura da molto tempo*) old, long-standing: *una -a amicizia* a long-standing friendship; *un* ~ *cliente* an old client. – **6.** (*fatto da molto tempo*) old: *il* ~ *quartiere* the old quarter. – **7.** (*di prima, precedente*) old, former: *è meglio tornare al* ~ *sistema* it's better to go back to the old way; (*di un tempo*) old, former, previous: *ho incontrato il mio* ~ *professore* I met my old teacher. – **8.** (*non attuale*) old, bygone, ⟨*lett*⟩ of yore: *vecchi tempi* old (*o* bygone) times; (*antiquato*) old, out-of-date, old-fashioned: *un'usanza -a* an old-fashioned custom. – **9.** (*non fresco, stantio*) old, stale; (*rif. al pane*) stale. – **10.** (*rif. a prodotti agricoli: del raccolto precedente*) last year's: *grano* ~ last year's wheat. – **11.** (*stagionato*) seasoned: *legno* ~ seasoned wood; (*rif. al vino*) vintage: *vino* ~ vintage wine. – **12.** (*che si verifica da sempre, che si ripete*) old: *è una -a storia* it's an old story; (*che si conosce da tempo*) old, stale, ⟨*scherz*⟩ ancient, ⟨*scherz*⟩ antediluvian: *questa barzelletta è -a* that's an old joke, that joke is stale (*o* old hat). – **13.** (*pratico, esperto*) old, experienced, practised: *un ~ marinaio* an old salt. – **14.** (*usato*) old, used: *bottiglie -e* old bottles; (*rif. a vestiti*) old, worn; (*di seconda mano*) used, second-hand: *libri vecchi* second-hand books. – **15.** (*consumato*) old, worn-out; (*rif. ad abiti*) old, worn(-out), threadbare, shabby. – **II** *s.m.* **1.** (*f.* **-a**) old man (*f* woman); *pl.* the old (*costr.pl.*), the aged (*costr.pl.*), old people *pl*, old folks *pl*, ⟨*am*⟩ senior citizens *pl*: *casa di riposo per vecchi* old folks' home. – **2.** (*ciò che è vecchio*) old, old things *pl*: *il ~ e il nuovo* the old and the new. – **3.** (*sapore di vecchio*) old taste. – **4.** *pl.* (*anziani*) senior members *pl*: *i vecchi dell'azienda* the senior members of the firm. – **5.** (*come epiteto*) elder, senior: *Catone il ~* Cato the Elder. – **6.** ⟨*fam*⟩ (*padre*) father, ⟨*fam*⟩ old man; (*nonno*) grandfather. – **7.** *pl.* ⟨*fam*⟩ (*genitori*) parents *pl*, ⟨*fam*⟩ folks *pl*: *vado a trovare spesso i miei vecchi* I go to see my folks often; (*antenati*) ancestors *pl*, forbears *pl.* – **8.** ⟨*fam*⟩ (*capo*) head, chief, ⟨*fam*⟩ boss.

□ ~ *d'***anni** old (in years), getting on in years; ⟨*pop*⟩ *~ come il* **cucco** as old as the hills; **da** ~: 1. old, old man's (*f* woman's): *mentalità da ~* old man's mentality; 2. (*in età senile*) as an old man (*f* woman), in his (*f* her) old age; **dare** *il ~ al vino* to age wine artificially; *~ d'***esperienza** experienced, practised; *~ d'età = vecchio d'***anni**; **ferro** ~ scrap iron; ⟨*Zool*⟩ ~ **marino** (*foca*) (common) seal, sea-calf (*Phoca vitulina*); ⌜*~ come*⌝ (*o più vecchio di*) **Matusalemme** as old as Mathuselah; **meno** ~ younger: *è meno ~ di me* he is younger than I am; *essere ~ del* **mestiere** to be an old hand (at the job); ⟨*Stor*⟩ *il ≈ della* **Montagna** the Old Man of the Mountain; **più** ~ older; (*rif. a componenti una stessa famiglia*) elder; ⟨*scherz*⟩ *come va? – da* **poveri** *vecchi* how are you? – not bad for an oldster.

vecchiọne (*accr. di vecchio*) *m.* **1.** (*f.* **-a**) imposing old man. – **2.** *pl.* ⟨*region*⟩ (*marroni secchi*) raw dried chestnuts *pl.* – **vecchiọtto** (*accr. di vecchio*) *a.* **1.** ageing, getting on, rather old, oldish. – **2.** (*fuori moda*) old(-fashioned), out-of-date, ⟨*fam*⟩ old hat. – **vecchiụme** *m.* ⟨*spreg*⟩ old rubbish (*o* stuff), old things *pl*, dust-collectors *pl.*

vẹccia *f.* (*pl.* **-ce**) ⟨*Bot*⟩ **1.** vetch, tare (*Vicia*). – **2.** common vetch (*o* tare) (*Vicia sativa*).

□ ~ **comune** common vetch (*o* tare) (*Vicia sativa*); ~ **lustra** (*afaca*) yellow vetchling (*Lathyrus aphaca*); ~ **montanina** cow (*o* tufted) vetch (*Vicia cracca*); *~ di* **Narbona** narbonne (*o* narbonus) vetch (*Vicia narbonensis*); ~ **nera** = *veccia* **comune**; *~ delle* **paludi** bog (*o* marsh) horsetail (*Equisetum palustre*); *~ delle* **siepi** bush vetch (*Vicia sepium*); ~ **tetrasperma** slender vetch, lentil tare (*Vicia tetrasperma*); *~ d'***Ungheria** Hungarian vetch (*o* clover) (*Vicia cannonica*); ~ **vellutata** hairy vetch (*o* tare) (*Vicia villosa*).

vecciarịni *m.pl.* ⟨*Bot*⟩ (*erba ginestrina*) axseed, crown vetch (*Coronilla varia*).

vecciạto **I** *a.* (*mescolato a veccia*) mixed with vetch. – **II** *s.m.* (*terreno*) land sown with vetch. □ *pane ~* bread made of wheat flour mixed with vetch.

veccịoli *m.pl.* ⟨*Bot*⟩ (*mochi*) ers, kersenneh, bitter vetch (*Vicia ervilia*).

veccioḷina *f.* ⟨*Bot*⟩ (*bozzolina*) milkwort (*Polygala vulgaris*).

veccịone *m.* **1.** ⟨*Bot*⟩ (*cicerchione*) flat (*o* wood) pea (*Lathyrus silvester*). – **2.** *pl.* ⟨*Venat*⟩ buckshot.

veccịoso *a.* vetch-. – **veccịule** *m.* ⟨*non com*⟩ vetch stalk.

vẹce *f.* **1.** ⟨*lett*⟩ (*mutazione, avvicendamento*) alternation, change. – **2.** ⟨*lett*⟩ (*compito*) duty, task, office. – **3.** *pl.* (*mansioni, funzioni*) place, duties *pl*, stead. □ ⟨*lett*⟩ *con alterna ~* with ups and downs; *fare le -i di qd.* to act for s.o., to act in s.o.'s place (*o* stead), ⟨*fam*⟩ to stand in for s.o.: *fare le -i di sindaco* to take the mayor's place, to act ⌜for the mayor⌝ (*o* in the mayor's stead); *chi fa le -i di qd.*: 1. person acting for s.o., s.o.'s representative; 2. (*vice*) s.o.'s deputy; 3. (*sostituto*) substitute for s.o.; *in ~ di* in the place of, for: *in mia ~* instead of me, in my stead (*o* place), for me; ⟨*rar*⟩ *in quella ~* (*invece di ciò*) instead of that; ⟨*non com*⟩ *sostenere le -i di qd.* = *fare le veci di qd.*

Vẹda *m.inv.* ⟨*Rel*⟩ Veda.

vedạnta *m.inv.* ⟨*Filos*⟩ Vedanta.

veddạico: *razza -a* Veddoid race. – **veddịde**: *razza ~* Veddoid race.

vedẹnte (*p.pr. di vedere*[1]) ⟨*rar*⟩ **I** *a.* seeing. – **II** *s.m./f.* seer.

vedẹre[1] *v.* (*pr.ind.* **vẹdo**/*lett.* **vẹggo**/*ant.,poet.* **vẹggio**, **vẹdi**, **vẹde**, **vediạmo**/*ant.,poet.* **veggiạmo**, **vedẹte**, **vẹdono**/*lett.* **vẹggono**/*ant.,poet.* **vẹggiono**, *fut.* **vedrò**/*ant.* **vederò**; *p.rem.* **vịdi**/*ant.* **vedẹtti**/**vedẹi**/**vẹddi**/**vịddi**; *pr.cong.* **vẹda**/*lett.* **vẹgga**/*ant.,poet.* **vẹggia**, **vediạmo**/*ant.,poet.* **veggiạmo**, **vediạte**/*ant.,poet.* **veggiạte**, **vẹdano**/*lett.* **vẹggano**/*ant.,poet.* **vẹggiano**; *ger.* **vedẹndo**/*ant.,poet.* **veggẹndo**; *p.pr.* **veggẹnte**/*rar.* **vedẹnte**; *p.p.* **vịsto**/**vedụto**) **I** *v.t.* **1.** to see, to perceive: *~ un ostacolo* to see an obstacle; *l'hai visto passare?* have you seen him go by? – **2.** (*esaminare, leggere*) to see, to look at, to read, to examine: *hai visto il giornale di oggi?* have you seen today's paper? – **3.** (*rif. a spettacoli: assistere*) to see, to go to, ⟨*am.fam*⟩ to take in: *hai visto quella commedia?* have you seen that play?; *~ una partita di calcio* to go to a football game. – **4.** (*visitare*) to see, to visit, to go to: *~ una mostra di pittura* to go to a painting exhibition. – **5.** (*scorgere*) to see, to sight, to catch sight of, to notice: *~ un amico nella folla* to catch sight of a friend in the crowd; (*incontrare*) to see, to meet, to run into: *l'ho visto ieri alla partita* I ran into him at the game yesterday. – **6.** (*vedere con la fantasia*) to see, to visualize, to picture: *mi sembra di vederti già laureato* I can already see you with your degree; *~ qc. con gli occhi della mente* to see s.th. in one's mind's eye. – **7.** (*prevedere*) to see, to foresee: *vedo prospettive poco piacevoli* I don't foresee very pleasant prospects. – **8.** (*avere esperienza*) to see, to go (*o* pass) through, ⟨*am.fam*⟩ to get around: *è tanto giovane ma ne ha viste già tante* he's very young but he has ⌜been around a lot⌝ (*o* had many experiences, seen all sorts of things). – **9.** (*considerare, giudicare*) to look over, to see, to take a look at: *lasciami ~ bene tutta la situazione* let me take a good look at the entire situation. – **II** *v.i.* (*aus.* **avere**) **1.** (*avere il senso della vista; usato spesso con l'avv. ci*) to see: *ci vedi con questa luce?* can you see with this light?; (*ci*) *vede da un occhio solo* he can only see with one eye. – **2.** (*intendere, capire*) to see, to understand: *vedo quale sarà la fine* I can see what will happen in the end; *non vedo come possa aiutarti* I don't see how I can help you. – **3.** (*accorgersi*) to see, to realize: *non vedi come soffre?* can't you see how he's suffering?; *vidi che non c'era più niente da fare* I saw there was nothing more to be done. – **4.** (*provare per riscontrare*) to see, to find out: *vediamo chi è il più forte* let's see who is the strongest. – **5.** (*cercare, tentare*) to try, to see: *vedi di riuscire* try and make a go of it; *vedrò di darti un aiuto* I'll try and help you, I'll see if I can help you. – **6.** (*decidere, risolvere*) to decide, to see to: *non so che dire, veda Lei* I don't know what to say, you decide. – **7.** (*negli incisi*) to see, to look: *vedi, è necessario che tu sia al corrente di tutto* you see, you must know what is going on. – **8.** (*nel poker*) to see. – **vedersi** *v.r.* **1.** to see o.s.: *inaspettatamente si vide nello specchio* suddenly he saw himself in the mirror; (*guardarsi*) to look at o.s. – **2.** ⟨*recipr*⟩ to see e.o. – **3.** (*incontrarsi*) to meet, to see e.o., ⟨*fam*⟩ to get together: *ci vediamo al più tardi domani* we'll meet tomorrow at the latest; *ci vediamo al cinema* see you at the cinema; *ci vedremo lunedì alle cinque* see you at five on Monday. – **4.** (*trovarsi, scoprirsi*) to be, to find (*o* discover) that one is: *vedersi perduto* to be (*o* find that one is) lost.

□ ⟨*ant*⟩ *non ~ più* **avanti** *di qd.* (*essere innamorato*) to have eyes only for s.o.; **avere** *a che ~* to have to do, to have a connection (*con* with), to have a bearing (on); *non avere* (*nulla*) *a che ~ con qc.* to have ⌜nothing to do⌝ (*o* no connection) with s.th., to have no bearing on s.th.: *ciò che tu dici non ha niente a che ~ con il nostro problema* what you are saying has no bearing on our problem; *non avere nulla a che ~ con qd.* to have nothing to do with s.o., to have no dealings with s.o.; ⟨*pop*⟩ *vederne delle* **belle** to see all sorts of things; ~ **bene**: 1. to see well, to have good sight; 2. (*capire*) to (quite) see, to understand perfectly, to (fully) realize: *vedo bene le difficoltà* I quite see the problems; *vedo bene che mi sono sbagliato* I fully realize I was wrong; *voglio ben ~!* I'd just like to see; ⟨*pop*⟩ **bisogna** *~ che maniere!* you should have seen his manners!, you wouldn't have believed such manners!; ⟨*fam*⟩ *vedersela* **brutta** to feel all is lost, ⟨*fam*⟩ to think one ⌜is in for⌝ (*o* has had) it; (*ma guarda*) **chi** *si vede!* (just) look who's here!; ⟨*fig*⟩ *veder*(*ci*) **chiaro** to get to the bottom of s.th., to see clearly into a matter; *non ci vedo chiaro in questa faccenda* there's s.th. I don't understand here, there's s.th. odd (*o* fishy) about all this; ⟨*fig*⟩ *lo vedrebbe anche un* **cieco** even a blind man could see that; ⟨*pop*⟩ *se ne vedono di tutti i* **colori** one sees all kinds of things; *~ per* **credere**! seeing's believing!; **da** ~ (*o vedersi*): 1. that (*o* it) remains to be seen: *dice che lo farà, ma questo è da ~* he says he'll do it, but that remains to be seen; 2. (*in tono risentito*) we'll see about that; *è uno spettacolo da ~* it's a show worth seeing; ⟨*fig*⟩ **dare** *a ~* to let it be understood, to give s.o. to understand, to lead s.o. to think; *vederci* **doppio** to see double; *non vederci più dalla* **fame** to be dying of hunger, to be starving; **far** ~: 1. (*mostrare: rif. a oggetti*) to let see: *mi fai ~ il tuo regalo?* ⌜will you let me⌝ (*o* can I) see your present?; *fammi ~!* let me see!, show me!; 2. (*rif. ad azioni*) to show: *fammi ~ come funziona questo giradischi* show me how to work this record player; 3. (*dimostrare*) to show: *ti farò ~ come tutto sia falso* I'll show you that it's all false; 4. (*in tono minaccioso*) to show, to let see a thing or two: *se non stai buono, ti faccio ~ io* if you're not good, I'll show you; *gliela farò ~ io!* I'll show him!; ⟨*ant*⟩ *far veduto* (*mostrare, esporre*) to show; ⟨*fam*⟩ *gliene ha fatte ~!* the things he's made her put up with!, what she's been through on his account!; **farsi** ~: 1. (*mostrarsi*) to show o.s.: *farsi ~ diversi da come si è veramente* to show o.s. different from what one really is; 2. (*farsi visitare*) to have o.s. examined (*o* looked at): *farsi ~ dal medico* to have o.s. looked at by the doctor; *si faccia ~ qualche volta* come and see me sometime; ~ **lontano** to have far sight; ⟨*fig*⟩ to see into the future, to be far-sighted; ⟨*fig*⟩ *~ la* **luce** (*nascere*) to be born; ~ **male**: 1. to have poor (eye)sight, not to see well; 2. (*considerare sfavorevolmente*) to disapprove (*qd., qc.* of s.o., of s.th.), to be unfavourable (to), to dislike (s.o., s.th.); 3. (*vedere di malocchio*) to dislike, to hate; **mi** *vedrete!* you haven't seen the last of me!; *a mio* **modo** *di ~* in my opinion, to my mind, as I see things; *la casa che lo ha visto* **nascere** the house where he was born; ⟨*fig*⟩ *non ~ più in là del proprio* **naso** to see no further than the end of one's (own) nose; *non ci si vede dal naso alla bocca* you can't see a thing; **non** *~ qd.* (*non tenerlo in considerazione*) to take no notice of s.o., to ignore s.o.; *non vedi che il posto è occupato?* can't you see the seat's taken?; *~ qd. di buon* **occhio** to approve of s.o., to look well (*o* favourably) on s.o.; *non ~ qd. di buon occhio* not to take kindly to s.o., to disapprove of s.o.; *l'ho* *visto con* ⌜*i miei*⌝ (*o questi*) *occhi* I saw it with my (very) own eyes; *non* ~ *l'***ora** to look forward, to long; *non vedo l'ora di arrivare* I can't wait to get there; *non vedo l'ora di andare in vacanza* I can't wait for the holidays to come, I'm so looking forward to the holidays; *mi* **pare** *di vederlo* (*me lo immagino*) I can just see him, I can picture him; ⟨*fig,fam*⟩ *non vederci* **più** (*perdere l'autocontrollo*) to lose one's temper (*o* self-control), to fly off the handle, to see red; *non lo vedremo più* we've seen the last (*o* back) of him; *non* **poter** ~ *qd.* to be unable to stand (the sight of) s.o., to loathe s.o., to dislike s.o. greatly; *i due non si possono* ~ those two can't stand (*o* stick) e.o.; *non ti posso più* ~ *con quel brutto vestito* I can't stand (*o* bear to look at) you in that awful dress; *non mi ci posso più* ~ I can't stand it here any longer; ⟨*pop*⟩ *non vederci dalla* **rabbia** to be in a blind rage, to be furious; **senza** *che si veda troppo* without showing (it) too much, unobstrusively, inconspicuously; *non ho visto ancora un* **soldo** I've yet to see a farthing, I haven't seen a penny (*o* cent) yet; *vedi* **sotto** see below; **stare** *a* ~: 1. (*guardare*) to watch; 2. (*attendere*) to (wait and) see: *staremo a* ~ *chi la spunterà* we'll see who wins out; 3. (*rif. a fatto inammissibile*) to bet: *stai a* ~ *che sarà promosso* I bet you that he'll pass; *stai a* ~ *che ti telefona domani* I bet you he'll call you tomorrow; 4. ⟨*ant*⟩ (*essere spettatore*) to watch, to be a spectator; *chi s'è visto s'è* **visto** that's that, that's the end of it: *è sparito e chi s'è visto s'è visto* he disappeared into the blue and that was that (*o* the last anyone heard of him). || *non vederci* (*essere cieco*) to be blind, not to see; *vedersi*: 1. to be able to see: *da qui si vede il mare* you can see the sea from here; *si vede ancora la cicatrice?* can you still see the scar?, does the scar still show?; 2. (*venire, farsi vedere*) to be seen, to put in an appearance, to come, to turn (*o* show) up: *ancora non s'è visto* he hasn't shown up yet; *vedremo!* we'll see!; (*ce*) *la vedremo!* we'll see!; *con te me la vedrò più tardi* I'll deal with you later; *ci vediamo!* be seeing you!, see you!, ⟨*am*⟩ so long!; *si vede che* (*evidentemente*) evidently, clearly, it's obvious that: *se non è venuto si vede che non ha potuto venire* if he hasn't come then evidently he wasn't able to; *si vede che ha perso il treno* he must have missed the train; *si vede subito che è inglese* you can see (*o* tell) at once that he's English; *vedi un po' tu* (*pensaci tu*) you ⌜see to⌝ (*o* take care of) it, see what you can do about it, I leave the matter to you; (*decidi tu*) you decide, I'll leave the decision to you, it's up to you; *vedi* (*nei rimandi*) see; *vedetevela voi!* you settle things for yourselves!, sort the matter out between you!; *vediamo!* let's see!; *vedrai che avevo ragione io* I'm right, you'll see.

vedẹre[2] *m.* **1.** (*facoltà di vedere*) sight, vision. – **2.** (*aspetto, apparenza*) appearance, aspect, look; (*impressione*) impression: *fa un bel* ~ he makes an excellent impression, he looks very good. – **3.** (*parere, opinione*) opinion, view, conviction: *a mio* ~ in my opinion (*o* view), to my mind.

vedẹtta *f.* **1.** look-out; (*torre*) look-out tower. – **2.** (*sentinella*) look-out, vedette sentry. – **3.** (*marinaio*) look-out. – **4.** ⟨*Mar.mil*⟩ (*battello*) vedette-boat, patrol-boat. – **5.** ⟨*tecn*⟩ peep-hole. – **6.** ⟨*non com*⟩ → **vedette.** ☐ *di* ~ look-out-, on the look-out: *soldato di* ~ look-out (soldier); *stare* (*o essere*) *in* (*o alla*) ~ to be on the look-out, to be on the qui vive (*anche fig.*).

vedette *fr.* [və'dɛt] *f.* **1.** ⟨*Cin*⟩ (film-)star. – **2.** ⟨*Teat*⟩ (famous) actress, leading lady; (*rif. a uomini*) (famous) actor, leading man.

vedịbile *a.* ⟨*non com*⟩ (*visibile*) visible, seeable.

vẹdico *a./s.* (*pl.* **-ci**) **I** *a.* Vedic: *religione -a* Vedic religion. – **II** *s.m.* ⟨*Ling*⟩ Vedic (Sanskrit).

veditọre *m.* (*f.* **-trice**) ⟨*ant*⟩ **1.** (*chi vede*) seer. – **2.** (*spettatore*) spectator. – **3.** ⟨*Stor*⟩ (*in Toscana*) Customs inspector; (*a Genova*) paymaster.

veditorịa *f.* ⟨*Stor*⟩ office of paymaster.

vẹdova I *s.f.* **1.** widow. – **2.** ⟨*Ornit*⟩ widow bird (*o* finch), whydah, whidah (*Vidua*). – **3.** *pl.* ⟨*Ornit*⟩ widow birds *pl* (*o* finches), whydahs *pl*, whidahs *pl* (*Viduinae*). – **4.** ⟨*Bot*⟩ (*vedovella*) sweet (*o* purple) scabious, mourning bride (*Scabiosa atropurpurea*). – **5.** ⟨*Bot*⟩ (*bella vedova*) snake's-head iris (*Hermodactylus tuberosus*; *Iris tuberosa*). – **II** *a.f.* widow-, widowed: *madre* ~ widowed mother. ☐ ⟨*Mus*⟩ *la* ~ **allegra** The Merry Widow; **essere** ~ to be a widow; ~ *di* **guerra** war widow; ⟨*scherz*⟩ *-e* **inconsolabili** Ministers who have lost office; *figlio unico di* **madre** *-a* only son of a widowed mother; ⟨*scherz*⟩ the only one (left), the last of its kind; ⟨*Entom*⟩ ~ **nera** black widow (*Latrodectes mactans*); ⟨*Ornit*⟩ ~ *del* **Paradiso** paradise weaver (*o* whydah) (*Steganura paradisea*); **rimanere** (*o restare*) ~ to be widowed, to be left a widow; ⟨*Etnol*⟩ **sacrificio** *della* ~ suttee, sati, immolation of the widow.

vedovạccio *m.* ⟨*scherz*⟩ *pegg. di* **vedovo.** – **vedovạggio** *m.* ⟨*ant*⟩ → **vedovanza.** – **vedovạnza** *f.* **1.** (*l'essere vedova*) widowhood; (*l'essere vedovo*) widowerhood. – **2.** ⟨*fig,non com*⟩ (*rif. a chiese*) bereaved state, state of being deprived of a pastor.

vedovạre *v.t.* (**vẹdovo**) ⟨*lett*⟩ **1.** (*lasciare vedova*) to widow. – **2.** ⟨*fig*⟩ (*privare*) to deprive, to widow, to leave without. – **3.** ⟨*rar*⟩ (*lasciar vedovo*) to bereave of one's wife, to leave a widower, ⟨*lett*⟩ to widow. ☐ *l'inverno ha vedovato gli alberi delle loro foglie* the winter has stripped the trees of their leaves.

vedovẹlla (*dim. di vedova*) *f.* **1.** widow. – **2.** ⟨*Bot*⟩ sweet (*o* purple) scabious, mourning bride (*Scabiosa atropurpurea*). – **vedovẹllo** *m.* ⟨*scherz*⟩ *dim. di* **vedovo.**

vedovịle I *a.* **1.** (*di vedova*) widow's, of a widow, widowed, widowly: *stato* ~ widowed state, widowhood; (*spettante alla vedova*) widow's: *pensione* ~ widow's pension; *il terzo* ~ the widow's terce. – **2.** (*di vedovo*) of a widower, widower's: *stato* ~ widower's state, widowerhood. – **II** *s.m.* **1.** ⟨*non com*⟩ (*periodo di lutto vedovile*) period of mourning of a widow or widower. – **2.** ⟨*Dir*⟩ widow bench. ☐ *lutto* ~: 1. ⟨*Dir*⟩ legal period of mourning of a widow; 2. (*abito*) widow's weeds *pl*.

vedovịna (*dim. di vedova*) *f.* ⟨*Bot*⟩ **1.** scabious (*Scabiosa*). – **2.** sweet (*o* purple) scabious, mourning bride (*Scabiosa atropurpurea*). – **3.** kind of scabious (*Knautia*). – **vedovịno** *m.* ⟨*scherz*⟩ *dim. di* **vedovo.**

vẹdovo I *a.* **1.** widowed. – **2.** ⟨*fig*⟩ (*privo di persone o cose*) bereft, deprived, widowed. – **3.** (*rif. a chiese*) left without a pastor. – **II** *s.m.* widower. ☐ *restare* (*o rimanere*) ~ to be left a widower.

vedrẹtta *f.* ⟨*Geol*⟩ cirque glacier.

vedụta *f.* **1.** (*panorama*) view, panorama: *la villa ha una magnifica* ~ the house has (*o* commands) a lovely view; *togliere la* ~ *a qd.* to block s.o.'s view. – **2.** (*campo visivo*) view, sight, field of vision. – **3.** ⟨*concr*⟩ (*rappresentazione*) view: *una* ~ *di Roma* a view of Rome; (*cartolina*) view, picture postcard. – **4.** ⟨*non com*⟩ (*vista, facoltà visiva*) sight. – **5.** ⟨*non com*⟩ (*il vedere*) sight, seeing: *a prima* ~ at first sight. – **6.** *pl.* ⟨*fig*⟩ (*idee, opinioni*) views *pl*, ideas *pl*, opinion. – **7.** ⟨*fig*⟩ (*comprensione*) understanding, grasp. – **8.** ⟨*Pitt*⟩ veduta. – **9.** ⟨*Dir*⟩ ancient light, outlook, prospect. – **10.** *pl.* ⟨*non com*⟩ (*mira, intenzione*) aim, intention, end. – **11.** ⟨*ant*⟩ (*controllo esercitato dal veditore*) (customs) inspection; (*bolletta*) customs entry.
☐ ~ **aerea** bird's-eye view, view from the air; (*fotografia*) airview, aerial photograph; ⟨*fig*⟩ *di* **ampie** (*o larghe*) *-e* broad-minded, having a broad outlook, of wide views; ⟨*Dir*⟩ ~ **diretta** direct view; ⟨*fig*⟩ **larghezza** *di -e* broad-mindedness; ~ **laterale**: 1. ⟨*Dir*⟩ side view; 2. ⟨*tecn*⟩ side view (*o* elevation); ~ **obliqua** oblique view; ⟨*Arch*⟩ ~ **prospettica** prospect, front; ⟨*fig*⟩ *di -e* **ristrette** narrow-minded; ⟨*Dir*⟩ **testimone** *di* ~ eye-witness; ~ *a* **volo** *d'uccello* = *veduta* **aerea.**

vedutịsmo *m.* ⟨*Pitt*⟩ veduta painting genre. – **vedutịsta** *m./f.* painter of vedutas.

vedụto (*p.p. di vedere*[1]) *a.* ⟨*non com*⟩ (*visto*) seen. ☐ *essere ben* ~ to be liked (*o* well thought of), to meet with approval; *mal* ~ disliked, badly thought of; *non* ~ unseen.

veemẹnte *a.* **1.** vehement, violent, furious, impetuous. – **2.** ⟨*fig*⟩ vehement, emphatic, intense, strong, passionate: *parole -i* vehement words. – **veementemẹnte** *avv.* ⟨*non com*⟩ vehemently, violently. – **veemẹnza** *f.* **1.** vehemence, violence, fury. – **2.** ⟨*fig*⟩ vehemence, emphasis, intensity, fury. ☐ *con* ~ vehemently.

Vẹga *N.pr.f.* ⟨*Astr*⟩ Vega.

vegetạbile I *a.* **1.** ⟨*non com*⟩ (*che può vegetare*) vegetative. – **2.** ⟨*ant*⟩ (*vegetale*) vegetable, vegetal. – **II** *s.m.* ⟨*ant*⟩ (*vegetale*) vegetable. – **vegetabilità** *f.* ⟨*non com*⟩ vegetativeness, vegetative state.

vegetạle I *a.* **1.** vegetable, vegetal: *organismo* ~ vegetable (organism). – **2.** (*delle piante*) plant-, vegetable: *fisiologia* ~ plant physiology. – **3.** (*costituito da piante*) vegetable, plant-, of vegetable origin: *vitto* ~ food of vegetable origin. – **4.** (*che si ottiene dalle piante*) vegetable, plant-, vegetal: *materia* ~ vegetable matter. – **II** *s.m.* **1.** vegetable. – **2.** *pl.* ⟨*collett*⟩ plants *pl*, vegetables *pl.* – **3.** (*crine vegetale*) vegetable horsehair. ☐ ⟨*fig*⟩ *far vita* ~ to vegetate; *terreno* ~ agricultural land, farmland.

vegetạnte (*p.pr. di vegetare*) *a.* **1.** ⟨*non com*⟩ vegetating. – **2.** ⟨*Med*⟩ of (*o* relating to) a vegetation.

vegetạnti *m.pl.* ⟨*poet*⟩ (*vegetali*) plants *pl*, vegetables *pl.*

vegetạre *v.i.* (**vẹgeto**; *aus.* **avere**) **1.** (*rif. a vegetali*) to vegetate, to grow; (*rif. ad animali*) to live. – **2.** ⟨*fig*⟩ to vegetate. – **vegetarianịsmo** *m.* vegetarianism. – **vegetariạno I** *a.* vegetarian: *alimentazione -a* vegetarian diet. – **II** *s.m.* (*f.* **-a**) vegetarian. – **vegetarịsmo** *m.* → **vegetarianismo.**

vegetatịvo *a.* **1.** (*proprio dei vegetali*) vegetative, vegetable, vegetal; (*rif. a piante*) plant-. – **2.** ⟨*Bot*⟩ vegetative, productive: *periodo* ~ vegetative period. – **3.** ⟨*Biol,Filos*⟩ vegetative: *riproduzione -a* vegetative reproduction.

vegetazionạle *a.* ⟨*Bot*⟩ vegetational.

vegetaziọne *f.* **1.** (*processo*) vegetation, growth. – **2.** ⟨*concr*⟩ (*complesso di piante*) vegetation, plants *pl*, plant cover: ~ *mediterranea* Mediterranean vegetation. – **3.** ⟨*Med*⟩ vegetation. ☐ ⟨*Med*⟩ ~ *adenoidea* adenoid vegetation, adenoids *pl*; *mancanza di* ~ sparse vegetation (*o* cover); *ricco di* ~ having lush vegetation.

vẹgeto *a.* **1.** (*rigoglioso*) luxuriant, lush, exuberant, flourishing. – **2.** ⟨*fig*⟩ vigorous, thriving, healthy, strong, robust, blooming. ☐ *essere vivo e* ~ to be alive and kicking, ⟨*fam*⟩ to be in the pink of health.

vegetominerạle (*o vẹgeto-minerạle*): *acqua* ~ vegetal-mineral water, Goulard's extract (*o* water).

veggẹnte I *a.* ⟨*ant*⟩ (*che vede*) seeing. – **II** *s.m./f.* **1.** (*indovino*) soothsayer, diviner; (*chiaroveggente*) clairvoyant. – **2.** ⟨*lett*⟩ (*profeta*) prophet, seer. – **3.** ⟨*ant*⟩ (*chi vede*) seer, one who sees. ☐ ⟨*ant*⟩ *dinanzi a me* ~ before me, in my presence; *a occhi -i* in the presence of; ⟨*ant*⟩ ~ *il popolo* before the people. – **veggẹnza** *f.* ⟨*non com*⟩ (*chiaroveggenza*) clairvoyance, second-sight.

vẹgghia *f.* ⟨*ant,tosc*⟩ → **veglia.** – **vegghiạre** *v.* ⟨*ant,tosc*⟩ → **vegliare.**

vẹggia *f.* (*pl.* **-ge**) ⟨*ant*⟩ (*botte*) barrel, cask.

veggiạre *v.* ⟨*ant*⟩ → **vegliare.**

vẹggio *m.* ⟨*tosc*⟩ (*scaldino*) (hand-)warmer.

veggịola *f.*, **veggịolo** *m.* ⟨*Bot*⟩ (*mochi*) ers, kersenneh, bitter vetch (*Vicia ervilia*).

vẹglia *f.* **1.** waking, wakefulness: *stare tra la ~ e il sonno* to be between waking and sleeping, to be half-asleep; (*stato di veglia*) wakefulness, vigil, watch. – **2.** (*trattenimento serale*) evening; (*festa*) party. – **3.** (*sorveglianza*) watch, vigil; (*rif. a malati*) vigil, watch. – **4.** ⟨*Stor*⟩ (*veglia forzata*) (artificial) prevention of sleep. – **5.** ⟨*ant*⟩ (*trattenimento musicale*) musicale, musical evening; (*riunione mondana*) (social) gathering; (*trattenimento danzante*) dance, ball.
□ ⟨*Mediev*⟩ *cose da raccontarsi* **a** ~ (*racconti ameni*) amusing stories, light (*o* entertaining) tales, yarns *pl*; ~ *d'***armi** vigil at arms; ~ **danzante** dance; **fare** *la ~ a un ammalato* to keep watch (*o* vigil) over a sick person, to watch by a sick person's bedside; *far ~ con gli amici* to ⌜stay up late⌝ (*o* spend a pleasant evening) with friends; ~ **funebre** wake; ~ **notturna** nightwatch, vigil; **ore** *di* ~ hours of watch (*o* vigil), wakeful hours.
vegliạnte (*p.pr. di vegliare*) *a.* ⟨*ant*⟩ **1.** (*vigente*) in force. – **2.** (*comunemente accolto, seguito*) current, prevalent, general. – **3.** (*corrente*) present. – **4.** (*rif. a libro o registro contabile: in uso*) current.
vegliạrdo *m.* **1.** venerable old man. – **2.** ⟨*ant*⟩ (*vecchio*) old man.
vegliạre *v.* (**vẹglio, vẹgli**) **I** *v.i.* (*aus.* **avere**) **1.** to stay awake, to stay up: ~ *sino all'alba* to stay awake until dawn. – **2.** (*fare la veglia*) to keep watch (*o* vigil): ~ *al capezzale di qd.* to keep vigil at s.o.'s bedside. – **3.** ⟨*fig*⟩ (*essere attento*) to keep awake (*o* on the alert), to watch out, to take care; (*vigilare*) to watch (over). – **4.** ⟨*ant*⟩ (*far veglia con amici*) to ⌜stay up⌝ (*o* spend the evening) with friends. – **5.** ⟨*ant*⟩ (*essere in vigore*) to be in force. – **II** *v.t.* **1.** to watch over, to keep (a) vigil over: ~ *un infermo* to watch over a sick person. – **2.** ⟨*lett*⟩ (*trascorrere vegliando*) to keep awake during, to stay up during. – **3.** ⟨*ant*⟩ (*vigilare, badare*) to keep watch (*o* vigil). □ ~ *in preghiera* to spend the night in prayer.
vegliatọre *m.* (*f.* **-trice**) ⟨*rar*⟩ **1.** (*chi veglia*) watcher. – **2.** (*chi partecipa a una veglia*) party-goer.
vẹglio ⟨*ant*⟩ **I** *a.* (*vecchio*) old. – **II** *s.m.* (*f.* **-a**) old man. □ ⟨*Stor*⟩ *il* ≈ *della Montagna* the Old Man of the Mountain.
veglioncịno *m. dim. di* **veglione**. – **vegliọne** *m.* ball; (*ballo in maschera*) masked ball. □ ~ *di carnevale* carnival ball; ~ *di fine d'anno* New Year's Eve party (*o* dance). – **veglionịssimo** (*sup. di veglione*) *m.* ball: ~ *della stampa* press ball; (*ballo in maschera*) masked ball.
vegnẹnte *a.* **1.** ⟨*poet*⟩ (*prossimo*) next, coming; (*successivo*) following, next. – **2.** ⟨*ant*⟩ (*che cresce bene*) flourishing, thriving.
vẹh *intz.* → **ve'**.
vẹhme *ted.* [f-] *f.* ⟨*Stor*⟩ Vehmic court.
veicolạre *a.* **1.** (*di veicoli*) vehicular, of vehicles: *traffico* ~ vehicular traffic; (*per veicoli*) vehicular, designed for vehicles: *semaforo* ~ vehicular traffic-lights. – **2.** ⟨*Med*⟩ vehicular, carrier-, of a vehicle.
veịcolo *m.* **1.** (*mezzo di trasporto*) vehicle, conveyance. – **2.** (*mezzo*) vehicle, medium, carrier. – **3.** ⟨*Med*⟩ carrier, vehicle. – **4.** ⟨*Chim*⟩ vehicle, diluent, excipient. – **5.** ⟨*Farm*⟩ excipient.
□ ~ *ad* **accumulatori** accumulator vehicle; ~ **aereo** aircraft; ~ **anfibio** amphibious vehicle; ~ **antincendio** fire-fighting vehicle; ~ **articolato** articulated vehicle; ~ *a tre* **assi** six-wheeler; ~ **atmosferico** = *veicolo* **aereo**; ~ *di* **calore** heat-transfer agent (*o* medium), cooling medium, coolant; ~ **cingolato** track(-laying) vehicle; ~ **corazzato** armoured vehicle; ~ **cosmico** = *veicolo* **spaziale**; ~ *a* **cuscino** *d'aria* hovercraft, ground effect vehicle; ~ **elettrico** electromobile; ~ **extratmosferico** = *veicolo* **spaziale**; ~ **ferrotranviario** tramway vehicle; ~ **ferroviario** railway vehicle; ~ *a* **gas** *compresso* compressed gas vehicle; ~ *a* **gasolio** Diesel oil vehicle; ⟨*Rel*⟩ **grande** ~ Mahayana; ~ **industriale** commercial vehicle; ~ **militare** military vehicle; ~ *a* **motore** motor vehicle; ⟨*Rel*⟩ **piccolo** ~ Hinayana; ~ *a quattro* **posti** four-seater; ~ **pubblicitario** advertising vehicle; ~ *a tre* **ruote** three-wheeler; ~ *a sei ruote* six-wheeler; ~ **semicingolato** half-track(ed) vehicle; ~ **spaziale** spaceship, spacecraft; ~ **stradale** road vehicle; ~ **tranviario** tram vehicle; ~ **usato** used car; ~ **utilitario** commercial (*o* utility) vehicle.
veịculo *m.* ⟨*ant*⟩ → **veicolo**.
veilleuse *fr.* [vəˈjø:z] *f.* **1.** (*lumino da notte*) nightlight. – **2.** (*méridienne*) kind of sofa.
vẹla *f.* **1.** sail; *pl.* sail, sails *pl*, canvas. – **2.** ⟨*poet*⟩ (*nave a vela*) sailing ship. – **3.** ⟨*Sport*⟩ sailing. – **4.** ⟨*Arch*⟩ vaulting cell. – **5.** ⟨*Mar*⟩ (*bandierina*) (signal) flag.
□ **a** ~ sailing, sail-: *barca a* ~ sailing boat, ⟨*am*⟩ sailboat; *volo a* ~ sailplaning, gliding; *essere* **alla** ~ to be under sail; **ammainare** *le -e* to strike sails; ⟨*fig*⟩ (*rinunciare a un'impresa*) to give up; **andare** *a* ~ to sail, to be under sail; ~ **aurica** fore-and-aft sail; *-e alla* **bermudiana** Bermuda (*o* Bermudian) rig; **calare** *le -e*: 1. to strike the sails; 2. ⟨*fig*⟩ (*abbassare l'orgoglio*) to come down a peg or two; 3. ⟨*fig*⟩ (*cedere*) to give in; ⟨*Arch*⟩ **campanile** *a* ~ bell-gable, wall-belfry; **dare** *la* ~ (*al vento*) to set sail; **far** ~: 1. (*salpare*) to set sail: *far ~ per un paese* to set sail for a country; 2. ⟨*fig*⟩ to set out; ~ *di* **flocco** jib, foresail, headsail, staysail; ~ *di* **fortuna** storm sail; **forza** *di -e* stunsails *pl*; ~ *di* **gabbia** topsail; **gioco** *di* ~ sail; *-e* **gonfie** full (*o* bellying) sails; ⟨*fig*⟩ *andare a gonfie -e* to have ⌜smooth sailing⌝ (*o* the wind in one's sails), to be successful (*o* prosperous); *gli affari vanno a gonfie -e* business is booming; ~ **latina** lateen sail; ~ **maestra** mainsail; *-e alla* **Marconi** = *vele alla* **bermudiana**; **mettere** *alla* ~ to sail; ~ **mezzana** miz(z)en sail, crossjack; **mollare** *le -e* to unfurl (*o* heave out) the sails; ⟨*fig*⟩ (*abbassare l'orgoglio*) to have the wind taken out of one's sails; **nave** *a* ~ sailing ship (*o* vessel); *nave alla* ~ ship ready to sail; **navigare** *a* ~ = **andare** *a vela*; **orientare** *le -e* to trim sails; ~ *di* **parrocchetto** fore-topsail; *a* **piene** *-e* with full (*o* spread) sail, with the wind in one's sails; ⟨*poet*⟩ **portare** *le -e in un luogo* (*recarvisi*) to go somewhere; ~ **quadra** squaresail; **raccogliere** *le -e* to furl the sails, to take in sail; ⟨*fig*⟩ (*arrivare alla conclusione*) to reach one's conclusion, to wind up; ~ *di* **randa** spanker, gaffsail, trysail; *-e di* **rispetto** spare sail *sing*; **spiegare** *le -e* (*al vento*) to unfurl the sails; ⟨*fig*⟩ (*partire*) to depart, to leave; **sport** *della* ~ sailing; ~ *di* **straglio** (*o* **strallo**) staysail; ~ *di* **taglio** = *vela* **aurica**; ~ *a* **tarchia** spritsail; ~ *al* **terzo** lug sail; ~ **triangolare** = *vela* **latina**; ~ *di* **trinchetto** foresail; ~ *di* **velaccino** fore-topgallant sail; ~ *di* **velaccio** topgallant; ⟨*fig*⟩ *volgere la ~ a secondo il* **vento** to trim one's sails according to the wind; ⟨*Arch*⟩ **volta** *a* ~ ribbed (*o* domical) vault.
velạbile *a.* ⟨*rar*⟩ that may be veiled.
velạccia *f.* (*pl.* **-ce**) ⟨*ant*⟩ → **velaccio**.
velaccịere *m.* ⟨*Mar.ant*⟩ kind of sailing ship.
velaccịno *m.* ⟨*Mar*⟩ (*vela*) fore-topgallant sail; (*pennone*) fore-topgallant yard; (*alberetto*) fore-topgallant mast.
velạccio *m.* ⟨*Mar*⟩ **1.** topgallant sail. – **2.** *pl.* gallant sails *pl.* □ *gran* ~ topgallant sail.
velạda *f.* **1.** ⟨*Stor*⟩ frock-coat. – **2.** ⟨*rar*⟩ (tight) morning dress (*o* coat), ⟨*am*⟩ cutaway.
velạio[1] *m.* ⟨*Mar*⟩ sail-maker.
velạio[2] *m.* → **velettaio**.
velạme[1] *m.* ⟨*lett*⟩ **1.** (*velo*) veil. – **2.** ⟨*fig*⟩ veil, covering.
velạme[2] *m.* ⟨*Mar*⟩ sails *pl*, set, sails *pl* and rigging, sail, canvas.
velạmen *lat. m.* ⟨*Bot*⟩ velamen.
velamẹnto *m.* **1.** ⟨*non com*⟩ veiling. – **2.** ⟨*lett*⟩ (*velo, velame*) veil. – **3.** ⟨*fig,lett*⟩ veil, covering.
velạre[1] *v.t.* (**vẹlo**) **1.** to veil: ~ *un quadro* to veil a painting. – **2.** ⟨*estens*⟩ (*coprire facendo velo*) to veil, to cover, to hide, to conceal, to obscure: *le nubi velavano il sole* the clouds hid the sun. – **3.** ⟨*fig*⟩ (*offuscare, annebbiare*) to veil, to cloud, to dim: *l'emozione gli velò la vista* emotion clouded his sight; (*rif. a suoni*) to muffle, to dim, to dampen. – **4.** ⟨*fig*⟩ (*nascondere, celare*) to cloak, to veil, to cover, to conceal, to hide, to disguise: ~ *le proprie intenzioni con pretesti* to conceal one's intentions with pretexts; (*presentare in modo attenuato*) to draw (*o* throw, cast) a veil over, to soften, to tone down: ~ *la gravità della situazione* to tone down the seriousness of the situation. – **5.** ⟨*Pitt*⟩ to glaze. – **velarsi** *v.r.* **1.** to veil (o.s.), to wear (*o* put on) a veil, to cover with a veil: *velarsi il volto* to veil one's face. – **2.** ⟨*estens*⟩ (*coprirsi*) to cover o.s. – **3.** ⟨*fig*⟩ (*annebbiarsi*) to be(come) veiled, to grow dim (*o* misty, clouded), to become blurred: *il suo sguardo si velò di tristezza* his sight became misty with sadness; *gli occhi gli si velarono di lagrime* his eyes ⌜were dimmed with tears⌝ (*o* grew misty); (*rif. alla voce*) to thicken, to become husky. – **4.** ⟨*lett*⟩ (*prendere il velo, farsi monaca*) to become a nun, to take the veil. □ ~ *una luce* to shade a light.
velạre[2] *v.t.* (**vẹlo**) ⟨*Mar*⟩ to fit out with sail.
velạre[3] *a.* (*velico*) sail-, sailing: *superficie* ~ sail area.
velạre[4] **I** *a.* **1.** ⟨*Anat*⟩ velar, of a velum. – **2.** ⟨*Fon*⟩ velar. – **II** *s.f.* ⟨*Fon*⟩ (*consonante velare*) velar (consonant).
velạrio *m.* **1.** (*tendaggio*) curtain, ⟨*am*⟩ drape; (*sipario*) curtain. – **2.** ⟨*Stor.rom*⟩ velarium. – **3.** ⟨*Zool*⟩ velarium.
velarịzzạto *a.* ⟨*Fon*⟩ velarized. – **velarịzzazịone** *f.* velarization.
velạro *m.* → **velettaio**.
velatamẹnte *avv.* covertly, in a disguised (*o* roundabout) way.
velatịno *m.* **1.** ⟨*Tess*⟩ rubberized fabric. – **2.** ⟨*Cin*⟩ butterfly, diffuser scrim, scrim diffuser.
velạto[1] (*p.p. di velare*[1]) *a.* **1.** veiled: *donna -a* veiled woman. – **2.** ⟨*fig*⟩ veiled, covered, concealed, hidden: *sole* ~ veiled sun. – **3.** ⟨*fig*⟩ (*annebbiato*) veiled, cloudy, clouded, dim; (*rif. a suoni*) muffled, dim(med), dampened; (*rif. a occhi*) dim(med), clouded, veiled; (*di lagrime*) misty, dim(med); (*rif. alla voce*) thick, husky. – **4.** ⟨*fig*⟩ (*nascosto, non esplicito*) veiled, (half-)hidden, covert, cloaked, disguised: *un rimprovero* ~ a veiled reproof. – **5.** (*leggero, trasparente come un velo*) veil-like, filmy. □ *calze -e* sheer stockings.
velạto[2] (*p.p. di velare*[2]) *a.* ⟨*lett*⟩ (*munito di vele*) having sails.
velatụra[1] *f.* **1.** (*atto*) veiling. – **2.** ⟨*concr*⟩ (*strato che vela*) layer, covering, coating; (*di colore, di vernice*) coat; (*spruzzatura molto leggera*) sprinkling, dusting: *una ~ di zucchero* a sprinkling of sugar; *una leggera ~ di cipria* a light dusting of powder. – **3.** ⟨*estens*⟩ (*offuscamento*) veiling, dimming, clouding, blur, mistiness. – **4.** ⟨*Art*⟩ (*strato di colore*) glaze. – **5.** ⟨*Fot,TV*⟩ (*velo*) fog, veil, clouding.
velatụra[2] *f.* **1.** ⟨*Mar*⟩ sails *pl*, sail, canvas; (*superficie velica*) sail area. – **2.** ⟨*Aer*⟩ lifting surface. □ ~ *di cappa* storm sail; *superficie della ~ utilizzata* windage; *ridurre la* ~ to muzzle.
veleggiamẹnto *m.* sailing.
veleggiạre *v.* (**velẹggio, velẹggi**) **I** *v.i.* (*aus.* **avere**) **1.** ⟨*Mar*⟩ to sail. – **2.** ⟨*Aer*⟩ to sailplane, to glide. – **3.** ⟨*poet*⟩ (*rif. a uccelli*) to glide. – **II** *v.t.* **1.** ⟨*poet*⟩ to sail: ~ *il mare* to sail the sea. – **2.** ⟨*ant*⟩ (*fornire di vele*) to fit with sails.
veleggiạta *f.* sailing; (*gita in barca a vela*) sail. – **veleggiạto** (*p.p. di veleggiare*) *a.* ⟨*Aer*⟩ sail-: *volo* ~ sailplaning, gliding. – **veleggiatọre** *m.* **1.** sailing yacht, ⟨*am*⟩ sailboat. – **2.** ⟨*Aer*⟩ (*aliante*) sailplane, glider. – **3.** (*pilota; f.* **-trice**) sailplane pilot. – **velẹggio** *m.* **1.** ⟨*Mar*⟩ sailing. – **2.** ⟨*Aer*⟩ sailplaning, gliding. – **3.** ⟨*estens*⟩ (*rif. a uccelli*) gliding.
velẹlla *f.* ⟨*Zool*⟩ velella (*Velella*).
velenạre *v.t.* (**velẹno**) ⟨*ant*⟩ (*avvelenare*) to poison.

velenịfero *a.* (*che contiene veleno*) venomous, poisonous; (*che produce veleno*) venomous, poisonous, poison-.
velẹno *m.* **1.** poison; (*di animali*) venom. – **2.** ⟨*estens*⟩ (*cosa dannosa*) poison: *il tabacco è per lui* ~ tobacco is poison for him; (*cosa amara, disgustosa*) poison. – **3.** ⟨*fig*⟩ poison, venom: *il* ~ *della gelosia* the poison of jealousy. – **4.** ⟨*fig*⟩ (*livore, astio*) poison, venom, spite.
□ **amaro** *come il* ~ as bitter as gall; ⟨*non com*⟩ **andare** *in* ~ *a qd.* to be bad for s.o., to seem like poison to s.o.; ~ **animale** venom; ⟨*fig*⟩ *il* ~ *dell'***argomento** the sting (in what is said); ⟨*fig*⟩ **avere** *del* ~ *contro qd.* to have ⌜a grudge against⌝ (*o* one's knife into) s.o., to loathe s.o. like poison; ⟨*fig*⟩ *avere il* ~ *in corpo* to be filled with resentment (*o* ill-will), ⟨*fam*⟩ to have a chip on one's shoulder; ⟨*Chim*⟩ *-i* **catalitici** catalytic poisons; ⟨*Med*⟩ ~ *della* **fatica** ponogen, fatigue poison (*o* toxin), kenotoxin; ⟨*Fis*⟩ ~ *di* **fissione** fission poison; ⟨*fig*⟩ **mangiare** (o *masticare*) ~ to nurse one's resentment, to brood over s.th.; ⟨*fig*⟩ **pieno** *di* ~ spiteful, venomous, malignant; ~ **potente** strong poison; ⟨*fig*⟩ **schizzare** ~ *da tutti i pori* to breathe evil (*o* venom) from every pore; ⟨*fig*⟩ *schizzare* ~ *dagli occhi* to vent one's spleen (*o* wrath); *una lingua che schizza* ~ a venomous (*o* spiteful) tongue; ⟨*fig*⟩ **sputare** ~ to give vent to one's hatred, to be full of venom; (*dire malignità*) to talk spitefully (*o* maliciously); **uccidere** *qd. col* ~ to poison s.o.; *uccidersi col* ~ to poison o.s.
velenosamẹnte *avv.* poisonously. – **velenosẹtto** (*dim. di velenoso*) *a.* **1.** somewhat poisonous. – **2.** ⟨*fig*⟩ rather venomous (*o* malicious), spiteful. – **velenosità** *f.* **1.** poisonousness, venomousness. – **2.** ⟨*fig*⟩ venomousness, poisonousness, maliciousness, malignity, spite.
velenọso *a.* **1.** poisonous, venomous: *sostanza -a* venomous substance, poison; *funghi -i* poisonous mushrooms. – **2.** (*velenifero*) poisonous, poison-, venomous. – **3.** ⟨*fig*⟩ (*pieno di astio*) venomous, poisonous, malicious, malignant, spiteful, virulent: *risposta -a* venomous reply; ~ *come una serpe* as poisonous as a snake. – **4.** ⟨*fig*⟩ (*moralmente dannoso*) pernicious, baneful, poisonous.
velerịa *f.* **1.** (*officina*) sail-loft. – **2.** ⟨*non com*⟩ (*insieme di vele*) sails *pl.*
velẹtta[1] (*dim. di vela*) *f.* **1.** (*vela posta in cima all'albero di una nave*) topsail. – **2.** ⟨*lett*⟩ (*vedetta*) look-out (post). – **3.** ⟨*lett,non com*⟩ (*sentinella*) look-out, sentinel. □ ⟨*lett*⟩ *stare* ⌜*alle -e*⌝ (o *alla veletta*) to be on look-out duty, to keep watch; ⟨*fig*⟩ (*stare sull'avviso*) to be on the look-out.
velẹtta[2] *f.* ⟨*Mod*⟩ (hat-)veil; (*che copre metà faccia*) half-veil.
velettạio *m.* (*f.* -a) ⟨*ant*⟩ **1.** (*tessitore*) veil-maker. – **2.** (*fabbricante*) veil-merchant.
velettạre *v.t.* (velẹtto) ⟨*ant,rar*⟩ (*osservare stando in vedetta*) to be on the look-out for.
velettạro *m.* → **velettaio.**
vẹlia *f.* ⟨*Ornit*⟩ (*averla*) shrike, butcher-bird (*Lanius*).
□ ~ **cenerina** *mezzana* (*averla cenerina*) lesser grey shrike (*Lanius minor*); ~ **grossa** (*averla maggiore*) great grey shrike, butcher-bird (*Lanius excubitor*); ~ **maggiore** *ferruginea* (*averla capirossa*) woodchat (shrike) (*Lanius senator*); ~ **minore** = *velia* **cenerina** *mezzana*; ~ **rossa** *minore* (*averla piccola*) red-backed shrike (*Lanius collurio*).
vẹlico *a.* (*pl.* -ci) sailing, sail-: *regate veliche* sailing regattas; *superficie -a* sail area.
vẹlidi *m.pl.* ⟨*Entom*⟩ water striders *pl* (*Veliidae*).
velịero I *s.m.* ⟨*Mar*⟩ sailing ship (*o* vessel). – **II** *a.* ⟨*rar*⟩ **1.** (*dotato di vele*) sailing, sail-. – **2.** → **velico.** – **3.** ⟨*ant*⟩ (*ben corredato di vele*) well fitted with sails; (*che veleggia speditamente*) fast, swift.
□ ~ *a due alberi* two-master; ~ *a quattro alberi* four-master; ~ *a tre alberi* three-master; ~ *a un albero* single-masted sailing ship; ~ *a vela aurica e fiocchi* gaff-rigged sloop.
velifịcio *m.* sail-factory.
velịna *f.* **1.** (*copia su carta velina*) carbon-copy. – **2.** (*carta velina*) flimsy (paper), onionskin. – **3.** ⟨*giorn*⟩ (ministerial) communication outlining how to present a news item. – **4.** ⟨*Cosmet*⟩ (*velina da trucco*) (facial) tissue, kleenex.
velinạre *v.t.* (*nell'arte del restauro*) to cover with tissue-paper.
velịno[1]: *carta -a* tissue-paper; (*per copie di lettere battute a macchina*) flimsy (paper), onionskin.
velịno[2] *m.* ⟨*Cart*⟩ vellum.
velịsmo *m.* ⟨*Sport*⟩ sailing. – **velịsta** *m./f.* sailor, sailing enthusiast.
vẹlite *f.* ⟨*Stor.rom*⟩ velite.
velitẹrno *a./s.* ⟨*lett*⟩ → **velletrano.**
velịvolo I *s.m.* ⟨*Aer*⟩ aircraft; (*aereo*) aeroplane, aircraft, airplane, ⟨*fam*⟩ plane. – **II** *a.* ⟨*poet,rar*⟩ (*di nave a vela*) fast-sailing; (*di mare*) crossed by fast-sailing ships.
□ ~ *d'***addestramento** trainer, training aircraft; ~ *ad* **ala** *rotante* rotary-wing aircraft, rotorplane, rotorcraft; ~ **anfibio** amphibian, amphibious aeroplane; ~ **atomico** atomic aircraft, nuclear-powered plane; ~ *a* **decollo** *verticale* vertical take-off aircraft; ~ **intercettatore** interceptor; ~ *di* **linea** airliner; ~ **militare** military aircraft, warplane; ~ (*per*) **passeggeri** passenger plane; ~ *di* **portaerei** carrier-based aircraft; ~ *per alta* **quota** high-altitude aircraft; ~ *da* **ricognizione** reconnaissance aircraft, ⟨*am*⟩ scout plane; ~ **rimorchiatore** tow plane; ~ **scuola** = *velivolo d'***addestramento**; ~ **sperimentale** test plane; ~ **supersonico** supersonic aircraft; ~ **teleguidato** remote-controlled aircraft; ~ **terrestre** landplane; ~ *da* **trasporto** transport plane.
vẹlle *m.* ⟨*ant*⟩ (*volontà*) will.
velleità *f.* **1.** velleity. – **2.** (*aspirazione infondata*) fancy, (empty) wish, (vain) desire, velleity, inclination; (*mira ambiziosa*) ambition, (vain) aspiration: ~ *dittatoriali* aspirations ⌜after the dictatorship⌝ (*o* to become dictator).
velleitạrio I *a.* **1.** weak, faint-hearted, vague: *tentativi velleitari* weak attempts. – **2.** (*ambizioso*) ambitious; (*troppo ambizioso*) over-ambitious. – **II** *s.m.* (*f.* -a) person harbouring a fancy; (*ambizioso*) person nourishing an over-ambitious project (*o* dream). – **velleitarịsmo** *m.* indulgence in velleities, empty (*o* vain) ambition.
vẹllere *v.t.* ⟨*rar*⟩ (*svellere*) to extirpate; (*sradicare*) to root out.
velletrạno I *a.* (*di Velletri*) of (*o* from) Velletri. – **II** *s.m.* (*f.* -a) native (*o* inhabitant) of Velletri.
vellicamẹnto *m.* ⟨*non com*⟩ **1.** (*atto*) tickling. – **2.** (*effetto*) tickle. – **vellicạre** *v.t.* (vẹllico, vẹllichi) ⟨*lett*⟩ **1.** to tickle. – **2.** ⟨*fig*⟩ (*stimolare, eccitare*) to titillate, to stimulate, to excite. – **vellicaziọne** *f.* → **vellicamento.** – **vellichịo** *m.* ⟨*lett*⟩ **1.** (*atto*) tickling. – **2.** (*sensazione*) tickling, tickle.
vẹllo *m.* **1.** ⟨*lett*⟩ fleece; (*lana tosata*) fleece, shorn wool. – **2.** (*pelo di animali da pelliccia*) pelt, (undressed) skin. – **3.** (*bioccolo di lana*) flock, tuft (*o* lock) of wool. – **4.** (*pelo umano*) hair; (*capelli*) hair. □ ⟨*Tess*⟩ ~ *di lana* flock, tuft (*o* lock) of wool; ⟨*Mitol*⟩ *il* ~ *d'oro* the Golden Fleece; ⟨*fig*⟩ prize, reward.
vellọso *a.* ⟨*lett,non com*⟩ fleecy; (*coperto di peli o capelli*) hairy.
vellutạre *v.t.* ⟨*Tess*⟩ to give a velvet finish to. – **vellutạto** *a.* **1.** velvety, velvet-like, velvet(ed): *tessuto* ~ velvet-like cloth. – **2.** (*rif. a organo vegetale*) velvety: *petali -i* velvety petals. – **3.** ⟨*fig*⟩ (*liscio e morbido*) velvety, soft and smooth: *pelle -a* velvety skin. – **4.** (*rif. a colori*) velvety: *rosso* ~ velvety red. – **vellutatrịce** *f.* ⟨*Tess*⟩ velvet-pile machine. – **vellutatụra** *f.* ⟨*non com*⟩ **1.** giving a velvet finish. – **2.** (*peluria*) down. – **3.** (*l'essere vellutato*) velvetiness.
vellutẹllo *m.* ⟨*region*⟩ **1.** (*strato molle di alghe*) soft layer of algae. – **2.** (*muschio*) musk.
vellutiẹre *m.* ⟨*ant*⟩ (*tessitore di velluti*) velvet-weaver.
vellutịno (*dim. di velluto*) *m.* **1.** ⟨*non com*⟩ light velvet. – **2.** (*nastrino*) velvet ribbon. – **3.** ⟨*Bot*⟩ mullein pink, gardener's-delight, rose campion (*Lychnis coronaria*). – **4.** ⟨*Bot*⟩ (*salvastrella*) salad burnet, burnet blood-wort (*Sanguisorba minor*).
vellụto I *s.m.* ⟨*Tess*⟩ velvet. – **II** *a.* ⟨*lett*⟩ velvety, velvet, velvet-like; (*peloso*) hairy.
□ ⟨*Tess*⟩ ~ *alla* **cacciatora** corduroy; ⟨*fig*⟩ **camminare** *sul* ~: 1. (*senza incontrare ostacoli*) to meet with no obstacles in one's path, to be on velvet; 2. (*camminare con passi di velluto*) to have a velvet tread, to walk softly and quietly; **come** *il* ~ velvety, velvet-like, like velvet; ~ *a* **coste** = *velluto alla* **cacciatora**; ~ *di* **cotone** velveteen; **di** ~: 1. velvet: *guanti di* ~ velvet gloves; 2. ⟨*fig*⟩ velvety, velvet(-like), soft and smooth: *guance di* ~ velvety cheeks; ~ *di* **lana** wool velvet; ~ *di* **lino** linen velvet; ~ *a* **pelo** cut velvet; ~ *a* **riccio** pile velvet; ~ *di* **seta** (silk) velvet; ~ **tagliato** = *velluto a* **pelo**; **vestire** (o *essere vestito*) *di* ~ to wear (*o* be wearing) velvet.
vẹlo[1] *m.* **1.** veil: *mettersi il* ~ to wear a veil; *la danza dei sette -i* The Dance of the Seven Veils. – **2.** ⟨*Tess*⟩ voile: *un vestito di* ~ a voile dress. – **3.** (*strato sottile*) film, touch, thin layer, light covering: *sul tavolo c'è un* ~ *di polvere* there's a film of dust on the table; *un* ~ *di cipria* a touch (*o* dusting) of powder; (*rif. a vernice, tinta*) light coat (of paint). – **4.** (*membrana*) skin, membrane, veil: ~ *di cipolla* onionskin. – **5.** (*tessuto di crine del setaccio*) wire gauze, sieve netting. – **6.** (*drappo*) veil, cloth: *il* ~ *del tempio di Gerusalemme* the veil of the temple. – **7.** ⟨*fig*⟩ (*ciò che impedisce di vedere*) veil, cover, haze, mist: ~ *di nebbia* veil of mist; *il* ~ *del mistero* the veil of mystery. – **8.** ⟨*fig*⟩ (*offuscamento*) veil, obscuration, dimming: *un* ~ *di tristezza* a veil of sadness. – **9.** ⟨*fig*⟩ (*apparenza ingannevole*) pretence, veil, cloak, mask, guise: *sotto il* ~ *dell'altruismo* under the veil (*o* pretence) of unselfishness. – **10.** ⟨*pop*⟩ (*imene*) hymen, ⟨*pop*⟩ cherry. – **11.** ⟨*poet*⟩ (*riparo*) shelter; (*protezione*) protection, defence. – **12.** ⟨*poet*⟩ (*corpo*) body. – **13.** ⟨*Art*⟩ (*graticola*) graticule. – **14.** ⟨*Fot,TV,Cin*⟩ veil, fog. – **15.** ⟨*Bot*⟩ (universal) veil, velum. – **16.** ⟨*Anat,Biol*⟩ velum. – **17.** ⟨*Lit*⟩ veil.
□ ~ **battesimale** christening veil; ⟨*Lit*⟩ ~ *del* **calice** chalice veil, pall; **coprirsi** *il capo col* ~ to veil one's head, to wear a veil; ⟨*fig*⟩ **deporre** (o *lasciare*) *il* ~ to leave the convent; **far** ~ (*nascondere*) to hide, to conceal; ⟨*fig*⟩ *far* ~ *a qd.* to make s.o. blind, to prevent s.o. from seeing clearly (*o* things as they really are); ⟨*Cin*⟩ ~ *di* **lontananza** distance fog; ~ *da* **lutto** mourning veil; ⟨*poet*⟩ *il* ~ **mortale** the body; ~ **nuziale** = *velo da* **sposa**; ⟨*Mecc*⟩ ~ *d'olio* film of oil; ⟨*Anat*⟩ ~ **palatino** (o *pendulo*) soft palate, velum; ⟨*Bot*⟩ ~ **parziale** partial veil, velum; ⟨*fig*⟩ **prendere** *il* ~ (*farsi monaca*) to become a nun, ⟨*lett*⟩ to take the veil; ⟨*Anat*⟩ ~ *del* **pudore** Hottentot apron; ⟨*Bot*⟩ ~ **radicale** velamen; ~ **religioso** (nun's) veil; ⟨*fig*⟩ **senza** ~ veilless, open, unveiled; ~ *da* **sposa** bridal veil; ⟨*fig*⟩ **stendere** *un* ~ *sopra qc.* to draw a veil over s.th., to say no more about s.th.; ~ **totale** = *velo* **universale**; ⟨*Lit*⟩ ~ **umerale** humeral veil; ⟨*Bot*⟩ ~ **universale** (universal) veil, velum; ~ **vedovile** widow's veil; ⟨*Anat*⟩ ~ **virginale** (*imene*) hymen.
vẹlo[2] *m.* ⟨*ant*⟩ → **vela.**
velọce I *a.* **1.** fast, quick, rapid, swift: *un'automobile* ~ a fast car; ~ *come il vento* (*o fulmine*) as fast as the wind, as quick as lightning. – **2.** (*che agisce velocemente*) fast, quick: *una dattilografa* ~ a fast typist. – **3.** (*che passa in fretta*) fleeting: *i giorni scorrono -i* the fleeting days slip by. – **4.** (*rif. a mente, ingegno*) quick, ready: *un ingegno* ~ a quick mind. – **5.** ⟨*Mus*⟩ veloce, rapid. – **II** *avv.* **1.** fast,

quickly, rapidly, swiftly: *fuggire* ~ to flee quickly. – **2.** (*prontamente*) quickly, readily. □ *come fuggono -i gli anni !* how the years fly by !, how quickly the years go by ! – **velocemẹnte** *avv.* **1.** fast, quickly, rapidly, swiftly. – **2.** (*prontamente*) quickly, readily.
velocịfero *m.* ⟨*Stor*⟩ fast stage-coach.
velocịmano *m.* ⟨*Stor*⟩ velociman.
velocipedạstro *m.* ⟨*spreg,scherz*⟩ dangerous cyclist. – **velocịpede I** *s.m.* ⟨*ant,scherz*⟩ **1.** velocipede, ⟨*scherz*⟩ bone-shaker. – **2.** (*bicicletta*) bicycle. – **II** *a.* ⟨*ant*⟩ (*veloce*) fast, swift.
velocipedịsmo *m.* ⟨*ant*⟩ (*ciclismo*) cycling. – **velocipedịsta** *m./f.* ⟨*ant,scherz*⟩ (*ciclista*) cyclist; (*di un velocipede*) velocipedist. – **velocipedịstico** *a.* (*pl.* **-ci**) ⟨*rar*⟩ (*ciclistico*) cycling, bicycle-.
velocịsta *m./f.* ⟨*Sport*⟩ sprinter.
velocità *f.* **1.** speed, quickness, swiftness, velocity, rapidity: *raggiungere un'alta* ~ to reach a high speed. – **2.** ⟨*Fis*⟩ velocity, speed. – **3.** ⟨*Mot*⟩ (*marcia*) gear: *innestare una* ~ to engage a gear.
□ **acquistare** ~ to pick up speed; **alta** ~ high speed; *ad alta* ~: 1. at high speed; 2. ⟨*tecn*⟩ high-speed; ~ **angolare**: 1. angular velocity; 2. ⟨*Mecc*⟩ (*numero di giri*) speed, r.p.m.; ⟨*Aer*⟩ ~ **ascensionale** rate of climb; ~ **assoluta**: 1. ⟨*Fis*⟩ absolute velocity; 2. ⟨*Aer*⟩ = *velocità* **effettiva**; ⟨*Aer*⟩ ~ *d'***atterraggio** landing speed; **aumentare** *la* ~ to increase speed, to speed (up), to go faster; ⟨*tecn*⟩ ~ *d'***avanzamento** feeding rate, forward speed; **bassa** ~ low speed; ⟨*Mot*⟩ ~ *bassa* (*marcia bassa*) low gear; ⟨*Fis*⟩ ~ *di* **caduta** lower critical velocity; ⟨*Aut*⟩ **cambio** *di* ~ gear-box, ⟨*am*⟩ transmission; ⟨*El*⟩ ~ *di* **centrifugazione** overspeed; ⟨*Econ*⟩ ~ *di* **circolazione** velocity of circulation; ⟨*Met*⟩ ~ *di* **colata** pouring speed, teeming rate; ⟨*Ferr*⟩ ~ **commerciale** commercial speed; ⟨*Strad*⟩ ~ **consigliata** recommended speed; ~ **critica** critical speed; ~ *di* **crociera** cruising speed; ⟨*Aer*⟩ ~ *di* **decollo** take-off speed; ⟨*Aer*⟩ ~ *di* **discesa** rate of descent, descent velocity; ⟨*Atom*⟩ ~ *di* **disintegrazione** decay rate; *raggiungere una* ~ **eccessiva**: 1. ⟨*Strad*⟩ to speed; 2. ⟨*Mecc*⟩ to overspeed; ⟨*Strad*⟩ **eccesso** *di* ~ speeding; ⟨*Aer*⟩ ~ **effettiva** ground speed; ⟨*Atom*⟩ ~ *dell'***elettrone** electron velocity; ~ *di* **eritrosedimentazione** = *velocità di* **sedimentazione** *degli eritrociti*; ⟨*tecn*⟩ ~ *d'***esercizio** operating (*o* working) speed; ⟨*Fis*⟩ ~ *di* **fase** phase (*o* wave) velocity; ~ **folle** breakneck speed; *andare a* ~ *folle* to tear along; ~ *di* **fuga**: 1. ⟨*Astron*⟩ escape velocity; 2. ⟨*Mot*⟩ runaway speed; 3. = *velocità di* **centrifugazione**; **grande** ~ = **alta** *velocità*; *a grande* ~: 1. very fast; 2. ⟨*Ferr*⟩ by fast (*o* passenger) train, ⟨*am*⟩ through freight: *merce* (*spedita*) *a grande* ~ fast goods (*o* freight) traffic, goods by fast (*o* passenger) train; ⟨*Fis*⟩ ~ *di* **gruppo** group velocity; ⟨*Aer*⟩ ~ **indicata** indicated air-speed; ~ **iniziale** initial velocity; ⟨*Aer*⟩ ~ **laterale** rate of side-slip; **limite** *di* ~ speed-limit, maximum speed; ⟨*Aer*⟩ ~ *limite* limiting velocity; ⟨*Fis*⟩ ~ *della* **luce** speed of light; ~ *di* **marcia**: 1. ⟨*Ferr*⟩ running speed; 2. ⟨*Mil*⟩ marching speed; ~ **massima** top (*o* maximum, full) speed; ~ **media** average speed, mean velocity; ~ **minima** minimum speed; ⟨*Aut*⟩ ~ **nominale** nominal (*o* rated) speed; ~ **normale** standard (*o* normal) speed; ⟨*Ferr*⟩ ~ **oraria** schedule speed; ⟨*Cin*⟩ ~ *della* **pellicola** film speed; **perdere** ~ to lose speed, to slow down; ⟨*Mecc*⟩ ~ **periferica** tip speed; *a* **piccola** ~: 1. at low speed; 2. ⟨*Ferr*⟩ slow goods-, by slow (*o* goods) train, ⟨*am*⟩ by slow freight: *merce* (*spedita*) *a piccola* ~ slow goods traffic, goods by slow (*o* goods) train; ⟨*Fis*⟩ ~ *di* **propagazione** velocity (*o* speed) of propagation; ⟨*Aer*⟩ ~ **propria** true air speed; ⟨*Astr*⟩ ~ **radiale** radial velocity; ⟨*Chim*⟩ ~ *di* **reazione** reaction rate; ~ **relativa** relative speed; ⟨*Fis*⟩ ~ **relativistica** relativistic velocity; ~ *di* **ricerca** = *velocità di* **scansione**; **ridurre** *la* ~ to reduce (*o* slacken) speed, to slow down, to go slower; ~ *di* **ripresa** = *velocità della* **pellicola**; ⟨*Astr*⟩ ~ *di* **rivoluzione** velocity of revolution; ~ *di* **rotazione** revolving speed, speed of rotation; ~ *di* **salita** = *velocità* **ascensionale**; ⟨*Rad*⟩ ~ *di* **scansione** scanning rate; ⟨*Med*⟩ ~ *di* **sedimentazione** *degli eritrociti* erythrocyte sedimentation rate; ⟨*Aer*⟩ ~ *di* **sostentamento** minimum flying speed; ~ *di* **stallo** stalling speed; ⟨*Aer*⟩ ~ *al* **suolo** ground speed; ⟨*Fis*⟩ ~ *del* **suono** velocity (*o* speed) of sound, sound velocity; ~ *alla* **superficie** surface speed; ~ **supersonica** supersonic speed (*anche fig.*); ⟨*Fis*⟩ ~ **termica** thermal velocity; ~ **transonica** transonic speed; ~ **trasversale** = *velocità* **laterale**; *a* **tutta** ~ at top (*o* full) speed; ~ **uniforme** uniform velocity; ~ *d'***urto** velocity of impact; ~ *del* **vento** wind speed (*o* velocity); ~ **vera** = *velocità* **propria**; ⟨*Artigl*⟩ ~ *di* **volata** muzzle velocity; ⟨*Mecc*⟩ ~ *a* **vuoto** idling speed.
velocitạre *v.t.* (**velọcito**) ⟨*ant*⟩ (*imprimere velocità*) to increase the speed of, to quicken. – **velocitarsi** *v.r.* ⟨*ant*⟩ (*acquisire velocità*) to gain speed, to go faster. – **velocitaziọne** *f.* ⟨*ant*⟩ (*accelerazione*) acceleration, speeding up.
velocrẹspo *m.* ⟨*Tess,rar*⟩ (*chiffon*) chiffon.
velocrọss *m.* ⟨*non com*⟩ (*corsa ciclocampestre*) cross-country cycle race.
velọdromo (*non com.* *velodrọmo*) *m.* ⟨*Sport*⟩ **1.** cycle-racing track, cycle-track. – **2.** (*stadio*) velodrome.
velopẹndulo *m.* ⟨*Anat*⟩ soft palate, velum.
velours *fr.* [və'lu:r] *m.* ⟨*Tess*⟩ velour(s); (*velluto*) velvet.
vẹltra (o *vẹltra*) *f.* ⟨*ant*⟩ (*femmina del veltro*) (female) greyhound. – **vẹltro** (o *vẹltro*) *m.* **1.** ⟨*lett*⟩ (*cane da caccia*) greyhound. – **2.** *pl.* ⟨*Sport,non com*⟩ (*ciclisti*) racing cyclists *pl.* □ *correre* (o *andare*) *come un* ~ to be swift as a greyhound.
velvet *ingl.* ['vəlvit] *m.* ⟨*Tess*⟩ kind of velveteen.
V.Em. = *Vostra Eminenza* Your Eminence.

vemẹnte *a.* ⟨*rar*⟩ → **veemente**. – **vemẹnza** *f.* ⟨*rar*⟩ → **veemenza**.
ven. = **1.** *venerdì* Friday (*abbr.* Fri.). – **2.** *venerabile* venerable (*abbr.* ven.).
vẹna[1] *f.* **1.** ⟨*Anat*⟩ vein, vena: *le -e e le arterie* the veins and the arteries. – **2.** *pl.* (*vasi sanguigni*) veins *pl*: *recidersi le -e dei polsi* to cut the veins in one's wrists. – **3.** (*venatura*) vein(ing): ~ *del marmo* vein in marble; (*del legno*) grain. – **4.** (*vena d'acqua*) (water) vein, vein of water. – **5.** ⟨*fig*⟩ (*estro*) talent, vein, aptitude, gift, bent: ~ *musicale* musical bent (*o* vein), talent for music; (*ispirazione*) inspiration: *la sua* ~ *poetica si è esaurita* his poetic inspiration has dried up. – **6.** (*disposizione dello spirito*) mood, vein: *oggi non sono in* ~ *di studiare* I'm not in the mood to study today; *è in* ~ *di generosità* he is in a generous mood. – **7.** ⟨*fig*⟩ (*traccia*) touch, trace: *sentire una* ~ *di malinconia nelle parole di qd.* to detect a touch (*o* note) of sadness in s.o.'s words. – **8.** ⟨*Minier*⟩ vein, lode; (*del carbone*) seam, vein. – **9.** ⟨*Bot*⟩ vein, nerve, rib. – **10.** ⟨*Entom*⟩ vein. – **11.** ⟨*Idr*⟩ jet. – **12.** ⟨*Enol,ant*⟩ sweetish taste (of wine).
□ ~ *d'***acqua** (water) vein, vein of water; *acqua di* ~ spring water; ⟨*Anat*⟩ ~ **cava** *inferiore* inferior vena cava; ⟨*fig*⟩ **di** (*buona*) ~ (*alacremente*) eagerly, willingly, cheerfully, readily: *fare qc. di* ~ to do s.th. willingly; ⟨*fig*⟩ **essere** *in* ~ to be in the mood, to feel like, to be in (the) vein: *essere in* ~ *di scherzare* (o *scherzi*) to be in the mood for joking; ⟨*Idr*⟩ ~ **fluida** jet; ⟨*Anat*⟩ ~ **frontale** frontal vein; ~ **giugulare** jugular vein; ~ **iliaca** iliac vein; ~ **mediana** median vein; ~ *d'***oro** vein of gold; ⟨*fig*⟩ *trovare una* ~ *d'oro* to find a gold-mine; ⟨*Anat*⟩ ~ **pettorale** (*di un cavallo*) spur vein; ~ **polmonare** pulmonary vein; ~ **porta** portal vein; ⟨*fig*⟩ *non aver* **sangue** *nelle -e* to be lily-livered; ~ **satellite** vena comitans; **sentirsi** *in* ~ = **essere** *in vena*; ⟨*Anat*⟩ ~ **splenica** splenic vein; ⟨*Enol, ant*⟩ **sulla** ~ sweetish; **tagliarsi** *le -e* to slash one's wrists; ~ **temporale** temporal vein; ~ **toracica** *interna* vena thoracica interna; ⟨*Med*⟩ *-e* **varicose** varicose veins.
vẹna[2] *f.* ⟨*pop,ant*⟩ (*avena*) oats *pl.*
venạbulo *m.* ⟨*lett*⟩ (*schidione*) spit.
venagiọne *f.* ⟨*ant*⟩ (*l'andare a caccia*) hunting.
venạle *a.* **1.** (*che si può vendere*) sal(e)able, for sale, ⟨*lett*⟩ venal; (*che si può comprare*) purchasable, buyable, ⟨*lett*⟩ venal. – **2.** (*di vendita*) sale-, selling: *prezzo* ~ sale price; (*d'acquisto*) purchase-, market-: *valore* ~ market value. – **3.** ⟨*fig,spreg*⟩ venal, mercenary; (*rif. a persone*) venal, mercenary, that may be bought (*o* bribed). □ *edizione non* ~ edition that is not on sale. – **venalità** *f.* **1.** ⟨*non com*⟩ sal(e)ability, ⟨*lett*⟩ venality; (*l'essere acquistabile*) purchasability, ⟨*lett*⟩ venality. – **2.** ⟨*fig,spreg*⟩ venality, mercenariness: *la* ~ *di un giudice* the venality of a judge.
venalmẹnte *avv.* venally.
venamẹnto *m.* ⟨*rar*⟩ → **venatura**.
Venạnzio *N.pr.m.* ⟨*Stor*⟩ Venantius.
venạre *v.t.* (**vẹno**) ⟨*non com*⟩ to vein.
venạto *a.* **1.** veined: *marmo* ~ *di azzurro* blue-veined marble; (*rif. a legno*) grained. – **2.** ⟨*fig*⟩ veined, tinged (*di* with): *parole -e di tristezza* words tinged with sadness; (*pervaso*) pervaded (with).
venatọrio *a.* **1.** (*della caccia*) hunting, ⟨*lett*⟩ venatic(al), ⟨*lett*⟩ venatorial: *stagione -a* hunting season. – **2.** (*dei cacciatori*) hunters', of hunters: *linguaggio* ~ hunters' jargon. □ *arte -a* (art of) hunting.
venatụra *f.* **1.** vein(ing); (*del legno*) grain. – **2.** ⟨*Bot,Entom*⟩ venation, nervation. – **3.** ⟨*fig*⟩ vein, trace, streak: *c'è una* ~ *di tristezza nelle sue poesie* there is a trace of sadness in his poetry.
venaziọne *f.* ⟨*Bot*⟩ (*nervazione*) venation, nervation.
Venceslạo *N.pr.m.* ⟨*Stor*⟩ Wenceslaus, Wenceslas.
vendẹmmia *f.* **1.** vintage, grape harvest. – **2.** (*tempo*) vintage, grape-harvest time. – **3.** (*quantità d'uva raccolta*) grape harvest (*o* crop), ⟨*lett*⟩ vintage. – **4.** ⟨*fig*⟩ (*guadagno*) harvest. – **5.** ⟨*poet*⟩ (*uva*) grapes *pl*; (*vite*) (grape)vine. □ *fare la* ~ to gather (*o* harvest) the grapes; *festa della* ~ grape-harvest festival. – **vendemmiạbile** *a.* ⟨*non com*⟩ harvestable, ripe for harvesting.
vendemmiạio *m.* ⟨*Stor*⟩ Vendemiaire.
vendemmiạle[1] *m.* → **vendemmiaio**.
vendemmiạle[2] *a.* ⟨*non com*⟩ grape-harvest-, vintage-: *tempo* ~ grape-harvest time, vintage(-time).
vendemmiạre *v.* (**vendẹmmio**, **vendẹmmi**) **I** *v.i.* (*aus.* **avere**) **1.** to gather (*o* harvest) grapes. – **2.** ⟨*fig*⟩ (*raccogliere vantaggi*) to gather, to reap, to make handsome profits. – **II** *v.t.* to harvest, to gather: ~ *l'uva* to harvest grapes. – **vendemmiạto** (*p.p. di vendemmiare*) *a.* harvested. – **vendemmiatọre** *m.* (*f.* **-trice**) vintager, (grape-)harvester, (grape-)gatherer.
vẹndere[1] *v.t.* (**vendẹi/vendẹtti**, **vendụto**) **1.** to sell: ~ *una casa* to sell a house. – **2.** (*mettere in vendita*) to sell, to put up for sale. – **3.** (*esercitare un commercio*) to sell, to trade (*o* deal) in: ~ *libri* to sell books, to be a bookseller. – **4.** (*prestare dietro compenso*) to offer: ~ *la propria opera* to offer one's services, to work. – **5.** ⟨*spreg*⟩ (*far mercato di cose non venali*) to sell: ~ *il proprio onore* to sell one's honour; ~ *la patria al nemico* to sell one's country to the enemy; (*asservire*) to sell: ~ *l'anima al diavolo* to sell one's soul to the devil. – **6.** ⟨*Comm*⟩ (*smerciare*) to sell, to market, to dispose of; (*svendere*) to sell off. – **7.** ⟨*ant*⟩ (*appaltare*) to give out on contract. – **vendersi** *v.r.* **1.** (*lasciarsi corrompere*) to sell o.s.: *vendersi al nemico* to sell o.s. to the enemy. – **2.** (*prostituirsi*) to prostitute o.s., to sell o.s. – **3.** ⟨*ant*⟩ (*spacciarsi*) to pass o.s. off (*per* as).
□ ⟨*iperb*⟩ *venderebbe l'***anima** *pur di ottenere quello che vuole* he would sell his soul to get what he wants; ~ *all'***asta** to sell at

auction, to auction (off); ⟨*fig*⟩ *saper* ~ **bene** *qc.* (*imporre, far accettare*) to know how to put s.th. across (*o* over), to know how to sell (*o* push) s.th.; ⟨*fam*⟩ ~ *perfino la* **camicia** to sell the shirt off one's back; ~ **ciance** = *vendere* **frottole**; ~ *con* **consegna** *a richiesta dell'acquirente* to sell with delivery on customer's request; ~ *per* (o *a*) **contanti** to sell for cash (*o* ready money); ~ *sotto* **costo** to sell below cost; ~ *a* **credito** to sell on credit; ⟨*fam*⟩ *avere qc.* **da** ~ to have plenty of s.th., to be ⌜bursting with⌝ (*o* full of) s.th., to have enough and to spare of s.th.: *ho pazienza da* ~, *ma* ... I've plenty (*o* no lack) of patience, but ...; *ha salute da* ~ he is ⌜bursting with⌝ (*o* the picture of) health; *hai ragione da* ~ you're absolutely right; ⟨*fig*⟩ ~ **frottole** to tell tall stories, to fib, to talk nonsense; ⟨*fig*⟩ ~ **fumo** to talk big; ~ *all'***ingrosso** to sell wholesale; ~ *a buon* **mercato** to sell cheaply; ⟨*fig*⟩ *saper* ~ *la propria* **merce** to know how to ⌜sell o.s.⌝ (*o* put o.s. over); ~ *al* **minuto** to (sell) retail; *quell'articolo* **non** *si vende* (*non è in vendita*) that article is not for sale; (*si vende male*) that article isn't selling well; ~ *al maggior* **offerente** to sell to the highest bidder; ~ *in* **passivo** to sell at a loss; ⟨*fig*⟩ ~ *cara la propria* **pelle** to sell one's life dear, to die hard; ~ *a* **peso** to sell by weight; ~ *a peso d'oro* to sell dear(ly), to sell at a high price; *questo libro si vende* **poco** this book is selling badly; ~ *a metà* **prezzo** to sell (at) half-price; ~ *a vilissimo prezzo* to sell at a very low price, ⟨*fam*⟩ to sell for peanuts, ⟨*fam*⟩ to give away; ~ *a* **rate** to sell on hire-purchase (*o* the instalment plan), ⟨*fam*⟩ to sell on the H.P. (*o* never-never); ~ *a* **termine** to sell on term, to sell forward (*o* for future delivery); (*in Borsa*) to sell for the settlement. || ⟨*fam*⟩ *te la vendo come l'ho comprata* I'm just passing on what I've heard, I'm telling it just as I heard it; ⟨*fam*⟩ *questa non me la vendi* you won't get me to swallow that; *vendesi* for sale.

vẹndere[2] *m.* selling. ◻ *arte del* ~ salesmanship.

vendereccio *a.* ⟨*non com*⟩ **1.** sal(e)able; (*che si vende facilmente*) that sells well, easily sold. – **2.** ⟨*fig*⟩ (*venale*) venal, mercenary, that can be bought (*o* bribed).

vendẹtta *f.* **1.** revenge, vengeance, retaliation: *giurare* ~ to swear revenge; *per* ~ in (*o* out of) revenge. – **2.** (*castigo, punizione*) revenge, punishment; (*punizione divina*) divine vengeance (*o* chastisement). – **3.** ⟨*poet*⟩ (*persecuzione*) persecution.
◻ **covare** *nel cuore la* ~ to ⌜thirst for⌝ (*o* nurse thoughts of) revenge; **far** ~ *di* to take revenge for, to revenge: *far* ~ *d'un torto* to take revenge for a wrong, to revenge a wrong; *fare le -e di qd.* to avenge s.o.; ⟨*non com*⟩ *far* ~ *a qd.* = **fare** *le vendette di qd.*; ⟨*Rel*⟩ *il* **giorno** (o *dì*) *della* ~ (*il giorno del giudizio universale*) the Day of Wrath, the Last Judgement, doomsday; **gridare** ~ to cry out (to Heaven) for vengeance; ⟨*scherz*⟩ (*rif. a cose maltrattate o fatte male*) to be outrageous; **prendersi** *la propria* ~ to have (*o* get) one's revenge, to revenge o.s.; **ricevere** ~ (*essere vendicato*) to be avenged; ⟨*Etnol*⟩ ~ *del* **sangue** vendetta, blood feud. – *Prov.*: *la miglior* ~ *è il perdono* the best vengeance is forgiveness.

vendeuse *fr.* [vɑ̃'dø:z] *f.* (*commessa*) saleswoman, vendeuse.

vendẹvole *a.* ⟨*rar*⟩ → **vendibile**. – **vendịbile** *a.* **1.** (*che si può vendere*) sal(e)able; (*messo in vendita*) for sale, on sale; (*smerciabile*) sal(e)able, sellable, marketable. – **2.** (*che trova facilmente acquirenti*) marketable, easy to sell, that sells easily. – **3.** ⟨*fig,non com*⟩ (*venale*) venal, mercenary. – **vendibilità** *f.* ⟨*non com*⟩ sal(e)ability.

vendicạbile *a.* that may be avenged.

vendicạre *v.t.* (**vẹndico, vẹndichi**; *p.p. ant.* **vendịco**) **1.** to avenge, to revenge: ~ *un torto* to avenge a wrong; ~ *col sangue* to avenge in blood. – **2.** ⟨*lett*⟩ (*rivendicare*) to vindicate, to avenge. – **3.** ⟨*ant*⟩ (*punire*) to punish, to chastise. – **vendicarsi** *v.r.* **1.** to avenge (*o* revenge) o.s., to take revenge, to be revenged (*su* on, against): *vendicarsi di un torto* to take revenge for a wrong, to ⌜be revenged⌝ (*o* revenge o.s.) for a wrong. – **2.** ⟨*ant*⟩ (*recuperare*) to regain. ◻ ⟨*ant*⟩ *vendicarsi in libertà* to regain one's freedom.

vendicativamẹnte *avv.* vindictively.

vendicatività *f.* ⟨*non com*⟩ (re)vengefulness, vindictiveness. – **vendicatịvo I** *a.* revengeful, vengeful, vindictive; (*che serba rancore*) vindictive. – **II** *s.m.* (*f.* **-a**) **1.** revengeful person. – **2.** (*chi serba rancore*) vindictive person. – **vendicatọre I** *s.m.* (*f.* **-trice**) revenger, avenger. – **II** *a.* (re)vengeful, avenging.

vendicchiạre *v.t.* (**vendịcchio, vendịcchi**) **1.** (*vendere a stento*) to sell with difficulty. – **2.** (*vendere ogni tanto*) to sell now and then.

vendichẹvole *a.* ⟨*ant*⟩ avenging.

vendịco *p.p. ant. di* **vendicare**.

vendi|frọttole *m./f.inv.* **1.** (*bugiardo*) liar, fibber, teller of tall stories; (*spaccone*) braggart, ⟨*fam*⟩ big-mouth. – **2.** (*imbroglione*) swindler, cheat. – **~fụmo** *m./f.inv.* big talker, ⟨*fam*⟩ big-mouth; (*imbroglione*) fake, swindler, cheat.

vẹndita *f.* **1.** sale, selling: *la* ~ *d'un terreno* the sale of a piece of land. – **2.** (*smercio*) sales *pl*: *la* ~ *diminuisce* sales are dropping off. – **3.** (*attività commerciale*) sale, selling: *il personale addetto alle -e* sales personnel. – **4.** (*rif. a cose non venali*) sale: *la* ~ *di cariche pubbliche* the ⌜sale of⌝ (*o* traffic in) public offices. – **5.** (*negozio*) shop, ⟨*am*⟩ store: *aprire una* ~ *di tessuti* to open a fabric shop. – **6.** ⟨*Dir*⟩ (*contratto*) sales contract, contract (*o* bill) of sale.
◻ **analisi** *delle -e* sales analysis; ~ *all'***asta** auction (sale), sale by auction; ~ *su* **campione** sale on (*o* by) sample; ⟨*Stor*⟩ ~ *dei* **Carbonari** Carbonari lodge (*o* meeting place); ~ *di* **chiusura** closing -down sale; ~ **condizionata** (o *sotto condizione*) conditional sale; **condizioni** *di* ~ terms of sale; ~ *per* (o *a*) **contanti** cash sale; ~ *per* **corrispondenza** mail-order; ~ *a* **credito** credit sale; ~ *al* **dettaglio** retail sale, retail selling; (*il commercio*) retail trade; ~ **diretta** direct selling; ~ *a* **domicilio** door-to-door selling, house-to -house sale; ~ (*in*) **esclusiva** sole right of sale, exclusive ⌜selling rights⌝ (*o* agency selling); *diritto di* ~ *esclusiva* sales monopoly; ⟨*Comm*⟩ ~ **facile** ready (*o* brisk) sale; *essere di facile* ~ to sell easily (*o* quickly), to be readily marketable; ⟨*Dir*⟩ ~ **fallimentare** bankruptcy sale; ~ **giudiziale** sale by order of the Court, sale under execution; ~ *giudiziale al pubblico incanto* forced (*o* sheriff's) sale, auction by order of the Court, compulsory auction; *essere* **in** ~ to be on (*o* for) sale; *mettere in* ~ to put on (*o* up for) sale, to sell; ~ *all'***incanto** = *vendita all'***asta**; **incentivi** *di* ~ sales incentives; ⟨*Stor*⟩ ~ *delle* **indulgenze** sale of indulgences; ~ *di* **liquidazione** clearance (sale); ~ *in* **massa** bulk sale; ~ *al* **minuto** retailing, retail sale; ~ *con* **perdita** sale at a loss; ~ *per* **posta** = *vendita per* **corrispondenza**; ~ *a* **prezzi** *inferiori* (*della concorrenza*) undercutting; *prezzo di* ~ selling price; ~ *a* **rate** selling on hire-purchase (*o* the instalment plan); (*in Borsa*) ~ *allo* **scoperto** short (*o* bear) sale, ⟨*am*⟩ short selling; ~ **selettiva** selective selling; ~ *di fine* **stagione** end-of-season sale; ~ *a* **termine** forward sale, sale ⌜for future delivery⌝ (*o* on term); (*in Borsa*) sale for future settlement.

venditọre *m.* (*f.* **-trice**/*pop.* **-a**) **1.** seller, vendor. – **2.** (*gestore d'un negozio*) shopkeeper, dealer, trader.
◻ ~ **ambulante** pedlar, hawker; (*che va nelle case*) door-to-door salesman; ⟨*fig*⟩ ~ *di* **fumo** big talker, ⟨*fam*⟩ big-mouth; (*imbroglione*) fake, swindler, cheat; ~ *di* **giornali** newspaper-seller; (*negoziante*) newsagent; ~ *all'***ingrosso** wholesaler, wholesale dealer; ~ *al* **minuto** retailer; ~ *di* **sigarette** cigarette-vendor.

vendiziọne *f.* ⟨*ant*⟩ → **vendita**.

vendụto (*p.p. di vendere*[1]) **I** *a.* **1.** sold. – **2.** ⟨*fig*⟩ corrupt, sold, mercenary. – **II** *s.m.* ⟨*Comm*⟩ goods *pl* sold, merchandise sold. ◻ ⟨*Comm*⟩ *salvo* ~ subject to being unsold, if still unsold; *uomo* ~ man who has ⌜sold himself⌝ (*o* let himself be bought).

venefịcio *m.* poisoning.

venẹfico *a./s.* (*pl.* **-ci**) **I** *a.* **1.** (*velenoso*) poisonous, venomous: *sostanza -a* poisonous substance. – **2.** (*che concerne il veneficio*) of (*o* concerning) poisoning. – **3.** ⟨*estens*⟩ (*nocivo*) unhealthy, harmful, poisonous. – **4.** ⟨*fig*⟩ (*moralmente pernicioso*) pernicious, poisonous. – **II** *s.m.* ⟨*ant*⟩ **1.** (*avvelenatore*) poisoner. – **2.** (*manipolatore di veleni*) handler of poisons; (*spacciatore*) seller of poisons.

venenịfero *a.* ⟨*ant*⟩ → **velenifero**. – **venẹno** *m.* ⟨*ant*⟩ → **veleno**. – **venenọso** *a.* ⟨*ant*⟩ → **velenoso**.

venerạbile I *a.* **1.** venerable: *un vecchio di* ~ *aspetto* a venerable -looking old man. – **2.** ⟨*Rel*⟩ Venerable. – **II** *s.m.* **1.** (*nella massoneria*) Worshipful Master. – **2.** ⟨*Rel*⟩ Blessed Sacrament. ◻ ⟨*scherz*⟩ *aveva la* ~ *età di novantacinque anni* he reached the venerable old age of ninety-five. – **venerabilità** *f.* venerability, venerableness. – **venerạndo** *a.* venerable: *un vecchio* ~ a venerable old man.

venerạre *v.t.* (**vẹnero**) **1.** to venerate, to revere: ~ *la memoria di qd.* to revere s.o.'s memory. – **2.** ⟨*Rel*⟩ to venerate, to worship: *nel santuario si venera un'immagine miracolosa* a miraculous image is venerated in the sanctuary. – **venerạto** (*p.p. di venerare*) *a.* **1.** venerated, revered. – **2.** ⟨*Rel*⟩ venerated, worshipped. – **veneratọre** ⟨*rar*⟩ **I** *s.m.* (*f.* **-trice**) **1.** venerator. – **2.** ⟨*Rel*⟩ venerator, worshipper. – **II** *a.* venerating. – **venerazịone** *f.* **1.** veneration, reverence. – **2.** ⟨*Rel*⟩ veneration, worship. ◻ *avere in* ~ to venerate; *degno di* ~ venerable; *essere oggetto di* ~ to be venerated.

venerdì *m.* Friday. ◻ *di* (o *il*) ~ on Friday(s); ⟨*scherz*⟩ ⌜*non ha tutti i* ~⌝ (*o gli manca qualche venerdì*) he has a screw loose, he's not all there; *osservare il* ~ to abstain from eating meat on Fridays; ⟨*Rel*⟩ ~ *santo* Good Friday; ~ *sera* (on) Friday evening. – *Prov.*: *chi ride di* ~ *piange di domenica* he that sings on Friday will weep on Sunday, laughter on Friday means tears on Sunday.

Venerdì *N.pr.m.* ⟨*Lett*⟩ Friday.

Vẹnere *N.pr.f.* **1.** ⟨*Mitol,Astr*⟩ Venus. – **2.** ⟨*fig*⟩ (*amore sensuale*) love. – **venere** *f.* **1.** (*donna di rara bellezza*) beauty, Venus, beautiful woman: *si crede una* ~ she thinks she's a beauty. – **2.** ⟨*fig*⟩ (*amore*) love. – **3.** *pl.* ⟨*fig,lett*⟩ (*bellezza*) beauty; (*abbellimenti*) embellishments *pl*, ornaments *pl*. – **4.** ⟨*Zool*⟩ venus, venerid (*Venus*). – **5.** ⟨*Alchim*⟩ (*rame*) copper. – **6.** ⟨*pop*⟩ (*venerdì*) Friday. ◻ ~ *solitaria* (*masturbazione*) masturbation; ~ *vagante* (*o pandemia*) prostitute. – *Prov.*: *né di* ♀ *né di marte non si sposa né si parte* it's bad luck to get married or set out on a trip on Fridays or Tuesdays.

venẹreo *a.* **1.** venereal; (*sensuale*) sensual: *amore* ~ sensual love. – **2.** ⟨*Med*⟩ venereal: *malattie -e* venereal diseases. – **venereologịa** *f.* ⟨*Med*⟩ vener(e)ology.

venerẹvole *a./s.* ⟨*ant*⟩ → **venerabile**.

veneriạno I *a.* (*venusiano*) Venusian, Venerian, of Venus. – **II** *s.m.* (*f.* **-a**) Venusian, Venerian, inhabitant of Venus.

venẹridi *m.pl.* ⟨*Zool*⟩ venerids *pl*, venuses *pl*, Venus clams *pl* (*Veneridae*).

venẹtico *a./s.* (*pl.* **-ci**) **I** *a.* ⟨*Stor*⟩ Venetic. – **II** *s.m.* ⟨*Ling*⟩ Venetic.

vẹneto I *a.* **1.** of (*o* from) the Veneto region, Veneto-; (*veneziano*) Venetian, of Venice. – **2.** ⟨*Stor*⟩ Venetic. – **II** *s.m.* **1.** (*dialetto*) Veneto dialect. – **2.** (*abitante*; *f.* **-a**) native (*o* inhabitant) of Veneto (*anche Stor.*). – **3.** ⟨*Stor*⟩ Venetic. – **Veneto** *N.pr.m.* ⟨*Geog*⟩ Veneto, Venetia.

Venẹzia *N.pr.f.* ⟨*Geog*⟩ Venice. ◻ ~ *Euganea* Venezia Euganea; ~ *Giulia* Venetia Julia, Venezia Giulia; *le tre -e* the Three Venetias; ~ *Tridentina* Venezia Tridentina.

veneziạna *f.* **1.** Venetian girl (*o* woman). – **2.** (*tipo di tenda*) Venetian blind. – **3.** ⟨*Dolc*⟩ kind of soft bun. – **4.** ⟨*Mus*⟩ popular song set to music, Giustiniano.

veneziạno I *a.* Venetian, of Venice. – **II** *s.m.* **1.** (*dialetto*) Venetian (dialect). – **2.** (*abitante*; *f.* **-a**) Venetian. □ *alla.-a* in the Venetian manner (*o* style).

venezolạno (o *venezolạno*) **I** *a.* Venezuelan, of (*o* from) Venezuela. – **II** *s.m.* (*f.* **-a**) Venezuelan. – **Venezụẹla** *N.pr.m.* ⟨*Geog*⟩ Venezuela (*denom.uff.*: *Repubblica del Venezuela* Republic of Venezuela). – **venezuelạno** (o *venezuelạno*) *a./s.* → **venezolano**.

vengiạnza *f.* ⟨*ant*⟩ → **vendetta**. – **vengiạre** *v.* (**vẹngio, vẹngi**) ⟨*ant*⟩ → **vendicare**. – **vengiatọre** *a./s.* ⟨*ant*⟩ → **vendicatore**.

vẹnia *f.* ⟨*lett*⟩ **1.** (*perdono*) forgiveness, pardon: *chiedere* ~ to ask for forgiveness. – **2.** (*grazia*) grace, mercy.

veniạle *a.* **1.** (*perdonabile*) forgiveable, excusable, venial, light. – **2.** ⟨*Teol*⟩ venial: *peccato* ~ venial sin. – **venialità** *f.* **1.** forgiveableness. – **2.** ⟨*Teol*⟩ venialness, veniality. – **venialmẹnte** *avv.* **1.** forgiveably, pardonably. – **2.** ⟨*Teol*⟩ venially.

veniẹnte (*p.pr. di venire*) **I** *a.* ⟨*lett*⟩ coming; (*seguente*) coming, next. – **II** *s.m./f.* comer.

venịre *v.i.* (*pr.ind.* **vẹngo**/*ant.* **vẹgno, viẹni, viẹne, veniạmo, venịte, vẹngono**/*ant.* **vẹgnono**; *fut.* **verrò**; *p.rem.* **vẹnni**; *pr.cong.* **vẹnga**/*ant.* **vẹgna, veniạmo, veniạte, vẹngano**/*ant.* **vẹgnano**; *p.pr.* **veniẹnte**/*ant.* **vegnẹnte**; *p.p.* **venụto**; *aus.* **essere**) **1.** to come: *vieni a trovarmi* come and see me; *mi sembra che venga qd.* I think s.o. is coming. – **2.** (*giungere, arrivare*) to come, to arrive: *è venuta la posta?* has the mail come (*o* arrived)?; *finalmente è venuta l'estate* summer ⌜has come⌝ (*o* is here) at last. – **3.** (*essere portato*) to be brought, to come, to arrive. – **4.** (*provenire*) to come (*da* from): *quest'olio viene dalle mie terre* this oil comes from my estate; (*essere inviato*) to be sent, to come (from): *questo pacco viene da casa* this parcel was sent from home. – **5.** (*arrivare attraverso i fili, condutture e sim.*) to come; (*scaturire*) to come (out), to flow: *non viene l'acqua* the water isn't coming out. – **6.** (*derivare, avere origine*) to come, to be (*da* of), to be descended (from): *viene da una nobile famiglia* he comes from a noble family, he is of noble birth; (*di cose*) to come, to derive, to be derived (from): *una parola che viene dal latino* a word that comes from Latin; (*di atteggiamenti*) to come (from), to be due (to), to get: *di dove ti viene tanta sicurezza?* where does all your self-confidence come from?, where do you get all your self-confidence?; *proprio da te viene questa osservazione!* fancy a remark like that coming from you! – **7.** (*andare*) to come: *da loro viene gente da tutto il mondo* people come to them from all over the world. – **8.** (*sopraggiungere*) to come, to arrive unexpectedly, to turn up: *verrà il castigo quando meno te lo aspetti* your punishment will come when you least expect it; *poi venne la grandine e rovinò il raccolto* then the hail came and destroyed the crops; (*rif. ad avvenimenti, fatti e sim.*) to come (along): *poi venne la guerra* then the war came (*o* broke out). – **9.** (*presentarsi, manifestarsi*) to get, to have (*costr.pers.*), to come, to occur: *cosa ti viene in mente?* what has got into your head?, what has come over you?; *mi è venuto un dubbio* a doubt has occurred to me, I have had a doubt; *ci è venuta un'idea!* we have had (*o* got) an idea! – **10.** (*avere, sentire*) to get (*costr.pers.*), to feel like (*costr.pers.*): *mi sta venendo fame* I'm getting hungry; ⟨*intens*⟩ to be overcome (*o* seized), to fill: *mi venne una gran malinconia* I was overcome by sadness, sadness filled my heart. – **11.** (*avere contratto*: *rif. a malattie e sim.*) to catch, to get, to contract: *gli è venuta l'influenza* he has caught influenza; *mi è venuta la tosse* I have got a cough. – **12.** (*trattare, discutere*) to come, to get: ~ *all'argomento principale* to come to the main subject; ~ *al sodo* (*o dunque*) to get to the point. – **13.** (*nascere*) to be born, to come (into the world). – **14.** (*rif. a piante*: *attecchire*) to take root; (*germogliare*) to sprout, to shoot, to come up. – **15.** (*riuscire*) to turn out, to come on: *com'è venuto il lavoro?* how did the work come out?, what success did you have with the work?; ~ *bene* to turn out well, to be successful. – **16.** ⟨*Mat*⟩ (*ottenere come risultato*) to come out (*o* to), to work out, to be the result: *ho fatto la somma e mi viene sessantotto* I have done the sum and ⌜it works out at⌝ (*o* the result is) sixty-eight. – **17.** (*uscire, essere estratto*) to be drawn, to come out: *è venuto il nove* number nine has been drawn. – **18.** (*costare*) to cost, to come to: *quanto viene questa stoffa?* how much does this fabric cost?; *questo vi viene cento lire il chilo* this costs (*o* will cost you) a hundred lire a kilo. – **19.** (*ricorrere*) to fall, to come: *la mia festa viene di lunedì* my birthday falls on a Monday; *quest'anno la Pasqua viene presto* Easter comes early this year. – **20.** (*toccare, spettare*) to be due, to have, to get: *vi viene mille lire per ciascuno* you get a thousand lire each. – **21.** (*venir via*) to come away; (*andare via*) to go away. – **22.** ⟨*fam*⟩ (*ricordare*) to remember (*costr.pers.*), ⟨*fam*⟩ to come: *non mi viene* I don't remember, ⟨*fam*⟩ it won't come (to me). – **23.** (*seguito da gerundio*: *azione nello svolgersi*) to be: *viene cantando* he is singing; (*inizio dell'azione*) to be beginning: *mi vengo accorgendo che* I am beginning to realize that; (*azione ripetuta, continuata*) to keep (on): *veniva dicendo* he kept saying, he would continually say. – **24.** (*come ausiliare*: *essere*) to be: *i suoi quadri vennero ammirati da tutti* his paintings were admired by all. – **25.** (*fraseologico*) to come, *di solito si traduce a senso*: *che cosa mi vieni a raccontare?* what on earth are you saying?; ~ *a conoscenza di qc.* to learn (*o* hear) of s.th. – **26.** ⟨*lett*⟩ (*recarsi*) to proceed, to go, to come. – **27.** ⟨*triv*⟩ to have an orgasm, ⟨*fam*⟩ to come. – **28.** ⟨*ant*⟩ (*venir odore*) to smell. – **venirsi** *v.r.* ⟨*ant*⟩ to come.

□ **a** ~ (*futuro*) to come, future: *nei secoli a* ~ in the centuries to come; ~ *a un* **accomodamento** to reach (*o* come to) a settlement; ~ **addosso** (*investire*) to hit, to run over; *la macchina mi stava venendo addosso* the car was heading straight for me; *un continuo* **andare** *e* ~ *di gente* a continual coming and going; ~ *in* **antipatia** *a qd.* to come to dislike s.o.: *mi è venuto in antipatia* I have come (*o* grown, got) to dislike him, I can't stand him; ~ **avanti**: 1. (*avanzare*) to come forward, to advance; 2. (*avvicinarsi*) to come forward (*o* up), to draw (*o* come) near; 3. (*entrare*) to enter, to come (*o* go) in; **che** *viene* coming, next: *il mese che viene* next month; **come** *vien(e) viene* it doesn't matter, whatever happens happens, we'll take it as it comes; ~ *a* **costare** to cost; ~ **da** (*aver voglia*) to feel like (*costr.pers.*), to want (*costr.pers.*): *mi viene da piangere* I feel like crying; ~ **dentro** to come inside; (*entrare*) to come in(side), to enter; ~ **detto** to (happen to) say (*costr.pers.*); ~ **dietro** to follow (on), to come behind; ~ *a* **diverbio** to quarrel, to have words; ~ **dopo**: 1. to follow; 2. (*essere susseguente*) to follow, to come after, to be after (*o* behind): *viene dopo di me in fila* he's behind me in the queue; **far** ~: 1. to let come: *fammi* ~ *al cinema con te* let me come to the cinema with you; 2. (*andare a chiamare*) to (go and) call; 3. (*mandare a chiamare*) to send for, to call (for): *far* ~ *un medico* to send for a doctor; *far* ~ *un tassì* to call a taxi; 4. (*ordinare*) to order, to have sent (*o* brought): *l'ho fatto* ~ *dall'Inghilterra* I had it sent from England; 5. (*provocare*) to cause, to make, to give: *far* ~ *la nausea* to cause nausea, to make nauseous; *far* ~ *l'appetito a qd.* to make s.o. hungry, to whet s.o.'s appetite; *far* ~ *il mal di testa a qd.* to ⌜give s.o.⌝ (*o* make s.o. get) a headache; ~ *ai* **fatti** to get down to facts; *dalle parole vennero ai fatti* they proceeded from words to deeds (*o* action); ~ **fatto** to happen (*costr.pers.*), to (do by) chance (*costr.pers.*): *mi venne fatto di trovare questa vecchia lettera* I happened to find this old letter; *venir* **fuori**: 1. to come out (*da* of), to emerge (from); 2. ⟨*fig*⟩ (*risultare*) to come (*o* turn) out, to emerge: *dalle indagini non è venuto fuori niente di nuovo* nothing new emerged from the investigation; 3. ⟨*fig*⟩ (*essere pubblicato*) to come out, to be published; *venir* (o *venirsene*) *fuori con qc.* to come out with s.th.; ~ *a* **galla** to rise (*o* float) to the surface; ~ *dalla* **gavetta**: 1. ⟨*Mil*⟩ to rise from the ranks; 2. ⟨*fig*⟩ to come from nothing, to be a self-made man, ⟨*spreg*⟩ to be an upstart; ~ **giù** to come down, to descend; (*cadere*) to fall (down), to come down: *la neve viene giù a larghe falde* the snow is falling in large flakes; *neppure se viene giù il mondo* not on your life, ⟨*fam*⟩ over my dead body; *viene giù come Dio la manda* (*piove a dirotto*) it's pouring, ⟨*fam*⟩ it's raining cats and dogs; ~ **incontro** *a qd.*: 1. to come towards s.o.; 2. (*attenderlo all'arrivo*) to meet: *ti verrò incontro alla stazione* I'll meet you at the station; 3. ⟨*fig*⟩ to meet halfway: *cercherò di venirLe incontro sul prezzo* I'll meet you halfway on the price; *ciò è di* **là** *da* ~ it is still far (*o* a long way) off, that's for the future; ~ *alla* **luce** to see the light of day; ~ *alle* **mani** *con qd.* to come to blows with s.o.; ~ **meno**: 1. (*mancare*) to fail, to lose: *mi è venuto meno il suo aiuto* I have lost the benefit of his help, I can no longer count on his help; 2. ⟨*non com*⟩ (*venire a cessare*) to stop, to cease; 3. (*svenire*) to faint, to pass out; *venir meno a qc.* (*non adempierla*) not to fulfil (*o* keep) s.th., to fail in (*o* to do) s.th.; (*violarla*) to break (*o* violate) s.th.; ~ *al* **mondo** to come into the world, to be born; *questo lavoro m'è venuto a* **noia** I'm fed up with this work; *mi è venuto alle* **orecchie** it has reached (*o* come to) my ears, I have heard; ~ *a* **parlare** *di qc.* to happen to speak of s.th.; *non mi viene la* **parola** I can't think of the word; ~ *a* **patti** to come to terms; ~ *in* **possesso** *di qc.* to come into possession of s.th.; ~ *a* **prendere**: 1. (*rif. a cose*) to come for (*o* to get); 2. (*rif. a persone*) to come for (*o* to get), to call for, to pick up, to collect: *verrò a prenderti alle sei* I'll come for you at six; *venite a prendere il tè da noi* come to tea at our house; ~ *alle* **prese** *con qd.* = *venire alle* **mani** *con qd.*; ~ *a* **proposito** to come at the right time; **quanto** *viene?* how much does it cost?, how much is it?; ~ *a* **sapere** *qc.* to learn (*o* hear about) s.th., to get to hear of s.th.; *viene da* **sé** it follows that; ~ **su**: 1. to come up; 2. (*crescere*) to grow; 3. (*rif. a persone*: *diventare grande*) to grow up: *il ragazzo viene su forte* the boy is growing up strong; *mi viene su il gelato* that ice(-cream) is coming up; ~ *su dal nulla* to be a self-made man; *sta venendo un* **temporale** a storm is ⌜coming on⌝ (*o* blowing up); ~ *in* **uggia** *a qd.* = *venire in* **antipatia** *a qd.*; ~ **via**: 1. to come away; 2. (*andare via*) to go away; 3. (*scomparire*) to come out, to go, to disappear: *queste macchie non vengono via* these spots won't come out; 4. (*staccarsi*) to come off: *ti è venuto via un bottone* one of your buttons has come off; 5. (*uscire*) to come out: *il tappo non vuole* ~ *via* the cork won't come out; ~ **vicino** *a qd.* to come (*o* draw) near s.o., to approach s.o.; *mi verrebbe* **voglia** *di dirglielo* I feel the urge to tell him. ‖ ⟨*fam*⟩ *ti venisse* (*un accidente*)! drop dead!, go to hell!

venosịno I *a.* **1.** of (*o* from) Venosa. – **2.** ⟨*Stor*⟩ of (*o* from) Venusia. – **3.** ⟨*lett*⟩ (*oraziano*) Horatian, of Horace. – **II** *s.m.* (*abitante*; *f.* **-a**) **1.** native (*o* inhabitant) of Venosa. – **2.** ⟨*Stor*⟩ native (*o* inhabitant) of Venusia. – **Venosino** *N.pr.m.* ⟨*Stor*⟩ (*Orazio*) Horace.

venosità *f.* venosity. – **venọso** *a.* **1.** ⟨*Med*⟩ venous: *sangue* ~ venous blood. – **2.** ⟨*ant*⟩ (*pieno di vene*) veiny, venous. – **3.** ⟨*ant*⟩ (*ricco di venature*)! veined.

Venọsta: ⟨*Geog*⟩ *Val* ~ Vintschgau Valley.

ventaccio *m. pegg. di* vento.
ventaglia *f.* ⟨*Mediev*⟩ ventail.
ventagliaio *m.* (*f.* -a) **1.** (*fabbricante*) fan-maker; (*pittore*) fan-painter. – **2.** (*venditore*) fan-seller. – **ventagliarsi** *v.r.* (mi ventaglio, ti ventagli) ⟨*non com*⟩ to fan o.s. – **ventaglietto** *m. dim. di* ventaglio.
ventaglina *f.* ⟨*Bot*⟩ (*alchimilla*) lady's mantle (*Alchemilla vulgaris*).
ventaglino *m. dim. di* ventaglio.
ventaglio *m.* **1.** fan. – **2.** ⟨*fig,non com*⟩ (*gamma, serie*) range: *il* ~ *dei prezzi* the price range. – **3.** ⟨*Agr*⟩ fan training. – **4.** ⟨*Zool*⟩ Jacob's scallop (*Pecten iacobaeus*). ▭ *a* ~ fan-, fan-shaped, fanwise: *coda a* ~ fantail; *strade che si dipartono a* ~ *dalla piazza* roads which fan out from the square; *aprirsi a* ~ to open like a fan, to fan; *farsi aria col* ~ to fan o.s.
ventaglista *m./f.* ⟨*rar*⟩ → **ventagliaio**. – **ventagliuccio** *m. dim. di* ventaglio.
ventame *m.* ⟨*Mar*⟩ **1.** (*di una bandiera*) fly. – **2.** (*rif. alle vele auriche*) leech, height (of a sail).
ventare *v.i.* (vento; *aus.* avere) ⟨*ant,poet*⟩ **1.** (*soffiare*) to blow. – **2.** (*usato impersonalmente*) to blow, to be windy. – **3.** ⟨*fig*⟩ to blow, to sweep. – **4.** (*soffiare verso*) to blow toward(s). – **5.** ⟨*rar*⟩ (*sventolare*) to wave, to flutter.
ventarello (*dim. di* vento) *m.* ⟨*roman*⟩ breeze.
ventarola *f.* ⟨*region*⟩ **1.** (*ventola*) fire-fan. – **2.** (*banderuola*) weathercock, vane. – **3.** ⟨*fig*⟩ (*persona volubile*) weathercock.
ventata *f.* **1.** gust (of wind). – **2.** ⟨*fig*⟩ (*moto improvviso e violento*) surge, wave, gust. – **ventatina** *f. dim. di* ventata.
ventatura *f.* **1.** ⟨*Aer,non com*⟩ stiffening. – **2.** (*complesso di funi*) stays *pl*, guy ropes *pl*.
ventennale I *a.* **1.** (*che dura un ventennio*) twenty-year, that lasts twenty years. – **2.** (*che ricorre ogni venti anni*) coming (*o* that occurs) every twenty years. – **II** *s.m.* **1.** (*ventesimo anniversario*) twentieth anniversary: ~ *della morte* twentieth anniversary of a death. – **2.** (*celebrazione*) twentieth anniversary celebration(s).
ventenne I *a.* **1.** twenty-year-old, of twenty, ⟨*pred*⟩ twenty years old. – **2.** ⟨*non com*⟩ (*che dura vent'anni*) twenty-year, lasting twenty years. – **II** *s.m./f.* twenty-year-old.
ventennio *m.* **1.** (period of) twenty years: *il prossimo* ~ the next twenty years. – **2.** ⟨*Fasc*⟩ twenty years of Fascism. – **3.** ⟨*non com*⟩ (*ventesimo anniversario*) twentieth anniversary. ▭ ⟨*Stor*⟩ ~ *nero* (*o fascista*) twenty years of Fascism.
ventesimo I *a.* twentieth. – **II** *s.m.* **1.** (*ordinale*; *f.* -a) twentieth. – **2.** (*frazionario*) twentieth.
venti *a./s.inv.* **I** *a.* twenty. – **II** *s.m.* **1.** (*numero*) twenty. – **2.** (*nelle date*) twentieth. – **3.** (*anno venti*) year twenty; (*1920*) nineteen (hundred and) twenty. – **4.** (*tram*) number twenty. – **III** *s.f.pl.* eight o' clock (in the evening), eight p.m.; (*negli orari dei trasporti internazionali*) twenty hours *pl*. ▭ *gli anni* ~ the twenties; *di* ~ *anni* of twenty, twenty-year-old; *siamo in* ~ there are twenty of us; *moneta da* ~ *lire* twenty-lire coin.
venticello (*dim. di* vento) *m.* breeze.
venticinque *a./s.inv.* **I** *a.* **1.** twenty-five. – **2.** ⟨*non com*⟩ (*per indicare un numero indeterminato*) few, score, handful: *i miei* ~ *lettori* my few readers. – **II** *s.m.* **1.** (*numero*) twenty-five. – **2.** (*nelle date*) twenty-fifth. – **3.** (*anno venticinque*) year twenty-five; (*1925*) nineteen (hundred and) twenty-five. – **4.** (*tram*) number twenty -five.
venticinquennale I *a.* **1.** (*che dura venticinque anni*) twenty-five -year(-long), lasting twenty-five years. – **2.** (*che si rinnova ogni venticinque anni*) coming every twenty-five years. – **II** *s.m.* twenty -fifth anniversary.
venticinquenne I *a.* **1.** twenty-five-year-old, of twenty-five, ⟨*pred*⟩ twenty-five years old. – **2.** ⟨*non com*⟩ (*che è durato venticinque anni*) twenty-five-year, that has lasted twenty-five years. – **II** *s.m./f.* twenty-five-year-old. – **venticinquennio** *m.* **1.** (*periodo*) twenty-five years, twenty-five-year period. – **2.** (*anniversario*) twenty-fifth anniversary. – **venticinquesimo I** *a.* twenty-fifth. – **II** *s.m.* **1.** (*ordinale*; *f.* -a) twenty-fifth. – **2.** (*frazionario*) twenty-fifth. – **3.** (*anniversario*) twenty-fifth anniversary: *il nostro* ~ *di nozze* our twenty -fifth wedding anniversary. – **venticinquina** *f.* about (*o* some) twenty-five.
ventidue *a./s.inv.* **I** *a.* twenty-two. – **II** *s.m.* twenty-two. – **III** *s.f.pl.* ten p.m.; (*negli orari dei trasporti internazionali*) twenty-two hours. – **ventiduenne I** *a.* twenty-two-year-old, of twenty-two, ⟨*pred*⟩ twenty-two years old. – **II** *s.m./f.* twenty-two-year-old. – **ventiduesimo I** *a.* twenty-second. – **II** *s.m.* **1.** (*ordinale*; *f.* -a) twenty -second. – **2.** (*frazionario*) twenty-second.
ventiera *f.* ⟨*ant*⟩ **1.** ⟨*Mil*⟩ (*riparo*) kind of shield. – **2.** (*torricella di ventilazione*) kind of ventilation tower.
ventilabro *m.* **1.** ⟨*Agr*⟩ winnowing-fan. – **2.** ⟨*Mus*⟩ organ valve, pallet.
ventilamento *m.* ⟨*non com*⟩ **1.** ventilation. – **2.** ⟨*Agr*⟩ winnowing. – **ventilante** (*p.pr. di ventilare*) *a.* ⟨*rar*⟩ waving, fluttering.
ventilare *v.* (ventilo) **I** *v.t.* **1.** to air, to ventilate: ~ *una stanza* to air a room. – **2.** ⟨*fig*⟩ (*esaminare*) to examine, to ventilate; (*discutere*) to discuss (freely), to ventilate; (*proporre*) to propose. – **3.** ⟨*Agr*⟩ to winnow. – **4.** ⟨*Minier*⟩ to ventilate. – **5.** ⟨*lett,poet*⟩ (*far vento*) to fan; (*agitare al vento*) to wave, to flutter. – **II** *v.i.* (*aus.* essere) ⟨*lett*⟩ **1.** (*muoversi, ondeggiare al vento*) to wave, to flutter. – **2.** (*far vento*) to fan. – **ventilato** (*p.p. di ventilare*) *a.* airy, ventilated, aired: *un ambiente ben* ~ an airy (*o* well-ventilated) room.
ventilatore *m.* **1.** (*apertura*) ventilator. – **2.** (*congegno*) fan, ventilator: ~ *elettrico* electric fan; (*aspiratore*) exhaust-fan, exhauster, aspirator. – **3.** ⟨*Agr*⟩ winnowing-fan, winnowing-basket, grain cleaning machine, seed winnower. – **4.** ⟨*Aut*⟩ fan. – **5.** ⟨*Minier*⟩ (mine) ventilator, blower.
▭ ~ **aspirante** exhaust-fan, exhauster; ~ **centrifugo** centrifugal fan; ~ **elicoidale** propeller (*o* axial-flow) fan; ~ *da* **parete** wall fan; ⟨*Aut*⟩ ~ *del* **radiatore** radiator fan; ~ *da* **soffitto** ceiling fan; ~ *da* **tavolo** desk fan.
ventilatorista *m.* ⟨*Minier*⟩ ventilator, ventilator-system operator.
ventilazione *f.* **1.** ventilation. – **2.** (*cambio dell'aria*) airing, ventilation, air changing. – **3.** (*corrente d'aria*) current (*o* movement) of air; (*venticello, brezza*) breeze. – **4.** ⟨*Minier*⟩ ventilation. – **5.** ⟨*Mecc, Mot*⟩ (*raffreddamento ad aria*) air-cooling. – **6.** ⟨*Agr*⟩ winnowing.
▭ ~ **alveolare** alveolar ventilation; ~ **artificiale** = *ventilazione* **forzata**; ⟨*Minier*⟩ ~ **ascendente** uphill ventilation; ~ **aspirante** suction (*o* vacuum, exhaust) ventilation; ⟨*Aut*⟩ ~ *della* **carrozzeria** body ventilation; ⟨*Minier*⟩ ~ **discendente** downhill ventilation; ⟨*Dir*⟩ ~ **ereditaria** succession evaluation; ⟨*Mecc*⟩ ~ **forzata** artificial ventilation; **impianto** *di* ~ ventilation system; ~ **libera** no-draft ventilation; ~ **naturale** natural ventilation; ⟨*Med*⟩ ~ **polmonare** ventilation (of the lungs); ⟨*Agr*⟩ ~ *del* **terreno** soil ventilation, aeration of the soil.
Ventimiglia *N.pr.f.* ⟨*Geog*⟩ Ventimiglia.
ventina *f.* **1.** about (*o* around, some) twenty, score: *una* ~ *di persone* around twenty people; (*complesso di venti*) score, twenty. – **2.** (*rif. all'età*) about (*o* around) twenty: *essere sulla* ~ to be about twenty.
ventino *m.* **1.** ⟨*Numism*⟩ twenty-centesimo coin. – **2.** (*moneta di poco valore*) small-denomination coin.
ventiquattro *a./s.inv.* **I** *a.* twenty-four. – **II** *s.m.* twenty-four. – **III** *s.f.pl.* twelve p.m., (twelve) midnight; (*negli orari dei trasporti internazionali*) twenty-four hours. – **ventiquattrenne I** *a.* twenty -four-year-old, of twenty-four, ⟨*pred*⟩ twenty-four years old. – **II** *s.m./f.* twenty-four-year-old.
ventiquattrore *f.* **1.** (*valigetta*) overnight bag (*o* case), overnighter. – **2.** ⟨*Sport*⟩ twenty-four-hour race. – **ventiquattr'ore** *f.* **1.** twenty -four-hour period. – **2.** → **ventiquattrore**. – **3.** *pl.* ⟨*ant*⟩ (*avemmaria*) Angelus.
ventiquattresimo I *a.* twenty-fourth. – **II** *s.m.* **1.** (*ordinale*; *f.* -a) twenty-fourth. – **2.** (*frazionario*) twenty-fourth.
ventitré *a./s.inv.* **I** *a.* twenty-three. – **II** *s.m.* twenty-three. – **III** *s.f.pl.* eleven p.m., eleven (o'clock) in the evening; (*negli orari dei trasporti internazionali*) twenty-three hours *pl*. ▭ *portare il cappello sulle* ~ (*e tre quarti*) to wear one's hat cocked (*o* tilted rakishly to one side); ⟨*ant,scherz*⟩ *essere alle* ~ *e tre quarti* (*essere prossimo alla fine*) to be near the end.
ventitreenne I *a.* twenty-three-year-old, of twenty-three, ⟨*pred*⟩ twenty-three years old. – **II** *s.m./f.* twenty-three-year-old. – **ventitreesimo I** *a.* twenty-third. – **II** *s.m.* **1.** (*ordinale*; *f.* -a) twenty -third. – **2.** (*frazionario*) twenty-third.
vento *m.* **1.** wind: *tirava un forte* ~ a strong wind was blowing. – **2.** (*aria, flusso d'aria*) air, air current (*o* flow): *il* ~ *prodotto da un ventilatore* the current of air produced by a fan; (*corrente d'aria*) draught. – **3.** ⟨*pop*⟩ (*peto*) wind, gas, ⟨*volg*⟩ fart. – **4.** ⟨*tecn*⟩ (air) blast. – **5.** ⟨*Mar*⟩ stay, guy rope. – **6.** ⟨*Edil*⟩ bracing (*o* guy) wire. – **7.** ⟨*Agr*⟩ trunk. – **8.** ⟨*Artigl*⟩ difference in diameter between barrel and bullet. – **9.** ⟨*fig,poet*⟩ (*cosa vana, fugace*) smoke.
▭ **a** ~: 1. wind-: *mulino a* ~ windmill; ⟨*fig*⟩ windbag; *giacca a* ~ wind-cheater, wind-jacket, wind-breaker; *motore a* ~ (*aeromotore*) wind engine, windmill; 2. ⟨*ant*⟩ (*a caso*) (at) random, casual, accidental; ~ *d'***acqua** wind that brings rain, rain-bearing wind; **al** ~ (blowing) in the wind, streaming: *con i capelli al* ~ with her hair blowing (*o* flying) in the wind; ⟨*lett*⟩ *sulle* **ali** *del* ~ on the wings of the wind, swiftly; ⟨*Meteor*⟩ ~ **anabatico** anabatic wind; ⟨*Ornit*⟩ **appoggiarsi** *al* ~ to fly with the wind; ⟨*Artigl*⟩ ~ **balistico** ballistic wind; *zona* **battuta** *dai -i* windblown (*o* windy) area; ⟨*scherz*⟩ *qual* **buon** ~ (*ti porta*)? what good fortune brings you here?; ~ **caldo**: 1. ⟨*Meteor*⟩ warm wind; 2. ⟨*Met*⟩ hot blast; *il* ~ *si* **calma** the wind is dropping; *il* ~ **cambia** the wind is changing (*o* shifting); ⟨*Aer*⟩ ~ *di* (*o in*) **coda** tail wind; **colpo** *di* ~ gust (*o* puff) of wind; (*raffica*) squall, blast of wind; ~ **contrario** contrary (*o* foul, unfavourable) wind; **contro** ~ against (*o* into) the wind, upwind; ⟨*fig*⟩ *andare contro* ~ to go against the stream (*o* tide); ~ **debole** gentle (*o* slight) wind; *il* **dio** *dei -i* = *il* **re** *dei venti*; ~ **dominante** prevailing wind; *c'è* ~ = **tira** *vento*; ~ *dell'***est** easterly (wind), east wind; ~ *in* **faccia** = *vento di* **prora**; **far** ~ to produce a current of air; *far* ~ *a qd.* to fan s.o.; ⟨*pop*⟩ *fare un* ~ (*un peto*) to break wind, ⟨*volg*⟩ to fart; **farsi** ~ to fan o.s.; ~ **favorevole** fair (*o* favourable) wind; *il* ~ **fischia** the wind is whistling; ~ *d'alto* **forno** furnace blast; ~ **forte** moderate gale; ⟨*Meteor*⟩ ~ **fresco** strong breeze; ⟨*Mar*⟩ fresh wind; ⟨*fig*⟩ ~ *di* **fronda** current of opposition, spirit of rebellion; ⟨*fig*⟩ **gettare** *al* ~ to waste; ~ *al* **giardinetto** = *vento* **largo**; ⟨*fig*⟩ **girare** *con il* ~ to bend with the breeze, to swim with the tide, to be a weathercock; ⟨*fig*⟩ **gridare** *qc.* ⌜*a tutti i -i*⌝ (*o ai quattro venti*) to shout s.th. from the rooftops; *-i* **irregolari** variable (*o* shifting) winds; ⟨*Mar*⟩ ~ **largo** (*o lasco*) quarter wind; ~ **leggero** gentle (*o* slight) wind; *il* ~ *si è* **levato** the wind is rising; ~ **locale** local wind; ⟨*Mar*⟩ ~ **maneggevole** wind suitable for all purposes; ~ *di* **mare** on-shore wind; ~ **mo-**

derato moderate breeze; ~ *a mezza* **nave** = *vento al* **traverso**; **navigare** *col* ~ *di bolina* to sail ⌈by the wind⌉ (*o* close-hauled); ⟨*fig*⟩ *navigare secondo il* ~ to trim one's sails according to the way the wind blows, to swim with the tide; ~ *del* **nord** northerly (wind), north wind; ~ *di* **nord-est** north-easterly (wind), north-easter; ~ *di* **nord-ovest** north-westerly (wind), north-wester; ~ **occidentale** (*o dell'ovest*) westerly (wind), west wind; ⟨*fig*⟩ **parlare** *al* ~ to talk to a brick wall, to waste one's breath; ⟨*fig*⟩ **pascere** *qd. di* ~ to put s.o. off with empty talk (*o* promises); ⟨*fig*⟩ *pascersi di* ~ to be deceived, ⟨*fam*⟩ to let o.s. be taken in; ⟨*Meteor*⟩ *-i* **periodici** recurrent winds; ⟨*fig,non com*⟩ **pieno** *di* ~ (*borioso*) conceited, puffed up, swollen-headed; ⟨*non com*⟩ *uomo pieno di* ~ empty braggart; ⟨*non com*⟩ *rimanere con le mani piene di* ~ to be left empty-handed, to be disappointed; ⟨*Mar*⟩ ~ *in* **poppa** aft (*o* stern) wind; *andare* (*o procedere*) *col* ~ *in poppa* to sail before the wind (*anche fig.*); **prendere** ~ to fly into the wind; ⟨*Mar*⟩ ~ *di* **prora** headwind; ~ **prospero** = *vento* **favorevole**; ⟨*Mitol*⟩ *il* **re** *dei -i* (*il mare*) the sea; ⟨*Meteor*⟩ *-i* **regolari** steady winds; ~ **relativo** apparent wind; ~ *di* **sabbia** sandstorm; *il* ~ **sibila** = *il vento* **fischia**; *il* ~ **soffia** the wind is blowing; ⟨*Mar*⟩ **sopra** ~ windward, towards the weather side; **sotto** ~ leeward; *il* ~ *ha* **spento** *la candela* the wind has blown out the candle; **stringere** *il* ~ to haul (upon) the wind, to (keep the) luff, to hug the wind; ~ *del* (o *da*) **sud** southerly (wind), south wind; ~ *di* **sud-est** south-easterly (wind), south-easter; ~ *di* **sud -ovest** south-westerly (wind), south-wester; ⟨*Mar*⟩ **tenersi** *al* ~ to keep to windward; ~ *di* **terra** land wind; ~ **teso** fresh breeze; **tira** ~ it's windy, it's blowy; ~ *di* **tramontana** = *vento del* **nord**; ⟨*Aer*⟩ ~ **trasversale** cross-wind; ⟨*Mar*⟩ ~ *al* **traverso** beam wind; ~ *di traverso* side wind; ~ **umido** damp wind; *-i* **variabili** = *venti* **irregolari**; **veloce** *come il* ~ as swift as the wind; ⟨*Mar*⟩ **venire** *al* ~ to luff, to haul to the windward, to come up into the wind; ⟨*Lett*⟩ **Via** *col* ≈ Gone with the Wind; **voltarsi** *a tutti i -i* = **navigare** *secondo il vento*; ~ **vorticoso** whirlwind. – *Prov.*: *chi semina* ~ *raccoglie tempesta* he that sows the wind will reap the whirlwind.

vẹntola *f.* **1.** fire-fan. – **2.** (*specie di ventaglio*) kind of fan. – **3.** (*schermo*) screen, shade. – **4.** (*portalampade a muro*) wall light fixture, wall sconce. – **5.** ⟨*Idr*⟩ floodgate, sluice. – **6.** ⟨*tecn*⟩ (*girante*) impeller. – **7.** ⟨*tosc*⟩ (*paralume*) lampshade. ☐ *muro a* ~ partition wall; ⟨*fam*⟩ *orecchie a* ~ flap-ears; ⟨*Mot*⟩ ~ *di raffreddamento* fan.

ventolạna *f.* ⟨*Bot*⟩ **1.** (*coda di cane*) crested dog's tail (*Cynosurus cristatus*). – **2.** brome grass (*Bromus arvensis*).

ventolạre *v.* (**vẹntolo**) ⟨*ant,region*⟩ **I** *v.t.* ⟨*Agr*⟩ (*ventilare*) to winnow. – **II** *v.i.* (*aus.* **avere**) (*sventolare*) to wave, to flutter. ☐ ~ *le castagne* to winnow chestnuts. – **ventolatụra** *f.* ⟨*ant,region*⟩ (*il ventolare*) winnowing.

ventọsa *f.* **1.** suction cup, sucker. – **2.** ⟨*Zool*⟩ sucker. – **3.** ⟨*Med*⟩ cuppingglass.

ventosaziọne *f.* ⟨*Med*⟩ cupping.

ventosità *f.* **1.** windiness. – **2.** ⟨*fig*⟩ conceit, bombast. – **3.** ⟨*Med*⟩ (*flatulenza*) flatulence.

ventọso I *a.* **1.** windy, blowy: *una giornata -a* a windy day. – **2.** ⟨*non com*⟩ (*rif. a cibo*: *che provoca flatulenza*) flatulent. – **3.** ⟨*fig,rar*⟩ (*borioso*) conceited, puffed up. – **II** *s.m.* ⟨*Stor*⟩ Ventôse.

ventrạia *f.* **1.** ⟨*non com*⟩ (*stomaco dei ruminanti*) rumen. – **2.** ⟨*Macell*⟩ tripe. – **3.** ⟨*ant,spreg*⟩ (*ventre*) big belly, paunch.

ventraiuọla *f.* ⟨*ant*⟩ (*venditrice di trippa*) tripe-vendor.

ventrạle *a.* **1.** ventral, abdominal, stomach-: *dolori -i* abdominal pains; *pinne -i* ventral fins. – **2.** ⟨*estens*⟩ (*rif. alla parte inferiore di un organo*) ventral (*anche Bot.*). – **ventralmẹnte** *avv.* **1.** ventrally; (*in posizione più prossima al ventre*) nearer the abdomen. – **2.** ⟨*estens*⟩ (*inferiormente*) lower down, at the bottom.

ventrạta *f.* ⟨*rar*⟩ **1.** (*colpo al ventre*) blow to (*o* on) the stomach; (*colpo con il ventre*) bump (*o* nudge) with the stomach; (*in acqua*) belly -flop. – **2.** ⟨*fig*⟩ (*scorpacciata*) feed, ⟨*fam*⟩ bellyful, ⟨*fam*⟩ blow-out.

vẹntre *m.* **1.** (*pancia*) belly, stomach; (*addome*) abdomen. – **2.** (*con allusione al mangiare*) stomach, ⟨*volg*⟩ belly: *a* ~ *pieno* on a full stomach. – **3.** ⟨*estens*⟩ (*grembo materno*) womb. – **4.** ⟨*fig*⟩ (*parte rigonfia di un oggetto*) belly, bulge; (*rif. a vasi, fiaschi e sim. e a vele*) belly; (*interno, cavità*) bowels *pl*, depths *pl*: *nel* ~ *della terra* in the bowels of the earth; (*parte inferiore di un oggetto*) bottom, underside. – **5.** ⟨*Aer*⟩ wing underside. – **6.** ⟨*Bot*⟩ venter. – **7.** ⟨*Fis*⟩ loop, antinode. – **8.** ⟨*Met*⟩ (*di altiforni*) belly.
☐ ⟨*Aer*⟩ ~ *dell'***ala** wing underside; ⟨*Med*⟩ ~ *a* **barca** scaphoid (*o* boat-shaped) abdomen; **basso** ~ lower abdomen; ⟨*Med*⟩ ~ **batraciano** frog-belly; ~ **cadente** = *ventre* **pendulo**; ⟨*scherz*⟩ ~ *mio fatti* **capanna**! stomach, stretch (to make room for a good meal)!; ⟨*Arch*⟩ ~ *di una* **colonna** entasis; ⟨*Dir*⟩ **curatore** *al* ~ guardian of an unborn child; **flusso** *di* ~ (*diarrea*) diarr(h)oea; *avere il* ~ **grosso** to have a paunch (*o* pot-belly); **mal** *di* ~ stomach-ache; **muovere** *il* ~ (*sciogliere il corpo*) to move the bowels; ⟨*Fis*⟩ ~ *d'***oscillazione** antinode, loop; ⟨*Med*⟩ ~ **pendulo** pendulous abdomen, venter propendens; **portare** *nel* ~ to bear in one's womb; ⟨*fig*⟩ **riempirsi** *il* ~ to fill one's stomach (*o* belly), ⟨*fam*⟩ to stuff (o.s.); *stare* ~ *a* **terra** to lie on one's stomach (*o* face), to lie face down; *mettersi* ~ *a terra* to lie down on one's stomach; *correre* ~ *a terra* to run at full speed; (*rif. a cavalli*) to go at full gallop; ⟨*region*⟩ *stare nel* ~ *d'una* **vacca** (*fare vita beata*) to live in a bed of roses, ⟨*fam*⟩ to be on easy street. – *Prov.*: ~ *digiuno non ode nessuno* a hungry belly has no ears.

ventrẹsca *f.* **1.** ⟨*Alim*⟩ light (*o* white) meat tuna. – **2.** ⟨*tosc*⟩ (*pancetta*) bacon. – **3.** ⟨*ant*⟩ (*salume*) stuffed pig's stomach. – **4.** ⟨*ant, scherz*⟩ (*ventre*) stomach, belly.

ventrịcchio *m.* ⟨*ant*⟩ → **ventriglio**.

ventricịda *a.* ⟨*Bot*⟩ ventral.

ventricolạre *a.* ⟨*Anat*⟩ ventricular. ☐ *cavità* ~ cardiac ventricle.

ventrịcolo *m.* **1.** (*stomaco*) ventriculus, stomach, ventricle. – **2.** ⟨*Zool*⟩ ventricle, ventriculus; (*cavità*) ventricle, cavity. – **3.** ⟨*Anat*⟩ ventricle, ventriculus; (*cavità*) ventricle, cavity; (*ventricolo cardiale*) cardiac ventricle. ☐ ⟨*Anat*⟩ ~ *cardiaco* (o *del cuore*) cardiac ventricle; ~ *cerebrale* ventricle of the brain; ⟨*Entom*⟩ ~ *chilifero* chylific stomach; ⟨*Anat*⟩ ~ *laringeo* laryngeal ventricle, ventriculus laryngis.

ventricọso *a.* ⟨*lett*⟩ (*rigonfio nel mezzo*) ventricose, bulging, bellying.

ventrịera *f.* **1.** body-belt. – **2.** ⟨*Stor*⟩ (*borsa*) pouch (*o* purse) attached to a girdle.

ventrịglio *m.* **1.** ⟨*Ornit*⟩ gizzard. – **2.** ⟨*Zool*⟩ (*abomaso*) abomasum. – **3.** ⟨*ant*⟩ (*ventricolo*) ventricle.

ventriloquịa *f.* → **ventriloquio**. – **ventrilọquio** *m.* ventriloquism. – **ventriloquịstico** *a.* (*pl.* **-ci**) ventriloquistic. – **ventrịloquo I** *a.* ventriloquistic, ventriloquous, ventriloquial. – **II** *s.m.* (*f.* **-a**) ventriloquist.

ventrịno *m.* ⟨*Mar*⟩ bunt gasket.

ventunẹnne I *a.* twenty-one-year-old, of twenty-one, ⟨*pred*⟩ twenty -one years old. – **II** *s.m./f.* twenty-year-one-old. – **ventunẹṣimo I** *a.* twenty-first. – **II** *s.m.* **1.** (*ordinale*; *f.* **-a**) twenty-first. – **2.** (*frazionario*) twenty-first.

ventụno *a./s.inv.* **I** *a.* twenty-one. – **II** *s.m.* **1.** (*numero*) twenty-one. – **2.** (*nelle date*) twenty-first. – **3.** (*gioco*) twenty-one, vingt-et-un, black-jack. – **III** *s.f.pl.* nine p.m., nine (o'clock) in the evening; (*negli orari dei trasporti internazionali*) twenty-one hours ☐ ⟨*Stor*⟩ *i moti del* ~ the uprisings of 1821.

ventụra *f.* **1.** (*sorte, destino*) chance, fortune. – **2.** (*buona sorte, fortuna*) (good) luck, fortune: *andare in cerca di* ~ to seek one's fortune. – **3.** ⟨*ant*⟩ (*caso fortuito*) chance.
☐ **alla** ~ by chance, at random; **andare** *alla* ~ = **mettersi** *alla ventura*; *andare alla* ~ *di Dio* (*rimettersi alla provvidenza*) to trust to providence (*o* luck); ⟨*ant*⟩ **buona** ~ good luck; ⟨*ant*⟩ *dare la buona* ~ *a qd.* to wish s.o. good luck; ⟨*Stor*⟩ **compagnie** *di* ~ mercenary troops; **dare** (o *dire*) *la* ~ = **predire** *la ventura*; **esporsi** *alla* ~ = **mettersi** *alla ventura*; ⟨*ant*⟩ **mala** ~ bad (*o* ill) luck, misfortune; ⟨*ant*⟩ *dare la mala* ~ *a qd.* to wish s.o. bad luck; ⟨*ant*⟩ **medico** *di* ~ doctor in private practice; **mettersi** *alla* ~ to trust to luck; ⟨*ant*⟩ **per** ~ (*per caso*) by chance; (*forse*) perhaps; **predire** *la* ~ to foretell the future, to tell fortunes; **soldati** *di* ~ soldiers of fortune.

Ventụri: ⟨*Fis*⟩ *tubo di* ~ Venturi (tube).

venturiẹre, venturiẹro ⟨*ant*⟩ **I** *a.* **1.** (*da avventuriero*) like an adventurer. – **2.** ⟨*ant*⟩ (*senza stipendio fisso*) having no fixed occupation, not in anybody's pay. – **II** *s.m.* **1.** (*avventuriero*) adventurer. – **2.** (*soldato di ventura*) soldier of fortune, mercenary.

venturịmetro *m.* ⟨*tecn*⟩ Venturi (tube).

venturịna *f.* **1.** ⟨*Min*⟩ (*avventurina*) aventurine. – **2.** ⟨*Vetr*⟩ aventurine.

ventụro *a.* **1.** ⟨*lett*⟩ coming; (*futuro*) future. – **2.** (*prossimo*) next: *sabato* ~ next Saturday. ☐ ⟨*burocr,comm*⟩ *prossimo* ~ next, following: *martedì prossimo* ~ next Tuesday.

venturọne *m.* ⟨*Ornit*⟩ citril finch (*Carduelis citrinella*).

venturọso *a.* ⟨*lett*⟩ (*fortunato*) lucky, fortunate.

vẹnula *f.* **1.** ⟨*Anat*⟩ venule, venula. – **2.** ⟨*Med*⟩ syringe (for blood samples). – **venulaziọne** *f.* ⟨*Entom*⟩ venation.

venuṣịano I *a.* ⟨*Astron*⟩ Venusian, Venerean, of Venus. – **II** *s.m.* (*f.* **-a**) Venusian, Venerean, inhabitant of Venus.

venustà *f.* ⟨*lett*⟩ beauty. – **venụsto** *a.* ⟨*lett*⟩ beautiful.

venụta *f.* **1.** coming, arrival: *dopo la* ~ *di Cristo* after the coming of Christ. – **2.** (*rif. al tempo*) coming; (*rif. al giorno*) break, coming: *la* ~ *del giorno* break of day, daybreak. – **3.** ⟨*ant*⟩ (*importazione di merci*) importation; (*dazio, gabella*) duty, Customs; (*ufficio*) Customs (office).

venụto *m.* comer. ☐ *nuovi -i* newcomers; *il primo* ~ the firstcomer; *non è il primo* ~ he's not a mere nobody.

veprạio *m.* ⟨*lett*⟩ (*luogo pieno di pruni*) thorny ground. – **vẹpre** *m./f.* ⟨*lett*⟩ (*pruno selvatico*) blackthorn; (*cespuglio*) blackthorn bush (*o* thicket), bramble-bush.

vẹr (o **vẹr'**) (*accorc. di verso*) *prep.* ⟨*poet*⟩ toward(s).

ver. = *versamento* payment (*abbr.* payt., pymt.), remittance (*abbr.* rem.).

vẹra *f.* **1.** (*dei pozzi*) well-head, parapet around a well. – **2.** ⟨*region*⟩ (*anello matrimoniale*) wedding-ring, wedding-band.

verạce *a.* **1.** (*veritiero*) truthful, veracious: *un testimone* ~ a truthful (*o* faithful) witness; (*degno di fede*) true, truthful, veracious: *racconto* ~ true (*o* truthful) story. – **2.** (*vero*) true. – **3.** (*autentico, non immaginario*) real. – **4.** (*pieno, intenso*) true, deep, intense: *amore* ~ true love. – **5.** ⟨*napol*⟩ (*puro*) pure. – **veracemẹnte** *avv.* **1.** truthfully, veraciously. – **2.** ⟨*ant*⟩ (*veramente*) truly; (*davvero*) really. – **veracità** *f.* truthfulness, ⟨*lett*⟩ veracity.

veramẹnte *avv.* **1.** (*realmente*) really, truly, ⟨*fam*⟩ really and truly: *è* ~ *malato* he really is ill; *le cose stanno* ~ *così* that's how things really are. – **2.** (*davvero*) really, indeed: *è* ~ *denaro sprecato* it really is a waste of money. – **3.** (*proprio, sul serio*) really: *è* ~ *sim-*

patico he's really nice. – **4.** (*sinceramente*) really, truly, sincerely: *mi è ~ affezionato* he's really fond of me. – **5.** (*tuttavia, nondimeno*) actually, really: *~ io non ho mai detto questo* actually I never said that. □ ⟨*ant*⟩ *sì ~ che* (*a patto che*) on condition that, providing that; (*se non che*) but.

veranda *f.* ⟨*Edil*⟩ veranda(h).

veratro *m.* ⟨*Bot*⟩ veratrum (*Veratrum*). □ *~ bianco* (European) white hellebore (*Veratrum album*); *~ nero* (Oriental species of) hellebore (*Veratrum nigrum*).

verbale[1] *a.* **1.** (*orale, a voce*) verbal, spoken: *ordine ~* verbal order. – **2.** (*fatto di parole*) verbal: *alterco ~* verbal dispute. – **3.** (*che non arriva all'essenza delle cose*) verbal. – **4.** ⟨*Gramm*⟩ verbal: *aggettivi -i* verbal adjectives.

verbale[2] *m.* **1.** record, report; (*di una riunione e sim.*) minutes *pl.* – **2.** ⟨*Dir*⟩ (*processo verbale*) record, report, minutes *pl*, proceedings *pl*: *redigere un ~* to draw up the minutes. – **3.** (*resoconto fatto per la polizia*) statement: *firmare il ~* to sign the statement.
□ *~ di* **collaudo** inspection report; *~ di* **contravvenzione** offence report, report on infringement of regulations; ⟨*Sport*⟩ *~ di* **gara** tournament protocol; **iscrivere** *a ~* to write (*o* put) down in the minutes, to include in the record; **mettere** *a ~* to put on record; *~ di* **polizia** police report; *~ di* **seduta** minutes *pl* of a meeting.

verbalismo *m.* verbalism (*anche Ped.*). – **verbalistico** *a.* (*pl.* **-ci**) verbalistic.

verbalizzare *v.t.* **1.** (*mettere a verbale*) to (put on) record, to report, to include in a report, to set down (in writing); (*rif. al verbale di una riunione*) to include in the minutes. – **2.** ⟨*assol*⟩ (*stendere il verbale*) to write a report (*o* the minutes). – **verbalizzazione** *f.* putting on record, recording.

verbalmente *avv.* **1.** verbally, orally. – **2.** (*a parole*) verbally, orally, in words, by word of mouth. – **3.** (*letteralmente*) verbally, literally, word for word, verbatim.

Verbano *N.pr.m.* ⟨*Geog,ant*⟩ Lago Maggiore, ⟨*ant*⟩ Lacus Verbanus.

verbasco *m.* (*pl.* **-chi**) ⟨*Bot*⟩ mulle(i)n (*Verbascum*).

verbena *f.* ⟨*Bot*⟩ **1.** vervain, verbena (*Verbena officinalis*). – **2.** ⟨*Stor. rom*⟩ verbena. □ ⟨*Bot*⟩ *~ odorosa* (*cedrina*) sweet-scented verbena (*Lippia citriodora*; *Verbena triphylla*). – **verbenacee** *f.pl.* vervain (*o* verbena) family (*Verbenaceae*).

verberare *v.t.* (**verbero**) ⟨*ant*⟩ (*percuotere*) to beat.

verbigerazione *f.* ⟨*Psic*⟩ verbigeration.

verbigrazia ⟨*lett,scherz*⟩ (*per esempio*) for example.

verbo *m.* (*pl. i* **verbi**/*ant. le* **verba**) **1.** ⟨*Gramm*⟩ verb. – **2.** ⟨*Teol*⟩ Word (of God). – **3.** ⟨*scherz*⟩ (*parola grave o autorevole*) word. – **4.** ⟨*ant*⟩ (*parola*) word. – **5.** ⟨*ant*⟩ (*concetto*) concept; (*pensiero*) thought. – **Verbo** *m.* ⟨*Teol*⟩ Word.
□ ⟨*lett*⟩ (*a*) *~* **a** *~* word for word; *senza* **aggiungere** *~* without saying a word; ⟨*Gramm*⟩ *~* **attivo** active verb; *~* **ausiliare** auxiliary verb; *~ d'***azione** action verb; ⟨*Bibl*⟩ *il ~ si è fatto* **carne** the Word was made flesh; ⟨*Gramm*⟩ *~* **debole** weak verb; *~* **difettivo** defective verb; *non* **dire** *~* not to say a word; ⟨*Gramm*⟩ *~* **durativo** durative verb; *non* **far** *~ a nessuno di qc.* not to say (*o* breathe) a word about it to anyone; ⟨*Gramm*⟩ *~* **forte** strong verb; *~* **imperfettivo** imperfective verb; *~* **impersonale** impersonal verb; *non voler* **intendere** *~* not to want to hear a word; ⟨*Gramm*⟩ *~* **intensivo** intensive verb; *~* **intransitivo** intransitive verb; *~* **irregolare** irregular verb; *~* **iterativo** iterative verb; *~* **modale** modal verb; *~* **momentaneo** momentaneous verb; *~ di* **moto** verb of motion; *~* **perfettivo** perfective verb; *~* **personale** personal verb; *~* **pseudoriflessivo** pseudoreflexive verb; *~ di* **quiete** verb of state; *~* **regolare** regular verb; *~* **riflessivo** reflexive verb; *~ riflessivo improprio = verbo* **pseudoriflessivo**; ⟨*scherz*⟩ *non* **rispondere** *~* not to say a word (in answer); *~* **servile** *= verbo* **modale**; *~ di* **stato** *= verbo di* **quiete**; ⟨*Gramm*⟩ *~* **transitivo** transitive verb.

verbosamente *avv.* verbosely. – **verbosità** *f.* ⟨*lett*⟩ verbosity, wordiness, prolixity. – **verboso** *a.* **1.** (*rif. a persone*) verbose, wordy, ⟨*fam*⟩ long-winded. – **2.** (*rif. a discorsi, scritti e sim.*) verbose, wordy, prolix.

verdaccio *m.* ⟨*Pitt*⟩ verdaccio.

verdastro *a.* greenish.

verde I *a.* **1.** green: *un prato ~* a green meadow. – **2.** (*non ancora maturo*) green, unripe: *frutta ~* green fruit. – **3.** ⟨*estens*⟩ (*fresco*) green, young, fresh, tender; (*rif. a legna*) green, unseasoned. – **4.** (*livido*) pale, green, white, livid (*anche fig.*): *essere ~ dall'invidia* to be green with envy. – **5.** (*in urbanistica*) park- and garden-, open: *zona ~* open spaces, parks and gardens; (*di prato*) grass-, green, grassy. – **6.** ⟨*Bot*⟩ green. – **7.** ⟨*fig,lett*⟩ (*giovanile*) green, youthful: *anni -i* green years, salad days; (*robusto, vigoroso*) green, vigorous, strong: *una vecchiezza ancora ~* a green old age; (*vivace*) lively, full of life, green, vivid. – **II** *s.m.* **1.** (*colore*) green (colour): *il ~ è il colore della speranza* green is the colour of hope. – **2.** (*parte verde*) green part. – **3.** (*fronde verdi, germogli*) green, greenery. – **4.** (*prato verde*) green, lawn; (*zona verde*) parks and gardens *pl*, open spaces *pl*: *~ pubblico* public parks and gardens. – **5.** ⟨*estens*⟩ (*natura*) nature, green, greenery: *vivere in mezzo al ~* to live amongst the greenery. – **6.** ⟨*fig*⟩ (*rigoglio, giovinezza*) green, youthful vigour. – **7.** ⟨*Chim*⟩ green. – **8.** ⟨*Arald*⟩ vert.
□ *~* **acceso** bright green; *~* **acqua** aqua green; ⟨*Min*⟩ *~* **antico** verd(e) antique; *~* **azzurro** blue-green, bluish green; *~* **bandiera** bright green (as in the Italian flag); *~* **bottiglia** bottle-green; *~* **chiaro** light green; *~* **cupo** → **verdecupo**; ⟨*fig*⟩ **essere** *~* (*essere rabbioso*) to be white with anger, ⟨*fam*⟩ to be livid; ⟨*fam*⟩ *essere* (*ridotto*) *al ~ =* **trovarsi** *al verde*; **età** *~* salad days *pl*, youth; *senza un* **filo** *di ~* without a blade of grass; *~* **marcio** kind of olive-green, yellowish green; *~* **mare** → **verdemare**; *~* **minerale** mineral-green; *~* **oliva** olive-green; *~* **oro** gold(en) green; *~* **pisello** pea-green; *~* **prato** grass-green; *~* **privato** garden; *~* **pubblico** park, public garden; *~* **ramarro** bright green; ⟨*fam*⟩ *~ come un ramarro* bright green; ⟨*fam*⟩ **ridere** *~* to give a forced laugh; ⟨*fam*⟩ **ridursi** *al ~* to lose all one's money, ⟨*fam*⟩ to go broke; *~* **scuro** dark green; *~* **smeraldo** emerald (green); **trovarsi** *al ~*: 1. ⟨*fam*⟩ (*essere senza un soldo*) to be penniless, ⟨*fam*⟩ to be ⌜flat broke⌝ (*o* on the rocks); 2. ⟨*ant*⟩ (*essere alla fine*) to be at the end.

verdea *f.* **1.** (*vitigno*) kind of grapevine; (*uva*) kind of white grape. – **2.** (*vino*) kind of white wine.

verdecupo *a./s.m.* ⟨*non com*⟩ (*verde cupo*) dark green.

verdeggiamento *m.* ⟨*non com*⟩ verdancy. – **verdeggiante** (*p.pr. di verdeggiare*) *a.* verdant, green. – **verdeggiare** *v.i.* (**verdeggio**, **verdeggi**; *aus.* **avere**) **1.** (*essere verde*) to be verdant (*o* green); (*diventare verde*) to turn (*o* become) green; (*rilucere di colore verde*) to shimmer green. – **2.** ⟨*non com*⟩ (*tendere al verde*) to be greenish; (*assumere un color verde*) to take on a greenish hue.

verdegiallo *a./s.m.* yellowish green.

verdegrigio *a./s.m.* grey-green.

verdello *m.* **1.** ⟨*Bot*⟩ summer lemon. – **2.** ⟨*Ornit*⟩ (*verdone*) greenfinch, green linnet (*Chloris chloris*).

verdemare *a./s.m.* sea-green.

verderame *m.inv.* verdigris (*anche Chim.*).

verderello *m.* ⟨*Ornit*⟩ (*pantana*) greenshank (*Tringa nebularia*).

verdesca *f.* ⟨*Itt*⟩ blue shark (*Prionace glauca*).

verdeterra *m.inv.* → **verdaccio**.

verdetto[1] **I** *a.* **1.** ⟨*non com*⟩ (*verdolino*) greenish. – **2.** ⟨*ant*⟩ (*di vino*) sourish, tart, sharp. – **II** *s.m.* ⟨*Pitt*⟩ green verditer.

verdetto[2] *m.* **1.** ⟨*Dir*⟩ verdict: *~ dei giurati* verdict of the jury. – **2.** ⟨*estens*⟩ (*decisione*: *di giuria*) verdict; (*di arbitro*) decision, verdict. – **3.** ⟨*fig*⟩ (*giudizio*) verdict, opinion, judgement: *il ~ dei critici* the opinion of the critics.

verdezza *f.* ⟨*non com*⟩ **1.** greenness, verdancy. – **2.** (*verzura*) greenery.

verdiano I *a.* ⟨*Mus*⟩ of Verdi, Verdi's. – **II** *s.m.* (*f.* **-a**) admirer of Verdi.

verdicante (*p.pr. di verdicare*) *a.* ⟨*ant,poet*⟩ → **verdeggiante**. – **verdicare** *v.* (**verdico**, **verdichi**) ⟨*ant,poet*⟩ → **verdeggiare**.

verdicchio *m.* **1.** (*vitigno*) kind of grapevine. – **2.** (*vino*) kind of dry white wine.

verdiccio *a.* greenish; (*verde pallido*) pale green. – **verdigno** *a.* ⟨*non com*⟩ → **verdiccio**.

verdino (*dim. di verde*) **I** *a.* greenish; (*verde pallido*) pale green. – **II** *s.m.* **1.** (*colore*) light green (colour). – **2.** ⟨*Agr*⟩ (*anche fico verdino*) kind of green fig.

verdire *v.* (**verdisco**, **verdisci**) ⟨*poet,ant*⟩ → **verdeggiare**.

verdiso *m.* (*vitigno*) kind of grapevine.

verdognolo *a.* greenish. – **verdolino** (*dim. di verde*) **I** *a.* light (*o* pale) green. – **II** *s.m.* **1.** (*colore*) light green (colour). – **2.** ⟨*Ornit*⟩ (*verzellino*) serin (*Serinus canarius serinus*).

verdone (*accr. di verde*) **I** *a.* dark green. – **II** *s.m.* **1.** ⟨*Ornit*⟩ greenfinch, green linnet (*Chloris chloris*). – **2.** ⟨*Itt*⟩ → **verdesca**. – **3.** ⟨*Bot*⟩ (*colombina verde*) green agaric (*Russula virescens*). – **4.** *pl.* ⟨*region*⟩ (*pomodori verdoni*) green tomatoes *pl.* □ ⟨*Ornit*⟩ *~ bastardo* (*ciuffolotto scarlatto*) scarlet grosbeak (*Carpodacus erythrinus*); ⟨*Ornit*⟩ *~ della Cina* Japanese greenfinch (*Chloris sinica*).

verdore *m.* ⟨*ant*⟩ **1.** → **verdezza**. – **2.** (*aspetto lussureggiante della vegetazione*) verdure, verdancy, greenery.

verducato *m.* ⟨*Stor*⟩ (*guardinfante*) crinoline.

verduco *m.* (*pl.* **-chi**) ⟨*Mil.ant*⟩ **1.** (*spada*) kind of quadrangular sword. – **2.** (*stocco del bastone animato*) blade of a swordstick.

verdugale *m.* → **verducato**.

verdume *m.* ⟨*non com*⟩ **1.** green part (of plants). – **2.** ⟨*spreg*⟩ (*colore*) green (colour); (*insieme di cose verdi*) green things *pl.*

verdura *f.* **1.** ⟨*collett*⟩ (*ortaggi*) greens *pl*, (green) vegetables *pl* (*anche Gastr.*). – **2.** ⟨*ant*⟩ (*color verde*) verdure, verdancy, greenery; (*verdezza*) greenness. – **3.** ⟨*ant*⟩ (*erba, vegetazione*) grass, greenery; (*foglie*) leaves *pl*, foliage. □ *~ cotta* cooked vegetables (*o* greens); *~ cruda* raw vegetables (*o* greens); *minestra di ~* vegetable soup; *negozio di frutta e ~* greengrocer('s), ⟨*am*⟩ fruit and vegetable store. – **verduraio** *m.* ⟨*region*⟩ greengrocer, ⟨*am*⟩ retailer of fruit and vegetables.

verduzzo *m.* **1.** (*vitigno*) kind of grapevine. – **2.** (*vino*) kind of white wine.

verecondamente *avv.* ⟨*lett*⟩ modestly, bashfully. – **verecondia** *f.* ⟨*lett*⟩ **1.** bashfulness. – **2.** (*modestia*) modesty, chastity. – **verecondo** *a.* ⟨*lett*⟩ **1.** bashful, coy. – **2.** (*modesto*) modest. – **3.** (*timido*) shy. – **verecundia** *f.* ⟨*ant*⟩ → **verecondia**.

verga *f.* **1.** (*bacchetta lunga e sottile*) rod, cane. – **2.** (*barra di metallo*) bar, rod, ingot: *~ d'oro* gold bar; (*negli strumenti*) rod, shaft: *la ~ del pendolo* the shaft of the pendulum. – **3.** (*ramo d'albero sottile*) slender (*o* thin) branch, branchlet; (*ramo secondario*) secondary branch. – **4.** (*strumento del rabdomante*) (divining-)rod. – **5.** ⟨*lett*⟩ (*insegna di comando*) staff, sceptre, verge. – **6.** ⟨*lett*⟩ (*bastone del pastore*) shepherd's crook. – **7.** ⟨*Anat*⟩ penis, member. – **8.** ⟨*Tess*⟩ leash (*o* lease) rod, lease bar. – **9.** ⟨*ant*⟩ (*scettro*) sceptre. □ *~ magica* magic wand; ⟨*Bot*⟩ *~* ⌜*d'oro*⌝ (*o aurea*) golden-rod

(*Solidago virgaurea, Solidago virga-aurea*); ~ *pastorale* pastoral staff; *tremare* ⌜*a* ~ *a* ~⌝ (*o come una verga*) to tremble like a leaf.
vergaio[1] *m.* ⟨*Silv*⟩ coppice, copse.
vergaio[2] *m.* ⟨*region*⟩ (*custode del gregge*) (head) shepherd.
vergare *v.t.* (**vergo, verghi**) **1.** (*segnare*) to line, to mark with stripes; (*rigare*) to line, to rule, to draw (*o* rule) lines on. – **2.** (*scrivere a mano*) to write (by hand): ~ *una lettera* to write a letter; (*scrivere su*) to write on. – **3.** ⟨*Cart*⟩ to line. – **4.** ⟨*non com*⟩ (*battere con verghe*) to beat, to cane; (*frustare*) to switch.
vergaro *m.* → **vergaio**[2].
vergata *f.* stroke, blow; (*frustando*) switching.
vergatina (*dim. di vergata*) *f.* laid (manifold) paper, tissue-paper. – **vergatino I** *a.* laid (manifold-): *carta -a* laid manifold paper. – **II** *s.m.* ⟨*Tess*⟩ ticking.
vergato I *a.* **1.** (*striato*) striped, lined, ruled. – **2.** (*scritto*) written. – **3.** ⟨*Tess*⟩ striped: *stoffa -a* striped material. – **4.** ⟨*Cart*⟩ laid (manifold). – **II** *s.m.* ⟨*ant*⟩ (*stoffa a righe*) striped cloth.
vergatura *f.* **1.** ⟨*Tess*⟩ stripes *pl.* – **2.** ⟨*Cart*⟩ laid lines *pl*; (*fili metallici*) laid wires *pl.*
vergella *f.* **1.** ⟨*tecn*⟩ (*tondino*) (wire) rod. – **2.** ⟨*lett*⟩ → **verghetta**.
vergello *m.* ⟨*Venat*⟩ notched pole with bird-lime in the notches.
vergere *v.i.* (**vergo, vergi**; *aus.* **avere**) **1.** ⟨*lett*⟩ (*volgersi*) to turn (*a* towards), to incline (to); (*piegarsi*) to bend (towards). – **2.** ⟨*fig*⟩ (*convergere*) to converge (*a* on).
vergheggiare *v.t.* (**vergheggio, vergheggi**) **1.** ⟨*non com*⟩ to beat, to cane, to thrash; (*frustare*) to switch, to flog. – **2.** (*scamatare*) to beat. – **vergheggiatore** *m.* (*f.* **-trice**) ⟨*ant*⟩ (*chi batte la lana*) beater (of wool).
verghetta *f. dim. di* **verga**. – **verghettina** *f. dim. di* **verghetta**.
vergiliano *a.* ⟨*non com*⟩ (*virgiliano*) Virgilian, Vergilian. – **Vergilio** *N.pr.m.* ⟨*non com*⟩ (*Virgilio*) Virgil, Vergil.
verginale *a.* **1.** virginal: *stato* ~ virginal state. – **2.** (*da vergine*) virgin(al), of (*o* like) a virgin, virgin's: *pudore* ~ virginal modesty. – **3.** ⟨*fig*⟩ (*candido, ingenuo*) pure, unsullied, virginal. – **4.** (*di Maria Vergine*) of the Virgin, Virgin.
vergine I *s.f.* **1.** virgin. – **2.** ⟨*lett*⟩ (*fanciulla, giovinetta*) young girl, ⟨*lett*⟩ maid. – **3.** ⟨*Mar*⟩ rigging dead-eye. – **II** *a.* **1.** (*rif. a donna*: *fisicamente integra*) virgin(al). – **2.** ⟨*scherz*⟩ (*rif. a uomo*) virgin(al). – **3.** (*intatto, naturale*) virgin, virginal: *terreno* ~ virgin land. – **4.** ⟨*fig*⟩ (*puro*) pure, virgin. – **5.** (*genuino, non lavorato, non commisto*) virgin: *olio* ~ *d'oliva* virgin olive-oil; *lana* ~ virgin wool; (*grezzo*) unrefined, crude. – **6.** ⟨*lett*⟩ (*rif. a persone*: *che non ha avuto parte in qc.*) that did not take part, that has not participated. – **7.** ⟨*lett*⟩ (*giovane*) young. – **Vergine** *f.* **1.** ⟨*Rel*⟩ Virgin (Mary). – **2.** ⟨*Astr*⟩ Virgo, Virgin.

□ **cera** ~ unpurified (*o* yellow) wax; ⟨*Rel*⟩ **Maria** ≈ Virgin Mary; ⟨*Rel*⟩ ~ *e* **martire** virgin martyr; ⟨*Stor*⟩ ≈ *di* **Norimberga** iron maiden; ⟨*Ornit*⟩ ~ *di* **Numidia** demoiselle (crane) (*Anthropoides virgo*); ⟨*Rel*⟩ ≈ *del* **Rosario** Virgin of the Rosary; **sacre** *-i* (*suore*) nuns *pl*, sisters *pl*; ⟨*Rel*⟩ **santa** ~ Blessed Virgin.
vergineo *a.* ⟨*lett*⟩ (*virgineo*) virgin(al). – **verginità** *f.* **1.** virginity. – **2.** ⟨*Teol*⟩ virginity: ~ *di Maria* virginity of Mary. □ ⟨*scherz*⟩ *rifarsi una* ~ to clear one's name, to regain one's good reputation, to whitewash o.s.; *fare voto di* ~ to take a vow of virginity.
vergogna *f.* **1.** shame. – **2.** (*riserbo, soggezione*) shyness, shame, bashfulness, embarrassment. – **3.** (*disonore, onta*) dishonour, shame, disgrace: *meglio la morte che la* ~ sooner death than dishonour. – **4.** ⟨*concr*⟩ (*cosa che reca vergogna*) disgrace, shameful (*o* disgraceful) thing, shame, ⟨*fam*⟩ crime: *è una* ~ *trattare così la gente* it's a disgrace to treat people that way; (*persona*) shame, dishonour, disgrace: *è la* ~ *della famiglia* he is the disgrace of his family. – **5.** *pl.* (*pudende*) pudenda *pl*, private parts *pl.* – **6.** ⟨*esclam*⟩ shame (on you), what a disgrace, for shame: ~ *a voi!* shame on you!, you should be ashamed of yourself!

□ **a** *mia* ~ to my shame; **arrossire** *di* ~ to blush with shame; **avere** ~: 1. to be ashamed: *ho* ~ *di te* I am ashamed of you; 2. (*essere timido*) to be (too) shy, to be embarrassed (*o* bashful): *ho* ~ *di chiedere* I'm too shy to ask; *non avere* ~ *di nessuno* to be brazen -faced (*o* shameless); **che** ~*!* what a disgrace!, how awful!, it's disgusting!; **essere** *la* ~ *di qd.* to be a disgrace (*o* dishonour) to s.o.; **fare** ~ *a qd.* to disgrace s.o., to put s.o. to shame; **per** *la* ~ out of shame; (*per timidezza*) out of shyness; **provare** ~ = **avere** *vergogna*; ⟨*non com*⟩ **rimanere** *in* ~: 1. (*rimanere disonorato*) to be shamed (*o* disgraced, dishonoured); 2. = **tornare** *a vergogna*; **rosso** *di* ~ blushing (with shame), red-faced; **senza** ~ shameless; **tornare** *a* ~ to shame, to dishonour.
vergognare *v.* (**vergogno**) **I** *v.t.* ⟨*ant*⟩ (*svergognare*) to shame. – **II** *v.i.* (*aus.* **avere**) ⟨*lett*⟩, **vergognarsi** *v.r.* **1.** to be (*o* feel) ashamed (*di* of): *mi vergogno di te* I am ashamed of you; *vergognarsi di se stesso* to be ashamed of o.s. – **2.** (*provare ritegno*) to be (too) shy, to be bashful (*o* embarrassed), not to like, to be (*o* feel) ashamed: *mi vergogno di chiederglielo* I ⌜am too shy⌝ (*o* don't like) to ask him for it; (*non avere il coraggio*) to be afraid, to hesitate, not to have the courage. – **3.** (*arrossire*) to blush, to go red. □ *vergognati!* shame on you!, for shame!, you ought to be ashamed of yourself!; *far* ~ *qd.* to shame s.o., to put s.o. to shame.
vergognosamente *avv.* **1.** shamefully, disgracefully: *comportarsi* ~ to behave shamefully. – **2.** (*timidamente*) shyly, bashfully. – **vergognosetto, vergognosino** *a. dim. di* **vergognoso**. – **vergognoso I** *a.* **1.** ⟨*pred*⟩ ashamed: *era* ~ *di quello che aveva fatto* he was ashamed of what he had done. – **2.** (*timido*) shy, bashful: *un bambino* ~ a shy (*o* bashful) child. – **3.** (*che è causa di vergogna*) shameful, disgraceful: *azione -a* shameful act. – **II** *s.m.* (*f.* **-a**) shy person.
vergola *f.* ⟨*Sart*⟩ **1.** (*filo di seta*) silk thread (*o* twist). – **2.** (*filo d'oro*) gold thread; (*filo d'argento*) silver thread. – **vergolato** *a.* ⟨*non com*⟩ **1.** (*ornato di vergole*) interwoven with different coloured threads. – **2.** (*variegato*) variegated, striped, streaked.
vergolina[1] *f.* ⟨*non com*⟩ *dim. di* **verga**.
vergolina[2] (*dim. di vergola*) *f.* ⟨*Sart*⟩ kind of braid (*o* trimming).
vergone (*accr. di verga*) *m.* ⟨*Venat*⟩ (*fischiarella*) spreading of limed twigs to catch birds.
veridicità *f.* truthfulness, veracity: *la* ~ *di un'affermazione* the truthfulness of a statement. – **veridico** *a.* (*pl.* **-ci**) **1.** (*rif. a persone*) truthful. – **2.** (*rif. a cose*) truthful, true, veracious, ⟨*lett*⟩ veridical.
verifica *f.* **1.** (*controllo*) control, check: ~ *dei passaporti* passport control; ~ *del peso* weight check. – **2.** (*esame*) examination, inspection: ~ *dei nuovi macchinari* inspection of the new machines. – **3.** (*accertamento*) ascertainment, verification. – **4.** ⟨*Mat*⟩ check. – **5.** ⟨*Econ*⟩ audit(ing). – **6.** ⟨*tecn*⟩ (*taratura*) calibration.

□ ~ *di* **cassa** cash audit; ~ **contabile** (*o dei conti*) audit, auditing of accounts; ⟨*Dir*⟩ ~ *dei* **crediti** proof of debts; **fare** *la* ~ *di qc.* to check (*o* control) s.th.; ~ *dei* **libri** = *verifica* **contabile**; ⟨*Dir*⟩ ~ *dei* **poteri** verification of electoral returns and the eligibility of those elected; ~ *dei* **voti** scrutiny, official examination of votes.
verificabile *a.* **1.** verifiable. – **2.** (*controllabile*) checkable, controllable; (*accertabile*) ascertainable. – **verificabilità** *f.* **1.** verifiability, verifiableness. – **2.** (*controllabilità*) controllability. □ ⟨*Filos*⟩ *principio di* ~ verifiability principle (*o* theory), verification principle (*o* theory).
verificare *v.t.* (**verifico, verifichi**) **1.** (*controllare*) to check, to control: ~ *un conto* to check a bill. – **2.** (*esaminare*) to examine, to inspect, to check: ~ *un apparecchio* to check a piece of apparatus. – **3.** (*accertare*) to ascertain, to verify, to check: *voglio* ~ *se ciò che ha detto è vero* I want to check whether what he said is true. – **4.** (*rivedere*: *rif. a conti*) to audit; (*rif. a misure*) to check, to test. – **5.** ⟨*tecn*⟩ (*tarare*) to calibrate. – **6.** ⟨*Mat*⟩ to prove, to check. – **7.** ⟨*Filos*⟩ to verify. – **verificarsi** *v.r.* **1.** (*avvenire*) to happen, to occur, to take place: *si è verificato un fatto nuovo* something new has happened. – **2.** (*avverarsi*) to come true (*o* about), to prove to be true (*o* correct): *le tue previsioni si sono tutte verificate* all your forecasts have proven correct.
verificatore *m.* (*f.* **-trice**/*pop.* **-a**) **1.** verifier, checker, tester. – **2.** ⟨*Ferr*⟩ examiner, ⟨*am*⟩ inspector. – **3.** ⟨*burocr*⟩ (*impiegato addetto al controllo*) checker, inspector: ~ *dei pesi e delle misure* inspector of weights and measures. – **4.** ⟨*Ind*⟩ tester. □ ~ *dei conti* auditor. – **verificazione** *f.* **1.** (*verifica*) verification, control, check, test. – **2.** ⟨*Filos*⟩ verifiability, verification: *principio di* ~ verifiability principle (*o* theory), verification principle (*o* theory). □ ⟨*Dir*⟩ ~ *dello stato passivo* ascertainment of final statement of affairs.
verina *f.* ⟨*Mar*⟩ cable hook rope.
verisimigliante *a./s.* ⟨*lett*⟩ → **verosimile**. – **verisimiglianza** *f.* ⟨*lett*⟩ → **verosimiglianza**. – **verisimile** *a./s.* ⟨*lett*⟩ → **verosimile**.
verismo *m.* **1.** realism. – **2.** ⟨*Lett,Art*⟩ verism, realism: ~ *fotografico* photographic realism. □ *una scena di eccessivo* ~ an over -realistic scene. – **verista I** *s.m./f.* ⟨*Lett,Art*⟩ verist, realist. – **II** *a.* → **veristico**. – **veristico** *a.* (*pl.* **-ci**) verist(ic), realistic.
verità *f.* **1.** truth: *appurare la* ~ to find out the truth; *la ricerca della* ~ the search for truth. – **2.** (*giustezza*) truth(fulness): *sostenere la* ~ *di un'affermazione* to maintain the truthfulness of a statement.

□ *essere la* **bocca** *della* ~ = *essere la* **voce** *della verità*; **dire** *la* ~ to tell the truth; *a* (*o per*) *dire la* ~ to tell (you) the truth, to be truthful (*o* honest), truth to tell; ⟨*Filos*⟩ **doppia** ~ twofold truth; ~ *di* **fatto** a posteriori truth; *avere* **fondamento** *di* ~ to have a basis in truth; **in** ~ really, truly, ⟨*lett*⟩ in truth, ⟨*Bibl*⟩ verily: ⟨*Bibl*⟩ *in* ~, *in* ~ *vi dico* verily, verily I say unto you; ~ **lapalissiana** self-evident truth; *la* **pura** ~ = *la verità* **sacrosanta**; ⟨*Filos*⟩ ~ *di* **ragione** a priori truth; ⟨*Rel*⟩ ~ **rivelata** revealed truth; *la* ~ **sacrosanta** the (pure) truth, ⟨*fam*⟩ the honest(-to-goodness) truth; **siero** *della* ~ truth serum (*o* drug); *essere la* **voce** *della* ~ to be ⌜completely truthful⌝ (*o* the soul of truth). – *Prov.*: *la* ~ *è nel vino* in vino veritas; *la* ~ *viene sempre a galla* truth will out.
veritiero *a.* **1.** (*che dice la verità*) truthful, veracious. – **2.** (*conforme a verità*) true, truthful: *racconto* ~ true story.
verla *f.* ⟨*Ornit*⟩ (*averla*) shrike, butcher-bird (*Lanius*).
verme *m.* **1.** worm. – **2.** *pl.* ⟨*Zool*⟩ worms *pl* (*Vermes*). – **3.** *pl.* ⟨*Med, fam*⟩ (*vermi parassiti dell'intestino*) worms *pl*: *avere i -i* to have worms. – **4.** ⟨*Zool*⟩ (*larva di insetto*) worm, insect larva, grub, maggot. – **5.** ⟨*fig*⟩ (*persona abietta*) worm; (*persona di nessun conto*) worm, wretch, nobody. – **6.** ⟨*fig,non com*⟩ (*ciò che rode, tarlo*) worm, pang, gnawing. – **7.** ⟨*tecn*⟩ (*filetto della vite*) worm, thread. – **8.** ⟨*Anat*⟩ vermis, vermiform process (*o* lobe), cauda cerebelli. – **9.** ⟨*Mar*⟩ worming. – **10.** ⟨*poet,ant*⟩ (*mostro infernale*) infernal monster.

□ *-i* **acavitari** flatworms *pl* (*Platelminti*); *-i* **cavitari** roundworms *pl* (*Nematelminti*); ~ *del* **formaggio** cheese maggot (*o* skipper, hopper); ~ *di* **Guinea** (*filaria di Medina*) Guinea (*o* Medina) worm (*Dracunculus medinensis*); ⟨*Zool*⟩ **mal** *del* ~ (*farcino*) farcy; ~ *delle* **mele** apple worm, codlin(g) moth (*Carpocapsa pomonella*); **nudo** *come un* ~ stark-naked, ⟨*fam*⟩ in one's birthday suit; ~ *dell'occhio* eyeworm (*Loa loa*); ~ **parassita** parasitic worm; *in* **pasto** *ai -i* food for worms; *-i* **piatti** = *vermi* **acavitari**; **roso** *dai -i* worm-eaten; ⟨*fam*⟩ ~ **solitario** (*tenia*) tapeworm; ⟨*scherz*⟩ *avere il ~ solitario* (*rif. a persona che mangia molto*) to have a tapeworm, to be a big eater; ~ *di* **terra** earthworm.

vermeil *fr.* [vɛr'mɛ:j] *m.* (*argento dorato*) vermeil, gilded silver.

vermẹna *f.* ⟨*lett*⟩ shoot, young branch; (*ramoscello*) twig.

vermentịno *m.* (*vitigno*) kind of grapevine.

vermẹto *m.* ⟨*Zool*⟩ vermetid, worm shell (*Vermetus*).

vermiạno *a.* ⟨*Med*⟩ of the vermiform lobe.

vermicạio *m.* ⟨*non com*⟩ **1.** (*luogo pieno di vermi*) worm-infested place. – **2.** (*brulichio di vermi*) wriggling mass of worms. – **vermicẹlli** (*dim. di verme*) *m.pl.* ⟨*Alim*⟩ vermicelli *sing*; (*spaghetti*) spaghetti *sing*. – **vermicolạre** *a.* **1.** vermicular, vermiform, vermiculate, worm-like. – **2.** ⟨*Med*⟩ vermicular: *polso ~* vermicular pulse. □ ⟨*Geol*⟩ *solchi -i* sand cuttings.

vermiculịte *f.* ⟨*Min*⟩ vermiculite.

vermifọrme *a.* vermiform, worm-shaped, vermicular, worm-like: ⟨*Anat*⟩ *appendice ~* vermiform appendix. – **vermịfugo** *a./s.* (*pl.* **-ghi**) **I** *a.* ⟨*Farm*⟩ vermifuge, vermifugal, anthelmintic. – **II** *s.m.* vermifuge, anthelmintic.

vermịglio ⟨*lett*⟩ **I** *a.* vermil(l)ion-. – **II** *s.m.inv.* (*colore*) vermilion, vermillion.

vermigliọne *m.* ⟨*Chim*⟩ **1.** (*cinabro artificiale*) vermil(l)ion, cinnabar. – **2.** ⟨*ant*⟩ (*cinabro*) cinnabar.

vermilịngui *m.pl.* ⟨*Zool*⟩ American ant-eaters *pl* (*Vermilingua*).

verminạra: ⟨*ant*⟩ *come una lucertola ~* (*magrissimo*) thin as a rake (*o* rail), skinny and pale.

verminaziọne *f.* → **verminosi**.

vẹrmine *m.* ⟨*ant,pop*⟩ → **verme**.

verminọsi *f.* ⟨*Veter*⟩ verminosis.

verminọso *a.* **1.** verminous; (*roso dai vermi*) worm-eaten. – **2.** ⟨*Med, Veter*⟩ verminous.

vẹrmo *m.* ⟨*ant*⟩ → **verme**.

vermocạne *m.* ⟨*Veter*⟩ (*capostorno*) staggers *pl* (*costr.sing.*). □ ⟨*ant*⟩ *che ti venga il ~!* a pox on you!

vermout(h) *fr.* [-'mut] *m.* ⟨*rar*⟩ → **vermut**. – **vẹrmut** (*ant. vermụt*) *m.* **1.** vermouth. – **2.** (*bicchiere di vermut*) glass of vermouth. – **vẹrmutte** (o *vermụtte*) *m.* ⟨*ant*⟩ → **vermut**. – **vermuttịno** (*dim. di vermut*) *m.* (small) glass of vermouth.

vernạccia *f.* (*pl.* **-ce**) **1.** (*vino*) kind of dry white wine. – **2.** (*vitigno*) kind of grapevine.

vernacolạre *a.* vernacular. – **vernạcolo I** *s.m.* vernacular: *poesia in ~* poetry in the vernacular; (*dialetto*) vernacular, dialect. – **II** *a.* **1.** vernacular. – **2.** ⟨*ant*⟩ (*paesano*) country-, of (*o* from) the country; (*nativo*) native, indigenous.

vernạle[1] *a.* **1.** ⟨*Bot*⟩ vernal. – **2.** ⟨*ant*⟩ (*primaverile*) vernal, spring-. □ ⟨*Astr*⟩ *punto ~* vernal (*o* spring) equinox, first point in Aries.

vernạle[2] *a.* ⟨*poet*⟩ (*invernale*) winter, of the winter, wintry.

vernalizzạre *v.t.* ⟨*Agr*⟩ to vernalize, to jarovize. – **vernalizzaziọne** *f.* vernalization, jarovization.

vernạre[1] *v.i.* (**vẹrno**; *aus.* **avere**) ⟨*ant*⟩ **1.** (*far primavera*) to be(come) spring. – **2.** (*rif. a uccelli*: *cantare a primavera*) to sing (in spring).

vernạre[2] *v.i.* (**vẹrno**; *aus.* **avere**) ⟨*lett*⟩ **1.** (*svernare*) to (spend the) winter. – **2.** (*determinare il clima invernale*) to bring on the winter, to make wintry. – **3.** (*soffrire il freddo*) to suffer cold, to feel winter. – **4.** ⟨*rar*⟩ (*usato impersonalmente*: *farsi inverno*) to become winter; (*rif. al tempo*: *guastarsi*) to become wintry, to turn cold.

vernarẹccio, vernarịccio *a.* ⟨*ant*⟩ (*invernale*) winter's, winter-.

vernạta *f.* ⟨*ant,tosc*⟩ (*invernata*) winter, wintertime.

vernaziọne *f.* ⟨*Bot*⟩ vernation, pr(a)efoliation.

vernẹngo *a.* (*pl.* **-ghi**) ⟨*region*⟩ (*invernengo*) winter-.

vernerẹccio *a.* → **vernareccio**.

vernịce *f.* **1.** paint; (*trasparente*) varnish. – **2.** (*pittura*) paint; (*lacca*) lacquer. – **3.** (*pelle verniciata*) patent leather: *una borsa di ~* a patent leather bag. – **4.** ⟨*fig*⟩ (*apparenza superficiale*) gloss, veneer: *ha solo una ~ di buona educazione* he has only a gloss of good breeding. – **5.** (*inaugurazione*: *d'una mostra d'arte*) private view, vernissage, varnishing day, inauguration; ⟨*estens*⟩ (*di altre mostre o manifestazioni*) opening (day), inauguration (day). – **6.** (*strato sottile di copertura*) film, veil, thin layer. – **7.** ⟨*Ceram*⟩ (*vetrina*) glaze. – **8.** ⟨*scherz*⟩ (*belletto*) make-up, ⟨*fam*⟩ paint.

□ ~ **antirombo** anti-noise paint; ~ **antiruggine** anti-rust paint; ~ **brillante** flowing varnish; ⟨*Fisiol*⟩ ~ **caseosa** vernix (caseosa); ~ **cellulosica** (o *alla cellulosa*) cellulose lacquer; ~ **coprente** opaque, retouching dye; ~ **cristallizzata** crystal varnish; (*lacca*) crystallizing lacquer; ~ *per* **cuoio** (leather) polish; ~ *a* **dorare** gold size; ~ *a* **emulsione** emulsion paint; ~ **fluorescente** fluorescent paint; ~ *di* **fondo** filler (*o* sizing) paint; ~ **fosforescente** phosphorescent paint; ~ **fresca** wet paint; ~ *a* **fuoco** stove enamel; ~ **giapponese** japan; ~ *a base di* **gomma** rubber-base paint; ~ **grassa** oil-based paint; ~ **ignifuga** anti-fire (*o* fireproof) paint; ~ *per* **immersione** dipping varnish; ~ **isolante** insulating varnish; ~ *a* **lisciare** flatting varnish; ~ **luminescente** luminous paint; ~ **magra** short oil varnish; ⟨*Art*⟩ ~ **molle** soft ground; ~ *alla* **nitro** (o *nitrocellulosa*) nitrocellulose lacquer; ~ *a* **olio** oil paint (*o* varnish); ~ **opaca** flat varnish; ~ *a* **pennello** brushing paint (*o* lacquer); ~ **protettiva** protective coating; ⟨*Mecc*⟩ preservative; ⟨*Fot*⟩ ~ *per* **ritocchi** dope; ~ **siccativa** siccative varnish; ~ **sintetica** synthetic resin (*o* finish), gum lacquer; ~ *a* **smalto** enamel (*o* hard gloss) paint; ~ *a* **solvente** quick drying paint; ~ **sottomarina** *antivegetativa* anti-fouling paint; ~ *a* **spazzola** = *vernice a* **pennello**; ~ *a* **spirito** spirit varnish; ~ *a* **spruzzo** spraying varnish; (*per verniciatura a spruzzo*) spray paint; ~ *a* **tendere** dope; ~ **trasparente** varnish; ~ **zapon** zapon lacquer.

verniciạre *v.t.* (**vernịcio, vernịci**) to paint; (*con vernice trasparente*) to varnish; (*pitturare*) to paint; (*laccare*) to lacquer. – **verniciarsi** *v.r.* ⟨*scherz*⟩ (*imbellettarsi*) to (put) on make-up, ⟨*fam*⟩ to paint one's face. □ ~ *a pennello* to paint (with a brush); ~ *a spruzzo* to spray (paint).

verniciạta *f.* painting, varnishing; (*con vernice trasparente*) varnishing. □ *dare una ~ a qc.* to paint s.th., to give s.th. a coat of paint. – **verniciatịna** (*dim. di verniciata*) *f.* paint-over, ⟨*fam*⟩ quick paint job. □ *dare una ~ a qc.* to give s.th. a light coat of paint. – **verniciạto** (*p.p. di verniciare*) *a.* painted; (*con vernice trasparente*) varnished; (*laccato*) lacquered. – **verniciatọre** *m.* (*f.* **-trice**) **1.** painter, varnisher; (*pittore*) painter. – **2.** (*apparecchio*) varnishing-machine; (*a spruzzo*) spray-gun, airbrush, aerograph.

verniciatụra *f.* **1.** (*atto*) painting; (*con vernice trasparente*) varnishing; (*laccatura*) lacquering. – **2.** (*effetto*) paint. – **3.** ⟨*fig*⟩ (*conoscenza superficiale*) smattering; (*falsa apparenza*) veneer, gloss. □ ~ **antiruggine** rust-proofing; ~ *a* **centrifugazione** whirling; ~ **mimetica** camouflaging; ~ *delle* **pelli** polishing, finishing (of leather); ~ *a* **pennello** brush painting; ~ *a* **rullo** roller coating; ~ *a* **smalto** enamelling, enamel painting; ~ *a* **spruzzo** spraying, spray painting; ~ *con* **vernice** *raggrinzante* wrinkle finish.

vernịẹro *m.* ⟨*ant*⟩ (*nonio*) vernier, nonius.

vernịno *a.* ⟨*Agr*⟩ winter-.

vernissage *fr.* [-'sa:ʒ] *m.* private view, vernissage, varnishing day, inauguration (day).

vẹrno *m.* ⟨*ant,poet*⟩ **1.** (*inverno*) winter. – **2.** (*freddo, gelo*) cold, wintriness. – **3.** (*tempesta, burrasca*) storm, tempest.

vẹro I *a.* **1.** (*che corrisponde alla realtà effettiva*) real, true: *il ~ colpevole sono io* I am the real culprit; *il ~ padrone è lui* he is the real boss; (*che si è veramente verificato*) true: *è incredibile ma ~* it's incredible but true. – **2.** (*giusto, esatto, proprio*) real, true, right, actual: *il ~ motivo di qc.* the real reasòn for s.th.; *qui sta il ~ problema* this is the real problem. – **3.** (*genuino, sincero*) real, genuine, true: *perle -e* genuine (*o* real) pearls; *la -a cucina casalinga* real home-cooking. – **4.** (*rif. a sentimenti*: *intenso, profondo*) true, deep, real: *una -a passione artistica* a true love of art. – **5.** ⟨*enfat*⟩ real, out and out, downright, proper: *sarebbe un ~ delitto non far studiare il ragazzo* it would be a real shame not to let the boy study; *sei un ~ farabutto* you're an out and out rascal. – **6.** ⟨*rar*⟩ (*veritiero*) truthful. – **II** *avv.* ⟨*rar*⟩ (*veramente*) really, truly. – **III** *s.m.inv.* **1.** (*verità*) truth, true: *distinguere il ~ dal falso* to distinguish the true from the false; *lo dico per amor del ~* I say it out of love for the truth; *dichiarare il ~* to tell the truth. – **2.** (*natura, realtà*) (real) life: *dipingere dal ~* to paint from life.

□ **come** *è ~ che sto qui* as true as I'm standing here; *come è ~ che non ci si può fidare di nessuno!* ⌜it's so true⌝ (*o* how true it is) that you can't trust anyone!; *come è ~ Dio* (o *il cielo, il sole*) as God is my witness, I swear to God, ⟨*fam*⟩ cross my heart; *è* **cosa** *-a!* it's true!; *di ~* **cuore** from the bottom of one's heart, whole-heartedly, sincerely; ⟨*ant*⟩ **da** *~* (*davvero*) truly, really; *che cosa ci sarà* **di** *~ in questa storia?* how much truth do you think there is in this story?, how much of this story do you think is true?; *non c'è nulla di più ~* nothing could be truer; *nulla di più ~!* it's absolutely true!; **dire** *il ~*: 1. to tell the truth; 2. (*rif. a strumenti*) to be exact (*o* precise, right): *il mio orologio dice il ~* my watch is right; *se la memoria mi dice il ~* if my memory is correct (*o* not playing me up); *a dire il ~* to tell you the truth, to be quite honest, actually, truth to tell; (*non*) **è** *~?* (*nevvero*) (isn't that) right?: *bevo troppo, non è ~?* I'm drinking too much, (isn't that) right?; *spesso si rende con costruzioni interrogative*: *ti sei trovato bene,* (*è*) *~?* you had a good time, didn't you?; *ti piace il gelato,* (*è*) *~?* you like ice-cream, don't you?; *è arrivato,* (*è*) *~?* he has arrived, hasn't he?; *~ è che* it's true that: *~ è che è ancora giovane, ma ha molta pratica* it's true that he's still young, but he's had lots of experience; *essere nel ~* to be right; *non sarà mai ~ che* (*non permetterò mai che*) I shall never permit that; *il ~* **erede** *al trono* the rightful heir to the throne; **fosse** *~!* if only it were true!; **in** *~* (*invero*) indeed, really; **o** *~* (*ovvero*) or, or else; *a* **onor** *del ~* to tell the truth; *non mi* **par** *~* I can't believe (it), it is too good to be true: *non mi par ~ di aver superato gli esami* I can't believe I have passed my exams; *non mi par ~ di poterlo fare* (*sono lietissimo*) I am delighted to do it; ⟨*non com*⟩ **per** *~* really, truly; *sapere qc. per ~* to know s.th. for a fact; *tenere per ~ qc.* to take s.th. as (being) true, to believe s.th.; *~ e* **proprio** real, out and out, ⟨*fam*⟩ honest-to-goodness, ⟨*fam*⟩ proper: *questa è una bugia -a e propria* this is an out and out lie; **purtroppo** *è ~* unfortunately it's true, there's no getting away from it; **racconto** *dal ~* true story; **salvo** *il ~* if I'm not mistaken; **tant'è** *~ che* in fact, indeed: *non avevo fame, tant'è ~ che sono andato a letto senza mangiare* I wasn't hungry, in fact I went to bed without having supper; ⟨*lett*⟩ *e* **valga** *il ~* (*eccone la prova*) there's the proof.

Verọna *N.pr.f.* ⟨*Geog*⟩ Verona.

veronạl *m.* ⟨*Farm*⟩ veronal. – **veronalịsmo** *m.* ⟨*Med*⟩ barbiturism, veronal poisoning.

verọne *m.* **1.** ⟨*poet*⟩ (*balcone*) balcony; (*loggia*) loggia. – **2.** ⟨*tosc*⟩ (*nelle case di campagna*) porch, perron.

veronẹse I *a.* Veronese, of Verona. – **II** *s.m.* **1.** (*dialetto*) dialect of Verona, Veronese dialect. – **2.** *m./f.* (*abitante*) Veronese, native (*o* inhabitant) of Verona.

verọnica[1] *f.* ⟨*Bot*⟩ **1.** veronica (*Veronica*). – **2.** speedwell (*Veronica officinalis*). □ ~ *beccabunga* brooklime (*Veronica beccabunga*); ~ *maggiore* earth oak veronica (*Veronica chamaedrys*).

verọnica[2] *f.* ⟨*Bibl*⟩ (*sudario*) veronica, vernicle.

verọnica[3] *sp. f.* (*nella corrida*) veronica.

Verọnica *N.pr.f.* Veronica.

verosimigliạnte *a./s.* ⟨*non com*⟩ → **verosimile**. – **verosimigliạnza** *f.* likelihood, probability, ⟨*lett*⟩ verisimilitude. □ ⟨*rar*⟩ *con ogni* ~ in all probability. – **verosịmile I** *a.* likely, probable, ⟨*lett*⟩ verisimilar: *un racconto* ~ a likely story. – **II** *s.m.inv.* likelihood, probability, ⟨*lett*⟩ verisimilitude. □ *avere del* ~ to be likely (*o* probable); *essere poco* ~ to be unlikely (*o* improbable). – **verosimilmẹnte** *avv.* **1.** in a likely way, ⟨*lett*⟩ verisimilarly. – **2.** (*probabilmente*) probably.

vẹrre *m.* ⟨*ant*⟩ → **verrino**.

verrẹtta *f.* ⟨*Mil.ant*⟩ kind of dart, bolt; (*per balestra*) quarrel. – **verrettọne** *m. accr. di* **verretta**.

verricellịsta *m.* (*arganista*) winch operator, ⟨*am*⟩ winchman.

verricẹllo *m.* **1.** (*argano*) winch, windlass. – **2.** ⟨*Mar*⟩ capstan, windlass, winch.

□ ~ *da* **carico** loading winch; ~ **differenziale** differential windlass; ⟨*Mar*⟩ ~ *a* **motore** motor winch (*o* capstan); ⟨*Mar*⟩ ~ **salpa -ancora** anchor windlass (*o* capstan); ⟨*Pesc*⟩ ~ **salpareti** trawl winch; ~ *a* **vapore** steam winch.

verrịna *f.* ⟨*Fal*⟩ auger. – **verrinạre** *v.t.* ⟨*non com*⟩ **1.** to auger, to bore (with an auger). – **2.** (*forare*) to pierce; (*trapanare*) to bore, to drill.

verrịno, vẹrro *m.* ⟨*Zootecn*⟩ boar. □ ⟨*fig,spreg*⟩ *sporco come un* ~ as filthy as a pig.

verrọcchio *m.* **1.** ⟨*Mil.ant*⟩ (*varrocchio*) capstan. – **2.** (*frantoio per olive*) olive-press, oil-press, oil-mill.

verrọne *m.* ⟨*ant*⟩ → **verone**.

verrou *fr.* [vɛ'ru] *m.* ⟨*Sport*⟩ (*catenaccio*) defensive tactics *pl.*

verrụca *f.* ⟨*Med,Bot*⟩ verruca, wart. □ ⟨*Med*⟩ *verruche piane* (*o giovanili*) flat wart; ~ *plantare* plantar wart; *verruche senili* (*o seborroiche*) senile (*o* seborrheic) warts; ~ *volgare* (*porro*) wart.

verrucạno *m.* ⟨*Min*⟩ Verrucano rock.

verrucọide *a.* ⟨*Med*⟩ verrucous, wart-like. – **verrucọso** *a.* verrucose, verrucated, warty. – **verruculọso** *a.* ⟨*Bot*⟩ verruculose.

vers. = ⟨*Bibl*⟩ *versetto* verse (*abbr.* V.).

versạccio (*pegg. di verso*[1]) *m.* **1.** unpleasant intonation, ugly sound. – **2.** (*suono*) exclamation, inarticulate sound: *fare un* ~ *di disprezzo* to give a contemptuous exclamation; (*pernacchia*) raspberry. – **3.** (*boccaccia*) face, grimace: *fare versacci* to make (*o* pull) faces.

versaiọlo ⟨*spreg*⟩ **I** *s.m.* versemonger, poetaster, versifier, rhymester. – **II** *a.* versifying.

versamẹnto *m.* **1.** (*il versare*) pouring (out); (*lo spargere*) shedding, spilling; (*il rovesciare*) spilling. – **2.** (*pagamento*) payment: *effettuare un* ~ to make a payment. – **3.** (*deposito di denaro*: *azione*) deposit(ing), paying in, banking; (*somma*) deposit: *fare un* ~ to make a deposit, to bank a sum; ~ *su un conto* deposit in an account. – **4.** ⟨*Med*⟩ effusion: ~ *pleurico* pleural effusion; (*idrocefalo*) hydrocephalus. – **5.** ⟨*non com*⟩ (*perdita di liquido*) leak.

versạnte[1] *m./f.* ⟨*Econ*⟩ payer; (*depositante*) depositor.

versạnte[2] *m.* ⟨*Geog,Alp*⟩ (*pendio*) slope, versant; (*parete*) wall, side.

versạre[1] *v.* (**vẹrso**) **I** *v.t.* **1.** to pour: ~ *vino in un bicchiere* to pour wine into a glass; ~ *la farina dal sacco* to pour the flour out of the bag. – **2.** (*rovesciare*) to spill: ~ *il latte sulla tovaglia* to spill the milk on the tablecloth; ~ *il sale per terra* to spill the salt on the floor. – **3.** (*riversare, far affluire*) to empty: *questo fiume versa le sue acque nell'Atlantico* this river ⌈empties its waters⌉ (*o* flows) into the Atlantic. – **4.** ⟨*estens*⟩ (*spargere*) to shed, to spill: ~ *lacrime per la morte di qd.* to shed tears over s.o.'s death. – **5.** ⟨*fig*⟩ (*confidare*) to pour out, to confide: ~ *i propri dolori in seno a qd.* to pour out one's troubles to s.o.; (*dare sfogo*) to vent, to loose: ~ *la propria ira su qd.* to vent one's anger on s.o. – **6.** ⟨*Econ*⟩ (*pagare*) to pay, to make: ~ *la prima rata* to pay the first instalment; (*depositare*) to deposit, to pay in, to bank: ~ *una somma in banca* to deposit a sum in the bank, to bank a sum. – **7.** ⟨*poet,ant*⟩ (*volgere*) to turn. – **II** *v.i.* (*aus.* **avere**) ⟨*non com*⟩ (*rif. a recipienti*: *perdere*) to leak. – **versarsi** *v.r.* **1.** to spill, to be spilled: *mi sono versato del caffè sul vestito* I have spilled some coffee on my suit. – **2.** (*traboccare*) to overflow, to flow (*o* pour, brim, spill) over. – **3.** (*riversarsi*) to pour, to stream, to swarm: *la gente si versa per le strade* people are pouring into the streets; (*rif. a fiumi e sim.*) to flow, to empty: *il Po si versa nell'Adriatico* the Po flows into the Adriatic. – **4.** ⟨*ant*⟩ (*dedicarsi*) to dedicate o.s. – **5.** ⟨*ant*⟩ (*adirarsi*) to get angry.

□ ~ *un* **acconto** to make a down payment, to pay a deposit; ~ *denaro su un* **conto** to deposit money in an account; ~ *in* **deposito** to deposit; ⟨*iperb*⟩ ~ **fiumi** (*o torrenti*) *d'inchiostro* to write reams; *senza* ~ *una* **lacrima** without shedding a tear; ~ *la* **minestra** to serve (*o* ladle out) the soup; *la ferita versa* **sangue** blood is pouring from the wound; ~ *il proprio sangue per la patria* to shed (*o* spill) one's blood for one's country.

versạre[2] *v.i.* (**vẹrso**; *aus.* **avere**) **1.** (*essere, trovarsi*) to be: ~ *in fin di vita* to be dying (*o* at death's door); ~ *in gravi difficoltà finanziarie* to be (*o* find o.s.) in serious economic difficulties; ~ *in pericolo di vita* to be in danger of one's life. – **2.** ⟨*non com*⟩ (*vertere, trattare*) to turn (*su, intorno* on), to treat (of), to be about (s.th.), to deal (with): *la discussione versava su questo problema* the discussion turned on this problem.

versạtile *a.* **1.** versatile: *ingegno* ~ versatile mind (*o* person). – **2.** ⟨*fig,non com*⟩ (*mutevole, incostante*) changeable, inconstant, versatile, fickle. – **3.** ⟨*ant*⟩ (*girevole*) turning, rotating. – **versatilità** *f.* **1.** versatility. – **2.** ⟨*ant*⟩ (*l'essere girevole*) rotatable, turnable.

versạto[1] (*p.p. di versare*[1]) *a.* **1.** poured. – **2.** (*rovesciato*) spilt. – **3.** (*sparso*) shed: *quante lacrime -e invano* how many tears shed in vain. – **4.** ⟨*Econ*⟩ paid (up): *capitale interamente* ~ completely paid up capital. □ ⟨*fig*⟩ *è inutile piangere sul latte* ~ there's no use crying over spilt milk.

versạto[2] (*p.p. di versare*[2]) *a.* **1.** (*che ha inclinazione*) cut out, having a bent (*in* for). – **2.** (*esperto, pratico*) versed, practised, expert, skilled, experienced: *essere* ~ *negli affari* to be a skilled businessman.

verseggiạbile *a.* ⟨*non com*⟩ that can be versified (*o* put into verse). – **verseggiamẹnto** *m.* ⟨*non com*⟩ → **verseggiatura**. – **verseggiạre** *v.* (**versẹggio, versẹggi**) **I** *v.t.* to turn (*o* put) into verse, to versify. – **II** *v.i.* (*aus.* **avere**) (*comporre versi*) to write verse (*o* poetry), to versify. – **verseggiatọre** *m.* (*f.* **-trice**) writer of verse, versifier. – **verseggiatụra** *f.* **1.** (*il verseggiare*) writing of verse, versifying. – **2.** (*modo*) versification.

versẹtto (*dim. di verso*[1]) *m.* **1.** (short) line. – **2.** ⟨*Bibl*⟩ verse, ⟨*lett*⟩ versicle. – **3.** (*nel corano*) verset. – **4.** ⟨*Lit*⟩ (*verso*) versicle.

versịcolo *m.* ⟨*lett*⟩ versicle.

versicolọre *a.* ⟨*lett*⟩ (*di colore cangiante*) versicolour(ed), changing in colour, variegated.

versiẹra *f.* ⟨*lett*⟩ **1.** ⟨*tosc*⟩ (*spirito infernale femminile*) she-devil; (*moglie del diavolo*) devil's (*o* Satan's) wife. – **2.** ⟨*fig*⟩ (*donna cattiva*) witch; (*donna brutta*) hag. □ ⟨*ant*⟩ *fare il diavolo e la* ~ (*mettere tutto sossopra*) to wreak havoc, to throw everything upside-down; ⟨*ant*⟩ *non aver paura né di diavolo né di* ~ (*non temere nessuno*) to fear nobody.

versificạre *v.* (**versịfico, versịfichi**) **I** *v.t.* to versify, to turn (*o* put) into verse. – **II** *v.i.* (*aus.* **avere**) to write verse, to versify. – **versificatọre** *m.* (*f.* **-trice**) writer of verse, versifier. – **versificatọrio** *a.* versifying, of versification. – **versificaziọne** *f.* **1.** versification, versifying, writing of verse. – **2.** (*arte*) versification.

versiliberịsta ⟨*non com*⟩ **I** *s.m./f.* vers-librist, writer of free verse. – **II** *a.* free-verse-.

versiọne *f.* **1.** (*traduzione*) translation, ⟨*lett*⟩ version: ~ *dal latino in italiano* translation from Latin into Italian. – **2.** (*modo di narrare, d'interpretare un fatto*) version, account, interpretation: *ognuno dà una* ~ *diversa dell'avvenimento* everyone has a different version of what happened. – **3.** (*tipo*) version, model: *di questa automobile esiste anche una* ~ *sportiva* there's also a sports model of this car. – **4.** ⟨*Cin*⟩ version: *un film in* ~ *francese* the French version of a film. – **5.** ⟨*Filol*⟩ version; (*variante*) variant. – **6.** ⟨*ant*⟩ (*rivolgimento*) turning (about). □ ~ *letterale* literal translation; ⟨*Cin*⟩ ~ *originale* original (language) version; ~ *in prosa* prose version.

versipẹlle ⟨*lett*⟩ **I** *a.* (*scaltro*) clever, crafty. – **II** *s.m.* chameleon, clever dissembler.

versisciolt̩aio ⟨*lett,spreg*⟩ **I** *a.* writing blank verse. – **II** *s.m.* writer of blank verse.

vẹrso[1] *m.* **1.** ⟨*Metr*⟩ line (of verse), verse: ~ *decasillabo* ten-syllable line; *pl.* verse(s), lines *pl*: *-i rimati* rhymed verse(s). – **2.** *pl.* (*composizione poetica*) verses *pl*, poem; (*poesie*) verse, poetry: *i -i di Shakespeare* Shakespeare's verse; *i suoi -i mi piacciono* I like his poetry. – **3.** (*voce caratteristica*: *di animali*) cry, call, *spesso si traduce con un termine specifico*: *il* ~ *dell'asino* the donkey's bray; (*di uccelli*) cry, (bird-)call; (*canto*) song; (*di venditori ambulanti*) cry. – **4.** (*rif. all'uomo*: *cadenza*) intonation, cadence; (*suono*) (inarticulate) sound, exclamation, cry: *un* ~ *di rabbia* an angry sound. – **5.** ⟨*estens*⟩ (*gesto*) (odd) gesture, (characteristic) movement; (*smorfia*) grimace; (*boccaccia*) face: *fare un* ~ to make (*o* pull) a face. – **6.** (*senso di una direzione*) direction, way: *andare in tutti i -i* to go in all directions. – **7.** (*orientamento di peli, fibre e sim.*) way, direction: *accarezzare il gatto contro il* ~ *del pelo* to stroke the cat the wrong way; (*rif. al legno*) grain; (*rif. a stoffa*) nap. – **8.** (*modo, maniera*) way, means *pl* (*costr.sing. o pl.*): *trovare il* ~ *di fare qc.* to find a way to do s.th.; *non c'è* ~ *di persuaderlo* there's no means of persuading him. – **9.** ⟨*non com*⟩ (*voce lamentevole*) lament. – **10.** ⟨*Lit*⟩ versicle. – **11.** ⟨*Geol*⟩ course. – **12.** ⟨*Mat,Fis*⟩ sense, direction. – **13.** ⟨*lett*⟩ (*stile*) style. – **14.** ⟨*ant*⟩ (*riga di scrittura dopo la quale si va a capo*) line. – **15.** ⟨*ant*⟩ (*motivo, aria musicale*) song. – **16.** ⟨*ant*⟩ (*strofa*) verse, stanza.

□ **a** ~: 1. (*come si deve*) properly, well, as it should be: *fare le cose a* ~ to do things properly; 2. (*ammodo*) good, nice, well-behaved, proper, respectable: *una ragazza a* ~ a good girl; *ognuno a suo* ~ everyone in his own way; ⟨*Zool*⟩ ~ *d'***allarme** warning cry; **andare** *a* ~ *a qd.*: 1. (*assecondarlo*) to comply with s.o.'s wishes, to humour s.o.; 2. (*piacergli*) to please s.o., to be to s.o.'s liking; *andare per un altro* ~ to go in a different direction, to go a different way; *andare in tutti i -i* to go off in all directions, to go all ways; ~ *d'***avviso** = *verso d'allarme*; ⟨*fig*⟩ **capire** *qc. per il suo* ~ (*nel giusto significato*) to understand s.th. right; *-i* **di** (*rif. alle opere liriche*) on (*o* from) the libretto by; (*rif. a commedie musicali e sim.*) lyrics by; *non c'è stato* ~ *di ottenere un prestito* it was impossible to get a loan; ⟨*Metr*⟩ ~ **endecasillabico** hendecasyllabic line, hendecasyllable;

⟨*Metr*⟩ ~ **eroico** heroic verse (*o* metre), dactylic hexameter; **in** *-i* verse-, in verse: *composizione in -i* verse composition; *-i* **liberi** free verse *sing*; **mettere** *in -i* to put into verse, to versify; ~ **orario** clockwise; **per** *un* ~ ..., *per l'altro* ... in one way (*o* respect) ..., in another ...: *per un ~ sono contento, per l'altro no* in one way I'm pleased and in another I'm not; *per un* (*certo*) ~ in a (*o* one) way; (*o*) *per un ~ o per l'altro* in one way or another; *chi per un ~, chi per un altro* some in one way, some in another; *per ogni* ~ in all ways, from all points of view; *l'affare va per il suo* ~ the matter is ⌜going its way⌝ (*o* proceeding smoothly); **prendere** *qc. per il* ⌜*suo* ~⌝ (*o verso giusto*) to take s.th. in the best way, to look on the best (*o* right) side of s.th.; ⟨*fig*⟩ *prendere qd. per il suo* ~ to handle s.o. tactfully (*o* in the right way), to know how to treat s.o.; **procedere** *per il proprio* ~ to go one's (own) way; *per* **questo** ~ in this direction; *prosegui per questo* ~ keep straight on; **rifare** *il ~ a qd.* to mimic (*o* imitate) s.o., to take s.o. off; **rispondere** *per il* ~: 1. to give a reasonable (*o* logical) answer; 2. (*a proposito*) to answer to the point; 3. (*per le rime*) to give tit for tat, to answer back; ⟨*Metr*⟩ *-i* **sciolti** blank verse *sing*; *cose* **senza** ~ senseless things, things with no rhyme or reason to them; ⟨*fig*⟩ **trovare** *il ~ di fare qc.* to find a way (*o* method) of doing s.th.

vẹrso[2] *m.* ⟨*Bibliot*⟩ (*parte posteriore*: *di foglio o libro*) verso, back; (*di moneta o medaglia*) reverse, verso.

vẹrso[3] *prep.* (when used with a personal pronoun *verso* is followed by *di*) **1.** (*in direzione di*) toward(s), ... ward(s), in the direction of: *viene ~ di noi* he is coming towards us; *correre ~ qd.* to run towards s.o.; *navigare ~ nord* to sail (towards the) north, to sail northward; *guardare ~ qd.* to look in s.o.'s direction. – **2.** (*contro*) against, (up)on, toward(s): *avanzare ~ il nemico* to advance upon (*o* against) the enemy. – **3.** (*temporale*) toward(s), about: *ci vediamo ~ le sei* we'll meet at about six; ~ *il tramonto* towards sunset; (*prossimo a*) about, almost, nearly: ~ *i vent'anni* nearly twenty. – **4.** (*vicino a*) near: *la sua casa è ~ il mare* his house is near the sea. – **5.** ⟨*fig*⟩ to, by: *si sente attratto ~ di lei* he feels attracted to her. – **6.** ⟨*fig*⟩ (*nei confronti di*) to, towards, with: *l'amore ~ i genitori* love towards one's parents; *essere indulgente ~ qd.* to be indulgent with s.o. – **7.** ⟨*comm*⟩ (*dietro, su*) (up)on: ~ *pagamento* upon payment. – **8.** ⟨*lett*⟩ (*in paragone a*) in comparison with. – **9.** ⟨*ant,poet*⟩ (*rispetto a*) with respect to.

□ ~ *l'***alto** upward(s), up; *andiamo ~ l'***autunno** autumn is near; ~ *il* **basso** downward(s), down; ~ **dove** *siete diretti?* where are you going (*o* bound for)?; ~ *l'***esterno** outward(s), out; ~ *l'***interno** inward(s), in; ~ **là** there; ~ **ovest** westward(s), west; ~ **qua** here; ⟨*ant*⟩ ~ *di* **sé** (*nel suo genere*) in its own way.

vẹrso[4] *a.* ⟨*lett*⟩ (*voltato*) turned.

versọio *m.* ⟨*Agr*⟩ mouldboard.

versọre *m.* ⟨*Mat*⟩ versor.

vẹrsta *f.* verst(e), werst.

versụra *f.* (*unità di misura agraria*) old unit of land measure.

versụto *a.* ⟨*ant*⟩ (*astuto*) sly, cunning.

vẹrta *f.* ⟨*Pesc*⟩ pocket.

vẹrtebra *f.* ⟨*Anat*⟩ vertebra.

□ ~ **cervicale** cervical vertebra; ~ **coccigea** coccygeal vertebra; ~ *a* **cuneo** cuniform vertebra; ~ **lombare** lumbar vertebra; ~ **sacrale** sacral vertebra; ~ **toracica** thoracic vertebra.

vertebrạle *a.* ⟨*Anat*⟩ **1.** vertebral. – **2.** (*costituito da vertebre*) vertebral: *colonna* ~ vertebral (*o* spinal) column, vertebrarium.

vertebrạto I *a.* ⟨*Zool*⟩ vertebrate. – **II** *s.m.* vertebrate.

vertẹcchio *m.* ⟨*Mar*⟩ parrel truck.

vertẹnte (*p.pr. di vertere*) *a.* ⟨*non com*⟩ pending: *causa* ~ pending litigation.

vertẹnza *f.* controversy, dispute: *comporre una* ~ to settle a controversy (*o* dispute). □ ~ *giudiziaria* litigation, (law)suit, case; *-e di lavoro* labour dispute *sing*; ~ *sindacale* labour (*o* union) dispute.

vẹrtere *v.i.* (lacks past participle and compound tenses) **1.** to turn (*su* on), to deal (with), to concern, to be about (s.th.): *la discussione verteva su argomenti di attualità* the discussion concerned (*o* was about) current affairs. – **2.** (*essere in corso*) to be undecided (*o* pending), to be in course.

verticạle I *a.* **1.** vertical, upright: *righe -i* vertical lines. – **2.** ⟨*Geom, Econ*⟩ vertical. – **3.** ⟨*tecn*⟩ (*in piedi*) standing, vertical. – **4.** ⟨*rar*⟩ (*che passa per il vertice*) vertical. – **II** *s.f.* **1.** (*linea verticale*) vertical (line): *tracciare la* ~ to draw the vertical. – **2.** ⟨*Ginn*⟩ (*con appoggio delle mani*) handstand; (*con appoggio della testa*) headstand: *fare la* ~ to do a headstand, to stand on one's head. – **3.** (*rif. a parole incrociate*) down.

verticalịsmo *m.* ⟨*Arch*⟩ verticalism, verticality. – **verticalità** *f.* ⟨*non com*⟩ verticality, verticalness. – **verticalizzạre** *v.t.* ⟨*Econ*⟩ to organize in a vertical system. – **verticalizzaziọne** *f.* vertical organization.

verticalmẹnte *avv.* vertically: *spostarsi* ~ to move vertically.

vertịcchio *m.* → **vertecchio**.

vẹrtice *m.* **1.** (*sommità*) top, summit, vertex; (*vetta*) top, peak, summit: *il ~ della montagna* the mountain top; (*del capo*) top, vertex. – **2.** ⟨*fig*⟩ (*apice*) apex, height, peak: *raggiungere il ~ della gloria* to reach the height of glory; *al ~ della carriera* at the peak of one's career. – **3.** ⟨*Pol*⟩ summit; (*riunione*) summit-meeting. – **4.** ⟨*Geom*⟩ (*di angolo, di parabola*) vertex: ~ *dell'iperbole* vertex of a hyperbole; (*di poligono*) vertex; (*di piramide e sim.*) vertex, apex. □ ⟨*Pol*⟩ *al* ~ summit-: *incontro al* ~ summit-meeting; *organizzazione al* ~ top-level management; ⟨*fig*⟩ *stare ai -i* to be at the top; ~ *della traiettoria* zenith, apex.

verticillạstro *m.* ⟨*Bot*⟩ verticillaster. – **verticillạto** *a.* verticillate, whorled, cyclic(al).

verticilliọsi *f.* ⟨*Agr*⟩ verticilliosis, verticillium wilt.

verticịllo *m.* ⟨*Bot*⟩ verticil, whorl, cycle.

verticọllo *m.* ⟨*Ornit*⟩ (*torcicollo*) wryneck (*Jynx torquilla*).

vertịgine *f.* **1.** dizziness, giddiness; (*attacco*) dizzy spell: *soffrire di -i* to suffer from dizzy spells. – **2.** ⟨*Med*⟩ vertigo. – **3.** ⟨*ant,lett*⟩ (*movimento rotatorio*) rotation, turning. □ *a una velocità che dà le -i* at a dizzying speed; *ho le -i* I feel dizzy (*o* giddy), my head is spinning (*o* going round); ⟨*iron*⟩ *hai le -i?* are you getting confused (*o* mixed up)?, are you out of your head?; *far venire le -i* to make one dizzy (*o* giddy); *altezze che fanno venire le -i* giddy (*o* dizzying) heights; ⟨*fig*⟩ *prezzi che fanno venire le -i* prices that make your head spin; *mi vengono le -i* I feel dizzy (*o* giddy).

vertiginosamẹnte *avv.* dizzily, giddily.

vertiginọso I *a.* **1.** dizzy(ing), giddy, vertiginous: *altezza -a* giddy height. – **2.** ⟨*fig*⟩ (*rapidissimo*) dizzy, giddy: *velocità -a* dizzy speed; *danza -a* giddy (*o* whirling) dance. – **3.** ⟨*fig*⟩ (*che frastorna*) stunning, bewildering, whirling, dazing: *lavorare a un ritmo* ~ to work at a bewildering pace. – **4.** ⟨*Med*⟩ vertiginous. – **5.** ⟨*ant*⟩ (*che soffre di vertigini*) vertiginous. – **II** *s.m.* (*f.* -**a**) ⟨*ant*⟩ (*chi soffre di vertigini*) person suffering from vertigo, vertiginous person.

vertù, vertụde *f.* ⟨*ant,poet*⟩ (*virtù*) virtue. – **vertudiọso** *a.* ⟨*ant*⟩ (*virtuoso*) virtuous.

vertugạle *m.* → **verducato**.

Vertụmno, Vertụnno *N.pr.m.* ⟨*Mitol*⟩ Vertumnus.

verụno *a.* ⟨*ant*⟩ **1.** (*nessuno*) no, not any. – **2.** ⟨*rar*⟩ (*qualche*) some.

verve *fr.* [vẹrv] *f.* verve. □ *pieno di* ~ full of verve (*o* life, dash).

vẹrza[1] *f.* ⟨*Bot*⟩ savoy (cabbage) (*Brassica oleracea sabauda*).

vẹrza[2] (o *vẹrza*) *f.* ⟨*ant*⟩ (*sverza*) splinter, chip.

verzelạta *f.*, **verzelạto** *m.* ⟨*Itt*⟩ leaping grey mullet (*Mugil saliens*).

verzellịna *f.* ⟨*Bot*⟩ (*calderugia*) groundsel (*Senecio vulgaris*).

verzellịno *m.* ⟨*Ornit*⟩ serin (*Serinus canarius serinus*).

verzicạnte (*p.pr. di verzicare*) *a.* ⟨*lett*⟩ (*verdeggiante*) green, greening. – **verzicạre** *v.i.* (**vẹrzico**, **vẹrzichi**; *aus.* **avere**) ⟨*poet*⟩ **1.** (*verdeggiare*) to green, to grow (*o* become) green. – **2.** (*mettere le prime foglie*) to leaf, to shoot, to sprout leaves.

verzịcola *f.* ⟨*tosc*⟩ (*nei giochi di carte*) group of three cards.

verziẹre *m.* **1.** ⟨*lett*⟩ (*giardino*) garden; (*orto*) kitchen-garden; (*frutteto*) (fruit) orchard. – **2.** ⟨*lomb*⟩ (*mercato della verdura*) (vegetable) market.

verzịno *m.* (*legno*) brazil(wood), Pernambuco wood.

verzọtto: *cavolo* ~ → **verza**[1].

verzụra *f.* ⟨*ant*⟩ (*piante verdi*) greenery, verdure.

vesạnia *f.* ⟨*lett*⟩ (*pazzia*) madness, insanity, lunacy.

vẹscia *f.* (*pl.* -**sce**) **1.** (*loffa*) wind. – **2.** ⟨*Bot*⟩ puff-ball (*Lycoperdon*). – **3.** ⟨*fig,ant*⟩ (*chiacchiera*) gossip, tattle, chat. □ ⟨*Bot*⟩ ~ *di lupo* (o *terra*) fungus puff-ball, lycoperdon (*Lycoperdon bovista*); ~ *stellata* earth star (*Geastrum, Geaster*).

vescịca *f.* **1.** ⟨*Anat*⟩ vesica, bladder; (*vescica urinaria*) urinary bladder. – **2.** (*vescica d'animale seccata*) bladder: ~ *di strutto* bladder of lard. – **3.** (*bolla cutanea*) blister. – **4.** ⟨*fig*⟩ (*persona boriosa*) conceited (*o* arrogant) person. □ ⟨*Anat*⟩ ~ *biliare* gall-bladder; ⟨*fig*⟩ ~ *gonfiata* (o *piena di vento*) windbag, puffed-up fool; ⟨*Itt*⟩ ~ *natatoria* swim(ming) bladder; ⟨*Anat*⟩ ~ *urinaria* (urinary) bladder; ⟨*fig,ant*⟩ *vendere vesciche* (*dare a intendere ciarle*) to spin tall stories, to take (s.o.) in. – **vescicạle** *a.* ⟨*Med*⟩ vesical.

vescicạnte I *a.* **1.** (*vescicatorio*) blistering, vesicant. – **2.** ⟨*Farm*⟩ vesicant, vesicatory. – **II** *s.m.* **1.** ⟨*Farm*⟩ vesicant, vesicatory. – **2.** *pl.* ⟨*Entom*⟩ blister beetles *pl* (*Vesicantia*). – **3.** ⟨*fig,ant*⟩ (*persona molesta*) bore, nuisance, pest. □ *gas* (o *aggressivo*) ~ vesicant, blister gas.

vescicạria *f.* ⟨*Bot*⟩ (*anche erba vescicaria*) bladder senna (*Colutea arborescens*).

vescicatọrio I *a.* vesicant, vesicatory, blistering, blister-. – **II** *s.m.* ⟨*Farm*⟩ vesicant, vesicatory. □ *gas* ~ vesicant, blister gas. – **vescicaziọne** *f.* **1.** blistering. – **2.** ⟨*Med*⟩ blistering, vesication.

veschichẹtta (*dim. di vescica*) *f.* **1.** (*bolla cutanea*) small blister. – **2.** ⟨*Anat*⟩ vesicle. □ ⟨*Anat*⟩ ~ *biliare* gall-bladder, vesica fellea; ~ *urinaria* urinary bladder. – **vescịcola** *f.* **1.** → **vescichetta**. – **2.** ⟨*Biol,Anat*⟩ vesicle, vesicula. □ ~ *germinale* germinal vesicle; ~ *ombelicale* umbilical vesicle; ~ *seminale* seminal vesicle.

vescicolạre *a.* **1.** (*relativo a vescica*) vesical, bladder-; (*relativo a vescicola*) vesicular. – **2.** (*a forma di vescichetta*) vesicular. – **3.** (*pieno di vescichette*) blistered, blistery.

vescicolịte *f.* ⟨*Med*⟩ seminal vesiculitis, spermatocystitis.

vescicolọso *a.* ⟨*Biol*⟩ **1.** (*simile a vescicola*) vesicular. – **2.** (*formato da vescicole*) vesicular, vesiculate.

vescicọna (*accr. di vescica*) *f.* large blister. – **vescicọne** (*accr. di vescica*) *m.* **1.** → **vescicona**. – **2.** ⟨*Veter*⟩ windgall. – **vescicọso** *a.* **1.** (*simile a vescica*) vesicular, vesiculate. – **2.** (*pieno di vesciche*) full of blisters, blistery.

vescovạdo *m.* **1.** (*edificio*) bishop's residence (*o* palace, seat), bishopric. – **2.** ⟨*non com*⟩ → **vescovato**. – **3.** ⟨*non com*⟩ (*territorio*) bishopric, episcopate, diocese. – **vescovạto** *m.* **1.** (*dignità*) episcopate, bishopric. – **2.** (*durata*) episcopate. – **vescovịle** *a.* bishop's, episcopal: *anello* ~ bishop's ring. □ *croce* ~ pectoral cross. – **vescovịo** *m.* ⟨*region,ant*⟩ (*episcopio*) bishop's residence (*o* palace, seat).

vẹscovo *m.* **1.** ⟨*Rel*⟩ bishop. – **2.** ⟨*Itt*⟩ kind of sting-ray (*Dasybatus violaceus*). – **3.** ⟨*Itt*⟩ (*miliobate*) eagle (*o* bull) ray (*Myliobatis*).
□ ~ **ausiliare** (o *ausiliario*) auxiliary (bishop); ~ **castrense** chaplain general, bishop in ordinary to the forces; ~ **coadiutore** bishop coadjutor, coadjutor (bishop); ⟨*Stor*⟩ ~ **conte**.count-bishop; ⟨*Stor*⟩ **principe** ~ prince-bishop; ~ **residenziale** diocesan bishop; ~ *di* **Roma** (*papa*) Bishop of Rome, Pope; **rosso** ~ bishop's purple (*o* violet); ~ **suffraganeo** suffragan (bishop); ~ **titolare** titular bishop.

vẹspa[1] *f.* ⟨*Entom*⟩ wasp, hornet, ⟨*am*⟩ yellow jacket (*Vespa, Vespula*). □ *nido di -e* wasps' nest; ⟨*fig*⟩ hornets' nest; ⟨*Entom*⟩ ~ *della sabbia* sphex, kind of sand wasp (*Ammophila arenaria*); *vitino di* ~ wasp waist.

vẹspa[2] *f.* (*pl.* **vẹspe**/**vẹspa**) (*scooter*) (motor)scooter, Vespa.

vespạccia *f.* (*pl.* -ce) *pegg. di* **vespa**[1].

vespạio *m.* **1.** wasps' (*o* hornets') nest, vespiary. – **2.** ⟨*fig*⟩ hornets' nest. – **3.** ⟨*Edil*⟩ loose stone foundation. – **4.** ⟨*Med*⟩ favus, tinea favosa, honeycomb, ringworm. □ ⟨*fig*⟩ ⌜*suscitare un*⌝ (o *stuzzicare il*) ~ to stir up a hornet's nest.

vespạria *f.* ⟨*Bot*⟩ **1.** twayblade (*Ophrys*). – **2.** bee orchid (*o* orchis) (*Ophrys apifera*).

vespaṣịano *m.* public urinal.

Vespaṣịano *N.pr.m.* ⟨*Stor*⟩ Vespasian.

vẹspe *f.* ⟨*ant*⟩ → **vespa**[1].

vesperạle I *a.* ⟨*lett*⟩ (*vespertino*) vesper(al), vespertine, evening-, crepuscular. – **II** *s.m.* ⟨*Lit*⟩ vesperal(e).

vẹspero *m.* **1.** ⟨*lett*⟩ (*sera*) evening. – **2.** ⟨*region*⟩ (*vespro liturgico*) Vespers *pl.*

Vẹspero *m.* ⟨*ant,poet*⟩ (*pianeta Venere*) Venus, Vesper, evening star.

vesperọni (*accr. di vespero*) *m.pl.* ⟨*pop*⟩ (*vespri solenni*) solemn (*o* high) Vespers *pl.*

vespertẹllo, vespertịlio *m.* ⟨*ant*⟩ (*pipistrello*) bat.

vespertilịone *m.* ⟨*Zool*⟩ vespertilio (*Vespertilio*). □ ~ *discolore* frosted bat (*Vespertilio murinus*). – **vespertilịonidi** *m.pl.* vespertilionids *pl* (*Vespertilionidae*).

vespertịlio *m.* ⟨*Med*⟩ lupus (erythematosus).

vespertịno *a.* ⟨*lett*⟩ **1.** ⟨*Lit*⟩ (*del vespro*) vesper. – **2.** (*della sera*) vespertine, evening-, vesper: *crepuscolo* ~ evening twilight.

vespetrò *m.* vespetro.

vespẹtta[1] *f. dim. di* **vespa**[1].

vespẹtta[2] (*dim. di vespa*[2]) *f.* (*scooter*) (motor)scooter.

vẹspidi *m.pl.* ⟨*Entom*⟩ vespids *pl* (*Vespidae*).

vespịere *m.* ⟨*Ornit*⟩ (*gruccione*) bee-eater (*Merops apiaster*).

vespịgno *a.* ⟨*lett*⟩ (*pungente come una vespa*) waspish, waspy.

vespillọne *m.* ⟨*roman,ant*⟩ (*becchino*) undertaker, grave-digger.

vespịsta *m./f.* motor-scooter rider.

vespọna *f.*, **vespọne** *m. accr. di* **vespa**[1].

vẹspro *m.* **1.** ⟨*ant,poet*⟩ (*sera*) evening, eventide. – **2.** ⟨*Lit*⟩ (*ora*) Vespers *pl*; (*parte dell'Uffizio*) Vespers *pl*, Vesper service.
□ ⟨*scherz,non com*⟩ **cantare** *il* ~ (*e la compieta*) *a qd.* (*parlargli chiaro e tondo*) to speak out, not to mince one's words to s.o., ⟨*am.fam*⟩ to give it to s.o. straight; (*riprenderlo severamente*) to give s.o. a piece of one's mind, to give s.o. a sermon (*o* lecture, dressing-down), to scold s.o.; **dire** (o *recitare*) *il* ~ to say (*o* sing) Vespers; *-i* **domenicali** Sunday Vespers; ⟨*Stor,Mus*⟩ *i -i* **siciliani** the Sicilian Vespers; **sonare** *a* ~ to ring Vespers.

vessạre *v.t.* (**vẹsso**) ⟨*lett*⟩ (*maltrattare*) to oppress, to torment, to harass, to ill-treat, to maltreat. – **vessatọre I** *s.m.* (*f.* **-trice**) ⟨*lett*⟩ oppressor, tormentor, maltreater. – **II** *a.* → **vessatorio**. – **vessatọrio** *a.* oppressive, tormenting. – **vessazịone** *f.* oppression, torment, ill-treatment, harassment.

vessịca *f.* ⟨*ant*⟩ → **vescica**. – **vessicạnte** *a./s.* ⟨*ant*⟩ → **vescicante**. – **vessicatọrio** *a./s.* ⟨*ant*⟩ → **vescicatorio**. – **vessịcola** *f.* ⟨*ant*⟩ → **vescicola**.

vessillạrio *m.* ⟨*Stor.rom*⟩ **1.** (*portatore di vessillo*) vexillary, standard-bearer. – **2.** (*soldato di una vessillazione*) vexillary; (*veterano*) vexillary. – **vessillazịone** *f.* vexillation, vexillum. – **vessillịfero** *m.* **1.** ⟨*Stor.rom*⟩ vexillary, standard-bearer. – **2.** ⟨*Mil*⟩ standard-bearer. – **3.** ⟨*fig*⟩ (*antesignano*) fore-runner, precursor.

vessịllo *m.* **1.** ⟨*Stor.rom*⟩ vexillum. – **2.** ⟨*estens*⟩ (*bandiera, stendardo*) standard, flag, ensign. – **3.** ⟨*fig*⟩ (*insegna*) banner, standard, flag, ensign, colours *pl*: *tenere alto il* ~ *della libertà* to hold high the banner of liberty. – **4.** ⟨*Bot,Ornit*⟩ vexillum.

vẹsta *f.* ⟨*ant,pop*⟩ → **veste**.

Vẹsta *N.pr.f.* ⟨*Mitol*⟩ Vesta.

vestạglia *f.* (*da uomo*) dressing-gown, ⟨*am*⟩ (man's) bathrobe; (*da donna*) dressing-gown, ⟨*am*⟩ (woman's) bathrobe, ⟨*am*⟩ housecoat. – **vestaglịetta** (*dim. di vestaglia*) *f.* (*vestito semplice da donna*) frock, simple dress; (*da casa*) house-dress, house-frock.

vestạle *f.* **1.** ⟨*Stor.rom*⟩ vestal (virgin). – **2.** ⟨*fig*⟩ vestal.

vestạlie *f.pl.* ⟨*Stor.rom*⟩ Vestalia *pl.*

vestarạrio *m.* ⟨*Mediev*⟩ wardrobe master.

vẹste *f.* **1.** (*ciascuna delle parti del vestiario esteriore*) garment, article of clothing: *i calzoni e la giacca sono -i* trousers and jackets are garments; *la toga era la* ~ *dei romani* the toga was the garment of the Romans. – **2.** (*abito femminile*) dress, frock. – **3.** *pl.* clothes *pl*, clothing, wear, apparel: *-i maschili* men's clothing (*o* wear); *strapparsi le -i di dosso* to tear off one's clothes. – **4.** ⟨*estens*⟩ (*forma, aspetto*) guise, clothing, appearance: *in* ~ *di pastore* in the guise of a shepherd, in shepherd's clothing. – **5.** ⟨*estens*⟩ (*copertura, rivestimento*) covering: *rinforzare un contenitore con una* ~ *metallica* to reinforce a container with a metallic covering. – **6.** ⟨*fig*⟩ (*autorità e diritto inerente a una carica*) authority, power, right: *non ha* ~ *per partecipare attivamente alla discussione* he doesn't have the authority to take an active part in the discussion; (*qualità, funzione*) capacity: *nelle -i di ministro* in one's capacity as minister. – **7.** (*espressione linguistica*) dress, expression. – **8.** (*presentazione*) format: ~ *tipografica* (typographical) format. – **9.** ⟨*lett*⟩ (*corpo*) (human) body. – **10.** ⟨*region*⟩ (*sottana*) underskirt, petticoat; (*gonna*) skirt.
□ **avere** ~ = *avere veste* **ufficiale**; ~ *da* **camera** dressing-gown, ⟨*am*⟩ bathrobe; ~ **ecclesiastica** clerical dress; ⟨*poet*⟩ **frondosa** ~ foliage, leaves *pl*; ⟨*estens*⟩ **in** ~ *di* as, in one's capacity as: *in* ~ *d'amico* as a friend; *in* ~ *ufficiale* in one's official capacity; *nobili pensieri in nobile* ~ noble thoughts clothed (*o* clad) in noble words; *-i* **liturgiche** vestments *pl*; *dare una* ~ **poetica** *a qc.* to put s.th. into poetical form; ~ **talare** cassock, priest's habit; *avere* ~ **ufficiale** (*avere autorità*) to have (official) authority, to be authorized.

Vestfạlia *N.pr.f.* ⟨*Geog*⟩ Westphalia. □ ⟨*Stor*⟩ *pace di* ~ Peace of Westphalia; *regno di* ~ Kingdom of Westphalia. – **vestfalịano I** *a.* ⟨*Geol*⟩ Westphalian. – **II** *s.m.* ⟨*Etnol*⟩ Westphalian.

vestiạria *f.* ⟨*Stor*⟩ (*guardarobiera nei monasteri*) woman in charge of the vestiary.

vestiạrio[1] *m.* **1.** wardrobe, clothes *pl*: *avere un* ~ *elegante* to have elegant clothes; *rinnovare il proprio* ~ to renew one's wardrobe. – **2.** (*assortimento d'indumenti*) clothing, clothes *pl.* – **3.** ⟨*Teat*⟩ wardrobe. – **4.** ⟨*ant*⟩ (*guardaroba*) wardrobe. □ *capo di* ~ article of clothing, garment; ⟨*Mil*⟩ ~ *ed equipaggiamento* quartermaster's corps; *oggetto di* ~ article (*o* item) of clothing; (*accessorio*) accessory.

vestiạrio[2] *m.* ⟨*Stor.rom*⟩ **1.** (*mercante di vestiti*) garment seller, clothing merchant. – **2.** (*schiavo guardarobiere*) slave in charge of clothing (*o* the wardrobe).

vestiarịsta *m./f.* ⟨*Teat,Cin*⟩ **1.** wardrobe master (*f* mistress). – **2.** (*costumista: disegnatore*) costume designer; (*sarto*) costumier (*f* costumière), costumer.

vestibolạre *a.* ⟨*Anat*⟩ vestibular: *apparato* ~ vestibular apparatus (of the ear). – **vestịbolo** *m.* **1.** ⟨*Archeol*⟩ vestibule. – **2.** ⟨*estens*⟩ (*atrio*) vestibule, (entrance-)hall, lobby. – **3.** ⟨*Anat,Zool*⟩ vestibule. – **4.** ⟨*Ind*⟩ milk house (where milk is weighed). – **vestịbulo** *m.* ⟨*ant*⟩ → **vestibolo**.

vesticciọla *f. dim. di* **veste**.

vestịgia *f.pl. di* **vestigio**.

vestịgio *m.* (*pl.* *i* **vestịgi**/*le* **vestịgia**/*ant. le* **vestịge**) ⟨*lett*⟩ **1.** (*traccia, segno*) trace, sign, vestige: *non c'è* ~ *di collera sul suo volto* there is not a sign of anger on his face. – **2.** (*ricordo*) vestige, trace, remain: *le -a di un'antica civiltà* the traces of an ancient civilization. – **3.** *pl.* (*ruderi, rovine*) ruins *pl*, remains *pl*: *le -a della Roma imperiale* the ruins of imperial Rome. – **4.** ⟨*ant*⟩ (*orma*) track, footstep, ⟨*lett*⟩ vestige; (*traccia*) trace, sign, vestige, track. – **5.** ⟨*ant*⟩ (*piede*) foot. – **6.** *pl.* ⟨*ant*⟩ (*vesti*) dress, clothing, clothes *pl.* □ ⟨*lett*⟩ *seguire le -a di qd.* (*seguirne l'esempio*) to follow in s.o.'s footsteps, to follow s.o.'s example.

vestimẹnto *m.* (*pl.* *i* **vestimẹnti**/*lett. le* **vestimẹnta**) **1.** ⟨*lett*⟩ (*vesti*) clothing, garments *pl*, ⟨*lett*⟩ raiment; (*abito*) (article of) clothing, garment. – **2.** ⟨*ant*⟩ (*modo di vestire*) dress, garb. – **3.** ⟨*ant*⟩ (*il vestire*) dressing. – **4.** ⟨*Rel,ant*⟩ (*vestizione*) clothing (with the religious habit).

vestịna (*dim. di veste*) *f.* **1.** baby dress (*o* garment). – **2.** ⟨*region*⟩ (*sottana*) underskirt, petticoat.

vestịre[1] *v.* (**vẹsto**) **I** *v.t.* **1.** to dress, ⟨*lett*⟩ to clothe: ~ *un bambino* to dress a baby. – **2.** ⟨*estens*⟩ (*provvedere delle vesti necessarie*) to clothe: *per anni ti ho nutrito e vestito* I have fed and clothed you for years. – **3.** (*mettere indosso, indossare*) to put on, to wear: ~ *la corazza* to wear a cuirass. – **4.** (*avere indosso, portare*) to wear, to have on: *veste sempre colori chiari* she always wears light colours; *vestiva un abito di seta* she had a silk dress on. – **5.** (*travestire*) to dress up; (*per ingannare*) to disguise. – **6.** (*rif. ad abiti: adattarsi al corpo*) to fit: *questa giacca ti veste bene* this jacket fits you well; (*stare bene*) to suit, to become, to be becoming on. – **7.** (*rif. a sarti: avere come cliente*) to make clothes for. – **8.** ⟨*fig*⟩ (*assumere un determinato stato*) to take, to put on, to assume: ~ *il saio* to take the cowl (*o* veil). – **9.** (*ricoprire, rivestire*) to cover. – **10.** (*adornare*) to adorn, to dress, to decorate. – **11.** (*provvedere alla vestizione*) to clothe. – **12.** ⟨*lett*⟩ (*avvolgere, ammantare*) to mantle, to cover. – **13.** ⟨*lett*⟩ (*dare, attribuire*) to give, to lend. – **II** *v.i.* (*aus.* **avere**) **1.** to dress, to wear: ~ *di verde* to dress in green, to wear green; ~ *con gusto* to dress tastefully. – **2.** (*adattarsi alla persona*) to fit: *quell'abito veste troppo* that dress is too close-fitting (*o* tight); (*stare bene*) to suit (*a qd.* s.o.), to be becoming (on): *gli abiti di maglia vestono molto* knitted dresses are very becoming. – **vestirsi** *v.r.* **1.** to dress (o.s.), to get dressed: *si sta vestendo* he's getting dressed. – **2.** (*vestire in un certo modo*) to dress: *vestirsi con eleganza* to dress elegantly; (*indossare*) to dress, to wear, to put on: *vestirsi con abiti pesanti* to ⌜dress in⌝ (*o* put on) heavy clothes. – **3.** (*cambiarsi d'abito*) to change (one's clothes), to dress: *vestirsi per la cena* to dress for dinner. – **4.** (*travestirsi*) to dress up: *vestirsi da frate* to dress up as a monk; (*per ingannare*) to disguise o.s. – **5.** (*provvedersi di vestiti: da un sarto*) to go for one's clothes (*da qd.* to s.o.), to have one's clothes made (by): *si veste dai migliori sarti* he goes to the best tailors for his clothes; (*in un negozio*) to buy (*o* get) one's clothes (at). – **6.** ⟨*fig,lett*⟩ (*rivestirsi*) to be covered (*di* with), to be clothed (*o* clad), to deck o.s. (in): *i prati si vestono di fiori* the fields are covered with flowers.

□ ~ **bene** to dress well; (*con abiti caldi*) to dress warmly (*o* well), to wrap up warmly; *vestirsi di* **bianco** to dress in white, to wear white; *vestirsi in* **borghese** to wear civilian clothes; *vestirsi in* **costume** to dress up, to be in costume; (*rif. a fogge popolari*) to wear (a) costume; *vestirsi di* **cotone** to wear cotton (clothing), to put on a cotton dress (*o* suit); ~ *la* **divisa**: 1. to wear (a) uniform; 2. (*diventare soldato*) to put on a uniform, to join the army, to become a soldier; 3. (*essere soldato*) to wear a uniform, to be in uniform, to be a soldier; *vestirsi in divisa* to wear one's uniform; *vestirsi da* **estate** to wear summer clothes; *vestirsi a* **festa** to wear party clothes, to dress up (in one's Sunday best); *vestirsi da* **inverno** to wear winter clothes, to dress for the cold; *vestirsi di* **lana** to wear woollen clothing; ~ *a* **lutto** to wear mourning; ~ **male** to dress badly; *vestirsi in* (o *da*) **maschera** to wear fancy dress, to dress up, to masquerade; ~ *alla* **moda** to dress fashionably, to wear fashionable clothes; ~ *l'abito* **monacale**: 1. (*farsi monaca*) to become a nun, ⟨*lett*⟩ to take the veil; 2. (*farsi monaco*) to become a monk.

vestire[2] *m.* **1.** (*vestiario*) clothes *pl*, clothing, wardrobe: *spendere molto per il* ~ to spend a lot on clothes. – **2.** (*modo di vestire*) dress, way of dressing, garb: ~ *semplice* simple dress. – **3.** ⟨*poet*⟩ (*abito, vestito*) garment; (*da donna*) dress.

vestitaccio (*pegg. di vestito*[2]) *m.* ⟨*fam*⟩ rag. – **vestitino** (*dim. di vestito*[2]) *m.* **1.** simple dress. – **2.** (*per bambini*) baby's dress (*o* garment); (*per bambini più grandi*) child's garment.

vestito[1] (*p.p. di vestire*[1]) *a.* **1.** dressed: *si buttò* ~ *sul letto* he threw himself on the bed fully dressed; (*determinato da complemento*) dressed, wearing, with ... on: ~ *di bianco* dressed in white, wearing white; *era -a da sera* she was wearing an evening dress, she had an evening dress on. – **2.** (*travestito*) dressed up: ~ *da pirata* dressed up as a pirate; (*per ingannare*) disguised. – **3.** (*ricoperto*) covered (*di* with), ⟨*lett*⟩ clad (in): *un muro* ~ *d'edera* an ivy-clad wall. – **4.** ⟨*Bot*⟩ sheathed; (*non mondato*) unhusked, in the husk: *riso* ~ rice in the husk.

□ *andare* **ben** ~ to be well-dressed; ~ *in* **borghese** dressed in civilian clothes, ⟨*fam*⟩ in civvies; (*rif. alla polizia*) in plain clothes; ~ *in* **costume** dressed up; (*rif. a fogge popolari*) in (*o* wearing) a costume; ~ *in* **divisa** (dressed) in uniform, uniformed; **dormire** ~ to sleep ⌜fully dressed⌝ (*o* with one's clothes on); ~ *da* **estate** dressed for summer, wearing summer clothes; ~ *a* **festa** dressed up (in one's Sunday best); ~ *da* **inverno** dressed for winter, wearing heavy (*o* warm) clothes; ~ *da* **maschera** dressed up, in costume; ⟨*fig*⟩ *essere* **nato** ~ to be born with a silver spoon in one's mouth; ~ *di tutto* **punto** all dressed up, ⟨*fam*⟩ dressed to the nines.

vestito[2] *m.* **1.** (*capo di vestiario*) article of clothing, garment; (*da uomo*) suit: *un* ~ *di lana* a wool suit; (*da donna*) dress frock; (*a due pezzi*) suit, costume. – **2.** *pl.* clothes *pl*, clothing, wear: *hai i -i laceri* your clothes are torn; *-i da uomo* men's wear (*o* clothing). – **3.** ⟨*rar*⟩ (*spese per vestirsi*) clothes: *il vitto è gratis ma al* ~ *ci devo pensare io* they give me food but I have to buy my own clothes.

□ *il* ~ **buono** one's good (*o* best, Sunday) suit; **cambiare** (o *cambiarsi*) ~ to change (one's clothes); ~ *da* (o *per*) **casa** house-dress, house-frock; *-i da casa* indoor wear; ~ *da* **cerimonia** formal clothes; ~ **completo** (*da uomo*) suit; (*da donna*) suit, costume, outfit; (*abito con giacca*) dress and jacket; (*due pezzi*) two-piece outfit; *-i* **confezionati** ready-to-wear clothes, off-the-peg clothes; ~ *di* **cotone** cotton suit (*o* dress); ~ **estivo** (o *da estate*) summer suit (*o* dress); (*da uomo*) summer suit; **farsi** *un* ~ to have a suit (*o* dress) made; (*comprarlo*) to buy a new suit (*o* dress); ~ *delle* **feste** (*vestito buono*) one's Sunday best; (*vestito per un ricevimento e sim.*) party dress; *-i* **invernali** (o *da inverno*) winter dress (*o* clothing, wear), warm (*o* heavy) clothes; *-i da* **lavoro** work clothes *pl*; (*tuta*) overalls *pl*; ~ *senza* **maniche** sleeveless dress; ~ *di* **nozze** (*rif. alla sposa*) wedding dress, bridal gown; (*rif. allo sposo*) wedding suit; ⟨*Astron*⟩ ~ **pressurizzato** space-suit; *-i* **protettivi** protective clothing; ~ *da* **sera** evening dress; *-i* **sportivi** sportswear, casual wear (*o* clothes), ⟨*fam*⟩ casuals *pl*; **staccare** *un* ~ (*tagliare dalla pezza la stoffa necessaria*) to cut a length of cloth for a dress (*o* suit); ~ *da* (*o di*) *mezza* **stagione** between-seasons suit (*o* dress), ⟨*am*⟩ spring and fall suit (*o* dress). – *Prov.*: *un bel* ~ *rifà la persona* clothes make the man.

vestitore *m.* ⟨*rar*⟩ (*chi veste*) dresser.

vestituccio *m. dim.* di **vestito**[2].

vestitura *f.* ⟨*non com*⟩ **1.** dressing. – **2.** (*vestito*) article of clothing, garment; (*da donna*) dress; (*da uomo*) suit; *pl.* clothes *pl*, clothing. – **3.** (*rivestitura*) covering (of flasks with straw). – **4.** ⟨*Dir*⟩ investiture.

vestizione *f.* **1.** ⟨*Mediev*⟩ investiture. – **2.** ⟨*Rel*⟩ clothing (with the religious habit).

vesuviana *f.* ⟨*ant*⟩ → **vesuvianite**. – **vesuvianite** *f.* ⟨*Min*⟩ idocrase, vesuvianite. – **vesuviano** *a.* ⟨*Geol*⟩ Vesuvian. – **vesuvina** *f.* (*colorante*) vesuvin, Bismarck brown.

Vesuvio *N.pr.m.* ⟨*Geog*⟩ Vesuvius.

vet. = *veterinario* veterinarian (*abbr.* vet.).

veterano I *s.m.* (*f.* **-a**) **1.** ⟨*Stor.rom*⟩ veteran. – **2.** (*soldato anziano*) veteran, old soldier; (*ex-combattente*) ex-serviceman, ⟨*am*⟩ veteran. – **3.** ⟨*fig*⟩ veteran, old hand: *è un* ~ *del suo mestiere* he's a veteran at his trade; *un* ~ *dello sci* a veteran skier. – **4.** ⟨*Sport*⟩ veteran. – **II** *a.* ⟨*non com*⟩ veteran.

veterinaria *f.* veterinary medicine. – **veterinario I** *s.m.* (*f.* **-a**) veterinarian, veterinary surgeon. – **II** *a.* veterinary. □ *arte* (o *medicina*) *-a* → **veterinaria**; *medico* ~ veterinarian, veterinary surgeon.

vetero|slavo I *a.* ⟨*Ling*⟩ (*paleoslavo*) Old Church Slavonic (*o* Slavic). – **II** *s.m.* Old Church Slavonic (*o* Slavic). – **~testamentario** *a.* ⟨*Bibl*⟩ Old Testament-: *esegesi -a* Old Testament exegesis.

vetiver *m.* ⟨*Bot*⟩ khuskhus, cuscus, vetiver (*Vetiveria zizanioides*). □ *olio di* ~ vetiver(t) oil.

veto *m.* (*pl. inv.*/**veti**) **1.** ⟨*Dir.rom*⟩ veto. – **2.** ⟨*Dir*⟩ veto. – **3.** ⟨*fig, scherz*⟩ (*divieto, parere contrario*) veto. □ *diritto di* ~ veto power, right of veto; *esercitare il diritto di* ~ to exercise the power of veto; *opporre un* ~ *a qc.* to veto s.th.; *porre il* ~ *a qc.* to put (*o* place, set) a veto on s.th., to veto s.th.; ⟨*fig*⟩ to veto (*o* say no to) s.th.

vetola *f.* ⟨*Ornit*⟩ **1.** (*pittima reale*) black-tailed godwit (*Limosa limosa*). – **2.** (*pittima minore*) bar-tailed godwit (*Limosa lapponica*).

vetraio *m.* **1.** (*operaio*) glass-maker, glazier, glass-worker; (*soffiatore di vetro*) glassblower. – **2.** (*venditore*) glass-seller. – **3.** (*chi mette vetri*) glazier, glassworker. – **vetrame** *m.* glass. – **vetrario** *a.* glass: *industria -a* glass industry, glass-making; *pittura -a* glass -painting. – **vetrata** *f.* **1.** (*parete*) glass wall; (*porta*) glass door. – **2.** (*finestra*) window; (*di chiesa*) stained-glass window. – **vetrato I** *a.* **1.** glass: *porta -a* glass door; (*fornito o racchiuso con vetro*) glazed. – **2.** (*che contiene vetro*) glass: *carta -a* glass-paper, sandpaper. – **II** *s.m.* → **vetrone**.

vetreria *f.* **1.** (*stabilimento di fabbricazione del vetro*) glassworks *pl* (*costr.sing.*). – **2.** (*reparto di fabbrica, negozio*) glass department. – **3.** (*complesso di prodotti di vetro*) glass(ware). – **4.** (*oggetti di vetro per laboratorio*) chemical (*o* heat-resistant) glass.

vetriata *f.* → **vetrata**. – **vetriato** *a.* ⟨*non com*⟩ **1.** (*fornito di vetri*) glass, glazed: *finestra -a* glass (*o* paned) window. – **2.** (*invetriato*) glazed.

vetrice *f./m.* ⟨*Bot*⟩ (*salice*) willow (*Salix*). – **vetriciaia** *f.*, **vetriciaio** *m.* willow grove.

vetriera *f.* **1.** ⟨*rar*⟩ → **vetrata**. – **2.** ⟨*region*⟩ (*vetrina*) glass-fronted cabinet.

vetrificabile *a.* vitrifiable. – **vetrificare** *v.* (**vetrifico, vetrifichi**) **I** *v.t.* **1.** to vitrify. – **2.** (*far diventare simile a vetro*) to vitrify, to make glass-like. – **II** *v.i.* (*aus.* **essere**), **vetrificarsi** *v.r.* **1.** to vitrify, to turn into glass. – **2.** (*diventare simile a vetro*) to vitrify, to become glass-like. – **vetrificazione** *f.* vitrification.

vetrigno I *a.* ⟨*non com*⟩ **1.** vitreous, vitric. – **2.** (*simile al vetro*) vitreous, vitric, glassy, glass-like. – **II** *s.m.* ⟨*tecn*⟩ (*mattone*) vitrified paving brick.

vetrina[1] *f.* ⟨*Ceram*⟩ glaze.

vetrina[2] *f.* **1.** (*di negozio*) (shop-)window. – **2.** (*di museo e sim.*) glass-case, show-case. – **3.** (*armadio a vetri e sim.*) glass-fronted cupboard. – **4.** *pl.* ⟨*scherz*⟩ (*occhiali*) glasses *pl.* □ *guardare le -e* to go window-shopping; *mettere in* ~ to put in the window; ⟨*fig*⟩ *mettersi in* ~ (*in mostra*) to show off, to put o.s. in the limelight. – **vetrinetta** (*dim. di vetrina*[2]) *f.* small show-case (*o* glass-case).

vetrinista *m./f.* window dresser. – **vetrinistica** *f.* ⟨*non com*⟩ window -dressing, window display.

vetrino[1] *a.* ⟨*non com*⟩ **1.** (*di vetro*) glass. – **2.** (*simile al vetro*) vitreous, glass. – **3.** (*fragile come il vetro*) brittle: *unghie -e* brittle nails.

vetrino[2] (*dim. di vetro*) *m.* **1.** glass. – **2.** (*per il microscopio*) slide. □ ~ *coprioggetti* cover glass (*o* slip), slide; ~ *portaoggetti* slide.

vetrinola (*dim. di vetrina*[2]) *f.* show-case.

vetriola *f.* ⟨*Bot*⟩ (*anche erba vetriola*) pellitory, pellitory-of-the-wall (*Parietaria*).

vetriolato *m.* ⟨*Chim,non com*⟩ (*solfato metallico*) vitriol. □ ~ *di sodio* sodium sulphate. – **vetrioleggiare** *v.t.* (**vetrioleggio, vetrioleggi**) to throw vitriol at, to vitriolize.

vetriolo[1] *m.* **1.** ⟨*Chim*⟩ (*solfato*) vitriol, (metallic) sulphate. – **2.** (*acido solforico fumante*) (oil of) vitriol, sulphuric acid. – **3.** ⟨*estens*⟩ (*sostanza corrosiva*) acid. – **4.** ⟨*Ornit*⟩ (*martin pescatore*) kingfisher (*Alcedo atthis ispida*).

□ ~ **azzurro** (o *blu*) blue vitriol, copper sulphate; ~ **bianco** white vitriol, zinc sulphate; ~ *di* **ferro** = *vetriolo* **romano**; ~ **fumante** (*olio di vetriolo*) (oil of) vitriol, sulphuric acid; ~ **magnesico** magnesium sulphate; ~ *di* **rame** = *vetriolo* **azzurro**; ~ **romano** (o *verde*) green vitriol, iron (*o* ferrous) sulphate; ~ **rosso** red vitriol, cobalt sulphate; ~ *di* **zinco** = *vetriolo* **bianco**.

vetriolo[2]: ⟨*Veter*⟩ *zoccolo* ~ brittle hoof.

vetro *m.* **1.** glass. – **2.** (*oggetto di vetro*) glass, article (*o* object) of glass; *pl.* glassware, glasswork, glass: *il rumore di -i infranti* the sound of breaking glass. – **3.** (*lastra di vetro*) sheet (*o* plate) of glass; (*di finestra*) pane (of glass), glass; (*finestra*) window: *chiudere i -i* to close the windows. – **4.** (*frammento di vetro*) piece of broken glass: *tagliarsi con un* ~ to cut o.s. on a piece of broken glass; (*scheggia*) glass splinter, splinter of glass: *mi è entrato un* ~ *nella mano* I have a splinter of glass in my hand.

□ **a** *-i* glass: *porta a -i* glass door; ⟨*Aut*⟩ ~ **abbassabile** drop window; ~ **accoppiato** compound glass; ~ **antiappannante** non -fogging glass; ~ **armato** wired (*o* safety) glass; ~ **bianco** colourless glass; **bicchiere** *di* ~ glass; ~ **blindato** armoured glass, ⟨*am*⟩ bullet -proof glass; ~ *di* **Boemia** Bohemian glass; ~ *da* **bottiglie** bottle -glass; ~ **cattedrale** cathedral glass; ~ **cilindrato** rolled glass; ~ **circolare** (*tondo di vetro*) bull's-eye (pane); ~ **colorato** stained-glass, coloured glass; ⟨*Aut,Ferr*⟩ tinted glass; ~ *da* **costruzione** constructional glass; **di** ~ glass, glazed: *tubo di* ~ glass tube; ⟨*fig*⟩ *essere di* ~ (*fragile*) to be very fragile; ~ **dolce** soft glass; ~ **duplicato** = *vetro* **placcato**; ~ **filato** spun glass; ~ *da* **finestra** window glass; ~ **fuso** metal; ~ **ghiacciato** frosted glass; ~ **graduato** graduate, graduated glass; ~ **grezzo** raw glass; ~ **infrangibile** laminated (*o* (safety) glass, ⟨*am*⟩ shatter-proof (*o* unbreakable) glass; ~ *di* **Jena** Jena glass; ~ *da* **laboratorio** chemical (*o* heat-resistant) glass; ~ **laminato**: 1. laminated glass; 2. = *vetro* **accoppiato**; ~ *in* **lastre** sheet glass; ~ **latteo** (o *di latte*) opaline, milk-glass, opal-glass; ~ **molato** polished glass; ~ **opaco** opaque (*o* vision-proof) glass; ~ **opaline** (o *opalescente*) = *vetro* **latteo**; ~ *da* **orologio** watch glass; ~ *d'***ottica** optical glass; ~ **piombico** (o *al piombo*) lead glass; ~ **pirofilo**: 1. = *vetro da* **laboratorio**; 2. = *vetro di* **Jena**; ~ **placcato** flashed glass; ~ **pressato** = *vetro* **stampato**; ~ *di* **quarzo** quartz glass; ~ **retinato** = *vetro* **armato**; ~ *di* **scarto** cullet; ~ *di* **sicurezza** safety glass; ~ **smerigliato** frosted (*o* ground) glass; ~ **soffiato** blown glass; ~ **solubile** water (*o* soluble) glass; ⟨*Agr*⟩ **sotto** ~ glasshouse-, in a glasshouse, under glass: *colture sotto* ~ glasshouse cultivation; ~ *per* **specchi** plate-glass; ~ **stampato** (o *a stampo*) moulded glass; ~ **stratificato** = *vetro* **accoppiato**; ~ **striato** line(d) glass; ~ **temprato** toughened glass; ~ **tessile** = *vetro* **filato**; ~ **tirato** drawn (*o* sheet) glass; ~ **trasparente** transparent glass; *trasparente come il* ~ as transparent as glass, like glass, crystal clear; ⟨*Min*⟩ ~ **vulcanico** (*ossidiana*) obsidian.

vetro|asfalto *m.* ⟨*tecn*⟩ bitumenous glass-fibre felt. – **~cementista** *m.* (*operaio*) concrete and glass worker. – **~cemento** *m.* ⟨*Edil*⟩ concrete and glass, concrete-framed glass blocks. – **~cromia** *f.* ⟨*Pitt*⟩ glass-painting. – **~fania** *f.* diaphanie.

vetroflex *m.* ⟨*tecn*⟩ glass wool.

vetrone *m.* ⟨*Meteor*⟩ glazed frost, ⟨*am*⟩ glaze.

vetroso *a.* **1.** vitreous, glassy. – **2.** (*che contiene vetro*) vitreous, glass.

vetta *f.* **1.** (*di monte*) peak, summit, top. – **2.** (*di pianta*) top, tip. – **3.** (*cima, sommità*) top. – **4.** (*parte terminale di ramo*) tip, end; (*ramoscello sottile*) twig. – **5.** ⟨*Agr*⟩ (*calocchia*) swingle (*o* swiple) of a flail. – **6.** ⟨*Mar*⟩ end. – **7.** ⟨*region*⟩ (*paio di buoi aggiogati*) yoke (of oxen). □ ⟨*non com*⟩ *tremare come una* ~ to tremble (*o* shake) like a leaf.

vettaiolo *a.* ⟨*non com*⟩ (*di frutto*) growing at the top of a tree.

vettarella (*dim. di vetta*) *f.* ⟨*roman*⟩ (*ramoscello*) twig, sprig; (*punta di ramo*) tip (of a branch). – **vetticciola** (*dim. di vetta*) *f.* **1.** top. – **2.** (*punta di ramo*) tip.

vettigale I *s.m.* ⟨*Stor.rom*⟩ (indirect) tax. – **II** *a.* subject to the payment of an indirect tax.

vettina *f.* ⟨*ant,region*⟩ (*orcio da olio*) (oil-)jar.

vettone (*accr. di vetta*) *m.* **1.** (*di tronco*) top. – **2.** (*di ramo*) tip, end (of a branch).

vettonica *f.* ⟨*Bot*⟩ (*betonica*) purple betony (*Betonica officinalis*).

vettore I *s.m.* **1.** ⟨*Mat,Fis*⟩ vector. – **2.** ⟨*Astron*⟩ (*razzo vettore*) carrier (*o* mother) rocket. – **3.** ⟨*Dir,Comm*⟩ carrier, haulage contractor; (*imprenditore di trasporti*) forwarding (*o* shipping) agent. – **4.** ⟨*Biol*⟩ vector, carrier. – **II** *a.* **1.** ⟨*Biol*⟩ vector-, carrier-. – **2.** ⟨*Mat, Fis*⟩ vector-, vectorial: *raggio* ~ radius vector. – **3.** ⟨*non com*⟩ (*che trasporta*) carrying. – **vettoriale** *a.* ⟨*Mat,Fis*⟩ vector-, vectorial: *campo* ~ vector field; *grandezza* ~ vector quantity.

vettovaglia *f.* **1.** provision, supply, ⟨*rar*⟩ victual. – **2.** ⟨*Mil*⟩ provision, victual, store. – **vettovagliamento** *m.* provisioning, victualling. – **vettovagliare** *v.t.* (**vettovaglio, vettovagli**) to provision, to supply (with provisions or food), to victual. – **vettovagliarsi** *v.r.* to obtain provisions (*o* supplies).

vettrice *f.* vector, carrier.

vettura *f.* **1.** (*carrozza*) carriage: ~ *di piazza* hackney-carriage, cab. – **2.** (*autovettura*) (motor)car, ⟨*am*⟩ automobile. – **3.** (*carrozza ferroviaria*) (railway passenger) coach, carriage, ⟨*am*⟩ car; (*carrozza tranviaria*) tram(-car). – **4.** ⟨*ant*⟩ (*trasporto*) transport, carriage, conveyance; (*prezzo*) charge for transport. – **5.** ⟨*ant*⟩ (*animale*) hired animal; (*cavallo*) horse; (*mulo*) mule; (*veicolo*) (means of) transport, vehicle.

□ ⟨*Aut*⟩ ~ **aerodinamica** streamlined car; ⟨*ant*⟩ **andare** *a* ~ to cart, to convey; ⟨*Aut*⟩ ~ **berlina** saloon, limousine, ⟨*am*⟩ sedan; ~ *a* **cavalli** horse-drawn carriage; ⟨*Aut*⟩ ~ *da* **corsa** (o *competizione*) racing-car; **da** ~ draught-: *cavalli da* ~ draught-horses; ⟨*ant*⟩ **dare** *a* ~ (*noleggiare*) to hire; ⟨*Aut*⟩ ~ **decapottabile** convertible; ⟨*Comm*⟩ ~ *per* **dimostrazioni** demonstration car; ⟨*Ferr*⟩ ~ **diretta** through carriage; ⟨*Aut*⟩ ~ *d'***epoca** vintage car; ⟨*ant*⟩ **fare** *una* ~ to drive a fare; ~ **filoviaria** trolley-bus; ⟨*Ferr*⟩ *signori*, **in** ~*!* take your seats!, close the doors!, ⟨*am*⟩ all aboard!; ⟨*Comm*⟩ **lettera** *di* ~ way-bill, carriage (*o* consignment) note, bill of freight; *lettera di* ~ *aerea* air way-bill, consignment note; ⟨*Ferr*⟩ ~ **letto** sleeping-car; ~ *di seconda* **mano** = *vettura* **usata**; ⟨*Ferr*⟩ ~ **motrice** engine(-car); ~ *da* **noleggio** hire car, car for hire; ~ *di* **piano** = *vettura* **pubblica**; ~ *di* **posta** mail-coach, stage-coach; ⟨*ant*⟩ **prendere** *a* ~ (*a nolo*) to hire; ~ **pubblica**: 1. (*carrozza*) hackney cab, hackney-carriage; 2. (*automobile*) taxi(-cab), ⟨*am*⟩ cab, ⟨*am*⟩ hack; ⟨*Aut*⟩ ~ *di* **rappresentanza** large car, limousine; ⟨*Ferr*⟩ ~ **ristorante** dining-car, restaurant -car, ⟨*am*⟩ diner; ⟨*Ferr*⟩ ~ **salone** Pullman (car), saloon car (*o* carriage), ⟨*am*⟩ parlor car; ⟨*Aut*⟩ ~ *di* **serie** mass-produced car; ⟨*Aut*⟩ ~ **sportiva** sports-car; ~ **tranviaria** tram(-car), ⟨*am*⟩ trolley car, ⟨*am*⟩ streetcar; ~ **trasformabile** = *vettura* **decapottabile**; ⟨*Aut*⟩ ~ *da* **turismo** touring car; ~ **usata** second-hand (*o* used) car.

vetturaccia (*pegg. di vettura*) *f.* (*pl.* -**ce**) old crock, jalopy.

vetturale *m.* carter, carrier. – **vetturalesco** *a.* (*pl.* -**chi**) carter's, of a carrier.

vettureggiare *v.t.* (**vettureggio, vettureggi**) ⟨*ant*⟩ (*trasportare*) to cart, to carry, to transport.

vetturetta (*dim. di vettura*) *f.* ⟨*Aut*⟩ small car.

vetturina *f.* ⟨*Bot*⟩ (*anche erba vetturina*) melilot, sweet clover (*Melilotus*). □ ~ *bianca* white melilot, sweet (*o* bokhara) clover (*Melilotus alba*); ~ *gialla* field melilot, yellow sweet clover (*Melilotus officinalis*).

vetturino *m.* **1.** cabman, coachman, (cab-)driver. – **2.** ⟨*ant*⟩ (*chi dava bestie e veicoli a vettura*) hirer of means of conveyance. □ *bestemmiare come un* ~ to swear like a trooper; *avere modi da* ~ to be rude (*o* boorish, vulgar).

vetturone *m. accr. di* **vettura**.

vetustà *f.* ⟨*lett*⟩ (*vecchiaia*) antiquity, ancientness, oldness. – **vetusto** *a.* ⟨*lett*⟩ (*antico, vecchio*) ancient, (very) old.

vezzatamente *avv.* ⟨*ant*⟩ (*abilmente*) cleverly; (*astutamente*) shrewdly, astutely. – **vezzato** *a.* ⟨*ant*⟩ (*abile*) clever, able; (*astuto*) shrewd, astute.

vezzeggiamento *m.* **1.** (*atto*) petting, fondling, caressing. – **2.** (*effetto*) caress. – **vezzeggiare** *v.* (**vezzeggio, vezzeggi**) **I** *v.t.* to pet; (*con carezze*) to fondle, to caress, to pet. – **II** *v.i.* (*aus.* **avere**) ⟨*lett*⟩ (*fare il vezzoso*) to flirt, to play, to dally. – **vezzeggiativo I** *a.* ⟨*Gramm*⟩ of endearment: *forma -a* form of endearment. – **II** *s.m.* form of endearment; (*nome*) petname.

vezzena *f.* ⟨*Alim*⟩ kind of cheese.

vezzo *m.* **1.** (*abitudine*) habit: *fare qc. per* ~ to do s.th. from force of habit; (*modo abituale*) habit, mannerism. – **2.** (*vizio*) (bad) habit. – **3.** (*moina*) caress. – **4.** *pl.* (*smancerie*) affectation, affected (*o* mincing) ways *pl*, simpering. – **5.** *pl.* (*grazia, leggiadria*) charm, grace. – **6.** (*collana, monile*) necklace: ~ *di perle* pearl necklace, string of pearls. □ *fare un* ~ *a qd.* to fondle (*o* pet) s.o.; *farsi -i* to caress e.o.; *mal* (o *brutto*) ~ bad habit.

vezzosamente *avv.* charmingly, gracefully. – **vezzosetto, vezzosino** (*dim. di vezzoso*) **I** *a.* quite charming. – **II** *s.m.* (*f.* -**a**) pretty little thing. – **vezzosità** *f.* **1.** (*leggiadria*) charm, grace. – **2.** (*leziosità*) affectation, affectated (*o* mincing) ways *pl.*

vezzoso I *a.* **1.** (*leggiadro*) charming; (*grazioso*) graceful, pretty: *una ragazza -a* a pretty girl. – **2.** (*lezioso*) affected, mincing, simpering. – **3.** ⟨*ant*⟩ (*viziato*) spoiled. – **II** *s.m.* (*f.* -**a**) **1.** charmer, charming (*o* graceful) person. – **2.** (*persona leziosa*) affected person, simperer. □ *fare il* ~ to simper, to be affected.

V.F. = *Vigili del fuoco* Fire-Brigade.

v.g. = *verbi gratia* for example, exempli gratia (*abbr.* e.g.).

V.G. = *Vostra Grazia* Your Grace.

VHF = ⟨*Fis*⟩ *altissima frequenza* very high frequency (*abbr.* VHF).

vi[1] (before unaccented personal pronouns *lo, la, le, li, ne, vi* changes to *ve*; *vi* is used enclitically with the infinitives, participles, gerunds, imperatives and *ecco*) **I** *pron.pers.* **1.** (*voi*: *compl. oggetto*) you: ~ *ho visti ieri* I saw you yesterday; (*forma di cortesia*) you: ~ *hanno chiamato* someone called you. – **2.** (*a voi*: *compl. di termine*) to you, to you: ~ *piace?* do you like it?; *non* ~ *do niente* I won't give you anything; (*forma di cortesia*) you, to you: *sono venuto a dirvelo* I came to tell you. – **3.** (*riflessivo*) yourselves *pl*: *lavatevi* wash yourselves; *alzatevi!* get up!; (*reciproco*: *fra due*) each other; (*fra più di due*) one another: ~ *conoscete?* do you know each other?; (*forma di cortesia*) you, yourself: *come* ~ *sentite?* how do you feel?; ~ *siete divertito?* did you enjoy yourself? – **4.** (*con valore di dativo etico*) yourselves *pl*: *abbiatevi cura* take care of yourselves; (*forma di cortesia*) yourself. – **5.** (*particella impersonale*) it, *spesso non si traduce*: *quando* ~ *si applica riesce* when he puts his mind to it he can do it; *non* ~ *è differenza* there is no difference. – **6.** ⟨*dial*⟩ (*pleonastico*) *non si traduce*. – **II** *avv.* **1.** (*lì*) there: ~ *sono rimasto qualche giorno* I stayed there for a few days; ~ *andrò domani* I shall go there tomorrow. – **2.** (*qui*) here: *mi trovo bene in questo albergo e* ~ *rimarrò ancora* I like this hotel and I shall stay on here. – **3.** (*per questo luogo*) here, by here (*o* it), by this place: ~ *passavo ogni mattina* I passed by here every morning; (*per quel luogo*) there, by there (*o* it), by that place. – **4.** (*pleonastico*) *non si traduce*: *in questo palazzo non* ~ *abita nessuno* nobody lives in this building.

vi[2] *f./m.* ⟨*non com*⟩ v, V.

via[1] **I** *s.f.* **1.** (*strada*) road: *una* ~ *asfaltata* a paved road; (*rif. alle antiche vie romane*) way: ~ *Appia* Appian Way. – **2.** (*strada urbana*) street, road: *conosco la* ~ *dove abita* I know the street where he lives; (*negli indirizzi*) via: *abita in* ~ *Dante 10* he lives at 10 Via Dante. – **3.** (*sentiero, pista*) path, track: *una* ~ *tra i campi* a path through the fields. – **4.** (*passaggio*) way: *aprirsi una* ~ *nella foresta* to open up a way through the forest. – **5.** (*viaggio, cammino*) way, journey: *sono già in* ~ they are already on their way; *rimettersi in* ~ to resume one's journey. – **6.** (*percorso*) way, course, itinerary, route: *sulla* ~ *di casa* on the way home; *scegliere la* ~ *più breve* to choose the shortest route. – **7.** ⟨*fig*⟩ (*mezzo, possibilità*) way, means *pl*: *le -e del Signore* the ways of the Lord; *per* ~ *giudiziaria* by legal means; *non vedo altra* ~ I see no other way. – **8.** ⟨*fig*⟩ (*modo di vivere*) path, road, track: *tornare sulla retta* ~ to return to the (straight and) narrow path. – **9.** ⟨*fig*⟩ (*procedimento, modo di agire*) channel(s): *agire per* ~ *diplomatica* to act through diplomatic channels. – **10.** ⟨*fig*⟩ (*carriera*) career: *intraprendere la* ~ *degli af-*

fari to go in for a business career. – **11.** (*ragionamento*) argument: *la tesi è dimostrabile anche per altre -e* the thesis may be proved with other arguments as well. – **12.** ⟨*Filos*⟩ (*argomento, prova*) argument. – **13.** ⟨*Anat*⟩ tract, duct, passage: *-e biliari* bile ducts. – **14.** ⟨*Alp*⟩ (*via di salita*) route: *aprire una* ~ to open a route. – **15.** ⟨*Mar*⟩ route, way. – **II** *avv.* **1.** (*passando per*) via: *un biglietto per Vienna* ~ *Brennero* a ticket for Vienna via Brenner. – **2.** (*per mezzo di*) by, via: ~ *radio* by radio.

□ ~ **d'accesso** approach; *cercare una* ~ **d'accordo** to try to come to an agreement; ~ **d'acqua**: 1. = *via di* **comunicazione** *marittima*; 2. ⟨*Mar*⟩ (*falla*) leak; ~ **aerea**: 1. airway; 2. ⟨*Post*⟩ airmail; *per* ~ *aerea*: 1. by air; 2. ⟨*Post*⟩ by airmail; ⟨*Mar*⟩ **alla** ~*!* steady!; ⟨*fig*⟩ *per* **altra** ~ in another way; *in* ~ **amichevole** as a friend, out of friendship: *te lo dico in* ~ *amichevole* I'm telling you as a friend; ⟨*fig*⟩ **aprire** *nuove -e* to pave the way, to open new avenues; *per* ~ *d'aria* by air; ~ **armentaria** track (left by a herd); ⟨*Ferr*⟩ ~ **bloccata** track blocked; *mettersi su una* **brutta** ~ = *abbandonare la* **retta** *via*; *la* **buona** ~ = *la* **giusta** *via*; ~ *di* **comunicazione** highway, main road; ~ *di comunicazione marittima* sea route; *la* ~ **Crucis** the Way of the Cross; ⟨*fig*⟩ calvary; *trovare la* ~ *del* **cuore** to find the way to (s.o.'s) heart; ⟨*ant*⟩ **dare** *la* ~ *a*: 1. (*lasciar passare*) to make way for, to allow to pass; 2. (*lasciar fuggire*) to release, to let out (*o* go), to set free: *dare la* ~ *a un uccello* to let a bird out (of its cage), to set a bird free; 3. (*disfarsi*) to get rid of; ⟨*Anat*⟩ *-e* **digerenti** digestive tract (*o* system); *la* **diritta** ~ = *la* **retta** *via*; *la* ~ *della* **droga** the drug route; *in* ~ **eccezionale** ⌜as an⌝ (*o* by way of) exception, exceptionally; ⟨*Fisiol*⟩ *-e* **efferenti** efferent canals; *non* **esserci** ~ *di* [*inf*] to be impossible to: *non c'è* ~ *di persuaderlo* it's impossible to persuade him, there's no persuading him, he won't be persuaded; **fare** *una* ~ (*seguirla*) to follow a road (*o* route); ⟨*Mar*⟩ *far* ~ *per le Canarie* to head for the Canary Islands; *-e di* **fatto** violence: *passare* (o *scendere*) *a -e di fatto* to resort to violence, to come to blows; ⟨*ant,region*⟩ ~ *di* **ferro** (*strada ferrata*) railway; *mettersi la* ~ *tra le* **gambe** to start off (*o* out) briskly, ⟨*fam*⟩ to make tracks; *per* ~ **gerarchica** through official channels; ⟨*fig*⟩ *la* **giusta** ~ the straight and narrow (path); *mettere qd. sulla* ~ *giusta* to put s.o. on the right path; ~ *degli* **impieghi** (career in the) civil service; **in** ~: 1. (*cammin facendo*) on the (*o* one's) way: *essere in* ~ to be on the (*o* one's) way; 2. ⟨*fig*⟩ on the way: *essere in* ~ *di guarigione* to be on the way to recovery, ⟨*fam*⟩ to be on the mend; **indicare** *la* ~ *a qd.* to tell s.o. the way; ⟨*Astr*⟩ ~ **lattea** Milky Way; ⌜*adire le*⌝ (o *ricorrere alle*) *-e* **legali** to take legal action (*o* measures), to go to law, to sue; *-e legali ordinarie* due course of law; ~ **libera** clear road (*o* way); ⟨*Ferr*⟩ line clear, track open; *avere* ~ *libera*: 1. to have one's way clear: *hai* ~ *libera* ⌜the road⌝ (*o* your way) is clear; 2. ⟨*fig*⟩ to be free, to have no obstacles in one's path; *dare* ~ *libera a* to give way to, to allow to pass; ⟨*fig*⟩ to open up the way to, to give free rein to; *dare* ~ *libera* to give the go-ahead, to signal all-clear; ~ **maestra** main road, highway; ~ **mare** by sea; ~ **marittima** = *via di* **comunicazione** *marittima*; **mettersi** *in* ~ to set out (*o* off), to start off; *a* **mezza** ~ halfway (there); ~ *di* **mezzo** middle course (*o* way); *scegliere la* ~ *di mezzo* to choose the middle course; ~ *di* **navigazione** sea-way; ~ *di navigazione interna* inland waterway; *per* ~ **orale** by mouth, orally: *farmaci da prendersi per* ~ *orale* medicines to be taken by mouth; ⟨*fig*⟩ *non è la* ~ **dell'orto** (*non è cosa facile*) it's not so easy; **per** ~ *di*: 1. (*per mezzo di*) by, through, by means of, via; 2. ⟨*fam*⟩ (*a causa di*) because of, on account of: *per* ~ *dell'esame devo studiare giorno e notte* because of the exam I have to study day and night; 3. ⟨*fam*⟩ (*in occasione di*) on the occasion of; *per* (*la*) ~ (*cammin facendo*) on the (*o* one's) way; ⟨*pop*⟩ *per* ~ *che* (*poiché*) since, because, as; *in* **piena** ~ in the middle of the road; **prendere** *una* ~ to take a road (*o* path); **preparare** *la* ~ *a qd.* = **spianare** *la via a qd.*; ~ **privata** private road; *in* ~ **provvisoria** provisionally, temporarily, for the time being; ~ **pubblica** public road; ⟨*Anat*⟩ *-e* **respiratorie** respiratory tract *sing*; ⟨*fig*⟩ *la* **retta** ~ the straight and narrow (path): *abbandonare la retta* ~ to stray (from the straight and narrow path), ⟨*fam,scherz*⟩ to go off the straight and narrow; ⟨*Med*⟩ *per* ~ **rettale** by the rectum, rectally; ⟨*Stor.rom*⟩ ~ **sacra** Via Sacra; ⟨*Rel*⟩ ~ *della* **salvazione** way to salvation; *mettersi sulla* ~ **sbagliata** to take the wrong road; *non c'è* ~ *di* **scampo** (o *salvezza*) there is no way out (of it); ~ **secondaria** secondary (*o* minor) road, by-road; ⟨*Strad*⟩ ~ *a* **senso** *unico* one-way street; *in* ~ **sperimentale** as an experiment; ⟨*Stor*⟩ ~ *delle* **spezie** spice route; ⟨*fig*⟩ **spianare** *la* ~ *a qd.* to smooth ⌜the way for s.o.⌝ (*o* s.o.'s path), to pave s.o.'s way; ~ *del* **tabacco** tobacco road; ⟨*ant*⟩ **tenere** *una* ~ = **fare** *una via*; ⟨*fig*⟩ **tentare** *tutte le -e* to try everything (*o* all ways), to leave no stone unturned; ~ *di* **terra** (over)land route; *per* ~ *di terra* by land; ⟨*ant*⟩ **tra** ~ (*per strada*) on the way; ~ *di* **transito** through road; ~ **traversa**: 1. crossroad; 2. (*strada secondaria*) by-road, side road; 3. (*scorciatoia*) short cut; ⟨*fig*⟩ *per -e traverse* by underhand means; **traversare** *la* ~ *a qd.* to cross s.o.'s path; ⟨*fig*⟩ to cross (*o* thwart) s.o.; *non* **trovare** *né* ~ *né verso* to be unable to make head or tail of s.th.; *in* ~ **ufficiosa** unofficially; ⟨*Anat*⟩ *-e* **urinarie** urinary tract *sing*; ~ **d'uscita** way out (*anche fig.*); ⟨*Strad*⟩ ~ *senza uscita* cul-de-sac, dead end. – *Prov.*: *chi lascia la* ~ *vecchia per la nuova,* ⌜*ingannato spesso si ritrova*⌝ (*o sa quel che lascia e non sa quel che trova*) the devil you know is better than the devil you don't know; *la* ~ *dell'inferno è lastricata di buone intenzioni* the road to hell is paved with good intentions.

via[2] **I** *avv.* **1.** away, off: *correre* ~ to run off; *buttare* ~ to throw away; *vattene* ~*!* go away! – **2.** ⟨*assol*⟩ off, away, out (*si aggiunge il verbo sottinteso*): *si alzò di scatto e* ~ *di corsa* he leapt up and ⌜ran off⌝ (*o* off he went); ~, *fuori dai piedi!* off (*o* away) with you!, get out of here! – **3.** ⟨*esclam*⟩ (*suvvia*) come on, come now, *a volte non si traduce*: ~, *non ti preoccupare* come on, don't worry about it; (*per esprimere incredulità e sim.*) go on, ⟨*fam*⟩ get along with you; (*presto*) come on, quick(ly), hurry up, ⟨*fam*⟩ get a move on: ~, *che si fa tardi* hurry up, it's getting late. – **4.** ⟨*esclam*⟩ (*segnale di partenza*) go: *pronti* ~ ready steady go. – **5.** ⟨*Mar*⟩ steady. – **6.** ⟨*ant*⟩ (*nelle moltiplicazioni*) times, multiplied by: *due* ~ *quattro fa otto* two times four equals eight. – **II** *s.m.* (*segnale di partenza*) starting signal, start: *al* ~ at the starting signal.

□ *e* **così** ~ and so on; ⟨*Mar*⟩ ~ *così!* steady as you go!; **dare** *il* ~: 1. to give the starting signal; 2. ⟨*fig*⟩ (*iniziare*) to start, to get under way: *dare il* ~ *ai lavori* to start work; 3. ⟨*fig*⟩ (*far iniziare*) to give the go-ahead for, to start, to set off; *e* ~ **dicendo** and so on, ⟨*enfat*⟩ and so on and so forth; **eh** ~*!* = **ma** *via!*; ⟨*fam*⟩ **essere** ~: 1. to be away; 2. (*essere uscito di casa*) to be out; 3. (*essere in viaggio*) to be away; 4. (*essere in paese straniero*) to be abroad; ⟨*pop*⟩ *di* **fuori** ~ (*di paese straniero*) foreign; **ma** ~*!* go on!; ~ *le* **mani**! hands off!; **oh** ~*!* = **ma** *via!*; *e* ~ *di questo* **passo** and so on; ⟨*ant*⟩ ~ **più** → **viepiù**; **prendere** *il* ~ to start; **va** ~*!* = **ma** *via!*; **venire** ~: 1. to come away; 2. (*rif. a macchie e sim.*) to come out; 3. (*staccarsi*) to come off; ~ **via**: 1. gradually, little by little: *va* ~ *via migliorando* he is improving gradually; 2. (*a mano a mano*) as: ~ *via che vennero* as they arrived; *le osservazioni che verrò facendo* ~ *via* the remarks I shall make as I go along; 3. ⟨*ant*⟩ → **vie** *via*; ⟨*ant*⟩ **vie** ~ (*subito*) immediately, at once.

viabile *a.* ⟨*non com*⟩ **1.** (*praticabile*) practicable, fit for traffic. – **2.** (*viario*) road-.

viabilista *a.* ⟨*non com*⟩ (*rif. al traffico*) (road) traffic-: *vigili -i* traffic police; (*rif. alla costruzione delle strade*) road-, highway-: *ingegnere* ~ highway engineer. – **viabilistico** *a.* (*pl.* **-ci**) (road) traffic-, road-.

viabilità *f.* **1.** practicability; (*stato delle strade*) road conditions *pl*, state of the road(s). – **2.** (*rete stradale*) roads *pl*, road network: *la* ~ *di questo paese è pessima* the roads in this country are very bad. – **3.** (*norme sul traffico*) traffic regulations *pl*; (*norme e attività relative alla costruzione di strade*) highway engineering.

viaccia (*pegg. di via*[1]) *f.* (*pl.* **-ce**) **1.** bad road. – **2.** (*via malfamata*) street of ill-fame, disreputable street.

Via Crucis *lat. f.* **1.** ⟨*Rel*⟩ Stations *pl* (*o* Way) of the Cross; (*serie di stazioni*) Stations *pl* (of the Cross). – **2.** ⟨*fig*⟩ suffering, purgatory, calvary, ⟨*fam*⟩ hell (on earth): *la sua vita è stata una* ~ his life was a calvary. □ *fare la* ~ to suffer greatly, ⟨*fam*⟩ to go through hell; (*essere mandato da persona a persona*) to be passed on from one person (*o* office) to another, to go (*o* be sent) from Billy to Jack.

viadana *f.* ⟨*Tess*⟩ sailcloth.

viadotto *m.* (*passaggio sopraelevato*) viaduct: ~ *ferroviario* railway viaduct.

viaggetto (*dim. di viaggio*) *m.* (short) trip, excursion; (*in macchina*) drive. – **viaggiaccio** *m. pegg. di* **viaggio**.

viaggiante (*p.pr. di viaggiare*[1]) *a.* travelling. □ ⟨*Ferr*⟩ *personale* ~ train crew, trainmen *pl.*

viaggiare[1] *v.* (**viaggio, viaggi**) **I** *v.i.* (*aus.* **avere**) **1.** (*rif. a persone*) to travel, to journey, to make (*o* take, go on) a trip: ~ *in treno* to travel by train; ~ *in prima classe* to travel first-class; (*fare viaggi*) to travel: *prima viaggiavo molto* I used to ⌜travel a lot⌝ (*o* do a lot of travelling). – **2.** (*rif. a veicoli*) to run, to go, to travel: *il treno viaggia lentamente* the train is going slowly; *il rapido da Milano viaggia con dieci minuti di ritardo* the express from Milan is (running) ten minutes late. – **3.** (*rif. a merci*: *essere trasportato*) to be carried (*o* transported), to travel: *la merce viaggia a rischio del committente* goods are carried at the consignor's risk. – **4.** (*fare il commesso viaggiatore*) to travel, to be a commercial traveller, ⟨*am*⟩ to be a traveling salesman: ~ *per una ditta* to travel for a firm; ~ *in pellami* to travel in hides. – **II** *v.t.* to travel (over, round): *ha viaggiato tutto il mondo* he has travelled all over the world.

□ ~ *per* **affari** to travel on business, to go (*o* be) on a business trip; ~ *per* **aria** to travel (*o* go) by air, to fly; ~ *come un* **baule** to travel without learning (*o* taking an interest in) anything; ⟨*scherz*⟩ ~ *col* **cavallo** *di san Francesco* (*a piedi*) to walk, to go on foot, ⟨*fam*⟩ to hoof it, ⟨*fam*⟩ to travel (*o* go) by shanks' mare; ~ *per* **divertimento** to travel for pleasure; ~ *in* **incognito** to travel (*o* go) incognito; ~ *per* **lavoro** to travel on business; ~ *per* **mare** to travel (*o* go) by sea, to voyage; ~ *a grande* **velocità** to travel at high speed, to go very fast.

viaggiare[2] *m.* travel, travelling. □ *Prov.*: *col* ~ *s'imparano molte cose* travel ⌜broadens the mind⌝ (*o* is instructive), you learn a lot by travelling.

viaggiatore I *s.m.* (*f.* **-trice**) **1.** traveller: *i grandi -i del secolo scorso* the great travellers of the last century. – **2.** (*passeggero*) passenger: *chiedere il biglietto ai -i* to ask the passengers for their tickets. – **3.** (*commesso viaggiatore*) commercial traveller, ⟨*am*⟩ traveling salesman. – **II** *a.* travelling. □ ~*-chilometro* passenger-kilometre; ~ *di commercio* commercial traveller, ⟨*am*⟩ traveling salesman; *piccione* (*o colombo*) ~ homing pigeon, carrier-pigeon; *treno -i* passenger train.

viạggio *m.* **1.** journey, trip: *fare un ~ in Germania* to go on a trip to Germany; *un ~ di una settimana* a week's journey; (*per mare*) voyage; (*in aereo*) flight; (*turistico*) tour; *pl.* travels *pl*: *ha scritto un libro sui suoi viaggi* he has written a book about his travels; (*il viaggiare*) travel: *viaggi interstellari* interstellar travel. – **2.** (*tragitto, corsa*) trip, journey, run: *il ~ tra Roma e Berlino* the journey from Rome to Berlin; (*per aereo*) flight; (*per mare*) crossing, passage. – **3.** ⟨*iperb*⟩ long journey (*o* way): *andare fin lassù è un vero ~* it's a very long way there, it's miles away. – **4.** (*cammino*) trip, journey: *fare due viaggi* to make two trips. – **5.** (*pellegrinaggio*) pilgrimage. – **6.** (*di un astro*) course. – **7.** (*discesa*) descent: *il ~ di Enea nell'oltretomba* Aeneas's descent into the underworld. – **8.** ⟨*ant*⟩ (*via, cammino*) way, path.

□ ~ (*in*) **aereo** flight, journey by air (*o* plane); ~ *d'affari* business trip; ~ *d'***andata** outward journey; (*in aereo*) outward flight; ~ *d'andata e ritorno* round trip, journey there and back; (*in aereo*) round trip, flight there and back; ~ *per* **aria** = *viaggio* (*in*) **aereo**; ~ *in* **automobile** drive, journey by car; **buon** *~!* bon voyage!, have a nice journey (*o* trip)!; (*pazienza*) never mind!, too bad!; ~ *a* **cavallo** journey on horseback, ride; ~ **circolare** round trip, circular tour; ~ *di* **circumnavigazione** circumnavigation; ~ *di* **comitiva** party (*o* group) trip, group excursion; **da** ~ travel-, travelling: *soprabito da ~* travel coat; *cestino da ~* box lunch; **di** *viaggi* travel-: *agenzia di viaggi* travel-agency; **durante** *il ~* during the journey; ~ *d'***esplorazione** journey of exploration; *l'***estremo** ~ = *l'***ultimo** *viaggio*; **fare** *un ~* to take (*o* make) a journey, to go on a trip; *hai fatto buon ~?* did you have a good trip?; ⟨*fig*⟩ *fare un ~ e due servizi* to kill two birds with one stone; ⟨*ant*⟩ *fare ~ per* (*fare rotta*) to be bound for, to head for; ⟨*Lett*⟩ *i viaggi di* **Gulliver** Gulliver's Travels; *essere* **in** ~ to be on a journey; (*in navigazione*) to be at sea; *essere in ~ per un paese* to be travelling (*o* on one's way) to a country; *un ~ in Spagna* (*verso la Spagna*) a journey (*o* trip) to Spain; (*attraverso la Spagna*) a journey in Spain; ~ **inaugurale** maiden voyage; ~ **interplanetario** = *viaggio* **spaziale**; ~ *d'***istruzione** study tour; ~ *di* (o *per*) **mare** (sea) voyage, journey by sea; ~ **marittimo** = *viaggio di* **mare**; **mettersi** *in ~* to set out; ~ *di* **nozze** honeymoon, wedding trip; ~ *di* **piacere** pleasure trip; ~ *di* **ritorno** return trip, journey home; (*in aereo*) return flight; *il ~ senza ritorno* = *l'***ultimo** *viaggio*; ⟨*Lett*⟩ ~ **sentimentale** A Sentimental Journey; ⟨*Astron*⟩ ~ **spaziale** space trip; *viaggi spaziali* space-travel; ~ **terrestre** (o *per terra*) overland trip; ~ *in* **treno** train trip (*o* journey); ~ **turistico** tour; ⟨*fig*⟩ *l'***ultimo** ~ death, the last journey; *fare l'ultimo ~* (*morire*) to die, to pass on; *fare un ~ a* **vuoto** to go on a useless errand, to ⌜make a journey⌝ (*o* go somewhere) for nothing.

viạle *m.* **1.** avenue, ⟨*am*⟩ boulevard. – **2.** (*nei giardini*) path, walk. – **3.** (*strada privata, d'accesso*) drive, driveway.

vialẹtto, vialịno (*dim. di viale*) *m.* path. – **vialọne** (*accr. di viale*) *m.* broad avenue.

viandạnte *m./f.* ⟨*lett*⟩ wayfarer, traveller, journeyer.

viạria *f.* ⟨*ant*⟩ (*indennità di viaggio*) travel expenses *pl.*

viạrio *a.* (*stradale: rif. a strade urbane*) street-, road-; (*rif. a strade extraurbane*) road-: *rete -a* road network.

viạtico *m.* (*pl.* -ci) **1.** ⟨*lett*⟩ provisions *pl* (for a journey), viaticum. – **2.** ⟨*fig*⟩ (*conforto, sostegno*) comfort, encouragement. – **3.** ⟨*Rel*⟩ (Holy) Viaticum, Last Sacrament. – **4.** ⟨*Mediev*⟩ (*diaria*) daily allowance.

viatọre *m.* (*f.* -trice) **1.** ⟨*poet*⟩ → **viandante**. – **2.** ⟨*Stor.rom*⟩ apparitor. – **viatọrio** *a.* ⟨*lett*⟩ (*che riguarda il viandante*) wayfarer's, traveller's; (*che riguarda il viaggio*) travelling.

viavại *m.inv.* **1.** coming and going, to and fro, bustle, confusion: *c'era un grande ~ di impiegati* there was a great coming and going of clerks; (*movimento*) movement. – **2.** ⟨*tecn*⟩ to and fro motion, reciprocating movement.

vibịce (*non com. vịbice*) *f.* **1.** ⟨*Med*⟩ vibex. – **2.** ⟨*ant*⟩ (*ecchimosi*) bruise.

vibrafonịsta *m./f.* ⟨*Mus*⟩ vibraphonist. – **vibrạfono** *m.* vibraphone.

vibramẹnto *m.* ⟨*non com*⟩ vibrating; (*vibrazione*) vibration.

vibrạnte (*p.pr. di vibrare*) **I** *a.* **1.** vibrant, vibrating. – **2.** (*rif. alla voce umana*) vibrant, resonant. – **3.** ⟨*fig*⟩ (*fremente*) quivering, trembling (*di* with): *~ di tenerezza* quivering with tenderness; (*pieno*) filled (with), full (of). – **4.** ⟨*Fon*⟩ vibrant: *consonante ~* vibrant consonant. – **II** *s.f.* ⟨*Fon*⟩ **1.** vibrant consonant. – **2.** (*liquida*) liquid (consonant). □ ~ *d'entusiasmo* quivering with enthusiasm; ~ *di passione* trembling with passion; *parole -i di sdegno* scornful words, words ringing with scorn; ~ *di sincerità* deeply sincere.

vibrạre I *v.t.* **1.** (*assestare*) to deal, to strike, to deliver: *~ un colpo* to deal (*o* strike) a blow. – **2.** ⟨*lett*⟩ (*agitare*) to brandish. – **3.** ⟨*lett*⟩ (*scagliare*) to hurl, to cast, to throw, to launch. – **4.** ⟨*fig,lett*⟩ to hurl: *~ l'anatema contro qd.* to (hurl a) curse at s.o. – **5.** ⟨*lett*⟩ (*far vibrare*) to vibrate. – **6.** ⟨*Edil,Strad*⟩ to vibrate. – **II** *v.i.* (*aus.* **avere**) **1.** to vibrate. – **2.** ⟨*fig*⟩ (*fremere*) to vibrate, to tremble, to quiver: *la sua voce vibrava di commozione* his voice quivered with emotion. – **3.** ⟨*fig*⟩ (*palpitare*) to throb: *cuore che vibra d'amore* heart throbbing with love; (*rif. alla luce*) to quiver. – **vibrarsi** *v.r.* ⟨*poet*⟩ (*agitarsi*) to shake. □ ~ *una coltellata a qd.* to stab (*o* knife) s.o.; ~ *un pugno a qd.* to punch s.o., to give (*o* deal) s.o. a blow, ⟨*fam*⟩ to land s.o. a punch.

vibratẹzza *f.* ⟨*non com*⟩ (*vibrazione*) forcefulness, vehemence, vigour.

vibrạtile *a.* vibratile: *membrana ~* vibratile membrane.

vibrạto (*p.p. di vibrare*) **I** *a.* **1.** (*lanciato*) hurled, cast, flung. – **2.** (*messo in vibrazione*) vibrated, vibrating. – **3.** ⟨*fig*⟩ (*concitato, fremente*) excited, agitated; (*energico*) strong, forceful, vehement: *-a protesta* strong protest. – **4.** ⟨*Mus*⟩ vibrato. – **5.** ⟨*Edil*⟩ vibrated: *calcestruzzo ~* vibrated concrete. – **II** *s.m.* ⟨*Mus*⟩ vibrato.

vibratọre *m.* **1.** ⟨*tecn*⟩ vibrator; (*eccitatore*) discharge device. – **2.** ⟨*tecn*⟩ (*macchina*) vibrator. – **3.** ⟨*El*⟩ vibrator; (*cicala*) buzzer. – **4.** ⟨*El*⟩ (*vibratore elettromagnetico*) electromagnetic vibrator. – **5.** → **vibrotrasportatore**. – **6.** ⟨*rar*⟩ (*chi scaglia*) hurler. □ ~ *ad alta frequenza* high-frequency vibrator; ~ *per calcestruzzo* (concrete) vibrator.

vibratọrio *a.* vibratory, vibrating, vibrative.

vibrazioncẹlla *f. dim. di* **vibrazione**.

vibraziọne *f.* **1.** (*atto*) vibration, vibrating. – **2.** (*effetto*) vibration: *le -i d'un diapason* the vibrations of a tuning-fork. – **3.** (*oscillazione*) vibration, oscillation; (*rif. alla luce*) quivering, shimmering. – **4.** ⟨*fig*⟩ (*fremito*) quiver(ing), trembling, vibration: *una ~ di collera nella voce* an angry quiver in the voice. – **5.** ⟨*Med*⟩ vibromassage, vibratory massage. – **6.** ⟨*Edil*⟩ vibration.

□ ~ **acustica** = *vibrazione* **sonora**; ⟨*Aer*⟩ ~ **aeroelastica** flutter; ⟨*Mecc*⟩ ~ *di* **flessione** flexural vibration; ⟨*Fis*⟩ ~ **forzata** forced vibration; ~ **libera** free vibration; ~ **smorzata** damped vibration (*o* oscillation); ~ **sonora** sound (*o* sonorous) vibration; ~ **trasversale** transversal (*o* lateral) vibration.

vibriọne *m.* ⟨*Biol*⟩ vibrio (*Vibrio*).

vibrịssa *f.* **1.** ⟨*Zool*⟩ vibrissa. – **2.** *pl.* ⟨*Anat*⟩ vibrissae *pl.*

vibro|compressọre *m.* ⟨*Strad*⟩ vibratory road roller. – **~costipatọre** *m.* vibrocompactor, vibrotamper. – **~dịna** *f.* ⟨*Fis*⟩ vibrator.

vibrọ|grafo *m.* ⟨*tecn*⟩ vibrograph, vibrometer. – **~grạmma** *m.* record made by a vibrograph.

vibrọ|metro *m.* vibrometer. – **~rilevatọre** *m.* vibration pick-up. – **~scọpio** *m.* vibroscope. – **~sensibilità** *f.* ⟨*Med,non com*⟩ (*sensibilità vibratoria*) pallesthesia. – **~trasportatọre** *m.* vibrating (*o* vibratory) conveyor. – **~vạglio** *m.* vibrating screen.

vibụrno *m.* ⟨*Bot*⟩ **1.** viburnum (*Viburnum*). – **2.** wayfaring tree (*Viburnum lantana*).

vicạria[1] *f.* ⟨*Rel.catt*⟩ (*anche madre vicaria*) vicaress.

vicarịa[2] *f.* **1.** vicariate, vicarship. – **2.** ⟨*Stor*⟩ supreme court.

vicariạnte (*p.pr. di vicariare*) *a.* **1.** substituting. – **2.** ⟨*Med,Biol*⟩ vicarious. – **vicariạre** *v.t.* (**vicạrio, vicạri**) **1.** ⟨*rar*⟩ (*fare le veci*) to substitute. – **2.** ⟨*Med,Biol*⟩ to substitute, to compensate for.

vicariạto *m.* ⟨*Rel*⟩ **1.** (*carica*) vicarship, vicariate. – **2.** (*tempo*) vicariate. – **3.** (*territorio*) vicariate. – **4.** (*sede*) vicar's residence.

vicạrio I *s.m.* **1.** substitute, ⟨*lett*⟩ vicar. – **2.** ⟨*Rel*⟩ vicar. – **II** *a.* **1.** vicarious. – **2.** ⟨*Med,Biol*⟩ vicarius.

□ ⟨*Rel*⟩ ~ **apostolico** vicar-apostolic; ~ **capitolare** vicar capitular; *il ~ di* **Cristo** (*il papa*) the Vicar of Christ; ~ **foraneo** vicar forane, dean; ~ **generale** vicar-general; ~ **parrocchiale** parochial vicar.

vicạta *f.* ⟨*ant*⟩ (*volta*) time.

vịce[1] *m./f.* deputy, vice, substitute.

vịce[2] *f.* ⟨*ant*⟩ (*incombenza*) task, function.

vice... *pref.* **1.** (*che sostituisce* taking the place of) vice... – **2.** (*sotto* below) assistant, deputy-, vice...

vice|ammirạglio *m.* ⟨*Mar.mil*⟩ vice-admiral. – **~brigadiẹre** *m.* ⟨*Mil*⟩ sergeant. – **~cancelliẹre** *m.* ⟨*Pol*⟩ vice-chancellor. – **~cạso** *m.* ⟨*Gramm,ant*⟩ (*segnacaso*) (prepositional) particle, preposition (as case-sign). – **~cọnsole** *m.* vice-consul. – **~direttọre** *m.* (*f.* -trice) vice-director, deputy (*o* assistant) director; (*in un'azienda*) assistant manager; (*in una scuola*) assistant headmaster (*f* -mistress); (*in un giornale*) assistant editor. – **~dọmino** *m.* (*visdomino*) vicedominus, steward. – **~gerẹnte** *m.* vicegerent. – **~mạdre** *f.* foster-mother.

vicẹnda *f.* **1.** (*avvicendamento*) succession, series, alternation: *la ~ delle stagioni* the alternation of the seasons. – **2.** (*caso, evento*) event, happening: *-e storiche* historical events; *le tristi -e della guerra* the sad happenings of war. – **3.** ⟨*Agr*⟩ (crop) rotation. – **4.** ⟨*ant*⟩ (*faccenda, affare*) affair, matter. □ *a ~*: 1. (*scambievolmente*) each other, one another: *lodarsi a ~* to praise each other; 2. (*a turno*) in turn, by turns.

vicendẹvole *a.* mutual, reciprocal: *-i promesse* mutual promises, promises to each other. – **vicendevolẹzza** *f.* ⟨*non com*⟩ (*reciprocità*) mutualness, reciprocity. – **vicendevolmẹnte** *avv.* **1.** (*a vicenda*) mutually, reciprocally, one another, each other: *aiutarsi ~* to help each other. – **2.** (*uno dopo l'altro*) in turn, by turns.

vicennạle *a.* ⟨*lett*⟩ (*ventennale*) twenty-year, ⟨*lett*⟩ vicennial. – **vicẹnnio** *m.* ⟨*lett*⟩ (*ventennio*) twenty-year period, twenty years *pl.*

vicentịno I *a.* of (*o* from) Vicenza, Vicenza-. – **II** *s.m.* (*f.* -a) inhabitant (*o* native) of Vicenza. – **Vicentino** *N.pr.m.* territory around Vicenza. – **Vicẹnza** *N.pr.f.* ⟨*Geog*⟩ Vicenza.

vice|pạdre *m.* foster-father. – **~pạrroco** *m.* (*pl.* -ci) ⟨*Rel*⟩ parochial vicar. – **~prefẹtto** *m.* **1.** subprefect. – **2.** (*nei collegi*) deputy rector. – **~prẹside** *m.* ⟨*Scol*⟩ assistant headmaster (*f* -mistress), assistant principal. – **~presidẹnte** *m./f.* vice-president; (*di comitato e sim.*) vice-chairman. □ ~ *del consiglio dei ministri* deputy prime minister. – **~questọre** *m.* vice-questor. – **~ré** *m.* viceroy. – **~reạle** *a.* viceregal, of a viceroy. – **~reạme** *m.* (*territorio*) viceroyalty. – **~regạle** *a.* ⟨*rar*⟩ → **vicereale**. – **~reggẹnte** *m.* vice-regent, deputy regent. – **~regịna** *f.* vice-queen, vicereine. – **~rẹgio** *a.* ⟨*non com*⟩ → **vicereale**. – **~rẹgno** *m.* ⟨*non com*⟩ → **vicereame**. – **~rettọre** *m.* ⟨*Univ*⟩ assistant rector. – **~segretạrio** *m.* assistant secretary, under-secretary. – **~sịndaco** *m.* (*pl.* -ci) deputy mayor.

viceversa *avv.* **1.** vice versa: *andare da destra a sinistra e* ~ to go from right to left and vice versa; (*ritorno*) back, return: *Firenze-Roma e* ~ Florence-Rome and back. – **2.** (*al contrario*) vice versa, the contrary, the other way round. – **3.** (*reciprocamente*) vice versa: *i padri aiutano i figli e* ~ fathers help their sons and vice versa. – **4.** ⟨*fam*⟩ (*invece*) but, and instead: *avevi promesso di scrivermi,* ~ *non l'hai fatto* you promised to write to me but you never did.
vicheria *f.* → **vicaria**².
vichiano I *a.* ⟨*Filos*⟩ Viconian. – **II** *s.m.* (*f.* **-a**) supporter of Vico's theory.
vichinga *f.* ⟨*scherz*⟩ (*turista nordica*) Scandinavian girl (tourist). – **vichingo** *a./s.* (*pl.* **-ghi**) ⟨*Stor*⟩ **I** *a.* Viking. – **II** *s.m.* (*f.* **-a**) Viking.
vichismo *m.* ⟨*Filos*⟩ Vico's (*o* Viconian) theories *pl.*
vicina *f.* neighbour: *la mia* ~ *di tavolo* ⌜my neighbour⌝ (*o* the lady sitting next to me) at table.
vicinale *a.* **1.** local. – **2.** (*della vicinia*) local, neighbourhood-. □ *ferrovia* ~ local railway; *strada* ~ local (dirt) road.
viciname *m.* ⟨*spreg*⟩ neighbours *pl.*
vicinante *m./f.* ⟨*rar*⟩ neighbour.
vicinanza *f.* **1.** (*di spazio*) nearness, closeness, proximity: *la* ~ *al mare* the nearness to the sea; (*di tempo*) nearness, closeness, approach. – **2.** (*l'essere vicini di casa*) neighbourhood, being neighbours. – **3.** *pl.* vicinity, neighbourhood: *abita nelle -e della stazione* he lives ⌜in the vicinity of⌝ (*o* near) the station. – **4.** *pl.* (*dintorni*) environs *pl*, outskirts *pl*, vicinity: *le -e di Roma* the outskirts of Rome. – **5.** ⟨*non com*⟩ (*vicinato*) neighbours *pl*, neighbourhood: *la* ~ *ha interpretato male il suo operato* his neighbours misinterpreted what he did. □ *in* ~ *di* near: *in* ~ *del fiume* near (*o* close to) the river; *in* ~ *di una città* near a city; *nelle -e del mare* near the sea. – *Prov.*: ~ *è mezza parentela* good neighbours are more than friends.
vicinare *v.i.* (compound tenses are not used) ⟨*ant*⟩ **1.** (*essere vicino*) to be near. – **2.** (*confinare*) to border, to be adjoining.
vicinato *m.* **1.** neighbourhood, neighbourliness. – **2.** ⟨*collett*⟩ (*vicini*) neighbours *pl*, neighbourhood: *le donne del* ~ the women in the neighbourhood. □ *le famiglie del* ~ the neighbouring families; *la gente del* ~ the neighbours *pl*, the neighbourhood; *mantenere rapporti di buon* ~ to be good neighbours.
vicinia *f.* (*vicini*) neighbours *pl*, neighbourhood.
viciniore *a.* ⟨*burocr*⟩ (*più vicino*) nearest.
vicinità *f.* ⟨*non com*⟩ (*l'esser vicino*) nearness; (*vicinanza*) vicinity.
vicino I *a.* **1.** (*rif. a spazio*) near(by), close, near at hand, neighbouring: *la città -a* the nearby city; *paesi -i* neighbouring towns; *questi quadri sono troppo -i* these pictures are too close (together). – **2.** (*limitrofo*) neighbouring, adjoining: *stati -i* neighbour(ing) states. – **3.** (*adiacente*) adjacent; (*accanto*) next: *la stanza -a* the next room; (*a porta a porta*) next-door: *casa -a* house next-door. – **4.** (*rif. a tempo*) near, approaching, at hand, ⟨*lett*⟩ nigh: *l'inverno è* ~ winter is near (*o* coming), winter is drawing on; (*imminente*) imminent. – **5.** ⟨*fig*⟩ (*stretto*) close, near: *un parente* ~ a close relative. – **6.** ⟨*fig*⟩ (*simile*) near, close: *le tue idee sono molto -e alle nostre* your ideas are very close to ours. – **7.** (*uno accanto all'altro*) side by side. – **II** *avv.* **1.** (*a poca distanza*) near(by), close (by), near at hand: *abitano qui* ~ they live nearby; *farsi* ~ to draw near, to approach, to come close(r). – **2.** (*accanto*) beside, alongside: *il comodino è* ~ *al letto* the night-table is beside the bed; *siediti* ~ *a me* sit down beside me. – **III** *s.m.* (*f.* **-a**) **1.** neighbour: ~ *di tavola* neighbour at table, person (*o* man) sitting next to one. – **2.** *pl.* neighbours *pl*, neighbourhood. – **3.** ⟨*Sport,mil*⟩ next man: *il* ~ *di destra* the next man on the right. – **4.** ⟨*ant*⟩ (*concittadino*) fellow-citizen, fellow-townsman (*f* -woman). – **5.** ⟨*ant*⟩ (*corregionale*) fellow-countryman (*f* -woman), person from the same region.
□ ~ **a**: 1. (*stato*) near (to), close to, in the vicinity of: ~ *a Roma* near Rome; *la mia casa è -a alla piazza* my house is near (*o* close to) the square; 2. (*moto*) near (to), close to; 3. (*presso*: *stato*) by, near (by), close to (*o* by), beside: *sedere* ~ *al fuoco* to sit by the fire; 4. (*moto*) near (to), close to; **andare** ~ *a* to go near; ⟨*fig*⟩ (*avvicinarsi*) to come close (*o* up) to, to draw near to, to approach; ⟨*Scol*⟩ ~ *di* **banco** pupil who sits next to one; ~ *di* **casa** (*chi abita vicino*) neighbour; (*chi abita nella casa accanto*) next-door neighbour; **da** ~ at close quarters (*o* range), from close up: *guardare un quadro da* ~ to look at a picture at close range; *da molto* ~ at very close range, very closely (*o* close up); *da* ~ *e da lontano* from far and near; *considerando la cosa più da* ~ considering the matter more closely, looking closer (*o* deeper) into the matter; *conoscere qd. da* ~ to know s.o. well; *esaminare qc. più da* ~ to examine s.th. more closely, to have a closer look at s.th.; ⟨*ant*⟩ ~ **di** = *vicino* **a**; **essere** ~: 1. (*rif. a tempo*) to be near (*o* at hand), to be approaching (*o* coming): *Natale è* ~ Christmas is coming, it is nearly Christmas; *mezzogiorno è* ~ it's nearly midday; 2. (*essere imminente*) to be imminent (*o* nearly here): *gli esami sono -i* the exams will soon be here; *essere* ~ *alla fine* to be near(ing) the end; *essere* ~ *a fare qc.* to be about (*o* going) to do s.th.: *ero* ~ *a raccontargli tutto* I was going to tell him everything, I nearly told him everything; *essere* ~ *ai sessanta* to be nearly sixty, to be nearing (*o* coming up to, verging on) sixty; *essere* ~ *al vero* to be close to the truth; *essere* ~ *a partire* to be about to leave, to be on the point of leaving; ⟨*fig*⟩ *essere* ~ *a qd.* to be near (*o* close to, with) s.o.: *ti siamo -i nel dolore* we are with you in your sorrow; *essere* ~ *a* (*assomigliare*) to be like (*o* near to): *questo colore è più* ~ *al grigio che al verde* this colour is ⌜nearer to grey than to green⌝ (*o* more of a grey than a green); **farsi** ~ to come (*o* draw) near, to come up, to approach; ~ *a* **morire** at death's door; *soltanto i* **più** *-i riuscivano a vedere* only those who were nearest could see; *accadde* **qui** ~ it happened near here; *un uomo di qui* ~ a man from around here; **stammi** ~ keep close to me, stay near me; ⟨*fig*⟩ **toccare** *qd. da* ~ to affect s.o. closely; **venire** ~ to come near.
vicissitudine *f.* **1.** vicissitude, up and down (*usato soltanto al plurale*): *le -i della vita* the ups and downs of life. – **2.** ⟨*ant*⟩ (*avvicendamento*) succession, alternation.
vico *m.* (*pl.* **-chi**) ⟨*ant,region*⟩ **1.** (*contrada*) district. – **2.** (*borgata*) village, hamlet. – **3.** (*vicolo*) alley. – **vicoletto, vicolino** (*dim. di vicolo*) *m.* narrow alley. – **vicolo** *m.* alley, lane. □ ~ *cieco* blind -alley (*anche fig.*).
video I *s.m.* (*pl. inv./non com.* **videi**) ⟨*TV*⟩ **1.** video, vision: *interferenza al* ~ interference on the vision. – **2.** (*schermo*) telescreen. – **II** *a.* video: *segnale* ~ video (*o* picture) signal.
video... *pref.* video-.
video|amplificatore *m.* ⟨*TV*⟩ video (*o* head) amplifier. – **~frequenza** *f.* video frequency. – **~raddrizzatore** *m.* video rectifier. – **~segnale** *m.* video (*o* picture) signal. – **~telefonia** *f.* ⟨*Tel*⟩ television telephony. – **~telefono** *m.* television telephone, picture -phone.
vidicon, vidiconoscopio *m.* ⟨*TV*⟩ vidicon.
vidimare *v.t.* (**vidimo**) ⟨*burocr*⟩ **1.** to authenticate, to certify; (*con la firma*) to sign; (*con un bollo*) to stamp. – **2.** (*vistare*) to visa. – **vidimazione** *f.* ⟨*burocr*⟩ **1.** authentication, certification. – **2.** (*visto*) visa.
vidimus *lat. m.* ⟨*non com*⟩ vidimus.
Viduchindo, Vidukindo *N.pr.m.* ⟨*Stor*⟩ **1.** (*capo sassone*) Widukind, Wittekind. – **2.** (*cronista sassone*) Widukind.
vie *avv.* ⟨*ant*⟩ (so) much, all the: ~ *meglio* all the better; ~ *peggio* so much the worse.
viele, viella *f.* ⟨*Mus,Stor*⟩ vielle.
viemeglio (o *vie meglio*) *avv.* ⟨*lett,rar*⟩ **1.** (*ancor meglio*) all (*o* so much) the better, better still. – **2.** (*a maggior ragione*) all the more reason. – **viemmeglio** *avv.* ⟨*rar*⟩ → **viemeglio**.
Vienna *N.pr.f.* ⟨*Geog*⟩ Vienna. □ ⟨*Stor*⟩ *Congresso di* ~ Congress of Vienna.
viennese I *a.* Viennese, Vienna-, of Vienna. – **II** *s.m.* **1.** (*dialetto*) Viennese. – **2.** *m./f.* (*abitante*) Viennese.
Viennese *N.pr.m.* ⟨*Geog.stor*⟩ Viennois.
vient de paraître *fr.* [vjɛ̃dpa'rɛ:tr] *m.* ⟨*Edit*⟩ (*novità*) new book, book that is just out.
viepiù (o *vie più*) *avv.* ⟨*lett*⟩ all the more, more and more. – **vieppiù** *avv.* ⟨*non com*⟩ → **viepiù**.
viera *f.* ⟨*non com*⟩ (*ghiera*) ferrule.
viero *m.* ⟨*Pesc*⟩ eel basket.
vietabile *a.* ⟨*non com*⟩ **1.** (*che si può proibire*) that can be forbidden. – **2.** (*che si può impedire*) preventable. – **vietamento** *m.* ⟨*ant*⟩ **1.** (*il vietare*) forbidding, prohibiting. – **2.** (*divieto*) prohibition, ban, veto. – **vietare** *v.t.* (**vieto**) (*proibire*) to forbid, to prohibit, to stop: *il medico gli ha vietato di fumare* the doctor has forbidden him to smoke. □ *nulla vieta che* there's nothing to stop, nothing prevents (*o* stops): *nulla vieta che gli scriva* there's nothing to stop me from writing to him; *nulla ti vieta di partire* nothing prevents you from leaving.
vietatissimo (*sup. di vietato*) *a.* strictly (*o* absolutely) forbidden. – **vietativo** *a.* ⟨*rar*⟩ (*che vieta*) prohibitory, prohibitive.
vietato (*p.p. di vietare*) *a.* **1.** forbidden, prohibited, banned: *un film* ~ a banned film. – **2.** ⟨*lett*⟩ (*difeso*) defended.
□ *-a l'***affissione** post (*o* stick) no bills; ~ **calpestare** *le aiole* (please) keep off the grass; ⟨*Strad*⟩ **direzione** *-a* no entry; *è* ~ **fumare** no smoking; ~ *l'***ingresso** no admission, no admittance, keep out; ~ *ai* **minori** *di diciotto anni* ⌜no admittance to⌝ (*o* prohibited for) children under eighteen; ~ **raccogliere** *fiori* (please) do not pick the flowers; ⟨*Strad*⟩ **sosta** *-a* no parking; *è* ~ **sporgersi** do not lean out; ~ *farsi* **trainare** no towing.
vietatore ⟨*rar*⟩ **I** *s.m.* (*f.* **-trice**) forbidder, prohibitor. – **II** *a.* forbidding, prohibiting.
Vietnam *N.pr.m.* ⟨*Geog*⟩ Vietnam (*denom.uff.*: *Repubblica del Vietnam* Republic of Vietnam; *Repubblica Democratica del Vietnam* Democratic Republic of Vietnam). □ ~ *del nord* North Vietnam; ~ *del sud* South Vietnam.
vietnamita I *s.m./f.* (*abitante*) Vietnamese. – **II** *a.* Vietnamese.
vieto I *a.* **1.** (*antiquato*) antiquated, obsolete, old. – **2.** ⟨*tosc*⟩ (*stantio*) stale; (*rancido*) rancid, bad. – **II** *s.m.* ⟨*tosc*⟩ staleness.
vietta *f. dim. di* **via**¹.
vietume *m.* ⟨*spreg,non com*⟩ old stuff (*anche fig.*).
vig. = *vigente* in force.
vigente (*p.pr. di vigere*) *a.* **1.** current, in force. – **2.** ⟨*Dir*⟩ in force: *le -i leggi* the laws in force. – **vigenza** *f.* ⟨*rar*⟩ being in force. – **vigere** *v.i.* (**vige**; generally used in the third person singular and plural of the simple tenses and in the present participle) **1.** (*essere in vigore*) to be in force (*o* use), to be current. – **2.** ⟨*Dir*⟩ to be in force. – **3.** ⟨*rar,lett*⟩ (*aver pienezza di vita*) to flourish.
vigesima *f.* ⟨*Stor.rom*⟩ five-per-cent inheritance tax.
vigesimo *a.* ⟨*lett*⟩ (*ventesimo*) twentieth.
vigilante (*p.p. di vigilare*) **I** *a.* vigilant, watchful. – **II** *s.m./f.* **1.** (*so-*

vrintendente) supervisor, overseer. – **2.** (*guardiano, custode*) watchman, guard, caretaker. – **vigilantemente** *avv.* vigilantly, watchfully.
vigilanza *f.* **1.** (*sorveglianza*) supervision, vigilance, care: *giocava sotto la* ~ *della madre* he was playing under his mother's care (*o* watchful eye); (*controllo*) supervision, care, check, control: *devi stare sotto la* ~ *di un dottore* you must remain under a doctor's care. – **2.** (*rif. alla polizia*) surveillance, supervision. – **3.** ⟨*non com*⟩ (*l'essere vigilante*) vigilance, watchfulness.
□ ~ **governativa** government control; ~ **notturna** nightwatch; ~ *sui* **prezzi** price control; *essere* **sotto** *la* ~ *di qd.* to be under s.o.'s supervision; ⟨*Dir*⟩ ~ **speciale** (*della polizia*) police supervision (*o* surveillance): *essere sottoposto a* ~ *speciale* to be under police supervision (*o* surveillance), to be watched by the police; ~ **statale** state control.
vigilare *v.* (**vigilo**) **I** *v.t.* **1.** (*sorvegliare*) to supervise, to watch (over), to keep a watch (*o* an eye) on; (*controllare*) to control, to keep a check on. – **2.** (*rif. alla polizia*) to keep under surveillance (*o* observation), to watch: ~ *le persone sospette* to keep suspects under surveillance. – **II** *v.i.* (*aus.* **avere**) **1.** to take care (*a* of), to look (after), to see (to), to keep watch (over): ~ *al buon ordine* to see that order is kept; (*essere vigile*) to be on ⌜the alert⌝ (*o* one's guard, the watch). – **2.** ⟨*lett*⟩ (*stare sveglio*) to keep watch, to stay awake.
vigilato **I** *a.* watched, guarded, under supervision; (*dalla polizia*) under surveillance (*o* observation), watched. – **II** *s.m.* (*f.* **-a**) person under supervision. □ ~ *speciale* person under police surveillance (*o* observation), person being watched by the police. – **vigilatore** *m.* (*f.* **-trice**) health worker supervisor. □ *vigilatrice scolastica* school nurse.
vigile **I** *a.* watchful, vigilant, alert. – **II** *s.m.* policeman, ⟨*fam*⟩ bobby, ⟨*fam*⟩ cop, ⟨*spreg*⟩ pig. □ ~ *del fuoco* fireman; *-i del fuoco* (*corpo*) fire-brigade, ⟨*am*⟩ fire department; ~ *del traffico* traffic policeman; ~ *urbano* (municipal) policeman.
vigilia *f.* **1.** (*sera precedente una festa*) eve, night before; (*giorno*) eve, day before. – **2.** ⟨*Rel.catt*⟩ vigil; (*digiuno*) fast: *osservare la* ~ to keep the fast; (*il mangiare di magro*) abstinence: *è giorno di* ~ it's a day of abstinence. – **3.** (*giorno, tempo che precede un certo fatto*) eve: *alla* ~ *della partenza* on the eve of departure; *eravamo alla* ~ *di grandi avvenimenti* it was the eve of great events. – **4.** ⟨*lett*⟩ (*veglia*) vigil, watch; (*veglia funebre*) wake, vigil: *fare una* ~ to keep a vigil. – **5.** ⟨*Stor.rom*⟩ vigil: *prima* ~ first vigil.
□ ⟨*Mediev*⟩ ~ *d'***armi** vigil at arms; ~ *di* **Capodanno** New Year's Eve; **essere** *alla* ~ *della guerra* to be on the verge (*o* brink) of war; **far** ~ to fast; (*non mangiare carne*) to abstain (from meat); ⟨*scherz*⟩ *far le -e non comandate* (*aver poco da mangiare*) to have very little to eat, ⟨*fam*⟩ to dine with Duke Humphrey; **giorno** *di* ~ fast-day; ~ *di* **Natale** Christmas Eve; ~ *di* **Pasqua** Easter Saturday; ~ **stretta** strict fast.
vigliaccaccio (*pegg. di vigliacco*) *m.* coward. – **vigliaccamente** *avv.* in a cowardly way, like a coward, ⟨*lett*⟩ cravenly. – **vigliaccheria** *f.* **1.** cowardice; (*bassezza*) baseness. – **2.** (*azione vigliacca*) cowardly action; (*azione vile*) base (*o* mean) action, ⟨*fam*⟩ rotten thing to do, ⟨*fam*⟩ dirty trick.
vigliaccio *m.* ⟨*Agr*⟩ stalk (separated from grain).
vigliacco *a./s.* (*pl.* **-chi**) **I** *a.* cowardly, ⟨*lett*⟩ craven, ⟨*fam*⟩ yellow, ⟨*fam*⟩ lily-livered; (*basso*) base, mean, low, vile. – **II** *s.m.* (*f* **-a**) coward; (*prepotente*) bully; (*miserabile*) wretch.
vigliare *v.t.* (**viglio, vigli**) ⟨*rar*⟩ **1.** ⟨*Agr*⟩ to separate grain from stalks. – **2.** ⟨*fig*⟩ (*separare scegliendo*) to sort, to winnow. – **vigliatura** *f.* ⟨*Agr*⟩ **1.** separation (of grain from stalks). – **2.** (*insieme di vigliacci*) stalks *pl.*
viglietto *m.* ⟨*ant*⟩ (*biglietto*) note, short letter.
vigna *f.* **1.** vineyard. – **2.** (*insieme di viti*) vines *pl.* – **3.** ⟨*Rel*⟩ (*chiesa*) Church, vineyard (of the Lord). – **4.** ⟨*Stor.rom*⟩ (*vinea*) vinea. – **5.** ⟨*fig,scherz*⟩ (*mangiatoia*) gold-mine, bonanza, land (*o* source) of plenty: *ha trovato la* ~ he's found a gold-mine, he's struck oil. – **6.** ⟨*ant*⟩ (*vite*) vine.
□ ⟨*Bot*⟩ ~ **cinese** cowpea, blackeye (bean) (*Vigna sinensis*); **coltivare** *a* ~ to plant with vines; ⟨*fig,scherz*⟩ *la* ~ *di* **Cristo** gold-mine; ⟨*fig*⟩ **legare** *la* ~ *con le salsicce* (*vivere nell'abbondanza*) to live in the lap of luxury, to throw one's money around; **mettere** *a* ~ = **coltivare** *a vigna*; ⟨*fig*⟩ *non è terreno da* **piantar** *-e*: 1. (*rif. a persone*) you can't rely on him; 2. (*rif. a cose*) you can't count on it; ⟨*Rel*⟩ *la* ~ *del* **Signore** (*chiesa*) the Church, the vineyard of the Lord; ⟨*fig*⟩ *questa* ~ *non fa* **uva** (*rif. a persone scarsamente capaci*) you won't get much out of him, he's not much use.
vignaccia (*pegg. di vigna*) *f.* (*pl.* **-ce**) poor vineyard.
vignaio *m.* ⟨*ant*⟩ → **vignaiolo**. – **vignai(u)olo** *m.* vine-dresser.
vignato *a.* ⟨*non com*⟩ planted with vines.
vigneto *m.* vineyard.
vignetta[1] *f. dim. di* **vigna**.
vignetta[2] *f.* ⟨*Tip*⟩ **1.** (*fregio*) vignette. – **2.** (*illustrazione*) illustration, sketch; (*umoristica*) cartoon. □ ⟨*scherz*⟩ *essere una* ~ to be a (real) character; ~ *umoristica* cartoon.
vignettatura *f.* ⟨*Fot*⟩ **1.** vignetting. – **2.** (*nella pratica dell'ingrandimento*) dodging.
vignettista *m./f.* illustrator; (*di vignette comiche*) cartoonist.
Vignone *N.pr.f.* ⟨*ant*⟩ (*Avignone*) Avignon.
vignuolo *m.* ⟨*ant*⟩ → **viticcio**.
vigogna *f.* **1.** ⟨*Zool*⟩ vicuña (*Lama vicugna*). – **2.** ⟨*Tess*⟩ vicuña-cloth, vicuña; (*tessuto misto di cotone*) vicuña-cloth, vicuña.
vigore *m.* **1.** (*forza vitale*) vigour, vitality, ⟨*fam*⟩ vim. – **2.** ⟨*fig*⟩ (*forza*) vigour, strength: *il* ~ *della mente* mental vigour. – **3.** (*energia*) force, energy, vigour: *rifiutare qc. con* ~ to deny s.th. ⌜with force⌝ (*o* vigorously, energetically). – **4.** ⟨*fig*⟩ (*efficacia*) vigour, force, vitality: *il* ~ *dello stile* vigour of style. – **5.** (*validità legale*) force, vigour: *la legge rimane in* ~ the law remains in force. – **6.** (*fertilità*) fertility, richness.
□ ⟨*Dir*⟩ **andare** (*o entrare*) *in* ~ to come into force; **dare** ~ *a* to strengthen, to make more vigorous; ⟨*Dir*⟩ **in** ~ in force, in vigour; **pieno** *di* ~ vigorous, full of energy; (*rif. a vecchi*) hale and hearty; **prendere** ~ to gain strength; **rimettere** *in* ~ (*rif. a leggi e sim.*) to put back in force; **riprendere** ~ to get one's strength back, to recover one's strength.
vigoreggiare *v.i.* (**vigoreggio, vigoreggi**; *aus.* **avere**) ⟨*lett*⟩ **1.** to be vigorous (*o* strong), to have vigour (*o* energy), to flourish. – **2.** ⟨*fig*⟩ (*fiorire*) to flourish.
vigoria *f.* vigour, force, strength, energy (*anche fig.*). – **vigorire** *v.* (**vigorisco, vigorisci**) ⟨*ant*⟩ **I** *v.t.* (*dare vigore*) to strengthen, to give strength (*o* force) to. – **II** *v.i.* (*aus.* **avere**) (*prendere vigore*) to gain strength.
vigorosamente *avv.* **1.** vigorously, strongly. – **2.** (*energicamente*) energetically, vigorously, strongly, with vigour: *asserire* ~ *qc.* to assert s.th. energetically. – **vigorosità** *f.* vigorousness, vigour, strength, energy.
vigoroso *a.* **1.** vigorous, strong, powerful: *un uomo* ~ a strong man; (*rif. a pianta*) vigorous, flourishing, thriving; (*rif. a vino*) full-bodied. – **2.** (*energico*) energetic, vigorous: *una -a stretta di mano* an energetic handshake. – **3.** ⟨*fig*⟩ (*incisivo*) incisive, vigorous, energetic: *stile* ~ incisive style. – **4.** ⟨*Mus*⟩ vigoroso, energetic.
viguier *fr.* [vigj'e] *m.* ⟨*Stor*⟩ Provost (in Provence).
vile **I** *a.* **1.** (*codardo*) cowardly, ⟨*lett*⟩ craven. – **2.** (*basso*) low, vile, base, mean: *un* ~ *tradimento* base treachery; (*infame*) infamous, wicked: ~ *comportamento* infamous conduct. – **3.** (*che costa pochissimo*) cheap; (*che vale pochissimo*) cheap, worthless, shoddy, poor -quality: *merce* ~ cheap (*o* shoddy) goods. – **4.** ⟨*scherz*⟩ (*rif. a denaro, oro e sim.*) filthy: ~ *moneta* filthy lucre. – **5.** ⟨*spreg*⟩ (*di nascita umile*) low, common, humble, base: *di -i natali* of low birth, of base origins. – **6.** ⟨*non com*⟩ (*pusillanime*) faint-hearted, mean -spirited, cowardly; (*timido*) timid, fearful. – **7.** ⟨*ant*⟩ (*misero, meschino*) poor, wretched. – **8.** ⟨*ant*⟩ (*inetto*) incompetent, incapable. – **II** *s.m./f.* coward. □ ⟨*non com*⟩ *avere a* ~ (*non tenere in nessun conto*) to hold of no account (*o* worth), to despise; *metallo* ~ base metal; *a vil prezzo* at a low (*o* miserable) price. – **vilezza** *f.* ⟨*ant*⟩ → **viltà**.
Vilfrido *N.pr.m.* ⟨*Stor*⟩ Wilfred.
vilificare *v.t.* (**vilifico, vilifichi**) ⟨*lett*⟩ (*rendere vile*) to debase, to degrade; (*umiliare*) to humiliate; (*disprezzare*) to scorn, to despise, to hold in contempt. – **vilificativo** *a.* **1.** ⟨*lett*⟩ debasing, humiliating. – **2.** ⟨*Gramm,ant*⟩ (*spregiativo*) disparaging.
vilio *a.* ⟨*tosc*⟩ (*vile, poco costoso*) cheap, poor-quality.
vilipendere *v.t.* (**vilipesi, vilipeso**) ⟨*lett*⟩ **1.** (*disprezzare*) to despise, to hold in contempt, to scorn, ⟨*lett*⟩ to vilipend. – **2.** (*schernire*) to (hold up to) scorn, to vilify. – **vilipendio** *m.* **1.** (*disprezzo*) contempt, scorn. – **2.** (*scherno*) scorn, vilification, derision. – **3.** ⟨*Dir*⟩ public defamation (*o* insult). □ ⟨*Dir*⟩ ~ *della bandiera* public insult to the flag; ~ *delle tombe* outrage of a tomb. – **vilipensione** *f.* ⟨*ant*⟩ (*vilipendio*) scorning, vilification. – **vilipeso** (*p.p. di vilipendere*) *a.* **1.** despised, scorned, held in contempt. – **2.** (*schernito*) scorned, vilified.
villa *f.* **1.** (*casa di campagna*) (country-)house, villa. – **2.** (*casa unifamiliare di lusso*) (town-)house. – **3.** ⟨*ant*⟩ (*campagna, contrada*) country; (*podere*) estate, farm. – **4.** ⟨*ant,poet*⟩ (*città*) town; (*villaggio*) village. □ *andare in* ~ to go to (one's place in) the country; ~ *comunale* park, public gardens *pl.*
Villaco *N.pr.f.* ⟨*Geog*⟩ Villach.
villaggio *m.* **1.** village (*anche Etnol.*): *un* ~ *sperduto nella campagna* a village out in the country. – **2.** ⟨*Edil*⟩ village, town, (housing) estate: ~ *del fanciullo* Boy's Town; ~ *olimpico* Olympic village.
□ ~ **abissino** shantytown; ~ **alpino**: 1. Alpine village; 2. = *villaggio di* **montagna**; 3. (*centro del CAI*) Italian Alpine Club Centre; ⟨*Etnol*⟩ ~ **lacustre** lake village; ~ *di* **montagna** mountain village; ~ **operaio** worker's housing estate (*o* development).
villanaccio *m.* lout, boor.
villanaggio *m.* → **villanatico**.
villanamente *avv.* **1.** (*in modo impertinente*) rudely, discourteously. – **2.** (*rozzamente*) boorishly, uncouthly. – **villanata** *f.* rudeness, rude action, incivility.
villanatico *m.* ⟨*Mediev*⟩ villeinage.
villaneggiare *v.* (**villaneggio, villaneggi**) **I** *v.t.* ⟨*ant*⟩ (*svillaneggiare*) to insult, to abuse, to be rude to. – **II** *v.i.* (*aus.* **avere**) ⟨*non com*⟩ (*comportarsi da villano*) to act like a boor, to behave roughly (*o* rudely).
villanella[1] *f.* (*contadinella*) country lass, peasant girl.
villanella[2] *f.* ⟨*Mus*⟩ villanella.
villanello *m.* ⟨*lett*⟩ (*contadinello*) country lad, peasant boy.
villanesca *f.* ⟨*non com*⟩ → **villanella**[2].
villanescamente *avv.* rudely, boorishly.
villanesco *a.* (*pl.* **-chi**) **1.** (*contadinesco*) country, rustic, peasant. – **2.** ⟨*spreg*⟩ (*da villano*) boorish, loutish, rude, rough.
villania *f.* **1.** rudeness, bad manners *pl*, incivility, ill-breeding:

non sopporto la tua ~ I can't stand your rudeness. – **2.** (*villanata*) rudeness, rude action, incivility. – **3.** ⟨*non com*⟩ (*ingiuria*) insult, affront, abuse. ☐ ⟨*ant*⟩ *far* ~ *a una donna* (*disonorarla*) to dishonour a woman.

villano I *s.m.* (*f.* -a) **1.** ⟨*spreg*⟩ (*persona rozza, maleducata*) boor, rude (*o* ill-bred) person, lout. – **2.** ⟨*lett,region*⟩ (*contadino*) peasant, countryman, rustic. – **3.** ⟨*Mediev*⟩ villein, villain. – **II** *a.* **1.** (*maleducato*) rude, ill-mannered, uncivil, discourteous; (*rozzo*) rough, boorish, loutish, uncouth. – **2.** (*ingiurioso, offensivo*) insulting, offensive: *parole -e* insulting words. – **3.** (*di, da contadino*) peasant, country, rustic. – **4.** ⟨*ant*⟩ (*spietato, crudele*) cruel. ☐ ⟨*pop*⟩ *un* ~ *nato e calzato* a peasant born and bred; ⟨*spreg*⟩ *villan rifatto* (o *rivestito*) upstart, parvenu, nouveau-riche. – *Prov.*: *il* ~ *nobilitato non conosce suo parentado* a peasant made peer does not know his kin; ~ *affamato è mezzo arrabbiato* a hungry man is an angry man.

villanone (*accr. di villano*) *m.* ⟨*non com*⟩ → **villanzone**.

villanoviano: ⟨*Archeol*⟩ *civiltà -a* Villanovian culture.

villanzone *m.* (*f.* -a) boor, lout, savage.

villata *f.* ⟨*ant*⟩ (*villaggio*) village.

villeggiante (*p.pr. di villeggiare*) **I** *a.* ⟨*non com*⟩ holidaying, on holiday, ⟨*am*⟩ vacationing, ⟨*am*⟩ on vacation. – **II** *s.m./f.* holiday -maker, ⟨*am*⟩ vacationer.

villeggiare *v.i.* (**villeggio, villeggi**; *aus.* **avere**) **1.** to have (*o* spend) a holiday (*a, in* at, in), to go for one's holidays (to): *quest'anno andremo a* ~ *al mare* this year we are going to the seaside for our holidays; (*rif. alla villeggiatura estiva*) to spend the summer (holidays), to be on holiday (at, in): ~ *in montagna* to spend one's summer (holidays) in the mountains. – **2.** (*stare in villa*) to stay at one's place in the country.

villeggiatura *f.* **1.** holidays *pl*, holiday, ⟨*am*⟩ vacation: *la* ~ *ti ha fatto molto bene* your holidays have done you a lot of good; *andare in* ~ to go on (*o* for a) holiday; *essere in* ~ to be on holiday, ⟨*am*⟩ to be on vacation; (*rif. alle vacanze estive*) summer holidays *pl.* – **2.** (*tempo*) holidays *pl*, holiday-time: *siamo arrivati alla fine della* ~ the holidays are over. – **3.** (*luogo*) holiday-place, resort.

villereccio *a.* ⟨*lett*⟩ (*campagnolo*) rustic, country, rural; (*contadinesco*) peasant. – **villesco** *a.* (*pl.* -**chi**) ⟨*ant*⟩ → **villereccio**.

villetta (*dim. di villa*) *f.* **1.** (*piccola casa*) (small) house: *una* ~ *in periferia* a house in the suburbs. – **2.** ⟨*ant*⟩ (*piccolo borgo*) village.

Villibaldo *N.pr.m.* ⟨*Stor*⟩ Willibald.

villico *m.* (*pl.* -**ci**) ⟨*lett,scherz*⟩ **1.** (*contadino*) peasant, countryman. – **2.** (*paesano*) villager. – **3.** ⟨*Stor.rom*⟩ villicus, steward, bailiff.

villina (*dim. di villa*) *f.* → **villetta**. – **villino** (*dim. di villa*) *m.* (detached) house, small town-house.

villo *m.* ⟨*Anat,Bot*⟩ villus. ☐ ⟨*Anat*⟩ *-i intestinali* intestinal villi.

villosità *f.* **1.** hairiness, shagginess. – **2.** ⟨*Anat,Bot*⟩ villosity. – **villoso** *a.* **1.** hairy, shaggy. – **2.** ⟨*Anat,Bot*⟩ villous, villose.

villotta *f.* ⟨*Mus*⟩ villota.

vilmente *avv.* **1.** (*da codardo*) in a cowardly way, like a coward. – **2.** (*bassamente*) basely, meanly.

Vilna *N.pr.f.* ⟨*Geog*⟩ Vilna, Vilnyus, Vilnius.

viltà *f.* **1.** (*codardia*) cowardice, faint-heartedness: *la sconfitta è da attribuirsi alla* ~ *dei soldati* the defeat may be attributed to the cowardice of the soldiers. – **2.** (*atto*) cowardly act: *sarebbe una* ~ *abbandonarmi adesso* it would be a cowardly act (*o* thing to do) to leave me now. – **3.** ⟨*rar*⟩ (*l'aver scarso valore*) cheapness, worthlessness; (*bassezza di prezzo*) cheapness. – **4.** ⟨*ant*⟩ (*oscurità di natali*) low (*o* humble) birth, lowness of birth. – **5.** ⟨*ant*⟩ (*bassezza d'animo*) baseness, meanness (of spirit). – **viltade** *f.* ⟨*ant*⟩ → **viltà**.

vilucchio *m.* ⟨*Bot*⟩ field bindweed, wild morning glory, bearbine (*Convolvulus arvensis*). – **vilucchione** *m.* hedge bindweed, wild morning glory, bearbine (*Convolvulus sepium*).

viluppo *m.* **1.** (*groviglio*) tangle, ravel, entanglement. – **2.** ⟨*fig*⟩ tangle, confusion: ~ *di avvenimenti* tangle of events. – **3.** ⟨*ant*⟩ (*involto*) bundle.

vime *m.* ⟨*ant*⟩ **1.** (*vimine*) withe, withy, wicker. – **2.** ⟨*fig*⟩ (*legame, vincolo*) tie, bond. – **3.** ⟨*fig*⟩ (*lignaggio, stirpe*) lineage, stock.

Viminale *N.pr.m.* **1.** ⟨*Geog*⟩ (*colle*) Viminal (Hill). – **2.** (*ministero degli affari interni*) Ministry of the Interior.

viminata *f.* **1.** ⟨*non com*⟩ (*graticcio di vimini*) (wicker) trellis-work, wickerwork fence. – **2.** ⟨*Idr*⟩ wickerwork protection.

vimine *m.* wicker, withe, withy, osier. ☐ *mobili di -i* wicker(work) furniture. – **vimineo** *a.* ⟨*lett*⟩ (*di vimini*) wicker, wickerwork-.

vimo *m.* → **vime**.

vina *f.* ⟨*Mus*⟩ vina.

vinaccia *f.* (*pl.* -**ce**) ⟨*Enol*⟩ marc, murk, pomace.

vinacciera *f.* ⟨*Mar*⟩ (*anche nave vinacciera*) wine transport ship, wine tanker.

vinacciolo *m.* grape-seed, (grape-)pip.

vinaio *m.* (*f.* -a) **1.** (*venditore*) wine-seller, wine-merchant, vintner. – **2.** (*oste*) innkeeper, host, landlord, publican.

vinario *a.* wine-. ☐ ⟨*Archeol*⟩ *cella -a* wine cellar (*o* store-room); *industria -a* wine industry.

vinato *a.* ⟨*ant*⟩ (*del colore del vino rosso*) wine(-coloured).

vinattiere *m.* ⟨*ant*⟩ → **vinaio**.

vinavil (o **vinavil**) *m.* **1.** (*acetato di polivinile*) polyvinyl acetate. – **2.** (*tipo di colla*) polyvinal acetate glue.

vincaia *f.* → **vincheto**.

vincapervinca *f.* ⟨*Bot*⟩ **1.** greater (*o* large) periwinkle (*Vinca major*). – **2.** (*clematide*) clematis (*Clematis*).

vincastro *m.* ⟨*lett*⟩ (*bacchetta di vinco*) cane, switch, staff; (*del pastore*) shepherd's staff.

vincente (*p.pr. di vincere*) **I** *a.* winning: *biglietto* ~ winning ticket. **II** *s.m./f.* winner.

Vincenza *N.pr.f.* Vincenza.

vincenzina *f.* ⟨*Rel*⟩ Vincentian, Sister of Charity.

Vincenzo *N.pr.m.* Vincent.

vincere *v.* (**vinco, vinci; vinsi, vinto**) **I** *v.t.* **1.** to conquer, to defeat, to beat, ⟨*lett*⟩ to vanquish: ~ *il nemico* to conquer the enemy. – **2.** (*sopraffare*) to overcome, to overwhelm, to crush: *fu vinto dalla commozione* he was overcome by emotion. – **3.** (*risultare superiore*) to beat, to get the better of: *hai vinto tutti nella corsa* you beat everyone in the race; (*rif. a qualità*) to outdo, to surpass, *oppure si traduce con to be seguito dal comparativo dell'aggettivo appropriato*: ~ *qd. in bellezza* to be more beautiful than s.o.; ~ *qd. in bontà* to outdo s.o. in goodness; ~ *qd. in astuzia* to be cleverer than s.o., to outwit s.o. – **4.** (*guadagnare, ottenere*) to win: ~ *un premio* to win (*o* gain) a prize; ~ *una guerra* to win a war. – **5.** (*superare*) to overcome, to surmount: ~ *tutte le difficoltà* to overcome all difficulties; (*rif. a malattie, dolori e sim.*) to get over. – **6.** (*dominare*) to master, to overcome, to control, to get the better of, to beat down: ~ *la timidezza* to overcome one's shyness; ~ *le proprie passioni* to master one's passions. – **7.** (*nei giochi*) to win: ~ *una partita* to win a game; (*rif. al compagno di gioco*: *battere*) to beat. – **8.** (*ottenere vincendo*) to win: ~ *centomila lire alla lotteria* to win a hundred thousand lire in the lottery. – **II** *v.i.* (*aus.* **avere**) **1.** to gain a victory (*su* over), to conquer, to defeat, to beat (s.o.): ~ *su qd.* to gain a victory over s.o. – **2.** (*prevalere*) to win, to prevail: *la maggioranza vinse* the majority won. – **3.** (*guadagnare la partita*) to win (the game): *la nostra squadra ha vinto per due a uno* our team won the game two to one. – **vincersi** *v.r.* (*dominarsi*) to control o.s.: *non riuscì a vincersi e scoppiò in un pianto dirotto* he couldn't control himself and burst into tears.

☐ ~ *una* **causa** = *vincere un* **processo**; ~ *un* **concorso** to win a competition; ~ *il nemico con la* **fame** to starve out the enemy; **lasciarsi** ~ *dall'ira* to let one's anger get ⌜the better of one⌝ (*o* out of control); *mi lasciai* ~ *dalle sue preghiere* I let myself be convinced (*o* won over) by his pleading; *il cavallo vinse la* **mano** *del cocchiere* the horse got out of the coachman's control; *vinca il* **migliore**! may the best man win!; ~ *un* **processo** to win a case; ~ *una* **prova** to pass a test; *essere* **sicuro** *di* ~ to be confident of victory, to be certain of winning; *il* **sonno** *mi vince* I can't keep my eyes open any more. – *Prov.*: *chi vince la prima perde il sacco e la farina* win at first and lose at last. || *vincerla* to win out, to succeed.

vincetossico *m.* (*pl.* -**ci**) ⟨*Bot*⟩ (white) swallow-wort (*Cynanchum vincetoxicum*).

vincheto *m.* osier bed, osier holt, osiery. – **vinchio** *m.* ⟨*region*⟩ → **vinco**[2].

vinci *m.* ⟨*Mar*⟩ (*verricello*) winch, capstan.

vinciano *a.* **1.** (*di Vinci*) of Vinci. – **2.** (*di Leonardo da Vinci*) of Leonardo da Vinci.

vincibile *a.* **1.** conquerable, vanquishable. – **2.** (*rif. a partiti, cause e sim.*) winnable.

vincibosco *m.inv.* ⟨*Bot*⟩ (*abbracciabosco*) honeysuckle (*Lonicera caprifolium*).

vincido *a.* **1.** ⟨*non com*⟩ (*vizzo*) withered, dried up. – **2.** ⟨*rar*⟩ (*flessibile*) flexible.

vinciglio *m.* withe, withy.

Vincislao *N.pr.m.* ⟨*ant*⟩ (*Venceslao*) Wencesla(u)s.

vincita *f.* **1.** (*il vincere*) win, winning: *una* ~ *al poker* a win at poker. – **2.** (*cosa vinta*) win, winnings *pl.* ☐ ~ *al gioco* win; *fare una* ~ *al lotto* to win at lotto; *fare una* ~ *di un milione* to win a million lire; ~ *principale* first prize. – **vincitore I** *s.m.* (*f.* -**trice**) **1.** (*di una battaglia e sim.*) victor, conqueror, winner, ⟨*lett*⟩ vanquisher. – **2.** (*nei giochi, nelle gare*) winner: ~ *nel torneo di scacchi* the winner of the chess competition. – **3.** (*rif. a concorsi*) successful applicant. **II** *a.* **1.** (*rif. a eserciti e sim.*) victorious, conquering, winning: *l'esercito* ~ the victorious army; (*rif. a concorrenti e sim.*) winning. – **2.** (*del vincitore*) victorious, conqueror's, winner's.

vinco[1] *a.* (*pl.* -**chi**) ⟨*fam*⟩ → **vincido**.

vinco[2] *m.* (*pl.* -**ci**/*poet.* -**chi**) **1.** (*vimine*) osier; (*rame*) withe, withy. – **2.** ⟨*fig,poet*⟩ (*legame*) bond, tie, chain.

vincolante (*p.pr. di vincolare*[1]) *a.* (*che obbliga*) binding: *promessa* ~ binding promise; *giuridicamente* ~ legally binding, binding in law.

vincolare[1] *v.t.* (**vincolo**) **1.** ⟨*non com*⟩ (*stringere con vincoli*) to bind, to tie. – **2.** ⟨*fig*⟩ (*obbligare*) to bind, to oblige: ~ *qd. con un giuramento* to bind s.o. with an oath. – **3.** ⟨*non com*⟩ (*impacciare*) to hamper, to restrict, to impede. – **4.** ⟨*Econ*⟩ to tie up: ~ *denaro* to tie up money; (*mettere in un conto vincolato*) to place ⌜in a fixed deposit account⌝ (*o* on fixed deposit). – **5.** ⟨*Mecc*⟩ to constrain, to restrain.

vincolare[2] *a.* ⟨*Mecc*⟩ restraining.

vincolatività *f.* bindingness. – **vincolativo** *a.* binding.

vincolato (*p.p. di vincolare*[1]) *a.* **1.** (*obbligato*) bound, obliged. – **2.** ⟨*Econ*⟩ (*rif. a denaro*) tied up, on fixed deposit, in a fixed deposit account: *denaro* ~ money on fixed deposit; (*rif. a conti, depositi e sim.*) fixed. – **3.** ⟨*Mecc*⟩ restrained, constrained. ☐ *conto* ~ fixed deposit account; *deposito* ~ term (*o* fixed) deposit, deposit account, ⟨*am*⟩ time deposit.

vincolismo *m.* ⟨*Dir,Econ*⟩ restrictionism, Government (*o* State) control. – **vincolịstico** *a.* (*pl.* -ci) restriction-, control-, restrictive: *regime* ~ restriction (*o* control) scheme. ☐ *regime* ~ *degli affitti* rent restriction (*o* control).

vịncolo *m.* **1.** (*legame*) bond, tie. – **2.** ⟨*fig*⟩ bond, tie: *i -i dell'amicizia* the bonds of friendship; (*obbligo*) bond, tie, obligation, chain. – **3.** ⟨*Dir*⟩ (*servitù*) obligation, encumbrance. – **4.** ⟨*Econ,Mecc*⟩ constraint, restraint.

☐ **con** ~ *di due mesi* ⌈tied up⌉ (*o* on fixed deposit) for two months; ~ **coniugale** conjugal tie; ~ **contrattuale** contractual obligation; ~ **giuridico** legal obligation; ~ **ipotecario** mortgage (bond, encumbrance), charge by way of mortgage; *-i di* **sangue** blood ties.

vindẹlici *m.pl.* ⟨*Stor*⟩ Vindelici *pl.*

vịndice ⟨*lett*⟩ **I** *a.* **1.** (*che vendica*) avenging, revenging. – **2.** (*del vendicatore*) avenging. – **II** *s.m./f.* avenger, revenger. ☐ *farsi* ~ *di qc.* to avenge (*o* revenge) s.th.

Vindobọna *N.pr.f.* ⟨*ant*⟩ (*Vienna*) Vindobona. – **vindobonẹnse** *a.* ⟨*lett*⟩ (*viennese*) Vindobonian.

vịnea *f.* ⟨*Stor.rom*⟩ vinea.

Vinẹgia *N.pr.f.* ⟨*ant*⟩ (*Venezia*) Venice.

vinẹllo (*dim. di vino*) *m.* ⟨*Enol*⟩ **1.** pleasant light wine. – **2.** (*acquerello, secondo vino*) piquette. – **vinẹtto** (*dim. di vino*) *m.* light (*o* poor) wine.

Vinẹzia *N.pr.f.* → **Vinegia.**

Vinịcio *N.pr.m.* ⟨*Stor*⟩ Vinicius.

vinịcola *f.* ⟨*Mar*⟩ wine and liquor store-room.

vinịcolo *a.* wine-: *industria -a* wine industry; (*che produce vino*) wine-producing: *regione -a* wine-producing region. – **vinịfero** *a.* wine-producing: *paese* ~ wine-producing country.

vinificạre *v.i.* (**vinịfico, vinịfichi**; *aus.* **avere**) ⟨*Enol*⟩ to make wine. – **vinificatọre** *m.* (*f.* **-trice**) wine-maker. – **vinificaziọne** *f.* **1.** wine -making. – **2.** (*trasformazione del mosto in vino*) vinification.

vinilacetạto *m.* ⟨*Chim*⟩ vinyl acetate. – **vinilaziọne** *f.* vinylation. – **vinịle** *m.* vinyl. – **vinịlico** *a.* (*pl.* -ci) vinyl-: *alcole* ~ vinyl alcohol.

vinilpẹlle *f.* kind of imitation leather.

vinịsmo *m.* ⟨*Med*⟩ wine alcoholism.

viniziạno *a./s.* ⟨*ant*⟩ → **veneziano.**

vịno *m.* wine.

☐ **adulterare** *il* ~ to adulterate wine; ~ **annacquato** watered (-down) wine; ~ *da* **arrosto** red table wine; ~ *di* **Barolo** Barolo (wine); ⟨*scherz*⟩ ~ **battezzato** = *vino* **annacquato**; ~ **bianco** white wine; ~ *in* **bottiglia** bottled wine; ~ **caldo** (o *brûlé*) mulled wine; ~ *del* **Chianti** Chianti (wine); ~ **chiaretto** light red wine; (*claretto*) claret; ~ **chinato** wine with quina added; ~ *da* **dessert** dessert wine; **di** ~ wine-, of wine: *bevitore di* ~ wine-drinker; *spirito di* ~ spirit(s) of wine; ~ **dolce** sweet wine; ~ **drogato** drugged wine; **fare** *il* ~ to make wine; ~ **fine** = *vino* **pregiato**; ~ **frizzante** sparkling (*o* slightly effervescent) wine; ~ *di* **frutta** fruit wine, fermented fruit juice; **imbottigliare** *il* ~ to bottle wine; **intenditore** *di* ~ wine connoisseur; ~ **invecchiato** mellow (*o* matured) wine; ~ **leggero** light wine; **lista** *dei -i* wine-list; ~ *di* **Madera** Madeira (wine); ~ *di* **marca** brand-name wine; ~ **medicato** (o *medicinale*) medicated (*o* medicinal) wine; ~ *di* **mele** cider; ~ *da* **mescita** tavern wine; ⟨*Lit*⟩ ~ *da* **messa** sacramental wine; **mezzo** ~ (*vinello*) piquette; ~ *di* **miele** (*idromele*) hydromel, mead; ~ *della* **Mosella** Moselle (wine); ~ **nero** = *vino* **rosso**; ~ **nostrano** local wine; ~ **nuovo** new wine; ~ *di* **palma** palm wine; ~ **passito** (o *di paglia*) raisin wine; ~ *da* **pasto** table wine; ~ *di* **pere** perry; ~ *da* **pesce** white table wine; ⟨*ant*⟩ ~ *di* **polso** (*gagliardo*) full-bodied wine; **portare** *bene il* ~ to carry (*o* hold) one's wine well; ~ *di* **Porto** port; ~ **povero** weak wine; ~ **pregiato** vintage wine; ~ *di* **produzione** *propria* wine made by the establishment, home-produced wine; ~ **puro** pure wine; ⟨*fam*⟩ **reggere** *il* ~ to carry (*o* hold) one's wine; ~ *del* **Reno** Hock, Rhine wine; ~ **rosato** (o *rosatello*) rosé; ~ **rosso** (dark) red wine; *vin* **santo** → **vinsanto**; ~ **schietto** = *vino* **puro**; ~ **secco** dry wine; **secondo** ~ = **mezzo** *vino*; ~ **sincero** pure (*o* unadulterated) wine; ~ **sofisticato** adulterated wine; ~ **spumante** champagne -type wine, sparkling wine; **tagliare** *il* ~ to blend (*o* mix) wine; ~ **tagliato** blended wine; ~ *da* **taglio** strong wine used for blending; ~ *da* **tavola** = *vino da* **pasto**; *il* ~ *gli ha dato alla* **testa** the wine's gone to his head; ~ *d'***uva** = *vino* **sincero**; ~ **vecchio** old wine; ~ *sulla* **vena** (*generoso*) full-bodied wine; (*inacidito*) sour wine. – *Prov.*: *buon* ~ *fa buon sangue* good wine makes for good humour; *il buon* ~ *non vuol frasca* good wine needs no bush; ~ *dentro, senno fuori* when wine is in, wit is out; *il* ~ *è la poppa dei vecchi* wine is old men's milk; *il* ~ *di casa non imbriaca* home-made wine does not make you drunk.

vinolẹnto *a.* ⟨*lett*⟩ **1.** (*ubriaco*) drunk(en), intoxicated. – **2.** (*ubriacone*) given to drink, heavy-drinking, intemperate. – **vinolẹnza** *f.* ⟨*lett*⟩ **1.** (*ubriachezza*) drunkenness, intoxication. – **2.** (*l'eccedere nel bere*) intemperance, fondness for the bottle.

vinọne (*accr. di vino*) *m.* strong wine.

vinọso *a.* **1.** (*rif. a colore*) vinous, win(e)y, wine(-coloured); (*rif. a sapore*) vinous, win(e)y, tasting of wine. – **2.** (*simile al vino*) vinous, win(e)y, wine-like. – **3.** (*del vino*) vinous, wine-.

vinsạnto *m.* ⟨*Enol*⟩ (kind of) sweet white raisin wine.

vịnsi *p.rem. di* **vincere.**

vịnto (*p.p. di vincere*) **I** *a.* **1.** defeated, beaten, conquered, ⟨*lett*⟩ vanquished: *il nemico* ~ the defeated foe. – **2.** (*concluso con successo*) (that has been) won: *battaglia -a* battle that has been won. – **3.** (*guadagnato*) (that has been) won: *somma -a al gioco* amount won gambling. – **4.** (*spossato*) overcome. – **II** *s.m.* (*f.* **-a**) loser; *pl.* losers *pl*, ⟨*lett*⟩ vanquished. ☐ *averla -a* = *avere partita vinta*; *darla -a a qd.* to let s.o. have his way, to give in to s.o.; *darsi per* ~ to yield, to surrender; ⟨*fig*⟩ (*cedere*) to give in; *guai ai -i!* woe to the vanquished!; *avere partita -a* to win, to get one's way.

viọla[1] **I** *s.f.* ⟨*Bot*⟩ **1.** violet (*Viola*). – **2.** sweet (*o* garden) violet (*Viola odorata*). – **3.** wild pansy, heartsease, Johnny-jump-up (*Viola tricolor*). – **4.** pansy (*Viola tricolor hortensis*). – **II** *s.m.inv.* (*colore*) violet. – **III** *a.* violet. ☐ ~ *garofanata* stock, gillyflower (*Matthiola incana*); ~ *mammola* sweet (*o* garden) violet (*Viola odorata*); ~ *matronale* dame's violet (*o* gillyflower, rocket) (*Hesperis matronalis*); ~ *di Pasqua* → **violacciocca**; ~ *del pensiero* pansy (*Viola tricolor hortensis*).

viọla[2] *f.* ⟨*Mus*⟩ viola.

☐ ~ **d'amore** viola d'amore, viol d'amour; **basso** *di* ~ bass viol; ~ *da* **braccio** viola da braccio; ~ *da* **gamba** viola da gamba; ~ **pomposa** viola pomposa; ~ **tenore** tenor viol.

violạbile *a.* ⟨*non com*⟩ violable. – **violabilità** *f.* ⟨*non com*⟩ violability.

violacciọcca *f.* ⟨*Bot*⟩ stock, gillyflower (*Matthiola incana*). ☐ ~ *gialla* wallflower (*Cheiranthus cheiri*). – **violacciọcco** *m.* (*pl.* **-chi**) ⟨*tosc*⟩ → **violacciocca.**

violạcee *f.pl.* ⟨*Bot*⟩ violet family (*Violaceae*).

violạceo *a.* violet, ⟨*lett*⟩ violaceous.

violaciọcca *f.* ⟨*non com*⟩ → **violacciocca.**

violamẹnto *m.* ⟨*non com*⟩ → **violazione.**

violạre *v.t.* (**viọlo**) **1.** (*profanare*) to profane, to violate, to desecrate: ~ *una chiesa* to profane a church; ~ *una tomba* to desecrate a tomb. – **2.** (*non rispettare*) to violate, not to respect: ~ *il segreto epistolare* to violate the privacy of letters; (*trasgredire*) to break, to violate, to infringe: ~ *la legge* to break the law. – **3.** (*forzare*) to break into; (*invadere illegalmente*) to invade, to violate: ~ *il territorio d'uno stato* to invade the territory of a state. – **4.** (*usare violenza*) to rape, to violate, ⟨*lett*⟩ to ravish: ~ *una fanciulla* to rape a girl. ☐ ⟨*Mil*⟩ ~ *il blocco* to run the blockade; ~ *il domicilio* to house-break, to enter a house illegally; ~ *l'ordine pubblico* to disturb (*o* cause a breach of) the peace; ~ *i sigilli* to break (*o* violate) the seals.

violạto[1] (*p.p. di violare*) *a.* **1.** (*profanato*) profaned, violated, desecrated. – **2.** (*non rispettato*) broken, violated. – **3.** (*violentato*) raped, violated.

violạto[2] *a.* ⟨*ant*⟩ → **violaceo.**

violatọre *m.* (*f.* **-trice**) **1.** (*profanatore*) profaner, violator, desecrator. – **2.** (*trasgressore*) breaker: ~ *del giuramento* oath-breaker. – **3.** (*chi violenta*) rapist, violator, ⟨*lett*⟩ ravisher. ☐ ⟨*Mil*⟩ ~ *di blocco* blockade runner.

violaziọne *f.* **1.** (*profanazione*) profanation, violation, desecration: ~ *di sepolcro* profanation of a grave. – **2.** (*trasgressione*) breach, breaking, violation, infringement: ~ *di una promessa* breaking of a promise. – **3.** → **violentazione.**

☐ ~ **carnale** rape; ~ *di* **confine** violation of the border; ~ *del* **contratto** breach of contract, breaking (*o* violation) of a contract; ~ *di* **corrispondenza** violation of the secrecy of letters; ~ *del* **diritto** violation (*o* infringement, breach) of the law; ~ *di* **domicilio** housebreaking, illegal entry (into a house or enclosed premises); ~ *dei* **doveri** *d'ufficio* breach of official duty; ~ *della* **fede** *coniugale* adultery, breach of marriage bonds; ~ *della* **frontiera** = *violazione di* **confine**; ~ *della* **legge** = *violazione del* **diritto**; ~ *della* **libertà** *elettorale* infringement of electoral freedom; ~ *della* **pace** *pubblica* breach of the peace; ~ *di* **procedura** irregularity of procedure; ~ *di* **segreti** *aziendali* revelation of company secrets; ~ *del* **segreto** *d'ufficio* revelation of an official secret; ~ *di* **sigilli** breaking (*o* violation) of seals; ~ *della* **sovranità** violation of sovereignty; ~ *di* **territorio** territorial violation, infringement of territorial rights.

violentamẹnto *m.* ⟨*rar*⟩ use of violence, forcing. – **violentạre** *v.t.* (**violẹnto**) **1.** to use violence on, to force, to coerce. – **2.** (*rif. a donne*) to rape, to violate, ⟨*lett*⟩ to ravish. – **3.** ⟨*fig*⟩ to outrage, to do violence to. – **violentatọre** *m.* (*f.* **-trice**) ⟨*rar*⟩ **1.** forcer. – **2.** (*di donne*) rapist, violator, ⟨*lett*⟩ ravisher. – **violentaziọne** *f.* ⟨*non com*⟩ **1.** use of violence, forcing. – **2.** (*rif. a donne*) raping, violating, ⟨*lett*⟩ ravishing.

violẹnte *a./s.* ⟨*ant*⟩ → **violento.** – **violentemẹnte** *avv.* **1.** violently. – **2.** (*con impeto*) violently, fiercely (*anche fig.*).

violẹnto **I** *a.* **1.** violent: *un uomo* ~ a violent man. – **2.** (*da violento*) violent: *morire di morte -a* to die a violent (*o* unnatural) death. – **3.** (*impetuoso*) violent, strong, fierce: *un vento* ~ a violent wind. – **4.** ⟨*fig*⟩ violent, fierce, intense, vehement: *passione -a* violent passion. – **II** *s.m.* (*f.* **-a**) violent man (*f* woman).

violẹnza *f.* **1.** violence: *usare* ~ *a qd.* to do violence to s.o. – **2.** (*brutalità*) violence, brutality. – **3.** (*azione violenta*) act of violence, violent action. – **4.** ⟨*fig*⟩ (*impeto, irruenza*) violence, force, fierceness: *la* ~ *del vento* the force of the wind; (*rif. a parole e sim.*) violence, intemperance, virulence. – **5.** ⟨*Dir*⟩ duress, force; (*violenza carnale*) rape.

☐ ~ *a pubblica* **autorità** outrage to public authority; ~ **carnale** rape; **costringere** *qd. a qc. con la* ~ to force s.o. to do s.th., to use violence to make s.o. do s.th.; *con* **dolce** ~ gently but firmly, with gentle firmness; **far** ~ *a una donna* to rape a woman; ~ **fisica** physical violence; ~ **morale** moral violence; **patire** (o *subire*) ~ to suffer violence; ⟨*Dir*⟩ ~ **privata** duress, coercion; **usare** ~ *a se stesso* to do violence to o.s.

violetta[1] (*dim. di viola*[1]) *f.* **1.** violet. – **2.** ⟨*Bot*⟩ (*viola mammola*) sweet (*o* garden) violet (*Viola odorata*). – **3.** (*profumo*) perfume of violets. □ ⟨*Bot*⟩ ~ ⌜*dell'Africa*⌝ (*o degli Usambara*) African violet (*Saintpaulia ionantha*).
violetta[2] (*dim. di viola*[2]) *f.* ⟨*Mus,ant*⟩ **1.** small three-stringed violin, ⟨*ant*⟩ violet(te). – **2.** (*viola*) viola. □ ~ *marina* viola d'amore.
violetto I *s.m.* violet. – **II** *a.* violet. □ ⟨*Chim*⟩ ~ *acido* acid violet; ~ *di metile* methyl violet.
violinaio *m.* (*f.* **-a**) **1.** (*fabbricante*) violin-maker. – **2.** (*venditore*) violin-seller.
violinare *v.t.* ⟨*non com*⟩ (*adulare*) to fawn on, to flatter, ⟨*fam*⟩ to butter up. – **violinata** *f.* ⟨*non com*⟩ **1.** (*ritornello*) violin refrain (*o* ritornello). – **2.** (*adulazione*) fawning; (*discorso*) flattering speech, fawning words *pl*.
violinista *m./f.* violinist, violin-player, ⟨*fam,spreg*⟩ fiddler. – **violinistico** *a.* (*pl.* **-ci**) violin-: *concerto* ~ violin concerto.
violino *m.* **1.** ⟨*Mus*⟩ (*strumento*) violin, ⟨*fam,spreg*⟩ fiddle. – **2.** ⟨*Mus*⟩ (*sonatore*) violin: *primo* ~ first violin. – **3.** ⟨*scherz*⟩ (*prosciutto*) ham. □ *chiave di* ~ G (*o* violin, treble) clef; *sonare il* ~ to play the violin; *sonata per* ~ violin sonata; ~ *di spalla*: 1. ⟨*Mus*⟩ (*primo violino*) first violin, leader, ⟨*am*⟩ concertmaster; (*secondo violino*) second violin; 2. ⟨*fig*⟩ (*aiutante*) (chief) assistant, right-hand man.
violista *m./f.* ⟨*Mus*⟩ viola-player.
violo *m.* ⟨*tosc*⟩ **1.** (*viola*) violet. – **2.** (*garofano*) carnation.
violoncellista *m./f.* ⟨*Mus*⟩ (violon)cellist, 'cellist. – **violoncello** *m.* **1.** (*strumento*) violoncello, 'cello. – **2.** → **violoncellista**. – **violoncino** *m.* ⟨*ant*⟩ → **violoncello**.
violone *m.* ⟨*Mus*⟩ violone.
violotta *f.* ⟨*Mus*⟩ violotta.
viomicina *f.* ⟨*Farm*⟩ viomycin.
viorna *f.* ⟨*Bot*⟩ **1.** (*vitalba*) old-man's-beard, traveller's joy, virgin's -bower (*Clematis vitalba*). – **2.** greater (*o* large) periwinkle (*Vinca major*).
viottola *f.* track, path, lane. – **viottolina** *f. dim. di* **viottola**.
viottolo *m.* track, path, lane; (*mulattiera*) mule-track, bridle-path.
Vipacco *N.pr.m.* ⟨*Geog*⟩ Vipava.
vipera *f.* **1.** ⟨*Zool*⟩ viper, adder (*Vipera*). – **2.** ⟨*fig*⟩ (*persona maligna*) viper. – **3.** ⟨*Mar.ant*⟩ kind of Venetian rowing-boat. □ ~ **ammodite** = *vipera dal* **corno**; ~ **aspide** (o *comune*) asp (*Vipera aspis*); ~ *dal* **corno** horn-nosed viper, sand viper (*Vipera ammodytes*); ⟨*fig*⟩ **lingua** *di* ~ viper's (*o* venomous) tongue; **morso** *di* ~ adder's bite; ~ *della* **morte** death-adder (*Acanthophis antarcticus*); ~ **nasicorne** nose-horned viper (*Bitis nasicornis*); ~ **notturna** *verde* kind of night adder (*Causus resimus*); ~ *dagli* **occhiali** (*naia*) cobra (*Naja naja*); ⟨*fig*⟩ **scaldarsi** *una* ~ *in seno* to nurture a viper in one's bosom. – *Prov.*: *la* ~ *morde il ciarlatano* the thief steals from the one who taught him.
viperaio[1] *m.* (*covo di vipere*) nest of vipers.
viperaio[2] *m.* (*f.* **-a**) (*cacciatore di vipere*) viper-catcher.
viperato *a.* ⟨*ant*⟩ **1.** (*rif. a bevande*) containing the flesh of a viper. – **2.** (*nutrito con carne di vipera*) fed on viper-flesh.
viperella *f. dim. di* **vipera**.
vipereo *a.* ⟨*lett*⟩ → **viperino**.
viperetta *f. dim. di* **vipera**.
viperidi *m.pl.* ⟨*Zool*⟩ vipers *pl*, viperids *pl* (*Viperidae*).
viperina *f.* ⟨*Bot*⟩ **1.** blueweed, blue thistle, viper's bugloss (*Echium vulgare*). – **2.** (*scorzonera*) viper's-grass (*Scorzonera hispanica*).
viperini *m.pl.* ⟨*Zool*⟩ viperines *pl*, viperine snakes *pl* (*Viperinae*).
viperino *a.* **1.** (*di vipera*) viperine, viperous, viper's: *veleno* ~ viper's poison. – **2.** (*simile a una vipera*) viperine, viper-like. – **3.** ⟨*fig*⟩ (*velenoso*) viperish, venomous, viperous: *lingua -a* viperish tongue.
vipistrello *m.* ⟨*ant*⟩ (*pipistrello*) bat.
Vipiteno *N.pr.f.* ⟨*Geog*⟩ Vipiteno, Sterzing.
vipla *f.* polyvinyl chloride (plastic).
viradore *m.* → **viratore**.
viraggio *m.* **1.** ⟨*Mar*⟩ going (*o* coming) about. – **2.** ⟨*Aer*⟩ turn(ing). – **3.** ⟨*Fot*⟩ (*intonazione*) toning; (*bagno*) (fixing and) toning bath. – **4.** ⟨*Chim*⟩ colour change. □ ⟨*Fot*⟩ ~ *azzurro* blue toning.
viragine *f.* ⟨*lett*⟩ → **virago**. – **virago** *f.* **1.** virago. – **2.** ⟨*scherz*⟩ virago, termagant, shrew.
virale *a.* ⟨*Med*⟩ viral: *infezione* ~ viral infection.
viramento *m.* **1.** ⟨*Mar*⟩ going (*o* coming, putting) about. – **2.** ⟨*Aer*⟩ turn(ing). □ ⟨*Mar*⟩ ~ *di poppa* wearing, veering; ~ *di prora* tacking.
virare I *v.t.* ⟨*Mar*⟩ to haul, to heave (in): ~ *un cavo* to heave a cable. – **II** *v.i.* (*aus.* **avere**) **1.** ⟨*Mar*⟩ to go (*o* come, put) about, to wind. – **2.** ⟨*Aer*⟩ to turn. – **3.** ⟨*fig*⟩ (*mutare direzione*) to alter one's course, to change one's direction. – **4.** ⟨*scherz*⟩ (*squagliarsela*) to leave quickly, to make tracks. – **5.** ⟨*Fot*⟩ to tone. – **6.** ⟨*Chim*⟩ to change colour. □ ⟨*Mar*⟩ ~ *di bordo* to put about; ~ *di poppa* to wear, to veer; ~ *di prora* to tack; ~ *al vento* to turn into the wind.
virata *f.* **1.** ⟨*Mar*⟩ going (*o* coming, putting) about, winding. – **2.** ⟨*Aer*⟩ turn(ing). – **3.** (*nel nuoto*) turn. – **4.** ⟨*fig*⟩ (*mutamento di direzione*) volte-face. □ ⟨*Mar*⟩ ~ *di* **bordo** putting about; ~ **dritta** = *virata* **stretta**; ⟨*Aer*⟩ ~ **imperiale** bunt, reverse turn; **indicatore** *di* ~ → **virometro**; ⟨*Aer*⟩ ~ **larga** flareout; ~ *a* **orza** hauling to the wind, luffing; ~ *in* **poppa** wearing, veering; ~ *in* **prua** tacking; ⟨*Aer*⟩ ~ **stretta** vertical banked turn.
viratore *m.* **1.** ⟨*Mar*⟩ messenger line used to heave anchor. – **2.** ⟨*Mot*⟩ barring motor (*o* engine).
virelai *fr.* [vir'lɛ] *m.* ⟨*Lett*⟩ virelay, virelai.
virement *fr.* [vir'mɑ̃] *m.* ⟨*Econ*⟩ transfer; (*nel bilancio dello stato*) virement.
viremia *f.* ⟨*Med*⟩ vir(a)emia.
virente *a.* ⟨*lett*⟩ (*verdeggiante*) verdant, green(ing).
virescente *a.* ⟨*Bot*⟩ virescent. – **virescenza** *f.* virescence.
virgazione *f.* ⟨*Geol*⟩ virgation.
virgiliano *a.* Virgilian, Vergilian. – **Virgilio** *N.pr.m.* Virgil, Vergil (*anche Stor.*).
virginale[1] *a.* ⟨*lett*⟩ (*verginale*) virginal.
virginale[2] *m.* ⟨*Mus*⟩ virginal, virginals *pl*. – **virginalista** *m./f.* **1.** (*sonatore: di virginale*) virginalist; (*di clavicembalo*) harpsichordist, harpsichord-player. – **2.** (*compositore: per il virginale*) composer for the virginal; (*per il clavicembalo*) harpsichord-composer.
virgineo *a.* ⟨*lett*⟩ (*vergine*) virginal.
virginia *s.inv.* **I** *m.* **1.** (*tabacco*) Virginia (tobacco). – **2.** (*sigaro*) kind of cigar. – **II** *f.* (*sigaretta*) Virginia cigarette.
Virginia *N.pr.f.* **1.** Virginia. – **2.** ⟨*Geog*⟩ Virginia.
virginio *m.* ⟨*Chim,ant*⟩ (*francio*) francium, virginium.
Virginio *N.pr.m.* ⟨*Stor*⟩ Virginius, Verginius.
virginità *f.* ⟨*ant*⟩ (*verginità*) virginity. – **virginitade, virginitate** *f.* → **virginità**.
virgo *f.* ⟨*lett*⟩ (*vergine*) virgin.
virgola *f.* **1.** ⟨*Gramm,Tip,Mus*⟩ comma. – **2.** ⟨*Mat*⟩ point: *nove* ~ *cinque* nine point five. □ ⟨*Biol*⟩ *bacillo* ~ comma (bacillus); *non cambiare una* ~ not to change a word, to change nothing; *doppie* (o *due*) *-e* (*virgolette*) inverted commas, quotation marks; *non scostarsi di una* (o *mezza*) ~ not to stray one jot; *con tutte le -e* (*esatto*) with great precision.
virgolare *v.t.* (**virgolo**) **1.** (*chiudere fra virgolette*) to put in ⌜inverted commas⌝ (*o* quotation marks). – **2.** ⟨*non com*⟩ (*fornire di virgole*) to add commas to. – **virgolato** (*p.p. di virgolare*) *a.* **1.** (*chiuso fra virgolette*) in inverted commas, in quotation marks. – **2.** ⟨*non com*⟩ (*fornito di virgole*) with commas added. – **virgolatura** *f.* **1.** (*il fornire di virgole*) adding of commas. – **2.** (*il fornire di virgolette*) putting in ⌜inverted commas⌝ (*o* quotation marks). – **3.** (*testo chiuso fra virgolette*) part in inverted commas.
virgoleggiare *v.t.* (**virgoleggio, virgoleggi**) to add commas to. – **virgoletta** (*dim. di virgola*) *f.* **1.** little comma. – **2.** *pl.* inverted commas *pl*, quotation marks *pl*: *tra -e* in inverted commas, in quotes. – **virgolettare** *v.t.* (**virgoletto**) to put in ⌜inverted commas⌝ (*o* quotation marks). – **virgolettatura** *f.* **1.** putting in ⌜inverted commas⌝ (*o* quotation marks). – **2.** (*brano fra virgolette*) part in ⌜inverted commas⌝ (*o* quotation marks).
virgulto *m.* ⟨*lett*⟩ **1.** (*pianta giovane*) young plant. – **2.** (*pollone*) (side-)shoot, sucker. – **3.** ⟨*fig*⟩ (*rampollo*) offspring, scion.
viridario *m.* **1.** ⟨*Archeol*⟩ viridarium. – **2.** ⟨*lett*⟩ (*giardino*) garden.
viride *a.* ⟨*rar*⟩ (*verde*) green. – **viridità** *f.* ⟨*rar*⟩ (*l'essere verde*) greenness.
virile *a.* **1.** (*di uomo*) male, man's, masculine: *voce* ~ man's voice; *bellezza* ~ male beauty; (*mascolino, da uomo*) manly, virile, masculine: *aspetto* ~ manly air; (*da uomo adulto*) adult, mature. – **2.** ⟨*fig*⟩ virile, manly: *coraggio* ~ manly courage. □ *età* ~ manhood, ⟨*lett*⟩ virile age; *una donna dall'aspetto* ~ a mannish woman; ⟨*fig*⟩ *stile* ~ vigorous style.
virilismo *m.* ⟨*Med*⟩ virilism.
virilità *f.* **1.** (*rif. all'età biologica*) virility, manhood. – **2.** (*qualità dell'uomo virile*) virility. – **3.** ⟨*fig*⟩ virility, manliness, firmness, strength: ~ *di propositi* strength of purpose.
virilizzare *v.t.* **1.** ⟨*non com*⟩ to make virile, to virilize. – **2.** ⟨*fig*⟩ to make virile (*o* manly). – **virilizzarsi** *v.r.* to become virile. – **virilizzazione** *f.* **1.** (*il virilizzare*) making virile; (*il virilizzarsi*) becoming virile, acquisition of male characteristics. – **2.** ⟨*Med*⟩ virilization. – **virilmente** *avv.* like a man, stout-heartedly: *sopportare* ~ *qc.* to bear s.th. like a man.
viriloide *a.* ⟨*Med*⟩ showing signs of virilism.
viro *m.* ⟨*poet*⟩ (*uomo*) man.
virogenesi *f.* ⟨*Biol*⟩ multiplication of a virus.
virola[1] *f.* ⟨*Bot*⟩ banak, ucuuba (*Virola*). □ *grasso di* ~ ucuuba butter (*o* tallow, oil).
virola[2] *f.* ⟨*El*⟩ male part of a threaded connection.
virologia *f.* ⟨*Biol*⟩ virology. – **virologico** *a.* (*pl.* **-ci**) virological. – **virologo** *m.* (*pl.* **-gi**; *f.* **-a**) virologist.
virometro *m.* ⟨*Aer*⟩ turn indicator.
viromorfosi (o *viromorfosi*) *f.* ⟨*Bot*⟩ modification caused by a virus.
virosato *a.* ⟨*Bot*⟩ affected with a virosis.
virosbandometro *m.* ⟨*Aer*⟩ turn-and-bank indicator.
virosi *f.* ⟨*Biol*⟩ virosis, virus disease. – **virosico** *a.* → **virotico**. – **viroso** *a.* ⟨*Bot*⟩ virose. – **virotico** *a.* (*pl.* **-ci**) ⟨*Bot*⟩ of a virus, virus-.
virtù *f.* **1.** virtue: *seguire il cammino della* ~ to follow the path of virtue; (*virtuosità*) virtuousness: *educare alla* ~ to bring up to virtuousness. – **2.** (*qualità, dote*) virtue, good quality: *pieno di* ~ with many virtues; *far di necessità* ~ to make a virtue of necessity. – **3.** (*proprietà attiva*) virtue, power, property: *le* ~ *terapeutiche delle erbe* the healing virtues of herbs. – **4.** (*potenza, facoltà*) faculty, power: ~ *auditiva* auditory faculty, (power of) hearing; *la* ~ *della parola* the power of words; (*potere magico*) virtue, (magic) power. – **5.** ⟨*lett*⟩ (*valore, coraggio*) courage, valour. – **6.** *pl.* ⟨*ant*⟩

(*miracoli*) miracles *pl.* – **7.** *pl.* ⟨*Teol*⟩ (*gerarchia degli angeli*) Virtues *pl.*

□ ⟨*Teol*⟩ *le quattro* ~ **cardinali** the four cardinal virtues; ~ **civili** civil virtues; ⟨*poet*⟩ *la* ~ **divina** (*Dio*) the Divine power, God; ~ **domestiche** domestic virtues; ⟨*Teol*⟩ ~ **eroiche** heroic virtues; *un* **esempio** (o *fiore*) *di* ~ = *un* **modello** *di virtù*; **in** ~ *di* in (*o* by) virtue of, under, by: *in* ~ *del contratto* under the (terms of the) contract; *in* ~ *della legge* ⌜in accordance with⌝ (*o* as laid down by) the law; ~ **magica** magic property; ~ **medicinali** medicinal properties; ~ **militari** military valour *sing*; *un* **modello** *di* ~ a paragon of virtue; ⟨*Teol*⟩ ~ **morali** moral virtues; **per** ~ *di* (*per opera di*) in (*o* by) virtue of, by, through; *la* **prima** ~ (*Dio*) God; *non avere la* ~ *del* **tacere** not to know ⌜how to keep quiet⌝ (*o* when to hold one's tongue); ~ **teologali** (o *teologiche*) theological virtues; ~ **terapeutiche** = *virtù* **medicinali**; ~ **visiva** sight.

virtuale *a.* **1.** virtual: *un vincitore* ~ a virtual winner. – **2.** ⟨*Fis*⟩ virtual: *immagine* ~ virtual image. – **virtualità** *f.* **1.** ⟨*Filos*⟩ virtuality. – **2.** (*possibilità di realizzazione*) virtuality, potentiality. – **virtualmente** *avv.* **1.** (*potenzialmente*) virtually, potentially. – **2.** (*praticamente*) virtually, practically: *il contratto è* ~ *firmato* the contract is practically signed.

virtude *f.* ⟨*ant*⟩ → **virtù**. – **virtudioso** *a./s.* ⟨*ant*⟩ → **virtuoso**.

virtuosamente *avv.* **1.** virtuously. – **2.** ⟨*ant*⟩ (*valorosamente*) valorously. – **virtuosismo** *m.* virtuosity (*anche spreg.*). – **virtuosistico** *a.* (*pl.* **-ci**) virtuoso, virtuosic. – **virtuosità** *f.* **1.** → **virtuosismo**. – **2.** ⟨*non com*⟩ (*l'essere virtuoso*) virtuousness.

virtuoso I *a.* **1.** virtuous: *una persona -a* a virtuous person. – **2.** (*morigerato*) virtuous, upright, righteous: *vita -a* virtuous life. – **3.** ⟨*ant*⟩ (*valoroso*) valorous, valiant. – **4.** ⟨*ant*⟩ (*efficace*) efficacious, ⟨*lett*⟩ virtuous. – **II** *s.m.* (*f.* **-a**) **1.** (*artista*) virtuoso: ~ *del piano* piano virtuoso. – **2.** (*chi ha virtù*) virtuous person; *pl.* the virtuous (*costr.pl.*).

virtute *f.* ⟨*ant*⟩ → **virtù**.

virulentare *v.t.* (**virulento**) ⟨*Biol*⟩ to make virulent. – **virulentarsi** *v.r.* to become virulent. – **virulentazione** *f.* becoming virulent (again). – **virulento** *a.* **1.** ⟨*Biol*⟩ virulent. – **2.** ⟨*fig*⟩ (*aspro, violento*) virulent, bitter, malignant: *critica -a* virulent criticism. – **virulenza** *f.* **1.** ⟨*Biol*⟩ virulence. – **2.** ⟨*fig*⟩ (*asprezza*) virulence, bitterness, malignancy.

virus *m.* ⟨*Biol*⟩ virus. □ ~ *batterico* bacteriophage. – **virusproteina** *f.* ⟨*Biol*⟩ filt(e)rable virus.

visaccio *m. pegg. di* **viso**[1].

visaggio *m.* ⟨*ant*⟩ → **viso**[1].

visagismo *m.* (facial) cosmetology. – **visagista** *m./f.* cosmetologist, beautician.

vis-à-vis *fr.* [viza'vi] **I** *avv.* (*di faccia*) face to face, opposite, vis-à-vis. – **II** *s.m.* **1.** ⟨*Arred*⟩ (*armadio*) wardrobe with an outside mirror on the door. – **2.** (*carrozza*) sociable (carriage), vis-à-vis. – **3.** (*amorino*) sociable. – **4.** (*dirimpettaio*) person opposite, vis-à-vis.

viscaccia *f.* (*pl.* **-ce**) ⟨*Zool*⟩ (plains) vizcacha, viscacha (*Lagostomus maximus*).

viscerale *a.* **1.** ⟨*Med*⟩ visceral. – **2.** ⟨*fig*⟩ inner, visceral, deep-down. □ *dolori -i* abdominal pains.

viscere *m.* (*pl. le* **viscere**/*i* **visceri**; the second form is used only with the general meaning of internal organs) **1.** viscus, internal organ: *esame dei -i* examination of the internal organs. – **2.** *pl.* (*intestini*) viscera *pl*, entrails *pl*, intestines *pl*, bowels *pl*: *dolore alle -e* pain in the intestines. – **3.** *pl.* (*interiora di animali*) entrails *pl*: *le -e di un animale* the entrails of an animal. – **4.** *pl.* ⟨*fig*⟩ (*parte più interna*) bowels *pl*, viscera *pl*, depths *pl*: *nelle* ~ *della terra* in the bowels of the earth. – **5.** *pl.* ⟨*fig,non com*⟩ (*sensibilità*) heart, feelings *pl*, sentiments *pl*: *non aver* ~ *di padre* to have no paternal feelings, to lack a father's heart. – **6.** *pl.* ⟨*lett*⟩ (*utero, grembo*) womb. □ *il frutto delle sue* ~ her offspring, her children, ⟨*lett*⟩ the fruit of her womb; ~ *mie!* (*figlio mio!*) my child!, my son!; ⟨*fig*⟩ *ce l'ha nelle* ~ it's in his blood.

viscero|patia *f.* ⟨*Med*⟩ splanchnic disorder. – **~ptosi** *f.* visceroptosis.

vischi *m.* ⟨*rar*⟩ (*whisky*) whisk(e)y.

vischiaia *f.* ⟨*Venat*⟩ spreading of limed twigs to catch birds.

vischio *m.* **1.** ⟨*Bot*⟩ mistletoe (*Viscum*; *Viscum album*). – **2.** ⟨*Venat*⟩ (*pania*) viscum, bird-lime. – **3.** ⟨*fig,lett*⟩ (*inganno*) trap, snare; (*legame, vincolo*) bond, tie. □ ⟨*Bot*⟩ ~ *quercino* mistletoe (*Loranthus europaeus*).

vischiosità *f.* **1.** viscosity, stickiness. – **2.** ⟨*Econ*⟩ stability. – **3.** ⟨*Fis*⟩ → **viscosità**. – **vischioso** *a.* **1.** (*appiccicoso*) viscous, sticky, viscid, gluey. – **2.** ⟨*Econ*⟩ stable. – **3.** ⟨*Fis*⟩ (*viscoso*) viscous.

viscidità *f.* **1.** viscidity. – **2.** ⟨*fig*⟩ sliminess. – **viscido** *a.* **1.** viscid, slimy. – **2.** ⟨*fig*⟩ (*insinuante*) slimy, slippery, oily, unctuous. – **viscidume** *m.* ⟨*spreg*⟩ slimy mess (*o* stuff).

visciola *f.* ⟨*Agr*⟩ sour cherry. – **visciolata** *f.* **1.** ⟨*Dolc*⟩ stewed sour cherries *pl.* – **2.** (*bevanda*) sour cherry juice (*o* beverage). – **visciolato** *m.* sour cherry liqueur. – **visciolina** *f.* ⟨*Agr*⟩ (*anche ciliegia visciolina*) kind of sour cherry. – **visciolo** *m.* ⟨*Bot*⟩ sour cherry(-tree), wild dwarf cherry(-tree) (*Cerasus cerasus*; *Prunus cerasus*). – **visciolona** *f.* ⟨*Agr*⟩ (*anche ciliegia visciolona*) kind of sour cherry.

visco *m.* (*pl.* **-chi**) ⟨*lett,region*⟩ → **vischio**.

vis comica *lat. f.* brio, spirit, liveliness; (*spirito umoristico*) wit.

viscontado *m.* ⟨*Stor*⟩ **1.** (*titolo*) viscountcy, viscounty. – **2.** (*territorio*) viscounty. – **visconte** *m.* (*f.* **-essa**) viscount (*f* -tess); (*in Italia*) visconte. – **viscontea** *f.* viscounty.

visconteo[1] *a.* ⟨*Stor*⟩ of a viscount, viscount's.

visconteo[2] *a.* ⟨*Stor*⟩ (*dei Visconti*) Visconti-, of the Viscontis.

viscontessa *f.* viscountess. – **viscontino** *m.* son of a viscount, young viscount.

viscosa *f.* ⟨*Ind*⟩ viscose.

viscosimetro *m.* ⟨*Fis*⟩ viscometer, viscosimeter: ~ *capillare* capillary viscosimeter.

viscosità *f.* ⟨*Fis*⟩ viscosity. □ ~ *cinematica* kinematic viscosity; ~ *dinamica* dynamic viscosity. – **viscoso** *a.* **1.** (*appiccicoso*) sticky, gluey, viscous. – **2.** ⟨*Fis*⟩ viscous.

visdomino *m.* ⟨*Stor*⟩ vicedominus.

visettino, visetto *m. dim. di* **viso**[1].

visibile I *a.* **1.** visible, that may be seen, seeable: ~ *a occhio nudo* visible to the naked eye. – **2.** ⟨*fig*⟩ (*evidente, manifesto*) evident, obvious, clear: *un errore* ~ an obvious mistake. – **II** *s.m.* visible, what may be seen. □ ⟨*Cin*⟩ ~ *per adulti* for adult viewing, for adults only; *essere* ~ (*disponibile*) to be available: *il direttore non è* ~ *il pomeriggio* the manager is not available in the afternoon; *la collezione è* ~ *solo la mattina* the collection is open (*o* on view) to the public only in the morning; ⟨*Cin*⟩ *non* ~ *per ragazzi* not (recommended) for children; ⟨*Cin*⟩ ~ *a tutti* for general viewing (*o* audiences).

visibilio *m.* ⟨*fam*⟩ (*grande quantità*) great number, host: *c'era un* ~ *di persone* there was a great number of people. □ *andare in* ~ to go into ecstacy (*o* raptures); ⟨*non com*⟩ (*meravigliarsi*) to be astounded; *mandare in* ~ to make ecstatic, to send into raptures.

visibilità *f.* **1.** visibility, visibleness: *la* ~ *di un cartello stradale* the visibility of a road sign. – **2.** (*grado di trasparenza dell'atmosfera*) visibility (*anche Meteor.*): *la* ~ *è buona* visibility is good. □ *angolo di* ~ angle of visibility (*o* sight); ⟨*Meteor*⟩ *condizioni di* ~ visibility: *cattive condizioni di* ~ bad visibility; *distanza di* ~ range of visibility; *scarsa* ~ poor visibility. – **visibilmente** *avv.* **1.** visibly. – **2.** (*manifestatamente*) visibly, noticeably, obviously: *era* ~ *irritato* he was visibly irritated.

visiera *f.* **1.** (*nei berretti*) peak, ⟨*am*⟩ visor. – **2.** ⟨*Mil.ant*⟩ visor. – **3.** (*maschera da scherma*) fencing mask. – **4.** ⟨*Aut*⟩ (*di fari e sim.*) visor. □ *a* ~ *alzata* with raised visor; ⟨*fig*⟩ (*a viso aperto*) openly; ⟨*Aut*⟩ ~ *antiabbagliamento* anti-dazzle visor (*o* screen); ~ *dell'elmo* helmet visor; ⟨*Aut*⟩ ~ *parasole* anti-dazzle visor (*o* screen), ⟨*am*⟩ sun visor; ⟨*Aut*⟩ ~ *termica* (hot) defroster, de-icer, frost shield.

visigotico *a.* (*pl.* **-ci**) Visigothic, of the Visigoths. – **visigoto I** *a.* → **visigotico**. – **II** *s.m.* Visigoth.

visino *m. dim. di* **viso**[1].

visionamento *m.* ⟨*Cin*⟩ screening. – **visionare** *v.t.* (**visiono**) ⟨*Cin*⟩ **1.** (*vedere*) to screen; (*vedere in anteprima*) to preview. – **2.** (*proiettare*) to project, to screen.

visionario I *a.* **1.** visionary. – **2.** (*sognatore*) visionary, dreamy, impractical. – **II** *s.m.* (*f.* **-a**) **1.** visionary. – **2.** (*sognatore*) (day)-dreamer, visionary.

visione *f.* **1.** sight, vision: ~ *chiara* clear sight. – **2.** (*vista*) sight, scene: ~ *raccapricciante* gruesome sight; (*veduta, panorama*) view: *da qui si ha la* ~ *di tutta la vallata* from here you ⌜have a view of⌝ (*o* can see over) the whole valley. – **3.** (*esame*) examination, look: *ricevere un campione in* ~ to receive a sample for examination; (*ispezione*) inspection. – **4.** (*apparizione*) vision: *avere delle -i* to have visions. – **5.** (*contemplazione*) vision, spiritual contemplation: ~ *beatifica* beatific vision. – **6.** ⟨*spreg*⟩ (*fantasticheria*) (day)dreaming, (mere) fancies *pl.* – **7.** (*concezione*) idea, view, outlook: ~ *pessimistica della vita* pessimistic outlook on life. – **8.** ⟨*Cin*⟩ run, showing.

□ ⟨*Med*⟩ ~ **colorata** chromatopsia, coloured (*o* chromatic) vision; ⟨*Cin*⟩ ~ **contemporanea** simultaneous playing (in several cinemas); ⟨*burocr*⟩ **dar** ~ *di qc. a qd.* to show s.th. to s.o.; ⟨*Econ*⟩ **in** ~ on approval; *mandare qc. in* ~ *a qd.* to send s.th. to s.o. to be looked at; ⟨*burocr*⟩ **prendere** ~ *di qc.* to examine (*o* inspect, look at) s.th., to look s.th. over; ⟨*Cin*⟩ ~ **preventiva** preview; ⟨*Cin*⟩ **prima** ~ first run (*o* showing); *prima* ~ *assoluta* first run (*o* showing); *in prima* ~ *assoluta* first-run-: *proiettare un film in prima* ~ *assoluta* to play in a first-run cinema; ⟨*Cin*⟩ **seconda** ~ second run; ~ *in* **sogno** vision (in a dream).

visir *m.* ⟨*Stor*⟩ vizier, vizir. □ *Gran* ~ Grand Vizier. – **visirato** *m.* vizierate. – **visirre** *m.* ⟨*rar*⟩ → **visir**.

visita *f.* **1.** visit, call: *fare una* ~ *a qd.* to pay s.o. a visit (*o* call), to visit (*o* call on) s.o. – **2.** ⟨*concr*⟩ (*persona che visita*) visitor: *c'è una* ~ *per te* there's a visitor for you. – **3.** (*visita turistica*) visit, tour: ~ *di una città* tour of a city, sightseeing tour; ~ *di un museo* visit to a museum. – **4.** (*ispezione*) inspection, check: ~ *doganale* Customs inspection. – **5.** (*del medico*: *esame*) (medical) examination; (*di controllo*) check-up, ⟨*fam*⟩ medical, ⟨*am.fam*⟩ physical; (*giro per visitare i pazienti*) rounds *pl*, calls *pl*, visits *pl.* – **6.** (*visita di leva*) medical (examination) for call-up, ⟨*am*⟩ draft check-up. – **7.** (*perquisizione*) search: ~ *corporale* body search.

□ **andare** *in* ~ *da qd.* to visit (*o* call on) s.o., to pay s.o. a visit (*o* call), ⟨*fam*⟩ to drop in on s.o.; ~ *di* **auguri** visit to bring greetings; ~ *dei* **bagagli** baggage inspection; ~ *di* **condoglianze** visit of condolence; ~ *di* **congedo** farewell visit; ~ *di* **controllo** inspection, check; ~ *di* **convenienza** duty call; ⟨*Mar.mil*⟩ ~ *di* **corpo** senior officers' calls *pl*; ~ *di* **cortesia** courtesy call; **da** ~ visiting-: *biglietto da* ~ visiting (*o* calling) card; *biglietto da* ~ *commerciale* business card; ⟨*scherz*⟩ ~ *di* **digestione** visit to thank s.o. for a dinner; ~ **diocesana** = *visita* **pastorale**; ⟨*Dir*⟩ **diritto** *di* ~ right of visit and search, right of visitation; ~ **domiciliare** (*perquisizione*) domiciliary visit, house search; **essere** *in* ~ *da qd.* to be visiting (*o* on a visit to) s.o.; **far** ~ *a qd.* to pay s.o. a visit (*o* call), to visit (*o* call on) s.o.; ~ **fiscale** call by the company doctor (to check those on sick-leave); ⟨*Dipl*⟩ ~ **lampo** flying visit; ⟨*Dipl*⟩ ~ *di* **lavoro** working visit; ~ *di* **leva** medical examination for the draft, military check-up; ⟨*fam*⟩ ~ *della* **Madonna** *a santa Elisabetta* long drawn-out visit; ⟨*Mil*⟩ **marcare** ~ to report sick; ~ **medica** medical (examination); ~ *medica domiciliare* house call; **passare** *la* ~ to have a medical examination; ⟨*Rel*⟩ ~ **pastorale** episcopal visitation (of a diocese); **restituire** *la* ~ to return a visit; ~ **sanitaria** sanitary inspection; ⟨*Rel*⟩ ~ *del Santo* **Sepolcro** visit to the Holy Sepulchre; ⟨*Dipl*⟩ ~ *di* **stato** state visit; ⟨*Dipl*⟩ ~ **ufficiale** official visit.

vịsitandịna *f.* ⟨*Rel*⟩ Visitandine, Nun of the Visitation.

vịsitạre *v.t.* (**vịsito**) **1.** (*andare a trovare*) to visit, to call (up)on, to go and see, to pay a visit (*o* call) to: *andare a* ~ *qd.* to (go to) visit s.o.; (*rif. a superiori*) to pay a visit to, to call upon. – **2.** (*rif. a medici*) to examine, to give a medical examination to, to see (*anche Mil.*); (*fare il giro delle visite*) to do one's rounds, to make one's house calls. – **3.** (*rif. a luoghi*) to visit: ~ *un museo* to visit a museum. – **4.** (*ispezionare, esaminare*) to examine, to inspect, to check: ~ *i bagagli* to inspect the baggage; (*perquisire*) to search. – **5.** (*rif. a Dio: mettere alla prova*) to try, to test. □ *andare a farsi* ~ *dal medico* to go to the doctor (for an examination), to have a medical examination; ~ *un cliente* to visit a customer; ⟨*Rel*⟩ ~ *la diocesi* to visit the diocese; *mi ha fatto* ~ *la città* he showed me over (*o* round) the town, he took me on a tour of the town.

vịsitatọre *m.* (*f.* **-trice**) **1.** visitor, caller. – **2.** (*rif. a luoghi*) visitor, tourist, sightseer. – **3.** ⟨*Rel*⟩ visitator. – **vịsitatrịce** *f.* (*assistente sanitaria*) visitress. – **vịsitaziọne** *f.* ⟨*ant*⟩ (*visita*) visit. – **Visitazione** *f.* ⟨*Rel*⟩ Visitation.

vịsitịna (*dim. di visita*) *f.* short visit, call. □ *fare una* ~ *a qd.* to call (in) on s.o., ⟨*fam*⟩ to drop round on s.o., ⟨*fam*⟩ to pop in to see s.o. – **vịsitọna** *f.*, **vịsitọne** *m.* (*accr. di visita*) lengthy visit.

vịsịvo *a.* visual: *facoltà -a* visual faculty.

visnạga *f.* ⟨*Bot*⟩ (*bisnaga*) bishop's weed (*Ammi visnaga*).

Visnù *N.pr.m.* ⟨*Rel*⟩ Vishnu. – **visnuịsmo** *m.* Vishnuism, Vaishnavism. – **visnuịta I** *a.* → **visnuitico**. – **II** *s.m./f.* Vishnuite, Vaishnava. – **visnuịtico** *a.* (*pl.* **-ci**) Vishnuite, of Vishnuism.

vịso[1] *m.* **1.** (*faccia*) face. – **2.** (*fisionomia*) face: *quel* ~ *non mi è nuovo* that face is not new to me. – **3.** ⟨*non com*⟩ (*aspetto*) face, look, appearance. – **4.** ⟨*ant*⟩ (*vista*) sight, look; (*sguardo*) look, glance. □ ⟨*non com*⟩ **a** ~ *a* ~ (*a faccia a faccia*) face to face; *a* ~ **aperto** (*francamente*) openly, frankly, to one's face: *gliel'ho detto a* ~ *aperto* I told him frankly; ⟨*ant*⟩ *fare il* ~ *dell'***armi** (*essere minaccioso*) to look threatening; ⟨*ant*⟩ **aver** ~ *di fare qc.* (*averne l'ardire*) to dare (*o* have the nerve) to do s.th.; ⟨*ant*⟩ *aver* ~ (*sembrare*) to seem; ⟨*fig*⟩ *fare* **buon** ~ *a qd.* to welcome s.o.; *fare buon* ~ *a* ⌜*cattivo gioco*⌝ (*o cattiva sorte*) to put a good face upon s.th., to make the best of s.th.; *un piatto di buon* ~ a simple but hearty meal; *lo si* **capisce** *dal suo* ~ you can see it ⌜from his face⌝ (*o* at a glance), it's written all over his face; **dire** *qc. sul* ~ *a qd.* to say s.th. without regard for s.o.; ⟨*ant*⟩ *con* **fermo** ~ (*impassibile*) impassive; **guardare** *in* ~ *qd.* to look s.o. in the face (*o* eye), to look straight at s.o.; *guardarsi in* ~ to look ⌜e.o. in the face⌝ (*o* closely at e.o.); (*con sorpresa*) to look at e.o. in surprise; *non guardare in* ~ *nessuno* to be no respecter of persons, to go ahead regardless of everyone; *fare il* ~ **lungo** to sulk, to pull a long face, to pout; ⟨*ant*⟩ *con un* **mal** ~ sullenly, sulkily; *senza* **mutar** ~ without changing expression, impassively; ~ **nuovo** new (*o* unfamiliar) face; ~ **pallido** (*bianco*) paleface, white man; *fare il* ~ **rosso** to blush, to flush, to go red; *fare il* ~ **torvo** to have a grim look; ~ **turbato** troubled look.

vịso[2] *p.p. ant. di* **vedere**[1].

visọne *m.* **1.** ⟨*Zool*⟩ mink (*Mustela lutreola*). – **2.** (*pelliccia*) mink (pelt), mink fur. □ ~ *americano* (American) mink, mink-otter (*Mustela vison*); *pelliccia di* ~ mink; (*soprabito*) mink(coat).

visọre *m.* ⟨*Fot*⟩ viewer.

vispẹzza *f.* ⟨*non com*⟩ liveliness, spiritedness, sprightliness.

vispistrẹllo *m.* ⟨*ant*⟩ (*pipistrello*) bat.

vịspo *a.* lively, spirited, vivacious; (*svelto*) sprightly, quick, brisk, nimble, spry. □ ~ *come un uccello* (*o una rondine*) as bright as a button.

vịssi *p.rem. di* **vivere**[1]. – **vịsso** *p.p. ant. di* **vivere**[1]. – **vissụto** (*p.p. di vivere*[1]) *a.* **1.** lived, experienced. – **2.** (*di cui si è fatto l'esperienza*) real: *pagine di vita -a* pages taken from real life.

vịsta *f.* **1.** (*facoltà*) eyesight, sight: *perdere la* ~ to lose one's sight; *avere la* ~ *debole* to have weak eyesight (*o* eyes). – **2.** (*il vedere*) sight: *alla* ~ *del figlio si rassicurò* ⌜at the sight of⌝ (*o* upon seeing) his son he felt reassured. – **3.** (*possibilità di vedere*) sight, view: *la costa è in* ~ the coast is in view; (*spazio, distanza entro cui si può vedere*) view, field of vision. – **4.** (*panorama, spettacolo*) view, panorama, scene: *godere una bella* ~ to enjoy a beautiful view. – **5.** (*scorsa, esame rapido*) glance, (quick) look: *dare una* ~ *alla lettera* to (give a) glance at the letter. – **6.** ⟨*fig*⟩ (*prospettiva*) prospect: *la* ~ *della cattedrale* the prospect of the cathedral. – **7.** ⟨*lett*⟩ (*apparenza, aspetto*) aspect, look, appearance. – **8.** ⟨*ant*⟩ (*sguardo*) look, glance. – **9.** ⟨*ant*⟩ (*intenzione*) intention. – **10.** ⟨*ant*⟩ (*finestra*) window, light. – **11.** ⟨*ant*⟩ (*parte della visiera*) (upper part of a) visor, ⟨*ant*⟩ sight; (*visiera*) visor.

□ ⟨*Econ*⟩ **a** ~ at sight, on demand, at call: *cambiale a* ~ bill payable on demand; *pagabile a* ~ payable (*o* to be paid) on sight; *a* ~ *pagherete* pay on sight; ⟨*Edil*⟩ *cemento a* ~ decorative (*o* architectural, exposed, facing) concrete; ⟨*Mil*⟩ *sparare a* ~ to shoot on sight; ⟨*non com*⟩ *a* ~ *di tutti* (*davanti a tutti*) before everyone, in sight (*o* full view) of everyone; *guardare qd. a* ~ to watch over s.o., to keep s.o. in sight; ~ *dall'***alto** top view; ~ **anteriore** = *vista* **frontale**; ~ *dal* **basso** bottom view; *far* **bella** ~ (*avere bella apparenza*) to make a good impression, to look good; *aver* **buona** ~ to have good (eye)sight; *avere la* ~ **cattiva** to have poor eyesight; ~ **corta** short-sightedness, short sight; *essere di* ~ *corta* to be short-sighted (*o* myopic); **dare** *una* ~ *a un libro* to ⌜look over⌝ (*o* glance through) a book; *avere la* ~ **debole** to have bad eyesight, to have weak eyes; **di** ~ eye-: *testimone di* ~ eye-witness; *conoscere qd. di* ~ to know s.o. by sight; ~ *da* **disotto** = *vista dal* **basso**; **esame** *della* ~ eye test; ~ **esterna** external view; **far** ~ *di* (*fingere*) to pretend, to act as though, ⟨*fam*⟩ to make as if: *fa* ~ *di non vedermi* he's pretending not to see me; *fare le -e di*: 1. = **far** *vista di*; 2. ⟨*ant*⟩ (*lasciar intendere*) to show, to let it be seen; ~ *di* **fianco** = *vista* **laterale**; ~ **frontale** front view; **fuori** (*di*) ~ out of sight; ⟨*Econ*⟩ *a trenta* **giorni** ~ thirty days after sight; ⟨*lett*⟩ **in** ~ (*nell'aspetto*) in appearance, looking; *avere qc. in* ~: 1. (*proporselo come scopo*) to have s.th. in view (*o* mind); 2. (*avere in programma*) to be thinking of (doing) s.th., to plan s.th., ⟨*fam*⟩ to have s.th. lined up: *ho in* ~ *un viaggio in Spagna* I am planning to go to Spain; *in* ~ *di* (*in considerazione di*) in view of, in consideration of: *in* ~ *della tua partenza* in view of your departure; *in* ~ *di Firenze* in sight of Florence; *essere in* ~: 1. to be in sight (*o* view); 2. (*avvicinarsi*) to come into sight; *pericolo in* ~ danger ahead; *giungere in* ~ *di qc.* to come within sight of s.th.; *mettere in* ~ to point out, to show off (*o* up); *mettere in buona* (o *cattiva*) ~ *qc.* to put s.th. in a good (*o* bad) light, to show s.th. to advantage (*o* disadvantage), to point out s.th.'s good (*o* bad) aspects; *mettersi in* ~ to show off, to draw attention to o.s.; *una persona molto in* ~ a person very much in the public eye; *tenere in* ~ to keep in sight (*o* view, the foreground); ~ *d'***insieme** overall (*o* general) view; ~ **laterale** side view; ⟨*fig*⟩ *aver* **lunga** ~ to be far-sighted; *a* ~ *d'***occhio**: 1. before one's very eyes, as one watches, visibly; 2. (*in fretta*) quickly, rapidly: *crescere a* ~ *d'occhio* to grow quickly, to spring up; 3. (*fin dove l'occhio può giungere*) as far as the eye can see (*o* reach): *la pianura si stendeva a* ~ *d'occhio* the plain stretched out as far as the eye could see; ~ **panoramica** view, panorama; ~ **parziale** scrap view; *dare qc.* **per** ~ *a qd.* to give s.o. s.th. to look at (*o* over); **perdere** *di* ~ *qd.* to lose ⌜sight of⌝ (*o* contact with) s.o.; *perdere di* ~ *il proprio scopo* to lose sight of one's goal; *non perdere di* ~ *qd.* (*seguirlo con gli occhi*) not to let s.o. out of one's sight, not to ⌜lose sight of⌝ (*o* take one's eyes off) s.o.; ~ **posteriore** back view; *a* **prima** ~: 1. (*alla prima occhiata*) at first sight (*o* glance); 2. (*senza preparazione*) at sight; *sonare a prima* ~ to sight-read; ~ **prospettica** perspective view; **punto** *di* ~ point of view; **seconda** ~ second sight; **sfuggire** *alla* ~ to escape notice, to go unobserved; **togliere** *la* ~ *a qd.* to block (*o* obstruct) s.o.'s view: *l'albero mi toglie la* ~ *del mare* the tree blocks my view of the sea; **uscire** *di* ~ to go out of sight.

vistạre *v.t.* ⟨*burocr*⟩ **1.** (*mettere il visto*) to visa, to visé: ~ *un passaporto* to visa a passport. – **2.** (*autenticare*) to visa, to visé, to approve, ⟨*fam*⟩ to o.k.: ~ *un assegno* to approve a cheque.

vịsto (*p.p. di vedere*[1]) **I** *a.* seen: ~ *dall'alto* seen from above. – **II** *s.m.* **1.** visa, approval, ⟨*fam*⟩ o.k.: *apporre il* ~ *a qc.* to give s.th. one's approval, to approve s.th., ⟨*fam*⟩ to o.k. s.th. – **2.** (*su un passaporto*) visa, visé.

□ ~ *e* **approvato** seen and approved; **ben** ~ well thought of, liked, popular; ~ **che** seeing (*o* considering) that, since; ~ **collettivo** collective visa; ~ **consolare** consular visa; ~ **diplomatico** diplomatic visa; ~ *d'***entrata** entry visa; ⟨*Psic*⟩ **già** ~ déja vu; ~ *d'***immigrazione** immigration visa; *d'una bellezza* **mai** *-a* of rare beauty; *cose non mai -e* things never seen before, new and wonderful things; **mal** ~ disliked, thought poorly of, frowned upon; **non** ~ not seen, unseen, unnoticed; ~ **permanente** permanent visa; ~ *di* **soggiorno** visitors' (*o* tourist) visa; ~ *per le* **stampe** (*si stampi*) ready for press; ~ *di* **transito** transit visa; ~ *d'***uscita** exit visa.

Vịstola *N.pr.f.* ⟨*Geog*⟩ Vistula.

vistoliạno I *a.* ⟨*Geol*⟩ Riss(ian). – **II** *s.m.* Riss.

vistosamẹnte *avv.* showily, gaudily, flashily. – **vistosità** *f.* showiness, gaudiness, flashiness. – **vistọso** *a.* **1.** (*appariscente*) showy, gaudy, flashy, garish: *colori -i* gaudy colours. – **2.** (*ingente*) enormous, huge, considerable: *una somma -a* an enormous sum.

visuạle I *a.* visual: *osservazione* ~ visual observation. – **II** *s.f.* **1.** (*vista*) view: *coprire la* ~ *a qd.* to block s.o.'s view; (*panorama*) view, panorama. – **2.** (*linea visuale*) line of vision, vision line; (*linea di mira*) line of sight (*o* aim). □ *angolo* ~ visual angle; ⟨*fig*⟩ (*punto di vista*) point of view.

visualizzạre *v.t.* to visualize, to make visible. – **visualizzatọre** *m.* visualizer. – **visualizzaziọne** *f.* visualization.

visualmẹnte *avv.* visually.

visụccio *m. dim. di* **viso**[1].

visụra *f.* ⟨*burocr*⟩ cadastral survey.

Visụrgi *N.pr.m.* ⟨*ant*⟩ (*Weser*) Weser.

vịsus *lat. m.* ⟨*Med*⟩ (*potere visivo*) sight.

vịta[1] *f.* **1.** life: ~ *animale* animal life; *essere tra la* ~ *e la morte* to hover between life and death. – **2.** (*tempo in cui si vive*) life, lifetime: *il corso della* ~ the course of life. – **3.** (*modo di vivere*) life, (way of) living: ~ *contemplativa* contemplative life; *condurre una* ~ *agitata* to lead a harried life; ~ *di campagna* country living. – **4.** (*complesso delle attività di un organismo operante*) life: *la* ~ *di un partito* the life of a party. – **5.** (*attività, professione*) life, existence: *la* ~ *del medico* a doctor's life. – **6.** (*durata*) life, duration: *la* ~ *di una macchina* the life of a car; *questa moda avrà breve* ~ this fashion will ⌜have a short life⌝ (*o* be of short duration). – **7.** (*vitalità, vigore*) life, vitality, energy: *una persona piena di* ~ a person full of life (*o* vitality). – **8.** ⟨*fig*⟩ (*animazione*) life, vivacity, animation, liveliness: *la piazza era piena di* ~ the square was full of life. – **9.** (*vivacità espressiva*) life, vivacity: *una descrizione piena di* ~ a description which is full of life, a vivid description. – **10.** (*sostentamento*) living, livelihood, bread: *guadagnarsi la* ~ *scrivendo* to earn one's living by writing; (*le spese per la vita*) cost of living: *la* ~ *aumenta ogni giorno* the cost of living goes up every day. – **11.** (*essere vivente, persona*) life: *giovani -e spente dalla guerra* young lives snuffed out by the war. – **12.** (*biografia*) life, biography. – **13.** (*il corso delle cose umane*) life, world: *non hai esperienza della* ~ you have no experience of life, you don't know the world; *è la* ~! that's life!, c'est la vie! – **14.** ⟨*non com*⟩ (*anima*) life, soul. – **15.** ⟨*Mar, esclam*⟩ look out, stand clear.

□ **a** ~ life, lifelong, for life: *pensione a* ~ life pension; *socio a* ~ life member, member for life; *senatore a* ~ senator for life; *essere condannato a* ~ to receive a life sentence, ⟨*fam*⟩ to get life; ~ **affettiva** emotional (*o* affective) life; *l'altra* ~ the other life, the (life) hereafter; ~ *dell'***anima** spiritual life, life of the soul; ⟨*Rel*⟩ ~ **attiva** active life; **avere** ~ to be alive, to live; *o la* **borsa** *o la* ~! your money or your life!; ~ *da* **cani** dog's life: *fare una* ~ *da cani* to lead a dog's life; *se ti è* **cara** *la* ~ if you value your life, if you want to stay alive; ~ **claustrale** cloistered life; *far* ~ **comune** to live together; **conservazione** *della* ~ preservation of life; *ti può* **costare** *la* ~ it could cost you your life; ⟨*ant*⟩ **dare** *la* ~ *a qd.* (*partorirlo*) to give birth to s.o.; (*dedicargliela*) to dedicate one's life to s.o.; *dare la* ~ *per qd.* to give (up) one's life for s.o.; *dare alla* ~ (*procreare*) to give birth to, to bring into the world; *dare* ~ *a un'impresa* to found (*o* start, set up) a business; *dare un po' di* ~ *a qc.* to liven s.th. up a bit, to put a bit of life into s.th.; ⟨*fig*⟩ *avere una* **doppia** ~ to lead a double life; ~ **economica** economic life; ~ **eterna** eternal life, life everlasting; ~ *di* **famiglia** family life; **fare** *una bella* ~ to lead a good (*o* comfortable) life; *fare la bella* ~ to lead a life of pleasure (*o* idleness); *fare una* ~ *tranquilla* to lead a quiet life (*o* existence); *fare la* ~ to be a prostitute; *finché mi resta un* **fil** *di* ~ to my dying breath, while I have an ounce of life left in me; *essere in* **fin** *di* ~ to be dying (*o* at death's door); ~ **futura** future life; *far* **grazia** *della* ~ *a qd.* (*graziarlo*) to pardon (*o* reprieve) s.o.; **guadagnarsi** *la* ~ to earn one's living (*o* livelihood); *essere* **in** ~ to be alive; *in* ~ *mia* in (all) my life, in my whole life: *non ho mai visto niente di simile in* ~ *mia* I've never seen anything like that in my whole life; *rimanere in* ~ to stay alive, to live; (*sopravvivere*) to survive; *tenere* (*o mantenere*) *in* ~ to keep alive; ~ **intellettiva** intellectual life; ~ **intima** (*o interiore*) inner (*o* spiritual) life; ⟨*Biol*⟩ ~ **latente** latent life, anabiosis; *aver* **lunga** ~ to have a long life; *donna di* **mala** ~ prostitute; ⟨*Statist*⟩ ~ **media** mean afterlifetime; ~ **mediana** = *vita* **probabile**; **mendicare** *la* ~ to beg for one's living; ~ **mia**! my life!, my dearest!, my darling!; ⟨*pop*⟩ *fare la* ~ *di* **Michelaccio** (*mangiare, bere e andare a spasso*) to lead an idle (*o* cushy) life, ⟨*am.fam*⟩ to live the life of Reilly; *passare a* **miglior** ~ to die, to go to one's eternal reward; ~ **militare** military (*o* soldier's) life; ~ **monastica** = *vita* **claustrale**; *in* ~ *e in* **morte** in life and death, for eternity; ⟨*fig*⟩ *sapere* ~ *morte e miracoli di qd.* (*conoscerne la vita*) to know all there is to know about s.o.; *è questione di* ~ *o di morte* it's a matter of life and death; *passare da morte a* ~ to come back to life; *uniti per la* ~ *e per la morte* together in life and death; **mutar** ~ to begin a new life, to turn over a new leaf; ~ **natural** *durante* for the rest of one's life(time); ~ **nomade** nomadic life; ~ **notturna** night life; ⟨*ant*⟩ *la* ~ **nuova** (*la giovinezza*) youth; *cominciare una nuova* ~ to begin a new life, to start again; **pena** *la* ~ on pain of death; **per** *la* ~ out and out, inveterate, incorrigible, consummate: *un bugiardo per la* ~ an incorrigible liar; ~ *delle* **piante** plant life; **pieno** *di* ~ full of life, energetic, lively, vivacious; (*animato*) full of life, lively, animated; ~ **politica** political life; *far la* ~ *del* **poltrone** to loaf, to sit around, to be an idler; *fare la* ~ *del beato* **porco** = *fare la vita di* **Michelaccio**; ⟨*Statist*⟩ ~ **presunta** expectation of life, life expectation; *far* ~ *da* **principi** to live like a lord; **privare** *qd. della* ~ = **togliere** *la vita a qd.*; ~ **privata** private life: *ritirarsi a* ~ *privata* to withdraw into private life; ⟨*Statist*⟩ ~ **probabile** probable expectation of life; ~ **pubblica** public life; **ragazza** *di* ~ (*prostituta*) prostitute; **rendere** (*o restituire*) *qd. alla* ~ to bring s.o. back to life; **rimetterci** *la* ~ to lose (*o* pay with) one's life; *fare una* ~ **ritirata** to lead a ⌜secluded life⌝ (*o* life of seclusion); ⟨*Lett*⟩ ~ **romanzata** biographical novel; **sacrificare** *la* ~ *per qd.* to sacrifice (*o* give up) one's life for s.o.; **salvare** *la* ~ *a qd.* to save s.o.'s life; **seconda** ~ = *vita* **futura**; *non dare* **segno** *di* ~ to show no signs of life; **senza** ~ lifeless; ~ **sociale** social life; **spezzare** *la* ~ *a qd.* to cut s.o.'s life short, to kill s.o.; ~ **spirituale** spiritual life; ~ **studentesca** student life; ~ **terrena** earthly life; **togliere** *la* ~ *a qd.* to take s.o.'s life, to kill s.o.; *togliersi la* ~ to kill o.s., to commit suicide, to take one's (own) life; **trascinare** *la* ~ to lead a hard life, to drag out a wretched existence, to struggle along; **troncare** *la* ~ *a qd.* = **spezzare** *la vita a qd.*; ~ **umana** human life; **uscir** *di* ~ to die; *ne va della* ~ a life is at stake, it's a matter of life or death; ~ **vegetativa** vegetative life; **vender** *cara la* ~ to sell one's life dearly; **venire** *alla* ~ to be born, to come into the world; *di* ~ **vissuta** real life-. – *Prov.*: *finché c'è* ~ *c'è speranza* while there's life there's hope; *la* ~ *è fatta a scale, chi le scende e chi le sale* life has its ups and downs; *la* ~ *è breve l'arte è lunga* life is short and art is long.

vita[2] *f.* **1.** waist: *avere la* ~ *sottile* to have a small (*o* narrow) waist; *prendere qd. per la* ~ to take s.o. by the waist. – **2.** ⟨*Sart*⟩ waist. – **3.** (*torso*) trunk, torso. – **4.** ⟨*ant*⟩ (*corpo*) body.

□ ⟨*Mod*⟩ **a** ~ waisted: *una giacca a* ~ a waisted jacket; *avere la* ~ **corta** (*essere corto di vita*) to be short-waisted; *stare in* (*bella*) ~ (*senza cappotto*) to be coatless; (*con abito intero*) to have a dress on; *essere* **largo** *di* ~ to be thick-waisted; (*rif. a vestiti*) to be loose-waisted; **punto** *di* ~ waist; ⟨*rar*⟩ **stare** *sulla* ~ to hold o.s. straight; **su** *con la* ~! hold yourself straight!, pull your shoulders back!; ⟨*fig*⟩ cheer up!, ⟨*fam*⟩ keep your pecker up!; ~ *di* **vespa** wasp waist.

vitaccia (*pegg. di vita*[1]) *f.* (*pl.* **-ce**) **1.** hard life, life of troubles, dog's life. – **2.** ⟨*non com*⟩ (*vita viziosa*) vicious (*o* debauched) life.

vitacee *f.pl.* ⟨*Bot*⟩ grape family, grape-vines *pl* (*Vitaceae*).

vitaiolo *m.* ⟨*spreg,scherz*⟩ bon viveur, pleasure-lover, man-about-town.

vitalba *f.* ⟨*Bot*⟩ old-man's-beard, traveller's joy, virgin's-bower, clematis (*Clematis vitalba*). □ ~ *paonazza* → **viticella**. – **vitalbino** *m.* **1.** → **vitalba**. – **2.** → **viticella**. □ ~ *dei sassi* kind of clematis (*Atragene alpina*).

vitale *a.* **1.** vital: *forza* ~ vital force, élan vital. – **2.** ⟨*fig*⟩ (*essenziale*) vital, essential, important: *questioni -i* vital matters, matters of vital importance. – **3.** (*che può vivere*) viable: *vivo e* ~ alive and viable. □ ⟨*Econ*⟩ *minimo* ~ living wage; *spazio* ~ living space, lebensraum; ⟨*Bot*⟩ *umore* ~ vital fluid.

Vitale *N.pr.m.* Vitalis.

Vitaliano *N.pr.m.* Vitalian.

vitalismo *m.* ⟨*Biol,Filos*⟩ vitalism. – **vitalista** *m./f.* vitalist. – **vitalistico** *a.* (*pl.* **-ci**) vitalist(ic).

vitalità *f.* **1.** (*forza vitale*) vitality, vital force; (*volontà di vivere*) vitality. – **2.** (*vivacità*) vitality, vigour. – **3.** ⟨*Med,Biol*⟩ viability.

vitaliziante *m./f.* ⟨*Dir*⟩ granter of a life annuity. – **vitaliziare** *v.t.* (**vitalizio, vitalizi**) to give a life annuity to, to life-rent. – **vitaliziato** *m.* (*f.* **-a**) holder of a life annuity, life-renter (*f* -trix). – **vitalizio I** *a.* life, lifelong: *rendita -a* life annuity; (*rif. a cariche*) lifelong, for life. – **II** *s.m.* life annuity, life-rent.

vitame *m.* ⟨*non com*⟩ (*insieme di viti*) screws *pl.*

vitamina *f.* ⟨*Biol*⟩ vitamin(e).

□ ~ *dell'***accrescimento** (*vitamina A*) vitamin A, growth vitamin; ~ **antiscorbutica** (*vitamina C*) antiscorbutic vitamin, vitamin C; ~ **antisterilità** (*vitamina E*) anti-sterility vitamin, vitamin E; ~ **antixeroftalmica** (*o epitelio-protettiva*) = *vitamina dell'***accrescimento**; **carenza** *di* ~ vitamin deficiency; ~ *della* **fertilità** = *vitamina* **antisterilità**.

vitaminico *a.* (*pl.* **-ci**) **1.** of vitamins, vitamin-, vitaminic. – **2.** (*che contiene vitamine*) vitamin enriched. – **vitaminizzare** *v.t.* to add vitamins to, to vitaminize.

vitaminologia *f.* vitaminology.

vitando *a.* ⟨*Dir.can*⟩ vitandus.

vitato *a.* ⟨*Agr*⟩ (*di terreno*) vine-grown, cultivated with vines.

vite[1] *f.* ⟨*Bot*⟩ grape(vine) (*Vitis vinifera*).

□ ~ **bianca** bryony (*Bryonia dioica*); ~ *del* **Canadà** Virginia creeper, woodbine (*Parthenocissus quinquefolia*); ~ **europea** = *vite* **nostrana**; ~ **idea** → **vitidea**; ~ **nera** black bryony (*Tamus communis*); ~ **nostrana** grapevine (*Vitis vinifera*); ~ *d'***orso** → **vitidea**; ⟨*fig*⟩ **piangere** *come una* ~ *tagliata* to weep uncontrollably (*o* bitterly); ~ **rampicante** climbing (*o* rambling) vine, creeper, creeping vine.

vite[2] *f.* **1.** screw. – **2.** ⟨*Aer,Sport*⟩ spin.

□ **a** ~: **1.** (*filettato*) screw-: *un tappo a* ~ a screw cap; **2.** (*fatto a spirale*) spiral: *ornamento fatto a* ~ spiral ornament; ~ *d'***aggiustaggio** = *vite di* **registrazione**; ~ *ad* **alette** winged screw; **allentare** *una* ~ to loosen a screw; ~ *ad* **anello** ring (*o* swivel) screw; ⟨*Idr*⟩ ~ *d'***Archimede** Archimedean screw, worm; ~ *d'***arresto** set-screw; ~ *di* **avanzamento** feeding screw; ⟨*Aer*⟩ **cadere** *in* ~ to go into a spin; **chiuso** *a* ~ screwed shut (*o* tight); ⟨*Artigl*⟩ ~ *di* **culatta** interrupted-screw breech-block; ~ **destrorsa** right-hand screw; ~ **distanziatrice** regulating screw; ~ (*a testa*) **esagonale** hexagonal-head screw; ~ *a* **farfalla** = *vite ad* **alette**; ~ **femmina** female (*o* internal) screw; ~ *senza* **fine** worm (screw); ⟨*Aut*⟩ ~ *senza fine dello sterzo* steering worm; ~ *di* **fissaggio** securing screw; ~ *con* **intaglio** *a croce* cross-slotted screw; ~ *da* **legno** wood (*o* dowel) screw; ~ **madre** lead screw; ~ **maschia** male (*o* external) screw; ~ *per* **metalli** metal screw; ~ **micrometrica** micrometer (*o* tangential) screw; ~ **mordente** lag (*o* coach) screw; ~ *a* **occhiello** screw eye; ⟨*Aer*⟩ ~ **orizzontale** barrel roll; ~ **perpetua** = *vite senza* **fine**; ~ *di* **pressione** set-screw; ~ **prigioniera** stud (bolt); ~ *di* **registrazione** (*o regolazione*) adjusting screw; ⟨*El*⟩ ~ **serrafilo** clamping (*o* terminal) screw; ~ *di* **serraggio** clamp screw; ~ **sinistrorsa** left-hand screw; **stringere** *una* ~ to tighten a screw; ~ *a* **testa** *cilindrica* cheese-headed screw; ~ *a testa conica* countersunk head screw; ~ *a testa quadra* square head screw; ~ *a testa svasata*

countersunk head screw; ~ *a testa tonda* roundheaded (*o* cuphead) screw; ~ *a testa zigrinata* thumbscrew, knurled head screw.
vitẹlla *f.* **1.** calf. – **2.** ⟨*Macell,Gastr*⟩ veal: *arrosto di* ~ roast veal. □ ~ *mangana* (o *di latte*) sucking calf.
vitellạio *m.* **1.** calf dealer. – **2.** ⟨*Conc*⟩ calf(-leather) worker, calf dresser.
vitellạme *m.* calves *pl.*
vitellịna (*dim. di vitella*) *f.* (female) calf.
vitellịno¹ (*dim. di vitello*¹) *m.* (male) calf. □ *piangere come un* ~ to cry like a lost puppy, to blubber.
vitellịno² *a.* ⟨*non com*⟩ (*di vitello*) veal-. □ *carne -a* veal.
vitellịno³ *a.* ⟨*Biol*⟩ vitelline: *sacco* ~ vitelline membrane. □ *corpo* (o *nucleo*) ~ yolk nucleus, Balbiani's body (*o* nucleus).
Vitẹllio¹ *N.pr.m.* ⟨*Stor*⟩ Vitello.
Vitẹllio² *N.pr.m.* ⟨*Stor.rom*⟩ Vitellius.
vitẹllo¹ *m.* **1.** calf. – **2.** ⟨*Macell,Gastr*⟩ veal. – **3.** ⟨*Conc*⟩ calf(skin): *guanti di* ~ calf gloves.
□ ~ *di* **latte** suckling calf; ~ **marino**: 1. ⟨*Zool*⟩ harbour seal, sea calf (*Phoca vitulina*); 2. ⟨*Conc*⟩ sealskin; ⟨*Bibl*⟩ ~ *d'***oro** Golden Calf; ⟨*fig*⟩ *adorare il* ~ *d'oro* (*perseguire la ricchezza*) to adore the golden calf, to worship money; ⟨*Gastr*⟩ ~ **tonnato** veal with tunny sauce; ⟨*Gastr*⟩ ~ *in* **umido** veal stew.
vitẹllo² *m.* ⟨*Biol*⟩ vitellin.
vitellogẹnẹsi *f.* ⟨*Biol*⟩ vitellogenesis.
vitellọne (*accr. di vitello*¹) *m.* **1.** (*giovenco*) bullock, ⟨*am*⟩ steer. – **2.** ⟨*Macell*⟩ young beef. – **3.** ⟨*pop*⟩ (*giovanotto ozioso e fatuo*) loafer, good-for-nothing, ⟨*am.fam*⟩ drugstore cowboy.
viterbẹse I *a.* of Viterbo, Viterbo-, Viterbo's. – **II** *s.m./f.* native (*o* inhabitant) of Viterbo.
viterẹlla, viterellịna *f. dim. di* **vite**².
viterịa *f.* ⟨*tecn*⟩ screws *pl*, nuts and bolts *pl.*
vitịcchio *m.* ⟨*Bot*⟩ **1.** → **vitalba**. – **2.** → **vilucchio**. – **3.** (*fiammola*) kind of clematis (*Clematis flammula*).
vitịccio *m.* **1.** ⟨*Bot*⟩ tendril. – **2.** ⟨*Arch,Pitt*⟩ (vine-)tendril. – **3.** (*candelabro*) candelabrum (with tendril-like arms); (*braccio*) arm, branch (of a candelabrum). – **4.** ⟨*Bot*⟩ (*fiammola*) kind of clematis (*Clematis flammula*). – **viticciọso** *a.* tendril(led), tendrilous.
vịtice *m.* ⟨*Bot*⟩ (*agnocasto*) chaste tree, agnus castus (*Vitex agnus-castus*).
viticẹlla *f.* ⟨*Bot*⟩ kind of clematis (*Clematis viticella*).
Vitichịndo *N.pr.m.* ⟨*Stor*⟩ **1.** (*capo sassone*) Widukind, Wittekind. – **2.** (*cronista sassone*) Widukind.
vitịcolo *a.* ⟨*Agr*⟩ viticultural, vine-growing, grape-producing: *paese* ~ viticultural country. – **viticoltọre** *m.* viticulturist, vine-grower. – **viticoltụra** *f.* **1.** viticulture, vine-growing. – **2.** (*scienza*) viticulture. – **viticultọre** *m.* → **viticoltore**. – **viticultụra** *f.* → **viticoltura**.
vitidẹa *f.* ⟨*Bot*⟩ mountain cranberry, red whortleberry, cowberry (*Vaccinium vitis-idaea*).
vitịfero *a.* **1.** vine (*o* grape) producing, vine-bearing: *zona -a* grape -producing area. – **2.** (*coltivato a viti*) vine-grown, cultivated with vines. – **3.** ⟨*non com*⟩ → **viticolo**.
vitịgno *m.* (species of) vine.
vitilịgine *f.* ⟨*Med*⟩ vitiligo.
vitịna¹ (*dim. di vita*²) *f.* **1.** narrow waist. – **2.** ⟨*non com*⟩ (*copribusto*) bodice, camisole.
vitịna² *f. dim. di* **vite**¹.
vitịneo *a.* ⟨*Arch*⟩ tendril-.
vitịno (*dim. di vita*²) *m.* **1.** narrow waist. – **2.** (*copribusto*) bodice, camisole. □ ~ *di vespa* wasp waist.
vitivinịcolo *a.* wine-, vine growing and wine producing. – **vitivinicoltụra** *f.* vine-growing and wine-producing.
Vịto *N.pr.m.* Vito.
vitọne (*accr. di vite*²) *m.* ⟨*Artigl*⟩ interrupted-screw breech-block.
vitrạge *fr.* [-ʒ] *m.* (*vetrata*) glass window.
vịtreo I *a.* **1.** (*di vetro*) vitreous, of glass, glass. – **2.** (*simile al vetro*) vitreous, vitriform, glasslike, glassy. – **3.** ⟨*fig*⟩ glassy, glasslike, glass: *occhi -i* glassy eyes. – **II** *s.m.* ⟨*Anat*⟩ (*corpo vitreo*) vitreous humour (*o* body), vitreous.
vitrescẹnza *f.* vitrescence.
vitriọla *f.* ⟨*Bot*⟩ (*vetriola*) pellitory(-of-the-wall) (*Parietaria*).
vitriọlo *m.* ⟨*ant,pop*⟩ (*vetriolo*) vitriol.
vitrịte *f.* ⟨*Min*⟩ vitrite, vitrain.
vitrofịrico *a.* (*pl.* **-ci**) ⟨*Geol*⟩ vitophyric. – **vitrọfiro** *m.* ⟨*Min*⟩ vitrophyre.
Vitrụvio *N.pr.m.* ⟨*Stor*⟩ Vitruvius.
vịtta *f.* **1.** ⟨*Stor.rom*⟩ headband, fillet. – **2.** ⟨*Bot*⟩ vitta.
vịttima *f.* **1.** ⟨*Rel*⟩ (*animale*) (sacrificial) victim, sacrifice; (*persona*) victim, human sacrifice. – **2.** (*chi perisce in sciagure*) victim, casualty: *le -e dell'inondazione* the flood victims; ~ *di un incidente* accident casualty. – **3.** (*succube*) victim, prey: *restar* ~ *di un intrigo* to be the victim of a plot. – **4.** ⟨*iron*⟩ victim, martyr: *fare la* ~ to act like a martyr, to play the victim.
□ *rimanere* ~ *del* **dovere** to die doing one's duty; ⟨*ant*⟩ **fare** ~ *di qd.* to sacrifice s.o.; *una* ~ *delle* **flamme** fire victim; *essere* (o *rimanere*) ~ *d'un* **incidente** to be (involved) in an accident, to be an accident victim; *morire* ~ *d'una* **malattia** to be carried off by a disease; ~ *della* **montagna** mountain casualty; ⟨*iron*⟩ **povera** ~*!* what a martyr!, poor (old) thing!; **rimanere** ~ *di qc.* (o *qd.*) to fall a victim to s.th. (*o* s.o.); *-e della* **strada** road casualties (*o* fatalities); ~ **umana** victim, human sacrifice.

vittimạrio *m.* ⟨*Stor.rom*⟩ **1.** (*addetto ai sacrifici*) sacrificial slaughterer. – **2.** (*allevatore*) raiser of sacrificial animals; (*mercante*) dealer in sacrificial animals.
vittimịsmo *m.* **1.** self-pity. – **2.** ⟨*Psic*⟩ persecution complex. – **vittimịsta** *m./f.* self-pitier. – **vittimịstico** *a.* (*pl.* **-ci**) self-pitying.
vittitạre *v.t.* (**vịttito**) ⟨*Med*⟩ to feed according to a prescribed diet (*o* regimen). – **vittitaziọne** *f.* **1.** feeding according to a prescribed diet (*o* regimen). – **2.** (*alimentazione*) diet, regimen.
vịtto *m.* **1.** (*cibo*) food: *il* ~ *è molto caro* food is very expensive. – **2.** (*per pensionanti e sim.*) board. – **3.** ⟨*ant*⟩ (*nutrimento*) sustenance, nourishment.
□ ~ *e* **alloggio** *gratuiti* free room and board; *ricevere* ~ *e alloggio* to have room and board; **mezzo** ~ invalid diet; *mettere un malato a* **pieno** ~ to put a patient on a normal diet; ~ **pitagorico** = *vitto* **vegetariano**; *a* **tutto** ~ full board; ~ **vegetariano** (o *vegetale*) vegetarian diet.
vittọre ⟨*poet*⟩ **I** *s.m.* (*f.* **-trice**) (*vincitore*) victor, winner. – **II** *a.* victorious, winning.
Vittọre *N.pr.m.* Victor.
vittọria *f.* **1.** victory: *le -e di Cesare* the victories of Caesar. – **2.** ⟨*fig*⟩ (*successo*) victory, triumph, conquest, success. – **Vittoria** *f.* **1.** ⟨*Mitol, Art*⟩ Victory. – **2.** ⟨*poet*⟩ (*personificazione della vittoria*) Victory.
□ **acquistare** ~ *in battaglia* to be victorious in a battle, to win a victory; ~ **aerea** air victory; *la* ~ *gli ha* **arriso** victory smiled on him; **cantare** ~ to exult in one's victory; **corona** *della* ~ victor's crown; *avere la* ~ *in* **mano** = *avere la vittoria in* **pugno**; ~ **morale** moral victory; ~ **navale** naval victory; **ottenere** *la* ~ *in una causa* to win a case; **palma** *della* ~ victor's palm; **passare** *di* ~ *in* ~ to go from one victory to another; ⟨*fig*⟩ ~ *di* **Pirro** Pyrrhic victory; *avere la* ~ *in* **pugno** to be sure of victory; ⟨*Sport*⟩ ~ *ai* **punti** win on points; **riportare** *una strepitosa* ~ *contro il nemico* to win a tremendous victory over the enemy; *riportare la* ~ *in una corsa* to win a race; *una* ~ *su* **se** *stesso* a victory over o.s.; ~ **sfolgorante** brilliant victory; ~ **terrestre** victory on land. – *Prov.*: *non cantar* ~ *prima del tempo* don't count your chickens before they are hatched.
Vittọria *N.pr.f.* **1.** Victoria (*anche Stor.*). – **2.** ⟨*Geog*⟩ Victoria. □ *cascate* ~ Victoria Falls; *lago* ~ Lake Victoria; *terra* ~ Victoria Land.
vittoriạno *a.* ⟨*Stor*⟩ Victorian: *epoca -a* Victorian age.
Vittoriạno *N.pr.m.* ⟨*Arch*⟩ monument to Victor Emanuele II.
vittorịno *m.* ⟨*Rel*⟩ Victorine.
Vittorịno *N.pr.m.* ⟨*Stor.rom*⟩ Victorinus.
Vittọrio *N.pr.m.* Victor. □ ⟨*Stor*⟩ ~ *Amedeo* Victor Amadeus; ~ *Emanuele* Victor Emmanuel.
vittoriosamẹnte *avv.* **1.** victoriously: *combattere* ~ to fight victoriously. – **2.** (*con successo*) victoriously, successfully.
vittoriọso *a.* **1.** (*che ha vinto*) victorious: *un generale* ~ a victorious general. – **2.** (*in cui si è riportata la vittoria*) victorious: *battaglia -a* victorious battle. – **3.** (*di, da vincitore*) victorious, triumphant, conquering: *sorriso* ~ triumphant smile. □ *riuscire* ~ *in una battaglia* to win (*o* be victorious in) a battle; *riuscire* ~ *in una gara* to win a contest; *la guerra fu -a per i nemici* the enemy won the war.
vittoriụccia (*dim. di vittoria*) *f.* (*pl.* **-ce**) ⟨*spreg*⟩ slim victory.
vittorughiạno *a.* ⟨*Lett*⟩ of Victor Hugo, Victor Hugo's.
vittrịce ⟨*poet*⟩ **I** *s.f.* victress, ⟨*lett*⟩ victrix. – **II** *a.f.* victorious, winning.
vittuạglia *f.* ⟨*ant*⟩ (*vettovaglia*) provision, supply, victual.
vitulịno *a.* ⟨*lett*⟩ (*di vitello*) vituline, calf's.
vituperạbile *a.* vituperable. – **vituperạndo** *a.* ⟨*lett*⟩ vituperable. – **vituperạre** *v.t.* (**vitụpero**) **1.** (*coprire di vituperi*) to vituperate, to (be)rate, to rail at (*o* against). – **2.** ⟨*non com*⟩ (*coprire d'infamia*) to disgrace, to shame: ~ *il proprio nome* to disgrace one's name. – **3.** ⟨*ant*⟩ (*biasimare*) to vituperate, to blame, to censure. – **vituperatịvo** *a.* ⟨*non com*⟩ vituperative, railing; (*disonorante*) shaming. – **vituperạto** (*p.p. di vituperare*) *a.* ⟨*ant*⟩ (*infame*) vile, wicked. – **vituperatọre** *m.* (*f.* **-trice**) ⟨*non com*⟩ vituperator. – **vituperaziọne** *f.* ⟨*rar*⟩ vituperation, railing; (*il disonorare*) disgracing, shaming. – **vituperẹvole** *a.* ⟨*lett*⟩ **1.** (*vituperabile*) vituperable. – **2.** (*esecrando*) execrable, shameful.
vitupẹrio *m.* **1.** insult: *coprire qd. di vituperi* to shower s.o. with insults. – **2.** (*causa d'infamia*) disgrace, shame: *essere il* ~ *della famiglia* to be a disgrace to one's family. – **3.** ⟨*scherz*⟩ disgrace. – **4.** ⟨*non com*⟩ (*infamia*) infamy, dishonour. – **5.** ⟨*ant*⟩ (*biasimo*) blame, censure. – **6.** ⟨*ant*⟩ (*azione che arreca vituperio*) shameful (*o* infamous) action. □ *arrecare* ~ to be infamous, to shame; *essere di* ~ to be a disgrace. – **vitupẹro** *m.* ⟨*ant,lett*⟩ → **vituperio**.
vituperosamẹnte *avv.* disgracefully, shamefully. – **vituperọso** *a.* ⟨*non com*⟩ **1.** (*disonorato*) dishonoured, shamed, disgraced. – **2.** (*di persona vituperosa*) disgraceful, shameful. – **3.** (*infamante*) infamous, disgraceful; (*vergognoso*) shameful. – **4.** (*ingiurioso*) vituperative, abusive, injurious, insulting.
viuọla *f.* ⟨*ant*⟩ (*viola*) viol(a).
viụzza (*dim. di via*¹) *f.* alley, narrow street; (*in campagna*) lane.
viv. = ⟨*Mus*⟩ *vivace* vivace (*abbr.* viv.).
vịva *intz.* **1.** (*usato da solo*) hurray, hurrah; (*seguito da un nome*) long live, up with, hurrah for, three cheers for: ~ *la libertà!* long live freedom! – **2.** ⟨*non com*⟩ (*nel brindisi: da solo*) cheers; (*seguito da un nome*) a health to, a toast to; (*rivolgendosi ai presenti*) to your health. – **3.** ⟨*rar*⟩ (*vivaddio*) by God. □ ⟨*Mil.ant*⟩ *chi* ~*?*

who goes there?; ⟨non com⟩ ~ Dio (o il cielo)! by God!; ⟨iron⟩ ~ la sincerità, non fai altro che mentire there's nothing like being truthful.

vivacchiare v.i. (**vivacchio, vivacchi**; aus. **avere**) ⟨fam⟩ **1.** to live poorly, to manage somehow or other, to get by (o along) somehow. – **2.** (vivere stentatamente) to struggle (o scrape) along, to eke out a living. – **3.** ⟨scherz⟩ to get along, to manage: come va? – si vivacchia how are things going? – we're getting along.

vivace a. **1.** lively, vivacious: un bambino ~ a lively child. – **2.** (brioso, vivo) lively, vivacious, spirited, sprightly: stile ~ lively style; (animato) lively, animated: discussione ~ lively discussion. – **3.** (rif. a luce: vivido, intenso) bright, brilliant; (rif. a colori: smagliante) vivid, bright, brilliant. – **4.** ⟨Mus⟩ vivace, brisk, lively. – **5.** ⟨Bot⟩ perennial. – **6.** ⟨lett⟩ (rigoglioso) luxuriant. – **7.** ⟨fig,poet⟩ (duraturo, perenne) (long-)lasting, undying. – **8.** ⟨ant⟩ (salubre) healthy, health-giving. – **9.** ⟨ant⟩ (che vive a lungo) long-living. – **10.** ⟨ant⟩ (fertile) fertile. – **vivacemente** avv. vivaciously, in a lively manner.

vivacità f. **1.** liveliness, vivacity, vivaciousness: la ~ di un bambino the liveliness of a child. – **2.** (efficacia, brio, immediatezza) liveliness, vivacity, life, vividness: ~ di stile vividness of style; (animazione) liveliness, animation. – **3.** (aggressività) keenness, vehemence. – **4.** (intensa luminosità: rif. a luce) brightness, brilliance; (rif. a colori) vividness, brightness, brilliance, vivacity. – **5.** ⟨lett⟩ (l'essere rigoglioso) luxuriance. – **6.** ⟨Mar⟩ (durezza) hardness. □ ~ d'ingegno brightness, quickness, quick-wittedness.

vivaddio intz. by God.

vivagno m. **1.** ⟨Tess⟩ (cimosa) selvage, selvedge. – **2.** ⟨Mar⟩ border (of sailcloth). – **3.** ⟨poet,ant⟩ (riva) bank, shore; (margine di libro) (book) margin.

vivaio m. **1.** ⟨Pesc⟩ fish-reserve, fish(-breeding) pond, fish-pool, vivarium. – **2.** ⟨Bot⟩ nursery. – **3.** ⟨fig⟩ nursery, training (o breeding) ground, seedbed. □ ~ forestale tree nursery; ~ d'ostriche oyster -bed, oyster bank; ~ di pesci fish-pond; ~ di piante tree nursery.

vivaista m./f. **1.** ⟨Pesc⟩ fish breeder (o farmer). – **2.** ⟨Bot⟩ nurseryman. – **vivaistico** a. (pl. **-ci**) **1.** ⟨Pesc⟩ of fish breeding (o farming), piscicultural. – **2.** ⟨Bot⟩ nursery, of a nursery.

vivamente avv. **1.** (con vivacità) in a lively manner, spiritedly: rispondere ~ to answer spiritedly. – **2.** (con intensità) deeply, profoundly, warmly: ringraziare ~ qd. to thank s.o. warmly. – **3.** ⟨iperb⟩ (molto) very much, greatly. – **4.** ⟨ant⟩ (puntualmente) promptly, punctually.

vivanda f. **1.** food: preparare le -e to prepare the food; una ~ gustosa tasty food. – **2.** ⟨ant⟩ (insieme di pietanze) food, meal; (portata) course, dish; (viveri, vettovaglie) victuals pl, provisions pl. □ ⟨Rel⟩ mistica ~ (ostia consacrata) consecrated Host.

vivandare v.i. (aus. **avere**) ⟨lett⟩ (consumare il pasto) to eat, to have one's meal.

vivandiere m. (f. **-a**) ⟨Mil.ant⟩ vivandier (f vivandière), sutler.

vivario m. ⟨Stor.rom⟩ vivarium.

vivente (p.pr. di vivere[1]) **I** a. **1.** living, ⟨pred⟩ alive: esseri -i living beings; essere ancora ~ to be still alive. – **2.** ⟨fig⟩ living: lingue -i living languages. – **3.** ⟨fig⟩ (vivo, vivace) lively, ⟨pred⟩ alive. – **II** s.m./f. **1.** living being; pl. the living (costr.pl.). – **2.** (uomo) human being, man. □ non c'era anima ~ there wasn't a (living) soul; ⟨burocr⟩ -i a carico dependents pl; ~ ancora il padre during his father's lifetime, while his father was still alive. – **viventa** f. ⟨burocr⟩ (il vivere) living. □ ~ a carico dependency.

vivere[1] v. (p.rem. **vissi**/ant. **vivetti**/**vivei**; fut. **vivrò**/ant. **viverò**; p.p. **vissuto**/ant. **visso**/**vivuto**) **I** v.i. (aus. **essere**/rar. **avere**) **1.** (essere in vita) to live, to be alive: il paziente stamattina viveva ancora the patient was still alive this morning. – **2.** (trascorrere l'esistenza: rif. al tempo, al luogo, al modo) to live: visse cent'anni he lived for a hundred years; un poeta che visse nella prima metà del Cinquecento a poet that lived during the first half of the Cinquecento; ~ dello stipendio to live on one's salary; vive in campagna he lives in the country. – **3.** (campare) to live (on), to subsist: non avere abbastanza per ~ not to have enough to live on; (avere di che vivere) to manage, to get by, to live (di on): solo dello stipendio non vivo I can't manage just on my salary. – **4.** (comportarsi secondo le convenienze sociali) to live, to get along: un uomo che non sa ~ a man who doesn't know how to live. – **5.** (essere, stare) to be: puoi ~ sicuro you may ⌜be sure⌝ (o rest assured). – **6.** (godere la vita) to live, to enjoy (o get the best out of) life, ⟨fam⟩ to live it up: lui sì che ha vissuto! he has really lived it up!, he has had a ⌜good time⌝ (o gay life)! – **7.** ⟨fig⟩ (sopravvivere, durare) to live on, to last, to endure: ~ nel ricordo di qd. to live on in s.o.'s memory; la sua fama vivrà eternamente his fame will live on for ever. – **8.** ⟨lett⟩ (vigere) to be in effect; (essere animato) to be alive (o animated). – **II** v.t. **1.** (trascorrere) to live: ~ una vita tranquilla to live (o lead) a peaceful life. – **2.** (passare, fare l'esperienza) to live (through), to experience, to go through: ~ un momento brutto to go through a bad moment; (provare) to go through, to live, to have: abbiamo vissuto attimi d'ansia we had a few anxious moments. – **3.** (trascorrere) to pass, to spend: ho vissuto giorni indimenticabili I spent some unforgettable days. – **4.** (sentire intimamente) to live, to feel deeply, to share: ~ le pene di qd. to share s.o.'s sorrows.

□ **avere** di che ~ to have enough to live on; ~ come **cani** e gatti to fight like cats and dogs; **cessare** di ~ (morire) to die, ⟨lett⟩ to quit this life; ⟨Mil⟩ **chi** vive? who goes there?; ~ di **elemosine** to live on charity, to beg for one's living; ~ alla **giornata** to live from hand to mouth; ~ **insieme** to live together; **lasciar** ~ (lasciar tranquillo) to let alone, to leave in peace; ~ in **pace** to live in peace; ~ **per** qc. (dedicarsi a qc.) to live for s.th.; ~ **pericolosamente** to live dangerously; ~ di **rendita** to be independently wealthy, ⟨fam⟩ to live on one's interest; **saper** ~ to know how to live elegantly, to have savoir vivre; ~ a **sé** (far vita ritirata) to lead a secluded life; ~ da gran **signore** to live like a lord; ~ alle **spalle** di qd. to live off s.o.; essere **stanco** di ~ to be tired of life; ⟨fig⟩ **stare** sul chi vive to be on the look-out. – Prov.: chi vivrà vedrà time will tell; chi vuol ~ e star bene prenda il mondo come viene to live well you must take things as they come; vivendo s'impara live and learn; ~ e lasciar ~ to live and let live; chi vive sperando, muore cantando he that lives on hope will die fasting; chi vuol ~ e star sano, dai parenti stia lontano if you want to live well keep your distance from your relatives. || ⟨Tip⟩ vive stet; ⟨esclam⟩ viva long live: viva la regina long live the Queen.

vivere[2] m. **1.** living, life; (modo di vivere) (way of) living, life-style: il ~ in campagna è salubre life in the country is healthy; lo chiami ~, questo? do you call this living? – **2.** (ciò che è necessario alla vita) life, necessities pl of life, ⟨fam⟩ bread and butter: il ~ è più caro di una volta life is dearer than it used to be.

viveri m.pl. **1.** food sing, foodstuffs pl, victuals pl, provisions pl – **2.** ⟨Mil⟩ victuals pl, provisions pl. □ ⟨Mar⟩ ~ di bordo ship's stores; caro ~ (carovita) rise in the cost of living; ~ di riserva reserve provisions.

viverra f. ⟨Zool⟩ (common large) civet, civet-cat (Viverra). □ ~ civetta (civetta) African civet(-cat) (Civettictis civetta). – **viverridi** m.pl. viverrids pl (Viverridae).

viverrino: ⟨Zool⟩ cane ~ (nittereute) raccoon dog (Nyctereutes).

viveur fr. [vi'vœ:r] m. viveur.

vivezza f. **1.** (vivacità) liveliness, vivacity (anche fig.). – **2.** (efficacia espressiva) lifelike quality, vividness. – **3.** (luminosità) brightness, brilliance.

Viviana N.pr.f. Vivian.

vivianite f. ⟨Min⟩ vivianite.

vivido a. **1.** (vivace) lively, vivid: un uomo di ~ ingegno a man with a lively mind. – **2.** ⟨lett⟩ (rigoglioso) luxuriant, thriving, vigorous. – **3.** (intensamente luminoso) bright, strong; (rif. a colori) vivid, bright. – **4.** ⟨lett⟩ (che dà vita) life-giving.

vivificamento m. ⟨non com⟩ vivifying. – **vivificante** (p.pr. di vivificare) a. **1.** vivifying. – **2.** (che incrementa) encouraging. – **3.** ⟨non com⟩ (che dà vita) life-giving, quickening.

vivificare v.t. (**vivifico, vivifichi**) **1.** to revive, to refresh, to vivify, to invigorate, to give new life to: la pioggia vivifica i campi rain revives the fields; ⟨assol⟩ to be refreshing. – **2.** ⟨fig⟩ (rendere vivo) to vivify, to enliven, to brighten up; (incrementare) to put new life into, to foster, to encourage, to boost. – **3.** ⟨non com⟩ (dotare di vita) to vivify, to endue with life, to quicken; (rendere vivo) to make alive.

vivificativo a. ⟨lett⟩ vivifying, restorative. – **vivificatore** **I** s.m. (f. **-trice**) vivifier. – **II** a. **1.** vivifying. – **2.** (che ricrea) invigorating, reviving, refreshing. – **vivificazione** f. **1.** vivification. – **2.** (ricreazione) invigoration, reviving. – **vivifico** a. (pl. **-ci**) ⟨lett⟩ (vivificatore) vivifying; (che dà vita) life-giving; (che ricrea) invigorating, refreshing, restorative.

vivinatalità f. ⟨Statist⟩ live births pl.

viviparità f. ⟨Zool,Biol⟩ viviparity. – **viviparo** **I** a. viviparous. – **II** s.m. (animale viviparo) viviparous animal.

vivisettorio a. vivisection-, vivisectional, of vivisection. – **vivisezionare** v.t. (**viviseziono**) **1.** to vivisect, to perform vivisection on. – **2.** ⟨fig⟩ to subject to vivisection, to examine minutely (o pitilessly, thoroughly), to dissect. – **vivisezione** f. **1.** vivisection. – **2.** ⟨fig⟩ (indagine accurata) vivisection, minute (o pitiless) examination, dissection.

vivo **I** a. **1.** living, ⟨pred⟩ alive, live-: è ancora ~ he is still alive; essere sepolto ~ to be buried alive; pesci -i live fish. – **2.** (che dura tuttora) living, surviving, ⟨pred⟩ alive, extant: una tradizione ancora -a a tradition which is still alive. – **3.** (vivace) lively, vivacious: occhi -i lively eyes; una discussione molto -a a very lively discussion; (irrequieto) lively, vivacious, high-spirited: è un ragazzo un po' ~, devi aver pazienza con lui he's a lively boy, you have to be patient with him. – **4.** (acuto) lively, quick, sharp, bright, keen: ingegno ~ lively (o quick) mind. – **5.** (acceso, animato) lively, animated, keen, heated: la discussione si fece più -a the discussion grew more heated; (intenso) deep, profound, strong, great: ~ rimorso deep (o keen) remorse; ~ sdegno strong indignation. – **6.** (rif. a luci) bright, brilliant: questa luce -a mi dà fastidio agli occhi this bright light is bothering my eyes; (rif. a colori) vivid, bright, brilliant. – **7.** (immediato, efficace) vivid, lively, true to life: una descrizione -a a vivid description. – **8.** (rif. all'aria: pungente) fresh, biting, sharp. – **9.** (rif. al fuoco) burning, blazing, living: cuocere qc. a fuoco ~ to cook s.th. on a blazing fire. – **10.** (rif. ad acqua: corrente) running, flowing. – **11.** (non smussato) sharp: spigolo ~ sharp corner. – **12.** (rif. a sassi e sim.: non ricoperto di terra) living: roccia -a living rock. – **13.** ⟨Mus⟩ vivace, vivo, lively. – **14.** ⟨epist⟩ deep, hearty, warm, very best: con i miei più -i ringraziamenti with my deepest (o warmest) thanks; ~ rallegramenti hearty congratulations. – **15.** ⟨ant⟩ (riscuotibile) collectable. – **II** s.m. **1.** (f. **-a**) living person; pl. the living (costr.pl.). – **2.** (carne viva) living flesh. – **3.** ⟨fig⟩ (intimo) bottom, depths pl, heart, innermost recesses pl: nel ~

del suo cuore in the depths of his heart, in his heart of hearts. – **4.** ⟨*fig*⟩ (*punto essenziale*) heart, core, pith, essence, marrow, quick: *entrare nel* ~ *della discussione* to get to the heart of the matter. – **5.** ⟨*fig*⟩ (*punto delicato*) quick, sore (*o* sensitive) spot, weak point. – **6.** ⟨*Arch*⟩ (*fusto*) shaft.

□ **al** ~: vivid, true to life: *ritrarre al* ~ to paint true to life; *non c'era* **anima** *-a* there wasn't a living soul; **ardere** ~ *qd.* to burn s.o. alive; *di* ~ **cuore** ⌜with all⌝ (*o* from the bottom of) one's heart; **da** ~ in his (*o* her) lifetime, when he (*o* she) was alive; *non* **essere** *più tra i -i* to no longer be among the living, to be dead; ⟨*fig*⟩ **farsi** ~: 1. to show up (*o* one's face), to turn (*o* pop) up, to appear, to put in an appearance; 2. (*dare notizie di sé*) to write (*o* call), to be heard from, to give news of o.s.: *non si è più fatto* ~ we haven't heard anything further from him; **ferire** *qd. nel* ~ to wound s.o. to the quick, to touch on s.o.'s sore spot; (*offenderlo*) to hurt s.o.'s feelings; *a -a* **forza** by force; *le forze -e della nazione* the productive (*o* active) population of the nation; ⟨*fig*⟩ **mangiarsi** ~ *qd.* to eat s.o. alive, to rail (*o* let fly) at s.o.; *lo mangerei* ~ *!* I could kill him!; ~ *o* **morto** dead or alive; **nel** ~ *di* (*in mezzo a*) in the middle of; **pescare** *al* ~ to fish with live bait; **pungere** *qd. nel* ~ = **ferire** *qd. nel vivo*; **spese** *-e* out-of-pocket expenses; ~ *e* **vegeto** hale and hearty, ⟨*fam*⟩ alive and kicking; ~ *e* **verde** as fit as a fiddle.

vivucchiare *v.* → **vivacchiare.**

vivuola *f.* → **viuola.**

vivuto *p.p. ant. di* **vivere**[1].

viziaccio *m. pegg. di* **vizio.**

viziare *v.t.* (**vizio, vizi**) **1.** (*educare male*) to spoil, to (over)indulge: *i genitori lo viziano* his parents spoil him; (*vezzeggiare*) to coddle, to pamper. – **2.** (*rif. ad animali*) to spoil, to ruin. – **3.** (*corrompere moralmente*) to lead astray, to corrupt, to deprave. – **4.** (*compromettere*) to vitiate, to compromise, to upset. – **5.** (*rif. ad aria*) to make stale (*o* impure, foul), to vitiate: *il fumo ha viziato l'aria della stanza* the smoke has made the air in the room foul. – **6.** (*rendere difettoso*) to ruin, to make faulty (*o* defective), to spoil, to vitiate. – **7.** ⟨*Dir*⟩ (*infirmare*) to vitiate, to invalidate: *un errore che vizia il contratto* an error that invalidates the contract. – **8.** ⟨*poet*⟩ (*offuscare*) to dim. – **viziarsi** *v.r.* **1.** to become spoiled, to acquire bad habits (*o* ways). – **2.** (*corrompersi*) to be led astray, to become corrupted. – **3.** (*diventare difettoso*) to be(come) ruined, to be(come) defective: *la serratura s'è viziata* the lock is ruined.

viziatamente *avv.* defectively, imperfectly.

viziatello, viziatino (*dim. di viziato*) *a.* spoilt, spoiled.

viziato[1] (*p.p. di viziare*) *a.* **1.** spoilt, spoiled: *un ragazzo* ~ a spoilt child; (*vezzeggiato*) pampered. – **2.** (*corrotto*) corrupt, depraved. – **3.** (*rovinato*) ruined, spoilt, vitiated; (*difettoso*) faulty, defective. – **4.** (*rif. ad aria*) stale, foul, vitiated. – **5.** ⟨*Dir*⟩ vitiated, invalidated: *documento* ~ invalidated document. – **6.** ⟨*ant*⟩ (*vizioso*) vicious.

viziato[2] *m.* ⟨*Agr*⟩ cutting of a vine.

viziatura *f.* ⟨*non com*⟩ **1.** spoiling. – **2.** (*corruzione*) corruption, depravation. – **3.** (*imperfezione*) defect, fault, flaw. – **4.** ⟨*Med*⟩ deformity.

vizietto (*dim. di vizio*) *m.* bad habit, failing.

vizio *m.* **1.** (*pratica del male*) vice. – **2.** (*cattiva abitudine*) vice, bad habit: *il* ~ *del gioco* the vice of gambling; *il fumo è un* ~ smoking is a bad habit; *ha il* ~ *di mangiarsi le unghie* he has the bad habit of biting his nails. – **3.** (*difetto, imperfezione*) fault, flaw, defect, imperfection: ~ *di fabbricazione* manufacturing defect. – **4.** (*errore, scorrettezza*) mistake, error. – **5.** ⟨*Med*⟩ vice, vitium, imperfection, defect, malformation. – **6.** ⟨*Dir*⟩ vice, flaw, defect. – **7.** ⟨*ant*⟩ (*voglia, capriccio*) whim, fancy.

□ ⟨*Dir*⟩ ~ **apparente** apparent defect; ⟨*Teol*⟩ *i setti vizi* **capitali** the seven deadly sins; ⟨*Med*⟩ ~ **cardiaco** organic lesion of the heart, vitium cordis; **carico** *di vizi* = **pieno** *di vizi*; ⟨*Med*⟩ ~ **congenito** congenital defect; ⟨*Dir*⟩ ~ *di* **consenso** absence of assent (*o* consent); ~ *al* **cuore** = *vizio* **cardiaco**; ~ *di* **famiglia** family defect (*o* failing); *è un* ~ *di famiglia* it runs in the family; ⟨*Dir*⟩ ~ *di* **forma** breach of procedure, procedural flaw; ⟨*Dir*⟩ **garanzia** *dei vizi* warranty for defects; ~ **giuridico** defect of title, defective title; ~ **inerente** inherent fault; ~ *di* **legittimità** unlawfulness, illegitimacy; **levare** *a qd. il* ~ *di qc.* to cure s.o. of a bad habit; ⟨*Med, Dir*⟩ ~ *di* **mente** unsoundness of mind, insanity, (mental) derangement; ⟨*Dir*⟩ ~ **occulto** hidden defect; ⟨*Med*⟩ ~ **organico** defect, vitium, organic flaw; ~ *di* **ortografia** spelling mistake; ⟨*Med,Dir*⟩ ~ **parziale** (*di mente*) diminished responsibility, partial mental derangement; **pieno** *di vizi* vicious, dissolute; (*rif. a cattive abitudini*) full of bad habits; ⟨*Med*⟩ ~ *di* **posizione** malposition; ⟨*Dir*⟩ ~ **redibitorio** unsoundness, redhibitory (*o* principal) defect; **sanare** *un* ~ to remedy a defect; ~ *di* **scrittura** slip of the pen; ~ **tipografico** printer's error; **togliersi** *un* ~ to rid o.s. of a vice; (*rif. a cattive abitudini*) to get out of a bad habit; ⟨*Med,Dir*⟩ ~ **totale** (*di mente*) insanity; ~ **valvolare** = *vizio* **cardiaco**; ~ *della* **volontà** = *vizio di* **consenso**.

viziosamente *avv.* viciously. – **viziosetto** *a. dim. di* **vizioso.** – **viziosità** *f.* ⟨*non com*⟩ **1.** viciousness. – **2.** (*difettosità*) defectiveness, faultiness.

vizioso I *a.* **1.** vicious, depraved, corrupt; (*avente cattive abitudini*) with bad habits. – **2.** (*da persona viziosa*) vicious, of vice: *vita -a* life of vice. – **3.** (*difettoso*) defective, faulty, impaired; (*inesatto*) incorrect, erroneous. – **4.** ⟨*Dir*⟩ (*non valido*) vitiated, vicious, unlawful. – **II** *s.m.* (*f.* -a) vicious person; (*depravato*) depraved person, pervert. □ ⟨*fig*⟩ *circolo* ~ vicious circle.

viziuccio *m. dim. di* **vizio.**

vizzato *m.* ⟨*ant*⟩ (*vitigno*) species of vine.

vizzo *a.* **1.** withered; (*appassito*) faded, withered. – **2.** (*rif. alla pelle*) withered: *gote -e* withered cheeks.

v.l. = ⟨*Filol*⟩ *varia lectio* varia lectio (*abbr.* V.L., v.l.).

Vladimiro *N.pr.m.* Vladimir.

v.le, V.le = *viale* avenue (*abbr.* Ave., Av.), boulevard (*abbr.* Blvd.).

VLF = ⟨*Fis*⟩ *bassissima frequenza* very low frequency (*abbr.* V.L.F., v.l.f.).

V.M. = **1.** *Vostra Maestà* Your Majesty. – **2.** *valor militare* military valour. – **3.** *Vostra Magnificenza* (*titolo di signori*) Your Lordship; (*titolo di principi*) Your (Royal) Highness.

vo *pres.ind. poet. di* **andare**[1].

vobulatore *m.* ⟨*El*⟩ wobbler, wobbulator. – **vobulazione** *f.* wobbulation.

voc. = **1.** ⟨*Gramm*⟩ *vocativo* vocative (*abbr.* voc., v.). – **2.** (*vocale*) vowel (*abbr.* v.). – **3.** ⟨*non com*⟩ *vocabolo* word (*abbr.* w.).

vocabolaretto (*dim. di vocabolario*) *m.* small (*o* pocket) dictionary. – **vocabolario** *m.* **1.** dictionary: ~ *inglese-italiano* English-Italian dictionary. – **2.** (*lessico*) vocabulary, lexicon: *arricchire il proprio* ~ to add to one's vocabulary; (*linguaggio*) language: ~ *aulico* courtly language. □ ⟨*scherz*⟩ *questa parola non esiste nel mio* ~ I don't use this word; ~ *scolastico* school dictionary, dictionary for school use.

vocabolarista *m./f.* ⟨*non com*⟩ (*lessicografo*) lexicographer, author (*o* compiler) of a dictionary.

vocaboliera *f.* ⟨*scherz,lett*⟩ woman skilled in the use of words.

vocabolista *m.* ⟨*ant*⟩ **1.** (*glossario*) glossary. – **2.** *m./f.* → **vocabolarista.** – **vocabolistario** *m.* (*f.* -a) ⟨*ant*⟩ → **vocabolarista.**

vocabolo *m.* **1.** word: ~ *infantile* baby word. – **2.** (*minima unità toponomastica*) hamlet. – **3.** ⟨*rar*⟩ (*nome geografico*) geographical name.

vocabulista *m./f.* → **vocabolarista.**

vocale[1] **I** *a.* **1.** (*della voce*) vocal, voice-; (*parlato*) vocal, oral. – **2.** (*della vocale*) vowel-, vocalic. – **3.** ⟨*Mus*⟩ vocal: *musica* ~ vocal music. – **4.** ⟨*Anat*⟩ vocal: *corde -i* vocal c(h)ords. – **5.** ⟨*Rel*⟩ (*avente diritto di voto*) entitled to vote. – **6.** ⟨*poet*⟩ (*sonoro*) sonorous, resonant, resounding. – **7.** ⟨*poet*⟩ (*dotato di voce*) gifted with speech, ⟨*lett*⟩ vocal; (*parlante*) speaking; (*canoro*) singing; (*poetico*) poetic. – **II** *s.m.* ⟨*Rel*⟩ canon having the right to vote, vocal.

vocale[2] *f.* ⟨*Gramm*⟩ vowel.

□ ~ **anteriore** palatal vowel; ~ **aperta** open vowel; ~ *d'***appoggio** anaptyctic vowel; ~ **atona** atonic (*o* unstressed) vowel; ~ **breve** short vowel; ~ **chiusa** closed vowel; ~ **finale** final vowel; ~ **indistinta** (o *di timbro indistinto*) = *vocale* **ridotta**; ~ **larga** = *vocale* **aperta**; ~ **lunga** long vowel; ~ **nasale** nasal vowel; ~ **orale** oral vowel; ~ **palatale** = *vocale* **anteriore**; ~ **posteriore** velar vowel; ~ **ridotta** reduced vowel; ~ **stretta** = *vocale* **chiusa**; ~ **tematica** thematic (*o* stem) vowel; ~ **tonica** tonic vowel; ~ *d'***uscita** = *vocale* **finale**; ~ **velare** = *vocale* **posteriore**.

vocalico *a.* (*pl.* -ci) ⟨*Ling*⟩ vocalic, vowel-: *armonia -a* vowel (*o* vocalic) harmony. – **vocalismo** *m.* vocalism.

vocalist *ingl.* ['voukəlist] *m./f.* ⟨*Mus*⟩ vocalist.

vocalità *f.* ⟨*Mus*⟩ vocality, vocal character.

vocalizzare I *v.t.* ⟨*Ling*⟩ to vocalize, to voice; (*mettere i segni vocalici*) to vocalize. – **II** *v.i.* (*aus.* **avere**) ⟨*Mus*⟩ to vocalize. – **vocalizzarsi** *v.r.* ⟨*Ling*⟩ to be vocalized. – **vocalizzazione** *f.* ⟨*Ling,Mus*⟩ vocalization, vocalism.

vocalizzo *m.* ⟨*Mus*⟩ **1.** (*il vocalizzare*) vocalization; (*esercizio*) vocalizing, vocalization. – **2.** *pl.* ⟨*non com*⟩ (*fioriture*) embellishments *pl*, ornaments *pl*, graces *pl*.

vocare *v.t.* (**voco, vochi**) ⟨*ant*⟩ **1.** (*chiamare*) to call. – **2.** (*nominare*) to name. – **3.** (*invocare*) to invoke. – **vocativamente** *avv.* ⟨*Gramm*⟩ vocatively. – **vocativo I** *a.* ⟨*Gramm*⟩ vocative: *forma -a* vocative form. – **II** *s.m.* (*caso vocativo*) vocative (case).

vocazionale *a.* vocational: *scuola* ~ vocational school.

vocazione *f.* **1.** vocation, calling (*anche Rel.*): ~ *sacerdotale* priestly vocation, calling to the priesthood. – **2.** (*inclinazione naturale*) inclination, bent, leaning, propensity: *avere* ~ *alla musica* to have a bent for music. – **3.** ⟨*Gramm*⟩ address.

□ **avere** ~ *a qc.* to have a bent for s.th., to be drawn to s.th.; (*esserci tagliato*) to be ⌜cut out for⌝ (*o* good at) s.th.; ⟨*Gramm*⟩ *il* **caso** *che esprime la* ~ the vocative (case); **con** ~ out of inclination, because one has a bent (*o* liking) for s.th.; ⟨*Dir*⟩ ~ **ereditaria** designation of heir; **senza** ~ with no vocation for s.th.; (*senza inclinazione*) with no bent (*o* feeling) for s.th.

voce *f.* **1.** voice: *il timbro della* ~ the tone of voice; (*rif. ad animali*) voice, cry, call: *la* ~ *del cane* the dog's cry. – **2.** (*suono di uno strumento musicale*) song, sound, voice: *la* ~ *del violino* the sound of the violin; (*canto*) song. – **3.** ⟨*estens*⟩ (*rumore, fragore*) sound, roar, rumble: *la* ~ *del mare* the roar of the sea. – **4.** ⟨*fig*⟩ (*richiamo, suggerimento*) voice, call: *la* ~ *della coscienza* the voice of conscience; *la* ~ *del dovere* the call of duty. – **5.** ⟨*fig*⟩ (*comando, deliberazione*) decision, determination. – **6.** ⟨*fig*⟩ (*diceria*) rumour: *corre* ~ *che sarà destituito* ⌜rumour has it⌝ (*o* it is rumoured) that he will be dismissed; *sono -i che girano* it is just a rumour, this is ⌜the rumour⌝ (*o* what people are saying). – **7.** (*vocabolo*) word: *una* ~ *antiquata* an obsolete word; (*espressione*) term, expression. – **8.** (*lemma*) entry word, headword, main entry: *quante -i ha questo dizionario?* how many headwords are there in this dictionary? – **9.** (*elemento* *d'un elenco*) item, heading: ~ *di un conto* item in a bill; *le -i di un catalogo* the headings in a catalogue; (*nel bilancio e sim.*) entry, item. – **10.** ⟨*esclam*⟩ speak up, louder. – **11.** ⟨*Gramm*⟩ (*forma verbale*) voice, form (of a verb). – **12.** ⟨*Mus*⟩ voice, (voice, melodic) part: *fuga a tre -i* three-part fugue, fugue for three voices. – **13.** ⟨*non com*⟩ (*parola*) word: *darsi la* ~ to send word round. – **14.** ⟨*region*⟩ (*gioco della passatella*) drinking game. – **15.** ⟨*ant*⟩ (*voto*) vote, voice; (*diritto di voto*) right to vote. – **16.** ⟨*ant*⟩ (*bando*) announcement, proclamation; (*asta*) auction. – **17.** ⟨*ant*⟩ (*fama*) reputation, fame. – **18.** ⟨*ant*⟩ (*prezzo risultante dal mercato*) market price.

☐ **a** ~ directly, personally, orally: *quando tornerai te lo dirò a* ~ when you come back I'll tell you personally; ⟨*Mus*⟩ *a più -i* concerted, part-; ⟨*fig*⟩ *a una* ~ with one voice, unanimously; **abbassare** *la* ~ to lower one's voice; ⟨*mar*⟩ **alla** ~! still!, as you were!; ⟨*mar*⟩ *saluto alla* ~ three cheers *pl*; ~ **alta** high voice; *ad alta* ~ aloud, out loud: *leggere ad alta* ~ to read aloud; **alzare** *la* ~: 1. to raise one's voice; 2. ⟨*fig*⟩ = *fare la voce* **grossa**; ~ **attiva**: 1. ⟨*Dir.can*⟩ right to vote; 2. ⟨*Gramm*⟩ active form (*o* voice); 3. = *voce dell'***attivo**; ⟨*Comm*⟩ ~ *dell'***attivo** asset, credit entry (*o* item); ⟨*Mus*⟩ ~ *di* **baritono** baritone voice; ~ **bassa** low voice; (*roca*) hoarse (*o* gruff) voice; *a* ~ *bassa* in a low voice, softly; ⟨*Mus*⟩ ~ *di* **basso** bass (voice); *-i* **bianche** treble voices; ~ *del* **bilancio** budget item (*o* entry); *avere* ~ *in* **capitolo**: 1. to have the right to vote (in a chapter); 2. ⟨*fig,scherz*⟩ (*far sentire il proprio parere*) to have a say in the matter; 3. (*avere autorità*) to carry weight: *a casa sua non ha* ~ *in capitolo* what he says at home ⌜carries no weight⌝ (*o* counts for nothing); ⟨*Mus*⟩ ~ *di* **contralto** contralto voice; (*maschile*) alto voice; **coprire** *la* ~ *di qd.* to talk s.o. down; ⟨*fam*⟩ **dare** *una* ~ *a qd.* (*chiamarlo*) to call s.o.; *dare sulla* ~ *a qd.* (*contraddirlo vivacemente*) to contradict s.o. heatedly; ⟨*ant*⟩ *dar* ~ (*spargere la voce*) to spread ⌜it about⌝ (*o* the rumour); *dare* ~ *ai propri sentimenti* to voice one's feelings; ⟨*ant*⟩ *dar buona* ~ (*lodare*) to praise; ⟨*ant*⟩ *dar cattiva* ~ (*biasimare*) to condemn, to blame; ⟨*ant*⟩ *dare la* ~ (*mettere all'incanto*) to put up for auction; ⟨*Comm*⟩ ~ *d'***entrata** credit item; **essere** *in* ~ to be in good voice; ⟨*Mus*⟩ ~ *di* **falsetto** falsetto (voice); ~ **femminile** woman's voice; *un* **fil** *di* ~ a faint voice; *essere giù di* ~ to be out of voice; ~ *di* **gola** throaty voice (*anche Mus.*); *a* **gran** ~ in a loud voice; **gridare** *con quanta* ~ *si ha in corpo* to shout at the top of one's voice (*o* lungs); ~ **grossa** (*rude*) gruff (*o* rough) voice; ⟨*fig*⟩ *fare la* ~ *grossa* (*parlare in tono minaccioso*) to speak in a threatening tone; ~ **infantile** child's voice; ⟨*fig*⟩ *parlare con* **libera** ~ to speak freely (*o* out); ⟨*ant*⟩ *essere in* **mala** ~ (*avere cattiva fama*) to have a bad reputation; ~ **maschile** man's voice; *-i* **medie**: 1. ⟨*Acu*⟩ middle register, middle voices *pl*; 2. ⟨*Gramm*⟩ middle voices; *a* **mezza** ~ in a low voice; ⟨*Mus*⟩ *coro a -i* **miste** mixed-voice choir; ⟨*ant*⟩ **muover** *la* ~ (*cominciare a parlare*) to begin speaking; *il ragazzo sta* **mutando** ~ the boy's voice is breaking (*o* changing); *son più -i che* **noci** (*son più chiacchiere che fatti*) it's all talk; ⟨*Ling*⟩ ~ **nuova** neologism, new word; *la* ~ *del* **padrone** his master's voice; ⟨*Mus*⟩ *coro a -i* **pari** (*coro maschile*) choir of men, men's chorus; (*coro femminile*) women's chorus (*o* choir); ~ **passiva**: 1. ⟨*Dir.can*⟩ right to be elected; 2. ⟨*Gramm*⟩ passive form (*o* voice); 3. = *voce del* **passivo**; ⟨*Comm*⟩ ~ *del* **passivo** debit item (*o* entry); ~ **pastosa** mellow voice; *un uccellino tutto* ~ *e* **penne** a little bird all voice; ⟨*fig*⟩ (*rif. a persona piccola, ma vivace*) a lively little thing; **perdere** *la* ~ to lose one's voice; ⟨*Mus*⟩ ~ *di* **petto** chest voice; ⟨*fig*⟩ ~ **piena** (*sonora*) full voice; *a piena* ~ at the top (*o* pitch) of one's voice; *la* ~ *del* **popolo** the voice of the people, vox populi; *la* ~ **pubblica** public opinion; *la* ~ *della* **ragione** the voice of reason; **rifare** *la* ~ *di qd.* to imitate s.o.'s voice, to take off s.o.'s way of speaking; ~ **roca** hoarse (*o* gruff) voice; ⟨*fig*⟩ *la* ~ *del* **sangue** the call of blood (*o* kinship); ⟨*Mus*⟩ ~ *di* **soprano** soprano voice; **sotto** ~ in a low voice, softly, in an undertone; ⟨*Mus*⟩ sotto voce, very soft(ly); **spiegare** *la* ~ to project one's voice, to sing with full voice; ⟨*non com*⟩ ~ **squarciata** (*sgraziata*) shrill (*o* strident) voice; ⟨*non com*⟩ **strangolare** *la* ~ (*soffocarla*) to smother the voice; ⟨*Mus*⟩ ~ *di* **testa** head voice; *a* **tutta** ~ = *a* **piena** *voce*; ⟨*Bibl*⟩ *la* ~ *di* **uno** *che grida nel deserto* the voice of one crying in the wilderness; ⟨*Ling*⟩ ~ *dell'***uso** word in current use; *a* **viva** ~ = **a** *voce*. – *Prov.*: ~ *di popolo,* ~ *di Dio* the voice of the people is the voice of God.

voceratrice *f.* hired mourner, wailer. – **vocero** *m.* funeral lament.

vocetta *f. dim. di* **voce**. – **vociaccia** *f.* (*pl.* **-ce**) *pegg. di* **voce**.

vocianesimo *m.* ⟨*Lett*⟩ movement centring on the review 'La Voce'. – **vociano I** *a.* of (*o* relating to) the review 'La Voce'. – **II** *s.m.* writer for 'La Voce'.

vociare[1] *v.i.* (**vocio**, **voci**; *aus.* **avere**) **1.** to talk at the top of one's voice, to shout, to bawl. – **2.** (*chiacchierare*) to talk, to gossip.

vociare[2] *m.* **1.** loud talk(ing), shouting, bawling. – **2.** (*chiacchiere*) talk, gossip: *si è fatto un gran* ~ *su di te* there has been a lot of talk about you.

vociatore ⟨*non com*⟩ **I** *s.m.* (*f.* **-trice**) shouter, bawler. – **II** *a.* shouting, bawling.

vociferare *v.i.* (**vocifero**; *aus.* **avere**) **1.** to talk at the top of one's voice, to shout. – **2.** ⟨*fig*⟩ (*mormorare*) to say, to spread (it) about: *si vocifera che* people say that, rumour has it that. – **vociferatore** *m.* (*f.* **-trice**) ⟨*non com*⟩ **1.** shouter, bawler. – **2.** ⟨*fig*⟩ (*chi sparge notizie*) spreader of gossip, gossipmonger. – **vociferazione** *f.* **1.** shouting, clamour, vociferation. – **2.** ⟨*fig*⟩ (*lo spargere voci*) spreading of gossip, rumouring. – **3.** ⟨*ant*⟩ (*notizia infondata*) rumour.

vocina *f.*, **vocino** *m. dim. di* **voce**. – **vocio** *m.* **1.** shouting. – **2.** (*rumore*) clamour, noise of voices. – **vociona** *f.*, **vocione** *m. accr. di* **voce**.

vodca *f.* ⟨*rar*⟩ → **vodka**.

vodese I *a.* (*valdese*) Waldensian. – **II** *s.m./f.* (*abitante*) Waldensian; *pl.* Waldenses *pl*, Valdenses *pl*, Vaudois *pl.*

vodka *f.* vodka.

vodù *m.* ⟨*Etnol*⟩ voodoo.

voga[1] *f.* ⟨*Mar*⟩ **1.** rowing. – **2.** (*modo, colpo di remo*) stroke. – **3.** (*vogatore*) oarsman, rower. – **4.** ⟨*ant,collett*⟩ (*insieme dei vogatori*) oarsmen *pl*, rowers *pl.*

☐ **banco** *di* ~ thwart; ~ *alla* **battana** paddling (with a double paddle); **capo** ~ stroke(-oar); ~ *di* **coppia** sculling; ~ *a* **pagaia** paddling; ~ *di* **spalla** rowing; ~ ⌜*alla* **veneziana**⌝ (*o da gondola*) rowing in a standing position.

voga[2] *f.* **1.** (*usanza*) fashion. – **2.** (*lena, entusiasmo*) enthusiasm, keenness, will: *fare qc. con* ~ to do s.th. enthusiastically (*o* with a will).

☐ **acquistare** ~ = **prendere** *voga*; ⟨*non com*⟩ **aver** ~ = **essere** *in voga*; **dar** ~ *a qc.* = **mettere** *qc. in voga*; **essere** *in* ~ to be fashionable, to be in (*o* the) fashion, to be in vogue, ⟨*fam*⟩ to be in; *molto* **in** ~ very fashionable, ⟨*fam*⟩ the thing; **mettere** *qc. in* ~ to make s.th. fashionable; **prendere** (*o venire in*) ~ to come into fashion, ⟨*fam*⟩ to come in; **studiare** *con* ~ to study hard; **tornare** *in* ~ to come back (into fashion).

vogare *v.* (**vogo**, **voghi**) ⟨*Mar*⟩ **I** *v.i.* (*aus.* **avere**) (*remare*) to row, to oar. – **II** *v.t.* ⟨*non com*⟩ (*far muovere vogando*) to row. – **vogata** *f.* **1.** (*atto*) rowing; (*effetto*) row: *ho fatto una bella* ~ *sul lago* I had a pleasant row on the lake. – **2.** (*singola spinta*) stroke, pull. – **vogator** *m.* ⟨*Sport*⟩ (*vogatore*) rowing-machine. – **vogatore** *m.* (*f.* **-trice**) **1.** rower, oar, oarsman (*f* -woman). – **2.** ⟨*Sport*⟩ (*attrezzo*) rowing-machine. – **3.** ⟨*non com*⟩ (*canottiere*) rower, oarsman. – **vogatura** *f.* ⟨*non com*⟩ **1.** (*il vogare*) rowing. – **2.** (*modo*) stroke.

vogavanti *m.* ⟨*Mar.ant*⟩ rower on the sternmost stroke thwart.

voglia *f.* **1.** (*desiderio*) wish, desire (*di* for): *levarsi la* ~ *di qc.* to satisfy one's wish for s.th.; (*appetito*) wish, desire, appetite. – **2.** (*brama*) longing, craving. – **3.** ⟨*eufem*⟩ (*desiderio sessuale*) desire, lust. – **4.** (*capriccio*) fancy, whim, wish: *cavarsi tutte le -e* to indulge all one's fancies. – **5.** (*disposizione, buona volontà*) will, desire, wish: *non ha molta* ~ *di lavorare* he has little will to work. – **6.** ⟨*pop*⟩ birth-mark: ~ *di fragola* strawberry birth-mark. – **7.** ⟨*non com*⟩ (*piccola quantità*) scrap, (little) bit; (*briciolino*) morsel, scrap, crumb; (*sorsettino*) drop, dash. – **8.** ⟨*rar*⟩ (*volontà*) will.

☐ ⟨*non com*⟩ **a** *sua* ~ (*secondo la sua volontà*) at his will (*o* pleasure), as he wishes; *fare a* ~ *di qd.* to do as s.o. wishes; **avere** ~ *di qc.* 1. (*desiderare qc.*) to want s.th., to feel like s.th., ⟨*fam*⟩ to fancy s.th.: *non ho* ~ *di uscire* I don't feel like going out; *avrei* ~ *di una birra* I ⌜should like⌝ (*o* could do with) a beer; *non ho* ~ *di scherzare* I don't feel like joking, I'm not in a joking mood; *ho* ~ *di dormire* I feel ⌜like a sleep⌝ (*o* sleepy); 2. (*bramare qc.*) to long for s.th., ⟨*fam*⟩ to be dying for s.th.: *ho una gran* ~ *di tornare in campagna* I'm longing to get back to the country; *di* **buona** ~: 1. (*volentieri*) with a will, willingly, gladly, cheerfully: *mettersi di buona* ~ to set to with a will; 2. (*di buon animo*) in a good mood; *di* **cattiva** ~ unwillingly, reluctantly; *fare qc.* **contro** ~ to do s.th. unwillingly (*o* against one's will); *mi fa* **crescere** *la* ~ that makes me want it even more; ⟨*scherz*⟩ ~ *di* **lavorare**, *saltami addosso!* I don't feel like working; *di* **mala** ~ = *di* **cattiva** *voglia*; *sentirsi di mala* ~ to feel (*o* be) in a bad mood; *il prosciutto* **mette** ~ *di bere* ham makes one thirsty (*o* want to drink); ⟨*iperb*⟩ **morire** *dalla* ~ *di qc.* to be longing (*o* dying) for s.th.: *muoio dalla* ~ *di rivederti* I'm longing to see you again; **restare** *con la* ~ *in corpo* to be unsatisfied, to have an unsatisfied desire; **senza** ~ with no inclination (*o* wish); *far* **venire** *la* ~ *di far qc.* to make s.o. want to do s.th.: *questo profumino mi fa venir* ~ *di mangiare* this aroma makes me feel like eating; *m'è venuta la* ~ *di far quattro passi* I feel like going out for a walk; *mi viene* ~ *di ridere* I feel like laughing.

voglienza *f.* ⟨*ant*⟩ → **volontà**.

voglioloso *a.* ⟨*non com*⟩ (*capriccioso*) capricious, full of fancies.

vogliosamente *avv.* ⟨*rar*⟩ **1.** capriciously. – **2.** (*con entusiasmo*) willingly, readily, eagerly. – **vogliosetto** *a. dim. di* **voglioso**. – **vogliosità** *f.* ⟨*non com*⟩ capriciousness. – **voglioso I** *a.* **1.** capricious, full of fancies. – **2.** ⟨*lett*⟩ (*desideroso, bramoso*) desirous, longing; (*volenteroso*) willing, ready, eager. – **II** *s.m.* (*f.* **-a**) eager person.

voi *pron.pers.* **1.** you, ⟨*lett*⟩ ye: ~ *non ci andrete* you will not go; ~ *sì che avete ragione* you are right. – **2.** (*oggetto*) you: *abbiamo scelto* ~ we have chosen you; *chiamo proprio* ~ it's you I'm calling. – **3.** (*preceduto da preposizione*) you: *uscirò con* ~ I'll go out with you. – **4.** (*con valore impersonale*) you, one, we *pl*: *se* ~ *considerate che non ci vedevamo da tre anni* if you consider that we hadn't met for three years. – **5.** (*forma di cortesia*) you. ☐ ~ *altri* → **voialtri**; *da* ~: 1. (*a casa vostra*: *stato*) with you, at your house; (*moto*) to your house (*o* place); 2. (*nel vostro paese*) in your country (*o* parts), where you live; 3. (*da soli*) by yourselves; *dare del* ~ *a qd.* to address s.o. using the second person plural (as a polite form); ~ *stessi* (*o medesimi*) you yourselves.

voialtri (*o* **voi altri**) *pron.pers.m.pl.* you, you people (*o* folks); (*i rimanenti*) the rest of you.

voile *fr.* [vw'al] *m.* ⟨*Tess*⟩ voile.
voivọda *m.* vaivode, voivode. – **voivodạto** *m.* **1.** (*carica*) office of a vaivode. – **2.** (*territorio*) territory under a vaivode's jurisdiction.
vol. = **1.** *volume* volume (*abbr.* vol.). – **2.** ⟨*Edit*⟩ *volume* volume (*abbr.* vol.).
volạnda *f.* (*spolvero di farina*) dust (from flour being milled).
volandiẹro *a.* ⟨*Mar*⟩ charter-.
volạndola *f.* ⟨*rar*⟩ → **volanda.**
volạno *m.* **1.** shuttlecock; (*gioco*) badminton. – **2.** ⟨*tecn*⟩ fly-wheel. ☐ ⟨*tecn*⟩ ~ *a disco* fly-wheel; ~ *a mano* handwheel.
volant *fr.* [-'lã] *m.* ⟨*Sart*⟩ **1.** flounce, frill, volant. – **2.** (*merletto di rifinitura*) ruche.
volạnte[1] (*p.pr. di volare*) **I** *a.* **1.** flying: *pesce* ~ flying-fish. – **2.** (*che si sposta rapidamente*) flying: *squadra* ~ flying-squad. – **3.** ⟨*lett*⟩ (*rapido, celere*) flying, swift. – **4.** ⟨*Sart*⟩ fastened at one end only. – **5.** ⟨*lett*⟩ (*rappresentato nell'atto di volare*) flying. – **6.** ⟨*Arald*⟩ volant. – **II** *s.f.* (*anche squadra volante*) flying-squad. – **III** *s.m.* ⟨*Sport*⟩ (*nella scherma*) coupé.
volạnte[2] *m.* **1.** ⟨*Aut*⟩ (steering-)wheel: *sedere al* ~ to sit at the wheel. – **2.** ⟨*Aer*⟩ control column (*o* stick), ⟨*fam*⟩ joystick. – **3.** ⟨*tecn*⟩ (*ruota*) handwheel; (*volano*) fly-wheel. ☐ *asso del* ~ ace (*o* crack) racing driver; ⟨*Aut*⟩ ~ *a calice* deep-centre steering-wheel; ~ ⌜*di guida*⌝ (*o dello sterzo*) steering-wheel; *stare al* ~ to be at the wheel.
volạnte[3] *m.* ⟨*rar*⟩ → **volant.**
volantịno[1] (*dim. di volante*[2]) *m.* ⟨*tecn*⟩ handwheel. ☐ ~ *a croce* (*o crociera*) pilot wheel.
volantịno[2] (*dim. di volante*[1]) *m.* **1.** leaflet, pamphlet, handbill: *distribuire -i* to hand out leaflets. – **2.** ⟨*Sart*⟩ flounce, frill. – **3.** ⟨*Pesc*⟩ (*rete da posta*) kind of drift-net; (*lenza*) kind of fishing-line. – **4.** ⟨*Venat*⟩ tame pigeon.
volapük [-'pyk] *m.* ⟨*Ling*⟩ Volapük.
volạre *v.* (**vọlo**) **I** *v.i.* (*aus.* **avere/essere**) **1.** to fly (*anche Aer.*): *volano le rondini* the swallows are flying; *l'aereo volava a bassa quota* the plane was flying at low altitude; (*viaggiare in aereo*) to fly: *è la prima volta che volo* it's the first time I've flown. – **2.** ⟨*estens*⟩ (*rif. a corpi librati in aria*) to fly (off, away), to blow (off, away): *un colpo di vento fece* ~ *i fogli* a gust of wind made the papers fly away; *mi è volato il cappello* my hat ⌜flew off⌝ (*o* has blown away); (*rif. a oggetti scagliati*) to fly: *nella lite volarono sedie* chairs flew during the fight; *il pallone è volato in rete* the ball flew into the net. – **3.** ⟨*fig*⟩ to rain, to fly: *volarono insulti* insults flew thick and fast. – **4.** ⟨*estens*⟩ (*cadere dall'alto*) to fall, to hurtle down, to plummet (down), to plunge down: *è volato* (*giù*) *dal sesto piano* he hurtled down from the sixth floor. – **5.** ⟨*iperb*⟩ (*sfrecciare, correre*) to speed (along), to fly (along), to shoot (along): *le automobili volavano sull'asfalto* the cars were speeding along the road; (*affrettarsi*) to fly, to rush, to tear: *volai alla stazione* I flew to the station. – **6.** ⟨*fig*⟩ (*dileguarsi, fuggire rapidamente*) to fly: *come vola il tempo* how time flies. – **7.** ⟨*fig*⟩ (*rif. a cose astratte*) to fly, to go, to turn, to spread: *le notizie volano* news spreads fast. – **II** *v.t.* ⟨*non com*⟩ **1.** (*far volare*) to throw, to pitch: ~ *il pallone* to throw the ball. – **2.** ⟨*venat*⟩ (*ghermire in volo*) to seize (*o* carry off) in flight.
☐ ⟨*fig*⟩ ~ *senz'***ali** (*fare una cosa impossibile*) to do s.th. impossible; **andare** *volando* to fly about; ~ *in* **aria** to fly about (*o* through the air); (*saltare in aria, esplodere*) to go up, to explode; ~ *una* **carta** (*nel tressette*) to throw down a card; ⟨*fig*⟩ ~ *in* **cielo** (*morire*) to go to Heaven; **far** ~: 1. to fly: *far* ~ *l'aquilone* to fly a kite; 2. (*rif. al vento*) to blow away: *il vento mi ha fatto* ~ *il palloncino* the wind has blown my balloon away; *non si sente* ~ *una* **mosca** you could hear a ⌜pin drop⌝ (*o* leaf stir); *volarono* **pugni** *e schiaffi* there was ⌜an exchange of blows⌝ (*o* a free-for-all); ~ **via** to fly off (*o* away).
volạta *f.* **1.** ⟨*non com*⟩ (*il volare*) flying, flight; (*tratto di volo*) flight. – **2.** ⟨*fig*⟩ flight: *una* ~ *lirica* a flight of lyricism. – **3.** ⟨*fig*⟩ (*corsa veloce*) rush, dash. – **4.** ⟨*Sport*⟩ sprint, spurt; (*volata finale*) final sprint. – **5.** ⟨*Sport*⟩ (*sport della palla*) (kind of) ball game. – **6.** ⟨*Sport*⟩ (*nel tennis*) volley; (*nel baseball*) fly ball. – **7.** ⟨*Artigl*⟩ muzzle. – **8.** ⟨*tecn*⟩ (*rif. a gru*) outreach of a crane. – **9.** ⟨*Minier*⟩ volley. – **10.** ⟨*Equit*⟩ (*lanciata*) bound.
☐ ⟨*rar*⟩ **alla** ~ = **di volata**; ⟨*sport*⟩ **battere** *qd. in* ~ to beat s.o. in a final sprint; **di** ~: 1. in a rush (*o* hurry), at top speed, quickly; 2. ⟨*Sport*⟩ (*nel tennis*) on the volley; *ci vado di* ~ I'll rush there; ⟨*Sport*⟩ ~ **diritta** volley drive; **fare** *una* ~ to fly, to make a flight; ⟨*fig*⟩ to rush, ⟨*fam*⟩ to fly, ⟨*fam*⟩ to dash; ⟨*fig*⟩ *fare tutta una* ~ to rush (without a stop); ⟨*Sport*⟩ ~ **finale** final sprint; *una* ~ *d'***ingegno** (*trovata*) a good idea, ⟨*fam*⟩ a brainwave; ⟨*Sport*⟩ **mezza** ~ half-volley; **prendere** *la* ~ to sprint; **staccare** *la* ~ to break into a sprint; ~ *d'***uccelli** (*stormo*) flight (of birds).
volạtica *f.* ⟨*pop*⟩ (*chiazza cutanea*) (skin) eruption, rash.
volạtico *a.* (*pl.* **-ci**) ⟨*ant*⟩ **1.** (*che vola*) flying. – **2.** (*che vaga qua e là*) shifting, flying (*o* flitting) about. – **3.** ⟨*Med*⟩ volatic.
volạtile I *a.* **1.** ⟨*rar*⟩ (*che vola*) flying, volatile. – **2.** ⟨*Chim*⟩ volatile: *sostanza* ~ volatile substance. – **3.** ⟨*fig,lett*⟩ (*labile*) volatile, evanescent, transitory, transient. – **4.** ⟨*poet*⟩ (*alato*) winged. – **II** *s.m.* **1.** winged creature, ⟨*lett*⟩ volatile; (*uccello*) bird. – **2.** *pl.* ⟨*collett*⟩ winged creatures *pl*; (*uccelli*) birds *pl*, ⟨*lett*⟩ fowl *pl*. – **3.** *pl.* ⟨*Venat*⟩ wildfowl *pl*, game-birds *pl*, feathered game. – **volatilità** *f.* ⟨*Chim*⟩ volatility.
volatiliẓẓabile *a.* volatilizable.
volatiliẓẓare I *v.t.* to volatilize. – **II** *v.i.* (*aus.* **essere**) to volatilize, to evaporate. – **volatilizzarsi** *v.r.* **1.** (*scomparire, rendersi irreperibile*) to vanish, ⟨*fam*⟩ to disappear into thin air: *sembrava che il ragazzo si fosse volatilizzato* it seemed as if the boy disappeared into thin air. – **2.** ⟨*Chim*⟩ to volatilize, to evaporate. – **volatiliẓẓaziọne** *f.* ⟨*Chim,Fis*⟩ volatilization.
volatịna (*dim. di volata*) *f.* (short) flight.
volatị(v)o *m.* ⟨*ant*⟩ **1.** (*volatile*) winged creature, ⟨*lett*⟩ volatile; (*uccello*) bird. – **2.** (*insieme di volatili*) birds *pl*, ⟨*lett*⟩ fowl *pl*.
volatiẓẓare *v.* → **volatilizzare.**
volạto *m.* ⟨*ant*⟩ (*volo*) flight.
volatọna (*accr. di volata*) *f.* ⟨*Sport*⟩ fast sprint.
volatọre ⟨*rar*⟩ **I** *s.m.* (*f.* **-trice**) **1.** flier. – **2.** ⟨*poet*⟩ (*uccello*) bird. – **II** *a.* flying.
vol-au-vent *fr.* [vɔlo'vã] *m.* ⟨*Gastr*⟩ vol-au-vent.
volcalmẹria *f.* ⟨*Bot*⟩ glory bower (*Clerodendron fragrans*; *Volkalmeria fragrans*).
volée *fr.* [vɔ'le] *f.* ⟨*Sport*⟩ volley.
volẹnte (*p.pr. di volere*[1]) *a.* ⟨*non com*⟩ (*che vuole*) wanting, wishing. ☐ ~ *o nolente* willy-nilly, whether one wishes or not.
volenterọso *a./s.* → **volonteroso.**
volentiẹri *avv.* **1.** willingly, gladly: *fare una cosa* ~ to do s.th. willingly. – **2.** (*nelle risposte*) certainly, with pleasure, I shall be glad to, I'd like (*o* love) to: *verrai?* – ~ will you come? – I'd love to. – **3.** ⟨*Mar*⟩ jump to it. ☐ *ascolto* ~ *la musica classica* I like (*o* love, enjoy) listening to classical music; *assai* (*o ben*) ~ very gladly; *me ne occuperò* ~ I shall be glad to take care of it; ⟨*fam*⟩ *spesso e* ~ very often, only too often; *verrò* ~ I shall be very pleased to come. – **volentierịssimo** (*accr. di volentieri*) *avv.* ⟨*enfat*⟩ very gladly, with great pleasure, most willingly.
volẹre[1] *v.t.* (*pr.ind.* **vọglio**/*tosc.* **vo'**, **vuọi**/*ant., poet.* **vuo'**, **vuọle**/*poet., pop.* **vọle**, **vogliạmo**, **volẹte**, **vọgliono**; *impf.* **volẹvo**; *fut.* **vorrò**; *p.rem.* **vọlli**/*ant.* **vọlsi**, **volẹsti**, **vọlle**/*ant.* **vọlse**, **volẹmmo**, **volẹste**, **vọllero**/*ant.* **vọlsero**/**vọllono**/**vọlsono**; *pr.cong.* **vọglia**, **vogliạmo**, **vogliạte**, **vọgliano**; *impf.cong.* **volẹssi**; *p.pr.* **volẹnte**/*ant.* **vogliẹnte**; *p.p.* **volụto**; *ger.* **volẹndo**/*ant.* **vogliẹndo**; when *volere* is used as a modal verb it generally takes the auxiliary required by the verb it is used with) **1.** to want, to wish, (*in formule di cortesia*) to like: *vogliamo fatti e non parole* we want action, not words; *voglio cambiare vita* I want to turn over a new leaf; *non voglio che ti comporti così* I don't want you to behave like that; *vorrei andare con lui* I should like to go with him; *vuoi che ce ne andiamo?* do you want us to go?; *volle sapere tutta la verità* he wanted to know the whole truth; *non sai neanche tu cosa vuoi* you don't know yourself what you want. – **2.** (*desiderare intensamente*) to want, to long, (*in formule di cortesia*) to like: *suo padre lo vuole medico* his father wants him to become a doctor; *vorrei un po' di tranquillità* I should like a bit of peace; (*esigere*) will, to insist on: *voglio essere ubbidito* I will be obeyed; *lo volle avere per forza* he would have it; *mi vorrebbero con loro per qualche giorno* they insist on me staying with them for a few days; (*per esprimere un desiderio irraggiungibile o non raggiunto*) to wish [*cong*]: *vorrei essere ricco* I wish I were rich; *vorrei averti visto* I wish I had seen you; *la vorrebbe più intelligente* he wishes she were more intelligent; *vorrei che mi scrivesse* I wish he would write to me; *avrei voluto esserti vicino* I wish I could have been with you, I should have liked to be with you; (*desiderare, preferire*) to like, to want, to please: *lasciagli fare ciò che vuole* let him do ⌜what he likes⌝ (*o* as he pleases); *se vuoi possiamo fare due passi* if you like we can take a stroll; *fa' come vuoi* do as you like; *possiamo incontrarci al circolo se vuoi* we can meet at the club if you like; *non voglio farti tante domande* I don't want to ask you a lot of questions; *come volete* just as you like. – **3.** (*avere intenzione di*) to mean, to be going to, to want, to intend: *che cosa vuoi fare da grande?* what ⌜do you want⌝ (*o* are you going) to do when you grow up?; *volevo telefonarti ma poi me ne sono dimenticato* I meant to phone you but then I forgot; *voleva comprare un registratore, ma poi ha cambiato idea* he intended (*o* was going) to buy a tape-recorder, but then he changed his mind. – **4.** (*essere disposto a*) will, to be willing, to be inclined, to want: *vuoi fare due passi con me?* will you come for a walk with me?; *questo ragazzo non vuole studiare* this boy (just) won't study; *non voleva aiutarci* he wouldn't help us. – **5.** (*risolversi, decidersi, anche di cose o animali*; *specialmente in frasi negative*) will, ⟨*scherz*⟩ to refuse: *oggi questo motore non vuole funzionare* this engine won't (*o* refuses to) go today; *questa piantina non vuole attecchire* this plant won't take root; *stanotte il cane non voleva tacere* the dog wouldn't stop barking last night. – **6.** (*richiedere, pretendere*) to want, to expect: *vuoi troppo da questo ragazzo* you expect too much of this child; *si può sapere che cosa vuoi da me?* might I know what you want of me? – **7.** (*chiedere un determinato prezzo o compenso*) to want, to charge, to ask: *quanto vuoi per questo anello?* how much do you want for this ring?; *quanto volete di quella macchina?* what are you asking for that car? – **8.** (*cercare di una persona*) to want, to look for: *ti vuole tuo padre* your father wants you; *chi volete?* who are you looking for?; *tuo zio ti voleva al telefono* your uncle wanted (to speak to) you on the phone. – **9.** (*comandare, stabilire*) to will, to decree: *Iddio lo vuole* God wills it, it is God's will; *il destino ha voluto che morisse giovane* ⌜fate willed that he should⌝ (*o* he was fated to) die young. – **10.** (*in formule di cortesia*) to want, will: *vuoi ancora un po' di torta?* ⌜do you want⌝ (*o* will you have, would you like) some more cake?; *non vuole accomodarsi?* won't

you sit down?; *vuoi prestarmi mille lire?* will you lend me a thousand lire?; *vorresti essere così gentile da passarmi il sale?* would you be so kind as to pass me the salt?; (*nell'offrirsi di fare qc.*) shall: *vuoi ch'io apra la finestra?* shall I open the window? – **11.** (*necessitare, aver bisogno di*) to need, to require, to want: *un malato che vuole continua assistenza* a patient who needs constant care; *un lavoro che vorrebbe una lunga preparazione* a job which requires lengthy preparation. – **12.** ⟨*Gramm*⟩ (*richiedere, reggere*) to take: *una preposizione che vuole il dativo* a preposition that takes the dative; *i verbi riflessivi italiani vogliono l'ausiliare essere* Italian reflexive verbs take the auxiliary essere. – **13.** ⟨*assol*⟩ to wish, to want, will: *chi vuole esca* whoever wishes may go out, whoever wants to go out may do so. – **14.** (*permettere, consentire*) to let, to allow, to say yes: *se la mamma vuole, ti accompagnerò al cinema* if Mummy lets me I'll go with you to the cinema. – **15.** (*ritenere, credere*) to think, to hold: *vuoi che non ci sia nessuno disposto ad aiutarlo?* do you think there isn't anyone who would help him?; *vogliono che sia stato un imbroglio* they think it was all a swindle; (*dire*) to say: *si vuole che anche lui sia coinvolto nello scandalo* he is also said (*o* thought) to be mixed up in the scandal; (*tramandare, asserire*) to say, to state, to have it: *così vuole uno storico del tempo* this is what a contemporary historian says (*o* tells us); *come vuole la leggenda* legend has it that. – **16.** (*essere imminente, probabile*) to be going to, to look (like): *vuol piovere* it looks like rain; *sembra che il tempo voglia rimettersi* it looks as if the weather is going to clear up. – **17.** ⟨*lett*⟩ (*usato impersonalmente: si deve, bisogna*) must (*costr.pers.*), to have to (*costr.pers.*): *a questo punto si vuol procedere con molta cautela* at this point we must proceed very cautiously. – **18.** ⟨*lett*⟩ (*ammettere, concedere*) to admit: *voglio che sia freddo, ma tu esageri* I'll admit it's cold, but you are overdoing it.

□ ⟨*fam*⟩ **a** ~ **che** if you want (*o* wish): *a ~ che la medicina faccia effetto, bisogna prenderla regolarmente* if you want the medicine to have any effect, you must take it regularly; *neanche a ~* not even if you try (*o* want to): *se fai come ti ho detto, non puoi sbagliare neanche a ~* if you do as I've told you, you won't be able to go wrong even if you try; *ci vuole ben* **altro** it would take (a lot) more than that; ~ **bene** *a qd.*: 1. (*amare*) to love s.o.: *gli vuol bene come a un fratello* he loves him ⌜as he would⌝ (*o* like) a brother; *si vogliono molto bene* they love e.o. dearly; 2. (*avere affetto per qd.*) to be fond of s.o.: *tutti gli vogliono bene* everyone is fond of him, he is generally well-liked; *farsi ben ~ da qd.* to win s.o.'s favour (*o* esteem), to get into s.o.'s good books; ⟨*non com*⟩ *prendere qd. a ben ~* to take a liking to s.o.; ⟨*enfat*⟩ **che** *vuoi* (*o vuole, volete*)*!* (*introducendo una scusa o giustificazione*) there it is, there you are, well, *a volte non si traduce*: *che vuole, avevo bisogno di denaro e ho accettato questo lavoro* there it is, I needed money so I took this job; *che volete, non sempre uno riesce a dominarsi* well, one can't always control o.s.; *che vuoi che ti dica?* what can I say?; *volesse il* **cielo** = **Dio** *voglia*; **come** *vuoi che sia già pronto?* how do you expect it to be ready so soon?; **Dio** *voglia* (*o volesse*) let's hope (to goodness), God grant; *volesse Dio che* would to God that; *se Dio vuole*: 1. (*in espressioni di fiducia*) if all goes well, God willing, please God, with any luck: *forse adesso andrà meglio, se Dio vuole* maybe things will go better now, God willing; 2. (*in espressioni di ringraziamento*) thank God (*o* heavens): *se Dio vuole, ce l'abbiamo fatta* thank God, we've made it; *Dio non voglia* (*scongiurando*) heaven (*o* God) forbid, let's hope not: *se, Dio non voglia, dovesse succedermi qualche cosa* if, God forbid, something should happen to me; *come Dio volle* (*finalmente*) at last, finally, in the end: *come Dio volle, arrivò il giorno del matrimonio* at last the day of the wedding came; *voler* **dire**: 1. (*intendere*) to mean, ⟨*fam*⟩ to get at: *che cosa vorresti dire con ciò?* what do you mean by that?; 2. (*anzi, per meglio dire*) to mean, or rather, that is to say: *l'ho visto ieri, voglio dire l'altro ieri* I saw him yesterday, I mean the day before yesterday; *quel bambino, voglio dire quel ragazzo, è molto intelligente* that child, or rather that boy, is very intelligent; 3. (*significare*) to mean, to signify, to be the meaning of: *che cosa vuol dire questa parola?* what does this word mean?, what's the meaning of this word?; *cosa vogliono dire queste facce lunghe?* what's the meaning of these long faces?; 4. (*importare, contare*) to mean, to be important, to count for: *vuol dire molto conoscere le lingue* a knowledge of languages is very important; 5. (*perché, per quale motivo*) why?, ⟨*fam*⟩ how come?: *che vuol dire che non ti sei fatto vivo?* why haven't you shown your face?; *non vuol dire* (*non ha importanza*) it doesn't matter: *non mi aiuti? non vuol dire, farò da solo* won't you help me? it doesn't matter, I'll manage by myself; *volevo ben dire* I knew (it), I was sure, I thought as much, as was to be expected: *è di nuovo senza un soldo, volevo ben dire* as was to be expected, he's penniless again; ⟨*ant*⟩ *voler* **fare** *qc.* (*essere in procinto*) to be about to do s.th.; *è la* **legge** *che lo vuole* that is the law; ~ **male** *a qd.* to dislike s.o.; ~ **piuttosto** (*preferire*) to prefer, would rather: *voglio telefonargli piuttosto che scrivergli* I would rather phone him than write to him; **qui** *ti voglio* now let's see what you ⌜can do⌝ (*o* are worth); *vuoi* **sapere** *una cosa?* you know something?; *non vorrei* **sbagliarmi** I hope I'm not wrong, I shouldn't like to make a mistake; **senza** ~ (*involontariamente*) accidentally, without meaning to, unintentionally; *scusami, l'ho fatto senza ~* I'm sorry, ⌜I didn't mean to do it⌝ (*o* it was an accident); *vuoi* **vedere** *che* I bet you that; ⟨*fam*⟩ ~ *o* **volare** (*per amore o per forza*) whether you like it or not, willy-nilly. – *Prov.*: *chi non mi vuole non mi merita* if you don't want me you don't deserve me; ~ *è potere* where there's a will there's a way; *chi troppo vuole, nulla stringe* grasp all, lose all. || *vuoi ... vuoi* (*sia ... sia*) both ... and: *riesce bene in tutto, vuoi nella pittura vuoi nella scultura* he does well all round, both in painting and in sculpture; *andiamo al cinema, vuoi?* let's go to a movie, would you like that?; *volendo sei ancora in tempo* if you really want to there's still time; *volerci, volercene*: 1. (*essere necessario, occorrere*) to need (*costr.pers.*), to want (*costr.pers.*), to take (*costr.pers. o impers.*), to be necessary (*costr.impers.*): *per un vestito ci vogliono tre metri di stoffa* you need three metres of cloth for a suit; *ci vuole un bel coraggio a dire cose simili* it takes some nerve to say such things; 2. (*rif. al tempo*) to take (*costr. pers. o impers*): *ci vorrà molto tempo per finire?* will it (*o* you) take long to finish?; *c'è voluto poco a capirlo* it didn't take much effort to understand him; *ci vuole pazienza* one must be patient; *ce n'è voluto!* it took some doing (*o* effort, time)!, that was quite a job!; *l'hai capita, ma ce n'è voluto* you got there in the end, but it certainly took you some time; *quello che ci vuole, ci vuole* if it's necessary then it's got to be done; *metti tanto sale quanto ce ne vuole* add as much salt as is necessary; *ognuno la vuole a modo suo* everyone has a different view; *chi la vuol cotta, chi la vuol cruda* one man's meat is another man's poison; *volerne a qd.* (*serbargli rancore*) to have a grudge against s.o., to hold s.th. against s.o., to bear s.o. ill-will, ⟨*fam*⟩ to have it in for s.o.: *non volermene, non intendevo offenderti* don't hold it against me, I didn't mean to offend you; *l'ha voluto lui* he asked for it, it was his fault.

volere[2] *m.* **1.** (*volontà*) will, wish(es): *sia fatto il ~ di Dio* God's will be done. – **2.** *pl.* ⟨*non com*⟩ (*intenti*) will, intentions *pl*, intent: *concordia di -i* unanimity of intent. □ *farò ogni tuo ~* I shall obey your every desire, I shall do all you wish; *il buon ~* (*la buona volontà*) (good)will: *fare qc. di buon ~* to do s.th. with a will.

volettino, voletto (*dim. di volo*) *m.* short flight.

Volfango *N.pr.m.* Wolfgang.

volframio *m.* ⟨*Chim*⟩ (*tungsteno*) wolfram, tungsten.

Volga *N.pr.m.* ⟨*Geog*⟩ Volga.

volgare[1] **I** *a.* **1.** (*popolare*) popular, of the (common) people: *usi -i* popular customs. – **2.** (*comune*) common(place), ordinary: *un ~ ladro* a common thief. – **3.** (*grossolano*: *rif. a persone*) vulgar, common, unrefined: *è una ragazza bella, ma ~* she's a pretty girl, but she's common; (*rif. a cose*) vulgar, coarse: *un parlare ~* vulgar talk. – **4.** ⟨*Ling*⟩ vulgar: *latino ~* Vulgar Latin. – **5.** ⟨*Biol*⟩ common. – **6.** ⟨*ant*⟩ (*noto a tutti*) well-known. – **II** *s.m./f.* **1.** (*persona volgare*) vulgar (*o* common) person. – **2.** ⟨*Ling*⟩ vernacular; (*italiano volgare*) (vulgar) Italian. – **3.** ⟨*ant*⟩ (*persona del volgo*) one of the common people. – **4.** ⟨*ant*⟩ (*discorso*) speech; (*parola*) word. □ *dire qc. in* (*buon*) *~* to say s.th. straight out, to speak plainly; *non fare il ~!* don't be vulgar!

volgare[2] *v.t.* (**volgo, volghi**) ⟨*lett*⟩ (*divulgare*) to make known, to spread (about), to divulge.

volgarismo *m.* ⟨*Ling,non com*⟩ vulgarism.

volgarità *f.* **1.** vulgarity, coarseness, commonness. – **2.** (*atto, parole*) vulgarity. □ *dire ~* to use foul language.

volgarizzamento *m.* **1.** (*traduzione in volgare*) translation into the vernacular. – **2.** (*opera volgarizzata*) translation (in the vernacular). – **volgarizzare** *v.t.* **1.** to popularize, to present in popular form, to vulgarize. – **2.** (*tradurre*: *in volgare*) to translate into the vernacular: *~ un brano poetico* to translate a piece of poetry into the vernacular; (*in italiano volgare*) to translate into Italian. – **volgarizzato** (*p.p. di volgarizzare*) *a.* **1.** popularized. – **2.** (*tradotto*: *in volgare*) translated into the vernacular; (*in italiano volgare*) translated into Italian. – **volgarizzatore** *m.* (*f.* **-trice**) **1.** (*divulgatore*) popularizer. – **2.** (*traduttore*: *in volgare*) translator into the vernacular; (*in italiano volgare*) translator into Italian. – **volgarizzazione** *f.* **1.** (*divulgazione*) popularization, spreading. – **2.** → **volgarizzamento**.

volgarmente *avv.* **1.** popularly. – **2.** (*comunemente*) commonly: *una malattia chiamata ~* a disease which is commonly called. – **3.** (*bassamente*) vulgarly, coarsely, commonly.

Volgata *N.pr.f.* → **Vulgata**.

volgato *a.* → **vulgato**.

volgente (*p.pr. di volgere*[1]) *a.* ⟨*non com*⟩ (*corrente*) current, present.

volgere[1] *v.* (**volgo, volgi; volsi, volto**) **I** *v.t.* **1.** (*voltare*) to turn: *~ le spalle a qd.* to turn one's back on s.o.; *volse di scatto il viso* he turned his face suddenly. – **2.** (*rivolgere*) to turn, to bend (*anche fig.*): *~ lo sguardo verso qd.* to ⌜turn one's eyes⌝ (*o* bend one's gaze) on s.o.; *~ il pensiero a qc.* to turn one's thoughts to s.th. – **3.** (*dirigere*) to direct, to turn, to head: *~ i passi verso un luogo* to direct one's steps towards a place, to head for a place. – **4.** ⟨*fig*⟩ (*dedicare*) to devote, to dedicate: *~ le proprie cure a qd.* to devote one's attentions to s.o. – **5.** ⟨*fig*⟩ (*mutare*) to turn, to change: *~ ogni cosa in scherzo* to turn everything into a joke, to make a joke of everything. – **6.** ⟨*lett*⟩ (*girare*) to turn. – **7.** ⟨*ant*⟩ (*avvolgere*) to wrap, to envelop; (*circondare, attorniare*) to surround, to encircle. – **8.** ⟨*ant*⟩ (*distogliere*) to turn aside. – **9.** ⟨*ant*⟩ (*trasferire*) to transfer. – **10.** ⟨*ant*⟩ (*tradurre*) to translate. – **II** *v.i.* (*aus.* **avere**) **1.** to turn, to bend: *la strada volge a destra* the road bends to the right. – **2.** (*girare*) to turn (round). – **3.** (*avvicinarsi, approssimarsi*) to be near (*costr. pers. o impers.*) to near, to draw (near): *la mia fatica volge al termine* the end of my efforts is near, my efforts are ⌜nearly over⌝ (*o* nearing their end). – **4.** (*tendere*) to get, to become, to tend, to take a turn:

il tempo volge al brutto the weather is ⌜getting worse⌝ (*o* breaking); (*rif. a colori*) to be -ish, to be somewhat (*o* rather) s.th., to verge: ~ *al rosso* to be reddish, to verge on red. – **5.** (*mutare*) to turn, to change. – **6.** ⟨*lett*⟩ (*trascorrere*; *aus.* **essere**) to pass, to elapse. – **volgersi** *v.r.* **1.** to turn: *volgersi indietro* to turn round, to look back (over one's shoulder). – **2.** ⟨*fig*⟩ (*indirizzarsi*) to go in (*a* for), to devote o.s. (to), to take up (s.th.): *volgersi agli studi scientifici* to go in for science. – **3.** ⟨*fig*⟩ (*riversarsi*) to be turned (*o* directed) (*contro* against), to concentrate, to centre (on): *il loro odio si volse contro di lui* their hatred was directed against him.

□ ⟨*lett*⟩ *volgeva il secondo* **anno** it was the second year; ⟨*non com*⟩ ~ *in* **dubbio** (*mettere in dubbio*) to doubt, to question; *la temperatura volge al* **freddo** the temperature is falling; ~ (o *volgersi*) *in* **fuga** to take flight; ~ *al* **meglio** to improve, to take a turn for the better; ~ *nella* **mente** (*meditare*) to turn over in one's mind, to think over; ~ *gli* **occhi** *altrove* to turn one's eyes away; ~ *la* **parola** *a qd.* to address s.o.; ~ *al* **peggio** to worsen, to get worse, to take a turn for the worse; ~ *in* **ridicolo** to turn into a joke; ~ *al* **termine** to be near the end; *il sole volge al* **tramonto** the sun is about to set, it is nearly sunset; ~ *ad altro* **uso** to put to another use; ~ *qc. a proprio* **vantaggio** to turn s.th. to one's own advantage.

vọlgere[2] *m.* passing: *col* ~ *degli anni* with the passing of the years. □ *nel* ~ *di alcuni anni* within (*o* in the course of) a few years.

volgịbile *a.* ⟨*non com*⟩ turnable. – **volgimẹnto** *m.* ⟨*lett*⟩ turning. – **volgitọre** *m.* (*f.* **-trice**) ⟨*lett*⟩ turner.

vọlgo *m.* (*pl.* **-ghi**) ⟨*lett*⟩ **1.** (*popolo*) (common) people. – **2.** ⟨*spreg*⟩ common people (*o* herd), plebs *pl*, masses *pl*. – **3.** ⟨*spreg,non com*⟩ (*moltitudine*) crowd, multitude, herd: *il* ~ *degli artisti* the crowd of artists. □ *il* ~ *profano* the common herd, the ignorant people, the masses *pl*.

vọlgolo *m.* ⟨*tosc*⟩ (*involto*) bundle; (*rotolo*) roll.

volicchiạre *v.i.* (**volịcchio, volịcchi**; *aus.* **essere/avere**) to flutter, to flit.

volịera *f.* aviary.

Volịnia *N.pr.f.* ⟨*Geog*⟩ Volhynia. – **volịnico** *a.* (*pl.* **-ci**) Volhynian.

volitạre *v.i.* (**vọlito**; *aus.* **avere**) ⟨*lett*⟩ (*volare*) to fly about; (*rif. a pipistrelli e sim.*) to flit.

volitività *f.* ⟨*non com*⟩ volitionality. – **volitịvo I** *a.* **1.** (*rif. a persona*) that has great will-power, strong-willed: *persona -a* strong -willed person. – **2.** (*della volontà*) volitional, volitive (*anche Filos.*): *atto* ~ volitive action. – **3.** (*che denota volontà*) volitive. – **II** *s.m.* (*f.* **-a**) strong-willed person. – **volizịone** *f.* ⟨*Filos*⟩ volition.

vọlo *m.* **1.** (*capacità di volare*) power of flight. – **2.** (*azione*) flying, flight: *il* ~ *di un uccello* the flight of a bird. – **3.** ⟨*Aer*⟩ flight, flying; (*viaggio aereo*) flight. – **4.** (*traiettoria*) flight. – **5.** (*caduta*) fall: *un* ~ *dal quinto piano* a fall from the fifth floor. – **6.** ⟨*fig*⟩ flight: *-i della fantasia* flights of fancy. – **7.** ⟨*fig*⟩ (*salto*) short visit, run, dash. – **8.** ⟨*Teat*⟩ (*gloria*) device for enabling actors to descend as from the sky. – **9.** ⟨*Arald*⟩ vol. – **10.** ⟨*fig,poet*⟩ (*rapida elevazione*) flight; (*diffusione rapida*) rapid spread. – **11.** ⟨*ant*⟩ (*liberazione dell'anima dal corpo*) soul's escape from the body.

□ ~ **acrobatico** stunt flying; ⟨*Aer*⟩ ~ *d'***addestramento** practice (*o* training) flight; ⟨*fig*⟩ **al** ~ at once, ⟨*fam*⟩ straight off the mark: *ha capito tutto al* ~ he understood at once; *colpire la palla al* ~ to hit the ball ⌜in mid-air⌝ (*o* on the volley); **alzarsi** *in* ~ to take wing, to fly up; (*rif. ad aerei*) to take off; ~ **ascendente** climb; ~ *nell'***atmosfera** atmospheric flight; **atto** *al* ~ airworthy; ~ *in* **cabrata** tail-down flight, pull-up; ~ **cieco** instrument flight; ~ *di* **collaudo** test flight; **dare** *il* ~ *a un uccello* to set a bird free; ⟨*fig, non com*⟩ *dare il* ~ *a un prodotto* to launch a product; ⟨*fig,non com*⟩ **di** ~ (*di sfuggita*) quickly, hastily, fleetingly; ⟨*Aer*⟩ ~ **diurno** day flight; ~ *di* **durata** endurance flight; **fare** *un* ~: 1. to fly (*anche fig.*); 2. (*cadere*) to fall, to plummet (*o* hurtle) down; 3. ⟨*fig*⟩ (*fare una scappata*) to rush, ⟨*fam*⟩ to fly, ⟨*fam*⟩ to dash; ⟨*sport*⟩ **giocare** *al* ~ to volley; ⟨*fig*⟩ **in** *un* ~ (*subito*) immediately, at once; ⟨*Aer*⟩ ~ *d'***intercettazione** interception flight; ~ **isolato** solo flight; **levarsi** *in* ~ = **alzarsi** *in volo*; ~ **librato** glide; ~ *a* **motore** powered flight; ~ **notturno** night flight; *un'***ora** *di* ~ an hour's flight, an hour by air; ~ **orizzontale** level flight; ~ *in* **picchiata** nose-dive; ⟨*fig*⟩ ~ **pindarico** discursive digression; ~ **planato** glide; **prendere** *il* ~: 1. to take wing, to fly up (*o* off); 2. ⟨*fig*⟩ to disappear suddenly, to vanish into thin air; ~ *di* **prova** = *volo di* **collaudo**; ~ **pubblicitario** publicity flight; ~ *a bassa* **quota** flying low (*o* at a low altitude); ~ *in quota* altitude flight (*o* flying); ~ **radente** (o *rasoterra*) flying extremely low, ⟨*fam*⟩ hedge-hopping; ~ *a* **rimorchio** towed flight; ~ **rovescio** (o *rovesciato*) inverted flight; ~ *in* **salita** = *volo* **ascendente**; ~ *senza* **scalo** non-stop flight; ~ **spaziale** space flight; ~ **sperimentale** experimental flight; **spiccare** *il* ~ to take wing, to fly off; ~ **stratosferico** stratospheric flight; ~ **strumentale** instrument flight; ~ **supersonico** supersonic flight; ~ **termico** thermal flight; ~ *intorno alla* **terra** round-the-world flight; ~ *a* **tuffo** = *volo in* **picchiata**; ~ *d'***uccello** bird's-eye view; *a* ~ *d'uccello* (*dall'alto*) from on high, from above; ⟨*fig*⟩ (*superficialmente*) fast, quick, hasty; ⟨*Sport*⟩ ~ *a* **vela** sailplaning, gliding; ~ **verticale** vertical flight; ~ *a* **vista** contact flying, pilotage.

volontà *f.* **1.** will: *una* ~ *di ferro* an iron will. – **2.** (*volere*) will, wish, desire: *di mia spontanea* ~ of my own will. – **3.** ⟨*concr*⟩ (*ciò che si vuole*) will: *sia fatta la* ~ *di Dio* God's will be done. – **4.** (*voglia*) will, wish. – **5.** *pl.* (*disposizioni testamentarie*) last will (and testament), last wishes *pl*. – **6.** ⟨*non com*⟩ (*desiderio*) wish. – **7.** ⟨*Dir*⟩ will. – **8.** ⟨*ant*⟩ (*passione*) passion.

□ **a** ~ as (much as) one wishes (*o* pleases); **buona** ~: 1. willingness, (good)will: *mostrare buona* ~ to display a will, ⟨*fam*⟩ to show willing; 2. ⟨*non com*⟩ (*benevolenza*) benevolence, goodwill; **contro** *la sua* ~ against his will; ⟨*Lett*⟩ ≈ *di* **credere** Will to Believe; ~ **espressa** express wish; **fare** *la* ~ *di qd.* to do as s.o. wishes; ⟨*Rel*⟩ *sia fatta la tua* ~ *!* Thy will be done!; *di* **fiacca** ~ weak-willed; **forza** *di* ~ will-power, strength of will; **mancanza** *di* ~ want of will, weakness of purpose; *di* **propria** ~ of one's own free will; **senza** ~ lacking will, having no will-power; ⟨*Dir*⟩ **ultima** ~ last will and testament; ⟨*Gramm*⟩ **verbi** *di* ~ verbs of wish and desire.

volontariamẹnte *avv.* voluntarily, of one's own (free) will.

volontariạto *m.* **1.** voluntary unpaid apprenticeship; (*periodo*) (period of) voluntary apprenticeship. – **2.** ⟨*Mil*⟩ (*servizio*) voluntary service; (*periodo*) period of voluntary service; (*arruolamento*) enrolment (as a volunteer).

volontarietà *f.* ⟨*non com*⟩ voluntariness.

volontạrio I *a.* **1.** voluntary: *atto* ~ voluntary action. – **2.** (*spontaneo*) voluntary, free, spontaneous: *rinuncia -a* voluntary withdrawal. – **3.** (*fatto, costituito da volontari*) volunteer: *truppe -e* volunteer troops. – **II** *s.m.* (*f.* **-a**) **1.** volunteer. – **2.** (*negli impieghi e uffici*) unpaid official. □ ⟨*Anat*⟩ *muscoli volontari* voluntary (*o* striated) muscles; ~ *del sangue* (*donatore*) blood-donor.

volontarịsmo *m.* **1.** ⟨*Filos*⟩ voluntarism. – **2.** ⟨*Pol*⟩ support for purely volunteer armed forces; (*insieme di volontari*) volunteer forces *pl*, volunteers *pl*. – **volontarịstico** *a.* (*pl.* **-ci**) **1.** ⟨*Pol*⟩ supporting volunteer enrolment. – **2.** ⟨*Filos*⟩ voluntaristic.

volonterosamẹnte *avv.* willingly, with a will, readily. – **volonterọso I** *a.* **1.** willing, eager, keen: *uno studente* ~ a willing student. – **2.** ⟨*ant*⟩ (*desideroso*) desirous. – **II** *s.m.* (*f.* **-a**) willing (*o* keen) person.

volontiẹri *avv.* ⟨*non com*⟩ → **volentieri**.

volovelịsmo *m.* ⟨*Sport*⟩ sailplaning, gliding. – **volovelịsta** *m./f.* sailplaner, glider. – **volovelịstico** *a.* (*pl.* **-ci**) sailplaning-, gliding-.

volpacchiọtto *m.* (*f.* **-a**) **1.** (*volpe giovane*) young fox. – **2.** ⟨*fig*⟩ (*persona scaltra*) sly fellow, ⟨*fam*⟩ fox.

volpạia *f.* ⟨*non com*⟩ **1.** (*tana di volpe*) foxes' den. – **2.** ⟨*fig*⟩ (*luogo squallido e disabitato*) bleak (*o* waste) land, uninhabited spot; (*casa misera*) wretched hovel.

volpạra *f.* ⟨*Idr*⟩ earthwork (for filling a breach in a river-bank).

volpạre *v.i.* (**vọlpo**; *aus.* **essere/avere**) ⟨*Agr*⟩ to be(come) infected with smut. – **volpạto** (*p.p. di volpare*) *a.* smutty, mildewed: *grano* ~ smutty corn.

vọlpe *f.* **1.** ⟨*Zool*⟩ fox (*f* vixen) (*Vulpes*). – **2.** (*pelliccia*) fox(-fur): *un collo di* ~ a fox collar. – **3.** ⟨*fig*⟩ (*persona astuta*) fox, crafty (*o* cunning) fellow, ⟨*fam*⟩ slyboots. – **4.** ⟨*Med,non com*⟩ (*alopecia*) alopecia, baldness. – **5.** ⟨*Agr*⟩ stinking smut (*o* wheat), mildew, bunt. – **6.** ⟨*Mar*⟩ (*puntello melmato*) shore, prop.

□ ~ **argentata**: 1. silver (*o* black) fox; 2. silver fox (*Vulpes fulva*); ~ **azzurra** blue fox; ~ **bianca** Arctic (*o* white) fox (*Alopex lagopus*); **caccia** *alla* ~ foxhunt; (*lo sport*) foxhunting; ~ **comune** = *volpe* **rossa**; ~ **corsak** corsac, corsak, Afghan fox (*Vulpes corsac*); ~ **del deserto** fennec, desert fox (*Fennecus zerda*); **di** ~ fox-; ⟨*Itt*⟩ ~ *di* **mare** thresher (*o* fox) shark, sea-fox (*Alopias vulpes*); ~ **polare** = *volpe* **bianca**; ~ **rossa** red fox (*Vulpes vulpes*); *essere come l'uva della* ~ to be like the fox and the grapes; *fa come la* ~ *con l'uva* (it's nothing but) sour grapes; ⟨*fig*⟩ *una* **vecchia** ~ a sly old fox, a crafty fellow. – *Prov. con la* ~ *conviene volpeggiare* diamond cuts diamond.

volpeggịạre *v.i.* (**volpẹggio, volpẹggi**; *aus.* **avere**) ⟨*non com*⟩ (*comportarsi con astuzia*) to be wily (*o* crafty, foxy). – **volpẹtta, volpicẹlla** *f.*, **volpicịno** *m. dim. di* **volpe**. – **volpịgno** *a./s.* → **volpino**.

volpịna[1] *f. dim. di* **volpe**.

volpịna[2] *f.* ⟨*Itt*⟩ (*cefalo*) grey mullet (*Mugil cephalus*).

volpịno I *a.* **1.** (*di volpe*) fox's: *muso* ~ fox's muzzle. – **2.** ⟨*fig*⟩ (*scaltro*) foxy, wily, cunning, crafty, sly. – **II** *s.m.* (*f.* **-a**) (*cane volpino*) Pomeranian dog.

volpọca *f.* ⟨*Ornit*⟩ sheldrake, sheld-fowl, shelduck (*Tadorna tadorna*).

volpọne (*accr. di volpe*) *m.* (*f.* **-a**) ⟨*fig*⟩ (old) fox, crafty person: *sei un vecchio* ~ you're an old fox.

vọlsco *a./s.* (*pl.* **-ci**) ⟨*Stor*⟩ **I** *a.* Volscian. – **II** *s.m.* (*f.* **-a**) Volscian; *pl.* Volsci *pl*, Volscians *pl*.

vọlsi *p.rem. ant. di* **volere**[1].

vọlt *m.* ⟨*El*⟩ volt. □ ~ *assoluto* (o *definitivo*) absolute (*o* practical) volt; ⟨*Fis*⟩ ~*-elettrone* electron volt; ~ *internazionale* international volt.

vọlta[1] *f.* **1.** (*turno, vece*) turn: *questa è la* ~ *tua* it's your turn. – **2.** (*momento*) time: *era la prima* ~ *che lo vedevo* it was the first time I had seen him; *tre -e* three times; *due -e due fa quattro* two times two is four, two twos are four. – **3.** (*circostanza*) time: *ti ricordi quella* ~ *a Milano?* do you remember that time in Milan? – **4.** ⟨*non com*⟩ (*voltata*) turn(ing). – **5.** ⟨*non com*⟩ (*svolta*) bend, turn, curve; (*giravolta*) twist, turn, bend. – **6.** ⟨*Metr*⟩ part of a sirima. – **7.** ⟨*Tip*⟩ reverse (side), verso, other side, back. – **8.** ⟨*Aer*⟩ loop. – **9.** ⟨*Ginn*⟩ circle. – **10.** ⟨*Sport*⟩ (*nel pattinaggio*) counter. – **11.** ⟨*Mus*⟩ (la)volta. – **12.** ⟨*Mar*⟩ (*collo*) turn, fake; (*nodo*) hitch; (*cocca*) kink, lay of a rope, twist. – **13.** ⟨*Equit*⟩ volt(e). – **14.** ⟨*ant*⟩ (*tratto di dadi*) cast, throw (of the dice).

□ ⟨*non com*⟩ **a** ~ *a* ~ (*a turno*) in turns; *a -e* (*di quando in quando*) at times, sometimes; *a mia* ~ in (my) turn; **alla** ~ at a time: *pochi* *alla* ~ a few at a time; *alla* ~ *di* for, in the direction of, towards: *sono partiti alla* ~ *di Venezia* they have left for Venice; *andare alla* ~ *di qd.* to go towards s.o.; *veniva alla nostra* ~ he came towards us; *uno alla* ~ = *uno* **per** *volta*; *alle -e* at times; *un'***altra** ~ another time; (*ancora una volta*) again, once more; *altre -e* (*prima*) other times; ⟨*ant*⟩ **andare** *in* ~ (*compiere un giro*) to turn round; *questa è la* ~ **buona** this is it; ⟨*fam*⟩ *una buona* ~ (*finalmente*) once and for all; **certe** *-e* = **alle** *volte*; ⟨*Comm*⟩ *a* ~ *di* **corriere** by return of post (*o* mail): *risposta a* ~ *di corriere* reply by return of post; ⟨*ant*⟩ **dare** ~: 1. (*voltarsi*) to turn; (*rivoltarsi*) to turn over (*o* round); 2. (*tornare indietro*) to turn back; 3. (*volgere al tramonto*) to be setting; 4. (*del vino: guastarsi*) to go sour; ⟨*Mar*⟩ *dare* ~ *a un cavo* to make a rope fast; ⟨*fam*⟩ *il cervello gli ha dato di* ~ (*è impazzito*) he has gone out of his mind; **di** ~ *in* ~ from time to time; **due** *-e* twice; **girare** *in* ~ = **andare** *in volta*; **gran** ~ 1. ⟨*Aer*⟩ loop(ing); 2. ⟨*Ginn*⟩ giant circle; ⟨*rar*⟩ **in** ~ = **a** *volta a volta*; ⟨*rar*⟩ *fare le -e del* **leone** to pace up and down; ⟨*ant*⟩ **mettere** *in* ~ (*mettere in fuga*) to put to flight; ⟨*ant*⟩ *mettersi in* ~ (*fuggire*) to flee, to take to flight; **mezza** ~: 1. ⟨*Equit*⟩ half-volte; 2. ⟨*Mar*⟩ half-hitch; ⟨*iperb*⟩ **mille** *-e* hundreds of times, countless times, ⟨*fam*⟩ umpteen times: *te l'ho detto mille -e* I've told you hundreds of times; **molte** *-e* many times; **ogni** ~ *che* (*ogni qualvolta*) every time (that); *la* ~ **passata** = *la volta* **scorsa**; **per** ~ at a time: *venite qua due per* ~ come here ⌜two at a time⌝ (*o* in twos); *un po' per* ~ a little at a time, bit by bit; *uno per* ~ one at a time; (*a turno*) in turns; ~ *per* ~ each time; **più** *-e* several times; *il più delle -e* most times, usually; **poche** *-e* seldom, not often; *la* **prossima** ~ the next time; **quante** *-e?* how many times?, how often?; **quella** ~ that time; *quella* ~ *che* the time that; **rare** *-e* = **poche** *volte*; *la* ~ **scorsa** last time; **spesse** *-e* = **molte** *volte*; **tre** *-e*: 1. (*rafforzativo dell'aggettivo*) very, too: *essere tre -e buono* to be too good; 2. (*con aggettivi negativi*) utterly, very, only too: *tre -e stupido* utterly stupid; **tutte** *le -e che* = **ogni** *volta che*; *per l'***ultima** ~ for the last time; **una** ~: 1. once: *una* ~ *all'anno* once a year; 2. (*prima, in un tempo passato*) once: *una* ~ *queste cose non succedevano* these things didn't used to happen once; 3. (*nelle fiabe*) once upon a time: *c'era una* ~ *un re* once upon a time there was a king; *tutto in una* ~ all in one go; *una* ~ *per sempre* (o *tutte*) once and for all; *non sei più quello d'una* ~ you are not ⌜your former self⌝ (*o* what you used to be); *ancora una* ~ once again, once more; *una* ~ *o l'altra* one of these days, sooner or later; *non una* (*sola*) ~ not once; *una* ~ *finita la predica* once the sermon was over; ⟨*fam*⟩ *una* ~ *che*: 1. (*temporale*) once: *una* ~ *che ci sarai riuscito, tutto sarà facile* once you have succeeded everything will be smooth sailing; 2. (*causale*) now: *una* ~ *che lo sai, non me lo chiedere più* now that you know, don't ask me again. || *tre -e campione europeo* European champion for the third time, three-time European champion.

vọlta[2] *f.* **1.** ⟨*Arch*⟩ vault; (*soffitto*) vault, ceiling, roof: *la* ~ *della grotta* the vault of the grotto. – **2.** ⟨*Anat*⟩ vault. – **3.** (*nel ferro di cavallo*) curved part of a horseshoe. – **4.** ⟨*ant*⟩ (*scantinato a volta*) cellar, vault; (*magazzino merci*) vault, store.

□ **a** ~ vaulted: *tomba a* ~ vaulted tomb, vault; ~ **acustica** acoustic vault; ~ *a* **bacino** semidome; ⟨*Arch*⟩ ~ *a* **botte** barrel vault; ~ *a* **cassettoni** coffered vault; ~ **celeste** vault of heaven; **chiave** *di* ~ keystone (*anche fig.*); ⟨*Arch*⟩ ~ *a* **costoloni** ribbed vault; ~ *a* **crociera** cross-vault; ~ *a* **cupola** domed vault; ~ **fonica** = *volta* **acustica**; ⟨*Met*⟩ ~ *del* **forno** crown (of a furnace); ⟨*Arch*⟩ ~ **nervata** (o *con nervature*) ribbed vault; ~ *a* **nido** *d'ape* reticulated vault; ~ *a* **padiglione** cloister (*o* tent) vault; ⟨*Anat*⟩ ~ **palatina** palatal arch; ~ **plantare** arch of the foot, plantar arch; ⟨*Arch*⟩ ~ **rovescia** inverted arch; ~ *a* **schifo** cavetto vault; ~ **sferica** spherical vault, dome; ~ **stellata** starry vault (of heaven); ~ *a* **vela** domical vault; ~ *a* **ventaglio** fan(tail) vault.

vọlta[3] *m.inv.* ⟨*rar*⟩ → **volt.**

voltạbile *a.* ⟨*non com*⟩ **1.** turnable. – **2.** ⟨*ant*⟩ (*volubile*) inconstant.

volta|fạccia *m.inv.* **1.** about-face, volte-face, turn(ing) round. – **2.** ⟨*fig*⟩ volte-face, about-face: *fare un* ~ to perform a volte-face. – **~fiẹno** *m.inv.* ⟨*Agr*⟩ (hay) tedder. □ ~ *a forche* fork tedder. – **~gabbạna** *m./f.inv.* weathercock, fickle person, turncoat.

voltạggio *m.* ⟨*El*⟩ **1.** (*tensione*) voltage, tension. – **2.** (*differenza di potenziale*) voltage, potential difference. – **3.** (*forza elettromotrice*) voltage, electromotive force.

voltạico[1] *a.* (*pl.* **-ci**) ⟨*El*⟩ voltaic.

voltạico[2] *a.* (*pl.* **-ci**) ⟨*Ling*⟩ Voltaic, Gur.

voltaịte *f.* ⟨*Min*⟩ voltaite.

voltamẹnto *m.* ⟨*rar*⟩ turning.

voltạmetro *m.* ⟨*El*⟩ voltameter.

voltampere [-ɑ̃'pɛːr] *m.inv.* ⟨*El*⟩ volt-ampere. – **voltamperọmetro** *m.* voltammeter. – **voltamperọra** *m.* voltampere-hour. – **voltamperorạmetro** *m.* voltampere-hourmeter.

volta|pạsta *m.inv.* ⟨*Alim*⟩ kneading arm. – **~piẹtre** *m.* ⟨*Ornit*⟩ turnstone (*Arenaria interpres*).

voltạre *v.* (**vọlto**) **I** *v.t.* **1.** (*volgere*) to turn: ~ *il viso verso sinistra* to turn one's face to the left; (*rigirare*) to turn round: ~ *la barca* to turn the boat round. – **2.** (*dirigere*) to turn, to bend, to direct, to set: ~ *le armi contro i propri capi* to turn one's arms against one's own leaders. – **3.** (*girare*) to turn: ~ *la chiave nella toppa* to turn the key in the lock; (*rivoltare*) to turn (over): ~ *la pagina* to turn over the page; ~ *una moneta* to turn a coin over. – **4.** (*oltrepassare, girare*) to turn: ~ *l'angolo* to turn (*o* round) the corner. – **5.** ⟨*rar,fig*⟩ (*mutare*) to change, to turn. – **6.** ⟨*ant*⟩ (*doppiare*) to double, to round, to turn; (*con nave a vela*) to double, to round. – **7.** ⟨*ant*⟩ (*trasferire*) to transfer. – **8.** ⟨*ant*⟩ (*rivoltare*) to turn (round). – **9.** ⟨*lett*⟩ (*tradurre*) to translate. – **II** *v.i.* (*aus.* **avere**) **1.** (*mutare direzione*) to turn: *al semaforo volta a sinistra* turn left at the traffic-light; *la strada volta a destra* the road turns right. – **2.** ⟨*rar*⟩ (*mutarsi*) to change, to turn. – **voltarsi** *v.r.* **1.** to turn: *si voltò dall'altra parte* he turned the other way; (*rigirarsi, girarsi completamente*) to turn round: *voltati!* turn round! – **2.** ⟨*non com*⟩ (*cambiare*) to turn, to change.

□ ⟨*fig*⟩ ~ **casacca** to be a turncoat, to change sides; ⟨*fig*⟩ *voltarsi* **contro** *qd.* to turn against s.o.; ~ **gabbana** = *voltare* **casacca**; *volta* **pagina** please turn over, P.T.O.; ⟨*fam*⟩ change the subject; ~ *la* **prua** *verso il largo* to stand out to sea; *voltarsi e* **rivoltarsi** to toss and turn; ⟨*fig*⟩ *non* **sapere** *dove voltarsi* not to know ⌜who to turn to⌝ (*o* where to turn); ⟨*fig*⟩ **senza** *voltarsi né qua né là* (*senza timore*) fearlessly, unhesitatingly; *scusi se Le volto le* **spalle** excuse me for turning my back to you; ⟨*fig*⟩ ~ *le spalle a* to turn one's back on; *il* **tempo** *volta al brutto* the weather is breaking; *il* **vento** *volta* the wind is shifting; *il* **vino** *ha voltato* the wine has turned (*o* gone) sour.

voltastọmaco *m.* (*pl.* **-chi**) ⟨*fam*⟩ **1.** (*nausea*) nausea. – **2.** (*cosa nauseante*) nauseating thing. – **3.** ⟨*fig*⟩ (*ripugnanza, ribrezzo*) repugnance, disgust. – **4.** ⟨*fig*⟩ (*cosa ripugnante*) repulsive (*o* disgusting) thing. □ *dare* (o *far venire*) *il* ~ *a qd.* to make s.o. feel sick, to nauseate s.o. (*anche fig.*).

voltạta *f.* **1.** turn(ing). – **2.** (*rif. a veicoli*) turn. – **3.** (*svolta*) turning; (*curva*) bend, curve: *una* ~ *molto pericolosa* a very dangerous curve. – **4.** (*il girare dall'altra parte*) turning over. □ ⟨*Sport*⟩ ~ *d'appoggio* stem turn; *dare una* ~ *a qc.* to turn s.th. over; *fare una* ~ to (make a) turn; ⟨*Sport*⟩ ~ *di salto* jump turn.

voltatạccia (*pegg. di voltata*) *f.* (*pl.* **-ce**) bad curve, dangerous turning. – **voltatịna** (*dim. di voltata*) *f.* (quick) turn. □ *dare una* ~ *a qc.* to turn (*o* flip) s.th. over. – **voltạto** (*p.p. di voltare*) *a.* turned.

volteggiamẹnto *m.* ⟨*non com*⟩ circling, circle.

volteggiạre *v.* (**voltẹggio, voltẹggi**) **I** *v.i.* (*aus.* **avere**) **1.** to circle (*anche Aer.*): *l'aquila volteggiava nel cielo* the eagle circled in the sky. – **2.** (*muoversi cambiando continuamente direzione*) to turn here and there, to zigzag. – **3.** ⟨*Equit*⟩ to do trick-riding (*o* acrobatic riding). – **4.** ⟨*Ginn*⟩ to vault; (*nella ginnastica artistica*) to perform acrobatics. – **II** *v.t.* ⟨*Mar*⟩ (*bordeggiare*) to tack. – **volteggiatọre** *m.* (*f.* **-trice**) **1.** ⟨*Equit*⟩ trick-rider, acrobatic rider. – **2.** ⟨*Ginn*⟩ vaulter; (*nella ginnastica artistica*) acrobat. – **3.** ⟨*Mil.ant*⟩ voltigeur. – **voltẹggio** *m.* **1.** ⟨*Equit*⟩ trick-riding. – **2.** ⟨*Ginn*⟩ vault; (*nella ginnastica artistica*) acrobatics *pl.* – **3.** ⟨*Aer*⟩ turning over. □ ⟨*Ginn*⟩ ~ *di fianco* flank vault; ~ *frontale* front (*o* face) vault.

volt-elettrọne *m.* ⟨*Fis*⟩ electron-volt.

volteriạno *a./s.* → **volterriano.**

volterrạna *f.* **1.** ⟨*Arch*⟩ vault (built with bricks laid flat). – **2.** ⟨*Edil*⟩ (*pignatta*) large perforated block. – **volterrạno I** *a.* (*di Volterra*) of (*o* from) Volterra. – **II** *s.m.* (*f.* **-a**) native (*o* inhabitant) of Volterra.

volterrianẹṣimo *m.* ⟨*Lett,Filos*⟩ Voltairianism, Voltairism. – **volterrianịṣmo** *m.* ⟨*non com*⟩ → **volterrianesimo.** – **volterriạno I** *a.* **1.** (*di Voltaire*) Voltaire's, Voltairean, Voltairian, of Voltaire. – **2.** ⟨*estens*⟩ (*scettico*) sceptical; (*ironico*) ironic. – **II** *s.m.* (*f.* **-a**) Voltairean, Voltairian.

voltiạno *a.* → **voltaico[1].**

voltịmetro *m.* ⟨*non com*⟩ → **voltmetro.**

voltinịṣmo *m.* (*in bachicoltura*) number of yearly generations (of a silkworm).

voltịno *m.* ⟨*Ferr*⟩ flame (*o* furnace) arch.

voltizzazịone *f.* ⟨*rar*⟩ (*galvanizzazione*) galvanization.

voltmẹtrico *a.* (*pl.* **-ci**) ⟨*El*⟩ of a voltmeter. – **vọltmetro** *m.* voltmeter.

vọlto[1] *m.* **1.** (*viso*) face: *avere un bel* ~ to have a pretty face. – **2.** ⟨*fig*⟩ (*natura, carattere*) face, nature: *rivelare il proprio vero* ~ to show one's true face. – **3.** ⟨*fig*⟩ (*aspetto*) appearance, aspect. – **4.** ⟨*poet*⟩ (*sguardo*) look, gaze; (*occhi*) eyes *pl.* □ *Prov.*: ~ *di miele, cuore di fiele* a honey tongue is a heart of gall, bees that have honey in their mouths have stings in their tails.

vọlto[2] *p.p. di* **volgere[1].**

vọlto[3] *m.* ⟨*ant,region*⟩ **1.** (*volta*) vault. – **2.** (*arco*) arch; (*archivolto*) archivolt.

voltọio *m.* (*parte delle briglie*) part of a bridle.

voltolamẹnto *m.* ⟨*non com*⟩ rolling over and over. – **voltolạre** *v.t.* (**vọltolo**) to roll over and over: ~ *un macigno* to roll a boulder over and over. – **voltolarsi** *v.r.* to roll about (*o* over and over): *il cane si voltolava sull'erba* the dog was rolling about in the grass. □ *voltolarsi nel letto* to toss and turn in bed.

voltolịno *m.* ⟨*Ornit*⟩ spotted crake (*o* rail) (*Porzana porzana*).

voltolọne, voltolọni *avv.* ⟨*non com*⟩ rolling about (*o* over and over); (*nel letto*) tossing and turning.

voltọmetro *m.* ⟨*non com*⟩ → **voltmetro.**

voltorẹcchio: ⟨*Agr*⟩ *aratro* ~ swivel (*o* turn-wrest, Scandinavian) plough.

voltụra *f.* **1.** (*rif. a registri catastali*) registration, transcription. – **2.** (*rif. a servizi pubblici*) transfer: ~ *del telefono* transfer of the telephone (service). – **3.** ⟨*Econ*⟩ (*operazione di trasferimento*) transfer (from one account to another). – **4.** ⟨*ant*⟩ (*traduzione*) translation. – **5.** ⟨*ant*⟩ (*rivoluzione*) revolution. – **volturạre** *v.t.* **1.** (*rif. a registri* *catastali*) to register, to transcribe. – **2.** (*rif. a servizi pubblici*) to transfer. – **3.** ⟨*Econ*⟩ to transfer.

volubile *a.* **1.** (*incostante*) inconstant, fickle: *avere un carattere* ~ to be inconstant. – **2.** (*che può cambiare*) changeable, variable: *tempo* ~ changeable (*o* unsettled) weather. – **3.** ⟨*Bot*⟩ voluble, twining. – **4.** ⟨*lett*⟩ (*che gira*) rotating, revolving, ⟨*lett*⟩ voluble; (*che si muove continuamente*) ever-moving; (*rif. al tempo*) fleeting. – **5.** ⟨*poet*⟩ (*agevole*) easy, light; (*scorrevole*) flowing; (*abbondante*) plentiful, abundant. – **volubilità** *f.* inconstancy, fickleness. – **volubilmente** *avv.* inconstantly, in a fickle way.

volume *m.* **1.** ⟨*Geom*⟩ volume: *calcolare il* ~ *di un solido* to calculate the volume of a solid. – **2.** (*mole*) size, proportions *pl*, dimensions *pl*, volume; (*massa*) bulk, mass. – **3.** (*quantità*) volume, amount, extent, entity, mass: *il* ~ *degli affari* the volume of business. – **4.** ⟨*Acu,Rad*⟩ (*intensità sonora*) volume: *regolare il* ~ to adjust the volume. – **5.** ⟨*Art*⟩ volume. – **6.** ⟨*Edit*⟩ volume: *un'opera in dodici -i* a work in twelve volumes, a twelve-volume work; (*libro*) volume, book; (*opera*) work. – **7.** ⟨*Paleogr*⟩ volume, scroll. – **8.** ⟨*ant*⟩ (*movimento di rivoluzione dei corpi celesti*) revolution; (*sfera celeste*) celestial sphere. – **9.** ⟨*ant*⟩ (*movimento avvolgente di fluido*) enveloping mass; (*spira, voluta*) spiral, coil.

□ **abbassare** *il* ~ *della radio* to turn down (the volume of) the radio; ~ *d'***aria** volume of air; ⟨*Chim*⟩ ~ **atomico** atomic volume; ⟨*Mar*⟩ ~ *della* **carena** volume of displacement; ~ **commerciale** volume of trade; ~ **costante** constant volume; ⟨*Atom*⟩ ~ **critico** critical volume; **far** ~ to be voluminous (*o* bulky); ⟨*Mil*⟩ ~ *di* **fuoco** fire power; *di* **gran** ~ bulky, massive, voluminous; ⟨*Edit*⟩ ~ **indice** index (volume); ~ *d'***ingombro** bulking volume; ⟨*Chim*⟩ ~ **molecolare** molecular volume; ⟨*Acu*⟩ **regolatore** *di* ~ volume control; ~ *degli* **scambi** = *volume* **commerciale**; ~ **sonoro** sound volume; ~ **specifico** specific volume; ~ *del* **traffico** volume of traffic; ⟨*Acu*⟩ *a* **tutto** ~ at full volume; ⟨*Comm*⟩ ~ *delle* **vendite** sales volume.

volumenometro *m.* ⟨*Fis*⟩ volumenometer.

volumetria *f.* **1.** ⟨*Arch*⟩ disposition of masses. – **2.** ⟨*Chim*⟩ volume measurement. – **volumetrico** *a.* (*pl.* **-ci**) **1.** volumetric. – **2.** (*che concerne il volume*) volume-, of volume.

volumetto (*dim. di volume*) *m.* (small) volume, volumette; (*libriccino*) (small) book.

volumico *a.* (*pl.* **-ci**) ⟨*Fis,Geom*⟩ of a volume unit.

voluminosità *f.* voluminosity, voluminousness, bulkiness. – **voluminoso** *a.* voluminous, bulky, massive, large, huge; (*ingombrante*) cumbersome, bulky: *un pacco* ~ a bulky parcel.

volumone (*accr. di volume*) *m.* (large) volume, tome.

voluntà, voluntade, voluntate *f.* ⟨*ant*⟩ → **volontà**.

voluptade *f.* ⟨*ant*⟩ → **voluttà**.

voluta *f.* **1.** (*spira*) volute, spiral, coil. – **2.** ⟨*Arch*⟩ volute, (spiral) scroll. – **3.** ⟨*Mus*⟩ (*riccio*) scroll.

volutabro *m.* ⟨*lett*⟩ **1.** (*brago*) mire, mud (in which pigs wallow). – **2.** ⟨*fig*⟩ (*sozzura*) filth, mire, muck.

volutamente *avv.* deliberately, intentionally.

volutina *f.* ⟨*Biol*⟩ volutin.

voluto (*p.p. di volere*[1]) *a.* **1.** wanted, wished for; (*desiderato*) desired: *l'effetto* ~ the desired effect; (*sperato*) hoped for. – **2.** (*intenzionale*) intentional, deliberate.

voluttà *f.* **1.** (*piacere sensuale*) voluptuousness. – **2.** (*godimento*) voluptuousness, pleasure, enjoyment. – **3.** ⟨*ant*⟩ (*piacere*) pleasure, delight.

voluttabro *m.* → **volutabro**.

voluttuario *a.* **1.** voluptuary, sensual, of (sensual) pleasure: *vita -a* life of pleasure. – **2.** (*non necessario*) unnecessary, non-essential: *spese -e* unnecessary expenses, luxury spending.

voluttuosamente *avv.* voluptuously. – **voluttuosità** *f.* voluptuousness, voluptuosity. – **voluttuoso** I *a.* **1.** (*rif. a persone*) voluptuous. – **2.** (*sensuale*) voluptuous, sensual: *bocca -a* voluptuous mouth. – **3.** (*pieno di voluttà*) voluptuous: *musica -a* voluptuous music. – **II** *s.m.* (*f.* **-a**) voluptuary.

volva *m.* ⟨*Bot*⟩ volva.

volvente (*p.pr. di volvere*) *a.* ⟨*Fis*⟩ rolling: *attrito* ~ rolling friction. – **volvere** *v.* (*p.rem.* **volsi/volvei**; *p.p.* **volto**) ⟨*ant,poet*⟩ → **volgere**[1].

volvoce *m.* ⟨*Bot*⟩ volvox (*Volvox*).

volvolo *m.* ⟨*Med*⟩ volvulus.

vombato *m.* ⟨*Zool*⟩ wombat (*Vombatus, Phascolomys*).

vomeraia *f.* ⟨*Agr*⟩ (*dentale*) share-beam. – **vomerale** *m.* ⟨*ant*⟩ (*vomere*) ploughshare.

vomere[1] *m.* **1.** ⟨*Agr*⟩ ploughshare. – **2.** ⟨*Artigl*⟩ spade. – **3.** ⟨*Mar.mil*⟩ minesweeper. – **4.** ⟨*Anat*⟩ vomer.

vomere[2] *v.* ⟨*ant,poet*⟩ → **vomitare**.

vomerino *a.* ⟨*Anat*⟩ vomerine. – **vomero** *m.* ⟨*lett,region*⟩ → **vomere**[1].

vomica *f.* ⟨*Med*⟩ vomica.

vomico *a.* (*pl.* **-ci**): *noce -a* nux vomica. – **vomire** *v.* (**vomisco, vomisci**) ⟨*ant,poet*⟩ → **vomitare**. – **vomitamento** *m.* ⟨*non com*⟩ vomiting.

vomitare *v.* (**vomito**) **I** *v.t.* **1.** to vomit, to retch, to throw up. – **2.** ⟨*estens*⟩ (*emettere con violenza*) to vomit, to spew, to spout, to belch: ~ *fuoco* to spew fire; ~ *ingiurie* to spout abuse. – **3.** ⟨*estens*⟩ (*rif. al mare: ributtare a riva*) to throw up, to wash ashore. – **II** *v.i.* (*aus.* **avere**) **1.** to vomit, to be sick, to throw up. – **2.** ⟨*iperb*⟩ (*provare repulsione*) to be nauseated, to feel sick: *al solo vederlo vomito* the sight of him is enough to make me feel sick. □ ~ *per il mal di mare* to be sea-sick. – **vomitaticcio** *m.* vomit, ⟨*fam*⟩ sick. – **vomitativo** **I** *a.* emetic, vomitive, vomitory. – **II** *s.m.* ⟨*Farm*⟩ emetic. – **vomitato** (*p.p. di vomitare*) *a.* vomited, thrown up. – **vomitatore** **I** *s.m.* (*f.* **-trice**) vomiter (*anche fig.*). – **II** *a.* ⟨*lett*⟩ vomiting, spewing. – **vomitatorio** *a./s.* ⟨*rar*⟩ → **vomitativo**. – **vomiticcio** *m.* → **vomitaticcio**. – **vomitivo** *a./s.* ⟨*non com*⟩ → **vomitativo**.

vomito *m.* **1.** vomit, vomiting. – **2.** ⟨*concr*⟩ (*sostanze vomitate*) vomit, ⟨*fam*⟩ sick. – **3.** ⟨*fig*⟩ nausea, disgust.

□ **avere** *il* ~ to vomit, to be sick, to throw up; **conato** *di* ~ retching; **dare** *il* ~: 1. = **provocare** *il vomito*; 2. ⟨*fig*⟩ to nauseate, to disgust, to make feel sick; ~ **emorragico** haematemesis, vomiting of blood; ~ **fecale** faecal (*o* stercoraceous) vomiting; ~ **gravidico** vomiting of pregnancy, (hyper)emesis gravidarum; **provocare** *il* ~ to cause vomiting; *mi* **viene** *il* ~ I feel sick, I think I'm going to throw up; ⟨*fig*⟩ I feel nauseated (*o* sick), it turns my stomach.

vomitorio **I** *a.* ⟨*non com*⟩ (*vomitativo*) emetic, vomitive, vomitory. – **II** *s.m.* ⟨*Archeol*⟩ vomitory. – **vomizione** *f.* ⟨*Med*⟩ vomiting.

vongola (*o* *vongola*) *f.* ⟨*Zool*⟩ clam.

vorace *a.* **1.** greedy, voracious, ravenous; (*insaziabile*) insatiable. – **2.** ⟨*fig,lett*⟩ (*che distrugge rapidamente*) devastating, destructive, swift-consuming. □ *uomo* ~ glutton. – **voracemente** *avv.* greedily, voraciously (*anche fig.*). – **voracità** *f.* greed(iness), voracity. □ ⟨*fig*⟩ *la* ~ *delle fiamme* the all-consuming flames; *la* ~ *del tempo* the ravages of time; *la* ~ *degli usurai* the greed (*o* avidity) of usurers.

voragine *f.* **1.** (*baratro*) gulf, chasm, abyss. – **2.** (*gorgo*) whirlpool, vortex. – **3.** ⟨*fig,non com*⟩ (*cosa che richiede forti spese*) bottomless pit, continual drain on one's finances. – **voraginoso** *a.* ⟨*lett*⟩ **1.** (*pieno di voragini*) full of chasms. – **2.** (*pieno di gorghi*) full of whirlpools. – **vorago** *f.* ⟨*poet*⟩ → **voragine**.

vorare *v.t.* (**voro**) ⟨*ant*⟩ (*divorare*) to devour. – **voratore** ⟨*ant, poet*⟩ **I** *s.m.* (*f.* **-trice**) **1.** (*divoratore*) devourer, eater. – **2.** ⟨*fig*⟩ (*distruttore*) destroyer. – **II** *a.* (*che divora*) devouring; (*che distrugge*) destructive.

vorland *ted.* [f-] *m.* ⟨*Geog*⟩ foreland.

...voro *suff.* (*che divora* eating) ...vorous: *carnivoro a.* carnivorous.

vorticale **I** *a.* vortical: *moto* ~ vortical (*o* rotational) motion. – **II** *s.m.* ⟨*Mat*⟩ (*linea vorticosa*) vortex line. – **vorticare** *v.i.* (**vortico, vortichi**; *aus.* **avere**) ⟨*non com*⟩ to whirl, to swirl, to eddy.

vortice *m.* **1.** (*turbine*) vortex, whirlwind. – **2.** (*gorgo, mulinello*) vortex, whirlpool, maelstrom. – **3.** ⟨*fig*⟩ (*forza travolgente*) vortex, swirl, whirl, turmoil, maelstrom: *il* ~ *delle passioni* a turmoil of passion; ~ *degli affari* the whirl (*o* bustle) of the business world. – **4.** ⟨*Med*⟩ vortex. □ ~ *d'acqua* vortex, whirlpool, maelstrom; ~ *d'aria* vortex; *il* ~ *della danza* the whirling of the dance; ~ *di vento* vortex, whirlwind.

vorticella *f.* ⟨*Zool*⟩ vorticella (*Vorticella nebulifera*). – **vorticellidi** *m.pl.* vorticellids *pl*, vorticellae *pl*, bell animalcules *pl* (*Vorticellidae*).

vorticismo *m.* ⟨*Art*⟩ vorticism.

vorticosamente *avv.* vortically, in a whirl (*o* eddy). – **vorticoso** *a.* **1.** full of vortices: *un fiume* ~ a river full of vortices (*o* whirlpools). – **2.** ⟨*fig*⟩ (*rif. ad avvenimenti e sim.*: *rapido, incalzante*) vortical, whirling, swirling, eddying: *un* ~ *giro d'affari* a vortical turnover.

voscenza *f.* ⟨*sicil*⟩ (*eccellenza*) Your Excellency.

vosco *pron.* ⟨*ant,poet*⟩ (*con voi*) with you.

Vosgi *N.pr.m.pl.* ⟨*Geog*⟩ Vosges *pl.*

vossignoria *f.* ⟨*region*⟩ (*vostra signoria*) **1.** Your Lordship (*f* Ladyship). – **2.** ⟨*burocr*⟩ *non si traduce.*

vostro **I** *a.poss.* **1.** your: *i -i libri* your books; *con i -i fratelli* with your brothers; ⟨*enfat*⟩ (*vostro proprio*) your own. – **2.** (*usato predicativamente*) yours: *questa casa è -a* this house is yours. – **3.** (*forma di riguardo*) your: *-a eccellenza* Your Excellency. – **4.** (*nelle espressioni ellittiche*) your *seguito dal sostantivo sottinteso*: *sono dalla -a* (*parte*) I am on your side; *ne avete fatta un'altra delle -e* (*birbonate*) you've been up to another of your tricks; *ho ricevuto la -a* (*lettera*) *del dieci marzo* I have received your letter of the tenth of March. – **5.** ⟨*epist*⟩ yours. – **II** *pron.poss.* yours: *i miei fiori sono più belli dei -i* my flowers are more beautiful than yours. – **III** *s.m.* **1.** (*averi*) (what is) yours, your own; (*beni materiali*) your property, your possessions *pl*; (*reddito*) your (own) income, your (own) means *pl*; (*denaro*) your money. – **2.** *pl.* (*genitori*) your parents *pl*: *domani verremo a trovare i -i* tomorrow we are coming to see your parents; (*parenti*) your family, your relatives *pl*, ⟨*fam*⟩ your folks *pl*; (*amici*) your friends *pl*; (*seguaci*) your supporters *pl*, your followers *pl*, your side.

votaccio (*pegg. di voto*[1]) *m.* ⟨*scol*⟩ bad mark.

votacessi *m.* ⟨*non com*⟩ → **vuotacessi**. – **votaggine** *f.* ⟨*non com*⟩ → **vuotaggine**. – **votame** *m.* → **vuotame**. – **votamente** *avv.* ⟨*non com*⟩ → **vuotamente**. – **votamento** *m.* ⟨*non com*⟩ → **vuotamento**.

votante (*p.pr. di votare*[1]) **I** *a.* **1.** (*che vota*) voting. – **2.** (*che ha diritto di votare*) eligible (*o* having the right) to vote. – **3.** ⟨*non com*⟩ (*che fa un voto religioso*) that has taken a (religious) vow. – **II** *s.m./f.* **1.** (*chi vota*) voter. – **2.** (*chi ha diritto di votare*) voter, franchise -holder. – **3.** ⟨*non com*⟩ (*chi fa un voto religioso*) one who takes a (religious) vow.

votare[1] *v.* (**voto**) **I** *v.t.* **1.** (*dedicare*) to devote, to dedicate, to give up: ~ *la propria vita alla famiglia* to devote one's life to one's family; (*sacrificare*) to sacrifice. – **2.** (*sottoporre a votazione*) to put to the vote, to take a vote on: ~ *una legge* to put a law to the vote; (*approvare mediante votazione*) to vote, to pass: *il progetto* *di legge è stato votato* the bill has been passed. – **3.** (*dare il proprio voto*) to vote for: *votate partito democratico* vote for the Democrats. – **4.** ⟨*lett*⟩ (*offrire in voto*) to offer up (as a votive offering), to vow. – **5.** ⟨*lett*⟩ (*consacrare*) to consecrate. – **II** *v.i.* (*aus.* **avere**) **1.** to vote: ~ *per qd.* to vote for s.o. – **2.** (*mettere ai voti*) to put to the vote. – **votarsi** *v.r.* **1.** (*consacrarsi*) to consecrate (*o* dedicate) o.s. (*a* to). – **2.** (*dedicarsi*) to devote o.s., to dedicate o.s., to give o.s. up (*o* over), to consecrate o.s. (to).

□ ~ *per* **acclamazione** to vote by acclamation; ~ *per* **alzata** *di mano* to vote by show of hands; **andare** *a* ~ to go to vote (*o* the polls); ~ *per* **appello** *nominale* to vote by roll-call; ~ *in* **bianco** to cast a blank vote; ~ **contro** *una proposta* to vote down (*o* against) a proposal; ~ *contro un partito* to vote against a party.

votare[2] *v.* ⟨*non com*⟩ → **vuotare**. – **votata** *f.* ⟨*non com*⟩ → **vuotata**.

votato (*p.p. di votare*[1]) *a.* **1.** that has been put to the vote; (*approvato con votazione*) that has been voted (*o* passed): *una legge -a* a law which has been passed. – **2.** (*consacrato*) consecrated; (*dedicato*) devoted, dedicated, given up (*o* over). □ *essere ~ alla morte* to risk (*o* face) death. – **votatore** *m.* (*f.* **-trice**) ⟨*non com*⟩ **1.** (*votante*) voter. – **2.** (*chi fa un voto*) offerer, vower.

votatura *f.* ⟨*non com*⟩ → **vuotatura**.

votazione *f.* **1.** (*atto*) vote, voting: *fare una* ~ to hold a vote. – **2.** (*effetto*) vote: *la ~ ci è stata favorevole* the vote was in our favour. – **3.** (*scrutinio*) vote, ballot. – **4.** ⟨*Scol*⟩ assignment of marks; (*voti*) marks *pl*, ⟨*am*⟩ grades *pl*: *all'esame ha ottenuto un'ottima* ~ he got good marks on the exam.

□ ~ *per* **acclamazione** voting by acclamation; ~ *per* **alzata** *di mano* voting by show of hands; ~ *per alzata e seduta* voting by rising or remaining seated; ~ *per* **appello** *nominale* voting by roll-call; ~ *per* **articoli** voting for each article separately; ~ *del* **bilancio** voting on the budget; ~ *per* **corrispondenza** voting by post; ~ *per* **divisione** taking of a separate vote; ~ **finale** final vote; ~ *di* **legge** passing (*o* approval) of a bill; ~ **libera** free vote; **passare** *alla* ~ to proceed to take a vote; **porre** *in ~ qc.* to take a vote on s.th., to put s.th. to the vote; ~ *per* **procura** voting by proxy; ~ **segreta** (o *per scrutinio segreto*) secret ballot.

votazucchine *m.inv.* ⟨*non com*⟩ → **vuotazucchine**.

votazza *f.* ⟨*Mar,non com*⟩ (*gottazza*) bailer, bailing scoop.

votezza *f.* ⟨*non com*⟩ → **vuotezza**.

votivo *a.* votive: *dono* ~ votive gift (*o* offering); *lampada -a* votive lamp; *messa -a* votive Mass.

voto[1] *m.* **1.** ⟨*Rel*⟩ vow: *mantenere un* ~ to keep a vow; ~ *di castità* vow of chastity. – **2.** (*cosa che si offre in voto*) votive offering. – **3.** (*manifestazione di volontà*) vote: *dare il proprio* ~ to (give one's) vote; *i socialisti hanno perso -i* the Socialists have lost votes; (*votazione*) vote, voting. – **4.** *pl.* ⟨*collett*⟩ vote: *i -i del nostro partito sono in aumento* our party's vote is on the increase. – **5.** ⟨*Scol*⟩ mark, ⟨*am*⟩ grade: *ho preso un buon ~ in latino* I got a good mark in Latin. – **6.** ⟨*fig,lett*⟩ (*desiderio*) wish, desire; (*augurio*) (good) wish: *formulare un* ~ to express a good (*o* an earnest) wish.

□ ~ **affermativo** vote in favour; ⟨*Parl*⟩ aye; **ai** *-i!* put it to the vote!; ~ *per* **alzata** *di mano* voting by show of hands; ~ *per alzata e seduta* voting by rising or remaining seated; **astensione** *dal* ~ abstention (from voting); ⟨*Scol*⟩ ~ *di* **condotta** conduct mark; ~ **consultivo** advisory vote; **dare** *il proprio ~ a qd.* to give s.o. one's vote, to vote for s.o.; ~ **decisivo** (o *deliberativo*) casting (*o* deciding) vote; **dichiarazione** *di* ~ statement of (a party's) voting intentions; *avere* **diritto** *di* ~ to have the right to vote, to hold the franchise; *-i* **dispersi** dissipated votes; ~ *per* **divisione** taking of a separate vote; **esaudire** *i -i di qd.* to grant s.o.'s prayers; **far** *-i* to (express a) wish; *faccio i più fervidi -i per la tua guarigione* my sincerest good wishes for a speedy recovery; ⟨*Rel*⟩ *fare un* ~ to make (*o* take) a vow; *fare* (*il*) ~ *di* [*inf*] to vow to [*inf*]; *fare i -i* = **pronunciare** *i voti*; ⟨*Parl*⟩ ~ *di* **fiducia** vote of confidence; *portare qc.* **in** ~ to bring s.th. as a votive offering; ⟨*Scol*⟩ ~ **insufficiente** failing mark; ⟨*Univ*⟩ **laurearsi** *col massimo dei -i e la lode* to gain first -class honours, to graduate summa cum laude; **mettere** *ai -i qc.* to put s.th. to the vote, to take a vote on s.th.; ~ **negativo** unfavourable vote; ⟨*Parl*⟩ nay; ~ **nullo** invalid vote; ⟨*Rel*⟩ ~ *d'***obbedienza** vow of obedience; **offrire** *in* ~ to offer (as a votive offering); **parità** *di -i* equality of votes; **passare** *ai -i* to proceed to take a vote; ⟨*scol,univ*⟩ *a* **pieni** *-i* with full marks, with flying colours; ~ **plurimo** plural vote; ⟨*Rel*⟩ ~ *di* **povertà** vow of poverty; ~ **preferenziale** preferential vote; ~ *per* **procura** voting by proxy, proxy vote; ⟨*Scol*⟩ ~ *di* **profitto** mark to show progress made in school-work; ⟨*Rel*⟩ **pronunciare** *i -i* to take one's vows; ~ *di* **protesta** protest vote; **sciogliere** *qd. dal* ~ to release s.o. from a vow; ⟨*Rel*⟩ *-i* **semplici** simple vows; ⟨*Parl*⟩ ~ *di* **sfiducia** vote of no-confidence; ⟨*Rel*⟩ *-i* **solenni** solemn vows; ⟨*Scol*⟩ ~ *di* **sufficienza** pass mark; *con* ~ **unanime** by a unanimous vote; ~ **valido** valid vote.

voto[2] *a./s.* ⟨*ant*⟩ → **vuoto**.

vox populi, vox Dei *lat.* the voice of the people is the voice of God, vox populi vox Dei.

voyeur *fr.* [vwa'jœ:r] *m.* ⟨*Psic*⟩ voyeur, ⟨*fam*⟩ Peeping Tom. – **voyeurismo** *m.* voyeurism.

V.P. = **1.** *vicepresidente* vice-president (*abbr.* V.P., VP). – **2.** ⟨*Rel*⟩ *Vostra Paternità* Your Paternity.

v.r. = *vedi retro* please turn over (*abbr.* P.T.O.).

vs., vs/ = ⟨*Comm*⟩ *vostro* yours.

v.s. = **1.** *vedi sopra* vide supra (*abbr.* v.s.), see above. – **2.** *vedi sotto* see below.

V.S. = **1.** ⟨*Rel*⟩ *Vostra Santità* Your Holiness. – **2.** *Vostra Signoria* Your Lordship (*f* Ladyship).

V.S.Ill.ma = *Vostra Signoria Illustrissima* Your Most Illustrious Lordship (*f* Ladyship).

v.st. = *vecchio stile* old style (*abbr.* O.S., OS).

V.T. = ⟨*Bibl*⟩ *Vecchio Testamento* Old Testament (*abbr.* O.T.).

V.T.O. = ⟨*Aer*⟩ *decollo verticale* vertical take-off (*abbr.* V.T.O., VTO).

V.T.O.L. = ⟨*Aer*⟩ *decollo e atterraggio verticali* vertical take-off and landing (*abbr.* V.T.O.L., VTOL).

vu *f./m.* v, V.

V.U. = *vigili urbani* (municipal) policemen.

vuduismo *m.* → **vodù**.

vui *pron.pers.* ⟨*ant,poet*⟩ (*voi*) you.

vulcanesimo *m.* → **vulcanismo**. – **vulcanetto** *m. dim. di* **vulcano**. – **vulcaniano** *a.* ⟨*Geol*⟩ Plinian, Vulcanian: *fase -a* Plinian phase.

vulcanico *a.* (*pl.* **-ci**) **1.** volcanic: *terreno* ~ volcanic land; *lago* ~ volcanic lake. – **2.** ⟨*fig*⟩ dynamic, brilliant, exuberant: *ingegno* ~ lively (*o* brilliant) mind.

vulcanio *a.* ⟨*lett*⟩ (*di Vulcano*) Vulcanian, Vulcanean, of Vulcan, Vulcan's.

vulcanismo *m.* ⟨*Geol*⟩ volcanism.

vulcanite *f.* ⟨*Min*⟩ vulcanite.

vulcanizzante (*p.pr. di vulcanizzare*) **I** *a.* vulcanizing. – **II** *s.m.* vulcanizing (*o* curing) agent. – **vulcanizzare** *v.t.* to vulcanize, to cure: ~ *a freddo* to cold cure. – **vulcanizzato** (*p.p. di vulcanizzare*) *a.* vulcanized, cured. □ *fibra -a* (*cartone vulcanizzato*) vulcanized fibre; *olio* ~ vulcanized oil. – **vulcanizzatore** *m.* **1.** (*operaio*) vulcanizer. – **2.** (*macchina*) vulcanizer. – **vulcanizzazione** *f.* vulcanization, cure. □ ~ *a caldo* hot vulcanization; ~ *a freddo* cold cure.

vulcano *m.* **1.** ⟨*Geog*⟩ volcano. – **2.** ⟨*fig*⟩ (*situazione pericolosa*) volcano: *essere* (o *dormire*) *sopra un* ~ to be on the edge of a volcano. – **3.** ⟨*fig*⟩ (*persona dall'immaginazione fervida*) person with a lively imagination, dynamic person.

□ ~ **attivo** active volcano; ~ **detritico** = *vulcano di* **tufo**; ~ *di* **fango** mud volcano, paint pot; ~ **inattivo** inactive volcano; ~ *di* **lava** = *vulcano* **omogeneo**; *-i* **lunari** moon craters; ~ **misto** = *vulcano* **strato**; ~ **omogeneo** lava cone volcano; ~ **quiescente** = *vulcano* **inattivo**; ~ *a* **scudo** shield volcano, lava shield; ~ **sottomarino** submarine volcano; ~ **spento** extinct volcano; ~ **strato** composite volcano; ~ *di* **tufo** tuff cone (*o* ring).

Vulcano[1] *N.pr.m.* ⟨*Mitol*⟩ Vulcan.

Vulcano[2] *N.pr.f.* ⟨*Geog*⟩ Vulcano.

Vulcano[3]: ⟨*Geog*⟩ *Isole* ~ Volcano Islands *pl.*

vulcanologia *f.* volcanology. – **vulcanologico** *a.* (*pl.* **-ci**) volcanologic(al). – **vulcanologo** *m.* (*pl.* **-gi**; *f.* **-a**) volcanologist.

vulgare[1] *a./s.* ⟨*ant*⟩ → **volgare**[1].

vulgare[2] *v.t.* (**vulgo, vulghi**) ⟨*ant*⟩ (*divulgare*) to make known, to spread (about), to divulge.

Vulgata *N.pr.f.* ⟨*Bibl*⟩ Vulgate.

vulgato *a.* ⟨*Filol*⟩ vulgate, usual, received, commonly accepted.

vulgo *m.* ⟨*poet*⟩ → **volgo**.

vulnerabile *a.* **1.** vulnerable (*anche fig.*). – **2.** ⟨*Mil*⟩ vulnerable. □ *punto* ~ weak point (*o* spot) (*anche fig.*). – **vulnerabilità** *f.* vulnerability (*anche fig.*).

vulnerante (*p.pr. di vulnerare*) *a.* wounding. – **vulnerare** *v.t.* (**vulnero**) ⟨*lett*⟩ **1.** (*ferire*) to wound, to hurt, to injure. – **2.** ⟨*fig*⟩ (*offendere, ledere*) to harm, to damage, to violate: ~ *un diritto* to violate a right.

vulneraria *f.* ⟨*Bot*⟩ kidney vetch (*Anthyllis vulneraria*). – **vulnerario I** *a.* vulnerary, curative: *unguento* ~ vulnerary ointment. – **II** *s.m.* ⟨*Farm*⟩ vulnerary.

vultore, vulture *m.* ⟨*ant*⟩ (*avvoltoio*) vulture. – **vulturidi** *m.pl.* ⟨*Ornit*⟩ vultures *pl* (*Vulturidae*).

vulva *f.* ⟨*Anat*⟩ vulva. – **vulvare** *a.* vulvar.

vulvaria *f.* ⟨*Bot*⟩ stinking goosefoot (*Chenopodium vulvaria*).

vulvario *a.* ⟨*ant*⟩ → **vulvare**. – **vulvite** *f.* ⟨*Med*⟩ vulvitis.

vulvo|vaginale *a.* ⟨*Med*⟩ vulvo-vaginal. – **~vaginite** *f.* vulvo-vaginitis.

vuotacessi *m.inv.* (*bottinaio*) emptier of cesspools, sewer-man.

vuotaggine *f.* **1.** emptiness, vacuity, vacancy of mind, inanity. – **2.** (*mancanza d'idee*) lack of ideas; (*insulsaggine*) insipidity, dullness. – **vuotame** *m.* empty things *pl*, empties *pl.*

vuotamele *m.inv.* apple-corer.

vuotamente *avv.* ⟨*non com*⟩ emptily, shallowly. – **vuotamento** *m.* ⟨*non com*⟩ emptying.

vuotare *v.t.* (**vuoto**/*ant.,pop.* **voto**) **1.** to empty: ~ *il secchio* to empty the bucket; (*scaricare*) to drain, to empty: ~ *uno stagno* to drain a pond. – **2.** ⟨*Fisiol*⟩ (*evacuare*) to empty, to evacuate: ~ *gli intestini* to evacuate the intestines. – **3.** (*sgomberare*) to clear (*o* turn) out, to empty: ~ *la casa* to clear out the house; ~ *le tasche* to empty (*o* turn out) one's pockets; (*rif. a ladri*) to rob, ⟨*fam*⟩ to clean (out). – **4.** (*bere completamente*) to drain, to empty: ~ *il bicchiere* to drain one's glass. – **vuotarsi** *v.r.* **1.** (*diventare vuoto*) to empty: *la sala si vuota* the room is emptying. – **2.** (*scaricarsi: rif. a liquidi*) to run off, to drain away. □ ~ *una barca* to bail (out) a boat; ~ *con la pompa* to pump dry; ⟨*fig*⟩ ~ *il sacco* to spill the beans; ~ *la sella* to fall out of the saddle; ⟨*Mar*⟩ ~ *la sentina* to dry out the bilges; ⟨*fig*⟩ ~ *le tasche a qd.* to clean s.o. out.

vuotạta *f.* emptying (out). ☐ *dare una ~ a qc.* to empty s.th. (out). – **vuotatụra** *f.* **1.** emptying. – **2.** ⟨*Fisiol*⟩ (*evacuazione*) emptying, voiding, evacuation. – **3.** (*sgombero*) clearing (*o* turning) out.
vuotazucchịne *m.inv.* utensil for hollowing out baby marrows.
vuotẹzza *f.* emptiness, vacancy: *la ~ di un discorso* the emptiness of a speech.
vuọto I *a.* **1.** empty: *una bottiglia -a* an empty bottle; *a stomaco ~* on an empty stomach. – **2.** (*non occupato*) vacant, free: *posto ~* vacant seat; (*rif. ad appartamenti*) vacant; (*rif. a teatro, cinema e sim.*) empty: *il teatro era mezzo ~* the theatre was half-empty. – **3.** (*privo*) devoid, void (*di* of), lacking, wanting (in), -less, empty: *~ di senso* senseless; *~ di pensieri* devoid of thought; *~ d'aria* airless, lacking in air. – **4.** ⟨*fig*⟩ empty, shallow: *discorsi -i* empty talk. – **5.** ⟨*fig,rar*⟩ (*vano*) vain. – **II** *s.m.* **1.** emptiness, void (*anche Filos.*). – **2.** (*cavità*) empty (*o* hollow) space, hollow, hole, cavity, recess: *nel muro c'è un ~* there is a cavity in the wall. – **3.** (*spazio libero*) void, air, space: *penzolare nel ~* to dangle in the air. – **4.** (*recipiente vuoto*) empty container; (*bottiglia*) (empty) bottle, ⟨*fam*⟩ empty: *~ a rendere* returnable (*o* deposit) bottle. – **5.** ⟨*fig*⟩ (*mancanza, carenza*) gap, void: *morendo ha lasciato un gran ~* his death has left a great void, his loss is felt very much; (*lacuna*) gap: *colmare un ~* to fill a gap. – **6.** ⟨*fig*⟩ (*vuotaggine*) emptiness, shallowness, inanity, vacuity. – **7.** ⟨*Tip*⟩ (*spazio in bianco*) blank. – **8.** ⟨*Fis*⟩ vacuum. ☐ ⟨*fig*⟩ **a** *~* (*inutilmente*) uselessly, to no end, in vain: *parlare a ~* to talk ⌜in vain⌝ (*o* to a brick wall); ⟨*Fis*⟩ **alto** *~* hard (*o* high) vacuum; **andare** *a ~*: 1. (*non avere effetto*) to be unsuccessful, to fall through, to miscarry, to come to nothing, to go wrong: *i miei piani andarono a ~* my plans went wrong; 2. (*fallire*) to fail; ⟨*fig*⟩ **aprire** *dei -i* to leave ⌜blank spaces⌝ (*o* gaps in the ranks); ⟨*Aer*⟩ *~ d'***aria** air-pocket; **assegno** *a ~* bad cheque, ⟨*fam*⟩ dud cheque; ⟨*Fis*⟩ **basso** *~* low vacuum; **cadere** *nel ~* to fall, to hurtle (*o* plunge) down; ⟨*fig*⟩ *le mie parole caddero nel ~* my words fell on deaf ears; ⟨*non com*⟩ *~ di* **cassa** (*ammanco*) cash shortage (*o* deficit); ⟨*Mecc*⟩ **corsa** (o *funzionamento*) *a ~* idle stroke; **fare** *il ~ intorno a sé* to drive everyone away from one, to make o.s. very unpopular; (*superare tutti*) to leave everyone behind, to outdo (*o* outstrip) everyone; ⟨*Mecc*⟩ **girare** *a ~* to idle; ⟨*Fis*⟩ *~* **imperfetto** partial vacuum; ⟨*fig*⟩ **mandare** *a ~* to cause to fail; **percorso** *a ~* run with no passengers (*o* load); ⟨*Aer*⟩ **peso** *a ~* weight empty, empty (running) weight, dead-weight; ⟨*Comm*⟩ *~ per* **pieno** dead freight; ⟨*Pol*⟩ *~ di* **potere** power vacuum; **spighe** *-e* empty ears of corn; ⟨*Fis*⟩ *~* **spinto** hard (*o* high) vacuum; ⟨*fig*⟩ *ho la* **testa** *-a* my mind is a complete blank; *~* **torricelliano** Torricellian vacuum; **tubo** *a ~* vacuum tube; *tubo a ~ spinto* high-vacuum tube; **viaggiare** *a ~* (*rif. a mezzi di trasporto*) to travel empty.
vuotọmetro *m.* ⟨*Fis*⟩ (*vacuometro*) vacuum-metre, vacuum-gauge.
Vurtembẹrga *N.pr.f.* ⟨*Geog*⟩ Wurttemberg.

w, W [vu'doppia/doppia'vu] *f./m.* (*lettera dell'alfabeto*) w, W: *una w maiuscola* a capital W; *una w minuscola* a small w; ⟨*Tel*⟩ *w come Waterloo* W for William.
W = **1.** *viva* long live. – **2.** ⟨*Chim*⟩ *wolframio* tungsten, wolfram. – **3.** ⟨*El*⟩ *watt* watt (*abbr.* w, W). – **4.** ⟨*Geog*⟩ *ovest* west (*abbr.* W.).
wạfer *ingl. m.* wafer.
wagneriạno [-gn-] **I** *a.* (*di Wagner*) Wagnerian, Wagner's, of (*o* relating to) Wagner: *la bibliografia -a* Wagnerian bibliography; *la musica -a* Wagner's music. – **II** *s.m.* (*f.* **-a**) Wagnerian.
wagon-lit *fr.* [vagɔ̃'li] *m.* ⟨*Ferr*⟩ wagon-lit, sleeping-car.
wahhabịta I *a.* Wah(h)abi, Wah(h)abite. – **II** *s.m./f.* Wah(h)abi, Wah(h)abite.
wakạnda, wakọnda *m.inv.* ⟨*Etnol*⟩ wakan(da), wakonda.
walchịria *f.* **1.** ⟨*Mitol.nord*⟩ Valkyrie, Walkyrie. – **2.** ⟨*fam,scherz*⟩ (*donna nordica*) Scandinavian girl (*o* woman).
Walhạll(a) *N.pr.m.* ⟨*Mitol.nord*⟩ Valhalla, Walhalla.
wali[1] *ar.* ['wa-] *m.* ⟨*Rel*⟩ wali.
wali[2] *ar.* ['wa-] *m.* ⟨*Stor*⟩ vali, wali.
walkịria *f.* → **walchiria.**
Wạlter *N.pr.m.* Walter.
wạlzer *ted. m.* ⟨*Mus*⟩ (*valzer*) waltz.
wampum *ingl.* ['wɔmpəm] *m.* ⟨*Etnol*⟩ wampum.
wạpiti *m.* ⟨*Zool*⟩ (*vapiti*) wapiti (*Cervus canadensis*).
warrant *ingl.* ['wɔrənt] *m.* ⟨*Comm*⟩ (*nota di pegno*) warrant.
Wạrta *N.pr.f.* ⟨*Geog*⟩ Warthe, Warta.
Washington *ingl.* ['wɔʃiŋtən] *N.pr.f.* ⟨*Geog*⟩ Washington.
washingtọnia [wɔʃ-] *f.* ⟨*Bot*⟩ Washingtonia (*Washingtonia*).
water-closet *ingl.* ['wɔːtərklɔzit] *m.* water-closet, lavatory, toilet.
waterpolịsta [wɔːtər-] *m./f.* ⟨*Sport*⟩ water-polo player. – **wạterpolo** *ingl.* [-poulou] *m.* water-polo.
watt *m.* ⟨*El*⟩ watt. – **wattmẹtrico** *a.* (*pl.* **-ci**) wattmetric. – **wạttmetro, wattọmetro** *m.* wattmeter. – **wattọra** *f.* watt-hour. – **wattorạmetro** *m.* watt-hour meter. – **wattsecọndo** *m.* watt-second, joule.
wavellịte *f.* ⟨*Min*⟩ wavellite.
W.C. = *water-closet* water-closet (*abbr.* W.C., WC).
wealdiạno [vil-] **I** *a.* ⟨*Geol*⟩ Wealden. – **II** *s.m.* Wealden.
wẹber *ted. m.* ⟨*Fis*⟩ weber.
websterịte *f.* ⟨*Min,ant*⟩ websterite, aluminite.
Weimar ['vai-] *N.pr.f.* ⟨*Geog*⟩ Weimar. ☐ ⟨*Stor*⟩ *repubblica di ~* Weimar Republic.
wellington *ingl.* ['welliŋtən] *m.* ⟨*Calz*⟩ Wellington(-boot), rubber boot.
wellingtọnia *f.* ⟨*Bot*⟩ wellingtonia, (*Wellingtonia*).
Wẹltanschauung *ted.* [-ʃ-] *f.* Weltanschauung, world view.
welter *ingl.* ['weltər] **I** *s.m.* ⟨*Sport*⟩ **1.** (*categoria*) welter-weight class. – **2.** (*pugilatore*) welter-weight. – **II** *a.* welter-weight.
wesleyạno I *a.* ⟨*Rel*⟩ Wesleyan, of Wesley. – **II** *s.m.* (*f.* **-a**) Wesleyan.
western *ingl.* ['westərn] *m.* ⟨*Cin*⟩ (*anche film western*) western.
westfaliạno I *a.* ⟨*Geol*⟩ Westphalian. – **II** *s.m.* Westphalian.
Wh = ⟨*El*⟩ *wattora* watt-hour (*abbr.* wh, WH).
Wheatstone *ingl.* ['witstən]: ⟨*El*⟩ *ponte di ~* Wheatstone bridge.
whig *ingl.* ['wig] *m.* ⟨*Stor*⟩ Whig.
whisky *ingl.* ['wi-] *m.* whisky, whiskey: *~ con selz* whisky and soda.
wicleffịta [wikli-] *m.* ⟨*Stor*⟩ Wycliffite, follower of John Wycliffe.
wịdia *m.inv.* ⟨*Met*⟩ widia.
wigwam *ingl.* ['wigwæm] *m.* ⟨*Etnol*⟩ wigwam.
winch *ingl.* [wintʃ] *m.* ⟨*Mar*⟩ (*verricello*) winch, capstan.
winchester *ingl.* ['wintʃistər] *m.* Winchester (rifle).
Wittenbẹrga *N.pr.f.* ⟨*Geog*⟩ Wittenberg.
W.L. = ⟨*Ferr*⟩ *wagon-lit* wagon-lit, sleeping-car.
wolfrạmato *m.* ⟨*Chim*⟩ wolframate, tungstate. – **wolfrạmio** *m.* (*tungsteno*) wolfram, tungsten. – **wolframịte** *f.* ⟨*Min*⟩ wolframite.
wollastonịte *f.* ⟨*Min*⟩ wollastonite.
würstel *ted.* ['wy-] *m.* ⟨*Alim*⟩ frankfurter, Vienna sausage, ⟨*am*⟩ wiener, ⟨*am.fam*⟩ hot dog.

X

x, X [iks] *f./m.* (*lettera dell'alfabeto*) x, X: *una x maiuscola* a capital X; *una x minuscola* a small x; ⟨*Mat*⟩ *asse x* x-axis, abscissa; *gambe a x* bandy legs; ⟨*Tel*⟩ *x come xilofono* X for X-ray; ⟨*fig*⟩ *una persona x* an unknown person; *raggi x* X-rays.
X = ⟨*Chim*⟩ *xeno* xenon.
X. = *Cristo* Christ (*abbr.* X).
xantalịna *f.* ⟨*Chim*⟩ xanthaline.
xantạto *m.* ⟨*Chim*⟩ xanthate.
xantelạsma *m.* ⟨*Med*⟩ xanthelasma.
xantẹne *m.* ⟨*Chim*⟩ xanthene.
xantịna *f.* ⟨*Chim*⟩ xanthine. – **xantinossidạsi** *f.* ⟨*Biol*⟩ xanthine oxidase.
Xạnto *N.pr.m.* ⟨*Stor*⟩ Xanthus.
xanto|cromịa *f.* ⟨*Med*⟩ xanthochromia. – **~fịlla** *f.* ⟨*Biol*⟩ xanthophyll. – **~fillịte** *f.* ⟨*Min*⟩ xanthophyllite.
xantogenạto *m.* → **xantato.** – **xantogẹnico**: ⟨*Chim*⟩ *acido ~* xanthogenic acid, xanthic acid.
xantọma *m.* ⟨*Med*⟩ xanthoma. – **xantomatọsi** *f.* xanthomatosis.
xantopsịa *f.* xanthopsia, yellow vision.
xenạrtri *m.pl.* ⟨*Zool*⟩ xenarthrans *pl* (*Xenarthra*).

xęno *m.* ⟨*Chim*⟩ xenon.
xeno... *pref.* (*straniero* foreigner, *ospite* guest) xen(o)...
xenodǫchio *m.* ⟨*Mediev*⟩ xenodochium.
xenofobịa *f.* xenophobia. – **xenǫfobo I** *a.* xenophobic. – **II** *s.m.* (*f.* -**a**) xenophobe.
xeno|ġamịa *f.* ⟨*Bot*⟩ xenogamy. – **~glossịa** *f.* ⟨*Psic*⟩ xenoglossy.
xenosạuridi *m.pl.* ⟨*Zool*⟩ Xenosauridae *pl* (*Xenosauridae*).
xenotịme *f.* ⟨*Min*⟩ xenotime.
Xęres *m.* ⟨*Enol*⟩ sherry.
xero... *pref.* (*secco* dry) xer(o)..., dry-.
xerǫbio I *a.* ⟨*Biol*⟩ living in a dry habitat. – **II** *s.m.* (*ambiente arido*) dry habitat.
xerodęrma: ⟨*Med*⟩ ~ *pigmentoso* xeroderma pigmentosum.
xerofilịa *f.* → **xerofitismo**. – **xerǫfilo** *a.* ⟨*Bot*⟩ xerophilous, xerophile. – **xerǫfita** *f.* xerophyte. – **xerofịtico** *a.* (*pl.* -**ci**) xerophytic. – **xerofitịsmo** *m.* xerophytism. – **xerǫfito** *a.* xerophytic. □ *pianta -a* xerophyte.
xerofǫrmio *m.* ⟨*Farm*⟩ xeroform.
xeroftalmịa *f.*, **xeroftạlmo** *m.* ⟨*Med*⟩ xerophthalmia.
xero|ġrafịa *f.* ⟨*Tip*⟩ xerography. – **~mǫrfico** *a.* (*pl.* -**ci**) → **xeromorfo**. – **~morfịsmo** *m.* ⟨*Bot*⟩ xeromorphism. – **~mǫrfo** *a.* xeromorphic, xeromorphal. – **~sfęra** *f.* ⟨*Geog*⟩ desert climatic environment.
xerǫsi *f.* ⟨*Med*⟩ xerosis.
xero|stomịa *f.* ⟨*Med*⟩ xerostomia. – **~tęrmo** *a.* ⟨*Bot,Geog*⟩ xerothermic.
xi *m./f.* (*lettera dell'alfabeto greco*) xi.
xifǫide *m./f.* ⟨*Anat*⟩ (*anche appendice xifoide*) xiphoid process. – **xifoidęo**: *processo* ~ → **xifoide**.
xilạno *m.* (*nei carboni fossili*) xylan, tree-gum, wood-gum.
xilęma *m.* ⟨*Bot*⟩ xylem.
xilęne *m.* ⟨*Chim*⟩ xylene. – **xilenǫlo** *m.* xylenol. – **xilidịna** *f.* xylidine.
xilịte *f.* ⟨*Min*⟩ xylite.
xilo... *pref.* (*legno* wood) xyl(o)..., wood-.
xilǫfaġo *a./s.* (*pl.* -**gi**) ⟨*Zool*⟩ **I** *a.* (*silofago*) xylophagous, wood-eating. – **II** *s.m.* xylophagan, xylophage.
xilofonịsta *m./f.* ⟨*Mus*⟩ (*silofonista*) xylophonist, xylophone-player. – **xilǫfono** *m.* (*silofono*) xylophone.
xiloġrafịa *f.* **1.** (*silografia*: *tecnica*) xylography, wood-engraving. – **2.** (*opera*) xylograph(y), woodcut, wood-engraving. – **xiloġrạfico** *a.* (*pl.* -**ci**) (*silografico*) xylographic(al). – **xilǫġrafo** *m.* (*f.* -**a**) (*silografo*) xylographer.
xilolịte *f.* ⟨*Min*⟩ xylolite.
xilǫlo *m.* → **xilene**.
xiloloġịa *f.* (*silologia*) xylology. – **xilolǫġico** *a.* (*pl.* -**ci**) xylology-, of xylology. – **xilǫloġo** *m.* (*pl.* -**gi**; *f.* -**a**) xylology expert.
xilǫsio *m.* ⟨*Chim*⟩ xylose.
xilotęca *f.* (*siloteca*) collection of wood specimens.
xoạnico *a.* (*pl.* -**ci**) ⟨*Archeol*⟩ of (*o* like) a xoanon, xoanon-like. – **xǫanon** *m.* xoanon.
X-terapịa *f.* ⟨*Radiol*⟩ X-ray therapy, radiotherapy, radiotherapeutics *pl* (*costr.sing.*), roentgenotherapy.
xystǫs *m.* ⟨*Stor.gr*⟩ xystus.

y, Y ['ipsilon] *f./m.* (*lettera dell'alfabeto*) y, Y: *una y maiuscola* a capital Y; *una y minuscola* a small y; ⟨*Mat*⟩ *asse y* y-axis, ordinate; ⟨*Tel*⟩ *y come yacht* Y for Yankee.
Y = **1.** ⟨*Chim*⟩ *ittrio* yttrium. – **2.** ⟨*Fis*⟩ *ammettenza* admittance.
yacht *ingl.* [jɔt] *m.* yacht. □ ~ *a vela* (sailing) yacht.
yak *ingl.* [jæk] *m.* ⟨*Zool*⟩ yak (*Poephagus grunniensis*).
yamatoloġịa *f.* (*iamatologia*) Japanology. – **yamatǫloġo** *m.* (*pl.* -**gi**; *f.* -**a**) (*iamatologo*) Japanologist.
yard *ingl. m.* yard.
yataġạn *m.* (*iatagan*) yataghan.
Yb = ⟨*Chim*⟩ *itterbio* ytterbium.
Y.C.I. = *Yacht Club Italia.*
Yęmen *N.pr.m.* ⟨*Geog*⟩ Yemen (*denom.uff.*: *Repubblica Araba Yemenita* Arab Yemen Republic). – **yemenịta I** *s.m./f.* Yemenite, Yemeni. – **II** *a.* Yemenite, Yemen(i).
yęn *m.* (*unità monetaria*) yen.
yęti *m.* yeti, Abominable Snowman.
yịddish [-ʃ] **I** *s.m.* ⟨*Ling*⟩ Yiddish. – **II** *a.* Yiddish.
yin *m.* ⟨*Filos*⟩ yin.
YMCA = *Associazione cristiana dei giovani* Young Men's Christian Association (*abbr.* Y.M.C.A.).
yǫġa *a./s.inv.* **I** *s.m.* yoga. – **II** *a.* yoga: *posizioni* ~ yoga positions. – **yǫġ(h)i** *m.* yogi, yogin.
yǫġ(h)urt *m.* ⟨*Alim*⟩ yogurt, yogh(o)urt.
yohimbịna *f.* ⟨*Chim*⟩ yohimbine.
yǫle *f.* ⟨*Mar*⟩ **1.** (*nelle navi mercantili*) jolly-boat, gig, yawl. – **2.** (*imbarcazione sportiva*) gig.
York *ingl.* [jɔ:k] *N.pr.f.* ⟨*Geog*⟩ York. □ *Nuova* ~ New York.
yǫ-yǫ *ingl. m.* Yo-yo.
yprịte *f.* ⟨*Chim*⟩ (*iprite*) yperite, mustard-gas.
ypsilon *m./f.* (*lettera dell'alfabeto greco*) upsilon.
yttęrbio *m.* ⟨*Chim*⟩ (*itterbio*) ytterbium.
yttrio *m.* ⟨*Chim*⟩ (*ittrio*) yttrium.
yuạn *m.* (*unità monetaria*) yuan (dollar).
YWCA = *Associazione cristiana delle giovani* Young Women's Christian Association (*abbr.* Y.W.C.A.).

Z

z, Z ['dzɛ:ta] *f./m.* (*lettera dell'alfabeto*) z, Z: *due z* two z's; *una z maiuscola* a capital Z; *una z minuscola* a small z; ⟨*Tel*⟩ *z come Zara* Z for Zebra.
Z = ⟨*Fis*⟩ *numero atomico* atomic number (*abbr.* Z).
zabaġliǫne *m.* ⟨*non com*⟩ → **zabaione**. – **zabaiǫne** *m.* ⟨*Dolc*⟩ **1.** zabaglione, zabaione, kind of custard; (*crema*) zabaglione (cream). – **2.** (*bevanda*) egg-flip, egg-nog, zabaglione. – **3.** ⟨*fig*⟩ confused mixture, hotchpotch.
zạbro *m.* ⟨*Entom*⟩ corn ground beetle (*Zabrus tenebrioides*).
zac *onom.* bang; (*rif. a colpo dato di taglio*) chop.
Zaccarịa *N.pr.m.* ⟨*Bibl*⟩ **1.** (*profeta*) Zechariah, Zacharias. – **2.** (*re*) Zachariah. – **3.** (*padre di Giovanni Battista*) Zacharias.
zạcchera *f.* **1.** (*schizzo di fango*) splash (of mud), muddy stain. – **2.** ⟨*fig,non com*⟩ (*inezia*) trifle, mere nothing. – **zạcchero** *m.* ⟨*ant*⟩ → **zacchera**. – **zaccherǫne** *m.* (*f.* -**a**) ⟨*fam*⟩ **1.** mud-bespattered person. – **2.** (*persona trasandata*) sloven, dirty unkempt person. – **zaccherǫso** *a.* muddy, mud-bespattered, mud-stained: *scarpe -e* muddy shoes.
zạcchete *onom.* → **zac**.
Zacịnto *N.pr.f.* ⟨*Geog*⟩ (*Zante*) Zante, ⟨*ant*⟩ Zacynthus.
zaff *onom.* → **zaffe**.
zạffara *f.* → **zaffera**.
zaffạre *v.t.* **1.** to bung, to stop (up). – **2.** ⟨*Med*⟩ to tampon.
zaffạta[1] *f.* **1.** (*cattivo odore*) stench, whiff, stink, ⟨*fam*⟩ pong. – **2.** (*getto di liquido*) splash, spurt; (*spruzzo*) spray; (*nuvola di vapore a gas*) cloud, whiff, belch.
zaffạta[2] *f.* ⟨*rar*⟩ (*rimprovero*) scolding, rebuke.
zaffatụra *f.* bunging.
zạffe *onom.* bang; (*rif. a colpo dato di taglio*) chop.
zạffera *f.* zaffre, zaffer, cobalt blue.
zafferanạto *a.* ⟨*non com*⟩ **1.** (*con zafferano*) containing saffron; (*condito con zafferano*) saffron-flavoured, saffron-, saffroned. – **2.** (*color zafferano*) saffron (yellow), saffroned.
zafferạno *m.* **1.** ⟨*Bot*⟩ saffron (crocus) (*Crocus sativus*). – **2.** (*droga*) saffron. – **3.** ⟨*Ornit*⟩ lesser black-backed gull (*Larus fuscus*). – **4.** ⟨*Ornit*⟩ (*gavina*) common gull (*Larus canus*). □ ⟨*Bot*⟩ ~ *bastardo* meadow saffron, autumn crocus, naked lady (*o* boys) (*Colchicum autumnale*); ~ *falso* → **zafferanone**; ⟨*Bot*⟩ ~ *selvatico* spring saffron (*Crocus vermus*).
zafferanǫne *m.* ⟨*Bot*⟩ safflower (*Carthamus tinctorius*).

zaffete *onom.* → **zaffe**.
zaffirino *a.* ⟨*rar*⟩ **1.** (*di zaffiro, simile a zaffiro*) sapphire, sapphirine. – **2.** (*color zaffiro*) sapphire (blue), sapphirine.
zaffiro (o *zaffiro*) *m.* **1.** ⟨*Min*⟩ sapphire. – **2.** (*colore*) sapphire.
zaffo[1] *m.* **1.** (*nelle botti*) bung. – **2.** ⟨*Med*⟩ (*tampone*) tampon, plug, pack.
zaffo[2] *m.* ⟨*ant*⟩ **1.** ⟨*spreg*⟩ (*poliziotto*) policeman. – **2.** ⟨*Stor*⟩ (*agente di polizia*) sbirro, police officer (*o* agent).
Zagabria *N.pr.f.* ⟨*Geog*⟩ Zagreb.
zagaglia *f.* **1.** ⟨*Stor*⟩ kind of spear. – **2.** ⟨*Etnol*⟩ assagai.
zagagliare *v.i.* (**zagaglio, zagagli**; *aus.* **avere**) ⟨*dial*⟩ (*balbettare*) to stutter.
zagagliata *f.* blow with (*o* from) an assagai, thrust with a spear.
zagara *f.* ⟨*Bot*⟩ (*fiore d'arancio*) orange-blossom; (*fiore di limone*) lemon-blossom.
zagarella *f.* **1.** ⟨*Zool*⟩ dark stripe along a horse's back. – **2.** ⟨*ant*⟩ (*fettuccia*) ribbon, band.
zaiditi *m.pl.* ⟨*Rel*⟩ Zaidis *pl*, Zaidites *pl*.
zaino[1] *m.* **1.** (*sacco da montagna*) rucksack, knapsack. – **2.** ⟨*Mil*⟩ knapsack, kit-bag: *fare lo* ~ to pack up one's knapsack (*o* kit-bag). – **3.** ⟨*non com*⟩ (*borsa dei pastori*) shepherd's goatskin (*o* sheepskin) pouch.
zaino[2] *a.* ⟨*Zool*⟩ of uniform colour.
zama: ⟨*Met*⟩ *lega* ~ mazak, zamak.
zamberlucco *m.* (*pl.* **-chi**) ⟨*Stor*⟩ hooded Turkish coat.
Zambesi *N.pr.m.* ⟨*Geog*⟩ Zambesi, Zambezi.
Zambia *N.pr.m.* ⟨*Geog*⟩ Zambia (*denom.uff.*: *Repubblica di Zambia* Republic of Zambia).
zambo *sp.* [θ-] *m.* zambo.
zambra *f.* ⟨*ant*⟩ **1.** (*camera*) room, chamber. – **2.** (*gabinetto di decenza*) lavatory, water-closet.
zambracca, zambraccola *f.* ⟨*ant*⟩ **1.** (*cameriera sciatta*) slovenly maid. – **2.** ⟨*estens*⟩ (*meretrice*) prostitute.
zampa *f.* **1.** ⟨*Zool,Entom*⟩ (*gamba*) leg. – **2.** ⟨*Zool,Entom*⟩ (*piede*) foot; (*zoccolo*) hoof; (*rif. ad animali che hanno artigli o unghie*) paw: *le -e del gatto* the cat's paws. – **3.** ⟨*Macell*⟩ shin; (*rif. al maiale o alla pecora*) trotter, foot. – **4.** ⟨*scherz*⟩ (*di persona*: *mano*) paw; (*piede*) big foot, ⟨*fam*⟩ hoof, ⟨*fam*⟩ trotter: *leva le -e dal tavolo!* take your big feet off the table. – **5.** ⟨*non com*⟩ (*rif. a mobili*: *gamba*) leg: *le -e del tavolo* the table-legs; (*piede*) foot, base. □ ⟨*Zool*⟩ *-e* **anteriori** (*gambe*) forelegs *pl*; (*piedi*) forepaws *pl*, forefeet *pl*; ⟨*Bot*⟩ ~ **cavallina** (o *di cavallo*) coltsfoot (*Tussilago farfara*); *-e di* **gallina**: 1. (*rughe*) crow's-feet; 2. (*calligrafia illeggibile*) chicken scratch, scrawl; ⟨*Bot*⟩ ~ *di* **gallo** barnyard grass (*o* millet), barn grass (*Echinochloa crus-galli*; *Panicum crus-galli*); ⟨*Alp*⟩ *-e di* **gatto** (*pedule*) (mountain-)climbing shoes *pl*; ⟨*fig,non com*⟩ **leccare** *le -e a qd.* to be a bootlicker, to fawn on s.o.; ⟨*Ferr*⟩ ~ *di* **lepre** wing-rail; ⟨*scherz*⟩ **muovere** *le -e* (*camminare in fretta*) to get a move on, ⟨*fam*⟩ to shake a leg, ⟨*fam*⟩ to be quick on one's pins; ⟨*scherz*⟩ *muovi le -e!* step on it!; ~ *d'oca*: 1. ⟨*Anat*⟩ tendinous expansion; 2. ⟨*Mar*⟩ crow(s)foot; ⟨*Zool*⟩ *-e* **posteriori** hindlegs *pl*; *-e* **prensili** prehensile feet; *camminare a* **quattro** *-e* (*carponi*) to crawl, to go on all fours.
zampare *v.i.* (*aus.* **avere**) **1.** to paw (the ground). – **2.** ⟨*non com*⟩ (*tirare calci*) to kick out. – **3.** ⟨*non com*⟩ (*rif. a persone*) to stamp (one's feet).
zampata *f.* **1.** blow with a paw; (*pedata*) kick. – **2.** ⟨*scherz*⟩ (*rif. a persone*: *calcio*) kick. – **3.** (*orma*) track, footprint, spoor, mark of a paw; (*impronta di zoccolo*) hoof-mark. – **4.** ⟨*fig,non com*⟩ (*villania*) rudeness, surly behaviour.
zampeggiare *v.i.* (**zampeggio, zampeggi**; *aus.* **avere**) ⟨*rar*⟩ (*zampare*) to paw the ground.
zampetta (*dim. di zampa*) *f.* **1.** (*gambetta*) leg. – **2.** (*piede*) foot, paw. – **zampettare** *v.i.* (**zampetto**; *aus.* **avere**) **1.** (*rif. ad animali*) to trot. – **2.** ⟨*scherz*⟩ (*rif. a bambini*) to toddle, to trot, to trip. – **zampetto** (*dim. di zampa*) *m.* **1.** → **zampetta**. – **2.** ⟨*Macell*⟩ trotter, foot: ~ *di maiale* pig's trotter (*o* foot).
zampillamento *m.* ⟨*non com*⟩ gushing, spurting. – **zampillante** (*p.pr. di zampillare*) *a.* gushing, spurting, springing: *acque -i* gushing waters. – **zampillare** *v.i.* (*aus.* **avere**) to gush, to spurt, to spring; (*rif. al sangue*) to spurt, to gush. – **zampillio** *m.* gushing, spurting, springing.
zampillo *m.* **1.** (*di acqua*) jet, gush, spurt: ~ *d'acqua* jet of water; (*di sangue*) spurt, gush. – **2.** (*fontanella*) fountain: ~ *potabile* drinking -fountain. – **3.** ⟨*Mecc*⟩ (*spruzzatore*) jet.
zampino[1] (*dim. di zampa*) *m.* paw. □ ⟨*fig*⟩ *avere lo* ~ *in una faccenda* to have a hand in a matter; ⟨*fig*⟩ *deve averci messo uno* ~ *il diavolo* the Devil has had a hand in this; ⟨*fig*⟩ *mettere* (o *ficcare*) *lo* ~ *in una faccenda* to ⌜interfere in⌝ (*o* poke one's nose into) a matter.
zampino[2] *m.* ⟨*tosc*⟩ (*abete rosso*) Norway spruce (*Picea excelsa*).
zampirone *m.* **1.** fumigator (for mosquitoes). – **2.** ⟨*scherz*⟩ (*sigaretta di tabacco scadente*) poor-quality cigarette.
zampogna *f.* **1.** ⟨*Mus*⟩ zampogna, kind of bagpipes – **2.** ⟨*Venat*⟩ bird-call (imitating the coot). – **zampognare** *v.i.* (**zampogno**; *aus.* **avere**) ⟨*non com*⟩ **1.** (*sonare la zampogna*) to play the zampogna (*o* bagpipes), to pipe, to skirl. – **2.** ⟨*ant,iron*⟩ (*urlare di dolore*) to yell, to howl. – **zampognaro** *m.* player of the zampogna, (bag)piper. – **zampognata** *f.* ⟨*non com*⟩ bagpipe music.
zampone (*accr. di zampa*) *m.* **1.** (*grossa zampa*) (big) paw, foot. – **2.** ⟨*Alim*⟩ stuffed pig's trotter (*o* foot).
zana *f.* ⟨*tosc*⟩ **1.** (*cesta di legno*) basket. – **2.** (*contenuto*) basketful. – **3.** (*culla*) kind of cradle. – **4.** ⟨*Arch,ant*⟩ niche. – **zanaio** *m.* (*f.* **-a**) basket-maker.
zanca *f.* **1.** ⟨*ant,volg*⟩ (*gamba*) leg; (*piede*) foot. – **2.** *pl.* ⟨*ant*⟩ (*trampoli*) stilts *pl.*
zanella[1] (*dim. di zana*) *f.* ⟨*tosc*⟩ **1.** (*piccola zana*) basket. – **2.** (*nelle stalle*) drain (for liquid waste). – **3.** ⟨*Strad*⟩ (*cunetta*) ditch.
zanella[2] *f.* ⟨*Tess*⟩ satiny cotton fabric (used for linings).
zangola *f.* churn. – **zangolare** *v.i.* (**zangolo**; *aus.* **avere**) to churn. – **zangolatore** *m.* (*operaio*) churner. – **zangolatura** *f.* churning.
zangone *m.* ⟨*Mar,non com*⟩ (*forcaccio*) crutch.
zanna *f.* **1.** (*rif. a elefanti, cinghiali, trichechi*) tusk. – **2.** (*dente dei grandi carnivori*) tooth: *le -e dell'orso* the bear's teeth; (*rif. a cani e lupi*) fang. – **3.** *pl.* ⟨*scherz,spreg*⟩ (*rif. a persone*: *denti*) teeth *pl*, fangs *pl.* □ ⟨*fig*⟩ *mostrar le -e* to show one's teeth (*o* fangs).
zannata[1] *f.* **1.** (*colpo di zanna*) gore, blow with a tusk; (*morso*) bite. – **2.** (*segno lasciato dalla zannata*) gore(-mark); (*morsicatura*) tooth-mark, fang-mark.
zannata[2] *f.* ⟨*non com*⟩ (*balordaggine*) foolishness, clowning.
zannesco *a.* (*pl.* **-chi**) ⟨*non com*⟩ (*da buffone*) clowning, jesting.
zanni *m.* **1.** ⟨*Teat*⟩ Zanni, clown mask. – **2.** (*buffone, pagliaccio*) zany, fool, clown.
zannuto *a.* **1.** (*fornito di zanne*: *rif. a elefanti, cinghiali e trichechi*) tusked; (*rif. a grossi carnivori*) toothed; (*rif. a cani e lupi*) fanged. – **2.** ⟨*spreg*⟩ (*rif. a persone*) with big teeth.
Zante *N.pr.f.* ⟨*Geog*⟩ Zante, ⟨*ant*⟩ Zacynthus.
zantedeschia *f.* ⟨*Bot*⟩ Zantedeschia (*Zantedeschia*).
zanza *f.* ⟨*Etnol*⟩ tsantsa.
zanzara *f.* **1.** ⟨*Entom*⟩ mosquito. – **2.** *pl.* ⟨*Entom*⟩ mosquitoes *pl*, culicids *pl* (*Culicidae*). – **3.** ⟨*fig*⟩ (*persona fastidiosa*) nuisance, ⟨*fam*⟩ pest. □ ⟨*Entom*⟩ ~ *comune* house mosquito (*Culex pipiens*); *puntura di* ~ mosquito-bite.
zanzariera *f.* mosquito-net. – **zanzariere** *m.* ⟨*rar*⟩ → **zanzariera**.
zanzarone (*accr. di zanzara*) *m.* ⟨*Entom*⟩ **1.** large mosquito. – **2.** *pl.* crane-flies *pl* (*Tipulidi*).
zanzero *m.* ⟨*ant*⟩ (*compagno di stravizi*) dissolute friend.
Zanzibar *N.pr.f.* ⟨*Geog*⟩ Zanzibar.
zapateado *sp.* [θ-] *m.* (*danza*) zapateado.
zapodidi *m.pl.* ⟨*Zool*⟩ zapodids *pl* (*Zapodidae*).
zapon *m.* (*vernice*) Zapon.
zappa *f.* **1.** ⟨*Agr*⟩ hoe. – **2.** ⟨*Mil*⟩ sap. – **3.** ⟨*Pesc,region*⟩ kind of fishing-net. □ ⟨*fig*⟩ *darsi la* ~ *sui piedi*: 1. to cut one's own throat; 2. (*accusarsi*) to accuse o.s.; 3. (*contraddirsi*) to contradict o.s.; ~ *a cavallo* → **zappacavallo**.
zappacavallo *f.* (*pl.* **zappecavallo**) hoe, hoeing-machine.
zappamento *m.* ⟨*non com*⟩ hoeing. – **zappare** *v.t.* **1.** to hoe. – **2.** ⟨*ant*⟩ (*scavare*) to dig. – **3.** ⟨*spreg,non com*⟩ (*sonare rumorosamente e male*) to bang: ~ *il piano* to bang (away on) the piano. □ ⟨*fig*⟩ ~ *i quattrini* to have a mint of money; ⟨*fig*⟩ ~ ⌜*nella rena*⌝ (o *nell'acqua*) to toil in vain. – **zappata** *f.* **1.** (*colpo dato con la zappa*) blow with (*o* from) a hoe. – **2.** (*il lavorare la terra con la zappa*) hoeing. □ *dare una* ~ *alla terra* to hoe the ground.
zappaterra *m.inv.* **1.** hoer. – **2.** ⟨*estens*⟩ (*contadino*) farm-labourer. – **3.** ⟨*fig,spreg*⟩ (*persona rozza*) boor, lout, ⟨*spreg*⟩ clodhopper, ⟨*spreg*⟩ peasant.
zappatore *m.* **1.** (*f.* **-trice**) hoer; (*contadino*) farm-labourer. – **2.** ⟨*Mil*⟩ sapper. – **zappatrice** *f.* **1.** (woman) hoer; (*contadina*) farm-worker. – **2.** (*macchina*) hoeing-machine, (mechanical) hoe: ~ *rotante* rotary hoe. – **zappatura** *f.* **1.** hoeing. – **2.** (*terra smossa zappando*) loosened soil, ground turned over. – **zappetta** (*dim. di zappa*) *f.* (*chiodo*) nail. – **zappettare** *v.t.* (**zappetto**) to hoe lightly. – **zappettatura** *f.* hoeing. – **zappetto** *m. dim. di* **zappa**.
zapponare *v.t.* (**zappono**) to (dig with a) mattock. – **zapponatura** *f.* digging with a mattock. – **zappone** (*accr. di zappa*) *m.* mattock.
zar *m.* ⟨*Stor*⟩ Czar, Tsar, Tzar.
zara *f.* ⟨*ant*⟩ **1.** (*gioco d'azzardo*) game of chance (played with three dice). – **2.** ⟨*fig*⟩ (*rischio*) risk.
Zara *N.pr.f.* ⟨*Geog*⟩ Zadar.
Zarat(h)ustra *N.pr.m.* ⟨*Stor*⟩ Zoroaster, Zarathustra. □ ⟨*Filos*⟩ *così parlò* ~ Thus spake Zarathustra.
zarevic [-tʃ] *m.* ⟨*Stor*⟩ Czarevitch, Tsarevitch. – **zarina** *f.* Czarina, Tsarina. – **zarismo** *m.* czarism, tsarism. – **zarista I** *a.* czarist(ic), tsarist(ic). – **II** *s.m./f.* czarist, tsarist. – **zaristico** *a.* (*pl.* **-ci**) czarist(ic), tsarist(ic).
zarzuela *sp.* [θarθu-] *f.* ⟨*Mus*⟩ zarzuela.
zatta[1] *f.* ⟨*ant*⟩ (*zattera*) raft.
zatta[2] *f.* ⟨*Bot*⟩ cantaloup(e).
zattera (o *zattera*) *f.* **1.** raft. – **2.** (*nella fluitazione del legname*) raft. – **3.** ⟨*Edil*⟩ slab; (*di fondazione*) foundation slab. □ ⟨*Mar.mil*⟩ ~ *salvagente* (o *di salvataggio*) life-raft.
zatteraggio *m.* ⟨*Comm*⟩ lighterage.
zatterante (o *zatterante*) *m.* ⟨*Pesc*⟩ worker on a raft.
zatteriere (o *zatteriere*) *m.* rafter, raftsman.
zatterino (o *zatterino*) *m.* ⟨*Mar.mil*⟩ small raft.
zatterone (o *zatterone*) (*accr. di zattera*) *m.* **1.** raft. – **2.** ⟨*Edil*⟩ slab: ~ *di fondazione* foundation slab.
zavorra *f.* **1.** ⟨*Mar,Aer*⟩ ballast: *fare* (o *caricare*) ~ to load ballast. – **2.** ⟨*fig*⟩ (*peso inutile*) dead-weight, lumber, useless clutter; (*rif. a scritti e discorsi*) padding; (*rif. a persone*) dead wood. □ ⟨*Mar*⟩ ~ *d'acqua* water ballast; ~ *d'assetto* trimming ballast; *essere* (o *navigare*) *in* ~ to be (*o* sail) in ballast; ⟨*El*⟩ *resistenza* ~ ballast resistance.

ẓavorrạio *m.* → **zavorratore.** – **ẓavorramęnto** *m.* ballasting. – **ẓavorrạre** *v.t.* (**ẓavǫrro**) to ballast. – **ẓavorratǫre, ẓavorriẹre** *m.* (*operaio*) ballaster.
zạzzera *f.* **1.** (*capigliatura lunga*) long hair. – **2.** ⟨*Cart*⟩ deckle-edge. – **zazzerạto** *a.* ⟨*ant*⟩ → **zazzeruto.** – **zazzerụto** *a.* ⟨*scherz, spreg*⟩ long-haired.
Z.d.G. = *zona di guerra* war zone.
zeaxantịna *f.* ⟨*Chim*⟩ zeaxanthin.
ẓęba *f.* ⟨*ant*⟩ (*capra*) goat.
ẓebedẹi *m.pl.* ⟨*scherz*⟩ (*testicoli*) testicles *pl*, ⟨*fam*⟩ balls *pl.* □ ⟨*volg*⟩ *rompere gli ~ a qd.* to be a nuisance to s.o., to get on s.o.'s nerves.
Ẓebedęo *N.pr.m.* ⟨*Bibl*⟩ Zebedee.
ẓębra *f.* **1.** ⟨*Zool*⟩ zebra. – **2.** *pl.* ⟨*Strad*⟩ (*attraversamento pedonale*) zebra crossing.
□ ⟨*Zool*⟩ ~ *degli* **antichi** Chapman's zebra (*Equus quagga antiquorum*); ~ *di* **Böhm** Boehm's zebra (*Equus quagga boehmi*); ~ *di* **Burchell** Burchell's zebra, bonte quagga (*Equus quagga burchelli*); ~ *di* **Chapman** = *zebra degli* **antichi**; ~ *di* **Grant** Grant's zebra (*Equus quagga granti*); ~ *di* **Grevy** Grévy's zebra (*Equus grevyi*); **legno** ~ zebra-wood; ~ *di* **montagna** mountain zebra (*Equus zebra*); ~ **quagga** quagga (*Equus quagga*); ~ **reale** = *zebra di* **Grevy**; ~ **vera** = *zebra di* **montagna.**
ẓebrạto *a.* **1.** striped, with black and white stripes. – **2.** ⟨*Strad*⟩ zebra-: *attraversamento* ~ zebra crossing. – **ẓebratụra** *f.* (black and white) stripes *pl.* □ *-e stradali* (*zebre*) stripes *pl* (on a zebra crossing).
ẓebù *m.* ⟨*Zool*⟩ zebu (*Bos indicus*).
zęcca[1] *f.* mint. □ *nuovo di* ~ brand-new: *un vestito nuovo di* ~ a brand-new dress.
zęcca[2] *f.* ⟨*Entom*⟩ **1.** tick. – **2.** *pl.* ticks *pl* (*Ixodoidea*). □ ~ *del cane* castor-bean tick (*Ixodes ricinus*); ~ *dei piccioni* pigeon tick (*Argas reflexus*).
zeccạre *v.t.* (**zęcco, zęcchi**) ⟨*ant*⟩ (*coniare*) to mint, to coin. – **zecchiẹre, zecchiẹro** *m.* ⟨*ant*⟩ **1.** (*dirigente*) superintendent of a mint. – **2.** (*lavorante*) minter, coiner.
zecchinętta *f.*, **zecchinętto** *m.* lansquenet, lambskinit.
zecchịno *m.* sequin. □ *oro* (*di*) ~ pure (*o* fine) gold, first-quality gold.
zęccola *f.* ⟨*non com*⟩ **1.** (*lappola*) bur. – **2.** ⟨*fig*⟩ (*inezia*) trifle, mere nothing.
zęccolo *m.* ⟨*rar*⟩ **1.** → **zeccola.** – **2.** ⟨*Tess*⟩ tangled (*o* imperfectly combed) mass of wool.
ẓedịglia *f.* ⟨*non com*⟩ ⟨*Ling*⟩ (*cediglia*) cedilla.
Zęeman [z-]: ⟨*Ott*⟩ *effetto* ~ Zeeman effect.
ẓęffiro[1] *m.* → **zefiro**[1].
ẓęffiro[2] (o *ẓeffịro*) *m.* → **zefir.** – **ẓefịr** *m.* ⟨*Tess*⟩ zephyr.
ẓęfiro[1] *m.* ⟨*poet*⟩ (*vento di ponente*) zephyr, west wind.
ẓęfiro[2] (o *ẓefịro*) *m.* → **zefir.**
ẓeịna *f.* ⟨*Biol*⟩ zein.
Ẓelạnda *N.pr.f.* ⟨*Geog*⟩ Zealand, Zeeland. □ *Nuova* ~ New Zealand. – **ẓelandẹse I** *s.m./f.* Zealander, Zeelander. – **II** *a.* of Zealand.
ẓelạnte I *a.* **1.** zealous (*di* for), fervent. – **2.** (*coscienzioso*) zealous, conscientious, keen. – **II** *s.m./f.* zealot. □ *troppo* ~ over-keen, over-conscientious. – **ẓelantemęnte** *avv.* zealously. – **ẓelanterịa** *f.* ⟨*non com*⟩ zealotry, excess of zeal.
ẓelạre *v.* (**ẓęlo**) ⟨*rar*⟩ **I** *v.i.* (*aus.* **avere**) to be zealous. – **II** *v.t.* to be a fervent supporter of. – **ẓelatǫre** *m.* (*f.* **-trice**) ⟨*non com*⟩ zealot, zealous (*o* fervent) supporter.
zęllenbeton *ted. m.* ⟨*Edil*⟩ cellular concrete.
ẓęlo *m.* **1.** zeal (*di, per* for): *essere pieno di ~ per una giusta causa* to be full of zeal for a good cause. – **2.** ⟨*poet*⟩ (*passione*) deep passion. □ ⟨*poet*⟩ ~ *d'amore* fervour (*o* flame) of love; ~ *eccessivo* excess of zeal; *con ~ instancabile* with unremitting zeal; *mostrare* ~ to display zeal; *sacro* ~ sacred zeal.
ẓelǫta *m.* ⟨*Stor*⟩ Zealot.
zęmbro *m.* ⟨*Bot*⟩ (*cembro*) Swiss pine, arolla (*o* stone) pine, Siberian (*o* yellow) pine, cembran pine (*Pinus cembra*).
ẓęn *m.* ⟨*Rel*⟩ Zen, Zen Buddhism.
ẓendạdo, ẓendạle *m.* ⟨*ant*⟩ **1.** (*tessuto di seta*) sendal. – **2.** (*velo di seta*) silk veil; (*copricapo*) silken head-covering. – **3.** (*scialle veneziano*) black shawl.
ẓendavęsta *m.* ⟨*Rel*⟩ Zend-Avesta.
ẓęndo *m.* zend.
zęner *m.* ⟨*El*⟩ (*anche diodo zener*) Zener diode.
ẓenịsmo *m.* ⟨*Rel,Filos*⟩ Zen. – **ẓenịsta I** *s.m./f.* Zen, Zen Buddhist, Zennist. – **II** *a.* Zen-.
ẓęnit (*rar.* *ẓenịt*) *m.* ⟨*Astr*⟩ zenith: *essere allo ~* to be at one's zenith. – **ẓenitạle** *a.* zenith, zenithal: *distanza* ~ zenith distance (*o* angle); *stella* ~ zenith star; *telescopio* ~ zenith telescope (*o* tube).
Ẓęno *N.pr.m.* Zeno.
Ẓenǫbio *N.pr.m.* ⟨*Stor*⟩ Zenobius.
Ẓenǫne *N.pr.m.* ⟨*Stor*⟩ Zeno.
ẓęnẓero *m.* ⟨*Bot*⟩ ginger (*Zingiber officinale*).
ẓenẓịglio *m.* kind of snuff.
ẓeolịte *f.* ⟨*Min*⟩ zeolite. – **ẓeolịtico** *a.* (*pl.* **-ci**) zeolitic.
zęphir *m.* → **zefir.** – **zéphir** *fr.* [ze'fir] *m.* → **zefir.**
zęppa *f.* **1.** (*pezzo di legno*) wedge; (*per turare*) bung. – **2.** ⟨*Tip*⟩ slug. – **3.** ⟨*fig*⟩ (*parola o frase inserita*) expletive. □ ⟨*fig*⟩ *mettere una ~ a qc.* to try to patch s.th. up, to make the best of a bad job; *fissare con -e* to wedge.
zeppamęnto *m.* ⟨*non com*⟩ wedging. – **zeppạre** *v.t.* (**zęppo**) ⟨*non com*⟩ to wedge.
zęppelin *ted. m.* ⟨*Aer*⟩ Zeppelin.
zęppo[1] *a.* (*gremito*) packed, crammed, bursting (*di* with), (cram-)full, chock-full (of) (*anche fig.*): *la lettera è -a di errori* the letter is packed with mistakes. □ *la casa è -a di gente* the house is ⌜bursting at the seams⌝ (*o* swarming with people); *pieno* ~ (*pienissimo*) packed, full (to bursting-point), chock-full.
zęppo[2] *m.* ⟨*roman*⟩ **1.** (*zeppa*) wedge, piece of wood. – **2.** (*rametto*) twig.
zęppola *f.* ⟨*non com*⟩ (*cuneo*) wedge.
zęppole *f.pl.* ⟨*Dolc*⟩ kind of pastry.
ẓerbinerịa *f.* ⟨*non com*⟩ foppishness. – **ẓerbinęsco** *a.* (*pl.* **-chi**) foppish, dandified.
ẓerbịno[1] *m.* ⟨*non com*⟩ → **zerbinotto.**
ẓerbịno[2] *m.* (*stoino*) mat.
ẓerbinǫtto *m.* dandy, (young) fop.
ẓerịba *f.* zareba, zeriba.
ẓęro I *a.* zero, nought: *il termometro segna ~ gradi* the thermometer indicates zero degrees. – **II** *s.m.* **1.** (*numero*) nought, naught, zero, cipher: ~ *virgola due* nought point two. – **2.** ⟨*Scol*⟩ nought, naught, zero: *ricevere uno ~* to be given nought. – **3.** ⟨*fig*⟩ (*niente*) nothing, nil, zero, nought: *la sua opinione non conta uno ~* his opinion counts for nothing. – **4.** ⟨*Fis*⟩ zero, zero-point: *lo ~ di una scala* zero-point on a scale. – **5.** (*al telefono*) 0. – **6.** ⟨*Sport*⟩ nil, zero: *vincere per due a ~* to win two-nil. – **III** *s.f.pl.* (*ore zero*) midnight: *il treno parte alle ~ due* the train leaves at two minutes past midnight.
□ ⟨*fig*⟩ **arrivare** *a* ~: 1. (*esaurirsi, finire*) to run out: *da tante provviste che avevamo siamo arrivati a ~* we had such a large supply but now we have ⌜run out⌝ (*o* none left); 2. = **ridursi** *a zero*; ⟨*Fis*⟩ ~ **assoluto** absolute zero; *non* **capisci** *uno ~* you don't understand a thing; ⟨*fig*⟩ **essere** *a* ~ to be at rock-bottom; ⟨*Geog*⟩ **meridiano** ~ zero meridian; **messa** *a* ~ zero adjusting; **mettere** *a ~ uno strumento* to set an instrument at zero; **ora** ~: 1. = **ore** *zero*; 2. ⟨*fig, Mil*⟩ zero hour; *ore* ~ midnight; **posizione** *a* ~ zero setting (*o* adjustment), point of rest; ~ **potenziale** zero potential; ⟨*fig*⟩ **ridursi** *a* ~ to have nothing left, to be ⌜down to nothing⌝ (*o* at rock-bottom); ⟨*Meteor*⟩ **sopra** (*lo*) ~ above zero; **sotto** (*lo*) ~ below zero: *dieci gradi sotto ~* ten degrees below zero; ⟨*fig*⟩ **spaccare** *lo* ~ to keep a very exact reckoning; ⟨*Artigl*⟩ **sparare** *a* ~ to fire with zero degrees of elevation; ⟨*fam*⟩ **tagliare** *i capelli a* ~ to crop hair, to shave off hair; **temperatura** ~ zero degrees *pl*; *non* **valere** *uno* ~ to be worthless, to be worth nothing; ⟨*fig*⟩ ~ **via** ~ *fa* (o *dà*) ~ nothing comes of nothing.
ẓerovalęnte *a.* ⟨*Chim*⟩ zerovalent.
ẓerovǫltmetro *m.* ⟨*El*⟩ synchronizing voltmeter.
ẓervanịsmo *m.* → **zurvanismo.**
ẓęta *f./m.* (*le ẓęte/ẓęta, gli ẓęta*) (*lettera dell'alfabeto latino*) ze, zed; (*lettera dell'alfabeto greco*) zeta. □ ⟨*fig*⟩ *dall'a alla ~* from A to Z.
ẓetacịsmo *m.* **1.** ⟨*Med*⟩ faulty pronunciation of Z. – **2.** ⟨*Ling*⟩ zeta shift.
ẓetętica *f.* ⟨*Filos*⟩ zetetic (philosophy). – **ẓetętico** *a.* (*pl.* **-ci**) zetetic.
ẓeugịti *m.pl.* ⟨*Stor.gr*⟩ Zeugites *pl*, Zeugitae *pl.*
ẓęugma *m.* ⟨*Gramm*⟩ zeugma. – **ẓeugmạtico** *a.* (*pl.* **-ci**) zeugmatic.
Ẓęus *N.pr.m.* ⟨*Mitol*⟩ Zeus.
ẓeuẓęra *f.* ⟨*Entom*⟩ leopard moth (*Zeuzera pyrina*).
zi *m.* ⟨*Ornit*⟩ (*zigolo nero*) cirl bunting (*Emberiza cirlus*).
zi' *m. apoc. di* **zio.**
zịa *f.* aunt, ⟨*fam*⟩ auntie, ⟨*fam*⟩ aunty.
ẓibaldǫne *m.* **1.** (*mescolanza*) mixture, hotchpotch, medley: *alle nozze c'era uno ~ d'invitati* at the wedding there was a mixture of guests. – **2.** ⟨*spreg*⟩ muddle, hotchpotch, jumble: *questo articolo è uno ~ di luoghi comuni* this article is a hotchpotch of clichés. – **3.** ⟨*Lett*⟩ (*libro o quaderno d'appunti*) commonplace-book, notebook.
ẓibellịna *f.* ⟨*Tess*⟩ zibeline (cloth).
ẓibellịno *m.* **1.** ⟨*Zool*⟩ sable, ⟨*non com*⟩ zibeline (*Martes zibellina*). – **2.** (*pelliccia*) sable, ⟨*non com*⟩ zibeline.
ẓibętto *m.* **1.** ⟨*Zool*⟩ zibet(h) (*Viverra zibetto*). – **2.** (*sostanza odorosa*) civet.
ẓibịbbo *m.* **1.** (*vitigno*) kind of muscatel vine. – **2.** (*uva*) kind of muscat (grape); (*uva secca*) kind of muscatel raisin.
ziętta (*dim. di zia*) *f.* auntie, aunty. – **ziętto** (*dim. di zio*) *m.* uncle.
zịfera *f.* → **zifra.**
ẓịffe *onom.* chop, swish: ~ *zaffe* chip chop. – **ẓịffete** *onom.* chop, swish.
ẓifiǫidi *m.pl.* ⟨*Zool*⟩ ziphi(o)ids *pl* (*Ziphiinae*).
zịfra *f.* ⟨*ant*⟩ **1.** (*cifra*) figure. – **2.** (*zero*) zero, naught.
ẓigạno I *a.* Tzigane, gypsy: *musica -a* Tzigane music. – **II** *s.m.* (*f.* **-a**) Tzigane, Hungarian gypsy.
zigạre *v.i.* (**zịgo, zịghi**; *aus.* **avere**) ⟨*non com*⟩ to squeak.
zịgaro *m.* ⟨*ant*⟩ (*sigaro*) cigar.
ẓigęna *f.* ⟨*Entom*⟩ burnet moth (*Zygaena*). – **ẓigęnidi** *m.pl.* zygaenids *pl*, zygaenidans *pl* (*Zygaenidae*).
zighettạio *m.* ⟨*Zool*⟩ dziggetai (*Equus hemionus*).
ẓigofillạcee *f.pl.* ⟨*Bot*⟩ bean-caper family (*Zygophyllaceae*).
ẓịgolo *m.* ⟨*Ornit*⟩ bunting.
□ ~ **boschereccio** rustic bunting (*Emberiza rustica*); ~ **capinero** (o *capinera*) black-headed bunting (*Emberiza melanocephala*); ~ **cinereo** cinereos bunting (*Emberiza cineracea*); ~ *dal* **collare** yellow-breasted bunting (*Emberiza aureola*); ~ **giallo** yellow bunting,

yellow-hammer (*Emberiza citrinella*); ~ **gola** *rossa* pine-bunting (*Emberiza leucocephala*); ~ *di* **Lapponia** Lapland bunting, ⟨*am*⟩ Lapland longspur (*Calcarius lapponicus*); ~ **minore** little bunting (*Emberiza pusilla*); ~ **muciatto** rock bunting (*Emberiza cia*); ~ **nero** cirl bunting (*Emberiza cirlus*); ~ *delle* **nevi** snow bunting (*Plectrophenax nivalis*); ~ **rossiccio** rufous bunting (*Emberiza rutila*).

zigoma *m.* ⟨*rar*⟩ → **zigomo**. – **zigomatico** *a.* (*pl.* **-ci**) ⟨*Anat*⟩ zygomatic: *osso* ~ zygomatic bone; *ponte* (o *arcata*) ~ zygomatic arch.

zigomiceti *m.pl.* ⟨*Bot*⟩ zygomycetes *pl* (*Zygomycetes*).

zigomo *m.* ⟨*Anat*⟩ zygoma, zygomatic bone, cheek-bone: *-i sporgenti* high cheek-bones.

zigo|morfia *f.*, **~morfismo** *m.* ⟨*Bot*⟩ zygomorphy, zygomorphism. – **~morfo** *a.* zygomorphic, zygomorphous. – **~sfera** *f.* (*gamete*) zygosphere.

zigosi *f.* ⟨*Bot*⟩ zygosis.

zigospora *f.* ⟨*Bot*⟩ zygospore.

zigote *m.* ⟨*Biol*⟩ **1.** zygote. – **2.** (*sincario*) synkaryon, synkarion, syncaryon. – **zigotico** *a.* (*pl.* **-ci**) zygotic. – **zigoto** *m.* → **zigote**.

zigotteri *m.pl.* ⟨*Entom*⟩ zygopterids *pl*, zygopterans *pl* (*Zygoptera*).

zigrinare *v.t.* **1.** ⟨*Conc*⟩ to grain, to board, to pebble. – **2.** ⟨*Mecc*⟩ to knurl. – **3.** ⟨*Numism*⟩ to mill, to reed. – **zigrinato** (*p.p. di zigrinare*) *a.* **1.** ⟨*Conc*⟩ grained, boarded, pebbled. – **2.** ⟨*Mecc*⟩ knurled: *dado* ~ knurled (*o* hand) nut. – **3.** ⟨*Numism*⟩ milled, reeded. – **zigrinatura** *f.* **1.** ⟨*Conc*⟩ graining, boarding, pebbling. – **2.** ⟨*Mecc*⟩ knurling. – **3.** ⟨*Numism*⟩ milling, reeding.

zigrino *m.* **1.** ⟨*Conc*⟩ shagreen. – **2.** ⟨*Mecc*⟩ knurling tool.

zigzag (o *zig zag*) *m.* zigzag. ▭ *a* ~ zigzag(ging), in a zigzag; *camminare a* ~ to (walk) zigzag; ⟨*Mar*⟩ *navigare a* ~ to zigzag; ⟨*Mar*⟩ *rotta a* ~ zigzag course.

zigzagamento *m.* zigzagging, zigzag movement. – **zigzagare** *v.i.* (**zigzago, zigzaghi**; *aus.* **avere**) (*andare a zigzag*) to zigzag (*anche Mar.*).

zillare *v.i.* (*aus.* **avere**) ⟨*rar*⟩ to chirp. – **zillo** *m.* ⟨*rar*⟩ **1.** chirp. – **2.** (*zirlo*) whistle (of a thrush).

zimarra *f.* **1.** ⟨*Mod*⟩ simar, flowing coat dress. – **2.** ⟨*non com*⟩ (*soprabito del prete*) zimarra, simar. – **3.** (*cappotto lungo e sciupato*) long shabby coat.

zimasi *f.* ⟨*Biol*⟩ zymase.

zimbalon *m.* ⟨*Mus*⟩ cimbalom, Hungarian dulcimer.

zimbellare (o *zimbellare*) *v.* (**zimbello/zimbello**) **I** *v.t.* **1.** to lure. – **2.** ⟨*fig*⟩ (*allettare*) to entice, to allure. – **3.** ⟨*rar*⟩ (*amoreggiare*) to flirt with. – **II** *v.i.* (*aus.* **avere**) ⟨*tosc*⟩ to lure (*a qc.* s.th.).

zimbellatore (o *zimbellatore*) *m.* (*f.* **-trice**/*pop.* **-a**) **1.** (*cacciatore*) bird-hunter (who uses decoys). – **2.** ⟨*fig*⟩ enticer, allurer. – **zimbellatura** (o *zimbellatura*) *f.* ⟨*non com*⟩ **1.** luring. – **2.** ⟨*fig*⟩ enticing, alluring. – **zimbelliera** (o *zimbelliera*) *f.* decoy perch.

zimbello (o *zimbello*) *m.* **1.** (*uccello di richiamo*) decoy(-bird). – **2.** ⟨*Pesc*⟩ (*tonno di richiamo*) decoy (tunny-fish). – **3.** ⟨*fig*⟩ (*oggetto di scherno*) laughing-stock, butt: *essere lo* ~ *di tutti* to be a general laughing-stock. – **4.** ⟨*fig*⟩ (*mezzo per allettare*) lure, enticement.

zimbro *m.* → **zembro**.

zimino *m.* ⟨*Gastr*⟩ **1.** (*salsa*) (aromatic) sauce. – **2.** (*pietanza*) dish prepared with an aromatic sauce.

zimo... *pref.* (*lievito* leaven, *fermento* fermentation) zym(o)...

zimoforo *a.* ⟨*Biol*⟩ zymophore, zymophorous.

zimo|geno *m.* ⟨*Biol*⟩ zymogen. – **~logia** *f.* zymology.

zimotico *a.* (*pl.* **-ci**) → **zimoforo**.

zinale *m.* ⟨*region*⟩ (*grembiule*) apron.

zincante (o *zincante*) *m.* (*operaio*) → **zincatore**. – **zincare** (o *zincare*) *v.t.* (**zinco/zinco, zinchi/zinchi**) to (coat with) zinc, to galvanize. – **zincato** (o *zincato*) (*p.p. di zincare*) *a.* zinc-coated, galvanized. – **zincatore** (o *zincatore*) *m.* galvanizer. – **zincatura** (o *zincatura*) *f.* **1.** coating with zinc, galvanizing. – **2.** (*strato di zinco*) zinc-coating. ▭ ~ *a caldo* hot galvanizing; ~ *elettrolitica* zinc plating, cold (*o* electrolytic) galvanizing; ~ *a immersione* hot-dip galvanizing.

zincifero (o *zincifero*) *a.* zinc-, zinciferous: *miniera -a* zinc-mine.

zinco (o *zinco*) *m.* (*pl.* **-chi**) **1.** ⟨*Chim*⟩ zinc. – **2.** ⟨*Mat*⟩ (*lamiera zincata*) zinc sheet. – **3.** *pl.* ⟨*Mar*⟩ zinc anodes *pl.* ▭ ⟨*Chim*⟩ *bianco di* ~ zinc white; *di* ~ zinc: *un tubo di* ~ a zinc pipe; *ossido di* ~ zinc oxide.

zincografia (o *zincografia*) *f.* ⟨*Tip*⟩ **1.** zincography. – **2.** (*laboratorio*) zincographic works *pl* (*costr.sing. o pl.*), zincographic printing house. – **zincografico** (o *zincografico*) *a.* (*pl.* **-ci**) zincographic(al). – **zincografo** (o *zincografo*) *m.* zincographer.

zincone *m.* ⟨*tosc*⟩ (*mozzicone di ramo*) stub (of a cut branch), snag, stump.

zincotipia (o *zincotipia*) *f.* ⟨*Tip*⟩ **1.** → **zincografia**. – **2.** (*copia stampata*) zincograph, zincotype. – **zincotipista** (o *zincotipista*) *m.* zincographer.

zingana *f.* ⟨*ant,region*⟩ **1.** (*zingara*) gypsy(-woman). – **2.** (*zingaresca*) gypsy poem. – **zinganesco** *a.* (*pl.* **-chi**) ⟨*ant,region*⟩ (*zingaresco*) gypsy-, gipsy-.

zinganetta *f.* ⟨*Folcl*⟩ rustic farce.

zingano *a./s.* ⟨*ant,pop*⟩ → **zingaro**. – **zinganello** *m.* (*f.* **-a**) *dim. di* **zingano**.

zingaresca *f.* **1.** ⟨*Mus*⟩ (*composizione*) gypsy music. – **2.** ⟨*ant*⟩ (*poesia popolare*) gypsy poem.

zingaresco *a./s.* (*pl.* **-chi**) **I** *a.* **1.** gypsy-, gipsy-: *tribù -a* gypsy tribe. – **2.** (*da zingaro*) gypsy-like, gypsyish. – **II** *s.m.* (*lingua degli zingari*) Romany, Gypsy.

zingaro **I** *s.m.* (*f.* **-a**) **1.** gypsy, gipsy. – **2.** ⟨*fig*⟩ (*persona sciatta*) slovenly (*o* disreputable-looking) person; (*rif. a donna*) slut; (*persona scura di carnagione*) gypsy. – **3.** ⟨*fig,ant*⟩ (*ladro*) thief. – **II** *a.* ⟨*non com*⟩ (*zingaresco*) gypsy-, gipsy-. ▭ *astuto come uno* ~ as sly as a fox, very sharp; *vita da* ~ wandering (*o* gypsy) life.

zingher(l)o *m.* ⟨*ant,pop*⟩ (*zingaro*) gypsy, gipsy.

zingiberacee *f.pl.* ⟨*Bot*⟩ ginger family (*Zingiberaceae*).

zingo (o *zingo*) *m.* → **zinco**.

zingone *m.* → **zincone**.

zinia *f.* ⟨*pop*⟩ → **zinnia**.

zinna *f.* ⟨*region*⟩ (*mammella*) **1.** ⟨*Anat*⟩ breast, mamma. – **2.** ⟨*Zool*⟩ udder, mamma. – **zinnale** *m.* ⟨*rar*⟩ → **zinale**.

zinnia *f.* ⟨*Bot*⟩ zinnia (*Zinnia*).

zinzella *f.* ⟨*Ornit*⟩ (*ballerina*) white wagtail (*Motacilla alba*).

zinzin(n)are *v.i.* (*aus.* **avere**) ⟨*rar*⟩ (*centellinare*) to sip. – **zinzino** (o *zinzino*) *m.* ⟨*fam*⟩ (*piccolissima quantità*) scrap, bit, morsel: *mangiare uno* ~ *di pane* to eat a scrap of bread. ▭ *bere a -i* to sip; *uno* ~ *di tempo* a moment, ⟨*fam*⟩ a sec. – **zinzolino** *m.* ⟨*tosc*⟩ → **zinzino**.

zio *m.* **1.** uncle: *lo* ~ *Giorgio* Uncle George; *pl.* (*zio e zia*) uncle and aunt: *ho passato la Pasqua dagli zii* I spent Easter at my Uncle and Aunt's. – **2.** ⟨*region*⟩ (*come titolo familiare*) uncle. ▭ ⟨*scherz*⟩ ~ *d'***America** rich uncle; ⟨*tosc*⟩ *zi'* **Beppe** (*deretano*) bottom, ⟨*fam*⟩ behind; ⟨*region*⟩ ~ **cugino** first cousin once removed; ⟨*ant*⟩ ~ **grande** (*prozio*) great-uncle, grand-uncle; ~ **materno** uncle on one's mother's side; ⟨*region*⟩ *zi'* **Peppe** (*vaso da notte*) chamber -pot; ⟨*eufem*⟩ **per** ~*!* by God (*o* Jove)!, Good Lord!; ~ **vecchio** = *zio* **grande**.

zione *m.* ⟨*non com*⟩ *accr. di* **zio**.

zipolare *v.t.* (**zipolo**) ⟨*non com*⟩ to spigot, to bung. – **zipolo** *m.* pin, peg; (*della botte*) spigot, bung.

zippa *f.* ⟨*region,ant*⟩ (*zimarra*) simar, flowing coat dress. – **zipparello** (*dim. di zippa*) *m.* ⟨*Stor*⟩ short sleeveless tunic.

ziqquart *f.* ⟨*Archeol*⟩ ziggurat, zik(k)urat.

ziraia *f.* room for storing oil-jars.

zirbo *m.* ⟨*ant,rar*⟩ **1.** ⟨*Anat*⟩ (*omento*) omentum. – **2.** (*pancia*) belly, stomach.

zirconato *m.* ⟨*Chim*⟩ zirconate.

zircone *m.* ⟨*Min*⟩ zircon. – **zirconia** *f.* zirconia, zirconium oxide.

zirconico *a.* (*pl.* **-ci**) ⟨*Chim*⟩ zirconic, zirconium-. – **zirconio** *m.* zirconium.

zirla *f.* ⟨*Ornit*⟩ **1.** (*zigolo nero*) cirl bunting (*Emberiza cirlus*). – **2.** (*zigolo muciatto*) rock bunting (*Emberiza cia*). ▭ ~ *gialla* (*zigolo giallo*) yellow bunting, yellow-hammer (*Emberiza citrinella*).

zirlare *v.i.* (*aus.* **avere**) to whistle. – **zirlo** *m.* **1.** (thrush's) whistle. – **2.** (*tordo da richiamo*) decoy thrush. – **zirlone** *m.* ⟨*Ornit*⟩ (*tordo sassello*) redwing, red-winged thrush (*Turdus musicus*).

zirmo(lo) *m.* → **zembro**.

ziro *m.* ⟨*region*⟩ **1.** (*orcio*) jar; (*per olio*) oil-jar. – **2.** (*tinozza di coccio*) earthenware tub.

zita *f.* ⟨*ant*⟩ (*zeta*) zed, ze.

Zita *N.pr.f.* Zita.

zite *f.pl.* ⟨*Alim*⟩ kind of macaroni.

zitella *f.* spinster, unmarried woman, ⟨*spreg,scherz*⟩ old maid. ▭ *è ancora* ~ she is still on the shelf. – **zitellismo** *m.* ⟨*spreg, scherz*⟩ spinsterish outlook, sourness. – **zitello** *m.* ⟨*ant,rar*⟩ bachelor, unmarried man. – **zitellona** (*accr. di zitella*) *f.* ⟨*spreg*⟩ old maid. – **zitellone** (*accr. di zitello*) *m.* ⟨*spreg,scherz*⟩ (elderly) bachelor. – **zitellonismo** *m.* → **zitellismo**.

zither *ted. f.* ⟨*Mus*⟩ (*cetra*) zither.

ziti *m.pl.* ⟨*non com*⟩ → **zite**.

zito ⟨*ant*⟩ **I** *s.m.* (*f.* **-a**) **1.** (*uomo non sposato*) bachelor, unmarried man. – **2.** (*fanciullo*) boy, youth. – **3.** ⟨*region*⟩ (*fidanzato*) fiancé. – **4.** (*sposo nel giorno delle nozze*) bridegroom. – **II** *a.* pure, virgin.

zittella *f.* ⟨*non com*⟩ → **zitella**. – **zittello** *m.* ⟨*non com*⟩ → **zitello**.

zittio *m.* hissing. – **zittire** *v.* (**zittisco, zittisci**) **I** *v.i.* (*aus.* **avere**) to hiss. – **II** *v.t.* to hush, to tell to be quiet; (*in segno di disapprovazione*) to hiss. ▭ ⟨*non com*⟩ *non* ~ (*non fiatare*) not to say a word.

zittissimo (*sup. di zitto*) *a.* ⟨*enfat*⟩ quiet, as quiet as a mouse, ⟨*fam*⟩ mum.

zitto **I** *a.* **1.** quiet, silent. – **2.** ⟨*esclam*⟩ be (*o* keep) quiet, hush, ⟨*fam*⟩ shut up. – **II** *s.m.* ⟨*rar*⟩ (*bisbiglio*) whisper. ▭ ⟨*non com*⟩ **alla** *-a* (*alla chetichella*) without saying a word, on the quiet; ⟨*rar*⟩ **fare** ~ *qd.* (*convincerlo*) to convince s.o.; ~ *come un* (o *l'*)*olio* as quiet as a mouse; **stare** ~: 1. (*non parlare*) to keep (*o* be) quiet, not to talk; 2. (*non protestare*) to keep quiet, not to say anything; *far stare* ~ *qd.* (*farlo tacere*) to make s.o. be quiet, ⟨*fam*⟩ to shut s.o. up; (*convincerlo a non diffondere segreti*) to make s.o. keep quiet (*o* a secret), to shut s.o.'s mouth; *stai* ~*!* (be) quiet!, ⟨*fam*⟩ shut up!, ⟨*volg*⟩ shut your trap (*o* gob)!; ~ **tu**! (keep) quiet!, hold your tongue!, sh!; **zitto** ~ as quiet as a mouse.

zivola: ⟨*Ornit*⟩ ~ *matta* (*zigolo muciatto*) rock bunting (*Emberiza cia*).

zivolo *m.* ⟨*non com*⟩ → **zigolo**.

zizolo *m.* ⟨*Ornit*⟩ (*ballerina gialla*) grey wagtail (*Motacilla cinerea*).

zizza *f.* ⟨*ant,region*⟩ (*mammella*) **1.** ⟨*Anat*⟩ breast. – **2.** ⟨*Zool*⟩ udder, mamma.

zizzagare *v.* ⟨*rar*⟩ → **zigzagare**.

zizzania *f.* **1.** ⟨*Bot*⟩ bearded darnel, cheat (*Lolium temulentum*). – **2.** ⟨*fig*⟩ (*discordia*) discord, dissension, strife; (*chi semina discordia*) mischief-maker, sower of discord. ☐ ⟨*fig*⟩ *seminare* (o *spargere*) ~ to sow discord (*o* strife), to stir up trouble, to be a mischief-maker; ⟨*fig*⟩ *mettere ~ fra due persone* to set two people at variance.
zizzola *f.* ⟨*non com*⟩ **1.** (*giuggiola*) jujube, Chinese date. – **2.** ⟨*fam, scherz*⟩ (*inezia*) trifle, bagatelle. – **zizzolo** *m.* ⟨*Bot*⟩ (*giuggiolo*) jujube (*Zyziphus sativa*).
zloty [zu'ɔti] *m.* (*unità monetaria*) zloty.
Zn = ⟨*Chim*⟩ *zinco* zinc.
zoadego *m.* (*pl.* **-ghi**) ⟨*region*⟩ (*giogatico*) hire of working animals. ☐ ⟨*Dir*⟩ *contratto di ~* contract of hire (of working animals).
zoano *m.* ⟨*Archeol*⟩ xoanon.
zoantario *m.* zoantharian.
zoarcidi *m.pl.* ⟨*Itt*⟩ eelpouts *pl* (*Zoarcidae*).
zobel *ted. m.* ⟨*Mod*⟩ imitation sable (made from Siberian squirrel).
zoccola *f.* **1.** ⟨*pop*⟩ (*topo di chiavica*) sewer-rat. – **2.** ⟨*fig,volg*⟩ (*meretrice*) prostitute, whore.
zoccolaio *m.* **1.** (*fabbricante*) clog-maker. – **2.** (*venditore*) seller of clogs. – **3.** ⟨*spreg*⟩ (*persona rozza e volgare*) lout, coarse fellow.
zoccolante I *a.* ⟨*Rel*⟩ Observant(ine). – **II** *s.m.* Observant(ine); (*anche frate zoccolante*) Observants *pl.*
zoccolare *v.i.* (**zoccolo**; *aus.* **avere**) ⟨*pop*⟩ to clatter (along, about) in clogs. – **zoccolata** *f.* blow with (*o* from) a clog. ☐ *dare una ~ a qd.* to hit s.o. with a clog; (*dargli un calcio*) to kick s.o. with a clog. – **zoccolatura** *f.* ⟨*Arch*⟩ wainscot(ting); (*battiscopa*) skirting(-board). – **zoccoliforme** *a.* ⟨*Paleont*⟩ hoof-shaped. – **zoccolio** *m.* clattering (of clogs).
zoccolo *m.* **1.** clog. – **2.** ⟨*fig,spreg*⟩ (*persona inetta*) lout, good-for-nothing, useless fellow. – **3.** ⟨*Zool*⟩ (*unghia*) hoof. – **4.** (*pane di terra*) ball of earth. – **5.** (*strato*: *di fango*) (layer of) mud; (*di neve*) (layer of) snow. – **6.** (*sostegno*) support. – **7.** ⟨*Arch*⟩ (*basamento*) socle; (*plinto*) plinth. – **8.** ⟨*Edil*⟩ socle; (*di una parete*) wainscot(ting); (*battiscopa*) skirting(-board). – **9.** ⟨*Tip*⟩ base, block, (block-)mount. – **10.** ⟨*El*⟩ (*attacco*) cap, (lamp-)socket; (*di tubo elettronico*) valve base. – **11.** ⟨*Rad*⟩ base: *~ di valvola* tube (*o* valve) base.
☐ *~ d'***alzo** bed of sight; ~ **ammortizzato** cushioned socket; ~ *a* **baionetta** bayonet cap (*o* socket, base); ⟨*Edil*⟩ ~ *in* **calcestruzzo** concrete plinth; ~ *della* **casa** base wall of a house; ⟨*Arch*⟩ ~ *di una* **colonna** plinth; ⟨*Geol*⟩ ~ **continentale** continental slope; ⟨*Arch*⟩ ~ **decorato** dado; ~ **Edison** = *zoccolo a* **vite**; ~ *del* **freno** (brake-)shoe; ⟨*El*⟩ ~ **golia** Goliath cap; ~ *della* **lampada** lamp-cap, lamp-socket; ~ **mignon** mignon (*o* midget) cap; ⟨*El*⟩ ~ **miniatura** miniature socket; ⟨*Rad*⟩ ~ **octa** (o *Oktal*) octal socket (*o* base); ~ **portatubo** (o *portavalvole*) valve base; ⟨*Edil*⟩ ~ *della* **scala** skirting(-board), baseboard; ⟨*Geol*⟩ ~ **sottomarino** continental shelf; ~ *per* **transistori** transistor socket; ⟨*El*⟩ ~ *a* **vite** Edison screw cap.
zodiacale *a.* zodiacal, of the zodiac: *segni -i* signs of the zodiac; *luce ~* zodiacal light. – **zodiaco** *m.* ⟨*Astr*⟩ zodiac.
Zoe *N.pr.f.* Zoe.
zoea *f.* ⟨*Zool*⟩ zoea.
...zoico *suff.* (*animale* animal, *vita* life) ...zoic: *epizoico a.* epizoic; *mesozoico m.* Mesozoic.
zoidiofilia *f.* ⟨*Bot*⟩ zoidiophily, zoophilia. – **zoidiofilo** *a.* zoidiophilous, zoophilous. – **zoidiogamia** *f.* → **zoidiofilia**. – **zoidiogamo** *m.* → **zoidiofilo**.
Zoilo *N.pr.m.* ⟨*Lett*⟩ Zoilus. – **zoilo** *m.* ⟨*rar,lett*⟩ (*critico severo*) Zoilus, carping critic, caviller.
zoisite *f.* ⟨*Min*⟩ zoisite.
zola *f.* ⟨*Mar.ant*⟩ small sailing-ship.
zolfa *f.* ⟨*tosc*⟩ → **solfa**.
zolfaio *m.* ⟨*non com*⟩ **1.** (*minatore*) worker in a sulphur-mine. – **2.** (*lavoratore*) sulphur worker.
zolfanello *m.* **1.** (*fiammifero di legno*) sulphur match: *una scatola di -i* a box of sulphur matches. – **2.** (*stoppino*) sulphur wick. ☐ ⟨*fig*⟩ *accendersi come uno ~* (*essere facile all'ira*) to flare up easily, to be quick-tempered.
zolfara *f.* ⟨*Minier,non com*⟩ (*solfara*) sulphur deposit.
zolfare *v.t.* (**zolfo**) ⟨*Agr,non com*⟩ (*solfare*) to (treat with) sulphur.
zolfatara *f.* ⟨*Geol,non com*⟩ (*solfatara*) solfatara, sulphurous volcano.
zolfifero *a.* (*solfifero*) sulphur, sulphur(e)ous, sulphuriferous. – **zolfigno** *a.* ⟨*non com*⟩ → **zolfino**[1].
zolfino[1] *a.* ⟨*non com*⟩ (*simile a zolfo*) sulphur-like.
zolfino[2] *m.* → **zolfanello**.
zolfo *m.* ⟨*Chim*⟩ **1.** sulphur. – **2.** (*solfato di rame*) copper sulphate. ☐ **dare** *lo ~ alle viti* to sulphur vines; **fiori** *di ~* flowers of sulphur; ~ **libero** free sulphur; ⟨*Bot*⟩ **pioggia** *di ~* sulphur rain; ~ **ramato** copper sulphate; ~ **sublimato** = **fiori** *di zolfo*; ~ **vegetale** = **pioggia** *di zolfo*.
zolla (o *zolla*) *f.* **1.** clod, sod, turf. – **2.** (*zolletta*) lump: *~ di zucchero* lump (*o* cube) of sugar. ☐ *~ erbosa* sod, turf, ⟨*lett*⟩ sward; ⟨*poet*⟩ (*terreno erboso*) grassland; ⟨*non com*⟩ *una ~ di pane* a piece of bread; *rivoltare le -e* to turn (*o* plough) up the ground; *possedere poche -e di terra* (*avere un piccolo podere*) to have a small farm.
zollare (o *zollare*) *v.t.* (**zollo**/**zollo**) ⟨*rar*⟩ to turf over.
zolletta (o *zolletta*) (*dim. di zolla*) *f.* lump: *~ di zucchero* lump (*o* cube) of sugar. ☐ *zucchero in -e* lump sugar.
zollosità (o *zollosità*) *f.* ⟨*rar*⟩ cloddiness. – **zolloso** (o *zolloso*) *a.* ⟨*non com*⟩ cloddy, full of clods, turfy.
zombare *v.t.* (**zombo**) ⟨*tosc*⟩ (*picchiare violentemente*) to beat, to thrash, to wallop, ⟨*fam*⟩ to tan the hide of. – **zombata** *f.* ⟨*tosc*⟩ (*percossa*) wallop, hard blow; (*percosse*) beating, thrashing, ⟨*fam*⟩ (good) hiding.
zompare *v.i.* (**zompo**; *aus.* **essere**) ⟨*roman*⟩ (*saltare*) to jump, to leap. – **zompo** *m.* ⟨*roman*⟩ (*salto*) jump, leap.
zona *f.* **1.** (*striscia, fascia*) zone, band, strip(e), belt: *-e di luce e d'ombra* zones of light and shade. – **2.** (*regione*) zone, region, area: *~ montuosa* mountain zone. – **3.** ⟨*Anat*⟩ zone, zona, girdle, belt. – **4.** ⟨*Med*⟩ (*erpete zoster*) herpes zoster, shingles *pl* (*costr.sing.*), zona. – **5.** ⟨*Sport*⟩ (*parte di campo*) zone, area. – **6.** ⟨*Tel*⟩ (*nastro ricevente*) paper strip. – **7.** ⟨*Geog*⟩ zone: *~ temperata* temperate zone. – **8.** ⟨*Geol*⟩ (*orizzonte*) zone, horizon. – **9.** ⟨*Min,Chim*⟩ (*di cristalli*) zone. – **10.** ⟨*lett*⟩ (*fascia delle donne greche*) girdle, belt, ⟨*ant*⟩ zone; (*cintura*) girdle, belt, band.
☐ ⟨*Geog*⟩ ~ **abissale** abyssal zone; ~ **agraria** agricultural region (*o* district); ~ **archeologica** archaeological zone; ~ **astronomico-termica** zone (of the earth); ⟨*Aer*⟩ ~ *d'***atterraggio** landing area; ~ **boreale** northern zone; ~ *delle* **calme** doldrums *pl*; ~ **climatica** climatic zone; ~ **commerciale** trade area; (*in una città*) business district; ~ **demilitarizzata** demilitarized zone; ~ **depressa** depressed area; ⟨*Meteor*⟩ ~ *di* **depressione** trough; **di** ~ → **zonale**; ⟨*Geog*⟩ ~ **endoreica** endor(h)eic region; ⟨*Biol*⟩ ~ **erogena** erogenous (*o* erotogenic) zone; ~ **esoreica** exorheic region; ~ **franca** bonded area; ~ *di* **frontiera** border zone; ~ **giorno** (*d'un appartamento*) living area (of a flat); ⟨*Anat*⟩ ~ **glomerulosa** glomerular zone, zona glomerulosa; ~ *di* **guerra** war zone; *essere* **in** ~ (*nel bridge*) to be vulnerable; ⟨*Psic*⟩ ~ *d'***indifferenza** zone of indifference; ~ **industriale** (*regione*) industrial area (*o* district); ~ *d'***influenza** sphere of influence; ~ *di* **lavoro** work area; ~ **marginale**: 1. fringe area; 2. = *zona* **periferica**; ~ **militare** military zone; ~ **monetaria** currency (*o* monetary) area; ⟨*Pol*⟩ ~ **neutrale** neutral zone; ⟨*Geog*⟩ ~ **nivale** region of perennial snow; ~ **notte** (*d'un appartamento*) sleeping area (of a flat); ~ **occupata** (o *d'occupazione*) occupied zone; ⟨*Rad*⟩ ~ *d'***ombra** shadow (o blind) area; ⟨*Mil*⟩ ~ *d'***operazioni** zone of operations; ~ *per* **parcheggio** parking lot; ~ **pedonale** pedestrian precinct; ~ **pericolosa** danger zone; ~ **periferica** suburban area; ⟨*Geog*⟩ ~ **polare** frigid zone; ~ **pranzo** (*d'un appartamento*) dining area (of a flat); ⟨*Meteor*⟩ ~ *d'alta* **pressione** area of high pressure; ⟨*Econ*⟩ ~ *di* **produzione** area of production; ~ **proibita** = *zona* **pericolosa**; ⟨*Mil*⟩ ~ *di* **raccolta** assembly area; ~ **residenziale** residential district; ~ *di libero* **scambio** free-trade area; ⟨*ant*⟩ **sciogliere** *la ~* (*andare sposa*) to be wed; ⟨*Geom*⟩ ~ **sferica** zone; ~ *di* **silenzio**: 1. ⟨*Strad*⟩ zone in which horns may not be sounded; 2. ⟨*Rad*⟩ blind (*o* dead) spot; ~ **smilitarizzata** = *zona* **demilitarizzata**; ~ **sottosviluppata** underdeveloped (*o* backward) area; ⟨*Pol*⟩ ~ **sovietica** Soviet Zone; ⟨*Mil*⟩ ~ **tattica** tactical zone; ⟨*Mil*⟩ ~ *aerea* **territoriale** air district; ⟨*Geog*⟩ ~ **torrida** torrid zone; ⟨*Comm*⟩ ~ *di* **vendite** sales territory; ~ *di vendita al dettaglio* retail trading zone; ~ **verde**: 1. civic park area; 2. ⟨*Strad*⟩ grass plot, grass strip; ~ **vietata** quarantine area; ⟨*Geol*⟩ ~ **vulcanica** volcanic area (*o* region).
zonale *a.* ⟨*burocr*⟩ zonal, area-, zone-, district-: *commissariato ~* district police station.
zonare *v.t.* (**zono**) ⟨*ant*⟩ (*cingere*) to encircle, to gird.
zonario *a.* ⟨*Med*⟩ zonary: *placenta -a* zonary placenta.
zonato *a.* ⟨*non com*⟩ zonate, belted, zoned: *struttura -a* zonate structure. – **zonatura** *f.* division into zones. – **zonazione** *f.* **1.** zonation, division into zones (*o* areas). – **2.** ⟨*Geog*⟩ zonation.
zonizzazione *f.* **1.** (*in urbanistica*: *atto*) zoning. – **2.** (*effetto*) arrangement in zones.
zonzo: *andare a ~*: 1. to wander about, to stroll around; 2. ⟨*ant, scherz*⟩ (*rif. al cervello*: *impazzire*) to wander; ⟨*ant,scherz*⟩ *mandare a ~ il cervello a qd.* to make s.o. go mad, to drive s.o. out of his wits.
zoo *m.inv.* ⟨*fam*⟩ (*giardino zoologico*) zoo, zoological garden(s): *~ viaggiante* travelling zoo.
zoo... *pref.* (*animale* animal) zo(o)..., animal-.
...zoo *suff.* (*animale* animal) ...zoon, ...zoan: *entozoo m.* entozoon; *protozoo m.* protozoan.
zoo|benthos (o *zoobenthos*) *m.* ⟨*Zool*⟩ zoobenthos. – **~cida I** *a.* pesticidal. – **II** *s.m.* pesticide. – **~clorelle** *f.pl.* ⟨*Bot*⟩ zoochlorellae *pl* (*Zoochlorellae*). – **~coltura** *f.* zootechny, zooculture. – **~conidio** *m.* zoospore. – **~coria** *f.* ⟨*Bot*⟩ zoochory, animal distribution. – **~coro** *a.* zoochorous. ☐ *pianta -a* zoochore. – **~cultura** *f.* → **zoocoltura**.
zoofagia *f.* zoophagy. – **zoofago** *a.* (*pl.* **-gi**) zoophagous, carnivorous: *animale ~* zoophagous animal, zoophagan.
zoofilia *f.* **1.** zoophilia, love of animals. – **2.** ⟨*Bot*⟩ → **zoidiofilia**. – **3.** ⟨*Psic*⟩ zoophilia. – **zoofilo I** *a.* **1.** zoophilic, zoophilous, animal-loving. – **2.** ⟨*Bot*⟩ → **zoidiofilo**. – **3.** ⟨*Bot,rar*⟩ → **zoocoro**. – **II** *s.m.* (*f.* **-a**) animal lover, zoophilist. ☐ *società -a* society for the protection of animals.
zoofisiologia *f.* zoophysiology, animal physiology.
zoofito I *a.* **1.** ⟨*Zool*⟩ zoophytic, zoophytal: *animale ~* zoophytic animal, zoophyte. – **2.** ⟨*Bot*⟩ living on organic material. – **II** *s.m.* zoophyte.
zoofobia *f.* ⟨*Psic*⟩ zoophobia. – **zoofobo** *a.* ⟨*non com*⟩ zoophobous.
zoo|foro I *a.* ⟨*Arch*⟩ zoophoric. – **II** *s.m.* zoophorous. – **~gamete** *m.* ⟨*Bot*⟩ zoogamete.
zoogamia *f.* → **zoidiofilia**. – **zoogamo** *a.* → **zoidiofilo**.
zoogenetica *f.* zoogeny, zoogenesis.
zoogenico *a.* (*pl.* **-ci**) ⟨*Geol*⟩ zoogenic. – **zoogeno** *a.* → **zoogenico**.

zoo|geografia *f.* zoogeography. – **~glea** *f.* ⟨*Biol*⟩ zoogl(o)ea. – **~grafia** *f.* zoography. – **~iatra** *m.* ⟨*non com*⟩ (*veterinario*) veterinarian. – **~iatria** *f.* ⟨*non com*⟩ veterinary science. – **~iatrico** *a.* (*pl.* **-ci**) veterinary. – **~iatro** *m.* → **zooiatra**.
zooide *m.* zooid.
zoolatria *f.* zoolatry, worship of animals.
zoologia *f.* zoology. – **zoologico** *a.* (*pl.* **-ci**) zoological: *giardino* ~ zoological garden(s), zoo. – **zoologista** *m.* **1.** (*commerciante*) trader in wild animals (for zoos). – **2.** (*cacciatore*) hunter of wild animals. – **zoologo** *m.* (*pl.* **-gi**; *f.* **-a**) zoologist.
zoom *ingl.* [zu:m] *m.* ⟨*Cin,TV*⟩ zoom lens. – **zoomare** *v.* ⟨*non com*⟩ → **zumare**. – **zoomata** *f.* ⟨*non com*⟩ → **zumata**.
zoo|nimo *m.* ⟨*Ling*⟩ animal name. – **~nosi** *f.* **1.** ⟨*Med*⟩ zoonosis. – **2.** ⟨*Veter*⟩ zoonosis, animal disease. – **~parassita** *m.* zooparasite, animal parasite. – **~plancton** *m.* zooplankton. – **~psia** *f.* ⟨*Psic*⟩ zoopsia. – **~spermio** *m.* ⟨*Biol*⟩ (*spermatozoo*) zoosperm, spermatozoon. – **~spora** *f.* → **zooconidio**. – **~tecnica** *f.* zootechny, zootechnics *pl* (*costr.sing. o pl.*). – **~tecnico** *a./s.* (*pl.* **-ci**) **I** *a.* zootechnic(al). – **II** *s.m.* zootechnician. □ *patrimonio* ~ livestock resources *pl.* – **~tomia** *f.* ⟨*ant*⟩ (*anatomia degli animali*) zootomy, animal anatomy. – **~tomico** *a.* (*pl.* **-ci**) ⟨*ant*⟩ zootomic(al). – **~tomista** *m./f.* ⟨*ant*⟩ zootomist. – **~tossina** *f.* ⟨*Biol*⟩ zootoxin.
zootropo *m.* ⟨*Cin*⟩ zoetrope, zootrope, wheel of life.
zoppaggine *f.* ⟨*non com*⟩ lameness. – **zoppare** *v.i.* (**zoppo**; *aus.* **essere**) ⟨*tosc*⟩ (*diventare zoppo*) to go lame, to lame o.s.
zoppeggiare *v.* (**zoppeggio, zoppeggi**) ⟨*non com*⟩ → **zoppicare**.
zoppia *f.* ⟨*Med,Veter*⟩ lameness. – **zoppicamento** *m.* ⟨*non com*⟩ limping.
zoppicante (*p.pr. di zoppicare*) *a.* **1.** limping, with (*o* that has) a limp. – **2.** (*traballante*) shaky, rickety, unsteady, wobbly: *una sedia* ~ a rickety chair. – **3.** ⟨*fig*⟩ shaky, weak: *è* ~ *in matematica* he is weak in mathematics, his mathematics is shaky (*o* weak, poor). – **4.** (*rif. a ragionamenti e sim.*) unsound, lame, poor, weak. – **5.** ⟨*Metr*⟩ lame, halting: *un verso* ~ a halting line of verse.
zoppicare *v.i.* (**zoppico, zoppichi**; *aus.* **avere**) **1.** to (walk with a) limp, to be lame: ~ *con il piede destro* to be lame in one's right foot. – **2.** (*essere traballante*) to be shaky (*o* rickety, unsteady, wobbly): *il tavolino zoppica* the table is unsteady. – **3.** ⟨*fig*⟩ (*essere debole*) to be shaky (*o* weak, poor): *zoppica in chimica* he is shaky in chemistry, his chemistry is poor. – **4.** ⟨*fig*⟩ (*rif. a ragionamenti e sim.*) to be unsound (*o* lame), not to hold water. – **5.** ⟨*fig, non com*⟩ (*avere cattive abitudini*) to have gone downhill (*o* to the bad); (*non star bene in salute*) to be in poor health. – **6.** ⟨*Metr*⟩ to be lame (*o* halting).
zoppicatura *f.* **1.** (*atto*) limping; (*condizione*) limp, lameness. – **2.** ⟨*fig*⟩ (*rif. a ragionamenti e sim.*) unsoundness, weakness. – **3.** ⟨*Metr*⟩ lameness, haltingness. □ *prendersi una* ~ *a una gamba* to become lame in a leg, to get a limp.
zoppicone, zoppiconi *avv.* ⟨*non com*⟩ limping, with a limp. □ *andare* (o *camminare*) ~ to (walk with a) limp; *venire* ~ to come limping along.
zoppina *f.* ⟨*Veter,pop*⟩ (*afta epizootica*) foot-and-mouth disease.
zoppo I *a.* **1.** (*rif. a gambe*) game, gammy, lame: *essere* ~ *da un piede* to be lame in one leg; (*rif. a persone*) lame, limping. – **2.** (*traballante*) shaky, rickety, unsteady, wobbly. – **3.** ⟨*fig*⟩ (*difettoso*) unsound, lame, imperfect, defective, faulty: *ragionamento* ~ unsound (*o* unconvincing) argument; *rima* **-a** faulty rhyme. – **4.** ⟨*fig, rar*⟩ (*lento*) slow. – **II** *s.m.* (*f.* **-a**) lame person.
□ **andare** (o *camminare*) ~ to (walk with a) limp; ⟨*Arch*⟩ **arco** ~ (*arco rampante*) rampant arch; **diventare** (o *essere*) ~ to become (*o* be) lame; ⟨*scherz*⟩ *non* **parere** ~ to be nimble (*o* agile); *a* **pie'** ~ hopping; *andare a pie'* ~ to hop (along); **rimanere** ~ to be lamed; *non* **sembrare** ~ = *non* **parere** *zoppo*. – *Prov.*: *chi burla lo* ~ *badi d'esser dritto* people who live in glass houses shouldn't throw stones; *chi va con lo* ~ *impara a zoppicare* bad company will teach you bad ways.
zorilla *f.* ⟨*Zool*⟩ zoril, zorille, zorilla (*Zorilla*).
zoroastriano I *a.* ⟨*Rel*⟩ Zoroastrian. – **II** *s.m.* (*f.* **-a**) (*seguace*) Zoroastrian. – **zoroastrismo** *m.* Zoroastrianism. – **Zoroastro** *N.pr.m.* ⟨*Stor*⟩ Zoroaster.
zoster *lat. m.* ⟨*Med*⟩ (*erpete zoster*) herpes zoster, shingles *pl* (*costr. sing.*).
zostera *f.* ⟨*Bot*⟩ zostera (*Zostera*).
zosteracee *f.pl.* ⟨*Bot*⟩ eel-grass family (*Zosteraceae*).
zosteropidi *m.pl.* ⟨*Ornit*⟩ silvereyes *pl* (*Zosteropidae*).
zoticaggine *f.* ⟨*spreg*⟩ roughness, boorishness. – **zotichezza** *f.* **1.** → **zoticaggine**. – **2.** (*atto da zotico*) rough (*o* boorish) behaviour.
zotico *a./s.* (*pl.* **-ci**) **I** *a.* **1.** (*grossolano*) rough, boorish, uncouth, loutish. – **2.** ⟨*non com*⟩ (*ruvido*) rough. – **II** *s.m.* (*f.* **-a**) boor, lout, rough (*o* uncouth) person. – **zoticone** (*accr. di zotico*) *m.* (*f.* **-a**) boor, lout, rough (*o* uncouth) person.
zozza *f.* ⟨*pop,tosc*⟩ **1.** (*miscuglio di liquori scadenti*) bad liquor, ⟨*fam*⟩ rot-gut. – **2.** ⟨*fig*⟩ (*gentaglia*) mob, rabble, scum. – **3.** ⟨*fig*⟩ (*violento rimprovero*) sharp rebuke. – **zozzaio** *m.* ⟨*pop,tosc*⟩ (*chi vende la zozza*) seller of bad liquor.
Zr = ⟨*Chim*⟩ *zirconio* zirconium.
zt *intz.* sh, sh-sh, s-s-sh, (s)hush.
zuava *f.* ⟨*Vest*⟩ (*anche giacca alla zuava*) zouave, zouave jacket (*o* bodice).
zuavo I *s.m.* ⟨*Stor*⟩ Zouave: **-i** *pontifici* Pontifical (*o* Papal) Zouaves. – **II** *a.* Zouave. □ ⟨*Vest*⟩ *calzoni alla* **-a** knickerbockers *pl*; *giacca alla* **-a** → **zuava**.
zucca *f.* **1.** ⟨*Bot*⟩ cucurbit, pepo (*Cucurbita*). – **2.** ⟨*Bot*⟩ pumpkin (-vine), ⟨*am*⟩ summer squash (*Cucurbita pepo*). – **3.** (*frutto*) pumpkin, gourd, ⟨*am*⟩ squash. – **4.** (*usata come recipiente*) gourd, calabash. – **5.** ⟨*spreg*⟩ (*cocomero insipido*) tasteless water-melon; (*cibo insipido*) tasteless food. – **6.** ⟨*fig,scherz*⟩ (*testa*) head, ⟨*fam*⟩ pate, ⟨*fam*⟩ nut: *non ha sale in* ~ he has no sense in his head. – **7.** ⟨*gerg,spreg*⟩ (*violino di nessun pregio*) fiddle, poor violin. – **8.** *pl.* ⟨*esclam*⟩ rubbish, not a bit of it.
□ ~ *d'acqua* = *zucca da* **vino**; ⟨*Bot, region*⟩ ~ **amara** (*brionia*) (red) bryony (*Bryonia dioica*); ⟨*Bot*⟩ ~ **comune** (giant) pumpkin, pompion, red and yellow gourd, ⟨*am*⟩ winter squash (*Cucurbita maxima*); ~ *da* **farina** = *zucca da* **vino**; **fiori** *di* ~ vegetable marrow flowers; ~ *dei* **friggitori** = *zucca* **moscata**; ~ **gigante** = *zucca* **comune**; ~ **marina** = *zucca* **amara**; ⟨*Bot*⟩ ~ **moscata** pumpkin, ⟨*am*⟩ squash (*Cucurbita moschata*); ~ *da* **nuoto** = *zucca da* **vino**; ~ **ornamentale** ornamental gourd; ⟨*scherz*⟩ ~ **pelata** bald head, ⟨*fam*⟩ onion, ⟨*fam*⟩ billiard ball; **sei** *proprio una* ~ ! you really are a fat-head!; ~ **selvatica** = *zucca* **amara**; **semi** *di* ~ pumpkin seeds; ~ **torta** = *zucca* **moscata**; ⟨*fig,ant*⟩ ~ *al* **vento** fool, empty-headed person; ⟨*Bot*⟩ ~ *da* **vino** bottle-gourd, calabash(-gourd) (*Lagenaria vulgaris*); ~ **violina** = *zucca* **moscata**; ⟨*fig*⟩ ⌜*avere la*⌝ (o *essere una*) ~ **vuota** to be a fool, to have no sense in one's head.
zuccaia *f.*, **zuccaio** *m.* pumpkin bed.
zuccaiola *f.* ⟨*Entom*⟩ (*grillotalpa*) mole cricket (*Gryllotalpa gryllotalpa*; *Curtilla gryllotalpa*).
zuccaro *m.* ⟨*ant,region*⟩ (*zucchero*) sugar.
zuccata[1] *f.* ⟨*scherz*⟩ (*testata*) blow with the head, butt.
zuccata[2] *f.* ⟨*Alim*⟩ (*zucca candita*) candied pumpkin.
zuccheraggio *m.* ⟨*Enol*⟩ addition of saccharose to must.
zuccherare *v.t.* (**zucchero**) to sugar, to put sugar in: ~ *il caffè* to put sugar in the coffee; (*cospargere di zucchero*) to (sprinkle with) sugar. – **zuccherato** (*p.p. di zuccherare*) *a.* **1.** sugared, sweetened: *acqua* **-a** sugared water; (*pieno di zucchero*) with plenty of sugar: *caffè molto* ~ coffee with plenty of sugar. – **2.** ⟨*fig*⟩ (*mellifluo*) sugared, honeyed, sugary, sweet: *parole* **-e** honeyed words. □ *mi piace il tè poco* ~ I don't like much sugar in my tea.
zuccherico: ⟨*Chim*⟩ *acido* ~ saccharic acid.
zuccheriera *f.* sugar-basin, sugar-bowl. – **zuccheriere** *m.* **1.** (*operaio*) worker in a sugar refinery. – **2.** (*industriale*) sugar manufacturer. – **zuccheriero** *a.* sugar-: *industria* **-a** sugar industry.
zuccherifero *a.* (*saccarifero*) **1.** (*contenente zucchero*) sacchariferous, sugar-. – **2.** (*che riguarda lo zucchero*) sugar-.
zuccherificio *m.* **1.** (*stabilimento*) sugar refinery (*o* works, factory). – **2.** (*produzione industriale*) sugar production.
zuccherino I *a.* **1.** sugar-, sacchariferous: *sostanza* **-a** sacchariferous substance. – **2.** (*dolce*) sweet, sugary: *una mela* **-a** a sweet apple. – **II** *s.m.* **1.** piece of sugar. – **2.** (*caramella*) sweet, ⟨*am*⟩ candy, ⟨*lett*⟩ sugarplum. – **3.** ⟨*fig*⟩ (*gentilezza di poco conto*) sop, consolation (prize). – **4.** ⟨*fig*⟩ (*piccolezza*) trifle. – **5.** ⟨*ant*⟩ (*dolce*) cake.
zucchero *m.* **1.** sugar (*anche Chim.*). – **2.** ⟨*fig*⟩ (*persona amabile*) sweet person, ⟨*am*⟩ honey, ⟨*fam*⟩ sweetie, ⟨*fam*⟩ lamb; (*persona melliflua*) sugary (*o* unctuous) person. – **3.** ⟨*fig,non com*⟩ (*piccolezza*) trifle.
□ ~ *di* **acero** maple sugar; ~ *d'***amido** = *zucchero d'uva*; ~ *di* **barbabietola** beet-sugar; ~ **bruciato** (*colore*) caramel, burnt sugar; ~ **bruno** brown sugar; ~ **candito** candy; ~ *di* **canna** cane sugar; ~ **caramellato** caramel, caramelized sugar; ~ *di* **colla** collagen sugar, glycocoll; **colore** *di* ~ = *zucchero* **bruciato**; ~ *di prima* **cotta** first-grade sugar; ⟨*fig,non com*⟩ *essere uno* ~ *di tre* **cotte** (*essere piacevolissimo*) to be delightful; ⟨*fig*⟩ *avere il* **cuore** *nello* ~ (*essere pieno di tenera contentezza*) to be full of sweet content; ~ **depurato** = *zucchero* **raffinato**; **dolce** *come lo* ~ as sweet as sugar, (sugar-)sweet; ⟨*fig*⟩ **essere** *uno* (o *un vero*) ~ to be very sweet, ⟨*fam*⟩ to be a sweetie (*o* honey); ~ **filato** candy floss, ⟨*am*⟩ cotton candy; ~ *di* **frutta** fruit sugar, fructose, levulose; ~ **granulato** (o *in grani*) granulated sugar; ~ **invertito** invert sugar; ~ *di* **latte** milk sugar, lactose; ~ *di* **legno** wood sugar, xylose; ~ *di* **malto** malt sugar, maltose; ⟨*pop*⟩ *avere lo* ~ *nelle* **orine** (*soffrire di diabete*) to be a diabetic; ~ *d'***orzo** barley sugar; **pan** *di* ~ sugarloaf; *cappello a pan di* ~ conical (*o* sugarloaf) hat; ~ *in* **pani** loaf sugar; ~ **pilato** (coarsely) refined sugar; ~ *in* **polvere** = *zucchero a* **velo**; ~ *in* **quadretti** = *zucchero in* **zollette**; ~ **raffinato** refined (*o* white) sugar; ~ *non raffinato* unrefined sugar; ~ *d'***uva** grape (*o* starch) sugar, glucose, dextrose; ~ **vanigliato** vanilla sugar; ~ *a* **velo** icing sugar, powdered sugar, ⟨*am*⟩ confectioners' sugar; ~ *in* **zollette** lump (*o* cube) sugar.
zuccheroso *a.* **1.** (*molto dolce*) sweet, sugary. – **2.** ⟨*fig*⟩ (*mellifluo*) sugary, honeyed, ⟨*spreg*⟩ cloying, ⟨*spreg*⟩ unctuous, ⟨*spreg*⟩ sickly.
zucchetta (*dim. di zucca*) *f.* ⟨*region*⟩ → **zucchina**.
zucchetto (*dim. di zucca*) *m.* **1.** ⟨*rar*⟩ → **zucchina**. – **2.** (*copricapo degli ecclesiastici*) zucchetto, skull-cap (of an ecclesiastic). – **3.** (*copricapo*: *per uomini*) calotte, cap; (*papalina*) skull-cap, smoking cap; (*per donne*) calotte. □ *avere lo* ~ *rosso* (*essere nominato cardinale*) to be made a cardinal.
zucchettone (*accr. di zucchetto*) *m.* (*ragazzo ostinato*) mule, ⟨*fam*⟩ pigheaded fellow.
zucchina (*dim. di zucca*) *f.* **1.** (*piccola zucca*) small pumpkin (*o* gourd). – **2.** ⟨*Bot*⟩ → **zucchino**. – **zucchino** *m.* ⟨*Bot*⟩ zucchino, vegetable marrow, Italian squash.

zucconaggine *f.* obstinacy, mulishness, ⟨*fam*⟩ pigheadedness.
zucconare *v.t.* (**zuccono**) **1.** ⟨*Silv*⟩ (*capitozzare*) to poll(ard). – **2.** ⟨*non com*⟩ (*rapare a zero*) to shave.
zuccone (*accr. di zucca*) **I** *s.m.* **1.** (*grossa zucca*) (big) pumpkin. – **2.** (*testa grossa*) big head. – **3.** ⟨*fig*⟩ (*persona ottusa*; *f.* **-a**) slow-witted person, dunce, dullard, ⟨*fam*⟩ thickhead; (*sciocco*) fool, ⟨*fam*⟩ fat-head, ⟨*fam*⟩ blockhead; (*persona caparbia*) obstinate (*o* mulish) person, ⟨*fam*⟩ pigheaded person. – **4.** ⟨*ant*⟩ (*testa pelata*) bald person. – **II** *a.* dull, slow-witted, ⟨*fam*⟩ thick, ⟨*fam*⟩ dense.
zuccotto *m.* **1.** ⟨*Dolc*⟩ ice-cream cake (with whipped cream and chocolate). – **2.** ⟨*tosc*⟩ (*zucchetto*) calotte, cap.
zuffa *f.* **1.** (*combattimento*) fray, scuffle, tussle, mêlée: *cacciarsi nella* ~ to enter the fray; (*in battaglia*) fight, skirmish. – **2.** (*litigio violento, rissa*) brawl, fight. – **3.** ⟨*fig*⟩ (*polemica*) polemic, controversy, dispute.
zuffolo *m.* ⟨*non com*⟩ → **zufolo**.
zufolamento *m.* **1.** piping. – **2.** (*rif. a orecchi*) buzz(ing), ring(ing). – **zufolare** *v.* (**zufolo**) **I** *v.i.* (*aus.* **avere**) **1.** (*sonare lo zufolo*) to pipe, to play the zufolo. – **2.** (*fischiare*) to whistle. – **3.** (*rif. a orecchi*) to buzz, to ring. – **II** *v.t.* (*fischiettare*) to whistle: ~ *una canzone* to whistle a tune. ▭ ⟨*fig*⟩ ~ *qc. negli orecchi a qd.* to whisper s.th. into s.o.'s ear. – **zufolata** *f.* pipe, piping. – **zufolatore** ⟨*non com*⟩ **I** *s.m.* (*f.* **-trice**) piper, player of the zufolo. – **II** *a.* piping. – **zufolio** *m.* piping. – **zufolo** *m.* **1.** ⟨*Mus*⟩ zufolo, small flute (*o* flageolet). – **2.** ⟨*fig,non com*⟩ (*sciocco*) fool, ⟨*fam*⟩ blockhead. – **3.** ⟨*ant*⟩ (*fischio*) whistle. – **4.** ⟨*fig,ant*⟩ (*spia*) spy, telltale, informer. ▭ ⟨*Stor*⟩ *tormento degli -i* form of ordeal.
Zug: ⟨*Geog*⟩ *lago di* ~ Lake of Zug.
zugo *m.* (*pl.* **-ghi**) ⟨*ant,tosc*⟩ (*babbeo*) simpleton, fool.
zuingliano [-gl-] *a.* → **zwingliano**. – **zuinglismo** *m.* → **zwinglismo**. – **zuinglista** *a./s.* → **zwinglista**.
zulù **I** *s.m./f.* **1.** Zulu. – **2.** ⟨*fig*⟩ (*zoticone*) lout, boor. – **II** *a.* Zulu.

zum *onom.* (*rif. alla grancassa*) boom; (*rif. ai piatti*) crash.
zumare *v.i.* (*aus.* **avere**) ⟨*Cin,TV*⟩ to zoom. – **zumata** *f.* zoom.
zuppa *f.* **1.** soup. – **2.** ⟨*fig,spreg*⟩ (*miscuglio disordinato*) mixture, mix-up; (*confusione*) confusion; (*lungo discorso*) rigmarole, long rambling speech.
▭ ~ *di* **fagioli** bean-soup; **fare** *la* ~ *in* to dip (*o* soak) ... in, to dunk: *fare la* ~ *nel vino* to dip bread (*o* biscuits) in wine; ⟨*fig*⟩ *fare la* ~ *nel paniere* (*fare cosa vana*) to do s.th. useless, to attempt the impossible; ⟨*Dolc*⟩ ~ **inglese** kind of trifle; ~ *di* **lenticchie** lentil-soup; *se non è* ~ *è* **pan** *bagnato* it's six of one and half a dozen of the other; ~ *alla* **pavese** soup with fried bread and eggs; ~ *di* **pesce** fish-soup; ~ *di* **piselli** pea-soup; ~ *di* **verdura** vegetable soup. – *Prov.*: *qual pane hai, tal* ~ *avrai* the end is proportionate to the means; *chi vuol fare l'altrui mestiere, fa la* ~ *nel paniere* every man to his trade, the cobbler should stick to his last.
zuppare *v.t.* ⟨*non com*⟩ (*inzuppare*) to soak; (*intingere*) to dip, to dunk. – **zuppata** *f.* ⟨*rar*⟩ dip. ▭ *dare a qc. una* ~ *in qc.* to dip (*o* dunk) s.th. in s.th.
zuppiera *f.* soup-tureen.
zuppo *a.* soaked, wet. ▭ ~ *fradicio* drenched, wet through, soaking.
zurighese **I** *a.* of (*o* from) Zurich, Zurich-. – **II** *s.m./f.* native (*o* inhabitant) of Zurich. – **Zurigo** *N.pr.f.* ⟨*Geog*⟩ Zurich. ▭ *lago di* ~ Lake of Zurich.
zurlare *v.i.* (*aus.* **avere**) ⟨*tosc*⟩ (*ruzzare*) to romp.
zurvanismo *m.* ⟨*Rel*⟩ Zervanism, Zarvanism.
zuzzerellone, **zuzzerullone** *m.* → **zuzzurellone**. – **zuzzurellone**, **zuzzurullone** *m.* (*f.* **-a**) ⟨*fam,tosc*⟩ great (*o* grown-up) baby, romp, rollicking person, ⟨*spreg*⟩ overgrown schoolboy (*f* -girl).
zwingliano [-gl-] *a.* ⟨*Rel*⟩ Zwinglian. – **zwinglismo** *m.* Zwinglianism. – **zwinglista** **I** *a.* Zwinglian. – **II** *s.m./f.* Zwinglian, Zwinglianist.
zyg(i)on *m.* ⟨*Med*⟩ zygion.